Diccionario combinatorio práctico del español contemporáneo

Diccionario combinatorio **práctico** del español contemporáneo

Las palabras en su contexto

DIRIGIDO POR **IGNACIO BOSQUE**

DIRECCIÓN
Ignacio Bosque Muñoz

PROYECTO EDITORIAL
Ignacio Bosque Muñoz
Concepción Maldonado González

EQUIPO DE REDACCIÓN
Ediciones SM
María de Ancos Rivera
Araceli Calzado Roldán
Elena Díaz-Plaza Martín-Lorente
Miguel Ángel Galindo Lario
Miriam Rivero Ortiz

Universidad Complutense de Madrid
Paloma Andrés Ferrer
María Jesús Arche García-Valdecasas
Ana Bravo Martín
Vicente Castro Rodríguez
María Fernández Bernaldo de Quirós
Meudys Figueroa Ramos
Miguel Ángel Galindo Lario
Jacobo González Perea
Silvia Páramo García
María Elena Simoni Darricau
Mercedes Tabuyo Fornell
Cristina Villar Rey

REVISIÓN
M.ª Auxiliadora Barrios Rodríguez
Marta Higueras García
Cristina Sánchez López

COLABORACIÓN
Julio Enrique Espinosa Guerra
Raquel González Rodríguez
José Antonio Roldán Fernández

COORDINACIÓN EDITORIAL
Nieves Almarza Acedo
Yolanda Lozano Ramírez de Arellano

DIRECCIÓN EDITORIAL
Concepción Maldonado González

INFORMATIZACIÓN
Antonio del Saz Quílez
Luis Relaño Villacorta

CUBIERTA Y DISEÑO
Alfonso Ruano
Julio Sánchez

CENTRO INTEGRAL DE ATENCIÓN AL CLIENTE
TEL. 902 12 13 23 FAX 902 24 12 22
clientes@grupo-sm.com
www.grupo-sm.com

Para más información fuera de España:
Grupo Editorial SM Internacional
Impresores, 2 - Urb. Prado del Espino
28660 Boadilla del Monte (Madrid) - España

Teléfono +34 91 4228800
Fax +34 91 4226109
E-mail: internacional@grupo-sm.com

Esta obra ha sido parcialmente financiada con una ayuda del Ministerio de Educación y Ciencia (BFF2002-02210). Ha sido publicada con una subvención de la Dirección General del Libro, Archivos y Bibliotecas del Ministerio de Cultura.

ISBN: 978-84-675-4942-3 - Depósito Legal: M-11719-2011
Impreso en la UE - *Printed in EU*

Para Juana y Julia

ÍNDICE

PRESENTACIÓN

Por Ignacio Bosque

PRESENTACIÓN

El DICCIONARIO COMBINATORIO PRÁCTICO DEL ESPAÑOL CONTEMPORÁNEO (a partir de ahora, PRÁCTICO) surge como desarrollo natural de REDES (*Redes. Diccionario combinatorio del español contemporáneo*, Madrid, Ediciones SM, 2004). Esta nueva obra se ha confeccionado aprovechando la experiencia obtenida del proyecto anterior y añadiendo a la vez un buen número de novedades. La diferencia fundamental entre ambos proyectos estriba en que en PRÁCTICO se pone mayor énfasis en el uso del idioma que en el análisis de sus estructuras.

Son posibles, desde luego, otras extensiones del proyecto REDES dirigidas en otras muchas direcciones. Están entre ellas las que proporcionan el procesamiento del lenguaje natural y las muy prometedoras líneas que sugieren ciertas investigaciones actuales en el ámbito de la semántica léxica y su relación con la sintaxis. Sin borrar esas metas de nuestro horizonte en otras posibles extensiones y aplicaciones de REDES, en este primer desarrollo del proyecto hemos elegido como destinatarios preferentes los estudiantes de español como primera o segunda lengua, así como el numeroso grupo de personas que redactan textos a diario y no encuentran en los diccionarios ni en las gramáticas muchas de las informaciones relativas al uso de las palabras que son necesarias para expresarse con fluidez o para componer un escrito con propiedad. Esto no quiere decir, como es obvio, que REDES no cumpliera tales objetivos. Sugiere más bien que su diseño como obra lexicográfica estaba deliberadamente concebido para invitar a la reflexión, lo que entiendo que ha conseguido en buena medida. Ciertamente, esta invitación puede a su vez satisfacer la necesidad de obtener la respuesta inmediata que el usuario necesita cuando construye textos, pero también es posible que ambos propósitos no coincidan en todos los casos. El lingüista echará seguramente en falta en PRÁCTICO las observaciones sobre los grupos semánticos que articulan la estructura de REDES. El usuario no lingüista agradecerá en cambio que aquí se le presente un número de combinaciones muy superior, y también que el manejo del diccionario sea mucho más simple. Así pues, no descartamos otros desarrollos de REDES que permitan avanzar en profundidad, pero en esta primera aplicación de la experiencia adquirida en el proyecto, hemos optado por avanzar solo en extensión.

El diccionario PRÁCTICO comparte una serie de características con REDES, pero a la vez se diferencia de su antecesor en varios rasgos. Las principales coincidencias son las siguientes:

- PRÁCTICO es un diccionario combinatorio del español. No contiene definiciones, pero sí marcas que permiten distinguir acepciones. Las combinaciones que proporcionan PRÁCTICO y REDES no son solo frecuentes, sino también naturales a los oídos de los hablantes nativos.

- La mayor parte de la información que contienen ambos diccionarios no se halla descrita en ninguna otra obra lexicográfica del español.
- PRÁCTICO está elaborado a partir del mismo corpus de prensa española y americana (68 publicaciones periódicas; 250 millones de palabras) con el que se preparó REDES, y presenta –al igual que este último diccionario– un amplísimo número de combinaciones léxicas.
- En ambos diccionarios se separan los usos físicos de un gran número de voces de sus usos figurados, se describen ambos con detalle y se presentan estos últimos como extensiones naturales de los primeros.

Las principales diferencias entre PRÁCTICO y REDES son las siguientes:

- PRÁCTICO está concebido como diccionario de uso. No posee, por tanto, la carga conceptual que constituye el núcleo de REDES.
- REDES contiene alrededor de 8 000 entradas, mientras que PRÁCTICO se acerca a las 14 000. REDES contiene alrededor de 200 000 combinaciones, mientras que PRÁCTICO eleva esa cifra a casi 400 000.
- PRÁCTICO contiene menos ejemplos que REDES. Los que muestra no proceden de textos, sino que han sido construidos por los redactores a imitación de los numerosos testimonios que se han reunido de esas combinaciones.
- En PRÁCTICO no se mantiene la distinción (básica en REDES) entre *entradas analíticas* y *referencias cruzadas*. Las entradas de PRÁCTICO son de tres tipos: *entradas simples*, en las que se describen las combinaciones de una palabra determinada (*rayo*, *correr*, *insondable*, *densamente*), *entradas genéricas*, en las que se describen combinaciones que se aplican a una determinada noción semántica como "ropa", "instrumento musical", "deporte", y *remisiones*, en las que se envía a otras entradas.

Podría decirse, en resumen, que REDES se parece a un mapa, mientras que PRÁCTICO está más cerca de ser una guía. Ciertamente, los mapas pueden usarse como guías, pero también pueden no usarse en absoluto y concebirse como descripciones más o menos detalladas del terreno. Las guías, por el contrario, aportan menos información que los mapas en relación con algunas cuestiones, pero más en cambio en lo relativo a otras.

La lexicografía combinatoria contemporánea sigue en el mundo varias líneas de investigación no exactamente coincidentes. En esta breve introducción a PRÁCTICO no tendría demasiado sentido presentarlas y analizarlas, sobre todo porque ese análisis correspondería más bien a la concepción que inspira REDES, y ya he señalado que los intereses del usuario medio de PRÁCTICO serán seguramente diferentes. Así pues, en lugar de referirme a tendencias, escuelas, autores, modelos y programas de investigación en la lexicografía combinatoria, destacaré muy brevemente tres cuestiones que me parecen objetivamente polémicas en este ámbito restringido de los estudios léxicos. Llamaré a la primera cuestión *el problema de la creatividad*, a la segunda *el problema de la especificidad* y a la tercera *el problema de la dirección*.

El problema de la creatividad no es otro que el de determinar si lo que los diccionarios combinatorios nos ofrecen es o no un enorme cajón de rutinas. Algunos autores, generalmente prescriptivistas, parecen sugerir algo así, y entienden que la lexicografía combinatoria tiene sentido porque nos proporciona nuevos *Appendix Probi*. Es útil, vienen a decir, tener estos catálogos de clichés porque así no caeremos en ellos. Si nos ponen delante un listado de ramplonerías y nos las muestran en toda su crudeza –parece decir el argumento– a lo mejor somos más conscientes del grave riesgo de tropezar en ellas y aprendemos a evitarlas y a construir nuestros textos de manera un poco más creativa.

El razonamiento se basa en una enorme simplificación. Existen, qué duda cabe, los clichés idiomáticos. Para comprobarlo basta oír cualquier telediario, ojear la crónica deportiva o política de cualquier periódico o escuchar cualquier informativo de la radio o cualquier tertulia radiofónica. El que las fórmulas acuñadas más o menos estereotipadas asalten al espectador o al lector a cada paso no tiene en sí mismo nada de sorprendente. Pero una cosa es reconocer la existencia de clichés o de muletillas (sobre todo en el lenguaje de los medios de comunicación, pero también en el académico y en el de muy diversos ámbitos profesionales), y otra muy diferente trazar la frontera entre esas expresiones manidas y otras agrupaciones de palabras, igualmente acuñadas, que se sustentan en bases semánticas restringidas y están integradas en el sistema lingüístico.

Nótese que el argumento del cliché lleva a un punto sin retorno. Podríamos tomar una decena de ensayos o de novelas de autores contemporáneos prestigiosos. Nos costaría muy poco comprobar que un altísimo número de combinaciones contenidas en PRÁCTICO se usan en esos textos. La conclusión absurda sería, obviamente, que la prosa de esos autores está llena de clichés, y que su sintaxis cae en la más pedestre de las rutinas. Más aún, es probable que, si aplicáramos el ejercicio a los textos de los mismos autores que consideran clichés y rutinas las informaciones que aporta la lexicografía combinatoria, llegáramos a una conclusión similar, que resultaría –ciertamente– algo más que paradójica.

La crítica a la lexicografía combinatoria basada en el débil argumento de la creatividad llega a otra patente contradicción cuando se consideran algunos casos particulares. ¿Cuál sería la forma no rutinaria de usar adverbios como *inexorablemente*, *limpiamente* o *ciegamente*, adjetivos como *drástico*, *imperturbable* o *beligerante* o verbos como *asomar*, *sembrar* o *despachar*? Si el mero uso de estas voces fuera en sí mismo signo de cliché o de rutina, la pregunta pasaría a ser por qué las incluyen entonces los diccionarios, sin excluir los normativos. El argumento se aplica, desde luego, a centenares de casos similares.

Se me ocurre pensar que una posible réplica a estos razonamientos podría ser la siguiente. Supongamos que algunas de las combinaciones que se ofrecen en PRÁCTICO son rutinarias y que otras no lo son. El lexicógrafo, se dirá, debería empezar por hacer la distinción. Una vez separadas unas y otras, podría analizarlas en grupos diferentes y tal vez recomendar unas y censurar otras. La propuesta sería, si llegara a hacerse, muy poco realista. No parece que estemos en situación de distinguir naturaleza y convención en un gran número de parcelas del idioma, pero desde luego no podemos hacerlo por el momento en el terreno específico de la combinatoria léxica. Tampoco me parecen claros, por otra parte, los criterios por los que ciertos clichés se consideran admisibles y otros se juzgan superfluos. En cualquier caso, son los fraseólogos los que han de aportar las distinciones conceptuales necesarias en el ámbito de las acuñaciones léxicas, más que los que entendemos que la información contenida en PRÁCTICO corresponde en muy pequeña medida al ámbito de la fraseología (fuera, claro está, de la que se proporciona en el apartado *expresiones* que aparece al final de muchas entradas).

Los autores de diccionarios de colocaciones, de restricciones léxicas o de expresiones idiomáticas –y existe ya un nutrido grupo de esas obras en varias lenguas– no los construyen para que los lectores eviten tales expresiones, sino para describir una parte del sistema lingüístico, además de para proporcionar alguna ayuda a los usuarios, sean o no hablantes nativos. Aun así, es perfectamente posible usar de forma inapropiada esas expresiones, incluso cuando se cuenta con una buena definición de ellas y con cierta caracterización contextual. Todo ello pone de manifiesto que las descripciones que por el momento se hacen del léxico no contienen toda la información que es preciso tener en cuenta para usar un gran número de voces en el contexto adecuado, lo que sin duda deberán considerar los análisis que se hagan en el futuro.

Me parece que en el fondo del problema de la creatividad hay un cierto recelo al hecho mismo de que la sintaxis sobrepase la mera delimitación de categorías y funciones, o el análisis de ciertas relaciones como la modificación, la subordinación, la anáfora y unas pocas más. Penetrar en el terreno del léxico más allá de las informaciones que espera uno encontrarse en los diccionarios de construcción y régimen –parecen pensar algunos– es invadir el terreno de la libertad individual. Nadie pone en duda que cada uno es muy dueño de combinar las palabras como desee, pero la lingüística contemporánea ha presentado ya numerosísimos argumentos para mostrar que las lenguas naturales vinculan el léxico y la sintaxis a través de informaciones sistemáticas de carácter restrictivo que forman parte del sistema lingüístico. Ello es compatible, desde luego, con el hecho de que la fijación léxica pueda proceder en otros muchos casos de factores sociales, históricos o culturales difíciles de sistematizar. Ni que decir tiene que todos los intentos que se hagan para trazar los límites entre ambos tipos de información serán bienvenidos.

He llamado a la segunda cuestión polémica *el problema de la especificidad*. El problema de la especificidad consiste en determinar cuánto hay de particular y cuánto de general en cada una de estas combinaciones. Tampoco existe acuerdo entre los lingüistas sobre este punto, pero estoy seguro de que ni el más conductista o neoconductista de los estudiosos del léxico pensaría que las 400 000 combinaciones que contiene PRÁCTICO se han de aprender una a una, como se aprenden los nombres de los ríos del mundo o como aprendíamos los de los reyes godos. La información contenida en los grupos combinatorios del diccionario se puede ampliar, de modo que sería igualmente absurdo sostener que los posibles añadidos habrán de memorizarse también uno a uno o ser embutidos individualmente por los profesores en la cabeza de sus estudiantes.

El solo hecho de aceptar que estas combinaciones no se aprenden individualmente nos obliga a establecer algunas generalizaciones sobre ellas. A partir de este punto, existen muchas formas de proceder. La vía que elige REDES es poco habitual. Consiste en seleccionar un cierto número de adjetivos, verbos y adverbios, y establecer a partir de ellos relaciones predicado-argumento. Se describen los predicados y los criterios semánticos mediante los que estos restringen a sus argumentos; se presentan luego los argumentos como índices de esas combinaciones y se completan esos índices con otras combinaciones no obtenidas automáticamente. La ventaja principal de las referencias numeradas en REDES es la de recordar al lector que las agrupaciones de las palabras no son producto de la magia ni del azar. Cada combinación numerada lleva a un lugar preciso en el que aparece una familia de palabras y una cierta descripción semántica de lo que comparten en ese contexto particular.

En PRÁCTICO se toma otro camino. En ese diccionario se muestran grupos de esas combinaciones establecidos conceptualmente y separados por el signo **‖**. Cada grupo se ejemplifica con unas cuantas combinaciones representativas (no con todas porque se acepta que el paradigma completo es imposible de establecer). Así pues, el grupo se ejemplifica, pero no se define. Unas veces se agregan pistas, como *otros individuos y grupos humanos*, y otras semejantes, pero en un gran número de casos no se proporcionan estas ayudas. Como se presta menos atención a la delimitación y la caracterización de esos grupos –tarea ciertamente parsimoniosa y compleja, como revela REDES– pueden incorporarse muchas entradas nuevas al texto, lo que creemos que el usuario agradecerá. Aun así, el diccionario PRÁCTICO mantiene la idea –central en REDES– de que en un gran número de casos no se eligen individualmente estas combinaciones, que a menudo se pueden ampliar fácilmente, sino que la elección obedece a criterios semánticos restrictivos. Al estar concebido PRÁCTICO como diccionario de uso, se entiende que estos criterios interesan menos al lector que la enumeración ordenada de las combinaciones más frecuentes y más naturales.

Las entradas que en PRÁCTICO se llaman *genéricas* (véase la *Guía de uso* que sigue a esta *Presentación*) contienen combinaciones que se aplican a grupos de palabras por el solo hecho de pertenecer a un mismo campo semántico. Si el factor determinante para establecer una combinación es saber si el sustantivo que la permite designa un color, una prenda, un deporte o una bebida, es lógico que el análisis se centre en determinar las combinaciones a partir de cada de uno de estos grupos, no de sus componentes individuales. Nótese que las consideraciones en las que se basa el *problema de la especificidad* solo son aplicables a estas entradas en muy pequeña medida.

Algunos diccionarios combinatorios de otras lenguas se presentan como *diccionarios de colocaciones*. A mi entender, esta opción conlleva un riesgo no despreciable: el de asumir que cada combinación contenida en ellos es exactamente una *colocación*, y no, en cambio, el resultado de alguna asociación semántica, sintáctica o léxica de otro tipo. Los que hemos elaborado PRÁCTICO no estamos en disposición de asumir ese riesgo conceptual, por lo que este diccionario no se presenta explícitamente como *diccionario de colocaciones*. Alguien podría, ciertamente, afrontar la tarea de determinar cuáles exactamente de las combinaciones contenidas en PRÁCTICO –o en otro diccionario combinatorio similar– son colocaciones y cuáles no lo son. Si bien yo particularmente no soy muy optimista sobre el éxito de esa hipotética empresa (más allá de unos pocos ejemplos muy evidentes), cabe pensar que otros confíen en que pueda llevarse a cabo con buenos resultados.

Como tantas veces se ha repetido, corresponde a los diccionarios describir las informaciones léxicas particulares que las pautas generales de la gramática no pueden abarcar. Ahora bien, en ausencia de la pertinente investigación, no sabemos en muchos casos si ciertas informaciones que no aparecen en los diccionarios ni en las gramáticas corresponden a los primeros o a las segundas. Puede suceder que esas informaciones sean verdaderamente idiosincrásicas y que no se haya reparado todavía en ellas. En tal caso deberán –lógicamente– añadirse a los diccionarios. También podría suceder que las generalizaciones que cabe establecer no se hayan formulado aún, de manera que, cuando se formulen deberán llevarse a las gramáticas (no solo a los tratados de lexicología, puesto que afectan a la sintaxis).

Lo ideal sería que los diccionarios combinatorios contuvieran cada vez menos información, es decir, que se descargaran de lo que corresponde a otras obras y a otros ámbitos de la investigación. Solo una pequeña parte iría a parar a los diccionarios de locuciones. Sin embargo, si los análisis de la relación léxico-sintaxis progresan en los próximos años como es de esperar, ofrecerán seguramente generalizaciones de tipo combinatorio cuya aplicación hará inútil la confección de listas como las que ahora construimos. Otra opción es que los conceptos en los que muchos autores basan a menudo el análisis de las colocaciones ("frecuencia", "preeminencia", "preferencia", etc.) se articulen en el futuro en función de pautas algo más restrictivas. El desarrollo de las funciones léxicas de la *Teoría Sentido-Texto* constituye una opción prometedora. El de las clases semánticas que articulan la estructura de REDES también ofrece posibilidades interesantes.

Queda, finalmente, *el problema de la dirección*. Varios diccionarios de colocaciones se caracterizan por contener únicamente entradas nominales. El usuario busca un sustantivo, por ejemplo *duda*, *libertad*, *tren*, *camino*, *amor*, *trabajo* o *noche*. Los especialistas en el análisis de las colocaciones llaman *bases* a estas unidades nominales. Un diccionario concebido así proporciona, para cada uno de estos sustantivos, los adjetivos que se usan para valorarlo, ponderarlo, medirlo, intensificarlo (según corresponda) o los verbos que se usan para expresar su surgimiento, su creación, su entrada en acción o en funcionamiento, su mantenimiento, su desaparición, su anulación y otras muchas nociones similares. Estos diccionarios combinatorios presentan, por consiguiente, una sola dirección. ¿Qué sentido tiene –dirán seguramente sus defensores– dar entrada a palabras como *desesperadamente*, *frenético*, *gravitar* o *esgrimir*? A nadie le interesará –pensarán– que le describan la combinatoria de esas voces (llamadas *colocativos* o *colocados* por los especialistas en el análisis de las colocaciones), ya que esas palabras proporcionan *respuestas* como las que el usuario busca, y no, en cambio, *preguntas* como las que normalmente se plantea.

La inusual opción tomada en REDES fue la de convertir esas "palabras que nadie busca" en el centro del análisis combinatorio. Recuérdese que otras de esas "palabras que nadie busca" en los diccionarios (*el*, *que*, *y*, *de*, *ya*, *haber*, *más*) constituyen –y en esto hay acuerdo general entre los gramáticos– el núcleo de la sintaxis. Las voces con las que se construían las entradas principales de REDES tienen significado, etimología, historia y una gran densidad conceptual. Muchas de ellas admiten usos físicos o literales y usos figurados, y el paso de unos a otros constituye una parte importante del conocimiento del idioma. REDES es un diccionario *de doble dirección*, pero un tanto asimétrico, ya que el peso del análisis está en los llamados *colocativos*, interpretados allí como predicados que imponen restricciones semánticas severas a sus argumentos. Pensando fundamentalmente en las necesidades del usuario común, en PRÁCTICO se opta por una solución equilibrada: ambas direcciones reciben aquí igual tratamiento.

Así pues, las entradas nominales de PRÁCTICO se parecen en alguna medida a las de los diccionarios de colocaciones de otras lenguas, por lo que permiten al lector desplegar abanicos de voces –a veces de numerosísimas varillas– que le ayudarán a ponerlas en funcionamiento si ha de redactar o traducir. Las entradas adjetivales, verbales y adverbiales, poco frecuentes en los diccionarios combinatorios de otros idiomas, están presentes en PRÁCTICO porque el usuario debe conocer la relación que existe entre su significado y su empleo, y también porque en muchos casos admiten usos físicos y figurados que es imprescindible conocer y manejar con cierta soltura.

El problema de la dirección, en resumen, no es un verdadero problema, sino el simple reflejo de los intereses (prácticos o teóricos) que puede albergar cada uno en relación con el léxico. El problema de la creatividad tampoco lo es, al menos en el ámbito de la lengua no literaria, puesto que usar el idioma no equivale a hacer arte con las palabras, sino a poner en funcionamiento un sistema léxico y gramatical compartido. El problema de la especificidad, en cambio, sí es un verdadero problema. Es probable que siga siéndolo durante un tiempo, ya que remite al estado general de la investigación, y en particular al principio metodológico que recomienda estipular únicamente aquello que no se puede deducir.

Como ya he explicado, PRÁCTICO se ha concebido con el fin que refleja su mismo nombre. No quiero decir ni mucho menos que no le afecten los problemas que he mencionado, pero sí que una parte de la posible información redundante que contiene ha sido incluida deliberadamente porque se ha subordinado a un fin superior: dar facilidades al usuario, sea o no hablante nativo del español.

Supongo que cada idioma coloca en un sitio diferente las palabras que conocemos, pero no nos vienen a la cabeza cuando las necesitamos. Esas palabras se localizan en español en un lugar muy preciso: la punta de la lengua. Cuando uno las ve en los textos o las oye en boca de otros, las reconoce inmediatamente, pero cuando quiere emitirlas o agruparlas adecuadamente, no siempre consigue que sobrepasen su ápice lingual para convertirse en ondas que viajen por el aire. Esas palabras se parecen a los documentos importantes de nuestro escritorio desordenado, a las facturas guardadas que debemos entregar con urgencia en un momento preciso, pero tenemos almacenadas en algún lugar olvidado, o a los números de teléfono que sin duda están en alguna parte de alguna de nuestras repletas agendas, pero no aparecen en el momento en que hemos de llamar. Como PRÁCTICO se propone como principal objetivo el de ser útil, confío en que actúe para muchos hablantes a modo de píldora expeledora de lo que está en la punta de su lengua, o como archivador sencillo, oportuno y servicial que pondrá al día y sacará a la luz su ingente almacén de palabras ocultas.

Los que estudian español como segunda lengua encontrarán en PRÁCTICO una ayuda que complemente el trabajo de clase. No les recomiendo que usen mecánicamente estas combinaciones ni que las elijan al azar para redactar con ellas los ejercicios que les asigne su profesor. Se trata más bien de que empiecen a familiarizarse con el fundamento semántico que las sustenta y de que vayan construyendo su archivo léxico mental más o menos ordenado a través de las lecturas y las explicaciones de sus profesores. Con el tiempo, llegará seguramente el momento en que las tengan también en la punta de la lengua y se puedan asimilar a los usuarios del primer grupo.

Las descripciones del léxico están todavía lejos de contener toda la información que los hablantes poseen intuitivamente sobre las palabras, o la que los escritores ponen en funcionamiento magistralmente de forma automatizada, pero no sabrían hacer explícita si se les solicitara. Unos y otros traen a la memoria aquel viejo cuento del ciempiés al que se le pidió que explicara cómo se las arreglaba para caminar y fue incapaz de hacerlo. Son muchos los puntos de vista desde los que se estudia hoy en día el léxico, y muchos los profesionales que lo analizan desde marcos teóricos o aplicados igualmente diversos. Sea cual sea su interés particular, confío en que encuentren en estos materiales alguna que otra idea con la que echar una mano al ciempiés.

Madrid, junio de 2006

Ignacio Bosque

Diccionario combinatorio **PRÁCTICO** del español contemporáneo

¿Qué es?
¿A quién se dirige?
¿Para qué sirve?
Ejemplos de uso
Abreviaturas y símbolos

¿Qué es?

Es un **diccionario combinatorio de uso** que muestra cómo se combinan las palabras. Cuenta prácticamente con **14 000 entradas** e incluye casi **400 000 combinaciones.** No basta conocer lo que significa una palabra, por ejemplo, *nariz*; necesitamos saber que las narices son *chatas*, *aguileñas*, *respingonas* o *picudas*, y que los verbos que más frecuentemente se relacionan con *nariz* son *atascarse*, *sonarse* y *limpiarse*.

PRÁCTICO se ha redactado a partir de un corpus de prensa española y americana de las últimas dos décadas, procedentes de 68 fuentes periodísticas distintas, que está compuesto por más de 250 millones de palabras.[1]

¿A quién se dirige?

PRÁCTICO resultará muy útil a cualquier persona preocupada por su forma de expresarse.

A un **hablante nativo** le ayudará a refrescar su conocimiento lingüístico y a seleccionar las palabras idóneas para reflejar cada idea. Durante el proceso de construcción de un mensaje no siempre nos viene a la memoria el término más adecuado para transmitir un concepto o un pensamiento; en otras ocasiones, no estamos seguros de si se pueden o no combinar ciertas palabras entre sí. En este sentido, por ejemplo, al consultar PRÁCTICO se constatará que en español se dice que *un veredicto es unánime*, pero no se dice que un *veredicto es común* o *universal*.

PRÁCTICO será de gran interés para profesionales que trabajan con el lenguaje: profesores, correctores, escritores, periodistas o traductores, entre otros.

- Así, por ejemplo, los **periodistas** encontrarán en PRÁCTICO una gran ayuda para usar el idioma con rigor, fluidez y dinamismo, y para elegir entre distintas posibilidades de combinación. Es cierto que en español el verbo *cortar* se puede aplicar a distintas cosas: *cortar el pan*, *cortar un árbol*, *cortar un texto*, *cortar una relación*; pero indudablemente ganaremos en precisión si en su lugar decimos *rebanar el pan*, *talar un árbol*, *resumir un texto*, *prohibir el paso* o *romper una relación*.

---

(1) **El corpus de prensa utilizado para la redacción de PRÁCTICO** está compuesto por las siguientes fuentes: *ABC Cultural* (España), *ABC Color* (Paraguay), *Brecha* (Uruguay), *Búsqueda* (Uruguay), *Blanco y Negro* (Ecuador), *Canarias* (España), *Caretas* (Perú), *Caras* (Chile), *Clarín* (Argentina), *Diario de Navarra* (España), *Dedom* (Rep. Dominicana), *Diario Hoy* (Ecuador), *Diario de las Américas* (EE. UU.), *Diario de Yucatán* (México), *El Cronista* (Argentina), *El comercio* (Perú), *El Diario* (Uruguay), *El Diario Vasco* (España), *El Mundo* (España), *El Norte de Castilla* (España), *El Nuevo Día* (Puerto Rico), *El nuevo Heraldo* (EE. UU.), *El Nacional* (Venezuela), *El Observador* (Uruguay), *El País* (Colombia), *El País Digital* (España), *El País* (España), *Anuario El País*, 1998 (España), *El País* (Uruguay), *El Salvador Hoy* (El Salvador), *El Siglo* (Panamá), *El Tiempo* (Colombia), *El Universal* (Venezuela), *Excelsior* (México), *Expreso* (Perú), *Faro de Vigo* (España), *Frontera* (Venezuela), *Granma Internacional* (Cuba), *Hoy* (Chile), *La información* (Rep. Dominicana), *Listín Diario* (Rep. Dominicana), *La Época* (Chile), *La Hora* (Guatemala), *La Jornada* (México), *La Mañana* (Uruguay), *La Nación* (Argentina), *La Nación* (Costa Rica), *La Nueva Provincia* (Argentina), *La Prensa* (Argentina), *La Prensa* (Honduras), *La Prensa* (Nicaragua), *La Razón* (España), *La República* (Uruguay), *La Tribuna* (Honduras), *Los Tiempos* (Bolivia), *La Vanguardia* (España), *La Voz de Galicia* (España), *La Voz* (España), *Mate Amargo* (Uruguay), *Prensa Libre* (Guatemala), *Proceso* (México), *Posdata* (Uruguay), *Relaciones* (Uruguay), *Rumbo* (Rep. Dominicana), *Semana* (Colombia), *Siglo Veintiuno* (Guatemala), *Últimas Noticias* (Uruguay), *Venezuela* (Venezuela), *Vistazo* (Ecuador).

- Igualmente resultará muy útil para los **traductores**, especialmente si tenemos en cuenta que las combinaciones de palabras no siempre admiten traducciones literales. En muchas lenguas se utiliza el verbo *deshincharse* para hablar de cómo los globos, las pelotas o los neumáticos se quedan sin aire; pero no en todas se deshincha, como en español, el ánimo o la ilusión.
- PRÁCTICO será fundamental para los **estudiantes de español**, a quienes ayudará a construir mensajes de forma correcta y a evitar posibles errores cometidos por influencia de otras lenguas. Así, por ejemplo, un estudiante de español, influido por su lengua materna, podría decir *un conductor nuevo* o *la palabra llave*; sin embargo, con la consulta de PRÁCTICO comprobará que en español es mucho más frecuente hablar de *un conductor novel* o de *la palabra clave*. Son bien conocidos algunos cruces que los estudiantes hacen al aprender español como segunda lengua, como el uso de *sensitivo* por *sensible*.
- PRÁCTICO resultará, finalmente, sumamente interesante para **todo aquel que disfrute con el idioma.**

¿Para qué sirve?

Para elegir el término adecuado en cada contexto y expresarse con precisión y naturalidad. Por ejemplo, no utilizamos de igual forma los adjetivos *caballar*, *ecuestre*, *equino* o *hípico*. Aunque son palabras muy semejantes en cuanto a su significado, decimos *la cría caballar*, *una estatua ecuestre*, *la peste equina* o *un concurso hípico*, pero no decimos, por ejemplo, *una estatua caballar*, *la peste hípica* o *un concurso equino*.

Las combinaciones que los hablantes de español establecemos entre las palabras no siempre se deducen de su significado:

- Si consultamos un diccionario de uso podemos deducir combinaciones como *bordar una tela* o *bordar un mantel*, pero en PRÁCTICO comprobaremos que también son frecuentes combinaciones como *bordar un examen*, *una prueba* o *un trabajo*.
- El adverbio *religiosamente* se utiliza en español en determinados contextos, como en *pagar los impuestos religiosamente* o *cumplir un plazo religiosamente*; pero, curiosamente, no decimos *orar religiosamente* o *rezar religiosamente*.

Evidentemente, las listas de combinaciones que aparecen en PRÁCTICO no son exhaustivas. Es imposible prever todas las combinaciones posibles de una determinada palabra, especialmente si tenemos en cuenta que la lengua es un sistema vivo en constante evolución. Las combinaciones que aparecen en el diccionario pretenden ser representativas y reflejar el uso actual de las palabras con minuciosidad, pero son listas abiertas susceptibles de ser completadas.

EJEMPLOS DE USO

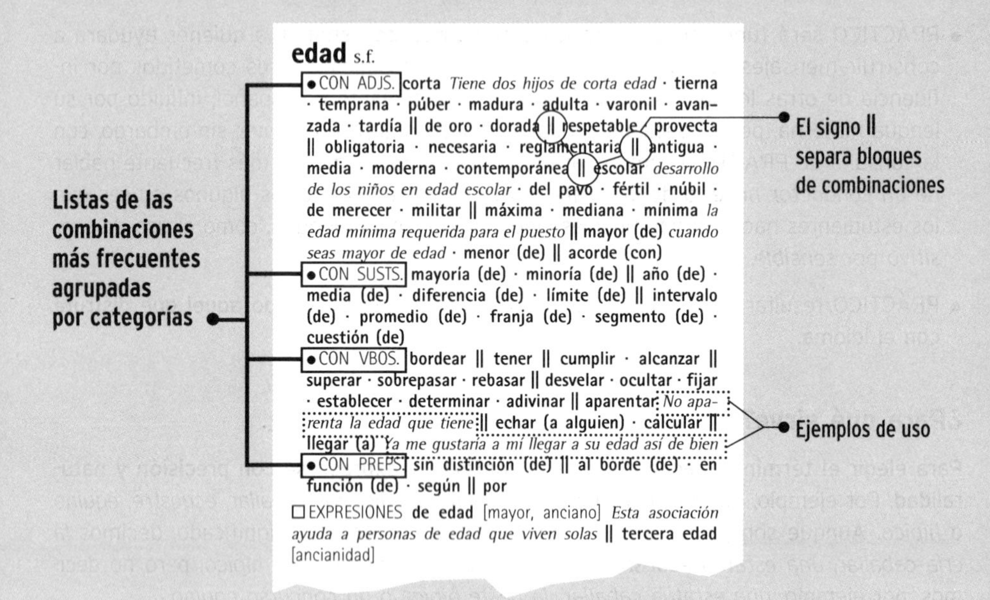

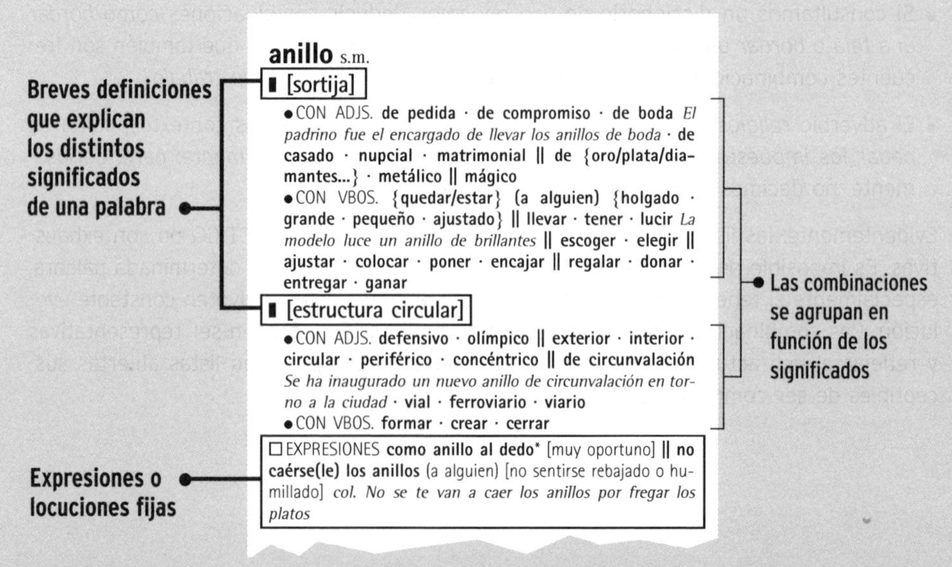

listo, ta

1 **listo, ta** adj.

▮ [inteligente]

● CON VBOS. **ser** *Es un chico muy listo* · **parecer**

▮ [astuto]

● CON VBOS. **estar** *Estuvo muy lista con la respuesta* · **andar** *Tendrá que andar listo si quiere conseguir el puesto de trabajo* || **pasarse (de)** *No te pases de listo y espera aquí como todo el mundo*

2 **lista** s.f.

● CON ADJS. **completa** · **exhaustiva** · **detallada** *Confeccionó una detallada lista con todo lo necesario para el viaje* · **minuciosa** || **incompleta** · **somera** || **larga** · **extensa** · **nutrida** *la nutrida lista de animales en peligro de extinción* · **abultada** · **enorme** · **profusa** · **interminable** · **inacabable** · **infinita** || **corta** · **breve** · **escueta** || **alfabética** · **ordenada** · **desordenada** || **electoral** · **paritaria** || **de espera** · **de ventas** *Este disco encabeza la lista de ventas* · **de boda**

● CON SUSTS. **cabeza (de)** · **compañero,ra (de)** || **orden (de)** *Nos fueron nombrando por orden de lista*

● CON VBOS. **incluir (algo)** · **conte**[illegible] **cerrar** || **encabe**[illegible]

Indicación de cambio de categoría gramatical

domingo s.m.

● CON SUSTS. **vestido (de)** *Salió de casa con su vestido de domingo...* · **traje (de)**

● CON VBOS. **vestir (de)** *Todos las tardes se viste de domingo para dar un paseo por el parque* · **ir (de)**

➤ Véase también **DÍA**

Remisión a una entrada general (*DÍA*), donde aparecen las combinaciones comunes de todos los días de la semana

[línea] → a grandes líneas; de línea; en líneas generales; en primera línea; entre líneas; línea

Remisión a otras entradas del diccionario, para facilitar la búsqueda alfabética de las locuciones

[lista] s.f. → listo, ta

Remisión a la entrada del diccionario que incluye la información buscada

ABREVIATURAS

adj.	adjetivo
ADJS.	adjetivos
adv.	adverbio
ADVS.	adverbios
col.	coloquial
desp.	despectivo
irón.	irónico
loc.adj.	locución adjetiva
loc.adv.	locución adverbial
loc.adv./loc.adj.	locución adverbial y adjetiva
loc.prep.	locución preposicional
loc.pron.	locución pronominal
loc.sust.	locución sustantiva
loc.vbal.	locución verbal
poét.	poético
prep.	preposición
PREPS.	preposiciones
s.	sustantivo
s.amb.	sustantivo ambiguo
s.com.	sustantivo común
s.f.	sustantivo femenino
s.f.pl.	sustantivo femenino plural
s.m.	sustantivo masculino
s.m.pl.	sustantivo masculino plural
SUSTS.	sustantivos
v.	verbo
VBOS.	verbos
vulg.	vulgar

SÍMBOLOS

[......]	Los lemas entre corchetes indican que la entrada que se busca está alfabetizada de otra forma y envían al lugar en el que se ofrece la información requerida.
→	Reenvía a los lemas en los que se encuentra la información que se busca.
1, 2, 3...	Separa las distintas categorías gramaticales del lema.
▌[......]	Facilita la separación en acepciones de las palabras. La indicación de los significados se incluye entre corchetes.
●	Señala los distintos bloques de palabras, según su categoría gramatical, que se combinan con el lema.
‖	Separa grupos de palabras dentro de un mismo bloque de categoría gramatical.
□	Precede al grupo de expresiones y a las notas de uso.
*	Indica que la expresión se incluye también como lema del diccionario.
➤	Precede a los envíos a otros lemas con combinaciones comparables.
{......./.......}	El segmento que aparece entre llaves ofrece diferentes posibilidades combinatorias.
(......)	El segmento que aparece entre paréntesis tiene cierta libertad sintáctica. Unas veces puede estar separado del resto de la secuencia por alguna palabra y otras puede adelantar su posición. En ciertos casos puede incluso omitirse.

Guía de uso

1. Tres clases de entradas
2. El lema
3. Acepciones
4. Grupos combinatorios
5. Subgrupos combinatorios
6. Variables sintácticas
7. Expresiones
8. Notas
9. Cuestiones tipográficas

1. Tres clases de entradas

PRÁCTICO contiene entradas de tres tipos:

a) entradas simples
b) entradas genéricas
c) remisiones

a) Entradas simples

Son las más numerosas. Su objetivo es ofrecer la combinatoria de la palabra o de la locución que aparece como lema. Así, en la siguiente entrada se proporcionan las combinaciones que corresponden al sustantivo *humor*:

humor s.m.

●CON ADJS. **excelente · buen(o)** *Hoy la jefa está de buen humor* · **saludable || mal(o) · de perros · de mil demonios || ácido · afilado · agudo · punzante · acerado · cáustico · corrosivo · mordaz · sardónico · demoledor · retorcido · blanco** *un programa de humor blanco para toda la familia* **|| peculiar · particular · especial || negro · amargo || inteligente · ingenioso || sutil · fino** *No todo el mundo es capaz de apreciar su fino humor* · **inglés · británico || de {buen/mal/pésimo/dudoso...} gusto · burdo · basto · zafio · grueso · soez || contagioso · pegadizo || socarrón · soterrado || desbordante · a raudales || rebosante (de) · cargado,da (de) · lleno,na (de)** *un discurso lleno de humor*

●CON SUSTS. **sentido (de) || golpe (de) · toque (de)** *La moderadora del debate puso un toque de humor en las discusiones* · **pizca (de) · nota (de) · rasgo (de) · gota (de) · punto (de) · brizna (de) · ribetes (de) || dosis (de) · muestra (de)**

●CON VBOS. **alterar(se) · agriar(se)** *Tanta desgracia le ha agriado el humor* **|| fluir || derrochar · rebosar · rezumar · destilar · traslucir · manifestar · expresar · transmitir · echar** *Si no le echas un poco de humor a la vida...* · **tener** *¿Cómo tienes humor para esas cosas?* **|| cultivar · ejercitar · practicar || contagiar || hacer gala (de)** *Durante la cena hizo gala de un humor envidiable* · **estar (de)**

●CON PREPS. **con** *Preferí tomarme su retraso con humor* · **sin**

En los apartados siguientes de esta guía se analiza pormenorizadamente la estructura de estas entradas.

b) Entradas genéricas

Tienen el lema en mayúscula y aparecen enmarcadas en un cuadro. Se diferencian de las anteriores en que las combinaciones que contienen no se aplican a la palabra que designa el lema, sino a cada una de las expresiones que abarca semánticamente, una parte de las cuales aparecen especificadas al principio. Aun así, no debe esperarse que la naturalidad de estas combinaciones sea la misma en todos los casos. Por otra parte, en las entradas simples que remiten a una entrada genérica, se procuran evitar las combinaciones que ya figuran en esta. Así, las combinaciones que contiene la palabra *IDIOMA* se corresponden con los sustantivos *francés*, *inglés*, *ruso*, etc. Si se examina la entrada *IDIOMA*, puede observarse que al principio se incluye un índice de los idiomas que son lema en el diccionario y tienen una remisión a esta entrada general *IDIOMA*. Además, en los ejemplos que se proporcionan en ella no aparece la palabra *idioma*, sino estos otros sustantivos.

IDIOMA

Información útil para el uso de:

albanés; alemán; árabe; armenio; búlgaro; castellano; catalán; checo; chino; coreano; croata; danés; escocés; español; euskera; finlandés; francés; galés; gallego; griego; guaraní; hebreo; hindi; holandés; húngaro; inglés; irlandés; islandés; italiano; japonés; kurdo; latín; lituano; magiar; mongol; neerlandés; noruego; persa; polaco; portugués; quechua; rumano; ruso; serbio; siciliano; sueco; turco; ucraniano; ugandés; valenciano; vasco; vascuence

• CON ADJS. **fácil** *Con este manual de ruso fácil aprenderás en seguida* · **difícil** · **enrevesado** · **endiablado** || **antiguo** · **actual** · **moderno** *estudiar griego moderno* || **inmejorable** *Habla en un alemán inmejorable* · **buen(o)** · **mal(o)** · **excelente** · **fluido** · **correcto** · **espléndido** · **imperfecto** || **hablado** · **escrito** || **cerrado** · **castizo**
• CON SUSTS. **uso (de)** · **dominio (de)** · **ejercicio (de)** || **cuna (de)** || **hegemonía (de)** · **primacía (de)** · **unidad (de)** *mantener la unidad del castellano* || **protección (de)** · **difusión (de)** · **predominio (de)** || **versión (en)** || **hablante (de)** · **estudiante (de)** *una estudiante de turco* · **profesor,-a (de)** || **acento** *Tiene un acento inglés muy marcado*
• CON VBOS. **predominar** · **imponer(se)** · **extender(se)** || **provenir (de algo)** *El castellano proviene del latín* · **derivar (de algo)** || **hablar** · **chapurrear** · **saber** · **dominar** · **pronunciar** || **aprender** · **estudiar** · **enseñar** || **entender** · **comprender** || **conocer** · **desconocer** · **ignorar** · **olvidar** || **practicar** · **ejercitar** · **perfeccionar** *Quiero perfeccionar mi árabe* || **cultivar** · **ensuciar** · **divulgar** · **defender** · **proteger** || **mantener** · **conservar** · **preservar** · **difundir** || **traducir (a/en/de)** · **verter (a)** || **doblar (a/en)** *doblar una película en búlgaro* · **adaptar (a)** · **adecuar (a)** || **manejarse (en)** *No lo domino, pero me manejo bien en gallego* · **defenderse (en)** · **soltarse (en)** || **decir (en)** || **leer (en)** · **escribir (en)** · **expresar (en)** · **saludar (en)** · **despedirse (en)** · **comentar (en)** · **explicar (en)** · **exponer (en)** · **cantar (en)** · **recitar (en)** · **comunicar(se) (en)** || **editar (en)** · **publicar (en)**

Por otra parte, la entrada simple *idioma* contiene combinaciones de este sustantivo. Algunas de ellas coinciden, como es lógico, con otras presentes asimismo en la entrada *IDIOMA*, pero no todas lo hacen. No coinciden, por ejemplo, las que se marcan de forma destacada en el grupo de los adjetivos:

idioma s.m.
• CON ADJS. **fácil** · **difícil** *El latín puede parecer al principio un idioma difícil de traducir* · **enrevesado** · **endiablado** *¡Vaya idioma tan endiablado!* · **inaccesible** || **materno** *El catalán es su idioma materno* · **nativo** · **extranjero** || **mayoritario** *El quechua es el idioma indígena mayoritario en Perú* · **minoritario** · **difundido**
• CON SUSTS. **uso (de)** · **dominio (de)** · **ejercicio (de)** ||

Si se busca la palabra *español* en PRÁCTICO, se encontrará simplemente una referencia a *IDIOMA*; si se busca *beis*, se encontrará una referencia a *COLOR*:

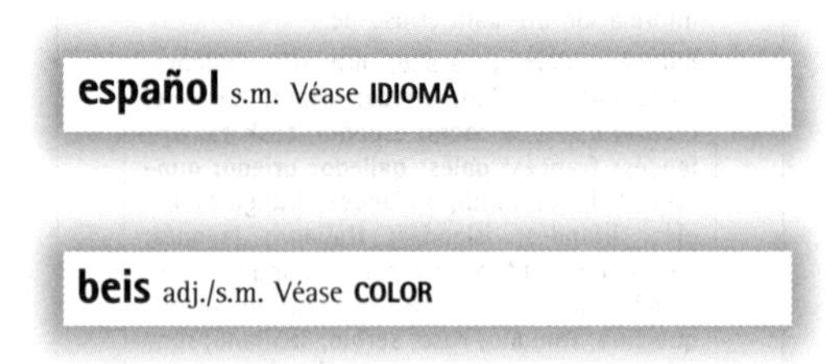

español s.m. Véase **IDIOMA**

beis adj./s.m. Véase **COLOR**

La entrada simple correspondiente a los ejemplos que ilustran la entrada genérica añade a veces alguna particularidad de esa voz que no se obtiene de la entrada genérica correspondiente. Así, si el usuario busca *enero* en el diccionario, observará que, además de remitírsele a *MES*, se le proporciona alguna información complementaria característica de ese mes particular:

enero s.m.
● CON SUSTS. **cuesta (de)** *Pasadas las navidades, cada año hay que hacer frente a la cuesta de enero*
➤ Véase también **MES**

Si la entrada buscada es *amarillo*, se comprobará que el número de informaciones específicas que no se encuentran en *COLOR* es aún más numeroso:

amarillo, lla
1 **amarillo, lla** adj.
● CON SUSTS. **tarjeta** *El árbitro le sacó tarjeta amarilla* · **maillot** · **polera** · **camiseta** · **bandera** || **páginas** *buscar un teléfono en las páginas amarillas* · **prensa** · **periódico** · **diario** · **humor** || **alerta** *estar en alerta amarilla* || **fiebre** || **oro**
● CON VBOS. **ser** · **estar** · **poner(se)** · **quedar(se)**
2 **amarillo** s.m.
● CON SUSTS. **limón** *unos rotuladores amarillo limón* · **mostaza** · **pollito**
➤ Véase también **COLOR**

Las entradas genéricas de PRÁCTICO no se han construido únicamente por la necesidad evidente de ahorrar espacio, sino sobre todo porque se perdería un buen número de generalizaciones al repetir prácticamente la misma información en cada una de las posibles ilustraciones de esos conceptos generales. A ello se añade otra razón: PRÁCTICO puede contener unas veces el conjunto total de elementos abarcados por el término genérico, como en *MES* (*enero*, *febrero*, etc.) o en *DÍA* (*lunes*, *martes*, etc.), pero otras muchas veces solo puede mencionarse un grupo representativo de esos términos, como en *IDIOMA* (tiene entrada *ruso*, pero no *urdu*), *DEPORTE* (está *fútbol*, pero no *triatlón*) o en *INSTRUMENTO MUSICAL* (está *piano*, pero no *bombardino*).

Las entradas genéricas de PRÁCTICO corresponden a los términos que suelen llamarse en lexicología *hiperónimos*: el hiperónimo de *pino* es *árbol* y el de *fútbol* es *deporte*. Existe en la lengua un amplísimo número de estas relaciones semánticas, pero la cuestión no se reduce a elegir alguna entre las numerosas tipologías que describen tales relaciones de inclusión semántica (llamadas generalmente *ontologías* entre los lexicólogos). Lo fundamental es determinar cuáles de ellas se caracterizan por extender las relaciones combinatorias a los hipónimos que contienen. Recuérdese que un hipónimo de *árbol* es *pino* y uno de *deporte* es *fútbol*.

Conviene tener presente, además, que las numerosas clasificaciones de términos y conceptos que han elaborado lexicólogos, semantistas y filósofos han sido establecidas atendiendo a los rasgos que comparten los miembros de cada grupo en función de alguna tipología, no en función de la combinatoria sintáctica de las palabras que los designan. Estos dos criterios no tienen por qué coincidir: la guitarra y el piano son instrumentos de cuerda, pero uno *rasguea* la primera y *se sienta* al segundo, no al contrario, aun cuando puede *tocar* y *afinar* cualquiera de los dos. Ninguna tipología existente de los sustantivos que designan instrumentos musicales tiene en cuenta estas diferencias, que llamamos *problemas de dispersión de una entrada genérica*, pero es precisamente esa información diferenciada la que resulta esencial para los intereses de cualquier diccionario combinatorio. Este tipo de consideraciones y otras similares nos han llevado a reducir drásticamente la lista de entradas genéricas de PRÁCTICO, que son solo dieciocho:

ÁRBOL	ESTABLECIMIENTO
BEBIDA	GOLPE
CALZADO	IDIOMA
COLOR	INSTRUMENTO MUSICAL
CREYENTE	MES
DEPORTE	MONEDA
DÍA	RELIGIÓN
DISCIPLINA	ROPA
DROGA	TÍTULO NOBILIARIO

Seguramente es posible ampliar esta relación manteniendo los objetivos fundamentales de un diccionario combinatorio. Aun así, en nuestros intentos de hacerlo nos hemos topado con numerosos problemas de dispersión como el que hemos ilustrado con los sustantivos *piano* y *guitarra*.

c) Remisiones

Se trata de ayudas suplementarias que servirán al usuario para moverse por el diccionario con mayor agilidad y localizar más rápidamente la información que busca. Las remisiones proporcionan tres tipos de informaciones:

a) INFORMACIÓN FLEXIVA. Estas entradas aparecen entre corchetes. Les sigue siempre una flecha, y tras ella aparecen otros lemas del diccionario. El lector que busque las palabra *lista* u *oros* encontrará estas entradas:

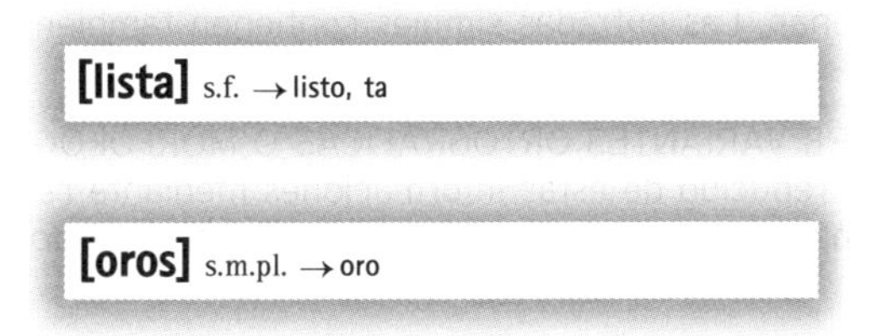
[lista] s.f. → listo, ta

[oros] s.m.pl. → oro

En la primera se le remite a la entrada *listo, lista* (abreviada en la forma *listo, ta*), que contiene como sublema la forma *lista*. En la segunda se le envía al singular *oro*, dentro de cuya entrada se ha aislado asimismo un grupo de combinaciones para el plural *oros*.

b) INFORMACIÓN SOBRE LOCUCIONES. Frente a otros diccionarios, la mayor parte de las locuciones no están alfabetizadas en PRÁCTICO por el primer sustantivo que contienen, sino por su primera palabra sea esta cual sea. Así, la locución *de punta en blanco* se alfabetiza por la letra D, puesto que comienza por la preposición *de*. Si el usuario la busca en *blanco*, encontrará esta remisión:

> **[blanco, ca]** → blanco, ca; carta blanca; de guante blanco; de punta en blanco; en blanco

En esta entrada se remite a un conjunto de lemas, entre los que está *de punta en blanco*, pero también otros que contienen la palabra *blanco*, que es la voz encerrada entre corchetes: el adjetivo *blanco, blanca*, y las locuciones *carta blanca*, *de guante blanco* y *en blanco*. El sustantivo *blanco* (como en *el blanco de los ojos* o *el blanco de un disparo*) dispone de un apartado contenido en la entrada *blanco, ca*.

Son muy frecuentes en PRÁCTICO las remisiones a locuciones verbales. He aquí algunos ejemplos:

> **[llamar]** → llamar; llamar la atención

> **[pasar]** → pasar; pasar a limpio; pasar la noche; pasar(lo); pasar (por); pasar revista (a); pasarse (de); pasárse(le) por la cabeza (a alguien)

> **[ir]** → ir; ir (en ello); ir (para); irse; ir(se) a pique

En el primer caso se dice que la palabra *llamar* forma parte de dos entradas, y en el segundo que *pasar* forma parte de ocho entradas. Nótese que *pasar revista (a)* es una de ellas. Si el usuario consulta la palabra *revista*, comprobará que PRÁCTICO contiene la entrada *revista* en la que se muestran las combinaciones a las que da lugar este sustantivo, pero también la entrada *[revista]*, desde donde se le remite a *pasar revista (a)*. En el tercer ejemplo, se muestra la remisión *[ir]*, en la que se envía al lector a las entradas simples que allí se mencionan. Las entradas simples contienen también a veces remisiones a las genéricas, como se ha explicado arriba.

c) INFORMACIÓN SOBRE VARIANTES ORTOGRÁFICAS O MORFOLÓGICAS. Se han añadido al texto un número reducido de estas informaciones mediante remisiones similares a las anteriores. En la entrada *trascribir* se remite a *transcribir* y en *foto* se remite a *fotografía*:

trascribir v. Véase **transcribir**

foto s.f. *col.*
• CON SUSTS. **cámara (de)**
Véase también **fotografía**

Se han evitado, sin embargo, remisiones de palabras sinónimas, como *maní ~ cacahuete*, *bacalao ~ abadejo* o *roble ~ carvallo*: aunque compartan aspectos de su combinatoria, solo las primeras han generado entrada porque solo ellas responden a la planta del diccionario.

El resto de esta guía del usuario trata únicamente de las entradas simples.

2. El lema

Caracterización

Los lemas son palabras o locuciones elegidas porque su combinatoria léxica se puede restringir. Son lemas los sustantivos, los adjetivos, los verbos, los adverbios, ciertas preposiciones (*entre*, *bajo*) y un gran número de locuciones verbales, adjetivas, adverbiales y prepositivas. Son escasas las locuciones nominales o las expresiones asimilables a ellas, pero se añaden algunas, como *caldo de cultivo*, *guerra santa* o *proceso de paz*:

proceso de paz loc.sust.
• CON SUSTS. **marcha (de)** · **futuro (de)** *El futuro del proceso de paz no está todavía asegurado* · **crisis (de)** || **pasos (de)** · **etapas (de)**
• CON VBOS. **irse a pique** · **fracasar** · **estancar(se)** || **consolidar(se)** · **avanzar** || **apoyar** *Varios Gobiernos apoyan el nuevo proceso de paz* · **impulsar** · **plantear** · **iniciar** · **activar** || **bloquear** · **reventar** · **romper** · **abandonar** · **aplazar** || **reactivar** *...sino los pasos que se dan para reactivar el proceso de paz* · **desbloquear** · **encarrilar**

Orden alfabético de lemas

Los lemas de PRÁCTICO aparecen ordenados alfabéticamente, como en otros diccionarios. No obstante, las locuciones se alfabetizan aquí por su primera palabra, frente a lo que suele hacerse. No se tienen en cuenta los espacios en blanco ni otros signos no alfabéticos, como guiones, barras, paréntesis o puntos suspensivos. He aquí una relación parcial de lemas en el mismo orden en que se presentan en PRÁCTICO:

a la baja
alabanza
alabar
a la bartola

Sublemas

Algunos lemas se dividen en sublemas, que aparecen numerados. En ocasiones la división obedece a diferencias en la categoría gramatical, como ocurre con *bien*, sustantivo masculino singular (como en *hacer el bien*) y *bien*, adverbio (como en *extraordinariamente bien*). La división de una entrada en sublemas puede estar condicionada por diferencias de flexión, a las que generalmente acompaña una diferencia de sentido y múltiples diferencias combinatorias, como en el caso del plural *bienes*, sustantivo masculino plural ('posesión'; *bienes materiales*):

bien

1 **bien** s.m.

● CON ADJS. **supremo · absoluto || mayor · material**
● CON VBOS. **hacer** *Tiene un corazón de oro y solo piensa en hacer el bien* · **perseguir · buscar || encarnar · personificar**

2 **bienes** s.m.pl.

● CON ADJS. **materiales** *Nos decía que lo importante no son los bienes materiales, sino los sentimientos* · **de consumo · de primera necesidad · de equipo || gananciales · inmuebles · raíces** *Los bienes raíces son los que no pueden ser trasladados* · **muebles**
● CON VBOS. **codiciar · adquirir · poseer · heredar · atesorar · comprar || inventariar · custodiar || hipotecar · vender · subastar · dilapidar || legar** *Legó sus bienes a una institución benéfica* · **ceder · subrogar || sustraer · expropiar** *Tras el cambio de régimen, le expropiaron todos sus bienes* · **enajenar · confiscar · requisar · usurpar · restituir || disfrutar (de) · gozar (de) || adueñarse (de) · apropiarse (de) || despojar(se) (de) · desposeer (de)**

3 **bien** adv.

● CON ADVS. **francamente** *Dibujas francamente bien* · **prácticamente || perfectamente · extraordinariamente**

☐ EXPRESIONES **no bien** [apenas] **|| si bien** [aunque] **|| y bien** [se usa para preguntar] *Y bien, ¿por dónde empezamos?*

Un gran número de entradas contienen sublemas relativos al complemento de la voz descrita. Esta información es especialmente útil en un diccionario combinatorio. Así, puede observarse que al final de la entrada *foco* aparece como sublema la expresión *foco (de)*:

2 **foco (de)** s.m.

● CON SUSTS. **luz || incendio** *El foco del incendio se localizó en el octavo piso* · **fuego || protesta · sublevación · agitación · tensión · conflicto · malestar · inestabilidad · violencia · peligro || infección · epidemia** *Las aguas estancadas son un foco de epidemias* · **contaminación · transmisión · enfermedad · dolor || interés · atención · atracción** *Las ruinas romanas constituían el foco de atracción de la localidad* · **investigación || pobreza** *los focos de pobreza y marginación que se acumulan en el norte...* · **marginalidad**

En la mayor parte de estos casos no se introducen complementos de régimen, pero sí complementos de naturaleza argumental. Así, en el sublema *banco (de)* de la entrada *banco* aparecen los sustantivos *peces*, *datos*, *pruebas* y otros muchos; en el sublema *rayo (de)* de la entrada *rayo* aparecen *luz*, *esperanza* o *inspiración*; en el sublema *pendiente (de)* de la entrada *pendiente* aparecen *cobro*, *revisión* y otros nombres. Tienen también sublemas similares a estos las entradas *abanico*, *apetito*, *baile*, *depósito*, *ensalada*, *galería*, *pozo* o *voto*, entre otras.

Independientemente de estas informaciones, en el resto de las entradas mencionadas se agregan otras muchas informaciones combinatorias, como se puede comprobar en cada caso. Para la distinción de acepciones en PRÁCTICO, véase el § 3.

Lemas desdoblados frente a sublemas

Como se ha dicho anteriormente, las entradas nominales en las que se informa sobre el complemento del sustantivo no se desdoblan en dos entradas. La información se estructura en varios sublemas, como *alud* y *alud (de)*:

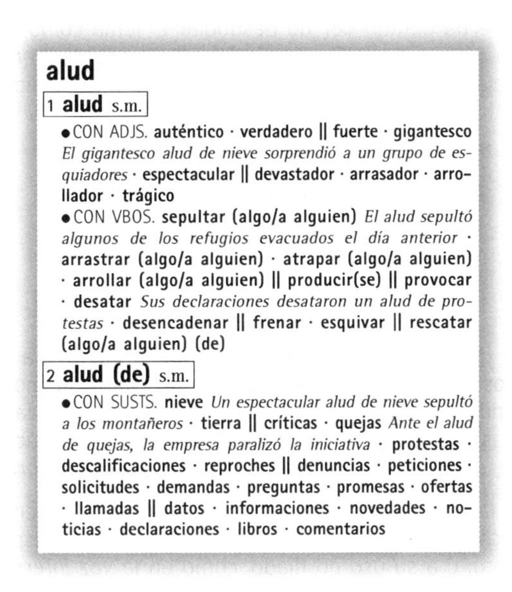

alud

1 **alud** s.m.

● CON ADJS. **auténtico · verdadero || fuerte · gigantesco** *El gigantesco alud de nieve sorprendió a un grupo de esquiadores* · **espectacular || devastador · arrasador · arrollador · trágico**

● CON VBOS. **sepultar (algo/a alguien)** *El alud sepultó algunos de los refugios evacuados el día anterior* · **arrastrar (algo/a alguien) · atrapar (algo/a alguien) · arrollar (algo/a alguien) || producir(se) || provocar · desatar** *Sus declaraciones desataron un alud de protestas* · **desencadenar || frenar · esquivar || rescatar (algo/a alguien) (de)**

2 **alud (de)** s.m.

● CON SUSTS. **nieve** *Un espectacular alud de nieve sepultó a los montañeros* · **tierra || críticas · quejas** *Ante el alud de quejas, la empresa paralizó la iniciativa* · **protestas · descalificaciones · reproches || denuncias · peticiones · solicitudes · demandas · preguntas · promesas · ofertas · llamadas || datos · informaciones · novedades · noticias · declaraciones · libros · comentarios**

Generalmente el sentido de ambos sublemas es el mismo, e incluso, se pueden construir frases o sintagmas mezclando combinaciones de ambas partes (*Un espectacular alud de nieve sepultó a los montañeros*).

Por el contrario, cuando se describen sentidos diferentes de un mismo verbo, se crean entradas distintas. Ya sea por cambio de regímenes verbales, como en *empeñar(se)* y *empeñar(se) (en algo)*; por cambio de restricción funcional, como en *bañar*, donde se restringe el complemento directo, y *bañar (algo)*, que se centra en el sujeto; o por alternancia entre verbos con o sin preposición, como *abandonar* y *abandonar(se) (a)*, *ahogar(se)* y *ahogar(se) (en)* o *andar* y *andar(se) (con)*. En estos casos la unión de información se recupera en la remisión, donde se reflejan las alternancias de los verbos que generan entrada en PRÁCTICO, por ejemplo, en *[pasar]*:

[pasar] → pasar; pasar a limpio; pasar la noche; pasar(lo); pasar (por); pasar revista (a); pasarse (de); pasárse(le) por la cabeza (a alguien)

Las entradas verbales presentan entradas diferentes por cuestiones didácticas, con la intención de contribuir a la inteligibilidad y para evitar entradas muy largas que se crearían con verbos con numerosas variantes, como es el caso de *pasar*, y cuya lectura resultaría muy confusa.

Género y número del lema

Se desdoblan los lemas sustantivos que designan personas (*señor, -a*; *actor*, *actriz*) y todos los lemas adjetivales o participiales sujetos a flexión (*oscuro, ra*; *rizado, da*). Solo se lematizan en plural los sustantivos que únicamente poseen ese número (*nupcias*, *comicios*), o bien aquellos que hoy en día se usan en plural siempre (*amarras*) o casi siempre (*tinieblas*). Raramente se flexionan los adjetivos o participios contenidos en los lemas porque ello complicaría considerablemente la descripción, ya que la flexión puede afectar a varias palabras. Así, se ha optado por no desdoblar el lema *como un condenado*, por lo que no aparece en la forma *como un condenado, como una condenada*. Aun así, al final de la entrada se reflejan todas esas variantes en una nota precedida del signo ☐:

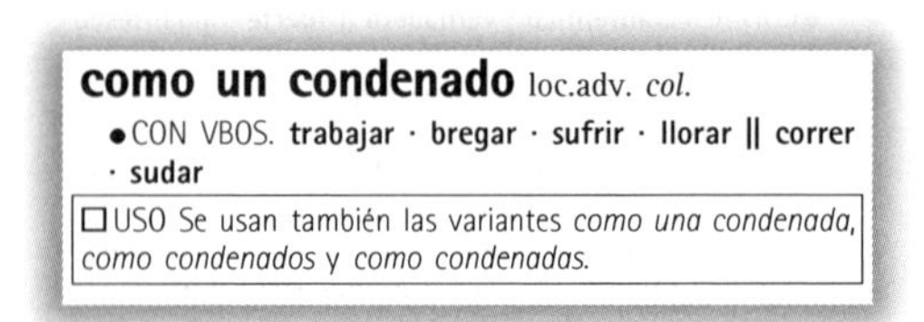
como un condenado loc.adv. *col.*
● CON VBOS. **trabajar · bregar · sufrir · llorar || correr · sudar**
☐ USO Se usan también las variantes *como una condenada, como condenados* y *como condenadas.*

Cuando la flexión de género no complica la presentación del lema en las locuciones, se presentan desdoblados los sustantivos, adjetivos o participios que contienen, como en *hacer extensivo, va*, donde la flexión de género corresponde solo a la última palabra de la locución. Las entradas nominales cuyo plural da lugar a combinaciones diferentes presentan dos sublemas, como en el caso, ya mencionado, de *oro* ~ *oros*.

Asimismo, al asignar la marca *amb.* (por 'ambiguo en cuanto al género'), se atiende a la variación geográfica, como en el caso de *biquini* (masculino en el español de España, pero femenino en Argentina), o a su uso no fijado, como en la voz *internet*.

Categoría gramatical del lema

PRÁCTICO contiene marcas relativas a la categoría gramatical de los lemas. Son las siguientes:

> adjetivo, sustantivo, sustantivo común, sustantivo ambiguo, sustantivo masculino, sustantivo masculino plural, sustantivo femenino, sustantivo femenino plural, verbo, adverbio y preposición.

Cuando un lema presenta diferentes categorías, el orden en que aparecen se ajusta al seguido en el listado anterior. Por ejemplo, el lema *líquido, da* presenta en primer lugar combinaciones de *líquido, líquida* como adjetivo, y posteriormente aparecen las de *líquido* como sustantivo masculino:

líquido, da

1 **líquido, da** adj.

▮ [que no es sólido ni gaseoso]

● CON SUSTS. **nata** *un postre casero hecho con nata líquida* · **caramelo** · **yogur** || **componente** · **solución** · **grasa** · **residuo** || **metal** · **plata** · **oro** || **nitrógeno** · **oxígeno** *una bombona de oxígeno líquido conectada al respirador* · **combustible** || **dieta** || **apariencia**
● CON VBOS. **ser** · **estar** · **hacerse** · **mantenerse**

▮ [disponible o neto]

● CON SUSTS. **dinero** · **activo** · **capital** · **valor** || **suma** · **importe** *El importe líquido asciende a...* · **cantidad** · **cuota** || **recaudación** · **beneficio** · **renta** · **disponibilidad** || **deuda** *Se ha revelado que tenía una importante deuda líquida*

2 **líquido** s.m.

▮ [fluido, sustancia]

● CON ADJS. **acuoso** · **transparente** *El agua es un líquido transparente* · **claro** · **incoloro** || **viscoso** · **espeso** · **denso** || **a borbotones** || **tóxico** · **inocuo** || **inflamable** · **contaminante** · **residual** || **amniótico** · **corporal** · **orgánico** || **vital** || **de frenos** || **lleno,na (de)** · **rebosante (de)**
● CON VBOS. **salir(se)** *De la cañería salía un líquido viscoso*

En cuanto a las locuciones se distinguen las siguientes:

locuciones sustantivas, adjetivas, adverbiales, adverbiales/adjetivales (en el sentido de que pueden alternar ambos usos, véase más adelante), preposicionales, verbales y pronominales.

La categoría gramatical también se usa como marca para distinguir acepciones, como en el caso de *móvil*, en el que las combinaciones que corresponden al adjetivo *móvil* se distinguen de las que corresponden al sustantivo homónimo:

móvil

1 **móvil** adj.

● CON SUSTS. **unidad** *La Policía Local cuenta con varias unidades móviles* · **parque** · **oficina** · **puesto** · **escenario** · **discoteca** · **clínica** · **quirófano** · **hospital** *Se instalaron varios hospitales móviles cerca del lugar siniestrado* · **equipo** · **biblioteca** · **banco** || **radar** · **control** · **antena** · **operador** || **grúa** · **escala** · **puente** || **cámara** · **dispositivo** · **panel** || **imagen** · **parte** || **teléfono** *llamar desde un teléfono móvil* · **telefonía** · **red** · **servicio** · **aparato**

2 **móvil** s.m.

▮ [teléfono]

● CON ADJS. **de {segunda/tercera/última...} generación**
● CON SUSTS. **cargador (de)** · **batería (de)** *cargar la batería del móvil* · **melodía (de)** · **tono (de)** · **logo (de)** · **pantalla (de)** · **mensaje (de)**
● CON VBOS. **sonar** || **cargar** · **encender** · **apagar** || **usar** · **utilizar** || **personalizar** || **hablar (por)** · **llamar (a/desde)** *Es mejor que me llames al móvil* || **cambiar (de)**

▮ [motivo, razón]

● CON ADJS. **sexual** · **pasional** · **económico** || **auténtico** *Todavía no hemos descubierto su auténtico móvil* · **ver-**

Se omite excepcionalmente la categoría gramatical de algunas locuciones porque la discusión necesaria para elegir la opción adecuada no tiene cabida en los objetivos de esta obra. Sucede así en *de proporciones* + adjetivo, que admite una serie de opciones en función de diversos adjetivos, como el diccionario muestra, o en *a caballo* en expresiones como *a caballo entre dos ciudades*. De igual forma, otras entradas, como *inclinar la cabeza* o *tomar una decisión*, aparecen sin categoría gramatical explicitada porque no sería exacto categorizarlas como locuciones adverbiales.

Doble categoría

A pesar de que se ha cuestionado repetidamente entre los gramáticos contemporáneos la opción tradicional de cambiar la categoría gramatical de las locuciones en función de la palabra a la que modifiquen, no se altera este aspecto del análisis clásico en la presente obra. Optamos, pues, en estos casos, por asignar doble categoría gramatical: *loc.adv./loc.adj.*, como en *a cámara lenta*. Se entiende, pues, que *a cámara lenta* es locución adverbial en las combinaciones del primer grupo, con verbos, pero adjetival, en las que corresponden al segundo, con sustantivos:

a cámara lenta loc.adv./loc.adj.

● CON VBOS. **rodar** · **filmar** · **proyectar** *Proyectaron la jugada a cámara lenta* · **grabar** · **ver** || **pasar** · **avanzar** · **salir** · **transcurrir** · **andar** · **atravesar** · **ascender** · **caer** · **saltar** · **dirigirse** · **entrar** · **llegar** · **precipitarse** · **seguir** · **fluir** · ***otros verbos de movimiento*** || **recordar** *Iba recordando los hechos a cámara lenta* · **repasar** · **visualizar** · **observar** · **concebir** || **producir** · **realizar** · **participar** · **promover** · **ejecutar** · **funcionar**

● CON SUSTS. **imagen** · **toma** · **escena** *...una película, con varias escenas a cámara lenta* · **secuencia** · **filmación** · **rodaje** · **película** || **entrada** · **cambio** · **carrera** · **paso** · **continuación** · **introducción** || **toreo** · **baloncesto** · **lucha** · **ballet** · **quite** · **partido** *Fue un partido a cámara lenta, carente por completo de emoción* · **equipo**

□ USO Se usa también la variante *en cámara lenta.*

En función de esta doble clasificación, una misma locución puede presentarse unas veces en el grupo combinatorio de los adjetivos y las locuciones adjetivas, y otras en el de los adverbios y las locuciones adverbiales:

invertir v.

● CON SUSTS. **fondos** · **ahorros** *No sé cómo invertir mis ahorros* · **capital** · **dinero** || **tiempo** · **año** · **semana** || **esfuerzo** *Invirtió mucho esfuerzo en aquel proyecto* · **energía** · **trabajo** · **empeño** || **recurso** · **medio** || **conocimiento** · **habilidad** · **saber**

● CON ADVS. **a {corto/medio/largo} plazo** || **a fondo perdido**

inversión s.f.
- CON ADJS. **económica** || **a {corto/medio/largo} plazo** *Siempre se planteó los estudios como una inversión a largo plazo* || **cuantiosa** *La puesta en marcha de este proyecto requiere una cuantiosa inversión* · **copiosa** · **escasa** || **segura** · **arriesgada** || **rentable** · **lucrativa** · **provechosa** · **productiva** · **redonda** · **fructífera** · **fecunda** · **especulativa** || **ruinosa** *Lo que parecía un gran negocio resultó una inversión ruinosa* · **improductiva** · **estéril** · **a fondo perdido**
- CON VBOS. **dar fruto** · **caer en saco roto** || **crecer** *Crece la inversión en el sector tecnológico* · **decrecer** ||

Se aplica la misma pauta a *comprar a granel* ~ *compra a granel*; *atacar a fondo* ~ *ataque a fondo*; *contratar a destajo* ~ *contrato a destajo*; *atender a domicilio* ~ *atención a domicilio*; *pelear a golpes* ~ *pelea a golpes*.

Locuciones como lemas

En PRÁCTICO, las locuciones se asimilan a la clase de palabra a la que corresponden: las locuciones adverbiales a los adverbios, las verbales a los verbos, etc. Así, cuando el lema es un adverbio, en la entrada se suelen proporcionar verbos, como en *inexorablemente*. Si el lema es una locución adverbial, como en *a sabiendas*, se procede de la misma manera:

a sabiendas loc.adv.
- CON VBOS. **actuar** *La juez determinó que el acusado había actuado a sabiendas* · **hacer** || **mentir** · **prometer** · **decir** · **afirmar** · **acusar** || **votar** · **elegir** · **{tomar/adoptar} una decisión** || **consentir** · **permitir** || **incumplir** *Es cierto que he incumplido las normas a sabiendas; no volverá a ocurrir* · **obedecer** · **ignorar**

Muchas locuciones verbales forman parte de sintagmas verbales. El sintagma verbal así constituido consta de una parte fija o lexicalizada (*dar luz verde a...*) y otra parte variable, sobre la que el diccionario informa (*proyecto*, *iniciativa*, etc.). Se aplica la misma pauta a muchas locuciones, especialmente las encabezadas por el verbo *dar* (*dar fe de...*, *dar pábulo a...*, *dar buena cuenta de...*, *dar carpetazo a...*). Las remisiones permiten al usuario ir al lugar preciso en el que se alfabetiza la entrada (la letra D, en estos casos), aunque busque por los sustantivos que la locución contiene en la parte lexicalizada (*carpetazo*, *pábulo*, *fe*, etc.). A pesar de que el grado de lexicalización de estas combinaciones no es homogéneo, en PRÁCTICO se procede de forma similar cuando se construyen con otros verbos, como se comprueba en la entrada *cerrar los ojos (ante)*.

Criterios para la elección de lemas

Las palabras que corresponden a las clases mencionadas en los apartados anteriores son lemas en PRÁCTICO porque participan en esquemas restrictivos, ya sea como elementos restringidos o como elementos restrictores. Las únicas preposiciones que se incluyen son *bajo* y *entre*, ya que las demás no presentan relaciones gramaticales que puedan restringirse léxicamente. Se incluyen, en cambio, varias locuciones prepositivas, entre otras, *fuera (de), a bordo (de), al hilo (de), en caso (de), sin ánimo (de)*. No tienen cabida como lemas las conjunciones, los verbos copulativos y semicopulativos (aun cuando estos restringen a veces con criterios aspectuales los atributos que admiten), ni tampoco muchos de los que expresan relaciones afectivas, como *apasionar (a alguien)*.

No son lemas sustantivos como *manera*, *individuo*, *modo*, *cosa*, *objeto* y otros similares. En el grupo de los adjetivos se han evitado los cuantificadores adjetivales (*mucho*, *poco*, *bastante*, *alguno*, *ninguno*, etc.), ya que las combinaciones a las que dan lugar no son informativas para los propósitos del diccionario. También se excluyen la mayor parte de los adjetivos llamados *relacionales* (*austriaco*, *lorquiano*, *napoleónico*, *bioquímico*, *faríngeo*), aunque sí son lemas *espacial*, *industrial*, *constitucional*, *cinético*, *laboral*, *mensual* o *musical*.

La mayor parte de los adjetivos que expresan evaluación (*estupendo*, *feo*, *bonito*, *interesante*) son lemas en PRÁCTICO, pero en ellos solo se reflejan adverbios y verbos. No se incluye un bloque de sustantivos porque no es posible confeccionar listas resctrictivas con estas unidades.

No se incluyen entre los lemas de PRÁCTICO adverbios de modo como *bien, mal, regular, deprisa, espléndidamente* o *lentamente*. Otros adverbios terminados en *-mente* son lemas en PRÁCTICO, en función de la capacidad restrictora de los adjetivos de los que se derivan. Cuando los adverbios proporcionan las mismas combinaciones que esos adjetivos, se evita presentar doblemente la información. Así, de la entrada adjetival *triunfal*, que se reproduce a continuación,

> **triunfal** adj.
>
> ● CON SUSTS. **marcha** *la marcha triunfal del ejército vencedor* · **desfile** · **paseo** · **recorrido** · **camino** · **viaje** · **entrada** · **llegada** · **salida** · **regreso** *Miles de seguidores asistieron al regreso triunfal de su equipo* · **retorno** · **vuelta** · **acogida** || **tarde** · **noche** *Nunca olvidaré aquella noche triunfal* · **año** · **racha** · **etapa** · **temporada** · **jornada** · **ciclo** · ***otros periodos*** || **corrida** · **actuación** *la actuación triunfal de la cantante* · **carrera** · **campaña** · **estreno** · **festejo** · **gira** || **arco** || **balance** || **imagen** · **mirada** · **gesto** · **sonrisa**

se puede deducir fácilmente que el adverbio *triunfalmente* participará en combinaciones como *marchar triunfalmente*, *desfilar triunfalmente*, *pasear triunfalmente*, *recorrer triunfalmente*, etc.

Se han incluido las dos entradas cuando existía algún grupo combinatorio relevante que introdujera diferencias notables entre ellas. Así, el adjetivo *telefónico, ca* y el adverbio *te-*

lefónicamente comparten una parte de su combinatoria, con el cambio correspondiente de categoría, es decir, sustantivos en el primer caso (*conversación telefónica, contacto telefónico*) y adverbios en el segundo (*conversar telefónicamente; contactar telefónicamente*). En cambio, los sustantivos no deverbales que admite el adjetivo (*número telefónico, directorio telefónico, tarjeta telefónica*) no tienen correspondencia en el segundo, por lo que se optó por incluir ambas entradas:

telefónico, ca adj.
● CON SUSTS. **número · directorio · tarjeta · contestador · información || tarifa · recibo · cuenta || instalación · línea** *una avería en las líneas telefónicas de la zona* · **servicio || poste · tendido · hilo || cabina · equipo · sistema || conversación** *Mantuvimos una distendida conversación telefónica* · **diálogo · charla || espionaje** *Los acusaron de espionaje telefónico* · **escucha · amenaza || llamada · mensaje || contacto · comunicación · conexión || empresa · central · monopolio**

telefónicamente adv.
● CON VBOS. **contactar · entrevistar(se) · conversar** *Conversé telefónicamente con la directora un buen rato* · **hablar · llamar || comprar · adquirir || pedir · comunicar · confirmar · reconocer · precisar · manifestar · asegurar · informar · advertir · avisar** *Un vecino avisó telefónicamente a la policía* · **consultar · felicitar || espiar**

Se han evitado los lemas participiales, ya que su combinatoria equivale a la de los verbos correspondientes, pero se han añadido algunos participios que se asimilan a los adjetivos, como *afilado* (*cuchillo, lengua, dedo...*), *empotrado* (*armario, cama...*) o *apretado* (*margen, lucha, letra...*).

3. Acepciones

Pistas de sentido

Las propiedades combinatorias de muchas palabras están en función de las acepciones a las que correspondan. Las acepciones se indican en PRÁCTICO con la marca tipográfica ▌ y con una pista de sentido que se incluye entre corchetes. Este añadido no constituye exactamente una definición, sino más bien un recordatorio de la acepción particular que se considera, cuya existencia ha de conocer el usuario. En la entrada *de cabeza* se recogen seis acepciones:

de cabeza loc.adv./loc.adj.

▮ [mentalmente]

●CON VBOS. **calcular** *Calculé de cabeza el importe de la cena* · **deducir** · **sacar** · **hacer**

▮ [sin vacilar]

●CON VBOS. **lanzar(se) (a algo)** *Me lancé de cabeza a colaborar en el proyecto* · **tirarse (a algo)** · **meter(se) (en algo)**

▮ [agobiado]

●CON VBOS. **andar** · **ir** · **llevar (a alguien)** · **traer (a alguien)** *Las preocupaciones me traen de cabeza*

▮ [con la cabeza]

●CON VBOS. **batir** · **despejar** *despejar de cabeza el balón* · **marcar** · **rematar** || **tirar(se)** *tirarse de cabeza a la piscina*

●CON SUSTS. **despeje** · **gol** · **golpe** · **toque** *Un toque de cabeza y cayó el segundo gol* · **remate**

▮ [de esa parte del cuerpo]

●CON SUSTS. **giro** · **movimiento** || **dolor**

▮ [delantero]

●CON SUSTS. **equipo** · **grupo** *El grupo de cabeza le saca media hora de ventaja al pelotón* || **vagón**

Las pistas de sentido son más vagas que las definiciones, pero resultan más apropiadas que ellas para los objetivos de PRÁCTICO porque no es raro que una definición demasiado restrictiva resulte desbordada por las combinaciones que se encuentran. Así, la acepción tercera de *espolear* en el *DRAE* ('Avivar, incitar, estimular a alguien para que haga algo') es mucho más específica que la pista de sentido que proporciona PRÁCTICO ('animar, estimular'). En cambio, los sustantivos que PRÁCTICO ofrece en el grupo combinatorio correspondiente (*espolear el malestar*, *la imaginación*, *el crecimiento económico*, etc.) no tienen fácil acomodo en una definición tan restrictiva como la que se acaba de citar.

En los lemas de una sola acepción no se dan pistas de sentido, salvo cuando se trata de acepciones poco comunes o difíciles de imaginar para un hablante no nativo, como en el caso de *tajada*, en el que se añade 'ventaja o provecho' (*sacar tajada*) o el de *friolero, ra*, en el que se indica pista de significado solo para uno de los dos sublemas, el de 'gran cantidad' (*Costaba la friolera de dos mil euros*).

Delimitación de acepciones

El diccionario PRÁCTICO no puede incluir todas las acepciones de los lemas, frente a lo que se espera de los demás diccionarios. Generalmente incluye las más habituales, siempre y cuando sea posible relacionarlas con combinaciones particulares. A menudo se engloban varias acepciones en una cuando se comprueba que sus características combinatorias son idénticas o casi idénticas, como en el caso de *goteo*, donde no se distingue 'acción de caer gotas' de 'manifestación intermitente (de algo)', ya que las combinaciones observadas (*continuo*, *cesar*, etc.) son casi idénticas. En general, se prescinde de la delimitación de acepciones en muchos de los casos en que estas no dan lugar a contextos restrictivos particulares, sino que muestran –de forma más o menos marcada– transiciones de los usos físicos a los figurados:

comer v.
• CON SUSTS. **carne** · **pescado** · **verdura** · **lentejas** · **puré** · ***otros alimentos o comidas*** || **color** *El sol se come los colores* · **brillo** || **metal** · **madera** *Este ácido puede comerse la madera* || **letra** *comerse una letra al escribir* · **sílaba** · **palabra** · **párrafo** || **ficha** *Te como una ficha y cuento veinte* · **pieza** || **coco** *Por mucho que te comas el coco no vas a solucionar nada* · **tarro** · **cabeza** || **moral** *No nos comas la moral, que bastantes problemas tenemos ya* || **terreno** || **hora (de)** *¿Es ya la hora de comer?*
• CON ADVS. **opíparamente** · **espléndidamente** · **rica-**

4. Grupos combinatorios

Definición

En el cuerpo de las entradas aparecen varios **grupos combinatorios**, es decir, grupos de palabras que se combinan con el lema en función de la clase gramatical a la que pertenecen. Estos grupos van precedidos del signo • y se marcan en letra versalita: CON ADJS., CON VBOS., CON ADVS., etc.

Orden de los grupos combinatorios

El orden de los grupos combinatorios varía en función de la categoría del lema. Si la entrada es sustantiva, en primer lugar aparecen los adjetivos, después los sustantivos, a continuación los verbos, finalmente las preposiciones. Si la entrada es un adjetivo, se muestran primero los sustantivos, luego los adverbios y al final los verbos. Si el lema es un adverbio, se mencionan primero los verbos y a continuación los adjetivos. Si la entrada es un verbo, se listan primero los sustantivos, después los adjetivos, luego las preposiciones, a continuación los adverbios y por último los verbos. Si la entrada es una preposición, se mencionan primero los sustantivos y después los verbos. Si la entrada es una locución, se sigue el orden propio de la categoría a la que corresponde su función: las locuciones sustantivas siguen el orden de los lemas sustantivos, y así en los demás casos.

Las locuciones que aparecen en los grupos combinatorios se interpretan como las categorías gramaticales a las que corresponden. Así, las locuciones adjetivas aparecen en el epígrafe CON ADJS.; las verbales, en el bloque CON VBOS.; las adverbiales, en el apartado CON ADVS., etc.

Grupos combinatorios y acepciones

Cuando una palabra tiene varias acepciones, los grupos combinatorios correspondientes a cada una de ellas suelen mostrar combinaciones diferentes:

administrar v.

▮ [gestionar]

● CON SUSTS. **dinero** · **fondo** *administrar los fondos públicos* · **capital** · **presupuesto** || **bienes** · **herencia** · **finca** · **empresa** · **institución** · **sector** || **poder** · **justicia** *No podemos administrar la justicia por nuestra cuenta* || **tiempo** · **esfuerzo** · **recursos** || **espacio** || **información**

● CON ADVS. **adecuadamente** · **correctamente** · **eficazmente** · **eficientemente** · **sabiamente** · **profesionalmente** · **racionalmente** || **desastrosamente** · **penosamente** · **chapuceramente** || **férreamente** · **con mano de hierro** *Administra sus fincas con mano de hierro* || **personalmente** · **conjuntamente** || **puntualmente**

▮ [dar]

● CON SUSTS. **medicamento** · **medicina** *administrar una medicina tres veces al día* · **fármaco** || **sacramento** · **extremaunción** *El sacerdote le administró la extremaunción poco antes de morir* · **bautismo**

● CON ADVS. **en {grandes/pequeñas} dosis** · **racionalmente** || **en vena** *administrar un medicamento en vena* · **por vía {oral/muscular/intravenosa/subcutánea...}** || **puntualmente**

En unos pocos casos, sin embargo, se ha comprobado que no sucedía así. Aunque cabría pensar que la distinción de acepciones es innecesaria si obliga a repetir un grupo combinatorio, se ha mantenido en el diccionario en ciertos casos en los que existían argumentos para tenerla en cuenta. Así, *cancelar una deuda* es 'satisfacerla hasta saldarla o darla por zanjada', pero *cancelar una inversión prevista* es 'no hacerla, no llevarla a cabo'. A pesar de esta diferencia, los adverbios que corresponden a las dos acepciones son, en lo fundamental, los mismos. En estos casos, el grupo combinatorio se presenta una sola vez y se añade una nota en la que se explica esta particularidad:

cancelar v.

▮ [saldar, liquidar]

● CON SUSTS. **deuda** *El próximo mes terminaré de cancelar mi deuda* · **sueldo** · **cuenta**

▮ [anular, dejar sin efecto]

● CON SUSTS. **permiso** · **autorización** · **licencia** || **concierto** *Han cancelado el concierto debido al mal tiempo* · **boda** · **reunión** · **viaje** · **cita** · ***otros eventos*** || **compromiso** · **obligación** · **contrato** · **acuerdo** · **promesa** · **responsabilidad** || **negociación** · **conversación** · **diálogo** || **compra** · **venta** · **inversión** *La grave situación financiera llevó a la compañía a cancelar las inversiones programadas* || **plan** · **proyecto** · **programa** || **posibilidad** · **oportunidad** · **alternativa** · **opción** || **participación** · **asistencia** · **presencia** || **discusión** · **debate** · **discrepancia**

● CON ADVS. **repentinamente** · **abruptamente** · **bruscamente** · **inmediatamente** · **de inmediato** · **sin contemplaciones** || **completamente** · **por completo** · **totalmente** *Su deuda está totalmente cancelada* · **definitivamente** · **irrevocablemente** · **parcialmente** · **provisionalmente** || **de un día para otro** · **a última hora** · **en el último momento** · **con tiempo** *Acuérdate de cancelar con tiempo tu cita con el médico* · **en tiempo y forma** · **anticipadamente** || **oficialmente** · **unilateralmente**

□ USO Los adverbios son comunes a los dos sentidos.

Combinaciones con sustantivos y locuciones sustantivas

La etiqueta CON SUSTS. indica que el lema se combina con sustantivos. Este grupo combinatorio es característico de los lemas verbales y adjetivales. No obstante, aparece también cuando interesa construir un grupo con los complementos de algún nombre, como sucede en el siguiente ejemplo:

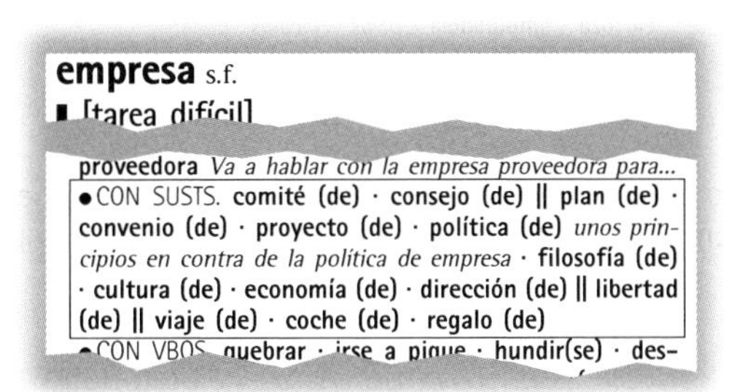

empresa s.f.
▪ [tarea difícil]

proveedora *Va a hablar con la empresa proveedora para...*
• CON SUSTS. **comité (de)** · **consejo (de)** || **plan (de)** · **convenio (de)** · **proyecto (de)** · **política (de)** *unos principios en contra de la política de empresa* · **filosofía (de)** · **cultura (de)** · **economía (de)** · **dirección (de)** || **libertad (de)** || **viaje (de)** · **coche (de)** · **regalo (de)**
• CON VBOS. **quebrar** · **irse a pique** · **hundir(se)** · **des-**

Como se ha explicado, la presencia de la preposición indica en todos los casos que el lema es complemento de los sustantivos que se relacionan (por tanto, *comité de empresa*, *consejo de empresa*, etc.), aunque no necesariamente complemento de régimen. Se ha evitado casi siempre reproducir en los sustantivos derivados de verbos las combinaciones que se obtienen en estos últimos. Por ejemplo, no se encontrará *apelación a la prudencia, a la generosidad, a la responsabilidad*, etc. en la entrada *apelación* porque estos argumentos aparecen ya en la entrada *apelar*.

Las locuciones sustantivas están mezcladas en estos grupos combinatorios con los sustantivos. Así, en la entrada *encarrilar* aparece *proceso de paz* en el mismo grupo que *negociación*; esa misma locución nominal se encontrará en *ensombrecerse* junto a sustantivos como *esperanza*.

El grupo combinatorio CON SUSTS. contiene a veces, en letra cursiva, ciertas ayudas que servirán para completar la serie descrita. En términos lexicográficos, la expresión agregada constituye el *hiperónimo* a la serie de *cohipónimos* a los que sigue. Se trata de expresiones como *otras enfermedades*, *otras manifestaciones verbales*, *otros golpes*, etc.

benigno, na adj.
• CON SUSTS. **clima** · **calor** · **temperatura** *un valle de temperaturas benignas* · **tiempo** || **tumor** *Le han detectado un tumor benigno* · **virus** · **infección** · ***otras enfermedades y dolencias*** || **fase** · **año** *Este ha sido un año benigno para el campo* · **verano** · ***otros períodos*** || **opinión** · **crítica** · **juicio** · **calificativo** · **comentario** · **alusión** || **castigo** · **sanción** *una sanción demasiado benigna* · **pena** · **escar-**

Las pistas de las que se habla son solo aproximadas. Es posible, de hecho, que algún sustantivo satisfaga la condición que se establece en ellas y no resulte en cambio adecuado en ese paradigma. Se ha usado la expresión *otros individuos y grupos humanos* en las series en las que parece relevante la pertenencia de esos nombres de persona a algún grupo, sea profesional o de otro tipo, como en la entrada *escoltar*:

escoltar v.

• CON SUSTS. **dirigente** · **líder** *Los secuaces escoltaban a su líder* · **presidente,ta** · **cónsul** · **ministro,tra** · **embajador,-a** · **cabecilla** || **criminal** · **delincuente** · **asesino,na** · **mafioso,sa** *La Policía escoltó al mafioso hasta el juzgado* · **malhechor,-a** || ***otros individuos y grupos humanos*** || **convoy** · **furgón** · **avión** · **barco** · **coche** *Escoltaron su coche hasta la salida de la ciudad* · **autobús** · **camión** · **carroza** · **ambulancia** · ***otros vehículos***

• CON ADVS. **férreamente** · **fuertemente** · **inseparablemente** || **obligatoriamente** || **fielmente**

En cambio, cuando no se percibe la relevancia de este factor, se menciona únicamente el sustantivo *persona* (en cursiva) y se agrega generalmente un ejemplo:

arisco, ca adj.

• CON SUSTS. ***persona*** *una niña arisca e introvertida* || **gato,ta** · **perro,rra** · ***otros animales*** || **carácter** · **actitud** · **talante** · **comportamiento** · **mirada** · **gesto** || **pinta** · **imagen** *Bajo esa imagen arisca se escondía un corazón de oro* · **aspecto** · **expresión** || **región** · **montaña** · **paisaje** · ***otros lugares***

• CON VBOS. **estar** · **ser** · **volver(se)** · **ponerse**

Combinaciones con adjetivos y locuciones adjetivas

Este grupo combinatorio aparece precedido de la marca CON ADJS. y se proporciona en la mayor parte de las entradas de lema nominal. Las locuciones adjetivas se agregan a este grupo combinatorio junto con los demás adjetivos:

acuerdo s.m.

• CON ADJS. **firme** · **inequívoco** · **sin reservas** · **en firme** · **definitivo** · **final** || **insatisfactorio** · **abusivo** · **precario** || **viable** · **beneficioso** · **jugoso** · **satisfactorio** *...hasta llegar a un acuerdo satisfactorio para ambas partes* || **posible** · **necesario** || **salomónico** · **ecuánime** · **equitativo** || **mutuo** · **bilateral** · **unánime** · **recíproco** || **efímero** · **provisional** *De momento es solo un acuerdo provisional* · **puntual** · **con matices** || **político** · **estratégico** · **electoral** · **parlamentario** || **legítimo** · **honroso** || **vigente** · **oficial** · **sin efecto** || **expreso** · **tácito** || **de palabra** · **verbal** || **de colaboración** *un acuerdo de colaboración entre dos naciones* · **de cooperación** · **amistoso** · **de paz** || **de intenciones** || **reticente (a)** · **acorde (con)**

• CON SUSTS. **términos (de)** *Lo primero que hay que hacer ...tablece... los términos ...* || **alcance (de)** ||

Se ha explicado más arriba que los adjetivos de relación, entre los que están los gentilicios, se evitan como lemas, con algunas excepciones. También se evitan en los grupos combinatorios, a excepción de expresiones del tipo *bandera española* y *baraja francesa*. Tampoco se incluyen los colores, excepto en *carne roja*, *pescado azul*, *maillot amarillo* y algunas otras combinaciones que presentan algún grado de fijación idiomática. Los numerales no se incluyen entre las combinaciones que proporciona PRÁCTICO, con excepciones como *primera necesidad*, *primera línea*, *tercera edad*, *kilómetro cero* y otras pocas igualmente idiomáticas.

En general, no se mencionan en los grupos combinatorios adjetivales adjetivos que no aportan restricciones útiles en sus usos básicos, pero esas mismas combinaciones se agregan cuando el uso figurado del adjetivo se considera especialmente relevante o cuando da lugar a alguna expresión acuñada. Así, en la entrada *mesa* no se mencionan los adjetivos *sucio* o *limpio*, pero el primero aparece en cambio en las entradas *asunto* y *negocio*, y el segundo en *amor* y en *mirada*. Se procede de igual forma en otros muchos casos similares.

Combinaciones con adverbios y locuciones adverbiales

Estas combinaciones aparecen precedidas por la marca CON ADVS., y son características de las entradas de lema verbal y adjetival. Como en los casos anteriores, las locuciones adverbiales forman grupo con los adverbios:

distinguir v.
● CON ADVS. **a la legua** *Su casa se distingue a la legua* · **a lo lejos** · **de cerca** · **a simple vista** · **rápidamente** || **claramente** · **a las claras** · **con claridad** *No puedo distinguir su cara con claridad* · **con nitidez** · **nítidamente** · **con precisión** · **con certeza** · **visiblemente** · **manifiestamente** || **a duras penas** · **con dificultad** · **vagamente** || **cualitativamente** · **sensiblemente** || **expresamente** || **escrupulosamente** · **pulcramente** || **maniqueamente** || **metodológicamente** · **programáticamente** · **conceptualmente**

No se suelen incluir los adverbios *bien*, *mal* o *regular* (*escribir bien*, *cantar regular*), ni tampoco otros como *mucho*, *poco*, *bastante*, *demasiado* (*viajar mucho*, *trabajar demasiado*).

Combinaciones con preposiciones y locuciones prepositivas

Las preposiciones que se mencionan en el grupo combinatorio CON PREPS. preceden siempre al lema, como *con* en la entrada *vigencia*; *en caso (de)* o *a prueba (de)* en la entrada *accidente*; *al filo (de)*, *al margen (de)*, *contra* y *por* en la entrada *aburrimiento*; o *sin* en la entrada *vacilar*:

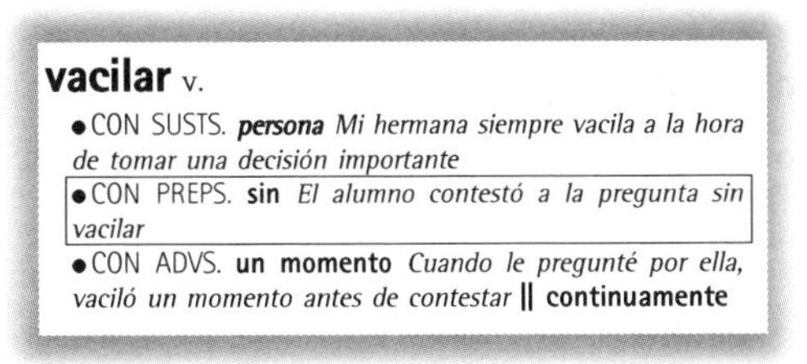
vacilar v.
● CON SUSTS. **persona** *Mi hermana siempre vacila a la hora de tomar una decisión importante*
● CON PREPS. **sin** *El alumno contestó a la pregunta sin vacilar*
● CON ADVS. **un momento** *Cuando le pregunté por ella, vaciló un momento antes de contestar* || **continuamente**

Existen dudas acerca de si *como* es o no preposición cuando introduce complementos predicativos. Aun así, se ha optado por asignarle esta categoría:

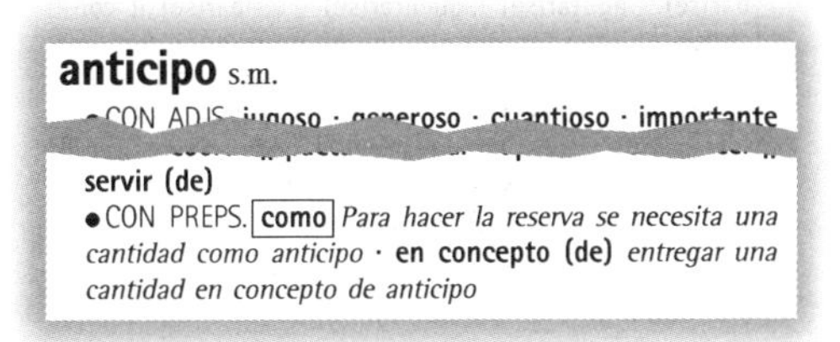
anticipo s.m.
● CON ADJS. **jugoso** · **generoso** · **cuantioso** · **importante**
[illegible]
servir (de)
● CON PREPS. **como** *Para hacer la reserva se necesita una cantidad como anticipo* · **en concepto (de)** *entregar una cantidad en concepto de anticipo*

Las preposiciones propias de los complementos de régimen verbal no dan lugar a un grupo combinatorio en PRÁCTICO, aun cuando se añaden en el interior de muchos grupos verbales. Las preposiciones que introducen estos complementos de régimen también aparecen en el lema, situadas entre paréntesis y detrás del verbo. En estos casos, los sustantivos que se añaden en el grupo CON SUSTS. siempre representan el término de la preposición:

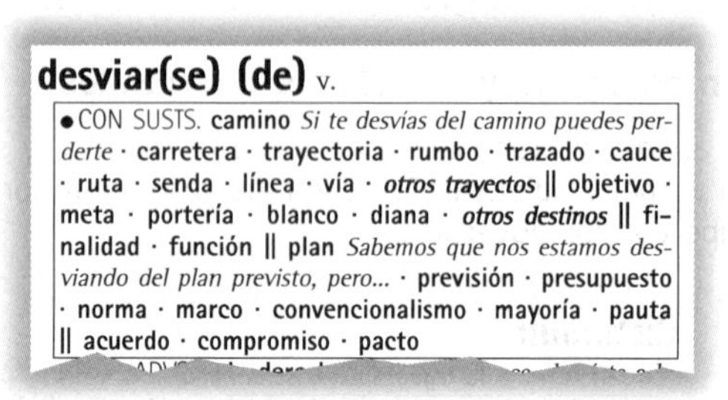

desviar(se) (de) v.

● CON SUSTS. **camino** *Si te desvías del camino puedes perderte* · **carretera** · **trayectoria** · **rumbo** · **trazado** · **cauce** · **ruta** · **senda** · **línea** · **vía** · ***otros trayectos*** || **objetivo** · **meta** · **portería** · **blanco** · **diana** · ***otros destinos*** || **finalidad** · **función** || **plan** *Sabemos que nos estamos desviando del plan previsto, pero...* · **previsión** · **presupuesto** · **norma** · **marco** · **convencionalismo** · **mayoría** · **pauta** || **acuerdo** · **compromiso** · **pacto**

PRÁCTICO no es un diccionario de régimen preposicional, por lo que no puede considerar la variación preposicional en los complementos de régimen, frente a lo que suelen hacer esos otros diccionarios, sino mencionar la opción mayoritaria en relación con las combinaciones que se presentan. Cuando no interesa restringir el término de la preposición, sino algún otro argumento del lema, se suele mencionar la preposición regida en una nota final precedida del signo □:

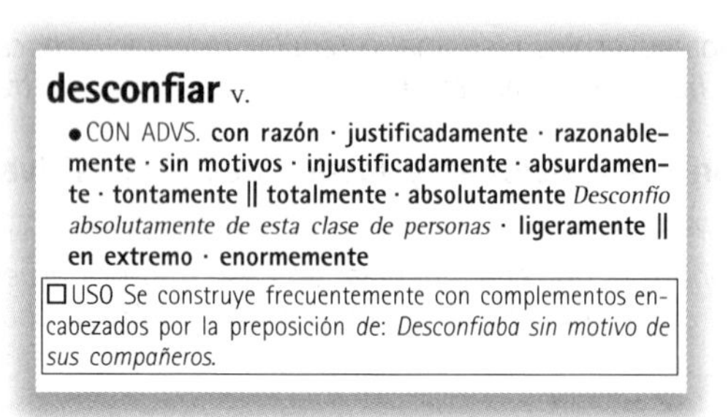

desconfiar v.

● CON ADVS. **con razón** · **justificadamente** · **razonablemente** · **sin motivos** · **injustificadamente** · **absurdamente** · **tontamente** || **totalmente** · **absolutamente** *Desconfío absolutamente de esta clase de personas* · **ligeramente** || **en extremo** · **enormemente**

□ USO Se construye frecuentemente con complementos encabezados por la preposición *de*: *Desconfiaba sin motivo de sus compañeros.*

Combinaciones con verbos y grupos verbales

El grupo combinatorio CON VBOS. aparece en las entradas sustantivas, como por ejemplo en *calma*:

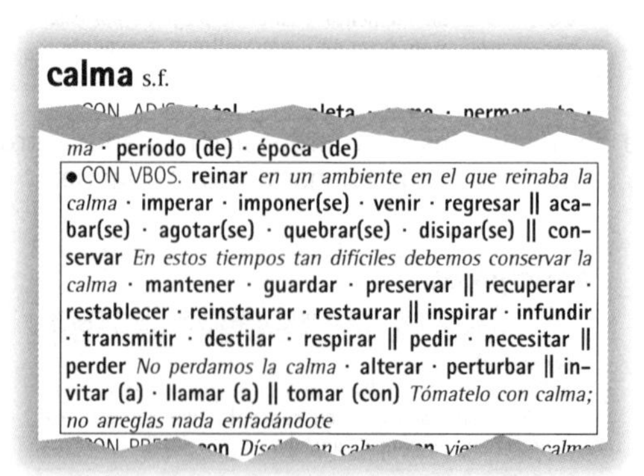

calma s.f.

ma · **período (de)** · **época (de)**

● CON VBOS. **reinar** *en un ambiente en el que reinaba la calma* · **imperar** · **imponer(se)** · **venir** · **regresar** || **acabar(se)** · **agotar(se)** · **quebrar(se)** · **disipar(se)** || **conservar** *En estos tiempos tan difíciles debemos conservar la calma* · **mantener** · **guardar** · **preservar** || **recuperar** · **restablecer** · **reinstaurar** · **restaurar** || **inspirar** · **infundir** · **transmitir** · **destilar** · **respirar** || **pedir** · **necesitar** || **perder** *No perdamos la calma* · **alterar** · **perturbar** || **invitar (a)** · **llamar (a)** || **tomar (con)** *Tómatelo con calma; no arreglas nada enfadándote*

Aparecen asimismo en las entradas de lema adverbial, como en *armoniosamente*:

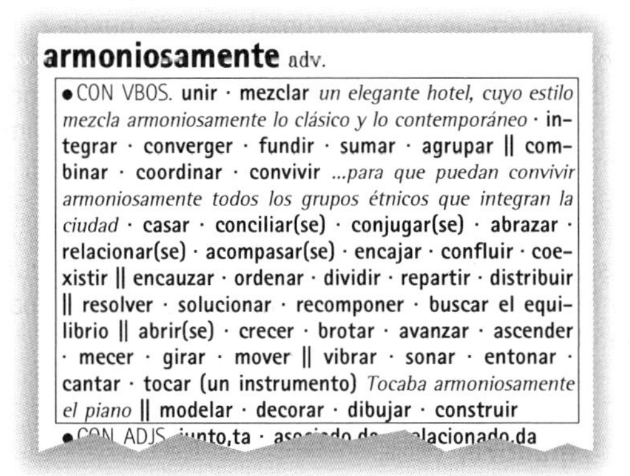

armoniosamente adv.

• CON VBOS. **unir** · **mezclar** *un elegante hotel, cuyo estilo mezcla armoniosamente lo clásico y lo contemporáneo* · **integrar** · **converger** · **fundir** · **sumar** · **agrupar** || **combinar** · **coordinar** · **convivir** *...para que puedan convivir armoniosamente todos los grupos étnicos que integran la ciudad* · **casar** · **conciliar(se)** · **conjugar(se)** · **abrazar** · **relacionar(se)** · **acompasar(se)** · **encajar** · **confluir** · **coexistir** || **encauzar** · **ordenar** · **dividir** · **repartir** · **distribuir** || **resolver** · **solucionar** · **recomponer** · **buscar el equilibrio** || **abrir(se)** · **crecer** · **brotar** · **avanzar** · **ascender** · **mecer** · **girar** · **mover** || **vibrar** · **sonar** · **entonar** · **cantar** · **tocar (un instrumento)** *Tocaba armoniosamente el piano* || **modelar** · **decorar** · **dibujar** · **construir**

Y también en las de lema adjetival, por ejemplo en *borroso, sa*:

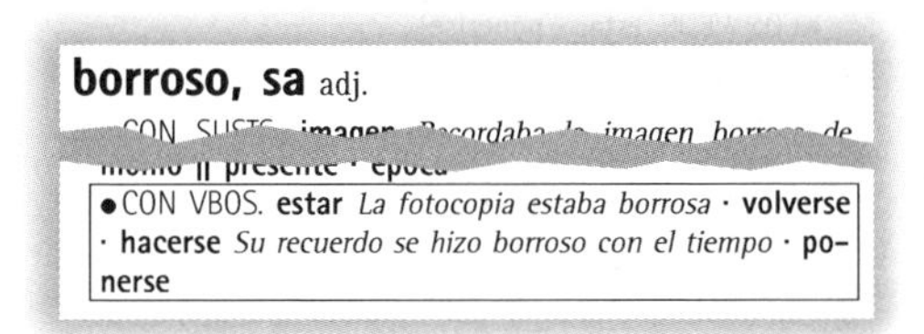

borroso, sa adj.

• CON VBOS. **estar** *La fotocopia estaba borrosa* · **volverse** · **hacerse** *Su recuerdo se hizo borroso con el tiempo* · **ponerse**

El grupo combinatorio CON VBOS. aparece a veces en las entradas de lema verbal. Esto sucede cuando con los verbos que se mencionan se crean construcciones semiperifrásticas, como *echarse (a)* en las entradas *llorar*, *reír* o *temblar*, y también en otros casos en los que las combinaciones resultantes no son exactamente semiidiomáticas, pero participan en relaciones de selección semántica, como *sacar (a)* en la entrada *bailar*. Se añade, finalmente, el grupo CON VBOS. en ciertas entradas de lema verbal cuando se entiende que esas combinaciones son útiles didácticamente por su frecuencia o su relevancia. He aquí un ejemplo:

eludir v.

• CON VBOS. **pronunciarse** *Aunque eludió pronunciarse sobre el asunto...* · **manifestarse** · **contestar** · **responder** · **precisar (algo)** · **concretar (algo)** · **referirse (a algo)** · **hablar (de algo)** · **comentar (algo)** *Eludió comentar la noticia*

No se incluyen en el grupo combinatorio CON VBOS. los que no aportan ninguna forma de restricción, como el verbo *tener* en los sustantivos que designan objetos físicos (*silla*, *libro*). Sí se incluye, en cambio, con los nombres que designan ciertas nociones abstractas (*duda*, *sueño*). Aplicando el mismo criterio, no se añade *traer* en las entradas *coche* o *dinero*, pero sí en las entradas *problema*, *polémica*, *sorpresa*, *consecuencias*, *suerte* o *beneficio*. Un tratamiento parecido es el que se ha seguido con los verbos *comprar* y *vender*.

Cuando no se mencionan *ser* ni *estar* en el grupo CON VBOS. de las entradas adjetivales, se entiende que el adjetivo admite *ser* como forma no marcada. Cuando acepta *estar* pero no *ser*, se menciona el primero de estos verbos, como se puede comprobar en las entradas *lleno*, *intacto* o *contento*. Si el adjetivo admite los dos verbos, se mencionan ambos, como en *alegre*, *alto*, *ciego*, *libre*, *calvo*, *bueno* o *abierto*. No se procede así, sin embargo, con los adjetivos que podrían designar ciertas formas de comportamiento ocasional y admitir *estar* en casos muy particulares, como *obediente*, *inteligente*, *meticuloso*, *abstemio*, *materialista*, *malpensado*, *meloso*, *astuto*, etc. Fuera de estos casos, la elección de *ser* o *estar* puede depender de la acepción que corresponda al adjetivo, y así se describe en el diccionario, como en *ser justo* frente a *estar justo*, o en *estar maduro* frente a *ser maduro*. En estos casos se menciona *ser*, aunque sea la única opción, para diferenciarla de la que corresponde a la otra acepción:

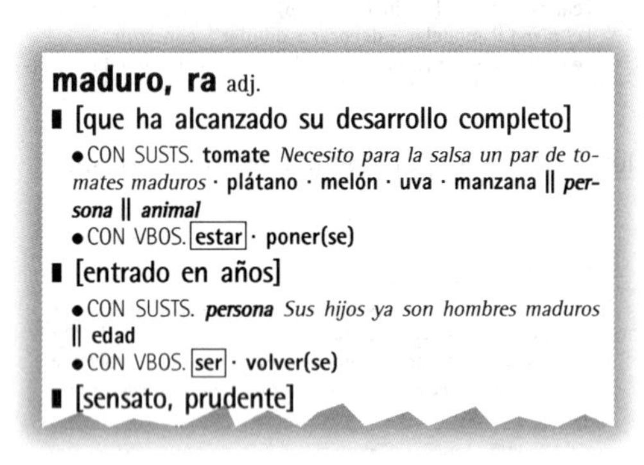

maduro, ra adj.
▮ [que ha alcanzado su desarrollo completo]
● CON SUSTS. **tomate** *Necesito para la salsa un par de tomates maduros* · **plátano** · **melón** · **uva** · **manzana** || ***persona*** || ***animal***
● CON VBOS. **estar** · **poner(se)**
▮ [entrado en años]
● CON SUSTS. ***persona*** *Sus hijos ya son hombres maduros* || **edad**
● CON VBOS. **ser** · **volver(se)**
▮ [sensato, prudente]

Ejemplos en los grupos combinatorios

Los ejemplos que proporciona PRÁCTICO no están documentados. Han sido construidos por los redactores a imitación de otros muchos similares que se encuentran en el corpus con el que se ha elaborado el diccionario. Este corpus es exactamente el mismo que el que se manejó en REDES. Se ha procurado que los ejemplos sean sencillos, que resulten naturales a los oídos de los hablantes nativos y que puedan servir de pauta para que los estudiantes de español como segunda lengua construyan otros similares.

Si PRÁCTICO contuviera ejemplos (sean documentados o construidos) para cada una de las cerca de 400 000 combinaciones que ofrece, ocuparía seis o siete volúmenes como el que el lector tiene ahora en sus manos. Los ejemplos han de aparecer, por consiguiente, salteados en el interior de los grupos combinatorios. Unas veces aparecen junto a las combinaciones más comunes, pero otras se han agregado al lado de otras poco frecuentes porque se ha pensado que el usuario tendría más dificultades para encontrar un ejemplo natural en estos otros casos que en el de las secuencias más habituales.

5. Subgrupos combinatorios

Límites

Llamamos *subgrupos combinatorios* a las series de expresiones agrupadas por criterios semánticos y separadas por el signo ‖ dentro de los grupos combinatorios. Cuando un grupo combinatorio no contiene subgrupos, toda la información se muestra en un solo bloque. En la mayor parte de los casos, sin embargo, las palabras que se presentan en los grupos combinatorios aparecen divididas en estos bloques. La información que se ofrece en ellos es siempre parcial. Ha sido elegida con criterios de frecuencia, de relevancia y de propiedad, por lo que creemos que resulta útil para el usuario, aunque carezca, como es lógico, de todo valor normativo.

Muy raramente se establecen en esos subgrupos subdivisiones técnicas. No aparecen, por ejemplo, *barroco* ni *románico* en la entrada *arte*, ni *dórica*, *jónica* o *corintia* en la entrada *columna*, ni otras muchas informaciones similares de tipo clasificatorio que corresponden a los diccionarios temáticos y a los de ideas afines. Al excluirlas del diccionario no se quiere decir que no sean relevantes para la sintaxis (el adjetivo *dórica* modifica, en efecto, al sustantivo *columna*), sino que su pertinencia no está en función de principios léxicos o gramaticales, sino de conocimientos enciclopédicos.

Las combinaciones que PRÁCTICO ilustra pertenecen al español general. No se añaden en ningún caso variables geográficas. El usuario de España puede extrañarse de que aparezca *polera* en el lema *amarillo, lla*, de la misma forma que al usuario de Chile le puede chocar que aparezca *maillot*. No tendrían sentido marcas como *América* frente a *Europa* u otras similares, puesto que, como se sabe, muchas expresiones naturales en unos países americanos no son comunes en otros. Sí tendría sentido, en cambio, abordar en otro proyecto un diccionario combinatorio que contuviera marcas geográficas correspondientes a países o regiones, pero no era ese nuestro propósito al concebir el presente diccionario. Aun así, es oportuno hacer notar que en lo relativo a la combinatoria léxica que se muestra en PRÁCTICO, las diferencias geográficas que se han atestiguado son poco numerosas.

En cuanto a la información sociolingüística, las únicas marcas que contiene PRÁCTICO son *coloquial (col.)*, *despectivo (desp.)*, *vulgar (vulg.)*, *irónico (irón.)* y *poético (poét.)*. Aun así, estas marcas se limitan a los lemas y a las expresiones idiomáticas, por lo que se excluyen de los grupos combinatorios.

Estructura interna de los subgrupos combinatorios

En los grupos nominales se colocan primero los usos físicos o literales que corresponden al lema, y a continuación se presentan los usos figurados. El usuario puede así comprobar la transición, muchas veces gradual, de unos a otros. Como se ha explicado, en PRÁCTICO no siempre se marcan estas diferencias con acepciones distintas:

depositar v.
• CON SUSTS. **voto** *depositar el voto en la urna* · **maleta** · **cacerola** · ***otros objetos*** || **dinero** *¿Por qué no depositas el dinero en un lugar seguro?* · **cheque** · **fianza** · **joya** · **bienes** · **fondos** · **ahorros** || **esperanza** · **ilusión** · **expectativa** *un proyecto en el que hemos depositado todas nuestras expectativas* · **confianza** · **fe** || **ambición** · **anhelo** · **ansia** · **aspiración** || **simpatía** · **afecto** *Solía depositar su afecto en personas que no se lo merecían* · **amor** · **gratitud** · **complacencia** · **odio** || **conocimiento** · **experiencia** · **idea** · **información** || **responsabilidad** · **deber** · **función**
• CON ADVS. **a cuenta** · **a plazo fijo** *Había depositado*

Las combinaciones que contienen preposición, en las que el lema constituye su término, se mencionan siempre al final de la serie; como, por ejemplo, en el grupo combinatorio nominal de *beber*:

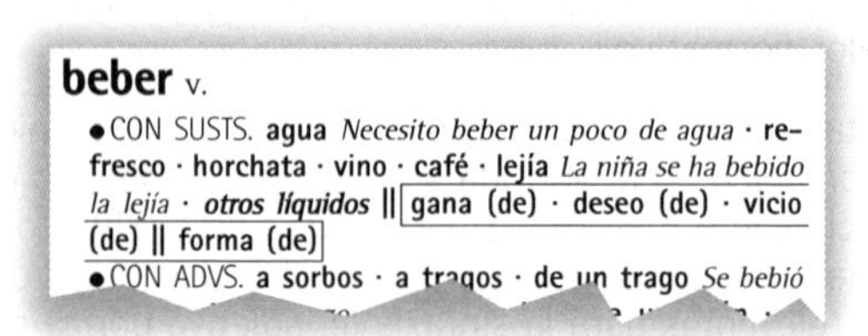

beber v.

● CON SUSTS. **agua** *Necesito beber un poco de agua* · **refresco** · **horchata** · **vino** · **café** · **lejía** *La niña se ha bebido la lejía* · ***otros líquidos*** || **gana (de)** · **deseo (de)** · **vicio (de)** || **forma (de)**

● CON ADVS. **a sorbos** · **a tragos** · **de un trago** *Se bebió*

o en el grupo combinatorio adjetival de *aroma*:

aroma s.m.

● CON ADJS. **dulce** *un aroma dulce procedente de la cocina* · **suave** · **delicado** · **agradable** *el agradable aroma que desprende* · **fragante** · **exótico** || **natural** · **artificial** || **intenso** · **fuerte** · **penetrante** · **ácido** || **cautivador** · **seductor** · **envolvente** · **arrebatador** · **irresistible** · **embriagador** *Los jazmines desprendían un aroma embriagador* · **incitante** · **estimulante** · **persuasivo** || **inequívoco** · **inconfundible** · **característico** · **especial** · **particular** || **tenue** · **vago** || **humeante** || **cargado,da (de)** *una noche de verano cargada de aromas* · **impregnado,da (de)**

● CON VBOS. **llegar(le) (a alguien)** · **seducir (a alguien)**

Si no existe ninguna marca en otro sentido, siempre que el lema es un verbo transitivo, en el grupo CON SUSTS. se presentan sus posibles complementos directos, como se puede apreciar en la entrada, reproducida más arriba, *depositar*. Así pues, la relación no marcada en PRÁCTICO es 'verbo-complemento directo'.

Los grupos combinatorios verbales que aparecen en las entradas de lema nominal están ordenados sintácticamente. En primer lugar se muestran los verbos que admiten el lema como sujeto (1).

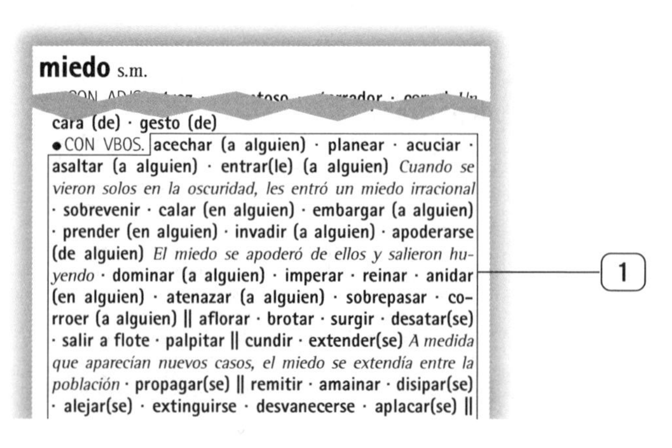

miedo s.m.

cara (de) · **gesto (de)**

● CON VBOS. **acechar (a alguien)** · **planear** · **acuciar** · **asaltar (a alguien)** · **entrar(le) (a alguien)** *Cuando se vieron solos en la oscuridad, les entró un miedo irracional* · **sobrevenir** · **calar (en alguien)** · **embargar (a alguien)** · **prender (en alguien)** · **invadir (a alguien)** · **apoderarse (de alguien)** *El miedo se apoderó de ellos y salieron huyendo* · **dominar (a alguien)** · **imperar** · **reinar** · **anidar (en alguien)** · **atenazar (a alguien)** · **sobrepasar** · **corroer (a alguien)** || **aflorar** · **brotar** · **surgir** · **desatar(se)** · **salir a flote** · **palpitar** || **cundir** · **extender(se)** *A medida que aparecían nuevos casos, el miedo se extendía entre la población* · **propagar(se)** || **remitir** · **amainar** · **disipar(se)** · **alejar(se)** · **extinguirse** · **desvanecerse** · **aplacar(se)** ||

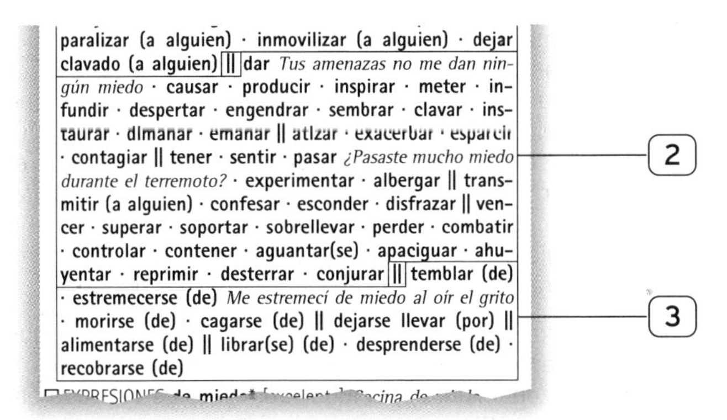

paralizar (a alguien) · inmovilizar (a alguien) · dejar clavado (a alguien) || dar *Tus amenazas no me dan ningún miedo* · causar · producir · inspirar · meter · infundir · despertar · engendrar · sembrar · clavar · instaurar · dimanar · emanar || atizar · exacerbar · esparcir · contagiar || tener · sentir · pasar *¿Pasaste mucho miedo durante el terremoto?* · experimentar · albergar || transmitir (a alguien) · confesar · esconder · disfrazar || vencer · superar · soportar · sobrellevar · perder · combatir · controlar · contener · aguantar(se) · apaciguar · ahuyentar · reprimir · desterrar · conjurar || temblar (de) · estremecerse (de) *Me estremecí de miedo al oír el grito* · morirse (de) · cagarse (de) || dejarse llevar (por) || alimentarse (de) || librar(se) (de) · desprenderse (de) · recobrarse (de)

Se dice, por ejemplo, *El miedo acecha a la gente* o *El miedo había calado en la población*. A continuación, aparecen los verbos que admiten *miedo* como complemento directo o indirecto (2). Se dice, por ejemplo, *Esas palabras inspiran miedo*, donde *miedo* es el complemento directo de *inspirar* (sobre la presencia o ausencia de la forma *se* o de la expresión *a alguien*, véase el apartado siguiente). En el último grupo (3) aparecen las combinaciones en las que *miedo* es término de una preposición, a menudo en construcciones de complemento de régimen, pero no solo en ellas.

6. Variables sintácticas

Recursos para especificar funciones

En los diccionarios combinatorios de otras lenguas se usa el orden de palabras para expresar que un lema nominal ha de interpretarse como sujeto de un verbo (sust. + verbo) o bien como su complemento directo (verbo + sust.). Esta información no es demasiado útil en español, no solo porque en ciertas construcciones ambos órdenes son igualmente posibles (*lo que supuso la reconversión ~ lo que la reconversión supuso*), sino porque el sujeto pospuesto es a veces la única opción, como en *¿Qué norma han quebrantado ahora los estudiantes?* o en *Surgen dudas a cada paso*.

Se ha explicado que los verbos que se mencionan en primer lugar en las entradas nominales admiten el lema como sujeto. Cuando se menciona un verbo transitivo en estos contextos, el diccionario satura o bloquea la función de complemento directo. Considérese, por ejemplo, en el grupo combinatorio verbal de la entrada *médico*:

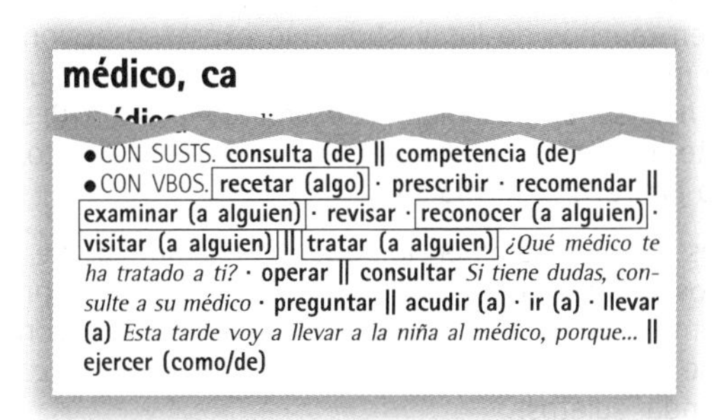

médico, ca

• CON SUSTS. consulta (de) || competencia (de)
• CON VBOS. recetar (algo) · prescribir · recomendar || examinar (a alguien) · revisar · reconocer (a alguien) · visitar (a alguien) || tratar (a alguien) *¿Qué médico te ha tratado a ti?* · operar || consultar *Si tiene dudas, consulte a su médico* · preguntar || acudir (a) · ir (a) · llevar (a) *Esta tarde voy a llevar a la niña al médico, porque...* || ejercer (como/de)

Si apareciera simplemente el verbo *reconocer*, el usuario podría pensar que se hace referencia a la combinación *reconocer a un médico*. Para evitar esta confusión, el verbo *reconocer* aparece en la forma *reconocer (a alguien)*, donde la presencia de *(a alguien)* bloquea o satura la función de complemento directo dejando libre la de sujeto, tal como se pretende. Nótese que en la misma entrada aparece *recetar (algo)*, *examinar (a alguien)* y *tratar (a alguien)*, pero en cambio aparece *consultar*, y no *consultar (a alguien)*, porque en este caso se desea que *médico* se interprete como complemento directo del verbo *consultar*, no como su sujeto. A la misma entrada corresponden las combinaciones *acudir (a)*, *ir (a)* y *llevar (a)*, entre otras que obedecen a la misma pauta.

Como se ha explicado, en todas las entradas nominales en las que aparece la fórmula 'verbo (prep.)' debe entenderse que el lema nominal es el término de la preposición. Se extiende el mismo razonamiento si el lugar del verbo es ocupado en ese esquema por un sustantivo o un adjetivo. Si se desea restringir el sujeto, la entrada contendrá variables que saturen o bloqueen el complemento preposicional, es decir *(de algo)* en lugar de *(de)*, o *(en alguien)* en lugar de *(en)*. Es lo que sucede en *recaer (en alguien)* o *consistir (en algo)* en el lema *misión*:

misión s.f.
[illegible]
· **representante (de)**
● CON VBOS. **tener éxito · fracasar || recaer (en alguien) || consistir (en algo) || corresponder (a alguien) · tocar (a alguien) || encomendar · asignar (a alguien) · confiar (a alguien)** *Solo a una persona de su talento podía confiarle una misión tan delicada* · **encargar (a alguien) · delegar · arrogarse || dirigir · capitanear · encabezar || acometer · afrontar · emprender · desempeñar · llevar a cabo · ejecutar · desarrollar · tener** *El mediador tiene una difícil misión que cumplir* **|| cumplir · consumar · culminar** *La sonda espacial no pudo culminar su misión debido a un fallo en uno de los reactores* · **llevar a término · llevar a buen puerto || incumplir || desvelar · descubrir · explicar · comunicar || prorrogar · suspender · cancelar · abortar || enviar (a)** *El capitán envió a sus mejores hombres a la peligrosa misión* · **lanzar(se) (a) · participar (en) · intervenir (en) || informar (de) · tener (como) · atenerse (a)**

El recurso del bloqueo que se ha descrito se aplica también a los lemas. Este sistema permite distinguir en PRÁCTICO *bañar* y *bañar (algo)*; *batir* y *batir (algo)* y *revelar* y *revelar (algo)*, como comprobará el lector si consulta esas entradas. El complemento indirecto se ha añadido al lema en muchos de los verbos que expresan acciones y procesos de carácter afectivo. En la mayor parte de estos casos los sustantivos que se proporcionan corresponden al sujeto: *helárse(le) (a alguien)*; *ocurrírse(le) (a alguien)*; *saltárse(le) (a alguien)*, pero excepcionalmente pueden corresponder al complemento directo, como en *amargar(le) (a alguien)*, donde no aparece la forma *se*.

Existen algunos casos excepcionales en los que los sustantivos de un grupo combinatorio pueden ser sujetos o complementos directos del lema sin la presencia del morfema *se*. Unas veces, el cambio de función sintáctica se corresponde con un cambio de acepción, como el caso de *rezar*, donde en la primera acepción se presentan complementos directos y en la segunda, sujetos:

rezar v.

▮ [orar]

● CON SUSTS. **oración · padrenuestro · rosario · plegaria** *Durante el acto los fieles rezaron varias plegarias a...*
● CON ADVS. **de rodillas || de (todo) corazón · devotamente · fervientemente || mecánicamente || diariamente · ocasionalmente**

▮ [decir, expresar]

● CON SUSTS. **cartel** *El cartel colocado encima de la entrada rezaba textualmente así:...* · **letrero · pancarta · título || carta · artículo · escrito · comunicado · informe · bando · canción · texto**
● CON ADVS. **textualmente · literalmente**

Más raro aún resulta que el cambio de función (de nuevo, sin presencia o ausencia de *se*) no se corresponda con un cambio de acepción. En las escasas situaciones en las que esto ocurre, solo a través de los ejemplos es posible saber cuál es el punto exacto en que se cambia de función sintáctica. En el ejemplo siguiente, marca el límite de cambio de función el subgrupo *paso · ritmo*, puesto que en el grupo que aparece a continuación de él, *zapato* se usa como sujeto de *apretar*, no como complemento directo. El ejemplo añadido aclara este punto:

apretar v.

● CON SUSTS. **botón** *Apriete el botón de alarma en caso de incendio* · **clavija · manivela · interruptor · gatillo** *No tuvo la sangre fría suficiente para apretar el gatillo* · **tecla || tuerca · tornillo || acelerador** *El Ayuntamiento decidió apretar el acelerador y urbanizar rápidamente la zona* · **freno || nudo · cuerda || mano || paso · ritmo || zapato** *Estos zapatos me aprietan* · **chaqueta · pantalón · corbata** · ***otras prendas de vestir*** **|| calor** *evitar las horas en las que el calor aprieta* · **frío**
● CON ADVS. **fuertemente · con fuerza · de lo lindo** *un calor que estos días aprieta de lo lindo* · **seriamente · firmemente · intensamente || ligeramente · moderadamente**

Esta doble posibilidad sintáctica de un lema verbal también se puede encontrar reflejada en una nota, como ocurre con la entrada *retroceder*:

retroceder v.

● CON SUSTS. **posición · puesto** *El piloto ha retrocedido un puesto en la clasificación general* · **plaza · punto || tiempo · año · día ·** ***otros períodos*** **|| paso**
● CON ADVS. **extraordinariamente · enormemente · considerablemente · ostensiblemente · manifiestamente · significativamente · sensiblemente || alarmantemente** *retrocediendo alarmantemente en sus posiciones* · **preocupantemente || levemente · ligeramente || súbitamente · de repente · rápidamente**

☐ USO Se usa también como verbo intransitivo con sustantivos como *ejército, tropas, enfermedad* o *fiebre*, entre otros: *La enfermedad está retrocediendo gracias al tratamiento de quimioterapia.*

La presencia o ausencia de la variable *(a alguien)* suele ser poco relevante en los grupos verbales correspondientes a las entradas de lema nominal. Si en la entrada *enfermedad* se menciona el verbo *transmitir*, que se construye con complemento indirecto, no se dará lugar a confusión tanto si se hace en la forma *transmitir* como en la forma *transmitir (a alguien)*.

En las entradas de lema adverbial se ha optado por agrupar los verbos sin atender a la separación de funciones sintácticas. Así, por ejemplo, en la entrada *peligrosamente* aparecen las combinaciones de *crecer* e *incrementar* bajo el mismo subgrupo combinatorio, aunque el primer verbo es intransitivo y el segundo, transitivo.

peligrosamente adv.

● CON VBOS. **acercarse** · **aproximarse** · **rozar** *Los dos coches llegaron a rozarse peligrosamente* · **arrimarse** · **bordear** · **inclinar(se)** · **asemejarse** · **contornear** · **lindar** · **acechar** · **parecerse** || **mover(se)** · **desviar(se)** · **cruzar** · **cabalgar** · **conducir** || **crecer** · **incrementar** · **acrecentar** · **engrosar** · **amplificar** · **aumentar** *El endeudamiento de la empresa está aumentando peligrosamente* · **elevar** || **reducir** · **descender** · **disminuir** · **empeorar** · **detener** · **debilitar(se)** · **dañar** · **enrarecer** || **cambiar** · **alterar** *obras que alteran peligrosamente el medio ambiente* · **volverse** || **acentuar** · **agravar** · **ahondar** · **exacerbar** || **amenazar** *Las inundaciones amenazan peligrosamente la región* · **atentar** · **atacar** || **alentar** · **inducir** · **apostar** || **incidir** · **afectar** · **influir** || **vivir** · **actuar** · **jugar**

En general, se ha optado por no especificar las funciones sintácticas en las entradas de PRÁCTICO para facilitar la consulta a los usuarios que no tengan formación gramatical.

El morfema *se*

La presencia del morfema *se* determina la clase de los verbos pronominales, cuyo estudio forma parte del léxico y de la sintaxis. No tienen relación directa con el análisis del léxico, en cambio, el *se* pasivo reflejo, el *se* impersonal o arbitrario o el *se* reflexivo, entre otras variedades. En PRÁCTICO se escribe, por tanto, *lavar*, no *lavar(se)*.

El morfema *se* característico de los verbos pronominales de cambio de estado se suele marcar en PRÁCTICO para que el lector sepa que la opción intransitiva (*reducirse*, *prolongarse*) se diferencia de esta forma de la transitiva (*reducir*, *prolongar*). Así pues, si al comienzo de un grupo combinatorio verbal se menciona el verbo *reducir(se)*, el lector debe interpretar dos informaciones. La primera es que el lema nominal puede ser sujeto del verbo pronominal *reducirse*; la segunda es que puede ser complemento directo del verbo transitivo *reducir*. Este último verbo no se repetirá a continuación en el subgrupo correspondiente a las combinaciones de verbo y complemento directo, ya que la convención que se ha explicado permite presentar simultáneamente ambas informaciones.

El morfema *se* forma parte de un serie de verbos pronominales que son lemas en PRÁCTICO, como *arrepentirse*, *arriesgarse*, *basar(se) (en algo)*, *beneficiar(se)*, *marchitar(se)*, *empeñar(se)*, *endeudar(se)*, etc. Otras veces presentan diferentes entradas la variante transitiva y la pronominal, como en *descolgar*, donde aparecen sustantivos como *teléfono* o *camisa*, y *descolgarse (de)*, donde se encuentran sustantivos como *proyecto* o *iniciativa*. Nótese que en este último caso no se escribe *descolgar(se) (de)* porque la presencia de *se* es obligatoria.

Se discute en la actualidad si algunos de los usos del llamado *se* aspectual (tradicionalmente dativo ético) se asimilan al *se* pronominal, ya que parecen ser relevantes léxicamente. Ciertamente, en PRÁCTICO no se añade *se* a *beber* en *beber una cerveza*, pero sí se añade en expresiones como *buscarse la vida* o *buscarse el sustento*, y también en el caso del verbo *saltarse*, que admite en este uso los sustantivos *semáforo*, *norma* o *barrera*, entre otros muchos.

Artículos

No se menciona la presencia o ausencia de artículo o de otros determinantes en las entradas del diccionario, en parte porque la alternancia está en función de factores gramaticales que deben explicarse en los análisis sintácticos. Aun así, en PRÁCTICO se añaden ejemplos que ponen de manifiesto esta información para que el lector se percate de su pertinencia:

madrugada s.f.

- CON ADJS. **de ayer** · **de hoy** *La temperatura más baja del invierno se ha registrado en la madrugada de hoy* || **tranquila** · **pacífica** · **fría** · **oscura** · **solitaria**
- CON SUSTS. **hora (de)** *Llamaron a la puerta a altas horas de la madrugada*
- CON VBOS. **llegar** · **pasar**
- CON PREPS. **hasta** · **en** *Los hechos ocurrieron en la madrugada del viernes*

□ EXPRESIONES **de madrugada** [durante la madrugada] *Sa-*

darse (a) v.

- CON SUSTS. **bebida** *darse a la bebida* · **droga** · **placer** · **buena vida** *Le tocó la lotería y se dio a la buena vida* · **juerga** · **encanto** · **lujo** · **vicio** · **autocomplacencia** · **separatismo** · **aventura** · **sentimentalismo** · **barbarie** || **siesta** · **descanso** || **fuga** *Los delincuentes se dieron a la fuga* · **huida** || **tarea** · **letras** · **deporte** · **cante** · **música** · **pintura** || **mar** *Se dio al mar con una pequeña embar-*

norte s.m.

▮ [punto cardinal]

- CON ADJS. **magnético**
- CON SUSTS. **país (de)** *el modo de vida de los países del norte* · **ciudad (de)** · **pueblo (de)** || **hemisferio** *una de las zonas más habitadas del hemisferio norte* · **polo** · **latitud** || **lado** · **zona** · **cara** *La expedición ascendió por la cara norte* · **parte** · **frontera** · **fachada** · **extremo** || **dirección** · **sentido**
- CON VBOS. **recorrer** || **viajar (a)** · **trasladarse (a)** · **emigrar (a)** · **dirigirse (a)** · **huir (a)** || **llegar (a)** · **proceder (de)** · **vivir (a/en)** || **orientar(se) {a/hacia}** · **apuntar (a)** · **dar (a)**
- CON PREPS. **a** *...está situado al norte* · **por** · **hacia**

▮ [meta, referencia]

- CON VBOS. **perder** *El éxito no le hizo perder el norte* · **tener** · **buscar** || **carecer (de)**

7. Expresiones

Bajo este epígrafe se incluyen en muchas entradas de PRÁCTICO locuciones en las que figura el lema. Con ello se pretende que el lector distinga la información recogida en los grupos combinatorios, que es sistematizable en función de pautas semánticas, de la que corresponde estrictamente a la fraseología, que no se ajusta exactamente a ellas. Se proporciona en todos los casos una paráfrasis breve de la locución, y en ocasiones algún ejemplo. Así, en la entrada *cubrir(se) (de)* no se menciona *gloria* en el grupo combinatorio nominal porque el sentido recto de esa combinación ha cedido su lugar en el español actual al uso lexicalizado. Se añade, por tanto, *cubrirse de gloria* en el apartado de *expresiones* y se ofrece una paráfrasis aproximada:

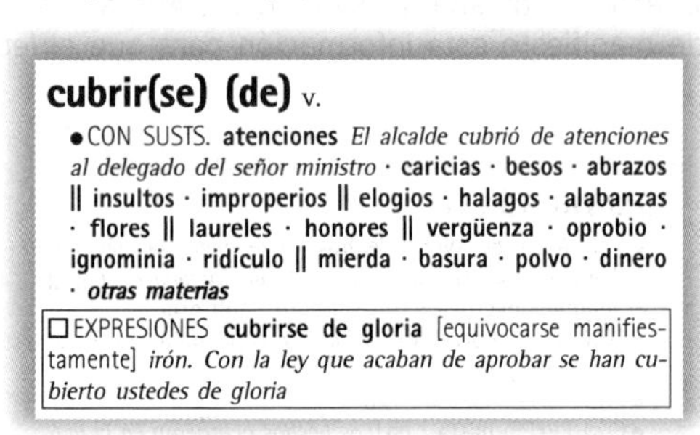

cubrir(se) (de) v.

● CON SUSTS. **atenciones** *El alcalde cubrió de atenciones al delegado del señor ministro* · **caricias** · **besos** · **abrazos** || **insultos** · **improperios** || **elogios** · **halagos** · **alabanzas** · **flores** || **laureles** · **honores** || **vergüenza** · **oprobio** · **ignominia** · **ridículo** || **mierda** · **basura** · **polvo** · **dinero** · ***otras materias***

☐ EXPRESIONES **cubrirse de gloria** [equivocarse manifiestamente] *irón. Con la ley que acaban de aprobar se han cubierto ustedes de gloria*

Otras entradas que contienen el apartado *expresiones* son las siguientes: *anillo*, con las expresiones *caérsele los anillos (a alguien)* y *como anillo al dedo*; *pie*, con la expresión *al pie de la letra*; *claro*, con *a las claras*, *poner en claro* y *sacar en claro*; y *malo, la*, con *a malas*, *de malas* y *por las malas*.

Las expresiones aparecen con el siguiente orden de preferencia: sustantivo, verbo, adjetivo, pronombre y adverbio. Así, por ejemplo, la expresión *caérsele los anillos (a alguien)* aparece en el lema *anillo*, pero no en la entrada *caer*; igualmente, *como anillo al dedo* se encuentra en *anillo*, pero dicha expresión no se repite en la entrada *dedo*.

Siempre que una de estas locuciones tiene entrada en el diccionario como lema se marca con un asterisco en la última de las palabras que la componen:

arte s.m.

☐ EXPRESIONES **por arte de magia*** [de forma sorprendente]

Las expresiones se presentan siempre agrupadas alfabéticamente:

arma s.f.

● CON PREPS. **al calor (de)** || **bajo** · **con**

☐ EXPRESIONES **alzarse en armas** [iniciar una rebelión armada] || **arma de {doble filo/dos filos}** [recurso que puede favorecer o perjudicar el objetivo que se persigue] || **de armas tomar** [de carácter muy fuerte]

Su significado se agrega entre corchetes. Nunca aparecen flexionadas (no se encontrará, por tanto, *estar hecho, cha un basilisco*). Cuando dan lugar a dobletes o a variantes triples, se indican entre llaves, como en *{estar/ponerse} hecho un basilisco*; *arma de {doble filo/dos filos}*. Se evita este recurso cuando una de las variantes es lema, ya que de esta forma puede agregarse el asterisco que lo indica: *de buena fe**, *de mala fe*.

8. Notas

Las notas que aparecen al final de algunas fichas son aclaraciones de uso de distinto tipo. Como se ha explicado (recuérdese la entrada *como un condenado*, reproducida anteriormente), se usan para presentar las variantes flexivas de las locuciones. También se emplean las notas para dar información sobre el régimen preposicional: en *acusar* se dice que suele regir la preposición *de*: *acusar a alguien de algo*; en *abalanzarse (sobre)* se añade que puede construirse también con la preposición *contra*; en *abarrotado, da* se señala que admite complementos encabezados por la preposición *de*: *un local abarrotado de gente*.

Las notas añaden otras muchas informaciones sintácticas. Así, por ejemplo, en *achacar* se señala que este verbo se construye con complementos indirectos (*achacarle toda la culpa a alguien*) y también con complementos preposicionales con *a* (*achacar los problemas a la falta de compañerismo*); en *a favor* se dice que se construye con complemento (*a favor del Gobierno*) o sin él (*dos goles a favor*); en *a lo lejos* se añade que se usa muy frecuentemente en oraciones pasivas reflejas: *A lo lejos se veían las luces de la ciudad*; en *patas arriba* se indica que se construye frecuentemente con los verbos *poner*, *estar*, *quedarse*, *seguir* y con otros, generalmente causativos o copulativos. Ciertas notas se usan para indicar un uso participial frecuente, como en *debidamente*: *Hay que presentar los documentos debidamente firmados y sellados*.

Son muchas las notas en las que se agregan marcas de uso relacionadas con el número, como en el caso de *dechado* y *acopio*, donde se indica que esos sustantivos suelen combinarse con sustantivos no contables en singular (*dechado de perfección*; *hacer acopio de comida*) o con contables en plural (*dechado de cualidades*; *hacer acopio de datos*). La oposición contable ~ no contable también se menciona en las notas de las palabras *atesorar* (*atesorar premios*; *atesorar dinero*), *lote* (*lote de comida*; *lote de libros*, entre otras muchas).

Se emplean también las notas para observar que ciertas expresiones se usan más en contextos negativos. Pueden consultarse en este sentido las notas de las entradas *caer en saco roto*, *bajo ningún concepto* o *mediar*. Otras notas aluden a la combinación con locuciones pronominales como *ni media palabra*, *ni (una) palabra*, *ni torta*, *ni jota*, *ni papa* en la entrada *entender*. En la entrada *sin condiciones* se añaden las variantes *sin ninguna condición*, *sin condición alguna*, *sin la más mínima condición*, a las que corresponde la misma combinatoria que al lema.

9. Cuestiones tipográficas

Al principio del diccionario se presenta una relación de todos los signos tipográficos que se emplean en PRÁCTICO. El uso de los paréntesis indica en primer lugar la posible omisión de la expresión que encierra, como en los lemas *de (todo) corazón*, *en (mil) pedazos* o *a (un) tiro de piedra*. No obstante, muchas voces encerradas entre paréntesis no se pueden omitir. Las preposiciones entre paréntesis en los complementos preposicionales, como en *foco (de)* o *servicio (de)* ponen de manifiesto que se podría intercalar algún elemento entre esas voces, como en *un foco constante de enfermedades* o en *servicios integrales de limpieza*. Además de admitir este mismo uso, las variables sintácticas de las que se ha hablado se encierran también entre paréntesis para indentificarlas como tales: *(a algo)*, *(a alguien)*. Estas variables se marcan además tipográficamente en el lema porque no son parte de la unidad léxica.

Se han usado también los paréntesis para añadir ciertas informaciones que no se ha considerado oportuno distinguir en acepciones. Por ejemplo, en el grupo combinatorio de la entrada *al cero* se mencionan entre paréntesis los complementos exclusivos de cada verbo porque se hacen necesarios en cada uno de esos casos.

Se emplean los corchetes para proporcionar paráfrasis de las locuciones en el grupo final EXPRESIONES, y también, como se ha visto anteriormente, como identificación tipográfica de las remisiones.

Por último, se utilizan las llaves para mostrar variantes en una expresión compleja, como en *a punta de {navaja/pistola}*; *a {mis/tus/sus...} anchas*; *a {mi/tu/su...} antojo*. Se ha optado por los posesivos en estos casos, aunque algunos de ellos admitan variantes con la preposición *de*.

DICCIONARIO

A a

a babor loc.adv.

• CON VBOS. **virar · mirar || escorar(se) · desviar(se)**

[abajo] → boca abajo; de arriba abajo; venirse abajo

abalanzarse (sobre) v.

• CON SUSTS. ***persona*** *Una nube de cámaras y micrófonos se abalanzó sobre el cantante* **|| presa · animal || vehículo · coche** *Los chicos se abalanzaron sobre el coche en busca de un autógrafo de...* **· camión || pastel · comida · viandas ·** ***otros alimentos***

• CON ADVS. **violentamente** *Las imágenes muestran cómo el león se abalanza violentamente sobre su presa* **· sin piedad · de cabeza · directamente || inmediatamente · súbitamente || literalmente**

☐ USO También se construye con la preposición *contra*: *abalanzarse contra alguien.*

abanderar v.

▮ [ponerse al frente de algo]

• CON SUSTS. **movimiento · realismo · socialismo ·** ***otras tendencias o movimientos*** **|| lista · partido · organización || lucha · campaña** *abanderar la campaña anticorrupción* **· batalla · cruzada || propuesta · estrategia · iniciativa · proyecto · plan || discurso · causa** *Debimos abanderar esa causa legítima y justa* **· pensamiento · tesis · idea · planteamiento · postura || revolución · protesta · respuesta · motín · reacción · rechazo · oposición** *El sindicato abanderó la oposición a la ley* **· boicot · moción || reforma · cambio** *la persona adecuada para abanderar el cambio* **· proceso · renovación · modernización · regeneración · recuperación**

▮ [registrar bajo la bandera de un Estado]

• CON SUSTS. **embarcación · buque · barco** *Abanderaron el barco bajo pabellón panameño*

[abandonar] → abandonar; abandonar(se) (a)

abandonar v.

• CON SUSTS. **hogar** *Huyó de casa y abandonó el hogar* **· edificio · ciudad · territorio ·** ***otros lugares*** **|| arma** *Firmarán un acuerdo para abandonar las armas* **|| niño,ña · bebé · anciano,na ·** ***otros individuos*** **|| perro,rra · gato,ta ·** ***otros animales*** **|| actitud · postura** *Seguimos tratando de que abandone una postura tan intransigente* **· esfuerzo · lucha · protesta || actividad** *No sabía que habías abandonado tu actividad artística* **· ocupación · tarea · trabajo · obligación · cargo · puesto · deber · responsabilidad · carrera · estudios || abogacía** *¿Vas a abandonar la abogacía?* **· medicina ·** ***otras profesiones*** **|| grupo · organización · asociación · partido · empresa · reunión || plan · proyecto · idea**

• CON ADVS. **de buen grado** *Abandonó la política de buen grado* **· gustosamente · por su propio pie · voluntariamente · libremente · incondicionalmente · a regañadientes · de mala gana || cautelarmente · provisionalmente · temporalmente · por un momento · indefinidamente · definitivamente || precipitadamente · de un día para otro · inmediatamente** *Las tropas abandonaron inmediatamente el lugar* **· intempestivamente · ordenadamente || gradualmente · progresivamente · paulatinamente || totalmente · por completo · en parte · en masa · por {decenas/millares...} || a la deriva · al destino · a {mi/tu/su...} suerte** *Me abandonó a mi suerte y jamás volví a saber de ella* **|| de incógnito · de puntillas · ostensiblemente || irresponsablemente**

abandonar(se) (a) v.

• CON SUSTS. **suerte** *Huyeron y abandonaron al resto de la expedición a su suerte* **· deriva · designio · fatalidad · destino || deseo · tentación · placer · capricho || pensamiento** *Ahí está, fuera del mundo y abandonado a sus pensamientos* **· inspiración || intuición · instinto || nostalgia · recuerdo** *Desde que murió su mujer, permanece a menudo absorto y se abandona a sus recuerdos* **· añoranza || sueño · fantasía || desesperación · abulia · soledad · inseguridad || euforia**

• CON ADVS. **por un momento · definitivamente · totalmente · por completo**

abandono s.m.

• CON ADJS. **total · profundo · absoluto · completo || permanente · decisivo · definitivo · eterno || parcial · temporal · momentáneo || ostensible · notable · visible** *La casa experimenta un visible abandono* **|| lamentable · doloroso** *En sus poemas se plasma el doloroso abandono de su patria* **· humillante · amargo · deplorable · ruinoso || eventual · provisional · transitorio · ocasional || voluntario · involuntario · forzoso || progresivo · gradual · paulatino || masivo · en masa**

• CON SUSTS. **sensación (de) · estado (de) || causa (de)** *Una lesión muscular fue la causa del abandono del ciclista*

• CON VBOS. **padecer · experimentar · sufrir || lamentar || provocar** *La guerra provocó el abandono de ciudades enteras* **|| abocar (a) · relegar (a) · condenar (a alguien) (a) · dejar (a alguien/algo) (a) || sumir(se) (en)** *Aquel pueblo se sumió en el abandono hace más de...* **· caer (en) · rayar (en) || rescatar (de) · reponerse (de) || resignarse (a)**

• CON PREPS. **al borde (de) || en caso (de)**

abanico

1 **abanico** s.m.

● CON ADJS. **vistoso · de colores || variado · dispar · heterogéneo** *un abanico de músicos muy heterogéneo* || **abigarrado · amplio** *Se abría un amplio abanico de posibilidades* · **extenso · grande · enorme · inmenso · vasto · exiguo || completo · rico**

● CON VBOS. **abrir · desplegar · ampliar · expandir · ensanchar · agrandar · aumentar || cerrar · estrechar · reducir · recortar · disminuir || mostrar · presentar** *En el festival se presentó un variado abanico de películas* · **ofrecer · aportar · proponer · exponer · ofertar · exhibir || conformar · formar · establecer · crear || cubrir · abarcar · completar || usar || darse aire (con)**

2 **abanico (de)** s.m.

● CON SUSTS. **posibilidades · alternativas · opciones · iniciativas · ofertas · soluciones || ideas · canciones · frases || gustos · tonos · estilos · colores · opiniones · medidas · puntos de vista** *En la reunión se expuso un amplio abanico de puntos de vista sobre el asunto* · **posiciones · asignaturas · canales · excusas || artistas** *Un variopinto abanico de artistas actúa en la obra que se estrena hoy* · **autores,ras** · ***otros individuos***

abaratar(se) v.

● CON SUSTS. **coste · precio** *Este año se han abaratado levemente los precios* · **tarifa || producto · mercancía || vivienda · suelo || despido**

● CON ADVS. **significativamente · sustancialmente** *La nueva ministra pretende abaratar sustancialmente el coste de...* · **notablemente · considerablemente || levemente · ínfimamente · ligeramente**

abarcar v.

● CON SUSTS. **espacio · área · ámbito · terreno** *Resultaba imposible abarcar todo el terreno de un solo vistazo* · **territorio · paisaje || conocimiento · materia · campo** *un libro breve que abarca un campo sumamente vasto* · **contenido || temario · asignatura**

● CON ADVS. **en exceso || por completo · de punta a punta · ampliamente || cronológicamente** *La Edad Media abarca cronológicamente dos períodos diferenciados* || **necesariamente**

abarrotado, da adj.

● CON SUSTS. **recinto · bar** *bares abarrotados de gente* · **sala · plaza · calle** · ***otros lugares*** || **autobús** *Pasó un autobús abarrotado y no paró* · **tren · coche** · ***otros medios de transporte*** || **armario** *un armario abarrotado de ropa* · **baúl · maleta · caja · cajón · archivo** · ***otros recipientes o receptáculos*** || **sesión · acto · conferencia · exposición · fiesta · feria || película · novela · comedia · composición · artículo · guión** *un guión pretencioso y abarrotado de frases incomprensibles* · **argumento · fábula || vida · carrera · noche · calendario** *un calendario abarrotado de compromisos* · **tiempo · futuro || equipo · comunidad**

☐ USO Admite complementos encabezados por la preposición *de*: *un local abarrotado de gente.*

abastecedor, -a s.

● CON ADJS. **principal · mayor**

[abastecer] → abastecer; abastecer(se) (de)

abastecer v.

● CON SUSTS. **demanda · necesidad** *Nuestra producción es demasiado pequeña como para abastecer las necesidades de una gran población* · **consumo || mercado** *Debido a la huelga de transportistas no se ha podido abastecer a los mercados* · **industria · empresa || ciudad · capital · municipio · región · zona · población · ciudadano,na · habitante || embalse · pantano · cuenca**

● CON ADVS. **constantemente · periódicamente** *una empresa que abastece periódicamente a los colegios* · **regularmente · ocasionalmente || directamente · indirectamente · automáticamente || ilegalmente**

abastecer(se) (de) v.

● CON SUSTS. **agua** *El río se abastece de las aguas de muchos pequeños afluentes* · **energía · electricidad** *la central que abastece de electricidad a toda la zona* · **combustible · gas || alimento · víveres · comida · carne · pescado · materia prima · mercancía** · ***otros productos*** || **medicamentos · droga(s)**

● CON ADVS. **primordialmente** *Esta ciudad se abastece primordialmente del agua de los pantanos cercanos* · **esencialmente · principalmente || constantemente · periódicamente** *La asociación se encarga de abastecer periódicamente de medicinas a los países más necesitados* · **temporalmente · regularmente · religiosamente · ocasionalmente || libremente · directamente · indirectamente · automáticamente || ilegalmente || económicamente**

☐ USO Se construye generalmente con sustantivos no contables en singular (*abastecerse de agua*) o contables en plural (*abastecerse de víveres*).

abasto s.m.

● CON ADJS. **alimenticio || nacional** *Esta zona del país proporciona el abasto nacional de frutas y verduras* · **rural · interno**

● CON SUSTS. **mercado (de) · plaza (de) · central (de) || problemas (de) || inspector,-a (de) · delegado,da (de)**

● CON VBOS. **asegurar · garantizar** *Se tomarán medidas encaminadas a garantizar el abasto de energía*

☐ EXPRESIONES **dar abasto** [bastarse, poder abarcar] *Necesito ayuda, yo sola no doy abasto*

☐ USO La expresión *dar abasto* se usa generalmente en contextos negativos.

abatible adj.

● CON SUSTS. **asiento · butaca · silla · respaldo · apoyabrazos || mesa · cama || puerta · techo · pared** *Unas paredes abatibles nos permitirán ganar espacio si hace falta* · **ventana || luneta · retrovisor · baliza · culata**

● CON ADVS. **parcialmente · totalmente · completamente · del todo || fácilmente** *un coche con asientos fácilmente abatibles*

abatimiento s.m.

● CON ADJS. **absoluto · total · general · profundo · hondo** *Siente un hondo abatimiento por la pérdida de...* · **mortal · amargo || progresivo || moral · anímico** *Tenemos que ayudarla a vencer su abatimiento anímico* · **psicológico · mental || personal || preso,sa (de) · lleno,na (de)**

● CON SUSTS. **síntoma (de) · gesto (de) || clima (de)**

● CON VBOS. **invadir (a alguien)** *No dejes que el abatimiento te invada* · **cundir || vencer · superar || mitigar · paliar || ocultar · disimular · mostrar · demostrar || evitar || sumir(se) (en) · postrar(se) (en) · hundir(se) (en) · caer (en) || salir (de)** *Quizá conocer gente nueva la ayude a salir del abatimiento en el que está*

[abatir] → abatir; abatirse (sobre algo/sobre alguien)

abatir v.

I [derribar]

● CON SUSTS. **jabalí** *Los cazadores abatieron a tiros varios jabalíes* · **ciervo,va** · ***otros animales*** || **enemigo,ga** · **criminal** · **adversario,ria** · **soldado** · **ejército** · ***otros individuos y grupos humanos*** || **avión** · **helicóptero** || **poder** · **gobierno** · **estado** · **democracia** || **déficit** *Al Gobierno le preocupa abatir el déficit* · **costo** · **gasto** · **índice** || **muro** · **monumento** · **árbol** *El viento abatió varios árboles*

I [inclinar]

● CON SUSTS. **respaldo** *Estarás más cómodo si abates el respaldo del asiento* · **asiento**

abatirse (sobre algo/sobre alguien) v.

● CON SUSTS. **tragedia** · **calamidad** · **desastre** *los terribles desastres que en los últimos años se han abatido sobre el país* · **catástrofe** · **desgracia** · **desdicha** · **mal** || **problema** · **crisis** · **escándalo** · **polémica** || **crítica** · **demanda** || **desesperación** · **desmoralización** · **dolor** *personas abatidas por la indignación y el dolor* · **tristeza** · **pesimismo** · **desaliento** · **pesadumbre** || **tormenta** *Una fuerte tormenta se abatió sobre la costa* · **lluvia** · **granizo** · **nieve** · **frío** · **temporal** · ***otros fenómenos meteorológicos adversos***

abdicar (de) v.

● CON SUSTS. **condición** · **posición** · **rango** · **trono** *El rey abdicó del trono en su hijo* || **creencia** · **convicción** · **principio** · **postulado** · **planteamiento** · **credo** · **ideología** · **idea** · **ideal** *No me pidan ustedes que abdique de mis ideales* · **doctrina** || **poder** · **responsabilidad** · **deber** · **papel** · **obligación** · **función** *La universidad no puede abdicar de su función* || **derecho** · **facultad** · **posibilidad** · **capacidad** || **pretensión** · **propósito** · **propuesta** · **intención** · **aspiración** || **maestría** · **genio** · **superioridad** || **origen** · **pasado** *Nuestro país no debería abdicar de su pasado* · **tradición** || **dignidad** · **ética** · **libertad** · **modestia**

abdomen s.m.

● CON SUSTS. **parte (de)** · **zona (de)** · **interior (de)** · **pared (de)** || **lesión (en)** · **dolor (en)** · **molestia (en)** *Fue al médico porque tenía unas molestias en el abdomen* · **golpe (en)** · **hernia (en)** || **herida (en)** · **corte (en)** · **incisión (en)**

● CON VBOS. **palpar** · **presionar** || **endurecer(se)** · **fortalecer(se)** *unos ejercicios para fortalecer el abdomen* || **herir (en)** || **operar(se) (de)**

abedul s.m.

● CON SUSTS. **bosque (de)** · **zona (de)** || **simbología (de)** · **propiedades (de)**

● CON VBOS. **amarillear** || **repoblar (con)**

➤ Véase también **ÁRBOL**

abeja s.f.

● CON ADJS. **reina** · **obrera**

● CON SUSTS. **enjambre (de)** || **miel (de)** · **cera (de)** · **veneno (de)** · **picadura (de)** || **nido (de)** · **colmena (de)** · **panal (de)**

● CON VBOS. **picar** *Me picó una abeja* · **aguijonear**

aberración s.f.

● CON ADJS. **tremenda** · **mayúscula** · **colosal** · **descomunal** *Lo que han hecho ustedes es una aberración descomunal* · **monumental** · **inmensa** · **absoluta** · **supina** · **completa** · **total** || **auténtica** · **solemne** · **verdadera** || **irreparable** · **imperdonable** · **inadmisible** · **inconcebible** · **indescriptible** || **flagrante** · **evidente** · **sonada** · **clara** || **horrenda** · **espantosa** *una espantosa aberración jurídica, política y social* · **sobrecogedora** · **siniestra** · **atroz** · **infame** · **abominable** · **monstruosa** || **peligrosa**

● CON VBOS. **cometer** · **perpetrar** || **subsanar** · **corregir** · **rectificar** || **provocar** · **engendrar** || **constituir** · **representar** || **permitir** || **incurrir (en)** · **caer (en)** *Esperemos que no caigan en tan evidente aberración* || **calificar (de)**

aberrante adj.

● CON SUSTS. **aspecto** · **forma** · **naturaleza** || **nombre** · **país** · **palabra** || **situación** *La prensa denunció la aberrante situación de las dos familias* · **caso** · **hecho** · **acto** · **espectáculo** || **sistema** · **método** · **capitalismo** || **tesis** · **planteamiento** *un planteamiento completamente aberrante* · **proyecto** · **sueño** || **ideología** · **pensamiento** || **trato** · **práctica** · **comportamiento** · **actitud** · **conducta** || **extremismo** · **perversión** · **crueldad** · **explotación** || **crimen** · **atentado** · ***otros delitos*** || **ley** · **sentencia** || **nivel** · **extremo** *Su conducta había llegado a extremos aberrantes*

● CON ADVS. **absolutamente** *Recibimos un trato absolutamente aberrante* · **completamente** · **tremendamente** · **enormemente** || **jurídicamente**

● CON VBOS. **considerar** · **calificar (de)** *Los testigos calificaron el espectáculo de aberrante* || **resultar**

abeto s.m.

● CON ADJS. **natural** *Comienza la campaña de recogida de abetos naturales para replantarlos en...* · **artificial** || **navideño** · **tradicional**

● CON SUSTS. **bosque (de)** · **monte (de)** · **zona (de)** || **cultivador,-a (de)** · **vendedor,-a (de)** · **productor,-a (de)** || **cultivo (de)** · **puesto (de)** *En la plaza hay un puesto de abetos navideños* · **venta (de)** || **recogida (de)** || **forma (de)**

● CON VBOS. **amarillear** || **tirar** || **recoger** · **reciclar**

➤ Véase también **ÁRBOL**

abiertamente adv.

● CON VBOS. **manifestar(se)** · **reconocer** *Reconoció abiertamente que era el culpable* · **confesar** · **declarar** · **proclamar** · **revelar** · **destapar** · **evidenciar(se)** · **exponer** · **admitir** · **exhibir** · **salir a luz pública** · **jactarse** || **aludir** *El ministro aludió abiertamente a su adversario* · **señalar** · **apuntar** · **insinuar** · **indicar** · **aducir** · **apelar** · **esgrimir** || **criticar** · **descalificar** *Sus comentarios descalifican abiertamente nuestro trabajo* · **injuriar** · **amenazar** || **reír** · **sonreír** · **ridiculizar** · **burlar(se)** · **mofarse** · **bromear** · **regodearse** || **afirmar** · **asegurar** · **contestar** *Nunca contesta abiertamente lo que le preguntan* · **decir** · **contar** · **expresar** · **desmentir** || **negar(se)** · **renegar** · **reivindicar** || **discrepar** · **oponer(se)** *Sus intereses se oponían abiertamente a los nuestros* · **divergir** · **disentir** · **diferir** · **contraponer(se)** · **protestar** · **boicotear** · **rebatir** · **reclamar** · **denunciar** · **rebelarse** || **rechazar** · **discriminar** · **excluir** · **descartar** · **prescindir** · **rehusar** · **despreciar** · **repudiar** *Todos repudiaron abiertamente el atentado* || **enfrentar(se)** · **confrontar** · **pelear** · **discutir** · **debatir** · **combatir** · **competir** · **luchar** *El Gobierno prometió luchar abiertamente contra la corrupción* · **disputar** · **enzarzarse** · **entrar en guerra** || **intervenir** · **participar** · **abordar** · **actuar** · **interferir** · **afrontar** · **tomar partido** · **plantar cara (a algo)** · **encarar** · **entrometerse** *No debería entrometerse tan abiertamente en asuntos ajenos* · **emprender** || **apartar(se)** · **distanciar(se)** · **desvincular(se)** · **separar(se)** · **renunciar** · **desertar** || **ayudar** · **apoyar** · **defender** · **respaldar** *El equipo directivo respalda abiertamente la candidatura de...* · **alentar** · **alabar** · **contribuir** · **cooperar** · **favorecer** · **colaborar** · **aplaudir** || **adherir(se)** · **preferir** · **decantar(se)** || **atacar** ·

invadir · **bombardear** *Amenazaron con bombardear abiertamente la región* || **delinquir** · **desobedecer** · **violar** · **transgredir** · **vulnerar** · **conculcar**
● CON ADJS. **combativo,va** · **bélico,ca** · **belicoso,sa** · **beligerante** · **enemistado,da** *Estamos abiertamente enemistados con nuestros vecinos* · **enfrentado,da** · **discordante** · **confrontado,da** · **contrapuesto,ta** · **contrario,ria** · **opuesto,ta** || **delictivo,va** · **fraudulento,ta** · **criminal** · **subversivo,va** · **vulnerado,da** · **quebrantado,da** || **homosexual** · **gay** · **sexual** · **pornográfico,ca** || **demócrata** · **conservador,-a** *un discurso abiertamente conservador* · **republicano,na**

[abierto, ta]

→ abierto, ta; a corazón abierto; a tumba abierta; como un libro abierto; con los brazos abiertos; en abierto

abierto, ta adj.

● CON SUSTS. ***persona*** *Demostró ser una chica abierta y extrovertida* || **final** · **desenlace** · **resultado** || **carácter** *una persona con un carácter abierto* || **vocal**
● CON VBOS. **ser** *Necesitamos personas que sean abiertas y optimistas* || **quedar(se)** *Se ha quedado abierta la puerta de la terraza* · **estar** · **dejar** · **mantener(se)**
□ EXPRESIONES **en abierto*** [sin codificar] *un programa en abierto*

abigarrado, da adj.

● CON SUSTS. **mundo** · **ciudad** *una abigarrada y alegre ciudad* · **barrio** · **estadio** · **plaza** · ***otros lugares*** || **público** · **muchedumbre** · **multitud** *Una multitud abigarrada invadió las calles* · ***otros grupos humanos*** || **conjunto** · **mezcla** · **composición** · **complejo** · **abanico** · **mosaico** · **mezcolanza** *El cuadro mostraba una mezcolanza abigarrada de estilos* · **acumulación** · **cúmulo** · **enjambre** || **panorama** · **paisaje** · **imagen** · **escaparate** · **decoración** *El salón sorprendía por su abigarrada decoración* · **decorado** · **ambiente** · **marco** · **cuadro** · **estética** · **estilo** || **arte** · **obra** · **exposición** · **narración** · **discurso** · **novela** *Es una novela densa y abigarrada* · **poemario** · **letra** · **libro** · **página** · **palabra** · ***otras manifestaciones verbales o textuales*** || **dibujo** · **ilustración** · **pintura** · **acuarela** · **autorretrato** · **cartel** · **fotografía** · **fotograma** · **fresco** · **lienzo** || **color** · **colorido** · **policromía**

abismal adj.

● CON SUSTS. **profundidad** *la profundidad abismal de los océanos* · **agujero** · **ámbito** · **hondonada** · **foso** · **hondura** · **meandro** · **sima** · **valle** · **escote** || **terreno** · **frontera** · **lugar** · **puesto** · **lado** · **límite** · **confín** · **mundo** || **diferencia** *Ganaron el partido con una diferencia abismal* · **distancia** · **disparidad** · **desigualdad** · **contraste** · **ventaja** · **superioridad** · **discrepancia** *Nuestras discrepancias políticas son abismales* · **diversidad** · **margen** || **baja** · **caída** · **cambio** · **descenso** *Se produjo un descenso abismal de la criminalidad* · **incremento** · **mejoría** · **merma** · **salto** · **rebaja** || **fractura** · **censura** · **divorcio** · **separación** *Existe una separación abismal entre lo que dice y lo que hace* · **ruptura** · **tajo** · **represión** || **ausencia** · **vacío** · **desconfianza** · **desencanto** · **desequilibrio** · **desorden** · **derrota** · **pobreza** || **ignorancia** · **incultura** · **desconocimiento** || **apariencia** · **imagen** · **resplandor** · **tiniebla** · **visión** || **grandeza** · **complejidad**

abismalmente adv.

● CON VBOS. **separar** *dos posturas que se separan abismalmente* · **diferenciarse** · **distanciarse** · **alejarse** · **diferir** || **caer** · **mejorar** · **hundirse**
● CON ADJS. **diferente** *La reacción del público fue abismalmente diferente a la del año anterior* · **distinto,ta** · **inferior** · **superior** · **mejor** · **peor** || **lejos**

abismo s.m.

● CON ADJS. **profundo** *En su sueño caía en un profundo abismo* · **hondo** · **sin fondo** · **insondable** · **oscuro** || **vertiginoso** · **tenebroso** · **insoportable** || **insalvable** *Hay un abismo insalvable entre las posturas de ambos partidos* · **infranqueable** · **inabarcable** || **generacional** *el abismo generacional entre padre e hijo*
● CON VBOS. **abrir(se)** · **estrechar(se)** || **distanciar (algo/a alguien)** · **separar (algo/a alguien)** *Un abismo insondable los separaba* · **mediar (entre algo)** || **superar** *Los políticos han de saber superar el abismo que se abre entre ellos y la sociedad* · **cruzar** · **salvar** || **distar** || **precipitar(se) (a)** · **lanzar(se) (a)** · **saltar (a)** · **caer (en)** · **sumir(se) (en)** · **hundir(se) (en)** *Se está hundiendo en un profundo abismo del que nada parece que pueda sacarla* || **conducir (a)** · **arrastrar (a)** || **emerger (de)** · **salir (de)** · **alejar(se) (de)** · **escapar (de)** || **rescatar (de)**
● CON PREPS. **cerca (de)** · **al borde (de)** · **al filo (de)** || **al fondo (de)**

abjurar (de) v.

● CON SUSTS. **autoridad** · **líder** · **deidad** · **maestro,tra** · **dios** || **régimen** · **estado** · **democracia** || **fe** · **principio** · **idea** · **creencia** · **ideología** · **religión** · **convicción** *Con los años, fue abjurando de sus convicciones políticas* · **credo** · **ideario** · **dogma** || **marxismo** · **socialismo** · **racionalismo** · **cristianismo** · **nacionalismo** · **franquismo** · **realismo** · ***otras tendencias, movimientos o ideologías*** || **violencia** · **terrorismo** · **guerra** || **pasado** · **origen** *Nunca abjuró de sus orígenes humildes* · **tradición** · **memoria** · **precedente** || **estrategia** · **política** · **planteamiento** · **plan** · **medio** || **obra** · **película** · **libro** · **canción** · ***otras creaciones*** || **error** · **vicio** · **pecado**

ablandar(se) v.

● CON SUSTS. **plástico** · **cera** · **pasta** · **masa** · ***otras materias o sustancias*** || **corazón** *Con una sonrisa ablanda los corazones más duros* · **voluntad** · **espíritu** · **conciencia** · **sentimiento** · **ánimo** || **posición** · **postura** · **criterio** · **actitud** · **política** · **filosofía** || **resistencia** · **reticencia** · **protesta** · **tensión** · **prejuicio** · **oposición** || **rasgos** *Ese color de pelo te ablanda los rasgos* · **rostro** · **mirada** · **ojos** · **expresión** || **castigo** *Los ruegos del niño consiguieron que su madre le ablandara el castigo* · **sanción** · **tarifa** · **peaje** || **dureza** · **firmeza** · **marcialidad** || **profesor,-a** · **padre** *El padre se ablandó ante el dolor de su hijo* · **madre** · **juez** · **jefe,fa** · **gobierno** *Sindicatos y asociaciones tratan de ablandar al Gobierno* · ***otros individuos y grupos humanos***

ablución s.f.

● CON ADJS. **espiritual** · **ritual** *Antes de entrar en el templo era preciso realizar las abluciones rituales* || **fluvial**
● CON VBOS. **hacer** · **realizar** · **practicar**

abnegación s.f.

● CON ADJS. **total** · **completa** · **absoluta** || **virtuosa** · **modélica** · **ejemplar** *Demostró una abnegación ejemplar cuidando de los ancianos* · **meritoria** · **encomiable** · **loable** · **admirable** · **conmovedora** · **firme** · **estoica** · **heroica** || **generosa** · **desinteresada** *años de trabajo callado y esforzado, llevado adelante con la más desinteresada abnegación* || **decidida** · **intensa** · **constante** · **ímproba** · **voluntariosa** || **resignada** · **callada** · **paciente** || **proverbial** || **necesaria** || **religiosa**

• CON SUSTS. **caso (de)** · **ejemplo (de)** *Ella es el ejemplo vivo de abnegación que todos debemos imitar* · **prueba (de)** · **imagen (de)** || **espíritu (de)**
• CON VBOS. **reconocer** · **exaltar** || **requerir** *El cuidado de los enfermos requiere una absoluta abnegación* || **armar(se) (de)**
• CON PREPS. **con** *Siempre cumple sus deberes con total abnegación*

abnegado, da adj.

• CON SUSTS. **madre** · **padre** · **esposo,sa** · **militante** · **luchador,-a** · **equipo** · **persona** · **gente** · **generación** · ***otros individuos y grupos humanos*** || **entrega** · **dedicación** · **esfuerzo** · **lucha** · **trabajo** *el trabajo abnegado de todos en favor de una causa común* · **labor** || **gesto** · **espíritu** · **modo**

abocado, da (a) adj.

• CON SUSTS. **fracaso** *Aquella película estaba abocada al fracaso desde el principio* · **ruina** · **derrumbe** · **derrota** · **ruptura** · **quiebra** || **desastre** *un proyecto inviable, abocado al desastre* · **debacle** · **caos** · **apocalipsis** · **crisis** · **catástrofe** || **cierre** · **desaparición** · **extinción** · **destrucción** · **muerte** || **descenso** · **reducción** · **rebaja** · **racionamiento** · **pérdida** || **soledad** · **olvido** *años de ilusiones y esperanzas fatalmente abocados al olvido* · **sufrimiento** · **desengaño** · **desesperación** || **paro** · **despido** || **delincuencia** · **violencia** · **mal** · **droga** · **penuria** || **lucha** · **enfrentamiento** · **guerra** || **éxito** · **victoria** || **cambio** · **reestructuración** · **transformación** · **reforma** || **entendimiento** · **diálogo** · **acuerdo**
• CON ADVS. **necesariamente** · **inevitablemente** *Usted y yo estamos abocados inevitablemente al entendimiento* · **irremediablemente** · **fatalmente** · **inexorablemente** || **permanentemente** · **repetidamente** · **constantemente** || **definitivamente** *La empresa parecía abocada definitivamente a la quiebra* · **temporalmente** · **plenamente**
• CON VBOS. **estar** · **verse** · **encontrarse** · **hallarse** · **parecer**

a bocajarro loc.adv./loc.adj.

• CON VBOS. **disparar** *El asesino disparó a bocajarro* · **rematar** · **tirotear** · **ametrallar** · **acribillar** · **tirar** · **batir** · **marcar** · **matar** · **asesinar** · **fusilar** || **preguntar** *El periodista nos preguntó a bocajarro sobre los rumores de boda* · **decir** · **soltar** · **espetar** · **lanzar** · **gritar** · **plantear** · **expresar** · **interrogar** || **presentar** · **mostrar** · **aparecerse** · **enfrentar** · **estrenar**
• CON SUSTS. **disparo** *Un disparo a bocajarro y lo mandó al otro barrio* · **bala** · **tiro** || **remate** · **cabezazo** · **chut** · **gol** · **lanzamiento** · **penalti** || **pregunta** · **piropo**

a bocanadas loc.adv.

• CON VBOS. **respirar** · **aspirar** *aspirando a bocanadas y con fuerza la brisa marina* · **echar el** {**aire/humo**}

abochornado, da adj.

• CON SUSTS. **mirada** · **gesto** *Me miraba cohibido y con gesto abochornado* · **expresión** · **cara** || ***persona*** || **palabra** · **discurso** · **disculpa** · **lamento**
• CON ADVS. **tremendamente** · **enormemente** · **terriblemente** · **ligeramente** || **visiblemente** · **notablemente** · **manifiestamente**
• CON VBOS. **estar** · **sentirse** · **mostrarse** · **dejar (a alguien)** · **quedar**

abogacía s.f.

• CON SUSTS. **profesional (de)** *Estamos buscando un profesional de la abogacía para que gestione nuestros asuntos* || **práctica (de)** || **código (de)**
• CON VBOS. **profesar** · **ejercer** *Nunca ejerció la abogacía* · **practicar** || **abandonar** || **estudiar** · **cursar** || **trabajar (en)** · **dedicar(se) (a)** *¿Te gustaría dedicarte a la abogacía?* || **acceder (a)**

abogado, da s.

• CON ADJS. **especializado,da** · **experto,ta** · **especialista** · **preparado,da** · **curtido,da** · **inexperto,ta** · **joven** || **brillante** *Contrataron a la abogada más brillante del país para defender su caso* · **astuto,ta** · **hábil** || **acreditado,da** · **famoso,sa** · **influyente** · **reputado,da** || **defensor,-a** · **querellante** · **opositor,-a** || **de oficio** *Al acusado se le asignó un abogado de oficio* · **privado,da** · **personal** || **criminalista** · **penalista** · **constitucionalista** · **laboralista**
• CON SUSTS. **bufete (de)** · **despacho (de)** · **colegio (de)** · **cuerpo (de)** || **título (de)** || **toga (de)** || **minuta (de)**
• CON VBOS. **defender (a alguien)** · **acusar (a alguien)** · **denunciar (a alguien)** · **recurrir** *El abogado recurrirá la sentencia* · **argumentar** || **pedir (algo)** · **solicitar (algo)** · **rechazar (algo)** · **desestimar (algo)** || **llevar** {**un caso/ un asunto**} *Este asunto lo lleva mi abogada; hable usted con ella* · **ocuparse (de algo)** · **tramitar** || **cobrar** || **buscar** · **necesitar** || **contratar** · **designar** || **recusar** || **ejercer (de)** · **trabajar (como/de)** || **hablar (con)** · **tratar (con)**
• CON PREPS. **en manos (de)** *Este asunto ya está en manos de nuestros abogados*

☐ EXPRESIONES **abogado del diablo** [persona que contradice u objeta en un asunto] *El portavoz de la oposición volvió a actuar como abogado del diablo*

abogar (por) v.

• CON SUSTS. **diálogo** *La diputada abogó por un diálogo constructivo entre todos los partidos políticos* · **participación** · **unión** · **cooperación** · **fomento** || **tesis** · **resolución** || **cambio** · **aumento** · **disminución** · **reforma** || **causa** · **paz** · **libertad** · **derecho** || **proyecto** · **plan** || **política** · **ley**
• CON ADVS. **activamente** · **decididamente** · **firmemente** || **atrevidamente** · **valientemente** *Fue elogiado por abogar valientemente en favor de las libertades* · **abiertamente** || **entusiastamente** || **en favor (de algo)** · **en contra (de algo)**

abolición s.f.

• CON ADJS. **total** · **absoluta** *la absoluta abolición de la pena de muerte* · **rotunda** · **categórica** || **oficial** *Se espera para la próxima semana la abolición oficial de la ley* || **inmediata** · **necesaria** · **imprescindible**
• CON VBOS. **aprobar** · **decretar** *Hace mucho tiempo que se decretó la abolición de la esclavitud en ese país* · **implantar** · **proclamar** || **pedir** · **exigir** *un colectivo que exige la abolición de la pena de muerte* · **reclamar** || **promover** · **proponer** · **impulsar** || **apoyar** · **defender** || **luchar (por)** · **apostar (por)** · **abogar (por)**

abolir v.

• CON SUSTS. **ley** · **decreto** · **artículo** *abolir varios artículos de la Constitución* · **orden** · **norma** · **reglamento** · **constitución** · ***otras disposiciones*** || **impuesto** · **cuota** · **tarifa** · **gravamen** || **pena de muerte** *Miles de personas se manifestaban para abolir la pena de muerte* · **castigo** · **sanción** · **fusilamiento** || **esclavitud** · **injusticia** · **sumisión** · **servidumbre** · **explotación** · **segregación** · **discri-**

minación || sistema · régimen · clase · jerarquía · feudalismo || costumbre · tradición · cultura · hábito · comportamiento · práctica *...una práctica abominable que en muchos países aún no ha sido abolida* || servicio militar · obligación · celibato || limitación · límite · prohibición · restricción *Se propuso abolir las restricciones comerciales que...* · veto · barrera · interdicción || tiempo · pasado · historia *Aunque trágica, nos resistimos a abolir nuestra historia reciente* || contrato · acuerdo · tratado · pacto || privilegio · permiso · exención · preferencia · incentivo · subsidio · subvención · descuento · distinción || pobreza *Es posible abolir la pobreza del mundo* · hambre · miseria

• CON ADVS. completamente · absolutamente · por completo · totalmente · de raíz · definitivamente || oficialmente *El primer país que abolió oficialmente la esclavitud fue...* · legalmente || a plazo fijo · en breve plazo · a largo plazo

abollar v.

• CON SUSTS. coche · puerta · chapa · cárter · carrocería

• CON ADVS. accidentalmente · a patadas · intencionadamente || ligeramente · mínimamente

a bombo y platillo loc.adv.

• CON VBOS. anunciar *Anunciaron la boda a bombo y platillo* · proclamar · difundir · propagar · pregonar · presentar · transmitir · publicar · airear · promulgar || afirmar · exponer · asegurar · declarar · señalar · aprobar · decir || inaugurar · estrenar · lanzar · comenzar · abrir || organizar · movilizar(se) || alabar · aclamar · celebrar *Celebraremos a bombo y platillo nuestro aniversario* · conmemorar || contratar · fichar · comercializar · ofertar

☐ USO Se usa también la variante *a bombo y platillos.*

abominable adj.

• CON SUSTS. crimen *La prensa se hizo eco del abominable crimen* · matanza · homicidio · asesinato · delito · masacre || tragedia · guerra · injusticia · condena || hecho · acontecimiento · suceso || persona · especie · monstruo || película *Más que mala, la película es abominable; no te la recomiendo* · libro · novela · ***otras creaciones*** || mentira · comportamiento · práctica *Estas prácticas abominables han sido denunciadas en reiteradas ocasiones* || lugar || anuncio · noticia

• CON ADVS. absolutamente · tremendamente || especialmente · particularmente

• CON VBOS. considerar · parecer (a alguien) · resultar · volverse

abonado, da s.

• CON ADJS. nuevo,va · antiguo,gua || moroso,sa

• CON SUSTS. cifra (de) · número (de) *El número de abonados a nuestra red se ha incrementado sensiblemente*

• CON VBOS. dar(se) de {alta/baja} *Esta temporada se dieron de alta muchos abonados* · suscribir(se) · apuntar(se) || necesitar · conseguir · captar *La empresa trata de captar nuevos abonados* · buscar

[abonar] → abonar; abonarse (a)

abonar v.

▌[pagar]

• CON SUSTS. cuantía · dinero · gasto · importe · cuota *abonar la cuota mensual* · indemnización · multa · pago · sueldo · ***otras cantidades monetarias***

• CON ADVS. a tiempo · puntualmente · religiosamente *Abona religiosamente todas sus facturas* || en metálico · en efectivo || en cómodos plazos · a plazos *abonar la deuda a plazos* · al contado || contra reembolso || en compensación || gustosamente

▌[echar abono]

• CON SUSTS. campo · terreno · tierra *abonar la tierra antes de sembrar* · huerta · plantación · planta

abonarse (a) v.

• CON SUSTS. servicio *...al usuario le resultará más sencillo abonarse a este servicio que a cualquier otro* · oferta · espectáculo · concierto || publicación · periódico · revista || club *Me voy a abonar al club de tenis* · plataforma · cadena de televisión || tesis *El responsable se abonó a la tesis de que el camping estaba bien ubicado y que falló otra cosa* · teoría · opinión

abono s.m.

▌[pago de una cantidad]

• CON ADJS. anticipado · parcial · íntegro · fraccionado · único *En los informes consta un único abono a su nombre*

• CON VBOS. hacer *Me hicieron el abono de los intereses mediante una transferencia* · efectuar · realizar || pedir · solicitar || denegar

▌[lote de entradas o servicios]

• CON ADJS. semanal · mensual *Parece que va a subir el abono mensual de la revista* · trimestral · anual · de temporada || individual · nominal · compartido || de transporte *Compro cada mes el abono de transporte* · de la ópera · del fútbol · de conciertos

• CON VBOS. costar *¿Cuánto cuesta un abono anual?* || adquirir · sacar *sacarse el abono de la temporada* · conseguir · renovar · utilizar || pagar · costear · reservar

• CON PREPS. fuera (de) *un concierto fuera de abono*

▌[fertilizante]

• CON ADJS. natural *Se garantiza el uso exclusivo de abonos naturales* · mineral · orgánico || agrícola

• CON VBOS. necesitar · echar || convertir(se) (en) *Las hojas secas del jardín acabarán convirtiéndose en abono* · servir (de/como) · utilizar (como)

a borbotones loc.adv.

• CON VBOS. manar *La sangre manaba a borbotones por la herida abierta* · fluir · surgir · brotar · correr · salir || hervir · aparecer · derramarse · escaparse || sudar · llorar · sangrar || hablar · escribir · decir || derrochar · prodigar

abordable adj.

• CON SUSTS. asunto · tema *un tema abordable en el debate* · cuestión · situación || reto · problema || tarea · obra · proyecto · idea · propuesta || reforma · cambio || debate · negociación · acuerdo || estudio *Aunque no era un estudio fácilmente abordable, el equipo de investigación decidió intentarlo* || precio · cifra

• CON ADVS. fácilmente · difícilmente || totalmente · completamente || directamente · indirectamente

abordar v.

• CON SUSTS. reto *Tenemos que abordar con ilusión el reto que se nos presenta* · lucha · causa · reforma · cambio || tarea *Abordemos juntos esta tarea común* · obra · proyecto · estudio || tema *No sé cómo abordar un tema tan complicado* · asunto · cuestión · problema · situación ||

debate · **acuerdo** · **negociación** *Abordaron la negociación con la intención de conseguir un buen acuerdo*

● CON ADVS. **directamente** · **abiertamente** *abordar el problema abiertamente* · **frontalmente** · **de frente** · **a cara descubierta** · **sin tapujos** · **con franqueza** || **de soslayo** · **de pasada** · **de refilón** *Temas que no se abordan directamente, sino de refilón* · **tangencialmente** · **someramente** · **de puntillas** · **brevemente** · **a la ligera** || **profusamente** · **extensamente** · **en profundidad** · **punto por punto** · **detalladamente** · **con intensidad** · **con rigor** || **decididamente** · **valientemente** *Así me gusta, que abordes los problemas valientemente* · **con firmeza** · **con valor** || **con éxito** · **satisfactoriamente** · **coherentemente** || **seriamente** · **responsablemente** || **con cautela** · **con garantía** || **con urgencia** *un asunto que debemos abordar con urgencia* || **políticamente**

a bordo (de) loc.prep.

● CON SUSTS. **coche** *subir a bordo de un coche* · **furgoneta** · **embarcación** · **avión** · **nave** · ***otros medios de transporte***

aborrecer v.

● CON ADVS. **profundamente** *Aborrecía profundamente aquella ciudad, por eso me fui* · **a muerte** · **a rabiar** · **a morir** · **intensamente** · **visceralmente** || **{con/sin} razón** · **justificadamente** · **fundadamente** · **injustificadamente** || **comprensiblemente** · **incomprensiblemente** || **personalmente**

abortar v.

● CON SUSTS. **aterrizaje** · **despegue** *Tuvieron que abortar el despegue debido a un fallo en el motor* || **huelga** · **rebelión** · **insurrección** · **atentado** || **iniciativa** · **proyecto** *La falta de fondos hizo que se abortara el proyecto* · **plan** · **operación** · **intento** || **negociación** · **pacto** || **esperanza** · **ilusión**

● CON ADVS. **de raíz** *abortar de raíz cualquier intento de fuga*

abortivo, va adj.

● CON SUSTS. **pastilla** · **píldora** · **fármaco** · **droga** || **método** · **programa** · **práctica** · **medida** · **intervención** || **propiedad** · **función** · **efecto** *los posibles efectos abortivos del tratamiento* || **política** · **clínica**

aborto s.m.

● CON ADJS. **natural** · **espontáneo** · **provocado** || **legal** · **ilegal** · **libre** · **voluntario** || **selectivo** || **verdadero** *Más que un intento fallido, la novela es un verdadero aborto* · **absoluto**

● CON SUSTS. **ley (de)** *una controvertida ley del aborto* · **delito (de)** · **supuesto (de)** || **lucha (contra)** · **batalla (contra)** · **manifestación (contra)**

● CON VBOS. **tener** · **sufrir** · **causar** · **favorecer** · **evitar** *un medicamento para evitar los abortos espontáneos* · **impedir** || **practicar** *Los médicos que practiquen abortos ilegales pueden ser condenados a...* · **realizar** || **restringir** · **limitar** · **prohibir** · **condenar** *Una parte de los tertulianos condenaba el aborto y otra lo apoyaba* · **penalizar** || **apoyar** · **defender** · **legalizar** *Han pedido que se legalice el aborto en determinados casos* · **despenalizar** · **aceptar** · **aprobar** || **oponerse (a)** · **luchar (contra)**

● CON PREPS. **a favor (de)** · **en contra (de)**

abotargado, da adj.

● CON SUSTS. **cara** · **rostro** · **cuerpo** · **mente** · **cerebro** || **sentido** *con los sentidos abotargados y sin capacidad para reaccionar* · **pensamiento** · **entendimiento**

a bote pronto loc.adv./loc.adj.

● CON VBOS. **ocurrirse** *Así, a bote pronto, no se me ocurría qué decir* · **recordar** · **pensar** · **inventar** || **responder** · **decir** · **replicar** · **interrumpir** · **contestar** *Contesté a bote pronto, sin pensar mucho* · **pronunciar** · **preguntar** · **manifestar** · **adelantar** · **asegurar** · **apelar** · **alertar** || **reaccionar** · **improvisar** || **rematar** *El delantero remató a bote pronto un córner por la izquierda*

● CON SUSTS. **declaración** · **comentario** · **contestación** · **pregunta** *Me desconcertó con una pregunta a bote pronto que...* · **descalificación** · **denuncia** || **reacción** · **irrupción** · **aparición** *Su aparición a bote pronto en la rueda de prensa causó gran revuelo* || **interpretación** · **análisis** · **juicio** || **volea** · **disparo** · **remate**

abotinado, da adj.

● CON SUSTS. **bota** · **zapatilla** · **zapato**

abrasador, -a adj.

● CON SUSTS. **calor** *Hoy hace un calor abrasador* · **sol** · **fuego** · **incendio** || **clima** · **rayo** · **viento** · **aire** || **lugar** · **infierno** · **desierto** *Caminaron kilómetros a través del desierto abrasador* · **volcán** || **verano** *Nos conocimos durante el abrasador verano de 1995* · **otoño** · **domingo** · **día** · **etapa** · ***otros períodos*** || **líquido** · **aliento** · **soplo** · **vapor** · **destello** || **deseo** · **impulso** *un impulso abrasador que le nubló los sentidos* · **pasión** · **obsesión** · **odio** · **sentimiento**

abrasar v.

● CON SUSTS. **fuego** · **incendio** · **llamarada** · **rayo** || **sopa** *Cuidado, que la sopa está abrasando* · **lentejas** · **café** · ***otros alimentos o bebidas*** || **sol** · **aire** · **tierra** · **arena** || **mano** · **garganta** · **frente** · ***otras partes del cuerpo*** || **deseo** · **pasión** · **amor** · **odio** · **celos** · **obsesión** · **impulso** · **sentimiento** *La abrasa un sentimiento incontenible de venganza*

● CON ADJS. **vivo,va** *Me abrasé vivo al tomar el café*

● CON ADVS. **por dentro** || **totalmente** · **de golpe** || **a preguntas** *Los periodistas lo abrasaron a preguntas*

abrasivo, va adj.

● CON SUSTS. **polvo** · **producto** *limpiar con un producto abrasivo* · **líquido** · **ácido** · **sustancia** · **agente** · **material** || **tratamiento** · **remedio** || **efecto** · **impacto** || **mirada** · **crítica**

● CON ADVS. **altamente** · **tremendamente** · **enormemente** *Un agente enormemente abrasivo es el responsable de esta reacción química* · **extraordinariamente** · **fuertemente** || **potencialmente**

abrazadera s.f.

● CON VBOS. **usar** · **emplear** || **colocar** · **poner** · **quitar** · **retirar** || **llevar** · **traer** || **unir (con)** · **sujetar (con)** *Sujetaremos los tubos con unas abrazaderas* || **valerse (de)** · **disponer (de)**

abrazar v.

● CON SUSTS. **doctrina** *En sus primeras obras, el autor critica duramente al comunismo soviético, doctrina que abrazó años después* · **creencia** · **convicción** · **principio** · **ortodoxia** || **tesis** · **idea** · **consigna** · **causa** · **propuesta** · **postulado** || **filosofía** · **política** · **sistema** · **democracia**

|| **fe** *Dejó la música y abrazó la fe musulmana* · **religión** · **credo** || **acuerdo** · **solución** · **reforma** · **cambio** || **profesión** · **sacerdocio** · **abogacía** || **tendencia** · **estética** · **modernidad**
● CON ADVS. **sin reservas** · **abiertamente** || **fuertemente** · **intensamente** · **efusivamente** · **con entusiasmo** *Cuando se encontraron, se abrazaron con entusiasmo* · **con decisión** || **cordialmente** · **afectuosamente** · **fraternalmente** · **amorosamente** · **cariñosamente** || **armoniosamente** || **{con/sin} convicción**

abrazo s.m.

● CON ADJS. **caluroso** · **fraternal** · **cordial** · **afectuoso** *Se saludaron con un afectuoso abrazo* · **cariñoso** · **cálido** · **sentido** || **conmovedor** · **emotivo** · **entrañable** · **emocionado** || **frío** · **tibio** · **protocolario** · **formal** · **de compromiso** || **fuerte** · **gran(de)** · **intenso** · **efusivo** · **apasionado** *La película termina con un apasionado abrazo de los protagonistas* || **mortal** *el mortal abrazo de una anaconda* · **letal**
● CON VBOS. **dar** · **prodigar** *No suele prodigar sus abrazos* · **dispensar** || **recibir** *Recibe un cariñoso abrazo de tu amigo...* || **mandar(le) (a alguien)** *Mándale un abrazo de mi parte* · **enviar(le) (a alguien)** || **fundirse (en)** *Se fundieron en un emocionado abrazo* · **deshacerse (en)** · **cubrir (de)** || **saludar (con)** *Se saludaron con un abrazo* || **zafarse (de)** · **desprenderse (de)**

a brazo partido loc.adv./loc.adj.

● CON VBOS. **luchar** *luchar a brazo partido para no perder poder adquisitivo* · **pelear** · **disputar** · **combatir** · **enfrentarse** · **competir** · **discutir** || **defender** · **trabajar** *Trabajamos a brazo partido para que nos traten como a ellos* · **construir** · **consolidar** · **sostener**
● CON SUSTS. **lucha** · **pelea** · **combate** *El encuentro se convirtió en un combate a brazo partido por cada canasta* · **competición**

abreviadamente adv.

● CON VBOS. **exponer** *Expondré abreviadamente los resultados de la investigación* · **presentar** · **expresar** · **resumir** · **describir** || **citar** · **mencionar**

abreviado, da adj.

● CON SUSTS. **tratado** · **diccionario** · **guía** *una guía abreviada de viajes* · **copia** · **biografía** · **resumen** · **lectura** · **nombre** · **lenguaje** · **frase** · ***otras manifestaciones verbales o textuales*** || **información** · **versión** || **procedimiento** · **proceso** · **trámite** · **rito** · **juicio** · **declaración** · **confesión** || **modelo** *Existe un modelo abreviado del formulario para solicitar la subvención* · **fórmula** · **impreso** · **formulario** || **método** · **formato**

abreviar v.

● CON SUSTS. **nombre** · **frase** · **palabra** · **discurso** *Tuve que abreviar mi discurso ante la falta de tiempo* · **intervención** · **confesión** · **declaración** · **lectura** · **obra** · **libro** · **información** · ***otras manifestaciones verbales o textuales*** || **acto** *La organización decidió abreviar el acto por el excesivo calor en la sala* · **reunión** · **ceremonia** · **celebración** · ***otros eventos*** || **existencia** · **espera** *Para abreviar la espera me puse a leer* · **sufrimiento** || **duración** · **período** || **proceso** · **trámite** · **juicio** · **procedimiento**
● CON ADVS. **considerablemente** · **notablemente** · **visiblemente** · **manifiestamente** · **sustancialmente** · **descaradamente** || **acertadamente** || **enormemente** · **al máximo** · **ligeramente** · **mínimamente** || **habitualmente**

abrigar v.

❚ [tener un deseo o una idea]
● CON SUSTS. **esperanza** *Abriga la esperanza de obtener buenos resultados en...* · **ilusión** · **expectativa** · **optimismo** || **ambición** · **aspiración** · **ideal** · **deseo** · **sueño** *Abrigaba un solo sueño: volver a ver a su madre* || **propósito** · **intención** · **proyecto** · **pretensión** · **plan** · **objetivo** · **iniciativa** || **voluntad** · **fe** · **espíritu** || **duda** *¿Aún hoy abrigan dudas sobre lo que ocurrió?* · **celos** · **sospecha** · **temor** · **desconfianza** · **recelo** · **inquietud** || **convicción** · **convencimiento** · **confianza** · **creencia** · **certidumbre** || **idea** *Abrigaban la idea de fundar un nueva empresa que...* · **discurso** · **opinión** || **estímulo** · **impulso** · **aliento** || **sentimiento** · **impresión** · **sensación** · **pasión** || **rencor** · **hostilidad** · **tensión** · **resquemor** · **insidia** · **venganza**

[abrigo] → abrigo; al abrigo (de); de abrigo

abrigo s.m.

❚ [prenda de vestir]
● CON ADJS. **grueso** · **fino** *Para el frío que hace, mi abrigo es demasiado fino* || **largo** · **corto** || **clásico** · **de vestir**
● CON SUSTS. **prenda (de)** *una prenda de abrigo* · **ropa (de)**
● CON VBOS. **abrochar** *Abróchate el abrigo, que hace mucho frío* · **cerrar** · **abotonar** · **cruzarse** || **confeccionar** · **arreglar** || **arropar (con)**
➤ Véase también **ROPA**

❚ [ayuda, protección]
● CON VBOS. **encontrar** · **buscar** || **ofrecer** · **brindar** *Cuando no tenía a nadie, fueron ellos los que me brindaron abrigo* · **dar** · **prestar**

abril s.m. Véase MES

abrillantar v.

● CON SUSTS. **zapato** · **bota** · **calzado** *un cepillo para abrillantar el calzado* || **cristal** · **plata** · **madera** · ***otros materiales*** || **suelo** · **superficie**

[abrir] → abrir de par en par; abrir fuego; abrir(se); abrirse camino; abrirse paso

abrir de par en par loc.vbal.

● CON SUSTS. **ventana** · **balcón** · **puerta** *abrir de par en par las puertas del corazón* || **armario** · **arca** · **habitación** · **estancia** · **vivienda** · **casa** *Nos abrió su casa de par en par* · **mundo** || **pupilas** · **ojos** · **boca** || **brazos** · **piernas** || **corazón** · **alma** · **mente** *capaces de abrir de par en par nuestras mentes a nuevas ideas* || **compuerta** · **acceso** · **frontera** || **empresa** · **mercado** · **institución** || **proceso** · **cauce**

abrir fuego loc.vbal.

● CON ADVS. **a discreción** · **indiscriminadamente** *Abrieron fuego indiscriminadamente contra la población*

abrir(se) v.

● CON SUSTS. **puerta** · **ventana** · **persiana** · **cerrojo** · **pestillo** · **micrófono** *La portavoz abrió los micrófonos para declarar que...* || **grifo** · **llave** · **agua** · **gas** || **cajón** *Abre el cajón y deja las llaves allí* · **botella** · **tarro** · **lata** · ***otros recipientes o receptáculos*** || **habitación** · **casa** || **frontera** · **barrera** · **horizonte** · **límite** || **libro** *Abrid el libro por la página...* · **periódico** · **carta** · **sobre** · **navaja** · **paraguas** · **abanico** · **tijeras** || **piernas** · **brazos** · **alas** · **ojo** *No se despertó, pero abrió un poco los ojos* · **mano** || **mente** · **mentalidad** || **pelotón** · **filas** · **grupo** || **agujero** · **zanja**

Han vuelto a abrir zanjas en mi calle · **socavón** · **calle** · **ranura** · **trinchera** · **herida** · **ojal** · **camino** || **local** · **tienda** · **bar** · **restaurante** · **teatro** · **embajada** · **universidad** · **institución** · ***otros establecimientos*** || **expediente** · **cuenta corriente** *abrir una cuenta corriente en el banco* · **crédito** || **tanteo** · **marcador** *abrir el marcador con un gol de penalti* || **sesión** · **curso** · **campaña** · **debate** · **subasta** · **juego** · **proceso** · **juicio** || **posibilidad** · **oportunidad** · **opción** · **perspectiva** · **esperanza** · **expectativa** || **lista** *Su nombre abría la lista de admitidos* · **desfile** · **serie** · **procesión** || **apetito** · **gana** *El olor del guiso me ha abierto las ganas de comer* · **deseo** || **plazo** *El plazo se abre a principios de enero* · **período** · **matrícula** · **temporada** · **convocatoria** · **concurso** || **espectáculo** *El espectáculo abre con una exhibición de baile* · **concierto** · **fiesta** · **congreso** · ***otros eventos*** || **película** *La película abre con una escena impactante* · **poema** · **antología** · **disco** · ***otras obras de creación***

● CON ADVS. **a tope** · **completamente** · **al máximo** · **de par en par** *Corrió las cortinas abrió las ventanas de par en par* · **por completo** · **totalmente** · **en parte** · **parcialmente** · **repetidamente** · **tangencialmente** || **de repente** · **inesperadamente** · **de pronto** · **lentamente** · **poco a poco** · **rápidamente** || **a lo grande** *La nueva campaña se abre a lo grande este año* || **a empujones** · **a golpes** · **a trompicones** · **con fuerza** · **violentamente** || **automáticamente** *Estas puertas se abren automáticamente* · **manualmente** · **en falso** · **mecánicamente** || **gentilmente** · **armoniosamente** · **tímidamente** || **ininterrumpidamente**

abrirse camino loc.vbal.

● CON ADVS. **arrolladoramente** · **violentamente** · **a codazos** *Había tanta gente que ni siquiera hubiera podido abrirse camino a codazos* · **a empujones** · **a golpes** · **a tiros** || **penosamente** · **a trancas y barrancas** · **sin dificultades** *Se abrió camino en la profesión sin grandes dificultades* || **a tientas** || **a duras penas**

abrirse paso loc.vbal.

● CON ADVS. **a codazos** · **a empujones** · **a golpes** · **a tiros** || **poderosamente** · **arrolladoramente** · **firmemente** *No sé cómo logró abrirse paso tan firmemente en el mundo del espectáculo* · **con fuerza** || **sin dificultad** · **a trancas y barrancas** · **a duras penas** *A duras penas nos pudimos abrir paso entre la multitud*

abrochar v.

● CON SUSTS. **abrigo** *Abróchate el abrigo o cogerás frío* · **falda** · **pantalón** · **chaqueta** · **vestido** · **blusa** · ***otras prendas de vestir*** || **botón**

abrumado, da adj.

● CON ADVS. **visiblemente** · **claramente** *Estaba claramente abrumada por su situación familiar* · **manifiestamente** · **notoriamente** || **totalmente** · **terriblemente** *Todos nos sentíamos terriblemente abrumados por la pena*

● CON VBOS. **quedarse** · **estar**

☐ USO Se construye frecuentemente con complementos encabezados por las preposiciones *por* (*sentirse abrumado por una responsabilidad*) y *con* (*estar abrumado con una noticia*).

abrumador, -a adj.

● CON SUSTS. **ciudad** · **tráfico** · **ambiente** · **entorno** · **realidad** · **mundo** || **mayoría** *aprobar una ley por abrumadora mayoría* · **dominio** · **superioridad** · **predominio** · **poder** · **poderío** · **fuerza** *Se rindió ante la fuerza abrumadora de los hechos* · **predominancia** · **supremacía** · **hegemonía** · **imperialismo** || **diferencia** · **ventaja** *Las encuestas predicen una abrumadora ventaja de...* · **margen** · **distancia** || **triunfo** · **victoria** · **éxito** *La última película de la actriz tuvo un éxito abrumador* · **crecimiento** · **progreso** || **derrota** · **fracaso** · **desacierto** || **cantidad** · **número** · **cifra** *La deuda asciende a una cifra abrumadora* · **caudal** · **lista** · **nómina** · **catálogo** · **porcentaje** · **proporción** · **conjunto** || **prueba** · **evidencia** · **indicio** · **testimonio** *El documental presenta abrumadores testimonios sobre las atrocidades de la guerra* || **dato** · **resultado** · **información** · **informe** · **noticia** || **problema** · **dificultad** · **crisis** · **desequilibrio** · **miseria** · **paro** || **peso** · **carga** · **lastre** · **importancia** · **influencia** || **presencia** · **asistencia** · **participación** *La participación en las últimas elecciones fue abrumadora* || **respaldo** · **apoyo** · **ayuda** || **respuesta** · **rechazo** · **crítica** · **ataque** || **control** · **limitación** · **censura** || **trabajo** · **tarea** *Emprendimos la abrumadora tarea de catalogar todos los libros de la biblioteca* · **esfuerzo** · **responsabilidad**

abrumadoramente adv.

● CON VBOS. **triunfar** · **vencer** · **ganar** · **imponer(se)** *El equipo se impuso abrumadoramente a su rival* · **caer** · **perder** · **derrotar** || **destacar** · **predominar** · **superar** · **incrementar** · **primar** || **controlar** · **dominar** || **afirmar** · **certificar** · **confirmar** *Los datos confirman abrumadoramente la existencia de un fraude* · **expresar** · **gritar** · **señalar** || **elegir** · **escoger** · **pronunciarse** · **reelegir** · **optar** · **votar** *Es casi seguro que la ciudadanía votará abrumadoramente a favor* || **preferir** · **decantarse** · **inclinarse** || **apoyar** · **respaldar** · **favorecer** · **avalar** || **aprobar** · **demostrar** · **reconocer** · **legitimar** || **recordar** · **pensar** || **rechazar** · **reprobar** · **descalificar** || **pesar** *una terrible equivocación que pesará abrumadoramente sobre sus conciencias* · **gravitar**

● CON ADJS. **mayoritario,ria** · **superior** · **amplio,plia** || **favorable** · **partidario,ria** || **a favor** · **en contra** || **deprimente** *un asunto abrumadoramente deprimente* · **triste**

abrumar (a alguien) v.

● CON SUSTS. **responsabilidad** *La responsabilidad me abrumaba* || **problema** · **dificultad** · **vicisitud** · **corrupción** · **escándalo** · **crisis** · **desequilibrio** · **miseria** · **paro** || **soledad** · **pasado** · **recuerdos** || **atenciones** · **halagos** · **cuidados** || **personalidad** · **carácter** || **medios de comunicación** · **información** *La excesiva información acaba por abrumar* · **publicidad** || **prédica** · **discurso** · **polémica** || **burlas** · **críticas** || **cifra** *unas cifras que abrumarían a cualquiera* · **número** · **cantidad** · **peso** || **exceso** · **abundancia** · **intensidad** || **calor**

abruptamente adv.

● CON VBOS. **terminar** · **interrumpir** · **cerrar** · **concluir** · **cortar** · **finalizar** *La lluvia hizo que el concierto finalizara abruptamente* · **suspender** · **acabar** · **zanjar** · **detener** || **romper** · **separar** · **retirar** · **destituir** · **descabezar** · **cancelar** *La empresa canceló el contrato abruptamente y sin dar explicaciones* · **despedir** · **eliminar** · **oponerse** · **rechazar** · **colisionar** || **caer** · **descender** · **subir** · **bajar** *Anoche bajó abruptamente la temperatura* · **elevarse** · **avanzar** · **partir** · **entrar** · **salir** || **desaparecer** · **derrumbarse** · **deteriorarse** · **devaluar** · **reducir** *El Gobierno redujo abruptamente las ayudas destinadas a...* || **producir(se)** · **presentar(se)** · **revelar(se)** · **manifestar(se)** · **despertar** · **plantear** *Me planteó tan abruptamente la pregunta que no supe qué responder* || **cambiar** · **variar** · **alterar**

abrupto, ta adj.

● CON SUSTS. **lugar · región** *Es una región abrupta, con una naturaleza desbordante* · **terreno · territorio · relieve · acantilado · barranco || carretera · camino** *un camino abrupto y pedregoso* · **senda · vía · sendero · carril || final** *La novela tiene un final muy abrupto* · **corte · cese · cierre · fin · interrupción · cancelación · renuncia · eliminación · dimisión · expulsión · ruptura · marcha · encabalgamiento · aterrizaje · despedida · retiro · suspensión · separación || principio · presentación · obertura · irrupción · explosión · salida · descubrimiento · brote · arranque · despertar || crecimiento · aumento** *un abrupto aumento del desempleo* · **subida · crecida · incremento · alza · suba · repunte · enriquecimiento || caída · descenso · bajada · disminución · reducción · recesión · pérdida · devaluación · desaceleración · depreciación · contracción · baja · ajuste || cambio · alteración · modificación · transformación · sustitución · transición · traslado · giro || libro · relato · prosa · párrafo · monólogo · tragedia · partitura · rock · balada · obra || advertencia · debate · declaración** *El diputado pidió disculpas públicamente por sus abruptas declaraciones* · **descalificación · discurso · exordio · jerga · lengua · respuesta · titular || carácter** *Tenía un carácter abrupto y difícil* · **estilo · belleza || movimiento · oclusión · choque**

absentismo s.m.

● CON ADJS. **laboral** *El absentismo laboral sigue siendo muy elevado* · **profesional · escolar || político,ca · electoral || popular**

● CON SUSTS. **tasa (de) · índice (de) · nivel (de) · grado (de) || problema (de) || causa (de) || control (de)**

● CON VBOS. **aumentar · disminuir || evitar · atajar · prevenir · controlar · frenar · reducir || promover || combatir · censurar || practicar**

absolución s.f.

● CON ADJS. **general · total · completa · definitiva** *la absolución definitiva del acusado* **|| previsible · esperada || libre** *El abogado pidió la libre absolución de su cliente* **|| polémica**

● CON VBOS. **conceder · dar** *Un sacerdote le dio la absolución* · **otorgar · facilitar || negar || dictar · decretar · impartir · tramitar || anular || pedir** *Pidió la absolución de todos los cargos* · **exigir · reclamar · solicitar** *¿Crees que la abogada solicitará su absolución?* **|| lograr · conseguir · obtener · merecer**

● CON PREPS. **a favor (de) · en contra (de)**

absolutismo s.m.

● CON ADJS. **implacable · feroz** *La revolución acabó con el feroz absolutismo reinante* **|| político · ideológico || monárquico · dictatorial · medieval**

● CON VBOS. **instaurar · abolir · restablecer** *partidarios de restablecer el absolutismo monárquico* **|| camuflar · ocultar · encubrir || apoyar · defender || luchar (contra) · acabar (con)**

absolutista adj.

● CON SUSTS. **régimen** *una medida característica de los regímenes absolutistas* · **sistema · estado · gobierno · rey · reina · monarquía · monarca · poder · país · reinado || período · etapa · época · dominación · dominio || idea** *una monarquía con ideas absolutistas* · **pensamiento · concepción · ley · norma || actitud · comportamiento · carácter · tendencia · manera**

absoluto, ta adj.

● CON SUSTS. **libertad** *Tienes libertad absoluta para decir lo que piensas* · **autonomía · independencia || rechazo · desacuerdo · desprecio · indiferencia · incomprensión · desencanto · prohibición || acuerdo · consenso · reconocimiento · confianza · respeto || seguridad** *Lo dijo con absoluta seguridad* · **convicción · certeza · seriedad · conocimiento || acierto || poder · control · dominio · orden · normalidad || saber · precisión · rigor || desastre · fracaso · descalabro · triunfo · éxito || desorden · caos** *Tenemos un absoluto caos* · **desbarajuste · descontrol || miseria · pobreza · tragedia || disparate** *Eso es un disparate absoluto* · **despropósito · desatino || verdad · perfección || sinceridad** *Era indudable que me hablaba con absoluta sinceridad* · **franqueza · autenticidad · claridad · transparencia · naturalidad · veneración || mayoría** *una ley aprobada por mayoría absoluta* **|| entrega · dedicación · disponibilidad || dueño,ña · líder || silencio · soledad · abandono · abstracción || reposo** *Debe usted guardar reposo absoluto* **|| valor**

absolutorio, ria adj.

● CON SUSTS. **sentencia** *Se pide una sentencia absolutoria para el acusado* · **fallo · resolución · veredicto · providencia · condena · dictamen · decisión** *Hubo quienes no estuvieron de acuerdo con la decisión absolutoria del jurado* **|| criterio · excusa · argumento · orden · ponencia || proyecto · plan || benevolencia**

absolver (de) v.

● CON SUSTS. **culpa · delito · pecado · cargo · falta · desliz · iniquidad · causa || robo · estafa · abuso · atentado** *La sentencia absuelve del atentado a los dos sospechosos por falta de pruebas* · **tortura · asesinato || acusación · amenaza · injuria || responsabilidad · deber · obligación**

absorbente adj.

● CON SUSTS. **materia · papel** *Se puede quitar el exceso de tinta con papel absorbente* · **tela · trapo · paño · fregona · esponja || idea · pensamiento · preocupación** *una idea fija y obsesiva que se convirtió en su más absorbente preocupación* **|| libro · arte · película · novela · canción ·** ***otras creaciones*** **|| trabajo · tarea · ocupación · actividad · juego · viaje || carácter · personalidad · temperamento** *una persona de personalidad difícil y temperamento absorbente* · **presencia || personaje** *Era un personaje absorbente y posesivo que exigía ser el centro de atención de cuantos lo rodeaban* · **persona · madre · padre · familia · jefe,fa ·** ***otros individuos y grupos humanos*** **|| asunto · concepto · cuestión · tema || amor · pasión · fascinación · atención**

absorber (algo/a alguien) v.

● CON SUSTS. **trabajo** *Este trabajo está absorbiendo todo mi tiempo libre* · **tarea · actividad · ocupación · labor · afición · negocio · cargo · profesión · carrera || responsabilidad · carga · función · exigencia || lectura · cine · astronomía · lingüística · matemáticas · fútbol ·** ***otras actividades profesionales o de ocio*** **|| problema · dificultad · preocupación · presión · crisis || circunstancia · acontecimiento · característica · situación · ámbito || plan · idea · pensamiento · propósito · proyecto** *El proyecto absorbía todos los esfuerzos del escaso personal diplomático* · **objetivo**

● CON ADVS. **absolutamente · completamente** *La crisis política ha absorbido completamente la atención de los periodistas* · **enteramente · por completo · totalmente ·**

profundamente · **intensamente** || **rápidamente** · **lentamente** · **progresivamente** · **paulatinamente**

absorto, ta adj.

● CON SUSTS. **mirada** *Se quedó unos minutos con la mirada absorta* · **rostro** · **expresión** · **gesto** · **actitud** || **país** · **sociedad** || **lector,-a** · **espectador,-a** · **oyente** · **público** · ***otros individuos y grupos humanos***

● CON ADVS. **totalmente** *Los oyentes seguían totalmente absortos la exposición* · **absolutamente**

● CON VBOS. **estar** · **parecer** · **quedar(se)** *Me quedaba absorta escuchándolo* · **hallar(se)** || **contemplar** · **escuchar** · **mirar** · **leer** · **seguir** · **asistir** || **vivir** *Es muy despistada; vive absorta en sus pensamientos*

abstemio, mia adj.

● CON SUSTS. ***persona***

● CON ADVS. **totalmente** · **completamente** · **absolutamente**

● CON VBOS. **volverse** · **hacerse** || **reconocerse** · **declararse** *El actor se declaró totalmente abstemio*

abstención s.f.

● CON ADJS. **elevada** · **alta** · **amplia** *Se prevé una amplia abstención en el referéndum* · **gran(de)** · **notable** · **fuerte** · **marcada** · **alarmante** || **escasa** || **popular** || **electoral** *La abstención electoral aumentó en las últimas elecciones*

● CON SUSTS. **causa (de)** || **índice (de)** · **nivel (de)** · **récord (de)**

● CON VBOS. **aumentar** · **disminuir** · **descender** || **registrar** *Se ha registrado una abstención superior a otros años* || **promover** · **propiciar** · **defender** · **propugnar** · **fomentar** · **conseguir** || **pedir** · **solicitar** · **exigir** || **practicar** || **justificar** || **combatir** || **luchar (contra)** || **aprobar (con)** || **optar (por)** · **inclinarse (por)**

abstinencia s.f.

● CON ADJS. **completa** · **absoluta** · **total** · **rigurosa** · **ascética** || **larga** · **dilatada** || **temporal** · **parcial** || **obligada** · **forzosa** || **sexual** · **alcohólica** *su primera copa después de una dilatada abstinencia alcohólica*

● CON SUSTS. **síndrome (de)** *estar bajo los efectos del síndrome de abstinencia* · **síntoma (de)** || **período (de)**

● CON VBOS. **practicar** · **seguir** || **saltarse** · **incumplir** || **recomendar** *los médicos recomiendan la abstinencia de tabaco*

abstracto, ta adj.

● CON SUSTS. **arte** *Este libro explica algunas de las claves del arte abstracto* · **pintura** · **cuadro** · **acuarela** · **obra** · **composición** · **pieza** · **escultura** · **dibujo** · **imagen** || **lenguaje** · **pensamiento** · **visión** · **concepto** · **discurso** · **palabra** || **movimiento** · **corriente** · **tendencia** · **idea** || **entidad** · **figura** · **elemento** · **realidad** · **espacio** || **aire** *Sus últimos retratos tienen un aire ligeramente abstracto* · **carácter** · **naturaleza** · **estilo** || **pintor,-a** · **escultor,-a** · **artista**

● CON ADVS. **totalmente** *El cuadro representa figuras totalmente abstractas* · **absolutamente** || **decididamente** · **manifiestamente** || **aparentemente**

abstraerse (de) v.

● CON SUSTS. **trabajo** *Es una persona incapaz de abstraerse del trabajo ni cuando está en su casa* · **lectura** · **deber** · **obligación** · **tarea** || **mundo** · **realidad** || **conflicto** · **problema** *Envidio su capacidad para abstraerse de los problemas* · **contratiempo** || **política**

● CON ADVS. **totalmente** *Cuando lee, se abstrae totalmente del mundo que lo rodea* · **completamente** · **absolutamente** || **progresivamente** · **gradualmente** · **fácilmente**

absuelto, ta adj.

● CON SUSTS. **asesino,na** · **culpable** · **acusado,da** · **imputado,da** *El imputado salió absuelto* · **encausado** · ***otros individuos***

● CON VBOS. **declarar** · **salir** *Los acusados salieron absueltos por falta de pruebas* · **quedar**

absurdo, da

1 **absurdo, da** adj.

● CON SUSTS. **comentario** · **argumento** · **idea** · **teoría** · **tesis** · **razonamiento** · **historia** · **libro** · **texto** · **película** · **programa** || **fallo** *Cometimos un fallo absurdo sin darnos cuenta* · **error** || **juego** · **humor** || **temor** · **miedo** || **conflicto** *un conflicto absurdo entre...* · **debate** · **polémica** || **mundo** || **penalti** *El árbitro pitó un penalti absurdo* || **detalle**

● CON ADVS. **completamente** *un humor completamente absurdo y disparatado* · **totalmente** || **sencillamente** · **realmente**

2 **absurdo** s.m.

● CON ADJS. **absoluto** · **total** · **completo** *Todo esto me parece un completo absurdo* · **tremendo** · **monumental**

● CON VBOS. **constituir** || **rozar** *Esta propuesta roza el absurdo* · **bordear** || **defender** || **incurrir (en)** · **desembocar (en)** · **llegar (a)** · **rayar (en)** || **reducir (a)** · **llevar (a)**

abuchear v.

● CON ADVS. **sonoramente** · **bulliciosamente** *La afición abucheó bulliciosamente a los jugadores del equipo visitante* · **estrepitosamente** · **estruendosamente** · **atronadoramente** · **clamorosamente** · **vehementemente** · **intensamente**

abucheo s.m.

● CON ADJS. **atronador** · **ensordecedor** · **monumental** *Cuando falló el penalti se oyó un monumental abucheo en el estadio* · **clamoroso** · **estruendoso** · **sonoro** · **ruidoso** · **fuerte** · **intenso** || **leve** · **ligero** || **unánime** · **generalizado** · **general** || **popular**

● CON SUSTS. **lluvia (de)** || **conato (de)**

● CON VBOS. **merecer** *No se merecía los abucheos que le dedicaron* · **ganarse** · **recibir** · **provocar** || **acallar** || **prorrumpir (en)** *La afición prorrumpió en abucheos contra...*

● CON PREPS. **entre** *El acusado salió de la sala entre abucheos*

abuelo, la s.

● CON ADJS. **materno,na** · **paterno,na** *Mis abuelos paternos viven en el pueblo* || **viejo,ja** || **encantador,-a** · **dulce** · **gruñón,-a** · **cascarrabias**

● CON SUSTS. **figura (de)** · **papel (de)** · **imagen (de)** · **influencia (de)**

● CON VBOS. **respetar** · **honrar** · **querer** · **odiar** || **cuidar** · **visitar** · **acompañar** · **ayudar** || **vivir (con)** · **quedar(se) (con)** · **reunir(se) (con)** || **parecerse (a)** *Mi madre dice que me parezco a mi abuelo*

□ EXPRESIONES **no tener abuela** [se usa para censurar al que se alaba mucho] *col.*

a buen recaudo loc.adv.

● CON VBOS. **poner(se)** · **guardar** · **dejar** *Tras dejar a buen recaudo sus pertenencias, emprendió el viaje* · **colocar(se)**

· **depositar** · **situar** · **meter** · **esconder** || **mantener(se)** · **encontrarse** · **hallarse** · **conservar** *Pretendemos conservar a buen recaudo los libros más valiosos de la biblioteca* · **tener** · **estar** · **permanecer** · **quedar** · **reposar**

abultadamente adv.

● CON VBOS. **inflar** · **hinchar** || **derrotar** · **ganar** · **vencer** · **perder** *Perdieron abultadamente: cinco goles a cero*

abultado, da adj.

● CON SUSTS. **vientre** *un vientre abultado* · **guata** · **labios** · **nariz** · ***otras partes del cuerpo*** || **grano** || **cifra** · **número** · **cantidad** · **volumen** *un negocio de volumen abultado* || **presupuesto** *Anunciaron un abultado presupuesto para el próximo año* · **factura** · **cheque** · **balance** · **mayoría** · **porcentaje** · **cálculo** · **estadística** · **índice** · **importe** · **interés** · **precio** · **monto** || **cuenta** *La justicia investiga el origen de sus abultadas cuentas bancarias* · **cartera** · **billetera** · **chequera** · **paquete** · **patrimonio** || **resultado** · **derrota** · **victoria** · **marcador** · **tanteador** · **tanteo** · **goleada** || **diferencia** · **ventaja** · **diferencial** || **déficit** · **deuda** *un país con una abultada deuda externa* · **pérdida** · **endeudamiento** · **pasivo** · **números rojos** || **ganancia** · **beneficio** · **premio** · **recompensa** · **ingreso** · **salario** · **anticipo** *Los jugadores recibieron un abultado anticipo por el campeonato* || **lista** · **nómina** · **plantilla** · **familia** · **población** · **colonia** · **grupo** · **discografía** · **bibliografía** · **antología** · **temario** · **repertorio** || **crecimiento** · **aumento** · **incremento** · **subida** · **descenso** · **rebaja** · **bajada** · **retroceso** || **error** · **fallo** · **desacierto** · **desajuste** · **defecto** · **traspié** || **consumo** · **votación**

● CON ADVS. **enormemente** · **tremendamente** · **considerablemente** · **extraordinariamente** || **ligeramente** · **levemente** || **notablemente** · **claramente** · **notoriamente** · **ostensiblemente** · **visiblemente**

● CON VBOS. **ponerse** · **hacerse** · **quedarse** · **ser** · **estar**

a bulto loc.adv. *col.*

● CON VBOS. **calcular** *Como calcularon a bulto las medidas, la nueva estantería no cabía en el salón* · **tomar medidas** || **disparar** · **tirar** || **decir** · **hablar** *No se puede hablar a bulto de cualquier cosa que a uno le pregunten* · **señalar**

abundancia s.f.

● CON ADJS. **infinita** · **inagotable** · **excesiva** · **desmesurada** · **abrumadora** · **extraordinaria** *una abundancia de recursos extraordinaria* · **enorme** · **plena** · **gran(de)** || **sorprendente** · **asombrosa** || **escasa** · **exigua**

● CON SUSTS. **tiempo (de)** · **época (de)** *Si ahorras en época de abundancia, tendrás algo en los malos momentos* || **cuerno (de)**

● CON VBOS. **exhibir** · **mostrar** || **administrar** || **vivir (en)** *No te quejes, que vivimos en la abundancia...* · **nadar (en)** || **colmar (de)**

● CON PREPS. **con** · **en medio (de)**

abundantemente adv.

● CON VBOS. **sangrar** · **manar** · **llover** *Según el pronóstico, lloverá abundantemente* · **nevar** · **brotar** · **correr** · **sudar** · **fluir** · **verter** · **regar** · **rociar** · **remojar** · **desbordar** || **existir** · **dar(se)** *Las coníferas se dan abundantemente en los bosques canadienses* · **encontrar(se)** · **presentar(se)** · **extender(se)** · **crecer** · **sobrar** · **producir** · **practicar** · **realizar** · **almacenar** · **prodigar(se)** || **dotar** · **proporcionar** · **suministrar** · **premiar** · **financiar** · **untar** *Primero se unta abundantemente el molde con mantequilla...* · **engrasar** · **pintar** || **comer** · **cenar** · **beber** · **abrevar** · **consumir** · **leer** || **utilizar** · **usar** · **emplear** · **recurrir** || **hablar** · **escribir** · **contar** · **comentar** · **anunciar** · **informar** · **mencionar** · **citar** · **discutir** *Ya discutimos abundantemente sobre el tema* · **dialogar** · **describir** || **exhibir** · **representar** · **reproducir** · **filmar** · **grabar** · **versionar** · **traducir** · **reseñar** *Sus novelas han sido abundantemente reseñadas* · **ilustrar** || **probar** · **demostrar**

aburrido, da adj.

● CON SUSTS. **película** *Es una película muy aburrida, no te la recomiendo* · **escena** · **diálogo** · **libro** · **espectáculo** · **comedia** · ***otras creaciones*** || **fiesta** · **partido** · **debate** · ***otros eventos*** || ***persona*** *una mujer aburrida y sin iniciativa* || **ciudad** · **pueblo** · **barrio** · ***otros lugares*** || **vida** · **tarde** · **día** *Llevamos un día muy aburrido* · **noche** · **mañana** · **vacaciones** · **verano** · **fin de semana** · ***otros periodos*** || **conversación**

● CON ADVS. **tremendamente** *un libro tremendamente aburrido* · **enormemente** · **terriblemente** · **extraordinariamente** · **a todas luces**

● CON VBOS. **ser** · **volver(se)** || **estar** *Los chicos estaban aburridos de esperar* · **quedarse** · **encontrar(se)**

aburrimiento s.m.

● CON ADJS. **absoluto** · **total** *El espectáculo era un aburrimiento total* · **completo** · **profundo** · **tremendo** · **gran(de)** · **mortal** · **puro** *Casi me muero de puro aburrimiento* · **soberano** · **morrocotudo** || **terrible** · **atroz** *Sentíamos un aburrimiento atroz* || **soporífero**

● CON SUSTS. **cara (de)** · **gesto (de)** || **tendencia (a)** || **horas (de)**

● CON VBOS. **cundir** · **invadir (a alguien)** · **entrar (a alguien)** *Nos entró un aburrimiento mortal* || **disipar(se)** || **paliar** · **mitigar** · **aliviar** · **atenuar** · **amenizar** || **matar** · **combatir** · **vencer** · **evitar** · **sacudir** *Salgamos, a ver si nos sacudimos un poco el aburrimiento* || **sobrellevar** · **soportar** || **causar** · **provocar** || **morir (de)** · **caer (en)** · **sumir(se) (en)** · **hundir(se) (en)** || **sacar (de)** · **salir (de)** · **acabar (con)** · **huir (de)** *Siempre llevo un libro para huir del aburrimiento* || **llevar (a)** || **atribuir (a)**

● CON PREPS. **al filo (de)** · **al margen (de)** || **contra** || **por**

aburrir(se) v.

● CON ADVS. **como una ostra** *Anoche me aburrí como una ostra* · **como un hongo** · **profundamente** · **mortalmente** · **soberanamente** · **considerablemente** · **de lo lindo** · **intensamente**

abusar (de) v.

● CON SUSTS. **pasta** · **sal** *No abuses de la sal* · **grasa** · **alcohol** · **café** · **tabaco** · **droga** · ***otros alimentos, bebidas o sustancias*** || **hospitalidad** · **buena fe** · **paciencia** · **buena disposición** *No queremos abusar de su buena disposición* · **confianza** · **buen corazón** · **amabilidad** · **amistad** *No me gustaría abusar de tu amistad, pero...* · **gentileza** · **seriedad** · **esperanza** · **nobleza** || **consumidor,-a** · **cliente** · **trabajador,-a** · **población** · ***otros individuos y grupos humanos*** || **poder** · **autoridad** · **cargo** · **posición** · **fuerza** · **riqueza** · **arma** || **dinero** · **fondos** *Negó haber abusado de los fondos reservados durante su mandato* || **derecho** · **ley** · **justicia** · **estatuto** · **fuero** || **privilegio** · **facultad** · **mayoría** · **prebenda** · **permiso** · **permisividad** · **libertad** · **posibilidad** || **tópicos** *La novela abusa de tópicos efectistas y otros recursos conocidos* · **recursos** · **clichés** · **patrón** · **fórmulas** || **artificios** · **efectismo** · **efectos especiales** · **trucos** · **metáforas** · **color** || **consumo** · **uso** · **utilización** · **empleo** · **aplicación** *un recurso útil, pero de cuya aplicación se abusa una y otra vez* || **debilidad** · **fla-**

queza · ignorancia · desconocimiento || tiempo *Perdóneme por abusar de su tiempo*
• CON ADVS. excesivamente · gravemente · desmedidamente || impunemente · descaradamente

abusivamente adv.

• CON VBOS. beber *Un alto porcentaje de la población bebe abusivamente* · comer · ingerir · consumir || utilizar · usar · emplear · aprovechar · aplicar · beneficiar || cobrar · vender · encarecer · subir *El precio de la vivienda ha subido abusivamente* · ampliar || actuar · proceder · intervenir · ejercer · portarse || acaparar · apropiarse · recoger · capturar · cosechar · absorber || manipular *Se la acusa de manipular abusivamente las estadísticas* · modificar · retocar · prolongar · hinchar || cercenar · fragmentar · recortar || controlar · dominar · gobernar · imponer || generalizar · simplificar
• CON ADJS. exagerado,da · caro,ra · alto,ta *unos precios abusivamente altos*

abusivo, va adj.

• CON SUSTS. precio *Piden por esta casa un precio abusivo* · tarifa · cantidad · impuesto · carga · fiscalidad · cambio · interés · comisión · alquiler · factura · honorario · cobro || uso · utilización · consumo *luchar contra el consumo abusivo de drogas y alcohol* · gasto · explotación · empleo · manejo · ingesta || práctica · ejercicio · actuación · intervención · proceder · aplicación · método · procedimiento · praxis · hábito · moda || condición · cláusula · acuerdo · contrato · convenio *Pretendían que firmáramos un convenio claramente injusto y abusivo* || ley · medida · norma · sanción · prohibición · imposición || tratamiento · trato · comportamiento · actitud *La prensa critica la actitud abusiva y prepotente del ministro* · conducta · postura · posición || servicios mínimos · horario · jornada || aumento *El aumento de los precios en el último año ha sido abusivo* · subida · incremento · ascenso · expansión || poder · control · régimen · gobierno · empresa || derecho · privilegio || crítica · ataque · violencia *...imágenes que permitieron reconocer a los autores de la violencia abusiva contra...* · desalojo · detención || generalización · simplificación

abuso s.m.

• CON ADJS. vergonzoso · indignante · intolerable *Se está produciendo un intolerable abuso de autoridad* · ilegítimo · flagrante || excesivo · total || evidente · descarado · escandaloso *un escandaloso abuso de poder* || encubierto || generalizado · extendido · incontrolado || de confianza · de fuerza · de poder · de autoridad · policial *Denunciaron un supuesto abuso policial* || sexual · físico · psicológico · laboral || infantil || harto,ta (de) || sometido,da (a)
• CON SUSTS. delito (de) · cargo (de) || objeto (de) · víctima (de)
• CON VBOS. proliferar · aumentar · crecer || consumar(se) || cometer || controlar · prevenir *La finalidad de esa ley es prevenir los posibles abusos* · frenar · evitar · atajar · cortar · impedir || sufrir || condenar · castigar · denunciar · imputar || disimular · ocultar *Estuvo años ocultando el abuso del que había sido víctima* · silenciar · disfrazar || constituir · representar || acusar (de) || tomar medida(s) (contra) · poner fin (a) *poner fin a los abusos de poder* || librar(se) (de) || incurrir (en) || acatar (con)

abyecto, ta adj.

• CON SUSTS. crimen *Todos condenamos tan abyecto crimen* · delito · atentado · agresión · atrocidad · crueldad || asesino,na · chantajista · persona · sociedad · ***otros individuos y grupos humanos*** || traición · golpe · chantaje *No pienso someterme a un chantaje tan abyecto* || acción · actitud || técnica · procedimiento || vida · muerte · mundo · momento · condición || negocio · explotación · especulación · oportunismo || mensaje · espectáculo *Dice que nuestros representantes están dando un espectáculo abyecto* · símbolo · grosería || terrorismo · racismo · violencia

[acá] → de acá para allá

a caballo

▮ [a galope]

• CON VBOS. montar *montar a caballo* · recorrer · viajar · ***otros verbos de movimiento***

▮ [a medias]

• CON VBOS. estar *Su obra está a caballo entre la novela y el teatro* · andar · encontrarse · desarrollarse · transcurrir || vivir *vivir a caballo entre dos ciudades* · nacer

acabar v.

• CON ADVS. inesperadamente · abruptamente · de repente · a marchas forzadas *Al final, acabaron las instalaciones con precipitación y a marchas forzadas* || gradualmente || inexorablemente · inevitablemente · indefectiblemente · definitivamente || de raíz · a medias · por completo || a patadas · a golpes · a gritos · como el rosario de la aurora *La reunión empezó bien, pero acabó como el rosario de la aurora* · trágicamente · para el arrastre · desastrosamente || felizmente · con {buen/mal} pie · con éxito · a lo grande · dignamente

acacia s.f.

• CON ADJS. humilde || espinosa · falsa · blanca · japonesa
• CON SUSTS. zona (de) || flor (de) · espina (de) || fila (de)
• CON VBOS. florecer || amarillear
➤ Véase también **ÁRBOL**

academia s.f.

• CON ADJS. privada · real · nacional · internacional · oficial · olímpica · militar || prestigiosa *Imparte clases en una prestigiosa academia* · conocida · nombrada · reputada · ilustre · célebre · destacada · distinguida · insigne
• CON SUSTS. profesor,-a (de) · maestro,tra (de) · alumno,na (de) · director,-a (de) · estudiante (de) · compañero,ra (de) · dueño,ña (de) · miembro (de) · presidente,ta (de) || clase (de) · curso (de) · aula (de) || premio (de) · reglamento (de) · horario (de) · examen (de)
• CON VBOS. presidir · dirigir · llevar · regentar · fundar · abrir || enseñar (en) · dar clases (en) || admitir (en) · inscribir(se) (en) · matricular(se) (en) · ingresar (en) *Es muy difícil ingresar en esa academia* || asistir (a) · ir (a) · acudir (a) · estudiar (en)

académico, ca adj.

• CON SUSTS. curso *El curso académico empieza a la vuelta de las vacaciones* · año · programa · currículo || título · titulación · estudio · disciplina || mundo · vida · comunidad *La comunidad académica apoyaba en pleno la reforma educativa* · institución · actividad · labor · política

· acto || autoridad · director,-a · secretario,ria · dirección · profesional · comité || centro · colegio || formación · mérito *El candidato tiene numerosos méritos académicos* · expediente · grado · nivel || calidad · prestigio || certificación · certificado || análisis · teoría · investigación || aptitud · rendimiento *El rendimiento académico de nuestros estudiantes ha descendido alarmantemente* || oferta

acaecer v.

● CON SUSTS. **cambio · modificación · transformación · alteración || problema · incidente · contratiempo** *un serio contratiempo que acaeció el pasado domingo...* || **error · disparate || cataclismo · quiebra · infortunio · calamidad · desgracia** *El presidente envió sus condolencias por la desgracia acaecida en el país vecino* · **debacle || tormenta · temporal · tromba · terremoto || hecho** *un hecho acaecido a principios del siglo pasado* · **suceso · boda · estreno ·** ***otros eventos***

acallar v.

● CON SUSTS. **voz · boca · labios · lengua · garganta || gritos** *En vano intentaron acallar los gritos de los manifestantes* · **aplausos · vivas · estruendo · clamor · ruido · llanto · cántico · canto · abucheo · sonido · murmullo · ovación · palmas · pateo · pitido || manifestantes · detractores · oposición · opositores · adversarios,rias || arma · cañón · disparo · fusil · pólvora · sable || crítica** *Ni siquiera los últimos triunfos han logrado acallar las críticas al entrenador* · **protesta · queja · denuncia · insultos · advertencia · amenaza · reproche · acusación || demanda · reivindicación · súplica · petición · exigencia || rumor** *Hizo una declaración a la prensa para acallar los rumores acerca de...* · **duda · sospecha · suspicacia · rumorología · habladuría · chismorreo · interrogante · incertidumbre || comentario · debate** *...para acallar el debate público sobre la educación* · **palabra · testimonio · información · exclamación · discusión || indignación · disidencia · disensión · discrepancia · descontento · disgusto · preocupación · reticencia · reparo · problema · alarmismo · decepción · recelo || dolor · miedo · celos · irritación · consternación · aflicción · sufrimiento || polémica · pelea · disputa · ataque || conciencia · pensamiento · voluntad · ánimo · imaginación || esfuerzo · inquietud · afán · empuje · aspiración · iniciativa** *...iniciativas voluntariosas que fueron acalladas por las consignas oficiales* · **impetuosidad · ansia · deseo || manifestación · escándalo · revuelta · motín**

□ USO Se construye generalmente con sustantivos en plural: *acallar las críticas.*

acaloradamente adv.

● CON VBOS. **discutir** *Siempre discuten acaloradamente por cosas sin importancia* · **debatir · disputar · criticar · increpar · protestar || conversar · hablar · responder · afirmar · decir · expresar ·** ***otros verbos de lengua*** **|| defender · opinar || reclamar** *Los jugadores reclamaron penalti acaloradamente* · **insistir · pedir**

acalorado, da adj.

● CON SUSTS. ***persona*** *Está hoy muy acalorado su señoría* || **verano · agosto · noche · tarde ·** ***otros períodos*** **|| reunión · sesión · pleno · conferencia · congreso · asamblea · convención · junta · tertulia || discusión · debate · defensa · conversación** *Parece que los vecinos han tenido una acalorada conversación* · **controversia · disputa · polémica · pelea · lucha || discurso · declaración · intervención · respuesta** *El suceso dio lugar a la acalorada respuesta del embajador* · **llamamiento || arrebato · entusiasmo · ardor · euforia · pasión**

acalorarse v.

● CON SUSTS. **conferenciante · espectador,-a · auditorio · público · cliente ·** ***otros individuos y grupos humanos*** **|| cara · mejilla || lucha · discusión · debate || protesta · queja || ánimos** *Los ánimos se fueron acalorando y la reunión acabó como el rosario de la aurora*

a cal y canto loc.adv.

● CON VBOS. **cerrar** *La casa está cerrada a cal y canto* · **atrancar · encerrar · sellar · clausurar · tapiar**

a cámara lenta loc.adv./loc.adj.

● CON VBOS. **rodar · filmar · proyectar** *Proyectaron la jugada a cámara lenta* · **grabar · ver || pasar · avanzar · salir · transcurrir · andar · atravesar · ascender · caer · saltar · dirigirse · entrar · llegar · precipitarse · seguir · fluir ·** ***otros verbos de movimiento*** **|| recordar** *Iba recordando los hechos a cámara lenta* · **repasar · visualizar · observar · concebir || producir · realizar · participar · promover · ejecutar · funcionar**

● CON SUSTS. **imagen · toma · escena** *...una película, con varias escenas a cámara lenta* · **secuencia · filmación · rodaje · película || entrada · cambio · carrera · paso · continuación · introducción || toreo · baloncesto · lucha · ballet · quite · partido** *Fue un partido a cámara lenta, carente por completo de emoción* · **equipo**

□ USO Se usa también la variante *en cámara lenta.*

acampada s.f.

● CON ADJS. **libre · ilegal · legal || permanente · estable · nocturna || simbólica · testimonial**

● CON SUSTS. **zona (de) · lugar (de) · área (de) || día (de) || derecho (de)**

● CON VBOS. **realizar · organizar · planificar || permitir · autorizar · prohibir || ir (de)** *Hace mucho que no vamos de acampada*

acampanado, da adj.

● CON SUSTS. **pantalón · manga · traje · vestido · capa · pollera · falda**

acampar v.

● CON SUSTS. **ejército · excursionista · manifestante** *Los manifestantes acamparon ante la sede del partido* · ***otros individuos y grupos humanos***

● CON ADVS. **a la intemperie · al aire libre · libremente || ilegalmente**

a cántaros loc.adv.

● CON VBOS. **llover** *Está lloviendo a cántaros* · **caer agua**

acaparar v.

● CON SUSTS. **dinero · riqueza · mercado || interés · atención** *Fue ella la que acaparó la atención de los presentes* · **admiración · expectación · protagonismo · miradas · portadas · audiencia || poder · cargos · votos || críticas · elogios · premios** *Han acaparado todos los premios* · **trofeos · méritos || espacio · tiempo**

● CON ADVS. **descaradamente · injustamente · abusivamente || por completo** *Parece mentira que la televisión acapare su atención por completo*

a capa y espada loc.adv./loc.adj.

● CON VBOS. **defender** *...siempre dispuesta a defender a capa y espada un territorio...* · **proteger** · **mantener** || **luchar** · **pelear** || **exigir** · **reivindicar**

● CON SUSTS. **defensa** · **duelo** *El igualado duelo a capa y espada que mantuvieron...*

a cara descubierta loc.adv./loc.adj.

● CON VBOS. **actuar** *Los atracadores actuaron a cara descubierta* · **participar** · **operar** · **realizar** || **entrar** *El acusado entró en la sala a cara descubierta y con gesto desafiante* · **salir** · **irrumpir** · **presentarse** · **llegar** · **venir** · **comparecer** || **atracar** · **cometer un delito** · **robar** *Los ladrones robaron en el banco a cara descubierta* · **atacar** · **agredir** · **abordar** · **disparar** · **asesinar** · **saquear** · **romper** · **destruir** || **hablar** *Varios testigos hablaron a cara descubierta con los medios* · **decir** · **testificar** · **revelar** || **luchar** · **enfrentarse** || **apoyar** · **ayudar** · **defender** || **estar** · **quedarse**

● CON SUSTS. **atraco** · **atentado** · **ofensiva**

acaramelado, da adj.

● CON SUSTS. **dulce** · **tarta** · **comida** · **bebida** || **voz** *una voz acaramelada y melosa* · **ojos** · **piel** · **tez** || **final** · **estampa** · **imagen** · **historia** *Las historias tan acarameladas me aburren* · **comedia** · **película** · **escenografía** · **canción** · **cuento** || **palabra** · **conversación** · **diálogo** · **discurso** || **actitud** · **gesto** || **reconciliación** · **aventura** · **amor**

● CON ADVS. **ligeramente** · **levemente** || **visiblemente** *Se les podía encontrar en actitud visiblemente acaramelada*

a cara o cruz loc.adv./loc.adj.

● CON VBOS. **jugar** · **echar** *Echaron a cara o cruz quién se encargaría de...* · **disputar** · **apostar** || **decidir** *decidir a cara o cruz el ganador del encuentro* · **elegir** · **resolver** · **ganar**

● CON SUSTS. **partido** · **duelo** · **lucha** · **encuentro** || **apuesta** *hacer una apuesta a cara o cruz* · **partida**

a carcajadas loc.adv.

● CON VBOS. **reír** *Cuando quiere parecer serio nos hace reír a carcajadas*

□ USO Se usa también la variante *a carcajada limpia.*

acariciar v.

▮ [hacer caricias, tocar]

● CON ADVS. **suavemente** · **dulcemente** · **cariñosamente** · **plácidamente** || **cadenciosamente** · **lánguidamente** · **lentamente** · **levemente** · **sutilmente** · **largamente** · **constantemente** · **continuamente** || **con la mirada** · **con los ojos**

▮ [acercarse a algo o pensar en ello con la esperanza de conseguirlo]

● CON SUSTS. **éxito** · **victoria** · **triunfo** *Llegó a acariciar el triunfo en los últimos metros de la carrera* · **gloria** || **título** · **copa** · **trofeo** · **medalla** · **oro** · **gol** || **sueño** *En esos años empezamos a acariciar el sueño de fundar una escuela* · **objetivo** · **ilusión** · **aspiración** · **esperanza** · **deseo** · **fantasía** · **expectativa** · **anhelo** · **meta** || **idea** *Durante mucho tiempo, acarició la idea de ser arquitecta* · **posibilidad** · **proyecto** · **plan** || **poder** · **liderato** · **alcaldía** · **gobernación** · **cargo** · **nombramiento** · **candidatura** · **nominación** · **plaza** || **límite** · **cifra** · **nivel** · **récord** · **marca** || **unidad** · **acuerdo** · **pacto** · **consenso** · **quórum** · **solución** || **estabilidad** · **equilibrio** *...medidas para atajar la inflación y acariciar el equilibrio presupuestario* · **tranquilidad** || **empate** · **clasificación** · **popularidad** · **venganza** · **ascenso** · **salvación** · **reelección** *Con los resultados nacionales, el gobernador acaricia ahora su reelección* · **perfección**

acarrear v.

● CON SUSTS. **carga** · **trigo** · **arena** · **tonel** · **baúl** · ***otros productos u objetos transportables*** || **consecuencia** *unas medidas tan drásticas que acarrearon graves consecuencias para el país* · **efecto** · **repercusión** · **resultado** · **secuela** || **problema** · **inconveniente** · **complicación** · **riesgo** *El uso de esta medicina puede acarrear graves riesgos para la salud del paciente* · **peligro** · **crisis** · **dificultad** · **tensión** · **lío** · **contratiempo** || **perjuicio** · **daño** *El temblor, aunque leve, acarreó importantes daños en varios edificios* · **disgusto** · **mal** · **sufrimiento** · **desgracia** · **dolor** · **drama** · **miseria** · **desasosiego** · **preocupación** || **multa** · **sanción** · **condena** · **castigo** · **cárcel** · **detención** · **despido** · **suspensión** · **destierro** · **arresto** · **amonestación** || **gasto** · **coste** · **pérdida** · **costo** · **desembolso** · **deuda** · **endeudamiento** · **inversión** · **déficit** · **pago** · **sangría de dinero** *...actuaciones desmesuradas que además acarrean una sangría de dinero* || **beneficio** · **ventaja** · **recompensa** · **dinero** || **aumento** · **incremento** · **crecimiento** · **repunte** · **subida** · **mejora** · **mejoría** || **reducción** · **disminución** · **descenso** · **bajón** · **caída** · **merma** · **rebaja** · **recorte** · **hundimiento** · **devaluación** · **desgaste** || **cambio** *Esta tercera derrota consecutiva debería acarrear profundos cambios* · **alteración** · **modificación** · **mutación** · **reforma** · **renovación** · **metamorfosis** · **sustitución** || **conflicto** · **crítica** · **enfrentamiento** · **animadversión** · **pelea** · **guerra** · **polémica**

● CON ADVS. **inevitablemente** *La llegada de su primer hijo acarreó inevitablemente algunas complicaciones* · **inexorablemente** · **necesariamente** · **irremisiblemente** · **ineludiblemente** · **obligatoriamente**

a carta cabal loc.adv./loc.adj.

● CON ADJS. **honrado,da** *Mi abuelo fue un hombre honrado a carta cabal* · **honesto,ta** · **valiente** · **bravo,va** · ***otros adjetivos valorativos***

● CON SUSTS. **profesional** *Este trabajo ha sido realizado por un profesional a carta cabal* · **torero,ra** · ***otros individuos***

acartonado, da adj.

● CON SUSTS. **estética** · **piel** *un rostro de piel acartonada* · **rostro** · **cara** || **forma** · **aspecto** · **aire** || **personaje** · **pintor,-a** · **político,ca** · **intérprete** · ***otros individuos*** || **gesto** *gestos acartonados y sin naturalidad* · **serenidad** || **lógica** · **grandilocuencia** · **retórica** || **vida** · **mundo** || **película** · **teatro**

● CON VBOS. **quedarse** · **estar**

acatar v.

● CON SUSTS. **medida** *La empresa se compromete a acatar las medidas regulatorias si...* · **decreto** · **resolución** · **decisión** · **sentencia** · **fallo** · **dictamen** · **auto** · **determinación** || **orden** · **mandato** · **imposición** · **directriz** · **consigna** · **instrucción** · **ultimátum** · **exigencia** *...y declaró que nunca acatarán las exigencias de la patronal* · **demanda** · **petición** · **requerimiento** || **acuerdo** · **pacto** · **tratado** · **convenio** · **convención** || **norma** · **ley** · **constitución** · **regla** · **reglamento** · **disciplina** · **régimen** · **normativa** || **dogma** · **axioma** · **principio** · **mandamiento** · **corán** || **gobierno** · **monarquía** · **jefe,fa** · **líder** || **voluntad** · **deseo** · **planteamiento** *...y no tenemos por qué ceder a su voluntad ni acatar sus planteamientos* · **designio** · **postura** ·

voto · votación · opinión || condena · sanción · castigo · prohibición · ilegalización · pena · suspensión · destitución · veto · exclusión || huelga *Los trabajadores resolvieron no acatar la huelga* · **paro · pronunciamiento · moción · llamamiento · convocatoria || autoridad · soberanía · poder · liderazgo · importancia · jerarquía · hegemonía || discurso · mensaje · consejo · recomendación · sugerencia · máxima · propuesta · advertencia || obligación · condición · papel · responsabilidad || resultado** *Sin duda, acatarán el resultado de las elecciones* · **derrota · victoria · desenlace · consecuencia**

● CON ADVS. **totalmente · incondicionalmente · ciegamente · plenamente · sin reservas · {con/sin} condiciones · sin rechistar · sin protestar · sin pestañear · a medias || gustoso · de buen grado · gustosamente · deportivamente** *Acatamos deportivamente el resultado, aunque creemos que es injusto* · **a regañadientes · resignadamente || al pie de la letra · escrupulosamente · estrictamente · rigurosamente || religiosamente** *Por supuesto, todos acatamos religiosamente las normas de la empresa* · **voluntariamente · democráticamente**

acaudillar v.

● CON SUSTS. **revolución** *Fue acusado de acaudillar la revolución* · **rebelión · golpe de Estado · ataque · motín · lucha || equipo · brigada · banda || corriente · movimiento**

acceder (a) v.

● CON SUSTS. **petición · demanda · solicitud · súplica · ruego · deseo** *No podemos acceder siempre a sus deseos*

● CON ADJS. **gustoso,sa** *Accedería gustosa a acompañarla, pero...* · **encantado,da**

● CON ADVS. **gustosamente · con gusto · de buen grado** *Siempre accede de buen grado a nuestras peticiones* || **gentilmente · amablemente · atentamente**

accesible adj.

▌[de fácil acceso o alcanzable]

● CON SUSTS. **edificio** *El edificio era poco accesible para personas con movilidad reducida* · **hospital · zona · puerto** · ***otros lugares*** **|| camino · itinerario · ruta · vía || información · dato** *Los datos económicos de la empresa son accesibles para todos los empleados* **|| libertad · fama · popularidad · riqueza**

▌[de trato fácil]

● CON SUSTS. ***persona*** *un profesor muy accesible*

▌[comprensible]

● CON SUSTS. **idea · pensamiento · reflexión || poeta · pintor,-a · filósofo,fa** *Kant no es exactamente un filósofo accesible* · **escritor,-a · artista · periodista · persona · profesor · profesorado** · ***otros individuos y grupos humanos*** **|| texto · novela** *una novela accesible para el gran público* · **poema · película · libro · obra · música** · ***otras creaciones*** **|| lenguaje · estilo · sintaxis · vocabulario · término · alemán || objetivo** *No planteamos medidas utópicas sino objetivos accesibles que puedan conquistarse a corto plazo* · **propuesta · proyecto · opción || historia · argumento · tema · contenido · cuestión || resultado · solución · respuesta**

acceso

1 **acceso** s.m.

● CON ADJS. **dificultoso · difícil · complicado** *El complicado acceso al barranco dificultó el rescate* **|| sencillo · fácil || directo · indirecto || exclusivo · privilegiado · restringido** *acceso restringido a internet* · **limitado || ilimitado · permitido · libre · expedito · gratuito** *¿Conoces alguna página musical de acceso gratuito?* · **cortado || carnal || listo,ta (para)**

● CON SUSTS. **ruta (de) · vía (de) · camino (de) · puerta (de) || clave (de)** *La clave de acceso es secreta* **|| control (de) || falta (de) || curso (de)** *un curso de acceso a la universidad*

● CON VBOS. **vetar · prohibir · denegar · negar** *Le negaron el acceso al local* · **impedir · cortar · bloquear · cerrar · obstruir · obstaculizar · entorpecer · limitar · restringir || dar · permitir · autorizar · facilitar · proveer · abrir · desbloquear · controlar || reclamar · negociar || obtener · ganar · lograr · conseguir · forzar || tener** *Tiene acceso a información confidencial* · **usar · aprovechar || rehusar · desaprovechar || mejorar** *Es necesario que mejoren el acceso a esta zona*

☐ USO Se construye frecuentemente con complementos encabezados por la preposición *a*: *un acceso al recinto ferial.*

2 **acceso (de)** s.m.

● CON SUSTS. **tos** *un brusco acceso de tos* · **fiebre · gripe · hepatitis · taquicardia || locura · demencia || cólera · celos · furia · furor · ira** *estar en pleno acceso de ira* · **rabia · agresividad || lucidez · prudencia · autocrítica || cariño · pasión · ternura** *Lo besó repetidamente en un repentino acceso de ternura* **|| llanto · impotencia · incredulidad · vergüenza || risa** *La broma provocó en el público un acceso de risa incontenible* · **entusiasmo · hilaridad || grandilocuencia · megalomanía · engreimiento**

accesorio, ria

1 **accesorio, ria** adj.

● CON SUSTS. **lugar · instalación || pieza** *El precio del aparato no incluye las piezas accesorias* · **producto · elemento || prestación · servicio · actividad || aspecto · cuestión** *Las cuestiones puramente accesorias serán examinadas en último lugar* · **detalle · problema || condena · sanción · pena · multa**

● CON ADVS. **meramente · puramente · aparentemente · relativamente** *Como era un producto relativamente accesorio, no lo compré*

2 **accesorio** s.m.

● CON ADJS. **imprescindible · indispensable · necesario || complementario · opcional · adicional · decorativo · prescindible || eléctrico · electrónico · sanitario · mecánico · deportivo**

● CON VBOS. **confeccionar · fabricar** *Nuestra empresa fabrica y distribuye accesorios de baño* · **diseñar · elaborar || suministrar · distribuir || seleccionar · eliminar · buscar || introducir · añadir · cambiar || constituir || completar (con) · combinar (con)**

accidentado, da adj.

▌[abrupto, con desniveles]

● CON SUSTS. **terreno** *La casa estaba construida en un terreno muy accidentado* · **cordillera · superficie · trazado · perfil · contorno**

▌[difícil, con incidentes]

● CON SUSTS. **día · hora · año** *un año muy accidentado para mi familia* · **fin de año** · ***otros momentos o períodos*** **|| partido** *Fue un partido accidentado, pero con un resultado más que favorable* · **fiesta · recital · mitin · reunión** · ***otros eventos*** **|| viaje · itinerario · travesía · trayectoria · trayecto · recorrido · ruta · camino · vía · excursión · expedición · periplo · peregrinación || peripecia ·**

aventura · **andanza** · **episodio** · **incidente** || **vida** · **historia** · **existencia** · **biografía** · **experiencia** || **comienzo** · **inicio** · **estreno** · **inauguración** · **debut** *Su debut como actriz fue algo accidentado y poco exitoso* · **presentación** · **prólogo** · **origen** · **prolegómeno** || **proceso** *El largo y accidentado proceso de paz llegó a buen término* · **desarrollo** · **construcción** · **elaboración** · **evolución** · **rodaje** · **tramitación**

accidental adj.

▮ [no esencial, secundario]

● CON SUSTS. **característica** · **atributo** · **propiedad** · **cualidad** · **nota** · **rasgo**

▮ [casual, inesperado]

● CON SUSTS. **muerte** *Según la Policía, fue un caso de muerte accidental* · **fallecimiento** · **asesinato** · **homicidio** · **ahogamiento** · **ajusticiamiento** · **linchamiento** || **enfermedad** · **contagio** · **intoxicación** · **contaminación** · **envenenamiento** · **epidemia** || **hallazgo** *hallazgo accidental de huesos de mamut* · **encuentro** · **descubrimiento** · **tropiezo** || **destrucción** · **desprendimiento** · **derribo** · **rotura** · **corte** || **evento** · **incendio** · **explosión** · **disparo** *Muere un hombre a consecuencia de un disparo accidental* · **unión** · **captura** · **pérdida** · **herida** · **golpe** || **peligro** · **conflicto** · **riesgo** · **inconveniente** · **error** || **interrupción** · **cancelación** · **parada**

▮ [provisional, eventual]

● CON SUSTS. **alcalde** · **director,-a** *Fue director accidental del instituto entre los años...* · **comisión** · ***otros individuos y grupos humanos***

accidentarse v.

● CON SUSTS. **trabajador,-a** *El trabajador se accidentó por no cumplir las normas de seguridad* · **peatón,-a** · ***otros individuos*** || **vehículo** · **coche** · **avión** · **tren** · **autobús** · **barco**

● CON ADVS. **inesperadamente** · **insólitamente** · **inoportunamente** || **mortalmente** · **gravemente** · **levemente** || **brutalmente** · **espantosamente**

accidente s.m.

● CON ADJS. **lamentable** · **desgraciado** *La semana pasada tuvo lugar un desgraciado accidente en nuestra localidad* · **doloroso** · **deplorable** · **desafortunado** · **aciago** · **trágico** · **mortal** · **fatal** · **dramático** · **funesto** · **fatídico** · **luctuoso** || **espectacular** · **sobrecogedor** · **catastrófico** · **brutal** · **pavoroso** · **espantoso** · **terrible** · **aparatoso** · **tremendo** · **violento** || **grave** · **peligroso** · **serio** || **ligero** · **leve** || **fortuito** · **casual** · **imprevisible** || **frontal** · **en cadena** || **de trabajo** · **laboral** *tomar medidas para reducir los accidentes laborales* · **casero** || **de tráfico** · **de circulación** || **propenso,sa (a)** || **implicado,da (en)** · **envuelto,ta (en)**

● CON SUSTS. **víctima (de)** || **consecuencia (de)** · **secuela (de)** || **riesgo (de)** *Con los nuevos medios el riesgo de accidentes es mínimo* · **causa (de)** || **testigo (de)**

● CON VBOS. **producir(se)** · **ocurrir** · **tener lugar** · **desencadenar(se)** · **sobrevenir** || **contabilizar(se)** · **registrar(se)** *Este año se han registrado menos accidentes en las carreteras* || **tener** · **sufrir** · **padecer** · **protagonizar** || **presenciar** · **atestiguar** · **narrar** · **describir** || **ocasionar** · **causar** · **provocar** · **originar** · **propiciar** · **acarrear** · **achacar (a algo)** *Los medios achacan el accidente a un fallo mecánico en el motor* || **impedir** · **evitar** · **prevenir** · **prever** · **anticipar** || **convalecer (de)** · **recobrarse (de)** *Se está recobrando estupendamente del accidente* · **sobrevivir (a)** || **fallecer (en)** · **morir (de)** || **desembocar (en)** · **dar lugar (a)**

● CON PREPS. **en caso (de)** *En caso de accidente, puede llamar a este número* || **a prueba (de)**

acción s.f.

● CON ADJS. **deliberada** · **intencionada** · **calculada** · **preconcebida** · **premeditada** · **fundamentada** || **impulsiva** · **instintiva** · **precipitada** · **aventurada** || **concertada** · **coordinada** *Tenemos que llevar a cabo una acción bien coordinada* || **decisiva** · **irreversible** · **decidida** · **drástica** · **expeditiva** || **temeraria** · **imprudente** · **audaz** · **heroica** *En la novela se narran las acciones heroicas de un caballero medieval* · **trepidante** || **buena** · **noble** · **desinteresada** · **generosa** · **humanitaria** *la acuciante necesidad de acción humanitaria en nuestro país* || **despreciable** · **mezquina** · **denigrante** · **execrable** · **nefanda** · **mala** || **controvertida** || **ilícita** · **clandestina** · **delictiva** *Sus acciones delictivas comenzaron hace muchos años* || **hostil** · **beligerante** || **dilatoria** · **disuasoria** || **constructiva** || **preventiva** · **curativa** *La acción curativa de este medicamento es muy eficaz*

● CON SUSTS. **campo (de)** · **línea (de)** *definir las líneas de acción* · **radio (de)** || **libertad (de)** || **hombre (de)** · **mujer (de)** · **película (de)**

● CON VBOS. **transcurrir** *La acción de la película transcurría en un pequeño pueblo del interior* · **desarrollarse** || **frustrar(se)** · **fracasar** || **repercutir (en algo)** || **emprender** *emprender acciones legales contra alguien* · **tomar** · **realizar** · **ejercer** · **perpetrar** · **ejecutar** · **extender** · **hacer llegar** · **ejercitar** · **asumir** || **planear** · **financiar** · **instigar** · **predisponer** || **coordinar** *¿Quién coordina las acciones humanitarias en ese país?* · **dirigir** · **sincronizar** · **centralizar** || **clarificar** || **obstaculizar** · **entorpecer** · **obstruir** · **bloquear** *Están intentando bloquear las acciones de nuestra asociación* · **interrumpir** · **abortar** · **desbaratar** || **eludir** || **condenar** || **incitar (a)** · **empujar (a)** · **mover (a)** · **exhortar (a)** · **aprestarse (a)** · **exponer (a)** · **someter (a)** · **sustraer (a)** *sustraerse a la acción de la justicia* || **entrar (en)** *Queremos entrar pronto en acción* · **pasar (a)**

● CON PREPS. **sin perjuicio (de)** || **en** · **sobre** *Se desconoce la acción de esta sustancia sobre los tejidos vivos*

accionar v.

● CON SUSTS. **dispositivo** *una palanca para accionar el dispositivo de seguridad* · **mecanismo** · **motor** · **palanca** · **resorte** · **botón** || **radio** *accionar la radio* · **lavadora** · **lavavajillas** · ***otros aparatos electrónicos*** || **bomba** · **explosivo** · **artefacto** · **arma**

accionista s.com.

● CON ADJS. **único,ca** · **principal** · **máximo,ma** · **primer,-a** · **mayor** · **gran** · **mayoritario,ria** || **pequeño,ña** · **minoritario,ria** || **nuevo,va** · **actual** || **estable** || **privado,da** · **particular** · **nacional**

● CON SUSTS. **junta (de)** *Mañana se celebrará una junta de accionistas* · **grupo (de)** · **asamblea (de)**

● CON VBOS. **convocar** || **convertir(se) (en)** || **participar (como)**

acebo s.m.

● CON ADJS. **navideño** · **espinoso**

● CON SUSTS. **bosque (de)** *...para evitar la desaparición de los bosques de acebos* · **arboleda (de)** · **zona (de)** || **venta (de)** · **mercado (de)**

● CON VBOS. **florecer**

➤ Véase también **ÁRBOL**

acechar v.

• CON SUSTS. **depredador,-a · lobo,ba · águila · buitre · halcón · tigre || enemigo,ga · ejército · cazador,-a** *El cazador acechaba a su presa* · **asesino,na** · ***otros individuos y grupos humanos*** **|| peligro · amenaza · riesgo || problema · crisis** *Una profunda crisis social acecha al país* · **duda · incertidumbre · dificultad · conflicto · complicación || preocupación · miedo · temor · angustia · terror || mal · enfermedad · muerte · dolencia · maldad · maldición || catástrofe · tragedia · desastre · desgracia · caos · fatalismo · percance · infortunio || fantasma** *Dos fantasmas acechan al nuevo Gobierno: el paro y la violencia* · **sombra · espectro · misterio || tentación · fuerza · impulso || hambre · penuria · pobreza · miseria || aflicción · sufrimiento · amargura · dolor || guerra · violencia · recesión · desempleo · depresión · fascismo · tormenta**

• CON ADJS. **amenazante** *La selva acechaba amenazante a su alrededor* · **feroz || impaciente · cauteloso,sa**

[aceite] → aceite; como una mancha de aceite

aceite s.m.

• CON ADJS. **fino · virgen · puro · refinado · artesano || oloroso · suave · aromático · afrutado || contaminante · tóxico || medicinal · bronceador · lubricante · vegetal · industrial · sintético || de oliva** *Solo compro aceite de oliva virgen* · **de girasol · de colza · de soja · de ricino · de coco · de almendra**

• CON SUSTS. **mancha (de) || cucharada (de) · chorro (de) || cambio (de)** *¿Cuánto cobran en ese taller por un cambio de aceite?* **|| balsa (de)**

• CON VBOS. **extender(se) · derramar(se) · desparramar(se) || empapar (algo) · salpicar || echar** *echar aceite a la ensalada* · **añadir · verter · untar || extraer · colar · filtrar · refinar · adulterar || cambiar · perder** *El coche va perdiendo aceite* **|| calentar · quemar || freír (en/con) · cocinar (con) · untar (con) || manchar(se) (con) · poner(se) perdido (de) || lubricar (algo) (con)**

aceituna s.f.

• CON ADJS. **negra · verde · rellena · manzanilla · {con/sin} hueso || gran(de) · pequeña · amarga**

• CON SUSTS. **cosecha (de) · recogida (de) · recolección (de) · campaña (de)**

• CON VBOS. **madurar · pudrir(se) || producir · recolectar · recoger || comercializar · importar · exportar || prensar** *Para obtener aceite hay que prensar las aceitunas* · **deshuesar · aderezar · adobar · aliñar · encurtir || saborear · degustar**

aceitunado, da adj.

• CON SUSTS. **rostro · piel · tez** *una mujer de tez aceitunada* · **ojos · aspecto || color**

aceleración s.f.

• CON ADJS. **brutal · extraordinaria** *El estudio confirma la extraordinaria aceleración tecnológica del sector en el último año* · **intensa · fuerte · importante · excesiva · preocupante · incontrolada · notable · apreciable · evidente · creciente · mayor · plena · máxima** *Es entonces cuando el vehículo alcanza la máxima aceleración* **|| ligera · leve · imperceptible || súbita · rápida · brusca || progresiva · constante** *Si la demanda mantiene la aceleración constante, podemos alcanzar límites históricos* · **mantenida || económica · tecnológica || sujeto,ta (a)**

• CON SUSTS. **capacidad (de)** *una escasa capacidad de aceleración* · **ritmo (de) · falta (de) || proceso (de) · fase (de) · sistema (de) · prueba (de) || carril (de)** *La incorporación a la autopista se hace por el carril de aceleración*

• CON VBOS. **experimentar · sufrir || provocar · producir · impulsar · propiciar · permitir || frenar · retrasar · impedir · obstaculizar · mantener**

acelerar v.

• CON SUSTS. **coche · tren · camión · moto ·** ***otros vehículos*** **|| motor || negociación · acuerdo || reforma · cambio · desarrollo · crecimiento || proceso · trámite · gestión · operación** *Voy a intentar acelerar la operación de compra de la nueva vivienda* **|| proyecto · trabajo · plan · obra || marcha** *acelerar la marcha del trabajo* · **ritmo**

• CON ADVS. **a tope · al máximo || significativamente · considerablemente · notablemente** *Están acelerando notablemente el proceso de concesión de visados* **|| gradualmente · progresivamente · paulatinamente · bruscamente · ligeramente · suavemente || en la medida de lo posible**

acelerón s.m.

• CON ADJS. **gran(de) · fuerte · tremendo** *El conductor dio un tremendo acelerón* · **impetuoso || repentino · brusco · seco || final** *Venga, el acelerón final y llegas a la meta* · **definitivo || económico · industrial · inmobiliario**

• CON VBOS. **producir(se) || dar · pegar · provocar · imprimir || sufrir · experimentar · recibir**

acento s.m.

▌[entonación]

• CON ADJS. **extranjero** *¿No has notado que tiene un marcado acento extranjero?* **|| suave · cálido · amable · musical || perfecto · claro || leve · imperceptible · ligero || notable · pronunciado · marcado** *La gente de esa región tiene un acento muy marcado* · **cerrado · exagerado · fuerte · indudable || peculiar · inconfundible** *un inconfundible acento mexicano* · **raro · extraño · genuino · propio · singular**

• CON VBOS. **delatar (algo/a alguien)** *Su acento delata claramente su procedencia* **|| cambiar · disimular · exagerar || coger · adquirir · adoptar · imitar** *Nos sorprendió lo bien que imitaba los acentos extranjeros* · **pegar(se) (a alguien)** *A los corresponsales se les pega el acento del país en el que viven* **|| perder || percibir · detectar || hablar (con)** *Habla con un acento francés inconfundible* · **pronunciar (con)**

• CON PREPS. **con · sin** *Habla alemán sin acento*

▌[signo gráfico]

• CON ADJS. **ortográfico · grave · agudo · circunflejo · de intensidad**

• CON VBOS. **recaer** *Cuando el acento recae en la última sílaba de una palabra que termina en...* **|| poner · llevar**

▌[énfasis]

• CON ADJS. **especial**

• CON VBOS. **poner (en algo)** *En su intervención puso un especial acento en la necesidad de una reforma* · **cargar (en algo) · colocar (en algo)**

acentuación s.f.

• CON ADJS. **mayor · especial** *Puso una acentuación especial en sus últimas palabras* · **particular · creciente || constante · variable · rítmica || bisílaba · paroxítona · proparoxítona · llana · aguda · esdrújula || métrica ·**

gráfica || expresiva · dramática || errónea · equivocada · acertada · correcta · precisa
● CON SUSTS. **normas (de) · reglas (de)**

acentuar(se) v.

● CON SUSTS. **sensación || capacidad · atributo · virtud || tendencia** *Se está acentuando la tendencia a vestir colores claros en la primavera* · **inclinación · vocación** *Según van pasando los años, se va acentuando su vocación de médico* · **rasgo · síntoma · gesto · fenómeno || deficiencia · deterioro · declive · decadencia || rivalidad · enemistad · conflicto · crisis · tensión · polémica** *La controvertida decisión no hizo más que acentuar la polémica entre ambos partidos* · **contradicción || diferencia · desequilibrio · separación · división · distancia || debilidad · dependencia · dominio || problema · necesidad · incertidumbre · inconveniente || importancia · presencia · interés || pérdida · ganancia || ataque · crítica** *Con esas nuevas declaraciones se acentuarán las críticas*
● CON ADVS. **peligrosamente · alarmantemente · extremadamente · excesivamente · marcadamente · fuertemente · notablemente · ostensiblemente || ligeramente || gradualmente · progresivamente**

acepción s.f.

● CON ADJS. **figurada · literal** *En su acepción literal, el significado de esta palabra es...* **|| precisa · específica · particular || general · amplia · habitual || doble** *la doble acepción de una palabra* **|| desusada · común**
● CON VBOS. **usar · emplear || tener || deslindar · distinguir || recoger** *La nueva edición del diccionario recoge otra acepción de ese término* · **definir || corresponder (a) · encajar (en)**
● CON PREPS. **según**

a cepillo loc.adv.

● CON VBOS. **cortar** *cortar el pelo a cepillo* · **rapar · segar**

aceptable adj.

● CON ADVS. **generalmente || difícilmente · dudosamente || mínimamente** *un nivel de inglés mínimamente aceptable* · **suficientemente · medianamente · con matices || mutuamente || éticamente · moralmente** *Lo que iba a hacer no era moralmente aceptable* · **humanamente || socialmente · políticamente || técnicamente**

aceptación s.f.

● CON ADJS. **unánime · multitudinaria · amplia** *Sus obras gozan de amplia aceptación entre la crítica* · **general · universal || buena · gran(de) · total · plena · absoluta · rotunda · sin reservas · sin condiciones** *No le pedimos una aceptación sin condiciones a nuestra propuesta* · **incondicional · firme · definitiva || mala** *un tipo de música que tiene mala aceptación entre los jóvenes* · **deficiente · difícil · parcial · condicional · condicionada · con reservas · con matices · a medias** *Esta ley supone una aceptación a medias de las sugerencias de la oposición* · **provisional || explícita · pública · expresa · sin tapujos · verbal || implícita · tácita · encubierta || previa · inmediata · rápida || gradual · progresiva || entusiasta · complacida · gentil || resignada · impuesta || social**
● CON SUSTS. **discurso (de) || nivel (de)** *El nivel de aceptación del nuevo producto es elevado* · **grado (de) || gesto (de)**
● CON VBOS. **tener · mantener || buscar · lograr · conseguir · ganar** *Con su buen carácter se ganó la aceptación de todos* · **granjear(se) · obtener · encontrar · recabar · recibir · promover || rehusar · perder || supeditar (a algo) || gozar (de) · disfrutar (de)**
● CON PREPS. **en señal (de)** *Movió la cabeza en señal de aceptación*

aceptar v.

● CON SUSTS. **derrota · fracaso · muerte** *Es duro aceptar la muerte de un ser querido* · **resultado · consecuencia || puesto · cargo · contrato · trabajo** *Después de pensárselo, aceptó el trabajo* · **papel || renuncia · dimisión || sugerencia · ofrecimiento · disculpas** *Estoy dispuesto a aceptar sus disculpas si...* · **oferta · propuesta · consejo · invitación · idea · reto || regla** *¿Aceptas las reglas del juego?* · **condición · acuerdo · solución · ley · norma || situación · realidad · posibilidad · cambio**
● CON ADJS. **encantado,da · gustoso,sa · complacido,da**
● CON ADVS. **sin pestañear** *Aceptó mis sugerencias sin pestañear* · **a pie juntillas · al pie de la letra · sin dudar · ciegamente · plenamente · sin reservas · incondicionalmente · sin condiciones · sin paliativos · sin ambages · de antemano || por las buenas** *Es raro que haya aceptado por las buenas* · **gustosamente · con gusto · de buen grado · de mil amores** *Tengo ganas de ir y acepto tu invitación de mil amores* · **voluntariamente · fácilmente · con franqueza || resignadamente · estoicamente · humildemente** *Aceptó humildemente los consejos de sus superiores* · **obligatoriamente · ni por asomo || a regañadientes · con reservas · a medias · con matices · gradualmente || con los brazos abiertos · gentilmente · generosamente || unánimemente · por mayoría** *La cámara aceptó la propuesta por mayoría absoluta* · **democráticamente · universalmente · socialmente || por un momento · temporalmente · provisionalmente || por lo bajo || deportivamente** *El tenista aceptó deportivamente su derrota* · **diplomáticamente || de palabra · verbalmente · personalmente**

acera s.f.

● CON ADJS. **central · lateral · derecha · izquierda · opuesta || estrecha · irregular · adoquinada || ancha · amplia · lisa || intransitable || peatonal**
● CON VBOS. **ampliar · ensanchar** *ensanchar las aceras de la zona sur* · **estrechar || levantar || mejorar · adornar · pavimentar · reparar · reconstruir · reformar · renovar || ocupar · utilizar || caminar (por) · circular (por) · transitar (por) || cambiar (de)** *Me cambié de acera para no saludarla* **|| aparcar (en/sobre) · estacionar (en/sobre)**
□ EXPRESIONES **ser** (alguien) **de la {acera de enfrente/otra acera}** [ser homosexual] *col.*

acerado, da adj.

▌[de acero o con sus características]
● CON SUSTS. **tijeras · hierro · dardo** · *otros objetos* **|| azul · gris** *un traje gris acerado* · **brillo · tono**

▌[incisivo, duro]
● CON SUSTS. **crítica** *una crítica acerada y nada complaciente* · **reflexión · verbo · comentario · declaración · diatriba · pregunta · discurso · diálogo · invectiva || mirada · lengua** *una mujer muy crítica, de lengua acerada* · **voz · tono · pupila || ironía · sátira · humor · ingenio · sarcasmo · burla** *La obra constituye una acerada burla de las costumbres de su tiempo* **|| sensibilidad · inteligencia · emoción · deseo · frialdad · crueldad**

acerbo, ba adj.

● CON SUSTS. **sabor · bebida · cerveza · corteza || crítica · oposición** *Tuvo que enfrentarse a la más acerba oposición*

· acusación · invectiva · censura · sátira || crítico,ca · detractor,-a · enemigo,ga · rival · ***otros individuos*** || lucha · rivalidad || crisis · dolor · enfermedad

acercamiento s.m.

● CON ADJS. **paulatino** *Entre ambos se produjo un paulatino acercamiento* · **progresivo** · **gradual** · **sigiloso** || **tímido** · **ligero** || **notable** *La propuesta supone un notable acercamiento de dos posturas largamente enfrentadas* · **indudable** || **peligroso**
● CON SUSTS. **proceso (de)** || **gesto (de)** · **voluntad (de)** · **política (de)**
● CON VBOS. **producir(se)** · **culminar** || **lograr** · **conseguir** || **buscar** · **perseguir** *una labor mediadora que persigue el acercamiento de partidos políticos rivales en cuanto a...* · **pedir** · **intentar** · **promover** · **propiciar** · **facilitar** *Las nuevas negociaciones han facilitado en alguna medida el acercamiento entre...* · **favorecer** · **impulsar** · **permitir** || **frenar** · **evitar** · **obstaculizar** · **impedir** || **suponer** || **contribuir (a)** || **tender (a)**

acercar(se) v.

● CON SUSTS. **barco** · **coche** *El coche se acercaba a gran velocidad* · **balón** · ***otros objetos físicos*** || **camarero,ra** *Cuando lo llamé, el camarero se acercó* · **muchacho,cha** · ***otros individuos y grupos humanos*** || **día** · **año** · **fecha** *Todos los años hace lo mismo: no empieza a estudiar hasta que se acerca la fecha de los exámenes* · **primavera** · **cumpleaños** · ***otros períodos*** || **batalla** · **elecciones** · **tormenta** · ***otros eventos*** || **punto de vista** *Tu punto de vista se acerca bastante al mío* · **planteamiento** · **posición** *Estamos tratando de acercar ambas posiciones* · **postura** · **criterio** · **idea**
● CON ADJS. **impaciente** *Se acercó impaciente para decirnos que...* · **inquieto,ta** · **nervioso,sa** || **amenazador,-a** · **inexorable** · **puntual**
● CON ADVS. **sigilosamente** · **a hurtadillas** · **de puntillas** *Acércate de puntillas para no despertarla* · **con cautela** · **subrepticiamente** || **a pecho descubierto** || **poco a poco** · **paulatinamente** · **gradualmente** · **progresivamente** *Sus posturas se fueron acercando progresivamente, hasta que llegaron a un acuerdo* || **a pasos agigantados** || **amistosamente** · **peligrosamente** *Comprobó que un camión se le acercaba por detrás peligrosamente* · **amenazadoramente** · **violentamente** · **fatalmente** || **notablemente** · **considerablemente** || **inexorablemente** || **inesperadamente** || **fugazmente** || **ni por asomo** · **ni de lejos** · **remotamente**

[acero] → como el acero; de acero

acero s.m.

● CON ADJS. **inoxidable** *una cubitera de acero inoxidable* · **galvanizado** · **puro** || **líquido**
● CON SUSTS. **tubo (de)** · **barra (de)** · **plancha (de)** · **chapa (de)** · **bola (de)** · **cable (de)** || **puerta (de)** || **telón (de)**
● CON VBOS. **producir** || **forjar** · **cortar** · **pulir**

acérrimo, ma adj.

● CON SUSTS. **enemigo,ga** *Los dos rivales se convirtieron en enemigos acérrimos* · **adversario,ria** · **rival** · **oponente** · **competidor,-a** · **antagonista** · **detractor,-a** · **crítico,ca** · **opositor,-a** || **defensa** · **protección** · **proteccionismo** || **fan** · **partidario,ria** · **defensor,-a** · **feminista** · **comunista** · **nacionalista** · **liberal** · **ecologista** *Fue una ecologista acérrima y una política apasionada* · ***otros seguidores*** || **oposición** · **crítica** · **condena** · **confrontación** · **competencia** · **odio**

acertadamente adv.

● CON VBOS. **pensar** · **reflexionar** · **plantear** *Planteó acertadamente los problemas que nos afectan a todos* · **proponer** · **concluir** || **valorar** · **juzgar** · **evaluar** · **calificar** · **diagnosticar** || **definir** · **explicar** *No sé si sabré explicarte acertadamente el funcionamiento del sistema* · **describir** · **denominar** · **exponer** || **argumentar** · **resumir** · **responder** || **traducir** · **interpretar** || **hablar** · **escribir** · **expresar** || **advertir** · **señalar** · **indicar** || **obrar** · **solucionar** · **resolver** · **rematar** || **conducir** · **dirigir** || **prever** || **elegir**

acertado, da adj.

● CON SUSTS. **hipótesis** · **idea** *Tiene una idea muy acertada sobre la situación* · **opinión** · **comentario** · **respuesta** · **criterio** · **propuesta** · **iniciativa** || **visión** *una visión acertada de los problemas de la sociedad actual* · **interpretación** · **diagnóstico** || **medida** · **ley** · **norma** || **sentencia** · **resolución** · **decisión** · **nombramiento** · **elección** · **opción** *Creo que elegiste la opción más acertada* · **solución** · **selección** || **previsión** · **pronóstico** · **cálculo** || **dirección** *Gracias a una dirección acertada, la empresa ha logrado...* · **camino** · **rumbo** || **expresión** · **tratamiento** · **título**
● CON ADVS. **totalmente** · **plenamente** || **especialmente**

acertar v.

● CON SUSTS. **diagnóstico** *Los médicos no conseguían acertar el diagnóstico de la enfermedad* · **análisis** · **juicio** || **pronóstico** · **vaticinio** · **cálculo** || **pregunta** · **respuesta** *¿Cuántas respuestas acertaste en el examen?* · **solución** · **resultado** || **nombre** · **número** · **dato** || **edad** · **distancia** · **peso** · **altura** · **precio** · ***otras magnitudes*** || **quiniela** · **lotería** · **adivinanza** || **golpe** · **lanzamiento** · **disparo** · **blanco** || **camino** · **vocación** · **carrera** · **elección**
● CON ADVS. **fácilmente** || **con exactitud** · **con precisión** · **de pleno** *El dardo acertó de pleno en la diana* · **plenamente** · **por completo** · **de lleno** · **de plano** || **a medias** || **por casualidad** · **ni a la de tres** *Le pones ganas, pero no aciertas ni a la de tres*

acervo s.m.

● CON ADJS. **rico** · **impresionante** *el impresionante acervo folclórico de este pueblo* · **caudaloso** · **importante** · **principal** || **cultural** *una ciudad con un importante acervo cultural* · **artístico** · **monumental** · **musical** · **literario** · **bibliográfico** · **documental** · **folclórico** · **ideológico** · **espiritual** · **histórico** · **lingüístico** · **tecnológico** · **genético** || **comunitario** · **común** · **popular** · **tradicional**
● CON VBOS. **enriquecer** · **incrementar** · **acrecer** · **acrecentar** · **conservar** || **compartir** || **incorporar(se) (a)** · **pertenecer (a)** *La leyenda pertenece al acervo tradicional de la zona* · **formar parte (de)** · **contribuir (a)** || **recurrir (a)**

achacar v.

● CON SUSTS. **estado** · **suceso** · **situación** *Achacó aquella situación a la crisis del año anterior* · **coyuntura** · **circunstancia** · **hecho** || **culpa** · **responsabilidad** · **cargo** · **imputación** || **error** · **fallo** *...el arquitecto al que le achacan los fallos en la construcción del edificio* · **desacierto** · **negligencia** · **imprudencia** || **defecto** *Me puedes achacar muchos defectos, pero no irresponsabilidad* · **vicio** · **debilidad** · **lentitud** · **ineficiencia** || **crimen** · **delito** · **asesinato** · **violación** · **tortura** · **crueldad** · **atrocidad** || **ataque** · **crítica** *Achacó las críticas recibidas a la envidia de sus compañeros* · **desobediencia** · **falta de entendimiento** || **mal** · **daño** · **problema** · **carencia** · **pobreza** · **retraso** · **accidente** · **derrota** *El club achacó la derrota a la gran cantidad de jugadores lesionados* · **pérdida** · **desgracia** ·

incidente · **dificultad** · **obstáculo** || **actitud** · **ánimo** · **propósito**

☐ USO Se construye muy frecuentemente con complementos indirectos (*achacarle toda la culpa a alguien*) y con complementos preposicionales encabezados por la preposición *a* (*achacar los problemas a la falta de compañerismo*).

achantar(se) (ante) v.

● CON SUSTS. **competencia** · **equipo** · **rival** *No se achantó ante tan temible rival* · **oponente** · **adversario,ria** || **amenaza** · **chantaje** · **violencia** || **declaración** *El equipo se achantó ante las declaraciones del entrenador* · **manifestación** || **indiferencia** · **desinterés** · **abulia** · **apatía**

achaparrado, da adj.

● CON SUSTS. **imagen** · **figura** · **tipo** · **forma** · **aspecto** · **estilo** || ***persona*** || **árbol** · **vegetación** · **monte bajo** · **pino** · **encina** || **torre** · **edificio** · **construcción**

achaque s.m.

● CON ADJS. **doloroso** · **fuerte** || **leve** · **ligero** · **ocasional** || **constante** · **permanente** · **pasajero** || **característico (de algo)** · **propio (de algo)** · **normal** · **común** · **habitual** · **de la edad** *Se conserva muy bien, con los naturales achaques de la edad* || **mejor (de)** *¿Está usted mejor de sus achaques?* · **peor (de)**

● CON VBOS. **presentar(se)** · **manifestar(se)** · **volver** · **venir** || **agudizar(se)** *Con motivo del accidente, se agudizaron sus achaques* · **acentuar(se)** · **agravar(se)** · **recrudecer(se)** || **aplacar(se)** · **remitir** · **mejorar** || **tratar** · **aliviar** · **evitar** || **tener** · **sufrir** · **padecer** · **acusar** || **superar** || **recuperar(se) (de)**

achicar v.

▮ [disminuir, reducir]

● CON SUSTS. **espacio** *Los jugadores fueron achicando el espacio para crear nuevas jugadas* · **terreno** · **habitación** · **salón** · **barrio** · ***otros lugares*** || **pantalón** · **jersey** · **camisa** · ***otras prendas de vestir*** || **diferencia** · **distancia** *Nos está costando achicar la distancia que nos separa del primer puesto* · **margen** · **frontera** || **gasto** · **déficit** · **costo** · **deuda** · **tasa** · **salario** || **poder** · **dominio** || **ánimo** · **esperanza**

▮ [extraer, retirar]

● CON SUSTS. **agua** *achicar el agua de la barca*

achicharrar(se) v.

● CON SUSTS. **guiso** · **carne** *La carne se había achicharrado y estaba negra como el carbón* · **chuletas** · **salchichas** · **sardinas** · ***otros alimentos o comidas*** || **piel** · **cara** *Ponte crema para no achicharrarte la cara* · **brazo** · ***otras partes del cuerpo*** || **bañista** · **turista** · **espectador,-a** · ***otros individuos***

● CON ADJS. **vivo,va** *Te achicharrarás vivo si sigues tomando el sol*

● CON ADVS. **totalmente** · **completamente** · **enteramente** || **ligeramente** || **bajo el sol** · **al sol** · **a fuego lento**

a chorros loc.adv./loc.adj.

● CON VBOS. **sudar** *¡Estoy sudando a chorros!* · **manar** · **escurrir** · **fluir** · **derramar** · **escaparse** · **colarse** · **llorar** · **llover** · **supurar** · **caer** || **salir** · **surgir** || **perder** *Perdía sangre a chorros por la herida* · **gastar**

● CON SUSTS. **agua** · ***otros líquidos***

achuchar v. *col.*

▮ [abrazar]

● CON ADVS. **con fuerza** *Siempre que me ve, me achucha con fuerza* · **con ganas** · **en público**

▮ [atosigar]

● CON SUSTS. **rival** *No basta con achuchar al rival, hay que marcar goles para ganar los partidos* · **jugador,-a** · **equipo** · **gobierno** · **empleado,da** · ***otros individuos y grupos humanos*** || **toro**

● CON ADVS. **sin tregua**

achuchón s.m.

● CON ADJS. **amistoso** · **cariñoso** || **fuerte** || **repetidos**

● CON VBOS. **dar (a alguien)** *No le pegó, pero le dio un buen achuchón* || **soportar** · **aguantar** · **sufrir** · **recibir** || **evitar**

aciago, ga adj.

● CON SUSTS. **suceso** · **peripecia** · **incidente** · **accidente** *Los familiares de los fallecidos en el aciago accidente reclaman ayuda* · ***otros acontecimientos*** || **día** *un día aciago para la historia de este país* · **semana** · **mes** · **año** · ***otros períodos*** || **porvenir** · **futuro** · **pronóstico** · **previsión** · **profecía** · **destino** || **vida** · **experiencia** *el pormenorizado relato de sus aciagas experiencias* · **historia** · **viaje** || **consecuencia** · **resultado** · **solución** || **memoria** · **recuerdo** · **idea** · **pensamiento** || **dilema** · **incertidumbre**

acicalado, da adj.

● CON SUSTS. ***persona*** || **pelo** || **aspecto** · **maneras** · **imagen** · **estilo** || **discurso** · **texto** · **literatura** · **prosa** *A la crítica le gusta su prosa acicalada* || **casa** · **habitación** · **jardín** · **calle** · **ciudad** · ***otros lugares***

● CON ADVS. **cuidadosamente** *con un vestido de noche y cuidadosamente acicalada para la ocasión* · **concienzudamente** · **extraordinariamente** · **sumamente** · **perfectamente** || **visiblemente** · **notablemente** || **ligeramente** · **levemente** || **recién**

acicate s.m.

● CON ADJS. **importante** *La subida de sueldo ha supuesto un importante acicate para los trabajadores* · **sólido** · **notable** · **verdadero** · **buen(o)** · **gran(de)** · **eficaz** · **considerable** || **principal** · **fundamental** || **adicional** · **añadido** · **complementario**

● CON VBOS. **encontrar** *Necesita encontrar más acicates en su trabajo* || **suponer** · **constituir** || **servir (de)** · **funcionar (como)** || **transformar(se) (en)**

acidez s.f.

● CON ADJS. **máxima** · **extrema** · **excesiva** · **superior** · **media** || **gástrica** · **estomacal** · **de estómago**

● CON SUSTS. **grado (de)** · **nivel (de)** || **exceso (de)**

● CON VBOS. **producir** *Algunos alimentos me producen una tremenda acidez de estómago* · **provocar** · **tener** || **aumentar** · **acentuar(se)** *Con el tiempo se acentuaron sus modales huraños y la acidez de su carácter* · **incrementar(se)** · **elevar(se)** || **disminuir** · **rebajar** || **quitar** · **eliminar** · **perder** || **acabar (con)**

ácido, da adj.

▮ [que tiene las propiedades de los ácidos]

● CON SUSTS. **molécula** · **hidrólisis** || **gas** · **fermento** · **agua** · **sudor** · **lluvia** *los daños provocados por la lluvia ácida* · ***otras sustancias o fluidos*** || **roca** · **terreno**

❙ [que tiene sabor agrio]

• CON SUSTS. **sabor** · **olor** ‖ **fruta** *un zumo de frutas ácidas* · **caramelo** · **refresco** · **vino** · ***otros alimentos o bebidas***

• CON VBOS. **ser** · **estar** · **poner(se)** *Se ha puesto ácido el vino*

❙ [desagradable, malhumorado, punzante]

• CON SUSTS. **humorista** *un humorista ácido y mordaz* · **periodista** · **juez** · ***otros individuos*** ‖ **palabras** *Solo tuvo ácidas palabras para el presidente* · **frase** · **expresión** · **conversación** · **declaración** · **debate** ‖ **crítica** · **comentario** *Solía hacer comentarios ácidos y sarcásticos, no siempre oportunos* · **cotilleo** · **descalificación** · **reproche** ‖ **humor** · **broma** · **sarcasmo** · **comicidad** · **sentido del humor** · **ironía** ‖ **farsa** · **parodia** · **comedia** · **sátira** · **novela** *una novela ácida y divertida* ‖ **golpe** · **chispa** · **punto** · **toque** · **carga**

• CON VBOS. **volver(se)**

a ciencia cierta loc.adv.

• CON VBOS. **saber** *No se sabe a ciencia cierta quién fue* · **conocer** · **averiguar** ‖ **afirmar** *Nadie puede afirmar a ciencia cierta cuál va a ser el resultado* · **decir** · **confesar** ‖ **determinar** · **establecer** · **delimitar** · **fijar**

acierto s.m.

• CON ADJS. **total** · **pleno** · **completo** · **verdadero** *Haberla invitado fue un verdadero acierto* · **absoluto** · **sumo** · **insuperable** · **rotundo** · **tremendo** · **enorme** · **notable** · **gran(de)** · **atinado** · **importante** ‖ **parcial** · **discutible** · **escaso** ‖ **fortuito** · **casual** ‖ **indudable** · **clamoroso** ‖ **consecutivo** *diez aciertos consecutivos en los tiros a canasta*

• CON SUSTS. **falta (de)** *Mostró una preocupante falta de acierto en sus respuestas*

• CON VBOS. **tener** *Tuviste un gran acierto al proponer la reunión* ‖ **apuntar(se)** · **adjudicar** · **asumir** · **sumar** · **cosechar** · **conseguir** ‖ **constituir** · **resultar** · **representar** ‖ **magnificar** · **protagonizar**

• CON PREPS. **con** *elegir con acierto un regalo*

ácimo, ma adj.

• CON SUSTS. **pan** ‖ **humor**

[aclamación] → aclamación; por aclamación

aclamación s.f.

• CON ADJS. **encendida** · **calurosa** · **entusiasta** · **apoteósica** · **emotiva** ‖ **sincera** ‖ **popular** · **multitudinaria** · **unánime** · **general** · **pública**

• CON VBOS. **recibir** · **merecer** ‖ **dedicar** · **brindar** ‖ **prorrumpir (en)** *El público prorrumpió en aclamaciones* · **estallar (en)**

• CON PREPS. **por** *Fue elegida por aclamación*

aclamar v.

❙ [vitorear, aplaudir]

• CON SUSTS. **líder** *Aclamaron a su líder en un acto multitudinario* · **actor** · **actriz** · **cantante** · **deportista** · **pareja** · **equipo** · ***otros individuos y grupos humanos*** ‖ **película** *una película que ha sido aclamada como una de las mejores comedias* · **drama** · **ópera** · **libro** · **novela** · ***otras creaciones*** ‖ **actuación** · **concierto** · **gira** · **recital** · **interpretación** ‖ **llegada** · **aparición** · **presencia** · **entrada** *El público, puesto en pie, aclamó con vítores su entrada en el escenario* ‖ **resultado** · **conquista** · **triunfo** ‖ **jugada** · **faena** · **pase**

• CON ADVS. **a bombo y platillo** · **a los cuatro vientos** ‖ **con entusiasmo** · **bulliciosamente** *El gentío aclamó bulliciosamente la entrada del cantante* · **efusivamente** · **vehementemente** · **unánimemente**

❙ [proclamar]

• CON SUSTS. **rey** · **reina** *Fue aclamada reina* · **presidente,ta** · **director,-a** · ***otros cargos o puestos***

aclaración s.f.

• CON ADJS. **rápida** · **breve** *Creo que es necesario hacer una breve aclaración sobre este término* · **somera** · **escueta** · **pequeña** · **puntual** ‖ **pormenorizada** · **detallada** · **exhaustiva** ‖ **necesaria** · **indispensable** · **superflua** · **innecesaria** ‖ **previa** ‖ **oportuna** · **pertinente** · **urgente** ‖ **definitiva** · **cumplida** ‖ **oficial** *una aclaración oficial sobre los sucesos ocurridos* · **diplomática** · **pública**

• CON SUSTS. **auto (de)** *Se espera que el juez dicte un auto de aclaración* · **recurso (de)**

• CON VBOS. **solicitar** · **pedir** *Pido una aclaración inmediata que explique lo sucedido* · **requerir** · **reclamar** · **exigir** ‖ **esperar** · **obtener** · **escuchar** ‖ **ofrecer** · **dar** · **facilitar** · **efectuar** · **realizar** · **hacer** · **formular** · **publicar** ‖ **merecer** · **precisar** · **necesitar**

aclarar v.

• CON SUSTS. **malentendido** *Es necesario aclarar este malentendido inmediatamente* · **lío** · **confusión** · **incidente** · **problema** ‖ **sospecha** · **duda** · **enigma** · **misterio** · **caso** *La Policía aclaró el caso con prontitud* ‖ **crimen** · **asesinato** · **delito** ‖ **cuestión** · **asunto** · **tema** ‖ **concepto** · **idea** · **información** · **punto** · **aspecto** · **detalle** · **pormenores** ‖ **procedencia** · **origen** · **causa** *Las causas del accidente están por aclarar* · **hecho** ‖ **relación** ‖ **papel** · **posición** · **situación** · **participación** ‖ **grado** · **nivel**

• CON ADVS. **punto por punto** · **detalladamente** · **con (todo) lujo de detalles** *Nos aclaró con todo lujo de detalles cuáles eran sus intenciones* ‖ **debidamente** · **satisfactoriamente** · **convincentemente** · **definitivamente** ‖ **por completo** · **suficientemente** ‖ **rápidamente** · **con prontitud** ‖ **públicamente**

aclaratorio, ria adj.

• CON SUSTS. **información** · **pregunta** *hacer preguntas aclaratorias al profesor* · **comentario** · **nota** · **palabras** · **letrero** *En la entrada a la exposición había un letrero aclaratorio* · ***otras manifestaciones verbales o textuales*** ‖ **junta** · **proceso** · **fórmula**

aclimatarse (a) v.

• CON SUSTS. **altura** · **altitud** · **temperatura** *aclimatarse a las bajas temperaturas* · ***otras variables*** ‖ **ciudad** *Se aclimató rápidamente a esta ciudad* · **barrio** · **terreno** · **residencia** · **casa** · ***otros lugares*** ‖ **cambio** · **modificación** · **reforma** · **necesidad** · **exigencia** ‖ **vida** · **situación** · **ambiente** ‖ **circunstancias** · **condiciones** ‖ **carácter** · **estilo** · **personalidad** ‖ **tiempo (para)** · **dificultad (para)**

• CON ADVS. **a las mil maravillas** *Mis hijos se han aclimatado a las mil maravillas al nuevo colegio* · **sin dificultad** · **sin problemas** · **de maravilla** · **formidablemente** · **milagrosamente** · **extraordinariamente** · **con facilidad** *No todos se aclimatan con igual facilidad a los cambios* · **fácilmente** · **rápidamente** ‖ **con dificultad** ‖ **lentamente** · **paulatinamente** · **poco a poco** · **a duras penas** · **progresivamente** · **gradualmente** ‖ **plenamente** · **por completo** · **totalmente** ‖ **adecuadamente** · **debidamente** ·

suficientemente · perfectamente · óptimamente · felizmente || a la fuerza · forzosamente · obligatoriamente

acné s.m.

● CON ADJS. **juvenil**
● CON SUSTS. **problema (de)** · **tratamiento (para)**
● CON VBOS. **agudizar(se)** · **acentuar(se)** · **recrudecer(se)** || **curar(se)** · **remitir** *El acné remitió cuando cambió de alimentación* · **mejorar** || **sufrir** · **padecer** · **tener** || **quitar** *un remedio que quita el acné* · **vencer** · **superar** · **curar** · **erradicar** · **afrontar** · **combatir** · **atajar** || **provocar** · **causar** · **producir**

a cobro revertido loc.adv./loc.adj.

● CON VBOS. **llamar** *llamar a cobro revertido desde el extranjero* · **telefonear** || **hablar**
● CON SUSTS. **llamada** · **conferencia**

acogedor, -a adj.

● CON SUSTS. **barrio** · **ciudad** · **pueblo** · **localidad** · **casa** · **habitación** · **local** · ***otros lugares*** || **ambiente** · **atmósfera** · **marco** · **clima** · **ámbito** · **entorno** · **contexto** · **situación** · **panorama** || **público** *Nos ha recibido un público muy acogedor* · **anfitrión,-a** · **secretario,ria** · ***otros individuos y grupos humanos*** || **gesto** · **mirada** · **sonrisa** · **palabras** · **voz** || **carácter** · **talante** · **actitud** · **espíritu** · **comportamiento** *Su comportamiento fue amable, acogedor y hospitalario* · **trato** · **disposición** || **imagen** · **aspecto** · **aire** · **toque** · **tono** · **estilo** · **empaque** || **recibimiento** · **bienvenida** · **hospitalidad** || **realidad** · **presente** · **futuro**

acoger v.

● CON SUSTS. **idea** · **proyecto** · **plan** · **programa** · **medida** *La oposición acogió de buen grado las medidas adoptadas por el Gobierno* || **sugerencia** · **iniciativa** · **propuesta** *Todos acogimos su propuesta con entusiasmo* · **proposición** · **planteamiento** || **refugiado,da** *El país acogió un gran número de refugiados en esa época* · **inmigrante** · **alumno,na** · ***otros individuos y grupos humanos*** || **certamen** · **juegos olímpicos** *¿Qué ciudad acogerá los próximos Juegos Olímpicos?* · **fiesta** · **exposición** · **celebración** · ***otros eventos*** || **disposición (de)** · **deseo (de)** · **interés (por)**
● CON ADVS. **en {mi/tu/su...} seno** || **con interés** · **con los brazos abiertos** *Siempre nos han acogido en su casa con los brazos abiertos* · **efusivamente** · **cordialmente** · **cálidamente** · **calurosamente** · **con entusiasmo** · **con alborozo** || **favorablemente** *El disco fue acogido favorablemente por la crítica* · **gratamente** · **de buen grado** · **amistosamente** · **cariñosamente** · **campechanamente** || **generosamente** · **desinteresadamente** || **{con/sin} reservas** · **incondicionalmente** · **unánimemente** || **con recelo** · **con reparos** · **con escepticismo** · **con cautela** || **negativamente** · **desfavorablemente** || **temporalmente** *Este edificio acogerá temporalmente la exposición de...* · **provisionalmente**

acogida s.f.

● CON ADJS. **masiva** · **multitudinaria** || **clamorosa** · **apoteósica** · **extraordinaria** · **excelente** · **magnífica** · **gran(de)** || **favorable** · **buena** *La película está teniendo una buena acogida por parte de la crítica* || **cordial** · **cortés** || **afectuosa** · **cariñosa** · **cálida** · **entrañable** · **emotiva** || **efusiva** · **entusiasta** · **calurosa** || **tibia** · **glacial** · **gélida** · **fría** *Me extrañó mucho su fría acogida* · **distante** || **desfavorable** · **desigual**
● CON SUSTS. **centro (de)** *trabajar como voluntario en un centro de acogida* · **casa (de)**
● CON VBOS. **dar** · **brindar** · **dedicar** · **tributar** *Le tributaron una multitudinaria acogida en su pueblo natal* · **dispensar** || **tener** · **recibir**

acólito s.m.

● CON ADJS. **fiel** *Logró rodearse de un puñado de fieles acólitos* · **ferviente** · **fervoroso** · **incondicional**
● CON VBOS. **actuar (de)** *actuar de acólito en la misa mayor*

acometer v.

■ [emprender]

● CON SUSTS. **trabajo** · **labor** · **tarea** · **empresa** || **campeonato** *Las jugadoras ya están listas para acometer el campeonato* · **partido** · **torneo** · **prueba** · **competición** || **negocio** · **gasto** · **mercado** · **venta** · **compra** · **rebaja** · **capitalización** || **investigación** · **análisis** *Un periodista acometió el análisis de la compleja situación social del país* · **experimento** || **aventura** · **viaje** · **gira** · **marcha** · **fuga** · **expedición** · **cruzada** || **hazaña** · **proeza** · **reto** · **desafío** *¿Seré capaz de acometer este desafío?* · **acrobacia** · **misión** || **acuerdo** · **pacto** · **compromiso** || **final** · **cierre** · **sellado** · **finalización** || **lectura** · **escritura** · **composición** · **redacción** *Es necesario acometer la redacción de un nuevo reglamento* · **publicación** || **rueda de prensa** · **comunicación** · **debate** || **propuesta** · **iniciativa** *una iniciativa costosa, que este Gobierno acometerá en los dos próximos años* · **plan** || **saneamiento** · **alumbrado** · **urbanización** || **novela** · **película** · **crónica** · **antología** · **disco** · ***otras creaciones***
● CON ADVS. **abiertamente** · **frontalmente** · **sin tapujos** · **valientemente** || **animosamente** · **con entusiasmo** · **ilusionadamente** · **con ilusión**

■ [atacar con fuerza]

● CON SUSTS. ***ser vivo*** *El toro acometió al caballo*

■ [venir de forma repentina]

● CON SUSTS. **sueño** *Me acometían extraños sueños premonitorios* · **pensamiento** · **imagen** · **temor** · **duda** · **miedo** || **enfermedad**
● CON ADVS. **repentinamente** · **inesperadamente** · **súbitamente**

acometida s.f.

● CON ADJS. **fuerte** *la fuerte acometida del viento* · **briosa** · **intensa** · **furiosa** · **violenta** · **impetuosa** || **tímida** || **frontal**
● CON VBOS. **recibir** *la peor acometida que ha recibido en su vida* · **soportar** · **esperar** || **proteger (de)** · **resguardar (de)**
● CON PREPS. **a resguardo (de)** *ponerse a resguardo de las acometidas de las reses* · **a salvo (de)**

a comisión loc.adv./loc.adj.

● CON VBOS. **vender** · **cobrar** · **ir** · **trabajar** *un fotógrafo que trabaja a comisión* · **pagar**
● CON SUSTS. **vendedor,-a** · **representante** · **comercial**

acomodado, da adj.

● CON SUSTS. **familia** *Pertenece a una familia acomodada* · **persona** · **gente** · ***otros individuos y grupos humanos*** || **posición** · **clase** · **situación** · **estatus** · **nivel** · **capa** · **élite** · **esfera** · **casta** || **zona** *una de las zonas más acomodadas de la ciudad* · **barrio** · **ciudad** · **país** · ***otros lugares habitados*** || **actitud** · **postura** || **espíritu** · **carácter** · **sensibilidad** || **vida** · **existencia** · **origen** · **pasado** || **corriente** · **movimiento** · **izquierda** *Solo asistieron al acto los* *militantes de la izquierda acomodada* · **nacionalismo** · ***otras tendencias***

acomodador, -a s.

●CON VBOS. **colocar (a alguien)** · **situar (a alguien)** · **acompañar (a alguien)** || **trabajar (como/de)**

acomodar(se) (a) v.

●CON SUSTS. **necesidad** · **exigencia** || **cualidades** · **carácter** · **forma** · **conducta** · **gustos** · **estilo** || **circunstancia** · **situación** *Se acomodó perfectamente a su nueva situación* · **realidad** · **nuevos tiempos** · **cambio** · **puesto** · **sociedad** · **destino** · **condición** || **sistema** · **esquema** · **norma** · **normativa** *Acomodaremos las tarifas a la nueva normativa* · **estrategia** · **proceso** · **idea** || **interés** · **deseos** || **asiento** · **silla** · **butaca** · **lugar**

●CON ADVS. **totalmente** · **parcialmente** || **necesariamente** · **obligatoriamente** · **forzosamente** || **fácilmente** · **sin problemas** *Creo que me acomodaré sin problemas a mi puesto de trabajo* · **con dificultad** || **gustosamente** · **de buen grado** · **a regañadientes** || **rápidamente** · **paulatinamente** · **gradualmente** · **progresivamente** · **lentamente**

□USO También se construye con complementos de lugar: *Una azafata acomodó a los pasajeros en sus asientos.*

acompañamiento s.m.

●CON ADJS. **instrumental** · **de orquesta** · **orquestal** · **musical** · **de guitarra** · **pianístico** · **de palmas** *una canción con acompañamiento de palmas* · **rítmico** · **de fondo** || **simple** · **mero** · **mínimo** · **discreto** || **idóneo** · **ideal** · **adecuado** · **acertado** || **habitual** · **incondicional**

●CON SUSTS. **banda (de)** · **grupo (de)** · **música (de)** · **instrumento (de)** || **ley (de)** · **medida (de)** || **séquito (de)**

●CON VBOS. **llevar** · **tener** || **servir (de)** · **contar (con)**

acompasadamente adv.

●CON VBOS. **caminar** *Caminaban acompasadamente uno al lado del otro* · **avanzar** · **evolucionar** · **marchar** · **mover(se)** · **balancear(se)** · **bailar** || **tocar** · **interpretar** · **sonar** · **repicar** · **marcar el ritmo** || **respirar** · **latir** *El corazón latía de nuevo acompasadamente*

acompasado, da adj.

●CON SUSTS. **ritmo** · **marcha** · **paseo** · **movimiento** · **baile** · **paso** · **desfile** · **latido** *los latidos acompasados del corazón* · **vaivén** · **balanceo** *Se quedó dormido con el balanceo acompasado de la mecedora* · **andar** *un andar acompasado y elegante* || **intérprete** · **bailarín,-a** · **ballet** · **grupo de baile** · **compañía de danza** || **cante** · **canto** · **sonido** · **son** · **ruido** · **guitarreo** · **repicar** · **canción** · **música** · **grito** · **melodía** || **batería** · **bajo** · ***otros instrumentos musicales*** || **crecimiento** · **subida** · **desarrollo** || **derechazo** · **muletazo**

acompasar v.

●CON SUSTS. **velocidad** *Me costó acompasar la velocidad a la de ellos* · **ritmo** · **movimiento** · **caminar** · **respiración** || **medida** · **iniciativa** · **reforma** · **operación** · **política** || **gasto** *Si acompasamos el gasto con los ingresos todo irá bien* · **deuda** || **tiempo** || **estilo**

●CON ADVS. **perfectamente** *Las gimnastas acompasaron perfectamente sus movimientos* · **completamente**

□USO Se construye generalmente con complementos encabezados por la preposición *a*: *acompasar los movimientos a la música.*

acomplejado, da adj.

●CON SUSTS. ***persona*** *Es un chico muy acomplejado* || **actitud** · **carácter**

●CON ADVS. **enormemente** · **tremendamente** · **extraordinariamente** · **sumamente** || **ligeramente** · **levemente** || **visiblemente** · **notablemente**

●CON VBOS. **estar** · **quedar** || **salir** · **sentirse** *La muchacha se sentía acomplejada ante sus compañeros* · **parecer** · **tener (a alguien)**

acomplejar (a alguien) v.

●CON SUSTS. **superioridad** · **capacidad** · **inteligencia** *Su inteligencia acompleja a cuantos lo conocen* · **talento** · **don** · **condición** || **físico** · **cuerpo** · **gordura** · **altura** · **estatura** || **acento** · **ignorancia** · **defecto**

●CON ADVS. **profundamente** *Su escasa estatura la acompleja profundamente* · **hondamente** · **fuertemente** · **intensamente** · **vivamente** || **totalmente** · **completamente** · **absolutamente** || **sin razón** · **injustificadamente**

a conciencia loc.adv.

●CON VBOS. **decir** · **interrogar** · **explayarse** · **hablar** *hablar a conciencia sobre un asunto* · ***otros verbos de lengua*** || **trabajar** · **entregarse** · **empeñarse** · **realizar** · **obrar** · **efectuar** · **ejercer** · **elaborar** · **hacer** · **fabricar** · **labrar** · **arreglar** · **limpiar** || **preparar** *Me preparé a conciencia para aprobar el examen* · **planificar** · **formar(se)** · **entrenar** · **ensayar** · **practicar** || **analizar** · **estudiar** · **examinar** · **investigar** · **reflexionar** · **empollar** || **buscar** · **revisar** · **supervisar** · **comprobar** · **rebuscar** · **rastrear** · **registrar** *El policía registró a conciencia el coche en busca de pruebas* · **cachear** || **elegir** · **escoger** *términos duros y directos que habían sido escogidos a conciencia* · **tomar una decisión** · **sopesar** · **defender** || **reír(se)** · **cachondearse** · **parodiar** || **aprovechar** *aprovechar a conciencia cada momento* · **explotar** · **exprimir** · **beneficiar** · **utilizar** || **golpear** · **machacar** · **bombardear** · **boicotear** || **maltratar** · **zurrar** · **deteriorar** · **estropear** · **destripar** · **mutilar** || **modificar** · **tergiversar** · **tachar** · **adulterar** · **manipular** · **remozar** || **cumplir** · **vulnerar** · **desobedecer**

acondicionador s.m.

▌[aparato]

●CON ADJS. **de aire** || **moderno** · **industrial**

●CON SUSTS. **motor (de)** · **pieza (de)**

●CON VBOS. **estropear(se)** · **funcionar** || **utilizar** · **emplear** · **tener** || **conectar** · **desconectar** · **instalar** · **poner** *Pusimos el acondicionador de aire cuando apretaba más el calor* || **reparar** · **arreglar**

▌[producto cosmético]

●CON VBOS. **aplicar** *aplicar el acondicionador por todo el pelo y esperar un minuto* · **dejar**

aconsejable adj.

●CON SUSTS. **película** · **obra** · **libro** · **visita** · **exposición** · **viaje** · **conferencia** · **restaurante** || **diversión** · **entretenimiento** · **deporte** · **actividad** || **asistencia** *La asistencia a la conferencia es aconsejable si quieren ustedes sacar nota* || **tratamiento** · **medicamento** · **terapia** · **remedio** || **inversión** · **negocio** || **comportamiento** · **actitud** · **acción** || **nivel** *Esa señal marca el nivel aconsejable de agua en el aparato* · **límite** · **cantidad** · **cifra** · **dosis**

●CON ADVS. **enormemente** · **absolutamente** · **del todo** || **en absoluto** · **de ninguna manera** || **políticamente** · **legalmente** · **económicamente** · **socialmente** · **éticamente**

●CON VBOS. **considerar** · **parecer** · **resultar** · **hacer(se)**

aconsejar v.

• CON ADVS. **correctamente · acertadamente · adecuadamente || erróneamente** *Fuimos aconsejados erróneamente* · **equivocadamente || sensatamente · prudentemente · con buen sentido · sabiamente · inteligentemente · con buen criterio || vivamente · seriamente** *Me aconsejó seriamente que me marchase cuanto antes* · **encarecidamente · enérgicamente || inútilmente || desinteresadamente · sinceramente || directamente · rectamente**

acontecimiento s.m.

• CON ADJS. **desgraciado · aciago · lamentable** *Ayer se produjo un lamentable acontecimiento en...* · **trágico · terrible · triste** *los tristes acontecimientos vividos estos días* · **infausto · luctuoso · grave · preocupante || feliz** *Es el acontecimiento más feliz de toda su vida* · **festivo || único · pequeño · mayor || espectacular · memorable · prodigioso · sensacional · grandioso · apoteósico** *Aquella victoria fue un acontecimiento apoteósico* · **a lo grande · arrollador || crucial · decisivo · catártico · trascendental · relevante · señalado · importante · gran(de) · magno · extraordinario · verdadero** *La más insignificante novedad en el pueblo era un verdadero acontecimiento* **|| insignificante** *No deberías preocuparte por tan insignificante acontecimiento* · **anecdótico · esporádico || irreversible || imprevisto · insólito · inminente || científico · cultural · musical · literario · artístico · deportivo · político · económico · social · histórico** *Estamos ante un acontecimiento histórico para nuestra ciudad* **|| local · nacional · mundial · internacional · planetario || nuevo · reciente · último** *las noticias que van llegando de los últimos acontecimientos*

• CON SUSTS. **cariz (de) · ritmo (de) · desarrollo (de) · curso (de) · marcha (de) · transcurso (de) || serie (de) · secuencia (de) · orden (de) · giro (de)** *ante el inesperado giro de los últimos acontecimientos...* **|| desenlace (de) || gravedad (de)**

• CON VBOS. **ocurrir · suceder · acaecer · registrar(se) · producir(se) · darse || precipitar(se) · encadenar(se) · desencadenar(se) · desenvolver(se) || agravar(se) · dar {un giro/un vuelco} || provocar (algo) || conmover (a alguien)** *Me conmovieron profundamente los acontecimientos de ayer* · **interesar (a alguien) · superar (a alguien) || planear · organizar · celebrar || presenciar · vivir · revivir · recordar · conmemorar · evocar · protagonizar || esperar · auspiciar · prever || narrar · cubrir** *el periódico encargado de cubrir los acontecimientos que se produzcan* · **describir · anunciar · rodar · fechar || magnificar · adulterar · disfrazar · tergiversar || constituir || dejarse llevar (por)** *No te dejes llevar por los acontecimientos* · **verse {llevado/arrastrado/superado} (por) || enterarse (de) || adelantarse (a)**

• CON PREPS. **ante · a la altura (de)** *No fue capaz de estar a la altura de los acontecimientos* **|| en vista (de) · a la vista (de) · a la luz (de) · a tenor (de) || al compás (de) · al hilo (de)**

a contracorriente loc.adv.

• CON VBOS. **navegar · remar** *Fueron río arriba remando a contracorriente* · **bracear · nadar** *...años en los que hubo de nadar a contracorriente en un mar de intrigas políticas* · **conducir || vivir · actuar · ir · andar || situar(se) · opinar || escribir**

□ USO Se usa también la variante *contracorriente.*

a contrapelo loc.adv.

• CON VBOS. **coger · pillar || ir** *Siempre iba a contrapelo de las normas establecidas* · **venir · llegar · mover(se) || introducir · insertar · meter(se) || pensar · reflexionar**

[acopio] → acopio; hacer acopio (de)

acopio

1 **acopio** s.m.

• CON ADJS. **enorme · inmenso · cuantioso · masivo** *La alarma dio lugar al acopio masivo de provisiones por parte de la población* · **impresionante · gran(de) · buen(o) · múltiple || suficiente || secreto || informativo · documental** *Este trabajo requiere un impresionante acopio documental* · **testimonial**

• CON VBOS. **hacer**

2 **acopio (de)** s.m.

• CON SUSTS. **medios · provisiones · alimento · comida · agua · medicamentos · combustible || valor · fuerza · fortaleza || información · datos** *El acopio de datos fue la parte más interesante del estudio* · **conocimiento · ideas || paciencia || armas**

□ USO Se construye generalmente con sustantivos no contables en singular (*acopio de comida*) o contables en plural (*acopio de alimentos*).

acoplable adj.

• CON SUSTS. **módulo** *módulos fácilmente acoplables entre sí* · **pieza · accesorio · elemento || asiento · silla · cama**

• CON ADVS. **perfectamente** *Este accesorio es perfectamente acoplable al asiento trasero del coche* **|| fácilmente · con dificultad**

acoplamiento s.m.

• CON ADJS. **perfecto** *el perfecto acoplamiento del engranaje del reloj* **|| progresivo || automático · manual**

• CON SUSTS. **proceso (de) · maniobra (de) · operación (de) · misión (de) || sistema (de) || zona (de) || falta (de)**

• CON VBOS. **producir · buscar** *En época de celo, los machos buscan el acoplamiento con las hembras* · **lograr || permitir · facilitar · impedir · dificultar**

acoplar(se) (a) v.

• CON SUSTS. **ritmo** *acoplarse al ritmo de vida de la gran ciudad* · **velocidad || juego || equipo · compañero,ra · jugador,-a ·** ***otros individuos y grupos humanos*** **|| sistema · estructura · red || plataforma · estación || forma · manera · hábito**

• CON ADVS. **exitosamente** *Las dos naves se han acoplado exitosamente en el espacio* · **correctamente · perfectamente · de maravilla · extraordinariamente · plenamente · sin problemas · definitivamente || rápidamente · lentamente || automáticamente**

acorazado, da adj.

• CON SUSTS. **transporte · vehículo · barco · buque · avión · carro de combate · oruga · tanque · submarino || división · escuadrón · unidad · brigada · fuerza · tropa · guardia · caballería || cámara** *El dinero se guarda en una cámara acorazada del banco* · **sótano · búnker · fortificación · fortaleza · sala · habitación · bóveda · ciudad || puerta · caja · chaleco || sistema**

• CON ADVS. **perfectamente** *El búnker está perfectamente acorazado* **|| enteramente · del todo · completamente · íntegramente**

a corazón abierto loc.adv./loc.adj.

● CON VBOS. **operar** *El paciente ha sido operado a corazón abierto* · **intervenir** || **hablar** · **confesar(se)** · **escribir**
● CON SUSTS. **operación** · **intervención** || **debate** · **declaraciones**

acordar v.

● CON SUSTS. **fecha** · **plazo** · **calendario** *¿Ya han acordado el calendario laboral de este año?* || **pautas** · **condiciones** · **términos** · **cláusula** || **detalles** · **flecos** || **precio** · **importe** · **cantidad** || **actuación** · **medida** · **plan** · **proyecto** · **norma** *Entre todos han acordado las normas de utilización de la piscina* · **ley** · **propuesta** · **programa** · **marco** · **orden** · **política** || **estrategia** · **esquema** · **procedimiento** · **modelo** · **vía** · **método** · **sistema** || **pacto** · **tregua** · **salida** · **compromiso** · **convenio** · **contrato** · **decisión** · **paz** · **alto el fuego** || **reforma** *Patronal y sindicatos acuerdan una reforma laboral* · **cambio** · **aumento** · **incremento** · **disminución** || **texto** · **documento** · **tratado** || **nombramiento** || **suspensión** · **disolución** · **cierre** *Se han reunido para valorar si acuerdan o no el cierre de la empresa* · ***otras actuaciones*** || **meta** · **objetivo** · **solución** *Acordamos la solución por unanimidad* || **punto** · **extremo** · **aspecto** · **término** · **condición** || **financiación** *Tras un tenso diálogo las instituciones acordaron la financiación conjunta* · **pensión** · **beneficio** · **préstamo**
● CON ADVS. **unánimemente** · **por unanimidad** · **por mayoría** · **por aclamación** || **unilateralmente** || **salomónicamente** || **verbalmente** · **de palabra** *Concluyeron la reunión acordando de palabra un cambio en los estatutos* || **solemnemente** · **formalmente** || **eventualmente** · **provisionalmente** · **definitivamente** || **finalmente**

acordeón s.m.

● CON ADJS. **solista** *Este músico es el acordeón solista de la orquesta* || **diatónico**
● CON SUSTS. **efecto**
➤ Véase también **INSTRUMENTO MUSICAL**

acordonar v.

● CON SUSTS. **zona** · **ciudad** *El ejército acordonó rápidamente la ciudad* · **barrio** · **recinto** · **manzana** · **calle** · **edificio** · **casa** · **entrada** · ***otros lugares***
● CON ADVS. **inmediatamente** · **rápidamente** · **velozmente** || **completamente**

a coro loc.adv.

● CON VBOS. **cantar** *Cantábamos a coro el himno del colegio* · **entonar** · **interpretar** · **acompañar** || **gritar** *Los manifestantes gritaron a coro diversas consignas* · **jalear** · **exclamar** · **proclamar** · **rezar** · **alzar la voz** · **vociferar** || **reírse** · **carcajearse** · **llorar** || **pedir** · **reclamar** *La comunidad de vecinos viene reclamando a coro desde hace meses que se arregle la entrada y la escalera, pero...* · **denunciar** · **quejarse** · **lamentar** || **responder** · **recitar** · **decir** · **leer** · ***otros verbos de lengua*** || **insultar** · **amenazar** || **secundar** · **ensalzar** · **bendecir** · **honrar**

acortar v.

● CON SUSTS. **libro** · **texto** · **novela** · **artículo** · **película** · **documental** · **canción** · ***otras obras sujetas a un desarrollo*** || **distancia** *acortar distancias respecto al líder en la clasificación* · **diferencia** · **diferencial** · **ventaja** · **distanciamiento** · **magnitud** · **número** · **altura** || **período** · **duración** · **tiempo** · **estancia** · **mandato** · **plazo** · **vida** *El tabaco acorta la vida* · **vacaciones** · **temporada** || **espacio** · **margen** · **trecho** · **tramo** || **camino** · **recorrido** · **trayecto** · **itinerario** · **trayectoria** · **ruta** · **tráfico** · **secuencia** *una larga secuencia de requisitos que sería conveniente acortar* || **trámite** · **programa** · **planificación** · **procedimiento**
● CON ADVS. **brevemente** · **ligeramente** · **mínimamente** || **considerablemente** · **espectacularmente** · **notablemente** · **sustancialmente** · **excesivamente** *acortar excesivamente la duración prevista*

acosar (a alguien) v.

● CON SUSTS. **prensa** · **periodista** · **acreedor,-a** · **jefe,fa** · **compañero,ra** · **cazador,-a** · **oposición** · ***otros individuos y grupos humanos*** || **problema** *Está pasando una mala época porque los problemas la acosan continuamente* · **preocupaciones** · **deudas** || **pasado** · **historia** · **remordimiento** · **recuerdo**
● CON ADVS. **diariamente** · **permanentemente** · **continuamente** || **sexualmente** · **con preguntas** *Los periodistas acosaban a la actriz con preguntas* · **telefónicamente** || **impertinentemente** · **inoportunamente** · **despiadadamente**

acoso s.m.

● CON ADJS. **directo** · **estrecho** · **sofocante** · **asfixiante** · **insufrible** || **frenético** · **obsesivo** *Fue víctima durante años de un acoso obsesivo por parte de...* · **constante** · **continuo** · **continuado** · **pertinaz** · **persistente** · **largo** · **tenaz** · **sin tregua** || **fuerte** · **violento** · **salvaje** · **brutal** · **despiadado** · **implacable** || **periodístico** · **policial** · **sexual** · **psicológico** · **laboral** || **libre (de)**
● CON SUSTS. **operación (de)** || **delito (de)** · **acusación (de)** || **víctima (de)** · **objeto (de)**
● CON VBOS. **ejercer** || **sufrir** · **padecer** · **experimentar** · **soportar** || **esquivar** *No consiguió esquivar el acoso policial* · **sortear** · **burlar** · **evitar** || **bordear** || **escapar (de)** · **huir (de)** *Buscaban un lugar retirado para huir del acoso de los curiosos* · **librar(se) (de)** · **zafarse (de)** · **escabullirse (de)** · **defender(se) (de)** || **rayar (en)** *Su insistencia raya en el acoso* || **someter (a alguien) (a)**

acostar(se) v.

● CON ADVS. **de lado** *Si te acuestas de lado, te dolerá menos* · **boca abajo** · **boca arriba** · **de espalda(s)** || **a las tantas** *Trasnocha a diario y se acuesta a las tantas* · **tarde** · **de madrugada** || **temprano** · **pronto** · **con las gallinas**
□ EXPRESIONES **acostarse con** (alguien) [tener relaciones sexuales con esa persona]

acotar v.

▮ [poner límites]
● CON SUSTS. **terreno** · **superficie** *Debemos acotar la superficie en la que vamos a construir la casa* · **zona** · **área** · **recinto** · **calle** · ***otros lugares o espacios*** || **mapa** · **croquis** || **materia** · **contenido** · **tema** · **asunto** · **cuestión** · **concepto** · **idea** · **ámbito** · **marco** · **sector** · **campo** || **discurso** · **debate** · **diálogo** || **actividad** · **función** · **tarea** · **labor** · **trabajo** || **fenómeno** · **suceso** · **proceso** · **situación** · **hecho** · **caso** · **experiencia** · **desarrollo** · **crecimiento** · **acción** || **período** *El estudio acota un período de la historia de la ciudad* · **tiempo** · **día** · **jornada** || **margen** · **plazo** · **límite** · **meta** || **problema** *Deberías acotar más el problema para que resulte abordable* · **crisis** · **conflicto** · **discrepancia** · **fricción** || **poder** · **mandato** · **dominio** · **autoridad** · **hegemonía** || **facultad** · **capacidad** · **potencialidad** · **competencia** || **proyecto** · **plan** · **propuesta** · **investigación** · **estudio** · **análisis** *un análisis interesante y*

bien planteado, pero no suficientemente acotado en su extensión · **descripción**

▮ [poner notas]

● CON SUSTS. **texto** *Solía acotar los textos con comentarios jocosos* · **artículo** · **párrafo** · **fragmento**

ácrata adj.

● CON SUSTS. **pensador,-a** · **intelectual** · **historiador,-a** · **filósofo,fa** · **político,ca** · ***otros individuos*** || **estado** · **gobierno** · **régimen** · **sistema** || **partido** · **formación** · **ideología** · **pensamiento** · **idea** · **postulado** · **valor** · **ideal** · **tradición** · **corriente** · **movimiento** || **tono** · **actitud** · **carácter** · **tendencia** · **alma** · **espíritu**

● CON ADVS. **radicalmente** · **moderadamente** *El manifiesto defendía unas ideas moderadamente ácratas*

acrecentar(se) v.

● CON SUSTS. **deuda** · **crisis** *Con el paso de los días parece que se acrecienta la crisis política del país* || **ganancia** · **beneficio** · **fortuna** · **riqueza** · **consumo** || **cifra** · **número** · **precio** || **diferencia** *Se acrecentaron las diferencias existentes entre ellos* · **ventaja** · **dominio** || **dificultad** · **problema** · **tensión** · **presión** · **protesta** || **rumor** · **leyenda** || **amor** · **odio** · **alegría** · **esperanza** · **deseo** · **pasión** · **interés** · **decepción** · **temor** · **sospecha** · **duda** · ***otros sentimientos o emociones***

● CON ADVS. **enormemente** · **considerablemente** · **notablemente** · **ostensiblemente** || **negativamente** · **alarmantemente** || **bruscamente**

acreditado, da adj.

● CON SUSTS. **médico,ca** *¿Ha consultado usted a un médico acreditado?* · **abogado,da** · **fontanero,ra** · ***otros profesionales*** || **trayectoria** · **experiencia** || **método** · **técnica** · **práctica** || **título** *un título acreditado por las mejores universidades del mundo* || **institución** *una institución muy acreditada entre los especialistas*

● CON ADVS. **suficientemente** · **debidamente** *un testimonio debidamente acreditado* · **perfectamente** · **largamente** || **profesionalmente** || **documentalmente**

acreditar v.

● CON SUSTS. **saber** · **conocimiento** · **experiencia** || **logro** · **mérito** || **veracidad** · **autenticidad** · **legitimidad** || **documentación** · **título** · **identidad** · **residencia** · **nacionalidad** || **inocencia** *Las pruebas encontradas acreditan su inocencia* || **participación** · **existencia** · **presencia** || **pago** *El recibo acredita el pago de la factura*

● CON ADVS. **fehacientemente** · **indiscutiblemente** · **irrefutablemente** || **debidamente** · **plenamente** || **documentalmente** *Necesitamos que acredites documentalmente tus títulos* · **por escrito** · **legalmente**

acreditativo, va adj.

● CON SUSTS. **documento** · **documentación** · **certificado** · **certificación** · **papel** · **título** *En su despacho tiene colgados todos sus títulos acreditativos* · **diploma** · **carné** · **tarjeta** · **placa** · **recibo** · **resguardo** · **factura** · **sello** · **insignia** · **trofeo** || **prueba** · **dato**

a crédito loc.adv./loc.adj.

● CON VBOS. **comprar** *comprar un coche a crédito* · **adquirir** · **conseguir** || **vender** · **suministrar** || **pagar** · **financiar** · **aportar** · **dar** · **ofrecer**

● CON SUSTS. **compra** · **adquisición** *La adquisición a crédito de la mercancía no debería afectar al servicio posventa* · **contratación** || **venta** · **suministro** || **pago** · **entrega** · **inversión**

acreedor, -a s.

● CON ADJS. **implacable** · **despiadado,da** · **inflexible** · **pertinaz** · **constante** · **insistente** · **tenaz** · **ansioso,sa** || **condescendiente** · **de confianza** || **internacional** · **externo,na** · **extranjero,ra** || **privado,da** · **público,ca** · **oficial** · **común** · **particular** · **preferente** · **ordinario,ria** · **principal** · **mayor** · **gran** · **pequeño,ña** *Los pequeños acreedores se han unido para tener así más peso* || **bancario,ria** · **financiero,ra** · **comercial** || **abundantes** · **numerosos,sas** · **múltiples** *Ha prometido que pagará a sus múltiples acreedores* · **innumerables** · **escasos,sas**

● CON SUSTS. **comité (de)** · **junta (de)** · **convenio (de)** || **lista (de)** · **grupo (de)** · **conjunto (de)** · **número (de)** · **sinfín (de)**

● CON VBOS. **aumentar** · **proliferar** || **acosar (a alguien)** · **perseguir (a alguien)** *Me persigue un acreedor desde hace varias semanas* || **cobrar (a alguien)** || **unir(se)** || **pagar** *Hace meses que no paga a sus acreedores* · **reembolsar** · **satisfacer** || **burlar** · **esquivar** · **eludir** · **evitar** · **engañar** · **estafar** || **convencer** · **acallar** · **tranquilizar** · **calmar** || **convocar** *El abogado de la empresa convocó a los acreedores principales* · **reunir** || **considerar** · **hacer(se)** || **proteger (de)** · **lidiar (con)** · **enfrentar(se) (a)** || **librar(se) (de)** *Mediante una artimaña legal, logró librarse de sus acreedores* · **zafarse (de)** · **escapar (de)** · **huir (de)** · **esconderse (de)** || **cumplir (con)** · **saldar deudas (con)** · **constituirse (como)**

acremente adv.

● CON VBOS. **criticar** *criticar acremente una propuesta* · **censurar** · **reprochar** · **llamar la atención** || **decir** · **hablar** · **expresar** · **responder** *La ministra respondió acremente las preguntas de los periodistas* · **comentar** · **calificar** · **interrogar** · ***otros verbos de lengua*** || **discrepar** · **enfrentarse** · **discutir**

acribillar (a) v.

● CON SUSTS. **disparos** · **balazos** · **flechazos** · **tiros** *Varios policías fueron acribillados a tiros durante el enfrentamiento* || **preguntas** *En casa me acribillaban a preguntas sobre mis nuevos amigos* · **tarjeta** *El árbitro acribilló a tarjetas al equipo local*

● CON ADVS. **a sangre fría** *Fue acribillado a sangre fría en la puerta de su casa* · **sin pestañear** · **a bocajarro** · **a quemarropa**

□ USO También se construye con la preposición *con*: *Me acribillaron con una sarta de preguntas.*

acróbata s.com.

● CON ADJS. **circense** · **de circo** · **del aire** || **conocido,da** · **afamado,da** · **famoso,sa** · **reputado,da** · **consumado,da**

● CON SUSTS. **aprendiz,-a (de)** · **número (de)** *Dejar satisfechos a un centenar de periodistas en una rueda de prensa es casi un número de acróbata* · **compañía (de)**

● CON VBOS. **actuar** · **hacer piruetas** || **impresionar (a alguien)**

acrobático, ca adj.

● CON SUSTS. **movimiento** · **maniobra** · **ejercicio** · **salto** *los saltos acrobáticos que dan los artistas de circo* · **giro** · **vuelo** · **exhibición** *una exhibición acrobática de unos gimnastas chinos* || **habilidad** · **capacidad** · **dotes**

acta s.f.

●CON ADJS. **notarial · arbitral · testimonial || de diputado,da** *Finalmente, tuvo que renunciar a su acta de diputado* · **de concejal,-a || de defunción · de nacimiento · fundacional** *El acta fundacional del partido está fechada en...* **|| fehaciente || minuciosa · pormenorizada || polémica · objetiva · subjetiva**
●CON VBOS. **obrar en poder (de alguien) || recoger (algo) · reflejar (algo)** *El acta del partido refleja todos los incidentes, según explicó el árbitro* · **explicar (algo) · descubrir (algo) || levantar** *El secretario tenía la obligación de levantar acta de todo lo sucedido* · **extender · tomar · presentar · redactar || aceptar · aprobar · compulsar · firmar || impugnar || tergiversar · amañar · adulterar · modificar || constar (en)** *...y añadió que todas estas declaraciones deberían constar en acta* · **figurar (en)**

actitud

1 **actitud** s.f.

●CON ADJS. **positiva · favorable · propicia · acogedora · constructiva · humanitaria · solidaria** *Siempre muestra una actitud solidaria con la gente que lo necesita* · **noble · leal · pacífica · ejemplar · irreprochable · modélica · intachable · colaboradora · permisiva · condescendiente · flexible** *Creo que tu actitud con ellos es demasiado flexible* · **acomodada || diáfana · delicada || intimidatoria · retadora · desafiante** *Nos miró con actitud desafiante y retadora* · **combativa · beligerante · insumisa · provocativa · presuntuosa · prepotente · chulesca · petulante || negativa · desfavorable || deplorable · execrable · reprobable · inadmisible · incalificable · vergonzosa || irresponsable · imprudente** *Todo el mundo censuró tan imprudente actitud* · **negligente || despectiva · discriminatoria · vejatoria || delictiva · perversa · catastrófica · violenta || sesgada · desleal · arbitraria · ventajista || circunspecta · reservada || dialogante · diplomática || irónica · crítica · analítica || controvertida · polémica || opuesta · contraria · irreconciliable || conservadora · arraigada · a ultranza · radical · recalcitrante · contumaz · tenaz · defensiva || severa · recta · férrea · firme · numantina · drástica · decidida · convincente · resuelta · rotunda || imprevisible || ecuánime · igualitaria || indiferente** *Nos molestaba mucho su actitud indiferente hacia este tema* · **displicente · laxa · tibia || anímica · moral · personal || lúdica || testimonial**
●CON SUSTS. **cambio (de)** *Se produjo en ella un sorprendente cambio de actitud*
●CON VBOS. **ablandar(se) || tomar · adoptar** *Deberías adoptar una actitud más positiva* · **mantener · cultivar · alimentar · reafirmar · tener · guardar || revelar · manifestar · mostrar** *Durante todo el juicio mostró una actitud desafiante* · **evidenciar · desvelar · denotar || observar || reprochar (a alguien) · recriminar (a alguien) · reprobar (a alguien) · reprender (a alguien) · censurar · condenar || enjuiciar · defender || consentir (a alguien) · tolerar** *No te tolero esa actitud conmigo* · **aprobar || enmendar · corregir · rectificar · deponer · erradicar · moldear · abandonar || clarificar · achacar || conciliar || cambiar (de)** *Por fin comprendí que debía cambiar de actitud* · **apear(se) (de) · ceder (en) || persistir (en) · colocar(se) (en) · ponerse (en) · estar (en) · mostrarse (en)**
●CON PREPS. **a la vista (de) · en función (de) · en relación (con) · hacia**

□USO Se construye frecuentemente con complementos encabezados por las preposiciones *hacia* (*tener una actitud positiva hacia un tema*) y *en relación con* (*tener una actitud conservadora en relación con un asunto*).

2 **actitud (de)** s.f.

●CON SUSTS. **rechazo** *Mostró una clara actitud de rechazo a las nuevas medidas* · **oposición · denuncia · desprecio · escepticismo · indiferencia || respeto · valoración · apoyo · entendimiento · interés || paz · tolerancia · prudencia** *Ante el repentino giro de los acontecimientos optaron por mantener una actitud de prudencia* **|| alerta · tensión · confrontación || venganza · rebeldía** *...como esos adolescentes en permanente actitud de rebeldía* **|| renuncia · sacrificio**

activamente adv.

●CON VBOS. **participar** *participar activamente en la campaña electoral* · **intervenir · contribuir · colaborar · cooperar || apoyar · ayudar · respaldar · defender · promover · impulsar · potenciar · alentar · abogar · apostar || comprometer(se) · implicar(se) · involucrar(se)** *involucrarse activamente en la renovación de la empresa* · **militar** *Hacía tiempo que ya no militaba activamente en un partido político* · **sumar(se) · integrar(se) · incorporar(se) · adherir(se) · vincular(se) || trabajar** *Esta organización trabaja activamente por la paz* · **dedicar(se) · ocupar(se) · hacer · mover(se) · actuar · ejercer || luchar** *un intelectual comprometido que luchó activamente contra el racismo y la xenofobia* · **combatir · enfrentarse · discutir || buscar · investigar · estudiar · explorar || responder · manifestar · solicitar · protestar · discrepar · condenar**

activar v.

●CON SUSTS. **arma · proyectil · bomba · artefacto** *activar a distancia un artefacto explosivo* · **explosivo · carga explosiva · detonador || comando · célula || alerta · alarma** *Se ha activado la alarma por lluvias torrenciales* **|| maquinaria · mecanismo · aparato · sistema · dispositivo** *En caso de catástrofe, se activa un dispositivo de ayuda humanitaria* · **resorte** *hechos terribles que deberían activar los resortes de nuestra conciencia* **|| medida · ley · plan · política || economía · mercado · sector || crecimiento · consumo || gestión · proceso || intercambio · diálogo · polémica || servicio · institución || recuerdo · memoria || fuerza || gen**

actividad s.f.

●CON ADJS. **intensa** *Llevamos unos días de intensa actividad* · **constante · incesante · ajetreada · desenfrenada** *En su lugar de trabajo siempre hay una actividad desenfrenada* · **compulsiva · absorbente · vertiginosa · atropellada · desbordante · febril · incontrolable · plena** *A esas horas de la mañana ya suelo estar en plena actividad* · **gran(de) · dilatada || escasa · moderada || principal · preponderante || vivaz · pujante · creciente || nueva · novedosa || productiva · rentable · fecunda || improductiva · infructuosa || ilícita · subversiva · ilegal · delictiva · criminal || legal · lícita || extraescolar** *No conviene sobrecargar a los niños de actividades extraescolares* · **laboral · portuaria · sísmica · diplomática · política · mental · comercial · metabólica · militar || pletórico,ca (de) · pleno,na (de) · lleno,na (de)**
●CON SUSTS. **período (de)** *un período de intensa actividad sísmica* · **cúmulo (de) || cambio (de) · cese (de)**
●CON VBOS. **absorber (a alguien) || desencadenar(se) · desatar(se)** *Con su llegada, se desató una vertiginosa actividad en la casa* **|| acelerar(se) · ralentizar(se) · paralizar(se) || realizar · ejercer · ejercitar · practicar · desarrollar · desplegar · centrar · concentrar || iniciar ·**

dedicar || **aumentar** · **redoblar** · **estimular** · **proseguir** · **prolongar** || **aminorar** · **restringir** || **terminar** *¿Has terminado las actividades que tenías para hoy?* · **concluir** · **finalizar** · **suspender** · **parar** · **interrumpir** || **percibir** · **notar** · **detectar** || **vigilar** · **controlar** · **regular** *Esta hormona regula la actividad de...* · **modular** || **enzarzar(se) (en)** · **enfrascar(se) (en)** || **cortar (con)**

[activo, va]

→ activo, va; en activo; por activa y por pasiva

activo, va

1 **activo, va** adj.

● CON SUSTS. **trabajador,-a** · **profesional** · **investigador,-a** · **político,ca** · **población** *la tasa de paro de la población activa* · **sociedad** · **colectivo** · **ciudad** · **barrio** · ***otros individuos y grupos humanos*** || **organización** · **asociación** · ***otros organismos o instituciones*** || **miembro** · **parte** · **elemento** || **fuerza** · **movimiento** · **corriente** · **tendencia** || **solidaridad** · **sentimiento** || **mercado** · **crecimiento** · **política** *El candidato está llevando a cabo una política muy activa de contacto con el ciudadano* · **vida** || **servicio** · **papel** · **rol** · **función** · **participación** · **colaboración** · **militancia** · **presencia** *Nuestra empresa mantiene su presencia activa en el mercado hispanoamericano* · **búsqueda** || **principio** · **proteína** · **fármaco** || **voz** *una oración en voz activa*

● CON ADVS. **extremadamente** · **extraordinariamente** || **excesivamente** · **exageradamente** || **económicamente** · **socialmente** · **políticamente** · **profesionalmente** · **sexualmente** · **biológicamente**

● CON VBOS. **ser** · **estar** *El volcán está activo todavía* · **volver(se)** · **mantener(se)** · **permanecer** · **seguir**

2 **activo** s.m.

▮ [conjunto de bienes]

● CON ADJS. **neto** · **bruto** · **total** · **medio** || **líquido** · **afecto** · **fijo** *Los activos fijos de la compañía han aumentado respecto al año pasado* · **circulante** || **financiero** · **bancario** · **empresarial** · **crediticio** · **inmobiliario** *Los analistas nos recomendaron invertir en activos inmobiliarios* · **de riesgo** · **fabril** · **externo** || **del emisor** · **del sistema** · **estatal** · **público** || **barato** || **voluminoso**

● CON VBOS. **valer (algo)** · **sumar (algo)** · **ascender (a algo)** *El activo total de nuestra empresa asciende a...* || **aumentar** · **disminuir** || **adquirir** · **comprar** *La directiva propuso comprar más activos financieros* · **ceder** · **vender** · **heredar** · **enajenar** · **transferir** · **gastar** · **perder** || **contabilizar** · **calcular** · **cuadrar** · **redondear** || **declarar** · **desviar** · **desgravar** · **descontar** · **gravar** || **amortizar** · **financiar** · **subvencionar** || **consolidar** || **sobrepasar** || **invertir (en)** || **deshacerse (de)**

☐ EXPRESIONES **en activo*** [que está trabajando, que no está jubilado] || **por activa y por pasiva*** [de todas las formas posibles] *col.*

acto

1 **acto** s.m.

▮ [hecho o acción]

● CON ADJS. **violento** · **vandálico** · **terrorista** *condenar los actos terroristas* · **criminal** · **delictivo** · **fraudulento** · **ilícito** · **execrable** · **imprudente** · **cruel** · **inmoral** · **injusto** · **inútil** || **espontáneo** · **involuntario** · **instintivo** · **reflejo** *No lo pude evitar, fue un acto reflejo* || **voluntario** · **deliberado** · **premeditado** · **consciente** || **discreto** · **cívico** · **simbólico** *El homenaje fue un acto simbólico* || **oportuno** · **conveniente** · **necesario** || **catártico** · **teatral** || **sexual** · **carnal** || **fallido**

● CON VBOS. **constituir** *Esto constituye claramente un acto delictivo* || **realizar** · **cometer** · **ejecutar** · **consumar** *Menos mal que no pudo consumar su acto vandálico* || **prodigar** *No suele prodigar actos de solidaridad* || **autorizar** · **justificar**

▮ [acontecimiento público o solemne]

● CON ADJS. **emotivo** *en un emotivo acto de homenaje* · **caluroso** · **memorable** || **multitudinario** · **concurrido** · **sencillo** · **íntimo** · **público** · **privado** · **social** || **formal** · **solemne** · **ceremonioso** · **informal** *No te preocupes demasiado, se trata de un acto informal* || **administrativo** · **protocolario** · **oficial** · **electoral** || **fundacional** · **inaugural** · **conmemorativo** || **a favor** · **en contra** · **reivindicativo**

● CON SUSTS. **asistente (a)** *Los asistentes al acto coreaban el nombre de...* || **organización (de)** · **suspensión (de)** || **finalidad (de)** · **transcurso (de)** || **asistencia (a)** · **presencia (en)**

● CON VBOS. **reunir (a alguien)** · **congregar (a alguien)** *El acto en su honor congregó a miles de personas* || **tener lugar** · **transcurrir** || **culminar** || **oficiar** · **celebrar** · **presenciar** · **protagonizar** · **presidir** *¿Sabes quién presidirá el acto en honor a las víctimas?* || **auspiciar** · **organizar** · **programar** *Están programando los actos del centenario* || **iniciar** · **reanudar** · **clausurar** || **sabotear** · **boicotear** · **reventar** · **interrumpir** · **retrasar** || **prohibir** · **censurar** · **denunciar** · **condenar** · **suspender** · **desautorizar** · **juzgar** || **deslucir(se)** *La lluvia deslució el acto* || **sumar(se) (a)** · **participar (en)** *Participé en los actos oficiales por las víctimas de la guerra* · **intervenir (en)** || **asistir (a)** · **acudir (a)**

● CON PREPS. **en** · **durante**

2 **acto (de)** s.m.

● CON SUSTS. **homenaje** · **conmemoración** · **celebración** || **inauguración** · **apertura** · **presentación** *el acto de presentación de su último libro* || **clausura** · **despedida** || **enmienda** · **desagravio** || **gobierno**

actor, actriz s.

● CON ADJS. **excepcional** · **brillante** · **como la copa de un pino** *Es una actriz como la copa de un pino* · **de raza** · **de pies a cabeza** · **notable** || **de fama** · **famoso,sa** · **afamado,da** · **de éxito** · **de prestigio** · **de culto** · **consagrado,da** · **reconocido,da** · **célebre** || **de escuela** · **aficionado,da** · **debutante** · **novel** || **mediocre** · **irregular** · **desconocido,da** · **modesto,ta** · **flojo,ja** · **pésimo,ma** · **rígido,da** · **acartonado,da** || **estelar** · **oscarizado,da** *una película protagonizada por el actor más oscarizado de la historia del cine* || **versátil** · **camaleónico,ca** · **de recursos** · **de registros** || **veterano,na** · **sólido,da** · **profesional** · **nato,ta** || **principal** · **protagonista** · **de reparto** · **secundario,ria** *Se ha llevado el premio a la mejor actriz secundaria*

● CON VBOS. **actuar** · **sobreactuar** · **declamar** · **recitar** · **interpretar (algo)** *En su nueva película, el veterano actor interpreta a un policía jubilado* · **encarnar (a alguien)** · **protagonizar (algo)** · **personificar (a alguien)** || **debutar** · **estrenar (algo)** || **contratar** · **despedir** || **nominar** *¿A qué actores han nominado para el premio?* · **premiar** · **galardonar** || **homenajear** · **admirar** || **consagrarse (como)**

actuación s.f.

● CON ADJS. **antológica** · **magistral** · **apoteósica** · **arrolladora** · **brillante** · **memorable** · **magnífica** · **sublime** · **electrizante** · **vibrante** · **formidable** · **espléndida** · **so-**

bresaliente *¿Cuál fue la actuación más sobresaliente de la noche?* · **descollante** · **destacada** · **notable** · **buena** · **meritoria** · **gran(de)** · **sólida** *gracias a la sólida actuación del juez* · **estelar** · **exitosa** || **irreprochable** · **intachable** · **impecable** · **airosa** · **afortunada** · **lograda** || **contenida** · **comedida** || **mala** · **mediocre** · **desafortunada** · **floja** · **rutinaria** · **discreta** *Decepcionó la discreta actuación de nuestros atletas en el campeonato mundial* || **desmesurada** · **desmedida** · **forzada** || **desastrosa** · **pésima** · **penosa** · **deplorable** · **denigrante** · **catastrófica** || **en directo** *En este bar hay actuaciones en directo todos los sábados* · **en vivo** || **correcta** · **noble** · **desinteresada** || **execrable** · **inexcusable** · **condenable** · **delictiva** · **irregular** · **ilícita** · **vejatoria** · **abusiva** || **discrecional** · **arbitraria** · **sesgada** || **convincente** · **disuasoria** · **eficaz** · **expeditiva** · **urgente** · **drástica** *Ante tales problemas, abogamos por una actuación drástica* || **fundamentada** || **controvertida** · **imprevisible** || **individual** · **conjunta** · **pública** || **defensiva** || **libre** || **testimonial** || **judicial** · **profesional** · **militar** · **política** · **diplomática** || **cinematográfica** · **teatral** · **dramática**

● CON SUSTS. **campo (de)** · **marco (de)** || **plan (de)** · **programa (de)** || **unidad (de)**

● CON VBOS. **consistir (en algo)** · **constar (de algo)** || **cuajar** || **frustrar(se)** || **ofrecer** · **llevar a cabo** · **emprender** · **tener** · **protagonizar** *La artista protagonizó una actuación estelar* || **presenciar** || **elogiar** · **destacar** · **aplaudir** · **aclamar** · **defender** · **refrendar** · **avalar** · **valorar** || **cuestionar** · **prejuzgar** · **reprobar** · **condenar** · **criticar** · **silbar** || **ensombrecer** · **impedir** || **mejorar** · **enderezar** · **rectificar** · **redondear** · **bordar** · **rematar** · **culminar** || **repetir** || **clarificar** · **aclarar** · **delinear** · **investigar** *La Policía está investigando las actuaciones de la empresa en el extranjero* · **tipificar** || **centralizar** · **delegar** || **hipotecar** || **perseverar (en)**

● CON PREPS. **a tenor (de)** · **sin perjuicio (de)** · **mediante**

actualidad s.f.

● CON ADJS. **total** · **plena** · **absoluta** · **suma** · **tremenda** · **permanente** *un tema polémico de actualidad permanente* · **viva** · **efervescente** · **rabiosa** *una canción de rabiosa actualidad* · **candente** · **palpitante** · **acuciante** || **efímera** · **pasajera** · **fugaz** || **informativa** *una revista de actualidad informativa* · **política** · **deportiva** || **nacional** · **internacional**

● CON SUSTS. **tema (de)** · **noticia (de)** || **barniz (de)** · **ápice (de)**

● CON VBOS. **acaparar** *la noticia que acapara la actualidad* || **tener** · **cobrar** *¿Por qué ha cobrado tanta actualidad este tema?* · **adquirir** · **recobrar** · **recuperar** · **retornar** || **perder** || **saltar (a)** *La actriz saltó a la actualidad por su relación con...* · **poner (de)** || **gozar (de)** || **apegarse (a)**

● CON PREPS. **al hilo (de)** · **de** *un tema de actualidad*

actualizar v.

● CON SUSTS. **precio** *Actualizamos los precios cada año* · **tarifa** · **valor** · **cuantía** · **cifra** · **cuentas** || **acuerdo** · **convenio** · **contrato** || **legislación** · **norma** · **ley** || **dato** · **información** · **conocimiento** · **mensaje** · **contenido** · **repertorio** · **concepto** · **criterio** || **plan** · **previsión** · **programa** · **calendario** · **sistema** · **mecanismo** || **censo** *Decidieron actualizar el censo porque el último databa de hace diez años*

● CON ADVS. **diariamente** · **periódicamente** *Aquí se actualizan periódicamente los datos de los clientes* · **anualmente** · **constantemente** · **permanentemente** · **continuamente** || **convenientemente**

actuar v.

● CON ADVS. **firmemente** · **decididamente** · **enérgicamente** · **a medio gas** · **con energía** · **con firmeza** *En este asunto tenemos que actuar con firmeza* || **consecuentemente** · **en consecuencia** · **coherentemente** || **a derechas** · **correctamente** · **civilizadamente** · **limpiamente** · **imparcialmente** · **dignamente** || **solidariamente** · **generosamente** · **humanamente** · **de {buena/mala} fe** *¿Tú crees que está actuando de buena fe?* · **meritoriamente** || **pacíficamente** · **violentamente** || **ilegalmente** · **impunemente** || **con mano dura** · **duramente** · **con dureza** · **drásticamente** · **sin contemplaciones** · **dictatorialmente** · **unilateralmente** · **crudamente** || **osadamente** · **peligrosamente** · **abusivamente** || **irracionalmente** · **a tontas y a locas** · **impulsivamente** *A esa edad todo el mundo suele actuar impulsivamente* · **sin pensar** · **a ciegas** · **inconscientemente** · **a la ligera** || **con cautela** · **prudentemente** · **con serenidad** · **con pies de plomo** *En un asunto tan delicado hay que actuar con pies de plomo* · **cuidadosamente** · **celosamente** || **rápidamente** · **contra reloj** || **profesionalmente** · **convincentemente** · **con conocimiento de causa** || **eficazmente** · **con éxito** · **a lo grande** || **a cara descubierta** · **de paisano** · **directamente** || **a {mis/tus/sus...} espaldas** *Tiene la fea costumbre de actuar a mis espaldas* · **clandestinamente** · **sigilosamente** · **maliciosamente** || **a {mi/tu/su...} aire** · **a {mis/tus/sus...} anchas** · **por libre** *Está claro que prefiere actuar por libre* · **por cuenta {ajena/propia}** || **colegiadamente** · **en equipo** · **codo con codo** · **conjuntamente** · **al unísono** || **a la contra** · **a la defensiva** · **preventivamente** || **en legítima defensa** *No lo condenaron porque actuó en legítima defensa* · **a la desesperada**

a cuadros loc.adv./loc.adj.

I [con cuadros]

● CON VBOS. **vestir** · **ir**

● CON SUSTS. **camisa** *Llevaba un pantalón vaquero y una camisa a cuadros* · **pantalón** · **bufanda** · ***otras prendas de vestir*** || **tejido** · **tela** · **mantel**

I [sorprendido] *col.*

● CON VBOS. **quedarse** *Me quedé a cuadros cuando me lo contaron* || **dejar (a alguien)**

acuarela s.f.

● CON ADJS. **luminosa** · **sutil** · **original** · **prodigiosa** · **deliciosa** · **refinada** · **delicada** · **fina** *un artista que destaca por sus finas acuarelas y colores planos* || **diluida** · **tenue** · **transparente** || **tradicional** · **realista** · **abstracta**

● CON SUSTS. **exposición (de)** · **muestra (de)** · **serie (de)** *La colección está compuesta de una serie de acuarelas* || **cuadro (de)** · **retrato (en)** || **técnica (de)** || **caja (de)** *He comprado una caja de acuarelas*

● CON VBOS. **usar** · **emplear** · **trabajar** || **realizar** · **pintar** · **dibujar** || **exhibir** · **exponer** · **presentar**

acuartelamiento s.m.

I [lugar]

● CON ADJS. **destinado,da (a/en)** *los policías destinados en el acuartelamiento de...*

● CON SUSTS. **vivienda (de)** · **patio (de)** · **exterior (de)** · **interior (de)** · **fachada (de)** · **sala (de)** || **jefe,fa (de)** · **responsable (de)** · **agente (de)** · **guardia (de)** · **coronel (de)** · **miembro (de)** · **soldado (de)** · **mando (de)**

● CON VBOS. **fugarse (de)** *Detienen al joven soldado que se fugó del acuartelamiento mientras cumplía una guardia*

· escapar(se) (de) || dirigir(se) (a) · desplazar(se) (a) · ubicar(se) (en)

▮ [acción, proceso]

● CON ADJS. **militar** *El acuartelamiento militar se produjo a primera hora de la mañana* · **policial** · **de la tropa** || **de emergencia**

● CON VBOS. **ordenar** · **decretar** *El Gobierno decretó el acuartelamiento de las tropas* · **anunciar** || **provocar**

acuartelar(se) v.

● CON SUSTS. **soldados** · **militares** || **ejército** · **brigada** · **caballería** · **batallón** · **tropa** · **regimiento** · **policía** · **antidisturbios** || **rebeldes** *Los rebeldes se habían acuartelado en una fortaleza abandonada* · **guerrilleros,ras** · **guerrilla** · **insurrectos,tas** · **insurgentes** · **sublevados,das** · **manifestantes** || **pueblo**

acuático, ca adj.

● CON SUSTS. **animal** · **ave** · **insecto** · **fauna** · **planta** · **especie** · **población** || **reserva** *Esta es una reserva acuática única en el mundo* · **mundo** · **medio** · **hábitat** · **vida** · **sistema** · **ambiente** · **ecosistema** || **esquí** · **gimnasia** · **ballet** · **polo** · **deporte** · **juego** · **aventura** · **atracción** || **salvamento** || **parque** *Pasaremos el domingo en un gran parque acuático* · **pabellón** · **palacio** · **escenario** · **centro** || **moto** · **transporte** · **vehículo** · **patín** || **vía** · **carretera**

a cuchilladas loc.adv.

● CON VBOS. **matar** · **asesinar** · **abatir** · **coser** || **emprenderla** · **acabar** *La reyerta a la salida del estadio acabó a cuchilladas*

acuciante adj.

● CON SUSTS. **problema** *¿Es la contaminación un problema acuciante en nuestro país?* · **amenaza** · **desafío** · **reto** · **preocupación** · **crisis** · **desempleo** · **desequilibrio** · **presión** || **necesidad** *la necesidad acuciante de contar con más médicos en los hospitales* · **urgencia** · **hambre** · **falta** · **demanda** · **escasez** · **carencia** || **cuestión** · **pregunta** · **incógnita** · **duda** · **interrogante** · **dilema** || **interés** · **deseo** · **prioridad** · **ansia** · **pasión** || **deuda** · **exigencia** · **plazo** · **compromiso** · **deber** · **pago** · **imperativo** · **norma** · **obligación** *...presionado como todos por la acuciante obligación de presentar puntualmente la declaración de la renta* || **actualidad** · **presente** · **modernidad** · **presencia** || **mensaje** · **proclama** · **palabra** · **texto** · **consejo** · **llamada**

acuciantemente adv.

● CON VBOS. **necesitar** · **precisar** · **urgir** · **requerir**

acuciar (a alguien) v.

● CON SUSTS. **padre** · **madre** · **inspector,-a** *El inspector acuciaba a su gente para terminar la investigación cuanto antes* · **jefe,fa** · **institución** · **fisco** *Terminó en la ruina y acuciado por el fisco* · **gremio** · **comisión** · ***otros individuos y grupos humanos*** || **necesidad** · **escasez** · **falta** · **urgencia** · **prisa** · **ausencia** · **carencia** || **miseria** · **hambre** · **pobreza** · **sueño** · **sed** · **sequía** || **problema** · **peligro** *...acuciados por el peligro real de ser asaltados en medio de la noche* · **dificultad** · **crisis** · **lesión** · **desventura** · **estrechez** · **fracaso** || **miedo** · **temor** · **angustia** · **preocupación** · **tensión** · **estrés** · **nervios** · **insomnio** || **deseo** · **gana** · **ambición** · **curiosidad** || **demanda** · **exigencia** · **imperativo** · **amenaza** · **presión** · **encargo** · **embargo** · **sanción** || **compromiso** · **obligación** · **requisito** · **deuda** *Acuciado por las deudas, decidió vender su lujosa mansión* · **endeudamiento** · **déficit** · **impuesto** · **pago** || **plazo** · **calendario** · **actualidad** · **cercanía** · **inminencia** · **presente** · **paso del tiempo** || **cuestión** · **interrogante** · **pregunta** · **duda** · **dilema** || **encuesta** · **marcador** · **resultado**

acucioso, sa adj.

● CON SUSTS. **investigador,-a** · **lector,-a** · **historiador,-a** · **periodista** · **trabajador,-a** · **recopilador,-a** · **rastreador,-a** · ***otros individuos*** || **estudio** · **examen** · **informe** · **revisión** · **indagación** · **campaña** · **vigilancia** || **trabajo** · **recopilación** || **necesidad** · **gana** *A pesar de mostrar unas ganas acuciosas por deleitar a su público...* · **tono** · **mirada** · **entusiasmo**

● CON ADVS. **extraordinariamente** · **tremendamente** *Por su tono tremendamente acucioso, deduje que tenía prisa*

acudir (a) v.

● CON SUSTS. **reunión** · **certamen** · **jornada** *Cada año acude más gente a estas jornadas* · **exposición** · **fiesta** · ***otros eventos*** || **ciudad** · **barrio** · **zona** · **habitación** *Al oír el grito, acudimos corriendo a su habitación* · **despacho** · ***otros lugares***

● CON ADJS. **raudo,da** · **veloz** · **presuroso,sa** *Acudió presurosa a mis llamadas* · **impaciente** || **solícito,ta** · **diligente**

● CON ADVS. **masivamente** · **a miles** · **a cientos** · **en masa** *acudir en masa a una manifestación* · **multitudinariamente** · **a mansalva** · **en tropel** · **como moscas** || **en oleadas** · **escalonadamente** || **religiosamente** *Todas las semanas acudía religiosamente a la consulta del psicoterapeuta* · **sin falta** || **expresamente** · **en persona** *La ministra acudirá en persona a la ceremonia* · **a pecho descubierto** · **de incógnito** || **de buen grado** · **humildemente** || **ávidamente** · **a la desesperada** || **en son de paz** || **en ayuda (de alguien)** *Acudieron en nuestra ayuda cuando los necesitábamos*

a cuenta loc.adv.

● CON VBOS. **dar (algo)** · **dejar (algo)** *Para encargar la camisa, debes dejar a cuenta un mínimo de dinero* || **entregar (algo)** · **depositar (algo)** || **correr** *Esta cena corre a mi cuenta* || **recibir (algo)** || **comprar (algo)** · **pagar (algo)**

[acuerdo] → acuerdo; de acuerdo

acuerdo s.m.

● CON ADJS. **firme** · **inequívoco** · **sin reservas** · **en firme** · **definitivo** · **final** || **insatisfactorio** · **abusivo** · **precario** || **viable** · **beneficioso** · **jugoso** · **satisfactorio** *...hasta llegar a un acuerdo satisfactorio para ambas partes* || **posible** · **necesario** || **salomónico** · **ecuánime** · **equitativo** || **mutuo** · **bilateral** · **unánime** · **recíproco** || **efímero** · **provisional** *De momento es solo un acuerdo provisional* · **puntual** · **con matices** || **político** · **estratégico** · **electoral** · **parlamentario** || **legítimo** · **honroso** || **vigente** · **oficial** · **sin efecto** || **expreso** · **tácito** || **de palabra** · **verbal** || **de colaboración** *un acuerdo de colaboración entre dos naciones* · **de cooperación** · **amistoso** · **de paz** || **de intenciones** || **reticente (a)** · **acorde (con)**

● CON SUSTS. **términos (de)** *Lo primero que hay que hacer es establecer los términos del acuerdo* || **alcance (de)** || **fleco (de)** || **búsqueda (de)** · **ruptura (de)**

● CON VBOS. **consistir (en algo)** · **constar (de algo)** || **emanar (de algo)** · **surgir (de algo)** · **caber** *No cabe acuerdo posible en asuntos de ese calado* || **fraguar(se)** *El acuerdo se fraguó en una reunión que...* · **cuajar** · **robustecer(se)** · **prosperar** || **urgir** || **vencer** · **quebrar(se)** ·

irse a pique · derrumbarse · desvanecerse · truncar(se) · extinguir(se) · culminar || suscribir · asumir · aceptar · refrendar *Todos los partidos políticos refrendaron el acuerdo* · apoyar · propiciar · auspiciar · respaldar · avalar · ratificar · revalidar || cumplir · acatar · respetar || incumplir · transgredir · burlar · vulnerar · quebrantar · violar *El comité criticó duramente que se violase el acuerdo de...* · contravenir · romper · saltarse · infringir · desobedecer · conculcar · socavar · tergiversar · alterar || plantear · considerar · reconsiderar · urdir · pergeñar · forjar · perfilar *Los directivos del club están perfilando un acuerdo para el traspaso del jugador* · madurar · vislumbrar · armar · desarrollar · cocinar || apalabrar · negociar · encarrilar · acariciar || concertar · concretar · entablar · alcanzar · lograr · conseguir · consensuar · adoptar · establecer · formalizar *Para formalizar el acuerdo es necesario...* · sellar · legalizar · firmar · cumplimentar · tramitar · concitar · hacer realidad || tomar · ligar · encajar · acometer · contraer · esgrimir · llevar a término · llevar a la práctica · llevar adelante · llevar a buen puerto || ampliar · prorrogar || pilotar · arbitrar || fortalecer · apuntalar · blindar || anunciar *Ayer anunciaron a los medios un acuerdo sobre...* · desvelar || negar · desmentir || obstruir · obstaculizar · pisotear · boicotear · dañar · bloquear || rescindir · abolir · derogar · revocar · impugnar · desbaratar · reventar · desmantelar || zanjar · finiquitar · cancelar · congelar || reabrir · desbloquear || centralizar || llegar (a) *Con buena voluntad conseguiremos llegar a un acuerdo* · acercar(se) (a) · gozar (de) || atenerse (a) · ceñir(se) (a) · adherirse (a) · involucrar(se) (en) || desdecirse (de) · faltar (a) · disentir (de) || constar (en)
● CON PREPS. a la vista (de) · con arreglo (a) *Con arreglo al acuerdo, lo que tenemos que hacer es...* · al abrigo (de) · en el marco (de) || al borde (de) || sin perjuicio (de)

a cuerpo loc.adv.

● CON VBOS. ir · salir *¿No se te ocurrirá salir a cuerpo con el frío que hace?* · pasear · andar

a cuerpo de rey loc.adv./loc.adj.

● CON VBOS. tratar *En esta casa me tratan a cuerpo de rey* · mantener · estar · atender · criar(se) || vivir · pasar · permanecer
● CON SUSTS. semana *una semana a cuerpo de rey, con todos los gastos pagados* · mes · año · hora · ***otros períodos***

a cuestas loc.adv./loc.adj.

● CON VBOS. traer · llevar *Todos llevamos algún problema a cuestas* · transportar · cargar · soportar
● CON SUSTS. cruz · derrota · problema · fatalidad · crisis · conflicto · avería · resaca || año *ancianos jubilados con muchos años a cuestas* · legislatura · pasado · biografía · historial · vejez || experiencia · veteranía · bagaje · vivencia · oficio *un veterano fotógrafo, con mucho oficio a cuestas* || hambre · desempleo · penuria || preocupación · miedo *Huyó con todo su miedo a cuestas* · nostalgia · angustia · trauma || enfermedad *Tiene dos hijos que mantener y lleva una penosa enfermedad a cuestas* · dolor · molestia || maleta · guitarra *Siempre de acá para allá, con la guitarra a cuestas* · ***otros objetos***

acumulable adj.

● CON SUSTS. oferta · descuento *Los descuentos de esta promoción no son acumulables* · deducción · ventaja · beneficio · ayuda || capital · dinero · renta · sueldo · ingreso · subvención || vacaciones *En mi trabajo las vacaciones son acumulables* · días · horas · descanso || proceso || índice · interés

acumulación s.f.

● CON ADJS. desmesurada · desmedida · excesiva *Hay una excesiva acumulación de líquido en la pleura* || elevada · gran(de) · fuerte *Se puede observar una fuerte acumulación de hielo en toda la zona* · abigarrada
● CON SUSTS. problema (de) || sistema (de) *un sistema de acumulación de energía*
● CON VBOS. generar(se) · producir(se) · darse || propiciar · provocar || evitar
● CON PREPS. por

acumular v.

● CON SUSTS. riqueza · dinero · fortuna *acumuló una inmensa fortuna* · capital || poder · cargos || trabajo · experiencia · conocimiento *acumular conocimientos tras largos años de estudio* · títulos || premios · méritos · éxitos || puntos · ventajas || errores · fracasos · pérdidas · deudas || información · datos || fuerza *Acumula fuerzas, que mañana va a ser un día duro* · energía · reserva || presión · estrés || basura · polvo · trastos
● CON ADVS. sin medida || gradualmente · progresivamente || desordenadamente

□ USO Se construye generalmente con sustantivos no contables en singular (*acumular basura*) o con contables en plural (*acumular trastos*).

acuñar v.

● CON SUSTS. moneda *acuñar monedas de oro* · plata · escudo · euro · medalla · llave · pieza · pin || palabra · nombre · expresión · frase *En esos años se acuñó aquella frase que decía...* · eslogan · denominación · máxima · aforismo · perla · dicho · metáfora · término · terminología · neologismo · sentencia · lenguaje · oración · etiqueta · motivo · formulación · definición · insulto · apelativo · mote · lema · eufemismo · canción · refrán *Los refranes tardan en acuñarse* · sambenito || argot · patente · mensaje · descripción · excusa · broma || estereotipo · fórmula · generalización · consigna · tópico · tradición · axioma · lugar común · mito · símbolo · leyenda · doctrina · estándar · código · verdad || imagen · estilo · perfil · sello || concepto *un concepto hoy de moda que fue acuñado hace más de cincuenta años* · idea · forma · propuesta · tesis · teoría · distinción · versión · solución · hallazgo || ideología · democracia

acupuntura s.f.

● CON ADJS. tradicional *la acupuntura tradicional china* || eficaz · ineficaz
● CON SUSTS. aguja (de) || terapia (de) · tratamiento (de) · sesión (de) || efectos (de) *los efectos beneficiosos de la acupuntura* || técnica (de) · estudios (de) · fundamento (de) || punto (de) *En el cuerpo hay varios puntos de acupuntura*
● CON VBOS. aplicar · emplear · utilizar || ejercer · practicar || recurrir (a) || curar (con) *Curó sus dolores lumbares con la acupuntura* || tratar (con)

acusación s.f.

● CON ADJS. difamatoria · calumniosa · injuriosa · ofensiva · vejatoria · ignominiosa · maliciosa · malévola · envenenada || agria · mordaz · afilada · severa *¿Cómo responderá a las severas acusaciones lanzadas por la oposición?* · enérgica · formal · seria · grave · dura · tremenda · desmesurada || soterrada · encubierta · implí-

cita · **tácita** · **explícita** || **infundada** *...ante unas acusaciones totalmente infundadas* · **sin fundamento** · **gratuita** · **descabellada** · **absurda** · **pintoresca** || **fundamentada** · **basada (en algo)** · **fundada** || **certera** · **atinada** || **concreta** · **específica** || **refutable** · **irrefutable** || **recíproca** · **en cadena** || **abierto** || **particular** *¿Quién se ha hecho cargo de la acusación particular?* || **penal**

● CON SUSTS. **caudal (de)** · **lluvia (de)** · **ola (de)** · **catarata (de)** · **serie (de)** · **sarta (de)** · **cúmulo (de)** || **objeto (de)**

● CON VBOS. **prosperar** || **pesar (sobre alguien)** *¿Qué acusaciones pesan sobre ella?* · **recaer (en alguien)** · **involucrar (a alguien)** || **sustentar(se) (en algo)** · **basar(se) (en algo)** · **referir(se) (a algo)** *Las acusaciones se refieren a los años de la presidencia* || **arreciar** · **recrudecer(se)** || **despejar(se)** || **encarar** · **afrontar** *Supo afrontar con entereza las acusaciones vertidas contra él* · **tomarse a pecho** || **verter** · **efectuar** · **hacer** · **difundir** · **proferir** · **formular** *Formuló unas terribles acusaciones contra...* · **lanzar** · **cruzar** · **levantar** · **dirigir (a alguien)** || **presentar** · **interponer** · **formalizar** || **imputar** · **hacer extensiva** || **retirar** · **rectificar** · **desviar** || **sobreseer** · **desestimar** *El juez ha desestimado la acusación* · **obviar** · **rechazar** || **avalar** · **reiterar** || **negar** · **rebatir** · **refutar** · **desmentir** · **desmontar** *Las pruebas encontradas desmontan totalmente las acusaciones que pesaban sobre él* · **desbaratar** || **desglosar** || **enfrentarse (a)** · **salir al paso (de)** · **hacer frente (a)** · **responder (a)** *Respondió duramente a las acusaciones de su adversario* · **defender (de)** || **prorrumpir (en)** · **enzarzarse (en)** || **desdecirse (de)** || **eximir (de)** · **exonerar (de)** · **librar(se) (de)**

● CON PREPS. **bajo**

acusado, da

1 **acusado, da** adj.

▌[destacado, acentuado]

● CON SUSTS. **rasgo** *un rasgo acusado de su personalidad* · **característica** · **valor** · **personalidad** · **perfil** · **sentido del humor** || **cansancio** · **malestar** *un acusado malestar en la población* || **descenso** · **caída** · **desaceleración** · **retroceso** · **recesión** · **retraso** · **recorte** · **reducción** · **desgaste** · **deterioro** · **pérdida** · **crisis** *Nuestra sociedad vive una acusada crisis de identidad* · **empeoramiento** · **endeudamiento** · **desertización** || **subida** · **aumento** · **incremento** · **recuperación** · **expansión** · **mejora** · **mejoría** *Las cifras parecen indicar una acusada mejoría de la economía* · **apreciación** || **cambio** · **proceso** · **rotación** · **alteración** · **evolución** · **trasvase** · **corrimiento** || **déficit** · **falta** · **ausencia** · **escasez** *La acusada escasez de lluvias afecta a toda la región* || **tendencia** · **propensión** · **vocación** · **gusto** · **predisposición** · **inclinación** *una acusada inclinación a la música* · **sesgo** · **querencia** || **protagonismo** · **relevancia** · **prevalencia** · **intensidad** · **volumen** · **densidad** || **diferencia** · **contraste** · **desproporción** · **desnivel** · **desigualdad** *...sociedades en las que existe una acusada desigualdad entre hombres y mujeres* · **desequilibrio** · **rivalidad** · **antagonismo** · **claroscuro** · **coincidencia** · **afinidad** · **uniformidad** · **equilibrio** · **diferencialidad** || **intervención** · **presencia** *Piden que se amplíe la ya acusada presencia policial en las calles* · **participación** · **mezcla** · **concentración** · **vinculación** · **variedad** || **influencia** · **incidencia** · **repercusión** *La mejora tendría una acusada repercusión en las condiciones laborales* · **presión** || **sentimiento** · **sensación** · **impresión** · **percepción** || **nubosidad** · **borrasca** · **polución** · **sequía** · **calor**

2 **acusado, da** s.

▌[persona]

● CON ADJS. **principal** *...en la que comparecerán como principales acusadas*

● CON SUSTS. **banquillo (de)** || **defensa (de)** · **alegato (de)**

● CON VBOS. **quedar en libertad** || **responder (algo)** · **alegar (algo)** · **añadir (algo)** *¿Tiene el acusado algo que añadir?* · **negar (algo)** *El acusado negó todas las imputaciones* · **sostener (algo)** · **afirmar (algo)** · **asegurar (algo)** · **declarar** · **proclamar (algo)** || **interrogar** *El juez instructor interrogó a los acusados durante más de...* · **escuchar** || **juzgar** · **defender** · **representar** · **condenar** · **encarcelar** || **identificar** || **comparecer (como)**

acusador, -a adj.

● CON SUSTS. **tono** · **actitud** *No aguanto más su actitud prepotente y acusadora* · **gesto** · **dedo** · **índice** · **grito** · **voz** · **mensaje** · **pancarta** || **papel** · **indicio** · **prueba** *No se encontraron pruebas acusadoras* · **testimonio** || **parte** · **abogado,da** · **letrado,da** · **fiscal**

acusadoramente adv.

● CON VBOS. **mirar** · **señalar** *señalar acusadoramente con el dedo* · **apuntar**

acusar v.

▌[atribuir una culpa]

● CON SUSTS. ***persona*** *Acusan al entrenador de los malos resultados del equipo* || **organización** · **institución** · **gobierno** · **equipo** · **sistema**

● CON ADVS. **con dureza** · **a la defensiva** · **cobardemente** · **rotundamente** || **infundadamente** · **injustificadamente** · **sin pruebas** *No puedes acusarme sin pruebas* · **inútilmente** · **sin fundamento** · **directamente** · **justificadamente** · **desfavorablemente** · **en falso** · **falsamente** || **a gritos** *Acusó a gritos a su vecino de ser el culpable del incendio* · **a voces** · **a diestro y siniestro** || **repetidamente** || **sin tapujos** · **sin contemplaciones** · **sin ambages** · **sin miramientos**

□ USO Se construye frecuentemente con complementos encabezados por la preposición *de*: *acusar a alguien de hurto.*

▌[poner de manifiesto]

● CON SUSTS. **efecto** · **consecuencia** · **influencia** · **influjo** · **repercusión** || **cansancio** *...sin acusar mínimamente cansancio después de un esfuerzo tan intenso* · **fatiga** · **esfuerzo** · **presión** · **desgaste** · **desfallecimiento** · **pájara** · **ayuno** · **saturación** · **exceso** || **resaca** *Los campeones acusaron ayer la resaca del éxito* · **golpe** · **varapalo** · **mazazo** · **impacto** · **dolor** || **emoción** *Fue por la noche cuando los niños acusaron las emociones vividas durante el día* · **ánimo** · **refinamiento** · **temor** · **miedo** · **nervios** · **actitud** || **característica** · **rasgo** · **fortaleza** · **veteranía** · **sosería** · **inteligencia** · **ignorancia** || **crisis** *Un sector que ha acusado fuertemente la crisis es el de la alimentación* · **dificultad** · **descenso** · **retroceso** · **deterioro** · **bache** · **derrota** · **recesión** · **desaceleración** · **disminución** · **merma** · **retraso** || **aumento** *La economía mundial acusó notablemente el aumento del precio del petróleo* · **alza** · **subida** · **avance** · **crecimiento** · **incremento** · **acumulación** · **recuperación** · **mejora** · **mejoría** || **cambio** · **evolución** || **ausencia** · **falta** · **carencia** · **necesidad** · **escasez** · **vacío** || **pérdida** · **desaparición** · **retirada** · **fragmentación** · **escisión** || **diferencia** · **desequilibrio** · **desfase** · **desventaja** · **desigualdad** *...un sistema de pensiones que acusa las marcadas desigualdades sociales que existen en nuestro país* · **desajuste** · **inferioridad** || **fallo**

· **error** · **inexperiencia** · **confusión** · **desliz** · **laguna** || **resultado** · **índice** *Durante el último verano, el país volvió a acusar los más altos índices de accidentes en carretera* · **récord** · **cifra**
● CON ADVS. **notablemente** · **en exceso** · **ostensiblemente** · **fuertemente** · **palpablemente**
□ EXPRESIONES **acusar recibo** (de algo) [notificar su recepción]

[acústica] s.f. → acústico, ca

acústico, ca

1 **acústico, ca** adj.
● CON SUSTS. **guitarra** · **clave** · **contrabajo** · **piano** · **instrumento** || **señal** · **sonido** || **grabación** · **versión** *La versión acústica de este tema me gusta más* · **tema** · **concierto** || **contaminación** *Denuncian la contaminación acústica causada por el tráfico* · **polución** · **impacto** · **problema** · **molestia** || **aislante** · **barrera** · **aislamiento** · **protección** · **pantalla** || **condiciones** · **calidad** · **nivel** || **nervio**

2 **acústica** s.f.
● CON ADJS. **buena** · **excelente** · **mala** · **estupenda** · **óptima** · **inmejorable** *un salón de actos con una acústica inmejorable* · **magnífica** · **idónea** · **propicia** · **extraordinaria** || **musical**
● CON VBOS. **comprobar** *Los técnicos están comprobando la acústica del local* · **medir** · **revisar** · **evaluar** || **mejorar** · **ampliar** · **lograr** · **diseñar**

adaptación s.f.

● CON ADJS. **perfecta** · **excelente** *una excelente adaptación de estos animales a su entorno* · **profunda** · **sistemática** · **adecuada** · **ajustada** · **cuidadosa** · **fiel** *La película es una fiel adaptación de la novela* · **literal** || **libre** || **rápida** · **fácil** · **cómoda** · **llevadera** || **lenta** · **difícil** · **forzada** · **mala** · **mediocre** || **obligada** · **necesaria** || **paulatina** · **progresiva** · **gradual** || **cinematográfica** · **teatral** · **musical** || **mental** · **física**
● CON SUSTS. **problema (de)** *Presenta un claro problema de adaptación al grupo* · **falta (de)** || **capacidad (de)** · **poder (de)** || **período (de)** · **proceso (de)** || **nivel (de)**
● CON VBOS. **necesitar** · **requerir** || **realizar** · **hacer** *hacer una adaptación de una novela al cine* || **revisar** || **lograr** · **conseguir** || **propiciar** · **promover** · **facilitar** || **garantizar** || **censurar** · **impedir** || **someter(se) (a)**

[adaptar] → adaptar; adaptar(se) (a)

adaptar v.

● CON SUSTS. **novela** *adaptar una novela al cine* · **obra** · **texto** · **libro** · **historia** || **guión** · **versión** || **dispositivo** · **estructura** · **mecanismo** · **pieza** || **legislación** · **ley** · **reglamento** *No se puede adaptar el reglamento al gusto de cada uno* · **normativa** || **plan** · **proyecto** · **propuesta** || **programa** · **sistema** · **temario** · **modelo** || **educación** · **enseñanza** || **precio** · **producción** *adaptar la producción a las necesidades del mercado* · **oferta** || **edificio** · **inmueble** · **vivienda** · **instalación** · ***otras edificaciones***
● CON ADVS. **libremente** · **abiertamente** · **fielmente** · **rigurosamente** · **literalmente** · **al pie de la letra** || **fácilmente** · **sin problemas** · **bien** · **perfectamente** · **infaliblemente** || **paulatinamente** · **gradualmente**
□ USO Se construye frecuentemente con complementos encabezados por la preposición *a*: *Sobresale por su extraordinaria capacidad para adaptar novelas al cine.*

adaptar(se) (a) v.

● CON SUSTS. **medio** · **ambiente** · **lugar** · **clima** · **temperatura** · **altura** · **entorno** || **situación** · **circunstancia** *No tiene problemas porque se adapta fácilmente a las circunstancias* · condición · realidad · época · tiempo · vida · sociedad || mentalidad · forma · estilo *¿Tú crees que te podrás adaptar a ese estilo de vida?* · modo · gusto || normativa · norma · regla · horario · calendario || trabajo · función || mercado · demanda · necesidad · exigencia || movimiento · fluctuación · cambio *Le cuesta mucho adaptarse a los cambios* || técnica · sistema || presupuesto · bolsillo *un presupuesto que se puede adaptar a todos los bolsillos* || capacidad || cuerpo *un traje de baño que se adapta perfectamente al cuerpo*
● CON ADVS. **cómodamente** · **plenamente** · **fácilmente** · **perfectamente** · **como un guante** · **sin dificultad** *Se adapta sin dificultad a todos los cambios* || **con dificultad** || **progresivamente** · **gradualmente** · **paulatinamente** · **poco a poco** *No te preocupes, se irá adaptando poco a poco* || **rápidamente** · **de golpe** || **fielmente** · **al pie de la letra** || **de buen grado**

adecentar v.

● CON SUSTS. **calle** · **casa** · **ciudad** · **edificio** · **ría** · **terreno** · **plaza** · **aparcamiento** · **barrio** *El Ayuntamiento inició los trabajos para adecentar el barrio* · **jardín** · ***otros lugares*** || **ropa** · **pantalón** · **camisa** · ***otras prendas de vestir*** || **imagen** · **aspecto** · **figura** · **cara** · **barba** *Se recortó la barba para adecentarla un poco* || **armario** · **mesa** · **estantería** · **cama** · ***otros muebles*** || **costumbre** · **hábito** · **vida pública** || **partido** · **administración** · **política** *Buena falta le haría a nuestra política nacional que la adecentaran un poco* · **institución** · **justicia** · **democracia** · **empresa** || **derrota** · **fracaso** · **debacle** · **caída** · **descenso** · **resultado** || **tasa** · **estadística** · **cifra** · **número** || **obra** · **texto** · **cartel** · **pintura** · **novela** · **biografía** · ***otras creaciones***

adecuar(se) (a) v.

● CON SUSTS. **situación** · **realidad** · **circunstancias** *No me costó mucho adecuarme a las nuevas circunstancias* · **vida** || **necesidad** · **exigencias** · **requisitos** || **posibilidades** · **recursos** · **medios** || **funcionamiento** · **mecanismo** · **procedimiento** || **ley** · **normativa** *Adecuaremos paulatinamente las instalaciones a la normativa vigente* · **norma** · ***otras disposiciones*** || **tarifa** · **presupuesto**
● CON ADVS. **perfectamente** *Este coche se adecua perfectamente a nuestras necesidades* || **fácilmente** || **rápidamente** · **paulatinamente** · **progresivamente**

a dedo loc.adv./loc.adj. *col.*

▮ [en autoestop]
● CON VBOS. **viajar** *Viajé a dedo por todo el país* · **ir** · **recorrer** · **mochilear**

▮ [arbitrariamente]
● CON VBOS. **nombrar** *...inspectores nombrados a dedo por el Gobierno de turno* · **designar** · **contratar** · **fichar** · **escoger** · **elegir** · **seleccionar** · **nominar** || **adjudicar** *Los premios fueron adjudicados a dedo* · **conceder** · **otorgar** · **asignar** · **dar** · **repartir** · **premiar** || **imponer** *Ahora sufre las consecuencias de imponer a dedo a su candidato* · **controlar** · **delegar** · **encargar** · **degradar** · **favorecer**
● CON SUSTS. **nombramiento** · **designación** · **contratación** · **contrato** · **fichaje** · **elección** *La oposición critica*

la elección a dedo de varios directores · **selección || adjudicación · concesión || cargo · plaza · puesto**

adelantamiento s.m.

● CON ADJS. **prohibido · incorrecto** *una multa por realizar un adelantamiento incorrecto* · **indebido · irregular · ilegal · antirreglamentario · inadecuado || correcto · permitido · legal || imprudente · peligroso · temerario** *El accidente se debió a un adelantamiento temerario* · **suicida · complicado · espectacular · espeluznante · alocado · agresivo · audaz || electoral** *Se cree que habrá adelantamiento electoral* · **social**

● CON SUSTS. **maniobra (de) · intento (de) || carril (de)**

● CON VBOS. **realizar · efectuar · hacer · intentar · iniciar || facilitar · permitir || prohibir**

[adelantar] → adelantar; adelantar(se) (a)

adelantar v.

● CON SUSTS. **camión · coche · bicicleta** ***otros vehículos*** **|| elección** *el Gobierno decidió adelantar las elecciones* · **comicios · votación || viaje · celebración · fiesta · reunión · llegada · apertura · concierto ·** ***otros sucesos*** **|| fecha · hora || dinero** *Me exigieron que adelantara parte del dinero* · **pago**

adelantar(se) (a) v.

● CON SUSTS. **hecho · acontecimiento** *Es mejor no adelantarse a los acontecimientos* · **problema || época · tiempo** *Fue una mujer que se adelantó a su tiempo* **|| previsión · dato || ley · decisión · plan || rumor**

[adelante] → llevar adelante

adelanto s.m.

● CON ADJS. **gran(de) · considerable** *Estas medidas han supuesto un considerable adelanto con respecto a la situación anterior* · **palpable · perceptible · significativo · sustancial · sustancioso · imparable · neto || breve · tímido · moderado · sostenido || posible · hipotético · eventual · sorprendente · inesperado || progresivo · paulatino · lento · rápido · sistemático || último · reciente || científico** *los últimos adelantos científicos en nanotecnología* · **tecnológico · técnico || electoral · horario · escolar**

● CON SUSTS. **pago (de) · solicitud (de) || tiempo (de)**

● CON VBOS. **producir(se) || pedir** *pedir un adelanto de la paga* · **reclamar · cobrar || dar (a algo)** *No he terminado el libro, pero le he dado un buen adelanto* · **ofrecer · conceder · hacer · plantear · anunciar || provocar · propiciar · forzar · llevar (a alguien)** *Nos llevan mucho adelanto y no podremos alcanzarlos* **|| descartar** *Se descarta el adelanto electoral* · **negar || justificar · explicar || constituir**

● CON PREPS. **como · con** *Llegó con mucho adelanto* · **en concepto (de)** *Me han pagado esta suma en concepto de adelanto*

adelgazamiento s.m.

● CON ADJS. **espectacular · sustancial · acusado · notable · ostensible || radical · drástico || progresivo** *un progresivo adelgazamiento de la plantilla de trabajadores* · **continuo · sostenido**

● CON SUSTS. **dieta (de) · régimen (de)** *un severo régimen de adelgazamiento* · **cura (de) · tratamiento (de) · proceso (de) · programa (de) · curso (de) || clínica (de) · centro (de)**

● CON VBOS. **provocar · sufrir**

a demonios loc.adv.

● CON VBOS. **oler · saber** *Este guiso sabe a demonios*

a dentelladas loc.adv.

● CON VBOS. **matar · herir || atacar · pelear · defender(se) || comer · desmigajar · devorar** *El león devoró a dentelladas a su presa* · **despedazar · destrozar · arrancar**

adentrarse (en) v.

● CON SUSTS. **bosque · mar · túnel** *El tren se adentraba en el túnel* · **país · calles · casa ·** ***otros lugares*** **|| película · novela** *Al adentrarse en la novela, el lector podrá comprobar cómo el protagonista...* · **libro · pintura ·** ***otras creaciones*** **|| química · humanidades · sociología · filosofía · literatura ·** ***otras disciplinas*** **|| pasado · época · antigüedad · período · siglo · verano · etapa · vejez · madurez || estudio · análisis · reflexión · investigación · examen · lectura · conocimiento · significado · idea · conjetura · especulación || entresijo · vericueto · laberinto · maraña · recoveco · misterio · secreto · sombra || personalidad** *...textos inéditos que permiten adentrarse en la compleja personalidad del escritor* · **psicología · intimidad · interioridad · mente · pensamiento || problema · problemática · crisis · conflicto · disputa**

● CON ADVS. **profundamente || poco a poco** *Comenzó como dibujante, para adentrarse poco a poco en la pintura* · **progresivamente · paulatinamente · suavemente · lentamente**

adepto, ta s.

● CON ADJS. **fervoroso,sa · entusiasta** *Es un adepto entusiasta de ese deporte* · **exaltado,da || incondicional || declarado,da**

● CON VBOS. **declararse || volver(se) · hacer(se) || buscar · encontrar · tener || reclutar · granjearse** *una gran campaña publicitaria para granjearse nuevos adeptos* · **conquistar · atraer · captar · ganar · acumular · conseguir · cobrar · sumar || perder** *Hace meses que el partido pierde adeptos* **|| contar (con)**

a destajo loc.adv./loc.adj.

● CON VBOS. **trabajar** *Trabajan a destajo para cumplir los plazos previstos* · **faenar · luchar · currar · laborar · bregar || producir · construir** *Por esta zona se están construyendo casas a destajo* · **gestar · criar || masacrar · asesinar · contaminar · mutilar · robar · expropiar · falsificar · azotar || vender** *una novelista que vende sus novelas a destajo* · **cobrar**

● CON SUSTS. **trabajo** *tener trabajo a destajo* · **lucha · faena · empleo || violencia · robo · asesinato || venta · privatización**

adherirse (a) v.

● CON SUSTS. **presidente,ta · jefe,fa · líder · partido · equipo · organización · familia ·** ***otros individuos y grupos humanos*** **|| surrealismo · realismo · cristianismo · socialismo · humanismo ·** ***otras tendencias*** **|| opinión · posición · postura · punto de vista · palabras · declaración · testimonio || reivindicación · moción · propuesta · petición · sugerencia · reclamación || tributo · homenaje · conmemoración · manifestación** *Un alto porcentaje del gremio se ha adherido a la manifestación convocada por los sindicatos* · **celebración · acto || ideología · causa · creencia · ideal · doctrina · teoría · fe || acuerdo · unión · contrato · alianza · aprobación · convenio · consenso || regla · norma · normativa · directriz || estilo · orientación · moda** *La cuestión era adherirse a cualquier moda*

por pasajera que fuese · **línea** · **corriente** · **estética** || **dolor** · **duelo** · **sufrimiento** · **desencanto** || **artículo** · **manifiesto** · **comunicado** · **alegato** · **acta** · **apelación** · **carta** || **proyecto** · **plan** · **intento** || **fórmula** · **estrategia** · **operación** · **orden** · **estructura** || **tradición** · **costumbre** *una sana costumbre a la que todos se adhieren en este país* · **práctica** *El chat es una práctica a la que se adhieren millones de adolescentes en todo el mundo* · **hábito** || **madera** *Este pegamento no se adhiere bien a la madera* · **cristal** · **metal** · ***otras materias***
● CON ADVS. **con (todo) gusto** · **gustosamente** · **con entusiasmo** || **plenamente** *Se declaró incapaz de adherirse plenamente a...* · **totalmente** · **absolutamente** · **por completo** || **sin discusión** · **{con/sin} reservas** · **{con/sin} reparos** · **con matices** || **libremente** · **voluntariamente** · **forzadamente**

adhesión s.f.

● CON ADJS. **unánime** *Manifestaron su unánime adhesión a la nueva ley* · **multitudinaria** || **fervorosa** · **ferviente** || **firme** · **inquebrantable** · **incondicional** · **plena** · **desinteresada** · **leal** · **libre** || **matizada** · **con reservas**
● CON SUSTS. **muestra (de)** *Se recibieron numerosas muestras de adhesión a la nueva directora* · **prueba (de)** · **manifestación (de)** · **acto (de)** || **tratado (de)** · **contrato (de)** · **acuerdo (de)** *¿Sabes cuándo se firmó el acuerdo de adhesión de nuestro país?* · **principio (de)** || **propuesta (de)** · **petición (de)** · **solicitud (de)** || **proceso (de)**
● CON VBOS. **consolidar(se)** · **debilitar(se)** · **truncar(se)** || **provocar** || **negociar** · **formalizar** || **granjearse** · **procurar** · **captar** · **conquistar** *No se trata de conquistar la adhesión incondicional de nuestros clientes, sino de...* · **conseguir** · **recabar** · **concitar** || **testimoniar** · **expresar** · **transmitir** || **negar** · **regatear**
● CON PREPS. **a favor (de)** · **en contra (de)**

adicción s.f.

● CON ADJS. **grave** · **severa** · **seria** · **fuerte** · **terrible** · **auténtica** *una auténtica adicción a los libros de aventuras* || **contagiosa** · **enfermiza** *Es víctima de una enfermiza adicción a...* · **destructiva** · **perniciosa** · **morbosa** || **creciente** · **desenfrenada** · **irresistible** || **inconfesable** *su inconfesable adicción al juego*
● CON SUSTS. **problema (de)** || **grado (de)** || **período (de)** || **síntoma (de)**
● CON VBOS. **aumentar** · **disminuir** *Su adicción al alcohol está disminuyendo gracias al tratamiento médico* || **alimentar** · **fomentar** || **crear** · **provocar** · **causar** · **producir** · **generar** || **adquirir** · **sufrir** · **tener** · **desarrollar** || **superar** · **vencer** · **dejar** · **abandonar** || **combatir** · **atajar** · **prevenir** · **controlar** *controlar su adicción al tabaco* · **frenar** · **curar** · **tratar** · **erradicar** · **mitigar** || **confesar** · **reconocer** || **caer (en)** · **sucumbir (a)** || **convertir (en)** || **salir (de)** · **recuperar(se) (de)** || **luchar (contra)** · **acabar (con)** *acabar con la adicción al juego*

adicional adj.

● CON SUSTS. **coste** *Este servicio no supone ningún coste adicional* · **costo** · **gasto** · **ingreso** · **pago** · **cuota** · **fondo** · **crédito** || **recurso** · **ayuda** · **servicio** · **esfuerzo** || **ingrediente** · **factor** · **cantidad** || **información** *El periódico no dispone de información adicional sobre este asunto* · **dato** · **noticia** · **contenido** || **disposición** · **capítulo** || **atractivo** · **interés** · **ventaja** · **beneficio** *Los socios tienen derecho a algunos beneficios adicionales* || **garantía** · **problema** || **tiempo** || **tiro** · **turno** · **jugada**

adicto, ta (a) adj.

● CON SUSTS. **droga** · **alcohol** · **bebida** · **tabaco** *Cada vez hay menos gente adicta al tabaco* || **televisión** · **internet** · **teléfono** || **trabajo** · **lectura** *Es adicto a la lectura desde niño* || **comida** · **juego** · **fútbol** · ***otras actividades***
● CON VBOS. **hacer(se)** · **volver(se)**

adiestrar v.

● CON SUSTS. **alumno,na** *adiestrar a los alumnos en el manejo del ordenador* · **aprendiz,-a** · **ejército** · **comando** · **guerrilla** · **equipo** · ***otros individuos y grupos humanos*** || **mente** || **caballo** *Tenía una enorme habilidad para adiestrar caballos de carreras* · **yegua** · **perro,rra** · ***otros animales***
● CON ADVS. **convenientemente** || **militarmente** · **profesionalmente**

a diestro y siniestro loc.adv.

● CON VBOS. **repartir** *Repartían caramelos a diestro y siniestro* · **dar** · **distribuir** · **adjudicar** · **conceder** · **proporcionar** · **regalar** · **prodigar** · **aplicar** · **dispersar** || **disparar** · **lanzar** · **tirar** · **insultar** · **propinar** · **soltar** · **gritar** · **vociferar** · **protestar** · **despachar(se)** || **matar** · **pegar** · **atacar** · **arremeter** · **atizar** · **golpear** · **clavar** · **sacudir** · **robar** · **arrancar** · **destruir** · **disolver** · **asesinar** *Fueron arrasando pueblos y asesinando a diestro y siniestro* · **saquear** · **fumigar** · **desoír** · **blandir** || **saludar** · **pedir** · **hablar** · **afirmar** · **parlotear** · **advertir** · **declarar** · **prometer** · **entrevistar** · **firmar autógrafos** *rodeado de guardaespaldas y firmando autógrafos a diestro y siniestro* · **interrogar** · **vitorear** · **sonreír** · **aplaudir** · **invitar** · **repetir** · **silbar** · **reivindicar** || **multar** · **expulsar** · **denunciar** · **acusar** · **sermonear** · **reñir** · **imputar** · **sancionar** *Al comité de competición le ha dado por sancionar clubes de fútbol a diestro y siniestro* · **condenar**

adinerado, da adj.

● CON SUSTS. **familia** *una familia enormemente adinerada* · **burguesía** · **persona** · **gente** · **clase** · **sector** · **empresario,ria** · **equipo** · ***otros individuos y grupos humanos*** || **barrio** · **vecindario**
● CON ADVS. **enormemente** · **tremendamente**

adiós s.m.

● CON ADJS. **emotivo** · **caluroso** *Ayer le tributaron en su pueblo natal un caluroso adiós* · **afectuoso** · **cálido** · **efusivo** · **sentido** || **postrero** · **último** · **definitivo** || **triste** || **multitudinario** *El pueblo entero acudió al cementerio y dedicó un multitudinario adiós al poeta* || **largo** || **simbólico**
● CON VBOS. **decir** || **dar (a alguien)** · **tributar (a alguien)** *¿Cuándo se le tributará el último adiós?* · **dedicar (a alguien)** · **brindar (a alguien)**

a discreción loc.adv./loc.adj.

● CON VBOS. **disparar** · **abrir fuego** *Recibieron la orden de abrir fuego a discreción contra las tropas enemigas* · **atacar** · **rematar** · **chutar** || **golpear** · **pegar** · **propinar** || **usar** · **utilizar** · **manejar** · **manipular** · **emplear**
● CON SUSTS. **cerveza** · **vino** *El menú incluía vino a discreción* · **queso** · **chocolate** · **jamón** · ***otros alimentos o bebidas*** || **fuego** · **disparo** · **puñetazo** || **dinero** · **tasa** · **pago** · **subvención** · **gasolina** · **regalos** · **ayuda**

a disposición (de algo/de alguien) loc.adv.

● CON VBOS. **encontrar(se)** · **tener (algo/a alguien)** *Me tienes a tu disposición para lo que quieras* · **quedar** · **estar** · **pasar** *El detenido ya pasó a disposición judicial* · **seguir** · **poner**

[adivinar] → adivinar; adivinarse

adivinar v.

▮ [averiguar]

● CON SUSTS. **altura · edad · precio · forma · modo ·** *otras magnitudes* **|| porvenir · futuro · suerte · secreto || desenlace · final · resultado · consecuencia || causa · motivo || intención** *Con solo mirarme fue capaz de adivinar mis intenciones* **· pensamiento · deseo || nombre · identidad || pregunta · respuesta · cuestión · contestación**

● CON ADVS. **a ojos cerrados · fácilmente · difícilmente || a la {primera/segunda...}** *Parecía difícil y lo ha adivinado a la primera*

adivinarse v.

▮ [percibirse]

● CON SUSTS. **forma · silueta · contorno · perfil · rasgo || gesto · sonrisa || lugar · camino || intención** *Aunque trata de disimular, se adivinan claramente sus intenciones* **· propósito**

● CON ADVS. **a lo lejos** *A lo lejos se adivinaba la silueta de una casa abandonada* **|| a grandes rasgos · entre líneas**

adivino, na s.

● CON SUSTS. **consulta (de) · bola (de) · dotes (de) · profecía (de) · predicción (de) · vaticinio (de) · oficio (de)**

● CON VBOS. **acertar · fallar || vaticinar (algo)** *El adivino había vaticinado la próxima boda real* **· predecir (algo) · pronosticar (algo) · anticipar (algo) · anunciar (algo) · afirmar (algo) || preguntar · consultar · llamar**

adjetivo s.m.

● CON ADJS. **elogioso** *Le dedicaba en su columna adjetivos sumamente elogiosos* **· laudatorio · cariñoso || expresivo · audaz · atrevido · chocante · habitual · frecuente || descriptivo · calificativo · posesivo · superlativo || apropiado · idóneo · acertado** *Este adjetivo aquí no es muy acertado* **· adecuado · certero · oportuno · exacto · preciso || peyorativo · malsonante · rebuscado · ambiguo · doloroso · injusto || numerosos · abundantes || sobrecargado,da (de) · lleno,na (de) · repleto,ta (de) · falto,ta (de)**

● CON SUSTS. **uso (de) · profusión (de)**

● CON VBOS. **sobrar** *La redacción está bien, pero le sobran adjetivos* **· faltar || precisar (algo) · modificar (algo)** *el adjetivo que modifica al sustantivo* **· aportar (algo) · contribuir (a algo) · indicar (algo) · revelar (algo) || emplear · utilizar · poner · usar || dedicar (a alguien) · asignar (a alguien) || ahorrar · escatimar · quitar · suprimir || buscar · encontrar** *No encuentro el adjetivo preciso para definirlo* **· elegir || recurrir (a) · prescindir (de)** *En su prosa prescinde al máximo de los adjetivos* **|| definir (con) · calificar (con) || acertar (con)**

adjudicación s.f.

● CON ADJS. **irregular** *Están investigando las adjudicaciones irregulares de viviendas* **· ilícita · fraudulenta · incorrecta · a dedo · polémica · improcedente || legal · correcta · lícita || reciente · nueva · última · inmediata || definitiva** *Por fin ha conseguido la definitiva adjudicación del terreno* **|| directa || municipal**

● CON SUSTS. **criterio (de) · contrato (de) · propuesta (de) || procedimiento (de)** *un nuevo procedimiento de adjudicación de plazas* **· proceso (de) · sistema (de) · concurso (de)**

● CON VBOS. **conseguir** *Tras mucho papeleo, consiguió la adjudicación de un local para montar su negocio* **· obtener || realizar · efectuar || aprobar · defender · apoyar || renovar || anular · impugnar** *Han impugnado las últimas adjudicaciones por supuestas irregularidades* **|| investigar**

adjudicar v.

● CON SUSTS. **trabajo · contrato · plaza · licencia** *¿Cuándo se adjudican las licencias de obra?* **· obra · empresa · proyecto · estudio · investigación · puesto · tarea || vivienda** *Ayer se celebró el concurso para adjudicar nuevas viviendas* **· terreno · parcela || ayuda** *adjudicar ayudas a los países más necesitados* **· servicio || premio · galardón**

● CON ADVS. **a voleo · arbitrariamente · a dedo · de antemano · irregularmente || fundamentadamente · con arreglo a derecho || temporalmente · provisionalmente || personalmente** *La directora adjudicó personalmente las plazas vacantes* **· directamente || a la baja**

adjuntar v.

● CON SUSTS. **documento** *No se te olvide adjuntar los documentos que te han solicitado* **· certificado · archivo · currículo · informe · datos · fotografía · sobre · plica || factura · justificante · comprobante || copia · fotocopia · original · traducción** *Para solicitar la beca es necesario adjuntar una traducción del certificado* **|| memoria · exposición · instancia · justificación**

adjunto, ta adj.

● CON SUSTS. **tabla · dato · mensaje** *El paquete llevaba un mensaje adjunto* **· imagen · gráfico · dibujo · documento · texto · comentario · nota · información · cuadro · recuadro · folleto || puesto · cargo** *Ocupaba un cargo adjunto en la directiva de la asociación* **|| profesor,-a · secretario,ria · portavoz · vocal · consejero,ra · jefe,fa · director,-a** *el despacho de la directora adjunta* **· alcalde,-sa ·** ***otros individuos***

administrador, -a

1 administrador, -a adj.

● CON SUSTS. **comisión · junta** *La junta administradora de sus bienes decidió que...* **· unidad · órgano · empresa · institución · organismo || potencia · estado · país || labor · tarea**

2 administrador, -a s.

● CON ADJS. **buen,-a · excelente · competente** *Es un administrador muy competente, por eso lo contratamos* **· eficiente · hábil · experimentado,da || de confianza** *Tenía una administradora de confianza para llevar sus fincas* **· fiel · incorruptible || oficial · formal · nominal || temporal · provisional · interino,na || delegado,da · general · público,ca · municipal · civil · territorial || judicial · fiscal · gerente · fiduciario,ria · de bienes · de fincas**

● CON SUSTS. **cargo (de)** *el cargo de administrador de una empresa* **· puesto (de)**

● CON VBOS. **administrar (algo) · gestionar (algo) || nombrar** *La directiva nombrará hoy a la nueva administradora* **· designar · elegir · destituir || necesitar · buscar · precisar || trabajar (como/de) · tener (como) · actuar (como)**

administrar v.

▮ [gestionar]

● CON SUSTS. **dinero · fondo** *administrar los fondos públicos* **· capital · presupuesto || bienes · herencia · finca · empresa · institución · sector || poder · justicia** *No*

podemos administrar la justicia por nuestra cuenta || **tiempo · esfuerzo · recursos || espacio || información**
● CON ADVS. **adecuadamente · correctamente · eficazmente · eficientemente · sabiamente · profesionalmente · racionalmente || desastrosamente · penosamente · chapuceramente || férreamente · con mano de hierro** *Administra sus fincas con mano de hierro* || **personalmente · conjuntamente || puntualmente**

▌ [dar]
● CON SUSTS. **medicamento · medicina** *administrar una medicina tres veces al día* · **fármaco || sacramento · extremaunción** *El sacerdote le administró la extremaunción poco antes de morir* · **bautismo**
● CON ADVS. **en {grandes/pequeñas} dosis · racionalmente || en vena** *administrar un medicamento en vena* · **por vía {oral/muscular/intravenosa/subcutánea...} || puntualmente**

administrativo, va adj.

● CON SUSTS. **aparato · poder · cuerpo** *el cuerpo administrativo del Estado* · **tribunal · departamento · oficina · sede · gerencia · organismo · organización || área · ámbito · parte · aspecto || director,-a · secretario,ria · gerente · personal** *el personal administrativo del ministerio* · **agente · auxiliar · técnico,ca · funcionario,ria · jefe,fa || actividad · servicio · gestión · operación · gasto** *reducir los gastos administrativos de la empresa* || **silencio · olvido · retraso · caos · error || derecho** *una catedrática de Derecho Administrativo* · **política · lenguaje || procedimiento · orden · proceso · trámite · acto || contencioso · recurso · problema · malentendido || expediente · informe · decreto || empleo · trabajo · cargo · contrato || apoyo · permiso || corrupción · irregularidad** *Se han encontrado irregularidades administrativas en el nombramiento de...*

admiración s.f.

● CON ADJS. **total · profunda · máxima · tremenda · enorme · gran(de) || desmesurada · desmedida || ferviente · fervorosa · entusiasta** *Cuando habla de su infancia, muestra una entusiasta admiración por sus padres* · **encendida · viva · exacerbada · desbordante · incontenible · ciega · incondicional · especial || reverencial · rendida · devota || sincera** *Quería expresarle mi más sincera admiración por su nueva obra* · **franca · abierta · declarada · sin reservas || secreta · oculta · inconfesada || mutua · unánime · general || merecida · inmerecida || digno,na (de)** *una persona digna de admiración*
● CON SUSTS. **muestra (de) · signo (de) || objeto (de)**
● CON VBOS. **crecer || tener (por algo/por alguien) · tener (hacia algo/hacia alguien) || granjearse** *Supo granjearse la admiración de todos* · **conquistar · ganar · merecer || buscar · perseguir || despertar (en alguien) · inspirar · suscitar · causar · provocar · producir · infundir · concitar · captar || sentir · profesar** *Profesaba una enorme admiración por los poetas modernistas* · **rendir (a alguien) · tributar (a alguien) · dispensar (a alguien) || expresar · mostrar · confesar · testimoniar · declarar · manifestar · demostrar · evidenciar || ocultar** *No puedo ocultar mi enorme admiración por...* || **mirar (con) || colmar (de) || gozar (de) · disfrutar (de)**

admirador, -a s.

● CON ADJS. **incondicional · absoluto,ta · profundo,da · ciego,ga · empedernido,da · rendido,da · fiel · devoto,ta · gran · sincero,ra || fervoroso,sa · ferviente · entusiasta · fanático,ca || declarado,da · confeso,sa · secreto,ta** *Nos ha contado que tiene un admirador secreto*
● CON VBOS. **declararse** *Se declaró admirador incondicional del director* · **confesarse || reunir · congregar || granjearse** *Supo granjearse admiradores entre un público muy exigente* · **ganar · tener**

admirar v.

● CON ADVS. **mucho · sumamente · extraordinariamente · enormemente · sobremanera · profundamente || sin reservas · rendidamente · incondicionalmente · absolutamente · ciegamente · fervorosamente · fervientemente · visceralmente || sinceramente** *Te admiro sinceramente por tu gran fuerza de voluntad*

admisible adj.

● CON SUSTS. **conducta** *una conducta irregular que no es admisible ni tolerable en esta institución* · **comportamiento · actitud · proceder || pregunta · respuesta || plan · sugerencia · propuesta · solución || cambio · modificación · reforma || error || dosis · cantidad · nivel · gasto · límite** *El límite admisible de permanencia sin sufrir daños es de...* · **margen · criterio || máximo · mínimo || plazo · período || prueba** *El tribunal estimó que era una prueba admisible* · **recurso · ley**
● CON ADVS. **totalmente · enteramente · completamente · parcialmente || perfectamente || fácilmente · difícilmente || ocasionalmente · raramente · normalmente || moralmente · socialmente · políticamente** *Su plan no es políticamente admisible* · **legalmente · jurídicamente · académicamente · deportivamente**
● CON VBOS. **parecer · resultar · considerar**

admisión s.f.

● CON ADJS. **definitiva · condicional · provisional || pendiente (de)** *Mi solicitud aún está pendiente de admisión*
● CON SUSTS. **derecho (de) || plazo (de) || criterio (de) · baremo (de) || examen (de) · prueba (de)** *Creo que hice bien la prueba de admisión* · **proceso (de) · sistema (de) || sala (de) || auto (de)**
● CON VBOS. **pedir · solicitar** *¿En qué escuela has solicitado la admisión?* || **estudiar · considerar · decidir || conceder · aceptar · acordar · confirmar · ratificar || rechazar · denegar || justificar**

[admitir] →admitir; admitir (a)

admitir v.

● CON SUSTS. **culpa · culpabilidad · autoría · participación** *Por fin admitió su participación en los hechos* · **responsabilidad || fracaso · derrota · equivocación · error · defecto || ignorancia · desconocimiento** *Admito mi total desconocimiento sobre este tema* · **limitaciones || relación · compromiso || intención · plan · idea · posibilidad** *Todos deberíamos admitir la posibilidad de que...* · **supuesto · hipótesis || necesidad || existencia · verdad** *Sería mejor que admitieses la verdad* · **hecho**
● CON ADVS. **sin pestañear** *Frente a lo que yo esperaba, admitió mi versión de los hechos sin pestañear* · **sin rechistar · sin reservas · sin dudar · incondicionalmente · de antemano || con reservas · a regañadientes · con matices · a medias · ni por asomo || con franqueza · sin tapujos · abiertamente · sin ambages · lisa y llanamente · de plano · explícitamente · públicamente || veladamente · implícitamente · tácitamente || alegremente · de buen grado · de {buena/mala} gana · humildemente** *admitir humildemente los propios errores* || **unánimemente · universalmente || a concurso**

admitir (a) v.

● CON SUSTS. **trámite · concurso · cotización**

adobar v.

● CON SUSTS. **carne · lomo · pescado · *otros alimentos***

adobo s.m.

● CON ADJS. **picante · tradicional**
● CON VBOS. **preparar · realizar || echar · agregar · añadir || sazonar (con) || mantener (en)** *Se mantiene la carne en adobo durante dos días*
● CON PREPS. **en** *pescado en adobo*

adolecer (de) v.

● CON SUSTS. **problema · irregularidad · error** *Este texto adolece de abundantes errores, debes revisarlo* · **fallo · inexactitud · defecto · desequilibrio · inconveniente || falta · carencia · limitación** *Su plan adolece de algunas limitaciones, pero es viable* · **deficiencia · exceso || precariedad · miseria · fragilidad · debilidad || sosería · olvido · ceguera || enfermedad · patología · lesión**
● CON ADVS. **manifiestamente · claramente · evidentemente**

adolescencia s.f.

● CON ADJS. **temprana · primera** *Los niños necesitan un apoyo especial en su primera adolescencia* · **tierna || turbulenta · difícil · problemática · rebelde · cruel || eterna · permanente · prolongada**
● CON SUSTS. **años (de) · etapa (de) · período (de) || mundo (de) · amigo,ga (de) · sueño (de) || crisis (de)** *Le costó mucho superar su crisis de adolescencia*
● CON VBOS. **prolongar(se) · transcurrir · terminar || vivir · pasar · superar · alargar || evocar · recordar || llegar (a)**

adolescente

1 **adolescente** adj.

● CON SUSTS. **hijo,ja · joven · chico,ca · lector,-a · población · público** *La película está dirigida a un público adolescente* · ***otros individuos y grupos humanos* || mundo || belleza · rasgo · mirada · cuerpo || conducta · comportamiento · manía · timidez · travesura || sueños · visión · amor · sentimiento · inquietud || problemática** *Este libro analiza detalladamente la problemática adolescente* · **trauma · crisis || años · período · etapa · fase**

2 **adolescente** s.com.

● CON ADJS. **perdido,da · desorientado,da** *Tenía el aspecto del típico adolescente desorientado* · **sin rumbo || decidido,da · seguro,ra · lanzado,da || frágil · tímido,da · ingenuo,nua || enamorado,da || consentido,da · caprichoso,sa · voluble · arrogante · prepotente || prodigioso,sa · brillante · sobresaliente · genial || eterno,na** *Los biógrafos lo describen como un eterno adolescente* · **incorregible**

a domicilio loc.adv./loc.adj.

● CON VBOS. **ganar** *El equipo sigue adelante en la competición, tras ganar a domicilio a...* · **vencer · derrotar · golear · imponerse · empatar · vapulear · enfrentarse · perder || vender · entregar · enviar** *Tú lo compras por teléfono y te lo envían a domicilio en cuestión de días* · **servir · repartir · recibir · ofrecer · distribuir · adquirir || atender · trabajar**
● CON SUSTS. **victoria · triunfo · derrota · empate · goleada** *El equipo cerró la temporada con una rotunda goleada a domicilio* · **paliza · resultado · punto || venta** *una empresa de venta a domicilio de productos congelados* · **reparto · entrega · distribución · compra · envío · pedido || ayuda · atención · visita · servicio · asistencia · clase** *Di clases a domicilio durante varios años* · **trabajo · banca · librería || encuesta · entrevista · pregunta · consulta || vendedor,-a · repartidor,-a** *En esta pizzería necesitan repartidores a domicilio* · **profesor,-a · limpiador,-a · cobrador,-a**

adoptar v.

■ [acoger en adopción]

● CON SUSTS. **niño,ña · hijo,ja · bebé · menor · huérfano,na**

■ [sostener, acordar, elegir]

● CON SUSTS. **punto de vista** *Estoy de acuerdo con el punto de vista que han adoptado ustedes* · **posición · postura · política || solución · resolución · propuesta · determinación** *adoptar la determinación de dejar de fumar* · **decisión · medida · conclusión || costumbre · conducta · comportamiento · actitud · papel · tono · pose** *No me gusta la pose que adopta cuando habla conmigo* · **gesto · mirada · aire || acuerdo · pacto || estrategia · método · modelo · criterio || modificación · reforma || sanción || nombre · apellido**
● CON ADVS. **gradualmente · abruptamente · paulatinamente || por mayoría** *Se adoptó la medida por mayoría absoluta* · **unánimemente · por unanimidad || a la ligera** *No adoptes decisiones a la ligera* · **cautelarmente || provisionalmente · temporalmente || colegiadamente**

adoptivo, va adj.

● CON SUSTS. **familia · madre · padre · hermano,na · hijo,ja || tierra · patria · país · ciudad · pueblo || lengua**

adoración s.f.

● CON ADJS. **ferviente · fervorosa · absoluta** *Siente absoluta adoración por su hermana mayor* · **ardiente · apasionada · encendida · viva · ciega · incondicional · verdadera** *Reconozco que siento verdadera adoración por ellos* · **auténtica · devota || fanática · desmedida || inconfesable**
● CON SUSTS. **objeto (de)** *Le encanta sentirse objeto de adoración*
● CON VBOS. **sentir · mostrar · profesar · rendir || despertar**

adormecedor, -a adj.

● CON SUSTS. **calor · ambiente · voz · ruido** *Me quedé traspuesto con aquel ruido adormecedor* · **murmullo || charla · conferencia · disertación || canción · poema · novela · drama · comedia · espectáculo || sesión · clase · reunión || tema · argumento · retórica || estado · efecto** *Los efectos adormecedores del somnífero no se hicieron esperar*

adormecer(se) v.

● CON SUSTS. **pierna** *Después de llevar un rato en esa posición, las piernas se me adormecieron* · **boca · brazo · *otras partes del cuerpo* || población · ciudadanía · sociedad · ciudad · país || público · espectador,-a · oyente** *Era una conferencia demasiado abstrusa y los oyentes acabaron por adormecerse* · **lector,-a · invitado,da · *otros individuos y grupos humanos* || instinto · conciencia · espíritu · alma · entendimiento · pensamiento · opinión · voluntad || sed · hambre** *Conseguimos adormecer parcialmente el*

hambre con un pequeño aperitivo · **sensación || política · cultura · debate || ritmo · juego**
● CON ADVS. **totalmente · enteramente · del todo · completamente || parcialmente · ligeramente · levemente || lentamente · paulatinamente · progresivamente || imperceptiblemente**

adornar (a alguien) v.

● CON SUSTS. **virtudes · atributos · cualidades** *Entre las cualidades que adornan al nuevo candidato, destaca...*

adorno s.m.

● CON ADJS. **bello · bonito · apropiado · adecuado · oportuno · original · estético || recargado · barroco** *un mueble con adornos barrocos muy recargados* · **suntuoso · profuso · prolijo · excesivo · sobrecargado · sofisticado · llamativo || sobrante · superfluo · innecesario · insignificante · superficial · trivial · vano || pequeño · discreto · delicado · primoroso · puro || luminoso** *adornos luminosos para el árbol de Navidad* **|| inspirado · alusivo || retórico · verbal · estilístico · floral · navideño · taurino** *un bar decorado con adornos taurinos* **|| lleno,na (de)**
● CON SUSTS. **objeto (de) || exceso (de)**
● CON VBOS. **colgar** *Ya están colgando los adornos de Navidad por toda la ciudad* · **poner · añadir · quitar || llevar · lucir · exhibir || necesitar || llenar (de) · inundar (con) · revestir (de) || despojar (de)** *un lugar sencillo y despojado de adornos* **|| estar (de) · servir (de)**
● CON PREPS. **como · de** *unas flores de adorno*

adosado, da adj.

● CON SUSTS. **chalé** *La ilusión de su vida es vivir en un chalé adosado* · **casa · vivienda · edificio · inmueble · muelle · escalera · pasarela || bomba · artefacto**

a dos carrillos loc.adv. *col.*

● CON VBOS. **comer** *En la fiesta los niños comían a dos carrillos* · **devorar · masticar**

adquirir v.

● CON SUSTS. **fama · notoriedad · popularidad · prestigio · credibilidad · reputación · respetabilidad · reconocimiento** *adquirir fama y reconocimiento mundial* · **respeto · renombre · consideración || deuda · compromiso · responsabilidad · obligación || costumbre · hábito** *Son hábitos que se van adquiriendo con los años* · **vicio || conocimiento · experiencia · conciencia · cultura · formación · preparación · información · sabiduría · idea · vocabulario** *...para adquirir más vocabulario y mejorar la pronunciación* · **bagaje · educación || capacidad · destreza · habilidad · competencia · soltura · versatilidad · seguridad · confianza · eficacia · elocuencia · talento · fluidez · práctica** *Para adquirir práctica, comenzó a trabajar en...* · **oficio || derecho · ciudadanía · nacionalidad · libertad · autonomía · independencia** *adquirir independencia y autonomía en el trabajo* · **legitimidad · inmunidad || importancia · relevancia · interés · peso · relieve · trascendencia · valor · gravedad · grandeza · protagonismo || control · dominio** *adquirir dominio en un idioma* · **autoridad || fuerza · poder · impulso · vigor · energía || sentido · significado · identidad · personalidad · entidad · voz || forma · espesor · masa · consistencia** *El argumento de la fiscal fue adquiriendo consistencia a medida que lo exponía* · **resistencia · volumen · corporeidad · cuerpo · intensidad · dureza · firmeza || sida · gripe ·** ***otras enfermedades*** **|| vivienda · coche · traje ·** ***otros bienes materiales***
● CON ADVS. **a crédito** *los requisitos necesarios para adquirir a crédito una vivienda* · **al contado · a plazos · a tocateja || a granel · al por mayor || a partes iguales · en exclusiva** *Las entradas para el espectáculo se adquieren en exclusiva a través de internet* **|| de golpe · progresivamente · sorpresivamente · gradualmente**

adquisición s.f.

● CON ADJS. **última** *El equipo quedó reforzado con la última adquisición, el jugador...* · **nueva · reciente · próxima || valiosa · preciada || difícil || a plazos · a crédito · al contado || progresiva** *la adquisición progresiva de ciertas habilidades*
● CON SUSTS. **proceso (de) || poder (de)** *un considerable aumento del poder de adquisición* · **derecho (de)**
● CON VBOS. **realizar · llevar a cabo · efectuar || gestionar · negociar · formalizar · concretar · culminar · cerrar || financiar · subvencionar · sufragar || favorecer · promover · facilitar || obstaculizar · dificultar · rechazar || anunciar** *El presidente del club anunció la adquisición de la famosa jugadora...*

adquisitivo, va adj.

● CON SUSTS. **poder** *Ha bajado el poder adquisitivo de la población en general* · **nivel · capacidad · recurso · medio || afán || valor**

adrenalina s.f.

● CON SUSTS. **descarga (de) · subidón (de)** *Dice que practica deportes de riesgo por el subidón de adrenalina que le producen* · **inyección (de) · exceso (de) || nivel (de) · cantidad (de) · dosis (de) || ampolla (de)**
● CON VBOS. **subir · fluir · circular || descargar** *El médico le recomendó que hiciera deporte para descargar adrenalina* · **liberar · quemar · soltar · derramar · derrochar · acumular || producir · segregar · inyectar**

aduana s.f.

● CON ADJS. **nacional · internacional**
● CON SUSTS. **agente (de)** *Dos agentes de aduanas nos registraron el equipaje* · **inspector,-a (de) · policía (de) · guardia (de) · empleado,da (de) · funcionario,ria (de) · personal (de) · agencia (de) · dirección general (de) || control (de) · servicio (de) || ley (de)** *Se acaba de aprobar una nueva ley de aduanas* · **derechos (de) · impuesto (de) · tasa (de) · arancel (de) · gasto (de)**
● CON VBOS. **pasar** *Detuvieron a un grupo de personas intentando pasar la aduana con sustancias ilegales* · **traspasar · cruzar · atravesar · franquear · abandonar || bloquear**

aduanero, ra adj.

● CON SUSTS. **tarifa · impuesto · arancel** *un tratado para reducir los aranceles aduaneros* · **tasa · gravamen · recaudación · traba || servicio · sistema · régimen · sector || trámite · tránsito || puesto** *pasar por un puesto aduanero* · **despacho || autoridad · administración · funcionario,ria · policía · agente · jefe,fa || barrera · control · vigilancia · seguridad || tratado** *firmar un tratado aduanero* · **acuerdo · unión · código || distrito · zona || negocio · delito · conflicto** *Buscan una solución a los conflictos aduaneros* · **fraude**

aducir v.

● CON SUSTS. **argumento · razón** *Adujeron razones absurdas que nadie entendió* · **prueba · motivo · pretexto** *Nadie creyó el pretexto que adujiste para justificar tu ausencia* · **excusa · causa || ejemplo · testimonio · texto ·**

dato || **problema** *El presidente adujo problemas personales para dimitir irrevocablemente* · **dificultad** · **necesidad** · **falta** · **riesgo** · **deficiencia** · **irregularidad**
● CON ADVS. **a favor** · **en contra** || **como justificación** · **como prueba** *El abogado adujo como prueba de su inocencia que esa noche...* || **convincentemente**

adulación s.f.

● CON ADJS. **excesiva** · **sistemática** · **continua** · **permanente** · **abrumadora** · **untuosa** || **falsa** · **hipócrita** · **velada** · **artificiosa** · **sutil** · **interesada** · **vil** || **vana** · **frívola** · **pura** · **fácil** || **mojigata** · **servil** · **lacaya** || **envuelto,ta (en)** || **propenso,sa (a)** *una persona propensa a la adulación servil*
● CON VBOS. **prodigar** · **recibir** || **detestar** *Si hay algo que detesto es la adulación* || **bordear** || **rayar (en)** *Creo que sus piropos rayan en la adulación* || **sucumbir (a)** · **caer (en)** || **acostumbrar(se) (a)** || **colmar (de)**

adulterar v.

● CON SUSTS. **vino** · **café** · **azúcar** · **leche** · **carne** · ***otros alimentos o bebidas*** || **gasolina** · **heroína** · ***otras sustancias*** || **producto** · **mercancía** · **ingrediente** · **elemento** · **mixtura** || **película** · **obra** · **novela** · **relato** · **canción** · ***otras creaciones*** || **competición** · **partido** · **liga** · **elección** · **comicios** · **plebiscito** · **juego** · **carrera** · **contienda** · **eliminatoria** || **debate** · **información** · **mensaje** · **contenido** *adulterar el contenido de un informe* · **palabra** · **lenguaje** · **idioma** · **habla** · **texto** · **término** · **manifestación** · **razonamiento** · **idea** || **acta** · **censo** · **documentación** · **documento** · **prueba** · **hoja** · **pasaporte** *Logró salir del país con un pasaporte adulterado* · **cédula** · **estadística** · **número** · **parte** · **fecha** · **billete** · **peso** · **planilla** · **boleta** || **esencia** · **espíritu** · **naturaleza** · **cualidad** · **color** · **figura** · **línea** · **sentido** · **función** · **uso** · **valor** · **visión** · **posición** || **voluntad** · **objetivo** · **aspiración** · **gusto** · **proyecto** · **apuesta** · **programa** · **mecanismo** · **camino** · **modelo** || **historia** *...datos incorrectos introducidos maliciosamente con la intención de adulterar la historia* · **pasado** · **realidad** *una realidad adulterada descrita en los periódicos sensacionalistas* · **regla** · **convivencia** · **justicia** · **pureza** · **libertad** || **acontecimiento** · **proceso** · **desarrollo** · **actuación**
● CON ADVS. **a conciencia** · **intencionadamente** · **maliciosamente** · **deliberadamente** · **premeditadamente** · **meditadamente** · **voluntariamente**

adulterio s.m.

● CON ADJS. **flagrante** *Ha sido descubierto en flagrante adulterio* · **claro** || **impune** · **indemne** || **premeditado** · **intencionado** · **deliberado**
● CON SUSTS. **delito (de)** · **querella (por)** || **sospecha (de)** || **prueba (de)**
● CON VBOS. **perpetrar** · **cometer** · **consumar** || **confesar** · **ocultar** || **comprobar** || **condenar** · **despenalizar** *En ese país acaban de despenalizar el adulterio* || **arrastrar (a)** · **incitar (a)** · **empujar (a)** · **inducir (a)** · **conducir (a)** || **caer (en)** · **vivir (en)** || **inculpar (de)** · **acusar (de)** · **exculpar (de)** || **sorprender (en)**
● CON PREPS. **en caso (de)**

adulto, ta

1 **adulto, ta** adj.
● CON SUSTS. **personaje** · **persona** · **espectador,-a** · **lector,-a** · ***otros individuos*** || **público** · **población** · **sociedad** · ***otros grupos humanos*** || **animal** · **especie** · **ejemplar** *Un ejemplar adulto de elefante* · **miembro** || **edad** · **vida** · **mundo** · **entorno** *Para alejarnos del entorno adulto mis padres nos enviaron a un campamento de verano* · **ambiente** || **comportamiento** · **reacción** · **respuesta** · **decisión** · **visión** · **madurez** || **estado**
● CON VBOS. **hacerse** || **considerar (a alguien)**

2 **adulto, ta** s.
● CON ADJS. **responsable** *Necesitamos un adulto responsable que se haga cargo de los menores* · **comprometido,da** || **inmaduro,ra** · **irresponsable** || **propia,pia (de)** *reacciones propias de un adulto*
● CON SUSTS. **grupo (de)** || **película (para)** *Esta es una película solo para adultos* · **espectáculo (para)** · **libro (para)** || **entrada (de)** || **mundo (de)** · **problema (de)** · **tema (de)** · **asunto (de)**
● CON VBOS. **convertir(se) (en)** · **transformar(se) (en)** || **vivir (entre)** *Siempre vivió entre adultos, por eso maduró tan pronto* · **crecer (entre)** · **rodear(se) (de)**

a duras penas loc.adv.

● CON VBOS. **lograr** *A duras penas logró su objetivo* · **conseguir** · **escapar** · **ganar** · **clasificarse** *Se clasificaron a duras penas* · **divisar** || **poder** · **ser capaz (de)** · **tratar (de)** · **procurar** · **intentar** || **llegar** · **sobrepasar** · **superar** · **alcanzar** · **empatar** · **igualar** · **abrirse paso** · **caminar** · **avanzar** · **rozar** · **bordear** · **salvar** · **vencer** · **derrotar** · **imponerse** · **sortear** || **contener** · **dominar** · **reprimir** · **controlar** *A duras penas podía controlar las lágrimas* · **domeñar** · **detener** · **retener** || **defender** · **mantener** · **resistir** · **resguardar** · **sostener(se)** · **aguantar** · **conservar** · **sobrellevar** · **soportar** · **guardar** · **preservar** · **sujetar(se)** || **disimular** · **encubrir** · **esconder** · **ocultar** · **recubrir** · **tapar** *Llevaba unas enormes gafas que a duras penas le tapaban sus tremendas ojeras* || **vivir** · **existir** · **subsistir** · **malvivir** · **sobrevivir** || **concluir** · **aprobar** · **terminar** · **resolver** · **cumplir** · **recuperar(se)** · **recomponer** · **rehacer** · **reponerse** · **sobreponerse**

advenimiento s.m.

● CON ADJS. **pronto** · **próximo** *Todo indicaba que el advenimiento de la democracia estaba muy próximo* · **inminente** · **reciente** · **tardío** || **imprevisto** · **esperado** · **ansiado** || **fatal**
● CON VBOS. **esperar** · **anhelar** · **aguardar** || **preparar** · **celebrar** *Celebraban el advenimiento de la república* || **predecir** · **presagiar** || **significar** · **suponer** · **comportar** · **implicar**

adversario, ria s.

● CON ADJS. **encarnizado,da** · **acérrimo,ma** *Los dos equipos de la ciudad son adversarios acérrimos* · **a muerte** · **mortal** · **feroz** · **enconado,da** · **irreconciliable** || **difícil** · **duro,ra** *Esta tarde nos toca enfrentarnos con un duro adversario* · **gran** · **correoso,sa** · **curtido,da** · **tenaz** || **asequible** · **fácil** || **imprevisible** || **principal** · **claro,ra** · **declarado,da** || **tradicional** · **histórico,ca** · **antiguo,gua** · **eterno,na** · **viejo,ja**
● CON VBOS. **vencer** · **derrotar** · **batir** · **doblegar** · **derribar** · **eliminar** · **exterminar** · **perder {ante/contra/con}** || **granjearse** || **recibir** || **enfrentar(se) (a)** *¿A qué adversario se enfrentarán en las semifinales?* · **luchar (contra)** · **arremeter (contra)** || **zafarse (de)** · **huir (de)**

adversidad s.f.

● CON ADJS. **amarga** · **cruda** · **profunda** · **insoportable** · **insalvable** · **extrema** · **terrible** · **cruel** · **angustiosa**
● CON VBOS. **abatirse (sobre algo/sobre alguien)** *La adversidad se abatió entonces sobre nuestra familia* · **sobre-**

venir || sufrir · padecer || afrontar *afrontar las adversidades con entereza* · encarar · sobrellevar · soportar · resistir || superar · vencer · remontar · sortear || hacer frente (a) · enfrentar(se) (a) · plantar cara (a) · luchar (contra) *...cansada ya de luchar contra la cruel adversidad* || hacer(se) fuerte (ante) · crecerse (ante) *crecerse ante las adversidades y los sinsabores de la vida* · sobreponerse (a) || hundir(se) (en) · desfallecer (ante)

• CON PREPS. **ante** *Ante la adversidad, lo mejor es no perder el ánimo ni la esperanza* · **a prueba (de)** || **pese (a)** || **contra**

adverso, sa adj.

• CON SUSTS. **efecto** · **consecuencia** · **resultado** *El resultado adverso obtenido en las elecciones supuso el final de...* · **marcador** || **situación** · **circunstancia** · **ambiente** · **clima** · **contexto** || **opinión** · **informe** · **crítica** *aceptar deportivamente las críticas adversas* · **posición** · **reacción** · **fallo** || **expectativa** · **perspectiva** · **pronóstico** || **condición** · **factor** || **fortuna** *Parece que la fortuna le es adversa* · **suerte** · **destino**

• CON VBOS. **volver(se)** · **hacer(se)** · **mantenerse**

advertencia s.f.

• CON ADJS. **severa** · **seria** · **tajante** *lanzar una tajante advertencia* · **categórica** · **enérgica** · **dura** · **taxativa** || **clara** · **inequívoca** || **tácita** · **implícita** || **útil** · **valiosa** · **provechosa** || **oportuna** · **providencial** · **tardía**

• CON SUSTS. **toque (de)** *recibir un toque de advertencia* · **señal (de)**

• CON VBOS. **surtir efecto** || **llegar a tiempo** || **caer en saco roto** *Se queja de que sus advertencias siempre caen en saco roto* · **caer en el vacío** || **desobedecer** · **desoír** · **desatender** · **ignorar** · **olvidar** || **atender** · **seguir** *Siguió al pie de la letra las advertencias y los consejos de...* · **escuchar** · **aceptar** || **hacer** · **lanzar** · **formular** · **emitir** · **expresar** · **reiterar** · **transmitir** · **enviar** · **difundir** · **pregonar** || **recibir** || **servir (de)** *Espero que te sirva de advertencia lo que te acabo de decir* || **hacer caso (de/a)**

[advertir] → advertir; advertir (de/sobre)

advertir v.

▌[percibir]

• CON ADVS. **a simple vista** · **claramente** · **con claridad** · **con nitidez** · **nítidamente** · **perfectamente** · **a la perfección** *Se advierte a la perfección el movimiento del flagelo de la bacteria* · **al detalle** · **a las mil maravillas** || **con dificultad** || **ligeramente** · **vagamente** || **a lo lejos** · **a tiempo**

advertir (de/sobre) v.

▌[avisar, hacer notar]

• CON SUSTS. **riesgo** *Los médicos advierten de los riesgos que conlleva tomar demasiado el sol* · **peligro** · **consecuencia** · **efecto** || **error** || **problema** · **gravedad** *¿No os advirtieron de la gravedad del asunto?* · **dificultad** · **seriedad** || **necesidad** · **existencia** · **presencia** || **posibilidad**

• CON ADVS. **con tiempo** · **a tiempo** *Menos mal que nos advirtieron a tiempo de la propagación del fuego* · **de antemano** · **con antelación** || **repetidamente** · **reiteradamente** · **machaconamente** || **seriamente** · **encarecidamente** *advertir encarecidamente de un peligro* || **amenazadoramente** || **verbalmente**

a empujones loc.adv.

• CON VBOS. **abrir(se) paso** *Lograron salir abriéndose paso a empujones* · **salir** · **entrar** · **avanzar** · **ir** · **mover(se)** · **venir** · **acelerar** · **andar** · **subir** · **bajar** · **alejar(se)** · **correr** · **llegar** · **abandonar** || **echar** · **sacar** · **apartar** · **expulsar** · **retirar** · **desalojar** · **despachar** · **separar** || **llevar** *Se lo llevaron a empujones hasta el coche* · **meter** · **obligar** · **esposar** · **introducir** · **levantar** · **desplazar** · **acorralar** || **empezar** · **arrancar** || **alcanzar** · **conseguir** · **resolver** · **cruzar** · **ganar**

☐ USO Se usa también la variante *a empujón limpio.*

aéreo, a adj.

• CON SUSTS. **espacio** *El espacio aéreo se encuentra cerrado con motivo del desfile* · **tráfico** · **actividad** || **líneas** · **compañía** · **empresa** || **estación** · **terminal** · **pista** || **vía** *Envié el paquete por vía aérea* · **transporte** · **carga** · **accidente** · **pasaje** || **puente** *consultar en internet los horarios del puente aéreo* || **fotografía** || **base** · **fuerza** · **ataque** · **batalla** · **bombardeo** · **defensa** || **poema** · **verso**

aerodinámico, ca adj.

• CON SUSTS. **resistencia** · **fuerza** · **presión** · **coeficiente** || **vuelo** · **ruido** || **problema** · **estudio** || **bicicleta** · **coche** · **vehículo** · **carrocería** · **traje** || **modelo** · **diseño** · **línea** *Este nuevo modelo de coche se caracteriza por sus líneas aerodinámicas* · **postura** · **aspecto** || **condición** · **capacidad** · **comportamiento** *El comportamiento aerodinámico del avión es perfecto* · **mejora** · **elemento**

aeroespacial adj.

• CON SUSTS. **industria** · **división** · **sección** · **sector** || **ingeniería** · **técnica** · **tecnología** || **estación** *poner en órbita una nueva estación aeroespacial* · **servicio** || **agencia** · **empresa** · **consorcio** · **sociedad** · **multinacional** || **proyecto** · **investigación**

aeronáutico, ca adj.

• CON SUSTS. **ingeniería** · **ingeniero,ra** · **técnico,ca** || **industria** · **sector** · **campo** || **compañía** · **empresa** · **grupo** · **consorcio** · **fabricante** · **constructor,-a** · **mercado** || **base** · **autoridad** · **seguridad**

aeronave s.f.

• CON ADJS. **civil** · **comercial** · **militar** · **de carga** · **de guerra** || **ligera** *Conoce muy bien la normativa sobre aeronaves ligeras* · **ruidosa** · **gran(de)** · **rápida** || **siniestrada** || **en vuelo**

• CON SUSTS. **comandante (de)** · **piloto (de)** || **movimiento (de)** · **tráfico (de)**

• CON VBOS. **volar** · **sobrevolar (algo)** *La aeronave sobrevolaba la zona cuando...* || **despegar** · **aterrizar** · **partir** || **accidentar(se)** · **estrellar(se)** · **caer** || **transportar** || **tripular** *un curso para aprender a tripular aeronaves comerciales* · **pilotar**

• CON PREPS. **a bordo (de)** · **en**

aerosol s.m.

• CON ADJS. **irritante** · **paralizante** · **excitante** || **nasal** *Utilizo un aerosol nasal para atenuar la congestión* · **bucal** || **industrial** · **eléctrico** · **insecticida** · **radiactivo**

• CON VBOS. **usar** · **emplear** || **producir** · **fabricar** || **inhalar** || **armar(se) (con)** || **rociar (con)** · **pintar (con)**

• CON PREPS. **en** *un desodorante en aerosol*

aerostático, ca adj.

•CON SUSTS. **globo** *viajar en un globo aerostático* · **aparato** · **ingeniería**

a escape loc.adv.

•CON VBOS. **salir** *Salieron a escape de allí* · **marcharse** · **huir** · **largarse** · **abandonar** · **llevar** · **traer**

a escote loc.adv./loc.adj.

•CON VBOS. **pagar** *Pagaremos la cena a escote* · **abonar** · **costear** · **sufragar** || **comprar** || **repartir**
•CON SUSTS. **pago** · **cantidad** · **reparto** *Lo más justo es hacer un reparto a escote*

a espuertas loc.adv.

•CON VBOS. **ganar** *ganar dinero a espuertas* · **tener** · **haber** · **entrar** · **llevar(se)** · **llegar** · **poseer** · **llover** · **disponer** || **gastar** · **correr** · **perder** · **repartir** · **dar** · **derrochar** *una novela de aventuras que derrocha imaginación a espuertas* · **consumir** · **invertir** · **ofrecer** · **regalar** · **vender** · **utilizar** || **fluir** · **salir** · **ir(se)** · **mover(se)** · **escapar(se)**

a estribor loc.adv.

•CON VBOS. **virar** · **escorar(se)** · **desviar(se)** || **estar** · **hallar(se)** || **ver** · **avistar** · **mirar**

afabilidad s.f.

•CON ADJS. **absoluta** · **total** · **gran(de)** || **espontánea** || **aparente** · **habitual** *Nos trató con su habitual afabilidad* · **característica** · **acostumbrada**
•CON VBOS. **mostrar** · **demostrar**
•CON PREPS. **con**

afable adj.

•CON SUSTS. ***persona*** || **carácter** · **talante** · **comportamiento** · **trato** || **aspecto** · **rostro** *Su rostro afable inspiraba confianza* · **gesto** · **tono** || **palabra** *Siempre tenía una palabra afable para todos* · **sonrisa**
•CON VBOS. **mostrarse** · **volver(se)** *Se ha vuelto más afable con los años*

afán

1 afán s.m.

•CON ADJS. **claro** · **manifiesto** · **marcado** || **vehemente** *Muestra un vehemente afán por formar parte de la organización* · **ferviente** · **desesperado** · **ciego** · **desaforado** || **enorme** · **desmedido** · **desmesurado** · **insaciable** || **obstinado** · **arraigado** · **decidido** || **irrefrenable** · **irreprimible** · **desenfrenado** · **incontenible** *Nada sacia su incontenible afán de aventura* || **inconfesable** || **loable** · **puro** · **especial** · **extraño** || **vano** || **acaparador** || **aleccionador** · **crítico**
•CON VBOS. **dar fruto** · **cundir** · **anidar (en alguien)** || **caer en el vacío** || **poner** · **dedicar** *Dedicó todo su afán a conseguir ese trabajo y luego...* · **destinar** || **saciar** · **satisfacer** · **colmar** *un merecido reconocimiento que colma los afanes de toda una vida* || **contagiar** || **perseverar (en)** · **persistir (en)** || **desistir (de)** *Después de muchos años, desistió de su afán* · **cejar (en)** || **dejarse llevar (por)**
•CON PREPS. **con** *trabajar con afán*

2 afán (de) s.m.

•CON SUSTS. **novedad** · **originalidad** · **experimentación** · **búsqueda** · **aventura** || **victoria** · **triunfo** · **protagonismo** *Es voluntarioso y perseverante, pero tiene demasiado afán de protagonismo* || **riqueza** · **lucro** · **poder** || **conocimiento** || **libertad** || **superación** *Muestra un enorme afán de superación* · **perfección** || **venganza** || **justicia** · **servicio** || **supervivencia**

afanarse v.

•CON ADVS. **inútilmente** · **en vano** *Después de tanto tiempo afanándose en vano, terminó dándose por vencido* · **infructuosamente** || **intensamente** · **frenéticamente** · **desesperadamente**

afanosamente adv.

•CON VBOS. **ocuparse (de algo)** *...años ocupándose afanosamente de atender a los ancianos* · **dedicarse (a algo)** · **aplicarse** · **esforzarse** · **trabajar** || **limpiar** · **ordenar** · **disponer** · **buscar**

a favor loc.adv./loc.adj.

•CON VBOS. **votar** *votar a favor de la propuesta de...* · **decantarse** · **inclinarse** · **romper una lanza** · **posicionarse** · **tomar partido** || **pronunciarse** · **manifestarse** · **mostrarse** · **declararse** · **expresarse** *El Gobierno se ha expresado a favor de la reforma* · **definirse** || **fallar** · **dictaminar** · **decidir** · **resolver** · **terciar** || **argumentar** *argumentar a favor de una teoría* · **aducir** · **argüir** · **alegar** · **abundar** || **hablar** · **escribir** · **gritar** || **intervenir** · **luchar** · **operar** · **trabajar** · **conspirar**
•CON SUSTS. **gol** *Llevan dos goles a favor* · **tanteo** · **marcador** · **falta** · **penalti** · **saque de esquina** || **voto** *con seis votos a favor y dos en contra* · **apuesta** · **votación** || **saldo** || **alegato** · **llamamiento** · **proclama** · **firma** *recoger firmas a favor de la construcción de otro hospital* · **comunicado** · **manifiesto** · **carta** · **consigna** · **propaganda** · **pintada** || **manifestación** · **declaración** *Se publicaron varias declaraciones a favor del proyecto* · **testimonio** · **palabra** · **grito** · **leyenda** || **argumento** · **argumentación** · **razón** · **motivo** · **punto** || **sentencia** · **fallo** · **resolución** · **decisión** · **dictamen** || **postura** · **posición** · **punto de vista** · **conciencia** · **estado de opinión** · **opinión** · **consideración** · **crítica** · **tendencia** || **lucha** · **esfuerzo** · **trabajo** · **campaña** *campañas a favor de la donación de órganos* · **actividad** · **activismo** · **intervención** · **gesto** · **acto** · **concentración** || **periodista** · **emisora** · **organización** · **asociación** *una asociación a favor de la igualdad de derechos* || **viento** *caminar con el viento a favor*

□USO Se construye con complemento (*a favor del Gobierno*) o sin él (*dos goles a favor*).

afección s.f.

•CON ADJS. **grave** · **seria** *Sufre una afección pulmonar seria causada por el tabaco* · **fuerte** · **crónica** || **leve** · **ligera** · **sin importancia** || **dolorosa** || **contagiosa** || **respiratoria** · **pulmonar** · **bronquial** · **cardíaca** *causar una afección cardíaca* · **estomacal** · **intestinal** · **renal** · **cutánea** · **nerviosa** · **gripal**
•CON SUSTS. **alcance (de)** *¿Nos pueden informar sobre el alcance de la afección que sufre?* · **grado (de)**
•CON VBOS. **agudizar(se)** · **acentuar(se)** · **agravar(se)** · **recrudecer(se)** || **curar(se)** · **aplacar(se)** · **remitir** · **mejorar** || **presentar(se)** · **manifestar(se)** || **provocar** · **causar** *El trabajo en la mina le había causado una grave afección bronquial* · **producir** || **vencer** · **superar** · **erradicar** · **afrontar** · **combatir** · **mitigar** · **aliviar** · **prevenir** · **atajar** || **contraer** · **adquirir** · **sufrir** · **padecer** || **detectar** · **diagnosticar** || **contagiar(se) (de)** || **luchar (contra)** · **restablecerse (de)** *Se restableció rápidamente de la afección de garganta* · **reponer(se) (de)** · **sobreponerse (a)** · **recobrarse (de)** · **librar(se) (de)**

afectación s.f.

• CON ADJS. **gran(de)** · **desmedida** *Hablaba con una afectación desmedida* · **excesiva** · **seria** · **grave** · **negativa** || **menor** · **leve** · **ligera** · **eventual** · **parcial** || **orgánica** · **neurológica** *En su familia padecen una extraña afectación neurológica* · **cerebral** · **hepática** · **medular** · **renal** · **ósea** || **climática** · **medioambiental**
• CON SUSTS. **grado (de)**
• CON VBOS. **padecer** · **sufrir** || **evitar** || **suponer**
• CON PREPS. **con** · **sin**

afectar v.

• CON ADVS. **considerablemente** · **significativamente** *Las medidas tomadas por el Gobierno afectaron significativamente a los trabajadores de la empresa* · **intensamente** · **poderosamente** · **fuertemente** · **profundamente** *A todos les afectó profundamente su fallecimiento* · **seriamente** · **sustancialmente** · **notablemente** · **sensiblemente** · **decisivamente** · **severamente** · **especialmente** || **levemente** · **ligeramente** || **visiblemente** · **ostensiblemente** · **claramente** || **directamente** *Si intervine fue porque el asunto que estaban tratando me afectaba directamente* · **personalmente** · **de pleno** · **de lleno** · **de cerca** || **indirectamente** · **tangencialmente** · **parcialmente** · **relativamente** · **temporalmente** *El tránsito por esta zona se verá temporalmente afectado por las obras* · **pasajeramente** · **inmediatamente** || **positivamente** · **favorablemente** || **negativamente** · **desfavorablemente** · **peligrosamente** · **gravemente** || **indefectiblemente** · **inevitablemente** || **proporcionalmente** || **psicológicamente** · **mentalmente** · **físicamente**

afectividad s.f.

• CON ADJS. **honda** · **profunda** · **sincera** · **enorme** || **incontenida** · **contenida** || **entrañable** || **falsa** || **lleno,na (de)** *una carta llena de afectividad y buenos deseos* · **cargado,da (de)**
• CON SUSTS. **relación (de)** · **lazos (de)** *Nos unen estrechos lazos de afectividad* · **falta (de)**
• CON VBOS. **nacer** · **formar(se)** · **surgir** · **crear(se)** || **desprender** · **exteriorizar** *Le cuesta mucho exteriorizar su afectividad* · **manifestar** · **expresar** || **necesitar** · **buscar** · **perder** · **añorar** || **llenar (de)**

afectivo, va adj.

• CON SUSTS. **relación** · **lazo** *Todavía mantengo profundos lazos afectivos con mi ciudad natal* · **vínculo** · **vinculación** || **vida** · **inteligencia** · **memoria** · **capacidad** · **educación** || **carencia** · **vacío** || **problema** · **trastorno** *El psicólogo le diagnosticó un trastorno afectivo leve*

afecto s.m.

• CON ADJS. **efusivo** · **cálido** · **caluroso** · **entrañable** · **sincero** *...como testimonio de nuestro afecto sincero y de nuestra admiración* || **profundo** · **hondo** · **enorme** · **tremendo** · **gran(de)** *Siento un gran afecto por ella* · **duradero** || **incondicional** · **desmedido** || **particular** · **especial** || **mutuo** · **recíproco** || **personal** · **maternal** || **lleno,na (de)** · **falto,ta (de)**
• CON SUSTS. **prueba (de)** · **muestra (de)** *Me emocionaron las muestras de afecto que recibí* · **demostración (de)** · **gesto (de)** · **señal (de)** · **expresión (de)** · **palabra (de)** || **falta (de)** · **carencia (de)** || **lazo (de)** · **vínculo (de)**
• CON VBOS. **surgir** · **crear(se)** · **anidar (en alguien)** || **sentir** · **profesar** · **guardar (a alguien)** · **tener (a alguien)** · **albergar** · **tomar (a alguien)** · **cobrar (a alguien)** · **coger (a alguien)** || **expresar** · **mostrar** · **manifestar** *Le cuesta bastante manifestar afecto por los demás* · **demostrar** · **testimoniar** · **exteriorizar** || **prodigar** · **dar** · **depositar** || **granjearse** *granjearse el afecto de todos* · **ganar** · **inspirar** · **conquistar** · **concitar** *Durante su estancia en la ciudad ha sabido concitar el afecto y el cariño de todos sus habitantes* || **recibir** || **necesitar** · **requerir** || **agradecer** || **gozar (de)** *Siempre ha gozado del afecto de toda la familia* · **disfrutar (de)** || **llenar (de)** · **colmar (de)** || **corresponder (a)** || **alimentar(se) (de)**
• CON PREPS. **con** *Son los años de mi vida que recuerdo con mayor afecto*

afectuosamente adv.

• CON VBOS. **recibir** *Cuando llegamos a su casa nos recibieron muy afectuosamente* · **tratar** · **mirar** || **besar** · **abrazar** || **llamar** · **apodar** *¿Sabes como le apodaban afectuosamente cuando éramos pequeños?* · **denominar** || **felicitar** · **saludar** · **despedir** · **responder** || **recordar**

afectuoso, sa adj.

• CON SUSTS. ***persona*** || **saludo** · **beso** · **abrazo** *En su carta se despedía con un abrazo afectuoso* · **palabra** · **dedicatoria** · **gesto** || **tono** *El tono afectuoso de su voz me tranquilizó* · **lenguaje** · **forma** · **carácter** || **recibimiento** · **despedida** · **homenaje** · **tratamiento** · **trato** · **respeto** · **recuerdo** || **relación** · **ambiente** · **entorno**
• CON ADVS. **enormemente** · **tremendamente** · **excesivamente** || **habitualmente** || **especialmente** *Su recibimiento fue especialmente afectuoso* · **particularmente**
• CON VBOS. **volver(se)**

afeminado, da adj.

• CON SUSTS. **voz** · **tono** · **gesto** *un hombre con gestos afeminados* · **modales** · **carácter** · **expresión** || **hombre** · **chico** · **joven**
• CON ADVS. **extremadamente** · **excesivamente** || **ligeramente** *Aquella voz ligeramente afeminada me confundió al principio* · **levemente** || **claramente** · **visiblemente** · **manifiestamente** || **habitualmente**

aferrarse (a) v.

• CON SUSTS. **poder** · **cargo** · **privilegio** · **puesto** || **silla** · **sillón** *Acusaban al presidente de aferrarse al sillón a cualquier precio* · **poltrona** || **información** · **dato** · **cifra** · **resultado** · **estrategia** || **idea** · **convicción** · **principio** · **creencia** · **opinión** || **idealismo** · **marxismo** · **romanticismo** · **catolicismo** · ***otras tendencias*** || **ley** · **letra** · **norma** · **fallo** · **sentencia** || **tradición** *una aldea rural aferrada a sus más antiguas tradiciones* · **costumbre** · **rutina** || **pasado** · **recuerdo** · **memoria** || **vida** · **presente** · **realidad** · **situación** · **actualidad** || **esperanza** · **ilusión** · **ideal** · **interés** · **posibilidad** · **hipótesis** · **destino** || **trabajo** · **dinero** *un individuo materialista aferrado obsesivamente al trabajo y al dinero* · **hogar** · **amor** · **dios** || **familia** *Siempre ha vivido muy aferrada a su familia* · **líder** · **jefe,fa** · ***otros individuos y grupos humanos***
• CON ADVS. **con fuerza** · **con uñas y dientes** · **firmemente** · **tenazmente** · **con firmeza** · **rígidamente** · **sólidamente** || **desesperadamente** · **angustiosamente** · **enloquecidamente** · **obsesivamente** · **obstinadamente** · **instintivamente** || **ávidamente** · **con ansia** || **como último recurso** · **sin contemplaciones**

afianzar(se) v.

• CON SUSTS. **edificación** · **torre** *Afianzaron la torre con unas vigas de hiero* · **muro** · **casa** · **ventana** · **puerta** || **creencia** · **convicción** · **principio** · **opinión** · **punto de vista** || **palabras** · **expresión** · **discurso** || **posición** · **puesto** · **cargo** · **presencia** · **situación** · **carrera** · **trabajo** ·

clasificación *Con el último resultado, afianza su clasificación en el torneo* || **poder** · **liderato** · **liderazgo** · **popularidad** · **supremacía** · **autoridad** · **soberanía** · **título** · **prestigio** · **control** · **dominio** · **hegemonía** || **voluntad** · **pretensión** · **aspiración** *Con estos cinco puntos de diferencia se afianzan sus aspiraciones al título de campeón de liga* · **expectativa** · **plan** · **esperanza** · **candidatura** || **carácter** · **personalidad** · **vocación** · **capacidad** || **relación** · **lazo** · **vínculo** · **amistad** · **matrimonio** · **unión** || **mercado** · **economía** · **democracia** · **sistema** · **empresa** *una empresa sólida y competitiva que se afianza entre las más punteras del sector* · **gobierno** · **programa** · **política** · **institución** || **proceso** · **cambio** · **transformación** || **estabilidad** · **paz** · **fe** · **libertad** · **justicia** *Es necesario afianzar la justicia en una sociedad que ha soportado un largo régimen autoritario* · **justeza** · **solidaridad** || **estilo** · **temática** · **corriente** · **arte** · **obra** || **hipótesis** · **idea** · **tesis** · **concepto** · **posibilidad** · **suposición** *una suposición que parecía disparatada, pero que se afianza con el descubrimiento de...* || **costumbre** · **tradición** · **identidad** · **cultura** · **raíz**

● CON ADVS. **con seguridad** · **firmemente** · **sólidamente** || **definitivamente** · **del todo** · **completamente** · **totalmente** || **poco a poco** · **progresivamente** · **rápidamente** *Su personalidad se afianzaba rápidamente* · **gradualmente** · **paulatinamente** || **notablemente** · **tímidamente** || **nítidamente** · **claramente**

afición s.f.

● CON ADJS. **clara** · **creciente** || **incipiente** · **naciente** || **extraordinaria** · **enorme** || **desmesurada** · **desmedida** *una desmedida afición por el fútbol* · **desaforada** · **compulsiva** || **entusiasta** *Muestra una afición entusiasta por todo lo relacionado con el arte* · **predilecta** || **inconfesable** || **vieja** · **arraigada** · **inveterada**

● CON VBOS. **venir(le) (a alguien)** *La afición a las carreras de caballos le venía de niño* · **entrar(le) (a alguien)** · **prender (en alguien)** · **arraigar (en alguien)** || **surgir** · **crecer** · **decrecer** || **coger (a algo)** · **tomar (a algo)** · **adquirir** · **heredar** *Heredó de su madre la afición por el teatro* || **tener** · **sentir** · **desarrollar** · **ejercitar** · **cultivar** · **practicar** || **mantener** · **perder** · **abandonar** || **confesar** *Nunca confesó su afición a los juegos de apuestas* || **apegarse (a)**

☐ USO Se construye frecuentemente con complementos encabezados por la preposición *a*: *fomentar la afición a la lectura.*

aficionado, da s.

● CON ADJS. **ferviente** · **incondicional** *Se declara aficionado incondicional de este tipo de música* · **ciego,ga** · **empedernido,da** · **insaciable** · **impenitente** · **verdadero,ra** · **declarado,da**

aficionar(se) (a) v.

● CON SUSTS. **lectura** *Me aficioné a la lectura cuando era adolescente* · **libro** · **viajes** · **paseos** || **balón** · **juego** · **fútbol** · ***otros deportes*** || **arquitectura** · **pintura** · **literatura** · **teatro** · **cine** · **música** · ***otras disciplinas artísticas*** || **café** · **vino** · **cerveza** · ***otras bebidas*** || **tabaco** · **droga** || **ensalada** · **croquetas** · **sopa** · ***otros alimentos o comidas***

afilado, da adj.

● CON SUSTS. **arma** · **instrumento** · **navaja** · **cuchillo** · **hacha** · **espada** · **abrecartas** · **espuela** · **lápiz** || **borde** · **punta** · **arista** · **canto** · **extremo** || **cuerno** · **pico** · **uña** · **garra** · **colmillo** *los afilados colmillos del perro* || **nariz** · **dedo** · **cara** · **pómulos** · **silueta** · **perfil** || **lenguaje** · **verbo** · **lengua** *tener una lengua demasiado afilada* · **escritura** · **pluma** · **palabra** · **frase** · **comentario** || **obra** · **poesía** · **prosa** *una prosa incisiva, afilada y sarcástica* · **ensayo** · **comedia** || **crítica** · **denuncia** · **invectiva** *las afiladas invectivas que lanza desde su columna periodística* · **diatriba** · **acusación** || **ironía** · **burla** *una burla ingeniosa, afilada y mordaz* · **sarcasmo** · **sátira** · **humor** || **ingenio** · **sensibilidad** · **percepción** · **dotes de observación** · **sentido** || **argumento** · **tema** · **idea** || **odio** · **inquina** · **agresividad** · **maldad** · **orgullo**

● CON VBOS. **ser** · **estar**

afilar v.

● CON SUSTS. **cuchillo** · **arma** · **navaja** · **lápiz** · **pluma** · **bisturí** · **herramienta** || **cuchilla** · **punta** · **hoja** || **uñas** *El gato afilaba sus uñas contra el árbol* · **colmillos** · **dientes** || **lengua** · **ingenio**

afiliarse (a) v.

● CON SUSTS. **partido** · **sindicato** || **entidad** · **organismo** · **asociación** · **federación** *El equipo está afiliado a la federación nacional* || **régimen** · **sistema**

● CON ADVS. **voluntariamente** · **libremente** · **ilusionadamente** || **forzosamente** · **obligatoriamente** || **en masa** *Los vecinos del barrio se afiliaron en masa a la nueva asociación* || **temporalmente** · **ocasionalmente** || **tempranamente** · **tardíamente**

afinar v.

● CON SUSTS. **guitarra** · **piano** · ***otros instrumentos*** || **puntería** *afinar la puntería y dar en el blanco* · **mira** · **golpe** · **lanzamiento** || **sensibilidad** · **atención** · **sentido** · **oído** *Hay que afinar el oído para entender su inglés, porque habla muy rápido* · **olfato** · **vista** · **mirada** || **diagnóstico** · **competencia** · **conocimiento** · **inteligencia** · **ingenio** · **ironía** *un gran sentido del humor y una afinada ironía* · **argumento** · **cálculo** || **estrategia** · **programa** · **propuesta** · **técnica** · **criterio** · **iniciativa** · **proyecto** · **táctica** · **fórmula**

afincar(se) (en) v.

● CON SUSTS. **ciudad** *Había afincado el negocio en su ciudad natal* · **país** · **comarca** · **región** · **territorio** · ***otros lugares***

● CON ADVS. **temporalmente** · **indefinidamente** · **definitivamente** *Después de tanto viajar, se afincaron definitivamente en una pequeña aldea de...* · **provisionalmente** · **eventualmente** · **transitoriamente**

afinidad s.f.

● CON ADJS. **profunda** *Existe una profunda afinidad entre ellos* · **elevada** · **acusada** · **intensa** · **rotunda** · **gran(de)** || **clara** · **marcada** · **evidente** · **notoria** || **especial** *Con el tiempo llegó a darse una especial afinidad entre nosotros* · **estrecha** · **cercana** || **cierta** · **leve** · **vaga** · **escasa** · **remota** · **ligera** || **personal** · **política** · **ideológica** *No existe afinidad ideológica entre ambos partidos* · **intelectual** · **cultural** · **estética**

● CON SUSTS. **grado (de)** || **falta (de)** *una evidente falta de afinidad personal*

● CON VBOS. **existir** · **darse** · **surgir** || **apreciar(se)** || **sentir** · **tener** · **guardar** *Ninguno de los hermanos guarda afinidad con los otros* · **mostrar** · **presentar (con algo)** · **revelar** || **buscar** · **encontrar** · **identificar** · **establecer** || **afianzar** · **subrayar**

afirmación s.f.

● CON ADJS. **clara · rotunda · contundente · tajante** *Nos dejó sorprendidos con su tajante afirmación de que...* · **categórica · taxativa · concluyente · lapidaria · irrebatible · incontrovertible · sólida · sin reservas · precisa · detallada · inequívoca || rebatible · discutible · disparatada · desencaminada · descabellada** *una afirmación descabellada y sin sentido* · **absurda · sin pies ni cabeza · sin sentido · equivocada · sin fundamento · infundada · sin lógica · gratuita · ociosa · incomprensible || encaminada · certera · acertada || ingenua · malintencionada · cargada de intención || sabia · prudente** *Sus afirmaciones siempre son prudentes y meditadas* · **cautelosa · sensata · meditada · coherente || precipitada · a la ligera** *No hagas afirmaciones a la ligera de las que luego te puedas arrepentir* · **de pasada · prematura · aventurada · improvisada || fundamentada || fuera de {contexto/tono/lugar}** *La afirmación estaba totalmente fuera de contexto* · **inoportuna · oportuna || polémica · incendiaria · controvertida · arriesgada** *Me pareció una afirmación demasiado arriesgada* **|| curiosa · sorprendente · reveladora || terrible · iracunda · provocadora || libre · espontánea**
● CON VBOS. **extender(se) · circular || hacer(se) realidad || venir a cuento (de algo) || hacer · lanzar · soltar · proferir · formular** *Formuló unas afirmaciones muy controvertidas sobre la situación política del país* · **verter · expresar · manifestar · introducir · insertar · publicar · compartir || reiterar · recalcar · recordar · remachar || negar · rechazar** *Los asistentes rechazaron de pleno las afirmaciones del candidato* · **refutar · objetar · contradecir · rebatir · desmentir · desacreditar || confirmar · probar · corroborar · refrendar · avalar · fundamentar · sustentar · respaldar · apuntalar · aceptar || razonar · justificar || matizar** *Debido a las críticas recibidas, la periodista tuvo que matizar sus afirmaciones* · **aderezar (con algo) · apostillar · puntualizar · comentar · explicar · aclarar || contextualizar · descontextualizar · sacar de contexto || constituir || llevar a la práctica || estar de acuerdo (con)** *¿Estás de acuerdo con sus afirmaciones?* · **disentir (de) || retractarse (de) · desdecirse (de) || salir al paso (de) || concluir (con)**
● CON PREPS. **al hilo (de)**

afirmar v.

● CON ADVS. **sin ambages · lisa y llanamente** *...quien afirmó, lisa y llanamente, que todas aquellas declaraciones no eran sino...* · **sin rodeos · expresamente · abiertamente · libremente · sin tapujos · sin paliativos · sin reservas · sin contemplaciones · descaradamente || a los cuatro vientos · a bombo y platillo || sin pestañear · rotundamente** *La candidata afirmó rotundamente que ganaría las elecciones* · **con rotundidad · categóricamente · enérgicamente · concluyentemente · contundentemente · enfáticamente** *En la rueda de prensa, la ministra afirmó enfáticamente que la finalidad de las nuevas medidas era...* · **tajantemente · taxativamente · dogmáticamente · sin ningún género de dudas || con cautela · con reservas || fehacientemente · con certeza · a ciencia cierta · coherentemente || falsamente · equivocadamente · sin fundamento · sin ton ni son · precipitadamente** *Me arrepentí de haber afirmado tan precipitadamente que...* **|| de un tirón || repetidamente · reiteradamente · por activa y por pasiva || al unísono · a coro || literalmente · textualmente || pomposamente · acaloradamente**

afirmativamente adv.

● CON VBOS. **contestar · responder** *responder afirmativamente a una pregunta* · **pronunciarse · asentir · expresarse || votar · opinar || mover la cabeza** *No podía hablar, pero movía la cabeza afirmativamente* · **menear la cabeza · cabecear · inclinar la cabeza**

afirmativo, va adj.

● CON SUSTS. **oración** *una oración afirmativa y otra interrogativa* · **proposición · partícula || pronunciamiento · manifestación · declaración · testimonio · exposición ·** ***otras manifestaciones verbales*** **|| respuesta** *La sociedad entera dio una respuesta afirmativa en el referéndum sobre...* · **contestación || acto · acción · hecho · actuación || opinión · posición · postura · parecer · criterio || voto · resultado · votación · plebiscito || movimiento · cabeceo · cabezada · gesto** *Asintió con un ligero gesto afirmativo de la cabeza* · **señal · signo · sonrisa || actitud · ánimo · carácter · talante · voluntad**

aflicción s.f.

● CON ADJS. **gran(de) · profunda** *Sintió una profunda aflicción* · **honda || sincera · sentida · visible**
● CON VBOS. **extender(se) || embargar (a alguien)** *la aflicción que embarga toda nuestra comunidad* **|| causar · provocar · producir || sentir · padecer || aliviar** *Hablar contigo alivió un poco su aflicción*

afligir (a alguien) v.

● CON SUSTS. **pena** *Cuando la pena te aflija...* · **tristeza || desgracia · problema · crisis · males · drama || desigualdad · injusticia · pobreza · miseria · barbarie || muerte** *Aquella muerte los afligió enormemente*

aflojar v.

▌[disminuir la presión]

● CON SUSTS. **hilo · nudo** *aflojar un nudo demasiado apretado* · **músculo · lazo · atadura · rienda · tuerca || cinturón · pañuelo · chaleco**

▌[hacer más suave o débil]

● CON SUSTS. **calor** *Anuncian que el fin de semana aflojará el calor* · **tormenta · temporal · viento ·** ***otros fenómenos meteorológicos*** **|| presión · tensión || fuerza · ímpetu · entusiasmo · intensidad** *Empiezan los encuentros con fuerza, pero van aflojando la intensidad hasta...* **|| ritmo** *Si no aflojáis el ritmo, no podremos seguiros* · **marcha · paso · pulso || vigilancia · control · exigencia · disciplina · rigidez · rigor** *Con el paso de los meses, aflojaron algo el rigor y la disciplina de las primeras semanas* **|| bloqueo · cerco · asedio || unidad · alianza · vínculo**

▌[dar, soltar] *col.*

● CON SUSTS. **dinero** *Vuelve loco a su padre hasta que logra que le afloje el dinero* · **billetera · bolsillo · mano**

aflorar v.

● CON SUSTS. **sangre · agua · lágrima** *Las lágrimas afloraron a sus ojos* · **petróleo · fango · sustancia || sentimiento · sentir · emoción · sensación || ansia · pasión · deseo** *¿Es verdad que en los sueños afloran los deseos más ocultos?* · **anhelo · odio · inquina · rencor · ira · enojo · agresividad || duda · sospecha · reserva · recelo · miedo · temor · preocupación · inquietud · nervios · nerviosismo** *...hasta que afloró el nerviosismo contenido durante tantas horas* · **tristeza · insatisfacción · descontento || recuerdo · vivencia · experiencia** *intensas experiencias que afloran a la conciencia atraídas por...* · **tra-**

dición || resultado · causa · raíz · consecuencia · resto · residuo · huella · rastro · señal || tensión · fricción · diferencia · división · discrepancia · conflicto · disputa · enfrentamiento · crítica || problema · dificultad *Con el tiempo empezaron a aflorar las dificultades* · **irregularidad · defecto · escándalo · crisis · contradicción || dinero · déficit · plusvalía · pérdida · deuda · activo · beneficio · ganancia || subconsciente · personalidad · talento · cualidad · valor · prejuicio · sensibilidad · creatividad · carácter · actitud · temperamento · talante · instinto · impulso || profesión · artista · oficio || dato · información** *...cuando empezó a aflorar la información guardada celosamente durante años* · **comentario · idea · palabra · pregunta · rumor** *La situación era apropiada para que afloraran los rumores* · **cifra · historia || verdad · contenido · significado · interpretación**

● CON ADVS. **espontáneamente** *...un recuerdo que afloró espontáneamente al encontrar aquella fotografía* · **sorpresivamente · repentinamente · inesperadamente || anárquicamente · confusamente · nítidamente || con fuerza · vigorosamente · enérgicamente · bruscamente || inmediatamente · rápidamente**

□ USO Se construye muy frecuentemente con complementos encabezados por la preposición *a*: *aflorar algo a la superficie.*

a flor de piel loc.adv./loc.adj.

● CON VBOS. **sentir · percibir · notar**

● CON SUSTS. **nervios** *¿Qué te pasa hoy que tienes los nervios a flor de piel?* · **tensión · nerviosismo · ansiedad || sensibilidad · sentido · sensación · susceptibilidad · hipersensibilidad || emoción · sentimiento · ánimo · emotividad || odio · indignación · agresividad · irritación || deseo · pasión · erotismo · sexualidad · sensualidad || sonrisa · llanto · lágrimas || miedo · temor · alegría · dolor || lirismo · teatralidad · talento**

a flote loc.adv.

● CON VBOS. **salir · sacar** *sacar a flote el pesquero hundido* · **poner || mantener(se)** *La empresa consiguió mantenerse a flote pese a...* · **seguir · sostener**

afluencia

1 afluencia s.f.

● CON ADJS. **máxima** *Hoy ha sido el día de máxima afluencia de turistas* · **torrencial · arrolladora · multitudinaria · masiva · incontenible · impetuosa · intensa · copiosa · enorme · destacada · crecida · notable · gran(de) · importante || escasa · baja · discreta · moderada || progresiva · creciente || constante · incesante · permanente || previsible**

● CON SUSTS. **falta (de)** *muy preocupados por la falta de afluencia de veraneantes* **|| zona (de)**

● CON VBOS. **crecer · aumentar || decrecer · disminuir || registrar** *Este año se está registrando una mayor afluencia de visitantes que el año pasado* · **experimentar(se) || prever · esperar || recibir · albergar · afrontar || provocar · incentivar · concitar · estimular** *una campaña para estimular la afluencia a las urnas* **|| reducir · evitar**

2 afluencia (de) s.f.

● CON SUSTS **público** *El festival se inauguró ante una moderada afluencia de público* · **espectadores · visitantes · turistas · votantes · personas · gente · clientes · compradores · inmigrantes · extranjeros ·** ***otros individuos y grupos humanos*** **|| coches · autocares ·** ***otros vehículos*** **|| dinero · capital** *...importantes beneficios obtenidos gracias a la afluencia de capital extranjero* · **divisas || aire** *La próxima semana se espera una afluencia de aire húmedo proveniente de...* · **calor · lluvia**

afluente s.m.

● CON ADJS. **principal · natural** *uno de los afluentes naturales del río Amazonas*

● CON SUSTS. **agua (de) · caudal (de) · nivel (de) · crecida (de) || margen (de) · orilla (de) · lecho (de) · inmediaciones (de)**

● CON VBOS. **nacer (en un lugar) · pasar (por un lugar) || desbordar(se)**

a fondo loc.adv./loc.adj.

● CON VBOS. **analizar** *un informe que analiza a fondo la situación* · **tratar · estudiar · investigar · conocer · dominar** *una materia que llevará años dominar a fondo* **|| controlar · influir || eliminar · destruir · enterrar · romper || distinguir · diferenciar · mezclar || liberalizar · abrir · esclarecer · mostrar** *agudas páginas en las que muestra a fondo los entresijos de una sociedad fuertemente estamental* **|| discutir · debatir · explicar · conversar** *Hemos intercambiado algunas palabras pero hace tiempo que no conversamos a fondo* · **exponer · comentar · contar · informar || trabajar · emplearse · preparar(se) · comprometerse · aplicarse · implicarse · entrenar · encarar · acometer || ir · entrar · meter(se)** *meterse a fondo en un asunto* · **llegar · lanzarse · avanzar || atacar · criticar · combatir · arremeter || cambiar · transformar · reformar · reestructurar · reorganizar · restaurar ·** ***otros verbos de cambio de estado*** **|| limpiar · lavar · fregar · barrer**

● CON SUSTS. **discusión** *una discusión a fondo sobre las posibles estrategias* · **debate · lucha · diálogo · ataque · combate || reforma · reorganización · replanteamiento · transformación · reestructuración** *La empresa emprende una reestructuración a fondo del sistema de atención al cliente* · **reparación || limpieza · arreglo**

a fondo perdido loc.adv./loc.adj.

● CON VBOS. **financiar · invertir · subvencionar** *El Ayuntamiento subvencionará a fondo perdido un alto porcentaje de...* · **aportar · cofinanciar**

● CON SUSTS. ***cantidad económica*** *De los tres millones prestados, dos son a fondo perdido* **|| subvención · ayuda · aportación · donativo || inversión · financiación · préstamo · crédito · cheque**

aforo

1 aforo s.m.

● CON ADJS. **máximo** *El aforo máximo de este teatro es de...* · **total · mayor · gran(de) || limitado · reducido · escaso || completo · cubierto · abarrotado || libre · disponible || permitido** *El aforo permitido en este local no supera los...* · **previsto**

● CON SUSTS. **exceso (de) · falta (de)**

● CON VBOS. **sobrepasar · superar · cubrir** *Los miles de seguidores del equipo cubrieron rápidamente el aforo del estadio* · **completar · llenar || ampliar · aumentar · incrementar · multiplicar · duplicar · triplicar · reducir · limitar || tener** *¿Sabes qué aforo tiene este pabellón?* **|| controlar || contar (con)**

2 aforo (de) s.m.

● CON SUSTS. **estadio · teatro · coliseo · cine · auditorio · salón · pabellón · sala · recinto ·** ***otros espacios cerrados***

afortunado, da adj.

● CON SUSTS. **acontecimiento** *Este ha sido el acontecimiento más afortunado de toda su vida* · **hecho** · **suceso** · **coincidencia** || **idea** · **elección** · **decisión** || **ejemplo** *un ejemplo muy poco afortunado* || **remate** · **golpe** || ***persona*** *Siempre fui un hombre afortunado* || **existencia** · **vida**

● CON ADVS. **extremadamente** *Cuando nació mi hijo, me sentí extremadamente afortunado* · **profundamente** · **absolutamente** · **especialmente** · **enormemente** || **escasamente**

afrenta

1 **afrenta** s.f.

● CON ADJS. **ignominiosa** · **grave** · **terrible** *soportar terribles afrentas* · **tremenda** · **imperdonable** · **intolerable** · **irreparable** || **dolorosa** || **semejante** *No tengo por qué tolerar semejante afrenta* · **verdadera** · **clara** · **directa** · **deliberada** || **personal**

● CON VBOS. **considerar** · **constituir** *Estos hechos constituyen una afrenta a su honor* · **suponer** · **representar** || **recibir** · **infligir** · **sufrir** · **soportar** · **aguantar** || **vengar** · **devolver** || **perdonar** · **pasar por alto** · **lavar** *lavar en un duelo las afrentas recibidas* || **tratar (de)** · **calificar (de)** || **responder (a)**

2 **afrenta (a)** s.f.

● CON SUSTS. **honor** · **honra** · **dignidad** · **memoria** || **ciudadanía** || **derecho** *una afrenta a los derechos de los trabajadores* · **libertad** · **seguridad** · **paz**

afrontar v.

● CON SUSTS. **problema** *...problemas que no se sentía capaz de afrontar* · **crisis** · **conflicto** · **riesgo** · **peligro** · **inconveniente** · **obstáculo** · **escollo** || **reto** · **desafío** · **compromiso** · **prueba** || **campeonato** · **reforma** · **conferencia** · **partido** · **reunión** · **cambio** · **evento** || **tarea** · **trabajo** · **labor** · **encargo** · **obligación** || **año** · **temporada** *Afrontamos la nueva temporada con mucho entusiasmo* · **semestre** · **jornada** · **día** · **vida** · **momento** · **etapa** · ***otros períodos*** || **futuro** *afrontar el futuro con optimismo* · **destino** · **porvenir** || **enfermedad** · **desgracia** · **mal** · **muerte** || **juicio** · **proceso** *La empresa está lista para afrontar el proceso de reestructuración* · **acusación** · **sanción** · **expulsión** || **gasto** *Me resulta imposible afrontar un gasto tan grande* · **costo** · **pago** · **déficit** · **deuda**

● CON ADVS. **abiertamente** · **a pecho descubierto** · **cara a cara** · **con franqueza** · **sin tapujos** · **sin titubear** || **animosamente** · **con ánimo** · **con cautela** *Debemos afrontar con cautela esta nueva situación* · **con decisión** · **con entusiasmo** · **con firmeza** · **decididamente** · **ilusionadamente** || **heroicamente** · **valientemente** *Afrontó valientemente la enfermedad y logró salir adelante* · **con entereza** || **tímidamente** · **sin energía** · **tibiamente** · **de como timorato** || **diplomáticamente** · **hábilmente** · **con mano izquierda** || **unilateralmente**

a fuego lento loc.adv.

● CON VBOS. **sofreír** · **rehogar** *rehogar la verdura a fuego lento* · **freír** · **saltear** · **pochar** · **tostar** · **hervir** · **cocer** · **guisar** · **asar** *asar un pollo a fuego lento* · **cocinar** · **preparar** · **calentar**

a fuerza (de) loc.prep.

● CON SUSTS. **golpes** · **bombas** · **palos** · **agresiones** || **quejas** · **gritos** · **bocinazos** · **cartas** · **peticiones** · **ruegos** · **presión** || **regalos** · **besos** · **bombones** · **mimos** || **tiempo** · **horas** *un aumento salarial conseguido a fuerza de muchas horas de negociación* · **años** · **siglos** · ***otros períodos*** || **decepciones** · **desengaños** · **disgustos** · **sinsabores** || **trabajo** *Logró llegar a donde está a fuerza de trabajo y perseverancia* · **estudio** || **tesón** · **voluntad** · **coraje** · **sacrificio** · **tenacidad** · **insistencia** · **constancia** · **esfuerzo** · **fatiga** || **talento** · **habilidad** · **maestría** · **imaginación** · **simpatía** · **sensibilidad**

● CON VBOS. **repetir** · **perseverar** · **insistir** *A fuerza de insistir, logramos que la directora nos recibiera* · **dar la lata**

□ USO Se construye con infinitivos (*a fuerza de trabajar*), con sustantivos no contables en singular (*a fuerza de sacrificio*) o con contables en plural (*a fuerza de golpes*).

agallas s.f.pl.

● CON ADJS. **suficientes** · **sobradas** *Demostró tener sobradas agallas para soltarle cuatro frescas* · **necesarias**

● CON VBOS. **tener** *Todo el mundo pensó que no tendría agallas, pero...* · **demostrar** · **echar**

agarrotamiento s.m.

● CON ADJS. **muscular** *Sufrió un agarrotamiento muscular debido a una mala postura* || **progresivo**

● CON SUSTS. **causa (de)** || **sensación (de)** || **consecuencia (de)** · **efecto (de)**

● CON VBOS. **provocar (a alguien)** || **manifestar** · **presentar** · **mostrar** || **tener** · **sufrir**

agarrotar(se) v.

● CON SUSTS. **pierna** · **dedo** · **mano** · **músculo** *músculos agarrotados por la tensión* || **jugador,-a** · **delantero,ra** · **equipo** || **idea** · **ideología** · **doctrina** *Con el paso del tiempo, algunas doctrinas se agarrotan, se anquilosan y se convierten en dogmas inamovibles* · **creencia** || **toreo** · **fútbol** · **pintura** · **cine** · **motociclismo** · ***otras actividades artísticas o deportivas*** || **gobierno** · **ejecutivo** · **institución** · **nación** · **empresa**

agasajar v.

● CON SUSTS. **invitado,da** *El anfitrión agasajó generosamente a sus invitados* · **huésped** · **campeón,-a** · **ganador,-a** · **público** · **cliente** · **aficionado,da** · **presidente,ta** · **colaborador,-a** · **ídolo** · ***otros individuos y grupos humanos***

● CON ADVS. **debidamente** · **adecuadamente** · **generosamente**

agasajo s.m.

● CON ADJS. **gran(de)** *Nos recibieron con grandes agasajos* · **enorme** || **gentil**

● CON VBOS. **prodigar** · **dispensar** · **brindar** · **ofrecer** · **organizar** || **recibir** || **tratar (con)** *Deberíamos tratarla con especial agasajo porque se lo merece* · **recibir (con)** · **obsequiar (con)** · **colmar (de)** · **rodear (de)** || **asistir (a)**

● CON PREPS. **a modo (de)** *Le echó un piropo a modo de agasajo, pero ella no lo interpretó bien* · **con**

agazapado, da adj.

● CON SUSTS. ***animal*** *El tigre acecha a su presa inmóvil y agazapado* || ***persona*** *unos ladrones agazapados tras los arbustos*

● CON VBOS. **esperar** · **aguardar** · **permanecer** · **estar** · **encontrarse** · **quedarse** · **mantenerse** · **vivir**

agencia s.f.

● CON ADJS. **célebre** · **prestigiosa** *una prestigiosa agencia de publicidad* · **famosa** || **libre** · **independiente** · **privada** || **oficial** · **gubernamental** · **pública** · **federal** || **nacional**

· **internacional** *una agencia internacional de cooperación* · **extranjera** || **publicitaria** · **informativa** · **espacial** · **antidroga** · **inmobiliaria** · **matrimonial** · **bancaria** || **turística** · **de viajes**
● CON VBOS. **abrir** · **montar** · **crear** || **trabajar (en)** *trabajar en una agencia de viajes* · **pertenecer (a)**

agenciarse v. col.

● CON SUSTS. **puesto** *Además de adulador y ambicioso es un gran trepador, así que no le costará agenciarse el puesto* · **plaza** · **sitio** · **cargo** || **fondos** · **dinero** · **propiedad** · **bienes** · **compañía** || **triunfo** · **título** · **victoria** · **galardón**
● CON ADVS. **ilegalmente** *Lo acusan de agenciarse ilegalmente los fondos destinados al proyecto*

agenda s.f.

● CON ADJS. **ajetreada** *A ver si el concejal nos puede hacer un hueco en su ajetreada agenda* · **agotadora** · **frenética** · **intensa** · **apretada** · **recargada** || **nutrida** · **llena** · **repleta** *una agenda repleta de compromisos ineludibles* · **completa** || **vacía** || **secreta** || **política** · **electoral** · **internacional** · **social** · **cultural** *el acontecimiento más importante en la agenda cultural del año* · **económica** · **personal** · **oficial** || **electrónica**
● CON SUSTS. **problema (de)** *Dice que no pudo recibirla por problemas de agenda* || **hueco (en)**
● CON VBOS. **consultar** *Tengo que consultar la agenda para ver qué día tengo libre* · **revisar** || **establecer** · **definir** · **rellenar** · **planear** || **organizar** · **ordenar** *Como no ordenes tu agenda, seguirás sobrepasado por el trabajo* · **desahogar** · **modificar** || **apuntar (en)** · **anotar (en)** · **figurar (en)** || **amoldar(se) (a)** · **ajustar(se) (a)**

agente

1 **agente** s.com.

▮ [persona]

● CON ADJS. **secreto,ta** *Varios agentes secretos estaban investigando el caso* · **encubierto,ta** · **especial** || **público,ca** · **privado,da** · **federal** || **de policía** · **literario,ria** · **artístico,ca** · **financiero,ra** · **económico,ca** · **fiscal** · **comercial** *Ahora estoy trabajando de agente comercial* · **judicial** · **aduanero,ra** · **de viajes**
● CON VBOS. **investigar (algo/a alguien)** · **preguntar (algo/a alguien)** || **detener (a alguien)** · **interrogar (a alguien)** *Dos agentes interrogaron al detenido* || **infiltrar(se) (en un lugar)** · **intervenir (en algo)** || **reclutar** || **convertir(se) (en)** · **ejercer (de)**

2 **agente** s.m.

▮ [factor]

● CON ADJS. **causal** · **productor** · **causante** *Se ha descubierto que el agente causante de esta enfermedad es...* · **desencadenante** · **responsable** · **inductor** · **regulador** || **principal** · **secundario** || **extraño** · **desconocido** · **nuevo** || **externo** · **ambiental** · **físico** · **natural** || **contaminante** · **infeccioso** · **patógeno**
● CON SUSTS. **acción (de)** · **participación (de)** · **actuación (de)** · **intervención (de)**
● CON VBOS. **actuar** · **intervenir** *Si en el proceso no interviene ningún agente externo...* || **causar (algo)** · **provocar (algo)** || **encontrar** · **descubrir** · **detectar** · **analizar** || **combatir** · **minimizar** · **eliminar** *Para eliminar los agentes contaminantes hay que seguir este procedimiento* || **actuar (como)** || **luchar (contra)**

[agigantado] → a pasos agigantados

ágil adj.

● CON SUSTS. **jugador,-a** · **deportista** · **equipo** · **bailarín,-a** · ***otros individuos y grupos humanos*** || **pantera** · **gacela** · **mono,na** · **gato,ta** · ***otros animales*** || **mente** *una mente ágil, despierta y escrutadora* · **razonamiento** · **respuesta** · **pregunta** || **mano** · **dedos** || **ritmo** · **juego** · **movimiento** || **lenguaje** · **obra** · **prosa** · **escritura** · **estilo** · **comedia** · **lectura** || **gestión** · **administración** *Una administración más ágil reduciría los plazos de espera para obtener los permisos* · **trabajo** · **sistema**
● CON ADVS. **realmente** · **verdaderamente** · **extraordinariamente** · **sorprendentemente** || **escasamente**

agilidad s.f.

● CON ADJS. **felina** · **circense** || **tremenda** · **brillante** · **extraordinaria** *Muestra una extraordinaria agilidad en todos sus movimientos* · **prodigiosa** · **admirable** · **impresionante** · **increíble** · **portentosa** · **sorprendente** · **asombrosa** · **inaudita** · **poderosa** · **suma** · **notable** · **gran(de)** · **especial** || **suficiente** · **escasa** || **necesaria** || **física** · **conceptual** · **organizativa** · **mental** *Este ejercicio sirve para mejorar la agilidad mental* · **verbal** · **argumentativa** · **lingüística** · **literaria** · **narrativa** *una novela con gran agilidad narrativa* · **dramática** · **periodística** · **fílmica** · **técnica** · **burocrática** · **procesal** · **diplomática** || **lleno,na (de)** · **carente (de)** *una persona carente de agilidad organizativa* · **falto,ta (de)**
● CON VBOS. **tener** *Los gimnastas suelen tener una extraordinaria agilidad* · **demostrar** · **mostrar** · **revelar** · **desplegar** || **necesitar** · **precisar** || **ganar** · **lograr** · **conseguir** · **adquirir** || **perder** · **faltar** · **perjudicar** || **imprimir (a algo)** · **dar (a algo)** · **favorecer** · **proporcionar** || **restar (a algo)** *El accidente restó mucha agilidad a sus movimientos* · **quitar (a algo)** || **dotar (de)** || **hacer gala (de)**
● CON PREPS. **con** *Me respondió con gran soltura y agilidad* · **sin**

agilizar v.

● CON SUSTS. **proceso** *Las autoridades piden que se agilice el proceso* · **desarrollo** · **reunión** · **viaje** · **reparación** · **reforma** · **mudanza** || **trámite** · **tramitación** · **procedimiento** · **gestión** · **dispositivo** · **paso** · **burocracia** · **preparativo** · **diligencia** || **cobro** · **pago** *agilizar los pagos cada mes* · **recaudación** || **negociación** · **comunicación** · **diálogo** · **charla** · **conversación** · **discusión** || **tráfico** · **circulación** · **tránsito** · **ritmo** · **traslado** · **salida** · **movimiento** · **acceso** · **transporte** || **decisión** · **firma** *...gestiones para agilizar la firma de un acuerdo de paz* · **respuesta** · **solución** · **aprobación** · **resolución** · **desenlace** · **dictamen** · **esclarecimiento** || **despido** · **finalización** · **eliminación** · **desalojo** · **divorcio** · **expulsión** · **extradición** || **trabajo** *Si no agilizan los trabajos, el edificio no estará terminado para la fecha prevista* · **obra** · **ejecución** · **labor** · **construcción** || **investigación** · **juicio** · **revisión** · **estudio** · **indagación** · **examen** · **inspección** · **pesquisa** · **búsqueda** · **cálculo** || **atención** · **servicio** · **venta** · **negocio** · **comercio** *Se firmó un acuerdo con el objeto de facilitar y agilizar el comercio internacional* · **inversión** || **proyecto** · **sistema** · **mecanismo** · **justicia** · **mercado** · **maquinaria** · **organización** · **estructura** · **plan** || **entrega** · **devolución** · **concesión** · **suministro** · **distribución** · **cesión** · ***otras actuaciones***
● CON ADVS. **considerablemente** · **notablemente** *El voto electrónico permitirá agilizar notablemente el conteo de votos* · **tremendamente** · **significativamente** · **en {gran/escasa} medida** || **escasamente** · **ligeramente**

agitación s.f.

• CON ADJS. **violenta** *unos momentos de violenta agitación social* · **frenética** · **exaltada** · **febril** · **tremenda** · **gran(de)** · **plena** · **enorme** · **intensa** || **permanente** · **continua** · **constante** · **incesante** · **creciente** *una agitación creciente debida a los acontecimientos de los últimos días* || **social** · **política** · **cultural** · **religiosa** · **laboral** · **sindical** · **estudiantil** · **popular**
• CON SUSTS. **clima (de)** *un clima de intensa agitación* · **momento (de)** || **exceso (de)** || **motivo (de)**
• CON VBOS. **desencadenar(se)** || **templar** · **apaciguar** *El Gobierno no conseguía apaciguar la agitación que mostraba la población* · **atemperar** · **mitigar** · **calmar** · **sofocar** · **controlar** · **evitar** · **moderar** || **provocar** || **rayar (en)**

agitado, da adj.

• CON SUSTS. **día** · **jornada** · **semana** · **vacaciones** *He tenido unas vacaciones extremadamente agitadas* · **año** · ***otros períodos*** || **vida** · **existencia** · **trayectoria** *En su biografía se expone la agitada trayectoria de la artista* · **historia** · **mundo** || **actividad** · **programa** · **sesión** · **reunión** · **debate** · **discusión** || **ritmo** · **movimiento** · **viaje** · **periplo** || **agua** || **vuelo** · **aterrizaje** || **respiración** · **pulso** *Con los nervios, tengo el pulso muy agitado* · **sueño** || **clima** · **ambiente** · **entorno**

aglomeración s.f.

• CON ADJS. **enorme** *Impresionaba ver aquella enorme aglomeración de gente* · **gigantesca** · **apabullante** · **gran(de)** || **humana** · **urbana** || **de tráfico** · **de coches** || **de gente** · **de público**
• CON VBOS. **formar(se)** · **crear(se)** · **deshacer(se)** || **ocasionar** · **causar** · **provocar** *La manifestación provocó una previsible aglomeración de coches* || **evitar**

aglomerar(se) v.

• CON SUSTS. **gente** · **curiosos,sas** *Los curiosos se aglomeraban en el aeropuerto esperando la llegada de la actriz* · **público** · **admiradores,ras** · **manifestantes** · ***otros individuos y grupos humanos*** || **vehículos**
• CON ADVS. **caóticamente** · **compulsivamente** || **incesantemente**

☐ USO Se construye generalmente con sustantivos no contables en singular (*El público se aglomeraba en la entrada*) o con contables en plural (*Los admiradores se aglomeraban en la entrada*).

aglutinar v.

• CON SUSTS. **población** · **mayoría** *un sindicato que aglutina a la mayoría de los profesionales de la región* · **oposición** · **gente** · **colectivo** · **empresa** · **generación** · **sociedad** · **público** · ***otros grupos humanos*** || **seguidores,ras** · **partidarios,rias** · **afiliados,das** · **votantes** · **militantes** · **trabajadores,ras** · **artistas** · **intelectuales** · ***otros individuos*** || **voluntades** · **fuerzas** · **apoyos** · **esfuerzos** · **intereses** · **ilusiones** || **tendencias** *Solo un hábil político como él hubiera podido aglutinar tendencias opuestas en la misma coalición* · **sector** · **movimientos** · **sensibilidades** · **facciones** · **familia** · **centro** || **opiniones** · **votos** · **voces** · **posturas** · **intenciones** · **puntos de vista** · **críticas** || **demandas** · **reivindicaciones** · **proyectos** *Un instituto que aglutina los proyectos de investigación más importantes del país* · **programas** · **propuestas** · **alternativas** · **iniciativas** || **poder** · **competencia** · **servicios** · **funciones** · **recursos** *La nueva oficina aglutinará los recursos de los que dispone la delegación* || **actividades** · **actuaciones** · **trabajos** · **producción** · **acciones** · **inversiones** || **información** · **conocimiento** · **cultura** · **saber**

☐ USO Se usa con sustantivos en plural (*aglutinar voluntades*), coordinados (*aglutinar serenidad, realismo y efectividad*), colectivos (*aglutinar al grupo*) o no contables (*aglutinar la información*).

agobiante adj.

• CON SUSTS. **sensación** · **calor** *Sufrió un mareo a causa del agobiante calor* · **temperatura** || **atmósfera** · **clima** · **ambiente** · **entorno** || **peso** · **presión** · **estrés** || **problema** · **preocupación** || **asunto** · **situación** · **circunstancia** · **momento** || **aglomeración** · **masificación** · **tráfico** *Llegué tarde por el agobiante tráfico que hay a esas horas*
• CON VBOS. **hacer(se)** · **volver(se)** · **resultar**

agobiar(se) v.

• CON SUSTS. **problema** *Los problemas nos agobian y la presión nos ahoga* · **contratiempo** · **adversidad** || **recuerdo** *El recuerdo de aquella terrible desgracia todavía la agobia* · **sentimiento** || **trabajo** · **ambiente** · **ruido** · **presión** || **familia** · **niño,ña** · **compañero,ra** · ***otros individuos y grupos humanos***
• CON ADVS. **opresivamente** · **sofocantemente** || **físicamente** · **mentalmente** · **psíquicamente** · **psicológicamente** · **económicamente** || **habitualmente** · **frecuentemente** · **incesantemente** · **incansablemente** · **continuamente** · **constantemente** · **insistentemente** · **una y otra vez** *La idea del fracaso me agobia una y otra vez* · **permanentemente** || **innecesariamente** · **inútilmente** || **intensamente** · **excesivamente**

agobio s.m.

• CON ADJS. **asfixiante** · **sofocante** *Los lugares cerrados me causan un agobio sofocante* · **insoportable** · **persistente** · **atenazante** || **terrible** · **tremendo** · **enorme** || **escaso** || **cotidiano** · **constante** · **continuo** || **económico** *una época de agobios económicos* || **lleno,na (de)**
• CON SUSTS. **sensación (de)** · **momento (de)**
• CON VBOS. **entrar** · **venir** · **llegar** *Cada final de mes, cuando llegaba el agobio...* || **remitir** · **irse(le) (a alguien)** || **producir** *Le producía un gran agobio verla sufrir así* || **sufrir** · **padecer** · **experimentar** · **sentir** *Si sientes agobio, desabróchate el cuello de la camisa* · **pasar** || **aliviar** · **paliar** · **mitigar** · **atenuar** || **quitar(se) de encima** · **evitar** · **superar** || **salir (de)** · **huir (de)** · **librar (de)** *Consiguió librarse del agobio de tener que dar explicaciones a todo el mundo*
• CON PREPS. **bajo** · **en medio (de)** *En medio de tanto agobio, ella fue capaz de...*

agolparse v.

• CON SUSTS. **sentimientos** · **emociones** *Se le agolparon todas las emociones de esos días y rompió a llorar* · **impresiones** · **sensaciones** || **pensamientos** · **recuerdos** *Al verla, los recuerdos se agolparon en su cabeza* · **ideas** · **reflexiones** || **manifestantes** · **público** · **espectadores,ras** *Un gran grupo de espectadores se agolpaba a las puertas de...* · **fans** · **curiosos,sas** · **gente** · **gentío** · **muchedumbre** · **multitud** · ***otros individuos y grupos humanos***
• CON ADVS. **ordenadamente** · **desordenadamente** · **alborotadamente** · **apresuradamente** · **impacientemente** || **progresivamente** · **paulatinamente** || **habitualmente** · **normalmente** || **de pronto** · **de repente**

☐ USO Se construye generalmente con sustantivos no contables en singular (*El público se agolpaba a la salida*) o con contables en plural (*Los seguidores se agolpaban a la salida*).

a golpe (de) loc.prep.

• CON SUSTS. **pico · piqueta · cincel · azada · martillo · remo || silbato · tambor || teléfono || talón · talonario** *Consiguió aquel contrato a golpe de talonario* **|| querella · denuncia** *A golpe de denuncias, consiguió que le devolvieran lo que era suyo* **· sentencia · decreto · reglamento · voto || huelga** *Pretenden mejorar su situación laboral a golpe de huelga* **· escándalo || atentado · bomba || teletipo · titular || sable · espada · cuchillo · navaja · bayoneta**

a golpes loc.adv./loc.adj.

• CON VBOS. **enzarzarse** *Se enzarzaron a golpes y hubo que separarlos* **· liarse · emprenderla · enfrentarse** *Tras el partido, los hinchas estuvieron a punto de enfrentarse a golpes* **· pelear · trenzarse · agarrarse || asesinar · matar · rematar · morir || moler · agredir · atacar · forrar · ensañarse · arremeter || romper · destrozar · reventar · machacar · destruir · fracturar · aplastar · derribar** *derribar a golpes una puerta* **· desmontar || imponer · intimidar · obligar · castigar · reducir · perseguir · silenciar || echar · sacar · llevar · conducir · meter** *Nos metieron a golpes en un coche* **· subir · desalojar · disolver || acabar · terminar · resolver · dirimir || aprender · educar · criar · escarmentar**

• CON SUSTS. **asesinato · muerte · homicidio**

agosto s.m.

• CON VBOS. **hacer** *El día de los enamorados las floristerías hacen su agosto*

➤ Véase también **MES**

agotador, -a adj.

• CON SUSTS. **día** *He tenido un día agotador* **· jornada · semana · año ·** ***otros periodos*** **|| niño,ña** *Este niño es agotador* **· jefe,fa ·** ***otros individuos*** **|| trabajo · tarea · campaña · labor · ejercicio · práctica · entrenamiento** *El equipo está siendo sometido a un entrenamiento agotador* **· actividad · profesión || esfuerzo · lucha · entrega || experiencia · vida · existencia || viaje** *Fue un viaje agotador* **· gira · visita · recorrido · itinerario || sesión · reunión · negociación · debate · discusión · deliberación** *El jurado llegó a un veredicto tras una agotadora deliberación* **· entrevista || fiesta · boda · evento · acto · concierto · ceremonia · recital || encuentro · batalla · guerra · partido · partida · choque · torneo · competencia || calendario · horario · agenda** *A pesar de su agotadora agenda, me concedió unos minutos para entrevistarla* **|| espera · antesala**

• CON VBOS. **hacer(se) · volver(se) · resultar**

agotamiento s.m.

• CON ADJS. **extenuador · terrible · puro** *No podía levantarme de puro agotamiento* **|| visible** *el visible agotamiento de los gimnastas* **|| progresivo**

• CON SUSTS. **síntoma (de) · muestra (de) · señal (de) · signo (de)** *Empiezan a aparecer los primeros signos de agotamiento* **|| nivel (de)**

• CON VBOS. **entrar (a alguien) || traslucir(se) · manifestar(se) · reflejar(se) || producir** *Los viajes tan largos me producen verdadero agotamiento* **· generar || acusar · mostrar · exteriorizar || soportar · resistir || combatir** *¿Cómo combates el agotamiento?* **· evitar · vencer || desfallecer (de)**

• CON PREPS. **al borde (de)** *Se encontraba al borde del agotamiento*

agotar(se) v.

• CON SUSTS. **aire · tiempo · petróleo · oxígeno · sueldo · capital · dinero** *En poco tiempo se nos agotó el dinero* **· crédito ·** ***otros recursos*** **|| tema** *Es imposible agotar el tema en un solo artículo* **· materia · significado || hora · día · semana · verano** *Se nos agotó el verano sin que nos diéramos cuenta* **· año ·** ***otros periodos*** **|| existencias · producto** *El producto se ha agotado en todas las tiendas* **· bebida · material || entradas · boletos · billetes · localidades · plazas || edición** *La primera edición del diccionario se agotó en pocos meses* **· ejemplar · disco · libro || régimen · gobierno · dirección || posibilidades** *No creo que hayan agotado todas las posibilidades de reconciliación* **· opciones · alternativas · cartas · oportunidades || vías · procedimientos · instancias · trámites · métodos · sistemas · cauces · actuaciones · medidas · formas · medios || paciencia** *Se nos empezó a agotar la paciencia* **· resistencia · esperanza · credibilidad · calma · serenidad · imaginación · creatividad · encanto || fuente · manantial || energía · fuerza · poder · impulso || competencia · responsabilidad · facultad · obligación · capacidad || ideas** *Llega un momento en que las ideas se agotan y empiezas a repetirte* **· criterio · pensamiento · teoría · hipótesis · planteamientos · argumentos · razones · explicaciones || objetivo · proyecto · análisis · previsión · investigación · cálculo || discurso · palabras** *Nunca se le agotaban las palabras cuando hablaba de ella* **· debate · declaraciones · comentarios · conversación · disculpas · preguntas ·** ***otras manifestaciones verbales*** **|| problema · polémica · conflicto · necesidad · problemática**

• CON ADVS. **alarmantemente · a ojos vistas || al límite** *Agotó sus fuerzas al límite antes de abandonar* **· por completo · totalmente · absolutamente || inmediatamente · de inmediato · rápidamente · progresivamente**

☐ USO Se construye generalmente con sustantivos contables en plural (*Se agotan las ideas*) o no contables en singular (*Se agota la gasolina*), aunque acepta sustantivos contables en singular interpretados genéricamente (*El producto se ha agotado en todas las tiendas*).

agraciado, da adj.

▌[premiado]

• CON SUSTS. ***persona*** *Los participantes agraciados en el sorteo disfrutarán de un inolvidable viaje* **|| población · pueblo · localidad · ciudad || organización · institución · empresa || película · libro · pieza · novela ·** ***otras creaciones*** **|| número · décimo · billete · boleto · participación · terminación · combinación** *La combinación agraciada fue 1, 8, 15, 18, 34 y 35* **· cupón**

▌[atractivo]

• CON SUSTS. **mujer · hombre · actor · actriz** *una actriz bastante agraciada físicamente* **·** ***otros individuos*** **|| físico · rostro · cara** *una cara agraciada y unos profundos ojos negros* **· imagen · aspecto · rasgo · sonrisa || nombre · título**

agradable adj.

• CON SUSTS. ***persona*** *una muchacha muy agradable* **|| lugar · sitio || atmósfera · entorno · ambiente · temperatura · clima || olor · sabor · tacto · sonido · música · voz || aspecto · apariencia · maneras || sensación · impresión · sentimiento || rato** *Pasé un rato muy agradable en vuestra compañía* **· hora · verano · velada · situación · vida || sorpresa · recuerdo || paseo** *un agradable paseo por la orilla del mar* **· lectura · juego || trato**

• CON ADVS. **verdaderamente** · **realmente** *Tu amiga tenía una voz realmente agradable* · **absolutamente** · **sumamente** || **aparentemente** || **a la vista** · **al oído** · **al tacto**
• CON VBOS. **ser** · **volver(se)** || **estar** · **poner(se)** *La tarde se ha puesto muy agradable para salir*

☐ USO Se construye a menudo con complementos encabezados por las preposiciones *de* (*una película agradable de ver*) y *con* (*un chico muy agradable con sus compañeros*).

agradecer v.

• CON SUSTS. **apoyo** *Os agradezco mucho vuestro apoyo en estos momentos tan difíciles* · **ayuda** · **consejo** · **invitación** · **acogida** · **solidaridad** · **hospitalidad** · **colaboración** · **confianza** || **atención** · **buena voluntad** · **preocupación** || **esfuerzo** · **interés** · **trabajo** || **premio** · **homenaje** *Agradeció calurosamente el homenaje que le estaban tributando* · **reconocimiento** · **galardón**
• CON ADVS. **efusivamente** · **cordialmente** · **calurosamente** · **vivamente** · **elocuentemente** · **prolijamente** · **generosamente** || **sinceramente** · **de (todo) corazón** *Os agradezco de todo corazón que hayáis venido* · **en el alma** || **profundamente** · **enormemente** · **infinitamente** · **eternamente** || **de antemano** || **personalmente** · **públicamente**

agradecimiento s.m.

• CON ADJS. **sincero** · **efusivo** · **caluroso** · **afectuoso** · **cordial** · **vivo** · **sentido** || **inmenso** · **eterno** · **infinito** · **profundo** || **solemne** || **especial** *Quiso dedicarle un agradecimiento especial a su profesor* || **público**
• CON SUSTS. **discurso (de)** *un emotivo discurso de agradecimiento* · **carta (de)** || **prueba (de)** · **señal (de)** · **muestra (de)** · **gesto (de)** · **palabra (de)** *Tras el discurso, dirigió unas palabras de agradecimiento al público* · **testimonio (de)** || **motivo (de)**
• CON VBOS. **mostrar** *Mostró su agradecimiento por el premio* · **tributar** · **expresar** · **manifestar** · **hacer constar** · **exteriorizar** · **testimoniar** · **transmitir** || **recibir** || **suscitar** || **hacer extensivo** *Hizo extensivo el agradecimiento a todos los que habían colaborado con ella* || **deshacerse (en)** *Se deshizo en agradecimientos hacia los presentes* || **corresponder (a)**
• CON PREPS. **en señal (de)**

agrado s.m.

• CON ADJS. **gran(de)** *Acogieron con gran agrado nuestra idea* · **sumo** · **visible** || **escaso**
• CON VBOS. **mostrar** · **expresar** · **manifestar**
• CON PREPS. **con** *Recuerdo con mucho agrado aquellas vacaciones*

a grandes líneas loc.adv.

• CON VBOS. **analizar** *un artículo en el que analiza a grandes líneas las causas de la crisis* · **estudiar** · **interpretar** · **elaborar** · **establecer** · **planificar** || **explicar** *Los candidatos explicaron a grandes líneas sus propuestas electorales* · **contar** · **mencionar** · **esbozar** · **resumir** · **confirmar** || **ajustarse** · **coincidir** · **diferir** || **conocer** · **saber**

a grandes rasgos loc.adv.

• CON VBOS. **abordar** · **revisar** · **estudiar** · **interpretar** · **analizar** *El trabajo analiza a grandes rasgos la política económica del Gobierno* · **examinar** || **explicar** · **describir** · **definir** · **detallar** · **concretar** · **narrar** · **relatar** · **contar** *Cuéntame a grandes rasgos en qué consiste la obra* · **desvelar** || **trazar** · **dibujar** · **diseñar** · **perfilar** · **esbozar** *...una serie de medidas, urgentes según él, que apenas esbozó a grandes rasgos* || **resumir** · **sintetizar** || **coincidir** · **tener en común** · **emparentarse** · **identificar(se)** || **entender** · **saber** · **conocer** *conocer un tema a grandes rasgos* · **comprender** · **vislumbrar** · **captar** · **apreciar** · **ver** · **reconocer** || **predecir** · **calcular** *calcular a grandes rasgos un gasto* · **prever** · **aventurar** · **adivinar**

☐ USO Se usa también la variante *a grandes trazos*.

a granel loc.adv./loc.adj.

• CON VBOS. **adquirir** · **comprar** *comprar caramelos a granel* · **recibir** · **ganar** || **repartir** · **transportar** · **distribuir** · **servir** · **suministrar** · **descargar** · **vender** *Aquí se venden a granel productos para perfumerías y peluquerías* · **enviar** · **exportar** · **entregar** || **despilfarrar** · **producir** · **usar** || **provocar** *El resultado del partido provocó indignación y críticas a granel* · **levantar** · **suscitar** · **afluir** · **surgir** · **sacar**
• CON SUSTS. **vino** · **aceite** *una cooperativa donde se compra el aceite a granel* · ***otros productos***

agrario, ria adj.

• CON SUSTS. **sector** · **actividad** · **producción** *La producción agraria aumentó espectacularmente en...* · **producto** · **explotación** · **importación** · **exportación** || **organización** · **cámara** · **empresa** · **cooperativa** · **sindicato** · **empleo** · **trabajador,-a** || **subsidio** *Para solicitar el subsidio agrario tiene usted que rellenar este impreso* · **deuda** · **precio** · **renta** || **política** · **economía** · **ley** · **reforma** || **problema** · **situación** *El informe describe muy detalladamente la situación agraria de la región* · **estructura**

agravante

1 **agravante** adj.

• CON SUSTS. **factor** · **circunstancia** *La sanción aumenta si se dan algunas circunstancias agravantes* · **hecho**

2 **agravante** s.amb.

• CON VBOS. **existir** · **darse** · **concurrir** *Cuando concurre, como ahora, la agravante de nocturnidad...* || **tener** || **aplicar** · **añadir**
• CON PREPS. **con** *un caso de asesinato con la agravante de alevosía*

agravar(se) v.

• CON SUSTS. **enfermo,ma** · **paciente** · **lesionado,da** · ***otros individuos*** || **lesión** · **herida** · **catarro** · **alergia** *Mi alergia se agrava en esta época del año* · ***otras enfermedades*** || **tormenta** · **inundación** · **sequía** · **temporal** · ***otros fenómenos meteorológicos adversos*** || **problema** · **crisis** · **dificultad** · **caos** · **riesgo** · **peligro** · **complicación** · **preocupación** · **problemática** || **conflicto** *Las declaraciones del presidente agravaron el conflicto con el país vecino* · **guerra** · **enfrentamiento** · **ataque** · **polémica** · **lucha** · **batalla** · **combate** · **pelea** · **rencilla** || **falta** · **déficit** · **debilidad** · **pérdida** · **paro** · **carencia** · **escasez** · **miseria** · **desempleo** · **hambruna** *Temen que una nueva sequía agrave la hambruna de la región* || **desequilibrio** · **injusticia** · **desigualdad** · **marginalidad** || **consecuencia** · **efecto** · **secuela** · **repercusión** · **resultado** || **situación** · **estado** · **circunstancia** · **panorama** · **asunto** · **cuestión** · **tema** || **acontecimiento** · **suceso** · **incidente** · **desastre** *Las lluvias hacen que el desastre se agrave minuto a minuto* · **tragedia** · **drama** || **dolor** · **pena** · **sufrimiento** · **sentimiento** · **sensación** · **malestar** || **diferencia** · **división** · **discriminación** · **distancia** · **separación** · **divergencia** || **violencia** *...no hubo represión policial, pero la violencia entre los distintos grupos se agravó considerablemente* · **coacción** ·

tensión · presión · terrorismo · hostilidad · delito · homicidio · robo · agresividad || incertidumbre · duda · sospecha · dilema || responsabilidad · posición · actitud || sanción · condena · castigo · sentencia || error · defecto *Son situaciones de estrés en las que nuestros defectos se agravan...* **· deficiencia · tara**

• CON ADVS. **alarmantemente · a pasos agigantados · peligrosamente · preocupantemente || considerablemente · notablemente** *Su situación se ha agravado notablemente en los últimos años* **· a ojos vistas · ostensiblemente || día a día · por momentos · gradualmente || inevitablemente · irremediablemente · ineludiblemente · fatalmente**

agravio s.m.

• CON ADJS. **comparativo** *La comparación de los salarios pone de manifiesto un evidente agravio comparativo, ya que...* **|| ostensible · verdadero · evidente · manifiesto || fuerte · serio · severo · inmenso · grave || imperdonable · inexcusable · irreparable · indeleble || perdonable · excusable · disculpable**

• CON SUSTS. **sensación (de)** *La polémica reavivó la sensación de agravio entre ellos* **· sentimiento (de) || situación (de) || cúmulo (de)**

• CON VBOS. **sufrir · soportar** *No tienes por qué soportar sus agravios* **|| cometer · causar · ocasionar · infligir · crear · producir || subsanar · remediar** *...intentando remediar así el agravio cometido* **· corregir · deshacer · reparar · compensar · paliar · evitar || representar · constituir · suponer || persistir (en)**

agredir v.

• CON ADVS. **físicamente · sexualmente · verbalmente · de palabra · de palabra y obra · psicológicamente · moralmente** *Ha sido acusada de agredir moralmente a...* **|| brutalmente · a patadas · violentamente · sin escrúpulos · sin contemplaciones · vilmente || directamente · a cara descubierta || reiteradamente · repetidamente || impunemente** *Que quede claro que aquí no se puede agredir impunemente a nadie*

agresión s.f.

• CON ADJS. **brutal · salvaje** *Nadie se explica las causas de tan salvaje agresión* **· violenta · cruel · monstruosa · grave · atroz · feroz · vil · alevosa · bárbara · despiadada · tremenda · desmedida · desmesurada || constante · continua · reiterada · repetida · sistemática · generalizada || solapada · soterrada · traicionera · encubierta || condenable · intolerable · injusta || presunta** *Está siendo juzgado por una presunta agresión a...* **· supuesta · flagrante || impune || involuntaria · premeditada || personal || física · sexual · verbal · de palabra || mediática · televisiva || a punta de {navaja/pistola} · a tiros · a palos**

• CON SUSTS. **delito (de) · denuncia (de/por)** *poner una denuncia por agresión* **|| objeto (de) · víctima (de) || intento (de)** *El gesto no pasó de ser un intento de agresión* **· conato (de) || alcance (de) · resultado (de)**

• CON VBOS. **arreciar · aumentar · disminuir || fraguar(se) || maquinar · urdir || llevar a cabo** *Dos encapuchados abandonaron la sede del partido tras llevar a cabo su agresión* **· infligir || producir · provocar · causar || padecer · sufrir · recibir || descubrir · condenar · denunciar · reprobar · ocultar || imputar (a alguien) · atribuir (a alguien) || repeler · neutralizar · impedir · frenar · combatir · frustrar · evitar** *La Policía consiguió evitar a tiempo la agresión* **· contrarrestar || acusar (a alguien) (de) || inducir (a) · someter(se) (a) · participar (en) · intervenir (en) || reponerse (de) · recuperarse (de) || persistir (en)**

• CON PREPS. **a resultas (de)**

agresividad s.f.

• CON ADJS. **brutal · salvaje · cruel · desaforada · ilimitada · enorme** *Algunos deportistas muestran en su juego una enorme agresividad* **· tremenda · suma · notable · acusada · considerable · gran(de) · creciente** *un clima social de creciente agresividad* **|| escasa || palpable · ostensible · manifiesta · declarada · patente · notoria || soterrada || verbal · empresarial · comercial · política**

• CON SUSTS. **muestra (de) · dosis (de) || clima (de) · ambiente (de) || grado (de)** *En la reunión se respiraba un cierto grado de agresividad y competitividad, sin duda profesionales* **|| falta (de)**

• CON VBOS. **calmar(se) · aplacar(se) || aumentar · disminuir || mitigar · apaciguar · frenar · templar · atemperar · reducir · contrarrestar || producir · provocar · engendrar** *La agresividad no engendra sino más agresividad* **|| albergar · acumular || mostrar · exhibir · manifestar · exteriorizar · desfogar · descargar** *Puede ser bueno hacer deporte para descargar la agresividad reprimida* **|| reprimir · controlar || proteger (contra)**

• CON PREPS. **con · sin · frente (a) · contra**

agresivo, va adj.

• CON SUSTS. **jugador,-a** *Quieren un jugador agresivo para este puesto* **· conductor,-a · equipo ·** ***otros individuos y grupos humanos*** **|| actitud · carácter** *Tiene problemas a la hora de controlar su carácter agresivo* **· temperamento · conducta · comportamiento · reacción · impulso · instinto · acción || animal || lucha · oposición || política · plan · programa · estrategia · medida || lenguaje · discurso · tono** *A todos sorprendió el tono agresivo de sus declaraciones* **· respuesta || campaña · publicidad · anuncio · imagen · mensaje · contenido || estilo · aspecto**

• CON VBOS. **ser · volver(se) || poner(se) · estar**

agresor, -a s.

• CON ADJS. **sexual || presunto,ta** *Identificaron al presunto agresor en una rueda de reconocimiento* **· supuesto,ta**

• CON VBOS. **huir · escapar** *El agresor consiguió escapar a pesar de su rápida huida* **· entregar(se) || amenazar · disparar · golpear · apuñalar || buscar · encontrar · detener** *Han detenido al supuesto agresor de la joven* **· capturar · identificar || juzgar · condenar · encausar**

agreste adj.

• CON SUSTS. **lugar** *un lugar agreste totalmente alejado de la civilización* **· zona · terreno · territorio · comarca · región · costa · paisaje · geografía · entorno || belleza || vida** *llevar una vida agreste lejos de la gran ciudad*

agriar(se) v.

• CON SUSTS. **leche** *No pude tomar leche porque se agrió* **· vino · suero · zumo ·** ***otras bebidas o alimentos líquidos*** **|| carácter** *Con los años se le fue agriando el carácter* **· humor · ánimo · espíritu || expresión · gesto · sonrisa || debate · discusión · disputa · negociación || relación · amor**

agrícola adj.

• CON SUSTS. **sector · mercado · actividad** *La actividad agrícola es muy intensa en esta región* **· industria · política · infraestructura || productividad · producción · desa-**

rrollo · exportación · importación || explotación · empresa · cooperativa · sindicato || empresario,ria · productor,-a · trabajador,-a || empleo · concesión || tierra · terreno · zona · área · pueblo || producto · cultivo · uso || labor *La mayoría de las labores agrícolas se pueden realizar ya con máquinas* · faena · tarea || maquinaria · vehículo · gasóleo || precio
● CON ADVS. **eminentemente · esencialmente** *Esta población es esencialmente agrícola* · **fundamentalmente · principalmente**

agricultor, -a s.

● CON ADJS. **local || humilde** *un humilde agricultor que trabaja sus tierras* · **modesto,ta · rico,ca · pequeño,ña · gran || profesional**
● CON SUSTS. **pueblo (de) · tierra (de) || grupo (de) · asociación (de) · organización (de) · concentración (de)**
● CON VBOS. **sembrar (algo) · cosechar (algo) · cultivar (algo) · plantar (algo) · labrar (algo) · arar (algo) || convertir(se) (en) · trabajar (de/como)**

agridulce adj.

● CON SUSTS. **sabor · regusto · poso · recuerdo · sensación · experiencia · imagen || salsa** *Preparamos una salsa agridulce para el pollo* · **pollo · carne · cerdo · guiso** · ***otros alimentos o comidas*** **|| jornada · día · año** *La empresa ha tenido un año agridulce de éxitos y fracasos* · ***otros momentos o periodos*** **|| celebración** *Fue una celebración agridulce, porque la guerra aún no había terminado* · **fiesta · espectáculo · aniversario · bienvenida** · ***otros eventos*** **|| victoria · triunfo · éxito · premio · goleada · derrota || desenlace · final · resultado · balance · veredicto · conclusión · despedida || crítica · felicitación · explicación · confesión · testimonio · palabra · página || melancolía · nostalgia · tristeza · dolor · sentimiento** *un sentimiento agridulce, de gratitud y de remordimiento* **|| visión · tono · ironía · humor · estilo · deje || sonrisa · mirada · mueca · rictus**
● CON VBOS. **ser · estar · hacer(se) · poner(se) · volver(se)**

agrietar(se) v.

● CON SUSTS. **pared · edificio · casa · muro · piedra · pintura · asfalto · superficie || piel · mano** *una crema para evitar que se agrieten las manos por el frío* · **cara · labio**

agrio, gria adj.

● CON SUSTS. **alimento · fruta · limón || sabor · olor · aroma || polémica** *Las declaraciones dieron lugar a una agria polémica* · **enfrentamiento · lucha · disputa · conflicto · discordia · discusión · debate || crítica** *La desorganización del congreso ha sido objeto de agrias críticas* · **descalificación · comentario · opinión · palabra || relación · ruptura || humor · tristeza · recuerdo || carácter · actitud · tono**
● CON VBOS. **ser** *El yogur natural es un poco agrio* · **estar** *Mejor tira esta leche; me parece que está agria* · **poner(se) · volver(se) · quedar(se)**

a gritos loc.adv.

● CON VBOS. **hablar** *¿Es que solo sabes hablar a gritos?* · **decir · proclamar · declarar || pedir · reclamar · exigir · demandar · reivindicar · ordenar** *La Policía nos ordenó a gritos que desalojásemos el edificio* · **clamar · solicitar · manifestar(se) || discutir · enfrentarse || acusar · abuchear · insultar · increpar · reprochar · recriminar || irrumpir · arrancarse · interrumpir**

□ USO Se usan también las variantes *a grito limpio* y *a grito pelado.*

agrupación s.f.

● CON ADJS. **activa · poderosa · homogénea · radical || independiente · popular || contraria · opositora || legal || clandestina** *Durante el conflicto surgieron varias agrupaciones clandestinas* · **ilícita · ilegal || local · comarcal · provincial · territorial || profesional · sectorial · gremial · sindical || vecinal · ciudadana** *Las agrupaciones ciudadanas decidieron intervenir en la negociación* **|| política · empresarial · cultural · deportiva · musical · ecologista**
● CON VBOS. **surgir || desmembrar(se) · disolver(se) · escindir(se) || constituir · crear** *Queremos crear una agrupación vecinal para defender nuestros intereses* · **formar · fundar · establecer || apoyar · fomentar · promover · impulsar || encabezar · dirigir · liderar · capitanear || coordinar · organizar · reunir || legalizar · ilegalizar || apuntar(se) (a) · sumarse (a) · integrar(se) (en) · afiliarse (a/en) || militar (en) · formar parte (de) · pertenecer (a)**

[agua]

→ agua; como agua de mayo; como el agua; como un jarro de agua fría

agua s.f.

● CON ADJS. **fría · helada || tibia** *ducharse con agua tibia* · **cálida · caliente · ardiendo · hirviendo || turbia · servidas · fétida · hedionda · fecal** *un colector de aguas fecales* **|| infecta · insalubre · contaminada || corriente · potable · mineral** *una botella de agua mineral* · **sana · curativa · medicinal · mineromedicinal · sulfurosa || límpida · clara · cristalina** *bañarse en un río de aguas cristalinas* · **nítida · transparente || torrencial · turbulenta · procelosa · agitada || freática · pantanosa · estancada · cenagosa · salina** *el agua salina del mar*
● CON SUSTS. **gota (de) · vapor (de)** *el vapor de agua de la atmósfera* · **chorro (de) || marca (de)**
● CON VBOS. **brotar · surgir · circular · correr · fluir · manar · rebosar · caer · deslizarse · discurrir · filtrarse · infiltrarse · estancar(se) · calar || desembocar · afluir || desbordar(se) · volver a su cauce** *Tras la crecida, las aguas volvieron a su cauce* **|| salir a {chorros/raudales} || sacar · achicar** *achicar agua con un cubo* · **extraer || echar** *echar agua en un guiso* **|| succionar · absorber · sorber · tragar || almacenar** *almacenar agua embotellada* · **recoger · contener || canalizar · encauzar · dosificar || malgastar** *Prohibido malgastar agua* · **derrochar · dilapidar || surcar** *surcar un velero las aguas* · **cruzar || bañar (en) · bucear (en) · zambullir(se) (en)** *zambullirse en agua helada* · **hundir(se) (en) · flotar (en) || disolver (en) · diluir (en) || llenar (de)** *llenar de agua una cantimplora*
➤ Véase también **BEBIDA**

□ EXPRESIONES **agua fuerte** [ácido nítrico poco diluido] **|| agua oxigenada** [líquido desinfectante] **|| como agua de mayo*** [se usa para resaltar algo muy deseado o bien recibido] *col.* **|| con el agua al cuello** [en grave apuro] *Estuvimos con el agua al cuello durante toda la temporada* **|| romper aguas** [sufrir la rotura de la bolsa que envuelve al feto] *La parturienta rompió aguas ya en el hospital*

aguacero s.m.

● CON ADJS. **torrencial · tremendo** *Cayó un tremendo aguacero* · **feroz · impresionante · terrible · monumental · fuerte · intenso · gran(de) || ocasional · aislado · cons-**

tante · generalizado · continuo · repentino || tropical · primaveral · otoñal
● CON VBOS. **caer · sorprender (a alguien) || arrasar (algo)** *El fuerte aguacero arrasó los cultivos de la zona* · **empapar (algo/a alguien) · calar (algo/a alguien) || aguantar · soportar**
● CON PREPS. **en medio (de) · bajo**

aguantar v.

● CON SUSTS. **peso · carga || fuerza · empuje · tensión** *No fue capaz de aguantar tanta tensión y dejó el trabajo* · **presión || broma** *A veces no sé aguantar bien una broma* **|| respiración** *¿Cuánto tiempo eres capaz de aguantar la respiración?* · **risa · lágrimas · llanto · mirada || reproche · reprimenda · chaparrón** *Aguantó el chaparrón sin pestañear* · **crítica || frío · calor · inclemencia · tiempo || situación · ritmo || deseo · gana** *Debes aguantar las ganas de chillar* · **hambre · sed · ansias**
● CON ADVS. **perfectamente · sin pestañear · estoicamente · con firmeza · a pie firme · contra viento y marea || a la fuerza · a pulso || con dificultad · a duras penas || de buen grado · pacientemente** *aguantar pacientemente un reproche* **|| temporalmente**

aguante s.m.

● CON ADJS. **extraordinario** *La verdad es que tienes un aguante extraordinario* · **ejemplar · asombroso · admirable · estoico || físico**
● CON SUSTS. **capacidad (de)** *Nos dejó sorprendidos su enorme capacidad de aguante*
● CON VBOS. **acabárse(le) (a alguien) · quebrar(se) || tener · mantener · prolongar**

aguardiente s.m.

● CON ADJS. **destilado · digestivo** *un chupito de aguardiente digestivo* · **fermentado || borracho,cha (de)**
● CON SUSTS. **botijo (de) · tinaja (de) · chupito (de) || destilería (de) · venta (de) · fabricación (de) || efecto (de)** *sobreponerse de los efectos del aguardiente*
● CON VBOS. **emborrachar(se) (con) · brindar (con)**
➤ Véase también **BEBIDA**

aguar(se) v.

▌[mezclar con agua]
● CON SUSTS. **vino · leche · licor · café** *No me gusta el café aguado* · ***otras bebidas***

▌[echar a perder]
● CON SUSTS. **fiesta · sorpresa** *Todos mantienen el secreto para no aguarle la sorpresa* · **celebración · festival · homenaje · festín · juerga · festejo · inauguración** *El mal tiempo aguó la inauguración de la feria* · **función · encuentro · debate · acto ·** ***otros eventos*** **|| iniciativa · propuesta · cálculo · programa · pronóstico || ilusión · aspiración · esperanza · deseo · expectativa || triunfo · victoria · logro || alegría · optimismo · júbilo · disfrute · euforia || día · noche · fin de semana** *Los acontecimientos dramáticos del jueves nos aguaron a todos el fin de semana* · **mañana ·** ***otros momentos o periodos***

agudizar(se) v.

▌[avivar, estimular]
● CON SUSTS. **sentido · vista · oído · tacto || imaginación · ingenio** *El hambre agudiza el ingenio* · **capacidad · talento · inteligencia · entendimiento · mente**

▌[agravar, empeorar]
● CON SUSTS. **diferencia · contradicción · desigualdad** *...medidas económicas que solo lograron agudizar las desigualdades sociales* · **desavenencia · discrepancia · desacuerdo · contraste · grieta · divorcio · ruptura · desencuentro || crisis** *Los analistas opinan que ese asunto podría agudizar la crisis política* · **problema · dificultad · falta · escasez · reticencia · incidente · problemática · inconveniente · miseria · paro · recesión || sequía** *La falta de lluvias agudiza la sequía en la región* · **tormenta · inundación · temporal · viento ·** ***otros fenómenos meteorológicos adversos*** **|| ataque · represión · bloqueo · cerco · arremetida · injerencia || sentimiento** *Los últimos hechos han agudizado el sentimiento de inseguridad en la población* · **sensación · desconfianza · nerviosismo · desesperación · desengaño · angustia · nostalgia · sorpresa || riesgo · peligro · alarma · emergencia || duda · temor** *Mis temores se agudizaban a medida que pasaban las horas* · **incertidumbre · inestabilidad · preocupación · inquietud · dilema || enfermedad · sordera** *Con el paso de los años su sordera se agudiza* · **bronquitis · depresión · tuberculosis ·** ***otras enfermedades*** **|| dolor · tensión · presión · sufrimiento · malestar · molestia · lesión · disfunción · síntoma**
● CON ADVS. **alarmantemente · a pasos agigantados · peligrosamente · rápidamente · gravemente || considerablemente · notablemente · a ojos vistas · ostensiblemente || día a día · por momentos · progresivamente · gradualmente · paulatinamente**

agudo, da adj.

● CON SUSTS. **punta · espina · aguja · puñal · filo || voz · grito · chillido · alarido · tono · registro · sonido · nota · rima || crítica** *Aguantaba con serenidad y paciencia las agudas críticas de la oposición* · **ataque · reacción · rechazo · crisis · problema || apostilla · reflexión · pensamiento · idea · análisis || respuesta · frase · observación · palabra · expresión ·** ***otras manifestaciones verbales*** **|| mente · ingenio · sagacidad · perspicacia** *Posee una aguda perspicacia* **|| sensibilidad · sentido · olfato || enfermedad · dolor** *Siento un dolor agudo en la espalda* · **fiebre || caso · fase || ángulo**

aguileño, ña adj.

● CON SUSTS. **nariz** *Tiene la misma nariz aguileña que su padre* · **rostro · imagen · perfil**

aguinaldo s.m.

● CON ADJS. **navideño · anual || sustancioso · generoso || escaso · exiguo**
● CON SUSTS. **pago (de) · entrega (de) · reparto (de)**
● CON VBOS. **pedir** *ir pidiendo el aguinaldo por las casas de la vecindad* · **recibir · cobrar · obtener || pagar · dar || dividir · repartir**

aguja

1 **aguja** s.f.
● CON ADJS. **punzante · afilada · acerada · roma || fina · delgada || corta · larga || calada || desechable** *No hay peligro de contagio porque utilizamos agujas desechables*
● CON SUSTS. **grosor (de) · punción (de) · calibre (de) || ojo (de) || cambio (de) || vino (de)**
● CON VBOS. **perforar (algo) · atravesar (algo) · penetrar (en algo) · pinchar || infectar(se) || utilizar || enhebrar** *No soy capaz de enhebrar esta aguja tan pequeña* · **ensartar || meter · introducir · clavar || esterilizar || inyectar (algo) (con)**

2 **aguja (de)** s.f.

• CON SUSTS. **acupuntura · punción · inyección || punto · ganchillo || fonógrafo · tren · vía || pino · abeto || reloj** *en el sentido de las agujas del reloj* · **brújula || catedral · iglesia**

• CON VBOS. **coser || navegar · marear**

☐ EXPRESIONES **{buscar/encontrar} una aguja en un pajar** [buscar o encontrar algo o a alguien sin posibilidad de hallarlo]

agujero s.m.

• CON ADJS. **profundo** *cavar un agujero profundo* · **hondo · enorme · sin fondo · insondable || pequeño · diminuto || tenebroso · oscuro · lóbrego || económico** *medidas para remediar el agujero económico que sufre el sector* · **financiero · presupuestario · contable · patrimonial · inmobiliario || lleno,na (de)** *un calcetín lleno de agujeros*

• CON VBOS. **socavar (algo) || hacer · practicar · abrir · horadar · cavar · excavar · taladrar · agrandar || descubrir** *Han descubierto un agujero de un millón de euros* **|| cerrar** *Con mucho esfuerzo conseguimos cerrar el agujero* · **taponar · tapar · cubrir · ocultar || obstruir · obturar || llenar · colmar || salir (de)** *Poco a poco parece que va saliendo del agujero* **|| colar(se) (por) || hurgar (en)**

• CON PREPS. **a través (de)** *No se ve nada a través del agujero de la pared*

☐ EXPRESIONES **agujero negro** [cuerpo celeste invisible de gran masa]

agujetas s.f.pl.

• CON ADJS. **fuertes · intensas · molestas || ligeras**

• CON VBOS. **tener** *Tengo agujetas en todo el cuerpo* · **sentir · salir || producir || evitar**

a gusto loc.adv.

• CON VBOS. **estar · mostrarse · encontrarse** *Me encuentro muy a gusto aquí* · **sentirse · quedarse || trabajar** *¿Trabajas a gusto en tu nueva oficina?* · **vivir · moverse · pasear || explayarse · despacharse (con alguien) · desahogarse || reírse · cantar · llorar**

aguzar v.

• CON SUSTS. **punto de flecha · diente · bisturí || oído** *Por la noche, aguzando el oído, se podía escuchar un susurro que llegaba de...* · **sentido · vista · mirada · visión · pupila · sensación || ingenio** *Tuvo que aguzar el ingenio para convertir aquello en...* · **inteligencia · habilidad · atención · instinto · memoria · capacidad · inventiva · imaginación** *un juego que permite aguzar la imaginación y la creatividad* · **introspección**

[ahínco] →con ahínco

ahogadilla s.f.

• CON ADJS. **peligrosa || divertida**

• CON VBOS. **hacer** *Los niños se hacían ahogadillas en la piscina* **|| prohibir**

[ahogar] →ahogar(se); ahogar(se) (en)

ahogar(se) v.

I [reprimir el desarrollo normal]

• CON SUSTS. **población** *una política económica que ahoga a la población* · **ciudadano,na · trabajador,-a ·** ***otros individuos y grupos humanos*** **|| país · escuela · democracia · ciudad · empresa || voz · grito · sonido · ruido · risa · carcajada · ladrido · gemido · jadeo · resuello · respiración** *Llegó corriendo y con la respiración ahogada y entrecortada* **|| llanto** *el llanto ahogado de los que sufren* · **lágrima · sollozo · dolor · pena · tristeza · lamento || sentimiento · afecto · alegría · felicidad · dicha · entusiasmo || lucha · protesta · revolución · rebelión · levantamiento** *El levantamiento de la población en algunos barrios fue ahogado en sangre por el ejército* · **discusión · debate · confrontación || impulso · aspiración · iniciativa · estímulo · anhelo · pretensión · sueño · proyecto · expectativa || progreso · libertad · conciencia · ideal · vida · civilización · economía · comercio · actividad privada**

• CON ADVS. **económicamente** *Estamos ahogados económicamente y cada vez más endeudados* · **financieramente**

ahogar(se) (en) v.

• CON SUSTS. **alcohol** *De poco sirve ahogar las penas en alcohol* · **agua · sangre || mar · río · piscina · playa || angustia · lágrimas · llanto · desesperación · pensamientos · silencio || garganta** *Las palabras se le ahogaban en la garganta* · **labios**

ahogo s.m.

• CON ADJS. **económico · financiero** *una temporada de ahogo financiero*

• CON SUSTS. **sensación (de) · estado (de) · síntoma (de) · peligro (de)**

• CON VBOS. **provocar · producir || sentir** *Cuando se pone muy nervioso, siente ahogo en el pecho* **|| evitar || huir (de) · sacar (de)**

a hombros loc.adv.

• CON VBOS. **coger · cargar · transportar · trasladar · llevar** *Llevaba a hombros a su hijo pequeño* · **portar · conducir · sacar · salir** *El torero salió a hombros de la plaza*

ahondar (en) v.

• CON SUSTS. **terreno · tierra** *potentes raíces que ahondan en la tierra hasta encontrar agua* · **bancal · parcela · río · agujero · cavidad · fosa · pozo || agua · barro · lava || estudio · investigación · análisis · examen** *un análisis profundo que ahonda en el examen de los hechos* · **búsqueda || visión · planteamiento · postura · interpretación · opinión · perspectiva** *Este estudio ahonda en una nueva perspectiva del tema* · **decisión || problema · conflicto · crisis || consecuencia · repercusión · efecto || pregunta** *Intentemos no ahondar en preguntas sin respuesta* · **expresión · frase · respuesta · comentario ·** ***otras manifestaciones verbales*** **|| editorial · libro · película · novela · poema ·** ***otras obras*** **|| polémica · enfrentamiento · discusión · controversia || diferencia** *En lugar de ahondar en las diferencias, deberíamos profundizar en lo que nos une* · **desequilibrio · desigualdad · discrepancia · divergencia · distinción || dato · cifra · resultado · diagnóstico || raíz** *El libro intenta ahondar en las raíces del conflicto* · **causa · razón · origen · explicación · justificación · motivo · fundamento || aspecto · faceta · detalle · lado · clave · característica · rasgo · pormenor || figura · personaje || personalidad · condición · esencia · naturaleza · alma · carácter · identidad · forma de ser** *El libro analiza la cultura de los pueblos mediterráneos y ahonda en su forma de ser y de vivir* **|| contenido · significado · sentido || vida · realidad · historia · pasado · experiencia · tiempo · época · vivencia || necesidad · miseria · precariedad · pobreza · carencia · deficiencia · penuria || idea · conocimiento · concepto · memoria · pensamiento · recuerdo · tesis**

a horcajadas loc.adv.

• CON VBOS. **montar** · **cabalgar** *Antiguamente estaba mal visto que las mujeres cabalgasen a horcajadas* · **sentar(se)** · **subirse**

ahorrar v.

• CON SUSTS. **agua** *Debido a la sequía tenemos que ahorrar agua* · **papel** · **tinta** · **material** · **gasolina** · **medio** · **energía** · ***otros recursos*** || **esfuerzo** *No ahorraremos esfuerzos en mejorar la vida de los ciudadanos* · **dedicación** · **sacrificio** || **dinero** · **gasto** · **coste** || **tiempo** *Para ahorrar tiempo, fuimos por un atajo* · **espacio** || **problemas** · **detalles** *Permítame que le ahorre los detalles*

• CON ADVS. **al máximo** *Están estudiando la manera de ahorrar al máximo* · **moderadamente** || **diariamente** · **semanalmente** · **anualmente**

ahorrativo, va adj.

• CON SUSTS. **medida** *La ministra ha propuesto nuevas medidas ahorrativas para luchar contra la crisis* · **afán** · **empeño** · **espíritu** · **ansia** · **esfuerzo** || ***persona*** *un amo de casa tremendamente ahorrativo*

ahorro s.m.

• CON ADJS. **sustancioso** · **considerable** · **importante** *un importante ahorro de energía* · **significativo** || **exiguo** · **escaso** · **discreto** · **modesto** · **ligero** || **forzoso** || **energético** · **doméstico** *favorecer el ahorro doméstico* · **interno** · **privado** · **público**

• CON SUSTS. **cuenta (de)** *abrir una cuenta de ahorro* || **sistema (de)** · **plan (de)** · **programa (de)** · **medida (de)**

• CON VBOS. **registrar(se)** · **materializar(se)** · **esfumarse** || **aumentar** · **menguar** · **reducir(se)** || **fomentar** *medidas para fomentar el ahorro* · **estimular** · **favorecer** · **incentivar** · **permitir** · **generar** || **representar** · **conllevar** · **reportar** || **impedir** || **invertir** *Invirtió todos sus ahorros en comprarse una casa* · **malgastar** · **gastar** · **dilapidar** || **depositar** · **guardar** · **confiar (a alguien)** || **contabilizar** · **administrar** *administrar los ahorros de la familia* · **gestionar** · **canalizar** || **contribuir (a)**

ahuecar v.

• CON SUSTS. **pelo** *Se ahuecó el pelo con las manos antes de hacerse la foto* · **mano** · **voz** || **vestido** · **falda** · **enagua** · **volante** || **madera** · **tronco** || **almohadón** · **almohada** · **cojín** · **colchón**

ahumar v.

• CON SUSTS. **carne** · **chorizo** · **costilla** · **tocino** · **embutido** || **salmón** *un canapé de salmón ahumado* · **pescado** · **bacalao** · **trucha** · **palometa** || ***otros alimentos*** || **cristal** · **gafas** · **vidrio** · **lentes** || **papel** || **pared** · **fachada** · **techo**

a hurtadillas loc.adv.

• CON VBOS. **mirar** *La miró a hurtadillas, sin ser visto* · **observar** · **ver** || **huir** · **salir** · **escapar** || **venir** · **llegar** · **acercarse** · **entrar** *Entró a hurtadillas en la casa* · **colarse** · **meterse** || **avanzar** · **recorrer** · **pasar**

ahuyentar v.

• CON SUSTS. **visitante** · **turista** · **maleante** *Los vecinos contrataron a un guardia de seguridad para ahuyentar a los maleantes* · **enemigo,ga** · **gente** · ***otros individuos y grupos humanos*** || **cucaracha** *Este producto es especial para ahuyentar cucarachas* · **mosca** · **ganado** · **pájaro** · **lobo,ba** · ***otros animales*** || **frío** · **hambre** · **dolor** · **sed** || **peligro** · **amenaza** · **riesgo** || **mal** · **muerte** · **enfermedad** · **locura** · **maleficio** || **fantasma** *ahuyentar los fantasmas del pasado* · **espíritu** · **demonio** · **sombra** · **espectro** · **diablo** · **mengue** || **temor** · **miedo** *intentos de ahuyentar el miedo a la soledad* · **pánico** · **terror** · **sonrojo** · **vértigo** || **duda** · **sospecha** · **celos** · **recelo** · **incertidumbre** || **soledad** · **tristeza** · **melancolía** · **pena** · **vacío** · **desencanto** · **aburrimiento** || **dinero** · **inversión** · **empresa** · **capital** · **comercio**

aire

1 aire s.m.

▮ [fluido]

• CON ADJS. **glacial** · **frío** · **fresco** || **caliente** · **sofocante** · **agobiante** · **abrasador** *Hacía un calor terrible y el aire era abrasador* · **asfixiante** || **irrespirable** · **infecto** · **viciado** · **enrarecido** · **denso** || **puro** *Todos los domingos vamos a la sierra a respirar aire puro* · **saludable** · **vivificante** · **tonificante** · **envolvente**

• CON SUSTS. **brizna (de)** · **soplo (de)** · **bocanada (de)** · **golpe (de)** · **corriente (de)** || **bolsa (de)** · **masa (de)** · **capa (de)** || **conducto (de)**

• CON VBOS. **salir** · **entrar** · **envolver (algo/a alguien)** *Nos envolvió un aire glacial* || **difundir(se)** · **circular** · **correr** *Abre la ventana para que corra un poco el aire* || **polucionar(se)** · **enrarecer(se)** · **viciar(se)** || **faltar (a alguien)** || **hacer** *Han dicho que mañana va a hacer mucho aire* || **respirar** · **tomar** · **inspirar** · **inhalar** || **soltar** · **exhalar** · **expeler** · **espirar** · **expulsar** || **surcar** · **atravesar** || **cortar** || **desprender** · **dar** *Este ventilador no da demasiado aire* · **insuflar** · **infundir** · **imprimir** || **remover** · **purificar** · **refrescar** · **contaminar** · **impregnar** || **elevar(se) (por)** || **estallar (en)**

• CON PREPS. **al** *con sus vergüenzas al aire*

▮ [aspecto, tono]

• CON ADJS. **aristocrático** *Tiene el mismo aire aristocrático que su madre* · **chulesco** · **peculiar** · **clásico** · **popular** || **circunspecto** · **displicente** · **sombrío** || **acogedor** · **apacible** · **cálido** || **distante** || **nuevo** || **indudable** · **inequívoco**

• CON VBOS. **tener** · **conservar** *Después de tantos años, la casa del pueblo conserva su particular aire acogedor* · **adoptar** || **perder**

2 aire(s) (de) s.m.

• CON SUSTS. **grandeza** · **soberbia** · **suficiencia** · **superioridad** · **protagonismo** · **dignidad** *Abandonó su puesto sin protestar ni incomodarse y con cierto aire de dignidad* || **victoria** · **triunfalismo** · **admiración** || **tragedia** · **derrota** · **drama** · **comedia** · **tristeza** · **preocupación** || **venganza** *Las palabras fueron pronunciadas con resentimiento y con un cierto aire de venganza* · **revancha** || **alegría** · **fiesta** · **optimismo** · **esperanza** || **inocencia** · **frescura** *El último fichaje proporcionará brío y un nuevo aire de frescura al equipo* · **ingenuidad** · **frivolidad** || **novedad** · **modernización** · **modernidad** · **cambio** · **renovación** · **regeneración** || **bonanza** · **armonía** · **tranquilidad** · **satisfacción** · **normalidad** · **moderación** · **confianza** · **complicidad** · **libertad** · **autenticidad** || **formalidad** · **integridad** · **seriedad** · **gravedad** · **solemnidad** · **importancia** · **trascendencia** || **desaprobación** · **displicencia** · **marginalidad** · **resignación** || **paternalismo** · **familia** *No sé si sois hermanos, pero tenéis un aire de familia* || **experiencia** · **improvisación** · **provisionalidad** · **oportunidad** · **permanencia** || **época** · **clasicismo** || **incredulidad** · **misterio** *Aquella casa tenía cierto aire de misterio* · **excentricidad**

□ EXPRESIONES **aire acondicionado** [instalación que regula la temperatura] || **al aire libre** [a la intemperie] || **a {mi/**

tu/su...} **aire** [con estilo propio] || **en el aire** [sin decidir] *Después de tres horas de discusión, todo quedó en el aire* || **entrar aire fresco** (en un lugar) [renovarse, modernizarse]

airear v.

▮ [ventilar]

● CON SUSTS. **habitación** · **cuarto** *abrir la ventana para airear el cuarto* · **casa** · ***otros espacios cerrados*** || **sábana** · **ropa** · **calcetín** · **zapato** || **líquido** · **vino** *Conviene airear el vino antes de servirlo* || **pie** || ***persona*** *Los niños salieron al parque para airearse un rato*

▮ [divulgar]

● CON SUSTS. **relación** · **romance** · **intimidad** || **sufrimiento** · **dolor** · **malestar** · **sentimiento** || **información** · **dato** · **noticia** *Pidió que no airearan la noticia de su enfermedad* · **resultado** · **declaración** || **asunto** · **caso** · **hecho** · **tema** · **cuestión** · **detalle** · **situación** || **problema** · **escándalo** *una periodista que se dedica a airear los escándalos de los famosos* · **conflicto** · **crisis** · **incidente** · **rencilla** · **polémica** || **diferencia** · **discrepancia** · **desavenencia** · **desacuerdo** · **disconformidad** · **descontento** || **opinión** · **idea** · **teoría** · **tesis** · **criterio** · **hipótesis** || **trapos sucios** · **secreto** · **chanchullo** · **triquiñuela** · **tejemaneje** *La prensa aireó durante semanas los tejemanejes del magnate en el mundo de las finanzas* · **filtración** || **deseo** · **pretensión** · **intención** · **plan** · **propuesta** || **beneficio** · **logro** · **premio** · **éxito** · **victoria**

● CON ADVS. **a bombo y platillo** · **sin tapujos** || **a diestro y siniestro** · **a los cuatro vientos** · **ampliamente** || **sin pudor** · **sin remilgos**

airosamente adv.

● CON VBOS. **salir (de algo)** *Me sorprendió lo airosamente que salió de aquel embrollo* · **solucionar** · **resolver** · **concluir** · **terminar** || **librar(se)** · **escapar** || **mover(se)** · **bailar** || **triunfar**

airoso, sa adj.

▮ [con mucho aire]

● CON SUSTS. **día** · **invierno** *Hemos sufrido un invierno airoso y desapacible* · **período** || **estepa** *En su novela recuerda su paso por la airosa estepa y su viaje por...* · **ciudad** · ***otros lugares*** || **clima** · **brisa** · **viento**

▮ [con gracia]

● CON SUSTS. **danza** · **caminar** · **trote** · **andar** *Admiraba su andar airoso y su esbelta figura* · **abaniqueo** · ***otros movimientos***

▮ [con éxito]

● CON SUSTS. **salida** *No existen recetas mágicas para una salida airosa de la crisis* · **solución** · **resultado** · **final** · **desenlace** || **papel** · **actuación** · **realización**

● CON VBOS. **salir (de alguna situación)** · **pasar {una prueba/un examen}** · **concluir (algo)** *un difícil tercer ejercicio que concluyó airoso, incluso con brillantez* · **acabar** · **quedar** · **mantenerse** || **retirar(se)** · **ir** · **retornar**

aislado, da adj.

● CON SUSTS. **fenómeno** · **hecho** *Este brote de violencia no es más que un hecho aislado* · **episodio** · **situación** · **momento** · **caso** · **muestra** · **exponente** · **representante** · **ejemplo** *El caso que usted menciona es un ejemplo aislado* || **uso** · **presencia** || **actitud** · **comportamiento** || **palabra** · **referencia** · **alusión** · **dato** || **obra**

● CON VBOS. **estar** · **quedar** · **mantenerse**

ajar(se) v.

● CON SUSTS. **planta** *plantas y flores ajadas por el calor* · **flor** · **árbol** · **pétalo** · **hoja** || ***persona*** || **tela** · **papel** · **ropa** · **cortina** · **foto** · ***otros objetos*** || **belleza** · **lozanía** *Su lozanía se fue ajando con el paso del tiempo* || **rostro** · **piel** · **cara** · **semblante** · **cutis** · **figura** || **ilusión** · **corazón** · **esperanza** || **lujo** · **lentejuela** · **magnificencia** · **oropel**

ajedrez s.m.

● CON SUSTS. **juego (de)** *En los casinos era habitual practicar el juego del ajedrez* || **torneo (de)** · **campeonato (de)** · **partida (de)** || **jugador,-a (de)** · **campeón,-a (de)** · **aficionado,da (a)** || **tablero (de)** · **pieza (de)** · **ficha (de)**

● CON VBOS. **enseñar** · **estudiar** · **practicar** || **potenciar** · **difundir** · **promocionar** || **jugar (a)**

[ajeno, na] → por cuenta {ajena/propia}

ajetreado, da adj.

● CON SUSTS. **día** *Es un sitio perfecto para relajarse tras un día ajetreado* · **jornada** · **etapa** · **temporada** · **semana** · **verano** · **vacaciones** · **mes** · **año** · ***otros períodos*** || **casa** *Pasó su infancia en la ajetreada casa de sus tíos* · **ciudad** · **oficina** · ***otros lugares*** || **oficinista** *un oficinista ajetreado* · **secretario,ria** · **personal** · ***otros individuos y grupos humanos*** || **agenda** · **calendario** · **campaña** || **vida** *Llevo una vida muy ajetreada* · **biografía** · **trayectoria** · **historia** · **episodio** · **existencia** · **carrera** *Tuvo una corta pero muy ajetreada carrera como actor* || **movimiento** · **ritmo** · **vaivén** · **vuelta** · **gira** · **viaje** · **aventura** || **reunión** · **asamblea** · **sesión** || **actividad** · **proceso** · **trabajo**

● CON VBOS. **estar** · **mantener(se)** *Se mantuvo ajetreado toda la semana*

ajo s.m.

● CON ADJS. **tierno** · **seco** · **morado** · **blanco** || **fuerte** · **suave**

● CON SUSTS. **cabeza (de)** · **diente (de)** *Voy a echar dos dientes de ajo al guisado* · **ristra (de)** || **sopa (de)** · **sal (de)** || **olor (a)** · **sabor (a)** *No soporta el sabor a ajo*

● CON VBOS. **pelar** · **mondar** · **picar** · **machacar** *machacar los ajos y añadirlos a la salsa* · **echar** · **freír** *Se fríen el ajo y la cebolla a fuego lento* · **dorar** · **sofreír** || **sembrar** · **cultivar** · **plantar** · **cortar** · **arrancar** · **recoger** · **cosechar**

☐ EXPRESIONES **ajo y agua** [se usa para indicar resignación] *col. Te toca fregar los platos, así que si no te apetece, ajo y agua* || **estar en el ajo** [estar al corriente de algo o tener participación en ello] *col.*

ajuar s.m.

● CON ADJS. **doméstico** · **familiar** · **funerario** · **mortuorio** · **de novia**

● CON SUSTS. **pieza (de)**

● CON VBOS. **preparar** · **confeccionar** || **adquirir** · **tener** · **regalar** · **aportar** · **llevar**

a juego loc.adv./loc.adj.

● CON VBOS. **pintar** *Sillas y mesas que han sido pintadas a juego* · **decorar** || **vestir** *Los gemelos vestían siempre a juego* · **llevar** · **poner(se)** *Se puso un pañuelo a juego con la blusa* · **ir**

● CON SUSTS. **camisa** · **pantalón** · **bufanda** · **guantes** *Lleva unos guantes a juego con los zapatos* · ***otras prendas***

de vestir || **pulsera** · **collar** *un collar y una pulsera a juego* · **anillo**

ajustado, da adj.

● CON SUSTS. **pantalón** · **camisa** *La camisa te sentaría mejor si fuese más ajustada* · **vestido** · ***otras prendas de vestir*** || **valoración** · **cálculo** · **apreciación** || **perspectiva** · **visión** · **juicio** · **decisión** || **descripción** · **narración** *una narración ajustada a la realidad* · **resumen** · **retrato** || **triunfo** · **victoria** · **resultado** · **ventaja** · **diferencia** *vencer por una ajustada diferencia* || **programa** · **calendario** · **agenda** || **cantidad** · **precio** · **presupuesto** || **nivel**

[ajustar] → ajustar; ajustar(se) (a)

ajustar v.

● CON SUSTS. **presupuesto** *Fue difícil ajustar el presupuesto anual* · **cuenta** · **beneficio** · **ingreso** · **pérdida** · **coste** || **balance** · **baremo** · **nivel** *ajustar bien el nivel de medicación* || **margen** · **diferencia** || **detalle** || **reloj** · **hora** *Ajustaremos la hora de nuestros relojes antes de salir*

● CON ADVS. **al alza** *ajustar los precios al alza* · **a la baja** || **al milímetro** · **al pie de la letra** · **exactamente** · **escrupulosamente** · **perfectamente** · **por completo** · **plenamente** · **a rajatabla** · **como anillo al dedo** || **en líneas generales**

ajustar(se) (a) v.

● CON SUSTS. **criterio** · **pauta** *Nos tenemos que ajustar a las pautas impuestas por la directora* · **condición** · **norma** · **normativa** · **exigencia** · **directriz** · **especificación** · **plan** · **contrato** || **legalidad** · **legislación** *Las nuevas medidas no se ajustan a la legislación vigente sobre...* · **ley** · **medida** · **disposición** · **decisión** || **cálculo** · **previsión** *No nos estamos ajustando en absoluto a la previsión de gastos que habíamos hecho* · **expectativa** · **posibilidad** · **coste** · **letra** || **perspectiva** · **visión** · **doctrina** · **principio** · **lógica** || **límite** · **plazo** *ajustarse a los plazos impuestos por la ley* · **calendario** · **horario** · **tiempo** || **perfil** *Para que te den ese trabajo tienes que ajustarte a un perfil muy determinado* · **canon** · **molde** · **característica** · **edad** · **medios** *No hay más remedio que ajustarse a los medios disponibles* || **deseo** · **realidad** · **hecho** · **circunstancia** || **petición** · **demanda** *ajustar la oferta a la demanda* · **necesidad** · **interés** || **cambio**

ala

1 ala s.f.

▌[parte lateral de un edificio]

● CON ADJS. **espaciosa** · **amplia** || **norte** *El ala norte del palacio es la más espaciosa* · **sur** · **este** · **oeste**

● CON VBOS. **albergar (algo)** || **recorrer** · **visitar** || **vigilar** || **salir (de)**

▌[extremidad de un animal o un avión]

● CON VBOS. **abrir** · **extender** *El águila extendió las alas y echó a volar* · **desplegar** · **estirar** || **cerrar** · **plegar** · **recoger** || **batir** · **mover** · **agitar**

▌[facción de una organización]

● CON ADJS. **radical** · **extremista** · **progresista** · **moderada** · **conservadora** · **renovadora** · **integrista**

● CON SUSTS. **representante (de)** · **miembro (de)** · **líder (de)** · **candidato,ta (de)**

● CON VBOS. **pertenecer (a)**

▌[parte inferior de un sombrero]

● CON ADJS. **ancha** *un sombrero de ala ancha* · **estrecha** || **recta** · **curva**

● CON VBOS. **tocar**

2 ala (de) s.f.

● CON SUSTS. **avión** || **paloma** · **águila** · **cóndor** · ***otras aves*** || **insecto** · **ángel** || **edificio** *el ala oeste del edificio* · **palacio** · **castillo** · **fachada** || **partido** · **coalición** *el ala más radical de la coalición* || **sombrero** *Llevaba el rostro cubierto por el ala del sombrero*

□ EXPRESIONES **ahuecar el ala** [marcharse] *col.* || **ala delta** [aparato que permite planear] || **dar alas** (a alguien) [estimularlo] *col.* || **tocado del ala** [de poco juicio] *col.*

a la altura (de) loc.prep.

● CON SUSTS. **circunstancias** · **situación** · **acontecimiento** · **ocasión** || **expectativa** · **exigencia** · **ambición** · **expectación** · **esperanza** *No estuvo a la altura de las esperanzas que todos habían depositado en él* · **demanda** · **aspiración** || **responsabilidad** · **deber** · **obligación** · **necesidad** · **compromiso** || **prestigio** · **reputación** · **talento** · **fama** · **categoría** · **mérito** · **renombre** · **leyenda** · **mito** || **desafío** *No supo ponerse a la altura del desafío que suponía...* · **reto** · **crisis** || **tiempo** · **etapa histórica** · **momento** · **historia** || **presidente,ta** *encontrar a alguien a la altura de nuestra presidenta* · **erudito,ta** · **profesor,-a** · **profesorado** · ***otros individuos y grupos humanos***

● CON VBOS. **estar** · **quedar** · **poner**

a la baja loc.adv./loc.adj.

● CON VBOS. **estar** · **seguir** · **permanecer** · **mantenerse** · **continuar** || **cerrar** *La Bolsa cerró a la baja por cuarto día consecutivo* · **cotizar** · **abrir** · **operar** · **terminar** · **comenzar** · **jugar** || **tender** · **evolucionar** · **moverse** · **ir** · **andar** · **deslizarse** · **orientarse** *Al final del semestre los precios se orientaron a la baja* · **inclinarse** · **reaccionar** · **tirar** · **flexionar** · **caer** · **precipitarse** || **comprar** · **vender** · **apostar** · **presionar** *...factor que contribuirá a presionar a la baja los precios de la carne* · **empujar** · **pujar** · **negociar** · **especular** · **adjudicar** || **revisar** · **retocar** · **modificar** · **mover** · **ajustar** *Las expectativas de crecimiento tienden a ajustarse a la baja* · **corregir** · **reajustar** · **replantear** · **arrastrar** · **impulsar** · **acotar** || **calcular** · **estimar** · **contar** · **valorar**

● CON SUSTS. **tendencia** *Se confirmó la tendencia a la baja del número de accidentes en carretera* · **orientación** · **movimiento** · **evolución** · **cambio** · **desviación** · **crecimiento** · **deslizamiento** · **inflexión** · **inflación** · **caída** · **goteo** || **revisión** · **ajuste** · **corrección** · **retoque** · **modificación** · **reforma** · **remodelación** || **cálculo** *Se estima, realizando un cálculo a la baja, que se duplicarán las inversiones* · **estimación** · **previsión** || **apertura** · **cierre** · **juego** · **presión** · **negociación** · **licitación** · **oferta** · **igualación** || **tipo de interés** · **cotización** *...a lo que hay que sumar la cotización a la baja del euro y las devaluaciones monetarias de los últimos meses* · **precio** · **acción** · **tasa** · **deuda** · **salario** · **tarifa** · **valor**

alabanza s.f.

● CON ADJS. **efusiva** *recibir efusivas alabanzas* · **cálida** · **encendida** || **solemne** · **incondicional** · **unánime** · **excelsa** · **gran(de)** || **cumplida** · **sincera** || **pública** || **digno,na (de)** *Su bondad es digna de alabanza*

● CON SUSTS. **objeto (de)** || **retahíla (de)** · **ola (de)** · **coro (de)** · **palabras (de)** *Al final de la conferencia dirigió unas palabras de alabanza a...* · **letanía (de)** · **canto (de)**

● CON VBOS. **dirigir (a alguien) · dedicar (a alguien) · tributar (a alguien) · rendir (a alguien) · prodigar · dispensar · lanzar · verter || cosechar · acaparar · copar** *La actriz copó todas las alabanzas del público y de la crítica en la entrega de los premios* **|| escatimar · ahorrar || oír · escuchar || cantar || colmar (algo/a alguien) (de) · llenar (algo/a alguien) (de) · cubrir (algo/a alguien) (de) || explayarse (en) · deshacerse (en)**
● CON PREPS. **entre**

alabar v.

● CON ADVS. **encendidamente · incendiariamente · efusivamente · sinceramente · cumplidamente || excesivamente · desmesuradamente · profusamente || sin reparos · sin recato || públicamente · a bombo y platillo || unánimemente**

a la bartola loc.adv. *col.*

● CON VBOS. **tumbarse** *En vacaciones lo que más me gusta es tumbarme a la bartola en la playa* **· echarse · tirarse · tenderse**

a la brasa loc.adv./loc.adj.

● CON VBOS. **hacer** *Haremos carne a la brasa para cenar* **· preparar · cocinar · asar**
● CON SUSTS. **carne · filete · costillas**

al abrigo (de) loc.prep.

▮ [bajo la protección]

● CON SUSTS. **montaña · valle · roca · cueva · árbol · muralla · pared || oscuridad · noche || público** *actuar al abrigo del público* **· juez · tribunal · familia · profesor,-a ·** ***otros individuos y grupos humanos*** **|| empresa · universidad** *El centro de investigación, hoy ya pujante y con mucha experiencia, nació al abrigo de la universidad* **· corporación ·** ***otras instituciones*** **|| ley · norma · reglamentación · artículo · acuerdo · reglamento ·** ***otras disposiciones*** **|| libertad · necesidad · impunidad · coyuntura**

▮ [libre, a salvo]

● CON SUSTS. **viento · lluvia · helada · huracán · intemperie** *colocar las plantas en un lugar al abrigo de la intemperie* **|| radiación · fuego · golpes · balas · cañonazos · flechas || cambio · inestabilidad · oscilación · moda** *una línea firme y segura al abrigo de las modas y los compromisos* **· capricho · avatar · fluctuación || mirada** *...fuera ya de la vida pública y al abrigo de los focos y las miradas* **· acechanza · crítica · amenaza · ataque || crisis · peligro** *...donde quedar al abrigo de los numerosos peligros que acechan* **· mal · escándalo · violencia · horror · abuso · conflicto**

a la cabeza loc.adv.

● CON VBOS. **colocar(se)** *El ciclista se colocó a la cabeza del pelotón* **· situar(se) · poner(se) · ir · marchar · encontrarse · hallarse · ubicarse · establecerse · posicionar(se)** *posicionarse a la cabeza del mercado* **· figurar · estar || seguir · mantenerse · continuar** *El equipo local continúa a la cabeza de la liga*

a la cara loc.adv.

● CON VBOS. **decir** *¿Por qué nunca me dices a la cara lo que piensas?* **· hablar (a alguien) · preguntar (a alguien) · cuestionar || insultar (a alguien) · espetar (a alguien) || gritar (a alguien) · chillar (a alguien)**

a la contra loc.adv./loc.adj.

▮ [en actitud contraria]

● CON VBOS. **actuar · maniobrar · reaccionar · hacer campaña || responder · argumentar · exponer · explicar · razonar || ir · ponerse** *Sistemáticamente se ponía a la contra de todas mis propuestas* **· mantenerse · votar · posicionarse**
● CON SUSTS. **discurso · respuesta · argumento || voto · decisión · reacción**

▮ [al contraataque]

● CON VBOS. **salir · correr · ir · moverse || jugar · pelear · defender**
● CON SUSTS. **juego** *El jugador dio una lección de juego a la contra* **· carrera**

a la defensiva loc.adv./loc.adj.

● CON VBOS. **luchar · pelear · enfrentarse · jugar** *Después de marcar el primer gol, el equipo comenzó a jugar a la defensiva* **|| salir · correr · ir · moverse || estar · mantenerse · permanecer · quedarse || actuar · mostrarse · reaccionar · comportarse || poner(se)** *No te pongas a la defensiva, que no estoy hablando de ti* **· situar(se) · colocar(se) · posicionarse · encontrarse · hallarse · verse · pasar || dirigirse · replicar · responder**
● CON SUSTS. **juego** *desarrollar un juego a la defensiva* **· pelea · guerra || jugador,-a · equipo · rival** *El entrenador, que esperaba un rival a la defensiva, dejó en el banquillo a...* **·** ***otros individuos y grupos humanos***

a la {derecha/izquierda} loc.adv.

● CON VBOS. **torcer · girar** *Gire a la derecha en el segundo semáforo* **· doblar**

a la deriva loc.adv./loc.adj.

● CON VBOS. **navegar · flotar · remar || estar · quedar · permanecer · hallarse · encontrarse · seguir** *El país sigue a la deriva, a pesar de...* **· continuar || ir · avanzar · andar · marchar · caminar · recorrer || errar · deambular** *Estuve deambulando a la deriva por las callejuelas del barrio antiguo* **· vagar || llevar · moverse · conducir · desplazar || dejar · abandonar** *Avistaron un pequeño barco abandonado a la deriva* **|| terminar · acabar**
● CON SUSTS. **velero · barco · balsa ·** ***otras embarcaciones***

a la desesperada loc.adv./loc.adj.

● CON VBOS. **ir · salir** *Intenta salir a la desesperada de un aislamiento asfixiante* **· huir · escapar · lanzarse · llegar · acudir · subir · bajar · sacar · moverse · volcarse · tirarse · abandonar ·** ***otros verbos de movimiento*** **|| intentar · buscar · recurrir · tratar · optar · perseguir** *...tratando de perseguir a la desesperada una solución de compromiso* **· encomendarse || jugar · atacar · luchar · defenderse · competir · enfrentarse · encarar · disparar · atracar · pelear** *Saben que no tienen ninguna opción pero pelean a la desesperada como si la hubiera* **|| evitar · impedir · desbaratar · conjurar · desalojar · quemar · cortar · fumigar || actuar · tomar medidas** *Era una situación de crisis, que llevó al Gobierno a tomar medidas a la desesperada* **· hacer concesiones · ofrecer · efectuar cambios · recuperar · reflotar**
● CON SUSTS. **intento · búsqueda · esfuerzo** *...en un último esfuerzo a la desesperada* **· triunfo · victoria || huida · salida · desalojo · viaje**

a la francesa loc.adv.

●CON VBOS. **marcharse · irse · largarse · despedirse** *Se despidió a la francesa, sin decir adiós a nadie*

a lágrima viva loc.adv.

●CON VBOS. **llorar** *En la despedida lloramos todos a lágrima viva* || **implorar**

a la intemperie loc.adv.

●CON VBOS. **exponer(se) · dejar (algo/a alguien)** || **dormir · pasar {el día/la noche}** *Pasaron la noche a la intemperie porque el refugio estaba completo* · **acampar** || **quedar(se) · permanecer · aguantar · vivir · estar · aguardar · esperar** || **soportar (algo)** *Los aficionados soportaron el frío a la intemperie mientras hacían cola*

a la izquierda loc.adv. Véase **a la {derecha/izquierda}**

a la legua loc.adv. *col.*

●CON VBOS. **ver · notar · percibir** || **distinguir** *El verde de tu coche se distingue a la legua* · **reconocer · identificar · conocer**

□USO Se usan también las variantes *a una legua* y *a cien leguas*.

a la ligera loc.adv.

●CON VBOS. **tratar** *tratar a la ligera asuntos de gran importancia* · **tomar · estudiar · analizar** *Cuando las cuestiones importantes se analizan a la ligera se cometen errores* · **abordar · despachar · tocar** || **ir · actuar · hacer · reaccionar · trabajar · obrar** *Obrar a la ligera puede tener consecuencias muy negativas* · **proceder** || **elaborar · formular · componer · fabricar · realizar** || **elegir · adoptar (una decisión) · decidir** *Decidió dejar aquel trabajo un poco a la ligera, y luego se arrepintió* · **asumir · firmar · comprometer(se)** || **hablar · decir · comentar · soltar ·** ***otros verbos de lengua*** || **opinar** *No opines a la ligera en un asunto tan grave* · **juzgar · interpretar · vaticinar · pensar** || **traducir · escribir · leer** || **clasificar · revisar · ordenar** || **descartar · desestimar · saltarse · rechazar · eliminar · descalificar** *Había descalificado demasiado a la ligera el trabajo de varios alumnos, pero luego tuvo que retractarse* · **acusar** || **usar · utilizar · gastar**

a la luz (de) loc.prep.

●CON SUSTS. **sol · luna · vela** *Cenamos al aire libre, a la luz de las velas* · **linterna · fuego · día** || **informe · documento · ley · constitución · evangelio · escrituras** || **acontecimientos** *A la luz de los recientes acontecimientos, puede afirmarse que...* · **hechos · situación · realidad · sucesos · caso** || **investigación · análisis · estadística · sondeo · encuesta** || **dato · cifra** *A la luz de las cifras divulgadas, la recuperación económica no alcanza el ritmo previsto* · **evidencia · prueba** || **resultado · avance · conclusión · descubrimiento · hallazgo** || **experiencia · historia · antecedente · tradición · conocimiento** || **perspectiva · enfoque · interpretación · juicio · criterio · postura · concepción · consideración · opinión** || **declaración · confesión · testimonio** *A la luz de los testimonios arqueológicos con los que hoy contamos, estamos en condiciones de asegurar que...* || **teoría · reflexión · razonamiento · idea · lógica** || **doctrina · ideología · corriente · principio · marxismo · humanismo · cristianismo ·** ***otras tendencias***

alambicado, da adj.

●CON SUSTS. **expresión** *Siempre emplea expresiones alambicadas en sus discursos* · **respuesta · palabra · trama · historia · narración · prosa · lenguaje · sintaxis ·** ***otras manifestaciones verbales o textuales*** || **argumento · explicación** *Creo que buscas explicaciones alambicadas a problemas sencillos* · **solución · razonamiento · ejercicio · receta** || **manera · forma · estructura · construcción** || **juego · estrategia · recurso**

a la medida (de) loc.prep.

●CON SUSTS. **cliente** *productos y servicios ajustados a la medida del cliente* · **alumno,na · ciudadano,na · empresa · equipo · familia · país ·** ***otros individuos y grupos humanos*** || **tiempo · día · época** *una película a la medida de la época* · **siglo · era ·** ***otros períodos*** || **interés · deseo · gusto · ambiciones · preferencias** *Entre las veinte salas de cine, el espectador podrá elegir la película a la medida de sus preferencias* · **pasión · aspiraciones · expectativas · anhelo · capricho** || **posibilidades · capacidad · cualidades · talento** || **necesidades** *Parece un puesto de trabajo creado a la medida de sus necesidades* · **exigencias · requerimientos · demanda** || **problema · conflicto · crisis · trauma** || **idea · visión · convicción** || **tradición · costumbre**

álamo s.m.

●CON ADJS. **machadiano** || **blanco** *pasear entre los álamos blancos* · **negro · amarillo**
●CON SUSTS. **bosque (de) · zona (de) · soto (de)**
●CON VBOS. **amarillear**
➤ Véase también **ÁRBOL**

a la moda loc.adv./loc.adj.

●CON VBOS. **vestir** *Le encanta vestir a la moda* · **ir · andar · estar**
●CON SUSTS. **camiseta · vestido** *un vestido a la moda* · **jersey ·** ***otras prendas de vestir***

al amor (de) loc.prep.

●CON SUSTS. **hoguera** *charlar al amor de la hoguera* · **fuego · chimenea · lumbre**

al amparo (de) loc.prep.

●CON SUSTS. **constitución · legislación · ley** *una decisión política que está al amparo de la ley* · **decreto · norma · normativa · artículo** || **tratado · acuerdo · reforma · programa** || **noche** *Perpetraron el robo al amparo de la noche* · **oscuridad · luz** || **público** *un actor al amparo de su público*

a la pata coja loc.adv.

●CON VBOS. **saltar · ir · andar · caminar · correr · moverse**

a lápiz loc.adv.

●CON VBOS. **escribir** *escribir a lápiz en un cuaderno* · **trazar · esbozar · marcar** || **dibujar · ilustrar · pintar · colorear**

alarde

1 alarde s.m.

●CON ADJS. **sorprendente · increíble · extraordinario** *Nos defendió en un extraordinario alarde de valor* · **prodigioso · pasmoso · monumental · desmedido · verdadero · auténtico · gran(de)** || **ostentoso** *sin hacer ningún* *ostentoso alarde de su fortuna* · **vistoso** · **suntuoso** || **innecesario** · **gratuito**

2 **alarde (de)** s.m.

● CON SUSTS. **fuerza** · **técnica** · **velocidad** · **reflejos** *El portero tuvo que hacer un alarde de reflejos para detener el espectacular cabezazo* || **imaginación** · **memoria** · **erudición** · **sabiduría** · **inteligencia** *Su trabajo exige un gran alarde de inteligencia* · **astucia** || **elegancia** · **generosidad** · **sinceridad** · **nobleza** · **valor** · **valentía** · ***otras cualidades*** || **optimismo** *En un alarde de optimismo ha prometido un aumento de beneficios para el próximo ejercicio* || **medidas** · **recursos** · **riqueza** · **poder** || **voz** *El cantante hizo un auténtico alarde de voz*

alardear (de) v.

● CON SUSTS. **éxito** *Siempre está alardeando de sus éxitos* · **triunfo** · **victoria** · **logros** · **resultado** || **capacidad** · **condición** · **fuerza** · **conocimiento** *A pesar de tener una cultura vastísima, no le gusta alardear de sus conocimientos* · **valores** · ***otras cualidades***

● CON ADVS. **abiertamente** *El nuevo presidente alardeaba abiertamente de su victoria en las elecciones* · **descaradamente** · **con chulería** · **públicamente** · **con entusiasmo** || **sin reparos** · **sin recato** || **continuamente** · **constantemente**

alargar v.

● CON ADVS. **espectacularmente** *Con la llegada de la primavera se están alargando espectacularmente las listas de espera para los alergólogos* · **desmesuradamente** · **desmedidamente** · **exageradamente** · **notablemente** · **considerablemente** || **indefinidamente** *A causa de esta recaída, ha tenido que alargar su baja indefinidamente* · **sine díe** · **eternamente** || **progresivamente** · **gradualmente** · **paulatinamente** || **inesperadamente** || **incomprensiblemente** · **innecesariamente** *Están evitando alargar innecesariamente los plazos* || **artificialmente**

alarma s.f.

▮ [dispositivo]

● CON ADJS. **estridente** · **ensordecedora** · **molesta** · **ruidosa** · **escandalosa** · **eficaz**

● CON SUSTS. **sistema (de)** *Varios vecinos han decidido contratar un sistema de alarma* · **luz (de)** *La gente empezó a moverse cuando se encendió la luz de alarma* || **clave (de)** · **contraseña (de)**

● CON VBOS. **sonar** · **funcionar** || **encender(se)** · **saltar** *Apenas rocé el coche con la mano y saltó la alarma* · **disparar(se)** || **estropear(se)** || **conectar** *No olvides conectar la alarma antes de salir* · **activar** || **desactivar**

▮ [inquietud, pánico]

● CON ADJS. **grave** *Estos sucesos han provocado una grave alarma social* · **gran(de)** · **considerable** || **incontrolable** · **apremiante** || **justificada** · **fundada** || **injustificada** · **sin fundamento** · **infundada** · **innecesaria** · **falsa** || **generalizada** · **general** · **mundial** *La alarma mundial se desató cuando...* || **social** · **ciudadana** · **pública**

● CON SUSTS. **motivo (de)** · **origen (de)** || **signo (de)**

● CON VBOS. **desatar(se)** · **declarar(se)** · **cundir** · **estallar** || **extender(se)** · **propagar(se)** · **intensificar(se)** || **remitir** *Poco a poco, la alarma entre la población fue remitiendo* || **provocar** · **causar** · **crear** · **sembrar** · **desencadenar** · **suscitar** · **despertar** · **generar** || **decretar** *Se ha decretado la alarma a causa del temporal* || **mitigar** · **atenuar**

▮ [llamada, aviso]

● CON SUSTS. **señal (de)** · **toque (de)** · **voz (de)**

● CON VBOS. **dar** *Afortunadamente, alguien dio la alarma a tiempo* · **emitir** · **difundir** · **desoír**

● CON PREPS. **en señal (de)**

alarmante adj.

● CON SUSTS. **suceso** · **acontecimiento** *Los alarmantes acontecimientos sucedidos la noche pasada han sembrado el pánico* · **situación** · **problema** || **rumor** · **noticia** · **dato** *Se han publicado datos alarmantes respecto a...* || **indicio** · **síntoma** · **prueba** · **señal** · **muestra** || **cifra** · **cantidad** · **extensión** · **cálculo** || **velocidad** · **ritmo** · **frecuencia** *Los robos empiezan a adquirir una frecuencia alarmante* · **cadencia** || **aumento** · **crecimiento** · **incremento** · **proliferación** || **descenso** · **caída** · **disminución** · **pérdida** · **deterioro** *el deterioro alarmante de su estado físico* || **alteración** · **transformación** · **cambio**

● CON VBOS. **hacer(se)** · **volver(se)**

alarmantemente adv.

● CON VBOS. **aumentar** *Está aumentando alarmantemente el índice de desempleo* · **crecer** · **incrementar(se)** · **elevar(se)** · **multiplicar(se)** · **subir** · **doblar** · **desarrollar(se)** · **proliferar** || **disminuir** · **bajar** · **descender** · **menguar** · **decrecer** · **reducir(se)** *Las inversiones en el sector se han reducido alarmantemente en los dos últimos años* · **decaer** · **caer** · **agotar(se)** || **agravar(se)** · **agudizar(se)** · **recrudecerse** · **acentuar(se)** || **anunciar** · **amenazar** · **alertar** || **apuntar** · **indicar**

● CON ADJS. **alto,ta** · **grande** · **elevado,da** *Los precios se mantienen alarmantemente elevados* · **largo,ga** || **bajo,ja** *Los niveles de producción resultaban alarmantemente bajos* · **pequeño,ña** · **escaso,sa** · **corto,ta**

alarmar(se) v.

● CON ADVS. **en exceso** · **excesivamente** · **considerablemente** · **seriamente** || **justificadamente** · **con razón** || **injustificadamente** · **sin razón** · **inútilmente**

a las claras loc.adv.

● CON VBOS. **hablar** *Es necesario que hablemos a las claras, abiertamente, sobre lo que nos ha pasado* · **decir** · **contar** · **definir** · **confesar** · **expresar** · ***otros verbos de lengua*** || **demostrar** · **mostrar** · **revelar** · **confirmar** · **despejar** · **evidenciar** · **enseñar** · **ejemplificar** || **percibir** · **ver** · **oír** *Por todo el barrio se oían bien a las claras las quejas de los vecinos* · **dejar ver** · **notar(se)** · **distinguir(se)** · **reflejar(se)** · **transparentar(se)** · **traslucir(se)**

a las mil maravillas loc.adv.

● CON VBOS. **realizar** · **ejecutar** · **cumplir** *Cumplió su cometido a las mil maravillas* || **cantar** · **escribir** · **actuar** · **tocar** *Tocas el piano a las mil maravillas* · **pintar** · ***otros verbos que expresan actividades*** || **funcionar** · **ir** · **salir** *La celebración del aniversario salió a las mil maravillas* · **marchar** · **resultar** · **desarrollarse** || **llevarse** · **entenderse** · **congeniar** *Los dos amigos congeniaban a las mil maravillas* · **conectar** · **compenetrarse** || **encajar** · **casar** · **sentar** · **integrarse** · **cuadrar** · **conjugar** · **aclimatarse** · **hacerse (a algo)** || **conocer** · **manejar** · **dominar** · **defenderse** · **desenvolverse** *En este género la actriz se desenvuelve a las mil maravillas* || **transmitir** · **reflejar** · **mostrar** · **plasmar** · **captar** · **comprender**

a la sombra loc.adv.

• CON VBOS. **quedarse · instalar(se) · poner(se)** *Es mejor que nos pongamos a la sombra porque hace demasiado calor* · **cobijarse · acampar · dormir · tumbar(se) · sentar(se) · pasear || marcar (temperatura)** *El termómetro marcó ayer cuarenta grados a la sombra*

a la sombra (de algo/de alguien) loc.adv.

• CON VBOS. **surgir** *El proyecto surgió a la sombra del anterior presidente* · **nacer · crecer · pasar tiempo · vivir || aprender · prosperar · formar(se)** *Se ha formado a la sombra de los mejores investigadores* · **desarrollar(se) · medrar · hacer fortuna · hacer carrera · maniobrar || investigar · trabajar**

a la zaga loc.adv.

• CON VBOS. **ir** *Eres muy listo, pero tu hermana no te va a la zaga* · **andar · quedar · marchar · continuar**

al azar loc.adv.

• CON VBOS. **asignar · adjudicar · decidir · nombrar || seleccionar · escoger · elegir** *Las personas que participen en el estudio serán elegidas al azar* · **tomar · extraer || suceder · ocurrir · evolucionar || realizar (algo) · dejar (algo) || abrir (algo) · descubrir (algo)** *Descubrió al azar el lugar donde estaba* **|| disparar || escuchar**

alba s.m.

• CON VBOS. **despertar · rayar · despuntar** *Despuntaba el alba cuando se levantaban*

□ EXPRESIONES **al alba** [al amanecer]

albanés s.m. Véase **IDIOMA**

albañil, -a s.

• CON SUSTS. **peón (de) || casco (de) · mazo (de) · piquete (de) || oficial || trabajo (de)** *El trabajo de albañil es duro y suele estar mal retribuido*

• CON VBOS. **contratar || trabajar (como/de) · emplear (como)**

albañilería s.f.

• CON ADJS. **interior · exterior**

• CON SUSTS. **obra (de) · trabajo (de) · tarea (de) · chapuza (de) || curso (de) · clase (de) · taller (de)**

• CON VBOS. **enseñar · aprender · ejercer**

albergar v.

• CON SUSTS. **biblioteca · museo** *El monasterio alberga un museo de arte sacro* · **almacén · comedor · editorial · universidad · fábrica · empresa · institución || libro · tesoro** *la isla que alberga el tesoro* · **colección · patrimonio ·** ***otros bienes*** **|| conferencia · exposición · reunión · acto · festival · congreso · juegos olímpicos** *¿Qué ciudad albergará los próximos Juegos Olímpicos?* · ***otros eventos*** **|| huésped · turista · veraneante · refugiado,da · estudiante · familia ·** ***otros individuos y grupos humanos*** **|| esperanza · deseo · expectativa · ilusión** *Aún hoy, después de tanto tiempo, albergo la ilusión de...* · **propósito · interés · tentación · intención · aspiración || duda** *Ninguno de nosotros alberga dudas sobre sus nobles propósitos, pero...* · **sospecha · sombra · incógnita · misterio · temor · miedo · inquietud · angustia || sentimiento · sensación · odio · aversión**

al bies loc.adv.

• CON VBOS. **coser · pespuntear · cortar** *cortar una tela al bies*

al borde (de) loc.prep.

• CON SUSTS. **río · mar · piscina** *Tomaba el sol al borde de la piscina* · **pista · camino · acera · carretera · campo · ciudad · mesa || sepultura** *El tabaco lo puso al borde de la sepultura* · **abismo · cárcel · precipicio || medianoche** *Sucedió el jueves al borde de la medianoche* · **edad · época || elecciones · comicios · semifinales** *Esta nueva victoria nos coloca al borde de las semifinales* · **congreso || locura · ataque de nervios · histeria · paranoia · delirio · soponcio · rabia || crisis · desesperación · desastre · miseria · ruina** *Cuando ya estaba al borde de la ruina tuvo un golpe de suerte* · **catástrofe · pánico · hecatombe ·** ***otras situaciones desfavorables*** **|| extinción · disolución · ruptura · eliminación · derrota · retirada · desaparición · cierre** *Varios centros se encuentran al borde del cierre por falta de presupuesto* **|| acuerdo · pacto · arreglo · solución || felicidad · gloria · cumbre · victoria · éxito**

albornoz s.m.

• CON ADJS. **de rizo · de felpa**

• CON VBOS. **secar (con)** *Cuando salgo de la ducha me seco con el albornoz*

➤ Véase también **ROPA**

alborotado, da adj.

• CON SUSTS. ***persona*** **||** ***animal*** **|| pelo** *Llegó despeinada, con todo el pelo alborotado* · **crines · cabello || público · población · auditorio · clase** *El profesor de química tiene alborotada a la clase de segundo* · **gentío · vecindario · griterío || ciudad** *una ciudad alborotada ante la inminencia de las fiestas patronales* · **calle || río · mar · aguas || carácter · estilo · prosa || sangre · hormonas** *Si los adolescentes fueran más juiciosos y tuvieran las hormonas menos alborotadas, no serían adolescentes*

alborotador, -a s.

• CON ADJS. **radical · violento,ta · intransigente · agresivo,va || callejero,ra || político,ca · profesional**

• CON SUSTS. **grupo (de)**

• CON VBOS. **castigar · perseguir · denunciar || cargar (contra)** *La Policía tuvo que cargar contra los alborotadores en la manifestación*

alboroto s.m.

• CON ADJS. **descomunal** *Entre todos armaron un alboroto descomunal* · **monumental · impresionante · extraordinario · enorme · tremendo · gran(de) || estruendoso · ensordecedor** *Había un alboroto ensordecedor* · **estremecedor · infernal · incesante || verdadero · auténtico || reinante** *¿Saben ustedes a qué obedece el alboroto reinante?* · **generalizado · popular || escaso · pequeño || alegre · jovial || político · mediático · publicitario · periodístico · militar**

• CON VBOS. **armar(se) · surgir · levantar(se)** *Se levantó un alboroto enorme con aquellas declaraciones* · **desencadenar(se) · desatar(se) · formar(se) || apaciguar(se) · cesar || causar · provocar · producir · generar · montar · organizar || mitigar · acallar · sofocar || escuchar · oír**

• CON PREPS. **durante · en medio (de)** *En medio de tanto alboroto no pudimos oír nada* · **entre**

alborozadamente adv.

• CON VBOS. **festejar · celebrar** *Al terminar el partido, los jugadores celebraron alborozadamente el ascenso a primera división* || **gritar · chillar · reír** || **saludar**

[alborozo] → con alborozo

álbum

1 **álbum** s.m.

▮ [colección]

• CON ADJS. **familiar · personal** || **fotográfico · gráfico**
• CON VBOS. **reunir · incluir · contener** *El álbum contiene las fotografías más relevantes de los últimos años* || **ver · hojear · mirar** || **completar · rellenar** || **elaborar · crear · realizar**

▮ [disco]

• CON ADJS. **doble · triple · recopilatorio · en solitario** || **primer · reciente · último · nuevo · próximo**
• CON VBOS. **titular** || **presentar · lanzar · promocionar · relanzar · anunciar · sacar** || **grabar** *La cantante está en el estudio grabando su nuevo álbum* · **producir · editar · publicar** || **dedicar (a alguien)**

2 **álbum (de)** s.m.

• CON SUSTS. **fotos · imágenes · cromos · recortes** *Lleva años elaborando un álbum de recortes de prensa* · **dibujos · firmas · poesía · música · sellos · monedas** || **familia · recuerdos · éxitos · viaje** || **boda · fiesta · comunión** · ***otros eventos***

alcahuete, ta s.

• CON ADJS. **viejo,ja** || **diligente · solícito,ta**
• CON SUSTS. **complicidad (de) · ayuda (de) · servicio (de)** || **imagen (de) · figura (de) · personaje (de)**
• CON VBOS. **mentir · engañar · embaucar** || **ayudar · favorecer** *Las alcahuetas favorecían el encuentro entre los amantes* || **tramar · maquinar** || **delatar · descubrir · acusar** || **actuar (como/de) · convertir(se) (en)**

alcalde, -sa s.

• CON ADJS. **electo,ta · actual · último,ma · pasado,da · próximo,ma** || **interino,na · en funciones** *Hasta las próximas elecciones habrá un alcalde en funciones* · **in pectore · dimisionario,ria** || **eficiente · competente · trabajador,-a · emprendedor,-a · flamante · popular · impopular · polémico,ca · controvertido,da · incompetente**
• CON SUSTS. **candidato,ta (a)** || **teniente (de)** || **puesto (de) · mandato (de) · cargo (de)**
• CON VBOS. **presidir (algo) · mandar (algo)** || **dimitir · cesar (en sus funciones)** || **ejercer (de/como) · actuar (de/como) · hacer (de)** || **elegir · nombrar · designar** || **votar (para/como) · convertir(se) (en) · llegar (a)**

alcaldía s.f.

• CON SUSTS. **candidato,ta (a) · aspirante (a)** || **candidatura (a) · aspiración (a)** || **elección (a/de) · contienda (por)** *Nadie lleva claramente la delantera en la contienda por la alcaldía, pero la encuesta sí muestra a un perdedor* || **tenencia (de)**
• CON VBOS. **recaer (en alguien)** || **ocupar** *Mi abuelo ocupó la alcaldía de este pueblecito durante algunos años* · **ejercer · dirigir** || **alcanzar · conseguir · obtener · conquistar · ganar · revalidar · renovar** || **disputar (a alguien) · arrebatar (a alguien)** || **perder · abandonar** || **presentar(se) (a) · aspirar (a) · competir (por)** || **llegar (a) · acceder (a)** || **votar (para)**
• CON PREPS. **a cargo (de) · al frente (de)** *Se trata de la primera mujer al frente de esta alcaldía*

alcalino, na adj.

• CON SUSTS. **pila · batería** || **sales · tierra · terreno** || **agua · limonada**

al calor (de) loc.prep.

• CON SUSTS. **llama · hoguera** *Dormía tranquilamente al calor de la hoguera* · **vela · estufa · brasa** || **hogar · familia · amigo,ga · maestro,tra · compañero,ra** · ***otros individuos y grupos humanos*** || **tacto · roce · beso** || **debate · discusión · disputa · polémica · guerra · conflicto · confrontación · riña · combate · batalla** || **tendencia · pensamiento · ideología · feminismo** || **noche** || **amor · solidaridad** *miles de firmas obtenidas al calor de la solidaridad* · **protección · ayuda · apoyo** || **rumor · noticia · información · exclusiva** || **subida · recuperación · crecimiento · aumento · auge · incremento** || **campaña · plan · iniciativa · proyecto** || **expectativa · perspectiva · posibilidad · esperanza · fe** *...algo que solo es posible explicar al calor de una fe ciega* || **resultado · éxito · victoria · fama** || **revolución · cambio · transformación** || **dinero · dividendo · beneficio · pago · subvención**

alcance

1 **alcance** s.m.

• CON ADJS. **corto** *una noticia de corto alcance* · **escaso · exiguo · limitado · parco** || **considerable · amplio · extenso · ilimitado · largo · vasto** || **impredecible**
• CON VBOS. **calcular · calibrar · estimar · evaluar · juzgar · sopesar · valorar** *Es difícil valorar el alcance de sus declaraciones* · **enjuiciar** || **abarcar · captar** || **considerar · determinar · pronosticar · vislumbrar · atisbar**

2 **alcance (de)** s.m.

• CON SUSTS. **suceso · acontecimiento** *Estamos lejos todavía de comprender el alcance de los acontecimientos recientes* · **hecho · acto · situación · realidad** || **noticia · declaración · palabras · documento · libro · frase · carta · discurso** · ***otras manifestaciones verbales o textuales*** || **problema · crisis** *...cifras que solo ponen en evidencia el alcance de la crisis* · **conflicto · tragedia · siniestro · catástrofe · accidente** || **decisión · resolución · sentencia · fallo · victoria** *Aún es pronto para valorar en sus justos términos el alcance de esta victoria electoral* · **resultado** || **acuerdo · pacto · alianza · tratado · convenio · negociación** || **daño · lesión · dolencia · molestia · sufrimiento · afección · desperfecto · amenaza · agresión** || **ayuda · medida** *No es fácil determinar el alcance de las medidas que proyecta el Gobierno* · **colaboración · participación · actuación · acción · cooperación · intervención · apoyo** || **proyecto · plan · propuesta · iniciativa** || **cambio · reforma · remodelación · mutación · movimiento · modificación · transformación · canje** || **investigación · pesquisa · estudio · conocimiento · educación** || **actitud · conducta · posición · reacción** || **misión · responsabilidad · compromiso · obligación · deber · competencia · tarea · trabajo** *El tribunal evaluará la calidad del informe y el alcance del trabajo realizado* || **fraude · falsificación · estafa · escándalo · corrupción · traición · trampa · conspiración**

alcancía s.f.

• CON SUSTS. **ranura (de)**
• CON VBOS. **romper** || **tener** || **meter (en)**

alcanzar v.

• CON SUSTS. ***persona*** *Si te das prisa todavía puedes alcanzar a la encargada* || **coche · bicicleta · balón ·** ***otras cosas en movimiento*** || **felicidad · éxito** *Con este premio alcanza el mayor éxito posible en su carrera profesional* · **sueño · ideal · futuro** || **fin · propósito · objetivo · meta** || **nivel · cifra · cota · marca** || **madurez** *Cuando se alcanza la madurez se ven las cosas de otra forma* · **estabilidad · equilibrio** || **control · dominio · poder** || **pacto · acuerdo · consenso · solución** || **conocimiento**
• CON ADVS. **por los pelos · a trancas y barrancas · a duras penas · de refilón · remotamente · ni de lejos** || **con éxito** *Alcanzó con éxito el grado de doctor* · **felizmente** || **a toda costa · contra viento y marea** || **fugazmente · de un día para otro** || **en equipo · democráticamente** || **gravemente · mortalmente** *Un disparo desafortunado lo alcanzó mortalmente* || **de pleno · de lleno · plenamente**

al cero loc.adv.

• CON VBOS. **cortar (el pelo)** *cortarse el pelo al cero* · **dejar (el pelo) · rapar (la cabeza) · afeitar (la cabeza)**

alcohol s.m.

• CON ADJS. **concentrado** || **a raudales** || **empapado,da (de) · borracho,cha (de)**
• CON SUSTS. **adicción (a)** *un estudio sobre la adicción al alcohol* || **exceso (de)** || **efectos (de) · consecuencia (de)**
• CON VBOS. **subirse a la cabeza (a alguien)** || **destilar** || **expender · prohibir**
• CON PREPS. **en** *conservado en alcohol* · **sin** *cerveza sin alcohol*
➤ Véase también **BEBIDA**

alcohólico, ca

1 **alcohólico, ca** adj.

• CON SUSTS. **bebida** *Queda prohibida la venta de bebidas alcohólicas a menores* · **producto** || ***persona*** *una mujer alcohólica* || **intoxicación · delirio · cirrosis · abstinencia** || **graduación** *un vino de baja graduación alcohólica* · **concentración · contenido**
• CON VBOS. **volver(se) · hacer(se)**

2 **alcohólico, ca** s.

• CON ADJS. **anónimo,ma** *reuniones de alcohólicos anónimos como terapia curativa* · **crónico,ca** || **reconocido,da · declarado,da** *Su tío era un alcohólico declarado* · **confeso,sa**
• CON SUSTS. **asociación (de) · reunión (de) · centro (de)**
• CON VBOS. **desintoxicar(se) · rehabilitar(se) · recuperar(se)** || **recaer** *una terapia que intenta evitar que los alcohólicos recaigan* || **tratar · ayudar** || **convertir(se) (en)**

al compás (de) loc.prep.

• CON SUSTS. **música** *bailar al compás de la música* · **guitarra · tambor · ritmo · baile · canción** || **vaivén · traqueteo · movimiento** || **tiempo · legislatura · desarrollo · evolución** *Los precios se mueven al compás de la evolución de los mercados* || **indicador · noticia · novedad · dato · resultado · gol** || **rumor** *La bolsa se agitó ayer al compás de los rumores sobre...* · **mensaje · comentario · declaración · discurso · explicación · respuesta · anuncio** || **especulación · subida · precio · cotización · dinero · deuda · mejora · recuperación · reducción · caída** || **acontecimiento · cambio** *...son hábitos y costumbres que se van transformando al compás de los cambios* · **conquista** || **directriz · consigna · orden** || **novela · verso**

al completo loc.adv./loc.adj.

• CON VBOS. **encontrar(se) · aparecer · presentarse · abandonar · desaparecer** || **funcionar** *El nuevo servicio de asistencia telefónica ya funciona al completo* · **implantar** || **construir · restaurar · derribar · reformar · renovar**
• CON SUSTS. **plantilla** *La plantilla al completo regresa hoy a los entrenamientos* · **equipo · banda · grupo · formación · orquesta · familia** *La familia al completo estaba reunida en casa de la abuela* · **compañía · alineación · lista · gama** || **hotel**

al contado loc.adv.

• CON VBOS. **pagar** *¿Pagará al contado o con tarjeta?* · **abonar · comprar** || **cobrar**

alcornoque s.m.

• CON SUSTS. **campo (de) · bosque (de)**
➤ Véase también **ÁRBOL**

al corriente (de) loc.prep.

• CON SUSTS. **hecho · acontecimiento** *estar al corriente de los acontecimientos* · **situación** || **noticia · novedad · cambio** || **pago** *ponerse al corriente de los pagos*
• CON VBOS. **estar** *¿Ya estás al corriente de las nuevas noticias?* · **encontrarse · seguir · mantener(se)** || **poner (algo/a alguien)** *Nada más llegar me puso al corriente de las últimas novedades* · **tener (algo/a alguien)**

alcurnia s.f.

• CON ADJS. **alta** *una dama de alta alcurnia* · **vieja · buena · noble · aristocrática**
• CON PREPS. **de** *una familia de alcurnia*

aldea s.f.

• CON ADJS. **perdida · remota** || **abandonada · despoblada · vacía · en ruinas** || **natal** || **de montaña · rural** || **pequeña · grande · en expansión** || **global** *el mundo visto como una aldea global*
• CON VBOS. **abandonar** || **regresar (a) · nacer (en) · vivir (en)**

al dedillo loc.adv. *col.*

• CON VBOS. **conocer · saber · aprender** *Tuve que aprender al dedillo el guión* · **dominar · repetir**

al descubierto loc.adv./loc.adj.

• CON VBOS. **estar · quedar · dejar (algo) · salir · poner (algo)** *La Policía ha puesto al descubierto una mafia que falsificaba pasaportes*
• CON SUSTS. **cuenta corriente · operación bancaria** || **pared · pintura** || **vestigio · huella · resto** || **asesino,na · político,ca · organización · mafia** || **intención · interés** *Quedó así al descubierto su interés personal en el asunto* · **plan · estrategia · propósito · aspiración** || **carencia · falta · escasez · pobreza** *Pronunció un discurso hueco que dejó al descubierto la pobreza de sus ideas* · **miseria** || **deficiencia · defecto · fallo · anomalía** || **debilidad · injusticia · bajeza · flaqueza · fragilidad · vulnerabilidad** *Esta estafa deja al descubierto la vulnerabilidad del sistema informático* · **incompetencia · incapacidad · mediocridad · mezquindad** || **trama · operación · complot** *Unas cuantas pesquisas policiales y el complot no tardó en quedar al descubierto* · **maniobra** || **engaño · mentira · fraude ·**

manipulación · falsedad · hipocresía · falacia · truco · ficción || crimen · asesinato · tortura · abuso || corrupción · delito · malversación · estafa || secreto · intimidad · revelación · confidencia || pugna · conflicto · lucha · tensión || información · verdad · realidad

al detalle loc.adv./loc.adj.

• CON VBOS. **vender · comprar || examinar · estudiar · analizar** *Los auditores analizan al detalle la contabilidad de...* · **calcular · calibrar · diseccionar || describir · especificar · concretar · precisar · indicar · desglosar · aclarar** *Hubo muchas explicaciones confusas que fue necesario aclarar al detalle* · **anotar || observar · seguir · ver · mirar · revisar · repasar · cuidar · controlar || planificar · planear · preparar · programar · prever · diseñar · confeccionar · fijar** *Hemos de fijar al detalle los objetivos para el próximo año* · **pergeñar || conocer · saber || reproducir · copiar · retratar · reflejar · representar · recrear · ilustrar || reconstruir** *La Policía tratará de reconstruir al detalle la escena del crimen* · **restaurar · recuperar · reescribir · revivir || cumplir · respetar**
• CON SUSTS. **venta · compra · operación · comercio · precio || vendedor,-a** *Se necesita experiencia como vendedor al detalle y al por mayor* · **comerciante**

al día loc.adv.

• CON VBOS. **poner(se)** *ponerse al día de lo ocurrido* · **mantener(se) · estar · seguir || tener · llevar (algo)** *Nunca consigo llevar mis cuentas al día* **|| vivir**

aleación s.f.

• CON ADJS. **metálica · de acero · de aluminio · de cobre || resistente · dura · ligera || singular · extraña · secreta || natural · pura || nueva**
• CON SUSTS. **llanta (de)** *un coche con llantas de aleación* · **tipo (de)**
• CON VBOS. **emplear · utilizar · usar · adaptar**

aleatorio, ria adj.

• CON SUSTS. **muestra** *Se ha elegido una muestra aleatoria para la realización del estudio* · **muestreo · casuística || elección · selección || captación · acumulación · recogida || distribución · reparto** *un reparto aleatorio de las viviendas* · **clasificación · ordenación · combinación · fluctuación || ensayo · prueba · control** *Se están realizando controles aleatorios para comprobar la calidad de...* · **inspección · repaso · revisión · estudio || puntuación · resultado || procedimiento · método · sistema · proceso || llamada · grabación || factor · variante || conjunto || número**

aleccionador, -a adj.

• CON SUSTS. **ejemplo · evidencia · prueba || testimonio · pregunta · diálogo · palabra · explicación · descripción · lectura · mensaje · discurso ·** ***otras manifestaciones verbales o comunicativas*** **|| libro · cuento** *un cuento alegórico y aleccionador* · **cuadro · película · teatro ·** ***otras creaciones*** **|| caso · hecho · acción · situación · suceso · oportunidad || período** *Ha sido para nosotros un período aleccionador que marcará una nueva etapa en esta empresa* · **año · siglo · momento || experiencia · vivencia · historia · pasado || espectáculo · exposición · panorama || resultado · efecto** *La drástica subida de los tipos de interés tuvo un efecto inmediato y aleccionador sobre los inversores* · **fracaso · final || tono · estilo · carácter · sentido · tufillo || propósito · pretensión · intención · afán || lección · enseñanza · moraleja**

aleccionar v.

• CON SUSTS. **alumno,na · joven · hijo,ja · pupilo,la · discípulo,la · niño,ña || empleado,da** *Esta empresa ha aleccionado a los empleados sobre cómo actuar en caso de incendio* · **subordinado,da · trabajador,-a · personal · ciudadano ·** ***otros individuos y grupos humanos***
• CON ADVS. **convenientemente** *La campaña pretende aleccionar convenientemente sobre la utilización del casco* · **correctamente · adecuadamente · debidamente || oportunamente · inoportunamente || previamente**

alegación s.f.

• CON ADJS. **convincente** *una convincente alegación de inocencia* · **inobjetable · irrebatible · sólida · firme · consistente · sostenible || inconsistente** *Con esa inconsistente alegación no va usted a convencer a nadie* · **rebatible · objetable · insostenible · frágil · débil · endeble || infundada · fundada · fundamentada** *una alegación fundamentada en las pruebas encontradas* **|| en falso || a favor · en contra**
• CON VBOS. **sustentar(se) (en algo/sobre algo)** *Su alegación de inocencia se sustenta en el testimonio de...* · **basar(se) (en algo) · apoyar(se) (en algo) · fundamentar(se) (sobre algo) || formular** *Formuló su alegación de forma clara y concisa* · **exponer · interponer · presentar · plantear || defender · argumentar · mantener · sostener || aceptar · admitir · respaldar || refutar · rebatir · desmontar · rechazar · desestimar** *El juez desestimó la alegación presentada por el acusado*
• CON PREPS. **a la vista (de)**

alegar v.

• CON SUSTS. **ignorancia** *alegar ignorancia de las normas* · **desconocimiento · indefensión || problema · enfermedad · dolencia || circunstancia agravante · circunstancia atenuante** *La abogada alegó la circunstancia atenuante de que...* · **circunstancia eximente || prueba · argumento || motivo** *Al dimitir de su cargo alegó motivos personales* · **causa || inocencia**
• CON ADVS. **a favor · en contra || en falso**

alegórico, ca adj.

• CON SUSTS. **carácter · sentido · valor · contenido** *una obra de profundo contenido alegórico* · **plano · naturaleza · clave || figura · carro · personaje · motivo · trasfondo || composición · poema · obra · cuadro · pintura · representación · dibujo · imagen || lenguaje · expresión · argumento · texto || lectura · interpretación** *El autor propone una interpretación alegórica ciertamente novedosa* **|| fantasía**

alegrar v.

• CON ADVS. **vivamente · infinitamente · un montón** *Me alegra un montón que las cosas te vayan tan bien* · **enormemente · notablemente · ostensiblemente · considerablemente || en el alma · de (todo) corazón** *Se alegró de todo corazón de vernos allí* · **sinceramente · de verdad || íntimamente · en el fondo**

alegre adj.

• CON SUSTS. ***persona*** *un tipo alegre y muy sociable* **|| cara · gesto · sonrisa || canción · poema · historia · novela · película · libro ·** ***otras creaciones*** **|| día** *Hoy es un día muy alegre para mí* · **momento · período · etapa · época || luz · ambiente · atmósfera · entorno || ciudad · barrio · casa · habitación ·** ***otros lugares***

• CON ADVS. **como unas castañuelas** *estar alegre como unas castañuelas* || **sumamente · asombrosamente · terriblemente · tremendamente**
• CON VBOS. **ser · estar · poner(se)** *Se puso alegre cuando nos vio llegar* · **mantener(se) · parecer**

alegremente adv.

▮ [con alegría, jovialmente]
• CON VBOS. **acoger · recibir** || **vivir · disfrutar** || **festejar · celebrar** *Todo el país celebra hoy alegremente la fiesta nacional* · **bailar · cantar · saltar**

▮ [irresponsablemente]
• CON VBOS. **gastar · dilapidar** *Dilapidó alegremente su fortuna* || **hacer (algo)** *hacer alegremente las cosas* || **utilizar** *No se puede utilizar alegremente una máquina tan cara y tan compleja* || **proclamar · juzgar** *No juzgues alegremente un asunto tan delicado* · **afirmar · decir · ventilar · opinar (sobre algo) · hablar (de algo)**

alegría s.f.

• CON ADJS. **gran(de) · inmensa · profunda** *Todos sentimos una profunda alegría ante la noticia de su recuperación* · **suma · infinita · desmesurada · indescriptible · desmedida · enorme · a raudales** || **incontenible · irrefrenable · desbordante · contagiosa · generalizada · general** || **pequeña** *Me llevé una pequeña alegría con la noticia de...* · **escasa · fugaz · efímera** || **palpable · a la vista** || **comprensible** || **interior** || **rebosante (de)** *La actriz posó rebosante de alegría con aquel premio* · **lleno,na (de) · pletórico,ca (de) · exultante (de) · borracho,cha (de)** || **antigua · pulida · de otros tiempos**
• CON SUSTS. **manifestación (de) · demostración (de)** *Los saltos y los gritos de los simpatizantes se deben interpretar como una simple demostración de alegría* · **arranque (de) · expresión (de) · derroche (de)** || **grito (de) · lágrima (de) · cara (de)** || **toque (de) · momento (de)** *...y ese fue el momento de mayor alegría de su carrera profesional* || **motivo (de)**
• CON VBOS. **cundir · brotar** *Con el gol del equipo local brotó la alegría entre los aficionados* · **desatar(se) · desbordar(se)** || **embargar (a alguien) · apoderarse (de algo/de alguien) · invadir (a alguien)** || **reinar** *La alegría reinaba por doquier* || **traslucir(se) · dibujar(se)** || **diluir(se) · aguar(se) · empañar(se) · desvanecerse · ahogar(se) · ir(se) · extinguirse · truncar(se)** || **sentir** *Sentí una profunda alegría cuando...* · **experimentar · tener · saborear · llevarse** || **dar · transmitir · insuflar · inyectar · sembrar · suscitar · causar · provocar · llevar (a algo/ a alguien) · deparar (a alguien) · devolver(le) (a alguien)** *Solo ella es capaz de devolverle la alegría en estos momentos* · **poner(le) (a algo) · echar(le) (a algo) · poner (en algo)** || **mostrar · manifestar · expresar · exteriorizar · reflejar · demostrar · irradiar · rezumar · derrochar · verter** || **disimular · contener · esconder** || **destapar** || **compartir** *Quería compartir su alegría con todos nosotros* · **contagiar** || **recobrar · recuperar** || **perder** || **representar · constituir** || **saltar (de)** *Saltó de alegría al conocer el resultado* · **brincar (de) · llorar (de) · vibrar (de) · estallar (de) · reventar (de) · rebosar (de)** || **colmar (de) · llenar (de) · inundar (de) · teñir (de)**
• CON PREPS. **con · en señal (de)** *aplaudir en señal de alegría*

alejamiento s.m.

• CON ADJS. **inevitable · inminente** || **claro · ostensible · evidente** *Se está produciendo un alejamiento evidente entre los componentes del grupo* · **perceptible** || **voluntario · deliberado · forzado** || **progresivo · paulatino · creciente · gradual** || **inmediato · brusco · abrupto** || **temporal · definitivo** *Han anunciado el alejamiento definitivo de la borrasca* || **cautelar · preventivo**
• CON SUSTS. **medidas (de) · orden (de)** || **proceso (de)** || **período (de)** *un período de alejamiento de los escenarios*
• CON VBOS. **producir(se) · consumar(se)** || **decretar** *El juez decretó el alejamiento del acusado* || **provocar · conseguir** || **evitar**

alejar(se) v.

• CON SUSTS. **barco** *Soñaba con barcos que se alejaban hacia alta mar* · **coche · balón · *otros objetos físicos*** || **policía · corredor,-a** *...en el momento en que varias corredoras se alejaban del pelotón* · **gente · *otros individuos y grupos humanos*** || **día · año · fecha · verano · *otros períodos*** || **batalla · elecciones · tormenta** *No abandonamos el refugio hasta que la tormenta se hubo alejado* · ***otros eventos*** || **miedo · preocupación · temor · tristeza · felicidad · euforia · *otros sentimientos o emociones*** || **inquietud · duda · sospecha · riesgo · peligro · amenaza** *Se va alejando paulatinamente la amenaza de inundaciones en el país* · **fantasmas · *otros estados de incertidumbre*** || **problema · crisis** || **ocasión · oportunidad · posibilidad** || **sueño · aspiración · deseo · objetivo · meta**
• CON ADVS. **por completo · considerablemente · en mucho** *Su versión se alejaba en mucho de la ofrecida por el testigo* || **a pasos agigantados · rápidamente** || **poco a poco · progresivamente · paulatinamente · gradualmente · por momentos** || **temporalmente** *El psicólogo le aconsejó que se alejase temporalmente de ese entorno* · **momentáneamente · definitivamente · provisionalmente** || **cautelarmente · preventivamente** || **irremediablemente · inevitablemente**

alemán s.m. Véase **IDIOMA**

alentador, -a adj.

• CON SUSTS. **panorama** *un panorama poco alentador para la economía regional* · **futuro · perspectiva** || **resultado · dato · noticia · cifra** || **signo · señal · síntoma · muestra · indicio** || **palabra · mensaje · discurso** || **ejemplo** || **premio · ayuda** || **crecimiento · evolución** *La evolución de esta paciente es muy alentadora* || **comprobación · observación · experiencia** || **promesa**

alentar v.

• CON SUSTS. **diálogo** *Las nuevas medidas pretenden alentar el diálogo entre los distintos sectores de la sociedad* · **debate · acuerdo · apoyo** || **objeción · protesta · confrontación · enfrentamiento · conflicto** || **participación · iniciativa** *Es necesario alentar las iniciativas de investigación* · **inversión · creación · desarrollo · proceso** || **esperanza · ilusión** || **curiosidad · interés** || **sospecha · duda**

alergia s.f.

• CON ADJS. **fuerte** *Tengo una fuerte alergia al polen* · **grave · crónica** || **leve · transitoria** || **respiratoria · alimentaria** || **primaveral**
• CON SUSTS. **síntoma (de) · problemas (de) · ataque (de)**
• CON VBOS. **aumentar** || **tener · sufrir · padecer** || **provocar** *¿El pelo de los gatos te provoca alergia?* · **causar · originar · dar · producir** || **desarrollar · coger** || **diagnosticar · tratar** || **vacunar (contra)**

☐ USO Se construye frecuentemente con complementos encabezados por la preposición *a*: *Tiene alergia al polvo.*

alérgico, ca adj.

● CON SUSTS. **reacción** *un ataque causado por una reacción alérgica* · **manifestación** · **síndrome** · **proceso** · **problema** · **trastorno** · **síntoma** · **prueba** · **antecedente** · **crisis** || **enfermedad** · **patología** · **dermatitis** · **asma** · **conjuntivitis** · **rinitis** || **causa** · **origen** *una neumonía de origen alérgico* || ***persona*** *un paciente alérgico a la penicilina*

☐ USO Se construye a menudo con complementos encabezados por la preposición *a*: *¿Es usted alérgico a algún medicamento?*

alerta s.f.

● CON ADJS. **general** *Se ha activado la alerta general en todo el país ante el peligro de epidemia* || **extrema** · **máxima** || **preventiva** || **roja** *Algunas zonas se encuentran en alerta roja a causa de...* · **amarilla** || **constante** · **permanente** || **estival**

● CON SUSTS. **señal (de)** *¿Sabes quién dio la señal de alerta?* · **toque (de)** · **voz (de)** · **grito (de)** · **luz (de)** || **situación (de)** · **estado (de)**

● CON VBOS. **decretar** · **dar** · **declarar** || **activar** · **desactivar** || **extremar** · **intensificar** || **poner(se) (en)** · **permanecer (en)** · **seguir (en)** · **mantener(se) (en)** *Varios países se mantienen en alerta debido a...*

● CON PREPS. **en señal (de)**

alertar (de/sobre) v.

● CON SUSTS. **peligro** · **riesgo** *alertar a la población sobre los riesgos de la automedicación* · **problema** · **problemática** || **hecho** · **estado** · **situación** · **deficiencia** · **error** || **efecto** · **consecuencia** · **posibilidad** || **robo** · **incendio** · **suceso** · **atraco** · **accidente** · **desaparición** || **llegada** · **aparición** · **presencia** *Los vecinos alertaron a la Policía sobre la presencia de un vehículo sospechoso*

aletargar(se) v.

● CON SUSTS. ***persona*** *El sueño parecía aletargar a los alumnos en la primera clase de cada día* || **oso** *Los osos se aletargan cuando llega el invierno* · **reptil** · ***otros animales*** || **mano** · **pie** · **pierna** · ***otras partes del cuerpo*** || **ritmo** · **movimiento** || **sociedad** · **opinión pública** · **conciencia**

● CON ADVS. **totalmente** · **completamente** *una sociedad abúlica y completamente aletargada* || **paulatinamente** · **progresivamente** · **lentamente** || **irremisiblemente**

[alevosía] → con alevosía

alevoso, sa adj.

● CON SUSTS. **asesinato** · **ataque** · **crimen** *un crimen alevoso que ha conmocionado a la sociedad* · **destrucción** · **muerte** · **atentado** · ***otros delitos*** || **codazo** · **patada** · **sablazo** · ***otros golpes*** || **mano** *Esto es obra de una mano alevosa y vengativa*

alfabéticamente adv.

● CON VBOS. **ordenar** *Todas la fichas del archivo están ordenadas alfabéticamente* · **clasificar** · **catalogar** · **organizar** · **colocar** · **disponer** · **recoger** · **enumerar** || **buscar** *buscar alfabéticamente una nota bibliográfica* || **repasar** · **recorrer**

alfabético, ca adj.

● CON SUSTS. **orden** *colocar por orden alfabético* · **ordenación** || **catálogo** *un catálogo alfabético de autores* · **lista** · **índice** · **enumeración** · **relación** · **disposición** || **búsqueda** · **repaso**

alfabetización s.f.

▌[ordenación alfabética]

● CON ADJS. **tradicional** · **clásica** · **moderna** · **internacional** *Las entradas de ese diccionario están ordenadas según la alfabetización internacional*

● CON VBOS. **hacer** · **realizar** || **utilizar** · **usar**

▌[instrucción, educación]

● CON ADJS. **infantil** · **de adultos** *un programa de alfabetización de adultos* · **adulta** || **obligatoria** || **total** · **escasa** *una zona de extrema pobreza y escasa alfabetización* · **elemental** || **tecnológica** · **científica** · **biomédica** · **electrónica** · **digital** || **funcional** · **bilingüe**

● CON SUSTS. **tasa (de)** · **índice (de)** *una región con un índice de alfabetización muy bajo* · **nivel (de)** · **grado (de)** || **programa (de)** · **curso (de)** · **plan (de)** · **campaña (de)** · **proyecto (de)** || **centro (de)** || **falta (de)** · **necesidad (de)**

● CON VBOS. **mejorar** · **favorecer** *Además de favorecer la alfabetización digital, esta herramienta permite...* · **facilitar** · **acelerar** · **fomentar** || **impedir** · **dificultar** || **exigir** || **difundir**

[alfiler] → ni un alfiler

al filo (de) loc.prep.

● CON SUSTS. **medianoche** *Esperan llegar al filo de la medianoche* · **hora** · **siglo** · **milenio** || **elecciones** · **intervención** · **comicios** · **acto** || **abismo** · **precipicio** || **crisis** · **bancarrota** · **miseria** · **riesgo** · **desastre** · **fracaso** · **muerte** *Estuvo al filo de la muerte a causa de una repentina infección* · **marginalidad** || **locura** · **melancolía** · **aburrimiento** · **paranoia** || **ley** · **norma** · **reglamento** · **legalidad** · **ilegalidad** || **noticia** · **actualidad**

alfombrilla s.f.

● CON VBOS. **colocar** · **utilizar** · **usar** *¿Tú usas la alfombrilla del ratón?* · **levantar** || **lavar** *Hay que lavar de vez en cuando las alfombrillas del coche* · **limpiar** || **cambiar** *Deberíamos cambiar la alfombrilla de la entrada de la casa*

al garete loc.adv. *col.*

● CON VBOS. **enviar** · **mandar** · **irse** *Nuestras ilusiones se fueron al garete*

algarrobo s.m. Véase **ÁRBOL**

álgebra s.f.

● CON SUSTS. **problema (de)** *Resolvió un problema de álgebra en la pizarra* · **ecuación (de)** · **operación (de)**

➤ Véase también **DISCIPLINA**

álgido, da adj.

● CON SUSTS. **punto** · **momento** · **instante** *el instante álgido del tercer acto* · **época** · **año** · **mes** · **fase** · **jornada** · **etapa** *la etapa más álgida de un conflicto* · **período** · **tiempo** · **ciclo** || **tema** *Se trata de un tema álgido y conflictivo que requiere altas dosis de tolerancia* · **problema** · **debate** · **disputa** || **sector** · **tramo** · **zona** · **nivel**

[algodón] → algodón; entre algodones

algodón s.m.

● CON ADJS. **de azúcar** · **dulce** *En la feria había un puesto de algodón dulce* || **en rama** *la cosecha de algodón en rama* · **en bruto** || **transgénico** · **hidrófilo**

● CON SUSTS. **cultivo (de)** · **cosecha (de)** · **campo (de)** · **plantación (de)** · **semilla (de)** || **productor,-a (de)** ||

sector (de) || tejido (de) · prenda (de) · tela (de) · camisa (de) · fibra (de) · bala (de)
● CON VBOS. **cultivar · sembrar · plantar · producir || recolectar · recoger || cortar · podar · arrancar || abonar · regar || empapar** *Empapé el algodón con alcohol y lo coloqué sobre la herida* · **mojar · manchar · impregnar**
□ EXPRESIONES **entre algodones*** [con extremado cuidado o delicadeza]

al hilo (de) loc.prep.

● CON SUSTS. **actuación · acción · realización · trabajo || decisión · resolución · acuerdo** *El ministro hizo estas declaraciones al hilo del acuerdo de paz alcanzado anoche* · **aprobación || plan · proyecto · programa || reunión · encuentro · evento · congreso || documento · carta** *una nota editorial al hilo de las numerosas cartas de lectores que se quejan por...* · **informe · nota ·** ***otros textos*** **|| conversación · debate · polémica · entrevista · controversia · discusión || pregunta · palabra · discurso · declaración · opinión · afirmación · comentario** *Permítame introducir una reflexión al hilo de sus comentarios* · **explicación ·** ***otras manifestaciones verbales*** **|| actualidad · acontecimiento · situación · incidente · caso || pensamiento** *una serie de anécdotas que iba desgranando al hilo de sus pensamientos* · **reflexión · interpretación · consideración · idea || investigación · pesquisa · estudio || información · noticia · historia · dato · resultado · cifra || cambio · proceso · desarrollo · evolución · transición**

aliado, da s.

● CON ADJS. **tradicional** *El país vecino ha sido su aliado tradicional a lo largo de la historia* · **antiguo,gua || natural · antinatural || principal · clave** *Este país fue aliado clave para Napoleón en la batalla de...* **|| firme** *Sé que tengo en usted un firme aliado* · **incondicional · sincero,ra || de conveniencia · circunstancial · coyuntural · provisional · inseguro · de circunstancias || militar · político,ca · electoral**

alianza s.f.

● CON ADJS. **oficial · formal · sólida · firme** *Ambas naciones han suscrito una firme alianza en contra del terrorismo* · **perfecta · estrecha · férrea · incondicional || tradicional · antigua || productiva · fructífera || endeble · débil · frágil || perpetua · permanente · temporal || oculta · secreta || multilateral · bilateral || opositora || en vigor · en punto muerto · coyuntural || electoral · política · estratégica · militar · económica · cultural · matrimonial || atlántica**
● CON SUSTS. **miembro (de) || política (de)**
● CON VBOS. **fraguar(se) · armar(se) · concretar(se) · cuajar · consumar(se) || venirse (abajo) · deshacer(se) || buscar · perseguir · promover · fomentar** *Las nuevas medidas pretenden fomentar las alianzas* **|| constituir · formar · conformar · concertar · consensuar · trabar · realizar · llevar a cabo · establecer · instaurar · cimentar · entablar · tejer · forjar · perfilar || fortalecer · estrechar · consolidar · blindar || firmar · suscribir · sellar** *Sellaron la alianza con la firma pública de los documentos* · **formalizar || mantener · revalidar || violar · socavar · romper · destruir · desestabilizar · rescindir · desmantelar || desmentir** *En sus declaraciones ha desmentido la supuesta alianza con...* **|| adherirse (a) · formar parte (de) · participar (en) · enredar(se) (en)**

alicaído, da adj. *col.*

● CON SUSTS. ***persona*** *Veo a tu hermano un poco alicaído* **|| espíritu · ánimo · comportamiento · actitud · orgullo || mercado · torneo · juego** *El alicaído juego del equipo acabó por aburrir al público*
● CON VBOS. **estar · quedar(se) · sentirse · andar**

aliciente s.m.

● CON ADJS. **gran(de) · verdadero || principal · máximo · único** *En aquellas circunstancias, el dinero era mi único aliciente* **|| añadido · adicional · complementario · nuevo || interesante · estimulante · tentador || flaco · nulo || económico · deportivo || abundantes · numerosos · múltiples · escasos**
● CON SUSTS. **falta (de)** *La falta de alicientes y de oportunidades le llevó a emigrar*
● CON VBOS. **presentar · ofrecer** *La excursión ofrece al turista algunos alicientes adicionales* · **reunir · tener · aportar || buscar · encontrar · descubrir · ver || crear · inventar · renovar || describir · explicar || contar (con) · carecer (de) || servir (de)** *Les servirá de aliciente saber que todas las llamadas entran en el sorteo de un fabuloso coche*

alienígena adj.

● CON SUSTS. **criatura · raza · agente || imperio · civilización || nave · fenómeno || invasión**

aliento s.m.

▌[aire que sale de la boca]

● CON ADJS. **mal** *un remedio para el mal aliento* · **repulsivo · fétido || enrarecido || jadeante || último** *Luchó en favor de la causa hasta su último aliento*
● CON VBOS. **oler || entrecortar(se) || faltar** *No puedo caminar más sin que me falte el aliento* **|| tomar** *detenerse para tomar aliento* · **cobrar · recobrar · recuperar || echar · exhalar || cortar** *Las malas noticias que iban llegando cortaban el aliento* · **perder**

▌[estímulo, energía]

● CON ADJS. **caluroso · estimulante**
● CON SUSTS. **palabras (de)** *Deseamos transmitir unas palabras de aliento a los familiares de las víctimas* · **mensaje (de) || soplo (de)**
● CON VBOS. **dar** *El importante descubrimiento dio aliento a los investigadores para seguir la línea trazada* · **transmitir · imprimir · insuflar · infundir**

aligerar v.

● CON SUSTS. **carga** *aligerar la carga del buque* · **peso · presión · lastre · sobrecarga · bagaje · equipaje · tensión || deuda · déficit · coste · factura · presupuesto · impuesto · gasto || bolsillo || trabajo · trámite · tramitación · proceso · procedimiento · gestión · labor · tarea || tráfico** *La nueva autovía aligera bastante el tráfico en los accesos a la ciudad* · **tránsito · circulación · paso · tranco || estructura · plantilla · sistema · programación · organización · conjunto · lista · agenda · burocracia || restricción · sanción · condena · castigo** *...un castigo demasiado duro que había que pensar en aligerar progresivamente* · **obligación · tutela · intervencionismo · embargo · bloqueo · cautiverio || inconveniente · problema · obstáculo · cuesta || dolor** *aligerar el dolor muscular* · **preocupación · conciencia · sentimiento · desesperación · incertidumbre · aburrimiento || seriedad · densidad · dureza** *Intentó en vano aligerar con alguna broma la extrema dureza de sus declaraciones* · **aridez · pesantez · virulencia · sordidez || tono · tinte · connotación · aspecto || narración · relato · pasaje · discurso · novela · texto || película · partitura · disco · escultura · friso**

alijo (de) s.m.

● CON SUSTS. **cocaína** *incautarse de un alijo de cocaína* · **heroína** · ***otras drogas*** || **armas** · **explosivos** || **dinero negro** · **joyas** *un alijo de joyas robadas* · **contrabando**

alimentación s.f.

● CON ADJS. **equilibrada** *la importancia de una alimentación equilibrada* · **completa** · **rica** · **buena** · **adecuada** · **sana** · **correcta** || **mala** · **desequilibrada** · **irregular** · **deficiente** · **inadecuada** · **insuficiente** · **incorrecta** || **básica** || **natural** · **artificial** || **humana** · **infantil** · **adulta** || **vegetariana** · **animal** · **vegetal** || **eléctrica**

● CON SUSTS. **tienda (de)** · **empresa (de)** · **galería (de)** · **sector (de)** || **sistema (de)** · **hábito (de)** || **fuente (de)** · **producto (de)** || **precio (de)** · **gasto (de/en)** || **cadena (de)**

● CON VBOS. **empeorar** · **mejorar** || **cuidar** · **descuidar** *El que descuida su alimentación suele pagar las consecuencias* || **lograr** *lograr una alimentación equilibrada* · **conseguir** || **facilitar**

[alimentar] → alimentar; alimentar(se) (de)

alimentar v.

● CON SUSTS. **niño,ña** · **persona** · **animal** · **pájaro** · **planta** · ***otros seres vivos*** || **estómago** · **bolsillo** || **fuego** · **luz** · **hoguera** || **ordenador** · **batería** · **circuito** || **mercado** *La producción de petróleo del país solo sirve para alimentar el mercado interno* · **sector** · **departamento de producción** · **institución** || **ego** · **vanidad** · **soberbia** || **esperanza** · **expectativa** · **ilusión** · **deseo** · **gana** *Necesitaba aventuras arriesgadas para alimentar las ganas de seguir viviendo* · **ambición** · **aspiración** · **sueño** · **anhelo** · **propósito** · **pasión** || **polémica** · **discusión** · **controversia** *Contribuyó a alimentar la controversia su afirmación de que...* · **discrepancia** · **debate** · **diálogo** · **amenaza** · **discordia** · **protesta** · **oposición** · **querella** || **enfrentamiento** · **confrontación** · **pelea** · **batalla** · **combate** · **guerra** · **lucha** · **rebelión** · **revolución** || **problema** · **conflicto** *La intención de sus comentarios no era seguramente alimentar el conflicto en la empresa* · **escándalo** · **crisis** · **violencia** · **caos** || **discurso** · **comentario** · **relato** · **página** · **novela** · **drama** || **duda** · **incógnita** · **sospecha** · **celos** · **rumor** · **incertidumbre** *...declaraciones desafortunadas que no hacen sino alimentar la incertidumbre de todos los que trabajamos en el proyecto* · **conjetura** · **suposición** · **elucubración** · **suspicacia** · **especulación** || **creencia** · **convicción** · **fe** · **culto** · **devoción** · **veneración** || **memoria** · **tradición** · **cultura** · **mito** · **tópico** · **leyenda** || **espíritu** *un buen libro para alimentar el espíritu* · **alma** · **moral** · **mente** · **razón** · **cerebro** || **idea** · **reflexión** · **hipótesis** · **tesis** · **argumento** · **concepto** · **teoría** || **plan** · **estrategia** · **proyecto** · **planificación** || **desarrollo** · **aumento** · **crecimiento** · **cambio** · **proceso** · **incremento** · **proliferación** · **subida**

alimentario, ria adj.

● CON SUSTS. **industria** · **empresa** · **negocio** · **sector** *El sector alimentario logró un crecimiento importante* · **comercio** · **compañía** · **grupo** || **producción** · **distribución** · **consumo** || **mercado** · **oferta** · **gasto** || **hábito** · **conducta** · **costumbre** · **dieta** || **trastorno** *un médico especializado en trastornos alimentarios* · **descontrol** · **problema** · **crisis** · **contaminación** || **intoxicación** || **seguridad** · **inseguridad** · **control** || **aditivo** · **componente** · **colorante** || **recurso** · **producto** · **cultivo** · **complemento** || **programa** *un programa alimentario nacional destinado a la infancia* · **régimen** · **plan** || **abastecimiento** · **asistencia** · **ayuda** · **inasistencia** · **necesidad** · **déficit** || **pensión** || **cadena**

alimentar(se) (de) v.

● CON SUSTS. **pan** · **carne** *Se alimenta básicamente de carne y pan* · **agua** · **leche** · **chocolate** · ***otras comidas o bebidas*** || **electricidad** · **gas** · **gasolina** · **troncos** *Esa caldera se alimenta de troncos* · ***otras fuentes de energía*** || **pensamientos** · **sentimientos** · **conceptos** || **recuerdos** · **vivencias** · **experiencias** · **sueños** || **tradición** · **mito** · **historia** · **pasado** *No podemos estar alimentándonos toda la vida de un pasado incierto* · **leyenda** || **odio** · **aversión** · **insolidaridad** · **intolerancia** *un fanatismo que se alimenta de la intolerancia y la intransigencia* || **miedo** · **inquietud** · **inseguridad** · **insatisfacción** · **estupor** · **recelo** || **versos** · **pintura** · **cine** || **información** · **datos** · **noticias** · **rumores** || **entusiasmo** · **coraje** · **valor** *Es difícil saber de dónde sale el valor del que estas personas se alimentan* · **poder** · **fuerza** || **respeto** · **cariño** · **afecto** *una relación que se alimenta del afecto mutuo* · **ayuda** || **miradas** · **risas** · **suspiros** · **lágrimas**

□ USO También se construye con la preposición *con*: *alimentarse solo con pescado y verduras*. Se suele combinar con sustantivos contables en plural (*alimentarse de patatas*) o no contables en singular (*alimentarse de carne*).

alimenticio, cia adj.

● CON SUSTS. **producto** · **artículo** · **sustancia** || **fuente** *La soja es una fuente alimenticia muy importante en esta zona* || **hábito** · **dieta** · **régimen** || **intoxicación** || **suplemento** · **complemento** || **necesidad** · **ayuda** · **gasto** || **pensión** · **cuota** · **ración** || **cadena** || **bolo**

alimento s.m.

● CON ADJS. **agridulce** · **ácido** · **salado** · **dulce** · **amargo** || **apetecible** · **sabroso** · **rico** · **jugoso** · **apetitoso** · **exquisito** || **insípido** · **soso** || **saludable** || **casero** · **preparado** || **básico** · **principal** · **de primera necesidad** *carecer hasta de los alimentos de primera necesidad* · **imprescindible** · **vital** || **perecedero** · **caduco** || **transgénico** || **espiritual** *Para ella la música es un alimento espiritual* || **lleno,na (de)** *con la despensa llena de alimentos* · **ciego,ga (de)** · **repleto,ta (de)** · **harto,ta (de)** || **escaso** · **insuficiente** · **suficiente** · **abundante** || **rico (en algo)** *alimentos ricos en fibra*

● CON SUSTS. **falta (de)** · **escasez (de)** · **abundancia (de)** || **reparto (de)** · **necesidad (de)**

● CON VBOS. **caducar** · **agriar(se)** · **descomponer(se)** *descomponerse un alimento por el calor* · **corromper(se)** · **echar(se) a perder** || **enfriar(se)** || **tomar** · **comer** *comer alimentos variados y nutritivos* · **devorar** · **ingerir** · **engullir** || **saborear** · **paladear** · **probar** || **cocinar** · **guisar** · **calentar** · **recalentar** · **cocer** · **sofreír** · **congelar** · **preparar** · **lavar** · **picar** || **condimentar** · **aliñar** · **salpimentar** · **aderezar** *aderezar los alimentos con aceite de oliva* · **adulterar** || **ofrecer** · **dar** · **dispensar** · **proporcionar** · **suministrar** · **procurar** · **servir** *un alimento que nunca se debe servir caliente* · **repartir** · **distribuir** || **necesitar** || **racionar** *racionar los alimentos en época de escasez* · **dosificar** || **acumular** · **almacenar** || **rebanar** · **partir** · **cortar** · **pelar** · **trocear** || **desperdiciar** || **llenar(se) (de)** · **atiborrar(se) (de)** || **proveer (de)** · **abastecer (de)** · **surtir (de)** · **hacer acopio (de)** *Antes de salir de excursión, hicimos acopio de alimentos* || **servir (de)** || **privar (de)** · **carecer (de)** *Miles de personas carecen de alimentos debido a la sequía*

aliñar v.

● CON SUSTS. **ensalada** *aliñar la ensalada antes de servirla* · **alimento** · **plato** || **texto** · **discurso** *Siempre aliña sus discursos con anécdotas* || **toro**

☐ USO Se construye muy frecuentemente con complementos encabezados por la preposición *con*: *aliñar una ensalada con aceite, vinagre y sal.*

alistarse (en) v.

● CON SUSTS. **guerra** · **ejército** *Cuando cumplió dieciocho años decidió alistarse en el ejército* · **legión** · **guerrilla** · **equipo** · **compañía** · **filas** · **tropa** · **milicia** · **regimiento**
● CON ADVS. **voluntariamente** · **gloriosamente** · **en masa**

aliviar v.

● CON SUSTS. **conciencia** || ***persona*** *La ayuda humanitaria alivió a la población* || **carga** · **peso** · **presión** · **tensión** *aliviar las tensiones acumuladas durante el día* || **problema** · **penalidad** · **mal** || **dolencia** · **afección** · **enfermedad** · **síndrome** · **síntoma** · **cansancio** || **sufrimiento** · **dolor** · **pena** · **padecimiento** · **aflicción** · **melancolía** · **angustia** · **ansiedad** · **temor** · **culpa** · **calvario** || **deficiencia** · **escasez** · **necesidad** · **miseria** · **pobreza** · **crisis** · **carencia** · **soledad** · **sed** · **hambre** || **consecuencia** · **efecto** *...medidas tomadas con el fin de aliviar los efectos de la crisis actual* · **impacto** || **deuda** · **pago** · **coste** · **gasto** · **impuesto** · **fiscalidad** · **economía** · **finanzas** · **endeudamiento** || **sequía** · **bochorno** · **calor** · **ardor** || **bloqueo** · **embargo** · **cerco** · **asedio** || **congestión** · **circulación** *aliviar la circulación de vehículos en la zona* · **tránsito** · **tráfico** · **atasco** · **saturación** · **hacinamiento** || **labor** · **tarea** · **trabajo** || **embalse** · **presa** · **cisterna** · **vientre**
● CON ADVS. **en cierta medida** · **parcialmente** · **en gran medida** · **en parte** · **ligeramente** · **levemente** || **todo lo posible** *Los médicos buscaban aliviarle todo lo posible los dolores* · **al máximo** · **mínimamente** || **temporalmente** · **momentáneamente** · **provisionalmente** || **considerablemente** *Las nuevas incorporaciones aliviarán considerablemente nuestra carga de trabajo* · **notablemente** · **rápidamente** · **significativamente** · **progresivamente** · **gradualmente**

☐ USO Alterna a veces los complementos directos (*una pomada que alivia los dolores*) con los complementos encabezados por la preposición *de* (*una pomada que alivia de los dolores*).

alivio s.m.

● CON ADJS. **tremendo** · **inmenso** *Recibimos con inmenso alivio la noticia* · **profundo** · **sustancial** · **notable** · **sensible** · **significativo** · **importante** · **considerable** · **gran(de)** || **verdadero** · **auténtico** · **cierto** · **claro** *Percibí un claro alivio en su gesto* || **moderado** · **ligero** *notar un ligero alivio* · **imperceptible** || **fugaz** · **efímero** · **breve** · **transitorio** *Los masajes proporcionaban un alivio transitorio a su dolor de espalda* · **instantáneo** · **momentáneo** · **relativo** || **rápido** · **inmediato** || **confortante** · **reconfortante** · **relajante** · **plácido** · **balsámico** *un alivio balsámico para el dolor de garganta* || **psicológico** · **económico** · **fiscal**
● CON SUSTS. **gesto (de)** *hacer un gesto de alivio* · **suspiro (de)** · **signo (de)** || **sensación (de)** · **sentimiento (de)**
● CON VBOS. **sentir** *Todos sentimos un gran alivio cuando...* · **experimentar** · **tener** || **buscar** || **causar** · **ofrecer** · **proporcionar** *proporcionar alivio en momentos tan duros* · **reportar** · **dispensar** · **brindar** || **representar** · **suponer** || **hallar (en algo)** · **encontrar (en algo)** · **obtener** || **servir (de)**
● CON PREPS. **con** *Todos recibimos con alivio la noticia* · **para**

[allá] → de acá para allá

allegado, da adj.

● CON SUSTS. **familia** · **familiar** · **pariente** *una ceremonia íntima a la que solo han acudido los parientes más allegados* · **amigo,ga** · **colaborador,-a** · **compañero,ra** · ***otros individuos y grupos humanos*** || **fuente** · **medio**

al límite loc.adv.

● CON VBOS. **vivir** *vivir al límite de las propias posibilidades* || **estar** · **situar(se)** · **poner(se)** · **mantener(se)** · **hallar(se)** · **encontrarse** *Con las últimas lluvias, los embalses se encuentran al límite de su capacidad* || **jugar** · **arriesgar** · **forzar** · **llevar** · **apurar** || **correr** · **rodar** || **llegar**

[alma] → alma; como alma que lleva el diablo; con toda {mi/tu/su...} alma; en cuerpo y alma; en el alma; ni un alma

alma

1 alma s.f.

● CON ADJS. **gran(de)** · **noble** *un alma noble y generosa* · **cándida** · **inmaculada** · **pura** · **delicada** · **bondadosa** · **caritativa** · **piadosa** · **generosa** · **buena** || **descarriada** · **en pena** || **gemela** *Cree haber encontrado en él a su alma gemela*
● CON VBOS. **descarriarse** || **tener** *Tiene un alma noble y generosa* || **alimentar** · **colmar** || **entregar** · **vender** *El protagonista de la novela vendió su alma al diablo a cambio de...* · **poner (en algo)** *Siempre pone el alma en todo lo que hace* || **atenazar** · **serenar(se)** || **purgar** · **purificar** || **interpretar** || **desnudar** · **abrir (a alguien)** || **captar** · **percibir** || **partir(le) (a alguien)** || **llegar (a)** *Me ha llegado al alma lo que me acabas de decir* · **salir (de)** || **llevar (en)** · **sentir (en)** || **ahondar (en)** · **penetrar (en)** · **indagar (en)** · **sacar (de)** || **apiadarse (de)** · **rogar (por)** *Rogad a Dios por el alma de los desaparecidos* · **rezar (por)** · **pedir (por)**

2 alma (de) s.f.

● CON SUSTS. **generación** · **grupo** *ser el alma de un grupo de amigos* · **organización** · **sociedad** · **equipo** · **empresa** · **entidad** || **pueblo** · **nación** || **fiesta** *Ella es el alma de todas las fiestas* || **revolución**

☐ EXPRESIONES **alma de cántaro** [persona muy ingenua]

almendro s.m.

● CON ADJS. **en flor** · **florido**
● CON VBOS. **descollar** *En el jardín descollaba un almendro en flor* · **florecer**
➤ Véase también **ÁRBOL**

al milímetro loc.adv.

● CON VBOS. **conocer** · **saber** || **medir** · **calcular** · **estudiar** *Estudió al milímetro todas las posibilidades* || **reflejar** · **reproducir** · **copiar** || **controlar** · **planificar** · **preparar** · **revisar** || **coincidir** *Su versión coincide al milímetro con la presentada por la testigo* · **ajustar(se)** || **cumplir**

almorzar v.

● CON ADVS. **frugalmente** · **regaladamente** · **opíparamente** · **abundantemente** || **rápidamente** · **en un periquete** *Almorzamos en un periquete y volvimos inmediata-*

mente al trabajo · **en un pispás** · **a toda {prisa/velocidad}** || **parsimoniosamente** · **con lentitud**

almuerzo s.m.

• CON ADJS. **de trabajo** *Mañana tengo un almuerzo de trabajo* · **privado** · **familiar** · **popular** || **de despedida** · **de honor** · **de bienvenida** || **informal** · **protocolar** · **de gala** · **oficial** || **rápido** · **tardío** || **listo** · **preparado** · **a punto** || **suculento** · **copioso** · **opíparo** || **escaso** · **frugal** || **delicioso** · **espléndido** · **memorable** || **tenso** · **distendido** · **relajado** || **dominical** · **mensual** || **campestre** · **navideño** || **compuesto (de algo)**

• CON SUSTS. **hora (de)** *¿Nos vemos a la hora del almuerzo?* · **menú (de)** · **sobremesa (de)**

• CON VBOS. **constar (de algo)** · **consistir (en algo)** · **componerse (de algo)** || **desarrollar(se)** · **prolongar(se)** || **compartir** · **preparar** · **organizar** · **celebrar** · **realizar** · **ofrecer (a alguien)** || **servir** · **llevar** || **saltarse** *Ojalá pudiera saltarme el almuerzo de trabajo de mañana* · **aprovechar** || **fijar** · **convocar** · **concertar** || **saborear** || **asistir (a)** · **participar (en)** · **disfrutar (de)** || **invitar (a)**

• CON PREPS. **durante** · **a lo largo (de)**

alocado, da adj.

• CON SUSTS. **joven** *un grupo de jóvenes alocados* · **chico,ca** · **sociedad** · **afición** · ***otros individuos y grupos humanos*** || **comportamiento** · **actitud** · **conducta** || **ritmo** · **vida** *Supongo que aún no conoces la alocada vida nocturna del barrio* · **baile** · **danza** · **tiempo** || **comedia** · **argumento** || **gestión** · **medida** · **discurso** · **acción** · **maniobra** || **carrera** · **huida** *Cuando se acercó la Policía, el coche emprendió una alocada huida* || **aventura** · **experiencia**

a lo grande loc.adv./loc.adj. *col.*

• CON VBOS. **celebrar** · **festejar** · **homenajear** *La maestra fue homenajeada a lo grande en su antiguo colegio* · **conmemorar** || **vivir** · **pasar(lo)** · **disfrutar** · **divertirse** || **triunfar** · **ganar** · **vencer** · **jugar** *El equipo jugó a lo grande y aplastó a su rival* · **actuar** · **conquistar** || **montar** · **preparar** · **organizar** || **empezar** · **arrancar** · **abrir** · **comenzar** *Decidimos comenzar el año a lo grande* · **iniciar** || **despedir** · **acabar** · **terminar** · **cerrar** · **culminar** || **anunciar** · **presentar** · **lanzar** · **debutar** · **estrenar** || **pensar** · **imaginar** · **soñar** · **concebir** · **inventar**

• CON SUSTS. **cena** · **fiesta** · **espectáculo** · **celebración** · **triunfo** · **despedida** · **debut** · ***otros eventos*** || **vida** · **vacaciones** *Es un lugar ideal para pasar las vacaciones a lo grande* · **baile** · **viaje**

al oído loc.adv.

• CON VBOS. **decir** · **preguntar** · **murmurar** · **repetir** · **confesar** · **contar** · **cantar** · **cuchichear** · **gritar** · **hablar** · **musitar** · **soplar** · **susurrar** *Me susurró algo al oído, pero no logré entenderlo* · ***otros verbos de lengua***

alojamiento s.m.

• CON ADJS. **confortable** *un alojamiento confortable para el fin de semana* · **acogedor** · **espacioso** || **sobrio** || **temporal** · **provisional** · **definitivo**

• CON SUSTS. **gastos (de)** *cubrir exclusivamente los gastos de alojamiento* || **problema (de)** || **oferta (de)** || **hotel** *El denunciante fue uno de los dueños del hotel alojamiento ubicado en las afueras*

• CON VBOS. **dar** *Nos dieron alojamiento en su casa* · **proveer** · **proporcionar** · **brindar** · **ofrecer** · **facilitar** · **procurar** || **compartir** || **preparar** || **buscar** · **encontrar** *¿Os costó mucho encontrar alojamiento?* · **conseguir** · **recibir** || **incluir**

alojar(se) (en) v.

• CON SUSTS. **ciudad** · **país** || **hotel** · **residencia** *El ilustre visitante se alojará en la residencia habitual de los jefes de Estado* · **pensión** · **albergue** · **hostal** || **casa** · **domicilio** · **habitación** · **piso** · **vivienda** · **apartamento** · **chalé** · **finca** *La cantante se alojó en la finca de sus familiares hasta que pasó todo el escándalo* || **base militar** · **barracón** · **dependencias militares** · **campo de refugiados** || **mente** · **conciencia** · **memoria** *...expresiones que ya nunca se olvidarán sino que permanecen alojadas para siempre en lo más profundo de la memoria*

• CON ADVS. **temporalmente** · **provisionalmente** · **eventualmente** · **momentáneamente** · **definitivamente** || **gratis** · **gratuitamente** · **desinteresadamente** *Los alojó en su casa desinteresadamente*

a lo lejos loc.adv.

• CON VBOS. **ver** · **divisar** *Se divisan a lo lejos las torres de la catedral* · **distinguir** · **observar** · **mirar** · **contemplar** · **adivinar** · **intuir** · **atisbar** *Atisbó a lo lejos un gran tumulto* · **vislumbrar** || **aparecer** · **perfilarse** · **anunciarse** · **presentarse** · **desplegarse** · **dominar** · **despuntar** *El sol despuntaba a lo lejos, en el horizonte* || **brillar** · **reflejar** · **relumbrar** || **perderse** · **difuminarse** · **disiparse** · **confundirse** · **desaparecer** · **debilitarse** || **oír** · **escuchar** *Escuchábamos a lo lejos el rumor del mar* || **sonar** *En ese momento una explosión sonó a lo lejos* · **retumbar** · **resonar** · **aullar** · **bramar** · **rugir** || **aproximarse** · **avanzar** · **venir** || **quedar** · **ubicar(se)**

☐ USO Se usa muy frecuentemente en oraciones pasivas reflejas: *A lo lejos se veían las luces de la ciudad.*

a los cuatro vientos loc.adv.

• CON VBOS. **anunciar** *La actriz anunció a los cuatro vientos su boda con...* · **declarar** · **exponer** · **mostrar** · **publicar** · **contar** · **transmitir** · **revelar** || **pregonar** · **proclamar** · **gritar** · **clamar** · **vocear** · **alardear** · **exteriorizar** || **difundir** · **propagar** · **airear** · **divulgar** *El mismo ministro divulgó a los cuatro vientos una información supuestamente confidencial* · **expandir** · **extender** · **esparcir** · **lanzar** || **afirmar** · **decir** · **comentar** · **criticar** · **denunciar**

al peso loc.adv.

• CON VBOS. **comprar** *comprar la fruta y la verdura al peso* · **vender** || **calcular**

al pie de la letra loc.adv./loc.adj.

• CON VBOS. **entender** · **creer** *Nunca creí al pie de la letra su versión de los hechos* · **captar** · **leer** · **aprender** · **conocer** · **saber** · **recordar** · **recoger** || **tomar** *No conviene tomarse al pie de la letra todo lo publicado en la prensa* · **interpretar** · **traducir** · **adaptar** · **representar** || **copiar** · **reproducir** · **calcar** · **repetir** *El niño repetía al pie de la letra todo lo que oía decir a sus padres* || **seguir** *Seguí al pie de la letra las instrucciones, pero...* · **cumplir** · **respetar** · **aceptar** · **observar** · **obedecer** · **ceñirse** · **satisfacer** · **acatar** · **corresponder** || **aplicar** · **ejecutar** · **llevar** · **ejercer** || **contar** · **decir** · **citar** · **responder** · **recitar** · **retratar** · **difundir**

• CON SUSTS. **interpretación** *una interpretación al pie de la letra de la ley* · **lectura** · **recreación** || **cumplimiento** · **aplicación**

al pie del cañón loc.adv.

● CON VBOS. **estar** *Estuvo al pie del cañón hasta el final* · **pasar(se) (tiempo)** *Se pasaba los días y las noches al pie del cañón* · **permanecer** · **seguir** · **aguantar (algo)** *Su familia aguantó al pie del cañón su enfermedad* · **mantener(se)** || **trabajar**

alpinismo s.m.

● CON ADJS. **mundial** *Es una figura del alpinismo mundial* · **nacional** · **urbano** · **de alto nivel** · **de élite** || **profesional** · **amateur** || **aficionado,da (a)**

● CON SUSTS. **práctica (de)** · **dedicación (a)** · **afición (a)** || **pared (de)** || **botas (de)** · **equipo (de)** · **material (de)** · **curso (de)** || **asociación (de)** · **federación (de)** · **agrupación (de)**

● CON VBOS. **hacer** · **practicar** || **aficionar(se) (a)** · **dedicar(se) (a)**

al por {mayor/menor} loc.adv./loc.adj.

● CON VBOS. **comprar** · **vender** *vender mercancía al por mayor* · **distribuir**

● CON SUSTS. **tienda** · **comercio** · **banca** · **venta** *un almacén de venta al por mayor* · **distribución** · **mercado** || **precio** || **vendedor,-a**

al por menor loc.adv. Véase **al por {mayor/menor}**

alquiler s.m.

● CON ADJS. **abusivo** *En esta zona de la ciudad los alquileres son abusivos* · **desmesurado** · **astronómico** · **alto** || **bajo** *Nos sorprendió el bajo alquiler que nos pidió el dueño del apartamento* || **justo** · **injusto** || **mensual** · **semanal**

● CON SUSTS. **vivienda (de/en)** · **piso (de)** *vivir en un piso de alquiler* · **vehículo (de)** || **gastos (de)** || **contrato (de)** *firmar el contrato de alquiler*

● CON VBOS. **deber** *Todavía debemos a la casera el alquiler del mes pasado* · **pagar** · **abonar** || **concertar** · **acordar** · **negociar** || **rebajar** || **prorrogar** || **poner (en)** *poner una casa en alquiler*

al quite loc.adv.

● CON VBOS. **estar** *Estaré al quite y, en cuanto salga la convocatoria, te aviso* · **quedarse** || **salir** *La ministra salió al quite de inmediato ante las primeras críticas a los presupuestos* · **ir** · **llegar** · **entrar** · **acudir**

al ralentí loc.adv./loc.adj.

● CON VBOS. **dejar** · **estar** *...y cuando el coche está al ralentí, hace un ruido raro* · **quedar(se)** · **mantener(se)** · **funcionar** · **avanzar** · **poner** || **filmar** · **rodar** || **jugar** · **trabajar**

● CON SUSTS. **motor** *La taxista nos espera abajo con el motor al ralentí* · **coche** · **moto** · **locomotora** · **máquina** || **escena** · **proceso** · **acción** · **cámara**

al raso loc.adv.

● CON VBOS. **dormir** *dormir al raso en una noche clara* · **pasar la noche** · **pernoctar**

al resguardo (de) loc.prep. Véase **a resguardo (de)**

al respecto loc.adv./loc.adj.

● CON VBOS. **decir** · **afirmar** · **escribir** · **informar** · **comentar** *El portavoz comentó al respecto que aún no se sabía nada claro* · **expresar** || **opinar** · **pronunciar(se)** · **considerar** || **indicar** · **destacar** · **advertir** *Cabe advertir al respecto que esta medicación no debe interrumpirse* · **aclarar** · **explicar** · **aludir** || **saber** · **conocer** · **pensar** · **creer** || **hacer** *¿Qué podemos hacer al respecto?*

● CON SUSTS. **idea** · **opinión** · **aportación** · **sugerencia** *¿Alguna sugerencia al respecto?* · **comentario** · **información**

al rojo vivo loc.adv./loc.adj.

● CON VBOS. **estar** · **poner(se)** *Con aquellas declaraciones la polémica se puso al rojo vivo* || **calentar**

● CON SUSTS. **crisis** · **discusión** · **disputa** · **emoción** · **enfrentamiento** · **pelea** · **polémica** · **tensión** · **debate** *Ha sido un debate al rojo vivo, en el que los candidatos...* || **hierro**

al son (de) loc.prep.

● CON SUSTS. **acorde** · **melodía** · **canción** · **marcha** · **música** *moverse al son de la música* · **ritmo** · **ruido** · **campanada** · **claxon** || **gaita** · **tambor** *Avanzaban al son de los tambores* · **trompeta** · **guitarra** · ***otros instrumentos musicales*** || **orquesta** · **banda** || **dictados** *Dice que siempre actúa al son de los dictados de su conciencia* || **palabra** · **grito**

● CON VBOS. **bailar** *bailar al son de la orquesta* · **mover(se)** · **menear(se)** || **desfilar** *desfilar al son de una marcha militar* · **marchar**

[alta] s.f. → alto, ta

altanero, ra adj.

● CON SUSTS. **tono** *un tono distante y altanero* · **frase** · **gesto** · **mirada** · **sonrisa** · **postura** · **actitud** *Se dirigió a la prensa en actitud altanera* · **carácter** · **aire** || **desprecio** || ***persona*** *El nuevo delegado parece algo altanero*

● CON VBOS. **ponerse** · **volver(se)**

altar s.m.

● CON ADJS. **mayor** *el altar mayor de la catedral* · **principal** · **lateral** · **central** || **pequeño** · **improvisado**

● CON VBOS. **levantar** · **elevar** || **tener** || **ocupar** · **presidir** *Preside el altar una escultura de...* || **adornar** · **iluminar** || **tener (a alguien) (en)** *No sé qué te habrá dado, pero lo tienes en un altar* · **poner (a alguien) (en)** || **subir (a)** · **llevar (a alguien) (a)** · **pasar (por)** · **bajar (de)** || **acabar (en)** || **sacrificar (en)**

● CON PREPS. **ante** · **sobre**

alteración s.f.

● CON ADJS. **sustancial** · **acusada** *Sufre una acusada alteración del sueño* · **profunda** · **honda** · **severa** · **notable** · **relevante** · **grave** || **pequeña** · **leve** · **ligera** || **brusca** · **abrupta** · **repentina** *una repentina alteración física* · **imprevista** · **súbita** · **impredecible** || **sistemática** · **ocasional** || **ambiental** · **hormonal** · **genética** · **psíquica** · **mental** · **emocional** · **física** · **geológica**

● CON SUSTS. **causa (de)** · **efecto (de)** · **origen (de)**

● CON VBOS. **producir(se)** · **operarse** || **experimentar** · **sufrir** · **presentar** || **causar** *Lo detuvieron por causar una grave alteración del orden público* || **corregir** || **prever** || **suponer** · **constituir** · **representar**

alterar v.

● CON SUSTS. ***persona*** *A esta chica la altera cualquier cosa* || **vino** · **oxígeno** · **agua** · ***otras materias*** || **forma** · **color** · **importancia** · **peso** · **altura** · **velocidad** · **valor** · **tamaño** · ***otras magnitudes*** || **clima** · **atmósfera** · **ecosistema** || **texto** *Un texto alterado no servirá como prueba en el juicio* · **documento** · **declaración** · **discurso** · **artículo** || **esta-**

dística · presupuesto · precio · baremo · tasa || resultado · decisión · efecto · conclusión || esencia · espíritu · carácter · naturaleza · modo de ser *Es demasiado mayor como para que las circunstancias cambiantes de la vida alteren su modo de ser* || sentido · significado · interpretación · significación || sistema · esquema · patrón · modelo · estructura || plan · programa · proyecto · objetivo · previsión · pronóstico *factores que pueden alterar el pronóstico del paciente* || acuerdo · compromiso · condición · término || ley · regla · norma · ***otras disposiciones*** || estatus · jerarquía · hegemonía || situación · estado · entorno · ambiente · cuadro · marco · escenario · contexto || equilibrio · orden · paz · calma · tranquilidad *alterar la tranquilidad de un lugar con ruidos molestos* · estabilidad · normalidad · rutina · tregua || proceso · desarrollo · curso · ritmo · ruta · recorrido · existencia · vida || comportamiento · conducta *El consumo excesivo de alcohol puede alterar la conducta* · política · actitud || funcionamiento · metabolismo · salud · constantes vitales || nervios · ánimo · humor · creencia *creencias firmes y arraigadas que nada en el mundo podría alterar* || conciencia · facultad · percepción · entendimiento || relación · convivencia · amistad · vínculo

● CON ADVS. **bruscamente · de un día para otro · drásticamente · rápidamente · radicalmente || considerablemente · por completo · de arriba abajo · sustancialmente · profundamente · seriamente · significativamente · notablemente || paulatinamente · suavemente · levemente · ligeramente || irrevocablemente · irreversiblemente · para siempre · decisivamente** *El resultado de las elecciones puede alterar decisivamente los planes del Gobierno* || **desfavorablemente · favorablemente · negativamente**

altercado s.m.

● CON ADJS. **serio · grave** *un grave altercado entre la Policía y los manifestantes* · **duro · fuerte · violento · desagradable || pequeño · ligero · leve || imprevisto || verbal · público · callejero**

● CON VBOS. **producir(se) · originar(se) · ocurrir** *¿Cuándo ocurrió el altercado?* · **tener lugar || provocar** *Lo detuvieron por provocar altercados callejeros* · **ocasionar · motivar || protagonizar · presenciar || mantener**

alternancia s.f.

● CON ADJS. **política** *En Inglaterra llevan muchos años de alternancia política* · **democrática · representativa || sistemática · periódica || estructural · narrativa**

● CON VBOS. **producir(se) || debilitar · permitir** *...lo que permite la alternancia entre estudio y trabajo* · **mantener || proponer**

● CON PREPS. **con** *Con una sabia alternancia de juego, el equipo demostró...*

[alternar] → alternar; alternar (con)

alternar v.

● CON SUSTS. **trabajo · tarea** *En mi familia alternamos todas las tareas de casa* · **puesto · cargo · función · papel · labor || método · modelo · sistema · género** *Esta escritora suele alternar los diferentes géneros cuando escribe* · **estilo**

□ USO Se construye con sustantivos en plural (*alternar los papeles*), coordinados por la conjunción *y* (*alternar el trabajo y el placer*) o unidos con la preposición *con* (*alternar el trabajo con el placer*).

alternar (con) v.

▌ [hacer vida social]

● CON SUSTS. **amigo,ga · compañero,ra · cliente · famoso,sa · alta sociedad** *Presume de alternar con la alta sociedad* · **invitado,da** · ***otros individuos y grupos humanos***

● CON ADVS. **frecuentemente · habitualmente · ocasionalmente · esporádicamente**

[alternativa] s.f. → alternativo, va

alternativo, va

1 **alternativo, va** adj.

● CON SUSTS. **camino** *elegir un camino alternativo* · **itinerario · trazado · circuito · ruta · vía · acceso · destino** *Como destino alternativo nos han propuesto viajar a...* || **posibilidad · opción · solución** *¿Cuál es la solución alternativa que propones?* · **salida || programa · plan · proyecto · trabajo || procedimiento · método · sistema · estrategia · recurso · medio · mecanismo || uso** *Han descubierto un uso alternativo para esta medicina* · **empleo · desarrollo || modelo · paradigma || propuesta · oferta || concepto · criterio || medicina · tratamiento || música** *un concierto de música alternativa* · **pintura** · ***otras disciplinas artísticas*** || **grupo · movimiento · tendencia || discurso · texto || espacio · escenario · universo || producto · cultivo || lista**

2 **alternativa** s.f.

● CON ADJS. **buena** *Las energías renovables parecen una buena alternativa a las tradicionales* · **ventajosa · adecuada · favorable || desfavorable || sensata · razonable || absurda · alocada || novedosa · nueva · interesante · ilusionante || viable · válida · posible · probable || inviable · improbable · ineficaz || clara || remota · última · única** *Esta es la única alternativa que nos queda*

● CON SUSTS. **abanico (de)** *Se abre ante ustedes un amplio abanico de alternativas*

● CON VBOS. **existir · dar(se)** *Si se diera alguna otra alternativa* || **quedar(le) (a alguien) || agotar(se)** *Se agotaron todas las alternativas sin conseguir nada* || **derivar(se) || tener** *No tuve más alternativa que actuar* || **buscar · vislumbrar · encontrar · construir || constituir · representar || ponderar · calibrar · sopesar** *De momento está sopesando todas las alternativas* · **juzgar · contemplar · estudiar · enjuiciar || escoger · elegir · tomar || desechar · rechazar · excluir · descartar || proponer · plantear · ofrecer · presentar · trazar || dilucidar || anclar · aunar || disponer (de) || dudar (entre)** *dudar entre varias alternativas posibles* · **debatirse (entre) · optar (por/entre) · decantarse (por) || convertir (en)**

● CON PREPS. **como** *Como alternativa a este viaje, había pensado en un crucero*

altibajo s.m.

● CON ADJS. **pequeño** *sufrir pequeños altibajos de salud* · **leve · ligero || pronunciado · fuerte · gran(de) || continuo · constante || imprevisto · brusco || lleno,na (de)** *una trayectoria llena de altibajos*

● CON VBOS. **producir(se)** *Se producen continuos altibajos en los precios de las viviendas* · **registrar(se) || tener · sufrir · experimentar · padecer · mostrar · presentar**

● CON PREPS. **con · sin** *una vida sin grandes altibajos*

altivez s.f.

● CON ADJS. **ostensible · perceptible · evidente || provocadora · intransigente · distante || majestuosa**

• CON SUSTS. **gesto (de)**
• CON VBOS. **criticar · rechazar || mostrar · demostrar**
• CON PREPS. **con** *Me miró con altivez*

altivo, va adj.

• CON SUSTS. ***persona*** **|| mirada · actitud · gesto · tono** *Se dirigió a nosotros con un tono altivo y arrogante* · **porte · carácter · pose · aire · imagen || orgullo**
• CON ADVS. **sumamente · excesivamente** *Nos despidió con un gesto excesivamente altivo* · **tremendamente · extremadamente**
• CON VBOS. **volver(se) · ponerse**

[alto, ta] →alto, ta; alto el fuego; por lo alto; por todo lo alto

alto, ta

1 alto, ta adj.

• CON SUSTS. **lugar · sitio || oficial · mando** *Mañana se reunirán los altos mandos del país* · **dirigente · autoridad · personalidad · ejecutivo,va · directivo,va · funcionario,ria** *una alta funcionaria de la administración* **|| jerarquía · rango** *el oficial de más alto rango en el ejército* · **puesto · cargo · poder || comité · órgano · organismo · cámara · magistratura · tribunal || sociedad** *Le encanta codearse con la gente de la alta sociedad* · **esfera · clase || vuelo** *un negocio de altos vuelos* · **mira || concepto · estima** *Te tiene en muy alta estima* · **aceptación || calificación · mérito · distinción · instancia || impuesto · arancel · tasa · cuota · tarifa · precio · costo || salario · sueldo · ingreso || valor · cotización · rendimiento · rentabilidad · inflación || demanda · consumo** *El Gobierno denuncia el alto consumo de este tipo de sustancias* **|| número · cifra || cota · nivel · grado · índice** *Tratan de reducir el alto índice de absentismo laboral* · **promedio · porcentaje · hora** *volver a casa a altas horas de la madrugada* **|| frecuencia · voltaje · tensión · intensidad · densidad · volumen · temperatura · fiebre · presión · velocidad · cilindrada || cualificación · prestación · calidad · capacidad || seguridad · riesgo** *un trabajo de alto riesgo* · **responsabilidad || mar** *en alta mar* · **marea || costura** *un traje de alta costura para la fiesta* · **tecnología || competición** *practicar un deporte de alta competición* **|| dirección · punto || prioridad || participación || sonido · voz · tono · registro**
• CON ADVS. **considerablemente · notablemente · sumamente** *No podemos pagar este precio, porque es sumamente alto* · **ostensiblemente · excesivamente · desmesuradamente · alarmantemente || moderadamente · suficientemente**
• CON VBOS. **ser · estar · poner** *Se ha puesto alto el listón para aprobar* · **mantener (algo) · dejar (algo)** *dejan bien alto el pabellón*

2 alto s.m.

▮ [interrupción, parada]
• CON ADJS. **pequeño · breve || definitivo · provisional · temporal**
• CON VBOS. **dar (a alguien)** *La Policía de la aduana les dio el alto* **|| hacer** *hacer un pequeño alto en el camino para reponer fuerzas*

3 alta s.f.

• CON ADJS. **provisional · definitiva || inmediata || voluntaria** *El paciente solicitó el alta voluntaria* **|| médica · hospitalaria**
• CON VBOS. **causar || pedir · solicitar || conseguir · recibir · obtener** *Después de varias semanas en el hospital, obtuvo el alta definitiva* **|| dar (a alguien)** *Dentro de tres días me darán el alta* · **conceder (a alguien) · prescribir · firmar || tramitar || posponer || dar(se) (de)** *darse de alta en el colegio de licenciados*

4 alto adv.

• CON VBOS. **subir · llegar** *Desde pequeña, supimos que esta chica llegaría alto* **|| apuntar · tirar || hablar** *En la biblioteca no se puede hablar alto* **|| volar**

☐ EXPRESIONES **alto el fuego*** [cese de las acciones militares] **|| por todo lo alto*** [a lo grande] *col. celebrar algo por todo lo alto*

alto el fuego loc.sust.

• CON ADJS. **provisional · temporal · definitivo** *...preparan negociaciones para establecer un definitivo alto el fuego* **|| condicional · incondicional || frágil || efectivo**
• CON VBOS. **cesar || pactar · acordar · negociar · firmar · suscribir** *Todas las naciones han suscrito el alto el fuego propuesto por...* **|| decretar · establecer · declarar · proclamar || cumplir · respetar || romper · violar** *Los rebeldes violaron el alto el fuego* · **infringir || proponer || lograr · alcanzar · conseguir || consolidar || prorrogar**

al trasluz loc.adv.

• CON VBOS. **mirar** *mirar al trasluz de las cortinas* · **ver · contemplar || leer · comprobar || poner** *Puso el dibujo al trasluz para calcarlo* **|| captar**

al traste loc.adv.

• CON VBOS. **irse · dar (con algo)** *Aquella lesión dio al traste con mis planes*

altruista adj.

• CON SUSTS. ***persona*** **|| actitud · ánimo · espíritu · carácter · gesto || sentimiento · amor · generosidad || sacrificio · donación || institución · trabajo · actividad · proyecto || motivo** *No aceptó el puesto por motivos altruistas, sino por el dinero que le ofrecieron* · **causa || manera · forma · modo || fin · objetivo**

al tuntún loc.adv. *col.*

• CON VBOS. **hacer** *hacer un test al buen tuntún* · **probar · acertar · improvisar || escoger** *escoger un libro al tuntún* · **elegir · decidir || nombrar · citar · decir** *Dije al tuntún un nombre que me sonaba* · **señalar || preguntar · contestar** *contestar al tuntún una pregunta* · **afirmar · declarar · hablar · escribir || colocar · poner**

☐ USO Se usa también la variante *al buen tuntún.*

[altura] →a la altura (de); altura

altura s.f.

• CON ADJS. **excesiva · colosal** *Esos aviones alcanzaban una altura colosal* · **tremenda · impresionante · extraordinaria · asombrosa · desmedida · gran(de) · considerable · respetable || escasa** *edificios de escasa altura* · **corta || suficiente · insuficiente || exacta · aproximada** *...árboles con una altura aproximada de...* **|| acorde (con)**
• CON SUSTS. **diferencia (de) || deporte (de)**
• CON VBOS. **decidir · rebajar || calcular** *calcular la altura de un triángulo* · **precisar · medir · determinar · averiguar || tener · tomar · ganar · alcanzar** *El avión fue alcanzando altura hasta que se perdió entre las nubes* **|| pasar · sobrepasar · rebasar || modificar · corregir ·**

nivelar · mantener || subir (a) · elevar(se) (a) · acercar(se) (a) · llegar (a) || bajar (de)
• CON PREPS. **en función (de)**

□ EXPRESIONES **a estas alturas** [en este momento, en esta etapa] || **estar** (alguien) **a la altura** [obrar como se espera de él o ella]

alucinación s.f.

• CON ADJS. **colectiva** *Algunos dudaban de si aquello había sido una alucinación colectiva* · **personal** || **virtual** · **acústica** · **plurisensorial** · **espacial** · **auditiva** · **mística** || **delirante** · **terrible** || **simple** · **mera** || **persistente** · **continua** · **ocasional**
• CON VBOS. **venir(le) (a alguien)** · **dar(le) (a alguien)** || **ver** · **tener** · **sufrir** · **experimentar** || **provocar** *Ingerido en exceso, este medicamento puede provocar alucinaciones*

alucinar v.

• CON SUSTS. **público** *El público alucinaba con los efectos de luz y color sobre el escenario* · **gente** · **espectador,-a** · ***otros individuos y grupos humanos***
• CON ADVS. **en colores** || **gratamente** · **agradablemente**

alud

1 **alud** s.m.

• CON ADJS. **auténtico** · **verdadero** || **fuerte** · **gigantesco** *El gigantesco alud de nieve sorprendió a un grupo de esquiadores* · **espectacular** || **devastador** · **arrasador** · **arrollador** · **trágico**
• CON VBOS. **sepultar (algo/a alguien)** *El alud sepultó algunos de los refugios evacuados el día anterior* · **arrastrar (algo/a alguien)** · **atrapar (algo/a alguien)** · **arrollar (algo/a alguien)** || **producir(se)** || **provocar** · **desatar** *Sus declaraciones desataron un alud de protestas* · **desencadenar** || **frenar** · **esquivar** || **rescatar (algo/a alguien) (de)**

2 **alud (de)** s.m.

• CON SUSTS. **nieve** *Un espectacular alud de nieve sepultó a los montañeros* · **tierra** || **críticas** · **quejas** *Ante el alud de quejas, la empresa paralizó la iniciativa* · **protestas** · **descalificaciones** · **reproches** || **denuncias** · **peticiones** · **solicitudes** · **demandas** · **preguntas** · **promesas** · **ofertas** · **llamadas** || **datos** · **informaciones** · **novedades** · **noticias** · **declaraciones** · **libros** · **comentarios**

aludir v.

• CON ADVS. **reiteradamente** · **repetidamente** · **insistentemente** || **tangencialmente** · **de pasada** *Procuró aludir solo de pasada a la espinosa cuestión de...* · **someramente** || **manifiestamente** · **abiertamente** *aludir abiertamente a algunos de los tabúes de la sociedad actual* || **expresamente** · **específicamente** · **explícitamente** · **claramente**

□ USO Alterna los complementos directos de persona (*aludir a un diputado*) con los complementos de régimen encabezados por la preposición *a* (*aludir a una posibilidad*).

alumbrar v.

■ [iluminar]

• CON SUSTS. **habitación** · **calle** *las farolas que alumbran las calles* · **ciudad** · ***otros lugares***

■ [crear]

• CON SUSTS. **criatura** · **niño,ña** *La madre alumbró un hermoso niño* · **bebé** || **idea** *En su cabeza empezó a alumbrar una idea algo atrevida, que consistía en...* · **pensamiento** · **concepto** · **reflexión** || **proyecto** · **estudio** · **plan** · **análisis** || **sistema** · **orden** · **modelo** || **tratado** · **acuerdo** *Confían en alumbrar un acuerdo antes del viernes* · **pacto** · **convenio** · **consenso** · **resolución** || **esperanza** · **deseo** · **pasión** · **amor** || **disco** · **poema** · **ensayo** · **libro** · ***otras creaciones*** || **declaración** · **diálogo** · **reglamento** · **ley** · **norma** · **constitución**

alumnado s.m.

• CON ADJS. **universitario** · **de primaria** · **de secundaria** · **de bachillerato** || **extranjero** · **inmigrante** || **aplicado** · **estudioso** · **participativo** || **difícil** · **con necesidades** · **especial** · **conflictivo** · **apático** || **disciplinado** · **díscolo** · **rebelde** · **insubordinado** || **adulto**
• CON SUSTS. **capacidad (de)** · **rendimiento (de)** · **nivel (de)** *un examen para saber cuál es el nivel del alumnado en lengua y matemáticas* || **educación (de)** · **formación (de)** || **atención (de/a)** · **asistencia (de)** || **descenso (de)** · **volumen (de)**
• CON VBOS. **aprender (algo)** · **estudiar (algo)** · **interesarse (por algo)** || **participar (en algo)** || **enseñar** · **educar** · **formar** · **escolarizar** · **preparar** || **atender** · **asesorar** · **informar** · **acoger** · **distribuir** || **sancionar**

alumno, na s.

• CON ADJS. **avezado,da** · **avispado,da** · **inteligente** · **brillante** *la alumna más brillante de su promoción* || **trabajador,-a** · **voluntarioso,sa** · **aplicado,da** *Da gusto trabajar con alumnos tan aplicados* · **disciplinado,da** · **metódico,ca** || **vago,ga** · **holgazán,-a** · **rezagado,da** || **puntual** · **impuntual** || **indisciplinado,da** · **díscolo,la** · **insubordinado,da** || **prometedor,-a** · **destacado,da** · **aventajado,da** · **descollante** · **adelantado,da** · **avanzado,da** · **distinguido,da** || **interno,na** · **externo,na** || **oficial** · **presencial** || **antiguo,gua** *una fiesta para antiguos alumnos de nuestro instituto*
• CON SUSTS. **modelo** *Era la alumna modelo de tercer curso* || **formación (de)** · **educación (de)** || **asistencia (de)** · **afluencia (de)** || **huelga (de)** || **atención (a/de)** *el departamento de atención al alumno* || **ingreso (de)** · **acceso (de)** || **graduación (de)** · **nivel (de)** *el nivel medio de los alumnos*
• CON VBOS. **matricular(se)** · **ingresar** · **cursar (algo)** || **faltar (a clase)** · **hacer {huelga/pellas}** · **asistir (a clase)** || **atender** || **aplicarse** · **esforzarse** · **estudiar** · **aprender (algo)** || **pasar** · **aprobar** || **suspender** · **reprobar** || **licenciar(se)** *El año pasado se licenciaron menos alumnos que este* · **recibir(se)** · **graduar(se)** · **egresar** · **doctorar(se)** || **emular (a alguien)** || **tener** *Esta asignatura cada vez tiene más alumnos* · **admitir** || **enseñar** *enseñar matemáticas a los alumnos del primer curso* · **aleccionar** · **formar** · **educar** · **adoctrinar** || **dar clase (a)**

alusión s.f.

• CON ADJS. **directa** *El título es una alusión directa a...* · **clara** · **expresa** · **firme** · **explícita** · **obvia** · **atinada** || **implícita** · **velada** · **indirecta** · **sutil** || **tangencial** · **de pasada** · **somera** · **leve** || **constante** *En la obra se hace alusión constante a los problemas de la sociedad actual* · **puntual** || **discreta** · **indiscreta** || **ofensiva** · **gratuita** || **especial** || **genérica** · **personal**
• CON VBOS. **deslizar(se)** || **hacer** *sin hacer alusión a un tema tan escabroso* · **formular** · **verter** · **añadir** || **destacar** · **obviar** || **rebatir** || **merecer** || **personalizar** || **explicar (algo) (en)** · **decir (algo) (en)** || **replicar (a)**
• CON PREPS. **en** *En alusión a ese tema, diremos que...*

alusivo, va adj.

● CON SUSTS. **frase** · **comentario** *Se cuidó muy bien de hacer comentarios alusivos al escándalo* · **mensaje** · **discurso** · **artículo** · **canción** · **letra** · **párrafo** · **estribillo** · **copla** · **poema** || **dibujo** *dibujos alusivos a la época navideña* · **imagen** · **cuadro** · **fotografía** · **figura** · **pintura** · **lámina** · **bosquejo** || **acto** · **exposición** · **espectáculo** · **evento** || **pancarta** · **cartel** *un gran cartel alusivo a la paz mundial* · **bandera** · **película** · **programa**

☐ USO Se construye con complementos encabezados por la preposición *a*: *un artículo alusivo a la situación política de...*

aluvión

1 **aluvión** s.m.

● CON ADJS. **incontenible** || **auténtico** · **verdadero** · **impresionante**

● CON VBOS. **sobrevenir** · **venirse encima (de algo/de alguien)** · **surgir** || **provocar** · **desencadenar** *La implantación de la ley ha desencadenado un aluvión de críticas* · **desatar** · **levantar** · **encadenar** || **recibir** · **asumir** · **prever** || **producir(se)** || **contener** · **neutralizar** · **frenar** *...para frenar el aluvión de protestas desencadenadas con motivo de...* · **aguantar** · **parar** · **atajar** · **evitar** · **detener**

2 **aluvión (de)** s.m.

● CON SUSTS. **gente** · **visitas** *La exposición recibió un verdadero aluvión de visitas* · **viajeros,ras** · **inmigrantes** · **refugiados,das** || **avisos** · **llamadas** · **cartas** *No pudo contestar al aluvión de cartas que recibió* · **peticiones** · **solicitudes** || **información** · **datos** · **imágenes** || **comentarios** · **premios** · **elogios** || **acusaciones** · **protestas** · **quejas** · **críticas** · **insultos** || **ofertas** · **novedades** *En esta época siempre se produce un aluvión de novedades en la cartelera cinematográfica*

al vacío loc.adv.

● CON VBOS. **conservar** · **envasar** *envasar al vacío los productos procedentes del campo* · **empaquetar** · **embotellar**

al vapor loc.adv./loc.adj.

● CON VBOS. **cocinar** *La mejor manera de preparar este plato es cocinarlo al vapor* · **guisar** · **hervir** · **cocer** · **calentar**

● CON SUSTS. **verdura** *Comimos unas verduritas al vapor exquisitas* · **pescado**

al vuelo loc.adv./loc.adj.

● CON VBOS. **coger** · **agarrar** · **recoger** · **cazar** · **pescar** · **captar** · **atrapar** *El portero atrapó el balón al vuelo* · **interceptar** · **pillar** · **tomar** || **comprender** · **reconocer** · **alcanzar** · **entender** · **escuchar** || **lanzar** · **tirar** · **echar** || **surgir** · **suscitar** · **pasar** || **soltar** · **decir** · **mencionar** *Mencionó al vuelo algunos nombres que no recuerdo ahora* · **comentar** · **escribir** || **aprovechar** · **decidir** · **aceptar** · **determinar**

● CON SUSTS. **nota** · **apunte** · **anotación** || **capa** *Los tunos cantaban a las muchachas entre cintas multicolores y capas al vuelo* · **falda** || **campana** *Hasta que no sepas el resultado, no eches las campanas al vuelo*

[alza] → alza; en alza

alza s.f.

● CON ADJS. **espectacular** *una espectacular alza en los precios de la vivienda* · **desorbitada** · **escandalosa** · **significativa** · **considerable** · **fuerte** · **notable** · **sensible** · **apreciable** · **preocupante** · **sustancial** · **acentuada** · **pronunciada** || **moderada** · **ligera** · **leve** · **modesta** · **discreta** · **tímida** || **progresiva** · **uniforme** · **sostenida** · **lenta** · **gradual** || **imparable** *el alza imparable de las cotizaciones en el campo de las eléctricas* · **irrefrenable** · **meteórica** · **rápida** · **inesperada** · **repentina** || **generalizada** || **bursátil** · **arancelaria** · **salarial**

● CON SUSTS. **valor (en)** *un valor en alza en nuestra sociedad*

● CON VBOS. **producir(se)** · **registrar** || **provocar** · **generar** · **suponer** · **representar** || **reflejar** · **apuntar** · **marcar** · **anotar** || **frenar** · **contener** · **detener** · **evitar** · **impedir** · **compensar** || **prever** *Se prevé una notable alza en las exportaciones* · **percibir** · **anunciar** || **recoger** · **acumular**

● CON PREPS. **al** *precios al alza* · **en**

[alzada] s.f. → alzado, da

[alzado, da] → alzado, da; a mano alzada

alzado, da

1 **alzado, da** adj.

● CON SUSTS. **suma** *un contrato de honorarios a suma alzada* · **cantidad** || **tanto** || **mano** *una votación a mano alzada*

2 **alzado** s.m.

▌[dibujo, trazado]

● CON VBOS. **dibujar** *dibujar el alzado de la fachada principal* · **trazar** · **representar**

3 **alzada** s.f.

▌[en derecho]

● CON SUSTS. **recurso (de)** *La asociación ha interpuesto un recurso de alzada ante...* · **tribunal (de)** · **juez (de)**

alzamiento s.m.

● CON ADJS. **violento** *...en medio de un violento alzamiento popular* · **sangriento** · **cruento** · **incruento** || **traicionero** · **inicuo** || **triunfal** · **victorioso** · **glorioso** || **guerrillero** · **militar** · **armado** · **bélico** || **nacional** · **popular** · **general** || **espontáneo** · **impulsivo**

● CON VBOS. **producir(se)** · **estallar** · **fraguar(se)** || **fracasar** *El alzamiento militar fracasó en la capital* · **triunfar** || **planear** · **organizar** · **preparar** · **tramar** · **urdir** || **evitar** · **sofocar** · **reprimir** || **provocar** *...y fue acusado de provocar un alzamiento armado contra el Gobierno* · **causar** || **dar lugar (a)**

alzar(se) v.

● CON SUSTS. **vista** *alzar la vista al cielo* · **mirada** · **cabeza** · **brazo** || **voz** || **hombro** *Alzó los hombros en señal de duda* || **vuelo** || **telón**

● CON ADVS. **en brazos** · **en volandas** *alzar en volandas un bebé* || **de puntillas** || **en armas** *El ejército rebelde se alzó en armas contra el Gobierno legítimo*

[ama] s.f. → amo, ma

amabilidad s.f.

● CON ADJS. **infinita** · **suma** *tratar a alguien con suma amabilidad* · **extraordinaria** · **extrema** · **exquisita** · **obsequiosa** · **gran(de)** || **escasa** · **falsa** · **interesada** · **forzada** · **sospechosa** || **espontánea** · **sincera** · **natural** · **desinteresada** *Muestra una amabilidad desinteresada hacia todo el mundo* · **cordial** || **inusitada** · **debida**

● CON SUSTS. **gesto (de)** · **detalle (de)** · **muestra (de)** · **acto (de)** · **palabras (de)** || **clima (de)** · **ambiente (de)** || **falta (de)** · **exceso (de)**
● CON VBOS. **tener** · **mostrar** · **dispensar** · **derrochar** *derrochar amabilidad hacia la gente* · **rebosar** · **prodigar** · **irradiar** · **rezumar** || **respirar** || **agradecer** *Agradeció profundamente la amabilidad de los medios de comunicación hacia ella* || **deshacerse (en)** || **abusar (de)** *Debes procurar no abusar de su amabilidad*
● CON PREPS. **con** *responder con amabilidad*

amable adj.

● CON SUSTS. **dependiente,ta** · **secretario,ria** *Su amable secretario resolvió todos los problemas* · **personal** · ***otros individuos y grupos humanos*** || **aspecto** · **carácter** · **trato** *una persona de trato amable* || **tono** · **sonrisa** · **voz** · **gesto** · **mirada** · **rostro** · **cara** || **palabra** *Le agradecí sus amables palabras en aquellos momentos difíciles* · **frase** · **recuerdo** · **invitación** · **carta** · **despedida** · **respuesta** · **intervención** · **presentación** || **consejo** || **lado** *buscar el lado amable de la vida*
● CON ADVS. **extraordinariamente** · **excesivamente** *El tono excesivamente amable de su voz me hizo sospechar al momento* || **inusualmente** · **habitualmente** || **interesadamente** · **sospechosamente**
● CON VBOS. **ser** · **parecer** · **resultar** · **volver(se)** || **poner(se)** · **estar**

amablemente adv.

● CON VBOS. **tratar (a alguien)** · **dirigirse (a alguien)** · **atender (a alguien)** · **acudir en ayuda (a alguien)** *Acudió amablemente en nuestra ayuda* · **ayudar (a alguien)** · **facilitar (a alguien)** · **acceder (a algo)** · **ceder (algo)** || **señalar** · **sugerir** *Sugirió amablemente que tomásemos el otro camino* · **proponer** · **aconsejar** · **desaconsejar** · **corregir** || **hablar** · **explicar** *Nos explicó amablemente cómo ir al mercado central* · **describir** · **responder** · **aclarar** · ***otros verbos de lengua*** || **dar** · **proporcionar** · **enviar** · **llevar** || **mostrar** · **remitir** || **regañar** · **reprochar** || **ofrecer(se)** · **brindar(se)** · **prestar(se)** *Se prestó amablemente a acompañarme* || **esperar** · **acompañar (a alguien)** · **invitar (a alguien)** · **presentar (a alguien)** || **saludar (a alguien)** *Siempre nos saluda amablemente* · **despedir(se)** || **rechazar** · **negar(se)**

a machamartillo loc.adv./loc.adj. *col.*

● CON VBOS. **defender** · **creer** · **mantener** *Mal negociador es el que mantiene a machamartillo su punto de vista...* · **sostener** || **repetir** · **insistir** || **imponer** · **exigir** · **dirigir** || **aplicar** · **seguir**
● CON SUSTS. **creyente** · **republicano,na** · **europeísta** · ***otros individuos*** || **creencia** · **defensa**
☐ USO Se usa también la variante *a macha martillo.*

amago (de) s.m.

● CON SUSTS. **rebelión** *El ejército consiguió controlar con las armas el amago de rebelión* · **insurrección** · **levantamiento** · **motín** · **asalto** · **guerra** · **batalla** · **combate** · **ataque** · **enfrentamiento** || **huelga** · **protesta** · **abucheo** · **rechazo** · **debate** || **agresión** · **golpe** · **pelea** · **discusión** · **amenaza** || **crisis** · **confusión** · **cambio** || **acercamiento** · **ruptura** || **huida** · **retirada** || **infarto** *Sufrió un amago de infarto el año pasado* · **angina de pecho** · **derrame** · **desmayo** · **susto** || **depresión** · **suicidio** · **dimisión** || **mueca** · **sonrisa** *...con un amago de sonrisa que se quedó en mueca* || **disculpa** · **respuesta** · **reacción** · **recuperación**

amainar v.

● CON SUSTS. **temporal** · **vendaval** · **tormenta** · **tempestad** · **lluvia** *Las intensas lluvias amainarán el fin de semana* · **precipitación** · ***otros fenómenos meteorológicos adversos*** || **problema** · **crisis** · **peligro** · **riesgo** || **discusión** · **combate** · **protesta** · **debate** · **polémica** · **escándalo** · **lucha** · **violencia** *...medidas que sirvan para amainar la creciente violencia callejera* · **acoso** · **bombardeo** || **miedo** · **desolación** · **tensión** · **crispación** · **furor** · **ira** · **dolor** || **interés** · **deseo** *un permanente deseo de notoriedad que no parecía amainar con los años* · **ánimo** · **vigor** || **tumulto** · **ajetreo** · **caos** || **tendencia** · **moda** · **corriente**

a mandíbula batiente loc.adv. *col.*

● CON VBOS. **reír** *Recuerdo que aquella película nos hizo reír a mandíbula batiente cuando éramos pequeños*

amanecer

1 amanecer s.m.

● CON ADJS. **bello** · **hermoso** *un hermoso amanecer al borde del mar* || **reluciente** · **relumbrante** · **centelleante** · **resplandeciente** · **deslumbrante** · **radiante** · **esplendoroso** · **espléndido** · **dorado** · **áureo** || **triste** · **nublado** *No acababa de acostumbrarse a los amaneceres nublados* · **gris** · **rosado** || **esperanzador** · **ilusionante** · **dichoso** · **glorioso** || **tímido** || **nuevo** · **temprano** || **democrático**
● CON SUSTS. **luz (de)** *La luz del amanecer me despertó* · **sol (de)** · **estrella (de)** · **claridad (de)** · **colores (de)** · **aurora (de)**
● CON VBOS. **clarear** · **despuntar** · **llegar** || **alumbrar (algo)** · **iluminar (algo)** || **ver** · **presenciar**
● CON PREPS. **antes (de)** · **después (de)** · **al** *llegar a casa al amanecer* · **al filo (de)** · **hasta**

2 amanecer v.

● CON SUSTS. **día** *Amaneció el esperado día* · **mañana** || ***persona*** *A ver cómo amanece hoy la niña*

amanerado, da adj.

● CON SUSTS. ***persona*** *Era un jovencito apuesto y elegante, pero algo amanerado* || **ademán** *un hombre con ademanes muy amanerados* · **gesto** · **expresión** || **carácter** · **modales** · **maneras** || **voz** · **tono** · **lenguaje** *Los personajes de la obra se expresaban en un lenguaje amanerado*
● CON ADVS. **excesivamente** · **extremadamente** *La presentación del proyecto me pareció extremadamente amanerada* · **claramente** || **ligeramente** · **levemente**

a mano alzada loc.adv./loc.adj.

● CON VBOS. **dibujar** · **pintar** · **trazar** · **diseñar** · **escribir** || **votar** *Votaremos a mano alzada la propuesta de...* · **aprobar** · **rechazar** · **expresar el voto**
● CON SUSTS. **plano** · **dibujo** · **boceto** · **diseño** · **pintura** · **croquis** *hacer un croquis a mano alzada* · **línea** · **trazo** · **perspectiva** · **escritura** · **rotulado** || **votación** · **voto** *Fue una asamblea con voto a mano alzada en la que se decidió...* · **decisión**

a mano armada loc.adv./loc.adj.

● CON VBOS. **luchar** · **combatir** · **enfrentarse** · **defender** || **atracar** *Fueron detenidos después de atracar un banco a mano armada* · **robar** · **asaltar** · **secuestrar** || **entrar** · **irrumpir**
● CON SUSTS. **lucha** · **enfrentamiento** · **levantamiento** || **atraco** · **robo** · **asalto** · **agresión** · **ataque** · **crimen** || **ladrón,-a** · **atracador,-a** · **asesino,na** *un asesino a mano*

armada contra el que se acumulan un gran número de cargos · **asaltante**

a manos llenas loc.adv.

● CON VBOS. **derrochar** · **gastar** · **dilapidar** *Invierte en proyectos ruinosos y dilapida a manos llenas el dinero público* · **tirar** || **repartir** · **dar** · **regalar** · **compartir** · **distribuir** · **derramar** || **ganar** *tentadoras propuestas para ganar dinero a manos llenas* · **llevar(se)** · **recibir** · **pillar** · **recoger** · **tener** *Lo que importa son los amigos, y ella los tiene a manos llenas*

a mansalva loc.adv.

● CON VBOS. **venir** · **acudir** · **ir** · ***otros verbos de movimiento*** || **disparar** · **atacar** · **robar** || **repartir**

a manta loc.adv.

● CON VBOS. **llover** · **caer agua** *No pudimos ni salir de casa porque caía agua a manta*

amañar v.

● CON SUSTS. **concurso** *Hubo un intento de amañar el concurso, pero...* · **certamen** · **juego** · **partido** · **oposición** · **subasta** · **combate** · **competición** || **votación** · **elección** · **asamblea** · **comicios** || **juicio** · **proceso** · **vista** || **documento** · **informe** · **encuesta** *encuestas escandalosamente amañadas* · **sondeo** · **fallo** · **examen** · **investigación** · **interpretación** · **análisis** · **estudio** || **resultado** · **nota** · **evaluación** · **dato** · **prueba** · **factura** · **diagnóstico** · **argumento** · **empate** *Querían comprar al árbitro para que amañara un empate* || **decisión** · **voto** · **adjudicación** · **concesión** · **solución** || **premio** · **trofeo** · **triunfo** · **victoria** || **contratación** · **compra** · **licitación** · **exportación** · **negociación** || **precio** · **sobreprecio**

amar v.

● CON ADVS. **locamente** · **con locura** · **como un loco** · **con todas {mis/tus/sus...} fuerzas** *La amo con todas mis fuerzas* · **como Dios manda** · **apasionadamente** · **desesperadamente** *¿Alguna vez has amado desesperadamente a alguien?* · **con pasión** · **ciegamente** · **intensamente** · **ardientemente** · **enardecidamente** · **fogosamente** · **vivamente** · **fervorosamente** · **hondamente** · **profundamente** || **infinitamente** · **eternamente** *Aquella noche juraron amarse eternamente* · **para siempre** || **incondicionalmente** · **sinceramente** · **verdaderamente** · **realmente** · **de (todo) corazón** || **platónicamente**

a mares loc.adv. *col.*

● CON VBOS. **llover** *Está lloviendo a mares* · **caer el agua** || **sudar** · **llorar** · **chorrear** · **salpicar** · **fluir** · **correr** *El champán corrió a mares durante la fiesta*

amargamente adv.

● CON VBOS. **llorar** · **sollozar** *Al oír la noticia comenzó a sollozar amargamente* || **arrepentirse** *Se arrepintió amargamente de aquella decisión* · **lamentar(se)** · **quejarse** · **protestar** || **discutir** || **sufrir** · **padecer** · **soportar** || **confesar** *Confesó amargamente y entre sollozos que ella era la culpable* · **declarar** · **referir(se)** · **comentar** · **describir** · **retratar** · **recordar** || **descubrir** · **darse cuenta**

amargar(le) (a alguien) v.

● CON SUSTS. **fiesta** *Las malas noticias no consiguieron amargarnos la fiesta* · **estreno** · **cita** · **reunión** · **cena** · **comida** · **suceso** · ***otros eventos*** || **día** *Desde luego, una complicación como esta le amarga el día a cualquiera* · **semana** · **curso** · ***otros períodos*** || **vida** · **existencia** · **recuerdo** || **satisfacción** *...y trata de evitar que alguien le amargue la satisfacción del éxito* · **placer** · **descanso** · **sueño** || **reconocimiento** · **éxito**

amargo, ga adj.

● CON SUSTS. **pastel** *El pastel está un poco amargo* · **fruto** · **almendra** · **verdura** · **vino** · **café** · **chocolate** · ***otros alimentos o bebidas*** || **medicina** · **remedio** · **jarabe** · **píldora** · **pócima** || **sabor** · **gusto** · **regusto** · **sensación** || **hora** · **navidad** · **aniversario** · **día** *el día más amargo de su vida* · ***otros momentos o períodos*** || **experiencia** · **trago** · **episodio** · **vida** · **existencia** · **circunstancia** · **camino** · **peripecia** · **vivencia** || **realidad** · **verdad** · **certidumbre** · **certeza** · **constatación** · **convencimiento** || **descripción** · **historia** · **relato** · **novela** · **crónica** · **noticia** · **declaración** · **cuento** · **canción** · **dictamen** || **recuerdo** · **memoria** · **recordatorio** || **humor** · **ironía** · **risa** · **gesto** *una mujer de gesto amargo* · **sonrisa** · **rictus** || **reproche** · **queja** · **crítica** · **rechazo** · **recriminación** || **desengaño** · **decepción** · **pena** · **melancolía** · **llanto** · **sufrimiento** · **nostalgia** · **tristeza** · **frustración** || **desenlace** *con un desenlace extremecedoramente amargo* · **resultado** || **victoria** · **derrota** · **final** · **empate** · **triunfo** || **lección** *Esperemos que el señor ministro aprenda la amarga lección y a partir de ahora...* · **enseñanza** · **reflexión** · **saber** · **aprendizaje** || **poeta** · **crítico,ca** · **filósofo,fa** · **escritor,-a** · ***otros individuos***

● CON VBOS. **ser** · **volver(se)** *Las críticas se volvieron amargas* || **estar** · **poner(se)** || **resultar** · **saber**

amargura s.f.

● CON ADJS. **infinita** *Sentía una infinita amargura* · **inmensa** · **tremenda** · **enorme** · **gran(de)** || **insondable** · **profunda** · **honda** || **lleno,na (de)** *una persona llena de amargura*

● CON SUSTS. **gesto (de)** *Pudo percibir un gesto de amargura en su rostro* · **rictus (de)** || **camino (de)** || **dosis (de)** · **pizca (de)** · **poso (de)** · **punto (de)** · **pozo (de)**

● CON VBOS. **acechar (a alguien)** · **invadir (a alguien)** || **traslucir(se)** || **sentir** · **experimentar** · **sufrir** · **soportar** || **producir** · **causar** || **reflejar** · **expresar** · **exteriorizar** · **confesar** || **rezumar** · **destilar** · **rebosar** · **derrochar** · **descargar** || **ocultar** || **compensar** · **superar** · **desterrar** || **llorar (de)** *Su primera reacción fue llorar de amargura* || **sumir(se) (en)** · **hundir(se) (en)** || **salir (de)** · **huir (de)** || **vivir (en)** || **teñir(se) (de)**

● CON PREPS. **con** · **sin**

amarillento, ta adj.

● CON SUSTS. **color** · **aspecto** · **tono** · **tonalidad** · **coloración** || **hoja** · **papel** · **foto** *La caja estaba llena de fotos amarillentas* || **dientes** · **piel** · **cara** · **rostro** · **lengua** · **dedo** || **pared** · **campo** · **paisaje** · **cielo** · **luz** · **bruma** · **atmósfera** || **blanco** · **verde** · **pardo** · ***otros colores***

● CON ADVS. **ligeramente** · **levemente** || **totalmente**

● CON VBOS. **ser** · **estar** · **poner(se)** *Se le han puesto los dientes amarillentos de tanto fumar* · **volver(se)** · **quedar(se)**

amarillo, lla

1 amarillo, lla adj.

● CON SUSTS. **tarjeta** *El árbitro le sacó tarjeta amarilla* · **maillot** · **polera** · **camiseta** · **bandera** || **páginas** *buscar un teléfono en las páginas amarillas* · **prensa** · **periódico**

· **diario** · **humor** || **alerta** *estar en alerta amarilla* || **fiebre** || **oro**
● CON VBOS. **ser** · **estar** · **poner(se)** · **quedar(se)**

2 **amarillo** s.m.
● CON SUSTS. **limón** *unos rotuladores amarillo limón* · **mostaza** · **pollito**
➤ Véase también **COLOR**

amarrar v.
● CON SUSTS. **caballo** · **vehículo** · ***otras personas o cosas en movimiento*** || **bote** · **barco** · **flota** · **embarcación** || **pacto** *Tras duras negociaciones consiguieron amarrar un pacto aceptable para todos* · **trato** · **acuerdo** · **negocio** · **asunto** || **oportunidad** · **resultado** · **victoria**

amarras s.f.pl.
● CON VBOS. **soltar** *Soltó amarras con la familia y marchó lejos de allí* · **cortar** · **romper** · **recoger** · **echar** · **largar**

amasar v.
▮ [preparar]
● CON SUSTS. **harina** *amasar la harina hasta conseguir una masa homogénea* · **pan** || **tierra** · **adobe** · **cemento** · **barro** · **yeso** || **mezcla** · **pasta** · **masa**

▮ [reunir, acumular]
● CON SUSTS. **fortuna** *amasar una fortuna considerable* · **poder** · **riqueza** · **patrimonio** · **beneficios** · **emporio** || **derrotas** · **desastres** · **ventajas** · **puntos** · **récords** || **documentos** · **informes**

□ USO Se construye con sustantivos no contables en singular (*amasar el pan*) o contables en plural (*amasar beneficios*).

amasijo s.m.
● CON ADJS. **confuso** · **desolador** *un desolador amasijo de escombros* · **informe** · **pavoroso** · **terrible** *Bajo un terrible amasijo de chatarra...* · **traumático** · **tremendo** || **metálico** · **de hierros** · **de chatarra**
● CON VBOS. **formar** · **constituir** || **contemplar** · **descubrir** || **convertir(se) (en)**

a matacaballo loc.adv. *col.*
● CON VBOS. **llevar** *Para un poco, que me llevas a matacaballo todo el día* · **ir** · **marchar** || **trabajar** || **lograr** · **conseguir**

[ambages] → sin ambages

ámbar s.m.
▮ [sustancia]
● CON SUSTS. **formación (de)** · **pieza (de)** · **gota (de)** · **yacimiento (de)**
● CON VBOS. **extraer** *...extraían el ámbar para fabricar collares* || **conservar (en)** *Tras varios milenios se ha conservado en ámbar un fósil prehistórico* · **preservar (en)** · **fosilizar(se) (en)**

▮ [color]
● CON SUSTS. **semáforo (en)** *Hay que poner atención cuando se cruza con el semáforo en ámbar* · **disco (en)**
● CON VBOS. **ser** · **estar** || **poner(se) (en)** · **quedar(se) (en)**
➤ Véase también **COLOR**

ambición s.f.
● CON ADJS. **infinita** · **desorbitada** · **desbordada** · **incontrolada** · **desordenada** · **disparatada** · **descabellada** · **desmedida** *Fue víctima de su desmedida ambición* · **desmesurada** · **desproporcionada** · **extrema** *una extrema ambición de poder* · **desaforada** · **desbocada** · **suprema** · **irreprimible** · **irrefrenable** · **desenfrenada** · **insaciable** · **ciega** · **voraz** · **excesiva** · **tremenda** · **suma** · **enorme** · **gran(de)** *Su gran ambición política le llevó a alcanzar los puestos más altos* || **mezquina** · **innoble** || **ofensiva** *Otro empate en casa por falta de ambición ofensiva* · **deportiva** || **patológica** · **enfermiza** · **obsesiva** · **compulsiva** || **sana** *una sana ambición de triunfo* · **honesta** || **natural** · **legítima** · **ilegítima** || **oculta** · **inconfesada** · **evidente** || **inequívoca** || **personal** || **preso,sa (de)** · **ciego,ga (de)** · **sobrado,da (de)** · **dominado (por)** · **poseído (por)** || **libre (de)** · **carente (de)** · **desprovisto,ta (de)** || **acorde (con)**
● CON SUSTS. **falta (de)** · **exceso (de)** *dejarse llevar por un exceso de ambición* || **rasgo (de)** · **cuestión (de)** || **problema (de)**
● CON VBOS. **dominar (a alguien)** *Poco a poco la ambición la fue dominando* · **cegar(le) (a alguien)** · **perder(le) (a alguien)** · **poder(le) (a alguien)** · **latir (en algo/en alguien)** · **anidar (en alguien)** || **traslucir(se)** · **entrever(se)** · **hacer(se) realidad** || **moderar** · **templar** · **recortar** · **atemperar** · **frenar** *Llegado a este punto, nada consiguió frenar su ambición* || **saciar** · **colmar** *...y ahora, a sus ochenta años, cuando ya ha colmado todas sus ambiciones...* · **satisfacer** · **cumplir** · **realizar** · **coronar** · **tener** || **disfrazar** · **encubrir** · **abrigar** || **liberar** · **transmitir** · **inculcar** || **alimentar** · **cimentar** || **lograr** · **alcanzar** || **legitimar** || **dejarse llevar (por)** *Creo que lo hizo porque se dejó llevar por la ambición* · **cegar(se) (por)** · **ceder (a)** · **dar rienda suelta (a)** || **renunciar (a)**
● CON PREPS. **sin** · **con** || **por** || **a la altura (de)** · **a la medida (de)**

ambicionar v.
● CON SUSTS. **puesto** *...y dejó muy claro que no ambicionaba el puesto de su compañero* · **cargo** · **dirección** · **posición** · **título** || **oportunidad** · **futuro** *ambicionar un futuro mejor* · **proyecto** · **libertad** || **premio** · **éxito** · **victoria** · **triunfo** · **ascenso**
● CON ADVS. **a toda costa** · **con todo {mi/tu/su...} corazón** *...una escritora que ambiciona con todo su corazón la libertad para su pueblo* · **de corazón** · **por encima de todo** · **desesperadamente** || **enormemente**

ambicioso, sa adj.
● CON SUSTS. ***persona*** || **proyecto** · **programa** · **plan** *un plan urbanístico bastante ambicioso* · **idea** · **investigación** · **obra** || **objetivo** · **meta**
● CON ADVS. **excesivamente** · **extremadamente** || **suficientemente** · **insuficientemente**
● CON VBOS. **mostrarse** *Ese chico se ha mostrado siempre muy ambicioso* · **parecer** · **volver(se)**

ambiental adj.
● CON SUSTS. **mejora** · **adecuación** · **protección** *El Gobierno invierte parte del presupuesto en la protección ambiental* · **conservación** · **defensa** · **deterioro** · **degradación** · **recuperación** · **regeneración** · **problema** · **repercusión** · **efecto** · **contaminación** · **saneamiento** · **limpieza** || **calidad** · **factor** · **condiciones** *Cuando las condiciones ambientales son favorables...* · **presión** · **impacto** · **conflicto** || **programa** · **proyecto** *un proyecto ambiental para la recuperación de zonas verdes* · **organización** · **desarrollo** · **gestión** · **control** · **evaluación** || **música** · **ruido**

· **sonido** *El sonido ambiental estaba muy alto* · **polución** || **accidente** · **catástrofe** *Se desconocen los efectos de la catástrofe ambiental* · **desastre** · **crisis** · **riesgo** · **daños** · **violencia** · **amenaza** · **estrago** || **normativa** · **norma** · **ley** · **delito** · **derecho** · **autoridad** · **licencia** · **requisito** || **entorno** · **marco** · **situación** · **medio** · **sector** || **costo** · **valor** · **tasa** || **temperatura** · **calor** · **humedad** *Todo el mundo se pasa el día sudando a causa de la humedad ambiental* || **educación** *potenciar la educación ambiental* · **política** || **materia** · **estudio** · **tema** · **análisis** · **tratamiento** · **asunto** · **ciencias** · **medida** || **conciencia** · **sensibilidad** *La profesora trataba de potenciar la sensibilidad ambiental de sus alumnos* · **exigencia** || **agente** · **reserva**

ambientar v.

● CON SUSTS. **evento** · **espectáculo** *un espectáculo musical que se ambienta en los años veinte* · **baile** · **certamen** · **actuación** · **gala** || **salón** · **bar** · **calle** || **película** · **novela** · **comedia** · **serie** · **retrato** · **canción** · ***otras creaciones*** || **capítulo** · **episodio** · **escena** || **escenario** · **escenografía** || **historia** *La historia se ambientó en la antigua Roma* · **trama** · **argumento** · **intriga** · **relato** · **guión** · **acción** || **andanza** · **hazaña** · **aventura** · **suceso** · **odisea**

☐USO Se construye a menudo con complementos encabezados por la preposición *en*: *La película se ambientará en la Grecia clásica.*

ambiente

1 ambiente s.m.

● CON ADJS. **buen(o)** · **sano** *crecer en un ambiente sano* · **saludable** · **natural** || **mal(o)** · **malsano** · **enrarecido** *Se respiraba un ambiente enrarecido en la casa* · **desapacible** · **bronco** · **contaminado** · **viciado** · **cargado** *Cuando llegamos al bar el ambiente estaba cargado de humo* · **irrespirable** · **abigarrado** · **tenso** · **agobiante** · **asfixiante** · **sofocante** · **abrumador** · **opresivo** || **delicado** · **íntimo** · **precario** · **rutinario** || **amistoso** · **cordial** *Toda la jornada transcurrió en un ambiente cordial* · **distendido** · **relajado** · **desenfadado** · **agradable** · **confortable** · **acogedor** · **tranquilo** · **tranquilizador** · **calmado** · **sosegado** || **sombrío** · **fantasmal** · **inhumano** · **infernal** · **desolador** || **festivo** *calles de ambiente festivo, alegre y eufórico* · **bullicioso** · **febril** || **caluroso** · **cálido** · **caldeado** || **flexible** · **permisivo** · **constructivo** · **propicio** *un ambiente propicio al estudio* · **idóneo** · **adecuado** · **idílico** || **comprador** *Bajan los tipos de interés y se respira un ambiente comprador* · **vendedor** || **reinante** · **imperante** || **cerrado** · **hostil** || **especial** || **popular** · **social** · **familiar** *una zona residencial de ambiente familiar* · **emocional** || **acorde (con)**

● CON VBOS. **enfriar(se)** · **refrescar** *Parece que a estas horas ya empieza a refrescar el ambiente* · **sosegar(se)** · **calmar(se)** *Lo mejor es dejar pasar el tiempo y que se calme el ambiente* · **serenar(se)** · **distender(se)** · **despejar(se)** || **caldear(se)** · **cargar(se)** · **enrarecer(se)** · **degradar(se)** · **encrespar(se)** || **envolver (algo)** · **reinar** · **respirarse** || **contaminar(se)** · **impregnar(se) (de algo)** || **purificar** · **orear** || **proteger** *Hay que proteger el ambiente del efecto de los aerosoles* · **preservar** || **alborotar** · **alterar** · **tensar** || **crear** · **recrear** · **evocar** *evocar el ambiente de los años de posguerra* || **frecuentar** · **conocer** || **pulsar** || **sumergirse (en)** · **circunscribirse (a)** || **palpar(se) (en)** *La alegría se palpaba en el ambiente* · **percibir(se) (en)** · **flotar (en)** · **revolotear (en)** · **notar(se) (en)** || **amoldar(se) (a)** · **aclimatar(se) (a)** || **disfrutar (de)**

● CON PREPS. **en** · **en medio (de)**

2 ambiente (de) s.m.

● CON SUSTS. **calma** *Reinó durante toda la jornada un ambiente de calma* · **tranquilidad** · **recogimiento** · **equilibrio** · **normalidad** · **naturalidad** · **estabilidad** · **armonía** · **paz** · **libertad** || **optimismo** · **fiesta** · **informalidad** || **crisis** · **tensión** · **intranquilidad** · **nerviosismo** · **expectación** · **incertidumbre** · **crispación** *Un tenso ambiente de crispación antecedió el inicio de la guerra* · **desconfianza** · **opresión** || **preocupación** · **pesimismo** · **escepticismo** || **violencia** · **enfrentamiento** · **hostilidad** · **revancha** · **confrontación** || **amistad** · **cordialidad** · **camaradería** *un agradable ambiente de camaradería* · **confianza** · **respeto** · **comprensión** · **diálogo** · **unidad** · **colegueo**

ambigüedad s.f.

● CON ADJS. **suma** · **extrema** · **absoluta** || **manifiesta** · **palmaria** || **sutil** · **subrepticia** || **aparente** · **misteriosa** · **equívoca** || **calculada** · **deliberada** · **intencionada** · **pretendida** *La pretendida ambigüedad de su discurso ha molestado mucho a sus socios parlamentarios* || **gramatical** || **lleno,na (de)**

● CON SUSTS. **fruto (de)** || **señal (de)** || **problema (de)** · **situación (de)** · **caso (de)** · **ejemplo (de)** · **grado (de)** || **sensación (de)** || **maestro (de)**

● CON VBOS. **crear** · **engendrar** · **cultivar** || **revelar** · **mostrar** · **presentar** *El informe presentaba cierta ambigüedad en el análisis de las cuestiones esenciales* || **evidenciar** · **destapar** || **despejar** · **deshacer** · **explicar** || **mantener** · **corregir** · **rehuir** · **evitar** · **eliminar** · **resolver** || **criticar** || **implicar** · **entrañar** · **constituir** || **prestarse (a)** *un texto jurídico enrevesado que se presta fácilmente a la ambigüedad* || **acabar (con)** || **andarse (con)** || **moverse (en)** · **nadar (en)** || **teñir (de)**

ambiguo, gua adj.

● CON SUSTS. **escrito** · **ley** · **texto** *Es un texto ambiguo del que pueden hacerse muchas interpretaciones* · **fórmula** · **expresión** · **definición** · **mensaje** · **lenguaje** · **término** · **terminología** · **frase** · **oración** · **discurso** · **comentario** · **concepto** || **pregunta** · **respuesta** *Dime la verdad, no me des más respuestas ambiguas* || **personaje** · **papel** · **interpretación** · **título** || **postura** · **política** · **posición** *El Gobierno mantiene una posición ambigua ante la reforma* · **situación** · **terreno** || **forma** · **actitud** · **tono** · **carácter** · **sentimiento** · **relación** || **desenlace** · **final**

● CON ADVS. **sumamente** · **excesivamente** *Le pareció una opinión excesivamente ambigua* || **deliberadamente**

● CON VBOS. **volver(se)** · **hacer(se)** · **resultar**

ámbito s.m.

● CON ADJS. **inabarcable** · **ilimitado** · **vasto** · **extenso** · **público** · **general** || **reducido** *Se mueve en un ámbito muy reducido* · **limitado** · **circundante** || **restringido** · **privado** · **particular** · **personal** *En el ámbito personal, creo que es una persona muy reservada* · **íntimo** || **propicio** · **adecuado** || **delicado** · **acogedor** || **estricto**

● CON VBOS. **rebasar** · **sobrepasar** · **trascender** · **transgredir** · **superar** · **invadir** || **delimitar** · **acotar** *Es necesario acotar más el ámbito en el que vamos a trabajar* · **marcar** · **limitar** || **abarcar** || **insertar (algo) (en)** · **circunscribir (algo) (a)** *Sus estudios se circunscriben al ámbito concreto de la salud* · **ceñir(se) (a)** · **reducir(se) (a)** · **atenerse (a)** · **limitar(se) (a)** || **entrar (en)** · **escapar (de)**

● CON PREPS. **dentro (de)** *dentro del estricto ámbito de la ley*

ambulante adj.

● CON SUSTS. **cómico,ca · músico,ca · teatro · circo · feria · espectáculo || venta** *En este municipio está prohibida la venta ambulante* **· comercio · mercado · mercadillo · puesto · vendedor,-a || escuela · hospital · biblioteca · maestro,tra · médico,ca || vida**

ambulatorio, ria

1 **ambulatorio, ria** adj.

● CON SUSTS. **tratamiento · seguimiento · atención · programa · cirugía** *un hospital provisto de quirófanos para cirugía ambulatoria* **· asistencia · cura · rehabilitación · medicina · urgencia · consulta · visita · paciente · servicio**

2 **ambulatorio** s.m.

● CON ADJS. **{bien/mal} equipado || eficiente · modélico || deficiente · desastroso**

● CON SUSTS. **consulta (de) · médico,ca (de) || espera (en)**

● CON VBOS. **gestionar · funcionar · instalar || construir · abrir** *Han abierto un ambulatorio cerca de mi casa* **|| equipar · dotar (de algo) || colapsar(se) || llevar (a alguien) · acudir (a) || citar (a alguien) (en) · atender (a alguien) (en)**

a media asta loc.adv./loc.adj.

● CON VBOS. **ondear** *Las banderas ondeaban a media asta en señal de duelo* **· izar · flamear**

● CON SUSTS. **bandera** *Pudimos observar las banderas a media asta en todos los edificios oficiales* **· pabellón**

a medias loc.adv./loc.adj.

● CON VBOS. **dejar** *No dejes el trabajo a medias; acábalo ahora* **· acabar · quedarse · terminar · cerrar · retirarse · renunciar || comunicar · informar · contar** *Esto de que me cuentes a medias las cosas no me gusta nada* **· decir · anunciar · explicar · aclarar ·** ***otros verbos de lengua*** **|| leer · pintar · preparar un examen · realizar · hacer · ejecutar ·** ***otras acciones que tienen final*** **|| impedir · retrasar · evitar · bloquear · contener || conseguir · cumplir · lograr** *La empresa logró solo a medias los objetivos planteados* **· acertar · obtener || surtir efecto · funcionar · tener éxito · satisfacer · convencer · complacer · consolidarse || superar · solucionar · arreglar** *¿Está arreglado del todo el problema del convenio o solo a medias?* **· corregir · resolver · solventar · cicatrizar || cubrir · llenar · rellenar · sepultar || creer · aceptar · admitir · confirmar · ratificar · reconocer · confesar || entender · conocer · saber · analizar · estudiar** *Si en lugar de estudiar a medias el proyecto lo hubieran analizado concienzudamente...* **· recordar || construir · reformar · suavizar · reconstruir ·** ***otros verbos de cambio de estado***

● CON ADJS. **veraz · falso,sa** *Parece un infundio, pero la información es falsa solo a medias*

● CON SUSTS. **información · rumor · filtración · respuesta · explicación || verdad** *Solo dice verdades a medias* **|| trabajo · tarea · labor · negocio || novela · texto · película · canción ·** ***otras creaciones*** **|| confesión · comprensión · confirmación || logro** *logros políticos que lo son solo a medias* **· bloqueo · despedida · abandono || reforma · renovación · progreso · arreglo · revolución · cambio · rectificación || solución · éxito · victoria**

a media voz loc.adv./loc.adj.

● CON VBOS. **hablar · decir · preguntar · comentar** *Posiblemente no te enteraste porque lo comentó a media voz* **· confesar · cantar** *un precioso bolero cantado a media voz* **· anunciar (algo) · reflexionar · conversar**

● CON SUSTS. **comentario · protesta** *Se han escuchado ya algunas protestas a media voz sobre...* **· afirmación · confidencia**

a medida loc.adv./loc.adj.

● CON VBOS. **cortar · coser · vestir || hacer · fabricar** *fabricar una estantería a medida* **· diseñar · crear · confeccionar · elaborar · componer · configurar · adecuar · ajustar · montar || encargar · ofrecer · proporcionar || quedar · ir · venir · caer**

● CON SUSTS. **traje** *Se hizo un traje a medida para la boda* **· camisa · pantalón ·** ***otras prendas de vestir*** **|| cama · sofá · estantería ·** ***otros muebles*** **|| alojamiento · casa · piso · coche || dieta · alimentación · fármaco · dosis || equipo** *El club le está armando un equipo a su medida* **· profesor,-a · entrenador,-a · gobierno · rival ·** ***otros individuos y grupos humanos*** **|| obra** *La obra, a medida del actor principal, ha sido un éxito de público* **· discurso · texto · biografía || empleo · cargo · trabajo || servicio · solución · confección · operación · configuración · tratamiento || ley · reglamento · sistema · modelo · plan · programa || vacaciones · viaje · curso**

□ USO Se usa también la variante *a la medida* y puede construirse con un adjetivo posesivo: *un trabajo a tu medida.*

a medio gas loc.adv./loc.adj. *col.*

● CON VBOS. **jugar** *El equipo jugó a medio gas tras el primer gol* **· torear · entretenerse · interpretar || estar** *...en un mercado bursátil que está a medio gas debido a las vacaciones* **· quedarse · encontrarse · llevar · continuar · seguir · mantener · andar || funcionar · trabajar** *Durante el fin de semana continuaremos trabajando, pero a medio gas* **· operar · actuar || ir · atravesar · correr · circular || arrancar · salir · comenzar · estrenar · nacer · empezar**

● CON SUSTS. **motor · máquina · acelerador · maquinaria · artefacto · mecanismo || jugador,-a · rival · equipo**

amenaza s.f.

● CON ADJS. **verdadera** *Estos gases suponen una verdadera amenaza para la salud* **· real · auténtica · principal · seria · terrible · grave · fuerte || falsa · descarada · clara · directa · inequívoca || inaceptable · inadmisible || encubierta · velada · sutil** *Todos comprendieron la sutil amenaza que encerraban sus palabras* **· indirecta · remota · condicional · impredecible || permanente · continua · constante || latente · potencial · posible || inminente · imparable · apremiante · acuciante · disuasoria || nueva || terrorista** *mantener el coraje y el valor ante las amenazas terroristas* **|| de bomba · de muerte · de despido · de lluvia || verbal · telefónica**

● CON SUSTS. **lluvia (de) || objeto (de)** *Fue objeto de las amenazas de la banda armada* **· alcance (de) || tono (de)**

● CON VBOS. **planear** *La amenaza que planea sobre el futuro de nuestra economía* **· cernerse · acechar · acuciar || difuminar(se) · disipar(se) · desvanecerse || producirse** *Ayer se produjo una amenaza de bomba en un edificio...* **· hacer(se) realidad · surtir efecto || cobrar fuerza · recrudecer(se) · arreciar || representar** *representa una verdadera amenaza para la salud* **· suponer · constituir || proferir · verter · lanzar · formular · blandir || cumplir || recibir** *recibir amenazas telefónicas* **· sufrir || encarar · neutralizar · detener · alejar · ahuyentar · eludir · conjurar || detectar · captar · vislumbrar · atisbar || magnificar · exacerbar · alimentar · redoblar || enfrentarse**

(a) · salir al paso (de) *No sabía cómo salir al paso de las amenazas que había recibido* · defender(se) (de) · responder (a) || alertar (de) || vivir (bajo) · plegarse (a) *No estamos dispuestos a plegarnos a sus amenazas* || teñir (algo) (de)
● CON PREPS. bajo · con · mediante *Mediante amenazas no van ustedes a conseguir nada* || a resguardo (de) || frente (a) · a raíz (de)

amenazador, -a adj.

● CON SUSTS. imagen · presencia · sombra · fantasma || gesto · mirada · rostro · aspecto || tono *Su tono amenazador la intimidó* · voz · discurso · lenguaje · palabras || llamada · advertencia · comentario || mensaje · carta · texto || futuro
● CON ADVS. veladamente *palabras veladamente amenazadoras que no me atemorizaron* · seriamente · fuertemente
● CON VBOS. hacer(se) · volver(se) · mantenerse

amenazadoramente adv.

● CON VBOS. señalar *Me señaló amenazadoramente con el dedo* · apuntar || avanzar · salir · aparecer || advertir *Advirtió amenazadoramente a sus hijos que no volvieran a abrir la puerta a desconocidos* · mirar · gruñir *El perro gruñía amenazadoramente* · acosar (a alguien)

amenazante adj. Véase **amenazador, -a**

amenazar v.

● CON ADVS. duramente · peligrosamente · alarmantemente · seriamente *Nos amenazó seriamente y nos dijo que...* · severamente · gravemente || veladamente · subrepticiamente || descaradamente · públicamente · abiertamente || verbalmente · de palabra · físicamente || reiteradamente · repetidamente · constantemente || directamente · literalmente || de muerte

amenizar v.

● CON SUSTS. fiesta *Un pequeño grupo musical amenizaba la fiesta* · local · velada || trabajo · tarea · actividad · entrenamiento · estudio || viaje *historias divertidas para amenizar el viaje* · trayecto · trayectoria · periplo · andanza · existencia || reunión · encuentro · congreso · cena · comida · entrevista · discurso · mitin · ***otros eventos*** || espera · tarde · noche · día · vida · ***otros momentos o períodos*** || aburrimiento · tedio

ameno, na adj.

● CON SUSTS. ***persona*** *Es un profesor muy ameno* || lectura · relato *un relato ameno de su viaje a la India* · historia · ensayo · tratado · película · novela · ***otras creaciones*** || conferencia · charla · explicación · conversación || rato · tarde · velada || forma · estilo *Llama la atención el estilo ágil y ameno de sus novelas* · tono · formato
● CON ADVS. verdaderamente · realmente *Pasamos una velada realmente amena* || sorprendentemente || habitualmente *Son encuentros habitualmente amenos* · raramente
● CON VBOS. hacer(se) · volver(se)

ametrallar v.

● CON ADVS. a preguntas *Los periodistas ametrallaron a preguntas al reciente vencedor* · verbalmente || sin piedad · sin contemplaciones · sin miramientos · a sangre fría

amigable adj.

● CON SUSTS. acuerdo · trato · solución · reunión · relación || carácter · actitud · tono · gesto || ambiente *Les costaba mucho marcharse y dejar el ambiente amigable de la reunión* · clima · entorno *Las nuevas aplicaciones informáticas se presentan en un entorno amigable* || ***persona***

amigablemente adv.

● CON VBOS. hablar · charlar · conversar *Conversaron amigablemente durante horas* · departir · convencer (a alguien) · comentar (algo) · discutir (algo) · dirigir(se) (a alguien) || saludar (a alguien) · despedir(se) (de alguien) · sonreír (a alguien) || convivir *un barrio donde conviven amigablemente personas de muy distintas procedencias y culturas* · separar(se) || repartir · compartir

amigo, ga s.

● CON ADJS. mal(o),la · buen(o),na *Sé que tengo en él a un buen amigo* · gran · excelente || verdadero,ra · indiscutible || entrañable · querido,da *una amiga muy querida para toda la familia* · apreciado,da · admirado,da || antiguo,gua *una antigua amiga del colegio* · viejo,ja · de toda la vida · de la infancia || fiel · incondicional · leal · de ley || común *Ayer estuvimos hablando de amigos comunes* || personal || cercano,na · íntimo,ma · inseparable *Desde pequeñas fueron amigas inseparables*
● CON SUSTS. grupo (de) *un grupo de amigos bastante heterogéneo* · círculo (de) · pandilla (de) || trato (con/de)
● CON VBOS. reunir || hacer *hacer nuevos amigos* · buscar(se) · ganar(se) · granjearse || tener · atesorar || guardar · conservar · cuidar · ver · ayudar || visitar · frecuentar *Hace tiempo que no frecuenta a sus amigos* || perder || congeniar (con) · compenetrarse (con) · intimar (con) · llevarse{bien/mal} (con) || contar (con) · acudir (a) *Es importante poder acudir a los amigos cuando los necesitas* · pedir ayuda (a) · confiar (en) · fiarse (de) || reconciliarse (con) || salir (con) · quedar (con)
● CON PREPS. con *una fiesta con los amigos*

aminorar v.

● CON SUSTS. velocidad · ritmo · marcha · paso || hambre · pobreza *ayudas que pueden aminorar la pobreza y potenciar el desarrollo* · delincuencia · desempleo · marginación · desigualdad · violencia · enfermedad || gravedad · importancia · seriedad · relevancia || vergüenza · culpa *No existían palabras de consuelo que aminoraran la culpa que sentía* · inseguridad · intranquilidad · desconfianza · crispación · miedo · malestar · inquietud · preocupación · depresión · angustia · ansiedad · sufrimiento · padecimiento · dolor *No existen recetas mágicas para aminorar este tipo de dolor* || rechazo · resistencia · oposición · críticas || efecto · impacto *aminorar el impacto ambiental por la construcción de la autopista* · consecuencia · influencia · resultado || tensión · problema · riesgo · presión · dificultad · desgracia · crisis · peligro || cantidad · volumen · número · cifra · coeficiente · grado · nivel || déficit · deuda · gasto · pérdida · coste · costo · pago · ingreso · inversión · inflación · tasa *planes para aminorar la tasa de desempleo* · impuesto · tarifa · subvención · salario || daño · perjuicio · deterioro · envejecimiento · erosión · destrucción || diferencia *aminorar la diferencia en el marcador* · distancia · ventaja · desventaja · margen · desajuste || crecimiento · aumento · incremento · escalada || pena · sanción · castigo

• CON ADVS. **considerablemente · sensiblemente · sustancialmente · exageradamente · significativamente · notablemente || de improviso · inesperadamente · repentinamente || paulatinamente · poco a poco · gradualmente || parcialmente · ligeramente**

amistad s.f.

• CON ADJS. **verdadera · especial · profunda** *Mantienen desde hace años una profunda amistad* · **honda · gran(de) · fuerte · intensa · viva · sólida · firme · incondicional · arraigada || íntima · personal · cercana · estrecha** *Poco a poco se fue fraguando entre los dos una estrecha amistad que dura hasta hoy* · **fraternal · entrañable || buena · inquebrantable · indisoluble · sincera · franca · leal · de ley · fiel || interesada · de compromiso · falsa || hermosa · bonita || vieja** *conservar a las viejas amistades* · **antigua · larga · de años · duradera · permanente · eterna · perdurable || corta · breve · reciente || peligrosa · tormentosa || sana || epistolar**
• CON SUSTS. **sentimiento (de)** *Los une un profundo sentimiento de amistad* **|| expresión (de) · demostración (de) · señal (de) · gesto (de) · prueba (de) · muestra (de) · ejemplo (de) || vínculo (de)** *Allí surgió entre ellos un estrecho vínculo de amistad que todavía se mantiene* · **lazo (de) · relación (de) || pacto (de) || clima (de) · ambiente (de)**
• CON VBOS. **nacer** *La amistad entre ellas nació en el colegio* · **brotar · surgir · fluir · cuajar · fraguar(se) · arraigar (en alguien) · labrar(se) || robustecer(se) · afianzar(se) · fortalecer(se) · unir (a alguien)** *Desde aquel día nos une una profunda amistad* **|| enfriar(se) · empañar(se) · enrarecer(se) · enturbiar(se) · romper(se) · estropear(se) · deshacer(se) · quebrar(se) · irse a pique · desvanecerse · diluirse || venir de lejos || honrar (a alguien) || reinar || descuidar** *Si descuidas a tus amistades, acabarás por perderlas* · **minar · interrumpir · quebrantar · traicionar · perder || iniciar · cimentar (en algo) · basar (en algo) · forjar · entablar · conquistar · granjearse** *Pronto se granjeó la amistad de todo el mundo* · **ganar(se) · establecer · trabar · hacer · anudar || mantener · conservar · recuperar · frecuentar || cultivar · estrechar · intensificar · reforzar** *El tiempo que vivieron juntos sirvió para reforzar su amistad* **|| profesar · depositar (en alguien) · dispensar · brindar · ofrecer || exaltar · proclamar || prometer (a alguien) · jurar · sellar** *Sellaron su amistad con un apretón de manos* **|| negar || involucrar(se) (en) || gozar (de) || abusar (de)** *No me gusta abusar de la amistad de la gente* · **faltar (a) · renegar (de)**
• CON PREPS. **en señal (de)** *un regalo en señal de amistad* · **en aras (de) · en nombre (de)**

amistosamente adv.

• CON VBOS. **charlar** *Se pasaron toda la tarde charlando amistosamente* · **hablar · departir · conversar || saludar · recibir · despedir · tratar · comportarse || reunir(se) · separarse || recriminar · reprochar · reprender · regañar · advertir** *Nos advirtió amistosamente que no volviésemos a hacerlo* · **llamar la atención || resolver** *resolver amistosamente un problema* · **terminar · acordar || ofrecer · compartir**

amistoso, sa adj.

• CON SUSTS. **trato · acuerdo** *Llegaron a un acuerdo amistoso tras la separación* · **pacto · arreglo · diálogo · solución || relación · lazo || tono · actitud · carácter || gesto · palmada · saludo · recibimiento || consejo || encuentro** *un encuentro amistoso entre las selecciones de ambos países* · **partido · juego || vía**

a {mis/tus/sus...} anchas loc.adv. *col.*

• CON VBOS. **estar · encontrarse** *...dejando claro que es precisamente este el género en el se encuentra a sus anchas* · **hallarse · sentirse || campar · campear · controlar · gobernar · reinar · dominar · mandar** *un pequeño reducto en el que se movía con soltura y mandaba a sus anchas* · **manejar · legislar · patronear · patrullar || actuar · operar · maniobrar · intervenir || mover(se) · recorrer · pasear · deambular · circular · correr · andar** *Los pequeños pueden andar por allí a sus anchas sin ningún riesgo* · **caminar · cabalgar · navegar · volar || instalarse · acampar · acomodarse · permanecer || extender(se) · expandir(se) · desarrollar(se) · desenvolverse · desparramar(se) · desplegar(se) || explayarse · despacharse · expresar(se) · hablar · dialogar || disfrutar · jugar · descansar** *Tras una jornada agotadora, era siempre un alivio poder descansar a sus anchas en casa* · **reírse · bailar · cantar · comer · pastar**

a {mi/tu/su...} antojo loc.adv. *col.*

• CON VBOS. **hacer · deshacer** *Quería tenerlo todo bajo control para poder hacer y deshacer a su antojo* · **actuar · usar · utilizar || manejar · manipular · dominar · dirigir · disponer · regular · controlar · gobernar** *Durante la dictadura gobernó el país a su antojo* **|| interpretar · cambiar · modificar || conducir · desplazar(se)** *un coche para poder desplazarme a mi antojo* · **mover(se) || acomodar(se) · repartir**

amnesia s.f.

• CON ADJS. **total** *Su amnesia total le impedía recordar quién era y dónde vivía* · **absoluta · profunda · parcial · ligera · leve || interesada · fingida · deliberada · forzosa || repentina || aparente || general · colectiva · histórica || frecuente · constante**
• CON SUSTS. **ataque (de)** *Tras el accidente tuvo un ataque de amnesia* · **problema (de) · síntoma (de) · episodio (de) || ejercicio (de)**
• CON VBOS. **sobrevenir (a alguien) || tener · padecer · sufrir || provocar · causar (a alguien) · producir || combatir || fingir · aparentar || luchar (contra)**

amnistía s.f.

• CON ADJS. **total · absoluta · incondicional · general** *Reclaman la amnistía general para los presos políticos* · **amplia || parcial · restringida · condicional || política · económica · fiscal || internacional**
• CON VBOS. **pedir · demandar** *Llevan años demandando la amnistía para...* · **reclamar || proclamar · conceder · decretar · otorgar · declarar · firmar || denegar || gozar (de) · acogerse (a)**

amo, ma

1 **amo, ma** s.

• CON ADJS. **de casa || buen,-a · mal,-a · nuevo,va** *Este caballo se ha adaptado rápidamente a sus nuevos amos* · **viejo,ja · actual · antiguo,gua || espiritual || verdadero,ra · auténtico,ca**
• CON SUSTS. **voz (de)** *El perro vino corriendo al oír la voz de su ama* · **propiedad (de)**
• CON VBOS. **ordenar (algo) · mandar (algo)** *hacer lo que manda el amo* · **organizar (algo) · disponer (algo) || castigar || servir · obedecer || creerse** *Se cree el amo del mundo* · **hacerse** *En cuanto supo conducir se hizo el amo*

de la carretera || **convertir(se) (en)** *Se ha convertido en el amo del negocio* · **erigir(se) (en)** · **transformar(se) (en)** || **liberar(se) (de)**

2 **ama** s.f.

• CON ADJS. **de llaves** *Uno de los personajes más misteriosos de la película es el ama de llaves* || **de cría** · **de leche**

• CON VBOS. **tener** · **buscar** · **encontrar** · **contratar**

a moco tendido loc.adv. *col.*

• CON VBOS. **llorar** *Cada vez que veo esta película no puedo evitar llorar a moco tendido*

amodorrar(se) v.

• CON SUSTS. **música** *Más que gustarle, la música clásica lo amodorraba* · **melodía** · **calor** *Tuve que salir a tomar el aire porque me amodorraba el calor* · **sueño** || **ronroneo** · **sonsonete** · **murmullo**

• CON ADVS. **totalmente** · **completamente** *Salió de la clase completamente amodorrado* || **ligeramente** · **levemente**

amoldar(se) (a) v.

• CON SUSTS. **cuerpo** · **figura** · **pie** *unos zapatos que se amolden bien al pie* · **cuello** · **cintura** || **ciudad** · **oficina** *Nos hemos amoldado perfectamente a la nueva oficina* · **habitación** · **casa** · **hueco** · **cavidad** · **vasija** · ***otros espacios*** || **sueldo** · **presupuesto** *El coche es precioso, pero no se amolda a mi presupuesto* · **precio** · **tarifa** || **circunstancia** · **situación** · **realidad** · **ambiente** · **sociedad** · **cultura** · **corriente** || **tiempo** *una asombrosa capacidad para amoldarse a los tiempos que corren* · **época** · **etapa** || **necesidad** · **condición** · **dificultad** · **condicionamiento** || **característica** · **espíritu** · **cualidad** · **estilo** || **regla** · **norma** · **normativa** *un procedimiento de urgencia que no se amolda del todo a la normativa vigente* · **ley** · **medida** · **canon** · **mandato** · ***otras disposiciones*** || **sistema** · **modelo** · **planteamiento** · **programa** · **estrategia** · **prototipo** · **régimen** · **calendario** · **agenda** || **idea** · **principio** · **creencia** · **pensamiento** · **opinión** · **gusto** *Se amolda fácilmente a los gustos de los demás* · **estereotipo** · **lógica** || **deseo** · **exigencia** · **aspiración** · **interés** · **demanda** || **hábito** · **costumbre** · **manía** · **tradición** || **tarea** · **papel** · **cometido** · **profesión** · **puesto**

amonestación s.f.

• CON ADJS. **fuerte** · **dura** · **severa** · **rigurosa** · **seria** || **ligera** · **leve** *...y todo quedó en una leve amonestación del juez* || **formal** · **oficial** · **oficiosa** || **benévola** · **amistosa** · **cariñosa** || **justa** · **injusta** || **reiterada** || **de palabra** · **por escrito** || **doble** *Lo expulsaron del terreno de juego por doble amonestación* || **inútil** · **ineficaz** · **útil**

• CON SUSTS. **tarjeta (de)** || **acumulación (de)**

• CON VBOS. **surtir efecto** || **hacer (a alguien)** · **lanzar** *El árbitro lanzó una severa amonestación al entrenador del equipo visitante* || **recibir** · **costar(le) (a alguien)** || **responder (a)**

amonestar v.

• CON ADVS. **con dureza** · **con firmeza** *El árbitro amonestó con firmeza al jugador* · **firmemente** · **seriamente** · **severamente** || **educadamente** · **cortésmente** · **cariñosamente** || **verbalmente** · **por escrito** *Se va a amonestar por escrito a los conductores que cometan infracciones*

amontonar(se) v.

• CON SUSTS. **libros** · **documentos** · **informes** · **carpetas** · **papeles** || **aficionados,das** *Los aficionados se amontonaban a las puertas del estadio* · **seguidores,ras** · **gente** · **curiosos,sas** · **público** · **afición** · ***otros individuos y grupos humanos*** || **ovejas** · **vacas** · **caballos** · **cerdos** · ***otros animales*** || **problemas** · **contratiempos** || **trabajo** *El trabajo se había amontonado y no dábamos abasto* · **tarea** || **ropa** || **basura** *La basura se empezaba a amontonar en los contenedores*

□ USO Se construye generalmente con sustantivos no contables en singular (*La basura comenzaba a amontonarse*) o con contables en plural (*Los papeles comenzaban a amontonarse*).

[amor] → al amor (de); amor

amor s.m.

• CON ADJS. **profundo** *Se tienen un profundo amor* · **hondo** · **absoluto** · **tremendo** · **desmedido** · **desmesurado** · **enorme** · **gran(de)** || **ardiente** · **ardoroso** · **fogoso** · **abrasador** · **apasionado** · **pasional** · **encendido** · **vehemente** · **desenfrenado** · **exacerbado** · **desaforado** · **exaltado** · **fervoroso** · **arrebatador** · **irrefrenable** · **brujo** · **carnal** || **ciego** · **incondicional** · **exclusivo** · **total** · **único** · **inquebrantable** · **verdadero** · **sincero** · **genuino** · **de {mi/tu/su...} vida** *¿Tú crees realmente que es el amor de tu vida?* · **propio** || **tierno** · **puro** · **acendrado** · **candoroso** · **cándido** · **limpio** || **desinteresado** · **interesado** || **turbulento** *La novela cuenta la historia de un amor turbulento* · **tormentoso** · **tempestuoso** · **obsesivo** · **absorbente** || **duradero** · **imperecedero** · **perdurable** · **eterno** || **fugaz** · **efímero** · **súbito** · **fulgurante** · **pasajero** · **de verano** || **secreto** *Cuando salió a la luz el amor secreto que mantenían...* · **furtivo** · **inconfesable** · **declarado** || **imposible** *una historia sobre un amor imposible entre dos jóvenes* · **contrariado** || **primer** · **juvenil** · **otoñal** · **antiguo** *reencontrarse con un antiguo amor* || **mutuo** · **correspondido** · **feliz** · **sin barrera(s)** || **cristiano** · **divino** || **filial** · **fraternal** · **maternal** · **paternal** || **cortés** || **platónico** *¿Quién no ha tenido alguna vez un amor platónico?* · **idealizado** · **ideal** · **real** · **perfecto** || **obsceno** · **morboso** || **ciego,ga (de)** · **lleno,na (de)**

• CON SUSTS. **declaración (de)** · **expresión (de)** · **poema (de)** · **carta (de)** || **escena (de)** · **acto (de)** · **manifestación (de)** · **demostración (de)** · **arrebato (de)** · **historia (de)** *Es la historia de amor más bonita que he oído nunca* · **relación (de)** || **novela (de)** · **película (de)** || **fruto (de)** · **objeto (de)** || **fuerza (de)** · **ceguera (de)**

• CON VBOS. **nacer** · **despertar** · **fluir** · **brotar** · **surgir** *Sin darse cuenta surgió el amor entre ellos* · **reverdecer** || **palpitar** · **latir** || **arraigar (en alguien)** · **anidar (en alguien)** · **subyugar (a alguien)** · **embargar (a alguien)** · **entrar (a alguien)** || **desbordar(se)** || **desvanecerse** · **esfumarse** · **irse** · **marchitar(se)** · **deshacer(se)** · **perder(se)** || **durar** · **perdurar** || **mover (algo/a alguien)** *Fue el amor por él lo que la movió a tomar esa decisión* || **sentir** *Siente un profundo amor a la naturaleza* · **experimentar** · **albergar** · **profesar** · **tener** · **vivir** || **dar** *Los niños necesitan que se les dé mucho amor* · **prodigar** · **dispensar** · **otorgar (a algo/a alguien)** · **brindar** · **depositar** || **rezumar** · **irradiar** · **destilar** · **derrochar** · **derramar** || **infundir** *una persona que infunde amor en los que están a su alrededor* · **imbuir** · **inculcar** · **engendrar** · **sembrar** || **manifestar** · **expresar** · **predicar** · **declarar (a alguien)** *Tras años de silencio, por fin le declaró su amor* · **confesar** || **buscar** · **encontrar** · **conquistar** · **granjearse** || **cultivar** · **avivar** · **mantener** || **compartir** *Comparten un profundo amor por la música* || **poner (en algo)** || **jurar (a alguien)** *Le había jurado amor eterno* · **sellar** || **negar** || **gozar (de)** · **disfrutar (de)** || **enredar(se) (en)** · **dejarse llevar (por)** ||

renunciar (a) || morir (de) || nacer (de) || inundar (de) · henchir(se) (de) || alimentar(se) (de)
● CON PREPS. **con** · **por** *hacer algo por amor*

□ EXPRESIONES **de mil amores** [con mucho gusto] || **hacer el amor** [realizar el acto sexual] || **por amor al arte** [de forma desinteresada] *col.*

□ USO Se construye a menudo con complementos encabezados por las preposiciones *a* (*amor a una persona*), *hacia* (*amor hacia una persona*) y *por* (*amor por una persona*).

amoral adj.

● CON SUSTS. ***persona*** *un funcionario amoral dispuesto a venderse al mejor postor* || **conducta** *Le reprochaban su conducta amoral* · **actitud** · **comportamiento** || **acción** · **acto** · **actividad** · **práctica** · **decisión** · **ley** · **pragmatismo** || **situación** · **escena** || **sociedad** *Eran considerados actos propios de una sociedad amoral y depravada* · **justicia** · **política** || **vida** · **corrupción** · **ejemplo** || **revista** · **libro** · **película** · **género**

[amore] → gratis et amore

a morir loc.adv.

● CON VBOS. **querer** *Dijo que haría lo que fuera por ella porque la quiere a morir* · **amar** · **desear** · **odiar** · **detestar** || **defender** · **luchar** · **batallar** || **divertir(se)** *No se separan ni un segundo, se divierten a morir* · **reírse** · **aplaudir** || **jugar** · **entrenar** · **presionar**
● CON ADJS. **guapo,pa** *Es guapo a morir* · **simpático,ca** · **chic**

amoroso, sa adj.

● CON SUSTS. **aventura** · **historia** · **peripecia** · **escarceo** · **lance** || **relación** · **triángulo** · **vínculo** || **desengaño** *Nos confesó que había sufrido un fuerte desengaño amoroso* · **fracaso** || **escándalo** · **encuentro** · **cita** || **vida** · **experiencia** || **pasión** · **sentimiento** · **fenómeno** || **asunto** · **materia** · **tema** *La novela trata el tema amoroso de una forma original* · **poesía** · **correspondencia** || **poema** · **lírica**

a morro loc.adv. *col.*

● CON VBOS. **beber** *beber a morro de una botella*

amortajar v.

● CON SUSTS. **cadáver** · **muerto** · **cuerpo** *amortajar el cuerpo del difunto* || ***persona***

amortiguador s.m.

● CON ADJS. **hidráulico** *un coche con amortiguadores hidráulicos* · **de gas** · **de choque** || **delantero** · **trasero** · **lateral** || **de repuesto**
● CON SUSTS. **problema (de)** || **revisión (de)**
● CON VBOS. **fallar** · **averiar(se)** · **romper(se)** || **montar** · **fabricar** || **cambiar** · **revisar** *Quisiera que me revisara los amortiguadores* · **fijar** · **reponer** || **servir (de)**

amortiguar v.

● CON SUSTS. **fuerza** · **peso** · **carga** *unas zapatillas especiales para amortiguar la carga sobre las rodillas* || **bache** · **rozamiento** || **influencia** · **influjo** || **golpe** · **daño** · **caída** · **choque** · **impacto** *amortiguar el impacto de un golpe* · **disparo** · **embate** · **tiro** · **rebote** || **sonido** · **ruido** · **estruendo** · **grito** · **alarido** · **música** · **voz** · **clamor** · **melodía** · **explosión** · **chapoteo** || **sabor** · **luz** · **olor** · **calor** · **hedor** · **luminosidad** · **tacto** · **color** || **efecto** *intentar amortiguar los efectos del cambio climático* · **consecuencia** · **repercusión** · **secuela** · **resultado** || **crisis** · **problema** · **conflicto** · **polémica** · **revés** · **fracaso** · **mal** · **tragedia** || **falta** · **hambre** · **pérdida** · **laguna** · **insuficiencia** · **sequía** · **escasez** · **carencia** || **queja** · **protesta** · **respuesta** · **crítica** || **gasto** · **coste** · **factura** · **inversión** · **recorte** · **recesión** || **amor** · **pasión** *Aquel grave accidente amortiguó un tanto su pasión por la velocidad* · **propensión** · **tendencia** || **temor** · **terror** · **ira** · **dolor** · **angustia** · **tristeza** *Su charla y sus consejos amortiguaron mi tristeza* · **irritación** · **indignación** · **sufrimiento** · **pena** || **avance** · **deslizamiento** · **oscilación** · **movimiento** · **flujo** · **variación**

amortizar v.

● CON SUSTS. **bienes** · **patrimonio** · **ropa** · **coche** *Tardé cinco años en amortizar el coche* · **vivienda** · **ordenador** · **instalación** · **libro** · ***otras cosas materiales*** || **operación** · **reforma** · **compra** || **deuda** · **crédito** *amortizar el crédito hipotecario* · **préstamo** · **acreencia** · **endeudamiento** || **inversión** · **coste** · **gasto** · **capital** || **esfuerzo** · **tiempo** *amortizar el tiempo invertido* || **plaza** · **puesto**

amparar (algo/a alguien) v.

● CON SUSTS. **ley** *Ninguna ley puede amparar semejante comportamiento* · **medida** · **derecho** · **legislación** · **sistema** *El sistema ampara este tipo de actuaciones* || **gobierno** · **estado** · **iglesia** || **acuerdo** · **pacto** · **convenio** · **tratado** || **secreto** *El secreto profesional me ampara*
● CON ADVS. **eficazmente** || **moralmente** · **jurídicamente** · **legalmente**

[amparo] → al amparo (de); amparo

amparo s.m.

● CON ADJS. **humanitario** *Miles de refugiados están pidiendo amparo humanitario en los países vecinos* || **providencial** · **maternal** || **seguro** · **protector** || **legal**
● CON SUSTS. **petición (de)** *Nuestro país ha recibido este año miles de peticiones de amparo* · **solicitud (de)** · **demanda (de)** || **juicio (de)** · **recurso (de)** · **acción (de)**
● CON VBOS. **buscar** *buscar el amparo de las autoridades* · **solicitar** · **pedir** · **implorar** || **encontrar** · **recibir** · **recabar** || **dar** · **dispensar** · **prestar** · **conceder** · **brindar** · **ofrecer** · **otorgar** || **negar** · **denegar** *No creo que vayan a denegarles el derecho de amparo* || **servir (de)**

ampliación s.f.

● CON ADJS. **progresiva** *...se pretende una ampliación progresiva del negocio* · **gradual** · **continua** · **moderada** · **definitiva** || **notable** · **clara** · **fuerte** · **brusca** · **importante** *Se ha proyectado una importante ampliación de la red vial* · **ambiciosa** · **espectacular** · **llamativa** · **gran(de)** || **pequeña** *Hicimos una pequeña ampliación del negocio* · **reducida** || **inicial** · **futura** · **prevista** · **posible** *En la reunión hablaron de una posible ampliación de la plantilla* · **reciente** · **próxima** · **natural** · **lógica** · **programada** || **proporcional** · **uniforme** || **horaria** · **de horario** · **de plazo** *una ampliación del plazo de entrega* · **de matrícula** || **presupuestaria** · **de capital** *solicitar una ampliación de capital* · **de beneficios** || **cultural** · **informativa** || **territorial** · **viaria**
● CON SUSTS. **obra (de)** *la obra de ampliación de la nueva vía férrea* · **proyecto (de)** · **programa (de)** · **plan (de)** · **servicio (de)** || **proceso (de)** || **intento (de)** · **anuncio (de)**
● CON VBOS. **diseñar** · **preparar** · **prever** · **examinar** · **anunciar** · **proponer** · **gestionar** · **negociar** || **realizar** · **llevar a cabo** · **acometer** · **impulsar** · **empezar** · **iniciar** || **solicitar** · **exigir** || **paralizar** · **retrasar** *La falta de los*

permisos reglamentarios retrasó la ampliación del polideportivo · **frenar** · **bloquear** · **vetar** · **denegar** · **aplazar** · **descartar** || **implicar** · **suponer** || **permitir** *La cesión de un terreno junto al río permitió la ampliación del cauce* · **aceptar** · **facilitar** · **promover adelantar** · **apoyar**

ampliamente adv.

• CON VBOS. **superar** *Los beneficios de este año superarán ampliamente los del año pasado* · **aventajar** · **exceder** · **sobrepasar** · **desbordar** · **trascender** · **rebasar** · **destacar** || **vencer** · **triunfar** · **ganar** · **golear** *El equipo local goleó ampliamente al visitante* · **derrotar** || **analizar** · **investigar** · **documentar** · **demostrar** || **conocer** · **dominar** || **explicar** · **justificar** · **desarrollar** · **desplegar** · **difundir** · **airear** · **divulgar** · **informar** || **crecer** · **extender(se)** · **circular** · **abarcar** || **resumir** · **citar** · **aludir** · **referirse (a)** · **tratar** · **discutir** *...con la intención de discutir ampliamente sobre el tema* · **debatir** · **comentar** || **utilizar** · **usar** || **aceptar** · **respaldar** *Su nueva obra ha sido respaldada ampliamente por crítica y público* · **coincidir** · **concordar** · **participar** || **rechazar** · **criticar** · **cuestionar** || **compensar** *...escasa pérdidas que compensan ampliamente la fuerte inversión realizada* · **beneficiar** · **mejorar** || **dotar**

• CON ADJS. **satisfactorio,ria** *obtener resultados ampliamente satisfactorios* · **favorable** · **rentable** || **participativo,va** || **mayoritario,ria**

ampliar v.

• CON SUSTS. **habitación** · **aparcamiento** · **edificio** *El proyecto para ampliar los edificios se lo han adjudicado a...* · ***otros lugares*** || **altura** · **anchura** · **extensión** · ***otras magnitudes*** || **territorio** · **espacio** · **campo (de acción)** *La presidenta quiere ampliar su campo de acción* · **cobertura** || **tiempo** · **plazo** *Han ampliado el plazo de entrega de solicitudes* · **límite** · **margen** || **comercio** · **negocio** || **cantidad** · **número** · **cifra** || **servicio** · **oferta** *...una universidad que amplía su oferta de estudios* || **repertorio** · **bibliografía** *Es preferible que amplíes la bibliografía si quieres...* · **flota** · ***otros conjuntos*** || **presencia** *ampliar la presencia policial en las calles de la ciudad* · **participación** || **capacidad** · **objetivo** || **conocimiento** · **información** || **ventaja** · **diferencia** || **horizonte** *Se marchó porque tenía ganas de ampliar horizontes*

• CON ADVS. **poco a poco** · **gradualmente** · **progresivamente** · **paulatinamente** || **a pasos agigantados** · **rápidamente** || **enormemente** · **desmesuradamente** · **sobremanera** · **excesivamente** · **largamente** · **considerablemente** · **decisivamente** || **ligeramente** · **parcialmente** · **levemente** · **en la medida de lo posible** || **cualitativamente** · **cuantitativamente** || **a lo ancho** · **a lo largo**

amplificador, -a

1 **amplificador, -a** adj.

• CON SUSTS. **efecto** · **acción** · **intención** || **capacidad** · **poder** || **sistema** *Instalaron para el concierto un sistema amplificador muy sofisticado* || **eco**

2 **amplificador** s.m.

• CON ADJS. **acústico** · **de sonido** · **de potencia** || **de energía** · **eléctrico** || **potente** *Me han regalado un equipo de música con un potente amplificador* · **pequeño** || **estéreo**

• CON VBOS. **fabricar** · **instalar** || **utilizar** · **usar** || **servir (de/como)**

amplio, plia adj.

• CON SUSTS. **calle** · **avenida** *...con calles y avenidas más amplias* · **paseo** · **patio** · **jardín** · **casa** · **salón** · **espacio** · **territorio** · ***otros lugares*** || **ropa** *Me gusta llevar ropa amplia* · **falda** · **camisa** · ***otras prendas de vestir*** || **espectro** · **repertorio** · **surtido** · **catálogo** · **grupo** · **muestra** · **oferta** · **público** · **rango** · **abanico** *La ciudad ofrece un amplio abanico de actividades culturales* || **margen** · **nivel** · **número** · **sentido** || **estudio** · **reportaje** *El periódico realizó un amplio reportaje sobre este problema* · **seguimiento** || **conocimiento** · **currículo** · **experiencia** || **acuerdo** · **consenso** · **apoyo** *Nuestra propuesta recibió un amplio apoyo por parte de los socios* · **respaldo** · **triunfo** || **debate** · **diálogo** || **operativo** *disponer un amplio operativo de seguridad* · **dispositivo** · **plan** · **programa** || **mentalidad** · **mente** · **miras** || **ganancia** · **ventaja** · **diferencia**

amplitud

1 **amplitud** s.f.

• CON ADJS. **máxima** *...con el fin de obtener una máxima amplitud de espacio* · **infinita** · **ilimitada** · **inconmensurable** · **inabarcable** · **desproporcionada** *La amplitud de la terraza es desproporcionada en relación con la del resto de la casa* · **exagerada** · **inmensa** · **extraordinaria** · **inusitada** · **imponente** · **tremenda** · **extensa** · **significativa** · **gran(de)** || **conveniente** · **suficiente** · **necesaria** || **escasa** · **insuficiente**

• CON SUSTS. **falta (de)** || **concepto (de)**

• CON VBOS. **necesitar** *Se fue a vivir solo porque necesitaba una mayor amplitud de movimientos* || **alcanzar** · **ganar** · **tener** || **dar (a algo)** || **recortar** · **restar** *La consola isabelina le resta amplitud a la habitación* || **dar idea (de)**

• CON PREPS. **con** · **sin** *una persona sin amplitud de miras*

2 **amplitud (de)** s.f.

• CON SUSTS. **onda** *calcular la amplitud de una onda* · **señal** · **red** || **despliegue** · **cobertura** · **movimiento** || **miras** · **metas** · **planteamiento** · **objetivo** · **horizonte** · **criterio** · **idea** *Para ser tan joven tiene una sorprendente amplitud de ideas* || **distribución** · **espacio** · **territorio** · **campo** · **horario** *amplitud de horarios comerciales* || **técnica** || **espíritu** · **conciencia** || **oferta** *En la página electrónica, el cliente encontrará una mayor amplitud de ofertas* · **posibilidades** · **recursos** || **interés** · **gustos** · **tendencias** · **estilos** || **información** · **conocimiento** · **ciencia** · **temas** || **género** · **registro** · **vocabulario** || **victoria** · **derrota** || **medida** · **zancada**

ampolla s.f.

• CON VBOS. **provocar** · **levantar** *Las declaraciones del entrenador han levantado ampollas entre la afición* · **salir (a alguien)** || **romper** · **reventar(se)** · **abrir**

amueblar v.

• CON SUSTS. **edificio** · **vivienda** · **casa** · **apartamento** *Necesitamos dinero para amueblar el apartamento* · **chalé** · **habitación** · **cocina** || **mente** *una mente muy bien amueblada* · **cerebro** · **cabeza**

• CON ADVS. **totalmente** · **completamente** *El piso estaba completamente amueblado*

a muerte loc.adv./loc.adj.

• CON VBOS. **luchar** · **enfrentarse** *...una batalla decisiva en la que los dos bandos se enfrentan a muerte* · **pelear** · **disputar** · **atacar** · **batirse** · **reñir** · **discutir** || **odiar** · **detestar** || **defender** · **respetar** · **apoyar** *La afición apoya a muerte al nuevo entrenador* · **animar** || **salir** · **ir**

• CON SUSTS. **batalla** · **lucha** · **enfrentamiento** *Mantienen un enfrentamiento a muerte desde hace años* · **discusión** ·

guerra · duelo || defensa · protección || enemigo,ga · luchador,-a · opositor,-a · detractor,-a · adversario,ria

amuleto s.m.

●CON ADJS. **de la suerte · especial · mágico || inútil · útil · valioso**
●CON SUSTS. **colección (de) || fe (en) · confianza (en)**
●CON VBOS. **dar suerte (a alguien) · fallar || colgar · llevar** *Dice que no es supersticioso pero lleva un amuleto* · **besar · tocar || llevar (como) · tener (de) · recurrir (a) · utilizar (como) || convertir(se) (en) · servir (de)**
●CON PREPS. **a modo (de) · como**

□USO Se construye a menudo con complementos encabezados por la preposición *contra* (*un amuleto contra la envidia*).

analfabetismo s.m.

●CON ADJS. **parcial · completo** *Un alto porcentaje de la población mundial vive en un analfabetismo completo* · **absoluto || galopante · rampante || funcional || libre (de)**
●CON SUSTS. **nivel (de)** *El nivel de analfabetismo en ese país alcanza un grado muy elevado* · **índice (de) · tasa (de) · cuota (de) || bolsa (de) || lacra (de) · problema (de)**
●CON VBOS. **crecer · aumentar || decrecer · descender · disminuir || combatir** *nuevas medidas encaminadas a combatir el analfabetismo de la zona* · **erradicar || paliar · mitigar · reducir || bordear || rayar (en) || luchar (contra) || salir (de)**

analgésico, ca

1 **analgésico, ca** adj.

●CON SUSTS. **efecto · estado || fármaco · producto · compuesto** *Estas pastillas tienen un compuesto analgésico que le vendrá bien* · **fórmula · sustancia || acción · función · capacidad**

2 **analgésico** s.m.

●CON ADJS. **eficaz · ineficaz || poderoso · fuerte · suave || oral · en comprimidos** *Compró en la farmacia un analgésico en comprimidos* · **en pomada || genérico · común**
●CON SUSTS. **dosis (de)** *La dosis de analgésicos era insuficiente para mitigar sus dolores* || **tratamiento (con)**
●CON VBOS. **tomar || dar · recetar · administrar · suministrar · dispensar || usar · emplear · inyectar** *Le inyectaron un potente analgésico en el hospital* · **disolver || abusar (de)** *No es recomendable abusar de los analgésicos* || **aliviar (con) || tratar (con)**

análisis s.m.

●CON ADJS. **breve · superficial · somero · sucinto · elemental · incompleto · parcial · sesgado** *Esta novela ofrece un análisis sesgado de la realidad* || **prolijo · pormenorizado · completo · profundo · exhaustivo · hondo · detallado · en profundidad · detenido · minucioso · meticuloso · concienzudo · riguroso · atento · cuidadoso · pausado · sereno · depurado || agudo · lúcido** *un lúcido análisis de las causas del problema* · **atinado · acertado · certero · ajustado · sistemático · metódico || apasionado · brillante · sugestivo || concluyente · revelador · esclarecedor** *Se ha publicado un esclarecedor análisis sobre...* · **fecundo · sustancioso · jugoso · fiable · veraz · objetivo · formal || penetrante · descarnado** *El artículo se alza como un descarnado análisis de la guerra* · **demoledor · crítico · mordaz · implacable · severo · rotundo || fallido · desenfocado · burdo · tendencioso · subjetivo · maniqueo · interesado · propicio || enrevesado · farragoso || documentado · fundado · fundamentado || clínico · de laboratorio · de campo · comparativo** *un análisis comparativo entre la situación de ambos países* · **cualitativo · ocular || confidencial · retrospectivo || susceptible (de)**
●CON SUSTS. **método (de) · técnica (de) || trabajo (de) · resultado (de) || capacidad (de)** *Demostró una asombrosa capacidad de análisis* || **objeto (de) · motivo (de)**
●CON VBOS. **realizar · llevar a cabo · practicar · abordar · acometer · elaborar · trazar · retomar · enfocar** *Si fuéramos capaces de enfocar el análisis desde otro punto de vista, obtendríamos mejores resultados* · **depurar || plantear · exponer · ofrecer** *El análisis que ofrece me parece acertado* · **resistir || avalar · sustanciar · defender · verificar · cuestionar || publicar || delatar || ahondar (en) · adentrarse (en) · persistir (en) || disentir (de) || invitar (a) || abocar (a) · someter(se) (a) || desprenderse (de)** *De este análisis se desprenden las siguientes conclusiones...*
●CON PREPS. **a la luz (de) · a tenor (de)**

analítico, ca adj.

●CON SUSTS. **filósofo || periodista** *Adquirió prestigio como periodista analítico y crítico* · **escritor,-a · intérprete ·** ***otros individuos*** **|| bisturí · filtro · lupa || prueba · estudio · control || método · principio · obra · lectura** *la lectura analítica y reflexiva de los textos* · **proceso · procedimiento · índice · sistema · juicio || pensamiento · mente** *una mente analítica, capaz de resolver los problemas más complejos* · **mentalidad · capacidad · inteligencia · razón · cerebro · ingenio || espíritu · carácter · actitud || visión · perspectiva · punto de vista · planteamiento · criterio · enfoque || rigor** *Lo que más se valoró de la tesis doctoral fue su rigor analítico y metodológico* · **precisión · frialdad · profundidad || filosofía · geometría · dibujo**

analizar v.

●CON ADVS. **brevemente** *No nos dio tiempo más que a analizar brevemente estos problemas* · **por encima · a grandes rasgos · a grandes trazos · someramente · superficialmente · a grandes líneas · de refilón · a medias · a la ligera || pormenorizadamente** *analizar pormenorizadamente la crisis del mundo actual* · **pausadamente · atentamente · a conciencia · a fondo · de cerca · punto por punto · con todo lujo de detalles · palmo a palmo · exhaustivamente · por activa y por pasiva · concienzudamente · fríamente · en frío** *ante la necesidad de que se analicen en frío los pros y los contras de cada una de las opciones* · **{al/en/con} detalle · escrupulosamente · de cabo a rabo · por extenso · detalladamente · profusamente · de arriba abajo · meticulosamente · con cautela · cuidadosamente · con lupa · en profundidad · rigurosamente · extensamente · profundamente · por completo · ampliamente · enteramente || debidamente · objetivamente · coherentemente || científicamente** *Para analizar científicamente una muestra hay que seguir una serie de pasos* · **documentalmente**

analogía s.f.

●CON ADJS. **clara** *una clara analogía entre las dos situaciones* · **evidente · obvia · manifiesta · notoria || estrecha · inevitable || aplicable || simple · fácil · simplista · superficial · falsa · forzada · confusa · difusa · vaga || inesperada · inusitada · inusual · sorprendente · rara || histórica · biológica · terminológica · conceptual**
●CON VBOS. **resultar** *La analogía con mi caso resultaba evidente* || **fallar || proponer · establecer · hacer · trazar**

|| **guardar · ofrecer · presentar || apreciar · advertir** *Era fácil advertir la estrecha analogía entre los dos libros* · **detectar · buscar · encontrar · destacar**
● CON PREPS. **por** *una solución adoptada por analogía con...*

analógico, ca adj.

● CON SUSTS. **reloj** *Prefiero el reloj analógico al digital* · **televisión · teléfono · sonido · vídeo || servicio · función || sistema · tecnología · electrónica || señal · emisión · red** *Se ha quedado anticuada la red analógica* · **línea**

análogo, ga adj.

● CON SUSTS. **situación · caso · asunto · cuestión · experiencia · tratamiento · relación · punto || modo · manera · proceso** *Estos productos siguen procesos de fabricación análogos* · **mecanismo || función · propiedad || característica · dimensión** *Los dos fenómenos tuvieron análogas dimensiones* · **naturaleza · condición || principio · ley · causa · consecuencia**

anarquía s.f.

● CON ADJS. **total** *Allí reinaba una anarquía total* · **plena · absoluta · gran(de) || caótica**
● CON SUSTS. **situación (de)** *una insostenible situación de anarquía* · **estado (de)**
● CON VBOS. **extender(se) · cundir · imponer(se) || reinar · imperar || sembrar · defender || evitar || sumir(se) (en)** *El estallido de la guerra hizo que el país se sumiese en la anarquía* · **conducir (a) · rayar (en) || creer (en)**

anárquico, ca adj.

● CON SUSTS. **carácter · espíritu** *El caos que había en su cuarto era un buen reflejo de su espíritu anárquico* · **comportamiento · temperamento || estilo · forma || gobierno · estado · selección · organización** *...a pesar de la anárquica organización del evento* · **orden · administración · intervención || juego · actividad || dispersión · crecimiento || tráfico · circulación**

anarquista adj.

● CON SUSTS. **líder** *El líder anarquista declaró a la prensa que...* · **dirigente · pensador,-a · simpatizante · activista · militante · sindicato · gobierno · escritor,-a · población · sociedad ·** ***otros individuos y grupos humanos*** **|| movimiento · tendencia** *Nunca ocultó sus tendencias anarquistas* · **ideología · política || ideales · pensamiento · mentalidad · utopía · sueño · ideas · lucha || bandera · insignia || revolución · alzamiento · atentado**
● CON VBOS. **declararse** *No tuvo reparos en declararse anarquista convencido* · **proclamarse · manifestarse · volverse · hacerse**

anatomía s.f.

▌[ciencia]

● CON ADJS. **humana · animal · vegetal · masculina · femenina || patológica**
● CON SUSTS. **laboratorio (de)**
➤ Véase también **DISCIPLINA**

▌[cuerpo]

● CON ADJS. **exuberante · castigada · ajada · espectacular · imponente · soberbia**
● CON SUSTS. **parte (de)** *en todas las partes de su anatomía*
● CON VBOS. **lucir · pasear · exhibir** *...exhibiendo su anatomía por las playas de moda*

ancestral adj.

● CON SUSTS. **costumbre** *costumbres ancestrales que se remontan a...* · **tradición · cultura · mito · mitología · leyenda · hábito · rutina || raíz · origen · pasado · historia · antecedente · herencia · legado · reliquia · recuerdo · rezago || rito · culto · ritual · creencia · religión · fe || fiesta · celebración · ceremonia · superstición · superchería || arte · música** *músicas ancestrales, a cuyo ritmo bailan* · **danza · canto · ritmo || pintura · poética · teatro · arquitectura || sabiduría · conocimiento · saber · técnica · ciencia · filosofía || derecho · ley · código · regla · precepto · normativa · reglamento · tabú · prohibición || miedo** *el miedo ancestral a la oscuridad y a lo desconocido* · **temor · terror · fobia · pasión · instinto · odio · obsesión · prejuicio || atraso · pobreza · miseria · problema · injusticia · marginación · opresión · servidumbre · sometimiento || rivalidad · enemistad · antagonismo · lucha** *la lucha ancestral entre el bien y el mal* · **disputa · pugna · divergencia · duelo · pelea · litigio · pleito · querella · contencioso || civilización · sociedad · pueblo · comunidad · tribu · reino · población || idioma · lengua · lenguaje · alfabeto · dialecto · maldición · signo · símbolo · simbología || machismo · nacionalismo · patriotismo · jacobinismo · municipalismo || juego**

[ancho]

→ a {mis/tus/sus...} anchas; ancho, cha; manga ancha

ancho, cha adj.

● CON ADJS. **de espaldas** *un hombre ancho de espaldas* · **de hombros · de caderas**
● CON SUSTS. **manga · mano || calle · camino · carretera · pasillo ·** ***otras vías*** **|| espacio · mundo · mar ·** ***otros lugares*** **|| sonrisa || banda** *una línea de banda ancha* **|| frente · dedo · pierna · brazo · nariz ·** ***otras partes del cuerpo*** **|| ala || conciencia**
□ EXPRESIONES **a {mis/tus/sus...} anchas*** [con total libertad] *col.* || **más ancho que largo** [despreocupado, satisfecho]

anciano, na

1 anciano, na adj.

● CON SUSTS. **profesor,-a** *Se jubiló la anciana profesora* · **presidente,ta ·** ***otros individuos***
● CON ADVS. **relativamente**

2 anciano, na s.

● CON ADJS. **venerable · entrañable · respetable · ejemplar || longevo,va || animoso,sa · vitalista || cansado,da · achacoso,sa · decrépito,ta || abandonado,da · desamparado,da · solitario,ria** *En el piso de arriba vive un anciano solitario* **|| necesitado,da · dependiente · autónomo,ma || ocioso,sa || experimentado,da · sabio,bia**
● CON SUSTS. **residencia (de) · asilo (de) · hogar (de) || atención (de) · cuidado (de) || consejo (de)**
● CON VBOS. **cuidar · ayudar · atender** *Parece que en esa residencia atienden muy bien a los ancianos* · **asistir · proteger || venerar · respetar · admirar**

ancla s.f.

● CON VBOS. **tirar · echar** *Echó el ancla a diez millas de la costa* · **lanzar · dejar caer || soltar · levar** *El barco levó anclas y partió* · **jalar**

anclar(se) (en) v.

● CON SUSTS. **alta mar · bahía · ensenada || pasado** *Son actitudes que han quedado ancladas en el pasado* · **pre-**

sente || ideología · realismo · concepto · ideal · marxismo · creencia *Siguen anclados en creencias de otro tiempo* || tradición · raíz · cultura · rito · tópico · canon · mito · leyenda · mitología · uso || memoria · pensamiento · olvido · recuerdo · mente || esquema · sistema · estructura · molde · modelo · fórmula · receta || cifra · cantidad · dato · número · índice · punto · cota || alternativa · opción · separación · dicotomía · binomio · dualidad · posición *Permanecen anclados en una posición ideológica que hoy ya está superada* || problema · lucha · confrontación · violencia · polémica · rechazo || sensación · emoción · soledad · nostalgia

andadas s.f.pl.

● CON VBOS. **volver (a)** *Me prometiste que no volverías a las andadas*

andadura s.f.

● CON ADJS. **corta · breve · larga || intensa** *Su andadura por los escenarios fue intensa y productiva* · **fecunda || nueva || profesional · política** *Aquel mismo año inició su andadura política* · **artística**

● CON VBOS. **empezar** *Su andadura como actor empieza con una comedia* · **comenzar · iniciar · arrancar || proseguir · continuar · seguir || terminar · culminar || jalonar**

● CON PREPS. **a lo largo (de)** *A lo largo de su andadura profesional ha conseguido numerosos éxitos*

andamio s.m.

● CON ADJS. **móvil · fijo || algo · bajo || seguro · inseguro · peligroso**

● CON VBOS. **derrumbarse || situar · colocar · montar · instalar** *Han instalado un andamio en la fachada del edificio* · **levantar · armar || sujetar · apuntalar** *Apuntalaron el andamio por razones de seguridad* · **reforzar · cubrir · asegurar || derribar · tirar · desmontar || trabajar (en) || subir (a) · encaramarse (a)** *Se pasa los días encaramado a un andamio* · **bajar (de) · descender (de) · trepar (por) · caer(se) (de) · resbalar (de)**

andanza s.f.

● CON ADJS. **accidentada || nueva** *En esta película se nos narran las nuevas andanzas del famoso personaje* · **antigua**

● CON SUSTS. **compañero,ra (de)**

● CON VBOS. **comenzar** *Así comienzan las andanzas del protagonista* · **continuar · finalizar || narrar · contar** *A mi abuelo le gusta contarnos sus andanzas de cuando era joven* · **describir · recrear · relatar · referir · rememorar · recoger || seguir**

[andar] →andar; andarse (con)

andar

1 andar s.m.

● CON ADJS. **vivo · vivaz · firme** *una persona de andar firme* · **marcial · erguido || acompasado · pausado · parsimonioso · reposado || cansino** *Llegó con andares cansinos* · **errante · fantasmal**

2 andar v.

● CON ADJS. **preocupado,da · desesperado,da || confundido,da · alterado,da · enamorado,da · despistado,da** *El muchacho anda un poco despistado desde que dejó el colegio* || **revuelto,ta · alborotado,da** *Parece que el tiempo anda un poco alborotado* || **desacertado,da · descaminado,da · equivocado,da || empeñado,da (en algo) · metido,da (en algo) · mezclado,da (en algo) || provisto,ta (de algo) · sobrado,da (de algo)**

● CON ADVS. **sin rumbo · a la deriva** *La barca anduvo a la deriva durante más de una semana* · **de la ceca a la meca · de arriba abajo · al retortero || como un loco · de cabeza** *Ando de cabeza con este asunto tan complicado* · **a caballo || a {mi/tu/su...} aire** *Prefiere andar a su aire y no comprometerse con nadie* || **a duras penas · a trancas y barrancas · a salto de mata · a empujones || a paso de tortuga · a cámara lenta · tranquilamente || a tientas** *andar a tientas en la oscuridad* · **de puntillas · a pie juntillas || de incógnito || con ojo · con pies de plomo** *En este asunto es mejor que andes con pies de plomo* · **con cautela · con cuidado || de boca en boca** *Sus amoríos andan de boca en boca* || **a la baja**

● CON VBOS. **echar (a) · ponerse (a)**

☐ USO Se construye también con gerundios: *Anda buscando pelea.*

andarse (con) v.

● CON SUSTS. **ojo** *Ten cuidado y ándate con ojo, si no quieres cometer otro error* · **cuidado · tiento · tacto · pies de plomo · reservas · vista || rodeos** *Háblame con sinceridad y no te andes con rodeos, por favor* · **circunloquios · vueltas · revoleras · preámbulos · meandros || tapujos · contemplaciones · remilgos · medias tintas · tiquismiquis · ambigüedades · matices · monsergas · paños tibios · paños calientes · eufemismos · formulismos · distingos || miramientos · sutileza · exquisitez · delicadeza · finura · ironía · diplomacia · modestia || tonterías** *Es una persona madura y experimentada y no se anda con tonterías* · **bobadas · bromas · tontadas · juegos · trucos || pequeñeces · chiquitas · chicas · zarandajas || aventuras · profundidades · doctrinas · ideales · sentimentalismos**

☐ USO Se usa generalmente en contextos negativos. Se combina con sustantivos contables en plural (*no andarse con miramientos*) o no contables en singular (*andarse con diplomacia*).

andén s.m.

● CON ADJS. **central · contrario || desierto · abarrotado**

● CON VBOS. **invadir · cruzar || bajar (a) · llegar (a) · saltar (a) || salir (de) · cambiar (de) || entrar (por) || esperar (en)**

andrajo s.m.

● CON ADJS. **arrugado · roto**

● CON VBOS. **llevar || vestir (con)** *Iban descalzos y sucios y vestían con andrajos* · **convertir(se) (en)**

andrajoso, sa adj.

● CON SUSTS. **mendigo,ga · vagabundo,da · *otros individuos* || uniforme · traje · ropa || aspecto · pinta**

anécdota s.f.

● CON ADJS. **simpática** *Siempre que nos reunimos nos cuenta anécdotas simpáticas* · **cómica · divertida · graciosa || curiosa · insólita · inédita || reveladora · jugosa · interesante || verosímil · verídica · inverosímil || personal || pura · mera · simple · pequeña** *Suele acompañar sus explicaciones con pequeñas anécdotas*

● CON SUSTS. **serie (de)** *Nos contó una serie de anécdotas acerca de...* · **rosario (de) · sinfín (de) · repertorio (de) || categoría (de)** *Un caso que no trasciende de categoría de anécdota*

● CON VBOS. **circular** || **narrar** · **contar** · **referir** · **relatar** || **hilvanar** · **ensartar** · **recopilar** || **recordar** *Se pasa horas recordando anécdotas de cuando era joven* · **revivir** · **evocar** · **traer a colación** || **protagonizar** || **tener** · **saber** *Se sabe un montón de anécdotas de la ciudad* || **jalonar (algo) (con)** *jalonar el discurso con entretenidas anécdotas* · **salpicar (algo) (de)**
● CON PREPS. **a título (de)**

anecdótico, ca adj.

● CON SUSTS. **personaje** *No fue más que un personaje anecdótico de la política nacional* · **figura** · **sujeto** || **comentario** *una serie de comentarios anecdóticos, sin ningún tipo de coherencia* · **observación** · **inciso** · **nota** || **hecho** · **asunto** · **acontecimiento** · **caso** · **episodio** · **circunstancia** · **situación** || **detalle** *un detalle anecdótico, pero muy significativo* · **rasgo** · **faceta** · **aspecto** · **evidencia** || **dato** · **información** · **noticia** · **cifra** · **encuesta** · **referencia** || **momento** · **instante** · **fecha** · **experiencia** · **vivencia** · **recuerdo** · **peripecia** · **avatar** || **patinazo** · **fallo** · **traspié** · **derrota** · **calamidad** || **razón** · **motivo** · **consecuencia** || **artículo** · **libro** · **poema** · **carta** · **cuadro** · **pintura**

anegar(se) (de/en) v.

● CON SUSTS. **sangre** · **lágrimas** *Se presentó en la comisión anegada en lágrimas* · **alcohol** · **agua** *Toda la casa estaba anegada de agua* · ***otros líquidos*** || **lodo** · **barro** · **fango** · **porquería** · **basura** || **humo** · **niebla** || **llanto** *con los ojos anegados en un llanto incontenible* · **tristeza** · **desencanto** · **cólera** · **odio** · **tedio** || **confusión** · **duda**

anejo, ja adj.

● CON SUSTS. **edificio** · **vivienda** *El conserje vive en una vivienda aneja al colegio* · **inmueble** · **construcción** · **casa** · **pabellón** · **instalación** · **calle** || **terreno** · **parcela** · **territorio** · **solar** · **área** · **campo** || **dependencia** · **habitación** · **despacho** *un despacho anejo a las oficinas* · **capilla** · **sala** · **local** || **volumen** · **documento** · **folio** · **nota** *una nota aneja a un documento* · **tabla** · **lista** || **servicio** · **actividad** · **programa**

anemia s.f.

● CON ADJS. **aguda** · **severa** *El doctor le ha diagnosticado una anemia severa* · **fuerte** || **perniciosa** · **infecciosa**
● CON SUSTS. **problema (de)** · **síntoma (de)**
● CON VBOS. **padecer** · **sufrir** · **tener** || **causar** · **ocasionar** || **tratar** *una dieta para tratar la anemia* · **prevenir** · **combatir**

anestesia s.f.

● CON ADJS. **local** · **total** *aplicar anestesia total en una operación* · **general** · **parcial** || **epidural**
● CON SUSTS. **efecto (de)** *pasarse el efecto de la anestesia* · **aplicación (de)** || **inyección (de)** · **punción (de)** · **dosis (de)** || **fallo (de)** · **riesgo (de)**
● CON VBOS. **requerir** · **poner** · **aplicar** || **suministrar** || **despertar (de)** · **recuperarse (de)**
● CON PREPS. **con** · **sin**

anexión s.f.

● CON ADJS. **nacional** · **urbana** · **territorial** *lograr la anexión territorial de un punto estratégico* || **definitiva** · **temporal** · **permanente** · **completa** · **total** || **forzosa** · **voluntaria**
● CON VBOS. **reconocer** · **aceptar** · **permitir** *...para permitir la anexión de pequeñas empresas a grandes multinacionales* · **defender** || **evitar** · **intentar** || **ganar** · **lograr** · **realizar** · **consumar** · **confirmar** · **decidir** · **consagrar** · **proclamar** · **conseguir**

anexionar v.

● CON SUSTS. **bloque** · **zona** · **parte** *El ejército invasor logró anexionarse una gran parte del territorio* · **territorio** · **región** · **país** · **pueblo**

anexo, xa adj. Véase **anejo, ja**

anfibio, bia adj.

● CON SUSTS. **buque** *...en un buque anfibio de la Armada* · **lancha** · **nave** · **avión** · **máquina** · **vehículo** || **animal** · **criatura** · **ser**

anfiteatro s.m.

● CON ADJS. **griego** · **romano** *Las ruinas de un anfiteatro romano* || **municipal** || **gran(de)** · **enorme** · **monumental** || **lleno** · **abarrotado** · **vacío** · **desierto** || **al aire libre** · **lateral** · **circular** · **semicircular**
● CON SUSTS. **grada (de)** · **fila (de)** · **butaca (de)**
● CON VBOS. **llenar(se)** · **acoger** || **instalar** · **levantar** · **inaugurar** *Este mes han inaugurado un anfiteatro nuevo en la ciudad* || **abarrotar** · **ocupar** || **representar (en)** || **contar (con)**

anfitrión, -a s.

● CON ADJS. **perfecto** · **amable** · **generoso,sa**
● CON SUSTS. **papel (de)** · **condición (de)** || **ciudad** · **país** *Es costumbre que el país anfitrión del campeonato ofrezca...* · **comunidad** · **gobierno** || **equipo** · **selección** *La selección anfitriona ya está eliminada* · **club** · **conjunto**
● CON VBOS. **invitar (a alguien)** · **agasajar (a alguien)** *Los anfitriones nos agasajaron con un cóctel de bienvenida* · **atender (a alguien)** · **sorprender (a alguien)** · **recibir (a alguien)** · **acoger (a alguien)** || **ejercer (de)** *Los recién casados ejercieron de anfitriones* · **actuar (de/como)** · **hacer (las veces de)** · **servir (de)**
● CON PREPS. **en calidad (de)**

[ángel] → ángel; como los ángeles

ángel s.m.

● CON ADJS. **celestial** · **guardián** *Es mi ángel guardián, siempre está cuando lo necesito* · **triunfador** · **apócrifo** · **justiciero** · **silencioso** · **verdadero** · **bueno** || **custodio** · **salvador** · **de la guarda** || **exterminador** · **negro** · **de la muerte** · **vengador** · **maldito** · **caído** · **de las tinieblas** · **malo**
● CON SUSTS. **cara (de)** *Siempre que quiere algo pone cara de ángel*
● CON VBOS. **vigilar** · **velar** *Era como si un ángel velara por su suerte* · **aparecerse** · **irrumpir** · **reinar** · **bajar** || **pintar** · **elegir** || **convertir(se) (en)** || **recurrir (a)** · **pedir (a)**

□ EXPRESIONES **como los ángeles*** [muy bien] *Canta como los ángeles* || **pasar un ángel** [se usa cuando hay un silencio en medio de una conversación] *¡Qué silencio, parece que ha pasado un ángel!*

angelical adj.

● CON SUSTS. **aspecto** · **aire** · **cara** · **rostro** · **gesto** *Sonrío con gesto angelical* · **mirada** · **sonrisa** · **voz** *una cantante de voz angelical* || **visión**

ángelus s.m.

• CON SUSTS. **rezo (de) · hora (de) · canto (de) · toque (de) · momento (de) · oración (de) · mensaje (de)**

anginas s.f.pl.

• CON SUSTS. **enfermo,ma (de) || remedio (contra) · síntoma (de) · inflamación (de)**
• CON VBOS. **tener · coger · sufrir · padecer || diagnosticar · tratar || operar (de)** *¿Te operamos de las anginas cuando eras pequeña?*

angosto, ta adj.

• CON SUSTS. **calle** *en un laberinto de calles angostas* · **camino · paso · pasillo · vía · senda · escalera || entrada · ventana · acceso · puerta || lugar · espacio**
• CON ADVS. **excesivamente · ligeramente**
• CON VBOS. **hacer(se) · volverse**

ángulo s.m.

• CON ADJS. **llano · recto · obtuso · agudo · oblicuo || superior · inferior · derecho · izquierdo · interior || de ataque · de visión · de cámara · de inclinación · de tiro · de vuelo · de giro || contrario · opuesto || posible · imposible** *El jugador encestó desde un ángulo imposible* **|| muerto** *Compré un espejo especial para eliminar el ángulo muerto del coche* · **visual · oscuro · completo || diverso · distinto · diferente** *El periodista enfocó la noticia desde un ángulo diferente al habitual*
• CON VBOS. **tener · formar · cambiar || abrir · cerrar || buscar · encontrar || ver (algo) (desde) · mirar (algo) (desde)** *Intentemos mirar las cosas desde otro ángulo* · **enfocar (algo) (desde)**
• CON PREPS. **con · sin** *Realizó un disparo potente pero sin ángulo de tiro* · **desde**

anguloso, sa adj.

• CON SUSTS. **rostro · rasgo · nariz** *nariz angulosa y pronunciada* · **mandíbula || piedra · roca || arista || forma**

angustia s.f.

• CON ADJS. **tremenda** *Me entró una tremenda angustia* · **terrible · insoportable || profunda · honda · insondable · soterrada || prolongada · permanente · cotidiana || momentánea · pasajera || opresiva · asfixiante · punzante || irracional** *Es una angustia irracional y sin sentido, pero no puedo dominarla* · **comprensible || económica · vital · existencial || libre (de) || lleno,na (de) · preso,sa (de)**
• CON SUSTS. **sensación (de)** *Tenía una profunda sensación de angustia en el pecho* · **clima (de) · estado (de) · sentimiento (de) || mirada (de) · gesto (de) · expresión (de) · rictus (de) || grito (de) || crisis (de) · ataque (de)** *Sufro frecuentes ataques de angustia* **|| horas (de) · momentos (de)** *Vivieron unos duros momentos de angustia* **|| motivo (de) || pozo (de)**
• CON VBOS. **venir (a alguien) · entrar (a alguien) · invadir (a alguien)** *No puedo acercarme a ese lugar sin que me invada una angustia terrible* · **asaltar (a alguien) · embargar (a alguien) · acosar (a alguien) · azotar (a alguien) · asediar (a alguien) · atenazar (a alguien) · carcomer (a alguien) · corroer (a alguien) · acechar (a alguien) · acuciar (a alguien) · apoderarse (de alguien)** *La angustia se apoderó de todo el vecindario* · **paralizar (a alguien) || desatar(se) · desbordar(se) · crecer || disipar(se) · pasárse(le) (a alguien)** *Cuando supe que se encontraba sano y salvo se me pasó la angustia* · **írse(le) (a alguien) · aplacar(se) · despejar(se) · disminuir || palpitar || tener · sufrir · experimentar · padecer · sentir · vivir · pasar || provocar · causar · ocasionar · producir · generar || dominar · controlar** *La psicóloga lo está ayudando a controlar su angustia* · **contener · reprimir · calmar · aliviar · amortiguar · mitigar · distraer || combatir · vencer · superar · sacudir(se) || disimular · exteriorizar** *Es una persona atormentada, pero nunca exterioriza su angustia* · **rezumar || sumir(se) (en) · hundir(se) (en) || sobreponerse (a) · librar(se) (de)**
• CON PREPS. **con · sin || al borde (de)**

angustiado, da adj.

• CON SUSTS. ***persona*** **|| tono · discurso · actitud**
• CON ADVS. **profundamente · sumamente · hondamente** *sentirse hondamente angustiado* · **terriblemente**
• CON VBOS. **sentir(se) · vivir** *vivir angustiado por las deudas* · **permanecer · encontrar(se) · hallar(se) · quedar(se) · estar · mantenerse || gritar · preguntar**

angustiar (a alguien) v.

• CON SUSTS. **pensamiento · idea** *Me angustia tanto la idea de perderte...* · **sensación || nervios · prisa · espera · desconocimiento · incertidumbre || condiciones · situación** *Nos angustia tanto esta situación tan inestable que...*

angustioso, sa adj.

• CON SUSTS. **situación · suceso · problema** *Nos encontrábamos ante un problema angustioso* · **presión || sensación || espera · búsqueda** *Así comenzó una búsqueda angustiosa en medio del caos* · **persecución || momento · tiempo · época || tono · cara || victoria**
• CON ADVS. **extremadamente · enormemente · terriblemente** *Era un momento terriblemente angustioso para ellos y quiso acompañarles* · **profundamente · sumamente**

anhelar v.

• CON ADVS. **fervientemente** *Todos anhelábamos fervientemente su llegada* · **intensamente · vehementemente · ávidamente · ardientemente · profundamente · largamente || íntimamente · secretamente** *Durante años anheló secretamente ocupar ese puesto*

anhelo s.m.

• CON ADJS. **profundo · sentido · intenso · ardiente · obstinado · vehemente · vivo · irreprimible · gran(de) || inasequible · inalcanzable · soñado || asequible · alcanzable || secreto · oculto · inconfesable || legítimo · justo || viejo** *Poco antes de morir nos confesó que su viejo anhelo era volver a su ciudad natal* **|| inequívoco || permanente · eterno**
• CON SUSTS. **manifestación (de) · expresión (de)**
• CON VBOS. **aflorar || palpitar (en algo/en alguien) · latir (en algo/en alguien) || hacer(se) realidad · cumplir(se) · consumar(se) || converger** *Un ambicioso proyecto en el que convergen los anhelos y los esfuerzos de todos los que en esta empresa...* **|| ahogar(se) || albergar · abrigar · perseguir || saciar · satisfacer · colmar · alcanzar** *Espero algún día alcanzar mis anhelos* **|| alimentar · reforzar || renovar** *Esta oportunidad ha renovado sus anhelos de dedicarse a la bolsa* **|| truncar** *El accidente truncó sus anhelos de ser jugador de fútbol* **|| confesar · manifestar · transmitir · ocultar || canalizar · depositar || concitar**

anidar v.

• CON SUSTS. **gaviota · cigüeña** *Las cigüeñas habían anidado en la torre de la iglesia* · **flamenco · halcón** · ***otras***

aves || **virus · bacteria · óvulo · microorganismo · grasa · hidrato de carbono · proteína || pícaro,ra · tramposo,sa · camarilla · clan** *una aparente asociación cultural en la que anida un clan de mafiosos* · **asociación ·** ***otros individuos y grupos humanos*** || **motivo · raíz · germen · semilla || fundamentalismo · individualismo · antisemitismo || envidia · odio · avaricia · codicia · resentimiento · rencor** *Desde hace tiempo anida en su alma un profundo rencor hacia todos los que lo rodean* · **despecho · rabia · sentimiento de venganza · maldad · crueldad · revanchismo || melancolía · frustración · placer || duda · sospecha · confusión · suspicacia · desconcierto · misterio || recuerdo · vivencia || problema · error · conflicto · escándalo · peligro · crisis · defecto || voluntad · deseo · propósito · intención · esperanza** *En el corazón de todos anida la esperanza de un futuro mejor* · **ambición · aspiración · vocación · pretensión · inclinación · interés · anhelo · preocupación || violencia · delito · corrupción · fraude · vicio || intriga · conspiración · conjura || miedo · terror · temor · horror · pánico**

[anillo] →anillo; como anillo al dedo

anillo s.m.

▮ [sortija]

• CON ADJS. **de pedida · de compromiso · de boda** *El padrino fue el encargado de llevar los anillos de boda* · **de casado · nupcial · matrimonial || de {oro/plata/diamantes...} · metálico || mágico**

• CON VBOS. **{quedar/estar} (a alguien) {holgado · grande · pequeño · ajustado} || llevar · tener · lucir** *La modelo luce un anillo de brillantes* || **escoger · elegir || ajustar · colocar · poner · encajar || regalar · donar · entregar · ganar**

▮ [estructura circular]

• CON ADJS. **defensivo · olímpico || exterior · interior · circular · periférico · concéntrico || de circunvalación** *Se ha inaugurado un nuevo anillo de circunvalación en torno a la ciudad* · **vial · ferroviario · viario**

• CON VBOS. **formar · crear · cerrar**

☐ EXPRESIONES **como anillo al dedo*** [muy oportuno] || **no caérse(le) los anillos** (a alguien) [no sentirse rebajado o humillado] *col. No se te van a caer los anillos por fregar los platos*

animación s.f.

• CON ADJS. **febril · agitada · frenética** *Había en el barrio una animación frenética* · **desbordante · viva || continua · incesante || infantil || veraniega** *la animación veraniega de los sitios de playa* || **cinematográfica · cultural || rebosante (de)**

• CON SUSTS. **programa (de) · cine (de) · serie (de) · película (de) || técnica (de) || grupo (de)** *Están estudiando formar un grupo de animación cultural*

• CON VBOS. **crecer · desbordarse · decaer || presenciar || contagiar || disfrutar (de) || rebosar (de)** *La ciudad rebosaba de animación durante las fiestas* · **hervir (de)**

animadamente adv.

• CON VBOS. **hablar · conversar · charlar** *Pasamos una agradable velada charlando animadamente* · **departir || moverse · gesticular · bailar** *En la fiesta todo el mundo bailaba animadamente* || **reír**

animado, da adj.

• CON SUSTS. **dibujos** *una película de dibujos animados* · **imagen · corto · largometraje · recreación · libro · película · disco · novela ·** ***otras creaciones*** || **aventura · historia · peripecia ||** ***persona*** || **conversación · fiesta · reunión · exposición ·** ***otros eventos***

• CON VBOS. **estar · poner(se)** *La fiesta se puso animada después de cenar* · **mantener(se)**

animador, -a s.

• CON ADJS. **televisivo,va · infantil · deportivo,va · cultural · literario,ria · radiofónico,ca · teatral · de fiesta · de juego · de circo · de feria** *Más que un diputado parecía un animador de feria* · **de programas · de televisión || principal · oficial || incansable · inagotable · divertido,da**

• CON VBOS. **participar (en algo) · contratar · buscar || ejercer (de) · oficiar (de)** *El famoso payaso ofició de animador de la función* · **constituirse (en) · actuar (de/como) · trabajar (de/como)**

animadversión s.f.

• CON ADJS. **terrible · feroz · despiadada · brutal · violenta · visceral · profunda** *Se miraron con profunda animadversión* · **fuerte · intensa · verdadera || franca · clara** *Siente una clara animadversión hacia mí* || **patente · evidente · ostensible || particular · especial || vieja · tradicional || personal · general || mutua || creciente || injustificada || soterrada · disimulada**

• CON SUSTS. **muestra (de)** *Dio repetidas muestras de animadversión hacia mí* · **gesto (de) || sentimiento (de)**

• CON VBOS. **estallar · crecer · consumir (a alguien) || sentir · percibir · encontrar || manifestar · exteriorizar · demostrar · profesar (a alguien) · tener (a alguien) || disimular · ocultar || crear · producir · causar · provocar · generar · despertar (en alguien) · suscitar · acarrear · levantar · acrecentar** *Estos hechos han logrado acrecentar su animadversión hacia...* || **ganarse · granjearse · concitar || neutralizar || ser objeto (de)**

[animal] →animal; como un animal

animal s.m.

• CON ADJS. **indómito · indomable · brioso || dócil · manso || voraz · feroz · agresivo · depredador · devorador · venenoso || peligroso · inofensivo** *A pesar de su aspecto intimidatorio, es un animal inofensivo* || **doméstico · de compañía · de granja · salvaje · de presa · de laboratorio · de experimentación || libre · suelto · en cautividad || hervívoro · carnívoro · omnívoro || ovíparo · vivíparo || vertebrado · invertebrado || volador · trepador · terrestre · acuático · anfibio · nocturno** *Los ojos de los animales nocturnos se caracterizan por...* || **migratorio || autóctono · característico || en peligro de extinción || verdadero** *Es un verdadero animal*

• CON SUSTS. **piel (de) · órgano (de) · víscera (de) · resto (de) · carne (de) · hueso (de) · tejido (de) · fósil (de) || tenencia (de) · comercio (de) || especie (de) · clase (de) · grupo (de)**

• CON VBOS. **adaptarse (a algo) · evolucionar · extinguirse || reproducirse · aparear(se)** *¿Cuándo se aparean los animales acuáticos?* || **olfatear (algo/a alguien) · olisquear (algo/a alguien) · mordisquear (algo) · pastar || migrar || tener · cuidar · criar · alimentar · sacar (a pasear) · vacunar · operar · proteger || clonar || capturar · liberar · soltar · domesticar · adiestrar · amaestrar · domar || abatir · sacrificar** *Tuvieron que sacrificar a los animales contagiados por la peste* · **exterminar · sedar · cazar || ahuyentar · espantar · asustar || abandonar || trabajar (como)** *Es que estoy trabajando como un animal*

animalada s.f. *col.*

● CON ADJS. **tremenda · descomunal · enorme · gran(de) · auténtica** *poner en un examen una auténtica animalada* **|| como una catedral**

● CON SUSTS. **cúmulo (de) · sarta (de)** *soltar una sarta de animaladas*

● CON VBOS. **hacer · cometer || decir · soltar · proferir**

animar(se) v.

● CON SUSTS. **reunión** *Es ella la que siempre anima las reuniones* **· fiesta · exposición · debate · partido · celebración ·** ***otros eventos*** **|| ambiente · cotarro || mercado · consumo || abuelo,la** *Entre todos tenemos que intentar animar a la abuela* **· chico,ca · artista · concursante · equipo ·** ***otros individuos y grupos humanos***

● CON ADVS. **enormemente · a tope · a muerte · como un loco || vivamente** *...un grupo de aficionados que animaba vivamente a su equipo* **· insistentemente || en la medida de lo posible**

anímicamente adv.

● CON VBOS. **hundir(se)** *Al enterarse de la noticia se hundió anímicamente* **· derrumbar(se) · venirse (abajo) · desmoronar(se) || recuperarse · restablecerse · rehacerse · remontar || encontrarse {bien/mal}** *¿Te encuentras bien anímicamente?* **· estar {bien/mal} || preparar(se) · crecer · reforzar || afectar** *Parece que el cambio no la ha afectado anímicamente*

● CON ADJS. **destrozado,da · hundido,da · recuperado,da** *Todavía no me siento recuperada anímicamente* **· afectado,da · derrumbado,da · conmocionado,da || emocionado,da · repuesto,ta · restablecido,da · aliviado,da**

anímico, ca adj.

● CON SUSTS. **depresión · decaimiento · caída · bajón · bache · cansancio** *un ligero cansancio anímico* **· flaqueza · fatiga · problema || altibajo · cambio || recuperación || momento · estado · situación** *¿Cuál es su situación anímica actual?* **|| actitud · disposición · condición || fuerza · fortaleza** *Demostró una fortaleza anímica que nos dejó impresionados* **· valor**

[ánimo] → ánimo; sin ánimo (de)

ánimo

1 ánimo s.m.

● CON ADJS. **encendido** *Cuando llegué a la reunión los ánimos estaban tremendamente encendidos* **· exaltado · alborotado · exacerbado · a flor de piel · candente · combativo · esforzado · beligerante · aventurero · belicoso || mal(o) · apagado · bajo** *Lo encontré con el ánimo un poco bajo* **· triste · decaído · caído · por los suelos · descompuesto || buen(o) · alegre · elevado · perfecto · sosegado · tranquilo · apacible · propicio · constructivo || inagotable · envidiable** *A pesar de las desgracias, siguió adelante con un ánimo envidiable* **|| decidido || pletórico,ca (de) · bajo,ja (de)**

● CON SUSTS. **cambio (de) · estado (de) · disposición (de) · presencia (de)** *Un poco más de presencia de ánimo, que no se hunde el mundo* **· inyección (de)** *Aquellas palabras fueron una inyección de ánimo para mí* **|| fuerza (de) · fortaleza (de) · grandeza (de) · entereza (de) · serenidad (de)**

● CON VBOS. **despertar · cundir · prender || exaltar(se) · caldear(se) · crispar(se) · enardecer(se) · encrespar(se) · desbordar(se) · reavivar(se) · fortalecer(se) · robustecer(se) || sosegar(se) · calmar(se)** *Los ánimos se fueron calmando poco a poco* **· serenar(se) · enfriar(se) · decaer · derrumbar(se) · quebrar(se) · flaquear** *unas palabras de aliento que llegaron oportunamente cuando los ánimos empezaron a flaquear* **· desfallecer · aplacar(se) · ablandar(se) · decrecer · deshinchar(se) · desinflar(se) · encoger(se) · amainar · agriar(se) || pesar (sobre alguien) || tener (para algo) · devolver (a alguien) · cobrar · recobrar · disponer · preparar || dar · insuflar · infundir · transmitir · inculcar · impartir · levantar** *¡Levanta el ánimo, hombre!* **· incentivar · imprimir · acrecentar · elevar · renovar · galvanizar || turbar · soliviantar · trastornar · encender · enervar · exacerbar · perturbar · agitar · alterar · azuzar · tensar · sublevar · inflamar || apaciguar · templar · pacificar · dulcificar · atemperar · distender · acallar · achicar · apagar || perder · minar · mermar · hundir · socavar · mantener · abatir · deprimir || impregnar · sobrecoger · conmover || calar (en) · influir (en)** *Aquello influyó negativamente en su ánimo* **|| apelar (a) || imbuirse (de) · llenar(se) (de)**

● CON PREPS. **con · sin**

2 ánimo (de) s.m.

● CON SUSTS. **lucro** *una organización sin ánimo de lucro* **· beneficio · ganancia · enriquecimiento || venganza · revancha · desquite || colaboración · cooperación · conciliación · convivencia · diálogo · respeto · paz || victoria · triunfo · conquista · imposición · lucha || exhaustividad · permanencia || protagonismo · notoriedad · publicidad · exhibición || crítica · discusión · ofensa · polémica · sarcasmo · provocación**

● CON VBOS. **censurar · engañar · insultar · criticar · faltar · ofender** *Y, sin ánimo de ofender, debo decir que...* **· entrometerse · molestar**

□ EXPRESIONES **hacerse el ánimo** [decidir o determinar actuar]

aniquilación s.f.

● CON ADJS. **brutal · salvaje · atroz · sádica · espantosa · horrenda || total · completa** *La caza masiva puede provocar la aniquilación completa de la especie* **· masiva · sistemática · deliberada || política · moral · cultural · electoral || étnica · genocida**

● CON VBOS. **sufrir · padecer || llevar a cabo · perpetrar || decretar · ordenar || buscar · perseguir** *Con su política perseguía la aniquilación de enemigos potenciales* **|| evitar**

aniquilar v.

● CON SUSTS. **contrario,ria · adversario,ria · contrincante · enemigo,ga · oponente · invasor,-a ·** ***otros individuos y grupos humanos*** **|| animal · especie**

● CON ADVS. **de raíz · violentamente · brutalmente · sin contemplaciones || definitivamente · por completo** *aniquilar por completo una plaga de pulgones* **· totalmente || impunemente**

anís s.m.

● CON ADJS. **verde · estrellado · seco · dulce**

● CON SUSTS. **semilla (de) · grano (de)** *majar los granos de anís* **|| chupito (de) || infusión (de)** *preparar una infusión de anís* **· licor (de) · agua (de) || caramelo (de) · bolita (de) · pasta (de) || cultivo (de) · planta (de)**

➤ Véase también **BEBIDA**

aniversario s.m.

● CON ADJS. **feliz** *conmemorar el feliz aniversario del nacimiento de...* **· festivo || señalado · memorable · histórico || nuevo**

● CON SUSTS. **fiesta (de) · día (de) · año (de)**

• CON VBOS. **celebrar** *celebrar el aniversario de la boda* · **festejar** · **conmemorar** || **recordar** · **revivir**
• CON PREPS. **con motivo (de)** *Con motivo del doscientos aniversario del nacimiento del poeta...*

anochecer s.m.

• CON SUSTS. **frío (de)** *...para combatir el intenso frío del anochecer* || **paz (de)** · **silencio (de)** || **oscuridad (de)** · **luz (de)**
• CON VBOS. **llegar** *antes de que llegue el anochecer* || **esperar**
• CON PREPS. **antes (de)** · **después (de)** · **al** *Saldremos al anochecer* · **hasta** *Se ocultaron allí hasta el anochecer*

anodino, na adj.

• CON SUSTS. **aspecto** · **apariencia** *una persona de apariencia anodina* · **carácter** || **sesión** · **jornada** · **día** *Llegó a casa aburrida después de un día anodino* · **etapa** · **episodio** || **suceso** · **acontecimiento** · **hecho** || **trámite** || **existencia** · **ámbito** · **vida** || **historia** · **espectáculo** · **personaje** *El actor representa un personaje anodino en su último montaje* · **tema** · **intervención** · **propuesta** || **juego** · **victoria**

anomalía s.f.

• CON ADJS. **clara** · **ostensible** · **palpable** · **apreciable** · **patente** · **notoria** · **al descubierto** · **manifiesta** || **grave** · **imperdonable** · **seria** *El sistema de abastecimiento sufre últimamente serias anomalías* · **importante** · **notable** || **leve** · **sin importancia** · **ocasional** · **inapreciable** · **imperceptible** · **perdonable** · **disculpable** || **imprevisible** · **impredecible** · **previsible** || **supuesta** · **aparente** || **congénita** · **inherente** · **de fábrica** || **técnica**
• CON VBOS. **surgir** · **ocurrir** · **producir(se)** · **registrar(se)** · **apreciar(se)** · **evidenciar(se)** · **salir a la luz** || **cometer** · **ocasionar** · **causar** || **sufrir** · **experimentar** · **presentar** || **hallar** · **encontrar** *Los expertos han encontrado ciertas anomalías en el funcionamiento de estos aparatos* · **localizar** · **detectar** · **observar** · **advertir** · **descubrir** · **prever** · **anticipar** · **atribuir (a algo)** || **denunciar** · **sacar a la luz** · **poner de manifiesto** · **destapar** · **revelar** || **reparar** · **arreglar** · **solventar** · **solucionar** · **corregir** · **subsanar** · **resolver** · **rectificar** · **eliminar** || **disculpar** · **pasar por alto** || **representar** · **constituir**

anonadar v.

• CON ADVS. **profundamente** · **intensamente** || **verdaderamente** · **realmente** · **auténticamente** || **enormemente** · **poderosamente** · **tremendamente** · **vivamente** || **totalmente**

anonimato s.m.

• CON ADJS. **total** *La autora de la denuncia prefiere quedar en total anonimato* · **absoluto** · **completo** || **riguroso** · **estricto**
• CON VBOS. **pedir** · **exigir** || **respetar** *Pidió a los medios de comunicación que respetasen su anonimato* · **garantizar** · **preservar** · **mantener** || **preferir** || **disfrutar (de)** · **gozar (de)** || **mantener(se) (en)** *Firmaba sus obras con seudónimo para mantenerse en el anonimato* · **permanecer (en)** · **quedar (en)** · **encerrar(se) (en)** · **esconder(se) (bajo)** · **sumir(se) (en)** || **salir (de)** *Aquella película le dio la oportunidad de salir del anonimato* · **emerger (de)** · **escapar (de)** || **sacar (de)** · **rescatar (de)** || **condenar (a)** · **abocar (a)** · **relegar (a)** || **perderse (en)** · **diluirse (en)**

anónimo, ma

1 anónimo, ma adj.

• CON SUSTS. **carta** *recibir una carta anónima* · **documento** · **escrito** · **poema** · **novela** · ***otros textos*** || **llamada** · **denuncia** · **donación** || **comunicante** · **autor,-a** · **informante** · **fuente** || **admirador,-a** || **ciudadano,na** *Es un pequeño homenaje a los ciudadanos anónimos que...* · **trabajador,-a** · **persona** · **gente** || **alcohólico,ca** *una reunión de alcohólicos anónimos*

2 anónimo s.m.

• CON ADJS. **cobarde** · **infame** · **miserable** · **vil** · **despreciable**
• CON SUSTS. **autor,-a (de)** *La Policía no tiene ninguna pista sobre el autor del anónimo*
• CON VBOS. **escribir** · **enviar** · **mandar** · **recibir** || **publicar** || **hacer caso (a/de)**

anormal adj.

• CON SUSTS. **cambio** · **alteración** · **modificación** || **aumento** · **descenso** *un descenso anormal de las temperaturas en esta época del año* · **incremento** · **crecimiento** · **desarrollo** · **retraso** · **pérdida** · **enriquecimiento** || **funcionamiento** · **movimiento** · **actividad** || **forma** · **aspecto** · **expresión** || **actitud** · **comportamiento** *Quiero saber a qué se debe ese comportamiento tan anormal* · **conducta** · **acto** · **reacción** || **causa** · **síntoma** · **enfermedad** · **dolor** || **situación** · **hecho** · **circunstancia** *...algo que creo debería producirse en circunstancias anormales* · **condición** || **fase** · **nivel** · **método**
• CON ADVS. **totalmente** · **absolutamente** *una reacción absolutamente anormal en él* · **completamente** · **altamente**
• CON VBOS. **hacerse** · **volverse**

anotación s.f.

▮ [escrito]

• CON ADJS. **en sucio** *Tengo que pasar a máquina estas anotaciones en sucio* || **de {mi/tu/su...} puño y letra** *El manuscrito aún conserva anotaciones del autor, de su puño y letra* · **personal** || **minuciosa** · **detallada** || **rápida** · **al vuelo** || **final**
• CON VBOS. **hacer** · **efectuar** · **realizar** · **añadir** || **copiar** · **transcribir** || **borrar** · **eliminar**

▮ [tanto]

• CON SUSTS. **promedio (de)** *El promedio de anotación por partido de este jugador es de...* || **récord (de)**
• CON VBOS. **conseguir** · **marcar** || **remolcar** || **totalizar** · **sumar**

anotar v.

▮ [apuntar]

• CON SUSTS. **comentario** *La profesora anotó algunos comentarios a su trabajo* · **aclaración** · **explicación** · **bibliografía** || **dato** · **fecha** *¿Te has anotado la fecha de su cumpleaños?* · **número** · **cifra** · **altura** · **cantidad** · **cita**
• CON ADVS. **al detalle** · **punto por punto** · **minuciosamente** || **al margen** *Los datos adicionales se anotarán al margen del acta* · **al vuelo** · **a vuelapluma** · **de {mi/tu/su...} puño y letra** · **sobre la marcha** || **en sucio** · **pulcramente** || **escrupulosamente**

▮ [marcar o conseguir]

• CON SUSTS. **punto** · **tanto** · **gol** *El jugador anotó dos goles* · **canasta** || **liga** · **torneo** · **campeonato** · **partido** · **vuelta ciclista** · **competición** || **set** · **manga** · **etapa** · **juego** · **ensayo** · **sprint** || **victoria** · **triunfo** · **éxito** || **título** · **medalla** · **copa** || **récord** · **registro** || **subida** ·

avance · **ganancia** *La bolsa de Londres se anotó una ganancia de 1,5%* · **ascenso** · **alza** · **mejora** · **recuperación** · **revalorización** · **plusvalía** || **descenso** · **caída** · **pérdida** *Durante el primer semestre, la empresa estatal anotó pérdidas por...* · **recorte**

anquilosarse v.

● CON SUSTS. **cuerpo** · **músculo** *Después de tres meses de inactividad, se le habían anquilosado los músculos* · **hueso** · **articulación** || **mente** · **mentalidad** · **ideas** || **costumbre** · **tradición** || **sociedad** · **cultura** · **imagen** || **estructura** · **lenguaje** · **sistema** · **maquinaria** || **pacto** · **tratado** *El tratado actual está anquilosado; hay que pensar en buscar nuevas soluciones* · **proyecto** · **relación**

ansia

1 **ansia** s.f.

● CON ADJS. **viva** · **gran(de)** · **inflamada** · **incontrolable** *...con un ansia incontrolable de verla* · **desenfrenada** · **irrefrenable** · **fuerte** · **acuciante** · **vehemente** · **imperiosa** || **desmesurada** · **desmedida** · **desaforada** · **inagotable** · **insaciable** *Nada es capaz de acallar su insaciable ansia de poder* || **verdadera** || **insatisfecha** · **escondida** || **creativa** · **compradora** · **amorosa** · **viajera** · **goleadora** · **justiciera** || **lleno,na (de)** · **preso,sa (de)**

● CON VBOS. **invadir (a alguien)** · **venir (a alguien)** · **entrar (a alguien)** · **apoderarse (de alguien)** · **carcomer (a alguien)** · **corroer (a alguien)** · **poder(le) (a alguien)** *Le puede el ansia de fumar* · **perder (a alguien)** || **aflorar** · **desatar(se)** · **despertar(se)** · **crecer** || **aplacar(se)** · **calmar(se)** *Poco a poco se fue calmando su ansia de venganza* · **enfriar(se)** · **desinflar(se)** · **pasárse(le) (a alguien)** · **írse(le) (a alguien)** || **sentir** || **acrecentar** · **acentuar** · **alimentar** *...para alimentar su ansia de justicia* · **renovar** || **controlar** · **complacer** · **colmar** · **satisfacer** *...con tal de satisfacer su desmedida ansia de dinero y poder* · **saciar** · **mitigar** · **desfogar** || **dejarse llevar (por)** · **sumir(se) (en)**

● CON PREPS. **con** *Esperaba con ansia su respuesta*

2 **ansia (de)** s.f.

● CON SUSTS. **poder** · **dominio** · **conquista** || **protagonismo** *Sus ansias de protagonismo lo llevaron a...* · **notoriedad** · **fama** || **perfección** · **superación** *Su ansia de superación puede acabar siendo contraproducente* || **victoria** · **triunfo** || **paz** · **libertad** · **justicia** · **pureza** · **renovación** · **amor** || **eternidad** || **venganza** · **revancha**

ansiar v.

● CON SUSTS. **victoria** · **título** · **ascenso** *Ansiaba aquel ascenso desde hacía tiempo* · **triunfo** · **premio** · **meta** · **objetivo** || **recuperación** · **reforma** *una reforma largamente ansiada* · **cambio** · **modernización** · **estabilidad** · **libertad** || **regreso** · **retorno** || **llegada** · **advenimiento** · **marcha** · **salida** · **revuelta** || **fracaso** · **muerte** · **venganza** || **paz** *El pueblo ansia la paz* · **felicidad** · **prosperidad** || **licencia** · **permiso** · **autorización** || **hijo,ja**

● CON ADVS. **desesperadamente** · **a toda costa** *Todos nosotros ansiábamos a toda costa algún cambio* · **con todas {mis/tus/sus...} fuerzas** · **con todo {mi/tu/su...} corazón** · **por encima de todo**

ansiedad s.f.

● CON ADJS. **gran(de)** · **profunda** *La falta de noticias le causaba una profunda ansiedad* · **intensa** · **viva** · **permanente** || **mortificante** · **incontrolable** || **verdadera** · **auténtica** || **lleno,na (de)** · **preso,sa (de)** *Actuó presa de la ansiedad*

● CON SUSTS. **clima (de)** · **estado (de)** || **problema (de)** · **trastorno (de)** *ir al psicólogo para tratar un trastorno de ansiedad* · **crisis (de)** · **ataque (de)** · **síntoma (de)** || **expresión (de)** · **nivel (de)** || **diagnóstico (de)** · **tratamiento (para)** · **pastillas (para/contra)**

● CON VBOS. **entrar (a alguien)** · **invadir (a alguien)** · **atenazar (a alguien)** · **devorar (a alguien)** · **consumir (a alguien)** · **acosar (a alguien)** · **asaltar (a alguien)** || **aplacar(se)** · **disminuir** || **aumentar** *Con el paso de los días aumentaba su ansiedad* || **sentir** · **experimentar** · **sufrir** · **tener** || **producir** · **crear** · **dar** || **calmar** *Para calmar la ansiedad es muy bueno hacer deporte* · **paliar** · **mitigar** · **atemperar** · **templar** · **aliviar** · **apaciguar** · **atenuar** · **disfrazar** || **controlar** · **contener** · **reprimir** · **vencer** *Tras años de terapia ha conseguido vencer la ansiedad* || **exteriorizar** || **detectar** || **dejarse llevar (por)**

● CON PREPS. **con** *Espera con ansiedad el momento de decírselo*

ansioso, sa adj.

● CON SUSTS. **jugador,-a** · **conductor,-a** · **afición** · **público** *Un público ansioso por ver al cantante* · **gente** · ***otros individuos y grupos humanos*** || **mirada** || **espíritu** || **búsqueda** *Dieron con ella tras dos semanas de ansiosa búsqueda*

● CON VBOS. **ser** || **estar** *Estaba ansioso por empezar la carrera* · **poner(se)** · **quedar(se)** · **mantener(se)** || **esperar** · **aguardar** || **mostrarse**

□ USO Se usa a menudo en construcciones atributivas y con complementos encabezados por las preposiciones *de* (*un espíritu ansioso de aventuras*) y *por* (*Estaba ansioso por llegar*).

antecedente s.m.

● CON ADJS. **indirecto** · **remoto** || **inmediato** · **directo** || **irrefutable** · **supuesto** || **valioso** || **violento** · **criminal** *¿Sabes si tiene antecedentes criminales?* · **delictivo** · **judicial** · **penal** · **familiar** · **académico** || **numerosos** · **innumerables**

● CON VBOS. **existir** || **buscar** · **pedir** · **solicitar** || **conocer** · **establecer** · **determinar** · **ignorar** || **registrar** · **reunir** · **recopilar** || **mencionar** · **referir** || **tener** *El candidato al puesto debe tener unos brillantes antecedentes académicos* || **tener en cuenta** · **considerar** · **juzgar** · **analizar** || **remontar(se) (a)** · **retroceder (a)** || **carecer (de)**

● CON PREPS. **a juzgar (por)** · **a la luz (de)** · **con** *Con estos antecedentes familiares no debería extrañarnos tanto la situación actual del enfermo* · **sin** · **a la vista (de)**

antecesor, -a

1 **antecesor, -a** s.

● CON ADJS. **directo,ta** · **inmediato,ta** *El nuevo director habló elogiosamente de sus antecesores inmediatos* · **lejano,na**

2 **antecesor, -a (en)** s.

● CON SUSTS. **puesto** · **cargo** *...como ya hiciera su antecesor en el cargo* || **mando** · **responsabilidad** || **presidencia** · **gobierno** · **alcaldía** · **cartera** || **trabajo** || **empresa** · **organización**

[antemano] → de antemano

antena s.f.

I [objeto]

● CON ADJS. **parabólica** *poner una antena parabólica en el edificio*

• CON VBOS. **funcionar · fallar || conectar · instalar · activar || orientar** *El televisor está bien; debe usted tener mal orientada la antena*

▮ [emisión]

• CON VBOS. **estar (en)** *Este programa está en antena desde hace más de tres años* · **llevar (en) · seguir (en) || poner (en) · sacar (a) || salir (a)**

antepasado, da s.

• CON ADJS. **ilustre · famoso,sa** *Tiene antepasados famosos en el mundo de la política* · **notable · venerable · conocido,da || lejano,na · antiguo,gua · remoto,ta · alejado,da || cercano,na** *Heredó una fortuna de un antepasado cercano* · **directo,ta · reciente || común || humano,na**

• CON SUSTS. **historia (de) · recuerdo (de) · legado (de) · herencia (de) · espíritu (de) · alma (de) || culto (a)**

• CON VBOS. **tener || heredar (de) · pertenecer (a)** *Este palacio perteneció durante generaciones a sus antepasados, pero ahora es del Estado*

anteponer v.

• CON SUSTS. **idea · criterio** *Siempre antepuso sus propios criterios a la hora de tomar decisiones* · **principio || derecho · justicia · solidaridad · libertad · dignidad · amistad ·** ***otros valores*** **|| orden · estabilidad · bienestar** *Supo anteponer el bienestar de su familia a su propios intereses profesionales* · **seguridad || voluntad · capricho · interés || obligación** *anteponer la obligación a la diversión* · **deber · responsabilidad || gusto** *Intentamos anteponer los gustos del cliente* · **preferencia**

☐ USO Se construye con complementos encabezados por la preposición *a*: *anteponer una cosa a otra.*

antesala

1 antesala s.f.

• CON ADJS. **grande · espaciosa · amplia · pequeña** *Junto al salón había una pequeña antesala* **|| inmediata || tradicional** *Este torneo es la antesala tradicional de los campeonatos olímpicos*

• CON VBOS. **constituir || hallarse (en) · quedarse (en) · colocar (en) || pasar (por) || llegar (a) · avanzar (a) || servir (de) · convertir(se) (en) || considerar (como)** *Parece considerar esta concejalía como antesala de la presidencia*

2 antesala (de) s.f.

• CON SUSTS. **fracaso · decadencia · depresión · agonía · despedida · muerte** *encontrarse en la antesala de la muerte* · **despido || infierno · paraíso || poder · presidencia · victoria · gloria · milagro || tregua · paz** *El acuerdo firmado por ambos dirigentes es la antesala de la paz* · **libertad || acuerdo · pacto || final · campeonato · premio · concurso || sueño**

antibiótico, ca

1 antibiótico, ca adj.

• CON SUSTS. **tratamiento** *un tratamiento antibiótico específico para esta enfermedad* · **terapia · cobertura · profilaxis · lavado · medicación · propiedad || medicamento · sustancia · pomada**

2 antibiótico s.m.

• CON ADJS. **eficaz · efectivo · potente · fuerte · poderoso · activo · milagroso || ineficaz · inseguro · contraindicado || específico · de amplio espectro** *Es un antibiótico de amplio espectro, por lo que siempre puedes recurrir a él* · **básico · profiláctico · genérico || intravenoso · local || moderno · de última generación · tradicional || resistente (a)**

• CON SUSTS. **uso (de) · tratamiento (con) · dosis (de) · resistencia (a) || familia (de) · clase (de) || efectos (de)** *los efectos secundarios de un antibiótico* **|| abuso (de)**

• CON VBOS. **{hacer/surtir} efecto || tomar · consumir · beber || prescribir · recetar** *Me recetaron un antibiótico potente* · **mandar · administrar · suministrar · dar · dispensar || requerir || combatir (con)** *La única forma de combatir la infección es con un fuerte antibiótico* · **tratar (con) || atiborrar(se) (de) · abusar (de) || resistir (a)**

anticipación s.f.

• CON ADJS. **rigurosa · debida** *Siempre procuro estar en el aeropuerto con la debida anticipación* · **precavida · cautelosa · prudente · calculada · recelosa || sagaz · hábil || asombrosa · enorme · gran(de)** *Llegamos a la cita con gran anticipación* **|| suficiente · pequeña · mínima · insuficiente || rara || comercial · electoral**

• CON SUSTS. **capacidad (de) · sentido (de)** *Tiene un asombroso sentido de la anticipación* · **poder (de) || tiempo (de)**

• CON VBOS. **solicitar · pedir** *La oposición pedía la anticipación de las elecciones* · **exigir**

• CON PREPS. **con** *planear las cosas con anticipación*

anticipadamente adv.

• CON VBOS. **ocurrir · llegar · presentarse || jubilar(se) || llamar · avisar · comunicar · convocar** *convocar anticipadamente unas elecciones generales* **|| celebrar || amortizar · pagar · cobrar · adquirir · vender · comprar** *Es mejor comprar anticipadamente las entradas para el concierto* **|| disolver** *disolver anticipadamente el Parlamento* · **abandonar · cancelar**

anticipado, da adj.

• CON SUSTS. **jubilación** *Se acogió a la jubilación anticipada* · **retiro · dimisión · vacaciones || entrada · venta · compra || decisión · sentencia || pago · cobro · subvención · amortización · liquidación || comicios · elecciones · convocatoria || llegada · comienzo · inicio || final** *El adelanto de las elecciones supuso el final anticipado de la legislatura* · **disolución · cancelación · terminación || marcha · salida || futuro**

• CON PREPS. **por** *cobrar por anticipado*

anticiparse (a) v.

• CON SUSTS. **situación · circunstancias · acontecimiento** *Hay que ser preciso para anticiparse a los acontecimientos* · **hecho · problema || cambio · reforma || llegada · compra · anuncio · decisión ·** ***otros sucesos*** **|| ruego · petición · deseo** *Se anticipaba siempre a sus más pequeños deseos* **|| futuro**

• CON ADVS. **calculadamente · previsoramente || excesivamente · ligeramente** *Este año parece que se va a anticipar ligeramente el invierno* **|| certeramente**

anticipo s.m.

• CON ADJS. **jugoso · generoso · cuantioso · importante || pequeño · discreto · mínimo · raquítico || bancario · electoral || en efectivo** *Tuve un gasto imprevisto y pedí un anticipo en efectivo* · **en metálico · a cuenta**

• CON SUSTS. **pago (de) · petición (de)**

• CON VBOS. **pedir · reclamar · solicitar || dar · abonar · pagar · entregar · conceder · otorgar · ofrecer || re-**

cibir · cobrar || pactar · firmar · aprobar · establecer || servir (de)
● CON PREPS. **como** *Para hacer la reserva se necesita una cantidad como anticipo* · **en concepto (de)** *entregar una cantidad en concepto de anticipo*

anticonceptivo, va

1 **anticonceptivo, va** adj.
● CON SUSTS. **método** *información sobre los diferentes métodos anticonceptivos* · **sistema · tratamiento · píldora · pastilla · vacuna || control**

2 **anticonceptivo** s.m.
● CON ADJS. **eficaz · seguro** *Este es el anticonceptivo más seguro a la hora de prevenir embarazos no deseados* · **fiable · adecuado || ineficaz · inseguro · arriesgado · inadecuado · contraindicado || natural · artificial || masculino · femenino || oral · hormonal · mecánico · de barrera · irreversible**
● CON VBOS. **usar** *Uso anticonceptivos por prescripción facultativa* · **utilizar · tomar · consumir || distribuir**

anticongelante adj.

● CON SUSTS. **líquido · sustancia**

anticonstitucional adj.

● CON SUSTS. **ley** *una manifestación en contra de esta ley anticonstitucional* · **medida · proyecto · iniciativa · solución · método || tratado · acuerdo · convenio || resolución** *Pueden ustedes recurrir esta resolución si la consideran anticonstitucional* · **decisión || comportamiento · actitud · conducta || organismo · actividad · partido**
● CON VBOS. **considerar** *considerar anticonstitucional la medida adoptada* · **declarar · juzgar || calificar (de) · estimar (como)**

anticuado, da adj.

● CON SUSTS. **sistema** *un sistema anticuado de distribución* · **método · técnica · táctica || política · discurso · planteamiento · gestión · medida · reglamento || tecnología · maquinaria · material ||** ***persona*** **|| modelo · traje · estilo · aspecto · imagen** *Es difícil atraer a nuevos socios si ofrecemos una imagen anticuada* **|| versión**
● CON ADVS. **totalmente** *un discurso totalmente anticuado* · **absolutamente · extraordinariamente**
● CON VBOS. **ser** *Tu postura es un tanto anticuada* **|| estar · quedar(se)** *Este tipo de aparatos en seguida se quedan anticuados* · **volver(se) · resultar || considerar · sonar**

anticuerpo s.m.

● CON ADJS. **especial · específico · selectivo || poderoso** *Nuestro sistema inmunológico desarrolla poderosos anticuerpos contra organismos patógenos* · **eficaz || neutralizante · neutralizador · defensivo · protector || humano || resistente (a)**
● CON SUSTS. **producción (de) · presencia (de) · nivel (de) || portador,-a (de)** *El lactante es portador de anticuerpos maternos frente a...*
● CON VBOS. **contener · tener** *Sufre recaídas porque no tiene suficientes anticuerpos* · **contraer · desarrollar · transmitir || fabricar · producir · crear · generar || atacar · bloquear · neutralizar · estimular || detectar · encontrar** *En sus análisis de sangre han encontrado anticuerpos* · **identificar**

☐ USO Se construye a menudo con complementos encabezados por la preposición *contra* (*anticuerpos contra el virus del sida*).

antidemocrático, ca adj.

● CON SUSTS. **decisión** *Queremos expresar nuestro rechazo a esa decisión antidemocrática* · **medida · ley · imposición · acuerdo · disposición || sistema · régimen · partido · grupo · fuerzas · corriente** *Los analistas creen que una importante corriente antidemocrática está empezando a tomar fuerza en el seno de...* **|| acción · práctica · comportamiento · conducta · actitud · posición · postura · mentalidad || conspiración · conjura** *Una conjura antidemocrática intentó acabar con el presidente electo* **|| intervención · discurso || método · estrategia**
● CON ADVS. **profundamente · absolutamente · plenamente · totalmente · radicalmente || claramente** *el comportamiento claramente antidemocrático de ciertos partidos políticos* · **abiertamente · netamente**
● CON VBOS. **considerar · calificar (de)** *calificar una ley de antidemocrática*

antidisturbios adj.

● CON SUSTS. **agente** *En la imagen, varios agentes antidisturbios se protegen de los ataques* · **policía · efectivos · unidad · brigada · cuerpo · división · compañía · equipo · grupo · tropas · fuerzas || material · gas · bolas**

antidopaje adj.

● CON SUSTS. **operación · control** *En el mundial realizaron varios controles antidopaje por sorpresa* · **análisis · prueba · examen · test || comisión · fiscalía · agencia · laboratorio || ley · norma · reglamento** *El próximo mes entrará en vigor el nuevo reglamento antidopaje* · **normativa · código || plan · programa · política · lucha · investigación**

antídoto s.m.

● CON ADJS. **perfecto** *Conozco el antídoto perfecto para este tipo de picaduras* · **ideal · adecuado || buen(o) · mejor · único · imprescindible || eficaz · infalible · fiable · efectivo · probado || poderoso · mágico · milagroso || ineficaz · fallido · inefectivo || drástico · radical || universal || natural · químico**
● CON VBOS. **funcionar · {surtir/hacer} efecto** *El antídoto contra el veneno surtió efecto* **|| fallar || elaborar · preparar · inventar · diseñar || encontrar · descubrir · obtener · buscar || conocer || requerir || ofrecer · administrar** *Le administraron el antídoto en cuanto fue mordido por el perro* · **aplicar · inyectar || tomar · ingerir || servir (de) · actuar (como)**

antigás adj.

● CON SUSTS. **máscara · mascarilla · careta**

antigüedad

1 **antigüedad** s.f.
● CON ADJS. **remota · lejana** *restos arqueológicos provenientes de la lejana antigüedad* **|| cierta · escasa · suficiente** *Tiene antigüedad suficiente como para...* **|| suma · gran(de) || desconocida || venerable**
● CON SUSTS. **años (de)** *¿Cuántos años tienes de antigüedad en el cargo?* · **período (de)**
● CON VBOS. **tener · poseer · ostentar || cobrar · acumular || perder || determinar · averiguar · calcular || atribuir (a algo) || remontar(se) (a)** *Si nos remontamos a la antigüedad...*
● CON PREPS. **por · por orden (de)** *A este puesto se opta por orden de antigüedad* **|| a efectos (de) || según · en función (de)**

2 **antigüedad (en)** s.f.

● CON SUSTS. **cargo · puesto · escalafón · carrera · empresa** *las personas con una antigüedad en la empresa menor a...*

antiincendios adj.

● CON SUSTS. **sistema · alarma** *Nos informaron de lo que debíamos hacer si saltaba la alarma antiincendios* · **seguridad · vigilancia · protección || brigada** *En verano es cuando la brigada antiincendios tiene más trabajo* · **servicio · equipo || material · vehículo · cisterna · trampilla || legislación · normativa · norma · medida**

antiinflamatorio, ria

1 **antiinflamatorio, ria** adj.

● CON SUSTS. **medicamento · fármaco · analgésico · crema · tratamiento · pastilla · pomada || efecto** *Los efectos antiinflamatorios tardarán en notarse* · **acción · propiedad · actividad**

2 **antiinflamatorio** s.m.

● CON ADJS. **corticoide · no esteroideo || oral · de uso tópico · en crema**

● CON VBOS. **administrar** *El dolor desapareció a poco de administrarle el antiinflamatorio* · **inyectar · poner · tomar || recetar · prescribir || dispensar · suministrar**

antipatía s.f.

● CON ADJS. **honda** *Siento una honda antipatía hacía ese tipo de personas* · **profunda · fuerte · vehemente · irreprimible · visceral · arraigada · marcada || notoria · acusada · ostensible · patente · visible · declarada || solapada · soterrada · oculta || recíproca · mutua** *Se profesaban una antipatía mutua* **|| especial || general**

● CON SUSTS. **sentimiento (de)**

● CON VBOS. **aflorar || sentir (hacia algo/hacia alguien) · profesar (a algo/a alguien) · coger (a algo/a alguien) · tomar (a algo/a alguien) · tener (a algo/a alguien) || manifestar** *En la rueda de prensa manifestó claramente su antipatía hacia el candidato seleccionado* · **transmitir · exteriorizar · declarar · destilar || ocultar (a alguien) · reprimir || provocar · producir (a alguien) · despertar · desatar · desencadenar · avivar · causar · abrigar || ganarse** *Él mismo se ganó la antipatía de su vecino* · **granjearse**

antipático, ca adj.

● CON SUSTS. **personaje** *Este personaje me resulta muy antipático* · **dependiente,ta · gente · personal ·** ***otros individuos y grupos humanos*** **|| carácter · tono · voz || ciudad** *una ciudad sucia y antipática que no nos gustó nada* · **lugar · entorno · ambiente || trabajo · tarea || tiempo** *¡Qué tiempo tan antipático está haciendo!* · **clima · día**

● CON ADVS. **profundamente · sumamente · absolutamente**

● CON VBOS. **volver(se) · hacer(se) · ponerse**

antipersona adj.

● CON SUSTS. **mina** *la total erradicación de las minas antipersona* · **bomba · explosivo · granada · flecha · arma · misil**

antirreglamentario, ria adj.

● CON SUSTS. **posición · maniobra** *El jugador fue expulsado por realizar una maniobra antirreglamentaria* · **acción · tapón · adelantamiento · práctica || acuerdo** *El juez deshizo el acuerdo por antirreglamentario* · **contratación · suspensión**

● CON VBOS. **considerar · juzgar (como)**

antirrobo adj.

● CON SUSTS. **sistema** *El sistema antirrobo no funcionó y los ladrones entraron* · **mecanismo · alarma · barra · cerradura · seguridad · protección · blindaje || brigada** *La brigada antirrobo es la que está investigando el caso* · **equipo**

antojarse v.

▌[desear]

● CON ADVS. **especialmente** *Se me había antojado especialmente aquel pantalón* · **particularmente || de repente · de pronto**

▌[parecer]

● CON ADJS. **imposible · posible · excesivo,va** *Al señor ministro, las demandas de los sindicatos se le antojan excesivas* · **complicado,da || importante · esencial || milagroso,sa · increíble · fácil · difícil**

[antojo] → a {mi/tu/su...} antojo

antología

1 **antología** s.f.

● CON ADJS. **literaria · poética** *Acaban de publicar una nueva antología poética* · **lírica · erótica · musical · pianística · pictórica || inédita || amplia · extensa · variada || esencial · imprescindible || breve · pequeña · básica || completa · incompleta**

● CON VBOS. **contener (algo) · constar (de algo) || incluir (algo) · comprender (algo) || publicar · editar · lanzar · presentar || preparar** *Estoy preparando una antología de cuentos de literatura fantástica* · **componer · reunir · compendiar || completar · ampliar || formar parte (de)**

2 **antología (de)** s.f.

● CON SUSTS. **textos · poesía · teatro · poemas · obras · escritos · cuentos · escritores · frases** *una antología de frases célebres* **|| grabaciones || dibujos**

antológico, ca adj.

▌[recopilatorio]

● CON SUSTS. **exposición** *una exposición antológica sobre el pintor malagueño* · **muestra · exhibición · selección || volumen · disco · número || índice || libro · ensayo · poema · texto · trabajo || espectáculo · recital · concierto · reparto || carácter · recorrido · panorama**

▌[espectacular]

● CON SUSTS. **gol** *El delantero marcó un gol antológico en el último minuto del partido* · **marca · registro · partido · parada · jugada || escena · momento**

antropología s.f. Véase **DISCIPLINA**

antropológico, ca adj.

● CON SUSTS. **estudio · ensayo · investigación · análisis || filosofía · teoría · máxima · ciencia || perspectiva · visión · punto de vista · enfoque · sentido** *...en el sentido antropológico del término* · **curiosidad · interés · tradición || museo**

anual adj.

● CON SUSTS. **cifra · monto · cantidad · promedio** *La medida permitió rebajar el promedio anual de accidentes mortales de tráfico* · **media · producción · acumulación || pago · gasto · remuneración · ingreso · renta · sueldo** *El sueldo mínimo anual en nuestro país es de...* · **ahorro · presupuesto · dinero · recaudación · facturación · contribución · cuota · tarifa · tasa · inflación · liquidación · balance || progreso · mejora · aumento · crecimiento** *Los analistas hablan de un crecimiento anual superior a...* **|| evento · acontecimiento · cita** *Nunca falta a su cita anual con la feria del libro* · **celebración · conmemoración · fiesta · encuentro · asamblea · cumbre · reunión · cena · feria · banquete · conferencia · discurso · informe || inspección · supervisión · control · revisión · examen** *¿Te sigues haciendo el examen anual de la vesícula?* **|| contrato · suscripción · entrega · plazo · venta**

anudar v.

● CON SUSTS. **cuerda · cordón · soga · lazo || corbata** *Es incapaz de anudarse la corbata él solo*
● CON ADVS. **fuertemente**

anulación s.f.

● CON ADJS. **definitiva · provisional · temporal || parcial · total || inmediata** *Exigen la anulación inmediata de la libre contratación* · **reciente || justa · indebida || posible · imposible || matrimonial · contractual || virtual**
● CON VBOS. **pedir** *Al igual que otras ONG, piden la anulación de la deuda de los países del Tercer Mundo* · **solicitar · reclamar · exigir || obtener · lograr · conseguir || tramitar** *tramitar la anulación de una denuncia* · **gestionar || conceder** *¿Sabes si les han concedido la anulación matrimonial?* · **declarar · revocar || impugnar · denunciar · justificar**

anular v.

● CON SUSTS. **actuación · cita** *Nos hemos visto obligados a anular todas las citas para hoy* · **reunión · visita · viaje** *anular un viaje debido al mal tiempo* · **juicio · proceso · concurso ·** ***otros eventos*** **|| resultado · elección · votación · comicios · voto || sentencia · decreto · fallo · decisión · respuesta · condena || etapa · partido · jugada · gol** *El público comenzó a protestar cuando el árbitro anuló el gol* · **tanto || demanda · petición || factura · acta · recibo ·** ***otros documentos justificativos*** **|| venta · operación · contrato || convenio · acuerdo || matrimonio · compromiso**
● CON ADVS. **totalmente · íntegramente · de un plumazo · por completo · de plano || temporalmente · eventualmente · provisionalmente · momentáneamente · indefinidamente · definitivamente || de un día para otro · a última hora** *A última hora anularon nuestro vuelo* · **inmediatamente · rápidamente || accidentalmente · automáticamente · manualmente || unilateralmente || justificadamente · injustificadamente**

anunciar v.

● CON SUSTS. **decisión · sentencia · fallo** *El juez anunciará mañana el fallo definitivo* **|| acuerdo || intención** *La ministra ha anunciado su intención de adoptar nuevas medidas destinadas a...* · **plan · objetivo · idea || incorporación · llegada · apertura · aumento || salida · retirada · dimisión · descenso || medida || evento · compromiso** *Todo el mundo espera que anuncien su compromiso* · **boda || dato · resultado · fecha · noticia || fin · comienzo**
● CON ADVS. **a los cuatro vientos · a bombo y platillo · abiertamente · sin rodeo(s) || a todo pulmón · a grito pelado · a voces || con alborozo** *Los padres anunciaron con alborozo el nacimiento de su primera hija* **|| a toda plana · a lo grande || formalmente · oficialmente** *El presidente acaba de anunciar oficialmente que...* · **públicamente || solemnemente · pomposamente || verbalmente · por escrito || al unísono · unilateralmente || repetidamente · por activa y por pasiva · largamente · enfáticamente || definitivamente · finalmente || próximamente · inminentemente || de antemano · inesperadamente || atropelladamente · detalladamente**
● CON VBOS. **tener el gusto (de) · tener el placer (de)** *Tengo el placer de anunciar la llegada de...*

anuncio s.m.

▮ [mensaje publicitario]

● CON ADJS. **periodístico · publicitario || de prensa · radiofónico · televisivo || incitante · sugerente · pegadizo** *el pegadizo anuncio de una marca de refrescos* · **simpático · gracioso · inteligente · imaginativo || reiterado · repetitivo · persistente || vejatorio · machista || luminoso || a toda plana** *En esta revista sale un anuncio a toda plana de la última película de...*
● CON SUSTS. **estrella (de) · mensaje (de) · campaña (de) || pase (de) · difusión (de) || retirada (de)** *La oficina del consumidor pidió la retirada del anuncio* **|| guión (de)**
● CON VBOS. **aparecer (en algo) || lavar el cerebro (a alguien) || diseñar** *diseñar anuncios publicitarios* · **idear · crear || dirigir · realizar · rodar · filmar · grabar || protagonizar || difundir · publicar · emitir · poner · intercalar · insertar · repetir || prohibir · retirar || ver · premiar || interrumpir (con) || participar (en) · aparecer (en) · intervenir (en)**

▮ [comunicación o aviso]

● CON ADJS. **solemne · formal · oficial** *Ayer se hizo público el anuncio oficial de su renuncia al cargo* · **público || esperado · inesperado · sorpresivo · intempestivo · inminente || reciente** *El reciente anuncio de su compromiso no me sorprendió* **|| importante**
● CON VBOS. **hacer(se) realidad || caer como una bomba** *El anuncio de su dimisión cayó como una bomba* **|| hacer público || hacer · formular · leer · escribir || confirmar || esperar**

anzuelo s.m.

● CON ADJS. **efectivo · eficaz || tentador** *un anzuelo tentador para su campaña publicitaria* · **provocador · seductor · sutil || engañoso || político · electoral** *La van a utilizar de anzuelo electoral porque es una persona con mucho carisma* · **publicitario · comercial · periodístico**
● CON SUSTS. **pesca (de)**
● CON VBOS. **sumergir(se) || colocar · lanzar · echar · tirar · arrojar · tender || picar · tragar · morder** *Un pez acaba de morder el anzuelo* **|| pescar (con) · caer (en) · sucumbir (a) · atrapar (con/el) || liberar (de) || servir (de)** *Estas joyas servirán de anzuelo para los ladrones*

añadido, da adj.

● CON SUSTS. **valor · beneficio · garantía || atractivo · aliciente** *Este trabajo tiene para ella un aliciente añadido* · **emoción · motivación · estímulo · interés · atracción || problema · obstáculo · riesgo** *Su avanzada edad era un riesgo añadido* · **inconveniente · dificultad · carga · traba · complicación · complejidad · agravante · presión · tensión || coste · gasto · impuesto || ventaja · comodidad** *una casa que presentaba la comodidad añadida de estar cerca del trabajo* **|| novedad · sorpresa || factor · circunstancia · particularidad**

añadir v.

● CON ADVS. **seguidamente · inmediatamente · a continuación · a renglón seguido** *A renglón seguido, añadió unas palabras de despedida y...* || **hábilmente · sutilmente**

añejo, ja adj.

● CON SUSTS. **vino · ron** || **sabor** *...como los de antaño, con sabor añejo* · **regusto · aroma · color · imagen · aspecto · modo · manera** || **historia · cultura · costumbre · tradición · educación** || **discurso · discusión** *Esta es una discusión añeja entre los miembros del partido* · **pugna · litigio · problema · relación** || **edificio · fachada**

añicos s.m.pl.

● CON VBOS. **hacer(se)** || **romper(se) (en)** *Al caer el jarrón al suelo se rompió en añicos*

añil s.m.

● CON SUSTS. **azul** *unos guantes azul añil*
➤ Véase también **COLOR**

año s.m.

● CON ADJS. **duro** *el año más duro de mi vida* · **difícil · aciago** || **buen(o) · próspero · arrollador · llevadero** || **crucial** *un año crucial en su carrera deportiva* · **álgido** || **saliente · entrante · venidero · próximo · pasado · viejo · nuevo · que viene** *Lo dejaremos para el año que viene* || **sabático** *Se tomó un año sabático para investigar* || **bisiesto · lunar** || **escolar · académico** *El año académico todavía no ha empezado* || **litúrgico · eclesiástico** || **santo · de jubileo · jubilar** || **de gracia · del catapún** *Lleva una ropa del año del catapún* || **a cuestas** *...ya mayor, con setenta años a cuestas...* || **entrado,da (en)** *una persona bien entrada en años*
● CON SUSTS. **fin (de)** *En fin de año cené con mis padres* · **final (de) · comienzo (de) · principio (de)**
● CON VBOS. **pasar · discurrir · transcurrir** || **empezar · terminar** || **deparar** *Esperemos que el año que viene nos depare cosas buenas* · **augurar · presentárse(le) (a alguien)** || **abrir · estrenar** || **revivir** || **jalonar · celebrar** || **cumplir** *El 1 de mayo cumples ocho años* · **vivir** || **ponerse · quitarse** *Cada año que cumplía se quitaba dos* || **datar (de)** *¿De qué año data esta obra?* · **remontarse (a)**
● CON PREPS. **a comienzo(s) (de)** *A comienzos de año tienen previsto hacer un viaje por...* · **a primeros (de) · a principio(s) (de) · a mediados (de) · a final(es) (de)** || **durante · a lo largo (de)**
☐ EXPRESIONES **estar de buen año** [estar gordo y saludable] *col.*

a ojo loc.adv./loc.adj.

● CON VBOS. **calcular** *Calcularon a ojo lo que pesaba el saco* · **medir · calibrar · comprobar · contar · pesar · computar** || **intuir · estimar · apreciar · valorar · comparar** || **comprar · vender · disparar · elegir · enfocar · aparcar**
● CON SUSTS. **cálculo** *Mediante un cálculo a ojo, estimamos que...* · **recuento · estimación · apreciación · medida**

a ojo de buen cubero loc.adv. *col.*

● CON VBOS. **calcular** *Se puede calcular a ojo de buen cubero que hay alrededor de tres millones y medio de...* · **apuntar · intuir**

a ojos vistas loc.adv.

● CON VBOS. **notarse** *La mejora se nota a ojos vistas* · **percibirse · palparse · destacar · resaltar · captarse · saltar** || **fallar** *La teoría es muy endeble: falla a ojos vistas* || **disminuir · reducir(se) · decrecer · encoger · achicarse · caer · adelgazar** *No sé qué le pasa, pero ese muchacho adelgaza a ojos vistas* || **agravarse · deteriorarse · empeorar** *El paciente está empeorando a ojos vistas* · **descomponerse · desmoronarse · desinflarse · desvalorizarse · desmejorar · desangrarse · desertizarse · consumirse · cuartearse · perder · pudrirse · resquebrajarse · hundirse · declinar** || **progresar · aumentar · beneficiarse · crecer · engordar · consolidarse · agrandarse · recuperarse** *El enfermo se está recuperando a ojos vistas* || **acrecentarse · avanzar · acelerar(se) · afianzar(se)** || **cambiar · transformar · convertir · endurecerse** · ***otros verbos de cambio de estado*** || **parecerse · distinguir(se)** *A ojos vistas, apenas se distinguen* · **diferenciar**
● CON ADJS. **perceptible · palpable · notable** || **mejor · peor · insuficiente** *Es un proyecto insuficiente a ojos vistas*
☐ USO Se usa también la variante *a ojos vista*.

apabullante adj.

● CON SUSTS. **éxito · victoria** *la apabullante victoria de nuestro equipo* · **triunfo · palmarés · derrota** || **hegemonía · superioridad · mayoría** || **comienzo · final** || **patrimonio · ingresos · beneficios · riqueza** || **cantidad · cifra · resultado** || **belleza · inteligencia · control · dominio · seguridad · serenidad · firmeza** *Muestra una firmeza apabullante en todas las decisiones que toma* · **personalidad** || **presencia · despliegue** *El despliegue de fuerzas de seguridad era apabullante* · **asistencia** || **lección** || **argumento · razonamiento · opinión · análisis · exposición · presentación · defensa** || **realidad · prueba · dato · información**

apacentar v.

● CON SUSTS. **rebaño · ganado · ovejas**

apacible adj.

● CON SUSTS. ***persona*** || **carácter · talante** || **aspecto · rostro · gesto · sonrisa · mirada** || **vida · existencia** *Llevaba una existencia apacible hasta que tú llegaste* || **día** *Hemos disfrutado de un día apacible* · **noche · mañana · tarde · jornada** · ***otros momentos o períodos*** || **encuentro · reunión · trabajo** || **ciudad · barrio** *un barrio apacible de las afueras* · **localidad · pueblo** · ***otros lugares*** || **paisaje · naturaleza · entorno · ambiente** || **temperatura · clima**
● CON ADVS. **raramente · extrañamente** || **generalmente · habitualmente · normalmente**
● CON VBOS. **ser · volver(se)** || **estar · poner(se) · quedar(se)** *Tras la tormenta, la noche se quedó apacible* · **mantenerse · resultar**

apaciguador, -a adj.

● CON SUSTS. **actitud · gesto** *Hizo un gesto apaciguador para que no se enfadasen* · **mirada · comentario · mensaje · discurso** · ***otras manifestaciones verbales o comunicativas***

apaciguar v.

● CON SUSTS. **niño,ña · manifestante · público** *...intentando inútilmente apaciguar al público soliviantado* · **población** · ***otros individuos y grupos humanos*** || **perro,rra** *Durante la tormenta hubo que apaciguar al perro, que se había puesto nervioso* · **pájaro** · ***otros animales*** || **conflicto** *Su mediación logró apaciguar el conflicto* · **polémica · tensión · discusión · discordia · disputa · enfrentamiento · diferencia · problema · rebelión** || **aguas · tormenta · borrasca · fuego · viento · olas** · ***otros fenómenos meteorológicos adversos*** || **ánimo · pasión · ira · descontento**

· **indignación** · **cólera** · **crispación** · **furia** || **inquietud** · **temor** · **preocupación** · **miedo** · **desasosiego** · **ansiedad** *Tomaba calmantes para apaciguar la ansiedad y el nerviosismo* · **nervios** · **agitación** · **impaciencia** || **crítica** · **protesta** · **condena** · **reclamación** || **sed** *No todas las bebidas sirven para apaciguar la sed* · **hambre** || **recelo** · **duda** · **sospecha** · **celos**

apadrinar v.

● CON SUSTS. **hijo,ja** · **niño,ña** · **bebé** · **sobrino,na** · ***otros individuos*** || **equipo** *El equipo fue apadrinado por una figura del mundo del deporte...* · **promoción** · **candidatura** || **animal** · **ejemplar** || **congreso** *El último premio Cervantes apadrinará el congreso* · **ceremonia** · **encuentro** · **carrera** || **boda** · **confirmación** · **bautizo** || **proyecto** · **acuerdo** · **operación** · **negociación**

apagado, da adj.

● CON SUSTS. **color** · **tono** *una pintura de colores brumosos y tonos apagados* · **matiz** · **cromatismo** · **tonalidad** || **sonido** · **voz** · **timbre** || **conversación** · **debate** *El debate resultó aburrido y apagado* || **partido** · **encuentro** · **competición** || ***persona*** *una mujer triste y apagada*

● CON ADVS. **sumamente** · **ligeramente**

● CON VBOS. **estar** · **quedar(se)** · **mantener(se)**

apagar(se) v.

▌[desconectar]

● CON SUSTS. **radio** *¿Quién apagó la radio y el televisor?* · **televisor** · **lavadora** · ***otros aparatos electrónicos*** || **bombilla** · **lámpara** · **luz** · **flexo**

▌[extinguir]

● CON SUSTS. **fuego** · **llama** · **incendio** · **ardor** · **vela** || **conversación** · **debate** · **crítica** · **reproche** · **controversia** · **polémica** || **odio** · **furia** · **rabia** · **ira** *...con el vano deseo de apagar la ira que nos impide actuar racionalmente* || **exaltación** · **euforia** · **fervor** · **clamor** || **valor** · **belleza** · **fuerza** · **ímpetu** · **firmeza** · **resistencia** || **conflicto** · **problema** · **tensión** || **sed** *Bebió hasta apagar su sed* || **sonido** · **voz** · **tono** · **timbre** || **color** · **matiz** · **cromatismo** · **tonalidad** || **fama** *Su fama nunca se apagará* · **recuerdo** · **memoria** · **estela** || **éxito** · **esplendor** · **dominio**

● CON ADVS. **irremediablemente** · **inexorablemente** || **por completo** · **del todo** · **definitivamente** *Poco después el fuego se apagó definitivamente* || **de golpe** · **de repente** · **de pronto** · **bruscamente** · **lentamente** · **paulatinamente** · **progresivamente** || **constantemente** · **por momentos** || **automáticamente** · **por arte de magia**

□ USO Los adverbios son comunes a los dos sentidos.

apalabrar v.

● CON SUSTS. **pacto** · **acuerdo** · **contrato** · **transacción** · **traspaso** · **compra** · **venta** · **fichaje** *Los presidentes de ambos equipos han apalabrado el fichaje del delantero* || **sueldo** · **pago** || **futuro** · **continuidad** · **renovación**

apalancar v.

● CON SUSTS. **tapa** · **puerta** · **cierre** · **verja**

apalancarse v. *col.*

● CON ADVS. **cómodamente** *Se apalancó cómodamente en el sillón y empezó a leer* · **confortablemente** || **temporalmente** · **definitivamente** · **provisionalmente**

apalear v.

● CON ADVS. **violentamente** · **brutalmente** *El asesino apaleaba brutalmente a sus víctimas* · **salvajemente** · **sin ton ni son** · **con todas {mis/tus/sus...} fuerzas** || **fuertemente** · **duramente** · **con dureza** · **enérgicamente** · **a conciencia** || **sin miramientos** · **sin piedad** · **a sangre fría**

apañado, da adj.

● CON SUSTS. **secretario,ria** · **portero,ra** · **equipo** · **conjunto** · ***otros individuos y grupos humanos*** || **tienda** · **casa** · **piso** || **precio** *Lo compré a un precio muy apañado* · **sueldo**

□ EXPRESIONES **{estar/ir} apañado** [estar equivocado respecto a lo que se cree o se espera] *col.*

apañarse (con) v.

● CON SUSTS. **cantidad** · **dinero** *Tendremos que apañárnoslas con este dinero, aquí no tengo más* · **plata** || **ingrediente** · **material** · **recurso** · **ropa** · **bienes** · **espacio** || **jefe,fa** · **compañero,ra** *Apáñatelas con tu compañero, pero el trabajo es para mañana* · **padre** · **madre** · **familia** · ***otros individuos y grupos humanos*** || **ordenador** · **máquina** · **herramienta** · **instrumento**

apaño s.m.

● CON ADJS. **buen(o)** · **eficaz** || **mal(o)** · **ineficaz** · **inaceptable** · **fraudulento** *...en un apaño fraudulento de las cuentas de la empresa* || **coyuntural** · **circunstancial** · **provisional** || **improvisado** · **sobre la marcha** || **judicial** · **jurídico** · **político** · **urbanístico** · **legal**

● CON VBOS. **hacer** *Tuve que hacer un apaño con mis compañeros para poder...* · **buscar**

aparato s.m.

● CON ADJS. **rudimentario** · **viejo** · **moderno** · **avanzado** · **de última generación** · **anticuado** · **de moda** || **útil** · **práctico** · **imprescindible** · **inservible** || **eléctrico** · **electrónico** *En los aviones normalmente no te dejan usar aparatos electrónicos* · **mecánico** · **radiofónico** · **transmisor** · **móvil** · **celular** · **virtual** || **digestivo** *unos problemas en el aparato digestivo* · **reproductor** · **circulatorio** · **respiratorio** || **económico** · **político** · **electoral** · **estatal** · **ministerial** · **burocrático** *Un creciente aparato burocrático está dificultando enormemente la gestión de estos asuntos* · **judicial** · **policial** || **industrial** · **productivo** · **técnico** || **documental** · **bibliográfico** · **textual** · **informativo** · **crítico** · **teórico** *una hipótesis fundamentada en un impresionante aparato teórico*

aparatoso, sa adj.

● CON SUSTS. **sombrero** · **vendaje** · **figura** · **adorno** · **vehículo** · **reloj** · ***otros objetos*** || **caída** · **derrumbe** · **derrota** · **fracaso** · **desmayo** · **desplome** || **accidente** · **cogida** · **incendio** · **choque** *un choque aparatoso, en el que no hubo que lamentar víctimas* · **percance** · **fuego** · **revolcón** · **incidente** · **naufragio** · **siniestro** · **golpe** · **cornada** || **herida** · **lesión** · **raja** · **corte** · **fractura** · **destrozo** · **secuela** || **despliegue** *Tras el aparatoso despliegue de agentes de seguridad, el líder apareció ante la multitud* · **movilización** · **redada** · **operación** · **operativo** · **dispositivo** || **gesto** · **gesticulación** · **aspaviento** || **espectáculo** · **montaje** · **escenografía** · **estreno** · **circo** · **escenificación** · **interpretación** · **iluminación** · **efectos especiales** · **exhibición** · **muestra** · **demostración** || **proyecto** · **plan** · **propuesta** || **ataque** · **atentado** · **invasión** *una invasión* *aparatosa, que el mundo vio como si se tratara de...* || **violencia · caos · crisis · colapso · escándalo**

aparcamiento s.m.

• CON ADJS. **ilegal · indebido** *una multa por aparcamiento indebido* · **incorrecto || provisional || cubierto · subterráneo || de pago · gratuito || municipal · público · privado · reservado || lleno · completo · vacío || difícil · imposible · fácil**
• CON SUSTS. **zona (de) · plaza (de)** *La plaza de aparcamiento no está incluida en el alquiler* || **maniobra (de) || falta (de) · problema (de) · multa (de) || tique (de) · tarjeta (de)**
• CON VBOS. **construir · ampliar · reformar · habilitar · inaugurar || buscar · encontrar** *Encontré aparcamiento en seguida* · **tener · ocupar || permitir · facilitar · proporcionar · impedir || vigilar || pagar || transformar (en)**

aparcar v.

• CON SUSTS. **vehículo || crisis · problema · rencilla** *Tras años de discusiones, han decidido aparcar sus rencillas* · **desavenencia · diferencia || discusión · debate · polémica || tema** *Prefiero aparcar este tema por el momento* · **asunto · cuestión · historia || estudio · proyecto · idea · sueño || normativa · ley**
• CON ADVS. **en fila · en hilera · en batería · en doble fila** *una multa por aparcar en doble fila* · **en segunda fila || de frente · marcha atrás || indebidamente · ilegalmente · correctamente || momentáneamente · temporalmente** *Aparcaré temporalmente los estudios y...* · **definitivamente || sin problema · cómodamente || libremente · tranquilamente || con dificultad**

aparecer v.

• CON ADJS. **sano y salvo** *El montañero apareció sano y salvo* · **ileso,sa · intacto,ta · dañado,da · íntegro,gra · con desperfectos · en {buen/mal} estado**
• CON ADVS. **por sorpresa · de repente · sin avisar · inesperadamente · repentinamente · de pronto · como una exhalación** *Entonces apareció como una exhalación por la banda izquierda y disparó a puerta* · **como por encanto || fugazmente · brevemente · momentáneamente · de refilón · de pasada || destacadamente · nítidamente · con claridad · a la luz del día · a la vista (de alguien) || tímidamente · de puntillas · entre líneas · de incógnito · a pecho descubierto || profusamente · a raudales || a lo lejos** *Vimos aparecer un coche a lo lejos* || **oficialmente · públicamente || en persona** *No nos esperábamos que apareciera la presidenta en persona* · **en carne y hueso || de punta en blanco || accidentalmente · por generación espontánea || progresivamente || ineludiblemente · inevitablemente || ni por asomo || originalmente** *Esta especie apareció originalmente en el continente africano* · **nuevamente**

aparentar v.

• CON SUSTS. **edad · años** *Aparentas menos años de los que tienes...* || **alegría · tristeza · tranquilidad** *Aparento tranquilidad, pero por dentro estoy muy nervioso* · **confianza · calma ·** ***otras sensaciones*** **|| normalidad · seguridad · firmeza · dureza || éxito · victoria**

aparente adj.

• CON SUSTS. **motivo · razón** *No existían razones aparentes para que reaccionara así* · **causa || problema · contrasentido · contradicción || éxito · recuperación · cambio || sinceridad · honradez || inocencia · fragilidad · debilidad · facilidad · cualidad · estado || actitud · comportamiento · imagen || esfuerzo · intento · voluntad · interés || desinterés** *Su aparente desinterés se debe a...* || **alegría · tristeza · tranquilidad · calma · confianza ·** ***otras sensaciones e impresiones*** **|| normalidad · seguridad · firmeza · dureza || legalidad || seriedad · gravedad**

aparición s.f.

• CON ADJS. **inesperada · sorpresiva · misteriosa · fortuita · eventual || previsible · esperada || repentina · súbita · brusca · intempestiva · inoportuna || oportuna || fulgurante · apoteósica · memorable || fugaz · breve || progresiva · simultánea · en cadena || constante · repetida || próxima · inminente · reciente · última** *No ha hecho más declaraciones desde su última aparición pública* || **en escena · pública || sobrenatural · fantasmal · celestial · mágica**
• CON SUSTS. **fecha (de) || orden (de)** *la lista de los candidatos por orden de aparición* || **momento (de)**
• CON VBOS. **hacer · prodigar · dosificar || provocar · propiciar · favorecer || impedir · evitar · prevenir** *...para prevenir la aparición de infecciones* · **frenar · retrasar || celebrar · aclamar · recordar || esperar || presenciar || anunciar · denunciar** *Meses atrás los vecinos denunciaban la aparición de una plaga que...* · **comunicar || informar (de)**
• CON PREPS. **a raíz (de)**

apariencia s.f.

• CON ADJS. **simple** *Todo lo que ves es simple apariencia* · **mera · pura · inequívoca || extraña · peculiar · extravagante · diferente || cándida · delicada · frágil || impecable · cuidada || falsa · engañosa · adulterada · fantasmal || formal** *A pesar de su apariencia formal, es un chico muy inteligente* || **física · externa**
• CON VBOS. **delatar (a alguien) · confundir (a alguien) || engañar (a alguien)** *No te confíes, las apariencias engañan* || **dar (a algo/a alguien) · conferir (a algo/a alguien) || guardar · mantener** *A su hermano solo le preocupa mantener las apariencias* · **cubrir · desvelar || mejorar · recuperar** *Poco a poco la ciudad está recuperando su apariencia de normalidad* || **falsear · disfrazar · alterar · modificar || desconfiar (de) · fiarse (de)** *No te fíes de las apariencias* · **dejarse llevar (por) || camuflarse (tras) · revestir(se) (de)**
• CON PREPS. **en** *Era, en apariencia, un sitio muy tranquilo*

apartado, da

1 apartado, da adj.

• CON SUSTS. **zona · rincón · región · tierra · pueblo · localidad · valle · enclave ·** ***otros lugares***
• CON VBOS. **estar · quedar(se) · mantener(se)**

2 apartado s.m.

• CON ADJS. **postal** *Tienes que enviar la carta al siguiente apartado postal* || **especial · específico || anterior · siguiente || dedicado,da (a algo)** *En el apartado dedicado a la música...*
• CON VBOS. **tener · conformar · añadir** *Podrías añadir al texto un apartado sobre...* · **incluir · borrar · suprimir || redactar · leer · corregir**

apartamento s.m.

• CON ADJS. **acogedor · confortable** *un confortable apartamento en el centro de la ciudad* · **recogido || amplio · espacioso · luminoso · enorme || precioso · bonito || opulento · ostentoso · de lujo · lujoso · elegante · de diseño || destartalado · desvencijado || pequeño · diminuto · modesto** *un modesto apartamento a las afueras*

|| antiguo · viejo · vetusto || moderno · flamante · nuevo || vacío · libre || turístico · residencial · de alquiler · de vacaciones · de verano · de playa || oficial · privado || de {una/dos...} habitaciones || orientado {a/hacia} (un lugar) · con vistas (a un lugar)
• CON SUSTS. **edificio (de) · bloque (de)**
• CON VBOS. **dar (a un lugar)** *un precioso apartamento que daba a la playa* || **tener · alquilar · arrendar || encontrar · buscar || habitar · ocupar · compartir || abandonar · desalojar · desocupar || limpiar · cuidar · adecentar · organizar · habilitar · acondicionar · amueblar · diseñar · decorar · rehabilitar · reformar · restaurar || construir · edificar || demoler · derribar · derruir · desvalijar** *Mientras estaba de vacaciones, me desvalijaron el apartamento* · **saquear · destrozar || instalar(se) (en)** *¿Cuándo te instalas en tu nuevo apartamento?* · **alojar(se) (en) · veranear (en) · vivir (en) · residir (en) || trasladar(se) (a/de) · mudarse (a/de) · cambiar (de) || regresar (a) · volver (a) · salir (de)**

apartar(se) v.

• CON ADVS. **totalmente** *Una lesión de rodilla hizo que se apartara totalmente del atletismo* · **por completo · plenamente · considerablemente || abiertamente · discretamente || bruscamente · a empujones** *Nos apartó a empujones* || **suavemente · gradualmente · rápidamente || provisionalmente** *El actor ha decidido apartarse provisionalmente de los escenarios* · **temporalmente · definitivamente || a tiempo** *Consiguieron apartarse a tiempo antes de que se derrumbase el edificio* || **formalmente || unilateralmente || deliberadamente || del camino (de alguien)** *Apártate de mi camino*
□ USO Se construye frecuentemente con complementos encabezados por la preposición *de*: *apartarse de un lugar; apartarse de una persona.*

a partes iguales loc.adv./loc.adj.

• CON VBOS. **dividir · separar · compartir · fraccionar || repartir** *Repartieron sus posesiones a partes iguales* · **distribuir · aportar · proporcionar · contribuir || participar · constituir · formar · intervenir · componer · integrar · fundar · asociarse || financiar · pagar · sufragar · costear** *Los gastos del viaje debemos costearlos a partes iguales* · **avalar · cofinanciar · invertir || adquirir · cobrar · tomar · obtener · ganar || asumir · responsabilizar(se) · encargar(se) || mezclar · combinar**
• CON SUSTS. **mezcla** *una mezcla a partes iguales de arena y cemento* · **solución · aleación · combinado · infusión · combinación || reparto · distribución · aportación · división || pago** *El pago a partes iguales de la deuda acumulada sería lo más justo para todos* · **financiación · retribución**

apasionado, da adj.

• CON SUSTS. **relación · idilio · romance** *Vivieron un apasionado romance durante el rodaje de la película* || **abrazo · caricia · beso || sentimiento · amor · enamoramiento · atracción · amistad · admiración** *Desde joven siento una apasionada admiración por este artista* · **devoción · interés || discurso · historia · relato · novela · lectura · testimonio** *Su apasionado testimonio nos llenó a todos de emoción* · **carta · respuesta · intervención · mensaje · alegato · defensa · ovación** *Recibió una apasionada ovación del público* · **análisis · reflexión · estudio · retrato · representación || lenguaje · oratoria · retórica · estilo || hombre · mujer · lector,-a · seguidor,-a · amante · pareja · público · afición** · ***otros individuos y grupos humanos*** || **espíritu · carácter · impulso || vida · aventura**

apasionante adj.

• CON SUSTS. **profesión** *Es una profesión apasionante pero muy sacrificada* · **trabajo · labor · tarea · afición · juego || aventura · historia || lectura · libro · relato** *Todos los asistentes estábamos absortos en su apasionante relato* · **escrito · texto · argumento · trama · final · desenlace · comienzo || temporada · jornada · choque · encuentro · duelo · carrera || viaje · recorrido || vida** *Esta biografía cuenta la apasionante vida de la escritora* · **mundo || personalidad || tema · debate**
• CON VBOS. **ser · volver(se) || poner(se) · estar · mantenerse**

a pasos agigantados loc.adv./loc.adj.

• CON VBOS. **acercar(se) · alejar(se) · ganar terreno · aproximar(se) · desviar(se)** *una catastrófica política económica que nos desvía a pasos agigantados de las previsiones* || **avanzar · caminar · recorrer · ir · marchar · trasladar(se) || progresar · mejorar · prosperar** *El negocio prospera a pasos agigantados* || **crecer · aumentar · ampliar · extender(se) · subir · ascender || perder · disminuir · decrecer · envejecer · deteriorar(se)** *El edificio se está deteriorando a pasos agigantados* · **erosionar(se) · agravar(se) · complicar(se) · retroceder · acortar(se) || cambiar** *Vivimos en una sociedad que cambia a pasos agigantados* · **evolucionar · convertirse · volverse || modernizar · industrializar · tecnificar · globalizar · deshumanizar · federalizar · infantilizar** · ***otros cambios radicales*** || **desaparecer · extinguir(se) · morir**
• CON SUSTS. **crecimiento · avance · mejora · desarrollo · incremento**

a patadas loc.adv. *col.*

▌[con violencia]

• CON VBOS. **echar** *Los echaron de allí a patadas* · **expulsar · sacar · despedir || liarse · emprenderla · correr · arremeter · golpear · lesionar · atacar · agredir · arrear · moler · brear || destrozar** *Enfurecido, destrozó a patadas todo lo que encontró por delante* · **destruir · romper · machacar · reventar · partir · abollar · desencajar || derribar · tumbar · tirar · abatir || matar · asesinar · liquidar · quitar la vida || tratar · acorralar · arrinconar · detener · reducir**
□ USO Se usa también la variante *a patada limpia.*

▌[en abundancia]

• CON VBOS. **haber** *Había gente a patadas por la calle* · **encontrar** *Hoy en día estos artículos los encuentras a patadas en cualquier tienda* · **ver**

apatía s.f.

• CON ADJS. **total** *Muestra una total apatía* · **general · generalizada || honda · profunda · intensa || creciente || aparente || inversora · política · electoral · estudiantil**
• CON SUSTS. **estado (de)** *Se sumió en un estado de profunda apatía del que no salió en mucho tiempo* || **sensación (de) · muestra (de)**
• CON VBOS. **venir (a alguien) · entrar (a alguien) · apoderarse (de alguien) || reinar · imperar || sentir · sufrir || exteriorizar || provocar · generar || combatir · contrarrestar** *Una buena forma de contrarrestar la apatía es hacer deporte* · **sacudir(se) · romper · superar · vencer || dejarse llevar (por)** *No te dejes llevar por la apatía* · **postrar(se) (en) || salir (de) · recuperarse (de)**

apático, ca adj.

• CON SUSTS. **votante · electorado** *El apático electorado apenas acudió a las urnas* · **sociedad · población · ciudadanía · generación · equipo ·** ***otros individuos y grupos humanos*** **|| actitud · tono**

• CON ADVS. **totalmente** *Con su discurso quería provocar a una sociedad civil totalmente apática* · **tremendamente · exasperadamente · terriblemente · profundamente**

• CON VBOS. **ser · estar · volver(se)** *Se volvió terriblemente apático con la edad* · **poner(se) · mostrarse**

apeadero s.m.

• CON ADJS. **de tren · de ferrocarril · de autobuses || antiguo · viejo · nuevo · actual**

• CON SUSTS. **funcionamiento (de) || ubicación (de) || construcción (de)**

• CON VBOS. **incluir · tener · poseer || construir || esperar (en) · situar(se) (en) || bajar (en)** *Nos bajamos en el próximo apeadero* · **llegar (a) || servir (de) · usar (como) || disponer (de)**

apechugar (con) v. *col.*

• CON SUSTS. **jefe,fa** *Llevo unos cuantos años apechugando con el mismo jefe* · ***otros individuos*** **|| consecuencia** *Me tocó apechugar con las consecuencias de lo que había hecho* · **resultado · efecto || responsabilidad · carga || error · desastre · crisis · escándalo · conflicto || disgusto · pena · desconsuelo · soledad · malestar · dolor · hambre || crítica · protesta · amenaza · insulto · sambenito**

a pedazos loc.adv.

• CON VBOS. **caerse · derrumbarse · romper(se) · desplomarse · deshacer(se)** *Mi vida parecía deshacerse a pedazos* · **desmenuzar(se) · desmoronarse · desmigajarse**

a pedir de boca loc.adv.

• CON VBOS. **marchar · desarrollarse · funcionar · salir** *Todo salió a pedir de boca* · **resultar · ir**

apegarse (a) v.

• CON SUSTS. **tierra** *Siempre estuvo muy apegado a su tierra* · **patria · pueblo · ciudad · barrio || padre · madre** *Cada vez más apegado a su madre* · **familia · amigo,ga ·** ***otros individuos y grupos humanos*** **|| ley · norma · derecho · constitución · regla · estatuto · artículo · reglamento · legislación ·** ***otras disposiciones*** **|| tradición · costumbre** *un pueblo especialmente apegado a sus costumbres y tradiciones* · **cultura · raíz · pasado · memoria · experiencia · biografía || idea · principio · valor · religión · noción · concepción · filosofía · ética · tesis · teoría || vida · realidad · actualidad · verdad || trabajo**

apego

1 **apego** s.m.

• CON ADJS. **profundo** *Siente un profundo apego por él* · **creciente · fuerte · irresistible · incondicional · estricto || excesivo** *No es bueno el excesivo apego que muestra hacia...* · **desmedido || notorio · evidente · claro · visible · manifiesto || escaso · nulo · suficiente**

• CON SUSTS. **grado (de) || falta (de) || muestra (de)**

• CON VBOS. **tener (a algo/a alguien)** *Le tengo mucho apego a esta casa* · **sentir || conservar · mantener || mostrar · declarar · demostrar** *Lo que hizo demuestra el profundo apego que siente por ti*

2 **apego (a)** s.m.

• CON SUSTS. **tradición** *un desmedido apego a la tradición* · **costumbre · hábito || regla · ley · legalidad · principio || puesto · cargo** *Fue su apego al cargo lo que provocó...* **|| poder · dinero || verdad · realidad · vida · libertad || tierra · raíz · familia**

apelación s.f.

▌ **[llamada]**

• CON ADJS. **continua · constante || directa** *La organización hizo una apelación directa a nuestra solidaridad* **|| especial**

□ USO Se construye frecuentemente con complementos encabezados por la preposición *a*: *una apelación a la conciencia solidaria de los ciudadanos*.

▌ **[petición jurídica]**

• CON SUSTS. **tribunal (de) · comité (de) · vista (de)** *Acaban de anunciar la fecha para la vista de apelación* · **recurso (de)**

• CON VBOS. **prosperar || hacer · emprender · presentar** *El abogado quiere presentar una apelación ante...* · **anunciar · retirar** *Están estudiando retirar la apelación* **|| llevar adelante · estudiar · tramitar · resolver || aceptar · aceptar a trámite** *¿Cuándo se sabrá si se ha aceptado a trámite la apelación?* **|| rechazar · denegar · revocar || perder · ganar || adherirse (a)**

[apelar] → apelar; apelar (a)

apelar v.

• CON SUSTS. **fallo · veredicto** *apelar un veredicto* · **decisión · resolución · sentencia · resultado · orden · medida · sanción · multa · condena**

• CON ADVS. **manifiestamente · expresamente · directamente || desesperadamente · vehementemente · insistentemente || personalmente · por escrito || formalmente** *Han apelado formalmente contra la decisión de la juez* **|| sustancialmente**

apelar (a) v.

• CON SUSTS. **prudencia** *Las autoridades han apelado a la prudencia de los conductores* · **responsabilidad · sensatez · racionalidad · sentido común · razón · serenidad · lógica || ánimo · sentimiento · sensibilidad · solidaridad** *Apelaremos a la solidaridad de la gente para que...* · **generosidad · bondad · valores · tolerancia || moral · ética · conciencia** *Ni siquiera apelando a su conciencia se podría lograr que reaccionaran* · **convicción · creencia · experiencia · memoria || verdad || tribunal · autoridad · justicia · ley · instituciones**

• CON ADVS. **manifiestamente · expresamente · directamente || desesperadamente · vehementemente · insistentemente || personalmente || formalmente · oficialmente || especialmente · fundamentalmente · principalmente · sustancialmente · esencialmente · particularmente**

apelativo s.m.

• CON ADJS. **cariñoso** *De pequeño lo conocían con un apelativo cariñoso* · **familiar · coloquial · popular || respetuoso · adecuado || hiriente · despectivo || singular · curioso || común** *El apelativo común para llamar a los habitantes de esta zona es...* · **vulgar**

• CON VBOS. **cuadrar · encajar (a alguien) || tener · ostentar · usar || atribuir (a alguien) · aplicar (a alguien) · endosar (a alguien) · asignar (a alguien) · colgar (a alguien) || recibir · ganar(se)** *Se ganó este apelativo de* *niña* · **merecer** || **quitar** · **rechazar** || **llamar (por)** · **conocer (por)**

apellido s.m.

● CON ADJS. **noble** · **ilustre** · **de alcurnia** *tener un apellido de alta alcurnia* · **de abolengo** · **con tradición** || **sonoro** · **rimbombante** · **original** || **común** || **verdadero** · **falso** || **compuesto** *¿Es un apellido compuesto o son dos?* || **familiar** · **materno** · **paterno** · **artístico**
● CON VBOS. **adoptar** · **usar** · **llevar** || **perpetuar** · **conservar** · **heredar** || **cambiar** · **perder** || **honrar** · **ensuciar** · **manchar** || **dar (a alguien)** · **poner (a alguien)** || **pronunciar** || **hacer honor (a)**

apelmazado, da adj.

● CON SUSTS. **masa** · **mezcla** · **harina** · **arena** · **tierra** · **ceniza** · ***otras materias*** || **cabello** · **pelo** *Con esta humedad tengo el pelo apelmazado* · **melena** || **nubes** · **lana** · **tejido** || **texto** · **escrito** · **novela** || **equipo** · **gente** · **público** · **multitud** · ***otros grupos***
● CON ADVS. **ligeramente** · **levemente** · **completamente** · **totalmente**

a pelo loc.adv./loc.adj.

▌[sin silla de montar]

● CON VBOS. **cabalgar** · **montar** *montar un caballo a pelo*

▌[sin ropa de abrigo] *col.*

● CON VBOS. **ir** · **salir** *No salgas a la calle a pelo, que hace frío col.*

▌[sin protección o defensa]

● CON VBOS. **enfrentarse** · **luchar** · **pelear** || **cantar** *...dejaron el micrófono y comenzaron a cantar a pelo* · **interpretar** · **actuar** · **grabar** · **rasguear** · **afinar** || **mostrar** · **exhibir** · **presentarse** || **arrancar** · **extraer**
● CON SUSTS. **interpretación** · **lectura**

apelotonarse v.

● CON SUSTS. **gente** *La gente se apelotonaba en el aeropuerto* · **manifestantes** · **estudiantes** · ***otros individuos y grupos humanos***

☐ USO Se construye generalmente con sustantivos no contables en singular (*El público se apelotonaba en la entrada*) o con contables en plural (*Los asistentes se apelotonaban en la entrada*).

apenado, da adj.

● CON ADVS. **profundamente** *sentirse profundamente apenado por su muerte* · **sumamente** · **especialmente** · **terriblemente**
● CON VBOS. **sentirse** · **mostrarse** · **declararse** · **encontrar(se)** · **quedarse** · **estar**

apendicitis s.f.

● CON ADJS. **aguda**
● CON SUSTS. **operación (de)** *recuperarse de una operación de apendicitis* · **ataque (de)** · **síntoma (de)** *presentar síntomas de apendicitis* · **causa (de)** · **caso (de)**
● CON VBOS. **evolucionar** || **sufrir** · **tener** || **diagnosticar** · **detectar** · **confirmar** || **operar (de)** · **intervenir (de)** · **enfermar (de)**

aperitivo s.m.

● CON ADJS. **apetitoso** · **jugoso** · **delicioso** *Antes de la comida nos sirvieron un delicioso aperitivo* · **suculento** · **apetecible** · **buen(o)** · **excelente** || **ligero** · **discreto** · **pequeño** || **salado** || **previo** · **dominical**
● CON SUSTS. **hora (de)** *Hemos quedado con ellos a la hora del aperitivo* || **copa (de)** · **plato (de)** · **pincho (de)** · **tapa (de)**
● CON VBOS. **tomar** *¿Os apetece tomar un aperitivo antes de cenar?* · **saborear** · **degustar** · **digerir** || **preparar** · **poner** · **ofrecer** · **servir** || **invitar (a)**
● CON PREPS. **como** · **a modo (de)**

apero s.m.

● CON ADJS. **de labranza** · **agrícola** · **de pesca**
● CON VBOS. **usar** · **manejar** · **emplear** || **llevar** · **traer** || **coger** · **agarrar** || **servirse (de)**

a perpetuidad loc.adv.

● CON VBOS. **relegar** · **inhabilitar** *Los responsables fueron inhabilitados a perpetuidad* · **condenar** · **suspender** · **encerrar** · **desterrar** · **expulsar** · **sancionar** · **deportar** · **castigar** || **disfrutar** · **adquirir (un derecho/un bien)** · **celebrar** || **donar** *Los terrenos han sido donados a perpetuidad para uso municipal* || **asegurar (algo)**

apertura s.f.

● CON ADJS. **próxima** *la próxima apertura de un centro comercial* · **inminente** · **reciente** · **diaria** · **breve** || **oficial** · **al público** || **económica** · **política** · **comercial** · **de mercado** || **de costumbres** · **mental** || **al alza** *Tras la apertura al alza de la Bolsa, se recuperan los mercados bursátiles* · **a la baja**
● CON SUSTS. **acto (de)** *...y la entrega de premios en el acto de apertura del nuevo curso* · **proceso (de)** · **jornada (de)** · **día (de)** || **fecha (de)**
● CON VBOS. **llegar** || **llevar a cabo** · **realizar** · **iniciar** || **facilitar** · **propiciar** · **desencadenar** || **solicitar** · **reclamar** · **negociar** · **esperar** || **conceder** · **autorizar** · **decretar** · **anunciar** || **denegar** · **posponer**

apesadumbrar (a alguien) v.

● CON SUSTS. **pena** · **tristeza** || **desgracia** · **problema** · **crisis** · **drama** || **desigualdad** *Las desigualdades sociales nos apesadumbran a todos* · **injusticia** · **pobreza** · **miseria** · **barbarie** || **muerte** *Aquella muerte inesperada apesadumbró hondamente a toda la familia* · **enfermedad** · **dolor**
● CON ADVS. **profundamente** · **intensamente** · **vivamente** · **hondamente** || **verdaderamente** · **realmente** · **sinceramente** · **auténticamente** || **enormemente** · **extremadamente** · **extraordinariamente**

a peso de oro loc.adv.

● CON VBOS. **comprar** · **pagar** *Últimamente estamos pagando los tomates a peso de oro* || **vender** · **cobrar**

apestar (a) v.

● CON SUSTS. **alcohol** · **gasolina** · **gas** · **amoníaco** · **lejía** · **azufre** · **pólvora** · **ambientador** · **vinagre** · **pescado** · **grasa** · **orina** · **sudor** · **vómito** · ***otras sustancias*** || **fraude** *un asunto que apesta a fraude* · **mentira** · **embuste**

apestoso, sa adj.

● CON SUSTS. **humo** *el humo apestoso que salía de aquella hoguera* · **olor** || **alimento** · **pescado** · **producto** · **sustancia** || ***persona***
● CON VBOS. **ser** · **estar** · **volverse**

apetecer v.

● CON ADVS. **enormemente** *Me apetece enormemente ir al teatro* · **ardientemente** · **intensamente** · **de (todo) corazón** · **ávidamente** · **a morir** · **fervientemente** · **enér-**

gicamente · fuertemente · profundamente · vivamente || descaradamente · firmemente · largamente || realmente · sinceramente · verdaderamente || urgentemente · acuciantemente · desesperadamente *Se levantó porque le apetecía desesperadamente estirar las piernas* || constantemente · ocasionalmente · raramente · de vez en cuando

apetecible adj.

• CON SUSTS. **alimento** *una tienda llena de alimentos apetecibles* · **bocado** · **producto** · **plato** · **pastel** · **tarta** · **menú** || **lugar** · **ciudad** · **destino** *Se trata de un destino muy apetecible, y por eso lo solicita mucha gente* || **trabajo** · **cargo** · **puesto** || **propuesta** · **oferta** · **sugerencia** || **mercado**

• CON VBOS. **volver(se)** · **hacer(se)** · **resultar** · **parecer** · **encontrar**

apetencia s.f.

• CON ADJS. **extraña** · **irracional** || **creciente** · **insaciable** || **económica** · **cultural** · **literaria** · **política** · **profesional** · **gastronómica** · **sexual** *falta de apetencia sexual*

• CON VBOS. **aumentar** · **disminuir** || **sentir** || **saciar** · **colmar** · **satisfacer** · **refrenar** · **moderar** · **controlar** · **despertar** || **ocultar** · **disimular** || **conocer** · **desconocer**

apetito

1 apetito s.m.

• CON ADJS. **insaciable** *Siempre demostró un insaciable apetito* · **desaforado** · **incontenible** · **desenfrenado** · **irrefrenable** · **incontrolable** · **irreprimible** · **desmedido** · **inagotable** · **desmesurado** · **voraz** *Se comió todo con un apetito voraz* · **incansable** · **tremendo** · **gran(de)** || **incontrolado** · **desordenado** · **insano** · **impaciente** || **buen(o)** *Siempre come con buen apetito* · **natural** || **sexual** · **carnal**

• CON SUSTS. **falta (de)** · **pérdida (de)** · **aumento (de)** · **problemas (de)** || **sensación (de)**

• CON VBOS. **desatar(se)** · **abrir(se)** *El ejercicio hizo que se nos abriera el apetito* || **aplacar(se)** || **tener** · **mostrar** · **demostrar** || **colmar** · **satisfacer** · **quitar** · **calmar** · **aliviar** · **saciar** · **apaciguar** · **disminuir** · **mitigar** · **inhibir** || **reprimir** · **controlar** *No soy capaz de controlar mi apetito* · **regular** || **despertar** · **avivar** · **estimular** · **aumentar** || **perder** · **recuperar**

2 apetito (de) s.m.

• CON SUSTS. **riquezas** · **bienes materiales** · **dinero** · **lucro** || **poder** *una mente dominada por el apetito de poder* · **grandeza** · **victoria** || **gloria** · **reconocimiento** · **honor** || **conocimiento** || **libertad** · **vida** || **guerra** · **venganza** · **lujuria**

apetitoso, sa adj.

• CON SUSTS. **menú** · **manjar** *Es el manjar más apetitoso que he comido* · **bocado** · **comida** · **plato** · **pastel** || **obra** · **lectura** · **película** || **proyecto** · **propuesta** · **oferta** · **programa** · **futuro** || **premio** || **mercado** *Estos países son un mercado apetitoso para las empresas que...* || **persona**

apiadarse (de) v.

• CON SUSTS. **rival** · **contrincante** · **adversario,ria** || **niño,ña** · **víctima** *El verdugo no se apiadó de su víctima* || **condenado,da** · **preso,sa** || **alumnado** · **ciudadanía** || ***otros individuos y grupos humanos*** || **situación** *La asociación se apiadó de su penosa situación familiar*

ápice (de) s.m.

• CON SUSTS. **cordura** *...tribus urbanas de adolescentes sin un ápice de cordura* · **sentido común** · **lucidez** · **lógica** || **emoción** · **pasión** · **arrepentimiento** · **entusiasmo** · **amor** · **miedo** · **nerviosismo** · **duda** *...para que no quede ni un ápice de duda sobre la transparencia de su gestión* · **rencor** · **resentimiento** || **honestidad** · **dignidad** · **responsabilidad** · **honradez** · **santidad** · **modestia** · **honor** · **integridad** · **corrección** · **decoro** *Si tuviese un ápice de decoro, hace tiempo que habría dimitido* · **pundonor** || **generosidad** · **respeto** · **compasión** · **solidaridad** · **humanidad** · **magnanimidad** · **conmiseración** || **capacidad** · **concentración** · **imaginación** · **talento** · **genio** · **ingenio** · **sensibilidad** · **creatividad** · **genialidad** · **inteligencia** || **poder** · **atribución** · **autoridad** || **valor** · **importancia** · **mérito** · **gravedad** · **interés** · **calidad** · **grandeza** || **encanto** · **protagonismo** · **elegancia** · **carisma** · **personalidad** · **esplendor** · **gracia** · **atractivo** · **espectacularidad** · **originalidad** · **chispa** || **verdad** · **legitimidad** · **sentido** *un discurso inconexo y delirante, sin un ápice de sentido* · **veracidad** · **validez** · **actualidad** · **credibilidad** · **verosimilitud** · **claridad** · **autenticidad** || **energía** · **fortaleza** · **fuerza** · **potencia** · **vigor** · **bravura** · **vitalidad** · **dureza** · **severidad** || **malicia** · **vanidad** · **arrogancia** · **crueldad** · **acritud** · **picardía** · **ambición** · **cinismo** · **pedantería** · **autoritarismo** || **fama** · **prestigio** · **gloria** · **éxito** · **popularidad** || **lirismo** *...versos arrebatados que no han perdido un ápice de su lirismo* · **romanticismo** · **chovinismo** · **clasicismo**

□ USO Se usa a menudo en contextos negativos o irreales: *una propuesta sin un ápice de lógica.*

a pie loc.adv.

• CON VBOS. **acceder** · **caminar** · **cruzar** · **desplazar(se)** · **huir** · **ir** · **llegar** · **recorrer** *recorrer a pie toda la provincia* · **salir** · ***otros verbos de movimiento***

a pie de página loc.adv./loc.adj.

• CON VBOS. **aclarar** · **explicar** · **especificar** · **señalar** · **citar** · **tratar (algo)** || **añadir** · **incluir** *La autora incluye a pie de página las referencias bibliográficas* · **incorporar** · **figurar**

• CON SUSTS. **nota** *No dejes de leer las notas a pie de página* · **cita** || **anécdota** · **información** · **anotación** · **comentario** · **apostilla** · **apunte**

a pie juntillas loc.adv.

• CON VBOS. **creer** *Cree a pie juntillas todo lo que le cuento* · **tomar** · **confiar** || **seguir** · **cumplir** · **obedecer** || **aceptar** · **suscribir** · **respetar** · **compartir** · **admitir** *No podemos admitir a pie juntillas la imposición de nuevas restricciones* · **comulgar (con algo)** || **copiar** · **repetir** *Estás repitiendo a pie juntillas la historia de tu padre* || **demostrar** · **garantizar** · **confirmar** · **aseverar**

□ USO Se usan también las variantes *a pie juntillo* y *a pies juntillas.*

a pierna suelta loc.adv. *col.*

• CON VBOS. **dormir** *Dormí a pierna suelta toda la noche*

apiñarse v.

• CON SUSTS. **gente** · **curiosos,sas** · **público** · **aficionados,das** *Los aficionados se apiñaban a la puerta del estadio...* · **asistentes** · **espectadores,ras** · ***otros individuos y grupos humanos***

□ USO Se construye generalmente con sustantivos no contables en singular (*La gente se apiñaba en el andén*) o con contables en plural (*Los viajeros se apiñaban en el andén*).

aplacar(se) v.

● CON SUSTS. **clima · calor · frío · temperatura · tormenta** *aplacar la actual tormenta política* · **temporal** · ***otros fenómenos meteorológicos adversos*** || **fuego · incendio · llamas** || **enfermedad** *No hay aún tratamientos eficaces para aplacar esta enfermedad* · **dolor · picor · fiebre** || **nervios · ánimo** *Con sus palabras, el profesor logró aplacar un poco el ánimo de los estudiantes* · **ira · cólera · enfado · rabia · ansiedad · crispación · enojo · indignación · inquietud · excitación** *un buen sedante para aplacar la excitación* · **angustia · descontento · disgusto · cabreo · odio · rencor · sollozo · sufrimiento · estrés** || **sed** *aplacar la sed con agua* · **hambre · ansia · ímpetu · pasión · deseo · ardor · apetito · ambición · fogosidad** || **violencia · agresividad · belicosidad · crueldad · hostilidad · presión** || **crítica · protesta · acusación · queja** || **crisis · tensión · problema · problemática · conflicto** *Necesitará poner en juego sus dotes diplomáticas para aplacar el grave conflicto que...* · **diferencia** || **discusión · polémica · escándalo · controversia** || **revuelta · rebelión · rechazo · derrota · motín · batalla · enfrentamiento · guerra · bronca** || **sospecha · temor** *Las medidas no eran suficientes para aplacar los temores de los ciudadanos* · **preocupación · incertidumbre · duda · miedo · pánico · fantasma · desconfianza**

a placer loc.adv.

● CON VBOS. **golear** *El delantero goleó a placer al equipo contrario* · **marcar · rematar · cabecear** || **dominar · controlar** || **jugar**

aplanar v.

● CON SUSTS. **terreno** *Ya están allí las apisonadoras para aplanar el terreno* · **rampa · pista · carretera · camino** || **vientre**

aplastante adj.

● CON SUSTS. **resultado · victoria · triunfo · derrota** *El partido opositor sufrió la derrota más aplastante de su historia* · **goleada · éxito · fracaso · balance** || **mayoría · superioridad · ventaja** *Ganaron el partido por una ventaja aplastante* · **predominio · hegemonía** || **fuerza · dominio · poderío · presión · poder** || **lógica · coherencia · razonamiento · evidencia · documentación · argumento · testimonio** || **peso · importancia · solidez** *una prosa rotunda, contundente, de aplastante solidez* || **seguridad · eficacia · firmeza** || **respuesta · rechazo · reacción** || **apoyo · respaldo**

aplastar v.

● CON SUSTS. **rebelión · insurrección · disidencia · protesta · resistencia** || **rival** *El equipo local aplastó a su rival* · **acusación · oponente · adversario,ria · oposición** || **derecho · libertad**

● CON ADVS. **con efectividad · con contundencia · sin contemplaciones · sin concesiones · sin remilgos · violentamente · despiadadamente** || **literalmente** *El equipo fue literalmente aplastado por una selección en teoría mucho más débil* || **militarmente · deportivamente · comercialmente**

aplaudir v.

● CON SUSTS. **medida** *Todos los partidos políticos han aplaudido la medida* · **iniciativa · decisión · resolución · idea · ocurrencia · intención · propuesta · programa** || **acción · actuación · labor · esfuerzo** || **discurso** || **gol · victoria** || **venta · compra · negociación · gestión** · ***otras actuaciones***

● CON ADVS. **con todas {mis/tus/sus...} fuerzas** *El público aplaudió con todas sus fuerzas cuando salió a saludar la soprano* · **como un loco · a rabiar · efusivamente · calurosamente · entusiasmadamente · intensamente · arrolladoramente · fuertemente · vivamente · fervorosamente · con entusiasmo · con ganas** || **atronadoramente** *La afición aplaudió atronadoramente a su equipo* · **clamorosamente · bulliciosamente** || **largamente · profusamente** || **sin ganas · desganadamente · mecánicamente · por compromiso · sin entusiasmo · discretamente** || **públicamente · sin reservas · sin tapujos · merecidamente** || **colectivamente** || **deportivamente**

● CON VBOS. **romper (a)**

aplauso s.m.

● CON ADJS. **apoteósico · frenético · ensordecedor** *El publicó tributó un ensordecedor aplauso a los actores* · **estruendoso · atronador · clamoroso · sonoro · bullicioso** || **tremendo · fuerte · gran(de)** || **ferviente · fervoroso · enfervorizado · efusivo** *Recibió un efusivo aplauso* · **entusiasta · entrañable · emotivo · vibrante · emocionado · caluroso · cálido · vivo · encendido · intenso · nutrido · cerrado** || **incondicional · unánime · general · multitudinario · masivo · popular** || **prolongado** *El acto se cerró con un prolongado aplauso por parte de los asistentes* · **largo · dilatado · sostenido** || **escaso · corto · apagado · discreto** *El discurso fue recibido con un discreto aplauso* · **tímido · tibio · ligero · frío · formal** || **espontáneo · sincero** *el sincero aplauso del que fue objeto* || **merecido · inmerecido · de compromiso · fácil · diplomático · cortés** || **especial** || **final** || **digno,na (de)** *La decisión que acaba de tomar es digna de aplauso* || **parco,ca (en)**

● CON SUSTS. **lluvia (de)** *una interminable lluvia de aplausos* · **salva (de) · andanada (de)** || **eco (de) · fragor (de)** || **récord (de)** || **noche (de)**

● CON VBOS. **desencadenar(se) · desatar(se)** || **sonar · resonar** || **provocar · suscitar · arrancar** *Sus palabras arrancaron fuertes aplausos* || **llevarse · ganar · granjearse** *Siempre ha sabido granjearse el aplauso del público* · **obtener · cosechar · acaparar · conseguir · recibir · encajar · recoger** || **dedicar (a alguien) · prodigar · dispensar · tributar · rendir** || **pedir** *Pido un fuerte aplauso para...* · **merecer · valer** *una magistral interpretación que le valió el aplauso unánime de la crítica* || **denegar · regatear · escatimar** || **acallar · apagar** || **oír** || **prorrumpir (en) · estallar (en) · deshacerse (en) · sumarse (a)** || **colmar (de)** || **gozar (de)**

● CON PREPS. **entre · en medio (de) · al compás (de)**

aplazamiento s.m.

● CON ADJS. **provisional · cautelar · temporal · breve · indefinido · sine díe** || **posible** *Están estudiando el posible aplazamiento del juicio* · **eventual · inevitable** || **nuevo · inesperado** || **oportuno**

● CON SUSTS. **petición (de) · solicitud (de)**

● CON VBOS. **solicitar** *Los afectados solicitarán un aplazamiento de la entrada en vigor de la nueva medida* · **pedir · exigir · proponer** || **lograr** *Con la interposición del recurso lograron el aplazamiento temporal del proceso* · **conseguir · forzar** || **rechazar · denegar · anular · revocar · impugnar** || **aceptar · aprobar · conceder** || **fijar · decretar · imponer** || **anunciar** || **llevar a cabo · llevar a efecto** || **justificar** *Este hecho justifica el aplazamiento del inicio de las obras* || **oponer(se) (a)** || **obligar (a)**

aplazar v.

● CON SUSTS. **acto** *aplazar un acto a causa del mal tiempo* · **encuentro** · **cita** · **reunión** · **actuación** · **concierto** · **espectáculo** · **función** · **celebración** · **viaje** · ***otros eventos*** || **debate** · **negociación** || **juicio** · **vista** *El juez ha decidido aplazar la vista temporalmente* || **decisión** · **resolución** · **votación** · **elección** || **aprobación** · **aplicación** · **ejecución** · **puesta en** {**marcha/vigor/funcionamiento**} || **fecha** · **entrada** · **inicio** · **comienzo** || **pago** · **deuda** · **vencimiento**

● CON ADVS. **provisionalmente** · **temporalmente** *El grupo aplazó temporalmente el concierto por indisposición del cantante* · **ocasionalmente** || **indefinidamente** · **ilimitadamente** · **largamente** || **preventivamente** · **cautelarmente**

a plazo fijo loc.adv./loc.adj.

● CON VBOS. **tener (algo)** *El dinero lo tiene a plazo fijo y no puede disponer de él* · **guardar (algo)** · **mantener (algo)** *los fondos de inversión que mantiene a plazo fijo...* · **conservar (algo)** || **depositar (algo)** *He depositado a plazo fijo todos mis ahorros* · **ingresar (algo)** · **imponer (algo)** · **poner (algo)** · **dejar (algo)** || **abolir (algo)** · **retirar (algo)** · **suprimir (algo)** · **sustituir (algo)**

● CON SUSTS. **dinero** *El banco ofrece varias modalidades para tener el dinero a plazo fijo* · **capital** · **fondo** || **depósito** · **cuenta** · **letra** · **crédito** · **hipoteca** · **venta** · **pago** · **contrato** || **compromiso** · **promesa** *Ya ha hecho varias promesas a plazo fijo, aunque habrá que ver si las cumple* || **caducidad** · **supresión** · **quiebra** · **cierre** · **muerte** · **retirada**

a plazos loc.adv./loc.adj.

● CON VBOS. **comprar** · **pagar** *pagar un coche a plazos* · **financiar** · **cobrar** · **adquirir** · **vender** · **saldar** · **abonar** · **prestar** · **fiar**

● CON SUSTS. **compra** · **venta** · **pago** *Negocian un plan de pagos a plazos* · **adquisición** · **financiación** · **cobro** · **desembolso** || **préstamo** · **deuda** · **crédito** *Se produjo un importante aumento de las solicitudes de crédito a plazos* · **depósito** · **ingreso** || **rendición** · **retirada** · **dimisión**

a pleno rendimiento loc.adv.

● CON VBOS. **funcionar** *Desde que llegó la nueva directora, la fábrica funciona a pleno rendimiento* · **operar** · **marchar** || **encontrar(se)** · **mantener** || **utilizar** || **jugar** · **trabajar**

aplicación s.f.

● CON ADJS. **informática** || **rigurosa** *Se garantiza la rigurosa aplicación de la normativa vigente* · **estricta** · **a rajatabla** · **al pie de la letra** · **literal** || **correcta** · **oportuna** · **adecuada** · **efectiva** *Para una efectiva aplicación del Código Penal es necesario...* || **permanente** · **plena** || **eventual** · **posible** || **nueva** *Han descubierto nuevas aplicaciones de este fármaco* || **inmediata** · **futura** · **próxima** · **temporal** · **momentánea** || **indiscriminada** · **discrecional** · **abusiva** · **arbitraria** || **viable** · **inviable** · **difícil** · **imposible** *normas de imposible aplicación*

● CON VBOS. **urgir** || **diferir** || **pedir** *Las partes pidieron la aplicación inmediata de la resolución acordada* · **solicitar** || **estudiar** · **considerar** || **decidir** · **decretar** || **iniciar** · **llevar a cabo** · **llevar adelante** · **cumplir** · **realizar** || **favorecer** · **facilitar** · **recomendar** || **prohibir** · **impedir** · **evitar** · **frenar** · **interrumpir** · **suspender** · **congelar** || **velar (por)** *velar por la aplicación rigurosa de la ley*

aplicado, da adj.

I [trabajador, responsable]

● CON SUSTS. **alumno,na** · **estudiante** · **clase** · **investigador,-a** · ***otros individuos y grupos humanos***

I [centrado en la aplicación práctica]

● CON SUSTS. **investigación** · **ciencia** · **lingüística** *La lingüística aplicada permite resolver problemas de procesamiento de voz* · **economía** · **matemáticas** · **informática** · **psicología** · **doctrina** · **fotografía** · **ingeniería** · ***otras disciplinas***

[aplicar] → aplicar; aplicarse

aplicar v.

● CON SUSTS. **medida** · **programa** · **política** · **plan** · **proyecto** · **reforma** *¿Cuándo se va a aplicar la reforma del reglamento?* · **cláusula** · **condición** · **fórmula** || **norma** · **ley** *En casos como este, basta con aplicar la ley* · **justicia** || **castigo** · **sanción** · **pena** || **sistema** · **técnica** *En ese hospital están aplicando las nuevas técnicas de rehabilitación* · **método** · **teoría** · **conocimiento** || **habilidad** · **mano izquierda** || **fuerza** · **tortura** || **remedio** · **solución** || **tratamiento** · **medicina** · **pomada** || **pintura** *Después de aplicar la pintura, deje secar bien* · **barniz** || **impuesto** · **gravamen** · **descuento** · **tarifa** · **tasa**

● CON ADVS. **férreamente** · **estrictamente** · **meticulosamente** · **exhaustivamente** · **rigurosamente** · **escrupulosamente** · **perfectamente** · **literalmente** · **a rajatabla** · **miméticamente** · **al pie de la letra** · **a ultranza** · **punto por punto** *Aplicando punto por punto su teoría, llegaríamos a la conclusión de que...* · **caso por caso** || **profusamente** · **generosamente** *Aplique la crema generosamente en la parte afectada* || **sistemáticamente** · **fielmente** · **cuidadosamente** · **paso a paso** || **incondicionalmente** · **sin restricciones** || **consecuentemente** · **correctamente** || **progresivamente** · **gradualmente** · **provisionalmente** · **parcialmente** · **retroactivamente** *Las leyes no deben aplicarse retroactivamente* || **imparcialmente** · **alegremente** · **al tuntún** · **como Dios** {**me/te/le...**} **da a entender** · **arbitrariamente** · **sin orden ni concierto** · **discrecionalmente** · **injustamente** || **mecánicamente** · **automáticamente** || **rápidamente** · **inmediatamente** || **preventivamente** · **constructivamente** || **conjuntamente** · **independientemente** || **exclusivamente** *Esta norma se puede aplicar exclusivamente en el caso de que...*

aplicarse v.

● CON ADVS. **a conciencia** *Se aplicó a conciencia en el estudio de la oposición* · **concienzudamente** · **a fondo** · **en cuerpo y alma** · **con todas** {**mis/tus/sus...**} **fuerzas** · **sin reservas** · **con fruición** · **con entusiasmo** *En todo lo que hace se aplica con entusiasmo* · **esmeradamente** · **afanosamente**

[aplomo] → aplomo; con aplomo

aplomo s.m.

● CON ADJS. **extraordinario** *Respondió con un extraordinario aplomo* · **asombroso** · **sorprendente** · **tremendo** · **considerable** · **gran(de)** · **singular** || **indudable** · **incuestionable** || **inalterable** · **frío** || **necesario** || **falso** · **escaso**

● CON SUSTS. **imagen (de)** · **muestra (de)**

● CON VBOS. **faltar(le) (a alguien)** || **derrochar** · **mostrar** *A pesar de las circunstancias mostró un tremendo aplomo* · **demostrar** · **transmitir** · **inspirar** || **tener** · **poseer** · **aparentar** · **necesitar** || **mantener** · **conservar** · **recuperar** · **recobrar** · **perder** *Cuando se enteró de las noticias*

perdió su habitual aplomo || **infundir (a alguien)** || **carecer (de)**
● CON PREPS. **con** *actuar con aplomo* · **sin**

apodar v.

● CON ADVS. **cariñosamente** *Sus compañeros lo apodaron cariñosamente...* · **afectuosamente** · **despectivamente** · **irónicamente** · **burlonamente** · **sarcásticamente** · **ingeniosamente** || **popularmente** · **artísticamente** || **acertadamente** · **atinadamente** · **desafortunadamente**

apoderarse (de algo/de alguien) v.

● CON SUSTS. **pánico** · **temor** · **duda** · **histeria** · **nerviosismo** · **preocupación** · **desesperación** · **tristeza** · **pesimismo** *No dejes que se apodere de ti el pesimismo* · **decepción** · **desesperanza** · **consternación** · **angustia** · **llanto** || **rabia** · **odio** · **envidia** · **perversidad** · **violencia** *Temen que la violencia se apodere de las calles* || **locura** · **demencia** · **obsesión** · **delirio** · **fiebre** · **psicosis** · **paranoia** || **sueño** · **cansancio** · **letargo** · **somnolencia** || **alegría** · **optimismo** · **triunfalismo** · **emoción** · **felicidad** · **euforia** *Al llegar el quinto gol una euforia incontenible se apoderó de los aficionados* || **ansia** · **deseo** · **ilusión** · **pasión** · **ideal** || ***persona*** *Los ladrones se apoderaron de varios objetos de valor*

apogeo s.m.

● CON ADJS. **pleno** *En pleno apogeo de su carrera, decidió retirarse* · **mayor** · **máximo** · **completo** · **gran(de)** || **fugaz** · **efímero** · **momentáneo** · **rápido** || **resplandeciente** · **deslumbrante** · **brillante**
● CON SUSTS. **momento (de)** · **días (de)** · **años (de)** · **minutos (de)**
● CON VBOS. **conseguir** · **alcanzar** · **cobrar** · **recuperar** || **vivir** || **llegar (a)** · **llevar (a)**
● CON PREPS. **en** *En la época en la que el movimiento entró en apogeo* · **en todo {mi/tu/su...}**

apolillarse v.

● CON SUSTS. **ropa** · **falda** · **jersey** · ***otras prendas de vestir*** || **libro** · **hoja** · **papel** · **cuaderno** · **página** · **película** || **estilo** · **género** · **discurso** *un tipo de discurso efectivo en su tiempo, pero hoy caduco y apolillado* · **teoría** · **corriente** · **idea** · **movimiento** · **propuesta** || **política** · **gestión** || **político,ca** *Tantos años en el poder habían apolillado a unos políticos profesionales que solo velaban por sus propios intereses* · **partido** · **pensador,-a** · ***otros individuos y grupos humanos***

apología

1 apología s.f.

● CON ADJS. **evidente** · **clara** *una clara apología del terrorismo* · **verdadera** · **auténtica** · **descarada** || **apasionada** · **feroz** || **indirecta** *una apología indirecta del relativismo moral* · **velada** · **encubierta** || **política**
● CON SUSTS. **delito (de)** · **acto (de)**
● CON VBOS. **hacer** *Lo denunciaron por hacer apología del racismo* · **efectuar** · **cometer** || **combatir** · **castigar** · **prohibir** · **evitar** || **constituir** || **caer (en)** || **acusar (de)** · **condenar (por)**

2 apología (de) s.f.

● CON SUSTS. **terrorismo** · **genocidio** · **nazismo** · **racismo** · **fascismo** · **violencia** · **droga** · **violación** · **xenofobia** · **muerte** · **miseria** || **pluralismo** · **individualismo** || **vida** · **familia** · **convivencia**

apoltronarse v.

● CON ADVS. **cómodamente** *Se apoltronó cómodamente en el sofá* · **tranquilamente** · **despreocupadamente** || **gustosamente** · **de buen grado** || **definitivamente** *...cargos blindados en los que apoltronarse definitivamente* · **provisionalmente**

apoquinar v. *col.*

● CON SUSTS. **dinero** · **deuda** · **factura** · **cuenta** *juntar dinero para apoquinar la cuenta*
● CON ADVS. **a escote** *Decidieron apoquinar a escote la cuenta de la cena* · **a partes iguales** · **equitativamente** || **puntualmente** *apoquinar puntualmente las deudas* · **rápidamente** · **frecuentemente** · **habitualmente** · **raramente** || **a la fuerza** · **forzadamente** · **a regañadientes**

aporrear v.

● CON SUSTS. **puerta** *Aporreó la puerta hasta que le abrimos* · **ventana** · **cristales** · **suelo** · **mesa** · **pupitre** || **tambor** · **violín** · **guitarra**
● CON ADVS. **violentamente** *aporrear violentamente las mesas en señal de protesta* · **fuertemente** · **intensamente** || **inútilmente**

aportación s.f.

● CON ADJS. **callada** · **anónima** · **pública** || **extraordinaria** · **sustanciosa** · **importante** *El descubrimiento supone sin duda una importante aportación a la ciencia* · **destacada** · **notable** · **relevante** · **gran(de)** · **estimable** || **inestimable** · **impagable** · **indudable** · **indiscutible** *...con su indiscutible aportación a la cultura actual* · **interesante** · **útil** · **valiosa** · **de valor** · **de gran calado** || **necesaria** · **imprescindible** · **decisiva** *Nos encontramos ante una aportación decisiva para...* · **trascendental** · **fundamental** · **esencial** || **novedosa** · **original** || **encomiable** · **loable** · **esforzada** || **breve** · **modesta** · **discreta** · **mínima** · **pequeña** || **simbólica** · **testimonial** · **desinteresada** · **interesada** || **constructiva** · **creativa** || **principal** · **reconocida** || **particular** · **personal** · **individual** || **económica** *El museo se sostiene con las aportaciones económicas de los visitantes* · **a fondo perdido** || **teórica** · **práctica**
● CON VBOS. **hacer** · **realizar** · **llevar a cabo** · **ofrecer** · **brindar** || **solicitar** || **recibir** *Nuestra asociación recibe importantes aportaciones económicas de personas anónimas* · **recabar** || **destacar** · **magnificar** · **alabar** || **representar** · **constituir** · **suponer** *logros que han supuesto una importantísima aportación en el campo de la microbiología* || **sostener(se) (con)**

aportar v.

● CON SUSTS. **cultura** · **saber** · **conocimiento** *Necesitamos a alguien que aporte los conocimientos técnicos para...* · **experiencia** || **propuesta** · **plan** · **iniciativa** · **idea** · **solución** || **medio** · **material** · **recurso** · **fondo** · **dinero** · **grano de arena** *Para que la convivencia sea posible cada uno debe aportar su grano de arena* || **prueba** · **información** · **detalle** · **dato** || **garantía**
● CON ADVS. **por igual** · **a partes iguales** || **en la medida de {mis/tus/sus...} posibilidades** *En esta asociación, cada uno aporta dinero en la medida de sus posibilidades* || **sabiamente** · **económicamente**

aporte s.m.

● CON ADJS. **formidable** · **extraordinario** *Estos alimentos dan un aporte extraordinario de vitaminas y minerales* · **voluminoso** · **importante** · **incalculable** || **fundamental** · **crucial** · **decisivo** · **imprescindible** · **esencial** · **relevante**

· **valioso** · **trascendental** · **necesario** *el aporte energético necesario para realizar las tareas cotidianas* || **suficiente** · **modesto** · **escaso** · **mínimo** || **principal** · **adicional** || **inicial** || **anual** · **mensual** · **diario** *...proporciona el aporte diario de vitaminas para nuestro organismo* || **nacional** · **internacional** · **externo** · **estatal** · **privado** || **económico** *Sin el aporte económico de esta empresa nuestro proyecto no podría salir adelante* · **financiero** · **presupuestario** · **bibliográfico** · **documental** · **fiscal** · **laboral** || **energético** · **calórico** · **vitamínico** · **sanguíneo** *Perdió tanta sangre en el accidente que necesitó un aporte sanguíneo complementario* || **intelectual** · **social** · **moral** · **eclesial** · **oficial**
● CON SUSTS. **rebaja (de)** · **reducción (de)** · **disminución (de)** · **recorte (de)** || **aumento (de)** · **incremento (de)**
● CON VBOS. **sumar** · **oscilar** · **aumentar** *El Gobierno ha prometido aumentar el aporte dedicado a estos aspectos* · **elevar** · **disminuir** *Parece ser que este año va a disminuir el aporte estatal destinado a...* || **pagar** · **hacer** · **realizar** || **cobrar** · **recibir** · **recoger** || **evaluar** · **valorar** *Valoramos muy positivamente el aporte económico que ha realizado* || **vetar** · **restringir** · **rebajar** · **reducir** || **autorizar** · **garantizar** || **suponer** · **resultar**

apostar v.

● CON SUSTS. **dinero** · **sueldo** · **cartera** · **suma** || **vida** · **cuello** *Apostaría el cuello a que no ha tenido nada que ver en esto*
● CON ADVS. **firmemente** *Todos apostábamos firmemente por él como vencedor* · **con firmeza** · **en firme** · **sin reservas** · **rotundamente** · **fuertemente** · **enérgicamente** · **vigorosamente** · **sin remilgos** · **decisivamente** · **a ultranza** · **vehementemente** || **audazmente** · **con valentía** · **decididamente** *Mis padres siempre apostaron decididamente por mí* · **impetuosamente** || **a {corto/largo} plazo** || **{con/sin} garantías** · **peligrosamente** · **arriesgadamente** || **alegremente** · **irresponsablemente** || **directamente** · **descaradamente** · **abiertamente** · **claramente** *...sin apostar claramente por una opción o por la otra* · **explícitamente** || **equivocadamente** · **acertadamente** || **deliberadamente**

☐ USO Se construye frecuentemente con complementos encabezados por las preposiciones *por* (*Nunca apostaré por un político como ese*) o *a* (*apostar a la ruleta; apostar a que sucede algo*).

apostólico, ca adj.

● CON SUSTS. **bendición** · **exhortación** · **signatura** · **sello** || **labor** · **movimiento** · **grupo** || **nuncio** *El nuncio apostólico no asistió al solemne acto* · **delegado** · **iglesia** · **sede** · **administración**

apoteósicamente adv.

● CON VBOS. **finalizar** · **concluir** · **clausurar** · **cerrar** · **rematar** || **vencer** · **triunfar** · **ganar** *El equipo ganó apoteósicamente en el último minuto con un gol de...* || **regresar** · **volver** · **presentar(se)**

apoteósico, ca adj.

● CON SUSTS. **fiesta** *Habían preparado una fiesta de bienvenida apoteósica* · **boda** · **cena** · ***otros eventos*** || **actuación** · **representación** · **interpretación** || **final** · **broche** · **cierre** · **clausura** · **remate** · **clímax** || **éxito** *Vivió un éxito apoteósico en su corta, pero intensa carrera cinematográfica* · **triunfo** · **victoria** · **resultado** · **fama** · **consagración** || **noche** · **tarde** · **día** · **fecha** · **instante** · **minuto** · ***otros momentos o períodos*** || **entrada** · **vuelta** · **llegada** · **regreso** · **retorno** · **aparición** || **recibimiento** *Se tributó a los flamantes campeones un recibimiento apoteósico en el aeropuerto* · **despedida** · **homenaje** · **bienvenida** · **acogida** || **ovación** · **aplauso** · **elogio**

apoteosis s.f.

● CON ADJS. **plena** · **verdadera** *La verdadera apoteosis del acto electoral no llegó hasta el último minuto* · **auténtica** || **final** || **personal** · **humana** · **artística** · **gloriosa** · **celestial**
● CON VBOS. **llegar** · **producirse** · **estallar** *Cuando el equipo marcó el tercer gol, estalló la apoteosis* · **sobrevenir** · **desatarse** || **finalizar** || **esperar** · **preparar** || **alcanzar** *Con este papel, alcanzó la apoteosis en su carrera cinematográfica* · **vivir**

[apoyar] → apoyar (algo/a alguien); apoyar(se) (en)

apoyar (algo/a alguien) v.

● CON ADVS. **con todas {mis/tus/sus...} fuerzas** · **ciegamente** · **sin reservas** *Ella es la única que me apoyó sin reservas* · **sin tapujos** · **sin paliativos** · **a ultranza** · **contra viento y marea** · **por activa y por pasiva** · **lealmente** *Sus amigas siempre la apoyaron lealmente* · **incondicionalmente** · **en cuerpo y alma** · **sin condiciones** · **a toda costa** · **a tope** · **a muerte** *Siempre te apoyaré a muerte* · **a rabiar** · **ardientemente** · **calurosamente** · **fervientemente** · **vigorosamente** · **firmemente** · **fuertemente** · **enérgicamente** · **activamente** *Ha apoyado la causa activamente desde su juventud* · **con firmeza** · **rotundamente** · **decididamente** · **decisivamente** || **plenamente** · **abrumadoramente** · **enormemente** · **considerablemente** || **mayoritariamente** *Los vecinos de la zona apoyan mayoritariamente la medida* · **al unísono** · **en masa** || **tibiamente** · **con matices** · **con reservas** · **con cautela** · **a regañadientes** || **ostensiblemente** · **manifiestamente** · **abiertamente** · **a cara descubierta** · **descaradamente** || **de (todo) corazón** · **sinceramente** · **desinteresadamente** · **generosamente** || **recíprocamente** · **mutuamente** *Al quedarse solos tuvieron que apoyarse mutuamente* || **de palabra** · **verbalmente** || **de antemano** || **psicológicamente** · **mentalmente** · **profesionalmente** · **económicamente** · **electoralmente**

apoyar(se) (en) v.

● CON SUSTS. **bastón** · **muleta** · **mesa** · **pared** · **atril** *Si apoyas la carta en el atril...* · **respaldo** · **valla** || **idea** *El modelo propuesto se apoya en la idea de que...* · **conocimiento** · **razón** || **dato** · **noticia** · **información** · **resultado** || **prueba** · **informe** · **investigación** · **estudio** || **imagen** · **fotografía** · **texto** · **artículo** || **conversación** · **diálogo** · **debate** || **ley** *Un sistema que precisa apoyarse en las leyes de la evolución para...* · **norma** · **constitución** || **tradición** · **costumbre** · **mito** || ***persona*** *Aunque podría apoyarme económicamente en mis padres, mi intención es...*
● CON ADVS. **excesivamente** · **en exceso** · **sólidamente** · **completamente** · **totalmente** *...con los codos apoyados totalmente en la mesa* · **plenamente** · **enormemente** · **considerablemente** || **ostensiblemente** · **manifiestamente** · **abiertamente** · **descaradamente** || **necesariamente** · **indispensablemente** · **imprescindiblemente** || **continuamente** *apoyarse continuamente en datos falsos y en noticias sin verificar* · **momentáneamente** · **temporalmente** || **profesionalmente** · **psicológicamente** · **económicamente**

apoyo s.m.

● CON ADJS. **claro** · **férreo** · **firme** · **decidido** · **rotundo** · **fiel** · **leal** · **sin reservas** · **tenaz** · **sin fisuras** · **incondicional** · **sin condiciones** · **integral** · **sin paliativos** ·

inquebrantable · **intensivo** || **desbordante** · **abrumador** *El equipo recibió un abrumador apoyo por parte de la afición* · **aplastante** · **desmedido** · **desaforado** · **ciego** · **vehemente** · **intenso** · **clamoroso** *Estrenó su primera película con el apoyo clamoroso de la crítica* || **cálido** · **caluroso** · **ferviente** · **fervoroso** || **inestimable** *Quiero agradeceros vuestro inestimable apoyo en estos momentos tan difíciles* · **impagable** · **inapreciable** · **importante** · **fundamental** · **decisivo** · **crucial** · **necesario** · **merecido** || **inequívoco** · **indudable** · **innegable** · **notable** · **apreciable** · **estimable** · **creciente** || **nutrido** · **multitudinario** *El artista contó con el apoyo multitudinario de la crítica y el público* · **unánime** · **colectivo** || **generoso** · **desinteresado** || **efectivo** · **eficaz** || **permanente** · **constante** *Durante toda su enfermedad tuvo el apoyo constante de su familia* · **continuo** · **prolongado** · **puntual** · **ocasional** · **esporádico** || **pequeño** · **discreto** · **escaso** · **tibio** · **nulo** || **condicional** · **con matices** · **condicionado** · **interesado** || **testimonial** · **directo** || **educativo** · **psicológico** *Sería conveniente que buscara apoyo psicológico* · **anímico** · **profesional** · **económico** · **estratégico** · **aéreo** *incursiones de tanques e infantería con apoyo aéreo* · **humanitario** · **mediático**

● CON SUSTS. **búsqueda (de)** || **manifestación (de)** · **demostración (de)** · **expresión (de)** · **muestra (de)** · **prueba (de)** || **falta (de)** || **elemento (de)** · **punto (de)** *Encontró en ella el punto de apoyo que necesitaba*

● CON VBOS. **desvanecerse** · **venirse abajo** || **buscar** *Están buscando apoyo económico para un nuevo proyecto* · **solicitar** · **reclamar** · **demandar** || **tener** · **necesitar** · **merecer** || **granjearse** *Se granjeó el apoyo del público gracias a...* · **conquistar** · **concitar** · **lograr** · **cosechar** · **recabar** · **recibir** || **dar (a alguien)** · **ofrecer (a alguien)** · **prestar (a alguien)** · **brindar (a alguien)** · **dispensar (a alguien)** · **proporcionar (a alguien)** · **conceder (a alguien)** · **ejercer** || **hacer extensivo (a alguien)** · **incrementar** · **extender** · **prolongar** · **intensificar** · **prorrogar** · **revalidar** || **aglutinar** · **canalizar** · **llevar (a alguien)** || **negar** · **denegar** · **retirar** · **congelar** || **perder** · **rechazar** · **declinar** || **testimoniar** · **agradecer** || **constituir** || **gozar (de)** · **disfrutar (de)** *Sabes que disfrutas de todo nuestro apoyo* · **contar (con)** || **servir (de)** · **venir (en)** · **acudir (en)**

● CON PREPS. **con** · **sin** || **en señal (de)**

apreciablemente adv.

● CON VBOS. **subir** · **incrementar(se)** · **aumentar** · **progresar** · **ascender** || **descender** · **disminuir** · **reducir(se)** *Se ha reducido apreciablemente el riesgo de incendios en la zona* || **cambiar** · **alterar** · **modificar**

● CON ADJS. **inferior** · **superior** · **mejor**

apreciación s.f.

▌[juicio, valoración]

● CON ADJS. **lúcida** *Sorprenden sus lúcidas apreciaciones acerca de...* · **aguda** · **nítida** || **sesgada** · **discreta** || **objetiva** · **imparcial** · **ecuánime** || **subjetiva** · **parcial** · **tendenciosa** || **correcta** · **certera** · **acertada** · **oportuna** · **útil** || **incorrecta** · **errónea** · **equivocada** || **aproximada** · **a ojo** || **primera** · **última** || **global** · **general** *...y, como conclusión, una apreciación general sobre el tema tratado* || **personal** · **particular** || **contundente** · **discrepante** || **simple** · **mera**

● CON SUSTS. **error (de)** || **diferencia (de)**

● CON VBOS. **hacer** *Hizo unas apreciaciones bastante acertadas* · **verter** || **suscribir** *Suscribo totalmente tus apreciaciones* · **compartir** · **confirmar** · **corroborar** · **refutar** || **contrastar**

▌[incremento, aumento]

● CON ADJS. **al alza** || **exagerada** · **excesiva** *una excesiva apreciación del yen* · **fuerte** · **contundente** · **notable** || **discreta** · **ligera** · **leve** || **general** || **constante** *Los analistas han anunciado que no cambiará la constante apreciación de la vivienda* · **progresiva** · **rápida** || **reciente** || **justa** || **económica** · **bursátil**

● CON SUSTS. **margen (de)** *El margen de apreciación oscila entre...* || **potencial (de)**

● CON VBOS. **producir(se)** || **frenar** · **contener** *Los inversores no podían contener la apreciación del marco alemán* · **refrenar** · **detener** · **evitar** || **generar** · **registrar** · **presentar** · **suponer** || **anunciar** · **pronosticar** · **diagnosticar** · **prever**

apreciado, da adj.

● CON SUSTS. **alimento** *Entre los alimentos más apreciados de esta región se encuentran el vino y el queso* · **manjar** · **dulce** · **comida** · **producto** || **lector,-a** · **auditorio** · **público** · **político,ca** · **jugador,-a** · ***otros individuos y grupos humanos***

● CON ADVS. **particularmente** · **especialmente** *Esta carne es especialmente apreciada en nuestro país* || **mundialmente** · **unánimemente** · **universalmente** || **convenientemente**

[apreciar] → apreciar; apreciar(se)

apreciar v.

▌[valorar]

● CON SUSTS. **trabajo** · **labor** · **tarea** || **esfuerzo** *Todos apreciamos mucho tu esfuerzo* · **interés** · **dedicación** · **tesón** || **ayuda** · **apoyo** · **colaboración** || **opinión** · **idea** || **obra** · **libro** · **cuadro** · ***otras creaciones***

● CON ADVS. **ajustadamente** · **en su justa medida** || **tremendamente** · **enormemente** · **profundamente** · **en mucho** *Sabes que aprecio en mucho tu ayuda* · **en lo que vale(n)**

▌[percibir]

● CON ADVS. **a lo lejos** *A lo lejos se puede apreciar la catedral* || **perfectamente** · **claramente** · **con claridad** · **nítidamente** · **con nitidez** · **a simple vista** *La mancha se puede apreciar a simple vista* · **de cerca** || **ligeramente**

apreciar(se) v.

▌[incrementar su valor]

● CON SUSTS. **dólar** *El dólar se ha apreciado bastante frente al euro* · **euro** · ***otras monedas*** || **valor bursátil** · **acción**

● CON ADVS. **enormemente** · **moderadamente** · **ligeramente**

aprecio s.m.

● CON ADJS. **enorme** *Te tengo un enorme aprecio* · **elevado** · **profundo** · **gran(de)** · **innegable** · **creciente** · **excesivo** · **desmedido** || **escaso** · **disimulado** || **leal** · **incondicional** · **sincero** || **especial** · **singular** || **mutuo** · **general** || **digno,na (de)** *Su opinión es tan digna de aprecio como cualquier otra*

● CON VBOS. **sentir** · **tener (a algo/a alguien)** · **coger (a algo/a alguien)** · **guardar (a alguien)** || **mostrar** *Muestra un especial aprecio por ella* · **manifestar** · **disimular** || **ganar** · **granjearse** · **conquistar** *En seguida se supo conquistar el aprecio de todos* · **recibir** · **merecer** || **mantener** · **perder** || **gozar (de)** · **disfrutar (de)**

a precio (de) loc.prep.

• CON SUSTS. **coste** *Lo compré prácticamente a precio de coste* · **saldo** · **fábrica** · **mercado** · **mayorista** || **ocasión** · **liquidación** · **ganga** · **risa** || **oro** *pagar un producto a precio de oro*

aprehender v.

▮ [capturar, apresar]

• CON SUSTS. **droga** · **alijo** · **arma** *La Policía aprehendió las armas después de una intensa búsqueda* · **material** · **documento** · **documentación** || **prueba** || **delincuente** · **ladrón,-a**

▮ [comprender, asimilar]

• CON SUSTS. **idea** · **pensamiento** · **significado** · **sentido** · **contenido** · **esencia** · **concepto** || **realidad**

• CON ADVS. **rápidamente** || **fácilmente** · **sin esfuerzo** · **{con/sin} dificultad**

apremiante adj.

• CON SUSTS. **situación** *encontrarse en una situación apremiante* · **circunstancia** · **coyuntura** · **contexto** · **atmósfera** · **factor** || **tema** · **asunto** · **cuestión** · **caso** || **necesidad** · **carencia** · **urgencia** · **escasez** *...angustiados y desasistidos ante la apremiante escasez de alimentos y medicinas* · **falta** · **vacío** || **problema** · **dificultad** · **desafío** · **reto** · **riesgo** · **dilema** || **tarea** *Se trataba de una tarea apremiante que no podía retrasarse* · **obligación** · **misión** · **trabajo** · **deber** · **cometido** · **imperativo** || **llamamiento** · **llamada** · **llamado** · **petición** · **demanda** · **pregunta** · **reclamo** · **ruego** · **requerimiento** · **exigencia** · **queja** || **orden** · **instrucción** · **resolución** · **contraorden** · **amenaza** · **consejo** || **interés** · **preocupación** · **objetivo** · **causa** · **finalidad** · **móvil** · **razón** || **realidad** · **calendario** · **plazo** *la vida en la gran ciudad, rápida, vertiginosa, siempre presionados por compromisos ineludibles y plazos apremiantes* · **tiempo** · **presente** || **reforma** · **transformación** · **cambio** · **modernización** · **renovación** · **actualización**

• CON VBOS. **hacer(se)** · **volverse**

apremiar (a alguien) v.

• CON SUSTS. **necesidad** *Me apremiaba tanto la necesidad que tuve que pedir dinero prestado* · **tiempo** · **calendario** || **jefe,fa** *Por otro lado, la jefa me estaba apremiando para que redactara la carta* · **profesor,-a** · **padre** · **madre** · ***otros individuos***

apremio s.m.

• CON ADJS. **especial** · **severo** || **urgente** · **inmediato** · **impulsivo** || **económico** · **físico** · **psicológico** · **tecnológico** *El incesante apremio tecnológico e informático que te obliga a actualizarte constantemente* · **lingüístico** · **judicial** · **bancario**

• CON SUSTS. **expediente (de)** · **carta (de)** · **comunicado (de)** · **hoja (de)** · **muestra (de)** || **recargo (de)** · **interés (de)** · **vía (de)** · **providencia (de)**

• CON VBOS. **recibir** *Declaró que no había recibido apremio alguno por parte de...* · **sufrir** · **afrontar** || **ofrecer** · **mostrar**

aprender v.

• CON SUSTS. **lección** · **tema** · **regla** · **canción** · **poema** · **número** · **nombre** · ***otras informaciones*** || **truco** *He aprendido un truco de magia* · **clave** · **fórmula** · **forma** · **manera** || **idioma** *Tengo especial facilidad para aprender idiomas* || **oficio**

• CON ADVS. **de pe a pa** · **letra por letra** · **palabra por palabra** · **punto por punto** · **de cabo a rabo** · **al dedillo** · **a conciencia** · **al pie de la letra** || **de carrerilla** · **de corrido** · **de memoria** *aprenderse de memoria un poema* || **de oídas** || **a trancas y barrancas** · **a golpes**

□ USO Se construye frecuentemente con complementos encabezados por la preposición *a*: *Tienes que aprender a comportarte.*

aprendiz, -a s.

• CON ADJS. **inteligente** *Resultó ser un aprendiz despierto y muy inteligente* · **avispado,da** · **talentoso,sa** · **excelente** · **aventajado,da** · **adelantado,da** · **avanzado,da** || **modesto,ta** · **rezagado,da** *Los aprendices más rezagados tendrán que hacer horas extras en el taller* || **aplicado,da** · **metódico,ca** · **disciplinado,da** · **voluntarioso,sa** || **indisciplinado,da** · **díscolo,la** || **joven**

• CON SUSTS. **condición (de)** · **contrato (de)** || **escuela (de)**

• CON VBOS. **formar** · **adiestrar** *Lleva años adiestrando a jóvenes aprendices en su oficio* · **instruir** · **aleccionar** || **buscar** · **necesitar** · **contratar** || **trabajar (de/como)** || **convertir(se) (en)**

• CON PREPS. **de** *un trabajo de aprendiz*

aprendizaje s.m.

• CON ADJS. **difícil** *Nos advirtieron que el aprendizaje sería difícil y largo* · **costoso** · **laborioso** · **duro** · **atormentado** · **arduo** · **largo** · **lento** · **caro** || **fácil** · **rápido** *el rápido aprendizaje de las lenguas* || **sostenido** || **intenso** · **exhaustivo** · **completo** · **abierto** · **esmerado** · **concienzudo** · **interesante** || **parcial** · **sesgado** · **limitado** || **infructuoso** · **improductivo** || **necesario** *Este aprendizaje puede ser duro, pero es absolutamente necesario para su desarrollo profesional* || **individual** · **mutuo** || **técnico**

• CON SUSTS. **proceso (de)** · **fase (de)** · **período (de)** · **años (de)** || **curso (de)** · **clases (de)** || **sistema (de)** · **programa (de)** *un novedoso programa de aprendizaje de las matemáticas* || **manual (de)** || **capacidad (de)** · **nivel (de)** || **problema (de)** · **trastorno (de)** || **contrato (de)**

• CON VBOS. **empezar** · **iniciar** · **realizar** || **facilitar** · **favorecer** · **promover** · **garantizar** · **mejorar** · **consolidar** || **dificultar** · **eliminar** || **necesitar** · **recibir** || **asimilar** *en la medida en que logre asimilar el aprendizaje estos años*

aprensión s.f.

• CON ADJS. **indudable** · **manifiesta** · **visible** || **enorme** · **creciente** · **gran(de)** || **mínima** || **infundada** *Siente una infundada aprensión por este tipo de lugares* || **emocional** · **física**

• CON VBOS. **sentir** *Sentía cierta aprensión a subir en un avión* · **tener (a algo)** · **coger (a algo)** · **tomar (a algo)** || **producir** · **provocar** · **suscitar** · **causar** · **dar** || **despertar (en alguien)** · **acrecentar** · **mitigar** || **compartir** · **contagiar**

• CON PREPS. **con** *Los empresarios ven con aprensión las nuevas medidas económicas*

apresurado, da adj.

• CON SUSTS. **paso** *Llevaba un paso apresurado porque llegaba tarde al trabajo* · **tránsito** · **carrera** · **llegada** · **salida** · **viaje** · **visita** || **ritmo** *Vivir con un ritmo tan apresurado provoca estrés* || **comentario** · **conversación** · **explicación** · **aclaración** · **matización** · **advertencia** · **declaración** · **petición** · **disculpas** || **lectura** · **consideración** · **reflexión** · **crítica** · **análisis** · **examen** · **vistazo** *Solía echar un último vistazo apresurado a los apuntes antes de entrar en el examen* · **repaso** || **diagnóstico** · **conclusión** *No saques conclusiones apresuradas porque te equivocarás* · **decisión** · **resolución** · **solución** · **sentencia** || **desarrollo** · **elaboración** · **redacción** · **tramitación** · **estudio** · **trabajo** ||

convocatoria · ingreso || peatón,-a · político,ca · lector · equipo · *otros individuos y grupos humanos*

apresurar v.

● CON SUSTS. **marcha** *O apresuras la marcha o no llegamos* · **ritmo** · **paso** || **lanzamiento** || **diagnóstico** *No me atrevería a apresurar ningún diagnóstico* || **disculpa** · **aclaración** · **declaración** · **petición** · **advertencia**

apretado, da adj.

▮ [estrecho, ajustado]

● CON SUSTS. **pantalón** · **camiseta** · **falda** · **vestido** · ***otras prendas de vestir*** || **margen** · **plazo** · **cerco** · **marco** · **barrera** || **final** · **resultado** · **triunfo** · **victoria** *La oposición obtiene una apretada victoria en las elecciones de senadores* · **derrota** · **desenlace** · **llegada** · **ventaja** || **marcador** · **escrutinio** · **votación** · **clasificación** || **batalla** · **contienda** · **disputa** · **revancha** · **lucha** · **pugna** · **duelo** · **competición**

● CON VBOS. **estar** · **andar** *Anda muy apretado de dinero* · **ir**

▮ [comprimido, concentrado]

● CON SUSTS. **letra** · **línea** · **párrafo** · **página** · **texto** || **información** · **exposición** · **presentación** · **descripción** · **crónica** · **discurso** · **síntesis** · **resumen** || **día** *He tenido un día muy apretado* · **jornada** || **programa** · **agenda** · **calendario** · **horario** · **campaña** · **plan** · **curso** · **planificación** *...sometido, como los demás, a la apretada planificación que decidan los jefes de campaña* || **entramado** · **trama** · **urdimbre** || **trayectoria** · **recorrido** · **periplo** · **gira** · **visita**

▮ [apurado, difícil]

● CON SUSTS. **situación** *Me vi en una situación muy apretada* · **coyuntura** · **circunstancia** · **lance** · **trance**

apretar v.

● CON SUSTS. **botón** *Apriete el botón de alarma en caso de incendio* · **clavija** · **manivela** · **interruptor** · **gatillo** *No tuvo la sangre fría suficiente para apretar el gatillo* · **tecla** || **tuerca** · **tornillo** || **acelerador** *El Ayuntamiento decidió apretar el acelerador y urbanizar rápidamente la zona* · **freno** || **nudo** · **cuerda** || **mano** || **paso** · **ritmo** || **zapato** *Estos zapatos me aprietan* · **chaqueta** · **pantalón** · **corbata** · ***otras prendas de vestir*** || **calor** *evitar las horas en las que el calor aprieta* · **frío**

● CON ADVS. **fuertemente** · **con fuerza** · **de lo lindo** *un calor que estos días aprieta de lo lindo* · **seriamente** · **firmemente** · **intensamente** || **ligeramente** · **moderadamente**

apretón de manos loc.sust.

● CON ADJS. **fuerte** *Sellaron el pacto con un fuerte apretón de manos* · **firme** · **estrecho** · **largo** || **caluroso** · **cálido** · **afectuoso** · **efusivo** · **cordial** || **cortés** · **formal** · **frío** · **tenso** · **simple** · **tímido** || **diplomático** · **protocolario** || **simbólico** || **histórico**

● CON VBOS. **producir(se)** || **recibir** · **dar** *En la foto aparecen ambos dirigentes dándose un frío apretón de manos* || **negar** || **recibir (con)** *Me recibió con un tímido apretón de manos* · **saludar (con)** · **despedir (con)**

apretujar(se) v.

● CON SUSTS. **gente** · **público** *El público se apretujaba a la salida del concierto* · **multitud** · **seguidores,ras** · **espectadores,ras** · ***otros individuos y grupos humanos***

aprieto s.m.

● CON ADJS. **verdadero** *Nos vimos envueltos en un verdadero aprieto* · **auténtico** · **grave** · **serio** · **colosal** · **enorme** · **tremendo** · **engorroso** · **vergonzoso** || **pasajero**

● CON VBOS. **superar** || **ver(se) (en)** *...y luego, cuando te ves en aprietos, me llamas* · **verse envuelto (en)** · **estar (en)** · **encontrarse (en)** · **pasar (por)** || **meter(se) (en)** *No sé cómo me las arreglo, pero siempre me meto en aprietos* · **poner (en)** · **salir (de)**

aprisionar v.

● CON SUSTS. **cuello** · **pierna** *Un armazón de hierros le aprisionaba la pierna derecha* · **mano** · **dedo** · **cabeza** || **herido,da** · **protagonista** *Un espacio asfixiante rodea y aprisiona al protagonista de la novela* · **pueblo** · ***otros individuos y grupos humanos*** || **pájaro** · **ciervo,va** · ***otros animales*** || **alma** · **voluntad** || **realidad** · **imagen**

aprobación s.f.

● CON ADJS. **provisional** · **firme** · **definitiva** *A partir de la aprobación definitiva del nuevo reglamento...* || **revocable** · **irrevocable** || **expresa** · **implícita** · **virtual** || **mayoritaria** · **unánime** *la aprobación unánime de la propuesta de la candidata* || **parcial** · **general** · **total** || **oficiosa** · **oficial** || **previa** · **inicial** · **final** || **rápida** · **inmediata** · **inminente** · **reciente** || **posible** · **necesaria** *la necesaria aprobación de todos los miembros de la directiva* || **legislativa** · **de la ley** · **del presupuesto** *la aprobación del presupuesto para el próximo año* · **del proyecto** || **legítima** · **ilegítima** · **constitucional** · **inconstitucional** || **consensuada** · **pactada** || **pendiente (de)**

● CON SUSTS. **señal (de)** · **muestra (de)** · **gesto (de)** *Hizo un gesto de aprobación con la mano* || **nota (de)** || **falta (de)**

● CON VBOS. **urgir (a alguien)** || **solicitar** · **pedir** · **requerir** · **buscar** · **necesitar** || **presentar** · **proponer** || **tener** *Sabes que tienes nuestra plena aprobación* · **obtener** · **lograr** · **granjearse** · **conseguir** · **conquistar** || **merecer** · **esperar** *Todo el mundo espera con ansia la aprobación de las nuevas medidas* || **dar** · **conceder** · **otorgar** · **asignar** || **firmar** · **sellar** · **refrendar** || **agilizar** · **impulsar** · **desbloquear** · **propiciar** || **denegar** · **negar** · **rechazar** · **impugnar** · **revocar** · **congelar** || **retrasar** · **obstaculizar** · **impedir** || **supeditar (a algo)** · **condicionar (a algo)** || **someter (a)** || **gozar (de)** *Siempre gozó de la aprobación de toda la familia* · **contar (con)** || **adherirse (a)**

● CON PREPS. **a la espera (de)** · **con** · **en señal (de)** *Asintió en señal de aprobación*

aprobar v.

● CON SUSTS. **ley** *Han aprobado la ley por mayoría absoluta* · **norma** · **resolución** · **disposición** · **medida** · **moción** || **acuerdo** · **iniciativa** · **propuesta** · **proyecto** · **programa** · **lista** || **relación** · **noviazgo** · **boda** *Sus padres no aprueban su boda* || **presupuesto** || **reforma** *¿Crees que van a aprobar la reforma de los estatutos?* || **prueba** · **documento** || **examen**

● CON ADVS. **abrumadoramente** · **por unanimidad** *Se han aprobado los presupuestos por unanimidad* · **unánimemente** · **por mayoría** · **mayoritariamente** · **por aclamación** · **por asentimiento** · **unilateralmente** || **sin paliativos** · **sin reservas** || **por la mínima** · **por los pelos** *Conseguí aprobar el examen por los pelos* · **con matices** · **con reservas** · **a duras penas** · **por poco** || **con nota** || **a mano alzada** · **verbalmente** || **democráticamente** *aprobar democráticamente una ley* · **ilegalmente** || **definitivamente** · **provisionalmente** || **urgentemente**

apropiado, da adj.

• CON SUSTS. **momento** *Aún no he encontrado el momento apropiado para...* · **fecha** · **día** || **lugar** · **sitio** · **escenario** · **marco** · **clima** || **ley** · **medida** · **solución** · **decisión** || **estrategia** *¿Cuál sería, en tu opinión, la estrategia más apropiada para vender este producto?* · **táctica** · **sistema** · **método** · **tecnología** · **instrumento** || **candidato,ta** · **partido** · **hombre** · **mujer** · ***otros individuos y grupos humanos*** || **indumentaria** · **vestimenta** · **conducta** · **comportamiento** || **lenguaje** *Le recriminaron que no emplease el lenguaje apropiado dada la situación* · **argumento** · **respuesta** · **expresión** · **vocabulario** · **palabra** · **discurso** · **nombre** · ***otras manifestaciones verbales*** || **tratamiento** *el tratamiento apropiado para este tipo de enfermedades* · **uso** · **empleo** || **nivel** · **dosis** · **cantidad** · **distancia** · **altura** · **precio** · ***otras magnitudes***

• CON VBOS. **resultar** · **considerar** · **parecer** *No me pareció apropiada la forma en que nos contestó*

apropiarse (de) v.

• CON SUSTS. **dinero** · **plata** · **herencia** · **bien** · **mando** *Mi padre siempre termina apropiándose del mando de la tele* · **teléfono** · **coche** · **balón** · ***otras cosas materiales*** || **éxito** · **mérito** · **resultado** || **idea** *La acusaron injustamente de apropiarse de ideas ajenas* · **propuesta** · **plan** · **iniciativa** || **palabra** · **imagen** · **nombre** || **trabajo** · **esfuerzo** *...y acaba apropiándose del esfuerzo de los demás*

• CON ADVS. **ilegalmente** · **ilegítimamente** · **indebidamente** · **deslealmente** · **vilmente** · **sin escrúpulos** · **alevosamente** · **descaradamente** · **injustamente** || **abusivamente** · **por completo** · **en exclusiva** || **valientemente** || **presuntamente**

aprovechable adj.

• CON SUSTS. **material** *un material perfectamente aprovechable* · **sustancia** · **elemento** · **instrumento** || **papel** · **tela** · **recorte** || **tierra** · **terreno** || **idea** · **capacidad** || **cantidad** · **parte** · **porción** || **resto** · **sobras** · **basura**

• CON ADVS. **totalmente** · **perfectamente** || **parcialmente** · **escasamente** *Esta tierra es escasamente aprovechable para la agricultura* || **potencialmente** · **virtualmente**

aprovechamiento s.m.

• CON ADJS. **óptimo** *nuevas medidas encaminadas a conseguir el aprovechamiento óptimo de los recursos* · **máximo** · **puro** · **pleno** · **integral** · **absoluto** · **total** · **mejor** · **extraordinario** · **buen(o)** || **eficaz** · **inteligente** *un aprovechamiento inteligente de los recursos* || **correcto** · **conveniente** · **sostenible** · **adecuado** · **razonable** · **oportuno** · **legítimo** · **lícito** || **intensivo** · **incesante** || **ilegal** *...debido al aprovechamiento ilegal y desmedido de recursos naturales* · **ilícito** · **fraudulento** · **indebido** || **deliberado** || **escolar** · **académico** *Este año su aprovechamiento académico ha sido inferior al del año pasado* · **personal** · **urbanístico** · **comercial** · **industrial** · **energético** *El cambio de horario redundará en un mejor aprovechamiento energético* · **ecológico** · **económico** · **político**

• CON SUSTS. **plan (de)** · **sistema (de)** · **medida (de)**

• CON VBOS. **obtener** · **conseguir** · **lograr** *lograr un mejor aprovechamiento urbanístico* || **favorecer** · **mejorar**

aprovechar v.

• CON ADVS. **a conciencia** · **plenamente** · **al máximo** *Quiero aprovechar al máximo estas vacaciones* · **intensamente** || **convenientemente** · **apropiadamente** · **adecuadamente** · **en su justa medida** · **en lo posible** || **ventajosamente** *Negó haber aprovechado ventajosamente sus contactos en esa empresa* · **oportunamente** · **vilmente** · **fraudulentamente** || **económicamente** · **electoralmente** · **comercialmente**

☐ USO Alterna los complementos directos (*aprovechar una ocasión*) con los complementos encabezados por la preposición *de* (*aprovecharse de una ocasión*).

aprovisionamiento s.m.

• CON ADJS. **externo** || **necesario** || **energético** · **alimenticio** · **logístico** · **humanitario** *una asociación volcada en el aprovisionamiento humanitario a países necesitados*

• CON SUSTS. **base (de)** · **centro (de)** · **buque (de)** · **fuente (de)** || **tarea (de)** · **proceso (de)** · **sistema (de)** · **acto (de)** || **coste (de)** · **gasto (de)** *unos elevados gastos de aprovisionamiento* || **ruta (de)** · **vía (de)** · **red (de)** || **falta (de)** · **problema (de)** · **necesidad (de)**

aprovisionar(se) (de) v.

• CON SUSTS. **víveres** *Antes de salir de marcha se aprovisionaron de víveres* · **agua** · **bebidas** · **alimento** || **energía** · **combustible** · **carburante** · **petróleo** · **gas** || **armas** · **munición** · **droga**

[aproximación]

→ aproximación; por aproximación

aproximación s.f.

• CON ADJS. **certera** · **atinada** · **acertada** *una acertada aproximación al problema que nos ocupa* · **correcta** · **ajustada** · **precisa** · **rigurosa** · **clara** · **seria** || **excelente** · **buena** || **sugestiva** · **atractiva** · **sugerente** · **interesante** · **novedosa** · **innovadora** · **fructífera** || **rápida** · **superficial** · **simple** · **mera** · **parcial** · **sesgada** · **imprecisa** || **tosca** · **burda** · **fallida** · **incorrecta** || **progresiva** *Los meteorólogos hablan de una progresiva aproximación de un frente de mal tiempo* · **gradual** · **lenta** · **cautelosa** || **personal** · **particular** · **libre** || **inteligente** · **crítica** · **analítica** || **primera** *Este estudio constituye tan solo una primera aproximación al problema* · **nueva** · **original** || **difícil** || **literaria** · **biográfica** · **histórica**

• CON SUSTS. **gesto (de)** · **maniobra (de)** *una maniobra fallida de aproximación* · **intento (de)** || **política (de)** || **voluntad (de)**

• CON VBOS. **buscar** · **facilitar** *El diálogo facilitó la aproximación entre las dos partes* · **propiciar** · **intentar** || **realizar** · **efectuar** · **ensayar** · **aventurar** || **iniciar** · **emprender** || **basar(se) (en)**

• CON PREPS. **por** *acertar por aproximación*

☐ USO Se construye frecuentemente con complementos encabezados por la preposición *a*: *una aproximación al pensamiento del escritor.*

aproximado, da adj.

• CON SUSTS. **duración** · **plazo** *en un plazo máximo aproximado de 48 horas* · **tiempo** · **período** · **fecha** · **lapso** || **distancia** · **longitud** · **extensión** · **superficie** *¿Sabes cuál es la superficie aproximada de Perú?* · **capacidad** · **peso** · **altura** · **velocidad** · **medida** · **tamaño** · **volumen** · ***otras magnitudes*** || **cantidad** · **cifra** · **monto** · **presupuesto** · **suma** · **capital** · **número** · **saldo** · **porcentaje** · **cartera** · **aforo** *La sala tiene un aforo aproximado de 100 personas* || **precio** · **importe** · **valor** · **coste** · **costo** · **tarifa** · **tasa** · **déficit** · **caudal** || **cálculo** · **medición** · **estimación** · **evaluación** · **conclusión** · **dato** · **valoración** || **inversión** · **gasto** · **aporte** · **desembolso** || **cuota** · **promedio** · **media** · **marco** · **margen** · **franja** || **beneficio** · **ganancia** · **ingreso** · **facturación** · **recaudación** *El evento supondrá una recaudación aproximada de un millón de dólares* · **indemnización** || **aumento** · **caída** · **crecimiento** · **pérdida** · **subida** · **alza** · **avance** · **incremento** · **disminución** · **descenso** · **bajada** *Hubo fuertes pérdidas en la bolsa con una bajada aproximada de punto y medio por cotización* || **idea** · **conocimiento** · **traducción** · **información** · **definición** · **ejemplo** · **respuesta** · **descripción**

aproximar(se) v.

● CON ADVS. **poco a poco** *Me fui aproximando poco a poco hasta que...* · **gradualmente** · **progresivamente** || **lentamente** · **a pasos agigantados** || **con precaución** · **con cautela** · **cautamente** · **sigilosamente** · **con pies de plomo** || **peligrosamente** *El coche se aproximó peligrosamente al precipicio* · **fatalmente** || **ni de lejos** · **ni por asomo** || **a lo lejos** *A lo lejos se aproxima una tormenta* || **directamente** || **inexorablemente** || **humildemente**

a prueba (de) loc.prep.

● CON SUSTS. **golpes** *cajas metálicas a prueba de golpes* · **ataques** · **accidentes** · **incendios** · **bombas** · **balas** · **agua** · **fuego** · **terremotos** *un rascacielos a prueba de terremotos* || **dificultades** · **escándalos** · **crisis** · **estrés** · **problemas** · **enfermedades** || **ladrones,nas** *una casa a prueba de ladrones* · **niños,ñas** || **errores** · **fallos** · **fallas** || **engaños** · **falsificaciones** · **trampas** *un reglamento a prueba de trampas* · **fraudes** · **infidelidades** · **manipulaciones** || **sobresaltos** · **sustos** · **sorpresas**

□ USO Se construye frecuentemente con sustantivos sin artículo, en plural si son contables (*a prueba de bombas*), y en singular si son no contables (*a prueba de fuego*).

aptitud s.f.

● CON ADJS. **notable** · **gran(de)** · **asombrosa** *una aptitud asombrosa para la música* · **prodigiosa** · **admirable** · **extraordinaria** · **portentosa** · **sorprendente** · **excelente** || **singular** · **especial** · **sobresaliente** || **escasa** || **temprana** · **innata** *unas aptitudes innatas para la danza* · **natural**

● CON SUSTS. **prueba (de)** *En el colegio nos han hecho una prueba de aptitud* · **examen (de)** || **falta (de)** || **muestra (de)**

● CON VBOS. **tener** · **poseer** *¿Tú crees que posee aptitudes para la pintura?* · **reunir** || **adquirir** · **desarrollar** || **mostrar** · **demostrar** · **revelar** · **reflejar** || **valorar** · **apreciar** · **descubrir** || **carecer (de)** · **destacar (por)** · **sobresalir (por)**

apto, ta

1 **apto, ta** adj.

● CON SUSTS. **película** *una película apta para todos los públicos* · **espectáculo** · **comedia** · **programa** || **agua** *agua apta para el consumo* · **tierra** · **playa** || **lugar** · **zona** · **área** · **espacio** · **edificio** · **local** || **jugador,-a** · **candidato,ta** *el candidato apto para el puesto* · **alumno,na** · **paciente** · ***otros individuos*** || **vehículo** *un vehículo apto para andar por el campo* · **instrumento**

● CON VBOS. **declarar (algo/a alguien)** · **considerar (algo/a alguien)** · **calificar (algo/a alguien)** || **hacerse**

2 **apto, ta (para)** adj.

● CON SUSTS. **menores** · **todos los públicos** *un programa apto para todos los públicos* · **niños,ñas** · **familia** · **jubilados,das** · **intrépidos,das** · **expertos,tas** · **creyentes** · **insensibles** · **incondicionales** · ***otros individuos y grupos humanos*** || **consumo** · **baño** · **cultivo** *Esta tierra no es apta para el cultivo* || **reproducción** · **adopción** || **empleo** *Me dijeron que no era apto para el empleo* · **puesto** · **servicio militar** || **música** · **cine** · **danza** · ***otras actividades artísticas***

a puerta cerrada loc.adv./loc.adj.

● CON VBOS. **celebrar** *El juicio se celebró a puerta cerrada* · **festejar** · **reunir(se)** || **discutir** · **debatir** · **negociar** · **pactar** · **deliberar** || **declarar** · **testificar** · **responder** · **comparecer** · **intervenir** · **hablar** *El tribunal habló a puerta cerrada de las posibles sanciones al jugador* · **informar** · **comunicar** · **pronunciar** · **exponer** || **jugar** · **competir** · **disputar** || **entrenar** *Para evitar mostrar su estrategia, el equipo entrenó a puerta cerrada* · **trabajar** · **ejercitar** · **ensayar** || **decidir** · **resolver** · **votar** · **elegir** · **juzgar** · **gobernar** || **preguntar** · **examinar** · **estudiar** · **revisar**

● CON SUSTS. **reunión** *El presidente comenzó el día con una reunión a puerta cerrada* · **encuentro** · **sesión** · **consejo** · **congreso** · **comisión** · **asamblea** · **pleno** · **concilio** · **junta** · **seminario** · **debate** · **deliberación** · **conversación** · **diálogo** · **mesa de trabajo** · **negociación** · **tertulia** · **coloquio** · **charla** || **comparecencia** · **declaración** · **discusión** · **intervención** · **testimonio** · **ponencia** · **explicación** || **vista** · **interrogatorio** · **juicio** · **investigación** *Después de una investigación a puerta cerrada, se concluyó que...* · **examen** || **partido** · **enfrentamiento** || **entrenamiento** · **ensayo** · **prueba** || **decisión** · **resolución** *Se ha decidido invitar a los periodistas, de modo que las resoluciones dejarán de ser a puerta cerrada* · **votación** · **veredicto**

[apuesta] s.f. → apuesto, ta

apuesto, ta

1 **apuesto, ta** adj.

▮ [elegante, atractivo]

● CON SUSTS. **caballero** · **príncipe** · **joven** · **galán** *un apuesto galán de cine* · **acompañante** · ***otros individuos*** || **aspecto** · **figura** · **imagen**

● CON VBOS. **volver(se)** · **mantenerse**

2 **apuesta** s.f.

▮ [desafío, reto]

● CON ADJS. **valiente** *Hizo una valiente apuesta por el proyecto y...* · **temeraria** · **atrevida** · **osada** · **audaz** · **arriesgada** · **aventurada** · **comprometida** · **difícil** || **sólida** · **firme** · **clara** · **segura** · **decidida** · **en firme** · **sin reservas** · **sin ambages** · **sincera** · **radical** · **personal** *El apoyo brindado a esta película es una apuesta personal de su productor* || **fuerte** · **gran(de)** · **ofensiva** || **nueva** · **ilusionante** || **a favor (de algo)** · **en favor (de algo)** · **en contra (de algo)** || **a cara o cruz** || **de futuro** *Contratar a alguien tan joven supone una apuesta de futuro*

● CON VBOS. **hacer** *Hicieron una apuesta sobre quién llegaría antes a...* · **realizar** · **plantear** · **lanzar** || **aceptar** · **asumir** · **retirar** || **ganar** · **perder** || **mejorar** · **doblar** *Si tú apuestas dos euros, yo doblo tu apuesta a cuatro* · **subir** || **entrañar (algo)** · **suponer (algo)** · **comportar (algo)** · **implicar (algo)**

a pulso loc.adv.

▮ [sin apoyar el brazo]

● CON VBOS. **dibujar** · **trazar** · **pintar** || **subir** · **levantar** · **elevar** · **izar** · **trepar** · **escalar** · **sacar** || **coger** · **cargar** · **aguantar** · **sostener** *El acróbata se sostenía a pulso mientras...* · **mantener** || **llevar** · **mover** · **arrastrar**

▮ [sin ayuda]

● CON VBOS. **ganar** *Me he ganado a pulso mi puesto en la empresa* · **labrar** · **conseguir** · **lograr** · **adquirir** · **cosechar** · **forjar(se)** || **hacer** · **trabajar** · **realizar** · **construir**

a punta de {navaja/pistola} loc.adv./loc.adj.

● CON VBOS. **robar** *Esta mañana han robado en el banco a punta de pistola* · **atracar** · **asaltar** · **tomar** · **irrumpir** · **secuestrar** · **agredir** · **amenazar** || **detener** · **capturar**

● CON SUSTS. **robo** · **atraco** · **asalto** · **agresión** · **secuestro**

a punta de pistola loc.adv./loc.adj. Véase **a punta de {navaja/pistola}**

apuntalar v.

• CON SUSTS. **construcción · puente · edificio · pared · cimientos || afirmación · cuestión · discurso · opinión · argumento · comentario · propuesta || idea · teoría · tesis · conclusión · planteamiento || acuerdo** *reformas que han servido para apuntalar el acuerdo comercial entre ambos países* · **pacto · consenso · convergencia · alianza || plan · estrategia · objetivo · clave · coartada || victoria · éxito · triunfo** *El equipo solo se ocupó de apuntalar el triunfo del primer tiempo* · **título || economía · precio · inversión · balance · gasto · beneficio · cotización · divisa · cifra || jerarquía · estructura · orden || tarea · labor · trabajo · gestión · coordinación · renovación || dato · información || verdad · realidad · hecho || esperanza · ilusión · aspiración · sueño || equipo · organización · institución · empresa · régimen · democracia**

• CON ADVS. **decisivamente · definitivamente || sólidamente** *apuntalar sólidamente el programa de gobierno* · **improvisadamente · firmemente · fuertemente || científicamente**

apuntar v.

▮ [dirigir, orientar]

• CON SUSTS. **fusil · pistola · cañón · ballesta ·** ***otras armas*** **|| vista** *Si apuntas la vista en aquella dirección, verás que...* · **mirada || flecha · diatriba**

• CON ADVS. **alto · correctamente · directamente**

□ USO Se construye frecuentemente con complementos encabezados por las preposiciones *hacia* (*No apuntaron hacia la dirección correcta*) o *en dirección a* (*Apuntó el fusil en dirección al blanco*).

▮ [manifestar, señalar]

• CON SUSTS. **idea · dato** *El conferenciante apuntó una serie de datos acerca de...* · **nombre · pista · tema · propuesta || precisión · matización** *Tan solo quiero apuntar alguna matización en relación con...* · **comentario · observación · sugerencia || problema · necesidad || causa · motivo · razón || posibilidad · solución · camino || error**

• CON ADVS. **claramente** *Las pistas apuntan claramente hacia el sospechoso* · **abiertamente · directamente || vagamente · entre líneas**

a punto de caramelo loc.adv./loc.adj.

• CON VBOS. **estar · dejar · tener** *Ya tiene la novela a punto de caramelo para publicarla* · **poner || cocer**

• CON SUSTS. **acuerdo** *Ambos líderes afirman que el acuerdo está a punto de caramelo* · **resultado || azúcar** *Cuando el azúcar esté a punto de caramelo, hay que retirarla del fuego*

a punto de nieve loc.adv.

• CON VBOS. **batir** *batir la clara de huevo a punto de nieve* · **montar (algo)**

apurar v.

• CON SUSTS. **copa · bebida** *Apura la bebida y vámonos* · **vaso · taza · plato || comida || ritmo · velocidad || plazo** *Siempre apuras los plazos hasta el último día* · **fecha · tiempo · minuto || trámite · negociación || vida · situación · experiencia · época || posibilidad** *Antes de darte por vencido tienes que apurar todas las posibilidades* · **potencial · capacidad**

• CON ADVS. **hasta el final** *Siempre apuramos las vacaciones hasta el final* · **al máximo · al límite**

apuro s.m.

▮ [aprieto o situación difícil]

• CON ADJS. **serio** *verse envueltos en un serio apuro* · **grave || insuperable · insalvable || momentáneo · pasajero || económico** *pasar apuros económicos*

• CON SUSTS. **momento (de) · situación (de)**

• CON VBOS. **pasar · tener · sufrir || superar · salvar || estar (en)** *No sé cómo me las apaño pero siempre estoy en apuros* · **encontrarse (en) · ver(se) (en) · meter(se) (en) · poner (a alguien) (en) || salir (de) · librar(se) (de) · sacar (de)** *Lo sacamos del apuro como pudimos*

• CON PREPS. **con · sin || en caso (de)** *En caso de apuro, llámame* **|| en** *un equipo en apuros que no supo reaccionar a tiempo*

▮ [vergüenza o reparo]

• CON ADJS. **enorme · auténtico · verdadero · escaso**

• CON VBOS. **dar** *Me dio mucho apuro pedírselo*

aquejar (a alguien/a algo) v.

• CON SUSTS. **reúma · artritis ·** ***otras enfermedades*** **|| mal** *Le aqueja un mal poco conocido por los médicos* · **infección · dolencia · dolor || problema · crisis**

a quemarropa loc.adv./loc.adj.

• CON VBOS. **disparar · acribillar · matar || preguntar (algo) · soltar (algo) · espetar (algo) · dirigir {una pregunta/una interpelación}**

• CON SUSTS. **disparo** *Un disparo a quemarropa acabó con su vida* · **tiro · asesinato**

aquietar(se) v.

• CON SUSTS. **aguas · aire || mercado || ritmo || espíritu · conciencia · lenguas · ánimos** *Por fin se aquietaron los ánimos en el grupo...*

aquilatar v.

• CON SUSTS. **coste · precio · valor** *Tenemos que aquilatar el verdadero valor de estas piezas* · **peso · consecuencia || mérito · ventaja · posibilidad · bondad · virtud || oferta · información · acuerdo** *aquilatar bien un acuerdo laboral* · **juicio · principio || lenguaje · palabra · tendencia · historia || concepto · término · sentido** *Habría que aquilatar el sentido de esta expresión* **|| obra · trabajo · producción || experiencia**

• CON ADVS. **al máximo || con precisión** *aquilatar con precisión las ventajas de una propuesta*

[ara] → **en aras (de)**

árabe s.m. Véase **IDIOMA**

a rabiar loc.adv. *col.*

• CON VBOS. **aplaudir** *El auditorio aplaudió a rabiar* · **ovacionar · vitorear || gustar** *Le gustan a rabiar los coches deportivos* · **encantar · disfrutar · amar · querer || apoyar · defender || odiar · detestar**

• CON ADJS. **guapo,pa · bueno,na · elegante** *Es un hombre alto, guapo y elegante a rabiar* · **simpático,ca || malo,la · feo,a · tonto,ta**

[arado] → **como un arado**

a rajatabla loc.adv./loc.adj.

• CON VBOS. **cumplir** *cumplir los horarios a rajatabla* · **seguir · llevar · respetar · mantener · observar · tomar · ajustar(se) · acatar · guiar(se) || aplicar** *aplicar a rajatabla las medidas de seguridad* · **imponer · exigir · controlar · administrar · adoptar · ejecutar || crear**

• CON SUSTS. **aplicación · cumplimiento · mantenimiento · seguimiento · disciplina · continuidad || oposición · privatización · protesta**

araña s.f.

• CON ADJS. **gigante · enorme · espectacular · gran(de) · tenebrosa || nocturna · de agua || venenosa · voraz ||**

de cristal *El salón estaba iluminado por una enorme araña de cristal*
● CON SUSTS. **tela (de)** · **nido (de)** || **lámpara (de)** || **mujer** · **hombre** *un cómic protagonizado por el hombre araña* · **pez**
● CON VBOS. **tejer** *La araña tejió una enorme tela en el rincón* · **hilar** || **cazar** · **atrapar**

arañar v.

▮ [rayar]
● CON SUSTS. **mesa** · **suelo** *Cuidado, estás arañando el suelo con los tacones* · **cristal** · **coche** || **superficie**

▮ [conseguir con esfuerzo]
● CON SUSTS. **segundo** *Arañó un par de segundos y llegó vencedor a la meta* · **décima** · **minuto** · **tiempo** || **gramo** · **centímetro** || **moneda** · **euro** · **céntimo** || **voto** *Harían cualquier cosa por arañar los votos que les dieran el poder* · **posición** · **escaño** · **puesto** || **victoria** · **galardón** · **premio** · **triunfo** · **medalla** || **récord** · **marca** · **resultado** || **diferencia** · **margen** · **ventaja** · **ganancia** · **beneficio** || **delegado,da** · **diputado,da** · **cliente** · **audiencia** · **telespectador,-a** *una guerra de audiencias en la que todo vale para arañar unos pocos telespectadores más*

arañazo s.m.

● CON ADJS. **simple** · **pequeño** · **leve** · **ligero** || **profundo** · **superficial**
● CON SUSTS. **marca (de)** *Tenía varias marcas de arañazos en la espalda* · **señal (de)**
● CON VBOS. **infectarse** · **doler** || **producir** · **hacer** *El gato le hizo un pequeño arañazo en la mano* || **sufrir** *Solo sufrió leves arañazos en la cara* || **presentar** · **tener**

a ras (de) loc.prep.

● CON SUSTS. **suelo** *Las ventanas están a ras del suelo* · **tierra** · **calle**

a rastras loc.adv.

● CON VBOS. **mover** *Movimos el sofá a rastras porque pesaba mucho* · **llevar** · **transportar** · **conducir** · **traer** · **sacar** *Le gusta tanto el parque de atracciones que lo tuvimos que sacar a rastras de allí* · **retirar** · **salir** · **entrar** · **ir** || **acabar**

a raudales loc.adv./loc.adj.

● CON VBOS. **correr** · **desbordar(se)** · **caer** · **fluir** · **llover** · **bajar** · **circular** *Aquellos fueron momentos en los que el dinero circulaba a raudales* · **llorar** || **llegar** · **afluir** · **aparecer** · **entrar** · **manar** · **acudir** || **derrochar** *derrochar entusiasmo a raudales* · **perder** · **desperdiciar** || **aportar** · **dejar** · **donar** · **echar** · **entregar** · **regalar** · **soltar**
● CON SUSTS. **agua** · **bebida** *En la fiesta había comida y bebida a raudales* · **sudor** · **sangre** · ***otros líquidos*** || **dinero** || **ingenio** · **simpatía** · **talento** · **naturalidad** · **creatividad** · **paciencia** · **pureza** || **emoción** · **humor** *La película prometía acción y humor a raudales* · **inspiración** · **melancolía** · **felicidad** · **entusiasmo** · **nostalgia** · **alegría** *Hubo abrazos, felicitaciones y alegría a raudales* · **nerviosismo** || **espectáculo** · **baile** · **rock**

☐ USO Se aplica generalmente a sustantivos no contables: *La lluvia caía a raudales.*

a raya loc.adv.

● CON VBOS. **poner** · **tener** · **mantener** *Con estas normas tan estrictas nos mantienen a raya* · **llevar**

a rayos loc.adv. *col.*

● CON VBOS. **oler** · **saber** *Lo que me has dado a probar sabía a rayos* · **sonar**

arbitrar v.

▮ [hacer de árbitro]
● CON SUSTS. **partido** *arbitrar un partido conflictivo* · **torneo** · **eliminatoria** · **encuentro** || **disputa** · **conflicto** · **enfrentamiento** · **confrontación** · **pelea** · **duelo** · **debate** · **contencioso** · **careo** · **lucha** *Se trata de un organismo oficial, pero independiente, al que le compete arbitrar estas luchas electorales* || **acuerdo** · **pacto** · **negociación** *el encargado de arbitrar la negociación del acuerdo* · **convenio** · **decisión** · **laudo** · **consenso**

▮ [disponer, idear]
● CON SUSTS. **sistema** · **mecanismo** *arbitrar los mecanismos necesarios* · **medida** · **disposición** · **procedimiento** · **medio** · **recurso** · **plan** · **fórmula** · **esquema** · **modelo** · **programa** · **estrategia** · **orden** · **plataforma** || **ley** · **norma** · **regla** · **reglamentación** || **solución** · **remedio** · **salida** || **presupuesto** · **partida** *arbitrar una partida especial que cubra los primeros gastos* · **precio** · **crédito** · **subvención** · **ingreso** · **incentivo**

arbitrario, ria adj.

● CON SUSTS. **juez** *un juez arbitrario que cambia de opinión cada día* · **profesor,-a** · **jefe,fa** · **gobierno** · ***otros individuos y grupos humanos*** || **texto** · **frase** · **expresión** · **discurso** *un discurso arbitrario e incoherente* || **precio** · **descuento** · **recorte** · **gasto** · **presupuesto** || **homicidio** · **asesinato** · **atentado** · **violencia** || **decisión** · **medida** · **disposición** · **sentencia** · **resolución** · **imposición** || **detención** · **ejecución** · **restricción** · **castigo** · **arresto** · **prisión** · **sanción** *Impusieron sanciones arbitrarias y desproporcionadas* || **poder** · **orden** · **ley** · **norma** || **política** · **comportamiento** · **actuación** · **actitud** · **conducta** || **selección** · **elección** · **división** · **exclusión** · **expulsión** · **separación** || **relación** · **vínculo** *vínculos que no son arbitrarios ni casuales, sino fruto de una estrecha y antigua colaboración* · **correspondencia** || **empleo** · **uso** *el uso abusivo y arbitrario de los recursos* · **manejo** · **utilización** · **funcionamiento** || **criterio** · **razón** · **opinión** · **conjetura** · **argumentación** · **formulación** · **interpretación** *Ha dado pie a una interpretación de los hechos arbitraria y tendenciosa* · **juicio** || **nombre** · **título** · **definición**

árbitro, tra s.

● CON ADJS. **imparcial** *El árbitro del encuentro fue totalmente imparcial* · **ecuánime** · **neutral** · **equitativo,va** · **objetivo,va** · **insobornable** · **justo,ta** || **casero,ra** · **injusto,ta** · **tendencioso,sa** · **parcial** · **partidista** · **sesgado,da** · **polémico,ca** || **conciliador,-a** · **indulgente** · **contemporizador,-a** || **internacional** *El partido será pitado por el árbitro internacional...* || **político,ca**
● CON SUSTS. **papel (de)**
● CON VBOS. **decidir (algo)** *El árbitro decidió anular el gol* · **sentenciar (algo)** · **decretar (algo)** || **amonestar (a alguien)** · **sancionar (a alguien)** · **expulsar (a alguien)** || **dirigir (algo)** · **pitar (algo)** · **mediar (entre alguien)** · **terciar** *El árbitro tuvo que terciar entre los jugadores de ambos equipos* || **venderse** || **nombrar** · **designar** || **comprar** · **sobornar** || **insultar** || **hacer (de)** · **ejercer (de)** *Estuvo muchos años ejerciendo de árbitro*

árbol s.m.

● CON ADJS. **centenario** *En nuestro jardín tenemos un árbol centenario* · **añoso** || **exuberante** · **frondoso** · **en flor** || **enhiesto** || **seco** · **raquítico** || **frutal** *plantar árboles frutales* · **ornamental** || **genealógico**
● CON SUSTS. **rama (de)** · **copa (de)** · **raíz (de)** · **hoja (de)** || **hilera (de)** · **avenida (de)** || **sombra (de)** *a la sombra de aquellos árboles*
● CON VBOS. **crecer** · **brotar** · **florecer** · **alzarse** · **erguirse** || **secar(se)** · **ajar(se)** · **caer** · **morir** || **reverdecer**

· rebrotar || dar sombra || cortar · talar · arrancar · derribar · abatir · tumbar · podar || plantar · abonar || colgar(se) (a/de) *De pequeños jugábamos a colgarnos de los árboles* · encaramarse (a) · trepar (a) · subir (a) *Mi gato se subió a un árbol* · pender (de) · bajar (de) || recoger (de)
• CON PREPS. bajo · sobre · a la sombra (de) *Pasamos una tarde tranquila a la sombra de aquellos árboles*

ÁRBOL

Información útil para el uso de:

abedul; abeto; acacia; acebo; álamo; alcornoque; algarrobo; almendro; arce; cacao; caoba; castaño; cedro; cerezo; chopo; ciprés; ciruelo; cocotero; drago; encina; espino; eucalipto; fresno; guindo; haya; higuera; laurel; manzano; naranjo; nogal; olivo; olmo; palma; palmera; peral; pino; plátano; roble; sauce; tejo

• CON ADJS. **centenario,ria** *una encina centenaria* · **milenario,ria** · **añoso,sa** · **viejo,ja** · **envejecido,da** · **antiguo,gua** · **vetusto,ta** || **exuberante** · **frondoso,sa** *un frondoso laurel* · **robusto,ta** · **vigoroso,sa** · **copudo,da** || **enhiesto,ta** · **esbelto,ta** *un esbelto ciprés* · **alto,ta** || **hermoso,sa** · **majestuoso,sa** *un majestuoso abeto* · **imponente** · **espléndido** · **espectacular** || **gigante** · **enorme** · **gigantesco,ca** · **inmenso,sa** · **corpulento,ta** || **seco,ca** · **raquítico,ca** · **agostado,da** · **enfermo,ma** · **marchito,ta** · **escuálido,da** · **triste** · **débil** || **solitario,ria** *un tejo solitario* · **austero,ra** · **impasible**
• CON SUSTS. **rama (de)** · **copa (de)** *la copa de un alcornoque* · **raíz (de)** · **tronco (de)** · **corteza (de)** · **hoja (de)** · **madera (de)** || **plantón (de)** *un plantón de naranjo* · **semilla (de)** · **fruto (de)** || **ejemplar (de)** · **variedad (de)** · **especie (de)** || **sombra (de)** *La sombra de los álamos refresca la ribera* || **hilera (de)**
• CON VBOS. **dar sombra** || **crecer** · **brotar** · **arraigar** · **enraizar(se)** · **alzarse** · **erguirse** · **levantarse** *Se levantan en la plaza tres olmos centenarios* || **secar(se)** · **ajar(se)** · **pudrir(se)** · **caer** · **morir** || **reverdecer** · **rebrotar** || **plantar** *Planté una higuera en el jardín* · **sembrar** · **abonar** · **cuidar** || **talar** · **cortar** · **podar** || **arrancar** · **derribar** · **abatir** · **tumbar** || **proteger** · **conservar** || **quemar** · **arrasar** || **trepar (a)** · **subir(se) (a)** · **encaramarse (a)** · **bajar (de)** · **colgar (de)**
• CON PREPS. **bajo** · **sobre** · **a la sombra (de)** *Nos sentamos a la sombra de los pinos*

arce s.m. Véase **ÁRBOL**

arcén s.m.
• CON ADJS. **derecho** · **izquierdo** *Los peatones deben circular por el arcén izquierdo* · **exterior** · **central** · **opuesto** || **ancho** · **estrecho** || **reglamentario**
• CON VBOS. **invadir** · **ocupar** || **circular (por)** · **ir (por)** · **andar (por)** || **aparcar (en)** · **estacionar (en)** · **parar (en)** · **detener(se) (en)** *La avería me obligó a detenerme en el arcén* || **carecer (de)** || **desplazar(se) (a)**

[archivar] → archivar; archivar (en)

archivar v.
• CON SUSTS. **expediente** · **factura** · **solicitud** · **informe** · ***otros documentos*** || **caso** · **asunto** || **denuncia** *Archivaron la denuncia por falta de pruebas* · **queja** · **querella** || **diligencia** · **investigación** · **actuación** · **sumario**
• CON ADVS. **debidamente** · **oficialmente** || **ordenadamente** · **cuidadosamente** · **cronológicamente** · **alfabéticamente** *Si archivas estos papeles alfabéticamente será más fácil encontrarlos* || **provisionalmente** · **definitivamente** · **para siempre** || **digitalmente**

archivar (en) v.
• CON SUSTS. **fichero** · **carpeta** · **biblioteca** · **hemeroteca** · **fonoteca** · **{base/banco} de datos** *Los originales se archivan en la base de datos* · **disco duro** · **ordenador** || **memoria** *imágenes que he archivado para siempre en mi memoria* · **cabeza** · **subconsciente**

archivo s.m.
• CON ADJS. **exhaustivo** · **completo** *el archivo más completo que existe sobre este tema* · **abarrotado** · **nutrido** · **bien provisto** || **personal** || **de documentación** · **documental** · **de datos** || **gráfico** *el archivo gráfico de un periódico* · **fotográfico** · **histórico** · **policial** · **informático** · **periodístico** · **mental**
• CON SUSTS. **imagen (de)** · **foto (de)** *una foto de archivo* || **fondo (de)**
• CON VBOS. **contener (algo)** · **constar (de algo)** || **descargar** *El ordenador tardó más de dos horas en descargarme un archivo* · **bajar(se)** · **ejecutar** · **borrar** || **consultar** *Para poder consultar esos archivos hay que pedir un permiso especial* || **organizar** · **centralizar** || **ordenar** · **desordenar** || **conservar** · **quemar** · **destruir** || **engrosar** · **vaciar** || **buscar (en)** · **escarbar (en)** · **bucear (en)** · **investigar (en)** || **guardar (en)** · **almacenar (en)**

arder v.
• CON ADVS. **vivamente** *La leña en la chimenea ardía vivamente* · **sin parar** · **sin remisión** || **por completo** · **por los cuatro costados** || **sin remedio** · **sin control** *El fuego estuvo ardiendo sin control varios días* || **en el infierno** || **de ganas** *Ardía de ganas de volver a ver a su hermano* · **de deseo**

ardid s.m.
• CON ADJS. **ingenioso** · **hábil** || **viejo** · **conocido** · **típico** || **engañoso** *algo que no justifica ni el ardid engañoso ni la falsificación de...* · **interesado** || **electoral** · **electoralista** · **político** · **parlamentario** · **jurídico** · **publicitario** *Han empleado un viejo ardid publicitario en su nueva campaña* · **propagandístico** · **psicológico** · **escénico**
• CON VBOS. **idear** · **tramar** · **urdir** · **maquinar** · **plantear** || **usar** · **utilizar** || **denunciar** · **descubrir** · **revelar** || **recurrir (a)** *Recurrió al viejo ardid de hacerse pasar por...* · **acudir (a)**

ardiente adj.

▌[que produce mucho calor]
• CON SUSTS. **calor** · **clima** *un clima ardiente y seco* · **sol** · **fuego** · **viento** · **desierto** · **arena** · **bebida** · **vapor** · **fiebre** *...la devoraba una fiebre ardiente* · **sed** · **día** · **verano**

▌[intenso]
• CON SUSTS. **color** · **tonalidad** || **alba** · **nube** · **clavel**

▌[apasionado]
• CON SUSTS. **amante** · **pareja** · **defensor,-a** · **admirador,-a** · **opositor,-a** · **oponente** · **crítico,ca** · **afición** · ***otros individuos y grupos humanos*** || **verso** · **oda** · **palabras** · **discurso** · **crónica** || **fe** · **deseo** · **voluntad** · **pasión** · **fervor** · **interés** *Mostraba un ardiente interés por todo lo nuevo* · **anhelo** · **avidez** · **obsesión** || **amor** · **sentimiento** · **relación** · **romance** || **mirada** · **labios** · **ojos** · **sexo** || **defensa** · **llamamiento** · **proclama** · **súplica** · **sugerencia** || **controversia** · **polémica** · **batalla** · **pelea** || **carácter** · **corazón** · **alma** · **espíritu** · **sangre** *Recorría sus venas la*

sangre ardiente de su madre || **fantasía · ingenio · mente · razón · memoria · imaginación** *Tiene una imaginación ardiente y calenturienta* || **brío · fuerza · ímpetu** *impulsado por el ardiente ímpetu de la adolescencia* || **humanismo · catolicismo · radicalismo ·** ***otras tendencias, movimientos o ideologías***

ardientemente adv.

• CON VBOS. **amar · besar** || **desear · anhelar** *Anhela ardientemente volver a su hogar* · **esperar · querer · buscar** || **defender · apoyar · abogar · cultivar · militar** || **reclamar · proclamar · pedir · solicitar** || **pelear · luchar · combatir · discutir · debatir** || **criticar · denunciar · protestar** *una decisión arbitral que fue ardientemente protestada por los jugadores y los aficionados*

ardor s.m.

• CON ADJS. **encendido · acalorado · intenso** *un intenso ardor de estómago* · **vivo · ansioso · creciente · fuerte** || **tropical · estival** || **juvenil · adolescente** *Cabría atribuir su respuesta apasionada al típico ardor adolescente* || **marcial · guerrero** || **misionero · propagandístico** || **gástrico · estomacal · de estómago · corporal · sexual**

• CON SUSTS. **sensación (de)** *una extraña sensación de ardor en la frente* || **falta (de)**

• CON VBOS. **encender(se) · entrar (a alguien) · crecer** *Según iba exponiendo sus argumentos, crecía el ardor con el que hablaba* || **enfriar(se) · aplacar(se) · faltar (a alguien)** || **calmar · aliviar · moderar · mitigar · atemperar · templar · apagar** || **producir · dar** || **tener · sentir** || **poner (en algo)** *el ardor que pone en cada cosa que hace* || **inflamarse (de)**

• CON PREPS. **con** *La abogada defendió con ardor la inocencia de su cliente*

ardoroso, sa adj.

• CON SUSTS. **manos · frente · labios · cuerpo** || **ánimo · espíritu** *Mostraba en todo lo que hacía un espíritu ardoroso* · **afán · ímpetu · fe · confianza** || **pasión · sentimiento · entrega** || **defensa** *Le agradecimos su ardorosa defensa de nuestro proyecto* · **apología · discurso · palabras · debate · discusión** || **lucha · combate** || **defensor,-a · partidario,ria · militante** || **jugador,-a** *Lo que el equipo necesita son jugadores ardorosos y entregados* · **equipo** || **público · afición · admirador,-a · amante**

arduamente adv.

• CON VBOS. **trabajar · colaborar · preparar · buscar · negociar · esforzarse · entrenar · consensuar** || **luchar · disputar · pelear · pugnar · competir** *Todos los atletas están compitiendo arduamente por llegar a la final* · **discutir · debatir** || **conquistar · alcanzar** || **estudiar**

arduo, dua adj.

• CON SUSTS. **tarea · trabajo · labor · empresa · gestión · misión · cometido · actividad · ejercicio · obligación** *...aunque solo sea para cumplir la ardua obligación de ir al trabajo cada mañana* · **deber** || **esfuerzo · empeño · tenacidad · tesón** || **jornada · temporada** *Tras una ardua temporada de ensayos, llegó el día del estreno* · **etapa · semana · año ·** ***otros períodos*** || **discusión · polémica · controversia · negociación · debate · diálogo · deliberación · acuerdo · sesión · votación** *después de una ardua votación del jurado* || **lucha · batalla · competencia · disputa · pugna** || **camino · proceso · trámite · itinerario · travesía · carrera · viaje** *tres días de arduo viaje para atravesar la estepa* · **navegación** || **problema · cuestión · reto · desafío** || **solución · consecución · decisión · respuesta** || **investigación · pesquisa · búsqueda** || **lectura · interpretación · aprendizaje**

área s.f.

▌**[zona, terreno]**

• CON ADJS. **restringida · reducida · limitada · determinante** || **vasta · extensa · gran(de) · pequeña** || **fronteriza · contigua · colindante** *El incendio arrasó las áreas del bosque colindantes con el pueblo* · **limítrofe · circundante** || **rural · urbana · protegida** || **de servicio · de descanso · de extensión** *determinar el área de extensión de una lengua* · **de circunscripción · de influencia** || **de (no) fumadores**

• CON VBOS. **extender(se)** || **comprender · abarcar** *La pequeña guarnición no podía abarcar un área tan extensa* || **delimitar · demarcar · marcar · acotar · establecer · medir** || **habitar · ocupar · invadir** *Están invadiendo nuestra área* || **rodear · bordear · circundar** || **cultivar · trabajar · sembrar · cosechar · plantar** || **quemar · arrasar · devastar** || **dedicar (a algo) · destinar (a algo)** *Destinaron varias áreas de sus tierras al cultivo de soja* || **llegar (a)** *Cuando lleguemos a un área de servicio, pararemos* · **entrar (en/a) · acceder (a)** || **circunscribir(se) (a) · salir (de)**

• CON PREPS. **dentro (de) · fuera (de)** *El delantero tiró la falta desde fuera del área*

a rebosar loc.adv./loc.adj.

• CON VBOS. **estar** *La exposición estaba a rebosar de gente* · **seguir · encontrarse** || **llenar**

• CON ADJS. **lleno,na**

• CON SUSTS. **recinto** *Cuando vimos el recinto a rebosar decidimos no entrar* · **almacén · bar · calle ·** ***otros lugares*** || **vaso · plato · cajón ·** ***otros recipientes***

a regañadientes loc.adv.

• CON VBOS. **obedecer** *Obedeció a regañadientes la orden del jefe* · **someterse · acatar** || **confesar · reconocer · admitir · aceptar · asumir · consentir · conformarse** *Los alumnos tuvieron que conformarse, aunque a regañadientes* || **conceder · autorizar · satisfacer · aprobar** || **disculpar · pedir perdón · perdonar** || **seguir · secundar · apoyar** || **decir adiós · abandonar** *un puesto que abandonó a regañadientes* · **retirar(se) · dimitir · replegar(se)** || **dar · entregar · prestar · suministrar**

arena s.f.

• CON ADJS. **fina · blanca · gruesa** || **seca · mojada · apelmazada** || **ardiente · caliente** || **movediza** *una zona de arenas movedizas* · **de playa · de río** || **natural · artificial** || **sepultado,da (en) · enterrado,da (en)** || **lleno,na (de) · cubierto,ta (de)**

• CON SUSTS. **grano (de) · banco (de) · saco (de)** || **tormenta (de)** *Se acercaba una fuerte tormenta de arena* || **reloj (de)**

• CON VBOS. **filtrar(se)** || **ocultar (algo)** || **echar** || **remover · extraer** || **enterrar (algo/a alguien) (bajo)**

• CON PREPS. **bajo · sobre · entre** *Era imposible encontrarlo entre la arena*

arenga s.f.

• CON ADJS. **encendida · enfervorizada** *lanzar una enfervorizada arenga a las tropas* · **explosiva · impetuosa · violenta · incendiaria** || **militar · épica · memorable** || **patética · desesperada** || **moralista · moralizante** *Les soltó una arenga moralizante acerca de las terribles consecuencias de su acción* · **doctrinaria · demagógica · protocolaria** || **patriótica · nacionalista · separatista · belicista · triun-**

falista || **política** *una arenga política para captar nuevos votantes* · **religiosa**

● CON VBOS. **hacer** · **realizar** · **soltar** · **lanzar** · **pronunciar** *Pronunció una encendida arenga en favor del proyecto de ley* · **largar** · **dirigir** || **cerrar** · **concluir** || **escuchar** · **recibir** || **corear** · **aplaudir** *El público aplaudió a rabiar la arenga de la candidata a la presidencia* · **apoyar** || **grabar** · **televisar** · **difundir**

arengar v.

● CON SUSTS. **masas** · **público** *El candidato arengó al público asistente para que le votaran* · **auditorio** · **multitud** · **muchedumbre** · **gente** · **población** · **grupo** || **soldados** · **tropas** · **militares** · **jugadores,ras** *El técnico solía arengar a sus jugadores antes de salir al terreno de juego* · **equipo** || **seguidores,ras** · **fieles** · **militantes** || **manifestantes** · **huelguistas**

a renglón seguido loc.adv.

● CON VBOS. **decir** · **afirmar** *Primero dijo que no y a renglón seguido afirmó justo lo contrario* · **sostener** · **asegurar** · **señalar** · **advertir** · **subrayar** · **constatar** · **indicar** · **anunciar** || **preguntar** · **contestar** · **matizar** *A renglón seguido matizó sus palabras* · **aclarar** · **explicar** || **agregar** · **añadir** || **admitir** · **reconocer** || **recordar** · **mencionar** · **nombrar** || **pedir** *...y a renglón seguido pidió el voto* || **demostrar**

a resguardo (de) loc.prep.

▮ [a cubierto de]

● CON SUSTS. **lluvia** · **viento** · **tormenta** · **inundación** · **erosión** · **olas** || **bomba** *un sitio seguro, a resguardo de las bombas* · **bala** · **torpedo** · **ametralladora** · **cañón** || **delincuente** · **alborotador,-a** · **enemigo,ga** · **guerrilla** · **banda** · ***otros individuos y grupos humanos*** || **guerra** *Extrañamente, todo el pueblo había quedado a resguardo de la guerra* · **lucha** · **bombardeo** · **robo** · **estafa** || **mal** · **enfermedad** · **daño** · **accidente** · **fatalidad** || **peligro** · **riesgo** · **amenaza** || **vaivén** · **vicisitud** · **veleidad** · **imprevisto** · **contingencia** || **estrés** · **bullicio** *una calle tranquila, a resguardo del bullicio de la ciudad* || **mirada** · **curiosidad** · **cámara** · **foco** || **ataque** *a resguardo de los ataques de la prensa* · **acometida** · **crítica** · **embate**

▮ [bajo la protección de]

● CON SUSTS. **poder** · **autoridad** *El niño quedó a resguardo de las autoridades competentes* · **gobierno** · **policía** · **prensa** · **justicia** || **ley** · **decreto** · **norma** · **decisión** · **voluntad** · **criterio**

☐ USO Se usa también la variante *al resguardo (de)*.

a reventar loc.adv./loc.adj. *col.*

● CON VBOS. **llenar** *El lugar de la manifestación se llenó de gente a reventar*

● CON ADJS. **lleno,na**

● CON SUSTS. **estadio** · **campo** · **auditorio** · **ciudad** *Con motivo de los juegos olímpicos, tenemos la ciudad a reventar* · **barrio** · **hotel** · **casa** · ***otros lugares***

argot s.m.

● CON ADJS. **callejero** · **de calle** · **popular** · **carcelario** || **médico** · **policial** · **político** · **judicial** · **profesional** · **técnico** || **enrevesado** · **críptico** · **incomprensible** *...escrito en un argot incomprensible para los no iniciados* · **ininteligible** || **interno** · **particular** · **propio** · **especial** || **juvenil** · **infantil**

● CON VBOS. **extender(se)** *Entre los presos se ha extendido un nuevo argot carcelario imposible de descifrar* · **proliferar** || **emplear** · **usar** · **manejar** || **entender** · **conocer** · **dominar** · **aprender** || **acuñar** || **hablar (en)** · **comunicar(se) (en)** · **expresar(se) (en)** · **recurrir (a)** || **formar parte (de)** || **traducir (a)**

argucia s.f.

● CON ADJS. **simple** *Recurrieron a una argucia demasiado simple* · **pura** · **mera** · **ingenua** || **astuta** · **intelectual** · **dilatoria** *A pesar de sus argucias dilatorias no logró frenar el proceso* || **malintencionada** · **desleal** · **ventajista** || **legal** · **procedimental** · **formal** · **táctica** · **técnica** || **electoral** · **parlamentaria** · **contable** · **jurídica** · **reglamentaria** · **comercial**

● CON VBOS. **surtir efecto** · **triunfar** · **funcionar** || **fracasar** · **fallar** || **usar** · **emplear** · **utilizar** || **buscar** *Buscaban una argucia legal para evadir dinero* · **urdir** · **montar** · **planear** · **inventar** || **desbaratar** · **descubrir** · **desvelar** · **destapar** || **acudir (a)** · **recurrir (a)** · **convencer (con)** *No lograrás convencerme con tus argucias*

argüir v.

● CON ADVS. **a favor** *argüir a favor de una propuesta* · **en contra** · **en apoyo (de algo/de alguien)** || **con destreza** · **hábilmente** · **astutamente** · **acertadamente** *Como arguyen acertadamente algunos juristas, esos testimonios no pueden ser tenidos en cuenta* · **oportunamente** · **correctamente** · **convincentemente** · **fundadamente** · **fundamentadamente** · **razonadamente**

argumentación s.f.

● CON ADJS. **exhaustiva** *una argumentación exhaustiva y sólidamente planteada* · **pormenorizada** · **minuciosa** · **profusa** · **detallada** · **extensa** || **coherente** · **clara** · **sencilla** || **sutil** · **hábil** || **irrefutable** · **convincente** · **sólida** · **fundada** · **consistente** · **firme** · **rotunda** · **concluyente** || **inconsistente** · **débil** · **endeble** · **floja** · **insuficiente** *una argumentación claramente insuficiente* · **arbitraria** || **a favor** · **en contra**

● CON SUSTS. **línea (de)** *Creo que si sigues esta línea de argumentación llegarás a conclusiones válidas*

● CON VBOS. **construir** · **desarrollar** · **plantear** · **presentar** || **fundamentar** · **basar** *El conferenciante basó su argumentación en el viejo concepto de...* · **apoyar** · **sostener** · **cimentar** · **sustentar** · **afianzar** · **apuntalar** · **reforzar** · **precisar** · **remachar** || **utilizar** · **esgrimir** || **seguir** · **aceptar** || **rechazar** · **desestimar** · **rebatir** · **cuestionar** · **poner en entredicho** · **echar por tierra** *En cinco minutos echó por tierra mi argumentación* · **desarmar** · **refutar** · **desmontar** · **desbaratar**

argumentar v.

● CON SUSTS. **afirmación** *argumentar una afirmación con ejemplos claros y sencillos* · **idea** · **posición** · **opinión** · **juicio** · **hipótesis** · **tesis** || **fallo** · **decisión** · **sentencia** || **propuesta** · **petición** || **razón** · **motivo** || **negativa** *un texto en el que se argumenta la negativa a dar dichos datos* · **oposición** · **rechazo** · **crítica** · **condena** · **acusación** || **ausencia** · **ignorancia** · **inocencia**

● CON ADVS. **prolijamente** · **extensamente** *En el examen nos pidió que argumentásemos extensamente...* · **por extenso** · **detalladamente** · **profusamente** · **suficientemente** || **seriamente** · **fundadamente** · **coherentemente** · **claramente** · **razonablemente** · **convincentemente** *En el artículo argumenta muy convincentemente contra esa tesis* · **contundentemente** · **rotundamente** || **débilmente** · **en falso** || **a favor** · **en defensa** · **en contra** || **públicamente** · **técnicamente** · **libremente** · **constitucionalmente**

argumento s.m.

• CON ADJS. **de peso** *una decisión basada en argumentos de peso* · **sólido** · **poderoso** · **rotundo** · **consistente** · **convincente** · **aplastante** · **demoledor** · **férreo** · **fuerte** · **contundente** *No puedo rebatir argumentos tan contundentes* · **irrebatible** · **irrefutable** · **incuestionable** · **incontestable** · **inapelable** || **concluyente** *Fue este argumento concluyente el que nos llevó a aceptar* · **decisivo** · **disuasorio** || **fundado** · **fundamentado** || **certero** · **verdadero** · **válido** · **impecable** · **defendible** · **valedero** || **somero** · **flojo** · **endeble** · **débil** *Sus argumentos eran tan débiles que no convencieron a nadie* · **deshilvanado** · **falaz** · **inválido** · **inconsistente** · **insostenible** · **indefendible** · **descabellado** · **peregrino** · **refutable** · **rebatible** · **cuestionable** · **discutible** · **dudoso** || **trillado** *Aunque el argumento está ya un poco trillado, sigue siendo eficaz* · **manido** · **socorrido** · **traído por los pelos** · **viejo** || **sencillo** *A veces, los argumentos más sencillos son los más decisivos* · **básico** · **lineal** || **complejo** · **enrevesado** · **inextricable** · **alambicado** · **enmarañado** · **retorcido** || **agudo** · **afilado** · **capcioso** · **hábil** · **avieso** || **principal** *Su principal argumento para apoyar a este candidato es...* · **conductor** || **a favor** · **en contra** || **probatorio** · **absolutorio** || **oficial** · **legal** || **sobrado,da (de)**

• CON VBOS. **desarticular(se)** · **derrumbar(se)** · **agotar(se)** *Siguió hablando hasta que se le agotaron los argumentos* · **caer (por su propio peso)** || **sostener(se)** *Su argumento, señor fiscal, no se sostiene* · **versar (sobre algo)** · **sustentar(se) (en algo)** · **basar(se) (en algo)** · **ambientar(se) (en un lugar)** || **armar** · **construir** · **trazar** · **urdir** · **trenzar** · **tejer** · **hilvanar** · **cimentar** · **apuntalar** · **remachar** || **esgrimir** *Ha esgrimido argumentos tan convincentes que es difícil no darle la razón* · **aducir** · **blandir** · **enarbolar** · **alegar** · **exponer** · **presentar** · **dar** · **usar** · **utilizar** · **aplicar** · **oponer** · **objetar** || **captar** · **seguir** · **entender** || **creer** · **aceptar** *Prefiero sopesar los argumentos que propones antes de aceptarlos* · **defender** || **tomar en consideración** · **valorar** · **sopesar** · **calibrar** || **descalificar** · **descartar** · **rechazar** · **desoír** · **cuestionar** · **rebatir** · **refutar** *refutar un argumento con un planteamiento contrario* · **invalidar** · **desarbolar** · **desbaratar** · **destripar** · **desmontar** · **pulverizar** · **destruir** · **echar por tierra** || **retorcer** · **tergiversar** · **amañar** || **contar** · **resumir** · **parafrasear** || **{poner/servir} en bandeja (a alguien)** *Con esas medidas, a los especuladores les ponen en bandeja argumentos sólidos para...* || **armar(se) (de)** || **apoyar(se) (en)** *¿En qué argumentos te apoyas para defender esta teoría?* · **valerse (de)** · **atenerse (a)** · **escudarse (en)** || **servir (de/como)**

arisco, ca adj.

• CON SUSTS. ***persona*** *una niña arisca e introvertida* || **gato,ta** · **perro,rra** · ***otros animales*** || **carácter** · **actitud** · **talante** · **comportamiento** · **mirada** · **gesto** || **pinta** · **imagen** *Bajo esa imagen arisca se escondía un corazón de oro* · **aspecto** · **expresión** || **región** · **montaña** · **paisaje** · ***otros lugares***

• CON VBOS. **estar** · **ser** · **volver(se)** · **ponerse**

aristocracia s.f.

• CON ADJS. **alta** *la alta aristocracia del país* · **gran(de)** · **pequeña** || **antigua** · **rancia** · **vieja** · **anacrónica** · **decadente** || **nueva** · **emergente** · **dominante** || **represiva** · **reaccionaria** || **capitalista** · **millonaria** · **terrateniente** *una revuelta social en contra de la aristocracia terrateniente* · **rentista** · **tecnocrática** · **feudal** || **rural** · **agraria** · **campesina** || **local** *una reunión social organizada por la aristocracia local* · **provincial** || **política** · **financiera** *La aristocracia financiera de la ciudad acogió rápidamente al nuevo magnate* · **empresarial** · **industrial** · **intelectual** · **militar** · **espiritual** · **divina**

• CON VBOS. **pertenecer (a)** *Esta familia pertenece a la aristocracia desde tiempos inmemoriales* · **representar (a)** · **codearse (con)**

[aritmética] s.f. → aritmético, ca

aritmético, ca

1 **aritmético, ca** adj.

• CON SUSTS. **cálculo** · **operación** · **suma** · **problema** · **ejercicio** · **juego** · **error** || **concepto** · **término** · **fórmula** *Para resolver el ejercicio tienes que emplear esta fórmula aritmética* || **victoria** · **mayoría** · **media** *Calcula la media aritmética* · **progresión** · **reparto** · **solución**

2 **aritmética** s.f.

• CON ADJS. **simple** || **compleja** · **enrevesada** || **práctica** · **fría** · **lógica** || **parlamentaria** · **electoral** *La aritmética electoral negaba una y otra vez el triunfo a un partido que...* · **política** · **legislativa** · **económica**

➤ Véase también **DISCIPLINA**

arma s.f.

• CON ADJS. **mortífera** · **letal** · **mortal** · **destructora** · **fulminante** || **expeditiva** · **disuasoria** · **eficaz** · **efectiva** · **poderosa** · **contundente** || **automática** · **convencional** · **de repetición** · **de {largo/corto} alcance** · **de precisión** · **casera** · **de fogueo** · **de fuego** · **blanca** · **pesada** · **ligera** || **nuclear** *la prohibición explícita del uso de armas nucleares* · **atómica** · **química** · **biológica** · **de destrucción masiva** || **de guerra** · **de combate** · **de caza** *un permiso para utilizar armas de caza* · **de asalto** · **defensiva** · **ofensiva** || **peligrosa** · **inofensiva** || **arrojadiza** · **secreta** || **de mujer** · **de seducción** · **de presión** · **política** || **homicida** *La Policía sigue buscando el arma homicida* · **reglamentaria**

• CON SUSTS. **arsenal (de)** · **alijo (de)** *el mayor alijo de armas hasta ahora decomisado* || **herida (de)** · **impacto (de)** || **posesión (de)** · **tenencia (de)** · **permiso (de)** · **licencia (de)** || **venta (de)** · **tráfico (de)** · **contrabando (de)** *un delito de contrabando de armas* · **control (de)** || **uso (de)** · **manejo (de)** || **calibre (de)** · **gatillo (de)** · **cañón (de)** || **munición (para)**

• CON VBOS. **llevar** · **portar** · **tener** · **poseer** · **utilizar** · **usar** · **manejar** · **manipular** || **sacar** · **desplegar** · **desenfundar** · **blandir** · **empuñar** · **esgrimir** · **enarbolar** · **dirigir (contra algo/contra alguien)** || **cargar** · **aprestar** · **disponer** · **preparar** || **disparar** · **accionar** || **deponer** *La banda terrorista hizo público un comunicado en el que anunciaba que deponía las armas* · **callar** · **guardar** · **entregar** · **abandonar** || **incautar** · **decomisar** · **confiscar** || **calibrar** || **rendir** · **presentar** || **amenazar (con)** · **apuntar (con)** · **encañonar (con)** || **proveer (de)** · **pertrechar (de)** || **traficar (con)** *Lo detuvieron por traficar con armas*

• CON PREPS. **al calor (de)** || **bajo** · **con**

☐ EXPRESIONES **alzarse en armas** [iniciar una rebelión armada] || **arma de {doble filo/dos filos}** [recurso que puede favorecer o perjudicar el objetivo que se persigue] || **de armas tomar** [de carácter muy fuerte]

[armado, da] → a mano armada

armamento s.m.

• CON ADJS. **potente** · **poderoso** · **moderno** · **sofisticado** · **avanzado** || **anticuado** · **obsoleto** · **inservible** || **convencional** · **reglamentario** || **legal** · **ilegal** || **ligero** *...disponían de armamento ligero para perpetrar sus ataques* ·

pesado || militar · de guerra || nuclear · atómico · químico · biológico
● CON SUSTS. **industria (de) · empresa (de) · fábrica (de) · almacén (de) · negocio (de) || compra (de) · compraventa (de) · venta (de) · contrabando (de)** *un magnate enriquecido gracias al contrabando de armamento* · **comercio (de) · tráfico (de) || programa (de) · política (de) · carrera (de) · control (de)** *un férreo control del armamento por parte del Estado*
● CON VBOS. **proveer · exportar · suministrar · entregar · importar · conseguir || fabricar · producir · desarrollar** *Esta empresa acaba de desarrollar un nuevo y sofisticado armamento* || **utilizar · emplear · desplegar || ocultar · retirar · reducir · limitar · destruir** *un ultimátum para que destruyan su armamento nuclear* || **prohibir · decomisar · requisar || renovar · modernizar || almacenar || contar (con) · disponer (de) · dotar (de) || carecer (de) · librar (de) || incautarse (de)**

[armar] → armar; armar(se); armarse (de)

armar v.
● CON SUSTS. **soldado · policía · tropa · guerrilla || población · gente**
● CON ADVS. **de pies a cabeza · hasta las cejas** *Había armado hasta las cejas a la guerrilla local* · **por completo**

armario s.m.
● CON ADJS. **abarrotado** *un armario abarrotado de ropa* · **lleno · vacío · atestado || ordenado · desordenado || empotrado · a medida || metálico**
● CON SUSTS. **fondo (de) || cajón (de) · puerta (de)**
● CON VBOS. **abrir · cerrar · forzar || organizar · ordenar** *Deberías ordenar tu armario* · **desordenar || llenar · vaciar || vestir · forrar || meter (en) · esconder (en) || guardar (en) · sacar (de) || caber (en)**
● CON PREPS. **dentro (de)**
□ EXPRESIONES **salir del armario** [reconocer públicamente la propia homosexualidad] *col.*

armar(se) v.
● CON SUSTS. **lío · follón · escándalo · ruido · barullo · alboroto** *En la clase se armó un auténtico alboroto* · **disturbio · jaleo · griterío · confusión · revuelo · trifulca · jarana · quilombo || exposición · fiesta · espectáculo · partido ·** ***otros eventos*** **|| viaje · expedición · manifestación · taller || discusión · bronca · guerra · revolución · conflicto · lucha · contragolpe || conspiración · plan · complot · estrategia · estratagema · proyecto · boicot · campaña · planteo · defensa || teoría · hipótesis · argumentación · explicación || alegato · discurso · texto** *El escritor arma su texto partiendo de...* · **denuncia · diálogo || pacto · acuerdo · alianza || estructura · organización · red · organigrama · trama · entramado || escenario · choza · tienda de campaña · muñeco · rompecabezas** *Armamos el rompecabezas en un tiempo récord*

armarse (de) v.
● CON SUSTS. **paciencia** *Me armé de paciencia y empecé a explicarlo todo desde el principio* · **buena fe · benevolencia · estoicismo || valor** *Hay que armarse de valor para emprender un viaje tan arriesgado* · **voluntad · gana · fuerza de voluntad · coraje · valentía · tesón · moral || razón · argumento · palabra · principio || ironía · lucidez · inteligencia · patriotismo**

armenio s.m. Véase **IDIOMA**

armisticio s.m.
● CON VBOS. **pedir · exigir · aceptar || negociar** *Las partes implicadas están negociando un armisticio* · **concertar · acordar · firmar · decretar || denunciar || prorrogar || vigilar · supervisar || terminar (en)**

armonía s.f.
▌[paz, serenidad]
● CON ADJS. **total · absoluta** *vivir en absoluta armonía con la naturaleza* · **plena · completa · gran(de) · auténtica · verdadera · prolongada · duradera || perfecta · plácida · apacible · buena · inalterable · imperturbable || aparente · falsa · extraña || reinante · imperante || interior · familiar** *Reinaba la armonía familiar* || **necesaria · imprescindible || lleno,na (de)**
● CON SUSTS. **ambiente (de) · clima (de) · vida (en) || falta (de)**
● CON VBOS. **presidir (algo) · reinar · imperar · respirarse** *Se respiraba paz y armonía en su casa* || **dar (a algo) || buscar · lograr · alcanzar · conseguir · encontrar || mantener · preservar · conservar || romper · perturbar · alterar · turbar · trastocar · amenazar || perder || restablecer · recuperar || irradiar** *Es una persona que irradia armonía por los cuatro costados* · **revelar · demostrar · reflejar || vivir (en) · convivir (en)** *Con ella siempre me resultó muy fácil convivir en armonía*
● CON PREPS. **en aras (de) || en · con**

[armónica] s.f. → armónico, ca

armónico, ca

1 **armónico, ca** adj.
▌[armonioso, equilibrado]
● CON SUSTS. **composición · estructura · conjunto** *un conjunto arquitectónico verdaderamente armónico* || **estilo · aspecto · apariencia · sentido · belleza || sonido · lenguaje || convivencia · vida || desarrollo** *Se logró un desarrollo armónico de todas las partes integrantes* · **funcionamiento · crecimiento || relación · mezcla · combinación · integración || proporción · equilibrio**
● CON ADVS. **extraordinariamente · completamente**

2 **armónica** s.f.
▌[instrumento musical]
● CON ADJS. **cromática**
● CON VBOS. **soplar** *La guitarrista y cantante también sopla la armónica en algunos temas*
➤ Véase también **INSTRUMENTO MUSICAL**

armoniosamente adv.
● CON VBOS. **unir · mezclar** *un elegante hotel, cuyo estilo mezcla armoniosamente lo clásico y lo contemporáneo* · **integrar · converger · fundir · sumar · agrupar || combinar · coordinar · convivir** *...para que puedan convivir armoniosamente todos los grupos étnicos que integran la ciudad* · **casar · conciliar(se) · conjugar(se) · abrazar · relacionar(se) · acompasar(se) · encajar · confluir · coexistir || encauzar · ordenar · dividir · repartir · distribuir || resolver · solucionar · recomponer · buscar el equilibrio || abrir(se) · crecer · brotar · avanzar · ascender · mecer · girar · mover || vibrar · sonar · entonar · cantar · tocar (un instrumento)** *Tocaba armoniosamente el piano* || **modelar · decorar · dibujar · construir**
● CON ADJS. **junto,ta · asociado,da · relacionado,da**

armonioso, sa adj.

● CON SUSTS. **música** *una música tranquila y armoniosa* · **sonido** · **ruido** · **timbre** · **tono** · **voz** · **silencio** · **sonoridad** · **melodía** · **soniquete** || **obra** · **trabajo** · **gestión** || **relación** *Desde que se conocieron han mantenido una armoniosa relación* · **convivencia** · **juego** · **coexistencia** · **entendimiento** · **concordancia** · **uniformidad** · **complementariedad** · **contrapunto** · **equilibrio** || **acuerdo** · **consenso** || **conjunto** · **mezcla** · **combinación** · **unidad** || **desarrollo** · **crecimiento** || **contexto** · **sociedad** · **clima** · **ambiente** · **sistema** || **cuerpo** · **belleza** *una ciudad de armoniosa belleza* · **color**

armonizar v.

● CON SUSTS. **política** · **legislación** · **ley** *armonizar las leyes de los distintos países* · **ordenamiento** · **norma** · **regla** · **derecho** · **medida** || **economía** · **fiscalidad** · **impuestos** · **sueldos** *La asociación lucha desde hace años para que se armonicen los sueldos de todos los trabajadores* || **posición** · **interés** · **objetivo** · **propuesta** || **pensamiento** · **criterio** *Después de varias horas de estar reunidos, consiguieron armonizar sus criterios* · **concepto** · **perspectiva** || **convivencia** · **diálogo** || **ritmo** · **crecimiento** · **desarrollo** · **trabajo** || **diferencia** || **vida**

● CON ADVS. **perfectamente** *Han conseguido armonizar perfectamente sus posiciones frente a este asunto* · **adecuadamente** · **plenamente** · **completamente** || **cabalmente** · **razonablemente**

□ USO Se construye con sustantivos en plural (*armonizar los intereses de todos*) o coordinados por la conjunción *y* (*armonizar tus intereses y los míos*).

aroma s.m.

● CON ADJS. **dulce** *un aroma dulce procedente de la cocina* · **suave** · **delicado** · **agradable** *el agradable aroma que desprende* · **fragante** · **exótico** || **natural** · **artificial** || **intenso** · **fuerte** · **penetrante** · **ácido** || **cautivador** · **seductor** · **envolvente** · **arrebatador** · **irresistible** · **embriagador** *Los jazmines desprendían un aroma embriagador* · **incitante** · **estimulante** · **persuasivo** || **inequívoco** · **inconfundible** · **característico** · **especial** · **particular** || **tenue** · **vago** || **humeante** || **cargado,da (de)** *una noche de verano cargada de aromas* · **impregnado,da (de)**

● CON VBOS. **llegar(le) (a alguien)** · **seducir (a alguien)** · **arrastrar (a alguien)** || **envolver (algo/a alguien)** *El intenso aroma del café nos envolvió en seguida* · **llenar (algo)** · **empapar (algo)** || **emanar (de algo)** · **desprender(se)** · **extender(se)** *El aroma de su perfume se extendió poco a poco por la habitación* · **expandir(se)** || **concentrar(se)** || **percibir** · **notar** · **sentir** · **oler** · **inhalar** · **aspirar** · **respirar** || **producir** · **exhalar** · **despedir** *Su ropa despedía siempre un aroma particular* · **emitir** || **traer** · **recuperar** · **perder** || **impregnar (de)** || **dejarse llevar (por)**

aromático, ca adj.

● CON SUSTS. **hierba** · **planta** || **bebida** · **vino** · **aceite** · **vinagre** · **infusión** · **té** · **café** || **olor** · **emanación** || **hidrocarburo** || **jabón**

● CON ADVS. **ligeramente**

arpa s.f.

● CON ADJS. **celta** · **criolla** · **paraguaya** · **de pedales** · **birmana** · **irlandesa** · **africana** · **metálica** · **convencional** · **medieval** · **moderna** || **cantarina** · **melodiosa**

● CON VBOS. **tañer**

➤ Véase también **INSTRUMENTO MUSICAL**

arquear v.

● CON SUSTS. **ceja** *Arqueó ligeramente las cejas en señal de sorpresa* · **espalda** · **pierna** · **brazo** · **pie** · **dedos** · **columna** · **cuerpo**

● CON ADVS. **ligeramente** · **levemente** · **moderadamente** || **excesivamente** *No conviene arquear excesivamente la espalda*

arqueología s.f.

● CON ADJS. **moderna** · **antigua** · **histórica** · **medieval**

● CON SUSTS. **exposición (de)** · **museo (de)**

➤ Véase también **DISCIPLINA**

arqueológico, ca adj.

● CON SUSTS. **museo** *visitar el museo arqueológico* · **conjunto** · **zona** || **pieza** *una pieza arqueológica de gran valor* · **objeto** · **tesoro** · **patrimonio** · **fondo** · **material** || **restos** · **vestigio** · **ruinas** || **excavación** · **yacimiento** *visitar un yacimiento arqueológico* · **reconstrucción** || **hallazgo** · **descubrimiento** || **trabajo** · **estudio** · **investigación** || **interés** · **valor** · **riqueza**

arqueólogo, ga s.

● CON ADJS. **prestigioso,sa** · **famoso,sa** · **experto,ta** · **reputado,da**

● CON SUSTS. **equipo (de)** · **grupo (de)** || **expedición (de)**

arquetipo s.m.

● CON ADJS. **difundido** *La protagonista representa claramente el arquetipo difundido de mujer actual* · **establecido** || **representativo** · **universal** · **consabido** · **característico**

● CON VBOS. **considerar (algo/a alguien)** || **encarnar** · **representar** · **constituir** · **simbolizar** || **romper** *Este autor rompe el arquetipo característico de poeta romántico* || **erigir(se) (en)** || **acabar (con)** || **recurrir (a)** · **volver (a)**

arquitecto, ta s.

● CON ADJS. **famoso,sa** · **reconocido,da** · **notable** || **genial** · **polémico,ca** · **innovador,-a** · **sorprendente** · **original** · **vanguardista** || **municipal** *El arquitecto municipal ha detenido las obras* · **urbanista** || **superior** · **técnico,ca** · **perito,ta**

● CON SUSTS. **estudio (de)** · **equipo (de)** · **colegio (de)**

● CON VBOS. **realizar (algo)** · **construir (algo)** · **restaurar (algo)** · **reformar (algo)** · **remodelar (algo)** || **planificar (algo)** · **idear (algo)** *El arquitecto que ideó este edificio...* · **diseñar (algo)** || **trabajar (como/de)** · **ejercer (de)**

arquitectónico, ca adj.

● CON SUSTS. **conjunto** · **complejo** · **pieza** · **obra** *las principales obras arquitectónicas del siglo pasado* · **restos** · **ruinas** · **hallazgo** || **patrimonio** · **hito** · **joya** · **tesoro** · **milagro** || **panorama** · **paisaje** · **entorno** · **marco** || **motivo** · **detalle** *una construcción con numerosos detalles arquitectónicos* · **estructura** || **composición** · **diseño** · **modelo** · **dibujo** || **belleza** · **valor** · **calidad** · **interés** || **concepción** · **estilo** *¿A qué estilo arquitectónico pertenece esta catedral?* · **característica** || **solución** · **propuesta** *una propuesta arquitectónica inteligente para resolver el problema de espacio* · **plan** · **proyecto** · **concurso** || **renovación** · **reforma** || **barrera**

arquitectura s.f.

● CON ADJS. **contemporánea** · **moderna** · **actual** · **nueva** · **clásica** || **monumental** || **funcional** · **singular** || **popular** · **autóctona** *la arquitectura autóctona de la zona*

● CON SUSTS. **escuela (de)**

➤ Véase también **DISCIPLINA**

arraigado, da adj.

●CON SUSTS. **costumbre · tradición · cultura · práctica · hábito · convención · uso · tendencia** *comunidades con una arraigada tendencia conservadora y de respeto por la tradición* · **fiesta · celebración || idea · principio · convicción · creencia · doctrina · pensamiento · criterio · teoría · opinión · moral || punto de vista** *...un punto de vista quizá no muy democrático, pero hondamente arraigado en esta sociedad* · **posición · actitud · comportamiento · conducta · talante || sentimiento** *sentimientos de solidaridad profundamente arraigados entre ellos* · **emoción · cariño · amor || institución** *una institución arraigada en nuestra sociedad desde hace un siglo* · **sistema · estructura · entidad · sector || carácter · carisma · característica · identidad · seña · personalidad · esencia · virtud || prejuicio** *Es difícil luchar contra prejuicios tan arraigados* · **tabú · intolerancia · discriminación · desconfianza · aversión · odio · fobia · hostilidad || preocupación · temor · miedo || impulso · ilusión · sueño · expectativa · aspiración · deseo · afán · proyecto · afición**

●CON ADVS. **ampliamente · escasamente · extensamente · largamente · plenamente · totalmente || hondamente · profundamente** *debido a los temores y prejuicios profundamente arraigados en el pueblo* · **sólidamente · firmemente · fuertemente || históricamente · socialmente · tradicionalmente || especialmente · excesivamente || acendradamente**

□USO Admite complementos encabezados por las preposiciones *en* (*un sentimiento solidario muy arraigado en la sociedad*) y *entre* (*una costumbre totalmente arraigada entre los más jóvenes*).

arraigar v.

●CON SUSTS. **cultura · tradición** *...tradición que arraigó tan hondamente en este pueblo que todavía se conserva* · **costumbre · hábito · práctica · uso · virtud · medida || pensamiento · idea** *...y esta idea arraigó rápidamente entre los pensadores de su época* · **teoría · sistema · concepto || creencia · religión · convicción · opinión · prejuicio · actitud || romanticismo** *¿Cuándo empezó a arraigar el romanticismo en nuestro país?* · **surrealismo · humanismo · realismo** · ***otras tendencias***

●CON ADVS. **excesivamente · plenamente · hondamente · sólidamente · fuertemente · profundamente · firmemente || rápidamente || tradicionalmente · históricamente || socialmente**

□USO Admite complementos encabezados por las preposiciones *en* (*El sentimiento de solidaridad arraigó pronto en la sociedad*) y *entre* (*Algunas costumbres arraigan en seguida entre los jóvenes*).

arraigo s.m.

●CON ADJS. **poderoso · fuerte** *Estas ideas tienen un fuerte arraigo entre la población* · **profundo · enorme · notorio · indudable · gran(de) || suficiente · escaso · débil || especial · particular** *Siente un arraigo particular hacia la tierra de sus padres* || **territorial · patrio · local · nacional || social** *Le faltaba el arraigo social y familiar necesario para desarrollarse como persona* · **popular · familiar · personal || histórico · tradicional**

●CON VBOS. **faltar || tener · adquirir** *La fiesta patronal ha ido adquiriendo arraigo* · **cobrar · tomar · conservar || perder || carecer (de)**

●CON PREPS. **con · sin**

[arrancar] → arrancar; arrancar (a)

arrancar v.

▌[sacar de raíz]

●CON SUSTS. **viña · árbol · planta · cepa · raíz || clavo || muela · espina || vicio · manía**

●CON ADVS. **de raíz · de cuajo** *El temporal arrancó dos árboles de cuajo* || **de los manos**

▌[poner en marcha]

●CON SUSTS. **máquina · mecanismo · dispositivo · motor · automóvil · vehículo || plan · proyecto** *El proyecto ha arrancado gracias a la financiación de...* · **programa || campeonato · campaña** *Mañana arranca la campaña electoral* || **economía · empresa || semana** *La semana arrancó con mal pie* · **año · siglo · época** · ***otros períodos***

●CON ADVS. **bruscamente · rápidamente · repentinamente || con {buen/mal} pie || de cero || a lo grande · a medio gas**

▌[obtener de alguien]

●CON SUSTS. **sonrisa** *Ella es la única que consigue arrancarle una sonrisa* · **lágrima · suspiro || aplauso · ovación · elogio || promesa · compromiso · acuerdo · concesión · voto || mejora · derecho || dato** *La periodista arrancó a su interlocutor nuevos datos sobre este tema* · **información · secreto · confesión · declaración || punto** *Gracias a una hermética defensa lograron injustamente arrancar un punto*

arrancar (a) v.

●CON VBOS. **cantar** *Ante el asombro de todos, se arrancó a cantar una saeta* · **bailar · aplaudir · proclamar · gritar · hablar || llorar** *A este niño no le cuesta nada arrancar a llorar* || **correr**

arranque

1 arranque s.m.

●CON ADJS. **arrollador · brioso · fulgurante · brusco · explosivo · fuerte · fulminante · trepidante || brillante · buen(o) · espectacular** *El arranque del partido fue espectacular* · **esplendoroso · excelente · exitoso · impecable · impresionante · prometedor || insólito · imprevisto · repentino · súbito** *...comentario que provocó un súbito arranque de celos* · **sorprendente || compulsivo · impulsivo · visceral · frenético · inicial || difícil · desastroso · forzoso · pésimo || flojo · apagado · dudoso || progresivo · accidentado || codificado · eléctrico**

●CON SUSTS. **motor (de)** *el motor de arranque del coche* · **punto (de) · sistema (de)**

●CON VBOS. **dificultar · facilitar || impedir · permitir** *El buen tiempo permitió que el arranque de la temporada fuera brillante* · **iniciar · posponer · desencadenar(se) || marcar · señalar · tener · seguir || dejarse llevar (por)**

2 arranque (de) s.m.

●CON SUSTS. **negociación · partido · cumbre · campaña · evento · temporada · curso · elección · liga · campeonato** *Prevén una gran afluencia de público para el arranque del campeonato* · **torneo || proceso || empresa · compañía · fábrica · organización · plan · iniciativa · proyecto · gestión · gobierno || emoción · cólera** *Me dejé llevar por un brusco arranque de cólera* · **ira · locura · rabia · indignación · celos · furia · malhumor · violencia · brutalidad || orgullo · vanidad · soberbia · egocentrismo || generosidad** *en un arranque de generosidad* · **sinceridad · franqueza · compasión · solidaridad · moderación · sensatez · humildad · modestia · confianza || genio · genialidad · inspiración · lucidez** *Afortunadamente, en un arranque de lucidez, les pedí...* || **valentía · valor · coraje · audacia · gallardía · casta · bravura || fuerza · potencia · intensidad · energía · pasión || pa-**

triotismo · idealismo *En un arranque de idealismo propuso...* · ***otras tendencias*** || **euforia · alegría · júbilo** || **máquina · maquinaria · sierra eléctrica · motor** || **coche** *Un fallo en el arranque del coche causó...* · **camión · furgoneta** · ***otros vehículos***

arras s.f.pl.

• CON ADJS. **de boda · nupciales · matrimoniales**
• CON SUSTS. **entrega (de)** || **bandeja (de)**
• CON VBOS. **entregar · donar · regalar · dar** || **llevar · portar**

arrasador, -a adj.

• CON SUSTS. **viento · ciclón · huracán · vendaval · incendio · fuego** *Centenares de hectáreas fueron pasto de un fuego arrasador* · **cataclismo · terremoto · volcán** || **victoria · triunfo · éxito · mayoría absoluta · audiencia** *El programa es líder en su franja horaria con una audiencia arrasadora* · **auge · fama · popularidad** || **estreno · debut · largometraje · película · historia de amor · disco** || **paso · avance** *...medidas con las que intentaron frenar el avance arrasador del partido opositor* · **ciclo · marcha · movimiento** || **fuerza · personalidad · pasión · atracción · corazón · estilo · energía · vena populista · impulso · obstinación** || **fiebre iconoclasta** || **efecto · resultado · daño** || **delantero,ra · participante · concursante · ejército · equipo · plantilla** || **tendencia · moda · corriente**

arrasar v.

I [destruir]

• CON SUSTS. **territorio · superficie · campo** *La crecida del río arrasó todos los campos colindantes* · **bosque · cultivo · poblado · ciudad** *El terremoto arrasó ciudades enteras en un abrir y cerrar de ojos*
• CON ADVS. **totalmente** *Varias hectáreas quedaron totalmente arrasadas por el fuego* · **por completo · enteramente · de punta a punta · de cabo a rabo · parcialmente** || **rápidamente · en un abrir y cerrar de ojos** || **sistemáticamente**

I [triunfar rotundamente]

• CON ADVS. **electoralmente · deportivamente · comercialmente · en {una competición/un campeonato...}** *El equipo australiano de natación arrasó en el último campeonato*

arrastradamente adv.

• CON VBOS. **vivir · subsistir · ir tirando** || **moverse**

arrastrado, da adj.

• CON SUSTS. **vida** *llevar una vida arrastrada* · **situación** || ***persona***

[arrastrar] → arrastrar; arrastrar(se)

arrastrar v.

• CON SUSTS. **carga · peso · lastre** || **deficiencia · defecto · lacra · enfermedad** *Como no se cuide, arrastrará usted esta enfermedad para el resto de su vida* || **equivocación · error · fallo** || **problema · desgracia** || **pérdida** *La empresa arrastra pérdidas desde hace meses* · **deuda** || **masas · opinión pública · ciudadano,na · ciudadanía · sociedad · espectador,-a · público** || **polémica · enfrentamiento · conflicto · malentendido** || **voto**
• CON ADVS. **pesadamente** || **irremediablemente · inexorablemente · inevitablemente** || **definitivamente** || **conscientemente** || **fácilmente** || **negativamente**

arrastrar(se) v.

• CON ADVS. **humildemente · sin dignidad · como un gusano** *No me gusta que te arrastres como un gusano ante ellos* || **por los suelos**

arrebatador, -a adj.

• CON SUSTS. **encanto · sonrisa · mirada · estilo · presencia · carisma · naturalidad · elocuencia · poder · talento · carácter** || **intensidad · fuerza · contundencia** || **éxito** *Nadie esperaba el éxito arrebatador de su última película* || **escena · imagen · visión · espectáculo** || **obra · baile · sonido** *el sonido arrebatador de su violín* || **brillo · luminosidad**

arrebatar v.

• CON SUSTS. **puesto** *El entrenador de este equipo pretende arrebatarle el puesto al seleccionador nacional* · **cargo · papel · alcaldía · presidencia** || **control · poder · titularidad · protagonismo · liderazgo · iniciativa** · ***otras situaciones de preeminencia*** || **posesión · propiedad** || **victoria · título · triunfo** || **sueño · esperanza** *El accidente le arrebató las esperanzas de llegar a ser tenista profesional* · **alegría · ilusión · deseo · gana** *Nadie pudo arrebatarle las ganas de competir* · **posibilidad · idea** || **derecho · vida** || **mercado · voto · territorio**
• CON ADVS. **completamente · del todo · enteramente · parcialmente** || **rápidamente · progresivamente · gradualmente · lentamente · inesperadamente · sistemáticamente** || **sin miramientos · drásticamente** || **temporalmente · provisionalmente · definitivamente** || **oportunamente · acertadamente · innecesariamente** || **hábilmente · subrepticiamente · astutamente · fácilmente · imperceptiblemente** || **trágicamente** *El horrible accidente arrebató trágicamente la vida de diez personas*

arrebato

1 arrebato s.m.

• CON ADJS. **repentino · súbito · intempestivo · inesperado** || **incontrolable** *...presa de un arrebato incontrolable de furia* · **irrefrenable · irresistible · encendido · fogoso · pasional** || **espontáneo · impulsivo · instintivo · automático** || **dulce · amoroso**
• CON VBOS. **apaciguar** *un arrebato de rabia imposible de apaciguar* · **aplacar · calmar · templar · controlar · contener** || **sufrir · tener** || **ceder (a) · sucumbir (a)**

2 arrebato (de) s.m.

• CON SUSTS. **cólera · ira · violencia · furia · indignación** *En un arrebato de indignación hizo añicos su propio informe* · **rabia · desesperación · enojo · odio · impotencia** || **locura · celos · delirio · histeria · esquizofrenia · envidia** || **pasión · amor** *Emocionada y presa de un arrebato de amor maternal, lo estrechó entre sus brazos* · **ternura** || **orgullo · vanidad · prepotencia · divismo · protagonismo** || **melancolía · nostalgia · tristeza** *repentinos arrebatos de tristeza* || **entusiasmo · felicidad · euforia · optimismo** || **creatividad · originalidad · lucidez** *En un arrebato de lucidez bajó la voz y pidió disculpas* || **sinceridad · dignidad · honestidad · modestia · civismo · purismo**

arreciar v.

• CON SUSTS. **lluvia · calor · granizo · tormenta · tempestad · aguacero · vendaval · viento · temporal** *El temporal arreciaba* · ***otros fenómenos meteorológicos adversos*** || **crítica · protesta · acusación · queja · reproche** *A partir de aquel día arreciaron los reproches en la prensa* · **condena · denuncia** || **grito · pitido · silbido · griterío · fragor · gemido · carcajada · voz · aplauso** *Los aplausos* *arreciaron y el cantante volvió a salir* · **ovación** · **cántico** · **viva** || **rumor** · **comentario** · **comidilla** · **consigna** · **pregunta** || **enfrentamiento** · **guerra** · **batalla** · **combate** · **lucha** · **pugna** || **presión** · **ataque** · **acoso** · **persecución** · **agresión** · **intimidación** · **boicot** · **insulto** · **amenaza** || **polémica** · **violencia** · **controversia** · **conflicto** · **crisis** *todo un sector industrial paralizado mientras arreciaba la crisis económica* · **peligro** · **tensión** · **problema** · **dificultad** · **escándalo** · **competencia** || **duda** · **sospecha** · **descontento** · **malestar**

arreglar v.

• CON SUSTS. **situación** *...para intentar arreglar la situación cuanto antes* · **asunto** · **relación** || **desperfecto** · **desaguisado** · **avería** · **fallo** · **defecto** · **error** || **problema** · **conflicto** · **diferencias** · **cuenta** *Te debo dinero, así que tenemos que arreglar cuentas* · **entuerto** · **malentendido** || **máquina** · **maquinaria** · **motor** || **vida** · **mundo**

• CON ADVS. **por completo** · **del todo** · **perfectamente** || **en parte** · **a medias** || **temporalmente** · **provisionalmente** · **definitivamente** *Es pronto para afirmar que han arreglado definitivamente sus diferencias* || **de un día para otro** · **rápidamente** || **fácilmente** || **verbalmente** · **de palabra** · **oficialmente** · **internamente** || **pacíficamente** · **amistosamente** · **por las {buenas/malas}**

[arreglo] →arreglo; con arreglo (a)

arreglo s.m.

• CON ADJS. **satisfactorio** *llegar a un arreglo satisfactorio con los afectados* · **apropiado** · **justo** · **decoroso** · **razonable** · **ventajoso** || **pacífico** · **amistoso** || **temporal** *un arreglo temporal de la situación* · **provisional** · **eventual** || **permanente** · **definitivo** *El arreglo definitivo no se logrará hasta mucho más adelante* || **necesario** · **urgente** · **indispensable** · **imprescindible** || **fácil** · **difícil** · **costoso** || **manual** · **casero** · **familiar** || **masivo** · **global** *Las partes implicadas están buscando un arreglo global* || **económico** · **político** · **judicial** || **acordado** · **consensuado**

• CON VBOS. **precisar** · **necesitar** || **buscar** · **intentar** · **requerir** · **proponer** · **propiciar** || **tener** *Estoy seguro de que su problema tiene arreglo* || **conseguir** · **alcanzar** · **lograr** · **encontrar** || **consensuar** · **acordar** · **apalabrar** · **anunciar** || **realizar** · **llevar a cabo** || **impedir** · **obstaculizar** · **torpedear** · **dificultar** || **cobrar** *Aún no he cobrado el arreglo de la caldera* || **llegar (a)** *Es bastante difícil llegar a un arreglo con ellos*

arremeter (contra algo/contra alguien) v.

• CON ADVS. **a golpes** · **a puñetazos** · **a patadas** || **cruelmente** · **duramente** *En sus declaraciones arremetió duramente contra...* · **con dureza** · **violentamente** · **bruscamente** || **sin piedad** · **sin contemplaciones** · **sin miramientos** *El entrenador arremetió sin miramientos contra los jugadores por su mal juego* · **sin pudor** · **sin pensarlo dos veces** || **firmemente** · **decididamente** · **vehementemente** · **intensamente** || **frontalmente** · **públicamente** · **directamente** · **indirectamente** || **sistemáticamente** || **verbalmente** *Los manifestantes arremetieron verbalmente contra el Gobierno*

arremetida s.f.

• CON ADJS. **fuerte** *las fuertes arremetidas del viento* · **violenta** · **virulenta** · **feroz** · **salvaje** · **veloz** || **inesperada** || **final** || **frontal** · **ofensiva** || **bélica** · **terrorista** · **guerrillera** · **paramilitar** · **gubernamental** · **política** · **financiera**

• CON VBOS. **lanzar** *El equipo lanzó una arremetida final para hacerse con la victoria* · **iniciar** || **aguantar** · **resistir** || **detener** · **contrarrestar** || **escapar (a)** *El torero escapó por los pelos a la furiosa arremetida del toro*

arremolinarse v.

• CON SUSTS. **gente** · **curiosos,sas** *Los curiosos se arremolinaron a la salida del teatro para ver pasar a la actriz* · **aficionados,das** · **turistas** · ***otros individuos y grupos humanos*** || **nubes** *Las nubes se arremolinan en el cielo dibujando formas curiosas* · **niebla** · **nieve** · **agua** · **arena** · **polvo** · **polen** · **humo**

□ USO Se construye generalmente con sustantivos no contables en singular (*La gente se arremolinaba en la puerta*) o con contables en plural (*Los aficionados se arremolinaban en la puerta*).

arrendamiento s.m.

• CON ADJS. **urbano** · **rústico** || **hostelero** · **inmobiliario** · **financiero**

• CON SUSTS. **contrato (de)** *Ayer firmé el contrato de arrendamiento de la casa* · **ley (de)** · **acuerdo (de)** · **derecho (de)** || **pago (de)** · **coste (de)** · **tarifa (de)** · **impuesto (de)** · **fianza (de)** || **beneficio (de)** · **dinero (de)** · **gasto (de)**

• CON VBOS. **firmar** · **suscribir** || **conceder** · **otorgar** · **establecer** · **negar** || **mantener** · **renovar** · **modificar**

arrepentimiento s.m.

• CON ADJS. **pleno** · **general** · **total** · **profundo** · **sólido** · **firme** · **de (todo) corazón** · **expreso** || **franco** · **sincero** *Quiero manifestar mi más sincero arrepentimiento por...* · **veraz** · **limpio** || **inmediato** · **espontáneo** || **falso** · **fingido** · **simulado** · **de boquilla** || **peso (de)**

• CON SUSTS. **señal (de)** · **signo (de)** · **muestra (de)** · **gesto (de)** · **acto (de)** · **palabras (de)** · **actitud (de)** · **ápice (de)** || **falta (de)** *Su absoluta falta de arrepentimiento me sorprendió*

• CON VBOS. **venir (a alguien)** · **entrar (a alguien)** || **manifestar** · **demostrar** · **exteriorizar** · **evidenciar** · **expresar** · **declarar** · **confesar** · **hacer público** *Tras las críticas recibidas, el entrenador hizo público su arrepentimiento* · **mostrar** || **sentir** || **fingir** · **aparentar** || **pedir** · **prometer** || **entregarse (a)** || **exhortar (a)** · **llevar (a)** · **conducir (a)**

arrepentirse v.

• CON ADVS. **sinceramente** · **honestamente** · **de (todo) corazón** *Me arrepiento de todo corazón de lo que hice* · **verdaderamente** || **profundamente** *Se arrepintió profundamente de la decisión que había tomado* || **de boquilla** || **visiblemente** · **públicamente**

□ USO Se construye con complementos encabezados por la preposición *de*: *Me arrepiento de todo lo que te he dicho.*

arrestar v.

• CON SUSTS. **sospechoso,sa** · **líder** *La Policía ha conseguido arrestar al líder de la banda terrorista* · **violador,-a** · **delincuente** · **asesino,na** · **imputado,da** · **culpable** · **banda** · ***otros individuos y grupos humanos***

• CON ADVS. **preventivamente** · **cautelarmente** · **temporalmente**

arresto s.m.

• CON ADJS. **breve** · **prolongado** · **temporal** *Su arresto será solo temporal* · **provisional** || **repentino** · **inmediato** *El juez decretó el arresto inmediato del sospechoso* || **disciplinario** · **cautelar** · **preventivo** || **domiciliario** *Se vio sometido a un arresto domiciliario durante varios meses* || **militar**

• CON SUSTS. **orden (de)** *La orden de arresto ya ha sido cursada* · **pena (de)** || **operación (de)** || **situación (de)**
• CON VBOS. **pedir** · **solicitar** || **anunciar** · **dictar** · **decretar** · **ordenar** · **propiciar** || **practicar** · **efectuar** *La Policía ha efectuado el arresto de varios dirigentes de la banda armada* · **imponer** · **aplicar** || **prolongar** · **levantar** · **interrumpir** · **revocar** || **cumplir** || **impugnar** · **impedir** · **justificar** || **castigar (con)** *Lo castigaron con un arresto disciplinario* || **permanecer (en)**
• CON PREPS. **bajo** · **so pena (de)** || **en**

arriar v.

• CON SUSTS. **vela** *arriar la vela mayor para repararla* · **velamen** · **aparejo** · **mesana** || **bandera** *izar y arriar la bandera* · **pabellón** · **enseña** · **estandarte** · **símbolo** · **pancarta** || **bote** · **lancha**

[arriba]

→ boca arriba; como gato panza arriba; de arriba abajo; patas arriba

arriesgado, da adj.

• CON SUSTS. **experimento** · **juego** · **apuesta** · **aventura** || **trabajo** · **ejercicio** · **negocio** *un negocio demasiado arriesgado* · **proyecto** · **intento** || **misión** · **operación** · **viaje** || **adelantamiento** *Aquel arriesgado adelantamiento pudo costarles la vida* · **maniobra** || **postura** · **elección** · **opción** · **decisión** || **comportamiento** · **acción** || **expresión** · **título** · **respuesta** *Me parece una respuesta arriesgada* · **discurso** · **frase** · **artículo** · ***otras manifestaciones verbales o textuales*** || **candidato,ta** *un candidato arriesgado y atrevido* · **político,ca** · ***otros individuos***
• CON ADVS. **sumamente** *No me parece un trabajo sumamente arriesgado* · **especialmente** · **excesivamente** || **militarmente** · **políticamente** · **electoralmente** · **deportivamente** · **económicamente**

arriesgarse v.

• CON ADVS. **tontamente** *Creo que te arriesgaste tontamente al tomar aquella decisión* · **absurdamente** · **innecesariamente** · **inútilmente** · **sin justificación** · **sin ton ni son** · **a tontas y a locas** || **peligrosamente** *Arriesgaron peligrosamente su vida, pero rescataron a varias personas en el incendio* · **imprudentemente** · **excesivamente** || **heroicamente** · **épicamente**

arrinconar v.

• CON SUSTS. **rival** · **contrincante** · **adversario,ria** *El objetivo era arrinconar al adversario y no dejarle reaccionar* · **jugador,-a** || **equipo** · **gobierno** · **oposición** · **sector** · **facción** || ***otros individuos y grupos humanos*** || **perro,rra** · **pájaro** · ***otros animales*** || **presa** · **víctima** || **mesa** · **sillón** · ***otros muebles*** || **cuestión** *Han decidido arrinconar esta cuestión por el momento* · **asunto** · **tema** || **medida** · **propuesta** · **plan** · **proyecto**
• CON ADVS. **temporalmente** · **definitivamente** · **totalmente** · **completamente** · **fácilmente**

arroba s.f.

▮ [medida de peso]

• CON VBOS. **equivaler** || **pesar** || **calcular** · **convertir** *convertir arrobas en otras unidades de peso* || **cargar** · **transportar** · **llevar**
• CON PREPS. **en** *¿Cuánto pesa en arrobas?*

▮ [signo de un teclado]

• CON SUSTS. **símbolo (de)** · **signo (de)**
• CON VBOS. **escribir** · **leer(se)**

arrogancia s.f.

• CON ADJS. **desdeñosa** *una mirada de desdeñosa arrogancia* · **orgullosa** · **despreciativa** · **despectiva** · **prepotente** · **altanera** · **distanciadora** · **pretenciosa** · **pomposa** · **petulante** · **condescendiente** · **vana** || **profunda** *No disimula su profunda arrogancia* · **ciega** · **atrevida** · **supina** · **extrema** || **lleno,na (de)** *una mirada llena de arrogancia* · **inflado,da (de)** · **henchido,da (de)** · **impregnado,da (de)**
• CON SUSTS. **gesto (de)** · **acto (de)** *No lo tomes como un acto de arrogancia* · **tono (de)** · **aire (de)** *con ese aire de superioridad y de arrogancia que la caracterizaba* || **ápice (de)**
• CON VBOS. **desvanecerse** || **exhibir** · **mostrar** · **exteriorizar** · **demostrar** · **desplegar** · **destilar** · **infundir** || **sentir** · **soportar** || **perder** || **esconder** · **ocultar** || **bordear** || **rayar (en)** *Sus palabras rayaban en la arrogancia*
• CON PREPS. **con** *dirigirse a alguien con arrogancia*

arrogante adj.

• CON SUSTS. **árbitro,tra** · **juez** · **presidente,ta** · **jefe,fa** · **director,-a** · ***otros individuos*** || **carácter** · **talante** · **actitud** · **estilo** · **tono** · **aire** · **gesto** · **mirada** · **semblante** || **autoridad** · **firmeza** · **superioridad** · **desprecio** · **indiferencia** *Mostró hacia nosotros una arrogante indiferencia* · **sinceridad** || **afirmación** *Nos sorprendió una afirmación tan rotunda que parecía arrogante* · **contestación** · **respuesta** · **pregunta** || **palabras** · **frase** · **discurso** || **opinión** · **postura** · **idea** || **decisión** · **orden** · **mandato** · **gobierno**
• CON ADVS. **excesivamente** · **sumamente** *Me molesta que seas tan sumamente arrogante* · **tremendamente** · **terriblemente**
• CON VBOS. **ponerse** · **volver(se)** · **hacerse** || **resultar**

arrojadizo, za adj.

• CON SUSTS. **arma** · **piedra** · **objeto**

[arrojar]

→ arrojar; arrojar luz (sobre); arrojar(se) (a)

arrojar v.

▮ [lanzar, echar]

• CON SUSTS. **piedra** · **bomba** · **pelota** · **agua** · **lava** · **basura** · ***otros objetos o sustancias*** || **pregunta** *El periodista arrojó una pregunta impertinente que no obtuvo respuesta* · **insulto** · **palabra** · **frase** · **amenaza** · **mensaje**
• CON ADVS. **desdeñosamente** · **despectivamente** · **brutalmente** · **violentamente** || **accidentalmente** · **deliberadamente** · **impunemente**

▮ [mostrar, presentar]

• CON SUSTS. **balance** · **resultado** · **conclusión** · **solución** || **saldo** *El fin de semana arrojó un saldo de una veintena de muertos en accidentes de carretera* · **cifra** · **porcentaje** · **tasa** · **índice** · **diferencia** · **punto** · **dato** · **estadística** || **beneficio** · **superávit** · **incremento** · **ventaja** · **subida** · **ingreso** · **ganancia** · **ascenso** · **alza** || **déficit** · **pérdida** · **deuda** · **descenso** · **gasto** || **sombra** · **síntoma** · **pista** · **señal** · **signo** · **indicio** · **clave** · **pronóstico** · **muestra** || **victoria** · **éxito** · **logro** || **duda** *unos hechos que arrojan serias dudas sobre la capacidad del Gobierno para...* · **sospecha** · **incertidumbre** · **inseguridad** || **evidencia** · **certeza** · **realidad** || **sorpresa** · **alegría** · **novedad** || **perfil** · **aspecto** || **esperanza** · **interés** · **expectativa** · **perspectiva**
• CON ADVS. **inevitablemente** · **inexorablemente** || **exclusivamente** *El estudio arrojó exclusivamente resultados negativos*

arrojar luz (sobre) loc.vbal.

● CON SUSTS. **asunto** · **tema** *una investigación que arrojará algo de luz sobre un tema sumamente controvertido* · **situación** || **problema** · **conflicto** || **crimen** *Las nuevas pistas han arrojado luz sobre el horrible crimen de...* · **caso** · **asesinato** · **robo** · **fraude** · ***otros delitos***

arrojar(se) (a) v.

● CON SUSTS. **mar** *arrojar la basura al mar* · **agua** *El marinero se arrojó al agua para ayudar a sus compañeros* · **suelo** · **llamas** · **vacío** || **brazos (de alguien)** *Se arrojó a los brazos de su hermano* · **pies (de alguien)**
● CON ADVS. **repentinamente** · **súbitamente** · **inesperadamente** || **en manos (de algo/de alguien)** || **en cuerpo y alma** · **de cabeza** || **sin miedo** *Arrójate al mar sin miedo, que no te va a pasar nada* · **decididamente** · **sin pensarlo dos veces**

arrojo s.m.

● CON ADJS. **admirable** · **encomiable** · **sorprendente** · **extraordinario** · **desmedido** · **desmesurado** · **ilimitado** · **gran(de)** · **envidiable** || **verdadero** · **indudable** || **escaso** · **excesivo** || **intelectual** · **político** *La han elegido candidata a la presidencia por su gran arrojo político* · **deportivo** || **lleno,na (de)**
● CON SUSTS. **muestra (de)** · **gesto (de)** · **demostración (de)**
● CON VBOS. **faltar(le) (a alguien)** || **tener** · **desplegar** · **derrochar** · **echar** · **infundir** || **mostrar** · **lucir** · **exhibir** · **destacar** · **demostrar** *Demostró un arrojo sorprendente* · **revelar** || **conservar** · **mantener** · **perder** || **pedir** · **recompensar** · **premiar** || **armarse (de)** · **hacer gala (de)** || **carecer (de)**
● CON PREPS. **con** *afrontar los problemas con arrojo*

arrollador, -a adj.

● CON SUSTS. **victoria** · **triunfo** · **éxito** *La película ha tenido un éxito arrollador* · **mayoría** · **resultado** · **dominio** · **influencia** · **liderazgo** || **paso** · **avance** · **remontada** · **expansión** · **marcha** · **proceso** · **ofensiva** · **invasión** · **juego** || **fuerza** · **ímpetu** · **empuje** · **potencia** · **presión** · **poderío** || **arranque** · **principio** · **debut** · **crecimiento** *el crecimiento arrollador del último año* · **ritmo** · **tendencia** || **popularidad** · **simpatía** · **carisma** · **seguridad** · **vitalidad** *Pese a su edad, el actor mostró una vitalidad arrolladora* · **autenticidad** · **creatividad** · **personalidad** · **carácter** || **emoción** · **reacción** · **aplauso** · **pasión** · **furia** · **euforia** · **entusiasmo** || **personaje** · **jugador,-a** · **delantero,ra** *El equipo contaba con un delantero arrollador* · **equipo** · **actor** · **actriz** · ***otros individuos y grupos humanos*** || **período** · **temporada** · **jornada** · **futuro** || **película** · **poesía** · **baile** · **espectáculo** · **obra** · ***otras creaciones***
● CON VBOS. **volverse** · **hacerse**

arrolladoramente adv.

● CON VBOS. **ganar** · **vencer** · **superar** · **derrotar** · **adjudicarse** · **imponerse** · **dominar** *Dominaron arrolladoramente al equipo local a lo largo del segundo tiempo* || **comenzar** · **irrumpir** *Los periodistas irrumpieron arrolladoramente en la sala de prensa* · **iniciar** · **entrar** · **avanzar** · **abrirse paso**

arrollar v.

● CON SUSTS. **peatón,-a** *Lo acusan de haber arrollado a un peatón y haberse dado a la fuga* · **viandante** · **transeúnte** · ***otros individuos*** || **perro,rra** *Hice una brusca maniobra para no arrollar al perro tendido en la carretera* · **corzo,za** · ***otros animales*** || **sueño** · **ilusión**
● CON ADVS. **literalmente** || **intencionadamente** · **involuntariamente** || **frontalmente** · **lateralmente** · **violentamente** || **mortalmente** *El automóvil se salió de la carretera y arrolló mortalmente a un viandante* · **trágicamente**

arropar v.

▌[abrigar]

● CON ADVS. **cariñosamente** · **cuidadosamente** || **completamente** · **totalmente** · **por completo**

▌[proteger, defender]

● CON SUSTS. **candidato,ta** *El partido se volcó para arropar a su candidato* · **jugador,-a** · **equipo** · ***otros individuos y grupos humanos*** || **proyecto** · **propuesta** · **proposición** · **candidatura** || **ánimo** · **deseo** · **intención**

arroyo s.m.

▌[río]

● CON ADJS. **profundo** · **caudaloso** · **crecido** · **seco** || **transparente** · **turbio** || **bullicioso** · **sonoro** || **revuelto** · **turbulento** · **agitado** · **impetuoso** · **serpenteante**
● CON SUSTS. **agua (de)** || **orilla (de)** · **ribera (de)** || **curso (de)** · **cuenca (de)** · **caudal (de)** · **corriente (de)** || **nacimiento (de)** · **desembocadura (de)**
● CON VBOS. **nacer** *El arroyo nace en la cumbre de estas montañas* · **fluir** · **discurrir** · **afluir** · **recorrer** || **crecer** · **desbordar(se)** · **inundar(se)** · **secar(se)** || **cruzar** · **atravesar** · **remontar** · **bordear** || **desviar** · **contener** · **canalizar** || **caer (a/en)** · **verter (a)**

▌[situación humilde] *col.*

● CON VBOS. **sacar (de)** *Los servicio sociales sacaron del arroyo a una familia que...* · **salir (de)** *Fue aquel mecenas quien lo ayudó a salir del arroyo*

arruga s.f.

● CON ADJS. **profunda** *con profundas arrugas en el rostro* · **marcada** || **pequeña** · **imperceptible** · **ligera** || **prematura** · **primera** || **inoportuna** · **temida** || **lleno,na (de)** *una camisa llena de arrugas* · **surcado,da (de)**
● CON SUSTS. **cirugía (para)** · **crema (para)**
● CON VBOS. **aparecer** · **salir** · **desaparecer** || **envejecer (a alguien)** || **notar(se)** *Ya se le van notando las arrugas* || **estirar** · **alisar** · **planchar** || **ocultar** · **disimular** *un maquillaje que disimula las arrugas* · **difuminar** · **eliminar** · **quitar** || **tener** · **hacer**

arrugar(se) v.

● CON SUSTS. **ropa** · **falda** · ***otras prendas de vestir*** || **tejido** · **algodón** · **lycra** || **superficie** · **piel** || **papel** · **hoja** || **frente** · **nariz** · **cara** · **ceño** *Arrugó el ceño* · **entrecejo**
● CON ADVS. **ligeramente** *Se le arrugó ligeramente la cola del traje durante la ceremonia* · **imperceptiblemente** · **levemente**

arruinar v.

● CON SUSTS. **campo** · **terreno** · **cultivo** *Las lluvias torrenciales arruinaron los cultivos* · **cosecha** || **economía** · **empresa** · **país** · **inversión** || **proyecto** *La falta de fondos arruinó el proyecto* · **plan** · **estrategia** || **trabajo** · **experimento** · **investigación** · **estudio** || **proceso** · **sistema** || **negociación** *Un absurdo malentendido bastó para arruinar la negociación* · **encuentro** · **debate** || **relación** · **matrimonio** || **fiesta** · **viaje** || **carrera** *una mala elección puede*

arruinar su carrera · **campaña || día · vida · futuro || esperanza · empeño · posibilidad · solución || imagen · prestigio · reputación**
● CON ADVS. **totalmente** *El accidente arruinó totalmente su futuro como atleta* · **absolutamente · por completo || para siempre · definitivamente · sin remedio · irremediablemente · irreversiblemente || paulatinamente · progresivamente**

arrumaco s.m.

● CON ADJS. **cariñoso · tierno** *Mecía con tiernos arrumacos a su bebé* || **continuo**
● CON VBOS. **hacer (a alguien) · dedicar (a alguien) || prodigarse (en) · deshacer(se) (en) · llenar (de)**

arsenal

1 **arsenal** s.m.
● CON ADJS. **militar · atómico · nuclear** *reducir el arsenal nuclear* || **humano · médico · terapéutico || importante · auténtico · enorme · gran(de) · vasto · verdadero · inmenso**
● CON VBOS. **reducir · desmantelar · destruir · incautarse || hallar · encontrar || reforzar || poseer**

2 **arsenal (de)** s.m.
● CON SUSTS. **armas · bombas** *Lanzaron un arsenal de bombas sobre la población* · **proyectiles || instrumentos · aparatos · herramientas · artefactos || fármacos · comprimidos · medicamentos** *un arsenal de medicamentos de todo tipo* || **información · datos · fuentes · documentos · referencias · testimonios · libros · historias || recursos · procedimientos · posibilidades · medidas · oportunidades · métodos · argucias · ocurrencias || tópicos · ideas · conceptos · consejos · argumentos · respuestas · retórica · insultos · quejas · críticas** *Aprovecharon la conferencia de prensa para disparar un arsenal de críticas contra el diputado* || **recuerdos · pasiones · emociones · imaginación · intenciones**

[arte] →arte; por arte de magia

arte s.m.

▮ [actividad creativa]
● CON ADJS. **actual · moderno** *un museo de arte moderno* · **contemporáneo · vanguardista · clásico · antiguo · ancestral · popular** *una muestra del arte popular de la zona* || **conceptual · abstracto · minimalista || original · genuino · puro · auténtico · sublime || hermético · incomprensible || decadente · desfasado || abigarrado · retorcido · rebuscado · elaborado · sencillo · primitivo || absorbente || dramático**
● CON SUSTS. **obra (de)** *un grupo mafioso que se dedicaba al tráfico de obras de arte* · **objeto (de) · instalación (de) · colección (de) || crítico,ca (de) || aficionado,da (a) · amante (de) || subasta (de) · feria (de) · exposición (de) || museo (de) · galería (de)**
● CON VBOS. **difundir(se) || revalorizar(se) · devaluar(se) || crear || cultivar** *¿Qué arte, además de la pintura, cultivó este autor en su juventud?* · **practicar || comprender · valorar · apreciar || promover · incentivar · fomentar · exponer · coleccionar || ejercitarse (en) · vincular(se) (a) || entender (de)**
➤ Véase también **DISCIPLINA**

▮ [destreza, estilo]
● CON ADJS. **natural · innato** *Tiene un arte innato para el baile* || **incomparable**
● CON VBOS. **tener · rezumar** *Esta niña rezuma arte por los cuatro costados* · **desprender · derrochar · atesorar · desplegar · demostrar · exhibir || valorar · apreciar** *Tanto la crítica como el público aprecian profundamente su arte*
□ EXPRESIONES **por arte de magia*** [de forma sorprendente]

artefacto s.m.

● CON ADJS. **ingenioso** *un ingenioso artefacto que sirve para pelar zanahorias* · **potente || inofensivo · defectuoso || rudimentario · artesanal · casero** *La explosión del artefacto casero produjo pequeños daños materiales* · **industrial || mecánico · eléctrico || explosivo · incendiario || teórico · retórico**
● CON VBOS. **estallar · explotar · hacer explosión · explosionar || fallar || fabricar** *Desmantelaron una red ilegal que fabricaba artefactos explosivos* · **construir · montar · manipular || colocar · lanzar · arrojar · detonar · accionar || descubrir · hallar · encontrar || desactivar** *La Policía consiguió desactivar el artefacto antes de que hiciese explosión*

arteria s.f.

● CON ADJS. **principal · importante · secundaria** *Las arterias secundarias están todas atascadas* || **de la ciudad · urbana · metropolitana**
● CON VBOS. **irrigar (algo) || atravesar (algo)** *La arteria principal atraviesa la ciudad de norte a sur* · **recorrer (algo) || obstruir · bloquear · taponar · tapar · obturar · colapsar || seccionar · cortar · perforar** *Una bala le perforó la arteria* || **abrir || circular (por) · fluir (por)**
● CON PREPS. **por · a través (de)**

arterial adj.

● CON SUSTS. **sangre || tensión** *controlar la tensión arterial* · **presión · pulso · circulación || problema · hipertensión · obstrucción · malformación · dilatación || sistema · red · tejido · pared**

artesanal adj.

● CON SUSTS. **producto · pieza · objeto · ropa · mueble · juguete · bomba || actividad · trabajo · tarea · labor · oficio || minería · pesca · cocina · pastelería || fabricación · producción · elaboración · creación · confección || empresa · taller · industria · feria · gremio || sistema · técnica · método · procedimiento · medio · proceso** *fabricados mediante procesos enteramente artesanales* · **tradición**

artesanía s.f.

● CON ADJS. **popular · tradicional · típica** *la muestra anual de la artesanía típica de la zona* · **autóctona · local · antigua · ancestral || creativa · original || religiosa**
● CON SUSTS. **feria (de) · muestra (de) · exposición (de) · tienda (de) · mercado (de) · taller (de) || pieza (de) · obra (de) · objeto (de) · producto (de) · trabajo (de)**

artesano, na adj.

● CON SUSTS. **producto** *comprar productos artesanos* · **objeto || mueble · bisutería · cestería || repostería · cocina || postre · dulce · queso · chorizo · aceite ·** ***otros alimentos*** **|| industria · taller || diseño · técnica · tradición** *...elaborado siguiendo una antigua tradición artesana* || **maestro,tra**

articulación s.f.

▮ [unión de un hueso]

● CON SUSTS. **problema (de)** · **dolor (de)** *dolor de articulaciones por el cambio del tiempo*

● CON VBOS. **doler** *Cuando va a llover a mi abuelo le duelen las articulaciones* || **atrofiar(se)** · **bloquear(se)** · **inmovilizar(se)** · **entumecer(se)** || **desencajar(se)** · **entrelazar(se)** || **torcer(se)** · **lesionar(se)** · **romper(se)** || **afectar (a)** · **localizar(se) (en)**

▮ [estructura]

● CON ADJS. **ordenada** · **organizada** · **rítmica** · **armónica** · **íntima** · **estrecha** || **exitosa** || **normativa** · **territorial** · **social** · **estatal** · **política** · **ideológica** · **estamental** || **textual** · **sintáctica**

● CON SUSTS. **modelo (de)** *un modelo de articulación estatal que ha sido respaldado por todos* · **línea (de)** · **forma (de)**

● CON VBOS. **impulsar** · **implantar** *implantar una nueva articulación territorial* || **destruir**

articular v.

▮ [pronunciar]

● CON SUSTS. **palabra** *No pude ni articular palabra* · **frase** · **expresión** · **discurso** · **mensaje** · **respuesta**

● CON ADVS. **con claridad** · **claramente** · **nítidamente** || **confusamente** · **atropelladamente** · **con dificultad** · **a trancas y a barrancas** || **guturalmente**

▮ [organizar]

● CON SUSTS. **proyecto** · **plan** · **programa** *Este partido articula su programa político en torno a dos puntos* · **propuesta** · **medida** || **solución** · **alternativa** · **oposición** || **pacto** · **negociación** || **pensamiento** · **ideología** · **idea** || **política** · **trama** · **sistema** || **mecanismo**

● CON ADVS. **ordenadamente** · **coherentemente** · **razonadamente** · **sólidamente** || **a duras penas** *La oposición logró articularse a duras penas* || **rápidamente** || **políticamente** · **ideológicamente** · **legalmente**

artículo s.m.

▮ [mercancía]

● CON ADJS. **defectuoso** *la venta de artículos defectuosos a bajo precio* · **de calidad** || **competitivo** · **asequible** || **de {primera/segunda} mano** · **rebajado** *¿Dónde está la sección de artículos rebajados?* · **en oferta** · **de ocasión** || **de primera necesidad** · **de lujo** · **de importación** · **importado**

● CON VBOS. **deteriorar(se)** || **exportar** · **importar** || **vender** · **comprar** · **rebajar** *Han rebajado todos los artículos hasta un cincuenta por ciento* · **enviar** || **devolver** || **boicotear** || **comerciar (con)**

▮ [texto escrito]

● CON ADJS. **crítico** *un artículo muy crítico acerca de...* · **laudatorio** · **irónico** · **sagaz** · **punzante** · **vitriólico** · **mordaz** · **provocativo** · **a favor (de algo)** · **en contra (de algo)** || **sugerente** · **interesante** *Me pareció un artículo muy interesante* · **divertido** · **atinado** · **inteligente** · **jugoso** · **denso** || **encendido** · **feroz** · **alusivo** · **ofensivo** || **magistral** · **memorable** · **brillante** · **{bien/mal} escrito** || **detallado** · **amplio** · **extenso** · **breve** || **erudito** · **documentado** || **farragoso** · **enrevesado** || **a toda plana** *En el periódico de hoy aparece un artículo a toda plana sobre el tema* || **periodístico** · **de opinión** · **en exclusiva** · **de fondo**

● CON SUSTS. **recopilación (de)** · **selección (de)** · **texto (de)**

● CON VBOS. **aparecer** · **difundir(se)** || **versar (sobre algo)** || **escribir** · **componer** · **redactar** || **firmar** *¿Quién firma este artículo periodístico?* · **suscribir** · **titular** || **dedicar (a alguien)** || **publicar** · **sacar** · **editar** · **incluir** · **recoger** · **insertar** · **reunir** · **recopilar** || **resumir** · **abreviar** · **revisar** · **corregir** · **traducir** *Su trabajo es traducir estos artículos al inglés* · **ilustrar** || **leer** · **comentar** || **adherirse (a)** · **disentir (de)** · **discrepar (de)**

● CON PREPS. **a lo largo (de)** · **en**

▮ [disposición legal]

● CON ADJS. **vigente** · **en vigor** || **taxativo**

● CON VBOS. **prever (algo)** · **contemplar (algo)** · **estipular (algo)** · **disponer (algo)** · **establecer (algo)** || **desobedecer** · **violar** · **quebrantar** *quebrantar varios artículos de la ley* · **transgredir** · **infringir** · **vulnerar** · **conculcar** · **contravenir** · **incumplir** || **cumplir** · **aplicar** || **desarrollar** · **elaborar** · **redactar** || **reformar** *La nueva ley reforma algunos artículos de la anterior* · **modificar** · **enmendar** || **aprobar** · **promulgar** · **ratificar** || **esgrimir** · **reproducir** || **revocar** · **derogar** · **anular** · **impugnar** · **abolir** · **subrogar** · **prorrogar** || **acogerse (a)**

● CON PREPS. **al abrigo (de)** · **al amparo (de)** · **conforme (a)** · **de acuerdo (con)** *De acuerdo con el artículo 38 del Código Penal...* · **según** · **en función (de)**

artificial adj.

● CON SUSTS. **nieve** · **hierba** · **flor** · **planta** || **playa** · **lago** || **luz** · **iluminación** || **respiración** · **corazón** · **brazo** · **órgano** · **vida** || **procedimiento** · **inseminación** · **fertilización** · **mantenimiento** || **paraíso** · **ambiente** · **mundo** || **conflicto** *un conflicto artificial creado por unos cuantos interesados* · **problema** · **polémica** · **enfrentamiento** · **discusión** · **debate** || **separación** · **distinción** *La distinción parece artificial, pero pedagógicamente es muy útil* · **división** · **barrera** || **visión** · **postura** · **actitud** || **inteligencia** || **fuegos** *Las fiestas terminaron con un impresionante castillo de fuegos artificiales*

artificiero, ra s.

● CON ADJS. **policial** · **experto,ta**

● CON SUSTS. **equipo (de)** · **grupo (de)** · **comando (de)**

● CON VBOS. **explosionar (algo)** · **detonar (algo)** *Afortunadamente, los artificieros consiguieron detonar los explosivos antes de que estallaran* · **desactivar (algo)** · **desmontar (algo)**

artificioso, sa adj.

● CON SUSTS. **comportamiento** *Su comportamiento excesivamente artificioso lo delató en seguida* · **actitud** · **gesto** || **estilo** · **estética** · **decoración** || **lenguaje** *No soporto el lenguaje artificioso* · **retórica** · **discurso** · **verbo** || **película** · **historia** · **guión** · **argumento** · **imagen** · **representación** || **creación** · **obra** || **juego** · **procedimiento** · **mantenimiento**

● CON ADVS. **extremadamente** *una película extremadamente artificiosa* · **extraordinariamente** · **sumamente** · **enormemente** || **visiblemente** · **claramente** · **manifiestamente** || **excesivamente**

● CON VBOS. **hacerse** · **volverse**

artillería s.f.

● CON ADJS. **potente** || **pesada** *desplegar la artillería pesada* · **ligera** · **mecanizada** || **aérea** · **antiaérea** || **enemiga** · **jurídica** || **verbal** · **parlamentaria** · **periodística**

• CON SUSTS. **fuego (de)** *el fuego de la artillería enemiga* · **ataque (de)** · **combate (de)** · **unidad (de)** · **batallón (de)** || **proyectil (de)** · **arma (de)** · **pieza (de)** || **despliegue (de)**
• CON VBOS. **atacar** · **bombardear** || **disparar** · **descargar** *El partido de la oposición descargó contra el Gobierno toda su artillería* · **lanzar** || **desplegar** · **desplazar** · **replegar** · **retirar** || **recurrir (a)** · **contar (con)** · **disponer (de)**

artillero, ra adj.

• CON SUSTS. **fuego** · **ataque** · **duelo** · **bombardeo** · **ofensiva** · **combate** || **pieza** · **batería** · **armamento** || **grupo**

artilugio s.m. *desp.*

• CON ADJS. **extraño** *¿Para qué sirve este extraño artilugio?* · **peculiar** · **curioso** || **sofisticado** · **complicado** · **ingenioso** · **imaginativo** || **moderno** · **nuevo** || **casero** · **artesano** || **técnico** · **tecnológico** · **mecánico** · **electrónico** · **digital** · **informático** · **sonoro** · **doméstico** *Tiene su casa llena de artilugios domésticos que no utiliza nunca* · **explosivo**
• CON VBOS. **fallar** · **funcionar** || **utilizar** · **manipular** · **manejar** || **idear** · **crear** · **fabricar** · **inventar** · **desarrollar** || **montar** · **desmontar** || **enchufar** *Enchufemos el artilugio y veamos qué pasa*

artimaña s.f.

• CON ADJS. **mala** · **sucia** *mediante sucias artimañas* · **engañosa** · **aviesa** · **diabólica** · **maquiavélica** || **retorcida** · **enrevesada** || **ingeniosa** · **hábil** · **sutil** || **vieja** · **conocida** || **pura** · **simple** || **retórica** · **electoral** · **política** · **legal** · **jurídica** *las artimañas jurídicas de la defensa* · **procesal**
• CON SUSTS. **sinfín (de)** · **todo tipo (de)** *Empleó todo tipo de artimañas, pero no le sirvieron de nada*
• CON VBOS. **surtir efecto** · **funcionar** || **fracasar** · **fallar** || **idear** · **planear** · **tramar** *¿Qué artimaña estarán tramando esta vez?* · **urdir** · **maquinar** || **usar** · **emplear** · **utilizar** || **desbaratar** · **denunciar** · **descubrir** || **valerse (de)** · **hacer uso (de)** · **recurrir (a)** · **acudir (a)**
• CON PREPS. **con** · **mediante**

artista s.com.

• CON ADJS. **eminente** · **eximio,mia** · **brillante** · **genial** · **gran** · **preeminente** · **virtuoso,sa** · **glorioso,sa** · **de {primera/segunda} fila** · **de talla {mundial/internacional/universal}** *En el encuentro participan artistas de talla mundial* · **como la copa de un pino** · **fulgurante** · **singular** *un artista singular dentro de su campo* · **atípico,ca** || **ejemplar** · **de pies a cabeza** · **genuino,na** · **de talento** · **de raza** · **nato,ta** · **verdadero,ra** · **completo,ta** · **consumado,da** · **consagrado,da** · **profesional** · **curtido,da** · **de recursos** · **veterano,na** || **renombrado,da** · **exitoso,sa** · **conocido,da** · **querido,da** · **popular** · **célebre** *Asistimos a una conferencia sobre una célebre artista mexicana* · **famoso,sa** · **de fama** · **afamado,da** · **nombrado,da** · **reconocido,da** · **admirado,da** · **adulado,da** · **reputado,da** · **prestigioso,sa** · **de prestigio** · **laureado,da** · **cotizado,da** · **de relumbrón** · **destacado,da** · **significado,da** · **representativo,va** || **mítico,ca** · **legendario,ria** · **de culto** || **desconocido,da** · **novel** *La fundación ha organizado un concurso para artistas noveles* · **aficionado,da** · **modesto,ta** · **mediocre** || **prolífico,ca** · **fecundo,da** · **creativo,va** · **polifacético,ca** · **comprometido,da** || **clásico,ca** · **moderno,na** · **contemporáneo,a** · **conceptual** · **abstracto,ta** *una exposición de artistas abstractos* · **experimental** · **de vanguardia** · **vanguardista** · **plástico,ca** · **gráfico,ca** || **participante** · **invitado,da** *¿Quiénes son los artistas invitados al acto?*
• CON VBOS. **crear (algo)** · **publicar (algo)** · **exponer (algo)** · **actuar** || **forjar(se)** || **influir (en alguien)** || **admirar** · **aplaudir** · **homenajear** · **premiar** || **presentar** || **convertir(se) (en)** · **consagrar(se) (como)** *Esta oportunidad puede consagrarte como un gran artista* · **ejercer (de)**

artístico, ca adj.

• CON SUSTS. **creación** · **manifestación** · **espectáculo** · **objeto** · **material** || **tema** · **crítica** · **lenguaje** · **actividad** · **labor** · **educación** *En esta escuela dan mucha importancia a la educación artística* || **sensibilidad** · **creatividad** · **originalidad** · **expresión** · **vena** · **mirada** || **dote** · **faceta** · **inquietud** · **aspiración** · **vocación** || **calidad** · **valor** · **nivel** · **interés** || **panorama** · **tendencia** *las últimas tendencias artísticas* || **propuesta** · **proyecto** || **medio** · **mundo** · **ambiente** · **tradición** · **mercado** || **carrera** · **trayectoria** · **vida** || **nombre** *Todo el mundo me llama por mi nombre artístico, excepto mi familia* || **producción** · **equipo** || **patrimonio** · **monumento** || **gimnasia**

artritis s.f.

• CON ADJS. **crónica** *Sufre una artritis crónica desde que era bastante joven* · **degenerativa** · **incurable** · **aguda** · **leve** || **traumática** · **reumatoide** · **reumática** · **infecciosa** || **aquejado,da (de)**
• CON SUSTS. **tratamiento (de)** · **diagnóstico (de)** || **problema (de)** || **ataque (de)** · **brote (de)**
• CON VBOS. **agudizar(se)** · **acentuar(se)** || **sufrir** · **padecer** · **desarrollar** || **diagnosticar** || **aliviar** · **tratar** || **luchar (contra)**

artrosis s.f.

• CON ADJS. **aguda** · **degenerativa** *diagnosticar una artrosis degenerativa*
• CON SUSTS. **tratamiento (de)** · **diagnóstico (de)** · **secuela (de)** || **síntoma (de)** · **manifestación (de)** || **problema (de)** || **ataque (de)**
• CON VBOS. **sufrir** · **padecer** · **desarrollar** · **diagnosticar** · **detectar** || **combatir** · **tratar** · **aliviar** · **prevenir**

arzobispal adj.

• CON SUSTS. **palacio** · **sede** *Han decidido trasladar la sede arzobispal a esta ciudad* · **residencia** || **palio** · **trono** || **curia** || **carta** · **nota** *Se acaba de publicar una nota arzobispal acerca de este tema* || **sello** · **firma**

arzobispo s.m.

• CON ADJS. **nuevo** *El nuevo arzobispo goza de numerosos apoyos dentro de la curia* · **veterano** || **primado** · **emérito** · **coadjutor**
• CON VBOS. **nombrar** || **convertirse (en)**

a sabiendas loc.adv.

• CON VBOS. **actuar** *La juez determinó que el acusado había actuado a sabiendas* · **hacer** || **mentir** · **prometer** · **decir** · **afirmar** · **acusar** || **votar** · **elegir** · **{tomar/adoptar} una decisión** || **consentir** · **permitir** || **incumplir** *Es cierto que he incumplido las normas a sabiendas; no volverá a ocurrir* · **obedecer** · **ignorar**

asado s.m.

• CON ADJS. **rico · sabroso · exquisito · jugoso || en su punto · {muy/poco} hecho**
• CON SUSTS. **jugo (de) · salsa (de)**
• CON VBOS. **pasarse · quemarse || cocinar · hacer · servir · preparar · poner al fuego · hornear || comer · degustar** *degustar el asado de cordero* **|| acompañar · aderezar || dar el punto (a)**
• CON ADVS. **al horno** *Preparé un delicioso asado al horno* **· al punto · a la parrilla · al palo**

asaltar v.

▌[atacar]

• CON SUSTS. **tren · furgón · banco** *un detenido acusado de asaltar un banco* **· fortaleza · castillo · muralla · ciudad · casa** *Anoche asaltaron varias casas del barrio* **||** ***persona***
• CON ADVS. **a mano armada · a tiros · a punta de {navaja/pistola} || a cara descubierta** *La banda asaltó el furgón a cara descubierta* **|| con violencia · violentamente · bruscamente || impunemente**

▌[aparecer repentinamente]

• CON SUSTS. **emoción · sentimiento · sensación · nostalgia · pena · tristeza · apatía · congoja || duda** *A menudo me asaltan las dudas sobre si actué como debía* **· sospecha · interrogante · pregunta · dilema · incertidumbre · indecisión · desconcierto · escrúpulo · misterio · curiosidad** *Me asaltó la curiosidad por saber...* **|| idea · pensamiento · consideración || imagen · recuerdo** *Al verte de nuevo me asaltaron recuerdos ya lejanos* **· visión · espectro || corazonada · presentimiento** *Cuando sonó el teléfono me asaltó un horrible presentimiento* **|| preocupación · miedo · obsesión · neura || problema · crisis · tragedia · catástrofe · drama · polémica || nervios · lágrima · sonrojo · náusea · sarpullido · síndrome || olor · sabor · voz**
• CON ADVS. **repentinamente** *El miedo me asaltó repentinamente al ver...* **· inesperadamente · por sorpresa · en plena calle**

asalto

1 **asalto** s.m.

• CON ADJS. **violento** *Ayer se produjo un violento asalto en el banco* **· virulento · brutal · salvaje · bárbaro · sangriento || espectacular · sorpresivo · por sorpresa || frustrado · fallido || nuevo · final · definitivo · eventual || policial · bancario · militar · guerrillero || a mano armada** *acusado de asalto a mano armada* **· a cara descubierta**
• CON SUSTS. **operación (de) · intento (de) · víctima (de) || tropas (de)** *las tropas de asalto del ejército* **· escuadrón (de) · guardia (de) || arma (de) · rifle (de) · fusil (de)**
• CON VBOS. **producir(se) · ocurrir || tener éxito · frustrar(se) · fracasar || planear · organizar · preparar** *Estuvieron meses preparando el asalto al furgón blindado* **· ordenar || lanzar · iniciar · emprender · perpetrar · acometer · llevar a cabo · consumar · realizar · intentar · cometer || dirigir · protagonizar || sufrir · soportar · resistir || evitar · impedir** *Gracias a una llamada anónima pudieron impedir el asalto* **· frenar · abortar || tomar (por) · participar (en) || renunciar (a)**

2 **asalto (a/de)** s.m.

• CON SUSTS. **muralla · castillo · fortaleza · bastión · enclave · ciudad · sede · cuartel** *En el asalto al cuartel no hubo víctimas mortales* **· institución || tren · furgón · banco · tienda · mercado · propiedad** *un juicio por asalto a una propiedad privada* **|| presidencia · poder || cota · cima** *Los alpinistas están planeando el asalto a la cima* **|| conciencia · razón · lógica · verdad || privacidad**

a salto de mata loc.adv.

• CON VBOS. **vivir** *La inestabilidad económica la hizo vivir a salto de mata durante unos años* **· trabajar · buscarse la vida · actuar · ir · andar**

asamblea s.f.

• CON ADJS. **acalorada · polémica · ajetreada · animada || crucial · decisiva · determinante || clandestina · ilegal || espontánea · improvisada || masiva · paritaria || general · plenaria · anual** *¿Cuándo se celebra la asamblea anual?* **· local · ordinaria · extraordinaria || estudiantil · vecinal** *una asamblea vecinal para tratar los problemas del barrio* **· legislativa**
• CON SUSTS. **pleno (de) · acta (de)**
• CON VBOS. **aprobar (algo)** *La asamblea aprobó la propuesta por mayoría* **· acordar (algo) · decidir (algo) || discurrir · culminar || convocar** *convocar una asamblea general* **· auspiciar · realizar · presidir** *¿Quién preside la asamblea estudiantil?* **· dirigir || constituir · reunir · celebrar || boicotear · amañar** *Pretendieron amañar la asamblea para lograr sus objetivos* **· monopolizar · impugnar · disolver || asistir (a) · intervenir (en) || reunirse (en) || decidir (en)**

a sangre fría loc.adv./loc.adj.

• CON VBOS. **asesinar · matar · ejecutar · disparar · ametrallar · acribillar · acuchillar · rematar · ajusticiar · degollar · tirotear · fusilar || golpear** *Entró en el banco y golpeó a sangre fría al vigilante* **· violar · pegar**
• CON SUSTS. **asesinato · ejecución · matanza · muerte · homicidio · agresión** *Fue una agresión a sangre fría, cuidadosamente premeditada* **· duelo · magnicidio**

a sangre y fuego loc.adv.

• CON VBOS. **tomar** *El ejército enemigo tomó la ciudad a sangre y fuego* **· conquistar · invadir · entrar (en un lugar) · saquear · arrasar · destruir · recuperar || combatir · perseguir || instaurar · imponer** *Un terrible dictador que siempre impuso sus ideas a sangre y fuego* **|| sofocar · reprimir · castigar || marcar**

asar v.

• CON SUSTS. **carne · pescado · verdura ·** ***otros alimentos***
• CON ADVS. **a fuego vivo || ligeramente · por encima · vuelta y vuelta || lentamente || en el horno · a la piedra · al carbón · a la parrilla · a la brasa**

ascendencia s.f.

• CON ADJS. **ilustre · noble** *una familia de ascendencia noble* **· real · nobiliaria · burguesa · provinciana · humilde · sencilla · pobre || materna · familiar** *Nunca negó su verdadera ascendencia familiar* **· genérica · étnica || clara · significativa · creciente**
• CON VBOS. **tener || demostrar** *Pretendía demostrar su ascendencia real* **· probar · conocer || negar · reconocer · revelar** *Una fuente sin identificar reveló la ascendencia*

del cantante · **exhibir** || **provenir (de)** · **presumir (de)** || **saber (de)**

ascender v.

● CON SUSTS. **cantidad** · **nivel** · **grado** · **cifra** *La cifra de muertos asciende a la decena* · **número** · **temperatura** · **humedad** · ***otras magnitudes*** || **puesto** · **posición** || **precio** · **valor** · **velocidad** || **pendiente** *La pendiente ascendía suavemente* · **cuesta** · **carretera** || **avión** · **cohete** · **globo**
● CON ADVS. **espectacularmente** *Este año está ascendiendo espectacularmente el precio de la vivienda* · **clamorosamente** || **vertiginosamente** · **meteóricamente** · **rápidamente** · **como la espuma** · **sorpresivamente** · **abruptamente** || **lentamente** · **tranquilamente** · **confiadamente** · **suavemente** · **ligeramente** || **progresivamente** · **gradualmente** *Fue ascendiendo gradualmente hasta llegar a ser presidenta de la compañía* · **paulatinamente** || **penosamente** · **a duras penas** || **peligrosamente** · **alarmantemente** *El nivel de contaminación ambiental ascendió alarmantemente* || **automáticamente** · **directamente** || **políticamente** · **económicamente** · **profesionalmente** · **socialmente**

ascendiente

1 **ascendiente** s.com.
▮ [antepasado]
● CON ADJS. **noble** · **notable** · **ilustre** || **directo,ta** *Nadie conoce a sus ascendientes directos* || **familiar**

2 **ascendiente** s.m.
▮ [fuerza, influencia]
● CON ADJS. **enorme** · **gran(de)** · **escaso** || **supuesto,ta** · **innegable** · **indiscutible** · **natural** || **moral** *Su ascendiente moral sobre sus discípulos era enorme* · **político** · **profesional**
● CON VBOS. **tener (sobre alguien)** · **ejercer** · **adquirir** *Con el tiempo fue adquiriendo un enorme ascendiente entre los miembros del grupo* · **cobrar** · **conservar** · **mantener** · **reforzar** · **perder** *Empezó a perder el ascendiente que había tenido sobre su público* || **dar** · **conferir** · **proporcionar** || **reconocer** · **valorar** · **calibrar**

□ USO Se construye a menudo con complementos encabezados por las preposiciones *sobre* (*El partido recobraría el ascendiente sobre la opinión pública*) y *entre* (*Ejercía un enorme ascendiente entre los jugadores más jóvenes del equipo*).

ascensión

1 **ascensión** s.f.
● CON ADJS. **increíble** · **asombrosa** *El ciclista inició una asombrosa ascensión del puerto* · **impresionante** · **apabullante** · **espectacular** · **fuerte** · **gran(de)** · **clara** · **mítica** || **ligera** · **pequeña** || **vertiginosa** · **meteórica** *En una ascensión meteórica e imparable hacia la cima de su carrera profesional* · **frenética** · **fulgurante** · **trepidante** · **imparable** · **irresistible** · **rápida** || **inminente** · **inesperada** || **lenta** · **progresiva** · **costosa** · **laboriosa** · **empinada** · **penosa** · **dura** · **cómoda** || **temeraria** · **peligrosa** *una peligrosa ascensión al pico más alto del país* · **precipitada** || **evitable** || **final** || **profesional** · **social** · **política**
● CON SUSTS. **intento (de)** || **vía (de)** || **inicio (de)**
● CON VBOS. **producir(se)** || **truncar(se)** · **fracasar** || **comenzar** · **emprender** · **atacar** · **continuar** *Mañana a primera hora continuaremos la ascensión* · **acelerar** || **realizar** · **efectuar** · **intentar** · **culminar** || **facilitar** · **propiciar** · **permitir** || **obstaculizar** · **frenar** · **interrumpir** · **evitar** || **experimentar**

2 **ascensión (a)** s.f.
● CON SUSTS. **poder** *una fulgurante ascensión al poder* · **gobierno** || **cabeza (de algo)** · **cima** · **cúspide** || **cielos** *Este cuadro representa la ascensión a los cielos de...*

ascenso s.m.

● CON ADJS. **vertiginoso** · **fulminante** · **meteórico** *un ascenso meteórico en la empresa* · **fulgurante** · **trepidante** · **rápido** · **frenético** · **espectacular** *el espectacular ascenso del escalador por la montaña* · **rutilante** || **irrefrenable** *un ascenso irrefrenable en las listas de ventas* · **irresistible** · **incontenible** · **imparable** · **directo** || **ansiado** · **esperado** · **previsible** || **inminente** · **reciente** *Está muy contenta por su reciente ascenso* || **inesperado** · **brusco** · **repentino** || **sensible** · **considerable** · **notable** · **fuerte** · **importante** · **pronunciado** || **moderado** *un moderado ascenso de las temperaturas* · **ligero** · **suave** || **progresivo** · **paulatino** · **gradual** · **uniforme** · **sostenido** · **ininterrumpido** · **constante** · **continuado** || **lento** · **penoso** *el penoso ascenso hacia la cumbre* || **temerario** · **peligroso** || **paralelo** || **pleno** || **social** · **económico** · **político** *un importante ascenso político* · **profesional** || **térmico** · **febril**
● CON SUSTS. **zona (de)** *El equipo entra en la zona de ascenso* || **fase (de)** || **promoción (de)**
● CON VBOS. **acelerar(se)** || **truncar(se)** || **buscar** · **intentar** · **desear** · **anhelar** · **pedir** · **solicitar** || **iniciar** · **emprender** *Van a emprender el ascenso al pico más alto de la cordillera* · **atacar** · **efectuar** · **consumar** · **continuar** || **propiciar** · **impulsar** · **provocar** || **merecer** · **recibir** · **conseguir** · **lograr** · **alcanzar** || **conceder** · **confirmar** *Acaban de confirmar públicamente su ascenso* · **negar** · **revocar** || **obstaculizar** *Las malas condiciones climáticas obstaculizaron el ascenso a la cima* · **obstruir** · **frenar** · **impedir** · **evitar** · **interrumpir** · **detener** || **experimentar** *Los precios han experimentado un ligero ascenso* · **registrar** · **sufrir** || **augurar** · **vaticinar** || **ir (en)** · **seguir (en)**

ascético, ca adj.

● CON SUSTS. **vida** *Intenta llevar en lo posible una vida ascética* · **costumbre** · **disciplina** · **rigor** · **voluntad** · **espíritu** · **esfuerzo** · **carácter** *el carácter ascético de sus escritos* || **apariencia** · **estilo** · **belleza** || **teología** · **literatura** · **libro** · **sermón** · **norma** · **virtud** · **lucha** || **pensador,-a** · **escritor,-a** · ***otros individuos*** || **refugio** *...y se retiraba a su ascético refugio en las montañas*

asco s.m.

● CON ADJS. **tremendo** · **profundo** · **verdadero** *Dice que siente verdadero asco por la política* · **auténtico** · **visceral** · **incontenible** · **insoportable** *Las serpientes me dan un asco insoportable* · **infinito**
● CON SUSTS. **cara (de)** *Cada vez que ve un bicho de esos se le pone una cara de asco...* · **gesto (de)** · **mueca (de)** || **sensación (de)**
● CON VBOS. **tener (a algo/a alguien)** · **sentir** || **dar (a alguien)** · **provocar (a alguien)** · **causar (a alguien)** · **producir** · **despertar** || **soportar** · **aguantar** · **contener** · **reprimir** || **coger (a algo/a alguien)** · **tomar (a algo/a alguien)** || **morirse (de)**

ascua s.f.

● CON ADJS. **incandescente** · **incendiaria** · **abrasadora** || **encendida** · **apagada** · **caliente** · **al rojo vivo** || **de fuego** · **de luz**

• CON VBOS. **formar(se)** || **atizar** · **preparar** · **lograr** · **obtener**

□ EXPRESIONES **arrimar** (alguien) **el ascua a su sardina** [aprovechar una ocasión en beneficio propio] *col.* || **{en/sobre} ascuas** [inquieto o expectante] *col.* || **{pasar/andar/caminar} sobre ascuas** [comportarse con extrema precaución]

asediar v.

• CON SUSTS. **área** · **territorio** · **país** · **ciudad** *El ejército de ocupación asediaba la ciudad* · **fortaleza** · **edificio** · **capital** · ***otros lugares***

• CON ADVS. **militarmente** · **económicamente** · **policialmente** · **judicialmente** · **legalmente** || **obstinadamente** *Las guerrillas asediaron obstinadamente una pequeña población* · **continuamente** · **sin descanso** || **por completo** · **totalmente** || **largamente**

asedio s.m.

• CON ADJS. **intenso** *El edificio sufre un intenso asedio desde primera hora de la mañana* · **asfixiante** · **insufrible** · **duro** · **brutal** · **implacable** · **tenaz** · **violento** || **largo** · **prolongado** *La fortaleza se vio sometida a un prolongado asedio* · **permanente** · **constante** · **interminable**

• CON SUSTS. **clima (de)** · **situación (de)**

• CON VBOS. **vivir** · **sufrir** · **soportar** · **aguantar** · **resistir** · **evitar** || **burlar** · **romper** || **comenzar** · **dirigir** · **mantener** · **levantar** || **huir (de)** · **escapar (de)** *A duras penas consiguieron escapar del asedio de los periodistas* · **salir (de)** · **librar (de)** · **poner fin (a)** || **someter (a)**

asegurar v.

▮ [contratar un seguro]

• CON SUSTS. **vehículo** · **moto** || **casa** *asegurar una casa contra incendios* · **vivienda** · **negocio** · **local** · ***otros bienes*** || **vida** · **jubilación**

• CON ADVS. **a terceros** · **a todo riesgo** *asegurar un coche a todo riesgo* || **legalmente** · **jurídicamente**

▮ [mantener, dejar seguro]

• CON SUSTS. **resultado** · **victoria** · **clasificación** *Este gol asegura la clasificación del equipo* · **triunfo** · **logro** · **conquista** · **éxito** · **solución** || **permanencia** · **continuidad** · **supervivencia** || **desarrollo** · **crecimiento** · **bienestar** · **futuro** *Mi mayor preocupación ahora mismo es asegurar el futuro de mis hijos* · **estabilidad** · **empleo** || **paz** · **libertad** *La nueva ley asegura la libertad de horarios* || **calidad** · **suministro** || **cumplimiento** || **participación** · **llegada** · **acceso**

• CON ADVS. **con garantías** · **firmemente**

▮ [afirmar]

• CON ADVS. **rotundamente** *No me gusta asegurar las cosas tan rotundamente porque nunca se sabe lo que puede suceder* · **con rotundidad** · **sin pestañear** · **categóricamente** · **enérgicamente** · **tajantemente** · **taxativamente** · **con firmeza** · **sin paliativos** || **con certeza** · **sin ningún género de dudas** · **abiertamente** || **prácticamente** · **por completo** || **de antemano** || **bajo palabra**

asentar(se) v.

▮ [situarse, fundarse]

• CON SUSTS. **tribu** · **pobladores** *Los primeros pobladores de la zona se asentaron cerca del río* · **población** · **pueblo** · **cultura** · ***otros individuos o grupos humanos*** || **empresa** · **negocio** || **reto** · **plan** · **convivencia** · **paz** || **base** *Los principios en los que se asientan las bases de su política son...* · **principio** · **programa** · **política** · **actuación** · **actividad**

• CON ADVS. **plácidamente** · **cómodamente** || **paulatinamente** · **gradualmente** || **en un territorio** *Esta especie de mamíferos se asentó en este territorio hace...*

▮ [posarse, consolidarse]

• CON SUSTS. **equipo** · **jugador,-a** · **actor** · **actriz** · **profesional** || **movimiento** *El nuevo movimiento artístico tardó algunos años en asentarse* · **corriente** · **tendencia** · **estilo** || **mercado** · **recuperación** · **cotización** · **moneda** || **cambio** · **novedad**

• CON ADVS. **plenamente** · **firmemente** · **definitivamente** · **completamente**

asentimiento s.m.

• CON ADJS. **firme** || **unánime** *...con el asentimiento unánime del jurado* · **general** · **generalizado** · **mayoritario** || **implícito** · **expreso** || **público** || **dubitativo** · **leve** · **ligero**

• CON SUSTS. **gesto (de)** *Hizo un gesto de asentimiento con la cabeza*

• CON VBOS. **dar (a algo/a alguien)** *La dirección dio su asentimiento a la propuesta* · **obtener** || **mostrar** · **manifestar** || **provocar** || **aprobar (por)**

asentir v.

• CON ADVS. **sin ambages** · **sin reservas** *Asentía sin reservas a todo lo que decía el entrenador* · **sin rodeos** · **tajantemente** · **taxativamente** · **categóricamente** · **contundentemente** · **rotundamente** · **enérgicamente** *Respondió asintiendo enérgicamente con la cabeza* · **con seguridad** · **acaloradamente** · **con certeza** · **dogmáticamente** || **a regañadientes** · **resignadamente** · **con cautela** · **con matices** · **con incredulidad** · **diplomáticamente** || **sin fundamento** · **equivocadamente** · **precipitadamente** *Antes de asentir precipitadamente deberías pensártelo dos veces* · **rápidamente** || **unánimemente** · **a coro** · **al unísono** *Cuando les preguntaron, ambos asintieron al unísono* · **democráticamente** || **repetidamente** · **reiteradamente** || **levemente** · **calladamente** · **gravemente** · **humildemente** || **con la cabeza** · **con un movimiento de cabeza** · **con una sonrisa**

aséptico, ca adj.

• CON SUSTS. **quirófano** · **laboratorio** || **vendaje** · **guantes** · **mascarilla** · **algodón** || **actitud** · **reacción** · **sentimiento** · **sonrisa** *una aséptica sonrisa que no dejaba entrever el más mínimo sentimiento* || **lenguaje** *Normalmente utilizan un lenguaje aséptico e imparcial* · **expresión** · **publicidad** · **palabras** · **descripción** · **relato** || **tono** · **estilo** · **aspecto** || **análisis** · **mensaje** · **comentario** · **observación** · **juicio** || **técnica** · **sistema** || **juez** · **político,ca** · ***otros individuos*** || **neutralidad** *Mantuvo una aséptica neutralidad en la disputa* · **neutralismo**

asequible adj.

▮ [que se puede comprar]

• CON SUSTS. **casa** · **coche** *Estoy buscando un coche asequible* · ***otros objetos*** || **servicio** · **viaje** · **vacaciones** || **precio** *comida sana, de calidad y a precios asequibles* · **tarifa** · **coste** · **gasto**

• CON VBOS. **ser** *El libro es asequible a cualquier bolsillo* · **volver(se)** · **hacer(se)** || **poner(se)** · **mantener(se)** *Los precios se han mantenido asequibles en el sector* · **estar**

▌[que se puede alcanzar, superar o aplicar]

•CON SUSTS. **reto · objetivo · meta · desafío** *El desafío parecía asequible a los montañeros, que comenzaron el ascenso con determinación* · **logro · esfuerzo · solución · récord · deseo · empeño || partido · rival** *Nos ha tocado un rival asequible en los cuartos de final* · **choque · equipo · enemigo,ga · adversario,ria || tarea · trabajo · tratamiento · técnica · tecnología · sistema · mecanismo · método · modalidad || posibilidad · oportunidad · alternativa · opción || pacto · compromiso · consenso**

asesinar v.

•CON ADVS. **a sangre fría** *Habían asesinado a sangre fría a un diputado* · **fríamente · en frío · sin contemplaciones · sin pestañear · sin escrúpulos · sin piedad · sin temblarle (a alguien) la mano || atrozmente · cruelmente** *...alguien capaz de asesinar tan cruelmente a un animal* · **salvajemente · brutalmente || cobardemente** *una banda que asesina cobardemente a...* · **alevosamente · vilmente · con alevosía · misteriosamente || a cara descubierta || de un tiro · a tiros · a patadas · a golpes · a puñaladas · a quemarropa || impunemente** *...declaró que en nuestro país no se puede asesinar impunemente a nadie* **|| trágicamente || en masa**

asesinato s.m.

•CON ADJS. **cruel · brutal** *Está acusado de haber cometido un brutal asesinato* · **abominable · vil · execrable · bárbaro · feroz · atroz · salvaje · espantoso · despiadado · pavoroso · horrible · horrendo · monstruoso · terrible · trágico** *La novela narra el trágico asesinato de...* **|| premeditado · intencionado · deliberado · con alevosía · alevoso · en frío · a sangre fría** *Fue detenido por un asesinato a sangre fría* · **al descubierto || accidental || masivo · en masa · en serie · en cadena || a quemarropa · a golpes || misterioso · irresoluble || impune || frustrado · fallido || culpable (de)** *Ha sido condenado a prisión tras ser declarado culpable de asesinato*

•CON SUSTS. **ola (de) || delito (de) · autor,-a (de) · cómplice (de) · móvil (de)** *Nadie sabe cuál fue el móvil del asesinato* · **testigo (de) || intento (de) · tentativa (de) || condena (por) · pista (de)**

•CON VBOS. **producir(se) || frustrar(se) · fracasar || planear · maquinar · preparar · organizar · ordenar** *El jefe mafioso había ordenado el asesinato de su rival* **|| perpetrar · ejecutar · cometer · consumar || impedir · evitar || denunciar · confesar · reconocer · atribuir (a alguien) || investigar · desentrañar · descubrir · esclarecer · aclarar · resolver || presenciar || condenar** *Todos los partidos políticos condenaron rotundamente el vil asesinato de...* **|| silenciar · encubrir · enmascarar || acusar (de) · absolver (de) || participar (en)**

asesino, na

1 **asesino, na** adj.

•CON SUSTS. **instinto · impulso || intención · pensamiento** *A veces me entran pensamientos asesinos* **|| mirada** *Me dirigió una mirada asesina*

2 **asesino, na** s.

•CON ADJS. **cruel · brutal · sádico,ca · despiadado,da · desalmado,da · feroz · sin escrúpulos** *Solo un asesino sin escrúpulos puede haber hecho algo así* · **inicuo,cua · verdadero,ra · peligroso,sa || psicópata · despótico,ca · en masa · en serie || a sueldo** *Esto parece obra de un asesino a sueldo* · **solitario,ria || supuesto,ta · presunto,ta · confeso,sa · convicto,ta || reincidente**

•CON VBOS. **confesar · entregar(se) || buscar · perseguir || descubrir · encontrar · reconocer** *Varios testigos reconocieron a la asesina* **|| apresar · arrestar · capturar · detener · prender || procesar · interrogar · juzgar · enjuiciar · culpar · inculpar · condenar · ajusticiar || defender · encubrir · exculpar · indultar || dar (con)**

asesoramiento s.m.

•CON ADJS. **completo · eficaz · valioso · directo · gratuito || necesario · debido · adecuado · oportuno · conveniente || externo** *Te convendría buscar asesoramiento externo* **|| médico · legal · jurídico** *un abogado que me brinde asesoramiento jurídico* · **fiscal · laboral · empresarial · profesional · técnico || individual · personal**

•CON SUSTS. **centro (de) · oficina (de) || servicio (de) · labor (de) || especialista (en)**

•CON VBOS. **necesitar · buscar** *Busco asesoramiento profesional* · **requerir · pedir · solicitar · recabar || dar · ofrecer · brindar · prestar || recibir · obtener || contar (con)**

asesoría s.f.

•CON ADJS. **especializada** *Me habló de una asesoría especializada en este tipo de problemas* **|| jurídica** *En una asesoría jurídica te informarán de todo* · **legal · técnica · fiscal · laboral · financiera · empresarial · económica** *Ha dejado todos sus asuntos en manos de una asesoría económica* · **parlamentaria · inmobiliaria · administrativa · militar · lingüística · médica · musical · profesional · teatral · turística**

•CON SUSTS. **jefe,fa (de) · responsable (de) || empresa (de) · despacho (de)** *un despacho de asesoría laboral* · **servicio (de) || informe (de)**

asestar v.

•CON SUSTS. **navajazo · puntapié** *Le asestó tal puntapié al balón que...* · **cuchillada · bofetón · bofetada · patada · puñetazo** · ***otros golpes***

•CON ADVS. **fuertemente · con todas {mis/tus/sus...} fuerzas** *Le asestó un puñetazo con todas sus fuerzas* **|| de sopetón · sin previo aviso · de improvisto**

aseveración s.f.

•CON ADJS. **tajante** *Me sorprendió tan tajante aseveración* · **contundente · categórica · rotunda · firme · enérgica · dura · polémica · solemne · decidida || sopesada · matizada · sensata · aguda || falsa · errónea || breve || literal**

•CON VBOS. **hacer** *Hizo una aseveración muy dura* · **mantener || matizar · aclarar · argumentar · fundamentar (en algo)** *¿En qué fundamenta esas aseveraciones?* **|| confirmar · verificar || criticar · suscribir || rechazar · refutar · desmentir || subrayar** *Subrayo esta aseveración porque...* · **remachar · recalcar · reforzar || publicar · recoger** *El periódico de hoy recoge las categóricas aseveraciones del seleccionador* · **reproducir || valorar · juzgar · enjuiciar**

aseverar v.

•CON ADVS. **tajantemente · firmemente · con firmeza · categóricamente · rotundamente** *una afirmación que no dudó en aseverar rotundamente* · **contundentemente · enérgicamente · taxativamente · sin tapujos · eufemísticamente || textualmente · literalmente**

asfixia s.f.

• CON ADJS. **inaguantable · insoportable** *En sus escritos se trasluce la insoportable asfixia existencial que sufre* · **agónica · lenta || por inhalación || económica** *una racha de asfixia económica* · **financiera · monetaria · presupuestaria · fiscal · cultural · existencial · social**

• CON SUSTS. **síntomas (de) · signo (de)** *La víctima mostraba claros signos de asfixia* · **sensación (de) || muerte (por) || principio (de) · peligro (de)**

• CON VBOS. **sobrevenir (a alguien) || sentir · sufrir || causar · provocar · originar · ocasionar || aliviar · evitar || morir (de/por)** *Murió por asfixia a causa de un escape de gas* · **fallecer (por) · matar (por)**

• CON PREPS. **por** *Después de la explosión, varias personas fueron atendidas por asfixia*

asfixiante adj.

• CON SUSTS. **humo** *Un humo asfixiante empezó a invadir el edificio* · **gas || asma · tos || clima · atmósfera · sol · aire · calor** *Hacía un calor asfixiante* · **ardor · temperatura || olor · aroma · peste || soga · velo · pañuelo · cuello · cinturón || abrazo || habitación** *una habitación asfixiante, en la que resultaba imposible dormir* · **casa · calabozo · jaula · mundo · ciudad** *Vivimos en una ciudad asfixiante, donde todo el mundo anda con prisas* · ***otros lugares*** **|| presión · peso · carga · acoso · control · defensa · tensión · vigilancia** *sometido durante meses a una asfixiante vigilancia* · **opresión · bloqueo || red · círculo · maraña · cerco || ambiente · realidad · ámbito · situación** *Ha llevado al país a una situación asfixiante* · **estado · panorama · marco || poder · política · burocracia · esquema · estructura · sistema · hegemonía · dictadura · régimen || religión · academicismo · reglamentarismo · ritualismo · nacionalismo ·** ***otras tendencias, movimientos o ideologías*** **|| deuda · carga fiscal · impuesto · interés** *Concedían préstamos hipotecarios a un interés asfixiante* **|| sensación · angustia · nostalgia · sed · desazón · agobio || límite · cota · nivel · proporción || padre · madre · jefe,fa** *Tienes un jefe asfixiante* · **sociedad ·** ***otros individuos y grupos humanos*** **|| día · mañana** *Hemos tenido una mañana asfixiante, pero la tarde está muy tranquila* · **hora ·** ***otros períodos*** **|| obra · novela · película · historia · argumento · relato · melodrama**

• CON VBOS. **hacer(se) · volver(se) · resultar**

asiduo, dua adj.

• CON SUSTS. **cliente** *Ofrecemos descuentos para los clientes asiduos* · **clientela · viajero,ra · visitante** *un visitante asiduo de los bares y tabernas de la ciudad* · **comprador,-a · veraneante · dominguero,ra · asistente · acompañante · compañero,ra · caminante · paseante || practicante · colaborador,-a** *Fue asidua colaboradora de la revista* · **usuario,ria · participante · invitado,da || lector,-a · oyente · espectador,-a · telespectador,-a · protagonista · seguidor,-a** *Como asidua seguidora de este director, no puedes perderte su última película* · **coleccionista · elector,-a · público ||** ***otros individuos y grupos humanos*** **|| asistencia · concurrencia · presencia · visita · contacto · compañía · amistad || participación · colaboración · seguimiento · movilización · dedicación · cultivo · ocupación**

☐ USO Se usa a menudo en construcciones atributivas (*Soy asiduo habitual de los conciertos*) y con complementos encabezados por las preposiciones *a* (*una persona asidua a este parque*) y *de* (*un socio asiduo de este club*).

asignar v.

• CON SUSTS. **recurso** *...en el debate sobre a qué área asignar recursos económicos* · **dinero · presupuesto · sueldo · gasto || nombre · valor · precio · número · cantidad** *A este proyecto le han asignado una cantidad importante de dinero* · **porcentaje || puesto · cargo · plaza** *¿Cuándo asignan las plazas vacantes?* **|| papel · función · obligación · deber · tarea** *Nos asignaron a cada uno una tarea diferente* · **cometido · encargo · responsabilidad || prioridad · compromiso || premio**

• CON ADVS. **eficientemente · adecuadamente · correctamente · cabalmente || justamente · equitativamente · proporcionalmente || injustamente · irregularmente · a dedo || en exclusiva**

asignatura s.f.

• CON ADJS. **dura** *la asignatura más dura del curso* · **difícil · hueso || fácil · sencilla · chupada · tirada || interesante · de actualidad · útil || aburrida || práctica · teórica || troncal · obligatoria · optativa** *escoger tres asignaturas optativas para este año* · **de libre configuración · alternativa || computable · evaluable || pendiente** *Leer a esa autora es mi asignatura pendiente*

• CON SUSTS. **examen (de) || programa (de) · contenido (de) · currículo (de)**

• CON VBOS. **quedar (a alguien)** *¿Cuántas asignaturas te quedan para acabar?* **|| elegir || estudiar · cursar || aprobar** *Aprobé todas las asignaturas en junio* · **superar · pasar || suspender · desaprobar · catear · dejar · abandonar · repetir || ofertar · impartir · enseñar || matricularse (en) || examinar(se) (de)** *Mañana se examina de la última asignatura de la carrera* **|| cambiar (de)**

asilo s.m.

▌[refugio]

• CON ADJS. **humanitario · político** *conceder a alguien el asilo político*

• CON SUSTS. **solicitud (de) · petición (de)** *Están estudiando las peticiones de asilo presentadas por cuatro refugiados políticos* **|| derecho (de) · política (de) · ley (de)**

• CON VBOS. **buscar · pedir** *Los conflictos tribales le han obligado a pedir asilo en nuestro país* · **solicitar || ofrecer · dar · otorgar · brindar · conceder || negar · denegar || recibir · obtener · encontrar · conseguir**

▌[residencia de ancianos]

• CON VBOS. **ingresar (en) · vivir (en) · residir (en)**

asimilar v.

• CON SUSTS. **información · conocimiento || concepto · pensamiento · filosofía · teoría || influencia · estilo** *Su obra no llegó a asimilar del todo el estilo imperante en la época* · **características · sistema || hecho · situación · derrota · cambio · ruptura · marcha** *Creo que me costará mucho asimilar su marcha* **|| alimento · sustancia · medicamento**

• CON ADVS. **completamente · del todo · parcialmente || perfectamente || rápidamente · despacio || fácilmente** *asimilar fácilmente un concepto* · **con dificultad**

a simple vista loc.adv.

• CON VBOS. **ver** *Es tan pequeño que no se ve a simple vista* · **observar · contemplar · apreciar · parecer · percibir · notar · detectar · distinguir · reconocer · advertir** *Se advierte a simple vista que son hermanos* · **identificar · diferenciar || presentar · resaltar || juzgar · evaluar**

• CON ADJS. **elemental** · **sencillo,lla** *Aunque sencillo a simple vista, el trabajo revestía una notable complejidad* · **fácil** || **ininteligible** · **inexplicable** *un hecho inexplicable a simple vista* || **visible** · **perceptible** · **distinguible** · **evidente** || **invisible**

asistencia s.f.

▮ [ayuda o cooperación]

• CON ADJS. **generosa** · **integral** *servicios de asistencia integral para los discapacitados* · **completa** · **intensiva** · **inestimable** · **eficaz** || **precaria** *un país en el que existe una precaria asistencia sanitaria* · **pobre** · **escasa** || **curativa** · **preventiva** · **sanitaria** · **médica** · **humanitaria** · **social** *El Ayuntamiento presta servicios de asistencia social* · **técnica** || **domiciliaria** · **a domicilio** · **en carretera** || **puntual** · **tardía**

• CON SUSTS. **servicio (de)** · **programa (de)** *un programa de asistencia a personas mayores* || **falta (de)**

• CON VBOS. **llegar** || **pedir** · **solicitar** · **recabar** · **reclamar** · **negociar** || **recibir** *recibir asistencia médica* · **obtener** || **dar** · **prestar** · **proporcionar** · **brindar** · **dispensar** · **ofrecer** *el seguro ofrece asistencia gratuita en carretera* · **facilitar** || **negar** · **denegar** *Ha sido encausado por denegar asistencia a un herido* · **congelar** · **retirar** · **impedir** · **dificultar** · **obstaculizar**

▮ [presencia o concurrencia]

• CON ADJS. **multitudinaria** · **abrumadora** *una abrumadora asistencia de público* · **masiva** · **nutrida** *Destacó en la presentación la nutrida asistencia de famosos* · **destacada** || **pobre** · **escasa** || **asidua** · **habitual** || **libre** · **obligatoria**

• CON VBOS. **decrecer** || **rogar** *Rogamos la asistencia de todos los vecinos* || **esperar** · **desear** || **declinar** · **suspender** · **cancelar** *Tuve que cancelar mi asistencia a la reunión* · **delegar** || **confirmar** · **garantizar** · **comprometer** || **contar (con)**

asistenta s.f.

• CON ADJS. **responsable** · **cumplidora** · **hacendosa** || **desastrada** · **irresponsable** · **incumplidora** || **social** · **del hogar** · **personal** · **doméstica** || **por horas**

• CON VBOS. **limpiar** · **fregar** · **planchar** · **cuidar (algo/ a alguien)** · **cocinar** || **contratar** · **pagar** || **trabajar (como/de)**

asistente s.com.

▮ [que acude a un lugar]

• CON ADJS. **incondicional** *Entre los asistentes incondicionales a este tipo de eventos se encuentra...* · **habitual** · **asiduo,dua**

• CON SUSTS. **lista (de)** *Tu nombre no figura en la lista de los asistentes* · **grupo (de)** · **número (de)** · **recuento (de)**

• CON VBOS. **reunir** || **seducir** · **convencer** · **defraudar** || **encontrarse (entre)** · **figurar (entre)**

▮ [que realiza labores de ayuda]

• CON ADJS. **fiel** · **leal** · **de confianza** *Es mi asistente de confianza; te ayudará en lo que necesites* || **competente** · **eficaz** · **eficiente** || **personal** · **particular** · **delegado,da** || **sanitario,ria** · **técnico,ca** · **académico,ca** · **social**

• CON SUSTS. **puesto (de)** || **árbitro** *El árbitro asistente señaló falta*

• CON VBOS. **trabajar (como/de)** || **disponer (de)**

asistir (a) v.

• CON SUSTS. **boda** *¿Quiénes asistirán a la boda?* · **reunión** · **congreso** · **exposición** *un desastre de exposición, a la que no asistió ni un alma* · **fiesta** · **certamen** · **concierto** · ***otros eventos***

• CON ADJS. **gustoso,sa** *Asistiré gustosa al concierto* · **encantado,da** · **obligado,da** · **forzado,da** || **nervioso,sa** · **impaciente** · **ansioso,sa** || **impasible**

• CON ADVS. **voluntariamente** *Empezó a asistir voluntariamente a clases de refuerzo* · **libremente** · **a regañadientes** || **personalmente** · **en persona** · **expresamente** || **multitudinariamente** · **masivamente** || **en primera línea** *Se te vio asistiendo en primera línea a la marcha contra...* · **puntualmente** · **religiosamente** · **periódicamente** · **ocasionalmente** · **frecuentemente** || **de gala**

asma s.f.

• CON ADJS. **infantil** · **alérgica** · **crónica**

• CON SUSTS. **ataque (de)** *Sufre fuertes ataques de asma* · **crisis (de)** · **brote (de)** · **síntoma (de)** · **manifestación (de)** || **problema (de)** *un grave problema de asma*

• CON VBOS. **agudizar(se)** · **acentuar(se)** · **agravar(se)** || **tener** · **sufrir** · **padecer** · **desarrollar** || **provocar** || **combatir** *una buena manera de combatir el asma* · **curar** · **tratar** · **vencer** · **superar** || **diagnosticar** · **detectar** || **luchar (contra)**

asmático, ca adj.

• CON SUSTS. **paciente** *un medicamento contraindicado en pacientes asmáticos* · **enfermo,ma** · ***otros individuos*** || **crisis** · **afección** *Le detectaron una afección asmática al poco tiempo de nacer* · **enfermedad** · **problema** · **proceso** · **reacción** · **síntoma** || **ritmo** · **respiración**

asociación s.f.

• CON ADJS. **mutua** · **recíproca** || **incondicional** · **fuerte** · **estrecha** · **hermética** || **endeble** · **laxa** · **traída por los pelos** || **amistosa** · **de igual a igual** || **clandestina** *Parece que la sospechosa pertenece a una asociación clandestina* · **ilegal** · **ilícita** || **legal** · **libre** *una libre asociación de ideas* || **homogénea** · **heterogénea** || **nueva** || **humanitaria** · **deportiva** · **cultural** · **política** · **científica** · **mental** *establecer una asociación mental entre dos conceptos*

• CON SUSTS. **derecho (de)** · **libertad (de)** *Trabajamos para conseguir la libertad de asociación en...* || **miembro (de)** || **contrato (de)**

• CON VBOS. **integrar(se)** · **disgregar(se)** · **desintegrar(se)** || **aglutinar** || **crear** · **constituir** *Se han agrupado para constituir una asociación con capacidad legal para...* · **establecer** · **organizar** · **fundar** · **formar** || **impulsar** · **fomentar** *fomentar la asociación entre los trabajadores* · **apoyar** || **encabezar** · **dirigir** || **buscar** || **legalizar** · **ilegalizar** || **abandonar** || **hacer(se) (de)** · **afiliar(se) (a)** · **sumarse (a)** · **apuntar(se) (a)** · **adherirse (a)** || **militar (en)** · **formar parte (de)** · **pertenecer (a)** · **participar (en)** || **borrar(se) (de)** *¿Por qué te has borrado de la asociación?* · **salir(se) (de)** · **excluir(se) (de)** · **echar (a alguien) (de)**

asolar v.

• CON SUSTS. **territorio** · **zona** *Un terremoto asoló la zona sur del país* · **país** · **campo** · **ciudad** · ***otros lugares***

• CON ADVS. **violentamente** · **cruelmente** · **atrozmente** · **brutalmente** · **terriblemente** || **completamente** *Las inundaciones asolaron completamente la región* · **total-**

mente || rápidamente · en un abrir y cerrar de ojos || impunemente

asomar v.

• CON SUSTS. **pensamiento · idea** *De repente, una idea asomó a mi cabeza* || **solución · resultado · posibilidad · indicio || verdad · mentira || deseo · esperanza · interés · intención · conciencia || queja · tensión · dolor · tristeza · preocupación** *En su rostro asomó la preocupación* || **problema · peligro || talento || lágrima · sonrisa · sentimiento || sol** *El sol asomaba por el horizonte*
• CON ADVS. **tímidamente · entre líneas · levemente · ligeramente · de puntillas · de pasada || claramente · nítidamente || momentáneamente · fugazmente**

asombro s.m.

• CON ADJS. **verdadero · absoluto · descomunal · tremendo · extraordinario · mayúsculo · auténtico** *Cuando se lo conté puso cara de auténtico asombro* · **gran(de)** *Las declaraciones de la actriz despertaron gran asombro entre la prensa* · **increíble · especial · cierto || general || mudo,da (de)**
• CON SUSTS. **mirada (de) · cara (de) · gesto (de) · ojos (de) || capacidad (de)** *la capacidad de asombro que tienen los niños* · **sensación (de) || motivo (de)**
• CON VBOS. **invadir (a alguien) · caber || aumentar || causar · provocar · generar · despertar · inspirar · suscitar · producir || sentir · experimentar** *Experimentó un asombro mayúsculo al enterarse* || **mostrar · manifestar · confesar · expresar · exteriorizar || fingir · ocultar · disimular** *No disimuló su asombro cuando lo vio llegar* || **no salir (de)** *No salgo de mi asombro* || **dejarse llevar (por)**
• CON PREPS. **con** *Los asistentes miraban con asombro el escenario* · **entre · en medio (de)** *en medio del asombro general* · **en señal (de) · ante** *ante el asombro de la población*

asombroso, sa adj.

• CON SUSTS. **facilidad · habilidad · capacidad || vitalidad · paciencia · determinación · voluntad · rapidez** *Las instituciones reaccionaron con una rapidez asombrosa* · **precisión · inteligencia · talento · labia || forma || parecido** *Los dos hermanos guardan un asombroso parecido* || **espectáculo · noticia · declaración || transformación · cambio · mejoría · recuperación || ascenso · descenso**
• CON ADVS. **increíblemente || realmente** *Su habilidad para este trabajo es realmente asombrosa* · **verdaderamente**
• CON VBOS. **ser** *Es asombrosa la facilidad con la que ha ganado* · **parecer · resultar || volver(se) · hacer(se)** *A todos se nos hizo asombrosa su recuperación* · **estar** *En el cuarto toro de la tarde estuvo asombroso*

[asomo] → ni por asomo

a sorbos loc.adv.

• CON VBOS. **beber** *beber el agua a sorbos* · **tragar · tomar || disfrutar · paladear** *un vino de crianza que debe paladearse a sorbos*

aspecto s.m.

▌[apariencia]

• CON ADJS. **buen(o) · agradable** *El hotel tenía un aspecto agradable* · **acogedor · atractivo · agraciado · pulcro · impecable · impoluto · inmaculado · saludable** *Gracias al deporte consigue mantener un aspecto saludable* · **radiante · simpático || siniestro · desolador · abandonado · ruinoso · desaliñado · descuidado · lastimoso** *La casa presentaba un aspecto lastimoso después de la tormenta* · **desastrado · lamentable · deplorable || cándido · beatífico · sensible · frágil · delicado · quebradizo || apesadumbrado** *Presentaba un aspecto decaído y apesadumbrado* · **triste · cariacontecido · decaído · cansino · cansado || cómico · alegre || renovado · irreconocible || antiguo · de siempre · tradicional · reconocible · conocido || claro · inequívoco · manifiesto · visible || sencillo** *En seguida me atrajo su aspecto sencillo* · **natural · sobrio · severo · serio || físico · exterior · externo**
• CON VBOS. **tener · presentar · ofrecer · llevar · tomar** *No me gusta el aspecto que está tomando este asunto* · **cobrar · adquirir || conferir (a algo/a alguien)** *Su nuevo corte de pelo le confiere un aspecto más aniñado* · **dar (a algo/a alguien) · imprimir || cuidar · adecentar · descuidar · desatender || alterar · modificar · aligerar || cambiar (de) · mudar (de)** *En primavera estos animales suelen mudar de aspecto* || **camuflarse (tras)**

▌[faceta]

• CON ADJS. **mágico · misterioso · engañoso · llamativo · extraño · curioso || importante · destacado · crucial · decisivo · esencial · diferenciador · revelador · interesante || oculto · ignoto · desconocido · olvidado || menor · tangencial · secundario · nimio** *No deberías preocuparte por aspectos tan nimios* · **anecdótico · frívolo · anodino || polémico · debatido || cualitativo · cuantitativo || general · particular · específico · concreto || económico · político** *con especial hincapié en el aspecto político del asunto* · **cultural · sagrado · humano**
• CON VBOS. **atañer (a algo/a alguien)** *Este aspecto no nos atañe* · **delatar (algo) · reflejar (algo) || salir a la luz · llamar la atención || tratar · abordar · considerar · analizar · clarificar · describir · estudiar · conocer · conjugar · combinar || acentuar · destacar · subrayar · señalar** *señalar los aspectos más importantes de la cuestión* · **mencionar · desvelar · descubrir || obviar · olvidar · ignorar · ocultar || ahondar (en)**

aspereza s.f.

• CON ADJS. **evidente** *Las asperezas entre ellos son evidentes* · **visible || mínima · insignificante || antigua · vieja · primera · última || personal**
• CON VBOS. **limar · suavizar · eliminar · deponer || presentar**
• CON PREPS. **con**

aspiración s.f.

• CON ADJS. **máxima** *Su máxima aspiración en la vida era ser bombero* · **principal · fundamental · verdadera · vieja** *Va a cumplir su vieja aspiración de viajar a Tahití* || **desmedida · fuerte · gran(de) · creciente || secreta** *Nadie conoce sus aspiraciones secretas* · **oculta · profunda · íntima · inconfesable || sincera · clara · inequívoca · indudable || legítima** *Nuestro partido alberga la legítima aspiración de acceder al Gobierno* · **justa · noble · fundada · lícita · sana || oscura · ilegítima || encomiable · laudable || individual · colectiva · popular || igualitaria · utópica || vana || juvenil · humana · ciudadana || profesional · política · presidencial · democrática**
• CON VBOS. **consumar(se) · hacer(se) realidad · cuajar · perdurar · surgir || truncar(se) · frustrar(se)** *Sus aspiraciones de convertirse en un gran atleta se frustraron a raíz del accidente* · **ahogar(se) · malograr(se) · aguar(se) ·**

desmoronar(se) · desinflar(se) · desvanecerse || converger · anidar (en alguien) || tener *Tiene grandes aspiraciones en la vida* · albergar || satisfacer *Con el puesto de subdirector adjunto han quedado satisfechas todas sus aspiraciones* · cumplir · alcanzar · saciar · colmar · contentar · coronar · depositar · acariciar || favorecer · alimentar · ratificar · avalar · apoyar · respetar || desbaratar · echar por tierra · defraudar · frenar · limitar · bloquear · retirar · sacrificar || acallar · disfrazar · ocultar · disimular · abandonar || mantener · conservar || desvelar · destapar · reflejar || encauzar · canalizar · conciliar || sobrepasar || renunciar (a) *Creo que no deberías renunciar a tus aspiraciones* · ceder (a) · acabar (con) || persistir (en)

• CON PREPS. con · sin *una persona sin aspiraciones en la vida* || a la altura (de) · a la medida (de)

[aspirar] → aspirar; aspirar (a)

aspirar v.

• CON SUSTS. aire · polvo || oxígeno · anhídrido carbónico · *otros gases*

• CON ADVS. casualmente · accidentalmente *Aspiró accidentalmente un poco de polvo y ahora no para de toser*

aspirar (a) v.

• CON SUSTS. éxito · victoria · triunfo *Nuestro equipo aspira al triunfo en este campeonato* · premio · título || presidencia · trono · poder · candidatura · alcaldía · *otras situaciones de preeminencia* || subida · ascenso || trabajo · puesto *Aspiro a este puesto desde hace años* · cargo || ingreso · admisión · elección · reelección || reconocimiento *Solo aspiro al reconocimiento de mi trabajo*

asquear v.

• CON ADVS. profundamente · terriblemente *Me asquea terriblemente que me vengan con trapos sucios* · enormemente · intensamente · fuertemente · extraordinariamente · sumamente · ostensiblemente · notablemente

asqueroso, sa adj.

• CON SUSTS. *persona* || bicho · insecto · *otros animales* || comida · desecho · sustancia · líquido || aspecto · apariencia · sabor · olor *un olor asqueroso que provenía de la cloaca* · hedor || local · casa · país · pueblo · *otros lugares* || escena · imagen · ambiente *No sé cómo he podido soportar un ambiente tan asqueroso* || hecho · acción · acto · comportamiento · actitud · idea || crimen || vida · existencia

• CON VBOS. ser · parecer · resultar · volver(se) · quedar(se) *Una vez fría, la comida se quedó asquerosa* · estar · ponerse

[asta] → a media asta

astillar(se) v.

• CON SUSTS. madera · tabla · mueble · puerta · vidrio · luna || hueso · colmillo

astro s.m.

▌[cuerpo celeste]

• CON ADJS. rutilante · fulgurante · luminoso || lejano · errante · solitario || cuajado,da (de) || escrito,ta (en) *Según la vidente, todo está escrito en los astros*

• CON SUSTS. influencia (de) · influjo (de) || haz (de) · luz (de) · estela (de)

• CON VBOS. decir (algo) · predecir (algo) · augurar (algo) · anunciar (algo) *Los astros anuncian que el año próximo...* || elevarse · orbitar · ponerse || lucir · brillar · alumbrar (algo) || observar · detectar · distinguir || interpretar || leer (algo) (en) · ver (algo) (en)

▌[persona famosa]

• CON ADJS. popular · célebre *un célebre astro del balón* · famoso · conocido · internacional · eterno · joven || de la canción · de la pantalla · del cine · deportivo · futbolístico

• CON VBOS. actuar · triunfar

astrólogo, ga s.

• CON VBOS. predecir (algo) · augurar (algo) *Los astrólogos auguran un buen año para los nacidos en...* · adivinar (algo) · pronosticar (algo) · vaticinar (algo) || acertar · fallar || preguntar · consultar

astronomía s.f. Véase DISCIPLINA

astronómico, ca adj.

• CON SUSTS. cantidad · cifra · suma *ganar sumas astronómicas de dinero* · indemnización · gasto · precio · coste · oferta · cuenta · factura · sueldo · presupuesto · alquiler · multa *pagar una multa astronómica* · inversión · porcentaje · talón || deuda · pérdida · endeudamiento · déficit · números rojos || ganancia · beneficio · crecimiento · aumento *...lo que implicó un aumento astronómico de la deuda externa* · subida · rentabilidad || fichaje · negocio · contrato || cota · nivel · altura || aspiración · proyecto · programa · pretensión

astrónomo, ma s.

• CON ADJS. distinguido,da · famoso,sa · célebre · reconocido,da *según afirma en su libro el reconocido astrónomo* || importante · gran || aficionado,da · profesional || especialista

• CON SUSTS. equipo (de) · grupo (de) || asociación (de)

• CON VBOS. estudiar (algo) · investigar (algo) · observar (algo) · contemplar (algo) || descubrir (algo) · identificar (algo) · probar (algo) · determinar (algo) || predecir (algo) *Los astrónomos predijeron que un cometa cruzaría el firmamento* · anunciar (algo) · informar (sobre algo) · afirmar (algo) · asegurar (algo) || calcular (algo) · barajar (algo) · estimar (algo) · especular (con algo) · sospechar (algo) · creer (algo) · suponer (algo)

astucia s.f.

• CON ADJS. suma · suprema · asombrosa · extraordinaria · prodigiosa · considerable || fina · sutil · inteligente · felina · de zorro · de gato viejo || rara · inusitada · increíble · sorprendente || innata || diabólica · retorcida · maquiavélica || calculada · probada || política *una persona con astucia política* || lleno,na (de)

• CON SUSTS. dosis (de) *Según mi abuelo, cierta dosis de astucia nunca viene mal* || juego (de)

• CON VBOS. tener · revelar · mostrar · evidenciar · demostrar · exhibir · desplegar · utilizar *Para resolver esta cuestión tienes que utilizar tu astucia* · poner en juego || valerse (de) · hacer gala (de) *Hizo gala de una astucia prodigiosa*

• CON PREPS. con *Actuó con gran astucia*

astuto, ta adj.

• CON SUSTS. **trama · estrategia · táctica · fórmula · plan · jugada · maniobra** *Ha sido una astuta maniobra del equipo directivo* · **procedimiento || gesto · mirada · sonrisa || ladrón,-a · periodista · chico,ca** · *otros individuos* || **zorro,rra · perro,rra · gato,ta** · *otros animales*
• CON ADVS. **sumamente · como un zorro || calculadamente**
• CON VBOS. **hacer(se) · volver(se)**

asumir v.

• CON SUSTS. **responsabilidad · compromiso · deber · carga · peso · autoría · culpa || control · poder · mando · gobierno · soberanía · riendas || cargo · titularidad · papel · función || consecuencia** *Tienes que asumir las consecuencias de lo que has hecho* · **pérdida · muerte · efecto · daño · derrota || reto · desafío · riesgo || problema · dificultad · inconveniente · conflicto · discrepancia · confrontación || coste · monto · crédito · cuota · deuda || condición · situación · circunstancia · factor · panorama || logro · acierto · éxito · victoria** *Aunque resulte difícil, debemos asumir la victoria de la oposición* · **mérito || castigo · condena · penitencia · sanción · pena || exigencia · reclamación · reivindicación · petición · encargo · demanda || ley · medida · pacto · convenio · acuerdo · regulación · resolución · dictamen · sentencia || cambio** *una sociedad que no estaba preparada para asumir un cambio político como el que se avecinaba* · **aumento · reforma || idea · propuesta · información**
• CON ADJS. **complacido,da · encantado,da · gustoso,sa**
• CON ADVS. **plenamente · por completo · a partes iguales** *Lo más justo es que asumamos el gasto del viaje a partes iguales* · **gradualmente · paulatinamente · progresivamente || a regañadientes · gustosamente · de buen grado · deportivamente · voluntariamente · obligatoriamente || sin condiciones · sin reservas · sin tapujos || humildemente · dignamente · valientemente**

asunto s.m.

• CON ADJS. **importante · esencial · decisivo · trascendental · insoslayable · central · primordial · crucial · destacado** *Los asuntos más destacados del día son...* · **de consideración · de importancia || banal · anecdótico · trivial · tangencial · menor || escabroso · espinoso · controvertido · complicado · difícil · peliagudo · delicado · polémico · proceloso · resbaladizo · vidrioso · pantanoso || enmarañado · enrevesado · engorroso · farragoso · arduo || misterioso** *No sé qué misterioso asunto se traen entre manos* · **enigmático · abstruso || turbio · oscuro · sucio || privado · propio · confidencial · público || trillado · manido || curioso · original · novedoso · interesante || cotidiano · coyuntural · candente** *un programa sobre los asuntos más candentes de la actualidad* || **encarrilado · sobre ruedas**
• CON SUSTS. **fondo (de)** *Queremos llegar al fondo de este asunto* || **análisis (de) · examen (de) || importancia (de) || clave** *En la reunión se va a tratar un asunto clave*
• CON VBOS. **consistir (en algo) · versar (sobre algo) · tener que ver (con algo) || atañer (a algo/a alguien) · incumbir (a alguien) · concernir (a alguien) · salpicar (a alguien) || estallar · venir de lejos · conducir (a algo) || agravar(se) · complicar(se) || esclarecer(se)** *Parece que por fin el asunto se ha esclarecido* · **aclarar(se) || afrontar · abordar · encarar · plantear || tratar · llevar** *¿Quién lleva los asuntos económicos de la familia?* · **abarcar · dominar · manejar || acotar · encarrilar · encauzar · enderezar || discutir · estudiar · dirimir · debatir · clarificar · simplificar · desbrozar · desentrañar · analizar · considerar · valorar || describir · contar · airear · remover || ventilar · zanjar · despachar · resolver || soslayar · ocultar · dejar de lado || obviar · dejar · orillar · bordear || reabrir · retomar · desbloquear || extrapolar · tergiversar · desenfocar || hablar (de) · deliberar (sobre) · explayarse (en) || involucrar(se) (en) · implicar(se) (en) · adentrarse (en) · entrar (en) · bucear (en) · escarbar (en) · hurgar (en)** *A veces es mejor no hurgar en asuntos del pasado* · **lidiar (con) · terciar (en) · inmiscuirse (en) · meterse (en)** *Métete en tus asuntos y no me molestes* || **desentenderse (de) || ceñir(se) (a) · cambiar (de) · pasar (a)** *Pasemos a otro asunto* || **quitar hierro (a)**

asustadizo, za adj.

• CON SUSTS. **pájaro · caballo · yegua · gato,ta** *una gata asustadiza e independiente* · *otros animales* || *persona* *Es un niño muy asustadizo* || **mirada** *No era capaz de centrar en nadie ni en nada su asustadiza mirada* · **gesto**
• CON VBOS. **volverse**

atacar v.

• CON ADVS. **frontalmente** *En sus declaraciones atacó frontalmente al candidato del partido rival* · **directamente · abiertamente · descaradamente · a cara descubierta · sin rodeos || sin piedad · sin miramientos · crudamente · con dureza** *Los manifestantes atacaron con dureza al Gobierno por...* · **duramente · severamente · brutalmente · violentamente · ferozmente || sin miedo** *El entrenador animó a su equipo a atacar sin miedo* · **con valentía · decididamente · con decisión · con firmeza || cobardemente · vilmente · impunemente || ciegamente · a la desesperada || conscientemente · con alevosía || en tromba · al unísono · en oleadas · a discreción || sistemáticamente · constantemente · sin tregua || a fondo · de raíz** *Este tipo de problemas hay que atacarlos de raíz* · **estructuralmente || eficazmente || rápidamente || con paciencia · civilizadamente || a punta de {navaja/pistola} · verbalmente · por escrito || sexualmente · militarmente · políticamente**

atadura s.f.

• CON ADJS. **pesada · rígida || vieja** *Íbamos a liberarnos de viejas ataduras* · **convencional || política · social · moral · ideológica · familiar · material || libre (de)** *Por fin me siento libre de ataduras* · **liberado,da (de)**
• CON VBOS. **sujetar (a alguien) · controlar (a alguien) || coartar (a alguien) · impedir (algo) || tener · padecer || romper** *Decidió romper sus ataduras y comenzar una nueva vida* · **cortar · soltar · rechazar || poner (a alguien) || librar(se) (de) · liberar(se) (de) · desprender(se) (de) · zafarse (de) · romper (con)**
• CON PREPS. **sin**

atajar v.

• CON SUSTS. **situación** *atajar cuanto antes esta situación insostenible* · **tema · asunto · cuestión || problema · caos · conflicto · crisis || escándalo · polémica · debate · rumor || vicio · corrupción** *atajar la corrupción existente en el sector* || **paro · déficit** *nuevas medidas para atajar el déficit* · **violencia · terrorismo · enfermedad · mal · síntoma || fuego · incendio || crecimiento · aumento · difusión · propagación**

• CON ADVS. **eficazmente** *atajar eficazmente la enfermedad* || **por completo · definitivamente · fulminantemente** || **directamente · de raíz** || **rápidamente · de un día para otro** *Este es un problema que no se puede atajar de un día para otro* || **a tiempo · oportunamente**

atañer v.

• CON SUSTS. **asunto** *un asunto que atañe exclusivamente a nuestra familia* · **cuestión · tema · caso · aspecto · circunstancia · hecho · fenómeno · elemento** || **problema · polémica · conflicto · crisis · bache · miseria** || **decisión** *Solo puede tomar decisiones que atañan a lo económico* · **medida · resolución · sentencia · prohibición · destitución** || **responsabilidad · obligación · compromiso · competencia · función** *El Gobierno quiere redefinir las funciones que atañen al Ministerio del Interior* || **pregunta · declaración · aseveración · referencia · alusión · rumor** || **reforma · cambio · transformación · modificación · remodelación · mejora · restauración** || **ley · artículo · enmienda · proceso judicial · litigio** || **concepto · idea · consideración · principio · axioma**

• CON ADVS. **directamente** *La prohibición gubernamental atañe directamente a empresas como la suya* · **indirectamente** || **de cerca · estrechamente · especialmente · en especial · íntimamente** || **en cierta medida · parcialmente · profundamente · de lleno · ligeramente** || **exclusivamente · estrictamente · específicamente** || **personalmente · colectivamente**

☐ USO Se construye con complementos indirectos de persona (*un asunto que atañe a mis padres*) o de cosa (*un asunto que atañe a nuestro trabajo*).

ataque

1 **ataque** s.m.

• CON ADJS. **aéreo · a mano armada · verbal · militar · terrorista · suicida · nuclear** || **personal** || **cardíaco** *Fue ingresado anoche con un ataque cardíaco* · **cerebral · vírico** || **disuasorio · preventivo** || **fuerte · fulminante · letal · mortífero · brutal** *El brutal ataque deja centenares de muertos en la región* · **abusivo · alevoso · a fondo · bárbaro · desaforado · desmedido · despiadado · desenfrenado · visceral · intensivo · en profundidad** || **encarnizado · salvaje · feroz · sangriento · sanguinario · cruento · violento · virulento · enconado · vehemente · sin paliativos · vandálico · incendiario · tibio · audaz · frenético · vil · soterrado · impune · avieso · ofensivo · punzante** || **sin fundamento · inmerecido** || **certero · decisivo · definitivo · demoledor · directo · frontal** *un ataque frontal a la corrupción y al fraude fiscal* || **constante · continuo** *Se quejaba del continuo ataque verbal del que era víctima* || **súbito · inesperado · calculado · premeditado** || **efectivo · infructuoso · fulgurante**

• CON SUSTS. **lluvia (de) · ola (de)** || **blanco (de)** *El blanco del ataque era un destacamento militar* · **víctima (de) · objeto (de) · línea (de)** || **amago (de) · plan (de) · riesgo (de)**

• CON VBOS. **producir(se) · desencadenar(se)** || **agravar(se) · recrudecer(se)** *Se han recrudecido los ataques tras...* · **aumentar** || **arreciar · disminuir** || **realizar · emprender · infligir · acometer · lanzar · encarar · encabezar · provocar · practicar · coordinar** || **continuar · redoblar · relanzar · repetir** || **perpetrar · urdir · preparar** *...el tiempo suficiente para reponer fuerzas y preparar el nuevo ataque* · **fraguar(se)** || **sufrir · resistir · rechazar · replicar · repeler** || **impedir · detener · abortar · paralizar · frenar · evitar · esquivar** || **desarticular · desbaratar · frustrar(se)** || **neutralizar · contrarrestar · mitigar · dulcificar** || **condenar · achacar** || **sofocar · prodigar** || **lanzar(se) (a) · aprestarse (para) · persistir (en) · instigar (a)** || **involucrar(se) (en) · responder (a)** || **someter(se) (a) · sucumbir (a) · cejar (en)** || **escapar (de) · librar(se) (de)**

• CON PREPS. **al borde (de)** *estar al borde del ataque de nervios* · **a resguardo (de)**

2 **ataque (de)** s.m.

• CON SUSTS. **asma** *Anoche tuve un ataque de asma* · **epilepsia · amnesia · apendicitis · tos** || **nervios · histeria · ansiedad · angustia · desesperación** *Presa de un ataque de desesperación, corrió a...* || **ira · cólera · furia · rabia · soberbia** || **celos · agresividad · envidia** || **locura · paranoia · enajenación · mesianismo · chovinismo** || **pánico · miedo · canguelo · claustrofobia** *llevado por un súbito ataque de claustrofobia* || **lucidez · sensatez · sinceridad · dignidad · honestidad · piedad · moderación · responsabilidad · filantropía** || **nostalgia · melancolía · tristeza · llanto** || **risa** *Me caí y me dio un ataque de risa* · **rubor**

[atar] → de atar

atardecer s.m.

• CON ADJS. **hermoso · bello** *bellos atardeceres otoñales* · **cálido · bucólico · espectacular** || **luminoso · reluciente · esplendoroso · deslumbrante** || **rosado · plateado · violáceo** || **largo · lento** || **gélido · nublado · plomizo · sombrío · triste · gris** || **tardío** || **tranquilo**

• CON SUSTS. **luz (de)**

• CON VBOS. **llegar** || **contemplar · ver · presenciar** || **disfrutar (de)**

• CON PREPS. **al · antes (de) · después (de) · hasta · durante**

atascar(se) v.

• CON SUSTS. **agua · sangre · comida** *Se le atasca la comida y no puede tragar* · **coche** · ***otras cosas que siguen una vía*** || **desagüe · tubería** *Las tuberías se han atascado otra vez* · **tubo · canalón · manguera · conducto · calle · arteria · carretera · autopista** · ***otras vías*** || **proceso · negociación** *Las negociaciones se atascarán si una de las dos partes no cede* · **conversación** || **acuerdo · pacto** || **proyecto · plan · propuesta**

atasco s.m.

• CON ADJS. **descomunal** *un atasco descomunal debido al accidente* · **tremendo · enorme · inmenso · monumental · gigantesco · kilométrico · interminable · grave · fuerte · gran(de) · importante** *importantes atascos en las carreteras principales* · **impresionante** || **pequeño · ligero** || **desesperante · temido** || **habitual · frecuente · diario · permanente · constante** || **ocasional · esporádico** || **inexplicable · repentino · previsible** || **circulatorio** *nuevas medidas para evitar los atascos circulatorios del centro de la ciudad* · **de la circulación · de tráfico · automovilístico · burocrático · judicial · intestinal · arterial** || **lleno,na (de)** *una ciudad llena de atascos*

• CON SUSTS. **riesgo (de)** || **kilómetros (de) · horas (de)** || **problemas (de)** || **causa (de)**

• CON VBOS. **formar(se) · generar(se) · crear(se) · registrar(se)** || **aumentar · crecer** || **deshacer(se) · descongestionar(se)** *Poco a poco se fue descongestionando el atasco* · **desaparecer** || **bloquear (algo/a alguien)** || **tener · soportar** *soportar un atasco de más de una hora* · **sufrir**

· padecer · atravesar · encontrar || provocar · causar · organizar · producir *El accidente produjo atascos kilométricos* · motivar · ocasionar || disolver · despejar · aliviar · reducir · combatir · solucionar · resolver · eliminar · superar · impedir · evitar · arreglar || ahorrar(se) || meter(se) (en) || librar(se) (de) *Ayer nos libramos del atasco porque...* · salir (de) · sacar (de)
• CON PREPS. en caso (de) || en medio (de) *Algunos conductores llevan dos horas en medio del atasco*

ataviar (con) v.

• CON SUSTS. traje *Para el desfile, la ataviaron con un traje de duquesa* · vestido · uniforme · ropaje · camisa · gorra · *otras prendas de vestir o complementos*
• CON ADVS. convenientemente · correctamente · decentemente · pulcramente · formalmente · para la ocasión · impecablemente · deportivamente · a la moda · con elegancia

atávico, ca adj.

• CON SUSTS. miedo · terror · temor · pavor || rito *entre leyendas y ritos atávicos* · ritual · costumbre · moda · creencia · tabú · precepto · norma · uso · ceremonia · aquelarre · corrida · partido || mal · violencia · vicio · barbaridad · barbarismo · beligerancia || discriminación · racismo *una sociedad dominada por un incomprensible racismo atávico* · misoginia · machismo || defecto · desdicha · incompetencia · carencia · falta · retraso · retroceso · rémora · sequía · disputa · enfermedad || prejuicio · desconfianza · reticencia · suspicacia · prevención || instinto · impulso · pulsión · tendencia · atracción · actitud · planteamiento · disposición · preferencia · propensión · inercia · reacción · resorte || deseo · amor · pasión · ardor · fervor · odio · rencor · altanería · inquietud · orgullo · *otros sentimientos y actitudes* || aspiración · oposición · relación · vínculo · pugna · división || mundo · universo · espacio · caverna · refugio || herencia *¿Será esta una herencia atávica de la que no nos podremos liberar?* · pasado · tiempo · raíz · fuente || conservadurismo *...costumbres que se mantenían gracias al conservadurismo atávico de la población* · tradicionalismo · radicalismo · *otras tendencias* || enemigo,ga · rival

atemperar v.

• CON SUSTS. frío · calor || ánimos · carácter · espíritu || entusiasmo · euforia *Atemperada la euforia, el equipo retomó su rutina de entrenamiento* · ímpetu · pasión · devoción · ardor · fervor · fogosidad · vehemencia · afán · fuerza · impulso · presión || ambición · orgullo · impaciencia · mordacidad · ínfulas || ira · cólera · enojo *El Ayuntamiento adoptó medidas con las que intentó en vano atemperar el enojo de los ciudadanos* · irritación · irascibilidad · rabia · furia · enfado · enervamiento · rencor · brusquedad || radicalismo · fanatismo · fundamentalismo · liberalismo · nacionalismo · *otras tendencias* || crítica · polémica · debate · conflicto · disputa · contienda · protesta · embestida · guerra · riña || tensión · nervios *técnicas de control para atemperar los nervios* · inquietud || efecto · consecuencia · impacto · influencia || declaración · advertencia · discurso · palabra || hinchas · público · socios,cias · audiencia · afición · ciudadanos,nas · *otros individuos y grupos humanos*

atenazar v.

• CON SUSTS. libertad · ánimo · sentimiento · voluntad *constantes presiones que embotan los sentidos y atenazan la voluntad* · subjetividad · liderazgo · talento || nervios · corazón *El miedo me atenazaba el corazón* · cabeza · alma · neurona · conciencia · memoria · espíritu · voz · lengua *Se le atenazó la lengua y apenas si podía articular palabra* || economía · mercado · industria · bolsa · política || prensa · medio de comunicación · foro · televisión · prosa · opinión · periódico || progreso · desarrollo · movimiento · desenvolvimiento · vida *tensiones y polémicas que atenazan la vida política* · tráfico · transporte · carrera · circulación · trabajo || país *atenazar el país con una férrea censura* · sociedad · población · equipo · tropa · *otros grupos humanos*

[atención] → atención; llamar la atención

atención s.f.

• CON ADJS. suma *Los niños escuchaban la historia con suma atención* · total · extrema · gran(de) · desmedida · desmesurada · creciente || somera · escasa *Prestaba escasa atención a mis palabras* · precaria || minuciosa · escrupulosa · intensiva · intensa · sostenida || preferente · perentoria · especial · singular || continua · constante · debida *Creo que no estás prestando la debida atención a tus amigos* · necesaria · viva || delicada · solícita || personalizada · particular · específica || preventiva · curativa || sanitaria · psicológica || domiciliaria · a domicilio · telefónica · hospitalaria || digno,na (de) · merecedor,-a (de) · necesitado,da (de)
• CON SUSTS. falta (de) || toque (de) *El editorial da un toque de atención a los responsables políticos* · llamada (de) || objeto (de) · foco (de) · centro (de)
• CON VBOS. crecer · aumentar · ir a más || decrecer · decaer *Poco a poco fue decayendo la atención del público* || solicitar · reclamar *El presentador reclamó la atención de los espectadores* · exigir || conseguir · recabar · recibir · retener · sostener || despertar · llamar · atraer · captar · atrapar · merecer · concitar · aguzar || monopolizar *Le encanta monopolizar la atención de los demás en todas las conversaciones* · copar · controlar · acaparar · polarizar · absorber || desviar · distraer *Cuando estoy leyendo, nada es capaz de distraer mi atención* · retirar · desplazar · dispersar || dar · dispensar · otorgar · dedicar · brindar · prodigar · conceder · dirigir || prestar (a algo) · poner (en algo) · concentrar *No era capaz de concentrar mi atención en los estudios* · centrar · fijar · mantener · detener · extremar || agilizar *Es necesario agilizar la atención hospitalaria* || colmar (de) · cubrir(se) (de) · deshacerse (en) || redundar (en)
• CON PREPS. con *mirar con mucha atención* · sin

atender v.

• CON SUSTS. cuestión *atender cuestiones sin importancia* · asunto · caso · problema || situación || obligación · compromiso || urgencia *Los médicos no daban abasto para atender todas las urgencias* · emergencia · llamada *Nadie pudo atender la llamada* · teléfono · servicio || denuncia · demanda · queja *La directora atendió personalmente las quejas de los trabajadores* · reivindicación · reclamo · petición · requerimiento · solicitud · explicación || necesidad · carencia · gasto || salud || cliente · público · enfermo,ma · *otros individuos y grupos humanos*
• CON ADJS. gustoso,sa *La presidenta atendió gustosa la visita de...* · complacido,da · encantado,da · solícito,ta
• CON PREPS. sin *Actuó sin atender al sentido común*
• CON ADVS. con los cinco sentidos *atender con los cinco sentidos a las explicaciones del profesor* || punto por punto · concienzudamente · eficientemente · correctamente ·

como es debido · debidamente · adecuadamente · responsablemente || cordialmente *atender cordialmente a los invitados* · **gentilmente · cortésmente · gustosamente · con gusto || rápidamente · de inmediato** *...unas náuseas y molestias que conviene atender de inmediato* · **inmediatamente || simultáneamente · prioritariamente · fundamentalmente · especialmente · exclusivamente || regularmente · puntualmente · fielmente || parcialmente · de pasada · fríamente || económicamente || directamente · personalmente** *¿Tú crees que nos atenderá ella personalmente?* · **en persona · telefónicamente · a domicilio**

● CON VBOS. **brindarse (a) · encargar(se) (de) || dejar (de)**

□ USO Alterna los complementos directos (*atender el teléfono*) con los complementos encabezados por la preposición *a* (*atender al teléfono*).

atenerse (a) v.

● CON SUSTS. **ley · norma · regla** *atenerse a las reglas del juego* · **legalidad · derecho · legislación · precepto · normativa || principio · criterio · razón · argumento · concepto · espíritu · teoría · tesis · dictado · actitud · hipótesis || orden · condición · exigencia · recomendación || dictamen · acuerdo · decisión · compromiso · pacto · resolución · convenio · contrato** *Denuncian a la cantante por no atenerse al contrato firmado con la compañía discográfica* **|| realidad · hecho** *Hay que atenerse a los hechos* · **consecuencia · verdad · experiencia · circunstancia · situación || contenido** *Debes atenerte al contenido de la pregunta* · **letra · declaración · palabra · mensaje · explicación · enunciado || guión · código · método · programa · pauta · modelo · patrón · metodología · canon || estrategia · plan · orientación · política · línea · directriz || misión · fin · objetivo · función · obligación · papel || fecha** *atenerse a las fechas pautadas para entregar el trabajo* · **calendario · plazo · cronología || presupuesto · precio · valor || información · dato · cifra · resultado · número · estadística · indicador || costumbre** *Es una costumbre a la que no hay más remedio que atenerse* · **tradición · práctica · uso**

● CON ADVS. **estrictamente · literalmente · fielmente · firmemente · exactamente || escrupulosamente · rigurosamente · exhaustivamente · minuciosamente · en gran medida · mínimamente || necesariamente · obligatoriamente**

atentado s.m.

● CON ADJS. **brutal** *Ayer se produjo un brutal atentado* · **atroz · tremendo · monstruoso · espeluznante · macabro · siniestro · execrable · vil** *Todos los partidos políticos condenaron el vil atentado* · **abominable · repugnante · terrible · grave** *El ministro sufrió un grave atentado contra su vida* · **flagrante · violento · sanguinario · sangriento · cruento · demoledor · incalificable || mortal · mortífero || frustrado** *un atentado frustrado gracias a la intervención policial* · **fallido || suicida || criminal · terrorista · guerrillero || impune || masivo**

● CON SUSTS. **intento (de) || ola (de)** *una ola de atentados por todo el país* **|| causas (de) · secuelas (de) · objeto (de)**

● CON VBOS. **ocurrir · tener lugar · producir(se) || frustrar(se) || sufrir** *Esta ciudad ha sufrido numerosos atentados terroristas* **|| tramar · maquinar · urdir · preparar · organizar · planear || cometer · llevar a cabo · realizar · ejecutar · efectuar · perpetrar · prodigar · consumar || desbaratar · abortar · impedir || investigar · esclarecer || reivindicar** *¿Han reivindicado ya el atentado?* · **confesar · imputar · atribuir (a alguien)** *Atribuyen el atentado a un nuevo comando terrorista* **|| denunciar · condenar · reprobar || participar (en)**

atentamente adv.

▮ [con atención]

● CON VBOS. **observar** *Observa atentamente estas fotografías* · **escuchar · mirar · contemplar · fijarse · espiar · oír · escudriñar · ver · visionar || analizar** *Son datos que deben ser analizados muy atentamente por las autoridades* · **considerar · examinar · leer · releer · estudiar · indagar · repasar · revisar · valorar || vigilar** *El guardia de seguridad vigilaba atentamente la entrada del edificio* · **cuidar · tutelar · seguir || registrar · tomar nota · apuntar**

▮ [con amabilidad]

● CON VBOS. **ofrecer · invitar · ceder** *Al verla embarazada, le cedieron atentamente el asiento* **|| servir · ocuparse · hacerse cargo || despedirse · saludar || solicitar · rogar · suplicar || dirigirse** *Me dirigí al encargado todo lo atentamente que pude* · **contestar · comunicar · informar**

atentar (contra) v.

● CON SUSTS. **honor** *atentar contra el honor de alguien* · **dignidad · integridad ||** ***persona*** **|| vida · familia · intimidad || libertad · democracia · independencia · derecho · moral || seguridad · bienestar · salud || autoridad · orden · norma** *...sancionados por atentar contra las normas del centro* · **regla · ley · artículo || competencia**

atento, ta adj.

▮ [con la atención puesta en algo]

● CON SUSTS. **mirada** *...bajo la atenta mirada de sus padres* · **oído · vista · escucha · sentido · ojo || actitud || lector,-a · observador,-a · público · espectador,-a · audiencia · alumno,na ·** ***otros individuos y grupos humanos*** **|| lectura** *una lectura atenta y minuciosa* · **análisis · seguimiento**

● CON ADVS. **extraordinariamente** *La conferencia fue seguida por un público extraordinariamente atento* · **singularmente · sorprendentemente · especialmente · particularmente**

● CON VBOS. **mantener(se)** *¡Manténgase atentos!* · **estar** *Los alumnos que no estén atentos en clase...* · **quedarse · permanecer**

▮ [amable, considerado]

● CON SUSTS. ***persona*** *un padre atento y cariñoso con sus hijos*

● CON VBOS. **ser** *Es una persona muy atenta con todo el mundo*

atenuar(se) v.

● CON SUSTS. **efecto · consecuencia || caída · impacto · golpe** *Así se atenúa el golpe en caso de choque frontal* **|| problema · trastorno · crisis · gravedad || dolor · enfermedad · molestia · síntoma || tensión** *atenuar la tensión entre los participantes en el debate* · **miedo · diferencia · perjuicio · crítica || luz · iluminación || condena · pena**

● CON ADVS. **ligeramente** *Estas pastillas solo han atenuado ligeramente el dolor* · **levemente || ostensiblemente · notablemente || en lo posible · en lo que cabe**

ateo, a

1 **ateo, a** adj.

● CON SUSTS. **régimen** · **sistema** · **movimiento** · **partido** || **ideología** · **filosofía** · **doctrina** · **comunismo** · **racionalismo** *Este autor defiende fervientemente un racionalismo ateo* · **humanismo**

● CON ADVS. **profundamente** *Sus ideas profundamente ateas le impiden aceptar este razonamiento* · **absolutamente** · **esencialmente** · **sólidamente**

2 **ateo, a** s.

● CON ADJS. **convencido,da** *Decía ser un ateo convencido* · **profundo,da** · **comprometido,da** · **radical** · **ferviente** · **feroz** · **rebelde** · **revolucionario,ria** || **militante** · **oficial** · **declarado,da** || **convicto,ta** || **consecuente**

● CON VBOS. **declarar(se)** · **proclamar(se)** · **confesar(se)** · **considerar(se)** · **volverse** || **convertir(se) (en)**

aterrador, -a adj.

● CON SUSTS. **suceso** *un suceso aterrador que conmocionó a la opinión pública* · **historia** · **hecho** · **caso** · **episodio** || **accidente** · **crimen** · **asesinato** · **atentado** · **guerra** *Fue una guerra breve, pero aterradora* · **bombardeo** || **desenlace** · **resultado** · **final** · **balance** · **cifra** · **cantidad** · **nivel** || **realidad** · **panorama** · **situación** || **miedo** · **soledad** || **sueño** · **pesadilla** · **monstruo** || **película** · **libro** || **discurso** · **testimonio** *Se ha hecho público un testimonio aterrador* · **mensaje** · **documento** || **grito** · **chillido** *Un chillido aterrador nos puso a todos los pelos de punta* · **llanto** || **aspecto** · **figura** · **imagen** || **futuro** · **pronóstico**

● CON VBOS. **volverse**

aterrizaje s.m.

● CON ADJS. **perfecto** · **suave** · **sin problemas** *Tuvimos un aterrizaje sin problemas* · **puntual** || **peligroso** · **accidentado** · **difícil** · **complicado** || **inesperado** · **imprevisto** · **de emergencia** *Realizaron un aterrizaje de emergencia* · **forzoso**

● CON SUSTS. **campo (de)** · **pista (de)** · **zona (de)** || **operación (de)** · **maniobra (de)** · **control (de)** || **sistema (de)** · **tren (de)** *Los técnicos revisaron el tren de aterrizaje*

● CON VBOS. **provocar** · **forzar** || **dirigir** · **facilitar** · **permitir** · **conseguir** || **iniciar** *En breves momentos iniciaremos el aterrizaje* · **emprender** · **efectuar** · **realizar** · **hacer** · **llevar a cabo** || **suspender** · **interrumpir** · **impedir** · **prohibir** || **confirmar** || **preparar(se) (para)**

aterrizar v.

● CON SUSTS. **aeronave** · **avión** *El avión aterrizó a la hora prevista* · **helicóptero** · **cohete**

● CON ADJS. **sano y salvo**

● CON ADVS. **perfectamente** · **suavemente** · **sin problemas** || **bruscamente** · **con dificultades** *El avión aterrizó con dificultades debido al mal tiempo* || **inesperadamente** · **forzosamente** · **de emergencia** *El piloto decidió aterrizar de emergencia*

atesorar v.

● CON SUSTS. **bienes** · **dinero** · **plata** · **riqueza** · **ahorro** · **fortuna** *Su familia atesora una fortuna multimillonaria* · **capital** · **botín** · **ganancia** || **obras** · **manuscritos** · **partituras** · **cuadros** · **joyas** *El museo atesora las joyas más antiguas de la realeza europea* || **victorias** · **títulos** · **premios** · **éxitos** · **puntos** || **fama** · **prestigio** · **reputación** · **popularidad** *años de giras, en los que atesoró una notable popularidad* || **información** · **datos** · **memoria** || **secretos** · **recuerdos** · **misterios** || **calidad** · **mérito** · **talento** · **arte** · **clase** · **virtud** · **capacidad** · **técnica** · **sabiduría** · **sapiencia** · **originalidad** || **humanidad** · **llaneza** · **mansedumbre** · **ternura** · **bondad** · **naturalidad** || **experiencia** *la considerable experiencia atesorada a lo largo de tantos años* · **trayectoria** · **bagaje** · **carrera** · **oficio** · **palmarés** · **tablas** || **amigos,gas**

□ USO Se construye generalmente con sustantivos contables en plural (*atesorar premios*) o no contables en singular (*atesorar dinero*).

atestado s.m.

● CON ADJS. **policial** · **judicial**

● CON VBOS. **levantar** *levantar un atestado sobre el accidente* · **realizar** · **validar** · **instruir** · **presentar** · **remitir**

atiborrar(se) (de) v.

● CON SUSTS. **comida** · **carne** · **pan** · **dulces** *Si te atiborras de dulces, te dolerá el estómago* · **líquido** · **agua** · ***otros alimentos o bebidas*** || **medicamentos** · **pastillas** *Tiene la mala costumbre de atiborrarse de pastillas* || **lectura** · **palabras**

□ USO Se construye generalmente con sustantivos no contables en singular (*atiborrarse de comida*) o con contables en plural (*atiborrarse de pasteles*).

a tiempo {completo/parcial} loc.adv./loc.adj.

● CON VBOS. **trabajar** *Según un reciente estudio, son más las mujeres que trabajan a tiempo parcial que los hombres* · **estar empleado** · **dedicarse** || **contratar (a alguien)** · **alquilar (algo)**

● CON SUSTS. **profesión** · **trabajo** *...proponen fomentar los trabajos a tiempo parcial para el que lo prefiera* · **ocupación** · **empleo** · **dedicación** || **contrato** · **contratación** || **jornada** || **trabajador,-a**

a tiempo parcial loc.adv. Véase **a tiempo {completo/parcial}**

a tientas loc.adv./loc.adj.

● CON VBOS. **palpar** · **tocar** · **coger** · **tomar** · **agarrar** *Logró agarrar a tientas la linterna y salir de la habitación* || **buscar** · **registrar** · **descubrir** · **encontrar** · **toparse** || **ir** · **avanzar** · **andar** · **caminar** · **mover(se)** · **atravesar** · **circular** · **guiar(se)** || **entrar** · **meter(se)** · **internarse** · **salir** *Cegados por el humo, salieron a tientas de aquel lugar* · **abrirse camino** · **bajar** · ***otros verbos de movimiento***

● CON SUSTS. **búsqueda** · **investigación**

atinadamente adv.

● CON VBOS. **señalar** *El periodista señaló atinadamente las causas de la situación actual* · **apuntar** · **puntualizar** · **indicar** · **resaltar** · **subrayar** || **describir** · **retratar** · **definir** · **analizar** · **explicar** *El artículo explicaba atinadamente este nuevo fenómeno social* · **argumentar** · **expresar** · **exponer** · **escribir** · **calcular** · **razonar** · **responder** · **contestar** · ***otros verbos de lengua*** || **elegir** · **escoger** · **decidir** || **obrar** · **actuar**

atinado, da adj.

● CON SUSTS. **juez** · **crítico,ca** · **árbitro,tra** *El árbitro estuvo atinado durante todo el encuentro* · **tribunal** · **junta** · **comisión** || **libro** · **artículo** · **prólogo** · **escrito** · **composición** · **película** · **título** · **verso** · **capítulo** || **reflexión** *atinadas y maduras reflexiones* · **consideración** · **juicio** ·

opinión · criterio · visión · posición · percepción · razón · valoración || comentario *comentarios poco atinados e inoportunos* · observación · declaración · explicación · intervención · precisión · respuesta · referencia · alusión · nombre · réplica · nota || solución · decisión · resolución *Acatamos la resolución del tribunal, pero no nos parece atinada* · conclusión · medida · sentencia || parodia · broma · imitación · chascarrillo · chiste || puntería · acierto · remate || análisis · definición · diagnóstico · descripción · exégesis · estudio · interpretación · lectura || sugerencia · consejo · advertencia · propuesta · indicación

atinar (con) v.

• CON SUSTS. **solución** *Ninguno de los concursantes atinó con la solución* · **respuesta** · **idea** || **decisión** · **elección** || **deseo** · **preferencia** · **gusto** || **calle** · **dato** · **nombre** · **palabra** || **causa** *El ensayo no atina con las causas del movimiento revolucionario* · **razón** · **explicación** || **descripción** · **afirmación** · **consideración** || **intervención** · **actuación** · **jugada**

a tiro de piedra loc.adv. *col.* Véase **a (un) tiro de piedra**

a tiros loc.adv./loc.adj.

• CON VBOS. **matar** · **freír** · **abatir** *Se ha denunciado que dos elefantes de la reserva fueron abatidos a tiros por unos cazadores furtivos* · **acribillar** · **atacar** · **entrar** · **asaltar** · **asesinar** · **secuestrar** · **robar** || **liarse** · **enfrentarse** · **salir** · **resolver** || **morir**
• CON SUSTS. **robo** · **atraco** *un atraco a tiros a plena luz del día* · **asalto** · **agresión** · **secuestro** || **huida**

☐ USO Se usa también la variante *a tiro limpio.*

atisbar v.

• CON SUSTS. **peligro** · **amenaza** · **fantasma** || **salida** *atisbar una salida a la crisis* · **final** · **solución** · **luz** · **remedio** · **desenlace** · **paz** || **futuro** · **porvenir** · **destino** || **indicio** · **signo** · **síntoma** · **vislumbre** · **detalle** || **posibilidad** · **esperanza** *Este tratamiento permite atisbar una pequeña esperanza para miles de enfermos* || **intención** · **objetivo** || **cambio** · **recuperación** · **giro** · **evolución** · **mejora** · **comienzo** · **inicio** · **crecimiento** · **disminución** · **acercamiento** · **aproximación**
• CON ADVS. **vagamente** *Atisbábamos vagamente un desenlace feliz* · **difusamente** · **claramente** || **a lo lejos** · **en el horizonte**

atisbo (de) s.m.

• CON SUSTS. **felicidad** · **optimismo** · **sorpresa** · **esperanza** · **tristeza** *Pude observar un atisbo de tristeza en su mirada* · ***otros sentimientos o emociones*** || **interés** · **intención** || **cordura** · **inteligencia** · **prudencia** · **pensamiento** || **duda** · **pudor** · **arrepentimiento** || **discrepancia** · **oposición** · **polémica** · **crítica** · **ironía** || **innovación** · **originalidad** *En esa historia no existe el más mínimo atisbo de originalidad* · **imaginación** · **calidad** || **realidad** · **vida** || **trivialidad** || **independencia** · **reacción** · **recuperación** || **peligro**

atizar v.

▌[pegar, propinar]

• CON SUSTS. **bofetada** · **puñetazo** · **cabezazo** · **patada** *Le atizó dos patadas a la puerta, pero no logró abrirla* · **puntapié** · ***otros golpes***

▌[hacer más vivo o intenso]

• CON SUSTS. **fuego** · **hoguera** · **llama** · **ascua** || **odio** · **rencor** · **resentimiento** · **incomprensión** · **prejuicio** · **ira** · **encono** · **crispación** · **cólera** · **irritación** · **xenofobia** · **furor** || **temor** · **miedo** · **preocupación** · **terror** · **alarmismo** · **histeria** || **conflicto** · **enfrentamiento** · **guerra** · **lucha** · **riña** · **contienda** · **rencilla** · **contencioso** · **confrontación** *Más que un artículo es un panfleto que atiza la confrontación* · **violencia** · **polarización** || **polémica** · **controversia** · **discordia** · **discusión** · **disensión** · **disputa** · **debate** *Sus últimas declaraciones han vuelto a atizar el debate sobre la legalidad de...* · **divergencia** · **división** · **contradicción** · **diferencia** || **crisis** · **escándalo** · **tensión** · **confusión** · **caos** · **problema** · **tormenta** || **rumor** *fotos y declaraciones que atizaron los rumores sobre un posible romance* · **fantasma** · **sospecha** · **cábala** · **habladuría** · **duda** || **emoción** · **fervor** · **sentimiento** · **pasión** · **euforia**
• CON ADVS. **con todas {mis/tus/sus...} fuerzas** · **fuertemente** · **enérgicamente** || **sin contemplaciones** · **sin piedad** · **sin compasión** · **irresponsablemente** · **a diestro y siniestro** · **violentamente**

☐ USO Los adverbios son comunes a los dos sentidos.

atleta s.com.

• CON ADJS. **famoso,sa** · **legendario,ria** *Es una carrera benéfica y en ella participarán atletas legendarios* · **conocido,da** · **importante** · **excepcional** *una generación de atletas excepcionales* · **destacado,da** || **modesto,ta** · **discreto,ta** · **de segunda fila** || **veloz** · **rápido,da** · **ágil** || **fuerte** · **fornido,da** · **robusto,ta** · **potente** · **completo,ta** || **triunfador,-a** · **ganador,-a** · **vencedor,-a** · **campeón,-a** || **masculino** · **femenina** || **profesional** · **federado,da** · **aficionado,da** · **olímpico,ca** · **de alto rendimiento** *Un atleta de alto rendimiento tiene que llevar una dieta muy estricta* · **competitivo,va** || **en activo** · **retirado,ra** || **en forma**
• CON VBOS. **correr** · **saltar** · **competir** · **participar** · **concursar** || **vencer** · **ganar** · **subirse al podio** || **retirar(se)** · **abandonar** || **seleccionar** || **enfrentarse (a)**

atlético, ca adj.

• CON SUSTS. **deportista** · **cuerpo** *el cuerpo atlético del nadador* · **complexión** · **figura** · **aspecto** · **constitución** || **prueba** · **carrera** · **competición** · **preparación** || **cualidad** · **aptitud** · **dotes** *unas impresionantes dotes atléticas* · **potencia** · **fortaleza** || **condición** · **estado** || **disciplina** || **pista**

atletismo s.m.

• CON ADJS. **profesional** · **amateur** · **de élite** || **adicto,ta (a)** · **aficionado,da (a)**
• CON SUSTS. **figura (de)** · **estrella (de)** || **club (de)** · **selección (de)** || **escuela (de)** || **afición (a)** · **pasión (por)**
• CON VBOS. **practicar** || **fomentar** || **abandonar** · **dejar** || **dedicar(se) (a)** · **aficionar(se) (a)** · **hacer pinitos (en)** *Yo hago mis pinitos en atletismo*

atmósfera s.f.

▌[capa gaseosa]

• CON ADJS. **terrestre** *Los gases que componen la atmósfera terrestre son...* · **terráquea** · **solar**
• CON VBOS. **viciar(se)** || **despejar(se)** || **contaminar** *Todos estos productos contaminan irremediablemente la atmósfera* · **dañar** · **polucionar** || **limpiar** · **purificar** || **atravesar** *Cada vez que la nave atraviesa la atmósfera...*

▮ [ambiente]

● CON ADJS. **turbia** · **viciada** · **rara** · **enrarecida** · **densa** · **irrespirable** || **represiva** · **asfixiante** *No soportaba más la atmósfera asfixiante de aquella ciudad* · **agobiante** · **cerrada** || **seria** · **tensa** · **adversa** · **hostil** · **agitada** · **desoladora** || **lúgubre** · **tenebrosa** · **misteriosa** || **propicia** · **adecuada** · **positiva** · **ideal** || **hogareña** *una atmósfera hogareña y armoniosa* · **confortable** · **agradable** · **acogedora** · **cálida** · **caldeada** · **tranquila** · **serena** · **armoniosa** · **apacible** · **placentera** · **distendida** || **especial** || **de cooperación** · **de buen entendimiento** · **de colaboración** · **de consenso** · **constructiva** · **de trabajo** *En mi empresa la atmósfera de trabajo es muy agradable* || **envolvente** · **circundante**

● CON VBOS. **viciar(se)** · **degradar(se)** · **enrarecer(se)** *Su llegada hizo que la atmósfera se enrareciese* || **caldear(se)** · **enfriar(se)** || **respirarse** || **construir** · **crear** *La luz tenue contribuía a crear una atmósfera serena* · **originar** · **recrear** · **evocar** || **lograr** · **conseguir** · **mantener** · **mejorar** || **alterar** · **cortar** || **percibir** · **notar** · **sentir** || **impregnar** *La música impregnaba la atmósfera* · **llenar** || **necesitar** || **flotar (en)** *La sensación de felicidad flotaba en la atmósfera* · **palpar(se) (en)** || **imbuir(se) (de)** · **sumergir(se) (en)**

● CON PREPS. **en medio (de)**

atmosférico, ca adj.

● CON SUSTS. **contaminación** *El problema de la contaminación atmosférica empieza a ser preocupante* · **polución** · **emisión** || **cataclismo** · **catástrofe** · **problema** · **alarma** · **adversidad** || **estabilidad** · **bonanza** · **inestabilidad** · **perturbación** · **reacción** · **alteración** || **condición** · **situación** · **tiempo** · **presión** *Han anunciado un aumento de la presión atmosférica* · **temperatura** · **aire** · **factor** · **agente** || **fenómeno** · **cambio** · **actividad** || **previsión** *¿Qué dice la previsión atmosférica para mañana?*

a tocateja loc.adv. *col.*

● CON VBOS. **pagar** *Pagó el coche a tocateja* · **abonar** · **comprar**

☐ USO Admite la variante *a toca teja*.

a toca teja loc.adv. *col.* Véase **a tocateja**

a toda costa loc.adv./loc.adj.

● CON VBOS. **querer** · **desear** · **buscar** · **perseguir** · **intentar** *...un actor que se ha apartado del mundo intentando preservar su intimidad a toda costa* · **tratar** · **empeñarse** · **ir** · **necesitar** || **evitar** · **impedir** · **eludir** · **entorpecer** || **mantener** · **conservar** · **resistir** · **defender** · **preservar** · **retener** · **salvar** · **proteger** · **salvaguardar** || **conseguir** · **ganar** *El abogado se empeñó en ganar el juicio a toda costa* · **vencer** · **lograr** · **obtener** · **alcanzar** · **recuperar** · **hacerse** · **conquistar** · **satisfacer**

● CON SUSTS. **voluntad** · **gana** · **obcecación** · **afán** · **deseo** · **interés** || **bloqueo** || **mantenimiento** *El mantenimiento a toda costa de posturas inamovibles es incompatible con el espíritu negociador* · **resistencia** · **salvaguarda** · **protección**

☐ USO Se usa muy frecuentemente en oraciones subordinadas finales (*Para obtener a toda costa...*), así como en subordinadas sustantivas de infinitivo introducidas por verbos de voluntad o intención (*desear obtener a toda costa; tratar de obtener a toda costa*).

a toda máquina loc.adv./loc.adj.

● CON VBOS. **ir** · **avanzar** *El barco avanzaba a toda máquina* · **marchar** · **salir** · **huir** · **dirigir(se)** · **navegar** · **circular** · **venir** · **regresar** · **pasar** · **seguir** *La construcción del nuevo hospital sigue a toda máquina* · **enfilar** · ***otros verbos de movimiento*** || **funcionar** · **trabajar** · **jugar** · **entrenar** || **forzar** · **impulsar**

● CON SUSTS. **salida** *Realizó una salida fulgurante, impetuosa, a toda máquina* · **irrupción** · **marcha** || **barco** · **tren** · **locomotora** · **caldera** · **motor**

☐ USO Forma parte de la locución *¡Avante a toda máquina!*

a toda pastilla loc.adv./loc.adj. *col.*

● CON VBOS. **ir** · **escapar** · **salir** *El pelotón salió a toda pastilla detrás de...* · **bajar** · **llevar** · **adelantar** · **correr** *Le gusta correr con la moto a toda pastilla* || **sonar** · **poner música** · **escuchar** · **tronar**

● CON SUSTS. **música** · **radio** *...con la radio a toda pastilla* · **altavoz** · **decibelio** · **sirena** · **televisor** · **walkman** · **folclore**

a toda plana loc.adv./loc.adj.

● CON VBOS. **publicar** *El periódico publicó a toda plana la foto que causó el escándalo* · **imprimir** · **titular** · **editar** · **sacar** || **anunciar** · **proclamar** · **asegurar** · **destacar** · **señalar** · **exponer** *una escalofriante noticia, expuesta a toda plana en el semanario* · **escribir**

● CON SUSTS. **titular** · **anuncio** · **fotografía** · **reportaje** *El periódico despliega un reportaje a toda plana sobre el suceso* · **mensaje**

a todas luces loc.adv.

● CON ADJS. **desproporcionado,da** *La cantidad que piden es a todas luces desproporcionada* · **exagerado,da** · **excesivo,va** · **elevado,da** · **escaso,sa** · **insuficiente** || **injusto,ta** · **inaceptable** · **inadmisible** · **inviable** · **incompatible** *Sus caracteres me parecen incompatibles a todas luces* || **incomprensible** · **inexplicable** · **injustificado,da** *una petición injustificada a todas luces* || **imposible** · **improbable** · **difícil** || **imprescindible** *una ayuda a todas luces imprescindible para nuestro proyecto* · **innecesario,ria** · **desaconsejable** || **irreal** · **inverosímil** · **ridículo,la** · **insatisfactorio,ria** || **ilegal**

a toda vela loc.adv.

● CON VBOS. **navegar** *El barco navegaba a toda vela* · **ir** · **avanzar** · **dirigir(se)** · **huir** · **surcar** *surcando el mar a toda vela* · ***otros verbos de movimiento***

a toda velocidad loc.adv.

● CON VBOS. **abandonar** *Tuvimos que abandonar el lugar a toda velocidad* · **acercar(se)** · **avanzar** · **caminar** · **correr** · **cruzar** · **entrar** · **escapar** · **huir** · **marchar** · **pasar** · **salir** · **venir** · **volver** · ***otros verbos de movimiento*** || **conducir** · **circular** · **arrancar** · **aterrizar** || **caer** *Dicen que un meteorito podría caer a toda velocidad sobre la tierra* || **hablar** · **explicar** · **responder** || **trabajar** · **funcionar**

a todo color loc.adv./loc.adj.

● CON VBOS. **imprimir (algo)** · **ilustrar (algo)** · **editar (algo)** · **publicar (algo)** · **dibujar (algo)**

● CON SUSTS. **fotografía** · **página** · **ilustración** *una revista con ilustraciones a todo color* · **lámina** · **dibujo** · **gráfico** · **reportaje** · **folleto** · **catálogo** · **guía** · **anuncio**

a todo pulmón loc.adv./loc.adj.

• CON VBOS. **gritar · cantar · chillar · llorar** *El bebé lloraba a todo pulmón* · **entonar · corear || respirar** *respirar a todo pulmón el aire de la sierra* · **suspirar · aspirar · silbar · inflar || repetir · anunciar · hablar · decir · arrancarse || disfrutar · vivir · experimentar**
• CON SUSTS. **grito**

□ USO Se usa también la variante *a pleno pulmón.*

a todo riesgo loc.adv./loc.adj.

• CON VBOS. **asegurar** *asegurar el coche a todo riesgo*
• CON SUSTS. **seguro** *un seguro a todo riesgo* · **póliza**

a todo trapo loc.adv. *col.*

• CON VBOS. **arrancar · correr · entrar · huir · salir · circular** *El coche circulaba a todo trapo* · ***otros verbos de movimiento***

a todo tren loc.adv./loc.adj. *col.*

▮ [con mucho lujo]

• CON VBOS. **vivir · pasar (tiempo)** *En el hotel pasamos unos días a todo tren* **|| divertirse · disfrutar · gozar**
• CON SUSTS. **viaje** *Decidimos hacer un viaje a todo tren* · **gira || noche · día · semana · mes** *Un mes a todo tren te deja hecho polvo* · **año** · ***otros momentos o períodos*** **|| diversión**

▮ [a máxima potencia o velocidad]

• CON VBOS. **trabajar** *Los redactores trabajaban a todo tren para cerrar el periódico a tiempo* · **funcionar || salir · recorrer · mover(se) · venir** · ***otros verbos de movimiento*** **|| comenzar · reanudar · abrir · terminar**

atolladero s.m.

• CON ADJS. **gran(de)** *un gran atolladero económico* · **enorme || absurdo · ridículo || actual · futuro · eventual || político · parlamentario · judicial · económico · histórico · circulatorio · administrativo**
• CON VBOS. **solucionar · resolver || encontrarse (en)** *El presidente se encuentra en un atolladero político* · **estar (en) · verse (en) || conducir (a) · meter(se) (en) || salir (de)** *No sé cómo saldré de este atolladero* · **sacar (de)**

atolondrado, da adj.

• CON SUSTS. ***persona*** **|| actitud · estilo · comportamiento** *...el alocado y atolondrado comportamiento de la chica marcó...*

atómico, ca adj.

• CON SUSTS. **bomba · misil · arma · armamento · submarino · arsenal || cabeza · núcleo || prueba · ensayo || explosión · ataque · guerra · bombardeo || central** *Dicen que esta central atómica es completamente segura* · **instalación · residuos · material · combustible || programa · potencia · peligro · amenaza || energía · física || masa · peso || composición · estructura · absorción**

atónito, ta adj.

• CON SUSTS. **semblante** *Me miró con semblante atónito* · **gesto · mirada · ojos || testigo · espectador,-a · auditorio · público** · ***otros individuos y grupos humanos***
• CON VBOS. **observar** *Todos observamos atónitos cómo se derrumbó el edificio* · **mirar · contemplar · descubrir · asistir · escuchar || preguntar** *Preguntó atónita qué había pasado* · **responder || dejar · estar · quedar(se)**

a tope loc.adv./loc.adj. *col.*

• CON VBOS. **llenar** *Llenaron a tope el maletero del coche* · **rellenar · abrir · cerrar · apretar · ajustar** *He ajustado a tope todos los tornillos* · **atornillar || luchar · pelear · disputar || trabajar** *Trabaja a tope para poder mantener a su familia* · **funcionar · ir · jugar · entrenar** *El equipo entrena a tope para llegar a la final* · **esforzarse · entregarse · actuar · rendir · ejercitarse · participar || salir · empezar · aguantar · continuar · llegar || correr · rodar · tirar · pedalear · esprintar · descender · acelerar · frenar · conducir · pisar el acelerador || vivir · divertirse · disfrutar · vibrar || animar · apoyar · ayudar**
• CON SUSTS. **discoteca · casa** *con la casa a tope de gente* · **calle · carretera · ciudad** · ***otros lugares*** **|| volumen** *poner el volumen a tope* · **diversión · ilusión**

a toque de corneta loc.adv.

• CON VBOS. **levantar(se)** *Nos hemos levantado todos a toque de corneta para salir tempranito* · **despertar(se) · mover(se) · ir · salir**

atormentar (a alguien) v.

• CON SUSTS. **recuerdo** *Intentaba inútilmente desprenderse de unos recuerdos que la atormentaron a todas horas* · **idea · remordimiento · odio · envidia · duda · visiones || peligro · miedo · problema || enfermedad · muerte · dolor · sufrimiento**

a toro pasado loc.adv.

• CON VBOS. **decir · hablar · opinar** *No me gusta opinar sobre las cosas a toro pasado* · **anunciar · confirmar · reconocer · justificar · objetar || actuar · hacer · reaccionar** *Es muy fácil reaccionar a toro pasado* **|| enterarse** *Lo que peor me ha sentado es que he sido el único que se ha enterado a toro pasado* · **descubrir · adivinar**

atracar v.

▮ [asaltar]

• CON SUSTS. **negocio** *Esta es la tercera vez que atracan su negocio* · **tienda · banco · sucursal · frutería** · ***otros establecimientos*** **|| tren**
• CON ADVS. **a mano armada** *atracar un banco a mano armada* · **a punta de {navaja/pistola} · a cara descubierta || violentamente · en plena calle · a la luz del día**

▮ [fondear]

• CON SUSTS. **buque** *El buque atracó en el puerto a la hora prevista* · **lancha · barco** · ***otras embarcaciones***

atracción s.f.

▮ [acción o efecto de atraer]

• CON ADJS. **profunda · enorme · fuerte · potente · poderosa · intensa · gran(de) || subyugante · fascinante** *la atracción fascinante que produce en ella* · **tentadora · magnética · seductora || irresistible · irrefrenable · incontrolable · irremediable || natural · lógica · innata || escasa** *Siento escasa atracción por este tipo de deportes* · **nula || singular · especial · particular || fatal · obsesiva · compulsiva · mortal || física · sexual · erótica || mutua || secreta**
• CON SUSTS. **capacidad (de) · fuerza (de) · poder (de) || foco (de)** *un foco de atracción de enfermedades* · **punto (de) · polo (de) · centro (de) · motivo (de) || falta (de) · grado (de)**

• CON VBOS. **existir** || **arrastrar (algo/a alguien)** *Su atracción arrastra la luz y la materia* || **ejercer** *El edificio ejerce una atracción indudable sobre los turistas* · **provocar** · **despertar** · **suscitar** · **segregar** · **reavivar** || **sentir** · **experimentar** || **confesar** · **ocultar** · **disimular** || **conservar** · **perder** || **dejarse llevar (por)** · **sucumbir (a)** || **escapar (a/de)** · **sustraer(se) (de/a)**

☐ USO Se construye a menudo con complementos encabezados por la preposición *por*: *Siente una fuerte atracción por el cine.*

▮ [espectáculo, diversión]

• CON ADJS. **divertida** · **entretenida** · **animada** · **aburrida** || **peligrosa** · **segura** || **de feria** · **circense** || **principal** *la principal atracción de toda la feria* · **importante** · **nueva**

• CON VBOS. **instalar** || **subir (a)** · **montar (en)** *¿Te atreverías a montarte en esa atracción?* || **disfrutar (en)** · **divertir(se) (en)**

atraco s.m.

• CON ADJS. **espectacular** *Ayer se produjo un atraco espectacular en el banco de la esquina* || **sangriento** · **brutal** · **violento** || **incruento** || **callejero** || **a punta de {navaja/pistola}** · **a mano armada** *Fue acusado de atraco a mano armada* · **a cara descubierta** · **a plena luz** || **perfecto** · **frustrado** · **chapucero** || **detenido,da (por)**

• CON SUSTS. **intento (de)** || **móvil (de)** *Parece que el móvil del atraco fue...*

• CON VBOS. **producir(se)** || **frustrar(se)** *El atraco se frustró por un error de cálculo* || **planear** *Llevaban varios meses planeando el atraco* · **organizar** || **llevar a cabo** · **consumar** · **perpetrar** · **efectuar** · **cometer** · **realizar** · **protagonizar** || **sufrir** || **impedir** · **evitar** · **detener** || **denunciar** · **condenar** || **investigar** · **esclarecer** || **atribuir (a alguien)** · **imputar** *Les imputan el atraco del...* || **resistirse (a)**

atracón

1 **atracón** s.m.

• CON ADJS. **buen(o)** *Nos dimos un buen atracón de dulces* · **gran(de)** · **inmenso** || **político** · **televisivo** · **radiofónico** · **futbolístico**

• CON VBOS. **pegarse** · **darse**

2 **atracón (de)** s.m.

• CON SUSTS. **carne** · **marisco** · **dulce** · **golosinas** *De pequeña me solía dar enormes atracones de golosinas* · ***otros alimentos o bebidas*** || **pastillas** · **medicamentos** || **televisión** · **películas** *darse un atracón de películas* · **libros** || **conciertos** · **reuniones** · ***otros eventos***

atractivo, va

1 **atractivo, va** adj.

• CON SUSTS. **precio** · **cantidad** *Le han ofrecido una atractiva cantidad de dinero* · **suma** || **idea** · **recurso** · **proyecto** · **plan** · **oferta** || **futuro** || **tema** · **programa** · **información** · **trabajo** || **mercado** · **negocio** · **inversión** · **crecimiento** || **selección** · **opción** · **posibilidad** · **solución** || **ciudad** · **pueblo** · **país** · **paisaje** · ***otros lugares*** || ***persona*** *Es un hombre atractivo a pesar de sus años*

• CON ADVS. **particularmente** *Este país me parece particularmente atractivo por...* · **especialmente** || **tremendamente** · **sumamente** · **extraordinariamente** · **realmente** · **verdaderamente** || **suficientemente** || **falsamente** · **engañosamente** · **escasamente** || **visualmente** *una campaña publicitaria visualmente atractiva* · **económicamente**

• CON VBOS. **ser** · **volver(se)** *El mercado se ha vuelto atractivo para los inversores* || **poner(se)** · **estar**

2 **atractivo** s.m.

• CON ADJS. **asombroso** · **deslumbrante** · **fascinante** *El lugar no había perdido su fascinante atractivo* · **cautivador** · **irresistible** · **seductor** · **magnético** · **penetrante** · **poderoso** · **potente** · **intenso** || **indudable** · **indiscutible** · **verdadero** || **enorme** *Lo que más llama la atención de él es su enorme atractivo* · **sumo** · **notable** · **gran(de)** || **principal** · **fundamental** · **especial** · **singular** || **evidente** · **manifiesto** · **claro** · **notorio** || **adicional** · **añadido** || **comercial** · **turístico** · **personal** || **lleno,na (de)**

• CON VBOS. **cautivar (a alguien)** *Su atractivo me cautivó inmediatamente* · **residir (en algo)** || **eclipsar(se)** || **tener** *El desierto tiene un atractivo especial para mí* · **revestir** || **desplegar** · **ofrecer** · **irradiar** · **desprender** · **ejercer (sobre algo)** || **conservar** · **perder** · **mantener** || **realzar** *Tiene sus trucos para realzar el atractivo de sus ojos negros* · **incrementar** · **intensificar** · **restar (a algo/a alguien)** || **rendirse (a/ante)** · **sucumbir (a/ante)** || **gozar (de)**

atraer v.

• CON SUSTS. **cliente** *una campaña publicitaria para atraer nuevos clientes* · **público** · **turista** · **visitante** · **curioso,sa** · **inversor,-a** · ***otros individuos y grupos humanos*** || **curiosidad** · **atención** · **mirada** *Atraía las miradas de todo el mundo* · **interés** || **inversión** · **dinero** · **negocio** · **empresa** · **turismo** *Con el reclamo de sol y playa pretenden atraer al turismo extranjero* || **voto** || **deseo**

• CON ADVS. **poderosamente** *Estos temas me atraen poderosamente* · **profundamente** · **fuertemente** *Se sintió fuertemente atraído hacia ella* || **suficientemente** · **escasamente** || **inexorablemente** · **irresistiblemente** || **hábilmente** *Supo atraer hábilmente a los inversores extranjeros* · **imperceptiblemente** · **sutilmente** || **turísticamente** · **mágicamente** · **magnéticamente**

a tragos loc.adv.

• CON VBOS. **beber** *Se bebió la infusión a tragos cortitos* · **tomar** · **sorber**

a traición loc.adv./loc.adj.

• CON VBOS. **atacar** · **asesinar** · **acuchillar** · **disparar** · **matar** · **abatir** · **actuar** *La acusada negó haber actuado a traición* · **asaltar** · **clavar** · **embestir**

• CON SUSTS. **ataque** *Fuimos víctimas de un ataque a traición* · **disparo** || **puñalada** · **patada** · ***otros golpes***

a trancas y barrancas loc.adv. *col.*

• CON VBOS. **empezar** · **iniciar** · **terminar** *Terminó los estudios a trancas y barrancas* · **acabar** · **llevar a cabo** || **llegar** · **salir** · **entrar** · **atravesar** || **ir** · **andar** · **discurrir** · **vivir** || **avanzar** · **progresar** · **abrirse {camino/paso}** *A trancas y barrancas se abrieron paso entre la multitud* · **desarrollarse** · **desenvolverse** || **funcionar** · **seguir** · **permanecer** · **mantener(se)** || **superar** · **remontar** *A trancas y barrancas fue remontando posiciones en la carrera* · **sobreponerse** · **sobrevivir** · **salir adelante** · **sacar adelante** · **enderezar(se)** · **normalizar(se)** *A trancas y barrancas la situación empieza a normalizarse* || **conseguir** · **lograr** · **alcanzar** · **solventar** · **cumplir** || **ganar** *A trancas y barrancas se fue ganando un lugar en la empresa* · **derrotar** || **crear** · **construir** · **edificar** · **trazar** || **aprender** *aprenderse la lección a trancas y barrancas* · **traducir** · **leer** · **modernizar**

atrapar v.

• CON SUSTS. **ladrón,-a** *La Policía atrapó al ladrón gracias a la colaboración ciudadana* · **delincuente · sospechoso,sa || mirada · atención · interés || oportunidad · ocasión || futuro · sueño || liderato · victoria || balón** *El portero consiguió atrapar el balón* **|| voto**
• CON ADVS. **al vuelo · por los pelos || in fraganti** *Lo atrapamos in fraganti cuando se disponía a...* · **con las manos en la masa**

atrasado, da adj.

• CON SUSTS. **país** *...ayudas para los países más atrasados* · **región · ciudad · sector · sociedad || mentalidad · idea** *Sus ideas son un tanto atrasadas* · **costumbre || tecnología · método · sistema · modelo || reloj · hora || información · dato · periódico || salario · sueldo · paga · pensión · cuenta · cantidad · deuda · factura · pago · impuesto · letra || trabajo · asunto || hambre · sueño** *Llevo varios días casi sin dormir y tengo sueño atrasado* **|| estudiante · alumno,na · clase** *La clase de segundo está algo atrasada* · ***otros individuos y grupos humanos***
• CON ADVS. **totalmente · completamente** *Este sector industrial del país estaba completamente atrasado* · **absolutamente · extraordinariamente**
• CON VBOS. **quedarse · mantenerse || ser · estar**

atrasar v.

• CON SUSTS. **hora · reloj** *Esta noche cambian la hora y hay que atrasar el reloj* · **fecha || celebración · acto · reunión · fiesta · encuentro · cita · partido · juicio ·** ***otros eventos*** **|| elección · votación · decisión** *el motivo por el que propuso atrasar unos días su decisión* **|| curso · clase · examen || viaje** *Atrasó su viaje sin motivo aparente* · **vacaciones · vuelo · salida · llegada || pago · entrega**
• CON ADVS. **provisionalmente · temporalmente** *El juez ha decidido que se atrase temporalmente el juicio* · **ocasionalmente || cautelarmente · preventivamente**

a trasmano loc.adv.

• CON VBOS. **pillar (a alguien)** *No suelo ir mucho por allí porque me pilla a trasmano* · **quedar · coger**

atraso

1 **atraso** s.m.

• CON ADJS. **tremendo · profundo · largo · significativo · notorio · importante · excesivo** *un atraso excesivo en la entrega del trabajo* · **considerable || alarmante · peligroso || tradicional · de {días/años/siglos...} · secular** *el secular atraso tecnológico de nuestro sector* · **ancestral · recurrente || leve · ligero · sin importancia || político · económico · histórico · social · cultural · tecnológico · estructural || menstrual**
• CON SUSTS. **horas (de) · años (de) · siglos (de) ·** ***otros periodos*** **|| causa (de) · origen (de)**
• CON VBOS. **aumentar · disminuir · darse · existir || causar** *Los problemas existentes en el aeropuerto causaron el atraso de varios vuelos* · **generar · producir · provocar · ocasionar || conllevar · acarrear · comportar · implicar · suponer || acentuar · favorecer · propiciar || padecer · sufrir · experimentar · arrastrar** *Esa empresa arrastra un atraso de varios años respecto de...* · **llevar · tener · presentar || vencer · superar · remontar || evitar · combatir · corregir · compensar · paliar · mitigar · reducir · recuperar · solventar** *¿Cómo piensa el Gobierno solventar este atraso histórico?* · **regularizar || reconocer** *Las autoridades se niegan a reconocer el atraso en materia de...* · **justificar · explicar · comprender · lamentar || demostrar · reflejar · revelar || percibir · notar · denunciar || sacar (de) · salir (de) || incurrir (en)**

2 **atrasos** s.m.pl.

• CON ADJS. **cuantiosos · sustanciosos || pendientes** *Los atrasos pendientes ascienden a la cantidad de...* · **acumulados · congelados || económicos · salariales**
• CON VBOS. **pagar** *Este mes me han pagado los atrasos* · **abonar · liquidar || cobrar · acumular · devengar**

[atrasos] s.m.pl. → atraso

atravesado, da adj.

• CON SUSTS. **mirada** *...la mirada atravesada que me lanzó* · **gesto ||** ***persona*** **|| asignatura · materia || economía**
• CON VBOS. **tener** *Tengo atravesada esta asignatura*

atravesar v.

• CON SUSTS. **plaza** *Atravesamos la plaza para llegar a...* · **calle · bosque · ciudad · desierto · país ·** ***otros lugares*** **|| cuerpo · muro · agua · animal || momento** *Está atravesando el momento más difícil de su vida* · **época · período · ciclo · etapa · fase · proceso · temporada · año · minuto || crisis · problema · dificultad** *En aquel tiempo, el país atravesaba serias dificultades de orden económico* · **bache · peripecia · contradicción · depresión · avatar · vicisitud · penuria · peligro · anquilosamiento · síndrome · tensión · vaivén || situación · circunstancia · estado · condición · racha · clima · sensación**
• CON ADVS. **de arriba abajo · de cabo a rabo · de extremo a extremo · de punta a punta · de punta a cabo · de norte a sur** *una avenida que atraviesa la ciudad de norte a sur* · **diagonalmente · por completo · íntegramente || fulminantemente · fugazmente · como una exhalación · velozmente || con éxito · exitosamente · sin impedimentos · limpiamente || a tientas**

□ USO Admite la variante *atravesar por*: *atravesar por un mal momento.*

atrayente adj.

• CON SUSTS. ***persona*** *un actor misterioso y atrayente* **|| figura · color · ojos · voz · personalidad · aspecto || característica · rasgo · faceta || ciudad · pueblo · bosque · playa ·** ***otros lugares*** **|| lectura · historia · narración || título** *El título de la película me parece muy atrayente* · **película · espectáculo · novela · canción ·** ***otras creaciones*** **|| asunto · tema · cuestión || oferta · propuesta · plan · perspectiva || hipótesis · explicación · descripción** *Su descripción del lugar sonaba atrayente* · **planteamiento · discurso || misterio · enigma**
• CON ADVS. **tremendamente · enormemente** *Aunque nos hicieron una oferta enormemente atrayente, la rechazamos* · **extraordinariamente**

atrevido, da adj.

• CON SUSTS. **niño,ña · empresario,ria** *Un empresario atrevido que supo apostar por el nuevo producto* · **jugador,-a · equipo ·** ***otros individuos y grupos humanos*** **|| actitud · carácter · gesto · tono || diseño · corte · estilo** *...por su estilo atrevido a la hora de vestirse* **|| ropa · modelo · vestido · falda · peinado ·** ***otras prendas de vestir o complementos*** **|| escena · imagen · papel · actuación || lenguaje · crítica · comentario** *Sus atrevidos comentarios son temidos por todos* · **discurso · respuesta · ex-**

plicación · ***otras manifestaciones verbales o comunicativas*** || **innovación** · **reforma** · **cambio** · **apuesta**
● CON VBOS. **volver(se)** · **resultar**

atrevimiento s.m.

● CON ADJS. **enorme** · **gran(de)** · **ostensible** · **extremo** · **tremendo** · **supino** · **sumo** · **semejante** *¡Habrase visto semejante atrevimiento!* || **temerario** · **arriesgado** · **audaz** *A todos nos sorprendió su audaz atrevimiento* · **insensato** · **imprudente** · **desmesurado** · **excesivo** || **sorprendente** · **descabellado** · **peregrino** · **extraño** · **inusitado** · **inaudito** · **escandaloso** || **de {mi/tu/su...} parte** · **personal** || **literario** · **pictórico** || **talentoso** · **juvenil** || **lleno,na (de)** *una persona joven llena de atrevimiento*
● CON SUSTS. **dosis (de)** · **punto (de)** · **colmo (de)** · **aire (de)** || **prueba (de)**
● CON VBOS. **faltar(le) (a alguien)** || **tener** · **cometer** *Cometió el atrevimiento de tutearlo sin su consentimiento* · **reconocer** || **mostrar** · **exhibir** · **demostrar** · **revelar** || **contagiar** || **permitir** · **perdonar** · **comprender** · **justificar** || **castigar** *Castigaron su atrevimiento con tres semanas de reclusión*
● CON PREPS. **con** *responder con atrevimiento*

atribuir v.

● CON SUSTS. **edad** · **valor** · **origen** · **nombre** · **función** · ***otros rasgos definitorios*** || **acción** · **delito** · **atentado** *Numerosas fuentes han coincidido en atribuir este atentado a la banda terrorista* || **poder** *La prensa le atribuye un poder que no tiene* · **capacidad** · **facultad** · **potestad** || **responsabilidad** · **autoría** || **iniciativa** · **ocurrencia** · **pensamiento** · **idea** · **información** || **polémica** · **crisis** · **problema** · **diferencia** · **demora** · **carencia** || **victoria** · **éxito** · **mérito** · **honor** · **consecuencia** · **fracaso** || **cambio** · **evolución** || **gasto** · **aumento** *Los expertos atribuyeron el aumento de los precios a la crisis económica* || **competencia**
● CON ADVS. **con certeza** · **acertadamente** || **falsamente** · **equivocadamente** || **formalmente** · **expresamente** · **específicamente** · **directamente** · **indirectamente** || **exclusivamente** · **en exclusiva** || **injustificadamente** · **sin pruebas** · **gratuitamente** · **casualmente** · **justificadamente** · **{con/sin} razón** || **maliciosamente** · **despectivamente** || **parcialmente** · **enteramente** · **totalmente** · **completamente** || **oficialmente**

atrocidad s.f.

● CON ADJS. **terrible** *En la guerra se cometen terribles atrocidades* · **cruel** · **bárbara** · **horrible** · **fatal** · **increíble** · **verdadera** · **grave** · **enorme** · **gran(de)**
● CON SUSTS. **serie (de)** · **lista (de)** *una interminable lista de atrocidades* · **cúmulo (de)**
● CON VBOS. **producir(se)** · **registrar** || **perpetrar** · **cometer** *No pienso dejar que cometa ninguna atrocidad* || **sufrir** · **presenciar** || **relatar** · **mostrar** · **denunciar** · **condenar** || **evitar** · **combatir** · **frenar** · **favorecer** || **investigar** · **verificar** || **tolerar** · **justificar** *Es imposible justificar semejante atrocidad* · **encubrir** · **ocultar**

atrofiar(se) v.

● CON SUSTS. **músculo** *Después de varios meses sin moverse, se le habían atrofiado algunos músculos* · **cuerpo** · **pierna** · **brazo** · **articulación** · **hueso** · **paladar** · ***otras partes del cuerpo*** || **capacidad** · **facultad** · **sentido** · **mente** · **cerebro** *...para evitar que se le atrofie a uno el cerebro* || **economía** || **desarrollo**

a trompicones loc.adv.

● CON VBOS. **avanzar** *Las negociaciones avanzan a trompicones* · **llegar** · **ir** · **andar** *Andábamos a trompicones entre la muchedumbre* · **entrar** · **salir** · **transitar** · **marchar** · ***otros verbos de movimiento*** || **hablar** · **leer (algo)** · **escribir (algo)** · **decir (algo)**

atronador, -a adj.

● CON SUSTS. **ruido** · **sonido** *el sonido atronador de los tambores* · **estruendo** · **música** || **voz** · **grito** · **chillido** · **zumbido** || **ovación** · **aplauso** · **abucheo** *La multitud estalló en un abucheo atronador* · **silbido** || **griterío** · **alboroto** · **euforia** · **guirigay** || **trueno** · **relámpago** || **explosión** *Nos despertó una explosión atronadora* · **bomba** · **golpe**
● CON VBOS. **volverse** · **hacerse**

atronar v.

● CON SUSTS. **música** *La música de la discoteca atronaba mis oídos* · **instrumento** · **ruido** · **sonido** || **voz** · **grito** · **alarido** · **aplausos** · **ovación** || **golpe** · **explosión** · **bomba** · **cañonazo** || **relámpago**

atropelladamente adv.

● CON VBOS. **hablar** · **contar** · **leer** · **anunciar** *Anunció atropelladamente el premio y confundió el nombre del ganador* · **decir** · **explicar** · **exponer** *Expuso desordenada y atropelladamente su propuesta* · **expresarse** · **señalar** || **salir** · **moverse** · **entrar** · **recorrer** · **caminar** · **huir** *Las familias huían atropelladamente con lo poco que habían podido salvar* · **ir** · **marchar**

atropellado, da adj.

● CON SUSTS. **palabras** · **declaraciones** *las atropelladas declaraciones del escritor a la salida del...* · **disculpa** · **lenguaje** · **respuesta** · ***otras manifestaciones verbales*** || **carácter** || **decisión** · **medida** · **preparación** · **acción** · **cambio** · **final** || **salida** *A todos nos sorprendió su atropellada salida de la sala* · **ataque** · **carrera**

atroz adj.

● CON SUSTS. **guerra** · **crimen** *...acusado de un crimen atroz* · **asesinato** · **masacre** · **atentado** · **paliza** · **accidente** || **miedo** · **pánico** · **odio** · **sentimiento** || **muerte** · **dolor** · **agonía** · **hambre** || **pesadilla** · **tortura** *Verla a diario se estaba convirtiendo para mí en una tortura atroz* · **opresión** || **mundo** · **realidad** · **historia** || **experiencia** · **vivencia** || **crisis** · **competencia** || **idea** · **tradición** · **costumbre** || **mirada** · **gesto** || **hecho** · **acto** || **decisión**
● CON VBOS. **volverse** · **hacerse**

atufar v.

● CON SUSTS. **humo** · **combustión** · **brasero** || **basura** || **zapato** · **zapatillas** · **ropa**
☐ USO Se construye a menudo con complementos encabezados por la preposición *a*: *La ropa atufa a tabaco.*

a tumba abierta loc.adv./loc.adj.

● CON VBOS. **lanzarse** *La diputada se lanzó a tumba abierta en la defensa de su tesis sobre...* · **arrojarse** · **tirarse** · **abalanzarse** · **precipitarse** · **comparecer** || **escribir** · **relatar** · **hablar** · **reflexionar** || **luchar** · **vivir**
● CON SUSTS. **confesión** *En una confesión a tumba abierta, el acusado declaró que...* · **entrevista** · **expresión** · **humor** || **oposición**

aturdir (a alguien) v.

● CON SUSTS. **sonido** · **ruido** *Aquel ruido enorme me aturdió por completo* · **grito** · **estruendo** · **escándalo** · **guirigay** || **situación** · **explosión** · **golpe** · **accidente** || **noticia**

● CON ADVS. **completamente** · **totalmente** *No sabe dónde está porque el golpe lo ha aturdido totalmente* · **absolutamente** · **profundamente**

aturullar(se) v. *col.*

● CON SUSTS. **alumno,na** *...sin que sus alumnos se aturullen* · **lector,-a** · **presentador,-a** · **equipo** · ***otros individuos y grupos humanos*** || **mente** · **inteligencia** || **idea** · **recuerdo**

atusar v.

● CON SUSTS. **pelo** *atusarse el pelo delante del espejo* · **melena** · **barba** · **bigote** || **corbata** *Se atusaba siempre la corbata antes de salir*

a tutiplén loc.adv. *col.*

● CON VBOS. **comer** · **disfrutar** · **beber** || **servir** *Nos sirvieron aperitivos a tutiplén*

audacia s.f.

● CON ADJS. **suma** · **extrema** · **enorme** *Mostró una enorme audacia intelectual al atreverse a proponer que...* · **gran(de)** || **sorprendente** · **insólita** · **innovadora** · **revolucionaria** · **intrépida** || **atrevida** · **loca** · **irreflexiva** || **juvenil** *Con el paso de los años fue perdiendo su audacia juvenil* || **científica** · **profesional** · **política** · **bélica** · **intelectual** · **deportiva**

● CON SUSTS. **alarde (de)** *en un alarde de audacia...* · **gesto (de)** · **arranque (de)** · **golpe (de)** · **prueba (de)** || **falta (de)**

● CON VBOS. **faltar(le) (a alguien)** *Creo que le falta audacia para desempeñar este empleo* || **tener** · **mostrar** · **exhibir** · **demostrar** · **probar** || **requerir** *La delicada situación requiere de una gran audacia política por parte de los protagonistas* || **condenar** · **castigar**

● CON PREPS. **con**

audaz adj.

● CON SUSTS. **investigador,-a** · **político,ca** *un político muy audaz en sus propuestas* · **jugador,-a** · **equipo** · ***otros individuos y grupos humanos*** || **artículo** · **libro** · **película** · **cuadro** · **ópera** · ***otras obras*** || **carácter** · **actitud** *Mostró una actitud tremendamente audaz* · **comportamiento** · **gesto** · **mirada** · **tono** || **actuación** · **intervención** · **operación** *Gracias a una audaz operación policial...* · **incursión** · **golpe** · **ataque** · **ejercicio** || **idea** · **planteamiento** · **decisión** · **programa** · **proyecto** · **propuesta** · **iniciativa** · **apuesta** || **crítica** · **pregunta** *una pregunta audaz y con segundas* · **respuesta** · **explicación** · ***otras manifestaciones verbales*** || **táctica** · **técnica** · **estrategia**

● CON ADVS. **sumamente** · **tremendamente** · **enormemente** || **excesivamente** || **escasamente**

● CON VBOS. **mostrarse** · **volverse**

auditar v.

● CON SUSTS. **empresa** *Unos inspectores vendrán a auditar la empresa* · **banco** || **gestión** · **obra** · **contabilidad** · **finanzas** · **cuentas**

● CON ADVS. **minuciosamente** *Auditaron minuciosamente la contabilidad para comprobar que...* · **exhaustivamente** || **periódicamente** · **anualmente** · **regularmente** · **puntualmente** || **internamente**

auditorio s.m.

■ [conjunto de oyentes]

● CON ADJS. **entusiasta** *un auditorio entusiasta que aplaudió con todas sus fuerzas a la cantante* · **exigente** · **entendido** · **selecto**

● CON VBOS. **volcar(se)** || **caldear(se)** || **ganarse** · **seducir** *El insigne guitarrista sedujo al auditorio* · **cautivar** · **sorprender**

■ [sala, edificio]

● CON ADJS. **sinfónico** *Van a construir un nuevo auditorio sinfónico en la ciudad* || **de nueva planta** · **nuevo** · **moderno** || **concurrido**

● CON VBOS. **construir** · **remozar** || **tocar (en)** · **actuar (en)**

auge s.m.

● CON ADJS. **pleno** *un momento de pleno auge económico* · **tremendo** · **enorme** · **espectacular** · **fuerte** · **importante** · **gran(de)** · **imparable** · **incontrolable** · **notable** · **considerable** || **insólito** · **llamativo** *el llamativo auge de esta corriente cultural* · **notorio** · **claro** · **indiscutible** || **pasajero** · **momentáneo** · **efímero** · **coyuntural** || **económico** · **cultural** · **deportivo**

● CON SUSTS. **momentos (de)** · **época (de)** · **años (de)** · **siglos (de)**

● CON VBOS. **consolidar(se)** *El auge de esta técnica quirúrgica se consolidó a finales de los años ochenta* || **vivir** · **experimentar** · **tener** || **tomar** · **adquirir** · **cobrar** · **conseguir** · **ganar** · **mantener** · **alcanzar** || **propiciar** · **impulsar** · **favorecer** || **frenar** *medidas para frenar el auge de ciertos movimientos radicales* · **contrarrestar** · **combatir** || **augurar** · **vaticinar** · **predecir** || **continuar (en)** · **estar (en)** *Estuvo en auge a finales de los ochenta*

augurar v.

● CON SUSTS. **futuro** *Le auguro un futuro brillante y prometedor* · **porvenir** · **pronóstico** · **perspectiva** · **destino** || **éxito** · **victoria** · **ventaja** · **triunfo** · **suerte** · **logro** · **gloria** · **prosperidad** · **bonanza** · **beneficio** || **problema** · **dificultad** *Los analistas auguran dificultades a la hora de la fusión* · **catástrofe** · **muerte** · **fracaso** · **desastre** · **crisis** · **pérdida** · **debacle** · **caos** · **complicación** || **enfrentamiento** *Los últimos sucesos auguran duros enfrentamientos entre los grupos religiosos más radicales* · **debate** · **conflicto** · **polémica** · **batalla** · **combate** · **discusión** · **lucha** · **guerra** · **protesta** || **cambio** · **renovación** · **transformación** · **modificación** || **crecimiento** · **incremento** · **recuperación** · **auge** · **mejora** · **expansión** · **aumento** · **ascenso** · **avance** · **progreso** || **descenso** · **caída** · **recorte** *Finalmente no se produjeron los recortes presupuestarios que auguró la oposición* · **reducción** · **desgaste** · **enfriamiento** · **debilitamiento** · **rebaja** || **continuidad** · **mantenimiento** · **permanencia** · **estabilidad** · **continuación** || **solución** · **fin** · **final** · **salida** · **resolución**

augurio s.m.

● CON ADJS. **negro** · **pésimo** · **catastrófico** *el augurio catastrófico lanzado por la vidente* · **funesto** · **negativo** · **mal(o)** · **sombrío** *Sombríos augurios se ciernen sobre la comarca* · **lúgubre** · **fúnebre** · **pesimista** || **inmejorable** · **excelente** · **buen(o)** || **enigmático** || **fallido**

• CON VBOS. **cernerse (sobre algo/sobre alguien) · cumplirse** *No creo que los augurios se cumplan* || **pronosticar · presagiar · acertar** || **lanzar · enviar · traer** || **corregir · contradecir · confirmar** *Aquello venía a confirmar los augurios más negros* || **dejar · superar** || **constituir** || **equivocarse (en)** *Siempre se equivoca en sus augurios*

aula s.f.

• CON ADJS. **grande · espaciosa · pequeña** || **magna** || **llena** *un aula llena de alumnos* · **repleta · vacía · desierta · abarrotada** || **oscura · luminosa** || **rural · virtual · pública** || **escolar · de colegio · universitaria · de cultura · de idiomas** *Las clases serán en el aula de idiomas para poder utilizar la televisión* · **de formación · de teatro**
• CON SUSTS. **paso (por)** *La huella que dejó en él su paso por las aulas* · **vuelta (a)** || **trabajo (en) · actividad (de) · ejercicio (de)** || **compañero,ra (de) · alumno,na (de) · responsable (de)** || **biblioteca (de)**
• CON VBOS. **abrir · cerrar** || **ampliar · adecuar · acondicionar** *Están acondicionando las aulas para el curso que viene* · **ordenar** || **llenar · ocupar** || **desocupar · desalojar · abandonar** || **ventilar** *ventilar el aula después de cada clase* || **entrar (a/en) · salir (de)**

aullar v.

• CON SUSTS. **perro,rra · lobo,ba · animal**
• CON ADVS. **desaforadamente** *Los perros aullaban desaforadamente por el hambre* · **desgarradamente · lastimeramente**

aullido s.m.

• CON ADJS. **tremendo** *El tremendo aullido nos puso los pelos de punta* · **prolongado · ensordecedor** || **terrorífico · aterrador · escalofriante · inquietante · extraño · paralizante · desgarrador · lastimero · amenazador** || **de dolor** *Lanzó un aullido de dolor* || **suave**
• CON VBOS. **resonar (en algo)** || **lanzar · dar · pegar** *Pegó tal aullido que todos acudimos corriendo a su habitación* · **proferir** || **oír** *Se oían los aullidos de los lobos en la distancia* · **escuchar** || **arrancar · acallar · silenciar** || **aguantar · soportar**

a ultranza loc.adv./loc.adj.

• CON VBOS. **defender** *una postura incómoda que siempre defendió a ultranza* · **mantener · promover · conservar · proteger · apoyar** || **proseguir · continuar · seguir · resistir · persistir** || **proclamar · reclamar · exigir** *No hay negociación cuando uno de los dos bandos exige a ultranza que se acepten sus deseos* · **responder · negar**
• CON SUSTS. **luchador,-a · defensor,-a · partidario,ria · soñador,-a** || **pacifista · demócrata · nacionalista · liberal · patriota** · ***otros seguidores*** || **liberalismo** *Apuestan por un liberalismo a ultranza* · **proteccionismo · individualismo · relativismo · subjetivismo · clientelismo** · ***otras tendencias*** || **defensa · protección · mantenimiento · justificación** || **oposición** *un periódico que tiene una actitud de oposición a ultranza con el Gobierno* · **resistencia · negativa · rechazo** || **enfrentamiento · lucha · guerra · represión · castigo · prohibición** *Mantienen la prohibición a ultranza del uso terapéutico de algunas drogas* || **postura · actitud · posición**

aumentar v.

• CON SUSTS. **temperatura** *Mañana aumentarán las temperaturas* · **tamaño · velocidad · ritmo · calidad · potencia · edad · altura · peso** · ***otras magnitudes*** || **cantidad · cifra · número · cuota · tasa · nivel · valor** *El valor de los pisos en esta zona aumenta de año en año* || **precio · sueldo · salario · tarifa** || **producción · inversión · consumo · compra · venta · exportación · importación · comercio · empleo · paro** || **beneficio · ganancia · ingreso · recaudación · gasto · déficit** *Si el déficit de la empresa sigue aumentado, habrá que...* · **presupuesto · impuesto** || **rendimiento · productividad · eficiencia · competitividad · capacidad** || **motivación · esfuerzo · conocimiento** || **participación · colaboración · ayuda · apoyo** || **prestigio · popularidad · éxito** || **problema** *Los problemas en el trabajo no paraban de aumentar* · **dificultad · adversidad · alarma · riesgo · confusión · gravedad · control · presión** || **expectativa · ventaja · oferta · posibilidad** *Con la retirada de ese candidato aumentan las posibilidades de victoria* · **disponibilidad** || **solicitud · reserva · demanda** || **pena · condena · castigo**
• CON ADVS. **sin límite · desproporcionadamente · desmesuradamente · excesivamente · inmensamente · enormemente · espectacularmente · sustancialmente · en mucho · copiosamente · intensamente · poderosamente · significativamente** *Este año ha aumentado significativamente el número de personas que...* · **drásticamente · notablemente · considerablemente · decisivamente · sustantivamente** || **ligeramente · escasamente · imperceptiblemente · moderadamente · mesuradamente** || **visiblemente · ostensiblemente · manifiestamente · apreciablemente** || **dramáticamente · alarmantemente** || **bruscamente · repentinamente · sorpresivamente · sorprendentemente** || **rápidamente · a marchas forzadas · a pasos agigantados** *Su conocimiento de la materia aumenta a pasos agigantados* · **como la espuma** || **progresivamente · paulatinamente · gradualmente · escalonadamente · lentamente · poco a poco** || **constantemente · periódicamente · habitualmente** || **inexorablemente · irremediablemente** || **cualitativamente · teóricamente · hipotéticamente · plausiblemente**

aumento s.m.

• CON ADJS. **desorbitado** *un aumento desorbitado de los impuestos* · **astronómico · exorbitante · espectacular · desmedido · desmesurado · desaforado · pronunciado · notable · significativo · sustancial · acusado** *El acusado aumento de la delincuencia preocupa a las autoridades* · **sensible · fuerte · abultado · importante · gran(de) · considerable · abusivo · creciente** || **palpable · ostensible · notorio · apreciable · evidente · claro · manifiesto** || **insignificante · moderado · ligero · leve · exiguo · raquítico** || **rápido · vertiginoso · galopante · frenético · imparable · rampante · lento** || **brusco** *Acaban de anunciar un aumento brusco de las temperaturas* · **abrupto · drástico · inesperado** || **constante · incesante · sistemático · nuevo** || **progresivo** *un progresivo aumento del número de asistentes a estos cursos* · **paulatino · gradual** || **uniforme · proporcional · sostenido** *Los analistas hablan de un aumento sostenido del precio de los carburantes* · **equitativo · lineal** || **efectivo · decisivo · crucial** || **aproximado** || **cualitativo · salarial · testimonial** *El aumento de la cuota es meramente testimonial* · **simbólico** || **general · parcial · sectorial**
• CON VBOS. **avecinarse · registrar(se)** *Se está registrando un importante aumento de la natalidad en esta zona* · **darse · producirse** || **recaer** || **significar (algo)** || **aminorar** *...a fin de aminorar el aumento de la presión arterial* · **ralentizar(se) · detener(se) · frenar(se)** || **proponer · pedir · exigir · esperar · negociar** || **conseguir · recibir · ob-**

tener · lograr || sufrir · experimentar · acusar || realizar · aplicar · conceder || ocasionar · causar · acarrear · provocar · implicar · suponer · entrañar · representar · conllevar · marcar || incentivar · favorecer · propiciar · propulsar · alimentar · permitir · aprobar || neutralizar · evitar · prevenir · combatir || percibir · detectar · denunciar || prever · predecir · augurar *Los expertos auguran un espectacular aumento de las inversiones extranjeras* · presagiar · vaticinar || presentar · anunciar · revelar || ir (en) *La cantidad de usuarios afectados va en aumento* · seguir (en) · continuar (en) || redundar (en)
● CON PREPS. al calor (de) · con posibilidad (de)

aunar v.

● CON SUSTS. esfuerzos · fuerzas · trabajo · impulsos *una tarea que solo se podrá llevar a cabo aunando impulsos y voluntades* · sacrificio || voluntad · interés · ilusión · iniciativa · inquietud · deseo *...casi tan difícil como aunar tantos deseos dispares y tantos intereses encontrados* || criterios *Pronto se puso en evidencia la necesidad de aunar criterios para la elaboración del proyecto* · posturas · puntos de vista · posiciones · voces · razones || corrientes · tendencias · opciones · alternativas · votos · candidaturas · sectores · ámbitos || recursos · estrategias · medios · objetivos · metas || virtudes · valores · cualidades · características || funciones · cargos · responsabilidades

☐ USO Se construye generalmente con complementos en plural (*aunar esfuerzos*), coordinados (*Aunar constancia e inteligencia es la clave del éxito*) y colectivos (*aunar al electorado*).

a (un) tiro de piedra loc.adv. *col.*

● CON VBOS. quedar *Está muy cerca, queda a un tiro de piedra de aquí* · localizarse · situar(se) · encontrarse · estar · trabajar · vivir || poner (algo/a alguien) · dejar (algo/a alguien) *Fue muy amable: me dejó a un tiro de piedra de mi trabajo*

a uña de caballo loc.adv.

● CON VBOS. ir · pasar · salir *Tuvieron que salir de allí a uña de caballo porque los perseguían* · huir · escapar

[aurora] → aurora; como el rosario de la aurora

aurora s.f.

● CON ADJS. fría || boreal · austral · polar || matutina · matinal · vespertina
● CON SUSTS. luz (de) · rayo (de) · color (de) · rojo (de)
● CON VBOS. rayar *Rayaba apenas la aurora cuando...* · caer · llegar · cubrir (algo)

ausencia

1 ausencia s.f.

● CON ADJS. notoria · visible *la visible ausencia de personalidades relevantes en el acto* · flagrante · clamorosa · acusada · ostensible || larga · prolongada · eterna · dilatada *su dilatada ausencia de los escenarios* · indefinida · continuada · repetida · constante · temporal · definitiva · breve · permanente || perturbadora · dolorosa *la dolorosa ausencia de tantos compañeros* · insoportable · desdichada · lamentable || importante · irremplazable · implacable || justificada · razonable · injustificada *Nadie se explicaba su ausencia injustificada aquel día* || obligada · forzosa · involuntaria · deliberada || previsible · repentina · sorprendente
● CON SUSTS. años (de) · período (de) || motivo (de)
● CON VBOS. notar(se) *Se notó mucho su ausencia en el funeral* || mitigar · suplir · colmar · subsanar · compensar · paliar || llenar · cubrir || sorprender · lamentar · acusar · sobrellevar *Poco a poco está aprendiendo a sobrellevar su ausencia* || excusar · justificar · explicar · disculpar · permitir || descubrir · comprobar · destacar · evocar · delatar · ocultar || quitar hierro (a)
● CON PREPS. en *En ausencia de la presidenta, tomó la palabra el vicepresidente* || a pesar (de)

2 ausencia (de) s.f.

● CON SUSTS. malicia · maldad || calidad · estilo · valor · lucidez · ***otras cualidades*** || incidentes · peligro · problemas · violencia || control · reglas *Ante la evidente ausencia de reglas...* · normas · pautas || ideas · información · datos || oportunidades · soluciones · ofertas || comunicación · acuerdo · diálogo

ausentarse (de) v.

● CON SUSTS. hogar *Se tuvo que ausentar del hogar durante una temporada por motivos laborales* · clase · escuela · colegio · instituto · sala · ***otros lugares*** || reunión · trabajo *Me concedieron permiso para ausentarme del trabajo durante una semana* · sesión · pleno · fiesta · celebración · debate · ***otros eventos***
● CON ADVS. temporalmente · habitualmente *...la causa de que este alumno se ausente habitualmente del instituto* · definitivamente || extrañamente · misteriosamente || voluntariamente || raramente *Es una persona que raramente se ausenta de su trabajo*

auspiciar v.

▮ [patrocinar]

● CON SUSTS. exposición · muestra · festival · ciclo · jornada · ceremonia || obra · novela · publicación *La Caja de Ahorros auspicia la publicación de la novela ganadora* || encuentro · reunión · seminario · conferencia · congreso · simposio · curso · foro · debate · cumbre · asamblea || negociación · acuerdo · pacto · complot || concurso · torneo · premio · certamen *El presidente de la empresa se encargará de auspiciar el certamen* || evento · acto · acontecimiento || proyecto · programa · iniciativa · plan · reforma · medida · método || movilización · paro · huelga · revuelta || estudio · investigación *becas que servirán para auspiciar la investigación en biología molecular* · encuesta · consulta || candidato,ta · artista · aspirante

▮ [predecir]

● CON SUSTS. futuro · mañana || trayectoria · carrera · desarrollo · vida · proceso || éxito · fracaso

austeramente adv.

● CON VBOS. vivir *Vivió austeramente toda su vida* · vestir · comer || comprar · gastar

austero, ra adj.

● CON SUSTS. candidato,ta *un candidato sencillo y austero* · periodista · personaje · familia · ***otros individuos y grupos humanos*** || belleza · elegancia *Sus diseños siempre eran de una elegancia austera* || vestimenta · decoración · mobiliario · arquitectura || casa · edificio · escenario · decorado · barrio · ciudad · ***otros lugares*** || gestión *Solo una gestión verdaderamente austera lograría sacar a la*

empresa de la crisis · **política** || **campaña** · **ceremonia** · **celebración** · **montaje** || **presupuesto** || **comida** · **cena** || **costumbre** · **tradición** · **vida** · **existencia** || **estilo** · **manera** · **carácter** · **voluntad**
● CON ADVS. **extremadamente** · **enormemente** · **sumamente** || **innecesariamente** · **excesivamente** *unas costumbres excesivamente austeras*
● CON VBOS. **mostrarse** · **volverse** · **resultar**

auto s.m.

▮ [resolución judicial]
● CON ADJS. **en firme** · **cautelar** || **judicial** *La acusada negó los hechos imputados en el auto judicial*
● CON VBOS. **concluir (algo)** · **alegar (algo)** || **dictar** *El juez acaba de dictar un auto cautelar contra...* · **emitir** · **decretar** · **firmar** || **aceptar** · **acatar** · **apelar** · **recurrir** · **impugnar** || **revocar** · **rectificar** · **revisar** || **publicar** · **conocer** || **estudiar** · **valorar** || **opinar (sobre)**
● CON PREPS. **a la vista (de)** *Tomaremos las medidas oportunas a la vista del auto*

autobús s.m.

● CON ADJS. **abarrotado** *autobuses abarrotados de turistas* · **lleno** · **vacío** || **puntual** · **impuntual** || **lento** · **rápido** || **próximo** · **siguiente** · **último** || **escolar** *El autobús escolar para cerca de su casa* · **municipal** · **urbano** · **público** · **discrecional** · **de línea** · **privado** || **de ida y vuelta** || **gratuito**
● CON SUSTS. **parada (de)** · **estación (de)** *¿Está cerca la estación de autobuses?* · **dársena (de)** || **carril (de)** · **línea (de)** *La línea de autobús que pasa por mi casa es...* · **billete (de)** · **abono (de)** · **horario (de)** || **empresa (de)** · **compañía (de)** · **conductor,-a (de)** || **trayecto (de)** · **excursión (en)** · **viaje (en)**
● CON VBOS. **circular** · **pasar** *¿A qué hora pasa el próximo autobús?* · **parar** · **arrancar** · **acelerar** · **frenar** · **aparcar** · **estacionar** || **salir** · **llegar (a su hora)** · **retrasarse** · **adelantarse** || **{cubrir/hacer} un recorrido** || **chocar** · **colisionar** · **pinchar** · **accidentar(se)** · **averiar(se)** · **volcar** || **esperar** · **coger** · **tomar** · **pillar** · **perder** *Como no salgas ya de casa perderás el autobús* || **bajar (de)** · **apearse (de)** · **subir (a)** || **ir (en)** · **viajar (en)** · **trasladar(se) (en)** *Se suele trasladar a todos los sitios en autobús*
● CON PREPS. **a bordo (de)** · **en**

autocar s.m.

● CON ADJS. **abarrotado** · **lleno** · **vacío** || **lento** · **rápido** || **próximo** · **siguiente** · **último** || **de línea** · **escolar** || **gratuito**
● CON SUSTS. **parada (de)** · **estación (de)** · **dársena (de)** || **línea (de)** *una línea regular de autocares* · **billete (de)** · **horario (de)** || **pasajero,ra (de)** · **ocupante (de)** · **viajero,ra (de)** · **conductor,-a (de)** · **chófer (de)** · **empresa (de)** · **compañía (de)** || **trayecto (de)** · **excursión (en)** · **viaje (en)**
● CON VBOS. **circular** · **pasar** · **parar** · **aparcar** · **estacionar** · **frenar** · **acelerar** · **arrancar** || **salir** *El autocar salió con retraso* · **llegar (a su hora)** · **retrasarse** · **adelantarse** || **{cubrir/hacer} un recorrido** || **chocar** · **colisionar** · **pinchar** · **accidentar(se)** · **averiar(se)** · **volcar** || **esperar** · **coger** · **tomar** · **perder** *Si no te das prisa perderás el autocar* || **bajar (de)** · **apearse (de)** · **subir (a)** || **ir (en)** · **viajar (en)** · **trasladar(se) (en)**
● CON PREPS. **a bordo (de)** · **en**

[autocrítica] s.f. → autocrítico, ca

autocrítico, ca

1 **autocrítico, ca** adj.
● CON SUSTS. **escritor,-a** · **artista** · **periodista** · ***otros individuos*** || **libro** · **biografía** · **documental** · ***otras obras*** || **conciencia** *una exacerbada conciencia autocrítica* · **reflexión** · **planteamiento** · **valoración** · **análisis** · **visión** · **examen** · **revisión** · **tendencia** · **actitud** || **tono** *el marcado tono autocrítico de su última obra* · **fondo** · **rigor** || **sector**

2 **autocrítica** s.f.
● CON ADJS. **severa** *Siempre ha sometido todas sus obras a una severa autocrítica* · **seria** · **dura** · **implacable** · **demoledora** · **profunda** · **feroz** · **mordaz** · **despiadada** · **descarnada** · **radical** · **irónica** || **mínima** · **leve** · **menor** *Sin que nadie percibiera, ni siquiera veladamente, la menor autocrítica* || **honesta** · **sincera** *A todos sorprendió la sincera y valiente autocrítica que hizo de sus años en la política* · **lúcida** · **positiva** · **personal** || **errada** · **excesiva** · **falsa** || **cariñosa** · **conmovedora** || **interna** · **pública** || **institucional**
● CON SUSTS. **capacidad (de)** · **sentido (de)** *Siempre ha tenido un gran sentido de la autocrítica* || **falta (de)** · **ausencia (de)** · **asomo (de)** || **voluntad (de)** · **intento (de)** · **ejercicio (de)** || **momento (de)**
● CON VBOS. **hacer** · **realizar** · **formular** · **plantear** · **ejercer** || **eludir** · **rehuir** || **someter (a)** || **servir (de)**

autóctono, na adj.

● CON SUSTS. **pueblo** · **población** · **tribu** · **carácter** || **cultura** *nuevas medidas para apoyar la cultura autóctona* · **creación** · **cine** · **música** · **ritmo** · **cocina** · **deporte** || **tradición** *una zona muy rica en tradiciones autóctonas* · **uso** · **costumbre** || **lengua** · **idioma** · **acento** || **vegetación** · **flora** · **planta** || **fauna** · **especie** · **animal** || **industria** · **empresa** *Las empresas autóctonas recibirán un importante apoyo económico* · **mercado** · **marca** · **producción** · **producto** || **versión** · **variedad**

autoestima s.f.

● CON ADJS. **alta** · **gran(de)** · **por las nubes** || **baja** *Su autoestima es muy baja* · **escasa** · **por los suelos** *con la autoestima por los suelos*
● CON SUSTS. **ejercicio (de)** · **curso (de)** *Ahora están muy de moda los cursos de autoestima* || **nivel (de)** · **grado (de)** || **problema (de)** · **crisis (de)** || **mejora (de)** · **subida (de)** · **aumento (de)** || **pérdida (de)** · **falta (de)**
● CON VBOS. **subir(le) (a alguien)** *Si se lo dices, le subirá la autoestima* · **aumentar** · **mejorar** · **fortalecer(se)** || **bajar(le) (a alguien)** · **disminuir** · **descender** · **faltar(le) (a alguien)** || **alcanzar** · **ganar** · **tener** || **consolidar** · **potenciar** · **estimular** · **reforzar** *Procura elogiar de vez en cuando su trabajo para reforzar su autoestima* · **levantar** · **elevar** · **fomentar** · **desarrollar** || **perder** *Algo tuvo que ocurrir para que perdiese su autoestima* · **recuperar** · **rescatar** || **minar** · **mermar** · **dañar** · **mellar** || **afectar (a)** · **repercutir (en)** · **hacer mella (en)** || **carecer (de)**

autoestop s.m.

● CON VBOS. **hacer** || **viajar (en)**

autoevaluación s.f.

● CON SUSTS. **programa (de)** · **sistema (de)** · **plan (de)** || **ejercicio (de)** · **test (de)** · **prueba (de)** || **resultado (de)** || **capacidad (de)**

•CON VBOS. **hacer · realizar || fomentar** *Hemos fomentado la autoevaluación entre los propios profesores*

automatizar v.

•CON SUSTS. **datos · información · fichero || proceso** *En la empresa están automatizando todo el proceso de producción* · **sistema · operación || conducta · respuesta · hábito · función · movimiento** *Respondía con movimientos automatizados*

•CON ADVS. **completamente · del todo · enteramente || parcialmente || progresivamente** *Automatizaremos los ficheros bibliográficos progresivamente* · **paulatinamente · paso a paso**

automóvil s.m.

•CON ADJS. **cómodo · incómodo || lento · potente · rápido || moderno · manejable · seguro || de lujo · lujoso · ostentoso · amplio · pequeño · descapotable || familiar · deportivo · utilitario || nuevo · viejo · antiguo · de {primera/segunda} mano || blindado || sospechoso**

•CON SUSTS. **chapa (de) · motor (de) · rueda (de) || gama (de) · modelo (de) · marca (de) || sector (de) · industria (de) · trabajador,-a (de) · mercado (de) · producción (de) · fabricación (de) || concesionario (de)** *Trabaja en un concesionario de automóviles* **|| conductor,-a (de) · tripulante (de) · ocupante (de) · dueño,ña (de) || deporte (de) · mundo (de)** *El mundo del automóvil me apasiona*

•CON VBOS. **andar · circular · mover(se) · correr · maniobrar · esquivar (algo/a alguien) || averiar(se) · chocar · colisionar · volcar · pinchar || tener · poseer || conducir · manejar · llevar · pilotar** *Pilotaba un buen automóvil de carreras* **|| arrancar · acelerar || parar(se) · detener(se) · frenar · calar(se) || estacionar · aparcar || blindar · reparar · arreglar · desmontar · desguazar · desvencijar || lavar · limpiar || poner a punto · revisar || robar · localizar · inmovilizar · paralizar · retirar || subir (a) · meter(se) (en) · montar(se) (en) · entrar (en) || bajar (de)** *¿Cómo se le ocurre bajarse de un automóvil en marcha?* · **apear(se) (de) · salir (de) || cambiar (de) || viajar (en) · ir (en)**

•CON PREPS. **a bordo (de) · en**

autonomía s.f.

•CON ADJS. **total · completa** *Sabes que tienes completa autonomía para decidir* · **plena · absoluta · amplia · suficiente** *El vehículo tiene suficiente autonomía: puede recorrer quinientos kilómetros sin repostar* · **libre || relativa · parcial · escasa · insuficiente || personal · municipal · funcional || política · económica · financiera · fiscal · laboral**

•CON SUSTS. **estatuto (de)** *¿En qué año se firmó el estatuto de autonomía de esta comunidad?* **|| grado (de) · nivel (de)**

•CON VBOS. **tener · poseer · ejercer || necesitar · pedir · exigir · reclamar || conseguir · conquistar · alcanzar · lograr · adquirir || dar · conceder · otorgar · ofrecer · conferir · transferir · ceder · establecer || restringir · recortar · limitar · cuestionar · violar · socavar · coartar || garantizar** *La empresa garantiza la autonomía de su gestión* · **respetar · asegurar · defender || conservar · mantener · perder · recuperar || privar (de)** *Nadie tiene derecho de privar a otra persona de su autonomía* · **desposeer (de) · luchar (por) || gozar (de) · disfrutar (de)**

•CON PREPS. **con** *Siempre intento actuar con autonomía*

autonómico, ca adj.

•CON SUSTS. **territorio · comunidad || institución · ente · organismo · gobierno** *Mañana se reunirá el Gobierno autonómico* · **presidencia · administración · parlamento · senado · diputación · federación || autoridad · responsable · presidente,ta** *unas elecciones para elegir al nuevo presidente autonómico* · **diputado,da · consejero,ra · funcionario,ria · policía || política · sistema · modelo || legislación · normativa · ley || elecciones · comicios · candidatura || televisión** *¿Cómo se financian las televisiones autonómicas?* · **radio · cadena · canal · emisora || presupuesto · financiación · deuda || pacto · acuerdo · debate || participación · desarrollo** *un estudio sobre el desarrollo autonómico en nuestro país*

autónomo, ma adj.

•CON SUSTS. **gobierno · organismo** *El museo lo gestiona un organismo autónomo* · **parlamento · entidad · ente · institución · policía · partido · emisora || territorio · comunidad · región · ciudad · provincia · zona · lugar · sociedad || régimen · sistema || valor · naturaleza · carácter || voluntad · decisión || trabajador,-a** *Los trabajadores autónomos están satisfechos con el acuerdo* · **empresario,ria || vehículo**

•CON VBOS. **hacerse**

autopista s.f.

•CON ADJS. **moderna** *Van a construir una moderna autopista entre ambas ciudades* · **futura · rápida · nueva · amplia · recta · llana || saturada · cargada · atestada · abarrotada · transitada || despejada · vacía || cara · barata · gratuita · de peaje** *ir por la autopista de peaje* · **de pago || peligrosa · segura || peraltada**

•CON SUSTS. **red (de) · tramo (de)** *algunos tramos de la nueva autopista* **|| construcción (de) · inauguración (de) || peaje (de) || tráfico (por) || vía (de) · vía de servicio (de) · vía rápida (de) || salida (de) · entrada (a) · incorporación (a) · acceso (a) || arcén (de) · mediana (de) · carril (de) || trazado (de)**

•CON VBOS. **atascar(se) · colapsar(se)** *La autopista se colapsó debido a un accidente* · **congestionar(se) · abarrotar(se) · obstruir(se) · despejar(se) || desviar(se) · pasar (por un lugar) · cruzar (algo) · atravesar (algo) · unir (algo) · ir (de un lugar a otro) || tomar** *Tomas la autopista 8 y te sales en el kilómetro 150* · **enfilar · coger · cruzar || abandonar · pagar · dejar || trazar · construir · inaugurar** *Ayer estuvo aquí la ministra para inaugurar la nueva autopista* **|| arreglar · mejorar · modernizar · acondicionar || cortar · bloquear || circular (por) · llevar (a) · pasar (por) · ir (por) · salir (a/por/de) · acceder (a)**

autopsia s.f.

•CON ADJS. **nueva · primera · segunda · definitiva || fiable · válida || oficial || forense**

•CON SUSTS. **dato (de) · resultado (de) · informe (de)** *El informe de la autopsia demuestra que fue muerte natural* · **conclusión (de) || sala (de)**

•CON VBOS. **determinar (algo) · revelar (algo)** *La autopsia realizada a la víctima revela nuevos datos* · **probar (algo) · reflejar (algo) · concluir (algo) · certificar (algo) · establecer (algo) · confirmar (algo) · demostrar (algo) || descartar (algo) || hacer (a alguien) · realizar (a alguien) · practicar (a alguien) · efectuar (a alguien) || solicitar · pedir || presenciar · supervisar || proceder (a)**

autor, -a s.

● CON ADJS. **célebre · famoso,sa · afamado,da · de éxito · de fama · conocido,da · difundido,da · universal · destacado,da · renombrado,da · prestigioso,sa · reputado,da · laureado,da · celebrado,da** *Esta es la autora más celebrada de su generación* · **reconocido,da · distinguido,da · respetado,da · cotizado,da · consumado,da · mítico,ca · admirado,da || incomprendido,da · maldito,ta · frustrado,da · fracasado,da || prolífico,ca · polifacético,ca** *Fue un autor polifacético: se dedicó tanto a la poesía como a la novela* · **brillante · excelente · mediocre · discreto,ta · de {primera/segunda} fila || desconocido,da · anónimo,ma · presunto,ta · supuesto,ta** *Lo han detenido como supuesto autor del crimen* · **confeso,sa · verdadero,ra · original · apócrifo,fa · ficticio,cia · falso,sa || novel · joven · primerizo,za || intelectual · material** *el autor material del asesinato* · **indirecto,ta || literario,ria · teatral || predilecto,ta** *¿Quién es tu autor predilecto?* · **preferido,da || plagiado,da**

● CON SUSTS. **obra (de) · cocina (de)** *un restaurante con cocina de autor* **|| identidad (de) · rasgo (de) || derechos (de)**

● CON VBOS. **tener éxito · fracasar || citar · plagiar || recordar || homenajear · premiar · galardonar || aplaudir · admirar || enjuiciar · criticar · descalificar · abuchear || descubrir** *Siguen sin descubrir al autor del desfalco*

autoridad

1 **autoridad** s.f.

▮ [potestad, poder]

● CON ADJS. **total · suprema** *la suprema autoridad de la nación* · **absoluta · gran(de) || clara · reconocida · indiscutible · innegable || inflexible · tiránica** *Este dictador ejerció su autoridad tiránica durante muchos años* · **permisiva · vacilante || inapelable · inamovible · monolítica || legítima · ilegítima || moral**

● CON SUSTS. **prueba (de) · demostración (de)** *una innecesaria e inoportuna demostración de autoridad* · **medida (de) · gesto (de) · señal (de) || principio (de) || ápice (de) || falta (de)** *su patente falta de autoridad*

● CON VBOS. **dimanar (de algo) · emanar (de algo) · recaer (en algo) || afianzar(se) · fortalecer(se) · robustecer(se) · crecer · aumentar · relajar(se) || devaluar(se) · faltar || conmocionar(se) || tener** *Tienes que tener más autoridad para tratar con ellos* · **detentar · ejercer · hacer valer || asumir · adquirir · arrogarse · recabar · aceptar || conceder · delegar || acatar · respetar · refrendar || desobedecer · burlar · cuestionar · negar · socavar · minar · erosionar · dañar · combatir || defender · reafirmar · restablecer · conservar · mantener · perder** *Poco a poco va perdiendo autoridad entre ellos* **|| centralizar || subordinar(se) (a) · someter(se) (a) · rendirse (a/ante) · resignarse (a) || revelarse (contra) · alzarse (contra) · resistirse (a) · desafiar (a) || revestir(se) (de) · dotar (de) · investir (de) · gozar (de)** *Goza de gran autoridad entre sus compañeros* · **contar (con) || abusar (de)** *Los partidos de la oposición lo acusan de abusar de su autoridad* **|| carecer (de)**

● CON PREPS. **a resguardo (de) · con · sin**

▮ [persona o institución con poder o crédito]

● CON ADJS. **verdadera · auténtica || respetable · acreditada · prestigiosa || pública · estatal · provincial · comunal · oficial · internacional** *Las autoridades internacionales advierten del peligro del nuevo virus* · **mundial || deportiva · académica · sanitaria**

● CON VBOS. **disponer (algo)** *Las autoridades públicas han dispuesto lo siguiente...* · **dictaminar (algo) · decretar (algo) · imponer (algo) · afirmar (algo)**

2 **autoridad (en)** s.f.

● CON SUSTS. **campo** *Es una verdadera autoridad en su campo* · **materia · disciplina || matemáticas · historia · arte ·** ***otros campos del saber***

autoritario, ria adj.

● CON SUSTS. **profesor,-a · jefe,fa · juez · gobernante · gobierno · presidente,ta · padre · madre · directiva ·** ***otros individuos y grupos humanos*** **|| actitud · talante · carácter · espíritu · estilo · tono · voz** *Se dirigía siempre a ellos con una voz firme y autoritaria* · **tendencia · cariz · gesto || método · modelo · sistema · régimen** *Con la caída del dictador, cayó también su régimen autoritario* · **estado · democracia · política || decisión · imposición · orden || idea · pensamiento · práctica · tradición**

● CON VBOS. **volverse · hacerse**

autorización s.f.

● CON ADJS. **plena · definitiva** *Están esperando la autorización definitiva para el inicio de las obras* · **firme · válida · fehaciente || previa · temporal · provisional || pertinente · necesaria · preceptiva** *¿Cuentan ustedes con la preceptiva autorización?* **|| expresa · explícita · implícita · tácita || oficial** *¿Has traído la autorización oficial?* · **legal · judicial · administrativa || pendiente (de)** *obras todavía pendientes de autorización*

● CON VBOS. **faltar(le) (a alguien) || tener** *¿Tienes autorización de tus padres para ir a la excursión?* · **lograr · conseguir · obtener · recibir · recabar || necesitar · requerir · precisar || pedir · exigir · reclamar · solicitar || dar · conceder** *No creo que le vayan a conceder la autorización* · **otorgar · dispensar · expedir · extender · hacer extensiva** *Esta autorización se hará extensiva a todas las personas que...* **|| sellar · firmar || retirar · cancelar · revocar · negar · denegar · perder || tramitar · gestionar · rellenar · cumplimentar · supeditar (a alguien) || presentar · mostrar · exhibir || contar (con) · gozar (de) || carecer (de)**

● CON PREPS. **con · sin** *No podrá salir del país sin autorización oficial*

autorizar v.

● CON SUSTS. **entrada** *No han autorizado la entrada de las tropas en el país* · **acceso · apertura · llegada || traslado · salida · envío · extradición || creación · construcción · instalación · cambio · ampliación · proceso · operación · investigación · inversión · proyecto ·** ***otras actuaciones*** **|| celebración · fiesta · manifestación · reunión · obra · visita || venta · pago · publicación · negocio · empresa · actividad || presencia · asistencia · ayuda · uso** *Se va a autorizar el uso de tales sustancias con fines terapéuticos* · **paso || procedimiento · vía · canal · cauce || capital · gasto · precio · tarifa · cantidad · cifra · número ||** ***persona*** *Puede usted autorizar a un familiar para que le recoja la documentación*

● CON ADVS. **plenamente · definitivamente · temporalmente · provisionalmente · excepcionalmente · cautelarmente || expresamente · ex profeso · exclusivamente || debidamente** *La firma debe estar debidamente autorizada* · **preceptivamente · previamente · finalmente || verbalmente · por escrito** *Eso te lo tienen que autorizar tus padres por escrito* · **públicamente · de palabra || judicialmente · oficialmente · legalmente · ilegalmente**

autoservicio s.m.

• CON SUSTS. **sistema (de) · tienda (de) · establecimiento (de) · centro (de) · máquina (de) · terminal (de) · régimen (de)**

➤ Véase también **ESTABLECIMIENTO**

autovía s.f.

• CON ADJS. **nueva · futura · moderna · rápida · amplia · recta · llana || transitada · cargada · abarrotada · atestada · saturada || vacía · despejada || peligrosa · segura || peraltada**

• CON SUSTS. **tramo (de) · red (de)** *una importante red de autovías* **|| construcción (de) · inauguración (de) || tráfico (por) || vía (de) · vía de servicio (de) · vía rápida (de) || acceso (a) · salida (de) · incorporación (a) · entrada (a) || arcén (de) · mediana (de) · carril (de) || trazado (de)** *el difícil trazado de la autovía*

• CON VBOS. **obstruir(se) · atascar(se) · colapsar(se) · congestionar(se)** *congestionarse la autovía en las horas puntas* **· abarrotar(se) · despejar(se) || desviar(se) · pasar (por un lugar) · cruzar (algo) · atravesar (algo) · unir (algo) · ir (de un lugar a otro) || tomar** *En mi opinión, la mejor opción es tomar la autovía* **· coger · enfilar || abandonar · dejar || construir · acabar · inaugurar || arreglar · mejorar · modernizar · acondicionar || cortar · bloquear || circular (por) · llevar (a) · pasar (por) · ir (por) · salir (a/por/de) · acceder (a)**

auxilio s.m.

• CON ADJS. **tácito · implícito · espontáneo · expreso · explícito || providencial** *el auxilio providencial de los bomberos* **· oportuno · inesperado || precario · momentáneo · temporal || médico · psicológico · espiritual · religioso || fraternal · paterno · materno**

• CON SUSTS. **petición (de) · llamada (de)** *Nadie escuchó su llamada de auxilio* **· grito (de) || equipo (de) · servicio (de) · puesto (de)**

• CON VBOS. **urgir · llegar || necesitar · buscar · pedir** *Pidieron auxilio por radio* **· reclamar · demandar · solicitar · suplicar · implorar || dar · proporcionar · brindar · otorgar · ofrecer · dispensar · prestar · administrar || recibir** *Recibieron auxilio a los pocos minutos de sufrir el accidente* **· obtener · recabar || negar · denegar || ir (en) · acudir (en)** *Acudimos inmediatamente en su auxilio* **· salir (en) · venir (en)**

• CON PREPS. **en busca (de)**

☐ EXPRESIONES **primeros auxilios** [asistencia médica de urgencia]

aval s.m.

• CON ADJS. **firme · claro · mejor · máximo · incondicional · condicional || necesario · imprescindible || político · económico · financiero · bancario** *Necesitamos un aval bancario para que nos concedan el préstamo* **· académico**

• CON VBOS. **faltar (a alguien) || tener · necesitar · buscar** *Está buscando un aval para montar un nuevo negocio* **|| pedir · reclamar · solicitar · requerir · exigir || obtener · conseguir · encontrar || otorgar · dispensar · conceder · extender · expedir · proveer · validar · ofrecer · dar || revocar · retirar · denegar** *No creo que le vayan a denegar el aval* **|| presentar · depositar · aportar || contar (con) · servir (de) · carecer (de)**

avalancha

1 avalancha s.f.

• CON ADJS. **auténtica** *Lo acribillaron con una auténtica avalancha de preguntas* **· verdadera || desbordante · enorme · gigantesca** *La empresa no pudo responder a la gigantesca avalancha de pedidos* **· multitudinaria · temible · imparable || inminente · anunciada · previsible · temida · inesperada · inusitada || migratoria**

• CON VBOS. **cesar · llegar · comenzar · producir(se) || arrastrar || provocar · causar · suscitar · desencadenar** *una enorme avalancha de piedras y lodo, desencadenada por las fuertes lluvias* **· acarrear · originar · desatar · generar || contener · detener · parar · recibir · frenar · evitar · controlar · paliar · contrarrestar || soportar · aguantar · esperar · temer** *Los fabricantes nacionales temen una avalancha de productos importados a muy bajo costo* **· sufrir · afrontar || augurar · prever || enfrentar(se) (a)**

2 avalancha (de) s.f.

• CON SUSTS. **nieve** *Una avalancha de nieve arrasó varias cabañas* **· lluvia · hielo · lodo · barro · piedras · rocas · escombros · ladrillos · tierra || turistas** *Las playas recibieron una auténtica avalancha de turistas* **· viajeros,ras · peregrinos,nas · inmigrantes · refugiados,das · visitantes · votantes · curiosos,sas · pacientes · clientes · compradores,ras · periodistas · voluntarios,rias · espectadores,ras · ciudadanos,nas ·** ***otros individuos*** **|| rumores · declaraciones · palabras || libros · películas · publicaciones · periódicos · telegramas || imaginación · alegría · entusiasmo · interés · pasión || críticas** *Ante la avalancha de críticas contra las medidas económicas, el Gobierno decidió...* **· denuncias · quejas · protestas · insultos · descalificaciones · reproches · reclamaciones · interpelaciones · imputaciones · reprobaciones · recriminaciones · enmiendas · pleitos · litigios · querellas · sentencias || peticiones · pedidos · llamadas** *Después del atentado hubo una avalancha de llamadas a la embajada* **· solicitudes · ofertas · promesas · órdenes · demandas · reclamos · convocatorias || novedades · noticias · revelaciones · innovaciones · titulares · iniciativas · propuestas**

avalar v.

• CON SUSTS. **tesis · teoría · idea · hipótesis** *Las pruebas presentadas no avalan la hipótesis del suicidio* **|| proyecto · plan · estrategia · iniciativa · pretensión · intención · aspiración · objetivo · programa · propuesta** *El Parlamento avaló la propuesta de convocar un referéndum sobre...* **· opción · candidatura · presentación · ofrecimiento || aspirante · sustituto,ta · candidato,ta ·** ***otros individuos*** **|| experiencia · trayectoria · carrera · dirección · continuidad || estudio · trabajo · investigación** *Una reciente investigación, avalada por prestigiosas universidades, revela que...* **· sugerencia · análisis · interpretación · tarea · práctica || petición · solicitud · reivindicación · demanda || capacidad · inocencia · credulidad · confianza · honradez · lealtad · bondad || denuncia · moción de censura · crítica · negativa · queja · protesta || éxito · prestigio · premio · mérito · triunfo · victoria · fama || pacto · acuerdo · compromiso · trato · alianza || autenticidad · calidad · legalidad · legitimidad || resultado** *Los observadores internacionales avalaron anoche los resultados de las elecciones presidenciales* **· dato · cifra · conclusión · cuestionario · información · rumor · informe · declaración · palabras · testimonio || postura ·**

impresión · **opinión** · **punto de vista** || **política** · **ley** · **decreto** · **medida** · **decisión** · **disposición** · **derecho** · **orden** || **necesidad** · **interés** · **lucha** · **esfuerzo** · **afán** || **sospecha** *Nuevos datos avalarían las sospechas de que el culpable fue...* · **posibilidad** · **suposición** · **conjetura** || **reforma** · **cambio** · **mejora** · **renovación** · **crecimiento** · **subida** · **incremento** · **restauración** || **situación** · **condición** · **estado** · **estatus** || **acontecimiento** · **hecho** · **espectáculo** · **exposición** || **comportamiento** · **acción** · **participación** || **obra** · **película** *La trayectoria del director y un elenco prestigioso de actores avalan esta película* · **partitura** || **crédito** · **préstamo** · **fianza**

● CON ADVS. **incondicionalmente** · **completamente** · **a ciegas** · **plenamente** || **satisfactoriamente** · **cumplidamente** · **gustosamente** || **a partes iguales** · **suficientemente** || **científicamente** *Numerosos estudios avalan científicamente la calidad de estos productos* · **legalmente** · **personalmente** · **políticamente** || **explícitamente** · **públicamente**

avance s.m.

● CON ADJS. **arrollador** *Desde el helicóptero se veía el avance arrollador de la lava* · **arrasador** · **fulminante** · **rápido** · **vertiginoso** · **a pasos agigantados** · **efectivo** || **irrefrenable** · **inevitable** · **inexorable** · **imparable** · **implacable** · **incontenible** · **irresistible** · **irremediable** || **enorme** · **desmedido** · **gran(de)** · **preocupante** *un avance preocupante de la enfermedad* · **notable** · **ostensible** · **indudable** · **significativo** · **sustantivo** · **importante** · **buen(o)** || **escaso** · **tímido** *Poco a poco se sentía el tímido avance de la primavera* · **ligero** · **moderado** · **pausado** · **imperceptible** · **insignificante** · **insuficiente** || **progresivo** · **gradual** · **acompasado** · **sostenido** · **proporcional** · **ininterrumpido** · **constante** · **lento** || **desacompasado** · **caótico** · **desorganizado** || **último** *Siempre está al día de los últimos avances científicos* · **nuevo** · **moderno** · **reciente** || **científico** · **tecnológico** · **industrial** · **militar** · **profesional** *Este ascenso supone un importante avance profesional para ella*

● CON VBOS. **producir(se)** · **registrar(se)** · **afianzar(se)** || **tener** · **lograr** · **conseguir** || **controlar** · **amortiguar** · **contener** *Las autoridades no consiguen contener el avance de la plaga* · **ralentizar** · **entorpecer** · **frenar** · **obstaculizar** · **obstruir** · **bloquear** · **impedir** · **detener** · **cortar** · **atajar** || **permitir** · **propiciar** · **estimular** · **incrementar** · **acelerar** || **verificar** · **evaluar** · **comprobar** · **confirmar** || **predecir** · **prever** · **vislumbrar** · **augurar** *Los especialistas han augurado un avance importante a las empresas de este sector* || **suponer** · **constituir** · **representar**

● CON PREPS. **a la luz (de)**

avanzado, da adj.

● CON SUSTS. **semana** · **mes** *El mes de mayo está muy avanzado* · **año** · ***otros periodos*** || **proceso** · **enfermedad** · **carrera** · **investigación** || **libro** · **película** *Llegas tarde, la película ya está muy avanzada* · **programa** || **edad** · **vejez** || **fase** · **estado** · **estadio** · **nivel** · **grado** · **etapa** · **momento** · **punto** || **negociación** · **conversación** *Las conversaciones para lograr el acuerdo están muy avanzadas* · **acuerdo** · **diálogo** || **alumno,na** *Siempre fue una alumna avanzada* · **niño,ña** · **aprendiz,-a** || **civilización** · **mundo** · **país** · **ciudad** · **sociedad** · **organización** · **empresa** · **fábrica** || **tendencia** · **democracia** *Estos países no son precisamente un modelo de democracia avanzada* || **aparato** · **ordenador** · **teléfono** · **televisor** || **tecnología** · **técnica** *gracias al empleo de las técnicas más avanzadas* · **sistema** · **recurso** · **procedimiento** · **método** · **medida** · **forma** || **idea** *una persona de ideas avanzadas* · **teoría** · **mentalidad** · **conocimiento** · **mente** || **posición** · **postura** · **criterio** · **punto de vista** || **servicio** · **línea** · **red** · **infraestructura** || **curso** · **estudio** *varios programas de estudios económicos avanzados* · **formación** · **lección** · **enseñanza** || **ley** · **normativa** · **legislación** · **constitución** · **norma** *En nuestra empresa aplicamos las normas de control más avanzadas*

avanzar v.

● CON SUSTS. **puesto** *El equipo avanzó un puesto en la clasificación general* · **posición** · **nivel** · **grado**

● CON ADVS. **espectacularmente** · **considerablemente** · **enormemente** · **poderosamente** · **significativamente** · **a fondo** || **decisivamente** · **firmemente** · **con firmeza** · **con paso firme** *Avancé con paso firme hacia ellos* · **decididamente** · **sin tregua** · **sin dilaciones** · **sin demora** · **con fluidez** · **dignamente** || **irremediablemente** *La plaga de langostas avanza irremediablemente hacia nuestro país* · **inexorablemente** · **irrefrenablemente** · **imparablemente** || **tímidamente** · **ligeramente** · **escasamente** · **imperceptiblemente** || **a marchas forzadas** · **a trancas y barrancas** · **pesadamente** · **con dificultad** · **con esfuerzo** · **a tientas** *La oscuridad era absoluta y tuvimos que avanzar a tientas* · **a hurtadillas** || **rápidamente** · **a pasos agigantados** · **a toda máquina** · **vertiginosamente** · **con buen ritmo** · **a ojos vistas** · **viento en popa** *Los negocios avanzan viento en popa* · **arrolladoramente** · **abruptamente** || **progresivamente** · **paulatinamente** · **gradualmente** · **lentamente** · **a cámara lenta** · **a paso de tortuga** · **prudentemente** · **con cautela** || **conjuntamente** · **al unísono** · **en tropel** · **en fila** · **en orden** · **ordenadamente** *Nos pidieron que avanzásemos ordenadamente hacia la salida* · **armoniosamente** · **acompasadamente** || **caóticamente** · **desordenadamente** · **en desorden** · **desacompasadamente** · **sin rumbo** · **a la deriva** || **a lo lejos** || **científicamente** · **profesionalmente** · **electoralmente** · **procesalmente**

avaricia s.f.

● CON ADJS. **insaciable** *para intentar satisfacer su insaciable avaricia de poder* · **desmesurada** · **desmedida** · **irrefrenable** · **incontenible** · **voraz** · **dominante** · **pura** *Lo hizo por pura avaricia* · **acaparadora** || **cicatera** · **enfermiza** || **proverbial** · **conocida** || **empresarial** · **política** · **recaudatoria**

● CON VBOS. **mover (a alguien)** || **provocar** · **excitar** · **alimentar** · **incrementar** || **saciar** *Nada puede saciar su desmesurada avaricia* · **atemperar** · **colmar** · **aplacar** || **rezumar** || **disfrazar** · **ocultar** · **disimular** || **denunciar** || **escapar (a)**

● CON PREPS. **por**

□ EXPRESIONES **con avaricia** [en grado sumo] *col. Es feo con avaricia*

avasallar v.

● CON SUSTS. **rival** · **contrario,ria** *El equipo avasalló al contrario desde el principio del partido* · **trabajador,-a** · **alumno,na** · ***otros individuos y grupos humanos***

● CON ADVS. **descaradamente** · **sin piedad** *Los nobles de la época avasallaban sin piedad a los campesinos* · **violentamente** || **impunemente**

avatar s.m.

● CON ADJS. **profesional · deportivo · artístico · literario · político · histórico · amoroso** *los avatares amorosos de esta actriz* || **del destino · de la vida** *Hay que sobrellevar como uno pueda los avatares de la vida* || **impredecible · futuro**

● CON VBOS. **deparar (algo)** *Los avatares del destino le depararían aún nuevas sorpresas* || **relatar · narrar · recrear · repasar · seguir · registrar** || **vivir · experimentar · sufrir** *El pueblo sufrió los avatares de la revolución* · **padecer · soportar · sobrellevar** || **preparar (para) · adaptar (a)**

ave s.f.

● CON ADJS. **cantora** *ave cantora que con sus trinos...* || **migratoria · de paso · de corral · de campo · rapaz · de rapiña · tropical** || **selvática · doméstica · amaestrada**

● CON VBOS. **aletear · elevarse · volar · revolotear · sobrevolar (algo) · planear · posarse · anidar** || **picar · picotear** || **cantar · gorjear · trinar · graznar**

avecinarse v.

● CON SUSTS. **tormenta · temporal** *Se avecina un fuerte temporal* · **borrasca · calor · sequía · ciclón · diluvio ·** ***otros fenómenos meteorológicos adversos*** || **crisis · catástrofe · desastre · fracaso · complicación · dificultad** *¿Quién hará frente a las dificultades que se avecinan?* · **peligro · tragedia · escándalo · ruina · caos · hecatombe · horror · infierno · lío** || **lucha · pugna · guerra · conflicto** *Se avecinan graves conflictos entre ambas compañías* · **confrontación · enfrentamiento · cruzada · ofensiva · discusión · debate · protesta · crítica · ataque · fuego cruzado** || **cambio · reforma · transformación · reajuste · revolución · transición · traslado · reconversión · reestructuración** *Los empleados saben que se avecina una reestructuración que posiblemente les afectará* || **crecimiento · aumento · ampliación · desarrollo · subida · despliegue · escalada · repunte** || **descenso · pérdida · descomposición · merma · recorte · escasez · restricción** || **final · conclusión · cierre · ocaso · crepúsculo · recta final** || **futuro · día · otoño · fecha** *Se avecinaba la fecha fatídica* · ***otros momentos o periodos*** || **suceso · llegada · estreno** *Estaba nervioso porque se avecinaba el estreno de la obra* · **dimisión · incorporación · ceremonia · festival · juicio**

● CON ADVS. **inevitablemente · inexorablemente** *La guerra se avecinaba inexorablemente* · **irremediablemente · forzosamente · obligatoriamente · rápidamente · velozmente**

avenida s.f.

● CON ADJS. **principal · céntrica** *En esta céntrica avenida se encuentra la zona comercial* || **larga · ancha** || **estrecha · tortuosa** || **cortada · en obras** || **concurrida · desierta** || **peatonal** || **urbana**

● CON SUSTS. **esquina (de) · principio (de) · final (de)** *El aparcamiento se encuentra al final de la avenida*

● CON VBOS. **congestionar(se) · colapsar(se)** *La avenida se colapsa todos los domingos* || **desembocar (en un lugar)** || **levantar · arreglar · mejorar · asfaltar · adornar** || **recorrer · cruzar · seguir · tomar · coger · enfilar** || **bloquear · cerrar** || **abrir** || **salir (a) · circular (por) · desfilar (por)** || **ubicar(se) (en) · encontrar(se) (en)**

aventajado, da adj.

● CON SUSTS. **alumno,na** *una alumna aventajada y muy inteligente* · **discípulo,la · aprendiz,-a · pupilo,la · estudiante · escolar · universitario,ria** || **seguidor,-a · adepto,ta · patriota** || **posición** *El equipo parte de una posición aventajada* · **puesto · lugar** || **atleta · ministro,tra · equipo · cerebro**

aventura s.f.

● CON ADJS. **difícil · peligrosa** *vivir peligrosas aventuras* · **arriesgada · suicida · osada · audaz · temeraria · loca** || **incierta · inquietante · azarosa** || **descabellada · disparatada** *La novela narra las disparatadas aventuras de su inexperto protagonista* · **sin sentido** || **trepidante · apasionante · intensa · ilusionante · fantástica · maravillosa · auténtica** || **infausta · accidentada** || **fugaz · pasajera · ocasional** || **inesperada · nueva · última · reciente** || **personal · individual · colectiva** *Consideramos este proyecto como una aventura colectiva* || **amorosa · sentimental · pasional** || **empresarial · electoral · comercial · política** || **envuelto,ta (en)**

● CON SUSTS. **relato (de) · novela (de) · película (de) · cuento (de) · historia (de)** || **compañero,ra (de)** || **espíritu (de) · amigo,ga (de)**

● CON VBOS. **tener éxito · triunfar · salir bien** *La aventura electoral le salió finalmente bien* || **fracasar · resultar un fracaso** || **encarar · emprender · acometer** || **tener · vivir · correr · protagonizar · experimentar · buscar** || **contar** *Nos contó su aventura con todo lujo de detalles* · **revivir · recrear · evocar · narrar · describir** || **partir (a) · lanzar(se) (a)** *Se lanzó a una aventura empresarial de gran envergadura* · **arrojar(se) (a) · enrolar(se) (en) · embarcar(se) (en) · involucrar(se) (en) · tomar parte (en) · participar (en) · meter(se) (en) · empujar (a)**

● CON PREPS. **en busca (de)**

[aventurar] → aventurar; aventurarse (en)

aventurar v.

● CON SUSTS. **hipótesis · juicio · conjetura · teoría · opinión** *Prefiero no aventurar una opinión poco fundada sobre un tema tan complejo* · **especulación · reflexión · postura · posición** || **pronóstico · posibilidad · predicción · vaticinio** || **resultado** *Si tuviese que aventurar un resultado, diría que va a ganar por tres a uno* · **respuesta · conclusión · final · fin · consecuencia · desenlace** || **dato · cifra · fecha · cantidad** || **explicación · excusa · comentario · manifestación** || **balance · evaluación · estimación** *El ministro no quiso aventurar una estimación de los daños causados por la tragedia* · **valoración · diagnóstico**

● CON ADVS. **a la ligera · precipitadamente** || **ingenuamente · tímidamente**

aventurarse (en) v.

● CON SUSTS. **terreno** *Siempre tiene uno miedo de aventurarse en terrenos desconocidos* · **espacio · territorio · zona · área · país · ciudad · campo · desierto · selva** *Les recomendaron que no se aventuraran en la selva sin un guía* · **mar · oleaje** || **negocio · proyecto · empresa · ejercicio · tarea · misión** || **exploración · búsqueda · estudio · análisis · viaje · periplo · recorrido · construcción** || **peligro · riesgo · dificultad** || **tiempo · época · período · futuro** || **relato · disertación · historia** || **tema · asunto** || **ciencia · política** *Decidió aventurarse en la política a pesar de su falta de experiencia* · **literatura ·**

filmografía · película *aventurarse en una película de enorme presupuesto y tema poco comercial* · **torneo || mundo · vida · profesión**
● CON ADVS. **decididamente · gustosamente · peligrosamente || a la ligera · precipitadamente · sin reflexionar · a la buena de Dios**

avería s.f.

● CON ADJS. **irreparable · de importancia · importante · grave · seria || sin importancia · leve** *La máquina ha sufrido una leve avería* **|| inesperada · inoportuna** *Con esta inoportuna avería nos retrasaremos dos horas* **|| momentánea · temporal · definitiva · nueva || extraña · desconocida**
● CON SUSTS. **servicio (de)** *el servicio de averías de la compañía eléctrica*
● CON VBOS. **registrar(se) · presentar(se) · producir(se) · surgir || tener · sufrir || causar · provocar || localizar** *Los técnicos no consiguen localizar la avería* · **detectar · diagnosticar || arreglar · reparar · solventar · resolver · subsanar · corregir**
● CON PREPS. **en caso (de)** *En caso de avería, puede usted llamar a este teléfono*

averiar(se) v.

● CON SUSTS. **motor || máquina · ascensor · lavadora · frigorífico** · ***otros aparatos electrónicos*** **|| vehículo · coche · autocar** · ***otros medios de transporte***

averiguación s.f.

● CON ADJS. **discreta** *La enviaron a que hiciera discretas averiguaciones* **|| esclarecedora || administrativa · judicial · penal || personal · oficial · por {mi/tu/su...} cuenta**
● CON VBOS. **hacer · realizar** *La Policía empezó a realizar averiguaciones* · **ejecutar · iniciar · abrir · solicitar || conducir · facilitar · archivar**

averiguar v.

● CON SUSTS. **altura · edad · valor · peso · distancia** · ***otras magnitudes*** **|| verdad · misterio · clave || identidad · nombre** *La Policía trata de averiguar el nombre auténtico del detenido* · **paradero · profesión · aficiones · gustos · dato · característica · información || origen · procedencia · pasado || funcionamiento** *Un grupo de científicos ha conseguido averiguar el funcionamiento de ciertas proteínas* · **papel · función || causa · razón · motivo · móvil || plan · intenciones**
● CON ADVS. **finalmente · por fin || disimuladamente · hábilmente** *...un periodista que averiguó hábilmente el paradero del escritor* **|| a toda costa || urgentemente**

aversión s.f.

● CON ADJS. **gran(de) · verdadera · auténtica · profunda** *Sentía una profunda aversión a todo tipo de escándalo* · **honda · tremenda · desmedida · radical · visceral · viva · congénita · contumaz · incontrolable** *una incontrolable aversión por los periódicos sensacionalistas* · **irreprimible · incontenible || conocida · clara · soterrada || extraña · peculiar · característica || tradicional · histórica || personal**
● CON VBOS. **provocar (a alguien) · causar (a alguien) · inspirar (a alguien) · producir (a alguien) · suscitar (en alguien) · despertar (en alguien) · infundir (en alguien) · engendrar (en alguien) · alimentar || captar · granjearse || tener · sentir || mostrar · manifestar · confesar** *Terminó por confesar su radical aversión hacia todo lo que viniera de él* **|| contener · disimular · ocultar || cobrar (a algo/a alguien) · coger (a algo/a alguien) · tomar (a algo/a alguien) || compartir || evitar**

avezado, da adj.

● CON SUSTS. **crítico,ca · público · observador,-a · investigador,-a · alumno,na · lector,-a · director,-a · periodista** *un periodista avezado en información económica* **|| taxista · camionero,ra · conductor,-a · piloto · micrero,ra || comerciante · negociador,-a · médico,ca** *en manos de médicos avezados* · **político,ca · diplomático,ca**

aviador, -a s.

● CON ADJS. **intrépido,da · valiente || veterano,na · bisoño,ña || militar · comercial**
● CON VBOS. **volar · pilotar · aterrizar · despegar · viajar · hacer maniobras**

ávidamente adv.

● CON VBOS. **devorar · consumir** *productos que los compradores consumen ávidamente* · **beber · absorber · comer || desear · anhelar · soñar** *Soñaba ávidamente con los días de vacaciones que le habían prometido* **|| perseguir · seguir · buscar || lanzarse · volcarse · interesarse** *Se interesaron ávidamente por las nuevas técnicas comerciales* · **preguntar · emprender · sumergirse · disponerse · acudir || leer · escuchar · mirar || comprar · vender · explotar · comercializar || vivir · presenciar · revivir**

a vida o muerte loc.adv./loc.adj.

● CON VBOS. **retar · apostar || enfrentarse** *Ambos equipos se enfrentaron a vida o muerte en la final del campeonato mundial* · **combatir · luchar · pelear · batallar || jugar || operar** *Después del accidente, la operaron a vida o muerte*
● CON SUSTS. **pelea · lucha** *una lucha a vida o muerte por la medalla de oro* · **batalla · combate · duelo · partido || operación** *La operación a vida o muerte duró más de cinco horas*

avidez s.f.

● CON ADJS. **incontenible · desmesurada** *una desmesurada avidez de dinero* · **desmedida · insaciable · gran(de) · terca**
● CON VBOS. **calmar · saciar** *Ya nada consigue saciar su avidez de viajar* · **satisfacer · mitigar · atemperar · templar**
● CON PREPS. **con** *comer con gran avidez*

ávido, da (de) adj.

● CON SUSTS. **dinero · poder** *Ten cuidado, es una persona ávida de poder* · **riqueza · fama || sangre · venganza || deseo || conocimiento · noticias** *Hay un público ávido de noticias* · **información · aprendizaje || emociones · experiencias · sensaciones · aventura · novedades · proyectos · planes || libertad · justicia**
● CON VBOS. **estar** *El pueblo estaba ávido de justicia*

avieso, sa adj.

● CON SUSTS. ***persona*** *Es una mujer aviesa y enredante* **|| mirada · gesto || intención · propósito · pretensión · objetivo · finalidad · designio || estrategia · método · manipulación · intriga · truco || ataque · venganza · traición · crítica || interpretación · lectura · teoría · argumento** *De poco le sirvió intentar justificarse con sus aviesos argumentos* **|| invitación · pregunta · afirmación**

· propuesta · aseveración || composición · guión · noticia · comentario · información

avinagrar(se) v.

● CON SUSTS. **vino || talante · carácter** *Después de aquel serio revés se le avinagró profundamente el carácter* **|| semblante · cara**

avión s.m.

● CON ADJS. **rápido · supersónico · ligero · nuevo · moderno · de lujo || siniestrado** *la recuperación de las cajas negras del avión siniestrado* **|| privado · comercial · de pasajeros · militar · de combate · particular · civil**
● CON VBOS. **despegar · salir · aterrizar** *El avión aterrizó con retraso* **· tomar tierra · llegar || planear · volar · sobrevolar (algo) || estrellar(se) · averiar(se) · capotar || pilotar || coger · tomar · perder** *Perdimos el avión por culpa de un atasco* **· fletar || derribar || construir · fabricar · diseñar || abordar · abandonar || subir (a) · bajar (de) · descender (de) · embarcar (en) || viajar (en)**
● CON PREPS. **a bordo (de) · en**

aviso s.m.

● CON ADJS. **tajante · serio · claro || a tiempo · providencial · oportuno · certero · discreto · inoportuno || reiterado · insistente · urgente** *Tienes un aviso urgente de correos* **· preventivo · alarmante || previo · último** *Me dieron un último aviso* **|| oficial · telefónico**
● CON SUSTS. **sistema (de) || toque (de)**
● CON VBOS. **llegar (a alguien) || caer en saco roto || dar · lanzar** *Las autoridades sanitarias han lanzado un aviso alarmante* **· emitir · poner · difundir · transmitir || enviar (a alguien) · dirigir (a alguien) · pasar (a alguien)** *¿Puedes pasar el aviso a todos tus compañeros?* **|| recibir · atender || ignorar · desatender · desoír || servir (de)** *Espero que esto te sirva de aviso* **|| hacer caso omiso (de)**

avispado, da adj.

● CON SUSTS. **niño,ña · detective** *El avispado detective encontró la solución del misterio* **· jugador,-a · empresario,ria · periodista · público · banda ·** ***otros individuos y grupos humanos*** **|| oído · mente · pensamiento**
● CON ADVS. **extraordinariamente · tremendamente** *una niña tremendamente avispada* **· absolutamente**
● CON VBOS. **ser · volver(se)** *Con la experiencia se volvió más avispado* **· estar**

avistar v.

● CON SUSTS. **lancha** *Había avistado una lancha a la deriva* **· barco · pesquero ·** ***otras embarcaciones*** **|| isla · tierra · costa · litoral · puerto || ballena · pájaro · ave · animal**
● CON ADVS. **claramente · perfectamente || vagamente · borrosamente · a duras penas || en la lejanía · a lo lejos · en lontananza · en el horizonte** *La caravana ya casi se avista en el horizonte*

avivar(se) v.

● CON SUSTS. **fuego · rescoldo · brasa** *El viento comenzó a avivar las brasas* **· incendio · llama || polémica · debate · discusión · crítica · controversia · desavenencia · discrepancia · protesta · diferencia || enfrentamiento · guerra · oposición · lucha · conflicto** *Declaraciones públicas como esas solo lograrán avivar el conflicto* **· disputa · pugna · batalla || interés · sentimiento · amor · pasión · deseo · demanda · curiosidad · emoción · entusiasmo · apetito · petición || desesperación · insatisfacción · descontento · frustración || resentimiento · odio · rencor · antipatía · crispación || crisis · malestar** *medidas de última hora que solo sirvieron para avivar el malestar social* **· escándalo · tragedia · dolor · embrollo · peligro || temor · duda · sospecha · celos · fantasma · desconfianza · recelo · miedo · inquietud** *...gran inquietud en los mercados financieros, avivada por los últimos acontecimientos políticos* **· preocupación · nerviosismo || esperanza · expectativa · optimismo · confianza || fantasía · imaginación · ingenio · inteligencia · inspiración || recuerdo · memoria || ritmo · trote · paso · marcha**

a voces loc.adv./loc.adj.

● CON VBOS. **hablar** *No me hables a voces, por favor* **· decir · expresar · preguntar · responder · gritar · llamar · confesar || anunciar · comunicar · proclamar · pregonar · divulgar || pedir** *El enfermero pedía a voces que no se acercaran al herido* **· clamar · reclamar · exigir · suplicar || increpar · insultar · acusar · culpar || exponer · señalar**
● CON SUSTS. **secreto** *El embarazo de la actriz era un secreto a voces* **|| pregunta · grito · petición**

a voleo loc.adv. *col.*

● CON VBOS. **decir** *decir un número a voleo* **· contestar · elegir · escoger || repartir · distribuir || lanzar** *lanzar la pelota a voleo* **· disparar**

a voluntad loc.adv.

● CON VBOS. **alargar · acortar · cambiar · modificar** *No podemos modificar a voluntad las normas del centro* **· emplear · ajustar ·** ***otros verbos de cambio*** **|| configurar · codificar || controlar · dominar · manipular || usar**

a voz en grito loc.adv.

● CON VBOS. **hablar · conversar · decir · repetir · preguntar · corregir · discutir · pelear(se) || pedir** *Los manifestantes pedían una solución a voz en grito* **· reclamar · denunciar · llamar || cantar** *Ahora está en la ducha, cantando a voz en grito*

[ayuda] → ayuda; en ayuda (de alguien)

ayuda s.f.

● CON ADJS. **ingente · inmensa · extraordinaria · ímproba || inestimable · inapreciable · impagable · de valor · valiosa** *Agradecemos de todo corazón tan valiosa ayuda* **· preciosa · importante · meritoria · encomiable · ejemplar || decisiva · crucial · determinante · imprescindible || generosa · bondadosa · desinteresada · incondicional** *Siempre hemos podido contar con su ayuda incondicional* **· sacrificada · callada · anónima || integral · completa · intensiva · puntual · preventiva · a fondo perdido** *una ayuda a fondo perdido del treinta por ciento del total* **|| modesta · raquítica · pequeña · discreta · escasa · nula · condicional · simbólica · mínima || firme · decidida || espontánea · inmediata · urgente** *Necesitamos su ayuda urgente* **· ocasional · temporal || personal · individual · individualizada · mutua · unánime || a domicilio · domiciliaria** *un servicio de ayuda domiciliaria a las personas mayores* **|| humanitaria · psicológica · espiritual · económica · material · profesional**
● CON SUSTS. **grito (de) || inyección (de) || alcance (de)**
● CON VBOS. **urgir · faltar || necesitar · esperar · buscar · pedir · exigir · solicitar · reclamar · requerir · de-**

mandar · **mendigar** · **implorar** · **invocar** || **tener** · **recibir** · **conseguir** · **procurar** · **recabar** || **dar** · **conceder** · **brindar** *Muchos países han brindado ya su ayuda para paliar esta enorme catástrofe* · **proporcionar** · **prestar** · **dispensar** · **ofrecer** · **dirigir** · **enviar** · **sufragar** || **denegar** · **derogar** · **retirar** · **interrumpir** · **cortar** *No creo que el Gobierno vaya a cortar las ayudas sociales* · **congelar** · **escatimar** · **negar** · **regatear** || **declinar** · **rechazar** || **encauzar** · **canalizar** · **dosificar** · **negociar** · **condicionar** || **magnificar** · **agradecer** *Agradecemos enormemente la ayuda prestada* || **gozar (de)** · **disfrutar (de)** · **carecer (de)** || **acudir (en)** || **volcarse (en)**
● CON PREPS. **con** · **en busca (de)** · **sin** *Ya consigue levantarse sin ayuda de nadie* · **sin perjuicio (de)**

ayudar v.

● CON SUSTS. **deseo (de)** · **ganas (de)** || **intención (de)** · **propósito (de)**
● CON ADJS. **encantado,da** *Te ayudaré encantado en lo que necesites* · **gustoso,sa**
● CON ADVS. **inmensamente** · **enormemente** · **extraordinariamente** · **considerablemente** · **inestimablemente** · **verdaderamente** · **decisivamente** || **incondicionalmente** · **ciegamente** *No se trata de ayudar ciegamente a cualquiera, sino de empezar por los más necesitados* || **decididamente** · **activamente** · **abiertamente** || **lealmente** · **cariñosamente** · **caballerosamente** · **amablemente** · **de (todo) corazón** · **caritativamente** · **gentilmente** · **generosamente** · **desinteresadamente** *una asociación que ayuda desinteresadamente a todo el que lo necesita* || **gustosamente** · **con gusto** · **de buen grado** · **condescendientemente** · **voluntariamente** || **inútilmente** · **tarde** · **con retraso** · **oportunamente** || **financieramente** · **económicamente** · **materialmente** · **electoralmente** · **profesionalmente** · **espiritualmente** · **psicológicamente** || **de palabra**
● CON VBOS. **brindarse (a)** · **ofrecerse (a)**
□ USO Se construye frecuentemente con complementos encabezados por las preposiciones *a* (*Siempre me ayuda a hacer el equipaje*) o *en* (*Me ayuda en todo lo que le pido*).

[ayuno] → en ayunas

ayuno s.m.

● CON ADJS. **riguroso** · **inflexible** · **estricto** · **rígido** *Se impuso un rígido ayuno* · **severo** · **escrupuloso** · **absoluto** · **prolongado** *Un ayuno prolongado puede llegar a ser peligroso* || **obligado** · **forzoso** · **voluntario** || **saludable** · **llevadero** || **ejemplar** || **religioso** · **cuaresmático** || **consagrado,da (a)**
● CON SUSTS. **tiempo (de)** · **período (de)** || **ruptura (de)** || **huelga (de)**
● CON VBOS. **prescribir (a alguien)** · **imponer (a alguien)** · **levantar** || **practicar** · **hacer** · **observar** · **cumplir** · **resistir** · **soportar** · **iniciar** · **comenzar** · **vivir** || **dejar** · **acabar** · **interrumpir** *Interrumpió su ayuno por problemas de salud* · **abandonar** · **suspender** · **romper** · **cesar** || **someter (a alguien) (a)**
● CON PREPS. **en** *Se mantuvo en ayuno más de tres días*

ayuntamiento s.m.

● CON SUSTS. **pleno (de)** *El pleno del Ayuntamiento aprobó por unanimidad...* || **sede (de)** · **edificio (de)** · **sala (de)** · **salón (de)** · **oficina (de)** || **gestión (de)** || **proyecto (de)** · **propuesta (de)** · **plan (de)** · **obra (de)** || **secretario,ria (de)** · **empleado,da (de)** · **funcionario,ria (de)** *Trabajo como funcionaria en el Ayuntamiento*
● CON VBOS. **intervenir (en algo)** || **conceder (algo)** · **otorgar (algo)** *El Ayuntamiento le otorgó una medalla al mérito deportivo* || **organizar (algo)** · **disponer (algo)** · **establecer (algo)** || **patrocinar (algo)** · **colaborar (en algo)** · **apoyar (algo)** || **convocar (algo)** *El Ayuntamiento convocó una comisión de investigación* · **ordenar (algo)** · **recaudar (algo)**

[azabache] → como el azabache

azada s.f.

● CON VBOS. **usar** · **utilizar** · **emplear** · **manejar** || **coger** · **agarrar** || **guardar** · **sacar** · **llevar** · **traer** || **clavar** || **servirse (de)** · **valerse (de)** || **cavar (con)** · **cortar (con)** · **quitar (con)** · **levantar (con)**
● CON PREPS. **a golpe (de)** *preparar el terreno a golpe de azada*

azafata s.f.

● CON ADJS. **de vuelo** · **de avión** · **de tierra** · **de congresos** · **de programa** || **profesional** · **experta** · **inexperta** · **con {muchas/pocas} horas de vuelo** || **agradable** · **atenta**
● CON SUSTS. **uniforme (de)** || **curso (de)** · **título (de)** · **categoría (de)**
● CON VBOS. **atender** *La azafata nos atendió diligentemente* · **informar** || **llamar** *Llamamos a la azafata para que nos informara* || **trabajar (de/como)**

[azar] → al azar; azar

azar s.m.

● CON ADJS. **imprevisible** · **caprichoso** *Nunca sabremos qué nos depara el caprichoso azar* · **ciego** · **incierto** · **misterioso** || **fatídico** · **funesto** · **adverso** || **propicio** · **favorable** · **providencial** || **puro** *Si no nos encontramos fue por puro azar* · **mero** || **del destino**
● CON SUSTS. **juego (de)** || **fruto (de)** · **obra (de)**
● CON VBOS. **sonreír (a alguien)** *Parece que por fin nos sonríe el azar* · **favorecer** || **querer** · **deparar** || **tentar** · **desafiar**
● CON PREPS. **en {brazos/manos} (de)** *Prefiero no forzar las cosas y dejarlas en manos del azar* · **por**

azaroso, sa adj.

● CON SUSTS. **tiempo** · **etapa** *una etapa azarosa y llena de dificultades* · **época** · **año** || **viaje** · **camino** · **itinerario** · **huida** · **vuelo** · **trayectoria** · **paseo** · **carrera** · **caminar** · **recorrido** · **ruta** · **periplo** · **singladura** || **mundo** · **terreno** · **tierra** · **medio** · **alrededor** || **vida** *Tuvo una vida azarosa y agitada* · **existencia** · **historia** · **biografía** · **acontecer** · **currículum** · **juventud** || **aventura** · **peripecia** · **hecho** · **episodio** · **suceso** · **accidente** || **proceso** · **cambio** · **devenir** · **transición** || **destino** · **casualidad** · **suerte** · **fortuna** · **futuro** · **pronóstico** · **porvenir** || **tarea** · **trabajo** · **profesión** · **ejercicio** · **empresa** · **construcción** || **cúmulo** · **mezcolanza** · **mezcla** *Debido a una mezcla azarosa de circunstancias, mi familia se mudó a otra ciudad* · **serie** · **confluencia** · **participación** · **reunión** · **conjunción** · **relación** · **diálogo** · **negociación** · **encuentro** *Vivió un apasionado romance nacido de un encuentro azaroso*

azorar(se) v.

• CON ADVS. **excesivamente · profundamente · sobremanera · seriamente · vivamente · enormemente · hondamente || en absoluto · ni lo más mínimo · mínimamente || injustificadamente · sin razón** *Ante cualquier contratiempo se azoraba sin razón* · **justificadamente || íntimamente**

azotaina s.f. *col.*

• CON VBOS. **dar · propinar · pegar || recibir || merecer**

azotar (algo/a alguien) v.

• CON SUSTS. **infección · epidemia · cólera · sida** *El sida azota vastas áreas del país* · ***otras enfermedades*** **|| temporal · tormenta · sequía · viento · ola de frío · lluvia · nieve · huracán · tornado · ola de calor** *la fuerte ola de calor que azota la ciudad* · **catástrofe · terremoto** *Un terrible terremoto ha azotado la región* · **cataclismo || clima · temperatura · frío · calor · sol || invierno · verano · estación || hambre · marginación · miseria · pobreza · escasez · necesidad · hambruna · analfabetismo · desigualdad · incertidumbre || violencia** *un plan para detener la oleada de violencia que azota la ciudad* · **guerra · combate · conflicto · delincuencia · atentado · corrupción · narcotráfico · xenofobia || plaga · crisis** *La crisis económica azota con especial dureza al sector energético* · **tragedia · calamidad · problema · lacra · mal · desgracia · dificultad || gobierno · tiranía · capitalismo · guerrilla · bandolero,ra** *Una cuadrilla de bandoleros azotaba la comarca* **|| fantasma · demonio · espíritu**

azote s.m.

• CON ADJS. **continuo** *La sequía es el azote continuo de esta zona* · **permanente · inmisericorde || público || de calor · verbal · terrorista**

➤ Véase también **GOLPE**

azúcar s.amb.

• CON ADJS. **blanquillo,lla · blanco,ca · moreno,na · negro,gra · mascabado,da || de caña · de remolacha || refinado,da · en polvo · glas · impalpable || en sangre** *...con un nivel de azúcar en sangre demasiado alto*

• CON SUSTS. **cucharada (de) · pellizco (de) · pizca (de) || nivel (de) · exceso (de) · subida (de) · bajada (de) · curva (de) · prueba (de) || plantación (de) || caña (de)** *el principal país productor de caña de azúcar*

• CON VBOS. **echar · poner · llevar** *Ya lleva azúcar; no hace falta que le eches más* **|| esparcir · derramar || necesitar || medir · controlar · subir · bajar · eliminar · consumir · metabolizar · quemar · almacenar · transformar || endulzar (con)**

• CON PREPS. **con · sin** *helados sin azúcar*

azul

1 azul adj.

• CON SUSTS. **bandera · pescado** *comer pescado azul* · **zona · sangre** *ser de sangre azul*

2 azul s.m.

• CON ADJS. **marino** *unos pantalones azul marino* · **celeste · turquesa · cobalto · petróleo**

• CON SUSTS. **cielo** *unas tonalidades azul cielo* · **añil · antracita · plomo**

➤ Véase también **COLOR**

azulado, da adj.

• CON SUSTS. **color · tono · tonalidad · coloración || luz · bruma · atmósfera · penumbra · destello · llama · humo || gris** *una chaqueta gris azulado* · **verde · blanco · blancura**

• CON VBOS. **ser · estar · poner(se)** *La llama se puso azulada con el gas* · **volver(se) · tornar(se)**

B b

baba s.f.

● CON SUSTS. **hilo (de)**
● CON VBOS. **limpiar** · **quitar** || **soltar** · **echar**

☐ EXPRESIONES **caérse(le) la baba** (a alguien) [experimentar gran satisfacción viendo u oyendo algo] *col. Al abuelo se le caía la baba al ver bailar a sus nietas* || **mala baba** [mala intención] *col. actuar con toda su mala baba*

babi s.m. Véase **ROPA**

[babor] → a babor

baca s.f.

● CON ADJS. **auxiliar**
● CON VBOS. **cargar** · **colocar** || **llevar (en)** *Llevábamos la bicicleta en la baca*

bacalao s.m.

● CON ADJS. **salado** · **desalado** *...y medio kilo de bacalao desalado cortado en tiras finas* · **en salazón** || **fresco** · **congelado** · **curado**
● CON SUSTS. **migas (de)** · **lomos (de)** *Han puesto de oferta los lomos de bacalao* · **aceite (de)** || **banco (de)**
● CON VBOS. **desalar** · **enharinar** · **desmigajar** · **cocinar** · **poner en remojo** · **echar en agua** *Tienes que echar el bacalao en agua un día antes de cocinarlo* || **pescar** · **capturar**

☐ EXPRESIONES **cortar el bacalao** [mandar o decidir] *col. ¿Quién es el que corta el bacalao aquí?*

bache s.m.

● CON ADJS. **profundo** · **hondo** · **gran(de)** || **pequeño** · **transitorio**
● CON VBOS. **atravesar** *Nuestra relación sentimental atraviesa ahora un profundo bache* || **esquivar** · **sortear** *sortear los baches de la carretera* · **remontar** · **superar** *superar un bache anímico* · **amortiguar** || **quitar** · **eliminar** || **caer (en)** *Cayeron en un bache económico del que será difícil que salgan* · **meter(se) (en)** · **pasar (por)** · **sumir(se) (en)** · **hundir(se) (en)** || **salir (de)** *Logré salir del bache con ayuda de mis amigos*

bachiller s.com.

● CON SUSTS. **título (de)** · **diploma (de)**
● CON VBOS. **estudiar**

bachillerato s.m.

● CON VBOS. **hacer** · **estudiar** · **cursar** || **iniciar** · **empezar** || **acabar** · **terminar** || **aprobar** · **superar**

bacilo s.m.

● CON SUSTS. **presencia (de)** · **infección (por)** · **existencia (de)**
● CON VBOS. **provocar** *Por fin han descubierto el bacilo que provocó la infección alimentaria* · **producir** · **causar** · **originar** || **descubrir** · **cultivar** || **luchar (contra)** · **contagiar (con)**

bacon s.m. Véase **beicon**

bacteria s.f.

● CON ADJS. **letal** · **dañina** · **nociva** || **resistente** *una bacteria resistente a algunos medicamentos* · **extendida** || **mutante**
● CON SUSTS. **aparición (de)** · **presencia (de)** || **infección (por)** · **contagio (por)**
● CON VBOS. **infectar (algo)** · **causar (algo)** *Un grupo de médicos investigadores descubre una bacteria que causa una enfermedad infecciosa* · **provocar (algo)** · **producir (algo)** · **originar (algo)** || **descubrir** · **detectar** · **hallar** || **aislar** *Los científicos lograron aislar la bacteria causante de la enfermedad* · **combatir**

bacteriológico, ca adj.

● CON SUSTS. **análisis** · **control** · **cultivo** || **programa** · **experimento** || **riesgo** · **guerra** · **ataque** · **amenaza** · **terrorismo** *luchar contra la amenaza del terrorismo bacteriológico* · **atentado** || **arma** · **armamento** · **arsenal** || **desarme**

bádminton s.m. Véase **DEPORTE**

bagaje s.m.

● CON ADJS. **amplio** *un amplio bagaje de lecturas* · **rico** · **enorme** · **inmenso** · **extenso** · **dilatado** · **vasto** · **preciado** · **envidiable** || **escaso** · **parco** || **cultural** · **profesional** *Su dilatado bagaje profesional la convertía en una candidata idónea para el puesto* · **educativo** · **económico** || **a cuestas**
● CON VBOS. **adquirir** · **tener** · **atesorar** · **incrementar** || **aportar** || **aligerar** · **apartar** || **cargar (con)**

bahía s.f.

● CON ADJS. **abierta** · **cerrada**
● CON VBOS. **recorrer** · **atravesar** · **cruzar** *Cruzamos la bahía en un pequeño transbordador* || **fondear (en)** *El barco fondeó en la bahía* · **recalar (en)** · **anclar (en)** · **desembarcar (en)** · **calar (en)**
● CON PREPS. **frente (a)** *un hotel situado frente a la bahía* · **junto (a)** · **al borde (de)**

bailaor, -a s.

● CON ADJS. **veterano,na · profesional · aficionado,da || gran · excelente · genial · maravilloso,sa · excepcional · consumado,da · único,ca · de primera · mediocre || popular · reputado,da · famoso,sa · de moda || de raza · innovador,-a · elegante · original**

● CON VBOS. **bailar · actuar · interpretar · protagonizar · intervenir · presentar** *La bailaora y coreógrafa presenta su espectáculo de esta temporada* · **estrenar (algo) || recibir aplausos · volver (a escena) · triunfar · fracasar**

bailar v.

● CON SUSTS. **cifra** *El resultado era incorrecto porque bailaban dos cifras* · **número · dato · letra**

● CON ADJS. **agarrado,da** *En mis tiempos jóvenes bailábamos agarrados* · **suelto,ta**

● CON ADVS. **al compás · con soltura** *Si practicas, acabarás bailando con soltura* · **con gracia · con arte · acompasadamente · desacompasadamente · con ritmo || animadamente** *La gente bailaba animadamente en la verbena* · **desenfrenadamente · de lo lindo**

● CON VBOS. **sacar (a) · llevar (a) · invitar (a) || aprender (a)**

bailarín, -a s.

● CON ADJS. **profesional · veterano,na · aficionado,da || destacado,da · primer,-a** *Participaron en la gala los primeros bailarines de distintas compañías internacionales* · **extraordinario,ria · inmejorable · único,ca · admirable · excepcional · de moda · consumado,da || clásico,ca · moderno,na**

● CON SUSTS. **escuela (de) · oficio (de) · arte (de)**

● CON VBOS. **actuar · ensayar · interpretar** *Los bailarines interpretarán fragmentos de obras clásicas* · **intervenir · ofrecer || reemplazar · sustituir**

baile

1 baile s.m.

● CON ADJS. **regional · tradicional · típico · clásico · de salón · moderno · folclórico || lento · rápido · movido · frenético · desenfrenado · vivo · acompasado · estilizado || agarrado · suelto · en parejas || animado · bullicioso · concurrido · apagado || popular · de gala** *El baile de gala comenzó a medianoche* · **de moda · de postín || de disfraces · de carnaval · de máscaras**

● CON SUSTS. **pista (de)** *En cuanto sonó la música, se llenó la pista de baile* · **sala (de) · salón (de) || música (de) · ritmo (de) · paso (de)** *He aprendido unos cuantos pasos de baile* **|| pareja (de)** *...y nos presentó a su pareja de baile* · **compañero,ra (de) || profesor,-a (de) · maestro,tra (de) || compañía (de) · cuerpo (de)** *La clausura del acto estuvo a cargo del cuerpo de baile del Centro Regional Sur* · **grupo (de) || clase (de) · sesión (de) · lección (de) || academia (de) · escuela (de) || zapatilla (de)** *Se puso sus zapatillas de baile y comenzó a bailar* · **traje (de) || concurso (de) · festival (de) · exhibición (de) · número (de)**

● CON VBOS. **celebrar** *Este sábado celebramos el baile de graduación* · **organizar · aguar || aprender · enseñar · practicar · improvisar || ir (a) · asistir (a)** *El embajador asistirá al baile de gala* · **acudir (a) · invitar (a)**

● CON PREPS. **al compás (de)** *Las parejas se movían al compás cadencioso del baile*

2 baile (de) s.m.

● CON SUSTS. **cifras** *Alguien tendrá que explicar este baile de cifras* · **números · datos · letras || debutantes · nombres · cargos**

□ EXPRESIONES **baile de San Vito** [enfermedad convulsiva] *col. No para quieto, parece que tiene el baile de San Vito*

[baja] s.f. →a la baja; bajo, ja

bajada s.f.

● CON ADJS. **pronunciada · considerable** *Se espera una considerable bajada de las temperaturas* · **significativa · ostensible · abultada · brusca** *La brusca bajada de las cotizaciones sorprendió a los inversores* · **abrupta · fuerte · generalizada · espectacular · larga || en picado · vertiginosa** *Los excursionistas contemplaron desde arriba la vertiginosa bajada* · **drástica · alarmante || ligera · moderada · suave · leve || escalonada · gradual · paulatina · progresiva || lineal**

● CON VBOS. **registrar(se) · producir(se)** *Se produjo una bajada de los precios como consecuencia de un aumento de la oferta* · **acelerar(se) || remitir · ceder · suavizar(se) || provocar** *El calor y el agobio de gente me provocó una bajada de tensión* · **incentivar · favorecer || prever · sufrir · experimentar · acusar · anunciar · aplicar · fijar || amortiguar · frenar · controlar**

bajar v.

● CON SUSTS. **telón · persiana · toldo · ventanilla · bandera · mirada || peldaño · escalera · montaña · cuesta || nivel** *En estos últimos años ha bajado considerablemente el nivel de los alumnos* · **listón · calificación · media · puntuación · nota || tipo de interés · impuesto · precio** *Vamos a esperar a ver si bajan un poco los precios* · **tasa · inflación · déficit · tarifa · cotización · gasto || bolsa** *La Bolsa bajó ayer un punto porcentual* · **acción · mercado de valores || tono** *bajar el tono de voz* · **voz · volumen · sonido || temperatura · presión · marea || velocidad** *El cartel nos indicaba que bajáramos la velocidad* · **frecuencia · tensión · intensidad || documento** *No apagues el ordenador que me estoy bajando un documento de internet* · **archivo · música**

● CON ADVS. **considerablemente** *Gracias a las nuevas medidas, el número de desempleados bajó considerablemente* · **notablemente · significativamente · ostensiblemente · drásticamente · alarmantemente · bruscamente** *Le bajó la tensión bruscamente y se desmayó* · **abruptamente · en picado · vertiginosamente · a toda prisa || ligeramente** *A partir del lunes las temperaturas bajarán ligeramente* · **lentamente · imperceptiblemente || escalonadamente · gradualmente · paulatinamente · progresivamente**

bajeza s.f.

● CON ADJS. **moral** *Sus actos reflejan una bajeza moral incalificable* · **humana · política || incalificable · intolerable · despreciable · miserable · impropia (de alguien)**

● CON VBOS. **cometer** *Caballeros, les aseguro que el Corsario es incapaz de cometer semejante bajeza* **|| tachar (de) · calificar (de) || incurrir (en) · caer (en)**

[bajo, ja] →bajo, ja; bajo control; bajo cuerda; bajo fianza; bajo juramento; bajo llave; bajo manga; bajo ningún concepto; bajo sospecha; bajo techo; bajo tierra; por lo bajo

bajo, ja

1 bajo, ja adj.

● CON SUSTS. **rango** *Es un oficial de bajo rango* · **puesto · clase** *las clases bajas de la sociedad* · **esfera · estatus || cámara || calificación** *Con bajas calificaciones no pasarás de curso* · **nota || cualificación · prestación · calidad · capacidad || estima** *La falta de oportunidades hace que algunas personas tengan una baja estima* · **aceptación ||**

impuesto · **arancel** · **tasa** · **cuota** · **tarifa** *...piden tarifas más bajas para vuelos nacionales* · **precio** · **valor** · **costo** || **salario** · **sueldo** · **ingreso** · **beneficio** || **cotización** · **rendimiento** · **rentabilidad** · **inflación** *Este año la inflación ha sido más baja que el pasado* || **demanda** · **consumo** *Este coche tiene un bajo consumo de combustible* || **número** · **cifra** *Esas cifras son muy bajas para las previsiones que se tenían* || **cota** · **nivel** *Si el nivel de aceptación es bajo, retirarán el producto* · **grado** · **índice** · **promedio** · **porcentaje** || **frecuencia** · **voltaje** · **tensión** · **intensidad** · **densidad** · **volumen** · **temperatura** *Este material resiste bien las bajas temperaturas* · **fiebre** · **presión** · **velocidad** · **cilindrada** || **voz** *Habla en voz baja, por favor* · **tono** || **riesgo** · **seguridad** · **responsabilidad** || **marea** *La playa es más ancha en momentos de marea baja* · **mar** || **dirección** · **lugar** · **punto** *Llegaron al punto más bajo que pudieron* || **vuelo** · **pase** · **disparo** · **lanzamiento** *Con un lanzamiento bajo y cruzado sentenció el marcador* · **tiro** || **hora** *estar en horas bajas*

● CON ADVS. **considerablemente** *una cantidad considerablemente baja* · **notablemente** · **sumamente** · **ostensiblemente** · **excesivamente** · **desmesuradamente** · **alarmantemente** *En esas regiones el índice de alfabetización es alarmantemente bajo* || **moderadamente** · **suficientemente**

2 **bajo** s.m.

▮ [instrumento musical]

● CON ADJS. **continuo** *...presentó tres sonatas para violín y bajo continuo* · **eléctrico**

➤ Véase también **INSTRUMENTO MUSICAL**

▮ [en la ropa]

● CON VBOS. **subir** *subir el bajo de los pantalones* · **meter** · **coger** || **bajar** · **sacar** *sacar el bajo a la falda* || **dejar**

3 **baja** s.f.

▮ [cese]

● CON ADJS. **temporal** · **provisional** *Me han dado una baja provisional, mientras se resuelve mi caso* · **definitiva** · **inmediata** · **fulminante** || **voluntaria** *He pedido la baja voluntaria porque no puedo continuar así* · **cautelar** || **laboral** *Los problemas de espalda son una de las principales causas de baja laboral* · **médica** · **{de/por} maternidad** · **maternal**

● CON VBOS. **causar** *Más de un centenar de miembros causaron baja en la organización en lo que va de año* · **ser** || **pedir** · **solicitar** || **conceder** · **dar** *Si me operan, me darán la baja durante una semana* · **denegar** · **posponer** · **negar** || **obtener** · **conseguir** · **recibir** || **expedir** · **firmar** · **tramitar** *En esta oficina se tramitan las bajas por enfermedad* || **incentivar** || **dar(se) (de)** · **estar (de)** *Mi compañero se rompió una pierna y está de baja*

▮ [pérdida humana]

● CON ADJS. **numerosas** *El batallón sufrió numerosas bajas durante el ataque* · **incontables** · **innumerables** · **escasas** || **humana** · **civil** · **militar** || **francesa** · **española** · ***otros gentilicios***

● CON VBOS. **infligir** · **producir(se)** *El ataque produjo dos bajas civiles* · **tener** · **calcular**

4 **bajo** adv.

● CON VBOS. **hablar** *Habla un poco más bajo, por favor* · **cantar** || **volar** || **caer** *Nunca pensé que pudieras caer tan bajo* || **puntuar** *Esta profesora suele puntuar bajo* · **calificar** || **apuntar** *Si quieres dar en el blanco, apunta más bajo* · **tirar**

5 **bajo** prep.

● CON SUSTS. **régimen** *Este pueblo vivió durante años bajo un régimen totalitario* · **dictadura** · **reinado** · **mando** · **dominio** · **poder** || **tutela** *Todavía está bajo tutela paterna* · **influjo** · **influencia** · **efecto** · **presión** *aceptar bajo presión* || **pena** · **condena** || **palabra** *otorgar la libertad bajo palabra* · **juramento** · **fianza** || **palio** *...entró en la iglesia bajo palio* · **techo** · **techado** || **sospecha** || **cuerda** *...y actúa bajo cuerda porque no se atreve a dar la cara* || **nombre** · **etiqueta** · **seudónimo** *Para sortear la censura el escritor firmaba bajo seudónimo* || **cero** *tres grados bajo cero* || **concepto** *No lo haré bajo ningún concepto* || **llave**

☐ EXPRESIONES **por lo bajo*** [en voz baja o en secreto]

bajo control loc.adv.

● CON VBOS. **estar** *La situación está bajo control* · **encontrar(se)** · **hallar(se)** · **poner** · **mantener(se)** · **tener** · **quedar** · **permanecer** · **seguir** · **continuar**

bajo cuerda loc.adv.

● CON VBOS. **pagar** · **cobrar** *Cobraron un sobresueldo bajo cuerda por hacer el trabajo sucio* · **financiar** · **mantener** || **conceder** · **apoyar** · **ayudar** · **promover** || **actuar** *Actúan bajo cuerda, pero todo el mundo conoce sus trapicheos* · **maniobrar** · **negociar** || **difundir**

bajo fianza loc.adv./loc.adj.

● CON VBOS. **salir** *El acusado salió bajo fianza...* · **dejar libre** · **poner en libertad** · **liberar**

● CON SUSTS. **libertad** *El autor del delito se encuentra actualmente en libertad bajo fianza*

bajo juramento loc.adv./loc.adj.

● CON VBOS. **declarar** · **responder** · **reconocer** · **atestiguar** · **interrogar**

● CON SUSTS. **declaración** · **testimonio**

bajo llave loc.adv.

● CON VBOS. **cerrar** · **encerrar** · **esconder** · **guardar** *Es muy desconfiado y guarda todos sus papeles bajo llave* · **custodiar** · **poner** · **mantener**

bajo manga loc.adv.

● CON VBOS. **apoyar** · **dar** *A algunos empleados se les da bajo manga cierta cantidad si consiguen un buen rendimiento* · **entregar** · **obtener** || **pagar** · **cobrar** || **hacer**

bajón

1 **bajón** s.m.

● CON ADJS. **brusco** · **repentino** *Las temperaturas experimentaron un bajón repentino* · **inesperado** · **espectacular** || **físico** · **especulativo** · **deportivo** · **económico** · **anímico** · **psicológico**

● CON VBOS. **venirle (a alguien)** · **sobrevenirle (a alguien)** || **pegar** *El equipo pegó un bajón de forma tras un mes sin entrenar* · **dar** · **sufrir** *En invierno las ventas de artículos playeros sufren un bajón* · **experimentar** · **tener** || **sobreponerse (a/de)**

2 **bajón (de)** s.m.

● CON SUSTS. **tensión** *Me desmayé por un bajón de tensión* · **temperatura** · **ánimo** · **sentimiento** · **juego**

bajo ningún concepto loc.adv.

● CON VBOS. **aceptar** · **admitir** · **permitir** *No permitiré bajo ningún concepto una insubordinación de este tipo* · **tolerar** · **consentir** · **ceder** · **justificar**

☐ USO Se usa en contextos negativos.

bajo sospecha loc.adv.

● CON VBOS. **estar** · **hallarse** · **encontrarse** *Tras las acusaciones de fraude, el certamen se encuentra bajo sospecha* · **seguir** · **sentirse** || **poner** *Las autoridades sanitarias pusieron bajo sospecha todos los productos procedentes de aquella fábrica* · **mantener** || **detener** · **arrestar** · **encarcelar** · **retener** || **declarar**

bajo techo loc.adv./loc.adj.

● CON VBOS. **refugiarse** · **dormir** · **aparcar** · **acoger**
● CON SUSTS. **deporte** *un lugar idóneo para practicar los llamados deportes bajo techo* · **práctica deportiva** || **campeonato** · **torneo** · **partido**

bajo tierra loc.adv. *col.*

● CON VBOS. **hacer** · **realizar** · **construir** *Han construido bajo tierra un tramo de la autopista* || **encontrar(se)** · **hallar(se)** · **estar** || **esconder** · **meter** · **poner** || **descansar** *El difunto ya descansa bajo tierra* || **vivir** · **trabajar** || **pasar** · **atravesar**

bakalao s.m.

● CON SUSTS. **ruta (de)** || **música** · **versión** *una balada en versión bakalao*
● CON VBOS. **bailar** · **oír** · **escuchar** || **poner** · **pinchar**

[bala] → bala; como una bala

bala s.f.

● CON ADJS. **certera** · **traicionera** · **trazadora** || **de fogueo** *cargar con balas de fogueo* · **de goma** · **de cañón** · **de fusil** · **de pistola**
● CON SUSTS. **impacto (de)** · **herida (de)** *El joven presentaba una herida de bala en el muslo* · **orificio (de)** · **agujero (de)** || **ruido (de)** · **disparo (de)** · **sonido (de)** · **silbido (de)** || **lluvia (de)** · **ráfaga (de)** || **calibre (de)** · **casquillo (de)** *En el lugar de los hechos se encontró un casquillo de bala* || **tren** *ciudades unidas por el tren bala*
● CON VBOS. **impactar** · **dar** *La bala dio en el blanco* · **alcanzar** · **rozar** || **entrar** · **atravesar** · **perforar** · **estallar** || **herir** · **matar** || **silbar** *...las balas silbaban sobre nuestras cabezas* || **disparar** *Disparó todas las balas del cargador* · **dirigir** · **errar** || **agotar** · **acabar** || **recibir** · **incrustar(se)** · **extraer** · **penetrar** || **cargar (de/con)**
● CON PREPS. **a prueba (de)** *un cristal a prueba de balas* · **a resguardo (de)**
□ EXPRESIONES **bala perdida** [persona juerguista y poco juiciosa] *col. Antes era un bala perdida, pero ya ha sentado la cabeza* || **como una bala*** [muy velozmente] *col. ¿Por qué saliste como una bala?*

balada s.f.

● CON ADJS. **dulce** · **romántica** · **triste** · **lenta** · **intimista** · **trasnochada** · **nostálgica** · **tierna** · **bella** · **melosa** || **rítmica** · **cadenciosa** || **popular** · **famosa** · **célebre**
● CON SUSTS. **disco (de)** *El cantautor presentará este mes su nuevo disco de baladas* · **cantante (de)**
● CON VBOS. **sonar** || **escribir** · **cantar** · **tararear** *Salimos del concierto tarareando sus baladas* · **interpretar** · **componer** · **arreglar** · **adaptar** · **versionar**
● CON PREPS. **al ritmo (de)** · **al son (de)**

balance s.m.

● CON ADJS. **de pagos** · **económico** · **cualitativo** || **provisional** · **final** *El balance final es positivo* · **oficial** || **positivo** · **favorable** · **halagüeño** · **esperanzador** || **negativo** · **trágico** · **terrible** · **demoledor** · **desolador** · **catastrófico** *Los disturbios se saldaron con un catastrófico balance* · **agridulce** || **detallado** · **preciso** · **escueto** · **somero** · **exhaustivo** || **certero** · **concluyente** || **equilibrado** · **ajustado** · **nivelado**
● CON VBOS. **hacer** *Tras veinte años de vida en común, hizo balance de su matrimonio* · **preparar** · **elaborar** · **confeccionar** · **establecer** · **calcular** · **trazar** · **dilucidar** · **desglosar** · **pronosticar** || **maquillar** *El contable trató de maquillar el balance* · **enmendar** · **nivelar** · **apuntalar** || **presentar** · **publicar** || **arrojar** *Las cuentas arrojan un balance negativo*

balanza s.f.

▌[báscula]

● CON ADJS. **de precisión** *Pesó el oro en una balanza de precisión* · **de cruz** · **electrónica** || **equilibrada** · **desequilibrada** · **exacta** · **imprecisa** · **nivelada**
● CON VBOS. **desequilibrar(se)** · **desnivelar(se)** || **equilibrar** · **nivelar** · **contrapesar** · **ajustar**

▌[justicia]

● CON ADJS. **ecuánime** · **justa** || **vacilante**
□ EXPRESIONES **balanza de pagos** [registro contable de un país y el resto del mundo] || **inclinar la balanza** [decidir un asunto en favor de alguien o de algo] *Su declaración inclinó la balanza a favor del demandante* || **poner en la balanza** [sopesar] *poner en la balanza los pros y los contras de un asunto*

balar v.

● CON SUSTS. **oveja** *La oveja balaba quejumbrosamente al verse perdida* · **carnero** · **cabra** · **cordero,ra** · **borrego,ga** || **rebaño**
● CON ADVS. **atronadoramente** · **al unísono**

balazo s.m.

● CON ADJS. **certero** *Desarmó a su atacante de un certero balazo*
● CON VBOS. **disparar** · **descerrajar** · **pegar** · **meter** || **recibir** *Recibió un balazo en la pierna* || **coser (a)** · **acribillar (a)** *acribillar a balazos a una persona* · **freír (a)** || **morir (de)** *Murió de un balazo en el corazón* · **matar (a)** · **asesinar (a)** · **abatir (a)**

balbucear v.

● CON SUSTS. **palabra** *Avergonzado, balbuceé unas palabras de disculpa* · **frase** · **excusa** · **respuesta** · **disculpa** · ***otras manifestaciones verbales***
● CON ADVS. **entrecortadamente** · **tímidamente** · **a trompicones** || **con dificultad** · **a duras penas** *Balbuceó a duras penas una frase ininteligible y cayó desmayado*

balcón s.m.

● CON ADJS. **principal** · **municipal** · **consistorial** *Desde el balcón consistorial, el alcalde leerá el pregón con el que se iniciarán las fiestas* || **corrido**
● CON VBOS. **abrir(se)** *Abrí el balcón para que se ventilara la habitación* · **cerrar(se)** || **asomar(se) (a)** · **salir (a)** · **subir (a)** · **entrar (por)** · **escapar (por)** *Los ladrones escaparon por el balcón de la vivienda*

baldado, da adj. *col.*

● CON SUSTS. **cuerpo** *tener el cuerpo baldado por el esfuerzo* || ***persona*** *Si estaría baldado el pobre hombre que se quedó dormido en el sillón* || **aspecto** · **estado**
● CON VBOS. **dejar** *El esfuerzo me dejó baldado* · **quedar(se)** · **estar**

[balde] → en balde

baldío, a adj.

▮ [que no da fruto]

● CON SUSTS. **campo** · **predio** *...en pocos meses será un predio baldío* · **solar** · **terreno** · **territorio** · **tierra** · **bosque**

▮ [sin utilidad]

● CON SUSTS. **esfuerzo** *Todos mis esfuerzos por alcanzar mi objetivo fueron baldíos* · **intento** · **tentativa**

balido s.m.

● CON ADJS. **tierno** *...el tierno balido de los corderos* · **suave** · **ronco** · **entrecortado**

● CON VBOS. **dar** · **emitir** · **soltar** || **oír** *Se oían a lo lejos los balidos de las ovejas* · **escuchar**

baliza s.f.

● CON ADJS. **de emergencia** · **fluorescente** *unas balizas fluorescentes para delimitar la pista* · **reflectante** · **luminosa** · **abatible**

● CON VBOS. **activar** *activar la baliza de emergencia* · **respetar** · **saltarse**

ballena s.f.

● CON ADJS. **asesina** || **jorobada**

● CON SUSTS. **caza (de)** *campañas contra la caza de ballenas* · **captura (de)** · **defensa (de)** || **lenguaje (de)** *un estudio sobre el lenguaje de las ballenas* || **ejemplar (de)** · **piel (de)** · **aceite (de)** || **macho** · **hembra**

● CON VBOS. **resoplar** · **nadar** · **surcar (las aguas)** || **avistar** · **cazar** · **capturar** · **salvar** · **proteger** *una asociación dedicada a proteger las ballenas*

ballet s.m.

● CON ADJS. **clásico** *practicar ballet clásico* · **contemporáneo** · **moderno** || **acrobático** · **sincronizado** · **romántico** · **folclórico** || **disciplinado**

● CON SUSTS. **estrella (de)** · **bailarín,-a (de)** · **solista (de)** · **figura (de)** || **compañía (de)** *dirigir una compañía de ballet contemporáneo* · **grupo (de)** || **academia (de)** · **escuela (de)** · **sesión (de)** · **clase (de)** || **espectáculo (de)** · **función (de)** · **representación (de)** · **festival (de)** · **certamen (de)** || **paso (de)** *aprender unos pasos de ballet*

● CON VBOS. **bailar** · **practicar** · **estudiar** || **abandonar** || **dedicar(se) (a)** · **iniciar(se) (en)**

balompié s.m. Véase **DEPORTE**

balón s.m.

● CON ADJS. **imparable** *El delantero envió al portero un balón imparable* · **endemoniado** · **endiablado** · **largo** || **fácil**

● CON SUSTS. **control (de)** · **posesión (de)** · **dominio (de)** || **toque (de)** · **lanzamiento (de)** · **movimiento (de)** · **manejo (de)**

● CON VBOS. **desinflar(se)** · **deshinchar(se)** || **hinchar** · **inflar** || **pinchar** · **reventar** || **aprovechar** · **lanzar** *La jugadora lanzó el balón con todas sus fuerzas hasta el otro lado del campo* · **golpear** · **botar** · **rebotar** · **dirigir** · **tocar** · **ceder** · **cruzar** · **pasar** · **cabecear** · **jugar** · **devolver** · **achicar** || **perder** *El delantero perdió un balón en un momento decisivo para sentenciar el partido* · **malgastar** || **llevar** · **controlar** *El delantero no supo controlar el balón* · **desviar** · **recuperar** · **robar** · **recibir** · **meter** · **tener** · **rematar** · **despejar** · **detener** · **peinar** · **estrellar** *...pero estrelló el balón en el larguero* · **parar** || **rodar**

☐ EXPRESIONES **a balón parado** [con el juego detenido] || **balón de oxígeno** [alivio recibido en una situación difícil] *La ampliación del plazo fue un balón de oxígeno* || **balón medicinal** [balón que sirve para fortalecer los músculos] || **echar balones fuera** [contestar con evasivas] *col. Pidió al entrevistado que dejara de echar balones fuera*

balonazo s.m.

● CON ADJS. **largo** · **seco** · **lejano**

● CON VBOS. **estrellar** · **enviar** · **tirar** · **despejar**

➤ Véase también **GOLPE**

baloncesto s.m. Véase **DEPORTE**

balonmano s.m. Véase **DEPORTE**

balonvolea s.m. Véase **DEPORTE**

balsa s.f.

▮ [embarcación]

● CON ADJS. **de salvamento** · **salvavidas** *Tres balsas salvavidas acudieron en ayuda del barco siniestrado* || **neumática** · **hinchable** || **frágil** · **estable** · **inestable**

● CON VBOS. **hundir(se)** *La balsa no pudo resistir la tormenta y se hundió* · **ir a la deriva** · **naufragar** || **botar** · **anclar** || **fabricar** || **navegar (en)** · **achicar agua (de)**

▮ [masa de agua o de otro material]

● CON ADJS. **minera** · **tóxica** · **de agua** · **de residuos** *La rotura de una balsa de residuos mineros originó un vertido tóxico* · **de decantación** · **de vertidos**

● CON SUSTS. **sellado (de)** · **rotura (de)**

● CON VBOS. **construir** · **reventar** *Las rocas reventaron la balsa*

☐ EXPRESIONES **balsa de aceite** [lo que está en calma o sin tensiones] *col. Pese a todo, el último congreso fue una balsa de aceite*

balsámico, ca adj.

● CON SUSTS. **efecto** *El emotivo discurso tuvo un efecto balsámico en la población* · **reacción** · **resultado** · **propiedad** || **cataplasma** · **apósito** · **pomada** || **triunfo** · **victoria** || **carácter** || **vinagre** *Por último le añades un chorrito de vinagre balsámico y lo mezclas todo*

bálsamo s.m.

● CON ADJS. **eficaz** *Tu visita ha sido un bálsamo eficaz contra el aburrimiento* · **salvador** · **perfecto** || **mágico** · **prodigioso** *Estas familias que acogen a los refugiados son un bálsamo prodigioso para los niños de la guerra* · **divino** · **espiritual** · **milagroso** || **calmante** · **consolador** · **tranquilizador** · **vivificador** || **terapéutico** · **curativo** · **reparador**

● CON VBOS. **aliviar** · **mitigar** *un bálsamo para mitigar el dolor* · **ayudar** || **sanar** · **curar** · **surtir efecto** || **aplicar** *Se debe aplicar el bálsamo tres veces al día* · **dar** · **administrar** · **poner** || **preparar** || **buscar** · **encontrar** || **actuar (de/como)** · **servir (de/como)**

bambolearse v.

● CON ADVS. **levemente** · **ligeramente** · **suavemente** · **delicadamente** || **de un lado a otro** · **de un extremo a otro** *Con el viento, las ramas se bambolean de un extremo al otro* || **continuamente** || **rítmicamente**

bamboleo s.m.

• CON ADJS. **ligero · constante · suave · inseguro || rítmico · acompasado || sujeto,ta (a)**
• CON PREPS. **al compás (de) · al ritmo (de)**

bambú s.m.

• CON SUSTS. **caña (de)** *un techado cubierto de caña de bambú* · **hoja (de) · tallo (de) || bosque (de) || mueble (de) · silla (de) · cortina (de) || cabaña (de) · casa (de) · choza (de)**
• CON VBOS. **brotar · nacer · despuntar · crecer || secar(se) · ajar(se) · morir || reverdecer · rebrotar || cultivar** *Algunos pueblos cultivan bambú para fabricar muebles* · **sembrar · producir · cosechar · plantar || cortar · arrancar**

bananero, ra adj.

• CON SUSTS. **república** *Estas cuestiones son las que diferencian a los países democráticos de las repúblicas bananeras* · **dictadura · régimen || zona · país · región · finca · plantación || sector · gremio · industria · empresa || exportación · producción**

banca s.f.

▮ [conjunto de entidades financieras]

• CON ADJS. **pública · privada** *Las medidas adoptadas por la banca privada se han basado en...* · **central · local · nacional · mundial · internacional · estatal || comercial** *Es preciso subsanar las deudas con la banca comercial* · **telefónica · electrónica · doméstica · mayorista · de inversiones**
• CON SUSTS. **deudor,-a (de) · acreedor,-a (de) || empleado,da (de)** *Los empleados de banca han convocado una huelga* · **representante (de) · responsable (de)**
• CON VBOS. **renovar · recuperar · reestructurar · privatizar || supervisar** *La responsabilidad recae sobre el organismo encargado de supervisar la banca privada* · **controlar · gestionar**

▮ [asiento]

• CON ADJS. **cómoda · incómoda** *Esperaba sentado en la incómoda y fría banca de piedra que...*
• CON VBOS. **sentar (en) · recostarse (en)**

bancal s.m.

• CON ADJS. **árido · arenoso · pedregoso** *un paisaje agrícola de bancales pedregosos*
• CON VBOS. **construir · hacer · usar · cultivar || distribuir (en) · dividir (en)** *Los campesinos de esta comarca dividen sus tierras en bancales para el cultivo del cereal*

bancario, ria adj.

• CON SUSTS. **cuenta · libreta · depósito · préstamo · crédito · talón · cheque** *La compradora de los terrenos entregó un cheque bancario al vendedor en presencia de un notario* · **tarjeta || transacción · movimiento** *consultar los movimientos bancarios* · **operación · negocio · transferencia · domiciliación · gestión · embargo · aval · financiación || interés · comisión · deuda · acción · valor · activo · rendimiento · endeudamiento || documento** *En la mudanza se perdieron importantes documentos bancarios* · **informe · dato · secreto || institución · entidad · establecimiento · instalación · oficina · grupo · sucursal** *El pago puede efectuarse en cualquier sucursal bancaria* · **agencia · sector · industria · empresa · patronal · fundación · fusión · autoridad || empleado,da** *Muchos empleados bancarios tienen jornada intensiva los meses de verano* · **ejecutivo,va · acreedor,-a · delegado,da · consejero,ra · asesor,-a || crisis · error · fraude** *En este fraude bancario están implicadas varias personalidades del mundo de las finanzas* **|| sistema · actividad · mercado · práctica · servicio || seguridad · garantía · legislación**

bancarrota s.f.

• CON ADJS. **completa · total** *llevar a una empresa a la bancarrota total* · **absoluta**
• CON VBOS. **consumar(se) || provocar || evitar** *Diversas instituciones internacionales ofrecieron ayuda económica al país para evitar su bancarrota* · **paliar || caer (en) · encontrar(se) (en) || declarar(se) (en) || llevar (a) · ir (a) · conducir (a) · dejar (en) · hundir(se) (en)** *Una pésima gestión hundió a la empresa en la bancarrota* · **sumir(se) (en) || salvar (de)** *La subida de la bolsa los salvó de la bancarrota* · **sacar (de)**
• CON PREPS. **al borde (de)** *dejar al borde de la bancarrota* · **al filo (de)**

banco

1 **banco** s.m.

▮ [institución financiera]

• CON ADJS. **emisor · acreedor || virtual** *El banco virtual nos ofrecía un tipo de interés más bajo* · **comercial · privado · central · oficial · autorizado**
• CON SUSTS. **sucursal (de) · filial (de) || director,-a (de) · empleado,da (de) || cuenta (de)**
• CON VBOS. **cobrar · financiar · conceder || auditar · gestionar · privatizar || atracar || ingresar dinero (en) · meter (en) · sacar (de)** *Acababa de sacar dinero del banco, cuando...* · **llevar (a) · depositar (en) || abrir cuenta (en) || pedir (a)** *Habíamos pedido un préstamo al banco, pero nos lo denegaron*

▮ [asiento]

• CON VBOS. **ocupar || sentar(se) (en)** *¿Quieres que nos sentemos en algún banco de ese parque?* · **apoyar(se) (en) · descansar (en)** *Lo mejor será que descansemos en este banco* · **tumbar(se) (en) · recostar(se) (en) · echar(se) (en) · levantar(se) (de)**

2 **banco (de)** s.m.

• CON SUSTS. **atunes** *El barco localizaba los bancos de atunes con un sónar* · **sardinas · arenques ·** ***otros peces*** **|| arena · hielo · niebla || sangre** *El banco de sangre precisa donantes* · **semen · órganos || datos**

banda s.f.

▮ [grupo]

• CON ADJS. **criminal · terrorista · armada · organizada** *Bandas organizadas controlan el tráfico de estupefacientes* · **mafiosa · proscrita || juvenil || de música** *Una banda de música cerraba el desfile* · **municipal · de rock**
• CON SUSTS. **jefe,fa (de) · cabecilla (de) · miembro (de) · integrante (de)**
• CON VBOS. **desintegrar(se) · desmembrar(se) · disgregar(se) · fragmentar(se) · escindir(se)** *La banda criminal se escindió en varios grupúsculos* **|| formar · montar** *Se inició en la música montando una banda de rock con sus amigos* · **organizar · componer · articular · fortalecer || capitanear · liderar · encabezar · comandar || desarticular** *La Policía desarticuló una banda de estafadores* · **desbaratar · desmantelar || pertenecer (a) · formar parte (de) · entrar (en)** *Para entrar en la banda hay que superar una difícil prueba* · **salir (de)**

▮ [cinta, franja o lado]

●CON ADJS. **sonora** *la banda sonora de una película* · **de sonido** || **magnética** *Se estropeó la banda magnética de mi tarjeta de crédito* || **ancha** · **estrecha** · **larga** · **corta** || **izquierda** *El jugador corría por la banda izquierda* · **derecha** || **de rodadura** · **de rodada**
●CON SUSTS. **ancho (de)** || **saque (de)**
●CON VBOS. **cortar** · **estirar**

□EXPRESIONES **cerrarse en banda** [obstinarse en una actitud, negándose a ceder] *col.* || {**coger/pillar**} **por banda** (a alguien) [abordarlo para tratar un asunto o darle su merecido] *col. ¡Cuando coja por banda a ese sinvergüenza, va a saber lo que es bueno!* || **jugar a dos bandas** [actuar intentando complacer a distintas partes] *Dice que está de nuestra parte, pero yo creo que juega a dos bandas*

bandada (de) s.f.

●CON SUSTS. **pájaros** *Una bandada de pájaros pasó sobre nuestras cabezas* · **palomas** · **gaviotas** · ***otras aves***

bandazo s.m.

●CON ADJS. **constante** · **fuerte** · **frecuente** · **peligroso** || **político** *El electorado castigó los bandazos políticos del partido* · **ideológico**
●CON VBOS. **dar** *Varios testigos han asegurado que el camión dio varios bandazos dentro del túnel* · **pegar** || **aguantar** · **evitar** · **sufrir** · **superar**

[bandeja] → bandeja; en bandeja

bandeja s.f.

●CON ADJS. **llena** · **repleta** *una bandeja repleta de pasteles* · **vacía** || **gran(de)** · **pequeña** · **honda** · **ligera** · **pesada**
●CON VBOS. **llenar** · **vaciar** · **adornar** || **tapar** · **destapar** || **untar** · **rebañar** || **calentar** || **llevar** · **retirar** · **coger** · **colocar** · **levantar**

□EXPRESIONES **en bandeja*** [de manera que sea fácil conseguir algo] *Te han puesto en bandeja una oportunidad única, no la desaproveches*

[bandera] → bandera; de bandera

bandera s.f.

●CON ADJS. **identificativa** · **representativa** · **emblemática** · **patria** · **nacional** || **a media asta** || **ondulante** || **blanca** · **de (la) paz** || **española** · **venezolana** · ***otros gentilicios***
●CON VBOS. **ondear** *Frente al palacio de congresos ondeaban las banderas de los países participantes en la convención* · **flamear** · **ondular** || **izar** · **arriar** · **subir** · **bajar** · **desplegar** · **doblar** || **agitar** · **enarbolar** · **esgrimir** · **blandir** · **plantar** || **honrar** · **jurar** *Los reclutas juraron bandera* || **alistarse (en)** · **envolver(se) (en)**
●CON PREPS. **bajo** *las fuerzas que actuaron bajo las banderas comunitarias...*
●CON ADVS. **al viento**

□EXPRESIONES **de bandera*** [excelente en su clase] *col.* || **hasta la bandera** [completamente lleno]

banderilla s.f.

▮ [palo adornado que el torero clava al toro]

●CON ADJS. **negra** *un toro condenado a banderillas negras* · **corta** · **de fuego**
●CON SUSTS. **tercio (de)** · **par (de)** *Colocó tres pares de banderillas...*
●CON VBOS. **poner** · **clavar** · **colocar** *El triunfador de la tarde colocó tres pares de banderillas* || **esperar (en)** *Un toro manso que esperó en banderillas...* · **dolerse (en)**

▮ [aperitivo]

●CON ADJS. **picante** *He comprado un bote de banderillas picantes*

bandido, da s.

●CON ADJS. **popular** · **célebre** · **famoso,sa** · **legendario,ria** || **desalmado,da** · **temible** *El temible bandido se abalanzó sobre la caravana* || **generoso,sa** · **bondadoso,sa** · **honrado,da** || **solitario,ria** · **armado,da**
●CON SUSTS. **grupo (de)** · **banda (de)** · **panda (de)**
●CON VBOS. **atracar (a alguien)** · **asaltar (a alguien)** · **asesinar (a alguien)** · **matar (a alguien)** · **ametrallar (a alguien)** · **secuestrar (a alguien)** · **saquear (algo)** · **combatir** || **detener** · **capturar** · **descubrir** · **atrapar** *Atraparon al bandido antes de que escapase* · **acechar** · **apresar** · **prender** · **encarcelar**

bando s.m.

▮ [comunicado oficial]

●CON ADJS. **municipal** · **informativo** · **público**
●CON VBOS. **publicar** · **hacer público** · **dictar** *El alcalde dictó un bando en el que pedía a los ciudadanos...* · **promulgar** · **sacar** || **leer**

▮ [agrupación]

●CON ADJS. **enemigo** · **rival** · **contrario** · **opuesto** *Eran grandes amigos a pesar de que combatían en bandos opuestos* · **contrapuesto** · **irreconciliable** · **antagónico** · **beligerante** · **dispar** · **equidistante**
●CON VBOS. **enfrentar(se)** *Los dos bandos se enfrentan por el control de la zona* · **rivalizar** · **encararse** · **distanciar(se)** || **equilibrar(se)** || **pertenecer (a)** · **alinear(se) (en)** · **pasarse (a)** *Abandonó a los suyos y se pasó al bando de los vencedores* · **cambiar (de)** || **oponerse (a)**

bandurria s.f. Véase **INSTRUMENTO MUSICAL**

banquero, ra s.

●CON ADJS. **poderoso,sa** · **influyente** · **de peso** · **gran** · **principal** · **conocido,da** · **famoso,sa** · **importante** · **respetado,da** · **destacado,da** · **afamado,da** || **competente** · **cualificado,da** || **prófugo,ga** · **fugitivo,va** · **huido,da** || **corrupto,ta** · **sin escrúpulos** · **codicioso,sa**
●CON VBOS. **hacerse** || **trabajar (de)**

banquete s.m.

●CON ADJS. **nupcial** · **de boda** *Celebraron el banquete de boda en un restaurante de postín* · **de gala** · **inaugural** || **abundante** · **copioso** · **generoso** · **opíparo** *En el opíparo banquete se sirvieron un centenar de platos* · **opulento** · **pantagruélico** || **exquisito** · **suculento** · **soberbio** · **fastuoso**
●CON VBOS. **celebrar** · **dar** · **ofrecer** *La empresa ofreció un banquete en honor de su directora* || **invitar (a)** · **obsequiar (con)** || **asistir (a)** *Al banquete asistieron invitados de diferentes nacionalidades*

banquillo s.m.

●CON ADJS. **visitante** · **local** · **de suplentes** || **de los acusados** *El presunto ladrón se sentó en el banquillo de los acusados*
●CON VBOS. **ocupar** · **mover** · **abandonar** *Abandonó el banquillo en la segunda parte del partido* || **sentar(se) (en)** · **quedarse (en)** · **seguir (en)** · **relegar (a)** · **regresar (a)**

· **volver (a)** · **salir (de)** · **dejar (en)** *El entrenador me dejó en el banquillo todo el partido* · **pasar (por)**

☐ EXPRESIONES **chupar banquillo** [estar sin jugar] *col. La temporada pasada chupé mucho banquillo*

bañador s.m.

● CON ADJS. **de {una/dos} piezas**

➤ Véase también **ROPA**

[bañar] → bañar; bañar (algo)

bañar v.

● CON SUSTS. **bebé** · **niño,ña** · ***otros individuos*** || **rostro** *El sudor bañaba su rostro* · **cara** || **ciudad** *¿Sabes qué río baña esa ciudad?* · **costa** · **ribera** · **región** · **superficie** || **metal** *adornos de metal bañado en oro* || **pastel** · **tarta** *...y por último, hay que bañar de chocolate la tarta entera*

bañar (algo) v.

● CON SUSTS. **lágrimas** *Las lágrimas bañaban su rostro* · **sudor** · **sangre** || **río** · **agua** · **lluvia** · **mar** *¿Qué mar baña estas costas?* || **luz** · **sol** · **brillo**

baño

1 **baño** s.m.

▮ [inmersión]

● CON ADJS. **saludable** · **agradable** · **confortante** *Durante la estancia en nuestro hotel podrá disfrutar de relajantes y confortantes baños* · **caliente** · **reparador** · **tonificante** · **reconfortante** · **reconstituyente** · **relajante**

● CON SUSTS. **hora (de)** · **zona (de)** · **traje (de)** *...posaba en traje de baño para una famosa revista de moda* · **gel (de)**

● CON VBOS. **tomar** · **darse** *Me di un baño en las frías aguas del lago* · **pegar** · **recibir** || **prohibir** || **preparar** || **zambullir(se) (en)** · **disfrutar (de)**

▮ [cuarto de aseo]

● CON ADJS. **público** · **privado** · **termal** || **libre** · **ocupado**

● CON SUSTS. **cuarto (de)** *Estaba limpiando el cuarto de baño cuando llamaron a la puerta*

● CON VBOS. **ocupar** || **acceder (a)** · **entrar (a)** *Tendría que haber entrado al baño a lavarme las manos* · **salir (de)** · **ir (a)**

2 **baño (de)** s.m.

● CON SUSTS. **oro** *Esta pulsera tiene un baño de oro* · **plata** || **espuma** · **sales** *Tomé un baño de sales para relajarme* · **humo** · **algas** · **vapor** · **burbujas** || **sol** · **mar** · **energía** || **masas** *La actriz recibió un baño de masas a la salida del estudio* · **multitudes** || **popularidad** · **aplausos** · **humildad**

☐ EXPRESIONES **al baño (de) María** [en un recipiente dentro de otro que contiene agua] *Calenté la lata al baño María* || **baño de sangre** [matanza] *Si no se pone fin al conflicto, podría terminar en un baño de sangre* || **baño turco** [baño de vapor]

bar s.m.

● CON ADJS. **de copas** *Han abierto un bar de copas cerca del puerto* · **tranquilo** · **de moda** · **amplio** || **asiduo,dua (de)**

● CON SUSTS. **parroquiano,na (de)**

● CON VBOS. **habilitar** · **decorar**

➤ Véase también **ESTABLECIMIENTO**

baraja s.f.

● CON ADJS. **española** · **francesa** · **de cartas** · **de naipes**

● CON VBOS. **cortar** *Antes de repartir las cartas deberías haberle ofrecido cortar la baraja* · **marcar**

☐ EXPRESIONES **romper la baraja** [cancelar un pacto o trato] *col. Como no llegaron a ningún acuerdo, decidieron romper la baraja*

barajar v.

● CON SUSTS. **cartas** || **posibilidades** · **hipótesis** *¿Cuáles son las hipótesis que baraja la Policía en esta investigación?* · **opciones** · **alternativas** · **expectativas** || **propuestas** · **ideas** · **teorías** · **planes** · **proyectos** · **tesis** || **cifras** · **datos** · **resultados** · **fechas** · **números** || **nombres** *La empresa baraja nombres de varios candidatos* · **candidatos,tas** · **fichajes**

☐ USO Se construye generalmente con complementos en plural: *barajar las cartas; barajar varios candidatos.*

barato, ta

1 **barato, ta** adj.

● CON SUSTS. **precio** · **coste** · **tarifa** *Nuestra compañía ofrece tarifas muy baratas* || **energía** · **aparato** · **comida** · ***otros productos*** || **recurso** · **servicio** · **método** · **mano de obra** *buscar mano de obra barata* || **obra** · **canción** · **película** · **novela** · **literatura** · **retórica** *un discurso con demasiada retórica barata* || **imitación** · **copia**

● CON ADVS. **relativamente** *un producto de gran calidad pero relativamente barato* · **razonablemente** · **aparentemente** · **suficientemente** · **aceptablemente** || **extremadamente** · **sumamente** *Esta agencia de viajes organiza excursiones sumamente baratas* · **increíblemente** · **extraordinariamente** · **excesivamente** · **asombrosamente** · **realmente** · **especialmente** · **particularmente** · **enormemente**

● CON VBOS. **ser** *Es barato el servicio y de gran calidad* · **parecer** · **volver(se)** || **poner(se)** · **mantener(se)** *Se ha mantenido barato el precio de la verdura* · **estar** || **salir** *Nos ha salido muy barata esta compra* · **costar** · **resultar**

2 **barato** adv.

● CON VBOS. **comprar** · **vender** · **pagar**

barba s.f.

● CON ADJS. **cerrada** *Una barba cerrada le oscurecía las mejillas y el mentón* · **poblada** · **abundante** · **densa** · **salvaje** · **espesa** || **rala** · **escasa** · **hirsuta** · **de chivo** || **larga** · **de {días/semanas...}** || **cuidada** || **cana**

● CON VBOS. **crecer** · **salir** · **clarear(se)** || **dejarse** *Me dejaré barba estas vacaciones* || **afeitar** · **rasurar** · **apurar** · **cortar** · **recortar** · **mesar** || **cuidar** · **peinar** · **arreglar** · **atusar**

☐ EXPRESIONES **en las barbas de** (alguien) [ante su vista] *Robaron el anillo en las barbas del vigilante de la joyería* || **por barba** [por persona] *col. Tocamos a cuatro empanadillas por barba* || **subirse a las barbas** (de alguien) [faltarle al respeto o no obedecerle] *col. Se mostraba severo para evitar que se le subieran a las barbas*

barbacoa s.f.

● CON ADJS. **tradicional** · **típica** || **humeante**

● CON SUSTS. **salsa** *pollo con salsa barbacoa*

● CON VBOS. **organizar** *Hemos organizado una barbacoa para celebrar su cumpleaños* · **hacer** · **preparar** || **instalar** || **invitar (a)** · **asistir (a)**

☐ EXPRESIONES **a la barbacoa** [hecho en la barbacoa] *costillas a la barbacoa*

barbaridad s.f.

● CON ADJS. **auténtica** *Lo siento, he dicho una auténtica barbaridad* · **solemne** · **enorme** · **terrible** · **injustificable** · **monumental** · **semejante**

• CON SUSTS. **sarta (de)** · **cúmulo (de)** · **serie (de)** · **escalada (de)**
• CON VBOS. **decir** · **soltar** · **contar** · **escribir** · **corregir** · **escuchar** || **cometer** *Está fuera de sí y tengo miedo de que pueda cometer una barbaridad* || **denunciar** · **condenar** · **aguantar** || **considerar** || **incurrir (en)** *En su exposición incurrió en algunas barbaridades* || **calificar (de)** · **tachar (de)**

barbarie s.f.

• CON SUSTS. **acto (de)** · **víctima (de)** · **culpable (de)**
• CON VBOS. **combatir** · **censurar** · **denunciar** · **rechazar** · **ahuyentar** · **condenar** *condenar la barbarie de los actos terroristas* · **reprimir** || **parar** · **frenar** · **erradicar** || **soportar** · **tolerar** · **sufrir** · **padecer** · **vivir** · **superar** || **asumir** · **permitir** · **justificar** · **legitimar** || **cometer** · **generar**
• CON PREPS. **ante**

bárbaro, ra

1 **bárbaro, ra** adj.

• CON SUSTS. **pueblo** *las invasiones de los pueblos bárbaros* · **país** · **tribu** · **hordas** || **coraje** || **guerra** · **invasión** · **batalla** · **incursión** · **ataque** || **acto** · **espectáculo** · **ceremonial** || **comportamiento** · **costumbre** *La normativa ha servido para frenar las costumbres bárbaras y crueles* · **actitud** · **práctica** · **método** · **tradición** · **régimen** || **delito** · **violación** · **asesinato** · **atentado** *Están buscando a los culpables del bárbaro atentado* · **genocidio** · **bombardeo** · **destrucción** · **tortura** · **crueldad** · **salvajada** · **atrocidad** · **agresión** · **muerte** · **represión** || **lengua** · **lenguaje**

2 **bárbaro** adv. *col.*

• CON VBOS. **pasar(lo)** *Lo pasamos bárbaro en la cena de anoche* · **sentirse** || **portarse** · **llevarse** || **venir** *Nos viene bárbaro que los abuelos vivan tan cerca de casa* · **ir** · **andar** · **empezar** || **funcionar** · **trabajar** || **jugar** *El equipo jugó bárbaro, pero no pudo ganar* · **marcar** · **empalmar** · **definir**

barbero, ra s.

• CON SUSTS. **sillón (de)**
• CON VBOS. **afeitar (a alguien)** · **rasurar (a alguien)** · **cortar el pelo** || **dar jabón** · **manejar la tijera**

barbilla s.f.

• CON ADJS. **puntiaguda** · **respingona** · **prominente** || **alta** *Salió de la sala con la barbilla alta* · **erguida** · **firme** · **retraída**
• CON VBOS. **sobresalir** || **levantar** · **subir** · **alzar** · **bajar** · **apoyar** · **clavar** · **hundir** || **afeitar** · **rascarse**

barbitúrico s.m.

• CON SUSTS. **sobredosis (de)** *La autopsia reveló una sobredosis de barbitúricos* · **dosis (de)** · **ingestión (de)** · **mezcla** (de)
• CON VBOS. **ingerir** · **tomar** · **recetar** *Me han recetado barbitúricos para dormir* · **suministrar** || **suicidarse (con)** · **abusar (de)** *No es bueno abusar de los barbitúricos*

barca s.f.

• CON ADJS. **neumática** · **de pesca** · **de remos** · **de madera** · **hinchable** · **de arrastre** · **de salvamento** *La barca de salvamento llegó a tiempo al lugar en el que...* · **de motor** · **{con/sin} timón**
• CON VBOS. **naufragar** · **volcar** · **hundir(se)** · **balancear(se)** · **encallar** · **escorar(se)** · **zozobrar** *La barca zozobró a causa de la tormenta* || **navegar** · **transportar (algo)** · **avanzar** || **amarrar** · **varar** · **cargar** · **empujar** *Las olas empujaron la barca hacia los arrecifes* · **impulsar** · **abordar** · **anclar** · **fondear** · **atracar** || **desembarcar (de)**

barco s.m.

• CON ADJS. **de vela** · **de vapor** · **de pesca** *El barco de pesca zozobró, pero no hubo víctimas* · **pesquero** · **de carga** · **de pasajeros** · **de guerra** · **pirata** · **mercante** · **de mercancías**
• CON SUSTS. **casco (de)** · **popa (de)** · **proa (de)** · **cubierta (de)** · **puente (de)** · **bodega (de)**
• CON VBOS. **zarpar** *Desde el puerto veíamos zarpar a los barcos* · **partir** · **navegar** · **maniobrar** · **atracar** *El barco atracó en el muelle* || **zozobrar** · **escorar(se)** · **balancear(se)** · **hundir(se)** · **capotar** · **naufragar** || **fondear** · **recalar** · **encallar** *El barco encalló en un banco de arena* · **varar(se)** || **botar** · **pilotar** · **tripular** · **amarrar** || **cargar** · **descargar** || **avistar** || **abordar** *Los piratas abordaron el barco* || **enrolar(se) (en)** *El marinero se enroló en un barco de bandera peruana*
• CON PREPS. **a bordo (de)** · **en** *viajar en barco* · **por** *enviar un paquete por barco*

baremo s.m.

• CON ADJS. **estricto** · **rígido** · **laxo** · **ajustado**
• CON VBOS. **establecer** *Será necesario establecer un baremo fijo para calificar los trabajos* · **fijar** || **alterar** · **subir** · **bajar** · **rebajar** || **aplicar** · **calcular**

barniz

1 **barniz** s.m.

• CON ADJS. **indeleble** · **resistente** · **impecable** || **brillante** · **incoloro** *Las puertas solo tienen una mano de barniz incoloro* · **transparente** · **translúcido** || **leve** · **ligero** · **espeso** || **cubierto,ta (de)**
• CON SUSTS. **mano (de)** *Esta silla necesita una mano de barniz* · **capa (de)**
• CON VBOS. **dar** · **recibir** · **imprimir** · **aplicar** || **necesitar** · **precisar** || **cubrir (con)** · **ocultar (bajo)** *Optó por ocultar bajo un barniz de legalidad los escándalos perpetrados*

2 **barniz (de)** s.m.

• CON SUSTS. **modernidad** · **actualidad** · **originalidad** · **modernismo** · **prosperidad** · **realidad** · **futuro** || **legitimidad** *dar un barniz de legitimidad a un acto fraudulento* · **legalidad** · **licitud** · **legitimación** · **moralidad** · **responsabilidad** · **asepsia** · **eficiencia** || **cultura** · **educación** · **ilustración**

barómetro s.m.

• CON ADJS. **de opinión** · **político** · **económico** *Los resultados de la campaña serán un barómetro económico de la marcha de la empresa* · **sanitario** · **bursátil** · **social**
• CON SUSTS. **datos (de)** · **resultado (de)** · **conclusión (de)**
• CON VBOS. **medir (algo)** · **recoger (algo)** *El barómetro recoge la intención de voto de los ciudadanos* · **reflejar (algo)**
• CON PREPS. **según**

barón, -esa s.

▮ [título] Véase **TÍTULO NOBILIARIO**
▮ [persona destacada en un partido político]

• CON ADJS. **regional** · **autonómico,ca** · **territorial** · **provincial** || **actual** · **destacado,da** · **principal** *Los principales* *barones del partido están de acuerdo con la propuesta* · **poderoso,sa** · **prestigioso,sa**

barquillo s.m.

• CON SUSTS. **cucurucho (de)** · **galleta (de)** *He comprado galletas de barquillo para decorar las copas de helado*
• CON VBOS. **tomar** · **consumir** · **comer**

barra s.f.

▌ [pieza alargada de material generalmente rígido]

• CON ADJS. **de pan** *una barra de pan para un bocadillo* · **de mantequilla** · **de labios** · **de hielo** · **de hierro** ‖ **de seguridad** · **de control** · **antirrobo** · **antivuelco** *Este modelo incluye barra antivuelco* ‖ **fija** *realizar un ejercicio en la barra fija* · **de equilibrio** · **paralela**
• CON VBOS. **blandir** · **instalar** · **poner** *Que no se te olvide poner la barra antirrobo al coche* ‖ **agredir (con)** · **amenazar (con)** *El asaltante del vehículo los amenazó con una barra de hierro* · **golpear (con)** · **pegar (con)**

▌ [mostrador de un bar]

• CON VBOS. **limpiar** · **atender** *Cuando atiendo la barra, se me pasan las horas volando* ‖ **acodarse (en)** · **apoyarse (en)** *Cuidado, no te apoyes en la barra, está sucia*

□ EXPRESIONES **barra libre** [consumiciones gratis] *Después de la cena, hubo barra libre hasta las tres de la mañana*

barrabasada s.f. *col.*

• CON VBOS. **cometer** *Me gustaría saber quién ha cometido esta barrabasada* · **hacer** · **decir** · **soltar**

barraca s.f.

• CON ADJS. **de feria** *Las barracas de feria permanecerán hasta que terminen las fiestas del pueblo*
• CON SUSTS. **barrio (de)**
• CON VBOS. **construir** · **derribar** · **destruir** *El incendio destruyó todas las barracas de la zona* ‖ **vivir (en)** · **dormir (en)**

[barranca] → a trancas y barrancas

[barrena] → en barrena

barrendero, ra s.

• CON ADJS. **municipal** · **por horas**
• CON SUSTS. **uniforme (de)** · **carro (de)** *Como iba distraída, tropecé con un carro de barrendero*
• CON VBOS. **limpiar (algo)** *Los barrenderos tuvieron que limpiar las calles después de la manifestación* · **barrer (algo)** · **recoger (algo)** ‖ **trabajar (como/de)**

barreno s.m.

• CON VBOS. **explotar** *Antes de iniciar las obras, explotaron varios barrenos* ‖ **minar (con)** · **llenar (de)**

[barrer] → barrer; barrer (de)

barrer v.

• CON SUSTS. **basura** · **migas** · **virutas** · **papeles** · **suciedad** · **desperdicios** ‖ **suelo** · **piso** · **calle** *...a la hora en que se barren las calles* · **escalera** · **casa** · **cocina** · **patio** · ***otros lugares o superficies*** ‖ **oposición** · **adversario,ria** *El candidato liberal barrió a su adversario en las urnas* · **enemigo,ga**
• CON ADVS. **a fondo** · **palmo a palmo** · **por completo** · **escrupulosamente** · **minuciosamente** · **meticulosamente** · **exhaustivamente** ‖ **de un soplo** · **de un plumazo** · **de un golpe** ‖ **electoralmente**

□ EXPRESIONES **barrer {hacia/para} {casa/dentro}** [actuar en beneficio propio] *Nuestro alcalde, barriendo para casa, propuso que...*

[barrera] → sin barrera(s)

barrera s.f.

• CON ADJS. **divisoria** · **separadora** · **discriminatoria** · **disuasoria** · **fronteriza** ‖ **infranqueable** *Esa cordillera constituía una barrera infranqueable para los viajeros* · **insalvable** · **insuperable** · **inexpugnable** · **férrea** · **salvable** · **superable** · **franqueable** ‖ **aduanera** · **comercial** ‖ **frágil**
• CON VBOS. **cerrar(se)** · **alzar(se)** · **abrir(se)** ‖ **derrumbar(se)** · **difuminar(se)** ‖ **bajar** · **levantar** *El incidente levantó una barrera entre nosotros* · **erigir** · **oponer** · **trazar** ‖ **cruzar** · **traspasar** · **pasar** · **franquear** · **rebasar** · **salvar** · **superar** · **sobrepasar** ‖ **subir** · **romper** · **derribar** · **suprimir** *Este tratado suprime las barreras comerciales entre los dos países* · **abolir** · **abatir** · **desmantelar** · **saltar(se)** · **burlar** · **sortear** *Tuvo que sortear todo tipo de barreras legales para poder abrir el negocio* ‖ **pulverizar** *pulverizar la barrera histórica y social* ‖ **tropezar (con)**

□ EXPRESIONES **barrera del sonido** [límite marcado por la velocidad del sonido] *un avión que supera la barrera del sonido*

barrer (de) v.

• CON SUSTS. **mapa** *barrer del mapa a un contrincante* · **faz de la tierra** · **mundo** ‖ **panorama** · **mercado** *Ese producto barrió del mercado a todos los de su gama* · **sector** · **pista** · **campo**

barricada s.f.

• CON ADJS. **incendiaria** · **callejera** · **improvisada** · **disuasoria** · **policial** · **militar** · **de fuego**
• CON VBOS. **colocar** · **construir** · **instalar** · **montar** · **formar** · **armar** · **levantar** *Levantaron barricadas para protegerse de la Policía* · **organizar** · **retirar** ‖ **quemar** · **incendiar** *Los insurrectos incendiaron las barricadas y se dieron a la fuga*

barrida s.f.

• CON ADJS. **electoral** · **general** · **histórica**
• CON VBOS. **dar** · **hacer** ‖ **evitar** · **sufrir**

barrido s.m.

• CON ADJS. **sistemático** · **selectivo** · **secuencial** · **general** · **implacable** ‖ **telefónico** · **electrónico**
• CON SUSTS. **técnica (de)** *utilizar una técnica de barrido secuencial*
• CON VBOS. **hacer** · **realizar** · **efectuar** · **dar** *dar un barrido por las empresas de la zona*

barriga s.f. *col.*

• CON ADJS. **gran(de)** · **prominente** · **ancha** · **abultada** ‖ **llena** · **vacía** ‖ **del avión**
• CON VBOS. **echar** *Desde que he dejado de hacer deporte he empezado a echar barriga* ‖ **enseñar** · **exhibir** · **sacar** · **esconder** · **meter** ‖ **llenar**

barril s.m.

• CON ADJS. **de petróleo** · **de crudo** · **de pólvora** · **de cerveza**

• CON SUSTS. **precio (de)** *La subida del precio del barril de petróleo provocó...* · **valor (de)**

barrio s.m.

• CON ADJS. **céntrico** · **periférico** · **de las afueras** · **apartado** · **alejado** · **capitalino** || **nuevo** · **viejo** · **{con/de} solera** || **solitario** · **deshabitado** || **populoso** *un populoso barrio de la capital* · **bullicioso** · **tranquilo** || **rico** · **pobre** · **humilde** · **marginal** · **bajo** || **acogedor** · **agradable** || **comercial** · **residencial** · **obrero** · **portuario** || **gótico** · **chino**

• CON VBOS. **visitar** *Los turistas visitaron el barrio histórico de la ciudad* · **frecuentar** || **vivir (en)** *Vivo en un barrio céntrico de la ciudad* · **residir (en)** · **habitar (en)** · **mudarse (a)** · **afincarse (en)** · **asentarse (en)** || **pasear (por)**

□ EXPRESIONES **irse al otro barrio** [morirse] *col. Comió unas setas venenosas y estuvo a punto de irse al otro barrio*

barriobajero, ra adj.

• CON SUSTS. **lenguaje** · **tono** *Sorprendieron al público algunas expresiones de tono barriobajero* · **insulto** || **arrabal** · **origen** || ***persona***

• CON VBOS. **volverse** · **hacerse**

barritar v.

• CON SUSTS. **elefante** · **rinoceronte**

barro s.m.

• CON SUSTS. **molde (de)** · **vasija (de)** · **figura (de)** || **mar (de)** · **baño (de)** · **riada (de)**

• CON VBOS. **moldear** *El alfarero moldeaba el barro para hacer bellas vasijas* || **chapotear (en)** || **hundir(se) (en)** *Las ruedas del camión se hundieron en el barro* · **anegar(se) (en)** · **llenar(se) (de)** · **manchar(se) (de)**

• CON PREPS. **entre** *...estaba semienterrado entre el barro*

barroco, ca

1 **barroco, ca** adj.

• CON SUSTS. **estilo** · **período** *Dentro del período barroco podemos destacar a varios autores* · **época** · **escuela** · **tradición** || **arte** · **escultura** · **arquitectura** · **pintura** *Muchos de los libros de esta biblioteca están dedicados a la pintura barroca* || **literatura** · **comedia** · **teatro** || **obra** · **conjunto** · **templo** · **edificio** · **palacio** · **iglesia** · **retablo** *Desde aquí se puede contemplar el magnífico retablo barroco de la catedral* · **claustro** || **música** · **composición** · **concierto** · **ópera** · **danza** || **lenguaje** *El crítico destacó el lenguaje barroco de la última obra de la autora* · **expresión** · **sintaxis** · **frase** · **retórica** || **artista** *La muestra reúne material explicativo sobre varios artistas barrocos* · **compositor,-a** || **espectáculo** · **fiesta** || **inspiración** *La decoración del salón era de inspiración barroca* · **influjo** · **estética** · **fuente** || **iconografía** · **decoración** · **fachada** · **imaginería**

2 **barroco** s.m.

• CON ADJS. **pleno** · **tardío** *La contribución de este autor al barroco tardío fue de vital importancia*

barruntar v.

• CON SUSTS. **tormenta** · **lluvia** · **problema** · **peligro** · **batalla** || **futuro** · **cambio** *Se barruntan grandes cambios en el sector...* · **posibilidad** · **proyecto** · **idea** || **causa** · **origen** · **explicación**

[bartola] → a la bartola

bártulos s.m.pl.

• CON VBOS. **coger** · **tomar** · **agarrar** · **recoger** *El cantante recogió sus bártulos y huyó a otra compañía discográfica* · **empaquetar** · **liar** · **guardar** · **colgar** · **llevar** || **cargar (con)**

barullo s.m.

• CON ADJS. **tremendo** *Alguien intentaba hacerse oír en medio de aquel tremendo barullo* · **enorme** · **descomunal** · **infernal** || **reinante**

• CON VBOS. **armar(se)** *Aprovechó el barullo que se había armado para escabullirse sin que nadie lo notara* · **formar(se)** · **liar(se)** · **montar(se)** · **organizar(se)**

basar(se) (en algo) v.

• CON SUSTS. **ley** · **política** · **religión** || **sistema** · **estructura** · **programa** · **funcionamiento** · **proceso** || **concepto** · **idea** · **impresión** · **argumento** · **hipótesis** *Esa hipótesis se basa en las últimas investigaciones sobre...* · **teoría** · **creencia** · **conclusión** · **decisión** || **obra** · **historia** · **relato** · **adaptación** || **trabajo** · **investigación** · **estudio** · **dato** *Los datos de su investigación se basan en experimentos reales* || **arte** · **ciencia** · **poética** || **observación** · **experiencia** · **conocimiento** · **descubrimiento** · **progreso** || **enfermedad** · **terapia** · **cura** · **tratamiento** || **técnica** · **estrategia**

báscula s.f.

• CON ADJS. **de baño** · **electrónica** · **de precisión** *Se decomisaron dos kilos de cocaína y una báscula de precisión* || **nivelada** · **desnivelada**

• CON VBOS. **señalar (algo)** · **marcar (algo)** || **revisar** *Han revisado la báscula de la plaza de toros* · **supervisar** || **pesar(se) (en)** · **dar (en)** *El ciclista dio en la báscula 78 kilos* || **bajar (de)** · **subir (a)**

[base] → base; base de datos

base s.f.

• CON ADJS. **sólida** *Este proyecto se asienta sobre una sólida base científica* · **firme** · **consistente** · **estable** · **segura** · **equilibrada** · **férrea** || **inestable** *El jarrón tiene una base inestable y puede caerse* · **inconsistente** · **insegura** · **endeble** · **desequilibrada** || **imponible** *calcular la base imponible de...* · **liquidable** · **reguladora** · **de cotización** || **de operaciones** *Establecieron su base de operaciones en un lugar alejado de los curiosos* · **aérea** · **naval** · **espacial** · **de lanzamiento** || **de comparación** || **de datos** · **documental**

• CON VBOS. **consolidar(se)** · **robustecer(se)** || **agrietar(se)** · **tambalearse** · **temblar** · **quebrar(se)** || **sentar** *sentar las bases para el futuro* · **establecer** · **fijar** · **poner** · **cimentar** || **socavar** · **erosionar** · **minar** · **romper** || **constituir** · **subyacer** || **descansar (sobre)**

□ EXPRESIONES **a base de bien** [mucho o muy bien] *col. Estaba muy presionado por el rival, pero se defendió a base de bien* || **a base de** [tomando como fundamento] *Consiguió convencerlo a base de ruegos*

base de datos s.f.

• CON VBOS. **crear** · **organizar** · **ordenar** || **abrir** · **cerrar** || **borrar** || **guardar (en)** · **meter (en)** *Metí los nombres y las direcciones de los clientes en la base de datos* · **grabar (en)** || **buscar (en)** · **bucear (en)** · **investigar (en)** || **extraer (de)** · **sacar (de)**

básico, ca adj.

- CON SUSTS. **principio** *En la junta se establecieron los principios básicos de la Sociedad* · **idea** · **fundamento** · **axioma** || **necesidad** *Se cubrirán sin más dilación las necesidades básicas de los damnificados* || **alimento** || **elemento** · **punto** · **condición** || **servicio** · **estructura** · **infraestructura** || **regla** · **norma** · **ley**

basílica s.f.

- CON ADJS. **pontificia** · **vaticana** · **parroquial** *La misa tendrá lugar en la basílica parroquial* || **imponente** · **monumental**
- CON SUSTS. **altar (de)** · **órgano (de)** · **atrio (de)** · **fachada (de)**
- CON VBOS. **visitar** · **restaurar** · **llenar** *Los invitados a la boda llenaron la basílica* · **ocupar** || **bendecir** || **celebrar (en)** · **oficiar (en)** || **rezar (en)** · **bautizar (en)** *La bautizarán en la basílica* · **casar(se) (en)**

basilisco s.m.

- CON SUSTS. **mirada (de)** *Me echó una mirada de basilisco fulminante* · **gesto (de)**

□ EXPRESIONES {**estar/ponerse**} **hecho un basilisco** [enfadarse mucho] *col.*

bastardo, da adj.

- CON SUSTS. **hijo,ja** · **hermano,na** · **persona** || **letra** *La letra bastarda es otra forma de llamar a la letra cursiva*

bastonazo s.m. Véase **GOLPE**

bastos s.m.pl.

- CON SUSTS. **as (de)** · **sota (de)** · **caballo (de)** · **rey (de)** *¿Ha salido el rey de bastos?* || {**dos/tres/cuatro...**} **(de)** || **muestra (de)**
- CON VBOS. **robar** *Si en ese momento hubiera robado bastos, habría ganado la partida* · **echar** || **pintar (en)** *Esta mano pinta en bastos* · **cantar** {**las cuarenta/las veinte**} **(en)** || **ir (a)** · **salir (de/por)**

□ EXPRESIONES **pintar bastos** [salir mal las cosas] *Con las negociaciones seguían pintando bastos...*

basura s.f.

- CON ADJS. **reciclable** · **orgánica** · **doméstica** · **urbana** · **agrícola** · **radiactiva** || **maloliente** · **hedionda** · **apestosa** · **nauseabunda** · **asquerosa** · **mugrienta** || **densa** · **dispersa** || **abundante** · **escasa** || **lleno,na (de)** · **repleto,ta (de)** · **limpio,pia (de)**
- CON SUSTS. **bolsa (de)** *¿Puedes cambiar la bolsa de la basura?* · **cubo (de)** · **tacho (de)** · **bote (de)** · **cesto (de)** · **contenedor (de)** · **depósito (de)** · **camión (de)** || **recogida (de)** *medidas para facilitar la recogida selectiva de basuras* · **recolección (de)** · **acumulación (de)** · **eliminación (de)** · **tratamiento (de)** · **reciclaje (de)** · **incineración (de)** || **vertedero (de)** · **incineradora (de)** · **montón (de)** · **montaña (de)** || **tasa (de)** · **servicio (de)** || **bono** *Se investiga la compra de bonos basura* · **televisión** · **programación** · **comida** *Se alimenta a base de comida basura* · **trabajo**
- CON VBOS. **acumular(se)** · **amontonar(se)** *Durante la huelga de limpieza, la basura se amontonaba en las calles* · **desparramar(se)** || **salir a la luz** · **salpicar** || **arrojar** · **tirar** · **botar** · **eliminar** · **sacar** · **echar** · **verter** · **esparcir** · **diseminar** || **barrer** · **recoger** · **concentrar** · **retirar** · **limpiar** || **reciclar** *reciclar la basura que se genera* || **separar** *...bolsas de distintos colores para separar la basura* · **clasificar** || **generar** · **producir** || **escarbar (en)** · **rebuscar (en)** · **buscar (en)** || **llenar (de)**
- CON PREPS. **entre** *Encontré un collar de perlas entre la basura*

basurero, ra

1 **basurero, ra** s.

- CON SUSTS. **sindicato (de)**
- CON VBOS. **recoger (algo)** *Los basureros recogían las hojas caídas a primera hora de la mañana* || **trabajar (como/de)**

2 **basurero** s.m.

- CON ADJS. **municipal** *Quieren poner otro basurero municipal al norte de la ciudad* · **marítimo** · **público** · **urbano** · **privado** · **ilegal** || **nuclear** · **de pilas** · **tóxico** · **cianúrico** || **inmenso** · **gigantesco** · **enorme** · **gran(de)** *Los vecinos de la zona se han quejado por el gran basurero nuclear que pretenden poner* || **maloliente** · **humeante** · **insalubre**
- CON VBOS. **tirar (a/en)** · **arrojar (a/en)** · **verter (a/en)**

bata s.f.

- CON ADJS. **de cola** *La bailaora se lanzó al escenario con su bata de cola* || **de médico,ca** · **de enfermero,ra** · **de trabajo** · **de** {**andar/estar**} **por casa** || **guateada** · **de seda** · **de felpa** · **de boatiné**
- CON VBOS. **abrochar** · **desabrochar** · **abrir** || **trabajar (con)** · **aparecer (en)** *Apareció en bata, pues se acababa de levantar*

➤ Véase también **ROPA**

batacazo s.m.

- CON ADJS. **fuerte** · **descomunal** · **monumental** · **brutal** · **de órdago** · **de tomo y lomo** *Me resbalé y me di un batacazo de tomo y lomo*
- CON VBOS. **dar** · **pegar** · **llevarse** || **librar(se) (de)** · **reponerse (de)** *Ese partido aún no se ha repuesto del batacazo en las urnas*

[batalla] → batalla; de batalla

batalla s.f.

- CON ADJS. **aérea** · **terrestre** · **legal** · **política** *Gobierno y oposición están enzarzados en una batalla política* · **diplomática** · **verbal** || **encarnizada** · **enconada** · **sangrienta** · **sanguinaria** · **cruenta** · **despiadada** · **feroz** · **atroz** · **dantesca** · **a muerte** · **a cara de perro** || **sin cuartel** · **sin tregua** · **implacable** · **desesperada** · **en punto muerto** || **dura** *Tuvo que librar una dura batalla para ver finalmente reconocidos sus derechos* · **ardua** · **agotadora** || **épica** · **ardiente** · **fulgurante** || **campal** · **cuerpo a cuerpo** · **a pecho descubierto** || **reñida** · **disputada** · **apretada** · **controvertida** || **de igual a igual** · **equilibrada** || **desigual** · **desproporcionada** · **descompensada** · **desequilibrada** || **decisiva** · **crucial** || **intestina** · **interna** || **soterrada** || **presto,ta (a)** · **listo,ta (para)**
- CON VBOS. **desencadenar(se)** · **desatar(se)** · **estallar** · **librar(se)** || **recrudecer(se)** · **avivar(se)** || **sostener** · **emprender** · **entablar** · **presentar** *No pienso rendirme sin presentar batalla* · **dar** · **plantear** · **establecer** || **ganar** *Ganó la batalla legal porque contaba con los mejores abogados* · **perder** · **dirimir** · **dilucidar** · **sentenciar** · **zanjar** || **augurar** || **participar (en)** · **tomar parte (en)** · **involucrar(se) (en)** · **terciar (en)** || **lanzarse (a)** · **enzarzarse (en)** · **enfrascarse (en)** · **persistir (en)** || **prepararse (para)** *Las tropas se preparan para la batalla* · **aprestarse (a)**

□ EXPRESIONES **de batalla*** [de uso corriente o diario] *ropa de batalla*

batallón s.m.

• CON ADJS. **indisciplinado** · **insubordinado** · **disciplinado** *Un disciplinado batallón de cascos azules intervino en el conflicto* || **belicoso** · **beligerante** · **combativo** · **temerario** || **triunfante** · **victorioso** || **mercenario** · **profesional**
• CON VBOS. **formar** · **preparar** · **organizar** · **constituir** · **reforzar** || **derrotar** · **vencer** || **capitanear** · **mandar** · **comandar** · **instruir**

bate s.m.

• CON ADJS. **de béisbol** · **de madera**
• CON VBOS. **coger** · **agarrar** · **empuñar** · **esgrimir** · **enarbolar** || **dejar** · **tirar** · **arrojar** *Arrojó el bate y salió corriendo* · **soltar** · **colgar** || **golpear (con)** · **tocar (con)** || **armar(se) (con)**

[batería] → batería; en batería

batería

1 **batería** s.f.

▌[generador eléctrico]

• CON ADJS. **de {corta/larga} duración**
• CON SUSTS. **borne (de)**
• CON VBOS. **agotar(se)** · **descargar(se)** · **sulfatarse** || **cargar** · **recargar** *Con este adaptador puedes recargar la batería de tu teléfono móvil* · **reponer** · **alimentar** || **gastar** || **quedarse (sin)** *Me dejé encendidas las luces del coche y me he quedado sin batería*

▌[instrumento musical]

• CON VBOS. **tocar** *Es un especialista tocando la batería*

2 **batería (de)** s.f.

• CON SUSTS. **preguntas** *El portavoz de la oposición formuló una batería de preguntas al Gobierno sobre el polémico asunto de...* · **demandas** · **acusaciones** · **críticas** · **consejos** · **declaraciones** || **propuestas** · **proposiciones** · **iniciativas** · **medidas** · **recursos** || **datos** · **argumentos** *Presentó una batería de argumentos que, en su opinión, avalaban su tesis* · **pruebas** · **indicadores** || **reformas** · **enmiendas**

□ EXPRESIONES **batería (de cocina)** [conjunto de utensilios que sirven para cocinar] || **en batería*** [en paralelo] *He aparcado el coche en batería*

batiburrillo s.m.

• CON ADJS. **enorme** *un enorme batiburrillo de ideas* · **inmenso** || **intrincado** · **complicado** · **incoherente** · **deslavazado** · **confuso** · **caótico** · **absurdo** · **delirante**
• CON VBOS. **desentrañar** || **componer** · **formar** || **poner orden (en)**
• CON PREPS. **en medio (de)**

batida s.f.

• CON ADJS. **amplia** · **importante** · **constante** · **continua** · **policial** *La batida policial comenzó en la madrugada del domingo* · **ilegal** · **militar** · **inquisitorial**
• CON VBOS. **comenzar** · **acabar** · **continuar** · **culminar** *La batida culminó con la detención del presunto asesino* || **realizar** · **organizar** · **desplegar** · **efectuar** *Los voluntarios efectuaron una batida para localizar al niño perdido* · **presenciar**

batido s.m.

• CON ADJS. **de frutas** · **energético** · **vitamínico** *un batido vitamínico para reponer fuerzas*
• CON VBOS. **remover**
➤ Véase también **BEBIDA**

[batiente] → a mandíbula batiente

batín s.m.

• CON ADJS. **casero** · **hospitalario** || **de médico** · **de enfermero,ra**
• CON VBOS. **abrochar** · **desabrochar**
➤ Véase también **ROPA**

[batir] → batir; batir (algo); batirse (con alguien)

batir v.

▌[golpear]

• CON SUSTS. **costa** · **litoral** · **playa** *Las olas batían con fuerza la playa* || **puerta** · **muro** · **pared**
• CON ADVS. **con fuerza** · **con furia** · **con rabia**

▌[mover algo con fuerza]

• CON SUSTS. **palo** · **aspa** · **arco** · **sombrero** || **palmas** · **brazos** · **alas** *Cuando se sintió libre, el pajarillo batió fuertemente sus alas*
• CON ADVS. **rítmicamente** · **con fuerza**

▌[remover]

• CON SUSTS. **huevo** · **clara** · **mantequilla** · **miel** · **nata** · **crema** || **mezcla** · **ingredientes** *...luego, mezcla los ingredientes y bátelos enérgicamente* · **preparación**
• CON ADVS. **a punto de nieve** || **enérgicamente** · **intensamente**

▌[superar, sobrepasar]

• CON SUSTS. **enemigo,ga** · **rival** · **adversario,ria** · **contrincante** || **portería** · **meta** · **marco** || **récord** *La nadadora batió una vez más su propio récord* · **marca** · **plusmarca** · **máximo** · **registro** · **mínimo** · **tiempo** || **expectativa** · **previsión** · **cálculo** · **objetivo** || **índice** *La nueva serie está logrando batir índices de audiencia* · **cifra** · **precio** · **valor** · **oferta** · **venta** || **cota** · **nivel** · **tope** || **obstáculo** · **barrera**
• CON ADVS. **convincentemente** · **claramente** || **cómodamente** *El equipo batió cómodamente a su adversario* · **con holgura** · **contundentemente** || **limpiamente** · **honestamente**

batir (algo) v.

▌[golpear]

• CON SUSTS. **mar** *El mar bate con furia toda esta zona de acantilados* · **olas** · **agua** || **viento** · **lluvia**
• CON ADVS. **con fuerza** · **con furia** · **con rabia**

batirse (con alguien) v.

• CON ADVS. **en duelo** *Los dos caballeros se batieron en duelo por una cuestión de honor* · **a duelo** · **en combate** · **a espada** · **en armas** · **cuerpo a cuerpo** || **de igual a igual** || **valientemente** · **con bravura** · **heroicamente** || **en toda la línea** · **en retirada**

batuta s.f.

• CON VBOS. **manejar** · **sujetar** · **mover**

□ EXPRESIONES **{llevar/tener} la batuta** [ejercer el mando] *No es el director, pero es quien realmente lleva la batuta en la empresa*

baúl s.m.

● CON ADJS. **antiguo** · **viejo** *Encontramos el disfraz en un viejo baúl del sótano* · **de los recuerdos** · **del olvido** || **lleno** · **vacío**
● CON VBOS. **abrir** · **cerrar** · **llenar** · **vaciar** || **sacar (de)** · **rescatar (de)** · **recuperar (de)** · **surgir (de)** · **desempolvar (de)** *El compositor desempolvó de su particular baúl de los recuerdos sus temas preferidos de los años ochenta* || **guardar (en)** · **meter (en)** · **enterrar (en)** *Sobrevivió en el exilio a base de enterrar en el baúl del olvido todas las deshonras sufridas*

bautismal adj.

● CON SUSTS. **agua** · **pila** *En el momento de la ceremonia, los padrinos se aproximarán a la pila bautismal* · **fuente** · **ceremonia** · **gracia** · **promesa** || **partida** · **contrato**

bautismo s.m.

● CON SUSTS. **sacramento (de)** · **partida (de)** *la fecha que figura en la partida de bautismo*
● CON VBOS. **celebrar** *una reunión familiar para celebrar el bautismo* || **administrar** · **impartir** · **recibir**
□ EXPRESIONES **bautismo de fuego** [primera vez que combate un soldado] *Aquella escaramuza fue el bautismo de fuego del soldado*

bautizo s.m.

● CON ADJS. **mediático** · **electoral** · **político** · **multitudinario** · **de masas** · **oficial** *Se ha retrasado el bautizo oficial del jugador como componente de la selección*
● CON VBOS. **celebrar** *La familia real celebró el bautizo en la intimidad* · **festejar** · **conmemorar** · **tener** *Mañana no podemos vernos porque tengo un bautizo* · **presenciar** || **recibir** || **asistir (a)** · **acudir (a)** · **invitar (a)**

bayeta s.f.

● CON ADJS. **húmeda** · **seca** · **antivaho** · **ecológica**
● CON VBOS. **pasar** *Primero fregó la mesa y luego pasó una bayeta* · **usar** || **mojar** · **estrujar** · **sacudir** · **escurrir** · **secar** || **limpiar (con)** · **fregar (con)** · **secar (con)**

baza s.f.

● CON ADJS. **crucial** · **decisiva** || **última** · **final**
● CON VBOS. **jugar** *Está dispuesto a jugar su última baza* || **ganar** · **hacer** · **perder** || **gastar** · **malgastar** · **desperdiciar** · **dilapidar**
□ EXPRESIONES **meter baza** [intervenir] *col.* || **sacar baza** [obtener provecho] *No te fíes, solo piensa en sacar baza de todo este asunto*

bazar s.m.

● CON ADJS. **oriental** · **exótico** · **auténtico** · **maravilloso** · **popular** · **concurrido** · **famoso** · **clandestino** || **inmenso** · **gigantesco** · **gran(de)** · **enorme** || **viejo** · **antiguo** · **legendario**
➤ Véase también **ESTABLECIMIENTO**

bazofia s.f.

● CON VBOS. **fabricar** · **ingerir** · **ofrecer** · **servir** · **publicar** *Desde mi punto de vista esta editorial solo edita y publica bazofias* · **editar** · **leer** || **alimentar(se) (de)**

beatíficamente adv.

● CON VBOS. **sonreír** · **contemplar** · **mirar** || **dormir** *El niño dormía beatíficamente*

bebé s.m.

● CON SUSTS. **ropa (de)** · **cuna (de)** · **coche (de)** · **papilla (de)** || **probeta**
● CON VBOS. **llorar** · **hacer pucheros** · **berrear** || **tener** *Mi mamá va a tener otro bebé* · **dar a luz** · **parir** · **engendrar** · **adoptar** || **amamantar** · **criar** · **educar** · **malcriar** || **acunar** · **mecer** · **arrullar** || **esperar** *La feliz pareja está esperando un bebé*

bebedor, -a s.

● CON ADJS. **compulsivo,va** *Era un bebedor compulsivo pero hace meses que no prueba el alcohol* · **empedernido,da** || **habitual** · **ocasional**

beber v.

● CON SUSTS. **agua** *Necesito beber un poco de agua* · **refresco** · **horchata** · **vino** · **café** · **lejía** *La niña se ha bebido la lejía* · ***otros líquidos*** || **gana (de)** · **deseo (de)** · **vicio (de)** || **forma (de)**
● CON ADVS. **a sorbos** · **a tragos** · **de un trago** *Se bebió la leche de un trago* · **de un sorbo** · **de un tirón** · **a morro** · **al gallete** || **como un cosaco** · **sin moderación** · **como un loco** · **como una esponja** · **copiosamente** || **{con/sin} moderación** *...y puede beber con moderación después de las comidas* · **moderadamente** · **prudentemente** || **entre horas**
● CON VBOS. **saber** *Como no sabe beber, se emborracha con dos cañas* || **dar (a/de)** *La bruja les dio a beber una pócima para...* · **poner (de)** · **echar (de)**

[bebida] s.f. → bebido, da

BEBIDA

Información útil para el uso de:

agua; aguardiente; alcohol; anís; batido; burdeos; cacao; café; cava; cazalla; cerveza; chacolí; champán; chicha; chinchón; chocolate; clarete; coñac; cubalibre; cubata; gaseosa; ginebra; horchata; infusión; leche; licor; moscatel; mosto; naranjada; néctar; oporto; orujo; pacharán; ponche; quina; refresco; ron; sangría; sidra; soda; té; tequila; tinto; tisana; tónica; vermú; vino; vodka; whisky; zarzaparrilla

● CON ADJS. **puro,ra** · **rebajado,da** *añadir un poco de licor rebajado con agua* · **adulterado,da** || **adicto,ta (a)** · **aficionado,da (a)**
● CON SUSTS. **consumo (de)** || **botella (de)** · **copa (de)** · **vaso (de)** *un vaso de leche* · **litro (de)** · **trago (de)** · **sorbo (de)**
● CON VBOS. **beber** · **tomar** · **ingerir** · **consumir** · **probar** || **paladear** *paladear un buen vino* · **saborear** · **degustar** · **apurar** || **servir** · **poner** · **dispensar** · **verter** · **derramar** · **racionar** *racionar el agua* || **mezclar** *mezclar los refrescos y añadir...* · **rebajar** · **adulterar** || **hacer** · **elaborar** · **preparar** *preparar una limonada natural* · **envasar** || **engancharse (a)** · **abusar (de)** *Nunca abuses del alcohol* · **atiborrar(se) (de)** || **abastecer (de)** · **surtir (de)**

bebido, da

1 **bebido, da** adj.

● CON VBOS. **estar** · **ir** *No conduzcas, que vas bebido*

2 **bebida** s.f.

● CON ADJS. **alcohólica** *Prohibida la venta de bebidas alcohólicas a menores de edad* · **isotónica** · **alucinógena** ·

espirituosa || fuerte · suave · ligera || burbujeante · espumosa · gaseosa · carbónica · carbonatada · {con/sin} gas · chispeante · efervescente || sana · natural || estimulante · tonificante · energética · refrescante · embriagante || dulce · amarga · ácida || tradicional · típica || adicto,ta (a) · borracho,cha (de) · ciego,ga (de)
• CON SUSTS. afición (a) · adicción (a) · consumo (de) · abuso (de) || puesto (de) · venta (de)
• CON VBOS. quitar la sed (a alguien) || servir *Serví la bebida a los comensales* · expender · expedir · dispensar · escanciar · verter · derramar · racionar · envasar || paladear · saborear · degustar · apurar · sorber · tragar · probar · absorber || mezclar · rebajar *Rebajó la bebida con un poco de agua* · adulterar || dejar · pedir || darse (a) *Tras varios fracasos se dio a la bebida, pero ya se ha rehabilitado* · dar(le) (a) · engancharse (a) · pasarse (con) · abusar (de) · tener problemas (con) · retirarse (de) || abastecer (de) · surtir (de) · atiborrar(se) (de)

beca s.f.

• CON VBOS. pedir · solicitar *Solicité una beca para estudiar en el extranjero* · obtener · conseguir || conceder · denegar · revocar || perder || necesitar || sufragar || disfrutar (de)
• CON PREPS. en concepto (de) *Esta es la cantidad que recibirás en concepto de beca*

becario, ria s.

• CON SUSTS. figura (de) · sala (de) · selección (de)
• CON VBOS. investigar (algo) · estudiar (algo) || dirigir · contratar · admitir · formar *La Escuela formará a becarios procedentes de ambos lados del Atlántico* || entrar (como/de) *El actual jefe del departamento entró como becario* · trabajar (como/de)

bechamel s.f. Véase **besamel**

bedel, -a s.

• CON SUSTS. sindicato (de) · uniforme (de)
• CON VBOS. avisar (de algo) *El bedel nos avisó del final de la clase* · anunciar (algo) · informar (de algo) · dar la hora · atender (a alguien) || encargar(se) (de algo) · desempeñar (algo) || trabajar (como/de)

beduino, na adj.

• CON SUSTS. campamento · comunidad · ejército · pueblo · tribu · nómada · pastor || costumbre *¿Conoces las costumbres beduinas?* · cultura · leyenda · danza

beicon s.m.

• CON ADJS. ahumado
• CON SUSTS. loncha (de) · tira (de)
• CON VBOS. freír · dorar · cortar · añadir
• CON PREPS. con *truchas con beicon*

beis adj./s.m. Véase **COLOR**

béisbol s.m. Véase **DEPORTE**

belén s.m.

• CON ADJS. tradicional · artesanal · familiar · navideño || viviente *organizar un belén viviente*
• CON SUSTS. figuras (de) *colocar las figuras del belén* · portal (de) || exposición (de) · concurso (de)
• CON VBOS. poner · armar · montar || quitar · retirar || representar

belicista adj.

• CON SUSTS. teoría · tesis · idea · política || discurso · retórica · lenguaje || tono · actitud · carácter · espíritu *El espíritu belicista del dictador se hizo patente en...* · postura · imagen || pasado · crisis · clima
• CON VBOS. hacer(se) · volver(se)

bélico, ca adj.

• CON SUSTS. conflicto *el primer gran conflicto bélico del siglo* · confrontación · enfrentamiento · choque · contienda · ofensiva · tensión · crisis · catástrofe || acción · situación · actividad · acontecimiento · operación · episodio · experiencia · hazaña · acto · estrategia · despliegue · preparativos || ambiente · clima · escenario · zona || aparato · dispositivo · equipamiento · engranaje · material *No hay datos sobre la procedencia del material bélico que han encontrado* · juguete || fuerza · escalada · potencial · poder || industria · empresa || país · potencia · equipo · contingente || cine · película *una película bélica* · lenguaje · drama

belicoso, sa adj.

• CON SUSTS. espíritu · carácter *El carácter belicoso de los hunos favoreció su expansión por...* · actitud · ánimo · postura || panorama · visión · imagen · clima · escenario || declaración · lenguaje · tono || acción · ofensiva
• CON ADVS. extremadamente *una actitud extremadamente belicosa* · excesivamente · exageradamente || ligeramente · aparentemente

beligerante adj.

• CON SUSTS. político,ca *un político beligerante y agresivo* · dirigente · enemigo,ga · sociedad · fuerza · bando · sector *un sector beligerante que amenaza con romper la unidad del país* · frente · ***otros individuos y grupos humanos*** || gobierno · organización · ejército · partido · ***otros organismos o instituciones*** || actitud · postura · posición · línea · papel || ánimo · carácter · espíritu *una nación pacífica que nunca actuó con espíritu beligerante* · voluntad || tono · sentido · imagen · fondo || libro · editorial · panfleto · película · reportaje || discurso · expresión · comunicado · declaración · consejo · ***otras manifestaciones verbales*** || oposición · respuesta · reacción · lucha · defensa · rechazo · presión || acción · acto · actuación · juego
• CON ADVS. abiertamente *La oposición ha adoptado una actitud abiertamente beligerante contra el Gobierno* · a todas luces · declaradamente · claramente || especialmente · excesivamente · en extremo · particularmente · considerablemente · notablemente · ostensiblemente

bellaco, ca s.

• CON ADJS. mentiroso,sa · redomado,da *Eres un bellaco redomado* · despreciable · ruin · astuto,ta
□ EXPRESIONES **mentir como un bellaco** [hacerlo con gran descaro]

belleza s.f.

• CON ADJS. extraordinaria · espléndida · espectacular *un paraje natural de espectacular belleza* · extremada · portentosa · impresionante · asombrosa · suma · notable || imponente · deslumbrante · cegadora · radiante · resplandeciente *la resplandeciente belleza de las joyas* · rutilante || irresistible · cautivadora · arrebatadora · sorprendente · maravillosa · embriagadora · subyugante || llamativa · exuberante · despampanante · increíble · desbordante || salvaje · agreste || exótica · singular · rara · extraña · insólita · única *una flor de belleza única* · excepcional || enigmática · misteriosa · evocadora ·

inquietante · especial · particular || incomparable · inigualable · inalcanzable · indescriptible · inenarrable || ideal · angelical · serena · delicada · candorosa · cándida || sencilla · clásica · griega · fría · exquisita || física · plástica · interior *una persona de gran belleza interior* || efímera

● CON SUSTS. **tratamiento (de) · cuidado (de) · producto (de) · salón (de) · secreto (de) || concurso (de) · certamen (de) || ideal (de) · canon (de)** *Los cánones de belleza han ido cambiando a lo largo del tiempo* · **patrón (de) || culto (a)**

● CON VBOS. **marchitar(se) · ajar(se) · apagar(se) · eclipsar(se) · perder(se) || seducir (a alguien)** *Eligió este pueblo porque le sedujo la belleza de sus paisajes* · **encandilar (a alguien) · extasiar (a alguien) || inundar (algo) || buscar · perseguir || poseer · derrochar · irradiar · destilar · exhibir || realzar** *Un elegante peinado realzaba su belleza* · **magnificar || contemplar · admirar || apreciar · ensalzar · elogiar || prendarse (de)** *Nada más verla, se prendó de su belleza* || **llenar (de) · cubrir (de) · revestir (de)**

bello, lla adj.

● CON ADVS. **profundamente · intensamente · absolutamente · condenadamente · rabiosamente || verdaderamente · realmente** *Fue un momento realmente bello* · **auténticamente || íntimamente · internamente · entrañablemente || sencillamente · serenamente · exquisitamente || excepcionalmente · extraordinariamente** *La montaña se yergue extraordinariamente bella y majestuosa* · **extremadamente · asombrosamente · sorprendentemente · impresionantemente · increíblemente · milagrosamente · fabulosamente || singularmente · insólitamente**

bencina s.f.

● CON SUSTS. **vehículo (de)** *Los vehículos de bencina tienen mucha potencia*

● CON VBOS. **expender · utilizar · consumir · gastar** *Este auto apenas gasta bencina* || **importar · exportar || llenar (de/con)**

bendecir v.

● CON SUSTS. **fieles** *El sacerdote bendijo a los fieles* · **feligreses,sas · hijo,ja ·** ***otros individuos y grupos humanos*** **|| matrimonio · unión || acto · encuentro · acontecimiento || hostia · agua · mesa || iglesia · capilla ·** ***otros lugares*** **|| cosecha · imagen · cruz ·** ***otros objetos*** **|| decisión** *El padre bendijo la decisión de su hijo* · **iniciativa || hora** *Bendigo la hora en que la conocí* · **momento**

bendición s.f.

● CON ADJS. **apostólica · papal** *Los fieles recibieron la bendición papal* · **del cielo · paternal || solemne**

● CON VBOS. **dar** *Les dio su bendición antes de partir* · **repartir · conceder · derramar · dispensar · echar · otorgar || pedir · recibir · tener** *Tiene usted mi bendición* || **colmar (de)** *La vida no le ha colmado de bendiciones, pero...* · **prodigarse (en) || contar (con)**

[bendito, ta] → bendito, ta; como un bendito

bendito, ta adj.

● CON SUSTS. **agua · pan ||** ***persona*** *Tu compañero es un bendito, no protesta por nada* || **alma · ánima || gloria** *Este pan me sabe a gloria bendita* · **cielo || tiempo · hora · día · momento · juventud || tierra** *Bendita tierra la que nos ha acogido* · **país || inocencia · igualdad · libertad**

□ EXPRESIONES **como un bendito*** [plácidamente] *De pequeño dormía como un bendito*

□ USO Se utiliza mucho para expresar alegría (*¡Bendita la hora en que llegaste!*) o enfado (*¡En esta bendita casa nadie colabora!*).

beneficencia s.f.

● CON ADJS. **estatal · municipal · social || pública** *la red de beneficencia pública* · **privada || organizada · planificada · estructurada**

● CON SUSTS. **centro (de) · casa (de) · asilo (de) · hospital (de) · institución (de) · sociedad (de) · entidad (de) || obra (de)** *Donó su dinero a varias obras de beneficencia* · **acto (de) · evento (de) · gira (de) · corrida (de) || sistema (de) · servicio (de)**

beneficiar(se) v.

● CON ADVS. **económicamente · laboralmente · profesionalmente · deportivamente · políticamente || enormemente** *La medicina se benefició enormemente de esos descubrimientos* · **considerablemente · notablemente · significativamente · extraordinariamente · tremendamente · desproporcionadamente · abusivamente · desmesuradamente · a conciencia || claramente · descaradamente · ostensiblemente · manifiestamente · visiblemente || ilegalmente** *Durante años había estado beneficiándose ilegalmente de las ventajas que...* · **ilegítimamente · injustamente || durante {meses/años...}**

□ USO Se construye con complementos encabezados por la preposición *de*: *beneficiarse de determinadas ventajas fiscales*.

[beneficio] → beneficio; beneficio de la duda

beneficio s.m.

● CON ADJS. **pingüe** *una actividad que le reportó pingües beneficios* · **jugoso · sustancioso · suculento · cuantioso** *Aseguran que la operación producirá cuantiosos beneficios* · **enorme · inmenso · ingente · incalculable · incontable · inestimable · apreciable · notable · ostensible · abultado · alto · copioso · astronómico · desmesurado · desmedido · magno || módico · moderado · discreto || escaso** *una dieta con escasos beneficios para la salud* · **exiguo · insignificante · irrisorio · nulo || neto · bruto || aproximado || económico** *No obtengo beneficios económicos, pero sí una gran satisfacción personal*

● CON SUSTS. **margen (de) || reparto (de) · recogida (de) || previsión (de)**

● CON VBOS. **ascender (a algo) || derivar(se) (de algo) · recaer (en alguien) || aumentar · engrosar · crecer || disminuir · decrecer · menguar · mermar · decaer · evaporar(se) · esfumarse || dar · generar · producir · reportar · arrojar · dejar · conceder** *Si aún te concediera algún beneficio fiscal...* · **ocasionar · acarrear · otorgar · traer || obtener · cosechar · recoger · ingresar · sacar** *¿Y qué beneficio saco yo de todo esto?* · **amasar · tener || calcular · contabilizar · sopesar || buscar** *En todo lo que hace busca solo su propio beneficio* · **esperar · prever || dedicar · capitalizar · canalizar · blanquear · materializar || repartir · distribuir || perder · restringir · rebajar · revocar || airear || redundar (en) · revertir (en) || saldar(se) (con)**

● CON PREPS. **en** *En beneficio de todos, sigan las normas de seguridad*

beneficio de la duda loc.sust.

● CON VBOS. **dar · otorgar · conceder** *Al menos hay que concederle el beneficio de la duda* · **regalar || tener · merecer || aplicar || obsequiar (con)**

beneficioso, sa adj.

● CON SUSTS. **efecto** · **acción** · **consecuencia** · **solución** *una solución beneficiosa para ambas partes* || **cambio** · **transformación** · **modificación** · **reforma** || **producto** · **alimento** *alimentos beneficiosos para la salud* || **medida** · **disposición** · **propuesta** *La última propuesta resultará tremendamente beneficiosa para la empresa* || **acontecimiento** · **hecho** · **suceso**
● CON ADVS. **altamente** *una medida altamente beneficiosa para padres e hijos* · **sumamente** · **enormemente** · **extraordinariamente** · **tremendamente** · **considerablemente** · **notablemente** · **manifiestamente** · **visiblemente** || **escasamente** · **dudosamente**

benéfico, ca adj.

● CON SUSTS. **acto** · **gala** · **cena** *una cena benéfica para recaudar fondos* · **fiesta** · **festival** · **función** · **obra** · **espectáculo** · **desfile** · **partido** *organizar un partido de fútbol benéfico* · **concierto** · **recital** · **subasta** · **rifa** · ***otros eventos*** || **institución** · **asociación** · **organización** · **fundación** · **entidad** · **centro** || **fin** *una rifa con fines benéficos* · **causa** · **acción**

beneplácito s.m.

● CON ADJS. **unánime** *La obra recibió el beneplácito unánime de la crítica* · **general** · **absoluto**
● CON VBOS. **dar** · **recibir** · **tener** || **contar (con)** *Siempre contó con el beneplácito de sus superiores* · **gozar (de)**

benevolencia s.f.

● CON ADJS. **excesiva** *una obra acogida por la crítica con excesiva benevolencia* · **infinita** · **gran(de)** || **paterna** · **absolutoria** · **fiscal** · **inusual** · **humana**
● CON VBOS. **solicitar (a alguien)** · **pedir (a alguien)** || **aplicar** · **mostrar** *Mostró con ellos una gentil benevolencia* · **ofrecer** · **tener** || **juzgar (con)**
● CON PREPS. **con** *El director trató con benevolencia a los alumnos implicados en el suceso*

benevolente adj.

● CON SUSTS. **trato** *...actitud que invita a un trato más benevolente* · **sonrisa** · **paternalismo** · **aplauso** · **comprensión** || **tono** · **crítica** · **discurso** · **lenguaje** || **juicio** · **idea** · **opinión** · **comentario** · **calificativo** || **juez** · **fiscal** · **jurado** · **crítico,ca** · **lector,-a** *Si los benevolentes lectores me prestan su atención...* · **profesor,-a** · **enemigo,ga** · **equipo** · **público** · ***otros individuos y grupos humanos***
● CON ADVS. **sumamente** · **excesivamente** *un trato quizá excesivamente benevolente* · **exageradamente** · **tremendamente** · **extremadamente**
● CON VBOS. **hacer(se)** · **volver(se)**

benigno, na adj.

● CON SUSTS. **clima** · **calor** · **temperatura** *un valle de temperaturas benignas* · **tiempo** || **tumor** *Le han detectado un tumor benigno* · **virus** · **infección** · ***otras enfermedades y dolencias*** || **fase** · **año** *Este ha sido un año benigno para el campo* · **verano** · ***otros períodos*** || **opinión** · **crítica** · **juicio** · **calificativo** · **comentario** · **alusión** || **castigo** · **sanción** *una sanción demasiado benigna* · **pena** · **escarmiento** || **pronóstico** · **destino** · **futuro** · **propósito** || **cambio** *El tiempo, por fin, ha experimentado un cambio benigno* · **evolución** || **ley** · **normativa** · **legislación**

berenjenal s.m. *col.*

▮ [situación difícil]

● CON ADJS. **complicado** · **enrevesado** · **intrincado** || **verdadero**
● CON VBOS. **meter(se) (en)** *Me metí en un buen berenjenal por querer ayudarles* || **salir (de)** · **librar (a alguien) (de)**

bermejo, ja adj.

● CON SUSTS. **tono** · **tonalidad** || **tierra** || **caballo** · **yegua** · **rana**

bermellón s.m.

● CON SUSTS. **rojo** *un tono rojo bermellón*
➤ Véase también **COLOR**

berrear v.

● CON SUSTS. **bebé** *El bebé no dejó de berrear en toda la noche* · **niño,ña** · **cantante** · **fan** · **hincha** · **público** · ***otros individuos y grupos humanos*** || **becerro,rra** · **ciervo,va** · **ternero,ra**
● CON ADVS. **a voz en grito** · **furiosamente** · **como (un) loco**

berrido s.m.

● CON ADJS. **estridente** · **terrible** · **gutural** · **entusiasta** *los berridos entusiastas de los hinchas* · **contundente**
● CON VBOS. **meter** *No metas esos berridos...* · **emitir** · **soltar** · **lanzar** || **oír** · **escuchar** || **sonar** · **retumbar**

berrinche s.m.

● CON ADJS. **simple** *No pasa nada, es un simple berrinche* · **pequeño** || **gran(de)** · **tremendo** · **enorme**
● CON VBOS. **coger** · **llevarse** *¡Menudo berrinche me llevé al enterarme!* · **pillarse** · **costar(le) (a alguien)** · **dar(le) (a alguien)** · **tener** · **tomarse** || **pasar** · **ahorrar(se)**

besamel s.f.

● CON ADJS. **suave** · **espesa** · **ligera** · **cremosa**
● CON SUSTS. **salsa** *La salsa besamel te ha quedado muy suave*
● CON VBOS. **hacer** · **cocinar** · **preparar** · **ligar** || **mezclar (con)** · **cubrir (con)** · **acompañar (con)**
● CON PREPS. **con** *verduras con besamel*

besar v.

● CON ADVS. **apasionadamente** · **ardientemente** · **efusivamente** · **fogosamente** · **voluptuosamente** · **impetuosamente** · **arrebatadamente** || **cariñosamente** *Me besó cariñosamente en la mejilla* · **afectuosamente** || **fríamente** · **desganadamente**

beso s.m.

● CON ADJS. **apasionado** *Los protagonistas se fundieron en un apasionado beso* · **ardiente** · **ardoroso** · **fogoso** · **voluptuoso** · **arrebatado** · **efusivo** · **impetuoso** · **sonoro** *Me plantó un sonoro beso en la mejilla* || **cariñoso** · **maternal** · **fraternal** || **frío** *Todavía resentida, lo recibió con un frío beso* · **de compromiso** || **furtivo**
● CON VBOS. **dar** · **lanzar** *Le lanzó un beso desde el tren* · **tirar** · **plantar (a alguien)** · **soltar (a alguien)** · **estampar** || **arrancar (a alguien)** || **recibir** || **cubrir(se) (de)** · **llenar (de)** · **comer (a)** *Cuando apareció por la puerta, se lo comió a besos* · **deshacerse (en)** · **fundirse (en)**

bestia s.f.

● CON ADJS. **de carga** *El burro es una bestia de carga* · **humana** · **inhumana** · **marina** || **asesina** · **sanguinaria** · **salvaje** · **mala** || **auténtica** · **verdadera** || **incontrolable**
● CON VBOS. **esconder** · **domar** · **despertar** *Que no se despierte la bestia que todos llevamos dentro...* · **alimentar** · **adiestrar** || **convertir(se) (en)** · **acabar (con)**
☐ EXPRESIONES **bestia {negra/parda}** [lo que supone una gran amenaza o despierta gran temor] || **hacer el bestia** [comportarse de forma muy ruda e incivilizada]

bestialidad s.f. *col.*

● CON ADJS. **extraordinaria · inusitada · insólita · infrecuente**

● CON VBOS. **cometer · hacer** *No hagas bestialidades y bájate de ahí ahora mismo* · **decir**

besugo s.m.

● CON ADJS. **fresco · crudo · congelado || al horno || caro · barato**

● CON SUSTS. **variedad (de) · banco (de) || precio (de) || cara (de) · ojos (de) || diálogo (de)** *enzarzarse en un interminable diálogo de besugos*

● CON VBOS. **capturar · pescar || limpiar** *limpiar y preparar bien el besugo para cocinarlo al horno* · **descamar || cocinar · servir || estar por las nubes**

betún s.m.

● CON SUSTS. **capa (de)**

● CON VBOS. **dar · aplicar · extender || limpiar (con)** *limpió los zapatos con betún negro* · **pringar (con) · pintar (de) · tiznar (de)**

biberón s.m.

● CON VBOS. **tomar · dar (a alguien)** *darle el biberón al bebé* · **rechazar || hacer · preparar · calentar || hervir · esterilizar || alimentar (con)**

biblia s.f.

● CON ADJS. **laica · protestante || santa**

● CON SUSTS. **conocimiento (de) · ejemplar (de) || papel** *Este diccionario está impreso en papel biblia*

● CON VBOS. **decir (algo)** *Como dice la Biblia...* **|| leer · entender · interpretar || enseñar · difundir || traducir · editar · comentar || apoyar(se) (en) · basar(se) (en) · inspirar(se) (en)**

bíblico, ca adj.

● CON SUSTS. **libro · texto** *analizar y estudiar determinados textos bíblicos* · **historia · relato · pasaje · episodio · capítulo · salmo · profecía · cántico · cita · frase · referencia · apotegma · versículo · mensaje · exégesis || imagen · nombre · escena** *Este cuadro representa una escena bíblica muy conocida* · **iconografía || tragedia · castigo · amenaza · diluvio · maldición · plaga · holocausto · azote || mundo · ciudad · tierra || autor,-a · personaje · patriarca · profeta · ángel || tradición** *La leyenda se inscribe dentro de la tradición bíblica* · **origen · inspiración || sabiduría · estudio · tema**

bibliografía s.f.

● CON ADJS. **actualizada · moderna · anticuada · obsoleta || abundante** *Hay abundante bibliografía sobre este tema* · **nutrida · abultada · ingente · copiosa || escasa · exigua**

● CON VBOS. **consultar** *Consulte la bibliografía que aparece al final del libro* · **usar · repasar || engrosar || acudir (a) · zambullir(se) (en) · bucear (en)**

● CON PREPS. **entre**

biblioteca s.f.

● CON ADJS. **surtida · nutrida** *una biblioteca bien nutrida de poesía* · **completa · desprovista · amplia · gran(de) · pequeña || propia · personal · pública · privada · municipal · virtual · central || general · científica · específica · selecta**

● CON SUSTS. **fondo (de) || red (de)** *una amplia red de bibliotecas*

● CON VBOS. **crear · inaugurar · formar · organizar · componer · ampliar || visitar · consultar || acudir (a) · ir (a) · quedar (en) || figurar (en) · faltar (en)** *un libro que no puede faltar en su biblioteca* **|| investigar (en) · bucear (en) · estudiar (en)**

bibliotecario, ria

1 **bibliotecario, ria** adj.

● CON SUSTS. **servicio · red** *una importante red bibliotecaria* · **sistema · infraestructura · archivo || fondos · tesoro · préstamo**

2 **bibliotecario, ria** s.

● CON ADJS. **eficiente · ordenado,da · concienzudo,da || desorganizado · incumplidor**

● CON SUSTS. **puesto (de)**

● CON VBOS. **catalogar (algo) · clasificar (algo) · ordenar (algo) || pedir (a)** *Le pedí al bibliotecario el manual de...* · **preguntar (a) || trabajar (como/de)**

bicarbonato s.m.

● CON ADJS. **sódico · de sodio**

● CON SUSTS. **cucharada (de) · dosis (de) · pastilla (de)**

● CON VBOS. **utilizar · dar (a alguien) · tomar · beber || disolver · diluir** *Diluye el bicarbonato en este vaso de agua* **|| recurrir (a)**

bicha s.f.

● CON ADJS. **repugnante · asquerosa**

● CON VBOS. **abatir · mentar** *Hablar de la sequía a los agricultores es mentar la bicha* **|| convertir(se) (en)**

bicho s.m. *col. desp.*

● CON ADJS. **repugnante · horrible · desagradable · molesto || infame · indeseable · inmundo || venenoso · volador · exótico || inofensivo · mal(o) · raro** *Pareces un bicho raro con ese sombrero* **|| lleno,na (de)** *una lechuga llena de bichos* · **repleto,ta (de)**

□ EXPRESIONES {**todo/cualquier**} **bicho viviente** [todo el mundo] *col.*

bici s.f. *col.*

● CON SUSTS. **carril** *Irás más seguro por el carril bici*

Véase también bicicleta

bicicleta s.f.

● CON ADJS. **estática** *hacer deporte en una bicicleta estática* · **fija · plegable · aerodinámica · de montaña · de carreras**

● CON SUSTS. **marchas (de) · sillín (de) · manillar (de) · rueda (de) · barra (de) · paseo (en) || mundo (de) · profesional (de)**

● CON VBOS. **usar · utilizar || conducir · manejar · controlar || preparar · reparar || empujar || abandonar · colgar** *Después de las lesiones sufridas, el ciclista decidió colgar la bicicleta* **|| montar (en)** *aprender a montar en bicicleta* · **circular (en) · ir (en) · pasear (en) · andar (en) · correr (en) · desplazarse (en) || subir (a) · bajar (de) · cambiar (de) · caer(se) (de)**

bicoca s.f. *col.*

● CON ADJS. **auténtica** *Ese trabajo es una auténtica bicoca: fácil y bien pagado* · **verdadera · absoluta**

● CON VBOS. **conseguir · encontrar · adquirir || beneficiar(se) (de)**

bien

1 **bien** s.m.

• CON ADJS. **supremo · absoluto || mayor · material**
• CON VBOS. **hacer** *Tiene un corazón de oro y solo piensa en hacer el bien* · **perseguir · buscar || encarnar · personificar**

2 **bienes** s.m.pl.

• CON ADJS. **materiales** *Nos decía que lo importante no son los bienes materiales, sino los sentimientos* · **de consumo · de primera necesidad · de equipo || gananciales · inmuebles · raíces** *Los bienes raíces son los que no pueden ser trasladados* · **muebles**
• CON VBOS. **codiciar · adquirir · poseer · heredar · atesorar · comprar || inventariar · custodiar || hipotecar · vender · subastar · dilapidar || legar** *Legó sus bienes a una institución benéfica* · **ceder · subrogar || sustraer · expropiar** *Tras el cambio de régimen, le expropiaron todos sus bienes* · **enajenar · confiscar · requisar · usurpar · restituir || disfrutar (de) · gozar (de) || adueñarse (de) · apropiarse (de) || despojar(se) (de) · desposeer (de)**

3 **bien** adv.

• CON ADVS. **francamente** *Dibujas francamente bien* · **prácticamente || perfectamente · extraordinariamente**

☐ EXPRESIONES **no bien** [apenas] **|| si bien** [aunque] **|| y bien** [se usa para preguntar] *Y bien, ¿por dónde empezamos?*

[bienes] s.m.pl. → bien

bienestar s.m.

• CON ADJS. **profundo** *una sensación de profundo bienestar* · **hondo || placentero · plácido · cómodo || efímero · fugaz || atentatorio,ria (contra)**
• CON SUSTS. **estado (de)** *luchar por el mantenimiento y la defensa del estado de bienestar* · **sociedad (de) · sistema (de) || deseos (de) · búsqueda (de) · nivel (de) || sensación (de) · sentimiento (de)**
• CON VBOS. **consistir (en algo) || truncar(se) || perseguir · buscar · procurar (a alguien)** *procurar el bienestar de la comunidad* · **proporcionar · encontrar · dar || amenazar · hipotecar · perder || experimentar · sentir || aspirar (a) || disfrutar (de) · gozar (de) || velar (por)**
• CON PREPS. **en aras (de)**

bienvenida s.f.

• CON ADJS. **calurosa · cálida** *Nos dispensaron una cálida bienvenida* · **cariñosa · cordial · acogedora · entusiasta · efusiva || tibia · fría || multitudinaria · apoteósica**
• CON SUSTS. **gesto (de) · fiesta (de) · palabras (de)**
• CON VBOS. **dar (a alguien) · dispensar (a alguien) · hacer extensiva (a alguien)**
• CON PREPS. **en señal (de)** *Agitaban los brazos en señal de bienvenida*

[bies] → al bies

bífido, da adj.

• CON SUSTS. **espina · lengua · cola**

bifocal adj.

• CON SUSTS. **lente · gafas**

bifurcarse v.

• CON SUSTS. **camino** *El camino se bifurcaba y no sabíamos por dónde seguir* · **senda · sendero · vereda · carretera · autopista · vía · ruta · travesía · ramal · escalera || río** *Este río se bifurca en dos afluentes* **|| vena · arteria || teoría · pensamiento · opinión · criterio · argumento || destino · historia · vida · trayectoria**

bigamia s.f.

• CON SUSTS. **delito (de) · pecado (de)**
• CON VBOS. **cometer · practicar · impedir || acusar (de)**

bigote s.m.

• CON ADJS. **poblado** *Apenas le asomaban los labios bajo el poblado bigote* **|| cano · entrecano || retorcido**
• CON VBOS. **crecer · salir || llevar || afeitar · recortar · mesar · retorcer || atusar · peinar**

bikini s.m. Véase **biquini**

bilateral adj.

• CON SUSTS. **tratado · acuerdo** *Las dos empresas anunciaron un acuerdo bilateral* · **pacto · convenio · lazo · vínculo · nexo · relación || reunión · conversación · cumbre · encuentro · diálogo || comercio** *el comercio bilateral entre los dos países* · **negociación || asunto · tema · cuestión · proyecto || problema · crisis · desequilibrio**

bilingüe adj.

• CON SUSTS. **ciudadano,na · profesor,-a · profesorado · alumno,na** *un colegio para alumnos bilingües* · ***otros individuos y grupos humanos*** **|| educación · enseñanza · colegio · escuela || edición · antología · diccionario** *consultar un diccionario bilingüe* · **versión || país · comunidad · región · ciudad · estado · sociedad**

billar s.m.

• CON ADJS. **americano · profesional**
• CON SUSTS. **mesa (de) · bola (de) · taco (de) || jugador,-a (de) · maestro,tra (de) · equipo (de) || partida (de)** *jugar una partida de billar* · **jugada (de) || salón (de) · sala (de)**
• CON VBOS. **jugar (a)**

billete s.m.

• CON ADJS. **de ida · de vuelta · de ida y vuelta · sencillo · de {primera/segunda...} clase || premiado · agraciado** *un billete agraciado con el primer premio* **|| falso · de curso legal · falsificado**
• CON SUSTS. **venta (de) · reserva (de) || fajo (de) · lluvia (de)**
• CON VBOS. **circular** *La Policía sabe que circulan muchos billetes falsos* · **poner en circulación || agotar(se) || emitir · expender · dispensar · vender · falsificar || validar · pagar || pedir · solicitar · comprar · sacar**

binario, ria adj.

• CON SUSTS. **sistema** *La informática se basa en un sistema binario* · **código · lenguaje || pensamiento · información · concepto || lógica || número · operación · fórmula · dígito · término || ritmo** *danzas de ritmo binario* · **compás || función**

bingo s.m.

• CON VBOS. **cantar** *El cliente que cantó el bingo saltó de alegría* · **hacer || jugar (a) · ganar (a) || ir (a)**

biodiversidad s.f.

• CON ADJS. **gran(de) · rica · enorme · elevada || asombrosa · fascinante · impresionante** *la impresionante biodiversidad de la isla* · **magnífica || animal · humana · marina || urbana · mundial · artificial**

• CON SUSTS. **conservación (de) · protección (de) · defensa (de) · reserva (de)**
• CON VBOS. **florecer · reinar || conservar · mantener · preservar** *medidas orientadas a preservar la biodiversidad marina* · **proteger · respetar · salvaguardar · defender · garantizar || mejorar · potenciar || perder · disminuir · deteriorar · destruir || analizar · examinar || afectar (a) · acabar (con)**

biografía s.f.

• CON ADJS. **densa · dilatada · nutrida · fecunda || larga · escueta || accidentada · ajetreada** *En su ajetreada biografía no hay lugar para el aburrimiento* · **azarosa · tormentosa**
• CON VBOS. **empañar(se) || manchar || escribir · trazar · jalonar** *una biografía jalonada de fracasos* **|| presentar || contar (con)**
• CON PREPS. **a lo largo (de)**

biográfico, ca adj.

• CON SUSTS. **obra · libro · ensayo · drama · novela · relato · historia · cuento || documento · artículo · reseña · escrito · resumen · síntesis || nota · apunte · esbozo || dato** *Apenas se conservan datos biográficos de este príncipe mogol* · **elemento · información · contenido || documental · reportaje · película || rasgo · carácter · aspecto · tono** *La película es de ficción, pero tiene un tono biográfico* · **clave · referencia || perfil · retrato · semblanza · pincelada || anécdota · caricatura**

biología s.f. Véase **DISCIPLINA**

biológico, ca adj.

• CON SUSTS. **ley** *¿Sabes quién descubrió esta ley biológica?* · **función · sistema · perfil · necesidad || ciclo · evolución · proceso · degradación || ritmo || parada · paro || molécula · gen · agente · factor · material || riqueza · complejidad · diversidad** *un espacio protegido debido a su diversidad biológica* **|| origen · madre · padre(s) · ascendiente · descendiente · familia || investigación · prueba · ciencia || basura · desechos · residuos || arma || reloj || alimento · producto · cultivo · agricultura**

biosfera s.f.

• CON ADJS. **natural · marina · actual**
• CON SUSTS. **reserva (de)** *El parque ha sido declarado reserva de la biosfera*
• CON VBOS. **proteger · regenerar || sanear · limpiar · descontaminar || estudiar · examinar · investigar || atravesar · cruzar**

biquini s.amb.

• CON SUSTS. **parte (de) · pieza (de) · parte de arriba (de) · sujetador (de) · corpiño (de) · parte de abajo (de) · braga (de) · bombacha (de)**
➤ Véase también **ROPA**

bisagra s.f.

▌[mecanismo de metal]

• CON VBOS. **chirriar** *La bisagra chirría demasiado* · **soltar(se) || unir || oxidar(se) · estropear(se) || engrasar · ajustar · revisar || quitar · reemplazar · sustituir || poner · colocar**

▌[elemento de unión]

• CON ADJS. **perfecta · auténtica · verdadera** *Ejerció de verdadera bisagra en el conflicto* **|| imprescindible · determinante · fundamental · esencial || política · parlamentaria**
• CON SUSTS. **papel (de) · rol (de) || partido** *un partido bisagra, necesario para poder gobernar*
• CON VBOS. **convertir(se) (en) · ejercer (de) · hacer (de) · actuar (de) · constituir(se) (en)**

bisiesto adj.

• CON SUSTS. **año · febrero · mes**

bisturí s.m.

• CON ADJS. **eléctrico · ultrasónico · micrometrizado · digital · analítico**
• CON VBOS. **usar · aplicar · utilizar · emplear · manejar || meter · clavar · hundir || afilar || ayudarse (de) · armarse (de) || cortar (con) · diseccionar (con) · operar (con) || recurrir (a)** *La operaron sin recurrir al bisturí* · **acudir (a)**

bisutería s.f.

• CON ADJS. **barata · fina** *una pieza de bisutería fina* · **artesana · de plástico · cuidada · de calidad · alta · variopinta**
• CON SUSTS. **tienda (de) · línea (de) · muestrario (de) || pieza (de) · collar (de) · anillo (de) · pendientes (de) · juego (de)**

bitácora s.f.

• CON SUSTS. **cuaderno (de)**

biunívoco, ca adj.

• CON SUSTS. **relación · correspondencia**

bizantino, na adj.

• CON SUSTS. **discusión · cuestión · debate** *un debate bizantino e interminable* · **polémica · enfrentamiento · controversia · pelea · pugna · diferencia**

bizco, ca adj.

• CON SUSTS. ***persona* || ojo || toro · cuerno**
• CON ADVS. **ligeramente · medio · totalmente · del ojo {izquierdo/derecho}**
• CON VBOS. **ser · estar · dejar (a alguien) · quedarse · ponerse · volverse**

[blanco, ca] → blanco, ca; carta blanca; de guante blanco; de punta en blanco; en blanco

blanco, ca

1 blanco, ca adj.

• CON SUSTS. **bandera** *la bandera blanca de la paz* · **libro · guante || carne · pescado · pan · vino · pimienta · judías || oro || glóbulo**
• CON ADVS. **como la nieve** *una barba blanca como la nieve* · **como la cera · como la leche · como la pared · como un muerto**
• CON VBOS. **ser · estar · ponerse · quedarse**

2 blanco s.m.

▌[color]

• CON ADJS. **inmaculado** *La casa, con las paredes de un blanco inmaculado...* · **impoluto · deslumbrante · luminoso · nuclear || amarillento · azulado · violáceo · sucio**
➤ Véase también **COLOR**

▌[objetivo]

• CON ADJS. **fácil** *ser blanco fácil de las críticas* · **seguro · perfecto · certero · visible · privilegiado · vulnerable · infalible || móvil · inmóvil · fijo || difícil**

● CON VBOS. **acertar · fallar · errar || apuntar (a) · tirar (a) · pegar (en)**

3 **blanco (de)** s.m.

● CON SUSTS. **miradas** *acostumbrarse a ser el blanco de todas las miradas* **|| burlas · críticas · acusaciones · protestas · sospechas · invectivas · indagaciones || ira · represión · violencia · venganza || oposición · guerrilla · francotirador,-a · especuladores,ras · terroristas || ataque · agresión · atentado · represalia · disparo · bombardeo · misil · bomba**

□ EXPRESIONES **dar en el blanco** [acertar] **|| {estar/quedarse} en blanco** [estar sin ideas; quedarse sin reaccionar o sin poder pensar] **|| no tener (ni) blanca · {estar/quedarse} sin blanca** [no tener dinero]

blancura s.f.

● CON ADJS. **inmaculada · impoluta** *la blancura impoluta de la nieve* **· impecable || polar · glacial || deslumbrante · cegadora · iluminadora · luminosa || absoluta · cruda · extrema · exquisita || angelical · fantasmagórica · fantasmal**

● CON VBOS. **perder · conseguir** *Con este detergente conseguirás una blancura impecable*

blancuzco, ca adj.

● CON SUSTS. **color · aspecto · tono || mancha · espuma · gasa · líquido · papel · nube || bata · camisa · pantalón ·** ***otras prendas de vestir***

● CON VBOS. **ser · estar · ponerse · volverse · quedar(se)**

blandir v.

● CON SUSTS. **pistola · espada** *preparado para blandir su espada contra...* **· hacha · cuchillo · puñal ·** ***otras armas*** **|| bandera · estandarte || argumento · propuesta · programa · acuerdo || lema · término · palabra · nombre · eslogan · lenguaje || amenaza** *...sin que los sindicatos blandieran en ningún momento la amenaza de la huelga general* **· peligro · inseguridad || estatuto · ley · artículo · justicia**

blando, da adj.

● CON SUSTS. **pan · carne ·** ***otros alimentos*** **|| yeso · cemento ·** ***otros materiales*** **|| carácter** *un hombre con carácter blando y afectuoso* **· actitud · posición · postura · punto de vista · criterio || ley · legislación · código · norma · condena** *La blanda condena internacional sorprendió a los países implicados* **· sentencia · pena · sanción · veredicto · justicia || sector · línea · núcleo · tendencia · vía · rama · ala || político,ca · presidente,ta · dirigente · militar · ministro,tra · jefe,fa · directivo,va · gobierno || enemigo,ga · rival · contendiente · oposición** *una oposición blanda e ineficaz* **|| profesor,-a · juez · árbitro,tra · portero,ra · jugador,-a · equipo || política** *Critican al Gobierno por su política blanda con el terrorismo* **· democracia · ideología · derecha · totalitarismo · dictadura · socialismo || agresión · ataque · golpe de Estado · revolución · extorsión · represalia || juego · deporte · fútbol · tenis · partido · despeje · rechace · pelota || toro · res · corrida · encierro || música · canción · disco · pop · película** *una película blanda y previsible, pero con bastante éxito comercial* **· filme · comedia · drama · guión · narración ·** ***otras creaciones*** **|| crédito · peaje · tarifa · préstamo · interés · financiación · moneda || disciplina · psicología · ciencia · ética · pensamiento || discurso** *un discurso blando y condescendiente* **· mensaje · comunicado · pregunta · interrogatorio ·** ***otras manifestaciones verbales o comunicativas*** **|| droga · pornografía · erotismo · sexo · lascivia · picardía**

● CON VBOS. **volver(se)** *La legislación se ha vuelto blanda en ese punto* **· hacer(se) · quedar(se) · poner(se)**

blanqueador, -a adj.

● CON SUSTS. **dentífrico · gel ·** ***otras sustancias*** **|| tratamiento**

blanquear v.

● CON SUSTS. **ropa · diente · cara · pared · fachada ·** ***otras cosas materiales*** **|| figura · sepulcro || dinero** *Fue acusado de montar una empresa para blanquear dinero* **· beneficio · ganancia · ingreso · fondo · capital · pérdida · gasto · botín · dividendo · comisión · sobresueldo || mercancía · joya · vehículo || patrimonio · economía** *unas medidas que ayudaron a blanquear la economía* **· bien · fortuna || negocio · producción · especulación · venta · actividad · compra · materia prima || imagen** *Pretendían blanquear la imagen del Gobierno ante la comunidad internacional* **· honorabilidad · biografía · identidad || responsabilidad · conciencia · obligación || hoja de servicio · expediente**

blanquecino, na adj.

● CON SUSTS. **color · tono · aspecto · coloración · tonalidad || tez · piel · carne · rostro** *Llamaba la atención su rostro blanquecino* **|| barba · cabello · pelo || luz · halo · atmósfera · bruma · destello || sustancia · líquido**

● CON VBOS. **ser · estar · ponerse · volverse · quedar(se)**

blasfemo, ma adj.

● CON SUSTS. **palabra · grito · expresión · lenguaje || libro** *un libro blasfemo y sin fundamento* **· artículo · carta ·** ***otros textos*** **|| carácter · actitud**

blindado, da adj.

● CON SUSTS. **vehículo · carro · coche · furgón · camión · tanque || cristal · cabina · caja · puerta · casa || unidad · columna || contrato** *La empresa niega haber firmado un contrato blindado con...* **|| cargo · puesto**

blindar v.

● CON SUSTS. **vehículo · tren · coche · furgón || cabina · cuarto · casa · recinto · puerta · caja · cristal · cable || frontera · espacio aéreo || contrato** *Continúan las negociaciones para blindar el contrato del delantero argentino* **· acuerdo · pacto · alianza || jugador,-a · equipo · directivo,va · gestor,-a · magistrado,da · monarca || sueldo · crédito · cuenta · fondo · presupuesto** *...fondos que fueron destinados a blindar el presupuesto nacional* **· inversión · economía · negocio || puesto · cargo · escaño · presidencia || banco · compañía · empresa · entidad · institución** *Su objetivo era blindar la institución de posibles interferencias políticas* **|| gobierno · régimen · poder · democracia · oligarquía || hegemonía · impunidad || estatuto · ley · constitución**

bloque

1 **bloque** s.m.

● CON ADJS. **compacto** *El equipo directivo forma un bloque fuerte y compacto* **· pétreo · homogéneo · sólido · fuerte · indisoluble · a prueba (de) || central · gran(de) || temático · económico · comercial · político || opositor · radical · defensivo**

● CON VBOS. **conformar** *Las tres partes conforman un bloque muy sólido* **· crear · constituir · formar · integrar || dividir · romper(se) · separar(se) || acceder (a) · incorporar(se) (a)**

● CON PREPS. **en** *Todos mis amigos llegarán en bloque*

2 **bloque (de)** s.m.

●CON SUSTS. **piedra · cemento · hormigón · mármol · hielo ·** ***otros materiales*** **|| pisos · viviendas · apartamentos** *vivir en un bloque de apartamentos* **· oficinas || artistas · diputados,das · senadores,ras · militantes · concejales,las ·** ***otros individuos*** **|| medidas · noticias · preguntas** *Tras la exposición del tema, pasaremos al bloque de preguntas*

bloquear v.

●CON SUSTS. **paso** *Los manifestantes bloquearon el paso* **· tubería · autopista · calle · arteria ·** ***otras vías*** **|| salida · entrada · acceso · puerta || cantidad · dinero · porcentaje · cuenta bancaria || asamblea · reunión · cumbre || motor · coche · ordenador · teclado · línea telefónica** *Me bloquearon la línea telefónica por falta de pago* **· correo || reforma · cambio · avance · progreso · evolución || asunto · cuestión · tema · caso || situación · conflicto · problema · crisis || petición · solicitud · pedido · demanda · requerimiento || decisión · acuerdo · medida · solución · pacto · arreglo || retirada · huida · fuga · expulsión · exportación · cese · destitución · derrota || aspiración** *medidas políticas destinadas a bloquear las aspiraciones del veterano político a la presidencia* **· objetivo · propósito · intento · idea · expectativa · iniciativa · horizonte · pretensión || mente · conocimiento · memoria · entendimiento · creatividad · cabeza || posibilidad · alternativa** *El último atentado ha bloqueado cualquier alternativa de diálogo* **· opción**

●CON ADVS. **a medias · por completo · completamente · totalmente · absolutamente || definitivamente · temporalmente · indefinidamente || cautelarmente · preventivamente · provisionalmente || unilateralmente · sistemáticamente · selectivamente**

bloqueo s.m.

●CON ADJS. **total · absoluto · completo · férreo** *Encontraron fórmulas ingeniosas para burlar el férreo bloqueo impuesto* **· estricto · riguroso · implacable · infranqueable || comercial || justo · injusto**

●CON VBOS. **recrudecer(se) || decretar · implantar · ejercer || levantar · aflojar · aliviar || superar || someter (a)**

blusa s.f.

●CON ADJS. **lisa · (a/de) rayas · de flores · estampada · bordada · transparente || de algodón · de seda · sintética · de fibra · de punto || de manga {larga/corta} · de media manga · sin mangas**

●CON VBOS. **arrugar(se) · encoger || coser · confeccionar · arreglar · ajustar · agrandar · ensanchar · diseñar**

➤ Véase también **ROPA**

boato s.m.

●CON ADJS. **gran(de) · mayor · excesivo** *Esa familia siempre ha huido del excesivo boato* **|| solemne · oficial**

●CON VBOS. **dar (a algo) || huir (de) · disfrutar (de) || revestir (algo) (de)**

●CON PREPS. **con · sin**

bobada s.f.

●CON ADJS. **como una catedral** *Lo que acabas de decir es una bobada como una catedral* **· como una casa · como un piano · de campeonato · soberana · monumental · descomunal · gigantesca · tremenda · enorme · supina · mayúscula · solemne**

●CON SUSTS. **sarta (de) · serie (de)**

●CON VBOS. **decir · proferir · soltar · dejar caer · lanzar || hacer || andarse (con)** *Esta gente no se anda con bobadas, así que ten cuidado*

bobería s.f.

●CON VBOS. **decir** *No digas más boberías* **· soltar || andarse (con)**

bobina s.f.

●CON ADJS. **de hilo · de papel · de alambre || de inducción · de propulsión · eléctrica || pesada · grande**

●CON VBOS. **emplear · usar · tener** *El coche tiene una bobina eléctrica en el motor* **|| manipular · colocar || reparar**

[boca]

→ a pedir de boca; boca; boca {abajo/arriba}; con la boca {chica/pequeña}; de boca en boca

boca s.f.

▮ [parte de la cara]

●CON ADJS. **grande · pequeña · carnosa · sensual || seca** *Tengo la boca seca y necesito beber agua* **· pastosa**

●CON SUSTS. **sabor (de)** *La película nos dejó muy buen sabor de boca*

●CON VBOS. **abrir** *¿Qué te pasa que no has abierto la boca en todo el día?* **|| cerrar · callar || partir(le) (a alguien) || tapar(le) (a alguien) · coser(le) (a alguien) || llevarse (a)** *No tengo nada que llevarme a la boca* **|| estar (en)** *Este rumor está en boca de todos* **|| quitar (de)** *Me has quitado de la boca lo que iba a decir* **· venir (a) || salir (de)** *Esa expresión nunca ha salido de mi boca* **|| irse (de) · pedir (por) || calentárse(le) (a alguien)** *Se le calienta la boca cuando empieza a hablar de...* **· llenárse(le) (a alguien)**

●CON PREPS. **de** *...lo oyó de boca del presidente* **· por** *La directora ha dicho, por boca de su secretario, que...*

▮ [abertura, agujero]

●CON ADJS. **de riego · de incendios || de metro · de túnel · de yacimiento · del estómago · de alcantarilla · de cueva**

□EXPRESIONES **andar en boca de** (alguien) [ser objeto de rumores o murmuraciones] **|| a pedir de boca*** [tal y como se ha deseado] **|| como boca de lobo** [muy oscuro] **|| con la boca {chica/pequeña}*** [sin verdadera intención] *col.* **|| de boca en boca*** [en conocimiento de todos] *col.* **|| hacer** (a alguien) **el boca a boca** [hacerle la respiración artificial] **|| hacerse la boca agua** [disfrutar al imaginar algo] **|| poner** (algo) **en boca** (de alguien) [atribuírselo o suponer que dice lo que uno piensa] **|| punto en boca** [silencio]

boca {abajo/arriba} loc.adv.

●CON VBOS. **tender(se) · tumbar(se)** *Se tumbó boca abajo a tomar el sol* **· acostar(se) · echar(se) · tomar el sol || dormir · descansar · yacer || estar · poner(se) · colocar(se)** *Colóquense boca arriba para realizar el siguiente ejercicio* **|| flotar || caer · descender · desplomarse**

boca arriba loc.adv. Véase **boca {abajo/arriba}**

bocado s.m.

▮ [mordisco]

●CON ADJS. **tremendo · terrible · buen**

●CON VBOS. **dar · meter · pegar · arrear** *Estaba jugando con él y me arreó un bocado*

▮ [pequeña porción de comida]

●CON ADJS. **exquisito · apetitoso · sabroso · goloso · jugoso · apetecible**

• CON VBOS. **tomar** · **comer** · **probar** *Creía que tenías hambre pero no has probado bocado*

[bocajarro] → a bocajarro

[bocanada] → a bocanadas; bocanada (de)

bocanada (de) s.f.

• CON SUSTS. **aire** *Al abrir la puerta entró una bocanada de aire fresco* · **oxígeno** · **humo** · **tabaco** || **juventud** · **libertad** · **optimismo** · ***otros sentimientos o sensaciones***

bocazas s.com. *col.*

• CON ADJS. **auténtico,ca** · **verdadero,ra** || **sin remedio** · **sin remisión**
• CON SUSTS. ***persona*** *Este hijo mío es un bocazas* || **fama (de)**

boceto s.m.

• CON ADJS. **original** · **magistral** · **magnífico** || **previo** · **preliminar** · **provisional** · **preparatorio** || **esquemático** · **parcial** *La arquitecta presentó un boceto parcial del proyecto*
• CON SUSTS. **cuaderno (de)** · **exposición (de)**
• CON VBOS. **realizar** · **hacer** · **elaborar** · **dibujar** || **idear** · **concebir** || **exponer** · **mostrar** · **presentar** || **firmar**

bochorno s.m.

• CON ADJS. **tremendo** · **mayúsculo** · **monumental**
• CON VBOS. **hacer** *Hoy hace un bochorno tremendo* || **dar (a alguien)** || **pasar** *¡Menudo bochorno pasé cuando me dijeron que...!* · **sentir** · **experimentar**

bochornoso, sa adj.

• CON SUSTS. **acontecimiento** · **episodio** · **escena** *presenciar una escena bochornosa* · **situación** · **hecho** · **asunto** · **caso** · **incidente** · **ambiente** || **altercado** · **enredo** · **escándalo** · **denuncia** || **final** · **resultado** · **derrota** *una bochornosa derrota que acabó con las esperanzas de conseguir el título* || **actitud** · **comportamiento** · **decisión** || **partido** · **encuentro** · **espectáculo** · **actuación** || **día** · **jornada** || **calor**
• CON ADVS. **realmente** · **absolutamente** · **completamente** · **totalmente** *Su intervención en el debate fue totalmente bochornosa* · **tremendamente** · **verdaderamente** · **auténticamente** · **extremadamente**

boda s.f.

• CON ADJS. **civil** · **religiosa** || **familiar** · **íntima** *una boda íntima a la que solo asistieron...* · **solemne** || **sonada** || **de oro** · **de plata** · **de platino** · **de diamante**
• CON SUSTS. **preparativos (de)** · **banquete (de)** *Asistimos a la ceremonia pero no pudimos ir al banquete de boda* · **día (de)** · **noche (de)** · **aniversario (de)** || **nulidad (de)**
• CON VBOS. **tener lugar** || **fijar** · **anunciar** || **celebrar** · **festejar** · **consumar** · **efectuar** || **cancelar** · **anular** || **asistir (a)** · **ir (de)**

bodega s.f.

• CON ADJS. **de barco** · **de buque** · **de avión** || **de vino** · **de alcohol** || **de misiles** · **de carga** || **industrial** · **artesanal**
➤ Véase también **ESTABLECIMIENTO**

bodrio s.m.

• CON ADJS. **auténtico** *Esa película es un auténtico bodrio* · **verdadero** · **típico** · **semejante** *No sé cómo han premiado semejante bodrio* · **increíble** · **incomible** · **infame** · **infumable** || **mayúsculo** · **monumental**

bofetada s.f.

• CON ADJS. **sonora** *El cineasta recibió ayer una sonora bofetada cuando la crítica...*
• CON VBOS. **plantar** · **estampar** · **cascar** || **merecer**
➤ Véase también **GOLPE**

bofetón s.m.

• CON ADJS. **auténtico** · **sonoro** *Aquella derrota supuso un sonoro bofetón para ellos*
• CON VBOS. **plantar** · **estampar** || **merecer**
➤ Véase también **GOLPE**

[boga] → en boga

bohemio, mia adj.

• CON SUSTS. **artista** · **músico,ca** *Fue un músico bohemio, un rebelde inadaptado que...* · **escritor,-a** · **pintor,-a** · ***otros profesionales*** || ***persona*** *un joven bohemio* || **ambiente** · **barrio** · **mundo** · **espíritu** · **vida** || **aspecto** · **imagen** · **tono** · **estilo**
• CON VBOS. **hacerse** · **volverse**

boicot s.m.

• CON ADJS. **absoluto** · **generalizado** · **unánime** · **total** · **parcial** || **duro** · **estricto** · **recalcitrante**
• CON SUSTS. **campaña (de)** · **llamamiento (a)** *Una asociación hizo un llamamiento al boicot contra la película* || **intento (de)**
• CON VBOS. **arreciar** · **seguir** || **tener éxito** · **fracasar** || **iniciar** · **concluir** || **anunciar** · **convocar** · **declarar** · **emprender** *Los productores nacionales emprendieron un boicot contra las importaciones* · **ejercer** · **hacer** · **poner en práctica** · **practicar** || **saltarse** || **amenazar (con)** || **escapar (a)**

boicotear v.

• CON SUSTS. **presidente,ta** · **diputado,da** · **director,-a** · **junta** · **comisión** *Fue acusado de intentar boicotear la comisión de investigación* · **organismo** · **institución** · **empresa** · **firma** · **multinacional** || **elección** · **comicios** · **escrutinio** · **campaña** · **mitin** · **votación** · **referéndum** · **plebiscito** · **consulta** · **voto** || **reunión** · **cumbre** · **encuentro** · **sesión** *Los diputados decidieron boicotear la sesión para impedir que el proyecto fuera aprobado* · **asamblea** · **congreso** · **debate** · **comparecencia** · **cita** || **acto** · **visita** · **celebración** · **recepción** · **conmemoración** · **acontecimiento** || **acuerdo** *Algunos bancos habrían intentado boicotear el acuerdo establecido si...* · **negociación** · **conversación** · **entrevista** · **entendimiento** || **discurso** · **conferencia** · **charla** || **iniciativa** · **proyecto** · **plan** || **ley** · **constitución** · **resolución** · **orden** · **norma** · ***otras disposiciones*** || **producto** · **artículo** · **importación** *La primera reacción fue boicotear la importación de...* · **venta** || **trabajo** · **labor** · **proceso** · **esfuerzo** · **actividad** || **competición** · **torneo** · **campeonato** · **partido**

boina s.f.

• CON VBOS. **calarse** *calarse la boina hasta las orejas* · **ajustarse** · **encajarse** || **poner** · **quitar**

bola s.f.

• CON ADJS. **de fuego** · **de nieve** · **de cristal** · **de billar**
• CON SUSTS. **toque (de)**
• CON VBOS. **rodar** · **botar** || **lanzar** · **golpear** · **tocar** *un jugador que sabe tocar bien la bola* · **impulsar** · **llevar** · **meter** · **recibir** · **sacar**

□ EXPRESIONES **a {mi/tu/su...} bola** [sin tener en cuenta los deseos de los demás] *col.* || **dar bola** [prestar atención] || **en bolas** [desnudo] *vulg.* || **hasta la bola** [lleno] *col. El* *día de la inauguración el local estaba hasta la bola* || **pasar la bola** [pasar la responsabilidad o el turno] *col.*

bolazo s.m. Véase **GOLPE**

boletín s.m.

● CON ADJS. **oficial** · **interno** · **de prensa** || **médico** *Según el último boletín médico, el paciente está fuera de peligro* · **de campaña** · **meteorológico** · **informativo** · **de inscripción** · **de noticias** || **diario** · **semanal** · **mensual** · **periódico**

● CON VBOS. **emitir** · **editar** · **facilitar** · **publicar** · **aparecer** · **leer** · **consultar** · **recoger** · **imprimir** · **distribuir** *La Consejería distribuye de forma gratuita su boletín* || **acceder (a)** · **publicar (en)** *Los resultados de la última convocatoria se han publicado en el boletín*

boleto s.m.

● CON ADJS. **de ida** · **de vuelta** · **de ida y vuelta** · **redondo** · **sencillo** || **agraciado** · **premiado**

● CON VBOS. **cobrar** *¿Dónde se cobran los boletos premiados?* || **validar** · **sellar**

boliche s.m.

▮ [juego de bolos]

● CON SUSTS. **torneo (de)** *inscribirse en un torneo de boliche* · **campeonato (de)** · **competición (de)** || **jugador,-a (de)** · **equipo (de)**

● CON VBOS. **jugar (a)**

▮ [local público]

● CON ADJS. **bailable** || **repleto** · **abarrotado** *El boliche estaba abarrotado de gente*

● CON SUSTS. **acceso (a)** || **dueño,ña (de)** · **propietario,ria (de)** || **cliente (de)**

● CON VBOS. **abrir** · **inaugurar** || **cerrar** · **clausurar** · **prohibir** || **frecuentar** · **llenar** · **atestar** || **salir (de)** · **desalojar (de)** || **ir (a)** · **entrar (en)**

bolígrafo s.m.

● CON ADJS. **rojo** *corregir un texto con bolígrafo rojo* · **azul** · **negro** · **verde** · ***otros colores*** || **en ristre** · **en mano** *Varios seguidores del cantante, bolígrafo en mano, le pidieron un autógrafo*

● CON VBOS. **pasar (a)** *Primero lo escribió a lápiz y luego la pasó a bolígrafo* · **repasar (a/con)** · **escribir (a/con)** · **pintar (a/con)**

bolillos s.m.pl.

● CON SUSTS. **encaje (de)** *un pañuelo hecho con encaje de bolillos*

● CON VBOS. **hacer** || **tejer (con)**

bolívar s.m. Véase **MONEDA**

boliviano s.m. Véase **MONEDA**

bollería s.f.

▮ [bollos]

● CON ADJS. **industrial** · **variada** · **elaborada** · **artesana** · **casera**

● CON SUSTS. **producto (de)** · **artículo (de)**

▮ [comercio] Véase **ESTABLECIMIENTO**

bolos s.m.pl.

▮ [juego, deporte]

● CON SUSTS. **partida (de)** *¿Echamos una partida de bolos?* || **campeón,-a (de)**

➤ Véase también **DEPORTE**

▮ [representación, actuación]

● CON ADJS. **veraniegos** *Se saca un dinerito con sus bolos veraniegos*

● CON VBOS. **hacer** || **montar** · **preparar**

bolsa

1 **bolsa** s.f.

▮ [saco]

● CON VBOS. **pesar** *Estas bolsas pesan mucho* · **contener (algo)** || **llevar** || **meter (en)** · **sacar (de)** · **llevar (en)** || **cargar (con)**

▮ [mercado de valores]

● CON VBOS. **subir** · **repuntar** · **salir a flote** || **bajar** *La bolsa bajó ayer unas décimas* · **caer** · **derrumbarse** · **desplomarse** · **hundir(se)** · **estabilizar(se)** || **abrir** · **cerrar** || **salir (a)** *una empresa que acaba de salir a bolsa* · **sacar (a)** || **invertir (en)** · **jugar (en)** || **ganar (en)** · **perder (en)**

2 **bolsa (de)** s.f.

● CON SUSTS. **aire** · **gas** *La explosión pudo deberse a una bolsa de gas* · **agua** · **petróleo** || **votantes** · **indecisos,sas** · **abstención** · **resistencia** · **objetores,ras** || **fraude** · **dinero negro** || **marginación** · **pobreza** · **miseria** · **paro** · **delincuencia** || **empleo** *Tras realizar el curso, me incluyeron en una bolsa de empleo* · **trabajo** · **estudios** || **suelo** · **vivienda** || **valores** · **acciones** · **comercio** || **compra** · **deporte** · **mano** · **viaje** · **equipaje** · **aseo** *Metió el desodorante en la bolsa de aseo*

[bolsillo] → bolsillo; de bolsillo; de {mi/tu/su...} bolsillo; meterse en el bolsillo

bolsillo s.m.

● CON ADJS. **lleno** *los bolsillos llenos de caramelos* · **desahogado** · **vacío** · **flaco** || **roto** · **descosido** || **perro** *Cuando le dieron el cambio se metió las monedas en el bolsillo perro*

● CON VBOS. **llenar** *El constructor se llenó los bolsillos en una operación especulativa* · **engrosar** || **vaciar** · **aligerar** · **rebañar** · **sangrar** || **llevar (en)** · **tener (en)** || **buscar (en)** · **hurgar (en)** || **meter (en/a)** · **ir a parar (a)** || **sacar (de)** · **extraer (de)** · **salir (de)** · **pagar (de)** *Pagué los gastos de mi propio bolsillo*

● CON PREPS. **de** *un libro de bolsillo* · **al alcance (de)** *unas vacaciones al alcance de nuestros bolsillos*

□ EXPRESIONES {**aflojar/rascarse**} **el bolsillo** [dar dinero o pagar] *col.* || **meterse** (a alguien) **en el bolsillo*** [ganarse su simpatía o su adhesión] *col.*

bolso s.m.

● CON ADJS. **lleno** · **abarrotado** · **repleto** || **de mujer** · **de mano** · **deportivo** · **playero** || **en bandolera** · **a cuestas** · **al hombro** || **en mano** *Llegó bolso en mano y dispuesta a cualquier cosa*

● CON VBOS. **extraviar(se)** *Se me extravió el bolso en el aeropuerto* || **pesar** || **vaciar** · **llenar** || **abrir** · **cerrar** || **llevar** *Siempre lleva el bolso a juego con los zapatos* · **portar** · **aferrar** · **agarrar** *Se enfadó, agarró el bolso y se fue* || **perder** · **soltar** · **recuperar** · **encontrar** || **arrebatar (a alguien)** · **robar** · **sustraer** · **quitar** || **llevar (en)** · **meter (en)** · **guardar (en)** || **buscar (en)** · **rebuscar (en)** · **hurgar (en)** || **cargar (con)**

[bomba] → bomba; caer como una bomba; como una bomba

bomba s.f.

●CON ADJS. **atómica · nuclear · de neutrones · lacrimógena || convencional · de relojería · de tiempo · casera · molotov || informativa || hidráulica · neumática || potente · mortífera**
●CON SUSTS. **estallido (de) · explosión (de) || efecto (de) · onda expansiva (de) || coche** *A primera hora de la mañana ha explotado un coche bomba en...* · **carta**
●CON VBOS. **estallar · explotar || caer · fallar || destruir (algo) || tirar · arrojar || poner · colocar · camuflar || montar · activar · accionar · explosionar || detectar · desactivar** *Los artificieros desactivaron la bomba a tiempo* · **desmontar**
●CON PREPS. **a prueba (de)** *tener un optimismo a prueba de bombas* · **a resguardo (de)**
□EXPRESIONES **pasarlo bomba** [pasarlo muy bien] *col.* || **ser la bomba** [ser increíble o estupendo] *col.*

[bombardear] → bombardear; bombardear (con)

bombardear v.

▌[tirar bombas]
●CON SUSTS. **ciudad · aeropuerto · territorio · base · campamento · posición · residencia ·** ***otros lugares*** **|| objetivo**
●CON ADVS. **por error · indiscriminadamente || bárbaramente · despiadadamente · implacablemente · cruelmente**

▌[asediar, agobiar]
●CON SUSTS. **opinión pública** *...desde donde se bombardea a la opinión pública con declaraciones como...* · **público · espectador,-a · oyente || cabeza · conciencia**
●CON ADVS. **diariamente · constantemente** *Estamos constantemente bombardeados por los medios de comunicación* · **continuamente · sistemáticamente · permanentemente · intensamente**

bombardear (con) v.

●CON SUSTS. **noticias · información** *En los últimos días nos bombardean con información sobre...* · **preguntas · ideas · imágenes · datos · argumentos · encuestas · sondeos || propaganda · anuncios · ofertas**
●CON ADVS. **diariamente** *Nos bombardean diariamente con anuncios publicitarios* · **constantemente · continuamente · permanentemente**
□USO Se construye generalmente con sustantivos no contables en singular (*bombardear con propaganda*) o con contables en plural (*bombardear con anuncios*).

bombardeo s.m.

●CON ADJS. **aéreo · artillero || televisivo · mediático · de información · informativo · de noticias · propagandístico · publicitario** *Los consumidores están expuestos a un continuo bombardeo publicitario* · **de anuncios · de imágenes || de preguntas** *Tres periodistas sometieron al entrevistado a un bombardeo de preguntas* **|| de partículas · de átomos · de radiación · de rayos || fuerte · potente · intenso · demoledor · implacable · infernal · apabullante || continuo · constante · persistente · incesante · sin tregua · intensivo || selectivo · indiscriminado · masivo · sistemático || represivo || expuesto,ta (a) · sometido,da (a)**
●CON VBOS. **iniciar(se) || proseguir · reanudar(se) · recrudecer(se) || destruir (algo) || lanzar · redoblar || sufrir · recibir || reprobar · censurar · condenar || proceder (a) · someter (a) || exponer(se) (a) · guarecerse (de)** *un refugio subterráneo para guarecerse de los bombardeos* · **huir (de)**
●CON PREPS. **bajo · a resguardo (de)**
□EXPRESIONES **apuntarse a un bombardeo** [mostrarse dispuesto a participar en cualquier cosa] *col.*
□USO Se construye a veces con complementos encabezados por la preposición *sobre*: *Se produjo un intenso bombardeo sobre la región.*

bombear v.

●CON SUSTS. **agua · sangre** *El corazón bombea varios litros de sangre por minuto* · **petróleo · crudo ·** ***otros líquidos*** **|| balón** *bombear balones al área*

bombero, ra s.

●CON ADJS. **forestal || voluntario,ria**
●CON SUSTS. **coche (de) · vehículo (de) · parque (de) · dotación (de) || cuerpo (de) · jefe,fa (de) · retén (de) · portavoz (de)**
●CON VBOS. **acudir || sofocar (algo) · extinguir (algo) · apagar (algo) || salvar (algo/a alguien) · rescatar (algo/a alguien) · intervenir · desalojar (algo/a alguien) || encontrar (algo/a alguien) · detectar (algo) · rastrear (algo) || luchar contra el fuego** *Los bomberos lucharon contra el fuego hasta bien entrada la madrugada* **|| avisar** *¿Alguien ha avisado a los bomberos?* · **llamar**

bombilla s.f.

●CON ADJS. **convencional · de bajo consumo · halógena**
●CON VBOS. **apagar(se) · encender(se) || fundir(se) · fallar · parpadear || poner · cambiar · quitar**

[bombo] → a bombo y platillo; bombo

bombo s.m.

▌[instrumento musical]
●CON SUSTS. **sonido (de) · redoble (de)**
●CON VBOS. **sonar || tocar · golpear · percutir**
●CON PREPS. **al compás (de) · al ritmo (de)**

▌[esfera giratoria]
●CON VBOS. **sacar (de) · quedar fuera (de) · excluir (de) · salir (de) · entrar (en)** *Todos nuestros nombres entran en el bombo para el sorteo*
□EXPRESIONES **a bombo y {platillo/platillos}*** [con mucha publicidad] || **darse bombo** [darse gran importancia] *col.*

bombón s.m.

●CON ADJS. **relleno · helado** *¿Te apetece un bombón helado?* · **de licor || delicioso · exquisito**
●CON SUSTS. **caja (de) · bolsa (de) · paquete (de)**
●CON VBOS. **ofrecer · regalar || comer · probar · saborear · degustar**

bombona s.f.

●CON SUSTS. **espita (de) · caperuza (de) || escape (de) · fuga (de)**
●CON VBOS. **explotar · estallar** *Todo indica que estalló una bombona de gas* **|| cargar · transportar · repartir · suministrar · distribuir**

bonachón, -a adj. *col.*

●CON SUSTS. ***persona*** *un hombre amable y bonachón* **|| aspecto · aire · rostro · cara || carácter · talante · tono**
●CON VBOS. **volver(se) · hacer(se)**

bonanza s.f.

●CON ADJS. **económica** *la actual bonanza económica* · **financiera · meteorológica || general · plena · máxima · verdadera · pujante**

• CON SUSTS. **año (de)** · **tiempo (de)** · **momento (de)** · **período (de)** · **época (de)** *disfrutar de una época de bonanza* · **situación (de)** · **etapa (de)** · **clima (de)** · **ciclo (de)**
• CON VBOS. **reinar** *La bonanza reina en toda la comarca* || **aprovechar** · **desaprovechar** · **gestionar** · **rentabilizar** *rentabilizar la bonanza financiera del último ejercicio*

bondad s.f.

• CON ADJS. **infinita** · **absoluta** *Los resultados confirman la absoluta bondad del método* · **discutible**
• CON VBOS. **resplandecer** || **irradiar** *Es una mujer que irradia bondad* · **derrochar** · **derramar** · **mostrar** · **demostrar** · **tener** · **atesorar** || **encarnar** · **personificar** || **respirar** || **ponderar** · **predicar** || **creer (en)** · **confiar (en)**

bondadoso, sa adj.

• CON SUSTS. ***persona*** *un hombre honrado y bondadoso* || **acto** · **impulso** · **carácter** · **personalidad** · **actitud** · **talante** || **aspecto** · **expresión** · **gesto** · **sonrisa** *una sonrisa bondadosa y amable* · **mirada**
• CON ADVS. **especialmente** · **profundamente** · **sumamente** · **singularmente** · **particularmente**
• CON VBOS. **volver(se)** · **hacer(se)**

bonificación s.f.

• CON ADJS. **íntegra** · **parcial** · **suplementaria** || **mensual** · **temporal** || **fiscal** *El Gobierno ha establecido bonificaciones fiscales para...* · **económica** · **salarial** · **familiar** || **especial** · **pública** · **mínima** · **actual**
• CON VBOS. **pedir** · **solicitar** || **recibir** *Los trabajadores recibirán este año una bonificación especial* · **cobrar** · **percibir** · **obtener** · **tener** || **dar** · **otorgar** · **conceder** · **pagar** || **aprobar** · **negociar** · **establecer** · **aplicar** · **repartir** || **suprimir** · **recortar** || **acogerse (a)** · **beneficiarse (de)**

bonito, ta

1 **bonito, ta** adj.

▮ [hermoso]

• CON ADVS. **especialmente** *un pueblo especialmente bonito* · **sumamente** · **sorprendentemente** · **increíblemente** · **extraordinariamente** · **realmente** *una amistad realmente bonita* · **verdaderamente** || **bien** *Tu dibujo es bien bonito*
• CON VBOS. **poner(se)** · **quedar**

2 **bonito** s.m.

▮ [pez]

• CON ADJS. **fresco** · **en conserva** · **enlatado** || **en aceite** *una lata de bonito en aceite* · **en escabeche** · **al natural**
• CON SUSTS. **pesca (de)** · **captura (de)** || **lata (de)** · **rodaja (de)** · **raja (de)**
• CON VBOS. **pescar** · **capturar** || **cocinar** · **preparar** · **freír**

bono s.m.

• CON ADJS. **público** · **de deuda** · **de ahorro** · **de transporte** · **global** · **externo** || **basura**
• CON SUSTS. **precio (de)** · **mercado (de)** · **rentabilidad (de)** · **interés (de)** · **emisión (de)** *lanzar una emisión de bonos*
• CON VBOS. **emitir** · **canjear** *con la posibilidad de canjear el bono por obsequios* · **pagar** · **colocar** · **subastar** · **entregar** · **imprimir** · **extender** || **sacar** · **renovar**

boquiabierto, ta adj.

• CON SUSTS. **público** · **personal** · **espectador,-a** *La guitarrista interpretó varias piezas ante unos espectadores boquiabiertos* · **auditorio** · **testigo** · ***otros individuos y grupos humanos***
• CON VBOS. **estar** *El público estaba boquiabierto con el espectáculo* · **quedar(se)** · **dejar** || **contemplar** · **oír** · **mirar**

[boquilla] → boquilla; de boquilla

boquilla s.f.

• CON VBOS. **chupar** · **poner** *Le suelo poner al clarinete una boquilla de marfil* || **fumar (con)**
• CON PREPS. **con** · **sin** *cigarros sin boquilla*

□ EXPRESIONES **de boquilla*** [de palabra pero sin intención de cumplirla]

[borbotón] → a borbotones

[borda] → por la borda; tirar por la borda

bordar v.

▮ [hacer bordados]

• CON SUSTS. **seda** · **cuero** · **tela** · **pañuelo** · **cortina** · **camisa** · **vestido** · **estandarte** · ***otras prendas o tejidos*** || **dibujo** · **flor** *bordar una flor en un pañuelo* · **mariposa** · ***otras figuras***

▮ [hacer algo muy bien]

• CON SUSTS. **prueba** · **examen** *Estoy contenta porque he bordado el examen* · **trabajo** · **estudio** · **reflexión** || **papel** · **personaje** *El actor borda ese personaje* · **interpretación** · **actuación** · **escenificación** · **escena** · **monólogo** · **aparición** · **imitación** · **caricatura** · **encarnación** || **verso** · **soneto** · **crónica** · **aria** · **discurso** · **sonata** · **tema** · **tango** · **comienzo** · **réplica** || **jugada** · **faena** · **pase** · **centro** · **natural** · **juego** · **fútbol** · **toreo** · **cante** · **partido** · **concierto** · **festival**

[borde] → al borde (de); borde

borde

1 **borde** adj. *col.*

▮ [antipático, desagradable]

• CON SUSTS. ***persona*** *Tienes un amigo un poco borde, ¿no?* || **carácter** · **tono** || **contestación** · **réplica** · **respuesta** *una respuesta borde e inoportuna* · **pregunta** · **discurso** · ***otras manifestaciones verbales***
• CON VBOS. **ponerse** *El cliente se puso borde con el encargado*

2 **borde** s.m.

▮ [límite, extremo]

• CON ADJS. **lateral** · **superior** · **inferior** *Se ha roto el borde inferior* · **exterior** · **interior** · **derecho** · **izquierdo** || **costero** · **litoral** || **irregular** · **dentado** *unas tarjetas con los bordes dentados* · **redondeado** || **fino** · **estrecho** · **ancho**
• CON VBOS. **rebasar** · **sobrepasar** || **llenar (hasta)** *Llenó el vaso justo hasta el borde* · **colocar (en)** · **poner (en)**

bordear v.

• CON SUSTS. **costa** · **lago** · **isla** · **finca** · **municipio** · ***otros lugares*** || **límite** · **frontera** · **línea** · **orilla** · **margen** || ***cantidad*** *La profesora bordeaba los cuarenta años. La deuda bordea el millón de euros* || **ancianidad** · **jubilación** · **edad** · **cincuentena** || **legalidad** · **ley** · **código** || **ilegalidad** · **delincuencia** · **inconstitucionalidad** · **criminalidad** *Las actitudes agresivas y mafiosas de este personaje bordean la criminalidad* || **locura** · **histeria** · **angustia** · **alienación** || **ridículo** · **escándalo** · **absurdo** *La situación es tan ridícula que bordea el absurdo* || **cursilería** · **prosaísmo** · **sentenciosidad** || **peligro** *Siempre le gustó vivir así, bordeando el peligro* · **riesgo** · **abismo** || **insulto** · **injuria** · **indelicadeza** · **descortesía** *Sus respuestas, secas y cortantes, bordearon la descortesía en varias ocasiones* || **problema** · **crisis** · **conflicto** · **obstáculo** || **asunto** · **tema** · **noticia**

● CON ADVS. **impunemente · peligrosamente · lastimosamente || constantemente · asiduamente · continuamente**

[bordo] →a bordo (de)

boreal adj.

● CON SUSTS. **aurora** *La aurora boreal es un fenómeno luminoso* · **hemisferio · bosque · viento · frío || estación · invierno · verano · primavera · otoño**

borrachera s.f.

● CON ADJS. **como un piano · de campeonato** *pillar una borrachera de campeonato* · **de órdago · descomunal · monumental**
● CON SUSTS. **resaca (de) · secuela (de) · efectos (de) || noche (de)**
● CON VBOS. **pasar(se)** *Hablaremos cuando se te pase la borrachera* **|| agarrar · coger · pillar · pescar || dormir** *dormir la borrachera en la cárcel*

borracho, cha

1 **borracho, cha** adj.
● CON ADJS. **perdido,da**
● CON ADVS. **como una cuba · completamente · totalmente · absolutamente · tremendamente || ostensiblemente · notablemente · descaradamente · claramente · visiblemente · manifiestamente || ligeramente · levemente**
● CON VBOS. **estar** *Los novios estaban borrachos de felicidad* · **ponerse · acabar || circular · conducir** *Conducir borracho es ilegal, además de muy peligroso* · **manejar || ir · andar · regresar · llegar · volver**

2 **borracho, cha (de)** adj.
● CON SUSTS. **vino · cerveza · licor ·** ***otras bebidas alcohólicas*** **|| éxito** *El equipo sigue borracho de éxito* · **triunfo · victoria · gloria || alegría · felicidad · satisfacción · júbilo · euforia · amor || poder · tensión · adrenalina · hedonismo · libertad || fútbol · cine · baile · lectura · viajes || ideas · recuerdos · imágenes**

borrador s.m.

▌[esquema provisional]
● CON ADJS. **extenso · breve · conciso || provisional · de trabajo || polémico** *Los diputados manifestaron sus discrepancias por el polémico borrador*
● CON SUSTS. **copia (de) || párrafo (de) · página (de) · línea (de)**
● CON VBOS. **contener (algo) || circular || elaborar · redactar** *redactar el borrador de la ley* · **realizar · preparar · ultimar || modificar · corregir · enmendar · retocar || debatir** *Debatieron el borrador del proyecto durante todo el día* · **discutir || estudiar · analizar · leer || presentar · publicar · enviar · recibir || trabajar (en) || recoger (en)** *Todas esas cuestiones están recogidas en el nuevo borrador* · **incluir (en) · plasmar (en)**

▌[utensilio para borrar]
● CON VBOS. **usar · utilizar || borrar (con)** *borrar la pizarra con el borrador*

[borrar] →borrar; borrar (de)

borrar v.

● CON SUSTS. **palabra · inscripción** *La erosión borró las inscripciones* · **línea · raya · imagen · lápiz · dato · información · comentario || pizarra · pantalla · cinta · disco || huella · rastro · pista · marca · señal · estigma · cicatriz · herida || sonrisa** *Las críticas que recibió no lograron borrarle la sonrisa* · **amor · alegría · odio · tristeza** *¿Cómo podría borrar la tristeza de tu corazón?* · **aflicción ·** ***otros sentimientos o sensaciones*** **|| idea · recuerdo || pasado** *Es imposible borrar el pasado* · **período || frontera · diferencia || error · equivocación || goma (de)** *Pásame la goma de borrar*
● CON ADVS. **de un plumazo · por completo · de raíz**

borrar (de) v.

● CON SUSTS. **mapa** *Ese candidato consiguió borrar del mapa electoral a su oponente* · **faz de la tierra** *borrar la injusticia de la faz de la Tierra* · **lista || memoria · mente** *Borra de tu mente esa idea tan absurda* · **recuerdo · historia · pasado || rostro** *Al oír tu nombre, la sonrisa se borró de su rostro inmediatamente* · **cara**

borrasca s.f.

● CON ADJS. **térmica · veraniega || política · financiera || fuerte** *Se avecina una fuerte borrasca* · **intensa · potente · moderada · débil**
● CON VBOS. **anunciar(se) · amenazar · avecinarse · desatar(se) · levantar(se) · arreciar || afectar (a algo)** *La borrasca política está afectando sin excepción a todos los partidos* · **centrar(se) (en/sobre) (algo) || debilitar(se) · remitir · escampar · pasar**

borrón s.m.

● CON ADJS. **de tinta || simple · pequeño · inmenso · gran(de) · tremendo** *un tremendo borrón en su brillante carrera diplomática* · **considerable · histórico**
● CON VBOS. **permanecer · quedar · dejar rastro || hacer · echar · enmendar · quitar**
□ EXPRESIONES **hacer borrón y cuenta nueva** [decidir que algo pasado se olvide] *col.*

borroso, sa adj.

● CON SUSTS. **imagen** *Recordaba la imagen borrosa de aquel día* · **dibujo · foto · fotocopia || pincelada · nota · trazo || anotación · letra · frase · palabra || frontera · límite · franja · linde · línea** *...esa línea borrosa que marca el límite entre la ficción y la realidad* · **confín || visión · vista · mirada || recuerdo · sueño · ensoñación · memoria || concepto · idea · conocimiento || significación · significado · referencia · contenido · testimonio || presente · época**
● CON VBOS. **estar** *La fotocopia estaba borrosa* · **volverse · hacerse** *Su recuerdo se hizo borroso con el tiempo* · **ponerse**

bosque

1 **bosque** s.m.
● CON ADJS. **espeso · denso · tupido · frondoso** *pasear por un frondoso bosque* · **exuberante || extenso · vasto || oscuro · impenetrable · enmarañado · intrincado || agreste · virgen || encantado**
● CON VBOS. **quemar(se) · calcinar(se) || reverdecer || explorar || talar · repoblar || internar(se) (en) · adentrarse (en) · penetrar (en) · aventurarse (en) · perderse (en)**

2 **bosque (de)** s.m.
● CON SUSTS. **pinos · abetos · olivos** *una región poblada de bosques de olivos* · ***otros árboles*** **|| brazos · piernas · cabezas · manos || lanzas · antenas · pancartas · andamios · cruces · alambres**

bosquejar v.

● CON SUSTS. **plan** *bosquejar un primer plan de acción* · **proyecto · estrategia · teoría · idea || rasgo · trazo · pincelada || retrato** *La Policía está terminando de bosquejar un retrato del sospechoso* · **cuadro || paisaje · pa-**

norama || personalidad · figura · personaje || relato · historia · biografía · epopeya · semblanza

bosquejo s.m.

● CON ADJS. **breve · sucinto · sumario · rápido** *Nos presentaron un rápido bosquejo del proyecto* · **sencillo · conciso · superficial · sobrio || inicial · preliminar · primer · provisional || biográfico · histórico · poético**
● CON VBOS. **realizar · hacer · crear · esbozar · trazar · comenzar · avanzar || adelantar** *Los publicistas adelantaron un bosquejo del anuncio* · **enseñar · evaluar · presentar || utilizar · emplear · romper · destruir || quedar (en)**

bota s.f.

● CON ADJS. **militar · de montaña · de media caña · de caña alta · de agua** *Pisar los charcos con las botas de agua* · **de lluvia · de fútbol · campera**
➤ Véase también **CALZADO**
□ EXPRESIONES **ponerse las botas** [conseguir un gran beneficio o disfrutar mucho] *col.*

[botánica] s.f. → botánico, ca

botánico, ca

1 **botánico, ca** adj.
● CON SUSTS. **jardín** *visitar el jardín botánico de la ciudad* · **parque · enclave · recinto · escenario · itinerario || técnica · estudio · arte || especie** *descubrir una nueva especie botánica* · **taxonomía · nomenclatura**

2 **botánica** s.f. Véase **DISCIPLINA**

botar v.

▌[rebotar]
● CON SUSTS. **pelota · balón** *botar el balón con una mano*

▌[echar al mar]
● CON SUSTS. **barco · pesquero · navío** · ***otras embarcaciones***

▌[echar de un lugar] *col.*
● CON SUSTS. **persona · trabajador,-a · gamberro,rra** *Los servicios de seguridad botaron a los gamberros sin pensárselo dos veces* · ***otros individuos***

[bote] → a bote pronto; bote; de bote en bote

bote s.m.

▌[embarcación]
● CON ADJS. **hinchable · neumático · de remos || salvavidas** *Cuando vieron que el barco se hundía, lanzaron al agua los botes salvavidas*
● CON VBOS. **zarpar · navegar || zozobrar · naufragar || izar · arriar · atracar || descargar**

▌[movimiento]
● CON VBOS. **dar** *Se puso a dar botes de alegría* · **pegar || parar · controlar** *No aprende a controlar el bote del balón*
□ EXPRESIONES **a bote pronto*** [sin pensar] *col.* || **bote sifónico** [pieza de fontanería] || **chupar del bote** [obtener un beneficio sin dar nada a cambio] *col.* || **de bote en bote*** [completamente lleno] *col.* || **tener** (a alguien) **en el bote** [haberse ganado su apoyo o su confianza] *col.*

botella s.f.

● CON ADJS. **de vidrio · de cristal · de plástico || retornable || de oxígeno || de náufrago || incendiaria**
● CON SUSTS. **cuello (de)** *El punto donde se unen esas dos carreteras es un cuello de botella* || **casco (de) || verde** *unos guantes verde botella*
● CON VBOS. **descorchar** *descorchar una botella de vino* · **abrir · destapar · tapar || beber** *Se bebió una botella entera de agua* || **llenar · rellenar || lanzar · arrojar**

botellazo s.m. Véase **GOLPE**

botijo s.m.

● CON ADJS. **de barro · de cerámica**
● CON SUSTS. **pitorro (de) || figura (de) · cuerpo (de)**
● CON VBOS. **contener (algo) · rezumar (algo) || llenar · vaciar || beber (de)**

botín s.m.

▌[conjunto de objetos robados]
● CON ADJS. **cuantioso · sustancioso** *Los atracadores se hicieron con un sustancioso botín* · **jugoso · millonario · rico · exiguo || de guerra** *...se llevaron obras de arte como botín de guerra* · **militar**
● CON VBOS. **ascender (a algo) || obtener · conseguir · lograr · llevar(se) · sustraer · capturar · aprehender · atesorar · engrosar · llenar || repartir · cobrar || hacerse (con) · apoderarse (de)**

▌[calzado]
● CON ADJS. **de cuero**
➤ Véase también **CALZADO**

botón s.m.

▌[de una prenda]
● CON VBOS. **caerse · descoser(se) · despegar(se) · salirse || coser** *¿Tienes hilo rojo para coser este botón?* · **pegar || abrochar · desabrochar || perder**

▌[de un aparato]
● CON VBOS. **apretar · pulsar** *Pulsé el botón de encendido y...* · **tocar · oprimir**
□ EXPRESIONES **botón de muestra** [ejemplo]

botones s.com.

● CON ADJS. **de hotel** *El botones del hotel nos llevó las maletas* · **de banco || eficaz · cumplidor,-a · despistado,da · olvidadizo,za**
● CON VBOS. **trabajar (como/de)**

boutique s.f.

● CON ADJS. **elegante · de diseño || de pan · de ropa**
➤ Véase también **ESTABLECIMIENTO**

bóveda s.f.

● CON ADJS. **de cañón · de crucería** *un edificio con una impresionante bóveda de crucería* · **ojival · central || celestial · celeste · cósmica || craneal**
● CON SUSTS. **clave (de)**
● CON VBOS. **construir · levantar · sujetar · rematar · aislar · perforar · abrir · recomponer || iluminar · restaurar · decorar** *una bóveda decorada con unos frescos de gran valor* · **pintar · recubrir || subir (a) · acceder (a) · entrar (a/en) · llegar (a)**

boxeador, -a s.

● CON ADJS. **profesional · aficionado,da · olímpico,ca || retirado,da · en activo**
● CON SUSTS. **carrera (de/como) · combate (de) · peso (de) || entrenador,-a (de) · mánager (de)**
● CON VBOS. **entrenar · ejercitarse || golpear (a alguien) · noquear (a alguien) || debutar · retirar(se) || ganar · perder · derrotar (a alguien) || amonestar**

boxeo s.m.

● CON SUSTS. **guante (de)** || **cuadrilátero (de)** · **gimnasio (de)** || **combate (de)** · **pelea (de)** || **leyenda (de)** · **mito (de)**

➤ Véase también **DEPORTE**

boyante adj.

▮ [con fortuna]

● CON SUSTS. **empresa** · **negocio** · **industria** *una boyante industria automovilística* · **sector** · **fábrica** · **compañía** · **institución** · **multinacional** · **firma** || **economía** · **consumo** · **mercado** · **demanda** · **venta** · **comercio** · **bolsa** · **tráfico** · **contrabando** || **resultado** · **fortuna** · **finanzas** · **presupuesto** · **sueldo** · **recaudación** · **cuenta** · **PIB** · **caja** · **porcentaje** · **cifra** · **estadística** || **país** · **nación** · **ciudad** · **municipio** · **provincia** · **enclave** || **empresario** · **constructor** · **patrocinador** · **naviero** · **patrón** || **situación** · **momento** *En el momento más boyante de su carrera musical, decidió retirarse* || **marcha** · **carrera** · **rumbo** · **progreso**

▮ [fácil de torear]

● CON SUSTS. **toro** *el toro más boyante de todo el encierro* · **buey**

braga s.f.

● CON ADJS. **de algodón** *usar bragas de algodón* · **de lycra** · **de ganchillo** || **con bordados** · **con puntillas**

● CON VBOS. **enseñar** · **verse(le) (a alguien)** · **bajar** || **mudar(se) (de)**

➤ Véase también **ROPA**

□ EXPRESIONES **en bragas** [sin preparación o por sorpresa] *vulg.*

braille s.m.

● CON SUSTS. **alfabeto** · **lenguaje** *un texto escrito en lenguaje braille* · **sistema** · **método**

● CON VBOS. **aprender** · **leer** · **saber** || **comunicar(se) (por)** · **escribir (en)**

bramante s.m.

● CON SUSTS. **hilo (de)**

● CON VBOS. **atar (con)**

[brasa] → a la brasa; brasa

brasa s.f.

● CON ADJS. **incandescente** · **viva**

● CON VBOS. **arder** || **avivar** · **apagar** *Apagué bien las brasas de la chimenea* || **esparcir**

□ EXPRESIONES **a la brasa*** [cocinado sobre leña o carbón] || **dar la brasa** [insistir pesadamente] *col.*

brasero s.m.

● CON ADJS. **eléctrico** · **de carbón** · **de picón**

● CON VBOS. **calentar** || **encender** · **prender** · **alimentar** · **enchufar** || **apagar**

● CON PREPS. **al calor (de)** *largas charlas al calor del brasero* · **al abrigo (de)**

bravío, a adj.

● CON SUSTS. **mar** *un mar bravío y enfurecido* · **viento** · **oleaje** · **agua** · **ola** · **naturaleza** || ***persona*** || **actitud** · **comportamiento** · **temperamento** · **mirada** · **grito** || **animal** · **toro** || **ímpetu** · **aliento** · **aire** · **reacción**

bravo, va adj.

▮ [salvaje o difícil de domesticar]

● CON SUSTS. **toro** *una ganadería de toros bravos* · **res** · **novillo** || **casta** · **raza**

▮ [embravecido, violento]

● CON SUSTS. **mar** · **olas** · **aguas** *descender por ríos de aguas bravas* || **potencia** · **furia** · **pasión** · **firmeza** || **lucha** · **batalla** *Se enfrentaron en una brava y feroz batalla legal* · **pelea** · **reyerta**

● CON VBOS. **ponerse**

▮ [valiente]

● CON SUSTS. **guerrero,ra** · **soldado** · **ejército** || **jugador, a** · **corredor,-a** · **equipo** · **luchador,-a**

brazada s.f.

● CON ADJS. **corta** · **larga** *Se relajaba dando largas brazadas en el piscina* || **poderosa**

● CON SUSTS. **ritmo (de)** *Mantuvo el fuerte ritmo de brazada durante toda la prueba* · **frecuencia (de)**

● CON VBOS. **dar**

[brazo] → a brazo partido; brazo; con los brazos abiertos; de brazos cruzados

brazo s.m.

● CON ADJS. **fuerte** · **vigoroso** · **fornido** · **poderoso** · **potente** *Levantó el pedrusco con sus potentes brazos* · **robusto** · **trabajado** · **musculoso** · **membrudo** || **escuálido** · **escuchimizado** · **esmirriado** · **enclenque** · **raquítico** · **débil** · **endeble** · **agarrotado** || **largo** *un candelabro de largos brazos* · **corto** || **velludo** || **en cruz** *Para hacer este ejercicio, coloca los brazos en cruz* || **caído** *huelga de brazos caídos* || **armado** · **político** · **de la ley** || **mecánico**

● CON VBOS. **llegar (a algún lugar)** || **abrir** · **cerrar** · **cruzar** · **levantar** · **alzar** · **bajar** · **alargar** · **estirar** · **extender** · **doblar** · **flexionar** · **encoger** · **apoyar** · **mover** · **agitar** *agitar los brazos para saludar* || **romper(se)** · **fracturar(se)** · **partir(se)** · **lesionar(se)** · **torcer(se)** · **dislocar(se)** · **dañar(se)** || **caer (en)**

□ EXPRESIONES **a brazo partido*** [con esfuerzo y energía] || **con los brazos abiertos*** [de forma acogedora] || **cruzarse de brazos** [quedarse sin hacer nada] || **hecho** (alguien) **un brazo de mar** [muy arreglado] *col.* || **no dar** (alguien) **su brazo a torcer** [no ceder] *col.*

brebaje s.m.

● CON ADJS. **mágico** · **milagroso** · **medicinal** · **secreto** · **extraño** · **infalible**

● CON VBOS. **beber** · **tomar** · **ingerir** · **probar** *¿De verdad tengo que probar este brebaje?* · **apurar** || **preparar** *El brujo preparó extraños brebajes...* · **hacer**

brecha s.f.

● CON ADJS. **profunda** *una brecha profunda se abrió entre los dos amigos* · **insalvable** · **infranqueable**

● CON VBOS. **abrir(se)** · **cerrar(se)** || **supurar** || **hacer(se)** *Se cayó y se hizo una brecha en la frente* || **salvar**

□ EXPRESIONES **en la brecha** [dispuesto a defender algo o a cumplir con un deber]

bregar (con) v.

● CON SUSTS. **niño,ña** *bregar con los niños en casa* · **alumno,na** · **funcionario,ria** · **profesorado** · **familia** · ***otros individuos y grupos humanos*** || **administración** · **autoridad** · **parlamento** · **ayuntamiento** · **diputación** · ***otras instituciones*** || **ley** · **norma** · **burocracia** · **disposición** || **tráfico** · **profesión** · **mundo** || **problema** · **crisis** · **dificultad** · **hueso** · **embrollo** || **enfermedad** *Lleva años bregando con esta enfermedad* · **cáncer** · **muerte** · **miseria** · **hambre** · **droga** · **delincuencia** · **catástrofe** || **trabajo** · **labor** *bregar diariamente con las labores domésticas* · **prueba** · **asignatura** · **campaña**

● CON ADVS. **constantemente** · **cotidianamente** · **diariamente** · **día a día** · **incesantemente** || **pacientemente** · **sin descanso** *toda una vida bregando sin descanso con los problemas de su familia* · **vigorosamente** · **duramente** ||

contra viento y marea · a fondo || {con/sin} eficacia · inútilmente · desesperadamente

breva s.f.

● CON ADJS. **madura · dulce**
● CON VBOS. **pelar · confitar || coger · recoger**
□ EXPRESIONES **de higos a brevas** [muy de vez en cuando] *col.* || **no caerá esa breva** [expresa la falta de esperanza para conseguir algo] *col.*

breve adj.

● CON SUSTS. **narración · cuento · poema** *un poema breve y sintético* · **ensayo · crónica · esquema · resumen · reseña · relato · artículo ·** ***otros textos u obras*** **|| tiempo · lapso · plazo · período** *Todo se resolvió en un breve período de tiempo* **|| descanso · vacaciones · siesta · paseo || paréntesis · carrera · trayectoria || encuentro · entrevista** *Mantuvo una breve entrevista con...* · **reunión · conferencia · sesión || alocución · discurso · charla · comunicado · declaración** *Concluyó su breve declaración diciendo...* · **pregunta · respuesta ·** ***otras manifestaciones verbales***
● CON ADVS. **excesivamente · extremadamente · sumamente**
● CON VBOS. **hacer(se)** *Se me ha hecho muy breve el mes que llevo aquí*
□ EXPRESIONES **en breve** [dentro de poco tiempo]

[brevedad] → con la mayor brevedad

bricolaje s.m.

● CON ADJS. **aficionado,da (a)** *Soy muy aficionada al bricolaje* · **adicto,ta (a)**
● CON SUSTS. **programa (de) · sección (de) · mundo (de) · ámbito (de) || revista (de) · manual (de) · libro (de) || almacén (de) · tienda (de) · centro (de) || artículo (de)** *una ferretería especializada en artículos de bricolaje* · **material (de) || trabajo (de) || clase (de) · taller (de)**
● CON VBOS. **practicar || dedicar(se) (a) || saber (de)**

brida s.f.

● CON VBOS. **coger · agarrar · llevar** *¿Quién lleva las bridas en este negocio?* · **sujetar || poner · atar · tensar · apretar || soltar · desatar · cortar || tirar (de)**

brigada s.f.

● CON ADJS. **policial · de bomberos**
● CON SUSTS. **jefe,fa (de)** *el jefe de la brigada policial* · **agente (de) · miembro (de) · mando (de) · comandante (de)**
● CON VBOS. **actuar || integrar** *Estos tres regimientos integran la brigada de élite* · **formar · crear · organizar · reforzar**

brillante adj.

● CON SUSTS. **piel · pelo · ojos · sonrisa · labios · tez || color || estrella || estudiante** *Desde pequeña fue una estudiante brillante* · **alumno,na · especialista · investigador,-a · compositor,-a · intérprete · deportista · vencedor,-a || currículum · carrera · trayectoria · pasado · futuro · porvenir · expediente · nota · calificación || idea · hallazgo · plan · propuesta || solución · resultado · final || concierto · actuación · interpretación · representación · ejemplo || literatura · obra · comedia · artículo · discurso · prólogo · frase** *un recopilatorio de frases brillantes de autores célebres* · **sentencia · testimonio · ensayo || música · partitura · arquitectura || examen · prueba · ejercicio || juego · movimiento · jugada · maniobra · negocio · triunfo || época** *Esta fue la época más brillante del imperio* · **temporada**
● CON VBOS. **volverse · quedar(se)** *Pase una sola vez la bayeta y quedará brillante*

brillantez s.f.

● CON ADJS. **gran(de) · escasa** *Fue un partido aburrido y con juego de escasa brillantez* **|| exquisita · refinada · especial · verdadera · insuperable || intelectual · literaria · artística**
● CON SUSTS. **signo (de) · toque (de) || falta (de)** *La tónica general del congreso fue la falta de brillantez*
● CON VBOS. **dar** *Vinieron los protagonistas idóneos para dar brillantez al evento* · **perder || poseer · tener || admirar · elogiar**
● CON PREPS. **con** *debutar con brillantez en la liga* · **sin** *un discurso apagado y sin brillantez*

brillantina s.f.

● CON VBOS. **usar · echar(se) · poner(se) || peinar (con) · maquillar (con)**

brillar v.

● CON SUSTS. **luz · reflejo · destello · chispa || sol · estrella** *Millones de estrellas brillan en el cielo* · **luna · astro · cometa || diamante · piedra · metal · joya · anillo** *En su dedo brillaba un anillo de compromiso* · **espejo || cabello · pelo · piel || ojos** *Cuando está contigo, le brillan los ojos* · **mirada · sonrisa** *Una sonrisa brilló en su cara* **|| homenajeado,da · protagonista · actor · actriz · artista · reparto · equipo ·** ***otros individuos y grupos humanos*** **|| inteligencia** *Su inteligencia brilla por encima de sus otras cualidades* · **talento · personalidad · belleza ·** ***otras cualidades***
● CON ADVS. **con intensidad · intensamente · con fuerza · vivamente · con luz propia · esplendorosamente || intermitentemente || en la oscuridad** *La luz de una linterna brilló en la oscuridad* · **a lo lejos · en el firmamento · en el cielo · en el panorama {artístico/deportivo...}**
□ EXPRESIONES **brillar** (algo/alguien) **por su ausencia** [echarse en falta ostensiblemente] *La educación del muchacho brilla por su ausencia*

brillo s.m.

● CON ADJS. **deslumbrante · cegador · resplandeciente · esplendoroso · rutilante · centelleante · vivo || apagado · mortecino · febril** *Sus ojos tenían un brillo febril* **|| irisado · tornasolado** *una tela de brillo tornasolado*
● CON VBOS. **destellar || apagar(se) · eclipsar(se) || cegar (a alguien) || cobrar · dar (a algo)** *Su presencia dio brillo a la ceremonia* · **sacar · despedir · irradiar · emitir · emanar**

[brincar] → brincar; brincar (de)

brincar v.

● CON SUSTS. **liebre** *La liebre saltaba y brincaba tranquilamente por el monte* · **cabra ·** ***otros animales*** **|| niño,ña** *Los niños brincaban alegremente sobre las colchonetas* · ***otros individuos***
● CON ADVS. **alocadamente · alborotadamente · alegremente · animadamente**

brincar (de) v.

● CON SUSTS. **alegría** *brincar de alegría al conocer una buena noticia* · **felicidad · gozo · gusto**

brinco s.m.

● CON ADJS. **enorme · pequeño || de alegría · de júbilo**
● CON VBOS. **dar** *dar brincos de alegría* · **pegar**

[brindar] → brindar; brindar (con); brindar (por)

brindar v.

● CON SUSTS. **apoyo** *La institución brinda apoyo psicológico gratuito a las víctimas* · **asistencia** · **ayuda** · **atención** · **dedicación** · **cobertura** · **protección** · **servicio** · **colaboración** · **cooperación** · **solución** · **respaldo** · **asesoramiento** · **préstamo** || **dato** · **información** · **detalle** *El ministro se negó a brindar más detalles* · **mensaje** · **noticia** || **oportunidad** · **posibilidad** · **ventaja** · **facilidad** *Este banco brinda muchas facilidades para pagar el crédito* · **opción** · **pauta** · **ocasión** · **libertad** · **horizonte** || **oferta** · **beneficio** · **dinero** · **trabajo** · **tiempo** || **seguridad** · **garantía** · **impunidad** · **certidumbre** · **estabilidad** · **seguro** || **amor** · **amistad** *Siempre estuvo dispuesta a brindarnos su amistad y su apoyo* · **cariño** · **calor** · **esperanza** · **comprensión** · **confianza** · **credibilidad** · **consuelo** · **solidaridad** · **saludo** · **abrazo** · **alegría** || **hospitalidad** · **alojamiento** · **casa** · **recepción** · **trato** · **recibimiento** · **acogida** || **medio** · **recurso** · **alimento** · **vía** · **mecanismo** · **motivo** || **homenaje** · **tributo** · **ovación** · **honor** · **reconocimiento** · **agradecimiento** || **palabra** · **declaración** · **conferencia de prensa** · **respuesta** · **charla** · **explicación** · **rueda de prensa** · **sermón** || **educación** · **instrucción** · **entrenamiento** · **formación** · **lección** || **espectáculo** *El grupo brindó un brillantísimo espectáculo al público asistente* · **actuación** · **exhibición** · **interpretación** · **recital** · **faena** · **toro** || **triunfo** *El jugador brindó el triunfo a su afición* · **victoria** · **éxito** · **premio** · **gol**

● CON ADVS. **generosamente** · **desinteresadamente** *Nos brindó desinteresadamente su casa para que pasáramos la noche* · **espontáneamente** · **solidariamente** · **gustosamente** || **sin reservas** · **plenamente**

brindar (con) v.

● CON SUSTS. **champán** · **cava** *Brindaron con cava para celebrar la buena noticia* · **sidra** · **agua** · ***otras bebidas***

● CON ADVS. **a la salud (de alguien)**

brindar (por) v.

● CON SUSTS. **triunfo** · **éxito** · **suerte** · **resultados** || **futuro** · **porvenir** · **mañana** || **hijo,ja** · **rey** · **reina** · **gente** · **familia** · ***otros individuos y grupos humanos*** || **amistad** · **felicidad** · **libertad** · **salud** · ***otros valores***

brindis s.m.

● CON ADJS. **final** *Y ahora, un brindis final por la homenajeada* · **espontáneo** || **oficial** · **de honor** · **familiar** · **nupcial** || **en honor (de alguien)**

● CON VBOS. **hacer** · **realizar** || **proponer** · **dedicar** · **ofrecer** · **pedir**

brío s.m.

● CON ADJS. **nuevo** · **renovado** *Retomó sus tareas con bríos renovados*

● CON VBOS. **cobrar** · **insuflar** · **tener** · **adquirir**

● CON PREPS. **con** · **sin** *una actuación apagada y sin brío*

brisa s.f.

● CON ADJS. **marina** *la húmeda brisa marina* · **costera** || **fresca** · **húmeda** · **refrescante** · **fría** · **helada** || **cálida** · **calurosa** *Nos envolvió una calurosa brisa* · **tropical** · **tibia** || **primaveral** · **estival** · **otoñal** · **invernal** || **nocturna** · **diurna** || **suave** · **ligera** · **leve** *Soplaba una brisa leve que movía las hojas de los árboles* · **tenue** || **fuerte** · **embriagadora** || **agradable** · **reconfortante** · **favorable** · **gratificante** · **reponedora**

● CON VBOS. **soplar** || **levantarse** · **elevarse** || **recibir**

brizna (de) s.f.

● CON SUSTS. **hierba** · **paja** || **viento** · **polvo** || **esperanza** *Aún nos queda una brizna de esperanza* · **felicidad** · **fantasía** || **sentido común** · **verdad** · **lucidez** || **talento** · **belleza** · **ironía** · **sensibilidad**

broca s.f.

● CON ADJS. **potente** · **fuerte** · **especial** || **de acero**

● CON VBOS. **perforar** *La broca perforó sin dificultad la pared* · **taladrar** || **afilar**

brocha s.f.

● CON ADJS. **gorda** *un pintor de brocha gorda* · **despeluchada** || **de afeitar**

● CON VBOS. **pintar (a/con)** · **dibujar (con)** || **afeitar (con)**

broche s.m.

● CON ADJS. **de bisutería** · **de pedrería** · **de fantasía** · **de adorno** · **elegante** · **valioso** || **brillante** · **magnífico** · **perfecto** · **extraordinario** · **apoteósico** · **distinguido** · **admirable** || **final** · **de oro** *El broche de oro en la ceremonia lo puso la actuación del joven cantante*

● CON VBOS. **lucir** · **llevar** || **poner (a algo)** *Con esta novela el escritor pone el broche final a su carrera literaria* || **cerrar (con)** · **terminar (con)** || **adornar (con)**

broma s.f.

● CON ADJS. **pesada** *Vuestras bromas pesadas no tienen ninguna gracia* · **burda** · **de {dudoso/mal} gusto** · **despiadada** · **hiriente** · **ácida** · **mordaz** · **irrespetuosa** || **de buen gusto** · **ligera** · **inocua** · **pequeña** || **{con/sin} mala intención** || **divertida** · **festiva** · **hilarante** || **ingeniosa** · **original** · **ocurrente**

● CON SUSTS. **blanco (de)** · **objeto (de)**

● CON VBOS. **gastar (a alguien)** *Los alumnos gastaron una pequeña broma a su profesor* || **aguantar** · **encajar** *No te enfades, hombre, ¿es que no sabes encajar una broma?* · **soportar** · **tolerar** · **sufrir** || **andarse (con)** · **estar (de)** || **tomar (a)** *No deberías tomarte a broma un asunto como este*

● CON PREPS. **de** *Espero que lo digas de broma* · **en**

□ EXPRESIONES **no estar para bromas** [no estar de buen humor] *Hoy no estoy para bromas*

bromear v.

● CON ADVS. **alegremente** · **desenfadadamente** *Siempre bromea desenfadadamente con los amigos* · **amablemente** · **amistosamente** · **relajadamente** · **amargamente** || **abiertamente** · **en público** · **públicamente** · **en privado** || **inoportunamente** · **pesadamente** · **con pesadez** · **desacertadamente** · **desatinadamente** || **constantemente** · **continuamente** *No me gusta que bromees continuamente sobre algo tan serio* · **habitualmente** · **frecuentemente** · **raramente** || **en {buen/mal} tono**

[bronca] s.f. → bronco, ca

bronceado, da

1 bronceado, da adj.

● CON SUSTS. **piel** *una persona de piel bronceada* · **rostro** · **cara** · ***otras partes del cuerpo***

● CON VBOS. **estar** || **poner(se)** · **mantener(se)** *No sé cómo puedes mantenerte bronceada todo el año*

2 bronceado s.m.

● CON ADJS. **intenso** · **suave** · **ligero** · **uniforme** || **natural** · **artificial** || **elegante**

● CON VBOS. **irse(le) (a alguien)** || **lucir** · **conservar** · **conseguir** · **obtener**

bronceador, -a

1 **bronceador, -a** adj.

● CON SUSTS. **crema** *extender la crema bronceadora* · **loción** · **aceite** · **producto**

2 **bronceador** s.m.

● CON ADJS. **eficaz** || **(con/sin) filtro solar** *un bronceador con un alto filtro solar* · **resistente al agua**

● CON VBOS. **aplicar** · **extender** · **poner** · **echar** || **usar** · **utilizar**

bronco, ca

1 **bronco, ca** adj.

● CON SUSTS. **debate** · **partido** *Fue un partido intenso y bronco, con varios jugadores amonestados* · **juego** · **discusión** · **enfrentamiento** · **duelo** · **sesión** · **pleno** · **cabreo** || **estilo** · **carácter** *A pesar de su carácter bronco e inflexible, era muy buena persona* · **talante** · **manera** · **genio** · **perfil** · **temperamento** || **escenario** · **situación** · **clima** · **ambiente** · **panorama** · **paisaje** || **ruido** · **murmullo** · **voz** · **tos** · **trompeta** · **sonido** || **jugador,-a** · **jefe,fa** · **equipo** · **público** · ***otros individuos y grupos humanos*** || **caballo** · **toro** · **novillo** || **lenguaje** · **respuesta** *una respuesta bronca y amenazadora* · **expresión** · **palabras** · **discurso** · **mensaje** · ***otras manifestaciones verbales***

2 **bronca** s.f.

● CON ADJS. **tremenda** *Me cayó una bronca tremenda por llegar tarde a casa* · **monumental** · **mayúscula** · **descomunal** · **terrible** · **de órdago**

● CON VBOS. **liar(se)** · **estallar** || **caer (a alguien)** || **echar** *¿Por qué me echas la bronca si yo no tengo la culpa?* · **soltar (a alguien)** · **pegar** · **endosar** · **descargar** || **llevarse** || **armar** · **tener** || **enzarzarse (en)** || **librar(se) (de)** · **cargar (con)**

bronquitis s.f.

● CON ADJS. **crónica** || **fuerte** · **aguda** || **ligera**

● CON SUSTS. **propensión (a)** · **síntoma (de)**

● CON VBOS. **afectar (a alguien)** · **aquejar (a alguien)** || **curar(se)** · **agudizar(se)** · **acentuar(se)** · **agravar(se)** || **sufrir** · **tener** · **padecer** *padecer una bronquitis crónica* · **contraer** || **diagnosticar** · **detectar** || **restablecerse (de)** · **recobrarse (de)** · **reponerse (de)**

brotar v.

● CON SUSTS. **árbol** · **mata** · **rosal** · **arbusto** · ***otras plantas*** || **flor** · **hoja** · **capullo** || **agua** · **lágrimas** · **sangre** *La sangre brotaba de la herida a borbotones* · **petróleo** || **palabras** *Estaba enfadado, y de su boca solo brotaban palabras hirientes* · **frase** · **diálogo** · **expresión** · **chiste** · **maldición** · **insulto** · ***otras manifestaciones verbales*** || **idea** · **pensamiento** · **conocimiento** · **saber** · **principio** · **reflexión** || **amor** · **pasión** · **emoción** · **gesto** · **cariño** · **deseo** · **odio** · **alegría** · **humor** · **felicidad** · **nostalgia** · **tristeza** · ***otros sentimientos o sensaciones*** || **duda** · **pregunta** · **temor** · **miedo** · **fantasma** || **esperanza** · **ilusión** · **sueño** || **vida** || **voz** · **grito** · **sonido** · **música** · **eco** · **cántico** · **ruido** · **melodía** · **risa** || **enfermedad** · **problema** · **escándalo** || **crítica** · **protesta** · **discordia** · **resistencia** · **polémica** · **discusión** *Estaban a punto de cerrar la reunión cuando brotó una absurda discusión sobre...* · **debate**

● CON ADVS. **a borbotones** · **de manera incontenible** · **vertiginosamente** · **libremente** || **como hongos** *...organizaciones solidarias que han brotado como hongos durante la crisis* · **por doquier** · **a manos llenas** || **espontáneamente** · **por generación espontánea** · **repentinamente** · **instantáneamente** · **de repente**

brote

1 **brote** s.m.

● CON ADJS. **infeccioso** · **epidémico** *medidas para controlar el brote epidémico* · **bacteriano** || **agudo** · **violento** · **mortal** || **aislado** · **incipiente** · **tímido** || **racista**

● CON SUSTS. **origen (de)** · **consecuencia (de)**

● CON VBOS. **aparecer** · **surgir** *A pesar del plan de paz, han surgido nuevos brotes de violencia en la zona* || **causar** · **provocar** || **detectar** *Se detectó un incipiente brote de cólera* · **descubrir** || **prevenir** · **controlar** · **frenar** · **sofocar**

2 **brote (de)** s.m.

● CON SUSTS. **neumonía** *Hay ya un centenar de afectados por el brote de neumonía* · **gastroenteritis** · **legionela** · **cólera** · **gripe** · ***otras enfermedades*** || **violencia** · **criminalidad** · **odio** · **racismo** · **xenofobia** || **rebeldía** · **insubordinación** *Los mandos sofocaron sin contemplaciones el brote de insubordinación* · **indisciplina** · **resistencia** · **orgullo** · **descontento** || **inflación** || **inspiración** · **genialidad** · **creatividad** || **entusiasmo** · **optimismo** · **esperanza** · **pasión**

[bruces] → darse de bruces (contra); de bruces

[brujo] → brujo, ja; caza de brujas

brujo, ja s.

● CON ADJS. **malvado,da** *Un malvado brujo quería convertir en rana a...* · **perverso,sa** · **maléfico,ca** · **mal(o),la** || **buen(o),na** · **protector,-a** || **auténtico,ca** · **verdadero,ra**

● CON SUSTS. **aprendiz,-a (de)** || **cuento (de)** · **relato (de)** · **libro (de)** || **caza (de)** · **cacería (de)** || **noche (de)** · **congreso (de)** · **escuela (de)** || **escoba (de)** · **sombrero (de)**

● CON VBOS. **augurar (algo)** · **pronosticar (algo)** || **convertir(se) (en algo)** · **transformar(se) (en algo)** || **volar** *una bruja volando en su escoba* || **quemar** || **acusar (de)** || **creer (en)** || **disfrazar (de)** *Para la fiesta me disfrazaré de bruja mala*

brújula s.f.

● CON ADJS. **magnética**

● CON VBOS. **marcar (algo)** *La brújula marca el Norte* · **señalar (algo)** || **necesitar** · **perder** || **orientar(se) (con)** · **guiar(se) (por)**

bruma s.f.

● CON ADJS. **densa** · **espesa** · **tupida** · **envolvente** || **moderada** || **matinal** *Ya se está empezando a disipar la bruma matinal* · **nocturna** · **otoñal** || **marítima** · **húmeda**

● CON VBOS. **ocultar (algo)** · **tapar (algo)** · **flotar** *La bruma flotaba sobre la ciudad* || **levantar(se)** · **disipar(se)** || **bajar** · **caer** || **avanzar** · **extender(se)** · **invadir (un lugar)**

bruscamente adv.

● CON VBOS. **terminar** · **acabar** · **zanjar** · **cesar** · **interrumpir** *Interrumpieron bruscamente la programación para dar una noticia de última hora* · **parar** · **frenar** · **detener** · **cancelar** · **cerrar** · **bloquear** || **apartar** · **retirar** · **abandonar** · **dar la espalda** || **cortar** *La comunicación se cortó bruscamente* · **romper(se)** · **quebrar(se)** · **truncar(se)** || **cambiar** *cambiar bruscamente de opinión* · **alterar** · **modificar** · **rectificar** · **revisar** || **arrancar** · **despegar** · **acelerar** · **girar** · **virar** · **adelantar** · **aterrizar** || **chocar** || **bajar** · **descender** *Las temperaturas descendieron bruscamente* · **caer** · **desplomarse** · **reducir** || **levantar(se)** · **elevar** || **entrar** · **irrumpir** · **salir** · **despertar** || **anunciar** · **sobrevenir** || **devolver** · **dirigir** · **lanzar** || **tratar** · **pedir** · **gritar**

brusco, ca adj.

• CON SUSTS. **cambio · alteración · variación · transformación · reforma** *En el último año se han producido bruscas reformas* · **mutación · fluctuación · oscilación · vaivén · altibajo · corrección || aumento · subida · incremento** *Un incremento brusco del desempleo puede provocar...* · **crecimiento · ascensión · ascenso · elevación · alza || caída · descenso · bajada · disminución · reducción · baja · derrumbe · recorte · rebaja || movimiento · giro · maniobra · viraje · volantazo · vuelco · quiebro || frenazo · frenada · desaceleración** *Una brusca desaceleración de la economía podría golpear a los sectores más pobres* · **parón · paralización · detención · aceleración · acelerón || corte** *Anoche se produjo un corte brusco de la electricidad* · **interrupción · ruptura · rotura · quiebra · separación · escisión || gesto · ademán · abrazo · brinco · pirueta · cabezada || golpe · choque · sacudida · empujón · chapuzón · encontronazo · tirón** *Me arrancó el bolso de un tirón brusco* · **embestida · remezón · zarpazo · vapuleo · zapatillazo || aparición · irrupción · surgimiento · apertura · arranque · arrancada · eclosión · rebrote || desenlace · final** *No me gustó el brusco final de la película* · **desaparición · supresión · cese · cierre · conclusión · clausura || empeoramiento · agravamiento · deterioro · debilitamiento · devaluación · regresión · recaída · deflación || salto · transición · paso · tránsito · desplazamiento || dimisión · destitución · renuncia · jubilación || encabalgamiento · elipsis · analepsis · prolepsis · ironía · neologismo || jugador,-a** *un jugador brusco y defensivo* · **jefe,fa · persona · gente ·** ***otros individuos y grupos humanos*** **|| carácter · forma de ser · comportamiento · actitud · talante · maneras · modales || lenguaje · palabra · expresión · frase · declaración ·** ***otras manifestaciones verbales*** **|| fútbol · jugada · ejercicio · deporte**

• CON VBOS. **volverse · hacerse · ponerse**

brutal adj.

• CON SUSTS. **suceso** *Aquel brutal suceso horrorizó a la opinión pública* · **realidad · violencia · guerra · batalla · carnicería · matanza · lucha · enfrentamiento · ataque** *un ataque brutal del ejército enemigo* · **ofensiva · asalto · asedio · pelea · genocidio · crimen · asesinato · atentado · paliza · apaleamiento · agresión** *Fue objeto de una brutal agresión* **|| accidente · embestida · colisión · choque · golpe · impacto · hundimiento || control · marcaje · crítica · censura · persecución · represión · venganza · actitud · tratamiento || respuesta · palabras · declaración || cómplice · dictador,-a || régimen · dictadura || descenso · caída · frenada · déficit** *el brutal déficit de la empresa* · **recorte · expropiación · gasto · inversión || depresión · remordimiento · odio || impulso · instinto · esfuerzo || tormenta · aguacero || volumen · intensidad**

• CON VBOS. **volverse · hacerse**

brutalidad s.f.

• CON ADJS. **animal · inhumana || desmedida · enorme** *Todas las fuerzas políticas condenaron la enorme brutalidad del atentado* · **desmesurada · extrema || terrible · violenta**

• CON SUSTS. **caso (de) · acto (de)** *Los terroristas cometieron un acto de terrible brutalidad* **|| gesto (de)**

• CON VBOS. **reinar · imperar || aumentar · disminuir || denunciar · condenar || cometer · hacer · mostrar**

• CON PREPS. **con**

bruto, ta adj.

▌[tosco, violento]

• CON SUSTS. ***persona*** *Este niño se está volviendo muy bruto* **|| fuerza** *No lograrás nada con la fuerza bruta*

• CON ADVS. **como un arado · como una mula · sumamente · considerablemente**

• CON PREPS. **en** *un diamante en bruto*

▌[sin reducciones o descuentos]

• CON SUSTS. **peso · volumen || ingreso · beneficio · salario** *Mi salario bruto anual es de...* · **ganancia · retribución**

bucal adj.

• CON SUSTS. **salud || higiene** *La higiene bucal es uno de los puntos más importantes del programa de prevención* · **limpieza · enjuague || cavidad · zona || protección · protector || infección · enfermedad · herida || prótesis · sonda**

buceador, -a s.

• CON ADJS. **profesional · inexperto,ta · aficionado,da**

• CON SUSTS. **grupo (de) || traje (de) || título (de)**

• CON VBOS. **sumergir(se) || nadar**

bucear (en) v.

• CON SUSTS. **agua · mar · océano · lago · piscina || época · siglo · edad · período · tiempo · reinado || filosofía · matemáticas · arte · música ·** ***otras disciplinas*** **|| novela · sinfonía · libro · película ·** ***otras creaciones*** **|| pasado · historia · origen · raíz · tradición || memoria · recuerdo · trauma · experiencia · vivencia** *Prefería no bucear en esas vivencias tan dolorosas* · **biografía · vida · infancia || archivo · hemeroteca · biblioteca · internet · fondo documental · documentación · base de datos · bibliografía · red · fuente · expediente · anales · documento · ordenador || interior** *Me gusta bucear en el interior de la gente para entender su comportamiento* · **corazón · entraña · entresijo · entretela · esencia · fundamento · intimidad || profundidad · abismo · fondo · secreto · misterio** *una novela que bucea en los misterios de la psicología femenina* · **oscuridad · sombra · recodo · recoveco · rincón · meandro · tabú || personalidad · psicología · conciencia · identidad · pensamiento · razonamiento · inconsciente · subconsciente || suciedad · mierda · mediocridad**

bucólico, ca adj.

• CON SUSTS. **imagen · ambiente · estampa · espacio · escena · atardecer · escenario · entorno · paraje · panorama · naturaleza · valle · paisaje · lugar || literatura · novela · relato · poesía** *un tópico de la poesía bucólica* · **cuadro || vida · día · tiempo · actitud · sueño**

budismo s.m.

• CON ADJS. **zen · tántrico · tai · tibetano**

• CON SUSTS. **gurú (de) · fundador,-a (de)**

➤ Véase también **RELIGIÓN**

budista adj.

• CON SUSTS. **fe · confesión · monasterio · culto · meditación · canto || mandala** *En la pared había una representación del universo, parecida a un mandala budista* · **hábito · paraíso · parábola || lama · monje · monja · santón · maestro,tra**

➤ Véase también **CREYENTE**

[buen]

→ a buen recaudo; a ojo de buen cubero; buen gusto; buen humor; buen tiempo; con {buen/mal} pie; de (buen) grado; llegar a buen puerto; llevar a buen puerto; llevar a (buen) término

buenamente adv.

• CON VBOS. **poder** *Hacen frente a los gastos como buenamente pueden* · **querer · saber**

buena vida loc.sust.

• CON VBOS. **darse (a)** · **abandonarse (a)** || **disfrutar (de)** *Estamos de vacaciones, disfrutando de la buena vida* · **gozar (de)**

buen gusto loc.sust.

• CON SUSTS. **prueba (de)**
• CON VBOS. **tener** · **demostrar** *Demostró muy buen gusto al elegir...* · **derrochar** || **ofender** *Esas expresiones soeces ofenden el buen gusto*
• CON PREPS. **con**

buen humor loc.sust.

• CON VBOS. **reinar** *En esa casa reina el buen humor* || **tener** || **estar (de)** *Da gusto hablar con él cuando está de buen humor* · **hacer gala (de)**
• CON PREPS. **con** *Al menos te lo ha dicho con buen humor*

[bueno, na]

→ buena vida; bueno, na; dar buena cuenta (de); de buena fe; de buena tinta; en buena lid; por las buenas; visto bueno

bueno, na adj.

• CON ADVS. **sumamente** *La novela que acabo de leer es sumamente buena* · **verdaderamente** || **increíblemente** · **sorprendentemente** · **asombrosamente** · **excepcionalmente** || **suficientemente** || **como el pan** *una persona buena como el pan*
• CON VBOS. **ser** · **parecer** *Esa persona parece buena, pero no lo es tanto* · **creerse** || **estar** *Tuve gripe, pero ya estoy buena* · **poner(se)** · **volver(se)**

□ EXPRESIONES **de buenas a primeras** [de repente] || **de buenas** [de buen humor] || **por las buenas*** [voluntariamente]

buen tiempo loc.sust.

• CON SUSTS. **intervalo (de)** · **probabilidad (de)**
• CON VBOS. **llegar** *Tengo muchas ganas de que llegue el buen tiempo* · **venir** || **irse** · **marcharse** · **acabar** || **durar** *El buen tiempo durará todavía dos semanas* || **tener** · **predominar** || **anunciar** *Los meteorólogos anuncian buen tiempo para el fin de semana* · **predecir** || **aprovechar** || **disfrutar (de)** · **beneficiarse (de)** || **atribuir (a)**

buey s.m.

• CON ADJS. **manso**
• CON SUSTS. **rabo (de)** · **carne (de)** *un restaurante argentino especializado en carne de buey* || **carreta (de)** · **yunta (de)** · **pareja (de)** · **manada (de)** || **ojo (de)** *uno de los ojos de buey del barco* || **año (de)** · **signo (de)** || **macho** · **hembra**
• CON VBOS. **criar** || **amarrar** · **soltar** · **llevar**

bufete s.m.

• CON ADJS. **prestigioso** *Trabaja en un prestigioso bufete de abogados* · **conocido** · **famoso** · **poderoso** · **acreditado** · **importante** · **influyente** || **de abogados** · **jurídico** · **privado**
• CON SUSTS. **miembro (de)** · **socio,cia (de)** · **letrado,da (de)** · **empleado,da (de)** · **abogado,da (de)**
• CON VBOS. **dirigir** || **abrir** · **inaugurar** · **montar** · **abandonar** · **cerrar** || **contratar** *Contrataron el mejor bufete de abogados del país* || **trabajar (en)** · **asociarse (con)** || **consultar (a/con)**

bujía s.f.

• CON SUSTS. **juego (de)**
• CON VBOS. **fallar** · **funcionar** || **cambiar** · **sustituir** || **emplear** · **usar**

búlgaro s.m.

Véase **IDIOMA**

bulla s.f.

• CON ADJS. **ruidosa** · **tremenda** · **monumental** · **descomunal** · **enorme**
• CON VBOS. **armar** *No arméis tanta bulla, por favor* · **meter** · **montar** · **producir** · **formar** · **organizar** || **provocar** · **alimentar** · **causar** || **escuchar** · **oír**

bullicio s.m.

• CON ADJS. **ensordecedor** · **inmenso** · **ruidoso** · **perturbador** · **frenético** · **descomunal** · **enorme** · **tremendo** || **continuo** *Los vecinos se han quejado del continuo bullicio que hay en la zona* · **incesante** · **constante** · **permanente** || **urbano** · **mundanal** · **popular**
• CON VBOS. **armar** · **meter** · **producir** · **montar** · **organizar** || **causar** · **originar** · **provocar** · **generar** || **mitigar** · **apaciguar** || **oír** · **escuchar** || **soportar** · **tolerar** || **apartar(se) (de)** · **alejar(se) (de)** · **aislar(se) (de)** || **acabar (con)**
• CON PREPS. **en medio (de)**

bullicioso, sa adj.

• CON SUSTS. ***persona*** || **bar** · **local** · **barrio** · ***otros lugares***
• CON ADVS. **terriblemente** *un bar terriblemente bullicioso* · **horriblemente** · **horrorosamente** · **espantosamente** || **sumamente** · **extremadamente** · **enormemente** · **extraordinariamente** · **tremendamente** *un barrio tremendamente bullicioso* || **absolutamente**

bulo s.m.

• CON VBOS. **correr** *Corre por ahí el bulo de que está arruinado* · **circular** · **difundir(se)** · **extender(se)** || **desmentir**

[bulto]

→ a bulto; bulto; de bulto

bulto s.m.

• CON ADJS. **pesado** · **voluminoso** · **enorme** · **gran(de)** · **grueso** || **ligero** · **liviano** · **manejable**
• CON VBOS. **acarrear** · **transportar** · **traer** · **llevar** · **arrastrar** || **facturar** *Facturó los bultos y subió al tren* · **consignar** || **enviar (a alguien)** · **mandar (a alguien)** || **cargar (con)**

□ EXPRESIONES **a bulto*** [aproximadamente] *calcular a bulto* || **escurrir el bulto** [eludir una responsabilidad] *col.*

buñuelo s.m.

• CON ADJS. **de viento** · **relleno** || **exquisito** · **rico** · **apetitoso** · **casero**
• CON VBOS. **hacer** · **preparar** · **rellenar** · **elaborar** · **rebozar** · **bañar** · **escurrir** · **freír** || **comer** · **probar** · **tomar** · **degustar**

buque s.m.

• CON ADJS. **mercante** *El buque mercante transportaba crudo* · **de guerra** · **escuela** · **insignia** · **escolta** || **trasatlántico** · **de cabotaje**
• CON VBOS. **zarpar** · **atracar** · **recalar** || **zozobrar** · **hundir(se)** · **naufragar** || **enrolar(se) (en)**

burbuja s.f.

▮ [pompa]

• CON ADJS. **de aire** · **de oxígeno** · **de agua** · **de jabón** · **volcánica**
• CON VBOS. **producir(se)** · **crear(se)** · **formar(se)** || **romper(se)** · **estallar** · **explotar** · **reventar(se)** || **evaporar(se)** · **esfumar(se)**
• CON PREPS. **con** · **sin** *un refresco sin burbujas*

▌[espacio aislado]

● CON ADJS. **de cristal || familiar · personal || metido,da (en)** *No te puedes pasar toda la vida metida en una burbuja* ● CON VBOS. **vivir (en) || meterse (en) · encerrarse (en) · aislar(se) (en) || abandonar · salir (de)**
● CON PREPS. **dentro (de)**

▌[situación económica anómala]

● CON ADJS. **especulativa** *Una vez superada la burbuja especulativa en la que estamos inmersos...* · **financiera · económica · inmobiliaria · inflacionaria**
● CON VBOS. **crecer · inflar(se) · desinflar(se) · hinchar(se) · deshinchar(se) · estallar**

burdeos s.m. Véase **BEBIDA; COLOR**

burdo, da adj.

● CON SUSTS. **copia · imitación** *una burda imitación de una estatuilla egipcia* · **falsificación · plagio || tela · tejido · ropa · joya · metal || intento · intentona · maniobra · jugada · engaño · falacia · artimaña · montaje · tinglado · invención || humor · gracia · chiste || historia · representación · imagen · ejemplo · teoría · argumento · pretexto · coartada** *Nadie creyó su burda coartada* · **pregunta · respuesta · comentario · crítica || pintada · brochazo · pintura · estilo || espectáculo · obra · presentación || censura || campaña**

burguesía s.f.

● CON ADJS. **pequeña** *una película que critica a la pequeña burguesía urbana* · **alta · mediana || industrial · urbana · nacional · provinciana · rural || emergente · pujante · naciente · incipiente · ascendiente · floreciente · triunfante · decadente || nueva · vieja || acomodada** *...medidas que contaban con el apoyo de la burguesía acomodada de la época* · **adinerada · pudiente · refinada || separatista · revolucionaria · transformadora · conservadora**
● CON VBOS. **aflorar · consolidar(se) || provenir (de)**

burla s.f.

● CON ADJS. **cruel · despiadada · hiriente · afilada · descarada · procaz · sardónica || jocosa · hilarante · inofensiva**
● CON SUSTS. **blanco (de)** *Sus originales ideas lo convertían en el blanco de las burlas de sus colegas* · **objeto (de) || gesto (de) · demostración (de)**
● CON VBOS. **recaer (en alguien) || hacer** *¡Mamá, ese niño me está haciendo burla!* · **dirigir (a alguien) || soportar · sufrir · tolerar · aguantar · encajar**

[burlar] → burlar; burlarse

burlar v.

● CON SUSTS. **confianza** *Acusan al jugador de haber burlado la confianza del club...* · **esperanza · ilusión · anhelo · expectativa || control · vigilancia** *Los delincuentes lograron burlar la vigilancia nocturna* · **seguridad · custodia · inspección · policía · enemigo,ga · perseguidor,-a · vigilante || censura · prohibición · veto · restricción · limitación · constreñimiento · condición · exigencia · ultimátum || ley · norma · medida · justicia · principio · legalidad · regla** *burlar las reglas de juego* · **normativa · precepto · directriz · regulación ·** ***otras disposiciones*** **|| cerco · frontera · obstáculo · valla** *...una valla de protección, pero pequeña y fácil de burlar* · **barrera || sistema · régimen · registro || decisión · acuerdo** *El Gobierno acusa a la oposición de burlar el acuerdo electoral* · **fallo · sentencia · compromiso · contrato || destino · pronóstico · previsión || autoridad · hegemonía · potestad · soberanía**

burlarse v.

● CON ADVS. **cruelmente · despiadadamente** *Se burló despiadadamente de mis sentimientos* · **descaradamente · insolentemente || con gracia · con ingenio · con sorna || públicamente · por detrás**

☐ USO Se construye frecuentemente con complementos encabezados por la preposición *de*: *burlarse de una persona*; *burlarse de la justicia*.

burlesco, ca adj.

● CON SUSTS. **tono** *Noto cierto tono burlesco en tu comentario* · **estilo · intención · visión · actitud · espíritu · carácter · aire || comentario · frase · pregunta · respuesta ·** ***otras manifestaciones verbales*** **|| género · poesía · teatro · comedia · parodia · espectáculo || poeta · escritor,-a · personaje · persona · gente ·** ***otros individuos y grupos humanos***

burlón, -a adj.

● CON SUSTS. **espíritu · tono · aire · carácter · gesto · actitud · sonrisa** *Contestó con una sonrisa burlona* **|| comentario · observación · frase · respuesta ·** ***otras manifestaciones verbales***
● CON VBOS. **volver(se)** *Su actitud se volvió burlona* · **poner(se)**

burocracia s.f.

● CON ADJS. **lenta · eterna · interminable || farragosa** *La farragosa burocracia retrasó la puesta en marcha del negocio* · **desesperante · exasperante · insufrible · asfixiante · insalvable · dilatoria || anquilosada · obsoleta || inmerso,sa (en)**
● CON VBOS. **retrasar (algo) || soportar || sortear** *¿Habría alguna forma de sortear toda esta burocracia y agilizar el proceso?* · **burlar · saltarse || tropezar (con) · estrellarse (contra) · dar (contra) · ahogar(se) (en) · hacer frente (a)**

burocrático, ca adj.

● CON SUSTS. **trámite · tarea · proceso · papeleo · gestión || traba · dificultad · obstáculo · barrera · problema** *Debido a problemas burocráticos, nos hemos retrasado en el pago* · **error || laberinto · maraña · complicación · complejidad || aparato** *El aparato burocrático del Estado cada vez es más complejo* · **maquinaria · estructura · sistema · organización · órgano · cúpula · cuerpo · mundo || lenguaje · jerga · verborrea || batalla · guerra || trabajo · puesto || cuestión · asunto · tema · requisito || lentitud · retraso || gasto · cargo · coste · cuota || efectos · causa**

burrada s.f. *col.*

● CON ADJS. **auténtica** *Lo que dijiste fue una auténtica burrada* · **verdadera || gran(de) · descomunal · enorme · monumental · colosal · tremenda · absoluta**
● CON VBOS. **decir · soltar · proferir || cometer · hacer**

[burro] → burro, rra; como un burro; ni tres en un burro

burro, rra

1 **burro, rra** adj. *col. desp.*

● CON SUSTS. ***persona*** *¡Qué chica tan burra...!*
● CON VBOS. **ponerse** *No te pongas tan burro, porque no tienes razón*

2 **burro, rra** s.

● CON ADJS. **de carga** *Los burros de carga son animales muy resistentes*

● CON VBOS. **rebuznar** || **trotar** || **cargar** || **bajar(se) (de)** · **apear(se) (de)** · **caer(se) (de)** || **montar (en)** · **subir(se) (en/a)** · **ir (en)**
● CON PREPS. **a lomos (de)**
☐ EXPRESIONES **como un burro*** [muchísimo] *col. trabajar como un burro* || **no ver tres en un burro** [ver mal] *col.* || **vender la burra** [convencer o camelar] *col.*

bursátil adj.

● CON SUSTS. **mercado** · **sector** *un sector bursátil muy rentable* · **firma** || **jornada** *una jornada bursátil muy activa* · **sesión** · **semana** · **ejercicio** || **actividad** · **inversión** · **operación** · **capitalización** · **especulación** · **cotización** || **índice** *El índice bursátil había cerrado en...* · **valor** · **indicador** || **subida** · **estabilidad** · **inestabilidad** · **crisis** · **desplome** · **crac** || **asesor,-a** · **autoridad** · **organismo**

[buscar] → buscar; buscarse

buscar v.

● CON SUSTS. **llave** *Me paso el día buscando las llaves en el bolso* · **herramienta** · ***otros objetos físicos*** || **trabajo** · **ocupación** || **respuesta** · **salida** · **solución** *Buscamos con desesperación la solución a este problema* || **oportunidad** · **momento** · **tiempo** || **lugar** · **sitio** · **modo** · **forma** · **razón** · **causa** || **belleza** · **armonía** · ***otras cualidades*** || **novio,via** · **amigo,ga** · **pareja** · **compañero,ra** || ***persona*** *Buscó con la mirada a su prima* || **pelea** *Con esa actitud parece que buscas pelea*
● CON ADVS. **activamente** · **afanosamente** · **con ahínco** · **arduamente** · **esforzadamente** · **porfiadamente** · **tenazmente** · **con fruición** · **con interés** · **ávidamente** · **ardientemente** · **febrilmente** · **a toda costa** · **a todo trance** · **incansablemente** · **largamente** · **sin tregua** · **ordenadamente** || **con urgencia** · **desesperadamente** · **a la desesperada** · **como un loco** *Buscaba como una loca un taxi que la llevara al aeropuerto* || **exhaustivamente** · **a conciencia** · **minuciosamente** · **insistentemente** · **intensamente** · **con lupa** || **inútilmente** · **sin éxito** · **en balde** || **esperanzadamente** || **descaradamente** *Busca descaradamente el aplauso general* || **a tientas** · **con la mirada** · **con los ojos** · **con la vista**

buscarse v.

● CON SUSTS. **vida** *Se fue de casa a los quince años y desde entonces se ha ido buscando la vida* · **pan** · **garbanzos** · **habichuelas** · **lentejas** · **futuro** || **castigo** *Tú sabes bien que, con tu actitud, te estás buscando un castigo* · **reprimenda** · **disgusto** || **complicaciones** · **problema** · **follón** · **lío** · **ruina** *No me regatee más el precio que me va a buscar la ruina* · **enemigo,ga**
● CON ADVS. **insistentemente** · **urgentemente** · **continuamente**

búsqueda s.f.

● CON ADJS. **afanosa** *Concluyó la afanosa búsqueda de supervivientes* · **ardua** · **denodada** · **esforzada** · **porfiada** · **laboriosa** · **a la desesperada** · **desaforada** · **desenfrenada** · **febril** · **frenética** · **insaciable** · **instintiva** · **intensiva** · **intensa** · **obsesiva** · **obstinada** · **persistente** · **profunda** · **tenaz** · **vehemente** || **concienzuda** · **exhaustiva** · **meticulosa** · **minuciosa** *El escritor llevó a cabo una minuciosa búsqueda de datos para su novela* || **encaminada** · **efectiva** · **fructífera** || **infructuosa** *A pesar de sus esfuerzos, la búsqueda resultó infructuosa* · **inútil** · **desencaminada** || **a tientas**
● CON VBOS. **avanzar** · **prosperar** · **culminar** · **deparar** || **emprender** · **abordar** · **acometer** · **llevar a cabo** · **llevar a término** · **lanzar** · **ordenar** · **organizar** · **proseguir** *Los equipos de rescate prosiguen la búsqueda de los desaparecidos* || **intensificar** · **agilizar** · **estrechar** · **centrar** || **abandonar** || **lanzarse (a)** · **empeñarse (en)** · **perseverar (en)** *Los científicos perseveran en la búsqueda de una vacuna* · **ahondar (en)** · **enzarzarse (en)** || **cejar (en)** · **desistir (de)**

buzo s.m.

▮ [persona]

● CON SUSTS. **traje (de)** · **casco (de)**
● CON VBOS. **sumergirse** *El buzo se sumergió y examinó los restos del barco* · **zambullirse** · **hundirse** · **bucear** || **emerger** · **salir** · **subir** · **aparecer** · **asomar**

▮ [prenda de vestir] Véase **ROPA**

buzón s.m.

● CON ADJS. **lleno** · **repleto** · **vacío** || **de voz** *Tengo cuatro mensajes en el buzón de voz* · **de sugerencias** · **electrónico** · **automático** · **telefónico** · **de correo**
● CON VBOS. **abrir** · **revisar** || **dejar (en)** · **meter (en)** · **echar (a)** || **encontrar (en)**

C c

[cabal] →a carta cabal

cábalas s.f.pl.

● CON ADJS. **especulativas || matemáticas || políticas** *Los analistas ya están haciendo sus cábalas políticas sobre las posibles alianzas* · **electorales**
● CON VBOS. **comenzar · iniciar(se) · disparar(se) · desatar(se) || hacer · lanzar || acertar (en)** *Me sorprendió que acertase tan de pleno en sus cábalas*

cabalgar v.

● CON ADVS. **a horcajadas · a pelo** *Al principio, cabalgaba a pelo en la granja de su abuela* · **a la jineta || al galope · al trote · a galope tendido**

cabalgata s.f.

● CON ADJS. **espectacular** *una espectacular cabalgata navideña que causó asombro a grandes y pequeños* · **impresionante · majestuosa · multitudinaria || local · municipal || de Reyes · infantil**
● CON VBOS. **recorrer (algo)** *La cabalgata recorrerá el centro de la ciudad* · **circular · discurrir || iniciar(se) · concluir || presenciar · ver || asistir (a) · participar (en) · salir (en)**

caballar adj.

● CON SUSTS. **ganado · cabaña · ganadería · especie || cría** *una empresa dedicada a la cría caballar* · **producción · negocio · sector || carne**

caballeresco, ca adj.

● CON SUSTS. **literatura** *Esta es la obra más importante de la literatura caballeresca en ese país* · **historia · crónica · relato || tradición · ideal || personaje · figura · héroe || comportamiento · gesto · maneras · modales** *Siempre exquisito y de modales clásicos, casi caballerescos* · **formación · actitud · trato || torneo · justa · lance**

caballería s.f.

▮ [del ejército]

● CON ADJS. **ligera · blindada · acorazada || de élite · gloriosa || feroz**
● CON SUSTS. **unidad (de) · cuerpo (de) · arma (de) || regimiento (de) · escuadrón (de) · orden (de) · escuela (de) || oficial (de) · capitán (de) · comandante (de) · sargento (de) · soldado (de) || combate (de) · carga (de) · ataque (de) || justa (de)**
● CON VBOS. **llegar || cargar** *La caballería cargó contra el ejército enemigo* **|| enviar · lanzar · sacar || derrotar · vencer**

▮ [de los caballeros]

● CON ADJS. **andante**
● CON SUSTS. **libro (de)** *Alonso Quijano había leído muchos libros de caballerías* · **novela (de) · relato (de)**

caballero s.m.

▮ [hombre cortés y generoso]

● CON ADJS. **de pies a cabeza** *Es un caballero de pies a cabeza* · **completo** *ser un completo caballero* · **perfecto**
● CON SUSTS. **pacto (de)** *Hubo un pacto de caballeros entre responsables de ambos municipios*

▮ [título de la nobleza]

● CON ADJS. **poderoso · noble · ilustre · intrépido · heroico · valiente · gran**
● CON VBOS. **armar** *ser armado caballero* · **hacer**
➤ Véase también **TÍTULO NOBILIARIO**

caballerosamente adv.

● CON VBOS. **actuar · comportarse · tratar (a alguien) || ayudar (a alguien) · acompañar (a alguien) · prestar un servicio · colaborar || ceder** *Me cedió su asiento caballerosamente* · **acceder (a algo)**

caballeroso, sa adj.

● CON SUSTS. ***persona*** *Siempre fue un hombre extremadamente caballeroso* **|| comportamiento · carácter · espíritu · trato · actitud · gesto · modales || aire · estilo**
● CON VBOS. **volver(se) · mostrarse**

caballete s.m.

● CON VBOS. **poner · instalar · plantar** *El pintor plantó su caballete en medio del parque* · **abrir · cerrar || pintar (en)**

[caballo] →a caballo; a uña de caballo; caballo

caballo s.m.

▮ [animal]

● CON ADJS. **purasangre · salvaje · tordo || a galope** *Nunca olvidaré la bella imagen de los caballos a galope* · **al trote**
● CON SUSTS. **manada (de) || cola (de)** *ir peinada con una cola de caballo* **|| año (de) · signo (de)**
● CON VBOS. **relinchar** *Los caballos relinchaban en el establo* · **piafar · tascar || galopar · trotar · correr || cocear · desbocar(se) · descoyuntar(se) || abrevar || transportar (algo/a alguien) || criar · domar · adiestrar || fustigar · reventar || montar · herrar · ensillar** *La muchacha ensilló el caballo* · **desensillar || montar (a/en) · subir (a) · bajar (de) · apear(se) (de) · caer(se) (de)**
● CON PREPS. **a lomos (de) · a la grupa (de) · sobre**

▮ [droga] *col.*

● CON SUSTS. **trapicheo (de) · venta (de) || adicción (a)** *Acudió a un centro de rehabilitación para tratar de superar su adicción al caballo* **|| adicto,ta (a) · consumidor,-a (de) || dosis (de) · sobredosis (de)**

●CON VBOS. **consumir · probar · pillar · llevar · suministrar · pasar || dejar || adulterar · mezclar || meterse · inyectar || engancharse (a) · desengancharse (de) || traficar (con) · trapichear (con)**

▮ [fuerza motriz]

●CON ADJS. **de potencia** *¿Cuántos caballos de potencia tiene tu coche?* · **de vapor · de fuerza**

☐EXPRESIONES **a caballo*** [entre dos situaciones] || **caballo de batalla** [punto conflictivo de un asunto] || **de caballo** [muy fuerte] *tener un resfriado de caballo*

cabalmente adv.

●CON VBOS. **desempeñar · cumplir · ajustar(se) || aceptar** *Hay que aceptar cabalmente las limitaciones de nuestros recursos* · **asumir · encajar || comprender · entender || informar · decir · definir || reflejar** *El reportaje refleja cabalmente la realidad que se vive allí* · **representar**

cabaré s.m.

●CON ADJS. **afamado · conocido · famoso || cutre**

●CON SUSTS. **artista (de) · cantante (de) · mundo (de)** *La obra recrea muy bien el mundo del cabaré en la época de entreguerras* · **género (de) || teatro (de) · espectáculo (de) · pieza (de)**

●CON VBOS. **abrir · cerrar || bailar (en) · actuar (en) · cantar (en) || ir (a)**

[cabecera] s.f. →de cabecera

cabecilla

1 **cabecilla** s.com.

●CON ADJS. **principal · máximo,ma || presunto,ta · supuesto,ta || enérgico,ca · temible || rebelde · revolucionario,ria · guerrillero,ra · terrorista**

●CON VBOS. **organizar (algo) · liderar (algo/a alguien) · mandar (a alguien) || caer || detener** *Gracias a la investigación policial, se ha logrado detener a los cabecillas de la organización* · **capturar · apresar · encarcelar · neutralizar || nombrar · elegir || respaldar · apoyar** *Los miembros de la banda apoyaban a su cabecilla de forma incondicional*

2 **cabecilla (de)** s.com.

●CON SUSTS. **organización · clan** *Cuando muera el cabecilla del clan, le sucederá su hijo mayor* · **pandilla · banda · red · mafia || operación · plan · golpe · revuelta · rebelión · asalto · secuestro · robo**

cabello s.m.

●CON ADJS. **rubio · castaño · moreno · pelirrojo · cano · blanco · plateado** *una anciana de cabellos plateados* · **de oro · dorado · negro · oscuro · claro || liso · lacio · rizado · ensortijado || sedoso · suave · brillante · sano || espeso · tupido · abundante · escaso · ralo || fuerte · débil · quebradizo · frágil || seco · graso · con caspa || despeinado · alborotado · revuelto · encrespado · desaliñado || suelto · recogido** *Llevaba el cabello recogido en un moño*

●CON SUSTS. **caída (de)** *controlar la caída del cabello* · **pérdida (de) || color (de) · tipo (de) || cuidado (de) · implante (de)**

●CON VBOS. **crecer · caer(se) || encanecer(se) || estropear(se) · ensuciar(se) || rizar(se)** *Se me riza el cabello con la humedad* · **ensortijarse · encresparse · erizar(se) || peinar · desenredar · domar · arreglar · atusar · alisar · cardar · soltar(se) · recoger · teñir · cortar · recortar · cuidar · hidratar || perder · mesar || implantar · trasplantar || enredar(se) (en)**

☐EXPRESIONES **cabello de ángel** [dulce hecho con calabaza y almíbar]

cabelludo, da adj.

●CON SUSTS. **cuero**

caber v.

●CON SUSTS. **duda** *No cabe la menor duda de que nuestra relación es buena* · **sospecha · pregunta · cuestión · posibilidad · hipótesis || acuerdo · pacto · salida · conclusión · remedio · solución || asombro · sorpresa · esperanza** *Aún cabe la esperanza de que la situación mejore* · **satisfacción · honestidad · honor** *Me cabe el honor de anunciar que...* · **respeto · responsabilidad || comentario** *Después de lo dicho, no cabe ningún otro comentario* · **diálogo · respuesta · expresión**

●CON ADVS. **de sobra · holgadamente · por los pelos**

[cabestrillo] →en cabestrillo

[cabeza] →a la cabeza; cabeza; de cabeza; de pies a cabeza; inclinar la cabeza; mover la cabeza; pasárse(le) por la cabeza (a alguien); quebradero de cabeza; quitar de la cabeza; subírse(le) a la cabeza (a alguien)

cabeza

1 **cabeza** s.f.

●CON ADJS. **grande · enorme · pequeña || visible · rectora · principal · responsable || bien amueblada** *Es muy trabajadora y tiene la cabeza muy bien amueblada* · **privilegiada · espléndida · inteligente · sabia · sensata || mal amueblada · distraída · loca · hueca** *una serie protagonizada por el musculoso y cabeza hueca...* · **llena de pájaros · calenturienta · enajenada · desequilibrada || fría** *Mantengamos fría la cabeza* · **serena · calmada · lúcida · despejada || pensante · calculadora || cuadrada · cuadriculada**

●CON SUSTS. **dolor (de) || movimiento (de) · giro (de) || remate (de)** *La victoria vino de un remate de cabeza en el último minuto* · **gol (de)**

●CON VBOS. **funcionar(le) (a alguien)** *Después de tantas horas de trabajo ya no me funciona la cabeza* · **doler(le) (a alguien) || mover · volver** *Volvió la cabeza para no saludarme* · **girar · erguir · alzar · elevar · inclinar · agachar · bajar || reclinar · recostar · apoyar · reposar || rodar** *Tras los malos resultados, se esperaba que rodaran cabezas* · **cortar || asomar · descubrir · esconder · cubrir · sumergir || usar · tener (para algo)** *¿Para qué tienes la cabeza?* · **necesitar || despejar || abrir · arrancar · partir(le) (a alguien) · volar(le) (a alguien) || venir (a) · pasar (por) · rondar (por)** *¿Qué te ronda por la cabeza?* **|| planear (sobre)** *los peligros que planean sobre nuestras cabezas* · **seguir (en) || afectar (a) || quitar (de) · sacar (de) || meter (en)** *Métetelo en la cabeza* **|| rematar (de) · marcar (de)**

●CON PREPS. **con** *actuar con cabeza* · **de**

2 **cabeza (de)** s.f.

●CON SUSTS. **ganado || empresa · equipo · partido · gobierno · nación · familia · hogar || clasificación · lista** *Mi primo es cabeza de lista de su partido* **|| proyecto · serie || alfiler · ajo**

☐EXPRESIONES **{andar/ir} de cabeza** [estar muy atareado] *col.* || **cabeza de chorlito** [persona de poco juicio o despistada] *col.* || **cabeza loca** [persona imprevisible] *col.* || **cabeza rapada** [miembro de un grupo social de comportamiento violento] || **{calentarse/romperse} la cabeza** [pensar mucho] *col.* || **con la cabeza alta** [sin avergonzarse] || **estar {bien/mal} de la cabeza** [estar en su sano juicio o estar loco] || **levantar cabeza** [recuperarse de una mala situación] *col.* || **perder la cabeza** [trastornarse] *col.* || **sentar la cabeza** [volverse formal y responsable] *col.* || **subirse a**

la cabeza* [producir orgullo excesivo] *col.* || **tener la cabeza a pájaros** · **tener la cabeza llena de pájaros** [ser poco juicioso] *col.* || **tener la cabeza en su sitio** [ser muy sensato] || **traer** (a alguien) **de cabeza** [darle muchas preocupaciones] *col.*

cabezada s.f. *col.*

● CON VBOS. **echar** *Después de comer suelo echar una cabezada*

cabezazo s.m.

● CON ADJS. **potente** || **soberbio** *Marcó un gol de un soberbio cabezazo* · **preciso** · **impecable** · **perfecto** · **exacto** · **ajustado** || **a bocajarro** · **a quemarropa** · **de emboquillada**
● CON VBOS. **conectar** · **desviar**
➤ Véase también **GOLPE**

cabezota adj. *col.*

● CON SUSTS. ***persona*** *No he conocido a persona más cabezota que él* || **espíritu** · **carácter**
● CON VBOS. **volverse** · **ponerse**

cabida s.f.

● CON VBOS. **dar** · **tener** *En este foro de debate tienen cabida todo tipo de opiniones*

cabina s.f.

● CON ADJS. **individual** · **doble** || **delantera** · **trasera** · **lateral** || **presurizada** *La cabina del avión está presurizada* || **automática** || **pública** · **telefónica** *Alguien me ha llamado desde una cabina telefónica* · **de ducha** · **electoral** · **de avión** · **de piloto** · **de tripulación** · **de camión** · **de mando** · **de transmisión** · **de proyección** · **de grabación** · **de radio** *Han montado una cabina de radio para las prácticas*
● CON SUSTS. **entrada (de)** · **puerta (de)** · **interior (de)** || **tripulante (de)** · **personal (de)** || **compresión (de)**
● CON VBOS. **cerrar** · **abrir** || **blindar** || **entrar (en)** · **encerrar (en)** · **salir (de)**
● CON PREPS. **dentro (de)**

cabizbajo, ja adj.

● CON SUSTS. **mirada** · **gesto** || ***persona*** *La muchacha caminaba cabizbaja*
● CON VBOS. **estar** · **quedarse** · **permanecer** · **mantenerse** || **marchar(se)** · **andar** · **salir** *Cuando se enteró de lo sucedido, salió cabizbajo de la habitación* · **caminar** · **pasear** || **ver (a alguien)** · **notar (a alguien)**

cable s.m.

● CON ADJS. **metálico** · **de acero** · **de fibra óptica** || **eléctrico** · **de teléfono** · **telegráfico** · **de luz** · **de alta tensión**
● CON SUSTS. **comunicación (por)** · **televisión (por)** *La televisión por cable se va extendiendo poco a poco en nuestro país* · **canal (de)** · **cadena (de)** · **señal (por)** || **red (de)** *una enmarañada red de cables*
● CON VBOS. **enredar(se)** · **romper(se)** || **tirar** · **soltar** *Tienes que soltar más cable porque no llega bien al enchufe* || **poner** · **instalar** · **conectar** · **enchufar** · **desenchufar** || **forrar** · **aislar** · **apantallar** · **enterrar** || **enrollar** · **cortar** · **alargar** · **desenrrollar** || **emitir (por)**

☐ EXPRESIONES **cruzársele los cables** (a alguien) [bloquearse mentalmente] || **{echar/lanzar/tender} un cable** (a alguien) [ayudarle en algo]

[cabo] → cabo; de cabo a rabo

cabo s.m.

▮ [punta, extremo]
● CON VBOS. **soltar** · **lanzar** || **coger** · **agarrar** || **tirar (de)** *Tú tira de un cabo y yo tiraré del otro*

☐ EXPRESIONES **al cabo de** (un tiempo) [después de transcurrido] || **atar cabos** [relacionar datos y llegar a una conclusión] || **cabo suelto** [extremo o detalle sin aclarar] *col. En la investigación hay todavía algunos cabos sueltos* || **de cabo a rabo*** [de principio a fin] *col.* || **estar al cabo de la calle** [estar perfectamente enterado] *col.* || **llevar a cabo** (algo) [hacerlo]

[cabra] → cabra; como una cabra

cabra s.f.

● CON ADJS. **montés** · **salvaje**
● CON SUSTS. **leche (de)** · **queso (de)** *Como entrante tomamos un excelente queso de cabra* || **manada (de)** · **rebaño (de)** || **año (de)** · **signo (de)** || **macho** · **hembra**
● CON VBOS. **saltar** · **brincar** · **pastar** · **pacer** · **triscar** *Un par de cabras triscaba por los riscos* || **despeñar(se)** || **balar** || **pastorear** · **arrear**

☐ EXPRESIONES **como una cabra*** [loco] *col.*

cabrear(se) v. *col.*

● CON ADVS. **considerablemente** · **seriamente** · **terriblemente** *Ese día, el profesor acabó cabreándose terriblemente con nosotros* · **enormemente** · **profundamente** · **notablemente** || **visiblemente** · **ostensiblemente**

cabreo s.m. *col.*

● CON ADJS. **de campeonato** · **de mucho cuidado** · **de órdago** · **mayúsculo** *Se agarra unos cabreos mayúsculos, pero se le pasan pronto* · **monumental** · **integral** · **supino**
● CON VBOS. **entrar(le) (a alguien)** || **pasárse(le) (a alguien)** · **aplacar(se)** || **coger(se)** · **agarrar(se)** · **pillar(se)** · **llevar (encima)** *¡Menudo cabreo llevo encima!*

cabrío, -a adj.

● CON SUSTS. **macho** · **ejemplar** · **ganado**

cabriola s.f.

● CON ADJS. **espectacular** · **impresionante** · **sorprendente** · **fascinante** · **maravillosa** || **arriesgada** · **peligrosa** · **difícil** || **enrevesada** · **rebuscada** || **acrobática** · **aérea** · **argumental** · **verbal** · **política** · **financiera**
● CON VBOS. **hacer** · **ejecutar** *Durante la exhibición, los pilotos ejecutaban arriesgadas cabriolas en el aire* · **realizar** || **ver** · **presenciar** · **contemplar**

caca s.f. *col.*

● CON VBOS. **hacer(se)** *Creo que el niño se ha hecho caca otra vez* · **tener** || **limpiar** || **llenar (de)** · **manchar (de)**

cacahuete s.m.

● CON ADJS. **salado** · **rancio**
● CON SUSTS. **cáscara (de)** || **mantequilla (de)** · **crema (de)** · **manteca (de)** · **aceite (de)** || **recolección (de)** · **producción (de)**
● CON VBOS. **triturar** · **moler** || **tostar** *una máquina que tuesta los cacahuetes antes de envasarlos* · **freír** · **pelar** · **salar**

cacao s.m.

▮ [árbol, semilla]
● CON SUSTS. **arboleda (de)** · **cultivo (de)** || **cascarilla (de)** · **saco (de)** · **prensado (de)**
➤ Véase también **ÁRBOL**

▮ [bebida]
● CON ADJS. **caliente** · **amargo** · **soluble** · **en polvo**
● CON SUSTS. **cucharada (de)** · **taza (de)** *Ahora me tomaría una taza de cacao* || **crema (de)** · **manteca (de)**

• CON VBOS. **espolvorear · añadir** *A esta receta también le puedes añadir cacao*
• CON PREPS. **con** *un vaso de leche con cacao* · **sin**
➤ Véase también **BEBIDA**

cacarear v.

• CON SUSTS. **gallina · gallo** *Se oía al gallo cacarear en el corral* · **gallinero**

cacareo s.m.

• CON ADJS. **estruendoso · escandaloso · ensordecedor · estridente** *el estridente cacareo de algunos tertulianos radiofónicos* || **continuo** *Me desquicia el continuo cacareo de las gallinas*
• CON VBOS. **aguantar · soportar || oír · escuchar**

cacería s.f.

• CON ADJS. **indiscriminada · salvaje · despiadada · siniestra · truculenta · destructiva || de brujas · humana · política · terrorista**
• CON VBOS. **organizar · presenciar · autorizar · encabezar || comenzar · iniciar · emprender || ir (de)** *Solían ir juntos de cacería* · **participar (en) · asistir (a) || terminar (con) · acabar (con)**

cacerola s.f.

• CON ADJS. **gran(de) · profunda · honda || antiadherente**
• CON SUSTS. **ruido (de)** *El ruido de cacerolas de los manifestantes se oía desde muy lejos* · **concierto (de)**
• CON VBOS. **contener (algo) || tapar · abrir · destapar · cerrar || calentar · retirar || cocinar (en) · cocer (en) · calentar (en) · hervir (en) · bullir (en) || incorporar (algo) (a) · poner (algo) (en) · verter (algo) (en)** *verter todos los ingredientes en la cacerola*

cachalote s.m.

• CON ADJS. **varado** *A la mañana siguiente, los cachalotes seguían varados en la playa*
• CON SUSTS. **pesca (de) · caza (de) · captura (de) || grupo (de) || macho · hembra**
• CON VBOS. **nadar · emigrar || cazar · pescar · capturar** *un barco dedicado a capturar cachalotes*

cacharro s.m.

• CON ADJS. **viejo · inútil · destartalado · para el arrastre · inservible · roto || de barro · artesanal || de cocina** *Ensució todos los cacharros de la cocina para freír un huevo* · **de comida · de menaje · de limpieza**
• CON SUSTS. **montón (de)**
• CON VBOS. **funcionar || fregar** *Me da una pereza terrible tener que fregar los cacharros después de comer* · **lavar · limpiar · secar · colocar · usar · ensuciar || enchufar · poner en marcha || apagar · desenchufar || tirar || deshacerse (de) || fallar(le) (algo) (a)** *A este cacharro le sigue fallando el carburador*

☐ USO Se usa a menudo para referirse de manera imprecisa a un objeto poco útil: *Deberíamos bajar este cacharro al trastero.*

cachear v.

• CON ADVS. **de arriba abajo · de pies a cabeza · íntegramente**

cacheo s.m.

• CON ADJS. **completo · exhaustivo · minucioso || por encima · ligero || rutinario** *Durante un cacheo rutinario, encontraron un enorme alijo de droga* || **personal · selectivo · indiscriminado · generalizado || humillante · público || policial**
• CON VBOS. **efectuar · practicar · realizar · llevar a cabo || proceder (a) · someter (a alguien) (a)** *Sometían a los pasajeros a exhaustivos cacheos* || **librar(se) (de)**

cachete s.m.

• CON ADJS. **buen(o)** *llevarse un buen cachete*
• CON VBOS. **merecer**
➤ Véase también **GOLPE**

cachivache s.m.

• CON ADJS. **viejo · inservible · inútil || doméstico || lleno,na (de)** *un desván lleno de cachivaches*
• CON VBOS. **estorbar || almacenar · amontonar · acumular · arrinconar || tirar** *Por fin se decidió a tirar todos los cachivaches que tenía en su habitación* || **limpiar (de) · deshacerse (de) · desprenderse (de)**

☐ USO Se usa a menudo para referirse de manera imprecisa a un objeto: *No entiendo para qué guardas este cachivache.*

cachondearse (de alguien)* v. *col.*

• CON ADVS. **cruelmente · despiadadamente · descaradamente · sarcásticamente · con recochineo || en {mi/tu/su...} cara · en privado · públicamente**

cachondeo s.m. *col.*

• CON ADJS. **auténtico** *Esto empieza a ser un auténtico cachondeo* || **general · nacional**
• CON SUSTS. **cara (de) · ambiente (de)**
• CON VBOS. **tomar (a) · sonar (a)** *Aunque te suene a cachondeo, lo que te estoy contando es verdad* || **estar (de) · ir (de)**

cachondo, da adj.

▮ [gracioso] *col.*

• CON SUSTS. ***persona*** *Tienes unos amigos muy cachondos* || **discurso · frase · expresión · palabra · respuesta** *Tiene respuestas cachondas para cualquier pregunta* · ***otras manifestaciones verbales*** || **ingenio · ironía · broma · tono**

▮ [excitado sexualmente] *vulg.*

• CON VBOS. **poner(se) · estar**

caco s.m.

• CON ADJS. **hábil** *un asalto que solo pudo ser obra de un caco muy hábil* · **silencioso || de poca monta · de tres al cuarto · vulgar · corriente · habitual || especializado**
• CON VBOS. **robar (algo) · llevar(se) (algo)** *Los cacos se llevaron un bidón de gasolina* · **desvalijar (un lugar) || detener** *Han detenido a dos cacos especializados en robos domésticos* · **encarcelar · condenar · atrapar · capturar · prender · perseguir · pillar || soltar · liberar || juzgar**

cadáver s.m.

• CON ADJS. **descompuesto · putrefacto**
• CON SUSTS. **depósito (de) || levantamiento (de) · autopsia (de) · identificación (de) || exhumación (de) · inhumación (de) || descomposición (de)**
• CON VBOS. **yacer || amortajar · velar || enterrar · inhumar · sepultar · incinerar || exhumar** *Exhumaron los cadáveres para realizarles la prueba del ADN* · **desenterrar || reconocer || profanar || hacer la autopsia (a)**

cadavérico, ca adj.

• CON SUSTS. **imagen · aspecto** *Tenía un aspecto verdaderamente cadavérico* · **rostro · facción · palidez · cuerpo · máscara ||** ***persona*** **|| tono · frialdad**
• CON VBOS. **quedarse**

[cadena] →cadena; en cadena

cadena

1 **cadena** s.f.

▮ [conjunto de piezas o eslabones]

●CON ADJS. **larga · interminable · enorme · gigantesca || gruesa || pesada · ligera || esclavizante · inmovilizadora · insoportable || humana · solidaria**

●CON VBOS. **formar** *Se tomaron de las manos y formaron una gran cadena humana* || **llevar · arrastrar · poner · mantener · lucir || soltar** *Los prisioneros soltaron sus cadenas y lograron escapar* · **romper · cortar || usar** *Hay mucha nieve, pero se puede pasar usando cadenas* · **necesitar || sujetar (con) · atar (con) · amarrar (con) · aferrar (con) || liberar(se) (de) || tirar (de)**

▮ [emisora de radio o televisión]

●CON VBOS. **emitir (algo)** *¿Qué cadena emitió ese reportaje?* || **sintonizar · coger || ver · oír || cambiar (de)** *Coge el mando de la tele y se pasa las horas cambiando de cadena*

2 **cadena (de)** s.f.

●CON SUSTS. **radio · televisión · noticias · pago || tiendas · supermercados** *trabajar en una cadena de supermercados* || **errores** *un eslabón más en esta larga cadena de errores* · **fallos · fracasos · accidentes || protestas · quejas · críticas || aciertos · victorias**

□EXPRESIONES **cadena {de música/de sonido/musical}** [equipo estereofónico] || **cadena perpetua** [pena máxima de prisión]

cadencia s.f.

●CON ADJS. **rítmica** *la rítmica cadencia de un poema* · **armónica · acompasada · secuencial || creciente · decreciente || fija · monótona · acostumbrada · habitual || suave · dulce · triste · solemne || temporal · larga · anual · mensual || sonora · narrativa · verbal**

●CON VBOS. **fijar · marcar** *marcar la cadencia del paso* || **alterar · aumentar · disminuir · ralentizar**

cadenciosamente adv.

●CON VBOS. **mover(se) · andar || golpear** *El agua golpeaba cadenciosamente contra la piedra* || **hablar · expresar(se) · preguntar**

cadencioso, sa adj.

●CON SUSTS. **movimiento** *Los bailarines avanzaban con movimientos cadenciosos* · **andar · galope || golpe · golpeteo · golpeo · repique · ruido || estilo · expresión · hablar** *un hablar cadencioso y pausado* · **discurso · intervención · música · voz || toreo · muletazo · pase**

●CON VBOS. **volverse · hacerse**

cadera s.f.

●CON ADJS. **ancha · estrecha** *una mujer de caderas estrechas* || **alta · baja**

●CON SUSTS. **fractura (de/en) · rotura (de)** *Una rotura de cadera a su edad puede acarrear graves secuelas* · **desgaste (de) · problema (de) · luxación (de) · lesión (de) · contusión (de) || hueso (de) · articulación (de) · prótesis (de) || movimiento (de) · golpe (de) · juego (de) · meneo (de) · giro (de) || operación (de)** *Tras someterse a una operación de cadera...* · **intervención (de) · injerto (de)**

●CON VBOS. **doler(le) (a alguien) || fracturar(se) · romper(se)** *En el accidente se rompió la cadera* · **lesionar(se) || mover · menear · contonear || operar(se) (de)**

caducar v.

▮ [echarse a perder]

●CON SUSTS. **yogur** *Estos yogures caducan dentro de dos días* · **atún · tomate ·** ***otros alimentos*** **|| medicamento · pastilla**

▮ [terminarse]

●CON SUSTS. **plazo** *El plazo de inscripción caducaba ayer* || **permiso · licencia · garantía** *La garantía de la nevera está a punto de caducar* · **pasaporte · documento**

caducidad s.f.

●CON ADJS. **corta · larga** *un producto de larga caducidad*

●CON SUSTS. **fecha (de) · plazo (de) · período (de) || sello (de)** *El sello de caducidad se imprime en la tapa*

●CON VBOS. **prorrogar || constatar · comprobar**

caduco, ca adj.

●CON SUSTS. **hoja** *un árbol de hoja caduca* || **discurso** *Su discurso resulta ya caduco y no convence a los electores* · **argumento · idea · concepto · planteamiento · ideología · programa · proyecto || fórmula · modelo · criterio · esquema · lenguaje · vocabulario · ley || sistema · régimen · estructura || tiempo · fecha**

●CON VBOS. **estar · quedar(se)** *Estos nuevos dispositivos tecnológicos en seguida se quedan caducos* || **considerar (algo) · declarar (algo)**

[caer] →caer; caer (a alguien); caer como una bomba; caer (en); caer en saco roto; caer en suerte; caerse; dejar caer

caer v.

●CON SUSTS. **hoja** *Cuando empiezan a caer las hojas de los árboles...* || **lágrima || imperio · gobierno || sistema informático · tensión || venta · nivel · porcentaje · precio || tarde · noche** *Llegaron a casa al caer la noche* · **sol || lluvia · nieve · chuzos de punta** *Asistiré a la reunión, aunque caigan chuzos de punta* · **granizo || bomba · misil || helicóptero · avioneta || telón** *Nada más caer el telón, el público se fue retirando*

●CON ADJS. **enfermo,ma · herido,da · muerto,ta || preso,sa · prisionero,ra || eliminado,da · derrotado,da || fulminado,da · redondo,da** *Le dio una lipotimia y cayó redonda*

●CON ADVS. **en picado** *Los precios cayeron en picado* · **vertiginosamente · abruptamente · acusadamente · considerablemente · alarmantemente · estrepitosamente · estruendosamente · espectacularmente · pesadamente · de arriba abajo · de plano** *El sol caía de plano sobre nuestras cabezas* || **ligeramente · suavemente · levemente || progresivamente · lentamente** *La lluvia caía lentamente* · **paulatinamente · gradualmente || inexorablemente · irremediablemente || fatalmente · para no levantarse || como moscas · como chinches · a raudales || de cabeza · de rodillas · de hinojos · a los pies (de alguien) || de lleno** *Ese cometido cae de lleno dentro de mis competencias* · **de pleno || en saco roto** *Era una buena propuesta, pero cayó en saco roto* · **en el olvido || heroicamente · valientemente || electoralmente**

□EXPRESIONES **caer bajo** [comportarse de forma ruin] || **dejar caer** (algo)* [decirlo aparentemente de manera casual pero con intención] || **dejarse caer** [aparecer por un lugar] *col.* || **estar al caer** [estar a punto de llegar o de ocurrir]

caer (a alguien) v.

▮ [sobrevenir]

●CON SUSTS. **multa** · **castigo** · **reprimenda** · **año (de cárcel)** *Robó una joyería y le cayeron cinco años*
●CON ADVS. **de repente** · **sin comerlo ni beberlo**

▮ [parecer, producir cierta impresión]

●CON ADJS. **gordo,da** · **antipático,ca** || **simpático,ca** *Me habían hablado mal de él, pero me cayó muy simpático*
●CON ADVS. **bien** · **fenomenal** · **estupendamente** || **regular** · **mal** · **fatal** · **como una patada** *La cena me cayó como una patada y dormí mal* · **como un tiro** · **como una bomba**

caer como una bomba loc.vbal.

●CON SUSTS. **noticia** · **declaración** · **palabra** · **anuncio** *El anuncio del Gobierno cayó como una bomba en el sector industrial* · **comunicación** · **discurso** · **mensaje** · **afirmación** · **comentario** · ***otras manifestaciones verbales*** || **decisión** · **conclusión** · **resolución** · **medida** · **propuesta** · **iniciativa** || **incidente** · **muerte** · **enfermedad** · **fallecimiento** · **matanza** · **tiroteo** || **crisis** · **despido** · **divorcio** · **información** · **libro** · **artículo** · **sentencia** *La sentencia, durísima, cayó como una bomba* · **ley** · **gol** · **detención** || **fabada** · **ajo** · **filete** · ***otros alimentos o comidas***

caer (en) v.

●CON SUSTS. **gracia** · **desgracia** *Cayó en desgracia ante ellos y...* · **ridículo** || **suerte** || **aburrimiento** *...cosas nuevas para no caer en el aburrimiento* · **apatía** · **desesperación** · **frustración** · **pesimismo** · **locura** || **rutina** · **monotonía** · **repetición** || **tentación** · **trampa** *Mantente alerta y no caigas en la trampa* · **emboscada** · **juego** || **manos** · **brazos** · **garras** · **red** || **peligro** · **riesgo** || **error** *Caí en el error de pensar que nos ayudaría* · **equivocación** · **pecado** · **vicio** · **droga** · **exceso** · **extremo** · **vulgaridad** || **tópico** · **lugar común** · **generalización** || **abismo** · **pozo** · **infierno** || **desuso** · **olvido** *Después de ser el artista más famoso, cayó en el olvido* · **ostracismo** || **saco roto** · **vacío** || **lunes** · **martes** *Este año San Cristóbal cae en martes* · **domingo** · ***otros días de la semana***

caer en saco roto loc.vbal.

●CON SUSTS. **consejo** *Tus consejos no caerán en saco roto* · **advertencia** · **lección** · **sugerencia** · **recomendación** · **aviso** || **actuación** · **logro** · **actitud** || **propuesta** · **iniciativa** · **ofrecimiento** · **invitación** *una invitación que esperamos no caiga en saco roto* || **petición** · **demanda** · **solicitud** · **pregunta** || **denuncia** · **protesta** · **queja** · **reclamación** · **reivindicación** || **palabra** *La maestra confiaba en que sus palabras no caerían en saco roto* · **mensaje** · **promesa** · **conversación** · **información** || **idea** · **reflexión** · **tesis** || **esfuerzo** · **sacrificio**

☐USO Se usa a menudo en contextos negativos e irreales: *Confío en que mis sugerencias no caigan en saco roto.*

caer en suerte loc.vbal.

●CON SUSTS. **tarea** · **trabajo** · **misión** · **encargo** *¡Menudo encargo me ha caído en suerte!* · **papeleta**

caerse v.

●CON ADVS. **a pedazos** *La ciudad se cae a pedazos mientras...* · **a trozos**

☐EXPRESIONES **caerse de {culo/espaldas}** [sorprenderse mucho] *col.*

café s.m.

●CON ADJS. **solo** · **con leche** *Siempre desayuno café con leche* · **cortado** · **manchado** · **capuchino** · **americano** · **irlandés** · **vienés** · **griego** · **turco** · **exprés** || **en grano** · **molido** · **torrefacto** · **descafeinado** || **cargado** *un café bien cargado* · **concentrado** · **fuerte** || **ligero** · **suave**
●CON SUSTS. **juego (de)** · **taza (de)** · **cucharilla (de)** || **grano (de)** · **poso (de)** || **plantación (de)** || **color** *una blusa de color café*
●CON VBOS. **disolver(se)** || **aguar** || **cultivar** · **recolectar** || **moler** · **tostar** · **colar**
➤ Véase también **BEBIDA**

☐EXPRESIONES **mal café** [mal humor] *col.*

cafeína s.f.

●CON SUSTS. **dosis (de)** · **contenido (de)** || **consumo (de)** || **dependencia (de)** · **estímulo (de)**
●CON VBOS. **estimular (a alguien)** || **tener** · **contener** || **consumir** · **tomar** · **evitar**
●CON PREPS. **con** · **sin** *Solo consumo refrescos sin cafeína*

[cafetera] s.f. → cafetero, ra

cafetería s.f.

●CON ADJS. **popular** · **concurrida**
●CON SUSTS. **barra (de)** · **mesa (de)** · **terraza (de)** || **concesión (de)** · **servicio (de)** *Dirige el servicio de cafetería del hospital* · **cadena (de)** || **camarero,ra (de)**
●CON VBOS. **llenar** *Los estudiantes llenaban a esa hora la cafetería de la facultad* || **citar (en)** · **quedar (en)** *Quedamos a las cinco en la cafetería* · **verse (en)** · **reunir(se) (en)** · **esperar (en)**
➤ Véase también **ESTABLECIMIENTO**

cafetero, ra

1 **cafetero, ra** adj.

●CON SUSTS. **país** · **zona** · **región** *Viajamos a la principal región cafetera del país* · **tierra** · **finca** · **municipio** · **área** || **sector** · **industria** · **compañía** · **gremio** · **economía** · **mercado** || **cosecha** · **producción** *La producción cafetera ha descendido vertiginosamente este año* · **venta** || **crisis** · **problema** · **bonanza** · **reforma**

2 **cafetera** s.f.

●CON ADJS. **exprés** *Le llevaron una cafetera exprés como regalo de boda* · **eléctrica** · **automática** · **de filtro** · **industrial** · **de {dos/cuatro...} tazas**
●CON VBOS. **hacer café** || **hervir** · **humear** || **poner** · **enchufar**

cafre s.com. *desp.*

●CON ADJS. **auténtico,ca** *Este chico está hecho un auténtico cafre* · **verdadero,ra**
●CON VBOS. **hacer** *Ya no tienes edad para hacer el cafre de esa manera*

[caída] s.f. → caído, da

[caído, da] → caído, da; de capa caída

caído, da

1 **caído, da** adj.

●CON SUSTS. **hombros** *Este chico tiene los hombros caídos* · **brazos** *huelga de brazos caídos* · **ojos** · **párpados** · ***otras partes del cuerpo*** || **ángel**

2 **caído, da** s.

●CON SUSTS. **homenaje (a)** *un homenaje a los caídos en la guerra* · **memoria (de)** || **monumento (a)**
●CON PREPS. **en honor (a)** · **en memoria (de)**

3 **caída** s.f.

●CON ADJS. **grave** · **espectacular** *El motociclista protagonizó una espectacular caída* · **estrepitosa** · **aparatosa** ·

llamativa · engorrosa · teatral · sonada · brutal || brusca · fulminante *la fulminante caída de la red informática* **· súbita · abrupta · repentina · rápida · vertiginosa || abismal · acusada** *una acusada caída de los precios* **· fuerte · catastrófica · significativa · drástica · alarmante || vertical · pronunciada || mortal · fatal || leve · ligera** *El índice de desempleo experimentó una ligera caída durante el pasado mes* **· pequeña · moderada || progresiva · lenta · gradual · sistemática · sostenida || inevitable · inexorable · imparable · irreversible || en desgracia · en combate || propenso,sa (a)**
● CON SUSTS. **causa (de) · consecuencia (de) · responsable (de) || testigo (de) || velocidad (de)**
● CON VBOS. **producir(se) || repercutir (en algo)** *La caída de la bolsa repercutirá negativamente en la economía* **|| propiciar · provocar** *Las numerosas circunstancias que provocaron la caída del Imperio Romano* **· originar · causar || augurar · presenciar || experimentar · sufrir** *Sufrió una terrible caída cuando estaba esquiando* **· registrar · anotar || acelerar · favorecer || detener · frenar** *Esta loción frena la caída del cabello* **· retardar · ralentizar · amortiguar · mitigar · paliar · aminorar · compensar · remontar · revertir · evitar · impedir · controlar || recobrarse (de) · recuperarse (de)** *Las bolsas se están recuperando de la caída de ayer* **· reponerse (de)**
☐ EXPRESIONES **caída libre** [caída que experimenta un cuerpo sometido a la gravedad]

[caja] → caja; con cajas destempladas

caja s.f.

● CON ADJS. **llena · repleta · vacía || registradora || fuerte** *Guardaron el dinero en la caja fuerte de la oficina* **· de caudales · de seguridad || torácica**
● CON SUSTS. **tapa (de) · cierre (de) || combinación (de)** *¿Quién sabe cuál es la combinación de la caja fuerte?*
● CON VBOS. **abrir · cerrar || forzar · desvalijar || llenar · vaciar || guardar (en) · meter (en) · extraer (de) · sacar (de)**
☐ EXPRESIONES **caja {boba/tonta}** [televisión] *col.* **|| caja de cambios** [mecanismo de un automóvil] **|| caja fuerte** [caja resistente donde se guardan objetos de valor] **|| caja negra** [aparato para registrar las incidencias de un vuelo] **|| con cajas destempladas*** [con malos modales o de mala manera] *col.* **|| hacer caja** [hacer recuento del dinero]

cajero, ra s.

● CON ADJS. **eficaz · rápido,da · lento,ta** *Este cajero es demasiado lento* **|| nocturno,na**
● CON SUSTS. **puesto (de)** *Me dieron el puesto de cajero jefe*
● CON VBOS. **cobrar · dar cambio || trabajar (como/de)**
☐ EXPRESIONES **cajero automático** [máquina para operaciones bancarias]

cajetilla s.f.

● CON ADJS. **de tabaco · de cigarrillos**
● CON VBOS. **fumar** *Antes de dejarlo, fumaba una cajetilla diaria* **· consumir || intervenir · decomisar || incautarse (de)**

cajón s.m.

● CON ADJS. **vacío · lleno || secreto** *Descubrió un cajón secreto en el fondo del escritorio* **· simulado || alto · bajo · lateral · frontal · extensible**
● CON VBOS. **llenar · vaciar || desordenar** *Cada vez que coges un par de calcetines desordenas todo el cajón* **· ordenar || abrir · cerrar || atorarse · atrancar(se) || guardar (en) · meter (en) · esconder (en) · ocultar (en) · arrinconar (en) || extraer (de) · sacar (de) || hurgar (en) · rebuscar (en)** *He rebuscado en todos los cajones pero no encuentro mi reloj*
☐ EXPRESIONES **cajón de sastre** [conjunto de cosas desordenadas] **|| de cajón** [evidente] *col.*

[cal] → a cal y canto

calabobos s.m. *col.*

● CON VBOS. **caer || calar (a alguien) · mojar (a alguien) · empapar (a alguien)**

calabozo s.m.

● CON ADJS. **oscuro · frío · húmedo · inmundo · insalubre || subterráneo || municipal · de comisaría** *Cuando lo detuvieron, lo condujeron al calabozo de la comisaría* **· de juzgado · policial · militar**
● CON VBOS. **abrir · cerrar || custodiar** *Varios policías custodiaban el calabozo* **|| compartir || condenar (a) · mandar (a) · encerrar (en) · meter (en) · conducir (a) · llevar (a) · entrar (en) · ingresar (en) || pasar la noche (en)** *Afortunadamente solo pasó una noche en el calabozo* **· dormir (en) · pernoctar (en) || salir (de) · sacar (de) · escapar (de) · fugarse (de) · huir (de) || hacinar(se) (en) · amontonar(se) (en)**

calado s.m.

▌[profundidad en el mar]

● CON SUSTS. **distancia (de)** *La distancia de calado de este barco es demasiado grande para...*

▌[influencia o repercusión]

● CON ADJS. **mayor · profundo** *una medida de profundo calado político* **· hondo · enorme · gran(de) · suficiente || escaso · nulo || político · social** *el calado social de ese tipo de discursos* **· histórico · humano · ideológico · emocional · argumental · musical · popular**
● CON SUSTS. **decisión (de) · cuestión (de) · asunto (de) · tema (de) · norma (de)**
● CON VBOS. **tener**

calambre s.m.

● CON ADJS. **fuerte** *sentir fuertes calambres* **· intenso · agudo · doloroso · suave || inesperado**
● CON SUSTS. **sensación (de)**
● CON VBOS. **dar (a alguien)** *Me dio un calambre en la pierna* **· entrar (a alguien) · recorrer (a alguien) · sacudir (a alguien) || producir (a alguien) · provocar (a alguien) || sentir · notar · sufrir** *Después de varias horas inmóvil, empezó a sufrir calambres* **· soportar || evitar || recuperar(se) (de)**

calamidad s.f.

● CON ADJS. **gran(de) · grave · seria · desastrosa · temible || mayor · peor || inevitable || natural · pública · doméstica**
● CON SUSTS. **cúmulo (de)** *El país aún no se ha recuperado de ese cúmulo de calamidades* **· serie (de) · cadena (de) || responsable (de)**
● CON VBOS. **avecinarse · abatirse (sobre algo/sobre alguien) · cernerse (sobre algo/sobre alguien) · sobrevenir (a alguien) · llegar · afligir (a alguien) · castigar (a alguien) || pasar** *Viven en la calle, pasando calamidades* **· sufrir · soportar || combatir · aliviar · superar · vencer || hundir(se) (en)**

calaña s.f. *desp.*

● CON ADJS. **mala · baja · sucia · peor** *Se rodeó de traficantes de la peor calaña* **|| misma · distinta · diversa · verdadera · auténtica · semejante || moral**

[calar] → calar; calar (en); calar(se)

calar v.

● CON SUSTS. ***persona*** *Tiene mucho tino para calar a las personas* || **fruta** · **sandía** · **melón** *Caló el melón para ver si estaba maduro* || **red** *calar las redes en alta mar* || **bayoneta**

● CON ADVS. **hondo** · **hasta el tuétano** · **profundamente**

calar (en) v.

● CON SUSTS. **ánimo** · **conciencia** *una actitud que sigue sin calar en la conciencia colectiva* · **espíritu** || ***persona*** *una moda que caló en los niños*

calar(se) v.

▮ [encasquetarse]

● CON SUSTS. **boina** · **gorro** *Se caló el gorro hasta las cejas* · **sombrero** · ***otras prendas de cabeza***

● CON ADVS. **hasta las cejas**

▮ [mojarse]

● CON ADVS. **hasta los huesos** *No llevábamos paraguas y nos calamos hasta los huesos* · **completamente** · **de pies a cabeza**

▮ [pararse]

● CON SUSTS. **coche** *Últimamente se me cala mucho el coche* · **autobús** · **motor** · ***otros vehículos***

calcar v.

● CON SUSTS. **dibujo** · **figura** · **modelo** · **forma** · **rostro** · **sonido** · **gesto** || **actuación** · **comportamiento** · **proceder** · **estilo** || **idea** · **argumento** · **propuesta** · **palabra** · **discurso** || **labor** · **trabajo** · **ejercicio** || **firma** *Era capaz de calcar a la perfección la firma de su padre* · **fórmula**

● CON ADVS. **punto por punto** *En su proyecto ha calcado punto por punto mis propuestas* · **al pie de la letra** · **literalmente** · **en los mínimos detalles** · **perfectamente** · **a la perfección** || **físicamente** · **instrumentalmente**

calcáreo, a adj.

● CON SUSTS. **roca** · **piedra** · **caliza** · **formación** · **macizo** · **yacimiento** || **cemento** · **material** · **consistencia** || **agua**

calcetín s.m.

● CON ADJS. **de lana** · **de algodón** · **de fibra** · **de hilo** · **de goma** *unos calcetines de goma para la piscina* || **desparejado** || **corto** · **largo** · **tobillero**

● CON SUSTS. **par (de)** *Te he comprado dos pares de calcetines* · **pareja (de)**

● CON VBOS. **caérse(le) (a alguien)** · **bajárse(le) (a alguien)** || **oler** · **apestar** || **coser** · **remendar** *harta de remendar calcetines* · **zurcir** || **subir** || **emparejar**

➤ Véase también **ROPA**

calcificarse v.

● CON SUSTS. **hueso** · **diente** · **callosidad** · **placa**

calcio s.m.

● CON ADJS. **necesario** · **suficiente** · **escaso** · **insuficiente** || **enriquecido,da (en)** *leche enriquecida con calcio* · **rico,ca (en)** · **pobre (en)** *una dieta pobre en calcio*

● CON SUSTS. **falta (de)** · **pérdida (de)** · **déficit (de)** *Un déficit de calcio puede provocar rotura de huesos* · **carencia (de)** · **exceso (de)** · **superávit (de)** || **dosis (de)** · **suplemento (de)** · **aporte (de)** · **ingestión (de)** · **consumo (de)** || **fuente (de)** *Los lácteos son una magnífica fuente de calcio* || **malabsorción (de)** · **absorción (de)** · **metabolización (de)** || **contenido (de)** · **concentración (de)** · **depósito (de)**

● CON VBOS. **faltar** || **proteger** || **consumir** · **absorber** || **contener** · **aportar** · **proporcionar** || **disolver** · **perder**

calco s.m.

● CON ADJS. **exacto** · **idéntico** · **milimétrico** · **clavado** · **fiel** · **perfecto** · **absoluto** || **descarado** || **simétrico** · **invertido** || **sintáctico** · **léxico** *Esa palabra es un calco léxico del inglés*

● CON SUSTS. **papel (de)** *Tengo que ir a la papelería a comprar papel de calco*

● CON VBOS. **hacer** || **parecer** || **convertir(se) (en)**

calculador, -a

1 **calculador, -a** adj.

● CON SUSTS. **empresario,ria** *un empresario audaz y calculador* · **negociante** · **inversor,-a** · **persona** · ***otros individuos*** || **mente** · **espíritu** · **carácter** · **temperamento** · **actitud** · **visión** || **máquina**

● CON ADVS. **excesivamente** · **extremadamente** · **enormemente** · **extraordinariamente**

● CON VBOS. **volverse** · **hacerse**

2 **calculadora** s.f.

● CON ADJS. **rápida** · **lenta** || **electrónica** || **científica** || **de bolsillo** *Siempre lleva encima una calculadora de bolsillo* · **de mano** || **manejable** · **complicada**

● CON VBOS. **fallar** || **usar** · **utilizar** || **necesitar** *Para resolver este problema necesito una calculadora científica* || **echar mano (de)** · **tirar (de)**

[calculadora] s.f. → calculador, -a

calcular v.

● CON SUSTS. **distancia** · **duración** · **longitud** · **porcentaje** · **tiempo** *¿Cuánto tiempo calculas que te va a llevar ese trabajo?* · **medida** · **tamaño** · **dimensión** · **diferencia** · **dosis** · **volumen** · ***otras cantidades*** || **altura** · **peso** · **profundidad** · **precio** · ***otras magnitudes*** || **alcance** *No se calculó bien el alcance del problema* · **consecuencia** · **daño** · **riesgo** · **importancia** · **valor**

● CON ADVS. **exactamente** · **con precisión** · **al milímetro** · **milimétricamente** · **al detalle** · **con detalle** · **matemáticamente** · **con certeza** · **perfectamente** || **a ojo (de buen cubero)** *Calculé a ojo las medidas de la habitación* · **a bulto** · **aproximadamente** · **por encima** · **a grandes rasgos** · **someramente** · **a ojos cerrados** · **provisionalmente** || **por lo alto** · **por lo bajo** *Valdrá un cuarto de millón, calculando por lo bajo* || **correctamente** · **equivocadamente**

cálculo s.m.

▮ [cómputo]

● CON ADJS. **aritmético** · **matemático** · **de probabilidades** · **estadístico** *Este informe económico se basa en cálculos estadísticos* · **económico** · **electoral** · **oficial** || **exacto** · **exhaustivo** · **minucioso** · **preciso** || **aproximado** · **estimativo** · **a ojo** · **somero** · **superficial** *Un cálculo superficial bastaría para hacernos una idea de...* || **correcto** · **acertado** · **certero** || **incorrecto** · **equivocado** · **descabellado** || **preliminar** · **provisional** · **prematuro** || **optimista** *Nuestros cálculos respecto a las posibilidades de éxito son optimistas* · **esperanzador** · **revelador** · **pesimista** · **alarmante** || **apretado** · **complejo** || **abultado** || **frío** · **conservador** || **primeros** · **últimos**

● CON SUSTS. **error (de)** || **base (de)** · **hoja (de)**

● CON VBOS. **indicar (algo)** · **mostrar (algo)** || **fallar** · **errar** · **aguar(se)** || **hacer** *Antes de decidirme tengo que hacer algunos cálculos* · **efectuar** · **realizar** · **elaborar** · **echar** || **revisar** · **comprobar** · **repasar** || **rebasar** · **superar** · **sobrepasar** *La afluencia de público sobrepasó todos*

los cálculos · **cumplir** · **desbaratar** || **basar(se) (en)** · **apoyar(se) (en)**
● CON PREPS. **según** *Según mis cálculos, debemos de estar llegando a...* · **con arreglo (a)** · **a tenor (de)**

▮ [piedra]
● CON ADJS. **renal** · **del riñón** · **vesicular**
● CON VBOS. **formar(se)** · **disolver(se)** || **eliminar** · **expulsar** *Si no expulsa los cálculos, habrá que operar*

caldear(se) v.

● CON SUSTS. **habitación** *un calefactor es suficiente para caldear la habitación* · **casa** · **baño** · **local** · ***otros espacios cerrados*** || **asistentes** · **manifestantes** *Los manifestantes se iban caldeando por momentos* · **espectadores** · **accionistas** · **público** · **concurrencia** || **tendido** · **auditorio** · **pabellón** · **plató** · **redacción** · **vestuario** || **ambiente** *La orquesta se encargaba de caldear el ambiente* · **clima** · **atmósfera** || **ánimo** · **sentimiento** || **batalla** · **conflicto** · **disputa** || **debate** · **discusión** · **negociación** · **conversación** · **controversia** · **polémica** || **campaña** · **partido** · **encuentro** · **campeonato** · **festival** · **recital** · **acontecimiento** || **reunión** *Fue la intervención del ponente la que caldeó la reunión* · **sesión** · **asamblea**

calderilla s.f.

● CON VBOS. **llevar** · **tener** · **guardar** · **acumular** || **dejar** *Dejó algo de calderilla como propina para el camarero* · **repartir** · **ofrecer** · **dar** || **contar**

[caldo] → caldo; caldo de cultivo

caldo s.m.

● CON ADJS. **frío** · **caliente** *Cuando hace tanto frío lo que más me apetece es un caldo caliente* || **espeso** · **gordo** · **líquido** || **nutritivo** · **sabroso** · **rico** · **buen(o)** · **casero** · **natural** · **suave** · **desgrasado** || **de pescado** · **de carne** *Para hacer un buen caldo de carne necesitas...* · **de pollo** · **de ave** · **vegetal**
● CON SUSTS. **plato (de)** · **taza (de)** *La taza de caldo me ha sentado de maravilla* · **cucharada (de)**
● CON VBOS. **preparar** · **elaborar** · **hacer** · **colar** · **hervir** · **calentar** || **condimentar** · **remover** || **beber** · **tomar** · **catar** *¿Has catado el caldo?* · **consumir** · **ingerir** || **servir** · **verter** · **echar** · **añadir**

☐ EXPRESIONES **caldo de cultivo*** [líquido preparado para favorecer la reproducción de bacterias] || **poner a caldo** (a alguien) [criticarlo duramente]

caldo de cultivo loc.sust.

● CON ADJS. **excelente** · **magnífico** · **perfecto** · **buen(o)** · **fértil** · **favorable** · **adecuado** · **apropiado** · **idóneo** · **ideal** · **propicio** *Los períodos de recesión son siempre un caldo de cultivo propicio para los conflictos políticos*
● CON VBOS. **surgir** || **constituir** · **crear** *Fue acusado de crear el caldo de cultivo de la corrupción* · **formar** · **generar** · **propiciar** · **fomentar** || **encontrar** || **servir (de)** *un fenómeno social que sirvió de caldo de cultivo al fanatismo criminal*

caldoso, sa adj.

● CON SUSTS. **arroz** *El arroz caldoso es el plato típico de esta zona* · **legumbres** · **fideos** · **sopa** · **plato**
● CON VBOS. **quedar** · **ponerse**

calefacción s.f.

● CON ADJS. **central** · **individual** || **eléctrica** · **solar** · **de bajo consumo** · **de gas** · **de carbón** · **de propano** · **de gasóleo** || **potente** · **débil**
● CON SUSTS. **sistema (de)** · **método (de)** · **instalación (de)** · **caldera (de)** · **aparato (de)** · **conducto (de)** || **gasóleo (de/para)** · **combustible (para)** *Necesitamos combustible para la calefacción* || **gasto (de)** · **uso (de)** · **consumo (de)**
● CON VBOS. **funcionar** · **averiar(se)** || **poner** · **quitar** *Por la noche quito la calefacción* · **encender** · **apagar** · **conectar** · **desconectar** || **subir** · **bajar** *¿No crees que deberíamos bajar un poco la calefacción?* || **instalar** · **reparar** · **arreglar** || **disponer (de)** *Estos viejos edificios no disponen de calefacción* · **contar (con)** · **gozar (de)** · **dotar (de)** · **equipar (con)** · **carecer (de)** || **dejar (sin)** || **gastar (en)** · **ahorrar (en)**

calefactor s.m.

● CON ADJS. **eléctrico** · **halógeno**
● CON VBOS. **encender** · **apagar** · **conectar** · **desconectar** *Acuérdate de desconectar el calefactor* || **funcionar** · **averiar(se)**

calendario s.m.

● CON ADJS. **oficial** *el calendario oficial del curso* · **laboral** · **escolar** · **solar** || **apretado** *El apretado calendario del presidente continuará hasta...* · **ajustado** · **apremiante** · **nutrido** · **agotador** · **ajetreado** || **previsto** · **fijo** · **estricto** · **flexible**
● CON SUSTS. **fecha (de)** · **página (de)** *arrancar las páginas del calendario* || **problema (de)**
● CON VBOS. **acuciar (a alguien)** · **presionar (a alguien)** || **registrar (algo)** *Este calendario registra el santo del día* || **elaborar** · **establecer** · **fijar** · **planear** · **prever** · **imponer** || **mantener** · **revisar** · **alterar** || **aplicar** · **cumplir** || **incumplir** · **saltarse** *No conviene saltarse el calendario de vacunaciones* || **llenar** · **recargar** || **ajustar(se) (a)** *El traspaso de poderes se está ajustando al calendario previsto* · **amoldar(se) (a)** · **atenerse (a)** · **adherirse (a)** || **borrar (de)**
● CON PREPS. **con arreglo (a)** · **en función (de)**

calentador s.m.

● CON ADJS. **de gas** *Nuestro calentador de gas nunca nos ha dado problemas* · **eléctrico** · **solar** · **automático** || **de agua**
● CON SUSTS. **combustión (de)** *La mala combustión de un calentador fue la causa del accidente* · **llama (de)** || **presión (de)**
● CON VBOS. **funcionar** || **estropear(se)** · **romper(se)** · **averiar(se)** || **usar** · **utilizar** · **emplear** · **tener** || **instalar** · **reparar** · **revisar** *Revise el calentador antes de ponerlo en funcionamiento* || **conectar** · **desconectar** · **encender** · **apagar**

calentamiento s.m.

▮ [ascenso térmico]
● CON ADJS. **excesivo** *La avería obedecía a un excesivo calentamiento del motor* || **progresivo** · **rápido** · **continuo** || **global** || **del planeta** · **atmosférico** · **terrestre** · **climático** · **de motor**
● CON SUSTS. **riesgo (de)** · **problema (de)** · **tendencia (a)** || **efecto (de)** *Según los expertos, los efectos del calentamiento del planeta son muy serios a corto y medio plazo*
● CON VBOS. **iniciar(se)** · **producir(se)** || **experimentar** · **soportar** · **sufrir** || **causar** *uno de los fenómenos que causa el calentamiento climático* · **originar** · **desencadenar** · **acelerar** || **frenar** · **combatir** · **contrarrestar** · **evitar**

▌[entrenamiento]

● CON ADJS. **estimulante** || **previo** *Si no se realiza un calentamiento previo, el riesgo de lesiones es mucho mayor* · **necesario** || **muscular** || **eficaz**

● CON SUSTS. **trabajo (de)** · **sesión (de)** · **ejercicio (de)** *Los jugadores deben hacer ejercicios de calentamiento en la banda antes de entrar al campo* · **ronda (de)** · **tiempo (de)** || **lugar (de)** · **pista (de)**

● CON VBOS. **realizar** · **hacer** || **iniciar** · **terminar** || **servir (de)** *Estos ejercicios sirven de calentamiento*

calentar v.

● CON SUSTS. **sopa** · **aceite** · **pescado** · **té** · **café** · ***otros alimentos o bebidas*** || **horno** *Caliente el horno cinco minutos antes* · **sartén** · **fuente** || **casa** · **habitación** · **tierra** · ***otros lugares*** || **vehículo** · **turbina** · **motor** || **músculo** · **voz** || **cabeza** *¡No me calientes la cabeza con tus tonterías!* · **cascos** · **sangre** · **ánimos** || **público** · **masas** || **ambiente** · **clima** · **situación** · **escenario** · **juego** · **campaña** *El candidato calentó la campaña con sus polémicas declaraciones* · **debate** · **polémica**

calentón s.m. *col.*

● CON ADJS. **rápido** · **breve** · **momentáneo** · **pequeño** *Perdona por haberte gritado, ha sido por un pequeño calentón* · **pasajero** · **repentino** · **previo** || **mental** · **pasional** · **amoroso** · **de manos**

● CON VBOS. **dar(le) (a alguien)** · **entrar(le) (a alguien)**

calentura s.f.

● CON ADJS. **veraniega** · **estival** · **amorosa**

● CON SUSTS. **efecto (de)** · **síntoma (de)** *A los primeros síntomas de calentura, tómate este jarabe*

● CON VBOS. **durar** · **pasárse(le) (a alguien)** || **provocar** || **tener** · **sufrir** || **bajar** *Le dio un baño para tratar de bajarle la calentura* · **sofocar**

calenturiento, ta adj.

● CON SUSTS. **mente** *una situación propia de una mente calenturienta* · **cerebro** · **cabeza** || **imaginación** *Debería usted sacarle partido a su imaginación calenturienta* · **magín** · **idea** · **hipótesis** · **elucubración** · **obsesión** · **sueño** · **representación** || **declaración** · **nota de prensa** · **protesta** || **sábado** · **mes** · **vida** || ***persona***

● CON VBOS. **estar** · **poner(se)**

calibrar v.

▌[medir el calibre]

● CON SUSTS. **arma** · **pistola** · **fusil** · **proyectil** · **bala**

▌[sopesar]

● CON SUSTS. **frase** · **palabras** *Deberías haber calibrado tus palabras al escribir la carta* · **expresión** · **opinión** · **declaración** · **consideración** · ***otras manifestaciones verbales o comunicativas*** || **éxito** · **crecimiento** · **desarrollo** || **grado** · **magnitud** *Todavía no es posible calibrar la magnitud del incendio* · **proporción** · **porcentaje** · **número** *Es difícil calibrar el número de turistas que...* · **medida** · **cantidad** || **dimensión** · **peso** · **volumen** · **altura** · **capacidad** · **tamaño** · **distancia** · **espacio** · **extensión** · **grosor** || **consecuencia** · **alcance** · **impacto** · **repercusión** · **efecto** · **resultado** || **importancia** · **trascendencia** · **relevancia** · **gravedad** · **intensidad** · **hondura** · **profundidad** || **reacción** · **respuesta** *unos datos que servirán para calibrar la respuesta de los clientes* · **decisión** || **posibilidad** · **opción** · **ventaja** · **oportunidad** · **los pros y los contras** || **daño** · **pérdida** · **desgaste** · **estrago** || **valía** · **valor** · **precio** · **coste** || **riesgo** · **peligro** · **dificultad** || **necesidad** · **urgencia** *calibrar la verdadera urgencia de la medida* · **eficacia** · **utilidad** · **calidad** · **rendimiento** · **operatividad** || **fuerza** · **potencia** · **poder** · **resistencia** || **apoyo** · **respaldo** · **ayuda**

● CON ADVS. **al detalle** · **con minuciosidad** · **cuidadosamente** · **al máximo** · **exactamente** *un nuevo aparato que permite calibrar exactamente la pérdida de visión* · **perfectamente** · **con precisión** || **apropiadamente** · **adecuadamente** · **con justeza** · **con justicia**

calibre

1 **calibre** s.m.

● CON ADJS. **gran(de)** · **alto** · **grueso** *Cometió un error de grueso calibre* · **superior** · **ancho** · **vasto** || **pequeño** · **bajo** · **corto** · **estrecho** · **milimétrico** || **especial**

● CON VBOS. **determinar** *La Policía aún no ha determinado el calibre del arma utilizada* · **ponderar** · **escoger** || **aumentar** · **reducir**

2 **calibre (de)** s.m.

● CON SUSTS. **bala** · **munición** · **arma** · **pistola** || **arteria** · **vena** · **vaso sanguíneo** · **tubería** · **alambre** · **aguja** || **fruta** *una máquina que determina el calibre de la fruta* || **error** · **equivocación** · **fallo** · **desastre**

calidad s.f.

● CON ADJS. **buena** · **excelente** · **excepcional** · **gran(de)** · **superior** · **suprema** *turrón de calidad suprema* · **elevada** · **alta** · **incomparable** · **inmejorable** · **media** · **suficiente** · **depurada** · **total** || **contrastada** *En nuestros talleres solo usamos materiales de calidad contrastada* · **reconocida** · **incuestionable** || **mala** · **baja** · **ínfima** · **escasa** · **dudosa** · **discreta** · **deficiente** · **insuficiente** · **mejorable** || **variable** || **sobrado,da (de)**

● CON SUSTS. **control (de)** *Todos los productos deben pasar un riguroso control de calidad* · **certificado (de)** · **sello (de)** · **estándar (de)** || **grado (de)** · **nivel (de)** · **ápice (de)**

● CON VBOS. **primar** || **medir** · **calibrar** · **comprobar** · **aquilatar** · **contrastar** · **homologar** · **valorar** · **ponderar** || **garantizar** *una marca que garantiza la calidad de todos sus productos* · **asegurar** · **avalar** · **acreditar** · **certificar** · **constatar** · **testimoniar** || **poner en duda** · **cuestionar** · **negar** || **aumentar** · **mejorar** *algunas reformas para mejorar la calidad del servicio* · **incrementar** · **mantener** · **bajar** · **disminuir** · **rebajar** · **menguar** · **perder** || **ofrecer** *En esta empresa solo ofrecemos calidad* · **tener** · **atesorar** · **destilar** || **afectar (a)**

● CON PREPS. **en aras (de)** · **sin menoscabo (de)** || **de** *un trabajo de calidad*

□ EXPRESIONES **calidad de vida** [conjunto de condiciones que hacen la vida más cómoda] || **en calidad de** [con carácter de]

cálido, da adj.

▌[caliente]

● CON SUSTS. **clima** · **tiempo** · **temperatura** *Son temperaturas demasiado cálidas para esta época del año* · **viento** · **tormenta** · **sol** · **fuego** || **región** *Esta especie habita en regiones cálidas* · **mar** · **bosque** · **valle** · **zona** · **ciudad** · **país** · **casa** · ***otros lugares*** || **agua** · **corriente** || **verano** *Los veranos aquí son cálidos y húmedos* · **mes** · **noche** · ***otros periodos***

● CON VBOS. **mantener(se)** · **poner(se)** · **volverse**

▌[afectuoso]

● CON SUSTS. ***persona*** *una mujer cálida y cercana* · **público** || **ambiente** · **atmósfera** · **entorno** || **acogida** · **recibi-**

miento · bienvenida · recepción || apoyo · elogio · aplauso *Recibieron un cálido aplauso de la multitud* · reconocimiento · homenaje · felicitación · respaldo · amparo · afecto || encuentro · reencuentro · reunión · cita · ceremonia *La cálida ceremonia de la entrega de premios tuvo lugar en...* || relación · amistad · vínculo · trato || gesto · abrazo · sonrisa · mirada · beso · apretón de manos *Se saludaron con un cálido apretón de manos* · ojos · mano · ademán || voz · sonido · melodismo · sintonía · entonación · sonoridad · acento || recuerdo *Guardo un cálido recuerdo de mi época de estudiante* · evocación || respuesta · reacción · efecto · resultado

• CON VBOS. volverse · hacerse

▮ [que tiene como base el rojo o el amarillo]

• CON SUSTS. color · tono *Pintamos la casa con tonos cálidos* · cromatismo · matiz

[caliente] → caliente; en caliente

caliente adj.

• CON SUSTS. sopa · tortilla · leche *un vaso de leche caliente* · café · ***otros alimentos o bebidas*** || casa · habitación · punto · zona · ***otros lugares*** || jersey *Con este jersey tan calentito no pasarás frío* · pantalón · material · lana · ***otras prendas o tejidos*** || plancha · horno · motor || ducha · baño *Un baño caliente te relajará* || agua · aire · gas || sangre *Los mamíferos son animales de sangre caliente* || ritmo · música || período · fase · temporada · clima || conversación · discusión · reunión · partido · encuentro · competición

• CON VBOS. estar · mantener(se) *El agua se ha mantenido caliente en el baño* · poner(se) || comer · servir *Sírvase caliente*

□ EXPRESIONES **en caliente*** [precipitadamente, sin tiempo para pensar] *decir algo en caliente*

calificación s.f.

• CON ADJS. óptima · alta · elevada · baja · deficiente · despectiva *Ahórrese las calificaciones despectivas* || justa · injusta · severa || correcta · incorrecta || oficial · técnica · escolar · urbanística · administrativa

• CON SUSTS. sistema (de) · proceso (de) · fase (de) || promedio (de)

• CON VBOS. asignar · otorgar · conceder · lograr · recibir || subir · mejorar *Tendrás que estudiar más si quieres mejorar tus calificaciones* · bajar · rebajar || revisar · modificar

calificar v.

• CON ADVS. positivamente *La crítica coincide en calificar muy positivamente la actuación del grupo* · negativamente || certeramente · debidamente · justamente · injustamente || abiertamente · sin ambages *Una concesión que puede calificarse, sin ambages, de evidente agravio comparativo* · lisa y llanamente || cariñosamente · despectivamente · pomposamente · vergonzosamente || penalmente · jurídicamente · políticamente · diplomáticamente

• CON VBOS. atreverse (a) · (no) dudar (en)

calificativo s.m.

• CON ADJS. adecuado *Estoy tan sorprendida que no encuentro el calificativo adecuado* · improcedente · insólito · idóneo || duro · fuerte · suave · contundente || cariñoso · benévolo · laudatorio || despectivo · denigrante · calumnioso · ofensivo

• CON VBOS. cuadrar (a algo/a alguien) || buscar · encontrar || emplear · usar *El ministro usó duros calificativos para describir la actitud de la oposición* · aplicar (a algo/a alguien) · poner (a algo/a alguien) · asignar · atribuir (a algo/a alguien) · otorgar · endilgar · lanzar · espetar (a algo/a alguien) · arrogarse || merecer *La obra mereció elogiosos calificativos* · recibir || ahorrar · rechazar

caligrafía s.f.

• CON ADJS. buena · hermosa · bella · perfecta · excelente || cuidadosa · meticulosa · primorosa *bellos caracteres trazados con primorosa caligrafía* || ornamental · adornada · ampulosa || ilegible · ininteligible · hermética · descuidada || característica · peculiar · redonda · alargada · menuda || infantil || árabe *Llamaron a un experto en caligrafía árabe para que descifrase el texto* · oriental · griega · hebrea · latina · gótica · cúfica · antigua

• CON SUSTS. ejercicio (de) · cuaderno (de)

• CON VBOS. practicar · aprender · cuidar · mejorar *El profesor le dijo que debía mejorar su caligrafía* || imitar || entender · leer

cáliz s.m.

• CON ADJS. decorado · rico · labrado · tallado · de oro · de plata || sagrado · santo || amargo · de la amargura · de sacrificio · de la derrota *En su vida ha probado muchas veces el cáliz de la derrota* · de esperanza

• CON VBOS. rebosar || llenar · vaciar || verter || apurar || levantar *El sacerdote levantó el cáliz y...* · apartar · cubrir || beber (de)

[caliza] s.f. → calizo, za

calizo, za

1 **calizo, za** adj.

• CON SUSTS. roca · piedra *una losa de piedra caliza* · sustancia · agua || terreno *Este árbol crece muy bien en terrenos calizos* · tierra · suelo || acantilado · garganta · montaña · sierra · risco

2 **caliza** s.f.

• CON ADJS. blanca · marmórea · pura · nítida || porosa *La fachada está construida con una caliza porosa* · arenisca

• CON SUSTS. mina (de) · explotación (de) · yacimiento (de)

• CON VBOS. extraer

callado, da adj.

• CON SUSTS. ***persona*** *Mi sobrino es un niño muy callado* || carácter · actitud || labor *Su callada labor ha beneficiado a mucha gente* · trabajo · esfuerzo || lágrima · dolor || noche

• CON ADVS. tremendamente · sumamente · extraordinariamente

• CON VBOS. ser · volver(se) || estar · permanecer · mantener(se) · quedar(se) *Se ha quedado callado de repente*

callar v.

• CON SUSTS. comentario *Harías mejor en callarte esos comentarios malintencionados* · observación · rumor · chisme || información · dato · noticia || boca *Cállate la boca, hijo, que no paras de hablar*

• CON ADVS. como un muerto · como una tumba · celosamente · por completo || deliberadamente

calle s.f.

• CON ADJS. larga · corta · ancha · estrecha · empinada · tortuosa || de doble sentido · de sentido único · de dos direcciones || céntrica · principal · lateral · paralela

· **opuesta** · **transversal** || **cortada** *Llegamos a una calle cortada y tuvimos que dar la vuelta* · **en obras** || **comercial** · **peatonal** || **transitada** · **abarrotada** || **desierta** · **vacía**
● CON SUSTS. **jerga (de)** · **gente (de)** || **nombre (de)** *Fíjese bien en el nombre de la calle* || **final (de)** · **principio (de)**
● CON VBOS. **confluir** *Estas dos calles confluyen en la Plaza Mayor* · **converger** · **desembocar** · **ir (de un lugar a otro)** · **llevar (a un lugar)** *La calle que lleva al Ayuntamiento* || **congestionar(se)** || **recorrer** · **seguir** · **enfilar** · **cruzar** *Joven, ¿me ayuda a cruzar la calle?* || **barrer** · **adecentar** · **engalanar** · **adornar** || **pisar** *Llevo varios días sin pisar la calle* · **frecuentar** || **abarrotar** · **llenar** || **cortar** · **obstaculizar** · **bloquear** · **obstruir** || **desbloquear** · **despejar** · **desviar** || **patrullar** · **vigilar** || **salir (a)** · **echar(se) (a)** *Miles de ciudadanos se echaron a la calle* · **lanzar(se) (a)** || **pasear (por)** · **caminar (por)** · **transitar (por)** · **desfilar (por)** · **deambular (por)** · **rondar (por)**
● CON PREPS. **en medio (de)** · **a la altura (de)** || **a pie (de)**

□ EXPRESIONES **hacer la calle** [dedicarse a la prostitución] *col.* || **llevarse de calle** (a alguien) [provocar su simpatía o amor] *col.* || {**llevar/traer**} **por la calle de la amargura** [hacer sufrir] *col.* || **tirar por la calle de en medio** [actuar decididamente en un asunto desdeñando los obstáculos] *col.*

callejear v.

● CON ADVS. **sin rumbo** · **distraídamente** || **lentamente** · **tranquilamente** *Me gusta callejear tranquilamente en busca de tiendas curiosas*

callejero, ra

1 **callejero, ra** adj.

● CON SUSTS. **vida** · **escena** || **perro,rra** *Debe de ser un perro callejero, porque no lleva collar* · **gato,ta** · **animal** || **espectáculo** *El programa de fiestas del barrio incluye espectáculos callejeros* · **teatro** · **festival** · **baile** · **fiesta** · **juerga** || **vendedor,-a** · **venta** · **comercio** · **puesto** *Me compré esta pulsera en un puesto callejero* · **mercado** · **predicador,-a** · **encuesta** || **pintada** || **manifestación** · **protesta** · **movilización** · **marcha** || **disturbio** · **revuelta** *Las fuerzas policiales sofocaron con dureza las revueltas callejeras* · **algarada** · **desorden** · **agitación** · **vandalismo** · **violencia** · **trifulca** · **pelea** · **reyerta** · **riña** · **bronca** · **lucha** · **incidente** · **choque** · **confrontación** || **robo** *Se observa un aumento de robos callejeros...* · **atraco** · **crimen** · **delito** · **delincuente** || **prostitución** · **mendicidad** || **banda** · **pandilla** · **tribu** || **tumulto** · **bullicio** · **ruido** || **argot** · **jerga** *La novela recoge de forma muy realista la jerga callejera* · **vocabulario**

2 **callejero** s.m.

● CON ADJS. **completo** · **actual** · **actualizado** · **antiguo** || **urbano** · **local** · **municipal** · **radial**
● CON VBOS. **consultar** · **desplegar** || **actualizar** · **poner al día** || **localizar (en)** *Ya he localizado en el callejero la plaza que buscas* · **mirar (en)** · **consultar (en)** · **buscar (en)** · **figurar (en)** · **faltar (en)**

calma s.f.

● CON ADJS. **total** · **completa** · **suma** · **permanente** · **absoluta** *La situación es de absoluta calma y tranquilidad* · **relativa** || **aparente** · **falsa** · **irreal** || **tensa** *En el ambiente se respiraba una tensa calma* · **desesperante** || **apacible** · **plácida** · **silenciosa** || **reinante** · **imperante**
● CON SUSTS. **ambiente (de)** · **clima (de)** · **situación (de)** · **sensación (de)** || **voz (de)** · **mensaje (de)** || **día (de)** · **momento (de)** *Disfruta de estos escasos momentos de calma* · **período (de)** · **época (de)**
● CON VBOS. **reinar** *en un ambiente en el que reinaba la calma* · **imperar** · **imponer(se)** · **venir** · **regresar** || **acabar(se)** · **agotar(se)** · **quebrar(se)** · **disipar(se)** || **conservar** *En estos tiempos tan difíciles debemos conservar la calma* · **mantener** · **guardar** · **preservar** || **recuperar** · **restablecer** · **reinstaurar** · **restaurar** || **inspirar** · **infundir** · **transmitir** · **destilar** · **respirar** || **pedir** · **necesitar** || **perder** *No perdamos la calma* · **alterar** · **perturbar** || **invitar (a)** · **llamar (a)** || **tomar (con)** *Tómatelo con calma; no arreglas nada enfadándote*
● CON PREPS. **con** *Díselo con calma* · **en** *vientos en calma*

calmante s.m.

● CON ADJS. **fuerte** *Le dieron un fuerte calmante para combatir el dolor* || **eficaz** · **efectivo** · **ineficaz** || **analgésico**
● CON SUSTS. **dosis (de)** || **adicción (a)** || **efecto (de)**
● CON VBOS. {**hacer/surtir**} **efecto** *En cuanto el calmante surtió efecto, el paciente se tranquilizó* || **suministrar** · **recetar** · **dar** · **administrar** · **dispensar** || **consumir** · **tomar** · **ingerir** · **probar** · **necesitar** || **tolerar** || **abusar (de)** || **aliviar (con)** *Aliviaba sus dolores lumbares con calmantes* · **mejorar (con)** · **tratar (con)**

calmar(se) v.

● CON SUSTS. **niño,ña** · **espectador,-a** · **público** · **manifestante** · ***otros individuos y grupos humanos*** || **ánimo** · **nervios** · **nerviosismo** *Nada lograba calmar su nerviosismo* · **desazón** · **temor** · **preocupación** · **euforia** || **dolor** · **picor** · **fiebre** · **molestia** *Esta infusión le calmará a usted las molestias estomacales* · **temblor** · **síntoma** || **situación** · **ambiente** · **atmósfera** · **panorama** · **entorno** || **discusión** · **disputa** · **conflicto** *Los mediadores no han logrado todavía calmar el conflicto* · **escándalo** · **tensión** || **mercado** || **viento** · **tempestad** · **oleaje** *Parece que al final se ha calmado un poco el oleaje* · **mar** · **vendaval** || **deseo** · **gana** · **ansia** · **furia**

[calor] → al calor (de); calor

calor s.m.

● CON ADJS. **intenso** · **fuerte** · **acusado** · **tremendo** · **tórrido** · **abrasador** · **achicharrante** · **ardiente** · **tropical** · **infernal** *Los operarios de las calderas soportan un calor infernal* · **insoportable** · **espantoso** · **terrible** · **sofocante** · **asfixiante** · **agobiante** || **soportable** · **llevadero** · **ligero** || **paralizante** · **adormecedor** || **pegajoso** *Es una zona baja y húmeda, donde hace un calor pegajoso* · **húmedo** · **seco** || **estival** · **veraniego** || **humano** || **reinante**
● CON SUSTS. **fuente (de)** · **foco (de)** · **ola (de)** *El servicio de meteorología ha anunciado una nueva ola de calor* || **sensación (de)** || **día (de)** *¡Menudo día de calor hace hoy!* · **época (de)** · **período (de)**
● CON VBOS. **entrar (a alguien)** || **apretar** *Cuando el calor aprieta...* · **azotar** · **sofocar** · **brotar** · **fluir** · **difundir(se)** · **propagar(se)** · **esparcir(se)** · **traspasar** · **llegar** || **remitir** · **aplacar(se)** || **hacer** *En esta época del año hace bastante calor* || **dar (a algo/a alguien)** · **despedir** · **desprender** · **generar** · **irradiar** · **emitir** · **emanar** · **transmitir** · **brindar** || **tener** · **pasar** *¿Pasasteis calor durante el viaje?* · **entrar** · **sentir** · **experimentar** · **soportar** · **afrontar** · **sufrir** || **perder** · **combatir** · **aliviar** · **mitigar** · **amortiguar** · **atemperar** || **poner (en algo)** || **medir** || **asarse (de)** · **morirse (de)** || **rodear (de)** *Supo rodear a los que con él trabajábamos de afecto y de calor humano* || **resguardar (de)** *Para conservarlo en buen estado, resguarde el producto del calor* · **librar(se) (de)**

caloría s.f.

•CON ADJS. **bajo,ja (en)** *chocolate bajo en calorías* · **alto,ta (en)** · **rico,ca (en)**

•CON SUSTS. **consumo (de)** · **gasto (de)** || **ingesta (de)** *controlar la ingesta diaria de calorías* · **cantidad (de)** · **exceso (de)** · **total (de)** · **contenido (de)** · **número (de)** · **recuento (de)** · **reducción (de)** || **fuente (de)** || **tabla (de)** || **símbolo (de)** · **abreviatura (de)**

•CON VBOS. **quemar** *La natación es un buen ejercicio para quemar calorías* · **consumir** · **gastar** || **ingerir** · **reducir** || **aportar** · **contener** · **tener** · **proporcionar** || **necesitar** · **precisar** || **contar** · **recontar**

•CON PREPS. **sin** *refresco sin calorías*

calorífico, ca adj.

•CON SUSTS. **poder** *el poder calorífico del sol* · **energía** · **potencia** · **presión** · **onda** || **efecto** · **cota** · **nivel** || **aparato**

calumnia s.f.

•CON ADJS. **presunta** *denunciado por presuntas calumnias* · **supuesta** || **sucia** · **cruel** · **infundada** || **intolerable** · **inadmisible** · **gratuita**

•CON SUSTS. **sarta (de)** *Esas acusaciones son una sarta de calumnias* · **serie (de)** · **retahíla (de)** || **delito (de)** · **querella (por)**

•CON VBOS. **circular** || **lanzar** *No hace más que lanzar calumnias para desacreditarnos* · **proferir** · **soltar** · **verter** · **difundir** · **desgranar** || **desmentir** · **refutar** · **desmontar**

calumniar v.

•CON ADVS. **impunemente** · **vilmente** · **injustamente** · **cruelmente** · **horriblemente** || **descaradamente** · **públicamente** · **abiertamente**

calurosamente adv.

•CON VBOS. **saludar** · **recibir** *Fueron recibidos calurosamente en el aeropuerto por miles de simpatizantes* · **acoger** || **celebrar** · **felicitar** · **aplaudir** · **ovacionar** *El pianista fue calurosamente ovacionado por el público* · **agradecer** · **alabar** · **elogiar** · **jalear** · **aclamar** · **homenajear** · **recomendar** || **apoyar** · **defender** · **amparar** · **arropar** *Arroparon calurosamente al equipo* · **solidarizarse** || **expresar(se)** · **responder**

caluroso, sa adj.

▮ [caliente]

•CON SUSTS. **clima** · **tiempo** · **sol** · **temperatura** · **viento** || ***persona*** *Esta niña es muy calurosa; siempre va en manga corta* || **habitación** *Mi habitación es la más calurosa de la casa* · **casa** · **sitio** · **zona** · **región** · **país** · **valle** · **llanura** · ***otros lugares*** || **tarde** · **verano** · **día** · **año** · ***otros períodos*** || **ambiente** · **atmósfera**

•CON VBOS. **hacerse** · **volverse**

▮ [afectuoso]

•CON SUSTS. **público** · **auditorio** || **gesto** · **mirada** · **sonrisa** · **abrazo** · **apretón de manos** *Le recibió con un caluroso apretón de manos* || **palabras** · **expresión** · **comentario** · **declaración** · **discurso** · **carta** · **mensaje** · ***otras manifestaciones verbales o textuales*** || **bienvenida** *En el aeropuerto le ofrecieron una calurosa bienvenida* · **recibimiento** · **invitación** · **acogida** · **recepción** · **saludo** || **felicitación** · **homenaje** · **aplauso** · **ovación** · **elogio** · **enhorabuena** · **parabién** · **agradecimiento** || **apoyo** · **defensa** *En una calurosa defensa de su amiga...* · **afecto** · **adhesión** || **relación** · **contacto** · **encuentro** · **acercamiento** || **reacción** · **respuesta** || **entusiasmo** *El público aplaudió con caluroso entusiasmo* · **euforia** · **pasión** || **espectáculo** · **acto** · **recital** · **mitin** · **gira**

[calva] s.f. → calvo, va

calvario s.m.

•CON ADJS. **terrible** · **inhumano** · **insufrible** || **auténtico** · **verdadero**

•CON VBOS. **pasar** *Pasé un verdadero calvario de operaciones hasta recuperar la movilidad en el brazo* · **sufrir** · **aguantar** · **soportar** · **vivir** || **aliviar**

calvicie s.f.

•CON ADJS. **incipiente** *Se descubrió en el espejo una incipiente calvicie* · **avanzada** · **pronunciada** · **galopante** · **irremisible** || **evidente** · **manifiesta** · **ostensible** · **patente** || **hereditaria** · **congénita** || **prematura**

•CON SUSTS. **problema (de)** · **caso (de)** · **tendencia (a)**

•CON VBOS. **avanzar** · **manifestar(se)** · **evidenciar(se)** || **combatir** *tratamientos para combatir la calvicie* · **detener** · **frenar** · **atajar** · **curar** || **disimular** · **ocultar** · **cubrir** || **presentar** · **exhibir** · **ostentar** || **provocar** || **luchar (contra)**

•CON PREPS. **contra** *una loción contra la calvicie*

calvo, va

1 calvo, va adj.

•CON SUSTS. ***persona*** *Un hombre calvo con gafas oscuras se dirigió a nosotros* || **cabeza** || **terreno** · **superficie**

•CON VBOS. **ser** · **estar** · **quedar(se)** *Se ha quedado calvo en poco tiempo*

2 calva s.f.

•CON ADJS. **incipiente** || **brillante** *Exhibe con orgullo su brillante calva* · **esplendorosa** · **ilustre** · **lustrosa** · **resplandeciente** || **ostensible** · **perceptible**

•CON VBOS. **lucir** · **tener** *El césped tenía algunas calvas en las zonas de más tránsito* || **disimular** · **cubrir** · **tapar** · **ocultar** · **proteger** || **avergonzarse (de)**

☐EXPRESIONES **ni tanto ni tan calvo** [sin exagerar] *col.*

calzada s.f.

•CON ADJS. **doble** · **central** · **lateral** · **paralela** · **opuesta** || **estrecha** · **ancha** · **larga** · **corta** || **romana** · **antigua**

•CON SUSTS. **carril (de)** · **firme (de)** || **trazado (de)** · **recorrido (de)** · **trayecto (de)**

•CON VBOS. **atravesar** · **unir** · **comunicar** · **conducir (a un lugar)** · **llevar (a un lugar)** *La calzada que lleva a la iglesia estaba llena de curiosos* || **estrechar(se)** · **ensanchar(se)** || **trazar** · **construir** · **arreglar** *Aquí no se puede aparcar porque están arreglando la calzada* · **mejorar** · **ampliar** · **asfaltar** || **obstruir** · **bloquear** || **invadir** · **cruzar** || **circular (por)** · **salir(se) (de)** *El coche patinó y se salió de la calzada*

•CON PREPS. **en medio (de)**

calzado s.m.

•CON ADJS. **adecuado** · **especial** · **cómodo** *Te recomiendo que lleves un calzado cómodo para la excursión* · **confortable** · **ancho** · **holgado** · **apretado** · **justo** || **inapropiado** · **estrecho** · **incómodo** · **resbaladizo** || **deportivo** · **informal** · **de vestir**

•CON VBOS. **apretar(le) (a alguien)** · **rozar(le) (a alguien)** · **dar de sí** || **transpirar** *El calzado deportivo no* *siempre transpira bien* || **llevar · poner · quitar** || **limpiar · cepillar** || **estrenar**

> ## CALZADO
> Información útil para el uso de:
> **bota; botín; katiuska; mocasín; pantufla; sandalia; zapatilla; zapato; zueco**
>
> • CON ADJS. **grande · ancho,cha · holgado,da** || **pequeño,ña · estrecho,cha · apretado,da** || **nuevo,va · viejo,ja** || **cómodo,da** *unas sandalias muy cómodas* · **incómodo,da** || **fino,na · ligero,ra · pesado,da** || **elegante · clásico,ca · lujoso,sa · original · extravagante · estrafalario,ria · deslumbrante · espectacular · llamativo,va · sofisticado,da · de fantasía · de vestir** *unos zapatos de vestir* || **sencillo,lla · sobrio,bria** || **de marca · de firma · de diseño** || **plano,na · de tacón** *unas botas de tacón* · **abierto,ta · cerrado,da · de piel · de tela**
> • CON VBOS. **apretar(le) (a alguien) · rozar(le) (a alguien) · quedar(le) (a alguien) {ancho/estrecho/grande/pequeño...}** || **dar(se) de sí** *Estos mocasines se han dado mucho de sí* || **llevar · usar · lucir · probar(se)** || **calzar · poner · quitar · sacar · meter** || **atar** *¿Quieres que te ate las zapatillas?* · **abrochar** || **limpiar · cepillar · lustrar** || **estrenar** || **domar** || **cambiar (de) · sacar(le) brillo (a)**

calzador s.m.

• CON VBOS. **meter (algo) (con) · entrar (con)** *El zapato solo me entra con calzador* · **introducir (algo) (con)**

calzar v.

• CON SUSTS. **pie · número** *¿Qué número calzas?* || **zapato · zapatilla · bota** *Se calzó las botas y salió de casa* || **esquí · patín** || **mesa** *Calcé la mesa con una cuña porque cojeaba* · **silla · estantería ·** ***otros muebles*** || **rueda**

calzón s.m.

• CON ADJS. **corto** *Para hacer deporte se pone camiseta, calzón corto y zapatillas* · **largo** || **clásico** || **deportivo · de boxeo** || **de rayas · de cuadros**
➤ Véase también **ROPA**

calzoncillo s.m.

• CON ADJS. **largo · juvenil** || **de rayas · estampado**
• CON VBOS. **asomar** *El calzoncillo le asomaba por el pantalón* || **enseñar · bajar** || **mudar(se) (de)**
➤ Véase también **ROPA**

cama s.f.

• CON ADJS. **mullida · acogedora · confortable** *Leía tumbado sobre la confortable cama del hotel* · **placentera · cómoda · blanda · dura · incómoda** || **destartalada · desvencijada** || **funcional · utilitaria** || **de matrimonio · individual · separada** *Están casados, pero duermen en camas separadas* || **plegable · adicional · supletoria · abatible** || **de agua · turca · elástica**
• CON SUSTS. **cabecero (de) · pie (de)** *Te he dejado los zapatos a los pies de la cama* || **ropa (de)** || **escena (de)** || **compañero,ra (de)** || **nido** *Las dos hermanas duermen en una cama nido*
• CON VBOS. **hacer** *Mientras yo hago las camas, tú prepara el desayuno* · **deshacer** || **compartir** || **meter(se) (en) · ir(se) (a)** *Buenas noches, me voy a la cama* · **quedar(se) (en) · acostar(se) (en) · tender(se) (en) · recostar(se) (en) · postrar(se) (en) · permanecer (en)** || **levantar(se) (de) · salir (de) · sacar (de) · incorporar(se) (de)** || **dar vueltas (en)** || **servir (de)** || **llevar (a)**
• CON PREPS. **debajo (de) · bajo · sobre · en**
□ EXPRESIONES **caer en cama** [ponerse enfermo] || **cama redonda** [acción de mantener relaciones sexuales más de dos personas a la vez] || **{estar en/guardar} cama** [estar en la cama por enfermedad] *Su médico le ha aconsejado guardar cama* || **hacer la cama** (a alguien) [actuar secretamente para perjudicarle] *col.*

camaleónico, ca adj.

• CON SUSTS. **capacidad** *Tiene una asombrosa capacidad camaleónica para pasar de un género a otro* · **aptitud · talento · habilidad · facilidad · genio** || **personalidad** *la personalidad camaleónica de esta actriz* · **carácter · conducta · talante · alma · espíritu · naturaleza** || **actor · actriz · político,ca · agente** || **cualidad · aspecto · propiedad · estilo** || **ojos** *un chico de nariz prominente y ojos camaleónicos* · **piel** || **ciudad · terreno**

[cámara] s.f.

→ a cámara lenta; cámara; en cámara lenta

cámara

1 **cámara** s.com.

▮ [persona]

• CON ADJS. **buen,-a · excelente · mal,-a** || **profesional** *Es un cámara profesional*
• CON SUSTS. **puesto (de)**
• CON VBOS. **grabar (algo/a alguien)** *El cámara grabó todo sin ser visto* · **enfocar (algo/a alguien) · {captar/registrar} (una imagen)** || **trabajar (como/de)**

2 **cámara** s.f.

▮ [aparato]

• CON ADJS. **fotográfica · digital · de vídeo · desechable · automática · instantánea** || **oculta · discreta**
• CON SUSTS. **objetivo (de)** || **manejo (de)**
• CON VBOS. **instalar · colocar** *Han colocado una cámara oculta en la puerta principal* · **camuflar · montar** || **portar · llevar** || **conectar · enchufar · preparar · enfocar** || **apartar · apagar · desenchufar** || **grabar (con)** || **equipar (con)**
• CON PREPS. **detrás (de)** *...gracias a la cantidad de excelentes profesionales que están detrás de la cámara* · **ante**

▮ [habitación]

• CON ADJS. **de gas · frigorífica · mortuoria** || **acorazada · blindada**
• CON VBOS. **abrir · cerrar** || **construir** || **meter (en) · colocar (en) · permanecer (en) · guardar (en) · mantener (en)** || **acceder (a) · salir (de)** || **disponer (de)** *El supermercado dispone de una gran cámara frigorífica*

▮ [cuerpo legislativo]

• CON ADJS. **alta · baja**
• CON SUSTS. **presidente,ta (de) · miembro (de) · diputado,da (de) · portavoz (de)** || **pleno (de)** || **reglamento (de) · decisión (de)**
• CON VBOS. **constituir(se) · reunir(se) · disolver(se)** || **votar · aprobar** *La cámara aprobó la ley por mayoría absoluta* · **decidir (algo)**
□ EXPRESIONES **chupar cámara** [situarse en primer plano haciéndose notar] *col.*

camarada s.com.

• CON VBOS. **ayudar** || **delatar · traicionar** *Traicionó a sus camaradas revelando información al enemigo* || **con-**

vertir(se) (en) || llevarse {bien/mal/regular} (con) · avenirse (con) · congeniar (con) || convivir (con)

camaraderia s.f.

• CON ADJS. **gran(de) || alegre · simpática || estrecha** *Nos unía una estrecha camaradería* · **fraternal || franco · sana · ejemplar · tierna**

• CON SUSTS. **ambiente (de)** *Se respiraba un ambiente de alegre camaradería* · **clima (de) · espíritu (de) · lazo (de)**

• CON VBOS. **encontrar · mantener · romper**

• CON PREPS. **con** *tratar a alguien con camaradería*

camarero, ra s.

• CON ADJS. **profesional · amable · servicial · atento,ta** *Me gusta venir a este bar porque la camarera es muy atenta* · **simpático,ca || displicente · insolente · antipático,ca || lento,ta** *No llames a ese camarero, que es muy lento* · **rápido,da · eficiente**

• CON SUSTS. **servicio (de) · jefe,fa (de) || cuerpo (de) · gremio (de) || trabajo (de) · empleo (de) · puesto (de)**

• CON VBOS. **atender (a alguien) · servir (a alguien) · {traer/llevar} una consumición · cobrar (a alguien) || buscar · llamar** *Voy a llamar al camarero para pedirle la cuenta* **|| trabajar (de/como) || hacer señas (a) · pedir (a) · pagar (a)**

camarilla

1 **camarilla** s.f.

• CON VBOS. **encabezar · montar** *La presidenta había montado su camarilla con un grupo de viejos amigos* **|| promocionar || formar parte (de) · apoyarse (en)**

2 **camarilla (de)** s.f.

• CON SUSTS. **amigos,gas · aliados,das** *Se ha rodeado de una pequeña camarilla de fieles aliados* · **compañeros,ras || enemigos,gas · traidores · asesinos,nas · corruptos,tas · fanáticos,cas || asesores · consejeros · políticos,cas · militares ||** ***otros grupos humanos***

camarote s.m.

• CON ADJS. **especial · individual · principal** *El camarote principal está en la popa y tiene capacidad para dos personas* · **presidencial · oficial || de lujo || interior · exterior** *El camarote exterior es siempre más caro*

• CON VBOS. **ocupar · compartir · alquilar · reservar || ordenar · desordenar || viajar (en) · dormir (en) · encerrar (en) · esconder (en) · encontrar(se) (en)** *En el momento del robo, mi defendido se encontraba en su camarote*

cambiante adj.

• CON SUSTS. **tiempo** *Con este tiempo tan cambiante no sé qué ropa ponerme* · **clima || aspecto · apariencia || carácter · personalidad · humor** *un humor cambiante e inestable* · **actitud || criterio · opinión ||** ***persona*** *una mujer cambiante, nerviosa e insegura*

• CON VBOS. **hacerse · volverse · mantenerse**

cambiar v.

• CON ADVS. **por completo · profundamente · radicalmente** *Cambió de vida radicalmente y...* · **drásticamente · diametralmente · de arriba abajo · de pies a cabeza · de raíz · seriamente · decisivamente · sustancialmente · sustantivamente · cualitativamente · enormemente · considerablemente · ostensiblemente · notablemente · ligeramente || de repente** *El tiempo cambió de repente y el chaparrón nos sorprendió a todos* · **de un día para otro · bruscamente · abruptamente || a marchas forzadas · a ojos vistas** *Nuestra sociedad está cambiando a ojos vistas* · **a pasos agigantados || poco a poco · con el tiempo · gradualmente · progresivamente · paulatinamente || a mejor · positivamente · ventajosamente · para bien** *Ojalá las cosas cambien para bien* **|| a peor · negativamente · intempestivamente · peligrosamente · para mal || irrevocablemente · definitivamente**

cambiazo s.m.

• CON VBOS. **dar** *Cuando menos me lo esperaba, vi a un alumno dando el cambiazo en el examen* · **hacer · pegar || percatarse (de) · darse cuenta (de)**

cambio s.m.

• CON ADJS. **profundo · drástico** *El nuevo Gobierno anunció cambios drásticos en política social* · **radical · rotundo · decisivo · significativo · cualitativo · integral · abismal · en profundidad · acusado · apreciable · visible · perceptible · llamativo · ostensible || ligero · imperceptible · sutil · leve · insignificante · nimio · superficial · aparente · revisable · provisional · testimonial · coyuntural || rápido · vertiginoso** *Resulta difícil digerir estos vertiginosos cambios en la política* · **fulgurante · frenético · galopante · repentino · brusco · abrupto || lento · progresivo · gradual · escalonado || sorprendente** *un sorprendente cambio de imagen* · **portentoso · inesperado · imprevisible · impredecible || apremiante || positivo · ventajoso · a mejor || negativo · a peor · intempestivo · catastrófico || irreversible · inevitable · inexorable · definitivo · sin vuelta atrás || propenso,sa (a) · reticente (a)**

• CON SUSTS. **objeto (de) · alcance (de) || manifestación (de)**

• CON VBOS. **fraguar(se) · gestar(se) · cocinar(se) · avecinarse · producir(se)** *Tras varios días de campaña, se ha producido un cambio en la intención de voto del electorado* · **darse · operar(se) · tener lugar · hacer(se) realidad · ocurrir · acaecer · llegar · afianzar(se) · surtir efecto || frustrar(se) · interrumpir(se) || atañer || urgir || vislumbrar · percibir · notar · prever · anticipar · atisbar · augurar · detectar** *No se detectan cambios reseñables en la situación del paciente* · **registrar || acarrear · comportar · conllevar · entrañar · desencadenar(se) · marcar · causar || emprender · llevar adelante · abanderar · pilotar · dictar · imponer · imprimir · introducir** *Se van a introducir algunos cambios en el programa para...* · **impulsar · incentivar · propulsar · cimentar · alimentar · predicar · avalar · delinear · madurar · consensuar · tramitar || experimentar** *Ese país ha experimentado un gran cambio en los últimos años* · **sufrir · acusar · encarar || aceptar · digerir · asumir · encajar || evitar · bloquear · neutralizar · anular · dejar sin efecto || inducir (a) · incitar (a) · abocar(se) (a) || someter(se) (a) || adaptar(se) (a)** *Si eres una persona que te adaptas con facilidad a los cambios, no tendrás problemas para...* · **amoldar(se) (a) · aclimatar(se) (a)**

• CON PREPS. **con posibilidad (de) || al abrigo (de) · al hilo (de) · en aras (de)**

□ EXPRESIONES **a las primeras de cambio** [de pronto y sin aviso] **|| en cambio** [por el contrario]

camelar v. *col.*

• CON ADVS. **hábilmente · astutamente** *Intentaron camelar astutamente al guardia de seguridad y colarse en el estadio* · **ingeniosamente · sutilmente || descaradamente · atrevidamente**

camello, lla s.

▮ [animal]

● CON ADJS. **sediento,ta** · **salvaje** || **lechera** *una camella lechera*

● CON SUSTS. **rebaño (de)** · **caravana (de)** *Caravanas de camellos recorrieron esta ruta durante siglos* · **manada (de)** || **leche (de)** · **lana (de)** · **pelo (de)**

● CON VBOS. **trotar** · **correr** || **pastar** · **rumiar** || **cargar** · **ensillar** *Ensillaron un par de camellos para que los turistas montasen sobre ellos* || **criar** · **adiestrar** || **montar (en)** · **ir (en)** || **subir (a)** · **bajar (de)** · **desmontar (de)** · **apear(se) (de)**

● CON PREPS. **sobre**

▮ [vendedor de droga] *col.*

● CON ADJS. **habitual** · **de barrio** || **supuesto,ta** · **presunto,ta** *El presunto camello fue arrestado en una redada policial*

● CON VBOS. **traficar** · **vender (droga)** || **detener** · **arrestar**

camerino s.m.

● CON VBOS. **ocupar** || **abandonar** · **dejar** || **entrar (a)** · **acceder (a)** · **pasar (a)** · **invitar (a)** || **acercarse (a)** · **dirigirse (a)** *Después de la actuación, el actor se dirigió rápidamente a su camerino* · **llegar (a)** · **volver (a)** · **retirarse (a)** || **salir (de)** · **cambiar (de)** || **encerrar(se) (en)**

camilla s.f.

● CON VBOS. **empujar** || **ir (en)** · **retirar (en)** · **sacar (en)** · **salir (en)** · **abandonar (en)** *La jugadora tuvo que abandonar el terreno de juego en camilla* || **trasladar (en)** · **llevar (en)** · **viajar (en)** || **tumbar(se) (en)** · **tender(se) (en)**

● CON PREPS. **sobre**

caminar v.

● CON ADJS. **erguido,da** *Cuando se le agudizó la artrosis ya no podía caminar erguido* · **encorvado,da** || **vacilante** · **borracho,cha** || **decidido,da**

● CON ADVS. **lentamente** · **a paso de tortuga** · **pesadamente** || **rápidamente** · **a pasos agigantados** · **atropelladamente** || **decididamente** · **con seguridad** · **con firmeza** · **con paso firme** · **inexorablemente** || **sin rumbo** *Caminaba sin rumbo por las calles solitarias* · **de arriba abajo** || **a tientas** · **a ciegas** || **de puntillas**

caminata s.f.

● CON VBOS. **dar(se)** *Nos dimos una buena caminata hasta casa* · **pegar(se)**

[camino]

→ abrirse camino; camino; de camino; en camino

camino s.m.

● CON ADJS. **rural** · **vecinal** || **largo** *Aún nos queda un largo camino por recorrer* · **eterno** · **corto** || **difícil** · **tortuoso** · **zigzagueante** · **serpenteante** · **intrincado** · **enrevesado** · **retorcido** · **inextricable** · **laberíntico** || **fácil** · **llano** · **cómodo** · **llevadero** || **escarpado** · **accidentado** · **abrupto** · **impracticable** *Con las últimas lluvias, los caminos han quedado impracticables* · **inaccesible** · **intransitable** · **polvoriento** · **resbaladizo** · **discontinuo** || **transitable** · **practicable** · **accesible** || **solitario** || **amplio** · **espacioso** || **ancho** · **estrecho** · **angosto** || **libre** *Se retiró de la competición y dejó el camino libre a su oponente* · **expedito** || **seguro** · **inseguro** · **proceloso** · **azaroso** · **desconocido** || **buen(o)** · **correcto** · **adecuado** · **legítimo** · **propicio** · **fulgurante** · **ilusionante** || **mal(o)** *Vas por mal camino...* · **equivocado** · **errado** · **desviado** || **arduo** · **duro** · **doloroso** · **amargo** · **infernal** || **nuevo** || **transitado** · **concurrido** · **trillado** || **sin retorno** *Eligió un camino sin retorno y ahora no puede volverse atrás* · **irreversible** · **inexorable** · **de ida y vuelta** || **paralelo**

● CON SUSTS. **fin (de)** · **final (de)** · **principio (de)** || **recodo (de)** · **tramo (de)** *Aunque el primer tramo del camino es más llevadero...* · **parada (de)** · **cruce (de)** · **orilla (de)**

● CON VBOS. **conducir (a un lugar)** *Este camino conduce al río* · **llevar (a un lugar)** · **ir (a un lugar)** || **discurrir** *El camino discurría entre prados* · **serpentear** · **torcer(se)** · **truncar(se)** || **bifurcarse** · **divergir** · **confluir** · **converger** || **congestionar(se)** || **trazar** · **delinear** · **perfilar** · **jalonar** || **despejar(se)** · **allanar** *investigaciones pioneras que allanaron el camino a otras muchas que...* · **desbloquear** · **desbrozar** · **aplanar** · **asfaltar** || **cerrar(se)** *Un árbol caído nos cerraba el camino* · **cortar** · **obstruir** · **obstaculizar** · **bloquear** · **entorpecer** · **desviar** || **abrir(se)** *La reunión ha servido al menos para que el nuevo candidato empiece a abrirse camino en la política internacional* || **indicar** · **señalar** · **marcar** · **mostrar** || **buscar** · **encontrar** · **acertar** · **perder** · **errar** || **andar** · **tomar** *No sé qué camino tomar* · **seguir** · **llevar** · **emprender** · **iniciar** · **enfilar** · **elegir** · **recorrer** · **hacer** · **proseguir** · **retomar** · **encarar** || **desandar** · **rehacer** · **enderezar** · **rectificar** · **abandonar** || **acortar** · **alargar** || **poner(se) (en)** · **ir (por)** *ir por un camino equivocado* · **perseverar (en)** || **equivocar(se) (de)** || **desviar(se) (de)** · **apartar(se) (de)** · **alejar(se) (de)** || **cruzar(se) (en)** · **interponer(se) (en)** || **quedar(se) (en)** *Muchas ilusiones se nos quedaron en el camino* · **dejar (en)**

● CON PREPS. **{en/a} mitad (de)** *Solemos parar a mitad de camino* || **a lo largo (de)** · **durante** · **en**

☐ EXPRESIONES **de camino*** [de paso] *Me pilla de camino*

camión s.m.

● CON ADJS. **pesado** · **ligero** · **potente** || **blindado** *Ayer se produjo un audaz atraco a un camión blindado* · **articulado** || **de carga** · **de mudanzas** · **de bomberos** · **militar** · **de reparto**

● CON SUSTS. **cisterna** *El conductor del camión cisterna declaró que...* · **bomba** · **frigorífico**

● CON VBOS. **acelerar** · **circular** · **maniobrar** · **frenar** · **detener(se)** || **averiarse** · **accidentarse** · **chocar** · **calarse** || **conducir** · **llevar** · **manejar** · **controlar** *...no logró controlar el camión y provocó una colisión múltiple* || **arrancar** · **parar** · **estacionar** · **aparcar** || **descargar** · **cargar** || **subir (a)** · **salir (de)** || **transportar (en)** · **trasladar (en)** · **viajar (en)**

● CON PREPS. **a bordo (de)** · **en** · **dentro (de)**

☐ EXPRESIONES **estar** (alguien) **como un camión** [ser muy atractivo] *col.*

camionero, ra s.

● CON ADJS. **profesional** *Estoy buscando a un camionero profesional para hacer la mudanza* · **experto,ta** · **hábil**

● CON SUSTS. **empresa (de)** || **consorcio (de)** · **sindicato (de)** || **parada (de)** · **restaurante (de)**

● CON VBOS. **transportar (algo)** *Los camioneros de esa empresa transportan mercancía peligrosa* · **hacer portes** || **viajar** || **conducir (un vehículo)** · **aparcar (un vehículo)** || **buscar** · **necesitar** · **contratar** || **trabajar (como/de)**

camioneta s.f.

● CON ADJS. **de transporte** · **de redilas** · **de reparto** *Mi hermano trabaja como conductor de una camioneta de reparto* || **de pasajeros** · **policial** · **militar** · **de guardias** || **abarrotada** · **llena** · **vacía**

● CON VBOS. **acelerar · circular · maniobrar · frenar · detener(se) || averiarse** *Una camioneta se ha averiado en medio de la calzada* · **calarse || conducir · llevar · manejar · controlar || arrancar · parar · estacionar · aparcar || descargar · cargar** *Necesito que me ayudes a cargar la camioneta* || **salir (de) · meter(se) (en) || llegar (en) subir (a)** *Los viajeros que subieron a la camioneta en la primera parada...* · **bajar (de) || andar (en) · circular (en) · viajar (en)**
● CON PREPS. **a bordo (de)**

camisa s.f.

● CON ADJS. **clásica · de vestir · de batalla · estrafalaria || vaquera · de seda · de algodón · sintética · de fibra || (a/de) rayas · (a/de) cuadros · estampada · lisa || de manga {larga/corta}**
● CON SUSTS. **mangas (de) · botón** *No te cierres el último botón de la camisa* · **cuello (de) · puño (de)**
● CON VBOS. **arrugar(se) · encoger(se) || remangarse** *Se remangó la camisa y volvió a la faena* || **coser · confeccionar · arreglar · ajustar · agrandar · ensanchar · estrechar · diseñar**
➤ Véase también **ROPA**

□ EXPRESIONES **cambiar de camisa** [cambiar de ideas por interés] || **camisa de fuerza** [prenda que se emplea para inmovilizar a una persona] || **meterse** (alguien) **en camisa de once varas** [meterse en algo que no es capaz de manejar] *col.* || **no llegarle** (a alguien) **la camisa al cuerpo** [sentir un intenso temor] *col.*

camiseta s.f.

● CON ADJS. **de manga {corta/larga} · sin mangas · de tirantes || oficial** *la camiseta oficial de la selección de fútbol* · **interior || de algodón || rayada · escotada || sudada**
● CON VBOS. **arrugar(se) · desteñir(se)** *He lavado la camiseta con agua caliente y se me ha desteñido* · **encoger(se) || coser · confeccionar · diseñar**
➤ Véase también **ROPA**

□ EXPRESIONES **sudar la camiseta** [esforzarse mucho en algo] *col.*

camisón s.m. Véase **ROPA**

campal adj.

● CON SUSTS. **batalla** *El enfrentamiento se convirtió en una batalla campal* · **pelea**

campamento s.m.

● CON ADJS. **de verano · juvenil · infantil || temporal || militar · guerrillero · de refugiados || clandestino · ilegal || fortificado · rebelde · provisional**
● CON SUSTS. **base** *El temporal dificultó el descenso de los alpinistas hasta el campamento base*
● CON VBOS. **acoger · albergar || instalar · situar · montar · organizar · establecer · visitar || ocupar · abandonar · levantar** *Tenemos que levantar el campamento antes de que empiece a llover* || **proteger || atacar · arrasar · asaltar || ir (de)** *Mis sobrinos se van de campamento en el mes de julio* || **llegar (a) · vivir (en)**

campana s.f.

● CON ADJS. **de cristal · de bronce || extractora** *Si vas a freír sardinas, enciende la campana extractora*
● CON SUSTS. **repique (de) · toque (de) || vuelta (de) || gong (de)**
● CON VBOS. **repicar · doblar · sonar** *¿No oyes cómo suenan las campanas de la iglesia?* · **tañer · repiquetear · tintinear · redoblar · vibrar || voltear · tocar** *Toca la campana, a ver si te abren* || **oír · escuchar**

□ EXPRESIONES **{echar/lanzar} las campanas al vuelo** [alegrarse grandemente por algo] || **oír campanas y no saber dónde** [conocer algo de forma fragmentaria y deficiente] *col.*

campanada s.f.

● CON ADJS. **final · última · de fin de año** *las doce campanadas de fin de año*
● CON VBOS. **sonar || dar** *El candidato conservador dio la campanada y salió elegido en la primera vuelta* · **escuchar**

campanudo, da adj.

● CON SUSTS. **frase** *un discurso plagado de frases solemnes y campanudas* · **nombre · título** *Le habían puesto un título rimbombante y campanudo* · **afirmación · *otras manifestaciones verbales* || estilo · lenguaje · voz · tono · aspecto || *persona***

[campaña] → campaña; en campaña

campaña s.f.

● CON ADJS. **electoral** *una campaña electoral larga y tediosa* · **presidencial · política · oficial · promocional · publicitaria** *La famosa actriz protagonizará una campaña publicitaria en Navidad* · **informativa · humanitaria · informática · navideña · bélica || a favor · en contra || preventiva · disuasoria || exitosa · efectiva · infructuosa || intensa** *una intensa campaña de vacunaciones* · **amplia · puerta a puerta · tenaz · machacona · desaforada · drástica || larga · corta · breve** *una breve campaña promocional* || **dura · ardua · agotadora · ajetreada · costosa || reñida · encarnizada · enconada · a cara de perro || limpia** *una campaña limpia, sin insultos* · **sucia · difamatoria · controvertida · lamentable**
● CON VBOS. **abrir(se) · transcurrir** *La campaña electoral transcurrió en un clima de crispación* · **desarrollar(se) · culminar · cerrar(se) || caldear(se) || tener éxito · prosperar · surtir efecto** *Parece que las campañas contra el tabaco están surtiendo efecto entre la población* · **arraigar · fracasar || girar (sobre algo) || organizar · orquestar · plantear · lanzar** *lanzar una campaña informativa sobre...* · **emprender · hacer · realizar · llevar adelante · relanzar · financiar || abanderar · capitanear || dirigir (a algo/alguien) · centrar** *centrar la campaña en la prevención de los accidentes* || **boicotear · retirar || embarcar(se) (en) · abocar (a) · instigar (a)**
● CON PREPS. **a lo largo (de) · durante** *durante la pasada campaña navideña* · **al calor (de)**

campar v.

● CON ADVS. **a {mis/tus/sus...} anchas** *Tu hermano campa a sus anchas en el trabajo* · **por sus respetos · tranquilamente**

campear v.

▮ [pacer]

● CON SUSTS. **vaca · toro · animal**

▮ [campar, destacar]

● CON SUSTS. **pobreza · miseria** *en un barrio en el que campean la miseria y la pobreza* · **enfermedad · abandono || inflación · corrupción · especulación · impunidad · desidia**
● CON ADVS. **a {mis/tus/sus...} anchas** *Allí las mafias campean a sus anchas mientras...* · **a {mi/tu/su...} aire**

campechano, na adj.

● CON SUSTS. ***persona*** *un político sencillo y campechano* || **aire · tono · estilo · imagen · aspecto · talante · carácter** || **humor · desparpajo · gesto**

campeón, -a s.

● CON ADJS. **mundial · nacional · olímpico,ca** || **actual** *Le toca batirse con el actual campeón olímpico* · **vigente · último,ma · nuevo,va · antiguo,gua** || **oficial · legítimo,ma · indiscutible · indiscutido,da** *Se convirtió en el campeón indiscutido de los pesos pesados* · **reconocido,da · digno,na** || **invicto,ta · imbatible · inaccesible · inatacable** || **en forma** *El campeón sigue en forma y dará aún mucho que hablar*

● CON SUSTS. **título (de)** *revalidar el título de campeón* · **condición (de) · corona (de) · medalla (de)**

● CON VBOS. **clasificar(se) · optar (a un título) · consagrar(se) · ganar (algo) · perder (algo) · triunfar · salir derrotado** || **entrenar · preparar(se)** || **proclamar(se)** *Con un total de siete victorias, se proclamó campeón* · **quedar · salir · coronar(se) · declarar (a alguien)** || **retar · desafiar** || **batir · derrotar · desbancar** *Todavía no hay quien pueda desbancar a la campeona* · **derribar · derrocar · vencer · eliminar** || **felicitar · ovacionar · vitorear · galardonar · obsequiar · distinguir · condecorar** || **convertir(se) (en) · erigir(se) (en) · llegar (a)** || **enfrentar(se) (a) · batirse (con/contra) · competir (con/contra)**

[campeonato] → campeonato; de campeonato

campeonato s.m.

● CON ADJS. **importante · prestigioso · famoso · célebre · oficial · amateur** || **reñido** *El último campeonato mundial estuvo muy reñido* · **competitivo · disputado** || **mundial · nacional · internacional · regional · provincial · municipal · local** || **valedero,ra (para)**

● CON SUSTS. **final (de)** *La final del campeonato se celebrará en...* · **sede (de) · fecha (de)** || **líder (de) · ganador,-a (de) · título (de)**

● CON VBOS. **disputar · afrontar · acometer · encarar** || **ganar · liderar** *El ajedrecista ruso lidera el campeonato* · **enderezar · perder** || **boicotear · amañar · apañar** || **luchar (por) · triunfar (en) · participar (en)**

□ EXPRESIONES **de campeonato*** [extraordinario] *col. pegarse un atracón de campeonato*

[campera] s.f. → campero, ra

campero, ra

1 **campero, ra** adj.

● CON SUSTS. **bota** *El jinete llevaba botas camperas* · **traje** || **jinete · toreo · faena** || **música · concierto · fandango · ritmo · danza · baile · fiesta** *La romería termina con una gran fiesta campera* || **acento · tradición · raíz · estilo** || **almuerzo · comida** || **ensalada** *De primer plato comimos ensalada campera* · **tortilla · gazpacho · pollo · huevo**

2 **campera** s.f.

● CON ADJS. **de cuero · de piel · de lana · vaquera** || **deportiva · de vestir**

● CON SUSTS. **talle (de)** || **color (de)**

● CON VBOS. **poner · quitar** || **abrochar · desabrochar** || **llevar · usar · lucir**

campesino, na adj.

● CON SUSTS. **población** *La población campesina se ha visto muy afectada por las últimas sequías* · **masa · familia · hogar · aldea** || **labor · trabajo** || **vida · ambiente · tradición · costumbre · receta** || **emigración** || **origen · raíz** || **líder · agrupación · movimiento · lucha · revuelta · protesta** || **tema · escena** *Representaba en sus lienzos pintorescos escenas campesinas* · **paisaje**

campestre adj.

● CON SUSTS. **excursión · paseo** || **almuerzo · comida · merienda** || **vida** *la tranquilidad de la vida campestre* · **jornada · día** || **paisaje · ambiente · aspecto**

[campo] → campo; de campo

campo s.m.

▌[terreno, territorio, espacio]

● CON ADJS. **abierto · libre** *La marcha del candidato ha dejado el campo libre para futuros líderes* · **vasto · amplio · ancho** || **abonado · propicio** || **baldío · yermo** || **resbaladizo · impracticable** || **colindante · comunal** || **magnético · de fuerza · eléctrico · gravitatorio · visual**

● CON VBOS. **extender(se)** *Los campos de trigo se extendían hasta donde alcanzaba la vista* · **ocupar (algo)** || **agostar(se) · anegar(se)** || **arar · cultivar · labrar · regar · irrigar · roturar · sembrar · esquilmar** || **ocupar · recorrer · invadir** || **ampliar** *ampliar el campo de acción* · **reducir · vedar**

▌[terreno de juego, cancha]

● CON ADJS. **contrario · enemigo** *Esta semana jugamos en campo enemigo* · **propio** || **seco · embarrado** || **en {buenas/perfectas} condiciones**

● CON SUSTS. **centro (de)** || **estado (de) · condiciones (de)**

● CON VBOS. **salir (a) · jugar (en)**

● CON PREPS. **dentro (de) · fuera (de) · en**

▌[parcela del saber]

● CON ADJS. **profesional · académico · educativo · artístico · cultural · religioso** || **de estudio · de especialidad · de acción** || **inexplorado**

● CON SUSTS. **trabajo (de)**

● CON VBOS. **abarcar (algo)** || **cultivar · explorar · estudiar** || **ampliar · extender** || **profundizar (en)** *un curso de especialización para profundizar en su campo profesional* · **trabajar (en)** || **pertenecer (a)** *Es una cuestión interesante, pero no pertenece a mi campo*

□ EXPRESIONES **a campo {través/traviesa}** [cruzando el campo] || **campo de concentración** [recinto cerrado donde se recluye a prisioneros]

campus s.m.

● CON ADJS. **universitario** *El mitin se celebró en un pabellón del campus universitario* · **virtual · de verano · público · temático** || **abierto · externo · moderno · amplio**

● CON SUSTS. **obra (de)** || **instalaciones (de) · edificio (de) · bilbioteca (de) · auditorio (de) · aula (de)** *El recital de poesía se celebrará en el aula Magna del campus* · **facultad (de) · sede (de) · residencia (de)** || **inmediaciones (de) · interior (de)** || **estudiante (de) · alumno,na (de) · profesor,-a (de)** || **seguridad (de)**

● CON VBOS. **ampliar · desarrollar · habilitar · diseñar · abrir · recorrer** || **vivir (en)**

camuflaje s.m.

● CON ADJS. **militar** *ropa de camuflaje militar* · **bélico** || **natural · transparente**

● CON SUSTS. **uniforme (de) · traje (de) · ropa (de) · camisa (de) · casco (de)** || **operación (de) · técnica (de)**

● CON VBOS. **vestir(se) (de)**

[cana] s.f. → cano, na

canal s.m.

■ [paso, vía]

●CON ADJS. **navegable** *Un canal navegable separa los dos mares*

●CON VBOS. **ir (de un lugar a otro)** || **cruzar · atravesar · recorrer**

■ [banda de frecuencia]

●CON ADJS. **privado · público · oficial · estatal** *Contamos con dos canales estatales y dos privados* || **local · internacional** || **principal** || **de pago · gratuito** || **de televisión · de cable · de comunicación**

●CON VBOS. **emitir (algo) · televisar (algo) · retransmitir (algo) · difundir (algo)** || **cambiar (de)** *En los anuncios aprovecho para cambiar de canal* **· abonar(se) (a)**

□EXPRESIONES **abrir** (algo/a alguien) **en canal** [rajarlo de arriba abajo]

canalizar v.

●CON SUSTS. **caudal · corriente · río · agua · gas · lava** || **ayuda** *canalizar la ayuda humanitaria* **· colaboración · solidaridad · donación · donativo · asistencia · apoyo · subvención · subsidio** || **recurso · dinero · fondo** *Estudian cómo canalizar los fondos recaudados de la manera más efectiva* **· beneficio · capital · ganancia · saldo · alimento** || **información · mensaje · testimonio · pensamiento · conocimiento · conclusión · opinión** *una oficina encargada de canalizar las opiniones e inquietudes de los ciudadanos* || **demanda · exigencia · llamada · reivindicación · petición · protesta · reclamación · queja · pregunta** || **aspiración · deseo · esperanza · gusto · anhelo · expectativa · interés** *actividades para canalizar el interés de los estudiantes en las nuevas tecnologías* **· vocación · ilusión · propósito** || **energía · fuerza · esfuerzo · lucha · intento** || **sentimiento · inquietud · frustración · descontento · preocupación · presión · enojo · emoción · estrés · desesperación · simpatía** || **venta · ahorro** *proyectos que apuntan a canalizar el ahorro de los particulares* **· inversión · exportación · crédito · financiación · oferta · compra · producción · pago · gasto · préstamo · cobro** || **iniciativa · propuesta · idea · proyecto · programa · estrategia** || **cualidad · talento · ingenio · creatividad** *talleres literarios para canalizar la creatividad de los estudiantes* **· fantasía · aptitud · inteligencia · capacidad · imaginación**

canapé s.m.

■ [aperitivo]

●CON ADJS. **variados · original** *Nos sorprendieron con unos originales canapés de extraños sabores* || **sabroso · rico · delicioso** || **apetecible · apetitoso · exquisito** || **insípido · discreto**

●CON SUSTS. **bandeja (de) · surtido (de)** *Sirvieron en la fiesta un gran surtido de canapés*

●CON VBOS. **preparar** || **servir · presentar · disponer · ofrecer · repartir** || **tomar · probar · degustar · comer** *Comimos unos canapés exquisitos*

■ [sofá]

●CON ADJS. **cómodo · confortable · incómodo** || **abatible**

●CON VBOS. **tapizar** || **tumbar(se) (en)** *Me tumbé en el canapé y me quedé dormida* **· recostar(se) (en) · dormir (en)**

canasta s.f.

■ [cesto]

●CON ADJS. **alimentaria · nutricional** || **de mimbre · artesanal** || **navideña** *Los precios de la canasta navideña se han incrementado en...* **· domiciliaria**

●CON VBOS. **tejer · hacer** || **llevar · traer** *Trae la canasta llena de alfajores* **· colgar** || **llenar · vaciar** || **meter (en) · añadir (a)** || **sacar (de)**

■ [tanto en baloncesto]

●CON ADJS. **decisiva · definitiva** *El pívot anotó la canasta definitiva a dos segundos del final* **· básica** || **contraria · rival** || **inicial · consecutiva · final** || **histórica · inolvidable** || **fácil · imposible · increíble** *Una increíble canasta dio el triunfo al equipo visitante* || **ganadora · certera**

●CON SUSTS. **deporte (de) · intercambio (de) · serie (de)**

●CON VBOS. **impedir · invalidar · anular** || **convertir · anotar · sumar · lograr · conseguir · meter · hacer · encestar · machacar** *La estrella del equipo machacó la canasta contraria y se hizo con la victoria* || **celebrar** || **recibir · buscar** || **lanzar (a) · tirar (a)** || **penetrar (en) · entrar (a)**

□EXPRESIONES **canasta familiar** [cesta de la compra]

cancela s.f.

●CON VBOS. **echar · cerrar** || **atravesar · empujar · abrir** || **forzar** *Los ladrones forzaron la cancela y entraron en la casa* **· instalar**

cancelación s.f.

●CON ADJS. **total · completa · parcial** || **masiva · en cadena · aislada** || **provisional · temporal · definitiva · indefinida · oficial** *Hasta ayer no tuvo lugar la cancelación oficial del encuentro* **· efectiva** || **imprevista · fulminante · abrupta · intempestiva** || **improcedente · injusta**

●CON VBOS. **afectar (a algo/a alguien)** *La cancelación de los aumentos salariales afectará a...* || **ordenar · decretar · decidir · llevar a cabo · programar · estudiar** || **negociar** *Se está negociando la cancelación de la deuda* **· acordar** || **solicitar · pedir · exigir · reclamar** || **provocar** *La niebla provocó la cancelación de una decena de vuelos* **· suponer · implicar · conllevar** || **sufrir · padecer** || **lamentar · denunciar** || **proceder (a)** *El banco procederá a la cancelación de la cuenta*

cancelar v.

■ [saldar, liquidar]

●CON SUSTS. **deuda** *El próximo mes terminaré de cancelar mi deuda* **· sueldo · cuenta**

■ [anular, dejar sin efecto]

●CON SUSTS. **permiso · autorización · licencia** || **concierto** *Han cancelado el concierto debido al mal tiempo* **· boda · reunión · viaje · cita ·** ***otros eventos*** || **compromiso · obligación · contrato · acuerdo · promesa · responsabilidad** || **negociación · conversación · diálogo** || **compra · venta · inversión** *La grave situación financiera llevó a la compañía a cancelar las inversiones programadas* || **plan · proyecto · programa** || **posibilidad · oportunidad · alternativa · opción** || **participación · asistencia · presencia** || **discusión · debate · discrepancia**

●CON ADVS. **repentinamente · abruptamente · bruscamente · inmediatamente · de inmediato · sin contemplaciones** || **completamente · por completo · totalmente** *Su deuda está totalmente cancelada* **· definitivamente · irrevocablemente · parcialmente · provisionalmente** || **de un día para otro · a última hora · en el último momento · con tiempo** *Acuérdate de cancelar con tiempo* *tu cita con el médico* · **en tiempo y forma** · **anticipadamente** || **oficialmente** · **unilateralmente**

☐USO Los adverbios son comunes a los dos sentidos.

cáncer s.m.

● CON ADJS. **benigno** · **maligno** || **incipiente** · **avanzado** *Le han diagnosticado un cáncer avanzado* · **galopante** · **terminal** · **fulminante** · **irreversible**

● CON SUSTS. **lucha (contra)** · **tratamiento (de)** · **terapia (de)** · **seguimiento (de)** · **investigación (de)** || **causa (de)** · **consecuencia (de)** *...a consecuencia de un cáncer fulminante* · **impacto (de)** || **síntoma (de)** · **metástasis (de)** || **riesgo (de)** || **caso (de)** || **enfermo,ma (de)** · **víctima (de)** · **paciente (de)**

● CON VBOS. **aparecer** · **extender(se)** · **carcomer (algo/ a alguien)** · **atacar** || **tener** · **sufrir** · **padecer** *Padece un cáncer de piel* · **contraer** || **producir** · **provocar** · **desarrollar** || **detectar** · **diagnosticar** · **descubrir** · **encontrar** || **extirpar** · **operar** · **curar** · **radiar** || **vencer** · **superar** · **combatir** · **frenar** · **prevenir** || **luchar (contra)** · **investigar (sobre)** *recaudar fondos para investigar sobre el cáncer* || **morir (de)** · **fallecer (por)**

cancerígeno, na adj.

● CON SUSTS. **célula** · **gen** · **virus** || **tumor** *El paciente fue operado ayer de un tumor cancerígeno* · **enfermedad** · **dolencia** || **sustancia** · **producto** · **elemento** · **agente** · **material** || **efecto** *Las últimas investigaciones confirman el efecto cancerígeno de dicha sustancia* · **proceso**

● CON ADVS. **potencialmente** · **altamente**

canceroso, sa adj.

● CON SUSTS. **célula** · **tejido** || **tumor** *Se le diagnosticó un tumor canceroso en el cerebro* · **enfermedad** · **lesión** || **origen** · **proceso** · **metástasis** || **paciente** · **terapia**

cancha s.f.

● CON ADJS. **moderna** · **multiuso** · **deportiva** || **propia** · **ajena** · **neutral** *El partido se disputará en una cancha neutral* || **de baloncesto** · **de tenis** · **de fútbol**

● CON SUSTS. **mitad (de)** · **centro (de)** · **fondo (de)** || **figura (de)**

● CON VBOS. **jugar (en)** · **disputar(se) (en)** · **ganar (en)** || **salir (a)** *Los jugadores salieron decididos a la cancha* · **entrar (en)**

☐EXPRESIONES **dar cancha** (a alguien) [darle confianza] *col.*

cancillería s.f.

● CON SUSTS. **portavoz (de)** · **vocero,ra (de)** · **funcionario,ria (de)** · **ministro,tra (de)** · **candidato,ta (a)** · **jefe,fa (de)** *El jefe de la cancillería acudió acompañado por tres diputados de la oposición* · **director,-a (de)** · **asesor,-a (de)** · **técnico,ca (de)** · **secretario,ria (de)** || **sede (de)** || **nota (de)** · **comunicado (de)** || **fuentes (de)** *Según fuentes de la cancillería, las negociaciones continuarán durante varias semanas*

● CON VBOS. **anunciar (algo)** · **informar (de algo)** · **expresar (algo)** *La cancillería alemana expresó su voluntad de llegar a un rápido acuerdo* || **desmentir (algo)** || **estimar (algo)** · **asegurar (algo)** · **negociar (algo)** || **abandonar** *Abandonó la cancillería tras seis años de servicio* · **dejar** || **ocupar** || **ingresar (en)** · **entrar (en)** · **hacerse cargo (de)**

canción s.f.

● CON ADJS. **melódica** · **ligera** · **romántica** · **lírica** · **sentimental** · **popular** · **tradicional** · **de gesta** · **de cuna** || **pegadiza** *El grupo triunfó gracias a sus pegadizas canciones* · **inolvidable** · **cautivadora** · **comercial** || **alusiva** · **reivindicativa** || **conocida** · **famosa** · **exitosa** · **ganadora** · **del verano** · **de autor** || **inspirada** · **original** · **armoniosa** || **estridente** · **ripiosa** · **machacona** · **aburrida** · **facilona** || **inédita** · **triste** · **alegre** || **clásica** · **moderna**

● CON SUSTS. **ritmo (de)** · **tono (de)** · **nota (de)** || **estribillo (de)** · **letra (de)** · **título (de)** *¿Recuerdas el título de la canción?* · **versión (de)** || **autor,-a (de)** · **derecho (de)** || **recital (de)** · **selección (de)** · **recopilatorio (de)** || **éxito (de)** || **mundo (de)** || **protesta** *En aquellos años estaban en auge la canción protesta y la poesía social*

● CON VBOS. **triunfar** · **fracasar** · **pasar(se) de moda** || **pegárse(le) (a alguien)** *Se me ha pegado esta canción y no dejo de tararearla* · **inspirar (a alguien)** || **cantar** · **entonar** · **tararear** · **interpretar** · **tocar** · **corear** *El público coreaba las canciones del intérprete* · **acompañar** · **silbar** · **susurrar** · **bailar** || **escuchar** · **oír** || **componer** · **escribir** · **adaptar** · **arreglar** · **titular** · **plagiar** || **grabar** · **publicar** · **difundir** || **dedicar (a algo/a alguien)** || **premiar** || **saber(se)** · **conocer** · **recordar** · **olvidar** || **dejarse llevar (por)** · **disfrutar (de)**

candado s.m.

● CON ADJS. **de seguridad** || **cerrado,da (con)** *Una puerta cerrada con un candado impedía el acceso a...*

● CON SUSTS. **llave (de)** · **cerradura (de)** · **combinación (de)**

● CON VBOS. **echar** · **cerrar** · **poner** · **colocar** · **tener** || **abrir** · **romper** · **forzar** · **reventar**

● CON PREPS. **bajo** · **con**

candeal adj.

● CON SUSTS. **pan** · **trigo** · **harina**

candela s.f.

● CON SUSTS. **luz (de)**

● CON VBOS. **dar** · **encender** *Encendieron la candela como símbolo de...* · **atizar** || **apagar** || **llevar** · **gastar**

[candelero]

→ en el candelero

candente adj.

● CON SUSTS. **hierro** *marcar con un hierro candente* · **metal** · **plancha** || **momento** *La acalorada reunión tuvo su momento candente cuando...* · **actualidad** || **debate** · **polémica** · **controversia** · **litigio** · **pleito** · **tertulia** || **problema** · **dificultad** · **conflicto** · **preocupación** · **guerra** || **cuestión** · **tema** · **asunto** · **materia** || **escena** · **situación** · **realidad** · **estado** || **pregunta** · **crítica** · **protesta** · **discurso** · **agravio** || **interés** *temas de candente interés y acuciante actualidad* · **emoción** · **ánimo**

● CON VBOS. **estar** · **poner(se)** · **volver(se)** · **mantener(se)**

candidato, ta s.

● CON ADJS. **principal** · **favorito,ta** · **flamante** · **prometedor,-a** · **competitivo,va** · **de peso** · **posible** · **firme** · **serio,ria** *La escritora venezolana es una seria candidata al premio* · **seguro,ra** · **elegible** · **débil** || **ganador,-a** · **victorioso,sa** · **triunfante** · **electo,ta** · **perdedor,-a** || **oficial** · **independiente** · **natural** · **oficialista** || **presidencial**

● CON SUSTS. **lista (de)** · **nombre (de)** || **selección (de)** · **elección (de)** || **presentación (de)** · **investidura (de)** || **perfil (de)** *Tiene el perfil del candidato ideal*

● CON VBOS. **triunfar** *Triunfó el candidato que parecía tener menos opciones de victoria* · **vencer** · **perder** || **presentar(se)** || **barajar** · **proponer** · **nombrar** · **nominar** · **elegir** · **votar** · **designar** · **seleccionar** · **lanzar** · **proclamar** · **inscribir** || **descartar** · **impugnar** || **derrotar** || **enfrentar(se) (a)**

candidatura s.f.

●CON ADJS. **ganadora · favorita · firme · fuerte · sólida · prometedora || débil · endeble || independiente · oficial · testimonial · única**
●CON VBOS. **ganar · prosperar · cobrar fuerza || triunfar · tener éxito · fracasar || presentar** *Una famosa abogada presentó su candidatura a la presidencia* **· lanzar · inscribir · formar · componer · encabezar || armar · constituir · configurar || apoyar · respaldar · defender · avalar · impulsar · promover · secundar || descartar · vetar · invalidar · impugnar · retirar** *Aseguró haber recibido presiones para que retirara su candidatura* **|| revalidar || votar · dirimir || aspirar (a) · apear(se) (de)**

candidez s.f.

●CON ADJS. **pasmosa** *Su pasmosa candidez no deja de sorprenderme* **· insólita || enternecedora · conmovedora || deliciosa · beatífica · jovial || irritante · irresponsable**

cándido, da adj.

●CON SUSTS. ***persona*** **|| palabra** *Se dirigió a mí con palabras aparentemente cándidas e ingenuas* **· frase · pregunta · afirmación · declaración ·** ***otras manifestaciones verbales*** **|| cuento · carta · poema · libro ·** ***otros textos*** **|| sonrisa · apariencia · mirada · imagen · aspecto · belleza · ojos · manera || alma** *un alma cándida y generosa* **· corazón · ingenuidad · inocencia · sencillez · frescura · sinceridad · honradez · imaginación || ternura · embobamiento · emoción · enamoramiento · confianza · sosiego · temor || fe · creencia · fervor || razonamiento · análisis · explicación · retrato · visión** *Tienes una visión de las cosas demasiado cándida* **|| edad**

candoroso, sa adj.

●CON SUSTS. **actitud · mirada** *Que no te engañe su mirada candorosa* **· ojos · gesto · voz ||** ***persona*** *Era un niño candoroso e inocente* **|| ingenuidad · inocencia · pregunta || inconsciencia · piedad**

canela s.f.

●CON ADJS. **fina · en rama · en polvo**
●CON SUSTS. **sabor (a) · olor (a)** *El olor a canela me recuerda mi infancia* **· aroma (a) · gusto (a) || pizca (de)**
●CON VBOS. **echar · llevar** *Este postre lleva canela*

[cangrejo] →cangrejo; como un cangrejo

cangrejo s.m.

●CON ADJS. **de río · de mar · ermitaño**
●CON SUSTS. **pinza (de) · carne (de) || paso (de)** *Las negociaciones avanzan a paso de cangrejo* **· marcha (de)**
●CON VBOS. **pescar · coger · capturar || escaldar · cocer** *Cocemos los cangrejos con un poco de laurel* **|| retroceder (como) · ir para atrás (como)**

canguro

1 **canguro** s.m.

▮ [animal]

●CON SUSTS. **granja (de) || carne (de)** *La carne de canguro está empezando a introducirse en el mercado europeo* **· filete (de) · rabo (de) || macho · hembra**
●CON VBOS. **saltar || criar**

2 **canguro** s.com. *col.*

▮ [persona]

●CON ADJS. **ocasional** *ganar algún dinero extra como canguro ocasional* **· infantil || joven · experto,ta · experimentado,da · de confianza** *Afortunadamente, tengo una canguro de confianza desde hace años* **· inexperto,ta · primerizo,za · nuevo,va**
●CON SUSTS. **servicio (de) · agencia (de)**
●CON VBOS. **cuidar (a alguien) || solicitar · buscar** *Estamos buscando una canguro para las mellizas* **· necesitar · contratar || hacer (de) · trabajar (como/de) · servir (como/de)**

canibalismo s.m.

●CON ADJS. **tribal · ritual · espiritual · gastronómico || feroz · salvaje || político**
●CON SUSTS. **acto (de) · caso (de) · rito (de)**
●CON VBOS. **practicar · evitar** *Es necesario conseguir una tregua y evitar el canibalismo en la política europea* **|| entregarse (a) · recurrir (a) · incitar (a) · iniciar(se) (en) || acusar (de)**

canino, na adj.

●CON SUSTS. **raza · reproducción · desarrollo · síndrome || hambre** *Con esta dieta estoy pasando un hambre canina* **· muerte || fidelidad · insistencia || ferocidad · odio · mordisco**

canje s.m.

●CON ADJS. **ventajoso · favorable · beneficioso** *El canje de bonos fue muy beneficioso para la empresa* **|| fecundo · fructífero || injusto · desfavorable · desigual · fraudulento**
●CON VBOS. **aplicar · realizar · hacer · efectuar · llevar a cabo || aceptar · aprobar** *La Banca aprobó el canje de los bonos* **|| negociar · discutir · forzar || favorecer · fomentar · facilitar || ofrecer · solicitar**

canjear v.

●CON SUSTS. **deuda** *El Ministerio dedicará una partida del presupuesto para canjear la deuda* **|| acciones · título · pagarés · cheque · bono · moneda · dinero || billete · tique · entrada || alimento · producto || ganancia · beneficio || rehén · prisionero,ra** *La guerrilla pretende canjear a los prisioneros* **· preso,sa · persona ·** ***otros individuos***

cano, na

1 **cano, na** adj.

●CON SUSTS. **pelo · barba** *Mi padre con veinte años ya tenía la barba cana* **· bigote · ceja · vello · cabello · melena || cabeza**
●CON VBOS. **ponerse**

2 **cana** s.f.

●CON VBOS. **salir** *En este último año me han salido muchas canas* **· aparecer · crecer || tener || teñir · ocultar · arrancar**

☐EXPRESIONES **echar** (alguien) **una {cana/canita} al aire** [salir de diversión] *col.*

canon s.m.

▮ [modelo, regla]

●CON ADJS. **de belleza · estético · artístico · literario · de vida · moral · legal · diplomático · publicitario || moderno · actual** *Los actuales cánones de belleza difieren bastante de los de épocas pasadas* **· antiguo · tradicional · variable || estricto · laxo || acorde (con) · conforme (a) · ajustado,da (a)**
●CON VBOS. **rezar || saltarse · seguir · respetar || cumplir (con) · ajustar(se) (a)** *una obra rompedora, que no*

se ajusta a los cánones establecidos · **atenerse (a)** · **amoldar(se) (a)** · **adecuar(se) (a)** · **plegarse (a)** · **regirse (por)**
● CON PREPS. **dentro (de)** · **según**

▌[cantidad de dinero]

● CON ADJS. **obligatorio** · **correspondiente** · **debido** · **inexcusable** · **mínimo** || **económico** · **aduanero**
● CON VBOS. **establecer** · **fijar** · **implantar** · **cobrar** || **satisfacer** · **pagar** *La empresa deberá pagar un canon de uso al Estado*

□ EXPRESIONES **como mandan los cánones** [correctamente, como debe ser]

canónico, ca adj.

● CON SUSTS. **derecho** *Según el derecho canónico, la edad mínima de los contrayentes debe ser...* · **código** · **ley** · **norma** · **principio** · **legislación** · **jurisdicción** · **legado** · **tradición** || **matrimonio** · **enlace** || **evangelios** · **texto** · **libro** || **horas** · **oración** || **sentencia** · **pena** · **sanción** · **aprobación** · **anulación** · **dispensa** · **bula** || **forma** · **fórmula** · **ecuación** · **medida** · **medición** · **modelo** · **versión** *Se trata de una versión muy poco canónica de la conocida ópera de Mozart* · **visión** · **ideología** · **práctica** || **literatura** · **edición** · **versificación** · **métrica** · **ritmo** || **escritor,-a** · **artista**

canonizar v.

● CON SUSTS. **beato,ta** *El Papa ha canonizado a varios beatos* · **mártir** · ***otros individuos***

canoso, sa adj.

● CON SUSTS. **pelo** · **barba** · **bigote** · **ceja** · **vello** · **cabello** · **melena** || **cabeza** · **aspecto** || ***persona*** *Era un hombre canoso de aspecto agradable*
● CON VBOS. **poner(se)** · **volver(se)** *Su pelo se volvió canoso con la edad*

cansado, da adj.

● CON SUSTS. **vista** *un colirio especial para la vista cansada* · **voz** · **rostro** · **cara** · **semblante** · **aspecto** || **corazón** · **alma** || **jugador,-a** · **equipo** · **trabajador,-a** · **público** *El público está cansado de comedias urbanas* · ***otros individuos y grupos humanos***
● CON ADVS. **terriblemente** · **tremendamente** · **extremadamente** · **sumamente** · **absolutamente** || **visiblemente** *La tenista se encontraba visiblemente cansada* · **notoriamente** · **ostensiblemente**
● CON VBOS. **ser** *Este trabajo es muy cansado* || **estar** *Estoy cansado de tanto esperar* · **parecer** · **quedar** · **mostrarse**

[cansancio] → cansancio; hasta el cansancio

cansancio s.m.

● CON ADJS. **profundo** · **acusado** · **creciente** · **extenuante** · **leve** || **evidente** · **visible** *El cansancio era visible en su rostro* · **patente** · **ostensible** || **físico** · **vital** · **enfermizo** || **muerto,ta (de)**
● CON SUSTS. **signo (de)** *El mercado de este sector no presenta todavía signos de cansancio* · **señal (de)** · **síntoma (de)** · **huella (de)** · **muestra (de)** · **gesto (de)** · **expresión (de)** · **sensación (de)**
● CON VBOS. **entrar (a alguien)** · **invadir (a alguien)** · **apoderarse (de alguien)** *Un profundo cansancio se apoderó de mí* · **cundir** || **pesar** · **traslucir(se)** || **sentir** · **notar** · **acusar** || **producir** · **provocar** || **denotar** · **manifestar** · **mostrar** · **exteriorizar** · **reflejar** *Su mirada reflejaba el cansancio de meses de esfuerzo baldío* · **revelar** || **acumular** · **arrastrar** || **aliviar** · **mitigar** · **compensar** · **combatir** · **vencer** · **superar** · **olvidar** || **sobreponerse (a)** *Debemos sobreponernos al cansancio y continuar caminando* · **reponer(se) (de)** · **recobrarse (de)** · **dejarse llevar (por)**

cansar (a alguien) v.

● CON SUSTS. **actividad** · **trabajo** *Este trabajo cansa a cualquiera* · **esfuerzo** · **lucha** · **penalidades** · **vida** || **caminata** · **paseo** · **carrera** · **ejercicio** · **ajetreo** || **ruido** · **barullo** || **rutina** · **repetición** · **monotonía** || **estilo** *Su estilo deslumbra al principio, pero después cansa* · **obra** · **lenguaje** · **libro** · **película** · **canción** · **palabra**
● CON ADVS. **fácilmente** *un candidato que no se cansará fácilmente* · **irremediablemente**

cansino, na adj.

● CON SUSTS. ***persona*** || **día** · **semana** · ***otros periodos*** || **racha** · **niebla** · **lluvia** · ***otros fenómenos meteorológicos*** || **discusión** · **debate** · **discurso** *un discurso cansino y aburrido* · **conversación** || **crónica** · **relato** · **artículo** · **pasaje** · **obra** · **película** · **canción** · ***otras creaciones*** || **espectáculo** · **juego** *Volvieron a practicar un juego cansino y falto de nervio* · **función** · **partido** · **fútbol** · **encuentro** · **cita** · **ceremonia** || **ritmo** · **paso** · **andar** · **movimiento** · **marcha** · **pedaleo** · **vaivén** *el vaivén cansino y monótono de los trenes antiguos* || **mirada** · **gesto** · **rostro** · **aspecto** · **pose** || **pensamiento** · **reflexión** || **tono** *De repente, abandonó su tono cansino y preguntó con energía por...* · **murmullo** · **voz** · **son** · **soniquete** · **sonsonete** || **repetición** · **reiteración** · **recuento** · **repiqueteo**
● CON VBOS. **hacerse** · **volverse**

cantante s.com.

● CON ADJS. **de ópera** · **lírico,ca** · **melódico,ca** *Es un cantante melódico muy conocido en la Argentina* · **clásico,ca** · **pop** || **profesional** · **aficionado,da** || **excelente** · **magnífico,ca** · **gran** · **maravilloso,sa** · **prestigioso,sa** · **sensacional** · **fabuloso,sa** · **incomparable** · **buen,-a** · **extraordinario,ria** || **discreto,ta** · **mediocre** · **de {primera/segunda} fila** · **desconocido,da** || **popular** · **conocido,da** · **famoso,sa** · **importante** · **reconocido,da** *Su madre era una reconocida cantante de ópera* · **célebre**
● CON SUSTS. **voz (de)** · **dotes (de)** · **vocación (de)** *Aseguraba que nunca había tenido vocación de cantante* · **condición (de)** · **faceta (de)** || **disco (de)** · **álbum (de)** · **recital (de)** · **actuación (de)** · **debut (de)** · **carrera (de)** || **éxito (de)** · **fracaso (de)** || **generación (de)**
● CON VBOS. **actuar** *Mi cantante preferida actúa este fin de semana* · **interpretar (algo)** · **intervenir** · **concursar** · **participar** || **consagrar(se)** || **desafinar** · **desentonar** || **apasionar (a alguien)** · **gustar (a alguien)** · **deleitar (a alguien)** || **aplaudir** · **aclamar** · **abuchear**

cantaor, -a s.

● CON ADJS. **flamenco,ca** *El gran cantaor flamenco actuará en el festival acompañado de...* · **clásico,ca** · **popular** || **novel** · **joven** · **veterano,na** || **frío,a** · **cerebral** || **genuino,na** · **de raza** *Es una cantaora de raza que ha nacido y ha crecido con el cante* · **rancio,cia** · **arraigado,da** · **puro,ra** · **purista** · **ecléctico,ca** || **gran** · **buen,-a** · **excelente** · **genial** || **mítico,ca** · **inmortal** || **respetado,da**
● CON VBOS. **actuar** · **interpretar** || **participar** · **intervenir** *El conocido cantaor granadino intervendrá en el homenaje del certamen* || **acompañar** · **arrancar(se)** *La cantaora se arrancó por bulerías* · **reunir**

cantar

1 **cantar** s.m.

• CON ADJS. **dulce** *A lo lejos se oía un dulce cantar* · **suave** · **melodioso** || **melancólico** · **triste** · **evocador** · **lejano** || **de gesta** · **popular**

• CON VBOS. **oír** · **escuchar** · **interpretar** · **entonar**

2 **cantar** v.

▌[entonar]

• CON SUSTS. **canción** *Cántame otra canción* · **bolero** · **balada** · **ópera** · ***otras obras musicales***

• CON ADVS. **a coro** *Todo el grupo cantó a coro una canción de bienvenida* · **a dúo** · **al unísono** · **conjuntamente** || **a {pleno/todo} pulmón** · **a voz en grito** · **a voces** || **a cappella** · **a pelo** · **de oído** · **de oídas** || **alegremente** · **con alborozo** · **jubilosamente** · **alborozadamente** || **emocionadamente** · **apasionadamente** · **desgarradamente** · **con desgana** || **desafinadamente** || **armoniosamente** · **afinadamente** · **armónicamente** · **maravillosamente** *La soprano cantó maravillosamente el aria* · **a las mil maravillas** · **asombrosamente** · **como los ángeles** || **profesionalmente** · **públicamente**

▌[confesar] *col.*

• CON SUSTS. **verdad**

• CON ADVS. **de plano** *En cuanto comenzó el interrogatorio, el detenido cantó de plano*

□ EXPRESIONES **ser** (algo) **otro cantar** [ser un asunto distinto] *col.*

[cántaro] → a cántaros; cántaro

cántaro s.m.

• CON ADJS. **de barro** · **de cerámica** · **de cobre** || **de agua** · **de vino** · **de aceite**

• CON VBOS. **romper(se)** · **quebrar(se)** || **llenar** *Llenaron varios cántaros en la fuente para llevar agua a la casa* · **rellenar** · **vaciar**

□ EXPRESIONES **a cántaros*** [abundantemente] *llover a cántaros*

cantautor, -a s.

• CON ADJS. **emblemático,ca** · **representativo,va** · **característico,ca** || **iconoclasta** · **contestatario,ria** · **rebelde** || **singular** · **original** *Es una cantautora muy original, mezcla música regional con ritmos caribeños* · **único,ca** · **especial** || **romántico,ca**

• CON VBOS. **actuar** · **interpretar** *En la presentación de su nuevo disco el cantautor también interpretó algunos temas de siempre* || **participar** · **intervenir**

cante s.m.

• CON ADJS. **flamenco** · **jondo** · **profundo** · **sentido** || **puro** *Ayer el cante puro vivió una noche de gloria en...* · **genuino** · **auténtico** || **popular** · **actual** || **gran(de)** · **rítmico** · **trágico** · **fino** || **en directo**

• CON VBOS. **sentir** · **vivir** || **dignificar** · **perfeccionar** · **practicar** || **rematar** · **acompañar** || **entregar(se) (a)** · **comenzar (con/en)** *La cantaora comenzó en el cante flamenco a los diecisiete años* · **iniciarse (en)**

□ EXPRESIONES **dar el cante** [llamar mucho la atención] *col.*

cantera

1 **cantera** s.f.

• CON ADJS. **inagotable** *la inagotable cantera de actores que surgen de las series televisivas* · **prolífica** · **fecunda** · **fructífera** || **importante**

• CON SUSTS. **jugador,-a (de)** · **chico,ca (de)** || **producto (de)**

• CON VBOS. **agotar(se)** || **proporcionar (algo)** · **surtir (a alguien) (de algo)** || **cuidar** *Este equipo cuida mucho su cantera* || **potenciar** · **explotar** · **fomentar** || **criar(se) (en)** · **crecer (en)** · **formar(se) (en)** || **proceder (de)** · **salir (de)** · **provenir (de)** || **trabajar (con)** · **apostar (por)** *El presidente se había comprometido a apostar firmemente por la cantera* · **echar mano (de)** · **tirar (de)** · **acudir (a)**

2 **cantera (de)** s.f.

• CON SUSTS. **piedra** · **mármol** · **granito** · **picón** · ***otros minerales*** || **jugadores,ras** · **actores** · **artistas** · **cantantes** · **cómicos,cas** · ***otros individuos*** || **votos**

cántico s.m.

• CON ADJS. **religioso** · **ceremonial** · **sagrado** · **espiritual** · **celestial** · **solemne** || **jubiloso** · **entusiasta** *Los jugadores, animados por los cánticos entusiastas de la afición...* · **nostálgico** || **alusivo (a algo)** · **provocativo** · **amenazante**

• CON SUSTS. **tono (de)** · **letra (de)**

• CON VBOS. **entonar** · **corear** *Los manifestantes coreaban cánticos pacifistas* · **interpretar** || **escuchar** · **oír** || **acallar** · **silenciar** || **componer** · **escribir**

cantidad s.f.

• CON ADJS. **ingente** · **enorme** *una enorme cantidad de cachivaches* · **incalculable** · **increíble** · **desorbitada** · **exorbitante** · **astronómica** *...proyecto que se lleva cantidades astronómicas de dinero* · **abrumadora** · **apreciable** · **respetable** · **sustanciosa** · **copiosa** · **abultada** · **desmedida** · **desmesurada** · **prohibitiva** · **disuasoria** · **desproporcionada** · **abusiva** || **pequeña** · **modesta** · **ínfima** · **insignificante** · **exigua** · **irrisoria** · **mísera** · **nimia** · **precaria** · **testimonial** · **módica** *Se lo vendí por la módica cantidad de...* · **insuficiente** || **suficiente** · **exacta** · **precisa** · **aproximada** · **indeterminada** · **imprecisa** || **máxima** · **mínima** · **proporcional** · **ajustada** · **proporcionada** · **equitativa** · **resultante** || **neta** · **bruta** || **a fondo perdido**

• CON VBOS. **aumentar** · **crecer** || **disminuir** *Disminuye la cantidad de personas que...* · **decrecer** · **aminorar** || **exceder** · **rebasar** · **superar** *La cantidad de solicitudes supera todas las previsiones* · **sobrepasar** · **ascender (a)** · **bordear** || **suponer** *El aumento supone una cantidad considerable* · **significar** · **implicar** || **calcular** · **estimar (en algo)** · **presupuestar** · **barajar** · **especificar** · **descifrar** · **desglosar** · **fraccionar** · **sumar** · **totalizar** · **valorar** · **anclar** || **regatear** || **sufragar** · **avalar**

cantina s.f. Véase ESTABLECIMIENTO

cantinela s.f. *col.*

• CON ADJS. **vieja** · **eterna** || **célebre** · **conocida** · **habitual** · **misma** *la misma cantinela de siempre* || **aburrida** · **interminable** · **monótona** · **monocorde** || **dichosa** *No empieces otra vez con la dichosa cantinela* || **infantil**

• CON VBOS. **repetir** · **reiterar** · **recordar** || **oír** *Estoy harta de oír la misma cantinela cada día* · **escuchar** || **entonar** · **renovar** || **empezar (con)**

[canto] → a cal y canto; canto; cantos de sirena

canto

1 **canto** s.m.

• CON ADJS. **gregoriano** · **coral** · **fúnebre** · **guerrero** · **épico** · **litúrgico** · **elegíaco** || **alegre** · **triste** · **melancólico** || **folclórico** · **popular** · **lírico** *Con ella murió la última gran diva del canto lírico* · **clásico**

•CON SUSTS. **técnica (de)** · **estilo (de)** · **arte (de)** · **concurso (de)** · **recital (de)** || **clase (de)** · **lección (de)** · **profesor,-a (de)** || **línea (de)**
•CON VBOS. **estudiar** · **aprender** || **oír** · **escuchar** || **entonar** · **acompañar**

2 **canto (de)** s.m.
•CON SUSTS. **ballena** · **cisne** · **gallo** *Últimamente me estoy levantando con el canto del gallo* · **pájaro** · **grillo** · ***otros animales*** || **amor** · **boda** · **guerra** · **vida** · **victoria** · **liberación** · **juventud** · **esperanza** · **alabanza** · **protesta**
□EXPRESIONES **al canto** [de manera inmediata e inevitable] || **canto del cisne** [última obra o actuación de alguien] || **cantos de sirena*** [discurso seductor] *No debes sucumbir a sus cantos de sirena* || **darse** (alguien) **con un canto en los dientes** [contentarse con algo] *col.* || **el canto de un duro** [muy poco] *col. Me ha faltado el canto de un duro para...*

cantos de sirena loc.sust.
•CON VBOS. **oír** · **escuchar** *El presidente debería dejar de escuchar cantos de sirena y...* || **hacer caso (a)**

canturrear v. *col.*
•CON SUSTS. **canción** *Te pasas el día canturreando canciones* · **melodía** · **letra** · **estribillo**
•CON ADVS. **despreocupadamente** · **tranquilamente** || **a todas horas** · **continuamente** || **en voz baja** · **por lo bajinis** || **alegremente** *Le gustaba canturrear alegremente en la ducha* · **animadamente** · **jovialmente**

canuto s.m.
▮ [tubo]
•CON ADJS. **macizo** · **resistente**

▮ [cigarrillo de droga] *col.*
•CON SUSTS. **calada (de)** · **humo (de)** · **olor (a)**
•CON VBOS. **preparar** · **liar** · **encender** || **apagar** || **fumar** · **compartir** · **pasar**

caña s.f.
▮ [planta]
•CON ADJS. **de azúcar** · **dulce** · **de bambú**
•CON SUSTS. **campo (de)** · **plantación (de)** || **producción (de)** *Los habitantes de esta comarca viven de la ganadería y de la producción de caña de azúcar* · **mercado (de)** · **productor,-a (de)** || **ron (de)** · **derivado (de)**
•CON VBOS. **nacer** · **brotar** · **crecer** || **secar(se)** · **perder(se)** || **reverdecer** · **rebrotar** || **cultivar** · **cosechar** · **sembrar** || **recoger** · **recolectar** || **cortar** *Para cortar las cañas usamos unos machetes especiales* · **arrancar** || **abonar** · **regar** || **moler** · **quemar**

▮ [bebida]
•CON ADJS. **de cerveza** · **de sidra** || **helada** · **fresca**
•CON VBOS. **tomar** · **pedir** || **poner** *Póngasnos tres cañas, por favor* · **servir** || **ofrecer**

▮ [para pescar]
•CON ADJS. **de pescar**
•CON VBOS. **lanzar** *Debes lanzar la caña lo más lejos posible* · **tirar** · **echar**
□EXPRESIONES **{dar/meter} caña** (a alguien) [meterle prisa o agobio en relación con alguna tarea] *col.*

cañada s.f.
•CON ADJS. **real** *un proyecto pensado para recuperar las cañadas reales y vías pecuarias* || **antigua** · **vieja** || **estrecha** · **angosta**
•CON SUSTS. **tramo (de)** · **ramal (de)**
•CON VBOS. **desaparecer** || **atravesar** · **cruzar** || **recorrer** · **bordear**

cañería s.f.
•CON ADJS. **de agua** · **de gas** · **de gasolina** || **antigua** · **de plomo** || **resistente** · **firme** · **fuerte** || **gorda** · **gigante** || **subterránea** *Se ha producido una avería en las cañerías subterráneas de esta calle*
•CON SUSTS. **sistema (de)** · **rotura (de)**
•CON VBOS. **conducir (algo)** · **llevar (algo)** || **reventar** · **estallar** *La subida de presión del agua hizo estallar la cañería* · **romper(se)** · **fracturar(se)** || **atascar(se)** · **taponar(se)** || **congelar(se)** · **descongelar(se)** || **arreglar** · **cambiar** *Hay que restaurar la fachada y cambiar todas las cañerías* || **desinfectar** · **limpiar** || **ir (por)** *el agua que va por las cañerías*

[cañón] → al pie del cañón; cañón

cañón s.m.
•CON ADJS. **recortado** *un fusil con silenciador y cañón recortado* · **de pistola** · **sin retroceso** || **de nieve** · **artificial** || **de agua** · **de aire** · **de luz** · **del ordenador** · **de la computadora** · **del proyector** || **ligero** · **potente** · **autopropulsado**
•CON SUSTS. **bala (de)** · **disparo (de)** · **tiro (de)** · **fuego (de)** · **golpe (de)** · **fragor (de)** || **bóveda (de)** · **boca (de)** · **pie (de)** || **alcance (de)** · **retroceso (de)**
•CON VBOS. **funcionar** *Los cañones de nieve llevan funcionando una semana* || **rugir** · **tronar** · **retumbar** || **disparar** || **dirigir** · **apuntar** || **retirar** · **instalar** · **preparar** *Hay que preparar los cañones de luz para la función de la noche* || **cargar**

cañonazo s.m.
•CON ADJS. **fuerte** · **potente** · **enorme** · **tremendo** · **ruidoso** · **de fogueo** || **de rigor** *Durante las fiestas se dispararon los cañonazos de rigor*
•CON SUSTS. **salva (de)**
•CON VBOS. **disparar** · **lanzar** · **pegar** · **soltar** || **responder (con)**

caoba
1 **caoba** s.m.
•CON SUSTS. **reflejo** *una melena con reflejos caoba* · **melena** · **pelo** · **mechas** || **rojo** *un rojo caoba muy brillante*
➤ Véase también **COLOR**

2 **caoba** s.f.
•CON SUSTS. **mesa (de)** · **armario (de)** · ***otros muebles***
➤ Véase también **ÁRBOL**

caos s.m.
•CON ADJS. **auténtico** *El tráfico en esta ciudad es un auténtico caos* · **verdadero** · **absoluto** · **total** · **general** · **tremendo** · **profundo** · **monumental** · **descomunal** · **mayúsculo** · **infernal** · **endiablado** · **enrevesado** · **anárquico** || **reinante** · **imperante** || **circulatorio** · **automovilístico** · **aéreo** · **urbano** · **organizativo** *El caos organizativo deslució el evento* · **económico** · **legislativo** · **social** · **administrativo** · **burocrático** · **político** || **inmerso,sa (en)** *En aquel tiempo, el país se hallaba inmerso en el caos económico* · **envuelto,ta (en)**
•CON SUSTS. **situación (de)** · **ambiente (de)** · **sensación (de)** · **imagen (de)** · **escenario (de)** || **causa (de)** *detectar las causas del caos* · **responsable (de)** · **motivo (de)** || **control (de)**

• CON VBOS. **avecinarse · desatar(se) · estallar · producir(se) · sobrevenir · adueñar(se) (de algo)** *Estallaron las revueltas y el caos se adueñó de la ciudad* || **reinar · imperar · dominar** || **aumentar · crecer · agravar(se) · recrudecer(se) · extender(se)** || **disminuir · deshacer(se) · disipar(se)** || **provocar** *La huelga de controladores provocó un tremendo caos aéreo* · **sembrar · generar · originar · crear · ocasionar · causar · incrementar · destapar** || **evitar · bordear** || **resolver · solucionar · controlar · combatir · frenar · mitigar · paliar · aliviar · neutralizar · serenar** || **anunciar · augurar · vaticinar · denunciar** || **llevar (a) · sumir(se) (en) · hundir(se) (en) · caer (en)** *La ciudad ha caído en el caos tras desatarse una ola de pillaje y asalto a los comercios* · **encontrar(se) (en) · acabar (en)** || **sacar (de) · salir (de)** || **asistir (a)**
• CON PREPS. **en medio (de) · entre** || **al borde (de) · a pesar (de)**

[capa]

→ a capa y espada; capa; de capa caída

capa

1 **capa** s.f.

▮ [prenda]

• CON VBOS. **poner · enfundar · quitar** || **envolver(se) (en/con)** *Se envolvió en una capa y salió a la fría noche* · **cubrir (con) · abrigar (con) · vestir (con)**

▮ [película, superficie]

• CON ADJS. **espesa · gruesa · densa · tupida · amplia · recia · vasta · larga · firme** || **delgada** *La delgada capa de hielo cedió bajo el peso de los patinadores* · **fina · ligera · endeble** || **protectora · aislante** || **freática · asfáltica** || **externa · media · interna**
• CON VBOS. **formar(se)** *Sobre los muebles se había ido formando una espesa capa de polvo* || **cubrir (algo) · envolver (algo) · recubrir (algo) · revestir (algo)** || **aplicar** *aplicar una capa de pintura* · **colocar · crear** || **arrancar · quitar · lijar · atravesar** || **cubrir (con) · tapar (con) · bañar (con)** *El joyero bañó el anillo con una capa de oro*
• CON PREPS. **bajo**

2 **capa (de)** s.f.

• CON SUSTS. **asfalto · pintura · barniz · maquillaje · chocolate · caramelo** || **nieve** *La ciudad amaneció cubierta por una densa capa de nieve* · **polvo** || **ozono** *proteger la capa de ozono* || **protección · aislamiento** || **hipocresía · silencio**

☐ EXPRESIONES **a capa y espada*** [porfiadamente] || **de capa caída*** [en decadencia] *col.*

capacidad

1 **capacidad** s.f.

• CON ADJS. **alta · notable · portentosa · camaleónica · desbordante · desmesurada · sobrada · suficiente** *¿El maletero tiene capacidad suficiente?* · **adecuada · requerida · media · contrastada** || **baja · limitada · insuficiente · escasa** *con escasa capacidad de maniobra* || **discrecional · absoluta · plena · ilimitada** || **conocida · proverbial · destacada · asombrosa** || **innata** *Tiene una capacidad innata para la creación literaria* · **adquirida** || **intelectiva · creativa · deductiva · analítica · perceptiva · técnica · curativa · adquisitiva** *un producto dirigido a un consumidor con alta capacidad adquisitiva* · **disuasoria · acaparadora · abarcadora · absorbente** || **destructiva · aniquiladora** || **pulmonar** || **humana · imaginativa · artística · operativa · normativa**
• CON SUSTS. **ápice (de)** || **falta (de) · exceso (de) · grado (de)** || **aumento (de) · reducción (de)** || **prueba (de) · test (de)**
• CON VBOS. **aumentar** *Mi capacidad pulmonar aumentó con el entrenamiento* · **agudizar(se)** || **disminuir · menguar · diluir(se) · malograr(se)** || **tener · poseer** *El auditorio posee capacidad para más de mil personas* · **adquirir · desarrollar · ganar · incrementar · arrogarse** || **demostrar · revelar · reflejar** || **poner (en algo) · ejercer · dar** || **medir · calcular · estimar · valorar · sopesar · avalar · subestimar · negar** || **mermar** *Las nuevas condiciones han mermado nuestra capacidad de reacción* · **minar · dañar · erosionar · socavar · acotar** || **dosificar · aprovechar · desperdiciar · malgastar · perder** || **rebasar · superar** *Sus nuevas responsabilidades superan con mucho su capacidad* · **desbordar** || **carecer (de) · disponer (de)**
• CON PREPS. **a la medida (de) · en función (de)** *a cada uno en función de su capacidad*

2 **capacidad (de)** s.f.

• CON SUSTS. **trabajo · organización · gestión** || **maniobra · movilización · reacción · respuesta · actuación** || **síntesis · análisis · reflexión · concentración · invención · estudio** || **seducción · convencimiento · sugestión · liderazgo · convocatoria** || **supervivencia** || **producción · pago · ahorro · compra** || **carga · transporte**

☐ USO Se usa también la variante *capacidad para*: *Tiene una extraordinaria capacidad para la seducción.*

capacitado, da adj.

• CON SUSTS. **personal · gente · equipo · profesional** *Es una profesional perfectamente capacitada para este puesto* · **trabajador,-a · persona** · ***otros individuos y grupos humanos***
• CON ADVS. **perfectamente · sobradamente · suficientemente · altamente** || **plenamente · absolutamente · totalmente** || **mentalmente · físicamente** *Considero que estoy físicamente capacitado para ser bombero* · **profesionalmente**
• CON VBOS. **sentirse · considerar(se) · encontrar(se) · estar**

capacitar v.

• CON SUSTS. **trabajador,-a · personal · agente · docente** *Es preciso capacitar a los docentes de este centro para que puedan impartir esta materia* · **médico,ca · empresario,ria · pescador,-a · gente · equipo · sociedad · ciudadanía** · ***otros individuos y grupos humanos*** || **industria · fábrica · empresa**
• CON ADVS. **completamente · perfectamente · sobradamente** *Su formación la capacita sobradamente para el puesto* · **altamente · adecuadamente · debidamente · suficientemente** || **académicamente · técnicamente · legítimamente** || **teóricamente · en la práctica**

caparazón s.m.

• CON ADJS. **metálico** *Un caparazón metálico sostiene el techo del polideportivo* · **de hierro · óseo** || **protector · aislante** || **oculto,ta (bajo)**
• CON VBOS. **quitar(se) · abandonar** || **salir (de)** *una novela, que en boca del autor, le ha servido para salir del caparazón* · **despojar(se) (de)** || **encerrarse (en) · meterse (en) · esconderse (en) · ocultarse (en) · recubrir(se) (con)**
• CON PREPS. **bajo**

capataz, -a s.

• CON ADJS. **exigente · flexible · autoritario · férreo** || **adjunto**

• CON SUSTS. **cargo (de) · puesto (de)**
• CON VBOS. **mandar (a alguien) · ordenar (algo/a alguien) · organizar (algo)** *Los capataces organizaban los turnos de los trabajadores* · **supervisar (algo/a alguien) · vigilar (algo/a alguien) || nombrar · contratar · elegir** *Eligió un capataz entre las personas más preparadas* || **trabajar (de) · ejercer (de)**

capaz (de) adj.

• CON SUSTS. **hazaña · proeza** *Solo alguien tan decidido podía ser capaz de semejante proeza* · **logro · éxito**
• CON VBOS. **sentirse · hacer(se) · volver(se)**

capcioso, sa adj.

• CON SUSTS. **pregunta** *No pienso contestar a las preguntas capciosas y malintencionadas* · **interrogatorio · sugerencia · respuesta || comentario · frase · palabra · expresión || interpretación · argumento · razonamiento · teoría || imagen · información · noticia**

capear v.

• CON SUSTS. **toro || temporal** *Este empate en el encuentro de ida nos permite ir campeando el temporal* · **tormenta** *La pequeña embarcación logró capear la tormenta* · **tempestad || situación · crisis** *Supo capear con éxito la crisis financiera* · **problema · dificultad · conflicto · bloqueo || pregunta** *un político está acostumbrado a capear preguntas comprometidas* · **cuestión · interrogatorio || crítica · reproche · insulto · protesta**

capellán s.m.

• CON ADJS. **castrense · militar** *El capellán militar pronunció una oración fúnebre en honor de las víctimas* · **universitario · penitenciario · real · palatino || católico · cristiano · mayor · magistral · honorífico**
• CON SUSTS. **cargo (de) · puesto (de)**
• CON VBOS. **nombrar** *nombrar un nuevo capellán* · **designar · hacer(se)**

capicúa adj.

• CON SUSTS. **número · año · cifra || matrícula** *La matrícula de mi coche es capicúa* || **billete · décimo · boleto · cupón || frase · palabra**

capilar adj.

• CON SUSTS. **vaso** *Los vasos capilares enlazan las arterias con las venas* · **red || muestra · producto · loción || clínica · centro || problema · tratamiento** *El programa del balneario incluye tratamientos capilares* · **apósito || injerto · trasplante || adorno**

capilla s.f.

• CON ADJS. **principal · mayor · pequeña · privada || real · judicial · mortuoria || lateral** *La ceremonia tendrá lugar en una de las capillas laterales*
• CON VBOS. **instalar || visitar · abandonar || abrir · cerrar || acudir (a) · entrar (a) · salir (de) · rezar (en)**

☐ EXPRESIONES **capilla ardiente** [lugar en el que se vela un cadáver] || **estar en capilla** (alguien) [encontrarse a la espera de alguna prueba de importancia] *col.*

[capital] →capital; pena capital

capital

1 capital adj.

• CON SUSTS. **importancia** *un asunto de capital importancia* · **valor · rasgo || pecado · pena** *un manifiesto en contra de la pena capital* · **ejecución || obra · punto · elemento · figura** *una figura capital en la literatura* · **letra**

2 capital s.m.

• CON ADJS. **financiero · bancario · empresarial · accionarial · especulativo · político · social · humano** *Esta empresa cuenta con un importante capital humano* · **asistencial || público · privado · personal · extranjero · nacional || cuantioso · ingente · suficiente · aproximado · escaso || fresco · a plazo fijo · líquido**
• CON SUSTS. **inyección (de)** *La empresa necesitaría una importante inyección de capital* · **afluencia (de) · flujo (de) · movimiento (de) || mercado (de)**
• CON VBOS. **circular · fluir · concentrar(se) (en un lugar) || crecer · disminuir · faltar · huir || invertir · poner (en algo) · ingresar** *Ingresó todo su capital en una cuenta a plazo fijo* · **imponer · mover · congelar · inmovilizar || acumular · atesorar · aumentar · incrementar · revalorizar · amortizar · sufragar · recaudar · reunir · sumar || gestionar · administrar · canalizar · centralizar || atraer** *Se proponen diversas medidas para atraer capital extranjero* · **ahuyentar || transferir · traspasar · condonar || blanquear · evadir || operar (con) · disponer (de) · carecer (de) || incautarse (de)**

3 capital s.f.

• CON ADJS. **floreciente · pujante · moderna · importante || populosa** *En la populosa capital se concentra casi la mitad de...* · **congestionada · urbanizada · desierta || federal · financiera · económica · administrativa · cultural || europea · americana · mundial**
• CON VBOS. **frecuentar · visitar · conocer · recorrer · atravesar · cruzar || tomar · invadir · asaltar || evacuar · abandonar || residir (en) · habitar (en) · vivir (en) · afincarse (en) || viajar (a) · salir (de) · regresar (a) · huir (de) · mudar(se) (a)**

capitalista adj.

• CON SUSTS. **sistema** *El libro analiza las consecuencias de la implantación del sistema capitalista en los países del este* · **modelo · poder · régimen · democracia || sociedad · mundo · país · estado · bloque · empresa · socio,cia** *La llegada de un nuevo socio capitalista revitalizó la empresa* || **cultura · civilización · ideología · mentalidad · planteamiento · programa || reforma · revolución || progreso · desarrollo || economía** *un partido que promueve una economía capitalista* · **mercado · producción · gestión**
• CON VBOS. **hacer(se) · volver(se)**

capitalizar v.

• CON SUSTS. **hecho · acontecimiento · situación** *Los inversionistas buscarán capitalizar la actual situación económica* · **circunstancia · evento || éxito · logro · triunfo · victoria · ventaja · paz || oportunidad · opción · oferta || experiencia · habilidad** *Deberías confiar más en tu talento y capitalizar tus habilidades personales* · **talento || imagen · mérito · popularidad · prestigio · fama · protagonismo || esfuerzo · deseo · anhelo · aspiración || euforia · optimismo · entusiasmo** *Ha sabido capitalizar el entusiasmo de los socios* · **alegría || descontento · desánimo · desasosiego · desazón · resentimiento · disgusto · malestar || protesta · crítica · oposición · diferencia · rechazo · inconformismo || problema · desorden · desgaste · derrota · crisis** *La oposición intentó capitalizar la crisis a su favor* · **lucha || error · defecto · deficiencia**

capitán, -a

1 **capitán, -a** s.

● CON SUSTS. **brazalete (de)** *Ese jugador que lleva el brazalete de capitán es mi hijo* · **uniforme (de)**
● CON VBOS. **ordenar (algo)** *El capitán del barco ordenó que zarpáramos inmediatamente* · **mandar (algo)** · **decidir (algo)** · **organizar (algo)** · **intervenir (algo)**
● CON PREPS. **al mando (de)** *Las fragatas están al mando de un capitán muy experimentado*

2 **capitán, -a (de)** s.

● CON SUSTS. **navío** *Su padre y su abuelo fueron capitanes de navío* · **barco** · **fragata** · **corbeta** · ***otras embarcaciones*** || **equipo** · **grupo** · **selección** · **tropa** · **compañía**

capitanear v.

● CON SUSTS. **equipo** · **banda** · **generación** · **tropa** · **batallón** · **hueste** || **oposición** *El líder que capitanea la oposición declaró a la prensa...* · **política** · **partido** · **gobierno** || **lucha** · **ofensiva** · **golpe** · **levantamiento** · **revolución** · **revuelta** · **guerra** · **batalla** · **agresión** · **invasión** · **incursión** · **cruzada** · **protesta** · **resistencia** || **misión** · **expedición** · **operación** · **campaña** · **negociación** · **inspección** || **proceso** · **subida** *El sector energético capitaneó ayer la fuerte subida de la bolsa* · **alza** · **caída** · **transición** · **transformación** · **innovación** · **expansión** · **recuperación** *¿Con qué medidas piensa capitanear la recuperación económica del sector?* · **endurecimiento** · **construcción** · **vertebración** || **entidad** · **organismo** · **organización** · **compañía** *La compañía, ahora capitaneada por un empresario griego...* · **empresa** · **fundación** · **consorcio** · **plataforma** · **emporio** || **corriente** · **movimiento** · **sector** · **ala** · **núcleo** || **programa** *programa capitaneado por un gran periodista* · **informativo** · **serie** · **espectáculo**

capitulación s.f.

● CON ADJS. **forzosa** · **definitiva** · **incondicional** *El general romano había exigido la capitulación incondicional de los sublevados* · **sin condiciones** || **honrosa** · **penosa** || **en toda regla** || **matrimoniales**
● CON SUSTS. **término (de)** *Los términos de la capitulación tuvieron que ser aceptados* · **acuerdo (de)**
● CON VBOS. **consumar(se)** || **firmar** · **llevar a cabo** · **hacer** || **negociar** · **imponer** · **forzar** · **lograr** || **anunciar** · **reconocer** · **aceptar** || **asistir (a)**

capitular v.

● CON SUSTS. ***persona*** || **ejército** · **gobierno** *El Gobierno capituló ante las exigencias de los sindicatos* · **equipo** *Lejos de capitular, el equipo mantuvo su débil juego* · ***otros grupos humanos***

capítulo s.m.

● CON ADJS. **inicial** · **introductorio** · **siguiente** · **sucesivo** · **último** · **final** · **postrero** || **importante** · **central** *El capítulo central de nuestra historia contemporánea se produjo en...* · **esencial** · **fundamental** · **irrelevante** || **breve** · **extenso** · **gran(de)** · **largo** · **corto** || **aparte**
● CON SUSTS. **título (de)** · **fragmento (de)** · **epígrafe (de)** || **principio (de)** · **final (de)** *El final del capítulo no deja de sorprender* || **resumen (de)** · **sinopsis (de)** || **tema (de)** · **argumento (de)** · **contenido (de)**
● CON VBOS. **plantear (algo)** *El capítulo sucesivo plantea el conflicto entre las dos protagonistas* || **escribir** · **redactar** · **corregir** · **componer** · **terminar** · **resumir** · **añadir** · **titular** · **hacer** · **rehacer** || **dedicar** · **leer** · **contar** || **concluir** *El capítulo concluye felizmente* || **saltar(se)**

capón s.m. *col.* Véase **GOLPE**

capote s.m.

● CON ADJS. **de paseo** · **de brega**
● CON VBOS. **tomar** *El toro tomó el capote con alegría* · **coger** · **recibir** || **manejar** · **mecer** || **sacar** · **meter** || **torear (con)** · **lucirse (con)** · **entrar (a)** *Cuando el toro no entra bien al capote, poco puede hacer el torero*

☐ EXPRESIONES **echar un capote** (a alguien) [ayudarle en un apuro] *col.*

capricho s.m.

● CON ADJS. **extraño** · **extravagante** · **excéntrico** · **peculiar** · **insólito** · **inaudito** · **disparatado** · **incoherente** · **incongruente** · **necio** || **arbitrario** · **imprevisible** · **cambiante** · **inesperado** || **infantil** *No le hagas caso, no es más que un capricho infantil* · **irracional** || **puro** · **simple** · **mero** || **personal** · **particular** · **íntimo** || **pequeño** · **mínimo** || **pendiente (de)** · **sujeto,ta (a)**
● CON SUSTS. **fruto (de)** *Su actuación no fue fruto del capricho sino de una meditada decisión*
● CON VBOS. **antojárse(le) (a alguien)** || **tener** || **dar (a alguien)** *darse un capricho de vez en cuando* · **permitir (a alguien)** · **satisfacer** · **conceder (a alguien)** · **consentir** *Le consiente todos los caprichos* · **obedecer** · **obtener** || **imponer** || **colmar (de)** · **transigir (con)** || **someter (a)**
● CON PREPS. **a merced (de)** · **por**

caprichoso, sa adj.

● CON SUSTS. **niño,ña** *Te estás comportando como un niño caprichoso* · **artista** · **joven** · **persona** · **hijo,ja** · **gente** · **gobierno** · **público** · ***otros individuos y grupos humanos*** || **carácter** · **talante** · **actitud** · **humor** · **comportamiento** || **dictado** · **designio** · **orden** · **encargo** || **norma** *Es una norma absurda y caprichosa, pero habrá que acatarla* · **reglamento** · **ley** · ***otras disposiciones*** || **elección** · **decisión** · **opción** · **designación** · **nombramiento** || **clasificación** · **jerarquía** · **calificación** · **análisis** · **interpretación** · **lectura** || **forma** *Las nubes adoptaban formas caprichosas movidas por el viento* · **trazo** · **curva** · **geometría** · **imagen** || **moda** · **gusto** · **preferencia** · **deseo** || **imaginación** · **fantasía** · **invención** · **sueño** || **mezcla** · **unión** || **cambio** · **vaivén** · **movimiento** *El caprichoso movimiento de las olas* · **curso** · **marcha** · **evolución** || **suerte** · **fortuna** · **azar** · **sorteo** · **destino** *sujetos siempre a los designios del caprichoso destino* || **naturaleza** · **tiempo** · **meteorología** · **clima** · **climatología** || **fenómeno** · **enfermedad**
● CON VBOS. **volver(se)** · **ponerse**

cápsula s.f.

▮ [envoltura]

● CON ADJS. **de plástico** · **de metal** · **de gelatina** || **protectora** *Este medicamento viene dentro de una cápsula protectora* || **medicinal** || **envuelto,ta (en)** · **aislado,da (en)**
● CON SUSTS. **producción (de)** || **frasco (de)** *En su mesilla hallaron un frasco de cápsulas adelgazantes* · **caja (de)** · **envase (de)** || **interior (de)** · **contenido (de)**
● CON VBOS. **proteger (algo)** · **recubrir (algo)** · **albergar (algo)** || **consumir** · **tragar** · **ingerir** · **tomar** || **emplear** · **usar** || **dar** *Le han dado dos cápsulas de antibiótico* · **administrar** · **suministrar** · **recetar** · **dispensar** || **envolver (en)** · **encerrar (en)**

▮ [nave espacial]

● CON ADJS. **exploradora** · **espacial** || **de aterrizaje** · **de alunizaje** · **de salvamento**

• CON SUSTS. **tripulante (de)** · **ocupante (de)** || **restos (de)** || **viaje (de)**
• CON VBOS. **navegar** · **explorar (algo)** · **viajar** || **aterrizar** *La cápsula aterrizó en el sitio previsto* · **amerizar** || **estrellar(se)** · **averiar(se)** · **precipitar(se)** · **caer** · **chocar** · **incendiar(se)** || **conducir** · **tripular** || **ir (en)** · **entrar (en)** · **salir (de)**
• CON PREPS. **a bordo (de)** · **dentro (de)**

captar v.

▮ [recibir, percibir]

• CON SUSTS. **imagen** · **foto** · **paisaje** || **emisión** · **programa** · **radio** · **señal** || **sonido** *Desde aquí no se capta ningún sonido* · **ruido** · **voz** · **música** · **olor** · **luz** · **color** · **sabor** || **mirada** · **guiño** · **sonrisa** · **signo** · **gesto** || **mensaje** · **comentario** · **opinión** · **discurso** · **explicación** · **pregunta** · **chiste** *Si no te ríes, es porque no has captado el chiste* || **sentido** · **significado** *Los alumnos tuvieron dificultades para captar el significado del texto* · **dimensión** · **valor** · **alcance** · **importancia** || **esencia** · **naturaleza** · **alma** · **espíritu** · **carácter** || **diferencia** · **matiz** · **detalle** *La cámara no puede captar todos los detalles* · **peculiaridad** · **rasgo** · **aspecto** || **idea** · **argumento** · **concepto** · **conocimiento** || **sentimiento** · **emoción** · **sensación** · **impresión** || **amenaza** · **conflicto** · **dificultad** *...incapaces de percibir la realidad, de captar las evidentes dificultades por las que pasan los que llegan* · **incidente** · **problema** · **preocupación** || **atención** · **interés** · **admiración** · **confianza** · **voluntad** || **ocasión** · **oportunidad** · **posibilidad** || **instante** · **momento** · **presente** · **tiempo** · **realidad** || **recurso** · **dinero** · **fondo** · **depósito** · **aval** || **agua**
• CON ADVS. **admirablemente** · **a la perfección** · **al detalle** · **perfectamente** · **con precisión** · **al pie de la letra** || **claramente** · **nítidamente** · **con nitidez** · **a las mil maravillas** || **al instante** *Los niños captaron al instante el gesto de su madre* · **a la primera** · **en seguida** · **inmediatamente** || **a grandes rasgos** · **al vuelo** || **con dificultad**

▮ [atraer, interesar]

• CON SUSTS. **cliente** *captar clientes para el negocio* · **voluntario,ria** · **soldado** · **votante** · **lector,-a** · **visitante** · **adepto,ta** · **socio,cia** || **audiencia** · **público** · **electorado** *Con ese discurso es improbable que logre captar al electorado más conservador*

captura s.f.

• CON SUSTS. **orden (de)** *El juez decretó una orden de busca y captura* · **operación (de)** || **temporada (de)** *la temporada de captura del camarón*
• CON VBOS. **producirse** || **permitir** || **lograr** · **conseguir** || **ordenar** · **pedir** || **autorizar** · **facilitar** || **participar (en)** *Varios policías participaron en la captura del peligroso criminal*

capturar v.

• CON SUSTS. **delincuente** *Capturaron a los delincuentes tras un aviso de un ciudadano* · **ladrón,-a** · **sospechoso,sa** · **banda** · **mafia** · ***otros individuos y grupos humanos*** || **león,-a** · **ballena** · **jabalí** · ***otros animales*** || **atención** · **interés** · **voto** · **público** · **audiencia** || **espíritu** *El joven escritor logró capturar el espíritu de la época y reflejarlo en su obra* · **esencia** · **idea** · **fundamento** || **imagen** · **instantánea** || **rebote** · **tiro** · **disparo**
• CON ADJS. **vivo,va** · **muerto,ta** || **desprevenido,da** · **despistado,da** · **desprotegido,da** · **descolocado,da**
• CON ADVS. **con las manos en la masa** · **in fraganti**

caqui s.m.

▮ [fruto]

• CON ADJS. **verde** *Los caquis todavía están verdes* · **maduro** · **pasado** · **podrido** || **duro** · **blando** || **dulce**
• CON SUSTS. **cosecha (de)** · **recolección (de)**
• CON VBOS. **cultivar** · **recolectar**

▮ [color]

• CON ADJS. **militar** *unos abrigos caqui militar*
• CON SUSTS. **verde** *unos uniformes verde caqui*
➤ Véase también **COLOR**

[cara] s.f.

→ **a cara descubierta; a cara o cruz; a la cara; cara a cara; caro, ra; dar la cara; plantar cara (a); un ojo de la cara**

cara a cara loc.adv./loc.adj.

• CON VBOS. **encontrarse** *Se encontraron cara a cara, pero no se dirigieron la palabra* · **toparse** · **ver(se)** · **reunir(se)** || **decir(se) (algo)** · **hablar** · **negociar** · **debatir** · **conversar** · **dialogar** · **interrogar** · **criticar** || **enfrentarse** *...dispuestos a enfrentarse cara a cara y zanjar sus diferencias* · **competir** · **defenderse** · **medirse** · **afrontar** || **mirar** · **escuchar** · **conocer(se)** || **hallar(se)** · **situar(se)** · **vivir**
• CON SUSTS. **encuentro** · **reunión** · **contacto** · **cena** · **cruce** || **debate** *...en un debate cara a cara protagonizado por ambos* · **diálogo** · **interrogatorio** · **conversación** · **negociación** · **discusión** · **entrevista** *Fue la única entrevista cara a cara concedida por la presidenta* || **duelo** · **lucha**

carabinero s.m.

• CON SUSTS. **cuerpo (de)** || **control (de)** · **cuartel (de)** · **uniforme (de)**
• CON VBOS. **detener (a alguien)** · **arrestar (a alguien)** · **capturar (a alguien)** || **sospechar (algo)** · **vigilar (algo/ a alguien)** *Los carabineros vigilaban permanentemente el domicilio de la acusada* · **registrar (algo)** · **buscar (algo)** || **burlar** *Los asaltantes burlaron a los carabineros* · **sortear** || **denunciar (a/ante)**

caracol s.m.

• CON ADJS. **terrestre** · **marino** *Colecciono conchas de caracoles marinos*
• CON SUSTS. **receta (de)** · **plato (de)** *un abundante plato de caracoles guisados* || **forma (de)** · **paso (de)** *Las negociaciones avanzan a paso de caracol* || **concha (de)** · **baba (de)** || **carrera (de)** *Cuando éramos pequeños organizábamos carreras de caracoles*
• CON VBOS. **buscar** *Los niños se entretuvieron buscando caracoles* · **coger** · **recoger** · **cazar** || **lavar** · **preparar** · **condimentar** · **aderezar** · **guisar**

caracola s.f.

• CON ADJS. **marina**
• CON VBOS. **tocar** *El vigía tocaba la caracola para avisar del peligro* || **soplar (en)**

caracolear v.

• CON SUSTS. **caballo** · **yegua** *La yegua caracoleaba sobre la pista del circo* · **jinete** || **vehículo** || **agua** · **río** · **arroyo**

carácter s.m.

▮ [forma de ser de un individuo]

• CON ADJS. **serio** · **adusto** · **difícil** · **controvertido** · **bronco** · **brusco** · **abrupto** · **intempestivo** · **mal(o)** *Recién levantado tiene muy mal carácter* || **recalcitrante** · **obstinado** · **terco** || **corrosivo** · **despectivo** · **chulesco** *Tiene*

el carácter chulesco propio de la gente de su barrio · **mordaz || dominante · descollante · absorbente · imperioso · combativo** *Su carácter combativo lo llevó a...* · **beligerante || de hierro · férreo · fuerte · rotundo || ardiente · impulsivo · compulsivo · arrollador · burbujeante || blando · delicado · permisivo · calmo · apacible · tranquilo · diáfano · ecuánime · buen(o) || cambiante · camaleónico · estable · arraigado**
- CON VBOS. **aflorar** *Después de varios días de convivencia, afloró su verdadero carácter* · **afianzar(se) · fortalecer(se) · madurar || agriar(se) · avinagrar(se) · desnaturalizar(se) · difuminar(se) || tener** *Tiene mucho carácter* · **poseer · derrochar · revestir · demostrar · revelar · reflejar · poner de manifiesto || tomar · adquirir || dar · otorgar (a algo) · conferir (a algo) · imprimir · imponer · insuflar · forjar · perfilar || cambiar · alterar · moldear · malear || domar · dominar · dulcificar** *La edad ha dulcificado su carácter* · **templar · atemperar || soportar || acomodar(se) (a) · aclimatar(se) (a) || dejarse llevar (por) || ahondar (en)**

[característica] s.f. → característico, ca

característico, ca

1 **característico, ca** adj.
- CON SUSTS. **nota · rasgo · peculiaridad || cualidad** *Una cualidad característica de este compositor es...*

2 **característica** s.f.
- CON ADJS. **propia · particular · personal · distintiva · específica · peculiar · inconfundible · típica · privativa · representativa · definitoria · identificativa · especial** *una película con unas características especiales* **|| esencial · fundamental · principal · significativa · importante · sine qua non || llamativa** *Una llamativa característica de estos animales es su colorido plumaje* · **notable · destacada · descollante · de valor || inherente · arraigada || común** *No es fácil señalar una característica común a los dos movimientos* · **similar · opuesta**
- CON VBOS. **salir a la luz · difuminar(se) || adquirir · tomar · absorber || presentar** *Los vinos de esa región presentan características propias* · **poseer · tener · revestir || desvelar · descubrir · hallar · poner de manifiesto || estudiar · analizar · describir** *El informe describe de forma detallada las características del fenómeno* · **determinar · establecer · fijar · precisar · señalar · diagnosticar || amoldar(se) (a) || ahondar (en) · profundizar (en)**

caracterizar v.

- CON SUSTS. **tono · aspecto · rasgo** *un rasgo que caracteriza dicha cultura* · **apariencia · vestimenta · estilo || tesón · belleza · buen humor · simpatía · amabilidad · tranquilidad** *La tranquilidad y el sosiego que en otro tiempo caracterizaban esta ciudad* · ***otras cualidades***
- CON ADVS. **adecuadamente · apropiadamente · perfectamente · ajustadamente · acertadamente** *El director caracterizó acertadamente a cada personaje* **|| negativamente · positivamente || emblemáticamente · exclusivamente · especialmente · particularmente · claramente || tradicionalmente · típicamente** *Sus obras se caracterizan típicamente por el uso de un solo color* · **habitualmente**

carambola s.f.

- CON ADJS. **difícil · insólita · improbable || hábil · curiosa || perfecta · afortunada** *Una afortunada carambola colocaría al equipo en los primeros puestos* **|| mágica || múltiples · a {varias/dos/tres/cuatro} bandas**
- CON SUSTS. **serie (de) · jugada (de)**
- CON VBOS. **lograr · hacer** *Hizo una carambola a tres bandas y culminó con ella una espléndida actuación* · **conseguir · realizar || buscar · intentar || aprovechar || evitar · eludir**
- CON PREPS. **de · por** *Ha conseguido el trabajo por carambola*

[caramelo] → a punto de caramelo; caramelo

caramelo s.m.

- CON ADJS. **masticable · relleno · líquido** *tortitas con nata y caramelo líquido* · **almendrado · sin azúcar · balsámico · natural · envuelto**
- CON SUSTS. **bolsa (de) · paquete (de) || flan (de)** *¿Te gusta el flan de caramelo o prefieres el de huevo?* · **manzana (de) || bastón (de)**
- CON VBOS. **repartir · ofrecer · regalar || tirar · lanzar** *Los pajes lanzaban caramelos desde las carrozas* **|| comer · chupar**

carantoña s.f.

- CON ADJS. **cariñosa · afectuosa · amistosa**
- CON VBOS. **hacer (a alguien)** *No me hagas más carantoñas y cuéntame lo que ha pasado* · **rehuir || mimar (con)**

carátula s.f.

▮ [de un disco, de una cinta]
- CON ADJS. **original · irrompible**
- CON VBOS. **fotocopiar · escanear** *escanear la carátula de un disco* **|| cambiar · diseñar**

▮ [de un radiocasete de coche]
- CON ADJS. **extraíble · frontal**
- CON VBOS. **sacar · extraer || llevar** *Como prevención contra el robo, este modelo lleva carátula extraíble* · **incluir · incorporar · presentar || dejar puesta · poner**

caravana

1 **caravana** s.f.

▮ [vehículo]
- CON VBOS. **aparcar · conducir · remolcar**
- CON PREPS. **a bordo (de) · en**

▮ [grupo de personas, animales o vehículos en movimiento]
- CON ADJS. **electoral** *El mitin de la ministra será el plato fuerte de la caravana electoral* · **publicitaria · informativa · circense · militar · del oeste || itinerante · interminable · humanitaria**
- CON VBOS. **circular** *La caravana publicitaria circulará por el centro de la ciudad durante el fin de semana* · **recorrer (algo) · pasar || partir · marchar || llegar · regresar || transportar (algo) · llevar (algo) || componer(se) · formar(se) || instalar · organizar** *La asociación ha organizado una caravana por la paz* **|| asaltar || proceder (de) · salir (de)**

2 **caravana (de)** s.f.
- CON SUSTS. **camellos · coches · carretas · autobuses · camiones** *un gran atasco causado por una caravana de camiones* · ***otros vehículos* || refugiados,das · mercaderes · esclavos · periodistas ·** ***otros individuos***

☐ EXPRESIONES **en caravana** [uno tras otro]

[carbón] → carbón; como el carbón

carbón s.m.

● CON ADJS. **vegetal · activo · térmico · animal · mineral · de leña · de piedra || nacional · internacional · autóctono**
● CON SUSTS. **estufa (de) · caldera (de)** *Los vecinos quieren sustituir la caldera de carbón por una de gas* **|| mina (de) · explotación (de) || sector (de) · industria (de) · minería (de) || combustión (de)**
● CON VBOS. **agotarse · terminarse** *Se ha terminado el carbón, hay que llamar para encargar más* **· acabarse || echar || producir · sacar · extraer · picar || importar · exportar || transportar · cargar · almacenar || quemar · consumir || traer** *Espero que los Reyes no me traigan carbón*

carbonero, ra adj.

● CON SUSTS. **sector · empresa · compañía · sociedad · gremio || cuenca · mina · minería · explotación · extracción || producción**

carbónico, ca adj.

● CON SUSTS. **anhídrido** *emisiones de anhídrido carbónico* **· gas || maceración || bebida · nieve · agua**

carbono s.m.

● CON ADJS. **líquido · activo** *un sistema de filtros de carbono activo* **· orgánico · puro**
● CON SUSTS. **dióxido (de)** *Es fundamental recortar las emisiones de dióxido de carbono* **· monóxido (de) || molécula (de) · átomo (de) || emisión (de) || hidratos (de) · fibra (de) || prueba (de)**

[carcajada] → a carcajadas; carcajada

carcajada s.f.

● CON ADJS. **sonora · ruidosa · fuerte · estrepitosa** *Soltó una estrepitosa carcajada en mitad de la conferencia* **· estruendosa · estentórea · explosiva · atronadora · ampulosa || general || sarcástica || fácil** *Es de carcajada fácil* **· incontenible · contagiosa · pronta · intempestiva · franca**
● CON VBOS. **sonar · resonar · retumbar || escaparse(le) (a alguien) · desatar(se) || provocar · arrancar** *El humorista no consiguió arrancar una sola carcajada* **· buscar · propiciar || soltar · lanzar || oír || estallar (en)** *El público estalló en una sonora carcajada* **· prorrumpir (en) · romper (en)**
● CON PREPS. **en medio (de) · entre**

carcajearse v.

● CON ADVS. **ruidosamente · estrepitosamente · estruendosamente · atronadoramente · ampulosamente · escandalosamente || sarcásticamente · burlonamente · cínicamente · hipócritamente || fácilmente · inconteniblemente · contagiosamente · intempestivamente · francamente**

cárcel s.f.

● CON ADJS. **dura · inhumana · rigurosa · severa || llevadera || preventiva · ejemplar · de máxima seguridad || hacinado,da (en)**
● CON SUSTS. **pena (de) · años (de)** *Lo condenaron a tres años de cárcel por...* **|| celda (de) · corredor (de) · patio (de) || alcaide (de)**
● CON VBOS. **evitar · eludir || purgar || meter (en) · mandar (a) · enviar (a)** *Lo enviaron a una cárcel de máxima seguridad* **· encerrar (en) · recluir (en) · internar (en) · confinar (en) · condenar (a) || cumplir {pena/condena} (en) · permanecer (en) · estar (en) || salir (de) · sacar (de)** *Ni el mejor abogado podría sacarla de la cárcel* **· fugarse (de) · huir (de) · escapar (de) || librar(se) (de) || acabar (en) · amotinar(se) (en)**

carcelario, ria adj.

● CON SUSTS. **sistema** *la reforma del sistema carcelario* **· régimen · política || recinto · estancia · establecimiento · centro · complejo · edificio · mundo || condiciones · situación · experiencia · hacinamiento · realidad || condena · pena** *El juez dictó la pena carcelaria máxima para un delito de amenazas* **|| problema · fuga · motín · crisis · conflicto · drama || fianza · depósito || permiso · vida · visita || película · cine** *La película recupera con vigor el genuino cine carcelario* **· literatura || lenguaje · jerga · argot**

carcomer (algo/a alguien) v.

● CON SUSTS. **polvo · humedad · salitre** *El salitre y la cal han carcomido las tuberías* **|| infección** *Esta infección está carcomiendo su salud* **· cáncer · lepra · sida · viruela · virus · locura · tuberculosis ·** ***otras enfermedades*** **|| envidia** *Le carcome la envidia* **· resentimiento · odio · celos · rencor · rabia || crimen · desvergüenza · corrupción · corruptela · trapicheo · intriga · violencia · vicio || problema · crisis · hambre · paro · recesión · desempleo · deuda · degeneración · miseria · conflicto · mal || duda · contradicción · temor · incertidumbre || estrés · angustia** *Tal vez el tiempo ayude a calmar esa angustia que te carcome* **· desazón · tensión · presión · malestar · preocupación · remordimiento · soledad · pena · amargura || incompetencia · ineficiencia · mediocridad · debilidad**

cardar v.

● CON SUSTS. **lana · pelo**

cardenalicio, cia adj.

● CON SUSTS. **capelo · birreta · anillo · manto || colegio · diócesis · despacho || cargo || cumbre · cónclave**

cardíaco, ca adj.

● CON SUSTS. **ataque · insuficiencia · parada · arritmia · fallo · infarto · enfermedad · problema · patología · afección** *Le habían detectado una afección cardíaca* **· dolencia · crisis || cirugía · operación · intervención || latido · pulso · ritmo · frecuencia · paro** *La atleta sufrió un paro cardíaco después de la carrera* **|| músculo · arteria · válvula || enfermo,ma · paciente · cirujano,na || masaje** *La reanimaron con un masaje cardíaco* **· trasplante · riesgo**

cardinal adj.

● CON SUSTS. **número · punto** *los cuatro puntos cardinales* **|| principio · elemento** *Las exportaciones son el elemento cardinal de esta empresa* **· asunto · razón · objetivo || fecha · lugar || virtud**

carecer (de) v.

● CON SUSTS. **dinero · medios** *Carecen de medios suficientes para realizar la investigación* **· recurso · ingreso · tiempo || interés** *un tema que carece de interés para los estudiantes* **· sentido · significado · valor || aptitud · cualidad · condición** *Tiene voluntad, pero carece de condiciones* **· requisito || emoción · sensibilidad · talento · imaginación || habilidad · destreza · rasgo || sentido del humor · profundidad · altura · gracia ·** ***otras cualidades*** **|| ritmo · brío · fuerza · garra || atractivo · importancia**

|| principios · escrúpulos · prejuicios || conocimiento · información *Afirmó que carecía de cualquier información al respecto* · prueba · dato || gana · voluntad || competencia *No puedo ayudarle porque carezco de competencias en ese ámbito* · poder · influencia || apoyo · ayuda || licencia · permiso · autorización *Como carecían de la preceptiva autorización, no pudieron acceder al recinto* || documento · documentación · papeles || amigo,ga · familia
● CON ADVS. por completo · totalmente *El discurso carecía totalmente de sentido* · absolutamente || principalmente · especialmente · particularmente || evidentemente · claramente · manifiestamente

carencia s.f.

● CON ADJS. absoluta · total · gran(de) · grave *La paciente ingresó con graves carencias nutricionales* · profunda · honda · seria · decisiva · dramática · atroz || manifiesta · evidente · notoria · al descubierto · notable · palpable · ostensible · clamorosa · flagrante · indudable · innegable · reconocida · previsible || acuciante · apremiante || explicable · disculpable || cotidiana · habitual || material · técnica · intelectual · deportiva · física
● CON SUSTS. período (de) · tiempo (de)
● CON VBOS. afectar (a algo) · acuciar (a algo) || tener · mostrar · presentar *El equipo presenta serias carencias en el terreno defensivo* · manifestar · representar · constituir || encontrar · hallar · descubrir · constatar · revelar · evidenciar · diagnosticar · denunciar || sufrir · acusar || afrontar · superar · aliviar · paliar · compensar · cubrir · suplir *En este centro suplen la carencia de medios con grandes dosis de imaginación* · tapar · colmar · satisfacer · solventar · subsanar · reparar || achacar (a algo/a alguien) · atribuir (a algo/a alguien) || tropezar (con)
☐ USO Se construye frecuentemente con complementos encabezados por la preposición *de*: *Debido a la carencia de víveres, se vieron obligados a emprender la retirada.*

careo s.m.

● CON ADJS. tenso *Tras prestar declaración y sostener un tenso careo, la acusada...* · tormentoso · intenso || doble
● CON VBOS. durar *El careo fue breve, apenas duró treinta minutos* · concluir · comenzar · empezar || mantener (con alguien) · celebrar · realizar · practicar · efectuar · sostener || solicitar · pedir · exigir || convocar · organizar || rechazar · refutar || aceptar · afrontar *No estaba en condiciones de afrontar el careo* · acordar || ordenar · proponer || arbitrar || asistir (a) · participar (en) · enfrentar(se) (en) || someter (a) *El juez sometió a los dos implicados a un careo*

carestía s.f.

▮ [falta, escasez]
● CON ADJS. enorme *El hambre y la enorme carestía de alimentos hacen que...* · gran(de) · grave · tremenda · terrible · elevada · lacerante || prolongada · persistente || manifiesta · palpable
● CON SUSTS. situación (de) · tiempos (de)
● CON VBOS. existir · acentuar(se) · agudizar(se) · incrementar(se) || provocar · fomentar · mantener || experimentar · sufrir · padecer · acusar || combatir · paliar · evitar || denunciar || luchar (contra)
● CON PREPS. por

▮ [alto coste]
● CON ADJS. de la vida *Los trabajadores se quejan de la carestía de la vida*
● CON VBOS. frenar *frenar la carestía de los artículos de primera necesidad* · compensar · amortizar || repercutir (en)

careta s.f.

● CON VBOS. quitar *Los implicados por fin se han quitado la careta y han reconocido su culpa* · arrancar · sacar || poner · llevar · mantener || disfrazar (con) · cubrir (con) · ocultar(se) (bajo) || despojar (de)
● CON PREPS. bajo

carga s.f.

● CON ADJS. pesada *Yo solo no puedo sobrellevar esta pesada carga* · engorrosa · abrumadora · onerosa · gravosa · voluminosa · fuerte · severa · excesiva · abusiva · insoportable · asfixiante · mortífera · letal · negativa || ligera · liviana · soportable · llevadera · positiva || económica · fiscal *El Gobierno prometió reducir la carga fiscal sobre...* · tributaria · impositiva · financiera || política · social · familiar || horaria · lectiva || emotiva · emocional *un testimonio con una fuerte carga emocional* || erótica || retórica · literaria || explosiva · eléctrica || exento,ta (de) · libre (de)
● CON SUSTS. vehículo (de) · animal (de) · bestia (de) · burro,rra (de) · mulo,la (de) || muelle (de) · terminal (de) · tránsito (de) || capacidad (de) · exceso (de) || muro (de)
● CON VBOS. pesar (sobre alguien) · recaer || diluir(se) || llevar (encima) · llevar sobre {los hombros/las espaldas/la conciencia} *La carga que lleva sobre los hombros es difícil de soportar* · transportar · trasladar · arrastrar · soportar · asumir · sobrellevar · acarrear || contraer *contraer una nueva carga financiera* · remolcar · sufrir · absorber || repartir · distribuir || aliviar · amortiguar · aligerar · reducir · soltar · desactivar || imponer · elevar || estibar · equilibrar · desequilibrar || inmovilizar · movilizar · inspeccionar || librar (de) · desembarazar (de) · liberar (de) · exonerar (de)
☐ EXPRESIONES volver a la carga [insistir] *col.*

cargado, da

1 **cargado, da** adj.
● CON SUSTS. agenda · horario || lenguaje *El autor utiliza un lenguaje cargado de simbolismo* · discurso · mensaje *un mensaje cargado de metáforas* · ***otras manifestaciones verbales o textuales*** || partícula · atmósfera · nube || lugar · habitación · ambiente · sala *La sala estaba cargada y me lloraban los ojos* || ***persona*** *El ministro se cree cargado de razones, pero...*
● CON VBOS. estar · quedar(se)

2 **cargado, da (de)** adj.
● CON SUSTS. balas · proyectiles || humo || sentido *palabras aparentemente extrañas, pero en el fondo cargadas de sentido* · contenido · significado · connotaciones · sugerencias · simbolismo || imaginación · sensualidad || tópicos · metáforas · humor · ironía || historia || ilusión · optimismo · esperanza · paciencia || emotividad *El mensaje que dirigió a sus compañeros estaba cargado de emotividad* · intensidad · energía || intención · razón · argumentos

cargamento s.m.

● CON ADJS. humanitario *Ya se ha procedido al envío del cargamento humanitario* || ingente · enorme || clandestino · ilegal || humano || nuclear · tóxico *El barco transporta un cargamento tóxico altamente peligroso*

● CON VBOS. **salir (de algún lugar)** *El cargamento salió del puerto a la hora prevista* · **llegar (a algún lugar)** || **hallar** · **confiscar** · **interceptar** *La Policía ha interceptado un cargamento de cocaína* · **descubrir** · **requisar** · **aprehender** · **decomisar** || **recuperar** · **recoger** || **llevar** · **dar** · **entregar** · **enviar** · **descargar** || **incautarse (de)**

[cargar] → cargar; cargar (con)

cargar v.

▮ [acarrear]

● CON SUSTS. **peso** · **mercancía** · **equipaje** · **bulto** *cargar los bultos en el maletero* · **maleta** · **caja** || **combustible** · **gasolina** · **butano** || **bala** · **carrete**

● CON ADVS. **a hombros** · **a {mis/tus/sus...} espaldas** · **a pulso**

▮ [hacer acarrear algo]

● CON SUSTS. **burro,rra** · **caballo** · **yegua** · **mulo,la**

▮ [introducir una carga (en algo)]

● CON SUSTS. **coche** *¿Me ayudas a cargar el coche?* · **furgoneta** · **camión** · **tren** · ***otros vehículos*** || **contenedor** || **pistola** · **ballesta** · ***otras armas*** || **batería** *cargar la batería del móvil* · **teléfono móvil** · **pluma** · **mechero** · **cartucho** · **cámara fotográfica**

▮ [atacar (a alguien)]

● CON SUSTS. **policía** *En la portada salía la Policía cargando contra los manifestantes* · **caballería** · **batallón** · **enemigo,ga** · **jugador,-a**

● CON ADVS. **violentamente** · **con dureza** · **sin contemplaciones**

▮ [cobrar (a alguien)]

● CON SUSTS. **importe** · **cantidad** · **recibo** *Ya me han cargado el recibo del teléfono* · **gasto** · **impuesto**

▮ [achacar (a alguien)]

● CON SUSTS. **delito** *Le han cargado varios delitos de estafa* · **robo** · **crimen** || **culpa** · **responsabilidad**

▮ [grabar]

● CON SUSTS. **programa** · **juego** *cargar un juego en el ordenador*

cargar (con) v.

● CON SUSTS. **recorte** · **deuda** · **gasto** *No me parece justo que cargues tú solo con los gastos* · **factura** · **impuesto** || **peso** · **responsabilidad** · **cruz** · **culpa** · **muerto** · **mochuelo** || **sambenito** · **apodo** · **etiqueta** · **nombre** · **diminutivo** · **denominación** || **consecuencia** · **estigma** · **herencia** · **recuerdo** · **lacra** · **bagaje** · **legado** || **fracaso** · **derrota** · **revés** || **castigo** · **sanción** · **pena** *El acusado cargará con la pena máxima* || **vergüenza** · **infamia** *cargar injustamente con la infamia de una acusación descabellada* · **dolor** · **sufrimiento** · **angustia** · **disgusto** · **pena**

□ USO La preposición *con* (*cargar con regalos*) alterna en ocasiones con *de* (*cargar de regalos*).

cargo s.m.

▮ [puesto, empleo]

● CON ADJS. **alto** · **de responsabilidad** *ocupar un cargo de responsabilidad* · **directivo** · **ejecutivo** || **oficial** · **acreditado** || **honorífico** · **honorario** · **remunerado** || **vitalicio** · **permanente** · **fijo** · **temporal** *Acepté el cargo porque era temporal* · **interino** · **provisional** || **vacante** *Varios de los cargos vacantes ya están asignados* · **elegible** · **codiciado** || **inmerecido**

● CON SUSTS. **responsabilidad (de)** · **obligación (de)** *cumplir con las obligaciones del cargo de presidente* || **renovación (de)** · **desaparición (de)** · **cese (de)**

● CON VBOS. **recaer (en alguien)** || **tener** · **ocupar** *Ocupa un cargo honorífico dentro del partido* · **ostentar** · **desempeñar** · **ejercer** · **simultanear** || **aceptar** · **asumir** · **jurar** || **alcanzar** · **obtener** · **conseguir** · **lograr** · **revalidar** · **arrebatar** · **usurpar** · **copar** · **escalar** · **acariciar** || **rechazar** *Rechazó el cargo por razones personales* · **abandonar** · **dejar** · **ceder** · **delegar** || **derrocar** · **desbancar** · **sustituir** || **nombrar (para)** · **destinar (a)** · **designar (para)** · **tomar posesión (de)** · **acceder (a)** · **permanecer (en)** · **confirmar (en)** *Lo han confirmado en el cargo para tres años más* · **aferrarse (a)** · **afianzar(se) (en)** · **aposentar(se) (en)** · **mantener(se) (en)** · **perpetuar(se) (en)** || **aspirar (a)** · **postular (a)** || **relevar (de)** · **suspender (de)** · **inhabilitar (para)** · **destituir (de)** · **cesar (en)** · **renunciar (a)** · **dimitir (de)** *Tras el escándalo, el ministro dimitió de su cargo* · **retirar(se) (de)** · **apear(se) (de)** || **abusar (de)**

▮ [imputación, responsabilidad]

● CON ADJS. **infundado** || **libre (de)** *El acusado queda libre de todos los cargos*

● CON SUSTS. **testigo (de)** · **pliego (de)** || **gravedad (de)** *determinar la gravedad de los cargos de los que se le acusan*

● CON VBOS. **presentar** · **probar** · **formular** *La acusación todavía no ha formulado los cargos* · **imputar (a alguien)** · **achacar (a alguien)** · **reiterar** · **afrontar** || **negar** · **refutar** · **retirar** *Solicito que se retiren todos los cargos contra mi defendido* || **enfrentar(se) (a)** || **absolver (a alguien) (de)** *La absolvieron de los cargos que se le imputaban* · **librar (a alguien) (de)** || **defender (a alguien) (de)**

□ EXPRESIONES **cargo de conciencia** [sentimiento de culpa]

caricatura s.f.

● CON ADJS. **perfecta** · **lograda** · **atinada** *una atinada caricatura del célebre presentador* · **auténtica** || **exagerada** · **hiperbólica** · **esquemática** || **cómica** · **divertida** · **simpática** · **amable** · **ingeniosa** · **jocosa** · **hilarante** · **costumbrista** || **ridícula** · **grotesca** · **torpe** · **burda** *Esa descripción no es más que una burda caricatura de la realidad* · **tópica** · **simple** · **patética** · **irrisoria** || **sarcástica** · **insultante** · **hiriente** · **calumniosa** · **ofensiva** · **cruel** · **descarnada**

● CON VBOS. **hacer(le) (a alguien)** · **dibujar** · **pintar** · **esbozar** · **trazar** · **bosquejar** · **realizar** · **bordar** · **clavar** || **bordear** || **convertir (en)** · **rayar (en)** *una descripción tan exagerada que raya en la caricatura*

caricaturizar v.

● CON SUSTS. **personaje** · **jugador,-a** *Caricaturizaron al jugador en sus años de juventud* · **profesor,-a** · **político,ca** · **sociedad** · ***otros individuos y grupos humanos*** || **profesión** || **imagen** · **situación**

● CON ADVS. **magistralmente** · **espléndidamente** · **maravillosamente** · **graciosamente** · **irónicamente**

caricia s.f.

● CON ADJS. **suave** *la suave caricia del viento* · **sutil** · **leve** · **tenue** || **dulce** · **tierna** · **agradable** · **deliciosa** · **reconfortante** · **cariñosa** *Durante el paseo se intercambiaron cariñosas caricias* · **afectuosa** · **cálida** · **sensual** · **apasionada** · **seductora** · **prometedora** || **continua** · **infinita** · **constante** || **inesperada** · **fugaz** · **huidiza** || **desvergonzada**

● CON VBOS. **hacer (a alguien)** *El abuelo le hizo una caricia a su nieta* · **dar (a alguien)** · **intercambiar** || **recibir** · **notar** · **sentir** || **aceptar** · **esquivar** || **prodigar** · **es-**

catimar || añorar *Añoraba sus dulces caricias* **|| llenar (a alguien) (de) · envolver (a alguien) (en) · cubrir (a alguien) (de) · colmar (a alguien) (de) · obsequiar (a alguien) (con) || sucumbir (a)**
● CON PREPS. **entre · mediante**

caridad s.f.

● CON ADJS. **cristiana · humana · humanitaria · social || pública · colectiva · internacional** *Gracias a la caridad internacional se recogieron cuantiosos fondos* **· ajena || piadosa · misericordiosa · bondadosa · bien entendida || moralista · hipócrita || infinita · vistosa**
● CON SUSTS. **obra (de)** *hacer obras de caridad* **· acto (de) · misión (de) || hermana (de) || falta (de)**
● CON VBOS. **abundar · escasear || tener · practicar · ofrecer · derrochar || pedir · suplicar · rogar · implorar || inspirar · provocar || vivir (de) · sobrivivir (de) || apelar (a)**
● CON PREPS. **con · sin || por**

caries s.f.

● CON ADJS. **dental** *Tuvo que ir al odontólogo para revisar el estado de su caries dental* **· dentaria**
● CON VBOS. **pudrir (algo) · destrozar (algo) || provocar · reducir · inhibir · evitar · prevenir · impedir || curar · empastar · arreglar || padecer · sufrir || detectar** *Me detectaron la caries a tiempo y no fue necesario sacar la muela*

cariño s.m.

● CON ADJS. **profundo** *Nos une un profundo cariño* **· hondo · infinito · desmedido · desmesurado · acendrado || de siempre · de años || verdadero · auténtico · especial · particular || maternal · fraternal || rebosante (de) · falto,ta (de) · necesitado,da (de)**
● CON SUSTS. **muestra (de)** *Queremos agradecer las innumerables muestras de cariño recibidas...* **· demostración (de) · expresión (de) · acceso (de) · sentimiento (de)**
● CON VBOS. **arraigar (en alguien) · crecer · desbordar(se) · unir · agotar(se) || coger (a algo/a alguien) · tomar (a algo/a alguien)** *Le he tomado cariño a esta ciudad* **· agarrar · cobrar (a algo/alguien) || tener (a algo/ a alguien)** *un compañero al que tengo especial cariño* **· sentir · guardar · profesar · depositar (en algo/en alguien) || dar · brindar · prodigar · derrochar · derramar || confesar · demostrar (a alguien) · expresar || ganarse** *Con su bondad y su simpatía supo ganarse el cariño de todos* **· granjear(se) · conquistar · despertar (en alguien) · inspirar (en alguien) · infundir || recibir · encontrar (en alguien) · necesitar || rodear (de) · colmar (de) || gozar (de)** *Este artista goza del cariño del público* **· disfrutar (de) · responder (a)**
● CON PREPS. **con** *La recuerdo con cariño*

cariñoso, sa adj.

● CON SUSTS. ***persona*** *Es una niña muy cariñosa con todo el mundo* **|| actitud · carácter · comportamiento || guiño · sonrisa · caricia · beso · abrazo · pellizco · azote · cachete · gesto · muestra · tono** *Empleó un tono muy cariñoso* **|| apelativo · apodo · diminutivo || palabras** *Sus cariñosas palabras no lograron reconfortarla* **· mensaje · consejo · admonición ·** ***otras manifestaciones verbales*** **|| saludo · bienvenida · recibimiento · acogida · despedida || aplauso · ovación** *El público dedicó una cariñosa ovación al veterano actor* **· elogio · admiración · recuerdo**
● CON VBOS. **ser** *El apelativo era cariñoso* **· volver(se) || estar** *Estuvo muy cariñoso conmigo* **· poner(se) · mostrarse**

carisma s.m.

● CON ADJS. **irresistible · arrollador · cautivador · deslumbrante || marcado · acendrado · arraigado || indudable** *un político de indudable carisma* **· proverbial || especial · singular · particular || discreto · suficiente · insuficiente · nulo || necesario · innecesario || personal** *El éxito del grupo se basa en el carisma personal de su líder* **· intransferible || de líder · político · público · popular || supuesto · presunto || sobrado,da (de) · carente (de) || fiel (a)**
● CON SUSTS. **falta (de)** *Suple su falta de carisma con su inteligencia y su profesionalidad* **· ápice (de) · ausencia (de)**
● CON VBOS. **forjar(se) · eclipsar(se) || poseer** *Posee tal carisma que arrastra a multitud de jóvenes* **· tener · derrochar · emanar · demostrar · exhibir · transmitir · derramar || heredar · perder · recuperar || reconocer(le) (a alguien)** *Hasta sus más acendrados enemigos reconocen su carisma* **· realzar · restar (a alguien) || aprovechar || imprimir · aportar (a algo) || gozar (de) · alardear (de) · carecer (de) || rendirse (a/ante)** *No parece que las masas vayan a rendirse ante el carisma de la nueva candidata* **· sucumbir (a)**
● CON PREPS. **con · sin**

carismático, ca adj.

● CON SUSTS. **figura · persona · líder** *En el partido se echa en falta un líder carismático que aúne las distintas tendencias* **· jefe,fa · presidente,ta · gobierno · dirigente · director,-a** *una de las directoras más carismáticas del panorama cinematográfico actual* **· político,ca · empresario,ria · equipo · estrella · jugador,-a · artista · cantante ·** ***otros individuos y grupos humanos*** **|| intervención · discurso**

caritativo, va adj.

● CON SUSTS. **entidad · organización** *Es presidenta de una organización caritativa* **· asociación · fundación · institución · sociedad ||** ***persona*** **|| obra · acción · labor · acto · medida · tarea · gesto · donación** *una colecta para una donación caritativa* **· intención · respuesta || alma** *Necesito un alma caritativa que pueda ayudarme en esto* **· espíritu · mirada || fin || amor · sentimiento**

cariz s.m.

● CON ADJS. **distinto · diferente · diverso · contrario · irregular · similar · semejante · opuesto** *Lo que al principio parecía una actuación desinteresada acabó adquiriendo el cariz opuesto* **|| mal · peor · mejor || nuevo · viejo · insospechado · actual · contemporáneo || dramático · peligroso · amenazante · incierto · inquietante · sombrío · desesperado · alarmante · preocupante** *El enfrentamiento entre los dos países está adquiriendo un cariz preocupante* **|| violento · autoritario · discriminatorio · sórdido · turbio · duro · arrogante · criminal · denigrante · atacante · antidemocrático** *Fue rechazado por su fuerte cariz antidemocrático* **|| político · democrático · social** *Entre las medidas de cariz social, se encuentran...* **· conservador · nacionalista · liberal · institucional · religioso · financiero · económico · revolucionario · filosófico · surrealista · costumbrista || familiar · particular · casero · personal · global · público · popular || mediterráneo**
● CON VBOS. **adquirir** *La inseguridad en esta ciudad empieza a adquirir un cariz alarmante* **· mostrar · adoptar · presentar · cobrar · tener · tomar || dar · aportar · proporcionar · inyectar || cambiar (de)**

□ USO Se construye a menudo con sustantivos en complementos preposicionales: *el cariz de los acontecimientos.*

carmesí s.m.

• CON ADJS. **aterciopelado** · **profundo**
• CON SUSTS. **rojo** *unos labios rojo carmesí*
➤ Véase también **COLOR**

carmín s.m.

▮ [cosmético]

• CON SUSTS. **barra (de)** · **gota (de)** *Como único maquillaje lleva una gota de carmín* || **marca (de)** *una marca de carmín en la mejilla* · **restos (de)** · **huella (de)** · **rastro (de)**
• CON VBOS. **correrse** *Se le corrió un poco el carmín* || **quitar** *Al llegar a casa se quitó el carmín de los labios* · **poner** · **limpiar** · **retocar**

▮ [color]

• CON SUSTS. **rojo** *una alfombra rojo carmín*
➤ Véase también **COLOR**

carnal adj.

▮ [consanguíneo]

• CON SUSTS. **pariente** *Son parientes carnales de mi marido* · **primo,ma** · **tío,a** · **sobrino,na**

▮ [del cuerpo]

• CON SUSTS. **amante** · **pecador,-a** · **joven** || **relación** · **trato** · **unión** · **acceso** · **conocimiento** · **contacto** · **vínculo** · **acto** · **ayuntamiento** · **cópula** · **tocamiento** · **aventura** · **fusión** || **amor** · **deseo** · **apetito** *Perseguía así satisfacer sus apetito carnal* · **apetencia** · **pasión** · **pulsión** · **compulsión** · **impulso** · **tentación** · **debilidad** · **ambición** · **concupiscencia** || **placer** · **deleite** · **goce** · **satisfacción** *No buscaba más que la satisfacción carnal* · **divertimento** || **exceso** · **desenfreno** · **promiscuidad** · **pecado** || **comercio** *el descarado comercio carnal a la luz del día* · **oferta** || **imaginación** · **fantasía** · **pensamiento** || **dibujo** · **retrato** · **pintura** · **desnudo** · **poema** · **historia** · **fábula**

carnaval s.m.

• CON ADJS. **alegre** · **divertido** || **famoso** · **conocido** · **gran(de)** || **infantil** *Fue proclamada reina del carnaval infantil con su disfraz de mariposa* || **electoral**
• CON SUSTS. **fiesta (de)** · **desfile (de)** *Asistiremos al desfile de carnaval el próximo martes* · **baile (de)** || **disfraz (de)** || **reina (de)**
• CON VBOS. **celebrar** · **festejar** · **organizar** || **abrir** · **despedir** || **vivir** · **presenciar** || **disfrazar(se) (para)**

carnaza s.f.

• CON ADJS. **electoral** · **política** || **televisiva** · **fílmica** · **mediática** · **argumental**
• CON VBOS. **dar** *Solo quiere dar carnaza al tema para que este sea más controvertido todavía* · **echar** || **querer** · **buscar** || **convertir(se) (en)**

[carne] → carne; en carne propia; en carne y hueso

carne s.f.

• CON ADJS. **roja** *Prefiero la carne roja porque tiene más sabor* · **blanca** || **cruda** · **{muy/poco} hecha** · **{muy/poco} cocida** · **en su punto** · **pasada** · **quemada** · **a la brasa** || **picada** *un kilo de carne picada* · **molida** · **deshuesada** · **mechada** || **hormonada** · **contaminada** || **tierna** · **jugosa** · **fresca** · **magra** || **seca** · **correosa** · **podrida** || **blanda** · **flácida** · **lacia** || **débil** *Al principio se resistió, pero la carne es débil* || **firme** · **apretada** · **prieta** · **recia** · **compacta** · **dura** · **joven**
• CON SUSTS. **producción (de)** · **comercio (de)** *Las mejoras se observarán, sobre todo, en el comercio de carne de vacuno* || **pecado (de)** · **tentación (de)** · **pasión (de)** · **resurrección (de)**
• CON VBOS. **importar** · **exportar** · **etiquetar** · **empaquetar** || **asar** *Asaban la carne en un horno de leña* · **guisar** · **freír** · **cocer** · **cocinar** · **macerar** · **mechar** · **trinchar** · **picar** · **moler** || **comer** · **consumir** · **saborear** · **degustar** || **probar** *Es vegetariana, no prueba la carne* · **morder** · **masticar** · **tragar** · **hincar el diente (a)** || **aborrecer** · **detestar** · **gustar(le) (a alguien)** || **lacerar(se)** · **desgarrar(se)** || **alimentar (de)** *Estos animales se alimentan solo de carne* || **experimentar (en)** · **sufrir (en)** · **comprobar (en)**

☐ EXPRESIONES **abrírse(le)** (a alguien) **las carnes** [sentir horror] || **carne de cañón** [tropa expuesta a riesgo de muerte] || **carne de gallina** [piel erizada por el frío o el miedo] || **en carne viva** [sin piel] *una herida en carne viva* || **poner toda la carne en el asador** [poner todo el empeño para conseguir algo] *col.*

carné s.m.

• CON ADJS. **de conducir** *sacarse el carné de conducir* · **de identidad** || **universitario** · **joven** · **de estudiante** || **profesional** · **de manipulador,-a** *Tiene el carné de manipulador de alimentos* || **de socio,cia** · **de militante** · **electoral** || **falso** · **caducado** || **por puntos**
• CON SUSTS. **duplicado (de)** · **resguardo (de)** · **fotocopia (de)** || **foto (de)** · **número (de)** || **retirada (de)** · **emisión (de)**
• CON VBOS. **expedir** *Le expidieron el carné en su misma provincia de residencia* · **emitir** || **sacarse** · **obtener** · **conseguir** · **renovar** *Tengo que renovar el carné la semana que viene* || **presentar** · **enseñar** · **exhibir** · **entregar** · **mostrar** · **pedir** || **tener** · **poseer** · **llevar** || **quitar** · **retirar** · **perder** || **falsificar**

carnicería s.f.

▮ [comercio] Véase **ESTABLECIMIENTO**

▮ [matanza]

• CON ADJS. **auténtica** · **verdadera** *La explosión causó una verdadera carnicería* || **tremenda** · **brutal** · **horrible** · **salvaje** · **espantosa**
• CON VBOS. **causar** · **provocar** · **ocasionar** || **hacer** || **parar** · **frenar** · **detener** · **evitar**

carnicero, ra

1 **carnicero, ra** adj.

• CON SUSTS. **animal** || **asesino,na** · **criminal** || **instinto**

2 **carnicero, ra** s.

• CON SUSTS. **cuchillo (de)** · **hacha (de)** · **delantal (de)** || **gremio (de)** · **federación (de)** · **asociación (de)**
• CON VBOS. **cortar (algo)** · **picar (algo)** · **trocear (algo)** *La carnicera trocea las piezas de carne antes de pesarlas* · **filetear (algo)** · **deshuesar (algo)** · **destripar (algo)** || **descuartizar (algo)** · **despiezar (algo)** || **pesar (algo)**

cárnico, ca adj.

• CON SUSTS. **producto** · **derivado** · **alimento** · **conserva** · **materia** · **elemento** || **empresa** · **industria** · **compañía** · **grupo** || **mercado** · **sector** || **harina** · **pienso** *Este tipo de ganado se alimenta con piensos cárnicos* || **avicultura**

carnívoro, ra adj.

● CON SUSTS. **mamífero · depredador,-a · dinosaurio · pez** *un banco de peces carnívoros* · ***otros animales*** || **planta** *una planta carnívora que se alimenta de moscas* · **flor** || **especie** || **alimentación** || **instinto**

● CON VBOS. **hacerse · volverse**

carnoso, sa adj.

● CON SUSTS. **planta · flor · membrana · tallo** || **labios** *una mujer de ojos grandes y labios carnosos* || **aspecto** || **instinto**

caro, ra

1 **caro, ra** adj.

● CON SUSTS. **precio** *precios caros y abusivos* · **tarifa** || **comida · carburante** · ***otros productos*** || **recurso · servicio**

● CON ADVS. **relativamente · razonablemente · aparentemente · suficientemente · aceptablemente** || **extremadamente · sumamente · increíblemente · extraordinariamente · excesivamente** *un restaurante excesivamente caro* · **asombrosamente · realmente · especialmente · particularmente · enormemente**

● CON VBOS. **ser · parecer · volverse** *La tarifa se ha vuelto demasiado cara* || **poner(se) · mantener(se) · estar** || **costar** *Tu insolencia te costará cara* · **salir · resultar**

2 **cara** s.f.

▮ [semblante]

● CON ADJS. **bonita · agraciada · expresiva · inexpresiva** || **sonriente · alegre · radiante · de satisfacción** *Salió del examen con cara de satisfacción* · **amable** || **seria · adusta · circunspecta · sardónica** || **desencajada · descompuesta · crispada · lívida · desfigurada** || **buena · mala** *Tienes mala cara, deberías ir al médico* || **nueva · conocida · famosa**

● CON SUSTS. **limpieza (de) · maquillaje (de)**

● CON VBOS. **desencajarse · demudarse · descomponerse · cambiar(le) (a alguien)** || **poner** *Puso cara de sorprendida cuando...* · **presentar · lucir · mostrar · esconder · ocultar · volver** || **pintar · maquillar · retocar · acicalar · afeitar · rasurar · lavar** *Lo primero que hace cuando se levante es lavarse la cara* || **desfigurar**

▮ [desfachatez]

● CON ADJS. **excesiva · tremenda · enorme · increíble · asombrosa · infinita**

● CON VBOS. **tener · echar** *Le eché cara y logré pasar sin problemas* · **necesitar**

3 **cara (de)** s.f.

● CON SUSTS. **susto** *Llegó con cara de susto* · **espanto · estupor · asombro · extrañeza · perplejidad · sorpresa · póquer · escepticismo · vergüenza · pena** || **satisfacción · felicidad · éxtasis · triunfo** || **cabreo · circunstancias · pocos amigos** *El jefe trae hoy cara de pocos amigos* || **frío · asco · sueño** *¿Has dormido bien? Tienes cara de sueño* · **cansancio** || **tonto,ta · bobo,ba · imbécil · malo,la · duro,ra · pícaro,ra** || **inocente · santo,ta**

4 **caro** adv.

● CON VBOS. **salir · comprar · vender · alquilar · pagar** *Está pagando muy caros sus errores del pasado*

☐ EXPRESIONES **a cara o cruz*** [dejando que decida una moneda tirada al aire] || **cara de acelga** *col.* [la de aspecto pálido] || **cara de {pocos amigos/vinagre}** *col.* [la de aspecto adusto] || **cara dura** [que tiene gran desfachatez] *col.* || **cara larga** [cara que expresa pesadumbre y contrariedad] *col.* || **caérse(le) la cara de vergüenza** (a alguien) [avergonzarse] *col.* || **cruzar la cara** (a alguien) [darle una bofetada] || **dar la cara*** [responder de las propias acciones] || **de cara a** [con vistas a] || **de cara a la galería** [teniendo como referencia al público] || **echar en cara** [reprochar] || **lavar la cara** (a algo) [reformarlo superficialmente] || **partir la cara** (a alguien) [darle una paliza] *col.* || **plantar cara** (a algo)* [hacerle frente] *col.* || **por la cara** [sin pagar o sin esforzarse] *col.* || **verse las caras** [enfrentarse]

carpeta s.f.

● CON ADJS. **archivadora · informativa** *Entregaron a todos los asistentes una carpeta informativa con interesantes materiales sobre la exposición* · **de trabajo · de clase · de apuntes · de prensa** || **abultada · gruesa · voluminosa** || **de anillas · de gomas** *Guardo las facturas en una carpeta azul de gomas* || **inédita · personal**

● CON VBOS. **contener (algo)** *La gruesa carpeta contenía las pruebas que la Policía precisaba* || **abrir · cerrar** || **crear · editar · modificar · seleccionar** *Seleccione la carpeta y abra un nuevo documento* || **rotular · titular · nombrar · identificar** || **revisar** || **ordenar** || **poner orden (en) · guardar (en) · meter (en) · archivar (en)** || **sacar (de) · extraer (de)**

● CON PREPS. **dentro (de)**

[carpetazo] → dar carpetazo (a)

carpintería s.f.

● CON ADJS. **metálica · de aluminio** *una empresa especializada en carpintería de aluminio* · **de madera** || **teatral**

● CON SUSTS. **taller (de) · empresa (de)** || **trabajo (de)** || **herramienta (de)**

carpintero, ra s.

● CON ADJS. **profesional** *He contratado a un carpintero profesional para que me arregle las puertas de la casa* · **diestro,tra · hábil** || **tradicional**

● CON SUSTS. **oficio (de) · profesión (de) · gremio (de) · aprendiz,-a (de)** || **taller (de) · almacén (de)**

● CON VBOS. **buscar · necesitar · encontrar · contratar** || **trabajar (como/de)**

carrera s.f.

● CON ADJS. **de {corta/larga/mediana} distancia · de fondo** *La política es hoy en día una carrera de fondo* || **larga** *una larga carrera como corresponsal* · **dilatada** || **corta · breve · fugaz · discontinua · rápida** || **estratégica** || **profesional · militar · judicial** *Fue expulsado de la carrera judicial por cometer una falta muy grave* · **política · docente · académica · artística · deportiva · delictiva** || **presidencial · armamentística** || **brillante** *Con este éxito pone un broche de oro a su brillante carrera* · **exitosa · fecunda · rutilante · espectacular · impresionante · destacada** || **limpia · honrosa · intachable · impecable** || **fulgurante · meteórica** *...una meteórica carrera política que en solo una década la llevó a...* · **imparable · vertiginosa · fulminante · inexorable** || **contra reloj · frenética** *una frenética carrera por aumentar la audiencia* · **maratoniana · febril · desenfrenada · trepidante · precipitada · atropellada · intensa · activa · ajetreada · turbulenta · sacrificada** || **cansada · agotadora** || **en punto muerto**

● CON SUSTS. **ritmo (de) · velocidad (de)** || **posición (de)** || **cabeza (de)** *Se hizo con la cabeza de carrera tras una épica remontada* || **caballo (de) · coche (de) · moto (de)** || **comienzo (de) · final (de)** || **año (de)** *El polémico actor recibió un conmovedor homenaje por sus treinta años de carrera artística* · **día (de) · hora (de)** || **funcionario,ria (de)** *Los puestos serán ocupados por funcionarios de carrera*

· militar (de) · diplomático,ca (de) · político,ca (de) · *otros profesionales* || compañero,ra (de)
● CON VBOS. declinar · malograr(se) · torcer(se) · truncar(se) · empañar(se) · echar(se) a perder · zozobrar || deparar || iniciar · emprender · echar *Te echo una carrera hasta la heladería* · correr *La carrera popular se corre el sábado* · pegar · trazar · fraguar · afianzar · seguir · proseguir || cursar · estudiar *¿Qué carrera estás estudiando?* || tener · coronar · culminar · terminar · jalonar · sellar · encabezar · dominar · ganar · anotar || orientar *Orientó su carrera hacia el comercio exterior* · encarrilar · enderezar · remontar || apuntalar · cimentar · impulsar · auspiciar · avalar · acelerar || perder · frustrar · arruinar *Este pequeño error no arruinará tu carrera* · ensuciar · pisotear · frenar · obstaculizar · ralentizar || dejar · abandonar *Abandonó sin que se sepa por qué su brillante carrera deportiva...* · interrumpir || participar (en) · correr (en) · lanzarse (a) · ir (en) || destacar (en) · triunfar (en) · fracasar (en) || cambiar (de)
□ EXPRESIONES **hacer la carrera** [dedicarse a la prostitución] || **no hacer carrera {con/de}** (alguien) [no conseguir que haga algo de provecho] *col.*

[carrerilla] → carrerilla; de carrerilla

carrerilla s.f.

● CON VBOS. coger *Si no coges carrerilla, no podrás saltar el charco* · tomar

carrete s.m.

● CON ADJS. de fotos · fotográfico || de pesca
● CON VBOS. velar(se) *El carrete se ha velado y hemos perdido las fotos* || revelar || cambiar
□ EXPRESIONES **dar carrete** (a alguien) [darle conversación] *col.*

[carretera] s.f. → carretero, ra

[carretero, ra] → carretero, ra; como un carretero

carretero, ra

1 **carretero, ra** adj.
● CON SUSTS. tramo · camino *En este mapa lo caminos carreteros están señalados con una línea negra* · transporte · túnel · acceso · ramal · trazo · nudo · sistema · tránsito · caravana · retén · bloqueo · libramiento || accidente · choque · rescate

2 **carretera** s.f.
● CON ADJS. principal · secundaria *la red de carreteras secundarias* · nacional · comarcal · vecinal || larga · corta · ancha · estrecha · angosta · zigzagueante · serpenteante · ondulante · de {una/doble} dirección || intransitable · impracticable · infernal *Después de una jornada de viaje por esas infernales carreteras...* · infame · tortuosa · polvorienta · escarpada · retorcida · abrupta · peligrosa || transitable · practicable · peraltada || en {buen/mal} estado || transitada · concurrida · abarrotada · congestionada || despejada · expedita · solitaria || rápida · lenta || en construcción
● CON SUSTS. mapa (de) *mapa de carreteras actualizado* · red (de) · tramo (de) · trazado (de) · cruce (de) · punto negro (de) || firme (de) · pavimento (de) || salida (de) *El accidente se produjo en la salida de la carretera* · acceso (a/de) · incorporación (de) || carril (de) · arcén (de) · mediana (de) *Saltó la mediana de la carretera y fue a estrellarse contra un vehículo que circulaba en sentido contrario* || control (de) · mantenimiento (de) · mejora (de) · señalización (de) || tráfico (de) · corte (de) *El temporal provocó diversos cortes de carretera* · bloqueo (de) · estado (de) · accidente (de)
● CON VBOS. conducir (a un lugar) · ir (de un lugar a otro) · unir (algo) *La nueva carretera unirá los dos pueblos* · conectar (algo) · enlazar (algo) · dividir (algo) · discurrir (por un lugar) · recorrer (algo) · serpentear || confluir · converger · bifurcarse *Al llegar al valle la carretera se bifurca* · desviar(se) || congestionar(se) · atascar(se) · abarrotar(se) · despejar(se) || tomar · ocupar · enfilar · utilizar · cruzar *Al llegar al final, cruce la carretera y gire a la derecha* || proyectar · trazar · construir · asfaltar · pavimentar · mejorar · modernizar · acondicionar · conservar · remozar · reparar · señalizar · peraltar · soterrar · ampliar · estrechar · reconstruir || privatizar || cortar · bloquear *Los manifestantes bloquearon la carretera* · obstruir · obstaculizar · cerrar · abrir · desbloquear || circular (por) · transitar (por) · lanzarse (a) *El primero de agosto miles de veraneantes se lanzan a la carretera* || salir(se) (de)
● CON PREPS. al borde (de) · a lo largo (de) · en medio (de) · por

carril s.m.

● CON ADJS. lateral · central · principal · adicional *habilitar un carril adicional* || reversible · de ida y vuelta
● CON SUSTS. invasión (de) || bici · bus *Los vehículos particulares deben respetar el carril bus*
● CON VBOS. cortar · obstruir · bloquear · invadir || habilitar · desbloquear · liberar || circular (por) · cambiar (de) · adueñar(se) (de) · salir(se) (de)
● CON PREPS. por · en medio (de)

[carrillo] → a dos carrillos; carrillo

carrillo s.m.

● CON ADJS. prominente · saliente · regordete *un bebé de carrillos regordetes* · hinchado · lleno || sonrosado · colorado · rojo · enrojecido
● CON VBOS. besar (en)
□ EXPRESIONES **a dos carrillos*** [vorazmente] *col.*

carro s.m.

▮ [máquina militar]

● CON ADJS. de combate · blindado · militar || pesado · medio · ligero || en formación
● CON SUSTS. flota (de) · columna (de) · convoy (de)
● CON VBOS. atacar (algo) · ocupar (algo) · destruir (algo) · destrozar (algo) || entrar (en un lugar) · invadir (algo) · tomar posición || maniobrar || enviar *con el firme propósito de enviar los carros de combate en caso de que...* · mandar || retirar || emplear · utilizar

▮ [coche o automóvil]

● CON ADJS. potente · rápido · moderno || manejable · cómodo · práctico || lento · viejo · incómodo || de lujo
● CON SUSTS. motor (de) · capó (de) · rueda (de) · maletero (de) · llaves (de) *No sé dónde están las llaves del carro* · placa (de) · luces (de) || conductor,-a (de) · ocupante (de)
● CON VBOS. averiar(se) · chocar *El carro chocó contra el árbol* · colisionar · volcar || correr || tener · poseer || conducir · manejar *¿Manejas tú el carro?* · llevar || arrancar · acelerar · detener || reparar · arreglar || ir (en) *Fuimos hasta ese pueblo en carro* · subir (a) · bajar (de)
● CON PREPS. a bordo (de)

▮ [vehículo o armazón para transportar algo]

● CON ADJS. **de carga · cisterna · de la compra** *Llevaba el carro de la compra hasta arriba* · **de supermercado · de la limpieza || de niño · de bebé || plegable**

● CON VBOS. **cargar** *He cargado demasiado el carro y ahora no puedo con él* · **llenar || utilizar · usar || coger · agarrar || llevar · empujar · arrastrar** *Arrastraba el carro una mula torda* **|| tirar (de)**

□ EXPRESIONES **parar el carro** [contenerse] *col. ¡Tranquilo, para el carro!* **|| subirse al carro** (de algo) [aprovecharse del éxito de otros] **|| tirar del carro** [hacerse cargo de una responsabilidad que debería ser compartida] *col.* **|| {tragar/aguantar} carros y carretas** [soportar más de lo debido] *col.*

carrocería s.f.

● CON ADJS. **de {tres/cuatro/cinco} puertas · familiar · corta · larga · berlina · deportiva || de aluminio · de fibra || resistente · dura · endeble**

● CON VBOS. **construir · montar || diseñar || galvanizar || arañar · abollar · perforar** *Las balas perforaron la carrocería* · **atravesar || reparar · arreglar**

● CON PREPS. **con** *un coche con carrocería deportiva*

carroña s.f.

● CON VBOS. **buscar** *unos periodistas que solo se preocupan por buscar carroña* · **vender || alimentar(se) (de)**

carroza s.f.

● CON ADJS. **fúnebre · funeraria || real || de gala · engalanada · suntuosa**

● CON SUSTS. **desfile (de)** *La fiesta terminó con un desfile de carrozas* · **paso (de)**

● CON VBOS. **desfilar || decorar · engalanar · adornar || bajar (de) · subir (a) || ir (en) · viajar (en) · pasear (en)**

carruaje s.m.

● CON ADJS. **lujoso** *La mujer y su dama de compañía subieron a un lujoso carruaje* · **vistoso · espléndido · magnífico · elegante || típico · turístico || fúnebre** *Seguimos el carruaje fúnebre hasta el cementerio* · **deportivo || antiguo · viejo · destartalado · de época || con capota · descapotable · descubierto || de caballos**

● CON SUSTS. **colección (de) · exposición (de) || paso (de) · desfile (de) · tránsito (de) || impuesto (de)**

● CON VBOS. **conducir** *No es tan fácil conducir un carruaje* · **manejar · llevar || parar · detener || reparar · arreglar · preparar || utilizar · alquilar · tomar || trasladar(se) (en) · ir (en) · viajar (en) · subir (a) · bajar (de) · tirar (de)** *Los caballos tiraban del carruaje con mucho brío* · **pasear (en)**

● CON PREPS. **a bordo (de)**

carrusel

1 **carrusel** s.m.

● CON ADJS. **fantástico · musical** *Y en cuanto el carrusel musical empieza a girar, se vuelve loco* · **pictórico · publicitario · político · deportivo || festivo · de feria · de verbena || interminable · incesante · imparable**

● CON VBOS. **girar || subir (a) · montar (en)** *El abuelo nos montó en el carrusel*

2 **carrusel (de)** s.m.

● CON SUSTS. **oportunidades · novedades · anuncios · compras · cambios || imágenes || errores || emociones**

[carta]

→ a carta cabal; carta; carta blanca

carta s.f.

▮ [epístola, escrito]

● CON ADJS. **amable · cordial · atenta · cariñosa · apasionada · amorosa · perfumada · fría · distante || abierta** *El periódico de hoy publica una carta abierta al presidente en la que se puntualiza...* · **confidencial · personal · particular || larga · extensa · breve || dura · enérgica · rotunda || de {mi/tu/su...} puño y letra · manuscrita · mecanografiada || urgente · certificada · por correo || notarial · oficial · rogatoria · de apremio · de desahucio · de pago · de intenciones · de amor** *Le enviaba apasionadas cartas de amor* · **de presentación** *...con unos modales impecables como carta de presentación* · **credenciales** *El embajador presentó sus cartas credenciales a la reina* · **pastoral || de ciudadanía · de naturalización || de navegación · astral · de ajuste · magna** *Este es un derecho reconocido en nuestra carta magna*

● CON SUSTS. **firmante (de) · autor,-a (de) || envío (de) · recepción (de) · franqueo (de) || encabezamiento (de)** *En el encabezamiento de la carta se escribe la frase que...* · **cuerpo (de) · cierre (de) · dirección (de)**

● CON VBOS. **decir (algo) || llegar || escribir · redactar · dictar · contestar · encabezar** *Encabezó la carta con una fría fórmula de cortesía* · **fechar · firmar · sellar · falsificar || enviar (a alguien) · mandar · remitir · publicar · difundir · dirigir (a alguien) · echar** *Olvidé echar las cartas al buzón* · **depositar || repartir · entregar en mano · franquear · certificar || recibir** *Hace mucho que no recibo carta suya* **|| conservar · guardar · tirar · quemar || responder (a) · desentenderse (de) · deshacerse (de) || adherirse (a)**

● CON PREPS. **por** *comunicarse por carta*

▮ [naipe]

● CON ADJS. **alta · baja**

● CON SUSTS. **baraja (de) · juego (de)** *Ayer aprendí un nuevo juego de cartas* **|| partida (de)**

● CON VBOS. **barajar · repartir** *¿A quién le toca repartir las cartas?* · **dar · sacar · elegir** *Elige una carta sin mirarla* **|| trucar · marcar || echar** *Dice que irá a una adivina para que le eche las cartas* · **leer · interpretar || jugar (a)** *Ayer pasamos la tarde jugando a las cartas* · **ganar (a) · perder (a)**

□ EXPRESIONES **carta blanca*** [libertad para obrar] *col.* **|| carta de naturaleza** [concesión de la nacionalidad de un país que se hace a un extranjero] **|| no saber a qué carta quedarse** [dudar] *col.* **|| poner las cartas {boca arriba/sobre la mesa}** [revelar una intención oculta] **|| tomar cartas en un asunto** [intervenir en él] *col.*

carta blanca loc.sust.

● CON VBOS. **dar** *un acto en el que decidieron dar carta blanca al líder del partido* · **conceder · otorgar · tener || gozar (de)**

cartel s.m.

● CON ADJS. **luminoso || estelar || pequeño · modesto || publicitario · informativo · electoral · oficial · de advertencia · de aviso · de bienvenida**

● CON SUSTS. **mensaje (de) · letra (de) || cabeza (de)** *Dejará de ser cabeza de cartel del partido* · **jefe,fa (de) · compañero,ra (de)**

● CON VBOS. **rezar (algo) · decir (algo) · anunciar (algo)** *Un pequeño cartel anunciaba la cancelación del espectáculo* · **advertir (de algo) || colgar · pegar · poner · enarbolar || compartir** *La actriz comparte cartel por primera vez con*

una gran estrella americana · **completar** · **integrar** · **conformar** · **encabezar**
●CON PREPS. **en** *una obra que lleva varios meses en cartel*

cartelera s.f.

●CON ADJS. **de espectáculos** · **cinematográfica** · **de cine** · **teatral** · **televisiva** · **musical** · **electoral** || **actual** · **semanal** || **infantil**
●CON SUSTS. **película (de)** · **novedades (de)** · **éxito (de)**
●CON VBOS. **renovar** *Cada viernes renuevan la cartelera de los cines* || **consultar** || **encabezar** || **estar (en)** *El musical ha sido un éxito; ha estado en cartelera varios meses* · **figurar (en)** · **permanecer (en)** · **continuar (en)** || **pasar (por)** · **llegar (a)** || **quitar (de)** · **retirar (de)**

[cartera] s.f. → cartero, ra

cartero, ra

1 **cartero, ra** s.
●CON ADJS. **de correos** · **comercial** *Ha llamado al timbre un cartero comercial* · **del banco** || **rural** · **urbano,na** · **habitual** · **eventual**
●CON VBOS. **llegar** · **venir** || **entregar (cartas)** · **repartir (cartas)** *La cartera reparte la correspondencia solo por la mañana* || **trabajar (como/de)**

2 **cartera** s.f.

▮ [monedero, billetero]
●CON ADJS. **de cuero** · **de piel** · **de tela**
●CON VBOS. **robar (a alguien)** · **devolver (a alguien)** || **extraviar** · **perder** || **guardar** · **vigilar** · **agarrar** *Agarra fuerte tu cartera, esta es una zona muy peligrosa* · **asir** || **guardar (en)** · **meter (en)** · **rebuscar (en)**

▮ [conjunto de valores comerciales]
●CON ADJS. **de crédito** · **crediticia** · **hipotecaria** *Sus superiores van a revisar su cartera hipotecaria* · **bancaria** · **financiera** · **morosa** · **de acciones** · **de valores** || **vigente** · **vencida**
●CON VBOS. **comprar** || **mantener** · **renovar**

▮ [conjunto de clientes]
●CON ADJS. **laboral** · **de proyectos** · **de clientes** · **de pedidos**
●CON VBOS. **conseguir** · **mejorar** *Tras muchos esfuerzos, el nuevo abogado consiguió mejorar su cartera de clientes* · **aumentar** · **afianzar** || **hacerse (con)**

▮ [empleo de ministro]
●CON ADJS. **ministerial** · **política**
●CON SUSTS. **titular (de)** *el nuevo titular de la cartera de Industria*
●CON VBOS. **ocupar** · **asumir** *Finalmente, asumió la cartera de Economía* · **tomar** || **dejar** · **abandonar**

cartesiano, na adj.

●CON SUSTS. **racionalismo** · **método** · **lógica** · **duda** · **pensamiento** · **mente** · **mentalidad** · **razón** · **razonamiento** *Siguiendo un razonamiento cartesiano, podemos deducir fácilmente que...* · **máxima** · **precepto** · **concepto** · **definición** · **debate** · **visión** · **espíritu** · **moral** · **esquema** || **rigor** *investigar algo con rigor cartesiano* · **claridad** · **inteligencia** · **precisión** · **equilibrio** · **sentido común** || **artículo** · **discurso** · **lenguaje** || **educación** · **formación**

cartilla s.f.

●CON ADJS. **bancaria** · **de ahorro(s)** *abrir una cartilla de ahorro* || **municipal** · **oficial** · **militar** · **de racionamiento** || **de asistencia** · **de vacunación** · **sanitaria**
●CON SUSTS. **titular (de)** || **datos (de)** · **número (de)**
●CON VBOS. **abrir** · **tramitar** *Vamos a tramitar nuestra nueva cartilla sanitaria* || **facilitar** · **presentar** || **actualizar** · **sellar** || **coger** · **recibir** · **recoger** · **conseguir** || **exigir** || **carecer (de)** || **disponer (de)**
□EXPRESIONES **leer(le) la cartilla** (a alguien) [regañarlo] *col.*

cartón

1 **cartón** s.m.
●CON ADJS. **ondulado** · **prensado** || **hecho,cha (de)**
●CON SUSTS. **caja (de)** · **lámina (de)** · **envase (de)** || **piedra** *Hicieron un precioso escenario de cartón piedra para la representación de la obra*
●CON VBOS. **reciclar** || **amontonar** · **apilar**

2 **cartón (de)** s.m.
●CON SUSTS. **tabaco** · **cigarrillos** || **leche** *Trae unos cartones de leche, que no se te olviden* · **vino** · **zumo**

cartucho s.m.

●CON ADJS. **de dinamita** · **de caza** · **de fogueo** · **de munición** · **de escopeta** || **de tinta** · **de impresora** · **de impresión**
●CON VBOS. **percutir** · **disparar** · **quemar** || **llevar** || **reciclar** · **malgastar** || **utilizar** · **gastar** · **acabar** || **poner** · **quitar** · **cambiar** || **cargar (con)** *cargar la escopeta con los cartuchos de fogueo*
□EXPRESIONES {**gastar/quemar/agotar**} **el último cartucho** [agotar la última posibilidad] *col.*

casa s.f.

●CON ADJS. **gran(de)** · **amplia** · **espaciosa** · **luminosa** · **nueva** · **moderna** · **acogedora** · **confortable** · **recogida** || **lujosa** · **suntuosa** · **fastuosa** · **señorial** *El barrio alto, con sus palacios y casas señoriales, es visita obligada* · **solariega** · **majestuosa** · **opulenta** · **de postín** · **grandiosa** · **pomposa** · **ostentosa** · **lustrosa** || **sobria** · **oscura** · **pobre** · **mísera** · **pequeña** · **modesta** || **vieja** · **en ruinas** · **ruinosa** · **destartalada** · **desvencijada** · **vetusta** || **habitada** · **deshabitada** · **vacía** · **abandonada** · **embrujada** || **de campo** · **de** {**labor/labranza**} *una típica casa de labor* · **rústica** · **tradicional** · **flotante** · **rural** || **natal** *la casa natal del ilustre escritor* · **consistorial** *El alcalde se reunió con los concejales en la casa consistorial* · **de citas** · **de putas** · **de baños** · **de** {**Dios/oración**} · **de empeño** · **de (la) moneda** · **de socorro** *Le curaron sus heridas en la casa de socorro* || **vecina** · **colindante** || **privada** · **particular** || **real** · **principesca** · **antigua** · **ilustre** || **cara** · **barata** · **a buen precio** || **ruidosa** · **tranquila** · **silenciosa**
●CON SUSTS. **amo,ma (de)** · **dueño,ña (de)** · **señor,-a (de)** *¿Podría hablar con el señor de la casa?* || **llaves (de)** · **puerta (de)** · **ventanas (de)** · **habitación (de)** · **baño (de)** · **cocina (de)** · **mueble (de)** || **interior (de)** · **exterior (de)** || **dirección (de)** *¿Me puede dar la dirección de su casa, por favor?* || **trabajo (de)** · **labor (de)** · **tarea (de)** *repartir las tareas de la casa* || **cuartel** *una casa cuartel de la Guardia Civil* · **cuna** || **precio (de)** · **valor (de)**
●CON VBOS. **situar(se) (en un lugar)** · **ubicar(se) (en un lugar)** || **caerse** {**a trozos/a pedazos**} · **venirse abajo** || **erguirse** || **albergar (algo/a alguien)** || **abaratar(se)** · **encarecer(se)** || **construir** · **levantar** · **edificar** · **reformar** · **rehabilitar** · **restaurar** · **acondicionar** · **decorar** · **adecentar** · **limpiar** · **ornamentar** || **demoler** · **derribar** · **derruir** · **tirar** · **arrasar** || **desvalijar** · **saquear** · **asaltar** || **alquilar** · **arrendar** · **hipotecar** · **tasar** *¿Cuánto me llevaría usted por tasar mi casa?* · **comprar** · **vender** · **tener** · **encontrar** *Ya me han concedido el traslado, pero aún no*

he encontrado casa || **habitar** · **ocupar** · **visitar** || **desalojar** *Desalojaron la casa porque había peligro de derrumbe* · **desocupar** · **abandonar** · **evacuar** || **llevar** *Es ella la que lleva toda la casa* · **organizar** · **poner** · **montar** · **ordenar** *A ver si este fin de semana ordeno un poco la casa* || **vivir (en)** · **alojar(se) (en)** · **residir (en)** · **morar (en)** · **quedarse (en)** · **pernoctar (en)** · **dormir (en)** · **cobijar (en)** || **llegar (a)** *Estoy deseando llegar a casa y ponerme cómoda* · **volver (a)** · **regresar (a)** · **mandar (a)** || **salir (de)** · **cambiar(se) (de)** · **mudarse (a/de)** · **irse (de)** · **huir (de)**

☐ EXPRESIONES **caérse(le)** (a alguien) **la casa encima** [hacérsele insoportable permanecer en casa] *col.* || **como Pedro por su casa** [con confianza y sin ceremonias] *col.* || **como una casa** [muy grande] *una mentira como una casa* || **de la casa** [propio de un establecimiento] *vino de la casa* || **{de/para} andar por casa** [hecho sin seriedad o sin rigor] || **{echar/tirar} la casa por la ventana** [hacer un gasto excesivo] *col.* || **empezar la casa por el tejado** [empezar a hacer algo por el final]

casadero, ra adj.

● CON SUSTS. **hijo,ja** · **joven** · ***otros individuos y grupos humanos*** || **edad** *Todavía estoy en edad casadera*

[casar] → casar; casar(se)

casar v.

▌[encajar]

● CON SUSTS. **pieza** *Las piezas de la trama casan a la perfección* · **fragmento** · **trozo** · **elemento**

● CON ADVS. **a la perfección** · **perfectamente** · **exactamente** · **a las mil maravillas** · **armoniosamente** · **bien** · **mal**

casar(se) v.

● CON ADVS. **legalmente** · **con arreglo a la ley** · **por la iglesia** · **por lo civil** || **en secreto** · **de penalti** · **felizmente**

[cascada] s.f. → cascado, da

cascado, da

1 **cascado, da** adj. *col.*

● CON SUSTS. **salud** · **voz** || ***persona*** || **nevera** · **televisión** · **coche** *Mi coche ya está bastante cascado* · ***otros aparatos o máquinas***

● CON VBOS. **estar** *Su voz estaba cascada por el tabaco* || **quedar(se)** · **sentirse** · **llegar**

2 **cascada** s.f.

● CON ADJS. **natural** · **virgen** · **artificial** *El belén tenía una cascada artificial* || **caudalosa** · **inmensa** · **gigantesca** · **enorme** · **imponente** · **espectacular** · **vistosa** · **impresionante** || **auténtica** · **verdadera** || **torrencial** · **impetuosa** · **tumultuosa** · **frenética** · **explosiva** · **tempestuosa** · **abrumadora** || **inagotable** · **interminable** · **continua** *una continua cascada de críticas* · **ininterrumpida** · **larga** · **escalonada** || **ruidosa** · **peligrosa**

● CON VBOS. **fluir** · **desembocar (en algún lugar)** || **caer (en)** *El río cae en cascada al llegar allí* · **precipitarse (en)** · **desplomarse (en)** · **verter(se) (en)** · **propagarse (en)** || **llegar (en)** *Los invitados llegaron en una verdadera cascada* · **lanzarse (en)** · **venir (en)** · **estallar (en)**

● CON PREPS. **al pie (de)** · **en medio (de)**

3 **cascada (de)** s.f.

● CON SUSTS. **preguntas** · **respuestas** · **datos** · **informaciones** · **noticias** · **declaraciones** · **confesiones** || **aplausos** *El público premió la actuación con una cascada de aplausos* · **elogios** · **críticas** · **reacciones** || **sucesos** · **acontecimientos** · **escándalos** · **denuncias** · **acusaciones** · **protestas** · **delitos** · **movilizaciones** || **medidas** · **propuestas** · **decisiones** · **iniciativas** || **recuerdos** · **imágenes**

cascar v.

▌[partir, romper]

● CON SUSTS. **huevo** · **nuez** *Cascábamos las nueces con una piedra* · **avellana** · **coco** || **hielo** · **cristal** · **piedra** · **cerámica** · **baldosa** · **plato** · **vaso** · **madera**

● CON ADVS. **a golpes** · **de un puñetazo** || **enérgicamente**

▌[poner, dar] *col.*

● CON SUSTS. **multa** *Aparqué un minuto en doble fila y me cascaron una multa* · **castigo** || **torta** · **bofetada** · **puntapié** *Cada vez que digo algo inconveniente me casca un puntapié por debajo de la mesa* · ***otros golpes***

cáscara

1 **cáscara** s.f.

● CON ADJS. **hueca** · **dura** · **blanda** || **protectora**

● CON VBOS. **quitar** *quitarle la cáscara al plátano* || **romper** *romper la cáscara de las nueces* · **partir** · **abrir** || **rallar** *rallar una cáscara de limón* || **recoger**

2 **cáscara (de)** s.f.

● CON SUSTS. **huevo** || **plátano** · **naranja** · **limón** · **mandarina** · **melón** · **sandía** || **nuez** · **almendra** · **pipa** · **avellana** · **cacahuete** || ***otros frutos***

☐ EXPRESIONES **ser** (alguien) **de la cáscara amarga** [ser díscolo, osado o poco dócil]

cascarón s.m.

● CON VBOS. **romper** || **salir (de)**

● CON PREPS. **fuera (de)** · **dentro (de)**

casco s.m.

▌[para la cabeza]

● CON ADJS. **reglamentario** · **obligatorio** || **protector**

● CON VBOS. **salvar (a alguien)** *El casco le salvó la vida* || **poner** · **llevar** · **usar** || **quitar** · **sacar** || **conducir (con/sin)**

▌[de una ciudad]

● CON ADJS. **antiguo** *Vive justo en el centro del casco antiguo de la ciudad* · **histórico** · **viejo** || **urbano** · **de población**

● CON VBOS. **rehabilitar** · **mejorar** · **reformar** · **restaurar** || **rodear** · **atravesar** || **visitar** *No olvides visitar el casco histórico* || **llegar (a)** · **acceder (a)** || **pasear (por)**

☐ EXPRESIONES **calentar los cascos** (a alguien) [agobiarlo con preocupaciones] *col.* || **casco azul** [militar que pertenece a las tropas de Naciones Unidas]

caserío s.m.

● CON ADJS. **señorial** *Viven en un caserío señorial a las afueras del pueblo* || **abandonado** · **en ruinas** || **antiguo** · **viejo** · **moderno** || **familiar**

● CON VBOS. **ocupar** || **abandonar** || **explorar** || **heredar** || **llegar (a)** *Por ese camino se llega directamente al caserío* || **refugiar(se) (en)** || **vivir (en)**

casero, ra adj.

• CON SUSTS. **comida · natillas** *unas natillas caseras de postre* · **lentejas · guiso ·** ***otros alimentos o comidas*** || **remedio · botiquín · botica · medicamento · tratamiento** || **vídeo · grabación · filmación · rodaje · película · cinta · maqueta** *Para presentarte al concurso deberías reemplazar esta maqueta casera por una profesional* · **cine · dibujos animados · efectos especiales · foto · porno** || **fabricación · elaboración · producción · confección · manufactura · construcción · diseño** || **transistor · telescopio · bomba · explosivo · arma ·** ***otros artefactos*** || **economía · administración · finanzas · presupuesto · consumo** *el consumo casero de energía* · **renta · gasto** || **arreglo · reparación · trabajo · tarea · manualidad · remiendo · chapuza** || **cocina · gastronomía** *Durante su viaje podrá disfrutar de una variada gastronomía casera* · **bricolaje · antropología · farmacología**

caseta s.f.

• CON ADJS. **de feria · ferial** || **de peaje · de cobro** || **de información · informativa** *La universidad ha habilitado una caseta informativa sobre las nuevas titulaciones* · **promocional · de vigilancia** || **rural · municipal** || **metálica · de madera** *Guarda los aperos en una caseta de madera* || **aislada** || **arbitral** || **del perro**

• CON VBOS. **montar · instalar** *Instalaron las casetas en el recinto ferial* · **poner · desmontar · desinstalar** || **rearmar · trasladar · colocar** || **derribar · tirar · derruir** || **adornar** || **visitar** || **acercar(se) (a)** *Me acerqué a la caseta de la editorial para que me firmasen el libro* · **acceder (a)** || **exhibir (en)**

casilla s.f.

• CON ADJS. **en blanco** *Escriba sus datos personales en las casillas en blanco*

• CON VBOS. **rellenar · marcar · señalar · tachar** || **ocupar** || **poner {un aspa/una cruz} (en)**

☐ EXPRESIONES **sacar de sus casillas** (a alguien) [irritarlo] *col.*

[caso] → caso; en caso (de)

caso s.m.

• CON ADJS. **concreto · particular · específico** || **único · aislado** *No hay motivo para la alarma, este es un caso aislado* · **esporádico · contado · excepcional · insólito · inusual · inédito · curioso · raro · anecdótico** || **extraordinario · especial · llamativo · apasionante** || **repetido** || **hipotético · supuesto · imaginario · real · conocido · habitual · frecuente · normal** || **claro** *Estamos ante un claro caso de prevaricación* · **clamoroso · flagrante** || **complejo · enrevesado · polémico · turbio · oscuro** || **aleccionador · ilustrativo · paradigmático** || **judicial · clínico** *Es un caso clínico digno de estudio* || **pendiente · visto para sentencia**

• CON SUSTS. **detalle (de) · fuentes (de)** *Según afirman fuentes cercanas del caso...* || **difusión (de)** || **gravedad (de)** || **resolución (de) · esclarecimiento (de) · investigación (de) · desenlace (de) · cierre (de)** || **audiencia (de) · reapertura (de) · seguimiento (de)** || **fiscal (de) · juez (de)**

• CON VBOS. **darse · presentar(se) · llegar** *Llegado el caso, se tomarían las oportunas medidas* || **alargar(se)** || **atañer (a algo/a alguien) · salpicar (a algo/a alguien)** || **incluir(se) · exceptuar(se)** || **plantear · estudiar · investigar · abrir · reabrir** *Tras aparecer nuevas pruebas, el juez decidió reabrir el caso* · **airear** || **esclarecer · aclarar · resolver · solucionar · zanjar · dirimir · enjuiciar · instruir · sentenciar** || **sobreseer · cerrar · posponer · retardar · bloquear · congelar · desbloquear** || **imputar (a alguien)** || **extrapolar** || **implicar(se) (en)** || **quitar hierro (a)** || **prevaricar (en)** || **retirar(se) (de) · encargar(se) (de)**

☐ EXPRESIONES **caso por caso** [uno a uno] || **hacer caso** (a algo/a alguien) [prestarle atención] || **hacer caso omiso** (de algo) [no tenerlo en cuenta] || **poner por caso** [poner por ejemplo] || **ser** (alguien) **un caso** [tener una forma de ser peculiar] *col.* || **venir al caso** [ser pertinente] *col.*

caspa s.f.

• CON ADJS. **lleno,na (de) · cubierto,ta (de)**

• CON SUSTS. **problema (de) · champú (contra)** *El farmacéutico me recomendó un champú contra la caspa*

• CON VBOS. **tener · llevar · salir** || **desaparecer · quitar · combatir · eliminar** || **limpiar · sacudir**

casquete s.m.

• CON ADJS. **polar** *el problema del deshielo del casquete polar* · **de hielo · glacial · antártico** || **esférico**

casquillo s.m.

▌ [de bala]

• CON VBOS. **encontrar · hallar · descubrir** || **analizar · estudiar · comparar** *...no sin antes comparar los casquillos de ambos asesinatos* || **recoger** || **percutir**

▌ [de bombilla]

• CON VBOS. **enroscar · desenroscar**

[casta] s.f. → casto, ta

[castaña] s.f. → castaño, ña

castañazo s.m. Véase GOLPE

castañetear v.

• CON SUSTS. **dientes · dentadura**

castaño, ña

1 **castaño, ña** adj.

• CON SUSTS. **pelo · melena** *Lleva suelta su preciosa melena castaña* · **cabello · ojos** *Tiene unos enormes ojos castaños* || **color · tono · reflejo** || ***persona*** *¿Tu primo es rubio o castaño?*

2 **castaño** s.m.

• CON ADJS. **en flor** || **de indias · dulce**

➤ Véase también **ÁRBOL**

3 **castaña** s.f.

▌ [fruto]

• CON ADJS. **madura · pilonga · asada** *un puesto de castañas asadas* · **caliente**

• CON SUSTS. **cosecha (de) · recogida (de)** || **mercado (de)**

• CON VBOS. **coger** *Durante la excursión, cogimos castañas* · **recolectar · cultivar · amontonar** || **producir · comercializar** || **pelar · asar** *Asamos las castañas en la chimenea* · **confitar · glasear** *Glaseamos las castañas para que tengan un aspecto más vistoso* · **cocer**

▌ [golpe que se da] *col.* Véase **GOLPE**

☐ EXPRESIONES **pasar de castaño oscuro** [ser demasiado grave; resultar intolerable] *col.* || **sacar las castañas del fuego** (a alguien) [solucionarle los problemas] *col.* || **toma castaña** [expresión que indica sorpresa o disgusto] *col.*

[castañuela] → castañuela; como unas castañuelas

castañuela s.f.

● CON SUSTS. **repiqueteo (de)**
● CON VBOS. **batir || acompasar (con)** *Acompasa su voz con las castañuelas*
➤ Véase también **INSTRUMENTO MUSICAL**

castellano s.m. Véase **IDIOMA**

castidad s.f.

● CON ADJS. **rigurosa · estricta · obligada**
● CON SUSTS. **cinturón (de) · voto (de)**
● CON VBOS. **practicar · cuidar · guardar · vivir || predicar · promover · recomendar || imponer**

castigar v.

● CON SUSTS. **niño,ña · culpable · persona · población ·** ***otros individuos y grupos humanos*** **|| comportamiento · conducta · actitud · delito**
● CON ADVS. **duramente** *La sequía está castigando duramente esa zona* **· severamente · con dureza · con mano dura · sin contemplaciones · sin misericordia · sin piedad · despiadadamente · con crueldad · inhumanamente · implacablemente · drásticamente · seriamente · en toda la línea · rigurosamente || a toda costa · inexorablemente || debidamente · ejemplarmente** *Se castigará ejemplarmente a los culpables* **· desmesuradamente || justamente · con toda justicia · con (toda) razón · merecidamente || inmerecidamente · sin razón · injustamente · arbitrariamente || a golpes || electoralmente · económicamente · políticamente · simbólicamente**

castigo s.m.

● CON ADJS. **ejemplar** *...quienes pidieron justicia y que se aplicara un castigo ejemplar* **· disuasorio · efectivo · eficaz || duro · fuerte · largo · severo · serio** *Ese partido político recibió un serio castigo en las últimas elecciones* **· riguroso · estricto · drástico · tremendo · terrible · inhumano · insufrible · implacable · a ultranza || leve · tibio · blando · llevadero · indulgente · benigno · corto || justo** *...en justo castigo por su mal comportamiento* **· merecido · ajustado (a algo) · adecuado (a algo) · acorde (con algo) || injusto · arbitrario · inmerecido || suficiente · proporcionado · proporcional || insuficiente · exagerado · excesivo · desmedido · desmesurado · desproporcionado || físico · corporal || eterno || exento,ta (de)**
● CON SUSTS. **voto (de) || operación (de) || forma (de)**
● CON VBOS. **consistir (en algo) || recaer (en alguien) || ablandar(se) · agravar(se) || acarrear · comportar · suponer || imponer** *No soy partidario de imponer castigos físicos en ningún caso* **· establecer · instaurar · reinstaurar · aplicar · endosar (a alguien) · impartir · infligir · ejecutar || decidir · elegir || recibir · sufrir · soportar · sobrellevar · aguantar · encajar · asumir || cumplir · quebrantar · evitar || rebajar · suavizar · dulcificar · atenuar · aligerar · levantar** *Se compadeció de los chicos y les levantó el castigo* **· revocar · abolir · derogar || someter(se) (a) · exponerse (a) · cargar (con) || salvar (de) · librar (de) · liberar (de) · eximir (de)**

castillo s.m.

● CON ADJS. **medieval** *Cerca de allí hay un castillo medieval muy bien conservado* **· antiguo || inexpugnable · invulnerable · recio · sólido || frágil · vulnerable || grandioso · suntuoso · enhiesto · majestuoso · imponente · principesco || {bien/mal} conservado || en ruinas · ruinoso · destartalado || encantado · embrujado || feudal · señorial || de arena · de naipes** *Mis ilusiones se derrumbaron como un castillo de naipes* **· humano · hinchable · de fuegos artificiales · pirotécnico**
● CON SUSTS. **foso (de) · almena (de) · torre (de) · patio (de)**
● CON VBOS. **alzarse** *Sobre el promontorio se alzaba un imponente castillo* **· elevarse || desmoronarse || rendirse || construir · levantar · hacer · armar · emplazar (en un lugar) || rehabilitar · restaurar || destrozar · derrumbar · derruir · derribar · abatir || asaltar** *Después de sitiarlo durante meses los invasores asaltaron el castillo* **· saquear · quemar · incendiar · sitiar · rodear · conquistar**
☐ EXPRESIONES **castillos en el aire** [ilusiones sin fundamento] *col.*

castizo, za adj.

● CON SUSTS. **lenguaje · idioma · jerga · retórica · refrán · expresión** *Aderezaba su discurso con expresiones castizas* **· palabra · tono · estilo || humor · comicidad · gracia · salero || teatro · literatura · sainete · zarzuela · espectáculo || fiesta · baile · costumbre · tradición || establecimiento · bar · barrio · ciudad · ambiente || sabor** *El barrio se ha modernizado sin perder su sabor castizo* **· aroma · aire · reminiscencia · detalle · toque · esencia || personaje · político,ca · asociación ·** ***otros individuos y grupos humanos***

casto, ta

1 casto, ta adj.

● CON SUSTS. **novio,via · esposo,sa · marido · mujer · hombre ·** ***otros individuos*** **|| matrimonio · pareja || gesto · beso** *Le dio un casto beso en la mejilla y después se marchó* **· sonrisa · mirada || sentimiento · amor**

2 casta s.f.

● CON ADJS. **guerrera · militar** *pertenecer a la casta militar* **· política · noble · dirigente · social · empresarial · torera || buena · mala · impura · pura · especial || alta · dominante || brava · agresiva**
● CON SUSTS. **sistema (de)** *una sociedad basada en un sistema de castas* **· régimen (de) || toro (de) · torero (de) || falta (de) || guerra (de)**
● CON VBOS. **faltar (a alguien) || tener || demostrar || sacar · echar(le) (a algo)** *Las chicuelinas fueron voluntariosas, pero no le echó suficiente casta al resto de la faena* **|| pertenecer (a) || carecer (de)**
● CON PREPS. **de** *un torero de casta*

castración s.f.

● CON ADJS. **masculina · femenina || química · quirúrgica || física · intelectual · moral · afectiva · emocional · personal || voluntaria · ritual**

castrar v.

● CON SUSTS. **perro · gato ·** ***otros animales*** **||** ***persona*** **|| libertad** *castrar la libertad de elección de una persona* **· creatividad · espontaneidad · ilusión · voluntad**

castrense adj.

● CON SUSTS. **arzobispo · pastoral · cura** *Un cura castrense ofició la misa* **· clero · capellán || capilla || mando · estamento · cuerpo · jerarquía · órgano · centro · círculo · mundo · jefe,fa · institución · fuentes · cúpula || fuero** *Toda la normativa está recogida en los fueros castrenses* **· ley · justicia · jurisdicción · tribunal · autoridades || régimen · dictadura · estado || disciplina · filas · espíritu · actitud · formación · carrera** *Ha dedicado toda su vida a la carrera castrense* **|| acto · lenguaje · vida || ceremonia · alzamiento || ámbito · sector**

casual adj.

▌ [que sucede por casualidad]

● CON SUSTS. **hecho** · **descubrimiento** *La penicilina fue un descubrimiento casual, pero muy importante en la historia de la humanidad* · **ocurrencia** · **coincidencia** · **hallazgo** · **encuentro** · **relación** || **fallo** · **accidente** || **resultado** || **paso** · **presencia** · **llegada** · **marcha**

● CON ADVS. **puramente** *No me creo que fuera un encuentro puramente casual* · **simplemente** · **totalmente** · **absolutamente** || **aparentemente** · **supuestamente** · **sospechosamente** · **misteriosamente**

casualidad s.f.

● CON ADJS. **pura** *Nos encontramos por pura casualidad* · **simple** · **mera** || **tremenda** · **verdadera** · **auténtica** · **absoluta** || **extraña** · **curiosa** · **extraordinaria** · **sorprendente** · **anecdótica** || **de la vida** *por esas casualidades de la vida* || **feliz** · **grata** · **providencial** || **dichosa** · **maldita** *Se dio la maldita casualidad de que había huelga de transportes* · **fatal** · **fatídica** · **infausta** || **histórica** || **debido,da (a)**

● CON SUSTS. **cúmulo (de)** · **serie (de)** · **cadena (de)** || **fruto (de)** *Este hallazgo no es fruto de la casualidad, sino del esfuerzo de muchos años* · **producto (de)** · **resultado (de)**

● CON VBOS. **dar(se)** *Dio la casualidad de que ese día estaba de viaje* · **concurrir** || **hacer (algo)** · **querer (algo)** *La casualidad quiso que pasara por allí en ese momento* · **decidir (algo)** · **determinar (algo)** · **favorecer (algo/a alguien)** || **creer (en)**

● CON PREPS. **de** *encontrarse a alguien de casualidad* · **por**

cata s.f.

● CON ADJS. **de vino** *Desde hace un par de años se dedica a la cata profesional de vinos* · **de queso** · **de cava** · **de aceite** · ***otros alimentos o bebidas*** || **a ciegas** · **profesional** · **amateur**

● CON SUSTS. **curso (de)** · **escuela (de)** || **comité (de)**

● CON VBOS. **hacer** · **realizar** || **dedicar(se) (a)** · **participar (en)**

cataclismo s.m.

● CON ADJS. **verdadero** *Su dimisión fue un verdadero cataclismo para la empresa* · **gran(de)** · **auténtico** · **terrible** · **tremendo** || **trágico** · **violento** || **atmosférico** · **medioambiental** · **ecológico** || **nuclear** || **estelar** · **cósmico** || **social** · **político** *unos acontecimientos que dieron lugar a un terrible cataclismo político* · **económico** · **electoral** · **histórico** · **institucional** · **financiero** · **presupuestario**

● CON VBOS. **desencadenar** · **provocar** *La explosión del volcán provocó un gran cataclismo* · **ocasionar** · **causar** || **producir(se)** · **ocurrir** · **llegar** || **prever** · **anunciar** || **superar** || **evitar** || **sobrevivir (a)** *Fueron pocos lo que consiguieron sobrevivir al cataclismo*

catalán s.m. Véase **IDIOMA**

catalizar v.

● CON SUSTS. **reacción (química)** *Las enzimas catalizan estas reacciones químicas* || **proceso** · **desarrollo** · **evolución** · **avance** · **marcha** · **movimiento** · **cambio** · **energía** · **impulso** · **iniciativa** || **acción** · **juego** *Necesitamos a alguien en el centro del campo que catalice el juego del equipo* || **conflicto** · **crisis** || **descontento** *La escasez de alimentos unida al duro invierno catalizaron el descontento de la población* · **malestar** · **crispación** · **protesta** · **queja** · **exigencia** · **demanda** || **opinión** · **interés** · **atención** · **ilusión**

catalogar v.

● CON ADVS. **ordenadamente** · **por orden** · **alfabéticamente** · **cronológicamente** · **temáticamente** || **escrupulosamente** · **minuciosamente** *Cada uno de los pequeños restos encontrados había sido minuciosamente catalogado por el museo* · **meticulosamente** · **exhaustivamente** · **por completo**

catálogo

1 **catálogo** s.m.

● CON ADJS. **extenso** · **monumental** · **ingente** · **inabarcable** · **vasto** · **voluminoso** || **completo** *un completo catálogo de pintores renacentistas* · **exhaustivo** · **riguroso** · **detallado** · **minucioso** || **selecto** · **sumario** · **variado** || **incompleto** · **parcial** · **fragmentario** || **útil** · **inútil** || **vistoso** · **ilustrado** · **precioso** · **magnífico** · **lujoso** · **sencillo** || **explicativo** · **informativo** · **razonado** · **temático** || **bibliográfico** · **documental** · **editorial** · **publicitario** *el catálogo publicitario de la empresa*

● CON VBOS. **recoger (algo)** · **contener (algo)** · **mostrar (algo)** *un catálogo que muestra las últimas novedades de la editorial* || **elaborar** · **confeccionar** · **preparar** · **realizar** · **componer** · **recopilar** · **diseñar** · **editar** · **presentar** · **publicar** · **distribuir** · **centralizar** || **figurar (en)** *Ese título no figura en el catálogo* || **buscar (en)**

2 **catálogo (de)** s.m.

● CON SUSTS. **libros** · **discos** · **obras** || **novedades** || **palabras** · **nombres** · **vocablos** · **citas** · **respuestas** || **fotografías** · **imágenes** *Ha pasado un año recopilando un catálogo de imágenes religiosas* · **pintura** || **moda** · **venta** · **presentación** || **calificativos** · **horrores** · **reproches** · **improperios** || **intenciones** *Su discurso no contiene más que un catálogo de intenciones* · **promesas** · **iniciativas** · **posibilidades** || **virtudes** · **soluciones** · **prestaciones**

catapultar (a) v.

● CON SUSTS. **fama** *la canción que le dio a conocer y le catapultó a la fama* · **estrellato** · **gloria** || **éxito** · **victoria** · **fracaso** || **poder** · **liderato** · **presidencia** *Los buenos resultados de su gestión la catapultaron a la presidencia de la compañía* · **dirección** · **cima** · **cumbre** · **final** · **puesto** · **posición** · **categoría**

● CON ADVS. **rápidamente** · **decididamente** · **decisivamente** || **merecidamente** · **inmerecidamente**

catar v.

● CON SUSTS. **vino** · **licor** · **dulce** · **postre** · ***otros alimentos o bebidas*** || **novedad** · **experiencia** · **éxito** · **triunfo** · **victoria** *El equipo no había catado aún la victoria*

catarro s.m.

● CON ADJS. **fuerte** · **de campeonato** · **molesto** · **terrible** || **simple** *Como no tenía más que un simple catarro, decidí ir a la oficina* · **ligero** · **pequeño** · **común** · **típico** || **propenso,sa (a)**

● CON SUSTS. **remedio (contra)** *un remedio muy eficaz contra el catarro*

● CON VBOS. **curar(se)** · **complicarse** || **coger** · **pillar** *Abrígate, que vas a pillar un catarro* · **contagiar** · **pegar** · **tener** · **sufrir** · **incubar** || **combatir** · **frenar** · **solucionar** · **aliviar** · **vencer** · **superar** || **luchar (contra)** || **restablecerse (de)** · **reponerse (de)** · **recobrarse (de)** · **librarse (de)**

catástrofe s.f.

● CON ADJS. **aérea** · **ferroviaria** · **nuclear** · **natural** *Las catástrofes naturales, en especial los terremotos y las inun-*

daciones, tienen lugar por... · **ecológica · ambiental · urbanística · económica · financiera · energética · demográfica · humana · humanitaria · electoral || absoluta** *...podría convertirse en una absoluta catástrofe* · **total · gran(de) · grave · tremenda · mayúscula · violenta · verdadera · auténtica · sin paliativos · descomunal · irreparable · hipotética || pequeña || espantosa · pavorosa · terrible · dantesca · espeluznante · dramática · trágica · macabra · indescriptible || imprevisible · inminente || global · planetaria · colectiva · pública · en cadena**

● CON SUSTS. **caso (de) · estado (de) · amenaza (de) || víctima (de) · superviviente (de) · escenario (de)** *Uno de nuestros reporteros, que se encuentra en el escenario de la catástrofe, afirma que...* · **testigo (de) || magnitud (de) · alcance (de) · secuela (de) · horror (de)**

● CON VBOS. **fraguar(se) · acechar · avecinarse · consumar(se) · declarar(se) · desencadenar(se) · desatar(se) · abatir(se) · asaltar (a alguien) · llegar · producir(se) · ocurrir** *Deberíamos tomar medidas antes de que ocurra una catástrofe* · **tener lugar · azotar · sobrevenir || anunciar · prever · augurar · predecir · vaticinar || sufrir · padecer · esperar || causar · ocasionar · deparar · sembrar || prevenir · paliar · mitigar · controlar · evitar** *El perfecto funcionamiento de los sistemas de detección evitó la catástrofe* **|| llevar (a) · abocar(se) (a) · encaminar(se) (a) · dirigir(se) (a) · desembocar (en) || sobrevivir (a) · recuperarse (de) · reponerse (de) · poner remedio (a) · preparar(se) (para) || calificar (de)**

● CON PREPS. **al borde (de) · a raíz (de)**

catastrófico, ca adj.

● CON SUSTS. **zona** *Después del terremoto fue declarada zona catastrófica* **|| consecuencia · efecto** *los efectos catastróficos de la última riada* · **resultado · repercusión · balance · final || derrota · fracaso || dimensión · proporción || terremoto · inundación · lluvia · sequía · incendio · daño** *Se han registrado daños catastróficos* · **enfermedad · hambruna · accidente · explosión · choque · impacto · temblor · seísmo · avalancha || guerra · enfrentamiento · lucha || decisión · solución · salida || gestión · política · sistema · actuación · actividad · práctica · improvisación · apuesta || error · equivocación** *Cometió una equivocación catastrófica y perdimos todo* · **fallo || evolución · marcha · cambio · caída · devaluación · aumento · incremento · ampliación || año** *Para el sector agropecuario este ha sido un año catastrófico* · **temporada · otoño · día ·** ***otros momentos o periodos*** **|| expectativa · perspectiva · pronóstico · augurio · predicción · profecía · riesgo || actitud · visión · concepción · análisis · juicio · cosmovisión · previsión || evento · negocio · partido · viaje** *Fue un viaje catastrófico, lleno de percances* · **excursión · dimisión || hecho · acontecimiento · experiencia · caso · situación · estado · escena · escenario · panorama · coyuntura · circunstancia**

catastrofista adj.

● CON SUSTS. ***persona*** *Es una mujer tremendamente catastrofista* **|| carácter · actitud · espíritu || predicción · profecía · anuncio · alarma · previsión · presentación · interpretación · pensamiento · concepción · análisis · enfoque** *No estoy de acuerdo con su enfoque catastrofista* · **lectura · opinión · visión · balance · escenario · panorama · imagen || discurso · mensaje** *Su mensaje catastrofista asustó terriblemente a los inversores* · **término || aires · tintes · tono** *No aceptamos, señor diputado, el tono catastrofista de su discurso* **|| obra · cine · película · drama · entrega · crónica · intriga**

● CON VBOS. **ponerse · volverse**

cate s.m.

▮ [golpe dado con la mano] Véase **GOLPE**

▮ [suspenso] *col.*

● CON ADJS. **rotundo** *No había estudiado nada para el examen, y saqué un cate rotundo* **|| general || justo · injusto**

● CON VBOS. **sacar · tener || dar (a alguien) · poner (a alguien)**

catear v. *col.*

● CON SUSTS. **asignatura** *La primera vez que le catearon una asignatura se llevó un tremendo disgusto* · **materia · examen · prueba · trabajo · control · test**

cátedra s.f.

● CON ADJS. **prestigiosa · honorífica || universitaria · académica**

● CON SUSTS. **titular (de)** *¿Sabes quién es el titular de esta cátedra universitaria?* · **director,-a (de) · ayudante (de) || oposición (a) || libertad (de)**

● CON VBOS. **ocupar** *Ocupó esta cátedra hasta que se jubiló hace dos años* · **detentar · desempeñar · tener · impartir · compartir || conseguir · sacar · lograr · ganar** *Le costó un gran esfuerzo ganar aquella cátedra* · **obtener · conceder · pretender || perder · abandonar · dejar · desatender || jubilarse (de) || optar (a) · acceder (a) · opositar (a) · presentar(se) (a) · incorporar(se) (a) || trabajar (en) · enseñar (en)**

☐ EXPRESIONES **sentar cátedra** [pronunciarse concluyentemente sobre alguna materia]

[catedral] → catedral; como una catedral

catedral s.f.

● CON ADJS. **nueva** *La nueva catedral se construyó sobre los restos de la antigua* · **vieja · antigua || majestuosa · monumental · impresionante || románica · gótica · renacentista · barroca**

● CON SUSTS. **fachada (de)** *La fachada principal de la catedral está siendo restaurada* · **puerta (de) · entrada (de) · claustro (de) · coro (de) · vidriera (de) · ábside (de) · interior (de) · recinto (de) · plaza (de)**

● CON VBOS. **diseñar · construir · levantar · erigir || reconstruir · restaurar || derruir · destruir || abrir · cerrar || visitar** *Miles de turistas visitan al año la catedral de nuestra ciudad* · **abandonar || entrar (en) · salir (de)**

categoría s.f.

● CON ADJS. **alta · máxima · excepcional · inmejorable · superior · mayor · incuestionable · indudable · media || baja · ínfima** *Acabó actuando en espectáculos de ínfima categoría* · **dudosa · discreta · menor || específica · especial || internacional** *un certamen de categoría internacional* **|| profesional · social**

● CON VBOS. **evidenciar(se) · saltar a la vista || tener · poseer || alcanzar · ganar · conservar · mantener · perder || conferir (a algo/a alguien)** *La presencia de estas figuras de la música confiere categoría al concierto* · **dar (a algo/a alguien) · avalar || aumentar · mejorar || rebajar · reducir · disminuir || enjuiciar · valorar · asignar (a algo) · aquilatar || envidiar || subir (de)** *Entrenando duro, el equipo consiguió subir de categoría* · **mejorar (de) · elevar(se) (de) · ascender (a) · acceder (a) || bajar (de) · apear(se) (de) · descender (a)**

● CON PREPS. **dentro (de)** *Dentro de esta categoría, puede usted encontrar una amplia gama de modelos*

categóricamente adv.

● CON VBOS. **afirmar** · **asegurar** *El director aseguró categóricamente que no habría despidos* · **aseverar** · **ratificar** · **sostener** || **negar** · **desmentir** · **refutar** || **oponerse** · **condenar** *La comunidad internacional ha condenado categóricamente el atentado* · **rechazar** · **desaprobar** || **excluir** · **descartar** · **desechar** || **renunciar** · **declinar** || **decir** · **señalar** · **responder** *Han respondido categóricamente que no aceptan nuestra reclamación* · **declarar** · **expresar** · **contestar** · **manifestar** || **pronunciarse** · **mostrarse** || **prohibir** · **suspender** · **zanjar** · **parar** · **frenar** || **determinar** · **establecer** *Pero son condiciones que no pueden establecer categóricamente* · **fijar**

● CON ADJS. **falso,sa** || **opuesto,ta** · **contrario,ria**

categórico, ca adj.

● CON SUSTS. **afirmación** *Yo no me atrevería a hacer una afirmación tan categórica* · **declaración** · **frase** · **respuesta** · ***otras manifestaciones verbales*** || **rechazo** · **negativa** · **no** *un no rotundo y categórico* · **negación** · **oposición** || **juicio** · **dictamen** · **apreciación** · **valoración** || **imperativo** · **petición**

catequesis s.f.

● CON ADJS. **parroquial** || **permanente** · **prematrimonial** *asistir a la catequesis prematrimonial* · **prebautismal** || **doctrinal** · **confesional**

● CON SUSTS. **curso (de)** · **clase (de)** · **grupo (de)** || **profesor,-a (de)**

● CON VBOS. **impartir** · **enseñar** · **dar** || **asistir (a)** · **acudir (a)** · **ir (a)** *Voy a catequesis los martes por la tarde* || **colaborar (en)**

caterva

1 **caterva** s.f. *desp.*

● CON ADJS. **innumerable** *Rodeado siempre de una innumerable caterva de aduladores a sueldo* · **infinita** · **numerosa** · **reducida** || **siniestra** · **mísera** · **ruin** · **temible** · **soliviantado**

2 **caterva (de)** s.f. *desp.*

● CON SUSTS. **gamberros,rras** · **ladrones,nas** *...una caterva de ladrones preocupados por saquear los bolsillos de los contribuyentes* · **maleantes** · **truhanes,nas** · **gente**

□ USO Se construye generalmente con sustantivos no contables en singular (*una caterva de gente*) o con contables en plural (*una caterva de maleantes*).

cateto, ta adj. *desp.*

● CON SUSTS. ***persona*** || **actitud** · **visión** *una visión cateta de la vida* · **perspectiva** · **concepción** · **punto de vista** || **localismo**

catolicismo s.m.

● CON ADJS. **acendrado** · **progresista** *una revista caracterizada por un catolicismo progresista* · **social** · **obrero** || **sobrio** · **rancio**

● CON SUSTS. **iglesia (de)** · **basílica (de)** · **dios (de)**

➤ Véase también **RELIGIÓN**

católico, ca

1 **católico, ca** adj.

● CON SUSTS. **fe** · **iglesia** · **monasterio** · **convento** · **basílica** · **cementerio** || **cristiano,na** *Esta información va dirigida a los cristianos católicos* || **sacerdote** *un sacerdote católico recién ordenado* · **obispo** · **arzobispo** · **monje** · **monja** · **fraile**

● CON ADVS. **hasta el tuétano** · **hasta la médula** · **por los cuatro costados** · **a machamartillo**

● CON VBOS. **ser** · **estar** *No estoy hoy muy católico*

2 **católico, ca** s. Véase **CREYENTE**

catre s.m.

● CON ADJS. **duro** · **incómodo** · **miserable** · **mugriento** · **desvencijado** || **de campaña**

● CON VBOS. **compartir** *Vivía miserablemente y tenía que compartir el catre* || **preparar** · **hacer** || **dormir (en)** · **tumbar(se) (en)** · **acostar(se) (en)** · **irse (a)** || **caerse (de)**

cauce s.m.

● CON ADJS. **fluvial** || **ancho** *El ancho cauce del río permite la navegación* · **amplio** · **holgado** || **estrecho** · **estricto** · **ajustado** · **restrictivo** || **hondo** · **profundo** || **abundante** · **seco** || **oficial** · **legal** · **de legalidad** · **administrativo** · **diplomático** · **parlamentario** · **institucional** · **constitucional** · **democrático** *...siempre que el proceso discurra por cauces democráticos* · **representativo** · **de representación** · **ético** · **moral** · **de difusión** · **de expresión** · **expresivo** || **reglamentario** *Siga los cauces reglamentarios para presentar la solicitud* · **adecuado** || **natural** · **normal** · **habitual** · **acostumbrado** || **civilizado** · **pacífico** · **de convivencia** · **de normalidad** || **peligroso** · **inadecuado** · **extrademocrático** · **extraoficial**

● CON SUSTS. **nivel (de)** · **caudal (de)** · **capacidad (de)** || **crecida (de)**

● CON VBOS. **desbordar(se)** · **agotar(se)** || **abrir** · **crear** · **establecer** · **trazar** · **generar** · **idear** · **arbitrar** || **buscar** · **encontrar** || **seguir** · **retomar** · **rebasar** || **obstruir** *Hojas y ramas obstruían el cauce del arroyo* · **desviar** || **constituir** · **suponer** · **representar** || **discurrir (por)** · **fluir (por)** · **circular (por)** || **volver (a)** *Se levantó una terrible polémica, pero con el tiempo las aguas volvieron a su cauce* · **ajustar(se) (a)** · **dirigir (por)** · **encarrilar (por)** · **salir(se) (de)** || **servir (de)** || **verter (en)**

● CON PREPS. **a través (de)** · **dentro (de)** · **fuera (de)**

caudal

1 **caudal** s.m.

● CON ADJS. **abundante** · **enorme** *Esperan obtener un enorme caudal de votos* · **ingente** · **elevado** · **gran(de)** · **apreciable** · **copioso** · **crecido** · **fuerte** · **impetuoso** · **poderoso** · **profundo** · **rico** || **continuo** · **ininterrumpido** *La nueva cadena ofrece un ininterrumpido caudal de noticias de última hora* · **inagotable** · **infinito** · **inacabable** || **escaso** · **pequeño** · **limitado**

● CON SUSTS. **trasvase (de)** || **cuenca (de)** · **nivel (de)** || **flujo (de)**

● CON VBOS. **discurrir** · **fluir** · **circular** · **recorrer** · **confluir** · **derramar(se)** || **subir** · **aumentar** *El caudal del río aumentó peligrosamente* · **crecer** || **descender** · **disminuir** · **mermar** || **tener** · **aprovechar** || **medir** · **calcular** || **incrementar** · **reducir** · **limitar** · **traspasar** · **verter** · **renovar** · **garantizar**

2 **caudal (de)** s.m.

● CON SUSTS. **agua** · **río** || **conocimiento** *un ingente caudal de conocimientos sobre la materia* · **ideas** · **datos** · **información** · **noticias** · **pistas** · **anécdotas** || **inteligencia** · **talento** · **creatividad** · **imaginación** || **sensaciones** · **emociones** || **votos** || **gastos**

caudaloso, sa adj.

● CON SUSTS. **río** · **afluente** · **aguas** · **corriente** · **fuente** · **manantial** · **catarata** · **cauce** || **capital** · **suma** *Invirtió* *en ese negocio una caudalosa suma de dinero* · fondos || escritor,-a · producción

caudillo s.m.

● CON ADJS. autoritario · democrático · reformista · revolucionario · popular · populista · derechista · izquierdista || guerrillero · militar · político || local *El caudillo local controlaba todos los aspectos de la vida en el pueblo* · regional · nacional

● CON VBOS. liderar (algo/a alguien) · capitanear (algo/ a alguien) || mandar (algo) · ordenar (algo) *El caudillo ordenó movilizar las tropas* || aclamar · proclamar · elegir || vencer · derrocar · expulsar

causa s.f.

▮ [motivo, razón]

● CON ADJS. fundamental *la causa fundamental de la derrota* · principal · determinante · crucial · esencial || única · común · mayor || originaria · desencadenante · detonante || profunda · honda · verdadera *Todavía desconocemos la verdadera causa de su marcha* · auténtica · real || poderosa · apremiante · suficiente · gruesa || menor · insignificante || coyuntural · circunstancial || posible · probable *Se apunta a una fuga de gas como la causa más probable de la explosión* · aparente || desconocida · oculta · subyacente || objetiva · lógica · creíble · natural *La muerte del animal se debió a causas naturales* · orgánica || interna · externa · ajena *Por causas ajenas a nuestra voluntad, no podemos...* · extraña · independiente · múltiples || debido,da (a)

● CON VBOS. salir a la luz · aflorar || originar (algo) || radicar (en algo) · residir (en algo) · estribar (en algo) · responder (a algo) || subyacer (a algo) · derivar(se) (de algo) || converger || investigar · explicar · exponer · identificar *Lo primero es identificar la causa del problema* · precisar · esclarecer · desentrañar · desvelar · detectar · determinar *Los peritos determinarán las causas del accidente* · diagnosticar · descubrir · destapar · dilucidar · averiguar · especificar · aclarar · clarificar · sacar a la luz || saber · conocer || ocultar · silenciar · ignorar · desconocer *Por el momento se desconocen las causas del incendio* || alegar || obedecer (a) || ahondar (en) · profundizar (en)

● CON PREPS. a · por

▮ [ideal, proyecto]

● CON ADJS. justa *Desde hace tiempo lidera una causa justa* · noble · humanitaria || perdida *Es un defensor de las causas perdidas*

● CON VBOS. abanderar · liderar || abrazar · apoyar · defender · secundar || traicionar || adherirse (a) *una gran oportunidad de adherirse a una causa noble* · enrolar(se) (en) · abocar(se) (a) || luchar (por) · dedicarse (a) · trabajar (por) · abogar (por) || dar la vida (por) · morir (por)

▮ [pleito, disputa]

● CON ADJS. judicial *En caso de que prospere la causa judicial...* · penal · criminal || pendiente · abierta || enrevesada

● CON SUSTS. instructor,-a (de) · juez (de) · fiscal (de) · magistrado,da (de) || archivo (de) · sobreseimiento (de)

● CON VBOS. prosperar || iniciar · llevar adelante || encarar || instruir *la jueza que instruirá la causa* · resolver · sobreseer || personarse (en) || absolver (de)

causar v.

● CON SUSTS. daño *El temporal no ha causado daños de importancia* · perjuicio · mal · estrago · deterioro · estropicio · quebranto || problema *El corte de una de las calles principales causó numerosos problemas de circulación* · preocupación · dolor de cabeza · molestia *La medicación me está causando algunas molestias estomacales* · malestar · inconveniente · dificultad · angustia · pavor · pánico || percance · incidente · incendio · despido · matanza · inundación · terremoto · estrépito · violencia · guerra || extrañeza · sorpresa · estupor · alarma · perplejidad · revuelo *Las polémicas declaraciones causaron un gran revuelo* · confusión · impresión · impacto · consternación || pena · pesar · dolor · sufrimiento · desolación || indignación · disgusto *No era mi intención causarle a usted un disgusto* · desagrado · repugnancia · animadversión || agravio · descrédito · humillación · desengaño · frustración || emoción · gracia · alegría · placer || alteración · cambio · reducción · incremento · subida · modificación · pérdida || infección *un virus que puede causar infecciones respiratorias* · gripe · depresión · *otras enfermedades* || tos · mareo · escalofrío · herida · hematoma · quemadura · mutilación · muerte || víctima *El accidente no causó víctimas* · herido,da · baja · muerto,ta · deserción

cáustico, ca adj.

● CON SUSTS. sosa · potasa · plata || humor *Disfrutarán ustedes del humor cáustico e inteligente de la película* · ironía · crítica · tono · risa · sonrisa · ocurrencia · ingenio · farsa · parodia · caricatura · visión · sentido del humor || reflexión *una reflexión cáustica, pero demasiado aguda, ya que dejó al auditorio en absoluto silencio* · declaración · descripción · comentario || novela · película · comedia · sátira · libro · editorial · artículo · reportaje · retrato || escritor,-a · periodista *un periodista cáustico e incisivo* · cronista · locutor,-a

cautela s.f.

● CON ADJS. gran(de) · enorme · suma · extremada *Caminaba con extremada cautela para no despertarlo* · extrema · infinita · excesiva || mínima · escasa || necesaria · requerida · imprescindible · elemental · lógica · aconsejable · obligada · habitual || pública

● CON SUSTS. clima (de) *Las negociaciones se están desarrollando en un forzoso clima de cautela* || exceso (de) · falta (de) · dosis (de)

● CON VBOS. recomendar · aconsejar · pedir · proponer || tener · mantener · extremar

● CON PREPS. con *actuar con cautela* · sin

cautelar adj.

● CON SUSTS. medida *una medida cautelar que prohíbe su venta en todo el país* · decisión · norma · orden · providencia · resolución · cláusula · disposición · actuación · iniciativa || suspensión · paralización · sanción *Se ha acordado levantar la sanción cautelar impuesta al jugador* · prohibición · destitución · inhabilitación · cese · baja · separación · alejamiento · desalojo · exclusión · supresión || arresto · prisión · detención *Los casos de corrupción provocaron el cierre de la empresa y la detención cautelar de sus responsables* · ingreso · internamiento · reclusión · retención || embargo · retirada · inmovilización · intervención · incautación · custodia *Los detenidos están temporalmente bajo custodia cautelar* || cierre · clausura · precinto || auto · procedimiento · procesamiento · recurso || protección · seguridad · tutela

cautelarmente adv.

• CON VBOS. **suspender** · **clausurar** · **cerrar** *La epidemia obliga a cerrar cautelarmente una escuela infantil* · **anular** || **destituir** · **cesar** · **expulsar** · **inhabilitar** · **retirar la tutela** || **paralizar** · **aplazar** · **interrumpir** · **retrasar** *La publicación de la sentencia fue retrasada cautelarmente* · **bloquear** || **abandonar** · **dimitir** · **renunciar** || **confiscar** · **incautar** · **embargar** *Todas sus cuentas bancarias han sido embargadas cautelarmente* · **decomisar** · **intervenir** || **imponer** · **prohibir** · **ordenar** · **obligar** || **resolver** · **{adoptar/tomar} medidas** · **decretar** || **autorizar** · **permitir** · **liberar** || **recluir** · **secuestrar**

cauteloso, sa adj.

• CON SUSTS. ***persona*** *Es un médico cauteloso a la hora de recetar antibióticos* || **optimismo** *un cauteloso optimismo sobre la subida salarial* · **pesimismo** · **escepticismo** · **actitud** · **reserva** · **opinión** · **visión** · **atención** · **silencio** · **ritmo** || **previsión** · **análisis** || **operación**
• CON ADVS. **extremadamente** · **sumamente** · **extraordinariamente** · **tremendamente** · **profundamente** · **enormemente** || **escasamente** · **medianamente**
• CON VBOS. **mostrarse** *Se mostró enormemente cautelosa en sus declaraciones* · **volverse**

cauterizar v.

• CON SUSTS. **herida**

cautivador, -a adj.

• CON SUSTS. ***persona*** *una mujer joven y cautivadora* || **belleza** · **ojos** · **voz** · **sonrisa** *Llamaba la atención su cautivadora sonrisa* · **mirada** · **gesto** || **talento** · **capacidad** · **fuerza** · **personalidad** || **lenguaje** *Con su lenguaje cautivador podía convencerte de cualquier cosa* · **retórica** · **discurso** || **obra** · **novela** · **música** · **canción** · **película** · **cuadro** · ***otras creaciones*** || **espectáculo** · **imagen** || **ciudad** *una ciudad cautivadora y romántica a orillas del mar* · **lugar** || **efecto**
• CON ADVS. **enormemente** · **sumamente** · **absolutamente**
• CON VBOS. **mostrarse** · **resultar**

cautivar v.

• CON ADVS. **poderosamente** · **por completo** *Su fascinante personalidad me cautivó por completo* · **absolutamente**

cauto, ta adj.

• CON SUSTS. **persona** · **dirigente** · **político,ca** *un político cauto y moderado que intenta controlar siempre sus palabras* · **gobierno** · ***otros individuos y grupos humanos*** || **actitud** *Mantuvo una actitud muy cauta durante toda la negociación* · **carácter** · **comportamiento** || **conclusión** · **referencia** · **alusión** · **juicio** · **declaración** · **opinión** · **lenguaje** || **optimismo** || **ambiente** || **tono**
• CON ADVS. **excesivamente** · **extremadamente** *un comportamiento extremadamente cauto* · **enormemente** · **sumamente** · **profundamente** · **particularmente**
• CON VBOS. **mostrarse** *Se mostró muy cauto cuando sacaron el tema* · **volverse**

cava s.m.

• CON ADJS. **excelente** · **famoso** · **de lujo** · **joven** · **burbujeante** || **espumoso** · **de aguja** *Sirvieron un cava de aguja para brindar* · **brut** · **seco** · **natural** · **rosado**
• CON SUSTS. **caja (de)** || **elaborador,-a (de)** · **exportador,-a (de)** · **productor,-a (de)** || **industria (de)** *En esa región hay una potente industria del cava* · **crianza (de)** || **aroma (de)** · **envejecimiento (de)** || **calidad (de)** || **viñedo (de)**
• CON VBOS. **enfriar** || **descorchar** *Al sonar la medianoche descorcharemos el cava* || **festejar (con)** · **brindar (con)** · **celebrar (con)** *Celebraron con cava la victoria del equipo*
➤ Véase también **BEBIDA**

cavar v.

• CON SUSTS. **hoyo** · **agujero** · **fosa** · **sepultura** · **tumba** · **zanja** · **túnel** *Los reclusos cavaron un túnel y escaparon por él* · **trinchera**
• CON ADVS. **profundamente** · **a fondo**

cavernícola adj.

• CON SUSTS. **tribu** · **animal** *la primera descripción científica de un animal cavernícola* · **crustáceo** · **vida** || ***persona*** || **actitud** · **comportamiento** · **talante** || **idea** · **posición** · **planteamiento** *Aunque no estoy de acuerdo con su planteamiento cavernícola...* · **discurso** || **modales** · **maneras**

cavernoso, sa adj.

• CON SUSTS. **sonido** · **voz** *Atemorizaba a los niños con su aspecto siniestro y su voz cavernosa* · **tono** · **tos** · **risa** · **rugido** || **lugar** · **espacio** · **terreno** || **cuerpo**

cavidad s.f.

• CON ADJS. **subterránea** · **interna** || **natural** *Sus compañeros se habían refugiado en una cavidad natural de la montaña* || **profunda** · **lúgubre** · **oscura** || **bucal** · **oral** · **nasal** · **ocular** · **torácica** · **intestinal** · **abdominal** · **gástrica** · **uterina** *proceso de dilatación de la cavidad uterina* · **pleural** · **craneana** · **ventricular** · **ventral**
• CON VBOS. **contener (algo)** || **hundirse** || **abrir** · **tapiar** · **taponar** || **llenar** · **rellenar** · **cubrir** || **explorar** · **examinar** || **invadir** || **penetrar (en)** *los microorganismos que penetran en las cavidades gástricas* · **entrar (en)**
• CON PREPS. **en** · **dentro (de)** · **fuera (de)**

[caza] → caza; caza de brujas

caza

1 **caza** s.f.

• CON ADJS. **mayor** · **menor** *Ganó varios premios regionales de caza menor* || **furtiva** · **ilegal** · **legal** · **comercial** · **deportiva** || **masiva** *La caza masiva de esos animales puso en peligro la especie* · **indiscriminada** · **implacable** · **sin cuartel** || **aérea** · **submarina** || **aficionado,da (a)**
• CON SUSTS. **escena (de)** · **coto (de)** *Tiene un coto privado de caza en los montes de Toledo* · **veda (de)** · **temporada (de)** · **licencia (de)** · **arma (de)** · **escopeta (de)** · **pieza (de)** · **animal (de)** || **avión (de)**
• CON VBOS. **practicar** · **dar (a algo/a alguien)** *La Policía consiguió dar caza a los fugitivos* || **prohibir** · **controlar** · **restringir** · **limitar** · **autorizar** · **permitir** || **presenciar** || **ir (de)** · **lanzarse (a)** · **asistir (a)**

2 **caza (de)** s.f.

• CON SUSTS. **ciervo,va** *la caza del ciervo* · **oso,sa** · **lobo,ba** · **zorro,rra** · ***otros animales*** || **corredor,-a** *El pelotón se lanzó a la caza del corredor escapado* · **novio,via** || **fortuna** · **tesoro** · **recompensa** · **voto** || **error** · **fallo** · **mentira**

☐ EXPRESIONES **caza de brujas*** [persecución que se realiza por prejuicios sociales o políticos]

caza de brujas loc.sust.

• CON ADJS. **auténtica** *Las autoridades desataron una auténtica caza de brujas* · **verdadera** · **sistemática** · **constante** · **cruenta** · **aparente** || **indiscriminada** *Todos podemos ser víctimas de esta indiscriminada caza de brujas* ·

interna · individualizada · selectiva || nueva · famosa · célebre · conocida || intolerable · indignante
● CON SUSTS. **víctima (de) || época (de) · período (de)**
● CON VBOS. **avecinarse** *Hubo denuncias de que se avecinaba una caza de brujas contra...* · **desatar(se) · desencadenar(se) · producir(se) || emprender · llevar a cabo · iniciar · practicar · poner en marcha || dirigir · liderar · ordenar · propiciar · provocar · favorecer · apoyar || denunciar · combatir || calificar (de) || huir (de) · librar(se) (de)** *...novela en la que relata como se libró de la caza de brujas que...* · **escapar (de)**

cazador, -a

1 **cazador, -a** s.

▌[persona]

● CON ADJS. **furtivo,va** *Detenido un cazador furtivo tras una larga persecución policial* · **aficionado,da · ocasional · profesional || experto,ta · curtido,da · experimentado,da · certero,ra || imprudente · inexperto,ta · novato,ta || solitario,ria**
● CON VBOS. **acechar** *El cazador acechaba a su presa escondido tras los matorrales* · **vigilar · disparar · matar || capturar · cobrar (algo)** *En aquella partida, los cazadores no cobraron muchas piezas*

2 **cazador, -a (de)** s.

● CON SUSTS. **recompensas · fortuna · cerebros · talentos · historias || imágenes · instantes · emociones || gangas · ofertas || autógrafos**

3 **cazadora** s.f.

▌[prenda de vestir]

● CON ADJS. **vaquera · tejana · de cuero** *Suele llevar una cazadora de cuero negra* · **deportiva · de piel · de flecos · de aviador**
➤ Véase también **ROPA**

[cazadora] s.f. → cazador, -a

cazalla s.f.

● CON SUSTS. **chorrito (de) || voz (de)** *Por las mañanas se levanta con voz de cazalla*
➤ Véase también **BEBIDA**

cazar v.

● CON SUSTS. **pieza · presa · perdiz · león,-a · lobo,ba · *otros animales* || mosca || *persona*** *Cazaron al ladrón cuando salía con el botín* || **idea · truco · indirecta · insinuación**
● CON ADVS. **al vuelo** *Es muy listo; caza las insinuaciones al vuelo* || **con las manos en la masa · in fraganti || por los pelos · de milagro**

cazuela s.f.

● CON ADJS. **de barro · de hierro · de porcelana · rústica || plana · honda · profunda · ovalada**
● CON VBOS. **tapar · destapar · cubrir || remover · menear · mover || retirar (del fuego)** *Cuando empiece a hervir, se retira la cazuela del fuego*
☐ EXPRESIONES **a la cazuela** [hecho en cazuela] *arroz a la cazuela*

CD s.m.

● CON ADJS. **audio · híbrido · interactivo || doble · sencillo || recopilatorio** *El grupo acaba de sacar un CD recopilatorio de sus veinte años de carrera* · **musical || pirata · casero · duplicado || regrabable**
● CON SUSTS. **calidad (de) || versión (en) || lector (de) · reproductor (de) · grabadora (de) · unidad (de) || formato** *Existe también en formato CD* · **virgen**
● CON VBOS. **salir || grabar · editar · publicar · poner a la venta** *Ya se ha puesto a la venta su último CD* · **lanzar · sacar || copiar · reproducir · duplicar · tostar · quemar · piratear || introducir · sacar || poner · oír · escuchar || leer** *Este aparato no lee cualquier CD* || **salir (en) · reunir (en)**
● CON PREPS. **en** *disponible también en CD*

[cebar] → cebar; cebarse (en algo/en alguien)

cebar v.

● CON SUSTS. **ganado** *cebar el ganado con pienso* · **cerdo,da · pato,ta · oca · *otros animales* || niño,ña** *Si cebas a los niños de esa manera, esta noche no van a querer cenar* · **invitado,da · *otros individuos* || máquina · bomba || sentimiento · curiosidad · morbo**
● CON ADVS. **desmesuradamente · excesivamente || sistemáticamente · normalmente · habitualmente || artificialmente · naturalmente || a la fuerza**

cebarse (en algo/en alguien) v.

● CON SUSTS. **desgracia · tragedia · adversidad · infortunio · mala suerte** *La mala suerte se ha cebado en ese equipo* · **enfermedad · desempleo · paro · descalabro · frustración || violencia · crítica · injusticia · especulación · corrupción || terremoto · tornado** *Los tornados se están cebando en una de las regiones más pobres del país* · **temporal · (mal) tiempo · fuego · incendio**

cebo s.m.

● CON ADJS. **tentador · seductor · apetitoso · atractivo · provocador || sutil · engañoso · envenenado || poderoso** *El dinero es un cebo poderoso* · **potente || fácil || publicitario · televisivo · comercial**
● CON VBOS. **colocar** *colocar el cebo en el anzuelo* · **poner · desplegar · lanzar · arrojar · tender || morder · picar · rondar || pescar (con) · atraer (con) · atrapar (con) · capturar (con) · engañar (con) · engatusar (con) || servir (de)** *La falsa promesa de un empleo les servía de cebo para atraer a los incautos*

cebolla s.f.

● CON ADJS. **tierna · cruda · fresca · seca || dulce · blanca · roja · amarilla · francesa || caramelizada**
● CON SUSTS. **capa (de) · piel (de) || aro (de) · rodaja (de) · casco (de)** *añadir un casco de cebolla en tiras muy finas* · **tira (de)** *adornar un plato con tiras de cebolla* · **picadillo (de) || salsa (de) · sopa (de) · crema (de) · sofrito (de) || pan (de) · morcilla (de) · ensalada (de) · tortilla (de) || semilla (de) · bulbo (de) || papel** *Copia el dibujo en papel cebolla*
● CON VBOS. **escocer (los ojos) · hacer llorar || pelar · mondar || picar · trocear · cortar || caramelizar** *Caramelizamos las cebollas y las servimos como guarnición* · **freír · dorar · sofreír · saltear · pochar · cocer · rehogar**

cebolleta s.f.

● CON ADJS. **tierna · cruda · fresca · en vinagre || dulce · agridulce**
● CON SUSTS. **capa (de) · piel (de)**
● CON VBOS. **mondar · cortar · picar · trocear || dorar** *Primero doramos las cebolletas, después agregamos los ajos* · **freír · pochar**

[ceca] → de la Ceca a la Meca

cedé s.m. Véase **CD**

[ceder] → ceder; ceder (a)

ceder v.

• CON SUSTS. **terreno** *En la moda de este otoño, el negro cede terreno frente a los colores vivos* · **espacio** · **sitio** · **lugar** · **puesto** · **cargo** · **asiento** || **paso** *Ese coche debería haber cedido el paso a los peatones* || **protagonismo** · **imagen** · **nombre** || **honor** · **mérito** || **bien** · **propiedad** · **derecho** || **uso** · **explotación** · **usufructo**
• CON ADJS. **encantado,da** · **gustoso,sa**
• CON ADVS. **amablemente** · **caballerosamente** *Un chico muy amable me cedió caballerosamente su asiento* · **gentilmente** · **graciosamente** · **afablemente** · **humildemente** || **gustosamente** · **con gusto** · **con placer** · **sin reservas** · **sin condiciones** · **generosamente** · **gratis** · **gratis et amore** || **a regañadientes** · **con desgana** · **sin convicción** · **reticentemente** || **obligadamente** · **forzosamente** · **irremisiblemente** || **gradualmente** *Su resistencia fue cediendo gradualmente a medida que...* · **paulatinamente** · **de antemano** · **rápidamente** || **temporalmente** · **provisionalmente** · **definitivamente**

ceder (a) v.

• CON SUSTS. **ruego** · **súplica** *Cedió a sus súplicas y la dejó marchar* · **petición** · **demanda** · **queja** || **deseo** · **insinuación** · **tentación** || **presión**

cedro s.m.

• CON SUSTS. **mesa (de)** · **puerta (de)** · ***otros muebles***
➤ Véase también **ÁRBOL**

cédula

1 cédula s.f.

• CON ADJS. **electoral** · **personal** || **urbanística** · **catastral** · **hipotecaria** || **real** || **falsa** · **vencida** · **caducada** *Lo sentimos, pero su cédula de identificación está caducada* · **anulada** · **falsificada** · **fechada (en algo)** || **vigente** · **en vigor**
• CON SUSTS. **número (de)** · **modelo (de)**
• CON VBOS. **caducar** · **vencer** || **poseer** · **portar** · **llevar** · **presentar** · **mostrar** || **extender** · **expedir** *Ya han expedido la cédula de habitabilidad del edificio* · **emitir** · **sellar** · **verificar** · **conceder** · **falsificar** || **solicitar** · **obtener** · **conseguir** · **renovar** · **sacar**

2 cédula (de) s.f.

• CON SUSTS. **identidad** *El detenido presenta una cédula de identidad falsificada* · **identificación** · **ciudadanía** · **inscripción** · **vecindad** · **notificación** · **citación** *Recibieron una cédula de citación para acudir al juzgado* · **habitabilidad** · **calificación**

cegador, -a adj.

• CON SUSTS. **sol** · **estrella** · **relámpago** · **rayo** · **nieve** · **llama** · **faro** · **bengala** || **luz** · **claridad** *No podía abrir los ojos por la claridad cegadora del cielo* · **brillo** · **destello** · **luminosidad** · **haz** · **resplandor** · **lucidez** · **deslumbramiento** · **brillantez** || **fuerza** · **potencia** · **poder** *el poder cegador de la codicia* || **euforia** · **entusiasmo** || **panorama** · **actualidad** · **realidad** || **ejemplo** · **evidencia** · **muestra** || **belleza**

cegar (algo/a alguien) v.

• CON SUSTS. **luz** *La luz de los faros me cegó* · **brillo** · **resplandor** · **iluminación** || **humo** · **niebla** *La niebla ciega los diques del puerto* || **pasión** · **ambición** · **ansia** · **ilusión** · **obsesión** · **venganza** · **rabia** · **miedo** · **codicia** · ***otros sentimientos o emociones*** || **dinero** · **riqueza** · **abundancia** · **éxito** *un pintor vanidoso cegado por el éxito repentino de sus retratos* · **gloria** · **fama** || **dogma** · **creencia** · **fe**
• CON ADVS. **completamente** *La pasión lo ciega completamente cuando se trata de su hijo* || **definitivamente** · **momentáneamente** · **instantáneamente**

ceguera s.f.

• CON ADJS. **total** · **absoluta** · **completa** · **crónica** || **reversible** · **transitoria** · **temporal** · **parcial** || **nocturna** || **infantil** · **juvenil** || **histórica** *Al tomar esta decisión, señores del Gobierno, han demostrado ustedes una evidente ceguera histórica* · **política** · **intelectual** · **mental** · **cultural** · **psicológica** || **colectiva** · **voluntaria**
• CON SUSTS. **causa (de)** *Se desconocen por completo las causas de su ceguera* · **origen (de)** || **curación (de)** || **grado (de)** · **síntoma (de)**
• CON VBOS. **padecer** · **sufrir** || **producir** · **provocar** · **causar** · **originar** || **combatir** · **prevenir** · **vencer** · **corregir** *Con una sencilla operación podría corregir su ceguera* || **conducir (a)**

[ceja] → ceja; hasta las cejas

ceja s.f.

• CON ADJS. **poblada** · **espesa** · **tupida** · **densa** · **rala** || **prominente** · **protuberante** || **oscura** · **clara** · **cana** · **canosa** || **fina** · **arqueada** · **delgada** · **larga** · **corta**
• CON SUSTS. **corte (en)** *El niño se ha hecho un corte en la ceja* · **depilación (de)**
• CON VBOS. **subir** · **levantar** *Levantar una ceja como señal de suspicacia* · **alzar** · **enarcar** · **arquear** · **fruncir** · **arrugar** || **abrir** · **partir** || **depilar** · **teñir** · **perfilar** · **pintar** || **herir (en)** · **sangrar (por)**
• CON PREPS. **a la altura (de)**

□ EXPRESIONES **hasta las cejas*** [al máximo] *col.* || **metérse(le) entre ceja y ceja** (algo) (a alguien) [obsesionarse con ello] *col.* || **tener entre ceja y ceja** (a alguien) [sentir fuerte antipatía hacia él] *col.*

cejar (en) v.

• CON SUSTS. **empeño** · **intento** *El equipo no cejó en su intento de ganar el partido* · **esfuerzo** · **afán** · **ambición** · **deseo** · **propósito** || **crítica** · **denuncia** · **protesta** *Las organizaciones sindicales no cejan en su protesta contra la nueva ley laboral* || **reivindicación** · **petición** || **lucha** · **ataque** · **acoso** · **asedio** · **ofensiva** · **batalla** || **búsqueda** · **investigación** · **pesquisa**

□ USO Se usa muy frecuentemente en contextos negativos (*no cejar en el empeño*) o irreales (*Suponiendo que cejara en el empeño...*).

celada s.f.

• CON VBOS. **preparar** · **urdir** · **tejer** · **tender** || **descubrir** *Descubrió a tiempo la celada que le habían tendido sus enemigos* · **desvelar** · **desenmascarar** || **caer (en)**

celador, -a s.

• CON SUSTS. **profesión (de)** · **actividad (de)** || **obligación (de)** *Cumple fielmente sus obligaciones de celador*
• CON VBOS. **vigilar (algo)** · **velar (algo)** · **comprobar (algo)** · **custodiar (algo)** · **alertar (de algo)** || **contratar** || **trabajar (de/como)**

celda s.f.

• CON ADJS. **pequeña** · **estrecha** *Los reclusos estaban encerrados en estrechas celdas* · **incómoda** || **oscura** · **húmeda** · **fría** || **individual** · **compartida** · **incomunicada** || **de seguridad** · **de castigo**
• CON SUSTS. **compañero,ra (de)** || **barrote (de)** · **puerta (de)** · **llave (de)**

• CON VBOS. **abrir** · **cerrar** || **construir** *Las abejas construyen pequeñas celdas* || **ocupar** · **compartir** *Los dos mafiosos compartieron celda durante muchos años* || **vigilar** · **registrar** || **visitar** || **recluir (en)** · **encerrar (en)** *Se pasó varios días encerrado en una celda de castigo* · **guardar (en)** · **meter (en)** · **conducir (a)** · **llevar (a)** || **salir (de)** · **escapar (de)** · **fugarse (de)** · **huir (de)**

celebración s.f.

• CON ADJS. **fastuosa** · **de postín** · **a lo grande** · **lujosa** · **importante** || **multitudinaria** · **concurrida** · **animada** || **pequeña** · **sencilla** *Fue una celebración sencilla, pero muy emotiva* || **habitual** · **frecuente** · **especial** · **particular** · **ocasional** · **esporádica** || **religiosa** · **litúrgica** · **navideña** · **pagana** · **familiar** · **deportiva** · **futbolística** || **oficial** · **solemne** · **tradicional** · **espontánea** · **popular** || **polémica** · **nostálgica** · **conmemorativa**

• CON VBOS. **tener lugar** · **desarrollarse** · **transcurrir** · **culminar (con algo)** *La celebración culminó con la suelta de cientos de globos multicolores* || **empañar(se)** · **aguar(se)** · **echar(se) a perder** || **organizar** · **convocar** · **hacer** · **festejar** · **anunciar** || **permitir** · **autorizar** · **apoyar** · **auspiciar** · **favorecer** · **propiciar** · **liderar** · **prohibir** || **arruinar** · **estropear** · **reventar** *Nos temíamos que con sus rencillas nos reventaran la celebración familiar, pero todo salió estupendamente* · **boicotear** · **impedir** || **enmarcar** · **jalonar (de/con algo)** · **animar** || **revivir** · **recordar** · **rememorar** · **contar** · **relatar** · **grabar** || **invitar (a)** *No me han invitado a la celebración conmemorativa de...* || **sumarse (a)** · **adherirse (a)** · **convocar (a alguien) (a)**

• CON PREPS. **con motivo (de)** *Se lanzaron fuegos artificiales con motivo de la celebración del centenario* · **durante**

celebrar v.

▌[festejar]

• CON SUSTS. **cumpleaños** *Hoy celebro mi cumpleaños* · **aniversario** · **centenario** · **boda** · **fiesta** · **festividad** · **nacimiento** · **ascenso** · **llegada** *celebrar la llegada de la primavera* · **venta** · ***otros sucesos*** || **éxito** · **triunfo** · **victoria** *Los jugadores y el entrenador celebraron la victoria* · **aprobado** || **inicio** · **fin** · **culminación**

• CON ADVS. **a lo grande** · **por todo lo alto** *Fue aquí donde celebraron la boda por todo lo alto* · **fastuosamente** · **a bombo y platillo** || **multitudinariamente** · **universalmente** || **en privado** · **privadamente** || **calurosamente** · **alborozadamente** · **con alborozo** || **sinceramente** · **de (todo) corazón**

▌[realizar, tener lugar]

• CON SUSTS. **misa** · **juicio** *¿Cuándo se celebra el juicio?* · **certamen** · **congreso** · **partido** · **reunión** · **acto** · **subasta** · **sesión** · **cena** · **concurso** · **elección** · ***otros eventos***

• CON ADVS. **a puerta cerrada**

célebre adj.

• CON SUSTS. **escritor,-a** · **pensador,-a** · **intelectual** · **investigador,-a** · **director,-a** · **creador,-a** · ***otros individuos*** || **frase** *Necesito un diccionario de frases célebres* · **cita** · **pensamiento** || **obra** · **poema** *En el recital leerá alguno de sus más célebres poemas* · **novela** · **artículo** · **libro** · **drama** · ***otras creaciones*** || **lugar** · **ciudad** · **monumento** · **calle** · **mercado** || **caso**

• CON ADVS. **internacionalmente** *un escritor internacionalmente célebre* · **universalmente** || **sumamente** · **enormemente** || **tristemente** *el tristemente célebre secuestro de una niña de catorce años en este mismo barrio*

• CON VBOS. **hacer(se)**

celebridad s.f.

▌[fama, popularidad]

• CON ADJS. **gran(de)** · **considerable** · **reconocida** · **dilatada** · **enorme** · **incuestionable** || **repentina** · **súbita** *orgullosa de la súbita celebridad de su marido* · **inmediata** · **fugaz** · **efímera**

• CON SUSTS. **culto (a)** · **búsqueda (de)** · **conquista (de)** · **salto (a)** || **período (de)**

• CON VBOS. **afianzar(se)** · **consolidar(se)** · **aumentar** *Desde que ganó el premio su celebridad aumenta sin cesar* || **decrecer** · **disminuir** || **buscar** · **lograr** · **alcanzar** *Gracias a esta película alcanzó la celebridad* · **adquirir** · **obtener** · **rozar** · **dar** · **conseguir** · **conquistar** || **mantener** · **perder** || **gozar (de)** · **disfrutar (de)**

• CON PREPS. **en busca (de)**

▌[persona famosa]

• CON ADJS. **mundial** · **internacional** · **universal** · **nacional** *Este atleta se ha convertido en una celebridad nacional* · **local** || **musical** · **artística** · **deportiva** · **literaria**

• CON VBOS. **acudir (a algo)** *Al acto acudieron todas las celebridades locales* · **asistir (a algo)**

celeridad s.f.

• CON ADJS. **máxima** *Les pedimos por favor que nos resuelvan el problema con la máxima celeridad posible* · **extrema** · **suma** · **mayor** · **enorme** · **increíble** · **vertiginosa** · **extraordinaria** · **gran(de)** || **escasa** · **relativa** · **suficiente** *El concurso se celebró con la celeridad suficiente para no agotar el plazo* || **sorprendente** · **inusual** · **inusitada** · **habitual** · **ejemplar** || **inquietante** · **alarmante**

• CON VBOS. **requerir** *un juego que requiere mucha celeridad a la hora de responder* · **pedir** · **exigir** · **solicitar** · **reclamar**

• CON PREPS. **con** *atender a alguien con celeridad*

celeste adj.

▌[del cielo]

• CON SUSTS. **cuerpo** *Se han identificado más de un millar de cuerpos celestes* · **objeto** · **bóveda** · **cúpula** · **esfera** · **planisferio** · **superficie** · **ecuador** · **mecánica** || **exploración** · **viaje** · **periplo** · **recorrido** || **signo** · **señal** || **paraíso** · **gloria** · **música** · **criatura**

▌[de color azul claro]

• CON SUSTS. **azul** *una camisa de color azul celeste* · **color** · **tono** · **tonalidad**

celestial adj.

▌[divino, glorioso]

• CON SUSTS. **milagro** · **aparición** *Las jóvenes lo miraban como si fuera una aparición celestial* · **ángel** · **espíritu** || **luz** · **claridad** · **resplandor** || **reino**

▌[perfecto, delicioso]

• CON SUSTS. **entorno** · **paraje** · **lugar** || **música** · **voz** *...una de las pocas mezzosopranos con voz verdaderamente celestial que se encuentran en el panorama operístico* · **canto** · **cántico** · **armonía** · **entonación** || **poesía** · **novela** · **comedia** · **cuadro** · **estilo** || **gloria** · **placer** · **paz** · **felicidad** · **dicha** || **comida** · **manjar**

celibato s.m.

• CON ADJS. **opcional** · **voluntario** · **obligatorio** || **sacerdotal** · **eclesiástico**

• CON SUSTS. **ley (de)** || **práctica (de)** || **voto (de)**

• CON VBOS. **acatar** · **practicar** · **guardar** · **mantener** · **elegir** || **abandonar** *Abandonó el celibato para constituir una familia* · **romper** · **rechazar** · **cuestionar** · **suprimir** · **eliminar** · **abolir** || **imponer** · **recomendar** · **promover** ·

defender || cumplir (con) · ser fiel (a) · oponerse (a) || vivir (en)

célibe adj.

● CON SUSTS. **cura · sacerdote · monje · monja · clero · madre · padre · ciudadano,na** · ***otros individuos*** **|| vocación || condición (de)**
● CON VBOS. **permanecer · quedar(se) · seguir · mantener(se) · vivir** *Los miembros de esta orden están obligados a vivir célibes*

celo

1 **celo** s.m.

▌[cuidado, esmero, responsabilidad]

● CON ADJS. **extremado · extremo · infatigable · cuidadoso · exquisito || desmedido · desmesurado · desproporcionado · excesivo || singular · especial · habitual** *La agencia llevó el asunto con su habitual celo* · **acostumbrado || competitivo · crítico || profesional · policial · periodístico** *Su celo periodístico lo llevó a infiltrarse en una banda criminal* · **investigador · persecutorio · inquisitorial · apostólico · protector · normativo**
● CON SUSTS. **exceso (de) · falta (de) || huelga (de)** *Los inspectores se han puesto en huelga de celo y las inspecciones están siendo exhaustivas*
● CON VBOS. **aumentar · disminuir || poner (en algo)** *...con el celo que pone siempre en todo lo que hace* · **emplear · extremar || demostrar · revelar · reflejar**
● CON PREPS. **con**

▌[período de reproducción]

● CON SUSTS. **época (de) · período (de)**
● CON PREPS. **en** *una gata en celo*

2 **celos** s.m.pl.

● CON ADJS. **enfermizos** *Actuó impulsado por unos celos enfermizos* · **obsesivos · incontrolables || desmedidos · desorbitados · terribles || torturadores · feroces || infundados · injustificados · absurdos · inexplicables || justificados · lógicos · naturales || maritales · de pareja · infantiles || profesionales · artísticos** *Los componentes del famoso trío aseguraron que entre ellos nunca había habido celos artísticos* **|| inmune (a) · preso,sa (de) · comido,da (por) · llevado,da (por)**
● CON SUSTS. **ataque (de) · arrebato (de) · arranque (de) · rapto (de) · acceso (de) || escena (de)** *No me montes otra vez una escena de celos* · **víctima (de)**
● CON VBOS. **surgir · aflorar · entrar (a alguien)** *Le entran unos celos terribles cada vez que te ve hablando conmigo* · **atacar (a alguien) · venir (a alguien) || atormentar (a alguien) · torturar (a alguien) · consumir (a alguien) · devorar (a alguien) · corroer (a alguien) · carcomer (a alguien) · obsesionar (a alguien) || dar (alguien)** *Se lo contó para darle celos* · **provocar · despertar · suscitar · desatar || tener (de alguien)** *El niño tenía celos de su hermano recién nacido* · **sentir · sufrir || aplacar · contener · controlar · reprimir · vencer · superar || morir(se) (de) · reconcomer(se) (de) · estallar (de) || dejarse llevar (por)** *No te dejes llevar por los celos y analiza fríamente la situación*

[celos] s.m.pl. → celo

celosamente adv.

● CON VBOS. **defender · proteger** *La empresa protege celosamente la propiedad intelectual de sus productos* · **cuidar · custodiar · resguardar · preservar || guardar** *un secreto guardado celosamente por su familia* · **conservar · atesorar · mantener || ocultar(se) · esconder · cubrir · callar || controlar · vigilar || trabajar · actuar · obrar**

celoso, sa adj.

▌[que siente celos]

● CON SUSTS. **marido** *Mi hermana se queja de que su marido es excesivamente celoso* · **mujer · novio,via · amante · niño,ña** · ***otros individuos***
● CON VBOS. **ser · volver(se) || poner(se) · estar** *Está celoso de su hermana pequeña* · **sentirse**

▌[que manifiesta celo]

● CON SUSTS. **vigilante · guardián** *guardián celoso de la ley* · **custodia || secreto**
● CON ADVS. **excesivamente · enormemente · tremendamente · sumamente · extremadamente**

□ USO Los adverbios son comunes a los dos sentidos.

célula s.f.

● CON ADJS. **muerta · maligna · cancerígena** *un tratamiento para acabar con las células cancerígenas* · **cancerosa · tumoral · enferma || viva · sana || embrionaria · adulta · humana · animal · vegetal || corporal · cerebral · nerviosa · sanguínea · inmunitaria** *Esta enfermedad ataca directamente a las células inmunitarias* · **inmunológica · muscular · ósea · cartilaginosa · epitelial || fotoeléctrica || subversiva**
● CON SUSTS. **reproducción (de) · multiplicación (de) · transplante (de) || núcleo (de) || madre** *manipulación genética de las células madre* · **hija**
● CON VBOS. **multiplicarse** *La profesora de biología nos explicó cómo se multiplican las células* · **desarrollarse · proliferar · crecer || infectar(se) · dañar(se) || cultivar · obtener · crear · conseguir · clonar · utilizar || analizar · identificar || matar** *una sustancia que mata las células* · **destruir || infiltrar(se) (en)**

celular

1 **celular** adj.

▌[de las células]

● CON SUSTS. **división** *un estudio sobre la división celular* · **multiplicación · proliferación · crecimiento · reproducción · regeneración · expansión · transformación · diferenciación · gemación || proceso · ciclo · funcionamiento** *enfermedades causadas por un anómalo funcionamiento celular* **|| anomalía · anormalidad · daño · degeneración · muerte · inmunidad || tejido · membrana · pared · núcleo · cuerpo · estructura · componente || señal · respuesta** *la respuesta celular a este tipo de señales* · **respiración || biología** *Ha decidido hacer su tesis sobre biología celular* · **cultivo**

▌[con compartimentos]

● CON SUSTS. **coche · furgón || prisión · edificio**

▌[de la telefonía móvil]

● CON SUSTS. **teléfono** *llamar desde un teléfono celular* · **telefonía · red · aparato · comunicación**

2 **celular** s.m.

● CON SUSTS. **número (de)** *anotar el número del celular*
● CON VBOS. **sonar** *Cuando sonó el celular de su padre...* **|| coger · atender · colgar · pasar · cortar || llamar (por)** *Si lo prefieres, puedes llamar por el celular* · **comunicar(se) (por)**

celulitis s.f.

● CON ADJS. **irreductible · galopante || avanzada · incipiente**
● CON VBOS. **tener · padecer · salir** *Me ha empezado a salir celulitis* **|| tratar · reducir** *un tratamiento para reducir eficazmente la celulitis* · **eliminar · atacar || acabar (con)**

celuloide s.m.

• CON SUSTS. **mundo (de)** · **industria (de)** · **producto (de)** || **estrella (de)** *La película que lo convirtió en estrella del celuloide* · **ídolo (de)** · **figura (de)**

• CON VBOS. **llevar (a)** *El joven director llevará próximamente al celuloide la vida de un famoso pintor* · **pasar (a)** · **trasladar (a)**

cementerio s.m.

• CON ADJS. **antiguo** · **abandonado** · **nuevo** || **municipal** *El nuevo cementerio municipal está situado a las afueras de la ciudad* · **metropolitano** · **local** · **parroquial** · **internacional** · **privado** · **familiar** || **civil** · **laico** · **militar** · **político** · **judío** · **musulmán** · **islámico** · **cristiano** · **católico** · **ortodoxo** || **clandestino** · **escondido** · **recogido** · **enorme** · **inmenso** || **de elefantes** · **de automóviles** · **nuclear** · **atómico** · **bionuclear** · **industrial**

• CON SUSTS. **tapia (de)** || **capilla (de)** · **depósito (de)** *Los restos fueron trasladados al depósito del cementerio*

• CON VBOS. **visitar** · **profanar** || **enterrar (a alguien) (en)** || **ir (a)** · **acudir (a)**

[cemento] → como el cemento

cena s.f.

• CON ADJS. **copiosa** · **abundante** · **opípara** · **apoteósica** · **espectacular** · **pantagruélica** · **sabrosa** · **apetecible** · **deliciosa** · **rica** · **suculenta** || **frugal** · **escasa** || **de gala** *Al solemne acto de entrega de los premios lo seguía una cena de gala* · **elegante** · **formal** · **informal** · **fría** || **íntima** · **privada** · **oficial** · **multitudinaria** || **pesada** · **ligera** || **agradable** · **distendida** · **tensa** || **anual** · **tradicional** *la tradicional cena de fin de curso* || **benéfica** · **de bienvenida** · **de despedida** · **de clausura** · **de Navidad** · **navideña** · **de trabajo** · **romántica** || **lista** *¿Está lista la cena?* · **preparada** · **a punto**

• CON SUSTS. **homenaje** *Los compañeros de partido le han organizado una cena homenaje* · **coloquio** · **mitin** · **desfile** · **concierto** || **menú (de)** · **hora (de)** · **restos (de)**

• CON VBOS. **tener lugar** || **hacer** · **preparar** *Cada día le toca a uno preparar la cena para los demás* || **organizar** · **celebrar** · **ofrecer** · **servir** || **compartir** || **prometer** || **invitar (a)** · **asistir (a)** · **participar (en)**

• CON PREPS. **durante** · **en** · **a lo largo (de)** · **para** · **tras**

cenagal s.m.

• CON ADJS. **auténtico** *Con las lluvias torrenciales de la semana pasada, la parcela se ha convertido en un auténtico cenagal* · **enorme** · **gran(de)** · **tremendo** || **intransitable** · **insondable** · **inmundo**

• CON VBOS. **atravesar** || **hundir(se) (en)** · **meter(se) (en)** · **revolcar(se) (en)** || **salir (de)**

cenagoso, sa adj.

• CON SUSTS. **zona** *Es imposible transitar por esa zona cenagosa* · **terreno** · **pantano** · **estanque** · **orilla** · **río** || **pozo** · **agua** || **historia** · **situación** · **asunto** *Le va a costar bastante salir de un asunto tan cenagoso*

• CON VBOS. **poner(se)** · **volver(se)**

cenar v.

• CON SUSTS. **hora (de)** *¿Ya es la hora de cenar?*

• CON ADVS. **copiosamente** · **abundantemente** · **opíparamente** · **frugalmente** · **desmesuradamente** · **excesivamente** · **abusivamente** || **con voracidad** · **ávidamente** · **ansiosamente** || **con moderación** · **moderadamente** · **austeramente** || **como {un rey/una reina}**

• CON VBOS. **dar (a alguien) (de)** · **invitar (a alguien) (a)** || **quedar(se) (a)** *Quédate a cenar con nosotros* || **sentar(se) (a)**

[cencerro] → cencerro; como un cencerro

cencerro s.m.

• CON VBOS. **sonar** || **poner** · **colgar** · **quitar** · **llevar** || **oír**

□ EXPRESIONES **como un cencerro*** [loco] *col.*

ceniciento, ta adj.

• CON SUSTS. **color** *el característico color ceniciento de los paisajes volcánicos* · **tonalidad** · **aspecto** · **tono** || **lugar** · **suelo** · **superficie** · **sótano** · **habitación** || **ambiente** · **tiempo** · **día** · **época** || **luz** · **bruma** · **neblina** · **cielo** · **atardecer**

• CON VBOS. **hacerse** · **volverse** · **ponerse**

cénit

1 **cénit** s.m.

• CON VBOS. **alcanzar** *un triunfo con el que alcanzó el cénit de su carrera* || **encontrarse (en)** · **llegar (a)**

• CON PREPS. **en**

2 **cénit (de)** s.m.

• CON SUSTS. **popularidad** · **fama** · **poder** · **éxito** *una persona en el cénit del éxito* || **carrera** · **temporada**

cenital adj.

• CON SUSTS. **luz** · **sol** · **foco** · **iluminación** *una cuidada iluminación cenital* || **plano** · **toma** · **perspectiva** || **punto** · **momento** *El momento cenital llegó a la mitad de la actuación* · **etapa** · **posición**

ceniza s.f.

• CON ADJS. **funeraria** · **volcánica** || **gris** · **negra** · **oscura** || **fría** · **polvorienta** · **ardiente** · **humeante** || **reducido,da (a)**

• CON SUSTS. **capa (de)** *Tras la erupción del volcán el pueblo quedó cubierto de una capa de ceniza* · **lluvia (de)** · **nube (de)** || **rescoldo (de)**

• CON VBOS. **reposar (en un lugar)** *Sus cenizas reposan en el camposanto* || **arrojar** · **echar** · **esparcir** · **dispersar** *El viento dispersó las cenizas* · **diseminar** · **desparramar** · **enterrar (en un lugar)** || **renacer (de)** · **resurgir (de)** · **surgir (de)** || **cubrir (de)** || **reducir (a)** · **convertir (en)**

censar v.

• CON SUSTS. **habitantes** *El Ayuntamiento ha decidido censar a todos los habitantes del municipio* · **ciudadanos,nas** · **extranjeros,ras** · **población** · ***otros individuos y grupos humanos*** || **especies** · **animales** · **árboles** || **objetos** · **viviendas**

• CON ADVS. **exactamente** · **aproximadamente** || **oficialmente** || **periódicamente** · **regularmente** · **anualmente**

censo s.m.

• CON ADJS. **electoral** · **de votantes** · **de electores** · **de habitantes** · **demográfico** · **de usuarios** · **laboral** · **escolar** · **carcelario** || **oficial** · **municipal** *El último censo municipal registra un aumento considerable de habitantes* · **regional** || **ganadero** · **vacuno** || **anual** · **decenal** · **quinquenal** || **definitivo** · **provisional** || **inscrito,ta (en)**

• CON SUSTS. **lista (de)** · **datos (de)** *Según los datos del censo electoral, medio millón de jóvenes podrá votar por primera vez*

• CON VBOS. **hacer** · **realizar** · **elaborar** · **confeccionar** · **levantar** · **preparar** || **actualizar** *Este año se actualizará el censo escolar con nuevos criterios* · **revisar** · **completar** · **manipular** || **figurar (en)** · **aparecer (en)** · **inscribir (en)**

No puede usted votar si no está inscrito en el censo · **estar (en)** · **añadir (a)** · **incorporar (a)** · **excluir (de)**

censura s.f.

● CON ADJS. **férrea** *una época en la que la prensa estaba sometida a una férrea censura* · **fuerte** · **estricta** · **severa** · **dura** · **taxativa** · **absoluta** · **implacable** · **inquisitorial** || **atenta** · **vigilante** · **constante** · **permanente** · **indiscriminada** || **inequívoca** · **clara** · **reinante** · **dominante** · **oficial** · **impuesta** || **virtual** · **soterrada** · **velada** · **indirecta** || **leve** · **laxa** · **circunstancial** || **previa** || **política** *Numerosas asociaciones han denunciado la existencia de una velada censura política* · **religiosa** · **moral** · **literaria** · **de prensa** · **cinematográfica** · **fotográfica** · **postal** || **sujeto,ta (a)**

● CON SUSTS. **motivo (de)** · **objeto (de)** || **moción (de)** *El principal partido de la oposición decidió presentar una moción de censura* · **voto (de)** || **control (de)** · **mirada (de)** · **vigilancia (de)**

● CON VBOS. **aparecer** · **surgir** · **existir** · **acabarse** || **vigilar (algo/a alguien)** · **prohibir (algo)** · **vetar (algo)** · **hacer la vista gorda** *La censura de prensa, normalmente implacable, hacía de vez en cuando la vista gorda* || **implantar** · **introducir** · **establecer** · **meter** · **aplicar** · **ejercer** · **practicar** || **sufrir** · **padecer** · **vivir** · **experimentar** · **conocer** || **levantar** · **pasar** · **burlar** *Con su particular ingenio, logró burlar la censura* · **sortear** · **evitar** || **condenar** · **denunciar** || **someter (algo) (a)** · **chocar (con)** || **escapar (a/de)** · **librar(se) (de)**

censurable adj.

● CON SUSTS. **acto** *...tras cometer un acto censurable del que se declaró arrepentido* · **hecho** · **gesto** · **acción** · **actuación** || **conducta** · **comportamiento** · **actitud** || **moral** · **política** || **película** · **imagen**

● CON ADVS. **absolutamente** · **seriamente** || **éticamente** *una conducta éticamente censurable* · **moralmente**

censurar v.

● CON SUSTS. **obra** *La mayor parte de sus obras de juventud fueron censuradas* · **película** · **escrito** · **novela** · **poema** · **publicación** · **revista** · **artículo** · ***otras creaciones*** || **comportamiento** · **hecho** · **suceso** · **proceder** · **acción** · **acto** · **actuación** · **actitud** || **palabras** · **intención** · **deseo**

● CON ADVS. **agriamente** · **acremente** · **duramente** *El portavoz censuró duramente la actitud del líder de la oposición* · **enérgicamente** · **fuertemente** · **férreamente** · **implacablemente** || **abiertamente** · **veladamente** · **indirectamente** *Al retirarle su apoyo, estaba censurando indirectamente su actuación* || **previamente** || **indiscriminadamente**

centavo s.m.

● CON ADJS. **de dólar** · ***otras monedas***

● CON VBOS. **tener** *No tengo ni un centavo* · **recibir** · **ganar** · **cobrar** · **perdonar** || **gastar** · **invertir** · **apostar** · **pagar** · **abonar** · **dar** · **desembolsar** · **costar** || **deber** · **faltar** · **perder** · **encontrar** · **contar**

centellear v.

● CON SUSTS. **luz** · **fulgor** · **relámpago** · **estrella** || **ojos** *Sus ojos centelleaban porque estaba enormemente feliz* · **mirada** · **rostro**

● CON ADVS. **intensamente** · **enérgicamente**

centelleo s.m.

● CON ADJS. **deslumbrante** · **intenso** *El intenso centelleo de las estrellas nos permite pronosticar que mañana gozaremos de buen tiempo* · **luminoso** || **tenue** || **fugaz** · **efímero** · **intermitente** || **metálico** · **estelar** · **repentino**

● CON VBOS. **lanzar** · **emitir** || **ver** · **notar** · **percibir**

centímetro s.m.

● CON ADJS. **cuadrado** · **cúbico** *...con una capacidad de apenas unos pocos centímetros cúbicos* || **de longitud** · **de largo** · **de anchura** · **de ancho** · **de grosor** · **de grueso** · **de espesor** · **de profundidad** · **de altura** · **de alto** · **de fondo** · **de diámetro** *una circunferencia de diez centímetros de diámetro* · **de radio** · **de lado** · **de distancia** · **de desviación** || **escaso** *La ranura mide cuatro centímetros escasos* · **largo**

● CON SUSTS. **símbolo (de)** · **abreviatura (de)** || **margen (de)** · **separación (de)** · **altura (de)** · **distancia (de)**

● CON VBOS. **medir** · **tener** || **calcular** || **reducir** · **aumentar** · **ganar** *Este niño ha ganado varios centímetros de altura en unos meses* · **disminuir** || **subir** · **bajar** || **equivaler (a)**

● CON PREPS. **en** · **por** *El balón salió fuera por unos pocos centímetros*

□ USO También se combina con locuciones del tipo *de alto, de largo, de profundiad, de altura*: *La mesilla mide noventa centímetros de alto.*

céntimo s.m.

● CON ADJS. **de euro** · ***otras monedas***

● CON VBOS. **tener** · **perdonar** || **costar** · **valer** *¿Cuántos céntimos vale esta piruleta?* || **gastar** · **pagar** · **invertir** · **dar** · **perder** · **encontrar** || **apreciarse** · **depreciarse** · **revalorizarse** || **contar** · **calcular** || **faltar** · **deber**

centinela s.com.

● CON ADJS. **armado,da** *En cada puerta vigilaban dos centinelas armados* || **apostado,da** || **atento,ta** · **alerta** · **vigilante**

● CON SUSTS. **tarea (de)** || **puesto (de)** · **garita (de)** || **guardia (de)** · **ronda (de)**

● CON VBOS. **guardar (un lugar)** · **vigilar (un lugar)** *Los centinelas vigilan día y noche el edificio del parlamento* · **velar** · **hacer guardia** · **hacer la ronda** · **patrullar** · **apostarse** || **alertar (de algo)** · **avisar (de algo)** || **disparar** || **dormir(se)** || **hacer (de)**

central

1 central adj.

● CON SUSTS. **parte** · **sección** · **franja** · **área** · **zona** · **región** *Las regiones centrales disfrutarán de cielos despejados y agradables temperaturas* || **patio** · **plaza** · **jardín** · **parque** · **calle** · **vía** || **vestíbulo** · **pasillo** · **salón** · **nave** · **edificio** || ***otros espacios*** || **calefacción** *El piso dispone de calefacción central* · **agua caliente** · **servicio** || **banco** · **universidad** · **sede** · **oficina** || **gobierno** · **poder** · **administración** || **puesto** · **posición** · **papel** · **función** · **figura** · **personaje** || **elemento** · **pieza** · **aspecto** · **punto** *El punto central, el más conflictivo de la negociación es...* || **cuestión** · **asunto** · **tema** *La financiación del proyecto fue el tema central de la reunión* || **núcleo** · **eje** · **línea** · **hilo** || **idea** · **tesis** · **hipótesis** || **motivo** · **propósito** || **perspectiva** · **imagen**

2 central s.f.

● CON ADJS. **hidroeléctrica** · **nuclear** · **térmica** · **fabril** || **de teléfonos** · **telefónica** || **sindical** *Las centrales sindicales no firmarán el convenio* · **obrera**

centralita s.f.

● CON ADJS. **telefónica** · **policial** · **local** · **de control** || **digital** *Recientemente han instalado en la oficina una nueva centralita digital* · **manual** · **electrónica**

● CON SUSTS. **encargado,da (de)** || **acceso (a)**

●CON VBOS. **atender (llamadas) · filtrar (llamadas) · recibir (llamadas)** *La centralita recibe todas las llamadas y las distribuye entre los operadores* **|| colapsar(se) · bloquear(se) || llamar (a) · conectar (con) · comunicar (con)**
●CON PREPS. **a través (de)** *Solo se puede llamar al exterior a través de la centralita*

centralizar v.

●CON SUSTS. **realización · ejecución · actuaciones · acciones · política · operación** *En el nuevo edificio se centralizarán todas las operaciones* **|| gestión** *El programa permite centralizar la gestión de todas las actividades internas* **· administración · coordinación · gobernación || poder · autoridad · control · dirección · mando || sistema · estructura · red · aparato · esquema || plan · programa · decisión · mecanismo · procedimiento || información · dato** *el organismo encargado de centralizar los datos de cada comunidad* **· catálogo · archivo · resultado · cifra · documentación · banco de datos · estadística || capital · dinero · ingreso · fiscalidad · facturación · compra · tesorería || trabajo** *El objetivo es centralizar el trabajo administrativo de todas las sucursales en una oficina común* **· tarea · investigación · estudio · labor**
□USO Se usa frecuentemente con sustantivos en plural: *un plan que centralice las actuaciones de las fuerzas de seguridad.*

centrar v.

●CON SUSTS. **balón · pelota · esférico || atención · interés** *un asunto que centró el interés de la prensa* **· mirada || esfuerzo** *Centramos todos nuestros esfuerzos en esta campaña* **· lucha · trabajo || objetivo · estrategia · campaña · política || búsqueda · investigación** *La Policía ha centrado las investigaciones en dos sospechosos* **· análisis · reflexión || problema · caso || debate · discusión · diálogo · conversación · intervención · discurso** *Su discurso se centró en los logros obtenidos a lo largo de los últimos años* **|| negocio · producción · obra || reivindicación · oferta**
●CON ADVS. **concretamente · en particular · específicamente**

céntrico, ca adj.

●CON SUSTS. **lugar** *Prefiero que nos citemos en un lugar céntrico* **· zona · barrio · manzana · calle · avenida · paseo · vía · tramo · parque || restaurante · tienda · local** *Tiene un local céntrico que podría alquilar a buen precio* **· oficina · edificio · piso · vivienda || ubicación · situación · localización · emplazamiento**

centrifugar v.

●CON SUSTS. **ropa · colada || mezcla · muestra · sustancia · preparado**
●CON ADVS. **correctamente · adecuadamente · convenientemente · defectuosamente || completamente · por completo**

centrífugo, ga adj.

●CON SUSTS. **fuerza · movimiento · tensión · impulso · inercia · tendencia · corriente** *una peligrosa corriente centrífuga de agua* **· expansión · dispersión || embrague · bomba || estado · poder · estructura · coalición · política · nacionalismo · ley · administración**

centrípeto, ta adj.

●CON SUSTS. **fuerza · dirección · tendencia · movimiento · efecto · tensión · dinámica · impulso · flujo · trayectoria || poder · política · estado · nacionalismo · federalismo** *El partido apuesta por un federalismo centrípeto* **|| perspectiva · posición · talante · punto de vista || método · fórmula · orden · ley**

centro s.m.

●CON ADJS. **exacto · matemático || verdadero · auténtico || geográfico · histórico** *la próxima rehabilitación del centro histórico* **· urbano · turístico || de atención · de interés || de gravedad · gravitatorio || neurálgico · estratégico · medular · nervioso || de mesa** *El único adorno que animaba el comedor era un colorido centro de mesa* **|| pleno** *Vive en pleno centro de la ciudad* **|| de trabajo** *No se permite fumar en los centros de trabajo* **· de enseñanza · de estudios · docente · educativo · escolar · cultural · cívico · investigador · sanitario · hospitalario · médico · asistencial · penitenciario · penal · comercial** *Realicé todas las compras en el centro comercial* **· de prensa · especializado · de día** *Se acaba de inaugurar un centro de día para mayores* **· vital || de poder · político · administrativo**
●CON SUSTS. **partido (de) · ideología (de) · político,ca (de) || movimiento {a/desde/hacia}**
●CON VBOS. **situar(se) (en un lugar) · ubicar(se) (en un lugar) || buscar · encontrar · localizar · ocupar || rodear · circundar · circunvalar || desplazar · trasladar · mover · atacar || erigir(se) (en) || aproximar(se) (a) · llegar (a)** *¿Me indica el camino para llegar al centro?* **· situar(se) (en) · poner(se) (en) · gravitar (en torno a) || vivir (en) · estar (en) || atender (a alguien) (en)** *¿Qué tal la atienden en el centro de día, doña Pura?*

centuria s.f.

▮ [período]
●CON ADJS. **pasada · última · anterior || presente · actual || próxima · venidera · siguiente**
●CON SUSTS. **mitad (de) · tramo (de) || año (de) · década (de)** *La guerra marcó las primeras décadas de la centuria* **|| balance (de)**
●CON VBOS. **empezar · comenzar · iniciar(se) || transcurrir · pasar · acabar(se) · finalizar · terminar** *La centuria terminaba con grandes avances científicos* **|| alcanzar**
●CON PREPS. **a lo largo (de)** *La economía del país se fue consolidando a lo largo de la centuria* **· a mediados (de) · a comienzos (de) · a finales (de) · a principios (de)**

▮ [agrupación militar]
●CON SUSTS. **capitán (de) · jefe (de) · miembro (de)**
●CON VBOS. **desfilar || escoltar (a alguien) || intervenir · atacar · derrotar** *...batalla en la que derrotó a las centurias romanas* **· vencer || formar · conformar · integrar || liderar · comandar || enviar · mandar || pertenecer (a) · formar parte (de)**

ceñido, da adj.

●CON SUSTS. **ropa · camiseta** *No estoy cómoda con este pantalón y esta camiseta tan ceñida* **· pantalón · vestido ·** ***otras prendas de vestir***
●CON VBOS. **estar (a alguien) · quedar (a alguien)**

[ceñir] →ceñir(se); ceñir(se) (a)

ceñir(se) v.

●CON SUSTS. **falda · pantalón · camiseta ·** ***otras prendas de vestir*** **|| cinturón · corona · brazalete · espada**

ceñir(se) (a) v.

●CON SUSTS. **realidad · verdad · hecho · presente · evidencia || tema · cuestión · asunto · materia · problema · contenido || ley · instrucción · norma · directriz · reglamento · normativa** *Si la empresa se ciñe a la normativa vigente, no tendrá problemas* **· ordenanza ·** ***otras disposiciones*** **|| programa · plan · patrón · modelo · guión · proyecto · programación · cronograma · horario · agenda · formato · presupuesto** *Sus ideas son brillantes, pero*

no se ciñen en absoluto al presupuesto con el que contamos || **objetivo** · **propósito** · **finalidad** · **intención** || **límite** · **plazo** · **limitación** · **condición** · **condicionamiento** || **idea** · **principio** · **argumento** · **premisa** · **hipótesis** · **tesis** · **razón** || **papel** · **tarea** · **función** · **labor** || **contrato** *Me ceñí estrictamente al contrato que habíamos firmado* · **acuerdo** · **pacto** · **convención**
● CON ADVS. **al pie de la letra** · **literalmente** || **cuidadosamente** · **escrupulosamente** · **estrictamente** *Si nos ceñimos estrictamente al texto, podemos concluir que...* || **al máximo** · **ajustadamente** · **totalmente** || **exclusivamente** · **canónicamente**

ceño s.m.
● CON VBOS. **fruncir** · **arrugar**

ceñudo, da adj.
● CON SUSTS. **expresión** · **gesto** *Su gesto ceñudo indicaba que algo iba mal* · **aspecto** · **frente** · **rostro**
● CON VBOS. **estar** · **poner(se)** · **mantenerse**

cepa s.f.
▮ [tronco de la vid]
● CON VBOS. **plantar** · **injertar** · **arrancar** · **podar** · **talar** · **regar**

▮ [conjunto de organismos]
● CON ADJS. **resistente** · **virulenta** · **salvaje** || **de virus** *Los investigadores han descubierto una nueva cepa de virus* · **de parásito** · **de bacteria**

☐ EXPRESIONES **de {buena/pura} cepa** [auténtico o legítimo en relación con su origen o el grupo al que pertenecen]

cepillar v.
● CON SUSTS. **pelo** · **melena** · **rizos** · **piel** · **dientes** *No olvides cepillarte los dientes antes de acostarte* · **uñas** · **animal** || **abrigo** · **chaqueta** · **pantalones** · **cuello** · **solapa** · **hombro** · **zapato** || **polvo** · **arena** · **tierra** · **caspa** || **madera** *una herramienta que sirve para cepillar la madera* · **listón** · **tabla** · **tablón**
● CON ADVS. **intensamente** · **fuertemente**

[cepillo] → a cepillo; cepillo

cepillo s.m.
▮ [utensilio para cepillar]
● CON ADJS. **duro** · **blando** · **vegetal** · **de púas** || **de dientes** · **dental** · **de pelo** · **de ropa** · **de suelo** · **de barrer** · **de cocina**
● CON VBOS. **pasar** *Voy a pasar el cepillo por toda la casa* · **coger** · **usar**
● CON PREPS. **con** *Tienes que limpiarlo con el cepillo*

▮ [cesta para limosnas]
● CON ADJS. **de iglesia** · **parroquial** · **de limosna**
● CON VBOS. **llenar** *Aquel día los fieles llenaron el cepillo de limosnas* · **vaciar** · **robar** · **llevarse** || **pasar** || **echar (en)**

▮ [herramienta de carpintería]
● CON VBOS. **usar** · **manejar** · **emplear** || **pulir (con)** *Pulió la superficie del mueble con el cepillo* · **alisar (con)**

☐ EXPRESIONES **a cepillo*** [corto y de punta] *cortar el pelo a cepillo*

cepo s.m.
● CON VBOS. **atrapar (algo/a alguien)** *Un enorme cepo había atrapado a un lobo* || **poner** · **colocar** *Las autoridades han prohibido que se coloquen cepos en estas zonas* · **utilizar** || **quitar** || **pisar** · **sortear** || **caer (en)** · **cazar (con)**

ceporro, rra s. col.
● CON VBOS. **dormir (como)** *No se entera del llanto del bebé porque duerme como un ceporro*

[cera] → cera; como la cera

cera s.f.
● CON ADJS. **caliente** · **fría** · **blanda** || **natural** · **de abejas** · **depilatoria**
● CON SUSTS. **tapón (de)** || **vela (de)**
● CON VBOS. **fundir(se)** · **derretir(se)** *...mirando absorta cómo se derretía la cera de los cirios* || **arder** || **dar (a algo)** *Aún tengo que quitar el polvo y dar cera a los suelos* · **aplicar** · **extender** · **absorber** *El mueble absorberá rápidamente la cera*

☐ EXPRESIONES **hacer la cera** [depilar]

cerámica s.f.
● CON ADJS. **decorativa** · **artística** *una exposición de cerámica artística* || **típica** · **popular** · **artesanal**
● CON SUSTS. **pieza (de)** · **objeto (de)** · **plato (de)** *Tiene una vajilla preciosa de platos de cerámica* · **vasija (de)** · **figura (de)** · **baldosa (de)** · **recipiente (de)** || **taller (de)** · **fábrica (de)** · **industria (de)** || **exposición (de)** · **colección (de)** || **curso (de)**
● CON VBOS. **trabajar** *Hace años que ya no trabajamos la cerámica* || **construir (en)**

cerbatana s.f.
● CON SUSTS. **tiro (con)**
● CON VBOS. **usar** · **soplar** || **disparar (con)** · **lanzar (con)** · **cazar (con)** · **atacar (con)**

[cerca] → de cerca

cercanía
1 **cercanía** s.f.
● CON ADJS. **física** · **emocional** · **afectiva** · **espiritual** · **geográfica** · **cultural** || **persona** · **humana** || **excesiva** · **relativa** · **escasa**

2 **cercanías** s.f.pl.
● CON SUSTS. **tren (de)** *Todos los trenes de cercanías circulan con puntualidad* · **servicio (de)** · **estación (de)** · **tráfico (de)** · **red (de)** · **línea (de)** · **usuario,ria (de)**

[cercanías] s.f.pl. → cercanía

[cercano, na] → cercano,na; cercano,na (a algo/a alguien)

cercano, na adj.
● CON SUSTS. **localidad** *Trabajo en una localidad cercana* · **pueblo** · **casa** · ***otros lugares*** || **tiempo** · **período** · **época** · **día** · **futuro** || **persona** · **pariente** · **amigo,ga** · **colaborador,-a** *una colaboradora amable y cercana con la que podemos contar* · **socio,cia** · **profesorado** · ***otros individuos y grupos humanos*** || **círculo** · **medio** · **fuente** *Fuentes cercanas al ministro informaron de su próxima comparecencia* || **historia** · **hecho**
● CON VBOS. **estar** · **poner(se)** · **volver(se)** || **quedar(se)** · **sentir(se)** *A pesar de la distancia se sentía cercana a él* · **mantener(se)** · **considerar**

cercano, na (a algo/a alguien) adj.
● CON SUSTS. **fuente** *Según fuentes cercanas a la investigación...* || **inversión** · **monto** · **suma** · **cifra** *Se manejan*

cifras cercanas a los dos millones · **valor** · **costo** · **ingreso** · **desembolso** · **precio** || **persona** *la persona más cercana al presidente* · **gente** · **funcionario,ria** · ***otros individuos y grupos humanos*** || **localidad** · **pueblo** · **población** · **zona** · ***otros lugares*** || **temperatura** · **longitud** · **velocidad** · ***otras magnitudes***

cercar v.

● CON SUSTS. **finca** *Cercaron la finca con una valla de alambre* · **terreno** · **jardín** · **superficie** · **área** || **ciudad** · **población** · **zona** · **territorio** · **edificio** || **criminal** · **delincuente** *La Policía cercó a los delincuentes en pocos minutos* · **ladrón,-a** · **presa**

● CON ADVS. **militarmente** · **policialmente** · **judicialmente** · **legalmente** · **económicamente** *Las autoridades habían logrado cercar económicamente a la banda de traficantes* || **totalmente** · **completamente**

cercenar v.

● CON SUSTS. **cabeza** · **brazo** · **pierna** · **mano** · **pie** · **dedo** · **oreja** || **posibilidad** · **capacidad** · **facultad** · **función** · **competencia** · **derecho** *La nueva ley que se prepara cercena derechos fundamentales* · **libertad** · **soberanía** · **potencia** || **esperanza** · **ilusión** · **deseo** · **expectativa** || **idealismo** · **imaginación** || **iniciativa** · **avance** || **presupuesto** *promesas de cercenar el presupuesto de defensa*

● CON ADVS. **de raíz** *La cruda realidad cercenó de raíz las ilusiones y las expectativas que...* · **por completo** || **de un tajo** · **de un plumazo**

cerciorarse v.

● CON ADVS. **personalmente** *Me cercioraré personalmente de que se han seguido mis instrucciones* · **por uno mismo** · **en persona** · **directamente**

□ USO Se construye con complementos encabezados por la preposición *de*: *...y acudió al lugar del suceso para cerciorarse de los hechos en persona.*

cerco s.m.

● CON ADJS. **estrecho** · **férreo** · **rígido** · **asfixiante** · **infranqueable** · **total** || **policial** *Los criminales consiguieron burlar el cerco policial* · **militar** · **político** · **jurídico** · **económico** · **periodístico** · **familiar** · **eléctrico** || **defensivo** · **de seguridad** *Se estableció un impresionante cerco de seguridad alrededor de la famosa estrella* || **perimetral**

● CON VBOS. **poner (a algo)** *El equipo blanquiverde puso cerco a las pretensiones de su rival* · **imponer** · **construir** · **desplegar** · **establecer** · **estrechar** · **cerrar** · **completar** · **formar** · **dejar** || **levantar** · **abrir** · **suavizar** · **flexibilizar** || **burlar** · **eludir** *El fugitivo logró eludir el cerco* · **rebasar** · **romper** · **resistir** || **encerrar (en)** · **someter (a)** || **caer (en)** || **salir (de)** · **huir (de)** · **escapar (de)** *Tenía que escapar del rígido cerco familiar cuanto antes*

● CON PREPS. **dentro (de)** · **fuera (de)** · **alrededor (de)** · **en torno (a)**

[cerdo, da] → cerdo, da; como un cerdo

cerdo, da

1 cerdo, da s.

▮ [animal]

● CON ADJS. **ibérico,ca** *embutidos de cerdo ibérico* · **de pata negra** · **de bellota** || **salvaje** · **silvestre** · **doméstico,ca**

● CON SUSTS. **piara (de)** · **cría (de)** || **granja (de)** · **pocilga (de)** · **crianza (de)** · **matanza (de)** || **año (de)** · **signo (de)**

● CON VBOS. **gruñir** · **gritar** || **hocicar** · **hozar** *El cerdo hozaba la tierra en busca de la trufa que había olfateado* || **revolcarse** *...revolcándose en el fango como los cerdos en la pocilga* || **matar** · **sacrificar** || **criar** · **cebar** · **engordar** *Cada año engordan un cerdo para las fiestas del pueblo* || **castrar**

2 cerdo s.m.

▮ [carne]

● CON ADJS. **ahumado** · **adobado**

● CON SUSTS. **carne (de)** · **oreja (de)** *una ración de oreja de cerdo a la plancha* · **morro (de)** · **lomo (de)** · **costilla (de)** · **manteca (de)** *untar el pavo con manteca de cerdo* · **filete (de)** · **chuleta (de)** · **solomillo (de)** || **producto (de)** · **derivado (de)** *un establecimiento especializado en carne y derivados del cerdo* · **chorizo (de)** · **chicharrón (de)**

● CON VBOS. **comer** · **probar** *No prueba el cerdo por motivos religiosos* · **consumir**

cereal s.m.

● CON ADJS. **integral** · **transgénico** || **enriquecido** || **de secano** · **de invierno**

● CON SUSTS. **campaña (de)** · **cosecha (de)** · **cultivo (de)** · **siembra (de)** || **producción (de)** · **comercio (de)** || **campo (de)** · **terreno (de)** · **plantación (de)** · **extensión (de)** || **semilla (de)** · **grano (de)** · **espiga (de)** · **cáscara (de)** · **paja (de)** || **pan (de)** · **pasta (de)** · **galleta (de)** || **papilla (de)** *El niño desayuna papilla de cereales*

● CON VBOS. **cultivar** · **sembrar** · **cosechar** · **plantar** || **recolectar** · **recoger** || **cortar** · **arrancar** || **moler** · **machacar** || **tostar** || **almacenar** *almacenar los cereales en el granero* || **alimentar (con)** · **desayunar (con)**

cerebral adj.

● CON SUSTS. **lesión** *Le realizaron un escáner para descartar alguna posible lesión cerebral* · **enfermedad** · **afección** · **infarto** · **ataque** · **ictus** · **trombosis** · **embolia** · **aneurisma** · **isquemia** · **derrame** · **hemorragia** · **edema** · **congestión** · **espasmo** · **parálisis** · **atrofia** · **conmoción** *El golpe le causó una conmoción cerebral* · **tumor** · **daño** · **malformación** · **deterioro** · **degeneración** · **envejecimiento** · **muerte** || **zona** · **hemisferio** *Cada hemisferio cerebral está dividido en dos lóbulos* · **lóbulo** · **corteza** · **córtex** · **tejido** · **masa** · **vaso** · **riego** · **estructura** · **anatomía** · **mapa** || **actividad** · **función** · **funcionamiento** · **mecanismo** · **química** · **estimulación** · **desarrollo** · **capacidad** || ***persona*** *Es un niño demasiado cerebral*

cerebralmente adv.

● CON VBOS. **analizar** · **calcular** · **considerar** · **estudiar** · **examinar** · **pensar**

● CON ADJS. **muerto,ta** *El accidentado está cerebralmente muerto*

cerebro s.m.

▮ [órgano, instrumento]

● CON ADJS. **portentoso** · **aventajado** · **atrofiado** || **creativo** · **lógico** · **calculador** || **criminal** · **retorcido** *Una idea así solo podía ocurrírsele a su retorcido cerebro* · **calenturiento** || **electrónico** || **humano** · **masculino** · **femenino**

● CON SUSTS. **alteración (de)** · **lesión (de)** || **parte (de)** · **zona (de)** · **área (de)** · **lado (de)** · **hemisferio (de)**

● CON VBOS. **desarrollar(se)** · **funcionar** || **derretir(se)** · **atrofiar(se)** || **ejercitar** · **utilizar** · **estrujar** *Por más que me estrujo el cerebro no logró dar con una explicación* · **exprimir** || **oxigenar(se)** · **irrigar** || **estudiar** · **analizar** · **explorar** · **examinar** || **extirpar** · **donar** || **dañar** || **afectar (a)** · **llegar (a)**

▮ [persona brillante]

● CON ADJS. **privilegiado** *Reunió unos cuantos cerebros privilegiados para formar un equipo investigador de primera línea* || **ideológico** *¿Quién es el cerebro ideológico de la operación?* · **financiero** · **económico** · **político** · **pensante** · **intelectual** || **presunto** *el presunto cerebro de la red* · **supuesto** · **auténtico** · **verdadero** || **gran(de)** · **joven**

● CON SUSTS. **fuga (de)** · **huida (de)** || **equipo (de)** || **cazador (de)**

● CON VBOS. **contratar** · **atraer** · **importar** · **exportar** || **considerar** *...a quien consideran el verdadero cerebro del atentado* || **actuar (de/como)**

□ EXPRESIONES **lavar el cerebro** (a alguien) [anular sus ideas condicionando su comportamiento]

ceremonia s.f.

● CON ADJS. **brillante** · **vistosa** · **elegante** · **apoteósica** · **rutilante** · **pomposa** · **emotiva** || **solemne** · **protocolaria** · **formal** || **sencilla** *Se casaron en una sencilla ceremonia* · **breve** || **agotadora** · **plomiza** · **interminable** · **larga** · **soporífera** || **apagada** · **deslucida** · **fría** || **inaugural** *la ceremonia inaugural de los juegos olímpicos* · **de inauguración** · **de apertura** · **de clausura** || **oficial** · **religiosa** · **litúrgica** · **académica** · **conmemorativa** · **militar** · **castrense** · **civil** || **tradicional** · **atávica** || **pública** · **privada**

● CON SUSTS. **maestro,tra (de)** *Ejercí como maestra de ceremonias* · **organizador,-a (de)** || **día (de)** · **fecha (de)** · **lugar (de)** || **detalle (de)**

● CON VBOS. **tener lugar** · **transcurrir** *La ceremonia transcurrió en un ambiente de solemnidad* · **desarrollar(se)** · **culminar** || **empañar(se)** · **ensombrecer(se)** || **preparar** · **proyectar** · **planificar** · **organizar** *Les llevó varios meses organizar la ceremonia* || **abrir** · **inaugurar** · **clausurar** || **celebrar** · **realizar** · **efectuar** · **oficiar** · **presidir** · **dirigir** · **presenciar** || **suspender** *Hubo que suspender la ceremonia por un fallo en el suministro eléctrico* · **interrumpir** · **cancelar** · **anular** · **boicotear** · **reanudar** || **transmitir** · **retransmitir** · **narrar** · **descubrir** || **asistir (a)** · **acudir (a)** · **participar (en)** · **invitar (a)**

● CON PREPS. **durante**

ceremonial

1 **ceremonial** adj.

● CON SUSTS. **acto** *Al acto ceremonial asistieron los políticos más relevantes del país* · **reunión** || **vestido** · **traje** · **indumentaria** || **cargo** · **centro** · **objeto** · **adorno** · **mesa** · **música** · **ritualismo** · **rutina** || **solemnidad** · **silencio** · **frase**

2 **ceremonial** s.m.

● CON ADJS. **solemne** · **gran(de)** · **adecuado** || **sobrio** *Las autoridades ofrecieron un sobrio ceremonial de bienvenida al mandatario extranjero* · **sencillo** · **frío** · **lúgubre** || **antiguo** · **habitual** · **conocido** || **académico** · **diplomático** · **cortesano** · **religioso** · **político** · **propagandístico** · **electoral** · **específico** || **acorde (con)**

● CON VBOS. **acompañar** · **rodear** *...con la pompa que rodea habitualmente estos ceremoniales* || **transcurrir** · **desarrollarse** || **incluir** · **constar (de algo)** · **establecer** || **celebrar** · **ofrecer** · **dispensar** · **ensayar** *Los novios ensayaron varias veces el ceremonial de la boda* · **practicar** · **repetir** · **recibir** || **organizar** · **cumplir** · **seguir** · **observar** · **incumplir** · **saltarse**

ceremonioso, sa adj.

● CON SUSTS. **celebración** *una ceremoniosa celebración en la que se siguió estrictamente el protocolo* · **acto** || **carácter** · **aire** · **tono** · **aspecto** || **actitud** · **formas** · **gesto** || **saludo** · **discurso** || **ritual**

cerezo s.m.

● CON SUSTS. **mesa (de)** · **mesita (de)** *Presidía el vestíbulo una mesita de cerezo* · **silla (de)** · **estantería (de)** · ***otros muebles***

● CON VBOS. **florecer**

➤ Véase también **ÁRBOL**

cerilla s.f.

● CON ADJS. **larga** · **gigante** || **de seguridad** · **de madera** · **de cera** · **de cartón**

● CON SUSTS. **caja (de)**

● CON VBOS. **arder** · **consumirse** || **encender** · **prender** · **apagar**

cernerse v.

● CON SUSTS. **buitre** · **águila** · **cóndor** · ***otras aves de presa*** || **amenaza** · **peligro** · **riesgo** · **fantasma** · **espectro** || **duda** · **incertidumbre** · **sospecha** · **incógnita** · **interrogante** · **misterio** · **suspicacia** · **pregunta** *Una acuciante pregunta se cierne ahora sobre todo el proceso* || **tragedia** · **desgracia** · **desastre** · **infortunio** · **catástrofe** · **drama** · **calamidad** · **fatalidad** · **pesadilla** || **problema** · **crisis** *Fue muy hábil para sortear la grave crisis que se cernía sobre su empresa* · **polémica** · **presión** · **complicación** · **problemática** · **adversidad** · **dificultad** || **sombra** · **noche** · **oscuridad** · **tinieblas** *las tinieblas que se ciernen sobre un más que incierto futuro económico* || **nubarrón** · **nube** · **tormenta** · **temporal** · **tempestad** · **niebla** · **bruma** · **lluvia** · **vendaval** · **ciclón** · **huracán** · **aguacero** || **presagio** · **augurio** · **futuro** · **porvenir** · **previsión** · **pronóstico** · **maldición** *La maldición se cierne sobre la familia* · **expectativa** || **guerra** · **batalla** · **conflicto** · **campaña** · **ofensiva** · **crítica** · **castigo** · **sanción** · **acusación** · **persecución** || **miedo** · **temor** · **terror** · **horror** || **pesimismo** *El pesimismo generalizado se cernía sobre la campaña electoral* · **frustración** · **apatía** · **sinsabor** · **preocupación**

cernirse v. Véase **cernerse**

[cero] →al cero; cero; de cero

cero s.m.

● CON ADJS. **rotundo** · **patatero** || **injusto** · **merecido** || **doble** *Su número de teléfono termina en doble cero* · **absoluto**

● CON SUSTS. **empate (a)** || **saldo (a)** · **contador (a)** *poner a cero el contador del taxi* || **crecimiento** *el crecimiento cero de la inflación* · **aumento** · **incremento** · **inflación** || **tasa** · **arancel** · **coste** · **gasto** · **déficit** · **suma** · **valor** || **número** · **meridiano** · **latitud** · **kilómetro** · **grado** · **ángulo** || **punto** · **nivel** · **cota** · **zona** · **fila** · **hora** || **tolerancia** *una política de tolerancia cero contra la corrupción* · **riesgo** · **gravedad**

● CON VBOS. **poner** · **sacar** *¿Has sacado alguna vez un cero en alguna asignatura?* · **tener** · **merecer** || **restar** || **marcar** *Para llamar al exterior, marque el cero* · **discar** || **partir (de)** *No nos queda más remedio que partir de cero* · **empezar (de)** · **arrancar (de)** · **comenzar (de)** || **terminar (en)** *El número premiado termina en cero* || **reducir (a)** · **dejar (a)** · **mantener(se) (a)** · **quedarse (a)** · **poner (a)** || **empatar (a)** *Ambos equipos empataron a cero* · **igualar (a)**

● CON PREPS. **bajo** *Se esperan temperaturas bajo cero en cotas superiores a los mil metros* · **desde** · **sobre**

□ EXPRESIONES **al cero*** [muy corto] *cortarse el pelo al cero* || **ser** (alguien) **un cero a la izquierda** [no ser tenido en cuenta] *col.*

[cerrado] →a puerta cerrada; cerrado, da

cerrado, da adj.

● CON SUSTS. ***persona*** *Demostró ser una mujer cerrada e introvertida* || **carácter · actitud · mente · mentalidad** || **mundo · sociedad · clima · ambiente · ámbito · universo · economía** || **curva** *Una curva tan cerrada debería estar señalizada*
● CON VBOS. **estar** *El bar ya está cerrado* · **continuar · permanecer · encontrar(se) · mantener(se)** || **considerar · ser** *Su jefa es cerrada y pesimista*

cerradura s.f.

● CON ADJS. **de seguridad** *La puerta dispone de una cerradura de seguridad especial* · **de retardo · centralizada**
● CON SUSTS. **ojo (de) · bombín (de) · agujero (de) · llave (de) · clave (de)**
● CON VBOS. **poner · instalar · cambiar** *Robaron en casa y tuvimos que cambiar la cerradura* · **colocar** || **abrir · forzar · bloquear** || **espiar (por) · mirar (por)** *Lo sorprendí mirando por la cerradura* || **entrar (en) · encajar (en) · caber (por/en)**

cerrajería s.f.

● CON SUSTS. **taller (de) · empresa (de)** || **obra (de)**
➤ Véase también **ESTABLECIMIENTO**

[cerrar] → cerrar los ojos (ante); cerrar(se)

cerrar los ojos (ante) loc.vbal.

● CON SUSTS. **crisis · obstáculo · sufrimiento** *No podía seguir cerrando los ojos ante el sufrimiento de sus compatriotas* · **dolor · tristeza · error · fanatismo** || **realidad · evidencia · verdad · hecho** *...sin cerrar los ojos ante los terribles hechos de violencia que estaban ocurriendo* · **situación** || **crimen · corrupción · violencia · violación · incumplimiento · irregularidad · desliz · agresión · genocidio · terrorismo · injusticia · fechoría · desmán · atrocidad** || **problema · dificultad · desastre · tragedia · miseria · pobreza · desigualdad · inseguridad** || **perspectiva · posibilidad · futuro · destino**

cerrar(se) v.

● CON SUSTS. **puerta · ventana** *Cerró la ventana para que no entrara frío* · **cortina · persiana · armario · cajón · tapa · frasco · bote · tubo · caja** || **grifo · llave · agua · gas** || **paraguas** *Cierra el paraguas, que ya no llueve* · **sombrilla** || **ojo** *Si no cierras los ojos, te entrará jabón* · **boca · pico · mano · puño · brazos · alas · piernas · oído · mente** || **tienda · bar · mercado · oficina · empresa · local ·** ***otros establecimientos*** || **espacio · circuito · lugar · coto · campo · recinto · círculo** || **cielo** || **herida · brecha** || **libro · periódico · revista · cuaderno · diario · álbum · carta · sobre** || **caso · asunto · investigación** || **sesión** *...en el momento en que se cerró la sesión parlamentaria* · **campaña · edición · plazo** || **trato · negocio · acuerdo · contrato** || **texto · discurso · intervención** || **comitiva · desfile · carrera** || **lista · clasificación** *El equipo azul cierra la clasificación* · **enumeración** || **paréntesis · interrogante · corchete · comillas** || **programa informático** || **filas** *Los miembros del partido cerraron filas en torno a su líder* · **formación**
● CON ADVS. **a cal y canto · herméticamente · con llave · por completo · totalmente · definitivamente · en firme** || **parcialmente · temporalmente · provisionalmente · indefinidamente · cautelarmente · en falso** || **apresuradamente · a marchas forzadas · a todo correr · repentinamente · de golpe · abruptamente** || **a la baja · al alza** *Ayer la bolsa cerró al alza* || **con éxito · a lo grande** || **de palabra** *Cerramos el trato de palabra* · **oficialmente** || **al tráfico** *No me digas que han cerrado esta calle al tráfico* · **al público · al diálogo**

cerril adj.

● CON SUSTS. ***persona*** *un hombre cerril y grosero* || **idea · pensamiento · mentalidad · mente · postura** *Comprendió que era más provechoso negociar que mantener una postura cerril* · **actitud · carácter · modales · sociedad · ambiente** || **conservadurismo · nacionalismo · extremismo · intolerancia · intransigencia · hostilidad · miedo** *Sentían un miedo cerril a cualquier innovación* · **ignorancia** || **dictadura · censura**

cerrojo s.m.

● CON ADJS. **defensivo** *El equipo practica con éxito el cerrojo defensivo* || **institucional** || **total**
● CON VBOS. **saltar** || **echar** *Por favor, echa el cerrojo antes de marcharte* · **correr · abrir · descorrer · quitar** || **violentar · forzar** || **poner · cambiar · bloquear · practicar**

certamen s.m.

● CON ADJS. **literario · musical · periodístico · profesional · de belleza · de poesía · de narrativa · de pintura · deportivo** || **local · regional · nacional · internacional** || **oficial · tradicional · prestigioso** *Decenas de obras concurren al prestigioso certamen literario* · **popular · conocido** || **anual · bianual**
● CON SUSTS. **ganador,-a (de) · jurado (de)** || **fallo (de) · premio (de)** || **organizador,-a (de)** || **programa (de)** || **edición (de)** *La próxima edición del certamen de música se celebrará en...*
● CON VBOS. **celebrar(se) · disputar(se) · desarrollarse** || **reunir (a alguien)** *El certamen reúne a los principales cineastas del país* || **organizar · patrocinar · convocar** || **inaugurar · clausurar** || **ganar** || **triunfar (en)** || **presentar (a) · inscribir (en) · concurrir (a) · competir (en) · representar (en) · retirar(se) (de)**

certeramente adv.

● CON VBOS. **anticipar · pronosticar · vaticinar · prever · anunciar** || **señalar · observar · indicar · repetir · recordar** || **plantear · definir · describir** *El abogado describió certeramente los pormenores del caso* · **calificar · llamar · titular · expresar · traducir · afirmar · decir · escribir · manifestar** || **disparar · lanzar · chutar · apuntar** *El jugador apuntó certeramente a la portería* · **golpear · rematar** || **utilizar · practicar**

certero, ra adj.

● CON SUSTS. **blanco · diana · flecha · bala · dardo** *Sus palabras fueron como un dardo certero dirigido al corazón de los oyentes* · **espada · arco · piedra** || **cazador,-a · lanzador,-a · tirador,-a** || **bastonazo · golpe · hachazo · cuchillada · balazo · disparo** *un disparo certero que sorprendió al guardameta* · **tiro** || **crítico,ca · jugador,-a · científico,ca · investigador,-a · comentarista** || **inteligencia · intuición · talento · sagacidad** || **análisis** *un incisivo y certero análisis de la realidad socioeconómica de nuestro país* · **cálculo · diagnóstico · conclusión · explicación · crítica · comentario · balance · valoración · veredicto · dictamen · visión** || **pronóstico** *Ojalá que el pronóstico económico que ahora lanza no sea tan certero como el del año pasado* · **premonición · predicción · presagio · previsión · adivinación · futuro** || **enfoque · planteamiento · estrategia · orientación** || **argumento** *un argumento certero y contundente* · **hipótesis · supuesto · pensamiento · reflexión · idea · criterio · máxima · postulado · tesis** || **palabra · declaración · frase · acusación · aviso · advertencia · denuncia · consejo**

certeza s.f.

● CON ADJS. **absoluta** *Tenemos la absoluta certeza de que estos incidentes no volverán a repetirse* · **completa · total**

· **plena** · **objetiva** || **relativa** · **subjetiva** · **parcial** · **personal** || **clara** · **aplastante** · **patente** · **indudable** · **irrebatible** · **definitiva** *Nunca puede uno tener la certeza definitiva, pero creemos que...* · **frágil** || **aparente** || **amarga** · **demoledora** · **fría** || **jurídica** · **oficial** · **moral**
● CON SUSTS. **grado (de)** · **falta (de)**
● CON VBOS. **adquirir** · **tener** *Tengo la certeza de que era él* · **poseer** · **devolver** || **perder** || **constatar** · **confirmar** · **ratificar**
● CON PREPS. **con** *asegurar algo con certeza* · **sin** || **dentro (de)** *dentro de la relativa certeza en la que podemos movernos*

certidumbre s.f.

● CON ADJS. **plena** · **total** *situación de total certidumbre científica* · **completa** · **absoluta** · **generalizada** || **fundada** · **lúcida** · **clara** || **inquietante** · **terrible** · **angustiosa** || **personal** || **jurídica** · **religiosa** · **moral**
● CON VBOS. **invadir (a alguien)** · **crecer** || **adquirir** · **tener** *Poco a poco fuimos teniendo la certidumbre de que se trata de un flagrante error* · **poseer** · **mantener** || **dar** · **otorgar** · **generar** || **expresar** · **manifestar** · **reiterar** || **basar(se) (en)**
● CON PREPS. **con** *saber algo con total certidumbre*

certificado, da

1 **certificado, da** adj.
● CON SUSTS. **correo** *enviar una carta por correo certificado* · **envío** · **carta** · **paquete** · **giro**

2 **certificado** s.m.
● CON ADJS. **acreditativo** · **fehaciente** · **fidedigno** · **oficial** || **original** *¿Presentaste el certificado original o una fotocopia compulsada?* · **auténtico** · **falso** || **necesario** · **correspondiente** *Al finalizar cada ciclo de estudios se extiende el correspondiente certificado* || **médico** · **académico** · **bancario** · **judicial**
● CON VBOS. **acreditar (algo)** · **avalar (algo)** · **probar (algo)** *Este certificado de autenticidad prueba que el cuadro no es una falsificación* || **caducar** · **vencer** || **expedir** · **extender** · **emitir** · **dar** · **otorgar** · **conceder** · **revisar** · **anular** || **presentar** · **exhibir** · **adjuntar** · **entregar** · **llevar** || **exigir** *Para renovar el carné de conducir, exigen un certificado médico* · **requerir** · **necesitar** || **solicitar** · **obtener** · **adquirir** || **cumplimentar** · **firmar** · **sellar** · **tramitar** · **diligenciar** || **falsear** · **falsificar**
● CON PREPS. **con** · **mediante** *Debes acreditar tu condición de becario mediante un certificado*

3 **certificado (de)** s.m.
● CON SUSTS. **empadronamiento** · **nacimiento** *¿En qué ventanilla se solicitan los certificados de nacimiento?* · **defunción** · **origen** · **residencia** || **idoneidad** · **calidad** · **autenticidad** *Los organizadores de la exposición han solicitado el certificado de autenticidad de todas las obras* · **aptitud** · **buena conducta** · **garantía** · **salud** || **estudios** · **escolaridad** || **asistencia** *Al final del curso se entregará a los alumnos un certificado de asistencia*

certificar v.

● CON ADVS. **notarialmente** · **legalmente** · **fehacientemente** *criterios utilizados para certificar fehacientemente la identidad* · **debidamente** · **rotundamente** · **a las claras** || **documentalmente** · **por escrito** || **falsamente**

cerval adj.

● CON SUSTS. **miedo** · **temor** · **terror** · **pánico**

cervecería s.f. Véase **ESTABLECIMIENTO**

cerveza s.f.

● CON ADJS. **rubia** · **tostada** · **negra** · **sin alcohol** || **artesanal** · **tradicional** · **fermentada** · **de importación** *En este local tienen carta de cervezas de importación* || **especial** · **mítica** · **popular** || **fría** *servir la cerveza bien fría* · **caliente** · **tibia** || **{con/sin} espuma**
● CON SUSTS. **levadura (de)** || **jarra (de)** · **botellín (de)** · **pinta (de)** *El camarero nos trajo un par de pintas de cerveza* · **lata (de)** · **pack (de)** · **litrona (de)** · **caja (de)** · **barril (de)** · **barrica (de)** || **bebedor,-a (de)** || **fábrica (de)** · **marca (de)**
● CON VBOS. **fermentar(se)** · **destilar(se)**
➤ Véase también **BEBIDA**

cervical adj.

● CON SUSTS. **zona** · **región** · **vértebra** *Tiene molestias en las vértebras cervicales* || **lesión** · **dolor** · **esguince** · **traumatismo** · **contusión** · **fractura** · **contractura** · **latigazo** · **artrosis** || **collar** · **almohada** *Con la almohada cervical dormirá mucho mejor* || **chequeo**

cesante adj.

● CON SUSTS. **cargo** · **empleado,da** · **funcionario,ria** · **gobierno** · **ministro,tra** · **militar** · **equipo** · **presidente,ta** · **diputado,da** · **director,-a** · **directivo,va**
● CON VBOS. **quedar** *Cuando quedó cesante decidió montar un negocio propio* · **dejar** || **declarar**

cesar v.

▮ [interrumpirse, acabarse]
● CON SUSTS. **lluvia** · **viento** · **nieve** · **calor** · **frío** || **aplauso** · **abucheo** · **ruido** *Por fin cesó el ruido y pudimos continuar con la clase* · **estruendo** · **clamor** || **guerra** · **enfrentamiento** · **batalla** · **ataque** · **bombardeo** · **violencia** · **polémica** || **colaboración** || **rumor** *Él mismo contó la verdad para que cesaran los rumores* · **habladuría** · **murmuración** · **comentario** || **paro** · **corrupción** · **escándalo** · **plaga** · **pérdida** · **problema** *Los problemas no cesaron con su marcha* || **ganancia** · **ingreso** · **beneficio**
● CON PREPS. **sin** *Llueve sin cesar desde hace varios días*

▮ [dejar de desempeñar un puesto]
● CON SUSTS. **entrenador,-a** · **directivo,va** · **presidente,ta** *La presidenta cesó en sus funciones* · ***otros cargos***

cesárea s.f.

● CON ADJS. **forzosa** · **necesaria** · **urgente** || **prematura**
● CON SUSTS. **parto (por)** *un parto por cesárea* · **operación (de)**
● CON VBOS. **practicar** · **realizar** · **hacer** · **programar** || **parir (mediante)** · **nacer (mediante)** || **someter (a)**

cese s.m.

● CON ADJS. **repentino** *Nadie se esperaba el cese repentino del jefe del departamento* · **inmediato** · **fulminante** · **súbito** || **indefinido** · **definitivo** · **irrevocable** · **irreversible** · **total** · **efectivo** || **temporal** · **provisional** || **cautelar** *Comunicaron el cese cautelar de la responsable de finanzas* · **preventivo** || **voluntario** · **unilateral** · **incondicional** · **forzoso** || **laboral**
● CON SUSTS. **motivo (de)** · **causa (de)** *analizar las causas del cese* || **acuerdo (de)** || **anuncio (de)** || **final (de)**
● CON VBOS. **solicitar** *La oposición solicitó el cese del edil implicado* · **negociar** · **decidir** · **ordenar** · **decretar** · **forzar** · **hacer efectivo** · **tramitar** · **ratificar** *El comunicado ratificaba el anunciado cese* || **anunciar** · **notificar** · **comunicar** || **revocar** · **anular** · **romper**
● CON PREPS. **a favor (de)**

césped s.m.

• CON ADJS. **cuidado** *El césped de este parque está siempre muy cuidado* · **verde** · **seco** · **alto** || **artificial** · **natural** || **duro** · **resistente**
• CON SUSTS. **alfombra (de)** || **cortador (de)** || **abono (para)**
• CON VBOS. **extender(se)** · **crecer** || **secar(se)** *Con este calor, el césped se secará en seguida* · **agostar(se)** || **plantar** · **replantar** || **cortar** · **segar** · **arrancar** || **regar** · **mojar** · **empapar** || **abonar** · **cuidar** · **atender** · **descuidar** || **pisar** *Prohibido pisar el césped*

cesta

1 **cesta** s.f.

• CON ADJS. **de mimbre** · **de plástico**
• CON VBOS. **contener (algo)** || **llenar** *Llenó la cesta de la compra de congelados* · **vaciar** || **hacer** · **tejer** || **llevar** · **traer** · **enviar** · **mandar** · **regalar** · **colgar** || **meter (en)** · **añadir (a)** || **sacar (de)** *Tuve que empezar a sacar cosas de la cesta porque pesaba demasiado* || **cargar (con)** || **caber (en)**

2 **cesta (de)** s.f.

• CON SUSTS. **compra** · **ropa (sucia)** || **Navidad** · **frutas** · **flores** *El día de mi cumpleaños me enviaron a casa una gran cesta de flores* || **impuestos** · **crudos** · **valores** · **fondos** · **servicios** · **precios**

[cesto] → cesto; como un cesto

cesto

1 **cesto** s.m.

• CON ADJS. **de mimbre** · **de caña** · **de juncos** · **de paja**
• CON VBOS. **hacer** · **tejer** || **llevar** · **sostener** · **cargar** · **coger** || **llenar** · **vaciar** || **meter (en)** *Mete esta camisa en el cesto de la ropa sucia* · **tirar (a)** · **arrojar (a)** || **caber (en)**

2 **cesto (de)** s.m.

• CON ADJS. **papeles** · **basura** *El cesto de basura ya está lleno* · **frutas** · **ropa** · **juguetes** · **flores**

cetrino, na adj.

• CON SUSTS. **color** · **aspecto** · **tono** · **tonalidad** || **piel** · **tez** *Su tez cetrina destacaba entre todas las demás* · **rostro** · **semblante** · **cara**

cetro s.m.

• CON ADJS. **real** || **preciado** · **codiciado** · **prestigioso** || **mundial** · **nacional** || **olímpico** · **cultural**
• CON VBOS. **conquistar** · **recibir** · **lograr** · **ganar** *El combate en el que ganó el cetro de campeón del mundo* · **obtener** · **conseguir** · **alcanzar** · **recuperar** || **perder** · **robar** *En la última vuelta un corredor desconocido le robaba el cetro al favorito* · **arrebatar** || **conservar** · **mantener** · **retener** · **defender** || **otorgar** · **ceder** · **entregar** *Entregó el cetro a su sucesora en el cargo* || **disputar** · **compartir** || **llevar** || **luchar (por)** · **aspirar (a)** *Es la primera vez que un deportista de esta nacionalidad aspira al cetro mundial* || **aferrarse (a)**

chabacano, na adj.

• CON SUSTS. **humor** · **chiste** *No me hacen gracia esos chistes chabacanos* · **gracia** || ***persona*** || **actitud** · **comportamiento** · **modales** · **maneras** || **expresión** *En la entrevista procura emplear expresiones menos chabacanas* · **lenguaje** · **insulto** · **estilo** · **tono**
• CON VBOS. **considerar** · **resultar** · **tildar (de)** · **tachar (de)** · **calificar (de)** || **volverse** · **ponerse**

chabola s.f.

• CON ADJS. **pequeña** *Vivía toda la familia en una pequeña chabola* || **ilegal** || **de madera** · **de chapa** · **de lata** · **de hojalata** · **prefabricada**
• CON SUSTS. **poblado (de)** *En las afueras de la ciudad hay varios poblados de chabolas* · **barrio (de)** · **zona (de)** · **asentamiento (de)**
• CON VBOS. **construir** · **levantar** || **arrasar** · **demoler** · **derribar** · **saquear** || **desalojar** · **evacuar** · **abandonar** || **vivir (en)** · **morar (en)** · **refugiar(se) (en)** · **pernoctar (en)** · **hacinar(se) (en)**

cháchara s.f. *col.*

• CON ADJS. **vacía** · **trivial** · **intrascendente** · **interminable** · **absurda** · **caótica** · **alegre** · **huera** · **hueca**
• CON VBOS. **estar (de)** *Está muy cansada porque estuvo de cháchara hasta las tantas* · **ponerse (de)** · **ir (de)** · **tener ganas (de)**

chacolí s.m.

• CON ADJS. **rosado**
• CON SUSTS. **vino** *En nuestro viaje al País Vasco tomamos vino chacolí*
➤ Véase también **BEBIDA**

chafado, da adj. *col.*

• CON VBOS. **quedar(se)** · **dejar (a alguien)** *Me dejó chafada cuando me dijo que ya lo sabía* · **sentirse**

chafar(se) v.

• CON SUSTS. **pelo** || **vestido** *No se sentaba para no chafar el vestido* · **pantalón** · **camiseta** · ***otras prendas de vestir*** || **tela** · **papel** · **cartón** || **rosal** · **geranio** · **flor** *Sujeta el ramo en alto para que no se chafen las flores* · ***otras plantas*** || **fiesta** · **celebración** · **velada** · **reunión** || **chiste** · **ocurrencia** · **actuación** || **plan** · **proyecto** || ***persona*** *El periodista aseguró que su intención no era chafar al jugador*

chalado, da adj. *col.*

• CON SUSTS. ***persona*** || **comportamiento** · **actitud**
• CON ADVS. **completamente** *Hace auténticas locuras porque está completamente chalado* · **totalmente** · **absolutamente**
• CON VBOS. **estar** *Este niño está chalado* · **volver(se)** · **quedar(se)**

chalé s.m.

• CON ADJS. **adosado** *una urbanización de chalés adosados* · **independiente** · **pareado** || **amplio** · **espacioso** · **grande** || **pequeño** · **modesto** || **nuevo** · **seminuevo** · **de segunda mano** *Vimos un chalé de segunda mano que nos gustó mucho* || **alejado** · **céntrico**
• CON SUSTS. **hipoteca (de)** *Vamos a negociar la hipoteca del chalé con este banco* · **alquiler (de)** · **llaves (de)** *¡Ya nos han entregado las llaves del chalé!* || **patio (de)** · **jardín (de)** · **interior (de)** || **propietario,ria (de)** · **inquilino,na (de)** || **urbanización (de)** || **plano (de)** || **plazo (de)** *Todos los meses haciendo cuentas para pagar el plazo del chalé*
• CON VBOS. **constar (de algo)** || **limpiar** · **organizar** · **acondicionar** · **amueblar** || **comprar** · **vender** · **alquilar** · **arrendar** || **entregar** · **terminar** · **construir** · **reformar** *Hemos reformado el chalé por completo* || **mudar(se)** · **ir** · **habitar** · **ocupar** || **abandonar** · **desalojar** || **instalar(se) (en)**

chaleco s.m.

• CON ADJS. **salvavidas** *Todos los pasajeros disponen de un chaleco salvavidas* · **antibalas** || **cruzado**

• CON SUSTS. **bomba** *El terrorista llevaba puesto un chaleco bomba*
• CON VBOS. **usar · llevar · poner · quitar || abrochar · desabrochar**

chalet s.m. Véase **chalé**

champán s.m.

• CON ADJS. **espumoso** *Lo celebraron con champán espumoso* · **dulzón · seco · semiseco · brut · francés**
• CON SUSTS. **brindis (con) || ducha (de) · baño (de) || aroma (de) || elaborador,-a (de) · exportador,-a (de) · productor,-a (de)**
• CON VBOS. **enfriar || descorchar · destapar || servir · verter · derramar || brindar (con)** *Tras su éxito brindaron con champán* · **celebrar (con) · festejar (con)**
➤ Véase también **BEBIDA**

[champiñón] → como champiñones

champú s.m.

• CON ADJS. **eficaz · milagroso · prodigioso || ineficaz · contraindicado || suave · de uso frecuente · de niños · infantil · para cabello {graso/seco/normal...} · protector · especial · natural · fortificante · revitalizante || colorante · anticaspa · antiparasitario · antigrasa**
• CON SUSTS. **bote (de)** *Se me ha terminado el bote de champú* · **frasco (de) · envase (de) · prueba (de)** *La mascarilla traía una prueba de champú gratis*
• CON VBOS. **desenredar (el pelo)** *Este nuevo champú desenreda muy bien el pelo* · **limpiar (el pelo) · fortalecer (el pelo) || poner · echar · aplicar · dar(se)** *La farmacéutica me aconsejó que me diera un champú de pH neutro* · **utilizar · usar || prescribir · recetar · aconsejar || dejar actuar** *Aplíquese el champú especial anticaspa y déjelo actuar unos minutos* **|| lavar (con)**

chamuscar(se) v.

• CON SUSTS. **carne · pelo · dedo** *Me chamusqué los dedos al intentar apagar la hoguera* · **piel · pie · bigote · rostro · barba · rabo || madera · palo · árbol · rama || papel · pared · tela · techo**
• CON ADVS. **totalmente · completamente || ligeramente · levemente · superficialmente**

chamusquina s.f.

• CON VBOS. **oler (a)** *Todo esto me huele a chamusquina*

chanchullo s.m. *col.*

• CON ADJS. **oscuro · ilícito · sórdido · semilegal || supuesto · posible || pequeño · verdadero** *Estaba involucrado en un verdadero chanchullo* · **auténtico || político · electoral · económico · financiero || envuelto,ta (en)**
• CON VBOS. **esconder · ocultar || descubrir · investigar · denunciar** *Han denunciado supuestos chanchullos políticos en la recalificación de los terrenos* **|| urdir · montar · hacer · tener · inventar || meter(se) (en)** *Siempre anda metido en chanchullos* · **enredar(se) (en)**

chándal s.m.

• CON ADJS. **escolar · de batalla · de faena**
• CON SUSTS. **pantalón (de) · chaqueta (de) · sudadera (de)**
➤ Véase también **ROPA**

chantaje s.m.

• CON ADJS. **implacable · grave** *Su familia ha sido víctima durante meses de un grave chantaje* · **inaceptable || continuo || supuesto · presunto · posible || vergonzoso · vil · miserable · burdo · descarado · sucio || público · encubierto || político · económico · emocional** *No es justo, esto es chantaje emocional* · **psicológico**
• CON SUSTS. **intento (de) || política (de) || víctima (de)** *Ha sido víctima de un sucio chantaje político* · **artífice (de)**
• CON VBOS. **hacer · urdir · plantear · planear || sufrir · aceptar || denunciar || ceder (a) · resistirse (a) · negarse (a) · librar(se) (de) || recurrir (a)** *Recurrieron al chantaje para sacarle el dinero* · **aprovecharse (de) · someter (a) || acusar (a alguien) (de)**

chantajear v.

• CON SUSTS. **empresario,ria · banquero,ra · juez · empleado,da · jurado ·** ***otros individuos y grupos humanos***
• CON ADVS. **políticamente · económicamente** *Chantajearon económicamente a la familia y se enriquecieron a su costa* · **emocionalmente · psicológicamente**

chapa s.f.

▮ [lámina metálica delgada]
• CON ADJS. **metálica · de hierro · de cobre · de acero || galvanizada · esmaltada || gruesa** *Para que soporte el peso, es necesario poner una chapa más gruesa* · **fina || densa · resistente · a prueba de golpes || de carrocería**
• CON SUSTS. **objeto (de) · juguete (de) · carrocería (de) · marco (de) · pieza (de) || taller (de)** *Quizá encontremos las piezas que nos faltan en un taller de chapa y pintura* · **fábrica (de) || daños (de)** *El vehículo accidentado solo tenía daños de chapa* · **golpe (de)**
• CON VBOS. **fabricar · cortar · pintar · soldar · moldear || levantar · poner || atravesar · agujerear · perforar || construir (en)** *Construyeron en chapa una reproducción del original*

▮ [tapón de botella]
• CON SUSTS. **abridor (de) || carrera (de)** *¡Cómo disfrutábamos cuando éramos pequeños con las carreras de chapas!*
• CON VBOS. **recoger · coleccionar || quitar** *Quítale la chapa a la botella con cuidado o se saldrá toda la gaseosa* **|| jugar (a)** *¿Quieres jugar a las chapas?*

▮ [insignia]
• CON ADJS. **identificativa** *Lleva una chapa identificativa con su número de colegiado* · **ornamental · conmemorativa**
• CON VBOS. **llevar · poner** *ponerse la chapa de policía* · **quitar · colocar**

□ EXPRESIONES **no {dar/pegar} ni chapa** [no trabajar] *col.*

chapar v.

▮ [cubrir]
• CON SUSTS. **superficie · suelo || pulsera · reloj** *un reloj chapado en oro* · **colgante · pendientes · broche · anillo ·** ***otros objetos***

▮ [cerrar] *col.*
• CON SUSTS. **bar · discoteca** *No nos iremos a casa hasta que no nos chapen la discoteca* · **tienda ·** ***otros establecimientos***

▮ [estudiar mucho] *col.*
• CON SUSTS. **estudiante · opositor,-a** *El opositor deberá chapar mucho si quiere aprobar* · **alumno,na ·** ***otros individuos***

□ EXPRESIONES **chapado a la antigua** [apegado a costumbres anticuadas] *col.*

chaparrón

1 **chaparrón** s.m.
• CON ADJS. **torrencial · tremendo · terrible · impresionante · monumental · gran(de) · fuerte · rápido ·**

intenso || ligero · pequeño · suave || aislado · repentino · ocasionales · frecuentes
• CON VBOS. **caer · sorprender (a alguien)** *El chaparrón nos sorprendió en medio del prado* · **empapar (a alguien) || pasar · escampar || aguantar** *Ahora no te queda más remedio que echarle valor y aguantar el chaparrón* · **soportar || guarecer(se) (de)**
• CON PREPS. **a salvo (de) · a cubierto (de) || bajo**

2 **chaparrón (de)** s.m.
• CON SUSTS. **críticas** *Tuvo que soportar un fuerte chaparrón de críticas por aquella decisión* · **reproches · golpes · improperios · acusaciones · abucheos · descalificaciones || buen juego · goles** *El equipo visitante sorprendió con un verdadero chaparrón de goles* · **dominio · triples · trofeos · premios · elogios · récords || luz · colores || datos · imágenes · ventas**

chapista s.com.
• CON ADJS. **profesional · chapucero,ra**
• CON SUSTS. **taller (de) · oficio (de) · trabajo (de) || aprendiz,-a (de) · gremio (de)**
• CON VBOS. **trabajar (como/de)** *Mi hermano trabaja como chapista en un taller*

chapucero, ra adj.
• CON SUSTS. **trabajo · acto · actuación · fabricación · construcción** *una construcción tan chapucera que no dio más que problemas* · **creación · montaje · instalación · carácter · obra · empresa || *persona*** *Este electricista es un chapucero; mira cómo ha dejado todos los cables* || **improvisación || libro · texto · traducción** *Me han enviado una traducción muy chapucera* · **película · edición · *otras obras* || forma · manera · estilo** *Tiene un estilo muy chapucero* · **ejecución · procedimiento || solución · arreglo · reparación · remedo || robo · golpe · trampa || política · práctica · campaña · ley**

chapurrear v.
• CON SUSTS. **inglés · italiano** *No hablo italiano, solo lo chapurreo un poco* · **ruso · chino · *otros idiomas* || frase · palabra · canción**
• CON ADVS. **malamente · con dificultad · a medias**

chapuza s.f.
• CON ADJS. **auténtica** *Este trabajo es una auténtica chapuza* · **verdadera · descomunal · monumental · vergonzosa · de padre y muy señor mío || casera || legal · financiera · contable · política · nacional**
• CON VBOS. **hacer || arreglar · reparar · enmendar || calificar (de) · caer (en)**

chapuzón s.m.
• CON ADJS. **buen(o) · refrescante · estimulante || rápido** *Nos dimos un chapuzón rápido y retomamos el camino* · **brusco || ligero · breve || matutino · vespertino · nocturno || colectivo**
• CON VBOS. **dar(se) · pegarse** *Estoy deseando llegar a la playa para pegarme un chapuzón* || **aguantar || atreverse (con) · refrescar(se) (con) · invitar (a)**

chaqué s.m.
• CON ADJS. **clásico · tradicional · riguroso · protocolario**
• CON VBOS. **alquilar || exigir** *El protocolo exige chaqué* || **ir (de) · vestir (de) · casarse (de)**
➤ Véase también **ROPA**

chaqueta s.f.
• CON ADJS. **cruzada · abierta · abotonada || vaquera · de cuero · de pana**
• CON SUSTS. **traje (de)** *¿Tienes que ir en traje de chaqueta?*
• CON VBOS. **abrir · cerrar** *Ciérrate la chaqueta antes de salir a la calle* · **abrochar · desbrochar || coser · arreglar · acortar · alargar**
➤ Véase también **ROPA**
☐ EXPRESIONES **cambiar de chaqueta** [cambiar de ideas políticas o sociales]

charcutería s.f.
• CON SUSTS. **producto (de) · mercado (de)**
➤ Véase también **ESTABLECIMIENTO**

charla s.f.
• CON ADJS. **animada** *Cuando llegué, estaban en medio de una animada charla* · **interesante · apasionante · estimulante || relajada · distendida · cordial · amistosa · informal || larga · breve · corta · pendiente** *Tú y yo tenemos una charla pendiente* || **familiar || a puerta cerrada || de café**
• CON VBOS. **tratar (sobre algo) · girar (sobre algo/en torno a algo) · versar (sobre algo) || empezar · terminar || dar · impartir · interrumpir · cancelar · suspender || mantener**

charlar v.
• CON ADVS. **animadamente · distendidamente · cordialmente** *Creía que no se llevaban bien, pero los encontré charlando cordialmente* · **plácidamente · animosamente || amistosamente · amigablemente || brevemente · largamente**

charlatán, -a

1 **charlatán, -a** adj.
• CON SUSTS. **alumno,na** *En esta clase hay algunos alumnos muy charlatanes* · **chico,ca · persona · *otros individuos y grupos humanos***
• CON ADVS. **enormemente · excesivamente · sumamente**
• CON VBOS. **volverse · hacerse**

2 **charlatán, -a** s.
• CON ADJS. **de feria · de rastro**
• CON VBOS. **gritar (algo) · anunciar (algo)** *El charlatán anunciaba sus productos por un altavoz* · **vocear (algo)**

charol s.m.
• CON SUSTS. **zapatos (de) · botas (de) · correa (de) · correaje (de) · bolso (de) || piel (de) || papel** *Los niños hacían manualidades con papel charol*
• CON VBOS. **forrar (con/de)**

chascarrillo s.m. *col.*
• CON ADJS. **fácil** *Recurre demasiado al chascarrillo fácil y socorrido para hacer reír al público* · **simple || jocoso · gracioso · sarcástico · cómico · pesado · sin gracia · de {buen/mal} gusto · anecdótico || famoso · conocido · antiguo · último** *¿A que no saben el último chascarrillo que se cuenta?*
• CON SUSTS. **libro (de) · conjunto (de) || afición (a)**
• CON VBOS. **ocurrirse** *Se le ocurren chascarrillos de lo más ingenioso* || **contar · hacer** *Siempre está haciendo chascarrillos* · **decir · soltar · repetir · recopilar · forzar || dar lugar (a) · convertir(se) (en) || recurrir (a) · invitar (a) · aficionar(se) (a)**

chasco s.m.

●CON ADJS. **gran(de)** · **pequeño** *Se llevó un pequeño chasco* · **fuerte** · **monumental** · **terrible** · **enorme** · **tremendo** · **general** · **de muerte**
●CON VBOS. **defraudar (a alguien)** · **decepcionar (a alguien)** || **llevar(se)** · **suponer** || **convertir(se) (en)** *Lo que prometía ser una sorpresa se ha convertido en un gran chasco*

chasquear v.

●CON SUSTS. **dedos** · **lengua** *Chasqueó la lengua en señal de contrariedad* || **látigo**

chasquido s.m.

●CON ADJS. **seco** · **leve** *un leve chasquido de huesos* · **fuerte** · **sordo** · **metálico**
●CON VBOS. **notar** · **oír** · **escuchar** || **dar** · **producir** · **hacer** *Hizo un chasquido con los dedos y se apagaron las luces*

chat s.m.

●CON ADJS. **de discusión** || **animado** · **aburrido** || **frecuentado**
●CON SUSTS. **servicio (de)** · **sesión (de)** *abrir una sesión de chat* · **sitio (de)**
●CON VBOS. **organizar** · **administrar** · **dirigir** · **crear** || **utilizar** *Utiliza el chat para hablar con sus compañeros de clase* || **entrar (en)** · **conectar(se) (a)** · **meter(se) (en)** · **acceder (a)** || **intervenir (en)** · **participar (en)** · **hablar (por)** · **discutir (por)** · **conversar (por)** · **charlar (por)** || **conocerse (en)** *Se conocieron en un chat*
●CON PREPS. **a través (de)** · **mediante**

chatarra s.f.

●CON ADJS. **espacial** · **galáctica** · **orbital** · **doméstica** || **radiactiva** · **industrial** || **humeante**
●CON SUSTS. **cementerio (de)** · **almacén (de)** *Tiene todo guardado en un almacén de chatarra* · **acumulación (de)** || **pieza (de)** · **trozo (de)** · **montón (de)** *Se acumulan en los desguaces montones de chatarra* · **amasijo (de)** · **toneladas (de)** || **venta (de)** · **recogida (de)** · **negocio (de)**
●CON VBOS. **triturar** · **fundir** *Funden la chatarra para producir nuevas piezas* · **eliminar** · **reciclar** · **reutilizar** || **recoger** · **almacenar** · **amontonar(se)** · **acumular(se)** || **transportar** || **reducir (a)** *El viejo camión quedó reducido a simple chatarra* · **convertir (en)** · **vender (como)** || **limpiar (de)** · **llenar (de)** || **proceder (de)** || **negociar (con)**

chato, ta adj.

●CON SUSTS. **nariz** · ***persona***

chaveta s.f. *col.*

●CON VBOS. **perder** *Ha perdido la chaveta por esa chica*

chavo s.m. *col.*

●CON VBOS. **cobrar** · **recuperar** *No he recuperado ni un chavo de lo que le presté* · **percibir** || **costar** · **valer** · **calcular** || **gastar** · **dar** · **pagar** · **soltar** · **deber** · **sacar** || **ahorrar** · **escatimar** *No voy a escatimar un par de chavos*
□EXPRESIONES **no tener (ni) un chavo** [no tener dinero] *col.*

checo s.m. Véase **IDIOMA**

chelín s.m. Véase **MONEDA**

chepa s.f.

●CON ADJS. **prominente**
●CON VBOS. **salir(le) (a alguien)** || **colgarse (de)** · **subírse(le) (a)** *Últimamente este niño se nos está subiendo a la chepa*

cheque s.m.

●CON ADJS. **al portador** *un cheque al portador por valor de 50 euros* · **nominativo** · **conformado** · **cruzado** || **en blanco** · **sin fondos** · **a fondo perdido** || **de viaje** || **falso** · **auténtico**
●CON VBOS. **extender** *Como no disponía de dinero en efectivo, le extendió un cheque* · **firmar** · **entregar** · **pagar** · **falsificar** · **respaldar** || **cobrar** *Mañana iré al banco para cobrar el cheque* · **recibir** · **hacer efectivo** · **depositar** · **ingresar** || **comprobar** · **aceptar** · **rechazar** || **pagar (con)**

chequeo s.m.

●CON ADJS. **médico** || **completo** *Tras someterse a un chequeo médico completo...* · **exhaustivo** || **parcial** · **por encima** || **preventivo** · **obligatorio** · **voluntario** || **último** · **nuevo** · **anual** *el chequeo anual de la empresa* · **frecuente** · **habitual** · **rutinario** *Le descubrieron el tumor en un chequeo rutinario* · **urgente**
●CON VBOS. **revelar (algo)** · **indicar (algo)** · **mostrar (algo)** · **confirmar (algo)** *El chequeo confirmó la perfecta salud del enfermo* || **hacer(se)** *Yo de ti me haría un chequeo* · **realizar** · **efectuar** || **someter(se) (a)**

chic adj.

●CON SUSTS. **vestido** *Llevaba un vestido muy chic en la fiesta* · **traje** · **falda** · ***otras prendas de vestir*** || **bar** · **discoteca** · **restaurante** *Nos invitó a cenar en un restaurante chic* · **barrio** · **local** · **tienda** · ***otros lugares*** || ***persona*** || **moda** · **elegancia** || **color** || **regalo**

chicha s.f.

▮ [carne] *col.*

●CON VBOS. **tener** · **encontrar** · **sacar** || **preparar** || **tomar** *Toma un poco más de chicha*

▮ [bebida de maíz] Véase **BEBIDA**

chichón s.m.

●CON ADJS. **abultado** · **gran(de)** · **enorme** *Se ha hecho un chichón enorme en medio de la frente* || **pequeño** · **sin importancia** || **lleno,na (de)** *un niño lleno de chichones*
●CON VBOS. **salir** *¡Menudo chichón te ha salido del golpe!* · **notar(se)** || **doler (a alguien)** || **hacer(se)** · **producir (a alguien)** · **conservar**

[chico, ca] →chico, ca; con la boca {chica/pequeña}

chico, ca

1 **chico, ca** adj.

▮ [pequeño, menudo]

●CON SUSTS. **espacio** · **área** · **estructura** || **letra** *¿Has leído la letra chica?* · **caja** || **patria** || **hermano,na** *Este es mi hermano chico* || **género** · **pantalla** *un éxito de la pantalla chica*
●CON VBOS. **quedarse** · **quedar (a alguien)** *La pollera le queda muy chica*

2 **chico, ca** s.

▮ [muchacho]

●CON ADJS. **de barrio** · **conflictivo,va** · **gamberro,ra** · **difícil** *Es una chica difícil porque ha sufrido mucho* · **problemático,ca** · **peleón,-a** · **mal(o),la** · **violento,ta** · **consentido,da** · **caprichoso,sa** · **rebelde** · **buen(o),na** *Es muy buen chico* · **majo,ja** · **trabajador,-a** · **normal** · **decidido,da** · **indeciso,sa** · ***otros adjetivos valorativos*** || **inteligente** · **espabilado** · **torpe**
●CON SUSTS. **grupo (de)** · **panda (de)** · **pandilla (de)**

● CON VBOS. **educar** · **guiar** · **orientar** *Intentó orientar al chico lo mejor que supo* · **asesorar** · **ayudar** || **reclutar** · **contratar** · **aceptar** || **mimar**

chiflado, da adj. *col.*

● CON SUSTS. **inventor,-a** · **viejo,ja** · **profesor,-a** · ***otros individuos*** || **idea**
● CON ADVS. **completamente** *A veces pienso que estás completamente chiflada* · **totalmente** · **absolutamente**
● CON VBOS. **volver(se)** · **quedar(se)** · **estar**

chile s.m.

● CON ADJS. **verde** · **colorado** · **piquín** · **habanero** · **poblano** || **seco** · **dulce** · **picante** || **molido** · **relleno**
● CON SUSTS. **variedad (de)**
● CON VBOS. **picar** || **sembrar** · **cultivar** · **plantar** || **consumir** · **añadir** *Añada al guiso una pizca de chile molido* || **rellenar** · **rebozar** · **asar**

chillar v.

● CON ADVS. **como un loco** · **a {pleno/todo} pulmón** · **como un cerdo** · **como un descosido** · **como un poseso** · **con todas {mis/tus/sus...} fuerzas** *Chillé con todas mis fuerzas, pero nadie me oyó* · **desaforadamente** · **desmesuradamente** · **denodadamente** · **estruendosamente** · **desgarradamente** || **a la cara**

chillido s.m.

● CON ADJS. **agudo** *Lanzó un agudo chillido de dolor* · **estridente** · **metálico** || **desaforado** · **ensordecedor** · **a todo pulmón** · **contundente** || **histérico** · **agónico** · **desgarrador** · **desgarrado** · **desesperado** · **horrible** || **de terror** *Entre los espectadores se oyeron chillidos de terror* · **de dolor** · **de desesperación** · **de angustia**
● CON VBOS. **dar** · **pegar** · **soltar** · **lanzar** · **emitir** *El mono emitía agudos chillidos* || **oír** · **escuchar** · **percibir** · **recibir** || **prorrumpir (en)**
● CON PREPS. **en medio (de)** *El cantante apareció en medio de los histéricos chillidos de un público entregado de antemano* · **entre** || **a fuerza (de)**

chillón, -a adj.

▮ [agudo, estridente]

● CON SUSTS. **música** · **sonido** · **tono** · **verborrea**

▮ [gritón]

● CON SUSTS. **niño,ña** · **espectador,-a** · **público** · ***otros individuos y grupos humanos***

▮ [vivo, llamativo]

● CON SUSTS. **amarillo** · **rojo** *Llevaba una camiseta rojo chillón* · **verde** · ***otros colores*** || **contraste** || **tela** · **cortina** · **alfombra** · **ropa** · **camisa** · **corbata**

chimenea s.f.

● CON ADJS. **humeante** · **crepitante** || **acogedora** · **adormecedora** · **caldeadora** · **infernal** || **alta** *En el horizonte se perfilaban las altas chimeneas de la fábrica* · **enorme** · **esbelta** · **alargada** · **espigada** · **erecta** || **industrial** · **francesa**
● CON SUSTS. **humo (de)** · **fuego (de)** · **leña (de)** · **tiro (de)** *abrir el tiro de la chimenea*
● CON VBOS. **humear** · **caldear (algo)** · **calentar (algo)** || **encender** *Encendí la chimenea para caldear la habitación* · **prender** · **avivar** || **apagar** || **entrar (por)** · **colarse (por)** · **salir (por)** || **quemar (en)**
● CON PREPS. **al calor (de)** · **al amor (de)** · **al pie (de)** · **frente (a)** · **junto (a)** *Colocaron los zapatos mojados junto a la chimenea*

chinchar v. *col.*

● CON ADVS. **conscientemente** · **inconscientemente** · **continuamente** *Me chincha continuamente para que salte* || **enormemente** · **profundamente**

[chinche] → como chinches

chincheta s.f.

● CON VBOS. **clavar** · **fijar** · **apretar** · **remachar** || **sacar** · **extraer** · **quitar** || **clavar (con)** · **fijar (con)**
● CON PREPS. **con** *Sujételo con una chincheta*

chinchón s.m.

● CON ADJS. **anisado** · **seco**
● CON VBOS. **flambear (con)**
➤ Véase también **BEBIDA**

chinesco, ca adj.

● CON SUSTS. **sombra** *Estuvieron un buen rato haciendo sombras chinescas al lado de la lámpara* · **figura** || **diseño** · **vestido** *Apareció en la fiesta con un vestido chinesco* · **cama** · **biombo** || **exotismo** · **fantasía** || **cocina**

chino

1 **chino** s.m.

● CON ADJS. **mandarín** · **cantonés** · **pequinés**
➤ Véase también **IDIOMA**

2 **chinos** s.m.pl.

● CON VBOS. **jugar (a)** *Cuando éramos pequeños nos gustaba mucho jugar a los chinos* · **ganar (a)** · **perder (a)**

□ EXPRESIONES **de chinos** [que requiere mucha paciencia] *un trabajo de chinos* || **engañar como a un chino** (a alguien) [engañarlo por completo] *col.* || **tocarle la china** (a alguien) [corresponderle la peor parte] *Me ha tocado la china con este trabajo tan complicado*

[chinos] s.m.pl. → chino

chiribitas s.f.pl.

● CON VBOS. **saltar** || **hacer** · **echar** · **producir** · **ver** *La luz era tan fuerte que veía chiribitas*

□ EXPRESIONES **hacerle** (a alguien) **chiribitas los ojos** [mostrar ilusión en la mirada al pensar en algo]

chirigota s.f.

▮ [conjunto musical]

● CON SUSTS. **grupo (de)** · **coro (de)** || **concurso (de)**
● CON VBOS. **cantar** · **animar (algo/a alguien)** · **actuar** || **formar** *Van a formar una chirigota entre los amigos* || **vestir(se) (de)**

▮ [broma] *col.*

● CON VBOS. **gastar** *No me gastes chirigotas que hoy no estoy de humor* · **hacer** · **soportar** · **aguantar** || **tomar(se) (a)** · **andar(se) (con)**

chiringuito s.m.

● CON ADJS. **pequeño** || **legal** · **en regla** · **limpio** || **insalubre** · **infecto** · **ilegal** || **abarrotado** · **tranquilo** · **de moda** || **prefabricado** · **ambulante** || **de playa** · **de bebidas** · **playero** · **costero** || **electoral** · **financiero** *Se habían montado un chiringuito financiero que ofrecía intereses elevadísimos*
● CON SUSTS. **dueño,ña (de)** · **camarero,ra (de)** · **empleado,da (de)** · **propietario,ria (de)** || **barra (de)**
● CON VBOS. **montar** · **desmontar** *Tenemos que desmontar el chiringuito antes de que anochezca* · **instalar** · **plantar** · **poner** || **abrir** · **cerrar** · **habilitar** · **inaugurar** *Van a*

inaugurar un nuevo chiringuito en la playa · **mantener** · **atender** · **regentar** *Regenta un chiringuito en la calle de al lado* || **recoger** · **desplegar** || **frecuentar** · **llenar** || **reunir(se) (en)** · **ir (a)** || **cambiar (de)**

chiripa s.f. *col.*

● CON ADJS. **pura** || **increíble**
● CON VBOS. **tener** *Tuvo una chiripa impresionante*
● CON PREPS. **de** *No presumas tanto, que has aprobado de pura chiripa* · **por**

chirona s.f. *col.*

● CON VBOS. **entrar (en)** · **meter (en)** || **mandar (a)** · **enviar (a)** · **encerrar (en)** *Lo encerraron en chirona durante tres años* · **pasar (tiempo) (en)** *pasar tres años en chirona* || **salir (de)** · **sacar (de)** || **fugarse (de)** · **huir (de)** · **librar(se) (de)** || **estar (en)** · **seguir (en)** · **acabar (en)** *Como sigas así, acabarás en chirona*

chirriar v.

● CON SUSTS. **tono** · **voz** *Cuando grita le chirría la voz* · **dientes** || **engranaje** · **mecanismo** · **gozne** · **ventana** · **puerta** *La puerta chirrió y el bebé dio un respingo* · **eje** · **pieza** · **freno** · **alambre** · **rueda** · **cadena** · **cuchilla** · **tiza** || **música** · **ruido** · **sonido** · **instrumento**

chirrido s.m.

● CON ADJS. **metálico** · **visual** · **verbal** · **gutural** || **molesto** · **sordo** · **espeluznante** *Un chirrido espeluznante les puso la piel de gallina* · **estridente** · **perturbador** · **aterrador**
● CON VBOS. **perturbar (a alguien)** · **molestar (a alguien)** || **sonar** · **cesar** || **escuchar** · **oír** *Todos oímos perfectamente el chirrido de la puerta* · **percibir** · **soltar**

chisme s.m.

▌[murmuración]

● CON ADJS. **escandaloso** · **novedoso** || **de vecinos** · **de pasillo** · **de famosos** || **falso** · **oportunista** · **estúpido** · **injurioso** *Circula por ahí un chisme injurioso sobre ella* · **insidioso** · **sensacionalista** · **fundado** · **infundado** · **curioso** · **amoroso** *No quiero saber nada de sus chismes amorosos* · **grosero** · **difamatorio** || **inocente** · **malintencionado** || **literario** · **periodístico** || **consabido**
● CON SUSTS. **revista (de)** · **folleto (de)** · **narrador,-a (de)**
● CON VBOS. **circular** · **difundir(se)** · **extender(se)** · **propagar(se)** · **expandir(se)** || **decir** · **soltar** *Siempre va soltando chismes sobre todo el mundo* · **contar** · **leer** · **buscar** · **oír** || **proporcionar** · **filtrar** · **publicar** || **erradicar** · **desmentir** || **basar(se) (en)** *No debes basarte en chismes para hacer tus afirmaciones* · **fijar(se) (en)** · **prestar atención (a)** · **hacer caso (a)**

▌[trasto, cachivache] *col.*

● CON ADJS. **barato** · **viejo** · **inservible**
● CON SUSTS. **cantidad (de)**
● CON VBOS. **guardar** *Guarda todos los chismes que se encuentra* · **amontonar** · **recoger** · **tirar** · **arrojar** · **quitar** · **sacar** || **deshacerse (de)**

chismorrear v.

● CON ADVS. **maliciosamente** · **descaradamente** · **abiertamente** · **sin reservas** || **tranquilamente** || **a escondidas** *Pillé al vecino chismorreando a escondidas sobre ti* · **por detrás**

chispa

1 chispa s.f.

● CON ADJS. **eléctrica** || **humorística** · **ingeniosa** || **brillante** · **luminosa** · **pequeña** · **diminuta** || **desencadenante** *La chispa desencadenante del escándalo fue...*
● CON VBOS. **saltar** · **brotar** · **encender(se)** · **prender** || **desencadenar (algo)** · **provocar (algo)** · **quemar (algo)** || **faltar(le) (a algo)** *La película no está mal, pero le falta chispa* || **desprender** · **lanzar** · **producir** || **tener**
● CON PREPS. **con** *un comentario con chispa; una persona con chispa* · **sin**

2 chispa (de) s.f.

● CON SUSTS. **gracia** *Lo que cuentas no tiene ni chispa de gracia* · **genialidad** · **genio** · **ingenio** · **humor** · **ironía** || **inspiración** · **magia** || **esperanza** · **alegría** · **confianza**

□ EXPRESIONES **echar** (alguien) **chispas** [mostrar mucho enojo o enfado] *col. Se fue de allí echando chispas*

chispazo s.m.

● CON ADJS. **eléctrico** · **amoroso** || **repentino** · **súbito** || **genial** || **inicial**
● CON VBOS. **producirse** · **salir** · **saltar** *Al enchufar la estufa saltó un chispazo y se cortó la electricidad* || **dar** *La chimenea funciona bien, pero da chispazos de vez en cuando* · **causar** · **provocar** · **encender** · **fundir** · **desencadenar** || **sentir** · **ver**

chispear v.

● CON SUSTS. **fuego** *El fuego chispeaba suavemente en la chimenea* · **luz** || **soldador** · **motor** · **cable** || **ojos** || **humor**

chisporrotear v.

● CON SUSTS. **fuego** · **hoguera** *Nos apartamos un poco porque la hoguera aún chisporroteaba* · **vela** · **brasas** · **leña** · **madera** · **tronco** · **yesca** · **rayo** · **falla** · **cohete** || **luz** · **fulgor** || **aceite**

chisporroteo s.m. *col.*

● CON VBOS. **escuchar** · **oír** || **producir**

chiste s.m.

● CON ADJS. **gracioso** · **ingenioso** · **mordaz** · **buen(o)** *Me han contado un chiste buenísimo* || **mal(o)** · **pésimo** · **sin gracia** · **insípido** · **fallido** · **pesado** · **fácil** *Recurrió a uno de sus chistes fáciles* || **viejo** · **manido** · **socorrido** · **trillado** || **de {buen/mal/dudoso/pésimo} gusto** · **grosero** · **chabacano** · **burdo** · **barriobajero** · **procaz** || **verde**
● CON SUSTS. **sarta (de)** || **gracia (de)** || **libro (de)** || **situación (de)** *Vivimos una situación de chiste*
● CON VBOS. **circular** *Ya circulan por ahí chistes sobre lo sucedido* || **ocurrírse(le) (a alguien)** || **sentar(le) {bien/mal} (a alguien)** || **hacer** · **contar** · **encadenar** *Es capaz de encadenar un chiste detrás de otro durante horas* · **repetir** · **conocer** · **saber(se)** || **explicar** · **estropear** || **comprender** · **entender** · **pillar** || **encajar** · **aguantar** · **aceptar** · **reír(le) (a alguien)** || **prestarse (a)** || **acordarse (de)**
● CON PREPS. **con** · **sin**

chistoso, sa adj.

● CON SUSTS. ***persona*** *un chico alegre y chistoso con el que no pararás de reír* || **comentario** · **ocurrencia** · **anécdota** *Cuando nos reunimos en familia no para de contar anécdotas chistosas* · **alusión** · **frase** · ***otras manifestaciones verbales*** || **situación**

chivatazo s.m. *col.*

● CON VBOS. **dar** · **recibir** *La Policía recibió un chivatazo que le permitió detener a los delincuentes* · **ofrecer**
● CON PREPS. **según** · **gracias (a)**

chivato, ta

1 chivato, ta adj.

● CON SUSTS. ***persona*** *A la profesora no le gustan los niños chivatos*

2 **chivato, ta** s.

- CON ADJS. **oficial · policial || habitual**
- CON VBOS. **acusar (a alguien) · delatar (a alguien)** *El chivato delató a sus propios compañeros* **|| infiltrar(se)**

chivo, va s.

- CON SUSTS. **barbas (de) · cuerno (de)**
- CON VBOS. **saltar · pastar**

☐ EXPRESIONES **chivo expiatorio** [única persona que carga con la culpa de varios] **|| estar como una chiva** [estar loco] *col.*

chocante adj.

- CON SUSTS. **situación** *Se ha llegado a una situación chocante en la que las leyes parecen no proteger los derechos de los ciudadanos* **· circunstancia · resultado || fenómeno · suceso · operación || afirmación · testimonio · expresión · declaración || ocurrencia · idea · reacción || carácter · humor · naturalidad · comportamiento || imagen** *La chocante imagen de los dos eternos enemigos charlando amistosamente* **|| decisión**
- CON ADVS. **particularmente · especialmente** *Me resulta especialmente chocante que nadie se haya quejado por el resultado del sorteo* **· singularmente || realmente · ciertamente || totalmente · profundamente**
- CON VBOS. **resultar** *Resulta chocante que los dos hayan aparecido juntos* **· parecer || encontrar (algo)**

chocar v.

- CON SUSTS. **personalidad · carácter · actitud · interés** *De nuevo, los intereses de los vecinos chocan con los de la empresa constructora* **· opinión || competencia · poder · función || cultura · civilización || sistema · modelo**
- CON ADVS. **violentamente · duramente · bruscamente || aparatosamente · espectacularmente || frontalmente** *Los dos vehículos chocaron frontalmente* **· de frente · de plano · de pleno · lateralmente · en cadena || accidentalmente || por poco · de milagro**

☐ USO Se construye a menudo con complementos encabezados por las preposiciones *con* (*Sus pretensiones chocan de plano con la realidad*) y *contra* (*El vehículo chocó contra una valla*).

chochear v. col.

- CON SUSTS. **anciano,na · viejo,ja · abuelo,la** *Con noventa años, mi abuela ya empieza a chochear* **· *otros individuos***
- CON ADVS. **prematuramente || totalmente · completamente || verdaderamente · realmente · ligeramente**

chocolate s.m.

▮ [alimento]

- CON ADJS. **duro · blando · fundido · en polvo || blanco · negro** *una tableta de chocolate negro* **· con leche · amargo || natural · tradicional · clásico || a la taza · caliente** *Me encanta el chocolate caliente* **· espeso || de cobertura · de almendras || rico · sabroso || loco,ca (por)**
- CON SUSTS. **tableta (de) · pastilla (de) · barra (de) · trozo (de) · onza (de) · pedazo (de) · porción (de) · ración (de) || capa (de) · cobertura (de) · relleno (de) || taza (de)** *Nos sirvieron una buena taza de chocolate espeso* **· batido (de) || sabor (a) · olor (a) || tarta (de) · torta (de) · crema (de) · helado (de) · bizcocho (de) · mousse (de) · galleta (de)** *un paquete de galletas de chocolate* **· pasta (de) · turrón (de) · bombón (de) || huevo (de) · moneda (de) · fideos (de) · perla (de)**
- CON VBOS. **deshacer(se) · derretir(se) · fundir(se) || encantar (a alguien) · gustar (a alguien) || odiar || comer || añadir · extender · rallar · partir || bañar (en) · cubrir (con)** *cubrir con chocolate un pastel* **· untar (con) · rellenar (con)**

➤ Véase también **BEBIDA**

▮ [hachís] col.

- CON SUSTS. **piedra (de)** *La Policía les encontró una piedra de chocolate* **· canuto (de) · cigarro (de)**
- CON VBOS. **fumar**

☐ EXPRESIONES **el chocolate del loro** [cosa insignificante entre otras de mayor entidad] *col.*

chocolatería s.f. Véase **ESTABLECIMIENTO**

chófer s.m.

- CON ADJS. **oficial · particular · de alquiler**
- CON VBOS. **conducir · manejar || trabajar (de/como)**

chollo s.m. col.

- CON ADJS. **auténtico · verdadero**
- CON VBOS. **acabar(se)** *Lo siento, pero se te ha acabado el chollo* **|| buscar · encontrar** *Mira qué suerte, hemos encontrado un auténtico chollo* **· conseguir || perder**

chopo s.m. Véase **ÁRBOL**

choque

1 **choque** s.m.

- CON ADJS. **armado · copero · deportivo · futbolístico · callejero · cultural** *La película muestra el choque cultural que sufre una familia de emigrantes en...* **· generacional · emocional · eléctrico || electoral · político || violento · feroz · severo · brusco · abrupto · aparatoso || espectacular · monumental · fuerte · brutal · tremendo || decisivo · determinante · demoledor · fatal || múltiple · en cadena** *un choque en cadena en el que se vieron implicados más de veinte vehículos* **· frontal · lateral · cuerpo a cuerpo || {con/sin} heridos**
- CON SUSTS. **tratamiento (de) · plan (de)** *El Gobierno prepara un plan de choque para terminar con las listas de espera sanitarias* **· medida (de) || estado (de)**
- CON VBOS. **producir(se) · tener lugar || disputar(se) || provocar || tener · sostener || evitar · rehuir · resistir · afrontar · amortiguar · atenuar**

2 **choque (de)** s.m.

- CON SUSTS. **tren · coche · autobús · helicóptero · buque · *otros medios de transporte* || misil · proyectil || meteorito · asteroide · cometa** *el choque de un cometa contra la tierra* **|| civilización · cultura · mundo · época || carácter · conciencia · actitud · personalidad · mentalidad · opinión** *El choque de opiniones entre los directivos ha paralizado las negociaciones* **|| idea · imagen · pensamiento · estrategia · planteamiento || interés · poder · competencia || corriente** *El choque de corrientes e influencias en la literatura de posguerra* **· estilo || noticia · acontecimiento**

☐ USO Se construye frecuentemente con sustantivos en plural (*choque de trenes*), coordinados por la conjunción *y* (*choque de un turismo y un autobús*) o unidos con la preposición *con* (*el choque de una idea con otra*).

choricear v. col.

- CON SUSTS. **producto · mercancía · bolso** *Ayer por la noche me choricearon el bolso* **· cartera · *otros objetos***

chorizo, za

1 **chorizo** s.m.

▮ [embutido]

- CON ADJS. **ibérico · de bellota || curado · fresco · seco || picante · dulce**

• CON SUSTS. **raja (de)** · **loncha (de)** *Se hicieron el bocadillo con varias lonchas de chorizo ibérico* · **ristra (de)** || **bocadillo (de)** · **huevos (con)**
• CON VBOS. **freír** · **asar** · **cocer** || **atar** · **cortar**

2 **chorizo, za** s. *col. desp.*

▮ [ladrón]

• CON ADJS. **vulgar** · **de poca monta** · **simple** || **presunto,ta**
• CON SUSTS. **grupo (de)** · **banda (de)** *Una banda de chorizos tenía amedrentados a los muchachos del barrio* · **pandilla (de)** · **panda (de)**
• CON VBOS. **robar (algo/a alguien)** · **atracar (a alguien)** || **detener** *La Policía detuvo al chorizo que robaba carteras en el parque* · **desenmascarar** · **juzgar** · **encarcelar**

chorlito s.m.

• CON SUSTS. **cabeza (de)** *No le llames más cabeza de chorlito*

chorrear v.

• CON SUSTS. **agua** *Se ha roto una cañería y el agua chorrea por todas partes* · **gasolina** · **sangre** · ***otros líquidos*** || **suciedad**
• CON ADVS. **a mares** · **por los cuatro costados** · **por todas partes** · **visiblemente**

chorreo s.m.

• CON ADJS. **constante** *En esta casa, hay un chorreo constante de dinero* · **habitual** · **permanente** · **continuo** · **incesante**

[chorro] →a chorros; chorro; como los chorros del oro

chorro

1 **chorro** s.m.

• CON ADJS. **fuerte** · **potente** *un potente chorro de agua* · **a presión** · **grande** · **enorme** · **abundante** · **generoso** || **escaso** · **pequeño** · **diminuto**
• CON VBOS. **salir** · **correr** · **discurrir** || **echar** · **soltar** · **servir** · **verter** || **abrir** · **cerrar** · **cortar**
• CON PREPS. **a** *El agua caía a chorros*

2 **chorro (de)** s.m.

• CON SUSTS. **voz** *La cantante impresionó al jurado con su chorro de voz* || **agua** · **vino** · **aceite** *La ensalada se aliña con un chorro de aceite* · **tinta** · **lejía** · **sangre** · ***otros líquidos*** || **aire** · **gas** · **luz** || **dinero**

☐ EXPRESIONES **como los chorros del oro*** [extremadamente limpio y reluciente] *col.*

choza s.f.

• CON ADJS. **acogedora** *una acogedora choza de madera cerca del río* · **confortable** || **pequeña** · **diminuta** · **austera** · **modesta** *Bienvenidos a mi modesta choza* · **humilde** · **mísera** · **miserable** · **improvisada** || **antigua** · **nueva** · **vieja** · **rústica**
• CON VBOS. **construir** · **hacer** · **levantar** · **improvisar** || **abandonar** · **dejar** || **ocupar** · **compartir** · **habitar** *¿Cuántas personas habitan la choza?* || **vivir (en)**

chubasco s.m.

• CON ADJS. **débil** · **disperso** · **moderado** *Están previstos chubascos moderados en el norte de la Península* || **fuerte** · **torrencial** · **intenso** || **ocasional** · **esporádico** · **aislado** · **irregular** · **intermitente** · **frecuente** || **tormentoso** *En el parte meteorológico han anunciado chubascos tormentosos para mañana* · **de nieve** · **de granizo**
• CON SUSTS. **posibilidad (de)** · **riesgo (de)**
• CON VBOS. **caer** · **producir(se)** · **registrar(se)** *Se registrarán chubascos a partir de media tarde*

chucho s.m. *col.*

• CON ADJS. **callejero** · **vagabundo** · **abandonado** *Recogimos a un chucho abandonado y le dimos de comer* · **solitario** || **fiel** · **leal** *Es un chucho muy leal, nunca se aparta de su amo* || **flaco** · **sarnoso** · **pulgoso** || **inofensivo** · **obediente**
• CON VBOS. **ladrar** · **aullar** · **morder** || **adiestrar** · **amaestrar** || **pasear** · **sacar** · **mimar**

chufa s.f.

• CON SUSTS. **horchata (de)**
• CON VBOS. **cultivar** · **sembrar** · **producir** · **cosechar** · **plantar** · **recolectar**

chulear v.

• CON SUSTS. **cliente** · **periodista** · **equipo** · **oposición** *Es como si quisieran chulear a la oposición* · ***otros individuos y grupos humanos***
• CON ADVS. **públicamente** · **abiertamente** · **descaradamente** · **desvergonzadamente**

chulería s.f.

• CON ADJS. **inaguantable** · **inaceptable** · **insufrible** · **inadmisible** · **intragable** || **despótica** · **petulante** · **descarada** · **vulgar** · **insultante** || **simpática** · **castiza** *Le contestó con su chulería castiza* · **elegante**
• CON SUSTS. **muestra (de)** · **acto (de)** · **desplante (de)** || **aire (de)** *Estoy harto de que vayas pavoneándote por ahí con ese aire de chulería insultante* · **punto (de)** · **toque (de)**
• CON VBOS. **aguantar** · **soportar** *No soporto su chulería cuando está delante de sus amigos* · **permitir** · **aplaudir** || **rechazar** · **denunciar** || **tragar(se)** || **calificar (de)**
• CON PREPS. **con** *Pasó delante de nosotros alardeando con su habitual chulería*

chuleta

1 **chuleta** adj.

▮ [chulo, presumido]

• CON SUSTS. **tono** · **actitud** · **comportamiento** || ***persona***
• CON VBOS. **ponerse** *Un momento, conmigo no te pongas chuleta* · **hacerse** · **volverse**

2 **chuleta** s.m.

• CON ADJS. **desvergonzado** · **descarado** · **sin escrúpulos** · **impenitente** · **perfecto** *Se comportó como el perfecto chuleta que es*

3 **chuleta** s.f.

▮ [carne]

• CON ADJS. **suculenta** · **apetitosa** || **de buey** · **de cordero** · **de cerdo** · **de vaca** · **de lechal** || **a la plancha** *Prefiero las chuletas de cerdo a la plancha* · **a la brasa** · **a la piedra** · **rebozada** · **empanada** || **jugosa** · **sabrosa** · **seca** || **vuelta y vuelta** · **{muy/poco/bastante} hecha** · **al punto** · **pasada**
• CON VBOS. **cortar** · **sazonar** · **adobar** *El secreto está en adobar las chuletas con unas hierbas especiales* || **freír** · **pasar(se)** · **dorar** · **asar** || **servir**

▮ [anotación]

• CON VBOS. **hacer** || **sacar** · **pasar** · **esconder** *Escondió la chuleta en la correa del reloj* || **descubrir** · **pillar** · **encontrar** || **tirar (de)** *Confesó que cuando no le apetecía estudiar, tiraba de chuleta*

chulo, la

1 **chulo, la** adj.

▮ [engreído]

• CON SUSTS. ***persona*** || **expresión** · **actitud** *Se dirigió a nosotros con una actitud chula y burlona* · **comportamiento** · **tono** · **aspecto**

• CON VBOS. **ser** · **estar** · **ponerse** *No se ponga chulo porque no conseguirá nada* · **volverse**

2 **chulo, la** s.

• CON VBOS. **hacer(se)** *hacerse el chulo delante de los amigos*

☐ EXPRESIONES **más chulo que un ocho** [muy orgulloso] *col.*

[chupada] s.f. → chupado, da

chupado, da

1 **chupado, da** adj. *col.*

▮ [muy fácil]

• CON SUSTS. **examen** *El examen estaba chupado* · **prueba** · **pregunta**

2 **chupada** s.f. *col.*

• CON VBOS. **dar** *dar chupadas a una piruleta* · **pegar**

[chupar] → chupar; de chuparse los dedos

chupar v.

▮ [lamer o succionar]

• CON ADVS. **ansiosamente** *El niño chupaba ansiosamente su caramelo* · **ávidamente** · **furiosamente** · **como un loco** · **compulsivamente** || **plácidamente** · **tranquilamente** · **lentamente**

▮ [acaparar] *col.*

• CON SUSTS. **cámara** *Ese actor siempre intenta chupar cámara* · **plano** || **balón** · **banquillo** || **rueda**

☐ EXPRESIONES **chúpate esa** [se usa para alardear en relación con lo que se acaba de decir]

chupatintas s.com. *col.*

• CON ADJS. **incompetente** *Dejaron el caso en manos de un chupatintas sumamente incompetente* · **negado,da** · **ineficaz** || **eficiente** · **abnegado,da** || **ramplón,-a**

• CON SUSTS. **empleo (de)** · **trabajo (de)**

chupete s.m.

• CON VBOS. **dar** · **poner (a alguien)** *Ponle el chupete para que no llore* || **usar** · **llevar** · **sorber** · **chupar** || **dejar** · **quitar** || **tirar (de)** · **acostumbrar(se) (a)** · **dormir (con)**

chupetón s.m.

• CON VBOS. **dar** *dar chupetones a un helado*

chupinazo s.m.

• CON ADJS. **tradicional** · **famoso** *Asistimos al famoso chupinazo que daba inicio a las fiestas* || **inaugural** · **de salida** || **festivo**

• CON VBOS. **sonar** · **estallar** || **lanzar** · **disparar** · **pegar** *El delantero pegó un chupinazo tan fuerte que el balón salió fuera del campo* · **dar (a algo)**

churrería s.f. Véase **ESTABLECIMIENTO**

churrete s.m.

• CON ADJS. **grasoso** · **grasiento** || **asqueroso**

• CON VBOS. **formarse** · **caer** *Por la pared de la cocina caían churretes de grasa* || **limpiar** · **quitar** || **cubrir(se) (de)** · **llenar(se) (de)**

[churro] → churro; como churros

churro s.m.

▮ [masa alargada frita en aceite]

• CON ADJS. **rico** · **sabroso** · **crujiente** · **grasiento** · **apetitoso**

• CON SUSTS. **chocolate (con)** *Los domingos desayuno chocolate con churros* · **café (con)** || **puesto (de)** · **quiosco (de)** || **masa (de)** || **atracón (de)** · **empacho (de)**

• CON VBOS. **comer** · **probar** *Probamos unos churros rellenos que estaban riquísimos* · **desayunar** · **merendar** · **tomar** || **hacer** · **cocinar** · **freír** · **preparar** || **mojar** || **atiborrar(se) (de)** *Ahora no quiere comer porque se ha atiborrado de churros* · **empachar(se) (de)**

▮ [cosa mal hecha] *col.*

• CON ADJS. **vergonzoso** · **auténtico** · **verdadero** *El dibujo quedó hecho un verdadero churro*

• CON VBOS. **salir** *Tendrás que repetir el trabajo porque te ha salido un churro* · **resultar** · **hacer**

☐ EXPRESIONES **mezclar churras con merinas** [mezclar cosas muy distintas] *col.*

chusma s.f. *desp.*

• CON ADJS. **holgazana** · **haragana** || **encolerizada** · **violenta** · **vociferante** · **enloquecida** || **andrajosa** · **vil** · **despreciable** · **mísera** · **hambrienta** || **gregaria** · **advenediza** || **dirigente**

• CON VBOS. **arremolinarse** · **amotinarse** · **menudear** · **agolparse** || **contentar** · **calmar** · **aplacar** || **agitar** · **movilizar** || **llamar (a alguien)** · **considerar (a alguien)** || **calificar (de)** *En la entrevista, calificó de chusma al grupo responsable de los altercados* || **ganarse (a)** || **enfrentar(se) (a)** · **encarar(se) (con)** || **limpiar (de)** · **proteger (de)** · **defender (de)**

• CON PREPS. **entre**

[chutar] → chutar; chutarse

chutar v.

• CON ADVS. **con todas {mis/tus/sus...} fuerzas** *El delantero chutó el balón con todas sus fuerzas* · **fuertemente** · **enérgicamente** · **con dureza** || **con éxito** · **certeramente** || **sin éxito** · **inútilmente** || **a puerta** *Dos veces chutó a puerta en todo el partido*

chutarse v.

• CON SUSTS. **droga** · **heroína** · **cocaína**

• CON ADVS. **en vena**

[ciática] s.f. → ciático, ca

ciático, ca

1 **ciático, ca** adj.

• CON SUSTS. **nervio** *un pinzamiento en el nervio ciático* || **dolor** · **lesión**

2 **ciática** s.f.

• CON ADJS. **lumbar || aguda**
• CON SUSTS. **caso (de)** · **problema (de)** *Le han dado la baja laboral por un problema de ciática* · **ataque (de) || tratamiento (de)**
• CON VBOS. **agudizar(se)** *La ciática se le agudizará porque no guarda reposo* · **acentuar(se) || diagnosticar** · **tratar** · **curar || padecer** · **sufrir || mejorar (de)** · **reponer(se) (de) || hospitalizar (por)**

ciberespacio s.m.

• CON VBOS. **enganchar(se) (a)** · **conectar(se) (a)** *Lo primero que hace cuando llega a casa es conectarse al ciberespacio* · **acceder (a)** · **navegar (por)** · **viajar (por)** · **perder(se) (en) || charlar (en)** *Se pasa horas pegado al ordenador charlando en el ciberespacio* · **hablar (en)** · **buscar (en) || lanzar (algo) (a)** · **salir (a)**

[cibernética] s.f. → cibernético, ca

cibernético, ca

1 **cibernético, ca** adj.

• CON SUSTS. **tecnología** *Fuimos a una exposición acerca de los últimos avances de la tecnología cibernética* · **red** · **fuente** · **comunicación** · **inteligencia || revolución || espacio** *viajar por el espacio cibernético* · **comunidad** · **ciudad** · **delincuencia || dirección** · **página** · **versión** *Muchos de estos libros y artículos tienen su versión cibernética correspondiente* **|| imagen** · **creación**

2 **cibernética** s.f.

• CON SUSTS. **avance (de)** *Los avances de la cibernética han permitido una revolución en las comunicaciones* · **desarrollo (de) || era (de)** *Vivimos en la era de la cibernética y la telemática*
➤ Véase también **DISCIPLINA**

cicatero, ra adj.

• CON SUSTS. **política** *una política especialmente cicatera en las inversiones en educación* · **juego** · **visión** · **interpretación** · **actitud || espectador,-a** · **público** · **gobierno** · ***otros individuos y grupos humanos***

cicatriz s.f.

• CON ADJS. **profunda** · **honda** *Aquella amarga experiencia le dejó una honda cicatriz* · **duradera** · **indeleble** · **imborrable** · **grabada || horrible** · **antiestética** · **aparatosa** · **ostensible** · **invisible** · **abierta || emocional** · **sentimental || residual || lleno,na (de)** · **plagado,da (de)**
• CON SUSTS. **rastro (de)** *No queda rastro de su antigua cicatriz* · **marca (de)** · **huella (de)**
• CON VBOS. **cerrar(se)** · **curar(se) || abrir(se)** · **infectar(se) || quedar (a alguien)** *La herida era aparatosa, pero no me quedó cicatriz* · **surcar (algo) || hacer(se)** · **dejar** · **producir** · **causar || lucir** · **conservar** · **acumular || borrar** *El tiempo borra todas las cicatrices* · **restañar || tapar** · **cubrir** · **disimular** · **esconder** · **ocultar**

cicatrizar v.

• CON SUSTS. **herida** *Sus heridas cicatrizarán con el tiempo* · **llaga** · **tejido** · **lesión || agravio** · **ofensa**
• CON ADVS. **rápidamente** · **lentamente** · **despacio || con el tiempo** · **a la larga || bien** · **perfectamente**

cicerone s.com.

• CON ADJS. **ameno,na** *Un ameno cicerone nos acompañó a lo largo de toda la visita* · **ilustre**
• CON VBOS. **acompañar (a alguien) || buscar** · **necesitar** · **contratar || hacer (de)** *La directora del museo hizo de cicerone para el presidente del Gobierno* · **ejercer (de)** · **actuar (de)** · **servir (de) || erigir(se) (en)**

cíclicamente adv.

• CON VBOS. **ocurrir** · **repetir(se)** *Si algunos fenómenos meteorológicos se repiten cíclicamente...* · **reproducir(se) || reaparecer** · **regresar** · **volver** *una moda que vuelve cíclicamente* **|| cambiar** · **renovar(se)**

cíclico, ca adj.

• CON SUSTS. **fenómeno** · **situación** · **historia** · **período || aparición** · **renovación** · **reaparición** · **recuperación** · **desaparición** · **crisis** *Los especialistas hablan de crisis cíclicas en la economía mundial* · **enfermedad || movimiento** · **proceso** · **evolución** · **posición** · **comportamiento || carácter** *un proceso de carácter cíclico* · **naturaleza** · **valor**

ciclismo s.m.

• CON ADJS. **profesional** · **amateur || competitivo** · **recreativo || en pista** · **en ruta** · **en carretera** · **de montaña** · **contrarreloj** · **urbano** · **de fondo || aficionado,da (a)** · **amante (de)** · **fanático,ca (de)**
• CON SUSTS. **profesional (de)** *...una carrera que reúne a los mejores profesionales del ciclismo mundial* · **campeón,-a (de)** · **as (de)** · **corredor,-a (de) || prueba (de)** · **competición (de)** · **pista (de) || reglamento (de)** · **escuela (de)** · **modalidad (de) || afición (a/por)** · **pasión (por)**
• CON VBOS. **practicar || abandonar** · **promover || aficionar(se) (a)**

ciclista

1 **ciclista** adj.

• CON SUSTS. **competición** · **carrera** · **vuelta** *Este sábado comienza la vuelta ciclista* · **prueba** · **marcha || ruta** · **circuito** · **etapa || equipo** · **club** · **sección** · **asociación** · **federación || mundo** · **temporada**

2 **ciclista** s.com.

• CON ADJS. **profesional** · **de élite** · **aficionado,da** *Soy solo una ciclista aficionada* · **experimentado,da** · **legendario,ria || completo,ta** · **versátil** · **calculador,-a || urbano,na** · **de montaña**
• CON SUSTS. **grupo (de)** *Un grupo de ciclistas circulaba por el arcén* **|| carril (para)**
• CON VBOS. **preparar(se)** · **entrenar || correr** · **pedalear** · **esprintar || avanzar** · **recorrer (algo)** · **circular** · **ascender || participar** · **vencer** *Por fin el veterano ciclista vencía en una etapa contrarreloj* · **triunfar** · **ganar (algo)** · **liderar (algo) || perder (algo)**

ciclo s.m.

▮ [período de tiempo]

• CON ADJS. **alterno** · **nuevo** · **corto** · **breve** · **largo || vital** · **biológico** *el ciclo biológico de las ballenas* · **evolutivo** · **histórico** · **económico** · **electoral** · **escolar** · **lectivo** · **menstrual** · **reproductivo** · **vegetativo** · **agrícola**
• CON SUSTS. **fin (de)** · **inicio (de)** · **cierre (de) || control (de)** · **regulación (de)**
• CON VBOS. **abrir(se)** · **iniciar(se)** · **empezar** · **desarrollar(se) || cerrar(se)** *Con el fin de la dinastía se cerró un ciclo histórico* · **concluir** · **terminar** · **cumplir(se)** · **completar(se) || invertir(se)** · **adelantar(se)** · **retrasar(se)** · **durar (algo) || atravesar** · **superar || calcular** · **medir** · **programar** · **estudiar** · **analizar**
• CON PREPS. **dentro (de)**

▮ [serie de actos]

• CON SUSTS. **inauguración (de)** · **clausura (de)**
• CON VBOS. **organizar** *organizar un ciclo de conferencias* · **preparar || asistir (a)** · **participar (en)**

ciclón s.m.

- CON ADJS. **fuerte** · **violento** *Afortunadamente, el violento ciclón no ha causado daños personales* · **devastador** · **destructivo** · **incontrolable** || **tropical** || **auténtico** · **verdadero** *Esta chica es un verdadero ciclón*
- CON SUSTS. **riesgo (de)** || **ojo (de)** · **fuerza (de)** || **efecto (de)**
- CON VBOS. **aproximarse** *El ciclón se aproxima a la costa oriental* · **acercarse** · **pasar** · **atravesar** || **asolar (algo)** · **azotar (algo)** · **arrasar (algo)** · **barrer (algo)** · **devastar (algo)** · **destruir (algo)** · **dañar (algo)**

ciegamente adv.

- CON VBOS. **creer** *No creas ciegamente lo que dicen los demás* · **confiar** · **fiar(se)** || **obedecer** · **seguir** · **aceptar** · **acatar** · **someter(se)** || **apoyar** · **ayudar** · **defender** · **colaborar** · **cooperar** · **proteger** · **respaldar** || **enamorarse** *Se enamoró ciegamente de ella* · **amar** · **adorar** || **entregarse** · **empeñarse** || **herir** · **atacar** · **golpear** · **masacrar**
- CON ADJS. **obediente** · **servicial** · **adicto,ta** · **fiel** *ciegamente fiel a sus superiores*

ciego, ga

1 **ciego, ga** adj.

▮ [privado de la vista]

- CON SUSTS. ***persona*** || ***animal***
- CON ADVS. **por completo** · **totalmente** || **parcialmente**
- CON VBOS. **ser** · **estar** · **quedar(se)** *Después del accidente se quedó ciego*

▮ [obstruido, tapado]

- CON SUSTS. **conducto** · **canal** · **tubo** · **agujero** · **orificio** · **pozo** · **cavidad** || **arco** · **vano** · **pared** · **muro** *El arquitecto optó por un muro ciego* · **ventana** · **puerta**

▮ [sin atenerse a razones]

- CON SUSTS. **fe** *una fe ciega en la bondad de los seres humanos* · **confianza** · **esperanza** · **optimismo** · ***otras actitudes y tendencias*** || **conservadurismo** · **fanatismo** · **intolerancia** · ***otras tendencias*** || **pasión** · **amor** · **admiración** · **reconocimiento** · **entusiasmo** · **odio** · **violencia** · **ira** *Le invadió una ira ciega e irracional* · **enojo** · **furia** · **furor** · **crueldad** · **desesperación** · **temor** · ***otros sentimientos o emociones*** || **fidelidad** · **lealtad** · **apoyo** · **respaldo** · **adhesión** · **apología** || **terrorismo** · **matanza** · **asesinato** || **obediencia** · **pleitesía** *Si se mostrara un poco más crítico, en lugar de rendirle ciega pleitesía...* · **respeto** · **sumisión** || **entrega** · **abnegación** || **afán** · **empeño** · **voluntad** · **deseo** · **lucha** || **impulso** · **compulsión** || **fuerza** · **poder** · **energía**

▮ [ahíto]

- CON ADVS. **completamente** *Iba completamente ciego de alcohol cuando cometió el delito* · **totalmente**
- CON VBOS. **poner(se)** *Me puse ciega de pasteles*

2 **ciego, ga (a)** adj.

- CON SUSTS. **súplicas** · **ruegos** || **cambios** · **novedades** · **realidades** || **injusticias** · **abusos** || **debilidades** · **necesidades** *ciego a las necesidades de los demás* · **inquietudes**

3 **ciego, ga (de)** adj.

- CON SUSTS. **ira** · **rabia** · **furia** · **coraje** · **cólera** · **rencor** || **ambición** · **poder** · **soberbia** · **prepotencia** || **frustración** · **miedo** · **desesperación** *Ciego de desesperación, rompió a llorar* · **dolor** · **envidia** || **amor** · **pasión** · **emoción** || **pasteles** · **bombones** · **marisco** · **alcohol** · **champán** · **coca** · **marihuana** · ***otros alimentos, bebidas o sustancias***

cielo s.m.

▮ [atmósfera]

- CON ADJS. **claro** · **azul** · **despejado** *Para mañana se prevén cielos despejados* · **limpio** · **transparente** · **radiante** · **resplandeciente** · **diáfano** · **raso** || **pálido** · **gris** · **plomizo** · **oscuro** · **negro** · **contaminado** || **nublado** · **nuboso** · **nebuloso** · **cubierto** · **encapotado** · **entoldado** · **borrascoso** · **brumoso** · **turbio** · **aborregado** · **arrebolado** · **amenazador** || **estrellado** *contemplar el cielo estrellado* · **crepuscular** · **rojo**
- CON SUSTS. **bóveda (de)** || **luz (de)** || **azul** *un jersey azul cielo*
- CON VBOS. **despejarse** · **clarear** · **esclarecer(se)** || **abrirse** · **cerrarse** || **oscurecer(se)** · **nublar(se)** · **encapotarse** || **surcar** *Una bandada de aves surcó el cielo* || **tocar** · **escalar**
- CON PREPS. **bajo** *dormir bajo un cielo estrellado*

▮ [providencia]

- CON SUSTS. **bendición (de)** · **regalo (de)** · **don (de)**
- CON VBOS. **ganarse** *Contigo me tengo el cielo ganado* || **subir (a)** · **ascender (a)** · **elevar (a)** *Elevó al cielo una plegaria* · **ir (a)** || **bajar (de)** · **caer (de)**

□ EXPRESIONES {**caído/llovido**} **del cielo** [llegado o sucedido en el momento oportuno] *col.* || **clamar** (algo) **al cielo** [ser totalmente injusto] || **en el (séptimo) cielo** [muy a gusto] *col.* || **mover cielo y tierra** [hacer todo lo posible para conseguir algo] *col.* || **ver** (alguien) **el cielo abierto** [ver la manera de salir de un apuro] *col.*

[ciencia] → a ciencia cierta; ciencia

ciencia s.f.

- CON ADJS. **avanzada** · **innovadora** · **pionera** · **moderna** · **especializada** || **obsoleta** · **anticuada** · **retrógrada** · **anquilosada** || **exacta** · **experimental** · **natural** · **humana** · **social** || **infusa** *¡Claro que he estudiado, no iba a saberlo por ciencia infusa!* · **oculta** || **ficción** *un libro de ciencia ficción*
- CON SUSTS. **pozo (de)** *Esta mujer es un pozo de ciencia* || **avance (de)** · **desarrollo (de)** · **progreso (de)** · **futuro (de)** || **campo (de)** · **mundo (de)** · **rama (de)** · **terreno (de)** || **papel (de)** *determinar el papel de la ciencia* || **descubrimiento (de)**
- CON VBOS. **avanzar** · **desarrollar(se)** || **cultivar** · **practicar** · **hacer** || **divulgar** · **apoyar** *medidas para apoyar la ciencia en nuestro país* || **renovar** · **modernizar** · **actualizar** || **apoyar(se) (en)** || **innovar (en)** · **investigar (en)**

□ EXPRESIONES **a ciencia cierta*** [con total certeza]

científicamente adv.

- CON VBOS. **demostrar** · **analizar** · **comprobar** · **probar** || **estudiar** · **investigar** · **examinar**

científico, ca adj.

- CON SUSTS. **investigación** · **estudio** *Numerosos estudios científicos avalan la efectividad de esta sustancia* · **trabajo** · **proyecto** · **actividad** · **producción** · **experimento** · **prueba** || **descubrimiento** · **avance** *Los últimos avances científicos permiten construir estructuras mucho más ligeras* · **progreso** · **desarrollo** · **cambio** · **revolución** || **método** · **procedimiento** · **instrumento** · **criterio** || **teoría** · **conocimiento** · **saber** · **cultura** · **formación** · **dato** · **información** || **base** · **contenido** · **rigor** · **valor** · **calidad** || **lenguaje** · **término** · **vocabulario** *Para traducir tales textos es necesario dominar un determinado vocabulario científico* · **jerga** || **revista** · **publicación** · **programa** · **congreso** · **divulgación** || **mundo** · **comunidad** *La comunidad científica se muestra dividida ante...* · **sociedad** · **comité** · **comisión** || **punto de vista** · **enfoque** || **policía** · **periodismo**
- CON ADVS. **estrictamente** · **exclusivamente** || **escasamente** · **falsamente**

[cierne] →en ciernes

cierre s.m.

• CON ADJS. **cautelar · preventivo · técnico || temporal · parcial** *La concejalía estudia el cierre parcial del centro al tráfico rodado* · **provisional · en falso || oficial · definitivo · irrevocable · indefinido || inminente · inmediato · repentino · súbito || forzoso · obligatorio · en cadena || injusto · injustificado || hermético · automático · centralizado** *Mi coche tiene cierre centralizado* **|| apoteósico · por todo lo {alto/grande}** *La ceremonia tuvo un cierre por todo lo alto* **|| empresarial · contable · patronal** *Se pronunciarán hoy sobre la decisión de decretar el cierre patronal* · **bursátil || a la baja · al alza**
• CON VBOS. **avecinarse · producir(se) · consumar(se) || anunciar · ordenar · decretar · disponer · solicitar || llevar a cabo · acometer · efectuar || ocasionar · suponer || adelantar · retrasar · levantar · legalizar || impedir** *Los vecinos querían impedir el cierre del mercado del barrio* · **evitar · denunciar || echar** *El dueño del local se niega a echar el cierre tan temprano* **|| oponer(se) (a)**

[cierto, ta] →a ciencia cierta

cifra s.f.

• CON ADJS. **elevada · alta · abultada · astronómica · millonaria** *Durante la negociación del contrato se manejaron cifras millonarias* · **histórica · desorbitada · exorbitante · descabellada · abrumadora · incalculable · desmedida · respetable · nutrida · considerable || inalcanzable · inaccesible · prohibitiva || sorprendente · llamativa · escandalosa · alarmante · espeluznante · desoladora · halagüeña || baja · insignificante · despreciable · irrisoria · exigua · nimia · anecdótica · testimonial || engañosa · reveladora · elocuente · significativa · representativa · concluyente · rotunda || exacta** *Le pedí que me diera la cifra exacta de asistentes* · **justa · redonda · aproximada · mágica || absoluta · relativa · proporcional || bruta · neta · total · global · resultante · presupuestaria || oficial** *Las cifras oficiales no coinciden con las del sindicato organizador de la huelga* · **confidencial || acorde (con)**
• CON VBOS. **ascender (a algo) · totalizar (algo) || incrementar(se) · crecer** *Crece la cifra de trabajadores autónomos* · **reducir(se) · decrecer · cuadrar || indicar · revelar · demostrar · denotar || difundir(se) · filtrar(se) · obrar en poder (de alguien) || calcular · determinar · averiguar || registrar · totalizar · desglosar || sumar · restar · dividir · multiplicar || arrojar** *Los últimos estudios arrojan cifras esperanzadoras* · **obtener || alcanzar · rozar · rebasar · superar · sobrepasar · batir · pulverizar || fijar · engrosar · aumentar · rebajar · limar || manejar · barajar · extrapolar || aventurar** *No me atrevo a aventurar una cifra exacta, pero indudablemente será elevada* · **dar · suministrar · proporcionar · publicar || negociar · regatear || avalar · aceptar · rechazar · rebatir · refutar || inflar · falsear · maquillar** *La empresa maquilló las cifras para dar una imagen de solvencia* · **alterar · disfrazar · distorsionar · tergiversar · ocultar || operar (con) || atenerse (a) · depender (de)**
• CON PREPS. **a la luz (de)** *A la luz de estas cifras, es necesario poner en marcha...* · **a la vista (de) · a tenor (de) || por debajo (de) · por encima (de)**

cifrar v.

• CON SUSTS. **éxito · felicidad** *Cifran toda su felicidad en ser reconocidos y admirados* **|| aspiración · esperanza · ilusión || voluntad**
□ USO Se construye con complementos encabezados por la preposición *en*: *Son numerosos los opositores que cifran sus esperanzas en este examen.*

cigarra s.f.

• CON SUSTS. **canto (de)**

cigarrillo s.m.

• CON ADJS. **rubio · negro · suave || {con/sin} filtro**
• CON SUSTS. **humo (de)** *Desde que dejó de fumar le molesta mucho el humo de los cigarrillos* **|| paquete (de) · cartón (de) · marca (de) || adicción (a) · consumo (de)**
• CON VBOS. **consumir(se) || fumar** *En todos los descansos suele salir a fumarse un cigarrillo* · **apurar · echar(se) || encender · apagar · tirar · arrojar || pedir · dar · ofrecer** *Nos ofreció cigarrillos, pero ninguno de nosotros fumaba* · **compartir · rechazar || quemar(se) (con) || traficar (con)**

cigüeña s.f.

• CON SUSTS. **nido (de)** *Hay varios nidos de cigüeña en el tejado de la iglesia* **|| colonia (de) · pareja (de) · ejemplar (de)**
• CON VBOS. **crotorar || emigrar · volar · anidar**
□ EXPRESIONES **venir la cigüeña** [producirse el nacimiento de un hijo] *col.*

cilindrada s.f.

• CON ADJS. **superior · máxima** *la moto con la máxima cilindrada del mercado* · **gran(de) · alta || media || inferior · menor · pequeña · baja** *Quiere comprarse una moto de baja cilindrada para moverse por la ciudad*
• CON SUSTS. **reina** *El piloto busca mejorar su tiempo en la cilindrada reina*
• CON VBOS. **tener || cambiar · limitar · reducir · aumentar · subir**

cima

1 cima s.f.

• CON ADJS. **elevada · alta** *llegar a las cimas más altas de poder* · **inaccesible · inexpugnable · inalcanzable || nevada · rocosa · escarpada || absoluta · verdadera · insospechada · inusitada || codiciada · anhelada || profesional**
• CON VBOS. **alcanzar · coronar** *Los alpinistas coronaron la cima felizmente* · **conquistar · tocar · hollar || escalar · atacar || subir (a) · ascender (a) · encaramarse (a) · trepar (a) · encumbrar(se) (a)** *Su último disco la ha encumbrado a la cima del éxito* · **llegar (a) · llevar (a) · conducir (a) · situar(se) (en) · bajar (de) || mantener(se) (en)**
• CON PREPS. **hacia · sobre**

2 cima (de) s.f.

• CON SUSTS. **montaña · mundo || éxito · popularidad · esplendor · gloria · poder || arte · carrera** *En la cima de su carrera el artista anunció su retirada* · **clasificación · tabla || vida**

cimentar v.

• CON SUSTS. **puente · edificio** *Las máquinas excavadoras han empezado a trabajar para cimentar el edificio* · **casa · torre ·** ***otras edificaciones*** **|| relación · unidad · amistad · vínculo · confianza · entendimiento · cooperación · alianza · convivencia · consenso · coalición · unión** *Habían cimentado su sólida unión en el respeto y la confianza* **|| futuro · estrategia · proyecto · oferta · posibilidad · esperanza · objetivo || éxito** *Es un éxito firmemente cimentado en el esfuerzo y el trabajo perenne* · **victoria · triunfo · clasificación · gol · título · liderato · liderazgo · superioridad · fortuna || poder ·**

dominio · hegemonía · mayoría absoluta · grandeza || fama · prestigio · popularidad *un disco que le ha servido para cimentar su popularidad en el mundo anglosajón* **· reputación · reconocimiento · buen nombre · palmarés · celebridad · gloria || carrera · trayectoria · currículum || leyenda · mito · tradición · cultura || teoría · crítica · tesis · hipótesis · argumento · conocimiento · sospecha || paz · prosperidad · estabilidad** *un tratado que servirá para garantizar la paz y cimentar la estabilidad en una región tan convulsionada* **|| cambio · desarrollo · recuperación · progreso · ascenso || régimen · estructura · sistema · programación || vocación · pasión · empeño · afición**

• CON ADVS. **sólidamente · firmemente · férreamente || estructuralmente · políticamente · estratégicamente**

cimiento s.m.

• CON ADJS. **sólido · firme · profundo · poderoso · seguro · consistente · férreo · estable || frágil · endeble · inseguro · movedizo · inestable || teórico · político · institucional · cultural · filosófico**

• CON VBOS. **asentar(se) (en algo) · apoyar(se) (en algo) || descansar (sobre algo) · sostener(se) (sobre algo) || mover(se) · temblar** *Con aquel escándalo temblaron los cimientos de la institución* **· estremecer(se) · tambalearse || resquebrajar(se) · quebrar(se) · cuartear(se) · deteriorar(se) · fortalecer(se) || plantar · poner · sentar · echar · levantar · establecer || consolidar · asegurar · reforzar · apuntalar || sacudir** *El terremoto sacudió los cimientos del edificio* **· remover · conmover · minar · socavar · destruir || construir (sobre)**

[cine] →cine; de cine

cine s.m.

▮ [arte cinematográfico]

• CON ADJS. **mudo · sonoro || negro · policíaco · porno · erótico · de aventuras · de acción · de terror · fantástico · infantil || independiente** *Es la directora más importante del cine independiente de nuestro país* **· experimental · clásico · comercial**

• CON SUSTS. **director,-a (de) · productor,-a (de) · guionista (de) · crítico,ca (de) · estrella (de) · gente (de)** *Siempre ha estado rodeada de gente de cine* **|| lenguaje (de) · música (de) || industria (de) || ciclo (de)** *un ciclo de cine mudo*

• CON VBOS. **hacer** *Se ha cansado de hacer cine de aventuras y se ha pasado a...* **· dirigir · producir || ver** *Mucho cine ves tú* **|| llevar (algo) (a)** *llevar una novela al cine* **|| dedicarse (a)**

▮ [local]

• CON ADJS. **de verano** *Esa película la vi en el cine de verano* **· amplio · cómodo · pequeño || de barrio**

• CON SUSTS. **sala (de)**

• CON VBOS. **proyectar (algo) (en) || ir (a) · acudir (a) · llevar (a alguien) (a)** *Hace mucho que no me llevas al cine*

☐ EXPRESIONES **de cine*** [muy bien] *col. pasárselo de cine*

cineasta s.com.

• CON ADJS. **famoso,sa** *La estatuilla no recayó esta vez sobre un famoso cineasta* **· prestigioso,sa · reputado,da · popular · premiado,da || novel · joven · veterano,na · en potencia · autodidacta || genial** *Acaban de otorgar un premio a este genial cineasta por toda su carrera* **· excelente · exquisito,ta · admirable · de culto || polémico,ca · perseguido,da · comprometido,da · activista · independiente**

• CON SUSTS. **obra (de) · carrera (de) || musa (de)** *una actriz que fue musa de varios cineastas*

• CON VBOS. **dirigir (algo) · producir (algo)**

cinematografía s.f.

• CON ADJS. **fértil · emergente** *En un país en el que se puede apreciar una cinematografía emergente* **· sólida || popular · conocida · desconocida || alternativa · exótica || actual · antigua || mundial · internacional · nacional**

• CON SUSTS. **escuela (de) || historia (de) || premio (de)**

• CON VBOS. **dinamizar · proteger · subvencionar · apoyar || estudiar · revisar** *En su última obra ha pretendido revisar la cinematografía de...* **|| representar · dominar || dedicarse (a) · contribuir (a)**

cinematográfico, ca adj.

• CON SUSTS. **industria · empresa · estudio · sala · escuela · compañía || director,-a · crítico,ca** *Trabaja como crítica cinematográfica en este periódico* **|| carrera · actividad · proyecto · debut || producción · obra · relato · guión · versión · adaptación** *Se ha especializado en adaptaciones cinematográficas de clásicos de la literatura* **· comedia · narrativa || lenguaje || arte · género || política · derecho · censura || oferta** *una variada oferta cinematográfica en las carteleras* **|| cultura**

cinematógrafo s.m.

• CON SUSTS. **invención (de)** *¿Sabes en qué año se produjo la invención del cinematógrafo?* **· llegada (de) · aparición (de) · nacimiento (de) · irrupción (de)**

cinético, ca adj.

• CON SUSTS. **energía · movimiento**

cínico, ca

1 **cínico, ca** adj.

• CON SUSTS. **escritor,-a · político,ca · dirigente · persona · sociedad ·** ***otros individuos y grupos humanos*** **|| carácter · espíritu · actitud · postura || filosofía · reflexión · razonamiento · razón · interpretación · debate · lema · divisa || palabra · observación · comentario · respuesta** *El entrevistado contestó a la pregunta comprometida del periodista con una cínica respuesta* **· explicación · discurso · artículo ·** ***otras manifestaciones verbales o textuales*** **|| gesto · sonrisa** *Ante las críticas que le dirigían, esbozó una cínica sonrisa* **· demostración · humor || juego · ejercicio · plan · cálculo || tratado · pacto || ambigüedad · ambivalencia · sinceridad**

2 **cínico, ca** s.

• CON ADJS. **redomado,da** *Eres un cínico redomado* **· empedernido,da · inveterado,da · recalcitrante**

cinismo s.m.

• CON ADJS. **amargo · generalizado · profundo || intolerable · irritante** *La verdad es que me cuesta bastante soportar ese irritante cinismo* **|| descarado · asombroso || político · moral · ético**

• CON SUSTS. **ejercicio (de) · dosis (de) · acto (de) · muestra (de)** *una muestra más de cinismo político* **· alarde (de)**

• CON VBOS. **denunciar || rozar || rayar (en) · caer (en)**

• CON PREPS. **con** *actuar con cinismo*

cinta s.f.

▮ [tira]

• CON ADJS. **larga · corta · ancha · gruesa · de color(es) || adhesiva · aislante · asfáltica || métrica**

• CON VBOS. **cortar** *El alcalde cortó la cinta y la nueva avenida quedó inaugurada* · **acortar** · **alargar** || **medir**

▌ [mecanismo]

• CON ADJS. **transportadora** *Colocamos nuestro equipaje sobre la cinta transportadora*
• CON VBOS. **pasar (por)**

▌ [soporte de grabación]

• CON ADJS. **de vídeo** · **magnetofónica** || **pirata** · **pirateada** || **virgen**
• CON VBOS. **durar (algo)** *La cinta dura casi tres horas* || **grabar** *Había grabado una cinta con cantos de pájaros* · **copiar** · **piratear** · **poner** · **rebobinar** || **proyectar** · **reproducir** · **censurar** || **protagonizar** *La actriz que protagoniza esta cinta...*

cintura s.f.

• CON ADJS. **fina** · **de avispa** · **gruesa** || **duro,ra (de)** · **ágil (de)** *Para practicar este deporte es necesario ser una persona ágil de cintura*
• CON SUSTS. **golpe (de)** · **movimiento (de)** · **juego (de)**
• CON VBOS. **mover** · **cimbrear** *La niña cimbreaba la cintura graciosamente* · **girar** || **romper** · **quebrar** · **destrozar** · **torcer** || **medir**

□ EXPRESIONES **meter en cintura** (a alguien) [hacerle entrar en razón] *col.*

cinturón s.m.

• CON ADJS. **financiero** · **industrial** *La población está rodeada por uno de los cinturones industriales más importantes del país* · **metropolitano** · **urbano** · **de circunvalación** · **cultural** · **sanitario** · **eléctrico** · **verde** *conservar el cinturón verde de la ciudad* || **de seguridad** *los cinturones de seguridad del coche* · **de castidad** || **de yudo** *Es cinturón negro de yudo*
• CON SUSTS. **hebilla (de)** · **agujero (de)** || **medida (de)** · **talla (de)**
• CON VBOS. **usar** || **poner** · **abrochar** · **ajustar** · **apretar** || **desabrochar** · **aflojar** · **quitar**

□ EXPRESIONES **apretarse el cinturón** [reducir los gastos] *Si queremos llegar a fin de mes, tendremos que apretarnos el cinturón*

ciprés s.m. Véase **ÁRBOL**

circense adj.

• CON SUSTS. **espectáculo** *el espectáculo circense de moda* · **artes** · **número** · **acrobacia** · **ejercicio** · **pirueta** *Más que una maniobra política han hecho una pirueta circense* · **exhibición** || **habilidad** · **técnica** || **ambiente** · **carpa** *¿Sabe usted dónde van a poner este año la carpa circense?* || **artista**

circo s.m.

• CON ADJS. **gran(de)** · **espectacular** || **ambulante** *Había llegado a la ciudad un famoso circo ambulante* || **político** · **electoral** · **mediático**
• CON SUSTS. **espectáculo (de)** · **atracción (de)** · **número (de)** *No nos montes otra vez tu número de circo* || **taller (de)** · **escuela (de)** || **artista (de)** · **animal (de)**
• CON VBOS. **montar** *Cuando fuimos por allí vimos que estaban montando el circo* · **instalar** · **poner** · **abrir** · **armar** || **convertir(se) (en)**

circuito s.m.

▌ [de carreras]

• CON ADJS. **automovilístico** · **deportivo**
• CON SUSTS. **curva (de)** *una de las curvas más cerradas del circuito* · **pista (de)** · **trazado (de)** · **recorrido (de)** || **dureza (de)** · **récord (de)** || **campeón,-a (de)** · **título (de)**
• CON VBOS. **entrar (en)** · **irrumpir (en)**

▌ [recorrido fijado]

• CON ADJS. **complejo** · **enrevesado** · **intrincado** || **turístico** *Hicieron un circuito turístico por Venezuela* · **urbano** · **comercial** · **financiero** || **eléctrico** · **electrónico** · **integrado** *circuitos integrados para ordenadores*
• CON VBOS. **abrir** *El Gobierno quiere abrir nuevos circuitos comerciales con este país* · **cerrar** · **cortar** · **interrumpir** || **trazar** · **diseñar** · **montar** || **hacer** · **recorrer** · **seguir** · **completar**
• CON PREPS. **a lo largo (de)** · **dentro (de)** · **fuera (de)**

[circulación] → circulación; en circulación

circulación s.f.

• CON ADJS. **densa** *Se está registrando una circulación densa y complicada en todas las calles* · **intensa** · **masiva** || **caótica** · **complicada** · **problemática** · **peligrosa** || **fluida** · **escasa** · **libre** *Está permitida la libre circulación de personas y mercancías en todo el territorio* · **escalonada** || **de {doble/un} sentido** · **a contramano** || **sanguínea** *Estos masajes activan la circulación sanguínea* · **rodada** · **urbana** · **automovilística** · **vehicular** · **monetaria** · **aduanera** · **atmosférica**
• CON SUSTS. **código (de)** *El código de circulación lo establece así* · **normas (de)** · **permiso (de)** · **impuesto (de)** || **accidente (de)** · **problema (de)** || **fluidez (de)** · **intensidad (de)** || **sentido (de)**
• CON VBOS. **aumentar** · **disminuir** || **atascar(se)** · **colapsar(se)** · **congestionar(se)** · **fluir** || **dirigir** · **autorizar** · **controlar** · **vigilar** · **encauzar** · **canalizar** · **desviar** || **facilitar** *Para facilitar la circulación se ha habilitado un carril adicional* · **agilizar** · **aligerar** · **aliviar** · **desbloquear** · **restablecer** || **entorpecer** · **obstruir** · **obstaculizar** · **bloquear** · **restringir** · **cortar** · **interrumpir** · **prohibir** || **poner (en)** · **entrar (en)** *La nueva moneda entrará en circulación en el mes de enero* || **salir (de)** · **sacar (de)** · **retirar (de)** · **desaparecer (de)** · **apartar (de)**

circular v.

• CON SUSTS. **peatón** *Miles de peatones circulan ahora por la ciudad* · **viandante** · **transeúnte** · **conductor,-a** · **ciclista** · **gente** · ***otros individuos y grupos humanos*** || **coche** · **bicicleta** · **camión** · ***otros vehículos*** || **aire** *Abre las ventanas para que circule un poco el aire* · **agua** · **sangre** · **oxígeno** · **electricidad** · **corriente** || **novela** *La novela ya había empezado a circular en el ámbito intelectual* · **disco** · **película** · **documento** · **boletín** · **manuscrito** · **música** · **vídeo** · **foto** · ***otras creaciones*** || **mercancía** · **producto** · **arma** · **droga** · **estupefaciente** · **explosivo** || **dinero** *En esta zona de comercios circula mucho dinero* · **capital** · **moneda** · **billete** || **rumor** · **habladuría** · **historia** · **versión** · **bulo** · **mentira** · **leyenda** · **mito** · **sospecha** · **duda** || **información** · **noticia** · **dato** · **mensaje** || **comentario** *El ministro no quiso hacer referencia a los comentarios que circulan sobre su posible renuncia* · **pregunta** · **afirmación** · **conversación** · **debate** · **acusación** · **amenaza** · **frase** · **nombre** · ***otras manifestaciones verbales*** || **idea** · **teoría** · **hipótesis** *La Policía aún no descarta ninguna de las hipótesis que circulan sobre el doble crimen* · **especulación** · **conjetura** · **doctrina** · **análisis** · **cálculo** · **estimación** · **pronóstico** · **quiniela** · **apuesta** || **propuesta** · **proyecto** · **programa**
• CON ADVS. **lentamente** *...vehículos que circulaban lentamente* · **a medio gas** · **moderadamente** || **a toda máquina** · **a toda velocidad** · **vertiginosamente** · **rápidamente** || **a contramano** · **en sentido contrario** · **correctamente** || **de boca en boca** · **de mano en mano** *Los billetes circulaban de mano en mano mientras...* · **amplia-**

mente · como rosquillas || con dificultad · con fluidez · a tientas

circulatorio, ria adj.

● CON SUSTS. **caos** *Un accidente en uno de los principales accesos provocó un terrible caos circulatorio* · **congestión** · **problema** · **colapso** · **atasco** · **dificultad** · **tapón** · **retención** · **complicación** *En esta carretera siempre se producen complicaciones circulatorias* || **intensidad** · **densidad** · **torrente** · **volumen** · **flujo** · **actividad** · **capacidad** || **medida** || **sistema** *enfermedades del sistema circulatorio* · **aparato**

círculo

1 **círculo** s.m.

● CON ADJS. **oficial** · **político** · **diplomático** · **empresarial** · **financiero** · **de poder** · **de intereses** · **bien informado** *La noticia proviene de círculos bien informados* · **social** · **intelectual** *un filósofo que goza de gran prestigio en los círculos intelectuales europeos* · **académico** · **cultural** · **deportivo** || **concéntrico** · **vicioso** *Es un círculo vicioso: no me contratan porque no tengo experiencia y no tengo experiencia porque nunca me contratan* || **amplio** · **abierto** || **cerrado** · **privilegiado** · **exclusivo** · **acotado** · **limitado** · **hermético** · **reducido** · **estrecho** · **restringido** · **asfixiante** · **férreo** || **íntimo** · **inmediato** || **polar**

● CON SUSTS. **cuadratura (de)** || **área (de)**

● CON VBOS. **abrir(se)** · **ampliar(se)** *Deberían ampliar el círculo de sus amistades* || **cerrar(se)** · **reducir(se)** || **trazar** · **dibujar** · **formar** *Los bailarines se colocaron formando un círculo* · **describir** · **cuadrar** || **romper** · **estrechar** · **rebasar** · **invadir** · **cruzar** · **sobrepasar** · **trascender** · **frecuentar** || **entrar (en)** · **meter(se) (en)** · **inscribir(se) (en)** · **pertenecer (a)** *pertenecer al círculo de allegados de la familia* · **circunscribir (algo) (a)** · **limitar (algo) (a)** · **restringir (algo) (a)** · **ceñir(se) (a)** · **moverse (en)** || **salir (de)**

● CON PREPS. **dentro (de)** · **fuera (de)**

2 **círculo (de)** s.m.

● CON SUSTS. **amigos** · **amistades** · **fieles** · **allegados** · **colaboradores** · **asesores** · **aduladores** *aclamado por su círculo de aduladores* · **profesionales** · **aspirantes** · **candidatos** · **personas** · **gente** · **sospechosos** · ***otros individuos y grupos humanos*** || **violencia** · **corrupción** · **engaños** · **confianza**

circunferencia s.f.

● CON ADJS. **perfecta**

● CON SUSTS. **diámetro (de)** *Con estos datos calculen el diámetro de la circunferencia* · **radio (de)** · **centro (de)** · **perímetro (de)** · **área (de)**

● CON VBOS. **trazar** · **dibujar** · **cerrar** · **medir** · **calcular** || **inscribir (en)**

circunloquio s.m.

● CON ADJS. **interminable** *perderse en interminables circunloquios* · **eterno** || **inútil** · **vano** || **diplomático** · **retórico** || **lleno,na (de)**

● CON VBOS. **emplear** || **andarse (con)** *Dilo ya y no te andes con circunloquios* · **perderse (en)**

circunscribir(se) v.

● CON SUSTS. **cuadrado** *Calcula el área del cuadrado circunscrito en la circunferencia* · **triángulo** · ***otras figuras geométricas*** || **trabajo** · **estudio** *Su estudio se circunscribe a los países andinos* · **tarea** · **labor** · **actuación** · **intervención** · **medida** · **ayuda** || **charla** · **exposición** *Circunscribiré mi exposición al ámbito teórico* · **disertación** · **conferencia** · **debate** · **discurso** || **ley** · **reglamento** · **artículo** · **convenio** · ***otras disposiciones*** || **pacto** · **acuerdo** · **colaboración**

● CON ADVS. **solamente** · **únicamente** · **exclusivamente**

☐ USO Se construye con complementos encabezados por las preposiciones *a* (*Debe circunscribirse escuetamente a las preguntas*) y *en* (*una medida que se circunscribe en el acuerdo firmado por...*).

circunscripción s.f.

● CON ADJS. **única** *Esta región constituye por una única circunscripción administrativa* || **fronteriza** || **municipal** · **territorial** · **local** · **provincial** · **autonómica** · **metropolitana** · **nacional** || **electoral** · **judicial** · **administrativa** · **militar** · **eclesiástica**

● CON SUSTS. **diputado,da (de/por/en)** · **cabeza de lista (de/por/en)** *Va a ser cabeza de lista por nuestra circunscripción en las próximas elecciones* · **candidato,ta (de/por/en)** · **delegado,da (de)** || **escaño (de/por/en)** · **votos (de/por/en)**

● CON VBOS. **votar (en)** || **pertenecer (a)** · **constar (en)** · **permanecer (en)** || **restringir (algo) (a)** · **limitar (algo) (a)**

● CON PREPS. **en** · **dentro (de)** · **fuera (de)**

circunspecto, ta adj.

● CON SUSTS. ***persona*** *una chica muy seria y circunspecta* || **rostro** · **cara** · **gesto** · **mirada** || **aire** · **tono** *Habló con tono serio y circunspecto* · **actitud** · **estilo** · **imagen** || **respuesta** · **saludo** || **obra** · **programa** · **artículo** · **mensaje**

[circunstancia]

→ circunstancia; de circunstancias

circunstancia s.f.

● CON ADJS. **actual** · **temporal** || **cambiante** · **diversa** · **mudable** · **variable** || **excepcional** *Solo se permitirán cambios de horario en circunstancias excepcionales* · **anómala** · **imprevista** · **misteriosa** · **habitual** || **familiar** *Atraviesa por circunstancias familiares un tanto difíciles* · **particular** · **personal** · **individual** · **histórica** · **laboral** || **adversa** · **difícil** · **dura** · **desfavorable** · **penosa** · **amarga** || **decisiva** · **crítica** · **delicada** · **controvertida** · **confusa** || **favorable** · **propicia** · **desencadenante** || **reveladora** || **agravante** · **atenuante** · **eximente** || **acorde (con)** · **sujeto,ta (a)**

● CON SUSTS. **cúmulo (de)** *Su retirada se debe a un cúmulo de circunstancias* || **fuerza (de)** · **gravedad (de)** || **víctima (de)**

● CON VBOS. **darse** · **concurrir** · **sumar(se)** || **rodear (algo)** *Misteriosas circunstancias rodearon el caso* || **indicar (algo)** · **provocar (algo)** || **atravesar** · **afrontar** · **asumir** · **capitalizar** · **superar** || **examinar** · **determinar** · **establecer** · **aclarar** · **esclarecer(se)** · **dilucidar** · **averiguar** || **silenciar** *Intentaron silenciar las extrañas circunstancias en que se produjo el accidente* · **ocultar** || **achacar** · **atribuir** || **cambiar** *Seguiremos aquí, si no cambian las circunstancias* || **acomodar(se) (a)** · **adaptar(se) (a)** · **amoldar(se) (a)** · **aclimatar(se) (a)** · **atenerse (a)** · **dejarse llevar (por)** · **aprovechar(se) (de)** || **ahondar (en)** · **informar (de)**

● CON PREPS. **a la altura (de)** *saber estar a la altura de las circunstancias* · **a la medida (de)** || **a la vista (de)** · **a tenor (de)** · **a la luz (de)** || **a pesar (de)**

circunstancial adj.

● CON SUSTS. **situación** *Se trata de una situación circunstancial que no se va a volver a repetir* · **hecho** · **problema** · **aspecto** · **elemento** || **reunión** · **relación** · **coincidencia** || **recurso** · **referencia** || **motivo** · **prueba** *La abogada presentó pruebas circunstanciales irrefutables* · **razón** || **me-**

dida · decisión · elección || trabajo · actividad · jugada || líder · aliado,da · relevo || política
● CON ADVS. **meramente · puramente · absolutamente · estrictamente · aparentemente**

circunvalación s.f.

● CON SUSTS. **carretera (de) · autovía (de) · ronda (de) · anillo (de) · cinturón (de) · vía (de) · autopista (de) · camino (de)**

cirio s.m.

▌[vela de cera]

● CON ADJS. **pascual · expiatorio**
● CON VBOS. **poner** *poner cirios a los santos* · **encender · apagar** *No apagaron los cirios hasta que no salió todo el mundo de la capilla* || **portar · llevar**

▌[lío] *col.*

● CON VBOS. **montar** *Al enterarse de lo que había ocurrido, montó un cirio descomunal* · **armar**

ciruelo s.m. Véase **ÁRBOL**

cirugía s.f.

● CON ADJS. **menor · mayor** *En esta clínica no realizan operaciones de cirugía mayor* || **convencional** || **ambulatoria** || **estética · plástica · cosmética · cardíaca** *un congreso sobre los últimos avances de la cirugía cardíaca* · **vascular · cardiovascular · coronaria · maxilofacial · pediátrica · torácica · facial**
● CON SUSTS. **operación (de) · intervención (de)** || **jefe,fa (de) · especialista (en)** || **servicio (de)**
● CON VBOS. **realizar · hacer(se)** *hacerse la cirugía estética* · **practicar** || **someter(se) (a alguien) (a)** || **recurrir (a)**

cirujano, na s.

● CON ADJS. **general · cardiovascular** *Lo ha atendido la mejor cirujana cardiovascular del país* · **plástico,ca · estético,ca · ortopédico,ca · vascular · maxilofacial · oncológico,ca · dentista · pediatra · facial · espinal** || **naval · militar** || **acreditado,da · famoso,sa · eminente · afamado,da · desconocido,da · exitoso,sa** || **de guardia · de urgencia(s)** || **experto,ta · hábil · especializado,da · experimentado,da**
● CON SUSTS. **consulta (de) · carrera (de) · título (de) · dictamen (de)** || **guantes (de)** *El ladrón uso guantes de cirujano y no dejó huellas* · **máscara (de) · bata (de) · mesa (de)** || **equipo (de) · grupo (de) · asistente (de)** || **médico,ca** *Siempre quiso ser médico cirujano*
● CON VBOS. **actuar · intervenir** *El cirujano intervino de urgencia al paciente* · **operar (a alguien) · coser (a alguien)** || **trabajar (como)** *El inculpado reconoció que su mujer trabajaba como cirujana en un hospital* · **actuar (como) · ejercer (de)**

cisco s.m. *col.*

● CON ADJS. **monumental** *Se organizó un cisco monumental* · **descomunal · de campeonato · de órdago · de padre y muy señor mío**
● CON VBOS. **armar(se)** *¡Menudo cisco se armó en la comisaría!* · **liar(se) · montar(se) · organizar(se)**

☐ EXPRESIONES **hacerse cisco** [dejar en muy malas condiciones] *col. Me he hecho cisco la rodilla*

cisma s.m.

● CON ADJS. **profundo** *Se ha abierto un profundo cisma entre ambas corrientes* · **insalvable** || **previsible · inevitable** || **interno · religioso · político**
● CON VBOS. **producir(se)** *¿En qué siglo se produjo el cisma bizantino?* · **abrir(se) · agravar(se) · consumar(se)** || **enfrentar (a alguien)** || **provocar · causar · ocasionar · comportar · suponer · implicar** || **iniciar · protagonizar · apoyar** *Nadie en este partido apoya el cisma, pero...* · **liderar · capitanear** || **evitar · superar · frenar** || **dar lugar (a)** || **poner fin (a) · acabar (con)**

cisne s.m.

● CON ADJS. **blanco · negro** || **hermoso · elegante**
● CON SUSTS. **canto (de)** || **cuello (de)** *un jersey con cuello de cisne* || **pluma (de)**
● CON VBOS. **nadar · deslizarse · volar · anidar**

cita s.f.

▌[encuentro, reunión]

● CON ADJS. **médica · deportiva · electoral · olímpica** || **íntima · amorosa · a ciegas** || **obligada** *Este festival se ha convertido en cita obligada para los amantes de la buena música* · **ineludible · inexcusable · imperiosa · importante** || **esperada · habitual** || **clandestina · secreta** || **multitudinaria**
● CON SUSTS. **lugar (de)** || **día (de)** *Nos tiene que concretar el día de la cita* · **fecha (de) · hora (de)** || **motivo (de) · objetivo (de)** || **importancia (de) · trascendencia (de)** || **resultado (de)**
● CON VBOS. **tener lugar · producirse** || **concertar · acordar · fijar · convenir · dar (a alguien)** || **pedir** *Pedir cita para una revisión médica* · **solicitar · tener** *El jueves tengo cita con el dentista* · **espaciar** || **cancelar · anular · saltarse** || **asistir (a) · acudir (a)** || **faltar (a)** *Debe de haberle pasado algo; él nunca falta a una cita*
● CON PREPS. **en vísperas (de) · ante**

▌[mención, referencia]

● CON ADJS. **textual · literal · expresa** || **manida · socorrida · conocida** || **oportuna · acertada** || **aclaratoria · explicatoria · digresiva** || **literaria · culta · erudita** || **de pie de página** || **lleno,na (de) · plagado,da (de)**
● CON SUSTS. **autor,-a (de) · diccionario (de)**
● CON VBOS. **aclarar (algo) · explicar (algo)** || **introducir · intercalar** *En su discurso intercaló citas de autores clásicos* · **interpolar · colgar** || **interpretar · descontextualizar** || **jalonar (de/con)** *una conferencia jalonada de citas clásicas*

citación s.f.

● CON ADJS. **directa · oficial · formal** *Acabo de recibir una citación formal para prestar declaración* || **judicial · policial**
● CON SUSTS. **carta (de)**
● CON VBOS. **producir(se)** || **pedir · solicitar · recibir** || **realizar · cursar** *A pesar de que cursaron la citación hace tiempo, aún no me ha llegado* || **apoyar · aprobar · acordar** || **comunicar · justificar** || **aplazar · anular · impedir · invalidar · denegar** || **acudir (a)**

citar v.

▌[referir, mencionar]

● CON ADVS. **textualmente · literalmente** *Cito literalmente sus palabras para que no haya malentendidos* · **al pie de la letra** || **de memoria** *Espero no equivocarme, porque cito esto de memoria* || **correctamente · oportunamente · equivocadamente** || **ampliamente · extensamente · por extenso · profusamente · repetidamente · insistentemente** || **resumidamente · brevemente · de pasada · de refilón** || **de un tirón** || **expresamente · intencionadamente** || **a pie de página · al dorso**

▌[llamar]

● CON ADVS. **urgentemente · inmediatamente · imperiosamente · oficialmente · judicialmente · notarialmente**

Había sido citado notarialmente para declarar en el juzgado · **formalmente**

cítrico, ca

1 **cítrico, ca** adj.

● CON SUSTS. **fruta** · **derivado** · **producto** · **sustancia** || **ácido** || **sector** · **industria**

2 **cítrico** s.m.

● CON SUSTS. **producción (de)** *Si el tiempo sigue así, este año se perderá una parte importante de la producción de cítricos* · **cosecha (de)** · **cultivo (de)** · **plantación (de)** || **consumo (de)** || **exportación (de)** · **mercado (de)** · **importación (de)** || **campo (de)** · **terreno (de)**

● CON VBOS. **madurar** · **pudrir(se)** · **estropear(se)** · **secar(se)** || **plantar** · **producir** · **cultivar** *un terreno destinado a cultivar cítricos* || **consumir** || **importar** · **exportar** || **confitar** · **escarchar**

ciudad s.f.

● CON ADJS. **industrial** · **comercial** · **portuaria** · **universitaria** · **deportiva** *La directiva del equipo planea la construcción de una ciudad deportiva en la zona* || **turística** · **de provincias** *una tranquila ciudad de provincias* · **fronteriza** || **histórica** · **antigua** · **medieval** · **amurallada** || **principal** · **importante** · **ilustre** || **pequeña** · **acogedora** · **apacible** · **tranquila** · **bella** · **habitable** || **abierta** · **moderna** · **próspera** · **rica** · **vanguardista** · **floreciente** *En la Edad Media era una floreciente ciudad* || **bulliciosa** · **animada** · **gran(de)** · **gigantesca** · **inabarcable** || **inhóspita** · **deshumanizada** · **desangelada** · **aburrida** · **decadente** || **saturada** · **abarrotada** · **abigarrada** · **asfixiante** · **congestionada** · **populosa** · **polucionada** || **deshabitada** · **desierta** *Los domingos la ciudad se queda desierta* · **despoblada** · **fantasmal** · **vacía** || **barata** · **cara** || **ideal** · **secreta** · **imaginaria** · **mítica** · **perdida** · **invisible** || **natal** || **con abolengo** · **con historia**

● CON SUSTS. **plano (de)** · **centro (de)** · **afueras (de)** · **recinto (de)** · **acceso (a)** || **habitante (de)** · **tráfico (de)** || **gas** *un fontanero especializado en la instalación de gas ciudad* || **dormitorio** *En torno a la capital fueron surgiendo diversas ciudades dormitorio* · **jardín**

● CON VBOS. **hallarse (en un lugar)** · **situarse (en un lugar)** · **ubicarse (en un lugar)** || **crecer** · **expandir(se)** · **extender(se)** · **desarrollar(se)** || **menguar** · **reducir(se)** || **congestionar(se)** · **descongestionar(se)** || **fundar** *Los fenicios fundaron esta ciudad hace siglos* · **levantar** · **construir** · **recuperar** · **rehabilitar** · **modernizar** || **destruir** · **aniquilar** · **arrasar** || **gobernar** · **administrar** · **regir** · **cuidar** · **abastecer** || **dominar** *Desde la colina se domina toda la ciudad* · **abarcar** · **divisar** || **visitar** · **frecuentar** · **recorrer** || **dejar** · **abandonar** || **vivir (en)** *Vivo en una gran ciudad* · **habitar (en)** · **residir (en)** · **afincar(se) (en)** · **radicarse (en)** || **mudar(se) (a/de)** · **ir(se) (de)** · **cambiar (de)** || **pasear (por)** · **deambular (por)** · **transitar (por)** · **circular (por)** · **perder(se) (en)**

ciudadanía s.f.

▌[conjunto de ciudadanos]

● CON SUSTS. **sector (de)** *Un amplio sector de la ciudadanía rechaza...* || **voluntad (de)** || **derecho (de)**

● CON VBOS. **pedir (algo)** · **reclamar (algo)** *La ciudadanía reclama mayor seguridad en las calles* · **demandar (algo)** · **apoyar (algo)** · **respaldar (algo)** || **quejarse (de algo)** · **oponerse (a algo/a alguien)** · **rechazar (algo)** || **conmocionar(se)** · **indignar(se)** · **convencer(se)** || **orientar** · **informar** · **sensibilizar** *Esta campaña pretende sensibilizar a la ciudadanía sobre la importancia de...* || **tranquilizar** · **insultar** · **engañar** || **apelar (a)** · **convocar (a)** · **llamar (a)** · **advertir (a)**

▌[condición de ciudadano]

● CON ADJS. **cubana** · **alemana** · ***otros gentilicios***

● CON SUSTS. **carta (de)** · **certificado (de)** · **tarjeta (de)** || **rango (de)** · **reconocimiento (de)**

● CON VBOS. **conceder** · **dar** · **otorgar** · **garantizar** || **solicitar** · **obtener** · **conseguir** · **adquirir** · **asumir** · **jurar** · **tramitar** · **ostentar** || **negar** *Las autoridades competentes le negaron la ciudadanía alegando que...* · **revocar** · **perder** || **despojar (de)**

ciudadano, na

1 **ciudadano, na** adj.

● CON SUSTS. **protesta** · **demanda** · **movilización** · **reivindicación** || **seguridad** · **inseguridad** *un plan para acabar con la inseguridad ciudadana* || **participación** · **colaboración** || **asociación** · **colectivo** || **deber** · **derecho** · **atención** *oficina de atención ciudadana*

2 **ciudadano, na** s.

● CON ADJS. **de a pie** *Los más afectados por estas nuevas medidas serán los ciudadanos de a pie* · **normal** · **común** || **honorable** · **ejemplar** || **comunitario,ria** · **extranjero,ra**

● CON VBOS. **informar** *La Alcaldía informará a los ciudadanos acerca de lo ocurrido* · **consultar**

cívico, ca adj.

● CON SUSTS. **acción** · **lucha** · **protesta** *una protesta cívica a favor de la paz* · **movimiento** · **compromiso** · **deber** || **comportamiento** · **conducta** · **actitud** · **conciencia** · **valores** · **espíritu** || **centro** *Han propuesto la construcción de un centro cívico en nuestro barrio* · **agrupación** · **organización** · **comité** || **marcha** · **desfile** · **ceremonia** || **dirigente** · **líder** || **educación** · **cultura** || **libertades**

civil adj.

▌[de las relaciones e intereses privados]

● CON SUSTS. **derecho** · **código** *un artículo del Código Civil que establece...* · **ley** · **norma** · **fuero** · **libertad** · **ética** · **justicia** · **juicio** · **demanda** · **procedimiento** · **juzgado**

▌[que no es militar ni eclesiástico]

● CON SUSTS. **ceremonia** · **boda** · **matrimonio** · **registro** · **estado** || **gobierno** · **autoridad** *Esta tribuna está reservada para las autoridades civiles* · **poder** || **guardia** · **defensa** · **protección** · **responsabilidad** *contratar un seguro de responsabilidad civil* · **servicio** || **sociedad** · **población** · **sector** · **asociación** · **personal** || **vida** · **estructura** · **orden** || **obediencia** · **desobediencia** *En su manifiesto llamaba a sus seguidores a la desobediencia civil como medio de protesta* · **resistencia**

▌[de la ciudad o de los ciudadanos]

● CON SUSTS. **arquitectura** *La lonja es una bella muestra de la arquitectura civil renacentista de la ciudad* · **ingeniería** · **edificio** · **obra** || **guerra** · **conflicto** · **confrontación** · **enfrentamiento** · **choque**

civilización s.f.

▌[cultura, conjunto de ideas y costumbres]

● CON ADJS. **antigua** *un historiador experto en civilizaciones antiguas* · **primitiva** · **milenaria** · **ancestral** · **arcaica** · **decadente** · **agonizante** · **vieja** || **incipiente** · **naciente** · **floreciente** · **nueva** || **moderna** · **avanzada** · **industrial** · **urbana** · **sofisticada** || **gran(de)** · **importante** · **memorable** · **gloriosa** || **universal** · **global** · **extensa** || **distinta** · **diversa** · **variopinta**

● CON SUSTS. **cuna (de)** *la cuna de la civilización clásica* || **historia (de)** || **mezcla (de)** · **choque (de/entre)** · **gue-**

rra (de/entre) · conflicto (de/entre) · enfrentamiento (de/entre) · diálogo (de/entre)
• CON VBOS. **nacer** · **surgir** · **evolucionar** || **derrumbar(se)** · **extinguir(se)** · **desaparecer** · **sucumbir (a algo)** *la civilización que sucumbió a las invasiones bárbaras* || **dominar** || **crear** · **desarrollar** · **construir** · **reconstruir** || **conocer** · **comprender** · **identificar** || **respetar**

I [comportamiento cívico]

• CON SUSTS. **signo (de)** · **muestra (de)** · **prueba (de)** || **acto (de)** || **grado (de)** *una sociedad con un elevado grado de civilización* || **norma (de)**
• CON VBOS. **faltar** || **tener** · **demostrar**

civilizadamente adv.

• CON VBOS. **vivir** *vivir civilizadamente en libertad y justicia* · **convivir** || **actuar** · **comportarse** · **obrar** · **tratar** || **discutir** · **hablar** · **expresar** · **debatir** · **dialogar** · **intervenir** · **contestar** || **enfrentar(se)** · **protestar** · **denunciar** · **confrontar** · **luchar** || **resolver** *Espero que puedan resolver civilizadamente el problema* · **solucionar** · **solventar** || **terminar** · **separarse** · **divorciarse** · **concluir** · **abandonar** · **romper**

civilizado, da adj.

• CON SUSTS. ***persona*** *aprender a comportarse como gente civilizada* || **mundo** · **humanidad** · **sociedad** · **país** · **nación** · **ciudad** · **comunidad** · **pueblo** || **comportamiento** · **costumbre** · **vida** · **convivencia** *normas que aseguran una convivencia civilizada* || **método** · **tono** *Para empezar, hábleme usted en un tono civilizado*

civilizar v.

• CON SUSTS. ***persona*** || **pueblo** · **población** · **lugar** · **tierra** *Los griegos civilizaron estas tierras* || **barbarie** · **bárbaro** || **relación** · **vida**
• CON PREPS. **sin** *Estos niños están sin civilizar, se comportan como bárbaros*
• CON ADVS. **totalmente** · **parcialmente** || **interesadamente**

civismo s.m.

• CON ADJS. **ejemplar** *Los vecinos han actuado con un civismo ejemplar* · **exquisito** · **sumo** · **extremo** || **debido** · **necesario** || **arraigado** || **ciudadano**
• CON SUSTS. **ejemplo (de)** *Las pacíficas manifestaciones de ayer fueron un ejemplo de civismo* · **lección (de)** · **muestra (de)** · **prueba (de)** · **signo (de)** · **demostración (de)** · **acto (de)** || **grado (de)** · **nivel (de)** · **falta (de)** || **llamada (a)** · **apelación (a)**
• CON VBOS. **faltar** · **escasear** || **practicar** · **demostrar** · **defender** · **fomentar** || **apelar (a)**
• CON PREPS. **con** · **sin** *hablar sin ningún civismo*

cizaña s.f.

• CON VBOS. **meter** *Deja de meter cizaña entre tus compañeros* · **sembrar**

clamar v.

• CON SUSTS. **justicia** · **venganza**
• CON ADVS. **a gritos** *Los afectados claman a gritos por una solución* · **a voces** · **vigorosamente** · **a los cuatro vientos** · **al unísono** || **al cielo** *Esta injusticia clama al cielo* || **en el desierto** · **inútilmente**

clamor s.m.

• CON ADJS. **popular** · **general** *Se vieron desbordados por el clamor general* · **unánime** *Las protestas aisladas se convirtieron en un clamor unánime por la paz* || **atronador** · **ensordecedor** · **estrepitoso** · **estruendoso** · **estridente** · **hondo** || **incesante** · **insistente** · **persistente**
• CON VBOS. **estallar** · **levantar(se)** · **desatar(se)** · **crecer** · **apagar(se)** || **resonar** || **lanzar** || **escuchar** · **atender** || **acallar** · **desoír** *Los gobernantes no pueden desoír el clamor popular*
• CON PREPS. **en medio (de)** *Pronunció su discurso en medio del clamor de los asistentes* || **entre**

clamorosamente adv.

• CON VBOS. **rechazar** *La propuesta fue sometida a votación y resultó rechazada clamorosamente* · **oponerse** · **pedir** · **reclamar** || **fallar** · **equivocarse** · **errar** · **mentir** · **marrar** || **rajarse** · **rendirse** · **fracasar** · **naufragar** · **perder** || **aplaudir** · **ovacionar** *Miles de espectadores ovacionaron clamorosamente a su ídolo* · **vitorear** · **abuchear** || **abandonar** · **descuidar** · **desatender** || **desvanecerse** · **ascender** · **rebajar** · **alterar**
• CON ADJS. **injusto,ta** *una situación clamorosamente injusta* · **favorable** · **falso,sa** || **ausente** · **explícito,ta**

clamoroso, sa adj.

• CON SUSTS. **gira** *Tras una clamorosa gira, el grupo musical...* · **desfile** · **mitin** · **concierto** · ***otros eventos*** || **éxito** · **triunfo** · **ovación** · **victoria** · **aplauso** · **vítores** || **fracaso** · **derrota** · **fallo** · **error** · **equívoco** · **errata** · **lapsus** · **desliz** || **ausencia** · **silencio** *Llama la atención el clamoroso silencio de algunos medios de comunicación* · **falta** · **vacío** · **carencia** · **desequilibrio** · **insuficiencia** || **ejemplo** · **caso** · **prueba** · **evidencia** || **asunto** · **hecho** · **verdad** · **situación** || **protesta** *...lo que provocó la protesta clamorosa de miles de personas* · **crítica** · **petición** · **denuncia** · **reivindicación** · **abucheo** · **rechazo** || **acogida** · **apoyo** · **aceptación** · **recibimiento** · **respaldo** || **injusticia** · **insolidaridad** · **desigualdad** · **incompetencia** *Han denunciado repetidas veces la clamorosa incompetencia del nuevo consejero de agricultura* · **indecencia** · **desfachatez**

clan s.m.

• CON ADJS. **conocido** · **famoso** · **poderoso** *el clan más poderoso de la mafia internacional* · **influyente** || **rival** || **familiar** · **tradicional** || **mafioso** · **criminal** · **político**
• CON SUSTS. **miembro (de)** · **jefe,fa (de)** · **patriarca (de)** · **cabecilla (de)** || **lucha (de/entre)** · **guerra (de/entre)**
• CON VBOS. **formar** · **constituir** || **salir (de)** *Cuando decidió salir del clan, lo amenazaron de muerte* || **pertenecer (a)** · **ingresar (en)**

clandestinidad s.f.

• CON ADJS. **absoluta** *Se reunieron en la más absoluta clandestinidad* · **completa** · **estricta** · **eterna** · **extrema**
• CON VBOS. **abandonar** || **vivir (en)** *Al llegar a nuestro país vivió en clandestinidad durante dos años* · **trabajar (en)** · **actuar (en)** · **moverse (en)** || **pasar (a)** · **volver (a)** · **continuar (en)** · **permanecer (en)** · **salir (de)** || **condenar (a)** *un delito que la condenó a la clandestinidad*
• CON PREPS. **desde** *Dirigía las actividades desde la clandestinidad* || **en**

clandestino, na adj.

• CON SUSTS. **organización** · **grupo** *La Policía acaba de descubrir un grupo clandestino que se dedicaba a...* · **movimiento** · **lucha** · **detención** || **reunión** · **encuentro** · **congreso** || **actividad** · **trabajo** · **negocio** · **operación** · **comercio** *Ha sido detenido por comercio clandestino* · **mercado** · **tráfico** || **apuesta** · **juego** || **centro** · **establecimiento** · **restaurante** · **fábrica** · **clínica** *El juez ha decretado el cierre de varias clínicas clandestinas* · **laboratorio** || **inmigración** · **inmigrante** · **trabajador,-a** || **relación** ||

tala · caza · compra · consumo · venta || cementerio · entierro || guerra || aborto

[clara] s.f. → claro, ra

claramente adv.

● CON VBOS. **hablar · decir · expresar · manifestar** *Manifestó claramente su postura* · **explicar · exponer · pronunciar · mencionar** · ***otros verbos de lengua*** || **percibir · ver · observar · distinguir · descubrir || establecer · fijar · definir** *Defina claramente la tarea seleccionada* · **señalar · identificar · indicar · mostrar · marcar · precisar · determinar · delimitar · diferenciar · matizar || entender · comprender · aprender · saber · estudiar || vencer · superar** *El atleta superó claramente a sus adversarios* · **triunfar · protagonizar || prohibir · advertir · regular · avisar · estipular || apoyar · favorecer · defender** *Siempre ha defendido claramente sus ideas* · **influir · confirmar · asegurar || apartar(se) · oponer(se) · separar(se) || aparecer**

[clarear] → clarear; clarearse

clarear v.

● CON SUSTS. **día** *Cuando clareaba el día...* · **mañana · alba · noche || sol · luz · luna || niebla · bruma · nublado || pelo · sienes** *Se le clarean las sienes* · **bigote · barba || hierba**

clarearse v.

● CON SUSTS. **pañuelo · gasa · tela · blusa** *Esta blusa está muy desgastada por los lavados y se clarea un poco* · **pantalón · vestido · falda** · ***otras prendas o tejidos***

● CON ADVS. **totalmente · completamente · ligeramente**

clarete s.m.

● CON SUSTS. **jarra (de) || vino** *Pídele al abuelo un vino clarete*

➤ Véase también **BEBIDA**

claridad s.f.

● CON ADJS. **absoluta · total · suma · cegadora · contundente · indudable · inequívoca · abrumadora || cristalina · matutina · diáfana · meridiana** *Expuso sus razones con claridad meridiana* · **transparente** *la transparente claridad de las aguas* || **necesaria · suficiente · insuficiente || proverbial · acostumbrada || celestial || lleno,na (de)**

● CON SUSTS. **ápice (de) · falta (de) · ausencia (de) || modelo (de) · ejemplo (de) || garantía (de)** *un programa informativo que nace como garantía de claridad y veracidad*

● CON VBOS. **faltar || despedir · desprender · perder · emitir · emanar · dar · tener** *Esta habitación tiene mucha claridad* || **aportar (a algo) · arrojar (sobre algo)** *Pero su testimonio no arrojó claridad sobre lo sucedido...* · **proyectar (sobre algo) · buscar || dotar (de) · carecer (de)**

● CON PREPS. **con** *Expuso el asunto con total claridad* · **sin || en aras (de) · en favor (de)**

clarificar v.

● CON SUSTS. **situación** *un detalle que puede contribuir a clarificar la situación* · **panorama · futuro · hecho · pasado · circunstancia || cuenta · precio · cobro · facturación || relato · mensaje · discurso · frase · respuesta** · ***otras manifestaciones verbales o textuales*** || **malentendido · duda · contradicción · confusión · misterio · sospecha || posición · actitud · postura · opción · planteamiento · criterio || cuestión · debate · asunto · conflicto · tema · polémica · problema** *Pongamos un ejemplo para clarificar el problema* || **actuación · estrategia · política · participación · gestión · acción || causa · razón · motivo** *Debería clarificar el motivo que lo llevó a actuar de esa forma* || **marco legal · regla · norma · condición · responsabilidad · deber · requisito || aspecto · dato · información · término · pormenor · detalle || objetivo · intención · proyecto · propósito · perspectiva || idea** *Necesito clarificar mis ideas antes de empezar a escribir* · **concepto · relación · contenido · pensamiento**

● CON ADVS. **absolutamente · por completo · totalmente · plenamente · perfectamente · exactamente || definitivamente · al extremo || suficientemente** *Las causas del accidente aún no han sido suficientemente clarificadas* · **convenientemente || públicamente**

clarinete s.m.

● CON ADJS. **solista · bajo · contrabajo || eléctrico · metálico · de viento**

● CON SUSTS. **cuarteto (de) · dúo (de) || versión (para)** *componer una versión para clarinete*

➤ Véase también **INSTRUMENTO MUSICAL**

clarividencia s.f.

● CON ADJS. **gran(de) · notable · extraordinaria · excepcional** *una mente innovadora de clarividencia excepcional* · **penetrante || asombrosa · sorprendente · pasmosa · portentosa || política** *Ha muerto uno de los líderes de mayor clarividencia política del país* · **empresarial || intelectual · intuitiva · profética · interpretativa || dotado,da (de) · lleno,na (de)**

● CON SUSTS. **acto (de) · prueba (de) || falta (de) || don (de)** *gozar del don de la clarividencia* · **dotes (de)**

● CON VBOS. **sorprender || faltar || tener** *Tuvo la clarividencia de guardar a buen recaudo todos los documentos* · **poseer · derrochar · demostrar · mostrar || ganar · perder || disponer (de) · distinguirse (por) · carecer (de)**

● CON PREPS. **con**

clarividente adj.

● CON SUSTS. **mente · filósofo,fa** *uno de los filósofos más clarividentes de su época* · **jugador,-a · pensador,-a** · ***otros individuos*** || **pensamiento · profecía · frase || diagnóstico** *el diagnóstico clarividente del médico* || **análisis · estudio · ensayo || mirada**

[claro, ra] → a las claras; claro, ra

claro, ra

1 **claro, ra** adj.

■ [luminoso o de colores suaves]

● CON SUSTS. **azul** *una camisa azul claro* · **verde · amarillo** · ***otros colores*** || **tono · tonalidad || habitación** *la habitación más clara de la casa* || **día · mañana · noche · cielo · tiempo || agua**

■ [aguado]

● CON SUSTS. **salsa** *La salsa me ha quedado un poco clara* · **puré · sopa · chocolate**

■ [puro o de timbre agudo]

● CON SUSTS. **sonido · voz**

■ [meridiano, preciso]

● CON SUSTS. **imagen · recuerdo · memoria || pensamiento · idea · juicio || análisis · diagnóstico · explicación · descripción · exposición · ejemplo** *Os pondré un ejemplo muy claro para que lo entendáis rápidamente* · **muestra || intención · motivación · motivo · causa · razón || profesor,-a · político,ca · expositor,-a** · ***otros individuos***

• CON ADVS. **como el agua** · **absolutamente** *Sus motivaciones están absolutamente claras* · **totalmente** · **meridianamente**

2 **clara** s.f.

• CON VBOS. **batir** · **montar** *montar las claras a punto de nieve* · **cuajar** || **separar**

3 **claro** adv.

• CON VBOS. **quedar** *Que quede claro que no fue él* · **dejar** · **estar** || **tener** · **ver** || **decir** · **hablar** *¿Por qué no te dejas de rodeos y hablas claro?* · **preguntar** · ***otros verbos de lengua***

□ EXPRESIONES **a las claras*** [abiertamente] || **poner en claro** [aclarar] *Tenemos que poner en claro algunos puntos* || **sacar en claro** [obtener conclusiones de algo]

clase s.f.

▌[estamento o grupo social]

• CON ADJS. **alta** · **media** *mujeres jóvenes de clase media* · **baja** · **obrera** · **trabajadora** · **pasivas** · **burguesa** · **acomodada** · **privilegiada** · **dominante** · **social** · **política** *el descontento generalizado hacia la clase política* · **económica** · **intelectual** || **próspera** · **floreciente** · **luchadora**

• CON SUSTS. **lucha (de)** · **conciencia (de)** · **distinción (de)**

• CON VBOS. **existir** · **surgir** · **aparecer** · **desaparecer** || **establecer** · **crear** · **abolir**

▌[enseñanza, lección]

• CON ADJS. **práctica** *una clase práctica de química* · **teórica** || **a domicilio** · **particular** *dar clases particulares de matemáticas* · **magistral** || **larga** · **corta** · **aburrida** · **entretenida** · **difícil** · **apasionante** · **interesante** · **útil** || **obligatoria** · **optativa** · **elemental** · **avanzada** · **superior** · **inferior**

• CON VBOS. **empezar** · **terminar** || **dar** · **impartir** *Imparte clases de física en el instituto* · **preparar** · **saber** · **recibir** || **haber** · **tener** *¿Hoy tienes clase?* || **saltarse** · **boicotear** · **interrumpir** · **suspender** · **perder** || **asistir (a)** *Para aprobar este curso es obligatorio asistir a clase* · **faltar (a)**

▌[categoría o distinción]

• CON ADJS. **innata** || **falto,ta (de)** · **sobrado,da (de)** *un jugador sobrado de clase*

• CON SUSTS. **toque (de)**

• CON VBOS. **faltar(le) (a alguien)** || **tener** · **poseer** · **derrochar** · **desprender** || **demostrar** · **mostrar** · **revelar** · **evidenciar**

• CON PREPS. **con** *una dama con clase*

clásico, ca adj.

• CON SUSTS. **obra** · **novela** · **poesía** · **pintura** · ***otras creaciones*** || **teatro** · **literatura** · **historia** · **ciencia** · **mitología** · **cine** *un ciclo de cine clásico* · ***otras disciplinas*** || **estudio** · **saber** · **formación** || **música** · **ballet** *una compañía de ballet clásico* · **danza** · **baile** · **composición** · **repertorio** || **guitarra** || **estrofa** · **verso** · **métrica** || **autor,-a** · **novelista** · **poeta** · **dramaturgo,ga** || **mundo** · **valor** · **cultura** · **tradición** || **forma** · **perfil** · **belleza** · **estilo** · **corte** *Siempre lleva trajes de corte clásico* · **línea** · **enfoque** · **registro** || **canon** · **modelo** · **ejemplo** · **paradigma** · **prueba** · **muestra** · **exponente** || **tema** · **personaje** · **elemento** || **sistema** · **estructura** || **teoría** · **idea** · **creencia** || **fallo** · **error** *No te preocupes, es el error clásico de los principiantes* · **problema** · **conflicto**

clasificación s.f.

▌[ordenación]

• CON ADJS. **alfabética** · **cronológica** || **precisa** · **detallada** · **exhaustiva** *una exhaustiva clasificación de los minerales* · **minuciosa** · **ordenada** || **general** · **vaga** · **burda** · **tosca** · **somera** · **superficial**

• CON VBOS. **establecer** · **proponer** · **hacer** · **realizar** · **adelantar** · **fijar** · **defender** || **basar (en algo)** · **fundamentar (en algo)**

▌[en una competición]

• CON ADJS. **brillante** *La felicitaron por su brillante clasificación en la carrera* · **honrosa** · **meritoria** || **general** · **mundial** · **local** || **valedero,ra (para)**

• CON SUSTS. **fase (de)** *el primer encuentro de la fase de clasificación* · **puesto (de)** · **líder (de)** · **posición (de)** · **tabla (de)** || **acto (de)** · **prueba (de)**

• CON VBOS. **alcanzar** · **conseguir** *El equipo consiguió su clasificación para la final* · **lograr** · **obtener** · **tener** || **caerse (de)**

• CON PREPS. **en cabeza (de)** || **fuera (de)**

[clasificar] → clasificar; clasificarse

clasificar v.

• CON SUSTS. **papel** · **documento** *Tardaré varios días en clasificar todos los documentos* · **informe** · **ficha** · **papeleta** · **expediente** || **información** · **dato** · **referencia** · **resultado** || **fotografía** · **imagen** · **libro** · **periódico** · **disco** · **obra** · ***otros objetos***

• CON ADVS. **alfabéticamente** · **cronológicamente** · **jerárquicamente** *clasificar jerárquicamente la información* || **minuciosamente** · **ordenadamente** || **debidamente** · **adecuadamente** || **en orden {ascendente/descendente/alfabético...}**

clasificarse v.

• CON SUSTS. **jugador,-a** · **escritor,-a** · **concursante** · **participante** · **equipo** · ***otros individuos y grupos humanos***

• CON ADVS. **brillantemente** · **holgadamente** · **por los pelos** *Después de una competición muy reñida, el equipo se clasificó por los pelos* || **merecidamente** · **por méritos propios** · **inmerecidamente** || **sin pena ni gloria** || **virtualmente**

clasista adj.

• CON SUSTS. **sociedad** *La de aquella época era una sociedad tremendamente clasista* · **carácter** || ***persona*** *A través de sus artículos se puede deducir que es un escritor muy clasista* || **ideología** · **política** · **corriente** · **principios** || **enfrentamiento** || **tinte** · **tono** · **aire** · **rasgo** · **detalle**

• CON ADVS. **completamente** · **claramente** · **enormemente**

• CON VBOS. **volverse** · **hacerse**

claudicar (ante) v.

• CON SUSTS. **superioridad** *Tuvieron que claudicar ante la superioridad numérica del enemigo* · **autoridad** · **tiranía** · **despotismo** || **presión** · **peso** · **fuerza** · **intensidad** || **amenaza** · **riesgo** · **peligro** || **problema** · **dificultad** *No debes claudicar ante las dificultades* · **fatalidad** || **obligación** · **deber** · **exigencia** · **necesidad** || **propósito** · **ilusión** || **evidencia**

• CON ADVS. **inevitablemente** · **irremisiblemente** · **forzosamente** || **de antemano** · **cobardemente** || **incondicionalmente** · **invariablemente** · **sin reservas** · **a regañadientes**

claustro s.m.

▮ [órgano universitario]

● CON ADJS. **provisional** · **extraordinario** *Se ha convocado un claustro extraordinario* · **ordinario** · **constituyente** || **de profesores** · **universitario** · **académico** · **estamental**
● CON SUSTS. **miembro (de)** || **reunión (de)** · **acta (de)**
● CON VBOS. **acordar (algo)** · **proponer (algo)** *Mañana se harán públicas las medidas que ha propuesto el claustro* · **decidir (algo)** · **determinar (algo)** · **aprobar (algo)** || **declarar (algo)** || **formar** · **componer** *Componen el claustro las siguientes personas...* · **integrar** · **constituir** · **renovar** || **designar** · **elegir** · **votar** || **convocar** · **reunir(se)**

▮ [recinto]

● CON ADJS. **gótico** · **románico** · **barroco** · **renacentista** || **superior** *dinero destinado a la reconstrucción del claustro superior del monasterio* · **central** || **antiguo** || **monacal**
● CON SUSTS. **ruinas (de)** · **restos (de)** || **patio (de)** · **arco (de)** || **traslado (de)** || **réplica (de)**
● CON VBOS. **visitar** *El claustro no se podrá visitar mientras duren las tareas de restauración* · **recorrer** · **rodear** || **restaurar** · **reconstruir** · **reformar**

claustrofobia s.f.

● CON ADJS. **agobiante** · **insoportable** · **fuerte** || **típica** || **escénica**
● CON SUSTS. **sensación (de)** · **problema (de)** · **tendencia (a)** || **síntoma (de)**
● CON VBOS. **entrar (a alguien)** *Solo de pensar que me puedo quedar encerrado, me entra claustrofobia* || **dar** · **provocar** · **producir** || **tener** · **sentir** || **superar** · **vencer** || **sufrir (de)** · **padecer (de)**

cláusula s.f.

● CON ADJS. **contractual** *cláusula contractual de compensación económica* · **administrativa** || **de rescisión** · **de cesión** · **de exoneración** · **de garantía** · **de salvaguardia** · **cautelar** · **indemnizatoria** || **especial** · **específica** · **secreta** || **justa** · **abusiva** *No firmaré el contrato porque una de sus cláusulas me parece abusiva* · **onerosa** · **polémica** || **flexible** · **restrictiva** · **forzosa**
● CON VBOS. **estipular (algo)** · **determinar (algo)** · **especificar (algo)** · **establecer (algo)** · **impedir (algo)** *una cláusula que impide al jugador la negociación con otros equipos* || **vencer** · **caducar** || **incluir** *El escrito incluía una cláusula en letra pequeña* · **contener** · **establecer** · **fijar** · **imponer** · **negociar** || **eliminar** · **invalidar** || **aceptar** *Las partes conocen y aceptan todas las cláusulas del acuerdo* · **respetar** · **acatar** · **cumplir** · **ejecutar** · **conocer** || **contravenir** · **infringir** · **vulnerar** · **incumplir** · **ignorar**

[clausura] s.f. → clausura; de clausura

clausura s.f.

▮ [acto oficial o solemne]

● CON ADJS. **apoteósica** · **espectacular** · **deslumbrante**
● CON SUSTS. **acto (de)** · **ceremonia (de)** *A la ceremonia de clausura asistirán numerosas personalidades* · **discurso (de)** · **lección (de)** · **conferencia (de)** · **mitin (de)** · **sesión (de)** · **concierto (de)** · **gala (de)** · **torneo (de)** · **partido (de)** · **fiesta (de)** · **cena (de)** · **velada (de)** · **baile (de)** · **jornada (de)** · **día (de)** · **fecha (de)**
● CON VBOS. **celebrar(se)** · **producir(se)** || **presidir** || **presenciar** || **asistir (a)** · **acudir (a)**
● CON PREPS. **durante** · **en**

▮ [cierre]

● CON ADJS. **definitiva** *Los vecinos exigen la clausura definitiva de la fábrica contaminante* · **provisional** · **temporal** · **indefinida** · **oficial** || **cautelar** · **preventiva** || **brusca** · **repentina** · **imprevista** · **inminente** · **inmediata**
● CON VBOS. **exigir** · **proclamar** · **ordenar** *Se ha ordenado la clausura del local por no cumplir las normas de seguridad* · **decretar** · **apoyar** · **impulsar** · **negociar** || **efectuar** · **llevar a cabo** || **prevenir** · **impedir** · **evitar** || **proceder (a)** *La Policía procedió a la clausura del establecimiento* || **oponer(se) (a)**

clausurar v.

● CON SUSTS. **congreso** *El Congreso fue clausurado por el nuevo secretario general del partido* · **asamblea** · **reunión** · **encuentro** · **jornada** · **certamen** · **curso** · **exposición** || **local** · **establecimiento** · **edificio** · **recinto** · **negocio** · **empresa**
● CON ADVS. **definitivamente** · **provisionalmente** *Las autoridades clausuraron provisionalmente el establecimiento* · **temporalmente** || **cautelarmente** · **preventivamente** || **oficialmente** || **a cal y canto**

clavar v.

▮ [introducir]

● CON SUSTS. **clavo** · **alfiler** · **tornillo** · **astilla** · **espina** *Se me ha clavado una espina en el dedo* · **chincheta** · **cuchillo** · **estaca** || **cuadro** · **madera** · **herradura**

▮ [fijar, poner]

● CON SUSTS. **mirada** *Buscando su aprobación, clavó su mirada en la de su novia* · **ojos** · **sonrisa** · **vista** · **pupilas** || **grito** *Su grito se me clavó en el corazón* · **chillido** · **imagen** · **voz** · **sonido** · **saeta** · **luz** *La luz del Mediterráneo se clava en nuestras pupilas* || **miedo** · **desesperación** · **animadversión** · **emoción**

▮ [cobrar más de lo normal] *col.*

● CON SUSTS. **cliente** · **usuario,ria** · ***otros individuos*** || ***cantidad económica*** *Me clavaron doscientos euros por la cena*

▮ [acertar, salir bien]

● CON SUSTS. **gol** · **triple** · **tiro** *El jugador clavó un tiro libre* · **tanto** || **respuesta** *Tengo la sensación de haber clavado la respuesta* · **examen** · **solución** || **cita** · **verso** · **poema** · **frase** · **noticia**

clave s.f.

▮ [código, fórmula]

● CON ADJS. **secreta** *He olvidado la clave secreta de mi tarjeta de crédito* · **inaccesible** · **desconocida** · **conocida** || **indescifrable** · **complicada** · **enrevesada** · **incomprensible** · **difícil** || **fácil** · **sencilla** · **accesible**
● CON VBOS. **establecer** · **fijar** · **elaborar** · **inventar** || **dar** · **proporcionar** · **decir** · **ocultar(se)** · **esconder(se)** || **descubrir** · **encontrar** · **obtener** · **conseguir** · **averiguar** · **desvelar** · **descifrar** *Descifró la clave que le permitía abrir la caja fuerte* · **decodificar** · **desentrañar** · **destapar** · **explicar** · **aclarar**
● CON PREPS. **en** *un mensaje en clave*

▮ [lo que es fundamental o decisivo]

● CON SUSTS. **punto** *un punto clave en el logro del objetivo* · **aspecto** · **elemento** · **componente** · **factor** · **pieza** · **sector** || **tema** · **cuestión** · **problema** · **palabra** · **pregunta** || **hombre** · **mujer** · **figura** · **testigo** || **papel** · **función** · **puesto** || **momento** *Está en un momento clave de su vida* · **etapa** · **período**
● CON VBOS. **radicar (en algo)** · **estar (en algo)** *La clave de su éxito está en el trato humano* · **residir (en algo)**

☐ EXPRESIONES **en clave de** [en tono de] *en clave de comedia*

clavija s.f.

● CON VBOS. **apretar** *Si sigues sin hacer los deberes, tus padres van a tener que apretarte las clavijas* · **cambiar** · **ajustar**

[clavo] →clavo; como un clavo

clavo s.m.

● CON ADJS. **metálico || puntiagudo · oxidado**
● CON SUSTS. **punta (de) · cabeza (de)**
● CON VBOS. **entrar · salir || clavar · introducir · meter || sacar · extraer || martillear · golpear**

□ EXPRESIONES **agarrarse {a/de} un clavo ardiendo** [recurrir a un medio extremo para salir de un problema] || **como un clavo*** [puntual] || **dar en el clavo** [acertar] *col.* || **no {dar/pegar} ni clavo** [no trabajar] *col.*

clemencia s.f.

● CON SUSTS. **petición (de) || medida (de)**
● CON VBOS. **pedir · implorar · suplicar · rogar · solicitar || conceder · administrar · denegar · negar || ejercer · practicar · tener** *La afición no tuvo clemencia con el jugador y lo abucheó despiadadamente*
● CON PREPS. **con** *tratar a alguien con clemencia* · **sin || por**

clerical adj.

● CON SUSTS. **sector · estamento · grupo · cúpula · sistema · escalafón · mundo || tribunal || influencia · oposición || tradición · mentalidad · idea · espíritu**

clérigo s.m.

● CON ADJS. **cristiano · musulmán · islámico · católico · protestante** *El escritor era hijo de un clérigo protestante* · **suní · chiíta · anglicano || conservador · tradicional · reformista · moderado || fundamentalista · integrista · radical · fanático · extremista · rigorista · austero || secularizado · renegado || ejemplar · iluminado || oficiante** *Conocíamos desde hacía años al clérigo oficiante* || **regular · secular**
● CON VBOS. **oficiar · predicar || ordenar(se) (de/como)**

clero s.m.

● CON ADJS. **católico · diocesano · ortodoxo · anglicano || secular · regular || conservador · progresista** *Una parte del clero más progresista no está de acuerdo con esta medida* || **castrense**

clic s.m.

● CON ADJS. **leve · simple · doble** *hacer un doble clic sobre un icono*
● CON VBOS. **sonar || hacer · producir || oír** *Se oyó un clic y se activó el sistema*

cliché s.m.

● CON ADJS. **viejo** *Ya es hora de abandonar viejos clichés* · **habitual · tradicional · acostumbrado · común · convencional · conocido · aprendido · repetido · socorrido · manido · sobado · trillado · fácil · abusivo || lingüístico || lleno,na (de)**
● CON VBOS. **emplear · usar || evitar · abandonar || recurrir (a)** *El director de la película recurre a todos los clichés del género* · **acudir (a) · abusar (de) || huir (de) · alejar(se) (de) · romper (con)**

clienta s.f. Véase **cliente**

cliente s.com.

● CON ADJS. **habitual · asiduo,dua · fiel · leal · ocasional · potencial** *una campaña publicitaria para atraer clientes potenciales* · **esporádico,ca || satisfecho,cha · insatisfecho,cha · selecto,ta || moroso,sa**
● CON SUSTS. **atención (a) · servicio (a) || cartera (de) · red (de)**
● CON VBOS. **captar · hacer · ganar · atraer · arañar · granjearse || mantener · fidelizar · perder · recuperar || atender** *¿Quieres atender al cliente que acaba de entrar?* · **ayudar · informar · visitar · complacer · agradar · entretener · beneficiar || engañar · estafar · timar · embaucar · vejar || ofrecer (a)** *Ofrecemos al cliente un servicio de calidad* · **brindar (a) || abusar (de)**

clientela s.f.

● CON ADJS. **selecta** *al servicio de nuestra selecta clientela* · **buena · exigente · de calidad || fiel · asidua · estable · leal · tradicional · habitual || potencial · ocasional || abundante · variada || infantil · joven** *un garito frecuentado por clientela muy joven* · **dinámica || morosa || electoral · política**
● CON VBOS. **frecuentar (algo) · visitar (algo) · acudir (a un lugar) || asegurar** *Con estas ofertas pretenden asegurarse una clientela estable* · **retener · mantener · recuperar || atraer · captar · ganar · hacer · aumentar || reducir · quitar · perder · disminuir || beneficiar || informar · atender** *Tienen buenos precios, y además saben atender a la clientela* || **ofrecer (a) · brindar (a) || hacerse (con)** *hacerse con una buena clientela*

clima

1 **clima** s.m.

▮ [condiciones meteorológicas]

● CON ADJS. **tropical · desértico** *una vegetación propia de los climas desérticos* · **polar · continental · mediterráneo || frío · templado · cálido · caluroso · tórrido · abrasador · seco · húmedo || suave** *La zona era de clima suave y escasa lluvia* · **agradable · benigno · apacible · acogedor · riguroso · severo · extremado · buen(o) · mal(o) || estival · veraniego · primaveral · invernal · otoñal || cambiante · impredecible · inestable**
● CON SUSTS. **variación (de) || rigores (de)**
● CON VBOS. **predecir · anticipar · prever || cambiar · estabilizar(se) || gozar (de)**
● CON PREPS. **por motivos (de) · a causa (de)**

▮ [ambiente]

● CON ADJS. **favorable** *un clima de opinión favorable* · **propicio · constructivo · de cooperación · distendido || hostil · desfavorable · tenso · enrarecido** *Últimamente hay un clima enrarecido en la oficina* · **desapacible · intempestivo · infernal · desolador · bronco · airado · asfixiante · opresivo || reinante · imperante || político · electoral · social · moral · emocional · de opinión**
● CON SUSTS. **deterioro (de) · mejora (de) · empeoramiento (de) || predicción (de)**
● CON VBOS. **formar(se) · crear(se) || caldear(se) · enrarecer(se) || enfriar(se) · serenar(se) · sosegar(se) || respirar** *Se respiraba un clima de euforia* · **vivir || propiciar · mantener · recobrar || alterar · tensar**

2 **clima (de)** s.m.

● CON SUSTS. **trabajo** *crear un buen clima de trabajo* · **negocio · negociación || paz · armonía · unidad · entendimiento · comprensión · consenso · diálogo · colaboración · cooperación · convivencia · cordialidad · distensión · tolerancia · libertad || tranquilidad · serenidad · calma · sosiego · estabilidad · normalidad** *Los comicios se desarrollaron en un clima de normalidad de-*

mocrática || **optimismo** *En la bolsa se percibe un nuevo clima de optimismo* · **confianza** · **expectación** · **entusiasmo** · **euforia** · **victoria** || **temor** · **sospecha** · **desconfianza** · **incertidumbre** · **agitación** · **crispación** *El clima de crispación que se había creado impidió la firma del convenio* · **tensión** · **malestar** · **insatisfacción** · **intranquilidad** · **inseguridad** · **desorden** · **terror** · **pesimismo** · **desaliento** || **confrontación** · **enfrentamiento** · **guerra** · **violencia** · **intolerancia**

climático, ca adj.

• CON SUSTS. **condiciones** · **factor** · **ambiente** · **situación** *La flota permanece amarrada debido a la situación climática* || **problema** · **desastre** · **impacto** · **catástrofe** *Es la catástrofe climática de mayor impacto en los últimos años* || **equilibrio** · **cambio** · **reforma** || **fenómeno** · **inclemencia** || **ciclo** · **sistema** · **modelo** || **predicción** · **análisis**

climatizar v.

• CON SUSTS. **zona** · **recinto** · **edificio** *una empresa dedicada a climatizar edificios de oficinas* · **casa** · **local** · **sala** · ***otros espacios cerrados*** || **oficina** · **comercio** · **restaurante** · ***otros establecimientos*** || **coche** · **autobús** · **vagón** · ***otros vehículos*** || **piscina** · **pileta** || **aire** · **ambiente**

climatología s.f.

▮ [condiciones del clima]

• CON ADJS. **adversa** *Tuvimos que soportar una climatología adversa durante toda la travesía* · **mala** · **infernal** || **suave** · **favorable** · **benigna** · **buena** · **excelente** *un lugar con una excelente climatología* · **magnífica**

• CON VBOS. **influir** · **contribuir** · **condicionar** || **acompañar** *Se espera un lleno absoluto, si la climatología acompaña* · **facilitar** || **impedir** · **imposibilitar** || **sorprender** || **cambiar** *Dicen que en los próximos días cambiará la climatología* || **soportar** || **adaptar(se) (a)** *adaptarse a la climatología de un lugar* · **depender (de)**

▮ [rama del saber] Véase **DISCIPLINA**

climatológico, ca adj.

• CON SUSTS. **situación** · **condiciones** *condiciones climatológicas propicias para navegar* · **factor** · **agente** · **característica** · **rasgo** || **cambio** · **fenómeno** · **incidencia** · **inclemencia** · **problema** · **rigor** · **adversidad** · **catástrofe** || **bonanza** · **calma** · **suavidad**

clímax s.m.

• CON ADJS. **dramático** · **estético** · **musical** · **poético** || **final** *Un solo de batería prepara al auditorio para el clímax final* || **intenso** · **poderoso** · **estruendoso** · **apoteósico** · **álgido**

• CON VBOS. **alcanzar** *La obra alcanza su clímax cuando se enfrentan los dos protagonistas* · **conseguir** || **llegar (a)**

[clínica] s.f. → clínico, ca

clínicamente adv.

• CON VBOS. **examinar** · **analizar**

• CON ADJS. **muerto,ta** *Cuando ingresó en el hospital ya estaba clínicamente muerto* || **comprobado,da** · **testado,da**

clínico, ca

1 **clínico, ca** adj.

• CON SUSTS. **examen** · **diagnóstico** · **análisis** || **caso** · **historial** *En su historial clínico no consta ninguna patología del riñón* · **historia** · **hospital** || **miedo**

2 **clínica** s.f.

• CON ADJS. **privada** · **particular** · **pública** || **psiquiátrica** · **mental** · **maternal** · **dental** *Acudí a una clínica dental para hacerme una revisión* · **oftalmológica** · **veterinaria** || **clandestina**

• CON VBOS. **internar (en)** · **ingresar (en)** · **trasladar (a)** · **acudir (a)** || **atender (en)** · **operar (en)**

cliquear v.

• CON ADVS. **levemente** · **ligeramente** · **simplemente** · **únicamente** || **una vez** · **dos veces** *Cliquea dos veces en este icono*

club s.m.

• CON ADJS. **prestigioso** *El jugador, que acaba de fichar por un prestigioso club...* || **nocturno** · **deportivo** · **social** · **náutico** · **de fútbol** · **infantil** || **de fans**

• CON SUSTS. **presidente,ta (de)** · **dirigente (de)** · **accionista (de)** *una reunión extraordinaria de los accionistas del club* · **directivo,va (de)** || **sede (de)**

• CON VBOS. **presidir** · **dirigir** *Dirigió el club durante más de veinte años* · **regentar** · **gestionar** || **encontrar** · **abandonar** || **militar (en)** · **entrenar (en)** · **jugar (en)** || **llegar (a)** · **salir (de)**

coacción s.f.

• CON ADJS. **fuerte** · **intensa** · **extrema** · **implacable** · **sistemática** · **opresiva** · **reiterada** · **insufrible** || **clara** · **manifiesta** · **evidente** || **física** · **psicológica** · **mental**

• CON SUSTS. **caso (de)** · **intento (de)** || **efecto (de)** || **resistencia (a)**

• CON VBOS. **ejercer (sobre alguien)** || **sufrir** *Aseguró que había sufrido amenazas y coacciones reiteradas* · **resistir** · **aceptar** || **denunciar** || **someter (a)** · **librar(se) (de)** · **ceder (a/ante)**

• CON PREPS. **bajo** *Alegó que había actuado bajo coacción* · **por** · **sin**

coaccionar v.

• CON SUSTS. **juez** · **árbitro,tra** · **testigo** · **gobierno** · **tribunal** *Fue acusada de coaccionar al tribunal con sus declaraciones a la prensa* · ***otros individuos y grupos humanos***

• CON ADVS. **abiertamente** · **claramente** · **descaradamente** · **directamente** · **insistentemente** · **sin tapujos** || **levemente** · **ligeramente**

coadyuvante adj.

• CON SUSTS. **factor** *El sedentarismo es un factor coadyuvante en este tipo de enfermedades* · **elemento** · **aspecto**

coagulación s.f.

• CON VBOS. **provocar** · **favorecer** · **regular** *un medicamento que regula la coagulación de la sangre* · **impulsar** · **facilitar** || **impedir** · **evitar** · **inhibir**

coagularse v.

• CON SUSTS. **sangre** || **aceite** · **leche** · ***otros líquidos***

• CON ADVS. **rápidamente** · **inmediatamente** · **lentamente** || **normalmente** *Los análisis indican que su sangre se coagula normalmente* · **defectuosamente**

coágulo s.m.

• CON ADJS. **de sangre** *La operaron para extirpar un coágulo de sangre* · **sanguíneo** || **cerebral** · **coronario**

• CON VBOS. **formar(se)** || **crear** · **desarrollar** · **producir** || **detectar** || **extraer** · **extirpar** · **eliminar** · **deshacer** · **romper** · **disolver** *Me han dicho que es posible disolver el coágulo sin necesidad de operación*

coalición s.f.

● CON ADJS. **fuerte · férrea · poderosa** *una poderosa coalición de países* · **opositora || débil · endeble || triunfante · victoriosa || antigua · vieja · nueva · reciente || gubernamental · política · electoral · social · conservadora · progresista · nacionalista**
● CON SUSTS. **gobierno (de) · partido (de) · dirigente (de) · líder (de) · socio (de) · miembro (de) || ruptura (de) || éxito (de) · fracaso (de)**
● CON VBOS. **aglutinar (algo/a alguien)** *La coalición aglutina a varios partidos de corte liberal* · **reunir (algo/a alguien) · agrupar (algo/a alguien) · comprender (algo/a alguien) || fortalecer(se) · mantener || romper(se)** *coalición que se rompió tras el último fracaso electoral* · **deshacer(se) · disolver(se) · desmembrar(se) · frustrar(se) · fracasar || formar · constituir · crear · forjar · trabar · cimentar || debilitar · derrotar · derrocar · vencer || apoyar · impulsar · propiciar · favorecer**
● CON PREPS. **en** *Esa dos formaciones concurren a los comicios en coalición*

coartada s.f.

● CON ADJS. **perfecta · válida · sólida** *La sospechosa tenía una sólida coartada* · **excelente · impecable · consistente · coherente · convincente · creíble || débil · endeble · frágil · inconsistente · incoherente · increíble · insostenible · inverosímil · confusa · supuesta** *desmontada la supuesta coartada del imputado* **|| candorosa · inocente || exculpatoria · legitimadora || moral**
● CON VBOS. **tener(se) en pie · mantener(se) || buscar · encontrar (en algo) || montar · planear · urdir · tejer · tramar · maquinar || tener** *tener una buena coartada* · **presentar · sostener || deshacer · desmontar · desarmar · desechar · rebatir · refutar · debilitar · desacreditar · desarbolar || probar · demostrar || servir (de) · usar (como) · recurrir (a) · escudarse (en)** *Se escudaba en una coartada demasiado endeble* **|| carecer (de)**

coartar v.

● CON SUSTS. **libertad · independencia · voluntad || derecho** *coartar los derechos de los trabajadores* · **posibilidad || desarrollo · avance || obra · función · labor || idea · iniciativa · proyecto || espontaneidad · creatividad · imaginación || expresión · expresividad || risa · diversión · juerga · jolgorio · fiesta**

coautor, -a s.

● CON ADJS. **presunto,ta** *Hoy declara el presunto coautor del secuestro* · **supuesto,ta || probado,da · confeso,sa · demostrado,da || intelectual · material || necesario · posible · probable**
● CON VBOS. **considerar · declarar(se)** *Se ha declarado coautora del crimen* **|| acusar (de) · procesar (como) · condenar (como) || convertir(se) (en)**

coba s.f.

● CON VBOS. **dar** *No hace falta que nos dé coba*

cobarde adj.

● CON SUSTS. ***persona* || actitud · decisión · acto · acción || asesinato · ataque · crimen · atentado** *Todos los partidos políticos han condenado este cobarde atentado* · **agresión · acusación || silencio · resignación · dejación · rendición · entrega · cesión · pacto || huida · retirada || traición**
● CON VBOS. **calificar (de) · tildar (de) || volverse**

cobardemente adv.

● CON VBOS. **callar · ocultar || huir** *En cuanto se presentan las dificultades, huye cobardemente* · **escapar · rehuir · retirar(se) · replegarse || rendirse · entregar(se) · someterse · resignarse · ceder · aceptar · pactar || traicionar** *Traicionó cobardemente a sus compañeros* · **acusar · insultar · ultrajar || atacar · agredir · asesinar · matar · asaltar**

cobardía s.f.

● CON ADJS. **tremenda · extrema · suprema · suma || vil · despreciable · imperdonable** *No salir en su defensa me pareció una cobardía imperdonable* · **inadmisible · intolerable · mezquina · mísera || clara · visible || pura** *Ocultó la verdad por pura cobardía* · **simple || personal · moral · política**
● CON SUSTS. **acto (de)** *Algunos calificaron su marcha como un acto de cobardía* · **muestra (de) · gesto (de) · ejemplo (de) · ejercicio (de) || síntoma (de) · signo (de) || acusación (de)**
● CON VBOS. **demostrar · mostrar · revelar · manifestar · evidenciar · implicar · reflejar · retratar || criticar · soportar || vencer** *Parece que al final venció su cobardía y dio la cara* · **superar · combatir || pecar (de) · adolecer (de) · caer (en) || acusar (de) · calificar (de)**
● CON PREPS. **con · por** *Si no contesté fue por cobardía*

cobaya s.amb.

● CON ADJS. **de laboratorio · clínico,ca || humano,na || mero,ra**
● CON VBOS. **experimentar (con/en) · investigar (con/en) · probar (con/en) · analizar (en) || usar (como) · utilizar (como) · emplear (como) · convertir(se) (en) || servir (de) · hacer (de)** *Los afectados no están dispuestos a hacer de cobayas en la investigación*

cobertor s.m.

● CON VBOS. **poner · colocar · extender || doblar || tapar (con) · cubrir (con)** *Puso al niño sobre la cama y lo cubrió con el cobertor* · **arrebujarse (bajo) · arropar (con) · envolver (en/con)**

cobertura s.f.

● CON ADJS. **total · completa · amplia · máxima · elevada || baja · escasa · poca · mínima · parcial || especial** *Al tratarse de un acontecimiento tan importante, recibirá una cobertura informativa especial* **|| territorial · local · nacional · mundial · universal || radiofónica · televisiva · mediática · periodística · informativa || sanitaria · médica · social · educativa · legal · jurídica · política**
● CON SUSTS. **área (de) · zona (de) · ámbito (de) || nivel (de) · índice (de) · tasa (de) · falta (de) || sistema (de) · plan (de)**
● CON VBOS. **tener** *En esta zona no puedo usar el móvil porque no tengo cobertura* · **acaparar || ampliar · extender · mejorar · incrementar · aumentar || disminuir · recortar · limitar || ofrecer** *un seguro que le ofrece cobertura internacional* · **proporcionar · brindar · cubrir || lograr · alcanzar || dar (a algo) · otorgar (a algo) || asegurar · garantizar · recibir · desplegar || carecer (de)**

cobijar(se) (de) v.

● CON SUSTS. **lluvia** *Nos cobijamos de la lluvia en el portal* · **chaparrón · nieve · viento · tormenta || flechas · balas · disparos · proyectiles**

cobijo s.m.

● CON ADJS. **seguro || legal** *Los mafiosos no encontrarán aquí cobijo legal*
● CON VBOS. **buscar** *Los excursionistas buscaron cobijo entre unas enormes rocas* · **necesitar · pedir · encontrar · hallar || dar · ofrecer · brindar · recibir**

[cobrar] → cobrar; cobrar fuerza; cobrarse

cobrar v.

▮ [recibir como pago]

• CON SUSTS. **dinero · interés · comisión · letra · sueldo · préstamo**
• CON ADVS. **a plazos · en efectivo** *¿El premio se puede cobrar en efectivo?* · **en metálico · al contado · en especie || abusivamente · en exceso · excesivamente || puntualmente · religiosamente** *Estos jornaleros cobran religiosamente cada viernes* · **indebidamente || totalmente · íntegramente || a partes iguales · oficialmente**

▮ [hacer efectivo]

• CON SUSTS. **cheque** *Puedes cobrar el cheque en cualquier banco* · **factura · cuenta**

▮ [cazar]

• CON SUSTS. **perdiz** *El cazador cobró aquel día seis perdices de buen tamaño* · **jabalí · ciervo ·** ***otras piezas de cacería***

▮ [tener, adquirir]

• CON SUSTS. **cariño** *Al final, todos le cobramos cariño* · **simpatía · afecto || vida · viveza · vitalidad || fuerza · brío · vigor · ánimo · impulso · ímpetu · intensidad · velocidad** *El motor va, poco a poco, cobrando mayor velocidad* **|| importancia · protagonismo · relevancia · relieve · entidad · vigencia · actualidad · trascendencia** *un asunto que ha cobrado trascendencia solo por la notoriedad de los protagonistas* **|| fama · prestigio · popularidad || resplandor · brillo · esplendor · lustre · nitidez || valor** *Con el paso de los años, los viejos consejos de mi padre fueron cobrando valor* · **interés · atractivo || sentido · significado · significación || dimensión · envergadura · proporción · volumen · peso || realidad · forma** *El proyecto ya está cobrando forma, pero aún necesita unos meses de preparación* · **cuerpo · consistencia || autenticidad · credibilidad · verosimilitud**

cobrar fuerza loc.vbal.

• CON SUSTS. **nacionalismo · vanguardismo · surrealismo ·** ***otras tendencias*** **|| literatura** *La literatura fantástica empezó a cobrar fuerza con la publicación de...* · **poesía · teatro · filosofía · pintura ·** ***otros géneros artísticos*** **|| personaje · figura · partido · estado ·** ***otros individuos y grupos humanos*** **|| información · noticia · voz || fuego · llama · llamarada · viento · huracán · meteoro || impresión** *La impresión de que algo no estaba bien cobró mayor fuerza cuando...* · **sensación · presentimiento · hipótesis · posibilidad · eventualidad · rumor · runrún · especulación · misterio · incógnita || teoría · tesis** *Una tesis controvertida y polémica, pero que está cobrando fuerza...* · **idea · propuesta · plan · argumento · proyecto · programa · opción · candidatura · perspectiva · interpretación · posición · postura || temor** *El temor a una inundación iba cobrando fuerza a medida que arreciaba la lluvia* · **miedo · amenaza · expectativa · anhelo || polémica · debate · discusión · controversia · versión || lucha · movilización · guerra · pronunciamiento · rebelión · reivindicación · campaña || oposición · crítica · objeción · demanda**

cobrarse v.

• CON SUSTS. **víctima · vida** *La inundación se cobró muchas vidas*

cobre s.m.

• CON SUSTS. **mina (de) · yacimiento (de) · explotación (de) · reserva (de) || cable (de) · hilo (de) · alambre (de)** *El alambre de cobre es un buen conductor de la electricidad* · **lámina (de) · plancha (de) || minería (de) · producción (de) · extracción (de) || aleación (de) || moneda (de)** *Las monedas de cobre suelen tener poco valor* · **anillo (de)**
• CON VBOS. **extraer** *Extraen cobre de ese yacimiento desde hace siglos* · **producir · detectar · obtener · hallar || utilizar · manipular · emplear · trabajar || fundir || recubrir (de)**

cobrizo, za adj.

• CON SUSTS. **color · azul · verde · tono · tonalidad · aspecto || piel** *indígenas de piel cobriza* · **cara · tez · cabello · pelo · cuerpo || luz · brillo · reflejo** *Se ha puesto reflejos cobrizos* · **resplandor**

[cobro] → a cobro revertido; cobro

cobro s.m.

• CON ADJS. **en efectivo · en metálico || al contado · a plazos || ágil · puntual · tardío · pendiente || revertido** *hacer una llamada a cobro revertido*
• CON VBOS. **solicitar · ordenar · tramitar · realizar · efectuar || agilizar** *Contrataron una gestoría para agilizar el cobro de las facturas* · **acelerar · adelantar || retardar · retrasar**

coca s.f.

• CON SUSTS. **mata (de) · hoja (de)** *mascar hojas de coca* · **pasta (de) || cultivo (de) · plantación (de) · campo (de)**
• CON VBOS. **plantar · cultivar · sembrar · producir || ingerir · inhalar · esnifar**
➤ Véase también **DROGA**

cocaína s.f.

• CON ADJS. **pura · impura**
• CON SUSTS. **bola (de) · pasta (de)**
• CON VBOS. **ingerir · inhalar · esnifar || cortar**
➤ Véase también **DROGA**

cocción s.f.

• CON ADJS. **instantánea · lenta · rápida || a fuego {lento/rápido/vivo}**
• CON SUSTS. **punto (de) · tiempo (de)** *¿Sabes cuál es el tiempo de cocción de los macarrones?* **|| caldo (de) · jugo (de) · agua (de) || sistema (de) · proceso (de)**
• CON VBOS. **demorar(se) · tardar || iniciar · empezar || prolongar · proseguir · continuar || finalizar · completar || vigilar**
• CON PREPS. **durante · a media · a mitad (de)** *Añada el perejil picado a mitad de cocción*

cocear v.

• CON SUSTS. **caballo · yegua · burro,rra · asno,na ·** ***otros animales***
• CON ADVS. **brutalmente · violentamente · fuertemente · salvajemente || repetidamente** *El caballo, asustado, coceaba repetidamente* · **una y otra vez**

cocer(se) v.

• CON SUSTS. **pan · pasta · pescado** *El pescado tarda poco en cocerse* · **merluza · verdura · patatas · judías ·** ***otros alimentos sólidos*** **|| agua · leche ·** ***otros líquidos*** **|| cerámica** *un horno para cocer cerámica* · **ladrillo · esmalte · barro · pieza || plan · decisión · crisis · tragedia || política** *Es aquí donde se cuece de verdad la política internacional* · **resultado electoral · juego**
• CON ADVS. **a fuego {lento/vivo} · lentamente · suavemente || al baño (de) María · al vapor · en su jugo || a {mis/tus/sus...} espaldas** *Me da la impresión de que algo se está cociendo a mis espaldas*

coche s.m.

●CON ADJS. **potente · rápido · moderno · manejable · cómodo · seguro || lento · incómodo || de lujo · lujoso · suntuoso · aparatoso || deportivo · utilitario · familiar · todoterreno · de caballos · de época · de carreras · blindado || oficial · particular · de alquiler · de empresa || de línea** *¿A qué hora pasa el coche de línea por este pueblo?* · **celular · fúnebre · de bomberos** *Ante la imposibilidad de acceder a la vivienda, avisaron a un coche de bomberos* || **de serie · de gran cilindrada || nuevo · viejo · de {primera/segunda} mano · antiguo || sospechoso || de choque** *En la feria, lo más divertido son los coches de choque* || **de bebé · de niño**

●CON SUSTS. **seguro (de) · alquiler (de) · accidente (de) · desguace (de) || chapa (de) · motor (de) · rueda (de) · aceite (de) || gama (de) · modelo (de) · marca (de) || concesionario (de) || conductor,-a (de) · tripulante (de) · ocupante (de) · dueño,ña (de) || viaje (en) · excursión (en) || cama** *Este tren lleva dos coches cama* · **escoba** *En la carrera de hoy, el coche escoba no ha tenido que recoger a ningún atleta* · **patrulla · bomba** *Afortunadamente, el coche bomba que habían preparado no estalló*

●CON VBOS. **andar · circular · mover(se) · correr · maniobrar · esquivar (algo/a alguien) || averiar(se) · calar(se) · renquear · chocar · colisionar · volcar · voltear || tener · poseer || conducir** *El sospechoso conduce un coche verde con matrícula de...* · **manejar · llevar · pilotar || arrancar · acelerar · propulsar · desplazar · frenar · parar · detener || aparcar · estacionar** *No puede estacionar aquí su coche* || **abrir · cerrar · ocupar || blindar · reparar · arreglar · desmontar · desguazar · desvencijar || alquilar** *Justo en el aeropuerto puedes alquilar un coche* · **matricular · homologar || lavar · limpiar || poner a punto · revisar || robar · localizar · inmovilizar · paralizar · retirar || subir (a) · meter(se) (en) · montar(se) (en) · entrar (en) || bajar (de)** *¿Cómo se le ocurre bajarse del coche en marcha?* · **apear(se) (de) · salir (de) || cambiar (de) || viajar (en) · ir (en)**

●CON PREPS. **a bordo (de) · en**

cochino, na s.

●CON VBOS. **alimentar · cebar · engordar || sacrificar**

cocido s.m.

●CON ADJS. **suculento · sabroso || en su punto · pasado || popular · tradicional || madrileño · maragato · montañés · gallego**

●CON SUSTS. **caldo (de) · sopa (de)**

●CON VBOS. **hacer · preparar** *un restaurante donde preparan muy bien el tradicional cocido madrileño* || **comer · degustar · saborear || dar cuenta (de) || invitar (a)**

cociente s.m.

●CON ADJS. **bajo · medio · alto || intelectual · de inteligencia · emocional**

●CON VBOS. **medir** *Nos han hecho un test para medir nuestro cociente intelectual* · **alcanzar**

cocina s.f.

▮ [arte o técnica de cocinar]

●CON ADJS. **tradicional · clásica · popular · casera || moderna · creativa · elaborada || alta** *un emblemático restaurante de alta cocina* · **de autor || buena** *Saben apreciar la buena cocina casera*

●CON SUSTS. **curso (de)** *Dice que se va a apuntar a un curso de cocina* · **escuela (de) · taller (de) || jefe,fa (de) · ayudante (de) · chef (de) · pinche (de) · personal (de) || libro (de) · receta (de)** *Esta receta de cocina ha ido pasando de generación a generación* · **plato (de) · secreto (de) || utensilio (de) · útiles (de) · cuchillo (de) · batería (de) || rollo (de) · papel (de)**

●CON VBOS. **gustar(le) (a alguien) || aprender · conocer · enseñar**

▮ [aparato]

●CON ADJS. **eléctrica** *una sartén válida para cocinas eléctricas o de gas* · **de gas · de leña · solar · ecológica**

●CON VBOS. **encender · apagar**

▮ [espacio de una casa]

●CON SUSTS. **mobiliario (de) · mueble (de) · reloj (de)**

●CON VBOS. **montar · instalar · equipar** *Había equipado la cocina a la última moda* · **ampliar · reformar || limpiar · fregar || pisar** *¿Cuándo has pisado tú la cocina?*

▮ [conjunto de guisos o platos]

●CON ADJS. **sana · rica · variada || regional · internacional** *La muestra reúne lo mejor de la cocina internacional* · **local · nacional · autóctona || marinera · mediterránea || turística**

●CON SUSTS. **restaurante (de)** *un restaurante de cocina española* || **sabor (de)**

●CON VBOS. **probar** *Nunca he probado la cocina tailandesa* · **degustar || apreciar**

cocinar(se) v.

●CON SUSTS. **pescado · guiso · arroz · carne ·** ***otros alimentos o comidas*** **|| acuerdo · decisión · consenso · pacto · preacuerdo || proyecto** *...en aquella reunión empezó a cocinarse el proyecto* · **propósito · objetivo · medida · idea · propuesta · sugerencia || entuerto · drama · marrón · conflicto · entresijo || ley · constitución · decreto** *Lo cierto es que el decreto se cocinó en la más absoluta intimidad* · ***otras disposiciones*** **|| reforma · cambio · renovación || documento · texto · novela · música · disco ·** ***otras creaciones***

●CON ADVS. **a fuego {lento/vivo} · lentamente · suavemente || al vapor**

cocinero, ra s.

●CON ADJS. **hábil · experto,ta · creativo,va** *uno de los cocineros más creativos del país* · **capaz · renovador,-a · innovador,-a || famoso,sa · prestigioso,sa · renombrado,da · popular || profesional · aficionado,da || personal · particular · propio,pia || gran · buen,-a · mal,-a**

●CON SUSTS. **concurso (de) · asociación (de) · aprendiz,-a (de) · labor (de) · gorro (de) || jefe,fa** *Ha aceptado el puesto de cocinero jefe* · **puesto (de)**

●CON VBOS. **preparar (algo)** *La cocinera preparó una de sus especialidades* · **cortar (algo) · adobar (algo) · aderezar (algo) · salpimentar (algo) || elaborar (algo) · confeccionar (algo) · cocinar (algo) · asar (algo) · freír (algo) · cocer (algo) · sofreír (algo) · guisar (algo) || presentar (algo) · adornar (algo) || contratar (de/como)**

coco s.m.

▮ [fruto]

●CON ADJS. **dulce · rallado || seco · natural · deshidratado · fresco**

●CON SUSTS. **corteza (de) · cáscara (de) || agua (de) · leche (de) · aceite (de) · esencia (de) · aroma (de) · fibra (de) · pulpa (de) || flan (de) · yogur (de) · caramelo (de) · helado (de) · licor (de)**

●CON VBOS. **rallar || abrir · partir** *Me costó mucho partir el coco* · **romper**

▮ [cabeza] *col.*

●CON VBOS. **tener** *Ese chaval tiene mucho coco* || **tener (algo) (en)**

▮ [personaje imaginario]

●CON VBOS. **venir** *¡Que viene el coco!* || **ser** *No tengas miedo, no soy el coco* || **convertir(se) (en)**

□EXPRESIONES **comerse** (alguien) **el coco** [preocuparse] *col.*

cocotero s.m.

● CON VBOS. **agitar · sacudir**
➤ Véase también **ÁRBOL**

cóctel

1 **cóctel** s.m.

▮ [bebida]

● CON ADJS. **refrescante · sabroso || casero**
● CON VBOS. **preparar · servir || pedir**

▮ [reunión]

● CON ADJS. **de bienvenida · inaugural**
● CON SUSTS. **cena** *Sirvieron a los invitados un cóctel cena*
● CON VBOS. **hacer || dar · ofrecer · celebrar || asistir (a) || invitar (a)**

▮ [combinación, mezcla]

● CON ADJS. **mortífero · letal · peligroso · mortal || variado · variopinto · heterogéneo · desigual || perfecto**
● CON VBOS. **formar**

▮ [explosivo]

● CON ADJS. **molotov · explosivo · incendiario**
● CON SUSTS. **impacto (de)**
● CON VBOS. **lanzar** *Comenzaron a lanzar cócteles molotov* **· arrojar · tirar || componer · fabricar · elaborar**

2 **cóctel (de)** s.m.

● CON SUSTS. **gambas · marisco || fármacos · drogas · medicamentos · pastillas · sustancias || autores · personajes**

codazo s.m. Véase **GOLPE**

codearse (con) v.

● CON SUSTS. **presidente,ta** *¿Sabes que se codea con el presidente?* **· jefe,fa · artista · élite ·** ***otros individuos y grupos humanos***
● CON ADVS. **frecuentemente · cotidianamente · normalmente || profesionalmente**

codicia s.f.

● CON ADJS. **creciente · desmedida · desmesurada · desaforada · insaciable · ciega · incontrolada · implacable || disculpable || tributaria || alentado,da (por) · movido,da (por)** *Movido por la codicia se metió de nuevo en negocios sucios*
● CON SUSTS. **exceso (de) · falta (de) || víctima (de)**
● CON VBOS. **anidar (en alguien) · perder (a alguien)** *Le pierde la codicia* **|| despertar · suscitar · generar · alimentar || saciar · satisfacer || dejarse llevar (por)** *políticos corruptos que se dejaban llevar por la codicia* **· sucumbir (a)**

codiciar v.

● CON SUSTS. **posesión · bienes** *no codiciar los bienes ajenos* **· riqueza || fama · prestigio · reconocimiento · aceptación · premio · galardón** *Muchos artistas codician el preciado galardón* **|| joya · pieza · obra · objeto || posición · cargo · título · puesto || privilegio · don**
● CON ADVS. **intensamente · fuertemente · vivamente · hondamente || íntimamente · secretamente**

codicioso, sa adj.

● CON SUSTS. ***persona*** **|| ojos · mirada** *Dirigió su mirada codiciosa hacia las joyas*
● CON VBOS. **volverse · hacerse**

codificar v.

● CON SUSTS. **mensaje · comunicación · información · idea · lenguaje** *Utilizaban un complejo sistema para codificar el lenguaje* **· signo · símbolo · texto · escritura || señal · emisión · programa · imagen · canal · cadena · televisión · emisora || proteína · enzima · gen · molécula**

código s.m.

▮ [conjunto de normas]

● CON ADJS. **estricto** *La sociedad se regía por un estricto código de honor* **· riguroso · laxo || en vigor · vigente · imperante || antiguo · obsoleto || legal · moral · de conducta · de circulación**
● CON SUSTS. **proyecto (de)**
● CON VBOS. **aprobar · implantar · establecer · reformar · revisar · restaurar · derogar || cumplir · respetar** *respetar el código de circulación* **· seguir · aplicar || incumplir · infringir · transgredir · violar · conculcar · subvertir || atenerse (a)**

▮ [conjunto de signos]

● CON ADJS. **secreto** *He olvidado el código secreto de mi tarjeta de crédito* **· abstruso · enrevesado · inaccesible · incomprensible · indescifrable || simple · sencillo || de barras · postal** *Olvidé indicar el código postal en la carta que envié*
● CON VBOS. **descifrar · interpretar · decodificar || tener · conocer · saber || emplear · usar || adivinar · averiguar · deducir || aprender · memorizar · olvidar**

[codo] → codo; codo con codo

codo s.m.

● CON SUSTS. **dolor (de) · lesión (de) · fractura (de)**
● CON VBOS. **abrir · cerrar · doblar** *Solo me duele cuando doblo el codo* **· apoyar**

☐ EXPRESIONES **codo con codo*** [conjuntamente] **|| {empinar/levantar} el codo** [beber alcohol] *col.* **|| {hablar/charlar} por los codos** [abundantemente, sin contención] *col. Mi compañera de piso habla por los codos* **|| hincar los codos** [estudiar] *col.*

codo con codo loc.adv./loc.adj.

▮ [en compañía]

● CON VBOS. **marchar · caminar** *...para lograr que el país camine codo con codo con otros estados modernos* **· desfilar · recorrer · ir · ascender · correr || sentarse · aparecer · figurar · mantener(se) · encontrar(se) · situar(se)**

▮ [en colaboración]

● CON VBOS. **trabajar** *Ambos trabajaron codo con codo para conseguir...* **· actuar · operar · hacer un trabajo || colaborar · compartir · coincidir · confluir · juntar · acompañar || luchar** *Todos los miembros del equipo lucharán codo con codo por la victoria...* **· pelear · combatir · enfrentar(se) · competir**
● CON SUSTS. **lucha · pugna**

coeficiente

1 **coeficiente** s.m.

● CON ADJS. **intelectual · mental || alto · bajo · máximo · medio · mínimo || reductor · corrector · multiplicador || aerodinámico** *El coeficiente aerodinámico de este modelo hace que sea un coche muy ágil*
● CON VBOS. **aumentar · rebajar · elevar · reducir · mejorar · multiplicar · igualar || tener · aceptar · examinar · calcular || aplicar || cubrir · cumplir**

2 **coeficiente (de)** s.m.

● CON SUSTS. **inteligencia || caja** *la elevación del coeficiente de caja y la subida de los tipos de interés* **· solvencia · inversión · recursos · amortización · riesgo · actualización || penetración || edificabilidad**

coexistir v.

• CON SUSTS. ***persona*** *un lugar en el que coexisten ciudadanos de distinta procedencia* || **sistema** *¿Pueden coexistir sistemas operativos tan diferentes?* · **fórmula** · **modelo** · **tendencia** · **manera** · **vía** || **movimiento** · **organismo** · **régimen** || **lengua** · **cultura** · **comunidad** · **generación** · **pueblo** · **sensibilidad** || **especie**

• CON ADVS. **pacíficamente** · **en paz** · **en armonía** · **armoniosamente** · **en simbiosis** · **sin violencia** · **cómodamente** *Dos personalidades tan fuertes no pueden coexistir cómodamente* · **tranquilamente** · **confortablemente** · **relajadamente** · **sin tensiones** · **amablemente** · **fácilmente** · **amigablemente** || **polémicamente** · **malamente** || **oficialmente** || **simultáneamente**

□ USO Se construye con sustantivos en plural (*coexistir dos tendencias*), coordinados por la conjunción *y* (*coexistir una tendencia y otra*) o unidos con la preposición *con* (*coexistir una tendencia con otra*).

cofradía

1 **cofradía** s.f.

• CON ADJS. **numerosa** · **popular** · **clásica** || **religiosa**

• CON SUSTS. **hermano,na (de)** · **miembro (de)** · **mayordomo,ma (de)** · **hermandad (de)** || **desfile (de)** · **paso (de)** || **federación (de)** · **agrupación (de)** · **junta (de)**

• CON VBOS. **desfilar** *La popular cofradía sevillana desfilará durante la tarde* · **hacer estación de penitencia** || **fundar** || **ingresar (en)** · **pertenecer (a)** · **inscribir(se) (en)** · **apuntar(se) (a)**

2 **cofradía (de)** s.f.

• CON SUSTS. **pescadores,ras** *La cofradía de pescadores ha solicitado que se amplíen las ayudas a los afectados* · **armadores,ras** · **devotos,tas** · ***otros individuos***

coger v.

• CON SUSTS. **vuelo** · **autobús** · **tren** · **avión** · **taxi** · **barco** · **metro** · **coche** · ***otros medios de transporte*** || **teléfono** *¿Coges tú el teléfono que yo no puedo?* || **cariño** *coger cariño a una persona* · **gusto** || **miedo** · **manía** · **odio** · **aversión** || **infección** · **sida** · **sarampión** · **virus** · **depresión** · ***otras enfermedades*** || **borrachera** || **vacaciones** · **día** · **permiso** *El sesenta por ciento de los ciudadanos coge el permiso estival en el mes de...*

• CON ADVS. **con las manos en la masa** · **in fraganti** *Cogieron al ladrón in fraganti* || **a contramano** · **a contrapelo** · **a trasmano** || **firmemente** · **con firmeza** · **con mano firme** · **en falso** || **a pulso** · **al vuelo** *Cogí la indirecta al vuelo* · **en volandas** *Cogió al herido en volandas y lo metió en el coche* || **por los pelos** · **de milagro** || **gravemente**

cogida s.f.

• CON ADJS. **aparatosa** · **espectacular** *El torero sufrió una espectacular cogida sin consecuencias graves* || **grave** · **mortal** · **dramática** || **leve** · **sin importancia**

• CON VBOS. **sufrir** · **recibir** · **tener**

cogollo s.m.

• CON ADJS. **de lechuga** || **verdadero** · **auténtico** || **urbano** · **industrial** *el cogollo industrial de la región* · **monumental** · **político** · **financiero** *Se produjo un incendio en varios edificios del cogollo financiero de la ciudad* · **artístico** · **literario** · **familiar**

cogorza s.f. *col.*

• CON ADJS. **espectacular** · **monumental** · **de campeonato** · **de (mucho) cuidado**

• CON SUSTS. **resaca (de)** · **efecto (de)**

• CON VBOS. **coger** · **agarrar** *El viernes por la noche se agarró una cogorza monumental* · **pillar** · **tener** *¡Menuda cogorza tenía!* · **llevar (encima)**

coherencia s.f.

• CON ADJS. **absoluta** · **admirable** · **aplastante** · **cartesiana** · **completa** · **estricta** · **plena** · **indudable** · **profunda** · **suma** · **total** *postura de total coherencia con sus convicciones* || **dudosa** · **mínima** · **escasa** · **relativa** || **necesaria** || **interna** || **ideológica** · **temática** · **semántica** · **textual** · **lingüística** · **expresiva** · **estética** · **formal** || **falto,ta (de)**

• CON SUSTS. **sentido (de)** · **muestra (de)** · **ejercicio (de)** · **acto (de)** || **falta (de)** *Resulta paradójica la falta de coherencia de su planteamiento* || **modelo (de)** · **ejemplo (de)** || **cuestión (de)** *Simplemente por una cuestión de coherencia*

• CON VBOS. **faltar (a algo)** *A este texto le falta coherencia interna* || **tener** · **demostrar** · **mantener** · **implicar** · **perder** || **pedir** · **buscar** || **dar** · **aportar** || **subrayar** · **destacar** || **carecer (de)**

• CON PREPS. **con** *actuar con coherencia* · **sin**

coherente adj.

• CON SUSTS. ***persona*** *un político coherente porque hace lo que dice y dice lo que piensa* || **discurso** · **respuesta** · **texto** · **párrafo** · **conclusión** · **historia** · **relato** · **argumento** · **explicación** · **exposición** · **descripción** · **versión** · ***otras manifestaciones verbales o textuales*** || **política** · **plan** *No me parece un plan estratégico coherente* · **acción** · **ejercicio** · **programa** · **estrategia** · **proyecto** · **programación** || **evolución** · **desarrollo** · **movimiento** || **visión** · **punto de vista** · **postura** · **filosofía** · **actitud** *Si los padres mantienen una actitud coherente y constante, el niño mejorará* · **comportamiento** · **alternativa** · **planteamiento**

• CON ADVS. **perfectamente** · **completamente** · **plenamente** · **absolutamente**

coherentemente adv.

• CON VBOS. **vivir** · **actuar** · **trabajar** · **comportarse** · **proceder** · **obrar** || **elegir** · **decidir** · **solucionar** · **resolver** || **expresar(se)** · **hablar** · **responder** · **contestar** · **refutar** · **afirmar** || **explicar(se)** · **interpretar** · **analizar** || **defender** *defender coherentemente una hipótesis* · **apoyar** · **justificar** · **razonar** · **argumentar** || **abordar** · **afrontar** · **encarar** || **organizar** · **articular** · **ordenar** · **graduar** · **catalogar** · **disponer** *El libro se completa con índices de voces y materias coherentemente dispuestos* · **estructurar** || **relacionar** · **integrar(se)** · **mezclar** · **fusionar** · **ensamblar** · **asociar** · **enlazar** · **conectar** || **funcionar** · **desarrollar** · **marchar**

cohesión s.f.

• CON ADJS. **fuerte** · **sólida** · **total** || **necesaria** · **imprescindible** || **aparente** · **débil** || **interna** · **social** · **territorial** · **política** · **argumental** · **argumentativa** · **semántica** · **significativa** · **textual** · **molecular** || **europea** · **nacional** || **falto,ta (de)**

• CON SUSTS. **grado (de)** · **falta (de)** *La película adolece de falta de cohesión argumental* · **problema (de)** || **elemento (de)** · **factor (de)** || **fondo (de)** *Parte de la financiación proviene de los fondos de cohesión europeos* · **política (de)** · **plan (de)**

• CON VBOS. **fortalecer(se)** · **acentuar(se)** || **debilitar(se)** · **quebrar(se)** · **truncar(se)** · **faltar (a algo)** || **alcanzar** · **mantener** · **conservar** || **dar (a algo/a alguien)** *La repetición de ciertas ideas da cohesión al texto* · **aportar** · **reforzar** · **garantizar** || **amenazar** · **romper** · **socavar** · **minar** || **dotar (de)**

• CON PREPS. **con** · **sin**

cohete s.m.

▮ [lanzadera o misil]

●CON ADJS. **nuclear · espacial · incendiario · atómico · antimisil · antitanque · antiaéreo || potente · supersónico || propulsor · autopropulsado**
●CON SUSTS. **lanzamiento (de) · disparo (de) || lluvia (de) · salva (de)**
●CON VBOS. **despegar || fallar · caer || impactar · alcanzar (algo) || explotar · estallar** *El cohete estalló durante su lanzamiento* · **reventar || lanzar · disparar · encender · prender · propulsar || dirigir · guiar || atacar (con)** *Atacaron con cohetes antimisiles*

▮ [fuego artificial]

●CON ADJS. **pirotécnico** *Un joven resultó herido al explotarle un cohete pirotécnico* · **de fiesta || atronador**
●CON SUSTS. **ruido (de) · sonido (de) · silbido (de) || traca (de) || vara (de)** *Resultó herido por una vara de cohete*
●CON VBOS. **sonar · estallar || tirar** *Unos niños están tirando cohetes en la calle* · **echar || celebrar (con) · anunciar (con) · recibir (con)**

coincidencia s.f.

●CON ADJS. **absoluta · total · plena** *plena coincidencia de objetivos en el proyecto* · **gran(de) · notable · amplia · extraordinaria · tremenda · verdadera · significativa · importante || feliz** *Fue una feliz coincidencia* · **afortunada · oportuna || desafortunada · triste · lamentable · fatal · terrible · fatídica · inoportuna || pura** *Todo es pura coincidencia; no obedece a ningún plan preconcebido* · **mera · simple · casual · fortuita · aleatoria · azarosa · caprichosa · intencionada || extraña · curiosa** *¿No le parece una curiosa coincidencia?* · **sorprendente || insospechada · inesperada · imprevisible || ocasional · eventual || histórica**
●CON SUSTS. **cúmulo (de) · serie (de) || punto (de)** *Aunque las teorías son muy distintas, presentan algunos puntos de coincidencia* · **motivo (de) || grado (de) · nivel (de) || falta (de)**
●CON VBOS. **existir · darse** *Se dio la coincidencia de que los dos se llamaban igual* · **producir(se) || propiciar · evitar** *Se modificó el calendario para evitar la coincidencia de fechas* **|| descubrir · encontrar · detectar · constatar · destacar · apreciar(se) · notar · apuntar · explicar || presentar · contener · manifestar || buscar · forzar || resultar · parecer**
●CON PREPS. **por**

[coincidir]

→ coincidir; coincidir (en)

coincidir v.

●CON SUSTS. ***persona*** *La pareja acabó divorciándose porque no coincidía en nada* **|| dato · resultado · información || interés · afición · gusto** *Si vuestros gustos suelen coincidir, seguro que aciertas con el regalo* **|| plan · planteamiento · propuesta · hipótesis · idea · punto de vista · opinión · actitud || historia · declaración · coartada · explicación || forma · color || tamaño · medida · altura · edad · cantidad · número · valor · precio ·** ***otras magnitudes*** **|| marca · señal · línea · cabo · extremo**
●CON ADVS. **exactamente · al milímetro · de pleno · literalmente · plenamente · por completo · punto por punto** *Los testigos coinciden punto por punto en sus declaraciones* · **sustancialmente · totalmente · completamente · en todos {los/sus} extremos || parcialmente · en parte · en apariencia · en líneas generales · a grandes rasgos · superficialmente · aproximadamente · vagamente · con matices · tangencialmente || cronológicamente** *La estancia del pintor en esa ciudad coincide cronológicamente con la subida al poder de...* · **artísticamente · intelectualmente · políticamente || ocasionalmente · frecuentemente · habitualmente || felizmente**
●CON VBOS. **venir (en)**

□ USO Se construye con sustantivos en plural (*Nuestros gustos musicales coinciden*), coordinados por la conjunción *y* (*Tu propuesta y la mía coinciden en algunos puntos*) o unidos con la preposición *con* (*No puedo ir a la excursión porque me coincide con una boda*).

coincidir (en) v.

●CON SUSTS. **bar · calle** *El otro día coincidimos en la calle y me comentó...* · ***otros lugares*** **|| gustos · preferencias · aficiones · intereses || origen · causa** *Ambos problemas pueden coincidir en sus causas originarias*

coito s.m.

●CON ADJS. **vaginal · anal · oral || doloroso** *Si el coito es doloroso, consulte a su médico* · **satisfactorio · placentero**
●CON VBOS. **realizar · practicar · rechazar || interrumpir · completar || llegar (a)**

[cojo, ja]

→ a la pata coja; cojo, ja

cojo, ja adj.

▮ [que cojea o le falta un miembro]

●CON SUSTS. ***persona*** *El jugador estuvo cojo durante unas semanas por culpa de una caída* **|| pata · pie || calzado · tacón || mesa** *La mesa está un poco coja, podemos calzarla con una servilleta* · **silla · armario ·** ***otros muebles***
●CON VBOS. **estar · quedar(se)** *El caballo se ha quedado cojo* · **ser || caminar · andar · ir**

▮ [incompleto]

●CON SUSTS. **razonamiento** *Su razonamiento parece bien planteado, pero se queda cojo porque no tiene usted en cuenta que...* · **argumentación · argumento · análisis · teoría · idea || libro · relato · película ·** ***otras obras***

col s.f.

●CON ADJS. **rizada · de Bruselas** *un guiso con coles de Bruselas* · **china · roja || cruda · hervida**
●CON SUSTS. **hoja (de)** *Envolveremos la carne con hojas de col* **|| ensalada (de) || variedad (de)**
●CON VBOS. **hervir · cocer · rehogar || cortar · lavar · limpiar**

cola s.f.

▮ [extremidad, parte posterior]

●CON ADJS. **larga · corta · peluda || de avión || de caballo**
●CON SUSTS. **furgón (de) · piano (de) · bata (de) · falda (de)**
●CON VBOS. **mover · levantar || tener**

▮ [fila]

●CON ADJS. **larga** *Los jóvenes esperaron en largas colas para ver a sus ídolos* · **interminable · pequeña**
●CON SUSTS. **primero (de) · último (de)**
●CON VBOS. **serpentear · girar · dar vueltas || avanzar · mover(se) || aumentar · disminuir || respetar · ahorrarse · saltarse || ponerse {en/a} · estar {en/a}** *El país estaba a la cola de la Comunidad Europea en recursos destinados a la educación*
●CON PREPS. **en · a** *ponerse a la cola*

▮ [pegamento]

●CON ADJS. **adhesivo · adherente · fuerte · resistente · inmediata · de contacto · instantánea**

• CON VBOS. **pegar (algo) (con)**

□ EXPRESIONES **{hacer/guardar} cola** [esperar en ella] || **no pegar ni con cola** [no combinar bien] *col.* || **traer cola** (algo) [traer consecuencias]

colaboración s.f.

• CON ADJS. **valiosa · inestimable · deseable · importante · destacada · estimada · ejemplar || estrecha** *La escritora trabaja en estrecha colaboración con el guionista* **· intensa · absoluta · activa · decidida · sin reservas · incondicional · desinteresada · a tiempo {completo/ parcial} || fructífera · fecunda · eficaz · efectiva · constructiva · provechosa || larga** *...hasta lograr una larga y fructífera colaboración* **· asidua || breve · temporal · pequeña · escasa · esporádica || reconocida · inequívoca · anónima || recíproca · mutua · en equipo · multitudinaria · de igual a igual || científica** *un trabajo fruto de la colaboración científica entre varios investigadores* **· literaria · humanitaria · periodística · profesional || ciudadana · popular**

• CON SUSTS. **acuerdo (de)** *Nuestra empresa firmó un acuerdo de colaboración con el Estado* **· convenio (de) · programa (de) || espíritu (de) · ánimo (de) · deseo (de) || forma (de) · manifestación (de)**

• CON VBOS. **pedir · solicitar** *una campaña para solicitar la colaboración ciudadana* **· requerir · recabar · implorar || prestar · ofrecer · brindar · regatear || fomentar · impulsar** *impulsar la colaboración entre las universidades* **· promover · incentivar · estrechar · incrementar · intensificar · fortalecer · sellar || canalizar · encauzar · facilitar · entorpecer · impedir || apreciar · rechazar || contar (con)** *Tenemos la suerte de contar con la valiosa colaboración de...*

colaborador, -a s.

• CON ADJS. **cercano,na · estrecho,cha** *Fue amigo y estrecho colaborador suyo* **· próximo,ma · directo,ta · íntimo,ma · inmediato,ta || destacado,da** *La historiadora fue una destacada colaboradora del periódico* **· principal · brillante · importante · decisivo,va · eficaz · preciado,da** *un colaborador muy preciado en la organización* **· valioso,sa · competente || habitual · asiduo,dua · permanente · esporádico,ca · antiguo,gua · reciente || incondicional · fiel · leal · desleal || humilde · franco,ca · gentil || presunto,ta · sospechoso,sa || oficial · voluntario,ria**

• CON SUSTS. **equipo (de)** *Contamos con un valioso equipo de colaboradores* **· grupo (de) · nómina (de) || puesto (de)**

• CON VBOS. **trabajar (como/de)** *Estoy trabajando de colaboradora en un programa de radio* **|| contar (con)**

colaborar v.

• CON ADJS. **encantado,da** *Colaboraré encantada con vuestra causa* **· gustoso,sa · feliz || obligado,da · forzado,da**

• CON ADVS. **intensamente · activamente** *Muchos socios han colaborado activamente en la organización del evento* **· decididamente · plenamente · sin reservas · ciegamente · voluntariosamente · animosamente · con todas {mis/tus/sus...} fuerzas · con ganas || estrechamente · de cerca · codo con codo · en exclusiva · lealmente || largamente · habitualmente · asiduamente · esporádicamente || desinteresadamente · caritativamente · gratis et amore · generosamente · gentilmente || de buen grado · con gusto · con placer · voluntariamente** *El inculpado había colaborado voluntariamente con la justicia* **· sinceramente · humildemente · en la medida de {mis/ tus/sus...} posibilidades || decisivamente · eficazmente · considerablemente || económicamente**

• CON VBOS. **brindarse (a) · ofrecerse (a)**

colación s.f.

• CON ADJS. **frugal · liviana · ligera** *En las tres horas anteriores al análisis no puede tomar ni siquiera una colación ligera* **· abundante || nocturna**

• CON VBOS. **tomar · comer · recibir || dar · repartir**

□ EXPRESIONES **{sacar/traer} a colación** (algo) [mencionarlo] *col.*

[colada] s.f. → colado, da

colado, da

1 **colado, da** adj. *col.*

• CON VBOS. **estar · quedar(se) · seguir** *Sigue colado por su antigua novia*

2 **colada** s.f.

• CON VBOS. **hacer** *Todos los viernes me toca hacer la colada* **· realizar · poner · recoger · tender || lavar · mojar** *Ha llovido y se ha mojado toda la colada*

colapsar(se) v.

• CON SUSTS. **tráfico** *La nieve colapsó el tráfico durante varias horas* **· calle · carretera · circulación · autopista · aparcamiento || ciudad · zona · país || acceso · pasillo · salida || centralita** *Miles de llamadas han colapsado la centralita* **· línea · sistema || hospital · administración · ambulatorio · juzgado · aeropuerto || servicio** *medidas para evitar que se colapsen los servicios de emergencia* **· funcionamiento · actividad**

• CON ADVS. **por completo · completamente** *La masiva manifestación colapsó completamente la ciudad* **· totalmente · absolutamente || en parte · parcialmente || irremediablemente · definitivamente || inmediatamente · periódicamente · momentáneamente || gradualmente · progresivamente**

colapso s.m.

• CON ADJS. **auténtico · gran(de) · gigantesco · descomunal · severo · verdadero** *El país está viviendo un verdadero colapso económico* **· tremendo · notable · colosal || total · absoluto · generalizado · momentáneo · definitivo || nervioso · cardiorrespiratorio · neuronal · craneoencefálico · cardíaco · cardiovascular · mental · pulmonar || circulatorio** *atascados en un enorme colapso circulatorio* **· de tráfico · aéreo || social · informático · financiero · económico · institucional · administrativo · judicial · burocrático**

• CON SUSTS. **riesgo (de) · amenaza (de) || causa (de) · consecuencia (de)**

• CON VBOS. **causar · provocar** *El problema de energía provoca constantes colapsos en la red* **· producir(se) · propiciar · ocasionar · crear || sufrir · soportar || evitar** *Los aportes adicionales de agua evitaron el colapso ambiental* **· impedir || paliar · mitigar · resolver · amortiguar || llevar (a) · conducir (a) · dar lugar (a) || salvar (de) · salir (de)** *¿Cómo saldrá el país de este colapso financiero?* **· sacar (de) · rescatar (de) · librar(se) (de) || morir (por/de)**

• CON PREPS. **al borde (de)**

colar(se) (en) v.

• CON SUSTS. **fiesta · acto** *Algunos manifestantes se colaron en el acto para boicotearlo* **· celebración · homenaje · cumpleaños ·** ***otros eventos*** **|| espectáculo · obra · cine · teatro · exposición · museo || fila · cola || autobús · metro · tren ·** ***otros vehículos***

• CON ADVS. **de rondón** *Se coló de rondón en la fiesta* **· de refilón · a hurtadillas · de puntillas · inadvertidamente**

colateral adj.

• CON SUSTS. **daño** *los daños colaterales producidos por la guerra* · **efecto** · **consecuencia** · **problema** · **víctima** || **aspecto** · **cuestión** · **asunto** · **tema** · **factor** || **conflicto** · **pelea** || **actividad** · **práctica** || **argumento** *Un argumento colateral en favor de su propuesta* · **razón** · **idea** || **colaboración** · **colaborador,-a** || **beneficio** · **ganancia**

colchón s.m.

• CON ADJS. **cómodo** · **incómodo** · **mullido** · **blando** · **duro** || **amplio** · **pequeño** · **familiar** · **individual** || **de aire** *Utilizan un colchón de aire para evitar que se dañe la piel del enfermo* · **de agua** || **amortiguador** · **de protección** · **de seguridad** · **protector** || **económico** · **financiero** · **de liquidez** || **social**
• CON SUSTS. **funda (de)** · **tamaño (de)**
• CON VBOS. **amortiguar (algo)** · **sostener (algo)** · **proteger (algo)** || **actuar (de/como)** · **servir (de)**

colchonería s.f. Véase **ESTABLECIMIENTO**

colear v.

• CON SUSTS. **asunto** · **problema** · **escándalo** *un colosal escándalo financiero que todavía colea* · **desfalco** · **delito** · **cuestión** · **historia** · **hecho** || **consecuencia** · **efecto** || **pasado** · **actualidad** || **noticia** · **rumor**

colección s.f.

• CON ADJS. **amplia** · **vasta** · **nutrida** · **variada** · **ingente** · **inmensa** · **copiosa** · **numerosa** · **rica** · **espléndida** · **valiosa** *Tiene una valiosa colección de muñecas antiguas* · **codiciada** || **completa** || **discreta** · **incompleta** · **desigual** · **menor** || **famosa** · **desconocida** || **privada** · **particular** · **personal** || **permanente** *Están rehabilitando las salas que albergan la colección permanente del museo*
• CON SUSTS. **pieza (de)** *Este reloj es una valiosa pieza de colección* · **objeto (de)** · **obra (de)** · **parte (de)**
• CON VBOS. **contener (algo)** · **constar (de algo)** · **abarcar (algo)** || **hacer** · **reunir** · **engrosar** · **atesorar** · **acumular** · **completar** · **enriquecer** · **tener** || **integrar** · **componer** *En este catálogo podrá ver los títulos que componen la colección* · **conformar** || **exhibir** · **exponer** · **desplegar** || **custodiar** || **ravalorizar(se)** · **valorar** || **pertenecer (a)** · **figurar (en)** · **formar parte (de)** · **incluir(se) (en)** || **añadir (a)** · **sumar(se) (a)**

coleccionista s.com.

• CON ADJS. **gran** · **pequeño,ña** || **apasionado,da** *una apasionada coleccionista de arte* · **ávido,da** · **especulador,-a** || **privado,da** · **particular** · **anónimo,ma** || **aficionado,da** *Era coleccionista de sellos pero solo aficionado* · **especializado,da**

colecta s.f.

• CON ADJS. **solidaria** *La asociación realizará una colecta solidaria para recaudar fondos* || **anual** · **mensual** || **popular** · **pública** · **nacional** · **vecinal** || **ilegal**
• CON VBOS. **hacer** · **iniciar** · **realizar** · **organizar** || **promover** · **autorizar** || **contribuir (a)** · **participar (en)**

□ USO Se construye frecuentemente con complementos encabezados por la preposición *entre*: *Todos los años hacen una colecta entre los vecinos del barrio.*

colectivo, va

1 colectivo, va adj.

• CON SUSTS. **vida** · **experiencia** || **transporte** *El Ayuntamiento lanzó una campaña para promover el uso del transporte colectivo* · **locomoción** · **servicio** · **vivienda** || **interés** · **bienestar** · **seguridad** || **sentimiento** · **histeria** *un ruido continuo que llevó al auditorio a la histeria colectiva* · **miedo** · **psicosis** · **angustia** · **estupor** · **repulsión** · **pasión** · **mal** || **búsqueda** · **demanda** · **queja** · **necesidad** · **pérdida** || **reflexión** · **creencia** · **moral** · **conciencia** · **inconsciente** · **imaginario** *Esta interpretación está profundamente arraigada en el imaginario colectivo* · **sueño** · **fantasía** · **memoria** · **tendencia** || **estudio** · **juego** · **obra** · **creación** · **exposición** · **muestra** || **responsabilidad** · **error** · **fallo** · **deber** · **obligación** · **poder** · **dirección** || **trabajo** · **tarea** · **labor** · **esfuerzo** || **negociación** · **convenio** *La patronal y los representantes sindicales están negociando el nuevo convenio colectivo* · **contrato** · **contratación** || **patrimonio** · **inversión** || **suicidio** · **crimen** · **homicidio**

2 colectivo s.m.

• CON ADJS. **social** *Diversos colectivos sociales se manifestaron en contra* · **político** · **obrero** · **de trabajadores** · **profesional** || **fuerte** · **unido** · **nutrido** · **numeroso**
• CON VBOS. **pedir (algo)** · **solicitar (algo)** · **reclamar (algo)** || **defender (algo)** · **apoyar (algo)** || **oponer(se) (a algo)** · **manifestar(se) (contra algo)**

colega s.com.

• CON ADJS. **eminente** · **ilustre** · **prestigioso,sa** · **reconocido,da** · **famoso,sa** || **antiguo,gua** · **viejo,ja**

colegiadamente adv.

• CON VBOS. **{tomar/adoptar} una decisión** *un equipo médico en el que todas las decisiones se toman colegiadamente* · **adoptar un acuerdo** · **decidir** · **dirigir** · **gestionar** · **autorizar** · **dictaminar** · **reflexionar** || **actuar** · **afrontar** · **participar** · **integrar** · **trabajar** · **elaborar** || **hablar** · **expresar**

colegiado, da adj.

• CON SUSTS. **profesional** · **abogado,da** · **psicólogo,ga** · **médico,ca** *La baja debe estar firmada por un médico colegiado* · **farmacéutico,ca** · **economista** · **arquitecto,ta** · **escribano,na** · **notario,ria** · ***otros profesionales*** || **órgano** · **organización** *Fue la primera organización colegiada y gremial* · **equipo** · **organismo** · **cuerpo** || **dirección** · **presidencia** · **mando** · **tribunal** || **decisión**

colegial adj.

• CON SUSTS. **organización** · **entidad** · **institución** · **asociación** · **corporación** · **órgano** *Se podrá interponer recurso ante el órgano colegial correspondiente* || **conjunto** · **equipo** || **asamblea** · **representación** || **sede** · **instalación** || **acreditación** · **documento** · **orden** || **vida** · **época** || **iglesia**

colegio s.m.

I [centro de enseñanza]

• CON ADJS. **público** · **concertado** · **privado** || **religioso** · **laico** || **de niños** · **de niñas** · **mixto** || **bilingüe** || **prestigioso** · **renombrado** · **reputado** · **afamado** · **célebre** · **respetado** · **destacado** · **acreditado** · **distinguido** · **insigne** || **electoral**
• CON SUSTS. **compañero,ra (de)** *En la fiesta me encontré a un antiguo compañero del colegio* · **alumno,na (de)** · **profesor,-a (de)** · **dirección (de)** || **día (de)**
• CON VBOS. **dirigir** || **ir (a)** · **llevar (a)** *¿Quién se va a encargar de llevar a los niños al colegio?* · **salir (de)** || **estudiar (en)** · **educar(se) (en)** · **graduar(se) (en)** || **trabajar (en)** || **expulsar (de)**

I [agrupación]

• CON ADJS. **profesional** · **de abogados** *pertenecer al colegio profesional de abogados* · **de arquitectos** · **de médicos**
• CON VBOS. **inscribir(se) (en)** · **afiliar(se) (a)**

□ EXPRESIONES **colegio mayor** [residencia de estudiantes universitarios]

cólera

1 **cólera** s.m.

▮ [enfermedad]

● CON SUSTS. **epidemia (de)** · **brote (de)** *Se ha detectado un brote de cólera* · **rebrote (de)** · **caso (de)** · **enfermo,ma (de)** · **víctima (de)** || **virus (de)**

● CON VBOS. **propagar(se)** *El cólera se propagó con gran facilidad* · **extender(se)** · **contagiar(se)** || **contraer** · **tener** || **detectar** · **prevenir** · **combatir** *medidas sanitarias para combatir el cólera* · **vencer** · **superar** · **curar** · **erradicar** · **atajar** || **vacunar (contra)** · **luchar (contra)** || **curar(se) (de)**

2 **cólera** s.f.

▮ [ira]

● CON ADJS. **profunda** · **irreprimible** · **incontenida** · **verdadera** || **justa** · **legítima** || **injusta** · **fingida** || **divina** · **popular** *Las fuerzas de seguridad no consiguieron controlar la cólera popular* · **ciudadana** · **colectiva** · **nacional** || **lleno,na (de)** · **poseído,da (por)**

● CON SUSTS. **estallido (de)** · **arrebato (de)** · **ataque (de)** *Temo sus ataques de cólera* · **arranque (de)** · **acceso (de)** · **ráfaga (de)** · **momento (de)**

● CON VBOS. **desatar(se)** || **apoderarse (de alguien)** · **embargar (a alguien)** || **aplacar(se)** *La cólera del huracán se va aplacando* · **calmar(se)** || **descargar** · **desfogar** · **desahogar** · **expresar** · **liberar** · **rezumar** · **concentrar** || **encender** · **avivar** · **despertar** · **atizar** || **contener** *Contuvo su cólera y se mordió los labios para no contestar* · **reprimir** · **templar** · **apaciguar** · **atemperar** · **mitigar** || **montar (en)** · **estallar (en)** · **dar rienda suelta (a)**

colérico, ca adj.

● CON SUSTS. ***persona*** *El testigo describió al acusado como un hombre colérico y violento* || **temperamento** · **actitud** · **carácter** || **discurso** *El ministro, en un colérico discurso, acusó a la oposición de...* · **respuesta** · **reacción** · **comportamiento** || **voz** · **tono** · **grito** · **golpe** || **arrebato** · **acceso** · **ataque** · **pronto** *Cuando le dan los prontos coléricos hay que echarse a temblar*

● CON VBOS. **mostrar(se)** · **volverse**

colesterol s.m.

● CON ADJS. **elevado** · **alto** · **bajo** || **sanguíneo**

● CON SUSTS. **nivel (de)** *controlar el nivel de colesterol* · **cifra (de)** · **tasa (de)** · **índice (de)** || **exceso (de)**

● CON VBOS. **subir** · **aumentar** || **disminuir** · **bajar** || **controlar** *Dados tus antecedentes, deberías controlarte regularmente el colesterol* · **tratar** · **medir** · **vigilar** · **mantener** || **tener** || **producir** · **causar** || **elevar** · **reducir** · **eliminar** · **combatir**

coleta s.f.

● CON ADJS. **rubia** *¿Ves al chico de la coleta rubia?* · **morena** · **cana** · **encanecida** || **pequeña** · **larga** || **informal** · **de torero**

● CON VBOS. **llevar** *Cuando hago gimnasia prefiero llevar coleta* · **lucir** · **hacer** || **cortarse** || **peinar (con)** · **ir (con)**

coletazo s.m.

● CON ADJS. **final** · **último** *La crisis económica está dando sus últimos coletazos* · **postrero**

➤ Véase también **GOLPE**

colgado, da adj. *col.*

▮ [desamparado, frustrado]

● CON VBOS. **quedar(se)** · **dejar** *A pesar de las promesas me dejó colgado*

▮ [drogado]

● CON VBOS. **estar** *Es mejor no razonar con él cuando está colgado* · **andar**

colgante adj.

● CON SUSTS. **puente** *El puente colgante es el elemento arquitectónico más representativo de esta ciudad* · **jardín** · **casa** · **objeto** · **balcón** · **jardinera**

colgar v.

▮ [suspender la comunicación]

● CON SUSTS. **teléfono** *¿Has colgado bien el teléfono?* · **auricular**

▮ [abandonar]

● CON SUSTS. **hábitos** · **libros** *Colgó los libros y se puso a trabajar* · **botas**

▮ [atribuir] *col.*

● CON SUSTS. **sambenito** *Le colgaron el sambenito de empollón y ya nunca logró quitárselo* · **etiqueta** · **calificativo** · **apodo** · **mote**

▮ [bloquear]

● CON SUSTS. **ordenador** *Tanta información ha colgado el ordenador* · **programa**

☐ USO Se construye a menudo con complementos encabezados por la preposición *de*: *La lámpara cuelga del techo; Le colgaba una cadenita del cuello.*

cólico s.m.

● CON ADJS. **fuerte** · **agudo** || **nefrítico** · **estomacal** · **intestinal** · **biliar**

● CON VBOS. **dar** *Comí demasiado, y me dio un cólico muy fuerte* || **sufrir** · **tener** · **padecer** || **provocar** · **generar** · **causar**

colilla s.f.

● CON VBOS. **apagar** *Apagó la colilla en un cenicero* · **prender** · **encender** || **pisar** · **aplastar** || **tirar** · **arrojar** · **lanzar** · **recoger**

colisión s.f.

● CON ADJS. **violenta** · **dramática** · **aparatosa** · **monumental** · **brutal** · **tremenda** || **frontal** · **lateral** · **en cadena** · **múltiple** *Hay una docena de vehículos implicados en esta colisión múltiple* || **de intereses** · **de valores**

● CON SUSTS. **causa (de)** · **efecto (de)**

● CON VBOS. **producir(se)** *En caso de producirse una colisión de intereses, se optaría por...* · **tener lugar** || **provocar** || **amortiguar** · **atenuar** || **evitar**

● CON PREPS. **a resultas (de)**

colisionar v.

● CON SUSTS. **coche** *Varios coches colisionaron anoche en la autopista...* · **turismo** · **camión** · ***otros vehículos*** || **interés** · **proyecto** · **deseo**

● CON ADVS. **frontalmente** *Un turismo colisionó frontalmente contra un camión* · **lateralmente** · **en cadena** || **fuertemente** · **violentamente** · **espectacularmente** || **inevitablemente** || **personalmente**

☐ USO Se construye con sustantivos en plural (*Dos vehículos colisionaron a causa de la niebla*), coordinados por la conjunción *y* (*Un turismo y un camión colisionaron a causa de la niebla*) o vinculados con la preposición *con* (*Un turismo colisionó con un camión a causa de la niebla*).

colitis s.f.

●CON ADJS. **fuerte** *Una fuerte colitis eliminó al ciclista de la carrera* · **molesta** || **inoportuna** · **intempestiva**
●CON SUSTS. **síntoma (de)** · **signo (de)** · **cuadro (de)** · **brote (de)** || **tratamiento (de)** || **enfermo,ma (de)**
●CON VBOS. **dar(le) (a alguien)** · **entrar(le) (a alguien)** · **irse(le) (a alguien)** · **pasárse(le) (a alguien)** || **agudizar(se)** · **acentuar(se)** || **cortar(se)** · **detener(se)** || **causar** || **tener** · **sufrir** *Varios turistas sufrieron colitis* · **padecer** || **tratar** || **recuperar(se) (de)**

collar

1 **collar** s.m.
●CON ADJS. **llamativo** · **precioso** *La presentadora llevaba un collar precioso* · **original** · **vistoso** || **de perro** · **antipulgas** || **olímpico**
●CON VBOS. **lucir** · **llevar** · **usar** || **colocar** · **poner(se)** *¿Ya le has puesto el collar al perro?* || **atar (con)** · **sujetar (con)**

2 **collar (de)** s.m.
●CON SUSTS. **perlas** · **diamantes** *Lucía un espectacular collar de diamantes* · **rubíes** · **cuentas** · **brillantes** · **piedras preciosas** · **zafiros** || **oro** · **plata** · **bisutería** · **plástico** || **flores** · **conchas** || **clavos** · **espinas** || **artesanía**

[colmar] →colmar; colmar (de)

colmar v.

●CON SUSTS. **vaso** *la gota que colma el vaso* · **caja** · **botella** · **cesto** · **jarra** *colmar la jarra de agua* · ***otros recipientes*** || **recinto** · **plaza** *La multitud colmó la plaza* · **granero** · **estadio** · **calle** · ***otros lugares*** || **expectativa** · **deseo** *Pocas cosas pueden colmar los deseos de un insatisfecho permanente* · **sueño** · **aspiración** · **ilusión** · **esperanza** · **afán** · **ambición** · **ansia** · **apetencia** · **capricho** · **objetivo** · **fin** || **vacío** · **ausencia** · **laguna** · **agujero** · **necesidad** · **carencia** · **déficit** · **deuda** · **insuficiencia** · **abismo** || **paciencia** *Te advierto que estás empezando a colmar mi paciencia* · **tolerancia** || **felicidad** · **gozo** || **indignación** · **soberbia** · **vanidad** || **entusiasmo** · **pasión** · **emoción** · **sensibilidad** || **vida** · **alma** · **ser**

colmar (de) v.

●CON SUSTS. **regalos** · **obsequios** · **joyas** · **dinero** · **detalles** || **felicidad** *La noticia del embarazo les colmó de felicidad* · **alegría** · **placer** · **gozo** · **satisfacción** · **orgullo** || **agasajos** · **elogios** *El entrenador colmó de elogios a su equipo* · **alabanzas** · **encomios** · **felicitaciones** · **aplausos** · **galanterías** · **ditirambos** || **éxito** · **gloria** · **honor** · **homenaje** || **cariño** · **afecto** · **ternura** · **simpatía** · **pasión** · **gratitud** *un reconocimiento que nos colma de gratitud* · **adoración** || **bendición** · **belleza** · **favores** · **gracia** || **esperanza** · **ilusión** || **sorpresa** · **asombro** · **curiosidad** || **incertidumbre** · **angustia** · **ira** · **frustración** · **indignación** · **desdicha** || **problemas** · **dificultades** *un proyecto ilusionante y viable, pero colmado de dificultades* · **obstáculos** · **desgracias** · **irregularidades** || **información** · **confesiones** · **sugerencias** · **consejos** || **anécdotas** · **peripecias** · **aventuras** · **acontecimientos**

□USO Se construye con sustantivos contables en plural (*colmar de regalos*) y con no contables en singular (*colmar de gloria*).

colmo (de) s.m.

●CON SUSTS. **cinismo** · **vanidad** · **desfachatez** · **vileza** · **elegancia** *Esta mujer es el colmo de la elegancia* · **perfección** · **madurez** · **bondad** · ***otras cualidades o defectos*** || **dicha** · **felicidad** · **alegría** || **desconcierto**

□EXPRESIONES **para colmo** [por si fuera poco] || **ser el colmo** [ser intolerable]

colocación s.f.

●CON ADJS. **idónea** · **perfecta** *su perfecta colocación en el terreno de juego* || **buena** · **mediocre** · **inmejorable** · **exitosa** || **por enchufe** · **a dedo** *un departamento lleno de colocaciones a dedo*
●CON SUSTS. **agencia (de)** *Como no encontraba trabajo, recurrió a una agencia de colocación*
●CON VBOS. **encontrar** *encontrar colocación en el sector agrario* · **conseguir** · **lograr** · **dar** · **proporcionar** · **procurar** || **cambiar (de)** *Se decidió a cambiar de colocación*

colocado, da adj. *col.*

●CON VBOS. **estar** · **andar** · **ir** *Después de tantas copas va un poco colocada*

colocar(se) v.

●CON ADVS. **a la cabeza** *El equipo verde se ha colocado a la cabeza de la clasificación* · **en primera línea** · **a la cola** · **en un pedestal** || **correctamente** · **adecuadamente** · **debidamente** · **estratégicamente** · **a buen recaudo** *Coloqué los documentos a buen recaudo* || **ordenadamente** · **armónicamente** · **simétricamente** · **alfabéticamente** · **cronológicamente** · **en fila** *La profesora indicó a los alumnos que se colocaran en fila* · **en serie** · **en montones** · **en grupos** · **frente a frente** · **asimétricamente** || **a la defensiva**

colofón s.m.

●CON ADJS. **final** || **perfecto** *El premio fue el perfecto colofón a su carrera como actriz* · **ideal** · **de lujo** · **digno** · **inmejorable** · **excelente** · **brillante** · **magnífico** · **buen(o)** · **gran(de)** || **catastrófico** · **trágico** · **triste** · **siniestro** · **deplorable** · **desdichado** · **luctuoso** · **descarnado** || **humorístico** · **optimista** · **musical** · **bonito** · **dulce** || **emotivo** *La actuación de la cantante puso un emotivo colofón al espectáculo* · **solemne** · **heroico**
●CON VBOS. **poner** · **constituir** || **alcanzar** || **servir (de)**
●CON PREPS. **como** *Como colofón, el acto contó con la presencia de...*

colonia

1 **colonia** s.f.

▌[perfume]
●CON ADJS. **fresca** · **natural** · **suave** · **fuerte** · **intensa** · **penetrante** · **agradable** || **pastosa** · **desagradable** · **mareante** · **dulzona** || **de marca** · **de muestra**
●CON SUSTS. **agua (de)** || **frasco (de)** *Me han regalado un frasco de colonia por mi cumpleaños* · **bote (de)** || **olor (de/a)** · **fragancia (de)**
●CON VBOS. **oler** · {**tirar/echar**} **de espaldas** || **echar** · **poner** · **llevar** · **usar** *¿Qué colonia usas, que huele tan bien?* || **oler (a)**

▌[conjunto de personas o de animales]
●CON ADJS. **extranjera** · **antigua** *Las antiguas colonias se independizaron de la metrópoli* · **reciente** · **alejada** · **última** · **primera** || **numerosa** *En esta ciudad hay una numerosa colonia de cigüeñas* · **populosa** · **superpoblada** || **de verano** *mandar a los niños a una colonia de verano* · **de vacaciones**
●CON SUSTS. **núcleo (de)** · **miembro (de)** · **líder (de)**

• CON VBOS. **asentar(se) · establecer(se) · formar(se)** *Los pingüinos forman grandes colonias en la Antártida* || **independizar(se) · levantar(se)** || **abandonar (un lugar)** || **dejar · perder** || **vivir (en) · residir (en) · salir (de) · migrar (a/de) · irse (de)** || **formar parte (de) · pertenecer (a)**

2 **colonia (de)** s.f.

• CON SUSTS. **hormigas · patos · focas** *una colonia de focas amenazada por los vertidos* · **cigüeñas** · ***otros animales*** || **emigrantes · compatriotas · extranjeros,ras · refugiados,das** · ***otros individuos***

colonial adj.

• CON SUSTS. **época · período · etapa · pasado** *El pasado colonial de la ciudad se refleja en sus calles y en sus plazas* || **imperio · potencia · metrópoli** || **dominio · dominación · ocupación · expansión · presencia · independencia** || **guerra · conflicto** *Aquellas revueltas marcaron el comienzo de los conflictos coloniales* · **crisis · desastre · pérdida** || **sociedad · ciudad · territorio · enclave · centro** || **régimen · sistema · modelo · política · gobierno · ejército** || **herencia** *Los edificios que ven ustedes son parte de la herencia colonial* · **tradición · nostalgia** || **estilo · arte · arquitectura · edificio · mansión · casa · villa · casona**

coloquio s.m.

• CON ADJS. **animado · entretenido · ameno · interesante · aburrido** || **distendido · desenfadado · cordial · placentero · tenso** || **formal · informal** || **abierto** *un coloquio abierto a todos los miembros de la asociación* · **a puerta cerrada** || **sincero · franco** || **breve · periódico** || **internacional** || **político · literario · académico**

• CON VBOS. **celebrar(se) · tener lugar · producir(se) · transcurrir** || **abrir · iniciar · clausurar · suspender · reanudar** || **entablar · sostener** *Los asistentes sostuvieron un interesante coloquio sobre...* · **mantener · realizar** || **moderar · protagonizar · amenizar** || **organizar · concertar** || **ofrecer · patrocinar** || **invitar (a)** || **asistir (a) · participar (en) · intervenir (en)** *Los espectadores pueden intervenir en el coloquio llamando al siguiente número de teléfono*

[color] → a todo color; color

color s.m.

• CON ADJS. **claro · oscuro** || **cálido · frío** || **fuerte · intenso · brillante · incandescente · vivo · vívido · vistoso · llamativo · chillón · estridente · rabioso · penetrante · puro · pastel** *La habitación del bebé estaba decorada en colores pastel* || **suave · tenue · apagado · mate · mortecino · difuminado · desteñido · débil · inapreciable · desvaído · pálido · indefinido** || **irisado · acerado · plomizo · fosforescente · metálico** || **armonioso · conjuntado · dominante** *El rojo era el color dominante en aquella composición* · **discordante · abigarrado** || **buen** *Tienes muy buen color, se nota que la vida en el campo te sienta de maravilla* · **mal** || **político** || **subido,da (de)** *una fotografía subida de color*

• CON SUSTS. **paleta (de) · abanico (de) · muestrario (de) · lápiz (de)** *La niña coloreó el dibujo con lápices de colores* || **nota (de) · toque (de) · pincelada (de) · mano (de)** || **escalera (de)**

• CON VBOS. **apagar(se) · diluir(se) · demudar(se)** *Se le demudó el color del rostro* || **dar · poner (a algo)** || **tomar · perder(se)** || **reflejar · despedir** || **pintar (de)** *Pintó la casa de alegres colores* · **teñir(se) (de) · llenar (de)**

☐ EXPRESIONES **a todo color*** · **en color** [con colores variados, no solo en blanco y negro] *revistas a todo color; fotografías en color* || **de color de rosa** [idealmente] *ver todo de color de rosa* || **de color** [de un color distinto al blanco, al negro o al gris] *ropa de color* || **ponerse de todos los colores** [sentir vergüenza o enfado] || **sacar los colores** [avergonzar]

COLOR

Información útil para el uso de:

amarillo; ámbar; añil; azul; beis; bermellón; blanco; burdeos; caoba; caqui; carmesí; carmín; colorado; corinto; encarnado; escarlata; esmeralda; fucsia; granate; gris; lila; malva; marrón; morado; naranja; negro; ocre; púrpura; rojo; rosa; salmón; sepia; turquesa; verde; violeta

• CON ADJS. **oscuro · fuerte · intenso · vivo · encendido** *un rojo encendido* · **subido · brillante · mate · claro · pálido · suave · tenue · apagado · desvaído · pastel** *un amarillo pastel* · **indefinido** *un marrón indefinido* · **matizado · aguado** || **llamativo · chillón · estridente · rabioso · eléctrico · fosforescente · puro · metálico** *un azul metálico* · **metalizado**

• CON SUSTS. **tono (de) · tonalidad (de) · matiz (de) · mezcla (de) · color** *una camiseta de color naranja*

• CON VBOS. **desteñir(se)** *Cuidado al lavar estas prendas, porque el morado destiñe* · **hacer juego (con algo) · desentonar** || **destacar · resaltar · dominar** *En su pintura dominan los ocres* · **predominar** || **mezclar · aclarar** || **pintar (de) · teñir (de) · tintar (de) · colorear (de)** || **tirar (a)** *un azul que tira a verde* || **vestir (de) · ir (de)** *Siempre voy de blanco*

colorado, da adj.

• CON SUSTS. **cara · rostro · mejilla · moflete · pómulo** *Tenía los pómulos colorados por el frío* || **toro · novillo**

• CON VBOS. **ser · estar · poner(se)** *Se pone colorada cada vez que hablamos de su novio*

➤ Véase también **COLOR**

colorante s.m.

• CON ADJS. **natural** *un colorante natural que se encuentra en algunas frutas y verduras* · **sintético · artificial · orgánico · vegetal** || **permitido · autorizado · inocuo · tóxico** || **alimenticio**

• CON VBOS. **utilizar · usar** || **contener · llevar** *La paella suele llevar un poco de colorante* || **añadir** *sin colorantes ni edulcorantes añadidos* · **incorporar · eliminar · agregar · echar · poner**

• CON PREPS. **sin** *un producto sin colorantes ni conservantes* · **con**

colorido, da s.m.

• CON ADJS. **vivo · intenso · luminoso · gran(de) · fuerte · vibrante · vivaz · vistoso · potente · chirriante · brillante** || **tenue · débil · mortecino · apagado · sutil · suave · sobrio · austero** *El colorido de los muebles era austero y muy elegante* || **bello · espectacular · hermoso · agradable · espléndido · deslumbrante · magnífico** || **rebosante · rico · variado** || **alegre · dulce** || **armónico** *Sus obras conmueven por la simpleza de su presentación y por su colorido armónico* · **sombreado** || **original · costumbrista · tradicional** || **orquestal · instrumental · musical · verbal** || **lleno,na (de)** *un cuadro lleno de colorido*

• CON VBOS. **faltar · sobrar** || **tener · necesitar · presentar** || **añadir · dar · sacar · proporcionar** || **acentuar**

· **resaltar** *La luz del sol resaltaba el colorido del paisaje* || **adquirir**

colosal adj.

● CON SUSTS. **dimensión** *un proyecto de colosales dimensiones* · **tamaño** · **proporción** · **envergadura** || **edificio** · **estatua** · **monumento** || **figura** || **inteligencia** || **esfuerzo** · **labor** · **fuerza** · **tarea** *Costó un gran esfuerzo abordar esta colosal tarea* · **empresa** · **proeza** · **hazaña** · **trabajo** || **proyecto** · **película** · **sinfonía** · **libro** · **obra** || **error** · **fracaso** · **hecatombe** || **fortuna** *Había heredado una colosal fortuna* · **suma**

columna s.f.

■ [soporte, pilar]

● CON ADJS. **gran(de)** · **enorme** · **inmensa** *Una inmensa columna sostenía el techo central* · **gigantesca** · **monumental** · **ciclópea** · **colosal** || **firme** · **sólida** · **consistente** · **estable** · **robusta** · **maciza** · **densa** *una densa columna de humo* · **intensa** || **vacilante** · **endeble** || **de humo** · **humana**

● CON VBOS. **sustentar (algo)** *la columna que sustenta todo nuestro ordenamiento constitucional* · **sostener (algo)** · **sujetar (algo)** · **vertebrar (algo)** || **alzar(se)** · **erguir(se)** *Dos enormes columnas se erguían majestuosas a las puertas del palacio* · **elevar(se)** || **tambalearse** *Las columnas centrales empezaron a tambalearse* · **estremecerse** · **vacilar** · **resquebrajarse** · **derrumbar(se)** || **diseñar** · **idear** · **proyectar** || **levantar** · **edificar** · **construir** || **apoyar(se) (en/sobre)** · **descansar (en/sobre)** *El arco descansaba sobre dos columnas*

■ [parte del cuerpo]

● CON ADJS. **vertebral** · **lumbar** || **recta** · **desviada** *Tiene usted la columna un poco desviada* · **torcida** || **fuerte** · **débil**

● CON SUSTS. **lesión (de)** · **fractura (de)** · **rotura (de)** || **disco (de)** · **nervio (de)** || **problema (de)** · **desviación (de)** || **ejercicio (de)**

● CON VBOS. **apoyar** || **estirar** · **desentumecer** || **lesionar(se)** · **dañar(se)** *Se dañó la columna en un accidente de moto* · **fracturar(se)**

■ [escrito]

● CON ADJS. **periodística** · **de opinión** · **editorial** || **diaria** · **semanal** *Escribía una columna semanal en una revista cultural*

● CON VBOS. **leer** · **escribir** · **firmar** · **titular** · **publicar** · **recopilar** || **dedicar** · **merecer** *Este asunto bien merece una columna*

■ [bloque gráfico]

● CON ADJS. **doble** *una página a doble columna* · **triple**

● CON VBOS. **distribuir (en)** · **colocar (en)** · **ordenar (en)** · **representar (en)**

coma

1 **coma** s.m.

■ [estado patológico]

● CON ADJS. **profundo** *La paciente lleva tres meses en coma profundo* · **irreversible** · **vegetativo** || **etílico** · **diabético** · **neurológico** · **metabólico** || **repentino** · **previsible**

● CON SUSTS. **estado (de)**

● CON VBOS. **detectar** · **diagnosticar** || **provocar** · **causar** · **originar** || **sufrir** || **salir (de)** · **entrar (en)** *Entró en coma después de la operación* · **caer (en)** · **recuperarse (de)** || **encontrarse (en)** · **estar (en)** · **continuar (en)** · **permanecer (en)** · **mantener(se) (en)**

2 **coma** s.f.

■ [signo ortográfico]

● CON VBOS. **faltar** *Tuve que revisar el texto porque le faltaban muchas comas* · **sobrar** || **poner** · **quitar** · **tocar** · **añadir** · **colocar** · **cambiar** *No cambio ni una coma* · **corregir** · **revisar**

comando s.m.

● CON ADJS. **militar** *Un portavoz del comando militar declaró que...* · **de policía** · **guerrillero** · **terrorista** · **armado** · **paramilitar** · **policial** · **sanitario** · **suicida** · **electoral** || **logístico** · **técnico** · **central** · **de apoyo** || **rebelde** *intensos combates entre los militares y el comando rebelde* · **independiente** · **insurgente** · **revolucionario** · **itinerante** · **autónomo** · **especial**

● CON SUSTS. **jefe,fa (de)** · **líder (de)** · **presidente,ta (de)** · **miembro (de)** *Ingresa en prisión el presunto miembro del comando de...* · **coordinador,-a (de)** · **comandante (de)** · **integrante (de)** · **oficial (de)**

● CON VBOS. **asaltar (algo/a alguien)** · **atacar (algo/a alguien)** · **bombardear (algo/a alguien)** || **actuar** · **ejecutar (algo)** · **operar** || **atrincherar(se)** · **infiltrar(se)** || **crear** · **conformar** · **constituir** || **integrar** · **liderar** *el cabecilla que lidera el comando terrorista* · **dirigir** || **perseguir** · **desarticular** · **desbaratar**

comba s.f.

● CON VBOS. **dar (a alguien) (a)**

□ EXPRESIONES **no perder comba** [aprovechar cualquier ocasión favorable] *col.*

combate s.m.

● CON ADJS. **violento** *Hubo violentos combates en la zona del conflicto* · **feroz** · **encarnizado** · **enconado** · **brutal** · **duro** · **cruento** · **atroz** || **intenso** *Tras una semana de intensos combates se abrió una tregua* · **sin tregua** · **intensivo** · **tenaz** · **denodado** · **a brazo partido** · **bravo** || **en primera línea** · **frontal** · **abierto** · **soterrado** || **cuerpo a cuerpo** *Los soldados se enzarzaron en un combate cuerpo a cuerpo* · **mano a mano** · **a mano armada** || **reñido** · **igualado** · **equilibrado** || **desigual** *Los combates entre la guerrilla y el ejército eran muy desiguales por la superioridad numérica de este* · **desequilibrado** || **profesional** · **estelar** || **de boxeo** · **ideológico** · **político** · **intestino** · **interno** · **defensivo** · **épico** || **presto,ta (a)** · **listo,ta (para)**

● CON SUSTS. **arma (de)** · **grito (de)** · **línea (de)** · **piloto (de)** · **unidad (de)** || **fragor (de)**

● CON VBOS. **desatar(se)** · **disputar(se)** · **producir(se)** · **celebrar(se)** || **comenzar** · **proseguir** · **intensificar(se)** · **recrudecer(se)** *Se recrudecieron los combates en la zona de...* · **arreciar** · **durar** || **amainar** · **acabar** || **dar un giro** · **dar un vuelco** || **entablar** · **emprender** · **librar** *librar un duro combate contra la adicción al tabaco* · **oponer** || **sentenciar** · **zanjar** || **dominar** · **ganar** · **perder** || **amañar** *La prensa sospecha que los organizadores amañaron el combate* · **pactar** || **arbitrar** || **alimentar** · **apoyar** · **fomentar** || **aprestar(se) (a)** · **preparar(se) (para)** · **entrar (en)** *listos para entrar en combate* · **enzarzarse (en)** · **enfrascarse (en)** · **ir (a)** · **mandar (a)** · **lanzar(se) (a)** || **vencer (en)** || **morir (en)**

● CON PREPS. **durante** · **en el curso (de)** · **a lo largo (de)**

combatir v.

● CON SUSTS. **enemigo,ga** *Lo acusan de combatir al enemigo equivocado* · **ejército** · **gobierno** · **poder** · **autoridad** · **dominio** || **diabetes** · **sida** · **infección** · **gripe** · ***otras enfermedades*** || **dolor** *combatir el dolor con analgésicos* ·

fiebre · picor · síntoma || miedo · tristeza · desesperanza · angustia *...para combatir la angustia que produce la espera* · estrés · aburrimiento · ***otros estados anímicos o físicos*** || crimen · delincuencia · violencia · terrorismo · corrupción · fraude · criminalidad · delito · especulación · narcotráfico · vandalismo · pederastia || hambre · miseria · sueño *El café cargado me ayuda a combatir el sueño* · pobreza · indigencia · precariedad || marginación · discriminación · exclusión · segregación · intolerancia · machismo · xenofobia · racismo *...en la conferencia mundial para combatir el racismo y la discriminación* · consumismo · comunismo · radicalismo · integrismo · fascismo · ***otras tendencias políticas, sociales o ideológicas*** || mal · lacra · plaga · amenaza · problema · flagelo || desempleo · paro · inflación · crisis · déficit || hábito · adicción *...iniciará un tratamiento de rehabilitación para combatir su adicción a las drogas* · dependencia · alcoholismo · tabaquismo · drogodependencia · cocainomanía || frío · calor · bochorno · canícula · sequía · helada · hielo · temperaturas altas || contaminación · polución · efecto invernadero || incendio *Los vecinos tuvieron que colaborar con los bomberos para combatir el incendio* · fuego · llama

● CON ADVS. violentamente · encarnizadamente · a mano armada · cuerpo a cuerpo · ardientemente · a cuerpo limpio || con dureza · con mano dura *El Gobierno prometió combatir la corrupción con mano dura* · con firmeza · con todas {mis/tus/sus...} fuerzas · vigorosamente || abiertamente · activamente · decididamente · valientemente · en primera línea · frontalmente || sin descanso · sin tregua · a toda costa *combatir el aburrimiento a toda costa* || a fondo · de raíz · eficazmente · con éxito || a brazo partido · codo con codo · de palabra y obra

combinar(se) v.

● CON ADVS. proporcionalmente · a partes iguales *...y combina a partes iguales seducción y maestría* · armoniosamente · armónicamente · equilibradamente · desigualmente || perfectamente · a la perfección · a las mil maravillas · acertadamente · adecuadamente · sabiamente *El autor sabe combinar sabiamente el rigor histórico con una amena trama novelesca* · ejemplarmente · hábilmente · fatalmente

□ USO Se construye con sustantivos en plural (*combinar varios estilos de decoración*), coordinados por la conjunción *y* (*combinar tecnología y tradición*) o unidos con la preposición *con* (*combinar un bolso con unos zapatos*).

combustible

1 combustible adj.

● CON SUSTS. material *Ardió todo el material combustible* · materia · objeto · elemento · aislamiento

2 combustible s.m.

● CON ADJS. escaso · abundante || nuevo · innovador || ecológico · contaminante || fósil · sólido · nuclear

● CON SUSTS. depósito (de) · tanque (de) · bidón (de) || abastecimiento (de) · recarga (de) || consumo (de) *fomentar el consumo de combustible ecológico* · gasto (de) || falta (de) · escasez (de) · volumen (de) || vertido (de) · residuo (de) · mancha (de)

● CON VBOS. repostar · echar *Pararemos en la próxima estación de servicio para echar combustible* · verter · recargar · suministrar || gastar · ahorrar · malgastar · derrochar || transportar || abastecer (de)

combustión s.f.

● CON ADJS. espontánea · permanente || deficiente · mala *El origen del accidente fue una mala combustión de la estufa* · buena · limpia || fácil · rápida · lenta || incompleta · parcial || explosiva · turbulenta || alta *un material aislante pero de alta combustión* · baja || industrial · nuclear · térmica || interna

● CON SUSTS. motor (de) · cámara (de) · sistema (de) · vehículo (de) || gas (de) || proceso (de) || grado (de) · temperatura (de)

● CON VBOS. producir(se) · fallar || generar · provocar · causar · facilitar || alcanzar || mejorar *Hicieron cambios en el motor para mejorar la combustión del vehículo* · controlar || entrar (en)

comedia s.f.

● CON ADJS. divertida *Han estrenado una comedia muy divertida* · simpática · graciosa · aburrida · fría || negra · sarcástica · provocativa || ligera · de tono menor · de costumbres · romántica · musical · de situación · de capa y espada · de género chico · de enredo || clásica · popular · célebre || cinematográfica · televisiva

● CON SUSTS. escritor,-a (de) · actor (de) · actriz (de) · personaje (de) · protagonista (de) · estrella (de) || corral (de) *Visitamos algunos corrales de comedias* || escena (de) · situación (de) · aires (de) || género (de) · clásico (de)

● CON VBOS. escribir · adaptar · dirigir · producir || interpretar · protagonizar · representar · rodar || estrenar · presentar · promocionar

● CON PREPS. en clave (de) *una crítica en clave de comedia* · en tono (de)

□ EXPRESIONES hacer ({la/una}) comedia [fingir o aparentar] *col.*

comedido, da adj.

● CON SUSTS. ***persona*** *un hombre comedido y prudente* || gesto · ademán · actitud · postura || palabras · frase · discurso · respuesta · comentario · ***otras manifestaciones verbales o comunicativas*** || tono *siempre en un tono correcto y comedido* · estilo · imagen || conducta · reacción · acción || planteamiento · deseo · idea

● CON VBOS. mostrarse *Con su familia siempre se muestra muy comedido* · volverse

comedor s.m.

● CON ADJS. escolar · universitario · de indigentes · de oficiales · municipal · comunal || contiguo · central · principal · de gala · de invitados

● CON SUSTS. servicio (de) *El colegio cuenta con servicio de comedor*

● CON VBOS. pasar (a) *Han dicho por megafonía que ya podemos pasar al comedor* · entrar (a) · bajar (a)

comensal s.com.

● CON ADJS. habitual · nuevo,va · invitado,da · inesperado,da || exigente · sibarita · agradecido,da

● CON SUSTS. mesa (para) *una mesa para media docena de comensales*

● CON VBOS. situar(se) · ubicar(se) · colocar(se) || degustar (algo) || atender || servir (a) *Los camareros sirvieron la cena a medio centenar de comensales*

comentar v.

● CON SUSTS. obra · película · relato · cuento · novela · poema · ***otras creaciones*** || noticia · información · dato || intervención · comentario · palabra · discurso · frase · ***otras manifestaciones verbales o comunicativas*** || asunto · tema · cuestión · punto

• CON ADVS. **a fondo · detalladamente** *No me queda espacio para comentar detalladamente todos los aspectos de...* **· ampliamente · extensamente · por extenso · largamente · in extenso || someramente · sucintamente · escuetamente · por encima** *Me comentó por encima la noticia* **· a grandes trazos || a vuelapluma · al vuelo · tangencialmente · de pasada · de paso · a la ligera · sin entrar en detalles || favorablemente · maliciosamente · secamente**

comentario s.m.

• CON ADJS. **afortunado · acertado · atinado · certero** *un malévolo y certero comentario sobre...* **· agudo · juicioso · sensato · oportuno || desacertado · desafortunado · descabellado || irónico · gracioso · cínico · acerado · ácido · avieso · capcioso · cáustico · corrosivo · despectivo · hiriente · incisivo · malicioso · intencionado · maligno · malintencionado · inoportuno · fuera de lugar · molesto · irritante · provocativo · negativo · demoledor · injurioso · sardónico · tendencioso · airado · descortés · grosero · alarmante || crítico · constructivo · positivo · elogioso** *Su trabajo fue objeto de elogiosos comentarios* **· amable · cortés · halagüeño || digno,na (de) · obligado || al respecto · alusivo · relativo (a algo)** *Desearía agregar un comentario relativo a este punto* **|| adicional · aparte · a pie de página || circunstancial · ocasional · fortuito · marginal || a vuelapluma · de pasada · tangencial · anecdótico · superficial · breve** *En el periódico solo aparecía un breve comentario del suceso* **· sucinto · mínimo · parco,ca (en) || detallado · minucioso · exhaustivo || sabroso · jugoso · revelador · noticioso || crucial · decisivo || lapidario · tajante || oficial · unánime · público || periodístico · editorial · de texto**

• CON SUSTS. **aluvión (de) · lluvia (de) · ola (de) || objeto (de)**

• CON VBOS. **caber** *La cuestión está zanjada; no caben más comentarios* **· agotar(se) || surgir · circular · cundir · filtrar(se) · enardecer(se) || caer como una bomba** *El comentario cayó como una bomba entre las filas del partido* **· perjudicar (a alguien) || girar · versar (sobre algo) || merecer** *El asunto no merece mayor comentario* **· despertar · suscitar · provocar · ocasionar · alimentar || hacer · dejar caer** *Dejó caer un comentario malintencionado que a nadie pasó inadvertido* **· deslizar · verter · agregar · introducir · realizar · efectuar · formular · expresar · emitir · ampliar || oír · escuchar || recoger · difundir · reproducir · divulgar · publicar · desglosar · desgranar || rectificar · desmentir** *Sin desmentir este comentario, más bien opta por ver las cosas de otra manera...* **|| ahorrar · acallar · zanjar || dar lugar (a)** *Su acelerada salida del Gobierno dio lugar a los más diversos comentarios* **· prestar(se) (a) || salir al paso (de) · responder (a) · replicar (a) || hacer caso (a/de) · dejarse llevar (por)**

• CON PREPS. **al hilo (de)** *Al hilo de los comentarios sobre mi posible implicación en el asunto, quisiera aclarar que...* **|| a título (de)**

☐ EXPRESIONES **sin comentarios** [indica que no se desea decir nada] *col.*

comentarista s.com.

• CON ADJS. **habitual** *comentarista habitual de un periódico* **· diario,ria · fijo,ja · asiduo,dua · esporádico,ca · veterano,na · novato,ta || especializado,da · político,ca** *una tertulia de comentaristas políticos* **· musical · literario,ria · financiero,ra · taurino,na · deportivo,va || televisivo,va · radiofónico,ca || lúcido,da · mordaz · crítico,ca · valiente · ponderado,da || objetivo,va · imparcial · independiente || tendencioso,sa · parcial · a sueldo (de alguien) || famoso,sa · prestigioso,sa · ilustre · célebre** *El nuevo programa está dirigido por un célebre comentarista deportivo* **· destacado,da · respetado,da · admirado,da**

• CON VBOS. **informar (de algo) · comunicar || trabajar (como/de)**

comenzar v.

• CON ADVS. **con {buen/mal} pie || {de/desde} cero** *No hay precedentes, comenzamos de cero* **· escalonadamente · {desde/por} el principio || en firme · arrolladoramente · con ímpetu || con cautela · a medio gas · poco a poco · sin prisas**

[comer] → comer; comer (a alguien)

comer v.

• CON SUSTS. **carne · pescado · verdura · lentejas · puré ·** ***otros alimentos o comidas*** **|| color** *El sol se come los colores* **· brillo || metal · madera** *Este ácido puede comerse la madera* **|| letra** *comerse una letra al escribir* **· sílaba · palabra · párrafo || ficha** *Te como una ficha y cuento veinte* **· pieza || coco** *Por mucho que te comas el coco no vas a solucionar nada* **· tarro · cabeza || moral** *No nos comas la moral, que bastantes problemas tenemos ya* **|| terreno || hora (de)** *¿Es ya la hora de comer?*

• CON ADVS. **opíparamente · espléndidamente · ricamente · copiosamente · abundantemente · desmesuradamente · como una lima** *Ahí donde lo ves, tan delgadito, come como una lima* **· exageradamente · excesivamente · abusivamente || compulsivamente · vorazmente · con voracidad · ávidamente · ansiosamente · como un loco · con fruición || con moderación · moderadamente · austeramente · parcamente · como un pajarito || plácidamente · tranquilamente · despacio || sano · caliente** *Estoy harto de bocadillos, me apetece comer caliente*

• CON VBOS. **dar (de) · echar (de)** *Voy a echarles de comer a las gallinas*

☐ EXPRESIONES **comer(se) vivo** (a alguien) [mostrar gran irritación hacia él] *col.* **|| sin comerlo ni beberlo** [sin justificación] *col.*

comer (a alguien) v.

• CON SUSTS. **celos** *Cada vez que alguien hablaba con su novia, lo comían los celos* **· envidia · odio || nervios · impaciencia**

comercial

1 comercial adj.

▮ [mercantil]

• CON SUSTS. **centro** *Pasamos toda la tarde en el centro comercial* **· local · zona · ciudad || banca · clase · agenda || actividad · sector · ámbito · circuito · sección || intercambio** *medidas para favorecer el intercambio comercial entre países* **· transacción · acercamiento · ingreso || explotación · uso · manipulación || estrategia · táctica · política · montaje · infraestructura · misión || relación · socio,cia || balanza · beneficio · ganancia · superávit · déficit · pérdida · financiamiento || éxito · garra · fracaso || ciclo · temporada · jornada || marca · casa || avión** *Es piloto de aviones comerciales* **· ingeniero,ra || valor · impacto || puesto · dirección · gerente** *La nombraron gerente comercial de la empresa* **· representante · ejecutivo,va || monopolio · liberalización · competencia || liderazgo · alternativa || bloqueo · embargo || acuerdo · convenio · ajuste || guerra · agresividad · afán || lanzamiento · apertura · desarrollo || efecto · consecuencia · repercusión** *Cabe pensar que estas medidas tendrán repercusiones comerciales* **|| razón · motivo · base · origen**

I [que se vende o tiene éxito]

• CON SUSTS. **producto** · **película** *Es una película comercial, sin muchas pretensiones* · **libro** · **novela** · ***otras obras***

2 **comercial** s.com.

I [persona]

• CON ADJS. **eficiente** · **ineficiente** || **amable** · **atento,ta** || **con olfato**

• CON SUSTS. **puesto (de)** *Ha quedado vacante un puesto de comercial* · **cargo (de)**

• CON VBOS. **vender (algo)** · **atender (a alguien)** *Si tiene algún problema, la atenderá uno de nuestros comerciales* · **promocionar (algo)** || **trabajar (como/de)**

comercializar v.

• CON SUSTS. **producto** *Empezarán a comercializar el nuevo producto a finales de año* · **mercancía** · **mercadería** · **material** · **materia** · **invento** · **producción** · **excedente** || **técnica** · **derechos** · **patente** · **servicio** · **marca** *Ya no comercializan esa marca de electrodomésticos* · **modelo** · **información**

• CON ADVS. **legalmente** · **ilegalmente** · **de contrabando** || **internamente** · **internacionalmente** || **libremente** · **directamente** · **individualmente** · **conjuntamente** || **actualmente**

comerciante s.com.

• CON ADJS. **pequeño,ña** · **gran** *La medida solo beneficiará a los grandes comerciantes* · **mediano,na** · **modesto,ta** || **mayorista** · **minorista** · **exportador,-a** || **rico,ca** · **próspero,ra** *Era un próspero comerciante del sector textil* · **poderoso,sa** · **ávido,da** || **honorable** · **honesto,ta** · **buen,-a** · **infractor,-a** · **desaprensivo,va** || **industrial** · **textil**

• CON SUSTS. **asociación (de)** · **asamblea (de)** · **grupo (de)** · **familia (de)** · **gremio (de)** · **federación (de)**

comerciar v.

• CON ADVS. **legalmente** · **con arreglo a la ley** || **ilegalmente** · **de forma fraudulenta** || **libremente** · **sin restricciones** || **internacionalmente** · **localmente** · **regionalmente** || **al por mayor** · **al por menor**

☐ USO Se construye frecuentemente con complementos encabezados por la preposición *con*: *comerciar con armas*.

comercio s.m.

• CON ADJS. **interior** · **exterior** · **internacional** · **local** || **pequeño** *una nueva batalla entre el pequeño comercio y las grandes superficies* || **libre** · **sin barrera(s)** · **justo** *una tienda de comercio justo* || **legal** · **ilegal** *...luchar contra el comercio ilegal de especies protegidas* || **competitivo** · **próspero** · **floreciente** · **exitoso** · **fecundo** · **de capa caída** || **carnal**

• CON VBOS. **despuntar** · **recuperar(se)** || **hundir(se)** · **ahogar(se)** || **ampliar** || **practicar** · **ejercer** · **explotar** · **monopolizar** || **favorecer** · **fomentar** · **impulsar** · **promover** · **incrementar** · **rentabilizar** || **obstaculizar** · **obstruir** · **restringir**

➤ Véase también **ESTABLECIMIENTO**

cometa

1 **cometa** s.m.

I [astro]

• CON ADJS. **fugaz** · **brillante** · **luminoso** · **fulgurante**

• CON SUSTS. **núcleo (de)** · **cola (de)** || **luz (de)** || **rastro (de)** · **estela (de)**

• CON VBOS. **brillar** · **fragmentar(se)** *El cometa se fragmentó a su paso por...* · **pasar** · {**cruzar/surcar**} **el cielo** · **impactar** · **chocar** || **ver** · **observar** · **divisar** · **localizar** · **identificar** *Los científicos han identificado un nuevo cometa* · **estudiar** · **investigar**

2 **cometa** s.f.

I [juguete]

• CON VBOS. **volar** *Se le podía ver en la playa enseñando a sus dos hijos a volar cometas* · **soltar(se)** · **escaparse** · **enredarse** || **sujetar** || **jugar (con)**

cometer v.

• CON SUSTS. **delito** · **falta** · **crimen** · **infracción** · **atentado** · **perjuicio** · **plagio** · **atraco** · **robo** · **fraude** · **asesinato** · **pecado** · **violación** · **secuestro** · **sacrilegio** || **error** · **fallo** · **equivocación** · **desliz** · **torpeza** · **lapsus** || **irregularidad** *Los autores deberán responder por las irregularidades cometidas* · **anomalía** · **deficiencia** || **locura** · **disparate** · **barbaridad** · **imprudencia** · **insensatez** · **osadía** · **irresponsabilidad** · **negligencia** · **estupidez** · **tontería** *Estuve a punto de cometer una tontería* · **travesura** · **dislate** · **temeridad** || **injusticia** · **atropello** · **tropelía** · **desafuero** · **agravio** · **daño** || **atrocidad** · **crueldad** · **bestialidad** · **monstruosidad** · **salvajada** *¿Quién puede haber cometido semejante salvajada?* · **maldad** || **indiscreción** · **intromisión** · **descortesía**

cometido s.m.

• CON ADJS. **específico** · **preciso** · **diferente** · **variado** · **nuevo** · **antiguo** || **crucial** · **importante** *Entre mis cometidos más importantes como directora de esta área, figura el de...* · **básico** · **fundamental** · **esencial** · **primordial** || **inexcusable** · **insoslayable**

• CON VBOS. **asignar (a alguien)** || **asumir** · **emprender** · **tener** · **desempeñar** || **cumplir** *El manual tiene algunas deficiencias, pero en términos generales cumple su cometido* · **lograr** · **culminar** · **alcanzar**

comezón s.f.

• CON ADJS. **especial** · **violenta** · **leve** · **fuerte** *La comezón era tan fuerte que no se calmaba con nada* · **intensa** · **continua** || **molesta** · **desesperante**

• CON VBOS. **provocar** *El medicamento le provocó comezón y ronchas en la piel* · **causar** · **producir** || **sentir** || **aliviar** · **calmar**

cómic s.m.

• CON ADJS. **infantil** · **clásico** *una librería frecuentada por coleccionistas de cómics clásicos* · **de aventuras** · **de espionaje** · **urbano** · **sangriento** · **erótico** || **en fascículos** || **aficionado,da (a)** · **fanático,ca (de)**

• CON SUSTS. **personaje (de)** · **héroe (de)** *Ahora se hacen películas sobre casi todos los héroes de los cómics* · **heroína (de)** · **protagonista (de)** || **historia (de)** || **dibujante (de)** || **mundo (de)** || **manga** *una serie de televisión inspirada en el cómic manga*

• CON VBOS. **leer** · **ilustrar** · **coleccionar**

comicios s.m.pl.

• CON ADJS. **cruciales** · **decisivos** *Son comicios decisivos para la historia de este país* · **históricos** || **disputados** · **reñidos** · **igualados** || **próximos** · **últimos** · **recientes** · **pasados** · **anteriores** || **legislativos** · **presidenciales** · **electorales** · **municipales**

• CON SUSTS. **resultado (de)** · **desenlace (de)** || **convocatoria (de)** · {**primera/segunda**} **vuelta (de)** *Tras terminar eliminado en la primera vuelta de los comicios...* · **fecha (de)** || **ganador,-a (de)** · **vencedor,-a (de)**

• CON VBOS. **convocar** · **celebrar** || **boicotear** · **amañar** || **impugnar** · **anular** || **ganar** · **perder** || **presentar(se) (a)**

El presidente ha dicho que no se presentará a los próximos comicios · **acudir (a)** · **concurrir (a)** || **participar (en)** · **votar (en)** || **elegir (en)**

comida s.f.

▮ [alimento]

● CON ADJS. **sabrosa** · **deliciosa** · **rica** · **exquisita** · **gustosa** · **jugosa** · **apetecible** || **abundante** · **suficiente** || **variada** · **monótona** || **empalagosa** · **pesada** · **grasienta** · **insípida** · **insulsa** · **sosa** · **escasa** || **frugal** · **ligera** || **rancia** · **pasada** · **podrida** || **casera** *Comimos en un estupendo restaurante de comida casera* · **típica** · **regional** · **autóctona** · **de restaurante** || **precocinada** · **congelada** · **rápida** · **macrobiótica** · **biológica** · **sana** || **adicto,ta (a)** · **aficionado,da (a)**

● CON SUSTS. **acopio (de)** || **restos (de)** · **plato (de)** *un plato de comida típico* · **ración (de)** || **falta (de)** · **escasez (de)** · **problema (de)** || **reparto (de)** || **mercado (de)** · **establecimiento (de)** · **almacén (de)** || **basura** *No puede uno alimentarse a base de comida basura* · **chatarra**

● CON VBOS. **saber (a algo)** || **revenirse** · **pasarse** · **pudrirse** · **caducar** || **hacer** · **preparar** · **cocinar** · **sazonar** || **probar** · **degustar** · **saborear** · **comer** · **devorar** · **engullir** || **proporcionar** · **racionar** || **alimentar(se) (de)** || **disfrutar (de)** · **atiborrar(se) (de)** · **reventar (de)** || **abastecer (de)** · **surtir (de)**

● CON PREPS. **en busca (de)**

▮ [reunión en la que se come]

● CON ADJS. **formal** · **de postín** · **informal** || **opípara** · **fastuosa** · **pantagruélica** · **apoteósica** || **de negocios** · **de empresa** *Mañana tenemos una comida de empresa* · **campestre** · **de Navidad** · **familiar** · **de compromiso** || **divertida** · **amena** · **entretenida** · **aburrida**

● CON SUSTS. **hora (de)** · **fecha (de)**

● CON VBOS. **organizar** · **celebrar** · **dar** *Mis padres van a dar una comida el día de su aniversario* || **invitar (a alguien) (a)** · **acudir (a)** · **asistir (a)**

comienzo s.m.

● CON ADJS. **brillante** *un brillante comienzo de temporada* · **fulgurante** · **aplastante** || **oscuro** · **difícil** *Sus difíciles comienzos como escritor* · **penoso** · **laborioso** || **con {buen/mal} pie** · **accidentado**

● CON VBOS. **dar** *Tras sus palabras dará comienzo el acto* · **marcar**

● CON PREPS. **en** *en los comienzos de su carrera*

comino s.m.

● CON ADJS. **en polvo** *Aliña la vinagreta con un poco de comino en polvo* · **en grano**

● CON SUSTS. **grano (de)** · **pizca (de)** · **pellizco (de)**

● CON VBOS. **moler** · **machacar** || **añadir** · **agregar** || **condimentar (con)**

☐ EXPRESIONES **importar un comino** [importar muy poco] *col.*

comisaría s.f.

● CON ADJS. **de policía** *Fui a la comisaría de policía a renovarme el carné de identidad*

● CON SUSTS. **jefe,fa (de)** · **agente (de)** · **brigada (de)**

● CON VBOS. **asaltar** · **ocupar** · **rodear** || **trasladar (a alguien) (a)** *Trasladaron a los detenidos a la comisaría* · **llevar (a)** · **ir (a)** || **interrogar (en)** · **declarar (en)** · **denunciar (en)**

● CON PREPS. **en** *Lleva toda la noche en comisaría*

[comisión] →a comisión; comisión

comisión s.f.

▮ [dinero]

● CON ADJS. **jugosa** · **sustanciosa** || **exigua** || **bajo cuerda** · **bajo manga**

● CON VBOS. **repartir** · **distribuir** || **conceder** · **otorgar** || **cobrar** · **recibir** *Recibí una elevada comisión por mi labor de intermediario* || **corresponder (a alguien)** · **ganar**

▮ [grupo]

● CON ADJS. **directiva** · **ejecutiva** · **técnica** *Una comisión técnica revisará el proyecto* · **de investigación** · **evaluadora** · **asesora** · **decisoria** || **conjunta** · **mixta** · **paritaria** || **oficial** · **especial** · **permanente** || **a puerta cerrada**

● CON SUSTS. **miembro (de)** || **dictamen (de)**

● CON VBOS. **reunir(se)** || **deshacer(se)** · **disgregar(se)** || **acordar (algo)** · **dictaminar (algo)** · **aprobar (algo)** · **informar (sobre algo)** || **crear** *El Gobierno propuso crear una comisión de investigación* · **formar** · **constituir** · **conformar** · **designar** · **convocar** · **encargar** || **integrar** · **presidir** || **formar parte (de)** · **participar (en)** || **presentar(se) (ante)** || **depender (de)**

● CON PREPS. **en manos (de)** || **en el seno (de)**

comisura (de) s.f.

● CON SUSTS. **labios** *Se limpió la comisura de los labios con la servilleta*

comité s.m.

● CON ADJS. **de empresa** · **empresarial** · **jurídico** · **político** · **electoral** · **técnico** · **académico** · **deportivo** · **olímpico** || **directivo** · **ejecutivo** · **organizador** · **coordinador** · **evaluador** *Envíe los informes al comité evaluador* · **calificador** · **deliberatorio** || **nutrido** · **amplio** || **especial** · **interino** · **interno** · **central** || **oficial** *Un comité oficial puso las calificaciones* · **popular** · **clandestino** || **heterogéneo** · **homogéneo** · **conjunto** · **mixto** · **paritario** || **nacional** · **internacional** || **imparcial** · **objetivo** · **equitativo** · **justo** · **injusto** · **parcial**

● CON SUSTS. **decisión (de)** · **reunión (de)** · **sesión (de)** · **pleno (de)** · **tarea (de)** || **composición (de)** || **miembro (de)** *Todos los miembros del comité estaban de acuerdo* || **dirigente (de)** · **presidente,ta (de)** · **portavoz (de)**

● CON VBOS. **acordar (algo)** *El comité acordó aplicar otros baremos* · **decidir (algo)** · **informar (de algo)** · **enjuiciar (algo)** · **dictaminar (algo)** || **reunir(se)** · **deliberar (sobre algo)** || **crear** · **nombrar** · **designar** · **elegir** · **establecer** · **instituir** · **organizar** · **formar** · **constituir** *Habría que constituir un comité técnico* · **integrar** *las personas que integran el comité* · **conformar** || **presidir** · **dirigir** || **sobornar** · **comprar** || **avalar** || **formar parte (de)** · **pertenecer (a)** || **comparecer (ante)** · **presentar(se) (ante)**

comitiva s.f.

● CON ADJS. **oficial** · **presidencial** · **gubernamental** · **ministerial** · **parlamentaria** · **electoral** || **fúnebre** · **funeraria** · **mortuoria** || **real** · **regia** || **papal** · **religiosa** · **episcopal** || **provincial** · **municipal** *La comitiva municipal estaba encabezada por el alcalde* || **militar** · **policial** · **judicial** · **empresarial** || **nupcial** · **familiar** || **popular** · **festiva** · **carnavalesca** · **bulliciosa** · **abigarrada** · **singular** || **numerosa** · **gran(de)** · **nutrida** *acompañado siempre de una nutrida comitiva de autoridades locales* · **abultada** · **gigantesca** · **interminable** || **reducida** · **pequeña**

● CON SUSTS. **parte (de)** · **miembro (de)** · **integrante (de)** || **llegada (de)** · **recorrido (de)** · **paso (de)**

● CON VBOS. **detener(se)** *La comitiva se detuvo ante el monumento por la paz* · **pasar de largo** || **partir** · **iniciar el camino** · **salir** · **poner(se) en marcha** · **dirigirse (a un lugar)** · **enfilar** · **avanzar** · **trasladar(se)** || **acompañar** (a alguien) || **recorrer (algo)** · **atravesar (algo)** *La comitiva atravesó las calles principales de la ciudad* · **girar** · **pasar** || **visitar** · **acudir** · **llegar** || **integrar** · **componer** *el grupo de asesores y periodistas que componían su comitiva* · **formar** || **encabezar** · **liderar** · **cerrar** || **recibir** · **abandonar** *Abandonó la comitiva con gesto triste* || **alejar(se) (de)** · **unirse (a)** *Algunos turistas se unieron a la comitiva*

● CON PREPS. **al frente (de)** · **al paso (de)**

como agua de mayo loc.adv. *col.*

● CON VBOS. **venir** · **llegar** · **caer** || **esperar (algo/a alguien)** *En el pueblo esperan la nueva carretera como agua de mayo* · **aguardar (algo/a alguien)** · **necesitar (algo/a alguien)** || **recibir (algo/a alguien)**

como alma que lleva el diablo loc.adv. *col.*

● CON VBOS. **correr** · **salir corriendo** · **huir** *Huyó de su aldea natal como alma que lleva el diablo* · **escapar** · **salir** · **subir**

como anillo al dedo loc.adv.

● CON VBOS. **venir (a alguien)** · **ir (a alguien)** *un papel que le va como anillo al dedo* · **quedar (a alguien)** · **sentar (a alguien)** · **ajustarse**

como (a) una reina loc.adv.

● CON VBOS. **tratar (a alguien)** *Adora a su nieta y la trata como a una reina* · **atender (a alguien)** · **llevar (a alguien)** · **recibir (a alguien)** · **saludar (a alguien)** || **quedar** *Si le regalas un ramo de flores, quedarás como una reina* · **actuar** || **dormir** *Hoy he dormido como una reina* · **estar** · **sentirse** · **vestir** · **vivir**

como (a) un perro loc.adv. *col.*

● CON VBOS. **abandonar (a alguien)** *Cuenta en sus memorias que lo abandonaron como a un perro en medio de la selva* · **dejar tirado (a alguien)** · **tratar (a alguien)** · **echar (a alguien)** || **seguir (a alguien)** *Era un poco triste ver que lo seguía a todas partes como un perro* || **morir** *Murió como un perro, abandonado de todos*

□ USO Se usa también la variante *como (a) una perra.*

como (a) un rey loc.adv.

● CON VBOS. **vivir** *En esta casa vives como un rey* || **tratar (a alguien)** *Pienso volver a tu casa, porque me habéis tratado como a un rey*

como (a) un señor loc.adv.

● CON VBOS. **actuar** · **portarse** *Seguro que si le pides el favor te ayudará; porque siempre se ha portado como un señor* · **comportarse** · **recibir (a alguien)** || **quedar** · **marcharse** · **tratar** *un restaurante excelente, donde os tratarán como a unos señores* || **vivir** *Ya veo que vives como un señor*

□ USO Se usan también las variantes *como (a) una señora.*

como benditos loc.adv. Véase **como un bendito**

como champiñones loc.adv.

● CON VBOS. **brotar** · **surgir** *organizaciones que surgen como champiñones* · **proliferar** · **crecer**

como chinches loc.adv. *col.*

● CON VBOS. **caer** *En esas terribles batallas los soldados caían como chinches* · **morir**

como churros loc.adv. *col.*

● CON VBOS. **vender** *Estas camisetas se venden como churros* · **hacer** · **escribir** · **sacar** · **fabricar**

cómodamente adv.

● CON VBOS. **vivir** *Vivo sin grandes lujos, pero cómodamente* · **trabajar** · **disfrutar** · **sentirse** || **mover(se)** · **desplazar(se)** · **transitar** · **viajar** · **pasear** · **esperar** || **sentarse** *Me senté cómodamente en el sillón* · **tumbarse** · **aposentarse** · **apoltronarse** · **arremolinarse** || **instalarse** · **colocarse** · **situarse** · **ubicarse** · **asentarse** · **adaptarse** · **refugiarse** · **aparcar** || **ganar** *Ganó cómodamente a su contrincante* · **vencer** · **derrotar** · **imponerse** · **dominar** · **aventajar** · **gobernar** · **liderar** · **controlar** · **dirigir** · **encarrilar** · **resolver** || **jugar** · **afrontar** *con cuatro goles de ventaja pueden afrontar cómodamente el partido de vuelta* || **seguir** · **mantener** || **albergar** *Este auditorio puede albergar cómodamente a dos mil personas* || **compartir**

comodidad s.f.

● CON ADJS. **gran(de)** · **notable** · **inmensa** · **extraordinaria** · **asombrosa** · **incomparable** · **plena** · **absoluta** · **máxima** || **poca** · **escasa** · **mínima** · **relativa** || **necesaria** · **indispensable** · **añadida** || **confortable** · **placentera** · **plácida** · **apacible** · **deseable** || **lleno,na (de)** *una vida llena de comodidades*

● CON SUSTS. **ambiente (de)** · **marco (de)** || **falta (de)** · **nivel (de)** · **grado (de)** || **cuestión (de)**

● CON VBOS. **buscar** · **exigir** · **reclamar** · **anteponer (a algo)** || **ofrecer** · **brindar** · **permitir** *Con este sueldo no me puedo permitir muchas comodidades* · **implicar** || **tener** · **aumentar** · **mejorar** · **abandonar** || **disfrutar (de)** · **gozar (de)** || **dotar (de)** · **ganar (en)** *El nuevo modelo gana en comodidad y en prestaciones* || **acostumbrar(se) (a)** || **prescindir (de)**

● CON PREPS. **por** *elegir algo por comodidad* · **por razones (de)** · **en aras (de)** || **con** · **sin**

cómodo, da adj.

● CON SUSTS. **zapato** · **camiseta** · **pantalón** · ***otras prendas de vestir*** || **sofá** · **silla** · **butaca** · **sillón** · **asiento** *Los asientos de este autocar son muy cómodos* || **habitación** · **casa** · **edificio** · **refugio** · **instalación** · **hotel** · **ciudad** · **zona** · ***otros lugares*** || **vida** *Lleva una vida cómoda y tranquila* · **situación** · **mundo** || **carrera** · **trayecto** · **viaje** · **desplazamiento** || **postura** *La postura más cómoda es decir a todo que sí* · **posición** · **actitud** || **victoria** · **triunfo** · **ventaja** *El equipo local obtuvo una ventaja muy cómoda* · **mayoría** *una mayoría cómoda para gobernar en solitario* || **pacto** · **solución** · **resolución** || **gobierno** · **mandato** *un mandato cómodo, con mayoría suficiente para aprobar sus propuestas* || **trabajo** · **labor** · **tarea** || **relación** · **convivencia** · **entrevista** || ***persona*** *Este chico se ha vuelto muy cómodo*

● CON VBOS. **ser** · **estar** · **ponerse** *Ponte cómodo, estás en tu casa* · **sentirse** · **encontrarse** · **quedarse** · **volverse** || **vestir** || **ir** · **viajar** · **campar**

como el acero loc.adv.

● CON ADJS. **resistente** · **fuerte** · **duro,ra** · **templado,da** *Tiene los nervios templados como el acero* || **frío,a** *una persona fría como el acero*

como el agua loc.adv.

● CON ADJS. **claro,ra**

como el azabache loc.adv.

● CON ADJS. **negro,gra** *el pelo negro como el azabache*

como el carbón loc.adv.

● CON ADJS. **negro,gra** · **oscuro,ra**

como el cemento loc.adv.

● CON VBOS. **estar** · **ponerse** · **quedarse**
● CON ADJS. **duro,ra** *ser duro como el cemento*

como el hambre loc.adv.

● CON ADJS. **listo,ta** *una niña lista como el hambre*

como el pedernal loc.adv.

● CON ADJS. **duro,ra** *una persona dura como el pedernal*

como el perro y el gato loc.adv.

● CON VBOS. **llevarse** *Se llevan como el perro y el gato* · **estar** · **andar**

como el plomo loc.adv.

● CON VBOS. **pesar** *¿Qué llevas aquí que la maleta pesa como el plomo?*
● CON ADJS. **pesado** *Es incansable, pero pesado como el plomo*

como el rosario de la aurora loc.adv. *col.*

● CON VBOS. **acabar** · **terminar** *Después de dos años de relación hemos terminado como el rosario de la aurora* · **concluir** · **finalizar**

como gato panza arriba loc.adv. *col.*

● CON VBOS. **resistirse** · **defenderse** *Se defendió de las acusaciones como gato panza arriba* · **pelear** · **luchar** · **revolverse** · **oponerse**

como hongos loc.adv. *col.*

● CON VBOS. **surgir** *pequeños negocios que surgieron como hongos durante la crisis económica* · **brotar** · **emerger** · **germinar** · **florecer** · **nacer** · **salir** || **reproducirse** · **multiplicarse** · **proliferar** · **abundar** || **desarrollarse** · **prosperar** · **crecer**

como la cera loc.adv.

● CON ADJS. **pálido,da** *Parece que has visto un fantasma, estás pálida como la cera* · **blanco,ca**

como la espuma loc.adv.

● CON VBOS. **subir** *Las acciones de la compañía han subido como la espuma* · **crecer** · **prosperar** · **aumentar** · **proliferar** · **ascender** · **alzarse** · **elevarse** || **bajar** · **desvanecerse**

como la palma de la mano loc.adv.

● CON VBOS. **conocer** *Conozco mi barrio como la palma de mi mano* · **saberse (algo)**
● CON ADJS. **liso,sa** *un terreno liso como la palma de la mano* · **llano,na**

□ USO Puede construirse también con un adjetivo posesivo: *como la palma de su mano.*

como la pólvora loc.adv.

● CON VBOS. **correr** · **propagar(se)** · **extender(se)** · **esparcir(se)** · **difundir(se)** *La noticia se difundió como la pólvora* · **expandir(se)** · **cundir** · **circular** · **recorrer** *un baile veraniego que recorrió las playas como la pólvora* · **avanzar** || **estallar** · **prender**

□ USO Se usa también la variante *como un reguero de pólvora.*

como la seda loc.adv.

● CON VBOS. **marchar** *No hay de qué preocuparse, todo marcha como la seda* · **ir** · **funcionar**
● CON ADJS. **suave** · **liso,sa**

□ USO Se usa también la variante *como una seda.*

como loco loc.adv. Véase **como (un) loco**

como los ángeles loc.adv.

● CON VBOS. **cantar** *Además de ser una magnífica artista, canta como los ángeles* · **bailar** || **escribir** · **dibujar** || **cocinar** · **guisar**

como los chorros del oro loc.adv. *col.*

● CON VBOS. **dejar** *Estuvimos limpiando hasta dejar la cocina como los chorros del oro* · **tener** · **mantener** · **quedar(se)**
● CON ADJS. **limpio,pia**

como moscas loc.adv. *col.*

● CON VBOS. **acudir** *Los curiosos acudieron como moscas al lugar del hallazgo* · **venir** · **reunir** · **aparecer** · **surgir** || **caer** · **morir**

como oro en paño loc.adv.

● CON VBOS. **guardar** · **conservar** *un ejemplar antiguo que conservo como oro en paño* · **cuidar** · **mantener** · **mimar** || **defender** · **esconder**

□ USO Se usa también la variante *como oro en barras.*

como por encanto loc.adv.

● CON VBOS. **desaparecer** *Al verlo, el cansancio desapareció como por encanto* · **esfumarse** · **evaporarse** · **perder(se)** || **aparecer** · **surgir** · **resurgir** · **originar(se)** || **convertirse** · **transformarse**

como puños loc.adj. *col.*

● CON SUSTS. **verdades** *Desprecian su opinión, pero dice verdades como puños*

como rosquillas loc.adv. *col.*

● CON VBOS. **vender** *un juguete que se está vendiendo como rosquillas* · **llevar(se)** · **circular** · **repartir** · **consumir**

como una bala loc.adv.

● CON VBOS. **entrar** · **salir** *Salió como una bala a por el premio* · **partir** · **huir**
● CON ADJS. **rápido,da** · **veloz**

□ USO Se usa también la variante *como las balas.*

como una bomba loc.adv.

● CON VBOS. **caer** *La noticia cayó como una bomba* · **sentar** || **estallar** · **explotar**

como una cabra loc.adv. *col.*

● CON VBOS. **estar** *Dice que estoy como una cabra*
● CON ADJS. **loco,ca**

como una catedral loc.adv./loc.adj. *col.*

● CON ADJS. **grande** · **enorme**
● CON SUSTS. **mentira** *Es una mentira como una catedral, pero todos se la han creído* · **embuste** · **bobada** || **error** · **fallo** · **pecado** || **falta** · **penalti**

como una cotorra loc.adv. *col.*

● CON VBOS. **hablar** *No puedo más, habla como una cotorra* · **charlar** · **parlotear**

como una cuba loc.adv. *col.*

- CON VBOS. **estar**
- CON ADJS. **borracho,cha** *No puede conducir; está borracho como una cuba*

como una escoba loc.adv. *col.*

- CON ADJS. **tieso,sa** *El pobre hombre bailaba tieso como una escoba*

como una esfinge loc.adv.

- CON VBOS. **permanecer** · **estar** *No se inmutó lo más mínimo y estuvo como una esfinge durante toda la entrevista* · **mantenerse**
- CON ADJS. **inmóvil** *Permaneció inmóvil como una esfinge* · **impávido,da** · **inalterable** · **recto,ta** · **rígido,da** || **serio,ria**

como una esponja loc.adv.

- CON VBOS. **beber** · **absorber**

como una exhalación loc.adv.

- CON VBOS. **pasar** *Pasó como una exhalación delante de mí* · **cruzar** · **ir(se)** · **atravesar** · **correr** · **brincar** || **entrar** · **llegar** · **aparecer** · **meterse** · **surgir** · **empezar** · **arrancar(se)** · **colarse** || **salir** · **desaparecer** · **escapar** · **huir** *Cogieron el botín y huyeron de allí como una exhalación*

como una lechuga loc.adv. *col.*

- CON ADJS. **fresco,ca** *Toda la noche bailando y sigue fresca como una lechuga*

como una lima loc.adv. *col.*

- CON VBOS. **comer** *Esta chica come como una lima y además no engorda*

como una losa loc.adv. *col.*

- CON VBOS. **pesar** *una responsabilidad que me pesa como una losa*

como una Magdalena loc.adv.

- CON VBOS. **llorar** *No pudo controlarse y se puso a llorar como una Magdalena*

como una mancha de aceite loc.adv.

- CON VBOS. **extender(se)** *El escándalo se ha extendido como una mancha de aceite* · **propagar(se)** · **difundir(se)** · **correrse**

como una mula loc.adv. *col.*

- CON VBOS. **trabajar**
- CON ADJS. **terco,ca** · **testarudo,da** || **bruto,ta**

☐USO Se usa también la variante *como mulas.*

como un animal loc.adv. *col.*

- CON VBOS. **trabajar**

☐USO Se usa también la variante *como animales.*

como una ostra loc.adv.

- CON VBOS. **aburrirse**

☐USO Se usa también la variante *como ostras.*

como una patena loc.adv.

- CON ADJS. **limpio,pia** *Traigo el coche limpio como una patena*

como una piedra loc.adv.

- CON VBOS. **estar** · **ponerse** · **quedarse** *El pan se ha quedado como una piedra*
- CON ADJS. **duro,ra**

como un arado loc.adv.

- CON ADJS. **bruto,ta** *Es noble, pero bruto como un arado* · **burro,rra**

como una regadera loc.adv. *col.*

- CON VBOS. **estar** *No le hagas caso, está como una regadera*

como una reina loc.adv. Véase **como (a) una reina**

como una roca loc.adv.

- CON ADJS. **firme** *Se mantuvo en su postura, firme como una roca* · **sólido,da** · **duro,ra**

como una rosa loc.adv.

- CON VBOS. **estar** · **sentirse** · **levantarse** *Si duermo bien, me levanto como una rosa*
- CON ADJS. **fresco,ca**

como unas castañuelas loc.adv. *col.*

- CON VBOS. **estar** · **ponerse** *Cuando te vio, se puso como unas castañuelas*
- CON ADJS. **alegre** · **feliz** · **contento,ta**

como una tapia loc.adv. *col.*

- CON VBOS. **estar** *Últimamente estoy como una tapia: no me entero de nada*
- CON ADJS. **sordo,da**

como una tumba loc.adv. *col.*

- CON VBOS. **callar(se)**
- CON ADJS. **callado,da** · **mudo,da** · **silencioso,sa**

como una vaca loc.adv. *col.*

- CON VBOS. **estar** · **ponerse**
- CON ADJS. **gordo,da**

como una zapatilla loc.adv. *col.*

- CON VBOS. **tratar** *No dejes que te traten como una zapatilla*

como un bendito loc.adv.

- CON VBOS. **dormir**

☐USO Se usan también las variantes *como una bendita, como benditos* y *como benditas.*

como un burro loc.adv. *col.*

- CON VBOS. **trabajar** *Estoy harto de trabajar como un burro*

☐USO Se usan también las variantes *como una burra, como burros* y *como burras.*

como un cangrejo loc.adv.

- CON VBOS. **estar** *Estoy como un cangrejo porque me quedé dormido al sol* · **ponerse**
- CON ADJS. **rojo,ja** *Cuando me vio, se puso rojo como un cangrejo*

como un carretero loc.adv. *col.*

- CON VBOS. **fumar** · **hablar**

☐USO Se usan también las variantes *como una carretera, como carreteros* y *como carreteras.*

como un cencerro loc.adv. *col.*

● CON VBOS. **estar** *Esa pobre mujer está como un cencerro*

como un cerdo loc.adv. *col.*

● CON VBOS. **comer** || **chillar** · **gritar**

como un cesto loc.adv. *col.*

● CON VBOS. **dormir**

como un clavo loc.adv.

● CON VBOS. **estar (en un lugar)** *Allí estaré como un clavo* · **acudir** · **presentarse**

como un condenado loc.adv. *col.*

● CON VBOS. **trabajar** · **bregar** · **sufrir** · **llorar** || **correr** · **sudar**

□ USO Se usan también las variantes *como una condenada, como condenados* y *como condenadas.*

como un cosaco loc.adv. *col.*

● CON VBOS. **beber** · **emborracharse**

□ USO Se usa también la variante *como cosacos.*

como un descosido loc.adv. *col.*

● CON VBOS. **hablar** · **gritar** *Y, de repente, empezó a gritar como un descosido* || **bailar** || **fumar** · **beber**

□ USO Se usan también las variantes *como una descosida, como descosidos* y *como descosidas.*

como un día sin pan loc.adv. *col.*

● CON ADJS. **largo,ga** *La espera se me hizo larga como un día sin pan*

como un enano loc.adv. *col.*

● CON VBOS. **disfrutar** *El niño disfrutó como un enano* · **pasár(se)(lo)** · **divertirse**

□ USO Se usan también las variantes *como una enana, como enanos* y *como enanas.*

como un fideo loc.adv.

● CON VBOS. **estar** · **quedarse** *Con tanta dieta se ha quedado como un fideo*

● CON ADJS. **delgado,da** · **fino,na**

como un globo loc.adv.

● CON VBOS. **hinchar(se)** *Tengo el tobillo hinchado como un globo* · **inflar(se)** · **desinflarse**

como un guante loc.adv.

● CON VBOS. **sentar (a alguien)** *Ese vestido te sienta como un guante* · **ir(le) (a alguien)** || **adaptarse** · **ajustarse** · **encajar**

● CON ADJS. **suave**

como un gusano loc.adv. *col.*

● CON VBOS. **arrastrar(se)** *Es un cobarde y se arrastra ante ellos como un gusano*

□ USO Se usa también la variante *como gusanos.*

como un jabato loc.adv.

● CON VBOS. **pelear** *El ciclista peleó como un jabato, pero no pudo ganar la etapa* · **batirse** · **luchar** || **resistir** · **aguantar** · **defender** · **portarse** || **correr** · **entrenar**

□ USO Se usa también la variante *como jabatos.*

como un jarro de agua fría loc.adv. *col.*

● CON VBOS. **caer (a alguien)** *El comentario cayó como un jarro de agua fría* · **sentar (a alguien)**

como un leño loc.adv. *col.*

● CON VBOS. **dormir** *Ponía la televisión y se quedaba dormido como un leño*

como un león loc.adv.

● CON VBOS. **luchar** *Luchó como un león, pero perdió el partido* · **pelear** · **enfrentar(se)** · **defender** || **rugir**

● CON ADJS. **fuerte** || **valiente** · **bravo,va** · **aguerrido,da**

□ USO Se usan también las variantes *como una leona, como leones* y *como leonas.*

como un libro abierto loc.adv.

● CON VBOS. **explicar(se)** *Siempre la eligen como portavoz porque se explica como un libro abierto* · **expresar(se)** · **hablar**

como un lirón loc.adv. *col.*

● CON VBOS. **dormir** *No oye nada; este chico duerme como un lirón*

como (un) loco loc.adv.

● CON VBOS. **estar** · **poner(se)** *Me puse como un loco cuando me enteré de la noticia* · **ir** · **andar** || **gritar** · **chillar** · **aplaudir** · **animar** · **cantar** · **reír** *Nos reímos como locos durante toda la película* · **aullar** · **vociferar** · **parlotear** · **relinchar** || **correr** · **brincar** · **saltar** · **danzar** · **pedalear** · **mover(se)** · **agitar(se)** || **disfrutar** · **gozar** · **divertirse** || **enamorarse** · **amar** || **trabajar** *Trabajamos como locos para terminar el informe a tiempo* · **escribir** · **pintar** · **construir** · **fumar** · **comer** · **comprar** · **gastar** || **buscar** · **lanzarse** · **precipitarse** · **disparar** · **copiar**

□ USO Se usan también las variantes *como (una) loca, como locos* y *como locas.*

como un loro loc.adv.

● CON VBOS. **repetir** · **hablar**

□ USO Se usa también la variante *como loros.*

como un {marajá/rajá} loc.adv. *col.*

● CON VBOS. **vivir** *Vive en el campo como un marajá*

como un muerto loc.adv.

● CON VBOS. **callar(se)** *Se calló como un muerto para evitar complicaciones*

● CON ADJS. **pálido,da** || **callado,da** *Diga lo que diga, yo callado como un muerto*

□ USO Se usan también las variantes *como una muerta, como muertos* y *como muertas.*

como un pajarito loc.adv.

● CON VBOS. **comer** *No le pongas más porque come como un pajarito*

como un pasmarote s.m. *col.*

● CON VBOS. **quedarse** *No te quedes ahí como un pasmarote* · **estar**

como un pavo real loc.adv.

● CON VBOS. **ufanarse** · **jactarse** · **presumir** · **lucirse**

● CON ADJS. **orgulloso,sa** *...y todos los días se pasea delante de nosotros, orgulloso como un pavo real*

como un perro loc.adv. *col.* Véase **como (a) un perro**

como un pollo loc.adv.
- CON VBOS. **sudar**

como un poseso loc.adv. *col.*
- CON VBOS. **chillar** · **gritar** *Gritaba como un poseso*

☐USO Se usan también las variantes *como una posesa, como posesos* y *como posesas.*

como un rajá loc.adv. *col.* Véase **como un {marajá/rajá}**

como un rayo loc.adv.
- CON VBOS. **salir** *...entonces salió como un rayo de la sala* · **entrar** · **pasar** · **cruzar** · **surcar** · **surgir** · **llegar** || **caer** *La decisión cayó como un rayo en el seno del partido*
- CON ADJS. **rápido,da** · **raudo,da**

como un reloj loc.adv.
- CON VBOS. **funcionar** · **marchar** · **andar** · **ir** · **trabajar** · **encajar**
- CON ADJS. **preciso,sa** *un sistema de dirección preciso como un reloj* · **completo,ta**

como un rey loc.adv. Véase **como (a) un rey**

como un roble loc.adv.
- CON VBOS. **estar** *Últimamente estoy como un roble* · **sentirse** · **ponerse**
- CON ADJS. **fuerte** · **robusto,ta** · **sano,na**

como un tiro loc.adv.
- CON VBOS. **sentar (a alguien)** *Me sentó como un tiro que no me invitara a su fiesta* · **caer (a alguien)**

como un tomate loc.adv. *col.*
- CON VBOS. **ponerse** *Se quedó dormido al sol y se puso como un tomate* · **estar**
- CON ADJS. **rojo,ja** · **colorado,da**

como un toro loc.adv.
- CON VBOS. **estar** · **sentirse** · **ponerse**
- CON ADJS. **fuerte**

como un tronco loc.adv. *col.*
- CON VBOS. **dormir**

como un zorro loc.adv. *col.*
- CON ADJS. **astuto,ta** *Ten cuidado, es astuto como un zorro* · **listo,ta**

compacto, ta adj.
- CON SUSTS. **masa** · **bloque** · **cuerpo** · **armazón** · **capa** *una capa compacta de acero* || **tierra** · **terreno** · **suelo** || **estructura** · **red** · **pared** · **muro** · **edificio** · **cabina** || **maquillaje** · **polvos** || **grupo** · **equipo** *un equipo muy compacto donde todos trabajan compenetrados* · **reparto** · **elenco** · **conjunto** · **candidatura** · **formación** || **población** · **ciudad** · **municipio** || **disco** · **cadena** · **aparato** · **cámara** · **vehículo** || **tomo** · **edición** *una edición compacta con las obras de juventud del autor* · **archivo** || **formato** · **modelo** · **estilo** · **forma** || **figura** · **imagen** || **sonido** · **silencio** || **actuación** · **espectáculo** · **juego** · **deportista**

compadecer(se) (de) v.
- CON SUSTS. **desgracia** *compadecerse de las desgracias ajenas* · **pérdida** · **sufrimiento** · **tristeza**
- CON ADVS. **sinceramente**

compaginar v.
- CON SUSTS. **estudio** · **docencia** *una profesora que compagina la docencia con la investigación* · **trabajo** · **tarea** · **ocupación** · **dedicación** *Mi hermano compagina a la perfección la dedicación a sus hijos con el trabajo* · ***otras actividades*** || **dirección** *Quiso compaginar la dirección de la empresa con la alcaldía* · **escaño** · **presidencia** · **jefatura** · **concejalía** · ***otros cargos*** || **obligación** · **intereses** || **vida laboral** · **vida privada** || **deseo (de)** · **intención (de)** *Tiene la intención de compaginar los dos trabajos* · **consecuencia (de)**
- CON ADVS. **perfectamente** · **correctamente** · **excelentemente** || **desahogadamente** · **cómodamente** || **a medias**

☐USO Se construye con sustantivos en plural (*compaginar trabajos*), coordinados por la conjunción *y* (*compaginar un trabajo y otro*) o unidos con la preposición *con* (*compaginar un trabajo con otro*).

compañerismo s.m.
- CON ADJS. **estrecho** · **gran(de)** · **total** · **absoluto** · **excesivo** || **sólido** · **firme** · **inquebrantable** || **auténtico** *Había dado repetidas muestras de auténtico compañerismo* · **verdadero** · **sincero** · **franco** · **noble** · **leal** · **desinteresado** || **falso** · **mal entendido** || **profesional** · **deportivo**
- CON SUSTS. **ejemplo (de)** · **prueba (de)** · **señal (de)** · **muestra (de)** · **demostración (de)** · **gesto (de)** || **sentido (de)** · **espíritu (de)** · **clima (de)** *un clima de compañerismo que ayuda a trabajar sin roces ni tensiones* || **falta (de)**
- CON VBOS. **reinar** · **brotar** · **fortalecer(se)** || **perder(se)** · **romper(se)** · **desvanecerse** || **fomentar** *actividades para fomentar el compañerismo entre los alumnos* · **crear** · **infundir** · **mantener** · **conservar** · **reforzar** · **recuperar** · **devolver** || **demostrar** · **mostrar** · **prodigar** || **amenazar** · **descuidar** · **perder** · **apelar (a)** *Apeló al compañerismo y nos pidió ayuda*

compañía s.f.

▮ [efecto de acompañar]
- CON ADJS. **buena** · **agradable** · **grata** · **recomendable** || **mala** · **desagradable** · **indeseable** || **fiel** · **asidua**
- CON SUSTS. **animal (de)** · **dama (de)**
- CON VBOS. **buscar** · **granjearse** · **agenciarse** || **hacer** *Mi gato me hace mucha compañía* || **disfrutar (de)** · **gozar (de)**
- CON PREPS. **en** *Asistió en compañía de sus padres*

▮ [persona que acompaña]
- CON VBOS. **frecuentar** *Desde que frecuenta malas compañías, su comportamiento...* || **ir (con)** · **andar (en/con)** · **salir (con)**

▮ [unidad militar]
- CON ADJS. **antidisturbios** · **militar** · **policial**
- CON SUSTS. **capitán,-a (de)** · **comandante (de)** · **mando (de)** · **miembro (de)** · **soldado (de)** *Los soldados de la compañía alegaron que se limitaban a seguir las órdenes de sus mandos*
- CON VBOS. **capitanear** · **mandar** · **instruir** || **integrar** · **componer** · **reforzar** || **alistarse (en)** · **enrolarse (en)** · **incorporarse (a)** || **pasar revista (a)** *Mientras el presidente pasaba revista a la compañía que le había rendido honores a su llegada*

▮ [sociedad, empresa]

● CON ADJS. **de teatro · teatral · artística · de danza · de ballet || religiosa || estatal · extranjera · multinacional || boyante · competitiva · puntera || filial**

● CON SUSTS. **jefe,fa (de) · director, -a (de)** *...según mantuvo el director de la compañía* · **presidente,ta (de) · portavoz (de) · empleado,da (de) || actor (de) · actriz (de) || éxito (de) · resultado (de) || acciones (de) · capital (de) || avión (de)** *un avión de la principal compañía nacional* · **vuelo (de)**

● CON VBOS. **dedicar(se) (a algo) · comerciar (con algo) · comercializar (algo) · contratar · involucrar(se) (en algo) · operar (en un lugar) || deshacer(se) · desmembrar(se) · irse a pique · arruinar(se) || tener éxito · triunfar || fusionar(se) · expandir(se) || fundar · crear · formar · constituir || dirigir** *El veterano actor dirige una importante compañía de teatro* · **organizar || denunciar · demandar || privatizar · nacionalizar || enrolar(se) (en) · integrarse (en) · formar parte (de) || hacer(se) cargo (de)**

comparación s.f.

● CON ADJS. **odiosa · inevitable || lacerante · despectiva · injusta || adecuada · atinada · brillante · acertada · justa · válida · real · posible || beneficiosa · exagerada · desmedida · inusitada · demagógica || crítica** *En el examen nos pidieron una comparación crítica entre las dos épocas históricas* · **imaginativa · arriesgada || individual · global · lineal || histórica · internacional || fútil · forzada · traída por los pelos · ridícula · irrelevante · absurda || oportuna · pertinente || explícita · tácita · velada**

● CON SUSTS. **elemento (de)** *Carezco de elementos de comparación* · **término (de) · base (de) · tipo (de) · punto (de) || motivo (de)**

● CON VBOS. **servir** *Esta comparación no sirve porque es poco ilustrativa* · **venir a cuento || realizar · hacer · establecer · reiterar · introducir · sugerir || resistir · admitir · aguantar · permitir · rechazar || buscar · encontrar || forzar · distorsionar**

● CON PREPS. **en** *Eso no es nada en comparación con lo que me sucedió a mí* **|| sin ánimo (de) · a modo (de)**

comparar v.

● CON ADVS. **punto por punto** *Compararon los dos documentos punto por punto* · **detalladamente · de cerca || a ojo · por encima · de pasada · tangencialmente || favorablemente · ventajosamente || negativamente · desfavorablemente || ni de lejos** *Tu caso y el mío no pueden compararse ni de lejos* · **ni por asomo · remotamente**

comparativamente adv.

● CON VBOS. **analizar · examinar · estudiar · evaluar · valorar**

● CON ADJS. **superior** *Este producto es comparativamente superior a este otro* · **mayor · mejor || inferior · menor · peor**

comparativo, va adj.

● CON SUSTS. **agravio** *...motivando así las acusaciones de discriminación y agravio comparativo* · **ventaja · eficacia || estudio · análisis · trabajo · ensayo · indagación · informe || cuadro · tabla · gráfico** *un gráfico comparativo de los gastos de todos los departamentos* **|| cifra · dato · ejemplo · elemento · término · referencia · resultado · aspecto || método · examen · prueba || juicio · cálculo · valor || publicidad · política · estadística**

comparecencia s.f.

● CON ADJS. **pública · televisiva · a puerta cerrada** *...con la comparecencia a puerta cerrada de dos testigos* **|| obligada · urgente || efectiva**

● CON VBOS. **pedir · solicitar** *solicitar la comparecencia de alguien ante una comisión* · **requerir · exigir · dictaminar · forzar || lograr || esperar || boicotear · impedir || aplazar · excusar · delegar · cancelar || asistir (a)**

● CON PREPS. **durante**

comparecer v.

● CON ADVS. **en persona · en carne y hueso || en público · públicamente** *Está previsto que el ministro comparezca públicamente para explicar los resultados de las investigaciones* · **a cara descubierta · con luz y taquígrafos · a puerta cerrada || forzosamente · obligadamente · voluntariamente · gustosamente · a petición {propia/de alguien} || periódicamente · semanalmente · mensualmente || brevemente · largamente** *El entrenador compareció largamente ante los medios después del partido* **|| humildemente**

☐ USO Se construye a menudo con complementos encabezados por la preposición *ante*: *Comparezco gustosamente ante los medios de comunicación para...*

[compás] →al compás (de); compás

compás s.m.

● CON ADJS. **frenético · endiablado · vivo || lento || monótono · monocorde || rítmico**

● CON VBOS. **marcar** *La profesora de música marcaba el compás con su bastón* · **dictar · establecer · fijar || llevar · seguir · mantener · perder** *No debemos perder el compás de los acontecimientos* · **recuperar**

compasión s.f.

● CON ADJS. **profunda · honda || infinita · sin límite || sincera || indulgente · solidaria || falsa · inmerecida || digno,na (de) · merecedor,-a (de)**

● CON SUSTS. **ápice (de) · pizca (de)** *una mirada sin pizca de compasión* · **rastro (de) · falta (de) || sentimiento (de) · muestra (de) · gesto (de)**

● CON VBOS. **aflorar · surgir (en alguien) || despertar · inspirar** *Su desgracia inspira una honda compasión* · **suscitar · merecer || sentir · tener || mostrar · demostrar · ejercer || implorar** *Se postró de rodillas e imploró compasión* · **pedir · invocar || obtener · recibir || mover (a) · prestarse (a)**

● CON PREPS. **por || con · sin** *La echó a la calle sin compasión*

compasivo, va adj.

● CON SUSTS. ***persona*** *Yo lo único que te digo es que tu novia es muy compasiva* **|| actitud · sentimiento · conducta || ánimo · alma · corazón || mirada · sonrisa || acto · testimonio**

● CON VBOS. **mostrarse** *El guardia se mostró compasivo y nos perdonó la multa* · **volverse**

compenetrarse v.

● CON ADVS. **a la perfección · a las mil maravillas · perfectamente** *Mi compañera y yo nos compenetramos perfectamente* · **sin dificultad · totalmente**

☐ USO Se construye con sustantivos en plural (*Los tres hermanos se compenetran muy bien*), coordinados por la conjunción *y* (*La directora y el guionista se compenetran mucho*) o unidos con la preposición *con* (*un profesor que se compenetra con sus alumnos*).

compensar v.

• CON SUSTS. **víctima** *El Gobierno debe compensar a las víctimas* · **trabajador,-a** · **público** · ***otros individuos y grupos humanos*** || **daño** · **perjuicio** · **humillación** · **expolio** · **agravio** · **destrozo** · **ofensa** · **crimen** || **esfuerzo** *una paga extra destinada a compensar el esfuerzo de los últimos meses* · **sacrificio** · **empeño** · **trabajo** · **afán** · **sudor** || **efecto** · **impacto** · **consecuencia** || **caída** · **descenso** · **pérdida** · **reducción** · **disminución** · **rebaja** · **empeoramiento** · **bajada** *para compensar la bajada de los tipos de interés* · **devaluación** · **merma** || **gasto** · **deuda** · **costo** · **inversión** || **ausencia** · **debilidad** · **falta** · **déficit** · **escasez** · **deficiencia** · **defecto** · **pobreza** · **penuria** · **vacío** · **carencia** || **dolor** · **sufrimiento** · **pena** · **tristeza** || **problema** · **riesgo** · **inflación** · **dificultad** · **limitación** · **brecha** || **magnitud** · **altura** · **velocidad** · **tamaño** · **precio** *Aumentan las ofertas para compensar el precio del crudo* || **diferencia** · **desequilibrio** · **desorden** · **desarreglo** · **desfase** || **error** · **fallo** · **desacierto** · **disparate**

• CON ADVS. **con creces** *Su esfuerzo se vio compensado con creces* · **de sobra** · **ampliamente** · **sobradamente** · **generosamente** || **suficientemente** · **de forma proporcional** · **debidamente** · **salomónicamente** || **parcialmente** · **en parte** · **ni de lejos** *Un cambio a estas alturas no compensa ni de lejos* || **fácilmente** · **claramente** || **económicamente** · **fiscalmente** · **laboralmente** · **moralmente** · **profesionalmente**

competencia s.f.

▌ [oposición, rivalidad]

• CON ADJS. **creciente** · **desaforada** · **desmedida** · **desmesurada** || **feroz** *Tienen que estar preparados para enfrentarse a una feroz competencia* · **férrea** · **fuerte** · **brutal** · **descarnada** · **enconada** · **exacerbada** · **implacable** · **intensa** · **rabiosa** · **reñida** · **salvaje** · **sin cuartel** · **terrible** · **difícil** · **ardua** · **contenciosa** || **directa** · **estrecha** · **abierta** · **frontal** || **indirecta** · **solapada** || **desleal** *Su salida al mercado incumplió las leyes sobre competencia desleal* · **desigual** || **legítima** || **libre** || **internacional** || **exclusiva** || **comercial** · **electoral** · **profesional** · **política**

• CON SUSTS. **conflicto (de)** *Hay un conflicto de competencias entre los dos departamentos* · **choque (de)** · **cuestión (de)** · **nivel (de)** · **grado (de)** || **régimen (de)** · **hábito (de)** || **marca (de)**

• CON VBOS. **dimanar (de algo)** || **aumentar** · **arreciar** · **decrecer** || **sufrir** · **entablar** *Ha sido necesario entablar una dura competencia para hacerse con el control* · **ejercer** || **generar** · **fomentar** · **incentivar** · **estimular** · **exacerbar** || **contrarrestar** · **ahogar** · **aventajar** · **ganar** · **perjudicar** · **tensar** || **tropezar (con)** || **retirar(se) (de)**

• CON PREPS. **sin perjuicio (de)**

▌ [persona o grupo humano]

• CON VBOS. **pisar fuerte** *La competencia va pisando fuerte* || **liderar** || **juzgar** · **infravalorar** || **imitar** || **vencer** · **derrotar** · **parar** · **detener** || **triunfar (sobre)** · **sobrevivir (a)** || **enfrentarse (a)** || **sumarse (a)** · **pasarse (a)** · **pertenecer (a)**

▌ [responsabilidad, aptitud]

• CON VBOS. **recaer (sobre alguien)** *una nueva competencia que recaerá sobre el subpresidente* || **tener** · **adquirir** · **afinar** · **afrontar** · **arrogarse** || **mantener** · **aglutinar** || **determinar** · **conceder** || **ceder** · **traspasar** *No sin antes traspasar todas sus competencias al sustituto* · **delegar** · **declinar** || **ampliar** *Algunas comunidades autónomas han ampliado sus competencias en sanidad* · **reforzar** · **fortalecer** || **invadir** · **usurpar** · **vulnerar** · **limitar**

• CON PREPS. **con arreglo (a)** · **en función (de)**

competente adj.

• CON SUSTS. **persona** · **juez** · **magistrado,da** · **electricista** *Necesito un electricista competente para arreglar la instalación de la casa* · **gobierno** · **profesorado** · ***otros individuos y grupos humanos*** || **juzgado** · **tribunal** · **órgano** · **organismo** · **institución** · **administración** · **entidad** · **departamento** · **sector** · **comisión** || **instancia** *Puedes recurrir a las instancias competentes* · **poder** · **autoridad** || **fuente** · **servicio**

• CON ADVS. **plenamente** · **altamente** · **perfectamente** · **extraordinariamente** · **suficientemente** || **técnicamente** · **teóricamente** *el tribunal teóricamente competente*

• CON VBOS. **declarar(se)** · **considerar(se)**

competer (a alguien) v.

• CON SUSTS. **asunto** *Este asunto compete también al jefe de departamento* · **tema** · **cuestión** · **hecho** · **situación** || **problema** · **conflicto** || **función** · **responsabilidad** · **obligación** || **decisión** *...al ser esa una decisión que no me compete* · **solución** || **búsqueda** · **investigación** *Andan metidos en una investigación que compete solo a la Policía* || **cuidado** · **defensa** · **garantía** · **educación** · **dirección** || **disposición** · **ley** · **norma** · **legislación**

competición s.f.

• CON ADJS. **alta** *un atleta que se mueve bien en la alta competición* · **máxima** · **de {alto/bajo} nivel** · **devaluada** · **de altura** || **oficial** · **abierta** · **amistosa** · **profesional** · **amateur** · **restringida** || **reñida** *...unas becas que fueron adjudicadas en reñida competición* · **encarnizada** · **enconada** · **a brazo partido** || **espectacular** · **intensa** · **trepidante** · **desenfrenada** · **desesperada** || **contra reloj** · **cuerpo a cuerpo** || **equilibrada** · **desequilibrada** · **desigual** || **limpia** || **multitudinaria** || **deportiva** · **olímpica** · **liguera**

• CON SUSTS. **espíritu (de)** *Los compañeros alaban su espíritu de competición* || **comité (de)** || **partido (de)** || **ganador,-a (de)** · **vencedor,-a (de)** || **ritmo (de)** · **jornada (de)**

• CON VBOS. **abrir(se)** · **iniciar(se)** · **arrancar** *La competición arranca hoy en el estadio...* · **desarrollar(se)** · **desatar(se)** · **cerrar(se)** || **celebrar** *La competición se celebrará durante los días...* || **entablar** · **sostener** · **librar** · **afrontar** · **abandonar** || **ganar** · **dominar** *Los equipos asiáticos dominan la competición* · **conquistar** · **perder** || **organizar** · **patrocinar** · **acoger** · **arbitrar** · **clausurar** · **suspender** || **boicotear** · **amañar** · **adulterar** || **participar (en)** · **entrar (en)** · **meter(se) (en)** · **concursar (en)** || **retirar(se) (de)** *Tras sufrir una lesión decidió retirarse de la competición* · **apear(se) (de)** || **triunfar (en)** · **fracasar (en)** · **hacer {buen/mal} papel (en)** · **salir airoso (de)**

• CON PREPS. **durante** · **en el curso (de)** · **a lo largo (de)**

competidor, -a

1 **competidor, -a** adj.

• CON SUSTS. **empresa** · **compañía** · **entidad** · **escuela** || **estado** · **país** · **ciudad** · **socio,cia** || **cadena** *Queremos superar el número de oyentes de la cadena competidora* || **modelo** · **película**

2 **competidor, -a** s.

• CON ADJS. **directo,ta** · **claro,ra** · **favorito,ta** || **serio,ria** · **peligroso,sa** · **duro,ra** · **fuerte** · **nato,ta** · **potente** · **temible** · **molesto,ta** · **difícil** · **imbatible** *El joven tenista ha demostrado ser un competidor imbatible* · **digno,na** || **nuevo,va** · **inmediato,ta** · **próximo,ma** · **eterno,na** || **local** · **privado,da** · **mundial** · **global** || **industrial** · **comercial** · **político,ca** · **televisivo,va** · **profesional** || **po-**

tencial · **desigual** · **modesto,ta** *Le ha tocado jugar contra un competidor modesto* || **principal** · **importante** · **fundamental** || **único,ca** · **máximo,ma** · **gran**
● CON SUSTS. **papel (de)** · **perfil (de)** *el perfil del competidor ideal* · **nivel (de)**
● CON VBOS. **salir(le) (a alguien)** *Nos ha salido un competidor muy duro* · **surgir** · **aparecer** || **tener** || **aventajar** · **eliminar** *¿Podrá el equipo eliminar a sus más directos competidores* || **convertir(se) (en)** · **transformar(se) (en)** || **enfrentarse (a)** · **luchar (contra)** · **acabar (con)** · **adelantar(se) (a)** · **imponerse (a)**

competir v.

● CON ADVS. **deportivamente** *Los dos equipos compitieron deportivamente* · **electoralmente** · **políticamente** · **comercialmente** || **duramente** · **intensamente** · **arduamente** · **a brazo partido** · **encarnizadamente** · **con dureza** · **a cara de perro** · **a la desesperada** || **cuerpo a cuerpo** · **mano a mano** · **cara a cara** || **de igual a igual** *...un programa que intenta competir de igual a igual con los programas de puro entretenimiento* · **ventajosamente** || **abiertamente** · **voluntariosamente** || **limpiamente** · **honradamente** · **dignamente** · **lealmente** · **en buena lid** · **animadamente** || **con éxito** *...para poder competir con éxito en las urnas* · **con garantías**

competitividad s.f.

● CON ADJS. **alta** · **fuerte** · **intensa** · **creciente** · **feroz** *una competitividad feroz entre las dos empresas* · **desaforada** · **exacerbada** · **enfermiza** || **baja** · **escasa** · **mala** · **necesaria** || **económica** · **empresarial** · **comercial** · **tecnológica**
● CON SUSTS. **grado (de)** · **índice (de)** · **nivel (de)** · **factor (de)** || **pérdida (de)** · **falta (de)** · **problema (de)** || **plan (de)** *un plan de competitividad para reflotar una empresa* · **norma (de)** || **afán (de)** || **ambiente (de)**
● CON VBOS. **crecer** · **fortalecer(se)** || **ganar** · **aumentar** · **elevar** · **mejorar** · **mantener** · **incentivar** || **perder** · **reducir** · **restar** *Unos precios tan elevados nos están restando competitividad* || **medir** || **afectar (a)** · **repercutir (en)** · **incidir (en)**

competitivo, va adj.

● CON SUSTS. **deporte** · **fútbol** *El fútbol de este equipo es muy competitivo* · **tenis** · **juego** || **regla** · **reglamentación** · **norma** · **regulación** · **reglamento** || **jugador,-a** *una jugadora leal, competitiva y eficiente* · **deportista** · **candidato,ta** · **empresario,ria** · ***otros individuos*** || **sociedad** · **país** · **equipo** · **plantilla** *Contamos con una plantilla competitiva que...* · ***otros grupos humanos*** || **precio** · **tarifa** · **costo** · **crédito** · **tasa** · **oferta** · **valor** · **moneda** · **tipo de interés** || **economía** · **mercado** · **industria** · **comercio** · **negocio** · **sector** · **agricultura** · **banca** || **empresa** · **firma** · **compañía** · **banco** · **fábrica** · **pyme** || **producto** *una empresa líder en la venta de nuevos productos editoriales, competitivos y rentables* · **artículo** · **mercancía** · **producción** · **exportación** || **beneficio** · **ganancia** · **sueldo** · **salario** || **campeonato** · **torneo** · **liga** · **carrera**
● CON ADVS. **sumamente** · **notablemente** || **escasamente** || **económicamente** || **internacionalmente**
● CON VBOS. **mostrarse** · **hacerse** · **volverse**

compincharse (con) v. *col.*

● CON SUSTS. **banda** · **detective** · **policía** *El contrabandista se había compinchado con un policía* · **enemigo,ga** · **ladrón,-a** · **delincuente** · ***otros individuos y grupos humanos***

complacer v.

● CON SUSTS. **lector,-a** · **cliente** *Nuestro principal objetivo es complacer al cliente* · **padre** · **madre** · **público** · **jurado** · ***otros individuos y grupos humanos*** || **expectativa** *la difícil tarea de complacer las expectativas de los accionistas* · **esperanza** · **deseo** · **sueño** *¿Quieres complacer el sueño de tu vida?*

complaciente adj.

● CON SUSTS. ***persona*** *El público de esa ciudad tiene fama de ser poco complaciente* || **actitud** · **comportamiento** · **atención** || **gesto** · **sonrisa** · **mirada** · **palabra** || **atmósfera** · **clima** || **discurso** · **entrevista** · **visión** · **retrato** · **autorretrato** · **biografía** · **autobiografía** || **prensa** *un tremendo error que fue silenciado adrede por una prensa sumisa y complaciente* · **propaganda** · **literatura** || **decisión** · **dictamen** || **política** · **vida**
● CON VBOS. **mostrarse** · **volverse**

complejidad s.f.

● CON ADJS. **gran(de)** · **enorme** · **considerable** *la considerable complejidad de su pensamiento filosófico* · **tremenda** · **suma** · **extrema** · **infinita** · **notable** · **profunda** · **elevada** · **alta** · **creciente** · **manifiesta** || **barroca** · **intrincada** · **enrevesada** · **endiablada** || **inextricable** · **insoluble** || **escasa** || **maravillosa** · **sutil** *su perfil psicológico de sutil complejidad* · **sorprendente** || **técnica** · **legal** · **estructural** · **conceptual** · **argumentativa** || **lleno,na (de)** · **cargado,da (de)**
● CON SUSTS. **grado (de)** · **nivel (de)** || **ejemplo (de)** · **muestra (de)**
● CON VBOS. **estribar (en algo)** *La complejidad de la novela estriba sobre todo en lo novedoso del planteamiento* · **residir (en algo)** || **desafiar** || **adquirir** · **entrañar** · **revestir** *un asunto legal que reviste cierta complejidad* · **ofrecer** · **presentar** · **reflejar** || **descubrir** · **desentrañar** · **revelar** · **desconocer** || **reducir** || **dotar (de)** · **carecer (de)** · **huir (de)**
● CON PREPS. **en medio (de)** · **ante**

complejo s.m.

▮ [conjunto]

● CON ADJS. **comercial** · **cultural** · **deportivo** · **habitacional** · **hospitalario** · **hotelero** *Adquirieron los terrenos para construir un complejo hotelero* · **industrial** · **inmobiliario** · **militar** · **penitenciario** · **petroquímico** · **residencial** · **turístico** || **vitamínico** *El médico me ha recetado un complejo vitamínico* || **moderno**
● CON VBOS. **construir** · **crear** · **montar** · **planear** · **diseñar**

▮ [inclinación del subconsciente]

● CON ADJS. **serio** · **fuerte** · **severo** · **preocupante** || **absurdo** *Libérate de una vez de esos absurdos complejos* || **doloroso** · **angustioso** · **atenazante** || **viejo** · **antiguo** || **personal** · **psíquico** || **de culpa** · **de culpabilidad** · **de Edipo** · **de inferioridad** · **de superioridad**
● CON VBOS. **entrar(le) (a alguien)** · **aquejar (a alguien)** · **asediar (a alguien)** · **atenazar (a alguien)** · **invadir (a alguien)** *La invadió un complejo de culpa* || **incubar** · **desarrollar** · **tener** *Mírala; ella no tiene complejos* · **sufrir** · **padecer** · **revivir** · **desenterrar** · **arrastrar** · **acusar** || **mostrar** · **disimular** || **combatir** · **superar** *La terapia lo ayudó a superar sus complejos* · **vencer** · **desterrar** · **enterrar** · **soterrar** · **erradicar** · **dejar de lado** || **liberar(se) (de)** · **librar(se) (de)** · **deshacerse (de)**
● CON PREPS. **por** · **sin** *gente sin complejos* · **con** · **bajo**

complementario, ria adj.

● CON SUSTS. **formación · curso · libro · material · páginas · obra || teoría · concepto · factor · ley · principio || actividad · servicio · viaje || sistema · aplicación || estrategia · medida · prueba || declaración · información** *Como información complementaria incluyeron un breve reportaje* **|| papel · documentación · requisito || punto de vista · perspectiva** *Nuestras perspectivas son complementarias* **· ángulo || recurso · jubilación · pensión · ingresos · dividendo || pago · tarifa** *Tuve que abonar una tarifa complementaria por exceso de equipaje* **|| parte · fragmento · apéndice · etapa · ramal || elección · oferta · ayuda || vía · forma · manera · carácter || imagen** *El libro ofrece dos imágenes complementarias del personaje* **· expresión || color**

complemento s.m.

● CON ADJS. **ideal** *El complemento ideal para ese vestido es un pañuelo azul* **· idóneo · buen(o) · adecuado · perfecto · específico · enriquecedor · adicional · necesario · imprescindible · fundamental · principal · obligado || alimenticio · dietético · vitamínico · nutritivo · retributivo · económico · salarial · didáctico** *Estos vídeos son un buen complemento didáctico* **· indumentario || eventual · fijo || directo · indirecto · circunstancial**
● CON VBOS. **tener · obtener · recibir · percibir** *percibir un complemento salarial* **|| necesitar · requerir || dar · otorgar · pagar · recetar · prescribir || servir (como/de)**
● CON PREPS. **como** *tomar vitaminas como complemento*

[completo] →al completo; a tiempo {completo/parcial}; por completo

complicación s.f.

● CON ADJS. **gran(de) · mayor** *...y pudimos salir de ella sin mayor complicación* **· seria** *El temporal de nieve agrega serias complicaciones a la ya difícil misión* **· grave · severa · molesta || constantes · continuas · frecuentes || insalvable · insuperable · irresoluble || pequeña · leve · momentánea · sin importancia || adicional · innecesaria · inesperada || posible || legal · técnica · administrativa · burocrática || cardíaca · pulmonar · renal || libre (de) · exento,ta (de) · cargado,da (de)**
● CON SUSTS. **cúmulo (de) · serie (de) · tipo (de)** *evitar todo tipo de complicaciones* **|| riesgo (de)**
● CON VBOS. **avecinarse · presentar(se) · aparecer · surgir · llegar · sobrevenir · derivar(se) (de algo) · agravar(se) || afectar (a algo/a alguien) · agobiar (a alguien) · atormentar (a alguien) || causar · crear · ocasionar · provocar · producir · generar · suponer · traer** *El cambio de última hora puede traer complicaciones* **· acarrear · añadir (a algo) || sufrir · tener · encarar · enfrentar || prevenir · prever · evitar · soslayar · superar · resolver · vencer · salvar · remontar || lamentar || meter(se) (en) || dejar(se) (de)** *Déjate de complicaciones y ve a lo práctico* **· prescindir (de) · huir (de) || hacer frente (a)**
● CON PREPS. **sin** *La operación se desarrolló sin complicaciones* **· con**

complicar(se) v.

● CON SUSTS. **vida** *No te compliques tanto la vida* **· existencia || día · jornada · tarde · mañana · vacaciones || asunto · cuestión · situación** *La situación se complicaba cada vez más* **· problema || argumento · trama · enredo · desarrollo || intervención · operación** *Con la hemorragia se complicó la operación* **· reunión · negociación · convivencia · relación || solución · desenlace · final · decisión**
● CON ADVS. **seriamente · gravemente · considerablemente · notablemente** *La situación atmosférica se complica notablemente en el norte del país* **· inmensamente · excesivamente || ligeramente**

cómplice

1 **cómplice** adj.

● CON SUSTS. **lector,-a · compañero,ra · amigo,ga · sociedad · gobierno ·** ***otros individuos y grupos humanos*** **|| mirada** *Se cruzaron alguna que otra mirada cómplice durante la cena* **· guiño · sonrisa || actitud · ayuda · apoyo || silencio** *...con el silencio cómplice de sus adláteres y sus medios de comunicación adictos*
● CON VBOS. **hacer(se) || confesarse · considerar(se) · sentirse**

2 **cómplice** s.com.

● CON ADJS. **presunto,ta** *el presunto cómplice del robo* **· supuesto,ta || político,ca · moral · espiritual · intelectual || directo,ta** *Se demostró que su cómplice directo era un antiguo contrabandista* **· principal · indirecto,ta · involuntario,ria · voluntario,ria || pasivo,va · activo,va**
● CON VBOS. **tener || acusar · encubrir || desvelar · destapar · descubrir || detener || indultar · condenar || convertir(se) (en)** *Al no denunciarlo, se convirtió en su cómplice* **|| actuar (de)**

complicidad s.f.

▮ [entendimiento entre personas]

● CON ADJS. **mutua || abierta · clara · manifiesta · evidente · franca · patente · descarada || encubierta · callada · silenciosa · tácita · velada || aparente || enorme** *Siempre ha existido una enorme complicidad entre los dos* **|| intelectual · artística · creativa · profesional · generacional || cargado,da (de)** *una mirada cargada de complicidad*
● CON SUSTS. **acto (de) · guiño (de) · sonrisa (de) · señal (de) · mueca (de) · gesto (de) · indicio (de) || pacto (de) · red (de) || grado (de) · nivel (de)**
● CON VBOS. **surgir || buscar** *La novelista busca la complicidad del lector* **· pedir · granjearse || propiciar · fortalecer || recurrir (a)**
● CON PREPS. **con · en situación (de)**

▮ [participación en un delito]

● CON ADJS. **presunta** *hechos que podrían demostrar su presunta complicidad en el atentado contra...* **· supuesta || activa · pasiva · directa · indirecta || cínica · infame**
● CON SUSTS. **acusación (de)**
● CON VBOS. **demostrar · declarar · confesar · confirmar · negar || actuar (en) · estar (en)**

complot s.m.

● CON ADJS. **calculado · estudiado · complejo · sutil || maquiavélico · diabólico · perverso · siniestro || político · militar || destinado (a algo) · dirigido (a algo) || oscuro** *El presidente fue víctima de un oscuro complot* **· confuso · enmarañado · intrincado || presunto · supuesto || envuelto,ta (en) · implicado,da (en)** *Lo acusaron de estar implicado en un complot*
● CON SUSTS. **víctima (de) || maquinación (de) · programación (de) || éxito (de) · fracaso (de)**
● CON VBOS. **armar(se) · fraguar(se) || quedar al descubierto** *El complot quedó al descubierto inesperadamente* **|| deshacer(se) · desarticular(se) · fracasar || tramar · urdir · maquinar · idear · organizar · preparar · orquestar · dirigir · coordinar · instigar · auspiciar · llevar a cabo || destapar · desvelar · descubrir · denunciar · desentrañar || desmontar · desbaratar · desactivar ·**

abortar || **participar (en)** *Pero no solo ellos participaron en el complot...* · **formar parte (de)** · **sumar(se) (a)** · **involucrar(se) (en)** · **acusar (de)**

componer v.

▮ [crear, idear]

● CON SUSTS. **canción** · **melodía** · **música** · **sintonía** · **pieza** · **texto** · ***otras creaciones***
● CON ADVS. **de oído**

▮ [formar conjuntamente]

● CON SUSTS. **cuadro** *una serie de instantáneas que componen un cuadro escénico de gran vistosidad* · **figura** · **imagen** · **friso** · **estampa** · **panorama** · **escenario** || **exposición** · **muestra** · **conjunto** · **nómina**
● CON ADVS. **íntegramente** · **en conjunto** *Estas piezas componen en su conjunto un importante tesoro arqueológico* || **a marchas forzadas**

☐ EXPRESIONES **componérselas** [arreglárselas] *col.*

comportamiento s.m.

● CON ADJS. **buen(o)** · **exquisito** · **correcto** · **elegante** · **adecuado** · **atento** · **recto** · **intachable** · **impecable** · **decoroso** · **digno** · **modélico** *Demostró un comportamiento modélico durante todo el viaje* · **ejemplar** · **ético** || **mal(o)** · **incorrecto** · **indigno** · **inaceptable** · **inadmisible** · **vergonzoso** · **indecoroso** · **soez** · **innoble** · **impropio (de alguien)** *En cualquier caso es un comportamiento impropio de un adulto* · **inmoral** · **delictivo** · **nefando** || **execrable** · **condenable** · **reprobable** · **detestable** · **incalificable** || **positivo** · **favorable** || **negativo** · **desfavorable** || **típico** · **gregario** · **arraigado** || **anómalo** *un comportamiento anómalo en animales de esa especie* · **excéntrico** · **desviado** · **aberrante** · **compulsivo** · **obsesivo** || **consciente** · **premeditado** · **cauto** · **precavido** · **prudente** || **maduro** · **inmaduro** || **racional** · **irracional** || **negligente** · **displicente** · **indolente** || **estable** · **fluctuante** · **irregular** · **impredecible** · **imprevisible** · **arbitrario** *un comportamiento arbitrario imposible de predecir* || **violento** · **hostil** · **inadecuado** · **abusivo** · **discriminatorio** · **inhumano** || **cínico** · **chulesco** || **humano** · **social** · **amoroso** · **sexual** || **revelador (de algo)** · **sintomático (de algo)**
● CON SUSTS. **pauta (de)** *pautas de comportamiento en sociedad* · **patrón (de)** · **normas (de)** · **código (de)** · **reglas (de)** · **clave (de)** || **modelo (de)** · **lección (de)** || **estudio (de)** || **problema (de)**
● CON VBOS. **torcer(se)** || **tener** · **mantener** · **adoptar** · **observar** · **calcar** || **mostrar** · **revelar** · **exhibir** · **manifestar** · **registrar** || **moldear** · **adaptar** · **alterar** || **corregir** · **enmendar** · **rectificar** · **dulcificar** · **erradicar** || **analizar** · **estudiar** || **prejuzgar** · **extrapolar** · **diagnosticar** · **atribuir (a algo)** · **vigilar** || **aprobar** · **desaprobar** · **censurar** · **condenar** · **reprobar** · **reprender** · **reprochar** || **deponer** || **hacer gala (de)** *El nuevo teniente había hecho gala de un comportamiento ejemplar* · **persistir (en)** || **cambiar (de)**
● CON PREPS. **a la vista (de)**

[comportar] → comportar; comportarse

comportar v.

● CON SUSTS. **riesgo** *Invertir en bolsa comporta siempre un riesgo* · **problema** · **inconveniente** · **consecuencia** · **efecto** || **sanción** · **multa** || **cambio** · **modificación** · **ajuste** · **aumento** · **disminución** · **desigualdad** || **ruptura** · **enfrentamiento** · **sacrificio** || **gasto** *Los técnicos estiman que renovar las instalaciones comporta un gasto excesivo* · **coste** · **pérdida**

comportarse v.

● CON ADVS. **impecablemente** · **correctamente** · **como es debido** *Si no te comportas como es debido, no te llevo más al cine* · **adecuadamente** · **coherentemente** · **incorrectamente** || **dignamente** · **decentemente** · **decorosamente** · **como un señor** · **deportivamente** · **generosamente** · **heroicamente** · **humanamente** || **civilizadamente** *Los manifestantes se comportaron civilizadamente* · **pacíficamente** || **descaradamente** || **con cautela** · **a la defensiva** || **a {mi/tu/su...} aire**

composición s.f.

▮ [obra, creación]

● CON ADJS. **musical** *autor de una famosa composición musical* · **teatral** · **escénica** · **artística** · **cinematográfica** · **pictórica** · **plástica** · **fotográfica** · **arquitectónica** · **escultórica** · **tipográfica** · **cromática** || **perfecta** · **equilibrada** · **irregular** · **atractiva** · **colorista** · **clásica** · **famosa** · **conocida** · **afamada**
● CON VBOS. **crear** · **escribir**

▮ [constitución de un conjunto de elementos]

● CON ADJS. **química** · **mineral** · **física** · **corporal** · **genética** · **cromosómica** *Se han detectado alteraciones en la composición cromosómica de este tipo de células* || **departamental** · **parlamentaria** *Los analistas ya están haciendo cábalas sobre la próxima composición parlamentaria* · **gubernamental** || **de lugar** *hacerse una composición de lugar*
● CON VBOS. **cambiar** · **alterar** *alterar la composición química de un producto* · **variar**

compostura s.f.

● CON VBOS. **guardar** · **mantener** *Supo mantener la compostura en todo momento* || **perder**

[compra] → compra; de compra(s)

compra s.f.

● CON ADJS. **al detalle** · **al peso** · **al por mayor** · **a granel** || **a crédito** · **a plazos** · **al contado** · **a escote** · **en metálico** · **en efectivo** · **con tarjeta** || **a domicilio** · **por internet** · **por catálogo** · **por correo** || **directa** · **indirecta** || **legal** · **fraudulenta** *Se está investigando la compra fraudulenta de esa empresa* · **ilegal** · **ilícita** || **lucrativa** || **compulsiva** · **desaforada** · **desmedida** || **masiva** || **navideña**
● CON SUSTS. **lista (de)** · **cesta (de)** *un producto estrella en la cesta de la compra diaria* · **carro (de)** || **operación (de)** · **oferta (de)** · **opción (de)** · **orden (de)** · **objeto (de)** || **contrato (de)** · **escritura (de)** || **capacidad (de)** · **fiebre (de)**
● CON VBOS. **hacer** · **efectuar** · **realizar** · **acometer** · **afrontar** · **tramitar** · **zanjar** || **negociar** · **acordar** · **concertar** · **apalabrar** || **amañar** · **ocultar** · **esconder** · **camuflar** · **disfrazar** || **autorizar** · **canalizar** · **prohibir** · **cancelar** || **fomentar** · **incentivar** || **financiar** *Este establecimiento le permite financiar sus compras en cómodos plazos* · **pagar** || **valorar** · **sobrevalorar** || **lanzarse (a)** · **proceder (a)** · **dedicarse (a)** · **participar (en)** || **invertir (en)** · **destinar (a)** || **inducir (a)**

comprador, -a

1 **comprador, -a** adj.

● CON SUSTS. **empresa** · **grupo** · **sociedad** · **banco** · **club** · **consorcio** || **país** · **público** || **euforia**

2 **comprador, -a** s.

● CON ADJS. **habitual** · **compulsivo,va** · **eventual** || **posible** · **potencial** *Con estas medidas intentamos atraer com-*

pradores potenciales · **futuro,ra** || **privado,da** · **particular** · **anónimo,ma** *La escultura ha sido adquirida por una compradora anónima* || **extranjero,ra** · **nacional** || **principal** · **natural** || **nuevo,va** · **final**
● CON VBOS. **pagar (algo)** · **desembolsar (algo)** *El comprador de la finca desembolsó una gran cantidad de dinero* || **adquirir (algo)** · **percibir (algo)** || **ofrecer (algo)** · **tasar (algo)** || **decidir (algo)** · **firmar (algo)** · **pactar (algo)** || **buscar** *Sigo buscando comprador para el apartamento de la playa* || **encontrar** · **hallar** · **conseguir** · **tener** || **atraer** · **engañar**

comprar v.

● CON ADVS. **a plazos** *comprar una lavadora a plazos* · **a crédito** · **a cuenta** · **a escote** · **al contado** · **en metálico** · **con tarjeta** || **al por mayor** · **a granel** · **al detalle** · **al peso** || **caro** · **barato** · **a peso de oro** · **a la baja** · **a {buen/mal} precio** || **compulsivamente** *En las rebajas las tiendas están abarrotadas de gente que compra compulsivamente* · **desenfrenadamente** · **ávidamente** · **febrilmente** || **a lo loco** · **al tuntún** · **a ojo** · **con previsión**
● CON VBOS. **lanzar(se) (a)** · **ir (a)** · **salir (a)**

compraventa s.f.

● CON ADJS. **ilegal** *la compraventa ilegal de inmuebles* · **ilícita** · **legal** · **presunta** · **posible** · **probable**
● CON SUSTS. **operación (de)** · **contrato (de)** · **escritura (de)** *una copia simple de la escritura de compraventa* · **documento (de)** · **negocio (de)**
● CON VBOS. **efectuar** · **realizar** · **acometer** · **afrontar** · **tramitar** · **zanjar** || **negociar** · **acordar** · **concertar** · **apalabrar** *apalabrar la compraventa de un apartamento* || **amañar** · **ocultar** · **esconder** · **camuflar** · **disfrazar** || **autorizar** · **canalizar** · **prohibir** · **cancelar** || **fomentar** · **incentivar** || **financiar** · **pagar** || **valorar** · **sobrevalorar** || **beneficiarse (de)** *Lo acusaron de haberse beneficiado de la compraventa del terreno* · **mediar (en)** · **dedicar(se) (a)**

comprender v.

● CON ADVS. **a las mil maravillas** · **de sobra** *Comprendo de sobra tus razones, pero no las comparto* · **en profundidad** · **perfectamente** · **sin problema(s)** · **bien** || **fácilmente** · **al instante** *Me miró y al instante comprendí lo que estaba pasando* · **al vuelo** || **con dificultad** · **difícilmente** · **regular** · **ni por asomo** · **mal**

comprensible adj.

● CON SUSTS. **lenguaje** · **idioma** · **término** · **palabra** || **indignación** · **irritación** · **inquietud** || **derrota** · **error** *Es un error comprensible en un principiante* · **fracaso** || **terror** · **miedo** || **decisión** · **actuación** · **reacción** *una reacción totalmente comprensible teniendo en cuenta su situación* · **actitud** || **júbilo** · **pereza** · **odio**
● CON ADVS. **humanamente** || **perfectamente** · **totalmente** · **absolutamente** || **fácilmente** · **difícilmente**
● CON VBOS. **hacer(se)** · **parecer** · **resultar**

comprensivo, va adj.

● CON SUSTS. **persona** · **padre** *Mi padre se mostró muy comprensivo* · **madre** · **electorado** · **público** · ***otros individuos y grupos humanos*** || **actitud** · **comportamiento** · **postura** · **talante** || **palabras** · **gesto** · **mirada** || **voz** · **tono** || **visión** · **lectura** || **ánimo** · **voluntad** · **espíritu** *Admiro su espíritu comprensivo* · **corazón**
● CON ADVS. **sumamente** · **totalmente** · **absolutamente** · **extremadamente** · **excepcionalmente** || **generosamente** · **excesivamente** *Creo que fui excesivamente comprensivo con sus fallos*
● CON VBOS. **mostrarse** · **volver(se)**

compresa s.f.

● CON ADJS. **fina** · **ultrafina** · **absorbente** · **plegada** || **esterilizada** *Me cubrieron la herida con una compresa esterilizada*
● CON VBOS. **poner(se)** · **llevar** · **tener** · **quitar** · **retirar** · **tirar** · **cambiar**

comprimir v.

● CON SUSTS. **aire** *una escopeta de aire comprimido* · **gas** · **combustible** || **contenido** · **archivo** *comprimir los archivos antes de grabarlos* · **imagen** · **gráfico** *un programa informático que comprime gráficos* || **frase** · **mensaje** · **historia** || **pensamiento** · **idea** · **razonamiento** || **coste** · **gasto** · **consumo**
● CON ADVS. **al máximo**

comprobación s.f.

● CON ADJS. **atenta** · **celosa** · **concienzuda** · **cuidadosa** · **detallada** · **escrupulosa** · **esmerada** · **estricta** · **exhaustiva** *El resultado está sujeto a una exhaustiva comprobación* · **meticulosa** · **metódica** · **minuciosa** · **repetida** · **rigurosa** · **oficial** || **somera** · **superficial** · **superflua** || **fidedigna** · **fiel** || **dolorosa** · **inquietante** || **fácil** *un error de fácil comprobación* · **difícil** · **laboriosa** || **directa** · **visual** || **automática** · **manual** || **científica** · **matemática** · **objetiva** || **empírica** · **experimental** || **mera** · **simple** *Una simple comprobación sirvió para solucionar el problema* || **necesaria** · **obligada** · **oportuna** · **pertinente** · **rutinaria** || **previa** || **pendiente (de)** · **sujeto,ta (a)**
● CON SUSTS. **proceso (de)** · **tarea (de)** · **trabajo (de)**
● CON VBOS. **efectuar** · **hacer** · **llevar a cabo** · **practicar** · **realizar** || **requerir** · **obtener** || **permitir** || **someter (a)** *someter a comprobación la autenticidad de la firma*
● CON PREPS. **a falta (de)**

comprobante s.m.

● CON ADJS. **bancario** · **oficial** || **de pago** · **de gasto** · **de ingreso** · **de compra** || **correspondiente**
● CON VBOS. **acreditar (algo)** *Este comprobante acredita que he pagado la entrada del coche* · **revelar (algo)** || **pedir** · **solicitar** · **reclamar** || **presentar** · **adjuntar** · **entregar** || **conservar** · **guardar** *He guardado el comprobante por si necesito cambiarlo* || **anular** · **firmar** *Firmaron el comprobante de la tarjeta de crédito con un nombre falso* · **sellar** · **extender** || **obtener** · **recibir** || **servir (de/como)**

comprobar v.

● CON SUSTS. **hecho** · **dato** *¿Ha comprobado anteriormente los datos?* · **información** · **cifra** · **antecedente** || **altura** · **profundidad** · **valor** · **edad** · ***otras magnitudes*** || **veracidad** · **autenticidad** · **verdad** · **realidad** || **procedencia** · **origen** || **viabilidad** · **utilidad** || **pensamiento** · **idea** · **razonamiento**
● CON ADVS. **científicamente** · **matemáticamente** · **empíricamente** *comprobar empíricamente una hipótesis* · **experimentalmente** · **objetivamente** · **oficialmente** || **a conciencia** · **concienzudamente** · **rigurosamente** · **debidamente** *Hay que comprobar debidamente que toda la documentación esté en orden* · **detalladamente** · **minuciosamente** · **cuidadosamente** · **documentalmente** · **exhaustivamente** · **a ojo** || **con {mis/tus/sus...} propios ojos** · **de cerca** · **de primera mano** · **en carne propia** *Había comprobado en carne propia las injusticias del sistema* · **en persona** · **personalmente** · **de visu** · **visualmente** || **con certeza** · **efectivamente** · **fehacientemente** || **agradablemente** · **con satisfacción** *Comprobamos con satisfacción que han cambiado ustedes su punto de vista sobre...* · **gratamente** || **rápidamente** · **instantáneamente** · **al momento** · **automáticamente** · **fácilmente** *un dato*

que puede comprobarse fácilmente || **dolorosamente · con tristeza**

comprometedor, -a adj.

● CON SUSTS. **documento** *La Policía encontró documentos comprometedores en su despacho* · **papel · informe || revelación · declaración · información || hecho · dato · prueba || imagen · foto** *Han publicado unas fotos muy comprometedoras del cantante* · **vídeo · cinta || documentación · material · contenido || pregunta · conversación · secreto || posición · situación** *El testigo puso al acusado en una situación muy comprometedora* || **medida · decisión · tarea || objeto · detalle**

comprometer(se) (con) v.

● CON SUSTS. **idea · proyecto · plan · iniciativa · propuesta · asunto || tarea · trabajo · actividad · labor · lucha || movimiento · corriente · partido · organización** *Se habían comprometido en firme con la organización y no podían abandonar* || ***persona*** *Me había comprometido con mi madre para acompañarla a...*

● CON ADVS. **a fondo · activamente · de lleno · decididamente · en firme · firmemente · fuertemente · hasta el cuello · hasta las cejas · totalmente || abiertamente · sin reservas · incondicionalmente || de palabra · verbalmente** *Tras la reunión, se comprometió verbalmente con ellos* · **por escrito · formalmente**

comprometido, da adj.

● CON SUSTS. **afirmación · declaración · pregunta** *La entrevistadora formuló varias preguntas muy comprometidas* · **frase ·** ***otras manifestaciones verbales o textuales*** **|| posición · postura || caso · situación** *Me pone usted en una situación muy comprometida*

compromiso s.m.

● CON ADJS. **claro · en firme · férreo · firme** *Adquirí el firme compromiso de...* · **decidido · inequívoco · profundo · real · serio · verdadero · precario || acuciante · indeclinable · indisoluble · ineludible** *Me puso como excusa que tenía un compromiso ineludible* · **inexcusable · inquebrantable · insoslayable · irrenunciable || incondicional · sin condiciones · sin reservas || asequible · llevadero || válido · inválido || contractual · electoral** *cumplir los compromisos electorales* · **matrimonial · moral · político · profesional · personal || de palabra · verbal || oficial · expreso · soterrado || acorde (con)**

● CON SUSTS. **grado (de)** *El tiempo desvelará su grado de compromiso...* || **cumplimiento (de) · incumplimiento (de)**

● CON VBOS. **consistir (en algo) || fraguar(se) · hacer(se) realidad || desmoronar(se) · diluir(se) · quebrar(se) || acuciar (a alguien) · atañer (a alguien) || derivar(se) (de algo) || adquirir · contraer · asumir · manifestar · suscribir** *Ha suscrito todos los compromisos que asumió su antecesor en el cargo* · **afrontar · encarar · alcanzar · obtener · apalabrar · arrancar · cerrar · entablar · tener (con alguien) · lograr · llevar a la práctica · madurar · recibir · sellar || avalar · confirmar · desbloquear · fortalecer · garantizar · oficializar · prorrogar · reiterar · hacer (efectivo/real) || encerrar · suponer · constituir || atender · cumplir · mantener** *La ministra ha prometido mantener los compromisos que contrajo al principio de la legislatura* · **observar · respetar · honrar** *una persona seria que suele honrar sus compromisos* · **satisfacer || burlar · desatender · eludir · incumplir · quebrantar · saltarse · transgredir · violar · vulnerar || alterar · obstaculizar · cancelar · deshacer · rescindir · romper · saldar || atenerse (a) · hacer frente (a) · llegar (a) || poner(se) (en)** *Me pones en un compromiso con esta elección* · **estar (en) || dispensar (de) · eximir (de) || desdecirse (de) · desentenderse (de) · faltar (a) · librar(se) (de) · renegar (de) · retractarse (de) · sustraer(se) (de/a)**

☐ USO Se construye frecuentemente con complementos encabezados por la preposición *con*: *Tras meses de conversaciones, ayer se alcanzó el acuerdo con las autoridades de aquel país.*

compulsar v.

● CON SUSTS. **certificado · carné · fotocopia · título ·** ***otros documentos***

compulsivamente adv.

● CON VBOS. **actuar · repetir || comer** *Cuando está nervioso, come compulsivamente* · **beber · fumar · vomitar || escribir · leer || comprar · gastar · consumir · adquirir || buscar · perseguir**

compulsivo, va adj.

● CON SUSTS. **fumador,-a · bebedor,-a · jugador,-a || trabajador,-a** *No te defraudará, es una trabajadora compulsiva e incansable* · **lector,-a · comprador,-a || personalidad** *Tiene una personalidad compulsiva, rígida y perfeccionista* · **conducta · carácter · comportamiento · rasgo · fijación · neurosis || picoteo · apetito · ingestión || consumo · compra · gasto || lectura || deseo · avidez · necesidad** *su necesidad compulsiva de llamar la atención* · **afición · atracción · ambición · curiosidad || sexo · instinto || movimiento · arranque · actividad · ejercicio · ademán · gesto**

compungidamente adv.

● CON VBOS. **llorar** *La encontré llorando compungidamente* · **mirar || decir · explicar · responder**

compungido, da adj.

● CON SUSTS. **rostro · cara · gesto** *Le pidió perdón con gesto compungido* · **expresión · mirada · voz · tono || aire · espíritu || familia · familiar · amigo,ga ·** ***otros individuos y grupos humanos*** **|| discurso**

● CON VBOS. **estar · quedar(se)**

computador s.m. Véase **computadora**

computadora s.f.

● CON ADJS. **personal · central || portátil · de escritorio**

● CON SUSTS. **diseño (por)** *un curso de diseño por computadora* · **control (por) || manejo (de) · uso (de) || fallo (de)**

● CON VBOS. **bloquear(se) · colgar(se) · fallar · estropear(se)** *Se estropearon todas las computadoras a la vez* · **desbloquear(se) || funcionar || usar · utilizar · comprar || encender · prender · activar · abrir · conectar · reiniciar || apagar · desconectar** *Desconectamos las computadoras antes de salir* · **cerrar || servirse (de)**

comulgar (con) v.

● CON SUSTS. **doctrina · idea** *No comulgo con sus ideas, pero reconozco su valía como político* · **ideología · credo · pensamiento · planteamiento · propuesta · razonamiento · teoría · verdad || estilo · moda || filósofo,fa · escritor,-a · político,ca · coalición · cúpula · partido ·** ***otros individuos y grupos humanos*** **|| sentimiento**

☐ EXPRESIONES **comulgar con ruedas de molino** [creerse algo inverosímil] *col.*

[común] → común; en común; sentido común

común adj.

● CON SUSTS. **sentido** *tener sentido común* || **rasgo** · **aspecto** · **característica** || **componente** · **ingrediente** *El ingrediente común a estos platos es...* || **denominador** · **nexo** · **vínculo** || **origen** · **fuente** · **tronco** · **ancestro** · **ascendencia** · **historia** · **pasado** · **trasfondo** || **destino** · **fin** · **objetivo** || **espacio** · **área** · **zona** *Estos edificios comparten zonas comunes* · **patio** || **fosa** || **vida** · **vivencia** · **experiencia** || **opinión** · **punto de vista** · **lugar** · **noción** · **concepto** || **esfuerzo** · **proyecto** · **causa** · **bien** · **interés** || **lengua** · **lenguaje** || **nombre** · **sustantivo** || **mercado** *leyes para regular el mercado común* · **moneda** || **derecho** · **fuero** · **ley** || **enfermedad** · **problema**

☐ EXPRESIONES **por lo común** [normalmente]

comunicación s.f.

● CON ADJS. **abierta** · **clara** · **franca** · **fiable** || **estrecha** *Mantienen una estrecha comunicación desde hace años* · **profunda** || **interactiva** · **global** || **continua** · **permanente** · **fluida** || **directa** · **inmediata** || **discontinua** · **intermitente** · **inestable** || **superficial** · **escasa** · **indirecta** || **formal** · **informal** || **oficial** · **confidencial** · **estratégica** || **humana** · **íntima** · **personal** *la importancia de la comunicación personal en la empresa* · **social** || **audiovisual** · **epistolar** · **escrita** · **mental** · **oral** · **radiofónica** · **telefónica** · **telepática** · **televisiva** · **virtual**

● CON SUSTS. **canal (de)** · **vía (de)** *Había roto todas las vías de comunicación con sus antiguos aliados* · **línea (de)** · **vínculo (de)** · **táctica (de)** · **equipo (de)** · **torre (de)** || **forma (de)** · **medio (de)** · **instrumento (de)** || **calidad (de)** · **grado (de)** · **nivel (de)** · **falta (de)** · **necesidad (de)** || **era (de)** || **mundo (de)** *un veterano del mundo de la comunicación* · **área (de)**

● CON VBOS. **entrecortar(se)** · **bloquear(se)** || **abrir** · **entablar** *Hemos entablado comunicación con nuestro corresponsal* · **establecer** · **mantener** · **tener** · **recibir** || **agilizar** · **estrechar** · **facilitar** · **favorecer** · **fomentar** · **hacer posible** · **permitir** · **incentivar** · **reforzar** || **cortar** · **distorsionar** · **interceptar** · **interferir** · **interrumpir** *Sentimos interrumpir la comunicación* · **obstaculizar** · **obstruir** · **perder** · **romper** · **cerrar** || **entrar (en)** *La Policía no ha podido entrar en comunicación con los secuestradores* · **servir (de)**

☐ USO Se construye frecuentemente con complementos encabezados por la preposición *entre*: *reestablecer las comunicaciones entre los dos países.*

comunicado s.m.

● CON ADJS. **de prensa** *un comunicado de prensa sobre su estado de salud* · **público** || **formal** · **oficial** || **de última hora** · **urgente** || **de apoyo** *un comunicado de apoyo a las víctimas* · **a favor** · **en contra** || **alusivo (a algo)** || **escueto** || **conjunto** *Las dos empresas afectadas han ofrecido un comunicado conjunto*

● CON VBOS. **circular** · **difundir(se)** || **confirmar (algo)** · **exponer (algo)** · **informar (de algo)** · **señalar (algo)** || **dar a conocer** *La televisión dio a conocer el comunicado de los secuestradores* · **distribuir** · **divulgar** · **emitir** · **enviar** · **ofrecer** · **hacer público** · **lanzar** · **leer** · **remitir** *remitir un comunicado a la prensa* · **transmitir** || **firmar** || **desmentir** · **ratificar** || **adherirse (a)**

● CON PREPS. **a través (de)** · **mediante**

comunicar v.

● CON SUSTS. **decisión** · **intención** · **respuesta** · **resultado** *Aún no se ha comunicado oficialmente el resultado del escrutinio* · **elección** || **baja** · **cese** · **despido** *Les comunicaron el despido por carta* || **información** · **cantidad** · **cifra** · **altura** · **edad** · ***otros datos***

● CON ADVS. **de palabra** · **oralmente** · **verbalmente** · **por escrito** || **expresamente** · **detalladamente** · **extensamente** · **a medias** || **a bombo y platillo** *La pareja comunicó a bombo y platillo la fecha de su próximo enlace* · **a voces** · **a los cuatro vientos** · **públicamente** || **en persona** · **personalmente** || **con alborozo**

comunicativo, va adj.

● CON SUSTS. **capacidad** · **competencia** · **habilidad** · **dote** · **fuerza** *Utiliza un lenguaje sencillo pero de gran fuerza comunicativa* || **eficacia** · **éxito** || **lenguaje** · **código** · **sistema** · **acción** || **situación** · **dimensión** · **voluntad** · **intención** · **fenómeno** || **método** · **tecnología** · **estrategia** *La estrategia comunicativa de la empresa ha sido muy criticada* · **instrumento** · **medio** · **técnica** || **mirada** · **talante** · **estilo** || **carencia** · **impotencia** · **dificultad** · **problema** || ***persona*** *Es un hombre muy comunicativo y tremendamente sincero* || **valor** · **función** · **sentido**

● CON VBOS. **mostrarse** · **volverse**

comunión s.f.

▌[sacramento]

● CON ADJS. **primera** *Tomó la primera comunión siendo adulto* · **diaria** || **eclesial** · **eucarística** · **episcopal** || **divina** · **sagrada** · **mística**

● CON SUSTS. **sacramento (de)**

● CON VBOS. **tomar** · **recibir** · **hacer** · **dar** · **impartir** · **conseguir** || **celebrar** · **festejar** || **negar** · **autorizar**

▌[unión, participación]

● CON ADJS. **total** · **absoluta** *Existe una absoluta comunión de ideas en todos los componentes del grupo* · **perfecta** · **plena** · **profunda** || **espiritual** · **familiar** · **de personas** · **de sentimientos** || **de ideas** · **ideológica** · **política** · **doctrinal** || **colectiva** · **nacional** · **íntima** || **artística** · **estética** · **musical** · **cultural** || **cósmica**

● CON VBOS. **alcanzar** || **entrar (en)** · **estar (en)** · **crecer (en)**

con ahínco loc.adv.

● CON VBOS. **trabajar** *El presidente animó a los empleados a seguir trabajando con ahínco* · **dedicarse (a algo)** · **acometer** · **aplicarse** · **entregarse (a algo)** · **dirigir (algo/a alguien)** || **perseguir** · **buscar** · **marcar** || **defender** *Defendió con ahínco los derechos de los trabajadores* · **cultivar** || **luchar** · **atacar** · **combatir** · **criticar** · **disputar** || **negociar** · **presionar**

con alborozo loc.adv.

● CON VBOS. **reír** · **cantar** · **gritar** · **abrazar** || **recibir** · **acoger** · **saludar** · **recoger** || **anunciar** *Las radios del mundo anunciaron con alborozo el fin de la guerra* · **comunicar** · **proclamar** · **comentar** · **señalar** || **celebrar** · **festejar** *Los aficionados festejaron el trofeo con gran alborozo*

con alevosía loc.adv./loc.adj.

● CON VBOS. **matar** · **atacar** · **asesinar** *Fue juzgado por asesinar con alevosía y premeditación a su víctima* · **apuñalar** · **castigar** · **machacar** · **propinar** · **romper** · **violar** · **destruir** · **traicionar** || **perpetrar (algo)** · **cometer (algo)** *Fue un acto cobarde, cometido con alevosía y premeditación* || **programar** *infumables concursos televisivos programados con alevosía* · **anunciar** · **preparar**

● CON SUSTS. **asesinato** · **homicidio** · **parricidio** · **lesión** · **muerte** · **ataque** · **asalto** · **delito** *No es un delito casual, sino premeditado y con alevosía*

con aplomo loc.adv.

● CON VBOS. **actuar · desenvolverse · moverse · reaccionar || afrontar · encarar · juzgar · resolver || contestar · responder** *Respondió con aplomo a las preguntas más comprometidas* · **afirmar · asegurar · subrayar · expresar(se) · hablar · decir · manifestar · relatar · replicar · leer || cantar · tocar · interpretar · torear · jugar** *El equipo está ahora menos nervioso y juega con más aplomo y autoridad* **|| negociar · dirigir || disparar**

con arreglo (a) loc.prep.

● CON SUSTS. **verdad · justicia · religión · política || ley · norma · legalidad · derecho · normativa** *viviendas construidas con arreglo a la normativa en vigor* · **legislación · constitución · artículo · estatuto · ordenanza · regla || criterio · convicción · idea · teoría · competencia · conciencia** *con arreglo a la conciencia de cada uno* · **posición · cosmovisión || plan · proyecto · previsión · expectativa · cálculo · planteamiento · esquema · fórmula · necesidad || calendario · agenda || porcentaje · parámetro · baremo · indicador · nivel** *El funcionamiento del reactor se regula con arreglo al nivel de radiación* · **estadística || pauta · principio · patrón · canon || pacto · acuerdo · consenso || tradición · costumbre || resolución · sentencia · fallo** *Con arreglo al fallo del Tribunal Supremo...*

☐ USO Se construye a menudo con grupos nominales encabezados por *lo* en los que se hace referencia a alguna determinación previa: *Actuaremos con arreglo a lo acordado.*

conato (de) s.m.

● CON SUSTS. **fuego · incendio** *Los bomberos sofocaron rápidamente el conato de incendio* **|| epidemia · vómito || guerra · lucha · atentado · conflicto · agresión · asalto · bronca · crisis · violencia · discusión · escándalo · golpe de Estado · reyerta || motín · rebelión · amotinamiento · resistencia · revolución · sublevación || manifestación · protesta · abucheo · censura || fuga** *Tres internos protagonizaron ayer un conato de fuga en la prisión provincial* · **huida**

con {buen/mal} pie loc.adv.

● CON VBOS. **comenzar** *El equipo comenzó con mal pie, pero pronto...* · **empezar · entrar · iniciar · debutar · levantarse · arrancar · nacer · estrenarse · emprender || acabar · cerrar · salir || marchar** *Nuestra relación no marcha con buen pie* · **avanzar · ir · andar**

con cajas destempladas loc.adv./loc.adj.

● CON VBOS. **despedir (a alguien) · echar (a alguien)** *No aguantaron su desfachatez y lo echaron con cajas destempladas* · **expulsar (a alguien) · rechazar (a alguien) · despachar (a alguien) || decir (algo) · responder (algo) · exponer (algo)**

● CON SUSTS. **salida · expulsión**

concatenar v.

● CON SUSTS. **hecho · acontecimiento · factor** *Una serie de factores concatenados pueden causar un caos imprevisible* · **incidente || registro · fichero · archivo · dato · elemento || fallo · error** *Los errores se fueron concatenando uno tras otro* **|| historia · palabra · idea · imagen · pasaje**

● CON ADVS. **sucesivamente**

☐ USO Se construye generalmente con sustantivos en plural: *concatenar ideas.*

concebir v.

● CON SUSTS. **criatura · niño,ña · bebé · hijo,ja || novela** *Concibió la novela durante su exilio en Europa* · **disco · cuento · obra ·** ***otras creaciones*** **|| artefacto · máquina · invento · edificio · vehículo · mecanismo || idea · iniciativa · pensamiento · fórmula · propuesta · juicio · solución || proyecto · estrategia** *para concebir una nueva estrategia de actuación* · **política · programa · plan · estratagema || esperanza · ilusión · sueño · deseo || sistema · estructura · organización · esquema**

conceder v.

● CON SUSTS. **deseo · capricho** *No esperes que te conceda todos tus caprichos* · **antojo || vacaciones · regalo || oportunidad · posibilidad || beca · subvención** *El Ayuntamiento nos ha concedido una subvención a fondo perdido para...* · **ayuda · crédito · préstamo · aval · garantía · pensión · incentivo · fondo || premio · galardón · trofeo · título · marquesado || permiso · licencia** *Hasta que no te concedan la licencia, no podrás empezar a construir* · **autorización · visado · beneplácito || audiencia · entrevista || mano** *¿Me concede la mano de su hija?* **|| libertad · divorcio · independencia · autonomía || beneficio de la duda** *¿Por qué nunca me concedes el beneficio de la duda?* · **atención · facilidad · ventaja · privilegio · favor · preferencia · excepción · inmunidad || asilo · amparo · protección · apoyo · custodia · tutela || plazo** *El ministerio concede un plazo de diez días para...* · **tiempo · prórroga · moratoria · aplazamiento · margen || indulto · amnistía · perdón · excarcelación · gracia || apelación · recurso · resolución · demanda · suplicatorio || tregua · alto el fuego || importancia** *No concedas más importancia a ese asunto* · **valor · peso || competencia · gestión · papel · organización || autoridad** *Le fue concedida la autoridad para negociar el acuerdo por la vía rápida* · **poder · liderazgo · hegemonía · potestad · honor · protagonismo || habilidad · facultad · mérito · don**

● CON ADVS. **en exclusiva** *El actor les concedió una entrevista en exclusiva* · **incondicionalmente || oficialmente · irregularmente · nominalmente || a regañadientes · de mala gana · de buen grado · graciosamente · generosamente || a dedo** *Siempre negó que le hubieran concedido la beca a dedo* · **automáticamente · voluntariamente || de antemano · temporalmente**

concentración s.f.

▌[reunión]

● CON ADJS. **multitudinaria · masiva · popular · comunitaria · pública || tranquila · violenta · silenciosa || espontánea** *una concentración espontánea de gente delante del Ministerio* · **ilegal**

● CON SUSTS. **campo (de) · lugar (de) || libertad (de)**

● CON VBOS. **tener lugar · finalizar · iniciar || realizar** *El lunes realizaremos la concentración en protesta por los despidos* · **organizar · orquestar · convocar · celebrar · llevar a cabo || autorizar · apoyar · respaldar · promover · protagonizar · presidir || evitar · abandonar · dejar · disolver || asistir (a) · acudir (a) · sumarse (a) · participar (en) · incorporar(se) (a)**

▌[relación entre la cantidad de sustancia disuelta y la de disolvente]

● CON ADJS. **excesiva · alta · fuerte · elevada** *una elevada concentración de alcohol en sangre* · **máxima · gran(de) · baja · mínima · media || densa · definida**

● CON SUSTS. **grado (de) · nivel (de)** *Miden el nivel de concentración de dióxido de carbono en el aire* · **porcentaje (de)**

• CON VBOS. **aumentar · incrementar · disminuir || medir · detectar || tener · contener · producir || alcanzar · rebasar**

▌ [atención fija]

• CON ADJS. **máxima** *un ejercicio de equilibrio que requiere máxima concentración* · **plena · total · absoluta · alta · elevada · gran(de) || mental · espiritual · emocional || eficaz**

• CON SUSTS. **capacidad (de) · ejercicio (de) · método (de) || falta (de) · problema (de) || grado (de)**

• CON VBOS. **faltar · sobrar || mantener · perder · impedir · lograr · conseguir || aumentar · mejorar · disminuir · alterar · perjudicar · dificultar** *El ruido de la calle dificulta la concentración de los alumnos* · **facilitar || requerir · exigir** *La prueba exige una concentración absoluta*

concentrar v.

• CON SUSTS. **foco · iluminación · rayo · luz** *concentrar la luz en un solo punto* || **mezcla · disolución · solución · sustancia || poder · dinero · riqueza · recursos || esfuerzo · energía** *Concentren todas sus energías en el trabajo* || **atención · interés || gusto · preferencia || tiempo || manifestantes · seguidores,as** *El concierto concentró a miles de seguidores* · **gente** · ***otros individuos y grupos humanos***

• CON ADVS. **principalmente · fundamentalmente || exclusivamente**

concéntrico, ca adj.

• CON SUSTS. **círculo · curva · figura · onda** *las ondas concéntricas de la superficie* · **capa || evolución · movimiento**

concepción s.f.

• CON ADJS. **general · global · amplia || política** *una concepción política muy distante de la mía* · **ideológica · social || original · visionaria · clásica · moderna · actual · peculiar · personal** *su personal y original concepción de la amistad* || **particular · tradicional · conservadora · elitista · universalista || pesimista · negativa · humorística · vitalista · vital · racional || utilitaria** *Tienes una concepción demasiado utilitaria del trabajo* · **mercantilista · autoritaria · liberal || plástica · estética · visual · espacial · geométrica · literaria · arquitectónica · musical · narrativa || realista** *Estas obras son una clara muestra de su concepción realista del arte* · **mítica · romántica · lúdica · mágica · mecanicista || humanista · moral · religiosa · espiritual · filosófica · histórica · deportiva**

• CON SUSTS. **proceso (de) · fase (de) || libertad (de)**

• CON VBOS. **exhibir · encerrar · mostrar · exponer · sugerir · adoptar · tener · poseer || superar · mantener · alterar · transformar · modificar · cambiar** *Va ser difícil hacerle cambiar su peculiar concepción de la empresa* · **renovar || defender · alentar · imponer || recuperar · extraer · eliminar || explicar · criticar · cuestionar**

[concepto]

→ bajo ningún concepto; concepto; en concepto (de)

concepto s.m.

• CON ADJS. **básico** *dominar los conceptos básicos de una disciplina* · **general · esencial · fundamental · vital || claro · preciso || abstracto · ambiguo · resbaladizo · borroso · confuso · difuso · impreciso · inaccesible · ininteligible || antagónico · inseparable** *Empresa y familia fueron durante décadas conceptos inseparables para quienes...* || **profundo · complejo · superficial || equivocado · inútil · lesivo || extendido · tradicional · trillado · manido · novedoso · atractivo || dominante**

• CON SUSTS. **alcance (de) · contenido (de) · significado (de) || análisis (de)** *un buen análisis de ciertos conceptos tradicionales* · **interpretación (de) || arsenal (de)**

• CON VBOS. **consistir (en algo) || prevalecer · afianzar(se) · fraguar(se) · subyacer (a algo) || acuñar** *El famoso físico acuñó el concepto de...* · **deducir · definir · establecer · formular · inspirar · plantear · verter || exponer · expresar · manejar · enfatizar || implantar · inculcar** *Me inculcaron el concepto de la honradez* || **aclarar · clarificar · desbrozar · explicar · interpretar · acotar || adquirir · asimilar · captar** *captar un concepto rápidamente* · **entender || relacionar · asociar || ejemplificar · ilustrar · personificar || extrapolar** *No puedes extrapolar ese concepto a otras épocas* · **subvertir · tergiversar || rebatir · refutar || atenerse (a) · regir(se) (por) || ahondar (en)** *ahondar en el concepto de democracia* · **profundizar (en)**

concernir v.

• CON ADVS. **especialmente · fundamentalmente · esencialmente · principalmente || exclusivamente** *La educación no es un tema que concierna exclusivamente a los profesores* · **únicamente · estrictamente · específicamente · particularmente || directamente · claramente · implícitamente || personalmente · internamente**

concertar v.

▌ [pactar, ajustar]

• CON SUSTS. **encuentro · entrevista · reunión** *Nos pondremos en contacto con usted para concertar una reunión* · **cita · visita · conversación || acuerdo · paz · alianza · matrimonio · tregua · convenio · contrato · pacto** *Durante la campaña, el candidato había prometido no concertar pactos electorales* · **tratado || estrategia · plan · programa · proyecto · agenda · calendario || tarifa · tasa · incentivo · descuento · aumento · descenso · oferta || préstamo · crédito · negocio || decisión · medida · reforma · prohibición**

▌ [armonizar, concordar]

• CON SUSTS. **teoría** *concertar la teoría con la práctica* · **práctica || esfuerzo · trabajo · empeño · voluntad || voz · instrumento · sonido · estruendo || postura · posición · punto de vista**

concesión s.f.

• CON ADJS. **a dedo** *la concesión a dedo de un cargo* · **discrecional · forzosa || en exclusiva · individual · unilateral || privada · pública** *fondos de concesión pública* · **oficial || irregular · injusta · justa · legal || generosa · graciosa · gratuita || inestimable · onerosa || administrativa · de servicios** *Han aprobado la concesión de servicios a otra empresa* · **laboral · material · política || a {dos/tres/veinte...} años** *Consiguió del ayuntamiento una concesión a quince años*

• CON SUSTS. **contrato (de) · término (de)**

• CON VBOS. **caducar** *Ha caducado la concesión de los derechos de emisión* · **vencer || pretender · negociar · solicitar || apoyar · aprobar** *...para aprobar la concesión de otros canales de radio* · **autorizar · decidir · resolver · denegar || adjudicar · hacer · otorgar · realizar || financiar · administrar || acelerar** *El Ayuntamiento ha acelerado la concesión de los contratos* · **retrasar · tramitar || arrancar · arrebatar || impugnar · anular · rescindir · revocar || explotar || gozar (de)**

conchabarse v.

●CON ADVS. **abiertamente · públicamente || tácitamente · disimuladamente · a escondidas · en secreto** *Se conchabaron en secreto contra él*

□USO Se construye con sustantivos en plural (*Los dos amigos se conchabaron para...*), coordinados por la conjunción *y* (*Mi padre y mi hermano se han conchabado para...*) o unidos con la preposición *con* (*Se descubrió que la sospechosa se había conchabado con la policía local*).

[conciencia]

→ a conciencia; conciencia; llevar sobre {los hombros/las espaldas/la conciencia}; mala conciencia

conciencia s.f.

●CON ADJS. **buena · limpia · tranquila** *dormir con la conciencia tranquila* || **mala · inquieta || clara · plena · suficiente · verdadera · viva || estrecha · laxa || ciudadana · colectiva** *El recuerdo de la tragedia aún pervive en la conciencia colectiva* || **cívica · moral · social**

●CON SUSTS. **cargo (de)** *Me da cargo de conciencia tirar la comida* · **problema (de) · voz (de)** *Escucha la voz de tu conciencia* · **remordimiento (de) || libertad (de) · objeción (de) · objetor,-a (de) || examen (de) || falta (de)**

●CON VBOS. **formar(se) || remorder (a alguien)** *¿No te remuerde la conciencia haberte portado así con ella?* || **ablandar(se) · conmocionar(se) · sucumbir || ahogar(se) · ofuscar(se) || adquirir · cobrar · crear · desarrollar · despertar · fortalecer · hacer · moldear · tener · tomar** *tomar conciencia de los problemas internacionales* || **golpear · inquietar · remover · sensibilizar || aligerar · aliviar · blanquear · descargar · lavar · tranquilizar || acallar · atenazar || alterar · corromper · perturbar · perder || apelar (a) · llamar (a) || cargar (sobre)** *No quisiera cargar sobre mi conciencia la responsabilidad de una decisión así* · **pesar (sobre) || repugnar (a) || renegar (de)**

●CON PREPS. **con arreglo (a) || a** *hacer algo a conciencia* · **en** *actuar en conciencia*

concienciar (de/sobre) v.

●CON SUSTS. **peligro · problema** *Se proponía concienciar a los jóvenes sobre el problema del alcohol* · **dificultad || importancia · necesidad**

concienzudamente adv.

●CON VBOS. **preparar(se) · planificar** *Habían planificado concienzudamente el viaje* · **programar · entrenar · trazar || elaborar · realizar · producir || estudiar · analizar · examinar · leer · observar · investigar · atender · inspeccionar · documentar(se) · buscar · explorar || valorar · meditar** *¿Han meditado ustedes concienzudamente sobre las posibles consecuencias de tal decisión?* · **pensar · considerar || trabajar · aplicarse · dedicarse || reflejar · explicar || destruir · devastar · expoliar · dinamitar || fortificar · consolidar · mantener**

concienzudo, da adj.

●CON SUSTS. **análisis · examen** *Sometieron el proceso a un examen concienzudo, pero no encontraron el origen del fallo* · **investigación · búsqueda · estudio · repaso || trabajo · labor || trabajador,-a · profesional · especialista · compositor,-a · investigador,-a ·** ***otros individuos***

concierto s.m.

▮ [composición musical]

●CON ADJS. **sinfónico || para piano** *A los veinte años escribió su primer concierto para piano* · **para violín ·** ***otros instrumentos musicales*** **|| en re · en fa menor ·** ***otras notas musicales***

●CON SUSTS. **ciclo (de) · programa (de) · sala (de) || nota (de) || movimiento (de)** *El tercer movimiento de su concierto en la menor* || **homenaje** *dar un concierto homenaje*

●CON VBOS. **inspirar(se) (en algo) · basar(se) (en algo) || estrenar · tocar · interpretar · ejecutar · versionar · dedicar (a alguien)** *La orquesta dedicó el concierto a la reina* || **componer · escribir · plagiar || escuchar || deleitar(se) (con)**

▮ [función musical]

●CON ADJS. **privado · público · benéfico · gratuito || infantil · navideño || inaugural · de clausura**

●CON VBOS. **dar** *El famoso grupo de rock dará un solo concierto en la ciudad* · **ofrecer · celebrar || grabar || ir (a) · asistir (a)**

▮ [acuerdo]

●CON ADJS. **justo · ventajoso** *Conseguimos un concierto laboral muy ventajoso* || **laboral · estatutario · presupuestario · económico**

●CON VBOS. **firmar · acordar || obtener · conseguir || proponer**

conciliación s.f.

●CON SUSTS. **acto (de)** *Han sido citados por el juez para el acto de conciliación* · **acuerdo (de) · mensaje (de) || actitud (de) · factor (de) · intento (de) · espíritu (de) || proceso (de) · audiencia (de) · reunión (de)** *No hubo acuerdo en la reunión de conciliación* || **ley (de) · política (de) || comisión (de) · comité (de) · órgano (de) || demanda (de) · pedido (de) · solicitud (de)**

●CON VBOS. **buscar · encarar · promover · facilitar · exhortar || lograr** *Lograron la conciliación entre sindicatos y empresarios* · **provocar || rechazar · acatar · aceptar · impedir || dictar · aplicar · disponer || negociar · discutir || llegar (a)** *Largas negociaciones dirigidas a llegar a alguna forma de conciliación* || **apelar (a) · abogar (por)**

●CON PREPS. **en favor (de) · hacia · por**

conciliador, -a adj.

●CON SUSTS. **postura · actitud** *El artículo destaca la actitud conciliadora del dirigente* · **espíritu · voluntad · carácter · talante · ánimo · afán · capacidad || gesto · intento · esfuerzo || tono · estilo · lenguaje** *un lenguaje moderado y conciliador* · **mensaje · discurso · palabras · frase · respuesta || papel · función || juez · árbitro,tra · profesor,-a · sector ·** ***otros individuos y grupos humanos*** **|| mediación** *gracias a la mediación conciliadora de un organismo internacional* · **intervención · solución · declaración || aire · clima · ambiente || estrategia · fórmula · política || enfoque · aproximación · acercamiento**

conciliar v.

▮ [alcanzar, llegar a]

●CON SUSTS. **sueño** *Últimamente me cuesta mucho conciliar el sueño*

▮ [poner de acuerdo, conjuntar]

●CON SUSTS. **interés · aspiración · objetivo || voluntad · esfuerzo** *En un intento de conciliar esfuerzos y criterios...* || **posición · postura · criterio · actitud · punto de vista · opinión · tendencia · corriente || diferencia · discrepancia · extremo || facciones · partes · sectores · vertientes**

□USO Se construye con sustantivos en plural (*conciliar criterios*), coordinados por la conjunción *y* (*conciliar la renta-*

bilidad y la seguridad) o unidos con la preposición *con* (*conciliar lo colectivo con lo individual*).

concilio s.m.

• CON ADJS. **evangélico · ecuménico** *celebrar un concilio ecuménico* || **polémico · revolucionario · acalorado · extraordinario**
• CON SUSTS. **miembro (de) · directriz (de) · línea (de) · fruto (de)**
• CON VBOS. **convocar** *El Papa convocó un concilio extraordinario* · **presidir · preparar · celebrar · inaugurar · clausurar** || **asistir (a) · participar (en)**

concisión s.f.

• CON ADJS. **expresiva · narrativa** *...con una concisión narrativa que recuerda a los mejores escritores conceptistas* · **literaria** || **formal · matemática** || **ejemplar · encomiable · admirable · proverbial · elegante · exacta · magistral · minuciosa** || **excesiva · extrema · implacable**
• CON SUSTS. **falta (de) · muestra (de) · modelo (de) · ejemplo (de)**
• CON VBOS. **lograr · requerir · pedir** *El profesor pidió concisión en las respuestas* · **suplicar** || **decir (con) · narrar (con) · describir (con) · expresar(se) (con) · tratar (con)**

conciso, sa adj.

• CON SUSTS. **respuesta** *Mi respuesta fue concisa y clara* · **exposición · discurso · comentario · diálogo · explicación · presentación · reflexión** || **frase · narración · texto** *un texto conciso y fácil de seguir* · **carta · comunicado** *La secretaría de la Presidencia se limitó a publicar un comunicado conciso* · **información · historia · cuento · relato · mensaje · resolución** || **lenguaje · estilo · carácter · prosa · fórmula** || **resumen · versión · modelo**

conclusión s.f.

• CON ADJS. **atinada · certera · correcta** || **descabellada** *Las conclusiones a las que ustedes llegan son descabelladas e incoherentes* · **sin pies ni cabeza · peregrina · exagerada** || **lógica · natural** || **fundada · infundada · apresurada** || **firme · categórica · terminante · tajante · rotunda · definitiva · unánime** || **inevitable · irrebatible · irrefutable · incontrovertible · insoslayable · fehaciente** || **clara · diáfana · meridiana · nítida · obvia** *La conclusión obvia del razonamiento es...* || **preliminar · provisional · dudosa · insegura** || **válida · inválida** || **llamativa · reveladora · relevante** || **positiva · negativa** || **demoledora · desoladora · amarga** *No podemos llegar a la amarga conclusión de que todo está perdido*
• CON VBOS. **desprender(se) (de algo) · seguir(se) (de algo) · derivar(se) (de algo)** *Esta conclusión se deriva de manera natural de las premisas previas* · **emerger** || **sacar · extraer · obtener · alcanzar · deducir · establecer · plantear** || **corroborar · apuntalar · aprobar** || **esperar** *Estamos esperando las conclusiones del juez* || **adelantar · prever · aventurar** || **presentar · exponer · desvelar** *El médico desveló la conclusión de las pruebas* · **arrojar · difundir** || **rebatir · refutar · desmentir** || **extrapolar · tergiversar · prejuzgar** || **llegar (a)** *Hemos llegado a la conclusión de que el testigo miente* · **llevar (a) · conducir (a) · inducir (a) · servir (de)** || **disentir (de)**
• CON PREPS. **en** *En conclusión, podemos asegurar que...* · **a modo (de)** || **a pesar (de) · a falta (de)**

concluyente adj.

• CON SUSTS. **razón · argumento · argumentación** *El autor presenta una argumentación concluyente acerca de...* · **razonamiento · motivo · explicación** || **libro · informe · escrito · documento · carta · artículo** · ***otros textos*** || **prueba** *El abogado no aportó pruebas concluyentes que respaldaran su acusación* · **ejemplo · evidencia · indicio · demostración · muestra · pista · síntoma · testimonio** || **dato · cifra · número** *Los números no pueden ser más concluyentes: estamos en quiebra* · **indicador** || **balance · resultado · dictamen · conclusión · resolución** || **estudio · análisis · investigación · diagnóstico** || **triunfo · victoria · éxito** || **réplica · respuesta · afirmación · contestación · reacción**

concordar (con) v.

• CON SUSTS. **dato · testimonio · declaración · versión** || **opinión · propuesta · posición** || **copia · página** || **original** *La copia no concuerda con el original* · **documentación · nota** || **contenido · aspecto · parte** || **hecho · prueba** *Esa hipótesis concuerda perfectamente con las pruebas* · **caso** || **circunstancia · motivo** || **especialista · oposición**

con creces loc.adv.

• CON VBOS. **superar** *Hemos superado con creces los objetivos de venta* · **sobrepasar · rebasar · exceder · desbordar · remontar** || **recuperar · recobrar · reemplazar · suplir** || **duplicar · doblar · triplicar · mejorar** || **cumplir · lograr · satisfacer · cubrir · consumar · conseguir · alcanzar · obtener** || **compensar** *años de preparación que se han visto compensados con creces* · **recompensar · resarcir · pagar** *Ha pagado con creces su culpa* · **devolver · retribuir · purgar · redimir · cobrar** || **demostrar · confirmar · comprobar · probar · ratificar · constatar · justificar · atestiguar** || **responder · merecer**

concretar v.

• CON SUSTS. **detalle** *concretar los detalles de un proyecto* · **pormenor · punto** || **acuerdo · alianza · negociación · reunión** || **términos · condiciones · requisito** || **opción · posibilidad** *El equipo tendría entonces algunas posibilidades, que no podemos concretar* || **compra · contratación · inversión · negocio · venta** · ***otras acciones comerciales*** || **anhelo · deseo · ilusión · objetivo** || **esfuerzo · iniciativa · maniobra · plan · procedimiento · programa · propuesta · proyecto** || **día · mes · calendario · fecha** *El profesor aún no ha concretado la fecha del examen* || **aumento** *Queremos concretar el aumento de sueldo*
• CON ADVS. **al detalle · detalladamente · en firme** || **definitivamente · de una vez por todas** *Quiero concretar de una vez por todas los términos del contrato*

concreto, ta adj.

• CON SUSTS. **caso · ejemplo** || **realidad · situación · hecho · resultado** || **acto · acción** *acciones concretas para paliar la situación del país* || **lugar · espacio · tiempo · período · etapa · fecha** || **tema · asunto** || **cifra · número · dato** *No tengo datos concretos de ese cliente* · **referencia · información · prueba** || **detalle · aspecto · punto · rasgo · característica · forma** || **causa · motivo · razón** || **respuesta · llamada · medida · acuerdo · solución** || **interés** *No tengo ningún interés concreto en ese asunto* · **objetivo · proyecto · investigación** || **labor** *una labor muy concreta dirigida a favorecer a los más necesitados* · **tarea · función · puesto · obligación** || **propuesta · oferta · posibilidad · opción** || **denominación** || **nombre · sustantivo**
• CON PREPS. **en** *Dime en concreto lo que necesitas*

con cuentagotas loc.adv.

• CON VBOS. **aparecer · llegar · salir** || **administrar · dosificar · repartir · racionar · conceder · suministrar ·**

dar *Van dando las noticias con cuentagotas* · **publicar** · **enviar**

conculcar v.

● CON SUSTS. **ley** · **norma** · **principio** · **artículo** · **constitución** · **legalidad** · **precepto** · **normativa** *La medida podría conculcar la normativa europea sobre sanidad alimentaria* · **código** · **reglamento** · ***otras disposiciones*** || **derecho** · **libertad** · **igualdad** · **presunción de inocencia** · **valor** · **dignidad** || **secreto** · **acuerdo** *Según el Gobierno, su actuación no conculca los acuerdos comerciales* · **juramento** || **obligación** · **deber** · **exigencia**
● CON ADVS. **abiertamente** · **a todas luces** · **manifiestamente** || **arbitrariamente** · **gravemente** · **impunemente** || **sistemáticamente**

concurrencia s.f.

● CON ADJS. **nutrida** · **elevada** · **gran(de)** · **masiva** · **multitudinaria** · **abigarrada** || **escasa** · **baja** || **ilustre** *Entre la ilustre concurrencia se encontraba...* || **asidua**
● CON VBOS. **darse cita** · **agrupar(se)** · **congregar(se)** *La concurrencia se congregó a las puertas del teatro* · **llenar (algo)** || **aumentar** · **decrecer** || **copar** · **acaparar** · **aglutinar** || **divertir(se)** · **emocionar(se)** · **entretener(se)** · **aburrir(se)** || **registrar** || **deleitar** *El cantante deleitó a la concurrencia con una balada*
● CON PREPS. **entre**

concurrido, da adj.

● CON SUSTS. **calle** · **zona** · **restaurante** · **tienda** · ***otros lugares*** || **fiesta** *Anoche asistimos a una fiesta muy concurrida* · **acto** · **ceremonia** · ***otros eventos***

concurso

1 **concurso** s.m.

▮ [competición]

● CON ADJS. **abierto** · **público** *concurso público de méritos* · **restringido** · **transparente** || **disputado** · **reñido** *un concurso muy reñido de jóvenes talentos*
● CON SUSTS. **bases (de)** *Las bases del concurso han sido depositadas ante notario* · **normas (de)** · **reglas (de)** || **finalista (de)** · **ganador,-a (de)** || **celebración (de)** || **salida (a)**
● CON VBOS. **celebrar** · **disputar** || **convocar** *convocar un concurso para la adjudicación de una obra* · **auspiciar** || **ganar** · **perder** || **amañar** · **impugnar** || **participar (en)** · **presentarse (a)** · **mantener(se) (en)** · **vencer (en)** || **sacar (a)** · **salir (a)** *Han salido a concurso dos plazas de profesor en el departamento* · **llamar (a)**
● CON PREPS. **fuera (de)** *Esta película se presentó en el festival fuera de concurso*

▮ [conjunción, concurrencia]

● CON ADJS. **imprescindible** · **necesario** · **obligatorio** · **voluntario** · **valioso**
● CON VBOS. **requerir** · **exigir**
● CON PREPS. **con** *un proyecto para el que contarán con el concurso de escogidos especialistas*

2 **concurso (de)** s.m.

● CON SUSTS. **méritos** · **ideas** || **disfraces** || **belleza** || **fotografía** · **pintura** · **poesía** · **cuentos** · **ortografía** · **matemáticas** · **cocina** · ***otras disciplinas o actividades*** || **adjudicación** *Se han aprobado ya las bases del concurso de adjudicación del nuevo centro hospitalario* · **ampliación** · **remodelación** · **privatización**

conde, -sa s. Véase **TÍTULO NOBILIARIO**

condecoración s.f.

● CON ADJS. **alta** · **máxima** || **honrosa** · **meritoria** · **preciada** || **póstuma** || **lleno,na (de)**
● CON VBOS. **conceder** · **entregar** · **imponer** · **otorgar** || **ganar** · **merecer** · **obtener** · **recibir** || **exhibir** · **llevar** · **lucir** *El militar lucía numerosas condecoraciones* · **ostentar** || **distinguir (con)** || **despojar (de)**

con decoro loc.adv.

● CON VBOS. **comportarse** · **actuar** · **hablar** · **vestir** *Se pide a los visitantes del templo que vistan con decoro* · **mirar**

condena s.f.

▮ [sanción penal]

● CON ADJS. **benigna** · **irrisoria** *Según la opinión pública, se trata de una condena irrisoria para un crimen tan grave* · **llevadera** · **tibia** · **larga** || **arbitraria** · **injusta** · **justa** || **abusiva** · **desmesurada** · **excesiva** · **insufrible** || **condicional** · **incondicional** · **inexorable** || **definitiva** · **en firme** · **inapelable** · **ejemplar**
● CON VBOS. **agravar(se)** · **arreciar** || **prescribir** || **aplicar** · **establecer** · **imponer** · **hacer extensiva** || **abanderar** · **exigir** · **manifestar** · **prejuzgar** || **revisar** · **conmutar** · **revocar** · **levantar** || **aligerar** · **amortiguar** · **atenuar** · **disminuir** · **dulcificar** · **rebajar** *El abogado solicitó que rebajaran la condena por...* · **suavizar** || **aumentar** · **incrementar** || **merecer** · **recaer** · **recibir** || **acatar** · **aguantar** · **asumir** · **cumplir** *Algunos presos estudian una carrera mientras cumplen condena* · **encajar** · **pagar** · **purgar** · **soportar** · **sufrir** || **impugnar** · **quebrantar** || **librar(se) (de)**

▮ [reprobación]

● CON ADJS. **absoluta** · **airada** · **enérgica** · **fuerte** *la fuerte condena que merece cualquier acto terrorista* · **inequívoca** · **rotunda** · **severa** · **sin paliativos** · **tajante** · **taxativa** · **unánime**
● CON SUSTS. **expresión (de)** · **manifestación (de)**
● CON PREPS. **en señal (de)** *Miles de ciudadanos se han concentrado frente al Ayuntamiento en señal de condena*

[condenado, da] → como un condenado

[condenar] → condenar; condenar (algo/a alguien)(a)

condenar v.

▮ [imponer una pena]

● CON SUSTS. **sospechoso,sa** *Los llamados juicios rápidos, ideados para condenar o absolver a los sospechosos en el plazo máximo de...* · **acusado,da** · **reo** · **preso,sa** · **detenido,da** · **banda** · ***otros individuos y grupos humanos***
● CON ADVS. **penalmente** || **justamente** · **injustamente** || **irremediablemente** *esfuerzos estimables que parecen irremediablemente condenados al fracaso* · **inexorablemente** · **de antemano** || **en primera instancia**

▮ [reprobar]

● CON SUSTS. **hecho** · **suceso** · **acto** · **conducta** · **crimen**
● CON ADVS. **categóricamente** · **con firmeza** *...y, desde luego, condenó con absoluta firmeza la conducta de estos gamberros* · **con rotundidad** · **con todas {mis/tus/sus...} fuerzas** · **decididamente** · **de (todo) corazón** · **enérgicamente** *Todos los partidos condenaron enérgicamente los atentados* · **en firme** · **firmemente** · **rotundamente** · **sin ambages** · **sin tapujos** · **sin contemplaciones** · **sin paliativos** · **sin reservas** · **sin medias tintas** · **tajantemente** · **taxativamente** · **vigorosamente** · **con dureza** · **dura-**

mente · severamente || con la boca pequeña · tibiamente || verbalmente · expresamente · entre líneas || al unísono

▮ [cerrar un acceso]

● CON SUSTS. **puerta** *Si condenamos esta puerta, podríamos abrir aquí un ventanal* · **ventana · habitación · salida · entrada**

condenar (algo/a alguien) (a) v.

● CON SUSTS. **muerte · horca · cruz · guillotina · cárcel · pena** *Lo condenaron a la pena de diez años de cárcel* · **trabajos forzados · galeras · garrote vil || llamas · infierno · fuego eterno · hoguera || diáspora · destierro || desaparición · extinción || subdesarrollo** *una política económica que condena al subdesarrollo a grandes áreas de la población actual* · **esclavitud · ruina · fracaso ·** ***otras situaciones desfavorables*** **|| miseria · desgracia · humillación · infelicidad · oscuridad ·** ***otros estados anímicos negativos***

● CON VBOS. **morir · arder · cumplir (algo) · vivir · repetir (algo)** *Parece que estemos condenados a repetir los mismos errores* · **pagar (algo) ·** ***otras acciones*** **|| resignarse · extinguirse · desaparecer** *una especie condenada a desaparecer*

condensar v.

● CON SUSTS. **gas || información · conocimiento · mensaje · palabras · saber · noticia || texto · poema · novela · artículo · carta · película · reportaje · ópera · obra || pasado · etapa · época · historia || vida** *la vida del autor condensada en unas páginas* · **existencia · experiencia · carrera · trayectoria || punto de vista · visión · ideario** *un documental donde se condensa todo su ideario político* · **pensamiento · teoría** *En ese trabajo condensa toda su teoría* · **poética · filosofía || esencia · espíritu · idea · significado · núcleo · meollo || tarea · labor · trabajo** *El libro condensa el trabajo de más de diez años de investigación* · **actividad || sentimiento · emoción**

condescendencia s.f.

● CON ADJS. **escasa · excesiva** *En el editorial se critica enérgicamente la excesiva condescendencia del Gobierno* **|| compasiva · benevolente · comprensiva · moral · displicente || desdeñosa · fingida**

● CON VBOS. **mostrar · sentir || pedir · reclamar || ganar · aceptar || sufrir**

● CON PREPS. **con** *Lo tratas con demasiada condescendencia*

condescendientemente adv.

● CON VBOS. **calificar · enjuiciar · juzgar · valorar || tratar · mirar**

[condición] → condición; sin condiciones

condición s.f.

▮ [estado, situación]

● CON ADJS. **buena · óptima · perfecta** *un coche en perfectas condiciones* · **inmejorable || normal · modesta || mala · deficiente · deplorable · pésima · lamentable · lastimosa · dramática · infrahumana · inhumana · caótica · delicada || adecuada · ventajosa · favorable** *No se dan las condiciones favorables para el transplante* · **propicia · preferencial || adversa · desfavorable · difícil · dura · inadecuada · precaria · abusiva || crítica · extrema || general · humana · física · anímica**

● CON SUSTS. **igualdad (de)** *estar en igualdad de condiciones*

● CON VBOS. **tener · atravesar · acreditar · arrogarse · revalidar · perder || asumir · aprovechar || negar || encontrar(se) (en) · gozar (de) || abdicar (de) · apear(se) (de) · renegar (de) || ahondar (en) || cambiar (de)**

● CON PREPS. **en** *En condiciones normales, habría respondido que sí* · **en inferioridad (de) · en superioridad (de) · en desigualdad (de) · en plenitud (de) || a la vista (de)**

▮ [requisito]

● CON ADJS. **estricta · limitada · férrea · severa · flexible · cambiante || necesaria · imprescindible · indispensable** *una condición indispensable para que te atiendan* · **inexcusable · insoslayable · irrenunciable || preestablecida · previa || suficiente** *una condición necesaria y suficiente* · **insuficiente · mínima**

● CON SUSTS. **pliego (de) · serie (de)**

● CON VBOS. **darse || regir || crear · generar || discutir · negociar · pactar** *pactar las condiciones de un contrato* **|| exigir · fijar · limitar || imponer · determinar · establecer · estipular · plantear · anteponer || cumplir · satisfacer || incumplir · violar || alterar · cambiar** *Para que lo aceptara, tendrían que cambiar algunas condiciones* · **dulcificar · mejorar || aceptar** *Acepté de inmediato las condiciones del puesto* **|| poner (como)** *Puse como condición a los inquilinos que no metieran mascotas en casa* **|| atenerse (a) · supeditar(se) (a) · plegar(se) (a) || adaptar(se) (a) · aclimatar(se) (a) · ajustar(se) (a) · amoldar(se) (a)**

● CON PREPS. **bajo · con**

□ EXPRESIONES **condición sine qua non** [condición necesaria]

condicional adj.

● CON SUSTS. **período · trabajo · empleo · puesto · cargo || libertad** *Pasó tres años en la cárcel y disfruta desde hace unas semanas de libertad condicional* · **remisión · suspensión || prisión · condena || apoyo · sí · aceptación · admisión** *Algunos países plantearon, sin éxito, la admisión condicional de la propuesta* **|| amenaza · alarma || tregua · paz · acuerdo || certificación · prueba · supervisión · calificación · aprobado**

condolencia s.f.

● CON ADJS. **sentida · sincera** *Presenté mi más sincera condolencia* · **profunda**

● CON SUSTS. **libro (de)** *firmar en el libro de condolencias* **|| manifestación (de) · muestra (de) · prueba (de) · palabras (de) · mensaje (de)**

● CON VBOS. **expresar · mostrar · ofrecer** *Ofreció sus condolencias a los familiares del fallecido* · **presentar · testimoniar · transmitir · manifestar · enviar · hacer llegar · recibir**

condonar v.

● CON SUSTS. **deuda** *Todos se mostraron partidarios de condonar su deuda externa* · **crédito · préstamo · interés · recargo · pago · importe · factura · capital · impuesto · tasa · tributo · contribución || multa · sanción · pena · condena**

conducción s.f.

▮ [manejo de un vehículo]

● CON ADJS. **prudente · segura · ágil · meticulosa · suave || agresiva · arriesgada · temeraria · rápida · imprudente · intrépida || en carretera · por campo** *un vehículo di-*

señado para la conducción por campo || **sencilla · cómoda · fácil**
● CON SUSTS. **postura (de) · posición (de) || curso (de) · perfeccionamiento (de) · escuela (de) || estilo (de) · hábito (de) · modelo (de) || error (de)** *El accidente se produjo por un error de conducción* · **delito (de)**

▮ [transporte de algo]
● CON ADJS. **de gas · eléctrica** *una torreta de conducción eléctrica* · **de agua · de energía || subterránea || nacional · local**

conducir v.

● CON SUSTS. **turismo · coche · moto ·** ***otros vehículos*** **|| país** *El dictador condujo el país a la ruina* · **ejército · gobierno ·** ***otras instituciones*** **|| negocio · empresa · operación · proyecto || programa** *una nueva presentadora que conduce el programa con soltura* · **informativos || electricidad** *Un metal que conduce bien la electricidad* · **calor || carné (de)** *Cuando me saqué el carné de conducir...* · **permiso (de)**
● CON ADJS. **bebido,da · borracho,cha · ebrio,bria || sereno,na · tranquilo,la · relajado,da**
● CON ADVS. **alocadamente · a lo loco · imprudentemente · temerariamente · peligrosamente · irresponsablemente · bajo los efectos de {alcohol/coca/droga...} || prudentemente · con prudencia** *Le pedí que condujera con prudencia porque la visibilidad era nula* · **con seguridad || sabiamente · con experiencia · con éxito** *El avezado explorador condujo con éxito la expedición* · **exitosamente || firmemente · con mano de hierro · con mano firme · férreamente || inevitablemente · inexorablemente** *Este acuerdo conduce inexorablemente a un cambio en...* · **irremediablemente · indefectiblemente · fatalmente · a la deriva || de un tirón · a tirones || a hombros**

conducta s.f.

● CON ADJS. **normal · anormal || buena** *Le rebajaron la pena por buena conducta* · **apropiada · ecuánime · cívica · generosa · ejemplar · impecable · intachable · irreprochable · incuestionable · íntegra || mala · indecorosa · vergonzosa · irresponsable · displicente · deplorable · execrable · incalificable · inexcusable · lamentable · propia (de alguien)** *una conducta propia de un delincuente* **|| criminal · delictiva · ilícita || agresiva · combativa · compulsiva · enfermiza || abusiva · discriminatoria || cuestionable · controvertida · dudosa · sospechosa · vergonzante || cínica · hipócrita || diáfana · transparente** *Se ha caracterizado siempre por su conducta transparente* **|| reveladora || arraigada · dominante || errática · imprevisible · previsible || humana · animal · social · personal · sexual**
● CON SUSTS. **código (de) · norma (de) · pauta (de) · regla (de) · ideal (de) · modelo (de) · patrón (de) · esquema (de) · línea (de) · ejemplo (de) || trastorno (de) · problema (de)** *un niño con problemas de conducta* · **cambio (de) || hábito (de)**
● CON VBOS. **regir || torcer(se) || adoptar || alterar · orientar · corregir · enderezar · enmendar · rectificar · deponer || disfrazar · desvelar · delatar || estudiar · analizar · observar || calificar · enjuiciar · juzgar · prejuzgar · tipificar || justificar** *No hay forma de justificar tan deplorable conducta* **|| censurar · condenar · reprobar · sancionar · penalizar || persistir (en)**

conducto

1 **conducto** s.m.
● CON ADJS. **estrecho · grueso · fuerte || auditivo · biliar · nasal** *Tenía taponado el conducto nasal* · **respiratorio · vaginal · anal · gástrico · intestinal · urinario · deferente · sanguíneo · linfático || subterráneo · invisible || transmisor · eléctrico || oficial** *Las quejas no llegaron al Ministerio por el conducto oficial* · **reglamentario · notarial · legal**
● CON VBOS. **obstruir(se) · atascar(se)** *Algo ha atascado el conducto de ventilación* · **taponar(se) · cerrar(se) · abrir(se) || acondicionar · reparar · perforar · dañar · destruir || canalizar · manipular · desviar || inspeccionar || sustituir · cambiar || desinfectar · limpiar · purgar || poner · colocar · trasplantar || servir (de)** *La laringe sirve de conducto hacia...* · **usar (como) · utilizar (como) || desplazar(se) (por) · discurrir (por) || enviar (algo) (por)**
● CON PREPS. **a través (de) · a lo largo (de) || por**

2 **conducto (de)** s.m.
● CON SUSTS. **aire · gas · agua** *El municipio está limpiando los conductos del agua* · **ventilación · evacuación · oxígeno · combustible || entrada · salida**

conductor, -a

1 **conductor, -a** adj.
● CON SUSTS. **hilo** *El hilo conductor que guía la obra es...* · **elemento · principio || tema · idea · argumento || material · sustancia** *una sustancia conductora de la electricidad* · **materia**

2 **conductor, -a** s.
▮ [piloto]
● CON ADJS. **prudente · experimentado,da · seguro,ra · ágil || agresivo,va · irresponsable · temerario,ria || inexperto,ta · novato,ta · novel · principiante · inseguro,ra || aficionado,da · profesional || lento,ta · veloz || buen(o) · mal(o)**
● CON VBOS. **frenar** *El conductor de delante frenó bruscamente* · **acelerar || impacientar(se)**

3 **conductor** s.m.
▮ [transmisor]
● CON ADJS. **buen** *El cobre es un buen conductor* · **mal**

conectar v.

● CON SUSTS. **cabo · extremo · línea || carretera · camino · autopista ·** ***otras vías*** **|| barrio · ciudad** *la nueva carretera que conecta las dos ciudades* · **pueblo ·** ***otros lugares*** **|| idea · pista || ordenador · televisión · impresora** *conectar una impresora al ordenador* · **lavadora ·** ***otros aparatos o máquinas*** **||** ***persona*** *Los dos profesores conectaron a las mil maravillas en cuanto se conocieron* **|| pieza · sistema · red || servicio**
● CON ADVS. **a las mil maravillas · perfectamente · fácilmente || estrechamente · íntimamente · profundamente · completamente || directamente · indirectamente**

conejil adj.

● CON SUSTS. **risa · sonrisa || mueca · gesto**

conejo, ja

1 **conejo, ja** s.
▮ [animal]
● CON ADJS. **doméstico,ca · de granja · silvestre · de monte · de campo**
● CON SUSTS. **madriguera (de)** *Paseando por el campo vimos varias madrigueras de conejos* · **jaula (de) · granja (de) · coto (de) || plaga (de) · población (de)** *La población de conejos ha aumentado este año* · **pareja (de) || pata (de)** *Llevaba como amuleto una pata de conejo* · **ore-**

ja (de) · **piel (de)** · **carne (de)** || **caza (de)** || **criador,-a (de)** || **año (de)** · **signo (de)**
• CON VBOS. **multiplicarse** · **proliferar** || **saltar** · **correr** · **escabullirse** || **roer** · **mordisquear** || **criar** · **cazar** · **desollar** || **esconderse (como)** · **huir (como)** *A la primera explosión, huyeron como conejos* || **parir (como)**

2 **conejo** s.m.

▮ [carne]

• CON VBOS. **limpiar** || **trocear** · **sazonar** · **salpimentar** · **guisar** · **freír** · **cocinar** · **asar** · **cocer**
• CON PREPS. **con** *arroz con conejo*

□ EXPRESIONES **conejillo de Indias** [mamífero roedor muy usado como animal de experimentación]

con el tiempo loc.adv.

• CON VBOS. **adquirir** *No se preocupes, adquirirá experiencia con el tiempo* · **aprender** · **darse cuenta** · **recordar** · **entender** · **ver** · **comprender** · **olvidar** *Con el tiempo se acaba olvidando* || **cambiar** · **variar** · **convertirse (en algo)** · **evolucionar** · **madurar** || **aumentar** · **crecer** · **mejorar** · **curar(se)** || **disminuir** · **empeorar** · **desaparecer** *La cicatriz desapareció con el tiempo*

conexión s.f.

• CON ADJS. **aérea** · **ferroviaria** · **vial** · **telefónica** *Tengo que cambiar la conexión telefónica para contratar la nueva línea de internet* · **eléctrica** || **personal** · **emocional** · **vital** · **mental** · **telepática** || **perfecta** || **estrecha** · **íntima** · **lejana** · **remota** || **directa** *¿El vuelo tiene conexión directa con Lima?* · **lineal** · **intrincada** || **visible** · **clara** · **indudable** · **secreta** · **supuesta** || **intermitente** · **permanente** || **comercial** · **diplomática**
• CON SUSTS. **nudo (de)** · **punto (de)** *Tenían un amigo común en la embajada que les servía de punto de conexión* · **zona (de)** · **equipo (de)** · **servicio (de)** · **cable (de)** · **línea (de)** · **vía (de)** || **velocidad (de)** *La velocidad de conexión de mi módem es demasiado baja* · **tiempo (de)** || **problema (de)** *La comunicación fue imposible porque tuvimos problemas de conexión en la red* · **falta (de)** || **cuota (de)** · **tarifa (de)**
• CON VBOS. **funcionar** · **interrumpir(se)** || **buscar** · **investigar** *La Policía investiga la supuesta conexión entre esas dos redes criminales* || **descubrir** · **encontrar** · **detectar** || **establecer** · **iniciar** · **tender** · **hacer** || **guardar** · **tener** *La nueva estación de trenes tiene conexión con la de metro* || **revisar** || **posibilitar** · **mejorar** · **afianzar** · **fortalecer** || **interceptar** · **cortar** · **perder** *La aeronave perdió la conexión con la base poco después de despegar* || **estar (en)** || **interferir (en)**

[confección] → de confección

confeccionar v.

• CON SUSTS. **traje** · **pantalón** · **camisa** · ***otras prendas de vestir*** || **plato** · **menú** || **plan** *confeccionar el nuevo plan de estudios* · **programa** · **proyecto** || **estudio** · **trabajo** · **informe** · **presupuesto** || **lista** · **candidatura** · **equipo** || **revista** · **periódico** · ***otras obras*** || **argumento** · **trama** · **historia** || **registro** · **base de datos** *Hemos confeccionado nuestra propia base de datos*
• CON ADVS. **cuidadosamente** · **concienzudamente**

conferencia s.f.

▮ [discurso público]

• CON ADJS. **interesante** · **aburrida** · **tediosa** || **inaugural** *...quien pronunció la conferencia inaugural en las jornadas sobre...* · **magistral** || **instructiva** · **informativa**
• CON SUSTS. **ciclo (de)** *un ciclo de conferencias sobre botánica* · **serie (de)** || **título (de)** || **salón (de)** · **sala (de)**
• CON VBOS. **tratar (sobre algo)** · **versar (sobre algo)** || **dar** · **pronunciar** *La novelista pronunció una conferencia sobre su último libro* · **ofrecer** · **impartir** · **dictar** || **preparar** · **improvisar** || **amenizar** · **jalonar (con algo)** || **presenciar** || **titular** · **resumir** || **asistir (a)** · **acudir (a)**

▮ [reunión]

• CON ADJS. **de prensa** *El ministro ha ofrecido una conferencia de prensa sobre el caso* · **de paz** · **cumbre** · **episcopal** · **académica** || **polémica** || **concurrida** · **multitudinaria**
• CON VBOS. **convocar** *Los dirigentes han convocado otra conferencia de paz para el mes que viene* · **organizar** · **auspiciar** · **celebrar** · **clausurar** || **boicotear** · **reventar** || **retransmitir** · **seguir** || **asistir (a)** · **participar (en)**

▮ [llamada]

• CON ADJS. **telefónica** || **nacional** · **internacional** · **a larga distancia** || **a cobro revertido**
• CON VBOS. **poner**
• CON PREPS. **por** *Dice que no la llama por conferencia porque le sale muy caro*

confesar v.

• CON SUSTS. **hecho** · **acción** || **verdad** · **autoría** · **culpa** · **responsabilidad** · **culpabilidad** · **participación** *A la Policía le llevó tres días lograr que confesara su participación en los hechos* · **complicidad** · **intervención** || **crimen** · **delito** · **asesinato** · **homicidio** · **atentado** · **muerte** · **magnicidio** || **pecado** · **error** · **equivocación** · **vicio** · **defecto** · **deficiencia** || **secreto** · **misterio** *...misterios ocultos, pero tan reales como imposibles de confesar* || **vinculación** · **relación** · **lazo** · **simbiosis** || **deseo** *El jugador confesó sus deseos de abandonar el club* · **esperanza** · **anhelo** · **ambición** || **plan** · **intención** · **objetivo** · **propósito** · **voluntad** || **predilección** · **fascinación** · **pasión** · **afición** · **simpatía** · **amor** · **cariño** · **adicción** · **debilidad** · **parcialidad** · **admiración** *Debo confesar la admiración que me produce su inagotable capacidad creadora* · **respeto** · **identificación** || **malestar** · **pesar** · **dolor** · **tristeza** · **pena** · **desencanto** · **amargura** · **suplicio** || **temor** · **miedo** *una entrevista en la que el actor confiesa sus pasiones y sus miedos* · **pavor** · **sorpresa** · **perplejidad** *Confieso mi perplejidad al oírle decir desde esta tribuna que...* · **asombro** || **ignorancia** · **desconocimiento**
• CON ADVS. **abiertamente** · **públicamente** *No dudó en confesar públicamente su adicción a las drogas* · **paladinamente** || **confidencialmente** · **en privado** || **espontáneamente** · **voluntariamente** || **con torturas** || **a medias** · **detalladamente** · **a regañadientes** · **de plano** · **de un tirón** || **con franqueza** · **sinceramente** · **humildemente** || **sin pudor** · **sin ambages** · **sin reservas** · **sin tapujos**

confesión s.f.

▮ [declaración]

• CON ADJS. **completa** · **absoluta** || **reveladora** · **valiosa** · **interesante** || **oficial** · **pública** *Hizo una confesión pública para limpiar su imagen ante los ciudadanos y los medios de comunicación* · **secreta** || **íntima** · **personal** || **general** · **detallada** || **voluntaria** *Firmó una confesión voluntaria ante el juez* · **forzada** · **bajo tortura** || **sorprendente** · **insólita** · **extraña** · **inesperada** || **verosímil** · **fidedigna** · **veraz** · **sincera** · **falsa** || **dramática** · **aterradora** · **amarga** || **implícita** · **explícita** || **de culpabilidad** · **autoinculpatoria** || **de amor** · **sentimental** || **judicial** · **criminal**
• CON SUSTS. **secreto (de)** *quebrantar el secreto de confesión* || **autor,-a (de)**

• CON VBOS. **hacer** *Te haré una confesión...* · **realizar** · **relatar** · **confiar** · **firmar** || **pedir** · **tomar** · **obtener** · **conseguir** · **arrancar (a alguien)** *Tras varias horas de tortura le arrancan a cualquiera la más disparatada confesión* · **sacar (a alguien)** · **sonsacar (a alguien)** · **grabar** || **oír** · **escuchar** · **presenciar** · **conocer** || **filtrar** · **publicar** || **comprobar** · **reforzar** · **corroborar** · **tergiversar**
• CON PREPS. **en** *decir algo en confesión*

▮ [creencia]

• CON ADJS. **religiosa** *Se reunieron los representantes de varias confesiones religiosas*

confiado, da adj.

• CON VBOS. **mostrarse** *El entrenador se mostró confiado en la victoria del equipo* · **sentirse** · **estar** || **ser** *Es confiado por naturaleza* · **volver(se)**

[confianza] → confianza; de confianza

confianza s.f.

• CON ADJS. **absoluta** · **total** *Me puedes contar lo que quieras con total confianza* · **completa** · **plena** · **entera** · **ilimitada** · **suma** · **gran(de)** · **amplia** · **considerable** || **ciega** *Tiene una confianza ciega en sus hijas* · **sin condiciones** · **sin reservas** · **inquebrantable** || **desmedida** · **exagerada** · **excesiva** · **desmesurada** || **escasa** · **estrecha** || **personal** || **sobrado,da (de)** || **digno,na (de)** · **merecedor,-a (de)**
• CON SUSTS. **amigo,ga (de)** · **peluquero,ra (de)** *Siempre voy a mi peluquero de confianza* · **equipo (de)** · **gente (de)** · ***otros individuos y grupos humanos*** || **muestra (de)** · **demostración (de)** · **gesto (de)** · **manifestación (de)** · **señal (de)** · **voto (de)** · **moción (de)** *Tendrá que superar en el Parlamento una moción de confianza* || **clima (de)** *Reinaba un clima de confianza entre profesores y alumnos* || **grado (de)** · **exceso (de)** · **abuso (de)** · **falta (de)**
• CON VBOS. **reinar** || **recaer (en alguien)** || **aumentar** · **crecer** *Según las últimas encuestas, ha crecido la confianza en la gestión del Gobierno* · **fortalecer(se)** || **disminuir** · **debilitar(se)** · **decrecer** · **venirse abajo** · **quebrar(se)** · **mellar(se)** || **adquirir** · **tomar** · **tener (en algo)** *Tengo confianza en que todo se arregle* · **abrigar** · **mantener** · **perder** · **recobrar** · **recuperar** || **inspirar** · **infundir** · **despertar** · **generar** · **ganar(se)** · **granjearse** · **captar** · **conquistar** · **concitar** || **mostrar** *El director mostró una gran confianza en mí al proponerme como...* · **expresar** · **irradiar** · **transmitir** || **poner (en algo/en alguien)** · **depositar (en algo/en alguien)** · **brindar (a alguien)** · **dar (a alguien)** || **reiterar** · **revalidar** · **retirar** || **devolver (a alguien)** · **insuflar** · **inyectar** · **instaurar** || **incrementar** · **reforzar** · **afianzar** · **avivar** || **poner a prueba** · **cuestionar** || **traicionar** · **defraudar** *No defraudaremos la confianza de los electores* · **minar** · **erosionar** · **socavar** · **dañar** · **empañar** · **quebrantar** · **burlar** · **dilapidar** || **merecer** · **desmerecer** || **agradecer** || **gozar (de)** *Mis amigos gozan de mi total confianza* || **responder (a)** · **faltar (a)** || **abusar (de)**
• CON PREPS. **en** *En confianza, te confesaré que...*

[confiar] → confiar; confiar (en)

confiar v.

▮ [encargar o poner al cuidado]

• CON SUSTS. **cuidado** *Le confiaba el cuidado de los perros y las plantas* · **atención** · **protección** || **niño,ña** · **bebé** · **hijo,ja** *Confiaba sus hijos a una institutriz* · ***otros individuos*** || **asunto** · **encargo** · **trabajo** *Te confío este trabajo porque sé que puedes hacerlo* · **tarea** || **secreto** || **bienes** · **propiedad** · **casa** · **posesiones** · **empresa**

• CON ADVS. **ciegamente** · **sin reservas** · **con reservas** · **plenamente** *No confiaban plenamente en su capacidad* · **totalmente** · **absolutamente** · **por completo**

confiar (en) v.

• CON SUSTS. ***persona*** *No confío en este chico* || **azar** · **suerte** *Prefiero confiar en la suerte y tener esperanzas* · **futuro** || **palabra** *No me queda otra opción que confiar en su palabra* · **promesa** · **declaración** · **afirmación** || **intención** · **voluntad** · **disposición** || **honestidad** · **capacidad** · **fuerza** · **sensatez** · **humanidad** · **solidaridad** · ***otras cualidades***
• CON ADVS. **ciegamente** *Confía ciegamente en mí, no puedo fallarle* · **a ciegas** · **sin reservas** · **absolutamente** · **plenamente** *No estoy preocupado porque confío plenamente en tu buen juicio* · **totalmente** · **por completo** · **firmemente** · **decididamente** · **estrictamente** · **de (todo) corazón** || **{con/sin} reservas**

confidencia s.f.

• CON ADJS. **íntima** · **personal** *No es momento ahora de confidencias personales* · **sentimental** || **policial** · **política** || **secreta** · **inviolable** · **invulnerable** || **fidedigna** · **veraz** · **verídica** || **reveladora** || **desgarrada** · **intensa** · **escandalosa** · **intrigante**
• CON SUSTS. **compañero,ra (de)** || **libro (de)** || **tono (de)**
• CON VBOS. **hacer** *Le voy a hacer una confidencia, pero que no salga de aquí* · **relatar** · **verter** · **desgranar** || **compartir** · **intercambiar** · **recibir** || **arrancar (a alguien)** · **sonsacar (a alguien)** || **conocer** · **airear** *...programas de televisión que llenan las horas inventando escándalos y aireando confidencias* · **desvelar** · **revelar** · **publicar** · **deslizar** · **filtrar** || **guardar** · **conservar**

confidencial adj.

• CON SUSTS. **agente** · **policía** · **grupo** · **informante** · **informador,-a** || **fuente** *El periodista basó sus acusaciones en informes de fuentes confidenciales* · **origen** · **procedencia** || **documento** · **informe** · **material** · **expediente** · **documentación** *Solo la directora tiene autorización para leer la documentación confidencial* · **papel** · **ficha** · **texto** · **reporte** · **catálogo** || **carta** · **mensaje** · **nota** · **comunicación** · **correo** *El correo es inviolable y confidencial* · **misiva** · **cable** · **télex** || **dato** · **información** · **cifra** · **noticia** · **resultado** · **estadística** · **encuesta** · **sondeo** || **estudio** *Han encargado a una consultora un estudio confidencial sobre su situación* · **investigación** · **análisis** · **pesquisa** || **reunión** · **sesión** · **conversación** · **negociación** · **contacto** · **plática** · **entrevista** · **charla** *Ambos dirigentes mantuvieron una charla confidencial de dos horas* · **coloquio** || **asunto** · **tema** · **materia** · **cuestión** || **cuenta** · **fondo** · **gasto** || **misión** · **servicio** · **operación**

confidente s.com.

• CON ADJS. **principal** · **único,ca** || **policial** *Un presunto confidente policial lo había puesto en la pista* · **presidencial** || **habitual** · **antiguo,gua** · **veterano,na** || **fiable** · **fiel** · **falso,sa** || **presunto,ta** · **supuesto,ta** · **imaginario,ria** · **real**
• CON VBOS. **asegurar (algo)** · **informar (de algo)** · **revelar (algo)** *Un confidente reveló la procedencia de los explosivos* · **indicar (algo)** · **mostrar (algo)** · **declarar (algo)** || **delatar (a alguien)** · **acusar (a alguien)** · **denunciar (a alguien)** || **infiltrar(se)** · **participar** || **desaparecer** || **colaborar** || **comprar** · **sobornar** · **pagar** || **buscar** · **necesitar** || **pasar (por)** || **fiarse (de)** *No me fío de tus confidentes* · **confiar (en)** · **creer (en)** || **convertir(se) (en)** || **contar (con)**

configuración s.f.

● CON ADJS. **correcta** *la correcta configuración del programa informático* · **errónea** · **equilibrada** · **irregular** · **clásica** · **alternativa** || **funcional** · **estructural** · **espacial** · **urbana** · **arquitectónica** · **escultórica** · **mobiliar** · **compositiva** · **creadora** · **plástica** || **pendular** · **modular** *la hipótesis sobre la configuración modular de la mente* · **fragmentaria** || **social** · **familiar** · **política** · **parlamentaria** · **sindical** · **departamental** · **gubernamental** · **mundial** · **universal** || **química** · **mineral** · **física** · **corporal** · **genética** *Se han descubierto alteraciones en la configuración genética de las células* · **cromosómica**
● CON SUSTS. **proceso (de)** · **cambio (de)** · **labor (de)** · **problema (de)**
● CON VBOS. **alterar** · **cambiar** · **variar** || **proponer** *un equipo de arquitectos que propone una configuración urbana alternativa*

configurar v.

● CON SUSTS. **programa** · **estrategia** · **plan** · **itinerario** · **exposición** || **panorama** *unos hechos que configuran un panorama favorable para el comercio interno* · **visión** · **futuro** || **imagen** · **apariencia** · **mapa** · **perfil** || **espacio** *configurar un espacio cultural para la ciudad* · **entorno** || **mentalidad** · **pensamiento** || **sociedad** · **grupo** · **cultura** · **ciudad** · **zona** · **territorio** · **mundo** · **universo** || **situación** · **realidad** || **crónica** · **historia** *A fin de comprender los procesos sociales y políticos que configuran nuestra historia* · **relato** · **lenguaje** · **libro** · **capítulo** · **contenido** || **gestión** · **organización** · **decisión** · **política** || **alianza** · **acuerdo**
● CON ADVS. **definitivamente** · **completamente** · **totalmente** || **parcialmente** · **en parte** || **democráticamente** · **unitariamente**

confinar v.

● CON ADVS. **entre cuatro paredes** || **indefinidamente** *Lo confinaron indefinidamente en una prisión* || **en vida**

confirmación s.f.

● CON ADJS. **expresa** *Estamos esperando la confirmación expresa del banco* · **explícita** · **por escrito** · **oral** · **verbal** || **plena** · **total** · **segura** · **fehaciente** · **tajante** || **tácita** · **indirecta** · **por indicios** || **inminente** · **inmediata** || **oficial** · **gubernamental** · **administrativa** || **pendiente (de)**
● CON VBOS. **llegar** *...hasta que llegue la confirmación oficial* || **pedir** · **dar** || **esperar** || **tener** · **recibir** · **obtener**
● CON PREPS. **a falta (de)** · **a la espera (de)** || **sin**

confirmar v.

● CON SUSTS. **información** · **noticia** · **rumor** *Se ha confirmado el rumor sobre la boda de la actriz* · **versión** · **aserto** · **dato** · **extremo** · **hecho** || **hipótesis** · **tesis** · **teoría** · **previsión** · **pronóstico** · **predicción** · **diagnóstico** *Un segundo especialista me confirmó el diagnóstico* · **análisis** · **opinión** · **creencia** || **impresión** · **intuición** · **sospecha** · **temor** · **duda** || **desaparición** · **llegada** · **venta** · **guerra** · ***otros sucesos*** || **decisión** · **sentencia** · **elección** || **veracidad** · **validez** · **vigencia** || **importancia** · **relevancia** · **valor** · **éxito** · **superioridad** || **descubrimiento** · **hallazgo** || **existencia** · **presencia** || **asistencia** *Tenemos que confirmar nuestra asistencia a la cena de fin de curso* · **participación** || **cita** · **calendario** · **fecha** · **día** · **hora** · **lugar** || **edad** · **precio** · **altura** · ***otras magnitudes*** || **regla** · **tendencia** · **cambio**
● CON ADVS. **con certeza** · **con seguridad** *No podemos confirmar la noticia con seguridad, pero parece que ha habido una explosión* · **sin dudar** · **sin lugar a dudas** · **a las claras** · **de pleno** · **en todos sus extremos** · **plenamente** · **punto por punto** *El imputado confirmó su declaración punto por punto* · **abrumadoramente** · **sobradamente** · **de sobra** · **con creces** || **en líneas generales** · **a grandes líneas** || **paso a paso** || **expresamente** · **verbalmente**

confiscar v.

● CON SUSTS. **bienes** *Les confiscaron los bienes durante la guerra* · **propiedad** · **posesión** · **casa** · **coche** · **documentación** || **cuadro** · **novela** · **obra** · ***otras creaciones*** || **mercancía** · **material**
● CON ADVS. **cautelarmente** *Las autoridades confiscaron cautelarmente la mercancía* · **preventivamente** || **ilegalmente** · **dudosamente** · **injustamente** · **ilícitamente** · **brutalmente**

confitar v.

● CON SUSTS. **manzana** · **pera** · **almendra** · ***otros frutos***

confitería s.f.

● CON ADJS. **artesana** *He comprado los pasteles en una confitería artesana* · **de tahona**
● CON VBOS. **oler (a)**
➤ Véase también **ESTABLECIMIENTO**

confitura s.f.

● CON ADJS. **de fruta** || **sabrosa** · **rica** · **apetitosa** · **deliciosa** || **casera** *Mi abuela prepara una confitura casera de chuparse los dedos* || **suave** · **delicada** || **dulce**
● CON SUSTS. **fábrica (de)** || **textura (de)** || **bote (de)**
● CON VBOS. **probar** · **degustar** || **hacer** · **cocinar** · **preparar** || **untar** · **servir**

conflagración s.f.

● CON ADJS. **mundial** *Se avecinaba la última conflagración mundial del siglo* · **universal** · **generalizada** · **global** · **interna** · **local** || **total** · **gran(de)** || **destructiva** · **horrible** || **fratricida**
● CON VBOS. **estallar** · **desatar(se)** · **desencadenar(se)** || **provocar** *hechos que provocaron la conflagración interna* · **originar** · **causar** || **evitar** · **impedir** || **sobrevivir (a)**

conflictivo, va adj.

● CON SUSTS. **empleado,da** · **alumno,na** · **clase** · **colectivo** · **sector** · ***otros individuos y grupos humanos*** || **carácter** · **personalidad** || **punto** · **aspecto** · **elemento** || **calle** · **barrio** *Vivo en un barrio conflictivo y bastante peligroso* · **zona** · **ciudad** · **país** · ***otros lugares*** || **tema** · **asunto** · **cuestión** || **declaración** *Las conflictivas declaraciones de algunos dirigentes contribuyeron a avivar la polémica* · **comentario** · **palabras** · ***otras manifestaciones verbales*** || **relación** · **historia** · **pasado** || **situación** · **momento** · **encuentro** || **decisión** *una decisión conflictiva que sin duda les hizo perder electores* · **idea** · **opinión** · **jugada** · **actuación** || **tramo** · **cruce**
● CON ADVS. **tremendamente** *Era una relación tremendamente conflictiva* · **sumamente** · **extremadamente** · **altamente** || **escasamente**

conflicto s.m.

● CON ADJS. **armado** *Las causas de este conflicto armado hay que buscarlas en...* · **bélico** || **nacional** · **internacional** · **universal** || **interno** · **interior** · **intestino** · **fratricida** · **personal** || **generacional** · **territorial** || **grave** · **hondo** · **serio** · **de grandes proporciones** || **delicado** · **espinoso** || **reñido** · **enconado** · **sangriento** || **descarnado** · **dramático** || **enmarañado** · **enrevesado** · **intrincado** || **irresoluble** · **insoluble** || **candente** *El debate tratará sobre algunos conflictos políticos candentes* · **palpitante** || **abierto**

· **larvado** · **latente** · **soterrado** || **al descubierto** || **coyuntural** · **accidental** · **pasajero** · **secular**
● CON SUSTS. **foco (de)** · **zona (de)** · **escenario (de)** · **marco (de)** || **causa (de)** · **alcance (de)** · **salida (de)** · **peligro (de)**
● CON VBOS. **avecinar(se)** · **cocinar(se)** · **fraguar(se)** || **aflorar** · **reverdecer** · **salir a la luz** *El conflicto interno del partido salió a la luz después de las elecciones* · **estallar** · **surgir** · **declarar(se)** · **desatar(se)** · **desencadenar(se)** · **discurrir** || **agravar(se)** · **recrudecer(se)** · **intensificar(se)** · **caldear(se)** · **extender(se)** *En los años siguientes, el conflicto se extendió por el resto del continente* · **desbocar(se)** · **arreciar** || **calmar(se)** · **apagar(se)** · **disolver(se)** · **agotar(se)** · **despejar(se)** · **remitir** · **concluir** || **anidar (en algo/en alguien)** · **derivar(se) (de algo/de alguien)** || **atañer (a algo/a alguien)** || **augurar** · **incubar** || **crear** *Me creas un conflicto moral si me dices que...* · **engendrar** · **sembrar** · **provocar** · **ocasionar** · **originar** · **acarrear** · **protagonizar** || **alimentar** · **avivar** · **exacerbar** · **atizar** · **reabrir** · **reavivar** || **amortiguar** · **apaciguar** · **atemperar** || **afrontar** · **encarar** · **capear** · **lidiar** || **zanjar** · **saldar** · **sofocar** · **desactivar** · **neutralizar** · **desbloquear** · **desmontar** · **despachar** · **enmendar** || **captar** · **clarificar** · **acotar** · **desglosar** || **airear** · **silenciar** *El presidente silenció el conflicto que se estaba viviendo en el seno de la organización* || **disfrazar** · **magnificar** || **arbitrar** · **resolver** · **solucionar** · **dirimir** · **dilucidar** || **evitar** · **rehuir** · **conjurar** || **dar origen (a)** · **desembocar (en)** || **entrar (en)** *Ambos países entraron en conflicto a principios de siglo* · **estar (en)** · **intervenir (en)** · **involucrar(se) (en)** || **ahondar (en)** · **adentrarse (en)** || **arrojar luz (sobre)** || **instigar (a)** · **invitar (a)** || **hacer frente (a)** · **mediar (en)** *La ministra mediará en el conflicto* · **terciar (en)** · **interceder (en)** || **librar(se) (de)** · **desentenderse (de)** · **quitar hierro (a)** · **poner fin (a)**
● CON PREPS. **en medio (de)** · **al calor (de)** || **a la medida (de)** · **a la vista (de)**

confluencia s.f.

● CON ADJS. **ordenada** · **armónica** · **natural** · **feliz** || **fatal** *El accidente se produjo por la confluencia fatal de varios factores* · **desgraciada** · **aciaga** || **deseable** · **esperable** || **inesperada** · **fortuita** || **sorprendente** · **paradójica** · **extraña** || **inevitable** · **azarosa** || **astral** · **cósmica** || **política** · **estratégica** · **electoral** · **económica** || **cultural** · **histórica** || **fluvial**
● CON SUSTS. **punto (de)** · **zona (de)** *zona de confluencia de los vientos alisios* || **proceso (de)** · **esfuerzo (de)**
● CON VBOS. **producir(se)** · **acaecer** · **fraguar(se)** || **favorecer** *crear un ambiente que favorezca la confluencia de ideas y puntos de vista* · **facilitar** · **defender** · **permitir** || **buscar** · **perseguir** || **señalizar** || **situar(se) (en)** *La capital de la comarca se sitúa en la confluencia de estos dos ríos* · **ubicar(se) (en)** || **tener lugar (en)** · **ocurrir (en)** || **contribuir (a)**

confluir v.

● CON SUSTS. **río** · **corriente** · **afluente** · **vertiente** || **vía** · **carretera** · **camino** *Los dos caminos confluyen en una carretera nacional* · **calle** · **trayecto** · **tubería** · **arteria** || **trayectoria** · **dirección** · **vida** || **caudal** · **energía** · **fuerza** · **tensión** · **agua** || **manifestantes** · **gente** *Un río de gente confluía en una plaza que ya estaba abarrotada* · **población** · **marcha** · **manifestación** · **desfile** · **procesión** || **acontecimiento** · **fenómeno** · **realidad** · **experiencia** · **asunto** · **tema** || **cultura** · **arte** · **género** · **tradición** · **estilo** · **técnica** · **modo** || **factor** · **ingrediente** · **elemento** · **particularidad** · **causa** · **aspecto** || **punto de vista** · **idea** · **perspectiva** · **opinión** · **visión** · **hipótesis** · **convicción** || **interés** · **intención** · **deseo** · **estímulo** · **motivación** · **esfuerzo** *esfuerzos que confluyeron en la fundación de esta nueva empresa* · **esperanza** || **problema** · **dificultad** · **mal** · **deficiencia** · **conflicto** · **enfermedad**
● CON ADVS. **armónicamente** *estilos arquitectónicos muy diversos, pero que en esta obra confluyen armónicamente* · **naturalmente** · **de forma satisfactoria** · **felizmente** *unos proyectos que confluyeron felizmente en la creación de un nuevo órgano de gobierno* || **asombrosamente** · **inesperadamente** · **de forma paradójica** || **finalmente** · **brevemente** · **definitivamente** || **artísticamente** · **indiscriminadamente**

□ USO Se construye con sustantivos en plural (*Confluyen varias causas en esta desgracia*), coordinados por la conjunción *y* (*En esta novela confluyen la realidad y el mito*) o unidos con la preposición *con* (*Si el primer factor confluye con el segundo...*). También con sustantivos en singular si son colectivos o no contables: *La multitud confluyó en...*

conformarse v.

● CON ADVS. **a regañadientes** · **a duras penas** · **sin convicción** || **de buen grado** *Se conforma de buen grado con lo que le toque en suerte*

□ USO Se construye a menudo con complementos encabezados por la preposición *con*: *Se conforma con lo que le dan.*

conforme adj.

● CON VBOS. **estar** · **quedar(se)** *Me quedé conforme con la explicación que me dio* · **mantener(se)** || **mostrar(se)** · **declarar(se)**
● CON ADVS. **a medias** · **totalmente**

conformidad s.f.

● CON ADJS. **explícita** · **expresa** *Es necesaria su conformidad expresa para que le carguen el recibo en cuenta* · **implícita** · **tácita** || **absoluta** · **plena** · **total** · **estricta** · **irrevocable** || **previa** || **virtual** · **por escrito** · **de palabra** · **verbal** · **oral**
● CON SUSTS. **acta (de)** · **carta (de)** · **manifestación (de)** || **grado (de)**
● CON VBOS. **dar** *El banco ha dado la conformidad al préstamo* · **prestar** · **otorgar** · **mostrar** · **manifestar** · **expresar** · **formular** · **firmar** · **comunicar** · **refrendar** || **merecer** · **requerir** || **esperar** · **recibir** · **obtener** · **guardar** || **negar** · **retirar** · **revocar**
● CON PREPS. **de** · **en** *Hemos actuado en conformidad con los términos del tratado*

confortable adj.

● CON SUSTS. **piso** *Busco un piso espacioso y confortable en el centro* · **residencia** · **vivienda** · **apartamento** · **sala** · **hotel** · **mundo** · **ciudad** · ***otros lugares*** || **butaca** · **sillón** · **asiento** · **colchón** *Debería cambiar mi viejo colchón por uno más confortable* · **calzado** || **reposo** · **postura** · **posición** · **situación** || **clima** · **atmósfera** · **ambiente** · **sensación** · **vida** || **viaje** *Sus asientos ergonómicos aseguran un viaje confortable* · **desplazamiento** || **victoria** · **renta** || **diferencia** · **ventaja**
● CON VBOS. **hacer** · **resultar** · **parecer**

confortablemente adv.

● CON VBOS. **instalar(se)** · **alojar(se)** · **vivir** *Vivía confortablemente en un pequeño pueblo del sur* || **sentar(se)** · **tumbar(se)** · **echar(se)** · **recostar(se)** || **dormir**

confrontación s.f.

● CON ADJS. **armada** · **bélica** · **política** · **electoral** · **democrática** · **social** · **dialéctica** · **ideológica** || **dura** · **violenta** · **agresiva** · **atroz** · **brutal** · **amarga** || **abierta** ·

pública · amistosa || interna *El partido vive en una confrontación interna permanente* · **cerrada || larvada · soterrada · encubierta || decisiva · definitiva · eventual · progresiva**
• CON SUSTS. **clima (de)** *Aunque el debate se desarrolló en un claro clima de confrontación...* · **tono (de) · línea (de) || grado (de) || marco (de) · estrategia (de) · política (de) · situación (de) · escenario (de) · tiempo (de) || instrumento (de) · riesgo (de) || dinámica (de) · motivo (de)**
• CON VBOS. **estallar** *La confrontación estalló a raíz de la crisis económica* · **producir(se) · tener lugar || agravar(se) || provocar · ocasionar · originar || arbitrar · apaciguar · distender · disfrazar · evitar · atizar || dar lugar (a) · llevar (a) || entrar (en)**
• CON PREPS. **en medio (de)**

confrontar v.

• CON SUSTS. **dato** *confrontar datos antes de publicar una noticia* · **información · resultado || hipótesis · idea · opinión · punto de vista · versión** *Había que confrontar su versión con la de la Policía* · **postura · argumento || modelo · sistema · corriente · tendencia || interés · ideología**

☐USO Se construye con sustantivos en plural (*confrontar ideas*), coordinados por la conjunción *y* (*confrontar el punto de vista de los empresarios y el de los consumidores*) o vinculados con la preposición *con* (*confrontar la versión oficial de los hechos con las demás versiones*).

confucianismo s.m.

• CON SUSTS. **fundador (de)**
➤ Véase también **RELIGIÓN**

confuciano, na adj.

• CON SUSTS. **monasterio · escuela · maestro**
➤ Véase también **CREYENTE**

confundir v.

• CON ADVS. **inconscientemente · involuntariamente · sin darse cuenta || completamente · absolutamente · totalmente** *Me confundí totalmente y no logré encontrar la calle* **|| excepcionalmente · extraordinariamente || peligrosamente · gravemente**

confusión s.f.

• CON ADJS. **gran(de) · enorme · profunda · grave** *para terminar con la grave confusión terminológica* · **seria · tremenda · mayúscula · monumental · descomunal · suma · extrema || lamentable · terrible || caótica · equívoca || pequeña · ligera · menor · insignificante · involuntaria || reinante · imperante || personal · general · permanente || mental · conceptual · terminológica || preso,sa (de) · lleno,na**
• CON SUSTS. **clima (de) · estado (de) · situación (de) · sensación (de) · mar (de) · maraña (de) || momento (de)** *Ocurrió en un momento de confusión* · **tiempo (de) || ceremonia (de) || grado (de) || elemento (de) · factor (de)**
• CON VBOS. **producir(se) · surgir · armar(se) · saltar · derivar(se) || reinar · imperar · dominar · cundir · campear · anidar (en algo) || crecer · acentuar(se)** *Con la ausencia de noticias se acentuó la confusión* · **incrementar(se) · adueñarse (de algo/de alguien) · aumentar || despejar(se) · disipar(se) · remitir || causar · crear · generar · engendrar · sembrar · provocar · ocasionar · originar · suscitar · añadir || suponer || aprovechar || aclarar · rectificar · solucionar · subsanar · resolver · clarificar · paliar · neutralizar · vencer || prestarse (a)** *Este titular se presta a confusión* · **dar lugar (a) · llevar (a) · inducir (a) · contribuir (a) · incitar (a) · teñir (de) || incurrir (en) · dejarse llevar (por) · sumir(se) (en) · hundir(se) (en) · anegar(se) (en) || salir (de) || disculpar(se) (por)** *El locutor se disculpó por la confusión que habían generado sus palabras*
• CON PREPS. **entre · en medio (de) || por**

confuso, sa adj.

• CON SUSTS. **situación · panorama** *el confuso panorama que surgió tras la guerra* · **realidad · mundo · universo · ámbito · clima · circunstancia || tiempo · época · período || episodio** *Se trata de un episodio confuso que aún no ha sido esclarecido* · **incidente · caso || actuación · comportamiento || mezcla · amalgama · combinación · entramado · enredo · grupo || identidad || recuerdo** *Tengo recuerdos confusos del accidente* · **memoria || idea · pensamiento · ideología · argumentación || trama · argumento · guión · historia || orden · instrucción · ley · estatuto ·** ***otras disposiciones*** **|| método · procedimiento · trámite || noticia · información · rumor** *Llegaban rumores confusos sobre el fin de la guerra* **|| mensaje · señal · palabra · enunciado · pregunta · respuesta · explicación · relato · declaración** *Solo tenemos la declaración confusa de un testigo* · **exposición · análisis || debate · discusión || sonido · eco · balbuceo · grito · griterío · vocerío · algarabía || jugada · encuentro**
• CON VBOS. **ser · estar · resultar · parecer · volver(se) · hacer(se)**

con ganas loc.adv.

• CON VBOS. **llover · nevar** *Nevó con ganas durante todo el fin de semana* **|| reír · llorar · cantar**
• CON ADJS. **feo,a · malo,la** *Los actores de la obra eran malos con ganas* · **manso,sa · soso,sa**

congelar v.

I [detener, interrumpir, mantener inalterado]
• CON SUSTS. **imagen · instante · movimiento · tiempo || sueldo · salario · nómina · renta · ingreso · inversión || recurso · cuenta** *Se ha procedido a congelar todas las cuentas bancarias de los imputados* · **depósito · fondo · bienes · propiedad · medio · prestación · dinero || presupuesto · gasto || precio · tarifa · impuesto · tasa · cuota · tipo de cambio || negociación** *Por el momento continúan congeladas las negociaciones* · **diálogo · discusión · relación · tratado · acuerdo · alianza || proyecto · programa · plan · propuesta · reforma || norma · medida · ley** *La oposición pide al Gobierno que congele la ley de educación* · **legislación · normativa · derecho ·** ***otras disposiciones*** **|| proceso · desarrollo · aplicación · aprobación · puesta en marcha || caso · trámite · diligencia · juicio || ayuda · asistencia · apoyo · cooperación || traspaso · transferencia · entrega**

congeniar v.

• CON ADVS. **a la perfección · a las mil maravillas · de maravilla · perfectamente · sin dificultad · con facilidad · felizmente · admirablemente · armónicamente · rápidamente || instantáneamente** *Nos conocimos y congeniamos instantáneamente*

congénito, ta adj.

• CON SUSTS. **enfermedad** *Tiene una rara enfermedad congénita en la sangre* · **dolencia · lesión · dislocación · cojera · luxación || bondad · maldad · elegancia · estupidez · optimismo || borracho,cha · estúpido,da · mentiroso,sa || optimista || defecto · anomalía · malformación** *factores ambientales que influyen en ciertas malformaciones congénitas* · **incapacidad · debilidad ·**

tara · deformación · trastorno · alteración || origen · factor · naturaleza · causa || mal · problema · conflicto · amenaza || inseguridad · fobia · inestabilidad *Sufre una inestabilidad congénita desde su más tierna infancia* · incertidumbre · escepticismo

congestión s.f.

● CON ADJS. **circulatoria · de tráfico · viaria · urbana · vehicular || nasal** *un medicamento para aliviar la congestión nasal* · **respiratoria · gripal · arterial · cerebral || administrativa · burocrática || grave · leve**

● CON SUSTS. **problema (de)**

● CON VBOS. **producir(se) || deshacer(se) || provocar · aliviar · mitigar · solucionar** *Se está diseñando un plan para solucionar la congestión del tráfico* · **evitar || sufrir || librar(se) (de)**

congestionar(se) v.

● CON SUSTS. **rostro · cara · nariz · ojos || carretera · calle · autopista** *El choque provocó que la autopista se congestionara en pocos minutos* · **ruta · avenida · tubería · arteria · vena ·** ***otras vías*** **|| red · línea telefónica || zona · área · espacio · centro · ciudad · estación · aeropuerto ·** ***otros lugares*** **|| tráfico · circulación** *A primeras horas de la mañana la circulación no puede estar más congestionada* · **tránsito || mercado · demanda · oferta**

congoja s.f.

● CON ADJS. **infinita · tremenda · gran(de) · absoluta · creciente · especial || profunda** *Al entrar en casa, le invadió una profunda congoja* · **intensa || general · permanente || sumido,da (en) · lleno,na (de)**

● CON SUSTS. **estado (de) · sentimiento (de) · expresión (de)**

● CON VBOS. **entrar (a alguien) · venir (a alguien) · invadir (a alguien) || pasárse(le) (a alguien) · írse(le) (a alguien) || desaparecer · disipar(se) || expresar · sentir · mostrar · manifestar || contener · sobrellevar || provocar · causar · generar || llenar (de)** *Su muerte nos ha llenado de congoja* **|| acabar (con)**

congraciarse (con) v.

● CON SUSTS. **espectador,-a · lector,-a · profesor,-a · alumno,na · gobierno · oposición · equipo · afición · público ·** ***otros individuos y grupos humanos*** **|| mundo** *Cuando conoció a aquella mujer volvió a congraciarse con el mundo* · **realidad · tierra · patria**

congregación s.f.

● CON ADJS. **religiosa · de monjas** *El colegio pertenece a una congregación de monjas* · **de monjes · de sacerdotes || mariana**

● CON SUSTS. **sede (de) · superior,-a (de) · prefecto (de) · miembro (de)**

● CON VBOS. **fundar · trasladar || dejar · abandonar** *Abandonó la congregación tras una crisis de fe* **|| entrar (en) · ingresar (en) · profesar (en) · pertenecer (a) · salir (de) || donar (a)**

congreso s.m.

● CON ADJS. **a puerta cerrada || multitudinario** *celebrar un congreso multitudinario* · **acalorado || nacional · internacional · mundial · provincial || anual · extraordinario || fundacional · inaugural**

● CON SUSTS. **miembro (de) · presidente,ta (de) || palacio (de)** *Inauguraron un nuevo palacio de congresos* · **salón (de) · sede (de)**

● CON VBOS. **reunir(se) || debatir · aprobar** *El Congreso aprobó la ley de...* **|| convocar · organizar · auspiciar || abrir · inaugurar · celebrar · cerrar · clausurar** *Se celebró una conferencia magistral para clausurar el congreso* · **boicotear || presidir || asistir (a)** *Al final no asistimos al congreso* · **presentar (a) · optar (a)**

congruente adj.

● CON SUSTS. **decisión · medida · solución · sentencia · dimisión · renuncia ||** ***persona*** *Es un político congruente con sus ideas* **|| actitud · vida · trayectoria · biografía || estrategia · mecanismo · política || actuación · gestión · labor || razón · motivo || libro · película · texto ·** ***otras obras***

● CON ADVS. **absolutamente · plenamente · totalmente** *Realizó una gestión totalmente congruente con los objetivos de la empresa* · **perfectamente**

con horror loc.adv.

● CON VBOS. **ver · contemplar** *Los vecinos de la zona contemplaron con horror el suceso* · **mirar · observar || vivir · presenciar || recordar · pensar || descubrir · notar · comprobar · constatar || contar · describir** *En su nuevo libro, el periodista describe con horror las atrocidades de la guerra* · **narrar**

con indiferencia loc.adv.

● CON VBOS. **asistir · presenciar · vivir || leer · contemplar · mirar · ver · oír · juzgar || acoger · recibir** *Recibió la noticia con indiferencia* · **encajar · reaccionar · contestar · rechazar || actuar · comportarse · pasar · tratar (a alguien) || sonreír**

conjetura s.f.

● CON ADJS. **razonable · sólida · fundada · acertada || infundada · gratuita · arbitraria · aventurada · descabellada · disparatada · pintoresca || simple** *No puedes hacer una acusación basada en simples conjeturas* · **vaga · mera || alentadora · desalentadora || nueva**

● CON SUSTS. **objeto (de) || serie (de)**

● CON VBOS. **surgir · circular || apuntar (hacia algo) || hacer · formular · levantar · plantear · tejer · lanzar · aventurar · avanzar · arriesgar · barajar || suscitar** *La ausencia del gobernador en el acto suscitó todo tipo de conjeturas* **|| difundir || confirmar · apoyar · sustentar || desmentir · refutar || prestarse (a)** *una respuesta ambigua que se presta a conjeturas* · **dar lugar (a) || basar(se) (en) · amparar(se) (en)**

conjugar v.

I [combinar entre sí]

● CON SUSTS. **tendencia · movimiento** *un estilo muy personal, que conjuga distintos movimientos de vanguardia* · **arte · literatura || concepto · significado || sentimiento · sensación || factor · aspecto · elemento · ingrediente · variable || interés · esfuerzo · ambición · motivación** *conjugar la motivación con la exigencia* **|| idea · punto de vista · visión · interpretación** *dos interpretaciones plausibles pero difíciles de conjugar* · **opinión · análisis || sistema · criterio · política · modelo · directriz || manera · modo · vía · forma || derecho · exigencia · condición · obligación**

● CON ADVS. **acertadamente · perfectamente · óptimamente · con éxito · a las mil maravillas · de manera ejemplar** *El acuerdo ha logrado conjugar de manera ejemplar los requerimientos y necesidades de ambos países* · **magistralmente · con destreza · hábilmente · con maestría || equilibradamente · armónicamente · adecuadamente · correctamente || admirablemente · estupendamente · felizmente · sabiamente · favorablemente · convenientemente || dificultosamente · difícilmente**

☐ USO Se construye con sustantivos en plural (*conjugar los diversos factores*), enlazados mediante la conjunción *y* (*Es *prioritario conjugar el desarrollo y la conservación*) o con la preposición *con* (*Esta novela conjuga los hechos históricos con la ficción más disparatada*).

▮ [enunciar las formas de un verbo]

● CON SUSTS. **verbo**

● CON ADVS. **correctamente** *un ejercicio para aprender a conjugar los verbos correctamente* · **perfectamente** · **completamente**

conjunción conjunción s.f.

▮ [unión, encuentro, combinación]

● CON ADJS. **astral** · **planetaria** ‖ **feliz** · **milagrosa** · **sorprendente** · **fácil** · **arriesgada** *apuesta por una arriesgada conjunción de estilos* · **azarosa** · **armoniosa** · **fatídica** *...por la fatídica conjunción de una cadena de accidentes y de imponderables* · **catastrófica** · **desastrosa** · **difícil** ‖ **completa** · **absoluta** · **plena** · **perfecta** · **excelente** · **parcial** · **difusa**

● CON SUSTS. **falta (de)**

● CON VBOS. **darse** · **tener lugar** ‖ **formar(se)** · **producir(se)** · **crear** ‖ **buscar** · **perseguir** · **lograr**

conjuntamente adv.

● CON VBOS. **trabajar** *Los dos municipios trabajan conjuntamente para promover el turismo en la región* · **actuar** ‖ **organizar** · **gestionar** · **administrar** · **negociar** ‖ **desarrollar** · **elaborar** · **preparar** ‖ **adquirir** · **pagar** · **comprar** ‖ **decidir** · **asumir** *Acepto si asumimos conjuntamente los riesgos* · **presentar** ‖ **analizar** · **estudiar** · **abordar** ‖ **escribir** · **comparar** · **dirigir** · **crear** · **producir** · **realizar** · **fabricar** · **construir** · **operar** ‖ **celebrar** · **festejar** · **conmemorar**

[conjuntiva] s.f. → conjuntivo, va

conjuntivo, va

1 **conjuntivo, va** adj.

● CON SUSTS. **tejido** · **membrana**

2 **conjuntiva** s.f.

● CON ADJS. **ocular**

● CON SUSTS. **inflamación (de)** · **irritación (de)**

● CON VBOS. **proteger** *Las gafas de sol protegen la conjuntiva ocular*

conjunto s.m.

● CON ADJS. **numeroso** · **nutrido** · **abrumador** ‖ **homogéneo** · **uniforme** ‖ **heterogéneo** *un conjunto heterogéneo de alumnos* · **variado** · **variopinto** · **abigarrado** · **deslavazado** ‖ **compacto** · **indisoluble** · **indivisible** ‖ **ordenado** · **desordenado** ‖ **arquitectónico** · **artístico** · **monumental** *Están rehabilitando el conjunto monumental del casco histórico* ‖ **musical** · **matemático** · **finito** ‖ **limitado** · **ilimitado**

● CON SUSTS. **visión (de)** *carecer de visión de conjunto* ‖ **trabajo (de)** ‖ **teoría (de)** ‖ **integrante (de)** · **componente (de)** · **elemento (de)** · **miembro (de)**

● CON VBOS. **desintegrar** · **desmembrar** · **escindir** · **fraccionar** · **descomponer** · **reunir** ‖ **agrupar** *un conjunto que agrupa a buena parte de los actores* · **aglutinar** · **articular** · **hacer** · **relacionar** · **formar** · **componer** · **integrar** · **engrosar** ‖ **ordenar** · **distribuir** · **mezclar** ‖ **dividir** · **disgregar** *Esta ley solo servirá para disgregar al conjunto de los ciudadanos* ‖ **formar parte (de)** · **pertenecer (a)**

● CON PREPS. **dentro (de)**

conjurar v.

▮ [alejar, intentar evitar]

● CON SUSTS. **peligro** · **amenaza** · **riesgo** ‖ **fantasma** *conjurar el fantasma de la guerra* · **demonio** · **espectro** ‖ **miedo** · **temor** · **horror** · **inquietud** ‖ **problema** · **crisis** · **dificultad** · **daño** · **dolor** · **enfermedad** · **muerte** · **sida** ‖ **mal** · **catástrofe** · **desastre** · **tragedia** · **desgracia** *Resultaba imposible conjurar la desgracia que se abatía sobre el pueblo entero* · **caos** ‖ **maldición** · **maleficio** · **mal augurio** · **hechicería** · **presagio** · **previsión** ‖ **intriga** · **trampa** · **conflicto** · **conspiración** · **motín** · **ataque** · **atentado** · **violencia** · **crítica** · **rechazo** · **división** ‖ **frustración** · **tristeza** · **rabia** · **escepticismo** · **susceptibilidad** · **desaliento** ‖ **olvido** · **vacío** · **descrédito**

▮ [exorcizar, invocar]

● CON SUSTS. **demonio** · **espíritu** *Los malos espíritus del pasado no han sido conjurados para siempre* · **duende**

● CON ADVS. **a la desesperada** · **torpemente** ‖ **temporalmente** · **definitivamente** *El Gobierno se mostró incapaz de conjurar definitivamente el peligro de...* ‖ **imprudentemente**

□ USO Los adverbios son comunes a los dos sentidos.

conjuro s.m.

● CON ADJS. **mágico** · **sagrado** · **maligno** · **diabólico** ‖ **viejo** ‖ **infalible** · **efectivo**

● CON SUSTS. **efecto (de)**

● CON VBOS. **hacer** · **echar** · **lanzar** *El hechicero lanzó un conjuro sagrado para atraer la lluvia* · **pronunciar** ‖ **deshacer** · **resistir** · **contrarrestar** ‖ **servir (de)** ‖ **recurrir (a)**

con la boca {chica/pequeña} loc.adv.

● CON VBOS. **decir (algo)** *No te creo, lo dices con la boca pequeña* · **asegurar (algo)** ‖ **pedir (algo)** · **ofrecer (algo)** ‖ **aceptar (algo)** · **reconocer (algo)**

con la boca pequeña loc.adv. Véase **con la boca {chica/pequeña}**

con la mano en el corazón loc.adv.

● CON VBOS. **hablar** · **decir (algo)** *Te lo digo con la mano en el corazón* · **manifestar (algo)** ‖ **agradecer (algo)** · **jurar (algo)** · **reconocer (algo)** · **confesar (algo)**

con la mayor brevedad loc.adv.

● CON VBOS. **encontrar** · **averiguar** · **precisar** · **obtener** · **iniciar** · **entregar** · **enviar** · **publicar** · **retirar** · **tramitar** · **adjudicar** · **suprimir** · **crear** · **resolver** · **responder** *responder a las peticiones con la mayor brevedad posible* · **actuar**

□ USO Se usa también la variante *a la mayor brevedad.*

con las manos en la masa loc.adv.

● CON VBOS. **pillar (a alguien)** · **coger (a alguien)** · **descubrir (a alguien)** · **atrapar (a alguien)** · **capturar (a alguien)** *Capturaron al ladrón con las manos en la masa*

conllevar v.

● CON SUSTS. **riesgo** · **peligro** · **complicación** · **problema** · **dificultad** ‖ **efecto** · **consecuencia** *Su decisión conllevó consecuencias desastrosas para toda la familia* · **responsabilidad** · **exigencia** · **esfuerzo** ‖ **aumento** · **incremento** · **disminución** · **reducción** · **rebaja** · **desgaste** ‖ **gasto** · **coste** · **sanción** *No llevar casco conllevará una fuerte sanción* · **multa** ‖ **ventaja** · **desventaja**

● CON ADVS. **necesariamente · obligatoriamente · ineludiblemente · inevitablemente · automáticamente · directamente**

con locura loc.adv.

● CON VBOS. **querer** *Lo que pasa es que la quiero con locura* · **amar · enamorarse || desear · anhelar || gustar · adorar**

con los brazos abiertos loc.adv.

● CON VBOS. **esperar (a alguien)** *Te esperamos con los brazos abiertos* · **recibir (a alguien) · acoger (a alguien) · dar la bienvenida (a alguien)**

con lupa loc.adv.

● CON VBOS. **mirar** *Ahora miran con lupa cada justificante* · **observar · ver || examinar · analizar · estudiar · evaluar · buscar · indagar · escrutar · rastrear || corregir · revisar**

con mal pie loc.adv. Véase **con {buen/mal} pie**

con mano de hierro loc.adv.

● CON VBOS. **dirigir · gobernar · controlar · representar · regir · dominar · presidir · manejar · comandar · administrar** *Administra con mano de hierro los fondos de la fundación* · **conducir · liderar · llevar || reprimir · sujetar · constreñir · contener · imponer · exigir · sofocar**

☐ USO Admite algunos sustantivos de persona, especialmente si designan al que ejerce algún poder: *un general con mano de hierro*. Se usa también la variante *con mano férrea*.

con mano dura loc.adv.

● CON VBOS. **gobernar · dirigir · regir · liderar · administrar || tratar** *Tenían órdenes de tratarlo con mano dura* · **manejar || actuar · ejercer · emplearse · acometer · aplicar || combatir · reprimir · castigar · acabar · zanjar**

con mano firme loc.adv.

● CON VBOS. **coger · sujetar · agarrar** *Para no caerse, agarre con mano firme el bastón* · **accionar || controlar · regir · dirigir** *un entrenador que dirige a los jugadores con disciplina y mano firme* · **guiar · gobernar · llevar · conducir · pilotar · regentar · reconducir · dominar · imponer · ordenar || trazar · dibujar**

con mano izquierda loc.adv.

● CON VBOS. **actuar · llevar** *Llevó usted el asunto con mucha mano izquierda* · **dirigir || tratar · plantear · negociar**

conmemorar v.

● CON SUSTS. **héroe · trabajador,-a · autor,-a · artista · *otros individuos* || aniversario · cumpleaños · centenario** *Este año se conmemora el centenario de la fundación de la escuela* · **cincuentenario · efeméride · festividad · onomástica · bicentenario · diada · jubileo · corpus · milenio · fiesta nacional || victoria · derrota · triunfo · fin · éxodo || liberación · independencia · libertad || acontecimiento · hazaña · gesta · descubrimiento · evento · muerte · nacimiento · llegada** *un acto para conmemorar la llegada del hombre a la luna* · **inicio · final || revuelta · revolución · rebelión · alzamiento · levantamiento · huelga || tragedia · sacrificio · fusilamiento · matanza · batalla · asesinato**

conmemorativo, va adj.

● CON SUSTS. **acto** *Se realizará un acto conmemorativo* · **acción · exposición · concierto · desfile · ceremonia · programa · conferencia · festejo · evento · cumbre · ciclo || fecha · jornada · sesión || placa · medalla · moneda** *una moneda conmemorativa de la exposición universal* · **sello · trofeo · camiseta · objeto || estatua · monumento · escultura · cuadro || discurso · libro · edición · artículo · obra**

conminar v.

● CON ADVS. **amablemente · despectivamente · violentamente || por escrito** *Se podrá conminar por escrito a los implicados*

conmiseración s.f.

● CON ADJS. **infinita · profunda** *Despierta en nosotros una profunda conmiseración* **|| sincera · tolerante · displicente · reverencial · morbosa || pública · social**

● CON SUSTS. **gesto (de)** *La mujer, en un gesto de conmiseración, le tendió la mano* · **sonrisa (de) · actitud (de) · mirada (de) · tono (de)**

● CON VBOS. **causar · inspirar · despertar · suscitar · provocar || negar · rechazar · reclamar** *No reclamaba conmiseración, sino respeto y solidaridad* · **pedir**

con {mis/tus/sus...} propios ojos loc.adv.

● CON VBOS. **ver** *No lo creeré hasta que no lo vea con mis propios ojos* · **contemplar · presenciar · comprobar · examinar · verificar**

conmoción s.f.

● CON ADJS. **cerebral · craneal · nerviosa · emocional · psíquica || general · global · mundial · social · nacional** *El suceso ha producido una auténtica conmoción nacional* · **internacional · pública · ciudadana · colectiva || política · cultural · espiritual · interior · personal || fuerte · serio · gran(de) · grave · tremenda · verdadera · auténtica || pequeña · ligera · leve**

● CON SUSTS. **estado (de) · clima (de) || momento (de) || poder (de)**

● CON VBOS. **producir · provocar · causar · suponer || sufrir · presentar** *El herido presenta una fuerte conmoción cerebral* **|| recuperarse (de) || ingresar (con)**

● CON PREPS. **en medio (de)**

conmover(se) v.

● CON ADVS. **profundamente** *Su gesto de generosidad me conmovió profundamente* · **hondamente · en lo más íntimo · internamente · intensamente || sinceramente**

conmutar v.

● CON SUSTS. **castigo · pena · condena · sanción**

con ocasión (de) loc.prep.

● CON SUSTS. **visita** *Con ocasión de la visita del mandatario habrá un almuerzo...* · **llegada · fiesta · celebración · *otros eventos* || aniversario · centenario**

conocedor, -a s.

● CON ADJS. **buen,-a · gran · profundo,da** *un profundo conocedor de la mente humana* · **destacado,da || auténtico,ca · verdadero,ra || absoluto,ta · máximo,ma · principal || excelente · magistral · extraordinario,ria · magnífico,ca || viejo,ja · antiguo,gua || experto,ta · cualificado,da · perfecto,ta** *un perfecto conocedor de la lengua vernácula*

conocer v.

● CON ADVS. **perfectamente** *Lo conozco perfectamente y sé que no nos fallará* · **profundamente** · **sobradamente** · **de sobra** · **de memoria** · **a la perfección** · **a las mil maravillas** · **al dedillo** · **como la palma de {mi/tu/su...} mano** *Conozco este barrio como la palma de mi mano* · **al detalle** · **con detalle** · **con todo lujo de detalles** · **detalladamente** · **con pelos y señales** · **al milímetro** · **palmo a palmo** · **al pie de la letra** || **a grandes rasgos** · **en líneas generales** · **a medias** · **ligeramente** · **por encima** · **superficialmente** · **someramente** · **sumariamente** · **vagamente** · **aproximadamente** || **a ciencia cierta** · **con certeza** *Aún no se conocen con certeza las causas del derrumbe* · **de buena tinta** · **fehacientemente** || **de primera mano** · **de cerca** · **en persona** · **en carne y hueso** · **de viva voz** || **de oídas** · **de vista** *Nos conocemos solo de vista* · **de pasada** · **de refilón** · **tangencialmente** || **de antemano** *Quiero conocer de antemano el plan de viaje* || **universalmente** *un actor universalmente conocido* || **informalmente** · **popularmente** || **de visu**

● CON VBOS. **dar (a)**

conocido, da adj.

● CON ADVS. **mundialmente** · **internacionalmente** · **universalmente** || **tremendamente** · **escasamente** *un escritor escasamente conocido fuera de nuestras fronteras* || **tristemente**

● CON VBOS. **volverse** · **hacerse**

conocimiento s.m.

▌[acción y efecto de conocer]

● CON ADJS. **profundo** · **hondo** · **amplio** · **vasto** · **extenso** · **desbordante** · **inagotable** · **pleno** *Los ciudadanos tienen pleno conocimiento de todo lo sucedido* · **total** · **completo** · **exhaustivo** · **detallado** · **preciso** · **perfecto** · **cabal** · **puntual** · **riguroso** || **aproximado** · **básico** *conocimientos básicos de informática* · **elemental** · **escaso** · **ligero** · **mínimo** · **superficial** · **somero** · **borroso** || **necesario** · **imprescindible** · **suficiente** || **seguro** · **fundado** · **fehaciente** · **fidedigno** · **firme** · **sólido** · **inseguro** || **científico** · **técnico** *Carece de los conocimientos técnicos suficientes para el puesto* · **profesional** · **académico** || **teórico** · **práctico** · **aplicado** || **general** · **específico** · **especializado** || **inaccesible** · **reservado** || **público**

● CON SUSTS. **área (de)** *un epígrafe para cada área de conocimiento* · **rama (de)** · **ámbito (de)** · **objeto (de)** || **caudal (de)** · **fuente (de)** · **medio (de)** || **bagaje (de)** · **nivel (de)** · **grado (de)** || **falta (de)** · **difusión (de)** || **afán (de)** · **ansia (de)** · **búsqueda (de)**

● CON VBOS. **brotar** · **avanzar** · **desarrollar(se)** · **difundir(se)** || **estancar(se)** · **atragantar(se)** || **ilustrar (algo)** || **tener** · **poseer** · **retener** · **almacenar** · **atesorar** · **acumular** || **adquirir** · **asimilar** · **digerir** · **aprender** || **acrecentar** · **perfeccionar** · **afinar** || **refrescar** *un cursillo para refrescar conocimientos* · **renovar** · **repasar** || **aplicar** · **poner en práctica** *Son conocimientos teóricos que ahora deberían ser puestos en práctica* · **dedicar** · **invertir** · **depositar** · **volcar (en algo)** || **aprovechar** · **usar** · **canalizar** · **derrochar** || **intercambiar** · **transmitir** || **impartir** · **aportar** · **generar** · **destilar** · **elaborar** · **irradiar** · **manifestar** || **extraer** · **obtener** · **heredar** || **olvidar** || **ahondar (en)** · **adentrarse (en)** || **empapar(se) (de)** · **impregnar(se) (de)** || **alardear (de)**

▌[consciencia]

● CON SUSTS. **pérdida (de)** · **disminución (de)**

● CON VBOS. **recobrar** · **recuperar** || **perder** *Le dio un mareo y perdió el conocimiento* · **disminuir**

● CON PREPS. **sin** *Tras el golpe, estuvo varios minutos sin conocimiento*

□ EXPRESIONES **poner** (algo) **en conocimiento** (de alguien) [comunicárselo] *Lo he puesto en conocimiento de mi abogado* || **tomar conocimiento** (de algo) [conocerlo, enterarse de ello]

con ojo loc.adv.

● CON VBOS. **andar(se)** *Anda con ojo si no quieres que te engañen* · **ir**

con pelos y señales loc.adv.

● CON VBOS. **contar** *Contó su aventura con pelos y señales* · **narrar** · **relatar** · **describir** · **detallar** · **explicar** · **aclarar** · **informar** · **revelar** · **publicar** || **saber** · **conocer**

con pies de plomo loc.adv.

● CON VBOS. **ir** *Ve con pies de plomo en ese asunto, porque puede resultar peligroso* · **andar** · **moverse** · **actuar** · **obrar**

con posibilidad (de) loc.prep.

● CON SUSTS. **trabajo** · **beca** · **contrato** || **renovación** *Me han otorgado una beca de un año con posibilidad de renovación* · **reelección** · **devolución** || **impugnación** · **apelación** · **reclamación** || **anulación** · **cancelación** || **condena** · **sanción** · **indulto** · **libertad** || **chubascos** · **lluvia** · **lloviznas** · **precipitaciones** · **tormenta** · **granizo** · **neblina** · **helada** || **éxito** · **victoria** · **triunfo** · **medalla** · **gol** *un lanzamiento con posibilidades de gol* · **clasificación** || **aumento** · **mejora** · **prórroga** · **expansión** · **ampliación** · **crecimiento** · **desarrollo** · **evolución** · **ascenso** · **promoción** || **cambio** *La situación es transitoria, pero con posibilidad de cambio* · **modificación** · **sustitución** || **curación** · **solución** *un problema con posibilidad de solución* · **elección** · **conquista** · **acuerdo** · **pacto** || **ganancia** · **beneficio** · **dividendo** || **futuro**

□ USO Admite la variante *con posibilidades de.*

con propiedad loc.adv.

● CON VBOS. **hablar** · **expresar** *Exprésese con propiedad y trate de ser conciso* · **decir** · **definir** · **ilustrar** · **descubrir** || **manejar {el léxico/el idioma/la sintaxis}**

conquista s.f.

● CON ADJS. **técnica** · **imperial** · **espacial** · **amorosa** · **sentimental** · **territorial** · **laboral** · **salarial** · **social** *las conquistas sociales de los trabajadores* · **política** · **democrática** || **gran(de)** · **vasta** || **arrolladora** · **fulgurante** || **histórica** *El reconocimiento de los derechos humanos es una conquista histórica* || **irrenunciable** || **ardua** · **laboriosa** · **esforzada** *la esforzada conquista de su independencia personal* · **trabajosa** || **larga** || **definitiva** · **final**

● CON SUSTS. **afán (de)** · **ánimo (de)** · **sed (de)** · **espíritu (de)** || **proceso (de)** · **tiempo (de)** || **derecho (de)**

● CON VBOS. **forjar(se)** · **materializar(se)** || **frustrar(se)** || **lograr** *lograr la conquista del espacio* · **culminar** · **consolidar** || **emprender** · **iniciar** · **dirigir** · **realizar** || **posibilitar** · **facilitar** || **defender** · **salvar** || **constituir** *El derecho al voto constituye una conquista irrenunciable* · **representar** || **aspirar (a)** · **disponerse (a)** || **lanzarse (a)** · **luchar (por)** · **llevar (a)**

conquistar v.

● CON SUSTS. **público** *Conquistaba al público con una oratoria arrebatada y efectista* · **jurado** · **aficionado,da** · **espectador,-a** · **chico,ca** · ***otros individuos y grupos humanos*** || **pueblo** · **país** · **ciudad** · **territorio** · **castillo** · **fortaleza** || **campeonato** · **torneo** · **liga** · **premio** · **medalla** · **título** *un jugador que conquistó el título de campeón* · **corona** · **oro** || **triunfo** · **éxito** · **victoria** || **poder** · **presidencia** · **soberanía** · **cetro** || **reconocimiento** *...y ha logrado conquistar el reconocimiento del público* · **honor** · **popularidad** · **confianza** · **simpatía** · **notoriedad** · **fama** · **cariño** · **amor** · **afecto** || **derecho** · **justicia** · **democracia** · **paz** · **respeto** · **valor** || **libertad** · **independencia** · **autonomía** · **utopía** · **individualidad**

• CON ADVS. **a lo grande** · **brillantemente** · **triunfalmente** · **elegantemente** || **por la fuerza** *El amor de alguien no se puede conquistar por la fuerza* · **por las armas** · **militarmente** || **de punta a punta** · **palmo a palmo** || **laboriosamente** · **trabajosamente** · **arduamente** · **con esfuerzo** · **a duras penas** *...corría peligro la paz, conquistada a duras penas por el último Gobierno* · **fácilmente** || **definitivamente** · **para siempre** · **a toda costa**

con reservas loc.adv./loc.adj.

• CON VBOS. **acoger** · **aceptar** · **apoyar** · **aprobar** · **recibir** · **respaldar** · **admitir** · **adherirse** *Me adhiero a la propuesta, pero con reservas* · **firmar** · **suscribir** || **expresar** · **responder** · **afirmar** · **sugerir** · **formular** · **apuntar** || **leer** · **ver** · **tomar** · **mirar** · **observar** · **contemplar** · **juzgar** · **analizar** · **creer** · **valorar** · **tratar** || **reaccionar** · **actuar** · **autorizar** · **prohibir** · **ratificar** · **optar** · **inclinarse** · **vivir** || **aparecer** · **llegar** *...llegaron, con algunas reservas, a la siguiente conclusión...* · **venir** · **alcanzar** || **sumarse** · **incorporar** · **agregarse** · **acompañar**

• CON SUSTS. **apoyo** *Tenemos su apoyo, aunque con ciertas reservas* · **aprobación** · **acercamiento** · **acuerdo** · **voto** · **sí** || **optimismo** · **satisfacción** · **entusiasmo**

☐ USO Admite algunas variantes sintácticas, como *con alguna reserva, con la mayor reserva, con total reserva* o *con la más absoluta reserva.*

con riesgo (de) loc.prep.

• CON SUSTS. {**mi/tu/su...**} **vida** *Trabajan con riesgo de su propia vida* || **exclusión** · **marginación** · **muerte** || **tormenta** · **lluvia** · **chubasco** *Habrá cielos nubosos con riesgo de chubascos en la mitad occidental* · **precipitación** · **nevada** · **inundación** || **explosión** · **derrumbe** *un edificio en ruinas con riesgo de derrumbe* · **accidente** · **pérdida** · **incendio** || **infarto** · **fractura** · **rotura** · **contagio** || **embarazo**

consagrar(se) v.

▮ [dedicar]

• CON SUSTS. **vida** *Consagró su vida al estudio de esta enfermedad* · **tiempo** · **esfuerzos**

• CON ADVS. **en cuerpo y alma** · **plenamente** · **de lleno** · **de pleno** *Se consagró de pleno a su trabajo* · **por completo** · **por entero** · **íntegramente**

▮ [confirmarse]

• CON SUSTS. **campeón,-a** · **vencedor,-a** · **director,-a** · **político,ca** · **banda** · **equipo** · **generación** · ***otros individuos y grupos humanos*** || **teoría** *En ese famoso congreso se consagró la teoría de la protección integral de la infancia* · **principio** · **hipótesis** · **modelo** · **sistema** || **situación** · **estado** · **condición**

• CON ADVS. **definitivamente** · **totalmente**

consanguíneo, a adj.

• CON SUSTS. **hermano,na** · **pariente** · **familiar** · **descendiente** · ***otros individuos y grupos humanos*** || **carácter** · **vínculo** · **parentesco** · **unión**

consanguinidad s.f.

• CON ADJS. **estricta**

• CON SUSTS. **lazo (de)** *Impidieron la boda por los lazos de consanguinidad entre los contrayentes* · **vínculo (de)** · **relación (de)** · **grado (de)** · **pariente (por)** · **línea directa (por)** || **riesgo (de)** · **problema (de)** · **exceso (de)**

consciente adj.

▮ [conocedor]

• CON ADVS. **plenamente** · **totalmente** · **especialmente** · **absolutamente**

• CON VBOS. **ser** *Soy consciente del riesgo que corremos*

▮ [lúcido, despierto]

• CON ADVS. **permanentemente** *El enfermo estuvo permanentemente consciente*

• CON VBOS. **estar** *El accidentado está consciente* · **mantener(se)** · **quedar(se)**

[consecuencia] → consecuencia; en consecuencia

consecuencia s.f.

• CON ADJS. **positiva** · **beneficiosa** *consecuencias beneficiosas para el organismo* · **deseable** · **favorable** || **negativa** · **desfavorable** · **adversa** · **nociva** · **dañina** · **indeseable** · **terrible** · **catastrófica** · **desastrosa** · **lamentable** · **demoledora** *una medida con demoledoras consecuencias para la deuda externa* · **desoladora** · **dramática** · **trágica** · **fatal** · **mortal** · **letal** · **funesta** · **aciaga** · **nefasta** · **grave** · **seria** · **severa** || **evidente** · **palpable** · **visible** · **obvia** · **indudable** · **inapreciable** || **profunda** · **última** · **decisiva** · **drástica** · **incalculable** || **ligera** · **leve** · **escasa** · **nula** || **eventual** · **impredecible** · **imprevisible** *La crisis tuvo consecuencias imprevisibles sobre los precios* · **imprevista** · **inesperada** · **insospechada** || **posible** · **previsible** · **lógica** || **inevitable** · **obligada** || **irreparable** · **irreversible** · **irremediable** || **consciente (de)** *Han de ser ustedes conscientes de las consecuencias de su acción*

• CON VBOS. **venir** *Van como locos y luego vienen las consecuencias* · **llegar** · **surgir** || **derivar(se)** · **deducir(se)** · **seguir(se)** · **desencadenar(se)** · **planear** || **agravar(se)** || **tener** · **traer (consigo)** *El asunto traerá consecuencias* · **acarrear** *La sequía acarrea consecuencias desastrosas para la agricultura* · **conllevar** · **deparar** · **provocar** · **ocasionar** · **originar** · **producir** · **revestir** || **pagar** · **sufrir** · **acusar** || **aceptar** · **asumir** · **afrontar** *Tengo que afrontar las consecuencias de mi decisión* · **arrostrar** || **medir** · **sopesar** · **valorar** · **juzgar** · **calibrar** · **explicar** · **magnificar** || **conocer** · **prever** · **aventurar** · **vislumbrar** · **prejuzgar** || **sacar** · **obtener** · **extrapolar** || **paliar** · **aliviar** · **mitigar** · **amortiguar** · **aminorar** · **atemperar** · **neutralizar** · **compensar** · **evitar** · **negar** || **reparar (en)** · **ahondar (en)** || **atenerse (a)** *En ese caso, tendrá que atenerse a las consecuencias* · **cargar (con)** · **apechugar (con)** · **apencar (con)** || **exponer(se) (a)** · **arriesgar(se) (a)** || **desentenderse (de)** || **carecer (de)** || **informar (de)**

• CON PREPS. **a la vista (de)** || **en** *actuar en consecuencia* || **con** · **sin** *un accidente sin graves consecuencias*

consecuente adj.

• CON SUSTS. ***persona*** *una mujer consecuente con sus actos* || **actitud** · **postura** · **posición** · **planteamiento** · **punto de vista** · **comportamiento** || **pregunta** · **crítica** · **respuesta** · **comentario** || **acción** · **opción** · **elección** · **decisión** · **medida** *Adoptaron una medida consecuente con los objetivos a largo plazo* · **ley** · **norma** || **operación** · **trabajo** · **creación** · **manipulación** || **corrección** · **evaluación** · **juicio** || **pérdida** · **disminución** · **reducción** · **aumento** · **incremento** · **impacto** · **deterioro** · **encare-**

cimiento || política *La política que ahora practica no parece consecuente con la ideología del partido* · aplicación · gestión || suspensión · dificultad || polémica · discusión · debate
• CON ADVS. totalmente · plenamente · absolutamente · completamente || perfectamente · impecablemente *Su comportamiento ha sido impecablemente consecuente*

conseguir v.

• CON SUSTS. éxito · victoria · título · triunfo · clasificación || propósito · meta · fin · objetivo *El esfuerzo ha merecido la pena, al final conseguimos nuestros objetivos* || acuerdo *Tras muchas reuniones y debates internos hemos conseguido un acuerdo unánime* · paz · aprobación · consenso · pacto · solución || equilibrio · estabilidad · bienestar · transparencia · *otros estados positivos o favorables* || ganancia · beneficio · rendimiento · mejora || desarrollo · reforma · aumento · *otros cambios* || liberación *La negociación fue clave para conseguir la liberación de los rehenes* · libertad || venta · aceptación · *otros eventos* || casa · dinero · lápiz · coche · *otras cosas materiales*
• CON ADVS. por completo · con creces *Estamos satisfechos porque hemos conseguido con creces lo que nos propusimos* · con éxito · de milagro · por los pelos *Lo conseguiste por los pelos, pero lo conseguiste* · en el último momento · a duras penas · a medias · a trancas y barrancas · ni de lejos · ni por asomo || a toda costa · contra viento y marea || a pulso *Nadie me ha regalado nada, lo he conseguido yo a pulso* · esforzadamente · trabajosamente · meritoriamente || por las buenas · ventajosamente || de un día para otro · gradualmente · progresivamente *conseguir progresivamente un cambio de mentalidad en los usuarios* · lentamente || en exclusiva

con segundas loc.adv.

• CON VBOS. decir · hablar · preguntar · *otros verbos de lengua* || ir *¿Eso que has dicho iba con segundas?*

consejo s.m.

▌[recomendación]

• CON ADJS. atinado *Me dio consejos muy atinados sobre...* · certero · sabio · inteligente · oportuno · precioso · valioso · útil || inútil
• CON VBOS. surtir efecto *Ya veo que mis consejos no surten efecto* || caer en saco roto · caer en el vacío || pedir *Si no sabes qué hacer, pídele consejo a...* · dar · impartir · recibir || seguir · aplicar · poner en práctica || desoír *Desoí su consejo y me equivoqué* · desatender · desobedecer · ignorar || hacer caso (a/de) · atender (a)

▌[corporación, reunión]

• CON ADJS. escolar · social || de guerra · de ministros || a puerta cerrada
• CON SUSTS. miembro (de) · presidente,ta (de) || resolución (de) · decisión (de) · aprobación (de) *Es necesaria la aprobación del consejo por unanimidad*
• CON VBOS. reunir(se) || dictaminar (algo) · decidir (algo) · estudiar (algo)

consenso s.m.

• CON ADJS. amplio *Han conseguido un amplio consenso sobre la nueva ley* · absoluto · total || general · global · unánime · mayoritario · homogéneo || parcial · frágil · mínimo *un mínimo consenso entre las partes* || tácito · básico · necesario · suficiente · imprescindible || amistoso || social · interno
• CON SUSTS. clima (de) · nivel (de) · falta (de) *La falta de consenso impide avanzar en la reforma* · quiebra (de) || fórmula (de) · pacto (de) || fruto (de)
• CON VBOS. fraguar(se) · surgir · nacer · cristalizar · cuajar || quebrar(se) || basar(se) (en algo) || buscar *El ministro quiere buscar el consenso antes de llevar a cabo cambios legislativos* · acariciar · alcanzar · lograr · conseguir · obtener || establecer · construir · forjar · gestar · recabar *Si se recabara consenso la propuesta sería más equilibrada* · concitar · sellar || fortalecer · ampliar · cimentar · apuntalar · apoyar · ratificar || romper · apelar (a) · llamar (a) || llegar (a) · gozar (de)
• CON PREPS. por *La ley se aprobó por consenso* · en || en aras (de)

consensuar v.

• CON SUSTS. texto · documento *Continúan las negociaciones para consensuar el documento final de la cumbre* · escrito · discurso · comunicado · manifiesto || proyecto · propuesta · plan · programa || acuerdo · contrato · decisión · solución *consensuar una solución en beneficios de todos* · salida · elección · medida · alternativa || opinión · política · postura · posición · punto de vista *Se hacía necesario consensuar los diferentes puntos de vista para llegar a un acuerdo* · visión || ley · constitución · artículo · borrador || reforma · transición · proceso · actuación || cambio · modificación

consentimiento s.m.

• CON ADJS. firme · claro · inequívoco || unánime || explícito · expreso *Necesitas el consentimiento expreso del propietario* · tácito || necesario · obligatorio || paterno · materno
• CON SUSTS. falta (de) · ausencia (de)
• CON VBOS. necesitar · pedir · recabar || dar · conceder · otorgar · manifestar · retirar || supeditar (a algo) || tener · obtener · conseguir || gozar (de) · disponer (de)
• CON PREPS. con · sin *No debemos actuar sin el consentimiento de los interesados*

consentir v.

• CON SUSTS. abuso *No debería consentir semejantes abusos* · injusticia · atropello · indisciplina · impunidad || engaño · mentira · calumnia || injerencia · intromisión || conjura · complot · rebelión · trama || actitud · postura · comentario || actividad
• CON ADVS. generosamente · sin rechistar || a regañadientes *Consintió a regañadientes que la acompañaran*

conserva s.f.

• CON ADJS. casera · artesanal · industrial
• CON SUSTS. lata (de) *Las latas de conserva están en el estante de arriba* · bote (de) || fábrica (de) · industria (de) || marca (de)
• CON VBOS. fabricar || guardar (en)
• CON PREPS. en *melocotón en conserva*

conservación s.f.

• CON ADJS. buena · excelente · mala · pésima || necesaria · imprescindible · idónea || monumental · bibliográfica · documental · forestal · ambiental · patrimonial
• CON SUSTS. estado (de) *Los restauradores afirman que estos cuadros están en buen estado de conservación* · nivel (de) · obras (de) · labor (de) · programa (de) || afán (de) · instinto (de) · lucha (por) · necesidad (de) || política (de) · interés (por) || procedimiento (de) · condiciones (de) · método (de) · normas (de)

•CON VBOS. **urgir || garantizar · vigilar · favorecer · facilitar · mantener · amenazar** *unos vertidos tóxicos que amenazan la conservación de varias especies marinas* **|| velar (por) · preocupar(se) (por) · encargar(se) (de) · ocupar(se) (de)**

conservador, -a adj.

•CON SUSTS. **partido** *Se sumó a la propuesta del partido conservador* **· formación · filas · coalición · líder · dirigente · presidente,ta · ministro,tra · diputado,da · candidato,ta · gobierno · oposición || sector · ala · bloque · derecha** *la máxima representante de la derecha conservadora del país* **|| ideología · doctrina · pensamiento · movimiento · tendencia · idea · planteamiento · talante · actitud || votante · voto || periódico · diario · prensa || juicio · valoración · prejuicio**
•CON VBOS. **volverse · hacerse**

conservante s.m.

•CON ADJS. **natural · artificial || inofensivo · cancerígeno · perjudicial · prohibido**
•CON SUSTS. **uso (de) · empleo (de)**
•CON VBOS. **llevar** *Este tomate frito no lleva conservantes* **· poner · añadir || carecer (de) · abusar (de)**
•CON PREPS. **sin** *sin conservantes ni colorantes* **· con**

conservar v.

•CON SUSTS. **fotografía** *¿Conservas muchas fotografías de tu familia?* **· dinero · carta · cuadro · fresco · manuscrito · escultura · grabado · mueble ·** ***otros objetos*** **|| leche · huevos ·** ***otros alimentos*** **|| sentido · significado · esencia || entusiasmo · alegría · vigor · sentido del humor** *La abuela siempre conservó su sentido del humor* **· fuerza || sensatez · buen juicio · sentido común || calma · lucidez · frescura · salud · juventud · encanto** *El jardín conservaba todo su encanto* **· dignidad · inocencia || tamaño · peso · temperatura · precio · salario · presupuesto · cualidad || cicatriz · bigote · figura · silueta || puesto · empleo · papel · plaza · posición** *Luchó con uñas y dientes para conservar la posición social que tanto le había costado* **· estatus · ocupación · categoría · escaño · presidencia · alcaldía · trono · feudo · cabeza || poder · control · liderazgo · hegemonía · dominio · influencia · custodia** *Finalmente le han permitido conservar la custodia de sus hijos* **· supremacía · preponderancia || costumbre · tradición · cultura · historia · mito · raíz · herencia · patrimonio · signo de identidad · lengua || fe · memoria · recuerdo · idea · convicción · pensamiento · religión · creencia** *...un pueblo que conserva antiguas creencias y ritos primitivos* **|| aspiración · deseo · sueño · esperanza · expectativa · expectación || denominación · nombre · apellido · mote · título · calificación || relación · unidad · cohesión · lealtad · fidelidad · lazo || clientela · empleado,da · amigo,ga · amistades · familia · compañero,ra ·** ***otros individuos y grupos humanos*** **|| bosque · río · parque · campo · naturaleza** *Es responsabilidad de todos conservar la naturaleza para el futuro* **·** ***otros lugares***
•CON ADJS. **puro,ra · nuevo,va · joven · caliente · frío || limpio,pia · vivo,va** *conservar vivas las tradiciones* **|| intacto,ta · indemne · igual || entero,ra · completo,ta · íntegro,gra · incompleto,ta || oculto,ta · secreto,ta** *conservar secreta su identidad*
•CON ADVS. **celosamente · cuidadosamente · como oro en paño · como oro en barras || perfectamente · en perfecto estado** *La vieja casa se conservaba en perfecto estado* **· en buen estado · en buenas condiciones || eternamente · temporalmente || fragmentariamente · en gran parte || meticulosamente · escrupulosamente || a toda costa · a ultranza · contra viento y marea · a duras penas || en frío || en {mi/tu/su...} memoria · para el {futuro/mañana} · para la posteridad**

considerablemente adv.

•CON VBOS. **aumentar** *Durante el último año aumentó considerablemente el índice de natalidad* **· incrementar · crecer · ampliar · elevar · encarecer · engordar · multiplicar · agrandar · reactivar · realzar · subir · acrecentar(se) · enriquecer || disminuir · bajar · reducir** *Me redujeron considerablemente la dosis de la medicación* **· rebajar · descender · recortar · limitar · abaratar · remitir · caer · decrecer · decaer · aminorar · mermar · menguar · acortar || deteriorar · dañar · empeorar · debilitar · envejecer · empobrecer · perjudicar** *La devaluación perjudicó considerablemente a los trabajadores* **· perder · encanallar · degradar(se) · ensombrecer · resentirse || avanzar · mejorar · evolucionar · progresar** *una industria puntera, que en los últimos años ha progresado considerablemente* **· adelantar(se) || superar · sobrepasar · destacar || diferir · retrasar · contrastar · distar · distanciar || cambiar · modificar · alterar · agilizar(se) · alargar · transformar · variar · renovar · fluctuar || dificultar · entorpecer · obstaculizar · complicar · agravar** *La crisis económica se agravó considerablemente* **· frenar · molestar || aburrir(se) · enfadar(se) · irritar(se) || tergiversar · enturbiar · lastrar || afectar · influir · incidir · repercutir · mediatizar || apoyar · colaborar · ayudar · beneficiar · contribuir · aliviar · facilitar · favorecer || acercar(se) · aproximar(se) · alejar(se) · retroceder**

[consideración] →consideración; de consideración; tomar en consideración

consideración s.f.

▌[observación, reflexión]

•CON ADJS. **breve · pequeña · larga · pormenorizada || importante · oportuna · relevante · interesante · atinada** *Añadió unas atinadas consideraciones sobre el estado de las finanzas públicas* **|| inoportuna · equivocada · fuera de lugar || relacionada (con algo) · relativa (a algo)**
•CON VBOS. **atañer (a algo) · afectar (a algo) || hacer · introducir · formular · plantear · añadir** *Permítame añadir unas consideraciones sobre el problema de...* **|| extrapolar || obviar**
•CON PREPS. **a la vista (de) · al hilo (de)** *Al hilo de sus consideraciones se comentaron otros aspectos* **· a tenor (de)**

▌[respeto]

•CON ADJS. **alta · elevada** *...persona de la que sigo teniendo una elevada consideración* **· baja · escasa || pública · reconocida · debida || personal || digno,na (de) · merecedor,-a (de)**
•CON SUSTS. **falta (de) || grado (de) · nivel (de)**
•CON VBOS. **tener · sentir || ganar** *Pronto se ganó la consideración de su jefe* **· granjearse · inspirar · merecer || gozar (de)**
•CON PREPS. **con · sin** *Nos trató sin la menor consideración*

▌[opinión, juicio]

•CON ADJS. **atenta · especial**
•CON SUSTS. **objeto (de)**
•CON VBOS. **merecer** *El asunto merece la atenta consideración de las autoridades* **· otorgar || someter (a) · poner (a)**

□EXPRESIONES **de consideración*** [importante, serio] *heridas de consideración* **|| {tener/tomar} en consideración** [considerar, dedicar atención] *He tomado en consideración la experiencia del candidato*

considerar v.

• CON SUSTS. **situación** *Consideraré detenidamente tu situación antes de tomar una decisión* · **estado** || **asunto** · **tema** · **cuestión** · **punto** · **aspecto** · **detalle** · **faceta** · **lado** || **ventaja** · **inconveniente** · **desventaja** || **posibilidad** · **eventualidad** || **caso** · **hecho** || **propuesta** *Hemos considerado la propuesta punto por punto y no nos parece viable* · **plan** · **iniciativa** · **idea** · **teoría** || **alcance** · **consecuencia** · **efecto**
• CON ADVS. **atentamente** · **en detalle** · **punto por punto** · **en profundidad** · **detenidamente** || **brevemente** · **por encima** · **por un momento** *¿Has considerado por un momento las consecuencias de esta decisión?* · **ni por asomo** || **con cautela** || **específicamente** · **particularmente** || **acertadamente** · **equivocadamente** || **de igual a igual**
• CON VBOS. **inclinarse (a)** · **llevar (a)** · **tender (a)**

consignar v.

■ [asignar]

• CON SUSTS. **dinero** · **cantidad** *La concejalía consignó una exigua cantidad para las obras de remodelación* · **presupuesto**

■ [apuntar]

• CON SUSTS. **firma** · **nombre** *En la solicitud debe consignar su nombre y apellidos* · **fecha** · **título** · ***otros datos***

consiguiente adj.

• CON SUSTS. **efecto** · **resultado** · **repercusión** *una crisis con las consiguientes repercusiones económicas* · **consecuencia** || **trastorno** · **daño** · **perjuicio** · **deterioro** · **destrucción** · **quiebra** || **incremento** · **mejora** · **aumento** · **disminución** · **merma** · **caída** · **pérdida** · **beneficio** || **cambio** · **reforma** || **riesgo** *...con el consiguiente riesgo para la salud* · **peligro** || **castigo** · **pena** · **multa** · **penalización** || **enfado** · **irritación**

con simpatía loc.adv.

• CON VBOS. **ver** *Sus padres no ven con mucha simpatía la relación* · **mirar** · **contemplar** || **considerar** · **juzgar** || **saludar** · **recibir** · **sonreír** · **aceptar**

consistencia s.f.

• CON ADJS. **suficiente** · **fuerte** || **escasa** *un personaje poco creíble y de escasa consistencia* · **débil** *la débil consistencia de los materiales* · **endeble** · **insuficiente** || **deseada** · **necesaria**
• CON SUSTS. **falta (de)** · **grado (de)**
• CON VBOS. **faltar** || **dar** · **otorgar** · **conferir** || **adquirir** *Se bate hasta que la mezcla adquiera la consistencia deseada* · **cobrar** · **tomar** · **tener** · **mantener** · **perder** · **restar** || **medir** · **valorar** || **carecer (de)**

consistente adj.

• CON SUSTS. **prueba** · **argumento** *Presentó argumentos consistentes a favor de su idea* · **intervención** · **pregunta** || **narración** · **película** · **historia** · **testimonio** · **historial** || **trama** · **hilo** · **argumento** *El argumento de la novela no es nada consistente* || **pacto** · **acuerdo** || **política** · **estrategia** || **sistema** · **teoría** · **trabajo** || **punto de vista** · **posición** · **postura** · **actitud** || **alimento** · **comida** · **plato** || **aroma** *un vino de aroma consistente*

consolación s.f.

• CON SUSTS. **palabras (de)** · **gesto (de)** || **premio (de)** *No tuvo más remedio que aceptar el premio de consolación* || **final (de)** · **tanda (de)** · **partido (de)** · **ejercicio (de)**
• CON VBOS. **ganar** · **recibir** · **buscar** · **encontrar** || **servir (de/como)**

consolidar(se) v.

• CON SUSTS. **masa** · **pasta** · **puré** · **mezcla** || **grupo** · **equipo** · **sociedad** · **familia** || **gobierno** · **democracia** *Esperan que el referéndum ayude a consolidar la democracia en ese país* · **política** · **régimen** · **estado** · **poder** · **fuerza** || **estabilidad** · **ventaja** · **triunfo** *El equipo intenta ahora consolidar el triunfo obtenido en la primera ronda* · **resultado** · **victoria** || **recuperación** · **crecimiento** · **proceso** || **imagen** || **empresa** · **negocio** *Nuestro objetivo es consolidar el negocio en internet* · **actividad** · **sector** · **industria** · **mercado** || **liderazgo** · **liderato** · **posición** · **puesto** || **empleo** · **trabajo** || **trayectoria** · **tendencia** · **línea** || **amistad** · **noviazgo** · **relación** · **vínculo** || **bloque** · **alianza** · **unidad** · **fusión** || **idea** · **concepción** · **pensamiento** || **modelo** · **sistema** · **estructura** || **paz** || **proyecto** · **plan** · **objetivo**
• CON ADVS. **definitivamente** · **finalmente** · **plenamente** *consolidar plenamente una relación* · **completamente** · **totalmente** || **internamente** · **externamente** || **progresivamente** · **inmediatamente** · **rápidamente** || **oficialmente** · **internacionalmente**

con soltura loc.adv.

• CON VBOS. **desenvolverse** *Se desenvuelve con mucha soltura en el escenario* · **actuar** · **bailar** · **interpretar** · **ejecutar** || **mover(se)** · **caminar** || **llevar** · **manejar** *...hasta que maneje con soltura el nuevo programa informático* · **usar** · **utilizar** · **emplear** · **manipular** · **arrancar** · **maniobrar** · **conducir** || **abordar** · **entrar** || **pasar** · **cruzar** · **salvar** · **superar** || **resolver** *Resolvió el contratiempo con soltura* · **capear** · **dominar** || **competir** · **jugar** · **trabajar** || **hablar** · **conversar** · **relatar** · **narrar** || **leer** · **escribir** · **traducir** || **analizar** · **describir** · **explicar**

con sorpresa loc.adv.

• CON VBOS. **advertir** · **descubrir** · **enterar(se)** · **notar** · **comprobar** *Comprobé con sorpresa que las manchas habían desaparecido* · **constatar** || **contemplar** · **observar** · **ver** · **mirar** · **leer** · **escuchar** || **reaccionar** · **recibir**

☐ USO Se usa también la variante *con pasmo*.

conspiración s.f.

• CON ADJS. **oculta** *víctima de una conspiración oculta* · **oscura** · **tenebrosa** || **diabólica** · **pérfida** · **alevosa** · **aberrante** || **peligrosa** · **sangrienta** · **incruenta** || **de salón** · **armada** || **presunta** · **supuesta** *La supuesta conspiración se fraguó en el seno del partido* · **abierta** · **oportunista**
• CON SUSTS. **foco (de)** · **plan (de)** || **víctima (de)** || **cargo (de)** · **delito (de)**
• CON VBOS. **fraguar(se)** · **armar(se)** · **declarar(se)** · **consistir** || **fracasar** *La conspiración contra el presidente fracasó* || **tramar** · **urdir** · **tejer** · **maquinar** · **orquestar** · **montar** · **preparar** · **conjurar** · **incubar** || **dirigir** · **encabezar** · **liderar** · **impulsar** || **descubrir** · **destapar** · **desvelar** · **desentrañar** · **denunciar** · **encubrir** *acusado de encubrir una conspiración* || **deshacer** · **desmantelar** · **desmontar** · **desactivar** · **desarmar** · **desarticular** · **desbaratar** || **formar parte (de)** · **participar (en)** · **involucrar(se) (en)** *Los miembros del partido no se involucraron en la conspiración* || **acusar (de)**

constancia s.f.

■ [certeza]

• CON ADJS. **documental** · **expresa** *No tengo constancia expresa de su renuncia al cargo* · **escrita** · **gráfica** · **material** || **fehaciente** · **formal** · **objetiva** || **histórica** · **personal** || **necesaria**

• CON VBOS. **existir · quedar || dejar · adquirir · tener · haber** *No hay constancia de que el acusado estuviese en el lugar de los hechos*

▮ [empeño]

• CON ADJS. **extraordinaria · notable · admirable** *una deportista que hace gala de una constancia admirable* · **loable · meritoria · ejemplar || escasa · insuficiente || demostrada · probada**

• CON SUSTS. **premio (a) · reconocimiento (a) || testimonio (de)**

• CON VBOS. **flaquear · faltar(le) (a alguien) || tener · exigir || premiar · reconocer || admirar · valorar**

• CON PREPS. **con · a fuerza (de)** *Aprobó las oposiciones a fuerza de constancia*

constante

1 **constante** adj.

▮ [tenaz, perseverante]

• CON SUSTS. **estudiante · trabajador,-a · escritor,-a** *Al principio escribía a salto de mata, pero ahora es un escritor disciplinado y constante* · **equipo · gobierno** · ***otros individuos y grupos humanos***

▮ [permanente, continuo]

• CON SUSTS. **fuerza · presión · volumen · temperatura · humedad || nivel · grado · índice · valor · referencia || movimiento · velocidad · ritmo · oscilación · vaivén** *el vaivén constante del tren* · **traqueteo || cambio · transformación · evolución · desarrollo · renovación || subida · ascenso · aumento · crecimiento · avance · progreso · mejora** *la mejora constante de las instalaciones* · **repetición || bajada · descenso · disminución · reducción · retroceso · deterioro · empobrecimiento || actividad · trabajo · labor · dedicación · esfuerzo · empeño · afán** *un afán constante de superación* · **lucha · búsqueda || uso · empleo · consumo · gasto || comunicación · diálogo || atención · vigilancia** *Viven bajo la vigilancia constante de los guardaespaldas* · **cuidado || interés · deseo || sensación · preocupación · duda || queja · protesta · crítica · amonestación || amenaza · peligro || presencia** *No soportaba la presencia constante de periodistas en su puerta* **|| tendencia · dirección**

• CON VBOS. **mantenerse · permanecer** *La velocidad permanecía constante* · **volverse · hacerse**

2 **constante** s.f.

• CON ADJS. **sistemática · recurrente** *una constante recurrente entre los adolescentes* · **habitual · común || fundamental · esencial || vital** *Compruebe sus constantes vitales* · **gravitatoria · gravitacional || histórica · cultural · artística · creadora · pictórica · literaria · argumental · dialéctica · humana**

• CON VBOS. **repetir(se) · reiterar(se) · reproducir(se) || constituir · observar · mantener**

constar v.

• CON SUSTS. **declaración · testimonio · palabra || oposición** *Deseo que mi oposición al acuerdo conste por escrito* · **malestar · rechazo · desacuerdo · protesta || deseo · intención · propósito || consentimiento · opinión · agradecimiento** *Hizo constar su agradecimiento al personal sanitario* **|| dato · información · detalle · nombre · edad**

• CON ADVS. **en acta** *El abogado pidió que las palabras del testigo no constaran en acta* · **documentalmente · por escrito || fehacientemente · debidamente · detalladamente**

constatable adj.

• CON SUSTS. **hecho · realidad · verdad || información · afirmación** *una afirmación constatable estadísticamente*

consternación s.f.

• CON ADJS. **gran(de) · profunda** *Continuaba sumido en una profunda consternación* · **honda · absoluta · total · inmensa · plena · verdadera || creciente · general || silenciosa · callada**

• CON SUSTS. **ambiente (de) · clima (de) · ola (de) || grado (de) || testimonio (de) · prueba (de)**

• CON VBOS. **apoderarse (de alguien) · cundir · reinar || causar** *El atentado causó una gran consternación entre los ciudadanos* · **producir · provocar · sembrar · suscitar || atenuar · mitigar || sentir · expresar · hacer constar · manifestar · mostrar || sumir(se) (en)**

• CON PREPS. **con** *Comprobaron con consternación que era cierto* · **en medio (de) · ante**

consternado, da adj.

• CON ADVS. **profundamente** *Estamos profundamente consternados por la tragedia* · **tremendamente · enormemente · terriblemente || visiblemente**

constipado s.m.

• CON ADJS. **fuerte · simple** *No te preocupes, es un simple constipado* · **pequeño || crónico**

• CON SUSTS. **remedio (para) · medicación (contra) || síntoma (de)**

• CON VBOS. **tener · sufrir · padecer || írse(le) (a alguien) · pasárse(le) (a alguien) || coger** *Cogí un constipado muy fuerte y tuve que tomar antibióticos* · **pillar · cazar · agarrar · atrapar || superar · vencer || producir · causar · prevenir || curar(se) (de) · reponer(se) (de) · recuperarse (de)** *Todavía se está recuperando del último constipado*

constitución

1 **constitución** s.f.

▮ [ley]

• CON ADJS. **en vigor** *La Constitución actualmente en vigor no contempla aspectos como...* · **vigente || nacional · democrática || previsto,ta (en) · contenido,da (en)**

• CON SUSTS. **texto (de)** *Según el texto de la Constitución...* · **artículo (de) · cita (de) · norma (de) · mandato (de) || día (de) · aniversario (de)** *el primer aniversario de la Constitución de un país* **|| proyecto (de) · revisión (de) · reforma (de) || vigencia (de) || cauces (de) · elaboración (de) · firma (de) || cumplimiento (de)** *medidas que garantizan el cumplimiento de la Constitución* · **violación (de)**

• CON VBOS. **entrar en vigor || establecer · fijar · garantizar** *Es la Constitución la que garantiza el derecho a...* · **consagrar · otorgar · permitir · prever · prohibir || redactar || promulgar · aprobar · sancionar · negociar || reformar · modificar** *un programa electoral que incluye varias propuestas para modificar la Constitución* · **revisar || aceptar · suscribir · jurar · prometer · defender · rechazar || respetar · acatar · cumplir || boicotear · pisotear · defenestrar || contravenir · vulnerar · incumplir · conculcar · transgredir · violar · violentar || derogar · abolir || ajustar(se) (a) · atenerse (a)** *Hay que atenerse a la Constitución para reformar las leyes* · **apegarse (a)**

• CON PREPS. **con arreglo (a)**

2 **constitución (de)** s.f.

▮ [acción y efecto de constituir]

● CON SUSTS. **tribunal** *El primer paso será la constitución de un tribunal municipal para...* · **institución** · **partido** · **empresa** · **comité** · **asamblea** · ***otros organismos o instituciones*** || **monopolio** · **oligopolio** || **alianza** · **pacto** || **hipoteca** *la constitución de una hipoteca a un tipo de interés variable* · **préstamo** || **pensamiento** *Ese libro supuso la constitución de un nuevo pensamiento* · **conocimiento** · **idea**

constitucional adj.

● CON SUSTS. **texto** · **artículo** || **principio** · **fundamento** · **cimiento** || **ordenamiento** · **orden** · **marco** · **mandato** || **derecho** · **fuero** · **garantía** · **control** · **amparo** || **prohibición** · **límite** *Las propuestas no deben sobrepasar los límites constitucionales* || **ley** · **norma** · **disposición** · **precepto** || **acuerdo** · **pacto** · **consenso** || **procedimiento** · **vía** · **camino** · **trámite** || **reforma** · **enmienda** *plantear enmiendas constitucionales* · **cambio** || **régimen** · **estado** *Entre las características de un estado constitucional...* · **monarquía** · **presidente,ta** || **tribunal** · **comisión** || **período** · **plazo** || **rango** · **nivel**

● CON ADVS. **dudosamente** *una reforma dudosamente constitucional* || **indudablemente** · **a todas luces**

● CON VBOS. **declarar** · **considerar**

constitutivo, va adj.

● CON SUSTS. **elemento** *uno de los elementos constitutivos de la pared celular* · **parte** · **célula** · **factor** · **principio** || **organismo** · **estructura** || **asamblea** · **congreso** · **plenario** · **reunión** · **acto** · **sesión** || **tratado** · **acuerdo** · **convenio** || **documento** · **carta** · **acta** *Ayer firmaron el acta constitutiva de la institución* · **escritura**

constituyente adj.

● CON SUSTS. **asamblea** · **congreso** *La Constitución fue aprobada en el primer congreso constituyente* · **legislatura** · **reunión** · **sesión** · **cortes** · **referéndum** · **junta** · **comisión** · **pleno** · **cuerpo** || **poder** || **elección** · **debate** · **acto** || **diputado,da** · **parlamentario,ria** || **período** · **etapa** · **fase** || **norma** *una medida absurda que además desafía abiertamente la norma constituyente de este país* · **pacto**

[construcción] →construcción; de nueva construcción; en construcción

construcción s.f.

● CON ADJS. **faraónica** · **grandiosa** · **ciclópea** · **colosal** · **enorme** · **gran(de)** · **majestuosa** · **señorial** · **sencilla** || **sólida** · **firme** · **endeble** || **perfecta** · **rigurosa** · **elegante** *una construcción sencilla pero elegante* · **compleja** || **antigua** · **moderna** || **subterránea** · **naval** || **erguida** · **enhiesta** || **legal** · **ilegal** *Han denunciado la construcción ilegal de unos apartamentos en primera línea de playa* || **mental** · **filosófica** · **sintáctica** · **ideológica** · **argumentativa** · **imaginaria** || **escénica** · **dramática**

● CON SUSTS. **base (de)** · **cimientos (de)** || **proceso (de)** · **fase (de)** · **proyecto (de)** || **material (de)** || **licencia (de)** *No pueden continuar con la obra porque no tienen licencia de construcción* · **permiso (de)** || **solidez (de)** · **firmeza (de)** || **defecto (de)** · **error (de)** · **problema (de)**

● CON VBOS. **levantar(se)** · **alzar(se)** · **elevar(se)** · **erguir(se)** · **emerger** · **mantener(se) en pie** · **sostener(se)** || **tambalear(se)** *La construcción se tambaleó con el terremoto* · **desmoronar(se)** · **desplomar(se)** · **venirse abajo** *La construcción se vino abajo cuando empezaron las obras de remodelación* || **proyectar** · **planear** · **planificar** · **supervisar** *El arquitecto que supervisa la construcción...* || **aprobar** · **autorizar** · **ordenar** · **adjudicar** || **iniciar** · **cimentar** · **terminar** || **financiar** · **pagar** · **impulsar** · **potenciar** || **restaurar** || **derruir** · **derribar** · **volar**

● CON PREPS. **en** · **en vía(s) (de)**

constructivo, va adj.

● CON SUSTS. **técnica** · **procedimiento** · **sistema** · **modelo** · **proceso** · **estilo** · **detalle** || **trabajo** · **tarea** · **labor** || **crítica** *La crítica constructiva siempre ayuda a mejorar un trabajo* · **opinión** · **oposición** · **alternativa** · **censura** · **voto** || **actitud** · **papel** · **ánimo** · **espíritu** · **talante** · **política** || **proyecto** · **iniciativa** · **plan** · **proposición** · **propósito** · **idea** · **planteamiento** || **diálogo** · **debate** · **discusión** · **conversación** · **comentario** · **discurso** · **mensaje** · **declaración** · **palabra** · ***otras manifestaciones verbales*** || **atmósfera** · **clima** *Esperemos que este clima constructivo se mantenga a lo largo de toda la negociación* · **ambiente** || **solución** · **salida** · **decisión**

constructor, -a

1 **constructor, -a** adj.

● CON SUSTS. **empresa** · **grupo** *El grupo constructor anunció grandes inversiones en la región* · **compañía** · **sociedad** · **entidad** · **firma** · **sector** · **gremio** || **máquina** · **planta** || **ingeniero,ra** || **actividad** · **trabajo**

2 **constructor, -a** s.

● CON ADJS. **principal** · **importante** *Los trabajos han sido adjudicados a una importante constructora* · **conocido,da** || **gran** · **pequeño,ña** · **poderoso,sa** · **experimentado,da** || **público,ca** · **privado,da** *¿La obra estará a cargo de un constructor público o privado?* · **internacional**

● CON VBOS. **planear (algo)** · **edificar (algo)** *Parece que es este constructor el que va a edificar el nuevo bloque de viviendas* || **contratar** · **buscar** · **necesitar**

construir v.

● CON SUSTS. **vivienda** *El Ayuntamiento cedió suelo para construir viviendas* · **auditorio** · **casa** · ***otros edificios*** || **carretera** · **pantano** · ***otras obras de ingeniería*** || **frase** · **oración** · **sintagma** · **texto** · **discurso** || **novela** · **película** · **obra** || **teoría** · **hipótesis** · **visión** || **país** · **sociedad** · **mundo** *Entre todos construiremos un mundo mejor* · **futuro** · **democracia** · **paz**

● CON ADVS. **con base(s) firme(s)** · **sólidamente** · **en falso** || **a medias** · **a trancas y barrancas** *A duras penas, logró construir, a trancas y barrancas, un discurso mínimamente interesante* || **gradualmente** · **progresivamente** · **paulatinamente** · **rápidamente** · **a marchas forzadas** · **a destajo** || **de cero** *Hubo que construir de cero la ciudad después del terremoto* · **desde cero** · **desde el principio** || **mano a mano** || **por completo** · **por entero**

[consuelo] →consuelo; sin consuelo

consuelo s.m.

● CON ADJS. **enorme** · **gran(de)** · **mayor** *Su hijo pequeño es su mayor consuelo en estos momentos* · **franco** || **pequeño** · **pobre** · **flaco** · **escaso** · **ligero** || **momentáneo** · **fugaz** · **temporal** · **eterno** || **dulce** · **reconfortante** · **tibio** || **mutuo** || **imposible** || **único** *Mi único consuelo es que hemos perdido dignamente* || **espiritual** · **personal** · **íntimo** · **psicológico** · **humano**

● CON SUSTS. **palabra (de)** · **gesto (de)** · **muestra (de)** || **premio (de)**

● CON VBOS. **quedar(le) (a alguien)** *Nos queda el consuelo de poder presentarnos el año que viene* || **buscar (en algo/en alguien)** · **necesitar** || **proporcionar (a alguien)** · **brindar (a alguien)** · **prestar (a alguien)** · **ofrecer**

(a alguien) · dar (a alguien) · llevar (a alguien) · traer (a alguien) · transmitir || recibir · obtener · encontrar (en algo/en alguien) · sentir || servir (de/como) · llenar (de)
• CON PREPS. **sin** *llorar sin consuelo* · **a modo (de)** · **en busca (de)**

consuetudinario, ria adj.

• CON SUSTS. **derecho · norma · práctica**

consulta s.f.

• CON ADJS. **popular · ciudadana** *someter la Constitución a la consulta ciudadana* || **atinada · oportuna || inoportuna · engorrosa || obligada · inexcusable · previa || telefónica** *hacer una consulta telefónica a un abogado* · **a domicilio || médica · electoral · bibliográfica**
• CON SUSTS. **libro (de)** *Un diccionario es un libro de consulta* · **manual (de) · obra (de) · material (de) || teléfono (de) · servicio (de) · foro (de) · centro (de) · sección (de) · sala (de) || objeto (de) · mecanismo (de) · instrumento (de) · sistema (de) · procedimiento (de) || respuesta (a) || ronda (de)** *La portavoz reanudará la ronda de consultas con los dirigentes de...* · **proceso (de) · gabinete (de) · órgano (de)**
• CON VBOS. **hacer** *Quiero hacerte una consulta* · **realizar · formular · plantear · efectuar · llevar a cabo · elevar || atender · contestar · evacuar · pasar** *Este médico pasa consulta dos veces a la semana* || **someter(se) (a)**

consultar v.

• CON SUSTS. **libro · obra** *Puede consultar las obras de referencia y manuales citados en la bibliografía* · **diccionario · enciclopedia · manual · estudio · texto · documento · boletín · registro · diario || biblioteca · hemeroteca · archivo || fuente · dato · información || duda || médico,ca · abogado,da · encargado,da** *Consulté al encargado si podía devolver el regalo* · **testigo · amigo,ga · familia** · ***otros individuos y grupos humanos*** || **reloj · hora · fecha**
• CON ADVS. **previamente** *Había consultado previamente a otro especialista* · **anteriormente · directamente || obligadamente · indispensablemente · necesariamente**

consumado, da adj.

• CON SUSTS. **escritor,-a** *El jurado está formado por escritores consumados* · **bailarín,-a · abogado,da** · ***otros profesionales*** || **técnica · habilidad · destreza · maestría · pericia · arte · oficio · profesionalidad**

consumición s.f.

• CON ADJS. **gratuita** *Dan una segunda consumición gratuita*
• CON SUSTS. **entrada (con) · suplemento (de/en)**
• CON VBOS. **pagar · regalar** *Regalamos a nuestros clientes una consumición gratuita* · **dar · ofrecer · pedir || invitar (a)**

consumidor, -a

1 consumidor, -a adj.

• CON SUSTS. **público · país · mercado · capitalismo · grupo · industria**

2 consumidor, -a s.

• CON ADJS. **final** *...hasta que el producto llega al consumidor final* · **particular · nacional · local · familiar · doméstico,ca · pasivo,va · urbano,na · mundial || habitual · leal · potencial · eventual · principal** *Los adolescentes son sus principales consumidores* · **medio,dia · privado,da || exigente · voraz · insaciable · ávido,da · codicioso,sa || de televisión · de droga · de música · de información**
• CON SUSTS. **organización (de) · asociación (de)** *Puedes presentar la reclamación en la asociación de consumidores* || **derecho (de) · protección (de) || necesidad (de) · interés (de)** *En esa asociación se dedican a defender los intereses de los consumidores*
• CON VBOS. **demandar (algo) · comprar (algo) · adquirir (algo) · pagar (algo) · solicitar (algo) · exigir (algo) · elegir (algo) · denunciar (algo) || fidelizar** *regalos para fidelizar a los consumidores eventuales* · **cautivar · persuadir · atraer · convencer · captar · ganar · obligar · engañar · explotar · someter · bombardear || proteger** *una normativa que protege al consumidor* · **defender · satisfacer · beneficiar · informar · agasajar · servir**
• CON PREPS. **a gusto (de)** *productos a gusto del consumidor* || **en defensa (de)**

[consumir] → consumir; consumirse (de)

consumir v.

• CON ADVS. **compulsivamente · con fruición · ávidamente · vorazmente · abusivamente · rápidamente || en {grandes/pequeñas} cantidades** *El médico me sugirió que no consumiera dulces en grandes cantidades* · **como rosquillas || por completo**

consumirse (de) v.

• CON SUSTS. **celos · envidia || odio · rabia || impaciencia** *Se consumía de impaciencia ante la falta de noticias* · **inquietud · angustia · preocupación || pena · tristeza**

consumismo s.m.

• CON ADJS. **feroz · desaforado · desmedido** *actividades escolares para educar contra el consumismo desmedido* · **desmesurado · exacerbado · incontrolado · compulsivo || enajenante**
• CON SUSTS. **exceso (de) · frenesí (de) · afán (de) || sociedad (de)**
• CON VBOS. **fomentar** *la publicidad fomenta el consumismo* || **practicar || frenar · reducir || incitar (a) · empujar (a) || sucumbir (a)**

consumo s.m.

• CON ADJS. **abusivo** *el consumo abusivo de azúcares* · **desaforado · desbordante · desenfrenado · desmedido · desmesurado · exacerbado · exagerado · excesivo · voraz · frenético · compulsivo · indiscriminado || creciente · acusado · alto · amplio · boyante · elevado · sistemático || moderado · básico · bajo || masivo · minoritario || humano · doméstico** *Se está tratando de reducir el consumo doméstico de electricidad* · **interno || energético · alimentario || navideño**
• CON SUSTS. **artículo (de) · bienes (de)** *los precios de los principales bienes de consumo* · **producto (de) · mercado (de) || capacidad (de) · índice (de) · nivel (de) · centro (de) || sociedad (de) || hábitos (de)** *analizar los hábitos de consumo de los jóvenes* · **patrón (de) || literatura (de)**
• CON VBOS. **registrar(se) · darse || incrementar(se) · repuntar || disminuir · descender · decrecer · decaer · apagar(se) || generar || aumentar** *Se recomienda aumentar el consumo de frutas y verduras* · **rebajar || fomentar** *medidas encaminadas a fomentar el consumo de energía solar* · **incentivar || penalizar · despenalizar · homologar || satisfacer || inducir (a) · incitar (a) · empujar (a) || abusar (de)** *abusar del consumo de alcohol* || **destinar (a) || afectar (a)**

contabilidad s.f.

• CON SUSTS. **empresa (de) · departamento (de)**
• CON VBOS. **llevar** *llevar la contabilidad de una empresa* **|| poner al día · tener al día || encargar(se) (de)**

contabilizar v.

• CON SUSTS. **votos · papeletas || casos · accidentes || muertos,tas · heridos,das · fallecidos,das · cadáveres · víctimas** *Aún no se ha terminado de contabilizar las víctimas del terremoto* **· personas · población || títulos · trofeos || avance · aumento · resultado || factura · endeudamiento · déficit · deuda · ingreso · gasto** *No te olvides de contabilizar los gastos relacionados con los servicios bancarios* **· beneficio · plusvalías · ganancia · patrimonio · pérdida**

contable

1 **contable** adj.

• CON SUSTS. **empresa · despacho · control · regulación · auditoría** *hacer una auditoría contable* **|| ajuste · truco · maniobra · artificio · encubrimiento · fraude · delito · agujero · pérdida · error || asiento · capital · operación · declaración** *Han detectado irregularidades en la declaración contable* **· documento · apunte || plan** *Todavía no se ha presentado el nuevo plan general contable* **· estatuto · normativa · base · valor · balance || sustantivo · nombre**

2 **contable** s.com.

• CON ADJS. **experto,ta · inexperto,ta · eficaz · honesto,ta**
• CON SUSTS. **puesto (de)**
• CON VBOS. **buscar · necesitar · contratar** *Hemos contratado a un contable nuevo* **|| trabajar (como/de)**

contactar v.

• CON ADVS. **directamente · indirectamente · personalmente** *Sería conveniente contactar personalmente con el propietario del local para...* **· individualmente || telefónicamente · por fax · por correo · mentalmente · telepáticamente || infructuosamente · sin éxito || secretamente · públicamente · privadamente || inmediatamente · urgentemente · rápidamente · instantáneamente · al momento || frecuentemente · regularmente · diariamente** *Han ordenado contactar diariamente con el puesto de observación* **· próximamente · recientemente || realmente · verdaderamente**

☐ USO Se construye con complementos encabezados por la preposición *con*: *contactar con alguien.*

contacto s.m.

• CON ADJS. **estrecho · íntimo · intenso · caluroso || permanente** *trabajar en contacto permanente* **· asiduo · continuado · continuo · habitual · frecuente || escaso · ocasional · esporádico · preliminar · primer(o) || directo** *estar en contacto directo con el jefe* **· cara a cara · bilateral · personal · visual · telefónico** *entablar contacto telefónico con el corresponsal* **· indirecto || furtivo · informal · oficial || fecundo · provechoso · infructuoso || comercial · carnal · sexual**
• CON SUSTS. **punto (de) · red (de) · serie (de) · toma (de)** *toma de contacto con la situación* **|| lente (de)**
• CON VBOS. **tomar · establecer** *establecer contacto con la unidad móvil* **· entablar · trabar · hacer · realizar · tener · haber · mantener · estrechar · intensificar · prodigar · retomar || facilitar · desbloquear || evitar · perder · romper · cortar · interrumpir || poner(se) (en) · entrar (en)**

con tacto loc.adv.

• CON VBOS. **actuar** *Es preciso actuar con tacto en un asunto tan delicado* **· maniobrar · mover(se) · avanzar · aproximarse · intervenir || conducir · manejar · administrar · introducir || hablar · decir** *Hay que decírselo con tacto para que no se moleste* **· negociar · convencer || tratar · cuidar || plantear · abordar**

[contado] →al contado

contador s.m.

• CON ADJS. **de gas · de agua · de teléfono**
• CON VBOS. **registrar (el consumo) || poner · instalar · quitar · leer** *Cada dos meses vienen a leer el contador del gas* **|| trucar · parar · detener · manipular**

contagiar v.

• CON SUSTS. **infección · gripe · conjuntivitis** *El niño ha contagiado la conjuntivitis a su hermana* **· sarampión · *otras enfermedades* || alegría · ilusión** *contagia ilusión y optimismo a los que trabajan con él* **· optimismo · felicidad · desesperación · entusiasmo · euforia · nostalgia · pasión · pena · tristeza · *otros sentimientos o emociones* || ritmo · energía · fuerza || idea · ideología || atmósfera || vicio · hábito · costumbre**

contagioso, sa adj.

• CON SUSTS. **gripe · afección · infección · fiebre · hepatitis · *otras enfermedades* || bacteria · virus || alegría** *Su alegría es contagiosa* **· tristeza · ilusión · desasosiego · amor · odio · *otros sentimientos o emociones* || simpatía · desparpajo · entusiasmo** *Pone en todo lo que hace un entusiasmo contagioso* **· vitalidad · arrogancia || risa · sonrisa · carcajada · bostezo · salto de alegría · hilaridad || ritmo** *...cientos de seguidores movidos por el ritmo contagioso pero ramplón de la música electoral* **· melodía · canción · música · compás · estribillo · pop · rap || sueño · fantasía · imaginación · deseo || vicio** *una costumbre que, en la antigüedad, era considerada un vicio contagioso* **· adicción || aspecto · estética · imagen · estilo · elegancia || idea**
• CON ADVS. **extremadamente · terriblemente · altamente · enormemente · increíblemente · absolutamente · sumamente · tremendamente · gravemente**
• CON VBOS. **volverse · hacerse**

contaminación s.f.

• CON ADJS. **atmosférica · ambiental · medioambiental · urbana || industrial · química · radiactiva || lumínica · acústica** *controlar la contaminación acústica de las grandes ciudades* **· sonora || alta · aguda · grave · densa · masiva · persistente || baja**
• CON SUSTS. **índice (de) · nivel (de) · grado (de) · control (de) || fuente (de) · foco (de)** *La basura no recogida es un verdadero foco de contaminación* **· factor (de) || riesgo (de) · peligro (de) · problema (de)**
• CON VBOS. **aumentar · extender(se) · crecer || disminuir · disipar(se)** *Tras las abundantes lluvias, la contaminación se disipó* **|| provocar || detectar · medir || combatir · paliar · atajar · evitar || luchar (contra)**

contaminante

1 **contaminante** adj.

• CON SUSTS. **sustancia · material · gas · producto · agente · energía · agua · aceite · líquido || elemento · partícula · componente || emisión** *un combustible de baja emisión contaminante* **· escape · descarga · derrame · vertido || empresa · industria · actividad · país || residuo** *Los multaron por verter residuos contaminantes al río* **· de-**

secho || vehículo · automóvil · transporte · tráfico || ruido · lodo · nube · mancha || efecto · impacto || foco
• CON ADVS. **altamente || potencialmente · supuestamente**

2 **contaminante** s.m.

• CON ADJS. **atmosférico · orgánico · ambiental · plástico · alimentario · industrial** *un peligroso contaminante industrial* · **urbano || dañino · tóxico · peligroso · ligero · severo || principal · primario**
• CON SUSTS. **nivel (de)**
• CON VBOS. **dañar (algo/a alguien) · perjudicar (algo/a alguien) || proliferar || eliminar · reducir || contener** *El agua de algunas zonas contenía contaminantes* · **arrastrar || emitir · producir · generar · arrojar · verter || detectar · extraer · analizar**

contante y sonante loc.adj.

• CON SUSTS. **dinero**

contar v.

▮ [numerar]

• CON ADVS. **uno a uno · uno por uno · ordenadamente · en orden · escrupulosamente || a ojo || por lo bajo** *Contando por lo bajo, calculo que habrá unos diez mil*

▮ [narrar]

• CON SUSTS. **historia** *Cuéntame la historia de cuando os conocisteis* · **cuento · anécdota · chiste · leyenda · película · viaje · peripecia · hazaña || verdad · mentira || llegada · preparación ·** ***otros eventos***
• CON ADVS. **con pelos y señales · con todo lujo de detalles · ce por be · detalladamente** *Me contó detalladamente toda la operación* · **detenidamente || por encima · someramente · sin entrar en detalles · a grandes rasgos · a grandes trazos · a medias · de pasada || a los cuatro vientos · abiertamente · sin tapujos** *Todo lo que pensaba me lo contó sin tapujos* · **entre líneas || de viva voz · verbalmente || convincentemente · elocuentemente · gráficamente · magistralmente || atropelladamente · de un tirón || de primera mano · de oídas**

[contemplación] → sin contemplaciones

contemplar v.

▮ [observar]

• CON ADVS. **de cerca** *Durante el viaje pude contemplar de cerca algunas maravillas del arte* · **de lejos · a lo lejos · remotamente || atentamente · de arriba abajo || plácidamente · reposadamente · tranquilamente**

▮ [considerar]

• CON SUSTS. **posibilidad** *Estamos contemplando detenidamente la posibilidad de ampliar el negocio* · **opción · solución · idea**
• CON ADVS. **detenidamente · con interés || esperanzadamente**

contemplativo, va adj.

• CON SUSTS. **vida · actitud || oración**

contención

1 **contención** s.f.

• CON ADJS. **fuerte** *El crecimiento se logró gracias a una fuerte contención del gasto público* **|| posible · clásica · formal || salarial · presupuestaria || expresiva · verbal · física || militar · política · social || nuclear || vial**
• CON SUSTS. **muro (de) · dique (de) · edificio (de) · barrera (de) · línea (de) · sistema (de) || medida (de) · elemento (de)** *El muro sirve como elemento de contención* · **arma (de) · volante (de) || capacidad (de) · esfuerzo (de) || política (de) · plan (de) · táctica (de) || campaña (de)**
• CON VBOS. **permitir · garantizar · asegurar · favorecer || afrontar · imponer · provocar || lograr · conseguir · alcanzar** *La medida sirvió para alcanzar la contención presupuestaria* **|| intensificar · fortalecer || aprovechar || aspirar (a) || fracasar (en)**
• CON PREPS. **con** *hablar con contención* · **sin**

2 **contención (de)** s.f.

• CON SUSTS. **gasto · déficit · presupuesto · precio · inflación** *La contención de la inflación y del déficit ha generado cierto crecimiento económico* · **coste || paro · crecimiento · producción || rival · equipo || agua · energía || ira · odio · impulso · deseo · ansia**

contencioso s.m.

• CON ADJS. **administrativo · judicial · comercial || antiguo · histórico** *un contencioso histórico por unos terrenos* · **reñido · bilateral**
• CON SUSTS. **solución (de)** *nuevas propuestas para facilitar la solución del contencioso* · **resolución (de) · desenlace (de)**
• CON VBOS. **suscitar · entablar · librar** *Estas dos empresas han librado un contencioso por una patente* · **presentar · mantener · sostener || desbloquear · resolver · solucionar · dirimir · zanjar || ganar · perder || enzarzar(se) (en) · meter(se) (en) || interceder (en)**

contenedor

1 **contenedor** s.m.

• CON ADJS. **hermético** *Solo se puede transportar en contenedores herméticos* **|| industrial**
• CON VBOS. **llenar · vaciar · cargar || abrir · cerrar || instalar** *Han instalado un contenedor de envases en la esquina* · **poner · colocar || volcar || arrojar (a) · tirar (a)**

2 **contenedor (de)** s.m.

• CON SUSTS. **basura · papel · vidrio** *¿Sabes dónde está el contenedor de vidrio más cercano?* · **pilas · ropa · escombros · recogida · residuos · envases**

contener v.

▮ [detener, reprimir]

• CON SUSTS. **avalancha · marea · riada · desbordamiento || ejército · muchedumbre || invasión · ataque · incursión || respiración · aliento || risa · llanto · lágrimas || impulso · gana** *No pudo contener las ganas de llorar* · **deseo || emoción · ánimos · pasión · alegría · rabia · ira · odio**
• CON ADVS. **a duras penas**

contento, ta adj.

• CON ADVS. **como unas castañuelas · sumamente || visiblemente** *Salió de la reunión visiblemente contenta* · **manifiestamente**
• CON VBOS. **estar · poner(se)** *Los niños se ponen muy contentos cuando vienes a casa* · **quedar(se) · mantener(se) · mostrarse**

contestación s.f.

▮ [respuesta (a una pregunta)]

• CON ADJS. **rotunda · taxativa · contundente · categórica · firme · decidida · fuerte · seria · seca · radical || concluyente · definitiva** *Necesito una contestación definitiva cuanto antes* · **urgente · inmediata || clara · ine-**

quívoca || confusa · ambigua · oscura · titubeante || falsa || fácil · difícil || lógica · coherente · convincente || impertinente · desafortunada · torpe · estridente || amable · cordial || oportuna · necesaria · innecesaria || breve *dar una contestación breve a una pregunta* · escueta || extensa · gran(de) || oficial · política || pendiente (de)
● CON SUSTS. discurso (de) · escrito (de) || falta (de) · plazo (de) *El plazo de contestación está a punto de finalizar* || sistema (de) · vía (de)
● CON VBOS. dar (a algo/a alguien) · ofrecer · enviar *Lo más rápido será enviar la contestación por correo electrónico* · formular || eludir · esquivar · rehuir || pedir · esperar || obtener · recibir · encontrar || merecer · admitir · tener || someter (a)

▌[oposición]
● CON ADJS. mayoritaria · minoritaria || creciente || social · popular · ciudadana *La contestación ciudadana ante los atentados fue un ejemplo de civismo* · democrática · estudiantil · juvenil · sindical · interna
● CON SUSTS. movimiento (de) · gesto (de) · signo (de) || fenómeno (de) *...una propuesta de ley que dio origen a un fuerte fenómeno de contestación social* || clima (de)
● CON VBOS. liderar · impulsar || animar · apoyar · promover · provocar · levantar · reavivar || rechazar · reprimir · evitar

contestador s.m.
● CON ADJS. automático *dejar un mensaje en el contestador automático* · telefónico
● CON SUSTS. voz (de) · mensaje (de) · servicio (de) || número (de)
● CON VBOS. saltar *Mi contestador salta tan pronto que no me da tiempo a coger el teléfono* · hablar (a alguien) *Le habla el contestador automático del número...* || funcionar · averiar(se) · estropear(se) || conectar · desconectar · activar || escuchar || dejar un mensaje (en) · grabar (en)

contestar v.
▌[responder]
● CON SUSTS. pregunta *Dejó sin contestar mi pregunta* · cuestión · encuesta · ruego || carta *¿Por qué no contestaste ninguna de mis cartas?* · llamada · mensaje
● CON ADVS. afirmativamente · negativamente *Contestó negativamente a mi petición* || abiertamente · con franqueza · lisa y llanamente · crudamente · con rodeos · sin rodeos || rotundamente · con rotundidad · categóricamente · tajantemente · concluyentemente · enérgicamente || amablemente *El actor contestó amablemente a los periodistas* · atentamente · cortésmente · diplomáticamente *Contesta siempre, pero demasiado diplomáticamente* || con cajas destempladas · airadamente · groseramente · violentamente · descaradamente · maliciosamente · desdeñosamente · secamente *El subsecretario contestó secamente y se fue* · fríamente · fulminantemente || con dureza · duramente · con firmeza || a bote pronto · en frío · a la ligera · sin ton ni son || puntualmente · religiosamente *Contestaba religiosamente a mis tarjetas de felicitación desde hace años* || pormenorizadamente · punto por punto · elocuentemente · profusamente · lacónicamente · por encima · superficialmente · dando un rodeo · sin entrar en detalles || correctamente *Creo que contesté correctamente todas las preguntas del examen* · atinadamente · coherentemente · incoherentemente || verbalmente · por escrito · oficialmente || a coro *Los alumnos contestaron a coro* · al unísono · en masa

contexto s.m.
● CON ADJS. histórico *situar un acontecimiento en el contexto histórico* · geográfico · social · político · democrático · económico · laboral · familiar · cultural · artístico · literario · sintáctico || delimitado · acotado · ajustado · ceñido · reducido · restringido · restrictivo · cerrado · hermético || apropiado · favorable *el contexto favorable para la recuperación de la economía* || actual · presente · inmediato || general · global · amplio || especial · particular · determinado || internacional · mundial · nacional · occidental || inserto,ta (en)
● CON VBOS. acotar · delimitar · precisar || sobrepasar · trascender || estudiar · conocer || crear · perder || sacar (de) *Una expresión así no se puede sacar de contexto* || situar (en) · enmarcar (en) · ubicar(se) (en) · encuadrar (en) · insertar(se) (en) · inscribir(se) (en) · integrar(se) (en) · encerrar (en) · encasillar (en) · circunscribir(se) (a) · limitar(se) (a) · ceñir(se) (a) || aplicar (a)
● CON PREPS. en *en contextos laborales* · dentro (de) · fuera (de)

contextualizar v.
● CON SUSTS. película · libro · cuadro · *otras obras* || texto · relato · versos · fragmento · historia || declaración *unas declaraciones polémicas que deben ser debidamente contextualizadas* · manifestación · discurso || dato · información · cifra || asunto · hecho · situación · acontecimiento · suceso · caso · fenómeno · hallazgo || recuerdo · idea · pensamiento *contextualizar el pensamiento del autor desde una perspectiva filosófica* || conflicto · problema · protesta · rechazo || vida · entorno
● CON ADVS. correctamente · perfectamente · adecuadamente · suficientemente || brevemente || históricamente · geográficamente · políticamente · económicamente · conceptualmente · cronológicamente

contienda s.f.
● CON ADJS. bélica · política · electoral *El mitin marcó el inicio de la contienda electoral* · presidencial · democrática · legislativa · civil · deportiva · verbal || apretada · reñida · encarnizada · a cara de perro · ardua · cerrada || interna · intestina *contiendas intestinas en el seno del partido* || plena · inmerso,sa (en)
● CON VBOS. estallar · desencadenar(se) · iniciar(se) · surgir · culminar · terminar(se) · decidir(se) || librar · entablar · abandonar || provocar · atizar *La discusión sobre la herencia atizó aún más la contienda familiar* || evitar · presenciar || dirimir · resolver · solventar · superar · zanjar || ganar · perder || participar (en) · intervenir (en) · entrar (en) · enfrascarse (en) · enredarse (en) || retirar(se) (de) *Poco después el opositor se retiró de la contienda* || triunfar (en)
● CON PREPS. en medio (de) · en · durante · a lo largo (de)

contingencia s.f.
● CON ADJS. futura *una herramienta que permite anticiparse a futuras contingencias* · eventual · temporal || imprevista · previsible || ambiental · climática || terrible · dolorosa · desafortunada · horrible
● CON SUSTS. plan (de) · medida (de) · política (de) || gabinete (de) · comité (de) || previsión (de)
● CON VBOS. ocurrir · aparecer · surgir || superar · cubrir · afrontar · hacer frente · solventar || sufrir *Todos estamos expuestos a sufrir alguna contingencia* || prever · prevenir || anticiparse (a)

contingente s.m.

- CON ADJS. **militar** *Ayer partió el primer contingente militar hacia la zona de la catástrofe* · **de soldados** · **de tropas** · **policial** · **armado** || **expedicionario** · **bélico** · **invasor** · **pacificador** · **fuerte** || **internacional** || **numeroso** · **gran(de)** · **menguado** · **pequeño** || **humano** · **voluntario**
- CON SUSTS. **portavoz (de)** · **miembro (de)**
- CON VBOS. **atacar** · **bloquear** || **viajar** || **participar** || **formar** · **integrar** || **reforzar** · **incrementar** · **disminuir** || **mandar** *El Gobierno decidió mandar un segundo contingente de tropas a...* · **destinar** · **retirar** || **agrupar** · **desplegar** · **reunir** || **dirigir** · **encabezar** || **acoger** · **recibir** || **formar parte (de)**

continuidad s.f.

- CON ADJS. **duradera** · **temporal** · **histórica** || **clara** · **fuerte**
- CON SUSTS. **solución (de)** *Lo más sencillo es optar por una solución de continuidad* || **línea (de)** · **grado (de)**
- CON VBOS. **dar (a algo)** · **tener** || **mantener** · **interrumpir** || **augurar** || **garantizar** *garantizar la continuidad en un cargo* · **asegurar** · **favorecer** · **buscar** · **lograr** || **faltar** · **romper**
- CON PREPS. **a favor (de)**

continuo, nua adj.

- CON SUSTS. **sonido** · **ruido** || **evolución** · **proceso** || **cambio** *un proceso sometido a continuos cambios* · **transformación** · **alteración** || **línea** · **trayectoria** · **movimiento** · **corriente** · **tendencia** || **espacio** · **tiempo** || **presencia** *Los vecinos ya están acostumbrados a la presencia continua de la Policía* · **vigilancia** · **intervención** || **comunicación** · **conexión** · **relación** || **referencia** · **alusión** · **repetición** || **formación** *programas de formación continua* · **evaluación** || **esfuerzo** · **trabajo** · **labor** · **creación** · **ejercicio** · **investigación** · **reflexión** || **exigencia** · **queja** · **protesta** || **angustia** · **preocupación** · **inquietud** · **malestar** · **dolor** · **molestia** || **dependencia** · **supeditación**

con toda {mi/tu/su...} alma loc.adv.

- CON VBOS. **querer** *No lo puedo negar, la quiero con toda mi alma* · **amar** · **desear** || **odiar** · **detestar** || **oponerse** · **apoyar** || **dedicar(se) (a algo)** · **entregar(se) (a algo)**

☐ USO Se utiliza también la variante *con toda el alma.*

con todas {mis/tus/sus...} fuerzas loc.adv.

- CON VBOS. **sujetar** · **agarrar** · **apretar** *Debe apretar el torniquete con todas sus fuerzas* || **gritar** · **llamar** || **golpear** · **atizar** · **aplaudir** *El público aplaudía con todas sus fuerzas* || **correr** · **empujar** · **lanzar** || **luchar** · **pelear** · **combatir** || **intentar** · **procurar** · **tratar** || **desear** · **amar** · **querer** || **oponerse** · **detestar** · **condenar** · **apoyar** || **trabajar** *Trabajaba con todas sus fuerzas en el desarrollo de la fundación* · **colaborar** · **cooperar** || **pedir** · **requerir**

con todo lujo de detalles loc.adv.

- CON VBOS. **contar** · **explicar** · **describir** · **narrar** · **relatar** · **reseñar** · **exponer** *El médico le expuso con todo lujo de detalles los efectos del tratamiento* · **especificar** · **anunciar** · **informar** · **referir** · **aclarar** · **pregonar** || **desvelar** · **mostrar** · **editar** · **acreditar** · **reconocer** || **filmar** · **fotografiar** · **diseñar** · **dibujar** · **representar** · **transmitir** || **enterarse** · **conocer** · **recordar** *Recuerdo ese día con todo lujo de detalles* · **ver** · **mirar** · **asistir** · **apreciar** || **organizar** · **preparar**

☐ USO Se usa también la variante *con lujo de detalles.*

contonearse v.

- CON SUSTS. ***persona*** || **cuerpo** · **cadera** · **cintura**
- CON ADVS. **al son (de algo)** · **al ritmo (de algo)** || **frenéticamente** *El bailarín contoneaba su cuerpo en el escenario frenéticamente* · **levemente** · **ligeramente** || **sin recato** · **sin tapujos** || **armoniosamente** · **con garbo** || **distraídamente** · **conscientemente** || **provocativamente** · **voluptuosamente** · **sensualmente**

contorno s.m.

- CON ADJS. **nítido** · **preciso** · **exacto** || **borroso** *un dibujo de contornos borrosos* · **difuso** · **impreciso** · **incierto** · **vago** · **ambiguo** · **pálido** || **suave** · **irregular** || **geométrico** · **gráfico** || **histórico** · **biográfico** · **social** · **político** || **urbano**
- CON SUSTS. **dibujo (de)** · **mapa (de)** *un mapa del contorno de la ciudad*
- CON VBOS. **perfilar(se)** · **proyectar(se)** || **desdibujar(se)** · **difuminar(se)** · **borrar(se)** · **diluir(se)** · **desaparecer** || **dibujar** · **delinear** · **trazar** · **definir** · **marcar** || **seguir** · **recorrer** · **bordear** || **adquirir** || **salir(se) (de)** *Intenta colorearlo sin salirte de los contornos*
- CON PREPS. **dentro (de)** · **fuera (de)** · **a lo largo (de)**

[contra]

→ a la contra; contra reembolso; contra reloj; contra viento y marea; en contra

contraataque s.m.

- CON ADJS. **certero** · **rápido** · **veloz** *El equipo sorprendió con un veloz contraataque* · **duro** · **agresivo** · **fuerte** · **terrible** · **mortífero** · **violento** · **peligroso**
- CON SUSTS. **jugada (de)** *la mejor jugada de contraataque del partido* · **estrategia (de)** · **esquema (de)** · **momento (de)**
- CON VBOS. **realizar** · **lanzar** *Cuando las tropas se reorganizaron, lanzaron un durísimo contraataque* · **intentar** · **iniciar** · **empezar** · **emprender** · **terminar** · **concluir** || **planear** · **organizar** || **lograr** · **aprovechar** · **desperdiciar** || **truncar** · **bloquear** *En su afán de bloquear el contraataque del jugador contrario* || **jugar (a)** · **pasar (a)** · **renunciar (a)**

contrabajo s.m. Véase **INSTRUMENTO MUSICAL**

contrabandista s.com.

- CON ADJS. **profesional** || **presunto,ta** · **supuesto,ta**
- CON SUSTS. **banda (de)** · **organización (de)** *el cabecilla de una organización de contrabandistas* · **red (de)** · **grupo (de)**
- CON VBOS. **introducir (algo)** || **defraudar** · **falsificar** || **detener** · **capturar** *La Policía capturó a uno de los contrabandistas* · **atrapar** · **procesar** || **perseguir** · **buscar** · **interceptar** || **colaborar (con)** · **negociar (con)** || **acusar (de)**

contrabando

1 contrabando s.m.

- CON ADJS. **ilegal** · **presunto** || **intenso** · **continuo**
- CON SUSTS. **red (de)** · **ruta (de)** || **delito (de)** · **operación (de)** · **maniobra (de)** · **trama (de)** || **negocio (de)** · **actividad (de)** || **mercancía (de)**
- CON VBOS. **hacer** || **controlar** · **investigar** · **perseguir** || **combatir** · **eliminar** || **evitar** · **bloquear** · **frenar** · **atajar** || **tolerar** || **hacer la vista gorda (ante)** || **dedicarse (a)** · **luchar (contra)** *una nueva estrategia para luchar contra el contrabando* || **acusar (de)** || **vivir (de)**

2 **contrabando (de)** s.m.

● CON SUSTS. **drogas · armas · alcohol** *Desmantelan una red internacional dedicada al contrabando de alcohol* · **licor · estupefacientes · narcóticos · tabaco · combustible · alimento · oro ·** ***otras mercancías*** **|| personas**

[contracorriente] → a contracorriente

contradecir v.

● CON SUSTS. **afirmación · declaración || juez · acusado,da** *El testigo contradijo al acusado* · **profesor,-a · partido · cúpula ·** ***otros individuos y grupos humanos*** **|| idea · teoría · tesis · doctrina · concepto || información · noticia · rumor · sondeo** *Los primeros datos del recuento contradicen todos los sondeos* **|| versión · interpretación · opinión · punto de vista · conciencia · voz || hecho · historia · contenido · verdad || esencia · fundamento** *una hipótesis que contradice los fundamentos teóricos de la disciplina* · **base · principio || norma · normativa · precepto · mandato · decisión · voluntad**

● CON ADVS. **totalmente · abiertamente** *Aunque no llegó a contradecir abiertamente a su jefe...* · **completamente · claramente · frontalmente**

contradicción s.f.

● CON ADJS. **profunda** *la profunda contradicción en la que se hallan* · **tremenda · terrible · frontal · absoluta · monumental · descomunal · aberrante · ilógica || insalvable · insoluble · irresoluble · permanente || clara · abierta · evidente · flagrante · manifiesta** *Los testigos cayeron en una manifiesta contradicción* · **patente · llamativa · palpable || aparente · posible || leve · imperceptible || preso,sa (de)**

● CON SUSTS. **espíritu (de) || principio (de) || signo (de) · motivo (de) || grado (de)**

● CON VBOS. **aflorar · surgir · aparecer || hallar · advertir · apreciar · percibir · sentir · detectar** *Detectaron varias contradicciones en la declaración del acusado* · **descubrir · desentrañar · desvelar · destapar || resolver · subsanar || aceptar · reconocer || incurrir (en) · caer (en) · entrar (en)** *una hipótesis que entra en contradicción con lo que sostiene la Policía* · **estar (en) · hallar(se) (en) || coger (a alguien) (en) · pillar (a alguien) (en)**

contradictorio, ria adj.

● CON SUSTS. ***persona*** *un director de cine absolutamente contradictorio* **|| personalidad · carácter || película · novela · espectáculo · canción ·** ***otras creaciones*** **|| versión · visión · debate || señal || mensaje · expresión · frase · testimonio · afirmación · declaración · texto || realidad · elemento · factor · base · parte · pasado || efecto · resultado · conclusión** *Las conclusiones que se desprenden del estudio resultan contradictorias* · **destino || economía · política · organización || sentimiento · sensación · actitud · postura || dato · rumor · información · imagen || teoría · hipótesis · idea || medida · ley · plan || moral · doctrina · creencia**

● CON ADVS. **aparentemente** *sentimientos aparentemente contradictorios* · **claramente · descaradamente · absolutamente · totalmente · profundamente · realmente · ligeramente**

● CON VBOS. **parecer** *Sus palabras parecen contradictorias* · **resultar**

contraer v.

● CON SUSTS. **gripe** *por miedo a contraer la gripe* · **sarampión · hepatitis · infección · neumonía ·** ***otras enfermedades*** **|| bacteria · virus · parásito || responsabilidad · compromiso · obligación** *No deberías contraer más obligaciones que las que ya tienes* · **deber · promesa || deuda · acuerdo · pacto · crédito · hipoteca · pago · débito || mérito · derecho || hábito · costumbre · vicio || amistad · vínculo · alianza || matrimonio** *Los novios contraerán matrimonio la semana próxima* · **nupcias · esponsales · enlace · boda**

contraindicado, da adj.

● CON SUSTS. **fármaco · medicamento** *un medicamento contraindicado en pacientes con trastornos hepáticos* · **medicina · remedio · tratamiento · producto || aplicación · uso**

contraofensiva s.f.

● CON ADJS. **fuerte · poderosa · fulminante || inminente**

● CON VBOS. **preparar · organizar · planificar · intentar · anunciar || dirigir · liderar || lanzar** *Han lanzado una contraofensiva para recuperar los territorios* · **comenzar · iniciar · emprender || desencadenar · causar · provocar || esperar · anticipar || contrarrestar || responder (a)**

contrapartida s.f.

● CON ADJS. **positiva · negativa || inevitable · necesaria || económica · política · social**

● CON VBOS. **conseguir · lograr · obtener · recibir || negociar || tener || mejorar** *El acuerdo no se logrará si el Gobierno no mejora sus contrapartidas económicas* · **incrementar**

● CON PREPS. **como** *El teatro es pequeño pero, como contrapartida, tiene una acústica inmejorable* · **en**

[contrapelo] → a contrapelo

contrapesar v.

● CON SUSTS. **influencia · influjo · efecto · consecuencia || tendencia · movimiento || costo · aumento** *¿Cómo contrapesar el aumento del precio del petróleo?* · **expansión · incremento || limitación · reducción || error || hegemonía · poder**

contrapeso s.m.

● CON VBOS. **hacer** *Buscan alianzas para hacer contrapeso al plan del Gobierno* · **tener || servir (de) · actuar (como) · ejercer (de)**

contraponer v.

● CON SUSTS. **idea** *En el texto, el autor contrapone las ideas económicas de la burguesía a las de...* · **tesis · opinión · teoría · modelo · postura · visión · concepción || declaración · testimonio · texto · estilo || verdad · realidad · mundo || cifra · dato · resultado || interés**

● CON ADVS. **punto por punto · detalladamente || a ojo · por encima** *Si contraponemos por encima el resultado de estas elecciones con...* · **de pasada**

contraposición s.f.

● CON ADJS. **evidente · forzada · clara** *un conflicto social que nace por la clara contraposición de sentimientos y aspiraciones seculares* **|| abierta · manifiesta · patente || encubierta · latente**

● CON VBOS. **producirse || expresar · reflejar || suponer · resultar (de algo) || plantear** *La obra plantea una abierta contraposición entre personajes femeninos y masculinos* · **ofrecer || subrayar || servir (de)**

● CON PREPS. **en · como**

contraproducente adj.

● CON SUSTS. **medida · decisión · acción · política · intervención · participación || efecto** *Las declaraciones del*

polémico ministro tuvieron un efecto contraproducente en el electorado · **consecuencia || comportamiento · actitud || error**
• CON ADVS. **absolutamente · totalmente · altamente || claramente · manifiestamente · a todas luces**
• CON VBOS. **resultar** *Su intervención resultó totalmente contraproducente* · **parecer · considerar · llegar a ser** *La excesiva especialización puede llegar a ser contraproducente*

contrapuesto, ta adj.

• CON SUSTS. **interés** *La alcaldesa ha sabido armonizar los intereses contrapuestos de los ciudadanos* · **objetivo || opinión · idea · punto de vista · postura · criterio · posición · visión || versión** *Los testigos dieron versiones contrapuestas de los hechos* · **interpretación || ideología · valor || actitud · reacción · sentimiento** *una mezcla de sentimientos contrapuestos* **|| elemento · concepto · modelo · sistema || estilo · carácter || dirección · tendencia || fuerza**
• CON ADVS. **totalmente** *Nuestras posturas políticas son totalmente contrapuestas* · **completamente · absolutamente || claramente · aparentemente**

contra reembolso loc.adv./loc.adj.

• CON VBOS. **comprar · pagar** *Puede usted pagar contra reembolso o mediante tarjeta de crédito* **|| pedir · solicitar · enviar · recibir**
• CON SUSTS. **compra · pago || envío · correo**

contra reloj loc.adv./loc.adj. Véase **contrarreloj**

contrariado, da adj.

• CON ADVS. **claramente · visiblemente** *Salió del despacho visiblemente contrariado* · **tremendamente · enormemente · profundamente || aparentemente**
• CON VBOS. **estar · quedar(se) · parecer**

contrariedad s.f.

• CON ADJS. **grave** *La pérdida de esos documentos ha supuesto una grave contrariedad para la empresa* · **seria · fuerte · gran(de) · enorme · profunda · honda · severa || penosa · lamentable · amarga · dolorosa · incómoda || pequeña · leve · llevadera · menor · pasajera || evidente · visible || disimulada · oculta || resignada || imprevista · inesperada · inoportuna · casual**
• CON SUSTS. **gesto (de) · mueca (de) · signo (de) · muestra (de)** *dar muestras de contrariedad* · **cara (de) || sentimiento (de)**
• CON VBOS. **presentarse || sufrir · afrontar** *Siempre ha sabido afrontar las contrariedades con elegancia* · **encarar · encajar · comprender · superar || causar · producir (a alguien) · provocar · suponer || demostrar · mostrar · reflejar · expresar · manifestar · disimular · ocultar || sobreponerse (a) · reponerse (de)**

contrario, ria

1 contrario, ria adj.

• CON SUSTS. **parte** *Un vehículo invadió la parte contraria de la calzada* · **lado · equipo · bando || carril · sentido · dirección · acera · calzada || portería** *Ninguno de los dos equipos fue capaz de superar la portería contraria* · **área · meta · campo · defensa || pierna · brazo · mano || signo** *una reforma laboral de signo contrario* · **extremo || postura · posición · opinión · argumento · punto de vista · ángulo || política · tendencia || decisión · opción · actitud · reacción || situación · efecto** *Con esa política consiguieron un efecto contrario al deseado*
• CON ADVS. **absolutamente · totalmente · radicalmente || abiertamente** *El líder de la oposición se mostró abiertamente contrario a la modificación de la ley* · **decididamente**
• CON VBOS. **hacerse · volverse · mantenerse · permanecer**

2 contrario, ria s.

• CON VBOS. **derrotar · vencer** *Venció a su contrario tras una larga batalla en los tribunales* · **ganar || enfrentarse (a)**
□ EXPRESIONES **llevar la contraria** (a alguien) [oponerse a lo que dice]

contrarreloj

1 contrarreloj adj.

• CON SUSTS. **competición · carrera** *Emprendió una carrera contrarreloj para llegar antes de que...* · **etapa || negociación · reunión · acuerdo · contacto · diplomacia || trabajo · operación · campaña · fabricación · investigación** *La Policía lleva a cabo una investigación contrarreloj* · **montaje · reforma · maniobra · estrategia · despliegue · transformación · misión · ajuste || lucha · intento · esfuerzo · batalla** *Está librando una batalla contrarreloj contra la enfermedad*

2 contrarreloj adv.

• CON VBOS. **ir · correr · jugar · trabajar** *Aquel ritmo endiablado nos exigía a todos trabajar contrarreloj* · **desarrollar · actuar · investigar · continuar · buscar · vivir || construir · repasar · convencer · cocinar · redactar · leer · actualizar · arreglar ·** ***otros verbos que expresan actividades*** **|| concluir · ultimar · iniciar || negociar · reunirse · presionar · contratar · disputar** *Se han disputado contrarreloj la licitación de las obras* · **fichar**
□ USO Admite la variante *contra reloj.*

contrarrestar v.

• CON SUSTS. **efecto · acción · influencia** *Tratan de contrarrestar la influencia de las malas compañías en su hijo* · **impacto · causa · resultado || fuerza · presión · peso || poder · liderazgo || tendencia · desviación || falta · carencia · ausencia · escasez · pérdida · déficit · disminución || aumento** *para contrarrestar el aumento de peso en estas últimas semanas* **|| crítica · ataque · ofensiva || imagen || oferta · demanda**
• CON ADVS. **fuertemente || unánimemente || en alguna medida · en lo posible**

contrasentido s.m.

• CON ADJS. **absoluto** *Lo que dice es un absoluto contrasentido* · **total · completo · marcado · gran(de) · mayúsculo · descomunal · monumental · soberano · solemne · grave · brutal || ligero · posible || evidente · flagrante · manifiesto · palpable · patente · visible · aparente || ridículo · absurdo · incoherente · inexplicable** *los inexplicables contrasentidos de la burocracia* · **insostenible || peligroso · lamentable · dramático || auténtico · verdadero || lleno,na (de)** *una declaración llena de contrasentidos*
• CON VBOS. **advertir(se) · apreciar(se)** *Se aprecia un cierto contrasentido entre lo que dice en el prólogo y lo que hace en el texto* · **evidenciar(se) || entrañar · implicar · plantear · reflejar · parecer · constituir · suponer · representar · resultar || descubrir · percibir · poner de manifiesto · revelar · considerar · justificar · evitar || incurrir (en)** *En el capítulo final de la obra incurre en varios contrasentidos* · **caer (en)**
□ USO Se construye frecuentemente con complementos encabezados por la preposición *entre*: *Existe un ligero contrasentido entre sus declaraciones y su actuación posterior.*

contraseña s.f.

●CON ADJS. **de acceso** *El programa tiene una contraseña de acceso* · **de paso** · **de seguridad** || **correcta** · **incorrecta**

●CON VBOS. **conocer** · **saber** *No me sé la contraseña de memoria* · **memorizar** · **recordar** · **olvidar** || **tener** · **poseer** · **recibir** || **fijar** · **acordar** · **crear** · **asignar** · **facilitar** · **registrar** || **pedir** *Me pidieron la contraseña para comprobar mi identidad* · **dar** · **repetir** || **necesitar** · **buscar** || **descifrar** · **descubrir** || **cambiar** · **sustituir** || **usar (como/de)** · **servir (de)**

contrastar v.

I [comparar]

●CON SUSTS. **información** · **dato** · **noticia** *El periodista no contrastó la noticia y se equivocó*

●CON ADVS. **convenientemente** · **apropiadamente** · **debidamente** · **correctamente** · **oportunamente**

I [diferenciarse]

●CON ADVS. **vivamente** *un mosaico de colores que contrastan vivamente entre sí* · **poderosamente** · **fuertemente** · **duramente** · **enormemente** · **considerablemente** · **notablemente** · **marcadamente** *La diseñadora ha mezclado estilos que contrastan marcadamente* · **acusadamente** · **llamativamente** · **espectacularmente** || **abiertamente** · **a las claras** · **claramente** · **nítidamente** · **ostensiblemente** · **visiblemente** || **levemente** · **ligeramente** *El resultado contrasta ligeramente con lo previsto* || **negativamente** · **desfavorablemente**

contraste s.m.

●CON ADJS. **vivo** · **fuerte** · **poderoso** · **duro** · **marcado** · **acentuado** *Se percibe un contraste muy acentuado entre las dos generaciones de músicos* · **acusado** · **agudo** · **intenso** · **gran(de)** · **considerable** · **enorme** · **tremendo** · **drástico** · **radical** · **profundo** · **abismal** || **abierto** · **evidente** · **apreciable** · **palpable** · **franco** · **llamativo** *Plasma con trazos breves y precisos el llamativo contraste entre los caracteres de los dos protagonistas* || **sorprendente** · **curioso** · **intencionado** || **triste** · **doloroso** · **dramático** || **suave** · **débil** · **leve** · **ligero** · **escaso** · **pequeño** || **estético** · **cromático** · **de color** · **lumínico** || **generacional** || **lleno,na (de)** *una tierra llena de contrastes* · **falto,ta (de)**

●CON SUSTS. **juego (de)** *una pintura basada en el juego de contrastes entre el blanco y el negro* · **efecto (de)** || **falta (de)** || **grado (de)** · **nivel (de)**

●CON VBOS. **saltar a la vista** || **destacar** · **marcar** · **resaltar** · **acentuar** || **apreciar** · **percibir** || **lograr** || **suavizar** · **matizar** || **eliminar** · **borrar** || **acusar** || **servir (de/como)**

●CON PREPS. **en** · **por**

□USO Se construye frecuentemente con complementos encabezados por las preposiciones *con* (*Se puede observar un gran contraste con la situación de años anteriores*) y *entre* (*Existía un profundo contraste entre la teoría y la práctica*).

contrata s.f.

●CON ADJS. **pública** · **privada** · **municipal** || **de limpieza** · **de mantenimiento** · **de alumbrado** · **de construcción**

●CON VBOS. **conseguir** · **lograr** · **adjudicar** *¿A qué empresa le han adjudicado la contrata?* · **otorgar** · **dar** · **repartir** · **firmar**

●CON PREPS. **por**

contratación s.f.

●CON ADJS. **indefinida** · **temporal** · **fija** · **eventual** · **estable** || **pública** · **estatal** · **privada** || **ilegal** · **irregular**

●CON SUSTS. **sistema (de)** · **modalidad (de)** · **norma (de)** · **estatuto (de)** · **ley (de)** · **condiciones (de)** || **volumen (de)** · **cifra (de)** · **ritmo (de)** *Disminuye el ritmo de contratación de técnicos* || **proceso (de)**

●CON VBOS. **mejorar** · **mantener(se)** || **terminar** || **subir** *La contratación temporal sube durante el verano* · **aumentar** · **disminuir** · **bajar** || **promover** · **incentivar** · **impulsar** · **facilitar** · **favorecer** · **fomentar** || **anunciar** · **confirmar** · **proponer** || **negociar** · **gestionar** · **planear** || **limitar** · **reducir** · **paralizar** *El Gobierno decidió paralizar la contratación de funcionarios durante un año* · **frenar** · **impedir** || **autorizar** · **aprobar** || **regular** · **reglamentar**

contratar v.

●CON SUSTS. **trabajador,-a** · **albañil,-a** · **secretario,ria** · **equipo** · **orquesta** · ***otros individuos y grupos humanos*** || **servicio** *contratar los servicios de una empresa de mantenimiento*

●CON ADVS. **por escrito** · **verbalmente** || **legalmente** · **en regla** · **formalmente** · **en firme** || **irregularmente** · **ilegalmente** · **precariamente** || **en exclusiva** · **a tiempo {completo/parcial}** *contratar un ayudante a tiempo parcial* · **por obra** · **a destajo** || **a dedo**

contratiempo s.m.

●CON ADJS. **grave** · **serio** · **engorroso** · **inoportuno** *Un contratiempo inoportuno me retrasó todo el trabajo* || **leve** · **ligero** · **pequeño** || **imprevisto** · **inesperado** || **casual** · **ocasional** || **de última hora** || **posible** · **inevitable** || **libre (de)** · **lleno,na (de)**

●CON SUSTS. **cúmulo (de)** · **serie (de)**

●CON VBOS. **surgir** *No puedo ir a la fiesta porque me ha surgido un contratiempo* · **presentar(se)** · **aparecer** · **ocurrir** · **acaecer** || **afectar (a alguien)** || **constituir** · **suponer (a alguien)** · **representar** || **tener** · **sufrir** · **padecer** || **afrontar** · **evitar** || **anticipar(se) (a)** || **tropezar (con)** || **librar(se) (de)**

●CON PREPS. **sin** · **a pesar (de)** || **ante** *saber reaccionar ante los contratiempos*

contrato s.m.

●CON ADJS. **en exclusiva** *firmar un contrato en exclusiva con una empresa* · **a tiempo {completo/parcial}** · **por obra** · **a destajo** || **indefinido** · **indisoluble** || **temporal** · **provisional** · **precario** || **en firme** · **firme** · **vigente** *El contrato vigente no contempla la posibilidad de...* · **sin efecto** || **administrativo** · **legal** · **legítimo** · **en regla** · **ilegal** || **justo** · **injusto** · **abusivo** · **leonino** *Les hizo firmar un contrato leonino y ahora...* · **draconiano** · **lesivo** || **flexible** · **rígido** || **a dedo** || **jugoso** · **millonario** · **ventajoso** · **ruinoso**

●CON SUSTS. **términos (de)** *aceptar los términos del contrato* · **fleco (de)** || **firma (de)** · **negociación (de)** || **basura** *una normativa para evitar los contratos basura*

●CON VBOS. **extinguir(se)** · **vencer** · **prescribir** · **terminar** · **acabar** || **estipular** · **establecer (algo)** *El contrato establece el número de días libres a la semana* || **negociar** · **renegociar** · **pactar** · **apalabrar** · **redactar** || **cerrar** · **firmar** · **formalizar** · **oficializar** || **adjudicar** *adjudicar un contrato de obras públicas* · **aceptar** · **suscribir** · **validar** · **rectificar** · **impugnar** || **prorrogar** · **ampliar** · **extender** · **renovar** · **blindar** *El club quiso blindar el contrato de su mejor futbolista* || **respetar** · **incumplir** · **cumplir** || **infringir** · **violar** · **vulnerar** · **burlar** || **rescindir** *Rescindieron el contrato de común acuerdo* · **cancelar** · **romper** · **disolver** · **deshacer** · **finiquitar** · **desactivar** · **abolir** || **ceñir(se) (a)** · **atenerse (a)** · **adherirse (a)**

●CON PREPS. **bajo** · **con posibilidad (de)**

contravenir v.

• CON SUSTS. **ley · norma · sentencia · reglamento · normativa** *una empresa que contraviene la normativa sanitaria vigente* · **artículo · orden · consigna · regla · directriz · directiva · ordenanza · constitución** · ***otras disposiciones*** || **legalidad · derecho · política · jurisprudencia** || **acuerdo** *La presencia de militares en las calles contraviene los acuerdos de paz firmados entre...* · **resolución · compromiso · decisión · reforma** || **costumbre · principio** || **espíritu · libertad · voluntad**

contra viento y marea loc.adv.

• CON VBOS. **navegar · remar · bogar** || **mantener · sostener · defender** *El director ejecutivo sigue defendiendo contra viento y marea que la empresa debe reducir sus exportaciones* · **apoyar · conservar · proteger · preservar** || **luchar · trabajar · bregar · empeñarse · insistir** || **seguir · continuar · proseguir · tirar para delante · perseverar · ir** || **resistir · aguantar · soportar · vivir · sobrevivir** || **imponer** *decidido a imponer su método contra viento y marea* · **lograr · conseguir · alcanzar · sacar adelante** || **proclamar · hablar**

contribución s.f.

• CON ADJS. **gran(de) · notable · enorme · extraordinaria · significativa** *Su vasta obra constituye una contribución muy significativa al mundo de la literatura infantil* · **sustancial · especial · destacada · importante · valiosa · estimable · apreciable · respetable · inestimable · decisiva · fundamental · vital · imprescindible · activa · de primera fila · novedosa** || **generosa** *una generosa contribución económica destinada a las víctimas* · **millonaria** || **pequeña · menor · discreta · escasa · escuálida · dudosa** || **humilde · modesta · testimonial** || **desinteresada · voluntaria** || **personal · anónima** || **económica · material** || **urbana**
• CON SUSTS. **sistema (de) · límite (de) · margen (de)**
• CON VBOS. **hacer · realizar · llevar a cabo · aportar · pagar · sumar** || **cobrar · recaudar · recabar · solicitar** *Solicitamos la contribución de todos nuestros socios y amigos* || **recibir · aceptar** || **reconocer · valorar · premiar · destacar · magnificar · resaltar** || **aumentar · disminuir**

contribuir v.

• CON ADVS. **decisivamente · significativamente** *una reforma que contribuirá significativamente a la mejora de nuestra calidad de vida* · **sustancialmente · poderosamente · destacadamente · enormemente · en gran medida · notablemente · considerablemente** || **intensamente · activamente · decididamente · generosamente** *contribuir generosamente en una causa* · **ejemplarmente · fehacientemente** || **a partes iguales · escasamente** || **favorablemente · negativamente** || **económicamente · materialmente · personalmente** || **voluntariamente · humildemente · en lo posible** || **artísticamente · deportivamente · intelectualmente · políticamente · literariamente**

contrición s.f.

• CON ADJS. **pública · oficial · política**
• CON SUSTS. **acto (de)** *en un acto de contrición y arrepentimiento sin precedentes* · **punto (de)** || **muestra (de)**
• CON VBOS. **hacer · realizar**

[control] → bajo control; control

control s.m.

• CON ADJS. **férreo · firme** *ejercer un control firme sobre la prensa* · **severo · rígido · riguroso · estricto · estrecho · escrupuloso · meticuloso · minucioso · concienzudo · exhaustivo · intenso · drástico · implacable** || **relajado · permisivo · laxo · superficial** || **absoluto · total · integral · en exclusiva · parcial** || **excesivo · desmedido · abusivo · dictatorial** || **asfixiante · abrumador** || **efectivo · eficiente · perfecto · debido · deficiente** || **preventivo · disciplinario** || **rutinario** *un control policial rutinario* · **sistemático** || **remoto · a distancia** || **interno** *Un agente de control interno aseguró que...* · **personal** || **policial · sanitario · aduanero · fronterizo · aéreo · político · administrativo · académico · parlamentario**
• CON SUSTS. **sistema (de) · mecanismo (de) · tarea (de)** || **órgano (de) · puesto (de) · torre (de)** *En el momento que conectó con la torre de control...* || **objeto (de)** || **falta (de)**
• CON VBOS. **afianzar(se) · fortalecer(se) · recrudecer(se)** || **írse(le) (a alguien) de las manos** || **recaer** || **tener · ostentar · llevar · mantener** *Ya no mantienen el control de la situación* · **conservar · tomar · asumir · adquirir · arrebatar · arrogarse · traspasar · delegar · disputar (a alguien) · perder** *Perdí el control a causa de los nervios* || **ejercer · aplicar · imponer · impartir · implantar · instaurar · reinstaurar · realizar** || **copar · centralizar** *...con la idea de centralizar el control en un solo organismo* || **estrechar · extremar · intensificar · acentuar · aflojar** || **pasar · superar · eludir · burlar** *Los terroristas burlaron el control* · **saltarse · sortear · rebasar · evitar** || **socavar · desmantelar** || **gozar (de) · someter(se) (a)** *Todos nuestros alimentos son sometidos a un minucioso control de calidad* · **velar (por)** || **huir (de) · escapar (a) · sustraer(se) (de/a) · librar(se) (de)**
• CON PREPS. **bajo** *No te preocupes, todo está bajo control* || **sin · con**

controlador, -a s.

• CON ADJS. **aéreo,a** *El controlador aéreo intentó comunicarse con el avión* · **de tierra · de tráfico · de estacionamiento**
• CON SUSTS. **puesto (de) · trabajo (de)** || **prácticas (de) · examen (de)**
• CON VBOS. **avisar · comunicar(se) (con alguien) · contactar (con alguien)** || **trabajar (como/de) · ejercer (de)**

controlar v.

• CON ADVS. **férreamente** *un político que controla férreamente los entresijos del partido* · **con mano de hierro · con mano férrea · con mano firme · con firmeza · estrechamente · estrictamente · rígidamente · severamente · escrupulosamente · minuciosamente** *controlar minuciosamente la caducidad de los medicamentos* · **meticulosamente · sistemáticamente · concienzudamente** *Desde aquí controlamos concienzudamente la calidad de nuestro servicio al cliente* · **exhaustivamente · intensamente · celosamente** || **totalmente · por completo · de sobra · de raíz · en exclusiva** *controlar en exclusiva la venta de un producto* · **parcialmente · escasamente** || **a {mi/tu/su...} voluntad · a {mis/tus/sus...} anchas · cómodamente · a {mi/tu/su...} aire** || **hábilmente · con destreza** *controlar con destreza los mandos de un 727* || **a la perfección · a fondo · al detalle · debidamente** || **a duras penas · deficientemente** || **abrumadoramente · abusivamente · dictatorialmente** || **de cerca** *...para controlar de cerca la infección y evitar...* · **en persona · personalmente · a distancia · remotamente · virtualmente** || **económicamente**

controversia s.f.

• CON ADJS. **gran(de) · sonada · candente · encendida · ardiente · acalorada · pacífica** || **dura · agria · enconada · aguda · reñida** || **intensa · vehemente · cre-**

ciente *la creciente controversia sobre la reforma del reglamento* || ardua · farragosa || larga · interminable · permanente · falsa || exento,ta (de) · libre (de) · propenso,sa (a)
● CON SUSTS. motivo (de) · objeto (de) *La reforma educativa está siendo objeto de gran controversia* · punto (de) · tema (de) · centro (de) || espíritu (de) · clima (de) · grado (de) || origen (de) · causa (de)
● CON VBOS. estallar · desatar(se) · plantear(se) · producir(se) · surgir · traslucir(se) || mantener(se) · persistir · resurgir || acentuar(se) · arreciar || salpicar (alguien) || apagar(se) · desvanecer(se) || causar · crear · provocar · generar · levantar · sembrar · suscitar || alimentar · avivar · reavivar *técnicas científicas que reavivan la controversia sobre su calificación moral* · atizar || aplacar · atemperar || resolver · solucionar · solventar · dirimir · dilucidar · superar · zanjar || enfrascarse (en) · enredar(se) (en) · entrar (en) · meter(se) (en) · terciar (en) *Sin ánimo de terciar en la controversia acerca de...* || prestar(se) (a) *un asunto que se presta a controversia* || librar(se) (de)
● CON PREPS. al hilo (de) · a pesar (de) · en caso (de) · al margen (de) · en medio (de)

controvertido, da adj.

● CON SUSTS. ***persona*** *la obra del controvertido escritor francés* || año · semana · siglo · temporada · instante · ***otros momentos o períodos*** || carta *El periódico se negó a publicar aquella controvertida carta* · documento · artículo · informe · ***otros textos*** || película · novela · comedia · cuento · canción · ***otras creaciones*** || palabras · frase · mensaje · expresión · afirmación *Sus controvertidas afirmaciones suscitaron un vivo debate* · discurso · conferencia · declaración · manifestación · debate · discusión · crítica · ***otras manifestaciones verbales o comunicativas*** || boda · fiesta · acto · reunión · partido · corrida · ***otros eventos*** || aspecto · lado · flanco · faceta · parte · ángulo · vertiente · costado || opinión · postura · punto de vista *controvertidos puntos de vista sobre política y sociedad* · visión · versión · apreciación || decisión · actuación · medida · método · mecanismo · procedimiento · vía · proceso || carácter · conducta · personalidad · actitud || proyecto · propuesta · iniciativa · plan · intención · postulado · objetivo || asunto · tema · teoría · cuestión *Para resolver tan controvertida cuestión fue necesario convocar...* · idea · contenido · hipótesis || polémica · problema · enfrentamiento · pugna · batalla · pelea || ley · norma · decreto *La presidenta continúa defendiendo los controvertidos decretos que utilizó para...* · legislación · normativa · reglamento · ***otras disposiciones*** || situación · estado · condición · circunstancia · fase · papel || acción *Se cuestionaron las controvertidas acciones de los soldados en su supuesta misión humanitaria* · campaña · misión · causa

contumaz adj.

● CON SUSTS. enemigo,ga · mentiroso,sa · crítico,ca *crítico contumaz de este tipo de medidas* · ***otros individuos*** || actitud · postura · insistencia · tendencia · asiduidad · tic || negativa · resistencia *La empresa, ante la resistencia contumaz del sindicato, retrasó la firma del convenio* · aversión · rechazo || fascinación · obsesión · atracción

contundencia s.f.

● CON ADJS. absoluta · total · mayor · gran(de) *Apoyó con gran contundencia la postura de la comisión* · suficiente || formidable · extraordinaria || habitual || escasa · insuficiente · dudosa || dialéctica · argumentativa · verbal || militar
● CON PREPS. con *El equipo visitante venció con contundencia a nuestros jugadores*

contundente adj.

● CON SUSTS. afirmación · respuesta *Dio una respuesta contundente a los periodistas* · crítica · declaración · manifestación · discurso · ***otras manifestaciones verbales*** || hecho · acción · efecto · medida || arma · objeto *La víctima fue golpeada con un objeto contundente* || golpe · puñetazo · patada || triunfo · victoria · derrota · goleada · resultado || argumento · razón · explicación · prueba *No existen pruebas contundentes que sostengan tal afirmación* · verdad || comida · almuerzo · plato

contundentemente adv.

● CON VBOS. asegurar · afirmar · responder *Respondió contundentemente y sin vacilar* · expresar(se) || rechazar · oponer(se) · condenar · negar · criticar || argumentar · razonar · explicar || actuar || golpear || vencer · ganar *Ganaron contundentemente, pero el rival era más que discreto* · triunfar · golear · derrotar · imponer(se)

contusión s.f.

● CON ADJS. fuerte · grave · seria · de pronóstico reservado · leve · pasajera · ligera · pequeña · superficial · aparatosa || múltiples *El herido presentaba múltiples contusiones por todo el cuerpo* · numerosas · generalizadas || torácica · muscular · cerebral || aquejado,da (de)
● CON VBOS. causar (a alguien) · producir (a alguien) · provocar · ocasionar (a alguien) *El golpe le ocasionó una fuerte contusión* || recibir · sufrir *A pesar de lo aparatoso de la caída, solo sufre contusiones de carácter leve* · padecer · presentar · tener · apreciar || diagnosticar (a alguien) || dolerse (de) · recuperar(se) (de) · curar(se) (de) || atender (a alguien) (de) *Los servicios sanitarios atendieron a la accidentada de diversas contusiones*
● CON PREPS. con

con uñas y dientes loc.adv.

● CON VBOS. defender · luchar · proteger *Siempre protegió a su familia con uñas y dientes* · aferrarse · oponerse · resistirse · impedir · lanzar(se) · agarrarse

convaleciente

1 convaleciente adj.

● CON SUSTS. enfermo,ma *En su conferencia comparó la situación del país con la de un enfermo convaleciente* · paciente · ***otros individuos***
● CON VBOS. estar · encontrarse · seguir · continuar · permanecer

2 convaleciente (de) adj.

● CON SUSTS. gripe · lesión · infarto · ***otras enfermedades*** || golpe · accidente *Todavía se encuentra convaleciente del accidente que sufrió hace una semana* || operación · intervención

convalidar v.

● CON SUSTS. título · estudios · plan · especialidad · asignatura *He solicitado que me convaliden dos asignaturas* · crédito || permiso · licencia · carné · certificado · documento || decreto · orden · ley · norma · convenio · acuerdo · cláusula · término · decisión || política · gestión · sistema || resultado *convalidar el resultado electoral* · victoria
● CON ADVS. completamente · totalmente · parcialmente || automáticamente

convencer(se) v.

• CON ADVS. **del todo · por completo · totalmente** *No me has convencido totalmente, pero acepto* · **absolutamente · sin lugar a dudas · firmemente · sinceramente || en parte · a medias · parcialmente || poco a poco** *Me he ido convenciendo poco a poco de que eso no podía ser verdad* · **gradualmente || por las buenas**

convencimiento s.m.

• CON ADJS. **absoluto** *Tengo el absoluto convencimiento de que todo se va a arreglar* · **pleno · completo · total · firme · sólido · poderoso · hondo · profundo · verdadero · escaso || general · generalizado · mayoritario || personal · íntimo · moral || falso · amargo**
• CON SUSTS. **dotes (de) · poder (de)** *un líder con poder de convencimiento* · **capacidad (de) || campaña (de) · esfuerzo (de) || falta (de) · grado (de) · signo (de)**
• CON VBOS. **crecer || latir (en alguien) || tener · abrigar** *Abrigamos el convencimiento de haber actuado honestamente* **|| adquirir · alcanzar · perder || expresar · mostrar || reafirmar · reiterar || llegar (a) · carecer (de)**
• CON PREPS. **desde** *Desde mi más profundo convencimiento...* · **con** *afirmaciones hechas para la galería y con escaso convencimiento*

convención s.f.

[norma, práctica]

• CON ADJS. **social · cultural || tradicional · habitual · usual || arbitraria || obligada**
• CON VBOS. **seguir || romper · ignorar · pasar por alto** *Solía pasar por alto las convenciones sociales* · **despreciar · desafiar · violentar · saltarse · traspasar || cambiar · modificar · revisar || aplicar · aceptar · respetar || ajustar(se) (a) · amoldar(se) (a)**

[reunión]

• CON ADJS. **nacional · internacional · regional · mundial || política · profesional · sectorial || estatal · anual**
• CON SUSTS. **centro (de) · salón (de)** *La conferencia tendrá lugar en el salón de convenciones del hotel* · **sede (de) || presidente,ta (de) || lema (de)** *Tras constituirse como el lema de la convención...*
• CON VBOS. **tener lugar || celebrar · organizar || presidir · clausurar** *La escritora clausuró la convención en la que...* **|| participar (en) · asistir (a)**

convencional adj.

• CON SUSTS. **método · técnica · forma · manera · procedimiento · sistema || conducto · vía || matrimonio · noviazgo · relación || arma** *un tratado que limita el comercio de armas convencionales* · **guerra || imagen · historia · discurso · obra · relato || medicina** *Algunos pacientes buscan alternativas a la medicina convencional* **|| *persona*** *Parecía una muchacha convencional, pero...*

[conveniencia] → conveniencia; de conveniencia

conveniencia s.f.

• CON ADJS. **dudosa · eventual || formal · política**
• CON SUSTS. **matrimonio (de) · boda (de) · alianza (de) · pacto (de) · relación (de) || bandera (de) || motivo (de)**
• CON VBOS. **plantear · sopesar · valorar · discutir · cuestionar || determinar · establecer || señalar · manifestar · sugerir** *El médico sugirió la conveniencia de interrumpir el tratamiento* · **recordar · defender || seguir || actuar (con) || decidir (sobre) · pronunciarse (sobre) · dudar (de)** *La presidenta duda de la conveniencia de firmar el acuerdo*

convenio s.m.

• CON ADJS. **laboral · colectivo** *firmar un convenio colectivo* · **bilateral · internacional · provincial · interinstitucional || amistoso · abusivo · precario · duro · amplio || vigente · en vigor · definitivo || regulador || en punto muerto || acorde (con)**
• CON SUSTS. **firma (de)** *Tras la firma del convenio, sindicatos y patronal decidieron...* · **texto (de) · borrador (de) · artículo (de) · cláusula (de) · preacuerdo (de) || propuesta (de) · oferta (de) · plataforma (de) || vigencia (de) · validez (de)**
• CON VBOS. **extinguir(se) · prescribir · caducar · durar || contemplar || negociar · renegociar · discutir · acordar · alcanzar · aprobar** *El convenio será aprobado por la comisión...* **|| firmar · rubricar · suscribir · formalizar · tramitar · promulgar · ratificar · prorrogar · renovar || cumplir · aplicar · ejecutar · respetar · seguir · incumplir** *Fue acusado de incumplir el convenio acordado* · **infringir · violar · vulnerar || impugnar · cancelar · finiquitar · rescindir · anular || ajustar(se) (a) · atenerse (a) · ceñir(se) (a) || adherirse (a)**
• CON PREPS. **en virtud (de) · al margen (de) · a favor (de) · en contra (de)**

convento s.m.

• CON ADJS. **antiguo** *Están recaudando fondos para reconstruir un antiguo convento* · **viejo · ruinoso || apartado · retirado · recogido · apacible || austero · humilde · modesto · sobrio · suntuoso || de clausura · cartujo · religioso || de frailes · de monjas**
• CON SUSTS. **prior,-a (de) · monja (de) || capilla (de) · claustro (de) || vida (de)**
• CON VBOS. **fundar || abandonar · dejar · visitar || ingresar (en) · entrar (en) · profesar (en) || retirar(se) (a)** *retirarse a un convento a reflexionar* · **recluir(se) (en) · encerrar(se) (en) · internar (a alguien) (en) || morar (en) · vivir (en) · residir (en) || refugiar(se) (en) · cobijar(se) (en)**

converger v.

• CON SUSTS. **línea · recta · ruta · itinerario · camino · carretera || vida · carrera · trayectoria || discurso · declaración · testimonio** *Todos los testimonios convergen en el mismo punto* · **contestación · frase · *otras manifestaciones verbales* || hecho · acontecimiento · circunstancia · historia · narración || resultado · dato · información || esfuerzo** *Convergen esfuerzos y voluntades en aras del bien común* · **interés · voluntad · iniciativa || idea · hipótesis · sospecha · opinión · creencia · principio · criterio · posición · punto de vista · perspectiva** *Diferentes perspectivas convergieron en su última y definitiva creación* · **espíritu || deseo · anhelo · aspiración · ideal || tendencias · fuerza · estilo · gusto · vertiente || causa · motivo · factor || crédito · precio · economía**
• CON ADVS. **finalmente · al final · directamente** *Estas dos carreteras convergen directamente en la autopista* **|| armoniosamente · armónicamente || plenamente**

□ USO Se combina con sustantivos en plural (*Los caminos convergen*), en construcciones coordinadas (*Este camino y aquel convergen*) o formadas con la preposición *con* (*Este camino converge con aquel*).

conversación s.f.

• CON ADJS. **fluida · pausada · en punto muerto · atropellada · acalorada · agitada · viva || tensa · tirante** *Bastó una hora de conversación, mas bien tirante, para que...* · **distendida · relajada · tranquila || amena · agradable · grata · jugosa · insulsa || a fondo** *Fue una conversación a fondo que resultó provechosa para ambas partes*

· exhaustiva || sin condiciones · sin tapujos · a tumba abierta || preliminar · avanzada · lineal || bizantina · infructuosa || crucial · tranquilizadora || diplomática *Pese a que las conversaciones diplomáticas sobre el conflicto apuntan a...* · formal · informal || cara a cara · de igual a igual · bilateral || privada · confidencial · secreta · a puerta cerrada · telefónica · en persona
● CON SUSTS. tema (de) · hilo (de) || tono (de) || ronda (de) *iniciar una ronda de conversaciones* || curso (de)
● CON VBOS. discurrir · girar (sobre algo) · tratar (sobre algo) || circular · obrar en poder (de alguien) || caldear(se) || entrecortar(se) · apagar(se) || surtir efecto · fracasar *Hubo intentos de negociación, pero las conversaciones fracasaron cuando...* || entablar · iniciar · sacar *sacar la espinosa conversación de...* · establecer · sostener · mantener · celebrar || abreviar · alargar *No quise alargar la conversación porque...* || amenizar · jalonar || desviar · encarrilar · enderezar || obstaculizar · boicotear · llevar adelante · llevar a buen puerto || cortar · interrumpir *Se han interrumpido las conversaciones sobre el tratado de paz* · suspender · romper · zanjar *...y con un puñetazo en la mesa zanjó la conversación* || reanudar · reabrir · desbloquear · reavivar || oír · escuchar · interceptar · pinchar · registrar · grabar · difundir || invitar (a) || enfrascarse (en) *...y solían enfrascarse en largas conversaciones* · entrar (en) · meter(se) (en) · inmiscuirse (en) · terciar (en)
● CON PREPS. al hilo (de) || a lo largo (de) · durante

conversar v.

● CON ADVS. largamente · por extenso · extensamente · a fondo *conversar a fondo sobre un proyecto* · brevemente · abiertamente || amistosamente · cordialmente · amablemente · gratamente · distendidamente · informalmente || pausadamente *conversar pausadamente al calor de la lumbre* · sosegadamente · tranquilamente · plácidamente *una terraza estupenda para conversar plácidamente* · acaloradamente · atropelladamente || cara a cara · de igual a igual || privadamente · confidencialmente · telefónicamente · en persona

conversión s.f.

● CON ADJS. religiosa *La conversión religiosa del escritor está muy presente en toda su obra* · política · moral · espiritual · laboral || monetaria || absoluta · radical · total || definitiva · final · eventual
● CON SUSTS. programa (de) · plan (de) · sistema (de) || proceso (de) · fase (de) || posibilidad (de)
● CON VBOS. hacer · realizar || acelerar · impulsar · evitar · bloquear · dificultar · rechazar || autorizar · aprobar *La comunidad de vecinos aprobó la conversión del entrepiso del edificio para destinarlo a...* · decretar · legitimar · decidir || proponer · solicitar · anunciar
● CON PREPS. a favor (de) · en aras (de)

convertir(se) v.

● CON ADVS. gradualmente · paulatinamente · progresivamente · de un día para otro *convertirse en estrella de un día para otro* || inevitablemente · indefectiblemente · inexorablemente · como por encanto

☐ USO Se construye frecuentemente con complementos encabezados por la preposición *en*: *una compañera de trabajo que poco a poco se convirtió en su mejor amiga.*

convicción s.f.

● CON ADJS. absoluta · plena *Les hablo desde la plena convicción de quien pretende ser fiel a sus ideales* · profunda · firme · fuerte · sólida · férrea · poderosa · acendrada · arraigada · inmutable · segura · irrefutable || débil · escasa · errada || irreconciliable || íntima · personal · propia · generalizada || religiosa *una persona de profundas convicciones religiosas* · ética · democrática · moral · política
● CON SUSTS. poder (de) · capacidad (de) · fuerza (de) · firmeza (de) · grado (de) · intento (de) || elemento (de) · pieza (de) || falta (de) *En su voz se advertía cierta falta de convicción* · problema (de)
● CON VBOS. asentar(se) (en algo) · basar(se) (en algo) || crecer · afianzar(se) · afirmar(se) · fortalecer(se) · arraigar (en alguien) || desmoronar(se) · agrietar(se) || tener · abrigar · adquirir · asumir || abandonar · perder || conservar · alimentar · reforzar · sustentar *pruebas que sustentan la firme convicción de que...* || manifestar · expresar · reiterar · subrayar || defender · esgrimir || luchar (por) || llegar (a) · adherirse (a) || mantener(se) (en) · reafirmar(se) (en) *La experiencia le llevó a reafirmarse en sus convicciones* || hacer gala (de) · apoyar(se) (en) || renegar (de) · renunciar (a) · abdicar (de) · apear(se) (de) · carecer (de)
● CON PREPS. con *un profesional que actúa con convicción* || sin menoscabo (de) || con arreglo (a) · a la medida (de)

convincente adj.

● CON SUSTS. explicación · hipótesis *La Policía no tienen ninguna hipótesis convincente* · teoría · investigación · estudio · interpretación · argumentación · demostración · justificación || razón · prueba · respuesta · testimonio · argumento · ejemplo · dato · documentación || retrato *un retrato poco convincente de la situación política* · descripción || actuación · ejecución · trabajo · método || cara || triunfo · victoria · goleada · resultado || opción *No parece una opción muy convincente* || cine · literatura · fútbol · política
● CON VBOS. volverse · mantenerse

convincentemente adv.

● CON VBOS. demostrar *Ninguna investigación ha demostrado convincentemente esos efectos secundarios* · probar · argumentar · justificar · razonar · fundamentar || explicar · transmitir · aclarar · expresar(se) · exponer · ilustrar · manifestar · hablar || interpretar *Interpreta convincentemente el papel de loco* · encarnar · representar · componer · caracterizar · retratar || recrear · narrar · describir · contar · evocar · escribir || desarrollar · realizar · resolver · llevar a cabo || responder · replicar || ganar · vencer · derrotar · batir · imponerse · doblegar · triunfar || jugar · actuar *La actriz actúa convincentemente tanto en los papeles dramáticos como en los cómicos* · funcionar || sistematizar · establecer · organizar · preparar

convite s.m.

● CON ADJS. de boda · nupcial || oficial
● CON VBOS. rechazar · aceptar || celebrar · organizar || invitar (a) · asistir (a) *Asistieron al convite más de cien personas* · presentarse (en) || faltar (a)

convivencia s.f.

● CON ADJS. pacífica · en paz *trabajar por una convivencia en paz* · apacible · plácida · armoniosa · armónica · buena · amistosa · fraternal · civilizada · respetuosa · tolerante · llevadera · saludable || difícil · delicada · complicada · conflictiva · ardua · accidentada · mala · desapacible · turbia || forzosa · obligada || enriquecedora *En esta ciudad hay una enriquecedora convivencia multicultural* · fecunda || estrecha · de igual a igual || ciudadana · social · política · democrática

● CON SUSTS. **ambiente (de) · clima (de) · marco (de) · ánimo (de) · ejemplo (de) || forma (de) · norma (de) || relación (de) · pacto (de) || comida (de)**
● CON VBOS. **reinar (en algún sitio) || fortalecer(se) · mejorar || quebrar(se) · deteriorar(se) · empeorar · degradar(se) || regir** *las normas que rigen la convivencia familiar* **· amenazar · alterar · perturbar · entorpecer · envenenar · erosionar · complicar · socavar · torpedear · impedir · destruir · romper || facilitar · favorecer** *invertir en educación con el fin de favorecer la convivencia entre los pueblos* **· promover · garantizar · asegurar · cimentar · restablecer || mantener · respetar**
● CON PREPS. **en favor (de)**

convivir v.

● CON ADVS. **en paz** *el sueño de convivir en paz* **· pacíficamente · plácidamente · armoniosamente · armónicamente || civilizadamente** *un país con diferentes culturas que conviven civilizadamente* **· respetuosamente · democráticamente · de igual a igual || con dificultad · a trancas y barrancas**

convocar v.

● CON SUSTS. **asistente · jugador,-a · empleado,da · prensa** *El artista convocó a la prensa para aclarar el malentendido* **· público · equipo ·** ***otros individuos y grupos humanos*** **|| oposición · concurso · examen || huelga · paro · manifestación** *convocar una manifestación de protesta* **· protesta · marcha · concentración || reunión** *Se ha convocado una reunión de vecinos para el lunes por la tarde* **· encuentro · rueda de prensa · conferencia · sesión · pleno || elección · referéndum · consulta · plebiscito || debate · diálogo**
● CON ADVS. **oficialmente** *Se convocará oficialmente en unos días* **· formalmente · legalmente || públicamente · por escrito**

convocatoria s.f.

● CON ADJS. **extraordinaria · urgente** *una convocatoria urgente para cubrir tres plazas en pediatría* **· inmediata · anual || electoral || pública · oficial || abierta** *¿Hay todavía alguna convocatoria de becas abierta para este año?* **· en vigor · cerrada · aplazada**
● CON SUSTS. **capacidad (de)** *Pocos grupos musicales tienen hoy en día tanta capacidad de convocatoria* **· poder (de) · anuncio (de) · solicitud (de) || éxito (de) · récord (de) || motivo (de) · fecha (de) · plazo (de) · términos (de)** *en los términos que estipula la convocatoria*
● CON VBOS. **pedir · exigir || ampliar || publicar · anunciar** *Anuncian la nueva convocatoria en la página electrónica* **· emitir · lanzar || aprovechar || responder (a)**
● CON PREPS. **fuera (de)** *El equipo quedó fuera de la convocatoria*

convoy s.m.

● CON ADJS. **de ayuda · humanitario** *Los primeros convoyes humanitarios se desplazan hacia la zona en conflicto* **· de refugiados · de alimentos || militar · electoral · policial · gubernamental || ferroviario**
● CON VBOS. **avanzar · desplazar(se) · arrancar || llegar** *El convoy llegó sin contratiempo alguno a la frontera* **|| formar · componer · organizar · promover || enviar · conducir || proteger · escoltar || atacar · emboscar · asaltar || encabezar || retener · detener || formar parte (de)**

convulsivo, va adj.

● CON SUSTS. **espasmos · crisis** *sufrir crisis convulsivas* **|| momento · período · época · año || historia · vida || comportamiento**

conyugal adj.

● CON SUSTS. **relación · vínculo · unión · separación · pacto || convivencia · vida || domicilio · hogar · lecho · dormitorio || amor · felicidad · infidelidad · fidelidad · armonía** *una grave ruptura en la armonía conyugal* **· paz · tedio · afecto · cariño · estabilidad || problema · violencia · desavenencia · conflicto · crisis** *Después de atravesar una larga crisis conyugal* **· disputa · riña · maltrato · pelea · discusión || sociedad · deber · obligación**

coñac s.m.

● CON ADJS. **francés · importado · centenario**
● CON SUSTS. **gotas (de) · chorro (de)** *Añada un chorrito de coñac* **|| graduación (de)**
● CON VBOS. **flambear (algo) (con)**
➤ Véase también **BEBIDA**

cooperación s.f.

● CON ADJS. **activa · decidida · intensa · incondicional · leal · escasa || generosa · desinteresada · voluntaria || efectiva · estimable · necesaria || estrecha · bilateral · de igual a igual · mutua || internacional · externa || económica · científica** *un programa de cooperación científica* **· técnica · social**
● CON SUSTS. **acuerdo (de) · convenio (de)** *firmar un convenio de cooperación internacional* **|| plan (de) · programa (de) || clima (de) · marco (de) || espíritu (de) · voluntad (de) || grado (de) · nivel (de) · falta (de)**
● CON VBOS. **urgir || buscar · pedir · solicitar** *El presidente ha decidido solicitar la cooperación externa para...* **· recabar || brindar · ofrecer · prestar · aportar || fomentar · impulsar · incentivar · promover · desarrollar · estrechar · incrementar · agilizar · renovar || socavar · cortar · entorpecer · impedir · dificultar**

cooperar v.

● CON ADVS. **activamente** *cooperar activamente en la recuperación económica del país* **· decididamente · intensamente · con todas {mis/tus/sus...} fuerzas · decisivamente · estrechamente || incondicionalmente · sin reservas · lealmente · sinceramente || voluntariamente** *Buscamos personas que cooperen voluntariamente en...* **· desinteresadamente · generosamente**
● CON VBOS. **brindarse (a)**

[cooperativa] s.f. → cooperativo, va

cooperativo, va

1 **cooperativo, va** adj.
● CON SUSTS. **sistema · régimen · modelo ||** ***persona*** *Es un alumno díscolo y poco cooperativo* **|| proyecto · plan · trabajo · movimiento || sociedad · empresa · asociación · entidad · banca · banco || política · federalismo || grupo · sector · mundo**

2 **cooperativa** s.f.
● CON ADJS. **agraria · agrícola · industrial · minera · azucarera** *Han decidido vender la producción a una cooperativa azucarera* **· laboral · eléctrica · financiera · ferroviaria · turística || de viviendas · de ahorro · de crédito · de construcción · de servicios || estatal · privada || regional · local**
● CON SUSTS. **socio,cia (de) · miembro (de) · presidente,ta (de)**
● CON VBOS. **quebrar** *Se quedaron sin vivienda cuando quebró la cooperativa* **· cerrar || crear · formar · constituir · fomentar || coordinar · gestionar · presidir · representar · organizar || intervenir (en) · pertenecer**

(a) · **formar parte (de)** *Los trabajadores de esta empresa forman parte de una importante cooperativa*
●CON PREPS. **en régimen (de)** *viviendas en régimen de cooperativa*

coordenada s.f.

●CON ADJS. **exacta** · **aproximada** || **amplia** || **numérica** || **terrestre** · **espacial** · **geográfica** · **territorial** · **temporal** · **histórica** *Solo puede explicarse en las coordenadas históricas en las que se inscribe* · **biográfica** · **ideológica** · **política** · **técnica** · **administrativa** || **motora**
●CON SUSTS. **eje (de)** · **sistema (de)**
●CON VBOS. **fijar** · **establecer** · **definir** · **trazar** · **dibujar** · **delinear** || **conocer** · **saber** · **averiguar** || **seguir** · **tomar como referencia** || **transmitir** *Intentó luego transmitir por radio las coordenadas de su posición* || **situar(se) (en)** · **enmarcar(se) (en)** · **inscribir(se) (en)** || **moverse (en)** || **informar (de)**
●CON PREPS. **bajo** · **dentro (de)** *una obra que se enmarca dentro de las coordenadas del surrealismo* · **fuera (de)**

coordinación s.f.

●CON ADJS. **perfecta** · **armoniosa** *la armoniosa coordinación de movimientos del bailarín* · **estricta** · **minuciosa** · **adecuada** · **efectiva** · **eficaz** || **deficiente** · **ineficaz** · **insuficiente** · **precaria** *Como consecuencia de una precaria coordinación entre departamentos...* || **debida** · **necesaria** · **imprescindible** || **estrecha** · **conjunta** || **política** · **administrativa**
●CON SUSTS. **labor (de)** · **tarea (de)** *Se encarga de las tareas de coordinación entre el Gobierno y el Parlamento* · **mecanismo (de)** · **sistema (de)** · **centro (de)** · **órgano (de)** · **acuerdo (de)** · **plan (de)** · **esfuerzo (de)** || **falta (de)** · **problema (de)**
●CON VBOS. **llevar** · **establecer** · **mantener** · **mejorar** *Han firmado un acuerdo para mejorar la coordinación entre ambos organismos* · **restablecer** || **facilitar** · **obstaculizar** || **estar (en)**

coordinar(se) v.

●CON ADVS. **perfectamente** · **a la perfección** · **a las mil maravillas** *Los miembros de este equipo se coordinan a las mil maravillas* · **armoniosamente** · **adecuadamente** · **convenientemente** · **eficazmente** || **con dificultad** · **deficientemente** · **ineficazmente** · **sin agilidad** || **estrechamente**

copa

1 **copa** s.f.

I [vaso con pie]

●CON VBOS. **rebosar** || **llenar** · **vaciar** || **tomar** · **apurar** || **derramar** · **desbordar(se)** · **verter(se)** || **alzar** *Alcemos las copas y brindemos* · **levantar** || **brindar (con)**

I [premio o competición]

●CON VBOS. **jugar** · **disputar** || **ganar** *Es el tercer año consecutivo que el equipo gana la Copa* · **llevarse** · **abrazar** · **recibir** || **debutar (en)**

2 **copas** s.f.pl.

●CON SUSTS. **as (de)** *Gana el que saque el as de copas* · **sota (de)** · **caballo (de)** · **rey (de)** || **{dos/tres/cuatro...} (de)** || **muestra (de)**
●CON VBOS. **robar** · **echar** || **pintar (en)** · **cantar {las cuarenta/las veinte} (en)** *¿Quién ha cantado las veinte en copas?* || **ir (a)**

copar v.

●CON SUSTS. **playa** · **calle** · **ciudad** · ***otros lugares*** || **puesto** · **posición** · **plaza** · **podio** · **medallero** *Ambas nadadoras son las máximas favoritas para copar el medallero* · **premio** · **lista de ventas** || **poder** · **cargo** · **institución** · **gobierno** · **dirección** · **cúpula** || **atención** · **portada** *La noticia copaba ayer las portadas de los periódicos* · **titular** · **escena** · **publicidad** · **comentario** || **mercado** *Las grandes firmas habían copado el mercado* · **sector** · **inversión** · **ramo**

[copas] s.f.pl. → copa

copia s.f.

●CON ADJS. **exacta** · **idéntica** · **igual** · **fiel** · **perfecta** · **textual** · **original** || **legible** · **ilegible** || **fraudulenta** · **ilegal** || **tosca** · **burda** *El texto es una burda copia del manuscrito original* || **íntegra** · **parcial** || **fotográfica** · **digital** · **manuscrita** · **fotostática** || **en blanco y negro** · **en color**
●CON VBOS. **hacer** · **imprimir** · **sacar** || **obtener** · **conseguir** || **pedir** *Piden el original y dos copias* · **solicitar** · **presentar** · **proporcionar** · **dar** · **distribuir** || **tener** · **conservar** · **guardar** || **compulsar** · **validar** · **cotejar**

copiar v.

●CON ADVS. **exactamente** · **punto por punto** · **al detalle** · **en los mínimos detalles** · **al pie de la letra** *He copiado al pie de la letra lo que me ibas dictando* · **literalmente** · **textualmente** · **fielmente** · **a pie juntillas** · **miméticamente** || **de {mi/tu/su...} puño y letra** || **descaradamente** *Este diseñador copia descaradamente el estilo de algunos maestros de la moda*

copiloto s.com.

●CON ADJS. **habitual** · **fiel** · **atento,ta** || **buen,-a** *Me acompañaba un buen copiloto* · **excepcional** || **mal,-a** · **pésimo,ma**
●CON SUSTS. **asiento (de)** *Está en el asiento del copiloto*
●CON VBOS. **ayudar (a alguien)** · **avisar (de algo)** · **advertir (de algo)** || **buscar** · **necesitar** · **contratar** || **ir (de)** · **viajar (de)**

copiosamente adv.

●CON VBOS. **llover** · **nevar** *Sobre esa hora nevaba copiosamente en la ciudad* · **caer la lluvia** · **caer la nieve** || **sudar** · **transpirar** || **comer** · **cenar** · **desayunar** *Después de la caminata, desayunó copiosamente* · **beber** · **fumar** || **nutrir** · **aumentar** || **proporcionar** · **proveer** · **recompensar**

copioso, sa adj.

●CON SUSTS. **lluvia** · **nevada** *Una copiosa nevada cubrió las vías de acceso a la capital* · **precipitación** || **lágrimas** · **sudor** · **goteo** · **caudal** · **flujo** || **banquete** · **ágape** · **comilona** · **cena** · **almuerzo** || **texto** · **novela** · **carta** · **documento** || **cantidad** · **suma** · **cifra** · **número** · **dosis** · **masa** · **volumen** || **beneficio** · **pérdida** · **ganancia** · **ingreso** · **gasto** · **dividendo** · **deuda** · **emolumento** · **inversión** · **donación** · **fortuna** *Era el único heredero de una copiosa fortuna* · **herencia** · **oferta** · **demanda** · **existencias** || **producción** · **obra** · **trabajo** · **labor** · **actividad** || **colección** · **bibliografía** *la copiosa bibliografía que acompaña a esta investigación* · **correspondencia** *Ambos autores mantuvieron a lo largo de su vida una copiosa correspondencia* · **conjunto** · **discografía** · **filmografía** · **recopilación** · **catálogo** || **información** · **documentación** · **erudición** · **conocimiento** · **experiencia** || **afluencia** *la copiosa afluencia de peregrinos* · **asistencia** · **presencia** ·

migración · éxodo · tráfico · manifestación · participación

copista s.com.

● CON ADJS. **buen,-a · excelente · riguroso,sa || de oficio · profesional** *un copista profesional de cuadros renacentistas*

● CON SUSTS. **error (de)** *Más bien parece un error del copista* · **fallo (de)**

● CON VBOS. **falsificar (algo) · copiar (algo) || buscar · necesitar · contratar || trabajar (como/de) · ganarse la vida (como)** *Se ganó la vida como copista de música*

copla s.f.

● CON ADJS. **popular** *una página electrónica que reúne un enorme repertorio de coplas populares* · **tradicional || flamenca**

● CON SUSTS. **cantante (de) · figura (de) · amante (de) || clásico (de) · tema (de) || arte (de)**

● CON VBOS. **cantar · entonar** *Su padre sabía tocar la guitarra y entonar coplas flamencas* · **interpretar · escuchar || recuperar · reivindicar || renovar**

□ EXPRESIONES **quedarse con la copla** [no olvidarse de lo dicho] *col.*

copo (de) s.m.

● CON SUSTS. **nieve** *Caían grandes copos de nieve* **|| algodón || avena** *un tazón de leche con copos de avena* · **trigo · maíz**

coquetear (con) v.

● CON SUSTS. ***persona*** *Estuvo coqueteando con la actriz unas semanas* **|| muerte · riesgo · peligro · droga** *Algunos conocidos afirman que en aquella época coqueteaba con las drogas* · **alcohol || posibilidad · idea || arte · música · política · ideología**

● CON ADVS. **abiertamente · disimuladamente || seductoramente · ingeniosamente · hábilmente** *Como todo político populista, sabe coquetear hábilmente con los electores* · **alegremente || peligrosamente || continuamente · permanentemente · constantemente**

coqueto, ta adj.

● CON SUSTS. ***persona*** *Era un hombre coqueto, muy atractivo y seductor* **|| gesto · estilo · sonrisa || piso · casa · restaurante · buhardilla** *Vive en una coqueta buhardilla en el centro histórico de la ciudad* · **ciudad · sala · salón · apartamento**

● CON VBOS. **volverse · poner(se)**

coraje s.m.

■ [valor, fuerza]

● CON ADJS. **gran(de) · admirable · proverbial · denodado || auténtico · verdadero · puro || escaso · insuficiente · necesario**

● CON SUSTS. **demostración (de) · ejemplo (de) · muestra (de)**

● CON VBOS. **faltar** *No le faltó coraje para denunciar la situación* **|| tener · sacar · echar · poner (en algo) · mostrar · demostrar · derrochar || admirar · reconocer || carecer (de)**

● CON PREPS. **a fuerza (de)** *superar una situación a fuerza de coraje* · **con · sin**

■ [irritación, rabia]

● CON ADJS. **tremendo** *Me dio un coraje tremendo no llegar a tiempo* · **enorme**

● CON SUSTS. **arranque (de) · gesto (de)**

● CON VBOS. **dar(le) (a alguien)** *Me da mucho coraje que se comporte así* **|| sentir**

coraza s.f.

● CON ADJS. **protectora · defensiva || invulnerable · blindada · impenetrable · fuerte || débil · frágil || judicial · legal · ideológica · política** *Fundó el partido para utilizarlo como coraza política y legal* · **psicológica · mental · personal || externa · interna**

● CON VBOS. **proteger (algo/a alguien) · defender (de algo/de alguien) · guardar (de algo/de alguien) || poner(se) · quitar(se) · abandonar || romper · quebrar · perforar · penetrar · atravesar** *La flecha atravesó la coraza y lo hirió mortalmente* **|| servir (de)** *La lona les servía de coraza contra el sol* · **utilizar (como) || agazaparse (tras) · parapetar(se) (tras) · proteger(se) (con)**

● CON PREPS. **tras || con · sin**

[corazón]

→ a corazón abierto; con la mano en el corazón; corazón; de (todo) corazón

corazón s.m.

■ [órgano]

● CON ADJS. **abierto** *una operación a corazón abierto* **|| fuerte · débil · delicado · frágil || activo · en pleno funcionamiento**

● CON SUSTS. **ataque (de/a) · dolor (de) · trasplante (de)** *esperar un trasplante de corazón* · **operación (de) · problema (de) · enfermedad (de) || latido (de)**

● CON VBOS. **latir · palpitar · funcionar || doler · oprimir || acelerar(se)** *Notaba cómo se me aceleraba el corazón* **|| operar · trasplantar || padecer (de) · sufrir (de)**

■ [núcleo de la voluntad o de los sentimientos]

● CON ADJS. **buen(o) · compasivo · misericordioso · blando · tierno · dulce · cándido · noble · de oro · generoso || mal(o) · vengativo · retorcido · duro · de piedra** *No hay nada que la conmueva: tiene un corazón de piedra* · **endurecido · pétreo || de hierro · firme || humilde · manso || ardiente · apasionado · indomable · valiente · palpitante || frío · gélido · insensible || partido · dividido** *un corazón dividido entre dos amores* · **roto**

● CON SUSTS. **asuntos (de) · prensa (de) · revista (de)** *Ha acaparado la portada de las revistas del corazón* · **programa (de) || secreto (de) || dolor (de)** *No le dio ningún dolor de corazón decirle que estaba despedido*

● CON VBOS. **ablandar(se) · enternecer(se) · conmover(se) || encoger(se) · helar(se) · ahogar(se) || dictar (algo)** *Haz lo que te dicte el corazón* · **mentir (a alguien) · traicionar (a alguien) || ajar(se) · parar(se) || abrir (a alguien) · conquistar · ganar || partir** *Sus palabras me partieron el corazón* · **desgarrar || poner (en algo)** *Pone el corazón en todo lo que hace* · **echar · volcar · levantar || tocar · golpear · herir · atravesar · atenazar · romper** *Me rompió el corazón al dejarme* **|| salir (de)** *Si no te sale del corazón, no lo digas* **|| hablar (a) · dirigirse (a) · llegar (a)** *una triste historia muy triste que me llegó al corazón* · **sentir (en) || buscar (en) · bucear (en) || llevar (en) · sacar (de)**

● CON PREPS. **dentro (de) · desde · de** *decir algo de corazón*

□ EXPRESIONES **con el corazón en la mano** [sinceramente] **|| ser todo corazón** [ser muy bondadoso]

corazonada s.f.

● CON VBOS. **dar(le) (a alguien)** *Me dio la corazonada de que ibas a volver* · **venir(le) (a alguien) · asaltar(le) (a alguien) || tener · sentir**

corbata s.f.

● CON ADJS. **llamativa · original · vistosa || de seda · de fantasía || elegante · hortera · chillona · cantosa · extravagante · estrafalaria**

• CON SUSTS. **nudo (de)** *Aún no ha aprendido a hacerse el nudo de la corbata*
• CON VBOS. **llevar · usar · lucir || poner · quitar || apretar · aflojar · anudar · desanudar · arreglar || regalar** *El día del padre siempre le regalaba una corbata* · **coleccionar || repetir || cambiar (de) || ir (de)** *Al trabajo tenía que ir de corbata*

corchete s.m.

▮ [broche]

• CON VBOS. **enganchar(se)** *Se me ha enganchado el corchete de la falda* · **desenganchar(se) || abrochar · poner · quitar || coser**

▮ [signo gráfico]

• CON VBOS. **abrir · cerrar · poner · utilizar · añadir · usar · revisar**
• CON PREPS. **entre** *La transcripción fonética aparece entre corchetes en este diccionario*

corcho s.m.

▮ [material]

• CON ADJS. **natural · macizo**
• CON SUSTS. **tapón (de)** *una botella de vino con tapón de corcho* · **tabla (de) · lámina (de) · pared (de) || industria (de) · sector (de) · fábrica (de) · producción (de) · plantación (de)**
• CON VBOS. **producir · tratar · reciclar || forrar (de) · revestir (de)**

▮ [tapón]

• CON VBOS. **colar(se)** *Se me ha colado el corcho por el cuello de la botella* || **sacar · quitar · poner**

cordero, ra

1 **cordero, ra** s.

▮ [animal]

• CON ADJS. **recental · pascual · lechal || manso,sa (como)**
• CON SUSTS. **piel (de) · ojos (de)** *La miraba con ojos de cordero* || **mirada (de) · aspecto (de)**
• CON VBOS. **balar · brincar || matar · sacrificar · degollar · inmolar · llevar al matadero**

2 **cordero** s.m.

▮ [carne]

• CON ADJS. **asado · al horno**
• CON SUSTS. **carne (de) · chuleta (de) · pierna (de) · pata (de) · medallón (de)** *De segundo nos sirvieron medallones de cordero* · **caldo (de) · costilla (de)**
• CON VBOS. **comer · degustar · consumir || prohibir · permitir || asar · preparar · guisar · hacer · sazonar** *Después se sazona el cordero con sal, pimienta, ajo y perejil* · **especiar · despiezar · deshuesar · trocear**

cordial adj.

• CON SUSTS. ***persona*** *Nos atendió una chica muy cordial* || **carácter · aspecto · ambiente · clima** *La reunión se celebró en un clima cordial* || **relación · amistad · trato · tratamiento || bienvenida · acogida · presentación · saludo** *Reciba un cordial saludo de...* || **felicitación · agradecimiento || abrazo · apretón de manos || conversación · entrevista** *Ambos mandatarios intercambiaron pareceres en una entrevista cordial* · **respuesta · acuerdo** · ***otras manifestaciones verbales o comunicativas***
• CON ADVS. **sumamente · extremadamente · claramente || escasamente**
• CON VBOS. **volverse · ponerse · mantenerse**

cordialmente adv.

• CON VBOS. **invitar** *Fueron cordialmente invitados a la ceremonia de inauguración* · **recibir · acoger || saludar · tratar · atender · despedirse · abrazar · estrechar la mano** *Al entrar, me estrechó cordialmente la mano* · **dar la mano || felicitar · agradecer || conversar · charlar · hablar · departir · dialogar · discutir · entrevistar(se) · responder · decir · expresar · explicar** · ***otros verbos de lengua*** || **solicitar · recomendar · presionar · quejarse · rechazar** *Rechazó cordialmente su amable invitación* · **reprochar · advertir · corregir**

cordón s.m.

▮ [cuerda fina]

• CON ADJS. **deshilachado**
• CON VBOS. **atar** *Espera un momento, que tengo que atarme el cordón de un zapato* · **desatar · anudar · tensar || pisar** *Te vas a pisar los cordones* · **cortar**

▮ [conjunto de personas colocadas en línea]

• CON ADJS. **policial** *Había un cordón policial en las principales vías* · **de seguridad || humano · militar · sanitario**
• CON VBOS. **romper · cortar || formar** *Formaron un cordón de seguridad alrededor de la plaza* · **establecer · crear || tender · levantar**

□ EXPRESIONES **cordón umbilical** [cordón que une la placenta de la madre con el vientre del feto]

cordura s.f.

• CON ADJS. **suma** *actuar con suma cordura* · **aparente · escasa || suficiente · imprescindible || mesurada · equilibrada · prudente · sensata · lógica · lúcida || envidiable · deseada · necesaria** *Tiene la cordura necesaria para ese cargo* · **ejemplar || política**
• CON SUSTS. **acto (de) · señal (de) · expresión (de) · sensación (de) · sentido (de) · espíritu (de) || ápice (de) · atisbo (de) · grado (de) · pérdida (de) || llamamiento (a)** *Las autoridades han hecho un llamamiento a la cordura*
• CON VBOS. **imperar · reinar** *una discusión en la que reinó la cordura y el buen entendimiento* · **presidir (algo) · cundir · imponer(se) · prevalecer || pedir · exigir · reclamar || mostrar · demostrar · introducir (en algo)** *La periodista trató de introducir un poco de cordura en el debate* · **poner || mantener · conservar** *A pesar de todo conservó la cordura* · **perder || recuperar · recobrar · restaurar || llamar (a) · apelar (a) || proceder (con) · volver (a)**

coreano s.m. Véase **IDIOMA**

corear v.

• CON SUSTS. **nombre · consigna** *Los manifestantes coreaban consignas a la puerta del Ministerio* · **lema · eslogan · frase · grito · insulto || himno · canción · estribillo · estrofa**
• CON ADVS. **a la vez · al unísono · unánimemente || con entusiasmo** *Los hinchas coreaban con entusiasmo el himno de su equipo* · **eufóricamente · vehementemente · ensordecedoramente · estruendosamente**

coreografía s.f.

• CON ADJS. **original** *Los bailarines deleitaron al público con una original coreografía* · **clásica · moderna · innovadora · tradicional · convencional || espectacular · magistral · perfecta || brillante · delicada**
• CON SUSTS. **lección (de) || autor,-a (de) · creador,-a (de)**
• CON VBOS. **hacer · realizar · montar · estrenar · presentar || crear · imaginar · componer** *Elige la coreografía*

antes de componer la coreografía · **elaborar** || **interpretar** · **ensayar** || **adaptar** · **modificar** · **transformar**

coreógrafo, fa s.

● CON ADJS. **gran** · **notable** · **excelente** *Tiene fama de ser una excelente coreógrafa* · **virtuoso,sa** · **reputado,da** · **famoso,sa** · **afamado,da** · **prestigioso,sa** || **prolífico,ca** · **veterano,na** · **consagrado,da** · **legendario,ria** *El jurado ha premiado a un coreógrafo legendario* · **novel** · **joven**
● CON VBOS. **dirigir (algo/a alguien)** · **crear (algo/a alguien)** || **buscar** · **necesitar** · **contratar** *Contratar a un coreógrafo nuevo para dirigir el espectáculo* · **aplaudir** · **premiar** || **triunfar (como)**

corinto adj./s.m. Véase COLOR

cornada s.f.

● CON ADJS. **leve** · **peligrosa** · **seria** · **grave** · **mortal** · **de pronóstico reservado** || **profunda** *Ha sido atendido tras recibir una profunda cornada en la ingle* · **superficial** || **limpia** · **aparatosa**
● CON VBOS. **afectar (algo)** · **interesar (algo)** *La cornada interesa la parte superior del muslo derecho* || **dar** · **pegar** · **meter** · **propinar** · **lanzar** · **tirar** || **llevar(se)** · **recibir** · **sufrir** || **recuperarse (de)** · **recobrar(se) (de)** || **librar(se) (de)** · **salvar(se) (de)**

[córnea] s.f. → córneo, a

córneo, a

1 **córneo, a** adj.
● CON SUSTS. **capa** · **desarrollo** · **estrato** · **estuche**

2 **córnea** s.f.
● CON ADJS. **artificial** · **sintética** · **de plástico**
● CON SUSTS. **trasplante (de)** · **donación (de)** · **implante (de)** · **injerto (de)** · **sustitución (de)** · **operación (de)** *Tras someterse a una operación de córnea* || **curvatura (de)** · **deformación (de)** || **daño (en)** · **lesión (de/en)**
● CON VBOS. **dañar** · **afectar** *El accidente le ha afectado la córnea* · **invadir** · **cubrir** · **perder** || **implantar** · **recibir** · **donar** · **extraer**

córner s.m.

● CON ADJS. **corto** · **largo** || **a favor** · **en contra**
● CON SUSTS. **banderín (de)** · **línea (de)** || **lanzamiento (de)** · **saque (de)** · **jugada (de)** · **gol (de)**
● CON VBOS. **sacar** · **botar** · **lanzar** *El árbitro autorizó al jugador a lanzar el córner* · **ejecutar** · **rematar** · **tirar** || **atajar** · **defender** · **evitar** || **forzar** || **aprovechar** · **cabecear** || **desviar (a)** *El guardameta desvió a córner el potente disparo* · **enviar (a)** · **despejar (a)** · **rechazar (a)** || **acabar (en)**
● CON PREPS. **a la salida (de)** · **tras**

[corneta] → a toque de corneta; corneta

corneta s.f.

● CON SUSTS. **toque (de)** *La tropa se levantaba a toque de corneta*
➤ Véase también **INSTRUMENTO MUSICAL**

[coro] → a coro; coro

coro s.m.

● CON ADJS. **profesional** *Creó un coro profesional para difundir la música popular del país* · **aficionado** · **sinfónico** || **armonioso** · **conjuntado** || **infantil** · **femenino** · **masculino** || **escolar** · **parroquial** || **acompañado,da (de)**
● CON SUSTS. **miembro (de)** · **voces (de)** *las bellas voces del coro femenino* · **director,-a (de)** · **integrante (de)** · **solista (de)**
● CON VBOS. **interpretar (algo)** *El coro interpretó un repertorio clásico* · **cantar** · **actuar** || **ensayar** || **formar** · **organizar** · **crear** || **dirigir** · **conjuntar** || **cantar (en)** · **unirse (a)** · **participar (en)**
● CON PREPS. **a cargo (de)** · **al frente (de)**

☐ EXPRESIONES **a coro*** [a la vez, conjuntamente] *...justas reivindicaciones que el vecindario viene pidiendo a coro desde hace años*

corona s.f.

▮ [aro, cerco, galardón]
● CON ADJS. **fúnebre** · **funeraria** · **de flores** *poner una corona de flores sobre una tumba* || **legendaria** · **fabulosa** || **de laurel** *...al mejor poeta le entregaban una corona de laurel* · **triunfal** · **de campeón**
● CON SUSTS. **aspirante (a)**
● CON VBOS. **llevar** · **poner** · **lucir** · **colocar** || **conseguir** · **obtener** *...quien obtuvo su tercera corona en automovilismo* · **perder** · **ganar** · **conquistar** · **adjudicar(se)** · **disputar** · **arrebatar** · **llevarse** || **ceñir** *La más firme aspirante a ceñir la corona era la representante de Venezuela* || **retener** · **defender** · **mantener** · **revalidar** || **entregar** || **alzarse (con)**

▮ [reino, monarquía]
● CON SUSTS. **heredero,ra (de/a)** *presentar a la heredera de la corona de...* · **sucesor,-a (a)** || **sucesión (a)** · **papel (de)** · **lealtad (a)** · **prestigio (de)**
● CON VBOS. **representar** || **aspirar (a)** · **renunciar (a)**

▮ [unidad monetaria] Véase **MONEDA**

coronar v.

▮ [poner una corona]
● CON SUSTS. **rey** · **reina** · **emperador** · **emperatriz** · **equipo** · ***otros individuos y grupos humanos***

▮ [alcanzar]
● CON SUSTS. **cima** *Los montañeros lograron coronar la cima al tercer día* · **cumbre** · **montaña** · **rascacielos** || **victoria**

▮ [completar, terminar]
● CON SUSTS. **tarea** · **labor** · **misión** · **negocio** · **actuación** · **faena** · **gestión** · **aventura** · **gira** · **trayectoria** *un papel con el que coronó su trayectoria profesional*
● CON ADVS. **con éxito** · **felizmente**

coronario, ria adj.

● CON SUSTS. **enfermedad** *¿Cuáles son los factores de riesgo de una enfermedad coronaria?* · **patología** · **riesgo** · **dolencia** · **problema** · **insuficiencia** · **trombosis** · **síndrome** · **afección** || **episodio** · **ataque** · **accidente** · **crisis** · **lesión** *Tuvo una lesión coronaria severa* · **isquemia** · **obstrucción** || **arteria** · **puente** · **vaso** · **flujo** · **placa** · **riego** · **tejido** · **sistema** || **operación** · **intervención** · **cirugía** || **enfermo,ma** *Esta unidad hospitalaria se dedica a los enfermos coronarios agudos* || **mortalidad**

corporal adj.

● CON SUSTS. **peso** · **masa** *pérdida de masa corporal* · **densidad** · **tamaño** · **medida** · **superficie** · **integridad** · **estructura** · **energía** · **capacidad** · **estudio** || **parte** · **tejido** · **grasa** || **fluido** · **olor** || **temperatura** *...por aumento de la temperatura corporal* · **calor** || **expresión** · **lenguaje** || **movimiento** · **agilidad** || **trabajo** · **esfuerzo** || **higiene** · **aseo** · **maquillaje** · **tratamiento** · **masaje** · **loción** || **ima-**

gen · belleza · estética · perfección || contacto · aproximación || daño *Creemos que no ha sufrido daños corporales* · lesión · castigo · tortura

corporativo, va adj.

• CON SUSTS. **imagen** *La empresa presentará su nueva imagen corporativa* · **identidad** · **comunicación** || **espíritu** · **interés** · **objetivo** || **estrategia** · **gestión** · **política** · **decisión** || **desarrollo** · **crecimiento** || **cliente** *¿Está usted registrado como cliente individual o como cliente corporativo?* || **estructura** · **sistema** · **red** · **modelo** || **mercado** · **sector** · **mundo** · **cultura** || **sede** · **centro** · **división** · **organismo** · **oficina** || **grupo** · **sindicato** *Un sindicato corporativo decidió no firmar el convenio* · **comité** · **representación** · **sindicalismo** || **gasto** · **ingreso**

corpóreo, a adj.

• CON SUSTS. **elemento** · **figura** · **ser** · **obra** || **mundo** · **lugar** || **volumen**

corpulento, ta adj.

• CON SUSTS. ***persona*** || **aspecto** *Al principio, su aspecto corpulento me asustó* · **figura**

correa s.f.

• CON ADJS. **larga** · **corta** || **tensa** · **floja** · **suelta** || **de transmisión** || **extensible** *una correa extensible para el perro*

• CON VBOS. **romper(se)** · **ajustar(se)** || **tensar** · **sustituir** · **cambiar** || **estirar** · **alargar** · **acortar** || **servir (de/como)** *Esta cuerda te servirá de correa* · **utilizar (de/como)** || **tirar (de)**

corrección s.f.

▌[enmienda]

• CON ADJS. **drástica** · **severa** · **estricta** · **minuciosa** · **negligente** || **efectiva** · **pertinente** *Cuando haga las correcciones pertinentes, lo pasaré a limpio* || **de {mi/tu/su...} puño y letra** || **a la baja** *una corrección bursátil a la baja* · **al alza** || **económica** · **monetaria** · **balística** || **lingüística** · **de estilo** · **gramatical** · **ortotipográfica**

• CON VBOS. **hacer** · **introducir** || **requerir** || **verificar** · **cuestionar**

▌[cortesía]

• CON ADJS. **absoluta** · **elegante** · **escasa** · **debida** · **exquisita** *El debate se desarrolló en un tono de exquisita corrección* · **formal** · **impecable** · **indudable** · **intachable** · **suma** · **total**

• CON SUSTS. **norma (de)** || **ápice (de)**

• CON VBOS. **tener** · **mantener** · **mostrar**

• CON PREPS. **con** *Se quejaba de no haber sido tratado con corrección*

correccional adj.

• CON SUSTS. **tribunal** · **juzgado** · **trabajo** || **centro** · **institución** · **penal** || **medida**

correctivo s.m.

• CON ADJS. **duro** · **severo** *Pocos días después de aquel severo correctivo...* · **fuerte** · **serio** · **abrumador** · **ejemplar** || **desmesurado** · **desproporcionado** || **leve** · **ligero** · **moderado** · **pequeño** || **injusto** · **justo** || **legal** · **moral** · **especial**

• CON VBOS. **aplicar** *Los superiores le aplicaron un correctivo desproporcionado* · **imponer** · **propinar** · **infligir** || **acordar** · **adoptar** || **sufrir** · **merecer** || **atenuar** · **evitar** || **librar(se) (de)**

correcto, ta adj.

▌[acertado, adecuado]

• CON SUSTS. **camino** · **dirección** *tomar la dirección correcta* · **ruta** || **posición** · **orden** · **clasificación** || **decisión** · **elección** · **opción** || **respuesta** *El concursante debe dar la respuesta correcta* · **contestación** · **pregunta** || **resultado** · **conclusión** || **interpretación** · **lectura** · **diagnóstico** *atinar con el diagnóstico correcto* · **análisis** · **juicio** · **perspectiva** || **ejercicio** · **trabajo** || **uso** · **procedimiento** · **sistema** · **funcionamiento** · **mantenimiento** || **lenguaje** · **frase** · **palabra** · **nombre** · **título** · ***otras manifestaciones verbales*** || **comportamiento** · **actuación** · **actitud** · **forma** · **manera** || **libro** · **texto** · **película** · ***otras obras***

• CON ADVS. **políticamente** · **formalmente**

• CON VBOS. **considerar** · **ver**

▌[que se comporta con corrección]

• CON SUSTS. ***persona*** *Nunca hemos tenido problemas con él, es un empleado muy correcto*

• CON VBOS. **mostrarse**

corrector, -a s.

• CON ADJS. **de pruebas** · **de estilo** *Trabaja como correctora de estilo en este periódico* · **ortográfico,ca** · **gramatical**

corredero, ra adj.

• CON SUSTS. **puerta** · **ventana** *Queremos instalar ventanas correderas en toda la casa* · **tapa** · **eje** || **nudo**

corredizo, za adj.

• CON SUSTS. **nudo** *hacer un nudo corredizo en una cuerda* · **lazo** || **techo** · **puerta** · **reja**

corredor, -a

1 corredor, -a s.

▌[deportista]

• CON ADJS. **de fondo** · **de velocidad** · **olímpico,ca** || **buen,-a** · **mal,-a** · **excelente** · **rápido,da** || **nato,ta**

• CON SUSTS. **lesión (de)** *El médico dijo que se trataba de la típica lesión de corredor de velocidad* || **ritmo (de)** || **control (de)** · **salida (de)** · **llegada (de)**

• CON VBOS. **participar (en algo)** · **competir (en algo)** · **ganar (algo)** · **perder (algo)** · **cruzar la meta** · **llegar** || **dopar(se)** *otro corredor descalificado por doparse* || **eliminar** · **descalificar**

▌[intermediario]

• CON ADJS. **de bolsa** · **de exportación** · **de comercio** · **de bienes** · **monetario** · **bursátil** · **inmobiliario** · **de seguros** *Ayer me visitó un corredor de seguros para mostrarme las diferentes pólizas*

• CON SUSTS. **cargo (de)** · **puesto (de)** · **oposición (a)** · **despacho (de)** · **colegio (de)**

• CON VBOS. **mediar** || **buscar** · **necesitar** · **contratar** || **trabajar (como/de)** · **ejercer (de)**

2 corredor s.m.

▌[espacio]

• CON ADJS. **largo** *Se llegaba al salón después de un largo corredor* · **corto** || **humanitario** *Gracias al corredor humanitario, muchas personas pudieron escapar de aquella terrible guerra* || **estratégico**

• CON VBOS. **pasar** · **cruzar** · **atravesar** || **ensanchar** · **abrir**

corregir v.

• CON SUSTS. **examen** · **prueba** · **trabajo** · **ejercicio** || **libro** · **carta** · **artículo** *Su tarea es corregir todos los artículos que difunde la institución* · **informe** · **edición** · **página** · ***otros textos*** || **ley** · **legislación** · **norma** · **consigna** · ***otras disposiciones*** || **estilo** · **pronunciación** · **actuación** · **redacción** · **ortografía** · **gramática** || **vista** · **visión** · **dientes** *aparato para corregir los dientes* · **postura** || **error** *corregir los errores de ortografía* · **fallo** · **falla** || **defecto** · **deficiencia** · **déficit** · **carencia** || **desequilibrio** · **distorsión** · **desviación** · **desvío** · **irregularidad** *detectar y corregir las irregularidades en el sistema de facturación* · **anomalía** · **asimetría** · **desajuste** || **problema** · **mal** · **atropello** · **injusticia** || **vicio** · **manía** · **conducta** · **costumbre** · **comportamiento** · **actitud** || **tendencia** · **trayectoria** · **rumbo** · **tiro** · **estrategia** || **niño,ña** *Hay que corregir a los niños maleducados* · **alumno,na** · **discípulo,la** · ***otros individuos***

• CON ADVS. **ampliamente** · **a medias** · **profundamente** · **drásticamente** · **meticulosamente** · **exhaustivamente** *Estamos corrigiendo exhaustivamente la última versión de la obra* · **a fondo** · **detalladamente** || **superficialmente** · **ligeramente** · **levemente** || **paulatinamente** · **rápidamente** · **progresivamente** || **a la baja** · **al alza**

correlación s.f.

• CON ADJS. **directa** · **estrecha** · **íntima** *hechos que están en íntima correlación* · **próxima** · **significativa** · **interna** || **indirecta** · **lejana** · **remota** · **imperceptible** · **inapreciable** || **perfecta** · **exacta** · **estricta** · **adecuada** || **leve** · **tenue** · **laxa** · **vaga** · **difusa** · **engañosa** · **forzada** || **clara** · **evidente** · **manifiesta** · **notoria** · **ostensible** · **palpable** · **perceptible** || **inversa** *cantidades en correlación inversa* · **lineal** || **actual** · **antigua** || **de fuerzas** · **electoral** · **estadística** · **numérica** · **temporal**

• CON SUSTS. **grado (de)** · **falta (de)**

• CON VBOS. **darse** · **existir** *Existe una cierta correlación entre densidad y volumen* · **depender (de algo)** || **romper(se)** · **truncar(se)** || **guardar** · **mantener** · **presentar** · **reflejar** *Hemos reflejado la correlación entre ambos factores mediante un gráfico* || **modificar** · **cambiar** || **descubrir** · **detectar** · **apreciar** · **entrever** · **encontrar** · **advertir** · **percibir** · **establecer** · **determinar** || **interpretar** · **comprobar** · **verificar** *Si se verifica la supuesta correlación entre...*

• CON PREPS. **en función (de)** · **según**

correlativo, va adj.

• CON SUSTS. **número** · **serie** · **cantidad** · **numeración** · **orden** *aparecer por orden correlativo* || **disminución** · **incremento** · **crecimiento** *el crecimiento económico correlativo a las medidas tomadas por la ministra* · **aumento** · **paralelismo**

correligionario, ria s.

• CON ADJS. **antiguo,gua** *Se conocen desde hace años porque son antiguos correligionarios* · **viejo,ja**

• CON VBOS. **arengar** · **exhortar** *Exhortó vivamente a sus correligionarios para que luchasen por...* · **disuadir** · **convencer** || **retar** · **desafiar** || **disentir (de)** · **enfrentar(se) (a)** || **dirigirse (a)**

[correo] → correo; correo electrónico; por correo

correo s.m.

• CON ADJS. **diario** · **ordinario** · **normal** · **certificado** *recibir un paquete por correo certificado* · **urgente** || **oficial** · **privado** · **secreto** · **confidencial** · **interno** || **aéreo** · **de superficie** || **postal** · **convencional** · **electrónico** *mandar un correo electrónico*

• CON SUSTS. **dirección (de)** *dar la dirección de correo* · **apartado (de)** · **cuenta (de)** || **servicio (de)** · **oficina (de)** · **buzón (de)** || **privacidad (de)** *respetar la privacidad del correo*

• CON VBOS. **llegar** · **retrasar(se)** || **enviar** · **mandar** · **despachar** || **traer** · **llevar** · **repartir** *repartir el correo por los despachos* · **distribuir** || **tener** *¿He tenido correo?* · **recibir** · **recoger** || **abrir** · **leer** || **revisar** · **verificar** || **escribir** · **contestar** *contestar el correo a diario* || **esperar** || **echar (a)** *Voy a echar al correo una carta*

• CON PREPS. **por** *envío por correo* || **a vuelta (de)** *contestar a vuelta de correo*

correo electrónico loc.sust.

• CON ADJS. **urgente**

• CON SUSTS. **dirección (de)** · **cuenta (de)** || **servicio (de)** || **mensaje (de)**

• CON VBOS. **enviar** · **mandar** *Mandamos un correo electrónico para ver si daba señales de vida* · **poner (a alguien)** || **recibir** · **abrir** · **tener** || **consultar** · **mirar** *Llevo días sin poder mirar el correo electrónico* || **leer** · **escribir** · **contestar** · **responder** *Por favor, responde a mi correo electrónico en cuanto lo leas* · **devolver** || **guardar** · **conservar** · **archivar** · **borrar** · **eliminar**

• CON PREPS. **vía** *recibir un archivo vía correo electrónico* · **por** *mandar fotografías por correo electrónico*

correoso, sa adj.

• CON SUSTS. **pan** · **bocadillo** · **patata** · **carne** · ***otros alimentos***

• CON VBOS. **estar** · **poner(se)** *El pan de ayer se ha puesto correoso* · **quedar(se)**

[correr] → correr; correr (con); correrse

correr v.

• CON SUSTS. **piloto** · **atleta** · **niño,ña** · ***otros individuos y grupos humanos*** || **galgo** · **ciervo** · ***otros animales*** || **coche** *un coche que corre a gran velocidad* · **moto** · **furgoneta** · ***otros vehículos*** || **noticia** · **información** · **rumor** *Corre el rumor de que...* || **tiempo** · **minuto** *Los minutos corrían y el tren no llegaba* · **hora** · **año** · ***otros sustantivos temporales*** || **agua** *...y escuchar el murmullo del agua que corre entre las piedras* · **sangre** · **cerveza** · ***otros líquidos*** || **aire** *Abre la ventana para que corra el aire* · **brisa** · **viento** || **carretera** · **camino** *el camino que corre junto a la alameda* · **vía** · **río** || **suerte** *¡Quién sabe la suerte que correrá ese pequeño!* || **cortina** *Corre un poco las cortinas para que no entre luz* · **cerrojo** · **pestillo** || **peligro** · **riesgo** *correr un riesgo innecesario* || **aventura** · **juerga**

• CON ADJS. **despavorido,da** · **impaciente** · **despendolado,da**

• CON ADVS. **a toda velocidad** · **a toda pastilla** · **a toda marcha** · **a todo tren** · **como una exhalación** · **como la pólvora** · **al galope** || **como alma que lleva el diablo** · **como un condenado** · **como (un) loco** · **alocadamente** · **con todas {mis/tus/sus...} fuerzas** · **a tope** · **incansablemente** || **contra reloj** · **a la contra** || **de puntillas** · **a la pata coja** || **en ayuda (de alguien)** || **a raudales** *El agua corre a raudales* · **a borbotones** · **a espuertas** · **a patadas** || **libremente** · **con fluidez** · **de un tirón** || **de boca en boca** *un rumor que corre de boca en boca* · **de mano en mano** · **de puerta en puerta** || **de {mi/tu/su...} cuenta** *La cena corre de mi cuenta* || **al encuentro (de alguien)**

• CON VBOS. **echar(se) (a)** · **lanzar(se) (a)** · **poner(se) (a)**

correr (con) v.

● CON SUSTS. **gasto** *La empresa corre con los gastos de transporte* · **pago** || **riesgo**

correrse v.

● CON SUSTS. **color** · **pintura** *Se te ha corrido la pintura de los ojos*

correspondencia s.f.

▮ [correo]

● CON ADJS. **abundante** · **intensa** · **amplia** *De jóvenes mantenían una amplia correspondencia* · **copiosa** · **gigantesca** · **larga** · **prolija** · **voluminosa** || **escasa** · **dispersa** · **ocasional** · **esporádica** || **oficial** · **personal** · **íntima** · **privada** · **confidencial** · **clandestina** · **inédita** *la correspondencia inédita de un escritor* || **amorosa** · **amistosa** · **familiar** || **manuscrita**

● CON SUSTS. **contenido (de)** · **publicación (de)**

● CON VBOS. **enviar** · **mandar** · **despachar** *Empieza la jornada despachando la correspondencia con su secretaria* · **cursar** || **esperar** || **repartir** · **distribuir** *¿Quién se encarga de distribuir la correspondencia por los despachos?* || **recibir** · **recoger** · **recopilar** · **publicar** || **abrir** · **leer** || **contestar** · **llevar al día** || **mantener** *mantener correspondencia con un amigo* · **cruzar** · **intercambiar** || **censurar**

▮ [relación]

● CON ADJS. **absoluta** · **estricta** · **estrecha** || **parcial** · **puntual** · **ligera** || **clara** *La Policía ve una clara correspondencia entre los dos sucesos* · **objetiva** || **manifiesta** · **nítida** · **evidente** || **forzada** · **vaga** · **inexacta** || **simbólica**

● CON SUSTS. **falta (de)** || **medios (de)**

● CON VBOS. **tener (con alguien)** · **guardar (con alguien)** · **mantener (con alguien)** || **encontrar** · **hallar** || **establecer** · **demostrar** || **cuestionar**

corresponder v.

● CON SUSTS. **dato** · **información** · **nombre** · **declaración** · **testimonio** || **cara** *Su cara no se corresponde con la descripción que nos han dado* · **rostro** || **imagen** · **fotografía** · **texto** · **copia** || **idea** · **plan** · **propuesta**

● CON ADVS. **exactamente** · **punto por punto** *Su escala de valores estética correspondía punto por punto a la sociedad establecida* · **al detalle** · **al pie de la letra** || **aproximadamente** · **vagamente**

□ USO Se construye frecuentemente con complementos encabezados por las preposiciones *a* (*unos datos que corresponden al informe oficial*) o *con* (*un testimonio que no se corresponde con la realidad*).

corresponsal s.com.

● CON ADJS. **permanente** || **diplomático,ca** · **de guerra** · **de prensa** · **cultural**

● CON SUSTS. **nota (de)**

● CON VBOS. **informar (de algo)** *Según informó el corresponsal...* || **enviar (a un lugar)**

[corrida] s.f. → corrido, da

[corrido, da] → corrido, da; de corrido

corrido, da

1 **corrido, da** adj.

▮ [continuo]

● CON SUSTS. **banco** *una sala con varias filas de bancos corridos* · **asiento** || **balcón** · **balaustrada** · **ventanal** · **edificio** || **texto**

▮ [avergonzado]

● CON VBOS. **sentirse** · **salir** *Salió corrido del examen oral tras fallar la mayoría de las preguntas* · **irse** · **quedarse**

2 **corrido** s.m.

▮ [composición musical]

● CON ADJS. **mexicano** · **clásico** · **típico** · **conocido** · **famoso**

● CON SUSTS. **cantante (de)** *un famoso cantante de corridos mexicanos* · **autor,-a (de)** · **compositor,-a (de)** · **disco (de)** · **recopilación (de)**

● CON VBOS. **cantar** · **componer** · **escribir**

3 **corrida** s.f.

▮ [espectáculo de toreo]

● CON ADJS. **formidable** · **memorable** *La corrida de ayer fue realmente memorable* · **fantástica** · **extraordinaria** · **interesante** · **lucida** || **floja** · **mediocre** · **deslucida** · **desigual** · **dispar** || **inaugural** *Mañana se celebra la corrida inaugural de la feria* || **tradicional** || **de toros** · **taurina** · **de rejones** · **de feria**

● CON VBOS. **transcurrir** || **celebrar** · **organizar** · **montar** · **presidir** *¿Quién presidirá este año la corrida de toros?* || **suspender** || **televisar** · **retransmitir** · **ofrecer** || **seguir** || **completar** · **cerrar** · **terminar** · **despachar** || **asistir (a)** · **disfrutar (de)** || **actuar (en)**

□ EXPRESIONES **de corrido*** [rápidamente y sin equivocación]

[corriente] → al corriente (de); corriente

corriente

1 **corriente** adj.

▮ [actual]

● CON SUSTS. **mes** *La garantía vence a finales del mes corriente* · **año** · **curso** · ***otros períodos***

▮ [común]

● CON ADVS. **sumamente** *La expresión es sumamente corriente* · **extraordinariamente** · **de lo más** · **absolutamente** · **totalmente**

2 **corriente** s.f.

▮ [fluido]

● CON ADJS. **fuerte** *Un barrio entero ha sido arrasado por una fuerte corriente de agua* · **caudalosa** · **impetuosa** · **torrencial** · **incesante** || **floja** · **débil** || **eléctrica** · **marina** · **migratoria**

● CON VBOS. **fluir** · **discurrir** *La corriente del río discurre por el centro de la ciudad* · **pasar** · **circular** · **confluir** || **crecer** · **amainar** || **desviar** · **canalizar** || **remontar** · **resistir** · **vencer** || **zambullir(se) (en)** · **dejarse llevar (por)** || **alimentar(se) (con/de)** *Se alimenta de corriente eléctrica*

▮ [tendencia]

● CON ADJS. **dominante** · **preponderante** · **mayoritaria** *una corriente de pensamiento mayoritaria* · **amplia** · **mundial** || **minoritaria** · **marginal** · **interna** · **escindida** || **igualitaria** · **irreconciliable** *corrientes filosóficas irreconciliables* || **política** · **ideológica** · **artística** · **cultural**

● CON SUSTS. **representante (de)** · **miembro (de)** · **líder (de)**

● CON VBOS. **surgir** · **formar(se)** · **nacer** · **escindir(se)** || **robustecer(se)** · **imponer(se)** || **encabezar** *el filósofo que encabezó la corriente reformista* · **capitanear** · **liderar** · **dirigir** · **engrosar** || **adherirse (a)** · **alinear(se) (con)** · **formar parte (de)** || **apartar(se) (de)** · **alejar(se) (de)**

3 **corriente (de)** s.f.

● CON SUSTS. **agua** · **aire** *enfriarse por una corriente de aire* · **electricidad** · **calor** · **frío** || **opinión** · **pensamiento** · **información** || **apoyo** · **solidaridad** · **simpatía** || **comercio**

□ EXPRESIONES **corriente y moliente** [ordinario, normal] *col.* || {**llevar/seguir**} **la corriente** (a alguien) [mostrarse conforme con lo que dice o hace] *col.*

corrimiento s.m.

● CON ADJS. **de tierra** *Aquel terremoto produjo unos enormes corrimientos de tierra* || **de votos** · **político**

● CON VBOS. **sepultar** · **producirse** *El corrimiento de tierra se produjo a causa de las lluvias torrenciales* || **provocar** · **causar** · **motivar** · **ocasionar**

corro s.m.

● CON VBOS. **formar(se)** · **hacer** || **romper** · **deshacer** || **sumarse (a)** *Poco a poco se fue sumando gente al corro* · **apartar(se) (de)** || **jugar (a)**

● CON PREPS. **en** *sentarse en corro*

corroborar v.

● CON SUSTS. **afirmación** *Corroboramos plenamente las afirmaciones del alcalde acerca de lo sucedido* · **aserto** · **palabra** · **declaración** · **testimonio** · ***otras manifestaciones verbales*** || **expectativa** · **perspectiva** · **predicción** · **pronóstico** · **presagio** · **vaticinio** || **veracidad** *Los medios están obligados a corroborar la veracidad de la información* · **verdad** · **autenticidad** · **credibilidad** · **fiabilidad** || **versión** · **hipótesis** · **tesis** · **teoría** · **idea** · **supuesto** · **diagnóstico** · **postura** · **posición** || **impresión** · **apreciación** · **observación** · **intuición** · **sospecha** *Encontraron huellas que sirvieron para corroborar las sospechas de la Policía* · **preocupación** · **temor** || **dato** · **resultado** · **información** · **noticia** · **informe** · **primicia** · **fuente** || **denuncia** · **acusación** · **imputación** || **alcance** · **repercusión** · **trascendencia** *Los últimos datos recogidos corroboran la enorme trascendencia del caso* || **éxito** · **triunfo** · **fama** || **valor** · **talento** · **maestría** · **seriedad** · **coherencia**

● CON ADVS. **documentalmente** · **estadísticamente** · **experimentalmente** *una teoría atractiva que tendrá que ser corroborada experimentalmente* · **históricamente** || **punto por punto** · **plenamente** · **en todos sus extremos** · **íntegramente** || **fehacientemente** · **paladinamente** · **diamantinamente** || **personalmente** · **oficialmente** || **de manera contundente** · **rotundamente**

corroer (a alguien) v.

● CON SUSTS. **enfermedad** · **alcohol** · **dolor** · **recuerdo** · **conciencia** || **envidia** · **celos** · **resentimiento** · **rabia** · **odio** · **ira** · **tristeza** *La tristeza me corroe las entrañas* || **duda** · **angustia** · **miedo** · **preocupación** · **desesperanza** || **culpa** · **remordimiento** *un remordimiento que debería corroerles las conciencias* || **ambición** · **gana** *Lo corroen las ganas de saber por qué...* · **curiosidad** || **mal** · **problema** · **crisis** · **corrupción** · **pobreza** · **miseria** · **precariedad** · **tragedia** · **delincuencia** *La delincuencia terminará por corroer este barrio si las autoridades no...* || **división** · **disensión** · **crítica**

corromper(se) v.

● CON SUSTS. **agua** · **aire** · **cuerpo** || **carne** · **pescado** · ***otros alimentos*** || **justicia** · **ley** · **política** || **costumbre** · **vida** · **moralidad** · **religión** || **espíritu** · **alma** · **imagen** *corromper la imagen de un líder* || **político,ca** · **juez** · **gobernante** · **directivo,va** · **gobierno** · **sociedad** · ***otros individuos y grupos humanos*** || **mente** · **imaginación** || **sistema** · **régimen** *El régimen político del país se corrompía poco a poco* · **funcionamiento** || **lenguaje** · **texto** · **mensaje**

● CON ADVS. **vilmente** · **vergonzosamente**

corrosivo, va adj.

● CON SUSTS. **líquido** · **producto** · **ácido** *Ten cuidado al usar ese ácido; es altamente corrosivo* || **acción** · **efecto** · **fuerza** || **carga** · **componente** || **ataque** · **crítica** · **discurso** · **ironía** · **humor** *No me hace gracia ese humor supuestamente corrosivo* · **sátira** · **campaña**

● CON ADVS. **altamente** · **profundamente** *una campaña electoral profundamente corrosiva*

corrupción s.f.

● CON ADJS. **creciente** · **galopante** · **arraigada** · **endémica** *un acuerdo para combatir la corrupción endémica del sector* · **entronizada** · **esporádica** · **incipiente** || **imperante** · **reinante** · **rampante** · **general** · **generalizada** · **extendida** || **grave** · **presunta** · **impune** || **política** · **institucional** · **administrativa** · **policial** · **de menores** || **al descubierto** *dejar la corrupción al descubierto* || **limpio,pia (de)**

● CON SUSTS. **brote (de)** · **ola (de)** · **mar (de)** · **pozo (de)** · **red (de)** · **caso (de)** · **acto (de)** · **intento (de)** · **escándalo (de)** || **delito (de)** *condenada por un delito de corrupción* · **denuncia (de)** || **prueba (de)** · **manifestación (de)** · **síntoma (de)** || **grado (de)** · **nivel (de)** · **alcance (de)**

● CON VBOS. **anidar (en algo)** · **imperar** || **extender(se)** · **propagar(se)** · **perpetuar(se)** || **carcomer (algo/a alguien)** · **corroer (algo/a alguien)** · **salpicar** *La corrupción política ha salpicado a varios altos cargos de...* || **salir a la luz** || **generar** · **promover** || **investigar** · **descubrir** · **desvelar** · **destapar** *infructuosos intentos de destapar la corrupción generalizada* · **detectar** · **registrar** · **denunciar** || **afrontar** · **encarar** || **castigar** · **combatir** · **atajar** · **eliminar** · **erradicar** · **extirpar** · **lavar** · **disfrazar** || **acusar (de)** || **cerrar los ojos (ante)** *un dirigente acusado de cerrar los ojos ante la corrupción* || **hacer frente (a)** · **enfrentar(se) (a)** · **acabar (con)** || **caer (en)**

● CON PREPS. **contra** · **en medio (de)**

corsé s.m.

● CON ADJS. **ortopédico** *Tendrá que llevar corsé ortopédico durante varios meses* · **estético** · **entallado** · **ajustado** · **rígido** || **legal** · **jurídico** · **legislativo** · **protocolario** || **ideológico** · **cultural** · **político** · **religioso** · **moral**

● CON VBOS. **llevar** · **poner** · **necesitar** · **prescribir** · **quitar** || **liberar(se) (de)**

cortado, da

1 **cortado, da** adj.

▌[tímido, cohibido]

● CON SUSTS. ***persona*** *No se atreve a pedírtelo porque es un chico muy cortado*

● CON ADVS. **sumamente** · **excesivamente** · **extremadamente**

● CON VBOS. **quedarse** · **ser** · **estar** *Al principio estaba un poco cortada, pero después se integró bien*

2 **cortado** s.m.

▌[café]

● CON VBOS. **pedir** · **servir** · **poner** *¿Me pone un cortado, por favor?* · **tomar**

cortafrío s.m.

● CON VBOS. **usar** · **utilizar** · **manejar** *Manejaba el cortafrío con mucha destreza* · **emplear** || **valerse (de)** *Se valieron del cortafrío para romper el hierro*

cortante adj.

● CON SUSTS. **arista · borde · filo || objeto · instrumento** *utilizar un instrumento cortante* · **arma · cuchillo · espada || respuesta** *Cuando uno recibe una respuesta tan cortante, se le quitan las ganas de proseguir la entrevista* · **diálogo · frase · palabra · narración · pregunta · expresión ·** ***otras manifestaciones verbales*** **|| tono · voz || gesto · mirada || herida**

cortapisas s.f.pl.

● CON ADJS. **legales** *A la hora de poner la denuncia encontró numerosas cortapisas legales* · **morales · políticas · económicas · administrativas · comerciales · burocráticas**

● CON VBOS. **poner · sufrir · tener**

● CON PREPS. **sin** *Reconoció sin cortapisas que era el culpable*

[cortar] → cortar; cortar (con)

cortar v.

● CON SUSTS. **flor · palo · pan ·** ***otros objetos*** **|| tela · leña · pelo** *Tendría que ir a cortarme el pelo* · **uñas · papel ·** ***otras materias*** **|| vía · calle · avenida · túnel · ruta** *Los manifestantes han cortado la principal ruta de acceso a la ciudad* · **carretera · tubería · arteria ·** ***otras vías*** **|| producción · creación · fabricación · diseño || relación** *Tras cuatro años de tormentosa convivencia, decidieron cortar la relación* · **vínculo · lazo · contacto · dependencia · adicción · atadura · ligadura || discurso · declaración · explicación · intervención · anuncio · programa · rueda de prensa || comunicación · polémica · conversación · debate · discusión · diálogo · entrevista || texto · novela · película** *Cortan la película con anuncios y dura casi el doble* · **canción || crecimiento · inflación · ascenso · incremento · descenso · subida || avance · ofensiva · retirada · repliegue · desfile** *La Policía ordenó cortar el desfile porque habían recibido un aviso de bomba* · **marcha || envío · retransmisión · venta · emisión · transmisión || ayuda · apoyo · asistencia · cooperación · subsidio || racha · ritmo · compás · serie · sucesión || respiración · aliento · resuello · digestión · menstruación || hábito · costumbre || juego · enfrentamiento · guerra · contienda · violencia · terrorismo · rencilla || paso · acceso · salida · entrada || luz · gas · agua** *El Ayuntamiento se vio obligado a cortar el agua durante dos horas* · **teléfono · línea telefónica · corriente · servicio · suministro · señal · sonido || dinero · fondo · gasto · déficit · presupuesto || rumor · crítica · comentario · cotilleo || comarca** *El río corta la comarca* · **provincia · territorio ·** ***otros lugares*** **|| agua** *La proa del barco cortaba el agua* · **aire · viento || baraja || café** *Cortó el café con un poco de leche* **|| piel** *Hace un frío que corta la piel* · **cutis · cara · mano · labio**

● CON ADVS. **de cuajo · de raíz · de pleno · limpiamente || abruptamente · bruscamente · drásticamente** *Las autoridades decidieron cortar drásticamente las ayudas que se enviaban a la región de...* · **a la desesperada · de golpe · de plano · gravemente · en seco || por lo sano || a cercén · al cero · por completo · a cepillo || a medida** *Busco un almacén donde corten a medida tableros de madera para...* · **a trozos · en rodajas · al bies || temporalmente · provisionalmente**

cortar (con) v.

● CON SUSTS. **novio,via** *Tiene roto el corazón desde que cortó con su novio* · **jefe,fa · familia ·** ***otros individuos y grupos humanos*** **|| oficio · abogacía · medicina ·** ***otras ocupaciones*** **|| costumbre · hábito · práctica · vicio · manía · tentación · tendencia · dinámica || vida · trayectoria · pasado** *Para cortar con el trágico pasado del país, una de las primeras medidas del nuevo presidente fue...* · **tradición · historia**

corte

1 **corte** s.m.

▌[efecto físico de cortar]

● CON ADJS. **profundo · hondo · sangrante · grave · pequeño · superficial · ligero || limpio · traumático || longitudinal** *Con la navaja hizo un corte longitudinal en la madera* · **transversal · vertical · horizontal**

● CON VBOS. **cicatrizar** *El corte cicatrizó rápidamente* **|| hacer · practicar · abrir || sufrir || curar**

▌[interrupción]

● CON ADJS. **seco · brusco · abrupto · súbito** *El súbito corte de las relaciones bilaterales nos sorprendió a todos* · **radical · drástico · tajante || esporádica · ocasional · temporal · transitorio · definitivo · provisional · eventual · continuo** *Este verano hemos sufrido continuos cortes de agua* **|| circulatorio · viario · digestivo · eléctrico || de luz · de agua · de gas**

● CON SUSTS. **causa (de) || repercusión (de)**

● CON VBOS. **producir(se) · continuar · seguir || provocar · causar || reparar · decretar · anunciar || avisar (de)**

▌[técnica de cortar]

● CON SUSTS. **profesional (de) || taller (de) · curso (de)** *La próxima semana comienzo un curso de corte y confección* **|| revista (de)**

● CON VBOS. **estudiar · hacer**

▌[estilo]

● CON ADJS. **sencillo** *unos muebles de corte sencillo* · **natural · elegante || tradicional · popular · convencional · moderno · antiguo · juvenil || clásico · realista · simbolista · surrealista · conceptual · artístico || quevedesco · goyesco · cervantino || constitucional · presidencialista · político || ofensivo · defensivo** *Resaltó la necesidad de fichar un centrocampista de corte defensivo*

● CON VBOS. **tener · adquirir** *Con el tiempo, su prosa fue adquiriendo un corte más elegante* · **mantener · conservar · abandonar · perder || presentar · mostrar · imitar**

▌[vergüenza] *col.*

● CON VBOS. **dar** *Me da mucho corte hablar en público* · **tener**

▌[réplica] *col.*

● CON ADJS. **brusco · rotundo · contundente · airado || ingenioso · irónico · mordaz**

● CON VBOS. **llevarse || dar** *Como me vuelva a hablar así, le voy a dar un corte que...* · **pegar**

2 **corte** s.f.

▌[institución]

● CON ADJS. **constitucional · electoral · de cuentas · de justicia · de apelaciones · suprema · militar || internacional**

● CON SUSTS. **presidente,ta (de) · miembro (de) · ministro,tra (de) · funcionario,ria (de) || fallo (de)**

● CON VBOS. **decidir (algo) · resolver (algo) · sentenciar (algo) || intervenir (en algo)**

▌[comitiva]

● CON ADJS. **fiel · incondicional || real · presidencial** *Solía aparecer rodeada siempre de su corte presidencial* · **oficial · familiar || numerosa · nutrida · pequeña · reducida**

• CON VBOS. **acompañar (a alguien)** *...acompañado de una nutrida corte de aduladores* · **seguir (a alguien)** · **rodear (a alguien)** || **llevar** || **integrar** · **formar** · **componer** · **completar** || **encabezar** · **liderar** || **viajar (con)**

□ EXPRESIONES **corte de mangas** [gesto ofensivo] *col.* || **hacer la corte** [cortejar]

cortejo s.m.

▌[comitiva, séquito]

• CON ADJS. **fúnebre** *el cortejo fúnebre iba encabezado por la familia del difunto* · **mortuorio** · **nupcial** · **real** · **presidencial** · **oficial** · **procesional** · **familiar**

• CON SUSTS. **recorrido (de)** · **ruta (de)** · **salida (de)** · **desfile (de)** · **paso (de)**

• CON VBOS. **partir** · **salir** *Aún no saben de dónde saldrá el cortejo nupcial* || **marchar** · **desfilar** · **pasar** · **transitar** · **circular** · **recorrer (algo)** || **acercarse** · **llegar** || **detener(se)** || **encabezar** · **presidir** || **formar** · **integrar** || **cerrar** · **abrir** || **acompañar** · **flanquear** || **unirse (a)** · **sumarse (a)** *Miles de personas se fueron sumando al cortejo procesional* · **formar parte (de)**

▌[acción de cortejar]

• CON ADJS. **amoroso** *...al igual que algunos animales cuando inician el cortejo amoroso*

• CON SUSTS. **etapa (de)** · **época (de)** · **período (de)** *Cuando acaba el período de cortejo y fecundación, algunas hembras...* || **rito (de)**

• CON VBOS. **iniciar** · **empezar** · **interrumpir** · **terminar** · **acabar** || **incentivar** · **favorecer**

cortés adj.

• CON SUSTS. ***persona*** *Es una mujer muy cortés, no te dejará en mal lugar* || **tono** · **aire** || **invitación** *hacer una invitación cortés para visitar la ciudad* · **ceremonia** · **saludo** · **recibimiento** · **acogida** · **bienvenida** || **carta** · **mensaje** · **respuesta** · **declaración** · ***otras manifestaciones verbales o textuales*** || **amor**

cortesano, na adj.

• CON SUSTS. **vida** · **costumbre** *un estudio sobre las costumbres cortesanas* · **tradición** · **convención** · **forma** · **fórmula** · **habla** · **educación** || **ceremonia** · **celebración** · **banquete** · **reunión** · **juego** · **baile** || **sociedad** · **nobleza** · **aristócrata** || **artista** · **pintor,-a** *En su juventud alcanzó la fama como pintor cortesano* · **arte** · **pintura** · **retrato** · **arquitectura** · **escultura** · **literatura** · **música** || **escena** · **tema** · **motivo** · **intriga** *buen conocedor de las intrigas cortesanas* || **gentileza** · **dignidad** · **prudencia** · **ingenio** · **alma** || **vestimenta** · **ropa** · **joya**

cortesía s.f.

• CON ADJS. **exquisita** *Siempre ha dado muestras de una cortesía exquisita* · **refinada** · **esmerada** · **cuidadosa** · **escrupulosa** · **meticulosa** · **estricta** · **impecable** · **depurada** · **sofisticada** · **delicada** · **primorosa** · **sedosa** || **absoluta** · **infinita** · **suma** · **gran(de)** || **tradicional** · **vieja** · **acostumbrada** · **habitual** *Nos recibió con su cortesía habitual* · **proverbial** || **amable** · **atenta** || **afectada** · **almibarada** · **empalagosa** · **exagerada** · **meliflua** · **ampulosa** · **pomposa** || **mera** · **pura** · **elemental** · **mínima** · **pésima** || **natural** · **falsa** · **forzada** || **debida** · **obligada** || **desinteresada** || **protocolaria** · **oficial** · **palaciega** · **parlamentaria** || **de la casa** *Por cortesía de la casa les ofrecemos una copa de bienvenida*

• CON SUSTS. **norma (de)** · **fórmula (de)** · **deber (de)** || **muestra (de)** · **gesto (de)** · **alarde (de)** · **palabras (de)** · **regalo (de)** · **visita (de)** *corresponder con una visita de cortesía* || **ejemplo (de)** · **espíritu (de)** || **falta (de)**

• CON VBOS. **presidir (algo)** · **imperar** · **reinar** || **tener** *Tuvo la cortesía de acompañarme a la puerta* · **derrochar** · **prodigar** · **irradiar** · **dispensar** || **merecer** || **recomendar** · **premiar** || **corresponder (a)**

• CON PREPS. **por** *Por cortesía no le contesté* || **con**

cortina

1 **cortina** s.f.

• CON ADJS. **espesa** · **densa** · **compacta** · **tupida** · **transparente** || **sonora** || **encubridora** *una cortina encubridora de los casos de corrupción* · **vergonzosa** || **de protección** || **falsa**

• CON VBOS. **separar (algo)** · **cubrir (algo)** · **tapar (algo)** · **proteger (algo)** *Esta cortina nos protegerá de la luz* · **extender(se)** || **descorrer** · **abrir** · **retirar** *Retiré la cortina para ver mejor* · **levantar** · **alzar** · **plegar** || **correr** *¿Te importa que corra las cortinas?* · **cerrar** · **echar** · **tender** · **desplegar** || **servir (de)** · **usar (como)**

• CON PREPS. **detrás (de)** · **tras**

2 **cortina (de)** s.f.

• CON SUSTS. **agua** · **lluvia** · **niebla** *Una enorme cortina de niebla impedía la visión* · **humo** · **aire** · **fuego** · **proyectiles**

[corto, ta] → corto, ta; de corto

corto, ta adj.

• CON VBOS. **quedar(se)** · **hacer(se)** *Las vacaciones se me han hecho muy cortas*

□ EXPRESIONES **ni corto ni perezoso** [de forma decidida]

cortocircuito s.m.

• CON ADJS. **eléctrico** *un cortocircuito eléctrico que dejó sin luz a media ciudad* || **imprevisto**

• CON VBOS. **provocar** *Están estudiando las causas que provocaron el cortocircuito* · **originar** · **causar** · **producir(se)** || **sufrir** · **evitar** · **paralizar**

cosa s.f.

• CON ADJS. **buena** · **mala** · **terrible** *Ayer ocurrió una cosa terrible...* · **horrible** · **positiva** · **negativa** || **fácil** · **difícil** · **imposible** || **rara** · **del otro mundo** *No es ninguna cosa del otro mundo* · **diferente** · **distinta** · **curiosa** · **insólita** · **inaudita** · **increíble** · **fantástica** · **maravillosa** || **bonita** *¡Qué cosa tan bonita!* · **bella** · **fea** || **secreta** · **clara** · **pública** || **importante** *Me volvió a llamar porque se le había olvidado contarme una cosa importante* · **fundamental** · **insignificante** || **concreta** || **normal** · **cotidiana** · **común** · **sencilla**

• CON SUSTS. **orden (de)** *En otro orden de cosas, el presidente reconoció...* || **visión (de)** *una filosofía que concuerda más con su visión de las cosas* · **percepción (de)** || **esencia (de)** · **número (de)** · **serie (de)** · **cúmulo (de)**

• CON VBOS. **ocurrir** · **pasar** *Me puso al corriente de las cosas que habían pasado durante mi ausencia* · **suceder** · **acaecer** · **acontecer** || **complicar(se)** · **torcer(se)** · **ir/andar (de algún modo)** *¿Qué tal van las cosas?* · **salirle (a alguien) (de algún modo)** *Parece que por una vez en la vida las cosas le están saliendo como esperaba* · **empeorar** || **durar** · **funcionar** · **cambiar** *En esta institución cuesta mucho cambiar las cosas* || **explicar** · **aclarar** · **decir** · **contar** · **enseñar** || **facilitar** · **dificultar** · **confundir** || **arreglar** *La llamé para intentar arreglar las cosas amistosamente, pero no dio resultado* · **mejorar** · **encauzar** || **analizar** · **entender** || **hacer** · **dejar**

□ EXPRESIONES **a cosa hecha** [a propósito] || **como quien no quiere la cosa** [con disimulo o sin dar importancia] *col.*

|| **como si tal cosa** [como si no hubiera pasado nada] *col.* || **cosa de** [aproximadamente] *col. Hace cosa de dos horas que se ha marchado* || **estado de cosas** [situación] || **la cosa pública** [el patrimonio colectivo] || **ser poca cosa** [ser poco importante]

□ USO Se usa a menudo para referirse de manera imprecisa a algo: *¡Quita de mi vista esta cosa!*

[cosaco] → como un cosaco

coscorrón s.m. Véase **GOLPE**

cosecha s.f.

● CON ADJS. **abundante · enorme · sustanciosa · inmensa · óptima · buena** || **discreta · exigua · mala** || **anual**
● CON SUSTS. **época (de) · tiempo (de)** || **fruto (de) · resultado (de) · vino (de)** *el vino de la cosecha pasada* · **excedente (de)** || **calidad (de) · valor (de)**
● CON VBOS. **peligrar · perder(se)** *Si no llueve pronto, se perderá la cosecha* · **arruinar(se)** || **adelantar · retrasar · interrumpir** || **recoger · almacenar** || **augurar · vaticinar · pronosticar · esperar** || **dar · producir · obtener** || **atacar · destruir · devastar · arrasar** *Una plaga de langosta arrasó las cosechas aquel año* · **salvar**

□ EXPRESIONES **ser algo de {mi/tu/su} (propia) cosecha** [ser fruto de la inventiva personal]

cosechar v.

● CON SUSTS. **trigo · maíz · arroz ·** ***otros frutos*** || **resultado · éxito** *La joven cantante no para de cosechar éxitos* · **triunfo · victoria · logro** || **reconocimiento · prestigio · alabanza · gloria** || **premios · aplausos · títulos · puntos · puntuaciones · elogios** *El futbolista comenzó a cosechar elogios de la prensa internacional* · **trofeos · medallas · laureles · presas · orejas · recompensas · vítores** || **derrotas · fracasos · empates** || **apoyo · voto** *una medida adoptada con el único objetivo de cosechar votos* · **respaldo · simpatía · amistad · adhesión · aceptación · acogida** || **beneficios · ganancias · botines · ventajas · recaudación · subvención** *Iba de organismo en organismo cosechando subvenciones para su negocio* || **críticas · enemistades · escándalos · odios · negativas · ingratitudes** || **público · audiencia · enemigos,gas** *Su cobardía le cosechó grandes enemigos* · **adversarios,rias · seguidores,ras · amigos,gas**

coser v.

● CON SUSTS. **botón** || **pantalón** *Déjame el pantalón y te lo coso* · **camisa · traje ·** ***otras prendas de vestir*** || **sábana · cortina · dobladillo · bajo · tela · paño** || **herida · grieta · raja** || **boca · labios** || **historia · relato**

□ EXPRESIONES **ser** (algo) **coser y cantar** [ser de muy fácil realización] *col.*

[cosmética] s.f. → cosmético, ca

cosmético, ca

1 **cosmético, ca** adj.

● CON SUSTS. **producto · crema** *una crema cosmética para pieles secas* · **polvos · artículo · tratamiento** || **cirugía · operación · retoque · cambio** || **industria · compañía · empresa**

2 **cosmético** s.m.

● CON SUSTS. **firma (de) · marca (de) · línea (de)** *Están promocionando una nueva línea de cosméticos* · **fabricante (de)** || **fábrica (de) · tienda (de)**
● CON VBOS. **consumir · usar** · *Según un reciente estudio, los jóvenes cada vez usan más cosméticos* || **producir · elaborar · preparar**

3 **cosmética** s.f.

● CON ADJS. **alta · pura** *Hacen las encuestas y luego las adaptan con pura cosmética electoral*

coso s.m.

● CON ADJS. **taurino · deportivo · monumental · olímpico · escénico**
● CON VBOS. **llenar · abandonar** || **acudir (a) · asistir (a)** *Miles de personas asistieron al coso para ver el espectáculo* · **acceder (a) · bajar (a)** || **celebrar (en) · actuar (en) · lidiar (en) · triunfar (en)** *Es la primera vez que un torero tan joven triunfa en este coso taurino*

cosquillas s.f.pl.

● CON VBOS. **hacer (a alguien)** *No paraba de hacerme cosquillas y yo no paraba de reírme* · **tener** *Mi hija pequeña tiene muchas cosquillas*

[costa] → a toda costa; costa

costa

1 **costa** s.f.

▮ [lugar]

● CON ADJS. **brava · abrupta · accidentada · recortada** || **mediterránea · italiana · levantina ·** ***otros gentilicios***
● CON SUSTS. **zona (de) · pueblo (de) · playa (de)**
● CON VBOS. **extenderse (a lo largo de algo)** || **bordear · recorrer** || **avistar · divisar** || **acercar(se) (a) · aproximar(se) (a) · llegar (a) · arribar (a) · alejar(se) (de)** *El barco se alejó de la costa lentamente*
● CON PREPS. **a lo largo (de)** || **frente (a) · cerca (de) · lejos (de)**

2 **costas** s.f.pl.

▮ [gastos]

● CON ADJS. **judiciales · procesales** *pagar las costas procesales* · **administrativas**
● CON VBOS. **pagar · sufragar** || **correr (con) · encargar(se) (de)**

□ EXPRESIONES **a costa de** [a fuerza de] || **a toda costa*** [sin reparar en esfuerzos]

[costado] → costado; por los cuatro costados

costado s.m.

● CON ADJS. **izquierdo · derecho · sur** *Su habitación se encontraba en el costado sur de la casa* · **norte · oriental · occidental**
● CON PREPS. **de** *tumbarse de costado*

□ EXPRESIONES **por los cuatro costados*** [por todas partes] *col.*

costar v.

● CON SUSTS. **dinero · esfuerzo · trabajo** *Me cuesta mucho trabajo levantarme temprano* · **energía** || **disgusto · berrinche · divorcio** || **puesto** *El haber filtrado información confidencial le ha costado el puesto* · **vida** || **Dios y ayuda · un ojo de la cara · sudor y lágrimas · un potosí · horrores · caro** *un descuido que le costará caro*

[costas] s.f.pl. → costa

coste s.m.

● CON ADJS. **elevado · considerable · ingente · astronómico** *Los grupos de la oposición han criticado duramente los costes astronómicos de...* · **desorbitado · exorbitante · incalculable · desmedido · desmesurado || ajustado · asequible · llevadero · aproximado** *calcular los costes aproximados de una obra* || **bajo · reducido · módico · moderado · insignificante · irrisorio · ridículo || prohibitivo · abusivo · impagable · inabordable · ruinoso || real · total · global || financiero · salarial · social · energético**

● CON VBOS. **ascender (a algo)** *El coste de la reparación asciende al doble de lo previsto* || **recaer (en algo) · repercutir (en algo) || recortar · reducir · disminuir · abaratar** *un programa para abaratar costes* · **rebajar · aligerar · aliviar · limar · aminorar · amortiguar · diluir || asumir · afrontar · pagar · abonar · sufragar · soportar || estimar · calcular · aquilatar · valorar · sumar · desvelar || aumentar** *aumentar los costes de un proyecto* · **inflar · amortizar · enjugar || acarrear · suponer**

● CON PREPS. **a precio (de)** *comprar a precio de coste* || **por debajo (de)**

costear v.

● CON SUSTS. **gasto || estudio** *Me costeé los estudios trabajando por las tardes* · **investigación || obra · proyecto · reforma || estancia** *¿Cómo piensas costearte la estancia?* · **comida · viaje · billete · avión · desplazamiento**

● CON ADVS. **a partes iguales · equitativamente**

costo s.m.

▮ [precio]

● CON ADJS. **total · inicial · adicional · final** *El costo final ha superado con creces el propuesto* || **alto || real · fijo · aproximado || operativo || de vida · de producción · de compra · de mantenimiento · administrativo · político · financiero · económico** *No pudieron hacer frente al costo económico de la multa* · **laboral · fiscal · tributario · social · empresarial · ganancial**

● CON VBOS. **aumentar · elevar** *Este nuevo impuesto elevará los costos de manera considerable* · **superar · encarecer · subir · multiplicar || bajar · disminuir · reducir · abaratar · mejorar || soportar · asumir · afrontar · cubrir · pagar · amortizar || estimar** *Han estimado los costos del proyecto en...* · **determinar · evaluar · justificar || producir · generar || adaptar · ajustar || eliminar || compartir || correr (con)**

▮ [hachís] *col.*

● CON SUSTS. **piedra (de) · canuto (de) · trozo (de) · cigarro (de)**

● CON VBOS. **probar · fumar · consumir || pillar · pasar**

costumbre s.f.

● CON ADJS. **buena · saludable** *un deportista de costumbres saludables* · **sana · acendrada · monacal || mala · nociva · perniciosa · funesta · insana || ancestral** *una comunidad de costumbres ancestrales* · **inmemorial · secular · centenaria || vieja · antigua · arraigada · enraizada · inveterada · asentada · atávica · tradicional · inquebrantable || extendida** *una de las costumbres más extendidas entre los jóvenes* · **general · común · generalizada · imperante · vigente || primitiva · salvaje · civilizada || social · ritual · local · comunal || acorde (con)**

● CON SUSTS. **falta (de)** *olvidar algo por la falta de costumbre* || **observancia (de) || cuadro (de) || fuerza (de)**

● CON VBOS. **imponer(se) · cundir · extender(se) · generalizar(se) · afianzar(se)** *Se está afianzando la costumbre de reciclar todos los envases* · **imperar · perdurar || extinguir(se) · quebrar(se) · truncar(se) || establecer · sentar · implantar · instaurar · reinstaurar · instituir · introducir · inculcar || adquirir · adoptar · contraer · incorporar || cultivar** *cultivar las buenas costumbres* · **practicar || mantener · conservar · fortalecer · promover || respetar · observar · seguir || contravenir · infringir · subvertir || corregir · abandonar** *Ya entonces había abandonado la tradicional costumbre de empezar el día fumándose un par de cigarros* · **perder · desterrar · erradicar · abolir || hacerse (a)** *Al cambiar de país siempre cuesta hacerse a las nuevas costumbres* · **aferrarse (a) · apegarse (a) · atenerse (a) · basar(se) (en) · amoldar(se) (a) || cambiar (de) · mudar (de) · romper (con) · cortar (con) · volver (a)**

● CON PREPS. **con arreglo (a)** *actuar con arreglo a las costumbres* · **a la medida (de) || a fuerza (de)**

☐ EXPRESIONES **por costumbre** [habitualmente, de manera acostumbrada] *Toma un café a media mañana por costumbre* || **tener costumbre** (de algo) [soler hacerlo] *No es que no me guste, sino que no tengo costumbre*

costura s.f.

▮ [arte y técnica de coser]

● CON SUSTS. **taller (de)**

● CON VBOS. **hacer · estudiar · enseñar**

▮ [cosido]

● CON VBOS. **coser · hilvanar · descoser || reventar · saltar** *Al hacer un movimiento brusco le saltaron las costuras de la camisa*

☐ EXPRESIONES **alta costura** [moda que hacen diseñadores de prestigio] *un desfile de alta costura*

cota s.f.

● CON ADJS. **baja · inferior || alta** *Nevará en cotas altas* · **elevada · gran(de) · astronómica · excepcional · superior · inalcanzable**

● CON VBOS. **alcanzar** *una serie de televisión que alcanzó grandes cotas de popularidad* · **conseguir · lograr · escalar || rebasar · superar · sobrepasar · batir || elevar · reducir || llegar (a)**

● CON PREPS. **por encima (de)**

cotarro s.m. *col.*

● CON VBOS. **animar** *Se nota que hoy no han venido los que animan el cotarro* · **alborotar · agitar · calentar · alegrar · remover · caldear · liar · armar · montar || dirigir** *Es ella la que dirige el cotarro* · **manejar · dominar || sumarse (a)**

cotejar v.

● CON SUSTS. **dato · hechos · información** *Habrá que cotejar la información recibida para ver si es fiable* · **resultado · cifra · fecha · prueba || idea · análisis · proyecto · supuesto · teoría || documentación · documento** *Cotejó ambos documentos para comprobar si eran exactamente iguales* · **informe · acta · lista || firma** *Se trata de cotejar esta firma con la original* · **huella**

☐ USO Se construye generalmente con sustantivos no contables en singular (*cotejar la documentación*) o con contables en plural (*cotejar los datos*). También se usa con sustantivos contables en singular vinculados por la preposición *con* (*cotejar un dato con el otro*).

cotidiano, na adj.

● CON SUSTS. **quehacer** *Es duro retomar los quehaceres cotidianos después de las vacaciones* · **tarea · labor · tra-**

bajo · obligación · actividad · ejercicio || vida *escenas de la vida cotidiana* · **rutina · costumbre || hecho · suceso · acontecimiento · avatar · vicisitud · experiencia · realidad · situación · escena** *una comedia llena de escenas cotidianas* · **espectáculo · imagen · historia · noticia || problema · necesidad · preocupación · conflicto || mundo · entorno || tema** *Charlábamos durante horas sobre temas cotidianos* · **cuestión || objeto · lenguaje || uso · funcionamiento**

cotillear v. *col.*

● CON ADVS. **a espaldas (de algo) · por detrás (de algo) · ocultamente · privadamente · en privado · públicamente · en público · abiertamente · sin tapujos**

cotillón s.m.

● CON ADJS. **animado || tradicional · popular || navideño · de nochevieja**

● CON VBOS. **organizar** *Están organizando un gran cotillón al que asistirán más de mil personas* · **celebrar || asistir (a) · invitar (a)**

cotización s.f.

● CON ADJS. **alta · elevada · al alza · máxima** *...tratando así de lograr la máxima cotización de las acciones* · **óptima || baja · a la baja · mínima || bursátil** *ser un experto en cotización bursátil* · **oficial**

● CON SUSTS. **índice (de) · nivel (de) · punto(s) (de) · tasa (de) · techo (de)** *...con lo que se alcanza el techo de la cotización* **|| cambio (de)**

● CON VBOS. **registrar(se) · fluctuar · oscilar || afianzar(se) · subir · mejorar · remontar · superar · disparar(se)** *La cotización de los títulos de esa empresa se ha disparado* **|| bajar · caer · descender · desplomar(se) · empeorar || alcanzar · fijar · establecer · mantener || revisar · ajustar · reajustar · equilibrar** *un plan para equilibrar la cotización* · **enderezar · rebajar · suspender || sacar (a) · salir (a)**

cotizar v.

● CON SUSTS. **acción · valor · moneda · divisa || compañía** *Nuestra compañía cotiza en bolsa desde hace varios años* · **empresa**

● CON ADVS. **a la baja · al alza** *Las acciones de la empresa cotizan hoy al alza*

[cotorra] → como una cotorra

coyuntura s.f.

● CON ADJS. **buena · favorable** *aprovechar una coyuntura favorable* · **propicia · ventajosa · excepcional || mala · adversa · desfavorable · difícil · peligrosa · grave · penosa · sombría · hostil · débil || prometedora · preocupante · alarmante · inquietante** *una coyuntura bursátil inquietante* **|| crítica · delicada · decisiva || cambiante · fluctuante · oscilante · dinámica · inestable · mudable || previsible · imprevisible · incierta** *Los ciudadanos estaban atemorizados por la incierta coyuntura política* · **eventual · momentánea · transitoria · efímera · discontinua || actual · presente · envolvente || mundial · internacional || económica · financiera · bursátil · política · electoral · histórica || alcista · bajista || ligado,da (a) · pendiente (de) · inmerso,sa (en)**

● CON SUSTS. **fruto (de) · producto (de) · resultado (de)**

● CON VBOS. **darse · presentar(se) · pasar || oscilar · evolucionar** *según cómo evolucione la coyuntura económica* · **mejorar · estabilizar(se) · normalizar(se) || aprovechar · desaprovechar · perder || afrontar · encarar · manejar · salvar** *un plan para salvar la presente coyuntura* · **superar || analizar || enfrentar(se) (a) || depender (de) · atribuir (a)** *La empresa atribuye la crisis a la coyuntura económica nacional* **|| repercutir (en)**

● CON PREPS. **en función (de) · según || al margen (de)** *avanzar al margen de la coyuntura histórica*

coyuntural adj.

● CON SUSTS. **cuestión · tema · asunto || situación** *la situación coyuntural por la que atraviesa el sector* · **ciclo · momento · hecho · acontecimiento · fenómeno || personaje · gobierno || norma** *Se trata de una norma coyuntural que apenas durará dos meses* · **ley · normativa · legislación ·** ***otras disposiciones*** **|| texto · libro · artículo · película || problema · crisis · conflicto · dificultad · percance || factor · orden · condicionamiento · agente** *El fracaso del programa pudo deberse a agentes coyunturales imprevistos* · **causa · razón || auge · vaivén · agitación · cambio · movida || medida · política · solución · reforma · objetivo || alianza · pacto · relación · negociación**

coz s.f. Véase **GOLPE**

craso, sa adj.

● CON SUSTS. **error** *Si renuncias, cometerás un craso error* · **ignorancia · violación · espejismo · engaño · manipulación || materialismo · oportunismo · patriotismo · individualismo · fatalismo**

cráter s.m.

● CON ADJS. **inmenso** *Tras descubrir un inmenso cráter...* · **pequeño · profundo · enorme · gran(de) || humeante || volcánico · submarino · lunar**

● CON VBOS. **abrir(se)** *En medio de un espectacular paisaje se abre un enorme cráter* · **producir(se) · formar(se) || provocar · causar || descubrir**

creador, -a

1 creador, -a adj.

● CON SUSTS. **proceso · actividad || talento · capacidad** *Para este trabajo es imprescindible poseer una gran capacidad creadora* · **fuerza · potencia · energía · impulso || imaginación · intuición · instinto || genio · personalidad · artista || libertad · fecundidad || plenitud · madurez** *En la entrevista, dijo que se encontraba en plena madurez creadora*

2 creador, -a s.

● CON ADJS. **prestigioso,sa · célebre · reputado,da · renombrado,da** *El jurado ha decidido premiar a una renombrada creadora artística* · **famoso,sa · afamado,da · popular · conocido,da · de moda · de relumbrón · legendario,ria · mítico,ca · admirado,da · adulado,da · laureado,da · reconocido,da · exitoso,sa · cotizado,da · desconocido,da || destacado,da · eminente · eximio,mia · preeminente · relevante · de {primera/segunda} fila · de talla {mundial/internacional}** *El congreso reunirá a creadores de talla internacional* · **gran || consagrado,da · consumado,da · curtido,da · nuevo,va · novel · joven** *una exposición de jóvenes creadores* **|| genial · brillante · de talento · auténtico,ca · genuino,na · de raza · nato,ta · de pies a cabeza || polifacético,ca · completo,ta || original · singular · único,ca · atípico,ca || profesional · aficionado,da || de vanguardia · vanguardista · contemporáneo,a · moderno,na · experimental · influido,da (por algo/por alguien) || literario,ria · cinematográfico,ca · gráfico,ca · artístico,ca || modesto,ta · mediocre || fecundo,da · prolífico,ca || comprometido,da**

Siempre fue una creadora comprometida con la realidad social · **polémico,ca**

crear v.

● CON SUSTS. **obra · personaje · historia · trama · mundo · realidad · situación || problema** *Su participación en el proyecto no nos creó más que problemas* · **dificultad · tensión · conflicto · polémica || expectación · ansiedad · afición · sensación || costumbre · hábito · tradición || empresa · infraestructura · organización || escuela · corriente · tendencia · movimiento**
● CON ADVS. **de la nada** *En la Biblia se nos dice que Dios creó el mundo de la nada* · **de cero · ex nihilo || a medida || virtualmente || a trancas y barrancas · con dificultad · en un abrir y cerrar de ojos · en un instante || en equipo · conjuntamente**

creatividad s.f.

● CON ADJS. **enorme · desbordante · a raudales** *una pintora que tiene creatividad a raudales* · **imparable || escasa · pobre · nula || fecunda · fértil · excepcional · portentosa · deslumbrante · a borbotones || libre · sin barreras || artística · plástica · verbal** *admirar la creatividad verbal de un poeta* **|| individual**
● CON SUSTS. **fuente (de) · torrente (de) || ápice (de) · atisbo (de) || crisis (de)** *...porque es un escritor en plena crisis de creatividad* · **falta (de) || ejemplo (de) · muestra (de)**
● CON VBOS. **manar · brotar · surgir · asomar · expresar(se) · desbordar(se) || agotar(se) · perder(se) · menguar · desaparecer || demostrar · derramar · derrochar || desarrollar · estimular** *juegos para estimular la creatividad de los niños* · **potenciar · fomentar · incentivar || canalizar · imprimir || coartar · constreñir · limitar · anular || dar rienda suelta (a)**

creativo, va adj.

● CON SUSTS. **trabajo · labor** *El equipo está desarrollando una importante labor creativa* · **actividad · tarea · obra · proyecto || talento · facultad · capacidad · potencial · caudal || idea · aportación · propuesta || escritor,-a · dibujante · equipo ·** ***otros individuos y grupos humanos*** **|| carácter · actitud · espíritu · genio** *Ha heredado de su madre su genio creativo* · **voluntad · esfuerzo || madurez · plenitud || acto · proceso · juego || trayectoria · etapa · experiencia || retroceso · estancamiento · parón || fuerza** *Sus cuadros transmiten una gran fuerza creativa* · **potencia · energía · riqueza · impulso · avance || taller || receta · fórmula || libertad · originalidad**

[crecer] → crecer; crecerse (ante)

crecer v.

● CON SUSTS. **planta** *Esta planta no crece porque no le da la luz del sol* · **animal · perro,rra · niño,ña ·** ***otros seres vivos*** **|| pelo · barba · bigote** *Te está creciendo el bigote* · **uña || población · ciudad · pueblo · barrio · familia ·** ***otros grupos humanos*** **|| río · caudal · marea || nivel · tasa** *Ha crecido la tasa de natalidad* · **número · cifra · cantidad · dimensión · tamaño · volumen || país · economía · sector · mercado · negocio · venta** *Las ventas al extranjero han crecido este último trimestre* · **exportación · oferta · demanda · beneficio · riqueza · salario · precio · inflación || poder · influencia · importancia · prestigio · fama || paro · delincuencia · corrupción · violencia · problema · odio · hostilidad || sospecha · duda · incertidumbre · preocupación · miedo || insatisfacción · descontento · indignación · crispación** *La crispación política está creciendo considerablemente* · **malestar · protesta · polémica**
● CON ADJS. **sano,na · robusto,ta · fuerte** *Sus hijos crecieron sanos y fuertes* **|| imparable** *El déficit sigue creciendo imparable* · **descontrolado,da · fuera de control**
● CON ADVS. **ostensiblemente · a la vista (de alguien) · considerablemente · significativamente** *El paro ha crecido significativamente este mes* · **sustancialmente · sustantivamente · enormemente · inmensamente · desmesuradamente · desproporcionadamente · descontroladamente · desorbitadamente · alarmantemente · peligrosamente || como hongos · como la espuma** *Estas acciones bursátiles están creciendo como la espuma* · **con fuerza · vigorosamente · poderosamente · inexorablemente · irremediablemente · libremente · a {mi/tu/su...} aire · sin control · sin límite · sin medida || rápidamente · a pasos agigantados · a marchas forzadas || lentamente · progresivamente · paulatinamente · gradualmente · ordenadamente · armoniosamente || entre algodones** *una niña mimada que ha crecido entre algodones* **|| económicamente · electoralmente · profesionalmente · espiritualmente · interiormente**

crecerse (ante) v.

● CON SUSTS. **dificultad · adversidad** *...y confían en ella porque es de las que se crecen ante las adversidades* · **problema · complicación · conflicto · reto**

[creces] → con creces

crecida s.f.

● CON ADJS. **fuerte** *una fuerte crecida del río que ha arrasado varios pueblos* · **espectacular · extraordinaria · violenta · alarmante || súbita · abrupta**
● CON VBOS. **afectar (a algo/a alguien)** *La crecida afectó especialmente a los terrenos colindantes* · **arrastrar (algo/a alguien) · arrasar (algo/a alguien) · inundar (algo/a alguien) || producir (algo) · causar (algo)** *La crecida de las aguas causó grandes daños* · **provocar (algo) || experimentar · registrar || parar · detener · retener · achicar · controlar**

creciente adj.

● CON SUSTS. **protagonismo · importancia · influencia** *la influencia creciente de la red en el proceso de globalización* · **presencia · participación || interés · atención · necesidad · demanda · exigencia || preocupación · inquietud · tensión · malestar · insatisfacción · descontento · crispación · indignación** *Los demandantes daban muestras de una indignación creciente* · ***otros sentimientos o estados de ánimo*** **|| oposición · competencia · presión · violencia || dificultad · complejidad · amenaza · peligro || tendencia · aumento · subida · ascenso · avance** *Preocupados ante el avance creciente de la violencia en la zona...* · **disminución · bajada · descenso · retroceso || diferencia · desigualdad** *Se intenta compensar así la desigualdad creciente entre los competidores* · **distancia · ventaja · aislamiento || número · cantidad || pérdida · déficit || cuarto · luna**

crecimiento s.m.

● CON ADJS. **alto · elevado · abultado · dilatado · astronómico · desorbitado** *Con dichas medidas se trata de evitar el crecimiento desorbitado de los precios* · **espectacular · intensivo · desmedido · desmesurado || palpable · apreciable · moderado · bajo · escaso · nulo || brusco · abrupto · drástico · rápido · acelerado · vertiginoso** *En los próximos meses se teme un vertiginoso crecimiento del paro* · **explosivo · fulgurante · frenético · trepidante · galopante · a pasos agigantados || lento · en punto muerto · progresivo · paulatino · sostenido · sostenible · lineal · sistemático · acompasado · armónico · equi-**

tativo *...y una de las exigencias es el crecimiento equitativo de los salarios* · **igualitario** · **proporcional** || **imparable** · **irrefrenable** · **arrollador** · **desenfrenado** · **desaforado** · **incesante** · **rampante** · **alarmante** || **potencial** · **aproximado** || **cualitativo** · **cuantitativo** || **integral** *educar para el crecimiento integral de la persona* · **global** || **personal** · **electoral** · **demográfico** · **económico** · **profesional** · **espiritual** · **interior**

●CON SUSTS. **proceso (de)** · **etapa (de)** *A esa edad se está a punto de terminar la etapa de crecimiento* || **índice (de)** · **tasa (de)** · **nivel (de)** · **grado (de)** || **ritmo (de)** *...para acelerar el ritmo de crecimiento de las plantas* · **velocidad (de)**

●CON VBOS. **aumentar** · **disminuir** · **estancar(se)** *El crecimiento económico se ha estancado en los últimos meses* · **estrangular(se)** · **interrumpir(se)** · **detener(se)** · **cesar** || **avecinar(se)** · **despuntar** || **pronosticar** · **augurar** || **experimentar** · **acusar** · **arrojar** · **marcar** · **registrar** *Hemos registrado un gran crecimiento en la venta de...* || **estimular** · **favorecer** *favorecer el crecimiento personal* · **acelerar** · **propulsar** · **alimentar** · **garantizar** · **sostener** || **controlar** · **reducir** · **frenar** · **ralentizar** · **retardar** · **aminorar** · **obstaculizar** · **obstruir** · **hipotecar** · **cortar** · **impedir** || **desglosar** || **velar (por)**

●CON PREPS. **con posibilidad (de)** *una empresa con posibilidades de crecimiento* || **en aras (de)** · **al calor (de)**

credencial

1 **credencial** adj.

●CON SUSTS. **carta** *la carta credencial del ministro* · **firma**

2 **credencial** s.f.

●CON ADJS. **buena** · **excelente** *Consiguió el trabajo gracias a sus excelentes credenciales* · **flamante** · **inapelable** · **inmejorable** || **de elector,-a** · **política** · **diplomática** · **de prensa** · **olímpica** · **deportiva** · **federal** · **domiciliaria** || **necesaria** · **imprescindible**

●CON VBOS. **mostrar** *Para entrar en la sala de prensa es necesario mostrar las credenciales* · **presentar** · **enseñar** || **pedir** · **exigir** · **solicitar** || **proporcionar** · **repartir** · **otorgar** · **entregar** · **expedir** · **firmar** || **obtener** *Después de mucho esfuerzo, obtuvo las deseadas credenciales* · **recibir** · **conseguir** · **adquirir** · **ganar** · **recoger** || **quitar** · **usurpar** · **retirar** · **perder** || **comprobar** || **renovar** · **cambiar** || **carecer (de)**

credibilidad s.f.

●CON ADJS. **baja** · **escasa** *un líder con escasa credibilidad* · **exigua** || **suma** · **probada** || **necesaria**

●CON SUSTS. **grado (de)** · **ápice (de)** *ni un ápice de credibilidad* · **atisbo (de)** || **falta (de)** · **pérdida (de)** · **crisis (de)**

●CON VBOS. **aumentar** || **disminuir** · **mermar** · **agotar(se)** || **cobrar** · **adquirir** · **ganar** · **labrar(se)** · **generar** *una propuesta que genera credibilidad en la empresa* || **tener** · **mantener** · **conservar** · **salvar** || **perder** · **recuperar** || **otorgar (a alguien)** · **dar (a alguien)** · **conceder (a alguien)** · **exigir (a alguien)** || **cuestionar** · **contrastar** · **garantizar** || **arriesgar** · **dañar** · **empañar** · **erosionar** · **socavar** · **minar** · **dilapidar** || **gozar (de)** · **contar (con)** *El equipo todavía cuenta con la credibilidad del público* || **carecer (de)** *Carece usted de credibilidad, señor ministro* || **afectar (a)**

[crédito] →a crédito; crédito; dar crédito (a)

crédito s.m.

▮ [préstamo]

●CON ADJS. **a plazos** *medidas económicas que no favorecen a los que pagan un crédito a plazos* || **flexible** · **blando** · **a fondo perdido** || **bancario** · **comercial** · **hipotecario** *disfrutar de un crédito hipotecario* · **financiero** · **fiscal** · **público** || **sujeto,ta (a)**

●CON SUSTS. **tarjeta (de)** *pagar con una tarjeta de crédito* · **carta (de)** · **cuenta (de)** · **fondo (de)** · **línea (de)** · **caja (de)** || **tasa (de)** · **volumen (de)**

●CON VBOS. **converger** || **devaluar(se)** || **vencer** *¿En qué fecha vence el crédito?* || **solicitar** · **pedir** · **negociar** || **conceder** · **dar** · **otorgar** · **aprobar** · **prestar** · **abrir** · **denegar** || **obtener** · **conseguir** · **adquirir** · **contraer** · **subrogar** || **cobrar** · **hacer efectivo** || **amortizar** · **saldar** · **condonar** || **ejecutar** · **canalizar** · **destinar** || **financiar** · **avalar** *Necesito que alguien me avale el crédito* · **sobrepasar**

▮ [credibilidad]

●CON ADJS. **escaso** · **exiguo** || **digno,na (de)** *un científico digno de crédito*

●CON VBOS. **dar (a alguien)** · **otorgar (a alguien)** || **merecer** *Sus declaraciones no merecen ningún crédito* · **ganar** · **tener** · **conservar** · **recuperar** || **empañar(se)** · **erosionar(se)** · **dilapidar** · **perder** *Aquel escándalo nos hizo perder todo el crédito* || **gozar (de)** · **reconocer (a alguien)**

□EXPRESIONES **a crédito*** [mediante pago aplazado] *comprar a crédito*

credo s.m.

●CON ADJS. **revolucionario** · **político** · **religioso** · **estético** · **literario** · **ideológico** · **poético** · **artístico** · **moral** · **ético** || **particular** · **personal** || **común** · **colectivo**

●CON SUSTS. **libertad (de)**

●CON VBOS. **abrazar** · **profesar** *Lleva toda su vida profesando el mismo credo artístico* · **asumir** · **seguir** · **compartir** · **apoyar** · **practicar** || **formular** · **definir** · **predicar** · **reiterar** || **tener** · **imponer** || **cuestionar** · **abandonar** · **cambiar** · **traicionar** *Se le criticaba el haber traicionado su credo ideológico* || **apropiarse (de)** · **adherirse (a)** · **adoctrinar (en)**

creencia s.f.

●CON ADJS. **firme** · **profunda** · **honda** · **arraigada** *una persona de creencias firmes y arraigadas* · **enraizada** · **asentada** · **a machamartillo** · **ferviente** || **antigua** · **tribal** · **atávica** || **popular** *una leyenda basada en creencias populares* · **común** · **generalizada** · **extendida** · **general** || **fundada** · **infundada** · **supersticiosa** · **ingenua** · **cándida** · **falsa** · **errada** · **errónea** || **acorde (con)** *actuar acorde con las propias creencias* || **religiosa** · **política** · **estética**

●CON VBOS. **manifestar(se)** · **difundir(se)** · **extender(se)** · **asentar(se) (en algo)** || **coexistir** *creencias populares que coexisten con las científicas* · **converger** || **arraigar (en alguien)** || **tambalearse** · **derrumbar(se)** · **desmoronar(se)** *Sus sólidas creencias no tardaron en desmoronarse* || **abrazar** · **tener** · **abrigar** · **profesar** · **sustentar** · **defender** · **sostener** · **mantener** · **atesorar** · **abandonar** || **expresar** · **predicar** || **alimentar** · **alentar** · **confirmar** · **refrendar** · **justificar** · **sentar** || **respetar** · **ofender** || **poner en tela de juicio** *poner en tela de juicio una creencia aceptada desde hacía siglos* · **hipotecar** · **socavar** · **desbaratar** || **adherirse (a)** · **persistir (en)** · **reafirmar(se) (en)** · **aferrarse (a)** *aferrarse a las creencias religiosas* || **renegar (de)** · **abjurar (de)** · **abdicar (de)** · **apear(se) (de)**

●CON PREPS. **según**

creer v.

●CON ADVS. **firmemente** *creer firmemente en un líder* · **fervientemente** · **profundamente** · **con firmeza** · **a machamartillo** · **al pie de la letra** · **a pie juntillas** *Se creyó*

a pie juntillas todo lo que le dijeron · **dogmáticamente** · **ciegamente** · **incondicionalmente** · **a medias** || **por un momento** · **remotamente** · **ni de broma** *Ni de broma creí que pudieras tener razón* · **ni por asomo** || **acertadamente** · **equivocadamente** || **sinceramente** *Creo sinceramente que no es así* · **honestamente** · **honradamente** · **seriamente** · **humildemente** · **de verdad** · **de (todo) corazón** || **personalmente**
● CON VBOS. **inclinarse (a)** · **hacer** · **llevar (a)**

crema s.f.

▮ [para la piel]
● CON ADJS. **hidratante** *crema hidratante para pieles secas* · **nutritiva** · **protectora** · **antiarrugas** · **bronceadora** · **solar** · **depilatoria** · **facial** · **reparadora** · **corporal** · **de afeitar** · **estimulante** · **medicinal** · **antiinflamatoria** || **natural**
● CON VBOS. **aplicar** · **extender** · **poner** *ponerse crema protectora antes de tomar el sol* || **recetar** · **aconsejar**

▮ [alimento]
● CON ADJS. **de leche** *añadir crema de leche al café* · **de café** · **de almendra** · **de queso** · **de verduras** · **montada** · **pastelera** · **helada** || **relleno,na (de)** *un pastel relleno de crema*
● CON VBOS. **batir** · **filtrar** · **colar** · **espesar** · **preparar** · **elaborar** · **obtener** || **añadir** · **verter** · **agregar** · **incorporar** · **servir** · **emplear** · **consumir** || **rellenar (con)**

cremallera s.f.

● CON SUSTS. **sistema (de)** · **cierre (de)** || **dirección (de)**
● CON VBOS. **enganchar(se)** · **salir(se)** || **abrir** · **bajar** *bajarse la cremallera de la cazadora* · **soltar** || **cerrar** · **subir** · **abrochar** *Será mejor que te abroches la cremallera porque hace frío* · **correr** · **desabrochar** || **coser**

crematorio, ria

1 **crematorio, ria** adj.
● CON SUSTS. **horno** · **chimenea**

2 **crematorio** s.m.
● CON ADJS. **municipal** · **público** · **privado** · **del cementerio**
● CON VBOS. **llevar (a)** *Llevaron el cuerpo al crematorio para incinerarlo* · **acudir (a)**

crepitar v.

● CON SUSTS. **madera** · **leño** · **tronco** *El tronco crepitaba en la chimenea* · **rama** || **llama** · **fuego** · **incendio** · **fósforo** || **arma** · **fusil** · **ametralladora**
● CON ADVS. **fuertemente** · **ruidosamente** · **violentamente** || **suavemente** · **imperceptiblemente**

crepuscular adj.

● CON SUSTS. **luz** *el horizonte se funde con la luz crepuscular* · **sombra** · **sol** · **estrella** || **etapa** *una obra de la etapa crepuscular del autor* · **hora** || **cielo** · **horizonte** · **paisaje** · **mundo** · **zona** · **imagen** · **escena** || **atmósfera** · **ambiente** · **clima** || **tono** · **aura** · **espíritu** || **espectáculo** · **película** *una película crepuscular en la que el protagonista simboliza una época ya pasada* · **relato** · ***otras creaciones*** || **sentimiento** · **amor** · **pasión** · **tristeza** · **melancolía** · **nostalgia** · **memoria** · **recuerdo**

crespón s.m.

● CON ADJS. **negro** · **de luto**
● CON SUSTS. **bandera (con)** *Una bandera con un crespón negro ondeaba en el edificio oficial*
● CON VBOS. **llevar** · **usar** · **utilizar** · **poner** *ponerse un crespón de luto en el traje* · **lucir** || **envolver (con)**

cresta s.f.

● CON ADJS. **enhiesta** · **erecta** || **roja** · **nevada** *Al atardecer alcanzaron la cresta nevada de la montaña* · **espumosa** || **recortada** · **quebrada** · **abrupta** · **escarpada** || **de gallo** · **de punki**
● CON VBOS. **coronar** || **asomar** *El gallo asomaba la cresta por la valla del corral* || **afeitar** || **seguir (en)** · **mantener(se) (en)** *mantenerse en la cresta de la innovación tecnológica* · **bajar (de)** || **llegar (a)** · **colocar(se) (en)** · **instalar(se) (en)** · **subir (a)** · **estar (en)** · **encontrar(se) (en)** · **hallarse (en)**
● CON PREPS. **en** · **al filo (de)**
□ EXPRESIONES **estar en la cresta de la ola** [estar en un momento de éxito]

creyente

1 **creyente** adj.
● CON ADVS. **acendradamente** · **a machamartillo**

2 **creyente** s.com.
● CON ADJS. **fervoroso,sa** · **ferviente** · **convencido,da** · **profundo,da** · **auténtico,ca** · **fiel**
● CON VBOS. **declararse** *Se declara creyente profundo* || **llamar (a)** · **alentar (a)**

CREYENTE

Información útil para el uso de:

budista; católico; confuciano; cristiano; hindú; hinduista; islámico; judío; mahometano; mormón; musulmán; ortodoxo; protestante; rastafari; sij; sintoísta; taoísta

● CON ADJS. **convencido,da** *una protestante convencida* · **ferviente** · **fervoroso,sa** · **fiel** · **practicante** || **tolerante** · **moderado,da** · **conservador,-a** · **riguroso,sa** · **integrista** · **fanático,ca** || **heterodoxo,xa** · **ortodoxo,xa** || **hereje** || ***gentilicio*** *un musulmán norteamericano*
● CON SUSTS. **religión** *profesar la religión cristiana* · **tradición** · **moral** · **doctrina** · **sabiduría** · **inspiración** · **filosofía** · **pensamiento** · **valores** · **cultura** · **espíritu** · **influencia** · **visión** · **mentalidad** · **organización** || **comunidad** · **familia** · **grupo** · **mundo** *conocer el mundo musulmán* · **corriente** · **rama** · **jerarquía** · **población** · **líder** · ***otros individuos y grupos humanos*** || **enseñanza** · **raíz** *estudiar las raíces budistas* · **origen** · **lección** · **dogma** · **precepto** · **principio** · **testimonio** · **texto** · **manifestación** · **proverbio** · **clave** || **liturgia** *un libro sobre liturgia católica* · **rito** · **práctica** · **ceremonia** · **oración** · **festividad** || **templo** · **santuario** · **centro** || **símbolo** · **estética** · **arte** · **música** · **imaginería** *una exposición sobre la imaginería hindú* · ***otros sustantivos que expresan manifestaciones artísticas*** || **fanatismo** · **fundamentalismo**
● CON ADVS. **profundamente** *una persona profundamente católica* · **sentidamente** · **acendradamente**
● CON VBOS. **hacerse** *Se hizo mormón* · **declararse** *Se declara taoísta* || **convertir(se) (en)**

[cría] s.f. → crío, a

crianza s.f.

● CON ADJS. **buena** · **excelente** · **mala** || **legal** · **ilegal** *la crianza ilegal de ganado*

• CON SUSTS. **animal (de)** *piensos destinados a la alimentación de animales de crianza* || **vino (de)** *una botella de vino de crianza* · **tinto (de)** || **proceso (de)** · **período (de)** || **reglamento (de)** · **normas (de/para)** || **bodega (de)**
• CON VBOS. **encargar(se) (de)** · **ocupar(se) (de)** *Ella misma se ocupa de la crianza de los animales*

criar(se) v.

• CON ADJS. **fuerte** · **robusto,ta** · **sano,na** · **hermoso,sa** · **feliz**
• CON ADVS. **a la sombra (de algo/de alguien)** · **bajo la influencia (de algo/de alguien)** · **en el seno (de algo)** || **entre algodones** *Piensa que la vida es fácil porque se crió entre algodones* · **en libertad** · **en cautividad** *Este león es el primero en nuestro zoo que se cría en cautividad* || **sanamente**

criatura s.f.

• CON ADJS. **viviente** · **viva** || **tierna** · **entrañable** *Cuando la conocí me pareció una criatura entrañable* · **encantadora** · **bella** || **misteriosa** · **única** · **original** · **excepcional** · **extraña** · **maravillosa** || **imaginaria** · **de ficción** *Tiene su habitación llena de criaturas de ficción* · **fantástica** · **literaria** · **mágica** · **ficticia** || **maldita** · **siniestra** *una historia protagonizada por una siniestra criatura* · **de otro mundo** · **infernal** · **salvaje** · **miserable** || **celestial** · **de Dios** · **angelical** || **humana** || **nocturna**

criba s.f.

• CON ADJS. **tremenda** · **descomunal** · **rigurosa** *Pocos aspirantes superaron la rigurosa criba* · **brutal** · **cruel** · **salvaje** · **inmisericorde** || **previa** · **inicial** · **inaugural** || **definitiva** · **final** || **inexorable** · **eliminatoria**
• CON VBOS. **hacer** *Somos demasiados aspirantes, así que harán una criba* · **realizar** · **establecer** || **pasar** · **superar** || **empezar** · **comenzar** || **justificar** || **pasar (por)** · **salvar(se) (de)** · **sobrevivir (a)**

crimen s.m.

• CON ADJS. **atroz** · **brutal** · **sangriento** *Han detenido al autor del sangriento crimen* · **violento** · **inhumano** · **macabro** · **espantoso** · **horrendo** · **abyecto** · **nefando** · **abominable** · **terrible** · **execrable** || **premeditado** · **alevoso** || **perfecto** · **irresoluble** || **impune** *El crimen quedó impune* · **flagrante** || **organizado** · **de guerra** · **en serie** || **contra la humanidad** *Han sido acusados de crímenes contra la humanidad* · **humanitario** · **de lesa majestad** · **de estado**
• CON SUSTS. **ola (de)** · **cadena (de)** || **autor,-a (de)** || **cómplice (de)** · **víctima (de)**
• CON VBOS. **fraguar(se)** || **salpicar (a alguien)** · **carcomer (a alguien)** || **urdir** · **maquinar** · **planear** *planear concienzudamente el alevoso crimen* · **orquestar** || **cometer** · **perpetrar** · **ejecutar** · **consumar** · **llevar a cabo** · **sembrar** || **imputar (a alguien)** · **atribuir (a alguien)** · **achacar (a alguien)** || **confesar** · **delatar** · **encubrir** *Fue condenado por encubrir un crimen* · **silenciar** · **negar** || **descubrir** · **investigar** · **resolver** · **esclarecer(se)** · **desentrañar** · **despachar** || **juzgar** · **enjuiciar** · **perdonar** || **expiar** · **purgar** · **pagar** || **condenar** · **recibir su justo castigo** · **perseguir** · **castigar** · **combatir** *El Ayuntamiento se ha comprometido a combatir el crimen organizado* || **constituir** || **empujar (a)** · **inducir (a)** · **instigar (a)** || **participar (en)** · **involucrar(se) (en)** || **acusar (de)** *Me acusan de un crimen que no cometí* · **culpar (de)** · **castigar (por)** · **exculpar (de)** || **cerrar los ojos (ante)** · **luchar (contra)**

criminal

1 **criminal** adj.

• CON SUSTS. **organización** · **banda** *el jefe de la banda criminal* · **red** · **grupo** || **acto** · **acción** · **actividad** · **hecho** · **golpe** · **trama** *La Policía ha destapado una importante trama criminal* · **conspiración** · **práctica** · **ataque** · **atentado** · **violencia** · **negligencia** · **conducta** · **comportamiento** · **instinto** || **plan** · **método** || **ideología** · **política** · **régimen** || **justicia** · **ley** · **proceso** · **procedimiento** · **enjuiciamiento** · **querella** · **caso** · **delito** · **cargo** · **investigación** || **antecedentes** *un individuo con antecedentes criminales* · **pasado** · **historia** || **responsabilidad**

2 **criminal** s.com.

• CON ADJS. **peligroso,sa** · **sanguinario,ria** *el criminal más sanguinario de la historia* · **desalmado,da** · **despiadado,da** · **depravado,da** · **malvado,da** · **perverso,sa** · **pérfido,da** · **violento,ta** || **calculador,-a** · **impasible** || **infame** · **repulsivo,va** || **presunto,ta** *el abogado de oficio del presunto criminal* · **supuesto,ta** || **reincidente** · **regenerado,da** || **de guerra**
• CON SUSTS. **mentalidad (de)** · **perfil (de)** || **coartada (de)** · **inocencia (de)** · **impunidad (de)**
• CON VBOS. **atacar (a alguien)** · **violar (a alguien)** · **liquidar (a alguien)** · **matar (a alguien)** || **ingresar en prisión** · **cumplir condena** || **buscar** · **perseguir** · **identificar** *El testigo ha identificado al criminal* · **detener** || **denunciar** · **acusar** || **juzgar** · **condenar** · **absolver** · **liberar**

criminología s.f. Véase **DISCIPLINA**

crío, a

1 **crío, a** s.

• CON ADJS. **pequeño,ña** · **travieso,sa**
• CON VBOS. **gatear** · **llorar** · **chillar** · **dormir(se)** · **calmar(se)** || **crecer** · **jugar** || **tener** *Mi hermano tiene dos críos* || **cuidar** · **vigilar** · **alimentar** · **amamantar** · **dar de mamar** || **comportarse (como)** *Se comporta como una cría*

2 **cría** s.f.

▮ [animal]

• CON ADJS. **indefensa** *Un depredador dispuesto a atacar a la indefensa cría* || **en cautividad**
• CON VBOS. **tener** *La gata ha tenido cinco crías* · **parir** || **proteger** · **cuidar** · **amamantar** · **alimentar** || **abandonar** · **sacrificar** || **potenciar** · **fomentar** · **favorecer** · **promocionar**

▮ [acción de criar]

• CON SUSTS. **centro (de)** · **zona (de)** · **área (de)**
• CON VBOS. **permitir** · **regular** || **prohibir** || **dedicarse (a)** *Su ilusión era dedicarse a la cría de animales*

3 **cría (de)** s.f.

• CON SUSTS. **animales** · **aves** · **peces** *un biólogo dedicado a la cría de peces* · **cerdos** · **caballos** · **toros** · **perros** · **ganado**

críptico, ca adj.

• CON SUSTS. **frase** · **lenguaje** *el lenguaje críptico de la poesía surrealista* · **terminología** · **texto** · **mensaje** · **fórmula** · **poema** · **razonamiento** || **señal** *Se comunicaban mediante señales crípticas* || **tono** · **estilo** || **silencio**
• CON ADVS. **excesivamente** *una terminología técnica excesivamente críptica* · **abrumadoramente** · **auténticamente** || **innecesariamente** · **justificadamente** || **deliberadamente**

crisálida s.f.

• CON SUSTS. **metamorfosis (de)** *la metamorfosis de la crisálida en mariposa* · **transformación (de) || fase (de)**

crisis s.f.

• CON ADJS. **grave** · **severa** · **seria** · **profunda** *Atraviesa una profunda crisis vital* · **honda** · **fuerte** · **acusada** · **aguda** · **violenta** · **tremenda** · **decisiva** · **galopante || abrumadora** · **agobiante** · **acuciante** · **angustiosa** · **desoladora** · **dramática** · **llevadera** *para hacer más llevadera la crisis económica* **|| delicada** · **insalvable** · **insoluble** · **irreparable** · **irreversible || prolongada** · **persistente** · **pertinaz** · **pasajera || general** · **generalizada** *la crisis generalizada del sector* · **global || interna** · **estructural** · **coyuntural || patente** · **flagrante** · **latente** · **soterrada || económica** · **financiera** *la empresa está viviendo una importante crisis financiera* · **política** · **de gobierno** · **energética** · **ambiental** · **humanitaria** · **social** · **de valores** · **moral** · **laboral** · **profesional** · **artística** · **matrimonial** · **personal** · **existencial** · **emocional** · **sentimental** · **nerviosa** *Está sumido en una profunda crisis nerviosa que le impide...* · **espiritual**

• CON SUSTS. **época (de)** · **momento (de)** · **tiempo (de)** · **clima (de)** · **situación (de)** · **estado (de)** · **cuadro (de)** · **manifestación (de) || efecto (de)** · **secuela (de)** *Aún quedan secuelas de la crisis económica* · **consecuencia (de)** · **causa (de)** · **fleco (de)** · **alcance (de) || detonante (de)** · **salida (de)** · **solución (de)**

• CON VBOS. **fraguar(se)** · **fermentar(se)** · **avecinar(se)** *Se avecina una crisis financiera muy grave* · **cerner(se) (sobre algo/sobre alguien)** · **acechar** · **planear (sobre algo/sobre alguien) || estallar** · **desatar(se)** · **desencadenar(se)** · **sobrevenir** · **abrir(se)** · **despuntar** · **aflorar** · **salir a la luz || abatir(se)** · **acuciar** · **acosar** · **asaltar** · **adueñar(se) (de)** · **afectar** *La crisis afecta siempre a los más débiles* · **recaer** · **salpicar** · **azotar** · **corroer** · **carcomer** · **caer como una bomba || precipitar(se)** · **agravar(se)** · **agudizar(se)** · **acentuar(se)** · **recrudecer(se)** *La crisis se recrudeció con la devaluación de la moneda* · **desbocar(se)** · **arreciar** · **prolongar(se) || remitir** · **amainar** · **aplacar(se)** · **despejar(se)** · **disipar(se) || derivar(se) (de algo)** · **venir de lejos || augurar** · **vislumbrar** · **diagnosticar** · **destapar** · **airear** *La prensa había aireado sin recato su crisis amorosa* · **acotar** · **disfrazar** · **desatender || provocar** · **causar** · **ocasionar** · **tejer** · **alimentar** · **avivar** · **atizar** · **exacerbar** · **reavivar** · **reabrir || afrontar** *afrontar una crisis matrimonial* · **arrostrar** · **encarar** · **encajar** · **digerir || incubar** · **atravesar** · **vivir** · **sufrir** · **padecer** · **soportar** · **acusar || bordear** · **orillar** · **sortear** · **soslayar** · **capear || sobrellevar** · **superar** · **remontar || paliar** · **mitigar** · **aliviar** *La inyección de capital alivió la crisis financiera* · **amortiguar || combatir** · **vencer** · **resolver** · **solucionar** · **solventar** · **zanjar** · **neutralizar** · **desactivar** · **desbloquear** · **enderezar** · **conjurar || pilotar** · **sufragar || abocar (a)** *abocados a una dramática crisis ecológica* · **desembocar (en) || entrar (en)** · **estar (en)** · **pasar (por)** · **hundir(se) (en)** · **sumir(se) (en)** · **enfrentar(se) (a)** · **plantar cara (a)** *Hay que tener valor para plantarle cara a la crisis* · **bregar (con)** · **lidiar (con)** · **asistir (a) || cerrar los ojos (ante)** · **desentenderse (de)** · **quitar hierro (a) || hablar (de)** · **ahondar (en)** · **escarbar (en) || recuperar(se) (de)** *recuperarse de una crisis sentimental* · **sobreponerse (a)** · **recobrarse (de)** · **salir (de)** · **emerger (de)** · **sacar (de)** · **salir reforzado (de) || acabar (con)**

• CON PREPS. **al borde (de)** *una pareja al borde de la crisis* · **al filo (de) || en** · **en medio (de)** · **durante** · **a lo largo (de) || al abrigo (de)** · **a raíz (de)**

crisol s.m.

▌[mezcla de elementos]

• CON ADJS. **de culturas** · **cultural** · **de etnias** *...constituye un crisol de etnias en el que se funden y se integran los acervos culturales de varios pueblos* · **de razas** · **multiétnico** · **de mestizaje || de vivencias** · **de experiencias**

• CON VBOS. **constituir || fundir(se) (en)** · **convertir(se) (en)**

crispación s.f.

• CON ADJS. **palpable** · **creciente** *la crispación creciente entre los partidos políticos* · **fuerte** · **grave** · **intensa** · **exacerbada** · **suma** · **alarmante || permanente || política** · **social** · **popular** · **personal || libre (de)**

• CON SUSTS. **ambiente (de)** · **clima (de)** · **estado (de) || grado (de)** *La polémica decisión solo ha servido para aumentar el grado de crispación en la sociedad* · **nivel (de)**

• CON VBOS. **desatar(se)** · **crecer** · **aumentar** · **incrementar(se)** · **extender(se) || disminuir** · **disipar(se)** · **remitir** · **serenar(se) || causar** · **crear** · **generar** · **provocar** *una medida que provoca crispación entre los votantes* · **sembrar** · **inocular || sentir** · **percibir** · **notar** · **palpar || avivar** · **reavivar** · **agudizar** · **favorecer || rebajar** · **aliviar** · **aplacar** · **apaciguar** · **templar** · **atemperar** · **diluir** · **evitar || dejarse llevar (por)**

cristal s.m.

• CON ADJS. **transparente** · **claro** · **diáfano** · **nítido** · **translúcido || opaco** · **oscuro** · **turbio** · **velado || frágil || esmerilado**

• CON VBOS. **romper(se)** · **resquebrajar(se)** · **desportillar(se) || estallar** · **saltar || empañar(se)** · **ensuciar(se) || blindar** *blindar los cristales del coche* **|| arañar || limpiar**

• CON PREPS. **a través (de)** *La luz penetraba a través de los cristales*

cristalería s.f.

▌[comercio] Véase **ESTABLECIMIENTO**

▌[conjunto de vasos o copas]

• CON ADJS. **completa** · **incompleta || buena** · **elegante** · **de lujo** · **valiosa** *Había sacado para la ocasión su valiosa cristalería de Bohemia*

• CON SUSTS. **pieza (de)** · **vaso (de)** · **copa (de) || valor (de)**

• CON VBOS. **romper(se)** · **descabalar(se) || reunir** · **completar || almacenar** · **guardar || estrenar || obsequiar (con)**

cristalino, na adj.

▌[propio del cristal]

• CON SUSTS. **objeto** · **sustancia** · **cerámica** · **vidrio** · **vaso**

▌[limpio, claro]

• CON SUSTS. **agua** *las aguas cristalinas del río* · **fuente** · **río** · **mar || mirada** · **ojos** · **vista || voz** · **sonido** · **música** · **nota** · **cántico** · **resonancia || palabra** · **respuesta** · **mensaje || pureza** · **honestidad** · **franqueza** · **naturalidad** · **sobriedad** · **fidelidad || transparencia** · **diafanidad** · **claridad** · **reflejo || sensibilidad** · **personalidad** · **espíritu**

• CON VBOS. **ser** · **estar** · **volver(se)** · **ponerse** · **mantener(se)**

cristalizar v.

▌[convertir en cristal]

• CON SUSTS. **sal || sustancia** · **cuerpo** · **mineral**

▌ [concretar, cuajar]

● CON SUSTS. **idea · sueño · proyecto · plan · iniciativa · esfuerzo || negociación · conversación || acuerdo · consenso** *Tras varias reuniones cristalizó el consenso entre los partidos* · **unión || realidad**

● CON ADVS. **definitivamente · finalmente || gradualmente** *El acuerdo fue cristalizando gradualmente* **|| sin esfuerzo || con éxito**

cristalografía s.f. Véase **DISCIPLINA**

cristianamente adv.

● CON VBOS. **vivir · actuar · pensar || fallecer · morir** *Murió cristianamente a los ochenta años*

cristianismo s.m.

● CON ADJS. **progresista || originario · primitivo || medieval · escolástico · humanista || protestante · católico**

● CON SUSTS. **fundador (de) · iglesia (de) · dios (de)**

➤ Véase también **RELIGIÓN**

cristiano, na

1 **cristiano, na** adj.

● CON SUSTS. **fe · verdad · caridad** *apelar a la caridad cristiana* · **resignación · humanismo · parábola · plegaria || iglesia · institución · monasterio · basílica || dios · divinidad · santo,ta** *un nombre de un santo cristiano* · **demonio · infierno · paraíso · profeta || unión · matrimonio · sepultura** *recibir cristiana sepultura* · **cementerio || era**

2 **cristiano, na** s.

● CON ADJS. **católico,ca · protestante || viejo,ja** *un certificado de cristiano viejo* · **nuevo,va · converso,sa || devoto,ta**

➤ Véase también **CREYENTE**

☐ EXPRESIONES **en cristiano** [de forma comprensible o en una lengua conocida] *col. Doctor, dígamelo en cristiano que si no, no me entero*

criterio s.m.

● CON ADJS. **común · unánime · coincidente · concordante · armónico · homogéneo** *Deberíamos actuar con un criterio homogéneo* **|| opuesto · distinto · dispar · divergente · antagónico** *Los criterios de actuación son absolutamente antagónicos* · **contradictorio · contrapuesto · encontrado · irreconciliable · heterogéneo || estricto · férreo · implacable · firme · estable · sólido · arraigado || cambiante · inestable · abierto · laxo · mudable || racional · fundamentado || atinado · certero · irrefutable · seguro · inseguro || decisivo · determinante** *un criterio determinante para la toma de decisiones* **|| arbitrario · discrecional || propio · subjetivo · objetivo || sesgado · partidista · tendencioso || ecuánime · igualitario · discriminatorio || práctico · regulador · orientador · preventivo · subyacente || analítico · integral · cualitativo · cuantitativo · de valor || particular · personal**

● CON SUSTS. **coincidencia (de) · unidad (de) · diferencia (de) · disparidad (de) · diversidad (de) || independencia (de)** *una periodista con independencia de criterio* **|| falta (de) · ausencia (de)**

● CON VBOS. **predominar · prevalecer · primar** *Siempre primó su criterio frente al de su socio* · **subyacer · converger · formar(se) || fundar(se) (en algo) · basar(se) (en algo) || ablandar(se) · diluir(se) · agotar(se) || definir · delinear · trazar · afinar · orientar · establecer** *establecer los criterios para trabajar en equipo* · **fijar · dictar · sentar · implantar · imponer · emplear · imprimir || aunar · unificar · armonizar · compatibilizar · conciliar · conjugar · uniformar · compartir · intercambiar || barajar · tomar en consideración** *La directora quiso tomar en consideración el criterio de los empleados* · **tener en cuenta || exponer · esgrimir || tener · defender** *Defiende tu propio criterio* · **mantener · sostener · sustentar || acatar · aceptar · suscribir · rechazar · refutar · rebatir || cumplir · satisfacer · seguir · respetar** *respetar el criterio de los superiores* · **incumplir · desobedecer · rebasar || aplicar · poner en práctica || juzgar (con) · actuar (con) · regir(se) (por) · responder (a) · atenerse (a) · ajustar(se) (a) · acoger(se) (a) · dejarse llevar (por) || servir (de) || cambiar (de)** *cambiar de criterio constantemente* **|| disentir (de)**

● CON PREPS. **según · con arreglo (a) · en función (de) · bajo**

[crítica] s.f. → crítico, ca

criticar v.

● CON ADVS. **enérgicamente** *un diario que critica enérgicamente al Gobierno* · **con energía · vehementemente · vivamente · ardientemente · acaloradamente · visceralmente · con fuerza · con firmeza · rotundamente · con rotundidad · contundentemente · sin remilgos · sin paños calientes || duramente · con dureza** *criticar un plan con dureza* · **severamente · seriamente · sin paliativos · implacablemente || cruelmente · sin piedad · crudamente · sin contemplaciones · sin miramientos || acremente · agriamente · con acritud · acerbamente · amargamente · airadamente || incisivamente · corrosivamente || insistentemente · con insistencia · reiteradamente || intensamente · profusamente || punto por punto** *Fue criticando la nueva ley punto por punto* · **a fondo || abiertamente · sin ambages · sin tapujos · sin reservas || veladamente · por detrás** *No es de buena educación criticar a alguien por detrás* · **a espaldas (de alguien) || frontalmente · tangencialmente || justamente · justificadamente · acertadamente || gratuitamente** *Trata de no criticar gratuitamente y menos sin conocimiento de causa* · **impunemente · infundadamente · sin fundamento · injustamente || levemente · sin acritud**

crítico, ca

1 **crítico, ca** adj.

▌ [decisivo, crucial]

● CON SUSTS. **momento** *un momento crítico en la historia del país* · **hora · año · edad ·** ***otros periodos*** **|| situación · circunstancia · coyuntura · sector || estado · límite · nivel · punto · enfermedad**

● CON VBOS. **volverse · hacerse · ponerse**

▌ [censor, recriminador]

● CON SUSTS. **autor,-a · escritor,-a · ensayista · afición · sector ·** ***otros individuos y grupos humanos*** **|| espíritu** *Se define a sí mismo como un pensador con espíritu crítico* · **ojo · tono · actitud || análisis · estudio · comentario · ejercicio · juicio · opinión · punto de vista || carta · ensayo · artículo** *un artículo muy crítico con la corriente científica imperante* · **libro ·** ***otros textos***

2 **crítico, ca** s.

▌ [persona]

● CON ADJS. **certero,ra · atinado,da · serio,ria || agudo,da · perspicaz || duro,ra · severo,ra · implacable · demoledor,-a · constante · acérrimo,ma || feroz** *Fue un crítico feroz del tiempo que le tocó vivir* · **despiadado,da · encarnizado,da · mordaz · acerbo,ba || cinematográfico,ca · literario,ria · musical · de moda || destacado,da**

· **prestigioso,sa** *una prestigiosa crítica de cine* · **afamado,da** · **principal**
• CON VBOS. **juzgar** *Los críticos juzgaron la película sin presiones externas* · **considerar (algo)** · **enjuiciar (algo)** || **silenciar**

3 **crítica** s.f.

▮ [juicio, comentario]

• CON ADJS. **continua** · **puntual** · **recalcitrante** || **dura** *Sus declaraciones recibieron duras críticas por parte de...* · **fuerte** · **seria** · **severa** · **contundente** · **implacable** · **frontal** · **sin paliativos** || **viva** · **encendida** · **vehemente** · **desaforada** · **exacerbada** · **desmedida** · **desmesurada** || **airada** · **enconada** *lanzar una crítica enconada contra...* · **hostil** · **encarnizada** · **violenta** · **cáustica** · **corrosiva** · **mordaz** · **sarcástica** || **acerada** · **afilada** · **incisiva** · **punzante** · **penetrante** || **agria** · **ácida** · **amarga** · **acerba** · **áspera** · **agridulce** || **maliciosa** · **malévola** · **envenenada** · **incendiaria** · **destructiva** · **demoledora** · **negativa** · **mala** · **desfavorable** *No está acostumbrada a soportar las críticas desfavorables* || **ofensiva** · **hiriente** · **injuriosa** · **vejatoria** · **irrespetuosa** || **cruel** · **despiadada** *Nadie desea ser el blanco de críticas tan despiadadas* · **feroz** · **descarnada** || **unánime** · **abrumadora** · **clamorosa** · **apabullante** · **visceral** || **constructiva** · **positiva** · **buena** · **favorable** · **benigna** · **suave** · **civilizada** · **inofensiva** · **tibia** || **autorizada** · **fundada** *Siempre agradeció las críticas bien fundadas* · **fundamentada** · **justa** · **acertada** · **certera** · **atinada** || **gratuita** · **infundada** · **sin fundamento** · **endeble** · **injusta** · **descabellada** || **abierta** · **velada** · **soterrada** || **interna**
• CON SUSTS. **aluvión (de)** · **lluvia (de)** · **avalancha (de)** *Supo salir airoso de la avalancha de críticas* · **ola (de)** · **rosario (de)** · **arsenal (de)** · **cúmulo (de)** || **asomo (de)** || **ánimo (de)** *Y conste que te lo digo sin ánimo de crítica* || **objeto (de)** *El libro objeto de crítica trata de...*
• CON VBOS. **desatar(se)** · **desencadenar(se)** · **surgir** · **aflorar** *Las críticas incendiarias afloraron tras sus polémicas declaraciones* || **abatir(se) (sobre algo)** · **recaer (en alguien/sobre alguien)** · **salpicar (a alguien)** || **llover** · **arreciar** · **cobrar fuerza** · **recrudecer(se)** *Tras el pronunciamiento, las críticas se recrudecieron* || **apagar(se)** · **aplacar(se)** · **calmar(se)** || **estribar (en algo)** || **levantar** · **suscitar** · **despertar** · **concitar** · **cosechar** *cosechar críticas y reproches* · **granjearse** · **ocasionar** · **acarrear** || **hacer** · **formular** · **verter** · **proferir** · **dirigir (a alguien)** · **endosar (a alguien)** · **lanzar** · **descargar** · **dejar caer** · **ejercer** · **hacer extensiva** · **cruzar** · **rectificar** || **prodigar** · **escatimar** || **redoblar** · **avivar** || **afrontar** · **arrostrar** · **encarar** · **aguantar** *En este puesto tienes que saber aguantar las críticas* · **soportar** · **aceptar** · **asumir** · **encajar** · **recibir** || **eludir** · **sortear** · **capear** · **conjurar** · **desviar** || **atemperar** · **paliar** · **aminorar** · **amortiguar** · **mitigar** · **apaciguar** · **acallar** · **silenciar** · **zanjar** || **rebatir** · **refutar** · **repeler** · **desmontar** · **desactivar** || **desoír** · **tomar a pecho** *No te tomes tan a pecho las críticas que han vertido sobre tu labor directiva* · **magnificar** || **sustentar** · **cimentar** || **replicar (a)** · **salir al paso (de)** *En la rueda de prensa, el entrenador salió al paso de las críticas de los periodistas* · **lidiar (con)** · **hacer caso (a)** || **quitar hierro (a)** || **cejar (en)**
• CON PREPS. **al abrigo (de)** · **a resguardo (de)**

croar v.

• CON SUSTS. **rana** · **sapo**
• CON ADVS. **incesantemente** || **con fuerza**

croata s.m. Véase **IDIOMA**

cromático, ca adj.

• CON SUSTS. **variedad** · **riqueza** *Es impresionante la riqueza cromática de los bosques de la región* || **gama** · **escala** · **arco** || **tonalidad** · **matiz** || **armonía** · **equilibrio** · **contraste** || **intensidad** · **dinamismo** · **belleza** · **brillo** || **juego** · **efecto** · **imagen** **cambio** *Sus cuadros reflejan el cambio cromático según las estaciones*

cromosoma s.m.

• CON ADJS. **sexual** || **humano** · **masculino** · **femenino**
• CON VBOS. **analizar** · **estudiar** · **descifrar** · **identificar** · **rastrear** · **aislar** || **heredar** · **aportar** || **localizar (en)** · **encontrarse (en)** *una información genética que se encuentra en los cromosomas* · **situarse (en)**

[crónica] s.f. → crónico, ca

crónico, ca

1 **crónico, ca** adj.

• CON SUSTS. **hepatitis** · **soriasis** · **tos** · **bronquitis** · ***otras enfermedades y dolencias*** || **dolor** || **enfermo,ma** · **paciente** || **mal** · **problema** · **miseria** · **déficit**
• CON VBOS. **volverse** · **hacerse** *Si no curas bien esa bronquitis, se hará crónica*

2 **crónica** s.f.

• CON ADJS. **periodística** · **informativa** · **gráfica** || **conmovedora** *...tras escuchar la conmovedora crónica de uno de los testigos del crimen* · **dramática** · **amarga** · **sórdida** · **poética** || **fiel** · **veraz** · **fidedigna** · **descarnada** || **histórica** · **biográfica** · **imaginaria** || **de sucesos** · **negra** *un experto en la crónica negra de este país* · **política** · **social** · **de sociedad** · **rosa** *un programa semanal de crónica rosa* · **roja** · **de costumbres** · **costumbrista** · **humana** · **deportiva**
• CON VBOS. **aparecer** || **escribir** · **redactar** · **hacer** · **construir** · **trazar** · **esbozar** · **novelar** · **titular** · **ilustrar** || **publicar** || **leer**

cronología s.f.

▮ [sucesión de acontecimientos]

• CON ADJS. **precisa** *una cronología precisa de los hechos* · **completa** · **detallada** · **exacta** || **lineal**
• CON VBOS. **establecer** · **fijar** · **precisar** · **saltarse** || **revisar**

▮ [rama del saber] Véase **DISCIPLINA**

cronológicamente adv.

• CON VBOS. **ordenar** *Se han ordenado cronológicamente los acontecimientos* · **clasificar** · **organizar** · **disponer** || **recorrer** · **repasar** · **estudiar** · **analizar** || **situar(se)** · **localizar(se)** *La novela se localiza cronológicamente en el Renacimiento* · **pertenecer** || **abarcar** · **cubrir** · **ocupar** || **abrir** · **arrancar** · **comenzar** || **seguir** · **suceder** · **coincidir** · **producirse** · **enlazar**

cronológico, ca adj.

• CON SUSTS. **tabla** · **índice** *un índice cronológico de los principales hechos de su reinado* · **cuadro** · **esquema** · **itinerario** || **ordenación** · **secuencia** · **recorrido** · **sucesión** *la sucesión cronológica de los acontecimientos históricos* || **narración** · **relato** · **informe** · **relación** · **hilo** || **orden** · **criterio** || **coincidencia** · **distancia** || **límite** · **eje** || **edad**

cronometrar v.

● CON SUSTS. **tiempo** *cronometrar el tiempo que dura una carrera* · **horas** · **minutos** · **segundos** || **carrera** · **vuelta** · **etapa** · **prueba** · **ensayo** · **sesión** || **tramo** · **kilómetro**
● CON ADVS. **al minuto** · **al segundo**

cronómetro s.m.

● CON ADJS. **digital** · **analógico** || **exacto**
● CON VBOS. **funcionar** · **correr** || **marcar (algo)** *Mira a ver qué tiempo marca el cronómetro* · **medir (algo)** || **conectar** · **poner en marcha** || **parar** · **detener** *Tienes que detener el cronómetro en el momento en que cruce la meta* || **consultar** || **luchar (contra)**

cruasán s.m.

● CON ADJS. **relleno** *un cruasán relleno de jamón y queso* · **a la plancha** · **caliente** || **esponjoso** · **de hojaldre** · **de mantequilla** || **duro** · **reseco**
● CON VBOS. **mojar** *mojar el cruasán en el café* · **tomar** · **desayunar** · **merendar** || **preparar** · **hornear** · **rellenar**

cruce

1 **cruce** s.m.

● CON ADJS. **peligroso** *Ten cuidado, el próximo cruce es muy peligroso* · **estratégico** · **fronterizo** || **ferroviario** · **peatonal** · **verbal** · **genético**
● CON VBOS. **hacer** || **evitar** · **controlar** || **salir (a)** · **llegar (a)** *Cuando llegue al cruce, tuerza a la derecha* || **ubicarse (en)**

2 **cruce (de)** s.m.

● CON SUSTS. **caminos** · **calles** · **carreteras** · **rutas** || **miradas** · **palabras** · **críticas** · **acusaciones** *El duro cruce de acusaciones que se ha producido entre los representantes de...* · **declaraciones** · **cartas** · **líneas** *Estábamos hablando por teléfono y se produjo un cruce de líneas* || **información** · **datos** || **razas** *un cruce de dos razas de perros* · **culturas**

crucigrama s.m.

● CON ADJS. **difícil** · **complicado** · **enrevesado** || **fácil** · **sencillo**
● CON VBOS. **hacer** · **resolver** *No consigo resolver este crucigrama* · **rellenar** · **solucionar**

crudamente adv.

● CON VBOS. **mostrar** · **reflejar** *un relato que refleja crudamente la realidad* · **revelar** · **desvelar** · **proyectar(se)** · **manifestar(se)** · **ilustrar** · **demostrar** || **hablar** · **decir** · **expresar** *Por primera vez expresó crudamente su repugnancia hacia esas prácticas* · **exponer** · **plantear** · **relatar** · **describir** · **llamar** · **citar** · **proclamar** · ***otros verbos de lengua*** || **criticar** · **atacar** · **desautorizar** || **sentir** · **sufrir**

crudo, da

1 **crudo, da** adj.

■ [poco cocinado]

● CON SUSTS. **filete** · **pescado** *Me sentó mal el pescado crudo que comimos* · **zanahoria** · ***otros alimentos o ingredientes***
● CON VBOS. **estar** · **quedar(se)**

■ [en estado natural]

● CON SUSTS. **seda** · **lana** · **hilo** · **cuero** · **algodón** || **petróleo** *un escape de petróleo crudo* · **goma** || **madera** · **corcho**

■ [blanco, amarillento]

● CON SUSTS. **color** · **tono** *Busco una alfombra en tonos crudos*

■ [frío, desapacible]

● CON SUSTS. **invierno** *la llegada del crudo invierno* · **día** · **noche** · **madrugada** · **mes** · **clima**

■ [cruel, descarnado]

● CON SUSTS. **lenguaje** · **palabras** · **tono** · **realismo** · **descripción** · **historia** || **verdad** · **realidad** *Debemos afrontar la cruda realidad cuanto antes* || **escena** · **imagen** || **momento** · **año**

■ [difícil] *col.*

● CON VBOS. **tener(lo)** *Con este jefe lo tengo crudo* · **llevar(lo)**

2 **crudo** s.m.

■ [petróleo]

● CON ADJS. **ligero** · **liviano** · **mediano** · **pesado** · **extrapesado** · **filtrado** || **caro** · **por las nubes** · **barato**
● CON SUSTS. **barril (de)** *Baja el precio del barril de crudo* · **tonelada (de)** || **precio (de)** · **costo (de)** · **alza (de)** || **productor,-a (de)** · **producción (de)** · **explotación (de)** · **yacimiento (de)** · **extracción (de)** · **transporte (de)** · **consumo (de)** || **exportación (de)** *un acuerdo para la exportación de crudo* · **venta (de)** · **compraventa (de)** · **mercado (de)** || **suministro (de)** · **abastecimiento (de)** · **flujo (de)** · **reserva (de)** *preocupación ante el agotamiento de las reservas de crudo* || **mancha (de)** · **vertido (de)**
● CON VBOS. **cotizar** · **costar** · **subir** · **bajar** || **extraer** *maquinaria para extraer el crudo* · **sacar** · **mezclar** · **bombear** · **producir** · **obtener** || **importar** · **exportar** · **adquirir** · **consumir** || **suministrar** · **transportar** || **derramar** · **verter**

cruel adj.

● CON SUSTS. **guerrero,ra** · **tirano,na** · **asesino,na** · **banda** · ***otros individuos y grupos humanos*** || **guerra** · **tortura** · **violencia** · **lucha** · **agresión** · **castigo** · **asesinato** || **desenlace** · **destino** · **tragedia** · **enfermedad** *la cruel enfermedad que azota a gran parte del continente* || **realidad** · **mundo** · **tiempo** · **experiencia** · **testimonio** · **sentencia** || **comedia** · **burla** *la burla cruel del destino* · **humor** · **ironía** · **sátira** || **retrato** · **imagen** · **espectáculo** || **palabras** · **mensaje** · **paradoja** · **mirada** · **sonrisa** · **gesto** || **trato** · **comportamiento** · **práctica** *La asociación lucha por acabar con esta práctica cruel* · **método**
● CON ADVS. **especialmente** · **extremadamente** *Me parece un castigo extremadamente cruel* · **excesivamente** · **sumamente** || **deliberadamente** · **innecesariamente** · **insospechadamente**
● CON VBOS. **hacer(se)** · **volver(se)** || **parecer** · **resultar** · **considerar (a alguien)**

crueldad s.f.

● CON ADJS. **refinada** · **extrema** *Recibió críticas de una crueldad extrema* · **exagerada** · **infinita** · **tremenda** · **desmesurada** || **terrible** · **atroz** · **desalmada** || **insospechada** · **inaudita** · **inimaginable** · **gratuita** || **humana** · **mental** || **pura** *un ejemplo de la más pura crueldad humana* · **sistemática** · **enfermiza** || **sobrecogedora** · **subyugante**
● CON SUSTS. **acto (de)** · **muestra (de)** · **ejemplo (de)** || **grado (de)** · **dosis (de)** *un comentario con una gran dosis de crueldad* · **ápice (de)** · **ribetes (de)** || **víctima (de)** *Durante años fue víctima de su terrible crueldad*
● CON VBOS. **anidar (en alguien)** || **cometer** · **practicar** || **mostrar** · **demostrar** || **extremar** · **derrochar** || **personificar** || **despertar** || **rayar (en)**
● CON PREPS. **con** *tratar a alguien con crueldad*

cruento, ta adj.

● CON SUSTS. **acción** · **guerra** · **batalla** *la batalla más cruenta de toda la guerra* · **combate** · **lucha** · **conflicto** · **ataque** · **atentado** · **ofensiva** · **enfrentamiento** · **homicidio** · **matanza** · **bombardeo** · **choque** · **golpe** · **represión** || **historia** · **hecho** · **realidad** · **suceso** · **situación** · **episodio** *un cruento episodio en la historia del país* || **espectáculo** · **imagen** || **final** · **desenlace** || **campaña**

● CON ADVS. **extraordinariamente** *un suceso extraordinariamente cruento* · **particularmente** · **especialmente** · **innecesariamente**

crujiente adj.

● CON SUSTS. **pan** *una hogaza de pan crujiente recién hecho* · **galleta** · **pasta** · **hojaldre** · **maíz** · **arroz** · ***otros alimentos***

● CON VBOS. **ser** · **estar** · **quedar** · **mantener(se)** · **ponerse**

crujir v.

● CON SUSTS. **madera** *Crujió toda la madera del piso* · **palo** · **tabla** · **tarima** · **mueble** · **árbol** || **puerta** · **pared** · **suelo** · **estructura** · **grada** || **tierra** · **arena** · **grava** · **gravilla** || **hueso** *Te crujen los huesos* · **esqueleto** · **rodilla** · **dientes** || **pan** · **papel** · **tela** · **seda**

[cruz] → a cara o cruz; cruz

cruz s.f.

● CON ADJS. **grande** · **visible** · **pequeña** || **pesada** || **a cuestas** *Cada cual carga con su cruz a cuestas* || **gamada** · **griega** · **latina** *Esa iglesia tiene planta de cruz latina*

● CON VBOS. **levantar(se)** *En la cima se levantaba una cruz de piedra* || **llevar** · **arrastrar** · **soportar** *Soporta su cruz con mucha entereza* || **cargar (con)**

cruzada s.f.

● CON ADJS. **fervorosa** · **noble** · **abnegada** · **voluntaria** || **religiosa** · **moralizadora** · **liberalizadora** · **reformista** · **anticorrupción** · **antidroga** · **política** · **comercial** || **personal** · **particular** *El diario reanuda su particular cruzada contra los jueces*

● CON VBOS. **emprender** · **iniciar** *El Gobierno ha iniciado una cruzada contra la droga* · **encabezar** · **liderar** · **movilizar** · **lanzar** · **librar** || **denunciar** || **enrolar(se) (en)** · **participar (en)**

[cruzado] → de brazos cruzados

cruzar v.

▮ [atravesar]

● CON SUSTS. **frontera** *Ya he cruzado la frontera de la mayoría de edad* · **límite** · **borde** · **línea** · **raya** · **barrera** · **umbral** || **calle** · **camino** · **puente** · **túnel** · **vestíbulo** · **ciudad** · ***otros lugares*** || **mar** · **río** · **océano**

● CON ADVS. **de punta a punta** *intrépidos colonos que cruzaron el país de punta a punta* · **de extremo a extremo** · **de arriba abajo** || **de soslayo** · **tangencialmente** || **como una exhalación** · **fugazmente** || **peligrosamente** · **fatalmente**

▮ [formar una cruz]

● CON SUSTS. **brazos** · **piernas** · **dedos** *Cruza los dedos, porque vamos a necesitar suerte* · **manos** · **pies** || **camino** · **línea**

▮ [intercambiar]

● CON SUSTS. **palabra** *Los parlamentarios se cruzan a diario públicamente palabras airadas* · **insulto** · **improperio** · **acusación** · **elogio** · **piropo** || **correspondencia** · **mensaje** · **carta** || **mirada** *tras cruzarse algunas miradas de evidente complicidad* · **sonrisa** · **gesto**

cuaderno s.m.

● CON ADJS. **personal** · **escolar** || **cuadriculado** · **milimetrado**

● CON SUSTS. **hoja (de)** *arrancó las primeras hojas del cuaderno* · **página (de)**

● CON VBOS. **presentar** · **entregar** || **llevar (al día)** || **reflejar (en)** · **recoger (en)** *En un cuaderno en el que recoge las impresiones de sus últimos años en la política* · **escribir (en)** · **garabatear (en)** · **anotar (en)**

cuadrado, da

1 **cuadrado, da** adj.

● CON SUSTS. **forma** · **formato** || **base** · **planta** || **corte** · **línea** · **escote** *un traje de novia con escote cuadrado* || **cara** · **mentón** · **mandíbula** · **hombros** || **metro** · **kilómetro** *El terreno tiene varios kilómetros cuadrados* · ***otras unidades de longitud*** || **raíz** || **cabeza** · **mente** · **mentalidad**

2 **cuadrado** s.m.

● CON VBOS. **elevar (a)** *elevar un número al cuadrado*

cuadrar v.

● CON SUSTS. **suma** *Esta suma no me cuadra* · **cuenta** · **cifra** · **resultado** · **números** · **balance** || **calificativo** · **título** *Creo que el título elegido no cuadra con el contenido del texto* · **definición** · **denominación** · **apelativo** · **nombre** · **adjetivo** || **objetivo** · **plan** || **fecha** · **plazo**

cuadriculado, da adj.

● CON SUSTS. **cuaderno** · **libreta** · **papel** · **hoja** *Hagan los ejercicios en una hoja cuadriculada* · **trama** || **espacio** · **ciudad** · **estructura** || **mente** *Le cuesta cambiar de planes porque tiene una mente un poco cuadriculada* · **cerebro** · **mentalidad** · **personalidad** · **espíritu** || ***persona*** *Es una chica inteligente, pero un poco cuadriculada*

cuadrilla

1 **cuadrilla** s.f.

● CON SUSTS. **miembro (de)** || **patio (de)**

● CON VBOS. **organizar** *Organizaron cuadrillas de voluntarios para sofocar el incendio* || **integrar** · **completar** · **abandonar** || **conducir** · **acompañar** || **mantener** || **formar parte (de)** · **pertenecer (a)** || **actuar (en)** *Actúan en cuadrilla para diluir responsabilidades*

2 **cuadrilla (de)** s.f.

● CON SUSTS. **amigos,gas** · **trabajadores,ras** · **obreros,ras** · **bomberos,ras** · **albañiles,las** · **bandidos,das** · **malhechores,ras** · **ayudantes** · ***otros individuos*** || **rescate** · **prevención** · **limpieza** *La cuadrilla de limpieza trabajó durante horas*

[cuadro] → a cuadros; cuadro

cuadro s.m.

▮ [cuadrado]

● CON ADJS. **perfecto** · **aproximado**

● CON VBOS. **formar** · **hacer** · **dibujar** *Dentro del círculo dibujó un cuadro perfecto* · **trazar** · **pintar**

▌[pintura]

●CON ADJS. **valioso · de valor · caro · preciado** *pujar por un preciado cuadro* · **famoso · conocido · atractivo · singular || de escuela || alusivo (a algo) || costumbrista · impresionista · expresionista || abstracto · figurativo**
●CON SUSTS. **autor, -a (de) || título (de) · tema (de) || copia (de) · autenticidad (de) · valor (de)**
●CON VBOS. **pintar · dibujar || exhibir · exponer || falsificar · robar || valorar · coleccionar**

▌[gráfico, esquema]

●CON ADJS. **sinóptico · estadístico · panorámico · esquemático · abreviado**
●CON VBOS. **trazar** *trazar un cuadro esquemático* **|| organizar (en)** *organizar los datos en cuadros*

▌[panorama, situación]

●CON ADJS. **grave · crítico · desolador** *La periodista ofrecía un cuadro desolador en su crónica* · **sobrecogedor || ilustrativo · revelador**
●CON VBOS. **componer · configurar · conformar**

▌[conjunto de personas]

●CON ADJS. **militar · político · profesional · técnico** *Mañana presentarán al nuevo cuadro técnico de la empresa* · **directivo · deportivo · social · humano**

▌[panel]

●CON ADJS. **de mandos** *el cuadro de mandos del avión* · **del coche**

□EXPRESIONES **cuadro clínico** [conjunto de síntomas de un paciente] **|| {estar/quedarse} en cuadro** [quedar reducido un grupo a pocos miembros]

cuajar v.

▌[tomar consistencia]

●CON SUSTS. **leche · yogur || nieve**

▌[llegar a buen término]

●CON SUSTS. **plan · proyecto · idea** *Es una idea interesante, pero no termina de cuajar* · **reforma · programa · propuesta · iniciativa || personalidad · perfil · liderazgo · arquetipo || alianza** *A pesar de las dificultades, la alianza entre las empresas cuajó finalmente* · **pacto · acuerdo · amistad · relación || libro · texto · arte · novela · canción ·** ***otras creaciones*** **|| vocación · trayectoria · carrera || escritor,-a** *Como escritor, nunca llegó a cuajar* · **jefe,fa · profesor,-a ·** ***otros individuos***

□USO Alterna los usos intransitivos (*Este delantero no cuaja*) con los transitivos (*Este delantero cuajó un gran partido*).

[cuajo] → de cuajo

cualidad s.f.

●CON ADJS. **gran(de) · notoria · sobrada · destacada · excelente · inmejorable · innegable · excepcional · impresionante · fantástica · notable · admirable · portentosa · asombrosa || natural · innata · nata · intrínseca || personal · individual · genuina · peculiar || rara** *Tiene la rara cualidad de caer bien a todos* · **especial · infrecuente || principal · positiva** *desarrollar las cualidades positivas* · **negativa || curativa · física · regenerativa · mágica · psíquica · moral || dotado,da (de)** *dotado de cualidades innatas para la pintura*
●CON SUSTS. **dechado (de) || serie (de) · conjunto (de)**
●CON VBOS. **adornar (a alguien)** *A la candidata la adornan muy notables cualidades* · **distinguir (algo/a alguien) · enriquecer (algo/a alguien) · revestir (algo/a alguien) || estar a la vista || heredar** *Ha heredado de su madre la cualidad de saber escuchar* · **adquirir · tener · poseer · atesorar · reunir · condensar · demostrar · acreditar · requerir || desarrollar · mejorar · realzar · resaltar · subrayar · fomentar || medir · valorar · apreciar · reconocer** *No todos saben reconocer las cualidades de los demás* · **admirar · elogiar · ponderar · pregonar || aprovechar · canalizar · malgastar || atribuir (a algo/a alguien)** *A ver si son ciertas las cualidades curativas que atribuyen a esta agua* · **conferir (a algo/a alguien) || gozar (de) · destacar (por) || amoldar(se) (a) || carecer (de)**
●CON PREPS. **a la medida (de)**

cualificado, da adj.

●CON SUSTS. **personal · trabajador,-a** *Están buscando un trabajador cualificado que pueda desempeñar este puesto* · **obrero,ra · profesional · jugador,-a · deportista · técnico,ca · político,ca · dirigente · portavoz · interlocutor,-a** *Necesitamos un interlocutor cualificado con capacidad para tomar decisiones* · ***otros individuos y grupos humanos*** **|| trabajo · obra || opinión**
●CON ADVS. **altamente · especialmente** *Se trata de un técnico especialmente cualificado en este campo* · **suficientemente · enormemente · debidamente || escasamente**
●CON VBOS. **estar**

cualitativamente adv.

●CON VBOS. **cambiar · aumentar · disminuir · crecer · decrecer · ampliar · reducir · mejorar** *Después de los últimos cambios la situación mejoró cualitativamente* · **reforzar · madurar || seleccionar · diferenciar · distinguir · separar · alejarse || analizar** *analizar los datos cualitativamente* · **demostrar**
●CON ADJS. **diferente · distinto,ta · heterogéneo,a · mejor · peor · superior** *El encuentro eleva a un nivel cualitativamente superior las actuales relaciones* · **inferior || nuevo,va || importante · relevante**

cualitativo, va adj.

●CON SUSTS. **cambio** *El congreso está dedicado a los cambios cualitativos en los sistemas de enseñanza* · **diferencia · transformación · mutación || salto · paso · incremento · crecimiento · mejora · escalada · aumento · desarrollo · triunfo || descenso · retroceso** *Hubo un cierto avance, pero también un retroceso cualitativo* **|| aspecto · término · punto de vista · criterio || estudio · análisis · evaluación · diagnóstico · balance · juicio || altura · peso · densidad · dimensión · volumen ·** ***otras magnitudes*** **|| importancia · valor · relevancia || nivel · indicador**

cuantía s.f.

●CON ADJS. **gran(de) · máxima · elevada · sustancial || mínima · moderada · pequeña · escasa** *daños de escasa cuantía* · **limitada · insuficiente || mayor · menor · media || total** *la cuantía total de la obra* · **global · final · definitiva || exacta · variable || anual · mensual || económica**
●CON VBOS. **calcular · fijar** *cuando se fije la cuantía de la multa* · **determinar · valorar · evaluar · precisar · detallar · prever || negociar · pactar** *En la reunión pactaron la cuantía a la que ascienden los activos de la empresa* · **discutir · aprobar · revisar || aumentar · ascender (a algo) · elevar · ampliar · doblar · superar || rebajar · reducir · abaratar · disminuir · recortar || pagar · liquidar · cubrir · recibir || modificar · alterar · actualizar || depender (de)**
●CON PREPS. **en función (de)**

cuantificar v.

●CON SUSTS. **coste · valor · importe** *cuantificar el importe total de las obras* · **precio · dinero · cifra · cantidad ·**

inversión · **déficit** · **deuda** · **fraude** · **ingresos** · **indemnización** · **ayudas** · **aportación** · **salario** · **ahorro** · **beneficio** · **recortes** || **daño** · **pérdida** · **impacto** *Ha sido imposible cuantificar aún el impacto de este tremendo desastre ecológico* · **alcance** · **efecto** · **intensidad** *unos aparatos que sirven para cuantificar la intensidad del tráfico* · **riesgo** || **crecimiento** · **aumento** · **reducción** || **esfuerzo** · **trabajo**
● CON ADVS. **correctamente** · **exactamente** · **con exactitud** · **rigurosamente** · **detalladamente** · **claramente** || **totalmente** · **globalmente** || **económicamente**

cuantioso, sa adj.

● CON SUSTS. **daños** *los cuantiosos daños del incendio* · **pérdidas** · **destrozos** · **bajas** · **multa** · **déficit** · **deuda** || **suma** · **cantidad** · **inversión** *cuantiosas inversiones en investigación y educación* · **ayuda** · **fortuna** · **riqueza** · **bienes** || **indemnización** · **recompensa** · **beneficios** · **ganancias** · **ingresos** · **compensación** · **incentivos** · **premio** · **botín** · **herencia** *...buscando un negocio en el que invertir la cuantiosa herencia recibida* · **pensión** || **desembolso** · **factura** · **gasto** · **coste** || **disminución** · **crecimiento** · **subida** · **aumento**

cuantitativo, va adj.

● CON SUSTS. **salto** *Los últimos resultados electorales suponen un salto cuantitativo para esta formación* · **cambio** · **mejora** · **incremento** · **aumento** · **crecimiento** · **criterio** · **carácter** || **restricción** · **límite** · **limitación** || **importancia** · **peso** · **valor** · **coste** · **nivel** · **éxito** || **aspecto** · **dato** · **indicador** · **factor** · **términos** *valorar el crecimiento del negocio en términos cuantitativos* || **análisis** · **estudio** · **evaluación** · **control** · **impulso** || **objetivo** · **resultado** · **diferencia** *Existen diferencias cuantitativas entre los salarios de los distintos departamentos* · **desarrollo**

cuarentena s.f.

■ [aislamiento preventivo]

● CON ADJS. **larga** · **dilatada** · **interminable** · **eterna** || **rigurosa** *Los encerraron unas semanas en rigurosa cuarentena* **obligatoria** · **estricta** · **preceptiva** · **necesaria** || **política** · **electoral** · **fiscal** · **judicial** · **sanitaria** *Han decretado cuarentena sanitaria por miedo al contagio* · **diplomática** · **militar** · **financiera** || **sometido,da (a)**
● CON SUSTS. **período (de)** *un largo período de cuarentena* · **estación (de)** || **régimen (de)** · **medida (de)**
● CON VBOS. **imponer** · **decretar** || **levantar** · **abandonar** || **pasar** · **cumplir** · **superar** || **poner (en)** *Pusieron en cuarentena a todos los habitantes de la ciudad* · **tener (en)** · **someter (a)** · **condenar (a)** || **estar (en)** · **quedar(se) (en)** · **permanecer (en)** || **salir (de)** *¿Sabes cuándo saldrán de la cuarentena?*
● CON PREPS. **en** *Pasó unos días retenido en cuarentena*

■ [cuarenta años]

● CON ADJS. {**bien/mal**} **llevada**
● CON VBOS. **rondar** *No es muy mayor; debe rondar la cuarentena* · **bordear** · **pasar** · **sobrepasar** || **andar (por)** · **acercar(se) (a)**

cuaresma s.f.

● CON SUSTS. **tiempo (de)** · **día (de)** · **domingo (de)** · **viernes (de)** · **vísperas (de)** || **significado (de)** *El párroco explicó el significado de la cuaresma* || **plato (de)** *Este guiso es un plato típico de cuaresma*
● CON VBOS. **acercar(se)** · **iniciar(se)** · **empezar** · **llegar** · **terminar** · **transcurrir** || **vivir**

cuartear(se) v.

● CON SUSTS. **superficie** · **suelo** · **pavimento** · **pared** · **muro** · **techo** · **dique** || **tierra** *La tierra se había cuarteado por la sequía* · **lodo** || **losa** · **madera** · **piedra** · **lápida** · **cristal** · **luna** || **mano** · **rostro** · **cara** · **piel** *una crema para impedir que la piel se cuartee por el frío* || **cuero** || **unidad** · **seguridad** · **confianza** · **fundamento** · **cimiento** *¿Cree usted que estos cambios cuartean los cimientos de nuestra sociedad?* · **fondo** || **sociedad** · **moral** · **imagen** · **proyecto**

cuartel s.m.

● CON ADJS. **general** · **central** || **secreto** || **de policía** · **policial** · **militar** · **de bomberos** · **de operaciones**
● CON SUSTS. **casa** *la casa cuartel de la Guardia Civil*
● CON VBOS. **asaltar** · **atacar** *La banda terrorista atacó el cuartel con la finalidad de...* · **desmantelar** · **derribar** || **ocupar** · **tomar** · **acordonar** || **visitar** || **trasladar (a)** · **llevar (a)** · **retener (en)** || **vivir (en)** · **entrar (a/en)** · **ingresar (a/en)** || **atentar (contra)**
□ EXPRESIONES **sin cuartel** [sin concesiones]

cuarto s.m.

● CON ADJS. **acogedor** · **cómodo** · **confortable** || **espacioso** · **gran(de)** · **pequeño** · **recogido** || **trasero** *Usan el cuarto trasero para guardar las bicicletas* · **oscuro** || **trastero** *En el sótano tengo un pequeño cuarto trastero* · **de baño** · **de aseo** · **de estar** · **de contadores** || **ordenado** · **desordenado**
● CON VBOS. **ordenar** · **arreglar** · **recoger** || **limpiar** · **adecentar** · **barrer** · **fregar** || **ventilar** · **airear** · **refrescar** || **desordenar** · **poner patas arriba** || **ocupar** · **compartir** *Como eran muchos hermanos, tenían que compartir el cuarto* · **desocupar** || **amueblar** · **decorar** || **encerrar(se) (en)** *Está encerrado en su cuarto estudiando* · **salir (de)**

[cuatro]
→ a los cuatro vientos; entre cuatro paredes; por los cuatro costados

[cuba]
→ como una cuba

cubalibre s.amb.

● CON VBOS. **pedir**
➤ Véase también **BEBIDA**

cubata s.m. *col.*

● CON VBOS. **pedir**
➤ Véase también **BEBIDA**

[cubero]
→ a ojo de buen cubero

cubertería s.f.

● CON ADJS. **completa** · **incompleta** || **de diario** · **doméstica** || **de plata** · **lujosa** · **sencilla**
● CON VBOS. **regalar** *Cuando se casó le regalaron la cubertería* || **sacar** · **colocar** || **guardar** · **almacenar** || **completar** · **servir**

cúbico, ca adj.

● CON SUSTS. **metro** *¿Cuántos litros por metro cúbico cayeron?* · **centímetro** · **litro** || **superficie** · **volumen** · **forma** || **caja** · **edificio** · **espacio** || **ecuación** · **raíz**

cubículo s.m.

● CON ADJS. **angosto** · **pequeño** *un pequeño cubículo que producía claustrofobia* · **ínfimo** · **diminuto** · **reducido** || **infecto** || **escondido** · **misterioso**
● CON VBOS. **encerrar (en)** · **enjaular (en)** · **vivir (en)**

cubierta s.f.

▌ [capa]

● CON ADJS. **vegetal · asfáltica · de papel || protectora · impermeable · transparente || móvil · deslizante**

▌ [piso superior de un barco]

● CON PREPS. **a** *Algunos marineros salieron a cubierta* · **en · por**

cubierto s.m.

▌ [servicio de mesa]

● CON VBOS. **poner · quitar · retirar** *El camarero nos retiró los cubiertos sucios* · **llevar || limpiar · lavar || utilizar · coger**

▌ [comida de precio fijo]

● CON SUSTS. **precio (de)** *¿Cuál es el precio del cubierto?*
● CON VBOS. **costar**

□ EXPRESIONES **a cubierto** [resguardado] *ponerse a cubierto*

cubito s.m.

● CON ADJS. **de hielo** *Écheme un par de cubitos de hielo, por favor*
● CON VBOS. **descongelar(se) · deshacer(se) || hacer**
● CON PREPS. **en**

cubo s.m.

▌ [recipiente]

● CON ADJS. **pequeño · gran(de) · enorme || de basura · de agua · de hielo · de arena || de madera · de plástico** *Llevaba un cubo de plástico y una pala para jugar con la arena* · **metálico**
● CON VBOS. **vaciar · llenar || tapar · destapar || arrojar (a) · meter (en) · tirar (a)** *Tirar desperdicios al cubo de la basura* · **echar (a) · depositar (en)**
● CON PREPS. **a** *sacar agua a cubos*

▌ [en matemáticas]

● CON VBOS. **calcular · obtener || elevar (a)** *elevar un número al cubo*

[cubrir] → cubrir; cubrir(se) (de)

cubrir v.

▌ [llenar o tapar]

● CON SUSTS. **mesa · silla · coche ·** ***otros objetos*** **|| pared · habitación · jardín · ciudad** *Un manto de nieve cubría toda la ciudad* · **planeta ·** ***otros lugares o espacios***
● CON ADVS. **completamente · totalmente · por completo || de extremo a extremo · de pies a cabeza · de punta a punta · de cabo a rabo**

▌ [satisfacer]

● CON SUSTS. **necesidad** *un sueldo escaso que apenas cubría sus necesidades básicas* · **demanda || gasto · coste · deuda · riesgo || plaza · puesto** *Se ha convocado una oposición para cubrir un puesto vacante* **|| recorrido · ruta · distancia**
● CON ADVS. **escasamente · ajustadamente || con creces · con éxito · ni de lejos** *no cubría ni de lejos las expectativas previstas* · **por completo · sobradamente · a medias**

▌ [incluir]

● CON SUSTS. **póliza** *Lamentablemente, la póliza no cubre este tipo de robo* · **seguro**

▌ [seguir, hacerse cargo]

● CON SUSTS. **noticia · acontecimiento** *Los medios de comunicación cubrieron ampliamente el acontecimiento* · **evento || guerra · conflicto || partido · espectáculo**
● CON ADVS. **de cerca · en directo** *cubrir una noticia en directo* **|| ampliamente · objetivamente · subjetivamente**

▌ [proteger]

● CON SUSTS. **retirada** *Los soldados cubrieron la retirada de la población* · **ofensiva · ataque || área · flanco · zona** *cubrir una zona de los ataques enemigos*

cubrir(se) (de) v.

● CON SUSTS. **atenciones** *El alcalde cubrió de atenciones al delegado del señor ministro* · **caricias · besos · abrazos || insultos · improperios || elogios · halagos · alabanzas · flores || laureles · honores || vergüenza · oprobio · ignominia · ridículo || mierda · basura · polvo · dinero ·** ***otras materias***

□ EXPRESIONES **cubrirse de gloria** [equivocarse manifiestamente] *irón. Con la ley que acaban de aprobar se han cubierto ustedes de gloria*

cuchara s.f.

● CON ADJS. **de servir · sopera || de madera · de palo · de plata**
● CON SUSTS. **comida (de)** *Con este frío lo que más apetece es una comida de cuchara* · **guiso (de) · plato (de) · cocina (de)**
● CON VBOS. **meter || colmar · llenar || agregar · añadir · echar || servir (con) · comer (con)**

cucharada s.f.

● CON ADJS. **sopera** *Agregue dos cucharadas soperas de harina* · **gran(de) · pequeña || rebosante · completa**
● CON VBOS. **agregar · añadir · echar**
● CON PREPS. **a** *comer algo a cucharadas*

cuchichear v.

● CON SUSTS. ***persona*** *En lugar de atender, los estudiantes se pasaban la clase cuchicheando*
● CON ADVS. **al oído** *No pude entender lo que le cuchicheó al oído* · **en secreto**

cuchilla s.f.

● CON ADJS. **afilada · roma || desechable || de afeitar · eléctrica · limpiadora**
● CON VBOS. **emplear · utilizar · usar || desinfectar || afilar || cortar (con)** *Me he cortado con la cuchilla y me escuece bastante* · **afeitar (con)**

[cuchillada] → a cuchilladas; cuchillada

cuchillada s.f.

● CON ADJS. **tremenda · profunda || infame · traicionera || mortal · certera · directa || política** *El pacto entre ambos partidos ha sido una verdadera cuchillada política*
● CON VBOS. **propinar · repartir · asestar · dar · lanzar · pegar · fallar || recibir**

cuchillo s.m.

● CON ADJS. **afilado · filoso · cortante · punzante · romo · de doble filo · de sierra** *un cuchillo de sierra para el pan* · **curvo || jamonero · carnicero · cebollero · de untar · de pelar patatas · de trinchar · de cocina · de mesa · eléctrico || de carne · de pescado · de postre || de monte · de caza · de montaña || en mano · en ristre**

● CON SUSTS. **filo (de)** · **punta (de)** · **hoja (de)** · **mango (de)** || **juego (de)** · **taco (de)** || **lanzador,-a (de)** *Vimos en el circo una lanzadora de cuchillos*
● CON VBOS. **mellar(se)** || **afilar** *Debería afilar este cuchillo para que corte mejor* · **clavar** || **blandir** · **empuñar** · **esgrimir** || **cortar (con)** · **agredir (con)** · **amenazar (con)** || **armar(se) (de/con)**
□ EXPRESIONES **pasar a cuchillo** [matar a los habitantes de un lugar conquistado]

[cuclillas] → en cuclillas

cucurucho s.m.

● CON ADJS. **de papel** · **de barquillo** · **de nazareno**
● CON SUSTS. **helado (de)**
● CON VBOS. **poner (en)** · **envolver (en)** *Envolvió las castañas en un cucurucho* · **servir (en)**

[cuello] → cuello; hasta el cuello

cuello s.m.

▌[de una persona o de un animal]
● CON ADJS. **largo** · **corto** || **delgado** · **estilizado** · **de jirafa** · **flaco** || **grueso** · **robusto** · **ancho** || **frágil** · **fuerte** || **dolorido**
● CON SUSTS. **problema (de)** · **dolor (de)** || **rotura (de)** · **torcedura (de)**
● CON VBOS. **mover** · **estirar** *Por mucho que estiré el cuello no pude ver nada* · **reclinar** · **inmovilizar** || **romper(se)** · **partir(se)** || **cortar** · **retorcer** || **apostarse** · **arriesgar** · **salvar** || **colgar (de)** · **enrollar (a)** *Me enrollé la bufanda al cuello y me lancé a la calle* · **atar (a)** || **agarrar (de/por)** · **coger (por)**

▌[de una prenda]
● CON ADJS. **alto** *un jersey de cuello alto* · **redondo** · **de pico** · **bobo** || **duro** *Lleva siempre camisas de cuello duro* · **postizo** · **almidonado** || **abierto** · **desabrochado** · **cerrado** · **vuelto** *un jersey de cuello vuelto*
● CON SUSTS. **barco** *un vestido con cuello barco* · **cisne** · **caja** · **esmoquin**
● CON VBOS. **apretar** *Me aprieta el cuello de la camisa* · **molestar** || **abrir** · **cerrar** · **abrochar** *No me puedo abrochar el cuello de la camisa* · **desabrochar**
□ EXPRESIONES **cuello de botella** [lo que dificulta el paso o el desarrollo de algo] || **estar con {la soga/el agua} al cuello** [encontrarse en una situación muy apurada] || **hablar (alguien) para el cuello de su camisa** [hablar en voz muy baja] *col.*

cuenca

1 cuenca s.f.

● CON ADJS. **rica** *la rica cuenca petrolera de este país* · **amplia** || **alta** · **baja** || **hidrográfica** · **fluvial** || **minera** · **petrolera** · **lechera**
● CON SUSTS. **agua (de)**
● CON VBOS. **conservar** · **proteger** · **preservar** || **contaminar** || **recuperar** · **reforestar** || **atravesar**

2 cuenca (de) s.f.

● CON SUSTS. **ojos** || **río** *La cuenca del río es la zona más fértil de la región* · **lago** · **mar** · **océano** || **valle** · **montaña** || **carbón** · **hulla** *una comarca que cuenta con ricas cuencas de hulla* · **gas**

[cuenta] s.f. → a cuenta; cuenta; dar buena cuenta (de); por cuenta {ajena/propia}; por {mi/tu/su...} cuenta

cuenta s.f.

● CON ADJS. **bancaria** · **corriente** · **de ahorros** · **a plazo fijo** · **de crédito** · **fiscal** || **de correo** *Para crear tu propia cuenta de correo sigue los siguientes pasos...* || **abultada** *tener una abultada cuenta bancaria* · **astronómica** · **elevada** · **considerable** · **desahogada** || **exiqua** · **pendiente** *Tú y yo tenemos una cuenta pendiente* || **secreta** || **de resultados** · **de gastos** *auditar la cuenta de gastos de una empresa* · **de cobro**
● CON SUSTS. **apertura (de)** · **cancelación (de)** || **número (de)** *facilitar el número de cuenta corriente* · **titular (de)** || **balance (de)**
● CON VBOS. **ascender (a algo)** || **salir(le) (a alguien)** *Me temo que no me salen las cuentas* || **abrir** · **cerrar** *cerrar una cuenta de ahorro* · **traspasar** || **manejar** · **controlar** · **inmovilizar** · **congelar** · **intervenir** · **embargar** || **engordar** · **engrosar** || **cobrar** · **endosar** || **pagar** · **abonar** · **satisfacer** · **saldar** · **liquidar** *liquidar una cuenta pendiente* · **finiquitar** · **zanjar** || **pedir** · **dar** · **rendir** · **presentar** || **hacer** · **echar** · **sacar** · **llevar** *llevar las cuentas de los gastos domésticos* · **llevar al corriente** · **llevar al día** || **enderezar** · **equilibrar** · **desequilibrar** · **rebajar** || **cuadrar** · **ajustar** || **desglosar** · **investigar** · **auditar** · **clarificar** · **aprobar** || **perder** *He perdido la cuenta de los días que llevo aquí* || **ingresar (algo) (en)** · **transferir (algo) (a)** · **cargar (algo) (a/en)**
□ EXPRESIONES **a cuenta*** [como anticipo] || **caer en la cuenta de** (algo) [comprender o conocer algo que antes no se había advertido] *col.* || **correr** (algo) **de la cuenta** (de alguien) [encargarse de ello] || **cuenta atrás** [cómputo del tiempo que falta para un acontecimiento] || **dar buena cuenta de** (algo) [acabarlo o consumirlo] *col.* || **darse cuenta** [llegar a percibir realmente] || **por {mi/tu/su...} cuenta*** [independientemente] || **salir** (una mujer) **de cuentas** [acercarse su parto] || **{tomar/tener}** (algo) **en cuenta** [considerarlo] || **traer cuenta** [resultar rentable o provechoso]

[cuentagotas] → con cuentagotas

cuento s.m.

▌[narración]
● CON ADJS. **infantil** *una escritora de cuentos infantiles* · **de hadas** · **principesco** · **de miedo** · **de terror** · **policíaco** · **policial** · **épico** · **satírico** · **de Navidad** · **literario** || **clásico** · **tradicional** · **popular** · **folclórico** || **célebre** · **famoso** · **conocido** || **triste** · **lacrimógeno** · **escabroso** · **intimista** || **inspirado** · **memorable** || **veraz** · **verídico** · **realista** · **fantástico** · **maravilloso** · **increíble** · **inverosímil** · **ficticio** || **breve** · **largo** || **incompleto** · **inconcluso** · **inédito** || **ganador** · **finalista** *De los tres cuentos finalistas saldrá el ganador del concurso* || **original** · **anónimo** || **moral** · **didáctico** · **alegórico** || **predilecto**
● CON SUSTS. **libro (de)** · **título (de)** · **volumen (de)** · **antología (de)** · **colección (de)** · **edición (de)** · **género (de)** · **concurso (de)**
● CON VBOS. **basar(se) (en algo)** *Ha escrito varios cuentos basados en tradiciones populares* || **escribir** · **redactar** · **inventar** · **componer** · **recrear** *recrear en el teatro un cuento medieval* · **titular** || **contar** · **relatar** · **referir** · **narrar** · **oír** · **escuchar** · **leer** · **publicar** · **ilustrar** · **colorear** || **recopilar** · **reunir** || **recordar** · **olvidar** || **premiar** || **concursar (con)**

▌[mentira, patraña]
● CON ADJS. **puro** *No te pasa nada, porque lo que tienes es puro cuento* · **mero** || **increíble** || **trillado**
● CON VBOS. **echar** *Aunque le eches un poco de cuento, no llamarás su atención* || **tener {mucho/poco/bastan-**

te...} **cuento** || **parecer** || **venir (a alguien) (con)** · **ir (a alguien) (con)** · **salir (con)** || **vivir (de)**

☐EXPRESIONES **cuento chino** [embuste] || **el cuento de nunca acabar** [asunto que se complica y se alarga] *col.*

[cuerda] s.f. →bajo cuerda; cuerda; en la cuerda floja

cuerda s.f.

●CON ADJS. **gruesa** · **fina** · **endeble** || **tensa** · **débil** · **floja** || **instrumental** · **aguda** · **grave** · **desafinada**
●CON SUSTS. **instrumento (de)** · **cuarteto (de)** *una composición para cuarteto de cuerda y piano* · **orquesta (de)** · **sonido (de)**
●CON VBOS. **enredar(se)** · **enrollar(se)** · **enroscar(se)** · **liar(se)** || **desatar(se)** · **romper(se)** *La cuerda del equilibrista se rompió* || **sonar** || **anudar** · **trenzar** · **retorcer** || **desliar** · **desenredar** || **tensar** · **estirar** · **aflojar** · **distender** · **alargar** · **atar (a algo)** *atar la cuerda al poste* || **cortar** · **dar** || **afinar** || **acariciar** || **atar (con)** *atar las cajas con una cuerda* || **tirar (de)**

☐EXPRESIONES **bajo cuerda*** [de forma oculta] || **contra las cuerdas** [en una situación comprometida y sin salida] || **cuerdas vocales** [membranas que producen la voz] || **en la cuerda floja*** [en situación precaria] || **con la cuerda al cuello** [en grave apuro]

cuerno s.m.

●CON ADJS. **enorme** · **gran(de)** · **largo** · **imponente** || **buido** *un toro con los cuernos buidos* || **de la abundancia**
●CON VBOS. **hincar** · **clavar** · **hundir** || **afilar** · **cortar** · **serrar** · **arrancar** · **cercenar** · **afeitar** *A los toros más bravos les seguían afeitando los cuernos* || **adornar**

☐EXPRESIONES **irse al cuerno** (algo) [fracasar] *col.* || **mandar al cuerno** (algo/a alguien) [rechazarlo] *col.* || **oler a cuerno quemado** (algo) [ser sospechoso] *col.* || **poner los cuernos** (a alguien) [serle infiel] || **romperse los cuernos** [esforzarse mucho en algo] *col.*

cuero s.m.

●CON ADJS. **envejecido** · **repujado** || **fino**
●CON SUSTS. **artículo (de)** · **maletín (de)** · **cinturón (de)** · **balón (de)** · **cinta (de)** || **cazadora (de)** · **pantalón (de)** · ***otras prendas de vestir*** || **asiento (de)** *un coche con asientos de cuero* · **funda (de)**
●CON VBOS. **vestir (de)** || **forrar (de/en)**

☐EXPRESIONES **cuero cabelludo** [piel en la que nace el cabello] || **en cueros** [desnudo] *col.*

[cuerpo] →a cuerpo; a cuerpo de rey; cuerpo; cuerpo a cuerpo; de cuerpo entero; en cuerpo y alma

cuerpo s.m.

▮ [estructura física]

●CON ADJS. **humano** *la anatomía del cuerpo humano* || **encorvado** · **erguido** · **enjuto** · **carnoso** · **turgente** · **voluminoso** || **robusto** · **recio** · **atlético** *lucir un cuerpo atlético* · **sano** || **esbelto** · **espigado** · **estilizado** · **geométrico** || **perfecto** · **armonioso** · **agraciado** · **escultural** · **despampanante** · **de infarto** · **exuberante** · **voluptuoso** || **mutilado** *un cuerpo mutilado en la guerra* · **degollado** · **descarnado** · **cansado** · **exhausto** · **demacrado** · **dolorido** · **contusionado** || **sin vida** *Han encontrado un cuerpo sin vida en el río* · **inerte** · **exangüe** || **esquelético** · **escuchimizado** · **esmirriado** · **enclenque** · **endeble** · **desnutrido** || **sólido** · **pesado** · **ligero** · **fragmentado** || **físico** · **celeste** · **cósmico** · **en movimiento** · **estable** · **estático**
●CON VBOS. **crecer** · **desarrollar(se)** || **aguantar (algo)** *El cuerpo humano no aguanta tantas horas sin comer* · **resistir (algo)** || **mover(se)** · **contonear(se)** · **estremecer(se)** · **revolver(se)** · **agarrotar(se)** || **magullar(se)** · **desmembrar(se)** · **descomponer(se)** || **donar** *donar el cuerpo a la ciencia* || **cubrir** · **enterrar** · **desenterrar** || **descuartizar** · **estrechar** || **amoldar(se) (a)** *un vestido que se amolda al cuerpo*

▮ [conjunto de personas]

●CON ADJS. **diplomático** · **de funcionarios** · **legislativo** · **académico** · **técnico** *Nos presentaron a los miembros del cuerpo técnico* · **médico** · **colegiado** · **consultivo** · **de bomberos** · **de socorro** · **represivo** · **de seguridad** · **de élite** · **policial** · **de ejército** · **armado** · **social**
●CON SUSTS. **parte (de)** · **miembro (de)** || **espíritu (de)** *compartir el espíritu del cuerpo de bomberos*
●CON VBOS. **integrar** · **presidir** *presidir el cuerpo de funcionarios* || **pertenecer (a)** · **formar parte (de)**

▮ [consistencia]

●CON VBOS. **dar** *Con las últimas modificaciones consiguió darle cuerpo a la tesis* · **conferir** || **tomar** *Se remueve la salsa hasta que vaya tomando cuerpo* · **adquirir** · **cobrar** · **ganar** || **restar** · **faltar(le) (a algo)**

☐EXPRESIONES **a cuerpo*** [sin ninguna prenda de abrigo] || **a cuerpo de rey*** [con todas las comodidades] || **cuerpo a cuerpo*** [con contacto físico] *una lucha cuerpo a cuerpo* || **cuerpo a tierra** [por el suelo] || **de cuerpo entero*** [que reproduce el cuerpo completo de una persona] || **en cuerpo y alma*** [totalmente] *entregarse en cuerpo y alma* || **mal cuerpo** [malestar]

cuerpo a cuerpo loc.adv./loc.adj.

●CON VBOS. **luchar** · **pelear** · **combatir** · **enfrentarse** *Los manifestantes se enfrentaron cuerpo a cuerpo con la Policía* · **batallar** · **fajarse** · **batirse** · **medirse** · **competir** || **librar** · **realizar un combate**
●CON SUSTS. **lucha** · **pelea** · **combate** · **batalla** *Libraron una batalla cuerpo a cuerpo con el ejército invasor* · **enfrentamiento** · **choque** · **duelo** · **lance** · **disputa** · **forcejeo** · **encuentro** · **liza** || **debate** · **diálogo** || **relación** · **amor**

[cuesta] →a cuestas; cuesta

cuesta s.f.

●CON ADJS. **empinada** · **pina** · **pronunciada** || **de enero** *Pedí un anticipo para pasar la cuesta de enero*
●CON VBOS. **ascender** *La cuesta ascendía progresivamente hasta llegar al refugio* · **descender** || **bajar** · **subir** · **enfilar** · **recorrer**
●CON ADVS. **abajo** · **arriba**

☐EXPRESIONES **a cuestas*** [a la espalda]

cuestación s.f.

●CON ADJS. **anual** *una cuestación anual para la lucha contra el cáncer* || **popular** · **solidaria**
●CON VBOS. **organizar** *La asociación pretende organizar una cuestación solidaria* · **celebrar** · **hacer** · **convocar** · **realizar**

[cuestión] →cuestión; en cuestión (de)

cuestión s.f.

●CON ADJS. **delicada** *tratar una cuestión delicada en privado* · **espinosa** · **peliaguda** · **escabrosa** · **pantanosa** · **procelosa** · **difícil** · **bizantina** · **ardua** · **enrevesada** · **abstrusa** || **controvertida** · **debatida** · **discutible** || **candente** *un programa en el que se debaten cuestiones can-*

dentes · **palpitante || trillada || sencilla · simple · rutinaria || acuciante · insoslayable · absorbente || crucial · decisiva · trascendental || principal · esencial · fundamental · central · prioritaria || menor · secundaria · banal · accesoria** *Es una cuestión accesoria* · **tangencial · intrascendente · insignificante · elemental || peregrina || insoluble · irresoluble || personal · confidencial**

● CON SUSTS. **estado (de) || meollo (de)** *llegar al meollo de la cuestión* · **centro (de) · fondo (de) || núcleo (de) · nodo (de) · clave (de) · eje (de) || solución (de)**

● CON VBOS. **surgir · presentar(se) · flotar · venir a cuento (de algo) || estribar (en algo) · radicar (en algo) · girar (sobre algo/en torno a algo) || atañer · concernir · incumbir** *una cuestión que incumbe a los empleados a sueldo* · **afectar · acuciar || agravar(se) · despejar(se) · esclarecer(se) || plantear · formular · suscitar || analizar · examinar** *Debemos examinar la cuestión concienzudamente* · **estudiar · pensar · prejuzgar || tratar · discutir · debatir || aclarar · clarificar · dilucidar || concretar · acotar** *acotar la cuestión principal* **|| abordar · encarar · afrontar || encarrilar · apuntalar · desbloquear || resolver** *El nuevo ayuntamiento habrá de resolver varias cuestiones urgentes* · **solucionar · dirimir · zanjar · despachar · saldar · reabrir || relativizar · extrapolar || soslayar · orillar || ocultar · airear || ceñir(se) (a) · incidir (en) || desviarse (de) · desentenderse (de)**

□ EXPRESIONES **en cuestión** [mencionado, aludido] *No conozco el texto en cuestión*

cuestionar v.

● CON ADVS. **por completo** *cuestionar una hipótesis por completo* · **enteramente · de raíz · desde el principio · de cabo a rabo || profundamente · radicalmente · severamente || abiertamente**

cuestionario s.m.

● CON ADJS. **extenso** *Tuvimos que cumplimentar un extenso cuestionario* · **amplio · exhaustivo · interminable · riguroso || breve · sencillo || especial · original · estándar || anónimo · oficial || médico · informático**

● CON SUSTS. **pregunta (de) · contenido (de) · resultado (de)**

● CON VBOS. **contener (algo) · constar (de algo) || redactar · elaborar · diseñar · preparar · plantear · presentar || contestar · responder · rellenar** *Rellene el cuestionario con lápiz* · **cumplimentar · realizar || remitir · enviar · repartir · entregar · distribuir** *Están distribuyendo cuestionarios entre los clientes de este servicio* **|| leer · evaluar · comprender || superar · terminar**

cueva s.f.

● CON ADJS. **natural** *una zona con numerosas cuevas naturales* · **artificial || subterránea · volcánica · rocosa || oscura · negra · umbría · sombría · lóbrega · tenebrosa** *Los exploradores se perdieron en una tenebrosa cueva* · **siniestra · espeluznante || profunda · honda · angosta · recóndita · oculta || inmensa · gigantesca · monumental || prehistórica** *las pinturas de una cueva prehistórica* · **neolítica || platónica**

● CON SUSTS. **boca (de) · entrada (de) · pared (de) · suelo (de) · techo (de)**

● CON VBOS. **excavar · tapar · construir · formar || descubrir** *Un grupo de espeleólogos ha descubierto una cueva neolítica* · **encontrar || visitar · explorar · estudiar || adentrarse (a/en) · entrar (a/en) · acceder (a) · colarse (a/en) · salir (de) || invernar (en) · pernoctar (en)** *pernoctar en una cueva para protegerse del frío* **|| esconder(se) (en) · vivir (en)**

cuidado s.m.

● CON ADJS. **intensivo** *unidad de cuidados intensivos* · **intenso · constante · integral · sumo || exquisito · escrupuloso · esmerado · minucioso · riguroso · especial · atento || maternal · médico · sanitario || paliativo · preventivo** *una campaña que persigue fomentar los cuidados preventivos* **|| celoso · diligente · leal || pendiente (de)**

● CON SUSTS. **falta (de) · exceso (de) || responsable (de) || medida (de) · programa (de)**

● CON VBOS. **tener** *Ten cuidado, el suelo está mojado* · **llevar || reclamar · acaparar** *un bebé que acapara los cuidados de sus padres* **|| dedicar · dispensar · prodigar || extremar · intensificar || requerir · necesitar || estar (a) · velar (por) · dejar (a) || encargar(se) (de) · ocupar(se) (de)**

● CON PREPS. **con** *Ve con cuidado por la carretera* **|| bajo** *bajo cuidado médico*

□ EXPRESIONES **de cuidado** [peligroso] *un rival de cuidado* || {**traer/tener**} (algo) **sin cuidado** (a alguien) [no importarle] *Le trae sin cuidado la opinión de los demás*

cuidadoso, sa adj.

● CON SUSTS. **corrector,-a · trabajador,-a · artista · investigador,-a ·** ***otros individuos*** **|| trabajo · labor** *Todos sus compañeros alabaron su cuidadosa labor* · **gestión · plan || investigación · análisis · valoración · seguimiento · estudio · examen · interrogatorio · exploración** *someterse a una cuidadosa exploración* · **vigilancia · revisión · tratamiento || planificación · preparación · construcción · confección · proceso || edición · redacción · lenguaje · lectura · estilo · expresión || reparto · selección · distribución || dibujo · cálculo || manejo** *La herramienta requiere un cuidadoso manejo* · **uso · empleo**

● CON ADVS. **especialmente · extremadamente** *Procure ser extremadamente cuidadoso en su trato con las autoridades locales* · **sumamente · extraordinariamente · enormemente · tremendamente · exquisitamente · profundamente**

cuidar v.

● CON SUSTS. ***persona*** *Por las mañanas trabaja cuidando niños* **|| aspecto · imagen · apariencia · forma || cuerpo · salud · alimentación** *diez consejos para cuidar la alimentación de sus hijos* · **dieta || detalle** *Cuida mucho los pequeños detalles*

● CON ADVS. **escrupulosamente · al detalle** *cuidar al detalle la terminación de una obra* · **primorosamente · debidamente · intensamente || atentamente · con los cinco sentidos · de cerca · celosamente || como a la niña de {mi/tu/sus...} ojos · como (algo) propio · como oro en paño** *No te preocupes, la voy a cuidar como oro en paño* · **como oro en barras · delicadamente · con primor || amorosamente · cariñosamente || especialmente · lealmente**

culebrón s.m. *col. desp.*

● CON ADJS. **interminable · auténtico** *Su vida se ha convertido en un auténtico culebrón* · **gran(de) · verdadero · impresionante || sentimental · familiar · político · empresarial · bursátil · judicial · periodístico · radiofónico · televisivo**

● CON VBOS. **desencadenar(se) || concluir · terminar** *Parece que este culebrón no va a terminar nunca* **|| protagonizar · producir || emitir · proyectar · estrenar || reavivar** *Sus últimas declaraciones han reavivado un culebrón que parecía casi resuelto* · **alimentar || convertir(se) (en) · alargar(se) (como)**

culinario, ria adj.

● CON SUSTS. **arte · creación · receta · innovación · experimento || producto · tesoro · delicia · especialidad · oferta || cultura · tradición · costumbre · hábito** *los hábitos culinarios de un país* · **uso || conocimiento · habilidad** *Su habilidad culinaria sigue encandilando a los telespectadores* · **destreza · pericia · gusto · exquisitez · sabiduría || evento · fiesta · rito · viaje || lección · consejo · tema · compendio · programa** *Este cocinero tiene un programa culinario en una televisión local* · **espacio · literatura · concurso**

culmen s.m.

● CON VBOS. **alcanzar** *alcanzar el culmen de una carrera profesional* · **constituir · representar || llegar (a)**

culminación s.f.

● CON ADJS. **absoluta · perfecta · feliz · exitosa · positiva · victoriosa · satisfactoria · adecuada || rigurosa · definitiva** *El premio suponía la culminación definitiva de sus aspiraciones* · **total || lógica · natural || oficial**

● CON VBOS. **suponer · significar** *un nombramiento que significó la culminación de su trayectoria profesional* · **representar · marcar · constituir || permitir · promover · facilitar || dificultar · evitar || anunciar · festejar · conmemorar · celebrar || llegar (a)**

culminante adj.

● CON SUSTS. **momento** *el momento culminante de la película* · **fase · etapa || punto · parte · episodio · escena · acto · éxito || obra · película || frase**

culminar v.

● CON SUSTS. **temporada** *una temporada que culminó con la obtención del título nacional* · **día · jornada · año · etapa · fase ·** ***otros periodos*** **|| estudio · investigación · búsqueda || tarea · trabajo · obra** *La semana que viene habrán culminado las obras de ampliación* · **labor · faena || campaña · operación · misión · esfuerzo · empeño || proyecto** *Después de años de trabajo se culminó el proyecto de restauración* · **plan · sueño · programa · estrategia · objetivo · deseo · ilusión · intención || negociación · acuerdo · consenso · pacto || asamblea · reunión · sesión · encuentro · fiesta · boda · debate** *Culmina el debate sin conclusiones* · **torneo · partido · corrida ·** ***otros eventos*** **|| trámite · gestión · tramitación · discusión · guerra || reforma · reestructuración · transferencia · traspaso · remodelación · restauración · transformación · transición · cambio || carrera** *Culminó su carrera artística con un merecido galardón* · **trayectoria · existencia · recorrido · vida · licenciatura || viaje · gira · expedición · peregrinación · marcha || mandato** *El presidente culmina su mandato en un ambiente de relativa estabilidad política* · **presidencia · legislatura || jugada · contragolpe · escalada · remontada · centro · pase · contraataque**

● CON ADVS. **exitosamente · victoriosamente · sin problemas · con éxito · correctamente · acertadamente || satisfactoriamente · felizmente · brillantemente**

culpa s.f.

● CON ADJS. **grave · inexcusable · presunta || leve · ligera || libre (de)** *quedar libre de culpa* · **limpio,pia (de) · exento,ta (de)**

● CON SUSTS. **sentimiento (de) · sensación (de)** *Vivía agobiado por una permanente sensación de culpa* · **complejo (de)**

● CON VBOS. **recaer (en alguien) · corroer (a alguien) || difuminar(se) || echar** *echar la culpa al vecino* · **atribuir · achacar · imputar · endilgar || tener · sentir · asumir · confesar · reconocer · admitir || eludir · desviar || aliviar · aminorar · descargar || expiar · purgar · lavar · pagar || cargar (con)** *No estoy dispuesta a cargar con las culpas de los demás* **|| absolver (de) · exonerar (de) · eximir (de)**

culpabilidad s.f.

● CON ADJS. **presunta · cierta · segura · probable · implícita · indirecta || moral**

● CON SUSTS. **complejo (de) · sensación (de) · sentimiento (de) || confesión (de) · alegato (de) || prueba (de) · indicio (de)** *encontrar indicios de culpabilidad* · **presunción (de) · duda (de) || sentencia (de) · veredicto (de) · declaración (de) || grado (de)**

● CON VBOS. **admitir** *El acusado se vio obligado a admitir su culpabilidad sin ambages* · **confesar · reconocer || imputar (a alguien) · achacar (a alguien) || investigar · juzgar · prejuzgar || probar · demostrar · avalar · deducir || dictaminar · establecer · determinar · declarar || desviar || sentir || eximir (de) · exonerar (de)** *exonerar de culpabilidad al principal sospechoso*

culpable

1 culpable adj.

● CON SUSTS. ***persona*** *La detenida no es culpable* **|| actitud · sentimiento || mirada · ojos**

● CON VBOS. **encontrar** *El jurado popular encontró culpable al acusado* · **hallar · considerar || sentirse** *Me siento culpable de tu estado de ánimo* **|| declarar(se) · confesarse · reconocer(se)** *Se reconoció culpable del delito que se le imputaba*

2 culpable s.com.

● CON ADJS. **verdadero,ra** *encontrar al verdadero culpable de la situación* · **auténtico,ca · principal · gran(de) · absoluto,ta · presunto,ta · único,ca || ideológico,ca || indirecto,ta · directo,ta**

● CON VBOS. **condenar · sancionar · castigar || buscar · detener · perseguir · capturar · descubrir || exculpar · liberar** *Han liberado a la presunta culpable por falta de pruebas*

cultivar v.

● CON SUSTS. **campo · terreno · huerta || hortalizas · cereales · patatas** *un terreno preparado para cultivar patatas* · **ajos · verduras ·** ***otras plantas*** **|| peces · almejas · bacterias · células || literatura · pintura · música** *un grupo que cultiva la música andina* · **filosofía · ciencia · poesía · arte ·** ***otras disciplinas*** **|| amistad · relación · lazo · vínculo || afición · gusto · placer · pasión · amor || facultad · habilidad** *Si cultivas tu habilidad para la música, llegarás muy lejos* · **capacidad · talento · inteligencia · ingenio || pensamiento · meditación · estudio · conocimiento || tolerancia · concordia · fraternidad · respeto · ternura** *una prosa abrupta y desgarrada, muy lejana de la ternura que cultivaba en sus primeras novelas* **|| espíritu · alma || imagen · fama || lengua · lenguaje · idioma · estilo** *La cantante cultiva un estilo simple y personal* **|| ironía · cinismo · humor · ambigüedad · paradoja · metáfora || animadversión · odio · recelo · prejuicio · indiferencia · escepticismo || manía · obsesión · costumbre · vicio**

● CON ADVS. **profusamente · extensamente · intensamente · enérgicamente || con fruición · amorosamente · cuidadosamente** *una amistad cultivada cuidadosamente durante muchos años* · **delicadamente · con esmero || apropiadamente · eficientemente · brillantemente || en terrazas**

[cultivo] → caldo de cultivo; cultivo

cultivo s.m.

● CON ADJS. **principal** *el principal cultivo en la economía de la región* · **rentable** || **ilícito** · **ilegal** · **legal** || **artesanal** · **tradicional** · **alternativo** || **intensivo** · **extensivo** · **minoritario** || **agrícola** · **hortícola** · **herbáceo** · **orgánico** · **alimentario** || **celular** · **transgénico** · **microbiano** · **bacteriano** · **de laboratorio** || **de secano** · **de regadío** · **ecológico** · **en barbecho**
● CON SUSTS. **área (de)** · **zona (de)** *una zona de cultivos tropicales* · **campo (de)** · **tierra (de)** || **sistema (de)** · **método (de)** · **técnica (de)** · **medio (de)** || **ciclo (de)** · **etapa (de)** || **muestra (de)** · **resultado (de)** || **rotación (de)**
● CON VBOS. **germinar** *Gracias a los abonos, los cultivos germinaron rápidamente* || **reducir** · **disminuir** · **eliminar** · **erradicar** · **abandonar** · **combatir** || **aumentar** · **expandir** · **incrementar** || **apoyar** · **fomentar** *ayudas para fomentar el cultivo de las ciencias y las artes* · **promocionar** · **garantizar** · **financiar** || **destruir** · **arruinar** · **afectar** *una plaga de langostas que afectó terriblemente a los cultivos* || **fumigar** · **proteger** || **sustituir** || **dedicarse (a)** · **destinar (a)**

culto, ta

1 **culto, ta** adj.

▮ [docto, cultivado]

● CON SUSTS. ***persona*** *música dirigida a un público culto* || **lengua** · **idioma** · **lenguaje** *el dominio del lenguaje culto* · **expresión** · **registro** · **estilo** · **tono** · **aire** || **música** · **literatura** · **pintura** · ***otras disciplinas*** || **mundo** · **país** · **ciudad** || **espíritu**

2 **culto** s.m.

▮ [rito, veneración]

● CON ADJS. **ancestral** · **arraigado** *un culto arraigado en pequeñas poblaciones indígenas* · **popular** || **encendido** · **fervoroso** · **incondicional** · **desmedido** || **religioso** · **sagrado** · **divino** · **litúrgico** · **académico** || **público**
● CON SUSTS. **libertad (de)**
● CON VBOS. **practicar** · **profesar** · **rendir** · **dar** · **tributar** || **fomentar** · **alimentar** || **permitir** · **prohibir** || **abrir (a)** *abrir una capilla al culto* · **cerrar (a)** || **consagrar (a)** · **dedicar (a)** *un templo dedicado al culto de una divinidad griega*

3 **culto (a)** s.m.

● CON SUSTS. **cuerpo** *llevados por un obsesivo culto al cuerpo* · **belleza** · **imagen** · **juventud** || **dinero** · **poder** || **vida** · **muerte** || **líder** · **héroe** · **heroína** · **personalidad** · **ídolo** || **dios** || **ancestros** · **antepasados**

☐ EXPRESIONES **de culto** [clásico, de referencia] *una película de culto*

cultura

1 **cultura** s.f.

● CON ADJS. **amplia** · **enorme** · **vasta** · **dilatada** *un escritor de dilatada cultura* · **extensa** · **desbordante** · **profunda** · **sólida** || **escasa** · **limitada** · **deficiente** || **pobre** · **superficial** || **ancestral** *Conservan costumbres de su cultura ancestral* · **antigua** · **arraigada** · **civilizada** || **floreciente** · **decadente** || **nacional** · **política** · **democrática** · **moral** || **enraizado,da (en)**
● CON SUSTS. **ámbito (de)** *Asistieron distintas personas del ámbito de la cultura* · **mundo (de)** || **grado (de)** · **bagaje (de)** · **barniz (de)** · **muestra (de)** · **falta (de)** || **fuente (de)**
● CON VBOS. **surgir** · **evolucionar** || **asentar(se) (en algo)** · **enraizar(se) (en algo)** || **difundir(se)** · **diseminar(se)** · **extender(se)** || **declinar** · **extinguir(se)** · **apagar(se)** || **adquirir** *medios suficientes para adquirir cultura* · **tener** || **mostrar** · **ostentar** · **irradiar** · **reflejar** || **generar** · **enriquecer** · **alimentar** · **divulgar** · **inculcar** · **fomentar** · **impulsar** · **anclar** || **hermanar** · **relacionar** · **vincular** || **respetar** *la necesidad de respetar la cultura autóctona* · **honrar** || **preservar** · **proteger** · **conservar** || **socavar** · **destruir** · **pulverizar** · **abolir** || **amoldar(se) (a)** · **apegarse (a)** · **imbuir(se) (de)** · **encarnar(se) (en)** || **hacer gala (de)** *una entrevista en la que hizo gala de su vasta cultura*
● CON PREPS. **en favor (de)**

2 **cultura (de)** s.f.

● CON SUSTS. **pelotazo** *una sociedad dominada por la cultura del pelotazo y el consumismo* · **dinero** || **muerte** · **violencia** · **guerra** || **paz** · **libertad** · **vida** · **solidaridad** · **tolerancia** || **subsidio** · **subvención** || **esfuerzo** · **ahorro** || **ocio**

cumbre s.f.

▮ [cima]

● CON ADJS. **alta** *la cumbre más alta de la cordillera* · **elevada** || **nevada** · **borrascosa**
● CON VBOS. **elevar(se)** · **alzar(se)** · **recortar(se)** *Las cumbres de la cordillera se recortan sobre las nubes* || **escalar** *un montañero entrenado para escalar cumbres* · **alcanzar** · **ganar** · **hollar** · **tomar** · **coronar** || **ascender (a)** · **subir (a)** · **encaramar(se) (a)** · **llegar (a)**
● CON PREPS. **al borde (de)**

▮ [reunión]

● CON ADJS. **política** · **presidencial** · **empresarial** · **sindical** *una cumbre sindical para negociar los conflictos sociales*
● CON SUSTS. **agenda (de)** · **programa (de)**
● CON VBOS. **fracasar** · **tener éxito** || **organizar** *Nuestra ciudad está sobradamente preparada para organizar una cumbre de esa envergadura* · **celebrar** · **presidir** || **auspiciar** · **boicotear** || **acudir (a)** · **asistir (a)** · **participar (en)** · **reunir(se) (en)**

cumpleaños s.m.

● CON ADJS. **feliz** *Todos sus amigos le desearon feliz cumpleaños* · **triste** · **esperado** · **anhelado** || **señalado** · **especial**
● CON SUSTS. **día (de)** *No olvides llamarla el día de su cumpleaños* · **fecha (de)** || **fiesta (de)** · **regalo (de)**
● CON VBOS. **celebrar** · **festejar** · **conmemorar** || **recordar** || **invitar (a)** || **felicitar (por)**
● CON PREPS. **con motivo (de)** *Celebró una gran fiesta con motivo de su cumpleaños* · **con ocasión (de)**

cumplido s.m.

● CON ADJS. **sincero** · **sutil** · **diplomático** · **forzado** *cumplidos innecesarios que parecen forzados*
● CON VBOS. **hacer** · **dedicar** · **decir** · **lanzar** || **escatimar** · **ahorrar(se)** *Ahórrate los cumplidos, sé perfectamente lo que piensas* || **recibir** · **aceptar** || **adular (con)** · **deshacerse (en)** *Los invitados se deshicieron en cumplidos*

cumplimentar v.

● CON SUSTS. **impreso** · **formulario** · **instancia** · **solicitud** *Puede cumplimentar su solicitud por internet* · **plantilla** · **documento** || **trámite** · **gestión** · **diligencia** · **paso** · **requisito** || **orden** · **mandato** · **instrucción** · **encargo** · **acuerdo**

• CON ADVS. **debidamente · adecuadamente · apropiadamente · minuciosamente**

cumplimiento s.m.

• CON ADJS. **estricto · riguroso · a rajatabla · al pie de la letra · meticuloso** *...y asegura el meticuloso cumplimiento del reglamento* **· celoso · fiel · incondicional · puntual · satisfactorio · adecuado · ejemplar · efectivo · eficaz || obligado** *una norma de obligado cumplimiento* **· obligatorio · inexcusable · voluntario || responsable (de)**
• CON SUSTS. **grado (de) · nivel (de) || garantía (de)**
• CON VBOS. **exigir** *exigir el cumplimiento de la ley* **· demandar || dar (a algo) · asegurar · garantizar · verificar · vigilar || desatender · descuidar || atender (a) · colaborar (a) · velar (por)** *velar por el cumplimiento de la normativa* **|| eximir (de) · exonerar (de) · liberar (de)**

cumplir v.

• CON SUSTS. **objetivo** *Este trimestre no se han cumplido los objetivos de venta planteados* **· plan · programa · reto · desafío · propósito · meta || sueño · deseo · voluntad · capricho · aspiración || pronóstico · previsión · expectativa · amenaza** *Afortunadamente, los secuestradores no cumplieron su amenaza* **· profecía · cálculo · estimación · maleficio || horario · calendario · cronograma || edad · plazo · aniversario · años** *Parece que disfrutas cumpliendo años* **|| ley · norma** *Se sancionó a la discoteca por no cumplir las normas de seguridad* **· regla · precepto · código · reglamento · protocolo · consigna · trámite · diligencia · disciplina || decisión · resolución · castigo · condena · medida · pena · sentencia · prisión · suspensión || compromiso · promesa · obligación · palabra · deber · imperativo · responsabilidad || postulado · doctrina · principio · valor · tesis · axioma · derecho || tarea · cometido · papel · misión · rol · trabajo** *Se limitó a responderme que lo único que hacía era cumplir su trabajo* **· labor · parte || convenio · acuerdo · contrato · pacto || requisito** *Deseo saber si cumplo todos los requisitos para pedir la beca* **· condición · exigencia · instrucción · petición · encargo · mandato · orden · requerimiento**
• CON ADJS. **encantado,da · gustoso,sa**
• CON ADVS. **a rajatabla · al pie de la letra · punto por punto · al dedillo · a pie juntillas · en todos sus extremos || íntegramente · plenamente · a plena satisfacción · con éxito · perfectamente** *Por primera vez hemos cumplido perfectamente con los plazos de entrega del trabajo* **|| en líneas generales · en parte · a medias · parcialmente || con gusto · de buen grado · dignamente · lealmente · sin pestañear · a regañadientes** *Cumplió a regañadientes los encargos de su madre* **|| ni de lejos · ni por asomo · ni en sueños || a duras penas · a trancas y barrancas · por los pelos · con dificultad · difícilmente || religiosamente · debidamente · regularmente · escrupulosamente** *Siempre he cumplido escrupulosamente mi palabra* **· estrictamente · férreamente · limpiamente || sobradamente · con creces · de sobra · holgadamente · ampliamente || inexorablemente · inevitablemente**

cúmulo

1 **cúmulo** s.m.

• CON ADJS. **enorme · ingente · infinito · inmenso · pequeño || notable · importante · impresionante** *un impresionante cúmulo de mentiras* **|| abigarrado · variado**

2 **cúmulo (de)** s.m.

• CON SUSTS. **datos · información · secretos · dudas · noticias** *A la redacción llegó un cúmulo de noticias contradictorias* **· palabras · opiniones · puntos de vista || errores · irregularidades · escándalos · despropósitos · disparates · mentiras · fallos · defectos · desatinos · imperfecciones · negligencias · atrocidades · barbaridades · malentendidos** *Un cúmulo de malentendidos complicó la relación* **· faltas · absurdos · sinsentidos || problemas · dificultades · desgracias · incidentes · contratiempos · complicaciones** *retrasos producidos por un cúmulo de complicaciones* **· males · contrariedades · inconvenientes · tropiezos · conflictos · miserias · carencias || agravios · agresiones · provocaciones || circunstancias · factores · situaciones · casualidades** *un cúmulo de casualidades que acabó por abrirle algunas puertas inaccesibles* **|| detalles · matices · facetas || actividades · responsabilidades · trabajos · tareas || sensaciones** *La experiencia le provocó un cúmulo de sensaciones algo contradictorias* **· emociones · sentimientos · experiencias · estímulos || pruebas · evidencias · indicios · señales · testimonios · manifestaciones || críticas · denuncias · acusaciones · advertencias · quejas || deseos · esperanzas · sugerencias · propuestas**

cundir v.

▌[extenderse, propagarse]

• CON SUSTS. **pánico** *Tras la primera explosión, cundió el pánico* **· miedo · alarma · preocupación · sospecha · nerviosismo · inquietud · intranquilidad · ansiedad · incertidumbre || violencia · paro · hambre · desorden · vicio · corrupción · xenofobia || desánimo · pesimismo · desesperación** *Deberían tomarse medidas sanitarias urgentes antes de que cunda la desesperación entre la gente* **· duda · decepción · desesperanza · desaliento · confusión · escepticismo · descontento · desgana · desinterés || indignación · molestia · impaciencia · crispación · cabreo || ejemplo · costumbre · moda** *En esos años, cundió entre los jóvenes la moda de usar un solo pendiente* **· práctica · precedente || optimismo · alegría · ánimo · euforia · entusiasmo · esperanza || rumor** *Cundían en la prensa rosa los rumores sobre su nuevo romance* **· opinión · especie · voz · comentario · infundio || sensación · impresión · idea · teoría · convencimiento · percepción || propósito · afán · queja** *Lograron restablecer el servicio antes de que cundieran las quejas de los usuarios* **· exigencia · advertencia**

▌[dar de sí]

• CON SUSTS. **tiempo · día · hora · dinero** *No me cunde nada el dinero* **· trabajo · esfuerzo**

cuneta s.f.

• CON VBOS. **quedarse (en) · caer (en) · parar(se) (en)** *El agente le ordenó que parase en la cuneta* **· aparcar (en) · apartar(se) (a) · salirse (a) || dejar (en) · tirar (en) · arrojar (a) · lanzar (a) || acabar (en)** *Derrapé y acabé en la cuneta* **· quedarse tirado (en) · volcar (en)**

cuña s.f.

▌[noticia breve]

• CON ADJS. **publicitaria** *Este programa tiene demasiadas cuñas publicitarias* **· propagandística · comercial · informativa · política || radiofónica · televisiva**
• CON VBOS. **meter · introducir · poner · emitir · incluir || oír · escuchar**

cuota

1 **cuota** s.f.

• CON ADJS. **fuerte · máxima** *Su objetivo es lograr la máxima cuota de audiencia* || **exigua · mínima · cómoda** *pagar en cómodas cuotas* || **correspondiente** || **mensual · anual · trimestral**

• CON SUSTS. **monto (de) · excedente (de)** || **régimen (de)**

• CON VBOS. **oscilar** || **vencer** || **establecer** *una ley que establece la cuota de mercado* · **estipular · fijar · implantar · asignar · aprobar · mantener** || **exigir · cobrar** || **asumir · aportar · desembolsar · sufragar · tributar** || **revisar · aumentar · subir** *subir la cuota mensual del club* · **sobrepasar · bajar · rebajar · congelar** || **liquidar · deducir · saldar · cancelar · abolir · devolver** || **negociar · acordar** || **pagar (en)** *pagar un vehículo en cómodas cuotas*

• CON PREPS. **en concepto (de)**

2 **cuota (de)** s.f.

• CON SUSTS. **audiencia · pantalla · mercado · exportación · importación · captura** || **poder** *repartir las cuotas de poder* · **autoridad · influencia · participación** || **responsabilidad · culpa** || **experiencia · sacrificio** || **abono** *Todavía no he pagado la cuota de abono*

cupo

1 **cupo** s.m.

• CON ADJS. **máximo · limitado · anual · total** || **oficial** || **fiscal · legal · administrativo · económico** || **limitado,da (a) · sujeto,ta (a)** *La admisión está sujeta a cupo*

• CON SUSTS. **sistema (de) · excedente (de)** || **problema (de) · falta (de)**

• CON VBOS. **faltar** || **tener** || **negociar** *Los representantes de los sindicatos están negociando el cupo* · **calcular · acordar · determinar · establecer · definir · decidir · prever** || **asignar · fijar · aplicar · regular** || **aumentar · ampliar · elevar · reducir · engrosar · completar** || **respetar** || **conseguir · alcanzar** || **abrir · cerrar** || **cubrir** *No ha conseguido cubrir el cupo de obras que le habían asignado* · **superar · exceder · agotar** || **dar · repartir** || **entrar (en) · formar parte (de)**

• CON PREPS. **dentro (de)**

2 **cupo (de)** s.m.

• CON SUSTS. **importación · producción** || **extranjeros,ras** *El equipo ha cubierto ya el cupo de extranjeros permitido* · **inmigrantes · estudiantes · trabajadores,ras · jugadores,ras** · ***otros individuos*** || **entradas · salidas · emisiones** *cupo de emisiones tóxicas*

cupón s.m.

• CON ADJS. **premiado · agraciado · ganador** || **nominal · ordinario · mensual · anual** || **de alimentos · de racionamiento · de comida**

• CON SUSTS. **vendedor,-a (de)** *Durante varios meses fue vendedor de cupones* || **número (de)** || **valor (de) · precio (de)**

• CON VBOS. **tener · adquirir · recibir · conseguir** || **acumular · reunir · juntar** || **entregar · distribuir** || **abonar · pagar** || **recortar** *Suele recortar todos los cupones de regalos que encuentra en las revistas* · **rellenar** || **presentar**

cúpula s.f.

▮ [bóveda]

• CON VBOS. **elevar(se)** || **construir · rematar** || **restaurar · recomponer** *Un equipo de restauradores está recomponiendo la cúpula que se derrumbó* · **pintar** || **iluminar** || **subir (a)** *una escalera que permite subir a la cúpula*

▮ [conjunto de dirigentes]

• CON ADJS. **ejecutiva** *Mañana está prevista una reunión de la cúpula ejecutiva* · **dirigente · directiva** || **nueva · actual · antigua** || **gubernamental · política** *La cúpula política del país ha asistido a esta cita* · **sindical · policial · empresarial · industrial · patronal · militar · judicial · fiscal · episcopal · eclesiástica**

• CON SUSTS. **miembro (de) · integrante (de) · parte (de)** || **caída (de)** *...lo que provocó la caída de la cúpula terrorista* || **cambio (de)**

• CON VBOS. **reunir(se) · asistir (a algo)** *una reunión a la que no asistió la cúpula militar* · **intervenir · debatir** || **pactar · elegir · adoptar · decidir** || **caer** *Gracias a las investigaciones policiales ha caído la cúpula de la organización terrorista* || **detener · descabezar · desarticular** || **organizar · confeccionar · componer · recomponer · renovar · cambiar** || **formar parte (de)**

cura

1 **cura** s.m.

▮ [persona]

• CON ADJS. **rural · de pueblo · párroco**

• CON VBOS. **predicar · rezar · {celebrar/decir/cantar} misa · bautizar (a alguien) · casar (a alguien) · dar la extremaunción (a alguien)** || **bendecir (a alguien)** *El cura bendijo a los nuevos esposos* · **confesar (a alguien) · absolver (a alguien)** || **hacerse** || **meterse (a)** *Se metió a cura muy joven* · **salirse (de)**

2 **cura** s.f.

▮ [curación, tratamiento]

• CON ADJS. **primera** *hacer una primera cura* · **provisional** || **efectiva · definitiva · saludable** || **casera · doméstica · sencilla** || **mágica · milagrosa**

• CON VBOS. **existir** *No existe cura para el mal de amores* || **haber · tener** || **buscar · encontrar** *Por fin han encontrado cura para esta enfermedad* · **lograr · conocer · prever** || **administrar · aplicar · efectuar · realizar · hacer** || **necesitar** *Necesito una cura de sueño* · **requerir** || **someter(se) (a)**

3 **cura (de)** s.f.

• CON SUSTS. **sueño · silencio** || **lodo · barro** || **adelgazamiento** *El médico le ha recomendado una cura de adelgazamiento* · **desintoxicación** || **ayuno · austeridad** || **humildad**

curación s.f.

• CON ADJS. **absoluta · completa · total** *Deberá permanecer en el hospital hasta la total curación de sus heridas* · **definitiva · parcial · aparente** || **rápida · pronta** *Todos le desean una pronta curación* · **repentina · próxima · lenta** || **espontánea · asombrosa · sorprendente · insólita · prodigiosa · portentosa · mágica · milagrosa · sobrenatural · espectacular · extraordinaria** || **progresiva · paulatina** || **posible · difícil · imposible**

• CON SUSTS. **proceso (de) · vía (de) · método (de)** || **posibilidad (de) · esperanza (de)** *tener esperanza de curación* · **índice (de)**

• CON VBOS. **tener lugar · producir(se)** || **avanzar · evolucionar · acelerar(se)** || **buscar · perseguir · intentar** || **lograr** *hasta lograr la curación completa de esa enfermedad* · **conseguir · alcanzar · encontrar · experimentar · completar** || **tener · haber** || **permitir · realizar** || **atribuir (a algo)**

curandero, ra s.

• CON VBOS. **sanar (a alguien) · curar (a alguien) || estafar (a alguien) · timar (a alguien) || visitar || ir (a) · acudir (a)** *Acudió al curandero como última esperanza* · **ejercer (de)**

curar(se) v.

• CON SUSTS. ***persona*** *enfermos que tardan mucho en curarse* || **resfriado · gripe · infección ·** ***otras enfermedades*** || **herida · lesión · dolor · mal**
• CON ADVS. **completamente · por completo · totalmente** *No te reincorpores al trabajo hasta que no te cures totalmente* · **de raíz || a marchas forzadas · lentamente · rápidamente · progresivamente · paulatinamente**

curativo, va adj.

• CON SUSTS. **propiedad** *A esta planta le atribuyen propiedades curativas* · **cualidad · efecto · poder · capacidad · facultad · carácter · fuerza · potencial · virtud || fin · finalidad · objetivo · función · papel · uso || acción · labor** *profesionales que ejercen una verdadera labor curativa y preventiva* · **tarea · actividad || método · técnica · procedimiento · práctica · arte · sistema · modelo || asistencia · tratamiento · terapia · atención · medicina · cirugía || remedio** *No conozco ningún remedio curativo para este tipo de lesión* · **medicamento · elixir · bálsamo · placebo || vacuna · hierba · agua · planta · alimento || ceremonia · ritual · liturgia || proceso · fase** *Está en la fase curativa del tratamiento* || **palabras · música**

curiosidad s.f.

• CON ADJS. **gran(de)** *un fenómeno que ha despertado una gran curiosidad* · **creciente · enorme · desbordante · inagotable · permanente · insaciable · insatisfecha · irresistible · viva · vehemente · voraz || sana · malsana · morbosa · insana || simple · natural** *la curiosidad natural de los niños* · **especial || lleno,na (de) · preso,sa (de) · movido,da (por)**
• CON SUSTS. **objeto (de) || falta (de)**
• CON VBOS. **entrar (a alguien) · invadir (a alguien) · asaltar (a alguien)** *Le asaltó la curiosidad sobre su vida personal* · **tentar (a alguien) · picar (a alguien)** *¿No te pica la curiosidad?* || **devorar (a alguien) · corroer (a alguien) · reconcomer (a alguien) · acuciar (a alguien) || despertar** *Lo que despierta sobre todo la curiosidad de la prensa es...* · **atraer · inspirar · provocar · avivar · estimular · excitar · suscitar · concitar · reavivar || sentir · tener || aumentar · disminuir · calmar · perder || saciar · satisfacer** *Espero haber satisfecho su curiosidad* · **complacer || reprimir · resistir || morirse (de)** *Me muero de curiosidad por saber cómo terminará la historia* || **dejarse llevar (por) · ceder (a) || exponer(se) (a)**
• CON PREPS. **a título (de)** *contar algo a título de curiosidad*

curioso, sa

1 **curioso, sa** adj.

▌[deseoso de saber]

• CON SUSTS. ***persona*** *Siempre fue una niña muy curiosa* || **espíritu · ánimo · actitud || mirada · pregunta**
• CON ADVS. **enormemente · especialmente**

▌[peculiar]

• CON SUSTS. **caso · fenómeno · hecho · situación · escena · espectáculo · historia · anécdota · aventura || detalle · aspecto · dato || mezcla · mezcolanza** *una curiosa mezcolanza de comedia y drama* || **coincidencia · casualidad || contradicción · paradoja · enigma || respuesta · explicación** *La curiosa explicación que el autor ofrece es...* || **iniciativa · proyecto**
• CON VBOS. **resultar · volverse**

2 **curioso, sa** s.

• CON VBOS. **acudir · asistir (a algo) · agolpar(se)** *Los curiosos se agolpaban alrededor del incendio* · **desfilar · reunirse || presenciar (algo) || ahuyentar · desalojar** *La Policía desalojó a los curiosos que abarrotaban la zona* · **expulsar || cerrar el paso (a)**

currículo s.m. Véase **currículum**

currículum s.m.

• CON ADJS. **profesional · académico · escolar · universitario || extenso · amplio** *Su amplio currículum profesional lo hace idóneo para el puesto* · **largo · dilatado · nutrido || breve · escueto · parvo · escaso · insuficiente · modesto || brillante · espléndido · impresionante · prestigioso · intachable · impecable || documentado**
• CON SUSTS. **contenido (de) · datos (de) · estructura (de)**
• CON VBOS. **acreditar (a alguien) · avalar (a alguien) || hacer · redactar · componer · diseñar || hinchar · inflar** *Infló tanto su currículum que prácticamente ningún dato se correspondía con la realidad* · **engordar · engrosar · completar · modificar · retocar || entregar · enviar · presentar · adjuntar · justificar || tener · poseer · exhibir · lucir · ostentar || leer · evaluar · revisar || formar parte (de)**

curro s.m. *col.*

• CON ADJS. **nuevo · buen(o)**
• CON VBOS. **buscar || conseguir · tener · salir · ofrecer || perder · dejar · quitar || echar (de) · despedir(se) (de) · irse (de) · cambiar (de)** *Acaba de cambiar de curro* · **quedar(se) (sin) || vivir (de)**

cursar v.

• CON SUSTS. **estudio · enseñanza · carrera** *Solo pueden optar a esa beca los alumnos que cursen carreras técnicas* · **titulación · especialidad · asignatura · materia · grado || correspondencia · invitación** *Hace tiempo cursamos las invitaciones para la boda; ya tienen que haber llegado* · **telegrama · télex || petición · solicitud || orden** *El coronel ya había cursado sus órdenes* · **instrucción || denuncia**
• CON ADVS. **debidamente · correctamente · adecuadamente · oportunamente · a tiempo || oficialmente · por {conducto/vía} oficial || por correo**

cursi

1 **cursi** adj. *col.*

• CON ADVS. **rematadamente** *un vestido rematadamente cursi* · **sumamente || a rabiar · con ganas**
• CON VBOS. **ser · volver(se) · resultar · parecer · estar**

2 **cursi** s.com. *col.*

• CON ADJS. **perdido,da · redomado,da** *Será muy listo, pero es un cursi redomado*

cursillo s.m.

• CON ADJS. **acelerado · intensivo · rápido || básico · elemental · especializado · avanzado || obligatorio** *Tiene que hacer un cursillo obligatorio si no quiere perder su trabajo* || **gratuito · de pago || virtual · presencial || especial**
• CON VBOS. **empezar · iniciar · terminar || impartir** *Imparte un cursillo para personas mayores* · **dar · ofrecer ·**

hacer · realizar · recibir || asistir (a) || apuntar(se) (a) · inscribir(se) (en) · matricular(se) (en)

cursiva s.f.

● CON SUSTS. **letra** *Mejor ponlo en letra cursiva* · **escritura** · **caligrafía** · **tipo**
● CON VBOS. **usar** · **utilizar** || **sustituir** *Sustituye la cursiva por negrita* || **escribir (en)** · **imprimir (en)** · **reproducir (en)** || **figurar (en)** · **poner (en)** · **pasar (a)** · **cambiar (a)** || **resaltar (con)** · **marcar (con)**
● CON PREPS. **en** *En cursiva quedará mejor*

curso

1 **curso** s.m.

▌[período académico]

● CON ADJS. **académico** · **escolar** || **básico** · **elemental** · **avanzado** · **superior** · **especializado** || **intensivo** *un curso intensivo de idiomas* · **apretado** || **a medida** || **presencial** · **a distancia** *Estoy haciendo un curso a distancia de diseño*
● CON VBOS. **abordar** || **empezar** *El curso empieza en octubre y termina en junio* · **terminar** || **inaugurar** · **iniciar** · **adelantar** || **cerrar** · **clausurar** · **acabar** · **interrumpir** || **impartir** · **dar** · **ofrecer** · **dirigir** · **orientar** · **dictar** || **organizar** · **crear** · **auspiciar** · **homologar** || **realizar** · **recibir** || **aprobar** · **superar** · **pasar** · **suspender** · **perder** *Ya sabes: o te esfuerzas más o pierdes el curso* || **remunerar** || **asistir (a)** *Estoy asistiendo a un curso sobre mitología* || **examinar (de)**

▌[desarrollo, trayectoria]

● CON ADJS. **rectilíneo** *el curso rectilíneo de un río* · **lineal** · **paralelo** || **regular** · **uniforme** || **itinerante** · **errático** · **proceloso** || **legal** *una moneda de curso legal* · **oficial**
● CON VBOS. **avanzar** · **discurrir** || **torcer(se)** || **describir** · **dibujar** · **trazar** · **delinear** || **tomar** · **seguir** · **proseguir** · **remontar** *La expedición remontó el curso del río* || **modificar** · **variar** · **alterar** · **desviar** · **enderezar** || **iniciar** · **acabar** · **terminar** · **obstruir**

2 **curso (de)** s.m.

● CON SUSTS. **agua** · **corriente** · **río** || **acontecimiento** *No estoy bien informado del curso de los acontecimientos* · **suceso** || **indagación** · **investigación** · **pesquisa** || **conversación** *Se fue irritando en el curso de la conversación* · **discusión** || **guerra** · **pelea** · **lucha** · **ataque** || **enfermedad** · **dolencia** || **día** · **noche** · **año** · ***otros períodos*** || **vida** · **historia** || **fabricación** · **producción** · **operación** · ***otros procesos***

cursor s.m.

● CON VBOS. **mover** · **situar** · **poner** · **llevar** · **desplazar** · **colocar** *Coloca el cursor más a la izquierda* · **centrar** || **marcar (con)** · **moverse (con)**

curtido, da

1 **curtido, da** adj.

▌[experimentado]

● CON SUSTS. **guerrero,ra** · **luchador,-a** · **adversario,ria** || **veterano,na** · **profesional** *Necesitamos profesionales curtidos para encabezar este proyecto* || **líder** · **dirigente** || **trabajador,-a** · **artista** · **actor** · **actriz** · **deportista** · **jugador,-a** · **militar** · **político,ca** *un político curtido con los años* · **director,-a** || **equipo** || ***otros individuos y grupos humanos*** || **voz**

▌[preparado]

● CON SUSTS. **piel** · **cuero** · **pellejo**

▌[tostado]

● CON SUSTS. **cara** · **rostro** *un rostro curtido por el sol* · **manos** · **piel**

2 **curtido, da (en)** adj.

● CON SUSTS. **batalla** · **guerra** *un país curtido en la guerra* · **lucha** · **conflicto** · **enfrentamiento** · **lid** · **resistencia** · **torneo** · **terreno** || **tarea** · **faena** · **servicio** · **misión** *un profesional curtido en misiones humanitarias* · **campaña** · **experiencia** · **aventura** || **escenario** · **teatro** *una actriz curtida en el teatro* · **cine** · **deporte**

[curva] s.f. → curvo, va

[curvas] s.f.pl. → curvo, va

curvatura s.f.

● CON ADJS. **ligera** · **constante** · **perfecta** *La escultura tenía una curvatura perfecta* · **normal** · **temporal** || **elegante** · **graciosa**
● CON VBOS. **corregir** · **recuperar** · **determinar**

curvo, va

1 **curvo, va** adj.

● CON SUSTS. **forma** · **diseño** || **línea** · **trazo** · **perfil** · **trazado** || **superficie** · **lámina** || **lado** · **lomo** · **tramo** *reparar los tramos curvos de la calzada* || **pared** · **muro** · **fachada**
● CON ADVS. **ligeramente** · **excesivamente**
● CON VBOS. **hacerse** · **mantenerse** · **quedar(se)**

2 **curva** s.f.

● CON ADJS. **abierta** · **amplia** · **suave** · **ligera** · **despejada** || **cerrada** · **pronunciada** *La carretera tiene curvas muy pronunciadas* · **acentuada** · **acusada** · **radical** · **tremenda** · **peligrosa** · **peraltada** || **brusca** · **drástica** · **repentina** · **inesperada** *El conductor derrapó en una curva inesperada* || **ascendente** · **creciente** · **decreciente** · **descendente** || **sinuosa** · **zigzagueante** · **mareante** || **estadística** · **demográfica** · **económica** · **inflacionaria** · **de nivel** || **parabólica** · **concéntrica** || **lleno,na (de)** *una carretera llena de curvas*
● CON SUSTS. **forma (de)** · **trazado (de)** · **recorrido (de)**
● CON VBOS. **venir** *Agárrate, que vienen curvas* || **describir** *El proyectil describe una curva en su caída* · **dibujar** · **trazar** || **tomar** *Toma despacio estas curvas, que son muy cerradas* · **coger** · **acometer** || **dejar** || **llegar (a)** · **salir (de)** || **maniobrar (en)** · **frenar (en)** · **acelerar (en)** · **abrir(se) (en)** · **cerrar(se) (en)**

3 **curvas** s.f.pl.

● CON ADJS. **femeninas** *un vestido que resalta las curvas femeninas* || **sugerentes** · **incitantes** · **tentadoras** · **arrebatadoras** · **elegantes** · **graciosas** · **sutiles**

cúspide s.f.

● CON VBOS. **alcanzar** · **ocupar** · **conquistar** *Conquistó la cúspide en poco tiempo* || **llegar (a)** · **situar(se) (en)** · **encumbrar(se) (a)** · **subir (a)** · **ascender (a)** · **mantener(se) (en)** *Pese a los años que han pasado, sigue manteniéndose en la cúspide* · **hallar(se) (en)** · **seguir (en)** || **llevar (a)** · **colocar (en)** · **conducir (a)**

[custodia] → custodia; en custodia

custodia

1 **custodia** s.f.

● CON ADJS. **compartida** *Están de acuerdo en solicitar la custodia compartida de sus hijos* · **conjunta** || **temporal** ·

transitoria || **permanente** · **indefinida** · **definitiva** *obtener la custodia definitiva de los niños* || **policial** · **militar** · **cautelar** *La víctima se encuentra bajo custodia cautelar* · **familiar** · **judicial**
● CON SUSTS. **asignación (de)** · **pérdida (de)** · **retirada (de)** *Se ha procedido a la retirada de la custodia* · **orden (de)** || **policía (de)** || **libertad (bajo)**
● CON VBOS. **quitar** · **perder** · **retirar** *Le han retirado la custodia de sus hijos* · **arrebatar** · **dividir** || **conceder** · **asignar** · **poner** · **entregar** · **otorgar** || **conseguir** · **lograr** · **tener** · **obtener** · **recobrar** · **solicitar** · **reclamar** · **asumir** · **devolver** · **reforzar** || **financiar** || **ordenar** || **encargar(se) (de)** *Está encargado de la custodia de su patrimonio* · **responsabilizar(se) (de)** · **hacerse cargo (de)** || **encontrar(se) (bajo)** · **quedar (bajo)** · **mantener (en/bajo)** *Mantienen los bienes del difunto bajo custodia policial* · **permanecer (bajo)** || **luchar (por)**

2 **custodia (de)** s.f.

● CON SUSTS. **hijo,ja** · **niño,ña** · **menor** *El juez todavía no ha tomado una decisión sobre la custodia de la menor* || **lugar** · **local** · **inmueble** · **archivo** · **tesoro** · **documento** *Varios museos solicitan la custodia del documento* || **bienes** · **valores** · **fortuna**

custodiar v.

● CON SUSTS. **detenido,da** · **preso,sa** · **delincuente** *Los policías encargados de custodiar al delincuente declararon que...* · **consejero,ra** · **gente** · ***otros individuos y grupos humanos*** || **joya** *Las joyas, fuertemente custodiadas en el museo, pertenecieron a...* · **dinero** · **bienes** · **propiedad** · **posesiones** · **mercancía** || **documento** · **documentación** · **información** · **papel** · **secreto** · **prueba** || **palacio** · **hotel** · **edificio** · **zona** · **área** · **frontera** · ***otros lugares***
● CON ADVS. **celosamente** · **férreamente** *Varios guardas de seguridad custodiaban férreamente el edificio* · **bajo llave** · **secretamente** · **bajo juramento** · **debidamente** || **temporalmente** · **provisionalmente** · **preventivamente**

cutáneo, a adj.

● CON SUSTS. **lesión** · **enfermedad** · **infección** · **afección** · **intoxicación** · **problema** *Ya está recuperado de su problema cutáneo* || **mancha** · **enrojecimiento** · **irritación** *Un alimento en mal estado le produjo una irritación cutánea* · **reacción** · **alergia** · **erupción** · **herida** · **úlcera** || **exfoliación** · **hidratación** · **limpieza** · **nutrición** || **superficie** · **color**

cutis s.m.

● CON ADJS. **terso** *Tiene un cutis terso y suave* · **arrugado** · **aterciopelado** || **oscuro** · **tostado** · **claro** · **rosado** · **bronceado** · **trigueño** || **sensible** · **inmaculado** || **graso** *una crema para cutis graso* · **seco** · **reseco** · **mixto** || **resplandeciente** · **luminoso**
● CON SUSTS. **limpieza (de)** · **cuidado (de)** || **problema (de)** · **impureza (de)** || **tratamiento (de)** · **mascarilla (para)**
● CON VBOS. **limpiar** *Limpia su cutis diariamente* · **lavar** · **nutrir** · **tonificar** · **exfoliar** · **hidratar** · **proteger** · **refrescar** · **purificar** · **cuidar** · **conservar** · **arreglar** · **alisar** · **embellecer**

D d

dactilar adj.

● CON SUSTS. **huella · impresión || prueba** *Se someterá a una prueba dactilar para verificar su inocencia* · **examen || muestra · lectura || identificación**

dádiva s.f.

● CON ADJS. **generosa** *La escuela recibe anualmente una generosa dádiva de instituciones benéficas* · **cuantiosa · inmensa || oficial · pública · fiscal · ministerial · social || interesada**

● CON VBOS. **recibir · obtener || pedir · solicitar || otorgar · entregar · ofrecer · repartir** *Durante la campaña, se dedicó a repartir dádivas y ayudas económicas* · **conceder · realizar || admitir · aceptar || colmar (de)**

dama

1 **dama** s.f.

● CON ADJS. **elegante** *La actriz interpreta a una elegante dama de la alta sociedad decimonónica* · **bella · bonita · distinguida || ilustrada · preciada · digna · gran · insigne · prestigiosa · ilustre** *Después se casó con una ilustre dama* **|| tradicional · moderna || divina · mítica · enigmática || de teatro · de cine || de sociedad · de compañía · de alcurnia · de alto copete || de honor** *Fui dama de honor en la boda de mi mejor amiga*

● CON VBOS. **presentar · nombrar || premiar · honrar**

2 **damas** s.f.pl.

● CON SUSTS. **partida (de) · juego (de)**

● CON VBOS. **jugar (a)** *¿Te apetece jugar a las damas?* · **ganar (a) · perder (a)**

□ EXPRESIONES **primera dama** [esposa del jefe de Estado o del jefe de Gobierno]

[damas] s.f.pl. → dama

damnificado, da

1 **damnificado, da** adj.

● CON SUSTS. **familia · población · pasajero,ra · personal · cliente ·** ***otros individuos y grupos humanos*** **|| zona** *La alcaldesa ha visitado la zona damnificada* · **región · país · ciudad · barrio**

● CON VBOS. **resultar · quedar**

2 **damnificado, da** s.

● CON ADJS. **civil || gran(de) · principal** *La principal damnificada por estas inundaciones ha sido nuestra provincia* **|| verdadero,ra**

● CON SUSTS. **situación (de) || lista (de) · relación (de) · cómputo (de) || número (de)** *Aún no podemos precisar el número de damnificados* · **cantidad (de) || grupo (de) · asociación (de)**

● CON VBOS. **sobrevivir || acoger · recibir || ayudar · atender** *Numerosos voluntarios atienden a los miles de damnificados* · **socorrer · auxiliar · apoyar || indemnizar**

danés s.m. Véase **IDIOMA**

dantesco, ca adj.

● CON SUSTS. **espectáculo · panorama · escena · imagen** *Era una imagen dantesca: toda la casa estaba en llamas* · **escenario · visión · cuadro · retrato · paisaje · decorado || proporción · dimensión · aspecto || situación · estado || secuela · resultado · efecto || matanza · accidente** *un dantesco accidente con fatales consecuencias* · **incendio · explosión · llama · carnicería · choque**

danza s.f.

● CON ADJS. **popular · típica · tradicional · ritual · ancestral || clásica** *Estudió danza clásica durante varios años* · **contemporánea · moderna · folclórica || airosa · alegre** *una alegre danza tradicional* · **animada · acompasada · triunfal || desenfrenada · frenética || del vientre || aficionado,da (a)**

● CON SUSTS. **espectáculo (de) · sesión (de) · taller (de) · grupo (de) · clase (de) · escuela (de) · profesor,-a (de)**

● CON VBOS. **estudiar · practicar · ensayar || bailar · ejecutar · representar**

danzar v.

● CON SUSTS. **bailarín,-a** *Los bailarines danzaban al compás del vals* · **artista · protagonista · gente ·** ***otros individuos y grupos humanos***

● CON ADVS. **sin cesar · sin parar || con soltura** *Los participantes del concurso danzaban con soltura y buen ritmo* · **con gracia · grácilmente · con facilidad · con habilidad · con destreza · con arte · con elegancia · con agilidad || con frenesí · animadamente · alegremente**

dañado, da adj.

● CON ADVS. **seriamente** *Tras los últimos episodios su imagen ha quedado seriamente dañada* · **gravemente · brutalmente || completamente · totalmente · absolutamente**

● CON VBOS. **resultar** *Desgraciadamente, ha resultado bastante dañado en el accidente* · **quedar · salir · estar**

dañar v.

● CON SUSTS. **imagen** *una desafortunada declaración que dañó profundamente su imagen de político respetuoso y moderado* · **prestigio · credibilidad · reputación · honor · dignidad · autoridad · legitimidad || capacidad · facultad · potencial || posibilidad · opción · oportunidad**

|| interés · derecho · objetivo || plan · proyecto || política · estrategia || relación *El incumplimiento del acuerdo dañó gravemente la relación entre ambos países* · pacto · acuerdo · unidad || estabilidad · equilibrio · integridad · orden · confianza · seguridad || valor · sensibilidad · moral · gusto · conciencia || proceso · marcha · desarrollo · progreso

● CON ADVS. **gravemente · severamente · seriamente** *La tempestad dañó seriamente los cultivos* · **enormemente · fuertemente · tremendamente · profundamente · apreciablemente || considerablemente** *La avería había dañado considerablemente el motor del coche* · **notablemente || irremediablemente · fatalmente · definitivamente · irreparablemente || psicológicamente · sentimentalmente · moralmente · personalmente · materialmente · económicamente · políticamente · profesionalmente || completamente · parcialmente || ligeramente · imperceptiblemente · superficialmente** *El pedrisco fue muy intenso, pero solo dañó el edificio superficialmente*

dañino, na adj.

● CON SUSTS. **efecto** *los efectos dañinos del tabaco en la salud* · **consecuencia || actividad · práctica · juego · actuación || droga · gas · producto · sustancia || enfermedad · virus · plaga || contenido · componente · elemento**

● CON ADVS. **absolutamente · verdaderamente · realmente · sumamente** *un virus que podría resultar sumamente dañino* · **enormemente · especialmente · extraordinariamente · terriblemente || claramente · gravemente · seriamente || potencialmente**

● CON VBOS. **volverse · hacerse · resultar**

daño s.m.

● CON ADJS. **enorme · considerable · gran(de) · inmenso · tremendo · cuantioso** *los cuantiosos daños causados por el temporal* · **importante · incalculable · abultado · ingente || grave · catastrófico · serio · severo · significativo · irremediable · irreparable** *El incendio provocó daños irreparables* · **irreversible · terrible || visible · perceptible · ostensible · apreciable || calculado · intencionado · deliberado || potencial || leve · insignificante · ínfimo · imperceptible · inapreciable · exiguo || colateral · compensatorio || ambiental · ecológico · económico · cerebral · físico · material · moral · psicológico · personal** *Afortunadamente, no hemos sufrido ningún daño personal en el accidente*

● CON SUSTS. **alcance (de)** *evaluar el alcance de los daños* · **evaluación (de) · cálculo (de) · lista (de) · balance (de) · recuento (de) || responsable (de)**

● CON VBOS. **derivar(se) (de algo) || diluir(se) || hacer (a alguien)** *La caída fue muy aparatosa, pero no me hice daño* · **producir · causar · provocar · ocasionar · acarrear · deparar · infligir || calcular · evaluar** *La aseguradora está evaluando los daños materiales* · **calibrar · cuantificar · magnificar || comprobar · registrar · diagnosticar || recibir · soportar · sufrir · achacar || prevenir · evitar · conjurar · paliar · arreglar · reparar** *No sabía cómo reparar el tremendo daño causado* · **enmendar · aminorar · amortiguar · mitigar · reponer · restañar · solventar || asumir · pagar · compensar** *Para compensar los daños económicos, nos ofrecieron...* · **subsanar · sufragar · reclamar · ignorar || indemnizar (por) · resarcir (de) || recuperar(se) (de) · restablecerse (de) || responsabilizar (a alguien) (de)**

● CON PREPS. **en concepto (de) · por** *una indemnización por daños y perjuicios*

[dar] → dar; dar (a); dar a luz; dar buena cuenta (de); dar carpetazo (a); dar crédito (a); dar (de); dar fe (de); dar la cara; dar las gracias; dar(le) (a); dar luz verde (a); dar pábulo (a); dar (por); dar rienda suelta (a); dar saltos (de); darse (a); darse de bruces (contra); dar un vuelco; dar vida (a); dar vueltas (a)

dar v.

I [entregar, ofrecer o proporcionar]

● CON SUSTS. **ayuda · servicio · apoyo · protección · soporte** *dar soporte técnico a los clientes* · **auxilio · base · sustento · albergue · cobijo · alojamiento · respaldo · asistencia · asesoría · consuelo · orientación · consejo** *dar un buen consejo a un amigo* · **atención · sostenibilidad · amparo** *dar amparo a los afectados* || **afecto · cariño · comprensión · amor · ternura** *Necesita que le den un poco de ternura* || **impulso · estímulo · ánimo · esperanza · incentivo · aliento** *dar aliento a los demás en momentos de desánimo* · **empuje · fuerza · poder || permiso · paso · visto bueno · autorización · aprobación · consentimiento · sí** *dar un sí a una propuesta* · **licencia · aval · carta blanca · palabra · voz · alta** *dar el alta médica* · **acceso · salida · apertura · curso · rienda suelta · luz verde · preferencia · prioridad · participación · intervención · representación || cabida** *Una norma que no permite dar cabida a otros socios* · **sitio · acomodo · ubicación · espacio · cauce || tiempo · tregua · plazo || sentido** *dar sentido a la vida* · **significado · justificación · razón · finalidad · destino · identidad · nombre · título · contenido · carta de naturaleza · forma · vida · entidad · dirección · interpretación** *dar una interpretación equivocada a un texto* · **lectura · clave · dimensión · cuerpo · corporeidad · consistencia · lógica || aire · apariencia · carácter · sesgo · rasgo · papel · tono · perfil · imagen || importancia** *No le des demasiada importancia a este asunto* · **peso · relieve · relevancia · resonancia · rango · categoría · empaque · impronta · énfasis · dinamismo · competitividad || capacidad · capacitación · libertad · autonomía · alas · independencia · cancha · manga ancha · difusión · cobertura** *...un acontecimiento al que no le han dado gran cobertura los medios locales* · **publicidad · notoriedad · fama || seguridad · crédito · credibilidad · garantía · confianza · tranquilidad · paz · estabilidad · serenidad · homogeneidad · armonía · continuidad · permanencia · mantenimiento · certidumbre · descanso · reposo · respiro** *Sus cinco hijos no le dan respiro* || **oportunidad · facilidad** *dar facilidades de pago* · **posibilidad · ocasión · condición · opción · alternativa · chance · margen || coherencia · eficacia · eficiencia · flexibilidad · fluidez** *dar fluidez a un relato* · **calidad · consciencia · legitimidad · transparencia · claridad · color · colorido · gracia · profundidad · visibilidad · variedad · valor · atribución || prueba · muestra** *dar muestras de cariño* · **señal · idea · ejemplo · demostración · seña · pauta · signo · síntoma · indicio · expresión || orden · instrucción** *La directora nos dio instrucciones precisas* · **anuncio · indicación · directriz · mandato · aviso · parte · alarma · alerta · veredicto · fallo || explicación** *No necesito que me des ninguna explicación* · **testimonio · fe · constancia · cuenta · detalle · referencia · información · dato · pista · opinión · punto de vista · declaración · noticia · primicia · mensaje · excusa · hora** *¿Me da la hora, por favor?* · **precisión || resultado · victoria** *Un gol en el último minuto nos dio la victoria* · **triunfo · fruto · beneficio · provecho · juego**

● CON ADVS. **generosamente · desinteresadamente** *La actriz dio desinteresadamente su apoyo a la campaña* · **interesadamente · voluntariamente · a cambio (de algo)**

|| **con gusto** · **a regañadientes** || **en {grandes/pequeñas} cantidades** · **a espuertas** · **a manos llenas** · **excesivamente** || **a dedo** *impedir que se den los puestos de trabajo a dedo* || **en custodia**

▮ [hacer efectivo, ejecutar, realizar]

● CON SUSTS. **patada** *dar una patada a un balón* · **bofetón** · **puntapié** · **codazo** · **manotazo** **beso** · **abrazo** *Al encontrarse se dieron un sentido abrazo* · **toque** · **apretón** · **espaldarazo** · **carpetazo** · **pincelada** · **aldabonazo** · **banderazo** *dar el banderazo de salida en una carrera* · **empujón** · **pedalada** · **estirón** *¡Qué estirón ha dado tu niña!* · **bombazo** · **esquinazo** · **plantón** · **campanazo** · ***otros golpes o movimientos bruscos*** || **comienzo** *dar comienzo la temporada de caza* · **inicio** · **entrada** · **origen** · **pie** · **fin** · **término** · **conclusión** · **remate** · **cima** || **uso** · **empleo** · **aplicación** · **utilidad** || **solución** · **remedio** *Algún remedio habrá que dar a la situación...* · **respuesta** · **cumplimiento** · **satisfacción** · **caza** · **alcance** · **muerte** || **lectura** *dar lectura a las actas de una reunión* · **seguimiento** · **réplica** · **contestación** · **cambio** · **relevo** || **baño** *darse un baño en la piscina* || **lucha** · **batalla** · **pelea** · **guerra** || **lata** *¿Puedes dejar de dar la lata?* · **murga** · **tostón** · **tabarra** || **clase** · **lección** · **discurso** · **rueda de prensa** · **conferencia** *dar una conferencia ante trescientas personas* · **curso** · **entrevista** · **charla** · **concierto** · **espectáculo** · **mitin** || **trato** · **tratamiento** · **buenos días** *dar los buenos días al llegar* · **buenas tardes** · **buenas noches** · **gracias** · **enhorabuena** · **bienvenida** *Dieron la bienvenida a todos los presentes...* · **recibimiento** · **acogida** · **saludo** · **adiós** · **viva** · **despedida** · **pésame** · **extremaunción** · **comunión** · **absolución** || **culto** · **coba** · **tributo** || **paseo** *dar un paseo por el parque* · **garbeo** · **vuelta** · **paso** · **salto** · **voltereta** · **brinco** · **vuelco** · **marcha atrás** *Ya no podemos dar marcha atrás con el proyecto* · **rodeo** · **giro** || **grito** *dar un grito de dolor* · **alarido** · **resoplido** · **soplido** · **suspiro** · **respingo** · **ladrido** · **aullido** · **pitido** · **do de pecho**

● CON ADVS. **de lleno** *El golpe me dio de lleno en la cara* · **de pleno** · **de refilón** · **en el clavo** · **a diestro y siniestro** || **ordenadamente** · **a derechas** *...incapaz de dar un paso a derechas* · **con justicia** · **injustamente** · **ojo por ojo**

▮ [surgir, producirse o suscitarse en alguien]

● CON SUSTS. **sensación** *Me dio la sensación de que te habías enfadado* · **impresión** · **mareo** · **escalofrío** · **patatús** · **calambre** · **telele** · **retortijón** || **gana** *No me da la gana de ir* · **sed** · **hambre** · **deseo** · **envidia** · **prisa** || **alegría** *Me da mucha alegría que vengas* · **felicidad** · **gusto** · **placer** · **satisfacción** · **risa** || **susto** *Me has dado un susto* · **miedo** *¿Te da miedo la oscuridad?* · **terror** · **temor** · **pánico** · **angustia** · **ansiedad** · **celos** · **vergüenza** *Aunque me daba vergüenza, les pregunté si...* · **reparo** · **apuro** · **quebradero de cabeza** · **preocupación** *¡Bastantes preocupaciones nos has dado ya!* · **vértigo** · **sorpresa** || **pena** *Me dio mucha pena que te fueras* · **tristeza** · **nostalgia** · **disgusto** · **rabia** · **coraje** · **remordimiento** · **dolor** · **asco** · **repugnancia** · **repulsión** · **claustrofobia** *Los ascensores le dan claustrofobia* · **repelús** || **golpe de Estado**

● CON ADVS. **poco a poco** · **de golpe** · **de repente** · **repentinamente**

dar (a) v.

● CON VBOS. **conocer** *Aún no han dado a conocer el resultado final de las elecciones* · **publicar** · **editar** || **probar** *Nos dieron a probar varios vinos antes de la cena* · **comer** · **beber** · **tomar** || **elegir** · **escoger** || **entender** · **leer** · **pensar** · **escuchar** · **ver**

dar a luz loc.vbal.

● CON SUSTS. **niño,ña** · **bebé** · **criatura** || **idea** · **teoría** *Tras años de trabajo, el equipo investigador dio a luz una teoría revolucionaria sobre...* · **obra** · **plan** · **proyecto** || **publicación** · **texto**

● CON ADVS. **prematuramente** || **esforzadamente**

dar buena cuenta (de) loc.vbal.

● CON SUSTS. **desayuno** · **comida** *Dieron buena cuenta de la comida y se marcharon* · **merienda** · **cena** || **pasteles** · **tarta** · **tortilla** · ***otros alimentos o comidas*** || **ladrón,-a** *La Policía dio buena cuenta de los ladrones* · **malhechor,-a**

dar carpetazo (a) loc.vbal.

● CON SUSTS. **asunto** *Dimos carpetazo al asunto de común acuerdo* · **caso** · **problema** || **conversación** · **negociación** · **encuentro** · **acuerdo** || **investigación** *La Policía dio carpetazo a la investigación por falta de pruebas* · **proyecto** · **tema**

dar crédito (a) loc.vbal.

● CON SUSTS. **{mis/tus/sus...} ojos** *Me sorprendió tanto lo que estaba viendo, que no daba crédito a mis ojos* · **{mis/tus/sus...} oídos** || **noticia** *Si la noticia no está contrastada, no le des ningún crédito* · **información** · **comentario** · **rumor** · **habladuría** · **especulación** · **acusación** · **pronóstico** || **palabra** · **promesa** || **explicación** · **idea** · **teoría** *Al principio nadie dio crédito a tan extraña teoría*

dar (de) v.

● CON VBOS. **beber** · **comer** · **cenar** *Buscamos un lugar donde nos den de cenar* · **desayunar** · **merendar** · **mamar**

dardo s.m.

● CON ADJS. **acerado** · **afilado** || **certero** · **directo** || **envenenado** *Desde su columna diaria lanza dardos envenenados* · **hiriente** · **mordaz** · **sarcástico** · **punzante** || **adormecedor** · **tranquilizante** *Los veterinarios clavaron un dardo tranquilizante al animal* · **venenoso**

● CON VBOS. **dar en el blanco** · **alcanzar su objetivo** · **hacer diana** || **desviar(se)** || **tirar** · **lanzar** · **disparar** · **arrojar** · **clavar** || **recibir** · **sentir** || **sacar** · **extraer**

dar fe (de) loc.vbal.

● CON SUSTS. **documento** · **contrato** · **testamento** *La notaria dio fe del testamento* · **pagaré** || **admiración** · **agradecimiento** || **abnegación** · **humildad** · **sacrificio** · **dedicación** *Podemos dar fe de su absoluta dedicación a esta empresa* || **honestidad** · **fidelidad** · **capacidad** · **sabiduría** || **relación** · **amor** || **existencia**

dar la cara loc.vbal.

● CON ADVS. **públicamente** *Dio la cara públicamente por mí y eso nunca lo olvidaré* · **abiertamente** || **valientemente** · **arriesgadamente** · **con arrojo** · **con decisión** || **inmediatamente**

dar las gracias loc.vbal.

● CON ADVS. **de (todo) corazón** *Quiero darte las gracias de todo corazón por tu gran ayuda* · **sinceramente** · **emocionalmente** · **humildemente** || **efusivamente** · **vehementemente** · **clamorosamente** || **reiteradamente** · **insistentemente** || **abiertamente** · **públicamente**

dar(le) (a) v.

● CON SUSTS. **tabaco** · **vicio** · **bebida** · **juego** · ***otros hábitos o aficiones consideradas inconvenientes***

dar luz verde (a) loc.vbal.

• CON SUSTS. **operación** · **plan** · **propuesta** · **proyecto** *En cuanto den luz verde al proyecto, comenzaremos* · **idea** · **iniciativa** || **ampliación** · **reforma** · **producción** · **construcción** || **acuerdo** · **negociación** · **resolución** || **intervención** *El comité dio luz verde a la intervención internacional en el conflicto*

dar pábulo (a) loc.vbal.

• CON SUSTS. **chismorreo** *No conviene dar pábulo a ese tipo de chismorreos* · **habladuría** · **cotilleo** · **rumor** · **rumorología** || **historia** · **leyenda** || **sospecha** *...y se debe aclarar cualquier duda para evitar dar pábulo a toda sospecha* · **especulación** · **interpretación** · **conjetura** · **suspicacia** · **fabulación** || **envidia** · **tensión** · **hostilidad** · **descrédito**

dar (por) v.

• CON ADJS. **cerrado,da** *dar por cerrada una negociación* · **zanjado,da** · **concluido,da** · **finalizado,da** · **acabado,da** · **terminado,da** · **definitivo,va** · **aprobado,da** · **enterrado,da** · **hecho,cha** *Di por hechas las gestiones al no tener más noticias* · **resuelto,ta** · **superado,da** || **bueno,na** *El profesor dio por buena nuestra explicación* · **válido,da** · **bien empleado,da** *Doy por bien empleadas las tres semanas que me llevó el trabajo* || **desaparecido,da** · **muerto,ta** · **perdido,da** || **supuesto,ta** · **seguro,ra** · **sentado,da** *...dando por sentada la decisión final* · **descontado,da** || **enterado,da**

dar rienda suelta (a) loc.vbal.

• CON SUSTS. **idea** · **pensamiento** · **creatividad** *En su último libro este autor da rienda suelta a su creatividad* · **fantasía** · **inventiva** · **imaginación** · **delirio** || **impulso** · **instinto** || **deseo** *...para que pueda dar rienda suelta a sus deseos* · **alegría** · **mal humor** · **ira** · **euforia** · **pasión** · **odio** · **obsesión** · ***otros sentimientos o emociones***

dar saltos (de) loc.vbal.

• CON SUSTS. **alegría** · **gozo** · **júbilo**

darse (a) v.

• CON SUSTS. **bebida** *darse a la bebida* · **droga** · **placer** · **buena vida** *Le tocó la lotería y se dio a la buena vida* · **juerga** · **encanto** · **lujo** · **vicio** · **autocomplacencia** · **separatismo** · **aventura** · **sentimentalismo** · **barbarie** || **siesta** · **descanso** || **fuga** *Los delincuentes se dieron a la fuga* · **huida** || **tarea** · **letras** · **deporte** · **cante** · **música** · **pintura** || **mar** *Se dio al mar con una pequeña embarcación*

darse de bruces (contra) loc.vbal.

• CON SUSTS. **realidad** *Cuando salió del internado, se dio de bruces contra la dura realidad* · **vida** || **muro** · **farola** · **puerta** · **suelo** · ***otros objetos o espacios***

dar un vuelco loc.vbal.

• CON SUSTS. **corazón** *El corazón me dio un vuelco de alegría cuando te vi llegar*

dar vida (a) loc.vbal.

▮ [representar]

• CON SUSTS. **drama** · **historia** *...película en la que se da vida a una historia real* · **idea** · **mito** · **escena** || **héroe** *El actor dio vida a un héroe de la antigüedad* · **personaje** · **tipo** · ***otros individuos***

• CON ADVS. **convincentemente** · **fielmente** · **fidedignamente**

▮ [animar]

• CON SUSTS. **ciudad** · **pueblo** · **zona** *La nueva universidad dará mucha vida a la zona* · ***otros lugares*** || **exposición** · **música** · **teatro** · **cine**

dar vueltas (a) loc.vbal.

• CON SUSTS. **asunto** *No le des más vueltas al asunto porque no merece la pena* · **cuestión** · **tema** · **problema** || **idea** · **propuesta** · **proyecto** *Le dimos muchas vueltas al proyecto antes de presentarlo* || **cabeza**

[dato] → base de datos; dato

dato s.m.

• CON ADJS. **fundamental** *La investigación aportó datos fundamentales* · **básico** · **esencial** · **insoslayable** · **crucial** || **de valor** · **interesante** · **importante** · **relevante** · **significativo** · **jugoso** || **concluyente** · **decisivo** · **revelador** · **probatorio** || **abrumador** · **demoledor** · **categórico** · **convincente** · **elocuente** · **incontrovertible** · **inobjetable** · **irrebatible** · **irrefutable** || **curioso** · **llamativo** · **novedoso** · **inédito** *La historiadora dio a conocer datos inéditos* || **cierto** · **verdadero** · **real** · **veraz** · **fiable** · **fidedigno** · **fehaciente** || **concreto** · **exacto** · **preciso** *Desconocemos los datos precisos todavía* · **exhaustivo** · **prolijo** || **accesible** · **disponible** || **afirmativo** || **falso** · **impreciso** · **anecdótico** · **irrelevante** · **menor** · **accesorio** · **insignificante** · **intrascendente** · **sesgado** · **tendencioso** · **impredecible** || **alarmante** · **inquietante** · **estremecedor** · **terrible** · **impactante** · **desolador** || **esperanzador** · **halagüeño** · **tranquilizador** || **obvio** · **objetivo** · **subjetivo** || **biográfico** · **personal** *Pedían los datos personales de todos los participantes* · **identificativo** · **histórico** · **científico** · **económico** · **periodístico** · **numérico** · **gráfico** · **estadístico** · **oficial** *Los datos oficiales serán publicados en el boletín* · **confidencial** || **acorde (con)** · **coincidente (con algo)** · **discordante (con algo)**

• CON SUSTS. **cantidad (de)** · **cúmulo (de)** *un cúmulo de datos inconexos* · **lluvia (de)** · **aluvión (de)** · **arsenal (de)** · **banco (de)** · **base (de)** · **serie (de)** || **transmisión (de)** · **protección (de)**

• CON VBOS. **existir** · **obrar en poder (de alguien)** · **circular** · **llegar** · **difundir(se)** · **figurar (en un lugar)** · **fluir** · **faltar** *Falta el dato clave para resolver el caso* || **coincidir** *Los datos coinciden con nuestras previsiones* · **concordar** · **converger** · **oscilar** || **servir** || **indicar** · **delatar** · **denotar** || **buscar** · **recopilar** *Llevo meses recopilando datos sobre el accidente* · **pedir** · **recabar** · **recoger** · **sonsacar** · **encontrar** · **conseguir** · **obtener** · **descubrir** · **descargar** || **tener** · **contener** *Su trabajo contiene datos relevantes para nuestra investigación* · **acumular** · **almacenar** · **atesorar** · **manejar** · **utilizar** · **conocer** · **recordar** · **refrescar** || **dar** · **aportar** · **facilitar** · **filtrar** *Fue sancionado por filtrar datos a los medios* · **ofrecer** · **proporcionar** · **apuntar** · **añadir** · **incluir** · **incorporar** · **aventurar** · **aducir** · **arrojar** *Las estadísticas arrojan datos económicos preocupantes* || **dar a conocer** · **presentar** · **publicar** · **exponer** · **comunicar** · **transmitir** · **referir** · **desvelar** · **enviar** || **silenciar** *La prensa ha silenciado los datos más alarmantes* · **omitir** · **ignorar** · **obviar** · **ocultar** || **comprobar** · **verificar** · **confirmar** · **constatar** · **corroborar** · **avalar** · **validar** · **invalidar** || **ordenar** · **clasificar** · **centralizar** || **registrar** · **consignar** || **analizar** · **interpretar** · **estudiar** · **clarificar** · **precisar** · **descifrar** · **desglosar** · **hilvanar** · **preparar** · **comparar** || **destacar** · **especificar** · **resaltar** · **reseñar** · **completar** || **corregir** *Corregí algunos datos* *erróneos* · **rectificar** · **amañar** · **falsear** · **falsificar** *Fue acusada de falsificar datos* · **modificar** · **alterar** · **inflar** · **tergiversar** · **desfigurar** · **distorsionar** · **extrapolar** || **pulverizar** · **rebatir** · **negar** · **refutar** || **considerar** · **tener en cuenta** · **tomar en consideración** · **barajar** · **evaluar** · **sopesar** || **basar(se) (en)** · **aferrarse (a)** · **atenerse (a)** · **alimentar(se) (de)** · **ahondar (en)**

● CON PREPS. **a la luz (de)** *A la luz de los datos, parece que el negocio marcha bien* · **a la vista (de)** · **a tenor (de)**

de abrigo loc.adj.

▮ [de invierno]

● CON SUSTS. **calzado** · **equipaje** · **ropa** · **prenda**

▮ [grande, importante]

● CON SUSTS. **borrachera** *Anoche se cogió una borrachera de abrigo y hoy está insoportable* · **colocón** · **melopea** || **golpe** || **fiesta** · **despedida** || **decisión** || **obra**

de acá para allá loc.adv.

● CON VBOS. **ir** · **mover(se)** · **andar** *anda todo el día de acá para allá* · **correr** · **viajar** · **deambular**

de acero loc.adj.

● CON SUSTS. **carácter** · **nervios** *Aguantar impertérrito una situación así exige nervios de acero* · **voluntad** · **corazón** · **pulmón** || **hombre** · **mujer** || **telón**

de acuerdo loc.adj.

● CON ADVS. **completamente** *Estamos completamente de acuerdo en este asunto* · **enteramente** · **plenamente** · **totalmente** || **en líneas generales** · **parcialmente** · **con matices**

● CON VBOS. **estar** · **mostrarse** *Se mostró enteramente de acuerdo conmigo* || **poner(se)**

deambular v.

● CON ADVS. **sin rumbo** · **sin ton ni son** · **sin orientación** · **a la deriva** || **a {mis/tus/sus...} anchas** *Puedes deambular a tus anchas por todo el recinto* · **libremente**

de antemano loc.adv.

● CON VBOS. **saber** *Yo ya sabía de antemano que no acudirían a la cita* · **conocer** || **establecer** · **fijar** · **determinar** · **decidir** · **disponer** · **preparar** *Las intervenciones del público, aparentemente espontáneas, están preparadas de antemano* · **planear** · **reservar** · **programar** · **trazar** || **anunciar** · **advertir** · **avisar** · **señalar** · **asegurar** · **garantizar** · **decir** · **informar** · **revelar** || **prever** · **suponer** || **agradecer** · **disculparse** · **felicitar** || **dar** · **conceder** · **adjudicar** || **aceptar** · **admitir** · **reconocer** || **condenar** · **rechazar** · **descalificar** · **descartar** *La Policía no descarta de antemano ninguna hipótesis* · **excluir** · **eliminar** || **perder** · **rendirse** · **renunciar** · **desistir** · **ceder** · **claudicar** || **derrotar** · **vencer** · **ganar** · **imponerse**

de arriba a abajo loc.adv. Véase **de arriba abajo**

de arriba abajo loc.adv.

● CON VBOS. **cambiar** · **reformar** · **modificar** *El Gobierno propuso modificar de arriba abajo la actual ley de extranjería* · **transformar** · **renovar** · **remozar** · **alterar** · **trastocar** || **mirar** · **revisar** · **contemplar** · **examinar** · **analizar** *Analizó el texto de arriba abajo antes de dar su consentimiento* · **observar** · **leer** || **recorrer** · **atravesar** · **andar** · **cruzar** · **caer** · **traspasar** · **caminar** · **deambular** · **mover** · **pasear** · **ir** *Voy de arriba abajo, sin pararme un instante* || **vestir** · **cubrir** · **forrar** · **revestir** · **embutir** || **sacudir** · **estremecer** · **temblar** || **ordenar** · **limpiar** *Tienes que limpiar tu habitación de arriba abajo* · **demoler**

de atar loc.adv. *col.*

● CON VBOS. **estar**

● CON ADJS. **loco,ca** *Está loco de atar, de lo contrario no haría lo que hace*

de bandera loc.adj. *col.*

● CON SUSTS. **mujer** · **cuerpo** || **gol** *En el segundo tiempo marcó un gol de bandera*

de batalla loc.adj.

● CON SUSTS. **campo** · **terreno** · **línea** · **frente** · **zona** || **ropa** · **grito** · **plan** · **compañero,ra**

debate s.m.

● CON ADJS. **crucial** · **gran(de)** · **importante** · **insoslayable** · **candente** · **polémico** · **controvertido** · **delicado** · **esperado** || **reñido** · **acalorado** *Las dos partes sostuvieron un acalorado debate por esta cuestión* · **intenso** · **encarnizado** · **encendido** · **violento** · **enconado** · **vivo** · **enérgico** · **electrizante** · **vehemente** · **vibrante** · **visceral** || **bronco** · **arduo** · **áspero** · **agrio** · **álgido** · **abrupto** · **feroz** · **fuerte** · **a cara de perro** || **bizantino** · **infructuoso** · **embarullado** · **farragoso** · **sesgado** · **breve** || **viejo** · **agotador** · **cansino** · **continuo** · **eterno** · **famoso** · **trillado** · **aburrido** || **amplio** · **en profundidad** *Éramos partidarios de un debate en profundidad antes de tomar una decisión* · **profundo** · **a fondo** · **exhaustivo** · **general** · **pleno** · **extenso** · **largo** · **constructivo** || **tranquilo** · **civilizado** · **relajado** · **cordial** · **cortés** · **de guante blanco** · **diplomático** · **democrático** || **a pecho descubierto** · **cara a cara** · **de igual a igual** · **mano a mano** · **cuerpo a cuerpo** || **a puerta cerrada** *El debate era a puerta cerrada, por lo que no había periodistas* · **público** || **interno** || **cultural** · **electoral** · **ideológico** · **político** · **nacional** · **generacional** || **presto,ta (a)**

● CON SUSTS. **foro (de)** · **normas (de)** · **mesa (de)** || **materia (de)** *La decisión del presidente fue materia de debate político durante varias semanas* · **objeto (de)** · **motivo (de)** · **tema (de)** || **centro (de)** · **fondo (de)**

● CON VBOS. **comenzar** · **abrir(se)** · **desatar(se)** · **plantear(se)** · **surgir** · **brotar** · **continuar** *Los debates continuaron todavía unos meses más* · **persistir** · **discurrir** || **concluir** · **cerrar(se)** · **finalizar** · **despejar(se)** || **recrudecer(se)** · **caldear(se)** · **enardecer(se)** · **encrespar(se)** · **enrarecer(se)** · **agriar(se)** || **devaluar(se)** · **enfriar(se)** *El debate se enfrió por la escasa participación de los tertulianos* · **aguar(se)** · **agotar(se)** · **remitir** · **apagar(se)** · **difuminar(se)** · **diluir(se)** · **ahogar(se)** · **escorar(se)** || **serenar(se)** · **sosegar(se)** || **girar** || **iniciar** · **realizar** · **celebrar** · **entablar** · **establecer** · **acometer** · **encarar** · **afrontar** · **mantener** · **sostener** · **reabrir** *La idea ha reabierto el viejo debate* · **reanudar** · **relanzar** · **resucitar** · **revivir** · **augurar** || **causar** · **provocar** · **despertar** · **generar** · **suscitar** || **dirigir** · **conducir** · **moderar** *La organización del congreso le había ofrecido moderar el debate* · **arbitrar** || **eludir** · **evitar** · **soslayar** || **incentivar** · **promover** · **alimentar** · **auspiciar** · **atizar** · **avivar** · **intensificar** · **reavivar** · **exacerbar** || **seguir** || **calmar** · **atemperar** · **amainar** · **apaciguar** · **mitigar** · **templar** · **tensar** || **acotar** · **centrar** · **clarificar** · **dilucidar** · **zanjar** · **dirimir** || **boicotear** · **obstruir** · **adulterar** · **distorsionar** · **desviar** · **cortar** *El moderador cortó el debate cuando...* · **interrumpir** || **dar lugar (a)** · **inducir (a)** · **instigar (a)** || **participar (en)** · **intervenir (en)** · **tomar parte (en)** ·

entrar (en) · enzarzarse (en) · involucrar(se) (en) · enfrascarse (en) · terciar (en) · invitar (a) · prestarse (a) · verse envuelto (en) || llevar (a) · someter (a) *Sometimos el proyecto a debate* · profundizar (en) · quitar hierro (a) · sustraer(se) (de/a) || ganar (en)
• CON PREPS. al calor (de) · al hilo (de) · a tenor (de)

debatir v.

• CON SUSTS. **tema** · **asunto** · **cuestión** · **problema** *El consejo escolar se ha reunido para debatir el problema* · **aspecto** · **punto** || **futuro** · **situación** · **crisis** || **propuesta** · **proyecto** *...momento en el que se debatirá el nuevo proyecto* · **plan** · **postura** · **modelo** · **reforma**
• CON ADVS. **a fondo** *Debatimos la propuesta a fondo* · **ampliamente** · **profundamente** · **intensamente** · **en profundidad** · **extensamente** · **punto por punto** || **indefinidamente** · **incansablemente** || **acaloradamente** · **enérgicamente** · **a cara de perro** · **acremente** · **visceralmente** || **civilizadamente** · **sin llegar a las manos** · **cortésmente** · **diplomáticamente** · **relajadamente** || **de igual a igual** · **mano a mano** · **cara a cara** || **a puerta cerrada** *El jurado del concurso debatió a puerta cerrada* · **públicamente**
• CON VBOS. **animar (a)** · **incitar (a)** · **invitar (a)**

deber s.m.

• CON ADJS. **duro** · **estricto** · **engorroso** · **pesado** · **fastidioso** · **fatigoso** · **gravoso** · **incómodo** · **oneroso** · **penoso** · **llevadero** || **imperioso** · **agobiante** · **apremiante** · **acuciante** · **perentorio** · **abrumador** || **elemental** *Los alumnos deben conocer sus derechos y deberes elementales* · **inevitable** · **fundamental** · **primordial** · **principal** · **indeclinable** · **ineludible** · **inexcusable** · **inexorable** · **insoslayable** · **irrenunciable** || **compartido** || **cumplido** || **ciudadano** · **cívico** · **social** · **legal** · **profesional** · **moral** · **conyugal**
• CON SUSTS. **asunción (de)** · **cumplimiento (de)** · **sentido (de)** *Siempre tuvo un gran sentido del deber* || **abandono (de)** · **incumplimiento (de)**
• CON VBOS. **corresponder (a alguien)** · **incumbir (a alguien)** · **pesar (sobre alguien)** *Pesan sobre nosotros gravosos deberes* || **tener** *Tengo el penoso deber de comunicarles que...* · **asumir** · **contraer** · **adquirir** || **atender** · **tomarse a pecho** || **abandonar** · **desatender** · **descuidar** *Comenzó a descuidar sus deberes más elementales* · **incumplir** · **infringir** · **conculcar** · **quebrantar** · **eludir** || **establecer** · **imponer** || **constituir** || **cumplir (con)** *No tienen que agradecerme nada. Solo he cumplido con mi deber* || **renunciar (a)** · **desentenderse (de)** · **faltar (a)** · **abdicar (de)** || **dispensar (de)** *La dispensaron de sus deberes más onerosos por su mala situación económica* · **eximir (de)** · **descargar (de)** · **absolver (de)** · **exonerar (de)** · **disculpar (de)**
• CON PREPS. **a la altura (de)** · **sin menoscabo (de)** *La investigación proseguirá en todo caso sin menoscabo del deber de informar a los ciudadanos*

debidamente adv.

• CON VBOS. **acreditar** · **justificar** *Solo se admiten ausencias al curso si están debidamente justificadas* · **comprobar** · **documentar** · **certificar** · **verificar** · **probar** · **autentificar** || **cumplir** · **cumplimentar** · **rellenar** · **tramitar** · **registrar** · **sellar** *Con toda esta documentación debidamente sellada, puedes iniciar el trámite* · **firmar** · **inscribir** · **diligenciar** · **formalizar** || **controlar** · **supervisar** · **cuidar** · **custodiar** · **proteger** · **preservar** · **asegurar** · **resguardar** · **sujetar** · **abrochar** · **atar** || **autorizar** · **aprobar** || **remunerar** · **retribuir** · **premiar** · **compensar** · **recompensar** · **indemnizar** *Nos quedamos sin trabajo, pero fuimos debidamente indemnizados por la compañía* · **financiar** || **castigar** · **sancionar** || **ordenar** · **organizar** · **clasificar** · **colocar(se)** · **disponer** · **instalar** · **ubicar** · **situar** · **catalogar** || **interpretar** · **estudiar** · **leer** · **analizar** · **valorar** · **sopesar** · **enjuiciar** · **evaluar** · **calificar** || **informar** · **explicar** · **expresar** · **aclarar** *El sindicato pidió a la empresa que aclare debidamente los motivos de los despidos* · **señalar** · **puntualizar** · **citar** · **argumentar** || **preparar** · **aderezar** · **aliñar** · **sazonar** · **salpimentar** · **condimentar** · **cocinar**
□ USO Se construye muy frecuentemente con participios: *Hay que presentar los documentos debidamente firmados y sellados.*

debido, da adj.

• CON SUSTS. **antelación** *Le echó un rapapolvo por no haberle informado con la debida antelación* · **anticipación** · **celeridad** · **tiempo** · **planificación** · **proceso** || **importancia** *El asunto recibió la atención y la importancia debidas* · **atención** · **consideración** · **respeto** · **control** · **cuidado** · **discreción** · **compostura** · **contención** · **obediencia** · **colaboración** · **protección** || **permiso** *Nos ausentamos con el debido permiso, mi capitán* · **autorización** || **autoridad** · **dignidad** · **condición** || **cumplimiento** *Era norma de debido cumplimiento* · **disciplina** · **rigor** · **transparencia** · **explicación** || **cantidad**
□ EXPRESIONES **como es debido** [de manera correcta] || **debido a** [a causa de]

débil adj.

• CON SUSTS. **enemigo,ga** *Se enfrentaban a un enemigo muy débil* · **equipo** · **rival** · **paciente** · **enfermo,ma** · ***otros individuos y grupos humanos*** || **política** · **economía** · **gobierno** · **democracia** || **estructura** · **sistema** · **organización** || **divisa** · **moneda** · **mercado** · **bolsa** · **cotización** || **inflación** · **crecimiento** *La economía ha mostrado un débil crecimiento durante el último trimestre* · **caída** · **repunte** · **tendencia** · **apertura** || **lluvia** · **tormenta** · **viento** · **nevada** · **precipitación** || **luz** · **voz** · **sonido** || **carácter** *un hombre de carácter débil absolutamente controlado por su jefe* · **personalidad** · **salud** · **capacidad** || **pensamiento** · **idea** · **concepto** · **argumento** · **teoría** || **posición** · **postura** *Según el comité, la dirección mantiene una postura muy débil y demasiado flexible* · **actitud** · **opinión** · **punto de vista** || **oposición** · **rechazo** · **aprobación** || **comportamiento** · **actividad** || **punto** *¿Cuáles son en su opinión nuestros puntos débiles?* · **lado** · **parte** · **aspecto** · **flanco** · **elemento** · **sector** || **sexo** *el tópico del sexo débil*
• CON ADVS. **sumamente** · **completamente** · **absolutamente** · **relativamente** · **ligeramente** || **físicamente** *El jugador se encuentra débil físicamente* · **psicológicamente** · **anímicamente** · **emocionalmente** · **afectivamente** || **económicamente** · **políticamente** · **deportivamente** || **teóricamente** · **supuestamente** · **aparentemente**
• CON VBOS. **ser** · **volver(se)** · **estar** · **quedar(se)** *Se había quedado muy débil después de la gripe*

debilidad s.f.

• CON ADJS. **suma** · **gran(de)** · **mayor** · **excesiva** · **extrema** · **franca** · **profunda** || **principal** · **crucial** · **manifiesta** · **marcada** · **destacada** · **patente** · **palpable** · **visible** · **ostensible** || **imperceptible** · **pasajera** || **congénita** · **crónica** · **progresiva** · **intrínseca** || **mental** · **psicológica** · **defensiva** || **al descubierto**

• CON SUSTS. **estado (de)** · **momento (de)** || **muestra (de)** · **signo (de)** · **síntoma (de)** *Manifiesta evidentes síntomas de debilidad desde hace unos días* · **sensación (de)**
• CON VBOS. **entrar (a alguien)** || **agravar(se)** · **aumentar** || **sentir** · **sufrir** · **tener** · **producir** · **perder** || **admitir** · **confesar** · **destapar** · **reconocer** *Reconozco mi debilidad por el chocolate* · **conocer** · **achacar (a alguien)** || **manifestar** · **mostrar** · **dejar ver** · **demostrar** *Esta concesión demuestra la debilidad de su carácter* · **revelar** · **sacar a la luz** · **acusar** · **delatar** || **ocultar** · **encubrir** || **advertir** · **notar** · **percibir** || **compensar** · **subsanar** · **disculpar** || **medir** · **calcular** || **abusar (de)** · **adolecer (de)** · **dejarse llevar (por)** *No te dejes llevar por tu debilidad hacia los niños, y evita malcriarlos*
• CON PREPS. **a causa (de)**

debilitar(se) v.

• CON SUSTS. ***personas*** *El paciente se ha debilitado mucho en la última semana* || **gobierno** · **partido** · **régimen** · **país** · **estado** · **democracia** || **confianza** · **firmeza** · **seguridad** || **relación** · **amor** · **amistad** · **fidelidad** · **fe** · **esperanza** || **posición** · **imagen** || **moneda** · **divisa** · **economía** || **sistema** · **estructura** || **salud** · **carácter** · **personalidad**
• CON ADVS. **considerablemente** *Nuestra relación se ha debilitado considerablemente por la distancia* · **notablemente** || **manifiestamente** · **ostensiblemente** · **a ojos vista** || **profundamente** · **seriamente** · **significativamente** · **fuertemente** · **intensamente** || **levemente** · **ligeramente** · **superficialmente** || **poco a poco** *Se va debilitando poco a poco a causa de la enfermedad* · **gradualmente** · **paulatinamente** · **progresivamente**

de boca en boca loc.adv.

• CON VBOS. **correr** *Las noticias corrían de boca en boca* · **ir** · **andar** · **propagarse** · **pasar** · **transmitir** · **circular** *El rumor circuló de boca en boca hasta llegar a sus oídos* · **saltar** · **venir** · **rodar** || **decir** · **repetir** *una calumnia sin fundamento alguno que se ha ido repitiendo de boca en boca*

de bolsillo loc.adj.

• CON SUSTS. **libro** *una editorial centrada en la publicación de libros de bolsillo* · **diccionario** · **guía** || **versión** · **edición** · **colección** · **formato** || **agenda** · **calculadora** · **ordenador** || **dinero** · **gasto** *una pequeña ayuda para los gastos de bolsillo* || **reloj** · **navaja**

de boquilla loc.adv.

• CON VBOS. **decir** · **hablar** *No le hagas caso, habla siempre de boquilla* · ***otros verbos de lengua*** || **amenazar** · **protestar** · **ofrecer** *Se ofreció a ayudarte, pero solo de boquilla* · **pedir**

de bote en bote loc.adv. *col.*

• CON VBOS. **estar** · **ponerse** *La fiesta se puso de bote en bote a partir de medianoche* · **llenar** · **seguir**
• CON ADJS. **lleno,na** · **repleto,ta**

de brazos cruzados loc.adv./loc.adj.

• CON VBOS. **estar** · **permanecer** · **quedarse** *No te quedes de brazos cruzados y ayúdame a prepararlo todo* · **seguir** || **aguardar** · **esperar**
• CON SUSTS. **política** *Como no se consiguen las cosas es practicando una política de brazos cruzados* · **actitud**

de bruces loc.adv.

• CON VBOS. **caer** · **dar(se)** *Tropecé y me di de bruces contra el asfalto* · **topar** · **chocar**

de buena fe loc.adv./loc.adj.

• CON VBOS. **hacer (algo)** *No te enfades con él, lo hizo de buena fe* · **intentar (algo)** · **realizar (algo)** · **cumplir (algo)** · **actuar** · **comportarse** · **obrar** · **negociar** || **creer (algo)** · **decir** *Lo dije de buena fe, no quería ofenderte* · **defender (algo)** || **equivocar(se)** || **entregarse**
• CON SUSTS. **acto** · **acuerdo** || **opinión** · **pregunta** · **afirmación** || ***persona***

□ USO Admite la variante *de mala fe* (de significado opuesto).

de buena tinta loc.adv. *col.*

• CON VBOS. **saber** *No me lo estoy inventando, lo sé de buena tinta* · **conocer**

de (buen) grado loc.adv.

• CON VBOS. **aceptar** *Los profesores aceptaron de buen grado las propuestas de los alumnos* · **acoger** · **recibir** · **encajar** · **admitir** · **asumir** · **soportar** · **aguantar** · **tolerar** · **adaptarse** · **resignarse** || **obedecer** · **acatar** · **someterse** · **ceder** · **entregar(se)** || **prestar(se)** · **colaborar** · **secundar** · **brindar(se)** *Los voluntarios se brindaron de buen grado a recoger todo* || **ofrecer** · **otorgar** · **conceder** · **dar** || **ir** · **volver** · **acudir** · **marchar** · **abandonar** · **irse** || **reaccionar** · **responder** || **trabajar** · **tomar** · **realizar**

□ USO Admite las variantes menos usadas *de mal grado* (de significado opuesto) y *de grado*.

de bulto loc.adj.

• CON SUSTS. **error** *Fue un error de bulto considerar que...* · **fallo** · **equivocación** · **falsedad** || **razón** *Aunque tuviera razones de bulto para actuar así...*

debutar (en) v.

• CON SUSTS. **cine** · **teatro** · **música** · **política** · **dirección** · **publicidad** · **realización** · **selección** · **televisión** · ***otras actividades públicas***
• CON ADVS. **a lo grande** · **con éxito** · **con {buen/mal} pie** || **oficialmente** *Quería debutar oficialmente en política* · **profesionalmente**

de cabecera loc.adj.

• CON SUSTS. **médico,ca** *Mi médico de cabecera me ha dado la baja* · **pediatra** || **libro** · **manual** · **lectura** · **obra** · **autor,-a** || **grupo** · **pelotón** · **puesto**

de cabeza loc.adv./loc.adj.

▮ [mentalmente]
• CON VBOS. **calcular** *Calculé de cabeza el importe de la cena* · **deducir** · **sacar** · **hacer**

▮ [sin vacilar]
• CON VBOS. **lanzar(se) (a algo)** *Me lancé de cabeza a colaborar en el proyecto* · **tirarse (a algo)** · **meter(se) (en algo)**

▮ [agobiado]
• CON VBOS. **andar** · **ir** · **llevar (a alguien)** · **traer (a alguien)** *Las preocupaciones me traen de cabeza*

▮ [con la cabeza]
• CON VBOS. **batir** · **despejar** *despejar de cabeza el balón* · **marcar** · **rematar** || **tirar(se)** *tirarse de cabeza a la piscina*

● CON SUSTS. **despeje · gol · golpe · toque** *Un toque de cabeza y cayó el segundo gol* · **remate**

▌ [de esa parte del cuerpo]

● CON SUSTS. **giro · movimiento || dolor**

▌ [delantero]

● CON SUSTS. **equipo · grupo** *El grupo de cabeza le saca media hora de ventaja al pelotón* || **vagón**

de cabo a rabo loc.adv.

● CON VBOS. **estudiar · aprender · repasar · examinar · leer** *Me he leído de cabo a rabo todas sus novelas* · **escribir || atravesar · recorrer** *La Policía recorrió de cabo a rabo la ciudad buscando al sospechoso* · **superar || cambiar · transformar · modificar || acordarse · saber · conocer · dominar · controlar · equivocar(se)** *Te equivocas de cabo a rabo*

decadencia s.f.

● CON ADJS. **clara · franca** *La institución se encontraba en franca decadencia* · **evidente · plena · profunda · absoluta · total · acusada · innegable · pura · suma · triste || inevitable · inexorable · irremediable · imparable · definitiva || rápida · veloz · galopante · lenta · prematura || física · intelectual · mental · espiritual · moral** *Un libro sobre la supuesta decadencia moral y espiritual de Occidente* · **económica · política · cultural · literaria · nacional**

● CON SUSTS. **proceso (de) · estado (de) · fase (de) · período (de) || señal (de) · síntoma (de)**

● CON VBOS. **producir(se) · sobrevenir · llegar || frenar** *Era imposible frenar la decadencia del sector* · **parar · detener · atenuar · superar || experimentar · sufrir · padecer · sobrellevar || contemplar · observar · sentir || reflejar · poner de relieve || provocar || conducir (a) · entrar (en)** *Cumplir setenta años no tiene por qué significar entrar en la decadencia* || **dar muestras (de)**

decadente adj.

● CON SUSTS. **período · vida · época** *una época decadente para el país* · **trayectoria || mundo · sociedad · ciudad · país · generación · civilización || gobierno · estado · democracia · industria || actitud · aire · aspecto** *Los cuadros y los muebles desgastados le daban al salón un aspecto decadente* · **ambiente · tono || pensamiento · idea · principio || filosofía · religión · tradición · cultura || arte · estética · género · modelo** *un modelo de país francamente decadente* · **movimiento · ideología || aristocracia · romanticismo · barroquismo** · ***otras tendencias***

decaer v.

● CON SUSTS. **ánimo · euforia · moral · alegría · emoción · ilusión · esperanza · entusiasmo · espíritu || animación · juego · fiesta** *¡Que no decaiga la fiesta!* · **festejo · agitación · afluencia || atención · interés** *Es muy difícil lograr que el interés de los alumnos no decaiga cuando se tratan temas tan áridos* · **afición · admiración || proyecto · proposición · iniciativa || polémica · protesta || tensión · presión · intensidad · energía · fuerza · impulso · vigor · vitalidad || película** *En la segunda parte la película decae y el espectador se aburre* · **espectáculo · obra · filme · narración · novela · género · poesía · teatro · escritura || ritmo** *Es de esperar que no decaiga el buen ritmo al que está creciendo la economía* · **movilidad || estrella · posibilidad · suerte · probabilidad || negociación · negocio · economía · comercio · consumo · oferta · demanda · beneficio · campaña · inversión** *La inversión extranjera empezó a decaer drásticamente* · **mercado · precio || aspiración · intención · deseo · pretensión · voluntad || popularidad · fama · reputación · prestigio**

● CON ADVS. **drásticamente · espectacularmente · estrepitosamente || ostensiblemente · considerablemente** *La euforia del público fue decayendo considerablemente según avanzaba el encuentro* · **notablemente · descaradamente || lentamente · paulatinamente · progresivamente || velozmente · rápidamente · vertiginosamente || absolutamente · totalmente || físicamente · anímicamente**

decaído, da adj.

● CON SUSTS. ***persona*** *¿Por qué está tu hermana tan decaída estos días?* || **cara · rostro || ánimo · confianza · espíritu · entusiasmo · moral · dignidad**

● CON ADVS. **visiblemente · enormemente || anímicamente · físicamente**

● CON VBOS. **estar · quedar(se)** *Se ha quedado decaído con la noticia* · **parecer**

de camino loc.adv./loc.adj.

● CON VBOS. **coger · pillar** *La farmacia me pilla de camino* || **ir · venir** *La Policía ya viene de camino* · **estar**

● CON SUSTS. **compañero,ra (de) || hora (de)** *Todavía quedan varias horas de camino* · **día (de)** · ***otros períodos***

de campeonato loc.adj. *col.*

● CON SUSTS. **fiesta** *El estadio vivió una fiesta de campeonato* · **viaje · debut · estreno || trompazo · cornada · bofetada · guantazo · empujón** · ***otros golpes*** || **susto · grito || lío** *Se metieron en un lío de campeonato* · **follón · jaleo · cisco || atracón · resaca · borrachera || enfado · júbilo · cabreo**

de campo loc.adj.

● CON SUSTS. **trabajo** *un trabajo de campo sobre el modo de hablar de los lugareños* · **labor · operación || investigación · estudio · proyecto · análisis · observación** *El mapa mostraba los puntos en los que se habían realizado las observaciones de campo* · **reconocimiento · medición · encuesta || prueba · ensayo || apunte · dibujo || profundidad**

decantarse v.

● CON SUSTS. **balanza** *La balanza se decantó finalmente a nuestro favor* · **votación || voto · posición · postura · resultado || partido · lucha · batalla · contienda ||** ***persona*** *Los votantes están indecisos y no parecen decantarse por ninguna opción*

● CON ADVS. **a favor · en contra || abiertamente · claramente** *El jurado se decantó claramente a favor de...* · **inequívocamente · marcadamente · notoriamente · decisivamente · totalmente · excesivamente || ligeramente · aparentemente || mayoritariamente** *Los encuestados se decantaron mayoritariamente por el transporte público* · **abrumadoramente**

de capa caída loc.adv./loc.adj.

● CON VBOS. **estar · andar** *El comercio de este barrio anda de capa caída* · **venir · encontrar(se)**

● CON SUSTS. **surrealismo · racionalismo · radicalismo ·** ***otras tendencias, movimientos o ideologías*** || **valor · moneda · dólar || político,ca · banquero,ra · actor · actriz · divo,va · estrella** *una estrella antes famosísima y ahora de capa caída* · ***otros individuos*** || **empresa · negocio · sector · comercio · tráfico · fábrica · inversión · mercado · venta · pesquería || fútbol · fiesta · núcleo familiar · bakalao · concurso · banquete · rosario · sotana · guerrilla || género** *...unos relatos escritos cuando se su-*

ponía que el género ya estaba de capa caída · **subgénero** · **arte** · **institución** · **concepto**

de carrerilla loc.adv./loc.adj.

● CON VBOS. **recitar** · **decir** · **leer** *Me gustó tanto la novela que me la leí de carrerilla* · **repetir** · **enumerar** · **hablar** · **citar** · **declamar** · **responder** *Respondió de carrerilla a todas las preguntas* · **recordar** · **escribir** · **repasar** · **cantar** || **saber** · **aprender** · **conocer** *Conocía de carrerilla los nombres de todos los jugadores*

● CON SUSTS. **lectura** · **declamación**

decencia s.f.

● CON ADJS. **humana** · **intelectual** · **personal** · **moral** || **informativa** *Durante el conflicto, el canal oficial infringió todas las normas imaginables de la decencia informativa* · **profesional** · **política** *Si tiene alguna decencia política, no se presentará a las próximas elecciones* · **democrática** · **histórica** || **pública** · **nacional** · **ciudadana** || **elemental** · **simple** · **mínima** · **suficiente** || **necesaria** · **imprescindible**

● CON SUSTS. **sentido (de)** · **cuestión (de)** *No quedarme callada era una cuestión de decencia personal* || **gesto (de)** · **acto (de)**

● CON VBOS. **tener** · **mostrar** || **esperar** · **reclamar** || **preservar**

● CON PREPS. **con** *actuar con decencia*

decente adj.

● CON SUSTS. **político,ca** *Fue un político decente, pero cometió un error imperdonable* · **profesional** · **muchacho,cha** · ***otros individuos*** || **falda** · **vestido** · **ropa** · ***otras prendas de vestir*** || **actitud** · **conducta** · **aspecto** || **casa** · **mundo** · **vivienda** · **sitio** · ***otros lugares*** || **trabajo** *conseguir un trabajo decente* · **empleo** || **papel** · **salario** · **servicio** || **futuro** || **acuerdo** · **solución** · **salida** || **entierro** · **final** || **resultado** || **condición** *Durante sus años de inquilino mantuvo la casa en condiciones decentes* · **situación** · **estado**

● CON VBOS. **hacerse** · **volverse** · **ponerse**

decentemente adv.

● CON VBOS. **vestir** · **presentarse** || **vivir** *Solo pretendo vivir decentemente y ser feliz* · **morir** · **envejecer** || **comportarse** · **tratar (a alguien)** *Lo único que exigimos es que nos traten decentemente* · **actuar** || **cumplir** · **trabajar** · **gobernar** || **pagar** *un trabajo pagado decentemente* · **remunerar**

decepción s.f.

● CON ADJS. **tremenda** *Se ha llevado una tremenda decepción* · **enorme** · **gran(de)** · **terrible** · **mayúscula** · **inmensa** · **notable** · **clara** · **honda** · **fuerte** · **profunda** · **seria** · **severa** · **visible** || **amarga** · **cruel** *Sufrió una cruel decepción cuando se dio cuenta del engaño* · **dolorosa** · **angustiosa** · **penosa** · **lamentable** || **ligera** · **pequeña** || **creciente** *la creciente decepción de los ciudadanos ante la política* || **nueva** || **personal** · **colectiva**

● CON SUSTS. **tono (de)**

● CON VBOS. **apoderarse (de alguien)** · **cundir** · **traslucir(se)** || **llevarse** · **sentir** · **sufrir** · **tener** · **experimentar** · **acarrear** · **vivir** || **encajar** · **superar** || **producir** · **causar** *Su amistad me causó muchas decepciones* · **provocar** · **deparar** || **confesar** · **expresar** · **exteriorizar** · **mostrar** || **disimular** *Intentó sin éxito disimular su decepción* · **esconder** · **ocultar** || **entrever** · **percibir** || **reponerse (de)**

decepcionante adj.

● CON SUSTS. **actuación** *El cantante aún no se ha recuperado de su decepcionante actuación en...* · **actitud** · **comportamiento** || **imagen** · **aspecto** || **resultado** · **balance** · **empate** · **derrota** · **rendimiento** || **comienzo** · **debut** · **desenlace** · **final** *El partido tuvo un sensacional comienzo y un decepcionante final* || **partido** · **temporada** · **racha** · **torneo** · **juego** · **espectáculo** · **demostración** || **hecho** · **acontecimiento** · **situación** || **trayectoria** · **marcha** · **viaje** || **película** *una película decepcionante con una trama simple y sin sentido* · **adaptación** · **versión** · **libro** · **novela** · **ópera** · ***otras obras*** || **debate** · **discurso** · **campaña** · **intervención** · ***otros eventos*** || **propuesta** · **programa**

● CON ADVS. **absolutamente** *Tu comportamiento ha sido absolutamente decepcionante* · **totalmente** || **extremadamente** · **tremendamente** · **profundamente**

de cerca loc.adv.

● CON VBOS. **ver** · **mirar** · **observar** · **contemplar** · **oler** · **oír** || **fotografiar** · **leer** || **distinguir** · **conocer** · **apreciar** *Me gustaría apreciar más de cerca los detalles* || **rematar** · **disparar** · **tirar** · **lanzar** || **presenciar** · **asistir** || **seguir** *No sigo muy de cerca la liga de fútbol* · **vigilar** · **controlar** · **comprobar** · **supervisar** · **marcar** · **verificar** · **espiar** || **acompañar** · **cuidar** || **examinar** · **estudiar** · **analizar** · **explorar** · **revisar** · **auscultar** || **tocar** · **afectar** · **alcanzar** · **atañer** · **incumbir** || **trabajar** · **colaborar** || **tratar** · **relacionarse** · **emparentar** || **sufrir** *Su familia ha sufrido de cerca las secuelas de la guerra* · **sentir** · **vivir**

de cero loc.adv.

● CON VBOS. **empezar** *Lo mejor será que empecemos de cero* · **comenzar** · **iniciar** · **partir** · **arrancar** · **recomenzar** · **resurgir** || **construir** · **crear** *La familia creó de cero todo un imperio empresarial*

☐ USO Se usa también la variante *desde cero.*

dechado (de) s.m.

● CON SUSTS. **virtud** *La heroína de la historia era un dechado de virtudes* · **belleza** · **perfección** · **pureza** · **humildad** · **modestia** · **claridad** · **cualidades** || **calidad** · **riqueza** || **imaginación**

☐ USO Se construye generalmente con sustantivos no contables en singular (*dechado de perfección*) o con contables en plural (*dechado de cualidades*).

de chuparse los dedos loc.adj. *col.*

● CON SUSTS. **comida** · **cena** · **desayuno** · **merienda** || **churrasco** *Me comí un churrasco de chuparse los dedos* · **solomillo** · **lentejas** · ***otros alimentos o comidas***

☐ USO Se usa también la variante *para chuparse los dedos.*

decididamente adv.

● CON VBOS. **apoyar** · **apostar** *El partido apuesta decididamente por el joven candidato* · **contribuir** · **impulsar** · **colaborar** · **respaldar** · **volcarse** · **abogar** · **ayudar** · **coadyuvar** · **posibilitar** || **avanzar** · **encaminarse** · **dirigirse** · **entrar** · **salir** · **caminar** · **marchar** *Ambos Gobiernos hacemos votos por marchar decididamente por la senda de la cooperación y de la amistad* · **ir** · ***otros verbos de movimiento*** || **emprender** · **abordar** · **afrontar** · **lanzarse** · **acometer** || **actuar** · **intervenir** · **participar** · **trabajar** || **plantar cara** · **arremeter** · **atacar** · **enfrentarse** *Se enfrentó decididamente a los obstáculos y logró sacar adelante el proyecto* · **oponerse** · **luchar** · **condenar** · **rechazar** · **rehusar** · **romper** || **unirse** · **integrarse** · **alinearse**

· **involucrarse** · **implicarse** · **vincularse** · **militar** · **favorecer** || **manifestarse** *En varias ocasiones se ha manifestado decididamente a favor de los represaliados* · **pronunciarse** · **responder** · **reclamar** || **elogiar** · **ponderar** · **alabar**
● CON ADJS. **favorable** · **partidario,ria** || **contrario,ria** · **hostil** · **opuesto,ta**

decidido, da adj.

● CON SUSTS. **actitud** *Siempre tiene una actitud muy decidida para todo lo que se le propone* · **postura** · **voluntad** · **intención** · **propósito** · **orientación** · **vocación** || **actuación** · **acción** · **intervención** · **labor** · **entrega** · **participación** · **presencia** || **apoyo** *Agradecemos muy sinceramente su apoyo decidido a nuestra causa* · **apuesta** · **defensa** · **política** || **enfrentamiento** · **lucha** · **oposición** · **resistencia** || **optimismo** || ***persona*** *Necesitamos mujeres decididas y atrevidas en nuestro equipo*

decidir v.

● CON SUSTS. **futuro** *el derecho a decidir libremente el futuro* · **destino** || **fecha** · **día** · **momento** · ***otros períodos*** || **característica** · **altura** · **peso** · **dimensión** · **lugar** · **nombre** · **forma** · **modo** ***otras variables*** || **cuestión** · **propuesta** · **estrategia** · **voto** *Muchos ciudadanos aún no han decidido su voto*
● CON ADVS. **a cara o cruz** · **a mano alzada** · **a la ligera** · **al vuelo** · **arbitrariamente** · **repentinamente** · **por {mi/tu/su...} cuenta** *No le preguntes; ya lo ha decidido por su cuenta* || **por mayoría** *La asamblea decidió por mayoría que...* · **democráticamente** · **mayoritariamente** · **unánimemente** · **por aclamación** · **soberanamente** · **colegiadamente** · **unilateralmente** || **de antemano** *Ya había decidido de antemano lo que debíamos acordar* · **en frío** || **a puerta cerrada** · **virtualmente** || **voluntariamente** · **personalmente** · **libremente** · **sin presiones** || **imparcialmente** · **salomónicamente** · **consecuentemente** || **definitivamente** · **de una vez por todas** *Decídete de una vez por todas, que nos van a cerrar la tienda* · **en firme** · **irrevocablemente** || **a favor** · **en contra**

décima s.f.

● CON ADJS. **de fiebre** || **de punto** · **porcentual** || **de ventaja** · **inferior** · **superior**
● CON VBOS. **tener** *La niña tenía unas décimas de fiebre* || **subir** · **crecer** · **incrementar(se)** · **bajar** · **disminuir** *La tasa de desempleo disminuyó el pasado mes una décima de punto* || **ganar** · **perder** || **sacar** *Sacó tan solo unas décimas de segundo al siguiente clasificado* || **equivaler (a)**

décimo s.m.

● CON ADJS. **de lotería** *Me han regalado un décimo de lotería* · **premiado**
● CON VBOS. **tocar** || **jugar** · **adquirir** || **enseñar** · **mostrar** || **cobrar** *¿Cuándo irás a cobrar el décimo?* · **depositar** || **entregar** · **regalar** · **repartir**

decimonónico, ca adj.

● CON SUSTS. **visión** · **espíritu** · **tradición** · **costumbre** || **discurso** || **obra** · **arte** · **narrativa** *una heroína de la narrativa decimonónica* · **pintura** *una obra cumbre de la pintura decimonónica* · ***otras disciplinas*** || **modelo** · **escuela** · **estilo** || **aspecto** · **ambiente** · **tono** || **realismo** · **liberalismo** · **academicismo** · ***otras tendencias y movimientos*** || **sociedad** *El escritor nos ofrece una visión de la sociedad burguesa decimonónica* · **educación** · **cultura** · **institución** || **edificio** · **ciudad**

de cine loc.adv./loc.adj. *col.*

● CON VBOS. **ser** · **quedar** *La tarta te ha quedado de cine* · **estar**
● CON SUSTS. **casa** *Tiene una casa de cine; preciosa y con un enorme jardín* · **chalé** · **coche** · **piscina** || **vida** *Le tocó la lotería y ahora lleva una vida de cine* · **historia** · **aventura**

decir v.

● CON ADVS. **abiertamente** · **directamente** · **sin rodeo(s)** *Le dije sin rodeos lo que pensaba* · **lisa y llanamente** · **sin tapujos** · **sin ambages** · **sin reservas** · **a bocajarro** · **a las claras** · **claramente** *Tienes que decírselo claramente* · **crudamente** · **a la cara** · **sencillamente** · **gráficamente** || **a los cuatro vientos** · **a bombo y platillo** · **a humo de pajas** || **a la ligera** *Lo dijo a la ligera y sin pensar* · **a bote pronto** · **a vuelapluma** · **apresuradamente** · **sin pensar** · **sin querer** || **de boquilla** · **con la boca {chica/pequeña}** || **a ciencia cierta** · **con conocimiento de causa** · **con propiedad** · **a conciencia** · **con cautela** || **de pasada** *Nos dijo de pasada que había cambiado de trabajo* · **de refilón** · **al vuelo** || **de un tirón** · **de carrerilla** *Dijo el poema de carrerilla y sin un fallo* · **de corrido** · **de memoria** || **a voz en grito** · **a todo volumen** · **atropelladamente** · **acaloradamente** · **a coro** || **repetidamente** · **reiteradamente** · **por activa y por pasiva** *Le he dicho por activa y por pasiva que me llame, pero...* · **insistentemente** · **incansablemente** · **machaconamente** || **sinceramente** · **de (todo) corazón** · **con la mano en el corazón** · **cordialmente** · **de buena fe** || **al pie de la letra** · **literalmente** || **sin pestañear** · **tranquilamente** || **categóricamente** · **con rotundidad** · **rotundamente** · **enfáticamente** || **con intención** · **acremente** || **con retintín** · **con segundas** *Lo dijo con segundas, pero preferí no hacerle caso* · **por lo bajini** · **entre dientes** · **entre líneas** · **a medias** · **maliciosamente** · **enigmáticamente** || **lacónicamente** · **sumariamente** · **en dos palabras** · **con todo lujo de detalles** || **en persona** *Se lo diré yo en persona* · **personalmente** · **cara a cara** · **de palabra** · **por teléfono** · **públicamente** · **oficialmente** · **expresamente** · **formalmente** · **a cara descubierta** || **equivocadamente** · **al revés** || **a toro pasado** *A toro pasado es muy fácil decir lo que iba a ocurrir* · **de antemano** || **impunemente**

□ EXPRESIONES **el qué dirán** [la opinión de los demás] || **es decir** [se usa para introducir una explicación] || **que se dice pronto** [se usa para hacer ver que algo es excesivo] || **ser un decir** [ser una suposición]

□ USO También se combina con locuciones pronominales del tipo *ni media palabra, ni (una) palabra, ni mu, ni pío*: *No me dijo ni mu.*

de circunstancias loc.adj.

● CON SUSTS. **cara** *Cuando se lo pregunté, me puso cara de circunstancias y no contestó* · **sonrisa** · **despedida**

[decisión] → decisión; tomar una decisión

decisión s.f.

● CON ADJS. **gran(de)** · **grave** · **importante** · **improrrogable** · **ineludible** · **inevitable** · **inexorable** · **indeclinable** · **esperada** || **capital** · **crucial** · **decisiva** · **determinante** · **trascendental** *una decisión trascendental para su carrera profesional* || **difícil** *una de las decisiones más difíciles de mi vida* · **peliaguda** · **ardua** · **reñida** · **dolorosa** · **cruda** || **valiente** · **arriesgada** · **atrevida** · **aventurada** || **acertada** · **oportuna** · **adecuada** *Has tomado la decisión adecuada* · **atinada** · **inobjetable** · **justificada** · **certera** ·

ejemplar · **feliz** · **inteligente** · **sabia** *La felicité por su sabia decisión* · **responsable** · **saludable** · **respetable** || **fatal** · **controvertida** · **desacertada** · **catastrófica** · **discutible** *Aunque es una decisión discutible, la acataremos* · **injustificada** · **inoportuna** · **precipitada** || **absurda** · **descabellada** · **peregrina** · **insólita** · **escandalosa** || **arbitraria** · **discrecional** · **discriminatoria** || **meditada** · **serena** · **racional** · **espontánea** || **definitiva** *Pidió unos días para madurar su decisión definitiva* · **final** · **última** · **terminante** · **tajante** · **drástica** · **radical** · **enérgica** · **en firme** · **férrea** · **firme** *Mi decisión es firme e inamovible, no voy a cambiar de opinión* · **inamovible** · **inquebrantable** · **irreversible** · **irrevocable** · **inapelable** · **categórica** · **cautelar** || **rápida** *Mi compañero era un hombre de decisiones rápidas* · **expeditiva** · **fulgurante** · **fulminante** · **inmediata** · **perentoria** · **urgente** || **ecuánime** · **equitativa** · **fundamentada** · **imparcial** · **salomónica** || **integral** || **a favor** · **favorable** || **individual** · **personal** · **unilateral** · **ajena** · **unánime** || **a puerta cerrada** *Las decisiones de la comisión son todas a puerta cerrada* || **judicial** *La prensa ha alabado la decisión judicial* · **económica** · **política** · **ética** · **moral** || **responsable (de)**

● CON SUSTS. **alcance (de)** · **consecuencia (de)** || **poder (de)** *En su trabajo tiene mucho poder de decisión* · **capacidad (de)** · **libertad (de)**

● CON VBOS. **afectar (a algo/a alguien)** · **atañer (a algo/ a alguien)** · **recaer (sobre algo/sobre alguien)** *La decisión final recayó en mí* · **basar(se) (en algo)** · **depender (de algo)** || **surgir** · **emanar** · **cocinar(se)** · **salir a la luz** || **caer como una bomba** *Tan inoportuna decisión cayó como una bomba* · **prosperar** || **acarrear** || **tomar** · **adoptar** · **establecer** · **consensuar** · **fundamentar** · **madurar** · **meditar** *Tienes que meditar bien tu decisión antes de...* · **tomar en consideración** · **estudiar** · **considerar** · **analizar** · **dilucidar** · **esperar** || **arrogarse** · **centralizar** *Este órgano centraliza todas las decisiones de la empresa* · **arbitrar** · **delegar** · **endosar** · **hipotecar** · **ligar** · **prejuzgar** || **emitir** · **formular** || **anunciar** · **hacer pública** *El famoso cantante hizo pública su decisión de abandonar la música* · **desvelar** || **llevar a la práctica** · **llevar adelante** · **cumplir** · **secundar** · **acatar** · **afrontar** · **ejecutar** · **agilizar** · **mantener** *Mi hermana mantuvo firme su decisión hasta el final* || **respetar** · **avalar** · **confirmar** · **refrendar** · **sustentar** || **burlar** · **desobedecer** · **bloquear** · **obstruir** · **posponer** · **postergar** *Intenté postergar la decisión lo máximo posible* · **contravenir** · **impugnar** · **reprobar** · **rechazar** · **rebatir** · **recurrir** · **revocar** · **poner en duda** · **poner en entredicho** · **discutir** || **amañar** · **rectificar** || **atenerse (a)** · **plegarse (a)** · **hacer frente (a)** · **influir (en)** *No quiero influir en tus decisiones* · **llegar (a)** || **disentir (de)** · **desdecirse (de)** || **apercibir (de/contra)**

● CON PREPS. **a la vista (de)** *A la vista de tan acertada decisión, solo nos queda...* · **a tenor (de)** · **con** · **sin perjuicio (de)**

decisivamente adv.

● CON VBOS. **contribuir** · **colaborar** · **intervenir** · **participar** · **cooperar** · **coadyuvar** · **tomar parte** · **sumarse** · **nutrir** || **influir** · **pesar** · **afectar** · **marcar** *Aquel trabajo marcó decisivamente su carrera como actriz* · **incidir** · **condicionar** · **influenciar** · **repercutir** || **impulsar** · **ayudar** · **favorecer** · **respaldar** · **apoyar** · **apostar** · **incentivar** || **cambiar** · **alterar** · **modificar** *Se cometieron errores que modificaron decisivamente el resultado final de la encuesta* · **variar** || **ampliar** · **incrementar** · **aumentar** · **mejorar** · **avanzar** · **intensificar** · **enriquecer** · **modernizar** *Pretendemos modernizar decisivamente el sector de las telecomunicaciones* · ***otros verbos de cambio*** || **reforzar** · **afianzar(se)** · **apuntalar** · **revitalizar** || **decantarse** · **inclinarse** · **reaccionar**

declamar v.

● CON SUSTS. **poema** *De niña, declamaba poemas en todos los actos del colegio* · **monólogo** · **poesía** · **texto** · **verso** · **frase** · **papel** · **copla**

● CON ADVS. **con gracia** · **magistralmente** *El actor declamó magistralmente el famoso monólogo de Hamlet* || **a gritos** || **desgarradoramente** · **con sentimiento** · **con vehemencia** · **apasionadamente**

declamatorio, ria adj.

● CON SUSTS. **tono** *Pronunció unas palabras en tono declamatorio y emocionado* · **estilo** · **carácter** || **acción** · **acto** || **ejercicio**

declaración s.f.

● CON ADJS. **oportuna** *El presidente hizo una oportuna declaración al término del...* · **certera** · **decisiva** · **atinada** · **calculada** · **prudente** · **explícita** · **precisa** · **sin ambages** · **exhaustiva** · **extensa** · **solemne** · **tranquilizadora** · **veraz** || **ambigua** · **vaga** · **confusa** · **contradictoria** · **oficiosa** || **encendida** · **acalorada** · **tibia** || **cáustica** · **acerada** · **amarga** · **drástica** · **tajante** · **taxativa** · **fuerte** · **sorprendente** || **polémica** *Tan polémica declaración se filtró a la prensa a través de...* · **ofensiva** · **desafortunada** · **inoportuna** · **sin fundamento** · **estridente** · **desaforada** · **aberrante** · **rimbombante** · **peregrina** *...lo que reiteraría días después con declaraciones aún más peregrinas* · **descabellada** · **absurda** || **reiterada** || **breve** · **escueta** · **sucinta** · **eventual** || **a bote pronto** · **abrupta** · **espontánea** · **apresurada** · **intempestiva** || **a puerta cerrada** · **en exclusiva** *La artista, en unas declaraciones en exclusiva, ha confirmado que...* · **pública** · **radial** · **telefónica** · **televisiva** · **bajo juramento** · **formal** || **libre** · **voluntaria** || **conjunta** · **unánime** · **individual** || **a favor (de algo/de alguien)** · **en contra (de algo/de alguien)** · **contraria** || **de amor** *Aquello era una declaración de amor en toda regla* · **de guerra** · **de intenciones** *Esto no es un programa político, sino una declaración de intenciones* · **de impuestos** · **de bienes** · **judicial** · **jurada** · **ministerial** · **oficial** · **indagatoria** · **testifical** · **testimonial** · **de la renta** || **parco,ca (en)** *un político parco en declaraciones*

● CON SUSTS. **cruce (de)** *Ambos presidentes se enzarzaron en un cruce de declaraciones* · **ronda (de)**

● CON VBOS. **aparecer** · **caer como una bomba** *La declaración cayó como una bomba entre...* || **girar** · **atañer** · **delatar** || **obrar en poder** *Mi declaración jurada obra en poder del notario* || **entrecortar(se)** || **agotar(se)** || **hacer** · **realizar** *La aludida no quiso realizar ninguna declaración* · **ofrecer** · **prestar** *El detenido prestará declaración ante la juez esta tarde* · **emitir** · **rendir** · **presentar** · **sustanciar** · **lanzar** · **formular** · **firmar** · **cruzar** · **esperar** || **tomar** · **escuchar** · **oír** · **recoger** · **redactar** · **publicar** · **transmitir** · **filtrar** · **conocer** · **interpretar** || **atribuir (a alguien)** · **delegar** || **confirmar** · **ratificar** · **refrendar** · **suscribir** || **desmentir** · **contradecir** · **negar** · **rebatir** · **refutar** · **reprobar** || **puntualizar** · **rectificar** · **ampliar** · **magnificar** · **distorsionar** · **falsear** *El periodista había falseado mis declaraciones y tuvo que rectificar* · **tergiversar** || **zanjar** || **atenerse (a)** · **adherirse (a)** *Me adhiero a sus declaraciones; me parecen muy acertadas* · **hacerse eco (de)** || **desdecirse (de)** · **retractarse (de)** · **salir al paso (de)**

● CON PREPS. **a la luz (de)** · **a la vista (de)** · **al compás (de)** · **al hilo (de)** *Al hilo de su tajante declaración, le preguntamos si...* · **a tenor (de)** · **en** · **según**

[declarar] → declarar; declararse

declarar v.

● CON SUSTS. **intención** *Parece que entrará en política, pero aún no ha declarado sus intenciones* · **motivo** · **preferencia** · **razón** || **moratoria** · **nulidad** || **bienes** · **propiedad** *Están obligados por ley a declarar todas sus propiedades* · **renta** || **alarma** · **emergencia** · **guerra** *El Gobierno ha declarado la guerra al fraude fiscal* || **amor** · **admiración** · **respeto** || **verdad** · **ignorancia** *Declaro abiertamente mi absoluta ignorancia sobre la materia*

● CON ADJS. **desierto,ta** *El jurado declaró desierto el premio* · **ilegal** · **improcedente** · **incapaz** · **incompetente** · **inconstitucional** · **culpable** · **indigno,na** · **prescrito,ta** · **nulo,la** · **en rebeldía** || **inaugurado,da** *Declaro inaugurado este congreso* · **abierto,ta** · **cerrado,da** · **clausurado,da** · **disuelto,ta** · **en estado de emergencia** || **absuelto,ta** · **apto,ta** *...al no conseguir que lo declararan apto para el puesto* · **válido,da** · **valedero,ra** · **capacitado,da** · **competente** · **incapacitado** || **conforme** · **contrario,ria** · **opuesto,ta** · **partidario,ria** · **neutral** · **convencido,da** · **dispuesto,ta** · **engañado,da** · **satisfecho,cha** · **sorprendido,da** *La galardonada se declaró gratamente sorprendida por la concesión del premio* || **discípulo,la** · **defensor,-a** · **ganador,-a** *Fue declarado ganador de la prueba* · **heredero,ra** · **responsable** || **constitucional** || **independiente** · **inocente** · **insolvente** *Se declaró insolvente para no pagar la indemnización* · **en bancarrota** · **en huelga** · **en quiebra** · **en suspensión (de pagos)** · **insumiso,sa** · **objetor,-a**

● CON ADVS. **abiertamente** *No llegó a declarar abiertamente sus simpatías por...* · **sin ambages** · **sin reservas** · **sin tapujos** · **valientemente** || **a los cuatro vientos** *Declaraba su inocencia a los cuatro vientos* · **a bombo y platillo** || **expresamente** · **por activa y por pasiva** · **oficialmente** · **solemnemente** · **públicamente** *El artista se declaraba públicamente discípulo del ilustre pintor* · **unilateralmente** · **voluntariamente** · **espontáneamente** || **categóricamente** · **con rotundidad** · **enérgicamente** · **rotundamente** · **enfáticamente** || **bajo juramento** · **bajo palabra** · **a puerta cerrada** *El sospechoso declaró a puerta cerrada* · **al unísono** || **atinadamente** · **en falso** || **a favor** · **en contra**

☐ USO Se construye frecuentemente con complementos de persona encabezados por las preposiciones *ante* (*Se negó a declarar ante el juez*) y *en presencia de* (*El imputado, que declaró en presencia de su abogado...*).

declararse v.

● CON SUSTS. **fuego** *Se declaró un fuego en el monte* · **incendio** · **epidemia** · **catástrofe**

de clausura loc.adj.

● CON SUSTS. **monja** *un monasterio de monjas de clausura* · **monje** · **religioso,sa** || **convento** · **monasterio** || **orden**

declinar v.

▮ [decaer, menguar]

● CON SUSTS. **sol** *Declinaba el sol y las luces de las farolas empezaban a encenderse...* · **luna** · **día** · **noche** · **tarde** || **estrella** · **suerte** · **fortuna** || **salud** · **prosperidad** · **imagen** · **prestigio** · **popularidad** · **crédito** || **carrera** *Su carrera como actor fue declinando* · **trayectoria** || **valor** · **precio** · **economía** · **inflación** · **índice** *El índice de mortalidad empezó a declinar* · **tasa** · **producción** · **mortalidad**

▮ [flexionar]

● CON SUSTS. **pronombre** · **verbo** · **adjetivo** · **sustantivo**

▮ [rechazar]

● CON SUSTS. **invitación** *Nos fue imposible declinar tan amable invitación* · **oferta** · **ofrecimiento** · **propuesta** · **proposición** || **responsabilidad** · **competencia** · **jurisdicción** · **potestad** || **asistencia** · **presencia** · **participación** *Varios presidentes han declinado su participación en la cumbre* || **candidatura** · **nombramiento** · **nominación** || **ayuda** · **apoyo**

declive s.m.

● CON ADJS. **claro** · **evidente** · **franco** · **pleno** · **pronunciado** · **fuerte** · **ostentoso** || **actual** *El actual declive del sector preocupa a empresarios y trabajadores* · **inminente** || **continuado** · **creciente** · **imparable** *El declive industrial en esta región es imparable* · **inexorable** · **implacable** · **incontenible** · **definitivo** · **irreversible** · **inevitable** || **gradual** · **paulatino** · **progresivo** *Se observa un progresivo declive en sus relaciones* · **lento** · **prolongado** || **ligero** · **suave** || **aparente** || **físico** · **demográfico** · **económico** · **industrial**

● CON VBOS. **comenzar** · **iniciar(se)** · **terminar** || **provocar** · **acelerar** *El fracaso de la última película no hizo sino acelerar el declive de este peculiar género cinematográfico* · **frenar** · **enderezar** · **remontar** || **observar** || **conducir (a)** · **llevar (a)**

● CON PREPS. **en** *La institución entró en declive tras el abandono de sus socios más insignes*

decodificar v.

● CON SUSTS. **señal** · **mensaje** · **canal** · **clave** · **código** · **dato** || **texto** · **discurso** · **respuesta** · **propuesta** · **metáfora** · **concepto** || **imagen** · **película** · **programa** || **ADN** · **gen** · **molécula** · **genoma**

decomisar v.

● CON SUSTS. **arma** *Los agentes decomisaron gran cantidad de armas* · **explosivo** || **droga** · **tabaco** · **alcohol** || **mercancía** · **cargamento** · **objeto** · **material** · **producto** || **chalé** · **vivienda** · **casa** · **piso** · **barco** · **vehículo** · **pieza** · **joya** || **dinero** · **billetes** || **objetos de contrabando**

de compra(s) loc.adv.

● CON VBOS. **ir** · **salir** · **estar**

de confección loc.adj.

● CON SUSTS. **taller** *Trabajé muchos años en un taller de confección* · **tienda** · **empresa** · **fábrica** || **prenda** · **traje**

de confianza loc.adj.

● CON SUSTS. **cargo** *ocupar un cargo de confianza* · **puesto** · **relación** || **demostración** · **gesto** · **muestra** · **señal** · **signo** · **voto** || **albañil,-a** *Necesitamos unos albañiles de confianza* · **secretario,ria** · **profesor,-a** · **persona** · ***otros individuos*** || **cuestión**

de consideración loc.adj.

● CON SUSTS. **golpe** · **accidente** · **herida** *El diestro sufre una herida de consideración en el muslo izquierdo* · **herido,da** · **daño** · **lesión** || **asunto** · **incidente** · **problema** · **avería** || **obra**

de conveniencia loc.adj.

● CON SUSTS. **alianza** · **matrimonio** *El suyo fue un matrimonio de conveniencia* · **relación** || **cuestión** · **razón** || **bandera** *El barco navegaba bajo bandera de conveniencia* · **pabellón**

decoración s.f.

●CON ADJS. **suntuosa** *la suntuosa decoración de los salones del palacio* · **fastuosa** · **majestuosa** · **valiosa** · **exuberante** · **profusa** · **rebosante** || **sobrecargada** · **recargada** *Para mi gusto, la decoración de esta casa es demasiado recargada* · **barroca** · **abigarrada** · **excesiva** · **saturada** · **superflua** || **sobria** · **austera** · **parca** · **sencilla** · **simple** || **cuidada** · **exquisita** *Los invitados alabaron la exquisita decoración de las mesas* · **elegante** · **fina** · **minuciosa** · **inspirada** || **acertada** · **desacertada** || **original** · **llamativa** · **vistosa** || **clásica** · **convencional** *El hotel presentaba una decoración convencional* · **moderna** · **alta** *un curso de alta decoración* · **floral** · **ornamental** · **pictórica** || **interior** · **escénica** · **mural**

●CON SUSTS. **artículo (de)** · **elemento (de)** · **objeto (de)** || **revista (de)** · **técnica (de)** || **tienda (de)**

●CON VBOS. **realzar (algo)** || **realizar** || **elegir** · **cambiar** · **renovar** || **exhibir** · **lucir**

decorador, -a s.

●CON ADJS. **de interiores** · **de escenarios** *Tiene fama de ser un estupendo decorador de escenarios* · **teatral** || **profesional** · **experto** · **experimentado** · **aficionado** || **con {buen/mal} gusto**

●CON VBOS. **diseñar** *Busca a una decoradora para que le diseñe su nueva casa* · **reformar** · **decorar** || **orientar (a alguien)** · **aconsejar (a alguien)**

decorativo, va adj.

●CON SUSTS. **elemento** *El gramófono antiguo es solo un elemento decorativo del salón* · **objeto** · **pieza** · **figura** *Aunque era presidenta de honor, la tenían como figura decorativa* || **adorno** · **complemento** · **detalle** · **motivo** || **función** · **sentido** · **papel** · **labor** || **artes** · **pintura** · **cerámica** || **gusto** *Todos alabaron el gusto decorativo y gastronómico de los anfitriones* · **lujo** · **estilo**

●CON ADVS. **puramente** · **absolutamente** · **totalmente** · **completamente** || **meramente** *un elemento meramente decorativo* · **simplemente** || **aparentemente**

de corazón loc.adv./loc.adj. Véase **de (todo) corazón**

[decoro] → con decoro; decoro

decoro s.m.

●CON ADJS. **público** · **personal** *Trataban de respetar la dignidad y el decoro personal de los pacientes* · **social** · **vital** · **civil** || **moral** · **ético** || **mínimo** *Carece del más mínimo decoro* · **simple** · **elemental** · **sumo** · **necesario** · **imprescindible** || **exquisito** || **político** · **democrático** · **deportivo**

●CON SUSTS. **sentido (de)** · **muestra (de)** || **falta (de)** || **atentado (contra)**

●CON VBOS. **tener** · **mostrar** *No muestra ningún decoro en el trabajo* · **demostrar** || **salvar** · **preservar** · **guardar** || **ofender** · **afectar** · **pisar** · **menoscabar** · **mancillar** || **admirar** · **valorar** || **atenerse (a)** || **carecer (de)** · **faltar (a)** · **atentar (contra)** *Su comportamiento atenta contra el decoro social* || **atañer (a)**

●CON PREPS. **con** *actuar con decoro y discreción* · **sin** · **por**

decoroso, sa adj.

●CON SUSTS. **papel** · **actuación** · **desempeño** · **rendimiento** · **salida** *La dirección debe buscar una salida decorosa a este asunto* · **vida** || **empleo** · **sueldo** · **trabajo** *El texto mencionaba el derecho a un trabajo decoroso* · **nivel de vida** || **hábitat** · **lugar** · **casa** · **vivienda** || **resultado** · **final** · **empate** · **debut** · **arranque** || **partido** · **espectáculo** || **aspecto** · **ropa** · **vestido** *Nos pidieron que lleváramos vestidos decorosos y recatados* · ***otras prendas de vestir*** || **funcionamiento** · **cumplimiento** || **silencio**

de corrido loc.adv.

●CON VBOS. **decir** · **repetir** · **recitar** *La alumna recitó el poema de corrido* · **citar** · **relatar** · **responder** · ***otros verbos de lengua*** || **saber** · **escribir** · **leer** *Mi hermano leía de corrido con solo seis años* · **salir** · **repasar**

de corto loc.adv.

●CON VBOS. **vestir** · **ir** · **asistir** || **torear**

decrecer v.

●CON SUSTS. **importancia** · **tamaño** · **altura** · **peso** · **fiebre** · **calor** · **humedad** · **cualidad** · **valor** *Últimamente decrece aceleradamente el valor del dinero* · ***otras magnitudes*** || **número** · **cifra** · **porcentaje** · **tasa** · **índice** · **volumen** *El volumen de exportaciones ha decrecido de manera alarmante el último año* · **cantidad** · **proporción** · **nivel** · **coeficiente** || **demanda** · **consumo** · **inversión** · **gasto** · **economía** · **venta** · **exportación** · **producción** · **mercado** · **inflación** · **PIB** · **recaudación** · **beneficio** · **rentabilidad** · **presupuesto** · **renta** · **fondo** · **fortuna** · **deuda** · **pensión** || **interés** · **afición** · **deseo** · **pasión** · **ánimo** · **entusiasmo** · **obsesión** · **libido** || **ilusión** *A pesar de que ya son cuatro las jornadas sin ganar, no ha decrecido la ilusión del equipo* · **confianza** · **expectación** · **esperanza** · **optimismo** || **popularidad** · **influencia** · **fama** · **prestigio** · **reputación** · **protagonismo** || **miseria** · **paro** · **desempleo** · **pobreza** || **tensión** · **amenaza** *Parece que está empezando a decrecer la amenaza de guerra en...* · **violencia** · **oposición** · **presión** · **riesgo** · **peligro** · **conflictividad** · **lucha** || **población** · **plantilla** · **censo** · **audiencia** · **afluencia** · **presencia** · **asistencia** · **concurrencia** || **ritmo** · **intensidad** · **fuerza** · **velocidad** · **aceleración** || **posibilidades** · **probabilidades** || **duda** · **sospecha** *Son sospechas fundamentadas que, lejos de decrecer, han ido en aumento en los últimos días* · **recelo** || **luna** · **sol** · **río** · **mar**

●CON ADVS. **notablemente** · **visiblemente** · **a ojos vistas** · **ostensiblemente** · **considerablemente** · **de manera significativa** · **sensiblemente** || **continuamente** · **de forma continuada** · **sostenidamente** · **paulatinamente** || **alarmantemente** · **espectacularmente** · **radicalmente** · **enormemente** · **fuertemente** · **vertiginosamente** · **a pasos agigantados** *Con la crisis, el consumo decrece a pasos agigantados* · **rápidamente** · **aceleradamente** || **ligeramente** · **levemente** · **imperceptiblemente**

decreciente adj.

●CON SUSTS. **tendencia** · **orden** *Hay que clasificar las fichas en orden decreciente* · **escala** · **proporción** · **progresión** || **cantidad** · **cifra** · **porcentaje** · **frecuencia** · **volumen** · **curva** · **línea** · **perfil** || **demanda** *la demanda decreciente de un producto* · **rendimiento** · **inflación** · **rentabilidad** · **beneficio** · **gasto** · **precio** · **valor** || **importancia** · **intensidad** · **fuerza**

●CON ADVS. **claramente** *La tendencia de los tipos de interés es claramente decreciente* · **fuertemente** · **notablemente** · **considerablemente** || **escalonadamente** · **ligeramente** · **paulatinamente**

●CON VBOS. **hacerse** · **volverse** · **mantenerse**

decrépito, ta adj.

●CON SUSTS. **viejo,ja** *El protagonista es un viejo decrépito y solitario* · **anciano,na** || **ancianidad** · **vejez** · **edad** ||

aspecto · imagen · carácter · cuerpo · figura || casa · barrio · vivienda · edificio · villa || ciudad · mundo · sociedad
• CON VBOS. **volverse · estar**

decretar v.

• CON SUSTS. **orden · medida · prohibición** *El Gobierno decreta la prohibición de importar carne* · **sanción · suspensión · cierre · clausura · disolución · expulsión · abolición · cese · supresión · veda || prisión · encarcelamiento · arresto** *El magistrado decretó el arresto domiciliario del ex ministro* · **detención · internamiento || embargo · bloqueo · inmovilización · paralización · congelación · boicot || libertad** *Fue decretada la libertad bajo fianza del presunto narcotraficante* · **amnistía · indulto · excarcelación · sobreseimiento · archivo || ley · norma · código || apertura · procesamiento · imputación · secreto de sumario · moratoria · nulidad** *¿En qué situaciones es posible decretar la nulidad de un matrimonio?* · **fianza · auto || toque de queda · estado de excepción · alerta · alarma · emergencia || tregua · alto el fuego · armisticio || duelo · luto || huelga · paro · servicios mínimos**
• CON ADVS. **cautelarmente · provisionalmente || unilateralmente · por unanimidad || oficialmente** *el día en el que se decretó oficialmente el fin de la guerra* **|| indebidamente · irregularmente**

decreto s.m.

• CON SUSTS. **proyecto (de) · borrador (de)**
• CON VBOS. **establecer (algo)** *El presente decreto establece que...* · **reformar (algo) || redactar · dictar · promulgar** *Han promulgado un decreto que desarrolla la disposición transitoria* · **publicar · emitir || aprobar · firmar · avalar · refrendar || aplicar || derogar · anular · retirar · revocar · abolir · impugnar || acatar · infringir · vulnerar || gobernar (por) || disentir (de)**
• CON PREPS. **según · por** *No se puede gobernar por decreto*
□ EXPRESIONES **decreto ley** [decreto dictado de manera excepcional por el poder ejecutivo] **|| real decreto** [en una monarquía constitucional, decreto aprobado por el Consejo de Ministros]

de cuajo loc.adv.

• CON VBOS. **arrancar** *arrancar de cuajo las malas hierbas* · **sacar · extraer · eliminar · extirpar**

de cuerpo entero loc.adv./loc.adj.

• CON VBOS. **fotografiar (a alguien) · retratar (a alguien) · dibujar (a alguien) · pintar (a alguien) || tomar el sol** *Un grupo de nudistas tomaba el sol de cuerpo entero*
• CON SUSTS. **fotografía · retrato · imagen · escultura || bañador** *Para la competición lleva un bañador de cuerpo entero*

de despedida loc.adj.

• CON SUSTS. **abrazo** *Nos dimos un fuerte abrazo de despedida* · **beso · gesto · ritual · saludo || recuerdo · regalo || discurso · mensaje · palabra · frase · canción · carta || acto · cena · ceremonia · fiesta · homenaje || visita · gira · concierto · recital · corrida · partido**

dedicación s.f.

• CON ADJS. **absoluta** *Este trabajo requiere dedicación absoluta* · **completa · plena · constante · a tiempo {completo/parcial} · gran(de) · total · parcial · intensiva · sin reservas || especial · exclusiva · incondicional · exhaustiva · fiel · intensa · esmerada · pertinaz · minuciosa · desmedida || desinteresada · sacrificada · esforzada · abnegada · callada · absorbente || ejemplar · encomiable** *Su dedicación a los enfermos es encomiable* · **admirable · loable · inestimable · noble · reconocida · voluntariosa || escasa · insuficiente**
• CON SUSTS. **años (de) · ejemplo (de)** *Es todo un ejemplo de dedicación incondicional a la familia*
• CON VBOS. **tener · demostrar || poner (en algo) · aumentar · redoblar · intensificar || regatear · rebajar · reducir · disminuir || agradecer** *Le agradecemos su dedicación desinteresada por nuestro proyecto* · **exigir**

[dedicar]

→ dedicar (a algo/a alguien); dedicar(se) (a algo/a alguien)

dedicar (a algo/a alguien) v.

• CON SUSTS. **día · tiempo** *Dedicas poco tiempo a estudiar* · **jornada · año · vida** *Dedicó su vida a la investigación* · ***otros periodos*** **|| palabras · intervención** *No voy a dedicar toda mi intervención a comentar la cuestión de...* · **discurso · texto ·** ***otras manifestaciones verbales o textuales*** **|| mirada · sonrisa || novela** *Me dedicó su última novela* · **estatua · poema ·** ***otras creaciones*** **|| viaje** *Dedicó su viaje a estudiar la flora y la fauna de la zona* **|| esfuerzo · energía · trabajo · atención · empeño · afán · esmero · fuerza || talento · capacidad || presupuesto · fortuna · medio · recurso · dinero · impuesto · efectivo · ahorro** *Dedicó todos sus ahorros a invertir en bolsa* · **beneficio · fondo || reflexión · pensamiento · estudio · razonamiento**

dedicar(se) (a algo/a alguien) v.

• CON ADVS. **completamente · de lleno · de pleno · en cuerpo y alma** *Desde entonces me dedico en cuerpo y alma a mi familia* · **en exclusiva · enteramente · exclusivamente · íntegramente · intensivamente · plenamente · por completo · por entero · totalmente · a tiempo {completo/parcial} || activamente** *Se dedica activamente a conseguir nuevos socios* · **concienzudamente · con fruición · con interés · especialmente · prioritariamente · seriamente · libremente · extensamente · febrilmente · firmemente || definitivamente · temporalmente** *Me dedicaré a esto solo temporalmente*

[dedillo]

→ al dedillo

[dedo]

→ a dedo; como anillo al dedo; de chuparse los dedos; dedo

dedo s.m.

• CON ADJS. **afilado · largo · grueso · carnoso · corto · raquítico · enclenque · enjuto · nudoso · robusto · encallecido · descarnado || estilizado · fino · delicado || acusador** *Señalando desde su columna periodística a los magistrados y sus jueces con el dedo acusador...* **|| tembloroso · firme**
• CON SUSTS. **pulgar · índice · corazón · anular · meñique**
• CON VBOS. **agarrotarse · entumecer(se) · crujir || cruzar** *Cruza los dedos, a ver si hay suerte...* · **levantar · alzar · chasquear · flexionar · estirar || cortar(se) · romper(se) · fracturar(se) · infectar(se) · chamuscar(se) · pillar(se) · perder · amputar || apuntar (con) · señalar (con) || contar (con)**

● CON PREPS. **con · entre** *con un cigarrillo entre los dedos*

☐ EXPRESIONES **chuparse el dedo** [ser fácil de engañar] *col.* || **contarse con los dedos** [ser muy pocos] || **hacer dedo** [hacer autostop] || **no mover un dedo** [no hacer lo más mínimo] *col.* || **no tener dos dedos de frente** [ser poco inteligente] || **{poner/meter} el dedo en la llaga** [señalar el aspecto fundamental de un asunto]

de doble filo loc.adj.

● CON SUSTS. **espada · arma** *La firma de esos acuerdos ha resultado ser un arma de doble filo para la empresa* · **cuchillo · puñal · navaja** || **hoja · cuchilla** || **instrumento · recurso** || **lengua** *Dicen las lenguas de doble filo que el presidente quiere convocar elecciones anticipadas* || **palabras · mensaje · declaración**

de domingo loc.adv./loc.adj.

● CON VBOS. **vestir · ir**

● CON SUSTS. **traje** *Apareció con el traje de domingo y zapatos nuevos* · **vestido · camisa ·** ***otras prendas de vestir***

deducir v.

▌[inferir]

● CON SUSTS. **idea · conclusión** *De estas premisas se deducen las siguientes conclusiones...* · **respuesta · concepto** || **consecuencia · resultado · efecto · repercusión · alcance · implicación** || **velocidad · altura · peso · valor · capacidad · distancia · puntuación · edad ·** ***otras magnitudes*** || **teorema · principio · ley · fórmula** || **indicio · prueba** || **responsabilidad** *De las actuaciones judiciales practicadas no se deduce ninguna responsabilidad del acusado* · **culpabilidad** || **pretensión · intención · interés · voluntad · deseo · inclinación · tendencia** *...de lo que se deduce la tendencia decreciente de la cuota ganancial* || **necesidad · conveniencia · oportunidad**

▌[rebajar, restar]

● CON SUSTS. **gasto · impuesto** *Al deducir los impuestos, el beneficio neto se reduce a la mitad* · **cuota · precio · suma · total · deuda ·** ***otras cantidades económicas***

▌[alegar]

● CON SUSTS. **demanda · recurso** *La defensa decidió deducir un recurso de queja para...* · **reclamación · alegación**

deductivo, va adj.

● CON SUSTS. **capacidad · habilidad** || **sistema · lógica · técnica · teoría · método · procedimiento** *El estudio se ha hecho siguiendo un procedimiento deductivo* · **proceso** || **razonamiento · suposición · cálculo**

de elefante loc.adj.

● CON SUSTS. **memoria** *Tiene una memoria de elefante: se acuerda absolutamente de todo* || **pata** *unos pantalones de pata de elefante*

de élite loc.adj.

● CON SUSTS. **unidad · cuerpo · grupo · tropa · fuerzas · soldado · ejército · comando · gobierno** || **colegio · club · universidad · centro · institución · enseñanza · educación** || **profesional · deportista** *la rigurosa disciplina a la que se somete todo deportista de élite* · **atleta · torneo · deporte · competición**

de envergadura loc.adj.

● CON SUSTS. **asunto · tema · cuestión · materia · operación · negocio** *un negocio de envergadura, que factura al año...* · **acción · actuación · plan · proyecto · reto · esfuerzo** || **misión · tarea · trabajo** || **reunión · negociación · reparación** || **libro · película · composición · obra · construcción · edificio** || **ataque · atentado · enfrentamiento · discusión** || **decisión · razón · discurso** || **suceso · escándalo · problema · daño** *El coche no sufrió daños de envergadura* · **golpe** || **proeza · triunfo** || **empresa · organización** || **médico,ca · investigador,-a · artista · equipo ·** ***otros individuos y grupos humanos***

☐ USO Se usan también las variantes *de gran envergadura, de mayor envergadura, de menor envergadura* y *de mucha envergadura.*

de equipo loc.adj.

● CON SUSTS. **espíritu** *trabajar con espíritu de equipo* · **imagen · táctica · estrategia** || **deporte · juego · trabajo · labor** || **compañero,ra · jugador,-a**

de espera loc.adj.

● CON SUSTS. **tiempo · compás** *Se abre así un compás de espera en el que...* · **período** || **lista · sala**

de estampida loc.adv.

● CON ADVS. **salir** *En cuanto suena la sirena, todos los niños salen de estampida* · **huir · marcharse**

de estreno loc.adj.

● CON SUSTS. **película · obra · espectáculo · función · programa · gala · ceremonia · cine** || **fecha** *la fecha de estreno de un espectáculo* · **sala** || **aire · ropa**

de etiqueta loc.adv./loc.adj.

● CON VBOS. **ir · vestir** || **acudir · asistir · presentarse**

● CON SUSTS. **traje · vestido · ropa · prenda** || **fiesta · cena · comida · baile · boda · ceremonia** || **protocolo · normas**

de evasión loc.adj.

● CON SUSTS. **literatura · cine · prensa · teatro ·** ***otros géneros artísticos*** || **película · revista · programa ·** ***otras creaciones*** || **humor** || **lugar** || **mecanismo · recurso**

de excursión loc.adv.

● CON VBOS. **salir · ir(se)** *Mañana nos vamos de excursión* · **venir · volver · regresar · llevar** || **estar**

de extremo a extremo loc.adv.

● CON VBOS. **cambiar** || **equivocar(se)** *Te equivocas de extremo a extremo si piensas que...* · **fallar · errar · contradecir(se)** || **ir · recorrer · pasar**

de fábula loc.adv. *col.*

● CON VBOS. **comer · pasarlo · sentar** *Las vacaciones me han sentado de fábula* || **portarse** *Los estudiantes se portaron de fábula durante la visita al museo* || **ir** *Los masajes van de fábula para la artritis*

de fantasía loc.adj.

● CON SUSTS. **tejido · tela · ropa · joya · collar · diseño**

defecto s.m.

● CON ADJS. **gran(de) · grave · serio · importante · descomunal · tremendo · mayúsculo · monumental · irreparable · imperdonable · inadmisible · grueso · flagrante · feo · severo** || **principal** *El principal defecto que le veo a este piso es la falta de luz* · **dominante** || **notable · patente · notorio · al descubierto** || **imperceptible · ligero · pequeño · desapercibido · inadvertido · mínimo** *sin el más mínimo defecto* || **corregible · perdonable ·**

admisible || **intrínseco** · **inherente** · **consustancial** || **congénito** · **de fábrica** *La garantía del aparato solo cubre los defectos de fábrica* · **genético** · **de nacimiento** · **de origen** · **nato** || **físico** · **formal** *Rechazaron su solicitud por un defecto formal* || **numerosos** · **múltiples** || **reiterado** · **habitual**

• CON SUSTS. **lista (de)** · **cúmulo (de)** · **sarta (de)**

• CON VBOS. **acentuar(se)** · **agravar(se)** · **juntar(se)** || **tener** · **presentar** · **reunir** · **acumular** · **reconocer** · **alegar** *Alegó un defecto físico para librarse del servicio militar* · **aquejar (a alguien)** · **mostrar** · **acusar** || **buscar** · **observar** · **señalar** · **encontrar** · **advertir** · **ver (a algo/a alguien)** *¿Tú le ves algún defecto?* · **apuntar** · **localizar** · **descubrir** · **destapar** · **detectar** · **delatar** || **controlar** · **arreglar** · **corregir** *El actor está trabajando para corregir algunos defectos de pronunciación* · **solucionar** · **subsanar** · **enmendar** · **pulir** · **reparar** · **eliminar** · **suplir** || **disfrazar** · **disimular** · **ocultar** · **encubrir** || **considerar** || **achacar (a algo/a alguien)** · **atribuir (a algo/a alguien)** || **pecar (de)** · **adolecer (de)**

□ EXPRESIONES **en su defecto** [en su falta] *Debes dirigirte a la directora o, en su defecto, al subdirector* || **por defecto** [automáticamente]

defender v.

• CON SUSTS. **consumidor,-a** · **trabajador,-a** · **compañero,ra** · **persona** · **gente** · **ciudadanía** · ***otros individuos y grupos humanos*** || **derecho** *defender los derechos humanos* · **principio** · **dignidad** · **valor** · **libertad** · **vida** · **causa** · **baluarte** || **conquista** *Era preciso defender nuestras conquistas en materia de horarios...* · **logro** · **título** · **posesión** · **posición** · **propiedad** · **interés** *Nuestro partido solo defiende el interés de los ciudadanos* || **creencia** · **planteamiento** · **opinión** · **postura** · **idea** · **ideología** · **punto de vista** || **propuesta** · **proyecto**

• CON ADVS. **vigorosamente** · **a brazo partido** · **a morir** · **como un león** · **a muerte** · **a rabiar** · **con uñas y dientes** *defender con uñas y dientes los derechos adquiridos* · **heroicamente** *Una fortaleza heroicamente defendida por...* · **encarnizadamente** · **acaloradamente** · **ardientemente** · **calurosamente** · **a toda costa** · **a capa y espada** · **contra viento y marea** · **a todo trance** · **a ultranza** · **ciegamente** · **fervientemente** · **enérgicamente** · **activamente** · **vehementemente** · **a la desesperada** || **férreamente** · **celosamente** · **firmemente** · **incansablemente** *En distintos trabajos ha defendido incansablemente la teoría de...* · **insistentemente** · **encarecidamente** · **con fruición** · **con firmeza** · **con rotundidad** · **numantinamente** · **a pie firme** · **a machamartillo** · **extensamente** · **intensamente** · **repetidamente** · **tenazmente** · **valientemente** · **al unísono** || **con matices** · **con reservas** · **descaradamente** *Defiende descaradamente sus intereses; los nuestros no le importan* || **públicamente** · **sin ambages** · **sin condiciones** · **sin reservas** · **sin tapujos** · **a cara descubierta** · **a cuerpo limpio** · **en primera línea** || **de palabra** *defender una postura de palabra; nunca con las armas* · **verbalmente** · **por escrito** · **a mano armada** · **dogmáticamente** · **militarmente** · **estratégicamente** || **a las mil maravillas** · **adecuadamente** · **como gato panza arriba** *En el debate televisado, la candidata se defendió como gato panza arriba* · **con éxito** · **dignamente**

[defensa] → defensa; en legítima defensa

defensa s.f.

• CON ADJS. **a muerte** · **a capa y espada** · **a ultranza** · **inequívoca** *una defensa inequívoca del derecho a la vida* · **acérrima** · **encarnizada** · **enconada** || **encendida** · **apasionada** *El discurso contenía una defensa apasionada de este género de películas* · **ferviente** · **ardiente** · **calurosa** · **acalorada** · **entusiasta** · **vehemente** || **contundente** · **decidida** *Le agradecimos su decidida defensa del proyecto* · **rotunda** · **sin ambages** · **enérgica** · **férrea** · **firme** · **incansable** · **persistente** · **incondicional** *la defensa incondicional de sus amigos* · **permanente** · **denodada** · **a machamartillo** · **tenaz** · **numantina** || **heroica** · **valerosa** · **valiente** · **aguerrida** || **fuerte** · **sólida** · **poderosa** · **inexpugnable** · **infranqueable** · **inquebrantable** · **insalvable** · **invulnerable** · **hermética** || **vulnerable** · **débil** · **endeble** · **frágil** · **desprotegida** · **desarbolada** || **efectiva** · **oportuna** || **beligerante** || **asfixiante** || **personal** *Asisto a clases de defensa personal* · **propia** · **legítima**

• CON SUSTS. **mecanismo (de)** *Reacciones del organismo que constituyen un mecanismo natural de defensa* · **sistema (de)** || **derecho (a)**

• CON VBOS. **armar** · **desarticular** || **construir** · **levantar** · **montar** || **ejercer** · **encabezar** · **capitanear** · **enarbolar** · **sustentar** || **bajar** *Bajó la defensa y recibió un gancho en el mentón* · **desbaratar** · **deshacer** · **desmantelar** · **destruir** · **desarbolar** · **desarmar** · **quebrar** · **romper** || **pedir** · **oponer** || **basar (en algo)** *Mi abogada basó su defensa en...* || **hacerse cargo (de)** · **salir (en)** *Le agradecí que saliera en mi defensa cuando nadie me creía capaz de...* · **velar (por)** || **acabar (con)** · **carecer (de)**

• CON PREPS. **en** *En defensa de mis compañeros, he de decir que...*

[defensiva] s.f. → a la defensiva

defensivo, va adj.

• CON SUSTS. **equipo** · **jugador,-a** · **ejército** · ***otros individuos y grupos humanos*** || **combate** · **lucha** · **guerra** · **batalla** || **arma** · **cañón** · **cohete** · **misil** · **tanque** · **avión** · **torpedero** || **fortificación** · **muralla** · **torre** · **castillo** || **fútbol** *El equipo se caracteriza por un fútbol defensivo y una disciplina de hierro* · **baloncesto** · **jugada** · **pase** · **placaje** · **rebote** || **posición** · **línea** · **zona** · **sector** · **puesto** · **lado** · **vértice** || **actitud** · **comportamiento** · **postura** · **actuación** || **error** · **falla** · **fallo** · **descuido** · **problema** · **desajuste** || **trabajo** · **labor** · **tarea** · **esfuerzo** · **entrega** || **sistema** · **estructura** · **esquema** · **dispositivo** · **orden** · **aparataje** || **táctica** · **plan** · **movimiento** · **estrategia** · **fórmula** *Las analistas interpretan la alianza entre las dos petroleras como una fórmula defensiva frente a...* || **propósito** · **intención** · **aspiración**

□ EXPRESIONES **a la defensiva*** [en actitud de defenderse]

defensor, -a

1 defensor, -a adj.

• CON SUSTS. **abogado,da** · **letrado,da** || **asociación** · **grupo** · **organización** *Varias organizaciones defensoras de los derechos humanos han denunciado que...* · **entidad**

2 defensor, -a s.

• CON ADJS. **a ultranza** *Es un defensor a ultranza de los derechos de las minorías marginadas* · **acérrimo,ma** · **firme** · **férreo,a** · **ferviente** · **denodado,da** · **tenaz** · **empecinado,da** · **empedernido,da** · **ardoroso,sa** · **encarnizado,da** · **fervoroso,sa** · **fuerte** || **activo,va** · **entusiasta** · **incondicional** || **buen,-a** · **excelente** *Tu hermano es un excelente defensor de nuestra causa* · **gran** || **especial** · **de oficio** · **en funciones** || **habitual** *habitual defensor de causas perdidas* · **tradicional** · **imperecedero**

• CON VBOS. **tener** · **conseguir** || **nombrar** || **aceptar** · **rechazar** · **rehusar** || **erigir(se) (en/como)** · **actuar (como)**

deferencia s.f.

• CON ADJS. **enorme · absoluta · suprema · excesiva** *Su excesiva deferencia me incomoda* · **gran || pequeña · mínima || especial · exquisita**
• CON SUSTS. **gesto (de) · muestra (de) · detalle (de) || falta (de)**
• CON VBOS. **tener** *¿Tuviste la deferencia de acompañarlos hasta la salida?* · **mostrar || agradecer · merecer · devolver (a alguien)**
• CON PREPS. **por · en · con** *Nuestra política es tratar a los clientes con deferencia y respeto*

deficiencia s.f.

• CON ADJS. **grave** *Está hospitalizado por una grave deficiencia inmunitaria* · **gran(de) · seria · insalvable || manifiesta · acusada · marcada · clara · patente · notable · notoria · ostensible · palpable · al descubierto || leve · ligera · imperceptible · inadvertida · menor · pequeña || congénita · endémica || estructural · de fabricación || mental · física · visual · auditiva || numerosas · múltiples**
• CON VBOS. **aparecer** *Durante el ensayo aparecieron algunas deficiencias en el sonido* **|| tener · presentar · registrar || padecer · sufrir · acusar** *El sector empezó a acusar las deficiencias del nuevo modelo económico* · **reflejar || afrontar · atender || exponer · mostrar · denunciar · reconocer || descubrir · detectar · notar || achacar (a algo) · atribuir (a algo) · ver (a algo) · encontrar (a algo) || corregir · paliar · reparar · solventar · subsanar · superar · suplir** *una férrea voluntad que suple sus deficiencias técnicas* · **compensar · cubrir · pulir · eliminar · aliviar · tapar · disimular · encubrir || adolecer (de)**
• CON PREPS. **con** *Aun con alguna deficiencia, el sistema funciona bien* · **sin**

deficiente

1 **deficiente** adj.

▮ [defectuoso, insuficiente]

• CON SUSTS. **atención · manejo · servicio** *El servicio de telefonía es bastante deficiente en la actualidad* · **suministro · reparto · funcionamiento || condición · situación || calidad · medida || alimentación** *¿Qué problemas de salud puede provocar una alimentación deficiente?* · **nutrición || gestión · actuación · asesoramiento · planificación || escolarización · educación · preparación · desarrollo · formación || resultado · rendimiento** *El equipo tuvo un rendimiento muy deficiente* **|| información · conocimiento || sistema · control · señalización || construcción · infraestructura · instalación || sonido · iluminación || ventilación · refrigeración**

2 **deficiente** s.com.

▮ [persona]

• CON ADJS. **mental · psíquico,ca || visual** *para facilitar la movilidad de los deficientes visuales* · **físico,ca**

déficit s.m.

• CON ADJS. **alto · abultado · astronómico · cuantioso · elevado · enorme · incalculable · ingente · fuerte · desmesurado · desolador · severo || claro** *En esa zona hay un claro déficit de atención sanitaria* · **acusado · flagrante · ostensible || al alza · creciente · galopante || financiable · moderado · asumible || a la baja || anual || comercial · económico · fiscal · presupuestario · público**
• CON SUSTS. **ajuste (de) · aumento (de) · disminución (de)**
• CON VBOS. **agravar(se) · aumentar** *El déficit presupuestario ha aumentado respecto al año pasado* · **crecer · incrementar(se) · acuciar || disminuir · reducir(se) · saldarse (con algo) || tener · registrar · presentar · arrojar · arrastrar · acarrear · engrosar · sufrir || controlar · afrontar · corregir** *Las medidas para corregir el déficit han sido ya aprobadas* · **solucionar · ajustar · frenar · nivelar · recortar · rebajar · aminorar · achicar · aligerar || compensar · financiar · subsanar · sufragar · cubrir · paliar · enjugar · remontar · saldar || sobrepasar · superar**

de fiesta loc.adv./loc.adj.

• CON VBOS. **andar · estar** *Está de fiesta, volverá tarde* · **seguir || salir (de) · ir(se)** *Esta noche nos vamos de fiesta* **|| vestir(se)**
• CON SUSTS. **mes · semana · día** *Mañana no abrimos porque aquí es día de fiesta* · **jornada · víspera · noche · hora || fin · final · inicio || ambiente · aire** *el aire de fiesta que ya se respira en la ciudad* · **clima · atmósfera · espíritu || vestido · traje · ropa || vida || sala**

definición s.f.

▮ [descripción del significado de algo]

• CON ADJS. **acertada · ajustada** *Hizo una definición muy ajustada de la situación* · **atinada · certera · exacta · precisa · fiel || aguda · brillante · buena · excelente · impecable** *...así que debería usted aplicarse a sí mismo su impecable definición del oportunismo político* **|| completa · cuidadosa · detallada · minuciosa · prolija · coherente · ilustrativa · pormenorizada · nueva || llana · clara** *un diccionario escolar con definiciones claras y sencillas* · **nítida || alambicada · rebuscada · oscura · abstrusa · redundante || ambigua · vaga · imprecisa · incoherente · aproximada || burda · rudimentaria · falaz · mejorable || escueta** *El libro solamente contiene una escueta definición del Renacimiento* · **esquemática · lacónica · sinóptica · sintética || difícil || académica · técnica · enciclopédica**
• CON VBOS. **consistir (en algo) || acertar · dar en el clavo · describir (algo) · precisar (algo) || dar · fijar · formular · hacer · establecer · redactar · construir · esbozar · trazar · cuadrar · ofrecer || buscar · elegir · requerir · encontrar || mejorar · modificar · enmendar · ampliar · revisar · cambiar**

▮ [nitidez]

• CON ADJS. **alta** *un televisor de alta definición* **|| gran(de) · escasa · mayor** *Necesito una pantalla de mayor definición* · **menor**
• CON SUSTS. **falta (de)**

definir v.

▮ [determinar]

• CON SUSTS. **estrategia · modelo · sistema · política · proyecto · objetivo** *En este documento se definen claramente los objetivos de la asociación* · **papel · posición || criterio · estilo || actitud · postura || situación · estado · realidad · panorama || futuro**

▮ [expresar el significado de algo]

• CON SUSTS. **palabra** *un diccionario que define las palabras con precisión y claridad* · **expresión · término · concepto · frase · tecnicismo**
• CON ADVS. **con precisión · exactamente** *La nueva presidenta definió exactamente sus proyectos para este año* ·

perfectamente · ajustadamente · atinadamente · certeramente || a grandes rasgos · en líneas generales · aproximadamente || extensamente · ampliamente · meticulosamente · minuciosamente · pormenorizadamente || claramente · correctamente *Todos los encuestados definieron correctamente el término* · **coherentemente · nítidamente || concisamente · resumidamente · sintéticamente || a la ligera · vagamente || gráficamente · plásticamente**

□ USO Los adverbios son comunes a los dos sentidos.

definitivamente adv.

• CON VBOS. **terminar · concluir · finalizar || abandonar · alejar(se) · dejar · retirar(se)** *El famoso torero se ha retirado definitivamente* · **salir · desaparecer || cancelar · cerrar** *Han cerrado definitivamente la tienda de la esquina* · **resolver · solucionar · aclarar · superar || fijar · instalar · consolidar || comprobar · declarar · decidir** *Hay que decidir definitivamente si aceptamos o no* · **aprobar || descartar** *Hemos descartado definitivamente esta opción* · **eliminar · olvidar · perder · cambiar · jubilar** *antes de jubilar definitivamente el DVD* **|| dar {fin/término/alcance/solución} (a algo)**

deflagrar v.

• CON SUSTS. **bomba · detonador · explosión · pólvora** *La pólvora deflagró al acercar la cerilla*

de fogueo loc.adj.

• CON SUSTS. **arma · bala · cartucho · juego · pistola · escopeta**

de fondo loc.adj.

• CON SUSTS. **telón** *La reunión tendrá lugar con las elecciones como telón de fondo* · **problema · cuestión · razón · tema · debate · conflicto · asunto · idea || línea** *golpear el balón desde la línea de fondo* **|| corredor,-a · esquiador,-a || prueba · esquí · carrera · ciclismo || música · ruido** *Es imposible conciliar el sueño con este ruido de fondo* · **sonido · paisaje || mar · pesca**

deforestar v.

• CON SUSTS. **zona · superficie || área** *Denuncian a una empresa inmobiliaria por deforestar un área protegida* · **hectárea · extensión || terreno · tierra · territorio || selva · bosque · montaña · colina**

deformar v.

• CON SUSTS. **realidad · hecho** *Tiende a deformar los hechos para adaptarlos a sus intereses* · **cosas · verdad || recuerdo · visión · percepción · imagen · identidad || piel · cara** *Las quemaduras le han deformado la cara* · **brazo ·** ***otras partes del cuerpo*** **|| conciencia · mente · personalidad || vida · historia · existencia || lenguaje · texto || narración · descripción · exposición · relato || información · noticia**

• CON ADVS. **completamente** *Las gafas me deformaban completamente la visión* · **totalmente · absolutamente · seriamente · claramente || sensiblemente · ligeramente || innecesariamente · inútilmente || conscientemente · deliberadamente**

defraudar v.

❙ [estafar]

• CON SUSTS. **hacienda · fisco** *una empresa acusada de defraudar al fisco* · **erario · empresa ·** ***otras instituciones*** **|| dinero · fondo · depósito ·** ***otras magnitudes económicas***

❙ [decepcionar]

• CON SUSTS. **lector,-a · espectador,-a · público · cliente** *El principal objetivo de la empresa consiste en no defraudar a nuestros clientes* · ***otros individuos y grupos humanos*** **|| expectativa · esperanza · previsión · promesa || ilusión · deseo · interés · sueño · aspiración || confianza · fe**

• CON ADVS. **enormemente · gravemente · profundamente** *Me ha defraudado profundamente su actitud* · **absolutamente · totalmente · completamente || notoriamente · ostensiblemente || personalmente**

□ USO Los adverbios son comunes a los dos sentidos.

defunción s.f.

• CON SUSTS. **certificado (de) · acta (de)** *La viuda solicitó el acta de defunción* · **partida (de) · parte (de) · impreso (de) || momento (de) · día (de) · fecha (de) · hora (de) || causa (de)** *Todavía se desconocen las causas de su defunción* **|| trámite (de)**

• CON VBOS. **producir(se) || certificar** *El forense certificó la defunción* · **verificar || notificar · anunciar || lamentar** *Sus compañeros de trabajo lamentamos su defunción* · **llorar || firmar**

• CON PREPS. **con motivo (de)**

de gala loc.adv./loc.adj.

• CON VBOS. **ir · vestir**

• CON SUSTS. **cena · baile · banquete · función ·** ***otros eventos*** **|| ropa · traje · uniforme · equipo || ovación** *El público puesto en pie le dedicó una ovación de gala*

degeneración s.f.

• CON ADJS. **lenta · rápida · galopante · progresiva** *la progresiva degeneración de las condiciones vitales de los animales en libertad* · **inexorable || manifiesta · ostensible || lamentable || moral · personal · artística**

• CON SUSTS. **proceso (de) · signo (de)** *El edificio no mostraba signos externos de erosión o degeneración* · **manifestación (de) || problema (de)**

• CON VBOS. **producir(se) || padecer · presentar · sufrir || provocar · acelerar || combatir · frenar · impedir || tratar**

degenerado, da adj.

• CON SUSTS. ***persona*** *un hombre grosero y degenerado* **|| actividad · país || arte · literatura · cine · música**

degenerar (en) v.

• CON SUSTS. **pulmonía** *un catarro mal curado que degeneró en pulmonía* · **anorexia · bronquitis · gripe ·** ***otras enfermedades*** **|| crisis · problema · tragedia · catástrofe || disturbio · desorden · anarquía · libertinaje || pelea · enfrentamiento** *El motín degeneró en un violento enfrentamiento* · **conflicto · violencia · refriega · agresión · guerra · batalla || discusión · enemistad**

• CON ADVS. **rápidamente · progresivamente · gradualmente · paulatinamente || fácilmente · directamente || inexorablemente · irremediablemente**

de golpe y porrazo loc.adv. *col.*

• CON VBOS. **acabar · terminar · eliminar** *...eliminando de golpe y porrazo los privilegios a los que se aferraban* · **cancelar · borrar · suprimir || aparecer · presentarse · plantarse · entrar · irrumpir · salir · encontrar(se) || evaporarse · desaparecer · cortar(se) · interrumpir || bajar · descender · caer || subir · elevar(se) || cambiar · modificar · rectificar**

de gracia loc.adj.

• CON SUSTS. **derecho · gesto · carta · ley · medida · recurso || período · plazo** *Nos concedieron un plazo de gracia para entregar los papeles* · **convocatoria || año · día**

degradar(se) v.

• CON SUSTS. **imagen** *La imagen turística de esta zona se ha degradado en los últimos años* · **vida · sistema · calidad · situación || naturaleza · medio (ambiente) · paisaje || color** *El color del toldo se ha degradado por efecto del sol*
• CON ADVS. **a marchas forzadas · a pasos agigantados · rápidamente · inexorablemente || día a día** *La situación iba degradándose día a día* · **poco a poco · paulatinamente · gradualmente · progresivamente · cotidianamente · por días · por meses || notoriamente · a ojos vistas || considerablemente · seriamente · profundamente · drásticamente · especialmente || definitivamente || éticamente · físicamente**

de grado loc.adv. Véase **de (buen) grado**

de guante blanco loc.adj.

• CON SUSTS. **ladrón,-a · delincuente · criminal · estafador,-a · asesino,na · chorizo,za · narcotraficante · hampa · mafia || delincuencia · delito · robo · estafa** *una estafa de guante blanco que nunca llegó a ser investigada a fondo* · **chantaje || debate · encuentro · partido · enfrentamiento · discusión · confrontación · marcaje · oposición · pleno · campaña · polémica || declaración · alusión · discurso · intervención · interpelación · entrevista** *...como esas entrevistas de guante blanco en las que el periodista elogia al entrevistado en lugar de ponerlo en apuros* · **diálogo · coloquio || actitud · método · estrategia**

de guardar loc.adj.

• CON SUSTS. **día · fiesta**

de guardia loc.adv./loc.adj.

• CON VBOS. **estar** *Esta noche estoy de guardia* · **trabajar · encontrar(se)**
• CON SUSTS. **farmacia** *buscar una farmacia de guardia* · **hospital · juzgado || médico,ca · juez · inspector,-a · personal || turno · noche**

de guerra loc.adj.

• CON SUSTS. **maquinaria · arma · avión · barco · buque · navío · material · instrumento || botín · pintura || grito · tambor || frente · escenario || herida || situación** *Viven en una situación de guerra permanente* · **clima · estado · tiempo · juego || prisionero,ra · refugiado,da · veterano,na · mutilado,da · corresponsal · criminal || amenaza · peligro || acto · crimen** *un tribunal que juzga crímenes de guerra* · **declaración · consejo · estrategia · plan · economía**

degustación s.f.

• CON ADJS. **gastronómica || deliciosa · exquisita · apetitosa || gratuita** *una degustación gratuita de vinos de la tierra*
• CON SUSTS. **sesión (de) · acto (de) || plato (de) · producto (de) || menú** *Nos sirvieron un exquisito menú degustación*
• CON VBOS. **ofrecer || acudir (a) · ir (a) · invitar (a)** *Invitaban a la clientela a una degustación de productos artesanales*

de gusto loc.adv.

• CON VBOS. **caerse · morirse · relamerse** *Se relamía de gusto pensando en la tarta* · **retorcerse**

de hambre loc.adv./loc.adj.

• CON VBOS. **matar · morir**
• CON SUSTS. **huelga** *Los presos, en huelga de hambre desde hace varios días, piden que...* **|| salario** *...y acusa a la compañía de pagar salarios de hambre* · **sueldo || tiempo**

de hierro loc.adj.

• CON SUSTS. **sargento · árbitro,tra · juez · canciller · *otros individuos* || salud** *Mis abuelos disfrutan de una salud de hierro* **|| mano · brazo · puño || corazón · estómago** *Debes de tener un estómago de hierro para tolerar este tipo de comida* **|| voluntad · moral · determinación · disciplina || personalidad · carácter || cortina · muro · jaula · camisa || ley · consigna · política · norma**
• CON VBOS. **volverse**

de ida loc.adj.

• CON SUSTS. **billete · tique || trayecto · viaje · vuelo || camino · carril || encuentro · partido · juego · choque**

de ida y vuelta loc.adj.

• CON SUSTS. **tren · autobús · avión · transporte || camino · trayecto · recorrido · movimiento · desplazamiento · corriente · dirección || vía · carril · túnel || viaje · vuelo · excursión · éxodo · tour || billete · pasaje · boleto · tique || partido · encuentro · eliminatoria · liguilla · choque || crítica · elogio · acusación** *Durante el debate, hubo acusaciones de ida y vuelta entre ambos partidos durante el debate*

de igual a igual loc.adv./loc.adj.

• CON VBOS. **tratar** *Me gustaría que nos tratáramos de igual a igual* · **mirar · respetar · convivir · compartir · confraternizar · tender la mano · considerar · reconocer || luchar · competir · jugar · medirse · enfrentar(se) · disputar · pelear · batirse · fajarse || hablar · conversar · discutir · debatir · dialogar || negociar · pactar || trabajar · cooperar**
• CON SUSTS. **lucha** *Me temo que esta no es una lucha de igual a igual* · **enfrentamiento · encuentro · competencia · guerra · batalla || trato · relación · convivencia · coexistencia || diálogo · discusión · conversación** *No me resulta fácil tener una conversación de igual a igual con mis superiores* · **comunicación || negociación · pacto · fusión · asociación || cooperación · colaboración**

de impresión loc.adj. *col.*

• CON SUSTS. **trompazo · golpe || susto || currículum** *Para lo joven que es, tiene un currículum de impresión* · **carrera || tormenta · nevada · ventisca || velocidad || aperitivo · tapas** *En este bar ponen una tapas de impresión* · **cordero · guiso · *otros alimentos o comidas***

de improviso loc.adv.

• CON VBOS. **aparecer · presentarse** *El jefe se presentó de improviso en la oficina* · **visitar · surgir · irrumpir · llegar · salir · desaparecer || volver · regresar || suceder · ocurrir || pillar · coger || anunciar · convocar** *Tras convocar de improviso a los medios, la portavoz anunció oficialmente que...*

de incógnito loc.adv./loc.adj.

• CON VBOS. **ir** · **viajar** *El cantante viajaba de incógnito para evitar a la prensa* · **recorrer** · **pasear** · **callejear** || **llegar** · **aparecer** · **visitar** *Dos agentes visitaron de incógnito el lugar de los hechos* · **venir** · **acudir** · **volver** · **regresar** · **presentarse** || **salir** · **largarse** · **fugarse** · **abandonar** || **estar** · **pasar** · **vivir** · **andar** · **mantener(se)** · **seguir** || **presenciar** · **ver** · **observar** || **trabajar** · **colaborar**

• CON SUSTS. ***persona*** *El quiosquero resultó ser un policía de incógnito* || **visita** · **viaje** · **salida**

dejadez s.f.

• CON ADJS. **absoluta** *El estado actual del edificio es de absoluta dejadez* · **total** · **tremenda** · **enorme** · **pequeña** || **permanente** · **habitual** || **gubernamental** · **institucional** · **oficial** · **profesional** · **política** || **histórica** *un ejemplo de la histórica dejadez de la administración* · **tradicional** || **insólita**

• CON SUSTS. **clima (de)** · **estado (de)** · **situación (de)** || **símbolo (de)** · **muestra (de)** || **sensación (de)** · **aspecto (de)**

• CON VBOS. **caracterizar (algo/a alguien)** || **criticar** · **denunciar** · **censurar** || **acarrear** · **motivar** || **mostrar** · **abandonar** || **sufrir** || **acusar (de)** *Acusan de dejadez al Gobierno municipal por el retraso en las obras* || **salir (de)**

• CON PREPS. **por** *Si no lo hice fue por dejadez*

dejado, da adj.

• CON SUSTS. ***persona*** *Reconozco que soy muy dejado para los plazos y la burocracia* || **imagen** · **aspecto** · **aire** · **estilo** · **barba** · **pelo** · **cuerpo** · **ropa** · **atuendo** || **edificio** · **casa** · **zona** · **jardín** · **ciudad** · **región** · ***otros lugares***

[dejar]

→ dejar; dejar caer; dejar en la estacada; dejar escapar; dejarse llevar (por)

dejar v.

• CON ADJS. **solo,la** · **tranquilo,la** *Pedí que me dejaran tranquilo* · **triste** · **satisfecho,cha** · **tocado,da** · **contento,ta** · **preocupado,da** · **irritado,da** · **asombrado,da** · **aliviado,da** · **atónito,ta** *Su respuesta nos dejó a todos atónitos* · **frío,a** · **igual** · **helado,da** · **cortado,da** · **marcado,da** · **callado,da** || **inacabado,da** · **paralizado,da** · **parado,da** · **inconcluso,sa** *dejar una obra inconclusa* · **abierto,ta** · **estacionado,da** · **desfasado,da** · **enredado,da** · **lesionado,da** · **endeudado,da** || **olvidado,da** · **abandonado,da** · **aislado,da** *La nevada dejó aislados varios pueblos* · **plantado,da** *Su hermano nos dejó plantados a todos en la puerta del cine* · **anulado,da** · **colgado,da** · **eliminado,da** || **preparado,da** · **listo,ta** · **ordenado,da** · **perfilado,da** *Ayer ya dejamos perfilado el plan de actuación* · **terminado,da** · **cerrado,da** · **clausurado,da** · **visto,ta (para sentencia)** · **firmado,da** · **fijado,da** · **escrito,ta** · **plasmado,da** · **establecido,da** · **grabado,da** · **hecho,cha** · **aprobado,da** · **inaugurado,da** · **atado,da** · **encargado,da** · **dicho,cha** · **activado,da** · **aclarado,da** || **sentado,da** · **tumbado,da** · **tirado,da** · **varado,da** · **colocado,da** · **puesto,ta** · **situado,da**

• CON ADVS. **a buen recaudo** · **a salvo** · **a la vista (de alguien)** *Dejó el dinero a la vista de todos* · **aparte** · **en custodia** · **en herencia** · **en manos (de algo/de alguien)** *Dejaré el asunto en manos de mi abogado* || **dentro** · **fuera** · **en tierra** || **a medias** · **en blanco** · **claro** || **en el tintero** · **en suspenso** || **de piedra** · **indiferente** *La noticia me dejó indiferente* || **a la deriva** · **de la mano** · **de lado** · **en la estacada** · **atrás** · **a {mi/tu/su...} aire** · **en paz** || **definitivamente** · **por un momento** · **temporalmente** || **de un día para otro** *Dejaron de ser amigos de un día para otro* || **a cuenta** · **a plazo fijo**

☐ EXPRESIONES **dejar {bastante/mucho} que desear** [ser menos de lo que se esperaba] || **dejar caer** (algo)* [decirlo de pasada pero con intención] || **dejarse caer** [presentarse inesperadamente] *col.*

dejar caer

• CON SUSTS. **frase** · **pregunta** *Dejó caer la pregunta, para ver qué efecto causaba en sus alumnos* · **comentario** · ***otras manifestaciones verbales*** || **dato** · **información** · **mensaje** || **duda** · **rumor** *Dejaron caer el rumor de que el concurso estaba amañado* · **sospecha** · **posibilidad** · **mentira** · **calumnia** || **insinuación** · **sugerencia** · **indirecta** · **pista** || **deseo** · **intención** · **voluntad** || **idea** *El ministro dejó caer la idea durante la comparecencia* · **opinión** · **impresión** · **meditación** || **crítica** · **queja** · **lamento** · **reproche**

• CON ADVS. **como quien no quiere la cosa** · **disimuladamente** · **veladamente** · **subliminalmente** || **astutamente** · **sutilmente** · **discretamente** *Dejó caer sus críticas discretamente y en el momento oportuno* · **ingeniosamente** · **delicadamente** · **suavemente** || **oportunamente** · **adrede** || **sibilinamente** · **malintencionadamente**

dejar en la estacada loc.vbal.

• CON SUSTS. **amigo,ga** · **compañero,ra** · **socio,cia** *Cuando peor iba el negocio, dejó en la estacada a sus socios* · **aliado,da** · **colaborador,-a** · **persona** · **población** · **gente** · ***otros individuos y grupos humanos***

dejar escapar

• CON SUSTS. **balón** · **pelota** || **ladrón,-a** · **cliente** *Una norma básica es que nunca puedes dejar escapar a un cliente* · **jugador,-a** · ***otros individuos*** || **oportunidad** · **oferta** · **negocio** · **ocasión** *Has dejado escapar una ocasión de oro para conocerlo* || **cargo** · **puesto** · **trabajo** || **premio** · **medalla** · **punto** · **victoria** · **partido**

dejarse llevar (por) loc.vbal.

• CON SUSTS. **fuerza** · **viento** · **vendaval** || **líder** · **compañero,ra** · **mujer** · **marido** · **amigo,ga** · ***otros individuos*** || **apariencia** · **espejismo** · **estereotipo** · **impresión** · **sensación** · **imagen** · **prejuicio** *Algunos miembros del jurado se dejaron llevar por los prejuicios y lo declararon culpable* · **engaño** · **retórica** || **pasión** · **odio** · **euforia** · **impulso** · **ira** · **júbilo** · **rencor** · **amor** · **decepción** · **alegría** · **entusiasmo** · **tristeza** · **apatía** · **cansancio** · **desánimo** · **debilidad** · **pesimismo** · **sopor** · ***otros sentimientos o emociones*** || **deseo** · **codicia** · **interés** · **ilusión** · **ambición** · **afán** · **gana** · **curiosidad** · **tentación** · **egoísmo** · **prisa** || **circunstancia** · **situación** · **acontecimiento** · **clima** · **tónica** || **nervios** · **pánico** · **nerviosismo** · **psicosis** · **temor** · **miedo** *Ante una situación límite como esta, lo importante es no dejarse llevar por el miedo* · **inquietud** || **música** · **ritmo** *No importa que no sepas bailar; déjate llevar por el ritmo* · **melodía** · **estribillo** || **tendencia** · **corriente** · **inercia** · **presión** · **moda** · **movimiento** || **instinto** · **intuición** · **imaginación** · **recuerdo** · **sensibilidad** · **inteligencia** · **carácter** || **opinión** · **criterio** · **comentario** *No te dejes llevar por los comentarios de la gente* · **palabra** · **discusión** || **confusión** · **duda** · **desconcierto** · **desconfianza** · **vorágine** || **admiración** · **asombro** · **fascinación** · **enamoramiento**

☐ USO Se construye a menudo con sustantivos en plural si son contables (*dejarse llevar por las apariencias*), y en singular si son no contables (*dejarse llevar por la euforia*).

de juventud loc.adj.

● CON SUSTS. **amigo,ga** · **amor** || **recuerdo** · **sueño** || **escrito** · **obra** · **composición** · **poema** || **afición** || **error** *Cometió algunos errores de juventud, pero creo que ya ha pagado por ellos* · **pecado** · **locura** || **año**

de la Ceca a la Meca loc.adv. *col.*

● CON VBOS. **ir** || **andar** *Es muy difícil localizarte porque siempre andas de la Ceca a la Meca* · **llevar (a alguien)** · **traer (a alguien)**

delantal s.m.

● CON ADJS. **con lamparones** *un delantal con lamparones de grasa* · **sucio** || **de cocina** || **de protección** *un delantal de protección contra los rayos X*

● CON VBOS. **atar** · **amarrar** *Se amarró el delantal y se puso a cocinar* || **proteger (con)** · **cubrir (con)**

➤ Véase también **ROPA**

[delantera] s.f. → delantero, ra

delantero, ra

1 **delantero, ra** adj.

▮ [que está delante]

● CON SUSTS. **parte** · **línea** · **fila** · **zona** · **patio** || **rueda** · **asiento** · **luna** · **puerta** · **cristal** || **estocada** || **pata**

2 **delantero, ra** s.

▮ [jugador]

● CON ADJS. **buen,-a** · **mal,-a** || **goleador,-a** · **certero,ra** · **hábil** · **efectivo,va** · **eficaz** · **peligroso,sa** · **prometedor,-a** · **rápido,da** · **nato,ta** || **internacional** · **titular** · **rival** || **con olfato de gol**

● CON SUSTS. **centro** *jugar de delantero centro*

● CON VBOS. **entrenar** · **jugar** · **entrar** · **salir** · **chutar** · **disparar (el balón)** · **marcar (goles)** · **correr** || **fichar** · **contratar** · **ceder** · **traspasar**

3 **delantera** s.f.

▮ [ventaja, distancia]

● CON VBOS. **coger** · **tomar** · **llevar** *El otro equipo nos lleva mucha delantera*

de largo loc.adv.

▮ [de etiqueta]

● CON VBOS. **ir** *A la entrega de los premios los galardonados fueron de largo* · **venir** · **asistir** · **presentarse** · **poner(se)** · **vestir**

▮ [sin detenerse]

● CON VBOS. **pasar** *Pasó de largo sin saludar*

delatar (algo/a alguien) v.

● CON SUSTS. **confidente** *Lo delató un confidente de la Policía* · **espía** · **compañero,ra** · ***otros individuos*** || **acento** · **lenguaje** · **deje** · **vocabulario** · **muletilla** · **voz** || **palabras** *Te delatan tus propias palabras* · **frase** · **discurso** · **declaración** · ***otras manifestaciones verbales*** || **prueba** · **indicio** · **signo** · **señal** · **marca** · **indicador** · **síntoma** · **símbolo** · **detalle** || **expresión** · **mirada** · **gesto** · **ojos** || **nerviosismo** · **temblor** *El temblor de sus manos lo delató* · **rostro** · **sonrisa** · **postura** · **lágrima** · **rictus** · **ojeras** || **aspecto** · **apariencia** · **imagen** · **físico** · **figura** || **indumentaria** · **tatuaje** · **anillo** || **olor** || **conducta** · **maneras** · **elegancia** · **estilo** · **gusto** || **defecto** · **fallo** · **error** || **dato** · **análisis** *El análisis detallado de los datos delata una crisis mucho más profunda* · **examen** · **encuesta** · **contenido**

delegación

1 **delegación** s.f.

▮ [cesión]

● CON PREPS. **por** *hacer algo por delegación*

▮ [conjunto de delegados]

● CON ADJS. **nacional** · **internacional** · **autonómica** · **regional** · **provincial** || **gubernamental** · **estatal** · **militar** · **oficial** · **sindical** · **parlamentaria** || **de alto nivel** · **conjunta** || **negociadora** · **diplomática** · **de paz** · **comercial** || **argentina** *Celebraron una reunión con los miembros de la delegación argentina* · **tunecina** · **italiana** · ***otros gentilicios***

● CON SUSTS. **integrante (de)** · **miembro (de)** · **jefe,fa (de)** · **cabeza (de)**

● CON VBOS. **visitar (algo/a alguien)** · **negociar (algo)** || **encabezar** *Un afamado científico encabezaba la delegación de expertos* · **constituir** · **componer** || **enviar** · **mandar** || **formar parte (de)**

▮ [edificio, sede]

● CON VBOS. **hallar(se) (en un lugar)** *La delegación de Hacienda se halla en esta dirección* · **encontrar(se) (en un lugar)** · **situar(se) (en un lugar)** || **abrir** · **inaugurar** || **trabajar (en)** *Trabaja en la delegación de Educación* || **acercar(se) (a)** · **ir (a)** · **dirigir(se) (a)** || **salir (de)** · **entrar (en)**

2 **delegación (de)** s.f.

● CON SUSTS. **expertos,tas** *Una delegación de expertos se encargará de evaluarlo* · **funcionarios,rias** · **deportistas** · **médicos,cas** · **estudiantes** · **policías** · ***otros individuos*** || **hacienda** *Los impresos pueden recogerse en la delegación de Hacienda* · **gobierno** · **defensa** · **vivienda** · ***otros organismos***

delegado, da

1 **delegado, da** adj.

● CON SUSTS. **consejero,ra** *Fue nombrado consejero delegado el año pasado* · **concejal** · **administrador,-a** · **ministro,tra**

2 **delegado, da** s.

● CON ADJS. **territorial** · **provincial** · **económico,ca** · **comercial** · **episcopal** · **instructor,-a** · **oficial** · **pontificio** || **de gobierno** *El delegado del Gobierno ha convocado una rueda de prensa* · **de empresa** · **de banco** · **de clase** · **de facultad** || **en funciones** · **dimisionario,ria** · **anterior** · **actual** · **interino,na** · **acreditado,da**

● CON SUSTS. **cargo (de)** · **puesto (de)**

● CON VBOS. **elegir** · **designar** · **nombrar** || **ejercer (de/como)** · **actuar (de/como)** · **hacer (de)**

delegar v.

● CON SUSTS. **responsabilidad** *Trabaja usted demasiado, debería delegar algunas responsabilidades* · **tarea** · **misión** · **competencia** · **papel** || **decisión** · **voto** · **solución** · **iniciativa** · **determinación** · **resolución** · **pacto** · **elección** || **autoridad** · **control** *La compañía delegará el control sanitario de las instalaciones en una empresa contratada para tal fin* · **poder** · **potestad** · **facultad** · **soberanía** · **mando** || **cargo** · **dirección** · **presidencia** · **jefatura** *La presidenta decidió delegar la jefatura del gabinete en un antiguo colaborador suyo* · **función** || **representación** · **actuación** · **intervención** · **ejecución** || **comparecencia** · **presencia** ·

asistencia || **gestión** · **negociación** · **tramitación** · **trámite** *un trámite personal, que no se puede delegar en otra persona* · **solicitud** · **moción** || **explicación** · **opinión** · **declaración** · **notificación** || **problema** · **dificultad**

deleitar v.

● CON SUSTS. **público** *El cantante deleitó al público con sus mayores éxitos* · **asistente** · **auditorio** · **aficionado,da** · **espectador,-a** · **afición** · **audiencia** · **seguidor,-a** · **lector,-a** *una colección para deleitar al lector más exigente* · **fan** · **cliente** · ***otros individuos y grupos humanos*** || **sentidos** · **vista** · **oído** · **olfato** · **gusto** · **paladar**

deletrear v.

● CON SUSTS. **nombre** · **apellido** · **palabra** · **expresión** · **título** · **vocablo** · ***otras manifestaciones verbales o textuales***
● CON ADVS. **correctamente** · **perfectamente** · **fluidamente** || **incorrectamente** · **con dificultad**

de ley loc.adj.

● CON SUSTS. **acero** · **oro** *un anillo de oro de ley* · **plata** || **amistad** · **relación** · **persona**

delgadez s.f.

● CON ADJS. **suma** · **extrema** · **excesiva** *A todos nos preocupa su excesiva delgadez* || **moderada** || **natural** · **antinatural** · **enfermiza** || **frágil** · **visible** || **femenina** · **elegante**

delgado, da adj.

● CON SUSTS. ***persona*** *un hombre alto y delgado* || **brazo** · **pierna** *Este niño siempre ha tenido las piernas muy delgadas* · **labios** · ***otras partes del cuerpo*** || **aspecto** · **figura** · **silueta** || **capa** · **lámina** · **filamento** · **línea** *la delgada línea que separa la cordura de la locura* · **hilo** · **tira** · **cinta** || **intestino** *una afección provocada en el intestino delgado*
● CON VBOS. **ser** · **volver(se)** · **mantener(se)** || **estar** · **poner(se)** · **quedar(se)** *Se quedó muy delgada después de la enfermedad*

deliberación s.f.

● CON ADJS. **larga** *Después de una larga deliberación pronunciaron el nombre del ganador* · **breve** · **prolongada** || **previa** || **intensa** · **sesuda**
● CON SUSTS. **hora (de)** *El tribunal emitió su fallo tras varias horas de deliberación* · **día (de)** · **semana (de)** || **transcurso (de)** · **término (de)** · **final (de)** · **comienzo (de)** · **fase (de)** || **resultado (de)** *El jurado dio a conocer el resultado de su deliberación*
● CON VBOS. **someter (a)**

deliberado, da adj.

● CON SUSTS. **acción** · **acto** · **actuación** || **propósito** · **intención** · **actitud** · **voluntad** · **intento** · **esfuerzo** || **decisión** · **elección** · **opción** || **estrategia** · **maniobra** *Dicen que no fue una maniobra deliberada sino un error* · **táctica** · **política** || **confusión** · **error** || **agresión** · **daño** · **corrupción** || **asesinato** · **crimen** · **incendio**
● CON ADVS. **completamente** · **absolutamente** || **perfectamente**

deliberar (sobre) v.

● CON SUSTS. **situación** · **tema** · **cuestión** · **problema** · **asunto** || **veredicto** · **solución** *Durante cuatro días los jefes de Estado deliberaron sobre la solución más eficaz al conflicto* · **decisión** · **opción** · **elección** || **sentencia** · **propuesta** · **proyecto** · **borrador** · **ley**
● CON ADVS. **públicamente** · **abiertamente** *En las mesas de trabajo se deliberó abiertamente sobre la propuesta* || **ininterrumpidamente** · **permanentemente** || **positivamente** · **tranquilamente**

delicadeza s.f.

● CON ADJS. **extraordinaria** · **extrema** · **absoluta** · **enorme** · **gran(de)** *Siempre nos trata con gran delicadeza* · **infinita** · **proverbial** · **suma** · **lleno,na (de)** || **especial** · **exquisita** · **obsequiosa** · **sutil** · **tierna** || **firme** · **necesaria** || **escasa**
● CON SUSTS. **exceso (de)** · **falta (de)** *Le dieron la noticia con una falta de delicadeza impresionante*
● CON VBOS. **mostrar** · **demostrar** · **tener** · **extremar**
● CON PREPS. **con** · **sin**

delicado, da adj.

I [difícil, que requiere cuidado o precisión]

● CON SUSTS. **asunto** · **cuestión** · **materia** · **tema** · **punto** · **caso** · **problema** || **actuación** · **intervención** · **trabajo** · **misión** *Le encargaron la delicada misión de representar al comité de empresa* · **operación** *someterse a una delicada operación de la vista* · **negociación** · **labor** · **tarea** · **proceso** · **obra** || **posición** · **puesto** · **papel** *el delicado papel de mediador político* · **relación** || **fase** · **período** · **etapa** · **momento** *Están pasando por un momento muy delicado* · **situación** || **medida** · **paso** · **equilibrio** · **información** || **zona** · **frontera**
● CON VBOS. **ser** · **volver(se)** *La situación se ha vuelto delicada* · **quedar(se)** || **estar** · **poner(se)**

I [frágil, vulnerable]

● CON SUSTS. ***persona*** *Es un enfermo muy delicado* || **apariencia** · **aspecto** · **salud** || **mecanismo** *Este reloj de pared tiene un mecanismo muy delicado* || **espíritu** · **alma**

I [tenue, leve, suave, elegante]

● CON SUSTS. **fragancia** *la delicada fragancia de las flores* · **aroma** || **sabor** · **gusto** || **música** · **melodía** · **sonido** · **tono** · **voz** || **figura** · **forma** || **trato** · **gesto** · **detalle** || **sensibilidad** · **sentimiento** · **toque** || **poesía** · **verso**

delicia s.f.

● CON ADJS. **auténtica** *Fue una auténtica delicia verla actuar* · **pura** · **verdadera** || **gastronómica** · **culinaria** || **vinícola** · **marina** · **exótica** || **literaria** · **deportiva** · **cromática** · **estética** · **visual** · **musical** || **terrenal** · **tecnológica**
● CON VBOS. **degustar** · **probar** || **hacer** · **preparar** · **cocinar** · **servir** *Sirvieron de aperitivo unas delicias de merluza* · **confeccionar** · **despachar**

delictivo, va adj.

● CON SUSTS. **banda** · **grupo** · **asociación** · **organización** *Desmantelan una organización delictiva* || **acción** · **actuación** · **actividad** · **práctica** · **ejercicio** || **caso** · **asunto** · **hecho** · **acto** · **circunstancia** · **materia** · **suceso** || **conducta** *incurrir en conductas delictivas* · **comportamiento** · **actitud** || **historial** · **trayectoria** · **carrera** · **antecedente** · **pasado** · **currículum** *Cinco asesinatos constituyen, ciertamente, un destacado currículum delictivo* || **estructura** · **red** · **entramado** · **sistema** · **trama** · **operación** · **manipulación** · **maniobra** · **conspiración** || **fin** · **blanco** · **finalidad** · **objetivo** · **propósito** · **intención** || **indicio** · **rastro** · **manifestación** · **prueba** || **índice** · **tasa** · **porcentaje** *Aumenta el porcentaje delictivo en la zona por falta de control policial*

• CON ADVS. **abiertamente** · **claramente** || **obviamente** · **indudablemente** || **presuntamente** *donde se ejercen prácticas presuntamente delictivas* · **presumiblemente** · **supuestamente**

delimitar v.

• CON SUSTS. **zona** *delimitar la zona de riesgo* · **terreno** · **territorio** · **área** · **franja** · **campo** · **mapa** · **espacio** · **propiedad** || **período** · **época** || **frontera** · **borde** · **horizonte** · **línea** · **margen** · **marco** || **alcance** *No se ha podido delimitar con exactitud el alcance de los hechos* · **ámbito** · **grado** · **nivel** || **competencia** · **contenido** · **objetivo** *El informe delimita con claridad los objetivos para este año* · **función** · **tarea** · **obligación** · **deber** · **responsabilidad** · **culpabilidad** || **concepto** · **tema** · **significado** · **criterio**

• CON ADVS. **a ciencia cierta** *La Policía no ha podido delimitar a ciencia cierta la responsabilidad de los sospechosos* · **con exactitud** · **con precisión** · **exactamente** · **perfectamente** || **claramente** · **con claridad** · **cuidadosamente** · **detalladamente** · **escrupulosamente** · **minuciosamente** || **completamente** || **apresuradamente** || **previamente**

delincuencia s.f.

• CON ADJS. **creciente** · **rampante** || **común** · **juvenil** · **infantil** · **de guante blanco** *una ley que afecta directamente a la delincuencia de guante blanco* · **urbana** · **organizada**

• CON SUSTS. **foco (de)** · **grupo (de)** · **problema (de)** || **índice (de)** *Este informe recoge los índices de delincuencia común* · **nivel (de)** · **tasa (de)** · **aumento (de)** · **ola (de)** · **caso (de)**

• CON VBOS. **extender(se)** · **recrudecer(se)** · **aumentar** · **disminuir** *La delincuencia juvenil ha disminuido desde el año pasado* || **combatir** *Se adoptarán varias medidas para combatir la delincuencia organizada* · **controlar** · **atajar** · **frenar** · **reducir** · **erradicar** || **bordear** || **generar** || **abocar (a)**

delincuente s.com.

• CON ADJS. **peligroso,sa** · **desalmado,da** · **subversivo,va** · **armado,da** · **violento,ta** || **inofensivo** · **de poca monta** || **habitual** · **reincidente** · **perseguido,da** · **conocido,da** *La Policía detuvo a un conocido delincuente apodado...* · **desconocido,da** · **fichado,da** · **reclamado,da** · **confeso,sa** · **presunto,ta** || **auténtico,ca** · **verdadero,ra** *Solo un verdadero delincuente puede haber mentido de esa forma* · **avezado,da** · **de guante blanco** · **de cuello blanco** || **marginal** · **ocasional** · **potencial** · **vulgar** *Fue fichado como si se tratara de un vulgar delincuente* || **arrepentido,da** || **inmune** || **común** · **juvenil** · **profesional** *Sin duda, el robo es obra de un delincuente profesional* · **aficionado,da** · **terrorista** · **político,ca**

• CON SUSTS. **banda (de)** · **grupo (de)** · **red (de)** · **cabecilla (de)** *El cabecilla de los delincuentes capturados no tenía, al parecer, antecedentes* · **refugio (de)**

• CON VBOS. **ir a la cárcel** · **escapar** · **huir** · **reformar(se)** || **cometer (un delito)** · **robar (algo)** || **buscar** · **perseguir** · **proteger** · **identificar** || **apresar** *Lograron apresar a varios delincuentes después de una larga persecución* · **atrapar** · **detener** · **capturar** · **prender** || **considerar (a alguien)** || **acusar (de algo)** · **juzgar** · **sentenciar** · **condenar** · **castigar** · **encarcelar** · **deportar** || **dejar en libertad** · **liberar** · **absolver** || **tomar (a alguien) (por)** *¿Me toma usted por un delincuente?*

de línea loc.adj.

▌[en deporte]

• CON SUSTS. **juez**

▌[servicio regular]

• CON SUSTS. **autobús** *Fuimos a su casa en el autobús de línea* · **coche** · **tren** || **cabecera (de)**

delinear v.

• CON SUSTS. **obra** · **diseño** · **plano** · **dibujo** || **calle** · **ciudad** · **puente** || **estrategia** · **proyecto** · **política** *los responsables de delinear la política educativa* · **programa** · **propuesta** || **plan** · **objetivo** · **reto** · **agenda** · **futuro** · **meta** · **perspectiva** · **propósito** || **trabajo** · **tarea** *Debemos delinear las tareas de cada miembro del equipo* · **labor** · **actuación** · **proceso** · **trayecto** · **curso** · **recorrido** · **tendencia** || **criterio** · **metodología** · **fundamento** · **principio** · **postura** · **postulado** · **mecanismo** || **cambio** *El nuevo equipo directivo está delineando un cambio de perfil de la institución* · **transformación** · **revolución** · **alternativa** || **estructura** · **esquema** · **coordenada** · **modelo** · **medida** · **aspecto** · **detalle** · **rasgo** · **función** || **área** · **perfil** · **marco** · **límite** · **territorio** · **región** · **escenario** · **panorama** · **camino** || **discurso** · **composición** · **escritura** · **aclaración** · **saga** · **relato** || **personaje** *No ha empezado a escribir, pero dice que tiene ya delineados varios personajes* · **papel** · **tipo** · **arquetipo** · **figura** · **personalidad** · **autor,-a** · **gobierno** · **comisión** · **partido** · **equipo**

delinquir v.

• CON ADVS. **abiertamente** · **gravemente** · **violentamente** || **impunemente** *El Gobierno ha advertido de que no será posible delinquir impunemente*

delirio s.m.

• CON ADJS. **auténtico** · **verdadero** · **puro** · **pleno** *Los inversores viven estos días en pleno delirio bursátil* || **febril** *preso de un delirio febril* · **extremo** · **alocado** · **desorbitado** · **absurdo** · **constante** || **colectivo** · **general** || **de grandeza** *Seamos realistas; no me vengas ahora con delirios de grandeza* || **preso,sa (de)**

• CON VBOS. **apoderarse (de alguien)** · **entrar (a alguien)** · **venir(le) (a alguien)** || **sufrir** · **padecer** · **sentir** · **tener** || **provocar** || **bordear** || **rayar (en)** *Sus planes rayan en el delirio* || **estallar (en)**

• CON PREPS. **en medio (de)** · **al borde (de)** · **con** *Le gusta el chocolate con delirio*

delito s.m.

• CON ADJS. **atroz** · **infame** · **grave** · **abominable** · **execrable** · **imperdonable** · **serio** · **vil** · **violento** || **flagrante** · **encubierto** · **impune** · **presunto** · **supuesto** || **al descubierto** || **intencionado** · **premeditado** || **leve** · **menor** · **insignificante** || **extinguido** · **prescrito** · **penado (con algo)** || **común** · **criminal** · **penal** · **de sangre** · **económico** · **fiscal** · **de guante blanco**

• CON SUSTS. **culpable (de)** · **inocente (de)** · **víctima (de)** || **comisión (de)** · **cómplice (de)** *Los cómplices del delito todavía no han sido detenidos* · **cuerpo (de)** · **culpa (de)** || **ola (de)**

• CON VBOS. **anidar (en algo)** · **radicar (en algo)** || **salir a la luz** || **prescribir** *El delito del que lo acusan ha prescrito ya* || **cometer** · **perpetrar** · **consumar** · **maquinar** · **promover** || **denunciar** · **perseguir** · **investigar** · **registrar** || **sacar a la luz** · **descubrir** · **destapar** *El hallazgo de la libreta con las notas permitió destapar el delito* · **esclarecer** · **resolver** · **aclarar** · **dilucidar** || **castigar** · **penar** · **condenar** · **sancionar** · **combatir** · **prevenir** · **frustrar** · re-

primir · enjuiciar · sobreseer || imputar (a alguien) · achacar (a alguien) · endilgar (a alguien) · confesar · reivindicar · atribuir (a alguien) || disculpar · perdonar || disfrazar · encubrir || expiar · purgar || constituir · tipificar · despenalizar · considerar · agravar || demandar (por) · detener (por) *La han detenido por un delito de estafa* · juzgar (por) · procesar (por) · acusar (de/por) · culpar (de) · inculpar (de) · condenar (por) · sentenciar (por) · cumplir cárcel (por) || absolver (de) · exculpar (de) || incurrir (en) · involucrar(se) (en) · implicar(se) (en) · inducir (a) · instigar (a) · reincidir (en)
● CON PREPS. **en caso (de)**

de lleno loc.adv.

● CON VBOS. **dedicarse · entregarse** *Abandonó su profesión y se entregó de lleno al cuidado de sus hijos* · **involucrarse · centrarse · comprometerse · volcarse || entrar · meterse · introducirse · ingresar · lanzarse · sumergirse · sumirse || dar · impactar · alcanzar · caer** *una tarea que cae de lleno en el marco de sus responsabilidades* · **embestir · acertar · golpear** *El balón golpeó de lleno en la cara del jugador* · **salpicar || pertenecer · situarse · incorporar(se) · inscribir(se) · insertar(se) · integrar(se) || tocar · incidir** *La crisis del sector está incidiendo de lleno en nuestro negocio* · **entroncar · ocuparse**

de lo lindo loc.adv. *col.*

● CON VBOS. **pasar(lo) · divertirse · disfrutar** *Disfrutamos de lo lindo el fin de semana* · **reír · gustar · bailar || remolonear · regodearse || lucrarse · enriquecerse || sufrir · trabajar · sudar · aburrirse || pegar · arrear · zurrar · sacudir || largar · gritar** *Aunque a veces gritan de lo lindo, nuestros vecinos son muy simpáticos* · **rajar · trinar || presumir · jugar · lucirse || caminar · cantar · escribir · beber · conducir** · ***otras actividades***

demacrado, da adj.

● CON SUSTS. **rostro · cara · aspecto ||** ***persona*** *un hombre deshecho y demacrado por el esfuerzo y cansancio*
● CON VBOS. **ponerse · quedar(se) · estar**

demagogia s.f.

● CON ADJS. **barata · fácil · burda · vacía · oportunista || electoral** *Hubo demasiada demagogia electoral en la campaña* · **electoralista || política · gubernamental || pura · absoluta || social · populista**
● CON VBOS. **hacer · utilizar · practicar || evitar** *Eviten ustedes la demagogia y trabajen más por resolver los problemas de los ciudadanos* · **abandonar || rozar · bordear || caer (en) · degenerar (en) || calificar (de) · sonar (a)** *un discurso manido que suena a demagogia barata*

de mal en peor loc.adv.

● CON VBOS. **andar · ir** *Nuestra relación va de mal en peor; cada vez hablamos menos*

demanda s.f.

▮ [petición]

● CON ADJS. **alta · enorme** *...lo que originará una enorme demanda de servicios sociales* · **gran(de) · abrumadora · desmedida · desmesurada · desorbitada || fuerte** *Los precios suben si se produce una fuerte demanda de un producto* · **acuciante · apremiante · imperiosa · insistente · intensa · febril || creciente · reiterada · nueva || multitudinaria · unánime || baja** *La baja demanda del servicio determinó la reducción del número de autobuses* · **escasa · raquítica · insuficiente || interna · social || acorde (con)**
● CON SUSTS. **ascenso (de) · aumento (de) · disminución (de) · reducción (de) · falta (de) · exceso (de) || lluvia (de) · avalancha (de) · cúmulo (de) · aluvión (de)**
● CON VBOS. **existir · aumentar · crecer · subir · dinamizar(se) · incrementar(se) · mantener(se)** *La demanda interna se mantiene a pesar de la crisis* · **reactivar(se) · reanimar(se) · repuntar || bajar · caer · retraer(se) · disminuir · contraer(se) · decrecer · paralizar(se) · abatir(se) · caer en el vacío || tener · asumir · atender · escuchar · oír · cubrir · saciar · satisfacer** *...por satisfacer las nuevas demandas que se producen en el sector* **|| negociar · canalizar · detectar || desatender · desoír · soslayar || activar · avivar · revitalizar** *Las nuevas medidas económicas han revitalizado la demanda* **|| reducir · moderar || amoldar(se) (a) · responder (a) || redundar (en)**
● CON PREPS. **a la medida (de)**

▮ [querella]

● CON ADJS. **legal · legítima · justa · ilegítima · injusta || civil · colectiva** *Nuestro abogado nos aconsejó que entabláramos una demanda colectiva* · **judicial · pública**
● CON VBOS. **sustentar(se) (en algo) || prosperar || emprender · incoar · iniciar · entablar · interponer** *Los afectados interpusieron una demanda contra la empresa* · **formular · plantear · poner · presentar · instaurar || promover · fundamentar · apoyar · justificar || recibir · admitir (a trámite)** *El juez ha admitido la demanda* · **desestimar || llevar adelante · tramitar · quitar · retirar || dilucidar · resolver || ganar · perder**

demandar v.

▮ [pedir]

● CON SUSTS. **servicio · prestación · ayuda · información**
● CON ADVS. **enérgicamente · firmemente || públicamente**

▮ [querellarse]

● CON ADVS. **judicialmente** *Las víctimas demandaron judicialmente a la compañía* · **penalmente**

de mano loc.adj.

● CON SUSTS. **bolsa · bolso · equipaje · cartera || freno || granada**

de mano en mano loc.adv.

● CON VBOS. **ir · circular** *Las fotos circulaban de mano en mano entre los estudiantes* · **pasar · correr · llevar · recorrer · volar**

de mayor a menor loc.adv.

● CON VBOS. **ordenar · clasificar · colocar** *Coloca a los niños de mayor a menor* · **agrupar · disponer · distribuir || ir || citar · mencionar · numerar**
□ USO Se usa también la variante *de menor a mayor.*

de medio a medio loc.adv.

● CON VBOS. **cambiar || equivocar(se)** *Te equivocas de medio a medio si piensas eso* · **fallar · errar · contradecir(se)**

de memoria loc.adv.

● CON VBOS. **saber** *Se sabe la partitura de memoria* · **conocer · aprender** *El profesor se empeñaba en que nos aprendiéramos los poemas de memoria* **|| recitar · citar · repetir · recordar · enumerar · reconstruir · reproducir · copiar || hablar · nombrar · soltar** *Me soltó de memoria* *toda la lección* · **decir** · **contar** || **dirigir** · **escribir** · **ejecutar** · **interpretar**

demencia s.f.

• CON ADJS. **profunda** · **severa** · **avanzada** *Los médicos le diagnosticaron una avanzada demencia senil* · **acentuada** · **exacerbada** · **monumental** · **inconcebible** || **progresiva** *Sufre una demencia progresiva desde hace varios años* · **total** || **leve** · **moderada** · **transitoria** · **aparente** || **senil** · **vascular** · **política**

• CON SUSTS. **ataque (de)** · **crisis (de)** · **caso (de)** || **cuadro (de)** · **signo (de)** · **síntoma (de)** *No presenta síntomas de demencia* · **grado (de)** || **causa (de)**

• CON VBOS. **acentuar(se)** · **agravar(se)** · **agudizar(se)** || **curar(se)** || **bordear** · **rozar** · **sufrir** · **padecer** · **fingir** *Fingió una demencia transitoria* || **causar** || **diagnosticar** · **atribuir (a algo)** *Los médicos atribuyen su demencia a...* || **alegar** · **tipificar** || **arrastrar (a)** · **desembocar (en)** · **caer (en)** · **rayar (en)** *Su inexplicable comportamiento raya en la demencia*

de miedo loc.adv./loc.adj.

▮ [de terror]

• CON VBOS. **morirse** *¿No te mueres de miedo con las historias de fantasmas?* · **cagarse** · **descomponerse** || **encogerse** · **temblar**

• CON SUSTS. **cuento** · **historia** · **novela** · **película** · **cine** || **cara** || **ambiente** · **atmósfera** · **clima** || **ataque** *Al verse delante del toro, sufrió un ataque de miedo y no pudo ni moverse*

▮ [muy bien]

• CON VBOS. **estar** *En esa hamaca se está de miedo leyendo un libro* || **pasárse(lo)** || **sentar (a alguien)** *Ese abrigo te sienta de miedo*

de milagro loc.adv.

• CON VBOS. **estar vivo** · **sobrevivir** · **vivir** || **escapar** *Escaparon del accidente de milagro* · **huir** · **librar(se)** · **salvar(se)** || **aguantar** · **mantener(se)** · **resistir** || **salir** *La foto salió de milagro* · **conseguir (algo)** · **obtener (algo)** || **enterarse (de algo)** *Me enteré de que te ibas de milagro* · **saber (algo)** · **conocer (algo)**

de misterio loc.adj.

• CON SUSTS. **aire** · **halo** *Todas sus novelas tiene un cierto halo de misterio* · **aura** · **tono** || **cine** · **novela** · **película** · **relato**

de {mi/tu/su...} bolsillo loc.adv.

• CON VBOS. **pagar (algo)** · **sufragar (algo)** || **sacar (algo)** · **salir**

de {mi/tu/su...} puño y letra loc.adv./loc.adj.

• CON VBOS. **escribir** · **redactar** · **anotar** · **poner** · **contestar** · **copiar** · **rellenar** || **firmar** *La presidenta ha firmado la nota de su puño y letra* · **estampar** · **rubricar** · **signar** · **consignar** · **autentificar**

• CON SUSTS. **anotación** · **carta** *Los descendientes del escritor todavía conservan cartas de su puño y letra* · **nota** · **corrección** · **artículo** · **documento** · **declaración** · **manuscrito** · **escritura** · **informe** · **original**

democracia s.f.

• CON ADJS. **verdadera** *Dice que en este país no hay verdadera democracia* · **auténtica** · **real** · **plena** · **fuerte** || **incipiente** · **nueva** || **débil** · **frágil** · **inestable** || **lesa** || **representativa** · **participativa** · **parlamentaria** · **paritaria** || **cristiana** || **atentatorio,ria (contra)** *una actitud atentatoria contra la democracia* · **lesivo,va (para)**

• CON SUSTS. **camino (a)** · **triunfo (de)** *La prensa calificó las elecciones como un triunfo de la democracia* · **ejemplo (de)** · **período (de)** || **falta (de)**

• CON VBOS. **afianzar(se)** · **venirse abajo** · **peligrar** || **llegar** · **venir** || **alcanzar** · **conquistar** · **recuperar** || **construir** · **instaurar** *A los pocos años de que se instaurase la democracia...* · **reinstaurar** · **consolidar** · **fortalecer** · **asegurar** · **apuntalar** · **defender** · **preservar** · **garantizar** · **promover** · **apoyar** · **renovar** || **socavar** · **subvertir** || **exigir** · **pedir** || **atentar (contra)** · **luchar (por)** · **poner las bases (para)** || **creer (en)**

• CON PREPS. **a favor (de)** · **al abrigo (de)** · **en** · **por**

democráticamente adv.

• CON VBOS. **elegir** *elegir democráticamente a los gobernantes* · **decidir** · **escoger** · **designar** · **nombrar** · **seleccionar** || **votar** · **expresar(se)** · **pronunciarse** · **declarar** || **aceptar** *Aceptaremos democráticamente el resultado de las elecciones* · **acatar** || **legitimar** · **establecer** · **aprobar** · **justificar** || **constituir** · **conformar** || **transformar** · **organizar** · **articular** · **reformar** · **regular** · **aplicar** || **vencer** · **ganar** · **alcanzar (un puesto)** · **llegar al poder** || **gobernar** · **liderar** · **gestionar** · **regir**

demográfico, ca adj.

• CON SUSTS. **crecimiento** *El libro analiza la relación entre crecimiento demográfico y deforestación* · **aumento** · **incremento** · **evolución** · **explosión** · **expansión** · **presión** || **densidad** · **situación** · **peso** · **panorama** || **estancamiento** · **caída** *El Gobierno anuncia medidas para frenar la caída demográfica* · **descenso** · **declive** · **desequilibrio** · **recesión** || **ritmo** · **tendencia** · **previsión** · **control** || **problema** · **fenómeno** · **catástrofe** · **crisis** || **progreso** · **desarrollo** *Se ha experimentado un desarrollo demográfico desigual en las distintas zonas de la ciudad* · **cambio** || **estudio** · **proyección** · **planificación** · **índice** || **política**

de molde loc.adj.

• CON SUSTS. **pan** || **letra**

demoledor, -a adj.

• CON SUSTS. **ataque** · **golpe** · **bombardeo** · **ofensiva** · **atentado** · **guerra** || **martillo** · **taladro** · **machete** || **película** *Es un película demoledora, basada en un hecho real* · **obra** · **novela** · **prosa** · **cine** · **canción** · ***otras creaciones*** || **informe** · **documento** · **discurso** *Inauguró la exposición con un discurso demoledor* · **carta** · **escrito** · ***otros textos*** || **dato** · **cifra** · **estadística** || **evidencia** *...evidencia demoledora de que la pobreza continúa aumentando* · **certeza** · **constatación** · **prueba** || **idea** · **teoría** || **frase** · **palabra** · **lenguaje** · **respuesta** · **testimonio** · **comentario** · ***otras manifestaciones verbales*** || **argumento** · **razonamiento** · **proposición** · **réplica** *La réplica del periodista no se hizo esperar, y fue demoledora* · **intervención** || **efecto** · **resultado** · **impacto** · **consecuencia** || **fuerza** · **furia** · **potencia** || **análisis** · **estudio** · **retrato** · **conclusión** · **radiografía** · **encuesta** · **balance** || **opinión** · **juicio** · **visión** · **diagnóstico** · **crítica** || **humor** · **sátira** · **sarcasmo** · **comedia** · **farsa** · **ironía** *En la novela no falta la ironía mordaz demoledora a la que su autor nos tiene acostumbrados* · **comicidad** · **caricatura** || **derrota** · **triunfo** · **victoria** || **jugador,-a** · **jefe,fa** · **crítico,ca** · **equipo** · **sociedad** · ***otros individuos y grupos humanos***

demoler v.

● CON SUSTS. **edificio · vivienda · casa · zona · sede · estructura · chabola** *Las familias recibieron ayuda para demoler las chabolas y trasladar sus pertenencias a...* · **cimientos · muro · barrio || imagen · prestigio**

[demonio] → a demonios; demonio

demonio s.m.

● CON ADJS. **viejo · conocido · familiar || imaginario · mítico || colectivo · infantil || maligno · perverso || pequeño || auténtico · verdadero**

● CON VBOS. **salir a relucir || atormentar (a alguien) · perseguir (a alguien) || vencer · desterrar · ahuyentar** *...para ahuyentar los viejos demonios que la atormentan desde hace años* · **conjurar || identificar · desenterrar · despertar || creer (en) · hablar (con)**

□ EXPRESIONES **a demonios*** [muy mal] *oler algo a mil demonios* || **ponerse hecho un demonio** [enfadarse mucho]

demora s.f.

● CON ADJS. **desesperante · exasperante · angustiosa · inquietante** *La demora en la entrega de los resultados es inquietante* · **alarmante · molesta || excesiva · interminable · larga || escasa · moderada || justificada · injustificada || continua · eterna · recurrente**

● CON SUSTS. **motivo (de)** *Ignoro el motivo de su demora* · **causa (de) || tiempo (de) || intereses (de)**

● CON VBOS. **bajar || llevar · tener · presentar · experimentar · registrar** *En el aeropuerto se están registrando largas demoras* || **sufrir · padecer · acusar || producir · provocar** *Los errores de coordinación han provocado una ligera demora en los envíos* · **prever · evitar || disculpar · excusar · justificar · subsanar || permitir · admitir || avisar (de)**

● CON PREPS. **con** *un asunto que va con demora* · **sin**

demorar(se) v.

● CON ADVS. **indefinidamente** *La terminación de la obra se demoraba indefinidamente* · **interminablemente · eternamente · temporalmente || excesivamente** *A mi juicio, se demoró excesivamente en llegar* · **en exceso || deliberadamente || justificadamente · indebidamente · injustificadamente · {con/sin} razón**

demostración

1 demostración s.f.

● CON ADJS. **gran(de) · pequeña · amplia · fuerte · ostensible · palpable · patente || verdadera · auténtica · fehaciente || definitiva · categórica · concluyente · clara · inequívoca · rotunda · aplastante · apabullante · firme · contundente · evidente** *Su gesto fue una evidente demostración de confianza en nosotros* · **paladina · fiel · rigurosa || sorprendente · convincente · elocuente · soberbia · formidable · brillante · impresionante · espectacular · excelente · buena · eficaz || irrefutable · incontrovertible** *Las últimas elecciones constituyeron una incontrovertible demostración de civismo* · **irrebatible || rebatible · dudosa · discutible || empírica · práctica || cruel · simbólica · insólita**

● CON VBOS. **hacer · realizar · efectuar · llevar a cabo || presentar · ofrecer || constituir · representar || necesitar** *No necesito más demostraciones de buena voluntad, sino hechos* · **precisar || refutar · rechazar · negar**

2 demostración (de) s.f.

● CON SUSTS. **fuerza · fortaleza · vigor · vitalidad** *...una clara demostración de vitalidad y tesón* · **energía || superioridad · poderío · poder · autoridad · autoritarismo · grandeza || afecto · amistad · amor · cariño · confianza · familiaridad · respeto** *una demostración de respeto y consideración hacia las opiniones de los demás* · **ternura || solidaridad · apoyo · respaldo · lealtad || repudio · rechazo · desprecio · repulsa · burla · protesta || buena voluntad** *Lo de hoy ha sido mucho más que una demostración de buena voluntad* · **firmeza · perseverancia || coraje · valentía · arrojo · audacia · valor || civismo · responsabilidad · seriedad · sutileza · austeridad · madurez || habilidad · talento** *El futbolista hizo una apabullante demostración de talento* · **inteligencia · destreza · maestría · imaginación ·** ***otras cualidades*** **|| alegría · júbilo · entusiasmo · euforia**

demostrar v.

● CON SUSTS. **tesis · hipótesis · teoría** *La teoría es atractiva pero no se puede demostrar científicamente* || **inocencia · culpabilidad || verdad · certeza || valía · capacidad · talento · mérito** *Los candidatos deben demostrar todos los méritos alegados* · **dotes · habilidad · aptitud · pericia · calidad · eficacia ·** ***otras cualidades*** **|| razón · motivo · causa || agradecimiento** *Les demostró su agradecimiento de forma especial* · **afecto · cariño · simpatía · alegría · amor · decepción · odio ·** ***otros sentimientos o emociones***

● CON ADVS. **a ciencia cierta · con certeza · concluyentemente · convincentemente** *El piloto demostró convincentemente su pericia con el avión* · **sin ningún género de dudas · sin lugar a dudas · fehacientemente · elocuentemente || con creces** *A mi juicio, el inculpado demostró con creces su inocencia* · **de sobra · sobradamente · suficientemente · plenamente · por activa y por pasiva** *El ingeniero demostró por activa y por pasiva la viabilidad de su proyecto* · **abrumadoramente · a las claras · a toda costa || dignamente · ejemplarmente · específicamente || públicamente || insuficientemente || científicamente · documentalmente · empíricamente · experimentalmente · con datos**

demudar(se) v.

● CON SUSTS. **rostro · cara · semblante · gesto · expresión** *Cuando oyó la noticia se le demudó la expresión* · **faz || color ||** ***persona*** *La muchacha estaba completamente demudada*

□ USO Se usa frecuentemente en forma participial: *...y llegó a la casa con el rostro demudado.*

de nacimiento loc.adj.

● CON ADJS. **ciego,ga · sordo,da · cojo,ja · mudo,da || tonto,ta · idiota ·** ***otros adjetivos despectivos*** **|| francés,-a · brasileño,ña · manchego,ga ·** ***otros gentilicios***

● CON SUSTS. **mancha** *Tengo una mancha de nacimiento en el brazo* · **marca || defecto · tara · malformación · enfermedad · trauma || don || lugar · fecha** *La funcionaria me preguntó el lugar y la fecha de nacimiento* || **certificado · partida · acta**

de necesidad loc.adv./loc.adj.

● CON ADJS. **mortal** *La herida fue mortal de necesidad*

● CON SUSTS. **momento · situación**

denegar v.

● CON SUSTS. **petición · solicitud** *La institución se reserva el derecho de admitir o denegar la solicitud de ingreso* ·

reclamación · suplicatorio · recurso · pedido · alegación · requerimiento · citación · propuesta · proyecto · proposición || permiso · licencia · autorización *Las autoridades denegaron la autorización para comercializar el medicamento* · **concesión · aprobación · orden · plácet · venia || suspensión · nulidad · aplazamiento · archivo · prórroga || derecho · asilo · visado · expediente · residencia · visa** *Los artistas no han podido actuar porque se les denegó la visa para entrar al país* · **estatuto · nacionalidad · pasaporte · titulación || extradición · devolución · entrega · traslado || libertad · indulto** *La Junta decidió, por tres votos contra dos, denegarle el indulto* · **excarcelación · liberación · amnistía · inmunidad || ayuda · auxilio · subvención · indemnización · pensión · amparo · prestación · beca** *Le han denegado la beca porque su nota media era baja* · **crédito · asistencia · atención · protección · servicio || entrada · apertura · inscripción · admisión · ingreso** *...la institución responsable de autorizar o denegar el ingreso y permanencia de extranjeros en el país* · **acceso · incorporación · instalación || segregación · investigación · construcción · separación · independencia · desclasificación**

denigrante adj.

• CON SUSTS. **trato** *Denuncian el trato denigrante al que están sometidos los presos de...* · **práctica · discriminación · castigo · esclavitud || trabajo || publicidad · mensaje · texto · espectáculo || comportamiento** *Lo echaron por comportamiento denigrante y abusivo con los clientes* · **acción · actitud || realidad · situación || imagen · palabra**

de noche loc.adj.

• CON SUSTS. **sesión · función · pase || trabajo · turno** *En el hospital tengo turno de noche* · **horario || vestido · traje || mesa**

denodado, da adj.

• CON SUSTS. **esfuerzo** *Hizo esfuerzos denodados para conseguir la victoria* · **empeño · intento · tesón · coraje · vigor · insistencia || lucha · defensa · combate · discusión || trabajo · labor · búsqueda** *una vida caracterizada por la búsqueda denodada de la verdad* · **busca · colaboración || interés · optimismo · entusiasmo · espíritu || defensor,-a · luchador,-a · héroe**

denominación s.f.

• CON ADJS. **acertada · adecuada · apropiada · correcta · exacta || errónea · equivocada || auténtica · acreditada || especial · genérica** *Esta variedad de manzanas recibe la denominación genérica de...* **|| inédita · nueva · original · diferente || pomposa · rimbombante · sencilla || confusa · enmarañada · inadecuada · inapropiada · incorrecta || de calidad · de origen** *Un vino con denominación de origen*

• CON SUSTS. **cambio (de)**

• CON VBOS. **cuadrar (a algo/a alguien) || acuñar** *Los críticos ya han acuñado una denominación para la nueva generación de escritores* · **establecer · proponer || elegir · asignar · atribuir · otorgar · recibir || aceptar · rechazar || registrar** *Han conseguido registrar la denominación de origen del vino que producen* · **homologar || emplear · utilizar || conservar · mantener · recuperar || abreviar · modificar || confundir || cambiar (de)**

denominador s.m.

• CON ADJS. **común** *¿Hubo algún denominador común en ambos conflictos?* · **único · mínimo · múltiple**

• CON VBOS. **tener · encontrar · buscar · calcular**

denotar (algo) v.

• CON SUSTS. **palabra · término** *¿Qué denota para ti ese término?* · **adjetivo · expresión · afirmación · declaración · comentario · discurso ·** ***otras manifestaciones verbales o textuales*** **|| dato · estadística · encuesta · indicador · cifra · número · porcentaje || rostro · gesto** *Fue un gesto de acercamiento, que denota un cierto cambio de actitud* · **semblante · cara · faz · sonrisa || aspecto · figura · imagen · apariencia || señal · síntoma** *Los síntomas no denotan gravedad* · **prueba · signo · detalle || actitud · comportamiento · conducta || juicio · opinión · visión · posición || cambio · situación · hecho · relación**

densamente adv.

• CON ADJS. **poblado,da** *una ciudad densamente poblada* · **urbanizado,da · habitado,da · concurrido,da || boscoso,sa**

densidad s.f.

• CON ADJS. **de población** *una zona de muy baja densidad de población* · **demográfica · geográfica · humana || terrestre || de tráfico · de circulación · de viviendas · urbanística || media · alta · baja · gran(de) · escasa · neta || infinita · elevada** *la elevada densidad informativa de los textos* · **enorme · notable · excesiva || literaria · intelectual · expresiva · de información · informativa · estética || ósea** *pruebas médicas para medir la densidad ósea*

• CON VBOS. **aumentar · fortalecer · incrementar · fomentar · ganar · perder || descongestionar · aliviar · reducir** *nuevas medidas con las que se pretende reducir la densidad de tráfico en la zona centro* · **disminuir · determinar || tener · adquirir || medir · calcular**

denso, sa adj.

• CON SUSTS. **niebla** *La densa niebla nos impedía ver el camino* · **humareda · humo · nube · polvareda || vegetación · bosque · superficie** *Se amasa bien hasta lograr una superficie densa y lisa* **|| gas · aire · lluvia · agua || clima · ambiente · atmósfera · silencio || estilo · prosa · lenguaje || novela** *Es una novela densa y ambiciosa* · **poema · relato ·** ***otros textos*** **|| población || tráfico · circulación || actividad · programa** *un denso programa de actividades* · **programación · agenda**

• CON ADVS. **sumamente** *...a quienes el libro les parecerá sumamente denso y técnico* · **suficientemente || anormalmente**

• CON VBOS. **ser · volver(se) · quedar(se) || estar** *En esta zona el tráfico suele estar denso a primera hora de la mañana* · **poner(se)**

dentado, da adj.

• CON SUSTS. **rueda · correa · pieza · mecanismo · engranaje · pico · taladro · hoja || borde** *Me corté con el borde dentado del taladro* · **filo || aguijón · boca**

dentadura s.f.

• CON ADJS. **sana · perfecta · intacta · buena · cuidada** *Tienes una dentadura muy cuidada* · **limpia || blanca · nívea · reluciente · hermosa || renegrida · amarillenta || postiza** *La dentadura postiza le hacía llagas en la boca* · **nueva · de oro || imperfecta · defectuosa · mala || descascarillada · mellada · rota · destrozada** *una dentadura destrozada por el descuido y la mala alimentación* · **cariada || poderosa · prominente · afilada**

• CON VBOS. **usar · exhibir · mostrar || tener · conservar · mantener · perder || hacer || quitar(se) · colocar · poner(se) · apretar || arreglar · cuidar · lavar · limpiar · cepillar || estropear** *¿Qué alimentos pueden estropear la dentadura?* · **deteriorar · destrozar · romper · desgastar || examinar · revisar**

dental adj.

• CON SUSTS. **prótesis · pieza** *Le han extraído dos piezas dentales* · **implante || tratamiento · arreglo · extracción · relleno · limpieza || clínica · laboratorio || análisis · asistencia · examen** *¿Cada cuánto tiempo te haces un examen dental?* **|| problema · molestia · caries · infección · placa · absceso || esmalte || higiene · salud · cuidado || cepillo** *El dentista me recomendó utilizar un cepillo dental más blando* · **hilo · seda · crema · pasta · producto || corrector · aparato · mecánica · protésico,ca || protector || sonido · consonante**

[dentellada] →a dentelladas; dentellada

dentellada s.f.

• CON ADJS. **peligrosa** *Pude esquivar la peligrosa dentellada del perro* · **salvaje · grave · rabiosa · feroz · limpia**
• CON VBOS. **asestar · dar · lanzar · pegar || sufrir · aguantar · recibir**

dentera s.f.

• CON VBOS. **producir (a alguien) · causar (a alguien) · dar (a alguien)** *Me da dentera el chirrido de la verja* **|| tener**

dentista s.com.

• CON ADJS. **cotizado,da · afamado,da · gratuito,ta || de cabecera · personal** *Mi dentista personal me ha sugerido que me cuide más la boca* **|| falso,sa · homologado,da**
• CON SUSTS. **visita (al) || consulta (de) · sala (de) · consultorio (de) || diagnóstico (de)**
• CON VBOS. **atender (a alguien) || revisar (algo/a alguien) · examinar (algo/a alguien)** *El diagnóstico del dentista que me examinó fue optimista* **|| ir (a)** *¿Cada cuánto tiempo vas al dentista?* · **acudir (a) · visitar (a) · consultar (a) · asistir (a)**

de nueva construcción loc.adj.

• CON SUSTS. **edificio · colegio · vivienda ·** ***otras edificaciones*** **|| proyecto**

de nueva planta loc.adj.

• CON SUSTS. **edificio · construcción · vivienda ·** ***otras edificaciones*** **|| estudio · proyecto** *proponer un proyecto de nueva planta*

denuncia s.f.

• CON ADJS. **firme** *Expresó su más firme denuncia ante el secuestro de...* · **enérgica · valiente · categórica · contundente · airada · implacable · mordaz || fuerte · grave · severa || falsa · infundada · sin fundamento || reiterada** *Los problemas de ruido persisten a pesar de las reiteradas denuncias de los vecinos* · **permanente · persistente || multitudinaria · unánime || formal · por escrito** *...y me vi obligada a presentar una denuncia por escrito* · **verbal · pública || judicial · penal · policial · social || justa · injusta**
• CON SUSTS. **avalancha (de) · lluvia (de)** *El retraso en el servicio provocó una lluvia de denuncias por parte de los usuarios* **|| objeto (de) · trámite (de)**
• CON VBOS. **caer en saco roto · prosperar · vencer · aumentar || basar(se) (en algo) · apoyar(se) (en algo) · sustentar(se) (sobre algo) || salpicar (a alguien)** *La denuncia salpicó a los más altos directivos de la organización* **|| obrar en poder (de alguien) || interponer** *El jugador amenazó a los periodistas con interponer una denuncia* · **entablar · elevar · presentar · realizar · exponer · formular · levantar · hacer extensiva · llevar adelante · ratificar · llevar a juicio · instaurar || retirar · quitar || fundamentar (sobre algo) · motivar · probar || admitir (a trámite)** *El juez ha admitido a trámite la denuncia* · **cursar · dar curso (a) · tramitar · conocer · atender · recibir · recoger · registrar || invalidar · rechazar · sobreseer · desoír || enjuiciar · investigar** *La Policía está investigando la denuncia porque teme que sea falsa* · **comprobar · confirmar · corroborar · avalar || silenciar · acallar · minimizar · mitigar · rebatir || evitar · acumular** *El local, que acumula ya varias denuncias por ruido, sigue abierto* **|| ocasionar || desdecirse (de) || salir al paso (de) || dictaminar (sobre)**

denunciar v.

• CON SUSTS. **caso** *Los vecinos denunciaron el caso ante la prensa* · **hecho · situación || agresión · ataque · maltrato · violación · crimen · delito · violencia || abuso · corrupción · falsedad · fraude · injusticia · irregularidad || desaparición** *Cuando vimos que no estaba el coche, denunciamos su desaparición inmediatamente* · **detención || acuerdo**
• CON ADVS. **abiertamente · sin paliativos · sin tapujos · inmediatamente || con dureza · con firmeza · con rotundidad · enérgicamente · tajantemente · seriamente · punto por punto · severamente · vigorosamente || a coro · conjuntamente · a voz en grito · formalmente · públicamente · verbalmente || directamente · implícitamente || insistentemente · reiteradamente** *Los consumidores ya habían denunciado reiteradamente a esta compañía a causa de...* · **incansablemente · cotidianamente || inútilmente || en falso · falsamente || judicialmente · penalmente**

□ USO Se construye frecuentemente con complementos encabezados por las preposiciones *ante* (*denunciar los hechos ante la autoridad*) y *a* (*denunciar un robo a la policía*).

de oídas loc.adv./loc.adj.

• CON VBOS. **hablar** *¿Has leído algo sobre el tema o hablas de oídas?* · **decir · responder · contar · declarar · criticar ·** ***otros verbos de lengua*** **|| conocer · saber · aprender**
• CON SUSTS. **testimonio · información** *Te advierto de que es una información de oídas*

de oído loc.adv.

• CON VBOS. **cantar · componer · tocar** *tocar el piano de oído* · **saber · interpretar**

de oro loc.adj.

• CON SUSTS. **época · edad · siglo · etapa · jornada || oportunidad** *El equipo perdió una oportunidad de oro para ocupar el primer puesto en el campeonato* · **ocasión · opción · sueño || regla · norma · ley · dogma || corazón || voz** *Durante unos años fue la voz de oro de la canción española* · **garganta || punto · gol · tanto || papel · interpretación · actuación || título · nombre · mención · nominación || bodas || pico**
• CON VBOS. **hacer(se)** *Con las últimas inversiones petroleras la compañía se ha hecho de oro*

de paisano loc.adv./loc.adj.

• CON VBOS. **vestir** · **ir** · **venir** · **pasear** · **estar** · **actuar** · **trabajar**
• CON SUSTS. **agente** *Se acercaron dos agentes de paisano y nos preguntaron por...* · **policía**

de palabra loc.adv./loc.adj.

▮ [que cumple lo que promete]
• CON SUSTS. ***persona*** *Puedes confiar en mí, soy un hombre de palabra* || **gobierno** · **ayuntamiento** · **empresa** · ***otras instituciones***

▮ [por medio de la expresión oral]
• CON VBOS. **comunicar** *Me comunicaron su decisión de palabra* · **decir** · **pedir** · **requerir** · **solicitar** || **agredir** · **meterse** · **amenazar** · **insultar** · **herir** · **atacar** · **ofender** *Lo acusan de ofender de palabra a...* · **maltratar** · **acusar** · **arremeter** || **comprometerse** · **solucionar** · **acordar** · **prometer** · **arreglar** · **cerrar una operación** *Cerraron la operación de palabra, y la semana próxima lo harán por escrito* · **pactar** · **ofrecer** · **garantizar** || **defender** · **apoyar** · **ayudar** · **contribuir** || **aceptar** · **admitir** · **reconocer** || **reaccionar** · **rechazar** · **protestar** · **condenar** · **contestar** · **descartar** || **participar** · **intervenir** || **movilizar** · **cambiar**
• CON SUSTS. **contestación** · **explicación** · **petición** · **solicitud** || **acuerdo** *Hubo un acuerdo de palabra entre la empresa y los trabajadores* · **compromiso** · **pacto** · **apoyo** · **convenio** · **arreglo** · **garantía** · **autorización** || **ofensa** · **agresión** · **amenaza** · **maltrato** · **condena** · **ataque** · **represión** · **ultraje** || **disidencia** · **resistencia** · **rechazo**

de palabra y obra loc.adv./loc.adj.

• CON VBOS. **pecar** · **traicionar** *un político que ha traicionado de palabra y obra los principios de su partido* || **combatir** · **protestar** · **agredir** · **maltratar**
• CON SUSTS. **agresión** · **violencia** · **crueldad** · **maltrato** *Fue víctima de maltrato de palabra y obra durante varios años*

deparar (algo) v.

• CON SUSTS. **día** · **año** *Espero que el año nuevo nos depare gratas novedades* · **temporada** · **calendario** · **período** || **futuro** · **destino** · **suerte** · **fortuna** || **sorteo** · **lotería** · **urna** || **vida** · **experiencia** · **carrera** || **liga** || **búsqueda** · **sondeo** · **estudio** · **investigación** *La investigación nos deparó más de una sorpresa* || **actividad** · **tarea** · **ejercicio** || **relación** · **unión** · **asociación** || **congreso** · **viaje** *Quién sabe qué nos deparará este viaje* · **cambio** || **película** · **novela** · **obra**

de par en par loc.adv.

• CON VBOS. **estar** *Las puertas estaban de par en par cuando llegamos* · **encontrar** · **dejar** · **mantener** · **seguir** · **abrir**

departir v.

• CON ADVS. **animadamente** · **animosamente** · **distendidamente** · **alegremente** *Los invitados departían alegremente cuando se vino abajo la carpa* · **risueñamente** · **jovialmente** || **amigablemente** · **amistosamente** || **amablemente** · **cordialmente** *El presidente departió cordialmente con el líder de la oposición* · **campechanamente** || **serenamente** · **tranquilamente**

☐ USO Se construye a menudo con complementos encabezados por las preposiciones *de* (*departir de un tema*) o *sobre* (*departir sobre un tema*).

de pasada loc.adv. *col.*

• CON VBOS. **hablar (de algo)** · **decir** *Me dijo de pasada que no podría venir a la reunión* · **contar** · **comentar** || **afectar** · **salpicar** · **influir** · **traer como consecuencia** || **mencionar** *Ya había mencionado de pasada la posibilidad de renunciar a su cargo* · **aludir** · **citar** · **nombrar** · **señalar** · **referirse** || **abordar** · **tocar** · **tratar** · **atender** · **plantear** || **recordar** · **evocar** · **pensar** || **conocer** · **leer** *Leyó de pasada la información que le presentaron* · **ver** · **escuchar** · **oír** · **captar** · **ojear** || **preguntar** · **interrogar** · **proponer** || **aparecer** · **asomar** · **introducir(se)** · **venir** · **visitar**

de paseo loc.adv./loc.adj.

• CON VBOS. **ir** · **salir** *Durante mi convalecencia salíamos de paseo todas las tardes* · **venir** · **andar** · **estar** || **llevar (a alguien)** *Nunca me llevas de paseo* · **sacar (a alguien)**
• CON SUSTS. **ropa** · **traje** · **capote** || **zona** · **lugar** || **ritmo** || **día**

depauperado, da adj.

• CON SUSTS. **situación** *No se han producido cambios en la depauperada situación financiera del país* · **panorama** || **arcas** · **economía** *la depauperada economía del país* · **finanzas** · **moneda** || **industria** · **sector** · **empresa** · **compañía** || **barrio** · **zona** · **comarca** · **patria** · **país** · **estado** · **mundo** || **población** *La crisis sanitaria afectará especialmente a la población más depauperada y vulnerable* · **sociedad** · **vida** · **comunidad** · **grupo** || **paisaje** · **aspecto**

de pe a pa loc.adv. *col.*

• CON VBOS. **aprender(se)** *Me aprendí la lección de pe a pa* · **conocer** · **saber(se)** || **decir** · **recitar** · **repetir** || **explicar** *Nos explicó de pe a pa toda la situación* · **informar**

de penalti loc.adv./loc.adj.

• CON VBOS. **marcar** *marcar un gol de penalti* || **casarse**
• CON SUSTS. **gol** · **lanzamiento** · **punto** · **tiro** || **boda**

dependencia s.f.

▮ [lugar]
• CON ADJS. **estatal** · **judicial** · **oficial** · **policial** *Se encuentra detenido en las dependencias policiales de la comisaría*
• CON VBOS. **habilitar** · **instalar** · **construir** · **disponer** || **trabajar (en)** *Trabajo en las nuevas dependencias judiciales*

▮ [vinculación]
• CON ADJS. **absoluta** *Tiene una dependencia absoluta de su madre* · **total** · **alta** · **elevada** · **gran(de)** · **creciente** *El informe constata nuestra creciente dependencia exterior en el suministro energético* · **acusada** · **marcada** · **excesiva** · **abrumadora** · **plena** · **fuerte** · **intensa** · **servil** · **poderosa** · **severa** || **directa** · **indirecta** · **relativa** · **virtual** || **económica** · **laboral** · **política** · **energética** · **técnica** · **tecnológica** · **física** · **psicológica** · **psíquica** || **exterior** · **vital** || **alimentaria** · **alcohólica**
• CON SUSTS. **estado (de)** · **relación (de)** *Entre ellos solo hay una relación de dependencia laboral* · **situación (de)** · **problema (de)** · **grado (de)** · **período (de)**
• CON VBOS. **acrecentar(se)** · **aumentar** · **disminuir** || **crear** · **generar** · **producir** || **padecer** · **sufrir** · **mostrar** · **acusar** · **reconocer** || **reducir** *Con el tratamiento adecuado ha reducido su dependencia de las pastillas* · **romper** · **evitar** · **superar** · **vencer** || **negar** *El famoso actor siempre negó su dependencia del alcohol* || **escapar (a)** · **liberar(se) (de)** · **someterse (a)**

☐ USO Se construye con complementos encabezados por la preposición *de*: *...que lucha por superar su dependencia de la droga.*

depender v.

● CON ADVS. **absolutamente · completamente · por completo · totalmente · excesivamente || básicamente · exclusivamente** *La decisión dependía exclusivamente de él* · **directamente · intrínsecamente · realmente || inevitablemente · irremediablemente · necesariamente · inexorablemente || permanentemente · temporalmente || administrativamente · económicamente** *Nuestra organización depende económicamente de las subvenciones estatales* · **jerárquicamente · funcionalmente · técnicamente**

□ USO Se construye con complementos encabezados por la preposición *de*: *Mi hermano pequeño todavía depende económicamente de mis padres.*

dependiente, ta

1 **dependiente** adj.

▮ [que depende de algo]

● CON ADVS. **completamente · totalmente · absolutamente** *Los bebés son absolutamente dependientes de sus padres* || **altamente · fuertemente · extremadamente || directamente · estrechamente || psicológicamente** *una persona física y psicológicamente dependiente de la nicotina* · **físicamente || económicamente · políticamente**

● CON VBOS. **hacer(se) · volverse**

2 **dependiente, ta** s.

▮ [persona]

● CON ADJS. **atento,ta** *Me ha atendido una dependienta muy atenta* · **eficaz · amable · antipático,ca**

● CON SUSTS. **puesto (de) · empleo (de)**

● CON VBOS. **atender (a alguien) · ayudar (a alguien) · aconsejar (algo/a alguien)** *Busqué un dependiente para que me aconsejara sobre la talla de las camisas* · **orientar (a alguien) · vender (algo) || llamar · buscar · necesitar** *En esa tienda necesitan dependientes* · **contratar || trabajar (como/de) · hacer (de)**

de perros loc.adj. *col.*

● CON SUSTS. **día · tarde · noche · vida · mañana** *Fue una mañana de perros: todo nos salió mal* · **verano · semana || tiempo · clima || humor** *despertarse con un humor de perros* · **cara**

de peso loc.adj.

● CON SUSTS. **dirigente · político,ca** *Fue un político de peso durante la Transición* · **periodista · candidato,ta · líder · empresa · compañía || campeón,-a · cantante · actor · actriz · rival · aspirante · equipo · colaborador,-a ||** ***otros individuos y grupos humanos*** **|| razón** *No hay razones de peso que lo justifiquen* · **argumento · fundamento || factor · detalle · elemento**

de pies a cabeza loc.adv./loc.adj.

● CON VBOS. **vestir** *La presidenta, vestida de negro de pies a cabeza, pronunció un discurso solemne y lleno de...* · **cubrir(se) · tapar(se) · forrar(se) · envolver(se) · trajear(se) · uniformar(se) · enlutar(se) · abrocharse · velar(se) · armar(se) · pertrechar(se) || manchar(se) · empapar(se) · calar(se) · embadurnar(se) · embarrar(se) || invadir · cachear · investigar · revisar** *Su obligación era revisar de pies a cabeza a toda persona que entrara en el edificio* · **quemar || crear · fabricar · diseñar · revolucionar · reforzar · renovar**

● CON ADJS. **desnudo,da · limpio,pia || corrupto,ta · sólido,da · zafio,fia || nuevo,va** *Acaba de salir; es un modelo nuevo de pies a cabeza*

● CON SUSTS. **brasileño,ña · catalán,-a ·** ***otros gentilicios*** **|| caballero · demócrata · profesional · señor,-a · luchador,-a · campeón,-a · artista** *La cantante ha dado suficientes muestras de ser una artista de los pies a la cabeza* · **político,ca · empresario,ria · actor · actriz · estrella · músico,ca · compositor,-a ·** ***otros individuos***

□ USO Se usa también la variante *de los pies a la cabeza.*

de placer

● CON VBOS. **estremecerse · temblar · vibrar · estallar · morirse**

● CON SUSTS. **crucero · viaje · vacaciones || expresión · grito · sensación** *Nunca olvidaré la sensación de placer que me produjo aquella visita inesperada* || **instante · momento · rato · noche || fuente · objeto · motivo**

de plano loc.adv./loc.adj.

● CON VBOS. **chocar · dar(se) (contra algo) · encontrarse || rechazar** *Varias organizaciones humanitarias rechazaron de plano la sentencia* · **descartar · desestimar · desechar · rehusar || cortar · erradicar · eliminar · excluir · anular · cerrar · atajar · abortar · archivar · suspender** *Ante las constantes críticas, el Gobierno decidió suspender de plano la controvertida medida* · **cancelar || negar · oponerse · desmentir · prohibir · impedir || descalificar · desacreditar · reprender · atacar || cantar · confesar · admitir · reconocer · confirmar || caer** *La luz caía de plano sobre nuestras cabezas* · **pegar · dar (en algo) · golpear || equivocarse · errar || acertar · superar · resolver**

● CON SUSTS. **rechazo · oposición**

de pleno loc.adv.

● CON VBOS. **acertar · dar en la diana · triunfar || equivocarse** *Al optar por aquella solución se equivocaron de pleno* · **fracasar · errar || rechazar** *Rechazó de pleno esa versión de los hechos* · **negar · eliminar · cortar || confirmar · reconocer · justificar · respaldar · coincidir || entrar · inscribirse** *un pintor que se inscribe de pleno en el movimiento impresionista* · **pertenecer || meter(se) · dedicarse · entregarse · volcarse · participar · abocarse || afectar · alcanzar · dar · chocar** *una propuesta que choca de pleno con nuestras previsiones y que no podemos aceptar* · **abordar · atacar · atentar · atropellar · tocar · coger**

deplorable adj.

● CON SUSTS. **estado** *Las rutas de acceso se encuentran en un estado deplorable* · **situación · condición || actuación · espectáculo || conducta · actitud · comportamiento** *No hay excusa para un comportamiento tan deplorable* || **imagen · aspecto || atentado · ataque · violencia**

de poca monta loc.adj.

● CON SUSTS. **cuestión · asunto · negocio** *Empezó con un negocio de poca monta y ahora es millonario* || **delincuente · ladrón,-a · caco · timador,-a · estafador,-a · ratero,ra · truhán,-a · gánster · atracador,-a · mafioso,sa · terrorista · traficante · camello || asalto · robo · timo · estafa · crimen · delincuencia**

deponer v.

▌ [dejar, abandonar]

● CON SUSTS. **arma** *El ejército aceptó deponer las armas* · **fusil** · **pistola** || **actitud** · **comportamiento** · **intransigencia** · **prepotencia** · **egoísmo** · **orgullo** || **rivalidad** · **diferencia** · **odio** · **protesta** · **resentimiento** · **antagonismo** · **aspereza** · **hostigamiento** · **violencia** || **idea** · **postura** · **aspiración** · **principio** · **objetivo** · **intereses** *Pidió a todos que se depusieran los intereses personales en favor de la paz*

▌ [destituir]

● CON SUSTS. **gobernante** · **presidente,ta** *un golpe de Estado que pretendía deponer al presidente electo* · **ministro,tra** · **director,-a** · **juez** · **rey** · **reina** · **emperador** · **emperatriz** · **monarca** · **líder** · **dictador,-a** · **dirigente** · ***otras autoridades*** || **gobierno** · **régimen** · **dictadura**

deportar v.

● CON SUSTS. **inmigrante** · **extranjero,ra** · **refugiado,da** · ***otros individuos y grupos humanos***

● CON ADVS. **en masa** || **forzosamente** · **inmediatamente** *El terrorista fue detenido e inmediatamente deportado a...* || **periódicamente** || **en secreto**

deporte s.m.

● CON ADJS. **de riesgo** *Los deportes de riesgo están de moda* · **arriesgado** · **rudo** · **competitivo** · **olímpico** || **profesional** · **amateur** || **de masas** · **mayoritario** · **de élite** · **popular** · **favorito** · **minoritario** || **individual** *Prefiero los deportes individuales a los de equipo* · **de equipo** || **adicto,ta (a)** · **aficionado,da (a)** · **practicante (de)**

● CON VBOS. **hacer** · **practicar** || **fomentar** *fomentar el deporte entre los jóvenes* · **incentivar** · **promocionar** || **jugar (a)** *Juego a este deporte desde niño* · **ganar (a)** · **perder (a)** || **invertir (en)**

DEPORTE

Información útil para el uso de:

bádminton; balompié; baloncesto; balonmano; balonvolea; béisbol; bolos; boxeo; frontón; fútbol; squash; tenis; voleibol; waterpolo

● CON ADJS. **profesional** · **amateur** · **de élite** *Se dedica al tenis de élite* · **infantil** · **juvenil** || **internacional** · **nacional** · ***otros gentilicios*** || **femenino** · **masculino** || **adicto,ta (a)** · **aficionado,da (a)**

● CON SUSTS. **partido (de)** *un partido de baloncesto* · **torneo (de)** · **encuentro (de)** · **liga (de)** · **campeonato (de)** · **mundial (de)** || **figura (de)** · **astro (de)** · **estrella (de)** · **jugador,-a (de)** · **entrenador,-a (de)** || **cancha (de)** *la cancha de balonmano* · **pabellón (de)** || **equipo (de)** · **club (de)** · **selección (de)** · **escuela (de)** || **reglas (de)** · **normativa (de)** · **federación (de)** || **pasión (por)**

● CON VBOS. **practicar** *practicar regularmente el voleibol* || **fomentar** || **jugar (a)** *jugar al fútbol* · **ganar (a)** · **perder (a)** || **dedicar(se) (a)** · **aficionar(se) (a)** · **hacer pinitos (en)**

deportista s.com.

● CON ADJS. **célebre** · **famoso,sa** · **destacado,da** *una destacada deportista de gimnasia rítmica* · **gran** || **de élite** · **olímpico,ca** *un deportista olímpico con mucho futuro* · **profesional** · **aficionado,da** || **nacional** · **internacional** || **disciplinado,da**

● CON SUSTS. **entrenamiento (de)** · **preparación (de)** · **sacrificio (de)** || **entrenador,-a (de)** || **trayectoria (de)** · **carrera (de/como)** || **grupo (de)** *Ya ha llegado un grupo de deportistas a la villa olímpica* · **delegación (de)** || **rendimiento (de)** *El rendimiento de este deportista es muy alto* || **sueño (de)** · **aspiración (de)** || **imagen (de)** · **figura (de)** · **músculos (de)** · **físico (de)** · **cuerpo (de)**

● CON VBOS. **lograr** · **ganar** *Fue el primer deportista que ganó oro en natación y waterpolo* · **triunfar** · **perder** · **derrotar (a alguien)** · **competir** || **entrenar** · **ejercitar(se)** · **lesionar(se)** || **debutar** · **retirar(se)** || **esforzar(se)** · **mejorar (algo)** *Todo deportista aspira a mejorar sus marcas* · **superar(se)** || **doparse** *Dicen que los deportistas de hoy ya no se dopan como los de antes*

deportivamente adv.

▌ [en el ámbito deportivo]

● CON VBOS. **vivir** || **hablar** || **juzgar** · **justificar** · **valorar** · **sancionar** || **crecer** · **mejorar** · **reforzarse** · **ascender** || **empeorar** · **disminuir** · **caer** · **descender** || **enfrentarse** · **triunfar** · **derrotar** · **tener éxito** · **fracasar** *Aunque fracasó deportivamente, tuvo éxito como empresario* · **fallar** || **afectar** · **interesar** · **perjudicar** · **hacer mella** || **usar** · **rentabilizar** · **aprovechar** || **vengarse** · **resarcirse** || **educar(se)** · **formar(se)** *Ha tenido la suerte de formarse deportivamente con los mejores*

▌ [con deportividad, con elegancia]

● CON VBOS. **aceptar** · **aguantar** · **encajar** · **asumir** · **tomarse** · **afrontar** · **encarar** *tomarse las cosas con calma y encarar la situación deportivamente* || **perder** *El equipo demostró que sabía perder deportivamente* · **ganar** || **felicitar** · **aplaudir** || **jugar** · **competir** · **participar** · **actuar** · **comportarse** · **luchar**

▌ [de manera informal]

● CON VBOS. **vestir** · **calzar**

deportividad s.f.

● CON ADJS. **absoluta** · **total** || **gran(de)** *Los jugadores dieron muestra de una gran deportividad* · **ejemplar** · **escasa** || **exquisita** · **elegante** || **acreditada** · **habitual**

● CON SUSTS. **falta (de)** · **ausencia (de)** || **ejemplo (de)** *La final fue todo un ejemplo de deportividad* · **lección (de)** · **gesto (de)** · **alarde (de)** · **exhibición (de)**

● CON VBOS. **abundar** · **escasear** || **demostrar** · **tener** · **acreditar** || **olvidar** || **hacer gala (de)**

● CON PREPS. **con** *Hemos aceptado con deportividad la derrota* · **sin**

de por vida loc.adv./loc.adj.

● CON VBOS. **emplear (a alguien)** · **trabajar** || **condenar (a alguien)** · **encerrar (a alguien)** || **expulsar (a alguien)** · **vetar (a alguien)** · **suspender (a alguien)** || **mantener (a alguien)** · **permanecer** || **marcar (a alguien)** *un episodio que los marcó de por vida*

● CON SUSTS. **empleo** *Su idea es conseguir un empleo de por vida* · **trabajo** · **puesto** · **sueldo** · **contrato** || **castigo** · **sanción** · **condena** · **prisión** || **pensión** || **enfermo,ma** || **tratamiento**

depositar v.

● CON SUSTS. **voto** *depositar el voto en la urna* · **maleta** · **cacerola** · ***otros objetos*** || **dinero** *¿Por qué no depositas el dinero en un lugar seguro?* · **cheque** · **fianza** · **joya** · **bienes** · **fondos** · **ahorros** || **esperanza** · **ilusión** · **expectativa** *un proyecto en el que hemos depositado todas nuestras expectativas* · **confianza** · **fe** || **ambición** · **anhelo** ·

ansia · aspiración || simpatía · afecto *Solía depositar su afecto en personas que no se lo merecían* · **amor · gratitud · complacencia · odio || conocimiento · experiencia · idea · información || responsabilidad · deber · función**
● CON ADVS. **a cuenta · a plazo fijo** *Había depositado todos sus ahorros a plazo fijo* · **en custodia || en efectivo · en metálico || cuidadosamente · suavemente || con responsabilidad · con previsión · previsoramente || ilusionadamente**

[depósito] → depósito; en depósito

depósito

1 **depósito** s.m.

▌[efecto de depositar]

● CON ADJS. **a plazo fijo** *un depósito a plazo fijo en el banco* · **a plazos · a {corto/largo} plazo || bancario || legal · ilegal**
● CON VBOS. **crecer || hacer · pagar || tener || captar · descubrir || congelar · retirar · renovar**
● CON PREPS. **en** *tener productos en depósito*

▌[recipiente o lugar]

● CON ADJS. **lleno · vacío** *Me encontraba en medio de un atasco y con el depósito vacío* · **desabastecido || estanco || enorme · natural · subterráneo || central · municipal · clandestino || petrolífero · nuclear**
● CON SUSTS. **nivel (de) · contenido (de) · capacidad (de) || tapón (de) · abertura (de) || rotura (de)**
● CON VBOS. **contener (algo) || arder · reventar(se) || llenar** *Llené el depósito de gasolina* · **vaciar · rellenar · reponer || construir · habilitar · instalar · limpiar · inspeccionar** *Tras inspeccionar los depósitos, la Policía decidió precintarlos* · **señalizar · precintar || bloquear · clausurar · dinamitar · allanar || almacenar (en) · guardar (en)**

2 **depósito (de)** s.m.

● CON SUSTS. **agua** *Hay un depósito de agua en el jardín* · **carburante · combustible · gas · gasolina · fueloil · nafta · queroseno · cloro || armas · armamento · explosivos · munición || basura · residuos · vertidos || material · madera || cadáveres || dinero · acciones · ahorro · cheques · fondos || bienes · libros** *En el depósito de libros de la biblioteca encontré algunos muy interesantes* **|| coches · vehículos · automóviles || reserva · seguridad · confianza · garantía · almacenamiento**

☐ USO Se construye a menudo con sustantivos no contables en singular (*depósito de basura*) o con contables en plural (*depósito de vertidos*).

de postín loc.adj.

● CON SUSTS. **abogado,da · político,ca · equipo · rival** *El equipo se lució frente a un rival de postín* · **torero,ra ·** ***otros individuos y grupos humanos*** **|| empresa · bufete || establecimiento · restaurante · casa · barrio · escenario · plaza · sala || evento · boda** *un hotel de lujo en el que se celebran bodas de postín* · **cena · comida · cóctel · concierto · festival · fiesta · estreno · premio · corrida · feria · mitin**

depravado, da adj.

● CON SUSTS. ***persona*** *un jefe depravado y cruel* **|| mente · conducta · comportamiento || acto · crimen || ambiente** *la sordidez y el ambiente depravado del lugar* · **lujuria**
● CON VBOS. **volverse · hacer(se)**

depreciar v.

● CON SUSTS. **moneda** *El Gobierno depreció la moneda para intentar salir de la crisis* · **divisa || valor · cambio · validez · costo · inversión || activos · ingresos · retribuciones**
● CON ADVS. **significativamente · considerablemente** *El valor de la vivienda se ha visto depreciado considerablemente el último año* · **sensiblemente · fuertemente · seriamente || ligeramente · levemente · moderadamente || progresivamente · inmediatamente · aceleradamente**

de precisión loc.adj.

● CON SUSTS. **mecánica · mecanismo · dispositivo · técnica || aparato · herramienta** *Se emplean en el trabajo herramientas de alta precisión* · **instrumento · máquina || balanza · báscula · peso · reloj || fusil · rifle · arma · bomba || trabajo**

depredador, -a

1 **depredador, -a** adj.

● CON SUSTS. **animal · especie · naturaleza || instinto · afán · carácter · espíritu || acción · práctica · actividad || sociedad · civilización · urbanismo · terrorismo || capitalismo** *...tomando la forma de un capitalismo depredador e insaciable* · **comercio · consumismo**

2 **depredador, -a** s.

● CON ADJS. **natural · carnívoro,ra · marino,na · humano,na || gran · pequeño,ña · poderoso,sa** *El león es un poderoso depredador* **|| verdadero,ra · auténtico,ca || cruel · fiero,ra · terrible || nocturno,na || sexual**

de presa loc.adj.

● CON SUSTS. **perro · animal · ave · pájaro**

depresión s.f.

● CON ADJS. **enorme · fuerte** *sufrir una fuerte depresión* · **gran(de) · grave · terrible · tremenda · brutal · colosal · aguda · honda · inmensa · profunda · severa || constante · dilatada · persistente · prolongada** *Su depresión fue más prolongada de lo esperado* **|| leve · ligera · pasajera || plena** *Cuando nos llamó, estaba en plena depresión* **|| anímica · económica || geográfica · del terreno · montañosa || endógena · exógena || preso,sa (de) · enfermo,ma (de) · aquejado,da (de)**
● CON SUSTS. **crisis (de) · fase (de) · episodio (de) · etapa (de) || cuadro (de)** *Según los especialistas, presenta un claro cuadro de depresión* · **síntoma (de) · diagnóstico (de) || tratamiento (para) · pastillas (para)**
● CON VBOS. **entrar (a alguien) · sobrevenir (a alguien) || aminorar || tener · agarrar** *Me agarré una tremenda depresión después de su marcha* · **coger · atravesar** *La carretera atraviesa una pequeña depresión antes de subir al puerto* · **sufrir · padecer || causar** *La noticia le causó una profunda depresión* · **ocasionar · provocar || combatir · evitar · superar · remontar · vencer || pasar (por)** *Estoy pasando por una grave depresión* · **hundir(se) (en) · sumir(se) (en) · entrar (en) · sucumbir (a) · ceder (a) · caer (en) || salir (de)** *Entre todos le ayudaron a salir de la depresión* · **recuperarse (de) · reponer(se) (de) · curar(se) (de) || llevar (a)**

de primera mano loc.adv.

● CON VBOS. **escuchar** *Todos queríamos escuchar de primera mano las novedades de su viaje* · **ver · oír || conocer · saber · enterarse · obtener información · recibir explicaciones · descubrir || sentir · vivir || informar · ex-**

plicar · hablar · contar · afirmar · narrar · aclarar || comprobar · constatar · contrastar · estudiar · analizar *...un valioso testimonio que estos documentos permiten analizar de primera mano*

de primera necesidad loc.adj.

• CON SUSTS. **artículo · bien · producto · objeto · mercancía · material || alimento || economía · medida · servicio · compra**

deprimido, da adj.

▮ [abatido, decaído]

• CON SUSTS. **paciente** *El paciente está deprimido porque el tratamiento no da el resultado esperado* · **enfermo,ma** · ***otros individuos***

• CON ADVS. **anímicamente**

• CON VBOS. **estar · sentirse · encontrarse** *Últimamente me encuentro un poco deprimido y desanimado* · **quedar(se)**

▮ [pobre, desfavorecido]

• CON SUSTS. **zona · barrio · comarca · sector · región** *Se trata de una de las regiones más deprimidas del país* · **territorio · país · municipio · ciudad · suburbio** · ***otros lugares*** || **mercado · economía** *El país tiene ahora una economía deprimida e inestable* · **industria · actividad · consumo**

• CON ADVS. **económicamente**

de principios loc.adj.

• CON SUSTS. **hombre** *Es un hombre de principios y nunca cederá al chantaje* · **mujer · persona || crisis · problema · cuestión · posición || acuerdo**

de pronóstico reservado loc.adj.

• CON SUSTS. **herida** *Dos accidentados fueron trasladados al hospital con heridas de pronóstico reservado* · **lesión · contusión · puñalada · cornada || estado · diagnóstico**

de proporciones

• CON ADJS. **gigantescas** *una plaga de proporciones gigantescas* · **grandes · mayúsculas · monumentales · descomunales · enormes · desmedidas · espectaculares · vastas · colosales** *un edificio de colosales proporciones* · **mundiales · cósmicas · abrumadoras · inabarcables · incalculables · considerables || inesperadas · insólitas · insospechadas** *un peligro de proporciones insospechadas* · **inusitadas · inverosímiles · inimaginables || catastróficas · apocalípticas · bíblicas · dantescas || heroicas · épicas** *una hazaña de proporciones épicas* · **históricas || abarcables · reducidas**

de provincias loc.adj.

• CON SUSTS. **ciudad · capital || chico,ca** *La novela narra la historia de una chica de provincias que...* · **señor,-a · escritor,-a · gente · familia** · ***otros individuos y grupos humanos*** || **periódico · diario || vida** *Acostumbrado como estaba a la monótona vida de provincias...*

de punta loc.adj.

• CON SUSTS. **pelos** *Aquella película de terror me ponía los pelos de punta* · **nervios · vello || chuzo** *Caían chuzos de punta*

• CON VBOS. **ponerse · quedarse · mantenerse**

de punta a punta loc.adv.

• CON VBOS. **recorrer** *recorrer un país de punta a punta* · **cruzar · atravesar · llevar · ir · circular · viajar · visitar · volar || ganar · imponer(se) · superar · vencer · adjudicarse · dominar || cubrir · abarcar · extender(se) · alargarse · llenarse**

de punta en blanco loc.adv.

• CON VBOS. **ir** *Todos los invitados fueron a la fiesta de punta en blanco* · **presentar(se) · aparecer · asistir · pasear || poner(se) · vestir**

de puntillas loc.adv.

• CON VBOS. **pasar · andar · caminar · ir** *Ve de puntillas porque está el niño dormido* · **correr · atravesar · avanzar · subir · bajar · volver · bailar · pasear · moverse · transitar || entrar · llegar · colarse · aparecer · asomar · introducirse · acceder · acercarse || salir · abandonar · retirarse · marcharse · largarse · huir · escapar · desaparecer · alejarse || ponerse · auparse · alzarse · erguirse || abordar · tratar** *un tema que los políticos solo se atreven a tratar de puntillas* · **hablar · analizar · mencionar**

depurar v.

• CON SUSTS. **agua** *un plan para depurar las aguas residuales del municipio* · **río · residuos || imperfección · error · corrupción · ilegalidad || administración · justicia · gobierno · comisión · institución** *Reclaman leyes que permitan depurar la institución judicial* · **organización · empresa || imagen · apariencia || trabajo · procedimiento · técnica** *un jugador muy joven, que aún necesita depurar su técnica* · **método · censo || expresión · estilo · lenguaje || responsabilidades** *El Gobierno se mostró dispuesto a depurar responsabilidades en el caso de...*

• CON ADVS. **completamente · plenamente · totalmente · al máximo || definitivamente || rápidamente · lentamente**

de raíz loc.adv.

• CON VBOS. **cortar · arrancar** *arrancar de raíz la maleza* · **extirpar · cercenar · segar || eliminar · erradicar · acabar · suprimir · borrar · exterminar · aniquilar · terminar · cancelar · descartar · abolir · aplastar || atajar** *...atajando de raíz todos los intentos de oposición, organizada o no* · **zanjar · abortar · neutralizar · paralizar · frenar · detener · desmontar || cambiar · transformar · modificar || atacar** *Se han aprobado nuevas medidas para intentar atacar de raíz el problema del desempleo* · **combatir · atentar || prohibir · vetar · limitar · vedar || desautorizar** *Este cambio de estrategia desautoriza de raíz todo lo realizado en los últimos meses* · **cuestionar · descalificar || plantear · afrontar · abordar · replantear || resolver · solucionar** *solucionar de raíz un conflicto* · **subsanar · curar || equivocarse · viciar · errar · desvirtuar · falsear**

de raza loc.adj.

• CON SUSTS. **actor · actriz · periodista** *Sus colegas la consideran una periodista de raza* · **bailaor,-a · artista · escritor,-a · político,ca · torero,ra** · ***otros profesionales*** || **caballo · yegua · perro,rra** · ***otros animales***

[derecha] s.f. → a la {derecha/izquierda}; derecho, cha

derecho, cha

1 **derecho, cha** adj.

▮ [contrario al lado izquierdo]

• CON SUSTS. **mano** *Apoya la mano derecha en la palanca* · **brazo · ojo · pierna · pie** · ***otras partes simétricas del*** *cuerpo* || **parte · lado · borde · margen** *el margen derecho de una página* · **ala** *el ala derecha del partido conservador* · **flanco · banda** *El jugador de fútbol corría por la banda derecha del campo* · **lateral · carril**

▌[recto]

● CON VBOS. **estar · poner(se)** *Ponte derecho, que te va a salir joroba* · **mantener(se) · quedar(se)** || **ir**

2 **derecho** s.m.

● CON ADJS. **fundamental · elemental · básico · primordial** || **irrenunciable · intransferible** *un derecho intransferible que le correspondía solo a usted* · **inalienable** || **incuestionable · indiscutible · inviolable · legítimo · reconocido · soberano** || **inherente · consustancial · adquirido** || **perfecto · pleno** *Estás en tu pleno derecho a quejarte* || **ancestral · consuetudinario** *Esta práctica está permitida por el derecho consuetudinario* · **vigente** || **exclusivo · individual · propio** || **equitativo · igualitario** || **discrecional · abusivo** || **humano · de autor** *Aún no ha cobrado los derechos de autor por su último libro* · **de asilo · natural · privado · público · internacional · común · canónico · romano · civil · mercantil · penal · procesal** || **humanitario · sagrado · tutelar** || **de pernada** || **atentatorio,ria (contra)**

● CON SUSTS. **defensa (de) · violación (de) · estado (de) · igualdad (de)** || **especialista (en)**

● CON VBOS. **amparar (a alguien)** *El derecho vigente me ampara* || **dimanar (de algo/de alguien) · emanar (de algo/de alguien)** || **expirar · prescribir** *El derecho a reclamación todavía no ha prescrito* || **prevalecer · primar** || **adquirir · contraer** *Aceptando el cargo contrae usted derechos y obligaciones* · **devengar · arrogarse · conquistar · obtener · cobrar · pagar** || **tener · mantener · poseer · defender · proteger** *Contraté a un abogado para que protegiera mis derechos* · **hacer valer · invocar · ejercitar · acreditar · enarbolar · ostentar · conjugar · transmitir · perder · salvaguardar** || **arrancar · arrebatar (a alguien) · usurpar · otorgar (a alguien) · reconocer** *Luchan para que se reconozcan sus derechos* · **respetar** || **ceder · subrogar · negociar · reclamar · reivindicar · reservarse** || **constituir · establecer · regular · consagrar · proclamar** || **estudiar · ejercer · aplicar · conocer** *Conozco muy bien mis derechos y no voy a renunciar a ellos* || **lesionar** *Si piensa usted que esta medida lesiona sus derechos, puede reclamar* · **pisar · pisotear · dañar · atropellar · infringir · quebrantar · conculcar · contravenir · saltarse · transgredir · violar · aplastar · violentar · vulnerar** || **anular · negar · denegar · suspender · restringir** || **luchar (por) · velar (por) · atentar (contra)** *una medida a todas luces injusta que atenta contra los más elementales derechos* || **someter (a) · atenerse (a)** || **disfrutar (de) · apegarse (a) · abusar (de)** || **renunciar (a) · abdicar (de) · despojar (de) · privar (de)** || **decaer (en algo)** *Decae usted en su derecho*

● CON PREPS. **con arreglo (a) · en uso (de)** *En uso de su derecho de veto, se opuso a la resolución* · **sin perjuicio (de)**

3 **derecha** s.f.

▌[dirección]

● CON VBOS. **torcer (a) · girar (a) · virar (a)**

▌[organización política]

● CON ADJS. **tradicional** *Pertenecen a la rama de la derecha más tradicional* · **conservadora · progresista · extrema · radical · moderna**

● CON SUSTS. **partido (de) · formación (de)** *una formación de derecha muy consolidada* · **fuerza (de)** || **gobierno (de) · mandato (de)** || **coalición (de) · división (de)** *La división de la derecha se hizo patente en los últimos comicios* || **candidato,ta (de) · líder (de) · político,ca (de) · representante (de) · dirigente (de)** *un dirigente de derechas muy respetado* || **simpatizante (de) · elector,-a (de) · militante (de) · gente (de) · persona (de)** || **pensamiento (de) · ideas (de) · valores (de) · orientación (de)** || **programa (de) · política (de)** || **voto (de)** *El voto de la derecha aumentó en las pasadas elecciones* || **papel (de)** || **intereses (de)** *Este cambio en la política económica beneficia a los intereses de la derecha* || **cambio (a) · giro (a)**

● CON VBOS. **ganar · triunfar · perder** || **pactar (con)** *Para poder gobernar pactaron con la derecha* · **aliarse (con)** || **escorar(se) (hacia)**

4 **derecho** adv.

● CON VBOS. **seguir** *Sigue derecho y luego tuerce a la izquierda* · **ir**

□ EXPRESIONES **a derechas** [con acierto] *no hacer nada a derechas*

de rechupete loc.adv. *col.*

● CON VBOS. **estar** *Este plato está de rechupete* · **pasar(lo)** || **saber (algo) · conocer (algo) · aprender (algo)** || **quedar**

de refilón loc.adv./loc.adj.

● CON VBOS. **ver · mirar** || **tocar · tratar** *En la reunión anterior se trató el tema de refilón* · **abordar · analizar · plantear · consultar · examinar** || **alcanzar · dar · rozar · afectar** *Fue una crisis que afectó de refilón al sector agrario* · **coger** || **pasar · aparecer · colar(se) · meter(se) · salir · llegar** || **enterarse · conocer · descubrir · oír · leer** || **decir · mencionar · citar**

● CON SUSTS. **mirada** *Al entrar en el local noté varias miradas de refilón* · **referencia · alusión**

de refresco loc.adj.

● CON SUSTS. **piloto · soldado** *El Gobierno envió soldados de refresco a la zona del conflicto* · **tropa · deportista · jugador,-a** · ***otros individuos y grupos humanos***

● CON VBOS. **quedar(se)**

de relojería loc.adj.

● CON SUSTS. **bomba · máquina · maquinaria · dispositivo · mecanismo**

de relumbrón loc.adj. *col.*

● CON SUSTS. **artista · estrella · profesional · invitado,da · figura** *En este teatro han actuado figuras de relumbrón* · ***otros individuos*** || **fiesta · torneo · partido · exposición** · ***otros eventos*** || **triunfo · victoria** || **obra · faena** || **título · apellido · nombre · marca**

de remate loc.adv. *col.*

● CON ADJS. **loco,ca** *Estás loco de remate por atreverte a decírselo* · **tonto,ta**

de reojo loc.adv.

● CON VBOS. **mirar** *Fíjate en tus cartas y no mires de reojo las de los demás* · **observar · vigilar · examinar · contemplar · ver**

de repetición loc.adj.

● CON SUSTS. **antena** || **mecanismo · sistema** || **arma · fusil · rifle**

de repuesto loc.adj.

● CON SUSTS. **pieza** *¿Dónde venden piezas de repuesto para este coche?* · **rueda** · **parte** · **neumático** · **llave** *La llave de repuesto tampoco funciona* · **material** · **munición** || **jugador,-a**

de riesgo loc.adj.

● CON SUSTS. **jugada** · **práctica** · **operación** · **deporte** || **factor** · **situación** · **posición** || **área** · **zona** *El Gobierno recomendó no viajar a las zonas de riesgo* · **población** · **grupo** || **prima** · **seguro** · **activo**

[deriva] → a la deriva

derivado, da adj.

● CON SUSTS. **producto** *productos derivados de la leche* · **combustible** · **alimento** || **beneficio** · **riesgo** · **ingreso** · **coste** · **interés** · **gasto** · **fondos** · **patrimonio** || **contrato**

derivar(se) v.

▮ [resultar]

● CON SUSTS. **consecuencia** · **efecto** · **resultado** · **conclusión** · **implicación** · **solución** *Se espera que de la intervención presidencial se derive alguna solución al conflicto* || **beneficio** · **ventaja** || **perjuicio** · **riesgo** · **peligro** · **daño** || **problema** · **dificultad** · **inconveniente** · **crisis** · **complicación** · **confusión** || **conflicto** · **enfrentamiento** · **rivalidad** *Los actuales conflictos se derivan de una rivalidad muy antigua* · **guerra** || **posibilidad** · **oportunidad** · **opción** · **alternativa** || **idea** · **concepto** · **enfoque** · **perspectiva** || **responsabilidad** · **compromiso** · **obligación** || **diferencia** · **desigualdad** · **desequilibrio**

● CON ADVS. **directamente** · **fácilmente** · **rápidamente** || **consecuentemente** · **lógicamente** · **correctamente** || **inevitablemente** *Tuvieron varias crisis que derivaron inevitablemente en el divorcio* · **irremediablemente** · **necesariamente** || **originalmente** || **paradójicamente** · **sorprendentemente** · **curiosamente**

▮ [proceder etimológicamente]

● CON SUSTS. **término** *El término deriva del árabe* · **raíz** · **palabra** · **voz** · **expresión** · **forma**

● CON ADVS. **directamente** · **originalmente** · **etimológicamente**

de rodillas loc.adv.

● CON VBOS. **caer** · **poner(se)** *Se puso de rodillas y comenzó a rezar* · **postrarse** · **colocar(se)** · **clavarse** · **hincarse** · **estar** || **pedir** · **rezar** · **suplicar** · **implorar** · **recibir (algo/a alguien)** || **vivir**

derogar v.

● CON SUSTS. **ley** · **artículo** · **decreto** · **código** · **legislación** · **orden** · **disposición** · **reglamento** · **constitución** · **estatuto** · **normativa** · **ordenanza** · **precepto** || **sentencia** *derogar una sentencia de muerte* · **resolución** · **fallo** || **medida** · **pena** · **castigo** · **prohibición** · **anulación** · **veto** · **restricción** || **ayuda** · **incentivo** · **indulto** · **inmunidad** · **indemnización** · **permiso** · **prórroga** · **subsidio** · **licencia** *A los tres años de ser concedida la licencia fiscal, se la derogaron* · **exención** · **privilegio** || **plan** · **sistema** · **programa** · **proyecto** · **régimen** · **marco** || **acuerdo** *Se decidió derogar el acuerdo suscrito entre la empresa y los trabajadores* · **convenio** · **tratado** · **concierto** || **bandera** · **escudo**

● CON ADVS. **totalmente** · **en su totalidad** · **parcialmente** · **expresamente** · **definitivamente** · **inmediatamente** · **finalmente**

de rondón loc.adv. *col.*

● CON VBOS. **colar(se)** *Se coló de rondón en la fiesta* · **meter(se)** · **pasar** · **entrar** || **venir**

derramamiento s.m.

● CON ADJS. **constante** · **continuo** || **gran(de)** · **grave** || **interno** · **colectivo**

● CON VBOS. **evitar** · **detener** · **contener** · **impedir** || **provocar** · **suponer** · **permitir** · **causar** *una guerra larga y terrible que causó un gran derramamiento de sangre* · **originar** || **llegar (a)** · **conducir (a)**

derramar v.

● CON SUSTS. **lágrima** · **sangre** *Ya se ha derramado demasiada sangre durante esta guerra* || **agua** · **vino** · **aceite** · ***otros líquidos*** || **botella** · **jarra** · **copa** · **vaso** *Al final terminarás derramando el vaso* · ***otros recipientes*** || **bendición** · **elogio** · **insulto** · **piropo** || **talento** *una joven actriz, que derrama talento y creatividad* · **creatividad** · **sabiduría** · **ingenio** · **lucidez** || **gracia** · **desparpajo** · **sabrosura** || **distinción** · **clase** · **elegancia** · **carisma** || **tristeza** · **nostalgia** · **angustia** · **melancolía** || **amor** *Vivió derramando su amor entre los más necesitados* · **ternura** · **cariño** · **pasión** || **furia** · **cólera** · **rabia** · **ira** || **magia** · **ilusión** · **maravillas**

● CON ADVS. **accidentalmente** || **generosamente** *un periódico que derrama generosamente elogios y parabienes al Gobierno de turno* · **con generosidad** · **a borbotones** · **a manos llenas** · **desmesuradamente**

derrame s.m.

● CON ADJS. **sanguíneo** · **cerebral** *Tras el derrame cerebral, inició un largo proceso de rehabilitación* · **pulmonar** · **pleural** · **conjuntival** · **sinovial** || **interno** || **fuerte** · **grave** · **turbulento** || **accidental**

● CON VBOS. **producir(se)** || **sufrir** · **tener** || **causar** · **provocar** · **ocasionar** · **motivar** || **evitar** · **controlar** *Técnicos especializados trabajan duro para controlar el derrame de crudo producido tras el accidente* · **contener** · **frenar** · **combatir**

derrapar v.

● CON SUSTS. **coche** · **moto** *La moto derrapó en la curva y nos fuimos al carril contrario* · **bicicleta** · **avión** · **autocar** · **automóvil** · ***otros vehículos***

● CON ADVS. **suavemente** · **ligeramente** · **controladamente** || **bruscamente** · **peligrosamente**

derrengado, da adj.

● CON VBOS. **estar** · **sentirse** · **andar** · **encontrarse** · **terminar** · **acabar** *Después de la mudanza acabé derrengada* · **quedarse** || **llegar** · **venir**

derretir(se) v.

▮ [hacer líquido]

● CON SUSTS. **nieve** · **hielo** · **asfalto** · **mantequilla** · **helado** · ***otras sustancias o materiales***

▮ [sentir ternura, placer o compasión]

● CON SUSTS. ***persona*** *El padre se derretía viendo reír a su hija* || **talento** · **conciencia** · **alma** *A cualquiera se le derrite el alma con estas imágenes* · **corazón** || **seso** · **mollera** · **cerebro** *No estudies tanto, que se te va a derretir el cerebro* · **idea**

derrocar v.

●CON SUSTS. **gobierno · dictadura · régimen · monarquía || dictador,-a** *La revolución tenía por objeto derrocar al dictador* · **gobernante · presidente,ta · rey · reina**

derrochar v.

●CON SUSTS. **dinero** *derrochar dinero por doquier* · **fortuna · riqueza · munición · agua ·** ***otros recursos*** **|| alegría · optimismo · entusiasmo · ilusión · pasión · euforia · efusión · satisfacción · felicidad · amor · cariño ·** ***otros sentimientos o sensaciones*** **|| valor · coraje · valentía · arrojo · bravura · heroísmo || voluntad · entrega · gana** *Fue un partido difícil y reñido, en el que el equipo derrochó ganas y buen juego* · **empeño || prudencia · modestia · mesura · seguridad · templanza · aplomo · temple || fuerza · carácter · vitalidad · temperamento · energía** *Estos niños derrochan energía y vitalidad* · **fortaleza · garra · casta · vigor · poderío · fiereza || talento · inteligencia · dotes · virtud · destreza · facultad · cualidad || coherencia · sensatez** *Nadie discute que sus artículos derrochan sensatez y sentido común, pero...* · **sabiduría · sentido común · conocimiento · idea || ingenio · imaginación · fantasía · creatividad · genio · inventiva || estilo · elegancia** *La nueva colección de la diseñadora derrocha elegancia y buen gusto* · **clase · buen gusto · lujo · fineza · finura || simpatía · carisma · naturalidad · desparpajo · espontaneidad · gracia · encanto** *Durante el concierto, la cantante derrochó su encanto y su simpatía ante un público entusiasmado* · **salero · sonrisa || soltura · oficio · tablas · elocuencia · dominio || sinceridad · amabilidad · generosidad · caridad · ternura · honradez** *No era precisamente honradez lo que derrochaban algunos miembros del Gobierno* · **humanidad · pundonor · bondad · piedad · nobleza || pesimismo · frustración · amargura · rabia · saña · furor || orgullo · altanería · autoestima · vanidad · presunción || ironía · malicia · sarcasmo · socarronería · humor**

●CON ADVS. **a espuertas · a manos llenas** *una película que derrocha a manos llenas imaginación y creatividad* · **a raudales || inútilmente · irresponsablemente · tontamente · sin necesidad || con generosidad · generosamente**

derroche s.m.

●CON ADJS. **auténtico · verdadero || gran(de) · enorme · impresionante** *Pese al impresionante derroche de energía, la tenista no logró vencer* · **semejante || incontrolado · descontrolado · espectacular · deslumbrante · fastuoso · costoso · suntuario · asombroso · tremendo · monstruoso · colosal · excesivo · ramplón || generoso || inmoral · enfermizo · vergonzoso || absurdo · incomprensible · inaceptable · escandaloso** *el escandaloso derroche de dinero público* · **innecesario || terrible · frenético · enérgico · brutal · lastimoso || físico · económico · consumista · navideño || habitual · incesante**

●CON VBOS. **crecer · incrementar(se) · aumentar || decrecer · menguar · disminuir || suponer · hacer · constituir || evitar** *Debemos evitar el derroche de agua potable y de energía* **|| pagar · soportar || premiar · agradecer || criticar · recortar · penalizar**

derrota s.f.

●CON ADJS. **aplastante** *sufrir una aplastante derrota* · **demoledora · abrumadora · rotunda · contundente · fulminante · abultada · clara · importante** *Su prepotencia les costó una importante derrota electoral* · **fuerte · gran(de) · histórica · severa · soberana · inapelable · merecida || estrepitosa · sonada · clamorosa · aparatosa · resonante || amarga** *La derrota fue muy amarga pero la superamos* · **desoladora · dolorosa · bochornosa · frustrante · humillante · catastrófica · sensible || honrosa · inmerecida || inesperada · sorprendente · llamativa · sorpresiva || definitiva · inexorable · irremediable · inevitable · esperable || consecutiva** *...consiguió remontar, después de tres derrotas consecutivas* · **nueva · inminente || a cuestas || a domicilio**

●CON SUSTS. **racha (de) · serie (de)**

●CON VBOS. **producir(se) · consumar(se) · llegar · fraguar(se) || aplacar(se) || doler (a alguien) || causar (a alguien) || deparar (a alguien) || acarrear · sellar · costar (a alguien) · infligir (a alguien) · propinar (a alguien) || constituir || conocer** *una persona afortunada que nunca ha conocido la derrota* · **sufrir · experimentar · encajar · acusar || cosechar · amasar || aceptar** *El equipo perdedor aceptó deportivamente su derrota* · **admitir · asumir · reconocer · digerir · saborear || enjugar · lavar · aderezar · justificar** *El entrenador no sabía cómo justificar la humillante derrota* **|| achacar · atribuir (a algo/a alguien) · endosar (a alguien) || evitar · mitigar · prevenir · remontar · superar · vengar || prever · anunciar || orquestar · auspiciar · permitir || llevar (a) · encaminarse (a) · abocar (a) · hundir(se) (en) · terminar (en) || desquitarse (de)** *Esta victoria le permitió desquitarse ampliamente de su anterior derrota* · **reponer(se) (de) || cargar (con)**

●CON PREPS. **al borde (de)**

derrotar v.

●CON SUSTS. **equipo · enemigo,ga · rival · ejército · partido · adversario,ria · contrincante || pobreza** *medidas para derrotar la pobreza entre todos* · **terrorismo · inflación ·** ***otras lacras sociales***

●CON ADVS. **ampliamente** *Nuestro representante derrotó ampliamente a su contrincante* · **claramente · rotundamente · contundentemente · convincentemente · en toda la línea · aplastantemente · arrolladoramente · abultadamente · abrumadoramente · a las claras · clamorosamente · inapelablemente · espectacularmente · inobjetablemente · merecidamente · fuertemente · severamente · de punta a punta || cómodamente** *El candidato más experto derrotó cómodamente a todos sus oponentes en el debate* · **sin problemas || limpiamente · deportivamente · honrosamente || aparatosamente · estrepitosamente · bochornosamente · inmerecidamente · humillantemente || a duras penas** *Un rival muy débil al que a duras penas consiguió derrotar* · **ajustadamente · por la mínima || de antemano · sorprendentemente · llamativamente · inesperadamente · sorpresivamente || reiteradamente · nuevamente · definitivamente || a domicilio || electoralmente** *sin salir nunca derrotado electoralmente* · **militarmente · políticamente**

derrotero s.m.

●CON ADJS. **distinto · diferente · nuevo || sorprendente · insospechado**

●CON VBOS. **seguir · tomar** *La investigación tomó nuevos derroteros tras las últimas declaraciones de la sospechosa* · **cobrar || marcar · trazar · desviar || conducir (por) · llevar (por) · ir (por)** *Las negociaciones van por unos derroteros distintos de los que piensa la prensa*

derrotista adj.

●CON SUSTS. **actitud** *Con una actitud tan derrotista, te costará salir adelante* · **postura · posición · visión · punto de vista || mentalidad · espíritu · filosofía · carácter · ánimo ||** ***persona*** *una chica derrotista y atormentada por* *numerosas frustraciones* || **discurso** · **argumento** · **declaración** · **mensaje** · **interpretación** || **ambiente** · **clima** *El clima derrotista y escéptico previo a las elecciones contribuyó a...* · **aire** · **imagen**

derrumbamiento s.m.

● CON ADJS. **inevitable** · **irreversible** · **imparable** · **inexorable** · **vertiginoso** · **trágico** || **inesperado** · **previsible** · **inminente** *El derrumbamiento del muro es inminente* || **parcial** · **total** · **completo** · **general** || **económico** · **político** · **electoral** || **moral** · **psicológico** · **anímico** · **físico** *El entrenador teme un derrumbamiento físico y psíquico del equipo tras la sonada derrota del domingo* · **interno** · **psíquico**

● CON SUSTS. **peligro (de)** · **riesgo (de)** || **causa (de)**

● CON VBOS. **producir(se)** · **ocurrir** · **tener lugar** || **provocar** · **causar** · **acarrear** · **motivar** || **suponer** || **prever** · **anticipar** || **evitar** *Los vecinos intentan evitar el derrumbamiento de las viviendas* · **remediar** || **conducir (a)** · **llevar (a)** || **contribuir (a)** || **proceder (a)**

● CON PREPS. **al borde (de)**

derrumbar(se) v.

● CON SUSTS. **edificio** *El viejo edificio está a punto de derrumbarse* · **monumento** · **rascacielos** · **pared** · **casa** · ***otras edificaciones*** || ***persona*** *El chico se derrumbó con la muerte de su amigo* || **precio** · **bolsa** · **mercado** · **economía** · **divisa** · **negocio** || **régimen** · **sistema** · **dictadura** · **gobierno** · **partido** · **imperio** · **política** · **empresa** *una importante empresa hace tiempo y ahora derrumbada por una mala gestión* · **presidencia** || **poder** · **hegemonía** · **omnipotencia** · **fuerza** · **fortaleza** || **imagen** · **fama** · **prestigio** · **popularidad** || **modelo** · **canon** · **símbolo** || **mito** *Hasta conseguir que el mito cinematográfico se derrumbara estrepitosamente...* · **tópico** · **creencia** · **leyenda** || **teoría** · **tesis** · **hipótesis** · **argumento** · **planteamiento** · **lógica** · **ideología** · **cuestionamiento** || **verdad** · **certeza** · **dogma** || **relación** · **acuerdo** · **consenso** || **plan** · **proyecto** · **estrategia** · **objetivo** · **pretensión** || **sueño** · **esperanza** *Todas sus esperanzas se derrumbaron cuando el médico les comunicó los resultados* · **ilusión** · **aspiración** · **expectativa** · **confianza** || **obstáculo** · **barrera** · **frontera** || **resistencia** · **defensa** || **ánimo** · **euforia** · **felicidad** || **equilibrio** · **orden** · **seguridad** · **estabilidad**

● CON ADVS. **estrepitosamente** · **abruptamente** · **dramáticamente** || **anímicamente** · **psicológicamente** · **físicamente** *El paciente se ha derrumbado físicamente* || **deportivamente** · **económicamente** · **electoralmente** · **políticamente** || **a pedazos** · **completamente** · **por completo** · **parcialmente** || **literalmente** · **pesadamente**

desabastecido, da adj.

● CON SUSTS. **ciudad** · **país** · **zona** · ***otros lugares*** || **mercado** · **población** *una población desabastecida de alimentos básicos*

● CON ADVS. **completamente** · **enteramente** · **totalmente**

● CON VBOS. **dejar** *El huracán dejó desabastecida la ciudad durante varias semanas* · **seguir** || **estar** · **quedar(se)**

desacato

1 **desacato** s.m.

● CON ADJS. **abierto** · **franco** · **completo** || **posible** · **presunto** || **flagrante** *Fue un caso de flagrante desacato* · **grave** · **calumnioso** || **judicial** · **militar**

● CON SUSTS. **delito (de)** · **caso (de)** · **ley (de)** · **actitud (de)**

● CON VBOS. **cometer** · **hacer** · **practicar** || **considerar** · **constituir** *Su comportamiento constituye un grave desacato que será castigado con...* || **legitimar** || **alentar (a)** · **invitar (a)** || **incurrir (en)** · **entrar (en)** || **acusar (de)** *La empresa fue acusada de desacato ante...* · **calificar (de)** || **procesar (por)** · **condenar (por)** · **multar (por)** · **arrestar (por)** · **juzgar (por)** · **culpar (de/por)**

2 **desacato (a)** s.m.

● CON SUSTS. **juez** · **gobierno** · **tribunal** · **autoridad** *...quien podía terminar en prisión por desacato a las autoridades* · **justicia** || **norma** · **ley** · **disposición** · **ética**

desaceleración s.f.

● CON ADJS. **acusada** *Se produjo entonces una acusada desaceleración económica* · **acentuada** · **marcada** · **intensa** · **pronunciada** · **significativa** · **fuerte** · **notable** · **clara** · **creciente** || **nueva** · **previsible** *La desaceleración del sector era previsible* || **abrupta** · **brusca** · **rápida** · **incontrolada** · **drástica** || **gradual** · **paulatina** · **progresiva** || **leve** · **ligera** *Se prevé una ligera desaceleración en las exportaciones* · **moderada** · **suave** || **económica**

● CON SUSTS. **fase (de)** · **proceso (de)** · **tendencia (a)** || **signo (de)** · **síntoma (de)** *No se observan síntomas de desaceleración del proceso* · **efecto (de)**

● CON VBOS. **producir(se)** · **acentuar(se)** || **provocar** · **propiciar** || **mostrar** · **reflejar** · **confirmar** || **afrontar** *medidas para afrontar la desaceleración de las inversiones* · **evitar** · **impedir** || **experimentar** · **sufrir** || **observar** · **prever**

desacertado, da adj.

● CON SUSTS. **comentario** *un comentario inoportuno y desacertado* · **respuesta** · **afirmación** · **discurso** · **expresión** · **título** · **palabra** · **nombre** *Eligieron un nombre desacertado y poco comercial* · **denominación** · ***otras manifestaciones verbales o textuales*** || **actuación** · **gestión** · **intervención** · **política** || **programa** · **propuesta** · **idea** · **consejo** · **sugerencia** · **solución** · **nombramiento** || **opción** · **decisión** · **elección** *Resultó ser una elección desacertada* · **cambio** · **fallo** || **análisis** *un análisis desacertado de la situación actual* · **interpretación** · **criterio** · **punto de vista** · **opinión** || **medida** · **ley** · **norma**

● CON ADVS. **totalmente** · **plenamente** || **especialmente**

desacierto s.m.

● CON ADJS. **absoluto** · **total** · **parcial** · **general** · **completo** || **grave** · **enorme** · **tremendo** *Optar por esta solución ha sido un tremendo desacierto* · **irreparable** · **increíble** · **lamentable** · **flagrante** || **involuntario** · **continuo** || **rematador** · **final** · **ofensivo** *El desacierto ofensivo en las tres últimas jornadas relegó al equipo al último puesto* · **atacante** || **político** · **histórico** · **gubernamental** · **diplomático** || **artístico** · **cinematográfico** · **narrativo** || **encadenados**

● CON SUSTS. **cadena (de)** · **cúmulo (de)** · **serie (de)** || **consecuencia (de)**

● CON VBOS. **cometer** *Cometió el desacierto de autorizar la entrada a todo el mundo* · **tener** || **motivar** · **causar** || **reconocer** · **señalar** · **achacar** || **lamentar** · **condenar** || **paliar** · **corregir** · **subsanar** || **aprovechar** || **acumular** || **caer (en)**

desacompasado, da adj.

● CON SUSTS. **movimiento** · **andar** *La reconocí por su andar desacompasado* · **baile** · **desfile** · **paso** · **balanceo** · **marcha** || **crecimiento** · **desarrollo** · **avance** · **subida** · **bajada** · **secuencia** || **música** · **ritmo** *El ritmo de esta* *canción está desacompasado* · **canción** · **melodía** · **canto** · **sonido** · **son** · **ruido** || **bajo** · **guitarra** · ***otros instrumentos musicales***

desaconsejar v.

• CON ADVS. **totalmente** · **absolutamente** · **completamente** || **vivamente** · **intensamente** · **enérgicamente** *Su amigo le desaconsejó enérgicamente que aceptara la oferta, pero no le hizo caso* · **seriamente** · **encarecidamente** || **públicamente** · **en privado** · **en público** · **privadamente** || **desinteresadamente** · **sinceramente** || **profesionalmente** · **artísticamente** · **deportivamente** · **médicamente**

desacreditar v.

• CON SUSTS. **adversario,ria** *Su estrategia consiste en desacreditar y difamar al adversario* · **rival** · **compañero,ra** · **equipo** · **gobierno** · ***otros individuos y grupos humanos*** || **imagen** · **reputación** · **prestigio** · **buen nombre** || **institución** · **movimiento** · **lucha** · **política** · **oposición** · **empresa** || **trabajo** · **historial** · **trayectoria** · **palmarés** || **propuesta** · **argumento** · **razonamiento** · **versión** · **acuerdo** · **diagnóstico** || **testimonio** · **discurso** · **declaración** *empeñado en desacreditar las declaraciones de los que lo acusan* · **informe** · ***otras manifestaciones verbales o textuales*** || **creencias** · **ideas** · **convicciones** · **teoría** · **principios** || **sistema** · **proceso** || **legitimidad** · **validez**

• CON ADVS. **totalmente** · **completamente** · **definitivamente** · **de un plumazo** · **por las buenas** || **de antemano** *¿Por qué desacreditas de antemano todo lo que digo?* · **anticipadamente** || **injustamente** · **cruelmente** || **políticamente** · **religiosamente** · **verbalmente** · **profesionalmente** || **personalmente** · **públicamente** · **moralmente** || **tácitamente** · **implícitamente** · **veladamente**

desactivar v.

• CON SUSTS. **artefacto** · **bomba** · **explosivo** *La Policía logró desactivar el explosivo antes de que estallara* || **alerta** · **alarma** *Con el control remoto se puede activar o desactivar la alarma desde cualquier lugar de la casa* · **amenaza** · **peligro** · **riesgo** || **maquinaria** · **mecanismo** · **aparato** · **sistema** · **dispositivo** || **tarjeta** · **contraseña** · **programa** || **cuenta** · **correo** · **buzón de voz** || **reacción química** || **conspiración** · **complot** · **conjura** · **intriga** · **trama** · **enredo** || **huelga** *El principal objetivo del Gobierno era desactivar la huelga general* · **crítica** · **protesta** · **revuelta** · **resistencia** · **reclamación** · **convocatoria** · **llamamiento** || **polémica** · **contencioso** · **conflicto** · **enfrentamiento** · **guerra** · **lucha** · **pelea** · **divergencia** || **tensión** *una cumbre para tratar de desactivar la tensión política entre los dos países* · **escándalo** · **problema** · **crisis** || **plan** · **proyecto** · **estrategia** · **iniciativa** · **proposición** || **pacto** · **contrato** · **convenio** · **negociación** · **acuerdo** || **miedo** · **temor** · **recelo** · **suspicacia** · **sospecha**

desacuerdo s.m.

• CON ADJS. **profundo** *Estoy en profundo desacuerdo con la medida* · **absoluto** · **completo** · **insalvable** *El desacuerdo entre las partes negociadoras era insalvable* · **gran(de)** · **tremendo** · **grave** · **hondo** · **radical** · **total** || **claro** · **evidente** · **franco** · **notable** · **visible** · **ostensible** · **patente** · **abierto** || **constante** · **permanente** *Las dos socias estaban en permanente desacuerdo* · **creciente** || **ligero** · **salvable** · **menor** · **ocasional** · **puntual** || **interno** *Los desacuerdos internos nunca trascendieron*

• CON SUSTS. **motivo (de)** · **punto (de)** || **síntoma (de)** || **nivel (de)**

• CON VBOS. **existir** *Existe una claro desacuerdo entre las dos partes* · **persistir** · **perdurar** · **aflorar** · **producir(se)** || **constar** || **generar** · **ocasionar** · **provocar** · **originar** · **sembrar** || **airear** · **demostrar** · **expresar** · **manifestar** *Manifesté mi absoluto desacuerdo con su actuación* · **mostrar** · **transmitir** · **exteriorizar** · **afirmar** || **confirmar** · **reconocer** · **constatar** · **anunciar** · **desvelar** || **mantener** · **ocultar** *No ocultó su desacuerdo con el fallo judicial* || **negar** · **desmentir** || **dirimir** · **resolver** · **superar** · **desbloquear** · **limar** · **dulcificar** · **subsanar** · **salvar**

• CON PREPS. **en** *Siguen en completo desacuerdo* · **en caso (de)** · **en señal (de)**

desafiante adj.

• CON SUSTS. **actitud** *Los adolescentes adoptan a menudo una actitud desafiante ante los profesores* · **conducta** · **comportamiento** · **posición** || **tono** · **aire** · **mirada** · **gesto** · **imagen** · **cara** · **expresión** · **carácter** || **chico,ca** · **alumno,na** · **adolescente** · **político,ca** · **gobernante** · ***otros individuos*** || **respuesta** · **negativa** · **mensaje** · **declaración** *...en una declaración agresiva y desafiante que casi presagiaba la guerra* · **discurso** · ***otras manifestaciones verbales o comunicativas*** || **acto** · **acción** · **ataque** · **embestida** || **atrevimiento** · **exaltación** · **euforia** || **proyecto** *un proyecto arquitectónico innovador y desafiante* · **propuesta**

• CON VBOS. **responder** · **afirmar** · **preguntar** · **declarar** · **argumentar** || **mirar** *Me miró desafiante y me contestó...* · **mostrarse** · **contemplar** || **clamar** · **gritar** || **enfrentar(se)** · **encarar** || **volverse**

desafiar v.

• CON SUSTS. **juez** · **árbitro,tra** · **policía** · ***otras autoridades*** || **suerte** *Tampoco se trata de desafiar a la suerte arriesgándote inútilmente* · **destino** || **ley** · **poder** · **normativa** · **norma** · **orden** · **prohibición** || **hipótesis** · **teoría** || **frío** · **calor** *Al mediodía resulta imposible salir a la calle y desafiar el calor* · **lluvia** · ***otros fenómenos meteorológicos***

• CON ADVS. **abiertamente** *Aquella actitud suponía desafiar abiertamente al destino* · **a pecho descubierto** · **claramente** · **manifiestamente** · **públicamente** · **oficialmente** · **frontalmente** || **seriamente** · **valientemente** || **arrogantemente** · **insensatamente** · **impunemente** || **continuamente** || **electoralmente** · **deportivamente**

desafío s.m.

• CON ADJS. **auténtico** *El trabajo lexicográfico supone siempre un auténtico desafío* · **verdadero** · **claro** · **cierto** · **abierto** · **frontal** · **público** · **incierto** · **permanente** || **enorme** · **gran(de)** · **tremendo** · **importante** · **serio** · **difícil** · **insalvable** · **arduo** · **severo** · **temible** · **fuerte** || **fascinante** · **ilusionante** || **cotidiano** · **nuevo** *El alpinista se preparaba para afrontar nuevos desafíos* · **singular** || **principal** || **asequible** · **abordable** · **salvable** || **intelectual** · **profesional** · **político** · **histórico** · **deportivo**

• CON SUSTS. **actitud (de)** · **gesto (de)** · **tono (de)** · **resultado (de)**

• CON VBOS. **aceptar** *Aceptemos gustosos el desafío* · **asumir** · **afrontar** · **encarar** · **acometer** · **cumplir** || **eludir** · **esquivar** · **rehuir** *La abogada no rehuyó el desafío de la complejidad del caso y lo aceptó* · **sortear** || **ganar** · **vencer** · **superar** || **representar** · **constituir** · **suponer** · **encerrar** *La propuesta encerraba un difícil desafío* · **entrañar** || **plantear** · **lanzar** || **enfrentarse (a)** · **contestar (a)** · **responder (a)** · **plantar cara (a)** · **hacer frente (a)**

• CON PREPS. **a la altura (de)** *La organización estuvo a la altura del desafío*

desaforadamente adv.

• CON VBOS. **chillar · gritar** *La multitud gritaba desaforadamente* · **aplaudir || correr · bailar || gastar || aumentar · crecer** *El gasto crecía desaforadamente*

desaforado, da adj.

• CON SUSTS. **manifestante · público · diputado,da ·** ***otros individuos y grupos humanos*** **|| grito · chillido** *los chillidos desaforados que salían de las gargantas de los pequeños* **|| reacción · exaltación · entusiasmo · euforia · júbilo · aplauso || réplica** *El Gobierno recibió una desaforada réplica de la oposición* · **declaración · respuesta · expresión · manifestación · lenguaje || crítica · ataque · lucha · competencia · guerra · enfrentamiento · protesta · acusación · oposición · agresión · sátira || violencia** *Puso en marcha una nueva iniciativa con el fin de parar la violencia desaforada en la región* · **caos · fanatismo · agresividad · persecución || crecimiento · incremento · expansión · aumento · desarrollo · enriquecimiento · multiplicación · subida || amor · pasión · sentimiento · animadversión ·** ***otros sentimientos*** **|| búsqueda · carrera · propósito · campaña · intento** *La novela narra el desaforado intento del protagonista por salir del mundo del crimen* · **pretensión · empeño · esfuerzo · exhortación || ambición · afán · ansia · codicia** *Era presa de una codicia desaforada que no podía ocultar* · **obcecación · obsesión · persistencia || apetito · sed || egoísmo · oportunismo · granujería · maniqueísmo · integrismo || consumo** *El consumo desaforado está agotando algunos recursos naturales* · **consumismo · gasto · compra || imaginación · optimismo · personalidad · humor · modernidad || apoyo · apuesta · culto · idolatría · afición** *Padece de una desaforada afición por la comida y la bebida* **|| idea · opinión · planteamiento · postulado · propuesta · proyecto · teoría || discurso · texto · libro · artículo · comedia · película · música**

desafortunado, da adj.

• CON SUSTS. ***persona*** *El libro narra la vida de un hombre desafortunado* **|| actuación · gestión || frase · expresión · comentario** *un comentario desafortunado que reavivó la tensión política entre los dos partidos* · **declaración · palabras · discurso · pronunciamiento · explicación ·** ***otras manifestaciones verbales o comunicativas*** **|| accidente · incidente · error || vida · matrimonio · relación · encuentro · viaje · final || decisión** *una desafortunada decisión que le costará muy cara al Gobierno* · **idea · paso || derrota · partido · jugada || broma · ocurrencia || circunstancia · coincidencia · acontecimiento · experiencia** *Aun así, alguna enseñanza obtuvo de tan desafortunada experiencia* · **episodio · hecho**

• CON ADVS. **absolutamente · totalmente || especialmente · claramente**

desagradable adj.

• CON SUSTS. ***persona*** *un vecino muy desagradable* **|| hecho · episodio** *Tras aquel desagradable episodio no volvió a llamarla* · **suceso · incidente · circunstancia · espectáculo · realidad · momento · situación || experiencia · recuerdo** *Mis recuerdos del viaje son bastante desagradables* **|| lugar · sitio || atmósfera · ambiente · entorno · tacto · clima || olor** *Un olor desagradable salía de la habitación* · **sabor || ruido · sonido · voz · tono · música || aspecto · apariencia · maneras · carácter || sensación · impresión · sentimiento || papel · tarea · trabajo || consecuencia · efecto · síntoma || imagen · película · escena || sorpresa · noticia || expresión · discusión · pregunta · comentario · palabras** *Me respondió con palabras violentas y desagradables* · ***otras manifestaciones verbales*** **|| tema · asunto**

• CON ADVS. **sumamente · extremadamente · extraordinariamente · especialmente || realmente** *Subir a aquella atracción me produjo una sensación realmente desagradable* · **verdaderamente || profundamente**

• CON VBOS. **ser · volver(se) · resultar || estar · poner(se)**

□ USO Se construye a menudo con complementos de infinitivo encabezados por las preposiciones *de* (*un ruido desagradable de oír*) y *con* (*una recepcionista muy desagradable con los clientes*).

desagradecido, da adj.

• CON SUSTS. ***persona*** **|| trabajo · labor · tarea** *Aunque la limpieza de la casa es una tarea muy desagradecida, es mejor que no se acumule la suciedad* · **papel**

• CON VBOS. **volverse**

desagrado s.m.

• CON ADJS. **absoluto · total · enorme · profundo** *Las imágenes me provocaron un profundo desagrado* · **sumo || patente · visible · manifiesto · obvio · franco · notorio · ostensible || creciente || discreto · latente**

• CON SUSTS. **gesto (de) · muestra (de) · señal (de) · actitud (de)**

• CON VBOS. **aflorar · manifestar(se) || causar · provocar · sentir || confesar** *Les confesé mi profundo desagrado por aquella decisión* · **hacer público · expresar · demostrar · mostrar · exteriorizar || disimular · ocultar**

• CON PREPS. **con** *Los ciudadanos vieron con desagrado las nuevas medidas* · **en señal (de)**

desagravio s.m.

• CON ADJS. **público** *Es hora de que el Gobierno haga un desagravio público por...* **|| justo · merecido**

• CON SUSTS. **acto (de) · homenaje (de)** *El pueblo le rindió un homenaje de desagravio*

• CON VBOS. **llevar a cabo · hacer || suponer · considerar || recibir · obtener || calificar (de) || servir (de)**

• CON PREPS. **en** *En desagravio por las críticas vertidas sobre su persona*

desaguisado s.m. *col.*

• CON ADJS. **gran(de) · descomunal · monumental · mayúsculo · tamaño · semejante · gigantesco || financiero** *Se ha comprometido a solucionar el desaguisado financiero de la empresa* · **social · político · organizativo · institucional · urbanístico · legal · interno · municipal**

• CON SUSTS. **responsable (de) · autor,-a (de) · culpable (de) || origen (de) · causa (de) || consecuencia (de) · efecto (de)**

• CON VBOS. **provocar · cometer · originar · causar || arreglar · corregir · remediar · enmendar · reparar · solucionar · paliar || evaluar · medir || evitar · encubrir · impedir · tapar || salir (de)** *¿Cuál es la fórmula más viable para salir de este gigantesco desaguisado?* **|| responsabilizar (de) · culpar (de)**

desahogadamente adv.

• CON VBOS. **vivir** *Les ha quedado una buena pensión con la que viven desahogadamente* · **mantener(se) · salir adelante || ganar** *El equipó ganó desahogadamente y pasó a la siguiente ronda* · **triunfar · derrotar**

desahogado, da adj.

• CON SUSTS. **situación · posición · economía · cuenta · presupuesto || resultado · mayoría · triunfo || dife-**

rencia · **ventaja** *Tres goles de diferencia es una ventaja más que desahogada* || **vida** · **existencia** · **tren de vida** · **futuro** || **jornada** *Comparada con la del día de ayer, esta ha sido una jornada muy desahogada* · **día** · **etapa** · ***otros momentos o períodos*** || **habitación** *Después de la reforma la habitación quedó bastante desahogada* · **espacio** · **jardín** · ***otros lugares*** || **sector** · **hogar** · **familia**
● CON VBOS. **estar** · **quedar(se)**

desahogar v.

● CON SUSTS. **rabia** · **bronca** · **ira** · **violencia** · **impotencia** · **frustración** · **pena** *¿Nunca necesitas desahogar las penas con alguien?* · **sentimiento** · **angustia** · **odio** · **cólera** · **indignación** || **tensión** · **estrés** || **agenda** · **calendario**
● CON ADVS. **sinceramente** · **ficticiamente** || **injustamente** *Reconozco que desahogué injustamente mi frustración con ustedes*

☐ USO Se construye frecuentemente con complementos encabezados por la preposición *con*: *desahogarse con un amigo.*

desahogo s.m.

● CON ADJS. **económico** || **personal** · **íntimo** · **profesional** || **profundo** · **tremendo** · **momentáneo** || **sexual** · **emocional** *Escribir era para ella una forma de desahogo emocional* · **irracional** · **carnal** · **natural** · **físico**
● CON SUSTS. **sensación (de)** || **vía (de)** · **terapia (de)** · **medio (de)** || **momento (de)** · **minuto (de)**
● CON VBOS. **proporcionar** · **permitir** · **favorecer** || **buscar** · **encontrar** || **tener** || **suponer** || **servir (de)** *Escribir me servía de desahogo* || **invitar (a)**
● CON PREPS. **con** *vivir con desahogo*

desahuciar v.

■ [desalojar, echar]

● CON SUSTS. **inquilino,na** *La nueva ley permite agilizar los plazos para desahuciar a los inquilinos morosos* · **arrendatario,ria** · **familia** · ***otros individuos y grupos humanos***
● CON ADVS. **judicialmente** · **definitivamente**

■ [declarar a alguien incurable]

● CON SUSTS. **enfermo,ma** · **paciente** *El tratamiento no dio ningún resultado, por lo que los médicos acabaron desahuciando al paciente* · ***otros individuos***
● CON ADVS. **definitivamente** || **médicamente**

desaire s.m.

● CON ADJS. **claro** · **deliberado** || **nuevo** *La comitiva sufrió un nuevo desaire del presidente* · **continuo** || **infundado** · **injustificado** || **diplomático**
● CON SUSTS. **gesto (de)** · **señal (de)**
● CON VBOS. **recibir** · **soportar** *El embajador tuvo que soportar un nuevo desaire del presidente y sus ministros* · **sufrir** || **hacer** · **cometer** || **evitar** · **perdonar** · **disculpar** · **tomar en cuenta**

desajuste s.m.

● CON ADJS. **enorme** *un enorme desajuste económico* · **fuerte** · **grave** · **importante** · **severo** · **marcado** · **serio** · **claro** · **notorio** || **extraño** || **pequeño** *Un pequeño desajuste de las piezas causó la avería* · **leve** · **ligero** || **horario** · **temporal** || **económico** · **presupuestario** · **contable** *Los informes detectaron el desajuste contable* · **estructural** · **interno** · **defensivo** · **social** · **generacional** · **cronológico** · **psicológico** · **emocional** · **organizativo** · **familiar**
● CON SUSTS. **problema (de)** · **riesgo (de)** · **situación (de)** || **grado (de)** || **causa (de)** · **consecuencia (de)**
● CON VBOS. **existir** · **producir(se)** · **dar(se)** || **crear** · **generar** · **provocar** || **tener** · **sufrir** · **suponer** · **presentar** || **detectar** · **advertir** · **indicar** || **arreglar** · **corregir** *La prioridad de las autoridades era corregir el desajuste social en esos sectores de la población* · **nivelar** · **solucionar** · **enderezar** · **reducir** · **paliar** · **compensar** · **solventar** || **impedir** *Se adoptarán medidas preventivas para impedir desajustes en la organización* · **evitar**

desalentador, -a adj.

● CON SUSTS. **panorama** *Se presenta un panorama desalentador* · **perspectiva** · **porvenir** · **pronóstico** · **futuro** || **cifra** · **dato** · **signo** || **imagen** · **aspecto** || **sensación** · **sentimiento** || **resultado** · **conclusión** *Los especialistas llegaron a una conclusión desalentadora sobre el futuro de la empresa* · **efecto** · **decisión** · **veredicto** || **palabras** · **mensaje** · **comentario** · **lectura** || **silencio** || **realidad** · **experiencia** || **arranque** · **comienzo** || **actuación**
● CON ADVS. **absolutamente** · **completamente** *Los comentarios del médico fueron completamente desalentadores* || **sumamente** · **tremendamente** · **especialmente** · **doblemente**
● CON VBOS. **volverse** · **hacerse** · **mantenerse**

desalentar v.

● CON SUSTS. **uso** · **empleo** · **utilización** · **consumo** || **conducta** · **práctica** *Los investigadores desalientan la práctica mencionada en pacientes con problemas respiratorios* || **iniciativa** · **intento** · **expectativa** · **búsqueda** · **inventiva** || **idea** · **opinión** · **voto** || **inversión** · **especulación** || ***persona*** *Ningún obstáculo desalienta a los participantes en tan dura prueba*
● CON ADVS. **absolutamente** · **profundamente** · **intensamente** · **fuertemente** · **hondamente** || **rotundamente** · **radicalmente** || **íntimamente** || **inmensamente** || **fácilmente** · **difícilmente**

desaliento s.m.

● CON ADJS. **gran(de)** · **profundo** · **absoluto** || **inasequible (a)** *Inasequibles al desaliento, prosiguieron la campaña* · **ajeno,na (a)** · **inmune (a)**
● CON SUSTS. **clima (de)** *Era difícil mantenerse optimista en medio de aquel clima de desaliento* · **sensación (de)** · **signo (de)** · **síntoma (de)** || **motivo (de)**
● CON VBOS. **entrar (a alguien)** · **invadir (a alguien)** · **cundir** *El desaliento cundía entre los afectados* || **traslucir(se)** · **percibir(se)** || **causar** · **producir** · **provocar** · **generar** · **sembrar** || **mostrar** · **sentir** · **sufrir** || **frenar** · **vencer** · **superar** || **hundir(se) (en)** · **caer (en)** · **dejarse llevar (por)** *El candidato no se dejó llevar por el desaliento* || **invitar (a)**
● CON PREPS. **con**

desaliñado, da adj.

● CON SUSTS. **apariencia** *Su apariencia desaliñada nos engañó al principio* · **aspecto** · **aire** · **imagen** · **estampa** · **pinta** || ***persona*** *El muchacho va siempre desaliñado* || **ropa** · **vestimenta**

desalojar v.

● CON SUSTS. **edificio** · **inmueble** *Los bomberos tuvieron que desalojar el inmueble* · **zona** · **local** · ***otros lugares*** || **vecino,na** · **familia** · **manifestante** *La Policía cargó y desalojó a los manifestantes* · **huelguista** · ***otros individuos y grupos humanos*** || **agua** · **líquido**

• CON ADVS. **rápidamente · precipitadamente · fulminantemente || urgentemente · inmediatamente · de inmediato || a la fuerza · a empujones · a golpes · a tiros || pacíficamente · voluntariamente · amablemente || momentáneamente · temporalmente || preventivamente || oficialmente**

de salón loc.adv./loc.adj.

• CON VBOS. **torear · actuar**
• CON SUSTS. **baile** *un concurso de bailes de salón* · **toreo · juego · música · comedia · fútbol · danza · magia · entretenimiento · deporte || conspiración · intriga · conciliábulo · politiqueo · maniobra · truco · maquinación || política** *...en un ambiente en el que predomina la política de salón, barata y demagógica* · **pedagogía · galantería · periodismo · cultura · erudición || ejercicio · gol · pase · finta · toque · verónica · chicuelina · pieza · abanico || feminismo · europeísmo · ecologismo** *Sus palabras suenan a ecologismo de salón* · **anarquismo · cosmopolitismo · izquierda · bohemia · romanticismo · socialismo · antimachismo ·** ***otras tendencias, movimientos o ideologías*** **|| conversación · mitin · debate** *...discusiones que no pasan de ser debates de salón* · **tertulia · conferencia · cotilleo · discurso · disquisición · máxima · teoría || combate · golpe · justa · revolución || revolucionario,ria · intelectual · progresista || cantante · conspirador,-a · teórico,ca** *Me cansé de discutir en vano con tanto teórico de salón* · **periodista · artista**

desamparo s.m.

• CON ADJS. **total · absoluto** *La guerra dejó a miles de familias en el más absoluto desamparo* · **enorme · gran(de) · cruel || social · jurídico · oficial · institucional · sanitario · gubernamental · económico || afectivo · humano || ideológico**
• CON SUSTS. **situación (de) · sensación (de) · sentimiento (de)**
• CON VBOS. **sufrir · remediar || quedar (en) · vivir (en) · sumir(se) (en) || salvar (de) · dejar (a)** *La empresa quebró y dejó al desamparo a cientos de obreros* **|| temer (a)**

desandar v.

• CON SUSTS. **camino** *Nos habíamos equivocado y tuvimos que desandar el camino* · **recorrido · paso · trayecto || historia · tiempo**

desangelado, da adj.

• CON SUSTS. **ciudad · barrio** *Es uno de los barrios más desangelados de la ciudad* · **calle · carretera · zona ·** ***otros lugares*** **|| edificio · local · iglesia · piso · habitación · casa** *Sin los muebles, la casa estaba completamente desangelada* · **oficina || realidad · mundo || imagen · ambiente · aspecto** *Le gustaba visitar aquella iglesia, a pesar de su aspecto desangelado* · **aire · tono || historia · versión · discurso · filme · película · final**
• CON VBOS. **quedar(se)** *El local se ha quedado desangelado después de la mudanza* · **estar**

desánimo s.m.

• CON ADJS. **gran(de) · profundo** *Un profundo desánimo nos invadió a todos* · **hondo · amargo · severo || prolongado · constante · creciente || pasajero || particular · generalizado** *el desánimo generalizado de la población* **|| moral · social || propenso,sa (a)**
• CON SUSTS. **sensación (de) · síntoma (de) · sentimiento (de) || clima (de) · situación (de) · ambiente (de) · momento (de) · fruto (de) || causa (de) · razón (de)**
• CON VBOS. **adueñarse (de alguien) · apoderarse (de alguien)** *El desánimo se apoderó de él* · **entrar (a alguien) · invadir (a alguien) · asaltar (a alguien) · embargar (a alguien) · llevar (a alguien) || cundir · extender(se)** *El desánimo de la afición empezaba a extenderse a los jugadores* · **propagar(se) · desatar(se) · imperar · reinar · aflorar || manifestar(se) · traslucir(se) || producir** *una situación que me produjo un creciente desánimo* · **crear · provocar · suscitar · engendrar · generar · sembrar || sentir · constatar · capitalizar || combatir · superar · vencer** *alternativas tendentes a vencer el desánimo* · **desterrar || disimular · ocultar · justificar · exteriorizar || caer (en) · ceder (a) · dejarse llevar (por)** *Le pedimos que no se dejara llevar por el desánimo* · **entregarse (a) · hundir(se) (en) · sucumbir (a) · sumir(se) (en) || invitar (a) · dar lugar (a) || sobreponerse (a)**

desapacible adj.

• CON SUSTS. **viento · tiempo · clima · ambiente · atmósfera || mañana · tarde** *La tarde estaba fría y desapacible* · **noche · día || hogar || carácter**
• CON VBOS. **ser · estar · poner(se)** *Se ha puesto un tanto desapacible el tiempo* · **volver(se) · quedar(se) · mantener(se)**

desaparecer v.

• CON ADVS. **de un día para otro · abruptamente · como por encanto · por arte de magia** *El dinero desapareció por arte de magia* · **automáticamente · como una exhalación · súbitamente · fácilmente · espontáneamente · en un instante · al {momento/instante/rato}** *Se le vio sobre una loma y al instante desapareció* **|| gradualmente** *Los síntomas de la enfermedad fueron desapareciendo gradualmente* · **progresivamente · paulatinamente · a pasos agigantados · con el tiempo · con los {años/días...}** *ligeras molestias en los ojos que con los días desaparecen por completo* **|| inexorablemente · irremediablemente || a tiempo · tempranamente · prematuramente || por completo · completamente · íntegramente · definitivamente · del todo · totalmente · plenamente · para siempre** *Esta especie desapareció para siempre hace varios millones de años* · **eternamente || fugazmente · por un momento · temporalmente || literalmente · virtualmente · prácticamente || en extrañas circunstancias** *Los cuadros desaparecieron del museo en extrañas circunstancias* · **extrañamente · misteriosamente · enigmáticamente · llamativamente || dramáticamente · trágicamente || a lo lejos · de {mi/tu/su...} vista** *Haz el favor de desaparecer de mi vista ahora mismo*

desaparición s.f.

• CON ADJS. **completa** *hasta que se consiga su completa desaparición* · **definitiva · total · práctica || dramática · trágica · extraña** *Los dueños han denunciado la extraña desaparición del cuadro* · **enigmática · misteriosa || brutal · violenta || triste · dolorosa · lamentable · terrible · preocupante || llamativa · sorprendente · espectacular || prematura · temprana || inexorable · irremisible** *una especie animal abocada a una irremisible desaparición* · **anunciada || eventual · virtual || gradual · paulatina · progresiva · repentina** *Su repentina desaparición del mundo del cine sorprendió al gran público* · **súbita · inminente || abocado,da (a)**
• CON SUSTS. **proceso (de) · ritmo (de) || peligro (de) · riesgo (de) · amenaza (de) || causa (de) · denuncia (de) · lugar (de) · momento (de)**
• CON VBOS. **consumar(se) · producir(se) · tener lugar || denunciar · descubrir · detectar · investigar** *La Policía*

está investigando la desaparición del joven || **anunciar · prever · augurar || aceptar · entender · ocultar** *Los guardas intentaron ocultar la desaparición del dinero* · **justificar · lamentar · soportar || evitar · impedir || implicar · provocar · suponer · sentenciar || abocar (a)**
• CON PREPS. **en caso (de) · en vías (de)** *un sistema obsoleto e ineficaz que se encuentra en vías de desaparición*

desapego s.m.

• CON ADJS. **absoluto · total** *Mostraba una actitud de total desapego afectivo hacia sus padres* · **alarmante · profundo · general || social · popular · público · profesional · institucional · político || afectivo · emocional · familiar · juvenil**
• CON VBOS. **mostrar · manifestar · demostrar** *...lo que demuestra el desapego político de la población*
• CON PREPS. **con**

desapercibido, da adj.

• CON ADVS. **absolutamente · completamente · totalmente · prácticamente || ligeramente · sensiblemente || habitualmente || lamentablemente** *La película, lamentablemente desapercibida en su tiempo, es hoy un clásico* || **peligrosamente**
• CON VBOS. **pasar** *un detalle que pasó desapercibido a todo el mundo* · **permanecer**

desaprensivo, va adj.

• CON SUSTS. ***persona*** *Mi padre fue bastante desaprensivo con nosotros* || **actitud · actuación · conducta · comportamiento · política**
• CON VBOS. **volverse**

desaprobación s.f.

• CON ADJS. **total · general · absoluta · unánime** *La desaprobación de la crítica fue unánime* · **sin reservas · marcada · frontal · manifiesta · radical || parcial · matizada || social · ciudadana · popular · parlamentaria || simbólica**
• CON SUSTS. **muestra (de) · gesto (de) · señal (de) · mueca (de) · cara (de) || silbido (de)** *una jugada que se ganó algunos silbidos de desaprobación* · **grito (de) · murmullo (de) · pito (de) || comentario (de) · palabras (de) || nivel (de) · índice (de) · grado (de)**
• CON VBOS. **expresar · mostrar · manifestar** *El organismo manifestó su total desaprobación del proyecto* || **recibir · ganar · merecer · provocar · generar || evitar · resistir || reiterar || contar (con)**

desaprovechar v.

• CON SUSTS. **momento** *Lo mejor era no desaprovechar el momento* · **ocasión · oportunidad** *Es una oportunidad histórica que no podemos desaprovechar* · **racha · opción · recurso || energía · esfuerzo · fuerza · impulso · disposición || capacidad · talento · cualidad · facilidad** *Desaprovechó tontamente su facilidad para el dibujo y se matriculó en Derecho* · **facultad · potencial · ventaja || conocimiento · idea · información · iniciativa · sugerencia || carrera · tiempo** *No desaprovechen ustedes el tiempo que se les concede* || **presencia · visita · viaje**
• CON ADVS. **totalmente · por completo · completamente || tontamente · absurdamente · incomprensiblemente** *Desaprovechó incomprensiblemente la valiosa información de la que disponía* || **lamentablemente · sorpresivamente**

desarme s.m.

• CON ADJS. **total · parcial || inminente || nuclear** *un proceso que ha acelerado el desarme nuclear del país* · **moral · ideológico || internacional · unilateral · multilateral**
• CON SUSTS. **inicio (de) · final (de) || camino (de) · proceso (de) || obstáculo (de) · condiciones (de)** *Los grupos empezaron a negociar las condiciones del desarme* · **medida (de) || campaña (de) · plan (de) · acuerdo (de) · tratado (de) · compromiso (de) || negociaciones (para)**
• CON VBOS. **producir(se) · tener lugar || respaldar || lograr · conseguir · acordar · negociar · pedir || exigir · reclamar || supervisar** *Una comisión internacional supervisa el desarme de los rebeldes* || **comprometerse (a) || proceder (a)** *El grupo paramilitar procedió al desarme después de una larga negociación*
• CON PREPS. **en favor (de) · en contra (de)**

desarraigado, da adj.

• CON SUSTS. ***persona*** || **aspecto || vida || infancia · juventud || poesía · literatura · cultura · obra**
• CON ADVS. **completamente · totalmente · definitivamente || familiarmente · socialmente** *jóvenes socialmente desarraigados* || **brutalmente · violentamente · bruscamente**
• CON VBOS. **hallar(se) · sentir(se)** *Se sentían totalmente desarraigados de su hogar*

desarrollar(se) v.

• CON ADVS. **a las mil maravillas** *Aunque había mucha gente, la fiesta se desarrolló a las mil maravillas* · **perfectamente · a la perfección · con arreglo a lo previsto · satisfactoriamente · exitosamente · favorablemente · adecuadamente · coherentemente · con fluidez || {con/sin} dificultad || ampliamente · al máximo** *Para desarrollar al máximo esta industria es necesario...* · **completamente · íntegramente · plenamente · por completo · extensamente · a plena satisfacción || dignamente · libremente · plácidamente || como hongos · vigorosamente || rápidamente · vertiginosamente · lentamente || inexorablemente || negativamente · a trancas y barrancas || gradualmente · progresivamente · paulatinamente || a lo largo (de) (tiempo) · a lo largo de los {días/semanas/años...} || en equipo · simultáneamente || económicamente · físicamente · intelectualmente · mentalmente · personalmente** *Está contento porque su trabajo le permite desarrollarse personalmente* · **humanamente · legalmente · espiritualmente · profesionalmente**

desarrollo s.m.

• CON ADJS. **lineal · continuo · constante · ininterrumpido · permanente · sistemático || acompasado · armónico · equitativo · igualitario · coherente · uniforme || escalonado · gradual · progresivo · paulatino · pausado || brillante · espléndido · extraordinario** *un movimiento artístico que pronto llegó a alcanzar un desarrollo extraordinario* · **espectacular · impresionante · innegable** *El desarrollo cultural en esta región es innegable* · **importante · formidable · gran(de) || máximo · pleno · completo · integral · óptimo · amplio · desaforado · prolijo · intensivo · efectivo · feliz · maravilloso || visible** *Se ha producido un visible desarrollo de la actividad artesanal* · **apreciable · notable · notorio · ostensible · alternativo || rápido · explosivo · fulgurante · meteórico** *El meteórico desarrollo de la empresa les permitió salir a bolsa* · **galopante · vertiginoso · febril · imparable · impredecible · imprevisible · virulento || emergente · incipiente**

|| escaso · lento · moderado · tímido *Se observa un tímido desarrollo económico en el sector* || accidentado · desacompasado · desigual || libre · sostenible · sostenido || futuro || cualitativo · cuantitativo || científico · económico · artístico · profesional · turístico · intelectual · cultural · humano · personal · social · tecnológico · argumental *el desarrollo argumental de una película* || urbano · rural || acorde (con)

● CON SUSTS. nivel (de) *Este cuadro muestra un impresionante nivel de desarrollo artístico* · grado (de) · polo (de) || dinámica (de) · proceso (de) · técnica (de) · plan (de) · modelo (de) · programa (de) · política (de) || etapa (de) · fase (de) || ritmo (de) · velocidad (de) · motor (de)

● CON VBOS. registrar(se) · aumentar · avecinarse || detener(se) · disminuir · truncar(se) || constituir || alcanzar · experimentar *La empresa experimentó un notable desarrollo en los años ochenta* · mostrar · desear · entender || advertir · notar · apreciar || favorecer · promover · permitir · posibilitar *un trabajo que posibilita el desarrollo intelectual y humano* · potenciar · propiciar · impulsar · provocar · fomentar · incentivar · acelerar · motivar · agilizar · estimular · alimentar · incrementar · llevar adelante || asegurar · garantizar · controlar · liderar · pilotar · seguir *La prensa siguió muy de cerca el desarrollo de los acontecimientos* · continuar || dificultar · dañar · frenar *El desacuerdo entre las partes frenó el desarrollo de las negociaciones* · bloquear · evitar · impedir · congelar · neutralizar · obstaculizar · obstruir · parar · entorpecer · estrangular · atenazar · ralentizar · desequilibrar · distorsionar · alterar *El mal tiempo no alteró el desarrollo del partido* || hipotecar || velar (por) · interferir (en) || redundar (en) · contribuir (a) · oponer(se) (a)

● CON PREPS. en · en aras (de) · en vías (de) *un país en vías de desarrollo* · a favor (de)

desarticular v.

▌[desmantelar]

● CON SUSTS. estructura · sistema · esquema · organización · régimen · entramado · red · mecanismo · arquitectura · infraestructura · marco · aparato · estado · base || banda · comando *Se ha desarticulado un comando terrorista internacional* · defensa · mafia · sindicato · clan · milicia · guerrilla · grupo · sociedad · célula · cúpula || complot · conspiración · trama · montaje · plan *La Policía logró desarticular el plan de los terroristas* · conjura || argumento · idea · concepto · teoría || poder · monopolio · hegemonía · dominio || ataque · movilización · lucha · manifestación · huelga *Denuncian negociaciones secretas con miembros de la oposición para desarticular la huelga* · ofensiva · protesta

desasosiego s.m.

● CON ADJS. absoluto · auténtico · verdadero *Sus palabras transmitían verdadero desasosiego* · pleno · puro || enorme · fuerte · gran(de) · inmenso · profundo || constante · creciente || evidente · visible || lógico *Sentíamos el desasosiego lógico que producen esas situaciones de incertidumbre* · natural · inquietante || ligero || lleno,na (de) · preso,sa (de)

● CON SUSTS. clima (de) · estado (de) · sensación (de) *La sensación de desasosiego fue en aumento* · momento (de) · situación (de) · ambiente (de) || motivo (de) · causa (de)

● CON VBOS. aumentar · cundir *El desasosiego cundía entre los familiares ante la falta de noticias* || traslucir(se) || causar · producir *Aquella imagen producía un cierto desasosiego* · provocar · crear · generar · sembrar || sentir · sufrir || mostrar · transmitir || mitigar · apaciguar · vencer || invitar (a) · dejarse llevar (por)

● CON PREPS. con · en · en medio (de)

desastradamente adv.

● CON VBOS. vestir · ataviar *Se presentó desastradamente ataviada* · ir · estar · presentar(se) || funcionar || vivir · morir · acabar · sucumbir

desastrado, da adj.

● CON SUSTS. aspecto *una chica de aspecto desastrado* · estilo · imagen · vestimenta || ***persona***

desastre s.m.

● CON ADJS. auténtico · verdadero · completo · total *La organización del congreso fue un desastre total* · monumental · tremendo · gran(de) · enorme · increíble · inenarrable · rotundo · sin paliativos · sonado · puro || espantoso · terrible · trágico · dramático · sobrecogedor *víctimas de un sobrecogedor desastre aéreo* · lamentable · infortunado · pavoroso || inexorable · irremediable · irreparable || imprevisible || pequeño || económico · natural *una zona castigada por diversos desastres naturales* · deportivo · militar · aéreo · marítimo · nuclear · electoral · humanitario · financiero · histórico · político · de organización · organizativo || abocado,da (a)

● CON SUSTS. causa (de) · consecuencia (de) || estado (de) · situación (de)

● CON VBOS. ocurrir · producir(se) *El desastre financiero se produjo por...* · sobrevenir · desencadenar(se) · abatir(se) (sobre algo/sobre alguien) · avecinarse · consumar(se) · acechar · desatar(se) || agravar(se) · recrudecer(se) || originar · causar · provocar *El accidente provocará un desastre ecológico sin precedentes* · ocasionar · acarrear · deparar (a alguien) · generar · sembrar || ser · constituir · resultar *La fiesta resultó un auténtico desastre* || afrontar · encarar · encajar || evitar · paliar · prevenir · reparar · mitigar · neutralizar · ocultar || anunciar · augurar · descubrir || deplorar || acumular · protagonizar || conducir (a) · llevar (a) *Esta medida puede llevarnos al desastre* · precipitar(se) (a) · abocar(se) (a) · encaminar(se) (a) · sumir(se) (en) || apechugar (con) · hacer frente (a) · cerrar los ojos (ante) · librar(se) (de) · salvar(se) (de) || recuperar(se) (de) · sobreponerse (a) · salir (de) · resurgir (de)

● CON PREPS. al borde (de) · en caso (de)

desastroso, sa adj.

● CON SUSTS. ***persona*** *El nuevo director adjunto me parece desastroso* || actuación *la desastrosa actuación del equipo en la final* · conducta · intervención · participación || gestión · administración · operación || situación · panorama · futuro || resultado · consecuencia *El temporal tuvo consecuencias desastrosas en toda la región* · efecto · derrota · balance · rendimiento || solución · elección · idea || política · gobierno · empresa || guerra · conflicto · enfrentamiento || encuentro · partido · juego · temporada *Confiamos en que el equipo no repita la desastrosa temporada del año pasado* · campeonato · campaña || jornada *una jornada desastrosa para la bolsa* · día · semana · ***otros momentos o periodos*** || plan · programa · proyecto || inicio · arranque · final · salida || imagen · impresión || experiencia · aventura · experimento

● CON ADVS. realmente · verdaderamente *La situación económica era verdaderamente desastrosa* || absolutamente · sin paliativos

● CON VBOS. volver(se) · hacerse · resultar

desatar(se) v.

▮ [soltar]

● CON SUSTS. **lazo** *Se desató el lazo, sacudió la cabeza y dejó suelta la melena* · **ligadura** · **nudo** · **atadura** || **cuerda** · **soga** · **cordel** · **cinta** · **correa** · **hilo** || **zapato** · **bota** || **manos** || ***persona*** *El ladrón se desató y salió corriendo*

▮ [originar]

● CON SUSTS. **vendaval** · **tormenta** *La tormenta se desató de madrugada* · **tempestad** · **huracán** || **escándalo** · **polémica** || **odio** · **ira** · **furia** · **cólera** · **violencia** · **furor** · **tensión** · **crispación** || **euforia** · **pasión** *El fútbol es un deporte que desata pasiones* · **locura** · **entusiasmo** · **alegría** · **sentimiento** · **fervor** · **emoción** || **fiebre** *Se volvió a desatar la fiebre compradora* · **interés** · **deseo** · **ansia** · **apetito** || **alarma** · **pánico** *La explosión desató el pánico entre los asistentes* · **nervios** · **angustia** · **temor** · **preocupación** · **desesperación** · **miedo** · **psicosis** || **rumor** · **suspicacia** · **duda** · **intriga** · **sospecha** || **risa** · **carcajada** · **grito** · **aplauso** · **ovación** · **revuelo** *Cualquier pequeña alteración en la vida de los famosos desata un enorme revuelo ante los periodistas* · **alboroto** || **guerra** · **lucha** · **batalla** · **hostilidad** · **ofensiva** · **altercado** · **enfrentamiento** *Su intervención desató un enfrentamiento entre el grupo de diputados* · **embestida** || **crítica** · **debate** · **protesta** · **contestación** · **discusión** · **queja** || **catástrofe** · **tragedia** · **crisis** *Lograron vender la empresa antes de que se desatara la crisis económica* · **conflicto** || **caza de brujas** · **persecución** · **caza** · **cacería de brujas**

desatascar v.

● CON SUSTS. **desagüe** · **tubería** · **cañería** · **conducto** · **sumidero** · **alcantarillado** · ***otras vías*** || **bañera** · **lavabo** *Conseguí desatascar el lavabo con un poco de agua hirviendo* · **pileta** · **pila** · **pilón** · **lavamanos** · **fregadero** · **letrina** · **inodoro** || **dispositivo** · **máquina** · **tolva** · **grifo** · **llave** || **salida** · **entrada** · **paso** · **acceso** *Los policías se afanaban en desatascar los accesos al edificio* || **carretera** · **camino** · **ronda** · **calle** · **avenida** · **carril** · **cuello de botella** || **asunto** · **situación** · **negociación** *...ante los infructuosos intentos de desatascar la negociación* · **proyecto** · **proceso** · **relación** · **conflicto** · **crisis** || **bloqueo** || **burocracia** · **trámite** · **procedimiento**

● CON ADVS. **en parte** · **parcialmente** · **ligeramente** || **totalmente** · **completamente** · **de una vez** || **temporalmente** · **provisionalmente** *desatascar provisionalmente una cañería* · **transitoriamente** · **definitivamente** || **eficazmente** · **satisfactoriamente** || **paulatinamente** · **gradualmente** · **escalonadamente** · **progresivamente** · **lentamente** · **rápidamente**

desatender v.

● CON SUSTS. **hijo,ja** · **enfermo,ma** · **alumno,na** · **cliente** · ***otros individuos*** || **consejo** · **recomendación** · **advertencia** · **sugerencia** *Desatendió acertadamente las sugerencias de los periodistas y seleccionó a los jugadores que quiso* · **indicación** · **información** · **aviso** · **oferta** || **necesidad** · **petición** · **demanda** *El Ayuntamiento desatiende las demandas vecinales...* · **requerimiento** · **solicitud** · **exigencia** · **ruego** || **responsabilidad** · **obligación** · **trabajo** · **función** · **tarea** · **compromiso** · **promesa** · **deber** · **labor** || **queja** · **recurso** · **protesta** · **orden** · **mandato** || **educación** *Ha mejorado la salud pública pero han desatendido la educación universitaria* · **enseñanza** · **instrucción** || **problema** · **crisis** || **salud** · **cultura** · **religión** · **política** || **casa** *Últimamente tengo desatendida la casa* · **parque** · **barrio** · **ciudad** · ***otros lugares***

desatino s.m.

● CON ADJS. **auténtico** · **completo** · **absoluto** *El último bando municipal era un absoluto desatino* · **total** · **monumental** || **singular** · **glorioso** · **sublime** · **notable** || **grave** · **humillante** · **improcedente** || **aparente** || **múltiples** · **reiterados** · **encadenados**

● CON SUSTS. **cúmulo (de)** · **sarta (de)** · **serie (de)**

● CON VBOS. **causar** · **cometer** || **entender** · **admitir** · **explicar** · **justificar** *No eran fáciles de justificar sus múltiples desatinos* || **denunciar**

desautorizar v.

● CON SUSTS. **portavoz** *El presidente desautorizó a la portavoz de su propio partido* · **ministro,tra** · **compañero,ra** · **tribunal** · **gobierno** · ***otros individuos*** || **anuncio** · **palabras** · **declaración** *La directora desautorizó categóricamente tales declaraciones* · **críticas** · **opinión** || **propuesta** · **decisión** · **estrategia** · **iniciativa** · **proyecto** · **intento** || **actuación** · **trabajo** · **operación** *El Gobierno puede desautorizar la operación por incumplimiento de ciertos requisitos legales* · **gestión**

● CON ADVS. **categóricamente** · **contundentemente** || **públicamente** *El alcalde desautorizó públicamente la actuación del concejal* · **en privado** · **privadamente** || **sistemáticamente** · **continuamente** · **frecuentemente** · **habitualmente** || **inmediatamente** · **rápidamente** · **al momento** *La directora de la revista desautorizó al momento las palabras vertidas por el subdirector sobre el polémico asunto de...* || **cortésmente** · **educadamente** · **inapropiadamente** · **bruscamente** || **políticamente** || **implícitamente** · **abiertamente** · **claramente**

desavenencia s.f.

● CON ADJS. **enorme** *enormes desavenencias entre los socios* · **fuerte** · **gran(de)** · **grave** · **importante** · **insalvable** · **irreconciliable** · **honda** · **áspera** · **profunda** · **pronunciada** · **seria** · **intensa** || **evidente** · **visible** *A pesar de sus visibles desavenencias, se respetan* · **notable** · **franca** || **oculta** · **escondida** || **antigua** · **vieja** · **continua** · **creciente** || **aparente** · **insignificante** · **pequeña** · **ligera** · **menor** || **natural** · **lógica** || **conyugal** · **familiar** · **política** · **económica** · **interna**

● CON SUSTS. **motivo (de)** · **origen (de)**

● CON VBOS. **existir** · **producir(se)** · **surgir** *Las desavenencias ya surgieron el segundo día* · **desatar(se)** · **intensificar(se)** · **latir** · **aflorar** · **aparecer** || **confirmar** *Ambas partes confirmaron sus desavenencias políticas* · **subrayar** · **mostrar** · **presentar** · **airear** || **provocar** · **suscitar** || **mantener** · **avivar** · **reavivar** || **resolver** · **salvar** · **solventar** · **dirimir** · **conciliar** · **superar** · **limar** · **aparcar** · **mitigar** · **zanjar** · **evitar** || **desmentir** · **disimular** · **ocultar** *La pareja intentó ocultar por un tiempo sus desavenencias conyugales* · **pasar por alto** || **quitar importancia (a)** *La prensa adicta quitó importancia a las desavenencias internas del partido* · **restar importancia (a)**

desayunar v.

● CON ADVS. **copiosamente** · **opíparamente** || **frugalmente** · **ligeramente** · **moderadamente** · **parcamente** || **plácidamente** · **tranquilamente** *Los domingos me gusta desayunar tranquilamente mientras leo el periódico*

● CON VBOS. **dar (de)** *dar de desayunar a los niños*

desayuno s.m.

● CON ADJS. **equilibrado** *consejos para un desayuno sano y equilibrado* · **sano** · **energético** · **nutritivo** || **abundante** · **fuerte** · **opíparo** · **potente** · **copioso** || **ligero** · **liviano** · **frugal** · **pequeño** || **delicioso** · **rico** · **espléndido** · sa-

broso · apetecible · suculento || informal · de trabajo *Mañana saldré más temprano de casa porque tengo un desayuno de trabajo* · **escolar || diario · tradicional || informativo**
● CON SUSTS. **hora (de)** *A la hora del desayuno suelo leer el periódico*
● CON VBOS. **hacer · preparar · servir · dar · ofrecer · compartir || tomar** *¿En qué cafetería tomáis el desayuno?* **|| llevar** *llevar el desayuno a la cama* **|| terminar · acabar || organizar · celebrar || asistir (a) · invitar (a)**
● CON PREPS. **durante · en · a lo largo (de) || para**

desazón s.f.

● CON ADJS. **auténtica · enorme · terrible · tremenda** *una situación que me provocaba una tremenda desazón* · **fuerte · gran(de) · inmensa · profunda · honda · infinita · pura || preocupante || creciente** *Los afectados experimentaban una creciente desazón ante la falta de soluciones* **|| interior · anímica**
● CON SUSTS. **motivo (de) || sentimiento (de) · síntoma (de) · muestra (de) || estado (de)**
● CON VBOS. **entrar(le) (a alguien)** *Le entró una gran desazón al ver que no llegaba* · **venir(le) (a alguien) · cundir · embargar · quitárse(le) (a alguien) || producir · provocar · crear · alimentar || sentir · experimentar || expresar · manifestar · mostrar · ocultar || aliviar · calmar** *Sus amigos hablaron con él para intentar calmar su desazón* · **mitigar · vencer || surgir (de)**

desbancar v.

● CON SUSTS. **competidor,-a** *sus intentos de desbancar a los competidores* · **adversario,ria · contrincante · rival · titular · candidato,ta || empresa · competencia**

[desbandada] → desbandada; en desbandada

desbandada s.f.

● CON ADJS. **general · masiva · total || monumental** *La aparición de la Policía provocó la monumental desbandada de los manifestantes* · **gran(de) · espectacular · plena || auténtica || desordenada · caótica || rápida · estrepitosa || electoral · intelectual** *la desbandada intelectual originada por el golpe de Estado* · **turística · automovilística || final**
● CON VBOS. **comenzar · iniciar(se) · producir(se) || suponer · significar || ocasionar · desencadenar · originar · provocar · causar**
● CON PREPS. **en** *Huyeron en desbandada*

desbarajuste s.m.

● CON ADJS. **enorme** *La huelga provocó un enorme desbarajuste en los transportes* · **de campeonato · gran(de) · total · completo · absoluto · auténtico · colosal · monumental · pleno || general · imperante · reinante || interno** *El desbarajuste interno de la empresa trascendió a los clientes* · **táctico || aparente · evidente || económico · monetario · financiero · político**
● CON SUSTS. **responsable (de) · origen (de) · situación (de) · momento (de) || causa (de) · consecuencia (de)**
● CON VBOS. **existir · montar(se)** *Se montó un auténtico desbarajuste a la salida del concierto* · **organizar(se) · producir(se) · armar(se) || crear · provocar || aprovechar || explicar · aclarar || corregir** *medidas para corregir el desbarajuste financiero* · **afrontar · resolver · solucionar · solventar · calmar || ocultar**

desbaratar v.

● CON SUSTS. **organización · cuadro · banda** *La Policía ha logrado desbaratar la banda delictiva responsable de...* · **facción · célula ·** ***otros grupos humanos*** **|| castillo de naipes · montaje · tinglado · componenda · trama · red · entramado · plan · estrategia · maniobra · sistema · argucia · proyecto · jugada · juego** *Una original táctica defensiva les permitió desbaratar el juego del equipo rival* · **propuesta · iniciativa · táctica · política || cálculo · previsión · hipótesis · expectativa · predicción · estimación || tesis · teoría · argumento · idea** *Has conseguido desbaratar las pocas ideas claras que tenía sobre este tema* · **tópico · creencia · certidumbre · dogma · coartada || aspiración · deseo · sueño · objetivo · intención · propósito · pretensión || ocasión · oportunidad · posibilidad || intento** *Los acontecimientos políticos han desbaratado una vez más los intentos del Gobierno de aprobar la nueva ley laboral* · **intentona · ensayo || operación · acción · atentado · ataque · revuelta · atraco · timo · estafa · remate · lanzamiento · magnicidio || confabulación · complot · conjura · contubernio || acuerdo · consenso · relación · entendimiento · equilibrio** *Se tomarán medidas para evitar que se desbarate el frágil equilibrio fiscal alcanzado* **|| negocio · trabajo · actividad · preparativo || camino · trayectoria · vida · proceso**
● CON ADVS. **totalmente · completamente · definitivamente** *El gol desbarató definitivamente las posibilidades de ganar* · **íntegramente || a la desesperada**

desbloquear v.

● CON SUSTS. **carretera** *La Policía trata de desbloquear la carretera* · **autopista · callejón ·** ***otras vías*** **|| salida · puerta · entrada · acceso || mente · pensamiento · memoria || emoción · miedo || situación · conflicto · problema · crisis || contencioso · discusión** *Una simple llamada telefónica permitió desbloquear las discusiones* · **enfrentamiento · guerra · polémica || acuerdo · compromiso · pacto · convenio colectivo || negociación · conversación · contacto · diálogo · proceso de paz** *intentos de desbloquear el proceso de paz en la región* · **firma · tramitación · aprobación || proyecto · plan · programa · iniciativa · posibilidad || asunto · cuestión · tema · caso || fondo · préstamo · presupuesto** *La falta de consenso impide desbloquear el presupuesto* · **salario · ahorro · financiación · cobro · inversión · crédito || proceso · ampliación · aumento · desarrollo · evolución || obra · construcción · urbanización · realización · reforma || ley · legislación · norma · reglamento · decreto · autorización · permiso || desacuerdo · discrepancia · diferencia**
● CON ADVS. **definitivamente · temporalmente · indefinidamente || inmediatamente · a la larga || cautelarmente · preventivamente · provisionalmente || automáticamente · políticamente · diplomáticamente**

desbocarse v.

● CON SUSTS. **caballo · yegua · mula · burro,rra · potro,tra || pasión** *una novela de pasiones desbocadas* · **instinto · odio · euforia · emoción · ansiedad || imaginación · creatividad · ingenio** *Cuando su ingenio se desboca, alcanza cotas de humor disparatado* **|| inflación · precio · salario · deuda · factura · gasto** *Durante estas fiestas nuestro gasto telefónico se desboca absolutamente* **|| crisis · escándalo · paro · problema · conflicto · corrupción**
● CON ADVS. **absolutamente · incontroladamente**

desbordamiento s.m.

• CON ADJS. **imprevisto · inminente · incontenible · inevitable || violento · terrible** *un terrible desbordamiento que convirtió la pequeña localidad en un charco de lodo* · **catastrófico || tumultuoso**
• CON SUSTS. **consecuencia (de) || peligro (de) · riesgo (de)** *Con las últimas previsiones que anuncian lluvias torrenciales aumenta el riesgo de desbordamiento* · **alerta (de) · posibilidad (de)**
• CON VBOS. **producir(se) · tener lugar || provocar || evitar** *Evitaron el desbordamiento del embalse abriendo varias compuertas* · **frenar · impedir || sufrir**

desbordante adj.

• CON SUSTS. **alegría** *Llegó a casa con una alegría desbordante* · **entusiasmo · optimismo · euforia · exaltación · emoción · felicidad · humor · satisfacción ·** ***otros sentimientos o sensaciones*** **|| personalidad** *un hombre de personalidad desbordante* · **humanidad · generosidad · capacidad · sensibilidad · sinceridad · franqueza · amabilidad** *...atento, complaciente y de una amabilidad desbordante* · **simpatía · talento || fantasía · imaginación · creatividad · ingenio · invención || energía · vitalidad · impulso · fuerza · salud · brío || pasión · sensualidad · deseo · sexualidad || éxito · triunfo · fama · apoyo · popularidad || interés · expectación · curiosidad · admiración || cultura · erudición** *En cada conferencia hacía gala de su desbordante erudición* · **maestría · conocimiento · saber || risa · mirada · sonrisa · llanto · gesto · expresividad · gesticulación || palabrería · verborrea · discurso || lirismo · romanticismo · barroquismo · modernismo || despliegue · expansión · explosión · irrupción** *medidas de contención insuficientes ante la desbordante irrupción de aficionados* · **avalancha**

desbordar(se) v.

• CON SUSTS. **agua(s) · mar · río · lago || presa · jarra · vaso || recinto · instalaciones** *La multitud desbordó las instalaciones* · **ciudad · calle · arcas || acontecimientos · hechos · situación · realidad || trabajo · demanda || límite · cauce · marco · franja · círculo · confín · frontera · margen || deseo · reivindicación || previsión · expectativa · esperanza · cálculo** *El número de turistas desbordó todos los cálculos* **|| número · cantidad · cuantía || cifra · presupuesto · ingreso · salario · precio || alegría · euforia · entusiasmo · optimismo · ilusión · pasión · emoción · sentimiento · amor · cariño || ira · indignación · miedo · pánico · resentimiento || energía · fuerza · presión · tensión || triunfalismo · exuberancia · vitalidad · imaginación · creatividad · inspiración || capacidad · posibilidad · competencia · poder · recurso** *La llegada de tantos alumnos nuevos ha desbordado los recursos de la pequeña escuela* · **medio || paciencia** *La lentitud con la que haces las cosas logra desbordar mi paciencia* · **vaso de {mi/tu/su...} paciencia · moderación · contención || simpatía · casta · sensibilidad · sinceridad · religiosidad || lógica · legalidad · racionalización · razón · conocimiento**
• CON ADVS. **por completo · completamente · absolutamente · inconteniblemente || parcialmente || ampliamente · a raudales · violentamente**

desbrozar v.

• CON SUSTS. **camino · cauce · terreno** *Hubo que desbrozar el terreno antes de comenzar con las obras* · **monte · maleza · basura || maraña · enigma · enredo · intriga · confusión · misterio · complejidad · escollo · intríngulis · trama || discurso · episodio · lenguaje || hipótesis · teoría · pensamiento || asunto · hecho · situación · proyecto · verdad** *hasta conseguir desbrozar toda la verdad* · **programa · medida**

descabalar v.

• CON SUSTS. **juego · rompecabezas** *El niño ha perdido una pieza y se le ha descabalado el rompecabezas* · **puzle || plan** *A ver si al final llueve y se descabala todo nuestro plan* · **previsión · proyecto · programación || presupuesto** *unos gastos inesperados que descabalaron el presupuesto* · **economía · cuentas || historia · espectáculo · concierto**

descabellado, da adj.

• CON SUSTS. **cálculo · presupuesto · balance · estimación || noticia · cifra · historia · información || idea · proyecto · propuesta · plan** *Es imposible llevar a cabo un plan tan descabellado* · **sugerencia · iniciativa · oferta · propósito · intención · objetivo || pretensión · sueño · deseo · ambición || hipótesis** *Parecía una hipótesis descabellada, pero terminó siendo aceptada por toda la comunidad científica* · **interpretación · teoría · tesis · explicación · planteamiento || especulación · elucubración · presunción · pronóstico || opción** *Elegiremos la opción menos descabellada* · **posibilidad · alternativa · decisión · conclusión || argumento · excusa · pretexto · disculpa** *inventarse una disculpa descabellada* **|| crítica · acusación · denuncia · imputación || aventura · peripecia · expedición || respuesta · expresión · discurso · afirmación · pregunta · declaración ·** ***otras manifestaciones verbales o comunicativas*** **|| comedia** *Estrenó una comedia absolutamente descabellada* · **artículo · novela · película ·** ***otras creaciones***
• CON ADVS. **de pies a cabeza || totalmente · absolutamente · simplemente**

descafeinado, da adj.

• CON SUSTS. **café** *Por prescripción médica solo puedo tomar café descafeinado* **|| historia · intriga · cinta · película · comedia · concierto · producción || versión · entrega · adaptación || debate** *una buena pregunta para animar el descafeinado debate de estos últimos días* · **discusión · crítica || propuesta · programa · producto || juicio · reforma || ideología**

descalabrar v.

• CON SUSTS. ***persona*** *Cayó una maceta desde un balcón y descalabró a un transeúnte* **|| economía · presupuesto** *El arreglo del coche ha descalabrado totalmente nuestro presupuesto* · **comercio || operación · transacción · pacto · alianza · acuerdo || estrategia · plan** *No iba a permitir que descalabraran sus planes con problemas absurdos* **|| vida · sueño || organización · institución · estado · gobierno · país · partido**

descalabro s.m.

• CON ADJS. **enorme · gran(de) · tremendo · monumental · importante · fuerte** *Ambos partidos han sufrido un fuerte descalabro electoral* · **mayúsculo · notorio · estrepitoso · significativo || verdadero · auténtico · total · absoluto || grave · severo · traumático · irreversible || económico** *Las causas de tal descalabro económico habría que buscarlas en...* · **financiero · comercial · bursátil || histórico · electoral · político · institucional · demográfico · social · escolar || final || ecológico · ambiental || moral** *en estos momentos de descalabro moral*
• CON SUSTS. **causa (de) · motivo (de)**

• CON VBOS. **sufrir || provocar · causar · originar · suponer || augurar · vaticinar · anunciar · prever || explicar · analizar || evitar · compensar || llevar (a) · conducir (a)** *La crisis condujo al país a un total descalabro social y económico* **|| recuperarse (de) || atribuir (a)**

descalcificar(se) v.

• CON SUSTS. **tejido · hueso** *Se le han descalcificado los huesos por la falta de calcio* **|| agua**

descalificación s.f.

• CON ADJS. **dura · fuerte · grave** *...tras las graves descalificaciones lanzadas contra él* **· rotunda · total · gratuita · injusta · mordaz · brutal · abrupta · polémica · intolerable || clara · inequívoca · expresa · frontal · seria || implícita · velada || constante · en cadena · automática || general · genérica · global · mutua · personal** *Se evitaron las descalificaciones personales durante toda la campaña* **|| propenso,sa (a)**
• CON SUSTS. **avalancha (de) · lluvia (de) · sarta (de) · rosario (de) || campaña (de) · cruce (de)** *Un cruce de brutales descalificaciones entre los socios cerró la sesión* **· guerra (de)**
• CON VBOS. **motivar · provocar · generar || intercambiar · lanzar || evitar || (no) mantenerse en pie · caerse por su propio peso || sufrir || tender (a) · caer (en)** *No quería caer en descalificaciones gratuitas* **· entrar (en) · enzarzarse (en)**

descalificar v.

• CON ADVS. **con dureza · sin contemplaciones · sin piedad · de un plumazo · sin paliativos · de plano · brutalmente || abiertamente · directamente · expresamente · frontalmente || gratuitamente · ilegítimamente · impunemente · injustamente · injustificadamente || a la ligera** *No debes descalificar a la ligera a tu nuevo compañero* **· sin pruebas · de antemano || automáticamente || legítimamente || genéricamente · mutuamente || jurídicamente · profesionalmente · políticamente** *El escándalo descalificó políticamente al nuevo candidato*

descaminado, da adj.

• CON VBOS. **andar** *No andaba muy descaminado al afirmar que la crisis estaba remitiendo* **· ir · estar**
□ USO Se usa generalmente en contextos negativos o irreales.

descansado, da adj.

• CON SUSTS. ***persona*** *No deberíamos seguir hasta que mamá no esté descansada* **|| rostro · cara · voz · cuerpo || vida** *Tuvo una vida descansada, llena de comodidades y placeres* **· día · trabajo**
• CON ADVS. **totalmente · completamente**
• CON VBOS. **estar · encontrarse · sentirse || levantarse** *Me levanté completamente descansada y relajada* **· despertarse || quedar(se)**

descansar v.

• CON PREPS. **con ánimo (de)** *Me senté con ánimo de descansar un rato* **· para || sin**
• CON ADVS. **a pierna suelta · tranquilamente** *En aquella casa retirada pudo descansar tranquilamente* **· plácidamente · placenteramente · confortablemente · despreocupadamente || en paz · definitivamente · para siempre · eternamente · finalmente || mentalmente** *descansar mentalmente después de un día de intenso trabajo*

descanso s.m.

• CON ADJS. **largo · prolongado || breve** *A mitad del ensayo, tuvimos un breve descanso* **· fugaz · pequeño || apacible · reposado** *Disfrutamos de un reposado descanso en la casa de campo* **· sosegado · placentero · plácido || verdadero · auténtico · pleno || reconfortante · reconstituyente · relajante · reparador · fortificante || ansiado · deseado || forzoso · obligado · merecido** *disfrutar de un merecido descanso* **|| vacacional** *Por fin llegaba el ansiado descanso vacacional* **· estival · dominical · semanal · eterno**
• CON SUSTS. **día (de) · época (de) · hora (de) · jornada (de) · tiempo (de) || área (de)** *Encontramos pocas áreas de descanso en la autopista* **· sala (de) · casa (de) · residencia (de) · lugar (de) || falta (de)**
• CON VBOS. **llegar || necesitar · pedir · buscar · merecer · ganarse · tener · hacer · tomar(se)** *¿Por qué no se toma usted un pequeño descanso?* **|| conceder · dar · favorecer · ofrecer || interrumpir** *Siento mucho interrumpir su descanso* **· alterar · perturbar · romper · profanar · quebrantar · trastornar || prolongar || aprovechar** *Aprovechamos el descanso de la película para comprar palomitas* **|| disfrutar (de) || invitar (a)** *un paradisíaco lugar que invitaba al descanso*
• CON PREPS. **sin** *trabajar sin descanso*

descapotable adj.

• CON SUSTS. **coche · autobús** *Hicimos la ruta turística en un autobús descapotable* **|| versión · modelo · biplaza · variante · carrocería**

descaradamente adv.

• CON VBOS. **comportarse · actuar · intervenir · tratar || afirmar** *El muy ladino afirmó descaradamente que no sabía nada* **· aclarar · contestar · hablar · proclamar · anunciar · decir ·** ***otros verbos de lengua*** **|| mentir** *Me has mentido descaradamente* **· manipular · engañar · ocultar · deformar · tergiversar || buscar · pretender · desear · perseguir || favorecer** *...favoreciendo descaradamente a los suyos* **· apoyar(se) · apostar · sumar(se) · volcar(se) · defender · inclinar(se) || beneficiar(se) · aprovechar(se) · utilizar · usar · explotar · emplear** *Empleó descaradamente su posición de poder para obtener determinados privilegios* **· abusar || burlarse · reírse · mofarse · sonreír || copiar · imitar · inspirar(se) · plagiar || mirar · observar · contemplar || insultar** *Lo insultó descaradamente delante de todos nosotros* **· presionar · amenazar || robar · arrebatar · violar · atacar · maltratar · matar · pisotear**

descarado, da adj.

• CON SUSTS. **chico,ca · alumno,na** *Es el típico alumno descarado y contestatario* **· político,ca ·** ***otros individuos*** **|| mirada · gesto · actitud · tono · aire || pretensión · intento || manipulación** *...ante quien denunciaron la descarada manipulación de datos* **· maniobra · especulación · montaje · juego || irreverencia · desplante || incumplimiento · abuso · explotación · sexismo · monopolio || corrupción · ilegalidad · violación · mentira || apología · elogio · exhibición · apoyo || cinismo · hipocresía · sarcasmo · egoísmo || partidismo · favoritismo** *La prensa criticó el descarado favoritismo del árbitro durante el partido* **· clientelismo · oportunismo · ventajismo · parcialidad || consumismo · materialismo || contubernio · robo || plagio · copia · calco || humor** *Su humor procaz y descarado suele escandalizar a mucha gente* **· palabra ·**

discurso · **comentario** || **crítica** · **vituperio** || **irrupción** · **intromisión** || **politización** · **propaganda**
● CON VBOS. **volverse** · **ponerse** · **resultar**

descarga s.f.

▌ [acción o efecto de descargar]
● CON ADJS. **laboriosa** || **informática** · **ilegal** || **masiva**
● CON SUSTS. **zona (de)** *despejar la zona de descarga* · **punto (de)** || **horario (de)** || **tarea (de)** · **trabajo (de)** · **operación (de)** · **labor (de)**
● CON VBOS. **iniciar** · **empezar** · **terminar** · **culminar** || **realizar** *Los transportistas anuncian que se negarán a realizar las descargas* · **efectuar**

▌ [paso de electricidad]
● CON ADJS. **eléctrica** || **fulminante**
● CON VBOS. **sacudir** *La descarga eléctrica sacudió al hombre y lo dejó inconsciente en el suelo* || **recibir** || **morir (por)** · **electrocutar(se) (por)**

descargar v.

▌ [quitar la carga]
● CON SUSTS. **fruta** *Están descargando la fruta y el pescado del camión* · **pescado** · **cemento** · **libros** · ***otras mercancías*** || **coche** · **furgoneta** *Si no descargas pronto la furgoneta, te cobrarán una multa por...* · **camión** · ***otros vehículos***

▌ [disparar]
● CON SUSTS. **arma** *El delincuente descargó el arma e hirió a cinco personas* · **pistola** · **ametralladora**

▌ [asestar]
● CON SUSTS. **disparo** · **tiro** · **patada** · **puñetazo** · **golpe**

▌ [transferir con medios informáticos]
● CON SUSTS. **dato** · **archivo** · **programa** · **documento** *un documento que se puede descargar gratuitamente en la página electrónica* · **vídeo** · **música**

▌ [caer]
● CON SUSTS. **lluvia** · **tormenta** *Por la tarde descargó una fuerte tormenta con gran aparato eléctrico* · **precipitación**

▌ [liberar un sentimiento]
● CON SUSTS. **ira** · **cólera** *Descargó su cólera contra ellos* · **rabia** · **agresividad** · **tensión** · **furia** · **odio** · **hostilidad** || **crítica** · **ataque** · **bronca** || **deuda** · **obligación** · **impuesto** · **inversión** · **subvención** || **conciencia** *No intenten descargar su conciencia con un donativo tan miserable* · **responsabilidad** · **culpa**

descarnado, da adj.

● CON SUSTS. **palabras** · **lenguaje** *críticas muy duras expresadas en un lenguaje descarnado* · **verbo** · **metáfora** || **crónica** · **poesía** · **novela** · **relato** *El periodista publicó un relato descarnado de los acontecimientos* · **película** · **dibujo** · **documental** · **reportaje** · ***otras creaciones*** || **disección** · **opinión** · **análisis** · **interpretación** · **lectura** · **valoración** · **juicio** · **reflexión** · **indagación** · **estudio** · **examen** || **testimonio** · **realidad** · **verdad** · **demostración** · **evidencia** · **muestra** *Sus palabras eran una muestra descarnada del desprecio que sentía por ellos* || **crítica** · **sátira** · **parodia** · **ironía** · **autocrítica** · **acusación** · **invectiva** · **condena** || **violencia** · **lucha** · **enfrentamiento** · **competencia** *Estas empresas viven una competencia descarnada por ganarse el mercado* · **conflicto** · **polémica** || **odio** · **crueldad** · **dureza** · **brutalidad** || **imagen** · **retrato** · **representación** · **radiografía** · **fotografía** · **plasmación** · **visión** *El reportaje presenta una visión descarnada del mundo de la droga* || **realismo** · **pragmatismo** · **utilitarismo** · **positivismo** · **hegemonismo** · **machismo** · ***otras tendencias y movimientos*** || **soledad** · **angustia** · **drama** · **tragedia** · **muerte** || **cuerpo** · **nalga** · **pierna** || **tipo** · **personaje**

descaro s.m.

● CON ADJS. **asombroso** *Le plantó dos besos con un descaro asombroso* · **increíble** · **sorprendente** · **insólito** · **insolente** || **absoluto** · **tremendo** · **infinito** || **lleno,na (de)**
● CON VBOS. **tener** *Y tuvo el descaro de pedir más* · **mostrar** · **exhibir** · **echar**
● CON PREPS. **con** *Habla con demasiado descaro*

descarriado, da adj.

● CON SUSTS. **oveja** · **perro,rra** · ***otros animales*** || **grey** · **rebaño** *Según el entrenador, el equipo se comportó como un rebaño descarriado* || **alma** · **inteligencia** · **voz** || **existencia** · **vida** || **proyectil** · **bala** || ***persona*** *...como discípulos descarriados que se reconciliaron con su maestro*

descarrilar v.

● CON SUSTS. **tren** *Dos personas mueren al descarrilar un tren regional* · **locomotora** · **vagón** · **convoy** · **máquina** · **metro** || **proyecto** · **proceso** · **iniciativas** *...grupos interesados que han hecho descarrilar las iniciativas de reforma* · **aspiración** || **economía** · **gobierno** · **país**
● CON ADVS. **estrepitosamente** · **espectacularmente** || **definitivamente** · **completamente** *La situación social amenaza con descarrilar completamente la economía* || **a las primeras de cambio**

descartar v.

● CON SUSTS. **posibilidad** · **opción** · **oportunidad** || **resultado** · **solución** *Descartamos en seguida esa solución porque era demasiado costosa* · **salida** · **camino** · **vía** · **medida** · **acción** · **actuación** || **teoría** *No descarto esta teoría, pero...* · **hipótesis** · **idea** · **propuesta** · **oferta** || **candidato,ta** · **aspirante** · **nombre**
● CON ADVS. **absolutamente** · **totalmente** · **completamente** · **de plano** *La Policía descartó de plano la idea del suicidio* · **en redondo** · **por completo** · **prácticamente** || **categóricamente** · **taxativamente** · **rotundamente** · **sin dudarlo** *El comité descartó sin dudarlo nuevas actuaciones* · **sin paliativos** · **tajantemente** · **con rotundidad** · **decididamente** || **gradualmente** · **precipitadamente** · **de antemano** || **definitivamente** · **virtualmente** || **formalmente** || **a la ligera** || **matemáticamente**

descascarillar v.

● CON SUSTS. **avellana** · **nuez** · **maní** · **trigo** · **cereal** · **grano** · **arroz** · ***otros frutos*** || **botella** · **pintura** · **caramelo** · **pared** · **esmalte** *Fregando los platos, se le descascarilló el esmalte de las uñas*

descendencia s.f.

● CON ADJS. **larga** · **vasta** · **fecunda** · **prolífica** · **extensa** || **directa** · **legítima** || **abundante** · **numerosa** · **escasa**
● CON VBOS. **esperar** · **buscar** · **encargar** · **encontrar** || **tener** · **dejar** · **generar** · **asegurar** *un hijo que le aseguraba la descendencia* || **carecer (de)**
● CON PREPS. **sin** *morir sin descendencia* · **con**

[descender] → descender; descender (de)

descender v.

● CON SUSTS. **cifra** · **cotización** · **nivel** *El nivel de contaminación descendió en el último mes* · **porcentaje** · **precio** || **recaudación** · **ingreso** · **venta** · **demanda** · **gasto**

|| **popularidad** · **audiencia** · **presencia** · **participación** *La participación en los cursos ha descendido con relación al año pasado* · **matrícula** || **capacidad** · **crecimiento** || **temperatura** · **humedad** || **posición** *Nuestro equipo descendió tres posiciones en la clasificación* · **puesto**
● CON ADVS. **acusadamente** · **considerablemente** · **significativamente** *Los ingresos descendieron significativamente tras la crisis de...* · **notablemente** · **ostensiblemente** || **abruptamente** · **bruscamente** *Las temperaturas descenderán bruscamente a partir de mañana* · **rápidamente** · **en picado** *La pendiente descendía en picado hasta el fondo del valle* · **fuertemente** · **verticalmente** · **vertiginosamente** || **directamente** || **gradualmente** · **paulatinamente** · **progresivamente** · **suavemente** || **levemente** · **ligeramente** || **momentáneamente**

descender (de) v.

▮ [bajar]
● CON SUSTS. **categoría** *El restaurante descendió de categoría con el cambio de dueño* · **estatus** · **nivel** · **puesto** || **piso** · **tejado** · **ático** · **árbol** · ***otros lugares***

▮ [proceder]
● CON SUSTS. **familia** *Nuestro escritor desciende de un familia de inmigrantes* · **linaje** · **antepasado** · **estirpe** · **saga** · **apellido**

descendiente s.com.

● CON ADJS. **directo,ta** · **inmediato,ta** || **desconocido,da** · **presunto,ta** || **único,ca** *El monarca tiene un único descendiente* || **natural** · **auténtico,ca** · **legítimo,ma** · **ilegítimo,ma** || **ilustre** · **famoso,sa** · **digno,na** || **venidero,ra** · **futuro,ra** *El legado que dejará a sus futuros descendientes* || **femenina** · **masculino** || **por vía {materna/paterna}** || **artístico,ca**
● CON SUSTS. **falta (de)** · **escasez (de)** || **varón** *No tiene ningún descendiente varón*
● CON VBOS. **reclamar (algo)** · **heredar** *Los descendientes indirectos de la actriz heredarán toda su fortuna* || **tener** · **engendrar** || **sentirse** · **considerar(se)** || **proclamar(se)** · **declarar(se)**

descenso s.m.

● CON ADJS. **acusado** · **auténtico** · **pronunciado** · **espectacular** *un espectacular descenso de la demanda* · **considerable** · **significativo** · **fuerte** · **grave** · **marcado** · **terrible** || **brusco** · **abrupto** · **repentino** *El repentino descenso de las temperaturas nos sorprendió a todos* · **drástico** · **vertiginoso** · **meteórico** || **apreciable** · **visible** · **notable** *Se aprecia un notable descenso en el número de socios* · **notorio** · **ostensible** || **llamativo** · **alarmante** || **imparable** · **inexorable** · **implacable** · **sistemático** || **gradual** · **paulatino** · **progresivo** *Se está produciendo un progresivo descenso de la natalidad* · **ininterrumpido** · **lento** || **eventual** · **inapreciable** · **pequeño** · **leve** · **ligero** · **minúsculo** · **moderado** || **directo** || **cualitativo**
● CON SUSTS. **causa (de)** · **peligro (de)** · **riesgo (de)** || **puesto (de)** *El equipo lucha por salir de los puestos de descenso* · **zona (de)** || **etapa (de)** || **ritmo (de)** · **margen (de)** · **línea (de)**
● CON VBOS. **producir(se)** · **registrar(se)** *Se ha registrado un ligero descenso en el gasto* · **acelerar(se)** · **precipitar(se)** · **avecinarse** || **iniciar(se)** *Al pasar el puerto e iniciar el descenso derrapó y cayó de la bicicleta* || **detener(se)** · **frenar(se)** · **amortiguar(se)** || **causar** · **provocar** *Las lluvias provocaron el descenso del nivel de contaminación* || **acusar** · **apreciar** · **percibir** · **mostrar** · **presentar** || **controlar** · **mitigar** · **paliar** · **eludir** · **evitar** || **continuar** || **experimentar** *La bolsa experimentó un vertiginoso descenso* · **sufrir** · **temer** · **obtener** || **salvar (de)** · **escapar (de)**
● CON PREPS. **en** *temperaturas en descenso* · **al borde (de)**

descentralizar v.

● CON SUSTS. **estado** · **administración** *Proponen descentralizar la administración del municipio* · **política** · **poder** · **sistema** || **institución** · **organización** || **industria** · **producción** · **servicio** || **gasto** · **economía** || **justicia** · **educación** · **cultura** || **actividad** · **trabajo** · **tarea** *¿Nos conviene centralizar o descentralizar las tareas?* || **gestión** · **negociación** · **proceso** || **ciudad** · **provincia** || **información**

descifrar v.

● CON SUSTS. **enigma** · **misterio** *La Policía continúa sus investigaciones para descifrar el misterio* · **secreto** · **jeroglífico** · **acertijo** · **galimatías** · **jerga** · **jerigonza** · **interrogante** · **pregunta** · **auspicio** · **cábala** · **silencio** · **aura** || **lenguaje** · **mensaje** · **escritura** · **palabra** · **texto** · **carta** · **letra** *Tienes una letra imposible de descifrar* · **alfabeto** · **secuencia** · **sonido** · **onda** || **pista** · **símbolo** · **simbolismo** · **clave** · **contraseña** · **código** || **contenido** · **significado** · **sentido** *Los dibujos ayudaban a los niños a descifrar el sentido del texto* · **análisis** · **connotación** · **interpretación** · **pensamiento** · **recuerdo** · **lógica** · **concepto** || **gen** · **ADN** || **dato** · **información** · **cantidad** · **parámetro** · **cuantía** · **número** · **edad** · **indicador** || **pasado** *Los investigadores buscan claves para descifrar el pasado de esta región* · **futuro** · **presente** · **calendario** · **porvenir** · **tiempo** · **fase** · **paso** · **proceso** · **etapa** || **caligrafía** · **iconografía** || **prehistoria** · **historia** · **anatomía** · **tipología** · **gastronomía** · **literatura** · **política** || **imagen** · **aspecto** · **actitud** · **comportamiento** · **expresión** · **gesto** || **sentimiento** · **ideología** · **intención** · **deseo** || **encuentro** · **curva** · **entrada** · **envío** · **equipo** · **lanzamiento** · **trabajo** || **causa** · **razón** *Los analistas intentan, sin éxito, descifrar las razones de semejante fracaso* · **motivo** · **raíz** · **indicio**
● CON ADJS. **imposible (de)** · **difícil (de)** *una clave difícil de descifrar* · **capaz (de)**

descodificar v. Véase **decodificar**

[descolgar] → descolgar; descolgarse (de)

descolgar v.

● CON SUSTS. **teléfono** *Descuelga el teléfono y marca el número...* · **auricular** · **aparato** · **telefonillo** || **cuadro** · **retrato** · **foto** · **crucifijo** · **lámpara** || **pancarta** · **cartel** · **bandera** || **ropa** *Para elegir un pantalón, descuelga toda la ropa del armario y la pone sobre la cama* · **camisa** · **pantalón** · **abrigo**
● CON ADVS. **definitivamente** · **para siempre** || **con cuidado** · **ágilmente** · **sigilosamente** || **fácilmente** · **con dificultad**

descolgarse (de) v.

● CON SUSTS. **equipo** *El ciclista se descolgó de su equipo y quedó rezagado del pelotón* · **conjunto** · **pelotón** · **empresa** · **partido** · **colectividad** · **manada** *Un toro descolgado de la manada embistió a varios mozos* · **compañeros,ras** · **acompañantes** · **rivales** · ***otros grupos*** || **pacto** · **acuerdo** || **proyecto** *Parece que algunos patrocinadores se van a descolgar del proyecto* · **proceso** · **lucha** *Después de esa lesión, se descuelga de la lucha por el segundo puesto* · **iniciativa**

descomponer(se) v.

▌ [dividir]

• CON SUSTS. **masa · agua · ozono · glucosa · luz** *Cada gota de agua actúa como un prisma que descompone la luz* · **sonido · partícula · enzima · molécula · átomo · onda || viaje · camino · trayecto · vida · película || año · período · tiempo || conjunto · equipo · junta · sociedad · familia · gobierno ·** ***otros grupos*** **|| cantidad · número · cifra · guarismo · precio || libro · texto · noticia · mensaje · explicación · información** *El primer paso es descomponer la información en sus elementos esenciales* · **discurso · idea · razonamiento**

• CON ADVS. **totalmente · completamente · por completo || en fragmentos · en pedazos**

▌ [alterar, deteriorar]

• CON SUSTS. **tortilla** *El calor ha descompuesto la tortilla* · **leche · vino · carne ·** ***otros alimentos o bebidas*** **|| rostro · cara · gesto · semblante · sonrisa · rictus · facción** *Ni una sola facción de su rostro se descomponía* **|| cuerpo · cadáver** *Aún no se había descompuesto el cadáver* **|| nervios · genio** *Cuando le contradices, se le descompone el genio* · **ingenio · humor ||** ***persona*** *una pregunta que descompuso a la presidenta* **|| imagen · figura · perfil · identidad · visión || armonía · estabilidad · equilibrio · unidad · orden · serenidad · buen entendimiento**

• CON ADVS. **lentamente · ligeramente · momentáneamente · progresivamente** *Mientras escuchaba la noticia, su rostro se iba descomponiendo progresivamente* **|| a ojos vistas · visiblemente · notoriamente || inevitablemente · inexorablemente · irremediablemente**

descomposición s.f.

• CON ADJS. **progresiva** *la lenta y progresiva descomposición del medio ambiente* · **paulatina · continua || rápida · acelerada · avanzada · galopante || grave · preocupante · alarmante || total · absoluta · plena || definitiva · irreversible || social · política** *un signo más de la descomposición política que vive el país* · **ideológica · institucional · estatal · económica || ética · moral · intelectual || física · orgánica · interna || laboral · profesional · familiar || cromática · léxica**

• CON SUSTS. **proceso (de) · fase (de) || estado (de)** *Los alimentos mostraban un avanzado estado de descomposición* **|| cuerpo (en) · cadáver (en) || grado (de) · nivel (de) || síntoma (de) · signo (de)**

• CON VBOS. **provocar · originar · desencadenar || acelerar** *El contacto con el aire aceleró la descomposición del cuerpo* · **precipitar · agudizar || permitir · facilitar · propiciar · contribuir || evitar · frenar · impedir || mostrar · reflejar || encontrar(se) (en)**

desconcertante adj.

• CON SUSTS. **jugador,-a** *Es un jugador irregular y desconcertante* · **deportista · escritor,-a · equipo · gobierno ·** ***otros individuos y grupos humanos*** **|| hecho · suceso · fenómeno · asunto · situación · silencio || momento** *Fue un momento desconcertante, en el que nadie supo qué hacer* **|| efecto · resultado · consecuencia || pregunta** *Sus desconcertantes preguntas irritaron al profesor* · **comentario · palabras · discurso · mensaje ·** ***otras manifestaciones verbales o comunicativas*** **|| talento · personalidad · humor || juego · actuación · decisión || obra · historia · argumento || dato** *Las últimas encuestas arrojan datos desconcertantes* · **noticia · información · propuesta || alianza · vínculo · unión · relación**

• CON ADVS. **totalmente · completamente** *una película completamente desconcertante* · **absolutamente || profundamente · enormemente**

• CON VBOS. **volverse · hacer(se)**

desconcertar v.

• CON ADVS. **por completo** *Las declaraciones del ministro desconcertaron por completo a la población* · **absolutamente · totalmente || profundamente** *un descubrimiento que ha desconcertado profundamente a la comunidad científica*

desconcharse v.

• CON SUSTS. **pintura || edificio · fachada · pared · muro · techo || vasija**

desconcierto s.m.

• CON ADJS. **gran(de)** *Hubo un gran desconcierto entre los asistentes* · **total · absoluto · terrible · inmenso · profundo · mayúsculo · monumental · notable · horrible · pleno || preocupante** *Los inversores no ocultan su preocupante desconcierto* · **creciente || imperante · reinante || general · generalizado || aparente || inicial** *El desconcierto inicial dio paso a una oleada de protestas*

• CON SUSTS. **clima (de) · estado (de) · sensación (de) || fase (de) · momento (de) || cara (de) · gesto (de)**

• CON VBOS. **asaltar (a alguien) · invadir (a alguien) · adueñarse (de alguien)** *Un profundo desconcierto se adueñó de los afectados* · **producir(se) · cundir · reinar · imperar || traslucir(se) || causar · ocasionar · provocar · crear · generar · fomentar · engendrar · sembrar** *La medida sembró el desconcierto en la ciudadanía* **|| padecer · sentir · mostrar || alimentar** *Los rumores solo conseguían alimentar el creciente desconcierto* · **paliar || dejarse llevar (por) · sucumbir (a) · sumir(se) (en) || sacar (de) · salir (de)**

• CON PREPS. **entre**

desconectar v.

• CON SUSTS. **luz · corriente eléctrica · sistema eléctrico · electricidad · alimentación || televisión · nevera · frigorífico · ordenador** *Cuando te vayas desconecta el ordenador* · ***otros aparatos electrónicos*** **|| máquina · motor · respiración artificial · piloto automático || teléfono** *Suelo desconectar el teléfono cuando estudio* · **timbre · línea · cámara · micrófono · transmisor || alarma** *El ladrón desconectó la alarma* · **bomba**

• CON ADVS. **intencionadamente · por error · accidentalmente · involuntariamente || automáticamente** *La máquina se desconecta automáticamente ante cualquier variación en el sistema eléctrico* · **de inmediato || preventivamente || definitivamente · temporalmente · totalmente · completamente · parcialmente || físicamente · mentalmente**

desconexión s.f.

• CON ADJS. **voluntaria · automática || temporal · diaria · momentánea · permanente || territorial · local · provincial || mental · laboral**

• CON SUSTS. **problema (de)** *Tienen un problema de desconexión generacional* · **riesgo (de) || dispositivo (de) · sistema (de)**

• CON VBOS. **producir(se) || evitar · impedir || provocar** *Un fallo provocó la desconexión del servicio eléctrico en la zona* · **realizar**

desconfiado, da adj.

● CON SUSTS. ***persona*** || **carácter** · **gesto** · **mirada** *ante las miradas desconfiadas de los presentes* · **voz** · **tono** · **aire** || **visión** · **actitud** · **postura**
● CON ADVS. **en extremo** · **extremadamente** · **excesivamente** · **exageradamente** · **profundamente** *una población profundamente desconfiada de los políticos* || **abiertamente** || **por naturaleza** · **de por sí**
● CON VBOS. **mostrarse** · **volverse** *Con el tiempo me he vuelto más desconfiado* · **hacer(se)**

desconfianza s.f.

● CON ADJS. **absoluta** *Siente una desconfianza absoluta hacia las nuevas tecnologías* · **enorme** · **gran(de)** · **fuerte** · **total** · **aguda** · **marcada** · **profunda** · **suma** || **ligera** · **pequeña** || **innata** · **instintiva** · **irracional** *Este tipo de experimentos me produce una desconfianza irracional* || **creciente** · **histórica** · **latente** · **persistente** · **aparente** || **general** · **generalizada** · **mutua** *Nuestra desconfianza era mutua* · **interna** || **fundada** · **justificada** || **infundada** · **injustificada** || **ciudadana**
● CON SUSTS. **ambiente (de)** · **clima (de)** *En aquel clima de desconfianza no era fácil trabajar* · **situación (de)** || **sensación (de)** · **síntoma (de)** · **tendencia (a)** · **actitud (de)** · **sentimiento (de)** · **muestra (de)** · **tono (de)** · **signo (de)** · **grado (de)** · **exceso (de)** || **motivo (de)** · **fruto (de)**
● CON VBOS. **existir** · **asaltar (a alguien)** · **entrar (a alguien)** · **invadir (a alguien)** · **cundir** · **agudizar(se)** · **incrementar(se)** · **aumentar** *Mi desconfianza aumentaba con el paso del tiempo* · **latir (en algo/en alguien)** · **traslucir(se)** || **causar** · **crear** · **producir** · **generar** · **suscitar** · **motivar** · **provocar** · **sembrar** *Sus palabras sembraron la desconfianza* · **engendrar** · **despertar** · **infundir (a alguien)** · **inspirar** || **abrigar** · **sentir** · **tener** · **mostrar** · **expresar** · **reflejar** · **perder** || **alimentar** · **avivar** || **frenar** *en un intento de frenar la desconfianza de los inversores* · **reducir** · **superar** · **vencer** || **dejarse llevar (por)**
● CON PREPS. **con** · **sin**

desconfiar v.

● CON ADVS. **con razón** · **justificadamente** · **razonablemente** · **sin motivos** · **injustificadamente** · **absurdamente** · **tontamente** || **totalmente** · **absolutamente** *Desconfío absolutamente de esta clase de personas* · **ligeramente** || **en extremo** · **enormemente**

□ USO Se construye frecuentemente con complementos encabezados por la preposición *de*: *Desconfiaba sin motivo de sus compañeros.*

descongestionar v.

● CON SUSTS. **nariz** *un medicamento para descongestionar la nariz* · **cuerpo** · **mente** || **arteria** · **carretera** · **calle** · **autopista** · ***otras vías*** || **tráfico** *nuevas medidas para descongestionar el tráfico en el centro de la ciudad* · **tránsito** · **circulación** · **atasco** || **espacio** · **zona** · **acceso** · **entrada**
● CON ADVS. **considerablemente** *Los nuevos carriles han descongestionado considerablemente la autopista* · **notablemente** || **parcialmente** · **totalmente** · **completamente** || **súbitamente**

desconocer v.

● CON ADVS. **por completo** *El concursante desconocía por completo la respuesta* · **totalmente** · **íntegramente** · **en absoluto** · **plenamente** · **en líneas generales** || **con exactitud** *Desconozco con exactitud los nuevos planes* · **exactamente** || **de antemano** || **oficialmente** · **virtualmente**

desconocimiento s.m.

● CON ADJS. **completo** *Mi desconocimiento de la región era completo* · **absoluto** · **enorme** · **gran(de)** · **importante** · **total** · **profundo** · **perfecto** · **supino** || **claro** · **flagrante** · **notorio** · **patente** || **patético** · **preocupante** *Mostraba un preocupante desconocimiento de su situación legal* · **grave** || **pequeño** · **ligero** || **tradicional** · **general** · **mutuo** · **colectivo** · **lógico**
● CON SUSTS. **grado (de)** · **nivel (de)** · **índice (de)** || **fruto (de)** *El error fue fruto del desconocimiento* || **problema (de)** · **situación (de)**
● CON VBOS. **evidenciar(se)** · **traslucir(se)** || **reflejar** · **revelar** · **implicar** · **indicar** · **mostrar** *Muestra usted un profundo desconocimiento de la disciplina* · **manifestar** · **existir** || **confesar** · **reconocer** · **demostrar** · **fingir** || **aprovechar** · **justificar** · **lamentar** · **alegar** · **denunciar** || **hacer gala (de)** || **achacar (a algo)** *Achacaban el fallo al desconocimiento de la red*
● CON PREPS. **por**

desconsideración s.f.

● CON ADJS. **absoluta** *Fue una absoluta desconsideración por su parte no contar con nosotros* · **total** · **completa** || **manifiesta** · **deliberada** || **grave** · **seria** · **flagrante** || **increíble** · **imperdonable**
● CON SUSTS. **acto (de)** · **muestra (de)** || **falta (de)**
● CON VBOS. **cometer** *Si no se presenta a dar explicaciones, cometerá una grave desconsideración* · **mostrar** || **suponer** || **permitir** || **tratarse (de)** · **calificar (de)**

desconsoladamente adv.

● CON VBOS. **llorar** · **gemir** · **sollozar** *No decía nada, solo sollozaba desconsoladamente*

desconsuelo s.m.

● CON ADJS. **gran(de)** · **enorme** || **auténtico** || **insondable** · **profundo** · **hondo**
● CON SUSTS. **imagen (de)** · **escena (de)** *escenas de auténtico desconsuelo* · **momento (de)** || **sensación (de)** · **estado (de)** || **motivo (de)** *Nos ocultaba los motivos de su desconsuelo* || **palabra (de)**
● CON VBOS. **reinar** *el desconsuelo que reinaba en el ambiente* · **tocar fondo** || **sentir** · **mostrar** || **mitigar** *Nadie sabía cómo mitigar su desconsuelo*
● CON PREPS. **con** *llorar con enorme desconsuelo*

descontento s.m.

● CON ADJS. **profundo** *Un profundo descontento invadió a todos* · **fuerte** · **gran(de)** || **evidente** · **notable** · **visible** · **ostensible** · **patente** *El descontento se hizo patente en todos los sectores de la sociedad* || **general** · **generalizado** · **creciente** · **unánime** || **larvado** · **latente** || **popular** · **social**
● CON SUSTS. **ola (de)** *...levantando una creciente ola de descontento social* · **sensación (de)** · **clima (de)** · **situación (de)** · **grado (de)** || **expresión (de)** · **señal (de)** · **síntoma (de)** · **gesto (de)**
● CON VBOS. **existir** · **surgir** · **aflorar** · **despertar(se)** · **aumentar** *El descontento popular aumentaba día a día* · **crecer** · **arreciar** · **extender(se)** · **cundir** · **invadir (a alguien)** · **reinar** || **exteriorizar(se)** · **manifestar(se)** · **apreciar(se)** || **aplacar(se)** · **disminuir** || **causar** · **provocar** *La impopular medida provocó el descontento generalizado* · **generar** · **sembrar** || **demostrar** · **expresar** · **mostrar** · **revelar** · **reflejar** · **sentir** · **airear** || **avivar** · **canalizar** · **capitalizar** || **acallar** · **apaciguar** *nuevas promesas electorales destinadas a apaciguar el descontento social* · **vencer**

descontextualizar v.

• CON SUSTS. **palabra** *Ha descontextualizado usted mis palabras* · **frase** · **afirmación** · **cita** · **comentario** · ***otras manifestaciones verbales o textuales*** || **escena** · **imagen** || **interpretación** · **análisis** || **caso** · **noticia** · **realidad** · **situación** · **tema**

descontrol s.m.

• CON ADJS. **absoluto** · **total** *Cuando salimos a la calle, había un total descontrol* · **enorme** · **gran(de)** · **profundo** · **frenético** || **pequeño** · **ligero** || **aparente** · **manifiesto** || **imperante** · **reinante** · **general** · **generalizado** || **organizativo** · **urbanístico** · **financiero**
• CON SUSTS. **causa (de)** · **sensación (de)** · **riesgo (de)** · **problema (de)** || **situación (de)** · **consecuencia (de)**
• CON VBOS. **existir** · **producir(se)** · **extender(se)** · **aumentar** *El descontrol aumentaba a medida que pasaban los días* · **arreciar** || **mostrar** · **revelar** · **reflejar** || **permitir** · **provocar** · **generar** · **implicar** || **controlar** · **denunciar** · **abordar** || **frenar** · **corregir** · **evitar** · **paliar**
• CON PREPS. **por** · **al borde (de)** · **en medio (de)**

descontrolado, da adj.

• CON SUSTS. **niño,ña** *Hoy los niños están descontrolados* · **alumno,na** · **equipo** · ***otros individuos y grupos humanos*** || **situación** · **violencia** · **ataque** || **guerra** · **lucha** · **partido** *Ningún equipo se hace con el balón; el partido está descontrolado* || **incendio** · **agua** *troncos y ramajes arrastrados por las descontroladas aguas del río* · **viento** · **energía** · **fuerza** || **caída** · **crecimiento** · **inflación** *La medida desató una inflación descontrolada* · **incremento** · **subida** || **consumo** · **gasto** · **uso** || **fabricación** · **producción** · **venta** · **distribución** · **secreción** || **despedida** · **fiesta** || **movimiento** · **baile** · **carrera**
• CON VBOS. **volverse** · **mantenerse** · **estar**

desconvocar v.

• CON SUSTS. **huelga** · **paro** || **acto** · **manifestación** *Los organizadores desconvocaron la manifestación* · **mitin** · **movilización** · **protesta** || **cita** · **reunión**
• CON ADVS. **definitivamente** · **provisionalmente** || **inesperadamente** · **sorprendentemente** · **repentinamente** || **oficialmente** *La huelga fue oficialmente desconvocada* · **públicamente**

descorchar v.

• CON SUSTS. **botella** · **champán** *Descorchamos champán para festejar el triunfo* · **cava** · **vino** · **sidra** · **tapón**

descortés adj.

• CON SUSTS. ***persona*** || **gesto** · **trato** · **conducta** · **actitud** *Mostró una actitud un tanto descortés que desdice mucho de su profesionalidad* · **reacción** || **palabra** · **pregunta** · **respuesta** · **burla** · **tono**
• CON VBOS. **volverse** · **parecer** · **mostrarse** · **resultar**

descortesía s.f.

• CON ADJS. **enorme** · **gran(de)** *Fue una gran descortesía hacia sus invitados* || **imperdonable** · **indignante** || **ingrata** · **impropia** · **desagradable** || **institucional** · **parlamentaria** · **política**
• CON SUSTS. **gesto (de)** · **acto (de)** || **muestra (de)** · **señal (de)** || **grado (de)**
• CON VBOS. **demostrar** · **tener** || **considerar** *Considero una descortesía hacerle ese tipo de preguntas al señor ministro* || **criticar**

[descosido, da] → como un descosido

descrédito s.m.

• CON ADJS. **absoluto** *Actualmente pesa el más absoluto descrédito sobre la institución* · **total** · **completo** · **grave** · **profundo** · **rotundo** · **serio** · **severo** · **significativo** · **estrepitoso** · **preocupante** || **claro** · **sonado** · **evidente** · **notable** · **franco** || **general** · **generalizado** · **sistemático** || **creciente** *el descrédito creciente en el que caen algunos dirigentes políticos* · **progresivo** || **inmerecido** · **merecido** || **leve** · **relativo** || **consiguiente** || **internacional** *medidas arbitrarias e injustas que solo provocarán el descrédito internacional* · **ajeno** · **personal** || **social** · **económico** · **financiero** · **político** · **artístico** · **moral** · **profesional**
• CON SUSTS. **ola (de)** || **campaña (de)** *He sido víctima de una campaña de descrédito* · **síntoma (de)** || **clima (de)** · **situación (de)** · **estado (de)**
• CON VBOS. **acentuar(se)** · **desencadenar(se)** · **envolver (a alguien)** · **extender(se)** *El descrédito económico se extendió a todas las empresas del sector* · **ganarse** · **minar (algo)** · **pesar (sobre alguien)** || **adquirir** · **concentrar** · **acumular** || **provocar** · **ocasionar (a alguien)** · **suscitar** · **arrojar (sobre alguien)** *Su propia política será la que arroje sobre usted el más absoluto descrédito, señora ministra* · **sembrar** || **soportar** · **sufrir** · **eludir** || **alentar** · **fomentar** · **remediar** · **subsanar** || **constatar** || **significar** · **constituir** · **suponer** · **representar** *La condena del Tribunal Supremo representa el completo descrédito de la empresa* || **caer (en)** *Cuando se descubrió la estafa, cayó en el más profundo descrédito* · **hundir(se) (en)** · **llevar (a)** || **enfrentar(se) (a)**

descremado, da adj.

• CON SUSTS. **leche** · **yogur** *Con esta dieta solo puedo comer yogures descremados* · **producto** · **queso** · **flan** · **café**

describir v.

▮ [narrar]

• CON ADVS. **a grandes líneas** · **a grandes rasgos** *El corresponsal solo describió la situación a grandes rasgos* · **a grandes trazos** · **someramente** · **vagamente** · **por encima** · **apresuradamente** || **resumidamente** · **en pocas palabras** *Descríbeme en pocas palabras lo que viste allí* · **sumariamente** · **sintéticamente** · **esquemáticamente** · **condensadamente** · **a vuelapluma** || **con precisión** · **exactamente** · **claramente** · **gráficamente** · **nítidamente** · **puntualmente** · **expresamente** || **con pelos y señales** · **con (todo) lujo de detalles** · **al detalle** · **con detalle** · **extensamente** · **con minuciosidad** · **detalladamente** *En el primer capítulo, el autor describe detalladamente al protagonista de su novela* · **escrupulosamente** · **detenidamente** · **con parsimonia** · **con primor** · **minuciosamente** · **pormenorizadamente** · **profusamente** · **prolijamente** · **ce por be** || **sin tapujos** *El informe describía la realidad sin tapujos* · **crudamente** · **descarnadamente** || **certeramente** · **atinadamente** · **correctamente** · **ejemplarmente** · **magistralmente** · **convincentemente**

▮ [trazar]

• CON SUSTS. **curva** · **elipse** · **línea** · **parábola** *El objeto describió una parábola antes de caer* · **trayectoria**
• CON ADVS. **limpiamente**

descripción s.f.

• CON ADJS. **brillante** *una aguda, brillante y certera descripción de la situación política actual* · **excelente** · **magnífica** · **maravillosa** · **soberbia** || **preciosa** · **fina** · **bella**

· amable · poética · sencilla · llana || amplia *la amplia descripción que ofrece de las fiestas del lugar* · extensa · con pelos y señales · con todo lujo de detalles · detallada · exhaustiva · pormenorizada *una descripción pormenorizada de la situación* · profusa · prolija · meticulosa · minuciosa · larga || expresiva · emotiva · estremecedora · amena · ingeniosa · sutil · interesante · lúcida · inteligente · irónica · sarcástica · mordaz || descarnada · terrible || ilustrativa · viva · gráfica · pintoresca · plástica · elocuente · vívida || acertada *A mi juicio fue una descripción totalmente acertada* · adecuada · atinada · certera · exacta · precisa · coherente · clara · nítida · veraz · cuidada · cuidadosa || fidedigna · fiel · objetiva *una descripción objetiva y fiel de los hechos* · imparcial || en pocas palabras · telegráfica · esquemática · escueta · sintética · somera · sucinta || a grandes líneas · a grandes rasgos *Le habían pedido una descripción a grandes rasgos del panorama* · aproximada · breve || burda · grotesca · tosca · vaga · imprecisa · parcial · distorsionada · falseada · fría · gris · simplista · simple · escasa || a vuelapluma || particular · personal || física · general · histórica · técnica

● CON VBOS. hacer · realizar · trazar · esbozar · componer *El testigo compuso una descripción estremecedora del desastre* · formular || dar · facilitar *La prensa facilitó una descripción muy vívida del acto* · ofrecer · publicar · incluir · buscar || encajar (en) · basar(se) (en)

descriptivo, va adj.

● CON SUSTS. capacidad *Esas pocas páginas revelan la asombrosa capacidad descriptiva del autor* · fuerza · agudeza · profundidad · eficacia · memoria || texto · relato · prosa · secuencia · pasaje || sentido · carácter · dimensión || gramática · geografía · geometría · ***otras disciplinas*** || técnica · método · trabajo || análisis *El informe incluye un análisis descriptivo de los datos arrojados por el censo* · estudio · planteamiento · síntesis · reflexión || elemento · sistema || minuciosidad · detallismo · puntillismo · realismo

● CON ADVS. puramente · meramente · estrictamente · simplemente || perfectamente · auténticamente || especialmente · fundamentalmente *un estudio fundamentalmente descriptivo, más que explicativo* || minuciosamente · rigurosamente || aparentemente

descuajeringar(se) v.

● CON SUSTS. cuello · pierna · brazo *Del impacto casi se me descuajeringa el brazo* · miembro · articulación · ***otras partes del cuerpo*** || mesa · silla · radio · ***otros objetos o aparatos*** || discurso · imagen · teoría

● CON ADVS. absolutamente · totalmente · completamente || brutalmente · fuertemente

[descubierto, ta] → a cara descubierta; al descubierto

descubrimiento s.m.

● CON ADJS. auténtico · verdadero · espectacular · notable · importante · gran(de) · maravilloso · exitoso || determinante · trascendental · valioso || nuevo · reciente · último *los últimos descubrimientos en biología molecular* || accidental *El autor asegura que fue un descubrimiento accidental* · casual · fortuito · inesperado · sorprendente || pequeño || progresivo || científico

● CON SUSTS. centenario (de) · fecha (de) || crónica (de) · noticia (de) || importancia (de) *La importancia del descubrimiento reside en sus posibles aplicaciones* · magnitud (de) || clave *un descubrimiento clave para el tratamiento del cáncer*

● CON VBOS. producir(se) *El descubrimiento se produjo del modo más inesperado* · fraguar(se) || hacer · realizar · lograr || dar a conocer · hacer público *La investigadora hizo público ayer su espectacular descubrimiento* · anunciar · presentar || conocer || constituir · suponer || culminar (con)

● CON PREPS. a la luz (de) *A la luz de los últimos descubrimientos...* · a raíz (de) || tras · a partir (de)

[descubrir] → descubrir; descubrir (a alguien)

descubrir v.

● CON ADJS. alarmado,da · sorprendido,da

● CON ADVS. de primera mano *Con él, descubrió de primera mano el mundo del automóvil* || poco a poco · gradualmente · progresivamente · rápidamente || inesperadamente · repentinamente || gratamente · para {mi/tu/su...} sorpresa · sorprendentemente || a tientas

descubrir (a alguien) v.

● CON ADJS. metido,da (en algo) · con las manos en la masa *La Policía descubrió a la culpable con las manos en la masa* · in fraganti · en plena faena

descuento s.m.

● CON ADJS. gran(de) *En esta tienda no hacen grandes descuentos, pero los productos son de calidad* · importante · fuerte · apreciable · considerable · significativo · sustancioso · jugoso · superior || simbólico *Obtuvimos solo un descuento simbólico a pesar de ser clientes habituales* · insignificante · modesto · ligero · pequeño · ínfimo · irrisorio · exiguo · módico

● CON SUSTS. derecho (a) *Todos los empleados tienen derecho a un descuento* || tasa (de) || minutos (de) · tiempo (de) || vale (de) · tarjeta (de) · tique (de) · bono (de) · cupón (de)

● CON VBOS. hacer · efectuar · realizar · aplicar *Dijo que nos aplicaba el máximo descuento permitido por la ley* · practicar · ofrecer · conceder · permitir · proporcionar · cobrar · considerar · aumentar || conseguir *Consiguió un sustancioso descuento después de mucho regatear* · obtener · recibir · sufrir · tener · merecer || negociar · regatear || abolir || disfrutar (de)

descuidar v.

● CON SUSTS. aspecto *No descuidaba su aspecto en ningún momento de la jornada* · apariencia · vestimenta · atuendo · forma || detalle · complemento || asunto · negocio · tarea · trabajo · obligación *Eso es lo que ocurre cuando uno descuida sus obligaciones* · ocupación || atención · dedicación || alimentación *No descuides tu alimentación* · dieta · salud || protección · vigilancia · seguridad || ciudad · zona · región · calle · playa

● CON ADVS. totalmente · olímpicamente || visiblemente · ostensiblemente · patentemente || conscientemente *Lucía una melena conscientemente descuidada* · inconscientemente || irresponsablemente || levemente · ligeramente

descuido s.m.

● CON ADJS. absoluto · total · descomunal *Omitir su nombre fue un descuido descomunal* · monumental · tremendo · garrafal · grave · costoso · irreparable · lamentable · lastimoso || imperdonable *El redactor cometió un descuido imperdonable* · inadmisible · inexcusable · inexplicable || claro · evidente · escandaloso · sonado

|| **pequeño** *Entramos aprovechando un pequeño descuido del portero* · **sin importancia** · **ligero** · **menor** · **leve** · **mínimo** · **imperceptible** · **inapreciable** · **puntual** · **ocasional** || **mero** · **simple** || **disculpable** · **perdonable** · **excusable** · **tolerable** · **comprensible** || **aparente** || **humano** · **general** · **lógico** || **atento,ta (a)**
• CON SUSTS. **estado (de)** · **momento (de)** || **signo (de)** *La casa mostraba signos evidentes de descuido* || **fruto (de)**
• CON VBOS. **deber(se) (a algo)** *El descuido se debió a la falta de atención* · **deslizar(se)** || **cometer** *Todo el mundo comete algún descuido* · **tener** · **permitir(se)** || **aprovechar (para algo)** || **admitir** · **disculpar** · **perdonar** · **excusar** · **tolerar** || **advertir** · **notar** || **enmendar** · **reparar** · **subsanar** || **atribuir (a algo)** · **imputar (a alguien)** · **reprochar (a alguien)** *Le reprocharon durante meses aquel pequeño descuido* || **incurrir (en)** · **tratar(se) (de)** || **acusar (de)** · **culpar (a alguien) (de)** || **reparar (en)** *Inexplicablemente, nadie reparó en el tremendo descuido*
• CON PREPS. **con** · **por**

desdecirse (de) v.

• CON SUSTS. **palabra** · **declaración** *El ministro se desdijo de sus declaraciones alegando un malentendido* · **afirmación** · **manifestación** · **acusación** · **denuncia** · **testimonio** || **promesa** *El ganador de las elecciones optó por desdecirse públicamente de algunas de sus promesas* · **acuerdo** · **compromiso** · **decisión** · **juramento** || **teoría** · **tesis** · **postulado** · **planteamiento** · **postura**
• CON ADVS. **continuamente** · **repetidamente** · **rápidamente**

desdén s.m.

• CON ADJS. **absoluto** *Siempre había mostrado un absoluto desdén por los problemas ambientales* · **completo** · **infinito** · **total** · **profundo** || **leve** · **ligero** || **notorio** · **evidente** · **ominoso** · **visible** · **apreciable** · **rotundo** · **sonoro** · **frío** || **aparente** · **verdadero** || **aristocrático** · **provinciano** || **frívolo** · **altivo** · **olímpico** || **público** · **oficial** · **social** · **institucional** · **administrativo** || **moral** · **ideológico**
• CON SUSTS. **gesto (de)** *Tendrías que haber visto los gestos de desdén que hacía* · **mirada (de)** · **mohín (de)** || **actitud (de)** · **tono (de)**
• CON VBOS. **mostrar** · **manifestar** · **expresar** || **inspirar** · **suscitar** || **soportar** · **sufrir** || **aparentar** · **ocultar**
• CON PREPS. **con** *Me miró con desdén*

desdeñar v.

• CON ADVS. **absolutamente** · **olímpicamente** || **arrogantemente** · **con soberbia** || **abiertamente** *Desdeña abiertamente los entresijos de la política* · **públicamente**

desdeñoso, sa adj.

• CON SUSTS. **actitud** · **postura** · **mirada** · **ojeada** · **gesto** · **aire** · **tono** || ***persona*** *una diva demasiado desdeñosa y arrogante* || **frialdad** · **superioridad** || **comentario** · **palabra** · **término** *No se pueden usar términos tan desdeñosos para calificar a una autoridad* · **crítica** · **expresión** · **intervención** · ***otras manifestaciones verbales*** || **trabajo**

desdibujar(se) v.

• CON SUSTS. **imagen** *...con el burdo objetivo de desdibujar la imagen de credibilidad de esta institución* · **retrato** · **rostro** · **cara** || **perfil** · **contorno** · **límite** · **borde** · **frontera** · **línea** || **realidad** · **hecho** · **pasado** · **recuerdo** · **panorama** || **sentido** · **significado** · **valor** *A partir de ese momento, se empieza a desdibujar el valor religioso de la festividad* · **importancia** || **iniciativa** · **ilusión** · **proyecto** || **posición** · **ideología** · **identidad** || **marca** · **señal**
• CON ADVS. **totalmente** *Hacía tanto tiempo que no la veía que se le había desdibujado totalmente su rostro* · **completamente** || **definitivamente** || **paulatinamente** · **rápidamente** || **misteriosamente** · **increíblemente**

desdicha s.f.

• CON ADJS. **gran(de)** · **suprema** · **secular** || **humana** || **irremediable** · **irreparable** || **nueva** || **plagado,da (de)** *una vida plagada de desdichas* · **lleno,na (de)**
• CON SUSTS. **origen (de)** *fatídica decisión que se convirtió en el origen de las actuales desdichas* · **pozo (de)** · **fuente (de)** · **colmo (de)** || **cúmulo (de)**
• CON VBOS. **abatirse (sobre alguien)** · **adueñarse (de alguien)** · **apoderarse (de alguien)** · **avecinarse** · **continuar** · **acabar** || **sufrir** · **tener** · **padecer** || **olvidar** || **hundir(se) (en)** · **pasar (por)** || **poner fin (a)** *...con la idea de poner fin a tan larga serie de desdichas* · **sobreponerse (a)**
• CON PREPS. **por**

desdichado, da adj.

• CON SUSTS. ***persona*** *Fue un hombre desdichado durante toda su vida* || **vida** · **existencia** · **pasado** · **historia** · **destino** || **amor** · **romance** *La actriz vivió un desdichado romance con un famoso cineasta* · **aventura** · **accidente** || **realidad** · **país** || **asunto** · **hecho** · **acontecimiento** · **anécdota** || **actuación** · **comportamiento** · **conducta** · **gestión** || **año** · **día** *el desdichado día en que nos informaron de su muerte* · **instante** · **etapa** · **vacaciones** · ***otros momentos o períodos*** || **expresión** · **comentario** · **respuesta** · ***otras manifestaciones verbales*** || **condición** · **naturaleza**

desear v.

• CON ADVS. **con todas {mis/tus/sus...} fuerzas** *Deseaba aquel viaje con todas mis fuerzas* · **ardientemente** · **intensamente** · **de (todo) corazón** · **ávidamente** · **a morir** · **fervientemente** · **enérgicamente** · **fuertemente** · **profundamente** · **vivamente** || **a toda costa** *Dos personas deseaban hablar con ella a toda costa* · **a todo trance** || **descaradamente** · **firmemente** · **humildemente** · **largamente** || **realmente** *Realmente deseaban aquel desenlace* · **sinceramente** · **verdaderamente** · **en el alma** · **con toda {mi/tu/su...} alma** || **urgentemente** · **acuciantemente** · **desesperadamente**

□ EXPRESIONES **dejar {bastante/mucho} que desear** [ser menos de lo que se esperaba]

desecho s.m.

• CON ADJS. **sólido** · **líquido** || **orgánico** *el aprovechamiento de los desechos orgánicos* · **inorgánico** · **vegetal** · **plástico** · **biológico** || **humano** · **animal** || **reciclable** · **inservible** · **inutilizable** || **industrial** *Exigen un control más estricto de los desechos industriales* · **quirúrgico** · **doméstico** · **urbano** · **electrónico** · **informático** · **metálico** · **químico** || **forestal** · **submarino** · **agrícola** · **espacial** || **radiactivo** · **nuclear** · **peligroso** · **tóxico** · **contaminante** · **infeccioso**
• CON SUSTS. **recolección (de)** · **recogida (de)** || **volumen (de)** || **reciclado (de)** · **tratamiento (de)** *La empresa se encarga del tratamiento de desechos industriales y domésticos* || **eliminación (de)** || **material (de)** · **aguas (de)** · **producto (de)**
• CON VBOS. **generar** · **producir** || **reciclar** *campañas para concienciar a la sociedad de la necesidad de reciclar los desechos domésticos* · **aprovechar** · **recuperar** · **recoger** · **tratar** || **descargar** · **depositar** · **arrojar** · **derramar** · **transportar** || **eliminar** · **retirar** · **quemar** *El incinerador*

sirve para quemar desechos peligrosos · **reducir** · **limpiar** || **almacenar** · **acumular** || **evitar** || **contaminar (con)**

de seguridad loc.adj.

• CON SUSTS. **guardia** *Numerosos guardias de seguridad vigilan la embajada* · **agente** · **vigilante** · **cuerpo** · **fuerza** · **empresa** · **organismo** · **servicio** || **asunto** · **materia** · **ley** · **problema** || **motivo** *No se puede pasar por motivos de seguridad* · **razón** || **área** · **zona** · **distancia** || **barrera** · **control** · **dispositivo** · **medida** · **plan** · **régimen** · **condición** · **norma** *...siguiendo las normas internacionales de seguridad* || **aparato** · **cinturón** *Abróchate el cinturón de seguridad* · **equipo** · **mecanismo** · **sistema** · **caja**

desembarazarse (de) v.

• CON SUSTS. **rival** *El delantero logró desembarazarse de su rival rápidamente* · **perseguidor,-a** · **amigo,ga** · **familia** · ***otros individuos y grupos humanos*** || **cadáver** · **cuerpo** · **fantasma** || **problema** *La terapia me sirve para desembarazarme de los problemas cotidianos* · **obsesión** · **complicación** · **peso** || **compromiso** · **obligación** · **atadura** · **responsabilidad** || **estereotipo** · **tópico** · **hábito** || **régimen** · **monopolio** || **desechos** · **residuos** *La fábrica busca nuevos lugares para desembarazarse de los residuos tóxicos* || **pasado** · **recuerdos**

• CON ADVS. **rápidamente** · **deprisa** || **fácilmente** · **sin dificultad** || **definitivamente** *...con el fin de desembarazarse definitivamente de ese incómodo compromiso* · **totalmente** · **completamente**

desembocadura s.f.

• CON ADJS. **natural** · **original** · **actual**

• CON SUSTS. **zona (de)** · **proximidades (de)** *una construcción ilegal en las proximidades de la desembocadura del río* · **área (de)** || **orilla (de)** · **playa (de)**

• CON VBOS. **reformar** · **modificar** · **alterar** || **recuperar** *un proyecto para recuperar la desembocadura natural del río* · **restituir** || **desviar**

desembocar v.

• CON SUSTS. **río** · **calle** · **avenida** · **tubería** · **vena** · ***otras vías y conductos*** || **asunto** *El asunto terminará desembocando en un grave conflicto* · **situación** · **hecho** · **crisis** || **negociación** · **conversación** · **diálogo** || **decisión** · **actitud** · **comportamiento**

• CON ADVS. **obligatoriamente** · **forzosamente** · **irremediablemente** · **indefectiblemente** · **inevitablemente** · **inexorablemente** · **fatalmente** || **inesperadamente** || **finalmente** *La negociación desembocó finalmente en un acuerdo satisfactorio*

□ USO Se construye con complementos encabezados por la preposición *en*: *La conversación desembocó en una desagradable discusión.*

desembolsar v.

• CON SUSTS. **dinero** *A final de mes tenemos que desembolsar el dinero de la hipoteca* · **cuota** · **pago** · **cantidad** · **suma**

• CON ADVS. **excepcionalmente** · **necesariamente** || **periódicamente** · **regularmente** · **constantemente**

desembolso s.m.

• CON ADJS. **inicial** *El desembolso inicial para la compra de la casa nos dejó sin ahorros* · **total** · **global** · **parcial** · **final** || **de dinero** · **económico** · **de capital** · **presupuestario** || **superior (a)** · **medio** · **mínimo** || **fuerte** · **importante** *La boda supuso un importante desembolso para la familia* · **gran(de)** · **cuantioso** · **elevado** · **excesivo** · **descomunal** || **adicional** · **extraordinario** · **previsto** || **anual** · **mensual** · **diario** · **semanal**

• CON VBOS. **rondar** · **ascender (a algo)** · **elevar(se) (a algo)** · **disminuir** · **reducir(se) (a algo)** *El desembolso de las primeras cuotas se reduce a cien euros mensuales* || **realizar** · **efectuar** · **hacer** *El comprador deberá hacer un elevado desembolso por el valor total de la empresa* || **afrontar** · **pagar** || **suponer** · **ocasionar** · **acarrear** · **implicar** · **representar** · **comportar** · **originar** || **exigir** · **requerir** · **demandar** · **reclamar** · **pedir** || **recibir** || **aprobar** · **autorizar** · **permitir** · **justificar** · **bloquear**

desembragar v.

• CON SUSTS. **motor** *desembragar el motor para cambiar de marcha* · **coche** · **moto**

desempatar v.

• CON SUSTS. **eliminatoria** · **partido** *Desempataron el partido en la recta final* · **clasificación** · **tanteo** · **encuentro** · **marcador** · **votación** · **batalla** || **necesidad (de)** · **obligación (de)**

• CON ADVS. **necesariamente** · **forzosamente** || **inevitablemente** · **inesperadamente** *Desempataron inesperadamente en el último minuto* · **repentinamente** · **súbitamente**

desempate s.m.

• CON ADJS. **final** || **emocionante** · **vibrante** || **dramático**

• CON SUSTS. **partido (de)** *Jugaron el partido de desempate en su cancha* · **encuentro (de)** · **jornada (de)** || **sistema (de)** || **punto (de)** · **tanto (de)** · **gol (de)** · **hoyo (de)** *El golfista se hizo con el torneo en el tercer hoyo del desempate*

• CON VBOS. **lograr** · **conseguir** || **forzar** *Aprovecharon el desgaste del equipo adversario para forzar el desempate* || **imponer(se) (en)** *El equipo se impuso en el desempate*

desempeñar v.

• CON SUSTS. **papel** · **función** · **rol** · **tarea** *...quien desempeña tareas de máxima responsabilidad en la empresa* · **responsabilidad** · **trabajo** || **cargo** · **puesto** · **oficio** *A lo largo de su vida desempeñó oficios muy variados*

• CON ADVS. **a la perfección** · **a plena satisfacción** · **perfectamente** · **adecuadamente** · **correctamente** · **satisfactoriamente** || **insatisfactoriamente** · **inadecuadamente** · **irregularmente**

desempeño s.m.

• CON ADJS. **normal** *el normal desempeño de sus funciones como delegado gubernamental* · **correcto** · **adecuado** · **positivo** · **buen(o)** · **sobresaliente** · **satisfactorio** · **excelente** · **alto** · **destacado** · **sorprendente** · **excepcional** · **contundente** · **pleno** · **eficaz** · **sólido** || **pobre** · **irregular** · **deficiente** · **negativo** · **mal(o)** · **pésimo** · **débil** · **flojo** · **modesto** || **extravagante** · **insólito** || **temporal** · **diario** || **profesional** · **escolar** *El desempeño escolar mejora cuando hay buenas relaciones interpersonales* · **laboral** · **docente** · **académico** · **deportivo** · **técnico** · **artístico** || **global** · **general** || **competitivo** · **práctico** || **intelectual** · **personal** · **ético** · **manual** || **económico** · **financiero** · **político** · **gubernamental** · **administrativo** · **empresarial**

• CON VBOS. **tener** *La selección tuvo un desempeño mediocre en el último mundial de fútbol* · **mostrar** · **presentar** || **premiar** · **estimular** · **impulsar** · **elogiar** · **reprobar** · **exaltar** || **mejorar** · **maximizar** · **superar** · **incrementar** || **evaluar** *No tengo datos suficientes para evaluar adecuadamente su desempeño en el trabajo* · **valorar** · **juzgar** ·

investigar · ponderar · conocer || regular · regir · controlar || defender · impedir || desvirtuar · criticar *Critican duramente el desempeño del ministro de economía* || asumir · evitar || encomendar · asignar || progresar (en) · mejorar (en) || afectar (a) || derivar (de)

desempleado, da s.

● CON ADJS. **registrado,da** · **inscrito,ta** || **demandante** || **de larga duración** *ofertas de trabajo para desempleados de larga duración*

● CON SUSTS. **número (de)** · **cifra (de)** · **proporción (de)** · **porcentaje (de)** || **condición (de)** || **formación (de)** *cursos de formación de desempleados* || **grupo (de)** · **sector (de)** || **seguro (de)** · **prestaciones (para)**

● CON VBOS. **disminuir** · **aumentar** · **crecer** || **cobrar (dinero)** · **percibir (dinero)** *Todos los desempleados percibirán la suma mensual de...* || **registrar(se)** || **permanecer** · **quedar(se)** · **mantener** · **dejar** || **contratar** · **reclutar** · **acoger** || **beneficiar** *La medida beneficiará a los desempleados del sector*

desempleo s.m.

● CON ADJS. **elevado** *El desempleo en este sector es muy elevado* · **creciente** · **galopante** || **acuciante** · **rampante** || **emergente**

● CON SUSTS. **aumento (de)** · **causa (de)** · **problema (de)** || **seguro (de)** · **subsidio (de)** *Tienes derecho al subsidio de desempleo* || **índice (de)** · **nivel (de)** · **tasa (de)**

● CON VBOS. **aumentar** · **crecer** *El desempleo creció el año pasado por encima de lo esperado* · **subir** · **agravar(se)** · **extender(se)** || **bajar** · **reducir(se)** · **disminuir** · **decrecer** · **menguar** · **revertir** || **generar** · **causar** · **provocar** || **combatir** · **eliminar** · **erradicar** · **paliar** · **mitigar** · **evitar** || **medir** *medir el desempleo de la región* || **acabar (con)** *El objetivo prioritario de esta medida es acabar con el desempleo* || **abocar(se) (a)**

desencadenante adj.

● CON SUSTS. **causa** · **motivo** · **razón** || **circunstancia** · **situación** · **hecho** *el hecho desencadenante de la protesta* · **problema** || **elemento** · **factor** · **agente** *El agente desencadenante fue un tipo de virus poco común*

desencadenar(se) v.

● CON SUSTS. **infección** *No se sabe aún qué desencadenó la infección* · **epidemia** · **traumatismo** · **depresión** · ***otras enfermedades*** || **acontecimiento** · **suceso** · **hecho** · **peripecia** · **proceso** || **ataque** · **violencia** · **guerra** *Cuando se desencadenó la guerra, ya habían logrado salir del país* · **conflicto** · **crisis** · **problema** · **enfrentamiento** · **polémica** · **lucha** · **desastre** · **catástrofe** · **cataclismo** · **accidente** · **terremoto** · **hambruna** · **tormenta** *A media tarde se desencadenó una fuerte tormenta* · **vendaval** · **huracán** || **reacción** · **respuesta** · **réplica** || **efecto** · **consecuencia** · **resultado** · **desenlace** · **fin** || **protesta** · **crítica** · **rumor** · **vítores** · **aplauso** || **sentimiento** · **pasión** · **pánico** · **enfado** · **indignación** *una medida que desencadenó la indignación de los socios* · **furor**

desencajar(se) v.

● CON SUSTS. **rostro** *Se le desencajó el rostro de dolor* · **cara** · **gesto** · **semblante** · **faz** · **expresión**

desencanto s.m.

● CON ADJS. **profundo** · **abismal** · **absoluto** · **atroz** · **gran(de)** || **palpable** · **creciente** || **actual** · **final** || **político** *Las elecciones han puesto en evidencia el profundo desencanto político de la sociedad* · **electoral** · **oficial** · **democrático** || **social** · **popular** · **general** · **público** || **personal** · **amoroso** · **vital** · **religioso** || **lógico** · **natural**

● CON SUSTS. **muestra (de)** · **sensación (de)** · **cara (de)** || **causa (de)** · **fruto (de)**

● CON VBOS. **traslucir(se)** *En las páginas de sus memorias se trasluce el profundo desencanto que le provocó...* · **cundir** · **calar** || **provocar** · **producir** · **crear** · **ocasionar** · **generar** || **sufrir** · **mostrar** · **reflejar** · **retratar** *La obra retrata el desencanto social de la época* · **recoger** · **captar** || **expresar** · **proclamar** · **manifestar** · **exteriorizar** || **superar** · **trasformar** || **disimular** · **esconder** || **sembrar** · **alimentar** || **percibir** · **reconocer** || **sumirse (en)** · **huir (de)** || **llevar (a)** · **conducir (a)** · **desembocar (en)** || **deberse (a)**

desenfadado, da adj.

● CON SUSTS. ***persona*** *un chico desenfadado y extrovertido* || **espíritu** · **carácter** · **modales** · **talante** · **mirada** · **gesto** · **aspecto** · **imagen** · **ropa** || **comentario** · **diálogo** · **discurso** · **intervención** · **respuesta** · ***otras manifestaciones verbales o comunicativas*** || **lenguaje** · **tono** *El tono desenfadado e irónico de la revista gusta mucho a los jóvenes* · **estilo** · **aire** || **historia** · **comedia** · **película** · **obra** · ***otras creaciones*** || **humor** · **parodia** · **ironía** || **propuesta** · **formato** · **fórmula** || **celebración** · **fiesta** *Organizaron una fiesta desenfadada y divertida* · **festejo** || **visión** · **actitud** · **postura** || **interpretación** · **actuación** || **ambiente** · **clima**

● CON ADVS. **sumamente** *La comedia, sumamente desenfadada, escandalizó al público de la época* || **aparentemente** || **inusualmente**

desenfado s.m.

● CON ADJS. **absoluto** · **gran(de)** · **total** *Habla con total desenfado de su vida íntima* · **brutal** || **ostensible** · **marcado** || **sincero** · **aparente** · **natural** || **irónico** · **osado** · **insolente** · **atrevido** · **provocador** || **juvenil** · **vital**

● CON SUSTS. **tono (de)** · **gesto (de)** || **aire (de)** · **toque (de)** · **punto (de)**

● CON VBOS. **tener** · **mostrar** || **simular**

● CON PREPS. **con** *observar el mundo con desenfado y buen humor*

desenfocar v.

● CON SUSTS. **fotografía** · **imagen** *un truco para no desenfocar las imágenes* · **objetivo** · **película** · **perspectiva** || **análisis** · **interpretación** · **estudio** || **asunto** · **cuestión** · **problema** *Me parece que en su carta desenfoca usted el problema de fondo* · **tema**

desenfrenadamente adv.

● CON VBOS. **bailar** *Los invitados bailaron desenfrenadamente hasta el amanecer* · **divertirse** || **correr** · **huir** || **perseguir** · **buscar** · **desear** · **apetecer** || **crecer** · **expandirse** · **aumentar** · **proliferar** || **gastar** · **malgastar** · **consumir** || **luchar** · **batallar** · **atacar**

desenfrenado, da adj.

● CON SUSTS. **escritor,-a** · **periodista** · **amante** · ***otros individuos*** || **etapa** · **noche** *La fiesta acabó en una noche desenfrenada* · **jornada** · **vida** · ***otros períodos*** || **comedia** · **película** · **novela** · **relato** · **obra** · ***otras creaciones*** || **fiesta** · **juerga** · **espectáculo** · **borrachera** · **orgía** || **liberalismo** *Tras una etapa de liberalismo desenfrenado, las elecciones dieron un vuelco* · **humanismo** · **nacionalismo** · **radicalismo** · ***otras tendencias, movimientos o ideologías*** || **odio** · **maldad** · **egoísmo** || **deseo** · **ambición** · **anhelo** · **ansia** · **afán** · **apetito** *un desenfrenado apetito de poder*

· **gula** · **lujuria** || **violencia** · **destrucción** · **ataque** · **guerra** · **lucha** *Se desató entonces una desenfrenada lucha entre facciones rivales* · **disputa** || **amor** · **pasión** · **idilio** · **sexo** || **carrera** · **búsqueda** · **huida** · **éxodo** · **persecución** || **ritmo** · **danza** · **baile** · **música** || **actividad** · **trajín** · **ajetreo** *Durante la mudanza, tuvimos días de un ajetreo desenfrenado* · **alboroto** || **crecimiento** · **expansión** · **proliferación** · **progreso** · **promoción** || **consumo** · **gasto** · **consumismo** *Son épocas en las que caemos en un consumismo desenfrenado* · **dispendio** || **creatividad** · **imaginación** · **invención**
● CON VBOS. **hacerse** · **volverse**

desenfundar v.

● CON SUSTS. **arma** · **pistola** *El delincuente desenfundó su pistola* · **revólver** || **pluma** · **cuchillo** || **guitarra** · **flauta** · **trompeta** · **instrumento**

[desenganchar] →desenganchar; desenganchar(se) (de)

desenganchar v.

● CON SUSTS. **vagón** *A medio camino desengancharon los vagones de mercancías* · **tren** · **caravana** · **caballo** · **carro** · **anzuelo**

desenganchar(se) (de) v.

● CON SUSTS. **tren** · **vagón** · **convoy** || **vicio** · **heroína** *un tratamiento para desengancharse de la heroína* · **adicción** · **tabaco** · **droga**
● CON ADVS. **definitivamente** · **rápidamente** · **absolutamente** · **completamente** · **gradualmente**

desengaño s.m.

● CON ADJS. **gran(de)** · **tremendo** *Me llevé un tremendo desengaño cuando lo conocí personalmente* · **hondo** · **profundo** · **serio** · **severo** · **terrible** || **pequeño** || **amargo** · **triste** · **doloroso** · **penoso** || **inevitable** || **inesperado** || **amoroso** *sufrir un desengaño amoroso* · **personal**
● CON VBOS. **llegar** || **causar** · **provocar** · **deparar** || **llevarse** · **tener** · **sufrir** · **vivir** · **experimentar** · **encajar** || **disimular** · **ocultar** *No pudo ocultar su profundo desengaño* || **superar** · **olvidar**

desenlace s.m.

● CON ADJS. **feliz** *La historia tuvo un feliz desenlace* · **apoteósico** · **exitoso** · **airoso** · **fausto** · **esperanzador** · **satisfactorio** · **a gusto de todos** || **fatal** · **fatídico** · **dramático** · **terrible** · **amargo** · **trágico** *profundamente consternados por el trágico desenlace del secuestro* · **triste** · **violento** · **drástico** · **cruento** · **infausto** · **luctuoso** · **decepcionante** · **desolador** · **lamentable** || **esperable** *El desenlace de la película era de todo punto esperable* · **lógico** · **natural** · **inevitable** · **previsible** · **inexorable** · **irreversible** || **impredecible** · **imprevisible** · **incierto** *El desenlace de las negociaciones es todavía incierto* · **insospechado** · **inesperado** · **impensable** · **sorprendente** || **rápido** · **inminente** · **brusco** || **definitivo** · **final** || **pendiente (de)**
● CON SUSTS. **clave (de)** · **momento (de)**
● CON VBOS. **llegar** *El desenlace definitivo no llegaría hasta unos meses después* · **producir(se)** · **precipitar(se)** · **avecinarse** || **sorprender (a alguien)** || **forzar** · **anticipar** · **provocar** *La aparición de la Policía provocó el fatal desenlace* · **auspiciar** || **esperar** · **aguardar** || **encontrar** · **tener** || **conocer** · **entrever** · **imaginar** · **adivinar** · **aventurar** · **augurar** · **intuir** · **vislumbrar** · **atisbar** · **prejuzgar** || **lamentar** · **rechazar** || **proponer**
● CON PREPS. **a la espera (de)** *Estamos a la espera del desenlace* · **a raíz (de)** · **al margen (de)** · **en función (de)**

desenmascarar v.

● CON SUSTS. **asesino,na** · **traidor,-a** · **criminal** · **delincuente** · **mentiroso,sa** · **culpable** *El juicio logró por fin desenmascarar al culpable* · ***otros individuos*** || **mentira** · **fraude** · **secreto** · **falacia** · **hipocresía** · **farsa** · **engaño** · **estafa** || **maniobra** · **montaje** · **artificio** · **trama** · **entramado** · **complot** || **situación** · **realidad** *un análisis profundo que desenmascara la realidad política del país* · **hechos** · **verdad** || **corrupción** · **conspiración** || **plan** · **organigrama** · **estrategia**
● CON ADVS. **definitivamente** *La investigación policial contribuyó a desenmascarar definitivamente la verdad sobre el caso* · **por completo** · **totalmente** || **públicamente** · **abiertamente**

desenredar v.

● CON SUSTS. **pelo** *Se pasa horas desenredándose el pelo cada día* · **melena** · **hilo** · **cuerda** · **cable** · **hebra** · **tejido** · **trenza** || **ovillo** · **madeja** || **maraña** · **trama** *La Policía logró por fin desenredar la compleja trama urbanística* · **lío** · **entramado** · **embrollo** · **barullo** || **asunto** · **historia**

desentenderse (de) v.

● CON SUSTS. **asunto** · **caso** · **cuestión** · **tema** || **problema** *La empresa constructora se desentendió del problema* · **crisis** · **conflicto** · **disputa** · **polémica** · **peligro** · **riesgo** || **compromiso** · **obligación** · **promesa** · **responsabilidad** *No puedes desentenderte ahora de tus responsabilidades* || **oficio** · **trabajo** · **labor** · **función** || **futuro** · **suerte** · **destino** || **consecuencia** · **secuela** · **efecto** || **causa** · **motivo** · **origen** || **víctima** *El Gobierno nunca se desentendió de las víctimas* · **trabajador,-a** · **alumno,na** · **niño,ña** · **familia** · **equipo** · ***otros individuos y grupos humanos***
● CON ADVS. **del todo** · **por completo** · **totalmente** · **olímpicamente** *Se desentendía olímpicamente de su familia* · **completamente** · **absolutamente** || **alegremente** · **ligeramente** || **poco a poco** · **progresivamente** · **gradualmente** · **paulatinamente** || **definitivamente** · **temporalmente** · **provisionalmente**

desenterrar v.

● CON SUSTS. **muerto** · **cadáver** · **cuerpo** || **vasija** · **escultura** · **fósil** · **restos** *desenterrar restos arqueológicos* · **tesoro** · **hueso** || **pasado** · **recuerdo** · **historia** || **mito** · **tópico** || **demonio** · **fantasma** *desenterrar viejos fantasmas del pasado* · **pesadilla** · **miedos** · **temores** || **polémica** · **controversia** · **disputa** || **texto** · **artículo** · **documento** · **nota** · **recorte** · **noticia** · **episodio** || **problemas** *No es momento de desenterrar problemas pasados* · **rencillas** · **odios** · **rencores**

desentonar v.

● CON SUSTS. **cantante** *Esta cantante desentona muchísimo en los conciertos* · **artista** · **solista** · ***otros individuos***

desentrañar v.

● CON SUSTS. **misterio** *desentrañar los misterios de la vida* · **enigma** · **secreto** · **maraña** · **incógnita** · **interrogante** · **intríngulis** · **entresijo** · **madeja** · **ovillo** || **problema** · **problemática** · **irregularidad** *La investigación pretende desentrañar las posibles irregularidades cometidas* · **contradicción** || **caso** · **asunto** · **suceso** · **crimen** · **robo** · **asesinato** · **homicidio** || **complot** · **conspiración** · **intriga** · **trama** · **maniobra** *una burda maniobra legal que el fiscal no tardó en desentrañar* · **maquinación** · **truco** · **trampa**

|| verdad · realidad || causa · motivo · origen · raíz · porqué · razón · justificación · explicación || clave · símbolo · código · jeroglífico · mensaje · escritura · escrito · códice · red de signos || contenido · significado · sentido *No fui capaz de desentrañar el sentido de aquellas palabras* · información · conocimiento · pensamiento · concepto || naturaleza · esencia · alma · identidad || estilo || relación · vínculo · conexión || mecanismo · funcionamiento *Las instrucciones te ayudarán a desentrañar su funcionamiento* · procedimiento · táctica

desentrenado, da adj.

● CON SUSTS. **deportista** · **jugador,-a** *Los jugadores han regresado desentrenados de las vacaciones* · **participante** · **equipo** *Veo al equipo un poco desentrenado* · ***otros individuos y grupos humanos***

● CON VBOS. **estar**

desentumecer(se) v.

● CON SUSTS. **músculo** · **hueso** · **pierna** *dar un paseo para desentumecer un poco las piernas* · **mano** · **neuronas** || **sentidos**

desenvainar v.

● CON SUSTS. **espada** *El actor desenvainó su espada y la clavó en la tierra* · **sable** · **bisturí** · **lanza** · **machete** || **pluma** · **lengua**

desenvoltura s.f.

● CON ADJS. **total** · **gran(de)** · **absoluta** · **notable** *Hablaba en público con notable desenvoltura* || **admirable** · **sorprendente** || **natural** · **innata** · **habitual** || **verdadera** · **fingida** || **peculiar** · **singular** || **popular** · **conocida** *Expuso el tema con su conocida desenvoltura diplomática* · **inesperada** || **inteligente** · **irónica** · **atrevida** · **alegre** · **grácil** || **diplomática** · **política** || **sentimental** · **amorosa**

● CON PREPS. **con** *Se mueve con total desenvoltura por los ambientes más diversos*

desenvolverse v.

● CON ADVS. **a las mil maravillas** *Sabe desenvolverse a las mil maravillas en esas situaciones* · **exitosamente** · **brillantemente** || **como pez en el agua** · **sin problemas** · **sin trabas** · **con fluidez** · **con soltura** · **hábilmente** · **libremente** || **a trancas y barrancas** · **con dificultades** · **trabajosamente** || **rápidamente** || **económicamente**

deseo

1 deseo s.m.

● CON ADJS. **enorme** · **inmenso** || **vivo** · **encendido** · **ardiente** *cuando se siente el ardiente deseo de regresar* · **abrasador** · **febril** · **ferviente** · **imperioso** · **acuciante** · **apremiante** · **persistente** · **acerado** · **exacerbado** · **frenético** · **impetuoso** · **intenso** · **rabioso** · **vehemente** · **vívido** · **anhelante** · **desesperado** *Solo lo impulsaba el desesperado deseo de encontrarse con ella* || **naciente** · **creciente** || **compulsivo** · **incontenible** · **irrefrenable** · **incontrolable** · **irreprimible** · **irresistible** · **caprichoso** · **desatado** · **desbordante** · **desenfrenado** · **loco** · **desmedido** · **enfermizo** · **angustioso** · **insaciable** · **insatisfecho** · **acaparador** || **atávico** · **arraigado** · **hondo** · **obsesivo** · **profundo** · **íntimo** · **enconado** · **instintivo** || **viejo** · **antiguo** *No era un capricho, sino su más antiguo deseo* || **descabellado** · **imposible** *Aunque era un deseo imposible, no desistió nunca* · **inalcanzable** · **utópico** · **irreconciliable** · **vano** || **encubierto** · **inconsciente** · **latente** · **inconfesado** · **oculto** · **secreto** · **tácito** · **larvado** · **aletargado** · **inconfesable** · **oscuro** *los oscuros deseos del subconsciente* · **ilícito** · **desordenado** || **firme** · **tenaz** · **invencible** · **anhelado** *Por fin su más anhelado deseo se hacía realidad* · **irrenunciable** || **honesto** · **sincero** · **noble** · **inocente** · **legítimo** · **lícito** · **puro** · **desinteresado** · **humilde** || **asequible** || **claro** · **evidente** · **inequívoco** · **manifiesto** · **expreso** · **natural** · **lógico** || **cumplido** · **satisfecho** || **único** || **frustrado** · **truncado** || **unánime** *El deseo de quedarse era unánime entre los asistentes* · **imperante** || **amoroso** · **carnal** · **sexual** || **último** || **auténtico** · **verdadero** || **criminal** || **acorde (con)** · **preso,sa (de)** · **lleno,na (de)** · **exento,ta (de)** || **movido,da (por)**

● CON SUSTS. **cúmulo (de)** || **objeto (de)** *convertido así en involuntario objeto de deseo* · **fruto (de)** · **llama (de)** · **fuego (de)** || **manifestación (de)** · **expresión (de)** · **mirada (de)** || **falta (de)** · **pérdida (de)** || **fuente (de)** · **origen (de)** · **causa (de)** || **fuerza (de)** · **intensidad (de)**

● CON VBOS. **surgir** · **aflorar** · **brotar** · **consumar(se)** · **hacer(se) realidad** *Por fin se hacían realidad sus deseos* · **materializarse** · **reverdecer** || **apoderar(se)** · **asaltar (a alguien)** · **entrar (a alguien)** *Le entró un deseo irresistible de salir corriendo* · **venir (a alguien)** · **mover (a alguien)** · **invadir (a alguien)** · **embargar (a alguien)** · **corroer (a alguien)** · **picar (a alguien)** · **torturar (a alguien)** · **prender (en alguien)** · **acuciar (a alguien)** · **anidar (en alguien)** · **antojarse (a alguien)** || **primar** · **palpitar** · **latir** · **crecer** || **írse(le) (a alguien)** · **apagar(se)** *un deseo que no se apagaba con el tiempo* · **calmar(se)** · **aplacar(se)** · **decaer** · **decrecer** · **desvanecerse** · **frustrar(se)** · **truncar(se)** · **quebrar(se)** · **disolver(se)** · **amainar** || **traslucir(se)** || **sentir** · **tener** · **albergar** · **abrigar** *Abrigaba desde hacía tiempo el deseo de conocerla* · **acariciar** · **forjar** · **conservar** · **mantener** · **tejer** || **despertar** · **encender** · **desatar** · **inspirar** · **suscitar** · **provocar** · **causar** · **alimentar** · **avivar** · **exacerbar** · **incentivar** · **generar** · **engendrar** || **controlar** · **dominar** *Tengo que aprender a dominar mis deseos* · **reprimir** · **vencer** · **superar** · **canalizar** · **desplazar** · **amortiguar** · **perder** · **evitar** || **colmar** · **complacer** · **saciar** · **satisfacer** · **conceder** · **cumplir** *No fue capaz de cumplir su deseo* · **llevar a buen puerto** · **seguir** · **dar** · **acatar** · **culminar** · **realizar** || **formular** · **pedir** *Puedes pedir tres deseos* · **dejar caer** · **transmitir** · **confesar** · **expresar** · **manifestar** || **disfrazar** || **airear** · **adivinar** · **destapar** · **detectar** || **anteponer (a algo)** || **defraudar** · **desbaratar** · **trastocar** · **distorsionar** · **violar** || **dejarse llevar (por)** *Se dejó llevar por un deseo inexplicable* · **obedecer (a)** · **abandonar(se) (a)** · **sucumbir (a)** · **alimentar(se) (de)** · **incitar (a)** · **inclinarse (a)** · **perseverar (en)** · **persistir (en)** || **amoldar(se) (a)** · **plegarse (a)** *No nos plegaremos a sus descabellados deseos* · **avenirse (a)** · **ceder (a)** · **responder (a)** · **anticiparse (a)** · **acceder (a)** || **arder (en)** · **reventar (de)** || **cejar (en)** || **renunciar (a)** · **resistirse (a)**

● CON PREPS. **a la medida (de)** || **a pesar (de)** · **al margen (de)** · **en contra (de)** || **de acuerdo (con)** · **conforme (a)** || **con** · **sin**

2 deseo (de) s.m.

● CON SUSTS. **venganza** *Actuaron movidos por su deseo de venganza* || **paz** · **prosperidad** · **progreso** · **éxito** · **triunfo** · **superación** *una profesional con grandes deseos de superación* · **plenitud** · **aventura** · **evasión**

desequilibrado, da adj.

● CON SUSTS. ***persona*** *un hombre mentalmente desequilibrado* || **personalidad** · **carácter** || **reacción** · **conducta** · **comportamiento** || **país** · **sociedad** || **desarrollo** · **crecimiento** *La economía de estas provincias ha tenido un*

crecimiento desequilibrado || **sistema** · **composición** || **relación** || **partido** · **competición** · **alineación** · **lucha** · **batalla** · **encuentro** || **gasto** · **presupuesto** · **financiación** || **alimentación** *Una alimentación desequilibrada puede generarte problemas de salud* · **dieta** · **tratamiento** || **programación**
● CON ADVS. **totalmente** · **completamente** *Tras las dos expulsiones, el equipo quedó completamente desequilibrado* · **altamente** · **profundamente** · **excesivamente** || **levemente** · **parcialmente** · **ligeramente** || **mentalmente** · **psicológicamente** || **claramente** || **peligrosamente** · **terriblemente**

desequilibrar v.

● CON SUSTS. **jugador,-a** · **alumno,na** · **compañero,ra** · **equipo** · **gobierno** ***otros individuos y grupos humanos*** || **situación** · **panorama** · **realidad** || **economía** · **mercado** *Cualquier OPA de estas características desequilibra el mercado* · **presupuesto** · **cuenta** *Estas vacaciones han desequilibrado completamente mis cuentas* || **sistema** · **esquema** · **modelo** || **orden** · **armonía** · **tranquilidad** || **proceso** · **desarrollo** · **crecimiento** · **avance** || **resultado** *El tercer gol desequilibró el resultado del primer tiempo* · **marcador** · **empate** || **partido** · **lucha** · **combate** · **batalla** · **encuentro** · **liga** || **balanza**

deserción s.f.

● CON ADJS. **en masa** · **masiva** || **inesperada** · **repentina** · **previsible** || **escolar**
● CON SUSTS. **índice (de)** *El informe evalúa el índice de deserción en la universidad en los últimos cinco años* · **tasa (de)** || **delito (de)**
● CON VBOS. **producir(se)** · **crecer** || **causar** · **provocar** || **evitar** · **frenar** · **impedir** || **llevar (a)**

desertar (de) v.

● CON SUSTS. **ejército** *Arrestaron al soldado tras desertar del ejército* · **cuartel** · **servicio militar** · **filas** || **obligación** *Los ciudadanos que desertan de sus obligaciones...* · **puesto** · **escuela** || **partido** · **equipo** || **ideal** · **principios** || **pueblo** · **país**
● CON ADVS. **en masa** || **abiertamente** · **públicamente** || **voluntariamente**

desertor, -a

1 desertor, -a adj.

● CON SUSTS. **soldado** *El libro cuenta la historia de un soldado desertor que...* · **oficial** · **marinero,ra** · **militar** · ***otros individuos***

2 desertor, -a s.

● CON ADJS. **insumiso,sa** · **supuesto,ta** · **presunto,ta**
● CON SUSTS. **grupo (de)** · **ejército (de)**
● CON VBOS. **refugiar(se)** · **ocultar(se)** · **esconder(se)** || **entregar(se)** *Después de varios años en la clandestinidad, el desertor decidió entregarse* || **perseguir** · **descubrir** || **declarar (a alguien)** || **acusar (de)**

desesperación s.f.

● CON ADJS. **extrema** · **absoluta** *Cayó en un estado de absoluta desesperación* · **total** · **profunda** · **auténtica** · **pura** || **injustificable** · **justificable** || **aparente** || **ciego,ga (de)** · **preso,sa (de)** *una mujer presa de una profunda desesperación*
● CON SUSTS. **momento (de)** · **minuto (de)** || **estado (de)** · **sensación (de)** · **grado (de)** || **arrebato (de)** · **arranque (de)** · **ataque (de)** || **acto (de)** · **grito (de)** || **pozo (de)**
● CON VBOS. **abatirse (sobre alguien)** · **cundir** *Las ayudas no llegaban y cundía la desesperación* · **desatar(se)** · **apoderarse (de alguien)** · **clavar(se)** · **aumentar** · **reinar** || **causar** · **producir** · **provocar** · **sembrar** · **contagiar** || **sentir** · **mostrar** · **reflejar** *Sus palabras reflejaban una enorme desesperación* · **transmitir** || **superar** · **vencer** || **caer (en)** · **hundir(se) (en)** *No te hundas en la desesperación* · **sumir(se) (en)** · **abocar (a)**
● CON PREPS. **al borde (de)** · **con** · **en medio (de)**

desesperadamente adv.

● CON VBOS. **intentar** · **tratar** · **buscar** *buscar desesperadamente una salida* · **perseguir** · **anhelar** · **necesitar** · **querer** · **precisar** || **amar** · **enamorarse** || **pedir** *pedir ayuda desesperadamente* · **llamar** · **solicitar** · **reclamar** · **suplicar** · **preguntar** · **agitar las manos** *Un transeúnte agitaba desesperadamente las manos* · **chillar** · **gritar** · **llorar** || **agarrarse** · **aferrarse** · **amarrarse** · **asirse** · **acogerse** · **acudir** || **luchar** *Todo el equipo luchó desesperadamente por la victoria* · **combatir** · **forcejear** · **resistirse** · **defender**

[desesperado, da] → a la desesperada

desesperanza s.f.

● CON ADJS. **grave** · **honda** · **profunda** || **creciente** || **lleno,na (de)** *Lleno de desesperanza, tiré la toalla*
● CON SUSTS. **sensación (de)**
● CON VBOS. **crecer** *La desesperanza crecía ante la falta de noticias* · **cundir** · **sobrevenir (a alguien)** · **invadir (a alguien)** || **producir** · **provocar** · **generar** · **infundir** || **sentir** · **transmitir** || **combatir** · **vencer** || **caer (en)** · **sumirse (en)** · **invitar (a)** || **huir (de)**
● CON PREPS. **con** · **en medio (de)**

desesperanzador, -a adj.

● CON SUSTS. **futuro** *El futuro parecía absolutamente desesperanzador* · **porvenir** · **previsión** · **presente** || **actitud** · **gesto** || **silencio** || **desenlace** · **final** *una película valiente con un final desesperanzador* · **resultado** || **caída** · **descenso** || **situación** · **problema** || **enfermedad** || **palabras**

desestabilizar(se) v.

● CON SUSTS. **avión** · **automóvil** · **camión** · ***otros vehículos*** || **economía** · **mercado** · **finanzas** || **consumo** · **oferta** · **demanda** · **venta** || **empleo** || **situación** · **crisis** · **proceso** · **cambio** || **empresa** · **régimen** · **país** · **vecindario** · **continente** · **estado** · **parlamento** · **sindicato** · **banca** · ***otras comunidades e instituciones*** || **niño,ña** · **alumno,na** · **enfermo,ma** · **equipo** · **sociedad** · **gobierno** *una reforma que acabará desestabilizando al Gobierno* · ***otros individuos y grupos humanos*** || **organismo** · **metabolismo** · **constantes vitales** · **brote** · **epidemia** · **humor** || **ataque** · **reacción** · **defensa** || **estructura** *No es fácil desestabilizar la estructura de un sistema económico sólido en el que...* · **proyecto** · **gestión** · **plan** || **funcionamiento** · **ritmo** · **marcha** · **movimiento** · **intensidad** || **balanza** · **peso** · **nivel**

desestimar v.

● CON SUSTS. **demanda** · **petición** *No entiendo por qué desestimaron de plano la petición* · **solicitud** · **reclamación** · **recurso** · **querella** · **denuncia** · **protesta** · **apelación** · **suspensión** · **impugnación** || **iniciativa** · **oferta** · **propuesta** · **invitación** · **sugerencia** || **vía** · **posibilidad** · **opción** · **proyecto** || **hipótesis** · **idea** *Antes de desestimar esta idea, deberían ustedes estudiarla con detalle* · **tesis** · **criterio** || **financiación**

• CON ADVS. **de plano · plenamente · por completo · totalmente · absolutamente · rotundamente || argumentadamente · razonadamente · justificadamente || injustificadamente · a la ligera · arbitrariamente · bruscamente**

desfachatez s.f. *col.*

• CON ADJS. **absoluta · total · tamaña · enorme || auténtica · indudable || terrible · intolerable · insultante · pasmosa**
• CON SUSTS. **colmo (de)** *Su presencia en el acto era el colmo de la desfachatez* **|| muestra (de)**
• CON VBOS. **tener** *Ha tenido la desfachatez de seguir en el cargo a pesar de...* **|| resultar || calificar (de) || destacar (por) · impresionar (por)**
• CON PREPS. **con**

desfallecer v.

• CON SUSTS. **interés · ánimo** *Estén ustedes seguros de que no flaquearán nuestras fuerzas y no desfallecerá nuestro ánimo* **· vigor · fuerzas || ritmo** *El entrenador los alentaba desde la banda para que no desfalleciera el ritmo del partido* **|| atleta · corredor,-a** *Los corredores no experimentados desfallecen en las carreras de fondo* **· jugador,-a · rival · equipo ·** ***otros individuos y grupos humanos***
• CON PREPS. **a punto (de)**

desfasado, da adj.

• CON SUSTS. **mentalidad · pensamiento · concepción || discurso** *un discurso desfasado y muy poco realista* **· palabra · información || ley · legislación · medida · normativa** *En muchos aspectos, esta normativa ha quedado algo desfasada* **· reglamentación ·** ***otras disposiciones*** **|| teoría · hipótesis || esquema · sistema · método · modelo · plan || bibliografía · documentación || tecnología · ciencia · medicina ·** ***otras disciplinas***
• CON ADVS. **completamente · absolutamente · totalmente · ligeramente || notoriamente || históricamente** *El texto incluye información incorrecta o históricamente desfasada* **· temporalmente || tecnológicamente · técnicamente · conceptualmente**
• CON VBOS. **estar** *Sus ideas están desfasadas, señor diputado* **· quedar(se) · resultar**

desfase s.m.

• CON ADJS. **gran(de) · considerable · grave · importante · profundo · brutal** *El desfase económico de la región era brutal* **· abismal || apreciable · claro · visible · evidente** *el evidente desfase tecnológico entre los dos mundos* **· manifiesto · notable · notorio · obvio · palpable || creciente · sorprendente || imperceptible** *un imperceptible desfase temporal* **· ligero · minúsculo || financiero · económico · contable · presupuestario || tecnológico · científico || temporal · generacional · histórico · horario** *Era difícil coordinarnos, por el desfase horario*
• CON VBOS. **existir · producir(se) · surgir · acentuar(se) · incrementar(se) · apreciar(se) || crear · generar · provocar** *La crisis provocó un importante desfase presupuestario entre las regiones ricas y las que contaban con menos recursos* **|| plantear · registrar · presentar · acusar · prever || corregir · equilibrar · compensar · cubrir · acortar · recortar · suavizar · paliar · salvar · solventar · anular · evitar || justificar**

desfavorable adj.

• CON SUSTS. **ambiente** *...en medio de un ambiente desfavorable* **· atmósfera · clima || circunstancia · coyuntura · situación · condición · viento · diferencia || opinión · posición · crítica** *Aunque la crítica era desfavorable, no nos rendimos* **· impresión · comentario · acogida · reacción · votación || dictamen · disposición · sentencia · fallo · veredicto · informe · juicio · resolución · respuesta || consecuencia · efecto · impacto · desenlace · resultado · evolución || balanza · comparación || comportamiento · tratamiento · trato || marcador · encuesta** *Las encuestas en ese momento nos eran desfavorables* **· pronóstico · noticia · dato || criterio · factor**
• CON VBOS. **volverse · hacer(se) · mantener(se)**

desfavorablemente adv.

• CON VBOS. **evolucionar** *La situación evolucionaba desfavorablemente* **|| influir · afectar · incidir · repercutir · acusar · gravitar || sorprender** *una actitud poco elegante que a todos nos sorprendió desfavorablemente* **· impresionar · llamar la atención || hablar · comentar · opinar** *La mayor parte de los encuestados opinó desfavorablemente sobre la oportunidad de la reforma* **· informar · dictaminar · juzgar · evaluar · prejuzgar · resolver · pronunciarse · contestar · mirar · notar || comparar · contrastar**

desfigurar v.

• CON SUSTS. **cara · rostro · semblante || ciudad · barrio** *Las últimas obras han desfigurado el barrio* **· playa ·** ***otros lugares*** **|| realidad** *una mente enajenada que desfigura la realidad* **· verdad · historia · recuerdo || hecho · suceso · acción · circunstancia || identidad · personalidad · carácter || prestigio · reconocimiento · imagen || sentido · significado · información · contenido · mensaje || opinión · postura · principio · idea · pensamiento || plan · intención · propuesta · iniciativa || esfuerzo · trabajo · operación || discurso · palabras** *Ha desfigurado usted deliberadamente mis palabras* **· expresión · afirmación · respuesta ·** ***otras manifestaciones verbales o comunicativas*** **|| relato · composición · película · cuadro · artículo ·** ***otras creaciones*** **|| resultado · balance · voto**

desfilar v.

• CON SUSTS. **ejército · legión · fuerzas armadas || soldado · militar · policía || modelo || gente · transeúntes · actores · actrices · políticos,cas** *Por este puesto han desfilado políticos de todos los colores* **· visitantes · turistas · aspirantes || penitente · nazareno ||** ***otros individuos y grupos humanos*** **|| imágenes · figuras · féretros**
• CON ADVS. **disciplinadamente · ordenadamente · uniformemente || solemnemente || lentamente · pausadamente || en manada · en grupo · en masa || sucesivamente || victoriosamente · triunfalmente || elegantemente · con gracia** *Aunque poco experimentadas, las jóvenes modelos desfilaron con gracia* **|| en silencio · en procesión**

desfile s.m.

• CON ADJS. **ceremonioso · solemne** *un solemne desfile militar* **· majestuoso · magno · impresionante · espectacular || lucido · vistoso || gran(de) · multitudinario · clamoroso · emotivo || patriótico · histórico · tradicional · triunfal || militar · de moda** *Asistía a todos los desfiles de moda que se celebraban en la ciudad*
• CON VBOS. **iniciar · concluir · discurrir · circular || celebrar · organizar · realizar · suspender || presidir** *Presidían el desfile las máximas autoridades del país* **· protagonizar · abrir · encabezar · cerrar** *la comparsa que cerraba el desfile* **|| presenciar || asistir (a)**

desfogar v.

● CON SUSTS. **odio · ira · cólera · agresividad · violencia || pasión · ansia · nervios** *La práctica de algún deporte le ayudaría a desfogar los nervios* · **neura · trauma · dolor · hastío**

□ USO Se usa también como pronominal: *Se desfogaba con sus subordinados.*

desgajar v.

● CON SUSTS. **parte** *desgajar la parte del presupuesto que corresponde a los ayuntamientos* · **pieza · componente · segmento · porción · fragmento · sección · apartado · bloque · rama || asunto · tema**

desgana s.f.

● CON ADJS. **evidente** *Empezó a trabajar con evidente desgana* · **manifiesta · notable · visible || considerable · creciente || preocupante || aparente**

● CON VBOS. **traslucir(se) || producir · provocar · causar || sentir · notar || arrastrar (a alguien) || revelar · reflejar · poner de manifiesto · exteriorizar · mostrar** *En los entrenamientos muestra desgana y apatía*

● CON PREPS. **con** *hacer las cosas con desgana*

desgarradamente adv.

● CON VBOS. **gritar · chillar · cantar · llamar · quejarse (de algo) · clamar · llorar** *Todas las noches se oía a un bebé que lloraba desgarradamente* · **vociferar**

desgarrado, da adj.

● CON SUSTS. **grito** *Oyeron un ruido sordo seguido de un grito desgarrado de dolor* · **llanto · lloro · sollozo · lamento · voz || lenguaje · testimonio · obra · poesía** *Su poesía es desnuda y desgarrada* · **prosa || denuncia · queja · sentimiento || sociedad · mundo**

● CON VBOS. **estar · quedar(se)**

desgarrador, -a adj.

● CON SUSTS. **grito · aullido** *Se oyó un aullido desgarrador en medio de la noche* · **chillido · sollozo · llanto · gemido · sonido · canto · voz || testimonio** *En el reportaje nos ofrece un testimonio desgarrador de la actual situación en ese país* · **escena · historia || queja · dolor || silencio**

desgarrar v.

● CON SUSTS. **tela · tejido · ropa · camisa · lienzo · velo || cuerpo · masa muscular · oído · garganta · músculo** *Se le desgarró un músculo de la pierna por el esfuerzo* **|| alma · corazón · entrañas || país · pueblo · sociedad**

● CON ADVS. **violentamente · cruelmente || a zarpazos · a puñaladas || internamente · por dentro** *Las crueles palabras de su hijo lo desgarraban por dentro* **|| totalmente · completamente || poco a poco · lentamente**

desgarro s.m.

● CON ADJS. **pequeño · gran(de) · fuerte · profundo || cruel · violento · brutal || terrible · dramático · irreparable || leve · ligero || lacerante · doloroso** *Sufrió un doloroso desgarro abdominal* **|| muscular** *Se está recuperando de un desgarro muscular en la pierna* · **anal · vaginal · pulmonar · abdominal · vocal · facial || interno · interior · íntimo || sentimental · moral · psicológico · existencial · emocional · mental || familiar · social** *...a pesar del desgarro social y económico al que ha sido sometido nuestro pueblo* · **político · económico**

● CON VBOS. **sufrir · padecer || producir · causar** *Ciertos procedimientos pueden causar un desgarro en el cuello uterino* · **provocar || superar · evitar || notar || recuperarse (de)**

desgaste s.m.

● CON ADJS. **enorme** *Durante la pasada temporada estuvo sometido a un enorme desgaste* · **fuerte · gran(de) · acusado · terrible · tremendo · intenso** *el intenso desgaste de las ruedas cuando el coche no está equilibrado* · **considerable · profundo · excesivo · severo · alarmante || evidente** *La falta de acuerdo ha provocado un evidente desgaste en los docentes* · **visible || mínimo · lento · pequeño · ligero || gradual · progresivo · paulatino · rápido** *El candidato sufrió un rápido desgaste político* · **creciente · prematuro || constante · permanente || implacable · inexorable · irreparable · irreversible · inevitable || político · físico · personal · general · interno · natural · energético || neuronal · psíquico · emocional · afectivo || sujeto,ta (a) · sometido,da (a)**

● CON SUSTS. **estrategia (de)** *Los huelguistas adoptaron la estrategia del desgaste para lograr sus objetivos* · **guerra (de) · labor (de) · proceso (de) · grado (de) || síntoma (de) · objeto (de) || causa (de) · origen (de) || efecto (de) · fruto (de) · consecuencia (de) · resultado (de)**

● CON VBOS. **afectar (a algo/a alguien) || causar · conllevar** *Tanto esfuerzo conlleva un considerable desgaste físico* · **producir · provocar · realizar || experimentar · soportar · sufrir · padecer · acumular · acusar · mostrar · notar || corregir · asumir · afrontar · controlar · compensar · superar || frenar · atajar · paliar · evitar · resistir || calcular** *Los expertos calcularán el desgaste que puede causar la erosión en la estructura del complejo* · **calibrar · comprobar**

● CON PREPS. **a pesar (de)**

desglosar v.

● CON SUSTS. **libro · artículo · obra** *una obra analizada y desglosada minuciosamente por la crítica* · **escrito · novela · informe · sumario · memoria · diligencia ·** ***otros textos o documentos*** **|| respuesta · frase · discurso ·** ***otras manifestaciones verbales*** **|| cifra · cantidad · saldo · presupuesto · dato · cuenta · minuta · deuda · multa · factura · ahorro · donativo || proyecto · programa · propuesta** *Hemos de desglosar la propuesta en tres informes* · **plan · designio || resultado · dictamen · investigación · balance · salida || principio · pensamiento · opinión** *El informe desglosa las diferentes opiniones vertidas por los encuestados* · **valoración · comentario || acusación · demanda · recurso || evolución · crecimiento · subida · reducción || necesidades** *El centro tiene una serie de necesidades urgentes que desglosará brevemente* · **irregularidades · males**

● CON ADVS. **punto por punto || al detalle · detalladamente** *En este apartado debe desglosar detalladamente sus servicios y los respectivos costos* · **parsimoniosamente · minuciosamente · meticulosamente · cuidadosamente · escrupulosamente · claramente · exhaustivamente · con pelos y señales || en apartados · por conceptos · en secciones**

desgracia s.f.

● CON ADJS. **gran(de) · terrible · tremenda · amarga · inmensa · profunda || pequeña || imprevisible · previsible || irremediable · irreparable || lamentable** *Su desaparición fue una lamentable desgracia* **|| ajena** *reírse de la desgracia ajena* · **personal** *Afortunadamente no hubo que lamentar ninguna desgracia personal* · **individual · política**

● CON SUSTS. **cúmulo (de) · serie (de)**

• CON VBOS. **ocurrir** *Había ocurrido una terrible desgracia* · **acechar (algo/a alguien)** · **cernerse (sobre algo/sobre alguien)** *La desgracia se cernía sobre nosotros desde hacía un tiempo* · **planear (sobre algo/sobre alguien)** · **avecinar(se)** · **llegar** · **presentar(se)** · **abatir(se) (sobre algo/ sobre alguien)** · **adueñarse (de algo/de alguien)** · **cebarse (en algo/en alguien)** · **sobrevenir** · **desatar(se)** · **desencadenar(se)** · **acaecer** · **producir(se)** · **consumar(se)** · **recaer (en algo)** · **sucederse** *Las desgracias se sucedían una detrás de otra* || **conmover (a alguien)** · **afligir (a alguien)** || **acarrear** · **causar** · **ocasionar** *Su presencia no nos ocasionó más que desgracias* · **provocar** · **deparar (a alguien)** · **generar** · **sembrar** || **arrastrar** · **sufrir** · **tener** · **encajar** || **achacar** || **afrontar** · **remontar** · **sobrellevar** *Sobrelleva su desgracia con increíble optimismo* · **lamentar** || **evitar** · **remediar** · **paliar** · **conjurar** || **hundir(se) (en)** · **abocar (a)** · **llevar (a)** || **recuperar(se) (de)** · **sobreponerse (a)**

• CON PREPS. **por** *Por desgracia no llegamos a tiempo*

□ EXPRESIONES **caer en desgracia** [perder el favor o el aprecio de alguna autoridad]

desgraciado, da

1 desgraciado, da adj.

• CON SUSTS. ***persona*** *Acabó siendo muy desgraciada* || **pueblo** · **país** · **humanidad** || **situación** · **circunstancia** || **hecho** · **episodio** · **acontecimiento** · **asunto** · **casualidad** · **suceso** · **caso** || **accidente** *Un desgraciado accidente se ha producido esta madrugada* · **percance** · **incidente** || **error** · **fallo** · **equivocación** || **época** · **fecha** · **historia** · **existencia** · **vida** · **infancia** *superar las secuelas de una infancia desgraciada* · ***otros momentos o periodos*** || **consecuencia** · **resultado** · **efecto** || **matrimonio** *Después de cinco años de desgraciado matrimonio, decidieron divorciarse* · **experiencia** · **amor** || **muerte** · **final**

• CON ADVS. **profundamente** · **infinitamente**

2 desgraciado, da s. *desp.*

• CON ADJS. **pobre** *Es un pobre desgraciado que no sabe qué hacer con su vida*

desgranar v.

• CON SUSTS. **granada** · **mazorca** · ***otros frutos*** || **recuerdo** *El poeta va desgranando los recuerdos de su infancia* · **frase** · **idea** · **argumento** · **propuesta** · **dato** || **rosario (de algo)** *desgranar ante la dirección un rosario de problemas* · **serie (de algo)** · **retahíla (de algo)** || **historia** · **relato** · **narración** · **discurso** · **programa** || **comentario** · **información** *desgranando la información con cuentagotas y en dosis calculadas* · **opinión** · **contenido** || **canción** · **melodía**

□ USO Se construye muy frecuentemente con sustantivos en plural: *El nuevo gobernador desgranó una a una todas sus propuestas.* Admite sobre todo el singular con algunos sustantivos de información: *desgranar un programa, desgranar un discurso, desgranar un relato,* etc.

desguace s.m.

• CON ADJS. **de coches** *Hallan la furgoneta robada en un desguace de coches usados* · **de barcos** · **de vehículos** · **de automóviles** || **industrial** · **mecánico** · **profesional** || **ilegal**

• CON SUSTS. **coches (de)** · **piezas (de)**

• CON VBOS. **acabar (en)** *Después del accidente, el coche acabó en el desguace* || **salvar (de)**

[deshacer]

→ deshacerse (de algo/de alguien); deshacerse (en)

deshacerse (de algo/de alguien) v.

• CON ADVS. **de un plumazo** *Se deshizo de un plumazo de todos los papeles comprometedores* · **por las buenas** · **sin contemplaciones** · **rápidamente** || **irregularmente**

deshacerse (en) v.

• CON SUSTS. **polvo** *Los huesos se deshicieron en polvo* · **(mil) pedazos** *El jarrón se cayó al suelo y se deshizo en mil pedazos* · **trozos** · **fragmentos** · **partículas** || **halagos** · **elogios** · **alabanzas** · **aplausos** *El público se deshizo en aplausos* · **piropos** · **loas** · **homenajes** · **agradecimientos** · **felicitaciones** || **atenciones** · **gentilezas** · **abrazos** · **arrumacos** · **besos** · **sonrisas** · **reverencias** || **recriminaciones** · **reproches** · **quejas** · **insultos** || **amarguras** · **inquietudes** · **lágrimas** · **llantos** · **lloros** · **sollozos** || **excusas** · **explicaciones** · **disculpas**

• CON ADVS. **por completo** · **totalmente** · **a pedazos** || **definitivamente** || **gradualmente** · **rápidamente** · **repentinamente** · **inmediatamente** || **de gusto**

□ USO Se construye generalmente con sustantivos en plural y sin artículo: *deshacerse en elogios.*

deshilvanado, da adj.

• CON SUSTS. **tela** · **tejido** · **prenda** || **argumento** · **idea** · **razonamiento** *Tu razonamiento me parece algo deshilvanado* · **pensamiento** || **discurso** · **exposición** · **descripción** || **trabajo** · **labor** || **libro** · **texto** · **artículo** · **novela** · **película** *La película es un tanto deshilvanada y difícil de seguir* || **juego** || **estructura** · **organización**

deshinchar(se) v.

• CON SUSTS. **rueda** · **globo** · **pelota** *Se ha deshinchado la pelota y ahora no bota* || **cara** · **mano** · **vientre** · **pie** *Esta posición es muy buena para que se deshinchen los pies* · **dedo** · ***otras partes del cuerpo*** || **equipo** · **selección** · **audiencia** · **público** || **ánimo** *El ánimo de los jugadores fue deshinchándose a medida que se consumaba la derrota* · **ilusión** · **entusiasmo**

deshojar v.

• CON SUSTS. **margarita** · **rosa** · ***otras flores*** || **árbol** *El viento deshojó los árboles del parque* · **planta** · **rama** || **calendario** · **almanaque** · **tiempo**

• CON ADVS. **completamente** · **en parte** || **lentamente** *Deshojaba lentamente la margarita...* · **poco a poco**

deshollinar v.

• CON SUSTS. **chimenea** · **caldera**

deshonesto, ta adj.

• CON SUSTS. ***persona*** || **conducta** · **práctica** · **acto** · **comportamiento** · **trato** || **proposición** · **propuesta** *Recibió una propuesta deshonesta para canjear su deuda* || **abuso** · **tocamiento** || **ataque**

• CON ADVS. **moralmente** || **absolutamente** · **completamente** · **profundamente** || **claramente** *El empresario incurrió en prácticas claramente deshonestas*

deshonra s.f.

• CON ADJS. **humillante** *No desearía pasar por una deshonra tan humillante* · **hiriente** · **ultrajante** · **vejatoria** · **ignominiosa** · **lacerante** || **verdadera** · **auténtica** || **familiar** · **personal** || **condenado,da (a)** · **expuesto,ta (a)**

• CON SUSTS. **motivo (de)**

• CON VBOS. **traer** *Fueron acusados de traer la deshonra a la institución* · **acarrear** · **deparar** · **provocar** || **constituir** · **suponer** || **soportar** · **sufrir** · **padecer** || **vengar** *el protagonista pretendía vengar así la deshonra familiar* · **lavar** · **compensar** · **replicar** · **saldar** || **evitar** || **llenar (de)** · **pasar (por)** · **cargar (con)** || **desquitarse (de)**
• CON PREPS. **con** · **sin**

deshonrar v.

• CON SUSTS. **memoria** · **nombre** · **apellido** || **uniforme** · **profesión** *hábitos que deshonran nuestra profesión* · **actividad** · **oficio** || ***persona*** || **país** · **ciudad**

deshonroso, sa adj.

• CON SUSTS. **conducta** *El militar fue dado de baja por conducta deshonrosa* · **comportamiento** · **acción** · **acto** · **carácter** || **actividad** · **profesión** · **tarea** || **destitución** · **expulsión** || **propuesta** *No pudo aceptar una propuesta tan deshonrosa* · **proposición** || **retirada** · **huida** · **captura** · **derrota** || **guerra** · **batalla** || **acuerdo** · **pacto** || **título** *el deshonroso título de ser el país con más muertos de accidentes de tráfico* · **papel** || **historial** · **expediente** · **antecedente** || **pasividad**

desidia s.f.

• CON ADJS. **absoluta** *un caso de absoluta desidia, incompetencia y corrupción* · **pura** · **total** · **auténtica** · **simple** · **evidente** || **gran(de)** · **enorme** · **tremenda** · **monumental** || **administrativa** · **municipal** · **burocrática** · **política** · **oficial** *Denuncian la desidia oficial frente a la preocupante situación de corrupción* · **judicial** · **estatal** · **gubernamental** · **institucional** · **legislativa** || **profesional** · **intelectual** · **humana** || **social** · **general** · **ciudadana** || **creciente** · **imperante** || **imperdonable** · **preocupante** · **intolerable**
• CON SUSTS. **caso (de)** · **fruto (de)** · **víctima (de)**
• CON VBOS. **mostrar** · **manifestar** || **criticar** *El diputado criticó la desidia con la que se llevan algunos asuntos oficiales* · **denunciar** · **censurar** · **castigar** || **sufrir** || **superar** · **corregir** || **aprovechar** || **acusar (de)** *Nadie me puede acusar de desidia* · **culpar (de)** || **quejarse (de)** || **achacar (a)**

desierto, ta

1 **desierto, ta** adj.

▌[vacío, sin gente]

• CON SUSTS. **calle** · **camino** · **plaza** · **ciudad** · **pueblo** · **territorio** · **isla** *¿Qué te llevarías a una isla desierta?* · ***otros lugares*** || **casa** · **habitación** · **local** · **edificio** · ***otros espacios***
• CON VBOS. **estar** · **quedar** · **ver**

▌[no adjudicado]

• CON SUSTS. **premio** *Ante la baja calidad de las obras, el premio quedó desierto* · **certamen** · **galardón** || **sorteo** · **concurso** || **subasta**
• CON VBOS. **quedar** || **declarar** *El jurado declaró desierto el tercer premio* · **dejar**

2 **desierto** s.m.

• CON ADJS. **abrasador** · **asfixiante** · **sofocante** · **tórrido** · **polvoriento** || **árido** *un desierto árido y abrasador* · **desolado** · **baldío** · **yermo** · **inhóspito** · **tenebroso** || **inmenso** · **extenso** · **inabarcable** · **vasto** · **lejano** || **llano** · **uniforme** || **pleno** *Solos y sin provisiones en pleno desierto* || **cultural** · **literario** · **político** · **económico** · **artístico**
• CON SUSTS. **arena (de)** · **tormenta (de)** · **travesía (de)**
• CON VBOS. **extender(se)** · **cubrir (algo)** · **avanzar** *El desierto avanza irremediablemente cada año* || **atravesar** · **cruzar** · **pisar** || **predicar (en)** *...parece que se ha cansado de predicar en el desierto y está buscando nuevas soluciones comerciales* · **clamar (en)** · **gritar (en)**
• CON PREPS. **en medio (de)** *un oasis en medio del desierto*

designación s.f.

• CON ADJS. **consensuada** · **democrática** · **acordada** || **a dedo** *Nos opusimos a la designación a dedo del sucesor* · **directa** · **arbitraria** · **discrecional** · **libre** · **personal** || **por aclamación** · **por unanimidad** · **unánime** · **colectiva** || **ilegal** · **polémica** · **justa** · **injusta** || **oficial** *Seguíamos sin noticias sobre la designación oficial del nuevo secretario general*
• CON SUSTS. **fecha (de)** *Se desconoce la fecha de designación de los candidatos al premio* || **proceso (de)** · **sistema (de)**
• CON VBOS. **producirse** || **facilitar** *Con su abstención facilitó la designación de...* · **promover** · **proponer** · **auspiciar** · **imponer** · **decidir** · **realizar** || **aprobar** · **confirmar** · **ratificar** || **impugnar** · **rechazar** || **evitar** || **obtener** · **pedir** || **influir (en)** *Negó siempre haber influido en la designación de la nueva directora*
• CON PREPS. **por** *Fue nombrado por designación directa del presidente*

designar v.

• CON SUSTS. **sucesor,-a** · **presidente,ta** *Todavía no han designado al nuevo presidente* · **representante** · **sustituto,ta** · **candidato,ta** · ***otros cargos***
• CON ADVS. **a dedo** · **arbitrariamente** · **directamente** · **personalmente** || **democráticamente** · **por aclamación** *Fue designada por aclamación al inicio de la sesión de...* · **por unanimidad** || **oficialmente** || **definitivamente** || **inmediatamente** *Hay que designar inmediatamente a un sucesor*

desigualdad s.f.

• CON ADJS. **gran(de)** · **enorme** · **profunda** *combatir la profunda desigualdad social* · **fuerte** · **abismal** · **acusada** · **marcada** · **acentuada** || **terrible** · **atroz** · **espantosa** · **injusta** || **clara** · **evidente** *la evidente desigualdad entre los contendientes* · **patente** · **flagrante** · **notable** · **ostensible** · **manifiesta** · **creciente** · **existente** || **aparente** || **social** · **económica** · **laboral** *un informe sobre las causas de la desigualdad laboral* · **salarial** · **racial** · **de sexos**
• CON SUSTS. **situación (de)** *Se incorporan en una clara situación de desigualdad respecto...* · **problema (de)** || **grado (de)** · **nivel (de)** || **causa (de)** · **motivo (de)** · **factor (de)** · **consecuencia (de)** · **efecto (de)** · **fruto (de)**
• CON VBOS. **existir** · **acentuar(se)** · **agravar(se)** · **agudizar(se)** · **aumentar** · **crecer** · **incrementar(se)** · **persistir** || **desvanecerse** · **disminuir** || **derivar(se) (de algo)** *una medida de la que se deriva la desigualdad racial* || **crear** · **generar** · **provocar** · **fomentar** || **revelar** · **mostrar** · **subrayar** · **denunciar** || **compensar** · **corregir** *corregir la acusada desigualdad salarial entre hombres y mujeres* · **reducir** · **frenar** · **paliar** · **eliminar** · **mitigar** · **moderar** · **evitar** || **acabar (con)** · **luchar (contra)** *Nuestro objetivo es luchar contra la desigualdad social* || **ahondar (en)**
• CON PREPS. **en condición (de)**

desilusión s.f.

• CON ADJS. **amarga** *Me llevé una amarga desilusión al verlo* · **lamentable** · **angustiosa** · **penosa** · **dolorosa** || **enorme** · **gran(de)** · **monumental** · **tremenda** · **terrible**

· **verdadera** · **profunda** · **mayúscula** · **gorda** || **pequeña** · **ligera** · **creciente** || **general** || **lleno,na (de)**
● CON SUSTS. **gesto (de)** · **mirada (de)** · **cara (de)** · **sensación (de)**
● CON VBOS. **crecer** · **cundir** || **llevarse** · **producir** *La noticia me produjo una tremenda desilusión* · **causar** · **deparar** · **generar** · **provocar** · **crear** || **sufrir** · **tener** · **experimentar** · **sentir** · **encajar** || **expresar** · **exteriorizar** · **mostrar** · **reflejar** *Sus palabras reflejaban la desilusión general* || **disimular** · **ocultar** · **vencer** · **superar** || **evitar** || **caer (en)**
● CON PREPS. **a pesar (de)**

desinflar(se) v.

● CON SUSTS. **globo** · **balón** · **neumático** · **rueda** · **balsa** · **flotador** || **equipo** · **grupo** · **jugador,-a** · **delantero,ra** · **corredor,-a** · **aficionado,da** || **entusiasmo** · **euforia** · **ánimo** *Se desinflaron los ánimos tras el segundo gol* || **esperanza** · **expectativa** · **ilusión** · **aspiración** · **pretensión** · **ansia** · **sueño** || **escalada** · **subida** · **recuperación** · **reactivación** || **bolsa** · **economía** · **mercado** · **venta** · **gasto** · **deuda** · **valor** · **presupuesto** *Desinflaron el presupuesto para que lo aprobaran* · **dólar** · **activo** || **caso** · **fenómeno** · **asunto** || **tensión** · **presión** · **energía** · **fuerza** · **impulso** · **poder** || **polémica** *La polémica, aireada por la prensa, se desinfló a los pocos días* · **escándalo** · **conflicto** || **fiesta** *La fiesta empezó animadísima, pero según avanzaba la noche, se iba desinflando* · **partido** · **eliminatoria** · **festejo** · **certamen**
● CON ADVS. **poco a poco** *Poco a poco se fueron desinflando sus esperanzas* · **paulatinamente** · **progresivamente** · **ligeramente** · **lentamente** || **de repente** · **con rapidez** · **rápidamente** · **como un globo** || **por completo** · **totalmente** || **a ojos vistas** · **ostensiblemente** · **notablemente**

desintegración s.f.

● CON ADJS. **total** · **completa** · **parcial** || **final** · **inevitable** · **definitiva** || **interna** || **territorial** · **nacional** || **progresiva** · **paulatina** · **gradual** || **rápida** · **lenta** || **política** *El país se encuentra al borde de la desintegración política y social* · **económica** · **comercial** || **fatal** · **terrible** · **violenta** *la violenta desintegración de la antigua Yugoslavia* || **psicológica** · **espiritual** · **moral** || **nuclear** · **atómica** · **radiactiva** || **familiar** · **social** · **cultural** · **humana**
● CON SUSTS. **proceso (de)** · **camino (de)** || **factor (de)** || **grado (de)** · **nivel (de)** *En una zona en la que existe un alto nivel de desocupación y de desintegración familiar* || **peligro (de)** · **riesgo (de)** || **clima (de)** · **período (de)**
● CON VBOS. **producir(se)** · **darse** · **tener lugar** || **suponer** || **provocar** *La muerte de su líder podría provocar la desintegración del régimen* · **causar** · **desencadenar** · **ocasionar** || **evitar** · **impedir** · **prevenir** || **alentar** · **favorecer** · **permitir** · **propiciar** · **contribuir** · **fomentar** · **precipitar** || **conducir (a)** · **llevar (a)** || **llegar (a)**

desintegrar(se) v.

● CON SUSTS. **neuronas** · **sistema nervioso** · **cuerpo** || **plutonio** · **átomo** · **molécula** || **explosivo** · **artefacto** || **asteroide** · **planeta** || **avión** · **cohete** · **nave** · **coche** · **barco** || **grupo** · **banda** · **equipo** || **país** · **mundo** · **sociedad** *La sociedad se desintegra a medida que el individuo...* · **juventud** · **comunidad** · **familia** || **estructura** · **sistema** || **gobierno** · **régimen** · **imperio** · **ejército** || **conciencia**
● CON ADVS. **por completo** · **totalmente** *La nave se desintegró totalmente al entrar en contacto con la atmósfera* || **violentamente** · **en pedazos** || **instantáneamente** · **de un plumazo** || **literalmente**

desinterés s.m.

● CON ADJS. **absoluto** · **completo** · **enorme** *Recibieron la noticia con enorme desinterés* · **profundo** · **total** · **marcado** · **puro** || **extraordinario** · **irritante** · **exasperante** · **pasmoso** || **evidente** *El desinterés de algunos de los alumnos era evidente* · **manifiesto** · **patente** · **visible** · **franco** || **extendido** · **general** · **generalizado** · **imperante** · **reinante** || **particular** · **personal** || **progresivo** · **creciente** || **aparente** *Escuchaba lo que decíamos con aparente desinterés*
● CON SUSTS. **expresión (de)** · **síntoma (de)** · **gesto (de)** · **muestra (de)** || **motivo (de)** · **causa (de)** || **grado (de)**
● CON VBOS. **existir** · **crecer** · **extender(se)** || **evidenciar(se)** *El desinterés popular se evidencia en la escasa participación en las urnas* · **manifestar(se)** || **fomentar** · **producir** · **provocar** · **causar** || **sentir** · **mostrar** · **revelar** *Su rostro revelaba un profundo desinterés por todo el asunto* · **reflejar** · **demostrar** · **exteriorizar** || **criticar** · **denunciar** · **censurar** · **lamentar** || **rayar (en)** *Tu actitud raya en el desinterés*
● CON PREPS. **en medio (de)** · **con** *Me escuchaba con un desinterés evidente*

desinteresado, da adj.

● CON SUSTS. ***persona*** || **colaboración** · **trabajo** · **participación** · **labor** · **servicio** · **lucha** · **actuación** · **comportamiento** · **atención** || **ayuda** *Gracias a la ayuda desinteresada de varias organizaciones* · **dedicación** · **esfuerzo** · **apoyo** · **entrega** · **compromiso** · **donación** · **aportación** · **iniciativa** || **sentimiento** · **espíritu** · **afecto** · **amor** · **amistad** · **solidaridad** || **juego**
● CON ADVS. **totalmente** · **absolutamente** *Nos une una amistad sincera, absolutamente desinteresada* · **completamente**

desintoxicar(se) (de) v.

● CON SUSTS. **bebida** · **alcohol** *Sigue un tratamiento para desintoxicarse del alcohol* || **heroína** · **caballo** · ***otras drogas*** || **vicio** · **mal hábito** || **humo** · **contaminación** || **estrés** · **vida urbana** *un sitio ideal para relajarse y desintoxicarse de la vida urbana*
● CON ADVS. **totalmente** · **definitivamente** · **completamente** || **drásticamente** · **rápidamente** · **paulatinamente** · **progresivamente** · **gradualmente**

desistir (de) v.

● CON SUSTS. **idea** *¿Qué razones le hicieron desistir de la idea?* · **plan** · **proyecto** · **planteamiento** || **actitud** · **intento** · **empeño** · **pretensión** · **intención** · **propósito** || **poder** · **política** · **movimiento** || **lucha** · **acción** · **ataque** · **huida** || **misión** · **labor** || **negocio** · **operación** || **procedimiento** · **tramitación** · **proceso** · **recurso** *Si desiste usted de su recurso, pierde toda posibilidad de ser indemnizado*
● CON ADVS. **inmediatamente** · **en seguida** · **a las primeras de cambio** · **rápidamente** || **definitivamente** · **momentáneamente** · **temporalmente** · **permanentemente** || **cobardemente** · **tontamente** || **públicamente** *desistir públicamente de un propósito* || **de antemano** · **anticipadamente** || **finalmente**

deslavazado, da adj.

● CON SUSTS. **guión** · **discurso** *Pronunció un discurso deslavazado y titubeante* · **prólogo** · **texto** · **libro** || **estructura** · **historia** · **relato** · **respuesta** · **información** || **pe-**

lícula · **programa** || **capítulo** · **escena** · **episodio** || **versión** *La versión cinematográfica del libro está muy deslavazada* · **adaptación**
● CON ADVS. **completamente** · **totalmente**

desleal adj.

● CON SUSTS. ***persona*** || **competencia** *La justicia determinará si hubo o no competencia desleal* · **práctica** · **publicidad** · **comercio** || **acto** · **acción** · **comportamiento** · **conducta** · **gesto** · **actitud** || **competición** · **juego** · **ventaja** · **ayuda** || **propuesta** · **maniobra** · **jugada** || **administración** · **gestión**
● CON ADVS. **totalmente** · **completamente** · **claramente** || **presuntamente** *Juzgan la práctica presuntamente desleal de la empresa* · **aparentemente** · **supuestamente** || **tremendamente** · **profundamente**

deslealtad s.f.

● CON ADJS. **total** · **absoluta** *La actitud del diputado fue de absoluta deslealtad hacia...* · **gran(de)** · **extrema** · **suprema** · **grave** · **profunda** || **manifiesta** · **franca** · **clara** || **presunta** || **inadmisible** · **imperdonable** · **inexcusable** || **constitucional** · **democrática** · **institucional** · **política** · **administrativa** · **procesal** · **fiscal** || **profesional** *El abogado habría cometido un delito de deslealtad profesional* · **partidaria** · **comercial** · **intelectual** || **personal** · **interna**
● CON SUSTS. **actitud (de)** · **acto (de)** || **acusación (de)**
● CON VBOS. **mostrar** · **demostrar** · **cometer** || **denunciar** *Denuncian la deslealtad de dos policías que ocultaron información* · **imputar** · **alegar** || **castigar** · **justificar** || **suponer** || **caer (en)** || **acusar (de)** *¿Por qué lo acusas de deslealtad al equipo?* · **calificar (de)** || **incitar (a)**
● CON PREPS. **con** *actuar con deslealtad* · **por**

desligar(se) (de) v.

● CON SUSTS. **ataduras** · **responsabilidad** · **obligación** *para desligarse de todas sus obligaciones* · **compromiso** · **contrato** · **promesa** || **problema** · **asunto** · **tema** · **caso** || **mundo** · **familia** · **empresa** · **equipo** · **partido** · **club** · **conjunto** · **banda** · **secta** || **poder** · **gobierno** · **programa** · **proyecto** || **pasado** *No podrá desligarse de su pasado tan fácilmente* · **origen** || **doctrina** · **ideología** · **movimiento**
● CON ADVS. **definitivamente** *Pretendía desligarse definitivamente de su antigua empresa* · **totalmente** · **por completo** · **por entero** · **paulatinamente** · **progresivamente** · **gradualmente** · **temporalmente** · **provisionalmente** || **formalmente** · **oficialmente** · **administrativamente**

deslindar v.

● CON SUSTS. **problema** *Es necesario deslindar el problema político de la crisis económica* · **cuestión** · **asunto** || **frontera** · **límite** || **riesgo** · **efecto** · **consecuencia** · **causa** || **responsabilidad** *...a efectos de esclarecer los hechos y deslindar responsabilidades* · **función** · **tarea** · **labor** · **misión** · **cometido** || **propuesta** · **proyecto** · **convenio** || **movimiento** · **actividad** || **camino** · **vía**
● CON ADVS. **claramente** *Lo primero que hay que hacer es deslindar claramente los límites entre...* · **con precisión** · **nítidamente** · **eficazmente** || **perfectamente** · **adecuadamente** · **debidamente** || **absolutamente** · **totalmente** || **radicalmente**

desliz s.m.

● CON ADJS. **grave** *Cometió un grave desliz y todavía está pagando las consecuencias* · **importante** · **torpe** · **serio** · **increíble** · **inexplicable** || **desafortunado** · **lamentable** · **absurdo** · **inadmisible** || **inconsciente** || **reiterado** · **repetido** || **pequeño** *perdonar un pequeño desliz* · **sin importancia** · **insignificante** · **leve** · **mínimo** || **de juventud** || **verbal**
● CON VBOS. **cometer** · **tener** · **permitir** · **sufrir** · **evitar** || **perdonar** · **excusar** · **lamentar** · **aprovechar** *El candidato aprovechó el desliz de su contrincante para atacarlo* || **arreglar** · **corregir** · **enmendar** · **rectificar** || **reconocer**

deslizante adj.

● CON SUSTS. **piso** · **pista** · **terreno** · **suelo** *un calzado que permite la máxima adherencia sobre suelo deslizante* · **pavimento** · **superficie** · **calzada** · **tobogán** || **cubierta** · **puerta** · **ventana** · **riel** · **panel** || **suela** · **horma**

deslumbrante adj.

● CON SUSTS. **luz** *Desde esa altura veíamos las deslumbrantes luces de la ciudad* · **brillo** · **destello** · **fogonazo** · **efecto** || **blancura** · **luminosidad** || **foco** · **estrella** · **antorcha** || **belleza** *un rostro de deslumbrante belleza* · **imagen** || **espectáculo** · **exhibición** · **exposición** · **juego** · **actuación** · **ejercicio** || **acontecimiento** · **descubrimiento** · **verdad** || **actor** · **actriz** · **protagonista** · **hombre** · **mujer** · ***otros individuos*** || **mente** · **imaginación** · **creatividad** · **talento** · **inteligencia** · **capacidad** · **audacia** || **libro** *Es un libro deslumbrante redactado con un estilo exquisito* · **novela** · **pintura** || **comienzo** · **final** || **ciudad** · **villa turística** · **país** · ***otros lugares*** || **éxito** *Su primer guión fue un deslumbrante éxito cinematográfico* · **triunfo** · **victoria** || **característica** · **detalle** || **idea** · **pensamiento**
● CON VBOS. **poner(se)** · **mantener(se)**

deslumbrar v.

● CON ADVS. **por completo** · **completamente** *Quedamos completamente deslumbrados por los efectos especiales de la obra* || **momentáneamente** || **intelectualmente** · **visualmente** || **a distancia**

desmadejado, da adj.

● CON SUSTS. ***persona*** *un hombre desmadejado por el cúmulo de trabajo* || **cuerpo** · **rostro** · **semblante** · **pierna** || **ritmo**

desmadre s.m. *col.*

● CON ADJS. **total** · **absoluto** · **enorme** || **generalizado** *El concierto fue un desmadre generalizado* · **colectivo** || **auténtico** · **verdadero** || **familiar** · **interno** || **económico** *el desmadre económico por el que atraviesa el país...* · **social** · **comercial** · **consumista** || **informativo** || **pleno**
● CON VBOS. **ocasionar** · **generar** · **causar** · **provocar** || **controlar** *Es el único modo de controlar este auténtico desmadre* · **evitar** · **frenar** · **parar** || **vivir** || **poner freno (a)** · **acabar (con)** || **llegar (a)**
● CON PREPS. **al borde (de)** · **en medio (de)**

desmán s.m.

● CON ADJS. **grave** *famoso por cometer graves desmanes en el mercado inmobiliario* · **terrible** · **tremendo** · **atroz** · **bárbaro** · **indignante** · **flagrante** || **impune** || **callejero**
● CON VBOS. **cometer** · **permitir** · **impedir** *Se creó la comisión para impedir nuevos desmanes económicos* · **provocar** · **sufrir** || **atajar** · **controlar** · **corregir** · **evitar** || **condenar** · **denunciar** || **justificar** · **tolerar**

desmantelar v.

● CON SUSTS. **casa** · **piso** · **poblado** · **factoría** · **parque** · ***otros lugares*** || **avión** · **barco** · **coche** *Encontraron el galpón donde la banda desmantelaba los coches robados* · **imprenta** || **democracia** · **régimen** · **dictadura** · **empresa**

|| mafia · clan · banda · comando · compañía · ejército · cúpula · dirección || sistema · red · estructura · mecanismo · dispositivo *El dispositivo de seguridad había sido completamente desmantelado* · andamio · andamiaje · infraestructura · armazón · engranaje || entramado · tinglado · invento · trama · conspiración || plan · programa · proyecto · planteamiento || teoría · tesis · idea *Con una sólida argumentación fue desmantelando sus ideas una por una* · tópico · criterio || control · alarma || poder · poderío · capacidad ofensiva *...bombardeos supuestamente dirigidos a desmantelar la capacidad ofensiva del ejército* || acuerdo · alianza · consorcio · unidad
● CON ADVS. completamente · totalmente · por completo · de pies a cabeza · de arriba abajo · íntegramente *La Policía asegura haber desmantelado íntegramente el comando* · parcialmente · definitivamente · para siempre || gradualmente · progresivamente · paulatinamente · de un día para otro · rápidamente || cuidadosamente · a la fuerza · pacíficamente · con cuidado

desmarcarse (de) v.

● CON SUSTS. atacante · delantero,ra · jugador,-a || postura · política · posición · estrategia · gestión · línea · idea || asunto · suceso · violencia || discurso *Los trabajadores se desmarcaron del discurso del líder sindical* · crítica · opinión · palabras || partido · presidente,ta · líder || grupo · colectivo · conjunto || proyecto · propuesta · iniciativa · plan · acuerdo *El sector patronal se desmarcó del acuerdo alcanzado* · consenso · compromiso · pacto · proceso
● CON ADVS. claramente · expresamente · públicamente · abiertamente · explícitamente · rotundamente || rápidamente *Es un gran jugador, muy hábil para desmarcarse rápidamente del rival* · inmediatamente || definitivamente · completamente · totalmente || formalmente

desmayarse (de) v.

● CON SUSTS. hambre · susto · cansancio · sueño · dolor || alegría · felicidad · emoción *Cuando nació mi primer hijo casi me desmayo de la emoción* · sorpresa
● CON PREPS. a punto (de)

desmayo s.m.

● CON ADJS. ligero *Sufrí un ligero desmayo por el calor* · pasajero · pequeño · sin importancia · leve || alarmante · aparatoso *Fue un desmayo aparatoso pero sin importancia* · fulminante || repentino · súbito · sorpresivo · imprevisto · casual · fortuito
● CON SUSTS. síntoma (de) · causa (de) · sensación (de)
● CON VBOS. sufrir · padecer · simular || causar · producir · provocar || evitar || recobrarse (de) *Cuando me recobré del desmayo, no recordaba nada* · reponerse (de)
● CON PREPS. al borde (de) *Aquella noticia me puso al borde del desmayo*
□ EXPRESIONES sin desmayo [sin descanso] *trabajar sin desmayo*

desmedido, da adj.

● CON SUSTS. discurso · respuesta · palabras · comentario *Tus comentarios fueron algo desmedidos* · ***otras manifestaciones verbales o comunicativas*** || aumento · crecimiento · enriquecimiento · extensión · incremento · subida · expansión *Preocupa la expansión desmedida de la ciudad* · aceleración · avance · despliegue || reducción · rebaja · recorte || afán · interés · ambición · expectativa · afición · obsesión · esfuerzo · pretensión · atención · deseo · empeño · ansia · vocación || preocupación · celos · amor · pasión · odio · euforia · entusiasmo · optimismo · alegría · jovialidad · enfado · ***otros sentimientos o emociones*** || ataque · agresión · violencia · competencia · reacción *La situación le sobrepasó y tuvo una reacción desmedida* · denuncia · crítica · protesta · rechazo || celebración · duelo · viaje || consumo · uso · gasto · lucro · ganancia · coste · precio · presupuesto · compra · pago · fortuna || cantidad *Había consumido una cantidad desmedida de alcohol* · longitud · tamaño · volumen · profundidad · ***otras magnitudes*** || cifra · número · tasa · dosis || elogio · confianza · entrega · alabanza *...quizá no merecía alabanzas tan desmedidas* · admiración · apoyo · devoción · estima · aplauso · apreciación · veneración || poder · fuerza · influencia · importancia · protagonismo · valor · liderazgo || exigencia · reivindicación · petición · demanda *La bajada de los precios ha provocado una desmedida demanda* || ego · megalomanía · orgullo · vanidad · jactancia

desmejorado, da adj.

● CON SUSTS. ***persona*** || aspecto *Después de su enfermedad, su aspecto está notablemente desmejorado* · imagen || situación
● CON ADVS. notablemente · físicamente · visiblemente
● CON VBOS. quedar(se) · estar || encontrar (a alguien)

desmentir v.

● CON SUSTS. suposición · rumor *La juez desmintió los rumores sobre su renuncia* · sospecha · cotilleo || calumnia · injuria · mentira · copucha · bulo · infundio *No podemos desmentir todos los infundios que se vierten sobre nuestra corporación* · falacia || información · noticia · comunicado · comentario · declaración · mensaje · versión · alegación || idea · hipótesis · teoría · tesis · postulado · supuesto · conjetura || profecía · presagio · premonición · previsión · pronóstico *Nadie se atrevía a desmentir los pronósticos avanzados por los especialistas* || acuerdo · pacto · alianza · conexión · contacto · relación · matrimonio · romance || desavenencia *Los dos políticos desmintieron públicamente sus supuestas desavenencias* · discrepancia · divergencia · disensión · conflicto
● CON ADVS. enérgicamente *La acusada desmiente enérgicamente su relación con...* · enfáticamente · rotundamente · con rotundidad · firmemente · con firmeza · sin paliativos · por activa y por pasiva · punto por punto · detalladamente · claramente · categóricamente · terminantemente · tajantemente *El comité desmintió tajantemente la información que aparecía en...* · absolutamente || verbalmente · oficialmente · públicamente · personalmente

desmenuzar v.

● CON SUSTS. pan · miga · carne · pollo · chocolate · bacalao · levadura · barro · tierra · paja · hoja · ***otras materias*** || trama · engranaje · estructura || pasado · historia || detalle · aspecto · clave · significado · motivo || pensamiento · argumento · idea · tesis · ideología · tema *El profesor no quiere resúmenes; le gustan los temas bien desmenuzados* · contenido || poema · novela · escrito · ***otros textos*** || cifras · datos
● CON ADVS. en pedazos · en trozos · pieza a pieza || pormenorizadamente · detalladamente · minuciosamente · paso a paso || técnicamente · formalmente

desmerecer v.

● CON SUSTS. papel · esfuerzo *El resultado del proyecto no desmerece el esfuerzo realizado* · labor · trabajo · aten-

ción · empeño || victoria · triunfo · logro || ***persona*** *No era su intención desmerecer a otros candidatos* || importancia · valor || calidad · habilidad · capacidad · inteligencia · belleza · ***otras cualidades*** || imagen || producto · anécdota · obra
● CON PREPS. **sin** *sin desmerecer en absoluto la calidad de la obra*
● CON ADVS. **totalmente · por completo · completamente · absolutamente || en lo más mínimo · en absoluto**

desmesuradamente adv.

● CON VBOS. **comer · beber || enriquecer(se) · endeudar(se) || prolongar** *Prolongó su estancia desmesuradamente* · **alargar · engordar · crecer · ampliar · aumentar · incrementar · subir · exagerar || acortar · recortar · reducir · relajar || elogiar** *La prensa elogió desmesuradamente la película* · **alabar || gritar || trabajar · gastar**

desmontar v.

● CON SUSTS. **mecanismo · dispositivo · maquinaria · artefacto · reloj · televisor · alarma · motor** *El técnico tuvo que desmontar el motor de la lavadora* · ***otros aparatos*** **|| presupuesto · balance económico || discurso** *Con dos preguntas que le hicieron, le desmontaron el discurso* · **mensaje · frase · comentario · estudio · novela · obra** · ***otras manifestaciones verbales o textuales*** **|| estructura · sistema · engranaje · andamiaje · andamio · armazón · entramado · régimen || argumento · alegación · coartada · argumentación · razonamiento · justificación · opinión || tesis · teoría · idea · hipótesis · planteamiento || política** *...y tienen el propósito de desmontar la política territorial de la administración anterior* · **proyecto · programa || tópico · mito · convencionalismo · leyenda · fábula || acusación · crítica · calumnia · queja || conspiración · tinglado · complot · trama · estrategia · maquinación · trampa || mentira · falacia · falsedad · sofisma · farsa** *El tribunal terminó de desmontar la farsa urdida por...* · **bulo || conflicto · paro · guerra · bloqueo**
● CON ADVS. **por completo · totalmente · absolutamente · definitivamente || de arriba abajo · de cabo a rabo · de pies a cabeza · pieza a pieza** *Desmontó el televisor pieza a pieza, pero no consiguió repararlo* **|| cuidadosamente · meticulosamente · fácilmente · ordenadamente || paulatinamente · progresivamente · gradualmente || racionalmente**

desmoralización s.f.

● CON ADJS. **grave · intensa · profunda** *La profunda desmoralización que vive nuestro país* · **verdadera · total || preocupante || creciente || interna · personal · colectiva**
● CON SUSTS. **síntoma (de) · señal (de) · clima (de)**
● CON VBOS. **abatirse (sobre algo/sobre alguien) · reinar** *Entre las tropas reinaba la desmoralización* · **acentuar(se) || causar · provocar · generar · sembrar || evitar · frenar || contribuir (a)** *La última derrota contribuyó en gran medida a la actual desmoralización del equipo*

desmoronar(se) v.

● CON SUSTS. **edificio · muralla** *Una parte de la muralla se ha desmoronado* · **torreón · pared · construcción · casa** · ***otras edificaciones*** **||** ***persona*** *Al ver a su hijo en ese estado, la madre se desmoronó* **|| película** *La película se desmorona cuando muere el protagonista* · **novela · obra || sistema · gobierno · imperio · régimen · empresa · organización · país || poder · aparato de poder || estructura · esquema · estrategia · táctica · proyecto · planteamiento · plan || idea · tesis · explicación · hipótesis || sueño** *Otra vez se desmorona el sueño de ganar el campeonato* · **aspiración · expectativa · esperanza · objetivo · fe · ilusión || fama · prestigio · mito · leyenda · historia · tópico || convicción · creencia · certidumbre || compromiso · consenso · unidad || imagen** *Se me ha desmoronado la imagen que tenía de él* · **modelo · figura || bolsa · deuda · economía · especulación · moneda**
● CON ADVS. **estrepitosamente** *La Bolsa se desmoronó estrepitosamente* · **pesadamente || anímicamente · psicológicamente** *La falta de empleo lo ha desmoronado psicológicamente* · **internamente || lentamente · progresivamente · paulatinamente · gradualmente · repentinamente · rápidamente || a ojos vistas · ostensiblemente · notablemente**

desnatado, da adj.

● CON SUSTS. **leche · lácteo · yogur** *El yogur desnatado tiene menos calorías que el normal* · **queso**

desnaturalizar(se) v.

● CON SUSTS. **hijo,ja · madre · padre || carácter · esencia · espíritu · función** *Acontecimientos como este desnaturalizan la función judicial* · **ideal || propósito · razón · sentido || derecho · institución · lenguaje · misión · proceso** *Se corre el riesgo de desnaturalizar el proceso electoral*

desnivel s.m.

● CON ADJS. **pronunciado · fuerte** *un fuerte desnivel en la calzada* · **gran(de) · profundo · importante · notable · patente · abismal · acusado · amplio · terrible || insalvable** *En aquel tramo había un desnivel insalvable* · **insuperable || pequeño · ligero · inapreciable · suave · escaso · leve || económico · monetario || técnico · tecnológico || deportivo · futbolista**
● CON VBOS. **existir || producir(se) · crecer · aumentar · disminuir || presentar || compensar · corregir · mantener || evitar · franquear · remontar · salvar** *Dimos un rodeo para salvar el desnivel del terreno* · **superar · vencer || marcar || percibir || caer (por)**
● CON PREPS. **con**

desnivelar v.

● CON SUSTS. **balanza || proporción · porcentaje || marcador** *El equipo colombiano estuvo a un paso de desnivelar el marcador* · **tanteador · resultado || partido · encuentro · contienda · duelo · choque || presupuesto · economía** *Estos gastos inesperados pueden desnivelar la economía de la empresa* **|| ritmo · marcha · carrera**
● CON ADVS. **sutilmente · levemente · ligeramente**

desnudar v.

● CON SUSTS. ***persona*** *Desnudó al bebé para bañarlo* **|| alma · sentimientos || palabra · gesto || realidad**
● CON ADVS. **totalmente · completamente || de cintura para {arriba/abajo} · parcialmente**

desnudo, da

1 desnudo, da adj.

● CON SUSTS. ***persona*** *Había varios niños desnudos bañándose en el río* **|| torso · cara · seno · piel · pie** *Me gusta caminar con los pies desnudos sobre la arena de la playa* · **muslo · pierna** · ***otras partes del cuerpo*** **|| árbol · tierra · paisaje · monte || muro · pared || visión · percepción || pasión || verdad || realidad || palabra · verso**
● CON VBOS. **dejar** *Ha dejado las paredes del salón desnudas* · **quedar(se) · estar || posar · modelar**

2 **desnudo** s.m.

• CON ADJS. **femenino · masculino || artístico · bello · luminoso · delicado · sensual · horripilante || púdico · pudoroso || parcial · total · integral** *En su última película el actor hace un desnudo integral* **|| clásico**

• CON SUSTS. **iconografía (de) · fotografía (de)** *Se ha especializado en la fotografía de desnudos masculinos* **· pintura (de) || antología (de) · síntesis (de) || escena (de)**

• CON VBOS. **mostrar · pintar · plasmar**

desnutrición s.f.

• CON ADJS. **infantil** *Aqueja al país un grave problema de desnutrición infantil* **· general || severa · seria · grave · aguda · avanzada · alarmante · galopante || crónica · oculta**

• CON SUSTS. **síntoma (de) · índice (de) · signo (de)** *El pequeño presentaba algunos signos de desnutrición* **|| nivel (de) · grado (de) || víctima (de) · caso (de) || problema (de) · situación (de)**

• CON VBOS. **presentar · tener · mostrar || padecer · sufrir || evitar · curar** *La organización lleva a cabo programas para curar la desnutrición* **· eliminar · abatir · paliar || provocar · causar || morir (de) · caer (en) || acabar (con) · terminar (con)**

desobedecer v.

• CON SUSTS. **autoridad · gobierno · dirección · tribunal · juez · padre · madre · profesor,-a · presidente,ta · jefe,fa || regla** *Si desobedecen las reglas del juego, serán sancionados* **· normativa · ley · norma · directriz · reglamento · legislación · ordenanza · precepto · orden · mandato · instrucción · consigna · criterio ·** ***otras disposiciones*** **|| sentencia · resolución · fallo · acuerdo · decisión || prohibición** *Cientos de conductores desobedecen diariamente dicha prohibición* **· suspensión · boicot · embargo || requerimiento · petición · llamamiento · llamado || consejo · recomendación · advertencia**

• CON ADVS. **abiertamente · manifiestamente · expresamente · impunemente || reiteradamente** *Nuestro socio ha desobedecido reiteradamente el acuerdo firmado* **· asiduamente · constantemente || civilmente · formalmente**

desobediencia s.f.

• CON ADJS. **grave · generalizada · civil** *El panfleto llamaba expresamente a la desobediencia civil* **· reiterada · pacífica || culpable · involuntaria · irresponsable || clara · flagrante || supuesta · presunta**

• CON SUSTS. **actitud (de) · campaña (de) · movimiento (de) · muestra (de) || acto (de)** *Se combatieron duramente todos los actos de desobediencia* **· caso (de) · delito (de) || acusación (de)**

• CON VBOS. **extender(se) · cundir || apoyar · fomentar** *Con sus palabras fomentaba la desobediencia a los superiores* **· permitir · promover · tolerar · justificar || manifestar || combatir · condenar || llamar (a) · convocar (a) · incitar (a) · caer (en) || juzgar (por) · acusar (de)**

de sobra loc.adv.

• CON VBOS. **conocer · saber · comprender · percibir · dominar** *Domina de sobra el temario* **|| tener · contar** *El nuevo jefe cuenta de sobra con experiencia* **· poseer || cumplir · servir · compensar · valer · merecer · bastar || confirmar · demostrar · reflejar · ilustrar · resaltar · justificar · acreditar** *La documentación presentada acredita de sobra su extensa experiencia en este campo* **|| rebasar · superar · pasar · llegar**

desocupar v.

• CON SUSTS. **lugar · superficie · terreno · plaza · territorio || edificio** *La Policía pidió que desocuparan el edificio con calma* **· hospital · escuela · empresa · inmueble || casa · vivienda · apartamento · departamento · habitación · cuarto || espacio · mueble · mesa · cajón · estante** *Tienes que desocupar un estante del armario para tu hermano*

• CON ADVS. **por completo · completamente · parcialmente || paulatinamente · rápidamente**

desodorante s.m.

• CON ADJS. **antitranspirante · antisudoral || sin alcohol** *Estoy probando un nuevo desodorante sin alcohol* **· neutro · perfumado || femenino · masculino || en aerosol · en crema || alérgico,ca (a)**

• CON VBOS. **usar || echar** *Después de la ducha me suelo echar desodorante* **· rociar · aplicar || rechazar · evitar**

desoír v.

• CON SUSTS. **consejo** *Se arrepintió de haber desoído el consejo de su maestro* **· advertencia · recomendación · sugerencia · indicación · aviso · anuncio · notificación** *Se le enviaron varias notificaciones, que desoyó sistemáticamente* **|| clamor · petición · voz · reconvención · llamamiento · requerimiento · solicitud · demanda** *El concejal desoyó las insistentes demandas que le hacían desde su partido* **· ruego · exhortación · plegaria · súplica || orden · mandato · exigencia · instrucción · consigna · ultimátum · directriz · obligación · prohibición · veto || queja · crítica · protesta** *El Parlamento, desoyendo las fuertes protestas sociales, ha aprobado hoy la nueva ley* **· denuncia · condena · amonestación || oferta · ofrecimiento · promesa · compromiso || voluntad · deseo · intención · aspiración · plan · iniciativa || sentencia · fallo · recurso · impugnación · decisión · resolución · dictamen · ley · legislación · norma · regla || oposición · partido · juez · dirigente · gobierno · líder · pueblo · justicia · magistrado · autoridad || informe · opinión · mensaje · discurso || argumento** *Desoyó todos los argumentos contrarios y mantuvo su postura* **· principio · idea · razón · criterio · tesis || lección · historia · enseñanza · estudio · sentido común**

• CON ADVS. **por completo · reiteradamente · nuevamente · sistemáticamente · insistentemente || inconscientemente**

desolación s.f.

• CON ADJS. **absoluta · completa** *La falta de noticias los sumió en la más completa desolación* **· terrible · total · inmensa · profunda · honda || general · íntima || comprensible · patente**

• CON SUSTS. **ambiente (de) · cara (de) · estado (de) · imagen (de) · paisaje (de) · sensación (de) || motivo (de) || tiempos (de)**

• CON VBOS. **existir · reinar · extenderse || traslucir(se) || amainar || provocar · causar · crear · sembrar** *El huracán sembraba desolación a su paso* **· producir || manifestar · mostrar · expresar · reflejar || sentir || sumir(se) (en) · llevar (a)**

desoladamente adv.

• CON VBOS. **implorar · llorar · quejarse · sollozar || llamar**

desolado, da adj.

• CON SUSTS. **paraje · playa · estación** *El tren los dejó en una desolada estación* · ***otros lugares*** || **paisaje · escenario · panorama · realidad** || **aspecto · apariencia · visión · aire · atmósfera · retrato · imagen** || ***persona*** *un hombre desolado y entristecido* || **gesto · expresión · mirada · sonrisa · corazón · voz** || **nostalgia · angustia · amargura · resignación · tristeza** || **obra · verso · libro**
• CON ADVS. **completamente · especialmente · totalmente** *La ciudad mostraba un aspecto totalmente desolado* · **profundamente**
• CON VBOS. **estar · quedar(se) · permanecer · encontrarse · sentirse** *Me sentía desolada por la noticia de su muerte* || **mostrarse** || **dejar**

desolador, -a adj.

• CON SUSTS. **paraje · descampado · ciudad** · ***otros lugares*** || **momento · invierno · presente · día** || **testimonio** *el desolador testimonio de las víctimas* · **noticia · relato · historia** || **obra · canción · pintura · novela · película** *una desoladora película ambientada en los años veinte* · ***otras creaciones*** || **futuro · panorama · imagen · paisaje · visión · aspecto · espectáculo · escena · escenario · cuadro · panorámica · perspectiva · retrato · perfil · vista · plano · estampa** || **ambiente** *La novela recrea el ambiente desolador de la posguerra* · **atmósfera · clima · entorno** || **balance · resultado · consecuencia · conclusión · saldo · desenlace · final · fin · destino · fruto** || **impresión · efecto · impacto · sensación** || **silencio · soledad · vacío · tristeza · monotonía · ausencia** *tres años de ausencia desoladora* · **pesimismo · decepción · quebranto** || **cifra · porcentaje · dato** *Son datos absolutamente desoladores para el gremio* · **cómputo · estadística · número · encuesta · escrutinio** || **trayectoria · marcha · racha · andanza · viaje** || **carencia · déficit · ignorancia** || **tragedia · muerte · derrota · fracaso · marginalidad · pobreza · desaparición · terremoto · guerra**

de sol a sol loc.adv./loc.adj.

• CON VBOS. **trabajar** *Trabajaba de sol a sol cortando caña de azúcar en su tierra natal* · **caminar · escribir · navegar** · ***otros verbos que expresan actividades*** || **dedicarse** || **prolongarse · transcurrir**
• CON SUSTS. **jornada · trabajo**

de solemnidad loc.adv.

• CON ADJS. **pobre · tonto,ta · malo,la** *¡Este portero es malo de solemnidad, no para un solo lanzamiento!* · **cursi · feo,a · aburrido,da** · ***otros adjetivos despectivos***

de solera loc.adj.

• CON SUSTS. **flamenco · cante jondo · toreo** || **torero,ra · aficionado,da** *un foro constituido por aficionados de solera* · **cantaor,-a** || **vino · coñac · licor** || **club · entidad · familia · diario · mesón** || **sigla · nombre** *La empresa se ha hecho con un nombre de solera*

desollar v.

• CON SUSTS. **mano** *Se ha desollado las manos con la cuerda* · **pie · rodilla · piel** · ***otras partes del cuerpo*** || **res · vaca · cerdo** *Criaban cerdos, los desollaban y los despiezaban* · **conejo** · ***otros animales***

de sopetón loc.adv.

• CON VBOS. **encontrar(se) · topar(se)** || **preguntar · decir** *Esas cosas no se pueden decir de sopetón* · **soltar · largar** || **llegar · presentarse · aparecer** || **concluir · terminar · acabar** || **parar(se) · detener(se)** *El coche se detuvo de sopetón, provocando un choque en cadena* · **frenar** || **emerger · aflorar · salir** || **caer · despertar(se)** || **cambiar**

desorbitado, da adj.

▮ [fuera de sus límites habituales]

• CON SUSTS. **ojos** *un hombre con los ojos desorbitados* || **precio · cantidad** *una cantidad de dinero desorbitada* · **cifra · presupuesto · sueldo · caché · multa · coste · gasto · impuesto** || **crecimiento · aumento** *Las últimas cifras de desempleo han sufrido un aumento desorbitado* · **subida · escalada · incremento** || **declaración · discurso · comentario · expresión** · ***otras manifestaciones verbales o comunicativas*** || **exigencia · ambición · pretensión · demanda · petición · plan · propuesta · solicitud** || **medida · sanción · pena** *Le impusieron una pena desorbitada* · **sentencia** || **interés · entusiasmo · pasión · afición · cariño · adicción · culto** || **delirio · locura** || **nivel** *Sus gastos mensuales han llegado a niveles desorbitados* · **extremo**

desorden s.m.

• CON ADJS. **total · absoluto · caótico · completo** *Reinaba el más completo desorden* · **monumental · terrible · tremendo · gran(de) · horrible · inmenso · acusado · agobiante · intenso** || **interno** || **imperante · reinante** || **general** *en medio del desorden general en el que trabaja habitualmente* · **generalizado** || **aparente · controlado** || **administrativo · legal · mental · moral · público** *acusados de desorden público* · **material**
• CON SUSTS. **situación (de) · sensación (de) · imagen (de) · grado (de)**
• CON VBOS. **producir(se) · registrar(se)** *Al final de la manifestación se registraron algunos desórdenes públicos* · **adueñarse (de) · cundir · dominar · imperar · reinar** || **causar · provocar · generar · sembrar** || **permitir** *No permitiré ningún tipo de desorden interno* · **tolerar · consentir · promover** || **combatir · controlar · corregir · contrarrestar · prevenir · evitar** || **incitar (a)**
• CON PREPS. **en medio (de) · a pesar (de)**

de sordos loc.adj.

• CON SUSTS. **diálogo** *Aquello era un diálogo de sordos; nadie escuchaba a nadie* · **debate**

de soslayo loc.adv./loc.adj.

• CON VBOS. **mirar** *Al salir de la sala me miró de soslayo* · **observar · vigilar · ver · conocer · recordar · seguir** || **hacer afirmaciones · tocar · abordar** *un asunto espinoso que solo se abordó de soslayo* · **explicar** || **pasar · introducir · aparecer · cruzar**
• CON SUSTS. **mirada · ojeada · vistazo** *Un vistazo de soslayo me bastó para entender sus intenciones*

desovar v.

• CON SUSTS. **pez · insecto · mosca · tortuga** *¿Dónde desovan las tortugas?* · **anguila · trucha · salmón**

[despachar] → despachar; despacharse

despachar v.

▮ [atender]

• CON SUSTS. **cliente** *Quedan aún varios clientes sin despachar* · ***otros individuos***

● CON ADVS. **atentamente · amablemente || con prontitud · con diligencia**

▌ [vender]

● CON SUSTS. **fruta · leche · carne** *Pase por aquí, en este mostrador despachamos la carne* · ***otros productos***

▌ [dar curso, resolver] *col.*

● CON SUSTS. **trabajo · tarea · encargo · artículo || envío · correo · correspondencia** *Aún no hemos despachado la correspondencia de esta semana* · **mercancía · paquete · carta || problema · dificultad · pregunta** *En las ruedas de prensa despachaba las preguntas con monosílabos* · **incógnita · interrogante || conflicto · lío · crimen · crisis · embrollo || asunto · cuestión · tema**

● CON ADVS. **en un momento · en un santiamén · rápidamente · con rapidez · con urgencia · puntualmente || a la ligera · precipitadamente || fácilmente · sencillamente**

▌ [apartar, despedir]

● CON SUSTS. ***persona*** *Despachaba a los curiosos sin contemplaciones*

● CON ADVS. **secamente · con cajas destempladas · de forma elegante || directamente · de tapadillo**

despacharse v.

● CON ADVS. **a gusto** *despacharse a gusto sobre un tema* · **a {mis/tus/sus...} anchas · largamente**

despacho s.m.

● CON ADJS. **oficial · privado || presidencial · judicial · aduanero · ministerial || de apuestas · de pan · de lotería · de billetes · de quinielas · de localidades**

● CON VBOS. **reunir(se) (en) · acudir (a) · entrar (en) · salir (de) || trabajar (en)**

desparasitar v.

● CON SUSTS. **perro,rra** *un tratamiento especial para desparasitar a los perros o a otros animales domésticos* · **gato,ta · caballo · yegua ·** ***otros animales***

● CON ADVS. **periódicamente · regularmente · frecuentemente · cíclicamente**

desparpajo s.m.

● CON ADJS. **habitual · total · absoluto || tremendo · enorme · gran(de)** *Habló ante la prensa con gran desparpajo* · **considerable || sorprendente · asombroso · extraordinario · increíble · desusado || elegante · profesional · infantil || irreverente · ofensivo · insultante** *Se levantó y se fue con un desparpajo insultante* · **escalofriante || ingenioso · humorístico · desafiante**

● CON VBOS. **mostrar · tener || derrochar**

● CON PREPS. **con** *¿Cómo puedes mentir con tal desparpajo?*

desparramar(se) v.

● CON SUSTS. **papeles** *Intenta no desparramar los papeles* · **libros · juguetes · ropa ·** ***otros objetos*** **|| aceite · agua ·** ***otros líquidos*** **|| contenido · componentes · piezas || talento** *El jugador desparrama talento en cada jugada* · **ingenio · optimismo || potencia · energía || manifestantes · gente · multitud ·** ***otros individuos y grupos humanos***

☐ USO Se construye generalmente con sustantivos no contables en singular (*desparramar ingenio*) o con contables en plural (*desparramar los juguetes*).

despavorido, da adj.

● CON SUSTS. **ojos || huida · fuga**

● CON VBOS. **estar || huir** *Cuando vieron la sombra, huyeron despavoridos* · **salir · escapar · correr**

despecho s.m.

● CON ADJS. **puro** *Decidió no mencionarla por puro despecho* · **mero · simple · gran(de) || rabioso · airado · indignado || hiriente · justificado · injustificado**

● CON SUSTS. **acto (de) · gesto (de) · muestra (de) · señal (de)**

● CON VBOS. **reflejar · mostrar · manifestar**

● CON PREPS. **por** *El autor del crimen actuó por despecho* · **con**

☐ EXPRESIONES **a despecho** (de algo) [a pesar suyo o contra su deseo]

despectivo, va adj.

● CON SUSTS. ***persona*** *un crítico despectivo y arrogante* **|| palabra · término · frase · expresión · lenguaje · comentario · descripción** *Su descripción de los hechos era algo despectiva* · **pregunta · respuesta · declaración · alusión ·** ***otras manifestaciones verbales*** **|| actitud · trato · tono · aire · arrogancia · acento · sarcasmo · carácter · talante · comportamiento · reacción · intención || calificativo · apodo** *Se referían a él con un apodo despectivo* · **apelativo · diminutivo · epíteto · mote · calificación · etiqueta · sinónimo · nombre · lema || gesto** *La miró con gesto despectivo* · **sonrisa · mirada · ademán · mueca · risa · silencio · cara || crítica · insulto · reproche · exabrupto · negativa · improperio || juicio · consideración · opinión** *Nunca permitió en su clase opiniones despectivas sobre nadie* · **análisis · comparación**

[despedida] → de despedida; despedida

despedida s.f.

● CON ADJS. **cariñosa** *Le brindaron una cariñosa despedida* · **calurosa · cálida · efusiva · afectuosa · emocional · emotiva · apasionada · conmovedora · entrañable || apoteósica · por todo lo alto · clamorosa · alegre · multitudinaria · amable · cordial · dulce · original || amarga · triste · dolorosa · nostálgica || fría** *Nuestras relaciones no eran buenas y la despedida fue bastante fría* · **distante · gélida · indiferente · apática · deslucida · de circunstancias || oficial · oficiosa · solemne · ceremoniosa · digna · cortés · en regla || repentina || definitiva || del año** *Celebraremos la despedida del año por todo lo alto* · **de soltero,ra · del curso**

● CON SUSTS. **ceremonia (de) · acto (de) · comida (de) · fiesta (de) · homenaje (de) || discurso (de) · mensaje (de) · carta (de) · foto (de) · regalo (de) || hora (de) · momento (de)** *Llegó finalmente el momento de la despedida*

● CON VBOS. **llegar || anunciar** *La cantante anunció su despedida del mundo del espectáculo* · **comunicar || dar · ofrecer · celebrar · realizar · brindar (a alguien) · dispensar (a alguien) · dedicar (a alguien) · rendir (a alguien) · tributar (a alguien) · merecer || preparar · organizar · protagonizar || detestar || prolongar**

● CON PREPS. **a modo (de)** *una foto de todo el grupo a modo de despedida* · **como · de**

[despedir] → despedir; despedir(se)

despedir v.

▮ [echar o apartar]

• CON SUSTS. **trabajador,-a** *El nuevo equipo directivo no despedirá a ningún trabajador* · **personal** · **empleado,da** · **obrero,ra** · ***otros individuos y grupos humanos***

• CON ADVS. **con cajas destempladas** *Me despidió de su despacho con cajas destempladas* · **a patadas** || **alegremente** · **injustamente** || **amablemente** · **diplomáticamente** || **masivamente** || **fulminantemente** · **definitivamente** · **temporalmente**

▮ [desprender]

• CON SUSTS. **brillo** *El anillo despedía un brillo cegador* · **chispa** · **luz** · **rayo** || **aroma** · **olor** || **gas** · **lava**

• CON ADVS. **violentamente**

despedir(se) v.

• CON ADVS. **efusivamente** *Se despidió muy efusivamente de todos* · **cálidamente** · **cariñosamente** · **cordialmente** · **afectuosamente** · **amorosamente** || **atentamente** · **cortésmente** · **correctamente** · **diplomáticamente** · **dignamente** || **oficialmente** *Con aquel discurso se despedía oficialmente de la vida pública* · **formalmente** · **personalmente** || **a lo grande** || **a la francesa** *Nadie se enteró cuando se fue, porque se despidió a la francesa* · **fríamente** · **secamente** · **con cajas destempladas** · **sin contemplaciones** || **definitivamente** · **temporalmente**

□ USO Se construye frecuentemente con complementos encabezados por la preposición *de*: *Se despidió de su familia antes de partir.*

despegar v.

• CON SUSTS. **avión** · **aeronave** · **cohete** || **comercio** · **mercado** · **turismo** *El turismo no acaba de despegar en esta región* · **exportación** · **industria** · **empresa** · **actividad** · **economía** · **inflación**

• CON ADVS. **gradualmente** · **progresivamente** · **lentamente** · **bruscamente** · **definitivamente** || **sin problemas** *El avión despegó sin problemas* || **verticalmente** || **económicamente**

despegue s.m.

• CON ADJS. **espectacular** *El despegue del comercio el año pasado fue espectacular* · **fulgurante** · **brutal** · **fuerte** · **tremendo** || **fallido** · **exitoso** || **incipiente** *el incipiente despegue de la industria en este sector* · **leve** · **ligero** · **paulatino** · **definitivo** · **verdadero** || **inmediato** · **pleno** || **demográfico** · **económico**

• CON SUSTS. **pista (de)** *El avión ya se encuentra en la pista de despegue* · **plataforma (de)** · **ruta (de)** || **maniobra (de)** · **operación (de)** · **fase (de)** · **fallo (en)**

• CON VBOS. **producir(se)** || **favorecer** *Las nuevas medidas favorecieron el despegue económico* · **permitir** · **propiciar** · **facilitar** · **autorizar** || **comenzar** · **iniciar** · **hacer** · **realizar** · **efectuar** · **conseguir** || **abortar** *El piloto tuvo que abortar el despegue debido al mal tiempo* · **dificultar** · **evitar** || **suponer** || **asistir (a)**

[despejar] → despejar; despejar(se)

despejar v.

• CON SUSTS. **pelota** · **balón** *El defensa despejó el balón de cabeza* · **pase** · **centro** · **chut** · **lanzamiento**

despejar(se) v.

▮ [aclararse]

• CON SUSTS. **camino** · **ruta** · **proceso** · **recorrido** · **plaza** · **terreno** *Hubo que despejar el terreno de piedras y malezas* · **carretera** · **autopista** · **local** · ***otros lugares*** || **tormenta** *Espera a ver si se despeja la tormenta* · **bruma** · **niebla** · **temporal** · **día** · **tarde** · **tiempo** · **mañana** *Por fin se ha despejado la mañana* || **mente** · **cabeza** *Salgamos un rato a la calle para despejarnos la cabeza* || ***persona*** *La jefa se ha ido a tomar un café para despejarse* || **duda** · **incógnita** *una incógnita muy difícil de despejar* · **interrogante** · **incertidumbre** · **sospecha** · **cuestión** · **enigma** · **misterio** · **intriga** · **reticencia** · **pregunta** || **temor** · **angustia** · **miedo** · **inquietud** · **intranquilidad** · **preocupación** · **inseguridad** · **tensión** · **resquemor** · **recelo** || **futuro** · **panorama** · **horizonte** · **porvenir** · **perspectiva** *alguna medida de choque que despeje las oscuras perspectivas económicas que se ciernen sobre la empresa* || **situación** · **idea** · **posición** · **postura** || **crisis** · **conflicto** · **dificultad** *El primer paso era despejar las dificultades de financiación* · **peligro** · **amenaza** · **desastre** · **problema** · **resistencia** · **obstáculo** · **escollo** · **cabezonería** || **confusión** · **equívoco** *El ministro desea despejar el equívoco originado en sus últimas declaraciones* · **malentendido** · **ambigüedad** · **enredo** || **perplejidad** · **ofuscación** || **intención** · **proyecto** · **iniciativa** || **debate** · **acusación** · **crítica** · **denuncia** · **mentira** · **rumor**

despellejar v.

▮ [quitar la piel]

• CON SUSTS. **pollo** · **conejo,ja** · ***otros animales*** || **dedo** · **espalda** · **rodilla** *Me caí y me despellejé las rodillas* · ***otras partes del cuerpo***

• CON ADVS. **completamente** · **totalmente** || **brutalmente**

▮ [criticar duramente]

• CON SUSTS. ***persona*** *Como lo tomen por banda los periodistas, lo despellejan*

despenalizar v.

• CON SUSTS. **consumo** · **tenencia** || **delito** · **fraude** · **falsedad** || **droga** · **marihuana** || **aborto** · **adulterio** · **homosexualidad** · **prostitución** · **eutanasia** · **insumisión** · **nudismo** · **juego**

• CON ADVS. **completamente** · **totalmente** · **realmente** || **prácticamente** · **parcialmente** || **genéricamente** · **fiscalmente** · **internacionalmente**

despeñar(se) v.

• CON SUSTS. **senderista** · **escalador,-a** *Un escalador se despeñó por el barranco* · **alpinista** · ***otros individuos*** || **coche** · **autobús** · **camión** · **furgoneta** · **vagón**

• CON PREPS. **a punto (de)** *Estuvieron a punto de despeñarse por el acantilado*

• CON ADVS. **vertiginosamente** || **irremediablemente** · **sin remedio** · **irremisiblemente**

desperdiciar v.

• CON SUSTS. **oportunidad** *No debería uno desperdiciar las oportunidades que se le brindan* · **ocasión** || **tiempo** · **día** · **semana** || **vida** · **juventud** · **porvenir** · **vacaciones** || **talento** · **capacidad** || **dinero** · **riqueza** || **ventaja** || **voto** || **penalti** || **fuerzas** || **bala** · **munición** || **agua** · **aceite** · **petróleo** · **luz** · **energía** · **sangre** · **saliva** · ***otros recursos*** || **comida** · **alimento**

• CON ADVS. **alegremente** · **irresponsablemente** · **tontamente** *Has desperdiciado tontamente el tiempo y ahora te arrepientes* || **gratuitamente** · **injustificadamente** · **sin motivo** || **completamente** · **totalmente** || **vilmente**

desperdicio s.m.

▮ [residuo]

●CON ADJS. **aprovechable · reciclable || inútil · desechable || urbano** *reciclar los desperdicios urbanos* **|| abundantes · numerosos || lleno,na (de) · rodeado,da (de)**
●CON SUSTS. **montaña (de) · montón (de) || bolsa (de)**
●CON VBOS. **generar** *En las ciudades se generan toneladas de desperdicios* **· acumular · almacenar · tener || recoger · juntar · reunir || tirar · verter · arrojar · depositar · volcar · abandonar || desparramar · diseminar · esparcir · soterrar || quemar · reciclar · tratar** *nuevas técnicas para tratar los desperdicios* **· separar**
●CON PREPS. **entre**

▮ [derroche]

●CON ADJS. **enorme** *un enorme desperdicio de tiempo* **· absoluto · total**
●CON VBOS. **denunciar · evitar**

☐EXPRESIONES **no tener desperdicio** (algo) [ser de mucho provecho o utilidad]

desperdigar v.

●CON SUSTS. **familia · equipo · multitud · pelotón · asistentes · gente** *La gente comenzó a desperdigarse por las calles* **·** ***otros grupos humanos*** **|| material · hojas · papeles · piezas** *Se desperdigaron todas las piezas del puzle* **|| inversión · patrimonio || fuerzas · esfuerzos** *Trabajamos juntos para no desperdigar esfuerzos*

☐USO Se construye generalmente con sustantivos no contables en singular (*desperdigar el material*) o con contables en plural (*desperdigar las hojas*).

desperezarse v.

●CON SUSTS. ***persona*** *El jugador se desperezaba en el banquillo* **|| gobierno · ciudad · economía · país || sol · día · volcán** *El volcán se desperezará algún día y entonces...*
●CON ADVS. **lentamente · tranquilamente · pausadamente**

desperfecto s.m.

●CON ADJS. **gran(de) · importante · grave** *El terremoto provocó graves desperfectos* **· serio · considerable · enorme · tremendo · descomunal · mayúsculo · monumental · irreparable · severo || admisible · perdonable · imperdonable · inadmisible || apreciable · perceptible** *El aparato tenía unos desperfectos apenas perceptibles* **|| leve · pequeño · menor · mínimo · inapreciable · imperceptible · insignificante || material** *Un experto evaluará los desperfectos materiales* **|| abundantes** *El coche presentaba abundantes desperfectos* **· numerosos · múltiples · escasos · cuantiosos || lleno,na (de)**
●CON SUSTS. **alcance (de)** *informar sobre el alcance de los desperfectos* **· cuantía (de)**
●CON VBOS. **ocasionar · causar · producir · provocar · originar || presentar · tener · sufrir** *El cuadro no sufrió ningún desperfecto* **· acusar || advertir · registrar · localizar · encontrar · delatar · encubrir || contabilizar · cuantificar · valorar · evaluar · calibrar || arreglar** *Se arreglaron los desperfectos más graves* **· corregir · reparar · subsanar · paliar · suplir · abonar || lamentar || resarcir (de)** *El responsable la resarcirá de todos los posibles desperfectos*
●CON PREPS. **en caso (de) · con · sin**

[despertar] → despertar; despertar(se); despertar(se) (en)

despertar v.

▮ [provocar, excitar]

●CON SUSTS. **atención · interés · curiosidad** *Un tema que siempre ha despertado la curiosidad de los espectadores* **· expectativa · expectación · esperanza || sospecha · recelo · duda · alarma · inquietud · preocupación · desconfianza · suspicacia · temor** *Los cambios en la política monetaria han despertado temores en la población* **· miedo · horror · pánico · reticencia || asombro · sorpresa · extrañeza · perplejidad || pasión · entusiasmo** *El entusiasmo que logra despertar en los niños es admirable* **· admiración · ilusión · sentimiento · emoción · amistad · amor · cariño · alegría · aplauso · ovación · carcajada || compasión · comprensión · simpatía · participación · solidaridad** *La campaña pretende despertar la solidaridad de la población con...* **· lástima || voluntad · afán · ansia · deseo · apetito** *Este aroma despierta el apetito* **· sed || ira · rechazo · rabia · indignación · impotencia · irritación · odio · antipatía · envidia || comentario · idea · crítica · opinión · elogio · pregunta · invectiva** *una propuesta audaz que ha despertado críticas y toda clase de invectivas* **· protesta · debate || recuerdo · añoranza** *Las fotografías despertaron en ella la añoranza de su tierra* **· reflexión || imaginación · creatividad · inspiración || confianza · ánimo · autoestima · orgullo · motivación || escándalo · polémica · controversia**

despertar(se) v.

●CON ADJS. **cansado,da · descansado,da || sobresaltado,da · alterado,da || contento,ta · feliz · alegre · enfadado,da || de {buen/mal/excelente} humor** *Pues yo nunca me despierto de buen humor*
●CON ADVS. **temprano · de buena mañana · tarde || de sopetón · súbitamente · bruscamente · abruptamente || a toque de corneta**

despertar(se) (en) v.

●CON SUSTS. **población · opinión pública** *con intención de despertar el sentido crítico en la opinión pública* **· ciudadanía · sociedad ||** ***persona*** **|| conducta · conciencia · memoria**

despiadado, da adj.

●CON SUSTS. ***persona*** *El conde era cruel y despiadado* **|| mirada · gesto || competencia · rivalidad || ataque · enfrentamiento · guerra · bombardeo · asesinato · represión · ofensiva · violencia · combate · lucha · exterminio · represalia · castigo · acoso · persecución || crítica** *Fue víctima de la despiadada crítica de la prensa* **· comentario · análisis · ironía · sátira · humor · inteligencia || mundo · sociedad || trato · comportamiento · conducta || dureza** *Trataba a sus alumnos con despiadada dureza* **· crueldad · severidad**

despido s.m.

●CON ADJS. **procedente · legal · justificado · objetivo || improcedente** *En caso de despido improcedente, la indemnización...* **· ilegal · injustificado · indebido · arbitrario · encubierto || forzoso · drástico · fulminante · terminante · con cajas destempladas || inesperado · súbito · intempestivo · inmediato || previsto** *Como era un despido previsto, no sorprendió a nadie* **· pactado || masivo · en masa · colectivo · individual || inapelable · irrecusable · irrevocable || libre** *negociación sobre el despido libre*
●CON SUSTS. **causa (de) · condición (de) · coste (de)** *Los expertos evaluarán los costes de un supuesto despido*

colectivo · **carta (de)** · **demanda (de/por)** · **indemnización (por)** || **ola (de)**

● CON VBOS. **producir(se)** || **llevar a cabo** · **acarrear** · **provocar** · **facilitar** · **agilizar** · **prever** || **anunciar** · **comunicar** · **notificar** || **gestionar** · **negociar** · **pactar** · **tramitar** || **abaratar** || **denunciar** *La asociación denunció el despido masivo de trabajadores* · **recusar** · **revocar** · **pedir** · **justificar** · **evitar** || **proceder (a)**

despierto, ta adj.

▮ [en vela]

● CON VBOS. **mantener(se)** · **estar** *A estas horas los niños suelen estar despiertos* · **quedar(se)** · **andar** · **seguir** || **soñar**

▮ [listo]

● CON SUSTS. ***persona*** *Es un alumno muy despierto que plantea preguntas siempre interesantes* || **mente** · **oídos**

● CON VBOS. **ser** *Esta niña es muy despierta*

despilfarrar v.

● CON SUSTS. **dinero** · **fortuna** *Despilfarró alegremente la fortuna de su familia* · **millones** || **ayuda** · **crédito** · **ganancia** · **presupuesto** || **reservas** · **energía** · **agua** · ***otros recursos*** || **comida** · **alimento** || **oportunidad** · **ocasión** · **posibilidad** || **talento** *Despilfarras tu talento en trabajos como este* · **ingenio** || **balas** · **munición**

despilfarro s.m.

● CON ADJS. **total** · **completo** · **inmenso** · **excesivo** · **absoluto** · **cuantioso** · **enorme** · **auténtico** *Las fiestas de este año han sido un auténtico despilfarro* · **tremendo** · **verdadero** || **escandaloso** · **vergonzoso** · **ruinoso** || **inútil** · **improductivo** || **público** · **oficial** · **político** · **municipal** · **administrativo** · **gubernamental** · **autonómico** || **económico** *La construcción de la autopista constituirá un enorme despilfarro económico* · **presupuestario** || **energético** || **incesante** · **permanente** · **habitual** || **consumista** · **innecesario** · **absurdo** || **necesario** · **inevitable**

● CON VBOS. **constituir** · **suponer** || **calcular** · **evaluar** || **denunciar** · **criticar** || **evitar** · **eliminar** · **reducir** *Proponen una campaña para reducir el despilfarro energético* · **corregir** · **subsanar** · **controlar** · **recortar** || **justificar** · **explicar** · **propiciar** · **permitir** || **sostener** · **mantener** || **acabar (con)** *¿Cuándo se acabará con este despilfarro gubernamental?* · **poner coto (a)** · **poner freno (a)** || **acusar (de)** · **tildar (de)**

despiste s.m.

● CON ADJS. **absoluto** · **tremendo** · **descomunal** · **monumental** *Tienes siempre un despiste monumental* · **colosal** · **completo** · **puro** · **supino** · **sonado** || **grave** · **inadmisible** *Aquello fue un despiste inadmisible, dada su responsabilidad* · **imperdonable** · **serio** · **apreciable** || **admisible** · **perdonable** || **inapreciable** · **insignificante** · **sin importancia** *Es un despiste sin importancia, no se preocupe* · **pequeño** · **leve** · **ligero** · **momentáneo** || **general** · **habitual** || **defensivo**

● CON SUSTS. **momento (de)** · **maniobra (de)** · **jugada (de)** · **táctica (de)** · **estrategia (de)** || **cara (de)** || **fruto (de)**

● CON VBOS. **tener** · **admitir** · **aprovechar** *Entraron aprovechando un despiste del guardia de la puerta* || **corregir** || **incurrir (en)**

desplante s.m.

● CON ADJS. **provocativo** · **deliberado** · **intencional** · **impertinente** || **escandaloso** || **reiterado** · **constante** *Los periodistas, ante los constantes desplantes del jugador, decidieron...* || **triunfalista** · **populista** || **político** · **diplomático** || **colectivo** · **público** *Le hizo un desplante público cuando rechazó darle la mano* || **descarado** · **chulesco** · **altivo** · **temperamental** || **torero** · **marchoso**

● CON VBOS. **hacer** · **protagonizar** · **dar** · **permitir(se)** || **sufrir** · **recibir** · **tragarse** || **afrontar** · **encarar** || **compensar** · **perdonar** *Estaba dispuesto a perdonar el desplante*

desplazamiento s.m.

● CON ADJS. **largo** · **breve** · **corto** || **rápido** · **lento** *La tormenta continuará con su lento desplazamiento hacia el noreste del país* · **progresivo** · **gradual** · **imparable** · **apresurado** || **arriesgado** · **difícil** · **nocturno** || **imprescindible** · **importante** · **urgente** · **innecesario** || **urbano** || **rutinario** · **diario** *El desplazamiento diario de miles de personas suele provocar el caos circulatorio* || **táctico** · **estratégico** || **seguro** · **cómodo** · **molesto** · **brusco** || **horizontal** · **vertical** · **lateral** · **lineal** || **definitivo** · **temporal** *el desplazamiento temporal de trabajadores* · **provisional** · **inicial** || **forzoso** · **voluntario** · **arbitrario** || **individual** · **masivo** · **general** || **militar** · **oficial** · **patrimonial** · **geológico** · **turístico** · **automovilístico**

● CON SUSTS. **problema (de)** · **riesgo (de)** · **capacidad (de)** || **velocidad (de)** · **tiempo (de)** || **gasto (de)** · **tasa (de)** · **coste (de)** · **dieta (de)** || **medio (de)** · **sistema (de)** · **facilidad (de)**

● CON VBOS. **producir(se)** *Se produjo un marcado desplazamiento de la población hacia la capital* · **iniciar** || **seguir** · **continuar** || **aumentar** · **disminuir** || **efectuar** · **realizar** · **llevar a cabo** || **facilitar** · **permitir** · **propiciar** || **provocar** · **generar** · **organizar** || **evitar** · **impedir** *...lo que impidió un mayor desplazamiento de las placas tectónicas* · **frenar** || **explicar** · **justificar** || **autorizar** · **pagar** || **implicar** · **suponer** || **compensar** · **aprovechar**

desplegar(se) v.

● CON SUSTS. **ala** *El águila desplegó sus alas* · **bandera** · **pancarta** · **papel** · **mapa** · **cartel** · **hoja** · **tela** || **efectivos** · **ejército** · **tropa** · **grupo** · **conjunto** · **movilización** || **arma** · **armamento** || **actividad** · **campaña** · **ataque** || **capacidad** · **ingenio** *Desplegó todo su ingenio para tratar de convencerla* · **habilidad** · **dotes** · **encanto** · **entusiasmo** · **esfuerzo** · **fuerza** || **influencia** *De nada servirá que amenace con desplegar sus influencias si no aceptamos su plan* · **poder** · **recurso** · **medio**

● CON ADVS. **abiertamente** · **ampliamente** · **completamente** || **aparatosamente** · **espectacularmente** || **ordenadamente** · **en orden de combate** || **rápidamente** *Las tropas se desplegaron rápidamente sobre la zona*

despliegue s.m.

● CON ADJS. **total** · **completo** · **amplio** *un amplio despliegue militar en la zona del conflicto* · **gran(de)** · **intensivo** · **rápido** *Las autoridades ordenaron un rápido despliegue policial* · **generoso** · **ostensible** · **creciente** || **brutal** · **abrumador** · **apabullante** || **pacífico** || **aparatoso** · **efectista** · **efectivo** · **espectacular** · **inusitado** || **policial** · **de seguridad** · **armado** · **armamentístico** · **defensivo** · **militar** · **ofensivo** · **técnico** · **propagandístico** · **publicitario** *Cada proceso electoral supone un nuevo despliegue publicitario* · **mediático** · **informativo** · **humano** · **físico** · **territorial** · **de medios**

● CON SUSTS. **proceso (de)** · **momento (de)** · **oportunidad (de)** · **necesidad (de)** || **plan (de)** · **operación (de)** || **capacidad (de)**

● CON VBOS. **ordenar** · **disponer** · **autorizar** · **permitir** · **aprobar** · **respaldar** || **organizar** · **preparar** *Las emisoras* *están preparando un gran despliegue mediático* || **iniciar · llevar a cabo · completar · presentar · producir · redoblar** || **suspender** *Se suspendió el despliegue armamentístico por la presión internacional* · **frenar** || **resistirse (a)**

desplomarse v.

●CON SUSTS. **edificio · muro · puente · techo · tejado ·** ***otras edificaciones*** || ***persona*** *Su madre se desplomó al saber la noticia* || **bolsa · economía** *La economía se desplomará si no se resuelve la crisis* || **empresa**

●CON ADVS. **aparatosamente · pesadamente · espectacularmente** || **literalmente** *El edificio se desplomó literalmente delante de nuestros ojos* || **anímicamente · psicológicamente**

desplumar v.

▮ [quitar las plumas]

●CON SUSTS. **pollo · pavo** *Desplumó el pavo y se dispuso a prepararlo* · **ave · gallina · perdiz · animal**

▮ [robar, estafar] *col.*

●CON SUSTS. ***persona*** *A mi amigo lo asaltaron un par de facinerosos y lo desplumaron*

●CON ADVS. **completamente · totalmente · absolutamente** || **sin piedad** *un gobernante que desplumó al pueblo sin piedad* || **pacientemente · a conciencia**

□USO Los adverbios son comunes a los dos sentidos.

despoblarse v.

●CON ADVS. **progresivamente** *Las zonas rurales se iban despoblando progresivamente* · **paulatinamente · poco a poco** || **inexorablemente · inevitablemente · irremisiblemente** || **completamente · totalmente · parcialmente**

despojar(se) (de) v.

●CON SUSTS. **toalla** *Se despojó de la toalla y se lanzó a la piscina* · **ropa · chaqueta ·** ***otras prendas de vestir*** || **adornos · accesorios · mueble · joya ·** ***otros objetos*** || **pertenencias** *Decidió despojarse de sus pertenencias y retirarse a un monasterio* · **bienes · dinero · riqueza · patrimonio** || **derecho · nacionalidad · identidad · dignidad ·** ***otros atributos*** || **cultura · historia** || **sentido · argumento · razón** || **poder · cargo** *Lo despojaron de su cargo y tuvo que abandonar la empresa* · **puesto · función** || **inmunidad · privilegio** || **prejuicio · esperanza** || **virtud · honor · valor**

●CON ADVS. **totalmente · completamente** || **a la fuerza · brutalmente · voluntariamente** || **violentamente · sin conmiseración** || **progresivamente · poco a poco**

de sport loc.adv./loc.adj.

●CON VBOS. **vestir** *No me gusta vestir de sport* · **ir · pasear · acudir**

●CON SUSTS. **ropa · conjunto · vestuario · atuendo** || **pantalón · vestido · blusa · camisa ·** ***otras prendas de ropa*** || **carro · coche**

desportillar(se) v.

●CON SUSTS. **cerámica · jarrón · plato · vaso · vasija · porcelana · botijo ·** ***otros objetos***

déspota

1 déspota adj.

●CON SUSTS. ***persona*** *Fue un gobernante déspota y cruel* || **carácter · actitud · trato**

2 déspota s.com.

●CON ADJS. **verdadero,ra** || **poderoso,sa** *Un poderoso déspota ocupó el poder durante cinco años* || **temible · peligroso,sa** || **ilustre · ilustrado,da**

●CON VBOS. **alcanzar el poder · imponer(se)** || **encarnar** || **derribar · derrocar** *Intentaron infructuosamente derrocar al déspota* · **destituir** || **soportar · sufrir** || **acusar (de)** || **ejercer (de)**

despóticamente adv.

●CON VBOS. **gobernar · mandar · controlar · dirigir · oprimir** || **exigir · imponer** *Los nuevos dirigentes impusieron despóticamente su voluntad* || **actuar**

despótico, ca adj.

●CON SUSTS. ***persona*** || **gesto · actitud** *El gobernante mantuvo una actitud despótica y prepotente* · **carácter · estilo · talante · imagen** || **comportamiento** *Fue culpado por su comportamiento egoísta y despótico* · **actuación · decisión · intervención · criterio** || **régimen · poder · gobierno · reinado · sistema · autoritarismo** || **disciplina · ley · decreto**

despreciable adj.

▮ [abominable, ignominioso]

●CON SUSTS. ***persona*** || **conducta · acto · actuación · comportamiento · maniobra · oportunismo** || **acusación · comentario · palabras · expresión ·** ***otras manifestaciones verbales*** || **imagen · aspecto**

●CON ADVS. **absolutamente · totalmente · completamente** *Su conducta fue completamente despreciable* || **socialmente**

▮ [insignificante, de poco valor]

●CON SUSTS. **cifra · porcentaje · suma · cantidad** *Les han robado una cantidad de dinero nada despreciable* · **número · dato** || **consecuencia · efecto** || **coste · beneficio**

●CON ADVS. **económicamente · estadísticamente · políticamente**

despreciar(se) v.

●CON ADVS. **absolutamente** || **olímpicamente · arrogantemente · con altanería · con soberbia** || **manifiestamente · visiblemente · públicamente** || **sistemáticamente** *Desprecia sistemáticamente todas nuestras propuestas*

desprecio s.m.

●CON ADJS. **absoluto · gran(de)** *Sentía un gran desprecio por todo lo que la rodeaba* · **olímpico · infinito · profundo · verdadero · hondo · terrible · total · acendrado** || **altivo · contundente · rotundo** || **visible · ostensible · claro · patente · flagrante · notorio** || **instintivo** *Su desprecio era instintivo; no podía evitarlo* · **visceral** || **inmerecido**

●CON SUSTS. **gesto (de)** *Se lo devolvió con un gesto de profundo desprecio* · **ademán (de) · muestra (de) · demostración (de) · tono (de) · señal (de) · visos (de)**

●CON VBOS. **crecer · disminuir** || **granjearse** *Con su actitud se granjeó el desprecio de sus compañeros* · **suscitar · inspirar · provocar · causar · merecer · recibir** || **sentir · rezumar** *una mirada que rezuma desprecio* || **manifestar · expresar · demostrar · exteriorizar · mostrar** || **notar · percibir**

●CON PREPS. **con · sin**

desprender(se) v.

• CON SUSTS. **aroma** *el aroma que desprende el café recién hecho* · **calor** · **energía** · **fuego** · **olor** · **líquido** · **hedor** · **tufo** || **alegría** · **optimismo** *Sus palabras desprendían optimismo* · **sensación** || **conclusión** *Del estudio se desprendieron conclusiones esclarecedoras* · **consecuencia** · **resultado** || **dato** · **indicio** || **idea** · **opinión** · **sugerencia** · **duda** || **responsabilidad**

desprendido, da adj.

• CON SUSTS. ***persona*** *una mujer cariñosa y desprendida* || **gesto** · **actitud**

• CON ADVS. **completamente** · **totalmente**

desprendimiento

1 **desprendimiento** s.m.

• CON ADJS. **gran(de)** · **pequeño** || **grave** *Un grave desprendimiento de rocas bloqueó la carretera* · **traumático** · **fatal** · **demoledor** || **accidental** · **casual** · **estructural** || **súbito** · **continuo** · **inevitable** || **imprevisible** · **inesperado**

• CON SUSTS. **riesgo (de)** *Una señal anunciaba el riesgo de desprendimientos* · **peligro (de)** · **posibilidad (de)** || **símbolo (de)** · **señal (de)**

• CON VBOS. **producir(se)** · **registrar(se)** · **ocurrir** || **dañar (a algo/a alguien)** || **causar** · **motivar** · **provocar** · **ocasionar** || **prevenir** · **evitar** *Pusieron grandes redes para evitar el desprendimiento del terreno* · **impedir** · **controlar** || **sufrir** || **avisar (de)** · **alertar (de)** · **advertir (de)**

2 **desprendimiento (de)** s.m.

• CON SUSTS. **tierra** · **rocas** · **piedras** · **terreno** · **carbón** || **hielo** · **nieve** · **iceberg** || **retina** · **placenta** · ***otros órganos*** || **cornisa** · **marquesina** · **baldosa** · **cable** · **tejado** · **cascotes** · **cristales**

despreocuparse (de) v.

• CON SUSTS. **hijo,ja** · **invitado,da** *Despreocúpate ya de los invitados, que están muy bien atendidos* · **familia** · **sociedad** · ***otros individuos y grupos humanos*** || **problema** · **trabajo** · **salud** *No debería despreocuparse tanto de su salud* || **tema** · **asunto** · **cuestión** || **compromiso** · **obligación** · **tarea** · **deber**

• CON ADVS. **completamente** · **totalmente**

desprestigiar v.

• CON SUSTS. **presidente,ta** *una campaña para desprestigiar al presidente* · **jefe,fa** · **gobierno** · **parlamento** · **empresa** · **asociación** · **rival** · **pueblo** · ***otros individuos y grupos humanos*** || **imagen** *graves hechos que desprestigian la imagen del país en el exterior* || **actividad** · **profesión** · **labor** · **trabajo** · **gestión** · **política** · **democracia** · **servicio**

• CON ADVS. **totalmente** · **enormemente** || **políticamente** · **internacionalmente** || **socialmente** · **personalmente** · **profesionalmente** *Trabajar como abogada del polémico empresario podía desprestigiarla profesionalmente* · **científicamente** || **indiscriminadamente** · **vilmente** · **injustamente** || **indirectamente**

desprestigio s.m.

• CON ADJS. **absoluto** *...tras caer en el más absoluto desprestigio* · **total** · **tremendo** · **grave** · **profundo** · **considerable** · **claro** · **hondo** · **rotundo** · **serio** · **amargo** · **severo** || **inevitable** || **creciente** *el creciente desprestigio de nuestros productos* · **progresivo** || **injustificado** · **injusto** · **justificado** · **justo** || **internacional**

• CON SUSTS. **causa (de)** · **consecuencia (de)** · **motivo (de)** · **fuente (de)** || **campaña (de)** · **intento (de)** · **imagen (de)** || **nivel (de)**

• CON VBOS. **aumentar** *El desprestigio de la empresa aumentó tras las últimas denuncias* || **ocasionar** · **acarrear** · **causar** · **sembrar** · **generar** || **cosechar** · **alcanzar** || **sufrir** · **arrastrar** · **padecer** || **constituir** · **suponer** *unas afirmaciones que no suponen ningún desprestigio para esta empresa* || **evitar** · **vencer** · **salvar** || **caer (en)** · **ir (en)** · **hundir(se) (en)** · **sumir(se) (en)** || **acabar (con)** *Una simple campaña publicitaria no acaba con el desprestigio de una marca* · **resarcir(se) (de)** · **enfrentar(se) (a)**

desprevenido, da adj.

• CON VBOS. **estar** || **coger (a alguien)** · **pillar (a alguien)** *No quiero que me pille desprevenida* · **encontrar (a alguien)** · **agarrar (a alguien)**

desproporción s.f.

• CON ADJS. **enorme** *una enorme desproporción entre el precio y la calidad* · **gran(de)** · **marcada** · **tremenda** · **inmensa** · **acusada** · **completa** · **creciente** || **clara** · **evidente** · **visible** · **notable** · **sensible** · **notoria** · **patente** || **llamativa** · **relevante** || **ligera** · **leve** || **aparente** *la desproporción aparente entre el tiempo invertido y los resultados logrados*

• CON VBOS. **producir(se)** · **existir** || **provocar** · **originar** · **causar** || **justificar** · **subrayar** || **compensar** · **nivelar** · **corregir** · **reducir** *para reducir la desproporción que existe entre la oferta y la demanda* · **resolver** · **subsanar** · **mantener** || **dar lugar (a)**

desproporcionadamente adv.

• CON VBOS. **aumentar** *El número de visitantes aumentó desproporcionadamente* · **crecer** · **subir** · **extender(se)** || **bajar** · **disminuir** || **beneficiar** · **favorecer** · **dañar** · **perjudicar** || **responder** *Respondió desproporcionadamente a mi inocente pregunta* || **gravar** || **gastar**

• CON ADJS. **alto** · **amplio** · **grande** · **voluminoso** || **bajo** *El número de obras era desproporcionadamente bajo en relación con el de otros países* · **pequeño** · **reducido** || **violento**

desproporcionado, da adj.

• CON SUSTS. **medida** · **cantidad** · **número** · **dimensión** · **volumen** · **diferencia** || **crecimiento** *Las nuevas medidas provocarán un crecimiento desproporcionado* · **aumento** · **subida** · **incremento** || **respuesta** · **reacción** · **ataque** · **asalto** || **castigo** · **pena** · **sentencia** · **sanción** || **sueldo** · **gasto** *Se trata de reducir el gasto desproporcionado de energía* · **cifra** · **coste** · **derroche** || **pelea** · **violencia** || **actuación** · **intervención** · **uso** || **importancia** · **ayuda** · **afecto** · **cuidado**

• CON ADVS. **claramente** · **aparentemente** || **absolutamente** · **totalmente** · **completamente** *Sorprendió a todos con una respuesta completamente desproporcionada* || **escandalosamente** · **abusivamente** · **exageradamente**

• CON VBOS. **considerar (algo)** *El Gobierno consideró desproporcionadas las sanciones impuestas* · **juzgar (algo)** · **resultar** · **volverse**

despropósito s.m.

• CON ADJS. **absoluto** · **auténtico** *Presentarse de aquella forma fue un auténtico despropósito por su parte* · **completo** · **enorme** · **gran(de)** · **total** · **puro** || **bárbaro** · **cruel** · **bochornoso** || **generalizado** || **semejante**

• CON SUSTS. **cúmulo (de)** *Todo esto no es solamente un cúmulo de despropósitos* · **serie (de)** · **sarta (de)** · **cadena (de)** || **juego (de)**
• CON VBOS. **cometer** · **decir** · **soltar** *No paró de soltar despropósitos durante toda la cena* || **evitar** · **permitir** || **constituir** · **representar** || **acumular** || **calificar (de)** || **caer (en)**

[despuntar] → despuntar; despuntar(se)

despuntar v.

▮ [nacer]

• CON SUSTS. **sol** · **alba** · **amanecer** || **día** *Salió de casa cuando empezaba a despuntar el día* · **año** · **siglo** · **curso** · ***otros periodos***

▮ [destacar]

• CON SUSTS. **jugador,-a** · **cantante** · **artista** *un artista muy joven que despunta en el panorama musical* · **equipo** · ***otros individuos y grupos humanos*** || **nombre** · **figura** · **imagen** || **crecimiento** · **mejora** · **aceleración** || **empresa** · **compañía** · **acción** · **beneficio** · **comercio** · **crisis** · **recuperación** *Parece que empieza a despuntar una tenue recuperación económica* · **sector** · **producción** · **venta** || **película** · **cine** · **obra** · **pintura** · **partitura** || **habilidad** · **iniciativa** · **talento** · **vocación** · **creatividad**

despuntar(se) v.

• CON SUSTS. **lápiz** · **cuchillo** · **lanza** || **toro**

desquitarse (de) v.

• CON SUSTS. **derrota** *El equipo se desquitó con tres goles de la última derrota* · **fracaso** · **eliminación** · **caída** · **revés** · **goleada** || **afrenta** · **desliz** · **error** · **golpe** · **desmán** · **atropello** · **humillación** *...para desquitarse de las repetidas humillaciones a las que había estado sometido*
• CON ADVS. **a lo grande** · **parcialmente** · **ampliamente** || **a gusto** *Por fin pudieron desquitarse a gusto de la goleada sufrida ante...* · **de una vez por todas** || **rápidamente**

destacadamente adv.

• CON VBOS. **ayudar** · **contribuir** *El promotor contribuyó destacadamente a la financiación del proyecto* · **intervenir** · **participar** · **tomar parte** || **aparecer** · **figurar** · **incluir** · **ocupar** || **diferenciarse** · **distinguirse** · **percibir** · **sobresalir** *una obra dramática que sobresale muy destacadamente sobre las demás* · **llamar la atención** || **actuar**

[destajo] → a destajo

destapar v.

▮ [sacar a la luz]

• CON SUSTS. **fraude** · **corrupción** · **crimen** · **delito** · **estafa** · **escándalo** *Fue quien destapó el escándalo de corrupción* · **affaire** · **soborno** || **secreto** · **sospecha** · **misterio** · **rumor** · **noticia** *el periodista que destapó la noticia* · **exclusiva** · **información** || **verdad** · **realidad** · **evidencia** || **irregularidad** · **anomalía** · **deficiencia** · **defecto** · **error** · **fallo** *La investigación ha destapado los innumerables fallos cometidos en la tramitación de la obra* || **trama** · **conspiración** · **entramado** · **complot** · **conjura** · **plan** · **estrategia** || **negocio** · **relación** · **gestión** · **trato** · **negociación** || **problema** · **crisis** *El episodio destapó una profunda crisis larvada en el seno del partido* · **lío** · **embrollo** · **caos** · **tinglado** || **alegría** · **deseo** · **euforia** · **pasión** || **hipocresía** · **frustración** · **crueldad** · **vergüenza** || **pista** · **clave** · **prueba**

destartalado, da adj.

• CON SUSTS. **coche** · **autobús** *Viajamos toda la noche en un autobús destartalado* · **bicicleta** · ***otros medios de transporte*** || **casa** *El barrio estaba formado por cuatro casas destartaladas* · **edificio** · **cuartel** · **almacén** · ***otros lugares*** || **instalación** · **máquina** · **equipo** · **motor** · **aparato** || **silla** · **mesa** · ***otros muebles*** || **aspecto** · **aire**
• CON ADVS. **completamente** · **totalmente** *El único aparato de radio que había estaba totalmente destartalado* || **considerablemente** · **ligeramente**
• CON VBOS. **estar** · **quedar(se)**

destellar v.

• CON SUSTS. **estrella** · **luz** · **sol** *El sol de la mañana destellaba en el cristal* · **brillo** || **anillo** · **oro** · **perla** · **rubí** · **esmeralda** · **piedra** || **intermitente** · **faro** || **cuchillo** · **cristal** · **metal**
• CON ADVS. **vívidamente** *Las luces de la ciudad destellaban vívidamente en el horizonte* · **con fuerza** · **tenuemente** || **fugazmente**

destello

1 **destello** s.m.

• CON ADJS. **brillante** · **cegador** *deslumbrado por el destello cegador del faro* · **fuerte** · **luminoso** · **prolongado** || **pequeño** · **breve** · **fugaz** · **instantáneo** · **efímero** || **aislado** · **ocasional** · **inesperado**
• CON SUSTS. **lluvia (de)**
• CON VBOS. **aparecer** · **surgir** || **cegar (a alguien)** || **emitir** · **lanzar** *Desde el bote lanzaban destellos con una linterna para pedir auxilio* · **producir** · **mostrar** · **provocar** || **notar** · **percibir** || **recibir**

2 **destello (de)** s.m.

• CON SUSTS. **energía** · **luz** || **magia** · **vitalidad** · **torería** || **agudeza** · **ingenio** *un fugaz destello de ingenio* · **inteligencia** · **talento** · **brillantez** · **imaginación** · **lucidez** · **intuición** || **emoción** *Notó en sus palabras un fugaz destello de emoción* · **esperanza** · **hondura** · **intensidad** · **humor** · **ironía** · **optimismo** || **clase** · **estilo** · **arte** · **calidad**

[destemplado, da] → con cajas destempladas

destensar v.

• CON SUSTS. **cuerda** · **nudo** *Si se destensa el nudo, tendrás que volver a apretarlo* · **alambre** || **nervios** || **piel** · **mandíbula** · **músculo** · **rostro** · **cara** || **conflicto** || **ambiente** *Su llegada contribuyó a destensar el ambiente* · **situación** · **clima**
• CON ADVS. **progresivamente** · **paulatinamente** || **ligeramente**

desterrar v.

▮ [expulsar de un país]

• CON SUSTS. ***persona*** *El escritor vivió diez años desterrado*
• CON ADVS. **brutalmente** · **violentamente** *Fueron violentamente desterrados de su patria* · **injustamente** · **forzosamente** || **temporalmente**

▮ [desechar, apartar]

• CON SUSTS. **costumbre** · **hábito** · **manía** *Ya va siendo hora de desterrar ciertas manías* · **uso** · **tradición** · **mito** || **odio** · **rencor** · **oposición** · **enfrentamiento** · **confrontación** · **enemistad** || **miedo** · **terror** · **fantasma** · **misterio** · **temor** *desterrar definitivamente los temores que nos acechan* || **duda** · **sospecha** · **incertidumbre** · **sombra** ·

reticencia || mentira · falsedad · calumnia · corrupción · hipocresía *la urgente necesidad de acabar con el doble lenguaje y de desterrar la hipocresía y la falsedad* · cinismo || enfermedad · dolor · mal · idea · favoritismo · integrismo · hambre · miseria · venganza · pesimismo · rutina || sistema · método · pauta · modelo
• CON ADVS. **definitivamente** *con el objetivo de desterrar definitivamente una costumbre tan poco edificante* · **totalmente** · **completamente** · **prácticamente** || **socialmente** · **virtualmente**

destierro s.m.

• CON ADJS. **definitivo** · **temporal** || **breve** · **largo** · **prolongado** || **obligado** · **voluntario** · **forzoso** || **dramático** · **penoso** *Fue un largo y penoso destierro* · **fatídico** || **político** *El destierro político lo llevó a Europa* · **cultural** · **social** · **profesional** || **físico** · **espiritual** · **moral**
• CON SUSTS. **año (de)** · **período (de)** || **pena (de)**
• CON VBOS. **sufrir** *Sufrió el destierro durante veinte años* · **soportar** · **vivir** || **implicar** · **suponer** || **cumplir** · **abandonar** · **romper** || **solicitar** || **enviar (a)** · **conducir (a)** || **condenar (a)** · **obligar (a)** || **marchar (a)** *En dos ocasiones tuvo que abandonar a su familia para marchar al destierro* · **regresar (de)** || **salvar (de)** · **rescatar (de)**

destilar v.

▮ [separar convirtiendo en líquido]

• CON SUSTS. **vapor** || **alcohol** *destilar alcohol con un alambique* · **queroseno** || **vino** · **licor** · **ron** · ***otras bebidas alcohólicas*** || **esencia** · **fragancia** || **pétalo** *Destilan pétalos de rosa para obtener exquisitas fragancias* · **planta**

▮ [soltar gota a gota]

• CON SUSTS. **agua** · **suero** · **líquido** || **pus** *La herida comenzó a destilar pus* · **sudor** · **sangre**

▮ [mostrar, poner de manifiesto, revelar]

• CON SUSTS. **aroma** · **sabor** · **olor** · **tufo** · **acidez** || **odio** · **rencor** · **ira** · **resentimiento** *Sus palabras destilaban resentimiento y rencor* · **indignación** · **agresividad** · **belicosidad** · **acritud** · **maldad** · **hartazgo** · **tedio** · **prepotencia** · **sectarismo** || **tristeza** · **amargura** *El relato destila amargura en todas sus páginas* · **desencanto** · **pesimismo** · **fatalismo** · **miedo** · **temor** · **preocupación** · **desasosiego** || **alegría** · **entusiasmo** · **satisfacción** · **felicidad** · **optimismo** · **triunfalismo** || **calidad** · **clase** · **sabiduría** · **autenticidad** · **honestidad** · **humildad** · **sobriedad** · **madurez** · **honradez** · **experiencia** · **lucidez** · **talento** *una novela que destila talento y sensibilidad* · **inteligencia** · **creatividad** · **imaginación** || **elegancia** · **lirismo** · **dulzura** · **delicadeza** · **encanto** · **bondad** *Su actitud ante la vida destila bondad* · **simpatía** · **sensibilidad** · **belleza** · **sensualidad** || **ironía** · **humor** · **humorismo** · **sátira** · **sarcasmo** || **tranquilidad** *Su presencia destilaba tranquilidad* · **calma** · **armonía** · **equilibrio** || **seguridad** · **convicción** · **convencimiento** · **confianza** || **fuerza** · **vitalidad** *Sus canciones destilan vitalidad y energía* · **energía** · **intensidad** || **magia** · **misterio** · **exotismo** · **magnetismo** · **aura** · **fantasía** || **esencia** · **espíritu** · **quintaesencia** || **recuerdo** · **idea** · **pensamiento** *páginas que destilan un pensamiento político intolerante que bordea el racismo* · **ignorancia** · **desconocimiento** · **conocimiento** || **prejuicio** · **opinión** · **ideología**

destilería s.f.

• CON ADJS. **clandestina** *La Policía ha desmantelado una nueva destilería clandestina* · **ilegal** · **legal** || **casera** · **artesanal** · **tradicional** || **privada**
• CON SUSTS. **alambique (de)** · **caldera (de)** *Las calderas de la destilería están a pleno rendimiento* · **torre (de)**
➤ Véase también **ESTABLECIMIENTO**

destinar v.

• CON SUSTS. **dinero** *Este dinero lo destino a mis gastos personales* · **recursos** · **fondos** · **presupuesto** · **salario** · **sueldo** · **ahorros** · **abono** · **ingresos** · **beneficios** · **partida** · **recaudación** || **energía** *Destina toda su energía al estudio y la investigación* · **esfuerzo** || **porcentaje** · **parte** || ***persona*** *el contingente de soldados destinados a África*
• CON ADVS. **íntegramente** · **completamente** · **totalmente** || **exclusivamente** · **principalmente** *Las ayudas iban destinadas principalmente a los damnificados por el terremoto* · **fundamentalmente** || **anualmente** · **mensualmente** · **periódicamente**

destinatario, ria

1 destinatario, ria adj.

• CON SUSTS. **persona** · **país** · **público** *una vez determinado el público destinatario de la obra*

2 destinatario, ria s.

• CON ADJS. **final** · **último,ma** || **principal** *La revista tiene a los jóvenes como principal destinatario* · **único,ca** · **natural** || **real** · **falso,sa** · **anónimo,ma** · **auténtico,ca** || **concreto,ta** · **explícito,ta** · **hipotético,ca** · **supuesto,ta** · **desconocido,da** || **directo,ta** · **inmediato,ta** · **indirecto,ta** · **fijo,ja** || **dirigido,da (a)**
• CON SUSTS. **señas (de)** · **dirección (de)** || **firma (de)** · **recepción (por)**
• CON VBOS. **recibir** · **firmar** *El destinatario ha de firmar un recibo* || **localizar** · **encontrar** || **identificar** · **conocer** · **establecer** · **averiguar** · **esclarecer** · **especificar** || **engañar** || **tener (como)** *El discurso tuvo como destinatario final al sector empresarial* || **llegar (a)** || **figurar (como)** · **aparecer (como)** || **equivocarse (de)** || **cambiar (de)**
• CON PREPS. **para** · **sin**

destino s.m.

▮ [cargo, empleo]

• CON ADJS. **deseado** · **codiciado** · **solicitado** *El suyo era uno de los destinos más solicitados en la administración* || **buen(o)** · **cómodo** · **tranquilo** || **mal(o)** · **duro** · **peligroso** || **temporal** · **transitorio** *Este año todavía tengo un destino transitorio* || **permanente** · **fijo** · **definitivo** || **inmediato** · **inminente** || **obligado** · **forzoso** *Se le adjudicó un destino forzoso en otra comunidad autónoma* · **voluntario** || **pendiente (de)**
• CON SUSTS. **cambio (de)** *Había solicitado un cambio de destino*
• CON VBOS. **pedir** *Todo el mundo pide destinos cercanos a su lugar de residencia* · **solicitar** · **exigir** · **buscar** · **elegir** · **dar** · **recomendar** · **sugerir** · **aceptar** · **pactar** || **aprobar** · **confirmar** *Ya me confirmaron mi destino en el ministerio* · **ratificar** · **sentenciar** · **conocer** || **evitar** · **revocar** · **anular** || **carecer (de)** || **cambiar (de)**

▮ [punto de llegada]

• CON ADJS. **final** · **último** || **turístico** *uno de los principales destinos turísticos de la región* || **frecuente** · **preferido** · **predilecto** · **solicitado** || **hermoso**
• CON SUSTS. **estación (de)** · **aeropuerto (de)** · **puerto (de)**
• CON VBOS. **desviar(se) (de)** · **llegar (a)** *Llegaron a su destino sanos y salvos*

I [sino, suerte]

● CON ADJS. **cruel** *Ignoramos qué nos deparará el cruel destino* · **negro** · **trágico** · **terrible** · **fatídico** · **desolador** · **aciago** · **frustrado** · **fulminante** · **funesto** · **implacable** · **infausto** || **halagüeño** · **honroso** · **fausto** · **providencial** || **ciego** · **azaroso** · **caprichoso** *el destino caprichoso que rige nuestras vidas* || **inevitable** · **ineludible** · **inexorable** · **fatal** · **irrenunciable** || **imponderable** · **impredecible** · **imprevisible** · **incierto** || **humano**

● CON SUSTS. **fuerza (de)** · **golpe (de)** || **ironía (de)** *Aquel encuentro fue una ironía del destino* · **paradoja (de)** · **capricho (de)** · **guiño (de)** · **fatalidad (de)** · **azar (de)**

● CON VBOS. **esperar (a alguien)** || **deparar (a alguien)** · **marcar (a alguien)** · **sonreír (a alguien)** *Por fin el destino le sonreía* · **regir (algo)** || **esclarecer(se)** · **nublar(se)** || **forjar** · **labrar** · **cumplir** · **alcanzar** · **tener** *El cuadro tuvo un curioso destino* || **aceptar** · **acatar** · **afrontar** *Está decidido a afrontar con valentía su destino, cualquiera que sea* · **asumir** · **llevar sobre {los hombros/las espaldas/la conciencia}** || **dar (a algo/a alguien)** || **buscar** · **perseguir** · **encontrar** · **dilucidar** · **dirigir** · **encarrilar** · **enderezar** || **adivinar** · **conocer** · **atisbar** · **augurar** · **anunciar** · **prever** · **vislumbrar** || **lamentar** *El héroe de la tragedia lamenta al comienzo del tercer acto su infausto destino* · **justificar** || **burlar** · **desafiar** · **detener** · **frenar** · **impedir** || **llegar (a)** · **desembocar (en)** || **abandonar(se) (a)** *Han sido cruelmente abandonados a su destino* · **resignarse (a)** || **cerrar los ojos (ante)** · **desentenderse (de)** · **escapar (a)** || **luchar (contra)** · **rebelarse (contra)**

● CON PREPS. **en manos (de)**

destitución s.f.

● CON ADJS. **fulminante** *la destitución fulminante del cargo* · **inmediata** · **brusca** · **sin contemplaciones** · **irrevocable** || **efectiva** || **cautelar**

● CON SUSTS. **proceso (de)** · **decreto (de)** || **motivo (de)** · **causa (de)** · **razón (de)**

● CON VBOS. **producir(se)** || **decidir** · **decretar** · **ordenar** · **firmar** · **pedir** || **impugnar** · **revocar** || **provocar** · **causar**

● CON PREPS. **a favor (de)** · **al borde (de)**

destituir (de) v.

● CON SUSTS. **cargo** *La comisión destituyó al secretario de todos sus cargos* · **puesto** · **función** *Y fue por ello destituido de todas sus funciones*

● CON ADVS. **de inmediato** · **en el acto** *La responsable del error fue destituida en el acto* · **fulminantemente** · **repentinamente** · **sin vacilaciones** · **temporalmente** · **de forma inminente** || **legalmente** · **judicialmente**

destreza s.f.

● CON ADJS. **enorme** *Fue adquiriendo una enorme destreza con aquella complicada máquina* · **gran(de)** · **magnífica** · **magistral** · **verdadera** · **inigualable** · **sin igual** · **sublime** · **apreciable** · **creciente** || **evidente** · **innegable** *una innegable destreza con el balón* · **incuestionable** · **notable** || **envidiable** · **sorprendente** || **escasa** · **relativa** || **peculiar** · **especial** · **singular** *su singular destreza para el baile* || **habitual** || **física** · **técnica** · **manual** · **diplomática** · **política** · **matemática**

● CON SUSTS. **demostración (de)** · **grado (de)** · **nivel (de)** || **prueba (de)** · **ejercicio (de)**

● CON VBOS. **adquirir** · **ganar** · **poseer** · **tener** · **aportar** · **perder** || **demostrar** *Había demostrado una sorprendente destreza con el cálculo matemático* · **mostrar** || **desarrollar** · **trabajar** · **cultivar** · **derrochar** || **requerir** *un trabajo que no requiere ninguna destreza manual* || **medir** || **hacer gala (de)** *Le gustaba hacer gala de su destreza física*

● CON PREPS. **con**

destripar v.

● CON SUSTS. **ave** · **pollo** · **cerdo,da** · ***otros animales*** || **teléfono** · **reloj** · **televisor** · **muñeca** · ***otros objetos*** || **final** *Si te sigo contando la película, te voy a destripar el final* · **argumento** · **trama** || **intriga** · **misterio** · **intencionalidades** · **entresijos** || **discurso** · **texto** · **novela** · **relato** · **película** · ***otras obras*** || **estilo** · **lenguaje** || **tópico** · **prejuicio** · **cliché**

destronar v.

● CON SUSTS. **rey** *la revolución que destronó al rey* · **reina** · **emperador** · **emperatriz** · **príncipe** · **princesa** · **monarquía** || **campeón,-a** *No hizo lo suficiente para destronar al actual campeón* · **candidato,ta** · **líder** · **jugador,-a** · **ídolo**

destrozar v.

● CON ADVS. **a golpes** · **a patadas** *Destrozó la puerta a patadas* · **a tiros** · **a cañonazos** || **verbalmente** · **dialécticamente** · **argumentalmente** || **brutalmente** · **violentamente** · **con saña** · **agresivamente** · **aparatosamente** · **bruscamente** || **sin contemplaciones** *Han destrozado sin contemplaciones el jardín* · **sin piedad** · **tajantemente** · **categóricamente** · **enérgicamente** || **a propósito** · **con alevosía** || **por completo** · **completamente** · **totalmente** · **literalmente** *El peso de las esculturas hubiera destrozado literalmente el edificio* || **sistemáticamente** · **poco a poco** || **psicológicamente**

destrozo s.m.

● CON ADJS. **grave** · **serio** · **importante** · **aparatoso** || **vandálico** · **violento** || **cuantiosos** · **innumerables** *Los asaltantes cometieron innumerables destrozos* · **múltiples**

● CON SUSTS. **autor,-a (de)** · **responsable (de)** || **arreglo (de)** · **reparación (de)**

● CON VBOS. **causar** *El temporal causó importantes destrozos en las viviendas* · **provocar** · **ocasionar** · **producir** || **cometer** · **realizar** · **efectuar** || **sufrir** · **evitar** || **arreglar** · **reparar** · **pagar** *La aseguradora debe pagar los destrozos* || **denunciar** · **registrar**

destrucción s.f.

● CON ADJS. **absoluta** · **total** · **masiva** *Había que impedir la destrucción masiva de aquellas especies* · **fulminante** || **constante** · **permanente** · **sistemática** || **implacable** · **inexorable** || **deliberada** *Los vecinos denunciaron la destrucción deliberada de mobiliario urbano* · **accidental** || **patente** · **latente** || **parcial** · **gradual** · **paulatina** · **progresiva** · **lenta** || **fatal** · **violenta**

● CON SUSTS. **arma (de)** *No encontraron armas de destrucción masiva* · **proceso (de)** · **plan (de)** || **capacidad (de)** · **riesgo (de)** · **amenaza (de)**

● CON VBOS. **causar** · **ocasionar** · **provocar** · **entrañar** · **originar** · **producir** · **engendrar** · **generar** || **ordenar** *Habían ordenado la destrucción de todas las pruebas incriminatorias* · **proyectar** · **iniciar** · **llevar a cabo** · **proponer(se)** · **conseguir** || **evitar** · **impedir** || **sufrir** || **proceder (a)** · **llevar (a)** · **abocar (a)** || **oponerse (a)**

destructivo, va adj.

● CON SUSTS. **guerra** · **arma** · **lucha** · **violencia** · **agresividad** || **fuerza** · **poder** · **capacidad** · **impulso** · **potencial** *Estas armas tienen un gran potencial destructivo* · **carga** · **potencia** || **instinto** · **carácter** · **pasión** · **afán** · **espíritu** || **crítica** · **oposición** · **censura** || **mensaje** · pa-

labra || **sociedad** || **efecto** · **impacto** · **consecuencia** · **acción** *La acción destructiva de este virus incluye la eliminación de archivos* || **tendencia** · **actitud** · **estrategia** · **táctica** · **política**
● CON ADVS. **altamente** · **terriblemente** · **inmensamente** · **tremendamente** · **extremadamente** · **sumamente** · **profundamente** || **totalmente** · **absolutamente** *una medida absolutamente destructiva para nuestra economía* || **brutalmente** · **furiosamente** · **estremecedoramente** || **potencialmente** · **claramente** || **intencionadamente** · **deliberadamente**

destruir v.

● CON SUSTS. **ciudad** · **edificio** · **mueble** · **muro** · **cimientos** · **pilar** · ***otros objetos físicos*** || **enemigo,ga** · **adversario,ria** · **oponente** · **contrincante** · **rival** · **equipo** · **población** · **sociedad** · ***otros individuos y grupos humanos*** || **estado** · **régimen** · **sistema** || **unión** · **unidad** · **alianza** || **amistad** · **fraternidad** · **entusiasmo** || **fe** · **convicciones** · **firmeza** · **mentalidad** || **prueba** · **papel** · **documento** || **fama** · **imagen** *El escándalo destruyó su imagen de un plumazo* · **reputación** · **mito** || **medio ambiente** *elementos contaminantes que destruyen el medio ambiente* · **naturaleza** · **bosque** · **especie** · **vida** · **paisaje** · **paraje** · **lugar** · **entorno**
● CON ADVS. **a golpes** · **a patadas** · **a martillazos** || **concienzudamente** *Alguien destruyó concienzudamente todos los documentos comprometedores* || **en (mil) pedazos** · **por completo** · **totalmente** · **plenamente** || **a toda costa** · **a todo trance** || **bruscamente** · **de un plumazo** · **con alevosía** · **furiosamente** · **violentamente** || **implacablemente** · **inexorablemente** · **sistemáticamente** · **literalmente** || **psicológicamente**

desuso s.m.

● CON ADJS. **absoluto** · **total** · **franco** || **progresivo** · **gradual** · **paulatino** · **repentino** || **condenado,da (a)**
● CON VBOS. **caer (en)**
● CON PREPS. **en** *Muchas costumbres y tradiciones de la región están ya en desuso*

desvaído, da adj.

● CON SUSTS. **color** *En sus cuadros suelen predominar los colores desvaídos* · **tono** || **fondo** · **fotografía** · **huella** · **imagen** · **paisaje** · **pincelada** · **cuadro** || **cara** · **apariencia** · **sonrisa** *Apareció ante las cámaras con una sonrisa desvaída que parecía de compromiso* · **gesto** || **voz** · **sonido** || **texto** · **descripción** · **mensaje** || **figura** · **representación** || **idea** · **recuerdo** *De aquel viaje solo conservo un recuerdo desvaído* · **memoria**
● CON VBOS. **estar** · **quedar(se)** *Se ha quedado desvaído de tanto usarlo*

desvalido, da adj.

● CON SUSTS. **niño,ña** *La fundación brinda asistencia a niños desvalidos* · **ciudad** · **población** *El bloqueo tiene nefastas consecuencias para la población desvalida* · ***otros individuos y grupos humanos*** || **cara** · **rostro** · **mirada** · **gesto** · **aire** · **imagen**
● CON ADVS. **absolutamente** · **completamente** *una mirada completamente desvalida* · **totalmente** || **aparentemente**
● CON VBOS. **estar** · **quedar(se)** · **sentir(se)** || **dejar** *La crisis del sector los dejó absolutamente desvalidos*

desvalijar v.

● CON SUSTS. **casa** · **banco** *Desvalijaron el banco en pocos minutos* · ***otros lugares*** || ***persona*** *Un par de atracadores desvalijaron a nuestros vecinos*
● CON ADVS. **por completo** · **totalmente** || **impunemente**

desvanecerse v.

▌[desmayarse]

● CON SUSTS. ***persona*** *A la muchacha le dio un mareo y se desvaneció*
● CON ADVS. **repentinamente** · **de repente**

▌[deshacerse, desaparecer]

● CON SUSTS. **límite** *Los límites entre las competencias de cada departamento se desvanecían* · **frontera** · **línea** · **borde** · **separación** · **barrera** || **voz** · **luz** · **sonido** · **murmullo** || **fama** · **popularidad** *Su popularidad ya se había desvanecido* || **sueño** · **ilusión** · **expectativa** · **esperanza** · **aspiración** · **deseo** · **interés** · **ambición** || **posibilidad** *Con esta deuda acumulada se desvanecen las posibilidades de que nos concedan el préstamo* · **oportunidad** · **perspectiva** · **proyecto** · **propósito** · **pretensión** · **intención** || **duda** · **incertidumbre** · **prejuicio** · **recelo** · **sospecha** *La sospecha de fraude, lejos de desvanecerse, se afianza más cada día* · **enigma** · **incógnita** · **vacilación** || **amenaza** · **peligro** · **miedo** · **temor** · **fantasma** · **preocupación** · **riesgo** || **mito** · **tópico** · **leyenda** *Han bastado unas pocas semanas para que se desvaneciera su leyenda* · **símbolo** || **idea** · **hipótesis** · **teoría** · **ideología** · **pensamiento** · **principio** || **victoria** · **éxito** · **triunfo** · **mejora** · **progreso** · **recuperación** || **amor** · **cariño** · **amistad** · **pasión** · **felicidad** · **euforia** · **alegría** · **confianza** *Nuestra confianza en él no se desvanece por un simple rumor* · ***otros sentimientos o sensaciones*** || **diferencia** · **distancia** · **desigualdad** · **ventaja** || **pacto** · **acuerdo** · **apoyo** · **colaboración** · **compromiso** · **solidaridad**
● CON ADVS. **como por encanto** *Al empezar la función, el temor de los pequeños se desvaneció como por encanto* · **como la espuma** · **como el humo** · **estrepitosamente** || **por completo** · **completamente** · **totalmente** · **plenamente** · **definitivamente** · **indefectiblemente** · **irremediablemente** || **paulatinamente** · **poco a poco** · **progresivamente** · **lentamente** · **ligeramente** || **repentinamente** · **de repente** · **bruscamente** · **rápidamente** · **con rapidez** · **inmediatamente**

desvanecimiento s.m.

● CON ADJS. **leve** · **ligero** · **breve** · **pequeño** · **pasajero** *No se preocupe usted, ha sido solo un desvanecimiento pasajero* || **profundo** · **fuerte** || **extraño**
● CON SUSTS. **causa (de)** · **origen (de)** || **amago (de)**
● CON VBOS. **sobrevenir (a alguien)** · **producirse** || **provocar** · **causar** || **sufrir** *Tuvieron que hospitalizarlo tras sufrir un desvanecimiento* · **padecer** || **fingir** · **simular**
● CON PREPS. **al borde (de)**

desvariar v.

● CON SUSTS. **mente** *Mi mente desvaría a estas horas de la madrugada* || ***persona***
● CON ADVS. **incontrolablemente** || **absolutamente** · **completamente** *Cuando llegó al sanatorio desvariaba completamente* · **totalmente** || **claramente** · **obviamente** · **realmente** · **verdaderamente**

desvarío s.m.

● CON ADJS. **total** · **auténtico** *Su propuesta me parece un auténtico desvarío* · **absoluto** · **verdadero** · **puro** || **alocado** · **enloquecido** · **absurdo** || **gran(de)** · **enorme** || **mental** · **pasional** · **natural** || **social** · **colectivo**
● CON VBOS. **mostrar** · **exponer** *un libro en el que expone sin pudor sus desvaríos mentales* · **presentar** || **producir** · **causar** || **criticar** · **perdonar** · **rechazar** || **evitar** · **detener** · **controlar** || **poner freno (a)** *¿Nadie se encargará de po-*

ner freno a estos desvaríos políticos? || **dar muestras (de)** · **caer (en)**

desvelar v.

■ [revelar, descubrir]

● CON SUSTS. **pasado** · **futuro** · **situación** · **panorama** · **suceso** · **hecho** || **secreto** · **enigma** · **misterio** *La sonda espacial tiene la misión de desvelar algunos de los grandes misterios que rodean al planeta Marte* · **incógnita** · **interrogante** · **duda** || **contenido** · **trama** · **entresijo** · **montaje** · **truco** · **argumento** || **clave** · **decisión** · **elección** · **conclusión** · **resultado** · **fórmula** · **solución** *El profesor no quiso desvelar la solución del problema* || **existencia** · **verdad** · **realidad** || **dato** · **noticia** · **información** *un sobre con información secreta que nadie está autorizado a desvelar* · **rumor** · **recuerdo** || **identidad** · **nombre** · **apariencia** · **imagen** · **perfil** · **rostro** || **carácter** · **personalidad** *Durante la entrevista, el periodista trató de desvelar la auténtica personalidad del artista* · **naturaleza** · **talante** · **actitud** · **conducta** || **aspecto** · **detalle** · **pormenor** · **faceta** · **peculiaridad** · **particularidad** · **característica** · **fragmento** · **circunstancia** *La investigación desvela detalladamente las circunstancias del suceso* || **intención** · **proyecto** · **objetivo** · **idea** · **propósito** · **plan** · **estrategia** · **propuesta** || **acción** · **actuación** · **intervención** · **operación** · **maniobra** · **misión** || **acuerdo** · **pacto** || **día** · **año** · **fecha** · **hora** || **coste** · **valor** · **precio** · **peso** · **altura** · **edad** *Nunca ha querido desvelar su edad* · ***otras magnitudes*** || **importancia** · **profundidad** || **origen** · **causa** · **estructura** · **condición** · **razón de ser**

● CON ADVS. **detalladamente** · **con detalle** · **minuciosamente** || **completamente** · **definitivamente** || **crudamente** · **sin tapujos** · **sin reservas** || **oficialmente** · **públicamente** *Se ha negado a desvelar públicamente el nombre de las personas investigadas* · **en público**

■ [despertar, espabilar]

● CON SUSTS. ***persona*** *Mi padre nunca toma café porque lo desvela por completo*

● CON ADVS. **por completo** · **completamente** · **totalmente**

desvencijado, da adj.

● CON SUSTS. **silla** *En el garaje había un par de sillas desvencijadas* · **mesa** · **cama** · ***otros muebles*** || **ventana** · **puerta** || **casa** · **edificio** · **ciudad** || **aparato** · **maquinaria** · **reloj** || **aspecto** || **coche** · **furgoneta** · **tren** *Viajamos en un tren desvencijado, que se paraba a cada rato* · ***otros medios de transporte***

desventaja s.f.

● CON ADJS. **enorme** *La propuesta tenía algunos aspectos positivos, pero también una enorme desventaja* · **tremenda** · **inmensa** · **importante** · **seria** · **fuerte** · **gran(de)** · **grave** · **insalvable** · **máxima** · **abismal** · **abrumadora** *Perdieron por una abrumadora desventaja* · **amplia** · **creciente** || **leve** · **ligera** · **pequeña** · **mínima** · **imperceptible** · **inapreciable** · **minúscula** · **raquítica** || **evidente** *La desventaja de nuestro equipo era evidente* · **clara** · **franca** *Estamos en franca desventaja* · **notable** · **apreciable** · **notoria** · **ostensible** || **competitiva** || **numérica**

● CON SUSTS. **punto (de)** · **gol (de)** · **segundo (de)** · **margen (de)**

● CON VBOS. **aumentar** · **crecer** · **disminuir** || **conllevar** · **entrañar** · **implicar** · **producir** || **constituir** · **representar** · **suponer** *Trabajar allí no supone ninguna desventaja* || **tener** · **presentar** · **recuperar** || **recortar** *para recortar a toda costa la desventaja respecto de nuestro adversario* · **reducir** · **contrarrestar** · **remontar** · **superar** · **nivelar** · **vencer** · **enjugar** || **acusar** || **tropezar (con)**

● CON PREPS. **en** *Competíamos en desventaja numérica* || **en posición (de)** · **en situación (de)** · **en condición (de)**

desvergonzado, da adj.

● CON SUSTS. ***persona*** *No seas tan desvergonzado* || **actitud** · **estilo** · **tono** *Contestó al profesor con su tono desvergonzado de siempre* || **mentira** · **historia** · **pregunta** · **propuesta** *Asegura haber recibido una desvergonzada propuesta* · **anécdota**

● CON VBOS. **volver(se)** || **calificar (de)** · **tachar (de)**

[desviar] → desviar; desviar(se) (de)

desviar v.

● CON SUSTS. **flecha** · **coche** · **tren** · **piedra** · **balón** · **avión** · **transeúnte** *La Policía se vio obligada a desviar a los transeúntes* || **tráfico** *Tuvieron que desviar el tráfico por un accidente* · **tránsito** · **circulación** · **paso** || **agua** · **lava** · **electricidad** · **aire** · ***otros fluidos*** || **disparo** · **golpe** · **tiro** · **remate** · **saque** · **lanzamiento** || **trayectoria** · **ruta** · **curso** *desviar inesperadamente el curso de los acontecimientos* · **cauce** · **río** · **itinerario** · **camino** · **recorrido** · **derrotero** · **rumbo** · **trazado** · **corriente** · **flujo** || **dinero** · **recurso** · **fondo** *Lo destituyen de su cargo por desviar fondos públicos* · **inversión** · **beneficio** · **capital** || **atención** *No intentes desviar su atención* · **mirada** · **vista** · **ojo** · **foco** · **llamada** · **objetivo** · **interés** · **intención** · **preferencia** · **curiosidad** · **deseo** · **expectativa** || **investigación** · **estudio** · **pesquisa** · **búsqueda** || **pedido** · **petición** · **demanda** · **ayuda** *Desviaron las ayudas a colaboradores intermedios* · **prestación** · **entrega** || **acusación** · **crítica** · **protesta** · **culpabilidad** · **responsabilidad** · **culpa** || **conversación** *Me molesta que intentes desviar la conversación* · **polémica** · **debate** · **negociación** · **opinión** || **mente** · **pensamiento**

desviar(se) (de) v.

● CON SUSTS. **camino** *Si te desvías del camino puedes perderte* · **carretera** · **trayectoria** · **rumbo** · **trazado** · **cauce** · **ruta** · **senda** · **línea** · **vía** · ***otros trayectos*** || **objetivo** · **meta** · **portería** · **blanco** · **diana** · ***otros destinos*** || **finalidad** · **función** || **plan** *Sabemos que nos estamos desviando del plan previsto, pero...* · **previsión** · **presupuesto** · **norma** · **marco** · **convencionalismo** · **mayoría** · **pauta** || **acuerdo** · **compromiso** · **pacto**

● CON ADVS. **a la derecha** *Al llegar al cruce, desvíate a la derecha* · **a la izquierda** · **a un lado** || **considerablemente** · **totalmente** · **notablemente** · **ostensiblemente** · **gravemente** · **peligrosamente** || **levemente** · **ligeramente** · **por poco** · **imperceptiblemente** || **conscientemente** · **inconscientemente** || **de improviso** · **repentinamente** || **fácilmente**

desvío s.m.

● CON ADJS. **grave** · **serio** || **leve** · **ligero** · **pequeño** || **acertado** · **justificado** || **fraudulento** *La Policía detectó el desvío fraudulento de ayuda humanitaria* · **ilegal** · **injustificado** · **desacertado** || **nuevo** · **obligatorio** · **provisional** *un desvío provisional por obras* || **señalizado**

● CON VBOS. **producir(se)** || **abrir** *Acaban de abrir un nuevo desvío en este tramo de autopista* · **realizar** · **trazar** || **facilitar** · **permitir** · **justificar** · **impedir** || **anunciar** · **prever** · **constatar** · **denunciar** · **investigar** *Están investigando el desvío de armas a zonas en conflicto* · **detectar** · **controlar** || **calcular** · **medir** || **coger** · **tomar** · **continuar** · **evitar** || **corregir** · **compensar**

desvirtuar v.

● CON SUSTS. **realidad** *Análisis alarmistas que desvirtúan la realidad* · **hecho** · **verdad** || **significado** · **sentido** || **espíritu** · **esencia** · **carácter** · **naturaleza** || **historia** · **información** · **mensaje** · **versión** · **contenido** · **idea** || **función** · **papel** *una campaña en la que se pretende desvirtuar el papel que esta institución desempeñó...* || **imagen** || **sistema**

● CON ADVS. **totalmente** · **por completo** *Su explicación desvirtúa por completo lo ocurrido* || **adrede** · **intencionadamente** || **sustancialmente**

desvitalizar v.

● CON SUSTS. **nervio** *En primer lugar es necesario desvitalizar el nervio y luego...* · **tejido** · **diente** · **muela**

● CON ADVS. **progresivamente** · **paulatinamente** · **continuamente** || **totalmente** · **completamente** · **absolutamente**

detalladamente adv.

● CON VBOS. **analizar** · **estudiar** *tras estudiar detalladamente el manual* · **examinar** · **evaluar** · **investigar** · **inspeccionar** || **explicar** · **describir** · **justificar** · **comentar** · **argumentar** · **aclarar** · **indicar** *Me indicó detalladamente el camino al museo* || **informar** · **exponer** · **desvelar** · **difundir** · **mostrar** · **reflejar** · **presentar** · **publicar** · **comunicar** · **anunciar** || **relatar** *El periodista iba relatando detalladamente lo que ocurría en el interior del edificio* · **contar** · **narrar** || **especificar** · **concretar** · **desglosar** · **desgranar** · **enumerar** || **conocer** · **recordar** *recordó detalladamente los antiguos problemas* · **saber** || **recoger** · **incluir** · **hacer constar** · **insertar** || **observar** · **supervisar** · **revisar** · **comprobar** · **captar** · **seguir** · **escuchar** *Escucharé detalladamente lo que tengas que decirme* · **ver** · **leer** || **planear** · **preparar** · **planificar** · **urdir** || **discutir** · **negociar** || **regular** · **fijar** · **ordenar** *ordenar detalladamente las notas y las direcciones*

detallar v.

● CON SUSTS. **aspecto** *detallar todos los aspectos de una reunión* · **característica** · **pormenores** || **programa** · **agenda** · **calendario** · **plan** · **propuesta** · **medida** · **paso** · **directriz** · **actividad** || **contenido** · **significado** · **alcance** · **importancia** · **relevancia** || **porcentaje** · **cifra** · **número** · **lista** · **coste** · **cuantía** · **gasto** *¿Es preciso que detalle los gastos de viaje?* || **causa** · **motivo** · **razón** · **origen**

● CON ADVS. **con pelos y señales** *El informe detalla con pelos y señales las causas del accidente* · **punto por punto** · **paso a paso** · **pormenorizadamente** · **profusamente** · **prolijamente** · **minuciosamente** *un balance de las actividades realizadas minuciosamente detallado* · **cuidadosamente** || **en alguna medida** · **someramente** · **sucintamente**

[detalle]

→ al detalle; con todo lujo de detalles; detalle; en detalle

detalle s.m.

● CON ADJS. **intrascendente** · **irrelevante** *Siempre se fija en los detalles más irrelevantes* · **superficial** · **sin importancia** · **anecdótico** · **trivial** · **insignificante** · **banal** · **nimio** · **inadvertido** · **irrisorio** || **mínimo** · **leve** · **minúsculo** · **pequeño** || **curioso** *El cuadro tenía algunos detalles curiosos* · **llamativo** · **minucioso** · **escabroso** || **crucial** · **decisivo** · **esencial** · **significativo** · **determinante** · **trascendente** · **relevante** · **revelador** || **grave** · **importante** · **de peso** · **jugoso** || **concreto** · **último** · **sumo** || **ornamental** || **atento,ta (a)** *Está siempre atento a los detalles* · **parco,ca (en)** *una explicación sucinta y parca en detalles*

● CON SUSTS. **cuestión (de)** || **cúmulo (de)** || **lujo (de)** || **atención (a)** · **cuidado (de)**

● CON VBOS. **aflorar** · **salir a la luz** *Los detalles más escabrosos del asunto acabaron por salir a la luz* || **delatar (algo/a alguien)** || **faltar** || **tener** || **observar** · **percibir** · **advertir** · **captar** · **contemplar** · **atisbar** || **aclarar** · **explicar** *Les expliqué los detalles de la operación* · **desentrañar** · **dilucidar** · **discutir** · **preguntar** || **dar** *No quiso darnos más detalles de la fiesta* · **desvelar** · **recordar** · **descubrir** · **relatar** · **contar** · **revelar** · **airear** || **pasar por alto** · **ignorar** · **descuidar** · **saltarse** · **obviar** · **omitir** · **evitar** · **ahorrar** || **concretar** · **fijar** · **precisar** · **ultimar** *Estamos ultimando los detalles de la presentación* · **especificar** · **perfilar** · **limar** · **pormenorizar** || **ahondar (en)** · **entrar (en)** · **fijarse (en)** · **caer en la cuenta (de)** · **prestar atención (a)** *No suele prestar atención a los detalles* · **reparar (en)** || **conocer (en)** · **estudiar (en)** || **prescindir (de)** *Les pedí que prescindieran de los detalles*

● CON PREPS. **con** · **sin** *Nos dio una explicación sin el más mínimo detalle*

de tapadillo loc.adv.

● CON VBOS. **actuar** · **hacer** || **colar** · **meter** *Quiso meter al perro de tapadillo pero lo pillaron* · **introducir** || **llegar** · **presentar** · **ir**

detectar v.

● CON SUSTS. **signo** · **indicio** · **muestra** · **huella** · **resto** *El radar pudo detectar restos del aparato en el fondo del mar* · **rastro** · **señal** · **onda** · **emisión** · **transmisión** · **radiación** || **asteroide** · **cometa** · **estrella** || **anticuerpo** · **bacteria** · **virus** || **lesión** · **cáncer** *detectar un cáncer de estómago* · **úlcera** · **sida** · ***otras enfermedades*** || **incendio** · **inundación** · **terremoto** || **bomba** · **pistola** · **arma** · **explosivo** || **paradero** · **sitio** · **zona** || **causa** · **origen** · **foco** · **fuente** || **fallo** · **anomalía** · **defecto** · **error** *Tienes una especial habilidad para detectar los errores más nimios* · **problema** · **deficiencia** · **irregularidad** · **falta** · **contradicción** · **contaminación** · **escape** · **mal** · **avería** || **existencia** · **presencia** *un examen mediante el que se detecta la presencia del virus* · **vida** || **necesidad** · **demanda** · **deseo** · **intención** · **voluntad** · **interés** || **peligro** · **riesgo** · **amenaza** || **cambio** · **incremento** · **aumento** *Se ha detectado un aumento significativo de los niveles de ruido en la zona* · **crecimiento** · **desaparición** · **proliferación** · **pérdida** · **surgimiento** || **sentimiento** · **inquietud** · **preocupación** · **malestar** *El maestro detectó cierto malestar entre los alumnos* · **nerviosismo** · **ansiedad** || **corrupción** · **fraude** · **falsificación** · **infracción** · **robo** · **atentado** · **malversación** || **vinculación** · **relación** · **vínculo** *La investigación policial logró detectar cuál era el vínculo entre las dos organizaciones delictivas* · **conexión** · **diferencia**

● CON ADVS. **a simple vista** *El tumor se detectaba a simple vista* · **fácilmente** · **claramente** || **de forma precoz** · **precozmente** · **a tiempo** || **rápidamente**

detector

1 detector s.m.

● CON ADJS. **sensible** · **eficaz** · **preciso** || **electrónico** · **láser** · **infrarrojo** || **automático** *limpiaparabrisas con detector automático de lluvia* · **manual** || **térmico** · **radiactivo**

● CON SUSTS. **arco** *la instalación de arcos detectores* · **aparato** · **red** · **sistema**

• CON VBOS. **sonar · pitar || captar · detectar || instalar · poner · colocar** *Colocaron detectores de humo en los baños del avión* · **incorporar || activar · utilizar · manipular || diseñar · inventar || pasar (por)** *Los aficionados tienen que pasar por un detector de metales para acceder al estadio* · **someter (a) || carecer (de)**

2 **detector (de)** s.m.

• CON SUSTS. **metales** *instalar un detector de metales* · **explosivos · partículas · humo · armas · fuego · velocidad** *Los detectores de velocidad de la autopista indicaron que el coche circulaba por encima de la velocidad límite* · **radiación · ondas · huellas || mentiras**

de temporada loc.adj.

• CON SUSTS. **moda · ropa || plato · pescado · verdura · fruta || estreno · éxito · concierto · corrida · programación || contrato · trabajo || liquidación · oferta · rebaja · saldo · campaña || pase · permiso · abono** *Me compré un abono de temporada para los conciertos*

detener(se) v.

• CON SUSTS. **tiempo** *Parece que se ha detenido el tiempo* · **reloj || vehículo** *El vehículo se detuvo en el arcén* · **coche · taxi · tren · autobús · tráfico · conductor,-a** · ***otras personas o cosas en movimiento*** **|| comitiva · procesión · marcha || guerra · proceso · caída · avance · violencia · conflicto · enfrentamiento**

• CON ADVS. **bruscamente · de golpe · de repente · en seco · de improviso · abruptamente · violentamente || a duras penas · por la fuerza · por la buenas · de raíz || de inmediato · inmediatamente || brevemente** *Me detuve brevemente a descansar* · **por un momento · temporalmente || definitivamente · indefinidamente || preventivamente**

detenidamente adv.

• CON VBOS. **analizar · considerar** *considerar una oferta detenidamente* · **estudiar · examinar · repasar · calcular · sopesar · valorar · calibrar || meditar · pensar · reflexionar || planear · preparar · planificar || describir · escuchar · leer** *leer detenidamente una carta* · **explicar || mirar** *Miró detenidamente el cuadro y no le encontró ningún defecto* · **observar · fijarse · visitar · contemplar || ocuparse**

detentar v.

• CON SUSTS. **poder** *Quien detenta el poder real en este Gobierno es el vicepresidente* · **autoridad · control · mando · propiedad || cargo · cartera · presidencia || monopolio** *A partir de ese momento, la empresa detentó el monopolio del mercado telefónico* · **hegemonía · liderazgo · mayoría**

• CON ADVS. **de manera manifiesta || verdaderamente · realmente || en exclusiva**

detergente s.m.

• CON SUSTS. **fórmula (de)** *la fórmula mejorada del detergente* **|| anuncio (de) · publicidad (de) || fabricación (de) · consumo (de) · oferta (de) || marca (de) || bote (de) · pastilla (de)**

• CON VBOS. **poner · echar** *echar detergente en la lavadora* · **añadir || usar · emplear**

deteriorar(se) v.

• CON SUSTS. **salud** *Su salud se deteriora a ojos vistas* · **vida || democracia · economía · política || sistema · estructura · situación || imagen** *A raíz del escándalo su imagen se deterioró enormemente* · **calidad · servicio || relación || clima**

• CON ADVS. **enormemente · gravemente · seriamente · considerablemente · por completo · irremediablemente · irreversiblemente · inexorablemente · a conciencia || a pasos agigantados** *Con la sequía, la situación se deteriora a pasos agigantados* · **rápidamente · fácilmente || a ojos vistas · visiblemente · notablemente · ostensiblemente || paulatinamente · progresivamente · con el tiempo**

deterioro s.m.

• CON ADJS. **enorme · serio · acusado · gran(de) · importante** *La maquinaria sufrió un importante deterioro a causa del frío* · **significativo · fuerte · grave · creciente · sensible · severo || alarmante · lamentable** *La casa presentaba un lamentable deterioro* · **triste || visible · palpable · notable · franco · notorio || imparable · implacable · incontenible · inexorable · irreversible || rápido** *Su salud experimentó un rápido deterioro* · **acelerado · galopante · intensivo · brusco || progresivo · paulatino · gradual · lento || permanente · continuo · general || ambiental · ecológico** *El deterioro ecológico de la zona es casi irreversible* · **económico · físico · personal · psicológico · social · orgánico**

• CON SUSTS. **manifestación (de) · muestra (de) · señal (de)**

• CON VBOS. **provocar** *Su actitud provocó el deterioro de nuestras relaciones* · **ocasionar · acelerar · causar || experimentar · sufrir · presentar · acusar · mostrar · registrar || detener · evitar · frenar** *medidas para frenar el deterioro económico del sector* · **impedir · atajar · reducir · combatir · paliar · neutralizar · prevenir** *Conviene prevenir con tiempo el deterioro físico* · **aminorar · remontar · subsanar || conducir (a)**

determinación s.f.

• CON ADJS. **decidida · firme** *Había tomado la firme determinación de cambiar de vida* · **clara · férrea · absoluta · categórica || acertada · sabia || difícil · polémica · drástica || libre · irrenunciable || unánime || final**

• CON VBOS. **tomar · adoptar · cumplir · revocar · reafirmar · reiterar · ratificar · mantener || anunciar** *Los sindicatos anuncian su determinación de seguir adelante con la huelga indefinida* · **hacer pública · desvelar · manifestar || respetar · sustentar · refrendar · reforzar || criticar · cuestionar || llegar (a) · llevar (a) || influir (en)**

determinar v.

• CON SUSTS. **causa** *Los expertos determinarán las causas de su enfermedad* · **razón · motivo || efecto · consecuencia || calidad · eficacia || origen · procedencia** *Es urgente determinar la procedencia de estas armas* · **responsabilidad · autoría || cantidad · grado · precio · monto · número · cifra · nivel || edad · antigüedad · fecha · hora || identidad** *La Policía no pudo determinar la identidad de los detenidos* · **nombre · naturaleza · condición || altura · tamaño · extensión · profundidad · anchura · volumen · temperatura** · ***otras magnitudes*** **|| lugar · ubicación · posición · localización || importancia · relevancia || existencia · presencia || riesgo · peligro · daño || influencia · relación · conexión · alcance** *Es difícil determinar el alcance de lo sucedido*

• CON ADVS. **a ciencia cierta · con exactitud · con certeza · con precisión · claramente · exactamente** *El informe determina exactamente la antigüedad de los restos arqueológicos* · **con detalle · minuciosamente · feha-**

cientemente || aproximadamente || con antelación · de antemano *Es imposible determinar de antemano la magnitud de la tragedia* · previamente · urgentemente || libremente · categóricamente · firmemente || cuantitativamente · legalmente

de tesis loc.adj.

● CON SUSTS. novela · película · obra *No se trata de una típica obra de tesis que contenga un compromiso político* · trabajo · exposición || literatura · teatro · cine · libro

detestable adj.

● CON SUSTS. ***persona*** || comportamiento · crimen · acción · acto · práctica || discurso · acusación *Su estrategia es arrojar las más detestables acusaciones contra su rival* · palabras · comentario · ***otras manifestaciones verbales o comunicativas*** || actitud · estilo · aspecto · imagen · modales || negocio *el detestable negocio de la droga* · corrupción · maniobra · estrategia · proyecto || costumbre · comida || gusto
● CON ADVS. absolutamente · profundamente

detestar v.

● CON ADVS. con todas {mis/tus/sus...} fuerzas *Detesto esta canción con todas mis fuerzas* · intensamente · visceralmente · a rabiar · fuertemente · vivamente || profundamente · absolutamente · abiertamente || particularmente *Lo que ella detesta particularmente es su forma de hablar* · especialmente · universalmente || mutuamente *Los dos jugadores se detestan mutuamente*

de tiros largos loc.adv./loc.adj. *col.*

● CON VBOS. vestir · poner(se) · ir · venir · asistir · acudir
● CON SUSTS. traje · vestido || día · tarde

de (todo) corazón loc.adv./loc.adj.

● CON VBOS. agradecer · dar las gracias · felicitar *La felicitamos de todo corazón por el premio conseguido* · disculparse · saludar · arrepentirse · dar el pésame · perdonar · condenar || sentir · lamentar · alegrarse · doler || desear · amar · querer · confiar *Confiábamos de corazón en que aquel tratamiento lo curaría* · creer · esperar || pedir · rogar · invitar · decir · transmitir · manifestar · expresar · prometer || acompañar · sumarse · adherirse · apoyar · ayudar · respaldar · actuar
● CON SUSTS. gracias · llamamiento || apoyo

de todo punto loc.adv.

● CON ADJS. inadmisible *Es de todo punto inadmisible que ahora pretenda volver* · inaceptable · improcedente · intolerable · insostenible · inviable · imposible · irrealizable || insuficiente · incompatible · irrelevante · injustificado,da · inclasificable · incomprensible || extraordinario,ria · admirable · respetable || significativo,va · revelador,-a · premonitorio,ria || falso,sa · cierto,ta || estimulante · lógico,ca *Parece de todo punto lógico que no asista a...* · favorable · necesario,ria

detonar v.

● CON SUSTS. bomba *Detonaron dos bombas en las inmediaciones del edificio* · artefacto · granada · explosivo · chispa · carga || crisis · conflicto *Cuando detonó el conflicto, ya era tarde para tomar medidas* · guerra
● CON ADVS. accidentalmente · controladamente *El artificiero detonó controladamente el paquete sospechoso*

[detrimento] → en detrimento (de)

de tú loc.adv.

● CON VBOS. llamar (a alguien) · tratar (a alguien) · hablar (a alguien) · dirigirse (a alguien)

de tú a tú loc.adv./loc.adj.

● CON VBOS. tratar (a alguien) · hablar *Se hablan de tú a tú porque se conocen desde hace tiempo* · dialogar · discutir || competir · jugar · luchar · negociar
● CON SUSTS. conversación *Mantuvimos una interesante conversación de tú a tú* · debate · diálogo || negociación · lucha · partido

deuda s.f.

● CON ADJS. elevada *No sabe cómo pagar su elevada deuda* · enorme · astronómica · eterna · exorbitante · cuantiosa · desmesurada · fuerte · galopante · gigantesca · gran(de) · importante *Tengo una importante deuda de gratitud con él* · incalculable · ingente · abultada · considerable · copiosa · impagable · creciente || agobiante · gravosa · asfixiante · apremiante · acuciante || acumulada · atrasada · pendiente *Por fin reconoció sus deudas pendientes conmigo* || pequeña · insignificante || personal · pública · interna · externa · exterior · tributaria · económica · de juego · de gratitud · de honor || lleno,na (de) · agobiado,da (por) · ahogado,da (por) · hasta el cuello (de) · inmerso,sa (en) || libre (de) · limpio,pia (de) *Por fin estoy limpia de deudas* || numerosas · múltiples
● CON SUSTS. carga (de) · monto (de) *calcular el monto de la deuda* || pago (de)
● CON VBOS. aumentar · crecer *Nuestra deuda externa no para de crecer* · abrumar (a alguien) · acuciar || disminuir · decrecer · desbocar(se) || salir a la luz *Finalmente sus astronómicas deudas salieron a luz* || vencer || adquirir · contraer *A montar el negocio, contraje numerosas deudas* · acumular · devengar · tener || arrojar *La organización del congreso arroja una deuda total de...* · dejar || reconocer · asumir · afrontar || pagar · cobrar · liquidar *El año pasado liquidé todas mis deudas* · saldar · satisfacer · zanjar · compensar · eliminar · cancelar · condonar *Se comprometieron a condonar la deuda externa* · resarcir · colmar · descargar · enjugar · honrar · subsanar · sufragar || rebajar *El nuevo regente logró rebajar nuestra deuda* · reducir · aligerar · aliviar · aminorar · refinar · negociar || engrosar · inflar || financiar · amortizar · refinanciar *El banco me permitió refinanciar mi deuda* || estar (en) *Estoy en deuda de por vida*
● CON PREPS. en *Estoy en deuda con ellos de por vida*

de ultratumba loc.adj.

● CON SUSTS. voz *Cuando cerramos la puerta, se escuchó una voz de ultratumba* · sonido · ruido · silencio || mensaje · testimonio · historia · relato || aparición · aspecto *Sus tétricas canciones encajan con su aspecto de ultratumba*

de una vez por todas loc.adv.

● CON VBOS. terminar (con algo/con alguien) *Quería terminar de una vez por todas con aquella situación* · acabar (con algo/con alguien) · poner fin · cerrar · olvidar || solucionar · aclarar *Les aclaré el problema de una vez por todas* · clarificar · arreglar · zanjar · dejar claro · esclarecer · resolver(se) · conseguir · garantizar || afrontar · asumir · contestar · decidir · entender · superar · cambiar · comenzar

de un día para otro loc.adv.

● CON VBOS. **ocurrir · pasar · suceder · producir(se)** *Su cambio de actitud se produjo de un día para otro* · **acontecer || resolver · arreglar · solucionar · recuperar · remediar · corregir || cambiar · variar · convertir(se) · modificar · alterar · reemplazar || derribar · desmontar · desmantelar · romper || lograr · conseguir · llegar · alcanzar || olvidar · dejar · posponer · abandonar || desaparecer · cancelar** *Y cuando ya estaba preparado, de un día para otro nos cancelaron la cita* · **anular · irse · terminar · suprimir · cerrar · cesar · apagar · retirar · atajar · desterrar**

de un plumazo loc.adv.

● CON VBOS. **acabar (con algo)** *Para acabar de un plumazo con casi medio siglo de monopolio* · **cargarse (algo/ a alguien) · quitar · suprimir · eliminar · merendarse · erradicar · limpiar · apartar · barrer · borrar · desechar || resolver · zanjar** *Zanjaron la cuestión de un plumazo* **|| desaparecer · perder**

de un sorbo loc.adv.

● CON VBOS. **beber · tomar · tragar · ingerir · apurar**

de un tirón loc.adv.

● CON VBOS. **contar · confesar · hablar · recitar** *Recitó de un tirón el poema completo* · **citar · decir · afirmar · soltar || viajar · conducir · ir || tragarse · devorar · beberse · tomarse** *Me tomé de un tirón un litro de agua* **|| leer · repasar || escribir · grabar · filmar · rodar · emitir || anotarse · adjudicarse · ganar · llevarse || dormir** *dormir toda la noche de un tirón*

de un trago loc.adv.

● CON VBOS. **beber · tomarse** *tomarse el café de un trago* · **ingerir · apurar**

de urgencia loc.adv./loc.adj.

● CON VBOS. **internar** *La paciente tuvo que ser internada de urgencia* · **ingresar · atender · operar || trasladar · enviar · viajar · acudir**

● CON SUSTS. **servicio** *En caso de accidente, hay que telefonear al servicio de urgencia correspondiente* · **centro · equipo · médico,ca || vehículo || cura · tratamiento · operación || aterrizaje || atención · valoración · decisión · solución || medida** *Entre las medidas de urgencia se incluye...* · **plan · proyecto || procedimiento · vía || reunión** *convocar una reunión de urgencia* · **convocatoria · llamamiento · visita**

de usted loc.adv.

● CON VBOS. **tratar (a alguien) · llamar (a alguien) · hablar (a alguien) · dirigirse (a alguien)**

de vacaciones loc.adv./loc.adj.

● CON VBOS. **estar · seguir || salir · irse** *Dentro de una semana me voy de vacaciones* **|| mandar (a alguien)** *A ver si mandan al jefe de vacaciones y nos deja tranquilos*

● CON SUSTS. **día · semana** *Este año solo tengo una semana de vacaciones* · **mes ·** ***otros periodos*** **|| lugar · destino || salida · vuelta · llegada**

de vacío loc.adv./loc.adj.

● CON VBOS. **ir** *Llegué muy ilusionada, pero me fui de vacío* · **marcharse · salir || venir · volver · llegar · presentarse · regresar**

de valía loc.adj.

● CON SUSTS. **artista · escritor,-a · cineasta · científico,ca · profesional · hombre · mujer · persona ·** ***otros individuos*** **|| experiencia**

de valor loc.adj.

▮ [valioso]

● CON SUSTS. **cineasta · periodista · escritor,-a · deportista · muchacho,cha ·** ***otros individuos*** **|| cosa · pieza · elemento · pertenencia** *Le robaron el bolso y sus pertenencias de valor* · **patrimonio · bien · enseres · prenda · mercancía · material · reliquia · joya · cuadro · libro ·** ***otros objetos*** **|| obra · creación · producción || documento · dato · información · informe || aportación · ayuda · contribución || característica · cualidad · título**

▮ [valorativo]

● CON SUSTS. **juicio** *Prefiero no emitir ningún juicio de valor* · **criterio**

devaluar(se) v.

● CON SUSTS. **moneda** *Entre los países que han devaluado su moneda destacan...* · **divisa · dólar · peso · dinero · bienes · ahorros || imagen · figura · reputación · prestigio · autoridad · crédito || labor · función · papel · trabajo || valor · importancia · trascendencia · relevancia || triunfo · premio** *Fue un premio importante del ámbito literario, pero se ha ido devaluando en los últimos años* · **victoria · título · éxito || pintura · teatro · arte · torneo · campeonato · partido · presidencia · parlamento || debate · diálogo · sesión · reunión || palabra · idea · adjetivo · concepto · marca || enseñanza** *Los cambios legislativos han terminado por devaluar la enseñanza* · **dignidad · salud · esfuerzo · matrimonio || vida · derechos humanos · libertad de expresión**

● CON ADVS. **drásticamente · abruptamente · estrepitosamente · sustancialmente · tremendamente · ligeramente · levemente || seriamente · gravemente || rápidamente · progresivamente · a marchas forzadas · a pasos agigantados**

devanar v.

● CON SUSTS. **madeja · ovillo · hilo · tejido || seso** *No te devanes más los sesos con esa cuestión* · **sesera · mollera**

devastador, -a adj.

● CON SUSTS. **incendio** *El año pasado hubo un incendio devastador en este monte* · **terremoto · seísmo · huracán · torbellino · alud · sequía · erosión || golpe · fuerza · potencia || guerra · crisis · enfermedad || consecuencia** *La medida tendrá consecuencias devastadoras para el sector* · **efecto · resultado · repercusión · impacto || mensaje · noticia**

devengar v.

● CON SUSTS. **interés** *Los intereses que devenga la deuda ascienden a...* · **impuesto · cantidad · suma || salario** *¿Cuál es el salario anual que devenga un gerente de empresa?* · **sueldo · retribución || rendimiento · beneficio · rédito · emolumento · pago · honorario || derecho**

● CON ADVS. **inmediatamente · automáticamente || mensualmente** *El impuesto se devenga mensualmente* · **anualmente || globalmente**

de vértigo loc.adj.

● CON SUSTS. **velocidad** *Los testigos vieron alejarse al vehículo a una velocidad de vértigo* · **rapidez · ritmo · ca-**

rrera || altura || sensación || cifra · precio || crisis || hora *Todo transcurrió en una hora de vértigo* · día · mes · ***otros períodos*** || espectáculo · escena || minifalda · escote *La presentadora lucía un escote de vértigo*

de vestir loc.adj

● CON SUSTS. **ropa · artículo · pañuelo ·** ***otras prendas o complementos***

de vista loc.adv.

● CON VBOS. **conocer || perder**
● CON ADJS. **corto,ta**

de viva voz loc.adv.

● CON VBOS. **decir · describir · contar · explicar · transmitir** *Me transmitieron la noticia de viva voz* · **responder · expresar · presentar · defender · entonar · informar · traducir ·** ***otros verbos de lengua*** **|| conocer · oír · escuchar · aprender** *Aprendí este romance de viva voz* · **identificar**

devoción s.f.

● CON ADJS. **profunda · absoluta · auténtica · gran(de) · verdadera** *En el pueblo se profesa una verdadera devoción a este santo* · **honda · intensa · entrañable · sincera · especial · suma · pertinaz · desmedida** *Siente una devoción desmedida por su hijos* · **desmesurada || ferviente · ardiente · ciega · apasionada · arrebatada · enfermiza · encendida · fervorosa || manifiesta · visible · evidente** *Su devoción por las culturas precolombinas es evidente* **|| escasa || admirable || tradicional · vieja || popular** *entre distintas muestras de devoción popular* · **religiosa**
● CON SUSTS. **acto (de) · muestra (de)** *muestras de devoción religiosa* **|| objeto (de)**
● CON VBOS. **tener · sentir · profesar || despertar · generar · fomentar** *...lo que fomentó aún más la devoción popular hacia su persona* · **alimentar · avivar || declarar · demostrar · manifestar · mostrar || ocultar**
● CON PREPS. **con** *Seguían con devoción todas sus palabras* · **por**

devolución s.f.

● CON ADJS. **completa** *Exigiré la devolución completa de todo lo que he pagado* · **parcial · fraccionada || inmediata · automática · rápida · urgente || en efectivo · en cuenta · en especie · a plazos || magistral · excelente · forzada** *Presionado por el revés de su adversario, hizo gran número de devoluciones forzadas*
● CON SUSTS. **derecho (a) · intento (de) · proceso (de) · sistema (de) || enmienda (de) || plazo (de)**
● CON VBOS. **hacer · realizar · efectuar || pedir · solicitar · reclamar · exigir · esperar || conseguir · obtener · recibir || aceptar · admitir** *En esta tienda no se admiten devoluciones* **|| negociar** *Estamos negociando la devolución de los excedentes* · **tramitar || forzar · provocar · acelerar · agilizar** *Con este sistema agilizaremos las devoluciones* **|| impedir · bloquear · obstruir · paralizar · denegar || cobrar**
● CON PREPS. **en concepto (de)**

devolver v.

● CON SUSTS. **dinero · deuda · préstamo · interés · ayuda || pedido · excedente · artículo · carta · producto ·** ***otros objetos*** **|| favor · premio · llamada** *Si no estoy en casa, déjame un mensaje y te devuelvo la llamada*
● CON ADJS. **intacto,ta · completo,ta · sano y salvo** *Le devuelvo sus hijos sanos y salvos* **|| roto,ta · estropeado,da · deteriorado,da || en {buenas/malas/perfectas} condiciones · en {buen/mal/perfecto} estado**
● CON ADVS. **con creces** *Me devolvió con creces el favor que le hice* · **en parte · totalmente || ojo por ojo || rápidamente · puntualmente · con retraso || voluntariamente**

devorador, -a

1 **devorador, -a** adj.

● CON SUSTS. **fauces || animal · ave · fiera · bacteria || fuego** *Vimos un fuego devorador* **|| afán · carácter · pasión · potencia · capacidad || hambre || máquina || industria**

2 **devorador, -a** s.

● CON ADJS. **insaciable · incansable || auténtico,ca · verdadero,ra || compulsivo,va** *un devorador compulsivo de novelas policíacas* · **peligroso,sa || gran · voraz**

devorar (a algo/a alguien) v.

● CON SUSTS. **fuego** *El fuego devoró gran parte del bosque* **|| curiosidad** *Me devora la curiosidad por saber qué contiene el paquete* · **deseo · envidia · impaciencia · nervios · odio · pasión** ***otros sentimientos o emociones***
● CON ADVS. **ansiosamente · ávidamente · compulsivamente · con fruición · vorazmente · insaciablemente || de un tirón** *Se devoró el libro de un tirón* · **íntegramente**

de vuelta loc.adv./loc.adj.

● CON VBOS. **enviar · llevar · mandar · traer || estar** *Ya veo que estás de vuelta de todo*
● CON SUSTS. **camino** *Me he perdido, y no encuentro el camino de vuelta* · **trayecto · viaje || billete · tique · boleto || encuentro · partido** *El partido de vuelta se jugará el mes que viene*

[día]

→ al día; como un día sin pan; de un día para otro; día; día a día

día s.m.

● CON ADJS. **buen(o) · espléndido** *Hoy hace un día espléndido* · **soleado · radiante · primaveral · veraniego · caluroso · claro · brillante · luminoso · apacible || mal(o) · de perros** *Con este día de perros no se puede salir a la calle* · **frío · gris · lluvioso · otoñal · desapacible · plomizo · ventoso · invernal || redondo · feliz · memorable · histórico · fausto || favorable · propicio · de suerte** *Hoy es mi día de suerte* **|| horrible · infausto · aciago · vano || ajetreado · apretado · turbulento || corto · largo** *Mañana será un día largo* · **interminable || señalado · lejano || de hoy · de mañana** *Nadie sabe qué pasará el día de mañana* **|| festivo · laborable · libre · hábil · natural · de precepto || de autos**
● CON SUSTS. **hospital (de) · turno (de)** *trabajar en el turno de día*
● CON VBOS. **asomar · despuntar** *Me levanto al despuntar el día* · **clarear · alborear · alumbrar · nacer · amanecer** *El día amaneció lluvioso* **|| caer · declinar** *Cuando llegamos, el día empezaba a declinar* · **apagarse · morir || nublarse · aguar(se) · estropear(se) · despejarse || deparar (a alguien)** *Ignoro qué nos depara el día* **|| llegar · transcurrir || empezar** *Yo empiezo el día leyendo la prensa* · **iniciar || acabar · terminar · culminar || dedicar (a algo) · emplear · pasar || echar a perder · malgastar || organizar** *Organizaremos el día para poder ir a verte* · **planificar || ganar · perder** *Perdimos tres días de trabajo a causa de una avería* · **írse(le) (a alguien) · recuperar || contar · recordar · rememorar || celebrar || conceder (a**

alguien) · **dar (a alguien)** *Dame un par de días más para terminar esto*
● CON PREPS. **a la luz (de)** · **en cuestión (de)**
□ EXPRESIONES **al día*** [al corriente] *No estoy al día de los últimos acontecimientos* || **al otro día** [al día siguiente] || **buenos días** · **buen día** [se usa como saludo por la mañana] || **de un día para otro*** [con prontitud] || **día y noche** [constantemente] || **el otro día** [uno de los días inmediatamente anteriores al presente] *El otro día vi a tu hermana* || **en su día** [en su debido momento] || **hoy (en) día** [en el tiempo presente] *Hoy en día no se puede prescindir de...* || **tener** (alguien) **los días contados** [tener el fin muy cerca] *Esta tradición tiene los días contados*

> **DÍA**
>
> Información útil para el uso de:
>
> **lunes; martes; miércoles; jueves; viernes; sábado; domingo**
>
> ● CON ADJS. **próximo** *El próximo martes salimos de viaje* · **anterior** · **pasado** · **siguiente** · **venidero** · **que viene** || **buen(o)** · **espléndido** · **apacible** · **provechoso** · **inolvidable** || **mal(o)** · **horrible** · **desapacible** · **nefasto** *He tenido un lunes nefasto* · **negro** · **aciago** · **para olvidar** || **ajetreado** · **movido** · **loco** · **apretado** || **corto** · **largo** · **interminable** || **festivo** · **feriado** · **laborable** || **acordado**
> ● CON SUSTS. **mañana (de)** · **tarde (de)** · **noche (de)** · **madrugada (de)** *...ocurrió en la madrugada del miércoles* · **mediodía (de)** · **amanecer (de)**
> ● CON VBOS. **pasar** · **transcurrir** · **llegar** · **empezar** · **acabar** · **terminar** || **deparar (a alguien)** || **presentárse(le) (a alguien)** *¿Cómo se te presenta el domingo?* · **hacérse(le) (a alguien) {largo/corto/interminable...}** *Este sábado se me ha hecho muy corto* || **dedicar (a algo)** · **emplear (en algo)** || **echar a perder** · **malgastar** · **desperdiciar** · **desaprovechar** · **perder** · **planificar** · **librar** *Yo libro los martes* || **quedar (con alguien)** · **fijar (para algo)**
> ● CON PREPS. **a partir (de)** *Quedaremos a partir del jueves que viene* · **desde** · **hasta**

día a día loc.sust.

● CON VBOS. **afrontar** · **vivir** *...para vivir el día a día sin lujos pero con dignidad* || **gestionar** · **dirigir** · **coordinar** *Es el encargado de coordinar el día a día en la empresa* · **resolver**

diabetes s.f.

● CON ADJS. **crónica** · **severa** · **aguda** · **incipiente**
● CON SUSTS. **enfermo,ma (de)** *un medicamento nuevo para enfermos de diabetes* · **aquejado,da (de)** · **afectado,da (por)** || **tratamiento (de)** · **diagnóstico (de)** · **control (de)** || **complicación (de)** · **riesgo (de)** · **síntomas (de)** · **tasa (de)**
● CON VBOS. **complicar(se)** · **agravar(se)** || **padecer** *El actor padece diabetes* · **sufrir** · **desarrollar** · **contraer** || **tratar** · **curar** · **combatir** || **detectar** · **diagnosticar** *Me diagnosticaron diabetes cuando tenía 23 años* || **prevenir** · **controlar** || **enfermar (de)** · **luchar (contra)** *El ejercicio físico me ayuda a luchar contra la diabetes*

[diablo] → como alma que lleva el diablo; diablo

diablo s.m.

● CON ADJS. **maldito** · **perverso** || **auténtico** *Estos niños se comportan como auténticos diablos* · **verdadero** · **mismísimo** || **pequeño**
● CON SUSTS. **abogado (de)** *En todas las discusiones acostumbra a hacer de abogado del diablo*
● CON VBOS. **existir** *¿Tú crees que el diablo existe?* || **merodear** · **acechar** || **tentar** || **invocar** · **ahuyentar** *Con este rito ahuyentan al diablo y se libran de la mala suerte* · **exorcizar** · **espantar** · **conjurar** · **mentar** || **encarnar** || **recurrir** || **vender (a)** · **pactar (con)** || **encomendar(se) (a)** · **creer (en)**
□ EXPRESIONES **de mil diablos** [expresión que exagera el carácter negativo de algo] *col. Tenía una sed de mil diablos* || **pobre diablo** [hombre infeliz] *col.* || **tener el diablo en el cuerpo** [ser muy astuto o travieso] *col.*

diablura s.f.

● CON ADJS. **inocente** *No te preocupes, no es más que una inocente diablura* · **divertida** || **infantil** · **juvenil** || **auténtica** || **última** *¿Sabes cuál ha sido la última diablura de mi hija?*
● CON VBOS. **hacer** · **cometer** || **planear**

diabólico, ca adj.

● CON SUSTS. ***persona*** || **mente** · **carácter** || **grito** · **voz** · **espíritu** · **aparición** · **figura** · **imagen** || **acto** · **medida** · **operación** || **posesión** *Para unos fue un caso de posesión diabólica, para otros simple demencia* · **atracción** · **fuerza** · **tentación** || **terror** · **confusión** || **invento** · **mecanismo** · **sistema** || **pacto** · **plan** *Todo fue producto de un plan diabólico* · **conspiración** · **alianza** · **conjura** · **trama** || **movimiento** · **técnica** · **habilidad** · **juego** · **jugada** || **orgía** · **rito**

diáfano, na adj.

● CON SUSTS. **espacio** · **lugar** · **zona** · **área** · **local** · **piso** · **salón** *La casa es amplia, con un salón totalmente diáfano* · **edificio** · **planta** · **casa** || **agua** *un lago de aguas diáfanas* · **cielo** · **aire** · **luz** || **estructura** · **distribución** || **cristal** · **vidrio** || **día** *un día diáfano y luminoso* · **noche** · **mañana** || **escritor,-a** · **profesor,-a** · **intelectual** · **periodista** || **libro** · **obra** · **página** · **título** · **prosa** · **estilo** || **lenguaje** · **palabra** · **declaración** · **comentario** · **expresión** · ***otras manifestaciones verbales*** || **verdad** · **claridad** · **sencillez** || **trayectoria** · **comportamiento** · **conducta** · **actitud** · **hoja de servicios** || **voz** · **pronunciación** *Es un buen locutor, tiene una voz profunda y una pronunciación diáfana* · **sonido** · **línea melódica** || **personalidad** || **postura** · **idea** · **filosofía** · **visión** · **opinión** || **conclusión** · **solución** · **sentencia** || **mirada** · **sonrisa** · **gesto** || **ejemplo** *¿Puede poner un ejemplo más diáfano, por favor?* · **modelo** · **muestra** || **intención** *La intención política de ustedes es diáfana, señor ministro* · **voluntad** · **objetivo** · **propósito**

diagnosticar v.

● CON SUSTS. **alergia** *Me diagnosticaron alergia a los lácteos* · **infección** · **sida** · **cáncer** · ***otras enfermedades*** || **problema** · **avería** · **carencia** · **deficiencia** · **déficit** · **fallo** · **defecto** *diagnosticar los defectos del sistema* || **crisis** · **mal** · **daño** || **causa** · **estado** · **situación** · **origen** · **etiología** · **procedencia** · **responsabilidad** || **característica** · **condición** · **rasgo** || **receptividad** · **fortaleza** · **eficiencia** · **operatividad** · **flaqueza** · **potencialidad** || **comportamiento** · **mejora** · **conducta** · **orientación** · **rumbo** · **evolución** · **descenso** *un estudio para diagnosticar el descenso de demanda* · **mutación** · **proceso** · **dirección**
● CON ADVS. **con fiabilidad** · **con precisión** · **sin error** || **sin ningún género de dudas** *diagnosticar sin ningún género de dudas la operatividad del sistema* · **con certeza** · **a ciencia cierta** · **certeramente** · **adecuadamente** · **correctamente** || **equivocadamente** · **erróneamente** || **precozmente** · **rápidamente** · **fácilmente**

diagnóstico s.m.

● CON ADJS. **acertado** *un diagnóstico acertado de la situación* · **exacto** · **preciso** · **atinado** · **certero** · **exhaustivo** · **adecuado** || **fallido** · **equivocado** · **erróneo** · **inexacto** · **impreciso** · **inadecuado** || **opinable** · **discutible** || **claro** · **concluyente** · **definitivo** *Hasta la próxima semana no nos darán el diagnóstico definitivo* · **rotundo** · **unánime** · **fidedigno** · **oficial** || **grave** · **difícil** || **aproximado** · **precipitado** · **aventurado** · **prematuro** || **prudente** || **precoz** *el diagnóstico precoz de la enfermedad* || **adverso** · **demoledor** · **negativo** · **severo** || **positivo** · **halagüeño** || **médico** · **clínico** || **acorde (con)**

● CON SUSTS. **método (de)** · **prueba (de)** · **técnica (de)** *técnicas de diagnóstico clínico muy avanzadas*

● CON VBOS. **consistir (en algo)** || **acertar** · **fallar** · **errar** *Erramos nuestro diagnóstico por falta de información* · **marrar** || **anticipar** *Nadie se atrevió a anticipar un diagnóstico* · **avanzar** · **aventurar** || **dar** · **hacer** · **elaborar** · **realizar** · **emitir** · **establecer** · **llevar a cabo** · **formular** · **ofrecer** || **encargar** · **recibir** · **tener** · **conocer** || **confirmar** *Un segundo médico confirmó el diagnóstico inicial* · **corroborar** · **suscribir** · **confrontar** || **afinar** · **amañar** || **aclarar** || **equivocar(se) (en)** || **discrepar (de)**

diagonalmente adv.

● CON VBOS. **cruzar** · **atravesar** *Atravesó diagonalmente la plaza y se dirigió a...* · **recorrer** || **leer** *leer algo diagonalmente para encontrar un dato* || **disponer** · **colocar** || **desviar** *El jugador desvió diagonalmente el balón* || **dividir** · **cortar**

● CON ADJS. **opuesto,ta** · **contrario,ria**

dialecto s.m.

● CON ADJS. **mayoritario** · **minoritario** || **de la lengua** · **del idioma** || **distinto** · **diferente** *En esta zona se hablan diferentes dialectos*

● CON SUSTS. **uso (de)** · **dominio (de)** || **cuna (de)** || **hegemonía (de)** · **primacía (de)** *la primacía de un dialecto frente a otro* || **protección (de)** · **difusión (de)** · **predominio (de)**

● CON VBOS. **emplear** *Emplea el dialecto para hablar con su familia* · **utilizar** || **hablar** · **entender** || **estudiar** · **aprender** · **conocer** · **divulgar** || **expresar(se) (en)** · **comunicar(se) (en)** · **traducir (de/a/en)**

dialogar v.

● CON ADVS. **abiertamente** · **sin tapujos** · **sin barrera(s)** · **sin cortapisas** · **francamente** || **largamente** *En opinión de quienes dialogaron largamente con los responsables...* · **ampliamente** · **fructíferamente** · **inteligentemente** || **cara a cara** · **frente a frente** · **sin intermediarios** · **directamente** · **sinceramente** || **civilizadamente** · **distendidamente** *Dialogaron distendidamente durante una hora* · **animadamente** · **cordialmente** · **plácidamente** · **de igual a igual** · **pacíficamente** · **democráticamente** · **{con/sin} tensión** || **permanentemente** · **esporádicamente**

diálogo s.m.

● CON ADJS. **en profundidad** *Es preciso un diálogo en profundidad sobre este asunto* · **fecundo** · **a fondo** · **jugoso** · **sugestivo** · **útil** · **coherente** · **constructivo** · **fluido** · **fructífero** · **preciso** · **fervoroso** · **renovado** · **fuerte** || **distendido** · **afectivo** · **cordial** · **placentero** || **animado** · **vivaz** · **vivo** · **espontáneo** || **sin reservas** · **sin tapujos** · **sin barrera(s)** · **sin condiciones** · **sin intermediarios** · **abierto** · **franco** · **sincero** || **cara a cara** *Los afectados piden un diálogo cara a cara con el responsable institucional* · **frontal** · **cuerpo a cuerpo** · **directo** · **igualitario** · **de igual a igual** || **a puerta cerrada** || **arduo** · **tenso** · **lacónico** || **inútil** · **incoherente** · **absurdo** · **farragoso** *Los diálogos de la película eran muy farragosos* · **anodino** · **manido** · **torrencial** || **permanente** · **constante** · **continuo** · **en punto muerto** || **teatral** · **epistolar** *Mantuvo un diálogo epistolar con su maestro durante años* || **presto,ta (a)**

● CON SUSTS. **ánimo (de)** · **espíritu (de)** · **señal (de)**

● CON VBOS. **discurrir** · **transcurrir** *El diálogo entre las partes transcurrió civilizadamente* · **entrecortar(se)** · **fluir** · **caber** · **prosperar** · **surtir efecto** || **devaluar(se)** || **sosegar(se)** || **girar** || **entablar** *La compañía ha accedido a entablar un diálogo con los trabajadores* · **establecer** · **mantener** · **sostener** || **iniciar** · **abrir** · **reabrir** · **reanudar** · **cerrar** · **dirigir** · **moderar** · **centrar** *Era importante centrar el diálogo para aprovechar el tiempo al máximo* · **encauzar** · **hilvanar** || **facilitar** · **favorecer** · **impulsar** · **incentivar** · **propiciar** · **agilizar** · **alimentar** · **plantear** · **predicar** · **suscitar** || **oír** · **escuchar** · **interpretar** · **revivir** · **crear** *guionista capaz de crear diálogos magníficos* || **interrumpir** · **obstaculizar** · **obstruir** · **rechazar** · **suspender** · **romper** · **cortar** · **bloquear** · **congelar** · **distorsionar** || **desbloquear** || **abrirse (a)** · **prestarse (a)** · **invitar (a)** · **abocar (a)** || **incorporarse (a)** · **participar (en)** · **enfrascarse (en)** · **perseverar (en)** || **negarse (a)** · **sustraer(se) (de/a)** || **mediar (en)** *Accedí gustoso a mediar en el diálogo* · **terciar (en)**

□ EXPRESIONES **diálogo de besugos** [diálogo carente de relación lógica] *col.* || **diálogo de sordos** [diálogo en el que no se produce comunicación] *col.*

diamante s.m.

● CON ADJS. **falso** · **puro** · **artificial** · **auténtico** *El joyero certificó que se trataba de diamantes auténticos* · **natural** || **valioso** · **magnífico** || **discreto** · **de colores** || **líquido**

● CON SUSTS. **anillo (de)** · **collar (de)** · **broche (de)** || **disco (de)** *En la ceremonia en que le hicieron entrega del disco de diamante* || **mercado (de)** *El mercado de diamantes no ha tenido un buen año* · **comercio (de)** · **tráfico (de)** · **contrabando (de)** || **mina (de)** · **partida (de)**

● CON VBOS. **brillar** || **tallar** *el difícil arte de tallar un diamante* · **pulir** · **cortar** · **fundir** · **engastar** || **valorar** · **examinar** · **cotizar** || **tener** · **atesorar** · **poseer** · **obtener** || **encontrar** · **buscar** · **extraer** || **codiciar** · **usar** || **regalar** · **ofrecer** · **aceptar**

□ EXPRESIONES **diamante en bruto** [lo que tiene gran potencial]

diametralmente adv.

● CON VBOS. **cambiar** · **trastocar** · **oponerse** *Se opuso diametralmente a mi propuesta* · **discrepar** · **disentir** || **diferenciarse**

● CON ADJS. **opuesto,ta** *Aunque tenemos ideas políticas diametralmente opuestas, nos llevamos bien* · **antagónico,ca** · **diferente** · **distinto,ta** · **enfrentado,da** · **contradictorio,ria**

diana s.f.

▮ [blanco]

● CON ADJS. **certera**

● CON SUSTS. **centro (de)**

● CON VBOS. **hacer** *Hizo diana a la primera* · **alcanzar** · **lograr** · **conseguir** · **errar** || **apuntar (a)** *Apunté a la diana, pero fallé* · **tirar (a)** · **disparar (a)** · **dirigir(se) (a)** || **dar (en)** · **acertar (en)** || **desviar(se) (de)**

▮ [comienzo de la jornada]

● CON SUSTS. **toque (de)** *El toque de diana es a la siete de la mañana*

● CON VBOS. **tocar**

diario, ria

1 **diario, ria** adj.

● CON SUSTS. **actividad · quehacer · rutina** *Tengo la rutina diaria de pasear media hora* · **trabajo · labor || costumbre · hábito · práctica || higiene · ducha · cuidado || uso · consumo · dosis** *una dosis diaria de insulina* **|| vida · existencia · realidad || experiencia · acontecimiento || discurrir · acontecer || batalla · lucha · pelea** *la pelea diaria de quién baja la basura* **|| esfuerzo || convivencia · trato || historia · crónica || prensa · programa · edición || visitante · lector,-a · oyente** *Mi madre es una oyente diaria de los programas informativos de la mañana*
● CON PREPS. **a** *...se reciben quejas a diario*

2 **diario** s.m.

● CON ADJS. **personal** *Tengo un diario personal donde acostumbro a escribir todas las noches* · **íntimo · póstumo || deportivo** *un diario deportivo de gran tirada* · **económico · político · administrativo || local · provincial · regional · nacional || prestigioso · principal · importante · serio || sensacionalista · amarillista** *Trabaja como fotógrafo para un diario amarillista* · **popular || de guerra · de viaje · testimonial · fotográfico || privado · oficial || ilegal || electrónico**
● CON SUSTS. **director,-a (de) · crítico,ca (de) · editor,-a (de) · redactor,-a (de)**
● CON VBOS. **informar (de algo/sobre algo)** *Todos los diarios nacionales informaron sobre el fatal suceso* · **revelar (algo) · declarar (algo) · contar (algo) · confirmar (algo) · titular (algo) ·** ***otros verbos de lengua*** **|| publicar · editar || leer · escribir** *Cuando era adolescente escribía un diario personal* **|| clausurar**

dibujar v.

● CON SUSTS. **imagen · línea · mapa · perfil** *un texto breve en el que dibuja con nitidez el perfil del personaje* **|| escenario · paisaje · panorama** *El panorama político que se dibuja para este otoño* · **situación || futuro**
● CON ADVS. **a grandes líneas** *Me dibujó a grandes líneas un cuadro de la situación* · **a grandes rasgos · aproximadamente · borrosamente · perfiladamente || con precisión · detalladamente · nítidamente** *Nos dibujó nítidamente el panorama* · **meticulosamente · minuciosamente · ajustadamente · armoniosamente || a mano alzada · a pulso**

diccionario s.m.

● CON ADJS. **didáctico · enciclopédico · etimológico · ideológico · de sinónimos · técnico · de términos · combinatorio · de combinaciones · de dudas · de dificultades · bilingüe · escolar · de uso · ilustrado**
● CON SUSTS. **voces (de) · término (de) · palabra (de)** *Las palabras del diccionario aparecen ordenadas alfabéticamente* · **lema (de) · entrada (de) · estructura (de) || edición (de)** *Esta es la quinta edición del diccionario ideológico* **|| página (de) · tomo (de) || portada (de) · título (de)**
● CON VBOS. **realizar · elaborar · redactar || publicar** *Han publicado un diccionario de mitología muy interesante* · **editar || actualizar · revisar · corregir · ampliar · reducir || emplear · utilizar || consultar || buscar (en)** *Busca esta lista de palabras en el diccionario* **|| recoger (en)**

dicha s.f.

● CON ADJS. **suma · auténtica · enorme · absoluta · infinita · inmensa** *Tuve la inmensa dicha de conocerlo en persona* · **verdadera · inconmensurable · incontenible · inexplicable · inenarrable || imperturbable || duradera · inalcanzable || efímera · fugaz** *Al menos pudo disfrutar de la dicha fugaz de vivir un tiempo junto a ella*
● CON VBOS. **embargar (a alguien) · invadir (a alguien) || dar (a alguien) · proporcionar (a alguien) · deparar (a alguien) || conocer · perseguir · compartir || tener · vivir · sentir · saborear · irradiar · derramar || recuperar || colmar (de)** *Nos colma de dicha comunicarles esta buena noticia* · **rebosar (de) · gozar (de) · disfrutar (de)**

dicho s.m.

● CON ADJS. **conocido · trillado** *Siempre recurre a dichos más que trillados para explicar lo mismo de siempre* · **repetido · manido · socorrido || ocurrente · lapidario || popular** *Como reza el dicho popular...* · **tradicional || malicioso · malévolo · malintencionado || falso · veraz**
● CON VBOS. **rezar (de cierta forma) · decir (algo) || circular** *Circula el dicho de que...* **|| acuñar || confirmar · corroborar · demostrar · cumplir || desmentir · desmontar || aplicar (a algo)** *Aquí se aplica el dicho de que...* · **seguir || recordar || parafrasear || acudir (a)**

☐ EXPRESIONES **dicho y hecho** [expresa la prontitud con que se hace algo]

dichoso, sa adj.

▌[feliz]

● CON SUSTS. ***persona*** **|| pasado · vida · época · noche · día · año · instante ·** ***otros momentos o períodos*** **|| isla · paraíso · ciudad ·** ***otros lugares*** **|| evento** *El presidente quiso estar presente en tan dichoso evento* · **suceso · acontecimiento · concierto || suerte · ventura · libertad**
● CON VBOS. **sentirse**

▌[molesto, fastidioso]

● CON SUSTS. **aparato · artefacto** *¡Nunca aprenderé a manejar este dichoso artefacto!* · **cacharro · ordenador · trasto · invento || tráfico · lluvia · tiempo · jaleo || asunto · tema || examen** *Por fin he tenido hoy el dichoso examen de matemáticas* **|| papel · trabajo || acuerdo · decisión || ley · documento** *Hasta que no me entreguen el dichoso documento, no puedo...* · **informe · frase · formulario · lista || incidente · huelga · conflicto · problema · polémica || manía** *Tú y tu dichosa manía de ordenar mis cosas sin que te lo pida* **|| teoría**

☐ USO Se usa mucho para expresar alegría (*¡Dichosos los ojos que por fin te ven!*) o enfado (*Me gustaría saber quién hace ese dichoso ruido*).

diciembre s.m. Véase **MES**

dictado

1 **dictado** s.m.

▌[acción o efecto de dictar]

● CON SUSTS. **clase (de) · ejercicio (de) || velocidad (de)**
● CON VBOS. **escribir · hacer** *Hoy en clase haremos un dictado* **|| corregir · revisar || repetir || durar || copiar (a)** *copiar un texto al dictado*

▌[inspiración, mandato]

● CON VBOS. **imponer (algo) · marcar (algo) || acatar · aceptar · seguir** *Me niego a seguir el dictado de la moda* **|| transgredir || atender (a)** *Siempre atiende a los dictados de su corazón* · **atenerse (a) · plegar(se) (a) · subordinar(se) (a) · someter(se) (a) || oponerse (a)**

☐ USO Se usa más frecuentemente en plural.

2 **dictado (de)** s.m.

● CON SUSTS. **autoridad · poder · ley** *Hay que plegarse una vez más a los dictados de la ley* · **lógica || economía**

· **estadística** · **mercado** · **demanda** || **conciencia** *Obré según el dictado de mi conciencia* · **corazón** · **emoción** || **moda** · **estética**

☐ USO Se usa más frecuentemente en plural.

☐ EXPRESIONES {**copiar/escribir**} **al dictado** [copiar o escribir mientras otro dicta]

dictador, -a s.

● CON ADJS. **absoluto,ta** · **gran(de)** || **cruel** · **sangriento,ta** · **brutal** · **feroz** *El país estuvo bajo el dominio del feroz dictador durante una década* · **terrible** · **implacable** · **funesto,ta** · **despiadado,da** · **inhumano,na** · **sádico,ca** || **genocida** · **criminal** · **asesino,na** || **contumaz** · **astuto,ta**

● CON VBOS. **gobernar (algo/a alguien)** · **controlar (algo/a alguien)** · **dirigir (algo/a alguien)** || **ordenar (algo)** · **imponer (algo)** · **prohibir (algo)** *El dictador prohibió los partidos políticos* · **censurar (algo)** · **castigar (algo/a alguien)** || **caer** · **renunciar** · **fracasar** || **extraditar** · **detener** · **procesar** || **derrocar** *La conspiración para derrocar al dictador fracasó en su primer intento* · **echar** || **apoyar** · **glorificar** || **suceder** || **convertir(se) (en)** || **acusar (de)** · **calificar (de)**

[dictados] s.m.pl. → dictado

dictadura s.f.

● CON ADJS. **militar** *La dictadura militar ha hecho estragos en este país* · **institucional** · **policial** · **parlamentaria** · **personalista** · **oligárquica** || **autoritaria** · **totalitaria** · **tiránica** || **poderosa** · **férrea** || **brutal** · **cruel** · **opresiva** · **despiadada** · **cruenta** *un pueblo que ha sufrido una cruenta y larga dictadura* · **sanguinaria** · **oprobiosa** || **implacable** · **odiosa** · **aberrante** · **absurda** · **ignominiosa** || **prolongada** · **larga**

● CON VBOS. **gobernar** || **consolidar(se)** || **soportar** · **sufrir** || **instaurar** · **encabezar** || **derrocar** *Se unieron civiles y militares para derrocar la dictadura* · **derribar** · **tumbar** · **rechazar** · **demoler** · **difamar** || **apoyar** · **aprobar** · **legitimar** · **entronizar** · **justificar** · **sostener** || **investigar** || **imponer(se) (a)** || **luchar (contra)** *tras pasar unos años preso por luchar contra la dictadura* · **resistirse (a)** · **oponerse (a)** || **participar (en)**

dictaminar v.

● CON SUSTS. **fallo** *Disponen de un mes para dictaminar un fallo definitivo* · **norma** · **sanción** · **pena** · **sentencia** · **veredicto** || **causa** *Un experto dictaminará las causas del accidente* · **culpabilidad** || **tiempo** *Aún es pronto para dictaminar el tiempo de recuperación*

● CON ADVS. **a favor** *La comisión dictaminó finalmente a favor del proyecto* · **favorablemente** || **desfavorablemente** · **en contra** || **definitivamente** || **pericialmente**

dictar v.

▮ [leer en voz alta un texto para que alguien lo escriba]

● CON SUSTS. **carta** *La jefa dictó la carta a su secretaria* · **párrafo** · **comunicado** · **informe** · ***otros textos***

▮ [impartir]

● CON SUSTS. **clase** · **conferencia** *dictar la conferencia inaugural en un congreso* · **lección** · **charla** · **curso** · **ciclo**

▮ [promulgar]

● CON SUSTS. **ley** · **decreto** · **condena** · **auto** · **sentencia** *Solo falta que el juez dicte la sentencia* · **fallo** · **norma** · **resolución**

▮ [imponer, sugerir]

● CON SUSTS. **modelo** · **moda** · **patrón** · **pauta** || **dirección** *Su padre siempre dictó la dirección que debía seguir en los estudios* · **tendencia** · **rumbo** || **cambio** · **reforma** · **regulación** || **ritmo** *Sus directrices dictan el ritmo del partido* · **compás** · **velocidad** || **estrategia** · **esquema** · **mecanismo** · **plan** · **método** · **criterio**

dictatorialmente adv.

● CON VBOS. **actuar** *En el trabajo actúa siempre dictatorialmente* · **gestionar** · **gobernar** · **controlar** · **ejercer** || **disponer** · **imponer** *Se impuso dictatorialmente sobre los otros candidatos* · **obligar** · **ordenar** || **elegir** · **decidir**

didáctico, ca adj.

● CON SUSTS. **material** *El material didáctico de que disponemos nos ayudará a...* · **obra** · **libro** · **cuento** · **cuaderno** · **contenido** || **ejemplo** · **gráfico** · **esquema** · **dibujo** · **fotografía** · **unidad** · **recurso** · **instrumento** · **vídeo** · **programa** · **método** · **guía** || **finalidad** · **intención** · **afán** · **fin** · **orientación** *El texto tiene una orientación claramente didáctica* · **voluntad** · **intencionalidad** · **objetivo** · **esfuerzo** · **sentido** || **carácter** · **espíritu** · **tono** · **estilo** || **labor** · **taller** · **actividad** · **tarea** || **vocación** *Desde joven manifestó una profunda vocación didáctica* · **capacidad** · **eficacia** || **planteamiento** · **explicación** || **valor** · **importancia**

● CON ADVS. **marcadamente** · **claramente** || **eminentemente** *Sus diccionarios tienen un carácter eminentemente didáctico* · **esencialmente** || **sumamente** · **altamente** || **pretendidamente**

[diente] → con uñas y dientes; diente; entre dientes

diente s.m.

● CON ADJS. **afilado** · **cortante** · **punzante** · **acerado** · **romo** || **postizo** || **molar** · **premolar** · **incisivo** · **de leche** || **canino**

● CON SUSTS. **cepillo (de)** · **pasta (de)** · **palillo (de)** || **hilera (de)**

● CON VBOS. **crecer(le) (a alguien)** · **salir(le) (a alguien)** || **caérse(le) (a alguien)** · **mellar(se)(le) (a alguien)** · **faltar(le) (a alguien)** || **castañear(le) (a alguien)** · **castañetear(le) (a alguien)** · **rechinar(le) (a alguien)** *Me rechinan los dientes de frío* · **crujir(le) (a alguien)** || **echar** · **perder** · **romper** || **cepillar** · **lavar** · **empastar** · **blanquear** || **apretar** · **clavar** || **sacar** · **extraer** || **escarbar (en)**

☐ EXPRESIONES **diente de ajo** [cada una de las partes en que se divide una cabeza de ajo] || {**enseñar/mostrar**} **los dientes** (a alguien) [amenazar o mostrar disposición para atacar o para defenderse] *col.* || **entre dientes*** [de manera inaudible] || {**hincar/meter**} **el diente** (a algo) [apropiarse de una parte de ello] || **poner los dientes largos** (a alguien) [darle envidia]

diésel s.m.

● CON SUSTS. **motor** · **mecánica** · **máquina** · **propulsor** · **motorización** || **coche** *Si piensas hacer tantos kilómetros es preferible que te compres un coche diésel* · **camioneta** · ***otros vehículos*** || **modelo** · **versión**

[diestro] → a diestro y siniestro

dieta s.f.

▮ [regulación de la alimentación]

● CON ADJS. **saludable** *Procuro llevar una dieta saludable* · **sana** · **equilibrada** · **rica** · **adecuada** · **apropiada** · **mi-**

lagrosa || rígida · estricta · rigurosa · severa · drástica · inflexible · insufrible · espartana · implacable || laxa · relajada · blanda || pobre · inadecuada || básica · mediterránea *El médico me ha recomendado la dieta mediterránea* · **vegetariana || adelgazante · alimenticia**
● CON VBOS. **hacer · llevar · seguir · mantener · observar || saltarse || imponer · prescribir · proponer · recetar · recomendar · aconsejar || complementar** *Complemento mi dieta adelgazante con ejercicio físico*

▮ [dinero]

● CON ADJS. **cuantiosa || de viaje · de alimentación · de estancia**
● CON VBOS. **pagar** *Ya me pagaron las dietas que me debían* · **cobrar · percibir || calcular**
● CON PREPS. **en concepto (de)**

☐ EXPRESIONES **a dieta** [siguiendo un régimen alimenticio] *Estoy a dieta*

[dietética] s.f. → dietético, ca

dietético, ca

1 **dietético, ca** adj.

▮ [relacionado con la regulación de la alimentación]

● CON SUSTS. **producto · artículo · suplemento · fibra · alimento** *Esta tienda solo vende alimentos dietéticos* · **galleta · comida · cocina · menú || régimen · terapia · proceso || hábito** *mejorar los hábitos dietéticos* · **costumbre · tradición || clínica · restaurante || cualidad · propiedad || consejo · recomendación · guía · información** *La página contiene información dietética, recetarios, consejos de especialistas...* **|| problema · vicio**

2 **dietética** s.f.

▮ [rama del saber] Véase **DISCIPLINA**

diezmar v.

● CON SUSTS. **población** *Las sucesivas guerras diezmaron a gran parte de la población* · **planeta · equipo · familia · pueblo · plantilla · ciudad · país || tropa · filas · pelotón || bosque · cultivo** *La plaga diezmó considerablemente los cultivos* · **rebaño · plantación · cosecha || arcas · producción**
● CON ADVS. **considerablemente · contundentemente || gravemente** *Un terremoto diezmó gravemente el pueblo* · **seriamente · cruelmente**

difamar v.

● CON ADVS. **abiertamente · libremente || injustamente · vilmente** *Fue vilmente difamado y calumniado* **|| impunemente**

diferencia s.f.

● CON ADJS. **enorme · abrumadora · abismal · profunda** *Existían profundas diferencias entre ellos* · **acusada · gran(de) · importante · seria · tremenda · abultada · considerable · infranqueable · insalvable · inalcanzable · insuperable · irreconciliable · irresoluble · gruesa · sensible || visible · patente** *Las diferencias eran patentes, pero se negaba a verlas* · **apreciable · notable · palpable · flagrante · notoria · ostensible || clara · nítida || llamativa · reveladora · principal** *Esa es la principal diferencia* **|| crucial · esencial · sustancial · cualitativa || ajustada · superable || imperceptible · pequeña** *Las diferencias entre los dos dibujos eran muy pequeñas* · **inapreciable · insignificante · ligera · mínima · sutil · tenue · nimia · ínfima · banal · borrosa · vaga · exigua || lógica · natural || discriminatoria**
● CON VBOS. **existir · surgir · aparecer · salir a la luz** *En el debate salieron a la luz importantes diferencias entre los candidatos* · **aflorar · agrandar(se) · agravar(se) · agudizar(se) || reducir(se) · difuminar(se) · atenuar(se) · desvanecerse || apreciar(se) · traslucir(se) || derivar(se) · estribar (en algo)** *La diferencia entre su receta y la mía estriba en...* · **residir (en algo) || separar (algo/a alguien) || descubrir · distinguir · notar** *¿Notas la diferencia de sonido entre los dos instrumentos?* · **captar · detectar · reconocer || arrojar · establecer · mantener · tener {nuestras/vuestras...}** *Tenemos nuestras diferencias, pero nos llevamos bien* **|| acusar · plantear · airear || avivar · estirar · destacar · marcar** *un estilo de ropa que marca la diferencia* · **resaltar || borrar · compensar · neutralizar · conciliar · deponer · allanar · salvar · superar · zanjar · recortar · acortar** *Le resultaba casi imposible acortar la diferencia con el otro corredor* · **estrechar · eliminar · enjugar · limar** *Tendía siempre a limar las diferencias* · **suavizar · pulir · disimular · aminorar · achicar · arañar · mitigar · nivelar · remontar · dirimir · saldar || desbloquear || ahondar (en) · quitar hierro (a)**

diferenciar(se) v.

● CON ADVS. **enormemente** *Son dos obras de la misma artista, pero se diferencian enormemente* · **considerablemente · en mucho · abismalmente · decisivamente · verdaderamente · destacadamente · intensamente · sensiblemente || cualitativamente · sustancialmente || a simple vista · claramente** *Los dos estilos se diferencian claramente* · **visiblemente · nítidamente · notablemente · notoriamente · ostensiblemente · fácilmente || levemente · ligeramente · por poco · mínimamente · en poco · escasamente || expresamente || maniqueamente**

diferente adj.

● CON ADVS. **totalmente · completamente** *Somos completamente diferentes, pero nos llevamos muy bien* · **absolutamente · extraordinariamente || aparentemente || radicalmente** *Defienden puntos de vista radicalmente diferentes* · **diametralmente || cualitativamente · sustancialmente · formalmente · fundamentalmente**
● CON VBOS. **ser · volver(se)** *Desde que te fuiste todo se ha vuelto diferente* · **poner(se) · estar · mantener(se)** *La cultura indígena se mantiene diferente a pesar del paso del tiempo*

[diferido] → en diferido

diferir v.

● CON ADVS. **enormemente** *Sus posturas difieren enormemente* · **ampliamente · significativamente · considerablemente · en mucho · notablemente || radicalmente** *Mi plan difiere radicalmente del suyo* · **sustancialmente · por completo · drásticamente || en poco · ligeramente · levemente · mínimamente**

☐ USO Se construye frecuentemente con complementos encabezados por la preposición *de*: *...una propuesta que difiere por completo de la nuestra.*

difícil adj.

● CON ADVS. **enormemente · extraordinariamente** *unas preguntas extraordinariamente difíciles* · **inmensamente · profundamente · sumamente · terriblemente · tremendamente · endiabladamente** *Aquel libro era endiabladamente difícil* · **endemoniadamente · excesivamente · en extremo || escasamente · ligeramente · medianamente || especialmente** *una palabra especialmente difícil de pronunciar* · **particularmente**

• CON VBOS. **ser · volver(se) · resultar** *Resulta muy difícil trabajar en estas condiciones* || **poner(se) · estar** *La promoción está difícil*

dificultad s.f.

• CON ADJS. **seria** *Encontramos serias dificultades para conseguirlo* · **gran(de) · grave · endemoniada · endiablada · irresoluble · enrevesada · extremada · extrema · indudable** *Tal negativa suponía una indudable dificultad para nuestros planes* · **insalvable · insoluble · enorme · insuperable · invencible · insoslayable · peliaguda · severa · suma · abrumadora · absoluta** || **evidente** *No se arredró ante las evidentes dificultades que se avecinaban* · **apreciable · notable · ostensible** || **apremiante · candente · progresiva** || **especial · particular** || **peligrosa** || **escasa · pequeña · leve · ligera · nimia · moderada · salvable** || **coyuntural · pasajera · adicional · aparente** || **libre (de) · lleno,na (de)** *una propuesta llena de dificultades*
• CON SUSTS. **cúmulo (de)**
• CON VBOS. **avecinarse · acechar · gravitar · acuciar · aumentar · agravar(se)** *Las dificultades se agravaron al quedarnos sin luz* · **agudizar(se) · recrudecer(se) · arreciar · sobrepasar · absorber · desbordar (a alguien)** || **atenuar(se)** || **despejar(se) · disipar(se)** || **residir (en algo)** *La dificultad de esta teoría reside en su lenguaje* · **estribar (en algo) · derivar(se) (de algo)** || **implicar · acarrear · encerrar** *Esta prueba encierra ciertas dificultades* · **entrañar · suponer · constituir · plantear · poner (a algo/a alguien) · presentar · aducir** || **encontrar · aparecer · surgir · atravesar · sufrir · tener · acusar · traspasar** || **encarar · afrontar** *Siempre afrontó con decisión las dificultades* · **bregar · capear · arrostrar · lidiar** || **augurar** || **sopesar · calibrar · calcular** || **allanar** *Se mostró dispuesto a allanarnos todas las dificultades* · **aminorar · mitigar · paliar · conjurar · remontar · salvar · superar · vencer · solventar · subsanar · vadear** || **obviar · orillar · bordear · sortear · soslayar** || **enfrentarse (a) · hacer frente (a)** *Tienes que hacer frente a las dificultades* · **cerrar los ojos (ante)** || **crecerse (ante) · sobreponerse (a) · rendirse (a/ante) · amoldar(se) (a)** || **tropezar(se) (con) · meter(se) (en)** *Me metí en dificultades por querer ayudar* · **entrar (en) · poner (en) · colmar (de)** || **salir (de)**
• CON PREPS. **a la vista (de) · a prueba (de) · con · sin** *Lo hizo sin dificultad*

dificultar v.

• CON SUSTS. **trabajo · labor · tarea** *El mal tiempo está dificultando las tareas de rescate* · **gestión · operación · uso** || **fin · salida · llegada · aterrizaje** || ***otros eventos*** || **acceso · entrada · circulación · paso · tráfico · vuelo · control** || **búsqueda · investigación · localización · recuperación · creación** || **integración · comprensión · entendimiento** || **desarrollo** *Un factor que dificulta el desarrollo de la economía del país es...* · **progreso** || **convivencia** *Su actitud intolerante dificulta la convivencia familiar* || **diálogo · lectura** || **solución · posibilidad**
• CON ADVS. **enormemente** *La tormenta dificultó enormemente el viaje* · **gravemente · seriamente · considerablemente · inmensamente · notablemente · significativamente** || **mínimamente · ligeramente** || **en {gran/pequeña/alguna} medida** || **indirectamente** *Su negativa dificultó indirectamente nuestros planes*

[difuminar] → difuminar(se); difuminar(se) (en)

difuminar(se) v.

• CON SUSTS. **luz · halo · imagen · color** *La luz se apaga, las sombras se alargan y los colores se difuminan* · **línea · tono · dibujo · fondo · trazo** || **sombra · oscuridad · bruma · niebla** || **frontera** *una película en la que se difumina la frontera entre ficción y realidad* · **límite · contorno · perfil · línea divisoria · barrera · silueta · figura** || **división · separación · distinción · diferencia · ventaja** *La ventaja se difuminó a dos minutos del final del partido* · **contraste** || **sonido · melodía · ruido · grito · eco** || **duda · sospecha · incertidumbre · fantasma** || **esperanza · sueño** *un sueño de juventud que se difuminó poco a poco* · **ilusión · aspiración · expectativa · voluntad · apetencia · intención · interés** || **identidad · seña de identidad · característica · rasgo · carácter · idiosincrasia** || **función · papel · responsabilidad** *para lograr que no se difumine la responsabilidad del Estado como garante de...* · **obligación · protagonismo · presencia** || **problema · error · imperfección · inconveniente** || **victoria · éxito · logro · fracaso · acierto** || **animadversión · acritud · indignación · tensión** *La tensión vivida acaba por difuminarse y solo se recuerda el éxito final* · **zozobra** || **debate · polémica · crítica · ataque** || **proyecto · plan · programa · diseño · planteamiento** || **virtud · bondad · gracia · talento · prestigio · popularidad** || **recuerdo** *Los recuerdos se van difuminando paulatinamente* · **memoria · pasado** || **amenaza · riesgo · peligro**
• CON ADVS. **a lo lejos** || **absolutamente · por completo** || **paulatinamente · aceleradamente · gradualmente · rápidamente · progresivamente** *Las dudas se irán difuminando progresivamente* · **poco a poco** || **considerablemente · en exceso · levemente**

difuminar(se) (en) v.

• CON SUSTS. **horizonte · lejanía · distancia** || **sombra · penumbra** || **aire · niebla · espacio** || **recuerdo · memoria · olvido**

difundir v.

• CON SUSTS. **calor · luz · onda · energía** || **información · noticia · mensaje · comunicado · informe · nota** *El comité difundirá una nota informativa* · **parte · primicia · reporte** || **anuncio · propaganda · publicidad · convocatoria · eslogan** || **imagen · vídeo · fotografía · reportaje · grabación · película · documental · retrato** *Difundieron el retrato robot por internet* || **música · concierto · álbum · canción · voz · disco** || **texto · discurso · documento · entrevista · libro · carta · publicación · artículo · boletín · decreto · periódico** || **nombre · palabra · tema · contenido** *Le concedió una entrevista, pero le prohibió difundir el contenido literal de algunos comentarios* · **explicación** || **rumor · versión · opinión · conjetura · tesis · teoría · sensación · sospecha** || **idea · conocimiento · pensamiento · noción · concepto · saber** || **principio · método · criterio · técnica** *una nueva técnica que recién está empezando a difundirse* · **procedimiento · directriz** || **proyecto · plan · propuesta · iniciativa** || **dato · encuesta · resultado · lista · cifra** *Han difundido las últimas cifras sobre la situación del empleo* · **estadística · conclusión · resolución · hecho · realidad · sondeo** || **obra** *un medio idóneo para que se difunda la obra* · **trabajo · estudio · investigación · producto · actividad · labor · reforma · logro** || **cultura · arte · patrimonio · acervo · literatura · teatro · pintura · lengua · folclore** || **doctrina · creencia · mito · evangelio · religión · enseñanza** *una institución destinada a difundir la enseñanza de la lengua española* || **verdad · mentira · acusación · denuncia · falsedad · calumnia** || **violencia · odio · amor · fe · esperanza · caridad · fanatismo · vicio** || **línea · tendencia · movimiento · disciplina · corriente**
• CON ADVS. **a los cuatro vientos · ampliamente · profusamente · masivamente** || **localmente · internacionalmente · universalmente** || **a bombo y platillo** *El pe-*

riódico difundió a bombo y platillo la primicia de la boda real || **detalladamente · exhaustivamente · con (todo) lujo de detalles || rápidamente · como la pólvora · lentamente || comercialmente** *Es un gran artista, pero es muy difícil difundir comercialmente su música* · **oficialmente · públicamente || generosamente · escasamente**

difusión s.f.

● CON ADJS. **amplia · enorme** *El libro tuvo una enorme difusión* · **universal · considerable · gran(de) · inmensa · masiva · notable · vasta · extensa · profusa || escasa · restringida** *Debido a que era una edición limitada, la difusión de la obra fue muy restringida* · **reducida · minoritaria || especial || necesaria · obligada || cultural**
● CON SUSTS. **campaña (de) · labor (de)** *La labor de difusión de esta institución ha sido esencial* · **medio (de)**
● CON VBOS. **aumentar || conceder (a algo) · dar (a algo) · facilitar** *El objetivo del encuentro era facilitar la difusión de las nuevas ideas* · **favorecer · autorizar · permitir · cuidar · exigir || tener · alcanzar** *Sus películas alcanzaron gran difusión* · **obtener || limitar · restringir · retrasar · prohibir · impedir || aprovechar || registrar**

difuso, sa adj.

● CON SUSTS. **imagen · aspecto · contenido || luz** *Luces difusas de varios colores iluminaban la sala* · **sombra || límite · frontera · línea · zona || mezcla · combinación · relación || sentimiento · sensación · malestar** *Sus primeros síntomas fueron un malestar difuso y agotamiento* || **recuerdo · pasado · futuro || realidad · panorama || identidad · actitud · intención || enemigo,ga · amenaza · peligro** *Intuyo un peligro difuso que...* · **problema · violencia · terrorismo || lógica · sistema || control**
● CON ADVS. **extremadamente · sumamente · particularmente · completamente || notoriamente · intencionadamente · aparentemente**
● CON VBOS. **poner(se) · volver(se)** *Después del accidente todo se volvió difuso* · **resultar**

digerir v.

● CON SUSTS. **verdura · leche · carne · fabada ·** ***otros alimentos o comidas*** **|| dolor · tristeza · emoción** *un cúmulo de emociones que aún no hemos logrado digerir* || **libro · película · novela** *una novela imposible de digerir* · ***otras creaciones*** **|| página · escena · capítulo · estilo · retórica · sintaxis || noticia** *Les llevó varios minutos digerir la terrible noticia* · **información · dato · mensaje || derrota** *El equipo aún no ha digerido la derrota* · **fracaso · fallo · fiasco || fama · éxito · triunfo · victoria · homenaje · popularidad · reconocimiento · aceptación || resultado** *A cualquiera le cuesta digerir un resultado adverso* · **decisión · sentencia · empate || obstáculo · inconveniente · molestia · tragedia · estrago · desastre · crisis · absurdo · turbulencia · muerte** *Todavía no he digerido su muerte* || **subida · caída · descenso · rebaja · ascenso · aumento · crecimiento || cambio · renovación** *Le está costando digerir la renovación de la cúpula* · **transformación · mutación || eliminación · pérdida · disolución · salida · retirada · abandono || pasado · episodio · época · temporada · momento · historia || afrenta · humillación · sátira**
● CON ADVS. **con dificultad · pesadamente · difícilmente || fácilmente · sin problemas || adecuadamente · plenamente · apropiadamente · acertadamente · convenientemente || forzosamente**

digestión s.f.

● CON ADJS. **mala · pesada · lenta · difícil · ardua · laboriosa · complicada || buena · fácil || larga · corta**
● CON SUSTS. **problema (de) · corte (de)** *Me dio un corte de digestión* · **proceso (de)**
● CON VBOS. **hacer** *Si estás haciendo la digestión, es mejor que no te metas en el agua* · **terminar || facilitar · favorecer · suavizar · provocar || alterar · cortar · dificultar · interrumpir || ayudar (a)** *una infusión que ayuda a la digestión*
● CON PREPS. **durante · tras**

digestivo, va adj.

● CON SUSTS. **aparato** *el aparato digestivo de las distintas especies animales* · **sistema · tubo || jugo · ácido · enzima || bebida · infusión · comida · fármaco · medicamento || proceso · ritmo · movimiento || problema** *Tengo con frecuencia problemas digestivos* · **trastorno · enfermedad · dificultad · afección · desorden · alteración · indisposición · intoxicación · hemorragia · patología || malestar · molestia · irritación · dolor || cirugía** *Su especialidad médica es la cirugía digestiva*

digital adj.

▌ [de los dedos]

● CON SUSTS. **huella** *La Policía está analizando las huellas digitales halladas en el coche*

▌ [que utiliza un código binario]

● CON SUSTS. **televisión · tecnología · plataforma · canal · telefonía · sonido** *una película con sonido e imagen digital* · **imagen · vídeo · fotografía · música · película || teléfono · equipo · red · televisor · radio · cámara** *Si usas una cámara digital, puedes editar las imágenes en el ordenador* · **reloj · mapa · diario · pantalla · biblioteca · computadora · revista || formato** *Prefiero que me entregues el texto en formato digital* · **soporte || versión · copia · edición · prueba || información · comunicación · mensaje || código · sistema · secuencia · programa || mundo · era** *la comunicación en la era digital* · **sociedad · revolución || mercado · producto · servicio**

dignamente adv.

● CON VBOS. **vivir · sobrevivir · existir · subsistir · envejecer · habitar || morir · acabar** *Solo pretendía acabar el trabajo dignamente* · **despedir · enterrar · resolver || desaparecer · terminar · retirarse · salir · marcharse · dimitir || sobrellevar · sufrir · soportar · encarar** *encarar dignamente las dificultades* · **resistir · asumir** *Asumió dignamente su nueva responsabilidad* · **absorber · encajar || competir · reaccionar · luchar · pelear || mantener · sostener · defender** *El equipo ha logrado defender dignamente el título de campeón* · **demostrar || cumplir · trabajar · comportarse · actuar · vestir · desenvolverse || representar · presentar · encarnar** *La protagonista encarna muy dignamente a la famosa escritora* · **exhibir · exponer · editar · figurar || ganar · superar · vencer · alcanzar || avanzar · desarrollar(se) · ascender || dirigir · encabezar · gobernar · presidir**

dignarse v.

● CON VBOS. **responder** *Se marchó de la sala sin dignarse responder* · **hablar · contestar · discutir · saludar · explicar · nombrar ·** ***otros verbos de lengua*** **|| asistir · acudir · ir · venir || aceptar · recibir · atender** *El futbolista, de mal humor, no se dignó atender a los reporteros* || **votar**

dignidad s.f.

● CON ADJS. **gran(de) · alta · profunda · suma · suprema || propia** *Solo quiero proteger mi propia dignidad* · **humana · personal || respetable || atentatorio,ria (contra)**

• CON SUSTS. **ápice (de) || muestra (de) · arrebato (de)** *En un arrebato de dignidad, se negó a seguir con aquella farsa* · **sentido (de) || falta (de)**
• CON VBOS. **tener · poseer · demostrar** *Demuestra una dignidad y una calidad humana que no todo el mundo tiene* · **mostrar · conferir (a algo) · rebosar || conservar · mantener · perder · recuperar || defender · proteger · salvar · preservar || pisar · pisotear** *No consentiré que pisoteen mi dignidad* · **dañar · herir · lesionar · ofender · empañar · mancillar · minar · socavar || respetar || carecer (de) || atentar (contra) · ir (contra) · acabar (con)**
• CON PREPS. **con** *Actuaron con mucha dignidad* · **sin**

digno, na (de) adj.

• CON SUSTS. **admiración** *Su entrega es digna de admiración* · **alabanza · elogio · estima · respeto · encomio · aplauso || agradecimiento · reconocimiento · celebración · condecoración · recuerdo · mención · desprecio || confianza** *una persona totalmente digna de confianza* · **credibilidad · crédito || compasión · piedad · protección || análisis · atención · consideración** *Es una hipótesis digna de consideración* · **estudio || imitación || mejor causa**

[dilación] → dilación; sin dilación

dilación s.f.

• CON ADJS. **excesiva · larga || lamentable · indeseable · evidente · llamativa || injustificada** *Se ha producido una injustificada dilación en la firma del convenio* · **indebida · justificada · inevitable || temporal · recurrente || judicial · administrativa**
• CON VBOS. **provocar · favorecer · admitir || evitar** *...trabajar de forma coordinada para evitar la dilación de los procesos* · **sufrir || criticar · reprochar || conllevar · implicar · producir(se) · darse || atribuir || poner fin (a)**
• CON PREPS. **sin** *Debemos actuar sin más dilación*

dilapidar v.

• CON SUSTS. **capital · dinero · fortuna** *En poco tiempo, dilapidó la fortuna de su familia* **|| recurso · agua · oxígeno · energía || ocasión · oportunidad · opción · situación · baza · posibilidad · ventaja** *...dilapidando así la considerable ventaja obtenida en la primera parte del campeonato* · **renta · margen || esfuerzo · victoria · logro · resistencia · trabajo || vida · tiempo · historia · año · carrera · hora · instante · momento · futuro || prestigio · crédito · credibilidad · imagen · fama · seña de identidad · liderazgo || talento · idea · inteligencia · experiencia** *Con esas jubilaciones anticipadas se dilapida la larga experiencia de quienes mejor conocen el...* · **sapiencia · capacidad · intuición || esperanza · ilusión · aspiración · sueño || confianza · sentimiento · cariño · solidaridad · concordia · fe** *una forma absurda de dilapidar la fe que tantos ciudadanos habían depositado en él* · **respaldo · apoyo || jugador,-a · equipo**
• CON ADVS. **a manos llenas · completamente · definitivamente || irresponsablemente** *Dilapidó irresponsablemente el dinero público* · **absurdamente · insensatamente · inútilmente · lastimosamente · alegremente || conscientemente · a conciencia · concienzudamente**

☐ USO Se construye muy a menudo con sustantivos no contables en singular (*dilapidar el dinero*) o con contables en plural (*dilapidar los recursos*).

dilatación s.f.

• CON ADJS. **de proceso** *Los trámites burocráticos suponen una dilatación del proceso judicial* · **de período || de tejido · de arterias · de útero · de venas** *Las varices son dilataciones de las venas* · **de pupilas**
• CON SUSTS. **capacidad (de)**
• CON VBOS. **evitar · provocar** *Le tuvieron que provocar la dilatación del útero*

dilatado, da adj.

• CON SUSTS. **territorio · superficie · terreno · valle · panorama || plazo** *en plazos cómodos y dilatados* · **verano · época · fase · ciclo · adolescencia ·** ***otros períodos*** **|| desarrollo · formación · aprendizaje · expansión · evolución || pasado · historia · tradición || trayectoria** *una dilatada trayectoria artística, tanto dentro como fuera del país* · **carrera · currículo · historial · experiencia · biografía · andadura · discografía · producción · obra · bibliografía** *En unos pocos años logró publicar una dilatada bibliografía* · **correspondencia || actividad · trabajo · labor · gestión · colaboración · dedicación · campaña** *un objetivo que nunca llegó a cumplir en su dilatada campaña* · **atención || recorrido · marcha · peripecia · aventura · correría · periplo · viaje · paseo || existencia** *los últimos años de su dilatada existencia* · **vida · convivencia · permanencia · presencia · estancia · ausencia · silencio || texto · narración · memorias · drama · ópera · película**

dilema s.m.

• CON ADJS. **gran(de) · grave · profundo** *Está sumida en un profundo dilema de ética profesional* · **serio · terrible · insoluble · irresoluble** *Aquello parecía un dilema irresoluble* · **sin solución · verdadero · acuciante || difícil** *La situación nos planteaba un difícil dilema político* · **enrevesado · complejo · intrincado · espinoso · alambicado · arduo · bizantino || inquietante · misterioso · curioso · interesante · sutil || clásico · eterno** *Me encontré ante el eterno dilema moral de decidir entre...* · **viejo · perpetuo · habitual || falso || ético · moral || profesional · filosófico · político**
• CON SUSTS. **causa (de) · solución (de) · resolución (de) · salida (de) || síntesis (de)**
• CON VBOS. **surgir · presentar(se) · asaltar (a alguien) || disipar(se) · agravar(se) || constituir** *una situación que constituye un verdadero dilema para las autoridades* · **plantear · suscitar || tener || abordar · dilucidar || resolver** *Ignoraba cómo resolver el dilema* · **solucionar · zanjar · solventar · superar || evitar || estar (en)** *Estoy en un dilema respecto a mi futuro profesional* · **encontrarse (en) · enfrentar(se) (a) · salir (de) || zafarse (de) · escapar (de)**

diligencia s.f.

▮ [cuidado]
• CON ADJS. **extrema** *Hizo el encargo con extrema diligencia* · **irreprochable || debida · necesaria**
• CON SUSTS. **falta (de)**
• CON VBOS. **observar** *Observa la diligencia debida en su trabajo* · **extremar · guardar || pedir · exigir · requerir**
• CON PREPS. **con** *Actuaron con diligencia*

▮ [trámite]
• CON ADJS. **preliminar · previa** *Están tramitando las diligencias previas* **|| judicial · penal · policial · procesal**
• CON VBOS. **abrir · incoar · iniciar || concluir · archivar** *Archivaron las diligencias policiales sin llegar a ninguna conclusión* · **notificar · repetir · continuar || practicar** *Todavía tienen que practicar las diligencias penales correspondientes* · **realizar · instruir · tramitar || ordenar · pedir || cumplir || constar (en)**
• CON PREPS. **a la vista (de)**

dilucidar v.

• CON SUSTS. **significado** *Me costó dilucidar el significado de sus palabras* · **importancia** · **trascendencia** · **sentido** · **naturaleza** || **conflicto** · **debate** · **problema** · **duelo** · **polémica** · **lidia** · **batalla** · **choque** · **controversia** · **contencioso** · **litigio** || **posición** · **puesto** · **lugar** · **papel** *Queda por dilucidar el papel que han tenido los detenidos en el suceso* · **plaza** · **liderato** · **liderazgo** · **vencedor** || **resultado** · **triunfo** · **pacto** · **decisión** · **balance** · **final** · **punto** || **alternativa** · **posibilidad** · **dilema** · **empate** · **opción** || **futuro** · **deseo** · **propósito** · **destino** · **pretensión** || **causa** *Aún no se han podido dilucidar las causas del incendio* · **porqué** · **procedencia** · **origen** · **raíz** · **motivo** · **razón** · **móvil** || **detalle** · **pormenor** · **circunstancia** · **matiz** *Habrá que dilucidar ciertos matices del guión antes de darlo por terminado* || **límite** · **demarcación** · **margen** · **extremo** || **demanda** · **querella** · **recurso** · **acusación** · **reclamación** || **responsabilidad** · **culpabilidad** · **obligación** || **secreto** *investigaciones orientadas a dilucidar el secreto* · **enigma** · **incógnita** · **cuestión** · **misterio** || **fórmula** · **manera** · **vía** · **sistema** || **crimen** · **robo** · **delito**

diluvio s.m.

• CON ADJS. **universal** · **final** || **auténtico** *Cayó un auténtico diluvio* · **verdadero** || **incesante** · **persistente** · **trepidante** || **gran(de)** · **imponente** · **gigantesco** · **infernal** || **de meteoritos** · **de estrellas** · **de agua** · **de fuego** · **estelar** || **de bombas** · **de cohetes** || **de críticas** *A pesar del diluvio de críticas que ha recibido últimamente el Gobierno...* · **de mensajes** · **de imágenes**

• CON VBOS. **azotar** · **caer** · **abatirse (sobre)** · **arreciar** · **descargar** || **destrozar** *El fuerte diluvio destrozó parte de los cultivos* · **causar** · **anegar** · **arrastrar** · **estremecer** || **venir** · **avecinarse** · **comenzar** · **desencadenar(se)** || **salvar(se) (de)** · **proteger(se) (de)** *Entramos en una cabaña para protegernos del diluvio* · **resistirse (a)** || **asistir (a)**

dimanar v.

• CON SUSTS. **autoridad** *una autoridad que solo dimana de su enorme influencia en este sector* · **competencia** · **poder** · **responsabilidad** || **ley** · **deber** · **derecho** || **hecho** || **beneficio**

☐ USO Se construye con complementos encabezados por la preposición *de*: *El poder dimana del conjunto de todos los socios.*

dimensionar v.

• CON SUSTS. **hecho** · **tema** · **plan** || **debate** · **discusión** || **problema** · **desastre** *dimensionar un desastre ecológico* || **aportación** · **esfuerzo** · **importancia** *dimensionar la importancia de una venta* || **hospital** · **empresa** · **servicio público**

dimisión s.f.

• CON ADJS. **irrevocable** *La ministra presentó su dimisión irrevocable* · **inevitable** · **obligada** · **incondicional** · **forzosa** || **inmediata** · **inaplazable** || **repentina** *A todos nos sorprendió su repentina dimisión* · **súbita** · **inesperada** · **sorpresiva** · **fulminante** || **en cadena** · **masiva**

• CON SUSTS. **carta (de)** · **amenaza (de)**

• CON VBOS. **producir(se)** *A consecuencia del escándalo se produjeron varias dimisiones en cadena* · **precipitar(se)** || **presentar** · **poner sobre la mesa** · **firmar** · **cursar** · **tramitar** · **posponer** · **aplazar** || **anunciar** · **notificar** || **exigir** · **pedir** *...y pidió la dimisión inmediata de todos los implicados* · **reclamar** || **forzar** · **provocar** || **aceptar** · **admitir** · **rechazar** · **criticar** || **retirar** · **revocar** || **evitar** || **explicar** · **justificar**

dimitir (de) v.

• CON SUSTS. **puesto** · **cargo** *Un cargo del que se verá obligado a dimitir* · **responsabilidad** || **trabajo** · **tarea** · **función** || **escaño** · **dirección** · **ejecutiva** · **consejo** · ***otros puestos de responsabilidad***

• CON ADVS. **en masa** · **en bloque** || **de inmediato** *...y amenazó con dimitir de inmediato si el proyecto no era aprobado* · **inmediatamente** · **fulminantemente** || **inesperadamente** || **definitivamente** · **irrevocablemente** · **cautelarmente** || **a regañadientes** · **dignamente** · **a tiempo**

• CON VBOS. **verse obligado (a)** *...y en consecuencia me veo obligado a dimitir irrevocablemente de mi cargo de...* · **verse forzado (a)**

dineral s.m.

• CON VBOS. **costar** *Ese coche cuesta un dineral* · **valer** || **gastar** · **pagar** · **dejar** · **pedir** · **invertir** *Invirtió un dineral en un proyecto que no se llegó a terminar* || **cobrar** · **reunir** · **ahorrar** || **tener** || **malgastar** · **despilfarrar** · **perder**

dinero s.m.

• CON ADJS. **abundante** · **a discreción** · **contante y sonante** *Pagó con dinero contante y sonante* || **a espuertas** *el dinero a espuertas que ganaba* · **en abundancia** · **en cantidad** · **en {grandes/pequeñas} cantidades** · **en cantidades industriales** || **necesario** · **suficiente** · **rentable** || **escaso** · **insuficiente** || **a plazo fijo** || **negro** *una mafia especializada en blanquear dinero negro* · **fácil** · **limpio** · **sucio** || **público** *obras pagadas con dinero público* · **de plástico** · **caliente** · **de bolsillo** || **podrido,da (de)** · **sobrado,da (de)** · **lleno,na (de)**

• CON SUSTS. **cantidad (de)** · **lluvia (de)** · **suma (de)** *Depositó una importante suma de dinero en el banco* || **uso (de)** · **empleo (de)** || **blanqueo (de)** · **inyección (de)** · **acumulación (de)** || **problema (de)** || **sustracción (de)** · **pérdida (de)** · **gasto (de)** || **rentabilidad (de)** · **inversión (de)**

• CON VBOS. **aflorar** · **correr** · **circular** · **fluir** · **llegar** || **disipar(se)** · **ir(se)** *Hay que ver cómo se va el dinero* || **faltar** · **sobrar** || **subirse a la cabeza (a alguien)** || **conseguir** · **ganar** · **obtener** · **pillar** · **pedir** · **necesitar** || **recabar** · **recaudar** *recaudar dinero para una organización humanitaria* · **recoger** || **acumular** · **acaparar** · **ahorrar** · **atesorar** · **tener** · **ostentar** · **rebañar** || **gastar** · **derrochar** · **dilapidar** · **malgastar** · **perder** · **pulverizar** || **multiplicar** · **estirar** *No ahorramos, pero estiramos el dinero todo lo que podemos* · **salvar** · **escatimar** || **canalizar** · **centralizar** · **manejar** *Su trabajo le obligaba a manejar mucho dinero* || **desviar** · **blanquear** · **lavar** · **falsificar** · **malversar** || **dar** · **prestar** · **donar** · **repartir** · **distribuir** · **dedicar** · **emplear** · **invertir** *invertir dinero en bolsa* · **inyectar** · **depositar** · **jugar(se)** · **poner (en algo)** *una inversión dudosa en la que había puesto mucho dinero* || **recuperar** · **recibir** · **sacar** || **abonar** *¿Cuánto dinero tengo que abonar?* · **cobrar** *una traductora que cobra mucho dinero por su trabajo* · **pagar** · **reembolsar** · **devolver** || **adeudar** · **deber** || **costar** || **contar** · **valorar** || **rentar** *inversiones que rentan bastante dinero* · **producir** || **abusar (de)** · **reventar (de)** || **carecer (de)** · **prescindir (de)** || **hacer (algo) (con)** *¿Qué piensas hacer con el dinero?*

dios, -a s.

• CON ADJS. **creador,-a** || **único,ca** *Creen en la existencia de un único Dios* · **personal** || **todopoderoso,sa** · **omnipotente** · **omnisciente** · **omnipresente** || **benevolente** · **misericordioso,sa** · **generoso,sa** *Es un Dios bueno y generoso* · **caritativo,va** || **trascendente** · **sagrado,da** || **terrenal** · **humano,na** · **mortal** || **verdadero,ra** · **apócrifo,fa**

· **falso,sa** || **inaccesible** · **ignoto,ta** || **pagano,na** *Adoraban a varios dioses paganos* || **destructor,-a** · **vengativo,va**
● CON SUSTS. **palabra (de)** || **ayuda (de)** · **perdón (de)** || **poder (de)**
● CON VBOS. **existir** || **crear (algo)** || **bendecir (algo/a alguien)** · **conceder (algo)** · **permitir (algo)** · **querer (algo)** || **proteger (a alguien)** *Reza para que Dios nos proteja* · **salvar (a alguien)** · **amparar (a alguien)** · **premiar (a alguien)** || **ordenar (algo)** · **mandar (algo)** · **gobernar (a alguien)** · **juzgar (a alguien)** · **castigar (a alguien)** || **venerar** · **loar** || **rogar** · **invocar** || **descubrir** || **negar** · **ofender** *Ofendes a Dios con esas palabras* || **creer (en)** || **pedir (algo) (a)** · **encomendar(se) (a)** *Conscientes del peligro, se encomendaron a Dios* || **inclinarse (ante)** · **arrodillarse (ante)** · **postrarse (ante)** · **dar gracias (a)** · **dar culto (a)** || **encontrarse (con)** · **enfrentarse (a)** || **erigirse (en)**

☐ EXPRESIONES **a la buena de Dios** [de cualquier modo] *col.* || {**andar/marchar/ir**} **con Dios** [se usa como fórmula de despedida] || **como Dios manda** [como está socialmente admitido que debe ser] || **como Dios** [muy bien] *col.* || **la de Dios** [alboroto muy grande] *col.* || **todo dios** [todo el mundo] *col.*

☐ USO Se usa como nombre propio y como nombre común.

diploma s.m.

● CON ADJS. **olímpico** · **al mérito** *Le han otorgado un diploma al mérito deportivo* · **acreditativo** · **de honor** · **de reconocimiento** || **de graduado** · **de bachiller** · **universitario** · **de estudios avanzados** *obtener un diploma de estudios avanzados*
● CON VBOS. **lograr** · **conseguir** · **obtener** || **otorgar** · **dar** *Le dieron un diploma acreditativo por el curso que había realizado* · **entregar** || **merecer** || **recibir** · **recoger** *Recogió su diploma olímpico muy emocionado* || **tener**

diplomáticamente adv.

● CON VBOS. **representar** *Representan diplomáticamente a su país en las reuniones bilaterales* · **servir** || **enfrentar(se)** · **aislar** · **presionar** || **mediar** · **mover los hilos** · **terciar** || **arreglar** *arreglar los conflicto diplomáticamente* · **resolver** · **solucionar** · **solventar** · **zanjar** || **reclamar** · **reconocer** · **convalidar** · **validar** || **trabajar** · **actuar** · **maniobrar** · **tratar** || **aceptar** *Aceptó nuestra propuesta diplomáticamente* · **asentir** || **evitar** · **declinar** · **rechazar** || **decir** · **declarar** · **explicar** · **plantear** · **exponer** · **hablar** · **intervenir** · **contestar** *Contestó muy diplomáticamente a todas las preguntas* · **responder** · **aludir** · **callar(se)** || **calificar** · **juzgar** || **repartir**

diplomático, ca

1 diplomático, ca adj.

● CON SUSTS. **carrera** *Quiere estudiar la carrera diplomática* · **cargo** · **puesto** · **autoridad** · **cuerpo** · **servicio** · **delegación** · **misión** · **legación** || **observador,-a** · **personal** · **representación** · **representante** || **pasaporte** · **visado** · **valija** *enviar un paquete por valija diplomática* · **información** · **interés** · **inmunidad** · **tradición** || **causa** · **razón** · **justificación** || **canal** · **vía** · **fuente** *según fuentes diplomáticas* · **medio** · **ambiente** · **círculo** · **plano** || **barrio** · **residencia** · **sede** · **zona** || **recepción** · **visita** || **relación** · **vínculo** || **acuerdo** · **conversación** *Los dos países iniciarán pronto conversaciones diplomáticas* · **negociación** || **apoyo** · **despliegue** · **maniobra** · **ofensiva** · **reconocimiento** · **recurso** · **trampa** · **presión** || **nota** · **informe** || **actividad** · **esfuerzo** *los esfuerzos diplomáticos para lograr la paz* · **labor** · **tarea** · **experiencia** · **gestión** · **agenda** · **reacción** || **incidente** *Sus declaraciones provocaron un incidente diplomático* · **conflicto** · **crisis** · **revés** · **enfrentamiento** · **guerra** · **batalla** || **salida** · **solución** · **victoria** || **fallo** · **error** · **torpeza** · **derrota** || **actitud** *Su actitud hacia nosotros siempre ha sido muy diplomática* · **comportamiento** · **habilidad** · **manejo** · **sutileza** · **trato**

2 diplomático, ca s.

● CON ADJS. **de carrera** *Han enviado a un diplomático de carrera para mediar en el conflicto* || **joven** · **novel** · **veterano,na** || **experimentado,da** · **experto,ta**
● CON SUSTS. **oposición (a)** · **carrera (de)** · **gremio (de)**
● CON VBOS. **mediar (en algo)** · **intervenir (en algo)** · **representar (a alguien)** || **negociar (con alguien)** · **acordar (algo) (con alguien)**

dirección s.f.

▌[camino, rumbo]

● CON ADJS. **clara** · **correcta** || **incorrecta** · **equivocada** · **errónea** · **contraria** *Fue detenido por circular en dirección contraria* · **opuesta** · **prohibida** || **doble** · **única** *Esta calle es de dirección única* || **centrípeta** · **rectilínea**
● CON VBOS. **torcer(se)** · **bifurcarse** || **decidir** · **elegir** || **errar** · **equivocar** · **confundir** || **tomar** *Toma esta dirección y llegarás en seguida* · **emprender** · **enfilar** · **seguir** · **proseguir** || **rectificar** · **modificar** · **corregir** || **indicar** · **marcar** · **dictar** · **trazar** || **apuntar (en/a)** *La flecha apunta en la dirección correcta* · **caminar (en)** *Caminamos en la buena dirección* · **orientar(se) (en)** || **cambiar (de)**

▌[gestión, regencia]

● CON ADJS. **política** · **técnica** || **artística** · **escénica** *la dirección escénica de una obra* · **musical** · **orquestal** || **excelente** *Tenemos la suerte de contar con una excelente dirección* · **extraordinaria** · **magnífica** || **efectiva** · **eficaz** · **ineficaz** || **férrea** · **firme** · **rigurosa** · **rígida** || **apasionada** · **concienzuda** · **preparada**
● CON VBOS. **recaer (en alguien)** *La dirección orquestal recayó en un joven músico desconocido* || **ejercer** · **llevar** · **centralizar** || **asumir** *La investigadora asumió sin dudarlo la dirección del proyecto* · **dejar** · **encomendar** · **delegar** · **desviar** · **usurpar** || **conllevar** || **desmantelar** *La nueva presidenta desmanteló toda la dirección anterior* || **encargar(se) (de)** *¿Y quién se encargó entonces de la dirección de la empresa?* · **llegar (a)**
● CON PREPS. **bajo** *Trabaja bajo la dirección de...*

▌[personal directivo]

● CON ADJS. **general** · **central** · **nacional** · **local** || **delegada** · **provisional** || **paritaria** · **uniforme** || **nueva** · **actual** · **anterior**
● CON SUSTS. **cargo (de)** · **puesto (de)** || **secretario,ria (de)** · **ayudante (de)** · **miembro (de)**
● CON VBOS. **reunir(se)** *Mañana se reúne la dirección provisional del partido para tomar una decisión definitiva* || **dictar (algo)** · **acordar (algo)** · **determinar (algo)** · **ordenar (algo)** || **comunicar (algo)** · **manifestar (algo)** · **declarar (algo)** · **notificar (algo)** · **anunciar (algo)** || **elegir** · **nombrar** · **cambiar** · **confirmar (en su puesto)** || **formar parte (de)** || **proponer (a/ante)** · **exponer (a/ante)** · **plantear (a/ante)** *plantear ante la dirección una profunda reforma de la estructura* · **sugerir (a/ante)**

▌[señas]

● CON ADJS. **postal** · **electrónica** || **correcta** · **equivocada**
● CON VBOS. **dar** *¿Podría darme la dirección del restaurante?* · **pedir** · **preguntar** || **buscar** · **encontrar** || **escribir** · **poner** · **anotar** · **copiar** || **cambiar (de)** || **confundirse (de)** · **equivocarse (de)**

▌[mecanismo]

● CON ADJS. **asistida** *un coche con dirección asistida* · **hidráulica** || **oscilante**

• CON VBOS. **romper(se)** · **averiar(se)** || **equilibrar** · **enderezar** · **corregir**

[directiva] s.f. → directivo, va

directivo, va

1 **directivo, va** adj.

• CON SUSTS. **junta** · **mesa** · **consejo** · **comisión** *La comisión directiva del club decidirá hoy la contratación del nuevo jugador* · **comité** · **equipo** · **órgano** · **cúpula** · **cuerpo** · **bufete** || **cargo** · **miembro** · **personal** · **cuadro** · **consejero,ra**

2 **directivo, va** s.

• CON ADJS. **alto,ta** · **principal** · **máximo,ma** || **bancario,ria** · **gremial** · **sindical** *En declaraciones a la prensa, el directivo sindical culpó al Gobierno* · **empresarial** || **influyente** · **importante** || **anterior** · **saliente**
• CON SUSTS. **presidente,ta (de)** · **grupo (de)** || **reunión (de)** *Se acordó en la reunión de directivos europeos* · **encuentro (de)** · **cumbre (de)** || **renovación (de)** · **cambio (de)** · **elección (de)**
• CON VBOS. **cesar** · **dimitir** || **llegar (a)**

3 **directiva** s.f.

• CON ADJS. **nueva** · **actual** · **provisoria** || **nacional** *Contamos con una directiva nacional y cinco delegaciones provinciales* · **local** || **política** · **parlamentaria**

[directo, ta] → directo, ta; en directo

directo, ta adj.

• CON SUSTS. **camino** · **línea** · **conexión** · **acceso** · **enlace** · **contacto** || **familia** · **pariente** *No somos parientes directos, pero somos muy amigos* · **ascendiente** · **heredero,ra** · **discípulo,la** || **relación** · **comunicación** · **encuentro** || **apoyo** · **colaboración** || **responsable** *Solicité hablar con el responsable directo de la oficina para presentar mi queja* · **supervisor,-a** · **jefe,fa** || **control** · **supervisión** || **participación** · **responsabilidad** · **protagonismo** || **intervención** *Una intervención directa del ejército en el conflicto podría tener consecuencias muy graves* · **actuación** · **aproximación** · **acercamiento** || **información** · **noticia** · **crónica** || **lenguaje** · **discurso** · **respuesta** *Su respuesta fue directa y clara* · **expresión** · **narración** · **estilo** · **modo** || **referencia** · **alusión** · **cita** || **influencia** · **influjo** · **impacto** || **consecuencia** · **causa** · **fuente** || **conocimiento** · **observación** *La observación directa del fenómeno en el laboratorio te permitirá comprenderlo mejor* · **experiencia** || **testimonio** · **versión** · **testigo** || **enfrentamiento** · **competencia**

□ EXPRESIONES **en directo*** [que se emite al mismo tiempo que tiene lugar] *retransmisión de un partido en directo*

director, -a s.

• CON ADJS. **eficiente** · **eficaz** || **inoperante** · **desastroso** · **catastrófico** · **ineficaz** · **ineficiente** · **corrupto** || **discreto,ta** · **escrupuloso,sa** · **puntilloso,sa** · **riguroso,sa** || **sabio,bia** · **flamante** · **impecable** || **complaciente** · **permisivo,va** || **absolutista** · **despótico,ca** · **dictatorial** · **tiránico,ca** · **totalitario,ria** || **general** · **adjunto** · **en funciones** *Lleva dos meses de director en funciones* || **de cine** *El festival ha reunido a los mejores directores de cine del país* · **de orquesta** || **a cargo (de algo)**
• CON SUSTS. **cargo (de)** · **puesto (de)** · **funciones (de)** · **rango (de)** · **categoría (de)** || **silla (de)** · **sillón (de)** · **despacho (de)**
• CON VBOS. **decidir (algo)** · **disponer (algo)** · **decretar (algo)** · **ordenar (algo)** · **mandar (algo)** || **ocuparse (de algo)** · **encargarse (de algo)** || **dimitir** *El antiguo director tuvo que dimitir a causa de un escándalo* || **elegir** · **nombrar** || **cesar** · **destituir** || **llegar (a)** *Llegó a directora en muy pocos años* · **ejercer (de)** · **erigirse (en)**
• CON PREPS. **en calidad (de)**

directriz

1 **directriz** adj.

• CON SUSTS. **línea** *...tal y como reflejan las presentes líneas directrices* · **idea** · **norma**

2 **directriz** s.f.

• CON ADJS. **procedente (de algo/de alguien)** || **básica** · **general** *Los alumnos deben conocer las directrices generales del centro* · **común** · **principal** || **clara** · **ambigua** || **estricta** · **rígida** || **nueva** || **política** · **económica** *Todos los proyectos deben seguir las mismas directrices económicas* · **oficial** · **comunitaria** || **acorde (con)**
• CON SUSTS. **serie (de)** || **falta (de)** · **carencia (de)**
• CON VBOS. **obligar (a algo)** · **establecer (algo)** · **determinar (algo)** || **emanar (de algo/de alguien)** · **venir (de algo/de alguien)** · **llegar (de algo/de alguien)** || **dar** · **definir** · **establecer** *Los responsables del concurso deben establecer sus directrices generales* · **fijar** · **marcar** · **dictar** · **trazar** · **proponer** · **apuntar** || **acatar** · **aceptar** · **seguir** · **obedecer** · **cumplir** *Ha sido sancionada por no cumplir las directrices de la empresa* · **respetar** || **incumplir** · **contravenir** · **desobedecer** · **rechazar** || **aprobar** · **aplicar** || **recibir** || **ajustar(se) (a)** *Su propuesta no se ajusta a las directrices comunitarias* · **atenerse (a)**
• CON PREPS. **según**

[dirigir] → dirigir; dirigir(se)

dirigir v.

• CON SUSTS. **equipo** · **orquesta** · **actor** *Destaca por lo bien que dirige a sus actores* · **músico,ca** · **soldado** · ***otros individuos y grupos humanos*** || **obra** · **película** · **tesis** *dirigir una tesis doctoral* || **operación** *El comisario dirigió con éxito la operación policial* · **proceso** · **proyecto** · **sistema** · **plan** || **investigación** · **búsqueda** · **pesquisas**
• CON ADVS. **con mano firme** *Es muy serio y dirige el equipo con mano firme* · **firmemente** · **con firmeza** · **con mano férrea** · **férreamente** || **con mano de hierro** · **con mano dura** · **autoritariamente** · **despóticamente** · **opresivamente** · **tenazmente** || **con efectividad** · **con éxito** *dirigir una investigación con éxito* · **eficazmente** · **eficientemente** · **concienzudamente** || **activamente** · **organizadamente** · **profesionalmente** · **sistemáticamente** || **dignamente** · **valientemente** || **colegiadamente** || **desastrosamente** · **ineficazmente** || **a distancia** · **de cerca** · **de lejos**

dirigir(se) v.

• CON ADVS. **apresuradamente** *Me dirigí apresuradamente a la salida* · **a toda máquina** · **a todo correr** · **a toda velocidad** · **a todo trapo** · **a toda leche** · **precipitadamente** · **velozmente** || **lentamente** · **pausadamente** || **inevitablemente** · **inexorablemente** · **irremediablemente** || **decididamente** *una política económica dirigida decididamente a mejorar la...* · **expresamente** · **directamente** · **valientemente** || **amablemente** · **atentamente** · **acaloradamente** || **oficialmente** · **personalmente** *La directora se dirigió personalmente a mí en una carta en la que...* · **por escrito** · **verbalmente** · **públicamente** · **imaginariamente**

dirimir v.

● CON SUSTS. **asunto · cuestión · materia || diferencia** *Había llegado el momento de dirimir nuestras diferencias* · **discrepancia · desacuerdo · divergencia · desavenencia · rencilla · enemistad · rivalidad || conflicto · problema · batalla · duelo · polémica · controversia · debate** *Tratarán de dirimir el debate recurriendo el derecho internacional* · **discusión · contienda · disputa · crisis || partido · encuentro · campeonato · derbi · eliminatoria · final · semifinal · asalto || caso · juicio · contencioso · querella · litigio · pleito || responsabilidad** *Comienza hoy el juicio que dirimirá la responsabilidad de la empresa en el accidente* · **culpa || título · premio · medalla · galardón · podio · puesto · escaño || victoria · hegemonía · supremacía** *En el último partido se dirime la supremacía en el fútbol mundial* · **reinado · trono · candidatura · presidencia · mandato || elección · votación || legalidad · constitucionalidad · validez**

● CON ADVS. **definitivamente** *En la reunión lograron dirimir definitivamente la cuestión* · **determinantemente · de una vez por todas || por las armas · por la fuerza · por la vía jurídica · en las urnas · pacíficamente || imparcialmente · objetivamente · en sus justos términos**

discernir v.

● CON SUSTS. **realidad · verdad || límite** *Deberías discernir el límite entre realidad y ficción* · **frontera || problema · peligro · gravedad || calidad · valor · valía || matiz · diferencia || futuro** *A día de hoy, me resulta muy difícil discernir nuestro futuro*

● CON ADVS. **perfectamente · exactamente · con precisión · correctamente || claramente** *No discierne claramente los conceptos básicos* · **con claridad · nítidamente || objetivamente · críticamente || moralmente · espiritualmente || rápidamente**

disciplina s.f.

▮ [rama del saber]

● CON ADJS. **abstrusa · ardua · accesible · avanzada || científica · deportiva** *Las disciplinas deportivas empiezan a cobrar fuerza* · **experimental**

● CON VBOS. **cobrar fuerza · nacer || enseñar · impartir** *Imparto esta misma disciplina en varios niveles* **|| estudiar · cursar || desarrollar(se) · difundir(se) || iniciar(se) (en) · adentrar(se) (en)**

▮ [rigor]

● CON ADJS. **enorme · admirable** *Tiene una disciplina admirable para estudiar* · **modélica · adecuada || espartana** *La disciplina en el campamento es espartana* · **estricta · extrema · férrea · dura · castrense · militar · de hierro · implacable · inflexible · recia · rígida · rigurosa · severa · drástica || flexible · laxa · elástica || social**

● CON SUSTS. **código (de) · regla (de) || muestra (de) · falta (de)** *Acumuló tres faltas de disciplina y...*

● CON VBOS. **faltar(le) (a alguien)** *Me falta disciplina para sacar esto adelante* **|| relajar(se) · degradar(se) · distender(se) || imperar · regir (algo) || imponer · inculcar** *inculcar una disciplina muy estricta* · **instaurar · aplicar · ejercer · pedir || acatar · cumplir · observar || tener · demostrar · perder || mantener · aflojar · redoblar · extremar || burlar · quebrantar · romper · saltarse || someter(se) (a)** *someterse a una férrea disciplina* · **sustraer(se) (de/a) · carecer (de)**

● CON PREPS. **con · sin · a fuerza (de) · a base (de)** *una medalla conseguida a base de disciplina* · **gracias (a)**

DISCIPLINA

Información útil para el uso de:

álgebra; anatomía; antropología; aritmética; arqueología; arquitectura; arte; astronomía; biología; botánica; cibernética; climatología; criminología; cristalografía; cronología; dietética; ecología; economía; electrónica; enfermería; estadística; ética; filología; filosofía; física; genética; geografía; geología; geometría; geriatría; grafología; gramática; historia; informática; ingeniería; lingüística; matemática; mecánica; medicina; metafísica; neurología; numismática; óptica; oratoria; paleografía; paleontología; pedagogía; pragmática; psicología; psiquiatría; química; retórica; sociología; taxonomía; tectónica; teología; veterinaria; zoología

● CON ADJS. **elemental · básico,ca · avanzado,da · superior · aplicado,da** *un curso de lingüística aplicada* **|| avezado,da (en)**

● CON SUSTS. **campo (de) · área (de) · rama (de)** *especializarse en alguna de las ramas de la biología* **|| conocimiento (de) · estudio (de) · noción (de)** *tener nociones de electrónica* **|| clase (de) · examen (de) · curso (de) · asignatura (de) · ejercicio (de)** *un ejercicio de matemáticas* · **tratado (de)** *un tratado de historia antigua* · **libro (de) || profesor,-a (de) · catedrático,ca (de) · especialista (en) · doctor,-a (en)** *Soy doctora en astronomía* · **experto,ta (en) · aficionado,da (a) · amante (de) · estudiante (de) || departamento (de) · facultad (de) || principio (de)** *saber los principios de la física* · **fundamento (de) · ley (de) · teorema (de)**

● CON VBOS. **enseñar · estudiar · aprender || repasar · olvidar || suspender · aprobar** *aprobar cristalografía* **|| saber (de) · dedicar(se) (a) · especializar(se) (en)** *especializarse en criminología* · **examinar(se) (de)**

disciplinado, da adj.

● CON SUSTS. **alumno,na · jugador,-a** *Es un jugador con talento, pero poco disciplinado* · **equipo · clase ·** ***otros individuos y grupos humanos*** **|| carácter · formación**

● CON ADVS. **sumamente · tremendamente · absolutamente · completamente · extraordinariamente || férreamente** *un ejército férreamente disciplinado* · **ferozmente || excesivamente || aparentemente**

● CON VBOS. **volverse · hacerse**

disco s.m.

▮ [para grabar o reproducir]

● CON ADJS. **compacto · duro · rígido · digital · láser · óptico · de vinilo || recopilatorio** *publicar un disco recopilatorio* · **clásico · comercial · de moda · homenaje · inédito · sencillo || de oro · de platino** *El artista ha ganado el disco de platino* **|| rayado** *Pareces un disco rayado, siempre diciendo lo mismo* **|| instrumental · acústico || excelente · espléndido · maravilloso · original · inolvidable · memorable || nuevo · último · revelación** *Se ha considerado el disco revelación del año*

● CON SUSTS. **intérprete (de) · autor,-a (de) · productor,-a (de) · cantante (de) || portada (de) · mundo (de) · lista (de) · industria (de) · créditos (de) || unidad (de)** *Inserta el disquete en la unidad de disco del ordenador* · **capacidad (de) || música** *Me encanta la música disco*

● CON VBOS. **sonar** *Este disco suena muy bien* **|| poner · quitar || grabar** *La banda ha grabado un nuevo disco* ·

arreglar || lanzar · presentar · distribuir · publicar · editar · sacar

▮ [señal luminosa]

• CON VBOS. **cerrarse** · **abrirse** · **ponerse (verde/rojo)** || **saltarse** *¡Cuidado, que te saltas el disco!*

discográfico, ca adj.

• CON SUSTS. **sello** *un prometedor sello discográfico* · **compañía** · **casa** · **firma** · **productor,-a** || **industria** · **ámbito** · **mundo** · **negocio** · **mercado** || **entrega** · **obra** · **trabajo** · **actividad** · **material** · **proyecto** · **carrera** *comenzar una prometedora carrera discográfica* || **novedad** · **estreno** · **debut** · **lanzamiento** || **historia** · **catálogo**

díscolo, la adj.

• CON SUSTS. **alumno,na** *Al principio eran unos alumnos muy díscolos, ahora han cambiado* · **jugador,-a** || **sector** · **facción** · **comunidad** || ***otros individuos y grupos humanos*** || **actitud** *Su actitud díscola no fue bien vista por las autoridades* · **comportamiento**

disconformidad s.f.

• CON ADJS. **absoluta** *Expresó su más absoluta disconformidad con la idea* · **radical** · **total** · **completa** · **creciente** · **plena** · **profunda** || **visible** · **manifiesta** · **patente** · **notoria**

• CON SUSTS. **muestra (de)** *Nadie dio muestras de disconformidad con la medida* · **señal (de)** · **síntoma (de)** · **expresión (de)**

• CON VBOS. **constar** *Quiero que conste mi disconformidad con el proyecto* || **expresar** · **exteriorizar** · **manifestar** · **exponer** · **mostrar** · **transmitir** || **reflejar** || **ocultar**

• CON PREPS. **en** · **en caso (de)** · **en señal (de)** *en señal de disconformidad con la dirección del centro*

discontinuo, nua adj.

• CON SUSTS. **línea** *Se puede cruzar la línea discontinua para adelantar a otro vehículo* · **raya** · **trazo** || **camino** · **recorrido** · **trazado** · **tramo** || **carrera** · **trayectoria** · **viaje** · **curso** || **serie (de algo)** · **conjunto (de algo)** · **sucesión (de algo)** || **horario** || **apoyo** · **participación** || **diálogo** · **discurso** || **trabajador,-a**

discordante adj.

• CON SUSTS. **color** · **sonido** || **nota** *Fue la nota discordante de la reunión* · **elemento** · **punto** · **tono** || **opinión** · **voz** · **postura** · **posición** · **punto de vista** · **parecer** · **pensamiento**

• CON ADVS. **abiertamente** *Ambas posturas eran abiertamente discordantes* || **visiblemente** · **a todas luces** · **ostensiblemente**

discordia s.f.

• CON ADJS. **permanente** · **continua**

• CON SUSTS. **motivo (de)** · **objeto (de)** *Este tema siempre ha sido objeto de discordia entre nosotros* · **punto (de)**

• CON VBOS. **reinar** *una familia en la que reina la discordia* || **desatar(se)** · **desencadenar(se)** · **avivar(se)** · **reavivar(se)** · **crecer** || **sembrar** *Con sus palabras contribuyó a sembrar la discordia* · **ocasionar** · **provocar** · **causar** · **suscitar** · **generar** · **crear** · **engendrar** || **encender** · **atizar** · **agravar** || **apaciguar** · **enterrar** *Quería enterrar de una vez por todas las viejas discordias* · **zanjar** || **entrar (en)**

• CON PREPS. **en** *el tercero en discordia*

discoteca s.f.

▮ [establecimiento público]

• CON ADJS. **de moda** *Pasan las noches en las discotecas de moda*

• CON SUSTS. **pista (de)** · **barra (de)** || **pinchadiscos (de)** · **portero,ra (de)** · **camarero,ra (de)** || **música (de)** *La música de la discoteca estaba tan alta que no nos oíamos*

• CON VBOS. **bailar (en)** || **entrar (en)** · **salir (de)** || **quedar (en)** · **verse (en)**

▮ [colección de discos]

• CON VBOS. **tener** || **hacerse (con)** *Se hizo con una buena discoteca de música clásica*

[discreción] → a discreción; discreción

discreción s.f.

• CON ADJS. **absoluta** · **extremada** · **extrema** *Actuaron con extrema discreción* · **enorme** · **gran(de)** · **máxima** *Nos pidieron máxima discreción* · **suma** · **total** || **prudente** · **exquisita** · **cautelosa** · **diplomática** · **elegante** · **noble** · **virtuosa** || **admirable** · **ejemplar** · **modélica** · **proverbial** · **habitual** || **estricta** · **serena** || **conveniente** · **debida** · **necesaria** · **excesiva** · **forzosa**

• CON SUSTS. **ejemplo (de)** · **muestra (de)** · **prueba (de)**

• CON VBOS. **faltar** || **observar** · **guardar** *Guardó absoluta discreción durante todo el proceso* · **mantener** · **extremar** · **practicar** || **exigir(le) (a alguien)** · **pedir (a alguien)** · **recomendar (a alguien)** || **tener** · **revelar** · **rezumar** || **predicar**

• CON PREPS. **con** *Llevan este asunto con una discreción admirable*

☐ EXPRESIONES **a discreción*** [sin medida ni limitación] *disparar a discreción*

discrecional adj.

• CON SUSTS. **servicio** *No todas las empresas de transporte prestan servicios discrecionales* · **autobús** · **línea** · **parada** || **gasto** · **impuesto** · **salario** · **incentivo** || **poder** · **facultad** · **potestad** · **capacidad** · **derecho** || **medida** · **actuación** · **acto** · **política** · **intervención** · **acción** · **trato** || **manejo** · **uso** *Hacen un uso discrecional de los fondos* · **aplicación** · **disfrute** || **decisión** · **determinación** · **resolución** · **voluntad** · **solución** · **fin** || **criterio** · **normativa** · **ley** · **imposición** · **norma** · **principio** || **concesión** · **permiso** · **prerrogativa** · **excepción** || **nombramiento** *Aumenta el número de cargos de nombramiento discrecional* · **designación** · **elección**

discrepancia s.f.

• CON ADJS. **fuerte** · **gran(de)** · **profunda** · **intensa** · **seria** · **honda** · **importante** *Existen importantes discrepancias entre las dos versiones* · **marcada** · **radical** · **insalvable** · **irreconciliable** · **reiterada** || **manifiesta** · **clara** · **visible** · **evidente** · **notable** · **considerable** · **ostensible** · **apreciable** || **legítima** || **pequeña** · **leve** · **ligera** *Surgieron entre ellos ligeras discrepancias* · **salvable** · **mínima** · **inapreciable** · **ínfima** · **tímida** · **vaga** || **aparente** || **interna** · **abierta** · **pública** · **política**

• CON SUSTS. **asomo (de)** · **punto (de)** · **margen (de)** · **línea (de)**

• CON VBOS. **existir** · **salir a la luz** *Las discrepancias internas acabaron por salir a la luz* · **surgir** · **aflorar** · **emerger** · **originar(se)** · **venir de lejos** || **recrudecer(se)** · **agudizar(se)** · **incrementar(se)** · **acentuar(se)** || **apreciar(se)** · **traslucir(se)** || **generar** · **suscitar** *La medida suscitó una fuerte discrepancia en el seno del partido* · **provocar** · **ali-**

mentar || manifestar · mostrar · plantear · airear || admitir · desmentir · negar || mantener · marcar · resaltar || limar *El encuentro tenía como objetivo limar las discrepancias entre las dos partes* · minimizar · reducir · acallar · zanjar · sofocar · atemperar · conciliar · solventar · suavizar · dulcificar · superar · resolver · dejar de lado *Había que dejar de lado las discrepancias para llegar a algún acuerdo* · salvar · pulir · dirimir || soslayar · evitar || presentar · tener || quitar hierro (a)

• CON PREPS. con · sin *sin discrepancias apreciables*

discrepar v.

• CON ADVS. absolutamente · totalmente · profundamente *Discrepo profundamente de esa opinión* · sensiblemente || abiertamente *discrepar abiertamente de una propuesta* · manifiestamente · visiblemente · claramente · notoriamente · ostensiblemente · flagrantemente || enérgicamente *Los ciudadanos discrepan enérgicamente de la medida del Gobierno* · fuertemente · rotundamente · expresamente || ligeramente · parcialmente || públicamente

□ USO Se construye generalmente con complementos encabezados por las preposición *de*: *Discrepo de sus ideas acerca de...*

discreto, ta adj.

• CON SUSTS. ***persona*** *un trabajador discreto y responsable al que no le gusta crear polémica* || carácter *Es un hombre de carácter discreto y educado* · talante · perfil · forma · estilo · encanto || película · serie · cuadro · obra · ***otras manifestaciones artísticas*** || inmueble · edificio · casa *Se veían en una discreta casa alquilada* · vivienda · hotel · ***otros espacios cerrados*** || cantidad · número · tamaño || silencio · suspiro || banquete · aperitivo · cena || resultado *El equipo ha conseguido un discreto resultado* · partido || balance · aumento · rendimiento || visita · homenaje · recorrido · intervención || anonimato *Prefiero mantener un discreto anonimato* || amor || éxito

• CON ADVS. sumamente *Es una agencia sumamente discreta* · estratégicamente · relativamente

discriminación s.f.

• CON ADJS. fuerte *colectivo que sufrió una fuerte discriminación durante muchos años* · grave · dura · lacerante · seria || clara · flagrante · patente || arraigada · inaceptable · injustificada · consciente || profesional · salarial · laboral · cultural · racial · social · sexual · religiosa || negativa · positiva *Existen posturas a favor y en contra de la discriminación positiva*

• CON SUSTS. estado (de) · situación (de) · caso (de) *un caso de clara discriminación laboral* · problema (de) · acto (de) · asomo (de) || causa (de) · motivo (de) || ley (de) · medida (de)

• CON VBOS. agravar(se) · acentuar(se) · existir || practicar · favorecer · fomentar · generar · implicar · suponer · crear || sentir · soportar · sufrir || combatir *combatir la discriminación salarial* · denunciar || erradicar · abolir · superar · evitar || alegar || acabar (con) · romper (con) · luchar (contra)

• CON PREPS. sin *Aplican la ley sin discriminación alguna*

discriminar v.

• CON ADVS. gravemente || abiertamente · flagrantemente · visiblemente || subrepticiamente · veladamente || arbitrariamente || negativamente · positivamente || profesionalmente · salarialmente · laboralmente · socialmente *Esta medida discrimina socialmente a algunas minorías* · afectivamente · sexualmente · culturalmente

discriminatorio, ria adj.

• CON SUSTS. lenguaje · sentido · connotación · comentario · frase · palabra · declaración || trato *La empresa denuncia un trato discriminatorio por parte del Gobierno* · tratamiento · práctica · actitud · comportamiento · conducta · postura || ley *Revocan una ley discriminatoria que permitía al empresario...* · normativa · disposición · sistema · método · decisión · política · impuesto · tarifa · peaje || criterio · prejuicio · creencia · preferencia · concepción || diferencia *Esta diferencia en los sueldos es claramente discriminatoria* · barrera · traba · marginación · desigualdad · situación

disculpa s.f.

• CON ADJS. sentida *Nos hizo llegar sus más sentidas disculpas* · sincera · buena || anticipada || formal *Le exigió que presentara una disculpa formal a la directora* · oficial · pública

• CON SUSTS. carta (de) · mensaje (de) · palabras (de) || tono (de) *hablar en tono de disculpa*

• CON VBOS. ofrecer · presentar · transmitir · hacer llegar · formular · testimoniar · enviar · mandar || deber (a alguien) *Te debo una disculpa* · merecer · exigir || aceptar *Acepto sus disculpas* · admitir · obtener · recibir · rechazar || implorar · pedir *Le pedí disculpas por el retraso* · rogar || buscar · poner · tener *Ya sé que no tengo disculpa, pero...* || deshacerse (en)

[disculpar] → disculpar; disculparse

disculpar v.

• CON SUSTS. molestia *Rogamos que disculpen las molestias causadas por las obras* || error · fallo · ausencia · presencia · comportamiento *Disculpo tu comportamiento esta vez, pero...* · actitud

disculparse v.

• CON ADVS. abiertamente *No tuvo reparos en disculparse abiertamente por sus declaraciones* · claramente || discretamente || de (todo) corazón · sinceramente · honestamente · sentidamente || directamente · en persona · formalmente *El caso obligó al ministro a disculparse formalmente* · oficialmente · públicamente || verbalmente · por escrito

□ USO Se construye a menudo con complementos encabezados por la preposición *ante*: *disculparse oficialmente ante el electorado.*

discurrir v.

▌[pasar, recorrer]

• CON SUSTS. río · arroyo *El arroyo discurre por el fondo del valle* · agua · lava || tren · autobús · coche · bicicleta · ***otros vehículos*** || trayecto · ruta · itinerario · trayectoria · recorrido · camino · carretera · autopista · arteria || dinero || tiempo *En los momentos difíciles, parece que el tiempo discurre más lentamente* · vida · hora · infancia · juventud · ***otros períodos*** || historia · discurso · relato · película · novela · narración || carrera · juego · partido · prueba · competición || marcha *La marcha de protesta discurrió sin incidentes* · desfile · cabalgata || manifestante *Los manifestantes discurren por la avenida principal* · corredor,-a · gente · multitud · ***otros individuos y grupos humanos*** || conversación · charla *La charla dis-*

currió amigablemente · **debate** · **diálogo** · **discusión** · **entrevista** || **reunión** · **sesión** · **asamblea** · **encuentro** · **convención** · **congreso** · **exposición** · ***otros eventos*** || **proyecto** · **misión** *La misión es arriesgada, pero confiamos en que discurra con éxito* · **trabajo** · **investigación** || **enfrentamiento** *el enfrentamiento discurrió sin sobresaltos* · **conflicto** · **guerra** · **confrontación** · **lucha** · **ataque** · **batalla** || **argumento** · **trama** · **guión**

● CON ADVS. **con normalidad** *La reunión de dirigentes está discurriendo con total normalidad* · **normalmente** · **con arreglo a lo previsto** · **satisfactoriamente** · **por buen cauce** · **gratificantemente** || **sin incidentes** · **sin problemas** · **sin contratiempos** · **sin obstáculos** || **con fluidez** *La entrevista discurrió con fluidez* · **con agilidad** || **a trancas y barrancas** · **con altibajos** || **ordenadamente** · **limpiamente** || **plácidamente** · **con calma** · **amablemente** · **amigablemente** · **agradablemente**

▮ [pensar, idear]

● CON SUSTS. **remedio** · **solución** *Fue capaz de discurrir una solución intermedia* · **explicación** · **respuesta** · **arreglo** || **idea** · **pensamiento** || **procedimiento** · **sistema** · **método** · **medio**

discurso s.m.

● CON ADJS. **coherente** · **estructurado** · **racional** · **reflexivo** · **brillante** · **espléndido** · **convincente** || **ilusionante** · **constructivo** · **electrizante** · **interesante** · **sugestivo** · **persuasivo** · **tranquilizador** · **novedoso** || **efusivo** · **emocionado** · **cálido** · **afectuoso** · **fervoroso** · **encendido** · **acalorado** · **airado** · **desaforado** || **crítico** *Pronunció un discurso muy crítico sobre la situación política actual* · **cáustico** · **mordaz** · **acerado** · **directo** · **alusivo (a algo)** || **preparado** · **improvisado** || **categórico** · **demoledor** · **implacable** · **beligerante** · **extremista** · **inapelable** || **profético** · **agorero** · **amenazante** || **denso** · **hermético** · **sofisticado** || **imborrable** · **memorable** · **magnífico** || **aburrido** · **lineal** · **soporífero** *Escuchamos un discurso soporífero* · **monótono** · **monocorde** · **tedioso** · **gris** · **apagado** · **trillado** · **manido** · **maniqueo** · **plomizo** · **romo** · **rimbombante** || **atropellado** · **deshilvanado** · **enmarañado** · **enrevesado** · **farragoso** · **entrecortado** · **arbitrario** || **bronco** · **abrupto** · **intempestivo** || **breve** · **conciso** · **pequeño** *Preparé un pequeño discurso de agradecimiento* || **imparable** · **torrencial** · **maratoniano** || **inaugural** · **poético** · **político** · **narrativo** · **lógico** || **dominante** || **agotado** · **periclitado** · **rancio**

● CON VBOS. **constar (de algo)** || **ahogar(se)** · **entrecortar(se)** · **difundir(se)** || **caer como una bomba** *Su discurso cayó como una bomba entre los organizadores* || **girar (sobre algo)** · **discurrir (sobre algo)** · **centrarse (en algo)** · **plantear (algo)** · **predicar (algo)** || **agotar(se)** · **evolucionar** · **converger** || **escribir** · **redactar** · **construir** · **elaborar** · **componer** · **estructurar** *Estructuraré mi discurso sobre tres ideas principales* · **montar** · **armar** · **articular** · **ensamblar** · **hilvanar** · **ligar** · **hilar** · **crear** · **configurar** · **delinear** · **moldear** · **tejer** || **dar** · **leer** · **echar** · **pronunciar** · **soltar** · **proferir** · **recitar** · **improvisar** *El homenajeado improvisó un divertido discurso al final del acto* || **abrir** · **cerrar** · **interrumpir** · **repetir** || **abrigar** · **sostener** · **sustentar** · **tener** || **basar (en algo)** · **fundamentar (en algo)** · **apoyar (en algo)** || **moderar** *Es preciso que nuestro representante modere un poco su discurso* · **dulcificar** · **madurar** · **perfeccionar** || **conocer** · **escuchar** · **seguir** || **alimentar** · **apuntalar** · **abanderar** || **boicotear** *Un grupo de disidentes boicoteó el discurso de la presidenta* · **desmontar** || **acortar** · **acotar** · **centrar** || **desbrozar** · **destripar** · **analizar** · **desmenuzar** · **escrutar** || **aderezar** · **amenizar (con algo)** · **jalonar** *Jalonan su discurso abundantes citas eruditas* || **perseverar (en)** · **persistir (en)**

● CON PREPS. **al hilo (de)** *un comentario al hilo del discurso*

discusión s.f.

● CON ADJS. **a fondo** *una discusión a fondo sobre la situación* · **amplia** · **intensa** · **profunda** · **en profundidad** || **abierta** · **sincera** · **sin tapujos** · **franca** · **seria** · **verdadera** || **animada** · **vibrante** · **viva** · **constructiva** · **provechosa** *Mantuvimos una discusión muy provechosa* · **cordial** || **fuerte** · **gran(de)** · **acalorada** · **violenta** · **encarnizada** *Tuvieron una encarnizada discusión a causa de sus afirmaciones* · **a muerte** · **ardua** · **reñida** · **áspera** · **vehemente** · **tensa** · **encendida** · **bronca** · **enconada** · **airada** · **agria** || **bizantina** · **compleja** · **confusa** · **atropellada** · **alambicada** · **intrincada** · **embarullada** || **estéril** · **infructuosa** *Nuestra discusión fue absolutamente infructuosa* · **agotadora** · **tabernaria** · **manida** || **larga** · **maratoniana** · **breve** || **permanente** · **infinita** · **eterna** || **a puerta cerrada** *Queríamos una discusión a puerta cerrada, sin testigos* · **cara a cara** · **de igual a igual** · **privada** · **pública** || **formal** · **informal** · **libre** || **académica** · **ideológica** · **política** · **familiar** *Se avecinaba una nueva discusión familiar* · **filosófica** · **interna** || **propenso,sa (a)**

● CON SUSTS. **ánimo (de)** · **proceso (de)** · **secuela (de)** || **motivo (de)** · **tema (de)** *un interesante tema de discusión* · **objeto (de)** · **punto (de)** · **mesa (de)**

● CON VBOS. **avecinarse** · **estallar** *La discusión estalló al final de la reunión* · **surgir** · **armar(se)** · **desatar(se)** · **desencadenar(se)** · **brotar** · **venir de lejos** || **caldear(se)** · **encrespar(se)** · **recrudecer(se)** || **calmar(se)** · **serenar(se)** · **sosegar(se)** · **aplacar(se)** · **ahogar(se)** · **amainar** || **girar** *...tema sobre el que giró la discusión* · **discurrir** · **versar (sobre algo)** || **plantear** · **tener** · **mantener** · **sostener** *En clase sosteníamos de vez en cuando discusiones filosóficas* · **librar** · **entablar** · **dirimir** · **amagar** || **provocar** · **producir** · **suscitar** · **promover** · **generar** · **sembrar** || **abrir** · **comenzar** · **empezar** *No fui yo quien empezó la discusión* · **iniciar** · **terminar** · **presenciar** || **interrumpir** · **congelar** · **cancelar** · **apaciguar** · **zanjar** · **aplazar** · **postergar** || **alimentar** · **atizar** · **avivar** · **reavivar** · **tensar** · **forzar** || **reabrir** · **reanudar** · **retomar** · **revivir** || **centrar** · **desbloquear** || **merecer** || **dar lugar (a)** · **someter (a)** *Este punto debemos someterlo a discusión* || **meter(se) (en)** · **enzarzarse (en)** · **enfrascarse (en)** · **enredar(se) (en)** · **entrar (en)** · **involucrar(se) (en)** · **prestarse (a)** · **derivar (en)** *Finalmente, la conversación derivó en una fuerte discusión* || **sustraer(se) (de/a)** || **acabar (con)** || **terciar (en)** · **arbitrar (en)**

● CON PREPS. **al calor (de)**

discutible adj.

● CON SUSTS. **asunto** · **tema** *Es un tema muy discutible, en el que prefiero no entrar* · **cuestión** · **aspecto** · **punto** || **opinión** · **argumento** · **idea** · **interpretación** · **teoría** · **verdad** *Yo no estoy de acuerdo, para mí es una verdad discutible* · **aportación** · **afirmación** · **tesis** · **apreciación** || **criterio** · **método** || **propuesta** · **iniciativa** · **cambio** || **decisión** *El equipo se salvó de la derrota gracias a una discutible decisión arbitral* · **elección** · **conclusión** · **solución** · **fallo** · **sentencia** || **gestión** · **actuación** · **obra** || **victoria** · **triunfo** · **premio** || **gol** · **penalti**

● CON ADVS. **sumamente** · **totalmente** · **extremadamente** || **difícilmente** || **jurídicamente** *un fallo jurídicamente* *discutible* · **políticamente** · **moralmente** || **manifiestamente** · **claramente** || **ciertamente**

discutir v.

● CON SUSTS. **tema** · **asunto** · **cuestión** *Pasamos más de dos horas discutiendo la cuestión de...* · **problema** || **situación** · **futuro** · **crisis** || **proyecto** · **plan** · **estrategia** · **programa** · **propuesta** · **oferta** · **medida** · **acuerdo** · **política** · **modelo** || **detalle** · **aspecto** · **punto** *Estamos de acuerdo con su propuesta, pero queremos discutir algunos puntos* · **causa** || **conveniencia** · **posibilidad** · **reforma** · **enmienda**

● CON ADVS. **abiertamente** · **sin tapujos** · **cara a cara** · **de igual a igual** *Quería discutir conmigo de igual a igual* || **a fondo** · **ampliamente** · **en profundidad** · **detalladamente** || **enérgicamente** · **firmemente** · **seriamente** · **vigorosamente** || **a gritos** *Discutían a gritos, así que pude oírlo todo* · **acaloradamente** · **ardientemente** · **violentamente** · **acremente** · **arduamente** · **sin ton ni son** || **por un quítame allá esas pajas** *Siempre acabáis discutiendo por un quítame allá esas pajas* || **pacíficamente** · **amablemente** · **civilizadamente** · **razonablemente** · **cordialmente** · **democráticamente** · **diplomáticamente** || **a puerta cerrada** · **formalmente** || **de antemano** || **eternamente** · **indefinidamente** · **inútilmente** · **bizantinamente**

diseminar(se) v.

● CON SUSTS. **semilla** *El granjero diseminó las semillas por el huerto* || **arbusto** · **especie** || **idea** · **información** · **verdad** || **infección** · **bacteria** · **virus** · **célula** · **peste** *La peste se diseminó rápidamente por toda la región* || **grupo** · **gente**

● CON ADVS. **rápidamente** || **con eficacia** · **hábilmente** || **por doquier** · **por todas partes** || **con profusión**

disentir (de) v.

● CON SUSTS. **juez** · **contertulio,lia** · **profesor,-a** · **presidente,ta** || **gobierno** · **tribunal** *Disiento respetuosamente del tribunal* · **oposición** || ***otros individuos y grupos humanos*** || **opinión** · **parecer** · **análisis** · **interpretación** · **teoría** · **valoración** *Los sindicatos disienten abiertamente de la valoración que el Gobierno realizó de la huelga* · **versión** || **resolución** · **decisión** · **decreto** · **sentencia** · **acuerdo** · **consenso** · **conclusión** || **estrategia** · **política** · **línea** · **pauta** · **proceder** *Disiento rotundamente de esa forma de proceder* · **criterio** || **afirmación** · **explicación** · **declaración** · **manifestación**

● CON ADVS. **abiertamente** · **manifiestamente** · **públicamente** || **profundamente** *Como profesional, disiento profundamente de tal decisión* · **substancialmente** · **totalmente** || **personalmente** · **oficialmente** || **libremente** || **rotundamente** · **claramente** · **con claridad** · **radicalmente** || **en parte** · **parcialmente**

diseñador, -a s.

● CON ADJS. **profesional** · **conocido,da** · **reputado,da** · **famoso,sa** · **admirado,da** *Aunque es joven, es una diseñadora de zapatos muy admirada* · **importante** || **buen,-a** · **exquisito,ta** · **elegante** · **creativo,va** · **imaginativo,va**

● CON SUSTS. **equipo (de)** *Un equipo de diseñadores ha trabajado día y noche en el traje de novia* || **taller (de)** · **aprendiz,-a (de)** · **gremio (de)** || **curso (de)** · **diploma (de)** · **estudio (de)**

● CON VBOS. **diseñar** · **idear** · **inventar** · **crear** || **buscar** · **necesitar** · **contratar** || **trabajar (como/de)**

diseñar v.

● CON SUSTS. **silla** · **mesa** · **lámpara** · **bolígrafo** · ***otros utensilios*** || **estilo** · **modelo** *diseñar un nuevo modelo de coche* || **estructura** · **mecanismo** · **sistema** · **técnica** · **función** || **campaña** · **estrategia** · **operación** *Cuando tengamos todos los datos podremos diseñar la operación al detalle* · **plan** · **política** · **programa** · **proyecto** || **fórmula** · **tratamiento** · **procedimiento** || **futuro**

● CON ADVS. **en líneas generales** *diseñar una estrategia en líneas generales* · **a grandes líneas** · **a grandes rasgos** · **vagamente** || **al detalle** · **a medida** · **con precisión** || **estratégicamente** · **experimentalmente** · **virtualmente** || **libremente**

diseño s.m.

● CON ADJS. **innovador** · **original** || **moderno** *El edificio tiene un moderno diseño arquitectónico* · **actual** · **clásico** || **atractivo**

● CON SUSTS. **mundo (de)** · **campo (de)** || **experto,ta (en)** *un experto en el diseño de páginas electrónica* || **proyecto (de)** || **taller (de)** · **escuela (de)** · **empresa (de)** *una empresa de diseño gráfico* || **arte (de)**

● CON VBOS. **presentar** · **mostrar** || **realizar** || **dedicar(se)** || **emplear (para)** || **trabajar (en)** *Trabajamos en diseño de interiores* · **participar (en)**

disertación s.f.

● CON ADJS. **breve** · **amplia** · **larga** · **extensa** || **documentada** *Hizo una documentada disertación sobre la obra de la escritora* || **notable** · **brillante**

● CON SUSTS. **tema (de)**

● CON VBOS. **comenzar** · **empezar** || **realizar** *Realizó una extensa disertación sobre la política actual* · **hacer** || **concluir** · **terminar** || **escribir** · **leer** || **exponer**

● CON PREPS. **al final (de)** *Al final de su brillante disertación se acercaron a felicitarla*

disfrazar v.

● CON SUSTS. ***persona*** *Los niños se disfrazaron el día de la fiesta* || **verdad** *No intenten ustedes disfrazar la verdad* · **realidad** · **hecho** · **acontecimiento** || **mentira** *Puso todo su empeño en disfrazar la mentira, pero sin éxito* · **engaño** · **demagogia** · **farsa** · **ironía** · **sarcasmo** || **gestión** · **política** · **comportamiento** · **conducta** · **actuación** · **intervención** || **régimen** · **dictadura** · **monopolio** · **proteccionismo** || **creencia** · **ideología** · **doctrina** · **dogma** || **intención** · **interés** *Disfrazaba sus oscuros intereses tras una máscara de amabilidad* · **ambición** · **aspiración** · **deseo** · **razón** · **motivo** · **estrategia** · **programa** · **proyecto** || **cifra** · **inversión** · **presupuesto** · **financiamiento** · **déficit** · **impuesto** · **transacción** · **negocio** || **problema** *Aunque intentes disfrazar los problemas, no lograrás que desaparezcan* · **crisis** · **conflicto** · **confrontación** · **disputa** · **pelea** || **miedo** · **temor** · **emoción** · **pánico** · **ansiedad** · **tensión** · **amor** · **alegría** · **euforia** · ***otros sentimientos o sensaciones*** || **debilidad** *La maniobra pretendía disfrazar la debilidad de los propios recursos* · **agresividad** · **vulgaridad** · **codicia** · **arrogancia** · ***otros defectos*** || **violencia** · **corrupción** · **confabulación** · **delito** || **identidad** *Tuvo que disfrazar su identidad para poder salir del país* · **yo** || **historia** · **biografía** · **leyenda** · **cuento** · **relato** · **reportaje** · **melodrama** · **filme**

□ USO Se construye a menudo con complementos encabezados por las preposiciones *de* (*disfrazarse de princesa*) o *con* (*disfrazarse con un traje de princesa*).

disfrutar (de) v.

● CON SUSTS. **vida · vacaciones · día** *disfrutar un día de descanso* · **tarde · noche · momento · jornada ·** ***otros períodos*** || **naturaleza** *una buena ocasión para disfrutar de la naturaleza* · **paisaje · mar · ciudad · sol · nieve · playa · buen tiempo** || **tranquilidad · ocio · tiempo libre · descanso · permiso · libertad · compañía** *Los fines de semana disfrutaba mucho de la compañía de mi familia* || **ventaja · beneficio** *disfrutar de ciertos beneficios fiscales* · **éxito · derecho** || **fiesta · partido** *Los aficionados disfrutaron mucho del partido* · **fútbol · espectáculo · película · lectura · baño · juego · arte · comida ·** ***otras aficiones***

● CON ADVS. **a lo grande · a {mis/tus/sus...} anchas** *Disfruté a mis anchas en la fiesta* · **a tope · como un loco · como un enano · de lo lindo** *Los niños disfrutaron de lo lindo en el campamento* · **enormemente · horrores · inmensamente · de verdad · a rabiar · a todo pulmón · como un cosaco** || **intensamente** *Disfruté intensamente aquella comida* · **plenamente · profundamente** || **ricamente · tranquilamente · cómodamente · plácidamente · agradablemente** || **en exclusiva · en vivo** || **por una vez** || **gratuitamente** *Pudimos disfrutar gratuitamente del servicio durante unos meses*

□ USO Alterna los complementos encabezados por la preposición *de* (*disfrutar de las vacaciones*) con los complementos directos (*disfrutar las vacaciones*).

disfunción s.f.

● CON ADJS. **pequeña · ligera** *El paciente mostraba una ligera disfunción cardíaca* · **leve · tremenda · grave · creciente** || **pulmonar · renal · cardíaca · inmunológica · hormonal · orgánica · miocárdica · psicológica · visual** *alta proporción de población con disfunción visual* || **eréctil · sexual · orgásmica** || **eventual · crónica · irreversible** || **interna · logística**

● CON SUSTS. **problema (de)** || **grado (de) · nivel (de)**

● CON VBOS. **sufrir · padecer** || **causar** *El consumo de ciertas sustancias puede causar disfunción sexual* · **provocar · producir · generar · conllevar** || **combatir · mejorar · moderar**

disgregar(se) v.

● CON SUSTS. **sociedad · grupo** *El grupo se disgregó cuando apareció la Policía* · **pandilla · pelotón · familia · clan · partido** || **jóvenes · trabajadores,as · huelguistas** || ***otros individuos y grupos humanos*** || **rebaño · manada**

● CON ADVS. **profundamente · intensamente · hondamente** || **internamente** *El partido se ha ido disgregando internamente* · **íntimamente** || **completamente · totalmente · radicalmente** || **inevitablemente · definitivamente** || **socialmente** || **finalmente**

□ USO Se usa frecuentemente con sustantivos en plural (*Los manifestantes se disgregaron*) y colectivos (*El rebaño se disgregó*).

disgustar(se) v.

● CON ADVS. **enormemente · especialmente** || **profundamente** *Me ha disgustado profundamente tu comportamiento*

disgusto s.m.

● CON ADJS. **gran(de) · mayúsculo · monumental** *Se llevó un disgusto monumental* · **tremendo · descomunal** || **profundo · serio · grave · hondo · desagradable · amargo** || **claro · evidente** *El disgusto de los trabajadores es evidente* · **notable** || **pequeño · leve · pasajero** || **lógico · general**

● CON SUSTS. **gesto (de) · cara (de) · mueca (de) · manifestación (de) · mohín (de)**

● CON VBOS. **crecer · aumentar · arreciar · aplacar(se)** || **pasárse(le) (a alguien) · írse(le) (a alguien) · desaparecer** || **acarrear · provocar** *La noticia me provocó un gran disgusto* · **causar · ocasionar · dar (a alguien) · deparar (a alguien) · costar (a alguien)** || **suponer · representar** || **tener · llevarse · sentir · sufrir · experimentar** || **expresar · exteriorizar · manifestar · mostrar** || **disimular · ocultar · esconder · olvidar** || **evitar · ahorrar** *Te lo hemos ocultado para ahorrarte un disgusto* || **recuperarse (de) · reponerse (de) · sobreponerse (a)** || **apechugar (con)**

● CON PREPS. **en señal (de) · a** *trabajar a disgusto*

disidente

1 **disidente** adj.

● CON SUSTS. **grupo · lista · sector · facción · asociación · colectivo** || **dirigente · líder** *El Gobierno niega las acusaciones del líder disidente* · **diputado,da · parlamentario,ria · guerrillero,ra · escritor,-a · concejal,-a** || ***otros individuos y grupos humanos*** || **postura · actitud · opinión · voz** || **voto** || **fuerza · movimiento · corriente** *Ha surgido una corriente disidente dentro del mismo partido* · **tendencia · línea**

2 **disidente** s.com.

● CON ADJS. **político,ca · opositor,-a · estudiantil · intelectual · religioso,sa** || **destacado,da · principal · conocido,da** *El listado de detenidos incluía el nombre del conocido disidente* · **antiguo,gua** || **radical**

● CON VBOS. **infiltrar(se)** || **declarar (algo) · sostener (algo) · mantener (algo)** || **integrar · organizar** || **denunciar · acusar** *Acusaron al disidente político de reuniones clandestinas con sus seguidores* · **criticar · demandar** || **detener · arrestar · deportar** || **recibir** || **convertir(se) (en)**

disimuladamente adv.

● CON VBOS. **mirar · observar** *Noté que me observaba disimuladamente* · **registrar · controlar** || **señalar · marcar** || **escapar · salir · huir** || **guardar** *Antes de marcharse, guardó disimuladamente el dinero en el bolsillo* · **abrir · cerrar · apartar · mover**

disimular v.

● CON ADVS. **a duras penas** *A duras penas lograba disimular su enfado* · **con dificultad · torpemente** || **magistralmente · maravillosamente · perfectamente** *Disimuló perfectamente sus problemas con el alcohol durante meses* · **fácilmente** || **elegantemente · diplomáticamente** || **por completo · totalmente · absolutamente**

disipado, da adj.

● CON SUSTS. **costumbre** *una persona de costumbres disipadas* · **hábito · vida** || ***persona***

disipar(se) v.

● CON SUSTS. **niebla** *Salió el sol y se disipó la niebla* · **viento · nube · aire · humo · gas** || **luz · sonido · imagen · música** || **fortuna · hacienda · herencia · dinero** || **duda** *Nuestras dudas se disiparon en seguida* · **sospecha · incógnita · rumor · interrogante · especulación · suspicacia · incertidumbre** *No logró disipar la incertidumbre generada* · **susceptibilidad · prejuicio** || **idea · recuerdo**

· **teoría** · **opinión** || **ilusión** · **sueño** · **expectativa** · **esperanza** *La esperanza de consenso en el Parlamento comenzó a disiparse* · **utopía** · **quimera** || **confusión** · **equívoco** · **caos** · **malentendido** || **amenaza** · **peligro** · **problema** *Presiento que esta vez no se disiparán tan fácilmente los problemas* · **crisis** · **polémica** · **dificultad** · **enfrentamiento** · **tensión** || **miedo** · **temor** · **preocupación** · **pánico** · **angustia** || **tristeza** · **tedio** · **aburrimiento** · **pesimismo** || **resentimiento** · **crispación** · **hostilidad** *La finalidad de la cumbre es favorecer el entendimiento y disipar hostilidades* · **ira** || **entusiasmo** · **euforia** · **agradecimiento** · **calma**

● CON ADVS. **de golpe** · **gradualmente** · **paulatinamente** · **con rapidez** *El fuerte viento disipará las nubes con rapidez* · **rápidamente** || **por completo** · **parcialmente** · **definitivamente** || **claramente** · **de forma clara** · **con firmeza** || **fácilmente** · **eficazmente** || **a lo lejos**

dislocar(se) v.

● CON SUSTS. **hueso** · **articulación** || **brazo** · **muñeca** *Se cayó y se dislocó la muñeca* · **hombro** · **tobillo** *Me disloqué el tobillo esquiando* · **mano** · **dedo**

disminución s.f.

● CON ADJS. **espectacular** *una espectacular disminución de los ingresos* · **fuerte** · **drástica** · **pronunciada** · **considerable** · **sensible** · **significativa** · **importante** · **imparable** || **clara** · **evidente** *Hay una evidente disminución del interés por estas cuestiones* · **notable** · **visible** · **notoria** · **ostensible** || **alarmante** · **peligrosa** || **abrupta** · **brusca** *La brusca disminución de las temperaturas nos pilló desprevenidos* · **vertiginosa** || **gradual** · **progresiva** · **paulatina** · **pausada** · **sistemática** || **pequeña** · **ligera** · **moderada** · **modesta** || **aparente** *La disminución del número de alumnos es solo aparente* || **correlativa** · **proporcional** · **lineal** || **necesaria** || **física** · **psíquica**

● CON SUSTS. **fase (de)** · **ritmo (de)** · **período (de)** · **proceso (de)** · **tendencia (a)** || **previsión (de)** · **política (de)**

● CON VBOS. **amortiguar(se)** · **operar(se)** *Durante esos años se operó una fuerte disminución de la inversión privada* || **provocar** · **producir** · **causar** · **ocasionar** · **acarrear** · **generar** · **estimular** || **suponer** · **implicar** || **presentar** *Las cifras de turistas presentan una cierta disminución respecto a las del año anterior* · **registrar** · **sufrir** · **acusar** · **reflejar** || **pedir** · **solicitar** · **obtener** · **conseguir** || **llevar a cabo** · **realizar** || **compensar** · **paliar** · **frenar** · **evitar** *para evitar la disminución de la tensión dramática en la obra* || **prever** · **detectar** · **notar**

● CON PREPS. **en**

disminuido, da s.

● CON ADJS. **físico,ca** · **mental** · **psíquico,ca**

● CON SUSTS. **acceso (para)** *un acceso especial para disminuidos físicos*

disminuir v.

● CON ADVS. **espectacularmente** *Nuestros ingresos disminuyeron espectacularmente desde hace dos meses* · **acusadamente** · **considerablemente** · **sensiblemente** · **intensamente** · **significativamente** || **alarmantemente** *La presión de la caldera está disminuyendo alarmantemente* · **peligrosamente** || **apreciablemente** · **claramente** · **notablemente** · **visiblemente** · **ostensiblemente** || **bruscamente** *La temperatura disminuyó bruscamente en pocos días* · **gradualmente** · **paulatinamente** · **progresivamente** · **escalonadamente** · **sucesivamente** || **a ojos vistas** · **a la vista (de alguien)** · **a pasos agigantados** · **a marchas forzadas** · **drásticamente** · **rápidamente** || **aparentemente** || **desproporcionadamente** || **en número** · **numéricamente** · **sustantivamente** || **ligeramente** *El número de alumnos disminuirá ligeramente el próximo curso* · **moderadamente**

disolver(se) v.

● CON SUSTS. **mancha** · **huella** · **rastro** || **grasa** · **salsa** · **pintura** *un producto especial para disolver la pintura* · **niebla** || **aceite** · **leche** · **azúcar** *disolver el azúcar en leche caliente* · **sal** · **café** · **cacao** · **arena** · ***otros líquidos o sustancias*** || **oposición** · **partido** · **empresa** *La empresa se disolverá antes de fin de año* · **sociedad** · **compañía** · **corporación** · **asociación** · ***otras entidades o instituciones*** || **manifestantes** · **alborotadores,ras** · **huelguistas** · **provocadores,ras** · **asistentes** · **gente** · **orquesta** · ***otros individuos y grupos humanos*** || **manifestación** · **marcha** · **concentración** · **protesta** *La Policía se abstuvo de disolver la protesta* · **resistencia** · **disturbio** · **antagonismo** || **crisis** · **conflicto** · **tensión** · **pelea** · **problema** || **matrimonio** · **vínculo** · **coalición** · **pacto** · **tratado** · **contrato** · **alianza** · **relación** || **duda** · **sospecha** · **rumor** *Tras sus declaraciones públicas se disolvió finalmente el rumor* || **aspiración** · **deseo** · **ilusión** · **pretensión** · **sueño** || **memoria** · **recuerdo** *muestras de una vida fecunda cuyo recuerdo tardará mucho tiempo en disolverse* || **ley** · **norma** · **constitución** · **reglamentación** · **jurisprudencia** · ***otras disposiciones***

dispar adj.

● CON SUSTS. **resultado** *Las dos consultoras pronostican resultados dispares en los próximos comicios* · **cifra** · **dato** || **opinión** · **postura** · **argumento** · **voz** · **visión** · **criterio** · **valoración** · **interés** || **reacción** · **respuesta** · **comportamiento** *un comportamiento bursátil dispar* · **presencia** · **intervención** || **situación** · **realidad** || **obra** · **versión** · **contenido** · **estilo** || **tendencia** · **evolución** *la dispar evolución de los precios* · **rumbo** · **suerte** || **público** · **gente** · **grupo** · **generación** · **conjunto**

● CON ADVS. **totalmente** · **completamente** · **absolutamente** *La situación es absolutamente dispar en los diferentes países* · **radicalmente** || **ideológicamente** || **aparentemente** · **supuestamente**

disparado, da adj.

● CON VBOS. **irse** · **salir** *Salí disparado a felicitarla*

disparar(se) v.

● CON SUSTS. **pistola** *Nadie sabe quién disparó la pistola* · **cañón** · **arco** · ***otras armas*** || **bala** · **misil** · **tiro** · **proyectil** · **flecha** || **balón** || **cifra** · **cuenta** · **gasto** *La remodelación de la empresa disparó los gastos* · **precio** · **venta** · **índice** || **alarma** *El suceso ha disparado todas las alarmas* || **rumor**

● CON ADVS. **a bocajarro** · **a quemarropa** · **de cerca** · **en parábola** || **a sangre fría** · **sin piedad** · **sin contemplaciones** · **sin miramientos** · **sin temblarle (a alguien) la mano** · **directamente** · **a dar** · **a matar** || **violentamente** · **peligrosamente** || **a diestro y siniestro** *Los pistoleros irrumpieron disparando a diestro y siniestro* · **a discreción** · **indiscriminadamente** · **a voleo** · **a bulto** · **a ciegas** · **a la desesperada** · **al tuntún** || **{con/sin} precisión** · **{con/sin} puntería** · **{con/sin} acierto** · **certeramente** || **periódicamente** · **reiteradamente** · **a bote pronto** · **accidentalmente** || **a cara descubierta** || **a puerta** *Dribló a dos defensas y disparó el balón a puerta con potencia y precisión*

disparatado, da adj.

● CON SUSTS. **idea** *Solo se me ocurren ideas disparatadas* · **pensamiento** · **proyecto** · **propuesta** || **lógica** · **hipótesis** · **teoría** || **lectura** · **conclusión** · **interpretación** || **conversación** · **mensaje** · **diálogo** · **debate** · **reflexión** · **acusación** · **pregunta** · **ejemplo** · **respuesta** · **comentario** || **historia** *una historia disparatada que no había quien se la creyera* · **relato** · **aventura** · **personaje** || **comedia** · **juego** · **espectáculo** · **concurso** || **comportamiento** · **acción** · **postura** || **situación** · **hecho** · **realidad** || **fantasía** · **sueño** · **invención** · **invento** · **excusa** || **precio** *Vendían la casa a un precio disparatado* · **coste** · **aumento** · **gasto** · **consumo**

● CON ADVS. **totalmente** · **absolutamente** · **terriblemente** || **aparentemente** · **supuestamente**

● CON VBOS. **sonar** *Aunque ahora suene disparatada, es una idea bastante interesante* || **considerar** · **calificar (de)**

disparate s.m.

● CON ADJS. **auténtico** · **verdadero** *Lo que vas a hacer es un verdadero disparate* · **absoluto** · **tremendo** · **como la copa de un pino** · **descomunal** · **enorme** · **gran(de)** · **inmenso** · **mayúsculo** · **monumental** · **perfecto** · **solemne** · **puro** · **semejante** · **soberano** · **colosal** || **pequeño**

● CON SUSTS. **serie (de)** · **cúmulo (de)** · **sarta (de)** *En un solo minuto soltó una sarta de disparates descomunales*

● CON VBOS. **hacer** · **cometer** · **decir** *No dice más que disparates* · **soltar** · **proferir** · **prodigar** || **constituir** · **considerar (algo)** · **parecer (algo)** || **bordear** · **rozar** *Esas ideas rozan el disparate* || **subsanar** · **enmendar** || **aceptar** || **calificar (de)** *Calificó todas sus propuestas de disparates políticos* || **incurrir (en)** || **rayar (en)**

disparidad

1 **disparidad** s.f.

● CON ADJS. **enorme** · **gran(de)** · **tremenda**

● CON SUSTS. **problema (de)** || **caso (de)**

● CON VBOS. **existir** *Existe disparidad de criterios con respecto a ese problema* || **mostrar** · **enseñar** || **combatir** · **reducir** · **eliminar** || **favorecer** · **aprovechar**

2 **disparidad (de)** s.f.

● CON SUSTS. **criterios** · **opiniones** *un tema sobre el que te encontrarás una gran disparidad de opiniones* · **intereses** || **soluciones** · **métodos** · **procedimientos** || **datos** || **precios** *la disparidad de precios entre diferentes comercios* · **cifras** · **sueldos** · **tarifas** · **tasas** || **situaciones** · **estilos**

disparo s.m.

● CON ADJS. **a bocajarro** · **a quemarropa** *Recibió un disparo a quemarropa y no se pudo hacer nada* || **a bote pronto** || **a discreción** || **atinado** · **certero** · **acertado** · **preciso** · **afortunado** · **fallido** · **desviado** · **excelente** · **impresionante** || **potente** *El potente disparó entró en la portería* · **raso** · **en parábola** || **gran(de)** · **fuerte** · **duro** || **envenenado** · **fatídico** · **intimidatorio** · **peligroso** || **débil** · **suave** · **tímido** · **seco** || **herido,da (por)** *una persona herida por disparo de bala*

● CON SUSTS. **ráfaga (de)** · **salva (de)** *una salva de disparos en honor de...* · **serie (de)** · **secuencia (de)** || **intercambio (de)** || **blanco (de)**

● CON VBOS. **desviar(se)** *El disparo se desvió y dio en la pared* || **dar (a algo/a alguien)** · **pasar rozando** · **rozar (algo/a alguien)** · **alcanzar (a alguien)** *Le alcanzó un segundo disparo y cayó fulminado* · **estrellar (contra algo)** · **dar (en algo)** || **silbar** || **efectuar** · **realizar** · **hacer** · **intercambiar** · **lanzar** · **mandar** || **recibir** || **acertar** *Acertar el disparo desde tan lejos es casi imposible* · **atinar** || **fallar** · **errar** || **parar** · **detener** · **controlar** · **amortiguar** || **oír** *Oímos varios disparos y nos asustamos* · **escuchar** || **guarecerse (de)**

□ EXPRESIONES **disparo de salida** [momento que marca el inicio de algo] *el disparo de salida de la campaña electoral*

[dispensar] → dispensar; dispensar (de)

dispensar v.

■ [expender]

● CON SUSTS. **antibiótico** *Esos antibióticos no se dispensan sin receta médica* · **vacuna** · **analgésico** · **antiinflamatorio** · ***otros medicamentos*** || **agua** · **pan** · ***otros alimentos o bebidas*** || **billete** · **tique** · **boleto** · **entrada**

■ [conceder]

● CON SUSTS. **elogio** · **aplauso** *El público les dispensó un caluroso aplauso* · **crítica** · **abucheo** || **trato** · **tratamiento** · **deferencia** · **cortesía** · **honor** · **título** · **respeto** · **privilegio** · **atención** · **favor** || **acogida** · **recibimiento** · **bienvenida** *El Ayuntamiento dispensó una cordial bienvenida a la comitiva* · **recepción** || **protección** · **apoyo** · **ayuda** · **comprensión** || **cariño** · **arrumacos** · **palmaditas** · **sonrisa**

■ [perdonar]

● CON SUSTS. **culpa** · **error** · **falta** *Espero que sepan dispensar esta pequeña falta* · **olvido** || **ausencia** *Rogamos dispensen la ausencia del Ministro, que se encuentra de viaje* · **retraso**

dispensar (de) v.

● CON SUSTS. **obligación** *Queda usted dispensado de esta obligación* · **compromiso** · **deber** · **trámite** · **castigo** · **tarea** · **misión** · **ocupación** || **promesa** · **celibato**

dispersar(se) v.

● CON SUSTS. **manifestación** · **concentración** || **gente** · **multitud** *La Policía tenía órdenes de dispersar a la multitud congregada* · **público** · **muchedumbre** · **manifestantes** · **trabajadores,ras** · **tropa** · **concentrados,das** · ***otros grupos humanos*** || **contenido** || **partículas** · **ondas** || **piezas** *El niño dispersó las piezas del puzle por todo el piso* · **papeles** · ***otras cosas materiales***

● CON ADVS. **por la fuerza** · **con tiros** · **pacíficamente** · **violentamente** || **de inmediato** · **rápidamente** · **progresivamente** *Después del acto, los manifestantes se dispersaron progresivamente* · **poco a poco** || **fácilmente**

□ USO Se usa frecuentemente con sustantivos en plural (*Los asistentes se dispersaron*) y colectivos (*La concentración se dispersó*).

disperso, sa adj.

● CON SUSTS. **chubasco** · **lluvia** · **tormenta** · **precipitación** · **niebla** · **calima** · **viento** || **carácter** · **alma** · **vida** || **obra** · **texto** · **poesía** || **fragmento** *Reconstruimos la historia a partir de fragmentos dispersos y desordenados* · **elemento** · **material** || **fuerza** · **trabajo** · **actividad** || **idea** · **información**

● CON VBOS. **ser** · **estar** · **resultar**

disponible adj.

● CON SUSTS. **lugar** · **plaza** · **cupo** · **habitación** *El hotel ya no tiene habitaciones disponibles* · **asiento** · **cama** · **entrada** || **espacio** · **localidad** · **suelo** · **terreno** || **información** *Esta información también está disponible en es-*

pañol · **dato** · **cifra** · **documentación** || **tiempo** · **día** · **período** · **tarde** · **noche** · **semana** || **recurso** · **dinero** *Tengo un poco de dinero disponible para cualquier emergencia* · **fondo** · **crédito** · **medio** · **renta** · **presupuesto** || **energía** · **potencia** · **capacidad** · **servicio** || **producto** · **material**
● CON VBOS. **estar** *Está disponible el día entero* · **mantener(se)** · **quedar(se)** · **mostrarse** || **dejar** · **tener**

[disposición] → a disposición (de algo/de alguien)

dispositivo s.m.

■ [mecanismo, sistema, instrumento]
● CON ADJS. **complejo** · **simple** || **especial** · **casero** *La bomba era un dispositivo casero y muy rudimentario* · **sofisticado** || **moderno** · **novedoso** · **anticuado** · **obsoleto** || **eléctrico** · **electrónico** · **mecánico** || **virtual** · **físico** · **digital** · **analógico** || **de alarma** · **de seguridad** || **intrauterino**
● CON VBOS. **disparar(se)** || **fallar** *El informe niega que los dispositivos de seguridad fallaran* · **funcionar** || **desarrollar** · **idear** · **crear** · **diseñar** · **programar** · **elaborar** · **fabricar** || **armar** · **colocar** · **montar** · **instalar** · **poner a punto** *Están poniendo a punto un dispositivo mecánico que resolverá el problema* · **poner en marcha** · **poner en funcionamiento** · **reparar** || **accionar** *Para accionar el dispositivo electrónico, pulse la tecla verde* · **activar** · **desactivar** · **anular** || **destruir** · **desmontar** · **desarmar** || **disponer (de)** · **contar (con)**

■ [conjunto de personas y recursos]
● CON ADJS. **espectacular** *Un espectacular dispositivo de seguridad acordonaba la zona* · **importante** · **impresionante** || **fuerte** · **férreo** · **riguroso** || **aparatoso** · **complejo** · **especial** · **amplio** || **policial** · **militar** · **táctico** · **de seguridad** · **de vigilancia** · **de control** · **defensivo** · **de protección** · **de búsqueda** · **aéreo**
● CON VBOS. **disponer** · **organizar** · **preparar** · **poner a punto** · **establecer** · **desplegar** *La policía desplegó un impresionante dispositivo alrededor del edificio* · **reforzar** || **activar** · **poner en marcha** · **poner en funcionamiento** *Se puso en funcionamiento el dispositivo de búsqueda para localizar al joven desaparecido* · **desactivar** · **desmantelar** || **contar (con)**

dispuesto, ta adj.

● CON ADVS. **plenamente** || **hábilmente** · **inteligentemente** · **sabiamente** · **estratégicamente** || **convenientemente** · **perfectamente** *Estaba todo perfectamente dispuesto para la ceremonia* · **magníficamente** || **minuciosamente** || **cordialmente** || **cronológicamente** · **libremente** || **siempre**
● CON VBOS. **mostrarse** *Se mostró dispuesta a aceptar la propuesta* · **sentirse** · **estar**

disputa s.f.

● CON ADJS. **fuerte** · **espectacular** · **tremenda** *Estalló una tremenda disputa por un malentendido* · **feroz** · **intensa** · **seria** || **reñida** *una reñida disputa por el poder* · **encarnizada** · **encendida** · **acalorada** · **agitada** · **a gritos** · **apretada** · **denodada** · **desenfrenada** · **enconada** · **tensa** *Mantienen una tensa disputa desde hace tiempo por asuntos legales* · **a cara de perro** · **violenta** · **virulenta** || **amarga** · **áspera** · **agria** · **ardua** || **animada** · **viva** || **desigual** · **equilibrada** || **bizantina** · **inútil** · **estéril** || **latente** · **soterrada** || **perpetua** · **vieja** · **tradicional** · **clásica** · **eterna** · **interminable** · **frecuente** · **prolongada** · **endémica** || **verbal** · **conceptual** · **filosófica** · **religiosa** · **política** · **fronteriza** · **interna** *Las disputas internas no deben trascender a los clientes* · **familiar** · **intestina** · **fratricida**
● CON SUSTS. **motivo (de)** *Ignoro el motivo de la disputa* · **objeto (de)** · **tema (de)** · **materia (de)**
● CON VBOS. **estallar** · **desatar(se)** *La disputa se desató de forma imprevista* · **desencadenar(se)** · **aflorar** || **agudizar(se)** · **caldear(se)** · **recrudecer(se)** || **calmar(se)** · **atenuar(se)** || **causar** · **provocar** *El comentario provocó una nueva disputa familiar* · **ocasionar** · **originar** · **suscitar** · **generar** || **entablar** · **iniciar** · **mantener** · **librar** · **tener** · **sostener** · **plantear** || **resolver** *El acuerdo intenta resolver una vieja disputa fronteriza* · **solucionar** · **zanjar** · **dirimir** · **acallar** · **apaciguar** · **atemperar** · **evitar** · **sellar** || **reavivar** · **atizar** · **avivar** || **arbitrar** || **entrar (en)** · **enredar(se) (en)** *Se enredaron en una disputa bizantina que acabó en nada* · **enzarzarse (en)** · **meter(se) (en)** · **enfrascarse (en)** · **involucrar(se) (en)** || **desentenderse (de)** || **mediar (en)** *Me niego a mediar en sus disputas* · **interceder (en)** · **terciar (en)** · **poner fin (a)** · **acabar (con)** || **derivar (en)** · **desembocar (en)**
● CON PREPS. **al calor (de)**

disputar v.

● CON SUSTS. **amor** *Ambos príncipes disputaban el amor de la dama...* · **corazón** · **mano** *Dos remilgados caballeros se disputaban su mano* · **favor** || **copa** · **título** *Solo dos corredoras se disputarán el título del campeonato* · **torneo** · **trofeo** · **victoria** · **tanto** · **final** · **partido** || **liderazgo** · **mando** · **poder** *Varias facciones se disputan el poder dentro de la organización* · **puesto** *El nuevo fichaje le disputa ahora el puesto de defensa central*
● CON ADVS. **estrechamente** · **intensamente** · **arduamente** · **sin tregua** *...ganó una carrera que disputó sin tregua a otros diez corredores* || **a brazo partido** · **a cara de perro** · **a muerte** · **a tope** || **acaloradamente** · **ardientemente** · **vivamente** · **violentamente** · **espectacularmente** || **a cara o cruz** || **abiertamente** · **de igual a igual** · **en buena lid** || **por un quítame allá esas pajas** *Los dos amigos empezaron a disputar por un quítame allá esas pajas*

disquete s.m.

● CON ADJS. **vacío** · **virgen** · **lleno**
● CON SUSTS. **capacidad (de)** || **información (de)** *La información del disquete está distribuida en carpetas* · **documento (de)** || **formato (de)**
● CON VBOS. **contener** · **tener** *Este disquete tiene un virus* || **leer** *El ordenador no ha leído el disquete todavía* || **grabar (en)** · **copiar (en)** || **almacenar (en)** · **guardar (en)** || **editar (en)**

distancia s.f.

● CON ADJS. **larga** · **gran(de)** · **considerable** · **notable** || **enorme** · **abismal** · **abrumadora** · **incalculable** · **inconmensurable** · **desmesurada** · **inabarcable** · **inmensa** · **insalvable** · **insuperable** *Nos separa una distancia insuperable* · **abisal** · **tremenda** || **prudente** · **crítica** · **respetuosa** *Mantuvo siempre una respetuosa distancia con sus maestros* · **suficiente** || **media** · **real** *No sabría decirte la distancia real entre las dos poblaciones* · **aproximada** · **máxima** · **mínima** · **excesiva** · **insuficiente** || **corta** *a corta distancia de su oficina* · **escasa** || **de seguridad** · **geográfica** · **sideral** · **ideológica**
● CON SUSTS. **acortamiento (de)** · **aumento (de)** · **reducción (de)**

• CON VBOS. **abrir(se)** *Con el tiempo se abrió una enorme distancia entre los dos* · **agravar(se)** · **separar (de algo/ de alguien)** *¿Qué distancia separa las dos estaciones de metro?* || **desvanecerse** || **fijar** · **establecer** · **guardar** *El líder prefiere guardar las distancias con...* · **mantener** · **marcar** · **respetar** · **tomar** · **poner** || **recorrer** · **cubrir** · **salvar** *medidas encaminadas a salvar la distancia que todavía los separa* · **franquear** · **superar** || **recortar** · **reducir** · **acortar** · **rebajar** · **estrechar** · **aminorar** · **mitigar** || **ganar** *Fue ganando distancia a sus perseguidores hasta entrar solo en la meta* · **alargar** · **aumentar** · **doblar** || **calcular** · **medir** *Tienes que medir la distancia hasta la puerta* || **soportar**

• CON PREPS. **a** *mantenerse a distancia* || **a pesar (de)**

distanciar(se) v.

• CON ADVS. **profundamente** · **enormemente** *Con los años nos fuimos distanciando enormemente* · **abisalmente** · **abismalmente** · **por completo** · **considerablemente** || **abiertamente** · **claramente** *Desde el punto de vista ideológico, están claramente distanciados* · **notablemente** · **ostensiblemente** || **gravemente** · **peligrosamente** || **levemente** · **ligeramente** · **suficientemente** || **progresivamente** · **gradualmente** · **rápidamente** || **temporalmente** || **físicamente** *Aunque físicamente nos hayamos distanciado, seguimos siendo amigas* · **ideológicamente** · **políticamente** · **públicamente**

distante adj.

• CON SUSTS. **punto** · **ciudad** · **localidad** · **población** · **pueblo** · **barrio** · **galaxia** · ***otros lugares*** || ***persona*** *un hombre distante e introvertido* || **actitud** *Mantuvo una actitud distante durante toda la entrevista* · **postura** · **posición** · **relación** · **comportamiento** || **lenguaje** · **palabras** · **estilo** || **voz** · **tono** *Pronunció un discurso frío con un tono particularmente distante e impasible* || **mirada** · **sonrisa** · **gesto** · **visión** || **estética** · **imagen**

• CON ADVS. **particularmente** · **notablemente** · **notoriamente** · **manifiestamente** || **totalmente** · **infinitamente** · **absolutamente** · **sumamente** || **calculadamente** *Su carta tenía un estilo calculadamente distante* · **premeditadamente** · **voluntariamente** || **suficientemente** || **aparentemente**

• CON VBOS. **ser** · **volver(se)** · **estar** *¿Por qué estás tan distante conmigo?* · **mantener(se)** · **quedar(se)** · **mostrarse** · **notar (a alguien)** · **sentir(se)**

distar v.

• CON SUSTS. **realidad** *La realidad dista bastante de ser como dice* · **situación** || **panorama** · **país** · **casa** *una casa que dista varios kilómetros del pueblo* · **isla** · **ciudad** · ***otros lugares*** || **crisis** · **problema** · **enfrentamiento** || **cifra** · **dato** *Los datos económicos distan de ser halagüeños* || **clima** · **ambiente** · **tiempo**

• CON ADVS. **un abismo** · **enormemente** · **considerablemente** · **notablemente**

distendido, da adj.

• CON SUSTS. **conversación** *Mantuvieron una conversación muy distendida* · **charla** · **entrevista** · **relato** · **diálogo** · **broma** · ***otras manifestaciones verbales o comunicativas*** || **actitud** · **ánimo** · **gesto** *a la espera de algún gesto distendido que rebaje la tensión actual* · **sonrisa** · **aspecto** · **estilo** · **aire** || **ambiente** · **atmósfera** · **clima** · **trato** · **lenguaje** *Con nosotros emplea siempre un lenguaje muy distendido* · **tono** || **encuentro** *Fue un encuentro distendido y cordial* · **acto** · **cita** · **reunión** · **intercambio** · **tertulia** || **política**

distensión s.f.

▌[relajación]

• CON ADJS. **real** · **verdadera** · **auténtica** || **monetaria** *¿Qué factores contribuyeron a la distensión monetaria?* · **de tipos de interés** || **política** · **internacional** · **militar** || **interna** · **creadora** || **mundial** · **social**

• CON SUSTS. **ambiente (de)** · **clima (de)** *Intentó con sus bromas crear un clima de distensión* || **zona (de)** · **proceso (de)** · **período (de)** · **fase (de)** · **momento (de)** · **etapa (de)** || **política (de)** · **medida (de)** · **gesto (de)** || **signo (de)** · **símbolo (de)**

• CON VBOS. **producir** *...cambios que producen una verdadera distensión* · **provocar** · **causar** · **crear** || **propiciar** · **fomentar** · **favorecer** · **alentar** · **lograr** || **aprovechar** || **contribuir (a)**

▌[estiramiento violento]

• CON ADJS. **muscular** *Aún no me he recuperado de la distensión muscular* · **abdominal** · **vascular** · **de ligamento** · **de tobillo**

• CON SUSTS. **diagnóstico (de)** · **tratamiento (para)** · **síntoma (de)**

• CON VBOS. **sufrir** · **padecer** · **tener** || **diagnosticar** || **recuperar(se) (de)** · **resentirse (de)**

[distinción] → distinción; sin distinción (de)

distinción s.f.

▌[premio]

• CON ADJS. **alta** *Le concedieron la más alta distinción del Estado* · **importante** · **honorable** · **honrosa** · **prestigiosa** || **merecida** · **inmerecida** || **digno,na (de)** · **merecedor,-a (de)** · **indigno,na (de)**

• CON VBOS. **recaer (en alguien)** *Tan imponente distinción recayó en...* || **conceder** · **entregar** *Nuestra asociación entrega anualmente una distinción a su socio más destacado* · **otorgar** · **conferir** || **ganar** · **obtener** · **recibir** · **ostentar** || **agradecer** || **merecer(se)**

▌[elegancia]

• CON ADJS. **especial** · **refinada** *Todos admiran su refinada distinción* || **indudable** · **evidente** || **natural** · **personal** · **particular**

• CON SUSTS. **signo (de)** · **toque (de)** *Aquellas gafas le daban un toque de distinción*

• CON VBOS. **tener** · **mostrar** · **revelar** · **destacar** || **alabar** · **admirar** · **advertir** · **notar**

• CON PREPS. **con**

▌[diferenciación]

• CON ADJS. **clara** · **gran(de)** · **marcada** || **acertada** · **necesaria** · **innecesaria** || **cuidadosa** · **fina** · **sutil** || **burda** · **maniquea** · **alambicada** · **confusa** || **antigua** · **vieja** *La teoría recurría a la vieja distinción conceptual entre...* · **usual** · **elemental** · **inevitable** || **inusual** || **de edad** · **de raza** · **de sexo** · **conceptual** · **social**

• CON VBOS. **existir** · **difuminar(se)** || **hacer** *Aquí no hacemos distinciones de edad* · **establecer** · **imponer** · **introducir** *Quisiera introducir ahora una distinción entre...* · **sugerir** || **marcar** · **subrayar** · **negar** || **abolir** · **anular** *una forma de trato que anulaba las distinciones sociales establecidas* · **superar** · **preservar** || **ahondar (en)**

distinguir v.

● CON ADVS. **a la legua** *Su casa se distingue a la legua* · **a lo lejos** · **de cerca** · **a simple vista** · **rápidamente** || **claramente** · **a las claras** · **con claridad** *No puedo distinguir su cara con claridad* · **con nitidez** · **nítidamente** · **con precisión** · **con certeza** · **visiblemente** · **manifiestamente** || **a duras penas** · **con dificultad** · **vagamente** || **cualitativamente** · **sensiblemente** || **expresamente** || **escrupulosamente** · **pulcramente** || **maniqueamente** || **metodológicamente** · **programáticamente** · **conceptualmente**

distinto, ta adj.

● CON ADVS. **absolutamente** · **completamente** · **totalmente** *dos posturas totalmente distintas* · **diametralmente** · **radicalmente** · **abismalmente** · **extraordinariamente** || **claramente** *Sus estilos eran claramente distintos* · **descaradamente** · **notoriamente** || **cualitativamente** · **cuantitativamente** · **sustancialmente** · **formalmente** · **fundamentalmente** || **parcialmente** · **en parte** · **en todo**
● CON VBOS. **ser** · **estar** · **parecer** · **hacer(se)** · **volver(se)** · **notar (a alguien)** · **sentir(se)**

distorsionar v.

● CON SUSTS. **imagen** · **figura** · **sonido** *El sonido llegaba totalmente distorsionado* · **luz** || **comentario** · **palabras** *Según el ministro, el periodista distorsionó sus palabras* · **frase** · **diálogo** · **debate** · **conversación** · **mensaje** · **título** · ***otras manifestaciones verbales*** || **realidad** · **verdad** · **hecho** || **recuerdo** · **pasado** · **historia** · **memoria** || **resultado** · **dato** · **cifra** · **estadística** · **sondeo** · **información** · **noticia** *La prensa amarilla distorsiona las noticias interesadamente* || **interpretación** · **visión** · **concepción** · **punto de vista** · **perspectiva** · **enfoque** · **versión** · **lectura** || **sentido** · **significado** · **espíritu** · **esencia** · **contenido** || **funcionamiento** · **proceso** · **desarrollo** · **crecimiento** · **actividad** · **labor** · **trabajo** · **negociación** *El malentendido puede acabar distorsionando las negociaciones entre los dos países* || **objetivo** · **fin** · **propósito** · **voluntad** · **plan** · **intención** · **deseo** · **meta** || **sistema** · **modelo** · **estructura** · **regla** · **pauta**

distracción s.f.

▮ [entretenimiento]

● CON ADJS. **nueva** · **única** *En invierno, el cine es su única distracción* · **principal** · **favorita** · **preferida** || **amena** · **divertida** · **inocente** · **seria** || **educativa**
● CON SUSTS. **rato (de)**
● CON VBOS. **buscar** · **encontrar** · **inventar** || **necesitar** *Necesitaba nuevas distracciones para sus fines de semana* · **demandar** · **tener** · **evitar** || **carecer (de)** || **servir (de)** *Mi trabajo me sirve también de distracción*
● CON PREPS. **por** · **sin**

▮ [falta de atención]

● CON ADJS. **leve** · **ligera** · **pequeña** · **simple** · **mera** · **mínima** · **menor** · **momentánea** *Aprovecharon una momentánea distracción del portero para entrar en el recinto* · **minúscula** · **sin importancia** *Solo fue una distracción sin importancia* · **excusable** · **perdonable** · **tolerable** || **descomunal** · **garrafal** · **monumental** · **mayúscula** · **imperdonable** · **intolerable** · **colosal** || **lógica** || **imprudente** · **fatal** *La menor distracción puede ser fatal* · **peligrosa**
● CON SUSTS. **causa (de)** · **motivo (de)** || **maniobra (de)** *una inteligente maniobra de distracción* · **ejercicio (de)** · **estrategia (de)**
● CON VBOS. **cometer** · **tener** || **admitir** *Admitió su distracción a regañadientes* || **aprovechar (para algo)** || **incurrir (en)**
● CON PREPS. **por** · **por culpa (de)** *Por culpa de una pequeña distracción fallé la pregunta*

distraer(se) v.

▮ [entretener]

● CON SUSTS. **atención** *Mientras el defensa distraía su atención, el delantero metió gol* · **mente** · **pensamiento** · **vista** || **lector,-a** · **espectador,-a** · ***otros individuos***

▮ [apartar, desviar]

● CON SUSTS. **preocupación** · **miedo** || **aburrimiento** · **hambre** || **problema** *El Gobierno intenta distraer los problemas económicos creando...* || **fondos** · **dinero**
● CON ADVS. **fácilmente** · **difícilmente** || **con frecuencia** *Últimamente te distraes con frecuencia* · **continuamente** || **por completo** · **excesivamente** || **brevemente** · **momentáneamente**

☐ USO Los adverbios son comunes a los dos sentidos.

distraído, da adj.

● CON SUSTS. **alumno,na** · **oyente** · **público** · **auditorio** · ***otros individuos y grupos humanos*** || **mirada** *Su mirada distraída se perdía en el horizonte* · **mente** || **juego** · **programa** · **visita** · **paseo**
● CON ADVS. **completamente** *No me enteré de nada, estaba completamente distraído* · **absolutamente** · **totalmente** · **sumamente** || **levemente** · **ligeramente** || **constantemente** · **ocasionalmente** || **abiertamente**
● CON VBOS. **ser** · **fingirse** · **volverse** || **estar** || **pillar** · **coger**

distribuidor, -a

1 distribuidor, -a s.

▮ [persona]

● CON ADJS. **eficaz** *El nuevo distribuidor es muy eficaz* · **rápido,da** · **lento,ta** || **habitual** · **ocasional**
● CON SUSTS. **federación (de)** · **gremio (de)** · **asociación (de)**
● CON VBOS. **llegar** · **tardar** · **cumplir** *El antiguo distribuidor nunca cumplía los plazos fijados* · **repartir** || **llamar** || **trabajar (como/de)** · **acordar (con)**

2 distribuidor s.m.

▮ [vestíbulo]

● CON ADJS. **grande** · **ancho** · **amplio** · **cómodo**
● CON VBOS. **dar acceso (a)** || **tener** *La casa tiene un distribuidor muy cómodo*

3 distribuidora s.f.

▮ [empresa]

● CON ADJS. **nacional** *una distribuidora nacional de zapatillas de deporte* · **local** · **internacional** || **ilegal** · **irregular** || **principal** · **importante** · **prestigiosa**
● CON SUSTS. **red (de)** · **consorcio (de)** || **portavoz (de)**
● CON VBOS. **llegar a un acuerdo (con)** *Hemos llegado a un acuerdo con la distribuidora para poder estrenar la comedia*

[distribuidora] s.f. → distribuidor, -a

distribuir v.

● CON SUSTS. **agua** · **alimentos** *Las organizaciones humanitarias están distribuyendo alimentos en la zona* · **pro-**

ducto · **ayuda** || **folleto** · **información** · **propaganda** || **dinero** · **fondos** · **recursos** · **riqueza** || **beneficios** *La sociedad aprobó la distribución de beneficios este año* · **coste** · **gasto** || **paquetes** · **libros** · ***otras mercancías***
• CON ADVS. **adecuadamente** · **ordenadamente** · **proporcionalmente** *distribuir los gastos proporcionalmente entre todos* · **convenientemente** · **armoniosamente** · **armónicamente** · **imparcialmente** || **igualitariamente** · **a partes iguales** *El dinero se distribuirá a partes iguales entre los participantes* · **salomónicamente** · **equitativamente** || **desigualmente** · **caóticamente** · **desordenadamente** || **a granel** · **a manos llenas** · **profusamente** · **a diestro y siniestro** *En la manifestación distribuyeron folletos a diestro y siniestro* · **generosamente** || **amistosamente** · **solidariamente** · **libremente** || **estratégicamente** *Los organizadores distribuyeron estratégicamente puestos de socorro en el recinto ferial* · **comercialmente** || **a domicilio** · **gratuitamente** · **en exclusiva** || **a marchas forzadas** · **anticipadamente**

disturbio s.m.

• CON ADJS. **fuerte** · **grave** *Hubo graves disturbios en el barrio* · **serio** · **violento** · **severo** · **virulento** · **sangriento** || **ligero** · **pequeño** · **disperso** · **sin importancia** || **callejero** *Los disturbios callejeros fueron sofocados rápidamente*
• CON SUSTS. **serie (de)** · **ola (de)** · **oleada (de)** · **noche (de)** · **jornada (de)** · **foco (de)** · **brote (de)** · **ausencia (de)** || **causa (de)** · **origen (de)** · **detonante (de)** || **balance (de)** · **saldo (de)**
• CON VBOS. **estallar** · **iniciar(se)** · **desatar(se)** · **desencadenar(se)** *Los disturbios se desencadenaron de madrugada* · **armar(se)** · **ocurrir** · **arreciar** || **recrudecer(se)** || **apaciguar(se)** · **remitir** *Los violentos disturbios remitieron poco a poco* · **disolver(se)** || **ocasionar** · **causar** · **provocar** *La negativa de la directiva provocó serios disturbios* · **generar** || **organizar** · **promover** · **protagonizar** || **sofocar** · **evitar** || **registrar** *En ninguna de las manifestaciones se registraron disturbios* || **acabar (con)**

disuadir v.

• CON ADVS. **verbalmente** · **visualmente** · **oportunamente** · **definitivamente** || **pacíficamente** · **amablemente** *El guardia me disuadió amablemente de seguir por ese camino* || **públicamente** · **personalmente**

☐ USO Se construye con complementos encabezados por la preposición *de*: *Quisieron disuadir al dirigente de abandonar las negociaciones.*

disuasorio, ria adj.

• CON SUSTS. **campaña** · **acción** · **respuesta** · **operación** · **intervención** · **maniobra** · **actuación** || **decreto** · **norma** · **ley** · **normativa** · **reglamento** · ***otras disposiciones*** || **sentencia** · **palabra** · **argumento** || **estrategia** *El ejército aplica una nueva estrategia disuasoria* · **táctica** · **procedimiento** · **medida** · **medio** · **recurso** || **sanción** · **castigo** · **multa** · **pena** || **fuerza** · **poder** · **capacidad** · **influencia** *La influencia disuasoria de las sanciones ha sido prácticamente nula* || **fin** · **finalidad** · **propósito** · **intención** || **precio** · **tarifa** · **tasa** · **cantidad** · **coste** || **ataque** · **amenaza** · **vigilancia** · **presencia** · **vuelo** · **disparo** · **mecanismo** · **arma** || **obstáculo** · **barrera** · **alambrada** *Todo el perímetro penitenciario está rodeado por alambradas disuasorias* · **barricada** · **valla** || **ejemplo** · **demostración** · **exhibición**

diurno, na adj.

• CON SUSTS. **luz** *Trato de aprovechar al máximo la luz diurna* · **ruido** · **movimiento** || **temperatura** · **calentamiento** || **turno** · **trabajo** *Una semana tengo trabajo diurno y la siguiente nocturno* · **actividad** · **atención** · **vigilancia** || **horario** · **hora** · **jornada** || **ruta** · **tren** · **autobús** *El autobús diurno es más barato, pero el viaje es más largo* · **salida** · **tarifa** || **ayuno**

divagar (sobre) v.

• CON SUSTS. **tema** · **asunto** *No divagues más sobre el asunto y dame una respuesta clara* · **futuro** || **sentido**
• CON ADVS. **largamente** · **durante horas** · **interminablemente** *En la cena, divagamos interminablemente sobre el bien y el mal* · **incansablemente** || **delirantemente** · **irreflexivamente** || **inútilmente**

divergencia s.f.

• CON ADJS. **marcada** · **profunda** *Existían profundas divergencias entre los dos planteamientos* · **fuerte** · **gran(de)** · **grave** · **seria** · **honda** · **patente** · **abismal** · **importante** *A pesar de sus importantes divergencias, llegaron a un acuerdo* · **insalvable** · **notable** · **creciente** || **clara** · **visible** · **notoria** *notorias divergencias que han impedido la redacción del documento común* · **tangible** · **ostensible** || **principal** || **frecuente** · **vieja** || **mínima** · **pequeña** · **ligera** || **interna** || **ideológica** · **política** · **conceptual** · **doctrinal** · **teórica** · **metodológica**
• CON SUSTS. **punto (de)** || **serie (de)** · **conjunto (de)**
• CON VBOS. **existir** · **nacer** · **aflorar** || **apreciar(se)** *Se apreciaban importantes divergencias entre los dos candidatos* · **traslucir(se)** || **provocar** · **generar** || **mostrar** · **acentuar** *El debate acentuó las divergencias entre ellos* · **evidenciar** · **poner de manifiesto** · **destapar** · **descubrir** || **resolver** · **dirimir** · **limar** · **zanjar** · **salvar** *Era imposible salvar las graves divergencias políticas que por el momento se perciben en...* · **superar** || **tener** · **mantener** || **respetar** || **dar lugar (a)**
• CON PREPS. **sin**

divergente adj.

• CON SUSTS. **opinión** *Estas opiniones divergentes pueden generar debates enriquecedores* · **postura** · **posición** · **punto de vista** · **criterio** · **visión** · **planteamiento** · **enfoque** · **mirada** || **pensamiento** *con el objetivo de fomentar el pensamiento divergente y crítico de los alumnos* · **idea** · **teoría** · **apreciación** || **alternativa** · **interés** · **objetivo** · **estrategia** · **decisión** · **comportamiento** · **conducta** · **actitud** || **sentido** · **interpretación** · **versión** · **estilo** || **camino** *Ambos investigadores siguen actualmente caminos divergentes* · **línea** · **rama** · **punto** · **trayectoria** || **economía** · **política** · **voto**
• CON ADVS. **totalmente** · **completamente** · **profundamente** || **claramente** *Nos guían objetivos e intereses claramente divergentes* · **manifiestamente** || **extremadamente** · **excesivamente**

diversidad

1 diversidad s.f.

• CON ADJS. **enorme** *Este país goza de una enorme diversidad climatológica* · **amplia** · **gran(de)** · **abismal** · **profunda** · **compleja** || **maravillosa** · **asombrosa** · **increíble** · **enriquecedora** · **fantástica** || **manifiesta** · **creciente** · **oculta** · **aparente** · **engañosa**
• CON VBOS. **favorecer** · **promover** · **incentivar** · **potenciar** · **acentuar** || **defender** *La asociación defiende la di-*

versidad cultural · respetar · preservar · mantener || reflejar · mostrar · presentar · representar || aceptar *Reconocer y aceptar la diversidad ayuda a promover la paz* · asumir · admitir · reconocer || reducir · eliminar || buscar · descubrir

2 **diversidad (de)** s.f.

● CON SUSTS. culturas · pueblos · razas · lenguas || opiniones · ideas · criterios · creencias *promover el respeto a la diversidad de creencias religiosas* · argumentos || temas · asuntos · situaciones || estilos · tendencias · gustos || plantas · animales · especies *un zona con una gran diversidad de especies autóctonas* · grupos

diversión s.f.

● CON ADJS. auténtica · pura · desbordante · desenfrenada · tumultuosa · incontenible || abundante || simple *No es más que una simple diversión* · mera || arriesgada · peligrosa · insana · malsana · macabra · prohibida || alternativa · única · particular || sana · juvenil · nocturna · pública · general · popular

● CON SUSTS. centro (de) *Han inaugurado un centro de diversión educativo para niños* · local (de) · lugar (de) || ganas (de) · motivo (de) · objeto (de)

● CON VBOS. llegar · presentar(se) · acabar(se) · frustrar(se) || estropear (a alguien) *Siento estropearles la diversión, pero está prohibido...* · aguar (a alguien) || prometer (a alguien) · asegurar (a alguien) · garantizar (a alguien) || proporcionar (a alguien) · llevar (a alguien) · ofrecer (a alguien) || buscar · preferir *Prefiero las diversiones al aire libre* || contribuir (a) *...contribuyendo así a la diversión del público* · disfrutar (con) · entretener(se) (con)

● CON PREPS. como · por

divertir(se) v.

● CON ADVS. de lo lindo *Nos divertimos de lo lindo en tu fiesta* · enormemente · extraordinariamente · horrores · a lo grande · como un enano · a tope · como un loco · inmensamente || desmesuradamente · desproporcionadamente || a costa de (algo/alguien) *¿Siempre tienes que divertirte a costa de los demás?* || inconscientemente || sanamente · tranquilamente

[dividir] → dividir; dividir(se) (en)

dividir v.

● CON ADVS. profundamente *una larga disputa que dividió profundamente a la población* || a partes iguales · equitativamente · igualitariamente · por la mitad *Dividimos los costes por la mitad* · salomónicamente · armoniosamente · limpiamente || en justicia · justamente || irrevocablemente || maniqueamente || mentalmente

□ USO Se construye a menudo con complementos encabezados por las preposiciones *en* (*dividir la tarta en tres partes*), *entre* (*dividir el resultado entre cuatro*) y *por* (*dividir una cantidad por dos*).

dividir(se) (en) v.

● CON SUSTS. zonas · partes · bloques *Se divide en bloques equivalentes* · ramas · grupos · apartados · puntos || categorías · niveles || salas · departamentos || temas · capítulos *La segunda parte se divide, a su vez, en cuatro capítulos* || secuencias · episodios · etapas

● CON ADVS. sucesivamente · indefinidamente · infinitamente · progresivamente || aleatoriamente

divinamente adv.

● CON VBOS. pasar(lo) *Lo hemos pasado divinamente en la fiesta* · ir(le) (a alguien) · venir(le) (a alguien) · sentar (algo) · quedar (algo) || hacer · salir || bailar · cantar *Además de su buena actriz, canta divinamente* · sonar · jugar · ***otros verbos de acción*** || vestir · oler || entender · saber

divino, na adj.

▮ [de los dioses]

● CON SUSTS. amor · bondad · misericordia *Imploraba por la misericordia divina* · compasión || creación · obra || verbo · palabra · verdad || origen *un texto al que le atribuían origen divino* · naturaleza · rango || ley · protección · providencia · salvación · ayuda · castigo · justicia · derecho · mandamiento || designio · destino · mandato · voluntad *Aceptaba los hechos porque los consideraba fruto de la voluntad divina* || don · bendición · gracia || razón · inspiración || ira || culto || ser · mano · presencia || voz · luz

▮ [extraordinario, muy bueno]

● CON SUSTS. ***persona*** || vestido · anillo *Me han regalado un anillo divino* · ***otros objetos***

divisar v.

● CON ADVS. a lo lejos *Los marineros divisaron la luz de un faro a lo lejos* · en el horizonte · en lontananza || claramente || difusamente · vagamente

división s.f.

▮ [separación]

● CON ADJS. gran(de) *La división entre las dos facciones era muy grande* · honda · profunda || clara · nítida · marcada · precisa || tajante · radical · inequívoca || salomónica · equitativa || clásica *En la película se reproduce una vez más la clásica división de buenos y malos* · eterna · permanente · existente || efectiva || imprecisa · difusa · escurridiza · equívoca || trágica · cruel · drástica · traumática · enconada || arbitraria · maniquea · absurda · artificial · forzada · antinatural || territorial · interna *Se aprecian profundas divisiones internas en el partido*

● CON SUSTS. asomo (de) || problema (de) · riesgo (de) *Existe un claro riesgo de división entre los socios*

● CON VBOS. surgir · fraguar(se) · consumar(se) · abrir(se) || agravar(se) · difuminar(se) || causar · provocar · generar || fomentar *Con su actitud fomentaba la división en el grupo* · atizar · aumentar || hacer *Hicimos una división regular del terreno* · realizar · efectuar · establecer · demarcar · trazar || pedir || evitar · resolver · conjurar · salvar · abolir · respetar · subrayar || incitar (a) · llevar (a)

▮ [operación matemática]

● CON ADJS. aritmética · matemática || exacta · entera · con decimales || fácil · sencilla · difícil || correcta · incorrecta

● CON SUSTS. resultado (de) · ejercicio (de) · problema (de) || signo (de)

● CON VBOS. hacer *No se me da bien hacer divisiones de más de tres cifras* · realizar · efectuar · repasar || poner *La profesora nos puso tres divisiones con decimales para hacer en casa* || corregir · revisar

▮ [unidad militar]

• CON ADJS. **poderosa · potente || acorazada · militar · aérea · aerotransportada · blindada · antidroga · criminal · profesional · de élite**

• CON VBOS. **atacar (algo) · defender (algo) || crear · reforzar || enviar**

divisorio, ria adj.

• CON SUSTS. **línea** *una línea divisoria imaginaria entre los dos territorios* · **margen · muro · frontera · límite · tabique || efecto**

divorciarse v.

• CON SUSTS. **pareja · matrimonio · padres** *Mis padres se divorciaron hace mucho tiempo*

• CON ADVS. **legalmente · oficialmente · formalmente || amistosamente · discretamente**

divorcio s.m.

• CON ADJS. **traumático · liberador · desagradable · terrible · inevitable** *...hasta llegar al inevitable divorcio de las dos facciones tan largamente enfrentadas* **|| forzado · fulminante || efectivo || civil** *una nueva ley sobre el divorcio civil*

• CON SUSTS. **ley (de) · demanda (de)** *Los datos revelan un aumento de las demandas de divorcio* · **causa (de) · proceso (de)**

• CON VBOS. **consumar(se) · producir(se) · resolver(se) || existir || pedir · solicitar || conceder · dar(le) (a alguien) · dictar · tramitar || conseguir** *Consiguió el divorcio tras un tiempo de espera* · **obtener || aceptar || legalizar || reponerse (de) || salir (de) || terminar (en)**

divulgación s.f.

• CON ADJS. **masiva** *Gracias a la televisión se ha conseguido su divulgación masiva* · **amplia · general · colectiva · popular || minoritaria · superficial || intensa · tremenda · enorme || internacional || científica** *La divulgación científica comenzó en un seminario internacional* · **histórica · filosófica · médica · sanitaria · cultural · social · psicológica · periodística · pedagógica · medioambiental · tecnológica** *Los conferenciantes han hablado de la necesidad de una mayor divulgación tecnológica* · **literaria · musical · artística · ideológica · cinematográfica**

• CON SUSTS. **campaña (de)** *una campaña de divulgación con unos resultados excelentes* · **tarea (de) · labor (de) · trabajo (de) · actividad (de) || libro (de) · manual (de) · texto (de) · obra (de) · revista (de)** *una revista de divulgación literaria* · **artículo (de) · publicación (de) || colección (de) · serie (de) || centro (de) · espacio (de) · programa (de) || capacidad (de)**

• CON VBOS. **hacer · llevar a cabo · realizar || ocasionar · estimular · fomentar** *medidas para fomentar la divulgación del arte* · **potenciar · impulsar · facilitar · permitir · autorizar || impedir · prohibir · restringir · detener** *detener la divulgación de noticias falsas* · **evitar || contribuir (a)**

divulgar v.

• CON SUSTS. **dato · información** *No divulgaremos la información hasta haberla contrastado* · **nombre · resultado · secreto · identidad || historia · idea · opinión · pensamiento · contenido || cultura · obra · música || documento · imagen** *Están divulgando una imagen equivocada de este país* · **trabajo · informe**

• CON ADVS. **a bombo y platillo · a los cuatro vientos** *Divulgaron el nombre de la ganadora a los cuatro vientos* · **ampliamente · por todas partes · profusamente · públicamente || de boca en boca || detalladamente · exhaustivamente · minuciosamente || íntegramente** *un programa matinal divulgó la entrevista íntegramente*

dobladillo s.m.

• CON ADJS. **deshilachado · descosido || grande · ancho · pequeño || de vestido · de pantalón** *Llevaba el dobladillo del pantalón deshilachado* · **de abrigo** · ***otras prendas de vestir***

• CON VBOS. **deshilachar(se) || descoser(se)** *Se me ha descosido el dobladillo de la falda* **|| coser || sacar · bajar** *Me he bajado un poco el dobladillo del abrigo porque me lo veía un poco corto* **|| coger**

doblaje s.m.

• CON ADJS. **de la película** *El doblaje de la película me ha parecido extraordinario* **|| buen(o) · mal(o)**

• CON SUSTS. **costes (de) · gastos (de) || licencia (de)** *Ya han conseguido la licencia de doblaje de esta película* · **permiso (de) || problema (de) || actor (de) · actriz (de) · profesional (de) || estudio (de) · sesión (de)** *Asistí a una sesión de doblaje*

• CON VBOS. **realizar** *Relizaron el doblaje de estos dibujos animados con pocos recursos* **|| supervisar || dedicar(se) (a)**

doblar v.

▮ [plegar]

• CON SUSTS. **brazo · mano · pierna** *Doble las piernas lentamente* · **rodilla || papel · cartón · plástico || ropa · sábana · tela · tejido · mapa** *Abres los mapas y nunca los doblas* **|| pliegue**

• CON ADVS. **en {una/dos/tres...} partes** *Dobló el papel en tres partes y se lo guardó en el bolsillo* · **por la mitad || cuidadosamente**

▮ [duplicar]

• CON SUSTS. **edad · altura · estatura · extensión · tamaño** · ***otras magnitudes*** **|| beneficio** *Este año doblaremos los beneficios de la empresa* · **cantidad · ganancia · sueldo · inversión || apuesta**

▮ [pasar girando]

• CON SUSTS. **calle · esquina** *Dobló la esquina rápidamente y desapareció*

• CON ADVS. **a la derecha · a la izquierda**

▮ [hacer doblaje]

• CON SUSTS. **película** *Doblar esta película no fue nada fácil* · **programa · serie**

▮ [caer]

• CON SUSTS. **toro** *El toro dobló al tercer descabello*

▮ [doblegar]

• CON SUSTS. **espíritu · voluntad** *Nunca conseguirán doblar nuestra firme voluntad de permanecer en...* · **ánimo**

▮ [sonar]

• CON SUSTS. **campana** *Las campanas doblan a rebato*

• CON ADVS. **a muerto · a rebato || insistentemente · largamente**

[doble] → de doble filo

[doblegar] → doblegar; doblegar(se) (a)

doblegar v.

• CON SUSTS. **esperanza · voluntad · deseo** *De nada servirán los intentos de doblegar el deseo de justicia y libertad de este pueblo valeroso que ha sabido...* · **esfuerzo · sentimiento** || **espíritu · fe · naturaleza · principio** || **adversario,ria** *Más que debatir abiertamente se pretende doblegar al adversario* · **rival · equipo** · ***otros individuos y grupos humanos*** || **independencia · intransigencia · resistencia · actitud**

• CON ADVS. **espectacularmente** || **pacíficamente · por la fuerza** *La Policía doblegó por la fuerza a los asaltantes* || **definitivamente · finalmente**

doblegar(se) (a) v.

• CON SUSTS. **deseo · capricho · voluntad** *No es inevitable doblegarse a su voluntad* · **designio · interés · pretensión · propósito** || **adversidad · necesidad · presión** || **justicia · poder · autoridad**

docente adj.

• CON SUSTS. **personal · funcionario,ria** || **gremio** *Pertenezco al gremio docente* · **sector · cuerpo** || **institución · centro · unidad** || **trabajo · actividad · tarea · función · labor** || **experiencia** *Tiene una enorme experiencia docente en el ámbito universitario* || **formación · capacitación · carrera · curso** || **cargo · puesto** || **programación · estatuto · reglamento** || **capacidad · vocación** *Desde joven manifestó una gran vocación docente* || **conflicto · huelga · paro** || **calidad**

dócil adj.

• CON SUSTS. ***persona*** *Los niños de este curso no son dóciles ni están atentos* || **mascota · perro,rra** *Es un perro dócil y obediente* · **gato,ta · novillo,lla · cordero,ra** · ***otros animales*** || **actitud · comportamiento** || **apariencia · aspecto** || **cuerpo · cabello** *Sus cabellos dejarán de ser rebeldes y se harán suaves y dóciles si usa...*

• CON ADVS. **excesivamente · sumamente · extremadamente**

dócilmente adv.

• CON VBOS. **someter(se) · doblegar(se)** *doblegarse dócilmente a sus instrucciones* · **plegar(se) · aceptar · asumir · cumplir · seguir** || **comportarse · actuar**

docto, ta adj.

• CON SUSTS. ***persona*** || **saber · erudición** || **letra · lenguaje · oficio** || **casa · institución** *Fue la primera mujer que ingresó en esta docta institución* || **consejo · opinión · criterio · intervención**

doctor, -a s.

• CON ADJS. **competente** *No dudo de su diagnóstico porque es un doctor muy competente* || **prestigioso,sa · egregio,gia · reconocido,da · eminente · conocido,da** || **universitario,ria · honoris causa** *La universidad confirió al escritor el grado de doctor honoris causa* || **de la Iglesia**

• CON SUSTS. **título (de) · diploma (de)** || **cargo (de) · puesto (de)**

• CON VBOS. **recetar · medicar** || **atender** *¿El doctor atiende todos los días?* || **investir · nombrar** || **consultar** || **recomendar**

doctorado s.m.

• CON ADJS. **honoris causa · honorario · honorífico** *Concedieron al artista un doctorado honorífico en...* || **prestigioso**

• CON SUSTS. **curso (de) · programa (de)** || **tesis (de) · trabajo (de) · estudio (de) · investigación (de)** || **título (de)** || **beca (de)**

• CON VBOS. **hacer** *Estoy haciendo un doctorado en historia antigua* · **realizar · cursar · preparar** || **terminar · empezar · acabar** || **tener · poseer · obtener · conseguir · lograr · recibir** || **exigir** *Para esta plaza exigen un doctorado* · **requerir · pedir · solicitar** || **conceder · otorgar** || **convalidar · homologar** || **matricular(se) (en) · inscribir(se) (en)** || **acceder (a) · admitir (en)** *Aún no la han admitido en el doctorado*

documentación s.f.

• CON ADJS. **disponible · existente** || **amplia · extensa · exhaustiva** || **abundante** *Existe abundante documentación sobre esos hechos* · **nutrida · copiosa · numerosa** || **importante · valiosa** *En los archivos se guarda documentación muy valiosa de aquella época* · **sólida · suficiente · rica · ejemplar** || **rigurosa · fehaciente · fidedigna · fiable · probatoria** || **convincente · aplastante** || **escasa · insuficiente · magra** || **necesaria · preceptiva** || **auténtica · falsa** *Descubrieron que su documentación era falsa* · **insegura · dudosa** || **secreta · confidencial** || **oficial · en regla** *Si la documentación no está en regla, no podrá pasar* || **personal**

• CON SUSTS. **centro (de) · labor (de) · trabajo (de)** *La autora del libro realizó un impresionante trabajo de documentación*

• CON VBOS. **apoyar (algo) · sustentar (algo) · probar (algo)** || **faltar** *Falta documentación para poder solicitar la subvención* || **traspapelar(se)** || **obrar en poder (de alguien)** || **buscar · recabar · recopilar** *Estoy recopilando documentación sobre la vida del ilustre pianista* · **preparar** || **encontrar · obtener · recibir** || **presentar** *Presentó abundante documentación en apoyo de su tesis* · **aportar · entregar · incluir · mostrar · llevar · manejar** || **exigir · solicitar · pedir** *Un agente de policía me pidió la documentación del coche* || **revisar · repasar · controlar · analizar · confrontar · verificar** || **incautar · retirar** || **archivar · guardar · ocultar** || **rellenar · traducir** || **falsificar** *Está detenido por falsificar documentación oficial* · **legalizar** || **bucear (en) · pertrechar(se) (de)** || **carecer (de) · contar (con)**

• CON PREPS. **entre**

documental

1 documental adj.

• CON SUSTS. **fuente · patrimonio · archivo · base · fondo · soporte** || **película** *Ayer vi una película documental muy interesante* · **serie · reportaje · material · testimonio** || **interés** *una región de gran interés documental* · **valor · rigor** || **trabajo** || **constancia** *Quedó constancia documental de todo lo que se dijo* · **prueba · constatación · información** || **falsedad · falsificación**

2 documental s.m.

• CON ADJS. **científico** *Al mediodía emiten documentales científicos en televisión* · **ecológico · realista · televisivo · histórico · dramatizado · eclesiástico · didáctico** *Han proyectado en el colegio un documental didáctico* · **pedagógico · de ficción · antropológico · divulgativo**

• CON SUSTS. **estreno (de) · guión (de) · título (de)** || **autor,-a (de) · director,-a (de)** *uno de los principales directores de documentales del país* · **productor,-a (de) · protagonista (de)** || **episodio (de) · serie (de)** *Estamos siguiendo una serie de documentales históricos* || **proyección (de)**

• CON VBOS. **contar (algo)** · **narrar (algo)** · **mostrar (algo)** *El documental muestra la crudeza de la vida en la selva* || **durar** || **dirigir** *Varios cineastas han dirigido el documental* · **hacer** · **filmar** · **rodar** · **montar** · **producir** || **dar** · **echar** · **poner** *Esta noche ponen en la tele un documental sobre el cantante* · **exhibir** · **proyectar** · **ver**

documento s.m.

• CON ADJS. **interesante** · **apasionante** · **estremecedor** · **imborrable** · **impresionante** || **preciado** · **único** · **excepcional** · **significativo** || **testimonial** · **vivo** · **histórico** || **relevante** · **revelador** · **comprometedor** · **probatorio** · **acreditativo** · **rotundo** · **definitivo** || **inédito** · **confidencial** · **secreto** · **anónimo** || **absurdo** · **curioso** · **insólito** || **de valor** *No había ningún documento de valor entre todos estos papeles* · **útil** · **valioso** · **inútil** || **profuso** · **prolijo** || **gráfico** · **manuscrito** · **visual** || **fehaciente** · **fidedigno** || **en regla** *Por fin todos mis documentos están en regla* · **impecable** || **original** · **real** · **verídico** || **privado** · **personal** || **de identidad** *documento nacional de identidad* · **anexo** || **avalado,da (por)**

• CON SUSTS. **arsenal (de)** · **legajo (de)**

• CON VBOS. **contener (algo)** || **circular** · **difundir(se)** *El documento se difundió ayer en la prensa* · **emanar (de algo/de alguien)** || **faltar** · **traspapelar(se)** *Algunos documentos se traspapelaron con el cambio de despacho* || **versar (sobre algo)** || **obrar en poder (de alguien)** || **exponer (algo)** · **describir (algo)** · **explicar (algo)** || **probar (algo)** · **mostrar (algo)** · **acreditar (algo)** || **acumular** · **reunir** || **lograr** · **conseguir** || **filtrar** · **aportar** *Aportó suficientes documentos para probar su identidad* · **incluir** · **ofrecer** · **presentar** · **desenterrar** · **encontrar** · **exhumar** *Un historiador exhumó los documentos relativos a esta oscura etapa* || **pedir** · **solicitar** · **requerir** · **exigir** · **necesitar** || **expedir** · **emitir** · **extender** · **redactar** · **escribir** · **crear** · **imprimir** || **autentificar** · **validar** · **cotejar** · **compulsar** *¿Llevaste compulsados todos los documentos?* · **formalizar** · **legalizar** · **tramitar** || **fechar** · **firmar** · **sellar** || **cumplimentar** · **rellenar** || **analizar** · **estudiar** · **leer** · **contrastar** · **clasificar** || **archivar** · **guardar** · **ocultar** || **anular** · **invalidar** || **alterar** · **enmendar** · **amañar** · **falsificar** || **destruir** · **triturar** · **quemar** || **deshacerse (de)** *Había que deshacerse de los documentos comprometedores*

• CON PREPS. **a la luz (de)**

dogma s.m.

• CON ADJS. **nuevo** · **viejo** · **antiguo** || **falso** || **inapelable** · **incuestionable** *un dogma incuestionable en la empresa* · **indiscutible** · **irrefutable** || **infalible** || **cuestionable** · **discutible** || **político** · **religioso** · **de fe** *Fue el último dogma de fe proclamado por la Iglesia* · **ideológico**

• CON SUSTS. **materia (de)**

• CON VBOS. **establecer** · **fundar** · **sentar** · **proclamar** · **formular** || **imponer** · **predicar** || **defender** || **abrazar** · **seguir** *Sigue a rajatabla los dogmas políticos de su partido* · **acatar** · **aceptar** || **cuestionar(se)** · **discutir** · **replantear(se)** || **enterrar** · **socavar** || **constituir** || **convertir (en)**

dogmáticamente adv.

• CON VBOS. **afirmar** *Afirmó dogmáticamente que era la única solución posible* · **sostener** · **creer** · **defender** · **proclamar** · **repetir** || **acusar** · **juzgar** · **prejuzgar** || **decidir** · **imponer** *Si los criterios se imponen dogmáticamente...* · **zanjar** · **resolver**

dogmático, ca adj.

• CON SUSTS. ***persona*** *un profesor dogmático e intransigente* || **actitud** · **posición** · **visión** · **planteamiento** · **pensamiento** · **concepción** · **criterio** · **postura** *desde una postura dogmática e inmoralista* · **doctrina** || **afirmación** · **lenguaje** · **discurso** || **política** · **proselitismo** || **cerrazón** · **terquedad** · **simplismo** · **ignorancia** || **extremismo** · **fundamentalismo** *Se cae en el fundamentalismo dogmático* · **despotismo** · ***otras tendencias***

dólar s.m.

• CON SUSTS. **montado,da (en)** *Criticaba a la burguesía, pero acabó montado en el dólar*

• CON VBOS. **montarse (en)** *Quieren ganar dinero aunque sin llegar a montarse en el dólar*

➤ Véase también **MONEDA**

dolencia s.f.

• CON ADJS. **aguda** *El paciente fue ingresado con dolencia aguda en el estómago* · **grave** · **seria** · **crónica** · **incurable** · **irreversible** · **mortal** · **terrible** || **repentina** || **misteriosa** · **extraña** *Tenía una extraña dolencia* · **molesta** || **localizada (en un lugar)** || **leve** · **ligera** || **congénita** · **hereditaria** || **larga**

• CON SUSTS. **alcance (de)**

• CON VBOS. **aparecer** · **agravar(se)** · **agudizar(se)** || **aquejar (a alguien)** *Le aquejan todo tipo de dolencias* || **ocasionar** *El golpe me ocasionó graves dolencias* · **provocar** || **tener** · **padecer** · **soportar** · **sufrir** · **arrastrar** *Arrastra esta dolencia desde que se operó* · **desarrollar** · **acusar** || **heredar** · **transmitir** || **determinar** · **diagnosticar** *Los médicos no han podido diagnosticar su dolencia* || **tratar** · **prevenir** · **aliviar** · **atajar** · **combatir** · **mitigar** · **superar** || **ocultar** || **curar(se) (de)** · **recuperarse (de)** · **sobreponerse (a)** · **mejorar (de)** || **librar(se) (de)**

doler (a alguien) v.

• CON SUSTS. **cabeza** *Ayer me dolía mucho la cabeza* · **tripa** · **espalda** · ***otras partes del cuerpo*** || **bolsillo** *Cada vez que tiene que pagar, le duele el bolsillo* · **cuenta corriente** || **actitud** · **postura** · **palabras** · **reacción** · **comentario** *El comentario que hiciste ayer me dolió mucho*

• CON ADVS. **en el alma** *Me duele en el alma tener que irme* · **enormemente** *Tu actitud nos duele enormemente* · **infinitamente** · **profundamente** · **íntimamente** · **tremendamente** · **ostensiblemente** || **ligeramente** · **fuertemente** || **sinceramente**

dolor s.m.

• CON ADJS. **fuerte** *Sentía un fuerte dolor en el costado* · **gran(de)** · **inmenso** · **tremendo** · **profundo** · **insondable** · **intenso** *La despedida le causó un intenso dolor* · **acuciante** · **atroz** · **inhumano** · **insoportable** · **insufrible** || **amargo** · **angustioso** · **acerbo** · **sordo** || **agudo** *un agudo dolor en el pecho* · **punzante** · **penetrante** · **mortificante** · **atenazante** · **hondo** || **extraño** · **indefinido** || **sentido** · **sincero** · **verdadero** · **auténtico** || **crónico** · **persistente** · **pertinaz** · **continuo** · **intermitente** || **leve** *La cura solo me produjo un leve dolor* · **ligero** · **suave** · **pasajero** · **repentino** || **llevadero** · **soportable** · **aguantable** || **localizado** || **anímico** · **físico** · **interno** || **ciego,ga (de)** || **inmune (a)** · **resistente (a)**

• CON SUSTS. **expresión (de)** · **gesto (de)** · **grito (de)** · **manifestación (de)** · **cara (de)** · **muestra (de)** · **escena (de)**

• CON VBOS. **aquejar (a alguien)** *aquejado de fuertes dolores en la rodilla* · **traspasar (a alguien)** · **atenazar (a** alguien) · embargar (a alguien) · entrar (a alguien) *De repente me entró de repente un horrible dolor de muelas* · asaltar (a alguien) || aparecer · surgir · nacer || aumentar · crecer · acechar (a alguien) · acentuar(se) · incrementar(se) · agravar(se) · agudizar(se) || calmar(se) · aplacar(se) · remitir · desaparecer · atenuar(se) · ahogar(se) · amainar || ír(se)(le) (a alguien) *No se me va el dolor de muelas* · quitár(se)(le) (a alguien) · pasár(se)(le) (a alguien) || ocasionar · dar · causar *Su partida me causó un gran dolor* · producir · provocar · sembrar · infligir || experimentar *Es imposible explicar el dolor que se experimenta cuando se pierde a un hijo* · padecer · soportar *No soporto más este dolor* · sufrir · tener · sentir || acusar · reflejar · testimoniar || expresar · confesar · transmitir || combatir · tratar *El médico me está tratando el dolor con un nuevo medicamento* · aliviar · paliar · reducir · eliminar · enjugar · atajar · conjurar · aligerar · acallar · aminorar · amortiguar · desfogar · mitigar · compensar · vencer · superar || aguantar *Aguantó el dolor todo lo que pudo* · fingir · reprimir · ahuyentar · ocultar *Ocultó su dolor para que no le preguntáramos nada* · evitar · olvidar || exacerbar · avivar || compartir || retorcerse (de) · estremecerse (de) · reventar (de) · anegar(se) (en) · sumir(se) (en) *sumida en un profundo e insondable dolor* · cargar (con) || teñir (de) || ceder (a) · sucumbir (a) · cerrar los ojos (ante) || sobreponerse (a) · reponerse (de) *Todavía no me he repuesto del dolor de espalda*

- CON PREPS. en señal (de)

doloroso, sa adj.

- CON SUSTS. pérdida *Su muerte es una dolorosa pérdida para la cultura nacional* · muerte · desgracia · ausencia || enfermedad · herida · afección || momento · circunstancia · etapa · vida · existencia || experiencia *Fue una experiencia dramática y dolorosa, que no olvidaremos nunca* · suceso · episodio · hecho || recuerdo · nostalgia · sensación · sentimiento || tratamiento · proceso || derrota *El equipo sufrió otra dolorosa derrota ante su eterno rival* · caída || consecuencia · efecto || medida · decisión || realidad · verdad || noticia · golpe
- CON ADVS. especialmente · particularmente || tremendamente *Se trata de una enfermedad tremendamente dolorosa* · sumamente · extremadamente · profundamente · terriblemente

domar v.

- CON SUSTS. bestia · fiera · caballo · león,-a · ***otros animales*** || monstruo || balón || pelo || botas *Hasta que no dome estas botas nuevas no dejarán de hacerme rozaduras* · zapatos · chanclas · calzado || carácter *Deberías domar más tu carácter* · intemperancia · temperamento || instinto · impulso || alumno,na · niño,ña · ***otros individuos***

doméstico, ca adj.

- CON SUSTS. animal *El perro es una animal doméstico* · perro,rra · gato,ta || tarea · quehacer · faena · labor · obligación || violencia · problema · accidente || uso *un producto diseñado para uso doméstico y profesional* · consumo · producción || servicio · empleado,da · personal · trabajador,-a || objeto · enseres · utensilio · aparato · ordenador || economía *¿Cómo influyó la inflación en la economía doméstica?* · política · ahorro · ingresos · mercado · demanda · oferta || asunto · cuestión || ámbito *La conferencia trató sobre el cuidado de la salud en el ámbito doméstico* · espacio · escenario · intimidad || nivel · escala · plano · orden || vídeo

domiciliar v.

- CON SUSTS. nómina *domiciliar la nómina en el banco* · recibo · cobro · pago

domiciliario, ria adj.

- CON SUSTS. arresto *estar bajo arresto domiciliario* · detención · prisión · reclusión || asistencia · atención *una empresa que presta atención domiciliaria* · ayuda || recogida · reparto · venta · servicio || visita || registro *Practicaron un nuevo registro domiciliario en busca de pruebas*

[domicilio] → a domicilio; domicilio

domicilio s.m.

- CON ADJS. social *Dígame el domicilio social de la empresa* · familiar · particular · conyugal · fiscal · tributario || actual *Para renovar el carné de conducir debes dar tu domicilio actual* · antiguo
- CON VBOS. fijar *Desde que fijó su domicilio en esta localidad...* · tener || enviar (a) || salir (de) · entrar (en) || cambiar (de) *Nos hemos cambiado varias veces de domicilio* || llegar (a) · dirigir(se) (a) · ir (a)
- CON PREPS. a *llevar la compra a domicilio*

dominante adj.

- CON SUSTS. posición · situación · lugar || ***persona*** *una mujer dominante* || macho *Este gorila es el macho dominante del grupo* || grupo · clase · clan · especie · sector · empresa · sociedad · país || conducta · comportamiento · carácter || gen · planta · hierba · hemisferio || rasgo *el rasgo dominante de esta generación* · característica · nota · elemento · defecto · aspecto || fuerza · poder · influencia || viento · presión || color *El color dominante en la decoración del hotel es el verde oscuro* · tono · tonalidad · estética · colorido || idea *La idea dominante de su discurso tenía poco de novedosa* · noción · concepto · concepción · opinión · pensamiento · razonamiento · teoría · dogma || tendencia · corriente · ideología *Se dejaron arrastrar por la ideología dominante* · filosofía · movimiento · tónica · doctrina · creencia || sentimiento · sensación · emoción · pasión || discurso · lenguaje · mensaje · respuesta || estructura · esquema · paradigma · patrón · modelo

dominar v.

▮ [controlar]

- CON SUSTS. ***persona*** *No dejes que tu jefe te domine* || caballo · yegua · toro || coche *El piloto no pudo dominar el coche y se estrelló contra un árbol* · avión · barco · ***otros vehículos*** || zona · región · ciudad · país · ***otros lugares*** || partido *El equipo local dominaba el partido hasta que...* · torneo · carrera · lucha · batalla · combate · contienda
- CON ADVS. abusivamente · férreamente · con mano de hierro · con mano firme || ampliamente · de sobra *El equipo dominó de sobra el partido hasta el último minuto* · cómodamente · abrumadoramente · rotundamente · arrolladoramente · por completo · totalmente · absolutamente || en exclusiva

▮ [divisar]

- CON SUSTS. valle *Desde la casa se domina todo el valle* · terreno · paisaje · panorama

▮ [saber con profundidad]

• CON SUSTS. **arte · técnica · oficio · instrumento || francés · portugués · ruso** *Parece que el candidato domina el ruso a la perfección* · ***otros idiomas*** **|| matemáticas · literatura · arqueología · astronomía ·** ***otras disciplinas***

• CON ADVS. **a duras penas · a las mil maravillas · al dedillo || de punta a punta · de cabo a rabo** *Domina la asignatura de cabo a rabo* · **de extremo a extremo · de punta a cabo · por completo · totalmente · absolutamente**

▮ [contener, reprimir]

• CON SUSTS. **impulso · instinto · nervios** *En momentos como este me resulta difícil dominar los nervios* · **pasión · deseo · malhumor || miedo · pánico · fobia || comportamiento · carácter · espíritu · actitud · reacción || voluntad · pensamiento · racionalidad || violencia · tensión · caos · crisis** *El Gobierno logró dominar a tiempo la crisis social* · **confusión**

• CON ADVS. **a duras penas · fácilmente · {sin/con} dificultad · {sin/con} problemas**

[domingo] → de domingo; domingo

domingo s.m.

• CON SUSTS. **vestido (de)** *Salió de casa con su vestido de domingo...* · **traje (de)**

• CON VBOS. **vestir (de)** *Todos las tardes se viste de domingo para dar un paseo por el parque* · **ir (de)**

➤ Véase también **DÍA**

dominio s.m.

▮ [poder, potestad]

• CON ADJS. **amplio · gran(de) · vasto || abrumador · aplastante · arrollador · abusivo || fuerte · intenso · férreo · implacable · poderoso · hegemónico || infructuoso || restringido · local || territorial · público** *una información de dominio público* · **privado**

• CON SUSTS. **posición (de)** *Estaba en posición de dominio y yo no podía hacer nada* **|| extinción (de)**

• CON VBOS. **afianzar(se) · fortalecer(se) · apagar(se) || conseguir · adquirir · perder · recuperar || ejercer · detentar · imponer** *Impuso su dominio hegemónico sobre las restantes empresas del sector* · **mantener · devolver || reclamar** *Reclamaba para su hijo el dominio de un vasto territorio que...* · **confirmar || condenar || someter (a)**

• CON PREPS. **bajo**

▮ [extensión, ámbito]

• CON ADJS. **territorial · público una información de dominio público · privado || lingüístico · científico** *...pero estas consideraciones exceden el dominio científico y entran en el sociológico* · **artístico · político || restringido · local**

• CON VBOS. **abarcar (algo) · cubrir (algo) || extender · ampliar || restringir · limitar · recortar || sobrepasar · traspasar · exceder || entrar (en) · penetrar (en) · salir (de)**

▮ [maestría]

• CON ADJS. **absoluto · pleno · total · excelente · perfecto · magistral · portentoso · soberbio · admirable** *Su dominio del violín es admirable* · **pasmoso || innegable · indiscutible · claro · ostensible || efectivo** *un dominio efectivo de los instrumentos de trabajo* · **eficaz || pobre · insuficiente || formal · técnico** *El dominio técnico del equipo en la segunda parte fue indiscutible*

• CON SUSTS. **muestra (de)**

• CON VBOS. **demostrar · mostrar · exhibir · lucir · acreditar · desplegar · rezumar || poseer · tener** *Tiene un dominio magistral de la raqueta* · **adquirir · desarrollar || exigir** *Se exige pleno dominio del alemán* · **requerir || cuestionar || ejercitarse (en)**

dominó s.m.

• CON SUSTS. **ficha (de)** *Ya solo le quedan dos ficha de dominó* · **pieza (de) || jugador,-a (de) · compañero,ra (de) · equipo (de) || partida (de)** *ganar una partida de dominó* **|| campeonato (de) · torneo (de) || mesa (de) || efecto** *¿En qué consiste el efecto dominó?*

• CON VBOS. **jugar (a)**

don s.m.

• CON ADJS. **especial** *Esta niña tiene un don especial para la música* · **innato · del cielo · divino || extraordinario · impagable · envidiable || preciado** *La simpatía es su don más preciado* · **supremo || inapreciable || carismático || natural || portentoso · prodigioso · sobrenatural · milagroso || de gentes** *Siempre ha demostrado un extraordinario don de gentes* · **de mando**

• CON VBOS. **conceder (a alguien) · otorgar (a alguien) · infundir (a alguien) || conseguir · recibir · recuperar || tener · poseer · atesorar || cultivar · ejercer || aprovechar · malgastar · desperdiciar || disfrutar (de) · estar en poder (de) · gozar (de) · nacer (con)** *Nació con un envidiable don para la música* · **carecer (de)**

donante s.com.

• CON ADJS. **compatible** *Están esperando que aparezca un donante compatible de médula* · **adecuado,da · idóneo,a || vivo,va · muerto,ta || secreto,ta · anónimo,ma || potencial · posible** *Han encontrado un posible donante de corazón* **|| gran · generoso,sa · principal || voluntario,ria · nuevo,va || infectado,da || genético,ca**

• CON SUSTS. **registro (de) · lista (de) · carné (de) || escasez (de) · falta (de) · número (de) || trasplante (de)**

• CON VBOS. **aparecer || registrar(se)** *Se han registrado numerosos donantes este año* **|| encontrar · conseguir · lograr · buscar || hacer(se) || precisar · necesitar · pedir · proporcionar || esperar || satisfacer || convertir(se) (en) · servir (como)** *El médico le comunicó que no sirve como donante para su hijo* **|| dar (con)**

donar v.

• CON SUSTS. **sangre · esperma · semen · embrión || médula · corazón · hígado** *...a la espera de alguien que done el hígado* · **riñón ·** ***otros órganos*** **|| cuerpo || dinero** *La empresa ha donado mucho dinero para los damnificados del terremoto* · **ingreso · sueldo · ganancia || alimentos · medicinas · ropa · juguetes · material || terreno** *Construirán el hospital sobre un terreno que ha donado el Ayuntamiento* · **vivienda · propiedad · edificio || libro · cuadro · escultura ·** ***otras creaciones*** **|| colección · biblioteca || premio**

• CON ADVS. **desinteresadamente** *Donó desinteresadamente su colección de arte al museo local* **|| íntegramente**

donjuán s.m.

• CON ADJS. **verdadero · auténtico** *Se comporta como un auténtico donjuán* **|| irresistible · joven || empedernido || sempiterno · eterno || impenitente · atrevido**

• CON SUSTS. **alma (de) · fama (de)** *Pronto se ganó la fama de eterno donjuán* · **condición (de)**

dopaje s.m.

● CON ADJS. **presunto** *El futbolista está siendo investigado por presunto dopaje* · **posible** · **hipotético** · **polémico** · **fraudulento** || **positivo** · **negativo** || **sanguíneo**
● CON SUSTS. **caso (de)** || **control (de)** · **prueba (de)**
● CON VBOS. **detectar** · **desvelar** · **descubrir** · **investigar** *Están investigando el posible dopaje del atleta* · **examinar** || **practicar** · **cometer** || **combatir** · **evitar** · **institucionalizar** || **suspender (por)** · **descalificar (por)** · **sancionar (por)** || **incurrir (en)** · **recurrir (a)** || **acusar (de)** *Acusan de dopaje a varios integrantes de la selección de fútbol* || **luchar (contra)**

[doquier] → por doquier

dorado, da adj.

● CON SUSTS. **piedra** · **líquido** · **llave** · **puerta** · **cielo** · **papel** · **piel** *una piel dorada por el sol* · ***otras cosas materiales*** || **época** *la época dorada del teatro nacional* · **edad** · **siglo** · **juventud** · **adolescencia** · **infancia** · ***otros períodos*** || **leyenda** · **mito** || **exilio** *El suyo no fue un exilio dorado, sino forzado* · **retiro** · **destierro** || **oportunidad** · **ocasión** || **felicidad** · **esplendor** · **fama** · **éxito** · **fortuna** || **sueño** *Vivir junto al mar siempre fue mi sueño dorado*
● CON VBOS. **ser** · **estar** · **ponerse** · **volverse**

dorar(se) v.

● CON SUSTS. **carne** · **pescado** · **verdura** *Primero hay que dorar las verduras* · **cebolla** · ***otros alimentos*** || **piel** · **cuerpo** || **superficie** · **jarrón** · **hierro** · **escultura** · **anillo** · ***otros objetos***
● CON ADVS. **ligeramente** · **un poco** · **completamente** · **por un lado** || **poco a poco** · **lentamente** · **a fuego lento** *dorar la cebolla a fuego lento* || **en exceso** || **al sol** · **en sartén** · **en horno** · **a la parrilla** || **bien**

dormilón, -a

1 **dormilón, -a** adj. *col.*

● CON SUSTS. ***persona*** *Un chico dormilón que siempre intenta echarse la siesta*
● CON VBOS. **volverse**

2 **dormilona** s.f.

▌[camisón]

● CON VBOS. **dormir (en/con)** *Siempre duermo en dormilona porque me resulta más cómodo*
➤ Véase también **ROPA**

[dormilona] s.f. → dormilón, -a

dormir v.

● CON ADVS. **a pierna suelta** · **como un tronco** · **profundamente** *No te preocupes, el bebé duerme profundamente y no se despertará* · **como una marmota** · **como un cesto** · **como un lirón** · **como un ceporro** · **como un leño** · **pesadamente** || **como un niño** · **como un bendito** · **plácidamente** · **relajadamente** · **ricamente** · **tranquilamente** · **beatíficamente** || **con dificultad** · **de un tirón** *Anoche dormí ocho horas de un tirón* || **al raso** || **en paz**
● CON VBOS. **echar(se) (a)** *Me echaré a dormir un rato después de comer*

dormitorio s.m.

● CON ADJS. **principal** || **conyugal** || **doble** · **individual** || **amplio** · **estrecho** · **pequeño** · **desahogado**
● CON SUSTS. **ciudad** *Vivo en una ciudad dormitorio cerca de la capital* · **barrio** · **localidad** || **cama (de)** · **mesa (de)** · **luz (de)** *La luz de su dormitorio todavía está encendida* · **mueble (de)**
● CON VBOS. **dormir (en)** || **estar (en)** || **llegar (a)** · **entrar (en)** · **salir (de)**

dorso s.m.

▌[parte posterior de algo]

● CON SUSTS. **región** *una lesión en la región dorso lumbar*
● CON VBOS. **figurar (en)** *La fecha de caducidad figura en el dorso* · **indicar (en)** · **poner (en)** || **escribir (en)** *Escribe tu dirección en el dorso del sobre*

▌[natación a espalda]

● CON SUSTS. **metros** *Ganó la prueba de cien metros dorso* || **estilo** *Es muy bueno en el estilo dorso* · **nado (de)**

[dos] → a dos carrillos

dosificar v.

● CON SUSTS. **medida** · **toma** · **ración** || **agua** · **alimento** · **abono** · **medicación** · **píldora** || **información** *Un buen periodista debe dosificar la información* · **noticia** · **dato** · **cifras** || **jugador,-a** *un jugador que no sabe dosificarse* · **delantero,ra** · **plantilla** · **equipo** || **tiempo** · **hora** · **vacaciones** || **críticas** · **aplausos** · **elogios** || **fuerza** · **esfuerzo** · **energía** *Si no dosificas tus energías, no aguantarás los noventa minutos del partido* · **trabajo** · **entrega** · **afán** || **recursos** · **capacidad** · **talento** || **elemento** · **ingrediente** · **detalle** || **mezcla** · **combinación** · **cóctel** || **suspense** *Era capaz de dosificar sabiamente el suspense a lo largo de toda la película* · **intriga** · **sorpresa** || **aparición** · **presencia** || **ventaja** · **superioridad**

☐ USO Se construye generalmente con sustantivos no contables en singular (*dosificar la información*) o con contables en plural (*dosificar los datos*).

dosis

1 **dosis** s.f.

● CON ADJS. **alta** · **elevada** *una elevada dosis de optimismo* · **fuerte** · **gran(de)** · **desmedida** · **buena** · **apreciable** · **significativa** · **máxima** *El médico me recetó la dosis máxima* || **mínima** · **baja** · **pequeña** · **insignificante** · **reducida** · **exigua** · **ínfima** || **necesaria** · **conveniente** || **equilibrada** · **exacta** · **precisa** · **justa** · **suficiente** || **preventiva** · **suplementaria** || **diaria** *la dosis diaria de vitamina C* · **semanal** || **letal** · **mortal**
● CON VBOS. **administrar** · **dar** · **inocular** · **inyectar** · **suministrar** *Le están suministrando dosis de insulina muy bajas* || **recibir** · **percibir** · **obtener** · **tomar** · **ingerir** || **precisar** · **requerir** *Se requiere una dosis mínima de esta sustancia para...* || **prescribir** · **recetar** · **recomendar** || **aumentar** · **elevar** || **graduar** || **rebajar** · **reducir** · **bajar** · **disminuir** || **medir** || **sobrepasar**

2 **dosis (de)** s.f.

● CON SUSTS. **morfina** *Se les inyecta altas dosis de morfina porque el dolor es...* · **metadona** · **adrenalina** · **insulina** · **heroína** · **cocaína** · **marihuana** · ***otras sustancias*** || **radiación** || **humor** · **ironía** *Escrita en tono de comedia y con elevadas dosis de ironía* · **sarcasmo** || **imaginación** · **creatividad** || **realismo** · **optimismo** || **prudencia** · **sentido común** · **tolerancia** · **responsabilidad** || **cinismo** || **agresividad** · **violencia** || **interés** · **emoción**

dotación s.f.

●CON ADJS. **elevada · fuerte · generosa** *...quienes contribuyeron al proyecto con una generosa dotación económica* · **gran(de) · importante · notable || escasa · pequeña · insuficiente · ridícula || económica · presupuestaria · técnica · militar · humana** *El Gobierno incrementará la dotación humana en la zona*

●CON VBOS. **ascender (a algo) · sumar (algo) || asignar** *Ya han asignado las dotaciones presupuestarias para este curso* · **establecer · aprobar || dar · aportar · ofrecer || solicitar** *Solicitamos una dotación técnica para continuar con la investigación* · **esperar · recibir || presupuestar · prever || incrementar · ampliar · aumentar · duplicar** *Piensan duplicar la dotación de libros en unos años* · **doblar || bajar · rebajar**

dotado, da adj.

●CON SUSTS. **político,ca · niño,ña** *Es una niña muy dotada para las matemáticas* · ***otros individuos*** **|| edificio · casa · coche** *un coche dotado con los últimos adelantos* · **instalaciones**

●CON ADVS. **debidamente · adecuadamente · perfectamente || extraordinariamente · generosamente** *Es un país generosamente dotado de recursos naturales* · **excelentemente · excepcionalmente · espléndidamente · magníficamente · brillantemente || escasamente · pésimamente · insuficientemente || técnicamente** *un equipo con personalidad y técnicamente dotado* · **físicamente · intelectualmente || admirablemente · sorprendentemente || económicamente · militarmente**

●CON VBOS. **estar · parecer** *Parece dotada de todas las virtudes*

☐USO Se construye frecuentemente con complementos encabezados por las preposiciones *de* (*una casa dotada de todo lo necesario*) y *con* (*una persona dotada con un gran talento para la pintura*).

dotar (de/con) v.

●CON SUSTS. **recursos** *El Gobierno se comprometió a dotarlos de recursos* · **medios · fondos · liquidez · financiación || equipo · material · personal || servicios · infraestructura · alumbrado** *En este mes, dotarán a las nuevas viviendas de alumbrado* · **agua · luz · vivienda || contenido · sentido · significado || legitimidad · valores || competencia · formación || equilibrio · estabilidad · flexibilidad || poder · fuerza || armas** *Investigan quién dotó de armas a la agrupación terrorista* · **armamento || vida · personalidad**

●CON ADVS. **adecuadamente · correctamente · suficientemente || legalmente || económicamente · presupuestariamente**

dote

1 **dote** s.amb.

●CON VBOS. **pagar** *La familia pagó la dote del matrimonio de su hija* · **reclamar || recibir · entregar · dar** *El padre dio una buena dote a su hija para que pudiera casarse* **|| constituir · reunir**

2 **dotes** s.f.pl.

●CON ADJS. **excelentes** *excelentes dotes escénicas* · **excepcionales · extraordinarias · asombrosas · sorprendentes || enormes · grandes || claras · innegables · notables · indudables || innatas** *Parecía tener dotes innatas para la pintura* · **naturales || privilegiadas || ocultas · probadas || artísticas · expresivas · interpretativas** *Sorprendieron a todos sus extraordinarias dotes interpretativas* · **escénicas · intelectuales · persuasivas · diplomáticas · dialécticas · organizativas** *Lo escogieron para el puesto por sus notables dotes organizativas* · **técnicas · deportivas**

●CON VBOS. **tener · demostrar** *Siempre demostró grandes dotes persuasivas* · **poseer · reconocer || utilizar · aprovechar · sacar · derrochar · aportar || desaprovechar · malgastar · echar a perder || cultivar · ejercitar · poner en práctica · aplicar || requerir · exigir** *Este trabajo no exige grandes dotes intelectuales* **|| revelar · evidenciar · exponer · mostrar || carecer (de)**

3 **dotes (de)** s.f.pl.

●CON SUSTS. **organización · gestión · mando · liderazgo || persuasión · seducción · convicción || observación** *La periodista demostró tener unas asombrosas dotes de observación* **|| interpretación · improvisación · inventiva · creatividad**

[dotes] s.f.pl. → dote

draconiano, na adj.

●CON SUSTS. **ley · norma · condición** *Querían imponer condiciones draconianas en la negociación* · **legislación · cláusula · sentencia · convenio || austeridad || medida** *Durante la crisis se aprobaron medidas draconianas* · **plan · régimen · política · programa || represión**

drago s.m. Véase **ÁRBOL**

dragón s.m.

▌[animal fabuloso]

●CON ADJS. **enorme · poderoso** *Aquellas tierras estaban amenazadas por un poderoso dragón* **|| marino || multicolor**

●CON SUSTS. **garras (de) · fauces (de) || año (de) · signo (de) || cuento (de) · historia (de)**

●CON VBOS. **volar · luchar || derrotar** *El valiente caballero derrotó al dragón tras una larga lucha* · **cazar**

▌[reptil]

●CON ADJS. **volador**

●CON VBOS. **trepar · subir**

drama s.m.

▌[género literario]

●CON ADJS. **célebre** *Esta noche representan un célebre drama griego* · **histórico · moderno**

●CON VBOS. **escribir · representar · componer · crear**

▌[crisis, situación adversa]

●CON ADJS. **terrible · tremendo · auténtico · denso · fuerte · pavoroso || catártico || pequeño** *La historia de esta familia está llena de pequeños dramas* **|| colectivo · personal · familiar · político · social · humanitario · humano · interior**

●CON VBOS. **consumar(se) · suceder · ocurrir || ocasionar · provocar || sufrir · vivir** *La pareja está viviendo un drama terrible* · **compartir · presenciar || resolver · solucionar · mitigar || recrear || hundir(se) (en) || quitar hierro (a)**

dramático, ca adj.

▌[del drama]

●CON SUSTS. **arte · obra** *hacer un comentario de texto sobre una obra dramática de mediados del siglo pasado* · **producción · pieza · composición · unidad || texto ·**

monólogo · literatura · trama · poesía · música · comedia · película || talento · capacidad || actor · actriz *No le gusta que la encasillen como actriz dramática* || papel · personaje || tensión · fuerza · intensidad · carga || contenido · sentido · tono *Me dijo en tono dramático que no me volvería a hablar nunca más* || carácter · condición

▮ [sobrecogedor]

● CON SUSTS. **situación** *El país está viviendo una situación dramática* · **escenario · circunstancia · momento · clima || acontecimiento · caso · hecho · accidente · muerte · experiencia · realidad || existencia · historia · destino || final · desenlace** *La discusión entre la pareja tuvo un dramático desenlace* || **consecuencia · efecto · cambio || mensaje · imagen · noticia · titular || época · temporada · semana ·** ***otros períodos***

● CON ADVS. **verdaderamente · realmente || esencialmente · especialmente**

● CON VBOS. **poner(se)** *Siempre se pone dramática cuando hablamos de eso* · **volver(se)** *Su situación se ha vuelto dramática*

drásticamente adv.

● CON VBOS. **cambiar · alterar** *Las obras han alterado drásticamente la fachada del edificio* · **modificar · variar · evolucionar || restringir · limitar · cortar** *Estaba decidido a cortar drásticamente aquellos esporádicos encuentros* · **eliminar · atajar · frenar · suprimir · zanjar · erradicar · truncar · cercenar || romper · fragmentar · dividir · separar || aumentar · elevar · ampliar || recortar** *El Gobierno decidió recortar drásticamente las ayudas* · **disminuir · reducir · rebajar · bajar · empeorar · degradar || perseguir · prohibir · sancionar · castigar · condenar · oponerse · combatir** *combatir drásticamente la corrupción* · **anular || actuar · intervenir · reaccionar · tomar medidas · obrar · afrontar || afectar · repercutir** *La devaluación de la moneda repercutirá drásticamente en el poder adquisitivo de la población* · **influir · sufrir || revisar · rectificar · corregir · reconducir · reconsiderar · redefinir**

drástico, ca adj.

● CON SUSTS. **árbitro,tra · profesor,-a · entrenador,-a · juez · presidente,ta ·** ***otros individuos*** **|| caída** *la drástica caída del precio del petróleo* · **descenso · disminución · recorte · pérdida · desabastecimiento · empobrecimiento · bajada · baja · rebaja || reducción · ajuste** *Ello supondrá un ajuste drástico del gasto público* · **limitación · devaluación || aumento · incremento · subida · crecimiento** *el drástico crecimiento del paro* · **alza || cambio · reforma · transformación · modificación · giro · vuelco · variación · fluctuación · relevo || idea · opinión · punto de vista || solución · decisión · resolución · determinación · remedio · fallo || final · fin · desenlace** *La disputa comercial tuvo un drástico desenlace* · **conclusión · término || medida · plan · política · programa · planificación · estrategia · estilo · método · fórmula · tono · opción || sanción** *Se aplicarán drásticas sanciones a quienes no cumplan la normativa* · **castigo · pena · represión · crítica || campaña · acción · actuación · ofensiva · movilización || consecuencia · efecto · impacto · resultado || artículo · carta · informe · libro ·** ***otros textos*** **|| declaración · información · afirmación · respuesta ·** ***otras manifestaciones verbales o comunicativas*** **|| actitud · posición · mentalidad**

● CON VBOS. **ponerse · volverse**

droga s.f.

● CON ADJS. **peligrosa · tóxica** *una droga extremadamente tóxica* · **letal · nociva · perniciosa || ilegal · ilícita · legal || pura · impura · adulterada || adictiva · blanda · dura · de diseño · sintética · psicotrópica · extraña || adicto,ta (a)**

● CON SUSTS. **alijo (de) · cargamento (de)** *La Policía se ha incautado de un cargamento de droga oculto en el maletero de una furgoneta* · **partida (de) || traficante (de) · tráfico (de)** *detener a alguien por tráfico de drogas* · **comercio (de) · mercado (de) · distribución (de) · suministro (de) · trapicheo (de) · venta (de) · tenencia (de) · posesión (de) · incautación (de) || adicción (a)** *superar la adicción a las drogas* · **abuso (de) || consumidor,-a (de) · consumo (de) || dosis (de) · sobredosis (de) || efecto (de) || problema (de)**

● CON VBOS. **afectar (a algo) || circular || consumir · tomar · probar || dejar** *dejar definitivamente las drogas* · **vencer || conseguir · pillar · llevar || fabricar · elaborar · adulterar · mezclar · cortar || transportar · introducir** *introducir drogas en un país* · **distribuir · pasar · suministrar || interceptar · requisar || erradicar · ilegalizar · prohibir · legalizar · combatir** *Se trata de combatir la droga con medidas legales y campañas de prevención* || **arrastrar (a) · darse (a) · abocar(se) (a) · abusar (de) || luchar (contra) || incautarse (de) · traficar (con) · trapichear (con)**

> **DROGA**
>
> Información útil para el uso de:
>
> **coca; cocaína; estupefaciente; éxtasis; hachís; heroína; marihuana; opio**
>
> ● CON SUSTS. **alijo (de)** *un alijo de hachís* · **cargamento (de) · partida (de) || tráfico (de) · comercio (de) · distribución (de) · suministro (de) · trapicheo (de) · venta (de) · contrabando (de) || tenencia (de) · posesión (de) · incautación (de)** *La operación policial ha permitido la incautación de 230 kilos de cocaína* || **abuso (de) · adicción (a) || traficante (de) · adicto,ta (a) · consumidor,-a (de) || consumo (de) · dosis (de) · sobredosis (de)** *morir a causa de una sobredosis de heroína* || **efecto (de) · riesgo (de)** *una campaña informativa sobre los riesgos del éxtasis*
>
> ● CON VBOS. **proceder (de algo) || consumir · tomar · probar || dejar || comprar · pillar · llevar || elaborar · adulterar · mezclar || transportar · introducir · distribuir · pasar · suministrar · vender || interceptar · requisar · decomisar || erradicar · ilegalizar · prohibir · legalizar || darse (a) · abusar (de) · vencer (a) · engancharse(se) (a) · aficionar(se) (a) || traficar (con) · trapichear (con) || incautarse (de)**

drogadicto, ta

1 drogadicto, ta adj.

● CON SUSTS. ***persona***

● CON VBOS. **hacerse · volverse**

2 drogadicto, ta s.

● CON ADJS. **reincidente**

● CON SUSTS. **rehabilitación (de) · tratamiento (de) · reinserción (de)** *Está en un centro de reinserción de drogadictos*

• CON VBOS. **pincharse · chutarse · inyectarse || desintoxicar(se) || tratar · atender · ayudar · rehabilitar || convertir(se) (en)**

droguería s.f. Véase **ESTABLECIMIENTO**

dubitativo, va adj.

• CON SUSTS. ***persona*** **|| rostro · gesto · mirada · voz** *Contestó el teléfono con voz dubitativa* **· tono || actitud · postura · posición · personalidad · carácter || reacción · respuesta · movimiento · política · acción · comportamiento · conducta || afirmación · palabra** *Las dubitativas palabras del político generaron aún más confusión* **·** ***otras manifestaciones verbales***
• CON ADVS. **excesivamente · extremadamente · ligeramente || claramente** *Ha demostrado tener una personalidad claramente dubitativa* **|| justificadamente**
• CON VBOS. **mostrarse · volverse · quedar(se)**

ducha s.f.

• CON ADJS. **caliente · fría · helada || rápida || reconfortante · reparadora · reconstituyente · relajante · saludable || matinal · diaria**
• CON SUSTS. **gel (de) · gorro (de) · artículo (de) || plato (de) || zona (de)**
• CON VBOS. **dar(se)** *Me di una reconfortante ducha caliente* **· tomar · pegar(se) || recibir · necesitar || aconsejar || preparar || disfrutar (de)**
□ EXPRESIONES **ducha de agua fría** [noticia repentina y desagradable] *col.*

[duda] → beneficio de la duda; duda

duda s.f.

• CON ADJS. **seria** *El comité albergaba serias dudas sobre la verdad del asunto* **· gran(de) · fuerte · tremenda · profunda · irresoluble || acuciante · continua · persistente · intensa · obsesiva || latente || ligera || fundada · razonable · justificada · legítima · lógica · natural · comprensible · fundamentada || infundada · injustificada · absurda · ilógica · inexplicable || cartesiana · filosófica · existencial || preso,sa (de)**
• CON SUSTS. **ápice (de) · asomo (de) · atisbo (de) · resquicio (de)** *No queda el menor resquicio de duda* **|| mar (de) · pozo (de)**
• CON VBOS. **consistir (en algo) || entrar (a alguien) · invadir (a alguien) · venir (a alguien) · asaltar (a alguien) · corroer (a alguien)** *Las dudas la corroen y no sabe a quién creer* **· carcomer (a alguien) · devorar (a alguien) · asediar (a alguien) · embargar (a alguien) · apoderar(se) (de alguien)** *En aquellas circunstancias, se apoderó de mí una tremenda duda existencial* **· prender (en alguien) · sobrevenir (a alguien) · aflorar · surgir · nacer · brotar · acechar · acosar (a alguien) · cernerse (sobre algo/sobre alguien) · anidar (en alguien) · cundir · desatar(se) · acuciar (a alguien) || agravar(se) · arreciar · agudizar(se) || existir** *Existían muchas dudas sobre su identidad* **· flotar · caber · subsistir · persistir · quedar · planear || desvanecerse · esfumarse · despejar(se) · disipar(se)** *Mis dudas se disiparon en cuanto lo oí hablar* **· disolver(se) · alejar(se) · esclarecer(se) · decrecer · escampar · aplacar(se) || traslucir(se) || recaer (en algo/en alguien) || derivar(se) (de algo)** *Tus dudas se derivan de la falta de confianza en tus compañeros* **|| plantear** *Esta tesis me plantea algunas dudas* **· levantar · despertar · ofrecer** *Su documentación no ofrece ninguna duda* **· presentar · sembrar · crear · suscitar** *una propuesta que suscitó multitud de dudas* **· arrojar · concitar · engendrar · infundir || tener** *¿Tiene usted alguna duda?* **· abrigar · albergar · experimentar || admitir || consultar · preguntar · dejar caer · expresar · esparcir · desvelar · transmitir · verter · acometer || alimentar · atizar · avivar · reavivar || acallar · ahuyentar · desterrar · apaciguar · quitar · vencer || responder · solucionar · aclarar** *Aclararemos todas las dudas al final de la clase* **· clarificar · resolver · zanjar · subsanar · rebatir || vislumbrar || dejarse llevar (por) · hundir(se) (en) · sumir(se) (en) · incitar (a) · teñir (de) || sacar (de) · salir (de)** *Necesitaba salir de dudas inmediatamente* **|| librar(se) (de) · salir al paso (de)** *Salió al paso de las dudas sobre la legitimidad de sus intenciones* **· prestarse (a) || no haber lugar (a)**
• CON PREPS. **con · sin · sin lugar (a) · sin sombra (de) || en medio (de)**
□ EXPRESIONES **poner en duda** (algo) [cuestionarlo]

dudar (de) v.

• CON SUSTS. **veracidad** *Realmente dudo de la veracidad de las palabras del alcalde* **· verdad · existencia · autenticidad · legitimidad · pureza || honestidad · sinceridad · honradez · lealtad · credibilidad || afirmación · palabra · testimonio || culpabilidad · inocencia || capacidad · talento** *No dudo de su talento, pero sí de su disciplina* **· condición · lucidez || profesionalidad · eficiencia · rigor · método · calidad || conveniencia · utilidad · peligro || efecto · influencia || importancia · valor || resultado** *La mayoría dudaba del resultado de las elecciones* **· triunfo || voluntad · intención · plan · proyecto || origen ||** ***persona*** *De nada te sirve dudar de las personas*
• CON ADVS. **constantemente** *Todo salió bien, pero dudamos constantemente de su método* **· permanentemente || seriamente · gravemente || en absoluto**

dudoso, sa adj.

• CON SUSTS. **autenticidad · originalidad · verosimilitud · credibilidad** *palabras de dudosa credibilidad* **· fiabilidad || solvencia · reputación** *A estas alturas, su reputación es más que dudosa* **· posición · prestigio · catadura · honor · moralidad || fidelidad || constitucionalidad · legalidad · legitimidad || calidad · valor · utilidad · finalidad || rendimiento · resultado · éxito · acierto · cumplimiento || efectividad · eficacia** *...atiborrándose de cápsulas vitamínicas de dudosa eficacia* **|| actuación · conducta || intención · interés || mérito · título · privilegio · propiedad · nombre · paternidad || trayectoria · biografía || origen · procedencia · futuro || interpretación** *una dudosa interpretación de los hechos* **· justificación || frontera · límite · equilibrio || cobro · crédito · financiación** *La Policía investiga ya la dudosa financiación de la operación* **· empleo · gestión || jugada · penalti · gol || gusto · humor** *una supuesta comedia de dudoso humor*
• CON VBOS. **resultar** *Su procedencia resulta dudosa* **· parecer · mostrar(se) || volver(se) · mantener(se)**

duelo s.m.

▮ [enfrentamiento]

• CON ADJS. **épico · decisivo · emocionante** *Asistimos al emocionante duelo entre ambos equipos* **· reñido || a cara de perro · a muerte · a primera sangre · encarnizado · fratricida · bronco · cruento · violento · virulento · mortal · a espada || cara a cara · cuerpo a cuerpo · mano a mano · frontal || verbal** *un apasionado duelo verbal entre los dos candidatos* **· a cara o cruz || amistoso**

· **incruento** || **soterrado** || **poético** · **de ingenio** · **dialéctico** *un duelo dialéctico entre ambos políticos*
● CON VBOS. **librar** · **mantener** · **protagonizar** *Los invitados al programa han protagonizado un interesante duelo verbal* || **ganar** · **perder** || **presenciar** || **arbitrar** · **dilucidar** · **dirimir** || **provocar** · **rehuir** || **batir(se) (en)** · **retar (a/en)** · **superar (en)** || **terciar (en)**

▮ [aflicción]
● CON ADJS. **oficial** *tres días de duelo oficial en memoria de las víctimas* · **nacional** · **en memoria (de alguien)**
● CON SUSTS. **día (de)** *Se han decretado dos días de duelo por la muerte de...* · **jornada (de)** · **manifestación (de)**
● CON VBOS. **decretar** · **declarar** · **vivir** || **estar (de)** · **poner(se) (de)** || **adherirse (a)** · **sumar(se) (a)**
● CON PREPS. **en señal (de)** *banderas a media asta en señal de duelo*

dueño, ña

1 **dueño, ña** s.
● CON ADJS. **absoluto,ta** || **auténtico,ca** · **verdadero,ra** · **reconocido,da** || **legítimo,ma** · **lícito,ta** || **actual** · **antiguo,gua** · **futuro,ra** · **nuevo,va**
● CON SUSTS. **condición (de)**
● CON VBOS. **creer(se)** || **ejercer (de)** || **convertir(se) (en)** || **cambiar (de)** *Esta panadería ha cambiado de dueño varias veces* || **devolver (a)** · **restituir (a)**

2 **dueño, ña (de)** s.
● CON SUSTS. **casa** · **finca** · **empresa** · **tienda** · **bar** · **vehículo** · ***otras cosas materiales*** || **perro** · **animal** || **calle** || **vida** *Tú no eres dueño de mi vida* || **corazón** || **palabra** · **pensamiento** || **destino** · **futuro** *Cada uno es dueño de su propio futuro* · **situación** *Enseguida se hizo dueña de la situación*

☐ EXPRESIONES **ser dueño de {mí/ti/sí...} (mismo)** [saber dominar sus emociones o sus impulsos] *...porque yo ya no soy dueña de mí misma* || **ser (muy) dueño de hacer** (algo) [tener plena libertad o derecho para ello] *col.*

dulce adj.

● CON SUSTS. **comida** · **caramelo** · **fruto** · **aroma** · **olor** · **sabor** · **gusto** || **sonido** · **tono** · **acento** · **voz** *Su voz suena muy dulce por teléfono* · **melodía** · **cadencia** · **canción** · **canto** · **música** || **líquido** · **vino** · **champán** · **licor** || **hogar** || ***persona*** || **mirada** *una mirada dulce y serena* · **sonrisa** · **rostro** · **cara** · **compañía** || **armonía** · **belleza** · **envoltorio** || **placer** · **tentación** · **deleite** · **encanto** · **sensación** · **amor** · **libertad** || **recuerdo** *Solo guardo dulces recuerdos de aquel viaje* · **evocación** · **ilusión** · **pensamiento** · **espera** || **melancolía** · **nostalgia** · **tristeza** · **olvido** || **agonía** · **amargura** · **desasosiego** · **dolor** · **castigo** || **derrota** · **decepción** · **revancha** · **veneno** · **venganza** · **mentira** *La engañaba con halagos y con dulces mentiras* · **muerte** · **final** || **cautiverio** · **retiro** · **rutina** || **sopor** · **sueño** || **período** · **momento** *Estás en uno de los momentos más dulces de tu vida* · **época** || **porvenir** · **futuro** · **mira** || **palabra** · **promesa**
● CON VBOS. **ser** · **volver(se)** · **estar** *Este caramelo está muy dulce* · **poner(se)** · **quedar(se)**

dulcemente adv.

● CON VBOS. **hablar** *Les habla a los niños dulcemente* · **explicar** · **responder** · **decir** · **preguntar** · ***otros verbos de lengua*** || **mirar** · **sonreír** *Sonrió dulcemente y le acarició el pelo* || **acariciar** · **manejar** · **tratar**

dulcificar v.

● CON SUSTS. **rasgo** · **característica** · **estilo** · **aspecto** · **imagen** *Eso contribuirá un poco a dulcificar la imagen agresiva que transmite* · **tono** || **rostro** · **gesto** · **expresión** · **semblante** · **mirada** || **carácter** · **personalidad** · **comportamiento** · **espíritu** · **genio** · **ánimo** · **humor** · **actitud** || **informe** *En su lugar, yo dulcificaría un poco el informe* · **resumen** · **versión** · **cartel** · **crónica** · ***otros textos*** || **posición** · **postura** · **punto de vista** · **visión** · **criterio** *Convendría dulcificar un poco los rígidos criterios de actuación que se siguen en...* || **condición** · **exigencia** · **ley** · **norma** · **decreto** || **sistema** · **régimen** · **medida** · **política** || **agresión** · **ataque** · **violencia** || **desacuerdo** · **discrepancia**

dulzor s.m.

● CON SUSTS. **toque (de)** *El melón tiene un toque de dulzor que lo hace muy rico al paladar* · **punto (de)**
● CON VBOS. **tener** · **perder** || **saborear**

dulzura s.f.

● CON ADJS. **increíble** · **especial** *Trata a los niños con especial dulzura* · **exquisita** · **enorme** · **gran(de)** · **inigualable** · **indescriptible** · **extrema** || **genuina** · **verdadera** · **auténtica** · **falsa** · **irónica** · **aparente** || **cautivadora** · **arrobadora** · **conmovedora** *Contó la historia con una dulzura conmovedora* · **venenosa** · **amarga** || **lleno,na (de)**
● CON VBOS. **sobrecoger** || **destilar** · **tener** · **sugerir** || **apreciar** *Pudimos apreciar la inigualable dulzura y delicadeza de la artista* · **saborear** || **mezclar**
● CON PREPS. **con** *mirar con dulzura; acariciar con dulzura* · **sin**

duplicado s.m.

● CON ADJS. **exacto** · **perfecto** || **de un documento** · **de una tarjeta** *No sé cómo han podido hacer un duplicado de mi tarjeta de crédito* · **de una llave** · **del carné**
● CON VBOS. **hacer** *Hice ayer el duplicado de las llaves* · **elaborar** · **crear** · **fabricar** || **tener** · **poseer** || **obtener** · **sacar**
● CON PREPS. **por** *entregar los documentos por duplicado*

duque, -sa s. Véase **TÍTULO NOBILIARIO**

duración s.f.

● CON ADJS. **larga** · **desmesurada** · **exagerada** · **excesiva** *La película tiene una duración excesiva* || **eterna** · **ilimitada** · **indefinida** · **infinita** || **suficiente** · **insuficiente** || **breve** · **corta** *una estancia de corta duración* · **escasa** · **efímera** || **exacta** · **aproximada**
● CON SUSTS. **media (de)** · **récord (de)** · **tiempo (de)**
● CON VBOS. **cumplir** || **fijar** · **establecer** *La organización establecerá la duración del viaje* · **señalar** · **decidir** · **determinar** · **estipular** || **acortar** · **reducir** · **alargar** *Alargaremos la duración de las vacaciones una semana más* · **limitar** || **averiguar** · **calcular** || **tener**

duradero, ra adj.

● CON SUSTS. **relación** *Intentan tener una relación duradera con los clientes* · **convivencia** · **matrimonio** · **compromiso** || **acuerdo** · **convergencia** · **tregua** · **resolución** || **estabilidad** *Esperemos que la estabilidad sea duradera* · **crecimiento** · **recuperación** · **seguridad** || **paz** · **tranquilidad** · **libertad** || **gobierno** · **poder** · **gestión** · **política** || **efecto** · **acción** *Tomo un antialérgico de acción duradera* || **bienes** · **producto** · **artículo** || **solución** · **reforma** ||

fenómeno || **empleo** *¿Tienes posibilidad de conseguir allí un empleo duradero?* || **respaldo** · **apoyo**

duramente adv.

● CON VBOS. **actuar** · **proceder** · **comportarse** · **tratar** || **hablar** · **contestar** · **replicar** *El presidente replicó duramente a las acusaciones de la oposición* · **manifestar(se)** · **expresar(se)** · **pronunciar(se)** · **comentar** || **trabajar** · **estudiar** · **entrenar** · **negociar** · **ganarse la vida** · **vivir** *tiempos de escasez y de incertidumbre en los que se vivía muy duramente* · **hincar el codo** || **oponerse** *La sociedad se opuso duramente a una acción militar* · **enfrentarse** · **luchar** · **chocar** · **competir** · **protestar** · **pelear** · **disputar** || **castigar** · **condenar** · **sancionar** · **amonestar** · **penar** · **expedientar** · **evaluar** · **juzgar** · **reprimir** *...salvo algunas revueltas esporádicas que fueron duramente reprimidas* · **reprender** · **represaliar** || **criticar** *No ha dudado a la hora de criticar duramente la ocupación y condenar la violencia* · **recriminar** · **descalificar** · **reprochar** · **echar en cara** · **censurar** · **acusar** · **denunciar** · **fustigar** || **atacar** · **arremeter** · **golpear** · **dañar** · **cargar** · **perjudicar** · **agredir** · **azotar** || **amenazar** · **acosar** · **perseguir** · **presionar** · **acechar** · **hostigar** || **sufrir** · **sentir** · **pesar** · **resentirse** · **impactar** · **afectar (a algo/a alguien)**

durar v.

● CON ADVS. **exactamente** · **aproximadamente** *El acto dura aproximadamente dos horas* || **eternamente** *Parecía que aquella controversia duraría eternamente* · **indefinidamente** · **ilimitadamente** · **infinitamente** · **largamente** · **para siempre** || **escasamente**

dureza s.f.

● CON ADJS. **extrema** *A pesar de la extrema dureza del clima...* · **enorme** · **extraordinaria** · **tremenda** · **gran(de)** · **máxima** · **suma** · **considerable** · **especial** || **cruda** · **espartana** · **desnuda** · **férrea** · **granítica** · **pétrea** · **robusta** · **implacable** · **inflexible** || **desmesurada** · **desproporcionada** · **excesiva** *con palabras de excesiva dureza* || **inusitada** · **inusual** · **inaudita** || **escasa** · **relativa** || **proporcionada** · **suficiente** · **ejemplar** || **necesaria** · **innecesaria** || **económica** · **negociadora** *Todos lo temen por su dureza negociadora* · **personal** · **expresiva** · **psicológica** · **dramática** · **literaria** · **cinematográfica** · **jurídica**

● CON SUSTS. **grado (de)** || **postura (de)** · **posición (de)** · **línea (de)** · **política (de)** · **tono (de)** || **imagen (de)** || **falta (de)** · **exceso (de)**

● CON VBOS. **faltar(le) (a alguien)** || **aplicar** · **extremar** *Extremaba la dureza en las réplicas parlamentarias* || **demostrar** · **mostrar** || **pedir (a alguien)** *Algunos socios pidieron mayor dureza en la aplicación de las normas* || **conservar** || **soportar** · **sufrir** || **acentuar** · **reforzar** || **atenuar** · **mitigar** · **rebajar**

● CON PREPS. **con** *criticar con dureza* · **sin** *Habló con seriedad pero sin dureza*

[duro, ra] → a duras penas; con mano dura; duro, ra

duro, ra

1 duro, ra adj.

● CON ADVS. **de corazón** · **de mollera** *Aunque era un poco duro de mollera, tenía mucha voluntad* · **de oído** · **de pelar** · **de roer** || **como una roca** · **como una piedra** *Después de dos días, el pan se había puesto duro como una piedra* · **como el acero** · **como el hierro** · **como el mármol** · **como el pedernal** || **considerablemente** · **sumamente** · **terriblemente** · **insoportablemente** · **ligeramente** || **suficientemente** *Esta masa está ya lo suficientemente dura para...* · **insuficientemente** || **necesariamente**

● CON VBOS. **ser** · **estar** · **parecer** · **poner(se)** · **quedar(se)** *Los filetes se han quedado duros* || **mantener(se)** · **seguir**

2 duro adv.

● CON VBOS. **trabajar** *Hemos trabajado muy duro para poner en marcha este negocio*

☐ EXPRESIONES **estar a las duras y a las maduras** [aceptar las desventajas y las ventajas de algo] *col.*

E e

ebrio, bria

1 **ebrio, bria** adj.

● CON ADVS. **completamente** · **totalmente** · **absolutamente** · **como una cuba** || **ligeramente** || **visiblemente** · **aparentemente** *un conductor aparentemente ebrio al que se le hizo la prueba de alcoholemia* · **supuestamente** || **continuamente** · **permanentemente**
● CON VBOS. **estar** · **poner(se)** · **encontrar(se)** || **conducir** · **manejar** · **circular** *El conductor del vehículo siniestrado circulaba ebrio* || **ir** · **regresar** · **llegar** · **volver**

2 **ebrio, bria (de)** adj.

● CON SUSTS. **felicidad** *imágenes del ganador ebrio de felicidad* · **dicha** · **alegría** · **júbilo** · **delirio** || **victoria** · **éxito** · **poder** · **euforia** · **emoción** || **amor** · **romanticismo** || **vanidad** · **arrogancia** || **enfado** · **indignación**

ebullición s.f.

▮ [hervor de un líquido]

● CON ADJS. **lenta** · **rápida**
● CON SUSTS. **temperatura (de)** · **punto (de)** *El punto de ebullición es diferente para cada elemento* · **grado (de)** · **momento (de)** · **tiempo (de)** || **estado (de)** · **fase (de)**
● CON VBOS. **iniciarse** · **comenzar** || **mantener** · **tener** || **entrar (en)** *Baja el fuego cuando el agua entre en ebullición* · **poner(se) (en)** · **hallar(se) (en)** || **llevar (a)** · **llegar (a)**
● CON PREPS. **en**

▮ [estado de agitación]

● CON ADJS. **continua** · **permanente** || **plena** · **completa** || **económica** · **social** *La región se encontraba en plena ebullición social* · **ideológica** || **sentimental** · **pasional** || **creativa** || **hormonal** *adolescentes en plena ebullición hormonal*
● CON SUSTS. **clima (de)** · **situación (de)**
● CON VBOS. **prevenir** · **evitar** || **producir(se)** || **alimentar** · **provocar** || **aumentar** · **disminuir** || **seguir (en)**

[echar] → echar; echar (a); echar en saco roto

echar v.

▮ [lanzar, enviar, despedir, dejar caer]

● CON SUSTS. **basura** *echar la basura al contenedor* · ***otras materias*** || **maceta** *Le daba por echar las macetas por el balcón* · **silla** · ***otros objetos físicos*** || **empleado** *Será una reestructuración de la empresa, pero han echado a cien empleados* · **trabajador** · ***otros individuos*** || **carta** · **solicitud** · **instancia** · **quiniela** · **papel** *Echas un montón de papeles para solicitar el puesto y...* || **maíz** · **zanahoria** · **pienso** *echar pienso a la mula* · **sal** · ***otros alimentos o ingredientes***
● CON ADVS. **violentamente** · **a empujones** *Nos echaron a empujones de la sala* · **a golpes** · **a palos** · **a patadas** · **a puñetazos** · **fulminantemente** · **con cajas destempladas** · **sin contemplaciones** · **sin miramientos** || **por tierra** · **por la borda** *No eches por la borda tantos años de esfuerzo* · **por los suelos** · **a pique** · **en saco roto** · **en balde** || **al vuelo** · **al aire** || **en cara** || **deliberadamente** · **a propósito** || **indiscriminadamente**

▮ [despedir de sí]

● CON SUSTS. **hoja** · **flores** *El geranio ha empezado a echar flores* · **yemas** · **raíz** · **fruto** || **diente** *El niño ya ha echado su primer diente* · **pelo** · **barriga** *Haz un poco de ejercicio, que estás echando barriga* || **humo** · **chispa**
● CON ADVS. **temprano** · **prematuramente** · **tardíamente** || **espontáneamente** · **bruscamente** · **suavemente**

▮ [jugar]

● CON SUSTS. **partida** *echar una partida de cartas* · **mano de cartas** · **parchís** · **carta** · **partido** || **carrera** · **apuesta**

▮ [calcular, atribuir]

● CON SUSTS. **edad** · **años** *¿Cuántos años me echas?*
● CON ADVS. **tranquilamente** · **fácilmente**

▮ [emplear, gastar]

● CON SUSTS. **tiempo** · **hora** *echar muchas horas en un proyecto* · **semana** · **día** · ***otros períodos***

▮ [exhibir] *col.*

● CON SUSTS. **espectáculo** · **película** · **programa de televisión** · **comedia** · **combate de boxeo** · **documental** *¿En qué cadena echan el documental?* · ***otras producciones audiovisuales***

▮ [poner, mostrar]

● CON SUSTS. **entusiasmo** *No canta mal, pero debería echarle más entusiasmo* · **valor** · **coraje** · **tesón** · **atrevimiento** *Es cuestión de echarle un poco de atrevimiento* · **corazón** · **arrojo** · **gana** · **moral** · **emoción** · **paciencia** || **imaginación** · **fantasía** *Si no le echas un poco de fantasía a la vida, te amargas* · **ingenio** · **talento** || **cuento** · **teatro** · **cara** · **descaro** · **rollo** || **humor** · **gracia**

▮ [aplicar, accionar]

● CON SUSTS. **cierre** · **llave** *Antes de irte a la cama, cierra la puerta y echa la llave* · **candado** · **cerrojo** · **persiana** · **cortina** · **pestillo** · **toldo** · **seguro** · **freno**

▮ [efectuar, hacer efectivo o real]

● CON SUSTS. **vistazo** *Me gustaría que echaras un vistazo al informe que estoy redactando* · **ojeada** · **ojo** · **mirada** || **siesta** *echarse la siesta después de comer* · **cabezada** · **sueño** · **trago** · **sorbo** · **bocado** · **cigarro** || **cálculo** · **cuenta** · **números** *Muchos números tenemos que echar antes de comprar ese piso* || **bronca** *Menuda bronca nos echa-*

ron por llegar tarde · **sermón** · **reprimenda** · **rapapolvo** · **responso** || **maldición** · **mal de ojo** · **insulto** · **bendición** · **piropo** · **beso** || **discurso** · **pregón** || **ayuda** · **remiendo** · **mano** *¿Puedes echarme una mano con las bolsas, que pesan mucho?* || **culpa** · **responsabilidad**
● CON ADVS. **deliberadamente** · **a propósito**

☐ EXPRESIONES **echar** (algo) {**de menos/en falta**} [notar su falta] || **echar a perder** [deteriorar o estropear] || **echarse atrás** [no cumplir un trato] *Ya es un poco tarde para echarme atrás, pero...* || **echárselas de** (algo) [presumir de ello] *col.*

echar (a) v.

● CON VBOS. **dormir** · **dormitar** || **reír** · **llorar** *Me puse muy nervioso y me eché a llorar desconsoladamente* · **temblar** || **hablar** · **gritar** || **correr** · **andar** *Se despidió de nosotros, cogió la mochila y echó a andar* · **volar** · **recorrer** · **nadar** · **rodar** · **caminar** · **pedalear** || **perder** · **morir** · **faltar**

echar en saco roto loc.vbal.

● CON SUSTS. **consejo** *No deberías echar en saco roto consejos tan valiosos* · **recomendación** · **advertencia** · **sugerencia** · **idea** · **iniciativa** · **oferta** || **petición** *Les voy a hacer una petición que espero no echen en saco roto* · **pregunta** || **protesta** · **queja** · **reclamación** || **experiencia** · **labor** *...para no echar en saco roto la labor científica de tantos años* · **influencia** || **palabra** · **promesa**

☐ USO Se usa a menudo en contextos negativos e irreales: *Espero que no eches mi oferta en saco roto.*

eclipsar(se) v.

● CON SUSTS. **luna** *...preparados para ver cómo la luna eclipsa al sol* · **sol** · **estrella** || **protagonista** *El protagonista eclipsó a todos sus compañeros de reparto* · **líder** · **presidente,ta** · **rival** · **equipo** · ***otros individuos y grupos humanos*** || **prestigio** · **fama** · **buena fortuna**
● CON ADVS. **completamente** · **totalmente** · **parcialmente**

eclipse s.m.

● CON ADJS. **parcial** · **total** *Millones de personas contemplarán mañana el eclipse total de sol* · **anular** || **de sol** · **de luna** · **solar** · **lunar** || **rojo** || **progresivo** *Viví de cerca su progresivo eclipse de los escenarios* · **paulatino**
● CON SUSTS. **día (de)** · **hora (de)** · **momento (de)** || **comienzo (de)** · **final (de)** · **evolución (de)** · **fase (de)** *Las nubes impidieron contemplar con nitidez la fase máxima del eclipse anular* · **recorrido (de)** · **franja (de)** || **fenómeno (de)** *En esta imagen podemos apreciar el fenómeno del eclipse total de sol* || **imagen (de)** · **visibilidad (de)**
● CON VBOS. **acaecer** · **durar** || **empezar** · **iniciar(se)** · **terminar** || **ver** · **observar** · **contemplar** · **presenciar** · **seguir** || **asistir (a)** · **disfrutar (de)**
● CON PREPS. **durante**

[eco] → eco; hacerse eco (de)

eco s.m.

● CON ADJS. **gran(de)** *La noticia tuvo un gran eco en la prensa* · **profundo** · **amplio** · **notable** · **sensible** · **fuerte** || **moderado** · **escaso** || **tardío** · **inmediato** || **lejano** · **sonoro** · **débil** · **agudo** · **perceptible** || **popular** · **público** · **estentóreo** · **social** · **comercial** · **mediático**
● CON VBOS. **llegar** · **esparcir(se)** · **difundir(se)** · **repetir(se)** · **contestar** · **amplificar** || **apagar(se)** *hasta que se apague el eco de su voz* || **sonar** || **percibir** · **oír** || **haber** *Anda, pero si hay eco* || **tener** · **obtener** · **lograr** · **suscitar** · **despertar** || **atenuar** · **amortiguar** || **encontrar (en algo/en alguien)** · **hallar (en algo/en alguien)**

☐ EXPRESIONES **hacerse eco** (de algo)* [reproducirlo, airearlo] *La revista se hizo eco del rumor y rápidamente anunció...*

ecografía s.f.

● CON ADJS. **abdominal** · **cerebral** · **del útero** · **obstétrica** · **vaginal** · **digestiva** · **mamaria** · **rectal** || **de rutina** · **rutinaria** · **convencional** · **de seguimiento** · **periódica** · **de urgencia** · **de diagnóstico**
● CON SUSTS. **resultado (de)** *El resultado de la ecografía confirmó la lesión muscular* · **foto (de)** · **imagen (de)** || **volante (para)**
● CON VBOS. **revelar (algo)** · **confirmar (algo)** · **mostrar (algo)** || **realizar** · **efectuar** · **hacer** · **practicar** || **ver** · **interpretar**
● CON PREPS. **mediante** · **a través (de)**

ecología s.f. Véase **DISCIPLINA**

ecológico, ca adj.

● CON SUSTS. **reserva** · **entorno** · **zona** · **parque** || **conciencia** *actividades para llamar a la conciencia ecológica y social de los alumnos* · **sensibilidad** || **información** · **formación** · **estudio** || **plan** · **programa** · **proyecto** · **acción** · **iniciativa** || **sistema** · **dispositivo** · **aparato** || **reciclado** · **tratamiento** · **proceso** || **papel** *Estos cuadernos están fabricados con papel ecológico* · **cartón** · **madera** · **plástico** · ***otros materiales*** || **protección** · **cuidado** · **conservación** · **mantenimiento** || **medida** · **ley** · **regulación** · **normativa** · **disposición** || **desastre** *El vertido químico originó un terrible desastre ecológico* · **catástrofe** · **tragedia** · **daño** · **impacto** · **delito** · **problema** || **cumbre** || **economía** · **materia** · **ciencia** · **arte** || **agricultura** *Los empresarios de la zona han apostado por la agricultura ecológica* · **ganadería** · **cultivo** · **producto** · **etiqueta** || **leche** · **huevo** · **fruta** · **verdura** · **aceite** · **zumo** · ***otros alimentos o bebidas*** || **sociedad** || **riqueza** · **valor**

economía s.f.

I [conjunto de bienes y actividades económicas]

● CON ADJS. **solvente** *una economía familiar solvente* · **sólida** || **frágil** · **precaria** · **ruinosa** · **pobre** · **de guerra** || **boyante** · **desahogada** · **aireada** · **puntera** · **pujante** · **competitiva** · **dinámica** · **flexible** · **productiva** · **sumergida** *acabar con la economía sumergida* || **doméstica** · **familiar** · **casera** · **agraria** || **nacional** · **internacional** · **mundial** · **global** · **globalizada** || **de mercado** *controlar el correcto desarrollo de la economía de mercado* · **de producción** || **política** · **militar** || **liberal** · **capitalista** · **socialista** · **progresista** · **marxista** || **tercermundista** · **desarrollada** · **subdesarrollada**
● CON SUSTS. **situación (de)** *analizar la situación de la economía mundial*
● CON VBOS. **prosperar** *La economía de la región está prosperando muy rápidamente* · **repuntar** · **asentar(se)** · **afianzar(se)** · **sostener(se)** · **expandir(se)** · **desarrollar(se)** · **fortalecer(se)** · **robustecer(se)** || **decrecer** *Decrece la economía y aumenta el paro* · **decaer** · **declinar** · **aletargar(se)** · **ahogar(se)** · **enfriar(se)** · **estrangular(se)** · **desmoronar(se)** · **colapsar(se)** · **derrumbar(se)** · **ir a pique** || **permitir (algo)** · **dar (para algo)** *Nuestra economía no nos da para dispendios* || **incentivar** *medidas pensadas para incentivar la economía* · **relanzar** · **revitalizar** · **reflotar** · **enderezar** · **blanquear** · **sanear** · **aliviar**

· blindar · apuntalar || atenazar · socavar · debilitar · desequilibrar *numerosos problemas de gestión que desequilibran la economía de la empresa* · desestabilizar || nivelar · arbitrar

▮ [rama del saber] Véase DISCIPLINA

económicamente adv.

● CON VBOS. **ayudar** · **colaborar** *colaborar económicamente con una organización* · **apoyar** · **sostener** || **beneficiar** · **compensar** · **resarcir** · **potenciar** · **estimular** · **mejorar** · **sanear** · **reactivar** · **dotar** · **garantizar** · **rentabilizar** · **incentivar** || **perjudicar** *La medida perjudicaría económicamente a amplios sectores de la población* · **ahogar** · **perder** · **sancionar** || **depender** *aunque dependiera económicamente de sus padres* · **influir** · **controlar** · **actuar** · **cuantificar** || **resolver** · **solucionar** || **invertir** · **pagar** || **hundirse** · **naufragar** || **salir a flote** · **salir adelante** · **tener éxito** · **ir(le) (a alguien) {bien/mal/regular...}**

● CON ADJS. **viable** · **posible** · **rentable** · **solvente** || **inviable** · **insostenible** · **ruinoso,sa** · **desastroso,sa** || **vulnerable** · **débil** || **fuerte** · **influyente** · **importante** || **activo,va** || **accesible** · **asequible** · **asumible**

□ USO Se construye también con adjetivos: *población económicamente activa.*

económico, ca adj.

● CON SUSTS. **realidad** · **situación** *vivir en una precaria situación económica* · **posición** · **proceso** || **orden** · **sistema** || **recursos** · **medios** · **dotación** || **problema** *Estamos pasando una época de graves problemas económicos* · **desastre** · **apuro** · **dificultades** · **penuria** · **necesidad** · **crisis** · **recesión** || **prosperidad** · **crecimiento** *Los analistas auguran un importante crecimiento económico en el sector* · **progreso** · **desarrollo** · **bonanza** · **éxito** · **estabilidad** · **rentabilidad** · **beneficio** || **inversión** · **coste** || **ayuda** · **apoyo** || **intereses** *un acuerdo muy positivo para los intereses económicos del país* · **motivo** · **razón** || **reforma** · **modernización** || **pensamiento** · **punto de vista** · **enfoque** · **teoría** · **análisis** · **estudio** || **política** *producto de una avanzada política económica* · **liberalismo** || **aspecto** · **cuestión** · **materia** · **tema** · **asunto** || **nivel** · **capacidad** *Ha aumentado considerablemente su capacidad económica* || **trayectoria** · **marcha** || **portal** · **diario** · **semanario** || **plan** · **proyecto** || **analista**

ecuación s.f.

● CON ADJS. **simple** · **sencilla** · **básica** · **elemental** · **fundamental** *la ecuación fundamental de la teoría* · **difícil** · **compleja** · **imposible** || **matemática** · **algebraica** · **lógica** · **política** · **presupuestaria** *más gastos y menos ingresos: difícil ecuación presupuestaria para la economía familiar* · **financiera** · **económica** || **cúbica** · **cuadrática** · **polinómica** · **lineal** · **parabólica** · **elíptica** || **de {primer/segundo...} grado** · **diferencial** · **integral** · **con {una/dos...} incógnitas**

● CON SUSTS. **término (de)** · **incógnita (de)** · **elemento (de)** · **fórmula (de)** · **miembro (de)** · **solución (de)**

● CON VBOS. **plantear** · **formular** · **desarrollar** · **representar** || **resolver** *aprender a resolver ecuaciones de segundo grado* · **solucionar** · **descifrar** · **calcular** · **estudiar** · **verificar**

ecuánime adj.

● CON SUSTS. **público** *El público fue bastante ecuánime a la hora de votar* · **periodista** · **juez** · **profesor,-a** · ***otros individuos y grupos humanos*** || **gobierno** · **judicatura** || **libro** · **artículo** · **editorial** · **enciclopedia** · **canal** · **medio** || **defensa** · **explicación** · **exposición** · **planteamiento** · **testimonio** · **respuesta** || **decisión** · **acuerdo** *para llegar a un acuerdo ecuánime* · **solución** · **fallo** · **deliberación** · **elección** || **visión** · **juicio** · **opinión** · **valoración** · **crítica** · **reflexión** · **posición** · **postura** || **carácter** *un carácter ecuánime y unos principios sólidos* · **actitud** · **conducta** · **trato** · **talante** · **condición** *Las condiciones del reparto no son precisamente ecuánimes* · **proceder** · **tratamiento** || **sistema** · **ley** · **fórmula** · **régimen** · **criterio** || **balanza** · **justicia** · **equilibrio** · **paz**

● CON ADVS. **aparentemente** || **totalmente** · **absolutamente** || **escasamente** · **dudosamente**

ecuestre adj.

● CON SUSTS. **estatua** *Habían erigido una estatua ecuestre en su honor* · **escultura** · **retrato** · **monumento** · **arte** · **imagen** · **figura** || **espectáculo** *Asistimos a un espectáculo ecuestre de doma española* · **competición** · **exhibición** · **campeonato** · **demostración** · **concurso** · **prueba** · **certamen** · **fiesta** || **turismo** · **deporte** · **toreo** · **salto** *Es campeona de salto ecuestre* || **centro** · **club** · **instalación** || **enseñanza** · **especialidad** · **afición**

edad s.f.

● CON ADJS. **corta** *Tiene dos hijos de corta edad* · **tierna** · **temprana** · **púber** · **madura** · **adulta** · **varonil** · **avanzada** · **tardía** || **de oro** · **dorada** || **respetable** · **provecta** || **obligatoria** · **necesaria** · **reglamentaria** || **antigua** · **media** · **moderna** · **contemporánea** || **escolar** *desarrollo de los niños en edad escolar* · **del pavo** · **fértil** · **núbil** · **de merecer** · **militar** || **máxima** · **mediana** · **mínima** *la edad mínima requerida para el puesto* || **mayor (de)** *cuando seas mayor de edad* · **menor (de)** || **acorde (con)**

● CON SUSTS. **mayoría (de)** · **minoría (de)** || **año (de)** · **media (de)** · **diferencia (de)** · **límite (de)** || **intervalo (de)** · **promedio (de)** · **franja (de)** · **segmento (de)** · **cuestión (de)**

● CON VBOS. **bordear** || **tener** || **cumplir** · **alcanzar** || **superar** · **sobrepasar** · **rebasar** || **desvelar** · **ocultar** · **fijar** · **establecer** · **determinar** · **adivinar** || **aparentar** *No aparenta la edad que tiene* || **echar (a alguien)** · **calcular** || **llegar (a)** *Ya me gustaría a mí llegar a su edad así de bien*

● CON PREPS. **sin distinción (de)** || **al borde (de)** · **en función (de)** · **según** || **por**

□ EXPRESIONES **de edad** [mayor, anciano] *Esta asociación ayuda a personas de edad que viven solas* || **tercera edad** [ancianidad]

edición s.f.

● CON ADJS. **en cartoné** · **en rústica** · **de bolsillo** *una edición de bolsillo dirigida a lectores de bajo nivel adquisitivo* · **no venal** || **minuciosa** · **fidedigna** · **rigurosa** · **cuidada** · **pulcra** || **lujosa** · **de lujo** · **austera** · **modesta** || **nueva** · **remozada** · **actualizada** · **aumentada** · **corregida** · **antigua** · **primera** · **última** · **matinal** · **vespertina** · **nocturna** || **restringida** · **limitada** · **exclusiva** · **especial** || **electrónica** · **digital** *la edición digital del periódico* · **técnica** · **en papel** || **crítica** · **periodística** · **impresa** · **facsímil** || **completa** · **parcial** || **nacional** · **local**

● CON SUSTS. **fecha (de)** · **derechos (de)** · **coste (de)** · **normas (de)** *las normas de edición de una revista especializada* || **cierre (de)**

● CON VBOS. **agotar(se)** *Ya se ha agotado la primera edición* · **aparecer** · **circular** || **realizar** · **hacer** · **promocionar** || **imprimir** · **reimprimir** || **publicar** *¿Qué editorial ha publicado la edición facsímil de las cartas?* · **difundir** · **distribuir** · **lanzar** · **tirar** · **sacar** · **relanzar** · **comercializar** || **retirar** || **cerrar** · **abrir (con algo)**

● CON PREPS. **al cierre (de)** *Al cierre de la edición, aún no se conocía el resultado*

edicto s.m.

● CON ADJS. **judicial** *El edicto judicial se hará público la próxima semana* · **público** · **oficial** · **municipal** · **militar** · **religioso**

● CON VBOS. **promulgar** · **publicar** · **dictar** · **emitir** · **aplicar** · **aprobar** · **acatar** · **firmar** || **obedecer** · **cumplir** · **incumplir** *Le han impuesto una sanción por incumplir el edicto* || **abolir** · **revocar** · **derogar**

edificación s.f.

● CON ADJS. **de viviendas** *Han aprobado un nuevo de edificación de viviendas* · **de pisos** · **de bloques** · **urbanística** · **comercial** · **residencial** || **hospitalaria** || **monumental** · **histórica** · **arquitectónica**

● CON SUSTS. **proyecto (de)** · **plan (de)** || **proceso (de)** · **obra (de)** || **estructura (de)** *El incendio ha afectado a la estructura de la edificación* || **licencia (de)** · **norma (de)**

● CON VBOS. **levantar(se)** · **elevar(se)** || **aprobar** *El Ayuntamiento ha aprobado la edificación de un nuevo polideportivo* · **permitir** · **adjudicar (a alguien)** || **derribar** · **demoler**

edificante adj.

● CON SUSTS. **modelo** · **ejemplo** · **lección** || **historia** *una historia edificante de pundonor y abnegación* · **moraleja** · **fábula** · **escena** · **libro** · **imagen** · **lectura** || **actitud** · **conducta** · **comportamiento** · **práctica** · **acción** || **idea** · **pensamiento** · **postura** || **mensaje** · **discurso** · **enseñanza** · **espectáculo** *Ha dado usted un espectáculo muy poco edificante* || **valor** · **esfuerzo** · **trabajo** · **labor**

● CON ADVS. **realmente** · **verdaderamente** · **sumamente** · **escasamente**

edificio s.m.

● CON ADJS. **imponente** · **flamante** · **señorial** *una ciudad llena de edificios señoriales* · **majestuoso** || **precario** · **en ruinas** · **endeble** · **pequeño** || **sólido** · **lujoso** · **enorme** · **alto** || **antiguo** · **moderno** · **de nueva planta** *Trasladarán la empresa a un edificio de nueva planta* · **singular** · **histórico** · **faraónico** · **en construcción** || **contiguo** · **vecino** · **colindante** · **adosado** · **de pisos** || **inteligente** · **prefabricado** · **virtual** || **siniestrado**

● CON SUSTS. **ampliación (de)** · **restauración (de)** · **reforma (de)** · **remodelación (de)** · **inspección (de)** || **cubierta (de)** · **fachada (de)** · **cimientos (de)** · **planta (de)** || **acceso (a)** || **plano (de)**

● CON VBOS. **levantar(se)** · **erguir(se)** || **tambalear(se)** · **desplomar(se)** · **venirse abajo** *Nadie se explica cómo el edificio se pudo venir abajo* · **desmoronar(se)** · **caer(se)** · **derrumbar(se)** · **desconcharse** · **resquebrajar(se)** || **albergar (algo)** *el edificio que alberga la sede central de la empresa* || **diseñar** · **cimentar** · **construir** · **plantar** || **inaugurar** · **clausurar** || **habitar** · **ocupar** || **habilitar** · **destinar (a algo)** · **dedicar (a algo)** || **rehabilitar** · **reconstruir** · **reformar** *El Ayuntamiento ha concedido ayudas para reformar el edificio* · **blanquear** · **revocar** · **apuntalar** · **afianzar** || **tirar** · **derruir** · **derribar** · **destruir** || **evacuar** · **desalojar** || **custodiar** · **vigilar** *Es el encargado de vigilar el edificio* || **habitar (en)** · **vivir (en)**

editar v.

● CON SUSTS. **libro** · **novela** · **cuento** · **manuscrito** · **obra** · **revista** · ***otros textos*** || **disco** · **CD** · **película** · **DVD** · **vídeo** · **audio** · **sonido** · **grabación**

● CON ADVS. **lujosamente** · **modestamente** || **pulcramente** · **cuidadosamente** *editar cuidadosamente un libro* · **rigurosamente** || **digitalmente** · **electrónicamente** || **póstumamente** · **clandestinamente**

editor, -a s.

● CON ADJS. **deportivo** · **periodístico** · **gráfico** · **de texto** || **general** · **adjunto** · **ejecutivo** · **técnico**

● CON SUSTS. **responsabilidad (de)** · **tarea (de)** · **labor (de)** || **nombre (de)** *En la portada del diccionario aparece el nombre del editor*

● CON VBOS. **decidir (algo)** · **resolver (algo)** || **corregir (algo)** *El editor corrigió el texto final* · **subsanar (algo)** || **publicar (algo)** || **encontrar** · **buscar** *Está buscando editor para su próxima novela* || **trabajar (como/de)**

● CON PREPS. **en manos (de)** *El original ya está en manos del editor*

editorial

1 editorial adj.

▌[relacionado con la edición]

● CON SUSTS. **mercado** *En esta página electrónica podemos encontrar las últimas novedades del mercado editorial* · **sector** || **mundo** · **ámbito** · **panorama** · **terreno** · **campo** || **iniciativa** *una iniciativa editorial muy aplaudida* || **empresa** · **industria** · **grupo** · **imperio** || **labor** · **trabajo** · **esfuerzo** · **actividad** || **sello** *El libro será publicado por el mismo sello editorial* || **comité** || **éxito** *La colección se ha convertido en todo un éxito editorial* · **fracaso** || **postura** · **línea** || **novedad**

2 editorial s.m.

▌[texto escrito]

● CON ADJS. **de diario** · **de periódico** · **de revista** · **de boletín**

● CON SUSTS. **contenido (de)** *El contenido del editorial era injurioso* · **opinión (de)** || **título (de)** · **encabezado (de)**

● CON VBOS. **señalar (algo)** · **subrayar (algo)** · **puntualizar (algo)** · **destacar (algo)** || **analizar (algo)** || **versar (sobre algo)** · **tratar (algo)** *El editorial trata el tema con mano izquierda* || **decir (algo)** · **afirmar (algo)** || **leer** · **escribir** || **recordar** · **citar** || **advertir (en)** || **opinar (en)**

3 editorial s.f.

▌[empresa]

● CON VBOS. **publicar (algo)** · **editar (algo)** · **lanzar (algo)** || **revisar (algo)** || **trabajar (en)** *Trabajan en una editorial independiente*

edredón s.m.

● CON ADJS. **de plumas** · **sintético**

● CON SUSTS. **funda (de)** *He cambiado la funda del edredón* · **cobertor (de)** · **relleno (de)** · **pluma (de)** || **medida (de)** · **tamaño (de)** · **peso (de)**

● CON VBOS. **tener** · **usar** || **poner** · **quitar** · **retirar** · **extender** · **recoger** || **tapar(se) (con)** · **acurrucar(se) (bajo)**

□ EXPRESIONES **edredón nórdico** [cobertor relleno de plumas]

educación s.f.

● CON ADJS. **infantil** · **primaria** · **secundaria** · **superior** · **universitaria** *acceder a la educación universitaria* · **de adultos** || **pública** · **privada** · **concertada** · **laica** · **religiosa** · **especial** || **elemental** · **básica** · **completa** || **a distancia** · **presencial** || **indulgente** · **flexible** · **relajada**

· **laxa** · **permisiva** · **liberal** · **plural** · **inflexible** · **estricta** · **espartana** · **rigurosa** · **recta** · **impecable** *recibir una educación impecable* · **esmerada** · **buena** · **refinada** · **exquisita** · **proverbial** · **escasa** · **mala** · **poca** · **deficiente** || **continua** · **continuada** · **integral** · **diferenciada** || **física** *Mañana no tenemos clase de educación física* · **moral** · **vial** · **sexual** · **ambiental** · **cívica** || **racional** · **sentimental**

● CON SUSTS. **falta (de)** *una respuesta que demostró su falta de educación* · **barniz (de)** || **plan (de)** · **programa (de)** · **ley (de)** · **reforma (de)** · **sistema (de)** · **ministerio (de)** · **ministro,tra (de)** · **consejería (de)**

● CON VBOS. **tener** · **recibir** · **adquirir** · **dar (a alguien)** *Pretenden dar a sus hijos una buena educación* · **ofrecer** · **brindar** · **dispensar** · **impartir** · **proporcionar** || **revelar** · **demostrar** || **favorecer** || **descuidar** · **desatender** || **modernizar** *En los últimos años se ha modernizado enormemente la educación*

● CON PREPS. **con** *Me dirigí a él con educación; sin embargo...*

educado, da adj.

● CON SUSTS. ***persona*** *Es un chico educado y discreto* || **gesto** · **expresión** · **voz** · **respuesta** || **manera** · **modales** · **estilo** · **trato** · **clase** · **comportamiento** · **actitud** · **forma**

● CON ADVS. **excesivamente** · **extremadamente** · **profundamente** · **especialmente** · **exquisitamente** · **suficientemente** · **pésimamente**

educador, -a s.

● CON ADJS. **buen,-a** · **excelente** · **formidable** · **infatigable** *recuerdos de una educadora infatigable* · **mal(o),la** · **pésimo,ma** || **social** · **ambiental** · **infantil** · **de menores** · **de adultos** || **escolar** · **extraescolar** || **vocacional** · **nato,ta** *Además de profesor, es un educador nato*

● CON SUSTS. **asociación (de)** · **gremio (de)** || **trabajo (de)** · **papel (de)** · **tarea (de)** || **recursos (de)** || **vocación (de)** · **responsabilidad (de)**

● CON VBOS. **educar (a alguien)** · **guiar (a alguien)** · **enseñar (algo)** · **aconsejar (algo)** *Mis educadores me han aconsejado que elija ciencias* · **ayudar (a alguien)** · **estimular (a alguien)** · **formar (a alguien)** || **ejercer (de)**

educar v.

● CON SUSTS. **alumno,na** · **hijo,ja** · **ciudadano,na** · **consumidor, -a** || **gente** · **público** · **sociedad** · **comunidad** · **pueblo** · **población** || ***otros individuos y grupos humanos*** || **oído** · **voz** *Fue a clases de canto para educar la voz* · **paladar** · **sensibilidad** · **gusto**

● CON ADVS. **adecuadamente** · **correctamente** · **convenientemente** *una campaña para educar convenientemente a los ciudadanos* · **sanamente** || **incorrectamente** || **cuidadosamente** · **formalmente** || **democráticamente** · **políticamente** · **cívicamente** · **sexualmente** || **poco a poco** · **pacientemente**

[efectivo, va] → efectivo, va; en efectivo; hacer efectivo, va

efectivo, va adj.

● CON SUSTS. **jugador,-a** · **empleado,da** · **secretario,ria** · **ejército** · **equipo** · ***otros individuos y grupos humanos*** || **arma** *Esas palabras son un arma efectiva contra...* · **pistola** || **medicamento** *un medicamento efectivo para el asma* · **droga** · **medicación** · **pastilla** · **jarabe** || **método** · **medida** · **recurso** · **fórmula** · **remedio** · **mecanismo** · **sistema** · **herramienta** · **medio** · **procedimiento** || **apoyo** *Sin un apoyo efectivo de las autoridades no podrán llevar adelante este proyecto* · **participación** · **ayuda** · **colaboración** · **protección** · **respaldo** · **contribución** · **solidaridad** · **acompañamiento** || **plan** · **planteamiento** · **programa** · **idea** · **táctica** *dirigidos por la efectiva táctica del entrenador* · **estrategia** || **resultado** · **solución** · **respuesta** · **sentencia** · **decisión** || **trabajo** · **labor** · **campaña** · **tarea** · **búsqueda** · **gestión** || **tratamiento** *un tratamiento efectivo contra la calvicie* · **aplicación** · **ejecución** || **control** · **poder** · **dominio** · **autoridad** · **soberanía** · **patronazgo** · **reinado** || **castigo** *Se les aplicará un castigo efectivo* · **pena** · **prisión** · **penalización** || **oposición** · **ataque** · **defensa** · **lucha** *El Gobierno aborda la lucha efectiva contra el narcotráfico* · **protesta** · **competencia** · **rechazo** · **combate** · **jugada** || **aumento** · **avance** · **recuperación** · **desarrollo** · **mejora** · **ampliación** · **crecimiento** · **evolución** || **palabras** · **discurso**

● CON ADVS. **extraordinariamente** · **totalmente** || **realmente** · **verdaderamente** · **aparentemente** · **sorprendentemente** || **escasamente** · **mínimamente**

□ EXPRESIONES **en efectivo*** [al contado] *pagar en efectivo*

[efecto] → efecto; sin efecto; surtir efecto

efecto s.m.

● CON ADJS. **incalculable** · **profundo** *Sus palabras tuvieron un profundo efecto en los asistentes* · **severo** · **serio** · **potente** · **explosivo** · **fulminante** · **espectacular** || **nulo** · **insignificante** · **inapreciable** · **inocuo** || **buen(o)** · **positivo** · **cálido** · **benéfico** · **beneficioso** · **favorable** · **saludable** · **curativo** *El mar puede tener un efecto curativo en este tipo de dolencias* · **terapéutico** || **mal(o)** · **negativo** · **adverso** · **adormecedor** · **nocivo** · **dañino** · **peligroso** · **letal** · **contraproducente** · **indeseable** · **pernicioso** · **perjudicial** · **nefasto** · **deplorable** · **catastrófico** *El terremoto de ayer tuvo unos efectos catastróficos* · **terrible** · **desastroso** · **devastador** · **destructor** · **destructivo** · **demoledor** · **desolador** · **dantesco** · **traumático** · **irreversible** · **irreparable** || **impredecible** · **imprevisible** · **insospechado** · **indudable** · **palpable** · **llamativo** || **inmediato** · **instantáneo** · **retardado** *Lanzaron una bomba con efecto retardado* · **retroactivo** || **secundario** *Antes de tomarte el jarabe consulta sus efectos secundarios* · **indirecto** · **desencadenante** · **colateral** · **en cadena** · **encadenado** || **trascendental** · **decisivo** || **disuasorio** · **drástico** · **catártico** · **especial** || **inmune (a)**

● CON SUSTS. **golpe (de)** *El presidente intentó dar un golpe de efecto al anunciar...* || **invernadero** *controlar la emisión de gases que contribuyen al efecto invernadero*

● CON VBOS. **desencadenar(se)** · **derivar(se) (de algo)** · **propagar(se)** · **extender(se)** · **repercutir (en algo)** · **aumentar** · **multiplicar(se)** · **agravar(se)** || **disminuir** *Los efectos del medicamento disminuyen con la ingesta de alcohol* || **provocar** *La escasez de lluvias provocará efectos adversos a los asmáticos* · **producir** · **surtir** · **hacer** · **operar** · **ejercer** · **acarrear** · **llevar aparejado** · **tener** · **mantener** · **valorar** · **sopesar** · **calcular** · **vislumbrar** · **deducir** · **prever** · **anticipar** || **sufrir** *Miles de personas han sufrido los efectos devastadores del huracán* · **sentir** · **percibir** · **notar** · **experimentar** · **acusar** || **atemperar** · **amortiguar** · **paliar** · **mitigar** · **aminorar** · **aliviar** · **reducir** · **anular** · **neutralizar** · **compensar** · **asumir** *Debes asumir responsablemente los efectos de tus decisiones* · **arrostrar** || **ampliar** · **magnificar** || **llevar (a)** *Finalmente se decidió no llevar a efecto el plan previsto* || **ahondar (en)** || **desentenderse (de)** || **sobreponerse (a)**

● CON PREPS. **bajo** *¡Ni se te ocurra conducir bajo los efectos del alcohol!* · **a la vista (de)** || **por**

efervescente adj.

• CON SUSTS. **bebida** · **líquido** · **agua** || **pastilla** · **aspirina** · **tableta** · **polvos** · **granulado** · **comprimido** || **caramelo** · **golosina** || **burbujas** · **sales** *darse un baño con sales efervescentes* · **espuma** || **fuerza** · **vigor** · **arrebato** · **vitalidad** · **pasión** || **carácter** · **personalidad** *Tiene una personalidad efervescente* || **mundo** · **ambiente** || **actividad** · **actuación** || **diálogo**

eficacia s.f.

• CON ADJS. **suma** · **extraordinaria** · **proverbial** · **aplastante** · **consumada** · **probada** *un insecticida de probada eficacia* · **innegable** || **baja** · **nula** || **habitual** *La autora plasma la situación con su habitual eficacia*
• CON VBOS. **tener** *Las nuevas medidas adoptadas han tenido gran eficacia en la lucha contra el fraude* · **mostrar** · **demostrar** || **medir** · **calibrar** · **comprobar** · **constatar** *resultados que constatan la eficacia del método* || **perder** || **hacer gala (de)** || **carecer (de)** || **velar (por)**
• CON PREPS. **en aras (de)** *Hemos anulado algunos aspectos en aras de una mayor eficacia* · **con** · **sin**

eficaz adj.

• CON SUSTS. **remedio** · **tratamiento** · **terapia** · **fármaco** · **vacuna** *Buscan una vacuna eficaz contra este tipo de enfermedades infecciosas* · **prueba** || **arma** · **instrumento** · **mecanismo** · **medida** || **labor** · **actuación** · **intervención** · **colaboración** · **campaña** · **servicio** · **política** · **operativo,va** *gracias al eficaz operativo de la Policía* || **persona** · **profesional** · **dirigente** · ***otros individuos o grupos humanos*** || **planteamiento** · **sistema** || **método** *un método eficaz de enseñanza de lenguas extranjeras* || **lucha** *...practicando una lucha eficaz contra el terrorismo* · **acción** · **funcionamiento** || **respuesta** · **resultado**
• CON ADVS. **plenamente** · **completamente** || **extremadamente** · **sumamente** · **extraordinariamente** *Ha llevado a cabo una campaña electoral extraordinariamente eficaz* · **altamente** · **especialmente** || **igualmente** || **suficientemente** || **escasamente** · **dudosamente**
• CON VBOS. **mostrarse** · **resultar** *Su intervención resultó especialmente eficaz*

eficiencia s.f.

• CON ADJS. **gran(de)** · **suprema** · **enorme** · **suma** *Resolvió el asunto con suma eficiencia* || **escasa** · **relativa** · **dudosa** || **necesaria** · **suficiente** · **mínima** *Se exige una mínima eficiencia* || **estatal** · **policial** || **probada** · **demostrada**
• CON SUSTS. **nivel (de)** *un nivel de eficiencia más que aceptable* || **mejora (de)** || **criterios (de)**
• CON VBOS. **aumentar** · **disminuir** || **buscar** · **lograr** *nuevas medidas para lograr una mayor eficiencia en el control del tráfico aéreo* · **alcanzar** || **mejorar** · **mermar** · **perder** || **probar** · **poner a prueba** · **demostrar** || **permitir**
• CON PREPS. **con** · **sin**

eficiente adj.

• CON SUSTS. **trabajador,-a** *Siempre fue un trabajador eficiente y responsable* · **empleado,da** · **profesional** · ***otros individuos*** || **uso** · **utilización** · **manejo** · **empleo** · **vía** · **técnica** || **tratamiento** · **fármaco** · **terapia** *una terapia eficiente para paliar el dolor* · **medicina** · **medicamento** || **empresa** · **compañía** · **organización** · **organismo** · **institución** · **administración** · **gobierno** · **mercado** || **negocio** · **trabajo** *un trabajo eficiente ajustado a los plazos* || **aparato** · **mecanismo** · **instrumento** · **máquina** · **artefacto** || **plan** · **proyecto** · **actuación** · **modelo** || **sistema** · **método** *Tenemos un listado con los métodos más eficientes* · **tecnología** · **proceso** · **labor** · **programa** || **gestión** · **producción** · **intervención** · **control** · **funcionamiento** · **distribución** · **sustitución** · **productividad** || **servicio** · **colaboración** *gracias a la eficiente colaboración de las dos universidades* · **atención**
• CON ADVS. **completamente** · **realmente** *Al final ha resultado ser una técnica realmente eficiente* · **verdaderamente** · **absolutamente** · **extraordinariamente**
• CON VBOS. **mostrarse** · **resultar**

efímero, ra adj.

• CON SUSTS. **éxito** *el efímero éxito de su última novela* · **fama** · **gloria** · **auge** · **prestigio** · **logro** · **victoria** · **popularidad** · **moda** · **actualidad** || **alegría** · **placer** · **felicidad** · **euforia** *Tras la efímera euforia de las eléctricas en los mercados bursátiles...* · **satisfacción** · **consuelo** · **alivio** || **existencia** · **vida** || **momento** · **instante** · **tiempo** · **juventud** · **reinado** · **época** · **pasado** · **recuerdo** · **memoria** || **belleza** *El poeta canta a la belleza efímera de la juventud* · **hermosura** · **esplendor** || **amante** · **director,-a** · **ministro,tra** · **alcalde** · **gobierno** *Dirigió un Gobierno efímero, frágil y sin capacidad de decisión* || **ilusión** · **sueño** · **optimismo** · **esperanza** || **amor** · **matrimonio** · **pasión** · **relación** · **experiencia** || **pacto** · **acuerdo** · **alianza** · **amistad** · **unión** · **coalición** · **promesa** || **paso** · **trayecto** · **vuelo** · **carrera** *Muchos le auguraban una carrera efímera* · **periplo** · **trayectoria** || **poder** · **cargo** · **soberanía** · **cetro** · **puesto** · **mandato** || **fiebre** *la efímera fiebre de las modas juveniles* · **fascinación** · **admiración** || **duración** · **trascendencia** · **vigencia** · **estancia** · **caducidad** || **crisis** *una crisis efímera en su relación que, no obstante, dejó una profunda huella* · **bloqueo** · **contienda** · **inflación** || **película** · **novela** · **obra** *Las músicas de muchas películas son obras efímeras que no pasarán a la historia* · **arte** · **música** · **cine** · **edición** · **periódico** · ***otras creaciones*** || **hecho** · **suceso** · **episodio** · **acontecimiento** · **circunstancia**

efluvio s.m.

• CON ADJS. **corporal** · **natural** || **líquido** · **gaseoso** || **oloroso** · **pestilente** · **desagradable** · **insoportable** · **penetrante** || **etílico** · **alcohólico** || **dulce** *los dulces efluvios del amor*
• CON VBOS. **emanar** · **subir** · *Subía hasta la ventana el efluvio del azahar* · **brotar** · **llegar (hasta ahora)** || **oler** · **respirar** · **inhalar** || **aguantar** · **soportar** || **liberar** · **soltar** · **expeler** · **exhalar** · **emitir** · **despedir** · **dejar** || **percibir** · **notar**

efusivamente adv.

• CON VBOS. **recomendar** · **animar** · **incitar** · **invitar** || **felicitar** · **aplaudir** · **ovacionar** · **elogiar** *La crítica ha elogiado efusivamente su novela* · **congratularse** · **aclamar** || **saludar** · **estrechar la mano** · **despedirse** · **recibir** · **acoger** · **presentar** || **abrazar** *Al despedirse se abrazaron efusivamente* · **besar** || **agradecer** · **dar las gracias** || **festejar** · **celebrar** || **comunicar** · **dedicar** · **manifestar(se)**

efusividad s.f.

• CON ADJS. **enorme** *Los ganadores fueron recibidos por la afición con enorme efusividad* · **gran(de)** · **excesiva** · **desmedida** || **contenida** · **moderada**
• CON VBOS. **mostrar** · **ocultar** · **contener**
• CON PREPS. **con** *saludar a alguien con efusividad* · **sin**

efusivo, va adj.

• CON SUSTS. ***persona*** *Es una mujer efusiva y cariñosa* || **abrazo** · **beso** · **gesto** · **apretón de manos** || **saludo** · **bienvenida** · **recibimiento** · **acogida** · **recepción** · **des-**

pedida || aplauso · felicitación · ovación · homenaje · elogio · agradecimiento *su efusivo agradecimiento al maestro* · congratulación · palmas · respaldo · defensa · reconocimiento · lisonja || discurso *El alcalde pronunció un efusivo discurso de inauguración* · carta · comentario · intervención · declaración · ***otras manifestaciones verbales o textuales*** || exteriorización · muestra de cariño *Los alumnos la despidieron con efusivas muestras de cariño* · manifestación || afecto · sentimiento · campechanía · expresividad · cordialidad · calidez || encuentro

ego s.m.

● CON ADJS. subido · elevado || monumental · inmenso *el inmenso ego que muestra en cada nuevo libro* · insaciable · exacerbado · enorme || retorcido · dominante || excesivo

● CON SUSTS. culto (a) *el culto al ego que fomentan ciertos artistas* · exaltación (de) || cuestión (de) · problema (de) || ausencia (de) · exceso (de)

● CON VBOS. tener || satisfacer · alimentar · saciar · colmar || dominar · controlar || dañar · herir *con cuidado de no herir su ego* || aumentar · ensalzar · rebajar

egoísmo s.m.

● CON ADJS. profundo · gran(de) · absoluto · total · ciego *el egoísmo ciego del poder por el poder* · sectario · acendrado · feroz · descomunal · exacerbado · desmedido · exagerado · insaciable || reinante · imperante · general || simple · puro *Si actuó así fue por puro egoísmo* || individualista · propio · personal || libre (de) · desprovisto,ta (de)

● CON SUSTS. sentimiento (de) *un insuperable sentimiento de egoísmo* || dosis (de) · exceso (de) · falta (de) || causa (de) · fuente (de) · fruto (de) · forma (de) · señal (de) · muestra (de) · prueba (de) · acto (de)

● CON VBOS. fomentar *Si la miman demasiado fomentan su egoísmo* · satisfacer · superar || tender (a) || caer (en)

● CON PREPS. con · sin · por

egoísta adj.

● CON SUSTS. ***persona*** *¿Qué se puede esperar de una chica tan egoísta?* || carácter · conducta · actitud · comportamiento *un comportamiento egoísta y desconsiderado que provoca el rechazo de todo el vecindario* || acción · actuación · gesto || mundo · sociedad || visión · punto de vista · posición · planteamiento · interpretación || individualismo

● CON ADVS. completamente · tremendamente · despiadadamente · profundamente || meramente · puramente *un interés puramente egoísta y personal*

● CON VBOS. volver(se) || tachar (de) *No es raro que la tachen de egoísta* · calificar (de) · considerar (a alguien)

eje

1 eje s.m.

● CON ADJS. delantero · trasero · posterior · transversal || magnético · horizontal · vertical · perpendicular || vertebrador *Se repite el eje vertebrador de su anterior novela* · principal · organizador · dinamizador · estratégico · central · medular · neurálgico · dominante · catalizador || temático · argumental || vial *Construirán un nuevo eje vial para tránsito rápido* · viario · peatonal || de rotación · gravitatorio

● CON SUSTS. giro (de) · rotación (de) || posición (de) || extremo (de) · lado (de) || distancia (de) · inclinación (de)

● CON VBOS. desviar(se) || engrasar · alinear · corregir || constituir · representar || girar (sobre) *Toda la obra gira sobre el mismo eje* || servir (de) · convertir(se) (en)

● CON PREPS. en torno (a) · alrededor (de) · a lo largo (de)

2 eje (de) s.m.

● CON SUSTS. proyecto · cuestión · sistema · actividad · acción || lucha · disputa · controversia · negociación · política · campaña *El eje de la campaña electoral es un solo lema* || obra *El eje temático de la obra transcurre en una noche* · narración · discurso || pensamiento · reflexión || maquinaria · vehículo · motor · movimiento · rotación || existencia · vida *Su familia es el eje de su vida* · desarrollo · trayectoria || simetría · coordenadas

ejecución s.f.

▮ [acción de dar muerte a una persona]

● CON ADJS. arbitraria · sumaria *En tiempos en los que era habitual la ejecución sumaria de los prisioneros de guerra...* · en masa · a sangre fría || inmediata || pública

● CON VBOS. decretar · ordenar || televisar *Me parece inadmisible que televisen la ejecución de una persona* · retransmitir || posponer · retrasar · adelantar · suspender · evitar || apoyar · condenar *La comunidad internacional condenó enérgicamente la ejecución del disidente* || proceder (a)

▮ [realización de algo]

● CON ADJS. meticulosa · esmerada · concienzuda · cuidada · impecable *La ejecución de la segunda sonata fue absolutamente impecable* · perfecta · depurada · minuciosa · escrupulosa · pulcra · primorosa · correcta || irregular · mejorable · deficiente || portentosa · magistral · espectacular || artística · técnica

● CON SUSTS. proyecto (de) · proceso (de) || técnica (de) *ejercicios para mejorar la técnica de ejecución de los movimientos* · calidad (de) · nivel (de) · grado (de) || plazo (de) · fase (de) *Las obras se encuentran en la primera fase de ejecución* · calendario (de) · ritmo (de) || presupuesto (de) · coste (de) || suspensión (de) · orden (de) · contrato (de) || responsable (de) · encargado,da (de)

● CON VBOS. realizar · llevar a cabo || agilizar *para agilizar la ejecución de las obras* || dejar {mucho/bastante} que desear || delegar

ejecutar v.

▮ [ajusticiar]

● CON SUSTS. preso,sa · rehén *Los secuestradores ejecutaron al rehén* · prisionero,ra · ***otros individuos***

● CON ADVS. en masa *El ejército invasor ejecutó en masa a gran parte de la población* || a sangre fría · despiadadamente · brutalmente

▮ [tocar, interpretar]

● CON SUSTS. melodía · baile · vals · sinfonía · pieza *La pianista ejecutó una pieza de Chopin* · ***otras composiciones musicales***

● CON ADVS. al pie de la letra · de memoria

▮ [reclamar por vía judicial]

● CON SUSTS. crédito · hipoteca · pago · deuda · impago

● CON ADVS. judicialmente *...con la intención de que los bancos puedan ejecutar judicialmente las cantidades adeudadas*

▮ [realizar, llevar a cabo]

● CON SUSTS. falta · saque · verónica · penalti *Ejecutó el penalti con fuerza y colocación* || juego de manos ·

salto mortal · **pirueta** || **plan** *El plan se ejecutó según lo previsto* · **proyecto** · **política** · **intención** · **idea** · **estrategia** || **archivo** · **programa** · **instalación** · **borrado** · **conexión** || **acción** · **obra** · **operación** · **actuación** || **sentencia** · **decisión** · **fallo** · **embargo** *...ante la decisión del juez de ejecutar el embargo de las propiedades del condenado* · **resolución** · **decreto** · **medida** || **orden** · **norma** · **disposición** · **cláusula** · **instrucción** · **normativa** || **trabajo** · **actividad** · **faena** · **labor** · **misión** · **ejercicio** · **tarea** || **pena** · **condena** · **sanción** · **castigo** || **crimen** *Una vez preparados para ejecutar el crimen...* · **ataque** · **atentado** · **matanza** · **venganza** · **amenaza** · **robo**

● CON ADVS. **con arrojo** · **con decisión** · **sin contemplaciones** · **violentamente** || **escrupulosamente** · **limpiamente** || **a toda velocidad** · **rápidamente** *...con el objetivo de ejecutar rápidamente sus promesas electorales* · **lentamente** · **a cámara lenta** · **velozmente**

[ejecutiva] s.f. → ejecutivo, va

ejecutivo, va

1 **ejecutivo, va** adj.

▌ [que tiene capacidad para hacer algo]

● CON SUSTS. **órgano** · **junta** *Mañana hay una reunión de la junta ejecutiva* · **comité** · **comisión** · **consejo** · **dirección** || **director,-a** · **productor,-a** *Es el productor ejecutivo de la película* · **secretario,ria** · **recaudador,-a** || **función** · **cargo** || **poder** *los miembros del poder ejecutivo* || **estilo** · **aire** || **moda**

2 **ejecutivo, va** s.

▌ [persona]

● CON ADJS. **máximo,ma** · **alto,ta** *altos ejecutivos de empresas privadas* · **gran(de)** · **importante** · **de moda** || **agresivo,va**

● CON VBOS. **ir (de)** || **trabajar (de/como)**

3 **ejecutivo** s.m.

▌ [gobierno]

● CON SUSTS. **jefe,fa (de)** · **presidente,ta (de)** *Será la presidenta del Ejecutivo durante los próximos cuatro años* · **dirigente (de)** · **portavoz (de)** · **delegado,da (de)** · **miembro (de)** || **reunión (de)** || **decisión (de)** *La decisión del Ejecutivo fue respaldada por los principales partidos de la oposición*

● CON VBOS. **vetar (algo)** · **autorizar (algo)** · **rechazar (algo)** · **aplicar (algo)** || **reunir(se)** || **encabezar** · **gobernar** · **decidir (algo)** · **aprobar (algo)** || **presidir** · **remodelar** · **cambiar** · **abandonar** · **diseñar** · **liderar** || **negociar (con)**

4 **ejecutiva** s.f.

▌ [junta directiva]

● CON ADJS. **anterior** · **actual** · **próxima** · **nueva** || **central** · **autónoma** · **local** || **permanente**

● CON VBOS. **reunir(se)** *Hace tiempo que no se reúne la ejecutiva* || **anunciar (algo)** · **informar (de/sobre algo)** · **confirmar (algo)** · **explicar (algo)** || **desmentir (algo)** *La ejecutiva ha desmentido que se vaya a producir un despido de trabajadores* || **aprobar (algo)** · **conceder (algo)** · **aceptar (algo)** · **autorizar (algo)** || **imponer (algo)** || **crear** · **formar** · **constituir** · **ocupar** || **dejar** · **abandonar** || **salir (de)** *Decidió salirse de la ejecutiva porque no estaba de acuerdo con sus métodos* · **dimitir (de)** || **formar parte (de)** · **pertenecer (a)**

ejemplar

1 **ejemplar** adj.

▌ [modélico]

● CON SUSTS. **trabajador,-a** *Durante más de veinte años fue una trabajadora ejemplar* · **profesional** · **estudiante** · ***otros individuos*** || **vida** · **actitud** · **conducta** · **comportamiento** *Demostró un comportamiento ejemplar* · **actuación** || **trabajo** · **labor** · **tarea** || **firmeza** · **honradez** · **cumplimiento** *el cumplimiento ejemplar de la ley* · **trato** || **medida** · **decisión** · **sentencia** · **sanción** · **castigo** · **lección**

2 **ejemplar** s.m.

▌ [libro]

● CON ADJS. **único** *Se conserva un único ejemplar de la obra en la Biblioteca Nacional* · **raro** || **defectuoso** · **valioso**

● CON VBOS. **agotar(se)** *En un mes se agotaron los ejemplares de la segunda edición* || **imprimir** *imprimir un ejemplar antes de la edición definitiva* · **editar** · **publicar** || **distribuir** · **dedicar (a alguien)** || **retirar (de la circulación)**

ejemplarmente adv.

● CON VBOS. **contribuir** *una alianza que contribuyó ejemplarmente al proceso de paz* · **ayudar** · **apoyar** || **emplear** · **servirse** · **usar** · **utilizar** · **funcionar** · **gestionar** *Ha sabido gestionar ejemplarmente la empresa* · **llevar** · **mostrar** · **demostrar** · **solucionar** · **resolver** || **narrar** · **relatar** · **describir** · **ilustrar** · **editar** || **interpretar** *El protagonista interpreta ejemplarmente su papel* · **encarnar** · **representar** || **aunar** · **compaginar** · **combinar** || **luchar** · **castigar** · **sancionar** *sancionar ejemplarmente a los que cometan delitos*

ejemplo s.m.

● CON ADJS. **buen(o)** *un buen ejemplo de convivencia pacífica* · **esclarecedor** · **clarificador** · **aclarador** · **ilustrativo** · **significativo** · **luminoso** · **diáfano** · **claro** *Estamos ante un claro ejemplo de corrupción* · **manifiesto** · **evidente** · **palpable** · **meridiano** · **palmario** · **llamativo** · **clamoroso** · **rotundo** · **convincente** · **concluyente** · **disuasorio** · **revelador** · **aleccionador** || **mal(o)** · **pésimo** · **discutible** || **representativo** *Los siguientes datos constituyen un ejemplo representativo de la situación actual de la empresa* · **paradigmático** · **testimonial** || **memorable** · **imborrable** || **típico** · **manido** · **somero** · **fecundo** · **vivo** || **gramatical** · **lingüístico**

● CON VBOS. **cundir** *A ver si cunde el ejemplo* || **poner** *Te pondré un ejemplo* · **dar** · **decir** · **citar** · **proponer** · **presentar** · **aducir** · **esgrimir** · **explicar** || **seguir** *Siempre quise seguir el ejemplo de mi hermano mayor* || **suponer** · **constituir** || **tener (como/de)** · **servir (de)** *El caso sirve de ejemplo para el caso que nos ocupa* || **tomar (como)** · **poner (como/de)**

● CON PREPS. **a la vista (de)** · **a título (de)** *A título de ejemplo puedo decir...* · **a modo (de)**

ejercer v.

▌ [desempeñar una profesión]

● CON SUSTS. **abogacía** *Mi padre ejerció la abogacía toda su vida* · **medicina** · **docencia** · **periodismo** · ***otras profesiones***

▌ [practicar un derecho]

● CON SUSTS. **derecho** · **libertad** *ejercer la libertad de expresión* · **autonomía** · **justicia**

▌ [realizar una acción o una actividad]

● CON SUSTS. **actividad · función · papel · oficio · labor · menester · tarea · misión || atracción · fascinación · seducción · influencia** *un maestro que ha ejercido una gran influencia en mi vida* · **influjo · impacto · efecto · magia · magnetismo || control · poder · dominio · autoridad · señorío · liderazgo** *No fue capaz de ejercer un liderazgo eficaz dentro de la organización* · **monopolio · soberanía · potestad · privilegio || presión · fuerza · censura · represalia · violencia · injusticia || oposición · crítica · rechazo · resistencia · rebelión · autocensura || didactismo · nacionalismo · narcisismo · realismo · feminismo** *La escritora ejerce un feminismo claro en toda su obra* · **catalanismo** · ***otras tendencias o movimientos*** || **apoyo · caridad · mecenazgo · defensa · amparo · magnanimidad**

● CON ADVS. **con mano dura · dictatorialmente · violentamente** *El régimen militar ejerció violentamente el poder durante...* · **férreamente || temporalmente · provisionalmente || imparcialmente · libremente · legalmente · legítimamente · honradamente || por cuenta {ajena/propia}**

□ USO Los adverbios son comunes a los tres sentidos.

ejercicio s.m.

▌ [prueba]

● CON ADJS. **escrito** *Retrasamos el ejercicio escrito para la siguiente semana* · **oral · práctico || escolar · académico || memorístico · mental || militar || correcto · incorrecto**

● CON VBOS. **resolver** *Tenían una hora para resolver el ejercicio práctico* · **realizar · hacer || proponer**

▌ [actividad, práctica]

● CON ADJS. **efectivo** *promover el ejercicio efectivo de los derechos humanos* · **legal · libre** *Se dedica al ejercicio libre de la abogacía* || **profesional · periodístico · médico**

● CON PREPS. **en** *un profesional en ejercicio*

▌ [movimiento corporal]

● CON ADJS. **físico** *El médico me ha aconsejado hacer una hora de ejercicio físico* || **saludable || muscular · anaeróbico · aeróbico**

● CON VBOS. **hacer · practicar**

▌ [período contable]

● CON ADJS. **fiscal · contable · presupuestario || próximo · siguiente · anterior · actual**

● CON SUSTS. **cierre (de) · balance (de) · resultado (de) || presupuesto (de) · trimestre (de)**

● CON VBOS. **cerrar** *La empresa cierra el ejercicio con pérdidas* · **acabar · comenzar · abrir || cambiar (de)**

● CON PREPS. **durante**

ejercitar v.

▌ [adiestrar, usar reiteradamente]

● CON SUSTS. **músculo · corazón · pierna** *caminar para ejercitar las piernas* · **oído · tacto · vista · gusto · paladar || tiro · esgrima · lectura · escritura · pronunciación || memoria · mente · cerebro · pensamiento · razón · razonamiento · inteligencia** *juegos para ejercitar la inteligencia y la imaginación* · **intelecto · reflexión · evocación · neurona || imaginación · fantasía · ingenio · creatividad · talento · agudeza · habilidad** *Si ejercitas tus habilidades naturales, serás una gran deportista* · **dotes · aptitud · capacidad · facultad || paciencia · virtud · templanza · tolerancia · constancia · generosidad · humildad · prudencia · humor**

▌ [practicar un derecho]

● CON SUSTS. **derecho · voto · libertad**

ejército s.m.

● CON ADJS. **combativo** *un combativo ejército sin ganas de rendirse* · **belicoso · beligerante · temerario || gran(de) · pequeño · gigantesco · menguado || victorioso** *El ejército victorioso salvó a su país de la invasión* · **triunfante || compacto || insubordinado · indisciplinado · disciplinado || mercenario · profesional · regular || curtido || aprovisionado · pertrechado**

● CON SUSTS. **ataque (de) · ofensiva (de) · rebelión (de) · retirada (de) || soldado (de) · jefe (de) · capitán (de) · líder (de) · miembro (de) · mando (de) || tropa (de) · cuerpo (de) · unidad (de) · división (de) · filas (de) || cuartel (de)**

● CON VBOS. **reunir(se) · congregar(se) || desplegar(se) · movilizar(se) · avanzar · replegar(se) · marchar (sobre algo) || agrupar(se) · acuartelar(se) · dispersar(se) · fragmentar(se) · retirar(se) || reclutar || vencer (a alguien)** *El ejército venció holgadamente al enemigo* · **aplastar (a alguien) · derrotar (a alguien) || acechar · maniobrar · combatir · invadir (algo) · atacar (algo) · intervenir (en algo) || sublevar(se)** *Se sublevó el ejército e intentó hacerse con el poder* · **amotinar(se) || lanzar (contra algo/contra alguien)** *El emperador lanzó a su ejército contra las tropas enemigas* || **adiestrar · armar · pertrechar · desarmar · neutralizar · capitanear || enrolar(se) (en)** *Tomó la decisión de enrolarse en el ejército cuando...* · **apuntarse (a) · ingresar (en) · incorporar(se) (a)**

● CON PREPS. **a la cabeza (de)**

elaboración s.f.

▌ [preparación]

● CON ADJS. **casera** *un postre de elaboración casera* · **manual · industrial · artesanal || lenta · cuidadosa · primorosa || difícil · fácil**

● CON SUSTS. **planta (de) · maquinaria (de) || taller (de)** *un taller de elaboración de jabones artesanales* || **proceso (de) · fase (de) · método (de) || coste (de)** *Los costes de elaboración se han incrementado este año* · **tiempo (de) || guía (de) · manual (de) · curso (de) || normativa (de) · acuerdo (de) · servicio (de)**

● CON VBOS. **dedicar(se) (a)**

▌ [invención o diseño]

● CON ADJS. **cuidada · original · novedosa**

● CON VBOS. **comenzar · finalizar · concluir · terminar || preparar || proponer || participar (en) · trabajar (en)** *Trabaja en la elaboración de un nuevo plan urbanístico* · **colaborar (en)**

elaborar v.

● CON SUSTS. **plato · pastel · pan · postre · buñuelo · alimento || cerveza · licor · vino || tejido · cerámica · artesanía || propuesta · proyecto · plan · sistema · estrategia · programa || política · doctrina || informe** *Al elaborar el informe sobre el proyecto se pudo comprobar que...* · **estudio · análisis || lista · documento · novela · película · texto · discurso · lenguaje · diccionario || reglamento · ley || pensamiento · teoría · idea · concepto · tesis**

● CON ADVS. **escrupulosamente · concienzudamente · a conciencia || artesanalmente** *Desayunamos unas magdalenas riquísimas elaboradas artesanalmente* || **a marchas forzadas · a medida · en equipo**

elasticidad s.f.

• CON ADJS. **física** *una gimnasta de una elasticidad física insuperable* · **muscular** · **corporal** || **suficiente** · **escasa**
• CON SUSTS. **falta (de)** || **ejercicio (de)** · **prueba (de)** || **mínimo (de)** · **grado (de)**
• CON VBOS. **tener** · **perder** *El músculo había perdido elasticidad por falta de ejercicio* || **mostrar** || **mejorar** · **aumentar** · **desarrollar** || **proporcionar** *un producto que proporciona mayor elasticidad al tejido* || **destacar (por)** || **carecer (de)**

elástico, ca adj.

• CON SUSTS. **goma** · **cinta** · **cintura** · **cuerda** · **venda** · **tirante** · **tela** · **tejido** · **prenda** · **material** || **colchón** · **cama** *Solía saltar en la cama elástica* || **músculo** || **ritmo** *un ritmo elástico que se puede alargar o acelerar* · **movimiento** · **salto** || **tiempo** · **calendario** · **horario** *Ahora tengo un horario elástico que me permite organizarme sin problemas* || ***persona*** *La nueva directora es muy elástica: se adapta rápidamente a todas las situaciones* || **ley** *El partido de la oposición pide leyes más elásticas* · **regla** · **medida** · **norma** · **precepto** · **reglamento** · **normativa** · ***otras disposiciones*** || **presupuesto** · **oferta** · **propuesta** || **esquema** · **canon** · **criterio** *El criterio de selección es muy estricto; podría ser un poco más elástico* · **concepto** · **moral** · **conciencia** || **voz**
• CON ADVS. **especialmente** · **tremendamente** · **sorprendentemente** · **ligeramente**

elección s.f.

• CON ADJS. **correcta** *Nunca sabré si opté por la elección correcta* · **acertada** · **certera** || **errónea** · **fallida** · **equivocada** · **desacertada** || **meditada** *Ha sido una elección muy meditada con la que espero no equivocarme* · **cuidadosa** · **meticulosa** · **juiciosa** · **precipitada** · **desesperada** || **difícil** · **delicada** · **crucial** *...es una elección crucial en tu carrera* · **fácil** · **inequívoca** · **inobjetable** || **injusta** · **arbitraria** · **a dedo** · **justa** · **equitativa** · **salomónica** || **personal** · **particular** · **unánime** *la elección unánime de todos los vecinos* · **reñida** · **a cara de perro** · **en firme**
• CON SUSTS. **día (de)** · **época (de)**
• CON VBOS. **convocar** *Un buen momento para convocar las elecciones generales...* · **plantear** · **llevar a cabo** · **hacer** · **realizar** · **celebrar** · **disputar** || **ganar** · **perder** · **justificar** · **apoyar** · **condicionar** *Este escándalo condicionará claramente las próximas elecciones* || **amañar** · **adulterar** · **boicotear** · **reventar** · **dirimir** · **impugnar** · **anular** *El juez decidió anular las elecciones debido a las irregularidades cometidas* || **desvelar** || **recaer (sobre alguien)** || **presentarse (a)** · **participar (en)** · **acudir (a)** · **terciar (en)** · **carecer (de)** *Lo siento, pero en asuntos de este tipo carezco de elección*

electorado s.m.

• CON ADJS. **femenino** · **masculino** · **joven** · **nuevo** · **medio** || **tradicional** · **independiente** · **moderado** · **progresista** · **centrista** · **de izquierdas** · **de derechas** · **liberal** · **extremista** || **indeciso** *Todos los candidatos intentan atraer al electorado indeciso*
• CON SUSTS. **sector (de)** *Su mensaje iba dirigido al sector más conservador del electorado* · **parte (de)** · **conjunto (de)** || **respuesta (de)** || **favor (de)** · **apoyo (de)** · **rechazo (de)** · **aprobación (de)** || **voto (de)** · **voz (de)** *La voz del electorado se ha hecho patente en el resultado de las elecciones* || **promesa (a)** · **compromiso (con)**
• CON VBOS. **movilizar(se)** · **votar (algo/a alguien)** · **optar (por algo/por alguien)** · **elegir (algo/a alguien)** · **decidir (algo)** || **conquistar** · **atraer** · **seducir** · **ganar(se)** || **encuestar** · **convocar** · **convencer** · **persuadir** *El candidato no supo persuadir al electorado más joven* · **arrastrar** || **confundir** · **engañar** · **manipular** || **defraudar** · **decepcionar** || **comprometer(se) (ante)** || **influir (en)**

electoral adj.

• CON SUSTS. **campaña** *Mañana empieza la campaña electoral* · **proceso** · **comicios** || **voto** · **abstención** *En los últimos comicios la abstención electoral fue muy baja* || **papeleta** · **boleta** · **tarjeta** || **lista** · **colegio** · **mesa** · **urna** · **tribunal** · **junta** · **plataforma** || **padrón** · **censo** · **inscripción** · **distrito** · **circunscripción** · **cita** · **compromiso** · **acto** · **evento** · **fiesta** *unas palabras al comenzar la fiesta electoral* || **consenso** · **alianza** · **acuerdo** *el acuerdo electoral al que llegaron los partidos* · **batalla** · **contienda** · **lucha** · **torneo** · **apuesta** || **victoria** · **triunfo** · **derrota** · **debacle** · **desgaste** · **revés** · **vuelco** || **época** · **período** · **fecha** · **año** · **calendario** *un calendario electoral apretado* · **convocatoria** · **consulta** || **clima** *En esta campaña estamos viviendo un tranquilo clima electoral* · **ambiente** · **panorama** · **ámbito** · **sistema** || **código** · **reglamento** · **ley** · **justicia** || **estrategia** · **táctica** · **truco** || **delito** · **fraude** *descubrir un fraude electoral* · **robo** · **farsa** || **propaganda** · **discurso** · **promesa** || **fin** · **objetivo** *Cumplir los objetivos electorales no será tarea fácil para...* · **programa** · **expectativa** · **resultado** · **consecuencia** || **voluntad** · **decisión** · **opción** || **fuerza** · **peso** · **proyección** · **futuro** || **reforma** · **gasto** · **fondo**
• CON ADVS. **marcadamente** *Pronunció un discurso marcadamente electoral...* · **descaradamente** · **propiamente**

electricidad s.f.

• CON ADJS. **estática** · **dinámica**
• CON SUSTS. **corte (de)** *Ayer hubo un corte de electricidad en toda la ciudad* · **avería (de)** · **problema (de)** · **fallo (de)** · **crisis (de)** · **falta (de)** · **demanda (de)** · **servicio (de)** || **acceso (a)** || **tarifa (de)** *Ha aumentado la tarifa de la electricidad* · **gasto (de)** · **consumo (de)** · **factura (de)** || **cable (de)** || **compañía (de)** · **red (de)** || **tipo (de)**
• CON VBOS. **fluir** · **correr** · **circular** *La electricidad no circula por este tipo de materiales* || **tener** · **consumir** · **usar** · **utilizar** · **contratar** || **producir** · **generar** · **conducir** · **dar (a algo/a alguien)** · **transmitir** · **distribuir** · **exportar** · **proporcionar** · **suministrar** || **cortar** · **medir** · **cobrar** || **funcionar (con)** · **alimentar (de)** · **conectar (a)** || **abastecer (de)** *la compañía que abastece de electricidad a gran parte de la ciudad* · **carecer (de)**

electricista

1 **electricista** adj.

• CON SUSTS. **técnico,ca** *Trabajó muchos años como técnico electricista* · **operario,ria** · **ingeniero,ra** · **perito,ta**

2 **electricista** s.com.

• CON ADJS. **habilidoso,sa** · **chapucero,ra** · **buen,-a** · **rápido,da** · **lento,ta** · **eficaz** · **manitas** || **profesional** · **aficionado,da**
• CON SUSTS. **tarea (de)** · **labor (de)** · **curso (de)** *Hizo un curso de electricista* || **aprendiz,-a (de)**
• CON VBOS. **arreglar (algo)** · **reparar (algo)** || **llamar** · **avisar** || **trabajar (como/de)** · **ejercer (de)** *Ejerce de electricista desde hace tres años* || **preparar(se) (para)**

eléctrico, ca adj.

• CON SUSTS. **energía** · **luz** · **alumbrado** *mejoras en el alumbrado eléctrico del barrio* · **iluminación** · **suministro** · **corriente** · **transmisión** · **distribución** · **servicio** · **línea** · **conexión** · **interconexión** || **aparato** · **generador** · **ba-**

tería · **motor** · **equipo** · **cocina** · **generación** || **fluido** *Hubo un problema en el fluido eléctrico y nos quedamos sin luz* · **tendido** · **instalación** · **sistema** || **central** · **planta** · **industria** · **compañía** · **empresa** · **negocio** · **sector** · **mercado** || **material** · **conductor** *Si el material no es un buen conductor eléctrico...* · **cable** · **hilo** || **problema** · **corte** *Debido a los cortes eléctricos...* || **carga** · **descarga** · **tormenta** || **consumo** · **tarifa** || **tren** · **guitarra** *Su ilusión de pequeño era tener una guitarra eléctrica* · **portero** · **manta** · ***otros objetos*** || **silla**

electrodoméstico s.m.

• CON ADJS. **pequeño** · **grande** || **nuevo** · **viejo** · **sofisticado** · **moderno** || **de línea blanca** *La lavadora y la nevera son electrodomésticos de línea blanca*
• CON SUSTS. **firma (de)** · **marca (de)** *Esta marca de electrodomésticos me da más confianza* || **sector (de)** · **mercado (de)** || **tienda (de)** · **cadena (de)** || **empresa (de)** · **compañía (de)** · **fabricante (de)** || **instrucciones (de)** · **garantía (de)** *sellar la garantía del electrodoméstico* || **modelo (de)** || **funcionamiento (de)** · **avería (de)**
• CON VBOS. **funcionar** · **estropear(se)** · **averiar(se)** || **utilizar** · **emplear** || **reemplazar** · **cambiar** *He cambiado todos los electrodomésticos de la cocina* || **reparar** · **arreglar** || **instalar**

[electrónica] s.f. → electrónico, ca

[electrónico, ca] → correo electrónico; electrónico, ca; página electrónica

electrónico, ca

1 electrónico, ca adj.

• CON SUSTS. **sistema** · **mecanismo** · **dispositivo** · **máquina** · **equipo** · **panel** · **circuito** · **componente** || **correo** *Le mandé un correo electrónico ayer* · **dirección** · **mensaje** · **carta** || **transacción** · **gestión** · **banca** *El servicio de banca electrónica resulta muy práctico* · **comercio** · **mercado** · **transferencia** · **monedero** · **dinero** || **libro** · **medios** · **control** · **material** · **aparato** · **marcador** *el marcador electrónico de un estadio de fútbol* · **agenda** · **voto** || **tarjeta** · **reloj** · **juguete** · **juego** || **edición** *la edición electrónica del periódico* · **prensa** · **información** || **empresa** · **industria** || **música** · **sonido** · **arte** · **ritmo** || **funcionamiento**

2 electrónica s.f.

• CON SUSTS. **ingeniero,ra (en)** *Tiene el título de ingeniero en electrónica* · **técnico,ca (en)**
➤ Véase también **DISCIPLINA**

[elefante] → de elefante; elefante, ta

elefante, ta s.

• CON ADJS. **asiático,ca** · **africano,na** || **salvaje** · **domesticado,da** · **amaestrado,da** || **enorme** · **gigantesco,ca**
• CON SUSTS. **pata (de)** · **trompa (de)** || **colmillo (de)** · **pelo (de)** *un anillo de pelo de elefante* || **cementerio (de)** · **senda (de)** || **domador,-a (de)** · **cazador,-a (de)** || **manada (de)** · **estampida (de)** || **memoria (de)** *Este chico tiene una memoria de elefante* || **exhibición (de)** · **número (de)**
• CON VBOS. **barritar** || **conducir (algo/a alguien)** *Un elefante conducía a la manada hacia...* || **adiestrar** · **domar** || **cazar** · **proteger** || **montar (en)**
• CON PREPS. **sobre** · **a lomos (de)**

elegancia

1 elegancia s.f.

• CON ADJS. **gran(de)** · **suma** *Siempre ha vestido con suma elegancia* · **extrema** · **impecable** · **insuperable** · **admirable** · **verdadera** · **innato** · **singular** || **natural** *Lo que más me atrae de ella es su elegancia natural* · **impasible** · **exquisita** · **atractiva** || **dudosa** · **relativa** · **discreta** · **forzada** || **acostumbrada** · **expresiva** · **narrativa** · **visual** · **decorativa** · **decadente** *la decadente elegancia de la arquitectura modernista* · **formal**
• CON SUSTS. **muestra (de)** *Su respuesta ha sido una muestra de elegancia* · **falta (de)** || **ápice (de)**
• CON VBOS. **tener** · **derrochar** · **alcanzar** · **poseer** || **perder**
• CON PREPS. **con** · **sin**

2 elegancia (en) s.f.

• CON SUSTS. **vestir** · **trato** *elegancia en el trato que demuestra su buena educación* · **comportamiento** · **juego** · **salto** · **conversación** · **forma** · **movimiento** · **gesto** · **trazado**

elegir v.

• CON SUSTS. **alternativa** · **opción** · **posibilidad** · **camino** *Me temo que he elegido el camino equivocado* || **libro** · **disco** · **ropa** · **película** · **cuadro** · ***otros objetos*** || **presidente,ta** *Fue elegida presidenta de la comunidad de vecinos* · **diputado,da** · **secretario,ria** · **embajador,-a** · ***otros cargos*** || **amigo,ga** *No elige bien a sus amigos* · **novio,via** · ***otros individuos***
• CON ADVS. **a voleo** *elegir una película a voleo* · **al tuntún** · **a ojo** · **a dedo** || **cuidadosamente** · **con cautela** · **a conciencia** · **meticulosamente** · **minuciosamente** · **escrupulosamente** || **ecuánimemente** · **democráticamente** *un representante del pueblo elegido democráticamente* · **soberanamente** · **por mayoría** · **por aclamación** · **abrumadoramente** || **honradamente** · **honestamente** || **libremente** · **deliberadamente** · **voluntariamente** · **personalmente** · **equivocadamente** || **de antemano**
• CON VBOS. **dar (a)** *Me dio a elegir entre distintas posibilidades*
□ USO Se construye a menudo con complementos encabezados con las preposiciones *entre* y *de*: *Tienes que elegir entre todos estos.*

elemental adj.

• CON SUSTS. **ley** · **regla** · **norma** · **medida** *Cerraron el local porque no cumplía las medidas más elementales de seguridad* · ***otras disposiciones*** || **derecho** · **necesidad** · **exigencia** · **deseo** || **valor** · **sentido** · **fuerza** · **verdad** || **condición** *la condición elemental para poder solicitar la ayuda* · **clave** || **razón** · **lógica** · **cautela** || **concepto** · **principio** · **premisa** · **consideración** · **criterio** || **componente** · **partícula** · **grupo** || **nivel** · **grado** · **forma** || **estudio** · **cálculo** · **operación** || **enseñanza** · **educación** *Recibió solo una educación elemental porque tuvo que ponerse a trabajar muy joven* · **escuela**

elemento s.m.

• CON ADJS. **básico** · **primordial** · **medular** · **central** · **capital** · **crucial** · **estratégico** · **decisivo** · **fundamental** · **esencial** *Defiende la música como elemento esencial de la filmografía* · **único** · **indispensable** · **sine qua non** · **imprescindible** · **necesario** · **insustituible** · **representativo** · **importante** · **buen(o)** · **enriquecedor** || **preponderante** · **dominante** · **determinante** · **disuasorio** || **secundario** · **accesorio** · **adicional** || **perturbador** · **deses-**

tabilizador *Es el elemento desestabilizador del equipo* · **desequilibrador** · **distorsionador** · **desconcertante** || **desencadenante** · **acelerador** · **catalizador** *la sustancia que sirve de elemento catalizador de la reacción química* · **conductor** · **regulador** || **integrante** · **constitutivo** · **compositivo** · **aglutinador** · **común** · **diferenciador** · **indisociable** || **aislado** · **ajeno** · **discordante** || **original** · **novedoso** · **sorpresa** *En sus fiestas nunca falta el elemento sorpresa* || **neutro** · **positivo** · **negativo** || **químico** *un compuesto formado por varios elementos químicos* · **líquido** · **sólido** · **gaseoso** || **soluble** · **indisoluble** || **de juicio** · **de valor** · **humano** || **acuático** · **terrestre** · **aéreo** · **ígneo** · **luminoso** || **acústico** · **visual** · **sensible** · **perceptible** · **táctil** · **olfativo** · **gustativo** || **decorativo** *La oposición no quiere ser un mero elemento decorativo*

● CON SUSTS. **clave** *El trabajo en equipo es el elemento clave del proyecto*

● CON VBOS. **concurrir** · **confluir** · **contribuir (a algo)** || **conjugar** · **dosificar** || **introducir** *...introduciendo así un elemento perturbador*

□ EXPRESIONES **estar** (alguien) **en su elemento** [hallarse en situación cómoda]

elevado, da adj.

▌[alto, considerable]

● CON SUSTS. **estatura** · **altitud** · **peso** · **cantidad** *una elevada cantidad de dinero* · **calidad** · **temperatura** · ***otras magnitudes*** || **volumen** · **sonido** · **ruido** || **tarifa** · **precio** *los elevados precios del petróleo* · **coste** · **número** · **ingreso** · **sueldo** · **impuesto** · **gasto** · **cifra** · **presupuesto** · **honorarios** · **inflación** · **déficit** · **subsidio** · **deuda** · **cotización** · **inversión** · **tributo** || **nivel** *un nivel elevado de azúcar en sangre* · **baremo** · **índice** · **tasa** · **grado** · **porcentaje** · **proporción** · **dosis** || **riesgo** · **probabilidad** · **incidencia** || **crecimiento** *un elevado crecimiento de la tasa de desempleo* · **endeudamiento** · **desempleo** · **inestabilidad** || **participación** *El Gobierno prevé una elevada participación en las próximas elecciones* · **concurrencia** · **asistencia** || **puntuación** · **calificación** · **nota** || **demanda** · **oferta** · **consumo** || **aporte** *alimentos con un elevado aporte calórico* · **concentración** || **lugar** · **zona** · **terreno** · **paso** || **natalidad** · **mortalidad** || **velocidad** · **potencia** · **intensidad** · **tono** · **ritmo** || **multa** · **condena** · **sanción** || **función** · **responsabilidad** || **colesterol** · **azúcar** · **presión**

▌[de cierta categoría social o moral]

● CON SUSTS. **nivel** · **posición** *una familia de posición elevada* · **estrato** · **rango** || **valor** · **ética** · **moral** · **principio** || **pensamiento** *Procure tener pensamientos elevados y positivos* · **conocimiento** · **lenguaje** · **discurso** || **reflexión** · **crítica** || **sentimiento** · **vocación** || **tema** · **materia** || **perfil** · **estilo** || **experiencia**

● CON ADVS. **excesivamente** *poner la música a un volumen excesivamente elevado* · **relativamente** · **tremendamente**

□ USO Los adverbios son comunes a los dos sentidos.

elevador, -a

1 **elevador, -a** adj.

● CON SUSTS. **cojín** · **silla** || **andamio** *El obrero subió en un andamio elevador* · **plataforma** || **aparato** · **máquina** · **gato** *un gato elevador para cambiar las ruedas*

2 **elevador** s.m.

● CON ADJS. **espacioso** · **pequeño** || **defectuoso** || **lento** · **rápido**

● CON VBOS. **funcionar** · **averiar(se)** · **estropear(se)** || **instalar** *Instalaron un pequeño elevador dentro del edificio* · **poner** || **arreglar** · **mantener** || **subir (en)** *Subirán la mercancía en el elevador* · **bajar (en)** || **meter (en)** || **caber (en)**

elevar(se) v.

● CON ADVS. **al cuadrado** *elevar un número al cuadrado* · **al cubo** · **a la {enésima/máxima...} potencia** || **alarmantemente** · **espectacularmente** · **considerablemente** · **significativamente** || **ligeramente** *Al oírme, elevó ligeramente la mirada hacia mí* · **moderadamente** || **paulatinamente** · **gradualmente** || **a pulso** · **por encima (de algo/de alguien)** || **majestuosamente**

eliminar v.

● CON SUSTS. ***persona*** *El candidato fue eliminado en el primer ejercicio* || **barrera** *Se harán reformas para eliminar las barreras arquitectónicas del edificio* · **obstáculo** · **traba** · **problema** · **riesgo** || **impuesto** · **gasto** · **coste** *eliminar costes innecesarios* · **arancel** · **déficit** || **basura** · **contaminación** · **toxina** || **duda** · **incertidumbre** · **error** || **exceso** *unos ejercicios con los que eliminarás el exceso de grasa* || **corrupción** · **violencia** · **censura** · **injusticia** · **morosidad** · **estrés** · ***otras cosas inconvenientes*** || **publicidad** · **tráfico**

● CON ADVS. **radicalmente** *...con lo que se eliminará el problema radicalmente* · **drásticamente** · **por completo** · **de plano** · **de raíz** || **abruptamente** · **de un plumazo** || **gradualmente** · **escalonadamente** · **poco a poco** · **paulatinamente** · **a marchas forzadas** || **a toda costa** · **lisa y llanamente** · **temporalmente** · **de antemano**

[élite] → de élite; élite

élite s.f.

● CON ADJS. **social** || **minoritaria** · **restringida** · **pequeña** || **selecta** · **privilegiada** · **influyente** · **acomodada** · **potente** || **política** · **gobernante** · **dirigente** *los miembros de la élite dirigente del país* · **militar** || **empresarial** *La élite empresarial se ha mostrado en desacuerdo con...* · **económica** · **financiera** || **mundial** · **local** · **urbana** · **internacional** · **provincial** || **literaria** · **poética** · **artística** · **musical** || **intelectual** *Sus padres pertenecen a la élite intelectual* · **cultural** · **académica** · **profesional** · **científica** · **investigadora** · **universitaria** · **deportiva** || **vieja** · **tradicional** || **burocrática** · **opresiva**

● CON SUSTS. **miembro (de)** · **representante (de)** || **nivel (de)** · **categoría (de)**

● CON VBOS. **formar** · **integrar** · **representar** *los encargados de representar a la élite deportiva de la nación* · **componer** || **dirigir** · **reclutar** || **defender** · **apoyar** || **pertenecer (a)** · **formar parte (de)** || **codearse (con)** *Posee el talento necesario para codearse con la élite del fútbol mundial* · **rodearse (de)** || **entrar (en)** · **ingresar (en)** · **llegar (a)** · **situar(se) (en)** || **mantener(se) (entre)** · **instalar(se) (en)** · **sumarse (a)**

● CON PREPS. **de** *un deportista de élite*

elitista adj.

● CON SUSTS. **universidad** · **centro** · **colegio** *Sus hijos han estudiado en los colegios más elitistas del país* · **educación** · **escuela** · **doctrina** · **cultura** || **actitud** · **carácter** · **tono** *un tono elitista raro en revistas de ese tipo* · **gesto** · **aire** · **apariencia** || **establecimiento** · **local** · **club** · **grupo** · **sector** || **profesión** · **deporte** · **actividad** || **vicio** · **lujo** · **ocio** || **programa** · **proyecto** · **modelo** · **sistema** *un sistema elitista de selección* || **celebración** · **gala** · **concurso**

· espectáculo || categoría · selección || componente · reducto || barrio *Vive en uno de los barrios más elitistas de la ciudad* · zona · urbanización || pretensión · perspectiva · privilegio || figura

elocuencia s.f.

• CON ADJS. **gran(de)** · **expresiva** *Su elocuencia expresiva nos sorprendió a todos* · **brillante**
• CON SUSTS. **alarde (de)** || **lección (de)**
• CON VBOS. **faltar** || **tener** · **derrochar** || **carecer (de)**
• CON PREPS. **con** *expresarse con elocuencia* · **sin** · **a pesar (de)**

elocuente adj.

• CON SUSTS. **orador,-a** *Tiene fama de orador elocuente* · **testigo** · **político,ca** · ***otros individuos*** || **silencio** · **gesto** · **hecho** · **suceso** · **anécdota** · **acontecimiento** · **imagen** || **mensaje** · **lenguaje** · **retórica** · **expresión** · **frase** *Las frases más elocuentes las reservó para la despedida* · **palabra** · **discurso** · **testimonio** · **declaración** · ***otras manifestaciones verbales o comunicativas*** || **ejemplo** *un ejemplo elocuente de lo que está ocurriendo en el país* · **muestra** · **prueba** || **dato** · **caso** · **números** · **cifra** · **resultado** · **conclusión** || **titular** · **título** *La obra llama la atención por su elocuente título*
• CON ADVS. **suficientemente** · **totalmente** · **absolutamente** || **sumamente** · **profundamente** · **altamente** · **harto** || **particularmente** · **especialmente** *Fue un discurso especialmente elocuente*
• CON VBOS. **resultar** · **parecer**

elocuentemente adv.

• CON VBOS. **hablar** · **expresar** · **contar** *Contó elocuentemente su versión de lo ocurrido* · **narrar** · **contestar** · **decir** · **manifestar** · **denunciar** · **exponer** · **responder** · **describir** || **mostrar** · **reflejar** · **demostrar** · **evidenciar** || **condensar** *Sus palabras condensaban elocuentemente el sentir de todos los asistentes* · **resumir** · **simplificar** || **incidir** · **reiterar** · **subrayar** || **explicar** *La directora explicó elocuentemente los motivos de su renuncia* · **esclarecer** · **revelar** · **razonar** · **ilustrar** · **ejemplificar** || **agradecer** · **recomendar**

elogiar v.

• CON SUSTS. **mérito** · **virtud** · **esfuerzo** · **entrega** · **tesón** · **tenacidad** · **empeño** · **dedicación** · **belleza** · **sinceridad** · **simpatía** · ***otras cualidades*** || **característica** · **rasgo** · **actitud** · **comportamiento** *En un discurso en el que la presidenta elogió especialmente el comportamiento de los ciudadanos...* || **labor** *Todos sus colegas han elogiado su labor investigadora* · **trabajo** · **gestión** · **actuación** · **proyecto** || **decisión** · **solución** · **conclusión** || **trabajador,-a** · **alcalde,-sa** · **alumno,na** · ***otros individuos***
• CON ADVS. **cariñosamente** · **amablemente** · **efusivamente** · **afectuosamente** · **calurosamente** · **vivamente** || **generosamente** · **profusamente** *Tanto la crítica como el público han elogiado profusamente su última película* · **sin medida** · **desmesuradamente** · **exageradamente** · **desmedidamente** · **excesivamente** · **en exceso** · **espléndidamente** || **insuficientemente** || **sin reservas** · **sin cortapisas** · **sinceramente** · **justamente** · **decididamente**

elogio s.m.

• CON ADJS. **gran(de)** · **mayor** *el mayor elogio que pudo haberme hecho* · **enorme** · **entusiasta** · **vivo** · **encendido** || **exagerado** · **desmesurado** · **desmedido** || **cordial** · **afectuoso** *La homenajeada recibió un afectuoso elogio de todos los presentes* · **cariñoso** · **cálido** · **caluroso** · **apoteósico** · **fervoroso** · **efusivo** || **sin reservas** · **incondicional** *Sus compañeros de profesión le brindaron elogios incondicionales* || **justo** · **merecido** · **injusto** · **inmerecido** || **franco** · **sincero** || **desacostumbrado** · **unánime** · **personal** || **digno,na (de)** *una persona digna de todo elogio* · **parco,ca (en)**
• CON SUSTS. **palabras (de)** *Quiero dedicar unas palabras de elogio a...* · **lluvia (de)** · **retahíla (de)**
• CON VBOS. **hacer** · **verter** · **derramar** · **dispensar** · **tributar** · **prodigar** || **cosechar** *A lo largo de su extensa trayectoria cosechó múltiples elogios* · **recibir** · **obtener** · **acaparar** · **acumular** || **regatear** · **escatimar** · **ahorrar** || **extender (a alguien)** || **concitar** · **cruzar** · **merecer** || **cubrir(se) (de)** *Lo cubrieron de elogios por su medalla en el campeonato mundial* · **colmar (de)** || **deshacerse (en)** || **responder (a)** · **corresponder (a)**

elogioso, sa adj.

• CON SUSTS. **término** · **palabra** *No tuvo ni una palabra elogiosa para los demás* || **discurso** · **comentario** · **testimonio** · **crítica** · **declaración** · **artículo** · **informe** || **texto** · **línea** · **frase** · **referencia** *Hicieron una elogiosa referencia al trabajo desarrollado en la empresa por todos los que...* · **reseña** · **apostilla** · **mención** · **alusión** · **titular** || **tono** · **aire** || **aplauso** *Recibió un elogioso aplauso de su público* · **calificación** · **juicio** · **calificativo** · **adjetivo** || **análisis** · **retrato** || **canto**

eludir v.

• CON SUSTS. **pregunta** · **invectiva** · **respuesta** · **declaración** · **comentario** *El periodista prefirió eludir los comentarios sobre los últimos incidentes* · **referencia** · **mención** · **explicación** || **participación** · **intervención** · **pronunciamiento** || **mirada** · **maleficio** · **destino** || **responsabilidad** · **compromiso** · **culpa** · **obligación** *...tomarán medidas para localizar a los que tratan de eludir las obligaciones tributarias* · **deber** || **problema** · **peligro** · **riesgo** · **amenaza** · **dificultad** || **ley** · **justicia** · **tribunal** · **legislación** · **normativa** · **norma** · **sentencia** || **proceso** · **juicio** · **cárcel** · **prisión** · **embargo** · **sanción** *El conductor pudo eludir la sanción por aparcar en doble fila alegando que...* · **castigo** · **pena** · **expulsión** · **detención** || **pago** · **impuesto** · **fisco** · **hacienda** || **crítica** · **debate** · **polémica** · **acusación** · **denuncia** · **enfrentamiento** · **confrontación** || **descenso** · **promoción** · **play-off** || **control** · **vigilancia** · **presión** · **prohibición** · **persecución** · **cerco**
• CON ADVS. **abiertamente** · **deliberadamente** · **expresamente** || **indirectamente** || **discretamente** · **elegantemente** || **a toda costa** *un tema que pretendía eludir a toda costa* · **por todos los medios** · **definitivamente** || **constantemente** · **reiteradamente**
• CON VBOS. **pronunciarse** *Aunque eludió pronunciarse sobre el asunto...* · **manifestarse** · **contestar** · **responder** · **precisar (algo)** · **concretar (algo)** · **referirse (a algo)** · **hablar (de algo)** · **comentar (algo)** *Eludió comentar la noticia*

emanar v.

▮ [emitir, desprender]

• CON SUSTS. **olor** · **aroma** *Las flores emanaban un agradable aroma* || **sudor** · **humo** · **agua** · **sangre** · **sustancia** · **gas** · **fluido** || **luz** · **calor** · **radiación** || **odio** · **atracción** · **tranquilidad** · **simpatía** · **amor** · ***otros sentimientos o sensaciones***

▮ [proceder, derivarse]

• CON SUSTS. **ley** · **norma** *el órgano legislativo del que emana la presente norma* · **directriz** · **consigna** · **derecho**

· normativa · principio · decreto · directiva · reglamentación · ***otras disposiciones*** || mandato · orden · instrucción · obligación || documento · texto · informe · boletín · memorándum || decisión · acuerdo · solución · resolución · conclusión · tratado || poder *Los poderes del Estado emanan del pueblo* · gobierno · soberanía · liderazgo · autoridad || propuesta · sugerencia *Se presentarán las sugerencias que emanen de la asamblea* · idea · planteamiento · consideración · recomendación · consejo · iniciativa || información · dato · cifra || esquema · modelo · programa · proyecto || irregularidad · dificultad · problema *la crisis económica de la que emanan los actuales problemas* · rebelión · conflicto · guerra · error

emancipación s.f.

● CON ADJS. **juvenil · familiar** *Sube la edad de la emancipación familiar* · **personal || política · social · popular · ideológica · laboral · judicial || colonial** *La emancipación colonial tuvo grandes repercusiones económicas* · **revolucionaria || nacional · autonómica · municipal || humana**

● CON SUSTS. **proceso (de) · movimiento (de)** *los rebeldes que promovieron el movimiento de emancipación* · **proyecto (de) · propuesta (de) || deseo (de) · intento (de) · utopía (de) · ansia (de) || finalidad (de) · meta (de) || causa (de) · consecuencia (de) · resultado (de) || posibilidad (de)**

● CON VBOS. **adelantar · retrasar** *Tendrá que retrasar la emancipación de sus padres hasta que le hagan entrega de las llaves del piso* || **buscar · desear · ansiar · querer · pretender || intentar · favorecer · apoyar · respaldar || aprobar · rechazar || conseguir · alcanzar** *Alcanzaron la emancipación hace medio siglo después de una larga lucha* · **lograr · reprimir || luchar (por) || contribuir (a)**

[emancipar] → emancipar(se); emanciparse (de)

emancipar(se) v.

● CON SUSTS. **pueblo** *...con el objetivo de emancipar al pueblo oprimido* · **país · región · colonia · territorio || hijo,ja · joven · chico,ca ·** ***otros individuos***

● CON ADVS. **totalmente · definitivamente** *Mi hija no quiere emanciparse definitivamente todavía* · **absolutamente · completamente || económicamente · políticamente · literariamente**

emanciparse (de) v.

● CON SUSTS. **hogar · padre · madre · jefe,fa · familia** *Asegura que cuando encuentre trabajo se emancipará de su familia* · ***otros individuos y grupos humanos*** **|| tutela · protección || opresión · yugo · influencia || metrópoli · corona**

● CON ADVS. **totalmente** *una región que no pudo emanciparse totalmente de la influencia centralista* · **definitivamente · absolutamente · completamente || económicamente · políticamente · literariamente**

embajada s.f.

I [lugar]

● CON ADJS. **extranjera**

● CON SUSTS. **informe (de) · comunicado (de)** *Tras hacerse público el comunicado de la embajada...* **|| diplomacia (de) · secretaría (de) || sede (de) · edificio (de) · residencia (de)** *Se celebrará una recepción en la residencia de la embajada* **|| personal (de) · encargado (de) · representante (de)**

● CON VBOS. **informar (sobre algo)** *La embajada informó del estado de las ciudades más importantes del país tras el terremoto* · **anunciar (algo) · emitir (algo) · hacer público (algo) || abandonar · dejar || organizar · abrir** *Abrieron la embajada para los asilados políticos* **|| entrevistar(se) (en) · reunir(se) (en) · recibir (en)** *El presidente recibió en la embajada al primer ministro del país* **|| destinar (a) · ir (a) · asistir (a) · entrar (a) · irrumpir (en) · presentar(se) (en) · llamar (a) || refugiar(se) (en) · permanecer (en)**

● CON PREPS. **a través (de)** *contactar con alguien a través de la embajada*

I [grupo humano]

● CON ADJS. **diplomática · negociadora || cultural · artística**

● CON VBOS. **llegar || negociar (algo) || enviar** *Enviaron una embajada para negociar* · **mandar || integrar || formar parte (de)**

embalaje s.m.

● CON ADJS. **protector** *el embalaje protector de los electrodomésticos* **|| fuerte · especial · sobrio || plástico · metálico**

● CON SUSTS. **plástico (de) · papel (de) · cinta (de)** *Utilicé la cinta de embalaje para cerrar la caja* · **material (de) · caja (de) || sistema (de) · técnica (de) || proceso (de) · operación (de) || fábrica (de) · empresa (de) || rotura (de) || gastos (de)** *En el precio están incluidos los gastos de embalaje*

● CON VBOS. **romper(se) || precintar · realizar · preparar || quitar · retirar · abrir || envolver (en) · proteger (con)**

embalsamar v.

● CON SUSTS. **faraón · momia || cuerpo** *Embalsamaron el cuerpo en la funeraria* · **cadáver · restos**

embarazada adj.

● CON SUSTS. **mujer · chica · señora · joven · madre**

● CON ADVS. **visiblemente · felizmente**

● CON VBOS. **quedar(se) · estar** *Estoy embarazada de cinco meses* · **encontrarse · dejar (a alguien)**

embarazo s.m.

● CON ADJS. **normal · fácil || de riesgo** *Tiene un embarazo de riesgo que la obliga a guardar reposo* · **delicado · complicado · difícil · problemático || precoz · tardío || gemelar · múltiple || intrauterino · extrauterino || psicológico || deseado · indeseado**

● CON SUSTS. **seguimiento (de) · control (de) || síntoma (de)** *Las náuseas son uno de los síntomas del embarazo* **|| evolución (de) || mes (de)** *Está en su tercer mes de embarazo* · **semana (de) · principio (de) · final (de) || prueba (de) · test (de)** *El test de embarazo dio positivo*

● CON VBOS. **complicar(se) || interrumpir · evitar · prevenir || intentar · conseguir · lograr || confirmar · comunicar · ocultar || tener · afrontar · vivir · disfrutar || simular || consentir · aceptar || desaconsejar · prohibir**

● CON PREPS. **durante**

embarazoso, sa adj.

● CON SUSTS. **situación · suceso** *un suceso tan embarazoso como este* · **episodio · escena · asunto · momento · acontecimiento · hecho · espectáculo || silencio · omisión || incidente · malentendido** *Se trata de un embarazoso malentendido* · **discusión · aprieto · procedimiento || fallo · error · confusión · equivocación || cuestión ·**

pregunta · revelación || implicación · posición · crítica || contenido
● CON ADVS. **terriblemente · tremendamente** *Fue una situación tremendamente embarazosa para mí*
● CON VBOS. **resultar · considerar**

embarcación s.f.

● CON ADJS. **pequeña · grande || lujosa · modesta · precaria** *Consiguieron llegar a la costa en una precaria embarcación* || **legal · ilegal · pirata || de recreo · deportiva · pesquera · comercial · patrullera || equipada (con algo)**
● CON SUSTS. **flota (de) · motor (de) || patrón (de) · propietario (de) || tripulante (de) · piloto (de) || pasajero (de)**
● CON VBOS. **accidentar(se) · encallar · hundir(se) · zozobrar · naufragar** *cuando naufragó la embarcación en la que viajaban* · **irse a pique · ir a la deriva · escorar(se) || zarpar · navegar · levar anclas · partir || anclar · atracar · amarrar · varar || pilotar · dirigir** *El capitán lleva años dirigiendo la misma embarcación* · **tripular || fletar · botar || interceptar** *La patrullera interceptó una embarcación de traficantes de droga* · **capturar · abordar || equipar || viajar (en)**
● CON PREPS. **a bordo (de)** *estar varios meses a bordo de una embarcación*

embarcadero s.m.

● CON ADJS. **privado · particular · público || pequeño** *La casa tenía un pequeño embarcadero que daba al mar* · **grande**
● CON SUSTS. **zona (de) · muelle (de) || trabajador,-a (de) · vigilante (de)**
● CON VBOS. **construir** *Han construido varios embarcaderos a lo largo del río* || **ir (a) · llegar (a) · dirigir(se) (a) · salir (de) · atracar (en)**

embarcar (en) v.

● CON SUSTS. **buque** *Se embarcó en un buque con destino al sur* · **nave · crucero · transbordador || avión || plan · proyecto** *Siempre está dispuesta a embarcarse en nuevos proyectos* · **iniciativa · aventura · búsqueda · campaña · proceso · estrategia · operación · programa · reforma || trabajo · tarea · pleito · empresa · negocio || guerra · lucha || periplo · experiencia || viaje · gira**
● CON ADVS. **nuevamente · clandestinamente · inmediatamente · directamente || ilusionadamente · alegremente**

embargar (a alguien) v.

● CON SUSTS. **sentimiento · sensación · emoción || tristeza · nostalgia · pena** *No tengo palabras para expresar la pena que me embarga...* || **dolor · sufrimiento · angustia · desolación · aflicción || preocupación** *Al recibir la noticia, le embargó la preocupación...* · **decepción · desánimo · desazón · impotencia · pesimismo** *El crimen no se esclarecía y el pesimismo comenzaba a embargar a todo el pueblo* · **escepticismo · desencanto || miedo · temor || duda · incertidumbre || felicidad · alegría · euforia · optimismo** *Con las elecciones recién ganadas, embargaba al partido un desbordante optimismo* · **ilusión · entusiasmo · satisfacción · alborozo || irritación · indignación · cólera · espanto · odio || pasión · fervor · afán · ansia · ansiedad · excitación**

embarque

1 embarque s.m.

● CON ADJS. **ágil · rápido · lento · interminable || puntual · retrasado || ilegal · clandestino || alimenticio || marítimo · aéreo · aeroportuario**
● CON SUSTS. **punto (de) · lugar (de) · puerta (de)** *Diríjanse con su billete y el carné de identidad a la puerta de embarque* · **zona (de) · sala (de) · muelle (de) · estación (de) · terminal (de)** *Los pasajeros esperan en la terminal de embarque* · **mostrador (de) || fecha (de) · día (de) · hora (de) · demora (de) · retraso (de) || tarjeta (de)** *Enseñe su tarjeta de embarque, por favor* · **billete (de) || lista (de) || operación (de)**
● CON VBOS. **retrasar(se) || impedir · prohibir · negar || anunciar · programar || empezar · iniciar · realizar || facilitar · autorizar · permitir · tolerar · controlar · encubrir || solicitar** *Los náufragos solicitaron el embarque al capitán del barco* || **agilizar · bloquear · organizar || proceder (a)**

2 embarque (de) s.m.

● CON SUSTS. **pasajeros** *El embarque de pasajeros fue caótico* · **tropa** · ***otros individuos y grupos humanos*** || **coches · camiones · motos** · ***otros vehículos*** || **alimentos · armas** · ***otras mercancías***

embarullar v. *col.*

● CON SUSTS. **trabajo** *después de haber embarullado todo el trabajo hecho* · **proceso · labor || cuestión · situación · asunto · escena || historia · relato · declaración · discusión · discurso** *comparaciones traídas por los pelos que embarullaban el discurso* · **fórmula · término || juego** *Practican un juego embarullado que no es ni vistoso ni efectivo* · **partido · victoria**
● CON ADVS. **inexplicablemente || rápidamente || completamente** *una trama completamente embarullada*

embaucar v.

● CON SUSTS. **prójimo · tendero,ra · juez** *Con su lacrimógeno alegato trató inútilmente de embaucar a la juez* · **comprador,-a · espectador,-a · cliente · lector,-a || ingenuo,nua · incauto,ta || pueblo · tribunal · jurado · policía · público · concurrencia · votante · ciudadano,na ||** ***otros individuos y grupos humanos***
● CON ADVS. **hábilmente** *El político embaucó hábilmente a los votantes* || **absolutamente · completamente · totalmente || sexualmente**

embelesar v.

● CON SUSTS. **espectador,-a · audiencia** *La disertación embelesó a la audiencia* · **oyente · lector,-a · público · niño,ña** *Siempre sabe cómo embelesar a los niños* · ***otros individuos y grupos humanos***
● CON ADVS. **completamente · totalmente · poderosamente**

embestida s.f.

● CON ADJS. **brutal** *El torero fue capaz de esquivar a tiempo la brutal embestida del toro* · **fuerte · tremenda · violenta · virulenta · feroz · furiosa · peligrosa · grave || lateral** *en una embestida lateral de una furgoneta contra un coche* · **frontal || corta · larga || inevitable**
● CON VBOS. **resistir · aguantar** *El equipo supo aguantar la embestida del actual líder* · **soportar** *...soportando con grandes dificultades la tremenda embestida de la recesión económica* · **sufrir · notar · recibir || detener · parar · templar · esquivar · evitar · ahogar || temer || alargar**

embestir v.

● CON SUSTS. **toro · novillo,lla · ciervo,va · cabra** · ***otros animales*** || **coche · camión** *El camión embistió lateralmente a un vehículo estacionado* · **barco · autobús** · ***otros***

vehículos || **oleaje** *El oleaje embestía a la pequeña embarcación*
● CON ADVS. **violentamente · bruscamente** *El toro embistió bruscamente al caballo* · **con genio · con fuerza · rudamente || lateralmente**
☐ USO Alterna los complementos directos (*embestir un vehículo*) con los complementos encabezados por la preposición *contra* (*embestir contra un vehículo*).

emblema s.m.

● CON ADJS. **oficial · distintivo · máximo · institucional · nacional || político · musical · moral || famoso · conocido**
● CON SUSTS. **monumento · edificio** *el edificio emblema de la institución* · **frase · eslogan || jugador,-a**
● CON VBOS. **reconocer · distinguir || tener** *Cada fábrica de coches tiene su propio emblema* · **llevar · lucir · portar · ostentar || mantener · cambiar · modificar || constituir || convertir(se) (en) · servir (de/como) || adoptar (como)** *Adoptaron una paloma blanca como emblema*

emblemático, ca adj.

● CON SUSTS. **figura** *una figura emblemática del humanismo contemporáneo* · **jugador,-a · deportista · actor · actriz · escritor,-a · autor,-a · protagonista · personaje · alcalde,-sa · político,ca** · ***otros individuos*** **|| obra · título · pieza · película** *una de las películas más emblemáticas del director francés* · **filme · representación · publicación · canción · arquitectura** · ***otras creaciones*** **|| espacio · ciudad · zona · barrio** *visitar los barrios más emblemáticos de la ciudad* · ***otros lugares*** **|| monumento · construcción · edificio · local · institución || animal || ejemplo** *un ejemplo emblemático del espíritu renacentista* · **muestra || asunto · caso · acto · fecha** *Es sin duda una fecha emblemática para nuestra historia* · **episodio || trabajo · proyecto · empresa || símbolo** *escudo que se ha convertido en el símbolo emblemático de la ciudad* · **elemento · imagen · frase || carácter || discurso · palabras || actuación · espectáculo || medida · disposición · ley · acuerdo**

embobado, da adj.

● CON SUSTS. **público · multitud · espectador,-a · alumno,na · asistente** *La conferenciante dejó embobados a todos los asistentes* · ***otros individuos y grupos humanos*** **|| expresión · rostro · mirada · gesto · sonrisa · ojos** *Miraban la película con ojos embobados*
● CON ADVS. **absolutamente · totalmente** *Los más pequeños se quedaron totalmente embobados cuando vieron llegar la cabalgata* · **completamente || aparentemente**
● CON VBOS. **estar · quedar(se) · permanecer · seguir · sentirse || oír · escuchar · mirar** *Miraba embobado a su hijo recién nacido* · **contemplar · asistir || dejar (a alguien)**

embolsarse v.

● CON SUSTS. **cantidad · dinero · premio** *El ganador se embolsará un premio millonario* · **cifra || rescate · ayuda · prima · beneficio · ganancia · comisión · recaudación · sueldo · retribución || campeonato · título · victoria**
● CON ADVS. **íntegramente || diariamente · mensualmente · anualmente || directamente** *La banca se embolsaría directamente la cantidad no reclamada* **|| ilícitamente · ilegalmente || presuntamente**

emborronar v.

● CON SUSTS. **dibujo · cuadro · lienzo · cuartilla** *Leyó atropelladamente unas cuartillas emborronadas* · **folio · hoja · papel || radiografía · imagen · fotografía || letra · palabra · frase · cifra · texto · carta || contorno · límite · borde || hoja de servicios** *Un pequeño error no puede emborronar tan brillante hoja de servicios* · **historial · currículo · trabajo · faena · gestión · actuación · espectáculo · trayectoria · prestigio · éxito || significado**
● CON ADVS. **inicialmente || parcialmente · totalmente**

emboscada s.f.

● CON ADJS. **violenta · sangrienta** *la sangrienta emboscada en la que cayeron una decena de soldados* · **asesina · mortal · mortífera · pérfida · cruenta · cobarde · vergonzante · terrible || hábil · astuta · audaz || pequeña · gigantesca**
● CON SUSTS. **víctima (de) · escenario (de)**
● CON VBOS. **tener éxito · frustrar(se) || tender · urdir · preparar || sufrir || caer (en)** *El convoy cayó en una emboscada poco antes de llegar a la ciudad* · **ser objeto (de) || librar(se) (de) · escapar (de) || atraer (a) || morir (en) · salir ileso,sa (de) · salir herido,da (de)**

embotar(se) v.

● CON SUSTS. **pensamiento · juicio · entendimiento · mente** *Estudiar muchas horas seguidas embota la mente* · **cerebro · cabeza · imaginación · percepción · sensibilidad · capacidad · espíritu || idea · pensamientos || sentido · mirada · oído || entusiasmo · ardor || rostro · cara ||** ***persona*** *Cuando está estresado se embota y no reacciona*

embotellamiento s.m.

● CON ADJS. **circulatorio || general · considerable · descomunal · enorme · tremendo · gigantesco · inmenso · monumental · gran(de) · desesperante** *miles de conductores atrapados en un desesperante embotellamiento* · **infernal || largo · eterno · breve · pequeño · ocasional**
● CON SUSTS. **causa (de) · solución (de) || problema (de)**
● CON VBOS. **producir(se) · formar(se)** *El embotellamiento se formó a primera hora de la mañana* · **generar(se) · extender(se) · registrar(se) || sufrir · experimentar || crear · provocar** *La entrada de los niños en el colegio provoca embotellamientos a diario* · **ocasionar · causar || resolver · aliviar · solucionar || evitar · eliminar || encontrarse (con) · quedar atrapado (en)**

embrague s.m.

● CON ADJS. **automático** *un coche con embrague automático* · **electromagnético · hidráulico · cerámico**
● CON SUSTS. **pedal (de)** *Pise el pedal del embrague al cambiar de marcha* · **cable (de) || sistema (de) · mando (de)**
● CON VBOS. **funcionar || ceder · romper(se) · averiar(se) · estropear(se) || accionar · pisar · apretar · soltar || manejar · controlar** *Controle bien el embrague para que el coche no se vaya para atrás* **|| sustituir · reparar · cambiar || quedar(se) (sin)**

embravecido, da adj.

● CON SUSTS. **mar · aguas · río** *Era imposible vadear el río embravecido* · **oleaje · torrente · caudal || público · multitud · muchedumbre · ejército · tropa**

embriagador, -a adj.

● CON SUSTS. **vino · licor** *Nos dieron a probar un licor embriagador* · ***otras bebidas alcohólicas*** **|| atmósfera · ambiente · brisa** *Una brisa embriagadora llegaba del jardín* · **aroma · perfume || voz** *Recitaba lánguidos versos con voz embriagadora* · **ritmo · música || humo · color**

embriaguez s.f.

• CON ADJS. **etílica || aguda · profunda** *Cayó presa de una profunda embriaguez* · **plena · ligera || de éxito · de triunfo** *Se echaba en falta esa embriaguez de triunfo que levanta el ánimo del equipo* · **de victoria · festiva || mística · emocional || circunstancial || violenta || sumido,da (en)**
• CON SUSTS. **síntoma (de)** *Presenta evidentes síntomas de embriaguez* · **muestra (de) · sensación (de) || atenuante (de) · eximente (de) || estado (de)** *Llegó a casa en un deplorable estado de embriaguez* · **caso (de) || grado (de) · prueba (de) || causa (de) · consecuencia (de)**
• CON VBOS. **pasárse(le) (a alguien) || producir || sufrir**

embrión s.m.

• CON ADJS. **humano · animal · híbrido**
• CON SUSTS. **célula (de)** *las células madre del embrión* **|| desarrollo (de)** *Hay que hacer una ecografía para seguir el desarrollo del embrión* · **crecimiento (de) · vida (de) · fase (de) || implantación (de) · colocación (de)**
• CON VBOS. **engendrar(se) · gestar(se) · concebir(se) · desarrollar(se) · formar(se) · crear(se) · producir(se) || congelar · conservar · elegir || destruir · eliminar · expulsar || clonar · manipular · utilizar || investigar (con) · experimentar (con) || afectar (a)**

embrollar(se) v.

• CON SUSTS. ***persona*** *Me parece que te estás embrollando* **|| red · madeja · trama || argumento · discurso || palabras · lenguaje || tema · asunto** *El asunto comenzó a embrollarse cuando apareció él* · **cuestión · panorama || cuentas · datos · papeles || investigación || mente**

embrujo s.m.

• CON ADJS. **fascinante** *fans hechizados por el fascinante embrujo de su ídolo* · **arrebatador · tentador · cautivador · irresistible · atractivo · magnético · hechizador || prendido,da (de)**
• CON VBOS. **emanar (de algo/de alguien) · brotar (de algo/de alguien) || sentir || tener · irradiar · conservar · perder || suscitar || sucumbir (a) · rendir(se) (a)** *El público se rindió al embrujo de su música* · **prendar(se) (de) · caer (en) || sustraerse (a) · resisitir(se) (a) || salir (de) · escapar (de) · huir (de)**

embuchar v.

• CON SUSTS. **carne · lomo || pato** *embuchar patos para la elaboración de paté* · **oca ·** ***otras aves*** **|| pliego** *Falta embuchar un pliego en las páginas centrales del libro* · **sobre || información · datos · propaganda** *embuchar la propaganda electoral*

embudo s.m.

▌[utensilio]

• CON SUSTS. **forma (de)**
• CON VBOS. **utilizar · emplear(se)** *emplea un embudo para trasegar el vino* **|| llenar (con)** *Llenamos las botellas de aceite con un embudo de plástico* · **tragar (con)**

▌[embotellamiento]

• CON ADJS. **circulatorio || administrativo · legal**
• CON VBOS. **formar(se)** *A las siete de la mañana ya se forma el embudo en esta carretera* · **generar(se) || provocar · causar · producir · motivar || evitar · atravesar || convertir(se) (en)** *El túnel se ha convertido en un auténtico embudo circulatorio*

☐ EXPRESIONES **ley del embudo** [norma que se aplica desigualmente, tolerante para unos y estricta para otros] *col. No apliques la ley del embudo cuando te conviene*

embuste s.m.

• CON ADJS. **descomunal · mayúsculo · colosal · enorme · gran(de) · como una catedral || transparente || de nada** *Es un embuste de nada, no te enfades* · **pequeño · insignificante · tonto · infantil · sin importancia || infame · sucio · burdo || lleno,na (de)** *una historia llena de embustes*
• CON SUSTS. **sarta (de)** *Soltó tal sarta de embustes que nos quedamos helados* · **cúmulo (de) · serie (de)**
• CON VBOS. **decir · contar · proferir · lanzar · difundir · verter || urdir · tramar · montar · tejer · inventar || creer || disimular || desmentir** *La actriz desmintió todos los embustes que la prensa rosa había vertido sobre ella* · **desbaratar · descubrir · desvelar || tachar (de) · calificar (de)**

embustero, ra s.

• CON ADJS. **compulsivo,va** *una embustera compulsiva que todo lo enreda* · **patológico,ca · redomado,da · incorregible · contumaz · absoluto,ta · gran**
• CON VBOS. **volverse · hacerse || considerar || tachar (de)** *No permitiré que se me tache de embustero* · **dejar (por) · pasar (por) · tener (por)**

embutido s.m.

• CON ADJS. **ibérico** *una selección de embutidos ibéricos* · **serrano · de bellota || crudo · cocido · ahumado · curado || sabroso · exquisito · grasiento · insípido · correoso · pasado || casero · industrial · artesano · tradicional · de matanza**
• CON SUSTS. **ristra (de) · loncha (de) || surtido (de) · bandeja (de)** *Sirvieron unas bandejas de embutido como entrante* · **bocadillo (de) · plato (de)**
• CON VBOS. **importar · exportar || producir · elaborar · hacer · curar || empaquetar · envasar** *envasar el embutido al vacío* **|| servir · ofrecer || comer · engullir · consumir · probar || cortar || hartar(se) (de)**

embutir v.

• CON SUSTS. **bota · gorra · gorro · sombrero · media || vestido** *Se embutió el vestido y salió al escenario* · **traje · uniforme · pantalón · abrigo · chándal · bata ·** ***otras prendas de vestir*** **|| equipaje || chorizo · lomo || datos · información · contenido**

emergencia s.f.

• CON ADJS. **inaplazable || hospitalaria** *Aquella noche hubo un gran número de emergencias hospitalarias* · **sanitaria · policial · económica · financiera · judicial · social**
• CON SUSTS. **situación (de) · estado (de) · caso (de) · carácter (de) || equipo (de) || plan (de) · solución (de) · medida (de) · teléfono (de) · llamada (de) · servicio (de)** *El servicio de emergencia estaba colapsado* · **tratamiento (de) · ayuda (de) || salida (de) · puerta (de) || reunión (de) · declaración (de) || aterrizaje (de) || luz (de)** *El coche estaba parado en el arcén con las luces de emergencia* · **freno (de)**
• CON VBOS. **declarar(se) · producir(se) || tener · sufrir || superar · vencer · resolver || atender || decretar**
• CON PREPS. **en caso (de)** *Ábrase solo en caso de emergencia*

emerger v.

• CON ADVS. **vigorosamente · con fuerza** *Una nueva generación de artistas jóvenes está emergiendo con fuerza en el panorama internacional* · **con brío · con intensidad · vertiginosamente · gradualmente · inmediatamente · inesperadamente || de nuevo || públicamente · económicamente · políticamente · profesionalmente**

emigración s.f.

• CON ADJS. **legal · ilegal** *Quieren acabar con las mafias que controlan la emigración ilegal* · **clandestina || forzosa || masiva · controlada || fuerte · gran(de) || constante || rural · interior · laboral · temporera**
• CON SUSTS. **ola (de) · oleada (de) || fenómeno (de) · problema (de)** *No tiene fácil arreglo el problema de la inmigración* **|| índice (de)**
• CON VBOS. **evitar · detener · frenar || regular · controlar · combatir || causar · originar · motivar · provocar || fomentar · propiciar · facilitar · impulsar || sufrir**

emigrante s.com.

• CON ADJS. **indocumentado,da · sin papeles · ilegal · clandestino,na · legal · regularizado,da || refugiado,da · residente || forzoso,sa || extranjero,ra**
• CON SUSTS. **llegada (de) · flujo (de)** *Hay previsiones de que el flujo de emigrantes aumentará en...* · **admisión (de) · censo (de) · oleada (de) · avalancha (de) · tráfico (de) || país (de)** *...porque históricamente ha sido un país de emigrantes* · **barrio (de) · grupo (de) · colectivo (de) || familia (de) || voto (de)**
• CON VBOS. **volver · regresar · retornar || llegar · entrar || residir · vivir · esconder(se) || integrar(se) || regularizar · legalizar || atender** *Procuran atender a los emigrantes e intentar solucionar sus problemas burocráticos* · **ayudar · admitir · recibir || echar · expulsar || proceder (de)** *Su apellido procede de emigrantes irlandeses* · **descender (de)**

emigrar v.

• CON SUSTS. **cigüeña · pato,ta · ave · tortuga** · ***otros animales*** **|| familia** *Su familia emigró en los años de la recesión* · **juventud · gente · campesino,na · trabajador,-a** · ***otros individuos y grupos humanos***
• CON ADVS. **clandestinamente · legalmente · con visado || forzosamente · por necesidad · por obligación**

emisión s.f.

• CON ADJS. **gaseosa · contaminante** *nuevas medidas con las que pretendemos reducir las emisiones contaminantes* · **sonora · luminosa · lumínica || monetaria** *El banco nacional está planteándose una nueva emisión monetaria* · **bancaria || fraudulenta || televisiva || en directo** *En nuestra cadena podrán disfrutar de la emisión en directo de la final del campeonato* · **en vivo · en diferido · en abierto**
• CON SUSTS. **horario (de)**
• CON VBOS. **reducir · rebajar · limitar · controlar** *un programa con el que se proponen controlar las emisiones gaseosas* **|| realizar · completar · lanzar · ampliar · regular · respaldar || permitir · autorizar** *autorizar la emisión del cheque* · **aprobar || impedir · prohibir || empezar · terminar || recibir · detectar · captar · interceptar || interrumpir(se)** *Interrumpimos la emisión para comunicarles una noticia de última hora...* · **cortar · suspender**

emisor, -a

1 **emisor, -a** adj.

• CON SUSTS. **entidad · banco** *Debe cobrar este cheque en el banco emisor* · **sociedad · productora · empresa · compañía · organismo · país || foco** *el foco emisor del brote epidémico* · **mercado || centro · instituto || turismo || mecanismo**

2 **emisora** s.f.

• CON ADJS. **de radio · de televisión** *Trabaja en una emisora de televisión como comentarista deportivo* · **radiofónica · televisiva || clandestina · privada · pública · estatal · independiente · institucional · oficial** *La emisora oficial no ha confirmado aún el rumor* · **gubernamental · universitaria || municipal · local · nacional · autonómica || cultural · musical** *una emisora musical especializada en música clásica* · **informativa || abierta · de/por cable · vía satélite · virtual || de onda corta · de frecuencia modulada**
• CON SUSTS. **director,-a (de) · responsable (de)** *El responsable de la emisora no puede suscribir todo lo que en ella se emita* **|| cadena (de) · programa (de) || licencia (de)**
• CON VBOS. **programar (algo) · emitir (algo) · difundir (algo)** *La emisora que difundió información confidencial ha sido denunciada* · **transmitir (algo) · ofrecer (algo) || entrevistar (a alguien) · comentar (algo)** *La emisora comentó los sucesos con total imparcialidad* · **narrar (algo) · informar (sobre algo) · asegurar (algo) · relatar (algo) || captar · coger · sintonizar** *sintonizar la emisora evitando interferencias* · **oír · escuchar || cerrar · clausurar**

[emisora] s.f.

→ emisor, -a

emitir v.

• CON SUSTS. **luz · calor · radiación · energía || gas · olor · vapor · lava || ruido · sonido** *El aparato de radio emitía unos sonidos muy extraños* · **gruñido · grito · quejido || moneda · bono · cédula · pasaporte · billete · título · valor · acción · sello · documento || programa** *Esta noche emiten un programa especial sobre...* · **concurso · música || resultado · decisión · diagnóstico · dictamen · resolución · sentencia · veredicto · conclusión · fallo** *El jurado aún no ha emitido el fallo* **|| norma · ley · orden** *¿Quién es el encargado de emitir la orden de desalojo?* · **imposición · directiva · disposición · instrucción · directriz · precepto || pronóstico · predicción · premonición · augurio || idea · opinión · juicio · teoría · hipótesis · valoración** *Me parece un poco pronto para emitir una correcta valoración de...* **|| llamamiento · aviso · advertencia · convocatoria · llamado || solicitud · rogatoria · requerimiento**
• CON ADVS. **directamente · en abierto · en directo · simultáneamente || constantemente · sin cesar · insistentemente || de un tirón || ilegalmente** *Se trata de documentos emitidos ilegalmente* · **irregularmente**

emoción s.f.

• CON ADJS. **máxima · intensa** *...en unos momentos de intensa emoción* · **profunda · honda · viva · vívida · candente · arrolladora · exaltada · encendida · incontenible · desbordante · desmedida · a raudales · especial · fuerte · gran(de) · dominante || sincera · verdadera · sentida** *En su rostro se reflejaba una sentida emoción por...* · **contenida || imborrable · imperecedera || latente · a flor de piel || íntima · colectiva · humana || primaria · básica || lleno,na (de)** *Estaba agotada tras un día lleno de emociones* · **cargado,da (de) · preso,sa (de)**

• CON SUSTS. **lágrima (de)** *Nos lo dijo con lágrimas de emoción en los ojos* || **estado (de)** · **clima (de)** || **manifestación (de)** · **arranque (de)** || **lluvia (de)** · **cúmulo (de)** · **pizca (de)** · **ápice (de)** · **punto (de)** || **asomo (de)** · **dosis (de)** *una película de intriga con una buena dosis de emoción* · **toque (de)** · **hálito (de)**
• CON VBOS. **aflorar** · **desatar(se)** · **brotar** · **cundir** · **presidir (algo)** · **palpitar** · **desbordar(se)** || **asaltar (a alguien)** · **invadir (a alguien)** · **embargar (a alguien)** *Al oír su historia, le embargó una intensa emoción* · **adueñarse (de alguien)** · **apoderarse (de alguien)** · **recorrer (a alguien)** || **decaer** · **diluir(se)** || **traslucir(se)** *La emoción se traslucía en su rostro* || **afectar (a alguien)** || **provocar** · **causar** · **despertar** · **avivar** · **atizar** || **sentir** · **experimentar** · **sufrir** · **vivir** || **mostrar** · **expresar** · **transmitir** · **captar** · **disimular** || **poner (en algo)** || **aguantar** · **reprimir** · **contener** · **controlar** *Era inseguro, inestable e incapaz de controlar sus emociones* · **canalizar** · **anclar** · **condensar** || **dejarse llevar (por)** · **dar rienda suelta (a)** *De vez en cuando no es malo dar rienda suelta a las emociones* || **gritar (de)** · **llorar (de)** · **temblar (de)** · **estremecerse (de)** · **vibrar (de)** || **reponerse (de)** || **henchir(se) (de)**
• CON PREPS. **con** || **en medio (de)**

emocionar(se) v.

• CON ADVS. **profundamente** · **enormemente** · **sumamente** · **vivamente** · **intensamente** *El actor se emocionó intensamente cuando recibió el premio* · **fuertemente** || **sinceramente**

emotivo, va adj.

• CON SUSTS. **acto** · **ceremonia** · **homenaje** *Sus compañeros le dedicaron un emotivo homenaje* · **premio** · **galardón** · **discurso** · **comunidad** · **gala** *La gala benéfica fue muy emotiva* · **recital** · **funeral** · **celebración** · **concierto** · **actuación** · **espectáculo** · **jornada** · **testimonio** || **título** · **película** *una emotiva película basada en hechos reales* · **texto** · **canción** · **composición** · **drama** · **fragmento** · **tema** · **escena** · **imagen** · **música** · **secuencia** · **historia** || **carga** · **intensidad** · **fuerza** · **expresividad** || **momento** · **situación** · **clima** · **final** · **despedida** · **arranque** · **comienzo** || **mensaje** · **nota** · **palabras** · **lenguaje** *Cuando se refiere a ella utiliza un lenguaje muy emotivo* · **silencio** || **encuentro** *un encuentro muy emotivo tras varios años sin verse* · **experiencia** · **reacción** || **gesto** · **abrazo** *Los dos hermanos se unieron en un emotivo abrazo* · **impulso** · **espontaneidad** · **reencuentro** · **regreso** || **capacidad** · **coeficiente** || **interpretación** · **faena** · **desarrollo** · **intervención** · **participación** || **recuerdo** || **sentido** · **tono** · **aspecto** · **aire** || **punto** · **estado** · **cuestión**
• CON ADVS. **especialmente** · **particularmente** *Fue una situación particularmente emotiva para nosotros* || **profundamente** · **sumamente** *Es un libro sumamente emotivo, te lo recomiendo* · **altamente** · **inmensamente** · **intensamente**

empacho s.m.

▮ [indigestión]

• CON VBOS. **sufrir** *un infusión especial para cuando se sufre empacho* || **provocar**

▮ [vergüenza, turbación]

• CON VBOS. **tener** *No tuvo ningún empacho en mentir* · **mostrar** · **sentir**
• CON PREPS. **con** · **sin** *No sé cómo puede afirmar sin empacho tales barbaridades*

□ USO Se usa generalmente en contextos negativos: *no tener el más mínimo empacho en hablar; decir algo sin empacho alguno.*

empalagoso, sa adj.

• CON SUSTS. **pastel** *un pastel un poco empalagoso* · **helado** · **merengue** · ***otros alimentos dulces*** || ***persona*** *El novio que se ha echado es un poco empalagoso* || **película** *una película empalagosa y sin el menor interés* · **libro** · **poesía** · **música** · ***otras creaciones*** || **situación** || **amor** · **cariño** || **sentimentalismo** *el sentimentalismo empalagoso de la novela* · **exhibicionismo** || **elogio** · **loa** · **homenaje** || **palabra** · **discurso** · **texto**
• CON VBOS. **ser** · **estar** · **poner(se)** · **quedar** · **resultar** *Me resulta un poco empalagoso, siempre con arrumacos y carantoñas*

[empalmar] → empalmar; empalmar (con)

empalmar v.

▮ [unir]

• CON SUSTS. **tubería** · **cable** *El electricista empalmó los dos cables* · **alambre** · **cuerda** · **soga** · **madero** || **idea** · **alusión** · **referencia** · **anécdota** *Construía sus conferencias empalmando anécdotas*

□ USO Se construye con sustantivos en plural (*empalmar ideas*), coordinados por la conjunción *y* (*empalmar unas ideas y otras*) o unidos con la preposición *con* (*empalmar unas ideas con otras*).

▮ [lanzar, rematar]

• CON SUSTS. **remate** · **disparo** · **tiro** *Empalmó un fortísimo tiro desde fuera del área que se convirtió en gol* · **cañonazo** · **zurdazo** · **cabezazo** · **despeje** || **balón** · **pelota**
• CON ADVS. **con maestría** · **con precisión** · **con acierto** · **con facilidad** · **de volea** || **erróneamente**

empalmar (con) v.

• CON SUSTS. **autopista** · **carretera** · **autovía** *carretera que empalma con la autovía* · ***otras vías*** || **tren** *La línea de metro empalma con el tren de cercanías* · **metro** · ***otros vehículos***
• CON ADVS. **directamente**

empalme s.m.

• CON ADJS. **de tuberías** · **de cables** · **telefónico** · **de tren** || **adecuado** · **defectuoso**
• CON VBOS. **realizar** · **hacer** *Hizo un mal empalme de las tuberías y ahora se sale el agua* · **efectuar**

empantanado, da adj.

• CON SUSTS. **terreno** · **territorio** · **senda** · **camino** *Tuvieron que atravesar un camino empantanado* · **huerta** || **habitación** · **despacho** *Siempre tiene el despacho empantanado* · ***otros lugares o espacios*** || **proyecto** · **proceso** · **asunto** · **ley** · **obra** · **trabajo** · **situación**
• CON VBOS. **estar** · **dejar** · **quedar** · **seguir** *El asunto sigue empantanado en los tribunales*

empañar(se) v.

• CON SUSTS. **cristal** *Se empañan los cristales de las gafas* · **espejo** · **ventana** · **metal** || **ojos** · **vista** · **mirada** || **nitidez** · **limpieza** · **claridad** · **transparencia** || **imagen** · **reputación** · **fama** · **nombre** · **prestigio** · **credibilidad** *Un escándalo como este puede empañar su credibilidad y su buen nombre* · **crédito** · **recuerdo** · **memoria** || **éxito** · **triunfo** · **victoria** · **resultado** · **logro** || **alegría** *El lamentable suceso empañó la alegría de la boda* · **felicidad** ·

entusiasmo · júbilo · satisfacción · optimismo || fiesta · celebración · espectáculo · ceremonia · desfile · partido · encuentro · sesión || carrera · trayectoria · vida · pasado · historia · historial · biografía · trabajo · gestión || interés · importancia · valor · mérito · trascendencia || relación · amistad *La convivencia diaria puede empañar una larga amistad* · idilio

empapar(se) v.

• CON ADVS. **por completo · completamente · de pies a cabeza · hasta los huesos** *Salió en plena tormenta y se empapó hasta los huesos*

empapelar v.

I [cubrir con papel]

• CON SUSTS. **pared · techo · suelo · fachada || habitación · despacho · calle · barrio** *empapelar el barrio con propaganda electoral* · **ciudad** · ***otros lugares***

• CON ADVS. **de arriba abajo · completamente · totalmente**

I [procesar] *col.*

• CON SUSTS. **persona** *Empapelaron a los dos socios por aceptar sobornos*

empastar v.

• CON SUSTS. **muela** *La última vez que fui al dentista me tuvieron que empastar dos muelas* · **diente || libro · cuaderno · libreta · fascículo** *Una vez que tenga la colección completa, empastaré los fascículos* || **lienzo · material**

empaste s.m.

• CON ADJS. **fuerte · grueso · espeso · denso || provisional · definitivo**

• CON SUSTS. **material (de) · masa (de)**

• CON VBOS. **quitar · poner || emplear || hacer** *La dentista me puso anestesia local para hacerme el empaste*

empatar v.

• CON SUSTS. **partido** *El equipo visitante empató el partido en el último minuto* · **encuentro · eliminatoria**

• CON ADVS. **a domicilio** *Empatar a domicilio sería un resultado nefasto para nosotras* || **a duras penas**

empate s.m.

• CON ADJS. **justo** *El partido acabó en un empate justo y merecido* · **merecido · honroso · injusto || a domicilio** *...no nos podemos permitir un empate a domicilio* || **por los pelos**

• CON VBOS. **haber · registrar(se) · producir(se) || conseguir · lograr · alcanzar · sumar · cosechar · arrancar (a alguien) · acariciar · perseguir || sellar · firmar || merecer || bastar (a alguien)** *El empate nos basta para pasar a la siguiente fase* || **deshacer || llegar (a) · terminar (en)** *La votación terminó en empate* · **acabar (en) || luchar (por)**

empecinarse (en) v.

• CON SUSTS. **idea** *Se empecinó absurdamente en la idea de...* · **ocurrencia · propósito || lucha · boicot · discusión || sacrificio · ayuda · defensa || contrariedad · error** *Está empecinada ciegamente en su error y no hay quien la saque de él* · **equivocación || victoria · objetivo || continuación · continuidad || solución · vía · demostración · consecución · búsqueda · dominación || proyecto · plan** *Está empecinado en ese plan y no parará hasta conseguirlo* · **argumento · trabajo || manera · sistema · fórmula · modo**

• CON ADVS. **ciegamente · tontamente · inútilmente || completamente**

empedernido, da adj.

• CON SUSTS. **fumador,-a** *...y eso que no soy un fumador empedernido* · **jugador,-a · bebedor,-a · ludópata · borracho,cha · alcohólico,ca · adicto,ta · consumista || admirador,-a** *Soy una admiradora empedernida de su obra* · **aficionado,da · seguidor,-a · entusiasta · forofo,fa · hincha · mitómano,na · defensor,-a · activista || lector,-a · viajero,ra · deportista · trabajador,-a · cinéfilo,la · bibliófilo,la · melómano,na · coleccionista · bibliómano,na || mujeriego · romántico,ca · seductor,-a · noctámbulo,la · juerguista** *Nunca cambiará; es un juerguista empedernido* · **trasnochador,-a · nostálgico,ca · monárquico,ca**

empeine s.m.

• CON VBOS. **levantar || tocar (con) bajar (con) · golpear (con)** *El jugador golpeó la pelota con el empeine* · **pegar (con) · rematar (con)**

[empeñar] → empeñar(se); empeñarse (en algo)

empeñar(se) v.

• CON ADVS. **hasta las cejas · hasta el cuello**

empeñarse (en algo) v.

• CON ADVS. **frenéticamente · denodadamente · febrilmente · tenazmente · a conciencia · a toda costa · contra viento y marea** *Se empeñó contra viento y marea en aprobar el examen* || **vanamente · inútilmente**

empeño s.m.

• CON ADJS. **tenaz** *el tenaz empeño de esta empresa por lograr los objetivos que...* · **acendrado · obstinado · porfiado · enconado · decidido · vivo · firme · denodado · numantino · febril · frenético · desaforado · desmedido · irrefrenable || gran(de) · máximo · mayor || valeroso · arriesgado · profundo · arduo · esforzado · sacrificado · encomiable · loable · noble · generoso · digno || inútil · estéril · vano · escaso · ineficaz || especial || común · colectivo · personal · particular || indudable** *un indudable empeño en mejorar* · **consciente || real · aparente**

• CON VBOS. **tener (en algo)** *Tenía especial empeño en que viniésemos* · **mostrar || poner (en algo) · dedicar · invertir || derrochar · malograr(se) || abandonar** *Abandonó pronto su empeño de ser actriz* || **obstinar(se) || perseverar (en) · persistir (en) || desistir (de) · cejar (en) · ceder (en) · desmayar (en) · fracasar (en)** *Fracasó en su empeño de llegar a la final* · **fallar (en)**

• CON PREPS. **con** *estudiar con empeño*

empeoramiento s.m.

• CON ADJS. **grave** *Los síntomas auguraban un grave empeoramiento de la enfermedad* · **serio · severo · acusado · pronunciado · notable || pequeño · ligero · leve || palpable · ostensible · apreciable · perceptible · visible · patente · manifiesto · claro || progresivo · paulatino** *un paulatino empeoramiento de las condiciones ambientales* · **gradual · lento · rápido · súbito · brusco · sistemático · a {corto/medio/largo} plazo || irremediable · irreversible || temporal · transitorio**

• CON SUSTS. **efecto (de)** *El aumento del paro es un efecto directo del empeoramiento de la economía* · **secuela (de) · fleco (de) || señal (de) · síntoma (de)**

● CON VBOS. **producir(se) · registrar(se) || diagnosticar · anunciar · apuntar · reflejar || augurar · vislumbrar · prever · pronosticar · presagiar · observar || provocar · causar · ocasionar || detener · frenar · evitar || sufrir · experimentar || conllevar · suponer || dar señas (de) · avisar (de) · alertar (de) · tender (a)**

empeorar v.

● CON ADVS. **enormemente** *El comité denuncia que la situación de los trabajadores empeorará enormemente con las nuevas medidas* · **espectacularmente · seriamente · gravemente · peligrosamente · notablemente · considerablemente || ligeramente || palpablemente · ostensiblemente · manifiestamente** *En los últimos años, su estado de salud ha empeorado manifiestamente* · **sensiblemente · claramente || a marchas forzadas · a ojos vistas · poco a poco || paulatinamente · progresivamente · gradualmente** *Empeorarán gradualmente las condiciones atmosféricas* || **drásticamente · bruscamente · irremediablemente**

empequeñecer v.

● CON SUSTS. **problema · dilema · situación · momento || trabajo · interés || terreno · dimensión** *Sin ánimo de empequeñecer la dimensión social de su obra literaria* · **escenario || éxito** *La pequeña victoria reciente no empequeñece el éxito anterior* · **idea || figura · talla · talento · imagen · tamaño || equipo · rival**
● CON ADVS. **culturalmente · espiritualmente || notablemente · excepcionalmente · extraordinariamente**

emperrarse (en) v. *col.*

● CON SUSTS. **idea** *Se ha emperrado en esa idea y no hay quien se la saque de la cabeza* · **ocurrencia · proyecto || fórmula · modo · manera · sistema** *Se emperraron en un sistema obsoleto y rudimentario* · **solución · vía · modelo · teoría || continuación · continuidad · insistencia · permanencia · obcecación || objetivo · consecución || victoria · defensa · lucha · búsqueda · ayuda || demostración · discusión || postura · punta de vista · opinión**
● CON ADVS. **tontamente · tercamente · inútilmente**

empezar v.

● CON ADVS. **{de/desde} cero** *...y tuvimos que empezar de cero* · **{desde/por} el principio || con {buen/mal} pie · a lo grande || con fuerza · con ganas · con ilusión · a tope || a medio gas** *Empezó la carrera a medio gas, pero luego remontó* || **a trancas y barrancas**

empinado, da adj.

● CON SUSTS. **calle** *un pueblo de calles empinadas* · **ciudad · montaña · ladera · cuesta** *Cada día el cartero subía la empinada cuesta* · **carretera · rampa · pendiente · escalera · camino · terreno || ascensión · subida**
● CON VBOS. **ser · estar · volverse** *El camino se volvía más empinado a cada paso* · **hacerse**

empleado, da s.

● CON ADJS. **fijo,ja · temporal** *En verano trabajan muchos empleados temporales en hostelería* · **a tiempo {completo/parcial} · eventual · autónomo · por cuenta {ajena/propia} || eficaz · rápido,da · lento,ta || de toda la vida · nuevo,va · antiguo,gua · veterano,na · con experiencia**
● CON SUSTS. **sindicato (de) · asociación (de) · huelga (de) || sueldo (de) · condiciones (de) · salario (de)**
● CON VBOS. **trabajar · jubilar(se) || contratar · readmitir · buscar · necesitar || despedir · echar · expedientar || explotar** *Lo denunciaron por explotar a los empleados* · **acosar || valorar · apreciar · pagar · incentivar · motivar || entrar (como)**
□ EXPRESIONES **empleado de hogar** [persona que desempeña trabajos domésticos] *Trabaja en una casa como empleada de hogar*

empleo s.m.

● CON ADJS. **fijo** *encontrar un empleo fijo* · **de por vida · permanente · buen(o) · digno || mal(o) · precario · abusivo · eventual · temporal · inestable || directo · indirecto || público || pleno** *propuestas para fomentar y promover el pleno empleo* || **primer** *jóvenes que buscan su primer empleo* || **{bien/mal} pagado**
● CON SUSTS. **oferta (de)** *Lanzaron una interesante oferta de empleo* · **fuente (de) · bolsa (de) · sección (de) · portal (de) || falta (de) · demanda (de)**
● CON VBOS. **tener || buscar · solicitar · encontrar · conseguir · dar || mantener · conservar · incentivar** *una medida para incentivar el empleo estable* · **estimular · crear · generar · ofrecer · fomentar · promover || perder · abandonar · dejar || regular · negociar || abusar (de)**

empobrecer(se) v.

● CON SUSTS. **mensaje · lenguaje · léxico** *el léxico empobrecido de muchos jóvenes* · **idioma · cultura · lengua || debate · discurso · proyecto || intelecto · pensamiento · mente** *La falta de lectura empobrece la mente* · **imaginación || moral · ética || sentimiento ||** ***persona*** *Invirtió sus ahorros en un proyecto ruinoso y acabó empobreciéndose* || **humanidad · sociedad · población || gente · mundo · planeta · nación · país** *El país se está empobreciendo por la falta de inversión extranjera* · **pueblo || zona · sector · provincia · región · ciudad ·** ***otros lugares*** **|| negocio · empresa · salario · riqueza || sistema · conjunto || clase · estilo · decoración · arte · calidad**
● CON ADVS. **progresivamente · paulatinamente · gradualmente · lentamente || gravemente · irremediablemente · radicalmente · ostensiblemente · ligeramente || a marchas forzadas** *Tras la catástrofe, el país se empobreció a marchas forzadas* · **rápidamente || intelectualmente · espiritualmente**

empobrecimiento s.m.

● CON ADJS. **relativo · gradual** *propuestas para atajar el empobrecimiento gradual del sector* · **progresivo · paulatino || constante · permanente · colectivo || cultural** *el empobrecimiento cultural de la sociedad* · **lingüístico · léxico · económico · afectivo · humano · ambiental || agudo · notable · alarmante · drástico · gran(de) · grave · lamentable · pavoroso || masivo · general · creciente · vertiginoso · galopante · inmediato · acelerado** *La sequía está produciendo el empobrecimiento acelerado del suelo*
● CON SUSTS. **causa (de)** *Habrá que estudiar a fondo las causas del empobrecimiento cultural del ciudadano medio* · **origen (de) · efecto (de) · consecuencia (de) · resultado (de) || situación (de) · proceso (de) · fenómeno (de) || víctima (de) · responsable (de) · culpable (de) || índice (de) · grado (de) · nivel (de)** *un estudio que analiza el nivel de empobrecimiento de la población en la zona*
● CON VBOS. **producir(se) || provocar · originar · causar · generar || acelerar · evitar · frenar || suponer · conllevar · reflejar || sufrir || contribuir (a) · conducir (a)** *Actividades de este tipo solo conducen al empobrecimiento de la empresa* · **tender (a) || luchar (contra) || resentirse (de)**
● CON PREPS. **a costa (de)**

empollar v. *col.*

▮ [estudiar mucho]

● CON SUSTS. **lección** *empollarse la lección para el examen* · **tema** · **libro** · **apuntes** · **temario** · **asignatura**

empollón, -a adj. *col.*

● CON SUSTS. **estudiante** · **niño,ña** · **alumno,na** *De niña era una alumna muy empollona* · ***otros individuos***

● CON VBOS. **volverse** · **hacerse**

empotrado, da adj.

● CON SUSTS. **armario** *Cada habitación cuenta con un armario empotrado* · **cama** · **caja fuerte** · **cocina** · **horno** · **bañera** · **luz**

empotrar(se) v.

● CON SUSTS. **automóvil** · **coche** · **camión** · **tren** · **autobús** · **moto** · ***otros vehículos*** || ***persona*** *El ciclista se salió de la carretera y se empotró contra un árbol* || **balón** · **bola** · **pelota**

● CON ADVS. **lateralmente** · **frontalmente** *El camión se empotró frontalmente contra el muro* · **de frente** · **de lleno** || **finalmente** · **posteriormente** || **espectacularmente** || **totalmente**

☐ USO Se construye generalmente con complementos encabezados por la preposición *contra*: *Resultaron heridos al empotrar su turismo contra una camioneta.*

[emprender] → emprender; emprender(la) (a)

emprender v.

● CON SUSTS. **camino** · **travesía** · **carrera** · **aventura** · **vuelo** · **gira** *El cantautor emprende la gira europea con ilusión y entusiasmo* · **viaje** · **recorrido** · **trayecto** · **rumbo** · **ruta** · **expedición** || **etapa** *emprender una nueva etapa* · **ciclo** · **período** · **fase** || **huida** · **fuga** · **marcha** · **retirada** · **éxodo** || **batalla** · **guerra** · **lucha** *La organización ha emprendido una ardua lucha contra la enfermedad* · **asalto** · **ofensiva** · **ataque** · **oposición** · **cruzada** || **acción** · **obra** · **actuación** · **campaña** · **operación** || **programa** · **proyecto** *Me ha propuesto que emprendamos juntos un proyecto de negocio* · **política** · **medida** · **plan** || **tarea** · **negocio** · **sesión** · **cometido** · **labor** · **actividad** · **misión** · **trabajo** · **iniciativa** · **intento** || **reforma** · **regreso** · **cambio** · **mudanza** · **reconversión** · **reestructuración** · **regeneración** || **búsqueda** · **investigación** *La Policía ha emprendido la investigación para identificar a los responsables de la estafa* · **negociación** · **proceso** · **estudio** || **huelga** · **movilización** · **revolución** || **diligencia** · **trámite** · **gestión**

● CON ADVS. **por cuenta** {**ajena/propia**} · **individualmente** · **conjuntamente** || **animosamente** · **con ganas** || **con decisión** · **decididamente** || **rápidamente**

☐ EXPRESIONES **emprenderla con** (alguien) [adoptar una actitud hostil frente a él] *col.*

emprender(la) (a) v. *col.*

● CON SUSTS. **golpes** · **palos** · **patadas** · **puntapiés** · **bofetadas** · **puñetazos** · **mamporros** || **gritos** *Los aficionados la emprendieron a gritos con el equipo tras el partido* · **voces** || **tiros** · **navajazos**

empresa s.f.

▮ [tarea difícil]

● CON ADJS. **arriesgada** *Fue aquello una empresa arriesgada, dadas las difíciles condiciones...* · **ardua** · **esforzada** · **inhumana** · **singular** || **gigantesca** · **descomunal** · **faraónica** · **de grandes proporciones**

● CON VBOS. **encarar** · **acometer** · **afrontar** *afrontar una empresa con éxito* · **abordar** · **culminar** || **embarcar(se) (en)** · **enrolar(se) (en)** || **salir airoso (de)** · **triunfar (en)**

▮ [organización]

● CON ADJS. **gran(de)** · **mediana** *...ayudas destinadas a medianas y pequeñas empresas* · **pequeña** || **productiva** · **solvente** · **puntera** · **lucrativa** · **boyante** · **dinámica** · **próspera** · **floreciente** · **pujante** · **competitiva** *Para que esta empresa sea competitiva es necesario que aumente su producción* · **estable** · **moderna** || **improductiva** · **deficitaria** · **ruinosa** · **de capa caída** · **insolvente** || **pública** *privatizar una empresa pública* · **privada** || **multinacional** · **nacional** · **internacional** · **transnacional** · **subsidiaria** · **proveedora** *Va a hablar con la empresa proveedora para...*

● CON SUSTS. **comité (de)** · **consejo (de)** || **plan (de)** · **convenio (de)** · **proyecto (de)** · **política (de)** *unos principios en contra de la política de empresa* · **filosofía (de)** · **cultura (de)** · **economía (de)** · **dirección (de)** || **libertad (de)** || **viaje (de)** · **coche (de)** · **regalo (de)**

● CON VBOS. **quebrar** · **irse a pique** · **hundir(se)** · **desmembrar(se)** · **disolver(se)** || **internacionalizar(se)** · **expandir(se)** · **expansionar(se)** · **prosperar** · **salir a flote** *La empresa salió a flote gracias a las ayudas concedidas* · **fraguar(se)** · **surgir** || **endeudar(se)** · **arruinar(se)** || **dedicar(se) (a algo)** *¿Sabes a qué se dedica esta empresa exactamente?* · **operar (en algo)** || **regentar** · **capitanear** · **dirigir** · **gobernar** · **gestionar** · **administrar** || **capitalizar** · **descapitalizar** || **crear** · **constituir** · **formar** · **montar** || **sostener** · **sacar a flote** *Conseguiste sacar a flote la empresa y por ello...* · **llevar adelante** || **dinamizar** · **sanear** *La junta directiva pretende sanear la empresa...* · **reactivar** · **renovar** · **reflotar** || **desestabilizar** · **boicotear** · **sangrar** · **desmontar** || **centralizar** · **aglutinar** · **refundir** · **privatizar** *privatizar una empresa pública* || **trabajar (en)** *¿En qué empresa trabajas?* || **invertir (en)** || **plegarse (a)**

empresario, ria s.

● CON ADJS. **destacado, da** *Asistieron a la cita los empresarios más destacados del país* · **exitoso,sa** · **conocido,da** · **prominente** · **próspero,ra** · **poderoso,sa** · **multimillonario,ria** · **reconocido,da** · **boyante** · **emprendedor, -a** || **competitivo** · **solvente** || **polémico,ca** · **honesto,ta** · **defraudador,-a** || **gran** · **pequeño,ña** · **mediano,na** *recursos financieros para el pequeño y mediano empresario* || **autónomo** || **venido a menos**

● CON VBOS. **tener éxito** · **triunfar** · **fracasar** || **enriquecer(se)** · **arruinar(se)** || **dirigir (algo)** · **negociar (algo)** *Los empresarios están negociando con los sindicatos la subida del próximo año* · **invertir (en algo)** || **acordar (algo)** · **pactar (algo)** · **deliberar** · **rebatir (algo)** || **procesar** || **condenar** · **acusar** || **chantajear**

● CON PREPS. **por cuenta (de)**

empuje s.m.

● CON ADJS. **avasallador** · **arrollador** *el empuje arrollador de la juventud* · **potente** · **poderoso** · **fuerte** · **dinámico** · **imparable** · **irrefrenable** · **irresistible** · **notable** || **continuo** · **uniforme** · **sostenido** || **innovador** · **inicial** || **económico** *si no hubiésemos desaprovechado el empuje económico de aquellos años de bonanza...* || **juvenil** · **nuevo** · **antiguo** || **lleno,na (de)**

● CON SUSTS. **capacidad (de)**

● CON VBOS. **tener** · **tomar** · **experimentar** · **perder** || **parar** · **frenar** *Los soldados no pudieron frenar el empuje*

de las tropas invasoras · **detener** · **vencer** || **sostener** · **resistir** · **aguantar** · **soportar** || **rendirse (a)** · **ceder (a)**
● CON PREPS. **con** · **sin** *Según la crítica, se trata de una película mediocre, anodina y sin empuje* || **gracias (a)**

[empujón] →a empujones; empujón

empujón s.m.

● CON ADJS. **fuerte** · **violento** · **contundente** · **brusco** || **pequeño** · **ligero** · **leve** || **definitivo** · **decisivo** · **importante** *Sería un importante empujón para el sector* || **inicial** · **final** · **último** || **súbito** || **necesario** || **económico** *gracias al fuerte empujón económico que supuso el ascenso de la bolsa* · **financiero**
● CON VBOS. **faltar (a alguien)** || **necesitar** || **dar** *Ya solo tienes que darle a tu tesis doctoral el último empujón* · **pegar** *Le pegó un empujón y le tiró por las escaleras* · **propinar** || **recibir** · **sufrir** || **resistir** · **aguantar** · **aprovechar** || **esquivar** *No pudo esquivar el empujón y se empotró en la pared* || **frenar**
□ EXPRESIONES **a empujones*** [empujando]

empuñar v.

● CON SUSTS. **arma** *una causa que mereciera empuñar las armas con mejor fin* · **pistola** · **fusil** · **espada** · **cuchillo** · **navaja** || **batuta** · **pluma** · **pincel** · **timón** · **volante** · **raqueta** · **micrófono**
● CON ADVS. **con firmeza** · **firmemente**

emular v.

● CON SUSTS. **maestro,tra** · **líder** *Negó que pretendiera emular al líder del país vecino* · **artista** · **modelo** · **mito** · **ídolo** · **antecesor,-a** · **predecesor,-a** · ***otros individuos*** || **éxito** · **gloria** · **hazaña** *para emular las hazañas de los héroes nacionales* · **grandeza** · **proeza** · **gesta** · **andanza** · **victoria** || **cultura** · **civilización** · **costumbre** · **comportamiento** || **movimiento** · **estilo** · **estética** · **escritura** · **arte** · **trabajo** *El joven pintor intenta emular el trabajo de su maestro* · **belleza** *...emulando así la belleza de la mujer clásica* || **pasos** · **vida** · **figura** · **trayectoria** · **carrera** || **sistema** · **fórmula** · **tarea** || **acción** · **actuación**

emulsión s.f.

● CON ADJS. **fotográfica** *una emulsión fotográfica muy sensible a la luz* · **plástica** || **laxante** · **de aceite** || **hidratante** · **nutritiva** · **reafirmante**
● CON VBOS. **incorporar** · **añadir** · **aplicar** || **conseguir** · **obtener**

en abierto loc.adv./loc.adj.

● CON VBOS. **televisar** *¿Televisan el partido en abierto?* · **transmitir (algo)** · **ofrecer (algo)** · **retransmitir (algo)** · **emitir (algo)** · **difundir (algo)** · **dar (algo)** *No interesa dar la manifestación en abierto*
● CON SUSTS. **televisión** · **canal** · **programación** · **retransmisión** · **emisión** || **partido** · **fútbol**

en activo loc.adj.

● CON SUSTS. **trabajador,-a** *una encuesta dirigida a los trabajadores en activo del sector agrario* · **profesional** · **abogado,da** · **ciclista** · **profesor,-a** · ***otros individuos***
● CON VBOS. **mantener(se)** · **seguir** · **permanecer** · **continuar** · **estar**

enajenación s.f.

▮ [trastorno]
● CON ADJS. **mental** *En un momento de enajenación mental...* · **humana** · **política** · **cultural** · **colectiva** || **transitoria** · **temporal** · **momentánea** · **pasajera**
● CON SUSTS. **ataque (de)** · **síntoma (de)** · **causa (de)** · **signo (de)** · **consecuencia (de)** · **efecto (de)** || **estado (de)** *La sospechosa se encontraba en un estado de enajenación transitoria* · **momento (de)** · **proceso (de)** || **diagnóstico (de)** || **atenuante (de/por)** · **eximente (de/por)**
● CON VBOS. **sufrir** · **padecer** || **alegar** || **provocar** · **causar** || **impedir** || **actuar (bajo)** || **absolver (por)** || **caer (en)** · **desembocar (en)**

▮ [transmisión]
● CON ADJS. **de bienes** *normas que facilitan el proceso de enajenación de bienes* || **total** · **parcial**
● CON SUSTS. **acto (de)** · **régimen (de)**
● CON VBOS. **autorizar** · **prohibir** · **aprobar** || **realizar** · **generar** || **proceder (a)**

en alza loc.adv./loc.adj.

● CON VBOS. **estar** · **seguir** · **mantenerse** || **cerrar** *La Bolsa cerró en alza en la sesión de ayer*
● CON SUSTS. **personaje** · **figura** · **artista** *una artista en alza y con gran talento* · **autor,-a** · **político,ca** · **jugador,-a** · **deportista** · **equipo** || **temperatura** *El Instituto de Meteorología anuncia temperaturas en alza para la próxima semana* || **mercado** · **sector** *...para invertir en un sector en alza* · **género** · **cotización** · **economía** · **negocio** · **actividad** · **servicio** · **turismo** || **precio** · **valor** · **tasa** · **tarifa** || **fenómeno** · **tendencia** · **moda** · **indicador** · **táctica** · **popularidad** · **prestigio** · **credibilidad** · **participación** · **opción** · **expectativa** || **demanda** · **consumo** || **ideal** · **ideología**
● CON ADVS. **continuamente** *un mercado continuamente en alza* · **permanentemente** · **claramente**

enamorado, da

1 enamorado, da adj.

● CON SUSTS. ***persona*** || **pareja** · **matrimonio** || **mirada** · **alma** · **corazón** · **beso** · **sonrisa** *...cuando sus labios dibujan esa hechicera sonrisa enamorada* · **canto**
● CON VBOS. **estar** · **caer** · **acabar** · **sentirse** · **andar** *Ahora dice que anda enamorada de un actor* || **seguir** · **mantenerse** · **continuar** · **parecer** || **vivir** · **casarse** *O me caso enamorado o no me caso*

2 enamorado, da s.

● CON ADJS. **eterno,na** · **incondicional** · **secreto,ta** · **anónimo,ma** · **ingenuo,nua** · **rendido,da** · **celoso,sa** · **ardoroso,sa** · **absoluto,ta**
● CON SUSTS. **pareja (de)** · **día (de)** *celebrar el día de los enamorados* · **riña (de)** · **disputa (de)**

enamorar(se) v.

● CON ADVS. **profundamente** *Era solo un niño cuando me enamoré profundamente de mi profesora* · **hasta la médula** · **hasta el tuétano** · **como un loco** · **como un tonto** · **como un colegial** · **como un burro** · **como un chaval** · **locamente** · **rendidamente** · **perdidamente** *Se conocieron y se enamoraron perdidamente uno del otro* · **ciegamente** · **peligrosamente** || **paulatinamente** *La convivencia ha hecho que paulatinamente se hayan ido enamorando* || **platónicamente** || **a primera vista**
□ USO Se construye con complementos encabezados por la preposición *de*: *Confesó que se había enamorado de su mejor amigo.*

[enano, na] →como un enano

en aras (de) loc.prep.

● CON SUSTS. **estabilidad** · **seguridad** · **equilibrio** · **armonía** · **amistad** *El Gobierno, en aras de la amistad con el país vecino, estaría dispuesto a hacer de intermediario* · **paz** · **libertad** · **concordia** · **entendimiento** · **tranquilidad** · **sosiego** · **normalidad** || **comodidad** · **bienestar** · **bien común** · **confort** || **transparencia** *En aras de la transparencia, todo funcionario deberá presentar un comprobante de todos sus gastos* · **objetividad** · **claridad** · **orden** · **credibilidad** || **eficacia** · **efectividad** · **rentabilidad** · **calidad** · **desenvolvimiento** · **eficiencia** · **rigor** || **solidaridad** · **tolerancia** · **respeto** · **comprensión** · **compromiso** · **convivencia** · **idealismo** · **igualdad** || **progreso** · **desarrollo** · **crecimiento** *medidas restrictivas que se tomaron responsablemente en aras del crecimiento económico a medio plazo* · **superación** · **renovación** · **cambio** · **mejora** || **interés** · **beneficio** · **ganancia** || **unidad** · **consenso** · **unanimidad** · **acuerdo** · **coherencia** · **cohesión** · **reunificación** || **arte** · **cultura** · **creación**

□ USO Se usa también la variante *en aras (a).*

enarbolar v.

● CON SUSTS. **bandera** · **enseña** · **insignia** · **estandarte** · **símbolo** · **imagen** || **trofeo** · **pañuelo** · **pancarta** · **cartel** || **arma** · **machete** · **espada** · **hacha** || **dedo** · **puño** · **brazo** || **patriotismo** · **marxismo** · **nacionalismo** · **socialismo** *Enarbolaba, defendía y aplicaba el socialismo* · ***otras tendencias e ideologías*** || **reivindicación** · **pretensión** · **demanda** || **mensaje** · **idea** · **ideal** · **utopía** · **premisa** · **propuesta** · **postura** · **consigna** *Si enarbolan ustedes esa consigna, defienden a un dictador* · **ideología** · **tesis** · **discurso** · **manifiesto** || **principio** · **valor** · **derecho** · **verdad** · **honra** · **libertad** *un Gobierno que dice enarbolar la libertad de expresión, pero que intenta acallar las voces disidentes* || **defensa** · **interés** · **protección** *Los partidos ecologistas enarbolan la protección del medio ambiente como parte sustancial de su programa* || **constitución** · **decreto** · **edicto** · **expediente** · **resolución** · **sentencia**

enardecer(se) v.

● CON SUSTS. **muchedumbre** · **multitud** · **público** · **afición** · **masas** · **fan** · **seguidor,-a** · **manifestante** · ***otros individuos y grupos humanos*** || **ánimo** *El encendido discurso enardeció el ánimo de los presentes* · **pasión** · **frenesí** · **sentimiento** · **corazón** · **actitud** || **debate** · **comentario** · **conversación** · **discusión** · **respuesta** || **voz** · **grito** · **aplauso**

en ayuda (de alguien) loc.adv.

● CON VBOS. **ir** *Al oír su grito, fuimos todos en su ayuda* · **venir** · **acudir** · **correr** · **salir** || **intervenir** · **volcarse** · **lanzarse** · **llegar**

en ayunas loc.adv.

● CON VBOS. **estar** · **quedar(se)** · **permanecer** · **seguir** || **tener (a alguien)** *La han tenido toda la mañana en ayunas por unos análisis* · **dejar (a alguien)**

en balde loc.adv.

● CON VBOS. **pasar (el tiempo)** *Los años no habían pasado en balde* · **transcurrir** || **trabajar** · **dedicarse** || **buscar** · **intentar** · **tratar** · **esforzarse** || **esperar** *Dígales que no vendrá hoy para que no esperen en balde* · **aguardar** · **soportar** || **viajar** · **ir** · **venir** *Me parece que he venido en balde* || **pedir** · **reclamar** · **luchar** || **hablar** · **explicar** · **aconsejar**

en bandeja loc.adv./loc.adj.

● CON VBOS. **poner** · **servir** *una oportunidad única que te han servido en bandeja* · **ofrecer** · **entregar** · **presentar** · **brindar** · **dar** · **traer** · **enviar**

● CON SUSTS. **partido** · **campeonato** · **competición** · **gol** · **balón** · **pase** *Le sirvió el pase en bandeja* || **triunfo** · **victoria** · **éxito** · **título** · **oro** · **podio** · **estrellato** || **posibilidad** · **oportunidad** *Aprovecha la oportunidad que te han puesto en bandeja* · **ocasión** · **alternativa** · **baza** · **regalo** · **bocado** · **voto** || **argumento** *Más que una justificación plausible es un argumento en bandeja* · **polémica** · **excusa** · **discusión** · **respuesta** · **réplica** · **chiste** || **poder** · **alcaldía** · **candidatura** *una candidatura a medida y servida en bandeja por el partido* · **mayoría**

en barrena loc.adv.

● CON VBOS. **entrar** · **caer** *De repente vieron cómo el avión caía en barrena* · **descender**

en batería loc.adv./loc.adj.

● CON VBOS. **aparcar** *En esta zona hay que aparcar en batería* · **estacionar**

● CON SUSTS. **coche** · **autocar** · **vehículo** *Se ha habilitado una zona para el aparcamiento de vehículos en batería* || **aparcamiento** · **estacionamiento**

en blanco loc.adv./loc.adj.

▮ [sin texto escrito]

● CON VBOS. **votar** *¿Vas a votar en blanco?* · **firmar**

● CON SUSTS. **cheque** · **pagaré** · **factura** · **talón** || **página** · **papel** · **hoja** *Invéntate algo, pero no dejes la hoja en blanco* · **examen** · **documento** · **folio** *¿Me puedes pasar un folio en blanco?* || **voto** · **papeleta** · **boleta** · **sufragio** || **espacio** · **columna** · **casilla** *Prefiero dejar la casilla en blanco*

▮ [sin capacidad para pensar o recordar]

● CON VBOS. **quedarse** *quedarse en blanco en un examen* · **estar**

● CON SUSTS. **mente** *Procura poner la mente en blanco para relajarte*

▮ [sin actividad]

● CON SUSTS. **año** *Después de un año en blanco, por fin tengo trabajo* · **temporada** · **curso** · **día** · ***otros períodos***

▮ [sin dormir]

● CON SUSTS. **noche** *Llevo dos noches seguidas en blanco*

● CON VBOS. **pasar la noche** *En los días de más calor pasaba las noches enteras en blanco*

en boga loc.adv./loc.adj.

● CON VBOS. **estar** · **poner(se)** *un tema que se ha puesto en boga últimamente* · **seguir**

● CON SUSTS. **tendencia** · **idea** · **tema** · **asunto** || **costumbre** · **práctica** · **uso** || **lenguaje** · **palabra** · **expresión** || **actor** *A la presentación acudieron los actores más en boga del momento* · **actriz** · **artista** · ***otros individuos***

en buena lid loc.adv.

● CON VBOS. **luchar** · **competir** *Ambos equipos han competido en buena lid por la medalla de oro* · **disputar** · **jugar** · **enfrentarse** || **ganar** · **triunfar** || **perder**

en cabestrillo loc.adj.

● CON SUSTS. **brazo** *Tiene un brazo en cabestrillo como consecuencia de la caída* · **dedo** · **pierna**

● CON VBOS. **mantener(se)**

encabezamiento

1 **encabezamiento** s.m.

●CON ADJS. **sugestivo · sugerente · original · atractivo || confuso · pomposo · extraño · raro · ininteligible**
●CON SUSTS. **frase (de) · fórmula (de)** *fórmulas de encabezamiento de las cartas comerciales*
●CON VBOS. **rezar (algo)** *El encabezamiento del artículo rezaba así...* · **decir (algo) || tener · llevar || leer** *Primero suelo leer el encabezamiento de los artículos y si este me atrae...* **|| figurar (en) || empezar (con)**

2 **encabezamiento (de)** s.m.

●CON SUSTS. **escrito · carta** *En el encabezamiento de la carta se suele poner el nombre del destinatario* · **nota · artículo · crónica ·** ***otros textos***

encabritarse v.

●CON SUSTS. **caballo** *Se encabritó el caballo y casi echa al jinete al suelo* · **yegua ·** ***otros animales*** **||** ***persona*** *Se ha encabritado y ha salido dando un portazo* **|| corazón || barca · lancha**

en cadena loc.adv./loc.adj.

●CON VBOS. **colisionar · chocar || reproducir** *Los efectos de la subida del petróleo se reproducen en cadena* · **montar · fabricar · producir · trabajar || cerrar · desaparecer · anular · quebrar**
●CON SUSTS. **choque** *un choque en cadena en la autopista* · **colisión · accidente · alcance || reacción · efecto · consecuencia || producción · trabajo · fabricación · ensamblaje · montaje** *montaje de coches en cadena* **|| protesta · huelga · apelación · denuncia · paro · rechazo · reivindicación || dimisión · quiebra · cierre** *La crisis conlleva el cierre en cadena de muchas empresas* · **cancelación · denegación · retirada · despido · suspensión · divorcio · amnistía || asesinato · atentado · muerte · matanza · suicidio · robo · estallido · explosión || catástrofe · desastre · convulsión · cataclismo · intoxicación || fallo** *La Policía no encuentra explicación para estos fallos en cadena* · **error · avería · descalabro · negligencia || detención · juicio || acusación** *La investigación de los hechos provocó una serie de acusaciones en cadena que están siendo analizadas* · **descalificación · pregunta · mensaje · declaración**
□USO Aparece frecuentemente en combinaciones con sustantivos en plural: *una serie de errores en cadena.*

encajar v.

▮ [ajustar, acoplarse]

●CON SUSTS. **pieza · tornillo · palanca · llave** *La llave no encaja en la cerradura* **|| gorro · boina · sombrero ||** ***persona*** *El nuevo secretario no termina de encajar en el departamento*
●CON ADVS. **como anillo al dedo · a las mil maravillas · armoniosamente · perfectamente** *Pienso que los componentes del grupo van a encajar perfectamente* · **a la perfección · adecuadamente · al dedillo · cómodamente · como un guante · excelentemente || ni a la de tres · difícilmente**

▮ [recibir, aceptar]

●CON SUSTS. **noticia · información · editorial · aviso · mensaje · artículo · discurso** *La oposición ha encajado mal el discurso del presidente* **|| gol · punto · tanto · canasta || golpe** *Hay que saber encajar los golpes que le da a uno la vida* · **varapalo · revés · bofetada · puñetazo · mazazo · palo · envite · chantaje || problema · crisis** *La empresa encajó la crisis con cautela* · **dificultad · adversidad || crítica · descalificación · broma** *encajar una broma con buen humor* · **invectiva · novatada · insulto · ironía || castigo · condena · reprimenda · correctivo || resultado · fallo · sentencia · derrota · fracaso · eliminación · caída**
●CON ADVS. **fácilmente** *No encaja fácilmente las críticas* · **con facilidad · con dificultad · difícilmente || plenamente · por completo · totalmente || con deportividad · deportivamente · con buen humor || resignadamente · con resignación · de buen grado**

encaje s.m.

▮ [tejido]

●CON ADJS. **bordado || fino · delicado**
●CON SUSTS. **pañuelo (con) · vestido (de) · prenda (con)**
●CON VBOS. **realizar · hacer || rematar (con) · decorar (con)**

▮ [ajuste]

●CON ADJS. **difícil** *un difícil encaje de horario*
●CON SUSTS. **capacidad (de)**
●CON VBOS. **buscar · tener** *una norma que tiene difícil encaje en nuestro ordenamiento jurídico*
□EXPRESIONES **encaje de bolillos** [actividad difícil y delicada]

encalar v.

●CON SUSTS. **fachada · pared** *Encalan las paredes todos los años* · **casa · azotea · patio**
●CON ADVS. **nuevamente · frecuentemente · periódicamente || completamente · totalmente**

en caliente loc.adv.

●CON VBOS. **hablar · decir** *En caliente se dicen cosas que uno no diría calmado* · **declarar · contestar · responder · discutir · intervenir || escoger · elegir · decidir || operar · resolver · comprobar · abordar · reaccionar**

encallar v.

●CON SUSTS. **buque** *El buque encalló entre las rocas* · **navío · barco · petrolero · yate · velero · pesquero ·** ***otras embarcaciones*** **|| negociación · proceso · investigación**
●CON ADVS. **definitivamente**

encallecer(se) v.

●CON SUSTS. **piel · mano** *manos encallecidas de remendar redes* · **pie ·** ***otras partes del cuerpo*** **|| corazón · espíritu · sensibilidad · alma**

en cámara lenta loc.adv./loc.adj. Véase **a cámara lenta**

encaminar(se) v.

●CON ADVS. **directamente** *La borrasca se encamina directamente al noreste del país* **|| inexorablemente · inevitablemente** *Su carrera se encaminaba inevitablemente al fracaso* · **irremediablemente · decididamente · resueltamente · de todas todas**

en camino loc.adv./loc.adj.

●CON VBOS. **poner(se)** *Tan pronto como se haga de día nos pondremos en camino* **|| estar** *No ha terminado la tesis, pero siempre dice que está en camino* · **hallar(se) || ir · venir** *Tiene tres niñas, y otra que viene en camino* **|| seguir · continuar**

• CON SUSTS. **bebé** *Estamos muy felices pues ya hay un bebé en camino* || **viajero,ra** · **peregrino,na** · **vehículo** · **ayuda**

en campaña loc.adv./loc.adj.

• CON VBOS. **entrar** *Los políticos están preparados para entrar en campaña* · **estar** · **andar** · **seguir** · **continuar** || **visitar (algo)** · **recorrer (algo)** || **prometer (algo)**
• CON SUSTS. **político,ca** · **ministro,tra** · **candidato,ta** *Mañana se enfrentan en un debate público todos los candidatos en campaña* || **equipo**

encantado, da adj.

• CON SUSTS. **público** · **auditorio** *El auditorio se quedó encantado con su actuación* · **espectador,-a** · ***otros individuos y grupos humanos***
• CON VBOS. **estar** · **ir** · **salir** || **atender** · **informar** *Si tiene alguna pregunta, la informaré encantada* · **ayudar** || **quedar(se)** · **sentirse** · **mostrar(se)** || **aceptar** *Acepto encantada la invitación* · **hacer**

encantador, -a

1 **encantador, -a** adj.

• CON SUSTS. **gente** · **público** · **familia** *Cuando los conocí me pareció una familia encantadora* · **persona** · ***otros individuos y grupos humanos*** || **personalidad** · **carácter** || **gesto** · **sonrisa** · **voz** || **relato** · **composición** · **historia** *Nos contó una historia encantadora sobre cómo conoció a su novio* · **libro** · **película** · **música** || **paisaje** · **imagen** · **vista** · **ciudad** · **edificio** || **fantasía** || **efecto** · **demostración**
• CON ADVS. **absolutamente** *una ciudad absolutamente encantadora*
• CON VBOS. **mostrarse** *Con nosotros siempre se ha mostrado encantador* · **resultar**

2 **encantador, -a** s.

• CON ADJS. **de serpientes**

encantamiento s.m.

• CON ADJS. **profundo** · **misterioso** || **maligno** · **malvado** || **sonoro** · **musical** || **preso,sa (de)**
• CON SUSTS. **capacidad (de)** · **arte (de)**
• CON VBOS. **acabar(se)** · **disipar(se)** || **hacer (a alguien)** || **romper** *Al final del cuento, el príncipe rompe el encantamiento con un beso* · **deshacer** || **liberar(se) (de)** · **defender(se) (de)** || **sucumbir (a)**
• CON PREPS. **por**

[encanto] → como por encanto; encanto

encanto s.m.

• CON ADJS. **especial** · **singular** *Su singular encanto me cautivó* · **peculiar** · **raro** · **particular** · **indefinible** · **inefable** · **misterioso** · **oculto** || **subyugante** *el encanto subyugante de esta gran actriz* · **arrollador** · **cautivador** · **irresistible** · **incomparable** || **sencillo** · **discreto** || **exclusivo** · **personal** || **verdadero** · **dulce** · **ingenuo** · **natural** || **lleno,na (de)** *una ciudad llena de encantos* || **sensible (a)**
• CON VBOS. **emanar (de algo/de alguien)** || **radicar (en algo)** · **residir (en algo)** || **marchitar(se)** *Con el paso del tiempo su encanto se fue marchitando* · **disipar(se)** · **esfumar(se)** || **tener** · **poseer** · **ganar** || **ofrecer** · **transmitir** · **derrochar** · **mostrar** *En esta película muestra todos sus encantos* · **desplegar** · **revelar** · **lucir** · **exhibir** · **descubrir** || **utilizar** · **usar** || **mantener** · **conservar** · **romper** · **perder** *...cuando se pierde el encanto de lo misterioso y lo desconocido* || **rendirse (a/ante)** *Todos se rindieron ante sus encantos* · **sucumbir (a)** · **ceder (a)** · **contribuir (a)** · **gozar (de)** · **disfrutar (de)** || **resistir (a)** · **sustraerse (a)** || **dotar (de)**

encapotado, da adj.

• CON SUSTS. **cielo** || **tarde** · **día** · **noche** · **amanecer** · **atardecer**
• CON ADVS. **totalmente** · **parcialmente** *El cielo estaba parcialmente encapotado*
• CON VBOS. **estar** · **ponerse**

encarar v.

• CON SUSTS. **jefe,fa** *Encaró a su jefe y le dijo que renunciaba* · **reportero,ra** · **agresor,-a** · **rival** · **equipo** · ***otros individuos y grupos humanos*** || **portería** · **plaza** || **futuro** *Procuramos encarar el futuro con optimismo* · **legislatura** · **semana** · **año** || **vida** · **camino** · **curso** · **carrera** · **boda** · **partido** || **ola de frío** · **nevada** · **viento** · **vendaval** || **pena** · **decepción** · **necesidad** · **sufrimiento** · **suplicio** · **tribulación** · **drama** || **cambio** · **reforma** *El Gobierno se dispone a encarar la reforma del sistema de pensiones* · **transformación** · **adecuación** · **renovación** · **reestructuración** · **restauración** · **reconversión** || **meta** · **objetivo** · **reto** · **desafío** · **reivindicación** · **solicitud** · **horizonte** · **perspectiva** || **viaje** · **gira** · **rumbo** || **amenaza** *Hay que encarar las amenazas con determinación y valentía* · **aventura** · **riesgo** · **ataque** · **presión** · **embestida** || **polémica** · **problema** · **dilema** || **debate** · **diálogo** · **respuesta** · **acusación** · **crítica** · **reportaje** · **entrevista** || **investigación** *Se habló de la necesidad de encarar la investigación de forma interdisciplinaria* · **análisis** · **búsqueda** || **causa** · **motivo** · **raíz** || **compromiso** · **responsabilidad** · **obligación** || **posibilidad** · **hipótesis** · **iniciativa**
• CON ADVS. **a fondo** · **en profundidad** || **con éxito** · **exitosamente** · **sin éxito** || **con arrojo** · **valientemente** · **con valentía** || **con firmeza** *Exigen al Gobierno que encare con firmeza el conflicto* · **con decisión** · **con seguridad** || **directamente** · **frontalmente** · **abiertamente**

encarecer(se) v.

• CON SUSTS. **precio** · **tarifa** · **costo** · **coste** || **producto** *El transporte aéreo encarece considerablemente el producto* · **servicio** · **proceso** · **producción** · **fabricación** · **elaboración** || **crudo** · **combustible** · **vivienda** · **vida** · **consumo** || **proyecto** · **crédito** · **exportación** · **importación**
• CON ADVS. **excesivamente** · **desorbitadamente** · **exageradamente** · **abusivamente** · **espectacularmente** · **tremendamente** · **notablemente** · **considerablemente** · **enormemente** · **ostensiblemente** || **levemente** · **moderadamente** · **ligeramente** || **indirectamente**

encarecidamente adv.

• CON VBOS. **rogar** *Les rogó encarecidamente que se quedaran un día más* · **pedir** · **solicitar** · **reclamar** · **requerir** · **instar** · **invitar** || **recomendar** · **aconsejar** · **advertir** || **defender** · **elogiar** · **ponderar**

encarecido, da adj.

• CON SUSTS. **petición** · **llamamiento** *un llamamiento encarecido a la población* · **demanda** · **súplica** · **ruego** · **recomendación** || **defensa** *su encarecida defensa de la democracia*

encarecimiento s.m.

• CON ADJS. **sumo** · **fuerte** · **ostensible** · **drástico** · **alto** · **cuantioso** · **notable** · **notorio** · **progresivo** · **sostenido** · **desmedido** · **incontrolado** · **incontrolable** · **exagerado**

|| **leve** · **moderado** · **pequeño** · **ligero** || **general** *Los analistas auguran un encarecimiento general del precio de la vivienda*

●CON SUSTS. **causa (de)** · **consecuencia (de)** · **repercusión (de)** · **efecto (de)**

●CON VBOS. **producir(se)** || **aumentar** · **reducir** · **mitigar** · **frenar** · **controlar** || **provocar** *La crisis ha provocado un desmedido encarecimiento del petróleo* · **ocasionar** · **generar** · **acelerar** || **representar** · **causar** · **conllevar** · **suponer** · **significar** || **acusar** · **sufrir** · **experimentar** || **prever** · **anticipar** || **llevar (a)** || **derivar (de)**

encargar(se) v.

●CON ADVS. **personalmente** *Prefiero encargarme personalmente del asunto* · **en persona** || **en exclusiva** || **indefinidamente** · **temporalmente** · **provisionalmente** · **por el momento** · **definitivamente**

□USO Se construye a menudo con complementos encabezados por la preposición *de*: *encargarse temporalmente del negocio.*

encargo s.m.

●CON ADJS. **difícil** · **delicado** · **comprometido** · **ingrato** || **grato** · **agradable** · **honroso** || **expreso** *por encargo expreso de mi jefa* · **directo** · **personal** · **verbal** · **especial** || **numerosos** · **continuos**

●CON VBOS. **recaer (en alguien)** · **corresponder (a alguien)** || **mandar (a alguien)** · **asignar (a alguien)** · **confiar (a alguien)** · **endosar (a alguien)** || **tener** *¿Cuántos encargos tienes para mañana?* · **asumir** · **aceptar** *No pude aceptar el encargo porque no tenía tiempo suficiente* · **recibir** · **atender** || **hacer** · **realizar** · **cumplir** || **incumplir** · **rechazar** *Raras veces rechaza un encargo*

●CON PREPS. **por** · **de**

encarnado, da adj.

●CON SUSTS. **cara** · **mejillas** *Después de la carrera traían las mejillas encarnadas*

➤ Véase también **COLOR**

encarnar v.

●CON SUSTS. ***persona*** *...actor que encarna en la serie al genial músico* || **personaje** *En su última película encarna a un famoso personaje romano* · **figura** · **protagonista** · **héroe** · **papel** · **rol** || **mito** · **ideal** · **espíritu** · **mentalidad** · **esperanza** || **idea** · **modelo** · **prototipo**

●CON ADVS. **prototípicamente** *Encarna prototípicamente a la mujer independiente actual* · **emblemáticamente** · **ejemplarmente** · **típicamente** || **convincentemente** || **dignamente**

en carne propia loc.adv.

●CON VBOS. **sufrir** *Sufrió en carne propia las consecuencias de la guerra* · **padecer** · **soportar** · **recibir** || **experimentar** · **vivir** · **sentir** · **comprobar** · **probar** · **conocer** · **descubrir**

en carne y hueso loc.adv.

●CON VBOS. **aparecer** · **comparecer** · **desembarcar** · **presentarse** · **estar presente** || **ver (a alguien)** · **escuchar (a alguien)** · **presenciar** || **conocer (a alguien)** *¿Pero la has conocido en carne y hueso?* · **encontrarse (a alguien)**

encarnizadamente adv.

●CON VBOS. **combatir** · **luchar** *Ambos equipos lucharon encarnizadamente por la victoria* · **defender** · **disputar** · **competir** · **enfrentar(se)** · **pelear** || **continuar** *La pelea entre los jóvenes continuó encarnizadamente durante más de una hora* · **desarrollar** · **proseguir** · **perseguir**

encarnizado, da adj.

●CON SUSTS. **lucha** · **combate** · **guerra** · **enfrentamiento** · **batalla** · **pelea** · **ataque** · **contienda** · **debate** · **competición** · **conflicto** · **campaña** · **riña** · **discusión** *Comenzó una encarnizada discusión que duró toda la noche* · **persecución** · **duelo** · **ofensiva** · **partida** · **juego** · **negociación** · **matanza** || **sátira** · **denuesto** · **polémica** · **crítica** *El ministro de economía sufrió las críticas encarnizadas de la oposición* || **resistencia** · **defensa** · **obstinación** · **oposición** || **rival** · **enemigo,ga** · **defensor,-a** · **adversario,ria** *Tras un duro partido, el equipo logró vencer a su más encarnizado adversario* · **detractor,-a** · **opositor,-a** · **crítico,ca** · **jugador,-a** · ***otros individuos y grupos humanos*** || **odio** · **desprecio** · **racismo**

encarrilar v.

●CON SUSTS. **tren** · **vagón** · **locomotora** · **tranvía** || **hijo,ja** · **alumno,na** · **pupilo,la** · **equipo** · ***otros individuos y grupos humanos*** || **sindicato** · **empresa** *El comité acordó nuevas medidas y actuaciones para encarrilar la empresa* · **país** · **organización** || **partido** · **encuentro** · **eliminatoria** || **triunfo** *El delantero no tardó en encarrilar el triunfo de su equipo* · **clasificación** · **victoria** || **asunto** · **cuestión** · **situación** · **tema** || **proceso de paz** · **negociación** · **conversación** · **acuerdo** *Los grupos políticos van encarrilando los acuerdos que permitirán la formación del Gobierno* · **pacto** · **paz** || **desarrollo** · **evolución** · **transición** · **reforma** · **cambio** || **futuro** · **destino** · **previsión** || **vida** *una decisión que les permitió volver a encarrilar su vida de pareja* · **carrera** · **trayectoria** || **legislatura** · **mandato** · **año**

encasillar (en) v.

●CON SUSTS. **tendencia** · **estilo** *La crítica lo ha encasillado en un estilo que no es el suyo* · **género** · **modalidad** · **corriente** · **movimiento** · **ideología** · **dogma** · **gremio** · **profesión** · **parcela** · **mundo** · **especialidad** || **rol** · **estereotipo** · **personaje** · **papel** *Lo han encasillado en ese papel y siempre termina haciendo de malo*

en caso (de) loc.prep.

●CON SUSTS. **urgencia** *En caso de urgencia, llame al número...* · **emergencia** · **peligro** · **accidente** · **siniestro** · **choque** · **fuga** || **enfermedad** · **malformación** · **muerte** *El seguro dice que en caso de muerte del cónyuge...* || **fallo** · **anomalía** · **desastre** · **incendio** · **inundación** · **avería** · **rotura** || **crisis** · **huelga** · **conflicto** · **guerra** · **ataque** || **infracción** · **incumplimiento** · **desobediencia** · **reincidencia** *En caso de reincidencia, la condena aumentaría significativamente* · **delito** · **desfalco** || **expropiación** · **sanción** || **liquidación** · **disolución** · **suspensión** · **interrupción** || **renuncia** *¿Qué ocurriría en caso de renuncia?* || **victoria** · **empate** · **derrota** || **ausencia** · **pérdida** · **extravío** || **necesidad** · **duda** *En caso de duda pregunte por el secretario* || **robo** · **atraco** · **violación** · ***otros delitos***

encasquetar v.

▮ [encajar]

●CON SUSTS. **sombrero** *encasquetarse el sombrero hasta las cejas* · **boina** · **gorra** · **gorro** · **capucha**

▮ [adjudicar, atribuir]

●CON SUSTS. **tarea** *Siempre le encasquetan las tareas más difíciles* · **trabajo** · **misión** · **encargo** · **gestión** || **nombre** · **apodo** · **apelativo**

encasquillar(se) v.

• CON SUSTS. **arma** *Se le encasquilló el arma y no pudo disparar* · **cañón** · **pistola** · **escopeta** · **gatillo** || **cerradura** || **idea** · **proyecto** · **investigación**

encauzar v.

• CON SUSTS. **agua** · **río** · **flujo** · **corriente** || **vida** · **carrera** *Tienes que encauzar tu carrera hacia la opción que más te interese* · **trayectoria** · **camino** · **rumbo** · **futuro** · **solución** · **comportamiento** · **actitud** || **negociación** · **debate** · **diálogo** · **conversación** · **esfuerzos** *La asociación ha encauzado sus esfuerzos hacia la lucha contra la leucemia* || **trabajo** · **proyecto** · **investigación** || **relación** · **situación** · **proceso** · **desarrollo** *encauzar el desarrollo económico de la región* || **país** · **política** · **economía** || **crisis** · **conflicto** · **problema** · **frustración** · **malestar** || **protesta** · **revuelta** || **triunfo** · **victoria** *Con el tercer gol el equipo encauzó la victoria* · **éxito** · **partido** · **encuentro**
• CON ADVS. **debidamente** · **adecuadamente** · **correctamente** · **favorablemente** · **ordenadamente** || **nuevamente** · **definitivamente** || **pacíficamente** *Su intervención ha servido para encauzar pacíficamente la negociación* · **armoniosamente** || **ligeramente** || **críticamente** || **jurídicamente**

encendedor s.m.

• CON ADJS. **de gas** · **recargable** || **de coche** *Tienes que enchufar el cargador del móvil al encendedor del coche* · **de bolsillo** · **de cocina**
• CON VBOS. **funcionar** · **estropearse** || **pedir** · **prestar** · **dejar** || **llevar** · **tener**

encender v.

• CON SUSTS. **cerilla** · **fósforo** · **mechero** · **mecha** · **vela** · **antorcha** · **bengala** || **fuego** · **hoguera** · **lumbre** · **llama** · **chispa** || **chimenea** *Lo primero que hicimos fue encender la chimenea* · **cocina** · **estufa** || **cigarrillo** · **puro** || **luz** *Encienda la luz, por favor, que no veo nada* · **bombilla** · **lámpara** · **farol** · **faro** *Ya se está haciendo de noche; deberías encender los faros* · **foco** || **coche** · **moto** · ***otros vehículos*** || **alarma** · **señal** || **televisión** *¿Puede encender la televisión?* · **radio** · **calefacción** · **radiador** · **motor** · ***otros aparatos*** || **ánimo** *Más que tranquilizar a la población, las declaraciones han servido para encender los ánimos de la gente* · **ira** · **pasión** · **polémica** · **ilusión** · **esperanza** · **entusiasmo** · ***otros sentimientos o emociones***

encendido, da adj.

▮ [vivo, intenso]

• CON SUSTS. **rojo** · **azul** · ***otros colores*** || **tono** · **cromatismo** || **mejilla** *con las mejillas encendidas por el rubor* · **cara** · **rostro**

▮ [apasionado, intenso]

• CON SUSTS. **partidario,ria** *un encendido partidario de los avances tecnológicos* · **defensor,-a** · **demócrata** · ***otros seguidores de algo*** || **verbo** *Lanzaba soflamas apocalípticas con su verbo encendido* · **palabra** || **libro** · **ensayo** · **poema** · **párrafo** · **verso** · ***otras obras*** || **discurso** · **proclama** · **declaración** *actriz famosa por sus encendidas y polémicas declaraciones políticas* · **manifiesto** · **mensaje** · **intervención** || **polémica** · **debate** · **controversia** · **discusión** · **disputa** || **protesta** · **crítica** · **diatriba** *Atacó luego al escritor con una feroz y encendida diatriba* || **defensa** · **elogio** · **admiración** · **lisonja** || **lucha** · **guerra** · **batalla** || **ánimo** *con el ánimo encendido por el reciente triunfo* · **amor** · **odio** · **pasión** · **entusiasmo**
• CON VBOS. **estar** · **poner(se)**

encerrar v.

• CON SUSTS. **niño,ña** · **perro,rra** · **juguete** · **tesoro** · ***otros seres materiales*** || **misterio** *Su ilusionante discurso parecía encerrar algún misterio* · **secreto** · **enigma** || **mensaje** · **trasfondo** · **moraleja** *El cuento encierra una evidente moraleja* || **pensamiento** · **idea** || **peligro** · **riesgo** · **trampa** · **dificultad** *las muchas dificultades que este complejo asunto encierra*
• CON ADVS. **entre cuatro paredes** · **bajo llave** *encerrar a los perros bajo llave* · **a cal y canto** · **herméticamente** || **indefinidamente** · **definitivamente** · **a perpetuidad** · **de por vida** || **en vida**

encestar v.

• CON SUSTS. **canasta** · **tiro** · **lanzamiento** *El base encestó un lanzamiento triple* · **pedrada** · **mate** · **punto** · **tanto** · **triple** || **balón** · **pelota** · **bola**
• CON ADVS. **fácilmente** · **a la primera** || **sin titubear** · **decididamente**

encharcar v.

• CON SUSTS. **pulmón** || **suelo** · **campo** · **tierra** *Esta tierra se encharca con facilidad* · **asfalto** · **acera** · **césped** · **terreno** · **calle** · **carretera** || **zapatos** || **planta** · **raíces** || **agua** *En algunos tramos el agua llegó a encharcarse*
• CON ADVS. **totalmente** · **completamente** || **artificialmente**

enchufar v.

▮ [conectar a la red eléctrica]

• CON SUSTS. **máquina** · **sensor** · **artilugio** · **programa** · **mecanismo** · **equipo** || **televisión** *Enchufa la televisión tú que estás más cerca* · **radio** · **calefacción** · **ordenador** · **electrodoméstico** · **plancha** · ***otros aparatos eléctricos*** || **clavija** · **enchufe** · **borne**

▮ [proporcionar un beneficio por influencias] *col.*

• CON SUSTS. ***persona*** *Ha enchufado a su hijo en la empresa*

▮ [enfocar, dirigir hacia un punto] *col.*

• CON SUSTS. **linterna** · **manguera** · ***otros objetos***

enchufe s.m.

▮ [dispositivo de conexión]

• CON ADJS. **eléctrico** · **de corriente** · **con toma de tierra**
• CON VBOS. **funcionar** || **arrancar** · **romper(se)** · **arreglar** || **poner** · **colocar** · **quitar** · **sacar** || **tirar (de)** || **meter los dedos (en)** || **enchufar (en/a)** · **conectar (a)**

▮ [recomendación, influencia] *col.*

• CON ADJS. **paterno** · **familiar**
• CON VBOS. **buscar** · **necesitar** *Si quieres conseguir ese trabajo necesitas un buen enchufe* · **conseguir** || **tener** · **aprovechar** || **contar (con)** · **carecer (de)** || **entrar (por)** *Entró a trabajar allí por enchufe*
• CON PREPS. **con** · **por**

enciclopedia s.f.

• CON ADJS. **universal** *Tenemos una enciclopedia universal en la biblioteca de casa* · **temática** · **especializada** || **completa** · **incompleta** || **ilustrada** · **multimedia** *Ha salido una nueva enciclopedia multimedia al mercado* · **electrónica** · **digital** · **virtual** || **coleccionable**
• CON SUSTS. **volumen (de)** · **tomo (de)** · **fascículo (de)** · **ejemplar (de)** · **edición (de)** · **página (de)** || **manejo (de)** · **consulta (de)**

● CON VBOS. **usar** · **consultar** *Puedes consultar la enciclopedia para tener más datos sobre...* · **manejar** || **hacer** · **crear** · **redactar** · **escribir** · **editar** · **preparar** · **publicar** *La editorial publicó su nueva enciclopedia a principios del curso académico* · **presentar** || **buscar (en)** · **mirar (en)** || **trabajar (en)**

en ciernes loc.adj.

● CON SUSTS. **estrella** · **figura** · **artista** · **genio** · **equipo** · **escritor,-a** *Son los mejores consejos que se pueden dar a un escritor en ciernes* · **director,-a** · **presidente,ta** · ***otros individuos y grupos humanos*** || **democracia** · **reforma** · **revolución** || **acuerdo** · **operación** · **proyecto** *La transformación de la red viaria es todavía un proyecto en ciernes* · **negocio** || **enfermedad** · **infección**

[encima] → por encima

encina s.f.

● CON SUSTS. **bellota (de)** · **dehesa (de)** · **leña (de)**
➤ Véase también **ÁRBOL**

en circulación loc.adv./loc.adj.

● CON VBOS. **poner** *El mes que viene ponen en circulación los nuevos billetes* · **entrar** · **estar** · **mantener**
● CON SUSTS. **dinero** · **moneda** *¿Cuál es la moneda en circulación de este país?* · **billete** · **sello** || **libro** · **edición** · **letra** || **vehículo** · **parque móvil** || **idea** · **tópico** · **rumor**

encolerizado, da adj.

● CON SUSTS. **asistente** · **espectador,-a** · **hincha** · **público** *El público gritaba encolerizado por la suspensión repentina del concierto* · **afición** · **multitud** · **sociedad** · **oposición** · **electorado** · ***otros individuos y grupos humanos*** || **aspecto** · **semblante** · **rostro** · **ojos** *Me miró con ojos encolerizados cuando se lo dije* || **tono** · **voz** · **griterío** || **reacción** · **respuesta** · **salida**
● CON ADVS. **absolutamente** · **totalmente** *La multitud estaba totalmente encolerizada* · **seriamente** · **enormemente** · **terriblemente** · **profundamente** || **visiblemente** · **ostensiblemente**
● CON VBOS. **estar** · **mostrar(se)** || **gritar** · **chillar** || **hablar** · **expresar(se)** · **responder** · **preguntar** · **contestar** · **protestar** *Protestaron encolerizados ante la sede del partido* · ***otros verbos de lengua*** || **reaccionar**

encolerizar(se) v.

● CON ADVS. **visiblemente** · **ostensiblemente** · **totalmente** · **seriamente** · **enormemente** · **terriblemente** · **profundamente**

encomendar v.

● CON SUSTS. ***persona*** *Le encomendó a su hijo cuando solo tenía cinco años* || **trabajo** · **tarea** *Siempre me encomienda las tareas más complicadas* · **labor** · **obligación** · **misión** · **función** · **encargo** || **asunto** · **caso** *Han encomendado el caso a un importante abogado* · **problema** || **gestión** · **dirección** · **creación** · **formación** · **fabricación** · **elaboración** · **realización** · **investigación** · **cuidado** || **custodia** · **vigilancia** · **protección** || **alma** *Encomendó su alma a Dios* · **espíritu**

en común loc.adv./loc.adj.

● CON VBOS. **tener** *tener en común alguna afición* · **haber** || **poner** *Los documentos se discuten en comisiones y luego se ponen en común*
● CON SUSTS. **plan** · **proyecto** *varios proyectos en común que nunca se llevaron a la práctica* || **experiencia** · **vivencia**

enconado, da adj.

● CON SUSTS. **disputa** · **lucha** · **enfrentamiento** *Mantienen un enconado enfrentamiento por problemas de dinero* · **conflicto** · **batalla** · **pugna** · **guerra** · **pelea** · **combate** · **pleito** · **negociación** · **confrontación** · **contencioso** || **discusión** · **debate** · **polémica** · **crítica** *Ante la enconada crítica de la opinión pública...* · **controversia** · **división** · **diferencia** · **discrepancia** · **contradicción** || **rivalidad** · **enemistad** · **oposición** · **competencia** · **hostilidad** · **odio** · **resentimiento** · **tensión** || **persecución** · **diatriba** · **acometida** · **ataque** · **agravio** || **defensa** *El profesor hizo una enconada defensa de la libertad de cátedra* · **reacción** · **resistencia** · **protesta** · **huelga** · **rebelión** · **venganza** || **postura** · **posición** · **perspectiva** · **actitud** · **sentimiento** || **proceso** · **campaña** · **evento** · **reunión** · **pleno** · **audiencia** || **esfuerzo** · **empeño** · **entusiasmo** · **interés** *Llevan meses tratando de conciliar enconados intereses económicos* || **enemigo,ga** · **adversario,ria** · **rival** · **opositor,-a** · **detractor,-a** · **crítico,ca**

en concepto (de) loc.prep.

● CON SUSTS. **salario** · **remuneración** · **dieta** *una cantidad mensual en concepto de dietas* · **indemnización** || **mantenimiento** · **manutención** || **fianza** *¿Sabes cuánto vamos a tener que pagar en concepto de fianza?* · **préstamo** · **anticipo** · **deuda** · **inversión** || **sanción** · **multa** || **pérdida** · **enfermedad** || **organización** · **publicidad** *La empresa gasta importantes cantidades de dinero en concepto de publicidad*

en consecuencia loc.adv.

● CON VBOS. **obrar** · **actuar** *Dijo lo que pensaba y actuó en consecuencia* · **proceder** · **reaccionar**

en construcción loc.adj.

● CON SUSTS. **edificio** *la primera planta de un edificio en construcción* · **vivienda** · **casa** · **puente** · ***otras edificaciones*** || **carretera** · **túnel** · **autopista** || **proyecto** · **obra** · **trabajo** || **página electrónica** · **portal**

en contra loc.adv./loc.adj.

● CON VBOS. **votar** · **tomar partido** || **pronunciarse** *Numerosos vecinos se han pronunciado en contra de...* · **manifestarse** · **mostrarse** || **fallar** || **salir** · **ir** · **volver(se)** · **estar**
● CON SUSTS. **gol** *Con tres goles en contra en el partido de ida, es prácticamente imposible que...* · **punto** · **marcador** · **penalti** || **voto** · **votación** || **firma** · **consigna** · **grito** · **voz** · **asociación** || **reacción** · **protesta** || **manifiesto** *Varios intelectuales han encabezado un manifiesto en contra...* · **publicidad** · **campaña** · **informe** || **argumento** · **razón** · **indicio** · **factor** || **postura** · **opinión** · **decisión** || **viento** *Es imposible avanzar con el viento en contra*
● CON ADVS. **radicalmente** · **totalmente** *Algunos socios se mostraron totalmente en contra de la propuesta* · **absolutamente** · **directamente** · **abiertamente** · **claramente**

encontrado, da adj.

● CON SUSTS. **ideas** · **posiciones** · **intereses** · **criterios** · **opiniones** · **puntos de vista** · **posturas** · **reacciones** · **sentimientos** || **situaciones**

☐ USO Se construye generalmente con sustantivos en plural: *Los líderes mantienen posiciones encontradas acerca de...*

encontrar v.

● CON SUSTS. **tesoro · huella · paraguas · mesa · pueblo · *otras cosas materiales* || *persona*** *Busqué por todos los sitios pero no logré encontrar a mis amigos* || **belleza · sensatez · equilibrio · paz · calma · felicidad · *otros estados positivos o favorables* || idea · clave · fórmula** *Han encontrado una nueva fórmula más efectiva contra la caída del cabello* · **método · sistema || solución · salida · respuesta · explicación · justificación · causa || sentido** *encontrar el sentido de la vida* · **significado · interpretación || ganga · oportunidad || fecha · dato · referencia · detalle · información || tiempo** *Nunca encuentras tiempo para descansar* · **momento || lugar** *Gracias a sus explicaciones logramos encontrar el lugar a la primera* · **espacio · camino** *encontrar el camino de la verdad* · **ruta · refugio || trabajo || palabra** *Quise decirle algo, pero no encontraba las palabras* · **ejemplo · contestación · frase** *encontrar la frase adecuada* · ***otras manifestaciones verbales* || fallo · error · defecto · laguna · deficiencia || similitud · diferencia · parecido** *¿No le encuentras un parecido con la protagonista?* || **muerte** *Los jóvenes encontraron la muerte en un desgraciado accidente*

● CON ADVS. **fácilmente** *Encontramos fácilmente la solución a nuestro problema* · **sin dificultad || difícilmente · con dificultad || por casualidad**

☐ USO Se construye también con adjetivos que funcionan como complementos predicativos: *encontrar interesante una idea.*

encorvado, da adj.

● CON SUSTS. ***persona*** *El viejo iba siempre encorvado* || **postura · espalda · columna vertebral · tronco**

● CON ADVS. **levemente · ligeramente** *Una columna vertebral ligeramente encorvada se puede corregir con ejercicio* · **totalmente · absolutamente · cada vez más**

● CON VBOS. **ir · caminar** *No camine encorvado si quiere evitar dolores de espalda* · **andar || estar · permanecer · quedar(se) · mantener(se) || trabajar**

encrespar(se) v.

● CON SUSTS. **mar · aguas · río · olas || pelo** *El pelo se le encrespa con la humedad* · **cabello || asistente · aficionado,da · público · *otros individuos y grupos humanos* || ánimo · ambiente · nervios · tensión · clima || debate** *El debate parlamentario se encrespó en los últimos minutos* · **discusión · litigio**

encrucijada

1 **encrucijada** s.f.

● CON ADJS. **histórica · política · económica · cultural · moral · ideológica || difícil** *la difícil encrucijada en la que se encuentra el negocio* · **compleja · peligrosa · importante · decisiva · vital**

● CON VBOS. **situar(se) (en) · encontrarse (en) · hallarse (en) · ubicar(se) (en) · vivir (en) || llegar (a) · salir (de)**

● CON PREPS. **ante** *encontrarse ante una encrucijada decisiva para la política exterior*

2 **encrucijada (de)** s.f.

● CON SUSTS. **caminos** *La ciudad está situada en una encrucijada de caminos* · **calles · carreteras · pasillos · rutas · vigas || odios · pasiones · sentimientos · conflictos · intenciones · corrientes**

encuadrar(se) v.

● CON SUSTS. **dibujo · retrato · imagen · foto** *Quiero encuadrar algunas fotos para colgarlas en casa* || **rostro** *Una larga melena encuadraba su rostro* || **actuación · operación · obra · actividad** *La actividad se encuadra en el plan de fomento de empleo* · **propuesta · medida · proceso · situación || título · exposición · álbum · libro · novela** *La novela podría encuadrarse en la literatura realista* || **esquema · organigrama || movimiento · tendencia · corriente · tradición || comando · brigada · filas || proyecto** *Su proyecto se encuadra en las últimas investigaciones bioquímicas realizadas en diversos laboratorios del país* · **estrategia · política · programa · programación || protesta**

● CON ADVS. **debidamente · adecuadamente · perfectamente || fácilmente · claramente · con precisión || difícilmente · aproximadamente || automáticamente || históricamente** *hechos que se encuadran históricamente en esa época* · **cronológicamente · literariamente**

☐ USO Se construye generalmente con complementos encabezados por las preposiciones *en* (*El movimiento cultural se encuadra en el pensamiento filosófico de la época*) y *dentro de* (*Todos sus trabajos se pueden encuadrar dentro de una misma teoría*).

encuadre s.m.

● CON ADJS. **cinematográfico · fotográfico** *un encuadre fotográfico muy artístico y lleno de luces* || **peculiar · propio || bello · hermoso · armonioso · artístico**

● CON SUSTS. **sentido (de)** *Este director tiene un sentido del encuadre fascinante* · **habilidad (en) · capacidad (de) || composición (de) || campo (de)**

● CON VBOS. **establecer · componer || estropear · desdibujar || modificar || cambiar (de)**

encubrir v.

● CON SUSTS. **robo** *Lo acusaron de encubrir un robo* · **asesinato · amenaza · corrupción · tráfico · engaño · fraude · estafa · *otros delitos* || hecho || ladrón,-a · asesino,na · desertor,-a · banda · *otros individuos y grupos humanos* || identidad** *encubrir la identidad bajo un documento falso* · **rostro || operación · campaña · programa · método · operativo · forma · acción || subida de precios · déficit** *un claro intento de encubrir el déficit público* · **deuda · reducción || pacto · negociación · presión · reforma · declaración · ayuda**

● CON ADVS. **a sabiendas · deliberadamente || maliciosamente · ilegalmente || jurídicamente**

en cuclillas loc.adv.

● CON VBOS. **poner(se)** *ponerse en cuclillas para realizar un ejercicio* · **sentarse · colocar(se) · estar**

encuentro s.m.

● CON ADJS. **fraternal** *Ayer tuvo lugar un fraternal encuentro entre los presidentes de ambas naciones* · **amistoso · amoroso · íntimo · privado · distendido · cordial · cálido · caluroso · tenso || fortuito · casual · accidental · fugaz** *Fue un encuentro fugaz en el que no pudimos hablar demasiado* · **furtivo · clandestino || trascendental · decisivo · crucial · fructífero · infructuoso · propicio || deportivo** *El encuentro deportivo tendrá lugar la próxima semana en...* || **agotador · reñido · a cara de perro · mano a mano · cara a cara · de igual a igual || eliminatorio · valedero · bilateral · de ida y vuelta · internacional · a puerta cerrada**

• CON SUSTS. **punto (de)** · **lugar (de)** *Este es nuestro lugar de encuentro desde hace años* || **tema (de)** · **objetivo (de)**
• CON VBOS. **iniciar(se)** *El encuentro se inició con una jugada espectacular de...* · **discurrir** || **cuajar** · **caldear(se)** · **enfriar(se)** · **aguar(se)** · **frustrar(se)** · **terminar(se)** || **girar (en torno a algo)** *...un encuentro que girará en torno a los últimos avances científicos* || **convocar** · **concertar** · **preparar** · **dirimir** · **disputar** · **celebrar** · **tener** · **mantener** · **sostener** || **suspender** *El mal tiempo obligó a suspender el encuentro* || **facilitar** · **favorecer** · **forzar** · **enderezar** · **reanudar** · **revivir** || **patrocinar** · **auspiciar** · **propiciar** || **ganar** · **perder** || **participar (en)** *¿Piensas participar en el encuentro de la semana que viene?* · **asistir (a)** · **acudir (a)** || **salir (a)** *El perro salió al encuentro de su ama* || **salir reforzado (de)**

en cuerpo y alma loc.adv.

• CON VBOS. **dedicarse** *Este año me dedicaré en cuerpo y alma a los estudios* · **consagrarse** · **darse** · **entregarse** · **comprometerse** · **arrojarse** · **volcarse** || **vivir** · **estar** || **apoyar**

encuesta s.f.

• CON ADJS. **electoral** *Se dio a conocer ayer el resultado de la encuesta electoral hecha por...* · **preelectoral** · **de opinión** · **de popularidad** || **telefónica** · **a domicilio** || **autorizada** · **veraz** · **fidedigna** · **fiable** · **seria** · **segura** · **informal** || **dudosa** · **sospechosa** || **reveladora** · **jugosa** || **amplia** · **restringida** || **reciente** *Una reciente encuesta sobre este asunto demuestra que...*
• CON SUSTS. **resultado (de)** *Los resultados de la encuesta son muy reveladores*
• CON VBOS. **probar (algo)** · **demostrar (algo)** · **revelar (algo)** · **mostrar (algo)** · **señalar** *...tal y como todas las encuestas señalan* · **arrojar (datos)** *La última encuesta arrojó datos significativos acerca de...* || **equivocarse** · **fallar** · **acertar** · **dar en el clavo** || **coincidir** *Las últimas encuestas coinciden en señalarlo como vencedor* · **divergir** || **obrar en poder (de alguien)** || **hacer** · **realizar** · **elaborar** · **efectuar** || **publicar** · **dar a conocer** · **divulgar** · **difundir** || **encargar** · **consultar** || **amañar** *No me fío nada, creo que amañaron la encuesta* || **fiarse (de)** · **confiar (en)** · **desconfiar (de)**
• CON PREPS. **según** *Según las encuestas, los niños...* · **a la luz (de)** · **a tenor (de)** · **en función (de)**

en cuestión (de) loc.prep.

• CON SUSTS. **segundos** · **minutos** · **días** · **semanas** *En cuestión de semanas nos mudaremos a la casa nueva* · **horas** · ***otros períodos***

encumbrar (a) v.

• CON SUSTS. **estrellato** · **fama** *El premio consiguió encumbrarla a la fama* · **popularidad** · **éxito** · **cima** · **cúspide** || **jefatura** · **presidencia** · **poder**
• CON ADVS. **nuevamente** · **definitivamente** *Su nueva novela la ha encumbrado definitivamente a la popularidad* || **meteóricamente**

en custodia loc.adv.

• CON VBOS. **poner** · **dar** · **entregar** · **dejar** · **depositar** || **tomar** · **aceptar** · **mantener** · **guardar** || **quedar** *Las armas incautadas quedarán en custodia en la comisaría* · **permanecer**

endémico, ca adj.

• CON SUSTS. **mal** *Pero la deuda externa es un mal endémico de nuestro país* · **enfermedad** · **malestar** · **dolor** · **plaga** · **epidemia** · **brote** || **paro** · **desempleo** · **corrupción** · **violencia** · **miseria** · **pobreza** · **inseguridad** · **hambruna** · ***otras lacras*** || **problema** · **crisis** · **situación** · **conflicto** · **deficiencia** · **falta** · **escasez** · **tensión** · **déficit** || **animal** · **especie** · **planta** · **fauna** *un estudio de la fauna endémica* · **flora** · **árbol** · **flor** · **vegetación** · ***otros seres vivos***

en depósito loc.adv.

• CON VBOS. **poner** · **dar** · **entregar** · **dejar** · **ceder** · **prestar** || **guardar** · **recibir** *Había recibido en depósito cierta cantidad de dinero* · **poseer** · **tener** · **mantener** || **quedar** · **encontrarse**

enderezar v.

• CON SUSTS. **pelo** · **poste** · **farola** · **árbol** || ***persona*** *Enderézate un poco, que siempre vas encorvado* || **rumbo** · **trayectoria** · **curso** · **vida** *Un encuentro casual le ayudó a enderezar su vida* · **camino** · **existencia** · **carrera** · **marcha** · **dirección** · **historia** · **timón** · **paso** || **temporada** *El equipo intentará enderezar la temporada ganando en campo contrario* · **año** || **situación** · **panorama** · **asunto** · **caso** · **estado** · **clima** || **economía** · **cuenta** · **finanzas** · **cotización** · **negocio** · **actividad económica** · **precio** *El acuerdo puede ayudar a enderezar el precio del crudo* · **indicador** || **conducta** · **actuación** · **imagen** · **actividad** · **política** · **funcionamiento** || **entuerto** · **problema** *hasta que no logremos enderezar nuestros problemas económicos* · **crisis** · **desequilibrio** · **desajuste** · **declive** · **desgaste** · **embrollo** · **disparate** || **error** · **equivocación** · **desacierto** || **partido** · **resultado** · **encuentro** · **eliminatoria** · **contienda** · **campeonato** · **faena** · **corrida** · **juego** || **destino** · **proyecto** · **futuro** || **tendencia** · **racha** · **suerte** · **tónica** || **relación** *una buena oportunidad para enderezar las relaciones con el país vecino* · **negociación** · **conversación** || **empresa** · **compañía** · **organización** · **entidad**

en desbandada loc.adv.

• CON VBOS. **correr** · **acudir** · **entrar** · **salir** · **escapar** · **huir** *Al acudir los policías, los ladrones huyeron en desbandada* · **retirarse** || **poner**

en detalle loc.adv.

• CON VBOS. **analizar** *analizar una situación en detalle* · **estudiar** · **examinar** || **explicar** · **describir** · **comentar** · **exponer** · ***otros verbos de lengua*** || **conocer** || **entrar** *Preferimos no entrar en detalle*

en detrimento (de) loc.prep.

• CON SUSTS. **calidad** · **interés** · **derechos** · **seguridad** · **economía** · **imagen** || **sector** · **zona** · **población** · **pueblo** · **consumidor,-a** · **trabajador,-a** *El comité denunció que las nuevas medidas iban en detrimento de los trabajadores* · **cliente** · ***otros individuos y grupos humanos***

endeudamiento s.m.

• CON ADJS. **alto** · **considerable** · **elevado** · **astronómico** · **abultado** || **a {corto/medio/largo} plazo** · **progresivo** · **creciente** || **externo** · **interno** || **público** *calcular el endeudamiento público* · **nacional** · **estatal** · **gubernamental** || **preocupante** · **serio**
• CON SUSTS. **capacidad (de)** · **nivel (de)** · **grado (de)** · **límite (de)** || **coste (de)** · **cifra (de)** · **tasa (de)** || **crisis (de)** · **estado (de)** || **exceso (de)** · **aumento (de)** *para frenar el aumento del endeudamiento de la empresa* || **riesgo (de)** · **financiación (de)**
• CON VBOS. **incrementar(se)** · **crecer** · **aumentar** · **ascender** || **reducir(se)** *Según ha anunciado la ministra las*

nuevas medidas reducirán el endeudamiento ostensiblemente · **decrecer** || **acuciar** || **contraer** || **sufragar** · **financiar** · **saldar** · **condonar** || **generar** · **provocar** · **motivar** · **causar** || **multiplicar** · **duplicar** · **triplicar** || **frenar** · **eliminar** · **disminuir** · **regular** || **salir (de)**

endeudar(se) v.

● CON ADVS. **por completo** *Al comprarnos la casa nueva nos endeudamos por completo* · **hasta las cejas** · **hasta el cuello** || **peligrosamente** || **progresivamente** · **inadvertidamente**

endiabladamente adv.

● CON ADJS. **difícil** · **complejo,ja** *Me parece un problema endiabladamente complejo que deberíamos intentar resolver cuanto antes* · **complicado,da**

en diferido loc.adv./loc.adj.

● CON VBOS. **dar (una emisión)** · **emitir** *El partido se emitirá en diferido* · **transmitir** · **retransmitir** · **televisar** · **ofrecer** *una cadena que ofrece en diferido los partidos de la liga inglesa*
● CON SUSTS. **retransmisión** · **emisión** · **partido**

endilgar v. col.

● CON SUSTS. **patada** *Le endilgó una patada en la espinilla* · **bofetón** · **cabezazo** · **puntapié** · ***otros golpes*** || **gol** · **tanto** · **goleada** || **responsabilidad** · **cargo** · **culpa** · **encargo** · **tarea** *Justo cuando me marchaba, me endilgaron una nueva tarea* || **calificativo** · **mote** · **apodo** · **sambenito** · **adjetivo** || **problema** · **deuda** || **estafa** · **delito** · **crimen** · **robo** || **alocución** · **declaración** · **discurso** · **anuncio**

endiñar v. col.

● CON SUSTS. **patada** *Jugando al fútbol me endiñaron una patada en la espinilla* · **puñetazo** · **colleja** · ***otros golpes***

en directo loc.adv./loc.adj.

● CON VBOS. **emitir** · **radiar** · **televisar** · **transmitir** · **retransmitir** · **ofrecer** · **difundir** || **vivir** · **presenciar**
● CON SUSTS. **emisión** · **retransmisión** · **partido** · **programa** *...en el estreno de un nuevo programa en directo*

endosar v.

● CON SUSTS. **cheque** *Tienes que endosar el cheque para que yo pueda cobrarlo* · **talón** · **documento** || **puñetazo** · **bofetada** · ***otros golpes*** || **gol** · **tanto** · **parcial** · **derrota** · **goleada** || **problema** · **responsabilidad** · **culpa** || **encargo** · **tarea** · **trabajo** · **misión** || **multa** · **bronca** · **sanción** *El comité de competición le endosó una sanción económica más que simbólica* || **nombre** · **apelativo** · **calificativo** · **epíteto**

endulzar v.

● CON SUSTS. **café** *endulzar el café con sacarina* · **leche** · **yogur** · ***otros alimentos o bebidas*** || **paladar** · **boca** || **mal genio** · **personalidad** · **carácter** || **realidad** · **situación** · **relación** · **clima** · **espera** · **infancia** || **noche** · **día** · **fiesta** · **vida** *Date un capricho y endúlzate la vida* || **malestar** · **dolor** · **golpe** · **derrota** · **soledad** *esporádicas visitas de amigos que endulzaban su soledad*

endurecer(se) v.

● CON SUSTS. **mezcla** · **pasta** · **crema** || **pintura** · **barniz** || **pan** *Si dejas el pan a la intemperie, se endurecerá* · **bollo** · ***otros alimentos*** || **corazón** · **arterias** · **músculos** · **pecho** · **miembros** · ***otras partes del cuerpo*** || **estructura** · **consistencia** || **pena** · **sanción** *La ministra ha anunciado que se endurecerán las sanciones* · **castigo** · **bloqueo** · **embargo** || **política** · **legislación** · **ley** · **normativa** · **norma** · **regla** · **medida** · ***otras disposiciones*** || **fiscalidad** · **sistema** · **régimen** · **educación** *Los padres consideran necesario endurecer la educación* || **postura** · **posición** · **planteamiento** · **actitud** || **control** · **represión** *El dictador endurecía cada vez más la represión contra los disidentes* || **negociación** · **estrategia** || **crítica** · **protesta** · **reforma** || **lucha** · **ataque** || **lenguaje** · **discurso** · **tono** || **condiciones** · **requisitos** *Cada año endurecen más los requisitos para entrar en la escuela* · **criterio** · **exigencia** · **ajuste** · **prueba** · **acceso** || **situación** · **tendencia** || **competición** · **carrera** · **juego**
● CON ADVS. **excesivamente** · **brutalmente** · **tremendamente** · **considerablemente** · **notablemente** · **sensiblemente** · **sustancialmente** || **ligeramente** · **moderadamente** || **paulatinamente** · **gradualmente** *Con el ejercicio físico se endurecen gradualmente los músculos* · **progresivamente** · **día a día** · **repentinamente**

en efectivo loc.adv./loc.adj.

● CON VBOS. **pagar** *¿Desea pagar en efectivo o con tarjeta?* · **abonar** · **entregar** || **cobrar** · **recibir**
● CON SUSTS. **dinero** *No acostumbro a llevar dinero en efectivo* · **pago** · **sueldo** · **cantidad**

en el alma loc.adv.

● CON VBOS. **sentir** · **doler** *Me duele en el alma que rechaces la invitación* · **lamentar** · **escocer** || **agradecer** *Te lo agradezco en el alma*

en el candelero loc.adv.

● CON VBOS. **estar** · **seguir** *un tema que sigue en el candelero desde hace años* · **continuar** · **mantener(se)** · **permanecer** || **poner** · **colocar**

enemigo, ga s.

● CON ADJS. **peor** *Esa desgracia no se la deseo ni peor enemigo* · **mayor** · **principal** · **directo,ta** || **odiado,da** · **a muerte** · **mortal** · **visceral** · **radical** · **encarnizado,da** · **acérrimo,ma** · **enconado,da** · **irreconciliable** || **de toda la vida** · **de siempre** · **ancestral** *dos pueblos que fueron enemigos ancestrales a lo largo de los siglos* · **atávico,ca** · **secular** · **viejo,ja** · **antiguo,gua** || **poderoso,sa** · **peligroso,sa** · **escurridizo,za** · **desalmado,da** · **implacable** || **verdadero,ra** · **auténtico,ca** *Se ha comportado como un auténtico enemigo* || **potencial** · **hipotético,ca** · **declarado,da** || **a batir** *Una vez superado el primer enemigo a batir...*
● CON VBOS. **tener** || **hacer** · **granjearse** *Si te sigues comportando de esa manera te granjearás numerosos enemigos* · **buscar** || **sitiar** · **rodear** · **asediar** · **acosar** · **hostigar** · **acechar** · **perseguir** || **combatir** · **neutralizar** *una inteligente estrategia para neutralizar al enemigo* || **capturar** · **apresar** · **ahuyentar** || **despistar** · **burlar** || **vencer** · **doblegar** · **derrotar** · **superar** · **desgastar** || **destruir** · **liquidar** · **aniquilar** · **exterminar** · **aplastar** || **arremeter (contra)** · **abalanzar(se) (contra)** · **enfrentar(se) (a)** · **luchar (con)** || **huir (de)** · **rendirse (a/ante)** · **negociar (con)** · **reconciliar(se) (con)** *El presidente está intentando reconciliarse con sus enemigos políticos* || **convertir(se) (en)** · **pasarse (a)**
● CON PREPS. **contra** || **en poder (de)** *rehenes en poder del enemigo* || **frente (a)**

enemistad s.f.

• CON ADJS. **profunda · enconada · visceral · agria || manifiesta** *No hace falta airear más su manifiesta enemistad* · **abierta · franca · patente · notoria · declarada · visible || soterrada · larvada · supuesta || creciente || larga · vieja · antigua · secular || personal**
• CON SUSTS. **motivo (de) || relación (de) · declaración (de) · actitud (de)**
• CON VBOS. **nacer** *A raíz de ese incidente nació la actual enemistad entre ellos* · **surgir · fraguar(se) || avivar(se) || separar (a alguien) · distanciar (a alguien) || incubar || sentir · profesar · tener (con alguien) || manifestar || crear · generar · cosechar · engendrar · despertar · provocar || ganarse** *El Gobierno se ha ganado la enemistad de gran parte del electorado* · **granjearse || mantener || limar · superar · enterrar** *...con el fin de enterrar de una vez por todas su vieja enemistad* · **desterrar || acabar (con) · poner fin (a)**
• CON PREPS. **por** *movido por enemistad personal*

en entredicho loc.adv.

• CON VBOS. **poner** *Siempre pone en entredicho todo lo que yo digo* · **quedar · dejar · encontrarse · seguir · hallarse · andar · colocar · estar · sentirse**

energético, ca adj.

• CON SUSTS. **alimento · bebida || ahorro · consumo · gasto · necesidad · demanda · aprovechamiento** *una política de aprovechamiento energético de residuos para la región* **|| recurso · producto · grupo || fuente** *El sol es una fuente energética limpia y gratuita* · **suministro · servicio || sector · mercado · industria · compañía · empresa || desarrollo · crisis · plan** *Se está diseñando un nuevo plan energético* · **proyecto · modelo · sistema · política · materia · seguridad**

energía s.f.

• CON ADJS. **motora · motriz · calorífica · potencial · radiante || solar** *placas de energía solar* · **térmica · eléctrica · eólica · nuclear · hidráulica · atómica · cinética || limpia · contaminante** *lucha contra las energías contaminantes* **|| cara · barata || renovada || inagotable · desbordante · vital · impetuosa · arrolladora** *Tiene una energía arrolladora* **|| personal · sexual · física · anímica · espiritual · positiva || rebosante (de)** *una persona rebosante de energía* · **lleno,na (de) · sobrado,da (de) · pletórico,ca (de)**
• CON SUSTS. **fuente (de) || demanda (de) · ahorro (de) · gasto (de) · consumo (de)** *medidas que controlan el consumo de energía* · **coste (de) · factura (de) · flujo (de) || planta (de) || crisis (de) || inyección (de)** *Su visita ha sido como una inyección de energía* · **manifestación (de) · demostración (de) · arranque (de)** *En un arranque de energía, lo dejó plantado* **|| ápice (de) || cantidad (de) · aumento (de) · disminución (de)**
• CON VBOS. **surgir (de algo) · nacer (de algo) || desbordar(se) || decaer · menguar · agotar(se) · faltar || producir · generar** *la central hidroeléctrica que más energía genera* · **proporcionar · proveer · suministrar · distribuir || tener · emanar · rebosar** *una niña que rebosa energía por los cuatro costados* **|| dar · insuflar · infundir · inyectar · transmitir || dedicar** *Dedica toda su energía a sus hijos* · **invertir || minar** *La enfermedad está minando su energía* · **mermar · socavar · absorber || dosificar** *Para llegar a la meta debes dosificar tus energías durante la carrera* · **canalizar || concentrar · aunar · conjuntar || consumir · precisar · requerir · emplear || obtener · adquirir · extraer (de algo)** *No sé de dónde extrae este muchacho la energía* · **sacar (de algo) · cargar · aprovechar || perder · malgastar · derrochar || liberar** *liberar energía en forma de electricidad* · **desprender · irradiar || conservar · guardar · almacenar · ahorrar · economizar · escatimar || recuperar · recobrar · reponer · renovar || transformar · convertir** *Convierte la energía eólica en energía eléctrica* **|| dotar (de) · abastecer (de)** *Ayer se produjo una avería en la central que abastece de energía a toda la zona* **|| alimentar(se) (de) · cargarse (de) || dar rienda suelta (a)**
• CON PREPS. **con** *hablar con energía* · **sin**

enérgicamente adv.

• CON VBOS. **mover · pisar · golpear · frotar** *Si no frotas enérgicamente, la mancha no saldrá* · **impulsar · sacudir** *...palabras dirigidas a sacudir enérgicamente nuestras conciencias* · **acelerar || actuar · reaccionar · intervenir || declarar · proclamar** *El líder proclamó enérgicamente que se oponía a la ocupación militar* · **hablar · señalar || condenar · protestar · oponerse · denunciar · rechazar · criticar · reprobar · repudiar · descartar || defender** *postura que había defendido enérgicamente en su último libro* · **apoyar || afirmar · asegurar · desmentir** *Desmintió enérgicamente las acusaciones de la prensa* · **negar || reclamar · exigir · pedir · demandar · preguntar || luchar · combatir · discutir || amenazar · advertir** *Les advirtieron enérgicamente que no debían oponerse a la inspección* · **recomendar || reiterar · recalcar · repetir**

enérgico, ca adj.

• CON SUSTS. ***persona*** *Es una mujer enérgica que siempre consigue lo que se propone* **|| gesto · voz · tono** *Contestó en tono enérgico y firme* **|| protesta · condena** *una enérgica condena de los recientes actos terroristas* · **denuncia · repulsa · rechazo · oposición · resistencia · repudio · defensa || declaración · afirmación · llamamiento · discurso || reacción · respuesta** *la enérgica respuesta de los sindicatos* · **postura || temperamento · carácter || medida · resolución · decisión || lucha · campaña · acción · represión · actitud**

enero s.m.

• CON SUSTS. **cuesta (de)** *Pasadas las navidades, cada año hay que hacer frente a la cuesta de enero*
➤ Véase también **MES**

en especie loc.adv./loc.adj.

• CON VBOS. **pagar** *Antiguamente, cuando no existía el dinero, se pagaba en especie* · **abonar · retribuir || cobrar**
• CON SUSTS. **pago** *...quien fue acusado de recibir pagos en especie* · **retribución · aportación || cobro · ingreso · salario · compensación · renta**
☐ USO Se usa también la variante *en especies.*

en estéreo loc. adv./loc.adj.

• CON VBOS. **oír || emitir** *Las cadenas que emiten en estéreo podrán...* · **grabar · sonar · captar**
• CON SUSTS. **sonido · voz · emisión · grabación**

en exclusiva loc.adv./loc.adj.

• CON VBOS. **querer · pedir · reclamar || informar** *Tal y como informó en exclusiva este periódico...* · **publicar · reproducir · emitir · hablar || fichar · contratar · alquilar · importar · distribuir · comercializar · vender || trabajar · dedicarse · colaborar** *Dejaremos de colaborar en exclusiva con esa empresa y extenderemos nuestros servicios a...* · **investigar · volcarse · ocuparse || conceder · ofrecer**

· **suministrar** · **entregar** || **tener** · **pertenecer** *Los derechos de autor pertenecen en exclusiva a esa editorial* · **conseguir** · **adquirir** · **apropiarse** · **poseer** || **disfrutar (de algo)** · **disponer (de algo)** · **gozar (de algo)** · **usar** · **explotar** || **controlar** · **manipular** · **manejar** *una información que manejamos en exclusiva* · **dirigir** · **dominar** || **reservar** · **asignar** · **destinar** · **encomendar** · **encargar** || **fabricar** · **producir** *La nueva fábrica producirá en exclusiva para el mercado japonés* · **diseñar** · **elaborar** · **crear** || **limitarse** · **concentrarse** · **circunscribirse**

● CON SUSTS. **entrevista** · **declaración** · **noticia** · **transmisión** || **contrato** *Este mes finaliza el contrato en exclusiva que la modelo firmó con...* · **venta** · **negociación** || **control** · **explotación** · **distribución** · **suministro**

enfadar(se) v.

● CON ADVS. **considerablemente** *Cuando se lo dije se enfadó considerablemente* · **seriamente** · **gravemente** || **visiblemente** · **ostensiblemente** || **justificadamente** · **con razón** || **sin razón** · **inexplicablemente** · **absurdamente**

enfado s.m.

● CON ADJS. **tremendo** · **descomunal** · **monumental** · **mayúsculo** · **morrocotudo** · **gran(de)** · **supino** · **profundo** · **intenso** · **virulento** · **violento** || **visible** · **ostensible** || **pequeño** · **ligero** || **largo** · **pasajero** *Aunque intensos, sus enfados siempre son pasajeros* · **momentáneo** · **repentino** || **comprensible** · **lógico** · **natural** · **normal** · **razonable** || **incomprensible** · **injustificable** · **ilógico** · **absurdo**

● CON SUSTS. **reacción (de)** · **motivo (de)** · **causa (de)** · **consecuencia (de)** · **origen (de)** || **cara (de)** · **gesto (de)** · **grito (de)**

● CON VBOS. **venir a cuento (de algo)** || **desencadenar(se)** · **entrar(le) (a alguien)** || **pasárse(le) (a alguien)** *En cuanto le pedí perdón, se le pasó el enfado* · **irse(le) (a alguien)** || **durar** *No le duran nada los enfados* || **coger(se)** · **pillar(se)** || **sufrir** · **aguantar** *Siempre soy yo el que tiene que aguantar sus enfados* · **soportar** · **resistir** || **dirigir (contra alguien)** || **causar** · **provocar** · **ocasionar** · **motivar** · **desatar** || **hacer notar** · **manifestar** · **exteriorizar** · **mostrar** · **expresar** || **disimular** · **ocultar** · **esconder** || **apaciguar** · **reprimir** · **controlar** || **comprender** · **entender** || **derivar (en)** || **sumarse (a)**

● CON PREPS. **en medio (de)**

en falso loc.adv./loc.adj.

▮ [sin fundamento, sin apoyo]

● CON VBOS. **construir** · **edificar** || **dar un paso** *No se puede dar un paso en falso en ese negocio* · **salir** · **pisar** · **escalar** · **girar** || **cerrar** *cerrar en falso un conflicto* · **suturar** · **curar(se)** *Tuvo problemas porque la herida curó en falso* || **abrir** · **iniciar** || **pillar** · **coger** · **sorprender**

● CON SUSTS. **paso** *un paso en falso y estás perdido* · **salida** · **movimiento** · **pasada** · **giro** || **cierre** · **cicatrización** · **cura** · **recuperación** *No te confíes, puede ser una recuperación en falso*

▮ [con falsedad]

● CON VBOS. **jurar** · **prometer** · **declarar** *Está acusada de declarar en falso ante el tribunal* · **alegar** || **acusar** · **denunciar** || **argumentar** · **razonar** · **argüir**

● CON SUSTS. **juramento** · **promesa** · **declaración**

enfangar(se) v.

● CON ADVS. **hasta las cejas** · **hasta el cuello**

énfasis s.m.

● CON ADJS. **especial** *La ministra hizo especial énfasis en el acuerdo firmado entre ambas naciones* · **particular** || **excesivo** · **suficiente** || **escaso** · **insuficiente** || **nuevo** · **reiterado**

● CON VBOS. **recaer (en algo)** || **poner (en algo)** · **dar (a algo)** · **hacer (en algo)** · **colocar (en algo)** || **acentuar** · **marcar** || **reducir** · **restar** · **perder**

● CON PREPS. **con** · **sin** *Lo dijo sin mucho énfasis y con desgana*

enfáticamente adv.

● CON VBOS. **hablar** · **decir** · **anunciar** *Tras anunciar enfáticamente su renuncia...* · **proclamar** · **afirmar** · **asegurar** · **declarar** · **llamar** · **preguntar** · **negar** *El acusado negó enfáticamente su implicación en el delito* · ***otros verbos de lengua***

enfermar v.

● CON ADVS. **seriamente** *Nada más volver del viaje enfermó seriamente* · **gravemente** · **mortalmente** || **sin gravedad** · **sin importancia** · **levemente** || **repentinamente** · **de repente** · **inesperadamente** · **gradualmente** · **progresivamente** · **poco a poco**

enfermedad s.f.

● CON ADJS. **dolorosa** · **dura** · **ardua** · **penosa** · **mortificante** · **angustiosa** · **catastrófica** · **acerba** · **grave** *una grave enfermedad que afecta a los pulmones* · **seria** · **severa** · **peligrosa** · **incurable** · **irreversible** · **fatal** · **letal** · **mortal** *Si no se trata a tiempo, puede ser una enfermedad mortal* · **crítica** · **crónica** · **terminal** · **avanzada** || **llevadera** · **leve** || **galopante** · **imparable** · **implacable** · **fulminante** || **prolongada** · **larga** *Se está recuperando de una larga enfermedad* · **pertinaz** · **progresiva** · **lenta** · **corta** · **pasajera** || **súbita** · **repentina** || **rara** *Los médicos le han diagnosticado una rara enfermedad* · **extraña** || **benigna** · **maligna** || **infecciosa** · **contagiosa** · **venérea** || **hereditaria** · **congénita** || **endémica** || **mental** · **nerviosa** || **afectado,da (por)** · **aquejado, da (de)** · **propenso,sa (a)** *Si eres una persona propensa a las enfermedades infecciosas...*

● CON SUSTS. **origen (de)** *detectar el origen de la enfermedad* || **síntoma (de)** · **manifestación (de)** · **secuela (de)** || **diagnóstico (de)** · **tratamiento (de)** || **riesgo (de)** || **brote (de)** · **recidiva (de)** || **víctima (de)**

● CON VBOS. **curar(se)** · **aplacar(se)** · **remitir** || **agudizar(se)** · **acentuar(se)** · **agravar(se)** · **recrudecer(se)** || **presentar(se)** · **manifestar(se)** *Una enfermedad que puede manifestarse años después de haberla contraído* · **declarar(se)** · **sobrevenir** || **anidar** · **brotar** || **propagar(se)** · **extender(se)** · **reproducir(se)** || **aquejar (a alguien)** · **atacar (a alguien)** · **invadir (a alguien)** || **degenerar** || **causar** · **producir** || **tener** · **padecer** · **llevar a cuestas** · **arrastrar** *Arrastra esa enfermedad desde que era joven* · **incubar** · **sufrir** || **afrontar** · **acometer** · **arrostrar** · **combatir** · **bregar** · **lidiar** || **pillar** · **coger** · **adquirir** · **contraer** · **desarrollar** *Si analizamos las probabilidades de desarrollar una enfermedad...* || **transmitir** · **pegar** · **contagiar (a alguien)** || **mitigar** · **aliviar** || **detectar** · **diagnosticar** · **prevenir** · **ahuyentar** · **conjurar** || **atajar** · **vencer** *Logró vencer la enfermedad con mucho esfuerzo* · **superar** · **neutralizar** · **contrarrestar** · **erradicar** || **luchar (contra)** *Lleva años luchando contra esta enfermedad* || **restablecerse (de)** · **reponerse (de)** *Poco a poco se va reponiendo de su enfermedad* · **sobreponerse (a)** · **recobrarse (de)** · **salir (de)** || **librar(se) (de)** · **pasar (por)** || **inmunizar(se) (contra)**

enfermería s.f.

▌ [sala de curas]

● CON ADJS. **móvil** *Los heridos fueron trasladados a la enfermería móvil situada fuera del estadio*
● CON SUSTS. **servicio (de)** || **personal (de)** · **médico,ca (de)** · **profesional (de)**
● CON VBOS. **visitar** || **abandonar** || **atender (en)** · **operar (en)** · **ingresar (en)** || **trasladar (a)** · **llevar (a)** · **pasar (a)** || **ir (a)** · **acudir (a)** || **acabar (en)** || **salir (de)**

▌ [rama del saber]

● CON SUSTS. **escuela (de)** || **auxiliar (de)** *Trabaja como auxiliar de enfermería en una residencia de ancianos*
● CON VBOS. **practicar**
➤ Véase también **DISCIPLINA**

enfermero, ra s.

● CON ADJS. **buen,-a** · **excelente** · **eficaz** · **abnegado,da** || **negligente** · **inexperto,ta** · **descuidado,da** || **novato,ta** · **experto,ta** · **cualificado,da** *un enfermero suficientemente cualificado para ocupar el puesto* · **especialista** · **profesional** || **de guardia** · **en prácticas**
● CON SUSTS. **jefe**
● CON VBOS. **asistir (a alguien)** · **atender (a alguien)** *Cuando llegué al hospital me atendió una enfermera* · **ayudar (a alguien)** · **intervenir (en algo)** || **llamar** · **avisar** *Avise a la enfermera en cuanto se termine el suero* || **trabajar (de/como)**

enfermizo, za adj.

● CON SUSTS. **persona** *Desde pequeña fue una chica enfermiza* || **aspecto** || **personalidad** · **conducta** · **reacción** · **mente** || **amor** · **pasión** · **celos** · **miedo** · **odio** || **relación** · **atracción** · **devoción** · **dependencia** · **respeto** · **debilidad** · **crueldad** · **timidez** · **tozudez** || **perfeccionismo** · **ambición** || **sospecha** · **duda** · **preocupación** *Tenía una preocupación enfermiza por la salud de sus hijos* · **pesimismo** || **obsesión** · **manía** · **fijación** · **vicio** · **adicción** *una adicción enfermiza a las apuestas* || **gusto** · **afición** · **deseo** · **afán** · **necesidad**

enfermo, ma

1 **enfermo, ma** adj.

● CON ADVS. **mortalmente** · **seriamente** *No se sabía que estaba seriamente enfermo* · **gravemente** · **sumamente** || **levemente** · **ligeramente**
● CON VBOS. **estar** · **poner(se)** *Se ha puesto enferma y no puede venir* · **sentirse** · **caer** · **encontrar(se)** · **seguir** || **hacerse** *Se hizo el enfermo para no asistir*

2 **enfermo, ma** s.

● CON ADJS. **grave** *Entre los enfermos graves hay un bebé de pocos meses* · **de gravedad** · **terminal** · **crónico,ca** · **estable** || **leve** || **mental**
● CON VBOS. **aliviar(se)** · **mejorar(se)** || **recuperar(se)** · **curar(se)** · **recobrar(se)** · **sanar** · **salir (de una enfermedad)** || **empeorar** · **agravar(se)** || **cuidar** *Se dedica a cuidar enfermos y ancianos* · **atender** · **vigilar** · **examinar** · **diagnosticar** || **hospitalizar** · **tratar** · **operar** || **desahuciar** || **desatender** || **ocupar(se) (de)**

enfervorizar(se) v.

● CON SUSTS. **auditorio** *El auditorio se enfervorizó cuando salió el cantante* · **asistente** · **público** · **masa** · **militante** · **fiel** · **hincha** · **afición** · **concurrencia** · **personal** · **gente** · **multitud** · ***otros individuos y grupos humanos***
● CON ADVS. **enormemente** || **rápidamente** || **locamente**

enfilar v.

● CON SUSTS. **camino** · **recta final** · **calle** *Se disponía a enfilar la calle Mayor, cuando...* · **carretera** · **autopista** · **paseo** · **cuesta** || **meta** · **portería** · **salida** · **puerta** || **futuro** *para enfilar el futuro con optimismo* · **temporada** · **semana** · **siglo** || **cañón** *El general ordenó enfilar los cañones hacia el enemigo* · **nave** · **avión** · **barco**

en firme loc.adv./loc.adj.

● CON VBOS. **condenar** · **rechazar** · **acusar** · **expulsar** · **oponerse** · **descartar** · **denegar** || **comprometer(se)** · **contratar** · **pactar** · **acordar** || **apostar** · **mantener** · **admitir** · **ratificar** · **aceptar** || **decidir** · **sentenciar** · **responder** *La candidata debe responder en firme a la oferta de coalición electoral que...* · **resolver** || **hablar** · **proponer** · **ofertar** · **anunciar** · **declarar** || **comenzar** · **emprender** · **iniciar** || **solicitar** · **pedir** *Los afectados han pedido en firme que se les conceda la ayuda prometida* · **requerir**
● CON SUSTS. **decisión** · **sentencia** *Todavía no hay una sentencia en firme sobre el caso* · **paso** · **elección** · **resolución** · **fallo** · **acusación** || **acuerdo** · **compromiso** · **contrato** · **promesa** || **propuesta** · **oferta** *Me han hablado de un nuevo trabajo, pero aún no me han hecho una oferta en firme* · **proyecto** || **condena** · **prisión** · **sanción** || **pedido** · **petición** · **orden** || **oposición** · **negativa** · **rechazo** || **apuesta** · **colaboración** · **apoyo**

enfocar v.

● CON SUSTS. **cámara** · **telescopio** · **microscopio** · **prismáticos** · **catalejo** || **imagen** || **atención** · **mirada** || **cosas** · **cuestión** *Tienes que enfocar la cuestión desde un punto de vista más optimista* · **tema** · **asunto** · **problema** || **negociación** · **debate** · **solución** || **situación** · **realidad** · **acontecimientos** || **esfuerzos** · **estrategia** · **lucha** || **política** · **campaña** *Parece que esta vez enfocarán la campaña electoral de forma más realista* || **noticia** · **historia** || **vida** · **futuro** · **carrera**
● CON ADVS. **correctamente** · **adecuadamente** *Los sabios consejos del profesor la ayudaron a enfocar su carrera adecuadamente* || **principalmente** · **exclusivamente** || **directamente** · **de cara** || **conscientemente** || **críticamente**

enfoque s.m.

▌ [ajuste óptico]

● CON ADJS. **automático** *una cámara de fotos con enfoque automático* · **digital** || **nítido** · **preciso** · **perfecto**
● CON SUSTS. **distancia (de)** · **ajuste (de)** · **área (de)**
● CON VBOS. **lograr** · **conseguir** · **buscar** · **obtener** || **mejorar**
● CON PREPS. **fuera (de)**

▌ [punto de vista, perspectiva]

● CON ADJS. **correcto** *Creo que le has dado el enfoque correcto a tu trabajo* · **certero** · **acertado** · **apropiado** · **inteligente** · **logrado** · **brillante** || **erróneo** · **incorrecto** · **desacertado** · **equivocado** || **renovado** · **nuevo** *Ha intentado analizar el problema desde un nuevo enfoque* · **novedoso** · **original** · **renovador** · **alternativo** || **profundo** · **simplista** · **sencillo** || **sesgado** · **parcial** · **partidista** || **general** · **global** · **complementario** · **plural** · **pluralista** · **personal** · **particular** || **directo** · **indirecto** || **radical** · **dogmático** *No estamos de acuerdo con los enfoques dogmáticos* · **neutral** · **crítico** · **pragmático** · **práctico** · **fructífero** || **histórico** · **institucional** · **oficial** · **oficioso** || **prometedor** · **esperanzador**
● CON SUSTS. **diferencia (de)** · **pérdida (de)** · **problema (de)** || **cuestión (de)** || **diversidad (de)** · **variedad (de)**

● CON VBOS. **dar (a algo) · plantear · considerar · proponer · adoptar · defender || modificar · cambiar** *Los nuevos acontecimientos nos han hecho cambiar el enfoque* **· distorsionar · abandonar · criticar · contrastar · compartir || someter (a)** *el mismo tema sometido a un enfoque diferente*

● CON PREPS. **desde · en función (de) · de acuerdo (con) · a la luz (de) · según**

enfrascarse (en) v.

● CON SUSTS. **novela · libro · drama · película** *El director está enfrascado en una apasionante película* **· cuadro · disco ·** ***otras creaciones*** **|| lucha · guerra · batalla · pelea** *Varios de los presentes se enfrascaron en una pelea* **· enfrentamiento · confrontación · pugna · conflicto · combate · disputa · duelo · riña · ataque · pulso || discusión · debate · conversación** *Nos enfrascamos en una conversación interminable* **· polémica · controversia · charla · entrevista · explicación || lectura · análisis · estudio · investigación · pensamiento · relectura || tarea · proyecto · trabajo · labor · actividad · faena · empresa · trámite || construcción · composición · preparación · producción · rodaje · escritura** *enfrascada en la escritura de sus memorias* **· redacción · grabación · publicación · montaje · formación || liga · torneo · partida · final**

enfrentamiento s.m.

● CON ADJS. **a muerte** *La lucha por la primacía en la manada acabará con un enfrentamiento a muerte entre los dos machos dominantes* **· mortal · desaforado · feroz · a ultranza · reñido · encarnizado · violento · cruento · duro · virulento · implacable · a cara de perro · acalorado · visceral · airado · vivo · tenaz · enconado · intenso · bizantino · fuerte · grave · serio · agrio · profundo · bronco · tenso · cruel · descarnado · sangriento || abierto · directo · cara a cara** *Han acordado un enfrentamiento cara a cara que será retransmitido en directo* **· frontal · frente a frente · cuerpo a cuerpo · de igual a igual || largo · eterno · de años · de siglos || multitudinario · masivo || velado · soterrado || irresoluble · controvertido || fratricida** *una guerra convertida en brutal enfrentamiento fratricida* **· personal · interno || verbal · a {balazos/pedradas/golpes...} · a mano armada · armado || callejero** *Últimamente se están produciendo enfrentamientos callejeros entre bandas rivales* **|| deportivo · social · bélico · civil · político**

● CON VBOS. **tener lugar · discurrir · producir(se) · desencadenar(se) · estallar · dar(se) · librar(se) · avecinar(se) || recrudecer(se) · agudizar(se) · agravar(se)** *Las declaraciones de la ministra han agravado el enfrentamiento* **· arreciar || salir a la luz || venir de lejos || tener** *Han tenido un duro enfrentamiento debido a...* **· mantener · sufrir · protagonizar || ocasionar · provocar · causar · motivar · originar · acarrear · sembrar · alimentar · aderezar · avivar** *palabras innecesarias que no han hecho más que avivar el enfrentamiento* **· atizar · incentivar · reavivar · tensar · reabrir || arbitrar · equilibrar · desequilibrar · apaciguar · atenuar · mitigar · rehuir · desactivar · superar · dirimir · solucionar** *Han convocado otra reunión para intentar solucionar su ya eterno enfrentamiento* **|| llegar (a)** *Espero que no tengamos que llegar al enfrentamiento* **|| llevar (a) · dar lugar (a) · desembocar (en) || incitar (a) · instigar (a) || involucrar(se) (en) · enzarzarse (en) || abocar(se) (a) · hundir(se) (en) || persistir (en) || mediar (en)** *Siempre es ella la que media en sus enfrentamientos* **· poner fin (a) · huir (de) · quitar hierro (a)**

● CON PREPS. **durante** *Durante el enfrentamiento bélico, miles de personas tuvieron que huir del país* **· en medio (de)**

enfrentar(se) v.

● CON ADVS. **duramente** *Ambos bandos se enfrentaron duramente* **· violentamente · férreamente · visceralmente · acremente · a muerte · a cara de perro · radicalmente || verbalmente · a golpes · a gritos** *Los aficionados de ambos equipos se enfrentaron a gritos a la salida del partido* **|| cuerpo a cuerpo · cara a cara · mano a mano** *enfrentarse mano a mano contra el terrorismo* **· de igual a igual || valientemente · heroicamente · sin tregua · decididamente · en primera línea · a pecho descubierto · con firmeza · activamente · con éxito · a cara descubierta · frontalmente · abiertamente · civilizadamente** *Se enfrentaron civilizadamente en un debate acerca de...* **· en buena lid · a la desesperada || electoralmente** *enfrentarse electoralmente a otros candidatos* **· políticamente · militarmente · comercialmente · deportivamente**

□ USO Se construye a menudo con complementos encabezados por la preposición *a*: *Tuvo que enfrentarse a todos.*

enfriamiento s.m.

● CON ADJS. **progresivo · paulatino** *un enfriamiento paulatino de las relaciones entre los dos países* **· brusco · rápido · acelerado || global · continental || excesivo · considerable · creciente · preocupante** *tras apreciarse un preocupante enfriamiento en la demanda inversora* **|| coyuntural**

● CON SUSTS. **problema (de) · riesgo (de) · tendencia (a) || resultado (de) · consecuencia (de) · efecto (de) · producto (de) || signo (de) · síntoma (de)** *Uno de los síntomas de enfriamiento es el malestar general* **· factor (de) || fase (de) · período (de) || causa (de) || sistema (de)** *el sistema de enfriamiento del motor*

● CON VBOS. **elevar(se) · agudizar(se) || causar (algo)** *El enfriamiento del planeta está causando el aumento de la masa de hielo* **· iniciar (algo) · desencadenar (algo) || afectar (a algo/a alguien) || producir(se)** *cuando se produce el enfriamiento de los gases* **· comenzar || experimentar · confirmar || acelerar · motivar · provocar · propiciar || soportar · sufrir || combatir · evitar · contrarrestar · frenar**

enfriar(se) v.

● CON SUSTS. **motor · cuerpo · metal ·** ***otras cosas materiales*** **||** ***persona*** *Te vas a enfriar y vas a pillar una pulmonía* **|| ánimo · entusiasmo · euforia · alegría · optimismo** *La nueva crisis ha enfriado el optimismo de los inversores* **· ilusión || temperatura · ambiente · situación · clima · atmósfera || relación · alianza · lazo · vínculo · amistad** *Su amistad se enfrió con los años* **|| economía · inversión · mercado · bolsa || costo · tipo de cambio · precio || expectativa · esperanza** *El duro mensaje ha enfriado las esperanzas de un acuerdo económico* **· expectación · perspectiva · especulación · plan || debate · controversia · polémica · guerra · discusión · disputa · conflicto · tensión || pasión · fervor · interés** *antes de que se enfríe el interés por el producto* **· ansia · ardor || encuentro · ceremonia · espectáculo · partido · competición · fiesta**

en frío loc.adv./loc.adj.

I [a baja temperatura]

● CON VBOS. **conservar** *Una vez abierto, consérvese en frío* **· mantener · guardar || servir · desmoldar || saborear · probar || laminar · labrar · forjar**

▮ [sin la presión de las circunstancias]

● CON VBOS. **analizar · pensar · reflexionar · meditar · estudiar · considerar** *Consideraré en frío las distintas posibilidades y luego les comunicaré mi decisión* · **mirar · ver || tomar una decisión · decidir · resolver** *...cuestiones complejas que se deben resolver en frío* · **elegir || responder · contestar · conversar · hablar · decir · escribir || sorprender · pillar**

● CON SUSTS. **análisis · examen · evaluación** *En este momento no soy capaz de hacer una evaluación en frío de la situación* **|| venganza · asesinato · gol** *Encajaron un gol en frío a los dos minutos de partido*

en funciones loc.adv./loc.adj.

● CON VBOS. **ejercer** *Ella ejerce en funciones el cargo de directora* · **actuar · presidir · gobernar · ocupar (algo) || estar · seguir · mantener(se)**

● CON SUSTS. **director,-a · presidente,ta · responsable ·** ***otros cargos*** **|| gobierno** *Los grupos parlamentarios dieron ayer su apoyo a la estrategia del Gobierno en funciones*

enfundar v.

▮ [ponerse]

● CON SUSTS. **guantes** *Hacía mucho frío, así que se enfundó los guantes* · **bata · camiseta · bañador · chaqueta · gabardina · abrigo · traje · uniforme · casco ·** ***otras prendas de vestir o complementos***

▮ [meter en su funda]

● CON SUSTS. **sable · pistola ·** ***otras armas***

□ USO Admite complementos encabezados por la preposición *en*: *Se enfundó en su uniforme gris.*

engalanar v.

● CON SUSTS. **ciudad · pueblo** *Engalanaron el pueblo para las fiestas* · **barrio · calle · edificio · balcón · paisaje · local ·** ***otros lugares*** **|| monumento · escultura ||** ***persona*** *invitados engalanados para la ocasión*

enganchar(se) (a) v.

● CON SUSTS. **saliente · clavo · soporte || vicio · droga** *una campaña para evitar que los jóvenes se enganchen a las drogas* · **tabaco · cigarro · heroína · alcohol · sexo · juego || ordenador · televisión · teléfono** *Se pasa horas enganchado al teléfono* **|| libro · lectura || carro · tren** *engancharse al tren de los vencedores* **|| vida**

● CON ADVS. **inmediatamente · en seguida · paulatinamente · progresivamente · automáticamente || completamente · totalmente · plenamente || de nuevo** *Cuando salió de la clínica, se enganchó de nuevo a la droga* · **definitivamente || fácilmente || irremediablemente || excesivamente · espectacularmente**

engañar v.

● CON ADVS. **hábilmente · inteligentemente · astutamente || torpemente || vilmente** *Me ha engañado vilmente* **|| descaradamente**

engaño s.m.

● CON ADJS. **monumental** *Fui víctima de un monumental engaño* · **descomunal** *el descomunal engaño realizado a un grupo de inversores incautos* · **verdadero · absoluto || claro · flagrante · ostensible · descarado · doloroso · manifiesto || descarnado · cruel · vil · falaz || sutil · ingenioso** *La película contiene un ingenioso engaño, un triángulo amoroso y poco más* **|| burdo · tosco || impune · penado || presunto || premeditado · intencionado || amoroso**

● CON SUSTS. **víctima (de) · culpable (de) || motivo (de) · prueba (de)**

● CON VBOS. **producir(se) · consumar(se) · frustrar(se) · salir a la luz || llevar a cabo || sufrir · padecer || urdir · tramar || disfrazar · tapar · encubrir || destapar · descubrir · desenmascarar || deshacer · evitar || probar · demostrar || castigar || constituir || exponer(se) (a) · amparar(se) (en) · traducir(se) (en) · dejarse llevar (por)** *No te deberías dejar llevar por este tipo de engaños* · **caer (en) · prestarse (a) || percatarse (de) · darse cuenta (de)** *Menos mal que se dio cuenta a tiempo del engaño*

● CON PREPS. **mediante** *Intentó convencerlos mediante engaños y tretas* **|| a prueba (de)**

□ EXPRESIONES **llamarse a engaño** [quejarse injustificadamente por algo ya aceptado] **|| {llevar/inducir} a engaño** [confundir]

engañoso, sa adj.

● CON SUSTS. **información · publicidad** *La asociación de consumidores ha denunciado la proliferación de publicidad engañosa* · **propaganda || apariencia** *Se presentaba bajo una apariencia engañosa* · **aspecto · ambiente · sensación · impresión || moral · moralidad || utopía · felicidad · ilusión · espejismo · imagen · visión || idea · propuesta · planteamiento || juego · magia · treta · truco · trampa || demagogia || cifra · precio · dato** *dato que, fuera de contexto, puede resultar engañoso* · **estadística || resultado · conclusión || oposición · contraposición · comparación || nombre · denominación · término · concepto · lenguaje · retórica · pregunta · afirmación || testimonio** *el testimonio engañoso de un falso testigo* · **prueba || acuerdo · convenio**

engarzar v.

● CON SUSTS. **cuenta** *engarzar las cuentas de un collar* · **perla · piedra preciosa · diamante · esmeralda · eslabón · hilo || tema · idea** *Estaba tan cansada que no era capaz de engarzar ideas coherentemente* · **argumento · reflexión || hecho · momento || noticia · anécdota** *Se pasó dos horas engarzando una anécdota con otra* · **recuerdo · mentira || palabra · oración · verso · fragmento · secuencia · discurso || pase** *Le dio al toro cuatro pases naturales magistralmente engarzados*

● CON ADVS. **con habilidad** *un candidato que suele engarzar sus discursos con suma habilidad* · **con astucia · con fluidez · con naturalidad · sutilmente · hábilmente || perfectamente · a la perfección || plenamente · estrechamente || artificialmente**

□ USO Se construye con sustantivos en plural (*engarzar argumentos*), coordinados por la conjunción *y* (*engarzar un argumento y otro*) o unidos con la preposición *con* (*engarzar un argumento con otro*).

engastar v.

● CON SUSTS. **piedra preciosa · diamante** *engastar un diamante en un anillo* · **oro · plata · rubí · esmeralda**

engatusar v. *col.*

● CON SUSTS. **público · espectador,-a · afición · lector,-a · población · sociedad · elector** · *Con sus promesas engatusó a los electores* · **niño,ña · usuario,ria · cliente ·** ***otros individuos y grupos humanos***

● CON ADVS. **fácilmente || hábilmente · astutamente**

engendrar v.

● CON SUSTS. **bebé · hijo,ja · criatura || violencia · agresividad · barbarie · discordia · polémica** *Sus últimas declaraciones han engendrado una fuerte polémica en el seno del partido* · **destrucción · muerte · vacío · desolación · terrorismo || conflicto · enfrentamiento · guerra · lucha || problema · contrariedad · mal · injusticia · desigualdad** *un sistema educativo que ha engendrado grandes desigualdades sociales* · **burocracia || riesgo · peligro · amenaza · fracaso || odio · rencor · enemistad · intolerancia · antipatía · animosidad · racismo · impiedad || amor** *...para engendrar en los niños el amor por la lectura* · **simpatía · pasión · deseo · ansia || fe · ilusión · esperanza · confianza · expectativa || duda · sospecha** *Su actitud distante solo sirvió para engendrar sospechas* · **desconfianza · escepticismo || miedo · temor · terror · angustia · locura · paranoia · esquizofrenia || pesimismo · desánimo · frustración · melancolía · amargura** *Con tu pesimismo lo único que engendras es amargura y frustración* · **decepción || idea · pensamiento**

engolar v.

● CON SUSTS. **voz** *Engolaba la voz con poca naturalidad* · **gesto || verso · poema**

engordar v.

● CON SUSTS. ***persona*** *Me parece que estoy engordando* **|| ganado** *Engordan al ganado con piensos sintéticos* · **res · pollo · cerdo ·** ***otros animales*** **|| números · cifras · diferencia || cuentas · arcas · fondos · bolsillo** *Han descubierto que estaba engordando sus bolsillos de forma ilegal* · **cartera · recaudación || sueldo · nómina · presupuesto · déficit · precio || lista · filas || palmarés · currículum** *un currículum engordado con cursos medio inventados* **|| noticia · historia · leyenda · aventura || autoestima**

● CON ADVS. **desmesuradamente · excesivamente · notablemente || ligeramente || rápidamente · paulatinamente** *Ha ido engordando paulatinamente su palmarés con nuevos triunfos* · **gradualmente || sistemáticamente || artificialmente**

engorro s.m.

● CON ADJS. **molesto · notable · fastidioso** *el fastidioso engorro de planchar la ropa* · **penoso · profundo · peliagudo · enorme · verdadero || diario · cotidiano**

● CON VBOS. **resolver · evitar · tener en cuenta || causar · suponer** *Todo el papeleo previo supone un engorro* · **comportar · ocasionar · provocar · producir**

engorroso, sa adj.

● CON SUSTS. **asunto** *Prefiero liquidar este engorroso asunto cuanto antes* · **tema · cuestión · situación · trance · circunstancia · problema · contratiempo · elección · decisión || rival · adversario,ria || trabajo** *un trabajo arduo y engorroso* · **tarea · obligación · compromiso · encargo** *el engorroso encargo de representar a los demás ante el jefe* · **labor · examen · cita · operación · seguimiento || método · sistema · procedimiento · burocracia · papeleo · trámite · medida · cambio · paso · proceso || discusión · debate · pregunta** *No supo contestar las engorrosas preguntas de los periodistas* **|| herramienta · recurso**

engranaje s.m.

● CON ADJS. **mecánico · técnico · industrial · cronométrico || complejo || perfecto · preciso · exacto || electoral · político · financiero · económico · gubernamental · burocrático** *Manejaba a la perfección el engranaje burocrático del partido* · **diplomático || inmenso · enorme · pesado**

● CON SUSTS. **pieza (de) · eslabón (de) · parte (de) · bomba (de)**

● CON VBOS. **oxidar(se) · funcionar** *El engranaje del reloj funciona de maravilla* · **fallar || chirriar || lubricar** *lubricar el engranaje de la rueda* · **engrasar || montar · poner en marcha · arrancar · mover · probar || detener · desactivar || desmenuzar · desmantelar || formar parte (de) || entrar (en) · encajar (en)**

engrandecer v.

● CON SUSTS. **figura** *gestas que engrandecieron su figura con los años* · **leyenda · historia · mito · pasado || gesta · gloria · victoria · éxito · derrota || prestigio · crédito · perfil · imagen · nombre · reputación || sentimiento · espíritu · vanidad || partido · espectáculo · equipo** *un equipo engrandecido tras las últimas victorias* **|| imperio** *La misión de los ejércitos no es la de engrandecer ningún imperio* · **ejército || familia · país · pueblo · comunidad || negocio · conjunto · colección || problema || tamaño · función || ego**

● CON ADVS. **sensiblemente · ligeramente · notablemente || involuntariamente || humanamente**

engrase s.m.

● CON ADJS. **permanente · continuo · constante · diario · periódico · frecuente || insuficiente · suficiente || centralizado · homogéneo · automático** *...gracias a este sistema de engrase automático*

● CON SUSTS. **sistema (de) · mecanismo (de) · equipo (de) || servicio (de) || aceite (de)** *el aceite de engrase del motor* **|| problema (de) · falta (de) || exceso (de) · nivel (de)**

● CON VBOS. **necesitar** *Las bisagras de la puerta necesitan un buen engrase* **|| realizar · hacer**

engrosar v.

● CON SUSTS. **lista · filas · nómina · colección · conjunto · grupo · serie || inventario · listado · galería · repertorio || conglomerado · cúmulo · cosecha · rosario · paquete || equipo** *Pasó a engrosar el equipo tras superar las pruebas de admisión* · **plantilla · pelotón · comitiva · población · público · tribu · colectivo · banda · tropa · legión || cuenta · fondo · patrimonio** *...cantidades que periódicamente pasaban a engrosar su patrimonio* · **fortuna · finanzas · presupuesto · reserva · caudal · tesoro · partida · pensión · renta · ahorro || arca · bolsillo · bolsa · caja · hucha · cartera · alforja || beneficio · ganancia** *La medida sirvió para engrosar las ganancias de algunas empresas* · **recaudación · facturación · negocio · dividendo · venta || deuda · déficit · endeudamiento · pérdida · coste || biblioteca · discoteca · filmoteca · pinacoteca · museo · discografía** *Acaba de sacar un nuevo CD que viene a engrosar su ya nutrida discografía* · **bibliografía · librería || archivo · sumario · fichero · diccionario · libro || currículum** *un curso más para engrosar el currículum* · **historial · palmarés · expediente · carrera · biografía || crónica · anales · leyenda · historia**

engullir v.

● CON ADVS. **con fruición** *Al llegar cada día del colegio engullía la merienda con fruición* · **vorazmente · ávidamente · compulsivamente · con delectación || de un tirón**

enhebrar v.

● CON SUSTS. **aguja** *Me tengo que poner las gafas para poder enhebrar la aguja* · **hilo** || **discurso** *Supo enhebrar un discurso muy estructurado y de gran calado político* · **conversación** · **frases** · **diálogo** · **palabras** · **rimas** · **versos** || **jugada** *El equipo fue incapaz de enhebrar una sola jugada en toda la segunda parte* || **triunfos** · **victorias**

enhiesto, ta adj.

● CON SUSTS. **cabeza** · **cresta** · **cuerno** · **cola** *la cola enhiesta del pavo real* || **tronco** · **árbol** · **tallo** || **rostro** · **figura** || **bandera** *...desfilan con paso marcial portando las banderas enhiestas*

● CON VBOS. **aguantar** · **mantener(se)** · **sostener** · **erguir(se)** · **erigir(se)** · **levantar(se)** || **crecer** *Un árbol crecía enhiesto en medio del jardín*

en hora loc.adv.

● CON VBOS. **poner el reloj** *No puse el reloj en hora y llegué tarde* || **llegar** · **salir** · **partir** || **terminar** · **empezar**

enhorabuena s.f.

● CON ADJS. **efusiva** · **cariñosa** · **cordial** · **amable** · **cálida** · **calurosa** || **fría** · **seca** · **escueta** · **de compromiso** || **sincera** *Quiero expresar mi más sincera enhorabuena a los ganadores*

● CON SUSTS. **abrazo (de)** · **carta (de)** · **palabras (de)**

● CON VBOS. **dar** · **expresar** · **transmitir** · **hacer extensiva** || **recibir** || **estar (de)** *Parece que últimamente estamos de enhorabuena*

enigma s.m.

● CON ADJS. **gran(de)** *el gran enigma del origen de la vida* · **capital** · **profundo** · **hondo** · **incomprensible** · **enrevesado** *un enrevesado enigma imposible de resolver* · **alambicado** · **intrincado** · **complejo** · **difícil** · **insoluble** · **irresoluble** · **indescifrable** · **impenetrable** · **insondable** · **inescrutable** · **nebuloso** · **oscuro** · **misterioso** · **oculto** || **antiguo** *Nadie ha sido capaz de desentrañar ese antiguo enigma* · **viejo** · **histórico** || **pendiente** || **sencillo** · **fácil** · **falso**

● CON SUSTS. **solución (de)** *Ella era la única que conocía la solución del enigma* · **resolución (de)** · **clave (de)**

● CON VBOS. **despejar(se)** *Con este nuevo hallazgo se despeja el enigma* · **esclarecer(se)** · **desvanecerse** || **rodear (algo)** · **subyacer (en algo)** || **intrigar (a alguien)** · **enganchar (a alguien)** · **inquietar (a alguien)** || **desvelar** · **destapar** · **desentrañar** · **aclarar** · **resolver** · **descifrar** · **solucionar** · **solventar** · **interpretar** · **comprender** · **deshacer** || **plantear** · **proponer** || **encerrar** · **suponer** · **constituir** *Su desaparición constituye un auténtico enigma* · **encarnar** · **representar** || **afrontar** || **penetrar (en)** · **adentrarse (en)**

enigmáticamente adv.

● CON VBOS. **hablar** *Habló tan enigmáticamente que no se entendió nada* · **decir** · **apuntar** · **señalar** · **asegurar** · **advertir** · **preguntar** · ***otros verbos de lengua*** || **actuar** · **desaparecer** || **sonreír** *Tras su confesión, sonrió enigmáticamente* · **mirar** · **suspirar**

enigmático, ca adj.

● CON SUSTS. **escritor,-a** · **caballero** *Se preguntaba quién sería aquel enigmático caballero* · **personaje** · ***otros individuos*** || **imagen** · **figura** · **aspecto** · **forma** || **atmósfera** · **ambiente** · **mundo** · **entorno** || **asunto** · **fenómeno** · **situación** · **comportamiento** || **personalidad** · **carácter** *el carácter enigmático y amenazador de sus palabras* || **halo** · **aura** || **presencia** · **sombra** · **criatura** || **frase** · **título** · **expresión** · **declaración** · **afirmación** *...tratando de desentrañar la enigmática afirmación que hizo al final de su intervención* · **metáfora** · **tono** || **misterio** · **crimen** · **desaparición** · **muerte** · **destino** || **representación** · **historia** *El novelista sorprende con una historia enigmática y original* · **obra** · **novela** · **drama** · **trama** · **cuadro** · **mensaje** · **concepto** · **signo** || **belleza** · **naturaleza** || **sonrisa** · **mirada** · **gesto**

enjambre (de) s.m.

● CON ADJS. **nutrido** · **abigarrado** *Un abigarrado enjambre de periodistas esperaba al equipo vencedor en el aeropuerto*

● CON SUSTS. **insectos** · **abejas** · **avispas** || **periodistas** · **fotógrafos,fas** · **turistas** · ***otros individuos***

enjuagar v.

● CON SUSTS. **boca** · **dientes** · **pelo** || **plato** *En seguida voy, solo me queda enjuagar los platos* · **vaso** · **tenedor** · ***otros recipientes o utensilios de cocina*** || **jersey** · **camisa** · ***otras prendas de vestir***

enjugar v.

▮ [secar]

● CON SUSTS. **sudor** · **lágrimas** *Se enjugó las lágrimas con un pañuelo* · **llanto** · **líquido** || **rostro** · **frente** · **ojos**

▮ [compensar]

● CON SUSTS. **pérdida** · **deuda** · **déficit** · **endeudamiento** · **devaluación** · **números rojos** *El fuerte aumento de las exportaciones ha servido para enjugar los números rojos del Estado* · **pasivo** · **débito** · **agujero** · **ganancia** · **renta** || **diferencia** · **ventaja** · **desventaja** · **distancia** · **desequilibrio** · **desfase** || **coste** · **gasto** *recursos que habían servido para enjugar el gasto público* · **presupuesto** · **cuenta** · **inversión** · **subvención** · **ayuda** || **dolor** · **pena** · **quebranto** · **nostalgia** *una distracción que le ayudó a enjugar la nostalgia por su país* · **soledad** || **derrota** · **fracaso** · **varapalo** · **correctivo** · **afrenta**

enjuiciar v.

● CON SUSTS. ***persona*** *No soy nadie para enjuiciar a mis compañeros* || **obra** · **labor** · **trabajo** · **gestión** · **caso** · **acción** · **actuación** *Creo que no estamos enjuiciando objetivamente su actuación* · **comportamiento** · **conducta** · **situación** · **hecho** · **asunto**

● CON ADVS. **severamente** · **con rigor** · **duramente** || **imparcialmente** · **objetivamente** · **por el mismo rasero** || **subjetivamente** · **arbitrariamente** || **debidamente** *Se queja de que no han enjuiciado debidamente su caso*

enjundia s.f.

● CON ADJS. **suficiente** · **cierta** · **escasa** *un libro con escasa enjundia* · **poca** || **mucha** · **gran** · **especial** || **literaria** · **política** · **artística** · **musical** · **filosófica** · **intelectual** · **ideológica** · **jurídica** · **penal** || **mayor** · **menor** || **verdadera**

● CON SUSTS. **libro (de)** · **obra (de)** || **asunto (de)** *reunidos para tratar asuntos de especial enjundia* · **dato (de)** · **información (de)** || **falta (de)** *Rechazaron el argumento por su falta de enjundia*

● CON VBOS. **tener** || **reconocer** · **valorar** || **proporcionar** · **otorgar** · **añadir** *un aspecto que añadía enjundia al proyecto* · **adquirir** || **estar lleno,na (de)**

● CON PREPS. **con** · **de** *un rival de enjundia*

enjuto, ta adj.

● CON SUSTS. ***persona*** *Es una enjuta mujer de mediana edad y pelo cano* || **aspecto** · **complexión** *un hombre de complexión enjuta* · **figura** || **cuerpo** · **rostro** · **tipo** · **físico** · **carnes** · **pie**
● CON VBOS. **volver(se)** · **quedar(se)**

enlace s.m.

● CON ADJS. **matrimonial** *El enlace matrimonial tendrá lugar la semana que viene* · **familiar** || **oficial** · **secreto** || **especial** · **directo** · **indirecto** || **indisoluble** · **duradero** · **perpetuo** · **permanente** · **efímero** || **terrestre** · **aéreo** · **aeronáutico** · **marítimo** · **ferroviario** · **viario** · **subterráneo** *el enlace subterráneo que une ambas carreteras* · **natural** || **urbano** · **nacional** · **internacional** · **comunitario** · **intercontinental** || **real** · **regio** · **militar** · **parlamentario** · **sindical** *Cada año se eligen nuevos enlaces sindicales* || **telefónico** · **informático** · **electrónico** || **químico** · **covalente** || **gramatical**
● CON SUSTS. **punto (de)** || **vía (de)** || **página (de)** · **vínculo (de)** || **comité (de)** · **comisión (de)** || **sistema (de)** · **miembro (de)** · **parte (de)**
● CON VBOS. **hallar(se)** *Los enlaces covalentes se hallan especialmente en los metales* || **perdurar** || **tender** · **establecer** · **efectuar** · **consumar** · **sellar** · **formalizar** · **promover** · **facilitar** · **favorecer** · **fortalecer** *...lo que sin duda fortalecerá su enlace matrimonial* · **garantizar** || **perder** *Perdí el enlace y tuve que esperar cinco horas en el aeropuerto* · **romper** · **disolver** || **pinchar** || **servir (de)** *la persona que servirá de enlace entre ambos mandatarios* · **actuar (de)**
● CON PREPS. **entre**

en la cuerda floja loc.adv./loc.adj.

● CON VBOS. **estar** · **hallarse** · **encontrar(se)** || **andar** · **caminar** || **trabajar** *De momento y hasta que no firmemos un nuevo contrato, estamos trabajando en la cuerda floja*
● CON SUSTS. **plan** · **proyecto** · **programa** || **negociación** · **acuerdo** || **equilibrio** · **paso** || **jugador,-a** · **técnico,ca** · **presidente,ta** *Después de las acusaciones publicadas ayer, el presidente está en la cuerda floja* · **juez** · **equipo** · **gobierno** · ***otros individuos y grupos humanos***

enlatar v.

● CON SUSTS. **sardinas** · **bonito** · **atún** *Esta conservera lleva veinte años enlatando atún* · **mejillones** · **berberechos** · ***otros alimentos*** || **imagen** · **sonido** *enlatar el sonido en un CD*

[enlazar] → enlazar; enlazar (con)

enlazar v.

● CON SUSTS. **tema** · **historia** *La periodista enlazó las dos historias con maestría* · **discurso** · **verso** · **palabra** · **imagen** · **idea** · **pensamiento** · **hecho** || **jugada** · **pase** || **derrota** *tras enlazar varias derrotas seguidas* · **fracaso** · **victoria** · **triunfo** || **viaje** · **salida** · **actuación** · ***otros eventos***
● CON ADVS. **genialmente** · **a la perfección** · **armoniosamente** *un poeta que enlaza imágenes armoniosamente* · **coherentemente** || **ideológicamente** · **profesionalmente** · **culturalmente**

☐ USO Se construye con sustantivos en plural (*enlazar temas*), coordinados por la conjunción *y* (*enlazar un tema y otro*) o unidos con la preposición *con* (*enlazar un tema con otro*).

enlazar (con) v.

● CON SUSTS. **autopista** *La carretera nacional enlaza con la autopista* · **autovía** · **carretera** · **red** · **ramal** · **línea** · **tramo** · **puente** · ***otras vías*** || **municipio** · **localidad** · **ciudad** · **barrio** · **zona** · **calle** · **estación** · **aeropuerto** · ***otros lugares*** || **vuelo** *Llegaron con cuatro horas de retraso y no pudieron enlazar con ningún otro vuelo* || **tradición** *una fiesta que enlaza con una tradición arraigada* · **filosofía** · **pasado**
● CON ADVS. **directamente** · **seguidamente** || **transitoriamente** || **subterráneamente** · **peatonalmente** *Este puente enlaza peatonalmente con la ciudad*

en legítima defensa loc.adv.

● CON VBOS. **actuar** *El abogado ha alegado que su cliente actuó en legítima defensa* · **reaccionar** || **atacar** · **golpear** · **disparar** · **matar**

en libertad loc.adv./loc.adj.

● CON VBOS. **vivir** · **reproducir(se)** · **trabajar** · **moverse** || **dejar** · **poner** || **salir** · **quedar** || **encontrar(se)** *El acusado se encontraba en libertad condicional cuando...*
● CON SUSTS. **animal** *Las imágenes captan la conducta de los animales en libertad* · **especie** || **vuelo** || **voto**

en limpio loc.adv.

● CON VBOS. **poner** *poner en limpio los apuntes* · **copiar** · **escribir** · **dibujar** || **sacar** *Hemos sacado en limpio una idea*

en líneas generales loc.adv.

● CON VBOS. **exponer** · **describir** · **resumir** · **contar** · **comentar** *Coméntame en líneas generales tus prioridades* · **decir** · ***otros verbos de lengua*** || **coincidir** · **estar de acuerdo** · **compartir** · **identificarse** · **corresponderse** || **respetar** *Han respetado en líneas generales los acuerdos firmados con el sindicato* · **cumplir** · **seguir** · **ajustarse** · **mantener** · **asumir** · **atenerse** || **confirmar** · **ratificar** · **corroborar** || **trazar** · **establecer** *establecer en líneas generales los pasos que se deben seguir* · **configurar** · **esbozar** · **dibujar** || **conocer** · **saber** || **prohibir** · **rechazar**
● CON ADJS. **bueno,na** · **excelente** · **espléndido,da** · **aceptable** *una propuesta aceptable en líneas generales* · **correcto,ta** || **parecido,da** · **coincidente** · **similar** · **igual**

en lontananza loc.adv./loc.adj.

● CON VBOS. **vislumbrar** *Se vislumbraban unas nubecillas en lontananza* · **perfilar(se)** · **ver(se)** · **divisar(se)** · **observar(se)** · **otear(se)** · **adivinar(se)** || **mirar** · **avizorar** · **atisbar** · **escuchar** || **aparecer** *Cuando se daban por vencidos, apareció en lontananza su salvador* · **avanzar** · **venir** · **anunciar(se)** · **presentar(se)** · **desplegar(se)** · **dominar** · **despuntar** || **brillar** · **reflejar** · **relumbrar** || **perderse** · **difuminarse** · **disiparse** · **confundirse** · **desaparecer** · **debilitarse**
● CON SUSTS. **cambio** *Los cambios en lontananza anuncian un próspero futuro* · **peligro** *Navegaban tranquilos, sin peligros en lontananza* · **destello**

enloquecidamente adv.

● CON VBOS. **correr** · **saltar** *De repente empezó a saltar enloquecidamente* · **bailar** · **girar** · ***otros verbos de movimiento*** || **gritar** · **chillar** · **cantar** || **buscar** *Se puso a buscar enloquecidamente las llaves* · **investigar**

enloquecido, da adj.

• CON SUSTS. **movimiento** · **dinámica** · **ritmo** *el ritmo enloquecido de la vida diaria* · **trasiego** · **ajetreo** || **deseo** · **pretensión** || **carrera** · **aventura** · **lucha**

enlucir v.

• CON SUSTS. **muro** · **techo** *Hay que enlucir el techo para que no salgan humedades* · **pared** · **fachada** · **edificio** · **casa** · **campanario** || **superficie** || **plata**

enlutar v.

• CON ADVS. **de pies a cabeza** *Mi abuela se enlutó de pies a cabeza al morir mi abuelo*

en manada loc.adv.

• CON VBOS. **ir** · **acudir** · **venir** · **andar** · **desfilar** · **viajar** · **correr** · **llegar** · **salir** || **llevar** *Se deja llevar en manada donde quiera el líder* || **vivir** *rasgos característicos de los animales que viven en manada*

en mano loc.adv./loc.adj.

• CON VBOS. **ofrecer** · **entregar** *entregar en mano un paquete personal* · **dar** || **llevar** || **pagar** · **cobrar**
• CON SUSTS. **llave** *Asegúrate de estar firmando un contrato llave en mano*

en mantillas loc.adj.

• CON SUSTS. **ciencia** *una ciencia nueva que está aún en mantillas* · **tecnología** · **investigación** || **proyecto** · **plan** · **idea** · **propuesta** · **iniciativa** · **negocio** || **reforma** · **proceso**

enmarañar(se) v.

• CON SUSTS. **ovillo** · **hilo** · **madeja** || **pelo** *Con el viento se le ha enmarañado el pelo* · **peinado** || **historia** · **trama** *una trama tan enmarañada que no hay quien la entienda* · **argumento** · **relato** · **cuento** || **asunto** · **panorama** · **proceso** *El proceso se ha enmarañado cada vez más* · **circunstancia** · **investigación** · **situación** || **discusión** · **pelea** || **amistad** · **sistema**

enmarcar(se) v.

I [poner un marco]

• CON SUSTS. **cuadro** · **fotografía** *Me gustaría enmarcar esta fotografía para ponerla en el salón* · **lámina** · **lienzo** · **dibujo**

I [situar dentro de unos límites]

• CON SUSTS. **encuentro** · **celebración** · **evento** · **hecho** · **acontecimiento** · **suceso** · **representación** · **ciclo** *El ciclo se enmarca en las corrientes estéticas renovadoras del siglo pasado* · **asunto** · **problema** · **fenómeno** · **realidad** || **proceso** · **diálogo** · **negociación** · **declaración** || **estilo** · **tendencia** · **característica** || **novela** · **relato** *El relato se enmarca dentro de la novela histórica* · **historia** || **operación** · **actuación** · **iniciativa** · **acción** · **programa** *El programa está enmarcado dentro de los cursos de verano que organiza la universidad* || **acuerdo** · **convenio** · **oferta** || **ambiente** · **paisaje** *El paisaje se enmarca en un entorno idílico*
• CON ADVS. **históricamente** · **cronológicamente** *enmarcar los acontecimientos cronológicamente* || **debidamente** · **con precisión** · **adecuadamente** · **perfectamente** · **fácilmente** || **políticamente** · **socialmente** · **geográficamente**

☐ USO Se construye generalmente con complementos encabezados por la preposición *en*: *un suceso enmarcado en el actual proceso de...*

en masa loc.adv./loc.adj.

• CON VBOS. **votar** · **apoyar** · **respaldar** · **volcarse** · **inclinarse** || **participar** · **manifestarse** *La población se manifestó en masa para exigir...* · **movilizarse** · **protestar** || **asesinar** · **ejecutar** · **matar** · **violar** · **exterminar** · **fusilar** || **despedir** · **deportar** · **expulsar** || **desertar** · **abandonar** · **dimitir** *Ante la crisis, los altos cargos han optado por dimitir en masa con el objetivo de...* || **huir** · **escaparse** · **fugarse** · **escabullirse** || **emigrar** · **inmigrar** · **llegar**
• CON SUSTS. **asesinato** · **ejecución** · **matanza** · **violación** · **fusilamiento** · **suicidio** · **crimen** · **exterminio** · **masacre** · **liquidación** || **deportación** *Quieren evitar la deportación en masa de...* · **despido** · **expulsión** · **evacuación** || **deserción** · **abandono** · **dimisión** || **fuga** · **huida** · **escapada** · **llegada** *La llegada en masa de turistas extranjeros colapsó la capacidad hotelera de la ciudad* · **regreso** · **asistencia** · **movilización** || **asesino,na** · **criminal** || **producción** · **fabricación** · **exportación**

☐ USO Aparece en construcciones formadas con sustantivos contables en plural (*Los estudiantes entraron en masa*) o con no contables y colectivos en singular (*La gente entró en masa*).

enmascarado, da adj.

• CON SUSTS. ***persona*** *Todos sospechaban del hombre enmascarado* || **rostro** · **cara**

enmascarar v.

• CON SUSTS. **hecho** · **situación** · **realidad** *enmascarar inútilmente la realidad con falsas excusas* · **verdad** || **problema** · **asunto** · **cuestión** · **origen** || **intención** · **ambición** || **derrota** · **fracaso** · **deficiencia** · **defecto** · **error** · **fallo** || **dopaje** · **ilegalidad** · **crimen** || **pagos** · **cuentas** *Las numerosas irregularidades cometidas llevaron a los directivos a enmascarar las cuentas* · **gestión** · **operación** *Pretendían enmascarar la operación fraudulenta con artilugios legales* || **olor** *un ambientador que enmascara los malos olores* · **sabor**
• CON ADVS. **perfectamente** · **genialmente** · **completamente** || **momentáneamente** || **ilegalmente** || **astutamente** · **arteramente** · **con artimañas**

enmendar v.

• CON SUSTS. **documento** *Hubo que enmendar el documento final* · **verso** · **capítulo** · **versión** · **párrafo** · ***otros textos*** || **redacción** · **composición** · **sintaxis** || **fallo** · **error** · **equivocación** · **defecto** · **anomalía** · **disparate** || **ley** *Solicitan que se enmiende la ley* · **precepto** · **sentencia** · ***otras disposiciones*** || **daño** · **problema** · **conflicto** · **injusticia** || **propuesta** · **proposición** · **plan** · **proyecto** || **presupuesto** · **balance** · **recuento** · **cifra** · **cuenta** *El ministerio se ha visto obligado a enmendar sus cuentas* || **comportamiento** · **actitud** · **conducta** · **tendencia**

en metálico loc.adv./loc.adj.

• CON VBOS. **pagar** *¿Va a pagar en metálico o con tarjeta?* · **abonar** · **ingresar** · **dar** · **entregar** · **devolver** || **cobrar** · **recibir**
• CON SUSTS. **dinero** · **cantidad** *Normalmente llevo una pequeña cantidad en metálico en la cartera* · **sueldo** · **abono** · **pago** · **ingreso** · **depósito**

enmienda s.f.

●CON ADJS. **total** · **parcial** || **legal** · **constitucional** *después de rechazar la enmienda constitucional que habría permitido...* · **judicial** · **presupuestaria** || **única** · **doble** · **conjunta** · **particular** · **transaccional** || **pertinente** · **adicional** · **alternativa**

●CON VBOS. **prosperar** || **plantear** · **presentar** · **debatir** · **discutir** · **revisar** · **hacer** *El partido hará una enmienda a la totalidad del proyecto* · **poner** || **votar** · **apoyar** · **promulgar** · **introducir** · **aprobar** *La oposición aprobó la enmienda constitucional* · **aceptar** || **rechazar** || **refundir**

□EXPRESIONES **enmienda a la totalidad** [la que se presenta a un proyecto de ley en conjunto, en lugar de a algunas de sus partes]

en (mil) pedazos loc.adv.

●CON VBOS. **romper(se)** *Cuando se me cayó al suelo el jarrón se rompió en mil pedazos* · **partir(se)** · **quebrar(se)** · **destruir(se)** · **deshacer(se)** || **explotar** *El recipiente se calentó demasiado y explotó en mil pedazos* · **estallar** · **volar** · **saltar**

enmoquetar v.

●CON SUSTS. **habitación** · **sala** · **despacho** · **escalera** · **puerta** · **pasillo** · **suelo** *Antes de decidir si enmoquetamos el suelo, debemos pensar...*

enmudecer v.

●CON SUSTS. **público** *Cuando empezó a recitar, el público enmudeció* · **espectador,-a** · ***otros individuos y grupos humanos*** || **sala** · **grada** · **estadio** || **música** · **canto** · **voz** · **sonido** || **campanas**

●CON ADVS. **de repente** *Su voz enmudeció de repente* · **de pronto** || **temporalmente** · **momentáneamente** || **levemente** · **completamente**

ennoblecer v.

●CON SUSTS. **profesión** · **oficio** · **labor** || **arte** · **cultura** · **música** · **lenguaje** · **título** || **vida** · **pasado** · **costumbres** || **acto** · **acción** · **actuación** || **sentimiento** · **corazón** · **espíritu** || ***persona*** *Su actitud solidaria la ennoblece* || **ciudad** *La estatua que quieren levantar no ennoblece la ciudad* · **monumento**

enojar(se) v.

●CON SUSTS. ***persona*** *Los espectadores se enojaron justificadamente por la actuación del árbitro* || ***animal***

●CON ADVS. **visiblemente** *Se la veía visiblemente enojada* · **ostensiblemente** · **enormemente** · **terriblemente** · **tremendamente** || **ligeramente** · **levemente** || **bruscamente** · **repentinamente** || **justificadamente** · **injustificadamente** · {**con/sin**} **razón**

enojo s.m.

●CON ADJS. **súbito** · **creciente** *Los trabajadores muestran un creciente enojo ante su situación laboral* · **visible** || **intenso** · **fuerte** || **lógico** · **comprensible** · **explicable** · **justificado** · **legítimo** || **injustificado** · **absurdo** · **tonto** || **largo** · **de días** · **de años**

●CON SUSTS. **cara (de)** · **gesto (de)** *Al escuchar la noticia hizo un gesto de enojo* · **grito (de)** || **causa (de)** · **razón (de)**

●CON VBOS. **aflorar** · **entrar(le) (a alguien)** || **aumentar** · **incrementar(se)** · **crecer** *Crece el enojo de los afectados por la estafa* || **disipar(se)** · **disminuir** · **aplacar(se)** · **pasárse(le) (a alguien)** *Después de unos días se le pasó el enojo* · **irse(le) (a alguien)** || **durar** || **provocar (a alguien)** · **causar (a alguien)** *Me causa mucho enojo que me hagan esperar* · **producir (a alguien)** · **ocasionar** · **generar** · **engendrar** || **sentir** · **sufrir** · **aguantar** · **resistir** · **soportar** || **evidenciar** · **mostrar** · **exteriorizar** · **manifestar** *La ministra manifestó su enojo ante los medios* · **demostrar** · **fingir** || **ocultar** · **disimular** · **reprimir** || **apaciguar** *Usted es el único capaz de apaciguar el enojo de los clientes* · **evitar** || **superar** · **abandonar** · **encauzar** · **canalizar** · **desviar** || **atribuir (a algo)** || **sumarse (a)**

●CON PREPS. **en medio (de)**

en oleadas loc.adv.

●CON VBOS. **mover(se)** · **propagar(se)** · **producir(se)** || **llegar** · **acudir** · **venir** || **entrar** · **salir** *La multitud salía en oleadas del estadio* || **invadir** · **atacar**

enormemente adv.

●CON VBOS. **crecer** · **aumentar** *La producción ha aumentado enormemente* · **ampliar** · **reducirse** · **descender** · **disminuir** · **cambiar** · **modificar** · **alterar** · **evolucionar** · **mejorar** · **abaratarse** · **empeorar** *Había empeorado enormemente su estado de salud* || **contribuir** · **agradecer** · **facilitar** · **ayudar** · **apoyar** · **favorecer** *La nueva política monetaria ha favorecido enormemente a las empresas exportadoras* || **beneficiar(se)** · **enriquecerse** || **disfrutar** · **entretenerse** · **divertir(se)** · **gustar** · **alegrar** · **reírse** · **entusiasmar(se)** · **tranquilizar** *Tus palabras me tranquilizan enormemente* · **ilusionar** · **animar** · **satisfacer** · **congratular** || **dificultar** · **perjudicar** · **herir** · **cansar** *Me cansa enormemente tener que repetir todos los días las mismas explicaciones* · **maltratar** · **molestar** · **dañar** · **impedir** · **entorpecer** || **preocupar(se)** · **decepcionar(se)** *Me siento enormemente decepcionada* · **inquietar(se)** · **alarmar(se)** · **asustar(se)** || **doler** · **sufrir** · **padecer** · **sentir** || **trabajar** · **leer** · **viajar**

en paz loc.adv.

●CON VBOS. **estar** · **quedar(se)** *Hasta que no se lo conté no me quedé en paz* || **trabajar** · **vivir** · **convivir** || **dejar (a alguien)** *Déjame en paz, haré lo que crea conveniente* || **dormir** · **descansar** *Después de una larga enfermedad, desde esta mañana descansa en paz* · **reposar** · **morir**

en pedazos loc.adv. Véase **en (mil) pedazos**

en peligro loc.adv.

●CON VBOS. **hallar(se)** · **encontrar(se)** · **estar** · **vivir** · **seguir** || **poner (algo/a alguien)** *No se perdona haber puesto en peligro la vida de su hijo*

en peregrinación loc.adv

●CON VBOS. **acudir (en)** *Movidos por su fe, decidieron acudir en peregrinación* · **ir** · **venir** · **marchar** · **viajar** · **salir** · **llegar** · **llevar**

en persona loc.adv./loc.adj.

▌[uno mismo, sin delegar]

●CON VBOS. **asistir** · **acudir** *El presidente acudió en persona a saludar a los heridos* · **presentarse** · **aparecer** · **concurrir** · **desplazarse** · **venir** || **conocer** · **ver** · **escuchar** · **contemplar** · **descubrir** · **percibir** || **comprobar** · **cerciorarse** · **probar** · **verificar** *Me gustaría verificar en persona que todo esté preparado* || **controlar** · **dirigir** · **encargarse** · **ocuparse** · **supervisar** · **asumir** · **garantizar** · **intervenir** · **impulsar** || **recibir** · **atender** · **acompañar** · **disculparse** *La encargada se disculpó en persona de la falta de...* · **saludar** || **entregar** · **llevar** · **recoger** · **depositar** ·

traer || **comunicar** *El jefe nos comunicó en persona que renunciaba a su cargo* · **decir** · **explicar** · **denunciar** · **llamar** · **entrevistar** · ***otros verbos de lengua***

▮ [personificado]

●CON SUSTS. **orgullo** · **alegría** *Todos coincidían en recordarlo como la alegría en persona* · **simpatía** · **amabilidad** · **tranquilidad** · **paciencia** · ***otras cualidades***

en picado loc.adv.

●CON VBOS. **tirar(se)** · **lanzar(se)** *El águila se lanzó en picado hacia su presa* || **bajar** *Han anunciado que a partir de mañana las temperaturas bajarán en picado* · **descender** · **caer**

en primera línea loc.adv./loc.adj.

●CON VBOS. **estar** · **situar(se)** · **colocar(se)** *Nos colocamos en primera línea para no perder detalle* · **encontrar(se)** || **combatir** · **batallar** · **luchar** · **defender** · **enfrentarse** · **escoltar** · **vigilar** || **presenciar** · **participar** · **protagonizar** · **asistir** || **seguir** · **continuar** *Algunos problemas de salud le impidieron continuar en primera línea, así que dejó la televisión* · **mantenerse** · **quedarse**

●CON SUSTS. **casa** · **hotel** *un hotel en primera línea de playa* · **piso** · **apartamento** · **vivienda** || **combatiente** · **soldado** · **ejército** · **reservista**

en profundidad loc.adv./loc.adj.

●CON VBOS. **abordar** · **tratar** || **investigar** · **estudiar** · **analizar** *un trabajo que analiza en profundidad las causas de la crisis* · **examinar** · **inspeccionar** · **explorar** · **revisar** · **reflexionar** · **entrar (en algo)** || **entender** · **comprender** · **conocer** · **implicarse** || **dialogar** · **debatir** *Debatieron en profundidad la aprobación de la nueva ley* · **discutir** · **criticar** || **renovar** · **modificar** · **cambiar** · **reformar** || **limpiar** · **desinfectar**

●CON SUSTS. **exploración** · **análisis** · **revisión** · **valoración** · **investigación** · **estudio** || **crítica** · **reforma** · **cambio** || **negociación** · **diálogo** · **debate** · **discusión** · **encuentro** · **entrevista** || **balón** · **pase** · **lanzamiento** · **ataque** || **limpieza** *un producto esencial para la limpieza en profundidad de alfombras y moquetas*

en punto muerto loc.adv./loc.adj.

●CON VBOS. **estar** · **encontrarse** · **quedar** · **seguir** · **hallarse** · **dejar** · **poner**

●CON SUSTS. **coche** *Date prisa que te espero en doble fila y con el coche en punto muerto* · **motor** · **caja de cambios** || **obra** · **texto** · **novela** · **artículo** · **composición musical** · **tesis** || **negociación** · **conversación** · **diálogo** · **proceso de paz** *Tras la nueva escalada de violencia el proceso de paz vuelve a quedar en punto muerto* · **reunión** · **debate** · **discusión** || **relación** · **alianza** · **convenio** · **pacto** · **concertación** · **matrimonio** || **investigación** · **pesquisa** || **proyecto** *El cambio de dirección ha dejado los proyectos de investigación en punto muerto* · **plan** · **iniciativa** · **expectativa** || **recuperación** · **crecimiento** · **ampliación** || **contratación** · **fichaje** · **gestión** · **renovación** || **batalla** · **guerra** · **crisis** · **problema** *un problema que volvió a entrar en punto muerto cuando...*

enquistarse v. *col.*

●CON SUSTS. **grano** || **grasa** || **problema** · **conflicto** · **situación** · **desigualdad** · **crisis** · **índice** · **negociación** *Las negociaciones entre ambos países se terminaron enquistando* || **ánimo** · **sentimiento**

●CON ADVS. **profundamente** · **inevitablemente** · **firmemente**

enraizar(se) (en) v.

●CON SUSTS. **tierra** · **cultura** · **tradición** · **sociedad** *una costumbre que se ha enraizado sólidamente en nuestra sociedad* · **realidad** · **vida**

●CON ADVS. **en profundidad** · **profundamente** *La poesía de esta autora se enraíza profundamente en nuestra cultura* · **íntimamente** · **hondamente** · **largamente** || **con fuerza** · **verdaderamente** · **sumamente**

enrarecer(se) v.

●CON SUSTS. **aire** *El humo de los cigarrillos enrarece el aire* · **ambiente** *Paulatinamente se fue enrareciendo el ambiente* · **atmósfera** · **clima** · **situación** · **panorama** || ***persona*** || **carácter** *Se le agrió el gesto y se le enrareció el carácter* || **proceso** · **negociación** · **conversación** || **relación** · **amistad** *Su larga amistad acabó así enrareciéndose por un incidente absurdo* · **alianza** || **debate** · **polémica** · **discrepancia** || **mercado** · **bolsa** · **política**

en reconocimiento (de/a) loc.prep.

●CON SUSTS. **obra** · **labor** *un premio concedido en reconocimiento a su labor social* · **servicio** · **trayectoria** · **carrera** || **mérito** · **triunfo** · **hazaña** || **fidelidad**

enredadera s.f.

●CON VBOS. **trepar** *Una enredadera trepaba por las tapias del jardín* · **subir** || **brotar** · **nacer** || **secar(se)** · **marchitar(se)** · **agostar(se)** || **reverdecer** · **rebrotar** || **florecer** || **plantar** || **cortar** · **arrancar**

enredar(se) (en) v.

●CON SUSTS. **cable** *Me enredé en un cable y me caí* · **pelo** · **hilo** · **zarza** || **maraña** · **lío** · **laberinto** · **red** · **trama** · **telaraña** · **galimatías** || **pelea** · **discusión** *Siempre te enredas en infructuosas discusiones* · **disputa** · **refriega** · **polémica** · **conflicto** · **bronca** || **amor** · **alianza** · **amistad** · **relación** || **misterio** · **magia** · **incógnita** · **enigma**

●CON ADVS. **peligrosamente** · **conscientemente** · **inconscientemente**

☐USO También se construye con la preposición *entre*: *enredarse entre las zarzas.*

enredo s.m.

●CON ADJS. **intrincado** · **complejo** · **enmarañado** · **confuso** || **monumental** · **mayúsculo** · **gigantesco** || **sentimental** · **amoroso** *una comedia de enredo amoroso* · **político** · **policíaco** · **burocrático** · **diplomático**

●CON SUSTS. **comedia (de)** · **película (de)** · **novel (de)** · **obra (de)** · **trama (de)** · **situación (de)**

●CON VBOS. **crear(se)** · **formar(se)** || **salir a la luz** *El enredo salió a la luz cuando se separaron* || **originar** · **causar** || **tejer** · **urdir** · **armar** · **montar** || **solucionar** · **resolver** · **deshacer** · **desbrozar** || **capear** || **meter(se) (en)** *No sé cómo se las apaña, pero siempre se mete en algún enredo* || **salir (de)**

●CON PREPS. **en medio (de)** · **en**

en redondo loc.adv.

▮ [dando una vuelta completa]

●CON VBOS. **girar** · **virar** *El capitán ordenó virar en redondo hacia el norte* · **dar la vuelta** || **torear** · **citar**

▮ [de forma clara o rotunda]

●CON VBOS. **negar(se)** *La orquesta se negó en redondo a tocar en tales condiciones* · **rechazar** · **descartar** · **oponerse**

en regla loc.adj.

● CON SUSTS. **pasaporte** *Asegúrese de que tiene el pasaporte en regla* · **papeles** · **contrato** · **solicitud** · **licencia** · ***otros documentos***
● CON VBOS. **mantener(se)** · **estar** || **poner** · **tener** · **llevar** · **traer**

en remojo loc.adv.

● CON VBOS. **poner** *poner los garbanzos en remojo durante unas horas* · **dejar** · **tener** · **mantener** · **estar**
☐ USO Se usa también la variante *a remojo.*

enrevesadamente adv.

● CON VBOS. **explicar** · **contar** · **exponer** · **hablar** *Habla tan enrevesadamente que no se entiende lo que quiere decir* · **preguntar** · **responder** · ***otros verbos de lengua***

enrevesado, da adj.

● CON SUSTS. **embrollo** · **rompecabezas** · **caos** · **lío** *un enrevesado lío de términos y conceptos* · **entramado** · **urdimbre** · **madeja** · **maraña** · **entresijo** · **mezcla** · **laberinto** || **problema** · **obstáculo** · **dificultad** · **crisis** || **pregunta** · **estilo** · **lengua** · **frase** · **mensaje** · **lenguaje** *Utiliza un lenguaje enrevesado que nadie entiende* · **discurso** · **poema** · **novela** · **película** · **dialecto** · ***otras manifestaciones verbales o textuales*** || **jerga** · **palabrería** · **expresión** · **definición** · **nombre** · **apellido** · **título** *Debería elegir un título menos enrevesado* · **terminología** · **denominación** || **argumento** · **guión** · **historia** · **caso** · **intriga** · **trama** *una trama enrevesada y muy divertida* || **explicación** · **análisis** · **interpretación** · **conclusión** || **camino** · **cauce** · **circuito** · **carretera** · **travesía** · **trayecto** · **senda** · **calleja** || **estructura** · **sistema** · **disposición** · **mecanismo** *La alarma funciona mediante un enrevesado mecanismo de señales* · **composición** || **plan** · **proyecto** · **estrategia** · **treta** || **conflicto** · **polémica** · **discusión** *Nos enfrascamos en una enrevesada discusión* · **bronca** · **debate** · **batalla** · **pugna** · **lucha** || **causa** · **origen** · **razón** · **antecedente** || **personaje** *El protagonista es un personaje enrevesado* · **novelista** · **escritor,-a** · **profesor,-a** · ***otros individuos***
● CON VBOS. **ser** · **volver(se)** · **estar** *El mundo está enrevesado*

enriquecedor, -a adj.

● CON SUSTS. **amistad** · **relación** *una relación enriquecedora para ambos* · **contacto** · **convivencia** || **diversidad** · **mezcla** · **mestizaje** · **simbiosis** · **intercambio** *un enriquecedor intercambio de opiniones* || **coloquio** · **conferencia** · **debate** · **diálogo** · **comunicación** · **polémica** · **lección** || **punto de vista** · **visión** · **idea** · **enfoque** · **criterio** · **propósito** || **ambiente** *El debate se desarrolló en un ambiente participativo y enriquecedor para todos* · **contexto** · **entorno** || **propuesta** · **aportación** · **contribución** || **trabajo** · **ejercicio** · **lectura** || **vivencia** · **experiencia** *Allí vivió una experiencia de voluntariado enriquecedora* · **oportunidad** · **viaje** || **conocimiento** · **progreso** || **elemento** · **aspecto** *una idea novedosa que presenta numerosos aspectos enriquecedores* · **fuente** || **dimensión** · **movimiento**
● CON ADVS. **infinitamente** · **enormemente** *Estudiar fuera ha sido enormemente enriquecedor* · **profundamente** || **escasamente**

enriquecer(se) v.

▌[hacer(se) rico, millonario]

● CON SUSTS. **empresario,ria** *...para impedir que los empresarios se enriquezcan a costa de los trabajadores* · **inversor,-a** · **comerciante** · **sociedad** · ***otros individuos y grupos humanos***
● CON ADVS. **desorbitadamente** · **enormemente** · **sobremanera** · **sustancialmente** · **notablemente** · **considerablemente** || **rápidamente** · **poco a poco** || **ilegalmente** *El partido de la oposición acusa al diputado de enriquecerse ilegalmente* · **irregularmente** · **fraudulentamente** · **ilícitamente** · **a costa (de alguien)** || **miserablemente** || **personalmente**

▌[mejorar, perfeccionar, completar]

● CON SUSTS. **patrimonio** · **colección** · **palmarés** || **contenido** || **espíritu** · **vida** · **conocimiento** · **experiencia** || **cultura** · **panorama** *La nueva iniciativa enriquece el no muy animado panorama cultural de la ciudad* || **mente** · **pensamiento** · **ideas** || **historia** · **relato** · **novela** · **obra** · **texto** · **espectáculo** · ***otras creaciones*** || **lenguaje** *nuevas expresiones que enriquecen el lenguaje* · **diálogo** · **debate** *Su intervención ha enriquecido sin duda el debate* · **discurso**
● CON ADVS. **espiritualmente** · **intelectualmente**

enriquecimiento s.m.

▌[aumento de la riqueza]

● CON ADJS. **abusivo** *Se quejan del enriquecimiento abusivo de las grandes superficies* · **desmesurado** · **desmedido** · **desaforado** · **relativo** || **vertiginoso** · **fulgurante** · **acelerado** · **rápido** · **súbito** · **repentino** · **continuo** · **progresivo** || **ilícito** *Están investigando el supuesto enriquecimiento ilícito de algunos miembros de la junta* · **ilegítimo** · **fraudulento** · **irregular** · **lícito** · **legítimo** || **visible** · **ostensible** || **supuesto** · **presunto** · **extraño** · **especulativo**
● CON SUSTS. **delito (de)** || **ánimo (de)** || **oportunidad (de)** · **posibilidad (de)** *Son escasas las posibilidades de enriquecimiento invirtiendo en la bolsa*
● CON VBOS. **investigar** || **acusar (de)**

▌[mejora de las propiedades de algo]

● CON ADJS. **personal** *una experiencia muy positiva para su enriquecimiento personal* · **intelectual** · **cultural** · **artístico** · **literario**
● CON VBOS. **producir(se)** || **propiciar** · **favorecer** · **fomentar** || **contribuir (a)** *La televisión debería contribuir al enriquecimiento cultural de la población* · **ayudar (a)** · **aportar (a)**

en ristre loc.adj.

● CON SUSTS. **lanza** · **espada** *El guerrero, espada en ristre, se lanzó al combate* · **arma** · **sable** || **cámara** · **micrófono** *Los periodistas se abalanzaron sobre el candidato micrófono en ristre* || **guitarra** · **paraguas** · **pancarta** || **bolígrafo** · **pluma**

enrojecer v.

● CON SUSTS. **ojo** · **rostro** · **cara** · **mejilla** · **espalda** · **piel** · **mano** *Se le enrojecían las manos de frío* · **pierna** · **pie** · **brazo** · ***otras partes del cuerpo*** || ***persona*** *La muchacha enrojecía de vergüenza* || **cielo** *El cielo enrojece al atardecer* · **horizonte** · **mar** · **sol**
● CON ADVS. **repentinamente** · **súbitamente** · **rápidamente** · **paulatinamente** *El pie fue enrojeciendo paulatinamente tras la picadura* · **ligeramente** · **levemente** · **momentáneamente**

enrolarse (en) v.

● CON SUSTS. **barco** *Entonces se enroló en un barco y empezó a trabajar como marino* · **buque** · **navío** · **crucero** ·

otras embarcaciones || **equipo** · **compañía** · **partido** · **plantilla** · **circo** · ***otros grupos humanos*** || **ejército** · **regimiento** · **legión** · **guerrilla** · **marina** · ***otras organizaciones*** || **movimiento** *En su juventud, se enroló en el movimiento revolucionario de la época* · **corriente** · **causa** · **escuela** · **cruzada** || **proyecto** · **empresa** · **iniciativa** · **programa** || **expedición** · **viaje** · **safari** *Después de atravesar el desierto se enroló en un safari de un par de semanas* · **aventura** · **gira** · **espectáculo** · **rodaje**

enrollar v.

● CON SUSTS. **cuerda** · **tira** · **bufanda** · **cable** *Enrolla esos cables para guardarlos* · **hilo** · **cinta** · **persiana** · ***otros objetos*** || **carne** · **pollo** · **tortilla** · **loncha** · ***otros alimentos***
● CON ADVS. **fácilmente** · **fuertemente** · **cuidadosamente** · **lentamente** · **totalmente**

[enroscar] → enroscar; enroscarse

enroscar v.

● CON SUSTS. **tornillo** *Soy incapaz de enroscar este tornillo tan pequeño* · **tuerca** · **tapón** · **bombilla** · **hilo** · **cable** · **alambre**

enroscarse v.

● CON SUSTS. **reptil** · **serpiente** *...mientras la serpiente se enroscaba en su pierna* · **culebra**

en saco roto loc.adv.

● CON VBOS. **caer** *Me temo que mis advertencias han caído en saco roto* · **echar** · **acabar** || **quedar**

ensalada

1 **ensalada** s.f.

● CON ADJS. **mixta** · **verde** · **campera** · **mediterránea** · **tropical** · **de la casa** · **fresca** || **aromática** · **rica** · **sabrosa** || **nutritiva** · **ligera** · **contundente** · **suave** · **sana** · **saludable**
● CON VBOS. **aliñar** *Espera, todavía tengo que aliñar la ensalada* · **condimentar** · **aderezar** || **hacer** · **preparar**

2 **ensalada (de)** s.f.

● CON SUSTS. **lechuga** *He preparado una ensalada de lechuga, tomate y cebolla* · **frutas** · **arroz** · **patatas** · **pasta** · **hierbas** · ***otros alimentos*** || **nombres** · **siglas** · **términos** || **disparates** · **barbaridades** || **estilos** · **géneros**

ensaladilla s.f.

● CON ADJS. **rusa** *una ración de ensaladilla rusa* · **de arroz**
● CON SUSTS. **pincho (de)** · **sándwich (de)** · **ración (de)**
● CON VBOS. **comer** · **probar** · **tomar** || **preparar** · **hacer**

ensanchar(se) v.

● CON SUSTS. **acera** · **calzada** · **carretera** *La carretera se ensancha a su paso por...* · **calle** · **avenida** · ***otras vías*** || **espacio** · **campo** · **mundo** · **base** || **frontera** · **límites** || **posibilidades** · **horizontes** *Viajar ensancha los horizontes* · **mercado** || **miras** · **objetivo** || **diferencia** · **brecha** || **vida** · **alma** · **espíritu** *La lectura es una afición que ensancha el espíritu* · **mente** · **conocimiento** || **pulmones** *aire sano que curte el rostro y ensancha los pulmones* · **corazón**
● CON ADVS. **excesivamente** · **extraordinariamente** · **enormemente** *Al llegar al centro de la ciudad, la avenida se ensancha enormemente* || **claramente** · **llamativamente**

ensañarse v.

● CON SUSTS. **público** · **crítica** · **opinión pública** · **prensa** *La prensa se ensañó con el cantante* || **agresor,-a** · **asesino,na** || ***otros individuos y grupos humanos*** || **pobreza** · **escasez** · **epidemia** *La epidemia siempre se ensaña con los más desfavorecidos* · **enfermedad** · **sufrimiento** · **incomprensión** · **tragedia** · **desgracia** · **temporal**
● CON ADVS. **especialmente** · **excesivamente** || **sin miramientos** · **sin compasión** *Los gamberros se ensañaron sin compasión con el pobre cachorro* · **cruelmente** · **duramente** · **violentamente** · **impunemente** || **incisivamente**

□ USO Se construye con complementos encabezados por la preposición *con*: *ensañarse con una persona.*

ensartar v.

● CON SUSTS. **cuentas** · **piedras** · **anillo** · **sortija** || **fruta** · **carne** *Para hacer pinchos morunos, ensarte la carne en la varilla* · **pollo** · **aceitunas** · **cacahuetes** · **castañas** || **palabras** · **textos** · **anécdotas** *Fue ensartando anécdotas a lo largo de la conferencia* · **historias** || **sucesos** · **problemas**

□ USO Se construye frecuentemente con sustantivos en plural: *ensartar historias.*

ensayar v.

● CON SUSTS. **obra** *Esta tarde ensayaremos la obra por última vez antes de la representación* · **papel** · **comedia** · **ópera** · **pieza** · **concierto** · **discurso** || **maniobra** · **operación** · **estrategia** · **jugada** · **salto** · **lanzamiento** · **golpe** · **movimiento** · **postura** *Para que os salga bien, tenéis que ensayar esta postura muchas veces* || **fórmula** · **técnica** · **método** · **sistema** · **procedimiento** || **medicamento** · **vacuna** · **tratamiento**
● CON ADVS. **semanalmente** · **periódicamente** || **cuidadosamente** · **a fondo** *Ensayó a fondo cada pieza que iba a tocar en el concierto* || **correctamente** · **con éxito** || **nuevamente** || **mentalmente** · **ante el espejo** *Un buen actor ensaya ante el espejo todos sus gestos* || **largamente** · **insistentemente** · **intensamente** · **una y otra vez**

ensayo s.m.

▌[escrito expositivo o divulgativo]

● CON ADJS. **teatral** · **histórico** · **filológico** · **filosófico** *También escribió un atractivo ensayo filosófico en relación con...* · **científico** · **literario** · **biográfico** · **académico** || **inteligente** · **penetrante** · **profundo** · **delicioso** · **sugerente** · **célebre** · **emotivo** || **extenso** *Estoy leyendo un extenso ensayo sobre...* · **enjundioso** · **denso** · **largo** · **pesado** · **tedioso** · **plomizo** · **aburrido** || **breve** · **apresurado**
● CON VBOS. **escribir** · **componer** · **cultivar** || **publicar** · **titular** · **recopilar** *Han recopilado sus últimos ensayos en un solo volumen* || **dedicar (a algo/a alguien)** · **dirigir**

▌[prueba, intento]

● CON ADJS. **exitoso** · **fallido** || **previo** · **oficial** · **general** · **a puerta cerrada** || **clínico** · **nuclear** *una manifestación contra los ensayos nucleares* · **de campo** · **de laboratorio**
● CON VBOS. **fracasar** · **fallar**

en seco loc.adv./loc.adj.

● CON VBOS. **lavar** *Este traje se lava en seco* · **cepillar** · **planchar** || **afeitar** · **teñir** || **frenar** · **parar(se)** · **detener(se)** || **cortar** · **quebrar** *un accidente que quebró en seco todas sus ilusiones* · **romper** · **zanjar** · **interrumpir** · **concluir** · **acabar** · **terminar** · **cesar**

● CON SUSTS. **lavado · afeitado · cepillado || tratamiento · congelación · maceración || frenazo** *Aquí se ven perfectamente las marcas de un frenazo en seco* · **frenada · parada · parón || golpe · impacto**

en secreto loc.adv.

● CON VBOS. **ver(se)** *Se estuvieron viendo en secreto más de dos años* · **encontrar(se) · reunirse · casarse || conservar · permanecer · mantener** *Te lo cuento pero, por favor, mantenlo en secreto* · **guardar · ocultar · esconder || negociar · acordar · hablar · preguntar || construir**

en señal (de) loc.prep.

● CON SUSTS. **protesta** *Organizan un acto en señal de protesta* · **repulsa · rechazo · condena · disconformidad · desacuerdo · desagrado · desaprobación · descontento || aprobación** *un leve gesto de la cabeza en señal de aprobación* · **acuerdo · conformidad · aquiescencia · aceptación · sumisión · rendición || luto · duelo · dolor || respeto · reconocimiento** *una medalla en señal de reconocimiento por sus esfuerzos en favor de la paz* · **deferencia · cortesía · cariño || solidaridad · apoyo · amistad · paz · concordia · reconciliación || alegría · regocijo · júbilo || agradecimiento · gratitud || saludo · bienvenida** *El perro meneaba la cola en señal de bienvenida* **|| victoria · triunfo || alerta · alarma · advertencia · peligro**

enseñanza s.f.

● CON ADJS. **básica · infantil · primaria · secundaria** *Creen que es necesaria una reforma de la enseñanza secundaria* · **obligatoria · media · superior · universitaria || pública · privada · bilingüe · laica** *Nuestro partido está a favor de la enseñanza laica* · **religiosa || académica · magistral · técnica || provechosa** *De esta experiencia se pueden extraer provechosas enseñanzas* · **fructífera · fecunda · aleccionadora · inestimable** *la inestimable enseñanza de un maestro de su talla* · **impagable · valiosa · imprescindible || estricta · permisiva · amarga** *las enseñanzas amargas de la vida* · **profunda || activa · pasiva · multimedia · virtual · a distancia · presencial || mixta · diferenciada · separada || de calidad · mediocre · masificada**

● CON SUSTS. **centro (de) · sistema (de) · método (de)** *un novedoso método de enseñanza de lenguas extranjeras* **|| calidad (de) · nivel (de) || labor (de) · libertad (de) · gratuidad (de) · subvención (de) || reforma (de)**

● CON VBOS. **calar (en alguien) · arraigar (en alguien)** *Las enseñanzas de su padre arraigaron profundamente en ella* · **caer en el vacío || impartir** *un centro en el que imparten enseñanza bilingüe* **|| sacar · extraer (de algo)** *...para extraer alguna enseñanza positiva de la situación vivida* · **aprovechar · asimilar · aplicar · atender · cumplir · seguir · recibir · obtener || desatender · desoír || conservar · intensificar || esparcir · difundir** *...difundiendo sus enseñanzas por todo el mundo* **|| cursar** *¿Qué porcentaje de la población cursa enseñanzas universitarias?* **|| programar || integrar · regular · legislar || evaluar || sacar partido (a/de)** *sacar partido de las enseñanzas del maestro*

enseñar v.

▌ [mostrar, dejar ver]

● CON SUSTS. **ciudad** *Cuando fuimos a visitarlos nos enseñaron amablemente la ciudad* · **pueblo · casa ·** ***otros lugares*** **|| foto · obra · libro · documento || colmillos · dientes · piernas · mano** *El médico me dijo que le enseñase la mano* · ***otras partes del cuerpo***

● CON ADVS. **gustosamente · amablemente · debidamente · seriamente · perfectamente**

▌ [hacer aprender, hacer conocer]

● CON SUSTS. **matemáticas · lengua** *Esta es la profesora que me enseñó lengua* · **literatura · música · historia ·** ***otras disciplinas*** **|| juego · truco** *Siempre nos enseñaba trucos con las cartas* · **técnica · fórmula · secreto · camino || oficio · lección · vida · experiencia**

enseres s.m.pl.

● CON ADJS. **personales · familiares · domésticos || imprescindibles || de valor || desprovisto,ta (de)** *Llegaron desprovistos de enseres personales*

● CON VBOS. **recoger · guardar · conservar || entregar || perder · robar** *Le robaron todos sus enseres de valor*

en serie loc.adv./loc.adj.

● CON VBOS. **colocar · disponer · ordenar || decorar · reparar · enviar || fabricar · producir · trabajar** *una tecnología que permite trabajar en serie* · **hacer · crear · montar · engendrar · pintar · escribir · coser || reproducir · repetir · copiar**

● CON SUSTS. **producción · fabricación** *Su empresa se dedica a la fabricación en serie de motocicletas* · **construcción · confección · trabajo · montaje · ensamblado · composición · generación || reproducción · copia · repetición · imitación · clonación || asesinato · crimen · atentado · muerte || asesino,na** *...indaga en la psicología de los asesinos en serie* · **violador,-a · homicida · criminal · terrorista · agresor,-a || venta · comercialización**

ensillar v.

● CON SUSTS. **caballo** *un caballo rebelde, difícil de ensillar* · **yegua · potro,tra · burro,rra · mula**

ensimismado, da adj.

● CON SUSTS. ***persona*** *Iba siempre ensimismado, pensando en sus cosas* **|| discurso · poesía · relato || actitud · reflexión || ciudad · pueblo · país** *un país ensimismado en problemas intestinos*

● CON ADVS. **completamente · totalmente · absolutamente**

● CON VBOS. **quedarse · estar**

ensombrecer(se) v.

● CON SUSTS. **luz · clima · cielo · paisaje || rostro · mirada · ánimo** *con el ánimo triste y ensombrecido* · **alegría || expediente · carrera** *Este pequeño incidente no ensombrece su brillante carrera militar* · **trayectoria · ejecutoria · biografía · gestión · liderazgo || situación · panorama · jornada · día || ambiente · acto · celebración || espectáculo · actuación · debut || resultado · logro** *El fuerte repunte de la inflación ensombreció los logros de su última etapa en el ministerio* · **éxito · victoria · acierto · proeza || esperanza · perspectiva · horizonte · porvenir · futuro · destino · oportunidad · proyecto · plan · proceso de paz** *Los atentados terroristas ensombrecieron el proceso de paz*

en son de guerra loc.adv./loc.adj.

● CON VBOS. **venir · regresar · ir · llegar · acudir** *El general negó que sus tropas hubieran acudido a la zona en son de guerra* · **volver · desfilar · marchar(se)**

● CON SUSTS. **militar · soldado || ejército · tribu**

en son de paz loc.adv./loc.adj.

● CON VBOS. **venir · ir · llegar · acudir** *Acudieron a la asamblea en son de paz, pero pronto se reanudaron las discusiones* · **marchar(se) · regresar · volver · visitar · desfilar**

● CON SUSTS. **visita · reunión · reencuentro || soldado** *Había soldados en son de paz por todas partes* · **músico,ca · okupa**

ensoñador, -a adj.

● CON SUSTS. **mirada · imagen · rostro · ojos · visión || voz · sonido · eco || atmósfera · ambiente** *ambientes idílicos y ensoñadores como los que crea la publicidad* · **fragancia · aire || música**

ensortijado, da adj.

● CON SUSTS. **pelo · cabello** *una chica de cabello ensortijado* · **melena · cabellera**

ensuciar v.

● CON SUSTS. **calle · casa · suelo · ropa ·** ***otras cosas materiales*** **||** ***persona*** **||** ***animal*** **|| imagen** *un sonado escándalo que vino a ensuciar la honorable imagen del empresario* · **apariencia · reputación · fama · honor · honorabilidad · buen nombre || nombre · figura · personalidad · apellido || memoria · pasado · historia || trayectoria · ejecutoria · currículum · historial · expediente · biografía · carrera** *Acusó a los medios de intentar ensuciar su carrera artística* **|| administración · arte · política · patria · democracia · deporte · idioma**

en sucio loc.adv.

● CON VBOS. **anotar** *Anótalo ahora en sucio y luego lo pasas a limpio* · **escribir · dibujar · esbozar || preparar (un escrito) · redactar · hacer un esquema**

ensueño s.m.

● CON ADJS. **real · verdadero · pleno || político · electoral || vano · desvaído · evanescente · fugaz** *el fugaz ensueño del primer amor* **|| vigoroso · dorado · mágico · puro || viejo**

● CON VBOS. **tener || recuperar · perpetuar || llevar (a) · vivir (en) · salir (de) || renunciar (a)**

● CON PREPS. **de** *una playa de ensueño*

en suspenso loc.adv./loc.adj.

● CON VBOS. **estar · quedar(se)** *El acuerdo ha quedado en suspenso* · **seguir · mantener(se) · permanecer || dejar**

● CON SUSTS. **condena** *...una condena en suspenso hasta que el juez tome la decisión definitiva* · **pena · castigo · sanción || trámite · expediente · sentencia · decisión · resolución · ejecución · denuncia || petición || proyecto · plan · acuerdo**

entablar v.

● CON SUSTS. **relación · amistad** *Ha entablado amistad con su compañero de trabajo* · **contacto · alianza · vínculo · romance || negociación · convenio · acuerdo · contrato · compromiso · trato || diálogo · conversación · coloquio · comunicación · plática · charla || discusión · lucha · batalla · guerra · polémica · debate** *Se entabló un interesante debate entre el escritor y los asistentes a la charla* · **pelea · pulso · conflicto · controversia · disputa · duelo || demanda · denuncia · querella · pleito · juicio · competencia · competición · boicot · procedimiento · litigio** *entablar un litigio en el extranjero* · **reclamación**

entablillar v.

● CON SUSTS. **pierna** *La enfermera le entablilló la pierna rota* · **brazo · mano · dedo · pata ·** ***otras partes del cuerpo*** **|| fractura**

entender v.

● CON ADVS. **perfectamente** *entenderse perfectamente con alguien* · **estupendamente · a las mil maravillas · al vuelo · sin problemas · al pie de la letra · en su justo término || a grandes rasgos** *Solo pude entender a grandes rasgos lo que contó* · **vagamente · a duras penas · con dificultad · a medias || ni por asomo** *Como no hablábamos el mismo idioma, no nos entendíamos ni por asomo* **|| correctamente · adecuadamente · a derechas || equivocadamente · torcidamente · erróneamente · al contrario · al revés** *Lo entendió todo al revés y la suspendieron*

● CON VBOS. **dar (a)** *Nos quiso dar a entender que no podría venir a la fiesta*

□ USO También se combina con locuciones pronominales del tipo *ni media palabra, ni (una) palabra, ni torta, ni jota, ni papa*: *No entendí ni torta de lo que me dijo.*

entendimiento s.m.

● CON ADJS. **buen(o)** *Desde que se conocieron hubo un buen entendimiento entre ellos* · **profundo · pleno · amplio · recto · adecuado · posible · necesario · deseable · pacífico · amistoso || difícil · mal(o) || duradero · corto || eficaz || limitado · con matices · secreto || mutuo · común**

● CON SUSTS. **falta (de)** *la lamentable falta de entendimiento entre el portero y la defensa* **|| base (de) · fórmula (de) · marco (de) · clima (de) · gesto (de) · grado (de)** *...para conseguir un grado de entendimiento cada vez mayor* **|| cauce (de) · camino (de) || facultad (de) · uso (de) · pérdida (de)**

● CON VBOS. **existir · reinar || ofuscar(se) · nublar(se) · obnubilar(se) · embotar(se) || romper(se) · deshacer(se) · perder(se) || propiciar · promover · fomentar** *nuevas medidas que pretenden fomentar el entendimiento entre los ciudadanos y la administración* · **perseguir · buscar · favorecer || hallar · conseguir · alcanzar · lograr · cimentar · restablecer · afianzar · mejorar** *...con el objetivo de mejorar el entendimiento entre padres e hijos* **|| obstaculizar · dificultar · boicotear · impedir · frenar || llegar (a) · llamar (a)**

● CON PREPS. **en aras (de)**

enterarse v.

● CON ADVS. **por casualidad** *Me enteré por casualidad de que iban a casarse* · **casualmente · de oídas · {con/por} sorpresa · con estupor || recientemente || de primera mano**

□ USO Se construye con complementos encabezados por las preposiciones *de* (*enterarse de una noticia*) y *por* (*enterarse de algo por otros*).

entereza s.f.

● CON ADJS. **total · enorme** *Cuando recibió la noticia mostró una enorme entereza* · **suma · absoluta · humana · sobrehumana · inagotable · gran(de) || impresionante · admirable · asombrosa · sorprendente · emocionante · envidiable · loable · encomiable · ejemplar · intachable || estoica · singular · necesaria** *tener la entereza necesaria para soportar una situación tan dura* **|| pública · colectiva · personal || anímica · moral · ética · cívica · profesional**

• CON SUSTS. **muestra (de)** · **ejemplo (de)** · **lección (de)** *Nos dio a todos una lección de entereza* || **falta (de)**
• CON VBOS. **mostrar** · **demostrar** *Para la edad que tiene demostró una entereza sorprendente* · **lucir** · **manifestar** || **tener** · **mantener** · **conservar** || **perder** · **ganar** · **recuperar** || **admirar** · **elogiar** · **alabar** · **aplaudir** · **subrayar** · **destacar** || **poner a prueba** || **exigir** *una situación que exige aplomo y entereza* || **armar(se) (de)**
• CON PREPS. **con** *Encajó el golpe con inusitada entereza*

enternecer(se) v.

• CON ADVS. **profundamente** · **intensamente** · **hondamente** · **tremendamente** · **enormemente** · **vivamente** *una situación que enternece vivamente incluso a los más fríos*

[entero, ra] → de cuerpo entero

enterramiento s.m.

• CON SUSTS. **lugar (de)** · **zona (de)** · **fecha (de)** || **acto (de)** · **rito (de)** · **obra (de)** || **cámara (de)** *En la pirámide había una cámara de enterramiento* || **seguro (de)** *Contrataron un seguro de enterramiento con la misma compañía* · **póliza (de)** · **gasto (de)** || **servicio (de)**
• CON VBOS. **realizar** · **hacer** · **concluir** || **aparecer** · **localizar** *Localizaron un enterramiento fenicio de alto valor arqueológico* · **encontrar** · **descubrir** || **permitir** · **autorizar** · **prohibir** || **participar (en)**

enterrar v.

• CON SUSTS. **vía** · **línea** · **cable** || **muerto,ta** · **cuerpo** · **cadáver** · **restos** *Enterrarán sus restos mortales en su pueblo natal* · **víctima** · ***otros individuos*** || **armas** · **lucha** · **odio** · **diferencias** · **rencor** || **pasado** *Ha enterrado totalmente su pasado y está intentando comenzar una nueva vida* · **recuerdos** · **fantasmas** || **asunto** · **caso** · **tema** · **problema** · **escándalo**
• CON ADJS. **vivo,va**
• CON ADVS. **definitivamente** · **para siempre** *Han decidido enterrar para siempre las armas* · **temporalmente** · **totalmente** || **dignamente** · **decentemente** · **debidamente** · **solemnemente** || **secretamente** · **públicamente** || **prematuramente** || **oficialmente** || **políticamente**

entidad s.f.

I [empresa, colectividad]

• CON ADJS. **política** · **bancaria** *la mayor entidad bancaria del país* · **económica** · **financiera** · **empresarial** · **mercantil** || **representativa** · **principal** || **gubernamental** · **estatal** · **pública** *privatizar una entidad pública* · **privada** · **autónoma** · **internacional**
• CON VBOS. **organizar(se)** || **asociar(se)** *desde que las entidades se asociaron y crearon el actual grupo empresarial* || **integrar(se) (en algo)** · **adscribir(se) (a algo)** || **crear** · **formar** · **constituir** || **presidir** · **dirigir** || **trabajar (en)**

I [valor, importancia]

• CON ADJS. **indiscutible** · **suficiente** *un error de entidad suficiente como para cuestionar la validez de todo el proyecto* · **arraigada** || **social**
• CON VBOS. **tener** · **adquirir** *Gracias a las nuevas inversiones la empresa fue adquiriendo entidad* · **mantener** · **perder** · **dar** || **dotar (de)** *el rasgo que dota de entidad propia a toda su obra literaria*

entierro s.m.

• CON ADJS. **privado** · **sencillo** *La familia optó por un entierro sencillo* · **digno** · **modesto** || **oficial** · **fastuoso** · **multitudinario** · **costoso** || **tradicional** · **religioso** · **civil** · **laico** || **solemne** · **frío** · **sentido** · **doloroso** · **trágico** || **largo**
• CON SUSTS. **día (de)** · **celebración (de)** · **fecha (de)** · **hora (de)** *¿Ya se sabe la hora del entierro?* · **lugar (de)** · **música (de)** || **cara (de)** *No me mires con esa cara de entierro, que yo no he sido* || **gastos (de)**
• CON VBOS. **tener lugar** · **efectuar(se)** · **celebrar(se)** *El entierro se celebró en la más estricta intimidad* · **transcurrir** || **oficiar** || **asistir (a)** · **acudir (a)** · **faltar (a)** · **ir (de)**

entonación s.f.

• CON ADJS. **plana** · **expresiva** *¿Podría leer el texto con una entonación más expresiva?* · **interrogativa** · **exclamativa** || **alta** · **baja** · **aguda** · **circunfleja** || **ascendente** · **descendente** · **suspensiva** || **suave** · **serena** || **precisa** · **exacta** · **clara** · **perfecta** · **peculiar** · **exótica** · **típica** · **propia** || **retórica** · **poética** · **festiva** · **cómica** · **teatral** || **polifónica** || **modulada** · **rotunda** · **marcada** *un locutor de radio con una entonación muy marcada* · **cromática** · **cálida** · **cantarina** · **melodiosa** · **ampulosa**
• CON SUSTS. **claridad (de)** · **facilidad (de)** · **capacidad (de)** || **práctica (de)** · **ejercicio (de)** · **cambio (de)** || **manual (de)** · **guía (de)** *El diccionario viene acompañado por una guía de entonación* || **nivel (de)** · **curva (de)** · **patrón (de)** · **unidad (de)**
• CON VBOS. **enseñar** · **ejercitar** · **practicar** · **comparar** || **modular** · **cambiar** · **marcar** *Tiene que marcar más la entonación* · **dar**

entonadamente adv.

• CON VBOS. **cantar** *Cantó entonadamente y con gran maestría* · **corear** · **modular**

entonar v.

• CON SUSTS. **pieza musical** · **canción** · **canto** *El coro entonó un emotivo canto a la libertad* · **himno** · **lamento**
• CON ADVS. **a voces** *entonar un himno a voces* · **a gritos** · **a todo volumen** || **al unísono** · **a coro**

entornar v.

• CON SUSTS. **cortina** · **puerta** *Al salir entorne la puerta, por favor* · **ventana** · **persiana** || **ojos** · **párpados**

entorno s.m.

• CON ADJS. **humano** · **personal** · **familiar** · **íntimo** · **vecinal** · **laboral** · **profesional** · **social** · **internacional** || **histórico** · **geográfico** · **local** · **monumental** · **urbano** || **ambiental** · **natural** *medidas compatibles con la protección del entorno natural* || **cálido** · **acogedor** · **agradable** · **favorable** · **propicio** *Para que se desarrollen adecuadamente necesitan un entorno propicio* · **privilegiado** · **amistoso** · **amable** · **favorecedor** || **árido** · **hostil** · **adverso** · **abrumador** · **desfavorable** · **desagradable** · **desolador** · **incierto** · **contrario** || **hermético** · **restringido** || **inmediato** · **cercano** *las personas de su entorno más cercano* · **cotidiano** || **permisivo** · **saludable** || **acorde (con)**
• CON VBOS. **conocer** *Para llegar a comprenderlo es necesario conocer su entorno* || **proteger** · **cuidar** · **recuperar** || **dañar** · **alterar** · **deteriorar(se)** · **perjudicar** · **destruir** || **reflejar** *una novela que refleja perfectamente el entorno social de la época* || **integrar(se) (en)** · **adaptar(se) (a)** *Le resulta fácil adaptarse al entorno* · **aclimatar(se) (a)** || **circunscribir(se) (a)** · **limitar(se) (a)** · **ceñir(se) (a)** || **vivir (en)** || **aislar(se) (de)**

entorpecer v.

●CON SUSTS. **paso** · **tráfico** · **circulación** *un vehículo averiado que entorpece la circulación* · **flujo** · **acceso** · **marcha** · **camino** · **ritmo** || **investigación** *La destrucción de los documentos podría entorpecer la investigación* · **labor** · **proceso** · **negociación** · **operación** · **ejercicio** · **plan** · **solución** · **aplicación** · **tramitación** · **procedimiento** · **proyecto** · **gestión** *La empresa rival entorpeció la gestión con oscuros intereses* · **campaña** || **crecimiento** · **expansión** · **continuidad** · **futuro** *Este pequeño incidente puede entorpecer el futuro de nuestras relaciones diplomáticas* · **avance** · **evolución** · **desarrollo** · **funcionamiento** · **relación** · **puesta en marcha** · **acción** · **instrucción** · **fluidez** || **pacto** · **consenso** · **acuerdo** · **diálogo** · **juego** || **elección** · **libertad** · **visión** · **vida** || **lectura** *La acumulación de notas aclaratorias puede entorpecer la lectura* || **esfuerzo** · **comprensión** || **trabajo** · **labor**

●CON ADVS. **indirectamente** · **gravemente** *Con su actitud entorpece gravemente la convivencia en el equipo* · **enormemente** · **considerablemente** · **completamente** · **deliberadamente**

entrada s.f.

▌[paso hacia el interior de algo]

●CON ADJS. **gratuita** · **libre** *En el concierto de mañana hay entrada libre* || **legal** · **ilegal** · **en vigor** || **principal** *Esperaré en la entrada principal del colegio* · **de servicio** || **triunfal** *la entrada triunfal del equipo ganador* · **apoteósica** · **solemne** · **fulminante** · **fulgurante** · **intempestiva** || **en aluvión** · **masiva** · **en masa** || **pacífica** · **violenta**

●CON SUSTS. **permiso (de)** · **visa (de)** || **control (de)** · **puesto (de)** · **puerta (de)** || **fecha (de)**

●CON VBOS. **hacer** · **efectuar** · **realizar** || **pedir** · **solicitar** *solicitar la entrada a un país* || **dar** · **conceder** · **permitir** · **facilitar** · **apoyar** || **interrumpir** · **obstruir** · **obstaculizar** · **restringir** · **prohibir** · **negar** *¿Por qué motivo te negaron la entrada al local?* · **denegar** · **impedir** || **esperar** · **temer** *temer la entrada de las tropas* || **aclamar**

▌[tique para un espectáculo]

●CON ADJS. **cara** · **barata** || **numerada** · **sin numerar**

●CON VBOS. **costar (algo)** · **agotar(se)** *A las dos horas ya se habían agotado todas las entradas para el concierto* || **reservar** · **pedir** · **comprar** || **dispensar** · **expender** · **vender** · **cobrar** · **sellar**

□EXPRESIONES {**buena/mala**} **entrada** [conjunto amplio o exiguo de espectadores]

entramado

1 **entramado** s.m.

●CON ADJS. **político** *...con el fin de esclarecer el entramado político y financiero que...* · **judicial** · **jurídico** · **legal** · **financiero** · **económico** · **social** · **institucional** · **burocrático** · **administrativo** · **logístico** · **informativo** · **urbano** · **urbanístico** · **argumental** *El entramado argumental de la novela es bastante complejo* || **oculto** · **oscuro** · **sutil** · **ilegal** · **delictivo** · **mafioso** || **artificioso** · **complejo**

●CON VBOS. **salir a la luz** || **urdir** · **tejer** · **trabar** · **armar** · **montar** || **descubrir** · **desmontar** · **desmantelar** · **desarticular(se)** · **denunciar** *denunciar un entramado político ilegal* · **sacar a la luz** · **destapar** · **deshacer** *incapaz de deshacer el entramado de cables* || **tapar** · **ocultar**

2 **entramado (de)** s.m.

●CON SUSTS. **cables** · **hilos** · **alambres** · **hojas** · **vigas** || **empresas** · **compañías** · **instituciones** · **sociedades** || **actividades** · **negocios** || **intereses** *un complejo entramado de intereses comerciales y publicitarios* · **tejemanejes** · **conspiraciones** · **relaciones** · **estrategias** · **influencias** · **alianzas**

entramparse v.

●CON SUSTS. **persona** *Muchos ciudadanos se entrampan para comprarse una vivienda* || **gobierno** · **estado** · **país** · **sistema**

●CON ADVS. **por completo** · **peligrosamente** · **del todo** · **gravemente** || **progresivamente** · **paulatinamente** · **poco a poco** *Ha ido entrampándose poco a poco, y ahora no sabe cómo salir* || **económicamente**

entrante

1 **entrante** adj.

●CON SUSTS. **semana** · **mes** · **año** *Nos entregarán la vivienda el año entrante* · **siglo** · ***otros períodos*** || **gobierno** · **ejecutiva** · **dirección** · **presidente,ta** · **ministro,tra** · **alcalde,-sa** || **llamada** *Este teléfono registra todas las llamadas entrantes* · **mensaje** · **conexión** || **agua** *regular la presión del agua entrante*

2 **entrante** s.m.

▌[aperitivo]

●CON SUSTS. **plato (de)** *un primer plato de entrantes* · **carta (de)**

●CON VBOS. **probar** · **degustar** || **servir** · **pedir**

●CON PREPS. **de** · **como** *Como entrante, podríamos pedir...*

▌[espacio que entra desde el borde de algo]

●CON ADJS. **pequeño** *Lo encontraron en un pequeño entrante de la montaña* · **gran(de)** || **rocoso**

●CON VBOS. **formar(se)** || **notar(se)** *No está muy calvo, pero se le notan los entrantes del pelo*

entrañable adj.

●CON SUSTS. **persona** *Todo el mundo lo recuerda como una persona entrañable* · **amigo,ga** · **compañero,ra** · **público** · ***otros individuos y grupos humanos*** || **personalidad** · **carácter** · **actitud** || **amistad** *Desde el momento en que se conocieron surgió entre ellos una amistad entrañable* · **afecto** · **relación** || **abrazo** · **gesto** · **aplauso** || **celebración** · **acto** · **homenaje** · **fiesta** || **imagen** · **estampa** · **anécdota** · **historia** · **recuerdo** *Guardo recuerdos entrañables del último viaje* || **descripción** · **retrato** || **novela** · **relato** · **obra** · **película** · **canción** · ***otras creaciones*** || **costumbre** · **tradición** || **lugar** *un lugar íntimo y entrañable*

●CON VBOS. **hacerse** · **volverse** · **resultar**

●CON ADVS. **especialmente** · **profundamente** · **realmente** · **particularmente**

entrañablemente adv.

●CON VBOS. **querer** · **amar** · **apreciar** · **sentir** || **acoger** · **saludar** · **abrazar** · **besar** · **recibir** · **despedir** || **recordar** *En la entrega de premios recordaron entrañablemente al actor desaparecido*

entrañar v.

●CON SUSTS. **cambio** *La llegada del nuevo Gobierno entrañará cambios importantes* || **problema** · **dificultad** · **inconveniente** · **complejidad** · **ventaja** || **riesgo** *Podría entrañar riesgos importantes para la salud* · **peligro** || **censura** · **crítica** · **ataque** || **aumento (de algo)** *Las medidas entrañan un fuerte aumento de los gastos* · **incremento (de algo)** · **disminución (de algo)** · **recorte (de algo)** · **re-**

ducción (de algo) || delito || responsabilidad · obligación · servidumbre

entrañas

1 **entrañas** s.f.pl.

• CON ADJS. **profunda** *desde las profundas entrañas del volcán* · **oculta || oscura || financiera**

• CON VBOS. **desgarrar(se) || corroer (a alguien)** *La envidia le corroía las entrañas* · **devorar (a alguien) || sacar · abrir · purgar || hurgar (en) · escarbar (en) · bucear (en) · adentrarse (en) || llevar (en)** *Lleva un hijo en sus entrañas* · **guardar (en) · esconder (en) || nacer (de)** *un hijo nacido de sus entrañas* · **surgir (de) || subsistir (en)**

• CON PREPS. **sin · de {mis/tus/sus...}**

2 **entrañas (de)** s.f.pl.

• CON SUSTS. **cuerpo · cadáver || tierra** *un apasionante viaje por las entrañas de la tierra* · **espacio · territorio · país || ministerio · administración ||** ***otros lugares*** **|| problema · corrupción**

□ EXPRESIONES **no tener entrañas** (alguien) [carecer de escrúpulos]

[entrar] → entrar; entrar (en)

entrar v.

• CON SUSTS. **clavo · tren · balón ·** ***otras cosas materiales*** **||** ***persona*** **|| idea · razonamiento** *Es un razonamiento complicado y no le entra a cualquiera* · **pensamiento · información || mareo** *Cada vez que subo a un barco me entra un mareo...* · **calor · fiebre · dolor · tos · sudor || escalofríos · temblor · convulsión · tembleque · taquicardia · palpitaciones · calambre || sueño · somnolencia · modorra · sed · hambre** *Me está entrando un hambre terrible* · **apetito || sensación · sentimiento · ataque || gana** *Me entraron ganas de llamar, pero...* · **deseo · impulso · tentación · prisa · mono · afición · obsesión || tristeza · pena · desazón · morriña · nostalgia** *¡Qué nostalgia me entra cuando recuerdo...!* · **desánimo · apatía || cansancio · fatiga · agotamiento · pereza · aburrimiento · flojera · debilidad || risa** *Sin saber por qué, le entró una risa incontenible* · **rabia · cabreo · llantina · llorera · soponcio · berrinche || temor · miedo** *...de repente se vio solo y le entró un miedo terrible* · **pavor · terror · pánico || preocupación · duda · gusanillo · cosquilleo · sospecha · vacilación || pantalón** *No le entraban los pantalones del año pasado* · **camisa · vestido · traje ·** ***otras prendas de vestir*** **|| postre · ensalada · pescado · lasaña · plato** *He comido tanto que ya no me entra el segundo plato* · ***otros alimentos o comidas***

• CON ADVS. **arrolladoramente · violentamente · lentamente · rápidamente || holgadamente** *Los pantalones te entran holgadamente* · **como Pedro por su casa**

entrar (en) v.

• CON SUSTS. **agujero · cueva · edificio · habitación · barrio · ciudad ·** ***otros lugares*** **|| etapa** *Hemos entrado en una etapa trascendental* · **adolescencia · pubertad · verano · mes · día ·** ***otros periodos*** **|| estado** *entrar en estado de coma* · **situación || coma · letargo || asunto · tema · cuestión · materia · forma · aspecto** *He evitado entrar en los aspectos más oscuros de...* **|| detalles** *Prefiero no entrar en demasiados detalles* · **pormenores || polémica · controversia · debate · discusión || crisis** *Nuestra relación entró en crisis* · **juego · lucha · pelea · batalla · guerra || actividad · razón** *Eres muy tozuda; no hay modo de hacerte entrar en razón* · **acción · calor · vereda · contacto · relación · posesión · servicio || horario · calendario · agenda · plan** *Tu visita no entraba en mis planes*

• CON ADVS. **profundamente · a fondo || cómodamente · con comodidad · holgadamente || con {buen/mal} pie || a empujones · a golpes · por la fuerza · ni a la de tres · pacíficamente · a sangre y fuego** *El ejército entró a sangre y fuego en la ciudad* **|| como una bala · como una exhalación || a hurtadillas · de extranjis · de puntillas · a tientas · abiertamente · como Pedro por su casa || arrolladoramente** *...con ese disco entró arrolladoramente en el panorama internacional* · **atropelladamente · decididamente · de rondón · al abordaje || inesperadamente · sorpresivamente · de golpe · de repente · abruptamente || en oleadas · en tropel · en desbandada · a espuertas || de lleno** *No perdamos tiempo y entremos de lleno en el tema que hoy nos ocupa* · **de pleno || a mano armada · a pecho descubierto · a cara descubierta · a tiros || por {mi/tu/su...} propio pie**

[entre] → entre; entre algodones; entre cuatro paredes; entre dientes; entre horas; entre líneas; entre pecho y espalda

entre prep.

• CON SUSTS. **tripulación · muchedumbre · público** *Había muchos amigos del cantante entre el público* · **vecindario · población · clero · gentío · séquito ·** ***otros grupos humanos*** **|| anecdotario · mobiliario · arboleda || arena · azúcar · trigo · centeno || pelo · paja · lana · césped · pasto || dinero · ropa** *Guardaba el dinero entre la ropa* **|| hierba · hojarasca · espesura · maleza · follaje · fronda · ramaje** *La cola del animal asomaba entre el ramaje* **|| barro · lodo · fango** *Encontré las llaves entre el fango* · **humo · humareda · bruma · niebla · neblina · piel · asfalto || confusión · desorden · caos · desconcierto · lío · laberinto · maraña** *Seguro que está entre esta maraña de papeles* · **jungla · palabrería || ruido · estruendo · fragor · sonido · murmullo || información** *Entre la información que ofrece la encuesta, destaca...* · **documentación · bibliografía || basura · chatarra · porquería || verdor · oscuridad**

□ USO Se combina con sustantivos en plural (*entre las flores*) o unidos por coordinación (*entre la puerta y la ventana*). Se construye también con numerosos sustantivos colectivos (*entre la tripulación; entre la arboleda*) y con muchos sustantivos no contables (*entre la arena; entre la ropa; entre el pelo; entre el ruido*).

entreabrir v.

• CON SUSTS. **ojos** *Entreabrió un momento los ojos pero se volvió a dormir* · **párpados · boca · labios · piernas · muslos || puerta · ventana** *entreabrir un poco la ventana para ventilar el cuarto* · **cortina · persiana · ventanilla · cajón || camisa** *con la camisa ligeramente entreabierta*

• CON ADVS. **ligeramente · imperceptiblemente**

entre algodones loc.adv.

• CON VBOS. **criar(se)** *Se ha criado entre algodones: nunca le ha faltado nada* · **crecer · vivir · nacer || tener · guardar · conservar · llevar · estar**

entrecejo s.m.

• CON VBOS. **fruncir · arrugar** *Arrugó el entrecejo en señal de desaprobación* · **marcar || depilar**

entrecerrar v.

• CON SUSTS. **ojos** *con los ojos entrecerrados por el cansancio* · **párpados** · **boca** · **labios** || **puerta** · **ventana** · **cortina** · **cajón**

• CON ADVS. **ligeramente** · **levemente** · **sutilmente** || **paulatinamente** · **progresivamente**

entrecortadamente adv.

• CON VBOS. **hablar** *Los nervios solo le permitían hablar entrecortadamente* · **decir** · **balbucear** · **explicar** || **respirar** · **jadear** · **suspirar** · **sollozar** · **reír** · **roncar** || **oír** · **escuchar** || **llegar** *El sonido llega entrecortadamente*

entrecortar(se) v.

• CON SUSTS. **línea** · **cadencia** · **movimiento** · **señal** *No lo escuché muy bien porque la señal se entrecortaba* || **ritmo** · **música** · **melodía** · **tono** || **voz** · **respiración** · **aliento** · **suspiro** · **resuello** · **jadeo** · **ronquido** || **sollozo** · **risa** · **grito** · **alarido** || **frase** · **palabra** · **discurso** *un breve pero sentido discurso entrecortado por la emoción* · **conversación** · **diálogo** · **declaración** · **relato** · **historia** · **párrafo** · **descripción** · **comunicación** || **estilo** · **lenguaje** · **sintaxis** · **hablar** · **habla** · **acento**

□ USO Se usa frecuentemente en forma participial: *Apenas se oía una señal entrecortada.*

entrecruzar(se) v.

• CON SUSTS. **línea** · **trazo** || **camino** *el lugar en el que se entrecruzan los caminos* · **itinerario** · **frontera** · **destino** · **vida** || **influencia** *Las influencias del surrealismo y el impresionismo se entrecruzan en su obra* · **influjo** · **relación** || **reflexión** · **fragmento** · **historia** · **discurso** · **tema** || **declaración** · **intención** · **opinión** · **perspectiva** · **interés** *Cuando el interés de un grupo se entrecruza con los de los demás* · **acusación** · **conflicto** || **mensaje** · **argumento** · **anécdota** · **llamada** || **corriente** · **movimiento** || **pierna** · **mirada** || **personaje**

• CON ADVS. **íntimamente** · **discretamente** || **vertiginosamente** · **rápidamente** · **instantáneamente** || **constantemente** · **permanentemente** || **peligrosamente** *Los vehículos se entrecruzaron peligrosamente* · **perjudicialmente** || **cruelmente**

□ USO Se construye con sustantivos en plural (*entrecruzarse las historias*), coordinados por la conjunción *y* (*entrecruzarse una historia y otra*) o unidos con la preposición *con* (*entrecruzarse una historia con otra*).

entre cuatro paredes loc.adv.

• CON VBOS. **encerrar(se)** *Lleva días encerrado entre cuatro paredes* · **meter(se)** · **recluir(se)** · **vivir**

[entredicho] → en entredicho

entre dientes loc.adv.

• CON VBOS. **hablar** · **decir** || **murmurar** *El acusado mascullaba algo entre dientes* · **farfullar** · **mascullar** · **rezongar** · **musitar** || **cantar** · **tararear** · **canturrear** || **reír** || **quejarse** · **maldecir** · **gruñir**

entrega s.f.

▌[dedicación]

• CON ADJS. **ciega** · **total** *Siempre demostró una entrega total hacia los necesitados* · **absoluta** · **completa** · **incondicional** · **sin reservas** · **sin condiciones** || **decidida** · **voluntariosa** || **sacrificada** · **abnegada** · **callada** || **generosa** · **desinteresada** || **loable** · **admirable** · **ejemplar**

• CON VBOS. **demostrar** *demostrar una abnegada entrega a los demás*

▌[reparto]

• CON ADJS. **puntual** · **esporádica** · **periódica** *Convinimos la entrega periódica del trabajo encargado* · **escalonada** || **a domicilio** · **en mano** *la entrega en mano de las llaves del piso* || **anticipada**

• CON VBOS. **hacer** *hacer entrega de un premio* · **cursar** · **negociar** || **aceptar** || **rechazar** · **denegar** || **agilizar** *agilizar la entrega de ayuda humanitaria*

□ EXPRESIONES **por entregas** [por partes o por fascículos] *una novela por entregas*

[entregar] → entregar; entregarse

entregar v.

• CON ADJS. **gustoso,sa** · **encantado,da** || **sano y salvo** *Sintió un gran alivio cuando le entregaron sano y salvo a su hijo* · **intacto,ta** · **completo,ta** · **deteriorado,da** · **en perfecto estado**

• CON ADVS. **amablemente** *Me entregó amablemente las llaves del piso* · **gustosamente** · **de mil amores** · **generosamente** · **gratis et amore** · **incondicionalmente** · **a regañadientes** || **íntegramente** || **puntualmente** *entregar puntualmente los productos a los clientes* · **con retraso** || **en persona** · **en mano** · **a domicilio** *entregar un paquete a domicilio* || **como anticipo** · **a cuenta** || **en compensación** · **a fondo perdido** || **en custodia**

entregarse v.

• CON ADVS. **totalmente** *Se entregó totalmente a la lucha contra esta enfermedad* · **sin condiciones** · **sin reservas** · **a conciencia** · **de lleno** · **por completo** · **de pleno** · **a tope** · **en cuerpo y alma** *Este año me voy a entregar en cuerpo y alma a acabar la carrera* · **en carne y hueso** · **ciegamente** · **febrilmente** · **con fruición** || **de buen grado** || **generosamente** · **abnegadamente** *Durante los últimos años se ha entregado abnegadamente al cuidado de su familia*

entre horas loc.adv.

• CON VBOS. **comer** · **picar** *Suelo picar algo entre horas* · **tomar** · **beber**

entrelazar v.

• CON SUSTS. **mano** *Entrelazaron sus manos en señal de hermandad* · **cuerpos** || **argumento** · **diálogo** · **conversación** · **cuestión** *cuestiones entrelazadas a lo largo de la conferencia* · **aventura** · **historia** · **imagen** *El documental está formado por varias secuencias de imágenes hábilmente entrelazadas* · **línea** · **tema** · **acción**

• CON ADVS. **íntimamente** · **estrechamente** · **fluidamente** · **perfectamente** || **azarosamente** · **hábilmente** · **firmemente** || **musicalmente** · **armoniosamente** · **armónicamente** || **constantemente**

□ USO Se construye con sustantivos en plural (*entrelazar argumentos*), coordinados por la conjunción *y* (*entrelazar un argumento y otro*) o unidos con la preposición *con* (*entrelazar un argumento con otro*).

entre líneas loc.adv./loc.adj.

• CON VBOS. **leer** *Si sabes leer entre líneas, entenderás la verdadera intención de lo que ha dicho* · **adivinar** · **entender** · **interpretar** · **atisbar** · **percibir** · **observar** · **ver** || **decir** · **hablar** · **contar** · **escribir** · **expresar** · **anunciar** · **comentar** · **explicar** || **sugerir** *No se lo dijo explícitamente, solo se lo sugirió entre líneas* · **apuntar** · **esbozar**

· demostrar · denotar · enseñar · señalar · aludir || condenar · fustigar · amenazar || aparecer · asomar · venir · colarse · escurrirse || ofrecer · reconocer
● CON SUSTS. **lectura** · **escritura** || **mensaje** *¿Para ti cuál es el mensaje entre líneas de este artículo?* · **frase** · **consejo**

entremés s.m.

▌[aperitivo]

● CON ADJS. **variado** *un plato de entremeses variados* · **casero**
● CON SUSTS. **surtido (de)** *Pusieron el surtido de entremeses en el centro de la mesa*
● CON VBOS. **pedir** · **ofrecer** || **comer** || **poner** · **servir**
● CON PREPS. **como**

▌[pieza teatral breve]

● CON ADJS. **famoso** · **conocido** · **anónimo** · **divertido** · **popular** || **cómico**
● CON SUSTS. **personaje (de)** || **autor,-a (de)** · **director,-a (de)** || **nombre (de)** · **título (de)** || **selección (de)** || **escena (de)**
● CON VBOS. **representar** *Representan un entremés entre acto y acto* · **reponer** · **escenificar** · **interpretar** · **llevar a escena** || **escribir**

entremezclar v.

● CON SUSTS. **tema** · **asunto** · **cuestión** · **situación** || **obra** · **color** *Va entremezclando un color vivo con otro apagado* · **estilo** *La banda entremezcla estilos musicales muy distintos* · **tendencia** · **moda** · **imagen** || **relato** · **filosofía** · **poesía** · **escena** · **teoría** || **personaje** *personajes clásicos entremezclados con personajes de ficción* · **leyenda** · **elemento** || **recuerdo** · **realidad** · **ficción**
● CON ADVS. **continuamente** · **frecuentemente** || **sabiamente** · **íntimamente** *sentimientos de amor y rechazo que se entremezclaban íntimamente* · **concienzudamente** · **pacientemente** || **delirantemente** · **insensatamente** || **perfectamente** · **armoniosamente** || **interesadamente**

□ USO Se construye con sustantivos en plural (*entremezclar colores*), coordinados por la conjunción *y* (*entremezclar colores claros y colores oscuros*) o unidos con la preposición *con* (*entremezclar un color con otro*).

entrenador, -a s.

● CON ADJS. **oficial** · **primer** · **segundo** · **suplente** · **sustituto,ta** · **personal** || **duro,ra** *Están a las órdenes de un entrenador duro y exigente* · **blando,da** || **eficiente** · **laureado,da** · **experimentado,da** · **excelente** · **novato,ta** || **actual** *la actual entrenadora del equipo de baloncesto* · **anterior** · **nuevo,va** · **flamante** *El flamante entrenador ha sido presentado a los medios de comunicación*
● CON SUSTS. **puesto (de)** · **cargo (de)** · **título (de)** · **carné (de)** || **contrato (de)** || **jefe** *el entrenador jefe del equipo de atletismo*
● CON VBOS. **seleccionar (a alguien)** · **elegir (a alguien)** · **decidir (algo)** || **exigir (algo)** · **animar (a alguien)** · **exhortar (a alguien)** || **entrenar (a alguien)** · **preparar (a alguien)** || **buscar** · **encontrar** · **elegir** · **contratar** · **cesar** || **cambiar (de)** · **trabajar (de/como)**

entrenamiento s.m.

● CON ADJS. **duro** *Ha realizado hoy un duro entrenamiento de más de tres horas* · **arduo** · **agotador** · **fuerte** · **intenso** · **intensivo** · **especial** || **suave** · **ligero** · **liviano** || **pleno** · **completo** · **concienzudo** · **metódico** || **diario** · **permanente** · **continuo** || **a puerta cerrada** *Antes del partido realizarán un entrenamiento a puerta cerrada* || **deportivo** · **militar** · **político** · **técnico**
● CON SUSTS. **campo (de)** *La lluvia del día anterior había dejado el campo de entrenamiento impracticable* · **cancha (de)** || **partido (de)** · **ejercicio (de)** · **sesión (de)** · **curso (de)** · **programa (de)** *seguir un programa de entrenamiento* || **grado (de)**
● CON VBOS. **dirigir** · **proporcionar** · **dar** · **impartir** || **practicar** · **realizar** || **recibir** · **requerir** || **reforzar** · **intensificar** · **acelerar** || **culminar** *un joven que culminó con éxito su entrenamiento en la Academia de Policía*

entrenar v.

● CON ADVS. **a tope** *entrenarse a tope antes de un campeonato* · **a fondo** · **a conciencia** · **concienzudamente** · **duramente** · **arduamente** · **intensamente** · **a morir** || **metódicamente** *Entrena metódicamente todos los días de la semana* || **continuadamente** · **esporádicamente** · **a medio gas** || **a puerta cerrada** *El día previo al partido el equipo entrenará a puerta cerrada*

entre pecho y espalda loc.adv.

● CON VBOS. **meterse** *Se metió entre pecho y espalda dos platos de fabada*

entresacar v.

● CON SUSTS. **dato** *De su último estudio se entresaca un dato importante* · **información** · **argumento** · **idea** · **juicio** · **conclusión** || **afirmación** · **observación** · **palabras** · **frase**
● CON ADVS. **poco a poco** · **con cuentagotas** · **pacientemente**

entresijo s.m.

● CON ADJS. **enrevesado** · **profundo** *los profundos entresijos de la empresa* · **recóndito** · **intrincado** · **oscuro** · **escondido** · **misterioso** · **oculto** || **verdadero** || **político** · **administrativo** · **financiero**
● CON VBOS. **salir a la luz** || **buscar** · **explorar** · **averiguar** || **conocer** *para conocer los misteriosos entresijos de su familia* || **sacar** · **descubrir** · **destapar** · **desentrañar** · **revelar** · **desvelar** · **mostrar** · **airear** · **enseñar** || **explicar** · **aclarar** *Es importante que aclaren ustedes los entresijos del acuerdo* || **adentrarse (en)** · **meter(se) (en)** · **introducir(se) (en)** · **zambullirse (en)** · **penetrar (en)** · **indagar (en)**

entretejer v.

● CON SUSTS. **trama** *Solo algunos dramaturgos saben entretejer bien la trama de las comedias de enredo* · **historia** · **vida** || **lucha** · **juego** || **lazos** · **acuerdos** || **telaraña**
● CON ADVS. **sabiamente** · **genialmente** *La guionista ha conseguido entretejer genialmente la trama*

entretenido, da adj.

● CON SUSTS. **espectáculo** · **película** *Te recomiendo que vayas a verla; es una película muy entretenida* · **comedia** · **novela** · **texto** · **disco** · **cinta** · **libro** · **programa** · **serie** || **historia** · **relato** · **aventura** · **intriga** || **discurso** · **coloquio** · **debate** || **fiesta** · **celebración** *La celebración fue entretenida, pero estaba deseando que terminase* · **festejo** · ***otros eventos*** || **partido** · **deporte** · **juego** · **pasatiempo**
● CON ADVS. **realmente** *La tarde estuvo realmente entretenida* · **verdaderamente** *un juego que resulta verdaderamente entretenido*
● CON VBOS. **resultar** · **encontrar** · **parecer**

entretenimiento s.m.

● CON ADJS. **público** *un espacio creado para entretenimiento público* · **familiar** · **infantil** · **popular** · **juvenil** || **educativo** · **divertido** · **cultural** · **interactivo** · **televisivo** · **deportivo** · **lúdico** · **sano** *fomentar el entretenimiento sano* · **barato** · **visual** · **narrativo** · **recreativo** · **digital** · **de calidad** · **favorito** · **preferido** *uno de mis entretenimientos preferidos* · **placentero** · **simpático** · **saludable** || **mero** · **puro** · **simple** · **asegurado** *Si ella va a la fiesta, hay entretenimiento asegurado* || **ingenioso** · **original**

● CON SUSTS. **programa (de)** · **espacio (de)** · **medio (de)** *Para ella el cine es solo un medio de entretenimiento* · **centro (de)** · **zona (de)** || **oferta (de)** *ampliar la oferta de entretenimiento de la ciudad* · **necesidad (de)** || **literatura (de)** · **producto (de)** · **cine (de)** · **libro (de)** · **revista (de)** · **juego (de)** · **arte (de)**

● CON VBOS. **asegurar** · **garantizar** || **ofrecer** · **buscar** · **encontrar** *Los niños encuentran entretenimiento con cualquier cosa* · **tener** · **inventar** · **necesitar** || **dedicar(se) (a)** · **destinar (a)** · **dirigir (a)** · **servir (de)**

● CON PREPS. **por** *No cobra, lo hace por mero entretenimiento*

entrevista s.f.

● CON ADJS. **larga** · **prolongada** · **amplia** · **breve** || **detallada** · **a fondo** · **en profundidad** || **en exclusiva** *una entrevista en exclusiva para esta revista* · **exclusiva** || **telefónica** *No consiguieron hacerle más que una entrevista telefónica* · **televisiva** · **cara a cara** · **mano a mano** · **personal** · **informal**

● CON VBOS. **transcurrir** · **desarrollar(se)** *La entrevista se desarrolló con completa normalidad* · **celebrar** · **tener lugar** || **versar (sobre algo)** · **girar (sobre algo/entorno a algo)** || **difundir(se)** || **solicitar** || **aceptar** · **conceder** *Solo ha concedido dos entrevistas en los últimos años* · **dar** || **negar** · **rechazar** || **conseguir** · **concertar** || **tener** · **mantener** · **sostener** · **hacer** · **realizar** || **preparar** · **planificar** || **transmitir** · **televisar** · **publicar** || **tergiversar**

entrevistar v.

● CON ADVS. **personalmente** *Ha sido la única periodista que ha logrado entrevistar personalmente al presidente* || **informalmente** · **a fondo** · **en exclusiva**

entristecer(se) v.

● CON ADVS. **sumamente** · **enormemente** *La noticia me ha entristecido enormemente* · **profundamente** · **hondamente**

en tromba loc.adv.

● CON VBOS. **venir** · **acudir** *Cuando se enteraron, acudieron en tromba* · **llegar** · **entrar** || **salir** · **huir** · **retirarse** · **caer** *Tras él, cayeron en tromba todos los altos cargos de la empresa* || **lanzarse** · **atacar**

entrometerse (en) v.

● CON SUSTS. **asunto** *No me gusta que se entrometa en mis asuntos profesionales* · **vida** · **tema** · **problema** || **discusión** · **conversación** · **debate** · **negociación** · **política** || **relación** *Todo el mundo se entrometía en su relación*

● CON ADVS. **indebidamente** · **sin venir a cuento** · **injustificadamente** || **activamente** || **sin rubor** · **impúdicamente** || **continuamente**

entroncar v.

● CON ADVS. **directamente** *Sus ideas entroncan directamente con las de su maestro* · **de lleno** · **de pleno** · **plenamente** · **estrechamente** || **tangencialmente** · **indirectamente**

□ USO Se construye con complementos encabezados por la preposición *con*: *Esta celebración entronca con la antigua tradición de...*

en tropel loc.adv.

● CON VBOS. **acudir** · **venir** · **llegar** · **entrar** || **escapar** · **huir** *Al oír que llegaba la Policía, los atracadores huyeron en tropel* · **retirarse** · **salir** || **lanzarse** · **atacar**

entubar v.

● CON SUSTS. **enfermo,ma** · **herido,da** *Entubaron al herido en el hospital* · **paciente** · ***otros individuos*** || **arroyo** · **cauce** *Van a entubar el cauce del río para evitar los malos olores* · **vertido** · **río** · **reguero** · **calle**

entumecer(se) v.

● CON SUSTS. **dedo** · **mente** · **músculo** · **pie** *Se me entumecieron los pies después de dos horas sentado* · ***otras partes del cuerpo***

● CON ADVS. **físicamente** · **espiritualmente**

enturbiar(se) v.

● CON SUSTS. **agua** *Si se remueve el fondo, se enturbia el agua* · **vino** || **situación** · **clima** *Una inesperada discusión enturbió el buen clima de la fiesta* · **ambiente** · **panorama** · **horizonte** · **paisaje** || **prestigio** · **fama** · **imagen** || **relación** · **amistad** || **marcha** · **trayectoria** · **proceso** *los pequeños obstáculos que enturbiaron el proceso de negociación* || **campaña** · **negociación** · **acuerdo** || **fiesta** · **celebración** · **actuación** || **éxito** · **victoria** || **reunión** · **debate** *Su desafortunada intervención enturbió el debate* · **diálogo** · **discusión** || **labor** · **trabajo** · **tarea** · **resultado** || **vida** || **mente** · **alma** || **felicidad** · **optimismo** || **claridad** · **transparencia**

● CON ADVS. **enormemente** · **considerablemente** · **seriamente** *una decisión que amenaza con enturbiar seriamente la relación entre ambos países* · **notablemente** || **ligeramente** || **definitivamente** || **insistentemente**

entusiasmar (a alguien) v.

● CON SUSTS. **idea** · **proyecto** · **plan** · **propuesta** · **posibilidad** || **tema** · **discurso** *...con un discurso que entusiasmó al auditorio* || **obra** · **representación** *La representación entusiasmó al público desde el primer momento* · **película** · **música** · **lectura** *Desde niño me entusiasma la lectura* · ***otras creaciones*** || **fútbol** · **golf** · **ballet** · ***otros deportes***

● CON ADVS. **enormemente** || **rápidamente** · **frenéticamente** || **locamente** || **particularmente** *Le entusiasmaban particularmente las carreras de motos* · **especialmente**

□ USO Los mencionados sustantivos alternan la función de sujeto (*La idea nos entusiasmó*) con la de término de la preposición *con* (*Nos entusiasmamos con la idea*).

entusiasmo s.m.

● CON ADJS. **delirante** *El rock duro debe de tener una altísima calidad y así se juzga por el delirante entusiasmo de sus partidarios* · **caluroso** · **desaforado** · **desatado** · **desbordante** · **irrefrenable** · **vibrante** · **vivo** · **desmedido** · **desorbitado** · **enorme** · **frenético** · **contagioso** || **moderado** · **escaso** · **fingido** || **juvenil** · **tardío** · **infantil** || **pletórico,ca (de)** · **rebosante (de)** · **lleno,na (de)**

● CON SUSTS. **arrebato (de)** · **acceso (de)** · **demostración (de)** · **ápice (de)** *Ya no me queda ni un ápice de entusiasmo en el equipo* · **muestra (de)** · **gesto (de)**

●CON VBOS. **reinar** *Tras la reunión, reinaba el entusiasmo* · **extender(se)** · **desbordar(se)** · **desatar(se)** || **adueñarse (de alguien)** · **embargar (a alguien)** · **invadir (a alguien)** · **mover (a alguien)** || **decrecer** *El entusiasmo del público decreció tras el primer tanto en contra* · **decaer** · **enfriar(se)** · **apagar(se)** · **deshinchar(se)** · **desinflar(se)** · **disipar(se)** || **mostrar** *La productora mostró su entusiasmo por el éxito arrollador del nuevo film* · **manifestar** || **infundir** · **insuflar** · **despertar** · **causar** · **provocar** || **irradiar** · **rezumar** · **desplegar** · **transmitir** · **contagiar** · **cundir** · **derrochar** || **atizar** · **avivar** || **conservar** · **sentir** || **vibrar (de)** *Los fans vibraban de entusiasmo ante su ídolo* · **brincar (de)** · **saltar (de)** || **alimentar(se) (de)**
●CON PREPS. **con** · **sin**

entusiasta adj.

●CON SUSTS. **gente** · **público** *A la representación asistió un público entusiasta y divertido* · **afición** · **admirador,-a** · **defensor,-a** · **militante** · ***otros individuos y grupos humanos*** || **trabajo** · **visión** · **planteamiento** || **colaboración** · **participación** *gracias la participación entusiasta de los voluntarios* || **admiración** · **devoción** || **recepción** · **bienvenida** · **acogida** · **respuesta** || **apoyo** · **respaldo** · **defensa** *Hizo una defensa entusiasta del nuevo sistema* || **juicio** · **valoración** · **comentario** · **crítica** · **elogio** || **aplauso** · **ovación** · **aclamación** *Los jugadores recibieron una aclamación entusiasta de su afición* || **impulso** || **balance**
●CON ADVS. **sumamente** · **auténticamente** || **escasamente** || **aparentemente**
●CON VBOS. **mostrarse** · **volverse**

enumeración s.f.

●CON ADJS. **larga** *una larga enumeración de las obras del autor* · **extensa** · **completa** · **detallada** · **prolija** · **precisa** · **meticulosa** · **minuciosa** · **exhaustiva** || **simple** · **breve** · **somera** · **sucinta** · **escueta** · **incompleta** · **rápida** || **interminable** · **tediosa** · **aburrida** || **cerrada**
●CON VBOS. **hacer** *Empezó haciendo una rápida enumeración de las causas del fenómeno* · **realizar** || **ordenar** · **completar** · **alargar** || **interrumpir**

enumerar v.

●CON ADVS. **minuciosamente** · **detalladamente** · **prolijamente** · **exhaustivamente** · **uno a uno** · **uno por uno** · **punto por punto** || **brevemente** || **de memoria** *Soy incapaz de enumerar de memoria los ríos de...*

enunciar v.

●CON SUSTS. **principio** · **fórmula** · **teoría** · **ley** · **idea** · **juicio** · **pronóstico** · **pregunta** || **problema** || **tema** *Enunció el tema sin entrar en demasiados detalles* || **proyecto** · **programa** *El primer día de clase el profesor enunció el programa que iba a seguir* · **objetivo** || **elemento** · **factor** · **componente** · **punto**
●CON ADVS. **explícitamente** · **claramente** · **directamente** || **pormenorizadamente** || **telegráficamente** *Me limitaré a enunciar telegráficamente los puntos fundamentales de nuestro programa electoral* · **someramente** || **correctamente** · **sagazmente** · **oportunamente** || **solemnemente** · **fríamente** || **oficialmente** · **personalmente**

en un pedestal loc.adv.

●CON VBOS. **tener** *Tiene a su hermana mayor en un pedestal* || **colocar** · **subir** · **poner**

envainar v.

●CON SUSTS. **espada** *Envainaron sus espadas y dieron fin al duelo* · **daga** · **cuchillo** · **navaja** · **bayoneta**

en vano loc.adv. Véase **vanamente**

envasar v.

●CON ADVS. **al vacío** *envasar el jamón al vacío* || **herméticamente** || **debidamente** · **cuidadosamente**

envase s.m.

●CON ADJS. **retornable** *una bebida en envase no retornable* · **ecológico** · **reciclable** · **biodegradable** · **desechable** · **de usar y tirar** · **reutilizable** || **ligero** · **pesado** · **resistente** || **práctico** · **útil** · **cómodo** · **higiénico** · **innovador** · **atractivo** || **familiar** · **multidosis** · **monodosis** · **industrial** · **clínico** · **isotérmico**
●CON SUSTS. **diseño (de)** · **fabricación (de)** || **etiqueta (de)** · **tapa (de)** *Quita la tapa del envase y luego lo metes en el microondas* · **tapón (de)** || **interior (de)**
●CON VBOS. **contener (algo)** · **proteger (algo)** · **conservar (algo)** || **abrir** · **destapar** || **llenar** · **vaciar** || **reciclar** *Hemos reciclado los envases de plástico* · **devolver** || **tirar** · **desechar** · **recoger** || **separar** *Es necesario separar correctamente los envases de vidrio, metal y cartón*

envejecer v.

●CON ADVS. **a pasos agigantados** · **a marchas forzadas** · **rápidamente** || **lentamente** || **prematuramente** || **dignamente** *...y lo único que deseo es poder envejecer dignamente* || **inexorablemente** · **inevitablemente**

envejecimiento s.m.

●CON ADJS. **visible** · **acusado** *Se está produciendo un acusado envejecimiento de la población* || **acelerado** · **rápido** || **progresivo** · **paulatino** · **gradual** || **prematuro** · **repentino** || **inevitable** · **irreversible** || **demográfico** || **cerebral** · **genético** · **ambiental**
●CON SUSTS. **signo (de)** *una crema para los signos de envejecimiento de la piel* · **señal (de)** · **manifestación (de)** · **muestra (de)** || **riesgo (de)** || **proceso (de)** · **ritmo (de)** · **tasa (de)**
●CON VBOS. **acentuar(se)** *El envejecimiento demográfico en la zona se está acentuando* · **acelerar(se)** · **avanzar** || **provocar** *El sol puede provocar un envejecimiento prematuro de la piel* · **causar** || **sufrir** · **acusar** || **prevenir** · **atajar** || **mitigar** · **retrasar** · **aminorar** · **compensar** *políticas sociales que ayuden a compensar el envejecimiento de la población*

en vena loc.adv.

●CON VBOS. **inyectarse** *Le inyectaron el medicamento en vena para que le hiciera más efecto* · **chutarse** · **meterse**
●CON ADVS. **directamente**

envenenamiento s.m.

●CON ADJS. **supuesto** · **potencial** · **masivo** *un envenenamiento masivo causado por el agua contaminada* · **clásico** · **conocido** · **trágico** || **premeditado** · **intencionado** · **accidental** || **alimentario** · **social**
●CON SUSTS. **caso (de)** · **víctima (de)** *El perro ha sido víctima de un envenenamiento* || **síntoma (de)** · **signo (de)** || **amenaza (de)** · **peligro (de)** · **riesgo (de)** · **sospecha (de)** || **muerte (por)** · **baja (por)** || **origen (de)** · **causa (de)** · **efecto (de)** || **intento (de)** *Ha sido procesada por intento de envenenamiento* · **grado (de)** · **control (de)**
●CON VBOS. **producir(se)** · **tener lugar** || **evitar** · **temer** · **prevenir** || **realizar** · **causar** · **provocar** *El escape de gas provocó un envenenamiento* || **denunciar** · **confesar** || **sufrir** || **acusar (de)**
●CON PREPS. **por** *...cientos de personas hospitalizadas por envenenamiento*

envenenar v.

• CON SUSTS. **agua · río · mar · tierra || *persona* || *animal*** *Las ratas lo comen y mueren envenenadas* || **atmósfera · ambiente · aire · clima · medio ambiente** *sustancias que envenenan el medio ambiente* || **producto · alimento** *Han retirado el insecticida porque envenenaba los alimentos* || **vida · mundo · situación · relación** *un asunto que, si no se resuelve, amenaza con envenenar las relaciones entre ambos países* · **convivencia · política || alma · conciencia · mente**

• CON ADVS. **gravemente · mortalmente · letalmente || lentamente**

[envergadura] → de envergadura; envergadura

envergadura s.f.

• CON ADJS. **física || colosal · apabullante · descomunal · extraordinaria · exagerada · desproporcionada** *un problema que ha adquirido una envergadura desproporcionada* · **monumental · impresionante · tremenda · enorme · notable · considerable · gran(de) || escasa · reducida · limitada || mundial · internacional || territorial · política · militar · social** *la envergadura social de la nueva ley del suelo* · **económica · jurídica · legal · diplomática · intelectual · artística**

• CON VBOS. **incrementar(se) · acrecentar(se) || disminuir || tener** *El equipo tiene envergadura suficiente para ganar el campeonato* · **poseer || adquirir · alcanzar || considerar · calcular** *Es difícil calcular por el momento la envergadura de este desastre ecológico* · **medir · analizar || carecer (de)**

• CON PREPS. **de** *un negocio de enorme envergadura*

enviado, da s.

• CON ADJS. **especial** *Nuestro enviado especial nos informa en directo* · **militar · diplomático,ca** *El enviado diplomático llegará mañana* · **político,ca · notable · presidencial · oficial · personal · gubernamental**

• CON VBOS. **anunciar (algo) · informar (de algo) · comunicar (algo) · transmitir (algo) || negociar (algo)** *Es un enviado del Gobierno para negociar con la guerrilla* || **actuar (de/como) · acudir (como)**

enviar v.

• CON SUSTS. **paquete · correo** *Te envié un correo electrónico a primera hora de la mañana* · **carta · postal · fax · correspondencia || mensaje** *enviar un mensaje de ayuda* · **información · señal · invitación**

• CON ADVS. **por correo** *Tengo que enviar unos papeles muy importantes por correo urgente* · **a domicilio || en serie · masivamente**

envidia s.f.

• CON ADJS. **mortal · pura** *Actuó así por pura envidia* · **enconada · atroz · irrefrenable · corrosiva · obsesiva || despreciable · cochina** *Tú lo que tienes es envidia cochina* || **sana** *Me produce una envidia sana; me alegro mucho por él* || **mutua · ajena · oculta || preso,sa (de) · ciego,ga (de)**

• CON SUSTS. **ataque (de)** *un ataque de envidia al ver su nuevo coche*

• CON VBOS. **desatar(se) || anidar (en alguien) || corroer (a alguien) · carcomer (a alguien) · reconcomer (a alguien) · devorar (a alguien) · apoderar(se) (de alguien) · cegar (a alguien) || envenenar (algo)** *La envidia ha envenenado su relación* || **salir a flote · salir a relucir || sufrir · sentir · tener (a alguien) || dar (a alguien) · provocar · generar · causar · engendrar · despertar** *una boyante empresa que despertaba la envidia de todo el mundo* || **calmar · refrenar · contener || disimular || morirse (de) · consumirse (de)**

• CON PREPS. **con · sin · por** *decir algo por envidia*

envidiable adj

• CON SUSTS. **aspecto · forma física** *Pese a su edad, su forma física es envidiable* · **vitalidad · físico · salud · energía · cuerpo · equilibrio · preparación** *una preparación envidiable para afrontar la prueba* · **naturaleza || memoria · agilidad · técnica · habilidad · facilidad · capacidad || cualidad · virtud · tenacidad · lucidez · fuerza · entusiasmo · perfección** *Lo hace todo con una perfección envidiable* · ***otras cualidades* || posición · situación** *Desde luego, su situación económica es envidiable* · **economía · puesto · nivel de vida · empleo || trayectoria · carrera · currículo · expediente || ánimo · seguridad || futuro** *Le auguran un futuro profesional envidiable* · **vida || logro · suerte · oportunidad || calidad || victoria · triunfo**

• CON ADVS. **realmente · verdaderamente** *Su situación personal es verdaderamente envidiable* · **absolutamente**

en vigor loc.adv./loc.adj.

• CON VBOS. **estar · mantener(se) · seguir · permanecer || entrar** *¿Cuándo entra en vigor la nueva ley?* · **poner(se)**

• CON SUSTS. **ley · norma** *Es necesario tener en cuenta las normas en vigor para...* · **regla · medida · ordenanza · precepto · enmienda · legislación · reglamento · derecho · obligación · prohibición · licencia · autorización · permiso || bloqueo || convenio · acuerdo · unión · pacto · tratado · contrato** *No puedo incumplir el contrato en vigor* || **liberalización · cambio · modificación || tasa · tarifa || método · sistema · plan · decisión || entrada · puesta** *aplazar la puesta en vigor del acuerdo* || **incremento · reducción || texto · moneda · política · orden social**

en vilo loc.adv.

• CON VBOS. **mantener · seguir · quedar(se) · permanecer · poner** *El ataque ha puesto en vilo a la población* · **dejar · estar · vivir · tener (a alguien)** *Este hijo me tiene en vilo a todas horas*

envío s.m.

• CON ADJS. **urgente** *El envío urgente sale mucho más caro* || **masivo · ingente || a domicilio || terrestre · aéreo** *Un envío aéreo llegará mucho más rápido* || **por {barco/avión/tren...}**

• CON VBOS. **detener(se) · estancar(se) || hacer · realizar || recibir || paralizar · interceptar · cortar || agilizar** *Están intentando agilizar el envío de ayuda humanitaria* · **disponer · franquear**

en virtud (de) loc.prep.

• CON SUSTS. **ley** *Habrá muchos cambios en virtud de la nueva ley* · **normativa · decreto · orden · pacto · tratado · acuerdo · convenio · sentencia · decisión · resultado · dato · noticia || cargo** *las competencias que ha ido adquiriendo en virtud de su nuevo cargo*

☐ USO Se usa muy frecuentemente con expresiones, como *lo acordado*, *lo decidido* o *lo pactado*: *Tenemos que actuar en virtud de lo acordado.*

en vivo loc.adv./loc.adj.

• CON VBOS. **transmitir · emitir** *un programa de entrevistas que se emite en vivo todos los lunes* · **ofrecer · explicar**

|| grabar · tocar || ver · escuchar · asistir · presenciar · contemplar
● CON SUSTS. **música · actuación** *El grupo, que tiene programadas dos actuaciones en vivo en nuestro país, ya ha anunciado que...* · **espectáculo · concierto · teatro · orquesta · interpretación · programa · recital · presencia || grabación · disco · álbum · versión**

en volandas loc.adv.
● CON VBOS. **levantar · alzar · coger · llevar || sacar** *Tras la victoria, la sacaron del estadio en volandas* · **salir**

enzarzarse (en) v.
● CON SUSTS. **matorral** *La prenda de la víctima había quedado enzarzada en los matorrales* · **mata · arbusto · planta || batalla · combate · lucha · guerra · polémica · pelea · disputa · discusión** *Sin saber cómo nos enzarzamos en una discusión política* · **debate · riña · enfrentamiento · pleito · bronca · competición || acusación · descalificación · insulto** *Los vecinos se enzarzaron en insultos y acusaciones* · **crítica · reproche · diatriba · ataque || agarrón · bofetada · puñetazo || embrollo** *enzarzados en un verdadero embrollo judicial* · **galimatías · contradicción · dilema · problema || investigación · esclarecimiento · búsqueda · estudio · análisis**

en zigzag loc.adv./loc.adj.
● CON VBOS. **mover(se) · ir · caminar** *Los testigos dicen que el borracho iba caminando en zigzag* · **conducir · volar || descender · ascender**
● CON SUSTS. **movimiento** *El movimiento en zigzag del coche alertó a la Policía* · **trayectoria · línea || dibujo**

eólico, ca adj.
● CON SUSTS. **energía · potencia · recurso || parque** *Van a construir un nuevo parque eólico* · **planta · generador · molino · torre · sector · central · empresa · estación · instalación || mapa · plan · proyecto** *Aprobaron el proyecto eólico del grupo ecologista* || **tecnología** *invertir en tecnología eólica*

[épica] s.f. → épico, ca

épico, ca

1 épico, ca adj.
● CON SUSTS. **canto** *un canto épico de la baja Edad Media* · **poema · poesía · drama · novela · cuento · relato · historia · narración · crónica · poeta || cine · película · género · literatura || sentido · tono · acento · carácter · lenguaje** *el lenguaje épico del poema* · **dimensión || imagen · figura · personaje · héroe · heroísmo** *el heroísmo épico que demuestra el protagonista de la novela* || **acontecimiento · aventura · guerra · batalla · lucha · combate · duelo || partido** *Estamos asistiendo a un partido épico entre dos fortísimas selecciones* · **encuentro || hazaña · victoria · triunfo · remontada || momento · jornada · final || fantasía**
● CON ADVS. **absolutamente**

2 épica s.f.
● CON ADJS. **vieja · tradicional · nueva · moderna || medieval** *un interesante libro sobre épica medieval* · **clásica · romana · germánica || popular · nacional || literaria · histórica · bíblica || romántica · bélica · realista · dramática**

epidemia s.f.
● CON ADJS. **grave · pavorosa · terrible** *una terrible epidemia que está asolando el país* · **virulenta · letal || inexorable · imparable || masiva || infantil**
● CON SUSTS. **foco (de)** *El agua contaminada es el principal foco de la epidemia* · **brote (de) || magnitud (de) · alcance (de) || caso (de) || riesgo (de)** *Con la sequía aumenta el riesgo de epidemias* || **víctima (de) || prevención (de) · vacuna (contra)**
● CON VBOS. **declarar(se) · desatar(se)** *Todavía se desconocen las causas que desataron la epidemia* || **afectar (a algo/a alguien) · azotar (a alguien) · infestar (algo/a alguien) · asolar (algo/a alguien) · arrasar (algo) || propagar(se)** *medidas de seguridad con las que se impidió que se propagase la epidemia* · **extender(se) · avanzar || recrudecer(se) · agudizar(se) || remitir · extinguir(se) · pasar || desencadenar · causar || contraer || detener · frenar · parar · contener || evitar · derrotar · erradicar** *Con la nueva vacuna se espera erradicar por completo la epidemia* · **combatir · prevenir**

epilepsia s.f.
● CON SUSTS. **ataque (de)** *¿A qué edad tuvo el primer ataque de epilepsia?* · **crisis (de) || tratamiento (contra) || caso (de) · enfermo,ma (de)**
● CON VBOS. **sufrir · padecer · tener || combatir || tratar · medicar · curar || controlar · prevenir**

episcopal adj.
● CON SUSTS. **delegado · portavoz** *un comunicado del portavoz episcopal* · **vicario || conferencia · comisión · consejo · asamblea · comitiva · colectivo || ciudad · iglesia · palacio · sede · colegio · casa || declaración · comunicado || nombramiento** *Mañana se hace público el nombramiento episcopal* · **consagración || ministerio · enseñanza || acontecimiento · actividad || documento · política · pastoral || cadena · anillo**

episodio s.m.
● CON ADJS. **aislado** *Según las autoridades se trata de un episodio aislado* · **revelador · insólito · anecdótico · memorable || desgraciado · desafortunado · lamentable · traumático · grave · amargo · dramático · luctuoso · triste || sangriento** *el episodio más sangriento de toda la guerra* · **cruento || accidentado · azaroso · confuso · tormentoso · tortuoso || escandaloso · bochornoso** *Los directivos han protagonizado otro bochornoso episodio en la historia del club* || **oscuro · tenebroso || histórico** *Hoy se cumplen cien años de este importante episodio histórico*
● CON VBOS. **ocurrir · tener lugar** *¿A qué hora de la noche tuvo lugar el episodio?* · **suceder || desencadenar(se) || salir a la luz || contar · referir · narrar || vivir · protagonizar · presenciar || zanjar || reconstruir · revivir**

epistolar adj.
● CON SUSTS. **vía || amistad · relación** *Tuvieron una larga relación epistolar* || **testimonio · confesión || diálogo · comunicación · intercambio || prosa** *Cultivó principalmente la prosa epistolar*

epíteto s.m.
● CON ADJS. **épico · literario || despectivo** *Eviten epítetos despectivos en sus descripciones* · **peyorativo · denigrante · ofensivo · injurioso · descalificador · malsonante · desmesurado || suave · duro · fuerte · fino · amable** *algún que otro epíteto amable para suavizar el informe* ·

vulgar · **generoso** · **elogioso** · **expresivo** · **descriptivo** · **adecuado** · **idóneo** · **preciso**
● CON SUSTS. **uso (de)** · **abuso (de)** · **empleo (de)** · **recurso (a)**
● CON VBOS. **escatimar** *Su prosa no escatima los epítetos* · **ahorrar(se)** || **emplear** · **utilizar** · **usar** · **asignar** · **poner** · **lanzar** || **buscar** · **dedicar (a alguien)** *...y este es solo uno de los epítetos que le dedica en sus memorias* · **pronunciar** || **suprimir** · **quitar** || **recurrir (a)** · **calificar (con)** · **prescindir (de)**

época s.f.

● CON ADJS. **floreciente** *en la época más floreciente del Imperio* · **rutilante** · **esplendorosa** · **gloriosa** · **boyante** · **florida** · **dorada** || **decadente** · **convulsionada** · **confusa** · **borrosa** · **oscura** || **inmemorial** *una costumbre de épocas inmemoriales* · **primitiva** · **antigua** · **remota** · **pasada** *Ocurrió en épocas pasadas* · **anterior** · **pretérita** || **fundamental** · **crucial** · **álgida** || **primera** *En su primera época, el autor cultivó el verso libre* · **segunda** · **última** || **actual** · **moderna** · **posterior** · **clásica** · **juvenil** · **navideña** · **estival** || **mala** *una mala época para los negocios* · **buena**
● CON VBOS. **durar** || **avecinar(se)** · **empezar** || **pasar** *Está pasando una mala época* · **atravesar** · **vivir** · **revivir** || **terminar** · **cerrar** · **acabar** || **marcar** *acontecimientos que marcaron toda una época* · **jalonar** || **datar (de)** *Los restos datan de una época muy anterior* || **entrar (en)** · **adentrarse (en)** · **bucear (en)** || **retroceder (a)** · **remontar(se) (a)** || **amoldar(se) (a)** · **adaptar(se) (a)** *adaptarse a la época que nos ha tocado vivir* || **asistir (a)**
● CON PREPS. **durante** · **en** · **a lo largo (de)**
□ EXPRESIONES **de época** [ambientado en un tiempo pasado] *una exposición de trajes de época*

epopeya s.f.

● CON ADJS. **famosa** · **clásica** || **heroica** · **bélica** *una recreación cinematográfica de la epopeya bélica* · **romántica** · **de terror** · **histórica** · **revolucionaria** · **literaria** · **homérica** · **nacional** · **espacial** · **griega** · **lírica** · **medieval** · **televisiva** · **deportiva** · **familiar** *una epopeya familiar narrada al hilo de la historia europea reciente* · **personal** · **tecnológica** · **pictórica** · **humana** · **sentimental** · **política** · **intimista** · **onírica** || **extraordinaria** · **increíble** · **magnífica** · **asombrosa** · **legendaria** · **fascinante** · **verdadera** *Su vida es una verdadera epopeya* · **auténtica** · **gran(de)** || **estival** || **moderna**
● CON SUSTS. **héroe (de)** · **heroína (de)** · **protagonista (de)** *los rasgos que caracterizan a los protagonistas de las epopeyas griegas* || **versión (de)** · **fragmento (de)** || **autor,-a (de)**
● CON VBOS. **titular(se)** || **contar (algo)** *una epopeya que cuenta hechos insólitos y fantásticos* || **narrar** · **escribir** · **trazar** · **crear** · **firmar** · **inventar** · **leer** · **montar** · **reconstruir** · **realizar** · **repetir** || **protagonizar** · **vivir** · **pasar** *Lo que hemos pasado ha sido una verdadera epopeya* || **convertir(se) (en)**

equidistar v.

● CON SUSTS. **parte** · **lugar** *Este lugar equidista de las dos ciudades más importantes del país* || **punto** · **línea** · **base** || **posición**

equilátero, ra adj.

● CON SUSTS. **triángulo** · **prisma** · **cuadrado** · **pirámide** · **rombo** || **base** *una pirámide de base equilátera* · **lado**

equilibrar v.

● CON SUSTS. **cantidad** · **peso** *Hay que equilibrar el peso de la mercancía en el camión* · **carga** · **fuerza** || **resultado** · **marcador** *Con el último gol se equilibró el marcador* || **situación** · **responsabilidad** || **presupuesto** || **reparto** · **balanza** · **proporción** || **diferencia**

equilibrio s.m.

● CON ADJS. **difícil** · **frágil** *Se pone en peligro el frágil equilibrio internacional* · **delicado** · **quebradizo** · **inseguro** · **vacilante** · **inestable** · **precario** · **escaso** || **absoluto** · **perfecto** · **adecuado** · **estable** *Parece que al fin la pareja encontró un equilibrio estable* · **armonioso** || **ecuánime** · **sostenido** · **aparente** || **mundial** · **internacional** || **financiero** · **fiscal** · **económico** · **presupuestario** · **armamentístico** · **militar** · **político** · **estratégico** · **social** · **ecológico** · **ambiental** · **climático** · **emocional** · **sentimental** · **mental** *Hay que mantener el equilibrio mental en los períodos de mayor tensión*
● CON SUSTS. **punto (de)** *Lo más difícil es encontrar el punto de equilibrio entre las opciones extremas* · **grado (de)** || **sentido (de)** || **ausencia (de)** · **falta (de)** || **ejemplo (de)** · **modelo (de)** || **situación (de)** · **factor (de)**
● CON VBOS. **robustecer(se)** || **tambalearse** · **romper(se)** · **descompensar(se)** · **deshacer(se)** · **quebrar(se)** · **derrumbar(se)** || **primar** *Para el nuevo Gobierno prima el equilibrio social sobre el económico* || **guardar** · **mantener** *Me cuesta mantener el equilibrio sobre los patines* · **conservar** · **preservar** || **perder** *Perdió el equilibrio y se cayó de la bicicleta* || **buscar** || **conseguir** · **lograr** · **encontrar** *Con ella ha encontrado el equilibrio que necesitaba en su vida* · **consolidar** || **alterar** · **trastocar** || **amenazar** · **dañar** · **perturbar** · **minar** || **restaurar** · **restablecer** || **mantenerse (en)** || **velar (por)** *medidas que velan por el equilibrio económico y presupuestario* || **carecer (de)**
● CON PREPS. **con** · **mediante**

equino, na adj.

● CON SUSTS. **peste** *erradicar la peste equina* · **gripe** · **encefalitis** || **feria** · **salón** · **muestra** · **espectáculo** · **certamen** · **sector** || **ganado** *una zona de ganado equino* · **raza** · **ejemplar** · **animal** || **reproducción** || **macho** · **hembra**

equipaje s.m.

● CON ADJS. **excesivo** · **abundante** · **pesado** *Cargó todo el día con un pesado equipaje* · **abultado** · **voluminoso** || **mínimo** · **escaso** || **ligero** · **liviano** || **imprescindible** · **necesario** || **de mano** · **personal** || **ligero,ra (de)** *ir por la vida ligero de equipaje*
● CON SUSTS. **exceso (de)** || **volumen (de)** · **cantidad (de)**
● CON VBOS. **perder(se)** *En mi último viaje en avión me perdieron el equipaje* || **hacer** *Todavía no hecho el equipaje* · **preparar** · **deshacer** || **llevar** · **acarrear** · **arrastrar** · **transportar** || **facturar** *El equipaje de mano no hay que facturarlo* · **recoger** · **inspeccionar** · **aligerar** || **viajar (con/sin)** || **cargar (con)**

equipar v.

● CON SUSTS. **coche** · **automóvil** *un automóvil equipado con todos los extras* · **barco** · **avión** · **tren** · ***otros vehículos*** || **pueblo** · **ciudad** · **comarca** · **municipio** · **zona** · ***otros lugares*** || **hospital** · **casa** · **centro** · **laboratorio** *Se ha equipado el laboratorio con los últimos adelantos* · **biblioteca** · **edificio** · **clínica** · **escuela** || **selección** · **ejército** · **policía** · **tropa** · **cuadrilla** · **guerrilla** · **hueste** · **batallón** · ***otros grupos humanos*** || **sector**

• CON ADVS. **apropiadamente · adecuadamente** *Debemos equipar adecuadamente la nueva clínica* · **debidamente || excesivamente · suficientemente · escasamente || rápidamente || definitivamente · totalmente**

equiparación s.f.

• CON ADJS. **total · plena · absoluta || progresiva · gradual · inmediata || temporal · permanente || salarial · legal · jurídica · social · laboral · fiscal · económica · política · académica**

• CON SUSTS. **proceso (de) · proyecto (de) || grado (de) · nivel (de) · criterio (de)**

• CON VBOS. **existir · producir(se) · darse || proponer · pedir · solicitar** *El colectivo solicita la equiparación de derechos* · **exigir · reclamar · reivindicar · demandar || lograr · conseguir || apoyar · facilitar · favorecer || reconocer · establecer** *La nueva ley establece la equiparación de las pensiones en las distintas comunidades* · **aprobar**

equiparar v.

• CON SUSTS. **situación || sueldo · salario · retribución · pensión || precio · tasa · impuesto** *Lo más justo sería equiparar los impuestos* · **fiscalidad || derecho · competencia · obligación || puesto · cargo · función || trabajo · tarea · labor**

• CON ADVS. **progresivamente · gradualmente || ventajosamente**

☐ USO Se construye frecuentemente con sustantivos en plural (*equiparar los sueldos*) o bien con complementos encabezados por las preposiciones *a* (*equiparar su sueldo al de los demás*) o *con* (*equiparar su sueldo con el de los demás*).

[equipo] → de equipo; equipo

equipo

1 **equipo** s.m.

• CON ADJS. **fuerte** *La entrenadora está trabajando para conseguir un equipo fuerte* · **puntero · aventajado · demoledor · arrollador · compacto · curtido · sólido · ganador · victorioso || modesto · débil · endeble · perdedor || experimentado · {con/sin} experiencia || ofensivo · atacante · goleador · defensivo || local** *El equipo local ganó el partido con una abultada diferencia* · **visitante || vertebrado · conjuntado · bien avenido || económico · empresarial · gubernamental · médico** *El equipo médico que te atenderá es muy competente* · **deportivo · investigador || campeón · profesional || de gala · de trabajo || eléctrico** *una avería en el equipo eléctrico* · **de sonido**

• CON SUSTS. **espíritu (de)** *Has demostrado no tener espíritu de equipo* **|| miembro (de) · jugador,-a (de) · fichaje (de) · socio,cia (de) · fan (de)** *¿Eres fan de algún equipo?* **|| bienes (de)**

• CON VBOS. **jugar** *Aunque perdió el partido, el equipo jugó muy bien* **|| ganar · vencer · triunfar · trabajar · investigar || perder · fracasar · naufragar || salir adelante** *El equipo salió adelante con las ayudas económicas de los accionistas* **|| escindir(se) · fraccionar(se) · fragmentar(se) · deshacer(se) · descomponer(se) · desarticular(se) · desmembrar(se) · desperdigar(se) || venirse abajo** *Con el marcador en contra el equipo se vino abajo* · **desmoralizar(se) · desinflar(se) · deshinchar(se) || recuperar(se) || llevarse {bien/mal/regular} · entenderse · conjuntar(se) || crear · hacer · formar · aglutinar · reunir · conformar · constituir · engrosar || liderar · encabezar · capitanear || entrenar** *¿Se sabe ya quién entrenará al equipo la temporada que viene?* · **dirigir · supervisar || animar · apoyar · favorecer || blindar · armar · reforzar · galvanizar || modernizar** *Se han recibido nuevas ayudas para modernizar el equipo de trabajo* · **mejorar || abandonar || enrolar(se) (en) || pertenecer (a) · formar parte (de) · actuar (como) || apostar (por) · fichar (por)**

2 **equipo (de)** s.m.

• CON SUSTS. **profesionales · técnicos · jugadores · investigadores ·** ***otros individuos*** **|| fútbol** *¿Formamos un equipo de fútbol para la siguiente temporada?* · **baloncesto ·** ***otros deportes*** **|| gobierno · trabajo · rescate · rodaje || música** *enchufar el equipo de música* · **sonido · grabación · vídeo · alta fidelidad || radio · televisión · comunicaciones**

☐ EXPRESIONES **caerse con todo el equipo** [fracasar o equivocarse totalmente] *col.*

equitativamente adv.

• CON VBOS. **dividir** *dividir equitativamente los beneficios entre los socios* · **repartir · compartir · distribuir · redistribuir · asignar || tratar · compensar · contribuir · pagar · financiar · aplicar || beneficiar · perjudicar**

equitativo, va adj.

• CON SUSTS. **juez** *un juez equitativo y neutral* · **árbitro,tra · profesor,-a ·** ***otros individuos*** **|| reparto · distribución · redistribución · repartición · división · asignación · administración · correspondencia || justicia · ley · juicio · proceso · regla · norma** *establecer normas equitativas y justas* · **regulación · derecho ·** ***otras disposiciones*** **|| sociedad · mundo · democracia · ciudad · entorno || método · procedimiento · sistema · orden || precio · impuesto · tarifa · tributo · fiscalidad · financiación** *Reclaman al Gobierno una financiación equitativa de las escuelas públicas* · **remuneración · fianza · gasto · tarificación · compensación || solución · acuerdo · decisión · resolución · respuesta || desarrollo** *desigualdades que impiden el desarrollo equitativo del sector* · **crecimiento · aumento · incremento · prosperidad || participación · actuación · aportación · colaboración · cooperación · apoyo || trato** *Garantizaremos el trato equitativo de todos los ciudadanos en materia de empleo* · **tratamiento · atención || elección · comicios · referéndum · votación**

• CON ADVS. **totalmente · absolutamente · completamente || dudosamente · mínimamente · medianamente · relativamente || prácticamente**

equivaler v.

• CON ADVS. **exactamente** *Esta medida de longitud equivale exactamente al doble de la europea* **|| poco más o menos · aproximadamente** *En nuestro idioma ese término equivale aproximadamente a...* **|| (ni) remotamente** *No equivale ni remotamente a la cantidad adeudada* **|| con seguridad**

☐ USO Se construye con complementos encabezados por la preposición *a*: *¿A cuántos metros equivale una legua?*

equivocación s.f.

• CON ADJS. **total · completa · absoluta · rotunda · garrafal · catastrófica · tremenda** *Elegir esa vía sería una tremenda equivocación* · **profunda · gruesa · de bulto · seria · grave · gran(de) || pequeña** *En el examen cometí una pequeña equivocación* · **leve · ligera · imperceptible · sin importancia · menor || sonada** *Su equivocación más sonada fue saltarse un penalti de libro* · **flagrante · patente || imperdonable · inadmisible · perdonable · in-**

voluntaria || torpe || peligrosa · fatal *...en una equivocación fatal para su carrera* **|| aislada · persistente || típica · característica · de principiante**
• CON VBOS. **deslizar(se) (en algo) || tener · cometer** *...llegados a este punto no podemos cometer equivocaciones* **· sufrir || reconocer · admitir · confesar || rectificar · enmendar · corregir · subsanar || lamentar · achacar (a algo/a alguien)** *Achacó su equivocación a su estado de nervios* **· reprochar (a alguien) · perdonar (a alguien) · disculpar (a alguien) || suponer · constituir || llevar (a) · inducir (a)** *Este anuncio puede inducir fácilmente a equivocación* **|| incurrir (en) · persistir (en) || reparar (en) · darse cuenta (de)**
• CON PREPS. **por** *Por equivocación llamé a un teléfono erróneo*

equivocadamente adv.

• CON VBOS. **afirmar · decir · sugerir · anunciar** *La prensa anunció equivocadamente la fecha del concierto* · ***otros verbos de lengua*** **|| creer · pensar · concluir · llegar a una convicción · considerar · juzgar || entender · interpretar · percibir** *matices sutiles y delicados, pero percibidos equivocadamente* **|| sospechar · suponer · calcular · presuponer · presumir || llamar · identificar · citar · denominar · atribuir || escoger · elegir** *Decidió estudiar medicina, pero tal vez eligió equivocadamente* **· preferir · apostar · impulsar · emprender || rechazar · aceptar**

equivocar(se) v.

• CON ADVS. **de pleno** *Reconozco que me equivoqué de pleno al decírselo* **· de plano · totalmente · por completo · de cabo a rabo · de medio a medio · de punta a punta · de extremo a extremo · absolutamente · de raíz || gravemente · rotundamente · estrepitosamente · clamorosamente · estruendosamente || visiblemente · claramente · ostensiblemente** *En mi opinión, se han equivocado ostensiblemente al tomar la decisión de...* **|| por poco || impunemente || reiteradamente || estratégicamente · políticamente**

equívoco, ca

1 **equívoco, ca** adj.
• CON SUSTS. **nombre · denominación · término** *término que puede resultar equívoco* **· concepto · dato · título · signo || mensaje · contenido**
• CON VBOS. **hacer(se) · volverse · resultar**

2 **equívoco** s.m.
• CON ADJS. **monumental · grave** *un grave equívoco que casi origina un incidente diplomático* **· irreparable · lamentable || pequeño || posible · involuntario · conceptual · histórico**
• CON SUSTS. **causa (de) · origen (de)** *No han logrado descubrir aún el origen del equívoco*
• CON VBOS. **surgir · producir(se)** *Se produjo un pequeño equívoco pero lo resolvimos en seguida* **· originar(se) || resolver(se) · disipar(se) · deshacer(se) · despejar(se)** *Bastó un poco de buena voluntad por ambas partes para despejar el equívoco* **|| generar · motivar || desentrañar · explicar · aclarar || evitar · desterrar || dar lugar (a) · llevar (a) · conducir (a) · inducir (a) || salir (de) · poner fin (a) · acabar (con)**

[erigir] → erigir; erigir(se) (en)

erigir v.

• CON SUSTS. **muro · barrera || estatua · monumento** *Han erigido un monumento al fundador* **|| torre · templo**

erigir(se) (en) v.

• CON SUSTS. **protagonista · figura · portavoz** *Tras el accidente, se erigió en portavoz de la familia* **· mesías · héroe · heroína · redentor,-a · cabeza · director,-a || defensor,-a · jefe,fa · paladín · baluarte · censor,-a · juez · acusador,-a || modelo · símbolo · motivo · arquetipo · norma || fuerza · motor** *El ferrocarril se erigió en motor del progreso* **· artífice || garantía**

erizarse v.

• CON SUSTS. **pelo** *La historia que contó hizo que se me erizaran los pelos* **· cabello · vello || piel**

ermitaño, ña s.

• CON ADJS. **solitario,ria · retirado,da || humilde**
• CON SUSTS. **vida (de)**
• CON VBOS. **aislarse · retirarse || convertir(se) (en) · vivir (como)** *Vive como un ermitaño, no se relaciona con nadie*

erosión

1 **erosión** s.f.
• CON ADJS. **profunda** *la profunda erosión producida por la lluvia* **· destructiva · devastadora · feroz · fuerte · severa · grave · peligrosa · pronunciada || continua · constante · persistente · prolongada** *rocas sometidas a una prolongada erosión* **|| plena · superficial · irremediable || eólica · hídrica · fluvial · marina · natural**
• CON SUSTS. **efecto (de) · peligro (de) · riesgo (de) || signo (de) · señal (de) || proceso (de)**
• CON VBOS. **producir(se) || acelerar(se) || afectar (a algo) · desgastar || provocar · ocasionar · acarrear · suponer || padecer · sufrir · acusar || prevenir** *Plantan árboles para prevenir la erosión del viento* **· evitar · paliar · combatir || detener** *medidas urgentes para detener la erosión de la tierra* **· minimizar · aminorar**
• CON PREPS. **a resultas (de) · por**

2 **erosión (de)** s.f.
• CON SUSTS. **terreno · suelo · tierra · superficie · entorno || imagen** *La polémica ha supuesto una considerable erosión de su imagen y buen nombre* **· poder · liderazgo || estima · confianza · credibilidad · prestigio · legitimidad · ética || institución**

erosionar v.

• CON SUSTS. **roca · suelo · tierra || gobierno · ejecutivo · empresa** *No conseguirán erosionar una empresa de tan larga tradición* · ***otros grupos humanos*** **|| credibilidad · legitimidad · imagen · confianza · popularidad · crédito · prestigio · buen nombre || autoridad · poder || capacidad · potencial · competitividad || relación** *Los conflictos personales y la convivencia fueron erosionando su relación de pareja* **· pacto · vínculo**
• CON ADVS. **a pasos agigantados · progresivamente · aceleradamente || lentamente · poco a poco || gravemente** *La crisis ha erosionado gravemente la competitividad de las empresas nacionales* **· seriamente · considerablemente · enormemente · ligeramente || a {corto/largo} plazo || irremediablemente · irreversiblemente**

erótico, ca adj.

• CON SUSTS. **relación · juego · experiencia || literatura · novela · relato** *Voy a presentar un relato erótico al concurso de cuentos de la facultad* **· poesía || cine · película · escena || carga · toque · contenido · tema · elemento**

|| **fantasía** · **sueño** *Ya antes había contado algunos de sus sueños eróticos en su autobiografía* · **mito** · **símbolo** || **teléfono** · **línea** · **cadena** · **canal**

erotismo s.m.

● CON ADJS. **masculino** · **femenino** || **elegante** *Una de las características de su poesía es su elegante erotismo* · **natural** · **misterioso** · **suave** · **refinado** || **latente** · **implícito** · **soterrado** · **sutil** · **oculto** || **explícito** · **provocador** · **intenso** · **a flor de piel**
● CON SUSTS. **dosis (de)** *la típica película de aventuras con pequeñas dosis de erotismo* · **gotas (de)** · **toque (de)**
● CON VBOS. **abundar** || **rezumar**

erradicar v.

● CON SUSTS. **virus** · **rabia** · **enfermedad** || **pobreza** · **miseria** · **hambre** · **analfabetismo** · **chabolismo** · **paro** || **terrorismo** · **corrupción** *...con una clara voluntad de erradicar la corrupción de la Administración Pública* · **violencia** · **delincuencia** · **robo** || **droga** · **coca** || **ideología** · **marxismo** · **fascismo** · **comunismo** · **nazismo** · **racismo** · **machismo** · **sexismo** · ***otras tendencias, movimientos o ideologías*** || **problema** · **lacra** · **flagelo** · **azote** · **cáncer** || **práctica** · **costumbre** · **hábito** *¿Qué medidas podemos tomar para erradicar el hábito de fumar en los más jóvenes?* · **uso** · **tradición** · **vicio** || **actitud** · **comportamiento** · **conducta** · **postura** || **odio** · **discriminación** *una organización que trabaja para erradicar la discriminación laboral en...* · **marginación** · **segregación**
● CON ADVS. **por la fuerza** · **militarmente** || **por completo** · **totalmente** · **completamente** · **absolutamente** || **definitivamente** *...con el objetivo de erradicar definitivamente el analfabetismo en todos los rincones del país* · **de una vez por todas** · **de plano** · **de raíz**

errante adj.

● CON SUSTS. **pueblo** *un pueblo errante que ha sido perseguido durante siglos* · **vagabundo,da** · **viajero,ra** · **soldado** · **marinero,ra** · ***otros individuos y grupos humanos*** || **vida** · **época** || **alma** · **espíritu** *Aún permanece en el castillo su espíritu errante* · **ánimo** · **sombra** · **fantasma** || **estrella** · **planeta** || **barco** *Los guardacostas han encontrado un barco errante cargado con...*
● CON VBOS. **caminar** · **vagar** *Vagó errante por la ciudad durante horas* · **pasear**

errar v.

● CON SUSTS. **tiro** · **disparo** · **penalti** *...quien erró un penalti con un empate en el marcador* · **lanzamiento** || **diana** · **blanco** · **portería** · **meta** || **manotazo** · **pisotón** · **puñetazo** · ***otros golpes*** || **oportunidad** · **ocasión** · **opción** || **camino** · **rumbo** *La decisión que se tome puede hacernos errar el rumbo que debiéramos seguir* · **vocación** || **diagnóstico** · **análisis** · **solución** || **vaticinio** · **pronóstico** *No erró sus pronósticos cuando aventuró que el incremento de precios se detendría* · **cálculo** · **predicción** || **respuesta** · **contestación**
● CON ADVS. **por completo** · **de pleno** · **de todas todas** · **de cabo a rabo** || **impunemente** · **clamorosamente** || **a la deriva**

□ USO Alterna los complementos directos (*errar los cálculos*) con los complementos encabezados por la preposición *en* (*errar en los cálculos*).

errata s.f.

● CON ADJS. **insignificante** *colarse una errata insignificante* · **imperceptible** · **inadvertida** || **grave** || **mecanográfica** · **de imprenta** || **limpio,pia (de)**
● CON SUSTS. **fe (de)** *consultar la fe de erratas de un libro* || **plagado,da (de)** · **lleno,na (de)**
● CON VBOS. **deslizar(se)** · **aparecer** · **escapar** *En la primera edición de la novela se escaparon algunas erratas* || **saltar a la vista** · **pasar inadvertida** || **buscar** || **hallar** · **encontrar** · **descubrir** · **detectar** · **notar** · **advertir** || **corregir** *Ya he corregido todas las erratas que había encontrado* · **subsanar**

errático, ca adj.

● CON SUSTS. **ojos** · **mirada** || **gobierno** · **equipo** · **personaje** · ***otros individuos y grupos humanos*** || **mente** · **memoria** || **sombra** · **alma** || **carácter** · **personalidad** · **actitud** · **conducta** · **comportamiento** || **vida** *llevar una vida errática y desordenada* · **situación** · **posición** · **postura** || **trayectoria** · **movimiento** · **tendencia** · **curso** · **rumbo** · **línea** · **marcha** · **itinerario** · **camino** · **evolución** *Después de su segundo álbum comenzó su errática evolución* || **oscilación** · **fluctuación** · **variación** · **cambio** || **política** *la política errática del Gobierno* · **diplomacia** · **gestión** · **carrera** · **oposición** || **discurso** *un discurso errático, vago y confuso* · **testimonio** · **declaración** · **respuesta** · **opinión** · **juicio** · **conclusión** || **componente** · **elemento** · **factor** · **producto** || **viaje** · **paseo** · **aventura** || **lanzamiento** · **tiro** · **disparo** || **lectura** · **voto**
● CON VBOS. **vagar** · **andar** *El equipo anda errático y falto de reflejos* · **pasear** · **mover(se)**

erróneo, a adj.

● CON SUSTS. **información** · **dato** *un informe basado en datos erróneos* · **concepto** · **planteamiento** · **cálculo** · **afirmación** || **interpretación** · **creencia** · **decisión** · **elección** · **conclusión** *sacar una conclusión errónea de los datos* · **visión** · **impresión** · **respuesta** · **diagnóstico** · **lectura** · **análisis** · **enfoque** · **imagen** *Algunos extranjeros tienen una imagen totalmente errónea de nuestro país* || **pensamiento** · **punto de vista** · **idea** || **uso** · **conducta** · **actuación** · **estrategia** || **camino** · **señal**
● CON ADVS. **absolutamente** · **totalmente** · **profundamente** · **claramente**

error

1 error s.m.

● CON ADJS. **absoluto** · **crucial** · **supino** · **garrafal** · **descomunal** · **como una catedral** · **colosal** · **tremendo** · **enorme** · **monumental** · **mayúsculo** · **craso** · **abismal** · **grueso** · **abultado** · **de bulto** · **considerable** · **profundo** · **serio** *Creo que ha cometido un serio error al tomar esa decisión* · **grave** · **catastrófico** · **imperdonable** · **inexcusable** · **irreparable** · **inadmisible** || **nimio** · **insignificante** · **leve** · **ligero** · **perdonable** · **inapreciable** · **inadvertido** || **manifiesto** · **llamativo** · **palpable** · **sonado** *La prensa se ha hecho eco de su sonado error* · **escandaloso** · **estrepitoso** · **flagrante** · **ostensible** · **clamoroso** · **apreciable** || **desafortunado** · **funesto** · **fatal** *Su fatal error ha costado la vida a...* · **mortal** || **involuntario** · **fortuito** · **accidental** · **inevitable** · **ocasional** · **intencionado** || **reiterado** · **persistente** || **típico** · **clásico** || **en cadena** || **personal** · **humano** || **histórico** · **técnico** *Las causas del accidente apuntan a un error técnico* · **estratégico** · **defensivo** · **conceptual**
● CON SUSTS. **sucesión (de)** · **cadena (de)** · **serie (de)** *Una serie de errores imperdonables han provocado esta situación* · **cúmulo (de)** · **rosario (de)** || **margen (de)** || **causa (de)** · **consecuencia (de)**
● CON VBOS. **consistir (en algo)** || **agravar(se)** || **difuminar(se)** · **deslizar(se)** · **evidenciar(se)** · **pasar desa-**

percibido || **costar (algo/a alguien)** *El error le costó el puesto* || **cometer** · **prodigar** · **tener** *Tuve varios errores en el test* · **contener** · **repetir** || **propiciar** · **causar** · **provocar** || **sufrir** · **padecer** · **acusar** · **achacar** || **confesar** · **admitir** · **reconocer** || **localizar** · **detectar** · **advertir** · **pasar por alto** · **apreciar** · **destapar** · **delatar** · **denunciar** *La oposición ha denunciado los errores cometidos por el Gobierno* · **señalar** · **juzgar** · **valorar** || **soslayar** · **evitar** · **obviar** · **ocultar** · **tapar** · **encubrir** || **paliar** · **compensar** · **corregir** · **reparar** *Está poniendo mucho empeño en reparar sus errores* · **enmendar** · **purgar** · **rectificar** · **subsanar** · **suplir** || **magnificar** · **exagerar** || **imputar (a alguien)** · **reprochar (a alguien)** *No es justo que le reproches los errores en un momento tan delicado* · **recriminar (a alguien)** || **lamentar** · **disculpar** || **constituir** · **suponer** · **considerar** || **acumular** || **caer (en)** · **incurrir (en)** · **estar (en)** || **sacar (de)** · **salir (de)** || **perseverar (en)** · **persistir (en)** || **inducir (a)** · **prestarse (a)** *Sus palabras se prestan fácilmente a error* || **apechugar (con)** || **cerrar los ojos (ante)**

• CON PREPS. **a prueba (de)** · **con** · **sin** *un texto sin errores ortográficos*

2 **error (de)** s.m.

• CON SUSTS. **gestión** · **cálculo** *Había cometido un grave error de cálculo* · **diagnóstico** · **procedimiento** · **planteamiento** · **estrategia** · **organización** · **base** || **concepto** · **interpretación** · **apreciación** · **traducción** · **transcripción** · **enfoque**

eructar v.

• CON ADVS. **estentóreamente** · **ostensiblemente** · **notoriamente** · **ruidosamente** · **intencionadamente** · **descaradamente** · **potentemente** · **fuertemente** · **horrorosamente** · **públicamente** · **groseramente**

eructo s.m.

• CON ADJS. **sonoro** · **silencioso** || **enorme** · **largo** · **prolongado** · **pequeño** || **desagradable** · **desconsiderado** · **grosero**

• CON SUSTS. **concierto (de)**

• CON VBOS. **escapárse(le) (a alguien)** || **soltar** · **echar** · **lanzar** || **aguantar** · **disimular** || **escuchar** · **oír**

erudición s.f.

• CON ADJS. **vasta** · **gran(de)** · **inmensa** · **amplia** *Dio muestras de su amplia erudición musical* · **enorme** · **profunda** · **exquisita** · **sólida** || **literaria** · **histórica** · **científica** · **musical** || **falsa** · **fingida** · **pretendida**

• CON SUSTS. **alarde (de)** · **muestra (de)** · **despliegue (de)** || **obra (de)** · **libro (de)** · **trabajo (de)** *Se trata de un trabajo de erudición más que de análisis*

• CON VBOS. **mostrar** · **exhibir** · **acumular** || **hacer gala (de)** || **carecer (de)**

erupción s.f.

▮ [actividad volcánica]

• CON ADJS. **volcánica** || **violenta** · **enorme** · **gigantesca**

• CON VBOS. **comenzar** · **terminar** || **hacer** *El volcán hizo erupción en las primeras horas del día* || **entrar (en)** *La última vez que el volcán entró en erupción fue hace ocho años*

• CON PREPS. **en** *un volcán en erupción*

▮ [lesión de la piel]

• CON ADJS. **cutánea** *Las erupciones cutáneas suelen estar causadas por una larga exposición al sol* · **vírica** · **contagiosa** · **epidémica** · **alérgica**

• CON VBOS. **extender(se)** || **provocar** · **producir** · **causar** || **tener** · **contagiar** · **tratar**

esbelto, ta adj.

• CON SUSTS. ***persona*** *Vimos aparecer a un joven guapo y esbelto* || **cuerpo** · **silueta** · **figura** *Hace mucho ejercicio para mantener una figura esbelta* · **imagen** · **talle** · **forma** · **aspecto** · **tipo** || **arquitectura** · **edificio** · **torre** · **columna** · **pilar** || **árbol** · **tronco** *un árbol alto, de tronco esbelto y copa frondosa*

• CON VBOS. **erguirse** · **alzarse** || **mostrarse** · **mantener(se)** *A pesar de su edad, se mantiene esbelta*

esbozar v.

• CON SUSTS. **borrador** *esbozar el borrador del proyecto* · **apunte** · **dibujo** · **croquis** · **guión** || **texto** · **artículo** || **sonrisa** *Esbozó una tímida sonrisa al oír el comentario* · **mueca** · **gesto**

escabeche s.m.

• CON SUSTS. **salsa (de)** · **jugo (de)**

• CON VBOS. **preparar** · **hacer** || **agregar** || **poner (en)** · **dejar (en)** *Deje el pollo en escabeche durante dos días* · **macerar (en)** · **conservar (en)**

• CON PREPS. **en** *mejillones en escabeche*

escabechina s.f. *col.*

• CON ADJS. **tremenda** · **colosal** · **bochornosa** · **auténtica** · **verdadera** *El profesor de física ha hecho una verdadera escabechina*

• CON VBOS. **hacer** · **provocar** · **montar** || **acabar (en)** || **salvar(se) (de)**

escabroso, sa adj.

• CON SUSTS. **región** · **territorio** · **terreno** *El escabroso terreno y las condiciones climáticas dificultaron el acceso* · **tierra** · **camino** · **senda** · **monte** || **asunto** · **cuestión** · **aspecto** · **dato** · **tema** *¿Por qué no dejamos ese tema tan escabroso?* || **historia** · **pasaje** *...como si se recreara en los pasajes más escabrosos* · **escena** · **episodio** · **argumento** || **pregunta** · **comentario** · **detalle** || **crimen** · **delito**

• CON VBOS. **volver(se)** · **resultar** · **parecer**

escabullirse (de) v.

• CON SUSTS. **policía** *Un delincuente habitual logra escabullirse de la Policía después de una larga persecución* · **adversario** · **rival** · ***otros individuos y grupos humanos*** || **responsabilidad** *La oposición acusó a la ministra de escabullirse de sus responsabilidades* · **obligación** · **trabajo** · **deber** · **tarea** || **pregunta** · **debate** || **ley** · **justicia** · **prisión** · **cárcel** · **castigo** || **vigilancia** · **control** || **realidad**

escala s.f.

▮ [parada en un trayecto]

• CON ADJS. **técnica** *El piloto se vio obligado a hacer una escala técnica* || **breve** · **prolongada** · **larga**

• CON VBOS. **hacer** · **efectuar**

• CON PREPS. **con** *un vuelo con escala en Barcelona*

▮ [proporción, medida]

• CON ADJS. **gran(de)** · **pequeña** || **ascendente** · **descendente** || **nacional** · **internacional** *medidas a escala internacional para erradicar la enfermedad* · **social** · **mundial** · **planetaria** · **global** · **estatal** · **municipal** · **humana** *Necesitamos ciudades construidas a escala humana* · **local** · **doméstica** · **comunitaria** · **individual**

▌ [serie, jerarquía]

● CON ADJS. **de valores** *En su escala de valores, la familia ocupa un puesto prioritario* · **de méritos** · **de prioridades** || **salarial** · **profesional** · **laboral** · **funcionarial** · **administrativa** · **social** || **de gravamen** · **de precios** || **de mando** *Es su jefe más inmediato en la escala de mando* || **de medición** · **de valoración** · **de puntuación** || **musical** || **básica**

● CON SUSTS. **puesto (de)** · **lugar (de)** · **posición (de)** || **extremo (de)**

● CON VBOS. **ascender (en)** *Buscaba ascender en la escala social* · **subir (en)** || **descender (en)** · **bajar (en)**

escalada s.f.

▌ [subida por una pendiente]

● CON ADJS. **libre** *Le gusta practicar la escalada libre* · **ciclista** · **artificial** · **deportiva** || **iniciado,da (en)** · **aficionado,da (a)**

● CON SUSTS. **curso (de)** · **técnica (de)** · **material (de)** · **cuerda (de)** · **vía (de)** || **afición (a)** · **práctica (de)**

● CON VBOS. **culminar** *Tras una dura semana culminaron la escalada al famoso pico* · **hacer** · **practicar** || **aficionar(se) (a)**

▌ [aumento rápido]

● CON ADJS. **militar** · **bélica** · **de violencia** *La preocupante escalada de violencia que ha tenido lugar en...* · **terrorista** || **de precios** · **de ventas** || **inflacionaria** · **inflacionista** *Las nuevas disposiciones pretenden acabar progresivamente con la escalada inflacionista* || **disparatada** · **trágica** · **desorbitada** · **vertiginosa** · **espectacular** · **impresionante** · **constante** · **imparable** *la imparable escalada de los precios del crudo* || **alcista** · **creciente**

● CON VBOS. **producir(se)** · **surgir** || **provocar** · **desencadenar** || **sufrir**

escalar v.

● CON SUSTS. **muro** · **castillo** · **rascacielos** · **montaña** *Sus principales aficiones son escalar montañas y hacer senderismo* · **volcán** · **arrecife** · **acantilado** || **posición** · **puesto** · **nivel** · **cargo** *...con el objetivo de escalar cargos hasta llegar al ministerio* · **casilla** · **plaza** · **rango** || **cielo** · **cumbre** · **cima** · **pico** · **aguja** · **pináculo** || **punto** · **entero** · **marca** · **meta** · **peldaño** · **cota** || **poder**

● CON ADVS. **rápidamente** · **gradualmente** *Ha sabido ir escalando posiciones gradualmente* · **poco a poco** · **a toda velocidad** || **a pulso** || **socialmente**

escaldado, da adj. *col.*

● CON SUSTS. **gato,ta** *Huyó de los periodistas como un gato escaldado* · **perro,rra**

● CON VBOS. **estar** · **salir** *El equipo salió escaldado del encuentro* · **abandonar** · **irse** · **quedar(se)** · **acabar**

escalera s.f.

● CON ADJS. **empinada** · **inclinada** · **alta** · **corta** || **de caracol** *Subimos al campanario por la escalera de caracol* · **mecánica** · **portátil** · **de bomberos** · **de mano** || **de emergencia** · **de incendios** · **de servicio** *...y bajaron corriendo por la escalera de servicio* · **principal** · **interior** · **exterior** || **de color** *Ganó la partida de póquer con una escalera de color*

● CON SUSTS. **rellano (de)** · **descansillo (de)** · **escalón (de)** · **peldaño (de)** · **barandilla (de)** · **balaustrada (de)** || **tramo (de)** · **hueco (de)** *Se asomó por el hueco de la escalera, pero no vio a nadie*

● CON VBOS. **subir** · **bajar** · **utilizar** · **usar** · **desplegar** || **caer (por)** · **rodar (por)**

● CON PREPS. **al pie (de)** *La esperó al pie de la escalera* · **en lo alto (de)**

escalfar v.

● CON SUSTS. **huevo** *La sopa de ajo puede llevar un huevo escalfado*

escalofriante adj.

● CON SUSTS. **relato** · **testimonio** · **declaración** · **descripción** · **detalle** · **rumor** · **anécdota** · **experiencia** || **dato** *Los últimos datos sobre accidentes de circulación son realmente escalofriantes* · **cifra** · **estadística** || **aumento** · **descenso** || **narración** · **historia** · **película** · **reportaje** · **escena** *una película de terror con escenas escalofriantes* · **imagen** · **pasaje** · **episodio** · **secuencia** · **documental** || **suceso** · **crimen** || **grito** *Un grito escalofriante rompió el silencio de la mansión* · **chillido** · **gemido**

escalofrío s.m.

● CON VBOS. **dar (a alguien)** · **venir (a alguien)** · **entrar (a alguien)** *Solo de imaginármelo me entran escalofríos* || **recorrer (algo/a alguien)** || **tener** · **sentir** · **notar** || **producir (en alguien)** · **provocar** · **causar**

escalonadamente adv.

● CON VBOS. **regresar** · **entrar** · **salir** · **llegar** *Los invitados fueron llegando escalonadamente* · **acudir** · **venir** || **subir** · **incorporar(se)** · **aumentar** · **extender(se)** · **incrementar** || **disminuir** · **bajar** · **reducir** · **decrecer** || **eliminar** *El médico me sugirió eliminar la medicación escalonadamente* · **liquidar** · **retirar** || **comenzar** · **emprender** · **inaugurar** · **iniciar** || **conseguir** · **lograr**

☐ USO Se construye generalmente con sustantivos contables en plural (*Los asistentes llegaron escalonadamente*) o no contables en singular (*La gente llegó escalonadamente*).

escalonado, da adj.

● CON SUSTS. **salida** *Se prevé una salida escalonada de vehículos a lo largo del fin de semana* · **vuelta** · **llegada** · **regreso** · **circulación** || **serie** · **sucesión** · **estructura** · **plan** · **organización** · **fila** || **aumento** · **subida** *Nos habían prometido una subida escalonada de sueldo* · **bajada** · **recorte** · **reducción** · **descenso** · **ampliación** · **disminución** || **retirada** · **repliegue** || **pago** · **descuento** || **paro** · **huelga** || **horario**

escalonar v.

● CON SUSTS. **salida** · **viaje** · **traslado** · **vuelta** · **regreso** *escalonar el regreso de las vacaciones* · **llegada** || **pago** · **deuda** · **compra** *Los expertos recomiendan escalonar las compras navideñas* · **desgravación** · **ganancia** · **costo** · **descuento** · **cobro** || **proceso** · **cambio** · **modificación** || **subida** · **recorte** · **ampliación** · **reducción**

escama s.f.

● CON ADJS. **pequeña** · **minúscula**

● CON VBOS. **brillar** *Las escamas de la boa brillaban al sol* || **quitar** *quitar las escamas a la merluza* || **tener**

escamado, da adj. *col.*

● CON VBOS. **andar** · **quedar(se)** *La Policía se quedó un poco escamada tras el interrogatorio* · **preguntar** · **barruntar** · **intuir**

escamar (a alguien) v.

• CON SUSTS. **actitud** · **comportamiento** || **palabras** · **respuesta** *Su respuesta evasiva nos escamó un poco, pero nadie preguntó más* · **discurso** · ***otras manifestaciones verbales*** || **ausencia** · **presencia** *Lo que más me escama de todo es la presencia de tanta Policía...*

escamotear v.

■ [robar con agilidad]

• CON SUSTS. **cartera** · **bolso** || **dinero** *para escamotear dinero de los contribuyentes* · **fondos** · **prestación**

■ [suprimir de forma intencionada]

• CON SUSTS. **elogio** *Al hablar de tu trabajo no escamotearon elogios* · **alabanza** · **crítica** · **debate** || **información** · **dato** · **imagen** || **historia** · **verdad** *Han acusado al alcalde de escamotear la verdad sobre el asunto* · **realidad** || **responsabilidad** · **esfuerzo**

escampar v.

• CON SUSTS. **tormenta** *Tras muchas horas de lluvia intensa, por fin escampó la tormenta* · **chaparrón** · **borrasca** · **temporal** || **situación** · **duda** · **discusión** *Y si la discusión no escampa...*

□ USO Se usa también como verbo impersonal: *No para de llover; a ver si escampa.*

escanciar v.

• CON SUSTS. **sidra** · **vino** · ***otras bebidas*** || **botella** *En la cena se escanciaron varias botellas de vino* · **vaso** · **copa**

escándalo s.m.

• CON ADJS. **monumental** · **mayúsculo** · **gigantesco** · **descomunal** · **sonado** · **tremendo** · **enorme** · **verdadero** · **serio** · **histórico** || **pequeño** *Armó un pequeño escándalo en su intervención* || **turbulento** · **turbio** · **vergonzoso** || **económico** · **financiero** *destapar un escándalo financiero* · **fiscal** · **urbanístico** · **político** · **literario** · **sexual** || **personal** · **familiar** || **implicado,da (en)** · **involucrado,da (en)** · **envuelto,ta (en)** *Se ha visto envuelto en un turbio escándalo*

• CON SUSTS. **sarta (de)** · **cúmulo (de)** *una carrera salpicada por un cúmulo de escándalos* || **alcance (de)** · **motivo (de)** · **efecto (de)**

• CON VBOS. **armar(se)** *Sin darnos cuenta se armó un terrible escándalo* · **formar(se)** · **liar(se)** · **desencadenar(se)** · **desatar(se)** · **avecinarse** · **salir a la luz** || **sacudir (a alguien)** *El escándalo sacudió a todos los miembros de la plantilla* · **salpicar (a alguien)** || **arreciar** · **recrudecer(se)** · **desbocar(se)** || **explotar** · **estallar** *Donde él va, estalla el escándalo* || **amainar** · **apagar(se)** || **venir de lejos** || **crear** · **provocar** · **organizar** · **llevar (consigo)** · **generar** · **dar** · **montar** *Montó un escándalo en plena calle* · **levantar** · **sembrar** · **cosechar** · **bordear** || **promover** · **alimentar** *Sus declaraciones no han hecho más que alimentar el escándalo* · **avivar** · **reavivar** · **atizar** · **tejer** · **prodigar** || **protagonizar** || **mitigar** · **apaciguar** · **zanjar** || **denunciar** · **destapar** · **airear** · **tapar** · **acallar** || **investigar** || **magnificar** *Los medios de comunicación han magnificado el escándalo* || **suponer** · **constituir** || **dar lugar (a)** *Sus últimas andaduras han dado lugar a un nuevo escándalo* · **rayar (en)** · **involucrar(se) (en)** · **participar (en)** || **reponerse (de)**

□ EXPRESIONES **de escándalo** [desmedido, sorprendente] *una goleada de escándalo*

escandalosamente adv.

• CON VBOS. **subir** · **elevar(se)** · **aumentar** · **crecer** || **bajar** · **disminuir** *En los últimos años ha disminuido escandalosamente el número de asociados* · **reducir(se)** || **acumular** · **acaparar** · **enriquecerse** *Se han enriquecido escandalosamente a costa de los pequeños inversores* · **beneficiarse** || **derrotar** *El equipo local derrotó escandalosamente al visitante* || **manipular** · **maniobrar** || **endeudar(se)** · **gastar** · **despilfarrar** · **perder** || **impulsar** · **fomentar** || **marginar** · **discriminar** · **perjudicar** || **desatender** · **omitir** · **desoír** · **callar** || **gritar** *un concierto en el que la gente gritaba escandalosamente* · **chillar** · **sonar** || **absolver**

escáner s.m.

• CON ADJS. **médico** · **nuclear** · **molecular** · **cerebral** || **digital** · **portátil** · **de {alta/baja} resolución**

• CON SUSTS. **tecnología (de)** · **sistema (de)** || **fallo (en)** || **imagen (de)** *La imagen del escáner es muy nítida* · **pantalla (de)** · **resolución (de)** || **resultado (de)** · **diagnóstico (por)**

• CON VBOS. **funcionar** · **estropear(se)** · **averiar(se)** || **conectar** *Este cable conecta el escáner con el ordenador* · **encender** · **apagar** || **utilizar** · **emplear** · **manejar** || **instalar** || **analizar (con)** · **pasar (por)** *Pasé el equipaje de mano por el escáner del aeropuerto* · **introducir (en)**

• CON PREPS. **con** · **mediante**

escaño s.m.

• CON VBOS. **obtener** *Obtuvieron cinco escaños más de los previstos* · **lograr** · **ganar** · **conseguir** || **abandonar** · **dejar** || **perder** *Su partido perdió dos escaños en las pasadas elecciones* · **recuperar** || **arrebatar** · **quitar** · **arañar** *Si revisan el cómputo de votos, podremos arañar algún escaño más* || **conservar** · **mantener** || **asegurar(se)** || **ocupar** || **sentar(se) (en)** *Los diputados se sentaban por primera vez en sus escaños* || **renunciar (a)**

escapada s.f.

■ [adelantamiento de un corredor]

• CON ADJS. **peligrosa** || **en solitario** *La joven corredora inició su escapada en solitario* || **definitiva** · **interminable** · **larga** · **kilométrica** · **maratoniana** · **brillante** · **épica** · **decisiva** · **sorprendente** || **fallida**

• CON SUSTS. **compañero,ra (de)** || **intento (de)** · **amago (de)** · **conato (de)**

• CON VBOS. **producirse** || **triunfar** · **tener éxito** · **prosperar** · **fructificar** || **fracasar** || **iniciar** · **protagonizar** *El ciclista colombiano protagonizó la escapada más espectacular de la vuelta* · **realizar** || **capitanear** · **liderar** || **facilitar** · **consentir** · **permitir** || **frenar** · **evitar** · **frustrar** · **neutralizar** · **controlar** || **participar (en)**

■ [salida breve] *col.*

• CON ADJS. **de fin de semana** · **dominguera** · **veraniega** · **vacacional** · **nocturna** || **rural** · **turística** || **breve** · **ocasional** · **aislada**

• CON VBOS. **improvisar** · **planificar** · **organizar** · **programar** · **planear** || **hacer** *hacer una escapada al campo* || **disfrutar (de)**

[escapar] → dejar escapar; escapar; escapar (a)

escapar v.

• CON ADJS. **ileso,sa** · **sano y salvo** *Todos los rehenes consiguieron escapar sanos y salvos* || **despavorido,da**

• CON ADVS. **rápidamente** *Cuando vieron que llegaba la Policía, los ladrones escaparon rápidamente* · **velozmente** ·

a todo correr · a toda velocidad · a toda pastilla · como una exhalación · como alma que lleva el diablo · a marchas forzadas · a uña de caballo || a hurtadillas || espectacularmente || con suerte · airosamente || por los pelos *Conseguimos escapar de allí por los pelos* · por poco · de milagro || a la desesperada || en masa · en desbandada

escapar (a) v.

● CON SUSTS. **violencia · matanza** *Lo contó en la televisión una chica que escapó a la matanza* · **masacre · esclavitud · trampa · red · maldición · crisis || justicia · ley · norma · regla · sanción · purga || atracción** *Ni siquiera la luz puede escapar a la atracción de los agujeros negros* · **seducción · fascinación · tentación · fuerza · presión || persecución · vigilancia · control · redada · detención || mirada · ojo · telescopio · crítica** *Ningún miembro del partido escapaba a sus ácidas críticas* · **tentáculo · influencia || cálculo · escrutinio · previsión || búsqueda · posibilidad · intento · capacidad || suerte · destino || deseo · impulso · dictado** *Parece que no hay quien escape a los dictados de la moda* · **voluntad · sensación · necesidad · decisión || racionalidad · razón** *un misterio que escapa por completo a la razón* · **entendimiento · comprensión · responsabilidad || corriente · tendencia · inclinación || acción (de algo) || vulgaridad**

escaparate s.m.

● CON ADJS. **vistoso · atractivo · llamativo · elegante || repleto · vacío || mundial · internacional** *Este festival es uno de los escaparates internacionales del cine actual* · **nacional || de lujo · privilegiado || cultural · literario · musical · tecnológico · electoral**

● CON SUSTS. **luna (de) · cristal (de) · interior (de) || organización (de) · ubicación (de) · composición (de) · diseño (de) || vista (de) · paseo (por/ante)**

● CON VBOS. **atraer (a alguien) · despertar el interés · llamar la atención || exhibir (algo) · mostrar (algo) · presentar (algo) || decorar** *Decoraron el escaparate con motivos navideños* · **cambiar || llenar · inundar** *miles de artículos que inundan los escaparates* **|| contemplar · mirar · ver** *pasear y ver escaparates* **|| romper · destrozar || exponer (en) · poner (en) · colocar (en) || llegar (a)** *Su última novela acaba de llegar a los escaparates* **|| detener(se) (ante) · parar(se) (en) || servir (de/como) · convertir(se) (en)** *El desfile se ha convertido en el mayor escaparate de la moda nacional*

escapatoria s.f.

● CON ADJS. **única** *Es la única escapatoria que le queda* **|| difícil · posible** *No hay escapatoria posible*

● CON SUSTS. **posibilidad (de)** *ninguna posibilidad de escapatoria*

● CON VBOS. **hallar · encontrar · buscar || tener** *Tendrá que ir, no tiene escapatoria* · **haber || dejar**

● CON PREPS. **sin** *arrinconado y sin escapatoria posible*

[escape] → a escape; escape

escape s.m.

● CON ADJS. **de gas** *una intoxicación provocada por un escape de gas* · **de agua · radiactivo · tóxico · nuclear · químico**

● CON SUSTS. **tubo (de) || sistema (de) · mecanismo (de) || válvula (de)** *El gimnasio es su única válvula de escape* · **vía (de) · puerta (de)**

● CON VBOS. **producir(se) || provocar** *Las malas condiciones de la instalación de gas han provocado un escape* · **causar || descubrir · frenar · evitar || sufrir**

□ EXPRESIONES **a escape*** [muy deprisa] *salir a escape*

escaquearse (de) v. *col.*

● CON SUSTS. **responsabilidad · obligación · pago** *escaquearse del pago de las multas* · **deber · trabajo · tarea**

escaramuza s.f.

● CON ADJS. **verbal · dialéctica** *...tratando de confundir al juez con una inútil escaramuza dialéctica* · **política · electoral · parlamentaria · interna · legal · judicial || fronteriza · militar · bélica · callejera** *La disputa terminó en una escaramuza callejera* **|| previa · continua · reciente · habitual · frecuente || pequeña · simple || sangrienta · cruel**

● CON VBOS. **producir(se) · registrar(se) || librar · provocar** *Varios guerrilleros provocaron una escaramuza entre adeptos y opositores al régimen* · **causar · ganar · protagonizar || batir(se) (en) · vencer (en) · participar (en) · recurrir (a)**

escarbar (en) v.

● CON SUSTS. **tierra · terreno · suelo** *El perro escarbaba en el suelo buscando restos* **|| diente · nariz || basura** *mendigos que escarban a diario en la basura* · **escombro · inmundicia · ruina · despojo · porquería || archivo · base de datos · biblioteca · depósito · almacén** *Me he pasado toda la mañana escarbando en el almacén* **|| historia · memoria · pasado || origen · raíz || vida · sentimiento · intimidad · secreto** *El libro escarba en los secretos más íntimos de su polémico reinado* · **mundo secreto || miseria · crisis · problema**

□ USO En algunos casos alterna los complementos encabezados por la preposición *en* (*escarbar en el suelo*) con los complementos directos (*escarbar el suelo*).

escarchado, da adj.

● CON SUSTS. **fruta** *El roscón venía adornado con fruta escarchada* **|| café · brandy · anís ·** ***otras bebidas***

escarlata adj.

● CON SUSTS. **rojo** *un rojo escarlata muy fuerte*

➤ Véase también **COLOR**

escarlatina s.f.

● CON SUSTS. **virus (de) · epidemia (de) · brote (de)** *Después de la guerra hubo un brote de escarlatina* · **ataque (de) || caso (de) · enfermo,ma (de) || vacuna (contra/de) · tratamiento (contra/de)**

● CON VBOS. **tener · coger · pasar · pillar · padecer · contraer · incubar || contagiar · pegar · propagar(se) · extender(se) || curar · combatir || restablecerse (de) · reponerse (de)** *Se repuso de la escarlatina rápidamente* · **recobrarse (de) · librar(se) (de)**

escarmiento s.m.

● CON ADJS. **buen(o)** *Se merece un buen escarmiento* · **fuerte · duro · severo || ejemplar || desmesurado · tremendo · brutal · inflexible · injusto || merecido**

● CON VBOS. **dar (a alguien)** *Deberíamos darle un escarmiento* · **infligir (a alguien) · aplicar (a alguien) · imponer (a alguien) || buscar || merecer · necesitar || llevarse · recibir || servir (de)** *¡Que te sirva de escarmiento!* **|| someter (a)**

escarnio s.m.

• CON ADJS. **público** *Dice que todos esos vándalos deberían ser sometidos a escarnio público* · **general** · **nacional** · **popular** · **colectivo** · **mediático**
• CON SUSTS. **víctima (de)** · **objeto (de)** · **motivo (de)**
• CON VBOS. **padecer** · **sufrir** · **soportar** || **provocar** · **suscitar** || **evitar** · **eludir** || **someter (a)** · **exponer (a)** · **condenar (a)**
• CON PREPS. **para** *Para mayor escarnio, los acusados fueron abucheados*

escarpado, da adj.

• CON SUSTS. **montaña** *una zona rodeada de escarpadas montañas* · **cordillera** · **relieve** || **roca** · **ladera** · **barranco** · **acantilado** · **despeñadero** · **pico** · **peña** · **cumbre** || **terreno** · **zona** · **área** · **punto** · **lugar** · **orografía** · **paraje** *El paraje es escarpado y tiene difícil acceso* · **región** · **paisaje** || **camino** · **carretera** · **senda** · **desfiladero** · **cañón**
• CON VBOS. **volverse** · **hacerse**

escasez

1 **escasez** s.f.

• CON ADJS. **suma** · **tremenda** · **enorme** · **acusada** · **aguda** · **severa** · **grave** · **acuciante** || **creciente** · **relativa** || **perenne** · **eterna** · **persistente** || **al descubierto** || **alimentaria**
• CON SUSTS. **causa (de)**
• CON VBOS. **acuciar** · **agudizar(se)** · **acentuar(se)** · **persistir** || **afrontar** · **superar** · **evitar** · **aliviar** · **mitigar** · **paliar** · **cubrir** · **subsanar** · **solventar** || **padecer** · **sufrir** · **acusar** · **notar** || **causar** *La sequía está causando la enorme escasez de agua que padecemos* || **denunciar** *La asociación denuncia la escasez de medios de muchos hospitales* · **compensar** || **luchar (contra)**

2 **escasez (de)** s.f.

• CON SUSTS. **medios** · **bienes** · **efectivos** · **recursos** · **fuerzas** · **fondos** || **infraestructuras** · **instalaciones** · **servicios** · **material** || **agua** *La escasez de agua provocará cortes en la zona* · **alimentos** · **comida** || **rigor** · **fundamento** · **argumentos** · **ideas** || **personal** *Antes de que la escasez de personal afecte a las vacaciones de los empleados...* · **plazas** · **oferta** || **información** · **datos** · **conocimiento**

escatimar v.

• CON SUSTS. **elogios** · **alabanzas** *un crítico literario que no escatima alabanzas cuando el libro las merece* · **aplausos** · **críticas** · **insultos** · **calificativos** · **adjetivos** · **palabras** · **promesas** || **recursos** · **medios** · **dinero** *No escatimaron dinero al poner en marcha el negocio* · **gasto** || **tiempo** · **energía** · **esfuerzo** || **ayuda** || **información** · **detalles**

☐ USO Se usa frecuentemente en contextos negativos: *La nueva directora no escatima elogios cuando habla de su antecesor.* Se construye generalmente con sustantivos no contables en singular (*escatimar dinero*) o con contables en plural (*escatimar palabras*).

escayola s.f.

▌[material hecho con yeso]

• CON ADJS. **fresca**
• CON SUSTS. **techo (de)** *La casa tenía un falso techo de escayola* · **columna (de)** · **estructura (de)** || **adorno (de)** · **aplique (de)** · **revestimiento (de)** || **plancha (de)** · **placa (de)** || **figura (de)** · **imagen (de)** · **escultura (de)** || **molde (de)**
• CON VBOS. **desconchar(se)** · **desprender(se)** · **agrietar(se)** · **resquebrajar(se)** · **descascarillar(se)** || **aplicar** *aplicar escayola sobre el cemento*

▌[vendaje rígido]

• CON SUSTS. **férula (de)** *Le han puesto una férula de escayola en la pierna*
• CON VBOS. **poner** · **quitar** · **cortar** || **tener** || **inmovilizar (con)** *El enfermero le inmovilizó el brazo fracturado con escayola*

escayolar v.

• CON SUSTS. **brazo** *Me escayolaron el brazo cuando me lo rompí* · **pierna** · **pie** · ***otras partes del cuerpo***

escena

1 **escena** s.f.

• CON ADJS. **espantosa** · **terrible** *Cuando pasábamos por allí presenciamos una terrible escena* · **atroz** · **sobrecogedora** · **estremecedora** · **desoladora** · **indescriptible** · **espeluznante** · **macabra** · **dantesca** · **lamentable** · **dramática** · **dolorosa** · **violenta** · **fuerte** || **emotiva** *una emotiva escena entre madre e hijo* · **encantadora** · **conmovedora** · **tierna** · **dulce** · **entrañable** || **memorable** · **antológica** · **apoteósica** · **espectacular** · **divertida** *en la escena más divertida de toda la película* || **fantasmal** · **grotesca** || **pintoresca** · **pastoril** · **bucólica** || **ridícula** · **vergonzosa** · **patética** || **pública** · **artística** · **mundial** · **internacional** *la marginación de este tipo de arte en la escena internacional* · **nacional** · **literaria** · **teatral** · **cinematográfica** · **bíblica** · **política** · **electoral** · **cotidiana**
• CON SUSTS. **puesta (en)** *el premio a la mejor puesta en escena*
• CON VBOS. **representar (algo)** · **mostrar (algo)** · **describir (algo)** · **hacer** || **organizar** · **montar** *Ayer en la cena volvieron a montar una escena delante de todos* · **dar** · **protagonizar** · **abandonar** || **presenciar** · **soportar** || **rodar** · **describir** · **recrear** *una película que recrea a la perfección escenas de la época de posguerra* · **evocar** · **revivir** · **mostrar** · **reflejar** · **registrar** || **dominar** *Su sola presencia dominaba la escena* · **copar** · **completar** || **censurar** · **eliminar** || **salir (a)** *Se pone muy nervioso cuando le toca salir a escena* · **entrar (en)** · **subir (a)** || **poner (en)** · **llevar (a)** · **sacar (a)**
• CON PREPS. **en** || **fuera (de)** *Fuera de escena parece otra persona completamente distinta* · **al margen (de)** *al margen de la escena oficial*

2 **escena (de)** s.f.

• CON SUSTS. **amor** · **sexo** · **cama** *una película con varias escenas de cama* · **celos** || **dolor** · **violencia** · **lucha** · **guerra** · **horror** · **pánico** || **acción** · **tensión** · **riesgo** || **humor** || **exterior** · **interior** || **delito** · **crimen** *reconstruir la escena del crimen*

escenario s.m.

• CON ADJS. **espectacular** · **grandioso** · **incomparable** *una cena en el incomparable escenario del lago* · **privilegiado** · **principal** · **móvil** || **idóneo** · **adecuado** · **ideal** · **óptimo** · **propicio** *un escenario propicio para el entendimiento* · **favorable** · **cambiante** · **inapropiado** || **posible** · **previsible** || **apocalíptico** · **dantesco** · **inquietante** · **desolador** · **deprimente** || **amplio** · **abierto** || **violento** · **competitivo** || **urbano** · **público** · **real** · **cotidiano** || **nacional** · **internacional** · **occidental** || **histórico** *una batalla que se desarrolló en un escenario ya histórico* · **económico** · **electoral** · **político** · **bélico** · **militar** · **diplomático** · **deportivo**

• CON VBOS. **constar (de algo) || preparar · levantar · montar · componer · improvisar · desmontar** *Nada más acabar el concierto empezaron a desmontar el escenario* || **decorar · dibujar · delinear || flanquear · abandonar || escoger || actuar (en) · jugar (en) · debutar (en) · disputar (en) · desarrollar(se) (en)** *La reunión se desarrolló en un escenario de tensiones* || **aparecer (en) · subir (a) · saltar (a) · entrar (en) · irrumpir (en) · presentar(se) (en) · salir (de/a)** *Antes de salir al escenario, el público ya aplaudía* || **regresar (a)**
• CON PREPS. **sobre** *Cuando está sobre el escenario se transforma completamente*

escenificar v.

• CON SUSTS. **obra · ópera · concierto · espectáculo · pieza** *La compañía de teatro se prepara para escenificar varias piezas barrocas* · **drama · comedia · tragedia || situación · historia · cuento · diálogo · versión || lucha · derrota · muerte · duelo · pelea · batalla · desencuentro · enfrentamiento || ruptura · acuerdo** *El encuentro entre los dos presidentes ha servido para escenificar públicamente el acuerdo* · **pacto || emoción · sentimiento**

escepticismo s.m.

• CON ADJS. **profundo · hondo · rotundo · cierto · visceral · cáustico · amargo · irónico || latente · soterrado || circundante · social** *en una época de gran escepticismo social*
• CON SUSTS. **sentimiento (de) || muestra (de) · señal (de) || ambiente (de) · punto (de) || efecto (de) · reacción (ante) · causa (de) · consecuencia (de)**
• CON VBOS. **nacer · surgir || crecer · aumentar** *Aumenta el escepticismo de los ciudadanos* · **cundir · disminuir || reinar · dominar (a alguien) · abundar · imperar || provocar · suscitar** *una crisis económica que suscitó un profundo escepticismo en el país* · **alimentar · engendrar || reflejar · expresar · evidenciar · disfrazar || superar · eludir · vencer || invitar (a) || caer (en) · instalar(se) (en)**
• CON PREPS. **con** *La crítica recibió con escepticismo su última obra* · **sin**

escéptico, ca adj.

• CON SUSTS. **opinión pública · sociedad · ciudadano,na** *ciudadanos escépticos ante las nuevas promesas electorales* · **lector,-a** · ***otros individuos y grupos humanos*** || **postura** *Los especialistas mantienen una postura escéptica* · **posición · idea · pensamiento · filosofía || actitud · tono · sonrisa · mirada**
• CON ADVS. **profundamente · totalmente · sumamente · enormemente · completamente**
• CON VBOS. **volver(se) · mantener(se)** *Aunque se mantuvo escéptico ante las posibles subidas salariales* · **mostrarse · continuar · permanecer**

escindir(se) v.

• CON SUSTS. **grupo** *polémica que, lejos de solucionarse, escindió al grupo en dos facciones bien diferenciadas* · **gobierno · congreso · cámara · facción · sector · rama · banda · iglesia · partido · organización · tribu · familia · equipo · cuadrilla || mundo · área · país** *una invasión que escindió el país en dos partes* · **territorio || frase · oración · texto · párrafo · discurso · película || vida · viaje · trayecto**

escisión s.f.

• CON ADJS. **traumática · dolorosa · inevitable || profunda** *una profunda escisión del partido en dos bandos* · **radical · grave || quirúrgica**
• CON SUSTS. **proceso (de)** *un duro proceso de escisión* · **fase (de) || peligro (de) || operación (de)** *tras la operación de escisión por la reestructuración de la empresa*
• CON VBOS. **fraguar(se) · iniciar(se) || consumar(se) · producir(se)** *para evitar que se produzca la escisión de la sociedad* || **provocar · propiciar · ocasionar · evitar || protagonizar · encabezar || sufrir || dar lugar (a) || nacer (de) · surgir (de)**

esclarecer(se) v.

• CON SUSTS. **noche · cielo · día || crimen · asesinato** *El asesinato del periodista sigue sin esclarecerse* · **agresión** · ***otros delitos*** || **muerte · guerra · matanza · escándalo || duda · misterio · enigma · incógnita · incertidumbre · pregunta · rumor · problema || trama · entramado · maraña · tramoya · polémica · anomalía || caso · situación · hecho · panorama · asunto · cuestión · tema · actuación || causa · motivo · circunstancia** *El avión se estrelló en circunstancias aún sin esclarecer* · **razón · significado · relación · base · objetivo · procedimiento · uso || origen · procedencia · destinatario · destino || verdad** *Aseguraba que su objetivo era esclarecer la verdad sobre el asunto* · **realidad · falsedad · identidad · responsabilidad · culpabilidad · autoría · constitucionalidad || acción · gestión · operación · investigación**
• CON ADVS. **completamente · definitivamente · totalmente · parcialmente || adecuadamente · felizmente** *una incógnita felizmente esclarecida en el tiempo* || **a fondo · elocuentemente**

[esclava] s.f. → esclavo, va

esclavitud s.f.

• CON ADJS. **asfixiante** *Durante años, este pueblo se vio sometido a una asfixiante esclavitud* · **subyugante · abrumadora · opresiva · tiránica · dura · trágica · humillante · lacerante · degradante || encubierta || infantil · económica · sexual || de años · de siglos**
• CON SUSTS. **abolición (de) || situación (de) · estado (de) · régimen (de)** *trabajadores en régimen de esclavitud* · **yugo (de)**
• CON VBOS. **denunciar · condenar · combatir · frenar · erradicar · abolir · eliminar || tolerar · enmascarar · disfrazar · permitir || introducir · establecer || liberar(se) (de) · escapar (de/a)** *incapaces de escapar a la esclavitud o a la prostitución* · **huir (de) || rescatar (de) || someter (a) || luchar (contra) · acabar (con)**

esclavo, va

1 esclavo, va adj.

• CON SUSTS. **trabajo** *un trabajo muy esclavo que no deja ni un minuto libre* · **empleo || mano de obra** *El templo fue levantado con mano de obra esclava* · **población · pueblo**

2 esclavo, va s.

• CON ADJS. **sometido · liberado || sexual**
• CON SUSTS. **tráfico (de) · trata (de) · comercio (de) || condición (de)**
• CON VBOS. **liberar || tener || someter · forzar · obligar (a algo) || convertir(se) (en)** *niños que se convierten en esclavos de la televisión* · **volverse · hacer(se)**

3 esclava s.f.

■ [pulsera]

• CON VBOS. **grabar** *grabar una esclava con su nombre* || **regalar || lucir · llevar · poner(se) · quitar(se)**

[escoba] → como una escoba; escoba

escoba s.f.

●CON SUSTS. **palo (de)** || **coche** *El corredor se subió al coche escoba y abandonó la carrera* · **camión** · **vehículo**
●CON VBOS. **pasar** *Si puedes, pasa la escoba por el salón* || **barrer (con)** || **montar (en)** *La bruja se montó en su escoba* · **volar (en)** · **subir (a)**

escocedura s.f.

●CON VBOS. **producir** · **causar** || **aliviar** *un colirio para aliviar la escocedura de los ojos*

escocer v.

●CON SUSTS. **herida** *Aunque la herida te escueza, no debes rascarte* · **ojos** · **piel** || **gasto** || **verdad** · **realidad** || **tema** · **asunto** || **pregunta** · **afirmación** · **respuesta** || **derrota** *A los aficionados todavía les escuece la derrota del domingo* · **crítica** || **alma** · **conciencia**

escocés s.m. Véase **IDIOMA**

escoger v.

●CON ADVS. **a voleo** *...después de escoger a voleo varias papeletas de la saca* · **arbitrariamente** · **al tuntún** · **a dedo** || **cuidadosamente** · **concienzudamente** · **a conciencia** · **escrupulosamente** || **adecuadamente** · **equivocadamente** || **individualmente** · **uno por uno** *No compres los tomates en bolsa; escógelos uno por uno* · **uno a uno** || **abrumadoramente**
●CON VBOS. **dar (a)** *Me dieron a escoger entre varias opciones*

□USO Se construye a menudo con complementos encabezados por las preposiciones *entre* y *de*: *No me obligues a escoger entre los dos.*

escogido, da adj.

●CON SUSTS. **clientela** · **público** *La cantaora actuó ante un público escogido* · **invitado,da** · ***otros individuos y grupos humanos*** || **obra** *un conjunto de obras escogidas* · **texto** · **lectura** · **novela** · **canción** · ***otras creaciones*** || **grupo** · **representación** || **antología** · **repertorio** · **selección** · **ramillete** || **escenario** · **auditorio** || **ciudad** · **sitio** · ***otros lugares*** || **instante** · **fecha** · **día** · ***otros momentos o períodos*** || **fórmula** · **título** · **opción** · **método**

escolar adj.

●CON SUSTS. **período** *El período escolar comprende nueve meses* · **jornada** · **semana** · **año** · **etapa** · **ciclo** · **nivel** · **curso** || **graduado** *Para ese puesto es imprescindible el título de graduado escolar* · **educación** · **programa** · **plan** · **sistema** · **reforma** · **ámbito** || **población** || **horario** · **calendario** || **tarea** · **trabajo** · **ejercicio** · **excursión** || **institución** · **centro** · **clase** · **aula** · **consejo** || **transporte** · **autobús** *Un autobús escolar se ha visto implicado en el accidente* || **literatura** · **teatro** · **texto** || **material** *comprar el material escolar en la papelería* · **libro** · **cuaderno** · **cartilla** · **uniforme** || **seguro** · **matrícula** · **gasto** || **currículum** · **historial** · **ficha** || **absentismo** · **deserción** · **abandono** · **fracaso** *Los profesores están preocupados por el fracaso escolar* · **retraso** · **rendimiento** · **integración** · **adaptación** || **apoyo** · **orientación** || **rebelión** · **incidente** || **recuerdo** *recuerdos escolares llenos de nostalgia*

escolarizar v.

●CON SUSTS. **hijo,ja** · **alumno,na** *El centro escolariza a los alumnos según sus niveles y edades* · **alumnado** · **niño,ña** · **menor**
●CON ADVS. **obligatoriamente** · **adecuadamente** · **correctamente** || **eficazmente** · **ineficazmente**

[escolástica] s.f. → escolástico, ca

escolástico, ca

1 **escolástico, ca** adj.

●CON SUSTS. **filosofía** *un interesante trabajo sobre la filosofía escolástica* · **moral** · **doctrina** · **teoría** || **raíces** *una teoría de claras raíces escolásticas* · **tradición** || **concepto** · **principio** · **ideal** || **orden** || **filósofo,fa** · **pensador,-a**

2 **escolástica** s.f.

●CON ADJS. **medieval** *la gran repercusión de la escolástica medieval*

escollo s.m.

●CON ADJS. **grave** · **duro** *un hecho que supuso un duro escollo en su carrera* · **difícil** · **insuperable** · **insalvable** · **infranqueable** · **salvable** || **principal** · **fundamental** || **imprevisto** || **jurídico** · **legal** *Pero la reforma propuesta puede encontrarse con algún escollo legal* · **administrativo** · **burocrático** · **económico** · **idiomático** · **montañoso** || **plagado,da (de)** · **lleno,na (de)** *una vida llena de escollos*
●CON VBOS. **presentar(se)** · **aparecer** · **emerger** · **surgir** || **salvar** *Antes de llegar a su actual cargo ha tenido que salvar numerosos escollos* · **pasar** · **sortear** · **esquivar** · **orillar** · **levantar** · **solucionar** · **vender** · **superar** || **suponer** · **constituir** || **encontrar** || **tropezar(se) (con)** *A lo largo de su carrera profesional fue tropezando con ciertos escollos que...* || **sembrar (de)**

□USO Se construye a menudo con complementos preposiciones como *en el proceso, en el camino, en el desarrollo (de algo), en la negociación*: *Los escollos en la negociación se fueron resolviendo gracias a la buena voluntad de ambas partes.*

escolta s.f.

●CON ADJS. **numerosa** · **nutrida** || **escasa** || **policial** · **militar** · **presidencial** · **real** || **armada** || **personal** || **permanente**
●CON SUSTS. **miembro (de)** *Es miembro de la escolta presidencial* · **agente (de)** · **resto (de)** || **jefe,fa (de)** · **responsable (de)**
●CON VBOS. **intervenir** · **actuar** || **impedir (algo)** *La escolta impidió que las fans se acercaran al actor* || **proteger (a alguien)** · **acompañar (a alguien)** *La escolta militar acompañó al mandatario durante todo su recorrido* || **asignar** · **poner** · **contratar** · **tener** · **llevar** *Dice que prefiere no llevar escolta* || **componer** || **rechazar** *Rechazó la escolta que le proporcionaba el Estado* · **aceptar** || **quitar** · **suprimir** · **reducir** || **disponer (de)** · **contar (con)**

escoltar v.

●CON SUSTS. **dirigente** · **líder** *Los secuaces escoltaban a su líder* · **presidente,ta** · **cónsul** · **ministro,tra** · **embajador,-a** · **cabecilla** || **criminal** · **delincuente** · **asesino,na** · **mafioso,sa** *La Policía escoltó al mafioso hasta el juzgado* · **malhechor,-a** || ***otros individuos y grupos humanos*** || **convoy** · **furgón** · **avión** · **barco** · **coche** *Escoltaron su coche hasta la salida de la ciudad* · **autobús** · **camión** · **carroza** · **ambulancia** · ***otros vehículos***
●CON ADVS. **férreamente** · **fuertemente** · **inseparablemente** || **obligatoriamente** || **fielmente**

escombro

1 **escombro** s.m.

● CON ADJS. **enormes · gigantescos || humeante || cubierto,ta (de) || reducido,da (a)**

● CON SUSTS. **montaña (de) · pila (de)** *La enorme pila de escombros dejados por las obras* **· montón (de) · toneladas (de) || contenedor (de) || flujo (de)** *El flujo de escombros procede del derrumbe de la tierra* **· vertido (de)**

● CON VBOS. **generar** *Las fábricas de la zona generan gran cantidad de escombros cada día* **|| verter · arrojar || remover · esparcir · diseminar · desparramar || amontonar · recoger · retirar · cargar · transportar || reciclar || reducir (a) · convertir (en) || salir (de) · surgir (de) · sacar (de) · rescatar (de) · escarbar (en)** *Los damnificados escarban en los escombros con la esperanza de encontrar recuerdos y pertenencias*

● CON PREPS. **bajo · entre**

2 **escombro (de)** s.m.

● CON SUSTS. **edificio** *Los bomberos buscan supervivientes bajo los escombros del edificio* **· vivienda · casa · ciudad || obra · reforma || imperio · ideología || terremoto · guerra**

esconder v.

● CON SUSTS. **cuerpo** *Están investigando dónde escondió el cuerpo el asesino* **· mano · cabeza · droga · arma || llave · coche ·** ***otras cosas materiales*** **||** ***persona*** *Escondió a varios soldados enemigos durante la guerra* **|| apariencia · realidad** *Por mucho que se intente esconder la realidad de los hechos...* **· trasfondo · amenaza · problema || amargura · decepción · desencanto · nostalgia · orgullo · enfado · disgusto · soledad · miedo ·** ***otros sentimientos*** **|| lágrimas** *intentando inútilmente esconder las lágrimas que corrían por su rostro* **|| secreto · intriga · misterio · confesión · información · documento · dato || plan · intención** *No traten ustedes de esconder sus aviesas intenciones* **· pretensión || relación || clave · contraseña · código || crimen · robo · asesinato ·** ***otros delitos*** **|| hermosura · bondad ·** ***otras cualidades*** **|| carácter · actitud · condición**

● CON ADVS. **completamente || bajo tierra · a buen recaudo · celosamente · bajo llave · como oro en paño**

escondido, da adj.

● CON SUSTS. **rincón · pueblo** *descubrir algún pueblo escondido en el que perderse* **· senda · playa ·** ***otros lugares*** **|| refugio · cabaña · casa · edificio ·** ***otras edificaciones*** **|| riqueza · tesoro · botín · libros || interés · deseo · pasión · verdad · secreto · misterio**

● CON VBOS. **estar · quedar(se) · mantener(se) · seguir · continuar · permanecer · vivir · hallar(se)**

□ EXPRESIONES **a escondidas** [sin ser visto]

escondite s.m.

● CON ADJS. **remoto · recóndito** *un recóndito escondite en medio de las montañas* **· apartado · retirado · inexpugnable · inaccesible · secreto** *Cuando era pequeño, este era mi escondite secreto* **· ignorado || seguro · inseguro · perfecto · idóneo || habitual**

● CON VBOS. **buscar · descubrir · localizar || abandonar || ocultar(se) (en) · retirar(se) (a)** *El animal se retira a su escondite* **|| salir (de) · cambiar (de) || usar (como/de) · utilizar (como/de) · servir (como/de) || jugar (a)** *Les encanta jugar al escondite en el jardín*

● CON PREPS. **en · desde** *Los observaba atentamente desde su escondite* **|| fuera (de) · lejos (de)**

escondrijo s.m.

● CON ADJS. **secreto** *De pequeño tenía un escondrijo secreto para guardar todos mis tesoros* **· natural · oscuro · remoto · recóndito · seguro**

● CON VBOS. **localizar · encontrar · descubrir · buscar · hallar || abandonar || refugiar(se) (en) · esconder(se) (en) · ocultar(se) (en)** *Los ladrones ocultaron el botín en su escondrijo* **· retirar(se) (a) · servir (de) || salir (de)**

escopetado, da adj. *col.*

● CON VBOS. **salir** *Cuando vimos los precios, salimos escopetados de la tienda* **· irse**

escorar(se) v.

● CON SUSTS. **barco** *El barco comenzó a escorarse a babor por la presión del hielo* **· buque · bote ·** ***otras embarcaciones*** **|| remate · trallazo · chut || jugador,-a · delantero,ra · ministro,tra · concejal,-a · político,ca · gobierno** *¿Diría usted que el nuevo Gobierno se ha escorado hacia la derecha?* **· partido ·** ***otros individuos y grupos humanos*** **|| política · poder || posición · idea · nacionalismo · punto de vista** *Sus puntos de vista se han ido escorando hacia posiciones más conservadoras* **|| imagen · perfil || debate · ponencia · texto · lenguaje**

escoria s.f.

● CON ADJS. **social · de la sociedad · humana · callejera**

● CON VBOS. **limpiar · retirar || utilizar || convertir(se) (en)**

[escote] →a escote; escote

escote s.m.

● CON ADJS. **pronunciado** *una colección de verano con ropa ceñida y escotes pronunciados* **· vertiginoso · generoso · profundo · amplio · atrevido · insinuante · sugerente · vistoso || pequeño · escaso || (de/en) pico · asimétrico · redondo · cuadrado** *un vestido con escote cuadrado* **· bordado · de encaje**

● CON VBOS. **lucir · enseñar · exhibir || cubrir · tapar || acentuar · abrir · cerrar || bajar · subir**

□ EXPRESIONES **a escote*** [proporcionalmente o a partes iguales]

escozor s.m.

● CON ADJS. **fuerte · profundo · intenso || ligero · leve || constante · molesto**

● CON SUSTS. **sensación (de)** *sensación de escozor en los ojos*

● CON VBOS. **causar · provocar · producir || aliviar** *una crema especial para aliviar el escozor* **· evitar || sentir**

escribir v.

● CON ADVS. **con brillantez** *una novelista que escribe con brillantez y destreza* **· brillantemente · hábilmente · correctamente · perfectamente · de maravilla · a las mil maravillas · divinamente · magistralmente · con maestría · como los ángeles** *Inseguro en sus comienzos, hoy escribe como los ángeles* **· fluidamente · con fluidez || a la ligera · confusamente · atropelladamente · desganadamente · con dificultad · trabajosamente · deficientemente · incorrectamente · torpemente · mecánicamente · automáticamente || cuidadosamente · limpiamente · pulcramente · apretadamente || apasionadamente · febrilmente · incesantemente · compulsivamente · vertiginosamente · a vuelapluma · de un tirón · extensamente · prolijamente · profusamente · larga-**

mente || semanalmente · mensualmente · asiduamente · a salto de mata · de uvas a peras · periódicamente · regularmente *Este periodista escribe regularmente en el periódico* · puntualmente || profesionalmente *Mi hermana lleva varios años escribiendo profesionalmente* · literariamente || en limpio · en sucio *Primero voy a escribir la carta en sucio y luego la pasaré a limpio* · claramente || a lápiz · a máquina · a mano · de {mi/tu/su...} puño y letra || confidencialmente · entre líneas · de memoria *Fue capaz de escribir de memoria toda la lista* || claro · expresamente · sin tapujos · con todas las letras · libremente · valientemente · a favor || textualmente · al dictado *escribir una carta al dictado* · íntegramente || especialmente || acertadamente · proféticamente || mentalmente · tristemente · oficialmente || lentamente · velozmente · torrencialmente

[escrito] → por escrito

escritor, -a s.

• CON ADJS. eminente · conocido,da · reconocido,da · famoso,sa · reputado,da · admirado,da · afamado,da · prestigioso,sa *El discurso de inauguración lo leyó una prestigiosa escritora* · destacado,da · significativo,va · importante · ilustre · célebre · favorito,ta · predilecto,ta · preferido,da · consagrado,da *El jurado está formado por escritores consagrados* · apócrifo,fa || novel · aficionado,da · desconocido,da · primerizo,za · principiante || experimentado,da · inexperto,ta || antiguo,gua · actual · reciente · tardío,a · precoz || clásico · moderno || exitoso,sa · de éxito || frustrado,da · fracasado,da || perseguido,da · incómodo,da · político,ca · disidente || de {primera/segunda/tercera} fila || buen,-a · interesante · gran · talentoso,sa · excelente · magnífico,ca *Con el paso de los años se convirtió en un magnífico escritor* · discreto,ta · mediocre · mal,-a · pésimo,ma || libre · censurado,da || realista · fantástico,ca · costumbrista · naturalista · modernista || puntillista · meticuloso,sa · parsimonioso,sa · descriptivo,va · sintético,ca || imaginativo,va · original · romántico,ca · sensible · elegante · refinado,da || extravagante · vocacional || aburrido,da · tedioso,sa || vulgar · obsceno || ortodoxo,xa · heterodoxo,xa · académico,ca

• CON SUSTS. congreso (de) *un congreso de escritores de habla hispana* · reunión (de) · certamen (de) · premio (de) || generación (de) · estirpe (de) · grupo (de) · asociación (de) · gremio (de) || identidad (de) · rasgo (de) · característica (de)

• CON VBOS. escribir · narrar (algo) · construir (algo) · idear (algo) · describir (algo) · crear (algo) · imaginar (algo) · ambientar (algo) *El joven escritor ambientó su novela en la época de la posguerra* || denunciar (algo) · criticar (algo) || publicar (algo) || citar · plagiar || premiar · homenajear || alabar · admirar || criticar · descalificar · censurar || vindicar · defender

escritura s.f.

▌[representación gráfica]

• CON ADJS. bella · caligráfica · ágil · ramplona · mordaz · tensa · rigurosa · viva · vivaz || densa · opaca · transparente · enigmática · hermética · entre líneas · estilizada || precipitada *Por la precipitada escritura de su nota comprendimos que algo había pasado* · nerviosa · febril || de {mi/tu/su...} puño y letra · personal || jeroglífica · sagrada · literaria · poética · narrativa · creativa || lineal · automática

• CON SUSTS. taller (de) || forma (de) · rasgo (de) || dominio (de) *...hasta alcanzar un perfecto dominio de la escritura*

• CON VBOS. fluir · discurrir || leer · entender · descifrar · desentrañar · conocer || hilvanar || refugiar(se) (en)

▌[documento]

• CON ADJS. pública

• CON SUSTS. copia (de) *El notario nos entregó una copia simple de la escritura de compraventa*

• CON VBOS. registrar · legalizar · firmar

escrúpulo s.m.

• CON ADJS. profundo · hondo · íntimo · arraigado · visceral || ético · moral *...con unos escrúpulos morales muy arraigados* · profesional · legal · religioso · puritano || escaso || falso · exagerado || lleno,na (de) · libre (de) · carente (de)

• CON SUSTS. carencia (de) · falta (de) *Me horroriza su falta de escrúpulos*

• CON VBOS. entrar(le) (a alguien) *...pero antes de hacerlo le entraron los escrúpulos* · asaltar (a alguien) || faltar(le) (a alguien) || caber || tener · sentir · mostrar || inculcar (en algo/a alguien) || vencer · despreciar · liberar · perder · superar || ocultar || carecer (de) || reparar (en)

• CON PREPS. con · sin *una persona sin escrúpulos*

escrupulosamente adv.

• CON VBOS. cumplir · respetar *respetar escrupulosamente la normativa de seguridad* · observar · atenerse · ajustar(se) · someter · acatar · ceñir(se) · adecuar · adaptar || aplicar · seguir · ejecutar || examinar · fijarse · estudiar · escrutar · revisar · chequear · leer || controlar · cuidar · vigilar · supervisar *Supervisa escrupulosamente la educación de sus hijos* · proteger · conservar || pagar · liquidar || narrar · describir · apuntar · anotar · transcribir · informar · declarar || preparar *...lo que confirma que el atentado había sido preparado escrupulosamente* · elaborar · organizar · documentar || seleccionar · delimitar · deslindar · distinguir · dividir || medir · contabilizar · contar

• CON ADJS. legal · democrático,ca · reglamentario,ria · honesto,ta · correcto,ta · respetuoso,sa *Fue escrupulosamente respetuosa en sus declaraciones* · transparente · veraz · cierto,ta || imparcial · neutral · objetivo,va

escrupuloso, sa adj.

• CON SUSTS. trabajador,-a *Confían en ella para esta tarea porque es una trabajadora muy escrupulosa* · profesional · alumno,na · ***otros individuos*** || respeto · cumplimiento *el más escrupuloso cumplimiento de las normas y leyes vigentes* · fidelidad · neutralidad · interpretación || silencio · secreto || cuidado · atención · vigilancia · control || trabajo · investigación *Se está llevando a cabo una escrupulosa investigación de lo sucedido* || puntualidad · organización · metodología · meticulosidad · exactitud · honestidad || comportamiento · conducta · conciencia · trato · espíritu || limpieza *la escrupulosa limpieza de las instalaciones* · higiene

• CON ADVS. especialmente · absolutamente · extremadamente · excesivamente || escasamente

escrutador, -a adj.

• CON SUSTS. mirada *Cuando nos presentaron me lanzó una mirada escrutadora* · ojo · gesto · lectura

escrutar v.

▌[contar]

• CON SUSTS. **voto** *Tardaron varias horas en escrutar los votos de las elecciones municipales* · **papeleta** · **votación**

▌[examinar con atención]

• CON SUSTS. **mirada** · **signo** · **señal** · **indicio** · **gesto** || **futuro** · **horizonte** · **actualidad** · **opinión** · **secreto** · **misterio** *escrutar el misterio de la leyenda* || **cielo** · **cosmos** · **galaxia** · **firmamento**

• CON ADVS. **detalladamente** · **minuciosamente** · **escrupulosamente** · **exhaustivamente** · **con lupa** || **intensamente**

escrutinio

1 **escrutinio** s.m.

• CON ADJS. **oficial** · **público** · **electoral** || **final** *Todavía no se conoce el escrutinio final de la votación* · **definitivo** · **provisional** · **proporcional** · **general** · **preliminar** · **total** · **mayoritario** || **manual** · **informatizado** · **electrónico** · **secreto** · **intenso** · **largo** || **difícil** · **complejo**

• CON SUSTS. **resultado (de)** · **datos (de)** *Los datos del escrutinio se harán públicos antes de medianoche* · **cifras (de)** || **sistema (de)** · **proceso (de)** · **cierre (de)**

• CON VBOS. **arrojar (un resultado)** || **avanzar** *A medida que avanzaba el escrutinio, los militantes y simpatizantes...* || **finalizar** · **terminar** · **acabar** · **interrumpir** · **concluir** || **realizar** · **efectuar** || **conocer** || **aceptar** || **someter(se) (a)**

• CON PREPS. **según** *Según el escrutinio provisional, todavía no hay un claro vencedor*

2 **escrutinio (de)** s.m.

• CON SUSTS. **votos** *Una vez cerradas las urnas, se procederá al escrutinio de los votos* · **votación** · **papeletas** · **urnas** · **elecciones** || **quiniela** · **lotería** || **resultados** · **datos** · **información** · **papeles** || **investigaciones**

escuálido, da adj.

• CON SUSTS. ***persona*** *un chico alto y escuálido* || **cuerpo** · **figura** · **silueta** · **mano** · **pierna** · **esqueleto** || **caballo** · **rocín** · **jamelgo** · ***otros animales*** || **árbol** || **sueldo** *Con su escuálido sueldo no llega a fin de mes* · **contribución** · **presupuesto** · **recurso** || **victoria**

• CON VBOS. **estar** · **quedar(se)** *Después de la enfermedad se ha quedado escuálido*

escualo s.m.

• CON ADJS. **gran(de)** · **enorme** · **impresionante** || **pequeño** || **temido** · **temible** · **inquietante** || **depredador** · **asesino**

• CON SUSTS. **diente (de)** · **ejemplar (de)** *Tres ejemplares de escualo han aparecido muertos en la playa*

• CON VBOS. **nadar** || **atacar (a alguien)** · **devorar (a alguien)** · **destrozar (algo/a alguien)** || **cazar** · **capturar** · **pescar**

escucha s.f.

• CON ADJS. **telefónica** · **electrónica** · **policial** || **ilegal** · **furtiva** · **legal** || **oculta** || **atenta**

• CON SUSTS. **delito (de)** *La detenida tiene antecedentes policiales por un delito de escuchas telefónicas* · **red (de)** · **víctima (de)** || **sistema (de)** · **grabación (de)** · **dispositivo (de)**

• CON VBOS. **realizar** · **efectuar** · **practicar** · **grabar** || **autorizar** *El juez ha autorizado las escuchas* || **detectar** || **reproducir**

escuchar v.

• CON SUSTS. **música** · **radio** · **palabra** || **voz** · **grito** · **sonido** · **murmullo** · **lamento** || **consejo** *Si escucharas sus consejos te iría mejor* · **opinión** · **crítica** · **propuesta** · **oferta** || **petición** · **demanda** *La ministra escuchó ayer las demandas de los trabajadores* · **queja** · **sugerencia** || **discurso** · **sermón** · **mensaje** · **testimonio** · **declaración** · **explicación** · **argumento**

• CON ADVS. **con atención** · **atentamente** · **con interés** · **detenidamente** · **detalladamente** || **ávidamente** || **nítidamente** · **con dificultad** · **de viva voz** *La respuesta la escuché yo de viva voz* · **de primera mano** || **de pasada** · **al vuelo** · **por un momento** || **a lo lejos** *A lo lejos se escuchó un fuerte trueno* · **a distancia**

escuchimizado, da adj.

• CON SUSTS. ***persona*** *De pequeña era una niña alta y escuchimizada* || ***animal*** || **figura** · **silueta** · **cuerpo** · **pierna** · **brazo**

• CON VBOS. **estar** · **quedar(se)**

escudarse (en) v.

• CON SUSTS. ***persona*** *De nada te servirá escudarte en tu jefe* || **razón** · **argumento** · **coartada** · **excusa** · **pretexto** || **secreto** *Se escudó en el secreto profesional para no hacer declaraciones* · **silencio** || **idea** · **teoría** · **condición** || **informe** · **estadística** || **prudencia** · **responsabilidad** || **derecho** · **legalidad** · **ley** · **norma** || **pacto** · **acuerdo** || **pasado** · **historia** || **desconocimiento** · **ignorancia** || **situación** · **hecho** · **coyuntura**

escudo s.m.

▌[arma defensiva]

• CON ADJS. **sólido** · **firme** · **férreo** || **frágil** · **endeble** || **antibalas** · **antimisiles** · **balístico** || **humano** *...fue tomado por los atracadores como escudo humano* || **térmico** · **nuclear** || **defensivo** · **protector** · **aislante** || **estratégico** · **ideológico** · **argumental** || **aéreo** · **espacial** || **nacional** *¿Cómo es el escudo nacional de este país?* · **real**

• CON VBOS. **impedir (algo)** · **evitar (algo)** *El escudo que llevaba evitó que resultase gravemente herido* || **quebrar(se)** || **lucir** · **portar** · **llevar** || **formar** *Esta crema forma un escudo protector sobre la piel* || **desplegar** || **levantar** · **alzar** || **bajar** || **abatir** || **defender(se) (con)** · **proteger(se) (con)**

▌[unidad monetaria] Véase **MONEDA**

escuela s.f.

▌[lugar donde se instruye a alguien]

• CON ADJS. **pública** *Lleva diez años trabajando en la escuela pública* · **privada** · **concertada** || **infantil** · **primaria** · **secundaria** · **técnica** · **politécnica** · **universitaria** · **militar** · **superior** || **oficial** *la escuela oficial de idiomas* · **nacional** · **municipal** · **de verano**

• CON SUSTS. **profesor,-a (de)** · **maestro,tra (de)** · **alumno,na (de)** · **director,-a (de)** · **estudiante (de)** · **compañero,ra (de)**

• CON VBOS. **asistir (a)** · **ir (a)** · **acudir (a)** · **estudiar (en)** · **dar clase (en)** || **ingresar (en)** · **matricular(se) (en)** *El año que viene voy a matricularme en una escuela de danza*

▌[tendencia, conjunto de discípulos]

• CON ADJS. **clásica** · **tradicional** · **moderna** · **nueva** || **propia** *No creó su propia escuela, pero influyó indirectamente en muchos artistas*

• CON SUSTS. **miembro (de) · continuador,-a (de)** *Este pintor es un destacado continuador de la escuela barroca* · **seguidor,-a (de) || influencia (de) · tradición (de) || característica (de) · rasgo (de)**
• CON VBOS. **triunfar · extender(se) · difundir(se) || crear** *Su manera de trabajar ha creado escuela* · **hacer · seguir · continuar || adscribir(se) (a) · pertenecer (a) · unir(se) (a)**

escueto, ta adj.

• CON SUSTS. **comentario · declaración** *Los periódicos recogen las escuetas declaraciones de la ministra* · **discurso · palabras · frase · respuesta · relato · artículo · crónica · entrevista · interrogatorio · afirmación · negativa · lenguaje · comunicado** *Acaban de publicar un escueto comunicado* · **nota · carta · parte · mensaje · informe · referencia · calificativo || resumen · esquema · presentación · definición · enunciado · título · guión || enumeración · lista** *la escueta lista de candidatos que se presentan a las elecciones* **|| contenido · forma · apartado · perfil · programa || obra · representación || vestimenta · vestuario || noticia · información · dato || currículo || volumen · peso**

esculpir v.

• CON SUSTS. **estatua · figura · obra** *esculpir una obra por encargo* · **monumento · busto · imagen · rostro · capitel · relieve || piedra · mármol · madera · hielo · acero · bronce ·** ***otras materias*** **|| palabra · texto · discurso || cuerpo · cerebro · alma · carácter || surco · movimiento · perfil**
• CON ADVS. **personalmente · originalmente**

escultor, -a s.

• CON ADJS. **famoso,sa · significativo,va · excelente · célebre || original · rompedor,-a · polémico,ca · imaginativo,va · artístico,ca || muralista || clásico,ca · moderno,na**
• CON SUSTS. **aprendiz,-a (de)** *Estuve en su taller como aprendiz de escultor* · **oficio (de) · taller (de) || exposición (de) · obra (de) · pieza (de)**
• CON VBOS. **trabajar (algo)** *un escultor que trabajaba tanto el barro como la piedra y la madera* · **erigir (una escultura) · esculpir (algo) · pulir (algo) · tallar (algo) · fundir (algo) · cortar (algo) · modelar (algo) || crear · realizar · diseñar · exponer** *En esta galería exponen numerosos escultores que están empezando*

escultura s.f.

• CON ADJS. **clásica** *Visitamos la sala del museo dedicada a la escultura clásica* · **moderna · contemporánea · actual || pequeña · gran(de) · monumental · totémica || conmemorativa || ecuestre** *En el centro de la plaza hay una escultura ecuestre* **|| urbana · virtual · digital**
• CON SUSTS. **taller (de) || exposición (de) · muestra (de) · colección (de) · museo (de) || premio (de)**
• CON VBOS. **realizar** *En su primera etapa, la artista realizó varias esculturas en hierro* · **hacer · esculpir · crear · concebir · diseñar · tallar · modelar || exhibir · exponer || erigir · levantar || estudiar · observar · contemplar · admirar**

escurridizo, za adj.

• CON SUSTS. **suelo** *Ten cuidado, el suelo está escurridizo* · **terreno · acera · carretera ·** ***otras superficies*** **|| jugador,-a · ladrón,-a** *un ladrón escurridizo que ha conseguido burlar tres controles policiales* · ***otros individuos*** **|| anguila · ratón · ardilla ·** ***otros animales*** **|| tema · concepto · materia · noción**
• CON VBOS. **estar · volver(se) · poner(se) · ser**

escurrir v.

▮ [soltar un líquido]

• CON SUSTS. **agua · aceite · vinagre · líquido || pasta** *escurrir la pasta antes de mezclarla con la salsa* · **lechuga ·** ***otros alimentos sólidos*** **|| ropa** *Escurre bien la ropa antes de tenderla* · **toalla · sábana · jersey ·** ***otras prendas de vestir*** **|| fregona · trapo · bayeta · paño · esponja**
• CON ADVS. **completamente · perfectamente · totalmente**

▮ [deslizar, resbalar]

• CON SUSTS. **suelo · carretera · acera · terreno ·** ***otras superficies*** **|| suela** *Las suelas de estas botas escurren mucho* · **zapato · rueda**
• CON ADVS. **peligrosamente · enormemente**

esencia s.f.

▮ [lo fundamental]

• CON ADJS. **verdadera** *la verdadera esencia de la novela* · **auténtica · pura · íntegra || propia · misma · fundamental · última || humana · histórica || íntima**
• CON VBOS. **consistir (en algo) · residir (en algo) · traslucir(se)** *En esta breve obra se trasluce la esencia de su pensamiento* **|| desnaturalizar(se) || comprender · entender · conocer · captar · percibir · alcanzar · extraer · acreditar || buscar · rescatar · encontrar · averiguar · descubrir · desentrañar · destapar || condensar · constituir** *Esta idea constituye la esencia de todo el proyecto* · **reflejar · destilar · depositar || respetar · salvaguardar · conservar || amenazar · negar · perder || tergiversar · distorsionar · cambiar · alterar · adulterar · desvirtuar · perturbar · descomponer || bucear (en) · ahondar (en) || llegar (a)** *llegar a la esencia de las cosas*

▮ [extracto, perfume]

• CON ADJS. **pura · natural** *Mejor échale unas gotas de esencia natural de romero* · **floral · vegetal · artificial || concentrada · aromática || terapéutica · curativa**
• CON SUSTS. **tarro (de) · frasco (de)** *Se ha roto el frasco de esencias que tenía en el baño* **|| gota (de) · aroma (de)**
• CON VBOS. **destilar · diluir · concentrar || utilizar · mezclar**

esencial adj.

• CON SUSTS. **papel · elemento · parte · pieza · herramienta · componente** *un componente esencial del proyecto* · **ingrediente · aspecto · factor · punto · referencia · base · núcleo || personaje** *Se trata de un personaje esencial de nuestra literatura* · **mito · figura || preocupación · idea · principio || asunto · cuestión · tema || trabajo · tarea** *Su tarea esencial en estos momentos es la investigación en medicina preventiva* · **cometido · misión · servicio || formación · liderazgo · identidad || suceso · hecho · misterio · conflicto · pacto || clave · dato · detalle · característica || condición · requisito · exigencia || ámbito · dimensión · importancia · valor · objetivo || obra · artículo** *un artículo esencial para el estudio del tema que nos ocupa* **|| significado · definición · contenido · denominación || alimento · producto || etapa · vivencia || diferencia**
• CON ADVS. **absolutamente** *una etapa absolutamente esencial en la vida de las personas* · **verdaderamente · realmente**
• CON VBOS. **considerar · juzgar || volverse · hacerse**

esfera s.f.

• CON ADJS. **gran(de)** · **extensa** · **reducida** *Forma parte de la reducida esfera de especialistas* · **estrecha** · **limitada** · **cerrada** || **específica** · **perfecta** || **redonda** · **ronda** || **alta** *relacionarse con las altas esferas* · **de influencia** || **íntima** · **de la intimidad** · **personal** · **privada** *Nunca le gustó que se metiesen en su esfera privada* · **particular** · **familiar** · **emocional** || **oficial** · **pública** · **mundial** · **internacional** || **militar** · **castrense** · **diplomática** · **política** · **gubernamental** · **gubernativa** · **del poder** · **laboral** · **judicial** · **administrativa** · **económica** · **de los negocios** · **de la vida** · **cultural** · **artística** · **educativa** · **científica** · **deportiva** · **profesional** || **terrestre** *imágenes de la esfera terrestre recogidas vía satélite* · **celeste** · **terráquea** · **armilar**

• CON SUSTS. **circunferencia (de)** · **diámetro (de)** · **radio (de)** · **centro (de)** · **superficie (de)**

• CON VBOS. **girar** · **dar vueltas** || **traspasar** · **rebasar** · **invadir** || **ampliar** · **reducir** · **delimitar** || **abandonar** · **dominar** · **controlar** || **afectar (a)** *decisiones que afectan a la esfera administrativa* · **pertenecer (a)**

• CON PREPS. **dentro (de)** *dentro de la esfera de las competencias profesionales* · **en** · **fuera (de)**

[esfinge] → como una esfinge

esforzarse v.

• CON ADVS. **a tope** *Este año me voy a esforzar a tope para aprobar el curso* · **arduamente** · **afanosamente** · **intensamente** · **denodadamente** · **febrilmente** · **como un loco** · **tenazmente** · **voluntariosamente** · **seriamente** · **aplicadamente** || **inútilmente** · **en balde** · **sin éxito** || **notablemente** · **personalmente** *Me esforzaré personalmente en este nuevo proyecto* · **especialmente** || **amablemente**

□ USO Se construye con complementos encabezados por las preposiciones *en* (*esforzarse en mejorar algo*) o *por* (*esforzarse por ser mejor*).

esfuerzo s.m.

• CON ADJS. **desinteresado** *Todos le agradecieron su esfuerzo desinteresado* · **abnegado** · **encomiable** · **humanitario** · **ilusionante** · **loable** · **meritorio** · **impagable** · **noble** || **enorme** *un enorme esfuerzo por conseguir la victoria* · **abrumador** · **colosal** · **serio** · **sobrehumano** · **denodado** · **desaforado** · **extraordinario** · **generoso** · **descomunal** · **tremendo** · **desmedido** · **gigantesco** · **gran(de)** · **ingente** · **inhumano** · **monumental** · **ostensible** · **supremo** · **titánico** || **vano** · **baldío** · **inútil** · **estéril** · **infructuoso** || **fecundo** || **diario** · **a destajo** · **continuo** · **enconado** · **sostenido** · **prolongado** · **frenético** · **ímprobo** · **intensivo** · **tenaz** · **intenso** || **agotador** · **penoso** · **arduo** · **contraproducente** · **ferviente** || **pequeño** · **insignificante** · **leve** · **ligero** || **llevadero** · **renovado** *Volvieron a la carga con esfuerzos renovados* || **a la desesperada** · **último** · **desesperado** || **físico** · **mental** *Su trabajo requería un gran esfuerzo mental* · **intelectual** || **colectivo** · **complementario** · **individual** · **personal** || **asequible** · **económico** *hacer un esfuerzo económico para pagar algo* · **tendente (a algo)** || **preventivo**

• CON SUSTS. **conjunción (de)** *un éxito solo posible gracias a la conjunción de esfuerzos* · **suma (de)** || **resultado (de)** · **fruto (de)**

• CON VBOS. **converger** · **concurrir** || **fructificar** · **primar** · **prosperar** · **fortalecer(se)** || **caer en saco roto** · **malograr(se)** || **coordinar** · **aglutinar** · **aunar** *Gracias a todos por aunar esfuerzos en esta empresa común* · **canalizar** · **encauzar** · **unificar** · **capitalizar** · **centrar** · **concentrar** · **concertar** · **encaminar** · **conciliar** · **conjugar** · **dirigir** || **acusar** *El equipo ha acusado el esfuerzo del anterior partido* · **socavar** || **valorar** · **agradecer** · **costar** || **malgastar** · **ahorrar** · **escatimar** *Nunca escatima esfuerzos* · **menospreciar** · **regatear** · **dosificar** || **recompensar** · **reconocer** · **amortizar** · **compensar** · **realizar** · **atenuar** · **secundar** · **avalar** || **desperdiciar** · **dilapidar** || **incentivar** · **intensificar** · **invertir** *Merece la pena invertir esfuerzos en algo como esto* · **volcar** || **coronar** · **cristalizar** · **enaltecer** || **dedicar** · **poner (en algo)** · **doblar** · **duplicar** · **sumar** · **triplicar** · **redoblar** || **exigir** · **requerir** · **hacer** || **reparar (en)** · **corresponder (a)** · **enmarcar(se) (en algo)** || **cejar (en)** · **perseverar (en)** · **persistir (en)**

• CON PREPS. **a base (de)** · **a resultas (de)** · **a través (de)** · **con** *Los objetivos importantes solo se logran con esfuerzo* · **mediante**

esfumarse v.

• CON SUSTS. ***persona*** *Esfúmate, por favor* || **dinero** · **ganancias** · **beneficios** · **sueldo** || **amor** · **miedo** · **alegría** · **tristeza** · **odio** · **cariño** · ***otros sentimientos o sensaciones*** || **recuerdo** · **deseo** · **ilusión** *Con el tiempo se esfuman las ilusiones de la juventud* · **sueño** · **esperanza** || **fuerza** · **voluntad** · **ímpetu** || **posibilidad** *Con esta derrota se esfuman todas las posibilidades de pasar a la siguiente ronda* · **oportunidad** · **ocasión** || **futuro** · **promesa** || **efecto** · **consecuencia**

• CON ADVS. **del todo** · **totalmente** · **por completo** · **completamente** || **definitivamente** · **temporalmente** || **rápidamente** · **lentamente** || **como por encanto** · **misteriosamente** · **discretamente** || **sorprendentemente** · **por sorpresa** *Se esfumaron por sorpresa y me dejaron solo*

esgrimir v.

• CON SUSTS. **arma** · **cuchillo** *esgrimiendo un enorme cuchillo y amenazando con matarlos* · **navaja** · **sable** · **espada** || **bandera** · **estandarte** · **consigna** · **eslogan** · **lema** || **retórica** · **dialéctica** || **responsabilidad** · **autoridad** || **demanda** · **petición** · **exigencia** || **cifra** · **sondeo** · **balance** · **información** || **argumento** · **ejemplo** · **excusa** *Siempre esgrime excusas para no atender sus obligaciones* · **prueba** · **motivo** · **pretexto** · **razón** · **justificación** · **causa** || **razonamiento** · **teoría** · **tesis** · **hipótesis** · **idea** · **explicación** · **pensamiento** · **planteamiento** || **principio** · **precepto** · **doctrina** · **máxima** || **ley** *Puede esgrimir la ley a su favor* · **legislación** · **normativa** · **constitución** · **código penal** · **orden** · ***otras disposiciones*** || **criterio** · **opinión** · **consideración** · **convicción** · **concepción** · **visión** · **posición** · **juicio** · **moral** · **perspectiva** · **versión** || **acuerdo** *aunque esgrimen acuerdos que nunca fueron firmados* · **sentencia** · **conclusión** · **pacto** · **resultado** · **fallo** · **triunfo** · **éxito** · **decisión** · **resolución** || **plan** · **proyecto** · **programa** · **propuesta** || **estudio** · **análisis**

esguince s.m.

• CON ADJS. **cervical** · **de ligamento** · **de tobillo** · **de rodilla** || **pequeño** · **grande** · **fuerte** · **severo**

• CON VBOS. **tener** · **sufrir** · **padecer** || **diagnosticar** *El médico le había diagnosticado un esguince cervical* || **producir** · **provocar** · **causar** · **hacer(se)** || **curar(se)** || **mejorar (de)** · **recuperar(se) (de)** *Todavía no me he recuperado del esguince de tobillo* · **restablecer(se) (de)**

eslabón s.m.

• CON ADJS. **primer(o)** *El primer eslabón de la cadena* · **intermedio** · **último** *el último eslabón del proceso de producción* || **principal** · **fundamental** · **importante** || **débil**

· **endeble** · **frágil** || **perdido** *el eslabón perdido entre el hombre y el simio* || **evolutivo**
● CON VBOS. **faltar** || **agregar** · **quitar** || **romper** · **unir** || **hallar** · **encontrar** || **constituir** · **representar**

esmalte s.m.

● CON ADJS. **dental** *un dentífrico que protege el esmalte dental* || **natural** · **cerámico** · **tóxico** · **antioxidante** · **transparente** · **translúcido** · **permanente** || **de uñas**
● CON SUSTS. **capa (de)** *Estas figuras de cerámica llevan una capa de esmalte* · **mano (de)** · **superficie (de)**
● CON VBOS. **deteriorar(se)** · **estropear(se)** · **quitar(se)** · **descascarillar(se)** || **fijar** · **restaurar** · **reforzar** · **proteger** || **pintar (con)** · **recubrir (con/de)**

esmeralda

1 **esmeralda** s.m. Véase **COLOR**

2 **esmeralda** s.f.
● CON SUSTS. **mina (de)** || **pendiente (de)** · **collar (de)**

esmerarse (en) v.

● CON SUSTS. **trabajo** *una persona meticulosa que se esmera en su trabajo* · **tarea** · **gestión** · **misión** · **labor** · **actuación** · **acción** · **elaboración** · **producción** · **ejercicio** *No se esmera demasiado en el ejercicio de sus funciones* || **cuidado** *esmerarse en el cuidado de todos los detalles* · **vigilancia** · **mantenimiento** · **conservación** · **rehabilitación**
● CON ADVS. **diariamente** · **día a día** · **constantemente** || **especialmente**

esmerilado, da adj.

● CON SUSTS. **cristal** *una ventana de cristal esmerilado* · **vidrio** · **botella** · **espejo** || **piel** || **cerámica**

esmero s.m.

● CON ADJS. **sumo** · **especial** · **gran(de)**
● CON VBOS. **poner (en algo)** *Pongo en ello todo el esmero del que soy capaz* · **dedicar**
● CON PREPS. **con** *Si hicieras las cosas con más esmero...* · **sin**

esmoquin s.m.

● CON ADJS. **clásico** *Lucía un clásico esmoquin con pajarita* · **tradicional** || **elegante**
● CON SUSTS. **traje (de)** *Llevaba un traje de esmoquin negro*
● CON VBOS. **alquilar** || **vestir (de)** · **ir (de)**
➤ Véase también **ROPA**

esnifar v.

● CON SUSTS. **droga** · **cocaína** · **heroína** · **pegamento** · ***otras sustancias*** || **raya** · **gramo**

esnob adj. *desp.*

● CON SUSTS. ***persona*** *un actor un tanto esnob que acude a todas las fiestas de la alta sociedad* || **actitud** · **postura** || **mundo** · **clase** · **arte** || **juego** · **capricho** · **gusto** · **toque** *decoración con un toque esnob*
● CON VBOS. **hacerse** · **volverse**

espacial adj.

● CON SUSTS. **viaje** · **vuelo** · **misión** · **aventura** · **exploración** · **paseo** · **odisea** || **nave** · **transbordador** · **sonda** *Se ha enviado una sonda espacial a Venus* · **cohete** · **telescopio** · **vehículo** · **artefacto** · **cápsula** · **satélite** · **lanzadera** · **carguero** || **estación** *fondos para la construcción de una estación espacial internacional* · **observatorio** · **agencia** · **centro** · **base** · **laboratorio** || **programa** · **carrera** · **industria** · **investigación** *Este científico lleva veinte años dedicado a la investigación espacial* · **conquista** · **sector** · **tecnología** · **turismo** · **desarrollo** · **observación** || **chatarra** · **resto** · **polvo** · **basura**

espacio s.m.

▌[lugar]

● CON ADJS. **infinito** · **inmenso** · **amplio** · **dilatado** · **reducido** *No sé cómo vas a guardar tantas cosas en un espacio tan reducido* · **exiguo** · **precario** || **abierto** · **cerrado** || **verde** · **natural** · **saludable** || **luminoso** · **diáfano** · **despejado** · **desahogado** · **vacío** · **libre** · **disponible** · **en blanco** || **útil** *¿Cuántos metros de espacio útil tiene este piso?* · **vital** || **físico** · **político** · **escénico** · **público** || **aéreo** *violar el espacio aéreo de un país* · **sideral** · **estelar** · **interestelar**
● CON SUSTS. **falta (de)** · **problema (de)** *Nos cambiamos de casa porque en la anterior teníamos serios problemas de espacio*
● CON VBOS. **extender(se)** · **congestionar(se)** || **faltar** · **escasear** || **mediar** || **haber** · **tener** *No tengo bastante espacio para guardar todos los libros* || **dedicar** · **aprovechar** · **administrar** · **llenar** · **ocupar** · **habitar** || **crear** · **ganar** · **ampliar** · **acortar** · **achicar** · **limitar** || **dar** · **conceder** · **dejar** || **delimitar** · **explorar** || **abrir(se)** · **surcar** · **recorrer** · **violar** · **rebasar** || **cerrar** || **acceder (a)** || **meter(se) (en)** || **disponer (de)** *No dispongo de espacio suficiente* · **contar (con)** · **gozar (de)** || **limitar(se) (a)** · **circunscribir(se) (a)**

▌[programa]

● CON ADJS. **radiofónico** · **televisivo** *un nuevo espacio televisivo que emitirá de lunes a jueves a partir de...* · **informativo** · **deportivo** · **educativo** · **publicitario** · **divulgativo** · **cultural** · **musical** · **dramático** · **nocturno** || **popular** · **célebre** · **original** · **novedoso** · **innovador** *La prestigiosa cadena abre un innovador espacio radiofónico dedicado a la difusión de...*
● CON VBOS. **nacer** || **emitir** · **abrir** · **lanzar** · **presentar** || **rodar** · **dirigir** · **construir** *...empeñados en construir un espacio informativo digno* · **cubrir** || **seguir** · **seleccionar** · **cambiar** || **financiar** · **apoyar** || **participar (en)** · **colaborar (en)** *El excelente periodista colaborará a partir de ahora en el espacio deportivo que dirige y presenta...* · **intervenir (en)** || **convertir (en)**

espacioso, sa adj.

● CON SUSTS. **habitación** · **vivienda** · **local** · **salón** · ***otros lugares*** || **coche** · **furgoneta** · **utilitario** · ***otros vehículos***

[espada] → a capa y espada; espada

espada

1 **espada** s.f.
● CON ADJS. **alargada** · **larga** · **corta** || **pesada** · **ligera** || **afilada** · **roma** || **certera** || **noble**
● CON VBOS. **fraguar** · **forjar** · **afilar** || **desenvainar** · **envainar** · **enfundar** · **ceñir(se)** || **usar** · **empuñar** · **esgrimir** · **blandir** || **ofrecer** · **entregar** · **rendir** || **clavar** · **hundir** || **luchar (con)** · **matar (a)** · **agredir (con)** || **poner al servicio (de alguien)**

2 **espadas** s.f.pl.
● CON SUSTS. **as (de)** · **sota (de)** · **caballo (de)** *Siempre me sale el caballo de espadas* · **rey (de)** || **{dos/tres/cuatro...} (de)** || **muestra (de)**

●CON VBOS. **robar** · **echar** *No echo espadas porque no me quedan* || **pintar (en)** · **cantar {las cuarenta/las veinte} (en)** || **ir (a)**

☐EXPRESIONES **a espada** [usando esa arma] *un duelo a espada* || **entre la espada y la pared** [entre dos opciones comprometidas] *col.* || **espada de doble filo** [recurso que puede ser a la vez beneficioso y contraproducente]

[espadas] s.f.pl. → espada

[espalda] → entre pecho y espalda; espalda; llevar sobre {los hombros/las espaldas/la conciencia}; por la espalda

espalda s.f.

●CON ADJS. **robusta** · **fuerte** · **ancha** · **fornida** · **hercúlea** · **prominente** · **pronunciada** || **recta** · **derecha** || **endeble** · **dolorida** || **torcida** *Tiene la espalda torcida por cargar mucho peso* · **arqueada** · **encorvada** · **cargada** · **combada** || **cubierta** · **descubierta**

●CON SUSTS. **dolor (de)** · **problema (de)** *Le dijeron que tenía que guardar reposo por sus problemas de espalda* · **lesión (de)**

●CON VBOS. **encorvar(se)** *Con los años se le había ido encorvando la espalda* · **arquear(se)** · **combar(se)** || **doler(le) (a alguien)** · **flaquear** || **apoyar** · **erguir** · **flexionar** · **enarcar** · **rascar** || **cubrir(se)** *¿Te importa cubrirme la espalda con un manta?* || **golpear** · **azotar** · **fustigar** || **llevar (sobre)** · **cargar (sobre)** *Es ella la que carga sobre su espalda el peso de toda la familia* || **impactar (en)**

☐EXPRESIONES **a espaldas** (de alguien) [a escondidas de él] || **cubrirse las espaldas** · **guardar las espaldas** (a alguien) [protegerse de un riesgo] || **dar la espalda** (a algo/a alguien) · **volver la espalda** (a algo/a alguien) [rechazarlo, ignorarlo] || **de espaldas** (a algo) [ignorándolo]

espaldarazo s.m.

●CON ADJS. **enorme** · **notable** · **fuerte** *El premio supone un fuerte espaldarazo al proyecto* || **decisivo** · **definitivo** · **verdadero** || **político** · **electoral** · **internacional** · **histórico** · **popular** · **artístico** · **deportivo** · **profesional** · **espiritual**

●CON VBOS. **dar (a algo/a alguien)** · **recibir** || **suponer** · **constituir** *El apoyo de la crítica ha constituido sin duda el espaldarazo que necesitaba esta joven autora* · **representar** · **resultar** · **ofrecer** || **conseguir** · **lograr**

espantar v.

[echar fuera]

●CON SUSTS. **mosca** · **pájaro** · **palomo,ma** *Los niños se divertían espantando a las palomas* · ***otros animales*** || ***persona*** *Quita de ahí, que me espantas a los clientes* || **demonio** · **diablo** · **fantasma** · **monstruo** || **mal** · **incendio** · **violencia** · **peligro** || **idea** · **pregunta** || **duda** · **temor** *para espantar los temores infundados* · **miedo** · **sombra** · **censura** || **sueño**

[horrorizar]

●CON SUSTS. **sociedad** *El suceso espantó a toda la sociedad* · **público** · **cliente** · ***otros individuos y grupos humanos***

espanto s.m.

●CON SUSTS. **cara (de)** *Nunca olvidaré su cara de espanto al conocer la noticia* · **gesto (de)** · **expresión (de)** · **mueca (de)** · **grito (de)** · **ojos (de)** · **mirada (de)**

●CON VBOS. **producir** · **causar** · **provocar** || **expresar** · **mostrar** · **describir** || **sufrir**

●CON PREPS. **con** *comprobar con espanto las secuelas de la catástrofe*

☐EXPRESIONES **estar curado de {espanto/espantos}** [no sorprenderse por nada] *col.*

español s.m. Véase **IDIOMA**

esparadrapo s.m.

●CON SUSTS. **tirita (de)** · **tira (de)** · **trozo (de)** *Llevaba el retrovisor pegado con un trozo de esparadrapo* · **rollo (de)**

●CON VBOS. **poner** *Puedes ponerte en la herida un poco de esparadrapo* · **pegar** || **quitar** · **arrancar** · **despegar** || **usar** || **cubrir (con)** · **tapar (con)** || **amordazar (con)**

esparcir v.

●CON SUSTS. **sal** · **harina** · **polvo** · **polen** · **ceniza** *Pidió que esparcieran sus cenizas en el mar* · ***otras materias o sustancias*** || **brasas** · **humo** || **picor** · **escozor** · **molestia** || **olor** · **iluminación** · **radiación** || **odio** · **felicidad** · **tristeza** · **amor** · ***otros sentimientos o emociones*** || **cultura** · **música** · **literatura** · **poesía** · **filosofía** || **preocupación** · **afición** || **interés** || **rumor** *Los rumores de la renuncia se esparcieron rápidamente* · **noticia** · **mensaje** · **nueva** || **idea** · **consigna** · **enseñanza** *Sus enseñanzas se esparcieron por todo el mundo* · **pensamiento** || **prejuicio** · **miedo** · **terror** · **horror** · **pánico** || **sospecha** · **duda** || **calumnia** · **maledicencia** · **acusación** · **mentira** · **infundio**

☐USO Se construye a menudo con sustantivos no contables en singular (*esparcir sal*) o con contables en plural (*esparcir papeles*).

espárrago s.m.

●CON ADJS. **verde** · **triguero** *espárragos trigueros a la plancha* · **blanco** · **silvestre** || **fino** · **grueso** || **fresco** · **tierno**

●CON SUSTS. **cultivo (de)** · **cosecha (de)** || **punta (de)** · **tallo (de)** || **lata (de)** || **manojo (de)**

●CON VBOS. **brotar** · **nacer** · **crecer** · **madurar** || **cultivar** · **sembrar** · **cosechar** · **plantar** || **recolectar** · **coger** *Fuimos al campo a coger espárragos* || **cortar** · **arrancar** · **despuntar**

☐EXPRESIONES **mandar** (algo/a alguien) **a freír espárragos** [rechazarlo o desentenderse de ello sin contemplaciones] *col.*

espartano, na adj.

●CON SUSTS. **austeridad** · **sencillez** · **sobriedad** *Es de una sobriedad espartana* · **desnudez** || **educación** · **disciplina** · **dureza** || **carácter** · **actitud** · **aspecto** · **mentalidad** · **aire** · **paciencia** · **valor** · **espíritu de sacrificio** *Son muy trabajadores y tienen un espíritu de sacrificio espartano* || **ambiente** · **vida** · **hábito** || **régimen** · **economía** · **defensa**

esparto s.m.

●CON SUSTS. **alfombra (de)** · **calzado (de)** · **zapatillas (de)** · **alpargatas (de)** *Se han puesto de moda las alpargatas de esparto hechas a mano* · **cinturón (de)** || **cuerda (de)** · **soga (de)** || **alforja (de)** · **saco (de)**

●CON VBOS. **trabajar** *una zona en la que se trabaja muy bien el esparto* · **trenzar** || **recolectar** · **recoger**

espasmo s.m.

●CON ADJS. **muscular** *La lesión le causa espasmos musculares* · **nervioso** || **violento** · **doloroso** · **convulsivo** · **molesto** · **rápido**

●CON VBOS. **pasárse(le) (a alguien)** · **desaparecer** || **entrar(le) (a alguien)** · **venir(le) (a alguien)** · **dar(le) (a alguien)** || **sufrir** *Tras el accidente, el piloto sufrió violentos* *espasmos* · **experimentar** · **tener** || **producir** · **causar** · **originar** · **provocar** || **aliviar** · **mitigar** · **atenuar**

espátula s.f.

● CON VBOS. **emplear** · **utilizar** · **manejar** || **limpiar** || **extender (con)** · **mezclar (con)** · **rellenar (con)** *Puedes rellenar los huecos de la pared con una espátula*

especialista s.com.

● CON ADJS. **mundial** · **cualificado,da** · **gran** · **destacado,da** *un libro escrito conjuntamente por destacados especialistas en la materia* · **eminente** · **reputado,da** · **reconocido,da** · **acreditado,da** · **prestigioso,sa** · **distinguido,da**

● CON SUSTS. **equipo (de)** *Un equipo de especialistas se ha desplazado a la zona* · **grupo (de)** · **comisión (de)** || **opinión (de)** · **colaboración (de)** || **congreso (de)**

● CON VBOS. **estudiar (algo)** · **analizar (algo)** || **afirmar (algo)** · **señalar (algo)** · **destacar (algo)** · **subrayar (algo)** · **coincidir (en algo)** *Los especialistas coinciden en la importancia del ejercicio físico* · **considerar (algo)** · **creer (algo)** · **defender (algo)** · **recomendar (algo)** || **contratar** · **llamar** || **consultar** *Si no se va el dolor, deberías consultar a un especialista* · **preguntar** || **acudir (a)**

● CON PREPS. **según** *Según los especialistas, se trata de un ejemplar único*

especialización s.f.

● CON ADJS. **profesional** *un empleo que no requiere especialización profesional* · **laboral** · **técnica** · **productiva** · **sectorial** · **médica**

● CON SUSTS. **curso (de)** *matricularse en un curso de especialización* · **estudios (de)** · **programa (de)** · **área (de)** · **sistema (de)** || **grado (de)** *profesionales con un alto grado de especialización* · **nivel (de)** · **criterio (de)**

● CON VBOS. **iniciar** · **acabar** *Le han concedido una beca para acabar su especialización en el extranjero* · **completar** · **abandonar** || **tener** || **pedir** · **requerir** · **necesitar** || **promover** · **estudiar** · **valorar**

[especie] → en especie; especie

especie s.f.

● CON ADJS. **en peligro** *un estudio sobre especies en peligro de extinción* · **amenazada** · **protegida** · **en vías de extinción** || **extinta** · **desaparecida** *Se trata de una especie desaparecida hace millones de años* || **autóctona** · **dominante** || **animal** · **humana** · **vegetal** || **de laboratorio**

● CON VBOS. **abundar** || **perpetuar(se)** · **sobrevivir** *Es sorprendente que esta especie haya sobrevivido en un medio tan hostil* || **desaparecer** · **perder(se)** · **extinguir(se)** || **proteger** · **mantener** · **conservar** || **amenazar**

□ EXPRESIONES **en especie*** [con la prestación de algún servicio] *pagar en especie*

espectacularmente adv.

● CON VBOS. **alargar(se)** *En los últimos años se ha alargado espectacularmente la esperanza de vida* · **incrementar(se)** · **elevar(se)** · **multiplicar(se)** · **aumentar** · **crecer** · **variar** · **encarecer(se)** || **acortar(se)** · **retroceder** · **disminuir** · **rebajar** || **consolidar(se)** · **reforzar** · **refrendar** || **desarrollarse** · **mejorar** · **prosperar** · **progresar** · **avanzar** · **modernizar(se)** *Las fábricas de la zona se están modernizando espectacularmente* || **empeorar** · **decaer** · **endeudar(se)** · **recobrarse** · **remontar** · **maniobrar** · **contrastar** || **fugar(se)** · **escapar(se)** · **huir** · **irrumpir** *Los trapecistas irrumpen espectacularmente en el centro del escenario* || **lanzar(se)** · **estrellar(se)** · **chocar** · **colisionar** · **explotar** || **derrumbar(se)** · **caer** · **quebrar** || **vencer** · **ganar** · **derrotar** · **doblegar** · **superar** · **engañar** || **anunciar** · **presentar**

espectáculo s.m.

● CON ADJS. **sensacional** · **memorable** · **magnífico** *el magnífico espectáculo de la puesta de sol* · **redondo** · **apoteósico** · **soberbio** · **fantástico** · **verdadero** · **indescriptible** · **grandioso** *Asistimos a un espectáculo grandioso* · **inolvidable** · **deslumbrante** · **brillante** · **rutilante** · **impresionante** · **emocionante** · **electrizante** · **arrollador** · **aleccionador** || **dantesco** · **espantoso** · **aberrante** · **vergonzoso** · **bochornoso** *Están dando ustedes un bochornoso espectáculo* · **aparatoso** · **lamentable** *un lamentable espectáculo para todos los presentes* · **desolador** · **sobrecogedor** · **dramático** · **triste** · **apagado** · **pobre** · **discreto** · **mediocre** || **de estreno** · **artístico** · **teatral** · **musical** · **operístico** · **circense** · **deportivo** · **itinerante** || **público** · **privado**

● CON VBOS. **tener lugar** || **consistir (en algo)** || **tener éxito** · **triunfar** || **empañar(se)** · **decaer** · **fracasar** || **ambientar(se) (en algo)** *un espectáculo que se ambienta en la década de los años sesenta* || **crear** · **montar** · **armar** · **dar** · **ofrecer** · **brindar** · **prodigar** · **protagonizar** *¿Quién protagoniza el espectáculo de esta temporada?* · **constituir** || **filmar** · **estrenar** · **presentar** · **prorrogar** || **aderezar** · **deslucir** || **ver** · **presenciar** || **reventar** · **boicotear** || **asistir (a)** · **acudir (a)** · **disfrutar (de)** || **participar (en)**

espectador, -a s.

● CON ADJS. **habitual** *Es una espectadora habitual de los programas informativos* · **nuevo,va** · **fiel** · **asiduo,dua** · **adicto,ta** || **pasivo,va** · **exigente** · **crítico,ca** · **entendido,da** · **sufrido,da** || **entusiasta** · **enardecido,da** · **electrizado,da** || **indignado,da** · **atento,ta** · **involuntario,ria** · **imparcial** || **televisivo,va** · **teatral** || **medio,dia** · **común**

● CON SUSTS. **día (de)** || **defensor,-a (de)** || **mirada (de)** · **ojo (de)** · **mente (de)** · **gusto (de)** · **perfil (de)**

● CON VBOS. **darse cita** · **agolpar(se)** · **aglomerar(se)** || **asistir (a algo)** · **ver (algo)** · **presenciar (algo)** · **disfrutar (de algo)** · **soportar (algo)** || **aplaudir (algo)** *Al final de la obra, los espectadores aplaudieron largamente a los actores* · **ovacionar (a alguien)** · **abuchear (algo/a alguien)** || **atraer** *La representación atrae espectadores de todas las edades* · **reunir** · **congregar** || **registrar** · **albergar** *El nuevo teatro alberga a dos mil espectadores* || **cautivar** *La actriz cautivó a los espectadores desde la primera escena* · **aburrir** · **adormecer** · **defraudar** · **decepcionar**

espectro

1 **espectro** s.m.

[fantasma]

● CON VBOS. **aparecer** · **planear (sobre algo)** *El espectro del fracaso planea de nuevo sobre el proyecto* || **conjurar** · **ahuyentar** · **dominar**

[franja]

● CON ADJS. **amplio** *Dentro de un amplio espectro de posibilidades* · **disponible** · **vasto** || **visual** · **óptico** · **infrarrojo** · **ultravioleta** · **luminoso** · **auditivo** || **radioeléctrico** · **electromagnético** · **químico** · **atómico** · **molecular** · **radiofónico** || **intelectual** · **ideológico** · **político** · **electoral** · **social** · **generacional** || **humano**

● CON SUSTS. **parte (de)** · **resto (de)** · **centro (de)** · **extremo (de)** *los partidos situados a ambos extremos del espectro político* · **banda (de)** · **franja (de)** · **frecuencia (de)**

●CON VBOS. **existir · abrir(se) || cubrir (algo) · abarcar (algo) · englobar (algo) · comprender (algo) || ampliar · completar** *Este grupo completa el espectro de partidos que se presentan a las elecciones* · **reducir · limitar · delimitar · medir · recortar · agotar || analizar · estudiar**
●CON PREPS. **dentro (de) · fuera (de)**

2 **espectro (de)** s.m.

▮ [fantasma]

●CON SUSTS. **pasado · derrota · fracaso · terror · terrorismo · guerra** *Lo acusan de volver a agitar el espectro de una guerra civil* · **crimen · hambre**

▮ [franja]

●CON SUSTS. **luz · colores · texturas || votantes · sociedad · público · población · lectores,ras** *una obra dirigida a un amplio espectro de lectores* · **partidos · ciudadanos,nas · profesionales ·** ***otros individuos y grupos humanos*** **|| géneros · sistemas · tendencias · generaciones || temas · posibilidades · aplicaciones**

especulación s.f.

▮ [suposición hecha sin base real]

●CON ADJS. **mera · pura || disparatada** *Circulan entre la prensa unas especulaciones disparatadas acerca de...* · **descabellada · retorcida || falsa · burda · vana · gratuita · sin fundamento · infundada**
●CON VBOS. **desatar(se) · disparar(se) || circular || basar(se) (en algo) || hacer · tejer · aventurar · reavivar** *Su comportamiento no hizo más que reavivar las especulaciones sobre su relación* · **generar · alimentar || desmentir || salir al paso (de)**

▮ [cierta operación comercial]

●CON ADJS. **creciente** *Ante la creciente especulación inmobiliaria, el Gobierno tomará medidas* · **galopante || inmobiliaria · urbanística · bursátil · financiera · comercial**
●CON VBOS. **dedicarse (a) · practicar || fomentar · favorecer · facilitar · alimentar || evitar · frenar · impedir** *medidas con las que se pretende impedir la especulación inmobiliaria* · **combatir · detener · dificultar || poner fin (a) · acabar (con) · luchar (contra)**

espejismo s.m.

●CON ADJS. **irreal · engañoso** *Aquello no fue más que un engañoso espejismo* · **falso · equívoco · iluso · deslumbrador || simple · puro · mero || fugaz · pasajero** *un espejismo pasajero que duró apenas unos segundos* **|| colectivo || óptico · electoral · económico · político · navideño**
●CON VBOS. **producir(se) · crear(se) · surgir || diluir(se) · desvanecer(se) || deslumbrar (a alguien) || provocar · causar || tener · sufrir · ver** *Creía estar viendo un espejismo* **|| dejarse llevar (por) · salir (de)**

espejo

1 **espejo** s.m.

●CON ADJS. **reflector · cóncavo · convexo · refractado · simétrico · multiforme || roto || oscuro · transparente || opaco · empañado · esmerilado · picado || fiel** *Su última novela es un fiel espejo de la realidad de esa época* · **deformante · multiplicador || de pared · retrovisor** *el espejo retrovisor del coche* · **lateral · portátil || público · simbólico · mágico · humano · social || sombrío · vivo**
●CON VBOS. **reflejar (algo) · retratar (algo) · mostrar (algo) · devolver (algo)** *la imagen que nos devuelve el espejo cuando nos miramos en él* **|| romper(se)** *Se cayó el espejo y se rompió en mil pedazos* · **fragmentar(se) || brillar · deslumbrar (a alguien) || consultar || ver(se) (en) · mirar(se) (en/a)** *Tiene la costumbre de mirarse en el espejo del ascensor* · **proyectar(se) (en) || servir (de)**
●CON PREPS. **a través (de)**

2 **espejo (de)** s.m.

●CON SUSTS. **alma** *Siempre decía que la cara es el espejo del alma* **|| realidad · situación · sociedad · nación**

espeluznante adj.

●CON SUSTS. **caso** *Es uno de los casos más espeluznantes de los últimos años* · **suceso · hecho · episodio || relato · noticia · historia · leyenda · detalle · revelación || cifra** *las espeluznantes cifras de desaparecidos* · **dato · estadística · resultado || lugar · escena · imagen · vídeo · sonido · espectáculo || crimen · asesinato · masacre · atentado || quejido · grito · llanto · lloro**

[espera] → de espera; espera

espera s.f.

●CON ADJS. **angustiosa** *Después de tres días de angustiosa espera, finalmente llegó el anhelado momento* · **inquietante · atormentada · agotadora · sufrida · paciente || larga · dilatada · prolongada · interminable || breve** *Tras una breve espera, el cantante apareció de nuevo en el escenario* · **corta · fugaz · efímera || agradable · entretenida · llevadera · soportable || monótona || necesaria · inevitable || prudencial · inútil · confiada**
●CON SUSTS. **sala (de)** *la sala de espera de un consultorio* · **área (de) || lista (de)** *pacientes en lista de espera* · **cola (de) || tiempo (de) · años (de) · horas (de) ·** ***otros períodos*** **|| compás (de) || actitud (de) · situación (de)**
●CON VBOS. **prolongar(se)** *La espera se prolongó durante toda la tarde* · **alargar(se) · dilatar(se) · eternizar(se) · perpetuar(se) || acortar(se) · terminar || iniciar || soportar · aguantar**
●CON PREPS. **durante · en** *una llamada en espera*
□EXPRESIONES **a la espera** [en actitud de esperar] *Entonces, quedamos a la espera de su llamada*

esperanza s.f.

●CON ADJS. **viva · ciega · grande** *Tiene grandes esperanzas de conseguir ese trabajo* · **enorme || escasa · vaga · tímida · remota || falsa · cierta · fundada · fundamentada · infundada · vana || última · única** *La única esperanza es que se trate de un error* · **renovada || lleno,na (de)**
●CON SUSTS. **soplo (de)** *un soplo de esperanza para los que padecen tan grave enfermedad* · **ráfaga (de) · inyección (de) || hálito (de) · hilo (de) · brizna (de) · resquicio (de)** *aunque solo quede un pequeño resquicio de esperanza* **|| cúmulo (de) || luz (de) · impulso (de) · fuerza (de)**
●CON VBOS. **nacer · despertar · fraguar(se) · brotar · anidar (en algo) · residir (en algo) · basar(se) (en algo) · hacer(se) realidad · surgir || caber || extinguir(se) · agotar(se) · disipar(se) · esfumarse · desmoronar(se) · derrumbar(se) · venirse abajo** *Sus esperanzas se vinieron abajo tras la terrible noticia* · **quebrar(se) · truncar(se) · frustrar(se) · aguar(se) · enfriar(se) · desinflar(se) · difuminar(se) · borrar(se) · desvanecerse · desaparecer || renacer · fortalecer(se)** *Con el tiempo se va fortaleciendo su esperanza* · **afianzar(se) · confluir || crecer · aumentar || decrecer · menguar · decaer · disminuir || revivir · reverdecer · latir (en algo) || crear · concebir · forjar · engendrar · alumbrar · tejer || tener** *Tenía esperanzas de que me concediesen la ayuda* · **albergar · abrigar · guar-**

dar · **conservar** · **mantener** || **poner (en algo/en alguien)** *Todo el equipo había puesto las esperanzas en el nuevo entrenador* · **cifrar (en algo/en alguien)** · **depositar** · **canalizar** || **dar** · **ofrecer** · **arrojar** · **brindar** · **infundir** · **sembrar** · **levantar** · **devolver (a alguien)** || **acariciar** · **vislumbrar** · **atisbar** || **confesar** · **expresar** · **manifestar** · **mostrar** || **alimentar** · **incentivar** · **concitar** · **alentar** · **avivar** · **cimentar** || **cumplir** · **colmar** · **desbordar** || **defraudar** · **decepcionar** · **burlar** || **perder** *La esperanza es lo último que se pierde* · **abandonar** · **desechar** · **acotar** || **quitar** · **pisotear** · **pulverizar** · **socavar** · **segar** || **recuperar** · **recobrar** · **reafirmar** · **reiterar** || **reabrir** · **reavivar** · **renovar** || **representar** || **henchir(se) (de)** · **colmar (de)** *Sus visitas colmaban de esperanza a los enfermos* || **aferrarse (a)** · **vivir (de)** || **invitar (a)** || **responder (a)** *algún título que responda a las esperanzas de los aficionados*

□ EXPRESIONES **esperanza de vida** [tiempo medio que se espera vivir]

esperanzador, -a adj.

● CON SUSTS. **noticia** · **dato** · **cifra** · **resultado** || **progreso** *un progreso esperanzador en la lucha contra el cáncer* · **avance** || **respuesta** · **discurso** · **mensaje** || **tiempo** · **momento** · **panorama** · **futuro** *Los entendidos en el tema hablan de un futuro esperanzador* · **cambio** || **iniciativa** · **proyecto** · **plan** · **idea** · **acuerdo**

● CON ADVS. **sumamente** · **totalmente** · **verdaderamente** · **francamente** · **aparentemente** · **relativamente** · **escasamente**

esperar v.

● CON ADJS. **impaciente** *Todos esperábamos impacientes su llegada* · **ansioso,sa** · **inquieto,ta** · **nervioso,sa** || **ilusionado,da** · **confiado,da** · **tranquilo,la**

● CON ADVS. **angustiadamente** · **con ansiedad** · **ansiosamente** · **como agua de mayo** · **ardientemente** || **con interés** *Los lectores esperan con interés la publicación de su última novela* || **plácidamente** · **tranquilamente** · **pacientemente** || **mano sobre mano** · **a pie firme** · **de (todo) corazón** *Espero de todo corazón que las cosas te vayan bien* · **con los brazos abiertos** || **indefinidamente** · **eternamente** *No voy a esperar eternamente...* · **largamente** *un anuncio largamente esperado* || **confiadamente** · **con confianza** · **con cautela** || **remotamente** · **inútilmente**

□ EXPRESIONES **de aquí te espero** [extraordinario] *col. un calor de aquí te espero*

espesar(se) v.

● CON SUSTS. **sangre** · **saliva** · **pintura** · ***otros líquidos*** || **salsa** *agregar un poco de harina para espesar la salsa* · **guiso** · **chocolate** · **crema** · **puré** || **niebla** · **bruma** · **humo** · **aire** || **bosque** · **selva** · **vegetación** *La vegetación se espesaba en el nacimiento del río* || **ideas** · **cerebro** · **mente**

espesura s.f.

● CON VBOS. **atravesar** · **franquear** · **romper** || **adentrarse (en)** · **ocultar(se) (en)** · **refugiar(se) (en)** *Los fugitivos se refugiaron en la espesura del bosque* · **aventurarse (en)** · **esconder(se) (en)** · **perder(se) (en)** · **internar(se) (en)**

● CON PREPS. **en medio (de)** *un pequeño claro en medio de la espesura* · **entre**

espetar v. *col.*

● CON ADVS. **directamente** · **a la cara** *Me espetó a la cara que yo era la culpable de todo* · **a bocajarro**

espiar v.

● CON SUSTS. **enemigo,ga** · **adversario,ria** · **gobierno** · **estado** · **partido** · **presidente,ta** · **sospechoso,sa** · ***otros individuos y grupos humanos*** || **acción** · **actividad** · **movimiento** *La banda estaba espiando todos los movimientos del presidente* || **comunicación** · **conversación** · **llamada** · **teléfono** · **correo** · **información** · **prueba**

● CON ADVS. **ilegalmente** *Durante varios años estuvieron espiando ilegalmente sus conversaciones telefónicas* · **impunemente** · **a escondidas** · **abiertamente** · **secretamente** || **supuestamente**

espigado, da adj.

● CON SUSTS. ***persona*** || **figura** *una mujer de espigada figura* · **tipo** · **cuerpo** · **silueta** · **aspecto** · **perfil**

espina s.f.

● CON ADJS. **punzante** · **aguda** || **dorsal** *la espina dorsal de un relato* · **bífida**

● CON VBOS. **clavar** · **tener (clavada)** *Desde pequeña tenía una espina clavada por no haberse presentado a aquel campeonato* || **sacar** · **quitar** *Quítale bien las espinas al besugo, no te vayas a atragantar*

□ EXPRESIONES **dar** (algo) **mala espina** [hacer pensar que puede ocurrir algo malo] *col.* || **sacarse la espina** [desquitarse]

espinazo s.m.

● CON SUSTS. **hueso (de)** *huesos de espinazo para hacer caldo*

● CON VBOS. **doler (a alguien)** || **romper** · **quebrar** · **partir** · **arquear** || **doblar** || **recorrer** *Un escalofrío me recorrió el espinazo*

espino s.m.

▌[árbol] Véase **ÁRBOL**

▌[pincho]

● CON SUSTS. **alambre (de)** · **alambrada (de)** *una finca vallada con una alambrada de espino*

espinoso, sa adj.

● CON SUSTS. **tema** · **problema** · **asunto** *Tendremos que tratar con más calma este espinoso asunto* · **cuestión** · **aspecto** · **punto**

espionaje s.m.

● CON ADJS. **militar** · **industrial** *La directora de la compañía negó las acusaciones de espionaje industrial* · **político** · **policial** · **nuclear** · **civil** · **científico** · **laboral** || **exterior** · **internacional** · **nacional** · **extranjero** · **aliado** · **mundial** || **telefónico** · **electrónico** · **informático**

● CON SUSTS. **servicio (de)** · **centro (de)** · **agencia (de)** · **red (de)** *una importante red de espionaje internacional* · **sistema (de)** · **equipo (de)** || **caso (de)** *Se trata del caso de espionaje más grave de los últimos tiempos* · **escándalo (de)** · **trama (de)** · **asunto (de)** · **delito (de)** || **actividad (de)** · **tarea (de)** · **labor (de)** · **misión (de)** · **operación (de)** || **avión (de)** || **experto,ta (en)**

● CON VBOS. **denunciar** · **investigar** || **acusar (de)** · **culpar (de)**

espiral (de) s.f.

● CON SUSTS. **violencia** *...nuevas medidas para acabar con la espiral de violencia* · **fanatismo** · **brutalidad** · **destrucción** · **corrupción** · **terror** · **miedo** · **odio** · **represión** · **muerte** · **suicidio** || **atentados** · **secuestros** · **robos** · **conflictos** || **descalificaciones** *Se han metido en una espiral de descalificaciones sin fin* · **acusaciones** || **escándalos** || **endeudamiento**

☐ USO Se construye generalmente con sustantivos no contables en singular (*una espiral de fanatismo*) o con contables en plural (*una espiral de robos*).

espirar v.

● CON SUSTS. **aire** *espirar el aire por la boca* · **dióxido de carbono** · **virus** || **fragancia** · **olor** · **aroma** *Estas flores espiran un agradable aroma*

● CON ADVS. **lentamente** · **con lentitud** · **poco a poco** · **fuertemente** · **profundamente** *Espire profundamente manteniendo el inhalador alejado de la boca*

espíritu

1 espíritu s.m.

● CON ADJS. **puro** || **sensible** *Sus versos traslucen un espíritu sensible y delicado* · **delicado** · **débil** · **frágil** · **quebradizo** || **rebelde** *el espíritu rebelde de la juventud* · **revolucionario** · **libre** · **combativo** · **crítico** · **aventurero** · **aguerrido** · **animoso** · **denodado** · **guerrero** · **polémico** · **beligerante** · **belicoso** || **alegre** · **burlón** · **joven** *A pesar de la edad, mantiene el espíritu joven* · **entusiasta** · **deportivo** · **jovial** · **original** · **viajero** || **fraternal** · **humanista** · **cristiano** · **cívico** · **acogedor** · **conciliador** · **constructivo** · **solidario** · **universalista** || **abierto** · **dialogante** · **progresista** · **liberal** · **democrático** · **independiente** || **organizador** · **analítico** || **ardiente** · **fogoso** · **fuerte** · **anárquico** · **inquieto** || **realista** · **emprendedor** · **comercial** || **cultivado** · **selecto** · **genuino** · **inquebrantable** · **acendrado** || **decaído** · **afligido** || **vengativo** · **mal(o)** · **maligno** · **maléfico** || **propicio** · **verdadero** || **libre (de)** · **joven (de)** *Ha cumplido ochenta años, pero se mantiene joven de espíritu* · **pobre (de)**

● CON VBOS. **planear (sobre algo/sobre alguien)** · **prevalecer** · **recrear(se) (en algo)** · **reposar** || **serenar(se)** *una serie de consejos y directrices para serenar el espíritu* · **sosegar(se)** || **quebrar(se)** · **ablandar(se)** · **ofuscar(se)** · **agriar(se)** · **entristecer(se)** || **conservar** · **mantener** · **fomentar** *Tratamos de fomentar el espíritu crítico en nuestros alumnos* · **cultivar** · **condensar** · **recuperar** · **renovar** · **tener** · **demostrar** || **contravenir** *contravenir el espíritu de la ley* · **adulterar** · **alterar** · **desvirtuar** · **distorsionar** · **transgredir** · **violar** || **calmar** *alguna ocupación temporal que calme su espíritu inquieto* · **atemperar** · **desfogar** · **desahogar** || **exacerbar** · **exaltar** · **turbar** || **atenazar** · **doblegar** · **liberar** · **elevar** · **embargar** || **alimentar** *lecturas que alimentan el espíritu* · **alegrar** · **florecer** · **solazar** · **infundir** · **insuflar** · **levantar** · **despertar** || **ahuyentar** *un antiguo conjuro para ahuyentar los malos espíritus* · **conjurar** · **invocar** · **convocar** · **purificar** || **amoldar(se) (a)** · **atenerse (a)** || **apelar (a)** || **imbuir(se) (de)**

2 espíritu (de) s.m.

● CON SUSTS. **contradicción** *Nunca está de acuerdo con nada, es el espíritu de la contradicción* || **aventura** · **apertura** · **vanguardia** || **colaboración** · **consenso** · **convivencia** · **cooperación** · **diálogo** *Lo que los une es el espíritu de diálogo* · **fidelidad** · **entendimiento** · **unidad** · **tolerancia** · **justicia** · **respeto** · **paz** · **reconciliación** · **negociación** · **participación** || **equipo** · **familia** · **grupo** · **empresa** · **servicio** *espíritu de servicio para ayudar en lo que haga falta* || **entrega** · **sacrificio** · **trabajo** · **superación** · **supervivencia** · **resistencia** || **competición** · **competitividad** *con la idea de fomentar el espíritu de competitividad* · **victoria** · **lucha** · **revancha** · **venganza** || **abnegación** · **austeridad** · **humildad** || **independencia** · **iniciativa** · **innovación** · **mejora** · **rebeldía** · **modernidad** · **renovación**

espiritual adj.

● CON SUSTS. **guía** · **líder** · **jefe,fa** · **padre** · **madre** · ***otros individuos*** || **experiencia** · **vida** · **mundo** · **realidad** · **infancia** || **pensamiento** · **creencia** · **inquietud** *las profundas inquietudes espirituales del autor* · **necesidad** · **trascendencia** || **fe** · **valor** · **virtud** · **tradición** · **patrimonio** · **identidad** || **formación** · **educación** · **apoyo** · **asistencia** · **auxilio** · **consejo** || **salud** · **fortaleza** · **felicidad** · **bienestar** · **descanso** · **paz** · **poder** · **fuerza** || **entrega** · **conversión** *Experimentó una conversión espiritual en plena madurez* || **enriquecimiento** · **alimento** · **impulso** || **crisis** *Sus mejores poemas los escribió en una etapa de crisis espiritual* · **ruina** || **compromiso** · **unión** · **contacto** · **afinidad** || **ejercicios** · **retiro** *Se suelen ir varias veces al año de retiro espiritual* · **meditación** · **oración** || **aspecto** · **carácter** || **música** · **canto** · **relato** · **literatura** || **testamento**

● CON ADVS. **profundamente** · **puramente** · **exclusivamente**

espléndido, da adj.

● CON ADVS. **realmente** · **verdaderamente** || **absolutamente**

● CON VBOS. **ser** · **estar** · **poner(se)** · **quedar(se)** *El día se ha quedado espléndido para pasear* · **mantener(se)** · **parecer (a alguien)**

esplendor s.m.

● CON ADJS. **pleno** *una moda que se encuentra en pleno esplendor* · **máximo** · **mayor** || **pasado** · **tradicional** · **antiguo** · **actual** || **dorado** · **brillante** · **fascinante** · **genuino**

● CON SUSTS. **época (de)** · **período (de)** · **momento (de)** · **etapa (de)** || **ejemplo (de)** · **símbolo (de)** · **signo (de)**

● CON VBOS. **perdurar** || **apagar(se)** *Poco a poco se fue apagando el esplendor de la ciudad* || **resurgir** *con la ilusión de que resurja por unos días el esplendor de otro tiempo* · **reverdecer** || **tener** · **lucir** · **mostrar** · **mantener** · **recuperar** *Con algo de esfuerzo, conseguirá recuperar todo su esplendor* · **revivir** || **cobrar** · **alcanzar** · **lograr** || **dar (a algo)** · **devolver (a algo)** · **realzar** || **perder** · **añorar** || **gozar (de)** *La arquitectura española contemporánea goza de gran esplendor* · **revestir(se) (de)** || **contribuir (a)**

● CON PREPS. **con** · **sin**

espolear v.

▮ [picar con espuelas]

● CON SUSTS. **caballo** · **yegua** · **cabalgadura**

▮ [animar, estimular]

● CON SUSTS. **multitud** · **público** *Los actores espolearon al público para que tomase parte activa en la obra* · **opinión pública** · **ciudadanía** · **población** · **contrario,ria** · **empleado,da** · ***otros individuos y grupos humanos*** || **conciencia** *Tan terribles desigualdades deberían espolear nuestras conciencias* · **imaginación** || **malestar** · **protestas** *Los dirigentes de los demás partidos han espoleado las protestas contra el Gobierno* · **oposición** · **lucha** · **confrontación** · **rivalidad** · **debate** || **necesidades** · **hambre** · **pobreza** · **desigualdad** · **muerte** · **enfermedad** || **miedo** · **estrés** · **ansiedad** || **problema** · **amenaza** · **incidente** || **interés** ·

devoción · **afición** · **práctica** · **deseo** · **apasionamiento** || **plan** · **proceso** · **organización** · **sistema** · **ley** || **mandato** · **éxito** · **victoria** || **votos** · **resultado** || **demanda** · **oferta** · **mercado** · **liberalización** || **crecimiento** *espolear el crecimiento económico* · **devaluación**

[esponja] → como una esponja

esponjoso, sa adj.

● CON SUSTS. **tacto** · **aspecto** · **textura** · **estructura** || **tejido** *un albornoz de tejido esponjoso* · **tela** || **masa** · **pan** · **bizcocho** · **bollo** || **superficie** · **zona**

● CON VBOS. **ser** · **resultar** · **quedar(se)** *Con este suavizante la ropa queda muy esponjosa* · **estar** · **poner(se)** · **mantener(se)**

espontaneidad s.f.

● CON ADJS. **franca** *Siempre se ha comportado con franca espontaneidad* · **natural** || **característica** · **habitual** · **proverbial** || **falsa** · **engañosa** · **aparente** · **dudosa** || **absoluta** · **asombrosa**

● CON SUSTS. **gesto (de)** · **muestra (de)** · **alarde (de)**

● CON VBOS. **brotar** || **rezumar** *una persona que rezuma espontaneidad por los cuatro costados* · **mostrar** || **ganar** · **perder**

● CON PREPS. **con**

[espontáneo, a] → espontáneo, a; por generación espontánea

espontáneo, a

1 **espontáneo, a** adj.

▌[instintivo, natural]

● CON SUSTS. **acción** · **movimiento** · **impulso** · **arrebato** · **comportamiento** · **reacción** · **flujo** || **beso** · **abrazo** · **gesto** · **risa** · **sonrisa** || **arte** · **música** · **literatura** || **artista** · **testigo** · ***otros individuos*** || **habla** · **lenguaje** *Lo que más me gusta de este autor es su lenguaje natural y espontáneo* · **respuesta** · **discurso** · **salida** · **intervención** || **estilo** · **carácter** || **petición** · **declaración** · **entrevista** · **improvisación** · **idea** || **naturalidad** · **sinceridad** · **simpatía** *por su cordialidad y su simpatía espontánea* · **lucidez** · **belleza** || **alegría** · **enfado** · **aplauso** *el espontáneo aplauso del público* || **reunión** · **tertulia** · **fiesta** · **baile** · **presentación** || **arrepentimiento** · **confesión** || **incendio** · **combustión** || **enfermedad** · **inflamación** · **aborto** *A causa de la caída tuvo un aborto espontáneo* || **creación** · **generación** · **brote** · **fruto** || **manifestación** · **expresión** || **atracción** · **conexión** || **colaboración** · **ayuda** || **conflicto** · **ruptura** *una ruptura espontánea en las relaciones entre ambos países* · **violencia** || **proceso** · **cambio** · **conversión** · **dominio**

2 **espontáneo, a** s.

▌[persona]

● CON VBOS. **salir** · **saltar** · **aparecer** *De repente apareció un espontáneo sobre el escenario* || **preguntar** · **intervenir**

[esposas] s.f.pl. → esposo, sa

esposo, sa

1 **esposo, sa** s.

● CON ADJS. **querido,da** · **amado,da** || **fiel** · **infiel** || **futuro,ra** *Acudió a la ceremonia acompañada de su futuro esposo* · **actual** · **anterior** || **flamante**

● CON SUSTS. **relación (con)** *La relación con su esposo se fue enfriando con el paso de los años*

● CON VBOS. **querer** · **cuidar** · **respetar** || **tener** · **buscar** || **abandonar** || **separarse (de)** · **divorciarse (de)**

2 **esposas** s.f.pl.

● CON SUSTS. **par (de)**

● CON VBOS. **poner** · **quitar** *Los agentes le quitaron las esposas al detenido* · **colocar**

esprintar v.

● CON SUSTS. **corredor,-a** · **atleta** · **ciclista** · **velocista** *Poco antes de la meta, el velocista esprintó y logró llegar el primero* · **fondista**

esprínter s.com.

● CON ADJS. **destacado,da** *Este joven ciclista es un destacado esprínter* · **notable** · **excelente** · **gran** · **fuerte** · **veterano,na** · **preparado,da** || **nacional** · **mundial**

● CON SUSTS. **equipo (de)**

espuela s.f.

● CON VBOS. **clavar** *clavar espuelas al caballo* · **picar** || **poner(se)** · **quitar(se)** · **apretar**

[espuerta] → a espuertas

[espuma] → como la espuma; espuma

espuma s.f.

● CON ADJS. **de afeitar** *Se me ha terminado el bote de espuma de afeitar* · **de baño** · **de pelo** · **fijadora** · **moldeadora** · **depilatoria** || **de mar** · **de cerveza** || **blanca** · **densa** · **espesa**

● CON SUSTS. **baño (de)** *tomar un relajante baño de espuma* || **colchón (de)**

● CON VBOS. **subir** · **formar(se)** · **rebosar** · **flotar** || **echar** *Primero te echas la espuma depilatoria y después...* || **aplicar** || **rociar (con)**

espumoso, sa adj.

● CON SUSTS. **vino** · **bebida** · **crema** *Se baten las yemas con el azúcar hasta lograr una crema espumosa* · **jugo** · **sustancia** · **líquido** || **agua** · **mar** · **ola** *Las olas espumosas rompían en el acantilado* · **oleaje** · **playa** · **baño**

● CON VBOS. **ser** · **estar** · **poner(se)** · **volver(se)** · **quedar(se)**

esqueje s.m.

● CON VBOS. **prender** · **agarrar** · **arraigar** || **sembrar** · **plantar** *El jardinero ha plantado los esquejes de rosas en el jardín* · **arrancar** · **injertar** · **cortar**

esquela s.f.

● CON ADJS. **mortuoria** *Su esquela mortuoria venía hoy en el periódico* · **fúnebre**

● CON SUSTS. **página (de)** *la página de esquelas de un periódico*

● CON VBOS. **aparecer** || **rezar (algo)** || **leer** · **ver** || **publicar** · **insertar** · **poner** *Han puesto una esquela en el periódico de hoy* · **encargar** || **recortar**

esqueleto

1 **esqueleto** s.m.

● CON ADJS. **firme** *el firme esqueleto del edificio* · **férreo** · **robusto** · **fornido** · **recio** · **pétreo** · **sólido** || **frágil** · **quebradizo** · **endeble** · **raquítico** · **inconsistente** || **enjuto** · **descarnado** · **ruinoso** · **desmembrado** || **fósil** · **fosilizado** · **enterrado** · **prehistórico** *En la cueva aparecieron dos esqueletos prehistóricos fosilizados* || **puro** · **simple** ·

viviente || principal || completo · incompleto || organizativo · vertebrador || sintáctico · narrativo · literario · musical · fílmico · cinematográfico · arquitectónico · económico · jurídico · cibernético · celular
• CON VBOS. **conservar(se)** *Es sorprendente que este esqueleto se haya conservado en tan buenas condiciones* || **amontonar(se)** || **constituir · formar · conformar** || **montar · reconstruir · desmontar** || **exhumar · inhumar · identificar** *identificar un esqueleto mediante la prueba del ADN* || **mover · menear · reforzar** || **reducir(se) (a)**

2 **esqueleto (de)** s.m.
• CON SUSTS. **composición · obra · novela** *el enrevesado esqueleto de la novela* · **argumento** · *otras creaciones* || **idea · proyecto** || **edificio**

esquema s.m.
• CON ADJS. **rígido · férreo || sencillo · elemental · somero · breve · conciso · vago · provisional || sinóptico · recapitulador || didáctico · pedagógico || viejo · trillado · novedoso** *El entrenador ha presentado un esquema novedoso* · **vigente** *el esquema social vigente* · **dominante || estratégico · organizativo · táctico · defensivo || lineal · panorámico · general · ilustrativo || mental** *esquemas mentales un poco obsoletos* || **cartesiano**
• CON VBOS. **constar (de algo) || desmoronar(se) · desarticular(se) · venirse abajo · caérse(le) (a alguien) || agotar(se) || hacer** *Me hizo un esquema para explicarme todos los pasos que había que seguir* · **crear · esbozar · trazar · diseñar · dibujar · delinear · arbitrar || dictar · implantar || usar · utilizar · emplear · seguir · repetir · visualizar || cambiar** *Esta noticia ha cambiado todos mis esquemas* · **alterar · invertir · subvertir · romper || caber (en) · tener cabida (en) · encajar (en) · responder (a) || renunciar (a)**
• CON PREPS. **con arreglo (a)**

esquemáticamente adv.
• CON VBOS. **hablar · contar** *Nos contó esquemáticamente lo que había hecho en las vacaciones* · **exponer · presentar · relatar · explicar · describir · resumir · sintetizar · escribir · mostrar || representar · reflejar · ilustrar · dibujar**

esquemático, ca adj.
• CON SUSTS. **trazo · rasgo · dibujo** *La figura de la izquierda representa un dibujo esquemático de una célula* · **apunte || figura || estilo · tono · lenguaje || personaje · libro · obra · película · historia · narración || idea · concepto · concepción || estructura · visión || discurso · resumen** *El profesor pidió a los alumnos que hicieran un resumen esquemático del tema* · **explicación**
• CON ADVS. **excesivamente** *un reportaje excesivamente esquemático* · **sumamente · particularmente**

esquematizar v.
• CON SUSTS. **asunto · relato · tema · discurso · comunicado || forma** *En su última etapa, el pintor tiende a esquematizar las formas* · **dibujo · figura · rostro · rasgo || realidad · dato || explicación · plan · propuesta**

esquí s.m.
• CON ADJS. **de alta montaña · alpino · de fondo · náutico · acuático · artístico · extremo**
• CON SUSTS. **escuela (de) · tienda (de) · estación (de) · instalación (de) · pista (de) || práctica · salto (de) || campeón,-a (de) · practicante (de) · corredor,-a (de) || temporada (de)** *¿Ya se ha abierto la temporada de esquí?* · **competición (de) · prueba (de) · carrera (de) · clase (de) · torneo (de) || monitor,-a (de) · profesor,-a (de) || botas (de) · bastón (de) · tabla (de) · traje (de)**
• CON VBOS. **practicar || promocionar || abandonar || aficionar(se) (a)**

esquilar v.
• CON SUSTS. **lana · pelo || oveja** *Cuando era pequeño, mi abuelo me enseñó a esquilar a las ovejas* · **cordero · cabra · caballo · yegua · rebaño**
• CON ADVS. **a mano · a tijera**

esquina s.f.
• CON ADJS. **céntrica · opuesta || concurrida · transitada**
• CON SUSTS. **saque (de)** *El árbitro pitó saque de esquina para el equipo local* · **tiro (de) · lanzamiento (de)**
• CON VBOS. **ocupar || doblar** *Al doblar la esquina se ve la catedral* · **volver || pasar (por)**

esquinazo s.m.
• CON VBOS. **doblar**
□ EXPRESIONES **dar esquinazo** (a alguien) [evitarlo o rehuirlo] *col.*

esquivar v.
• CON SUSTS. **flecha · bala · proyectil · balón || ataque · tiro · disparo · golpe · encontronazo · embestida || perseguidor,-a · periodista · policía · defensa** · *otros individuos* || **presencia · mirada** *Intentaba inútilmente esquivar las innumerables miradas que se dirigían a ella* · **ojo · bulto || pregunta || asunto · tema** *Tiene una extraordinaria habilidad para esquivar los temas difíciles* · **polémica || problema · dificultad · contratiempo · obstáculo · escollo · crisis || obligación** *Es una persona responsable que no esquiva sus obligaciones* · **deber · responsabilidad · encuentro · compromiso · destino · justicia · ley || control · censura** *Los escritores idearon ingeniosas estrategias para esquivar la censura* · **presión · crítica || peligro · riesgo · tentación · muerte**

esquizofrenia s.f.
• CON ADJS. **aguda · grave** *El homicida sufre un cuadro de esquizofrenia grave* · **profunda · leve · aparente**
• CON SUSTS. **enfermo,ma (de) · afectado,da (de) || tratamiento (de) · diagnóstico (de) · caso (de) · ataque (de) · brote (de) · crisis (de) · cuadro (de) · síntoma (de) · estado (de)** *Su avanzado estado de esquizofrenia le impide ver la realidad*
• CON VBOS. **padecer · sufrir · presentar · fingir || diagnosticar · curar · prevenir · tratar · causar**

estabilidad s.f.
• CON ADJS. **perfecta · fija · gran(de)** *una relación que aportó gran estabilidad a su vida* · **confortable || vacilante · frágil** *La crisis amenaza la frágil estabilidad de la empresa* · **delicada · precaria · baja · escasa · dudosa · difícil || económica · monetaria · política · democrática · social · laboral · familiar · emocional · personal · profesional**
• CON SUSTS. **clima (de)** *Ahora estamos viviendo un clima de cierta estabilidad económica* · **situación (de) · marco (de) · factor (de) || garantía (de) · ausencia (de) · falta (de) · problema (de) || política (de) · programa (de) · plan (de) || período (de) · etapa (de) || grado (de) · nivel (de)**
• CON VBOS. **reinar · existir || robustecer(se) · afianzar(se) · quebrar(se) || buscar** *Decía que estaba buscando una mayor estabilidad emocional* · **necesitar · querer · tener || hallar · encontrar · cobrar · lograr · conseguir · conquistar · ganar || dar · ofrecer · aportar · generar**

· **garantizar** · **asegurar** *Este empleo le asegura la estabilidad económica* · **augurar** · **favorecer** · **proporcionar** || **consolidar** · **mantener** · **conservar** || **poner en riesgo** · **amenazar** · **perturbar** · **alterar** · **transgredir** · **dañar** · **socavar** · **minar** || **proteger** · **defender** · **perder** *El avión pierde estabilidad* || **contribuir (a)** · **afectar (a)** *una crisis que afectó gravemente a nuestra estabilidad* || **velar (por)** || **renunciar (a)**

estabilizar(se) v.

● CON SUSTS. **balanza** · **peso** · **nivel** · **equilibrio** || **coche** · **tren** · **avión** · **barco** · ***otros vehículos*** || **economía** *Las nuevas medidas han conseguido estabilizar la economía del país* · **comercio** · **mercado** · **inversión** · **precio** · **valor** · **moneda** · **tipo de interés** · **tipo de cambio** · **inflación** · **cotización** · **emisión** · **crédito** · **pensión** || **consumo** · **oferta** · **demanda** · **venta** || **empleo** *Su objetivo principal es estabilizar el empleo* · **desempleo** || **situación** · **crisis** || **país** · **población** · **institución** · **sector** · **empresa** · **régimen** · **vecindario** · ***otras comunidades e instituciones*** || **enfermo,ma** || **brote** · **epidemia** · **metabolismo** · **constantes vitales** *Las constantes vitales de la paciente se han estabilizado* · **humor** || **electricidad** · **corriente** || **actividad** || **movimiento** · **ritmo** · **intensidad** *La intensidad del tráfico se ha estabilizado en las últimas horas* · **número** || **proceso** · **cambio** || **ataque** · **reacción** · **defensa** || **paridad** · **diferencia** · **desfase**

estable adj.

● CON SUSTS. **vehículo** || **vida** · **mundo** || **empleo** · **trabajo** · **ocupación** · **contrato** || **pareja** *tener pareja estable* · **familia** · **entorno** || ***persona*** *Nunca fue una persona muy estable* || **carácter** · **comportamiento** · **condición** · **temperamento** || **elenco** · **grupo** · **población** || **economía** · **mercado** || **tipos** · **divisa** · **valor** *Estas acciones han alcanzado el valor estable de...* · **tarifa** || **compañía** · **producto** · **producción** · **servicio** || **gobierno** · **política** · **sistema** · **marco legal** || **paz** *conseguir una paz estable en la zona de conflicto* · **pacto** || **programación** · **ordenación** || **sede** · **escenario** · **circuito** · **núcleo** || **número** · **cantidad** · **calidad** · **mayoría** || **crecimiento** · **duración**

● CON ADVS. **prácticamente** · **relativamente** *Acaba de conseguir un empleo relativamente estable* · **aparentemente** || **totalmente** · **verdaderamente**

● CON VBOS. **ser** · **mostrar(se)** || **estar** · **mantener(se)** · **permanecer** · **seguir** · **continuar**

[establecer] → establecer; establecer(se)

establecer v.

● CON SUSTS. **criterio** *...en función de los criterios que se establezcan* · **propuesta** · **plan** · **proyecto** · **programa** · **perspectiva** · **razón** · **base** || **objetivo** · **fin** · **meta** *Todo proyecto ha de establecer unas metas* · **pronóstico** || **límite** · **frontera** · **división** || **confrontación** · **polémica** · **batalla** · **lucha** · **pugna** || **diálogo** · **comunicación** · **debate** || **condena** · **sanción** · **castigo** · **pena** || **balance** · **baremo** · **diagnóstico** · **evaluación** || **cantidad** · **cifra** · **número** · **cuota** · **pago** · **precio** *¿Ya han establecido el precio de venta de la casa?* · **tarifa** · **salario** · **impuesto** || **sistema** · **esquema** · **régimen** · **infraestructura** · **democracia** || **marca** · **récord** || **ley** *...con el fin de establecer una nueva ley de patentes* · **norma** · **regla** · **orden** · **directriz** · **medida** · **legislación** · **normativa** · **código** · **reglamento** · ***otras disposiciones*** || **relación** · **contacto** · **vínculo** · **vinculación** · **conexión** · **colaboración** · **lazo** || **paz** · **alianza** · **pacto** · **decisión** · **solución** · **consenso** · **negociación** · **tregua** · **trato** · **desenlace** || **calendario** · **plazo** *La convocatoria establece un plazo de quince días para entregar la documentación pertinente* · **horario** · **cronología**

● CON ADVS. **a ciencia cierta** *Por el momento, es imposible establecer a ciencia cierta el número de afectados por...* · **con certeza** · **fehacientemente** || **firmemente** · **categóricamente** · **con rotundidad** · **definitivamente** · **temporalmente** · **provisionalmente** || **democráticamente** · **por libre** · **unilateralmente** || **de antemano** *Nos pidieron que estableciéramos de antemano los criterios de corrección* || **con detalle** · **nítidamente** · **detalladamente** || **en líneas generales** · **a grandes rasgos**

establecer(se) v.

● CON ADVS. **por cuenta {ajena/propia}** *A los dieciocho años ya se había establecido por cuenta propia como...* || **temporalmente** · **definitivamente** · **finalmente** · **por completo** || **dignamente** · **adecuadamente** · **libremente** · **masivamente** || **industrialmente**

establecimiento s.m.

● CON ADJS. **público** · **bancario** *La Policía ha detenido a los presuntos autores de un robo producido en un establecimiento bancario* · **comercial** · **asistencial** · **educativo** · **educacional** · **escolar** · **fiscal** · **castrense** || **de postín**

● CON VBOS. **abrir** · **inaugurar** · **cerrar** · **clausurar** || **llevar** · **regentar** · **dirigir** || **equipar** *Le costó mucho dinero equipar el establecimiento* || **estar a cargo (de)** *¿Sabes quién está a cargo del establecimiento?*

ESTABLECIMIENTO

Información útil para el uso de:

autoservicio; bar; bazar; bodega; bollería; boutique; cafetería; cantina; carnicería; cerrajería; cervecería; charcutería; chocolatería; churrería; colchonería; comercio; confitería; cristalería; destilería; droguería; estanco; farmacia; ferretería; floristería; fontanería; freiduría; frutería; gasolinera; hamburguesería; heladería; herbolario; hipermercado; huevería; juguetería; lavandería; lencería; librería; mercería; óptica; pajarería; panadería; papelería; pastelería; perfumería; pescadería; pollería; relojería; restaurante; taberna; tenderete; ultramarinos; verdulería; videoclub; zapatería

● CON ADJS. **barato,ta** *un bazar muy barato* · **caro,ra** || **vacío,a** · **lleno,na** · **abarrotado,da** || **conocido,da** *una conocida boutique de moda* · **cercano,na** · **céntrico,ca** || **típico,ca** · **tradicional** · **familiar** · **moderno,na**

● CON SUSTS. **dueño,ña (de)** · **titular (de)** · **empleado,da (de)** · **encargado,da (de)** · **responsable (de)** · **propietario,ria (de)** · **cliente (de)** *Soy cliente habitual de esta mercería*

● CON VBOS. **abrir** · **inaugurar** · **poner** *Han hablado de poner un estanco aquí* · **montar** || **cerrar** · **traspasar** *Acaban de traspasar esta zapatería* · **trasladar** || **llevar** *Llevará él solo el autoservicio* · **regentar** · **frecuentar** · **atender** · **desatender** || **atracar** · **asaltar** · **saquear** || **trabajar (en)** · **ocuparse (de)** · **comprar (en)** · **vender (en)** || **robar (en)** || **ir (a)** · **entrar (en)** · **parar(se) (en)** · **salir (de)**

[estacada] → dejar en la estacada

estación s.f.

▌[sitio en el que hace parada un transporte]

● CON ADJS. **de autobuses · de tren · de metro** *¿Cuál es la estación de metro más próxima?* · **de ferrocarril || antigua · nueva · actual · futura**
● CON VBOS. **construir · demoler || abrir · inaugurar** *Inauguraron una nueva estación de tren* · **cerrar || remodelar · mejorar || llegar (a) · ir (a) || encontrar(se) (en)** *Nos encontraremos a la una en la estación de autobuses* · **quedar (en) || entrar (en) · salir (de)**

▌[conjunto de instalaciones para realizar una actividad]

● CON ADJS. **de esquí · termal || de servicio** *echar gasolina en una estación de servicio* **|| espacial · orbital**
● CON SUSTS. **circuito (de)** *El circuito de la estación de esquí tenía muy buen trazado* · **pista (de) || sala (de) || balneario** *Esta estación balneario cuenta con buenos profesionales*

▌[período de tiempo]

● CON ADJS. **larga || fría · calurosa · lluviosa · tormentosa || primaveral · estival · otoñal · invernal || de siembra · de siega**
● CON SUSTS. **cambio (de)** *La aves migratorias emprenden un largo viaje con el cambio de estación* **|| principio (de) · final (de) || fruta (de)**
● CON VBOS. **llegar · comenzar** *La estación de lluvia comienza a mediados del próximo mes* · **terminar · pasar || transcurrir || aprovechar || estar (en)**

estacional adj.

● CON SUSTS. **período** *Este es el período estacional en el que se producen más incendios forestales* **|| fenómeno · actividad · turismo · población || empleo** *Como tiene un empleo estacional, solo trabaja unos meses al año* · **negocio || variación · cambio · transformación || aumento · alza · incremento · crecimiento · caída · migración || plaga · oleada · afluencia || producción · oferta · demanda || razón · motivo || dato · predicción · factor · componente || ritmo** *Los entendidos pronostican un cambio en los ritmos estacionales* · **planificación · calendario · prohibición** *prohibición estacional de la pesca* **|| efecto**

estacionamiento s.m.

● CON ADJS. **subterráneo · exterior || libre · gratuito** *estacionamiento gratuito para los clientes* · **gratis · público · privado || limitado · vigilado || indebido · prohibido**
● CON SUSTS. **plaza (de) || área (de) · planta (de) · zona (de) · playa (de)** *playas de estacionamiento subterráneo* **|| entrada (de) · salida (de) || problema (de)** *Todos los vecinos del barrio tenemos problemas de estacionamiento* **|| servicio (de) · tarjeta (de)**
● CON VBOS. **construir || vigilar · controlar · regular · limitar · prohibir || pagar · cobrar || buscar · encontrar**

estacionar v.

● CON SUSTS. **coche** *una multa por estacionar el coche en un vado* · **camión · taxi** · ***otros vehículos***
● CON ADVS. **en línea · en paralelo · en batería · en doble fila · en hilera || correctamente · incorrectamente · indebidamente || temporalmente · provisionalmente · libremente**

estacionario, ria adj.

● CON SUSTS. **situación · estado** *El paciente se halla en estado estacionario* · **fase · nivel || paciente · enfermo,ma || temperatura** *Para hoy se anuncian intervalos nubosos y temperaturas estacionarias* · **máxima · mínima · borrasca || venta · demanda · oferta**
● CON VBOS. **permanecer · mantener(se) · continuar · seguir**

estadio s.m.

▌[recinto]

● CON ADJS. **olímpico · mundialista · nacional · municipal || lleno · repleto** *El equipo sentenció la eliminatoria en un estadio repleto de aficionados* · **vacío || histórico · legendario · mítico || cubierto · acondicionado**
● CON SUSTS. **taquilla (de)** *Cientos de personas hacen cola en las taquillas del estadio* · **grada (de) · palco (de) · publicidad (de) || público (de) · aforo (de) · capacidad (de) || inmediaciones (de) · alrededores (de)**
● CON VBOS. **construir || llenar · abandonar || acudir (a) · asistir (a) · acceder (a) || jugar (en) · entrenar(se) (en)**

▌[fase]

● CON ADJS. **terminal · avanzado** *Los enfermos en estadio avanzado de su patología...* **|| temprano · precoz || evolutivo · gestacional**
● CON VBOS. **llegar (a) · pasar (por) · encontrar(se) (en)**

[estadística] s.f. → estadístico, ca

estadístico, ca

1 **estadístico, ca** adj.

● CON SUSTS. **dato** *los datos estadísticos sobre los consumidores* · **cifra · gráfico · informe · cuadro · encuesta · ensayo || estudio · información · fuente || tratamiento** *el tratamiento estadístico de los resultados de las encuestas* · **método · criterio · rigor · valor || problema · anomalía || cuestión · hecho** *El envejecimiento de la población europea es un hecho estadístico* **|| cálculo · redondeo · síntesis · análisis || causa · razón · evidencia || oficina**

2 **estadística** s.f.

▌[conjunto de datos]

● CON ADJS. **veraz · fiel · fidedigna · fiable · estimable · certera || sesgada · tendenciosa · imprecisa || inquietante · alarmante · reveladora** *una reveladora estadística sobre los hábitos alimenticios de la población* **|| oficial · mundial || última · disponible · reciente**
● CON VBOS. **acertar** *La estadística acertó de pleno esta vez* **|| difundir(se) || indicar · demostrar (algo) · señalar (algo) · mostrar (algo) · constatar (algo) · revelar (algo)** *Las estadísticas revelan que un diez por ciento de los ciudadanos...* · **reflejar (algo) · aportar (algo) || realizar · elaborar · encargar || publicar || consultar** *Se han consultado las últimas estadísticas oficiales* · **analizar · interpretar · comparar || engrosar || manipular · amañar · adulterar · falsear · maquillar || fiarse (de) · atenerse (a)**
● CON PREPS. **según** *Según las estadísticas, nuestro equipo es el más efectivo a domicilio* · **a la luz (de) · a la vista (de)**

▌[rama del saber] Véase **DISCIPLINA**

[estado] → estado; golpe de Estado

estado

1 **estado** s.m.

▌[territorio, población, institución]

● CON ADJS. **democrático · de derecho · totalitario || confederado · federal · autonómico · independiente · plurinacional · plural · central · centralizado || flore-**

ciente · **dinámico** · **avanzado** || **fronterizo** · **limítrofe** || **ilegal**

● CON SUSTS. **golpe (de)** *un intento de golpe de Estado* || **cuestión (de)** · **asunto (de)** || **administración (de)** · **gobierno (de)** || **conjunto (de)** *La nueva normativa afecta al conjunto del Estado español* || **límites (de)** · **frontera (de)**

● CON VBOS. **extender(se)** || **desmembrar(se)** · **desmoronar(se)** || **centralizar** || **legitimar** || **defender** · **proteger** || **desestabilizar** *...acciones violentas que no conseguirán desestabilizar el estado de derecho* || **gobernar** · **dirigir** · **regir** · **administrar** || **pertenecer (a)**

● CON PREPS. **al frente (de)**

▌[situación, circunstancia, condición]

● CON ADJS. **lamentable** *La vivienda se hallaba en un estado lamentable* · **deplorable** · **miserable** · **lastimoso** · **precario** · **delicado** · **convaleciente** · **febril** || **saludable** · **impecable** · **buen(o)** · **óptimo** || **avanzado** *un cadáver en avanzado estado de descomposición* || **asfixiante** · **ruinoso** || **civil** · **social** · **financiero** · **personal** · **emocional** · **físico** · **sanitario**

● CON VBOS. **presentar** · **atravesar** · **desarrollar** || **diagnosticar** || **alterar** · **mejorar** · **empeorar** · **agravar(se)** *La falta de alimento agravó el estado del enfermo* || **declarar** *declarar el estado de excepción* || **seguir (en)** · **mantener(se) (en)** || **cambiar (de)** *cambiar de estado civil*

2 **estado (de)** s.m.

● CON SUSTS. **ánimo** · **salud** · **forma** || **bienestar** *mantener el estado del bienestar* || **conservación** · **desarrollo** · **equilibrio** · **descomposición** || **opinión** · **cosas** · **cuestión** || **euforia** *Mostraban un comprensible estado de euforia después de la victoria* · **felicidad** || **depresión** · **ansiedad** · **zozobra** · **incertidumbre** · **inseguridad** · **deterioro** · **abandono** · **pobreza** · **privación** · **necesidad** · **indefensión** || **crisis** · **conmoción** *La ciudad se encontraba en un tremendo estado de conmoción* || **guerra** · **excepción** · **sitio** · **peligro** · **alerta** · **emergencia** · **urgencia** || **gracia** · **gestación** *un estado de gestación muy avanzado* || **ebriedad** · **embriaguez** · **desnutrición** · **debilidad** || **coma** · **convalecencia** · **hibernación** · **reposo** · **inconsciencia**

□ EXPRESIONES **en estado (de buena esperanza)** [embarazada] *Nos sorprendió la noticia de que estaba en estado*

estafa s.f.

● CON ADJS. **monumental** · **como una catedral** · **descomunal** · **millonaria** · **gran(de)** · **verdadera** · **sin paliativos** || **pequeña** · **burda** || **supuesta** · **presunta** || **al descubierto** || **financiera** · **urbanística** · **electoral** || **involucrado,da (en)** · **culpable (de)**

● CON SUSTS. **delito (de)** · **prueba (de)** *Han encontrado pruebas concluyentes de la estafa que...* || **alcance (de)** · **monto (de)** || **intento (de)** · **conato (de)**

● CON VBOS. **frustrar(se)** || **salir a la luz** || **tramar** · **urdir** || **sacar a la luz** · **revelar** · **desvelar** · **descubrir** · **destapar** · **denunciar** *Un centenar de usuarios denunció la estafa de la que fueron víctimas* · **desbaratar** · **demostrar** || **cometer** · **consumar** · **perpetrar** || **sufrir** || **suponer** · **representar** · **constituir** || **acusar (de)** · **juzgar (a alguien) (por)**

estafar v.

● CON SUSTS. **dinero** · **cantidad** || **cliente** · **ciudadano,na** · **turista** *una banda que se dedicaba a estafar a los turistas* · **usuario,ria** · ***otros individuos y grupos humanos*** || **banco** · **estado** · **hacienda** · **empresa**

[estallar] → estallar; estallar (de); estallar (en)

estallar v.

● CON SUSTS. **bomba** · **explosivo** · **dinamita** · **artefacto** · **coche bomba** || **edificio** · **avión** · **vehículo** || **profesor,-a** *Los niños siguieron gritando y riendo hasta que el profesor estalló* · **padre** · **madre** · **afición** · **público** · ***otros individuos y grupos humanos*** || **revolución** · **rebelión** · **protesta** · **revuelta** · **sublevación** · **disturbio** · **huelga** || **guerra** *Cuando estalló la guerra, miles de ciudadanos se refugiaron en los países vecinos* · **enfrentamiento** · **batalla** · **conflicto** · **combate** · **contencioso** · **litigio** · **lucha** || **escándalo** *El escándalo estalló cuando se hizo público su patrimonio* · **crisis** · **polémica** · **controversia** · **alarma** · **problema** || **discusión** · **disputa** · **bronca** || **economía** || **rumor** · **noticia** · **habladuría** || **tema** *un tema conflictivo que pronto acabará estallando* · **asunto** · **caso**

● CON ADVS. **accidentalmente** · **espontáneamente** · **de forma controlada** || **de manera imprevista** · **inesperadamente** · **prematuramente** · **repentinamente** || **en (mil) pedazos** *El coche estalló en mil pedazos* · **por los aires** · **violentamente** · **con fuerza** || **definitivamente** || **públicamente**

estallar (de) v.

● CON SUSTS. **alegría** *Toda la familia estalló de alegría ante la noticia de su embarazo* · **risa** · **júbilo** · **felicidad** · **emoción** || **ira** · **indignación** · **rabia** · **impotencia** || **dolor**

estallar (en) v.

● CON SUSTS. **lágrimas** · **llanto** · **sollozos** || **aplausos** *El público estalló en aplausos al finalizar el concierto* · **ovación** · **vítores** · **silbidos** · **clamor** · **vituperios** · **gritos** || **carcajada** · **risas** · **jolgorio** || **cólera** · **rabia** · **ira** · **violencia** || **protestas** *Los despidos han hecho estallar en protestas a todos los empleados* · **bronca**

□ USO Se construye generalmente con sustantivos contables en plural (*estallar en lágrimas*) o no contables en singular (*estallar en llanto*).

estallido s.m.

● CON ADJS. **fuerte** · **brutal** · **violento** · **incontenible** || **nuevo** · **inminente** *el inminente estallido de los enfrentamientos* · **pleno** · **eventual** · **inesperado** · **repentino** · **inmediato** || **bélico** · **social** · **revolucionario** · **económico**

● CON VBOS. **producir(se)** · **dar(se)** · **tener lugar** || **temer** · **evitar** · **impedir** || **provocar** || **sufrir**

● CON PREPS. **a raíz (de)** *A raíz del estallido del escándalo financiero...*

estamento s.m.

● CON ADJS. **social** · **militar** · **nobiliario** *un miembro destacado del estamento nobiliario* · **político** · **judicial** · **religioso** · **eclesiástico** || **alto** · **bajo** · **medio** || **representativo** || **popular** · **privilegiado** · **superior** · **inferior**

● CON SUSTS. **representante (de)** · **miembro (de)** || **relación (entre)** *las relaciones entre los distintos estamentos del poder* || **parte (de)** · **sector (de)** · **conjunto (de)** || **presión (de)**

● CON VBOS. **pertenecer (a)** || **reunir(se) (con)** *Se reunió con el estamento eclesiástico para tratar el problema* || **arremeter (contra)** · **enfrentar(se) (a)** || **dividir(se) (en)**

estampa s.f.

● CON ADJS. **vieja** · **antigua** *Lleva años coleccionando estampas antiguas* · **tradicional** · **típica** · **clásica** || **original** · **bella** · **noble** · **fina** · **evocadora** || **vívida** || **triste** · **absurda** || **navideña** · **campestre** · **bucólica** · **romántica**

· costumbrista · religiosa || desvaída || recortable · coleccionable || grabada
● CON SUSTS. **colección (de) · serie (de) · conjunto (de)**
● CON VBOS. **componer · coleccionar || mostrar || contemplar**

□ EXPRESIONES **maldecir la estampa** (de alguien) [maldecirlo] *col.* || **ser la (viva) estampa** (de algo/alguien) [parecérsele mucho] *col.*

estampar v.

▮ [imprimir, grabar]

● CON SUSTS. **tela · papel || tatuaje · aguafuerte · bajorrelieve · dibujo || sello · símbolo · escudo · inicial · sigla · logotipo · emblema || grosería · ordinariez · dedicatoria · pésame || firma** *Ambos mandatarios estamparon su firma en el acuerdo para...* · **rúbrica · nombre · autógrafo · garabato · cruz || huella · mano · pie**
● CON ADVS. **de {mi/tu/su...} puño y letra**

▮ [dar con mucha fuerza] *col.*

● CON SUSTS. **guantazo · manotazo · bofetón · bofetada · derechazo ·** ***otros golpes*** **|| beso** *Nada más verla, le estampé dos besos*

[estampida] → de estampida; estampida

estampida s.f.

● CON VBOS. **producir(se) · desencadenar(se) · iniciar(se) · dar(se) || provocar** *Los disparos provocaron la estampida de los caballos* · **ocasionar || frenar · evitar · impedir**
● CON PREPS. **en · de**

estancamiento s.m.

● CON ADJS. **personal · mental · afectivo · psicológico · físico || salarial · laboral · industrial · económico · demográfico · cultural · creativo** *La escritora está pasando una etapa de estancamiento creativo* · **político · electoral · militar · diplomático**
● CON VBOS. **producir(se) || provocar** *La crisis ha provocado el estancamiento económico del país* **|| sufrir || superar · remontar · resolver || salir (de) || llevar (a)**
● CON PREPS. **en fase (de)**

estancar(se) v.

● CON SUSTS. **agua** *El agua se había estancado y el olor era muy desagradable* **|| niebla · nubes · humo || economía · mercado · comercio · inflación · importación · exportación · demanda · inversión · clientela · sector || beneficio · ingresos · salario · sueldo** *Los trabajadores se quejan porque sus sueldos se han estancado* · **deuda · nivel de vida || cultura · historia || sistema · política · democracia · paz || proceso** *Después de dos meses se ha estancado el proceso* · **evolución · avance · crecimiento · progresión || acuerdo · pacto · negociación** *¿Cuáles son las causas de que se haya estancado la negociación?* · **programa || protesta · movilización · manifestación · movimiento || problema · situación || conversación · lectura || argumento · capacidad || votación · subasta · juicio || nivel · cifras**

estancia s.f.

▮ [permanencia en un lugar]

● CON ADJS. **corta · breve · fugaz || larga · dilatada || reciente || placentera · cómoda · agradable · feliz** *Les deseamos una feliz estancia entre nosotros* · **fecunda**
● CON VBOS. **durar** *¿Cuánto durará su estancia en nuestra ciudad?* **|| tener || prolongar · alargar · acortar || aprovechar || disfrutar (de)** *disfrutar de una estancia feliz y tranquila*
● CON PREPS. **durante**

estanco, ca

1 **estanco, ca** adj.

▮ [completamente cerrado]

● CON SUSTS. **compartimento** *el compartimento estanco de un avión* · **departamento**

2 **estanco** s.m.

▮ [comercio] Véase **ESTABLECIMIENTO**

estándar

1 **estándar** adj.

● CON SUSTS. **modelo · sistema · formato · molde || forma · tamaño · altura · peso · volumen ·** ***otras magnitudes*** **|| lengua** *Esta gramática recoge los principales usos de la lengua estándar* · **lenguaje · idioma · vocabulario · traducción || producto · aparato || tratamiento · terapia · aplicación · uso || norma · normativa**

2 **estándar** s.m.

● CON ADJS. **de vida · de calidad**
● CON VBOS. **crear · fijar · alcanzar · imponer || mejorar** *Todos los candidatos han prometido mejorar el estándar de calidad de vida de las familias* · **elevar || abandonar · seguir || acceder (a)**
● CON PREPS. **según**

estatal adj.

● CON SUSTS. **legislación · ley · norma · regulación · protección · intervención · gestión · participación || presupuesto · recorte · renta · gasto · deuda · fondo · título || patrimonio · propiedad || política** *la política estatal del Gobierno* · **administración || financiación · apoyo · prestación · convenio · respaldo || dirigente · presidente,ta · mandatario,ria · ejecutivo,va · funcionario,ria · secretario,ria · fiscal · representante · policía || ente · institución · organismo** *el nuevo organismo estatal está adscrito a dos ministerios a la vez* · **sindicato · sede · corte || directiva · gobierno · delegación** *Una delegación estatal intentará restablecer las relaciones diplomáticas* · **junta · comité · asamblea · consejo · confederación · departamento · oficina · cuerpo || empresa** *El Gobierno hará públicas las cuentas de las empresas estatales* · **compañía · sociedad · entidad · agencia · banca · petrolera · banco · sector || radio · televisión · canal · emisión · periódico · publicación · diario || prisión · hospital · universidad · educación** *nuevas medidas encaminadas a mejorar la educación estatal* · **sanidad · correo || burocracia · aparato · sistema · estructura · red || subvención** *Gracias a la subvención estatal, muchas personas han podido montar su negocio* · **subsidio · ayuda || intervencionismo · control · supervisión · monopolio || publicidad || seguridad · corrupción · defensa**

estático, ca adj.

● CON SUSTS. **bicicleta** *Me he comprado una bicicleta estática para hacer algo de ejercicio* **|| fotografía · imagen · escena · publicidad || figura · modelo · gráfico || crítica · ataque · lucha || electricidad · masa · equilibrio · energía || vigilancia** *agentes encargados de la vigilancia estática de los altos cargos* · **radar · seguridad · defensa || manifestación · expresión · exhibición || contemplación · visión · belleza || juego · jugada || actitud** *una* *actitud estática ante la vida* · **posición** · **condición** || **concepto** · **elemento** || **política** · **gestión**

● CON VBOS. **ser** · **estar** · **permanecer** · **quedar(se)** · **mantenerse**

estatua s.f.

● CON ADJS. **monumental** · **gigante** *Han colocado una estatua gigante a la entrada del edificio* · **colosal** · **imponente** · **faraónica** || **valiosa** · **histórica** · **antigua** · **reciente** || **viviente** || **ecuestre** · **sedente** · **yacente** · **orante** · **totémica** · **votiva** || **conmemorativa**

● CON VBOS. **levantar(se)** · **alzar(se)** *En medio de la plaza se alza una estatua de un dios griego* || **tallar** · **esculpir** · **dedicar (a algo/a alguien)** · **diseñar** · **idear** || **erigir** · **instalar** · **recubrir** · **poner** || **derribar** · **destruir** || **inaugurar**

estatura s.f.

▌ [altura de una persona]

● CON ADJS. **gran(de)** · **tremenda** · **impresionante** · **enorme** · **extraordinaria** · **inusitada** · **imponente** · **colosal** · **monumental** · **aventajada** · **elevada** · **superior** · **desproporcionada** || **normal** · **media** · **mediana** *Se acercó entonces un hombre trajeado, de mediana estatura* || **respetable** · **intimidatoria** || **baja** · **pequeña** · **escasa** · **reducida** · **limitada** · **menuda** · **inferior** || **suficiente** · **insuficiente** · **adecuada** · **requerida** · **mínima** *La estatura mínima para subir a la atracción es de...* || **justa** · **exacta** · **aproximada** || **común** · **estándar** · **corriente** || **corto,ta (de)** *un niño corto de estatura*

● CON SUSTS. **exceso (de)** · **falta (de)**

● CON VBOS. **rondar (una cantidad)** *Creo que su estatura ronda el metro ochenta* · **acercar(se) (a) (una cantidad)** · **sobrepasar (una cantidad)** || **faltar** || **tener** · **poseer** · **alcanzar** || **ostentar** · **exhibir** || **medir** · **calcular** · **estimar** · **valorar** || **elevar** · **aumentar** · **disminuir** · **perder** *Con los años se pierde estatura* || **ganar (en)** · **aventajar (en)** *Siempre aventajó en estatura a los chicos de su edad* · **superar (en)**

▌ [importancia]

● CON ADJS. **internacional** *un atleta de estatura internacional* · **mundial** · **universal** || **artística** · **intelectual** · **humana** · **moral** · **profesional** · **atlética** · **política** · **mitológica**

estatus s.m.

● CON ADJS. **elevado** *Su familia tiene un elevado estatus social* · **alto** · **bajo** · **acomodado** || **nuevo** · **permanente** · **definitivo** · **provisional** || **social** · **individual** · **personal** · **colectivo** || **económico** · **intelectual** · **cultural**

● CON VBOS. **solicitar** · **conceder** *Le habían concedido el estatus de refugiado político* || **tener** · **conseguir** · **alcanzar** · **alterar** || **conservar** · **preservar** · **mantener** · **perder** || **gozar (de)** || **cambiar (de)** · **mejorar (de)**

este s.m.

● CON SUSTS. **país (de)** · **ciudad (de)** · **pueblo (de)** *Mi familia vive en un pueblo del este* || **viento (de)** || **lado** · **zona** · **cara** · **parte** · **frontera** · **fachada** *En la fachada este da el sol a mediodía* · **extremo** · **ala** || **longitud** · **dirección** · **sentido** · **eje**

● CON VBOS. **recorrer** *Este verano recorreremos el este del país* || **viajar (a)** · **trasladarse (a)** · **emigrar (a)** · **dirigirse (a)** · **huir (a)** || **llegar (a)** · **proceder (de)** · **vivir (a/en)** || **orientar(se) {a/hacia}** · **apuntar (a)** · **dar (a)** *La balconada daba al este*

● CON PREPS. **a** *un barrio situado al este* · **por** · **hacia**

estelar adj.

▌ [relacionado con las estrellas]

● CON SUSTS. **luz** · **explosión** · **formación** · **evolución** || **cuerpo** · **objeto** · **polvo** *identificar las partículas de polvo estelar recogidas por la sonda* || **viaje** || **sistema** || **vida**

▌ [extraordinario, de gran categoría]

● CON SUSTS. **momento** · **horario** *programas que se retransmiten en horario estelar* · **hora** || **presencia** · **actuación** · **papel** · **aparición** · **participación** · **intervención** || **figura** · **invitado,da** · **fichaje** · **protagonista** · **reparto** *Su última película cuenta con un reparto estelar* || **partido** · **encuentro** · **prueba** · **duelo** · **combate** · **pelea** || **concierto** *Dieron un concierto estelar el día de Año Nuevo* · **exposición** || **plan** · **propuesta** · **proyecto** || **tema** · **asunto** || **puesto** · **categoría** || **carrera** · **trayectoria** · **camino** · **recorrido** || **honor** · **carisma** || **noche** · **cita** || **producto**

estentóreo, a adj.

● CON SUSTS. **sonido** · **voz** · **grito** *Un grito estentóreo resonó en la sala* · **risa** · **carcajada** · **eco**

[estéreo] → en estéreo; estéreo

estéreo

1 **estéreo** adj.

● CON SUSTS. **sistema** · **equipo** · **aparato** · **radio** || **sonido** || **efecto** · **calidad**

2 **estéreo** s.m.

● CON PREPS. **en** *una grabación en estéreo*

estereotipado, da adj.

● CON SUSTS. **fórmula** *Para encabezar la carta es mejor utilizar una fórmula estereotipada* · **expresión** · **modelo** || **lenguaje** · **estilo** · **escritura** || **arte** · **literatura** || **tratamiento** · **planteamiento** *un planteamiento estereotipado que no aporta ninguna solución* || **saludo** · **respuesta** || **visión** · **imagen** || **razonamiento** · **juicio** · **tópico** · **concepto** || **interpretación** · **versión** || **papel** · **personaje** · **argumento** · **historia** · **desenlace** · **idea** · **frase** || **juego**

estereotipo s.m.

● CON ADJS. **viejo** *Estas ideas responden a un viejo estereotipo sobre...* · **anticuado** · **clásico** · **tradicional** || **en boga** · **vigente** || **manido** · **trillado** · **extendido** · **socorrido** || **fijo**

● CON VBOS. **asentar(se)** · **consolidar(se)** · **extender(se)** · **difundir(se)** || **predominar** · **persistir** || **crear** · **acuñar** · **forjar** · **sentar** || **usar** *Muchas veces usamos estereotipos sin darnos cuenta* · **transmitir** · **proyectar** || **combatir** · **derribar** *Intentamos derribar los estereotipos negativos que se han venido creando sobre nuestra actividad* · **evitar** || **creer (en)** || **caer (en)** · **dejarse llevar (por)** · **acudir (a)** · **reducir(se) (a)** · **responder (a)** · **tender (a)** || **luchar (contra)** · **ir (contra)** · **acabar (con)** *El único objetivo es acabar con los estereotipos preestablecidos* · **romper (con)** || **librar(se) (de)** · **desprender(se) (de)** · **huir (de)** · **renunciar (a)**

estéril adj.

● CON SUSTS. **hombre** · **mujer** · **paciente** · ***otros individuos*** || **hembra** · **macho** || ***animal*** || **esperma** || **patria** · **tierra** *La tierra estéril que los rodeaba no les podía dar alimentos* · **terreno** · **paisaje** · **zona** || **tiempo** · **período** || **situación** · **acto** · **aventura** || **lucha** · **batalla** · **enfrentamiento** *un enfrentamiento estéril entre ambos dirigentes* · **triunfo** || **trabajo** · **esfuerzo** · **derroche** · **bús-**

queda · descubrimiento · voluntad || discusión · debate · polémica *De nuevo metidos de lleno en la polémica estéril sobre si...* || rebeldía · radicalismo || arte · oficio || política · diplomacia · legislatura · campaña || inversión *Puso todo su dinero en una inversión estéril y ahora está arruinado* · servicio || pesimismo · nostalgia · vacío · injusticia · confusión || locura · obsesión · venganza || talento · profesionalidad · energía · belleza || material || dominio · posición

• CON ADVS. **prácticamente · totalmente · absolutamente · completamente**

• CON VBOS. **considerar** *La oposición considera estériles todos los esfuerzos del Gobierno* || **resultar** || **dejar · quedar(se)** || **convertir(se) (en)**

estertor s.m.

• CON ADJS. **último · definitivo** || **remoto · profundo** || **suave · tenue**

• CON VBOS. **escuchar · oír · contemplar** || **lanzar** *Lanzó un estertor profundo, un último suspiro* || **apurar · prolongar**

[estética] s.f. → estético, ca

estético, ca

1 **estético, ca** adj.

• CON SUSTS. **cirugía · cirujano,na · operación** *someterse a una operación estética* || **criterio · punto de vista · ángulo · visión · canon** *el cambio que se ha producido en el canon estético moderno* || **concepto · teoría · concepción · idea · planteamiento · presupuesto · precepto** *Fue en esta revista donde expuso por primera vez sus preceptos estéticos* · **consideración · cuestión · principio · postulado · propuesta · ideario · apuesta** || **orden · sistema · afinidad** || **línea · corriente · movimiento** *el movimiento estético más importante de la época* · **tendencia** || **gusto · preferencia** || **emoción · anhelo · ambición · ansia · deseo · placer · goce · aventura · experiencia** || **sentido · sensibilidad · preocupación · interés** || **investigación · estudio** || **cambio · renovación · mejora · evolución** *La evolución estética de este diseñador ha sido realmente llamativa* · **refinamiento** || **reflexión · apreciación · inspiración · fuente · antecedente** || **función · finalidad · calidad · valor · motivo**

2 **estética** s.f.

• CON ADJS. **surrealista · futurista** *un local con una estética plenamente futurista* · **atrevida · original · revolucionaria · innovadora · rompedora** || **nueva · novedosa · moderna · clásica · tradicional** || **feísta · preciosista · agotadora** || **personal** *Desde muy joven se ha preocupado mucho por su estética personal* · **social** || **dental · corporal · facial** || **global · de conjunto**

• CON SUSTS. **centro (de) · clínica (de)** || **problema (de)**

• CON VBOS. **apreciar · valorar · enjuiciar** || **adoptar · adquirir · abrazar** || **abandonar** || **romper (con)** *Esta decoradora pretende romper por completo con la estética tradicional* · **cambiar (de)** || **apostar (por)**

estigma s.m.

• CON ADJS. **vergonzoso** *el vergonzoso estigma que pesa sobre su familia* · **ignominioso · injusto** || **pesado · indeleble** || **falso** || **social · político · público · familiar**

• CON VBOS. **sentir · sufrir · soportar** *Cansada de soportar el absurdo estigma de su nacimiento...* · **sobrellevar · llevar · acarrear · llevar sobre {los hombros/las espaldas/la conciencia}** || **deshacer · eliminar** || **cargar (con) · marcar (con) · señalar (con)** || **librar (de) · liberar (de)**

estilo s.m.

• CON ADJS. **sencillo · llano · accesible · claro · diáfano · transparente · natural** || **rimbombante** *Las cartas están escritas con un estilo rimbombante* · **ampuloso · altisonante · sobrecargado · grandilocuente · rebuscado · afectado · pomposo · florido · retórico** || **confuso · abigarrado** *con el abigarrado estilo de un pintor barroco* · **retorcido · enrevesado** || **cuidado · depurado · impecable · refinado · elegante · galante** || **torrencial · fluido · ágil** *un discurso hilvanado de estilo ágil y fluido* · **vivaz · pegadizo · jugoso · coloquial** || **mordaz · irónico** *Este periodista escribe con un marcado estilo irónico* · **incisivo · brillante** || **lacónico · circunspecto · conciso · prolijo** || **tajante · abrupto · bronco** || **ortodoxo · heterodoxo** || **manido · trillado · tradicional · antiguo** || **peculiar · llamativo** || **clásico** *un salón amueblado en un estilo clásico y elegante* · **realista · impersonal** || **diferenciador · puro · ecléctico** || **indiscutible · inigualable** || **personal · particular · propio · característico · inconfundible · único** || **encantador · ingenuo · inocente** || **artístico · narrativo · periodístico** || **juvenil · infantil · femenino · masculino** || **carente (de)**

• CON SUSTS. **rasgo (de)** || **mezcla (de) · fusión (de) · abanico (de) · variedad (de)** || **manual (de) · libro (de)**

• CON VBOS. **reinar** || **consolidar(se)** *Poco a poco su estilo de juego se fue consolidando* · **afianzar(se) · madurar** || **crear · forjar · acuñar · trazar · perfilar · definir · desarrollar** || **marcar · imprimir · implantar · introducir · inculcar · imponer** || **mostrar · rezumar · derrochar** || **tener** *Tiene muchísimo estilo, hasta en la forma de moverse* · **practicar · cultivar · seguir** || **adquirir · adoptar · identificar** || **imitar · copiar · plagiar · calcar** || **propagar · difundir** || **mantener · conservar · abandonar · perder** || **amoldar(se) (a)** *Le costó un poco amoldarse a su nuevo estilo de vida* · **aclimatar(se) (a) · adherirse (a)** || **cambiar (de)** || **carecer (de)** || **influir (en)**

• CON PREPS. **con** *una mujer con estilo* · **sin**

☐ EXPRESIONES **por el estilo** [parecido] *Busco un hostal o algo por el estilo*

estima s.f.

• CON ADJS. **alta** *Toda nuestra familia siempre lo tuvo en alta estima* · **elevada · considerable · baja** || **sincera** || **propia**

• CON VBOS. **merecer · granjearse** *Pronto se granjeó la estima de sus compañeros* · **ganarse** || **sentir (por algo/por alguien)** *Siempre han sentido una profunda estima el uno por el otro* · **tener (a algo/a alguien) · guardar (a alguien) · manifestar** || **perder** || **tener (en)** *la mucha estima en que aquí la tenemos* || **gozar (de)**

estimación s.f.

• CON ADJS. **precisa · atinada · certera · ajustada · justa** || **aproximada · mera · simple · provisional · superficial · por encima** || **preliminar** *En una estimación preliminar, los datos obtenidos son esperanzadores* · **previa** || **prudente · optimista · pesimista** || **errónea · equivocada** || **positiva · negativa**

• CON VBOS. **hacer** *Han hecho una estimación errónea de la velocidad alcanzada* · **calcular · tener** || **lanzar · aventurar** || **sobrepasar · rebasar** || **aumentar · disminuir · duplicar**

• CON PREPS. **a tenor (de)**

estimar v.

▌ **[calcular, valorar]**

• CON SUSTS. **voto** || **cantidad · venta · coste · gasto** *Este año, los gastos se estiman en...* · **beneficio · pérdida · daño** || **distancia · tiempo**

• CON ADVS. **a ojo** *Una deuda pendiente que a ojo se estima que asciende a...* · **aproximadamente** || **por lo alto** · **por lo bajo** || **por encima** · **a bulto**

▮ [apreciar, querer]

• CON ADVS. **sobremanera** · **en mucho** *Dijo que estimaba en mucho la ayuda que le habíamos brindado* · **enormemente** · **sumamente** || **en lo que vale** · **sinceramente** || **escasamente** *Aunque en vida este autor fue escasamente estimado por crítica y público, en la actualidad...* · **en poco**

estimulante

1 **estimulante** adj.

• CON SUSTS. **sustancia** · **droga** · **hormona** · **fórmula** · **medicina** · **vitamina** || **bebida** · **alimento** · **hierba** || **aliciente** · **tentación** · **proposición** · **desafío** · **reto** · **proyecto** || **libro** *un estimulante libro de aventuras* · **obra** · **película** · **espectáculo** · ***otras creaciones*** || **novedad** · **noticia** · **cuestión** · **dato** || **libertad** · **opción** || **actitud** · **clima** *un clima de trabajo estimulante* || **opinión** · **juicio** · **valoración** · **evaluación** · **premio** || **experiencia** · **acción** · **ejercicio** || **efecto** · **resultado** · **desarrollo** · **factor** · **elemento** · **carácter** · **propiedad** · **ánimo** || **imagen** · **presencia** · **frescura**

• CON ADVS. **escasamente** · **altamente** · **fuertemente** || **suficientemente** · **sumamente**

• CON VBOS. **volverse** · **resultar**

2 **estimulante** s.m.

• CON ADJS. **peligroso** · **poderoso**

• CON SUSTS. **consumo (de)** *medidas para reducir el consumo de estimulantes* · **ingestión (de)** || **administración (de)** · **suministro (de)** · **dosis (de)**

• CON VBOS. **tomar** · **consumir** · **ingerir** · **usar** || **dar** · **suministrar** · **administrar** || **dopar(se) (con)** || **servir (de)**

estimular v.

• CON SUSTS. **economía** · **ahorro** · **inversión** || **imaginación** · **creatividad** *ejercicios para estimular la creatividad de los alumnos* · **ingenio** · **inteligencia** · **memoria** · **sentido** || **libido** · **hormona** · **apetito** · **deseo** || **competencia** · **colaboración** · **participación** *Intentan estimular la participación de los jóvenes en este tipo de proyectos* · **relación** || **uso** · **producción** · **consumo** || **creación** · **crecimiento** · **desarrollo** || **actividad** · **trabajo** · **investigación** · **búsqueda** || **lectura** *una campaña para estimular la lectura entre la población* || **vicio** · **corrupción**

• CON ADVS. **fuertemente** · **seriamente** · **profundamente** || **levemente** · **insuficientemente** || **eficazmente**

estímulo s.m.

• CON ADJS. **fuerte** · **poderoso** · **potente** · **firme** · **auténtico** · **indudable** · **profundo** · **eficaz** || **mayor** · **gran(de)** · **principal** · **notable** || **nuevo** · **tentador** || **débil** · **indirecto** · **menor** · **relativo** || **sonoro** *Es incapaz de captar este tipo de estímulos sonoros* · **audiovisual** · **visual** · **sensitivo** · **oloroso** · **gustativo** · **sensible** || **intelectual** *actividades para despertar una serie de estímulos intelectuales* · **mental** · **educativo** · **económico** · **material** · **fiscal** || **doloroso** · **placentero** · **agradable** || **natural** · **artificial** || **emocional** · **afectivo** · **físico** · **sexual**

• CON SUSTS. **inyección (de)** *Necesita urgentemente una inyección de estímulo*

• CON VBOS. **necesitar** · **recibir** · **aprovechar** · **aplicar** · **captar** || **dar** · **ofrecer** · **lanzar** · **brindar** · **transmitir** || **tener** · **abrigar** · **representar** · **constituir** · **suponer** *Su presencia supuso un estímulo para ella* || **provocar** · **despertar** || **sofocar** || **someter (a)** || **servir (de/como)**

• CON PREPS. **ante** · **bajo**

estipular v.

• CON SUSTS. **condición** *En la reunión se estipularán las condiciones del trato* · **base** · **norma** || **medida** · **sanción** || **cantidad** · **precio** · **pago** · **salario**

estirar v.

• CON SUSTS. **goma** · **pelo** · **arco** · **cuerda** · **hilo** · **cable** || **brazo** · **pierna** *¿Y si hacemos una parada para estirar un poco las piernas?* · **sábana** || **libro** · **película** *La película resulta aburrida porque el director la ha estirado indebidamente* · **discurso** · **charla** · **conversación** || **dinero** · **presupuesto** · **sueldo** *A veces hay que hacer milagros para estirar el sueldo hasta fin de mes* · **nómina** || **tiempo** · **plazo** · **límite** · **vencimiento** · **hora** || **diferencia** · **ventaja**

estirón s.m.

• CON ADJS. **fuerte** · **serio** · **profundo** || **ligero** · **leve** || **brusco** · **repentino** || **definitivo** · **final** · **último**

• CON VBOS. **pegar** *Tiene que crecer más, todavía no ha pegado el estirón definitivo* · **dar**

estival adj.

• CON SUSTS. **período** · **época** *Los hoteles de la costa se llenan en la época estival* · **estación** · **temporada** || **retiro** · **descanso** · **paréntesis** · **pausa** · **vacaciones** || **residencia** · **refugio** · **estancia** || **luz** · **sol** · **tormenta** *las frecuentes tormentas estivales* · **lluvia** · **sequía** || **vestimenta** · **indumentaria** || **temperatura** · **calor** · **sopor** || **programación** · **calendario** *Traigo el calendario estival de espectáculos* · **oferta** || **gira** · **festival** · **viaje** · **ocio** || **campaña** · **curso** · **campamento**

estocada s.f.

• CON ADJS. **certera** *El joven torero remató la faena con una certera estocada* · **rotunda** · **final** || **excelente** · **perfecta** · **soberbia** · **espectacular** · **fenomenal** · **defectuosa** || **caída** · **desprendida** || **tendida** · **ladeada** || **trasera** · **delantera** || **baja** · **media** · **honda** · **profunda** || **corta** · **entera**

• CON VBOS. **atravesar** || **clavar** · **colocar** || **recibir** *El animal recibió una profunda estocada* || **matar (de)** · **rematar (con/de)**

estofa s.f. *desp.*

• CON ADJS. **baja** · **peor** *En su juventud frecuentaba lugares de la peor estofa* || **social** · **política** · **moral**

estoicamente adv.

• CON VBOS. **aguantar** *Aguantó estoicamente en la cama todo el período de reposo* · **resistir** *Resistieron estoicamente el asedio durante más de dos meses* · **soportar** · **sufrir** || **resignarse** · **aceptar**

estoico, ca adj.

• CON SUSTS. **filosofía** *los seguidores de la filosofía estoica* · **moral** · **pensamiento** || **paciencia** *Admiro su paciencia estoica* · **resistencia** · **aguante** || **entereza** · **impasibilidad** · **pasividad** || **actitud** · **capacidad** · **valor** || **vena** · **aire** · **manera** || **sacrificio** · **sufrimiento**

estomacal adj.

• CON SUSTS. **dolor** · **molestia** · **malestar** · **afección** · **tumor** · **úlcera** *Los dolores estaban causados por una úlcera estomacal* · **gripe** · **problema** · **daño** · **acidez** · **irri-**

tación || cavidad · región · zona || reflujo · ácido || digestión || alivio || infusión · hierba · licor

estomagante adj. *col.*

• CON SUSTS. **persona** *Esta actriz me resulta estomagante; prefiero no ver ninguna de sus películas* || **repetición · exceso || pretensión · actitud || actuación · interpretación || aspecto · impresión || mareo**

estómago s.m.

• CON ADJS. **vacío** *tener el estómago vacío* · **lleno || prominente · de punta || de hierro** *un estómago de hierro que aguanta todo tipo de picantes* · **a prueba de bomba · resistente · delicado**
• CON SUSTS. **dolor (de) · úlcera (de) · acidez (de) · ardor (de) · cáncer (de) · afección (de) · molestia (de) · problemas (de) || lavado (de) || boca (de)**
• CON VBOS. **doler(le) (a alguien)** *Le duele el estómago porque he comido muchas chucherías* · **revolvérse(le) (a alguien) || encogérse(le) (a alguien)** *Se te encoge el estómago al ver tanta desgracia* · **dilatar(se) · contraer(se) || digerir (algo) || reducir || tener (para algo) || aliviar · engañar · llenar || padecer (de) || afectar (a) · dañar (a)**
☐ EXPRESIONES **estómago agradecido** [persona que presta determinados servicios como respuesta a algún favor recibido]

estopa s.f.

▌ [parte gruesa del lino o cáñamo]
• CON SUSTS. **montón (de) · maraña (de)**
▌ [castigo, paliza, golpes] *col.*
• CON VBOS. **repartir · dar · sacudir · arrear · atizar || recibir** *El árbitro acabó recibiendo estopa de algunos hinchas*

estorbar v.

• CON SUSTS. **paso** *Un coche mal aparcado está estorbando el paso* · **circulación · tráfico · tránsito · movimiento || construcción · labor · proceso · trabajo · funcionamiento · operación || plan · estrategia · proyecto · intención || especulación**

estorbo s.m.

• CON ADJS. **inútil · incómodo · innecesario · absurdo · molesto || burocrático · administrativo**
• CON VBOS. **quitar** *Quita todos los estorbos para que quepa la mesa en la habitación* · **retirar || representar · suponer · considerar · constituir || acabar (con) · deshacerse (de) || convertir(se) (en)**

estornudo s.m.

• CON ADJS. **fuerte · sonoro · estruendoso · tremendo**
• CON SUSTS. **ataque (de)** *Con el polvo me dan ataques de estornudos*
• CON VBOS. **sonar || lanzar · echar · soltar · dar || provocar || disimular · reprimir · aguantar · contener**

estrado s.m.

• CON ADJS. **judicial · del poder · presidencial || principal** *Los examinadores ocupaban el estrado principal* · **público**
• CON VBOS. **abandonar || llenar · ocupar || compartir || subir (a)** *Los galardonados pueden subir al estrado para recoger un premio* · **salir (a) · saltar (a) · acompañar (a) · bajar (de) || elevar (a) · llevar (a) || volver (a) · regresar (a) || sentar(se) (en)**

estrafalario, ria adj. *col.*

• CON SUSTS. **persona** *un local lleno de personajes estrafalarios* || **conducta · comportamiento · risa · acción || ropa · camiseta · vestido ·** ***otras prendas de vestir*** **|| decoración · imagen · estilo** *Tiene un estilo absolutamente estrafalario* || **propuesta · doctrina · idea · ideología · pensamiento || lenguaje · título || ley · condición || mundo**
• CON VBOS. **volverse**

estragos s.m.pl.

• CON ADJS. **serios · grandes · irreparables** *La epidemia ha provocado estragos irreparables* || **verdaderos · auténticos || aterradores**
• CON SUSTS. **delito (de)**
• CON VBOS. **causar · producir · provocar · ocasionar · hacer** *Un huracán hizo estragos en la región hace dos años* || **sufrir · padecer || aliviar · reparar · paliar · superar**

estrambótico, ca adj. *col.*

• CON SUSTS. **persona** *Tiene amigos estrambóticos* || **comportamiento · lenguaje || idea · proposición · propuesta || novela · película · libro ·** ***otras creaciones*** **|| vida · historia · declaración || situación · final || artilugio** *un artilugio estrambótico que abre todo tipo de botellas* || **ocupación · gestión || arte · humor**
• CON VBOS. **considerar || tachar (de) · tildar (de)**

estratagema s.f.

• CON ADJS. **ingeniosa · curiosa · inteligente · original · astuta · sutil || divertida || torpe** *una torpe estratagema electoral urdida por los responsables de la campaña* · **burda · vergonzosa · sucia · vil || solapada · encubierta · descarada · conocida || electoral · política · legal · oficial · administrativa**
• CON VBOS. **fracasar** *La estratagema para ganar votos fracasó estrepitosamente* || **crear · idear · planear · maquinar · tramar · urdir · inventar · preparar || intentar · poner en marcha · usar · utilizar**

estrategia s.f.

• CON ADJS. **sutil · audaz · drástica · ventajista || infructuosa · peregrina · perversa || vieja · nueva · pura** *por razones de pura estrategia* · **simple · conocida || lógica · coherente || estudiada · calculada · meditada || acertada · correcta · equivocada · errónea || intensiva · flexible || global · integral · conjunta** *...en una estrategia conjunta contra el terrorismo* || **disuasoria · defensiva · dilatoria · preventiva || electoral** *una estrategia electoral que ha dado muy buenos resultados* · **política · periodista · comercial · mercantil · publicitaria · propagandística · militar**
• CON SUSTS. **resultado (de) · consecuencia (de) || responsable (de) · artífice (de) · comité (de) || error (de/en) · falta (de) || jugada (de) · juego (de)** *Practican el juego de estrategia, no el fútbol desorganizado de antes* · **entramado (de) · lección (de) || ponencia (de) · documento (de) || diferencia (de) || guerra (de)**
• CON VBOS. **consistir (en algo) || fraguar(se)** *Esta estrategia comercial se ha ido fraguando a lo largo de todo el año* · **armar(se) · fortalecer(se) · prosperar || surtir efecto · fallar · fracasar || desmoronar(se) · derrumbar(se) || urgir || girar (sobre algo/en torno a algo) || pensar · idear · concebir · planear · maquinar · tramar · pergeñar · urdir · tejer · trenzar · planificar · diseñar · delinear · bosquejar · trazar · perfilar · preparar · plantear · calcular || elegir · dictar · buscar · concertar · aunar || tener · mantener** *Pase lo que pase, el entrenador*

piensa mantener su estrategia de ataque || **definir · afinar · orientar · pilotar · cimentar · apuntalar** || **usar · emplear · adoptar · utilizar · seguir · llevar a la práctica · aplicar · practicar · poner a prueba · establecer** || **avalar · apoyar · refrendar · alimentar · rebatir · oponer** || **desbaratar** *...la única forma de desbaratar su estrategia* · **desmontar · desarbolar · desactivar** || **desvelar · destapar · desentrañar** || **replantear · alterar · disfrazar** || **sumar(se) (a) · adherirse (a) · atenerse (a)** || **perseverar (en)** || **disentir (de) · abjurar (de)** || **cambiar (de)** *...no está dispuesto a cambiar de estrategia* || **responder (a)** || **formar parte (de)**

estratégicamente adv.

● CON VBOS. **situar(se)** *El mirador está situado estratégicamente* · **colocar(se) · posicionar(se) · disponer(se) · apostar(se) · poner(se) · ubicar(se) · localizar · emplazar** || **distribuir · repartir · esparcir** || **planear · pensar** *Debemos pensar estratégicamente el plan de ampliación* · **diseñar · preparar · orientar · urdir · articular · prever** || **desequilibrar · desfavorecer · reducir** || **favorecer** || **unir(se) · aliar(se)** || **atacar · defender**

● CON ADJS. **importante** *un momento estratégicamente importante para el equipo* · **decisivo,va · fundamental · crucial · vital**

estratégico, ca adj.

● CON SUSTS. **plan** *un plan estratégico de reconversión industrial* · **estudio · proyecto** || **punto · lugar · ciudad · línea · enclave · ubicación** || **posición · orientación · esquema · planificación** || **acuerdo** *Ambos países han firmado un acuerdo estratégico* · **alianza · socio,cia · ayuda** || **importancia · interés · prioridad** || **fuerza · razón · concepto** || **sector · industria** || **documento** *documentos estratégicos sobre diversas iniciativas parlamentarias* · **papel · ponencia · comunicación** || **instrumento · arma · componente · elemento** || **error · derrota** || **política · decisión · iniciativa · cambio** || **valor** *Se ha reconocido el valor estratégico de su gestión* · **carácter · aspecto** || **visión · objetivo** || **inversión · reserva** || **equilibrio · desequilibrio** || **instalación · retirada · maniobra · repliegue**

estrechamente adv.

● CON VBOS. **colaborar** *Siempre ha colaborado estrechamente con nuestra asociación* · **trabajar · cooperar · coordinar** || **vincular · relacionar · ligar · unir · asociar · emparentar · conectar · entrelazar · encadenar · maridar** || **vigilar · controlar · observar · gobernar · seguir (algo/a alguien)** || **atañer · afectar** *La ley afecta estrechamente a los menores de edad* || **disputar · competir** || **ganar · imponerse**

estrechar(se) v.

▌[abrazar]

● CON SUSTS. **mano · palma · cuerpo** || ***persona*** *Estrechó a su hija entre sus brazos*

● CON ADVS. **con fuerza · fuertemente · ligeramente** || **efusivamente · enérgicamente** || **amigablemente · afectuosamente** *Se estrecharon la mano afectuosamente* · **cariñosamente**

▌[reducir, hacer (más) estrecho]

● CON SUSTS. **calle** *La calle se estrecha un poco antes de desembocar en la plaza* · **paseo · canal · túnel · carretera · vía** || **vestido · camisa · pantalón** *¿Podrías estrecharme un poco el pantalón, mamá?* · ***otras prendas de vestir*** || **diferencia · distancia · ventaja · diferencial · abismo** || **margen · cerco · espacio** *El espacio que los separa es pequeño, y cada vez se estrecha más* · **círculo · límite · franja** || **marcador · porcentaje · déficit** || **visión · miras** || **control** *El Gobierno ha estrechado los controles fronterizos* · **vigilancia · búsqueda · persecución · acoso** || **relación · vínculo · amistad · contacto · convivencia · hermandad** || **lazo** *estrechar lazos comerciales y turísticos con nuestros vecinos* · **acuerdo · nexo · vinculación · unidad · cohesión · alianza** || **cooperación · colaboración** || **lucha · esfuerzo · voluntad**

● CON ADVS. **gradualmente**

estrechez s.f.

● CON ADJS. **angustiosa** || **de espacio · económica** *Pasaron varios meses de angustiosa estrechez económica* · **presupuestaria · financiera · cultural · monetaria** || **de miras · de espíritu · mental · intelectual · ideológica**

● CON VBOS. **sufrir · padecer · pasar · soportar** || **combatir · paliar · mitigar · aliviar** || **compensar** *Con estas ayudas, pretenden compensar en alguna medida la estrechez presupuestaria* || **vivir (en/con)** || **ceñirse (a)**

● CON PREPS. **con · sin** || **en medio (de)**

estrecho, cha

1 estrecho, cha adj.

● CON SUSTS. **paso · pasillo · carretera** *El único acceso al pueblo es una estrecha carretera de montaña* · **camino · cauce · calle · río ·** ***otras vías*** || **falda · vestido · camisa ·** ***otras prendas de vestir*** || **margen** *Han ganado el campeonato por un estrecho margen* · **límite · cerco · marco · círculo · franja · banda** || **ventaja · distancia · diferencia · diferencial** || **victoria · resultado · triunfo** || **visión · mente · mentalidad** *La estrecha mentalidad de sus padres les impedía aceptar que...* · **criterio · mira · óptica** || **seguimiento · vigilancia · control · marcaje · observación · análisis** || **relación · amistad · vínculo** *vínculos estrechos con los vecinos* · **vinculación · lazo · contacto · comunicación · parentesco · convivencia · confianza · sintonía** || **unión · conexión** *Se mantenía en el cargo por su estrecha conexión con el presidente* · **alianza · coordinación · nexo · correlación · asociación · correspondencia · simbiosis · comunión · unidad · interrelación · integración · coalición · complicidad** || **colaboración · cooperación · participación** || **afinidad · similitud · proximidad · vecindad · cercanía** *la estrecha cercanía de sus posiciones ideológicas*

2 estrecho s.m.

▌[paso geográfico]

● CON SUSTS. **lado (de)** *Desde este lado del estrecho*

● CON VBOS. **cruzar · atravesar** *atravesar el estrecho en barco* · **pasar**

estrella s.f.

▌[cuerpo celeste]

● CON ADJS. **resplandeciente · brillante · rutilante · deslumbrante · fulgurante · radiante · luminosa** || **fugaz** *Fue una noche en la que vimos varias estrellas fugaces* || **solar · sideral · polar**

● CON SUSTS. **lluvia (de)**

● CON VBOS. **brillar · lucir · centellear · resplandecer · deslumbrar (a alguien) · eclipsar(se) · alumbrar (algo) · iluminar (algo) · apagar(se)** || **leer (en)** *Dice que el futuro se puede leer en las estrellas*

▌[persona destacada]

● CON ADJS. **de relumbrón** || **de pies a cabeza** || **mediática · de cine · de rock** || **invitada** *Su cantante favorito será la estrella invitada de esta noche*

• CON SUSTS. **producto** *una campaña para lanzar el producto estrella de la temporada* || **presentador,-a** · **actor** · **actriz**
• CON VBOS. **surgir** || **declinar** · **decaer** · **apagar(se)** || **eclipsar(se)** || **convertirse (en)**

▮ [suerte, destino]

• CON ADJS. **buena** *Desde pequeña ha tenido muy buena estrella* · **mala**
• CON VBOS. **tener** *Ese chico tiene estrella y todo le sale bien* || **declinar** *Tuvo mucho éxito, pero parece que declina su estrella*

☐ EXPRESIONES **ver las estrellas** [sentir un dolor físico muy intenso] *col.*

estrellado, da adj.

• CON SUSTS. **cielo** *caminar bajo el cielo estrellado* · **noche** · **firmamento** · **bóveda** · **cúpula** || **bandera**
• CON VBOS. **ser** · **estar** · **ponerse** · **volverse**

estrellato s.m.

• CON ADJS. **efímero** · **fugaz** || **definitivo** · **absoluto** · **indiscutible** || **súbito** · **repentino** || **mundial** · **internacional** · **nacional** || **político** · **musical** · **literario** · **fotográfico** · **cinematográfico**
• CON VBOS. **alcanzar** · **conseguir** · **conquistar** · **ganar(se)** || **compartir** || **lanzar(se) (a)** *Su último álbum lo lanzó al estrellato* · **ascender (a)** · **acceder (a)** · **saltar (a)** · **acercar(se) (a)** || **encumbrar (a)** · **llevar (a)** · **conducir (a)** · **elevar (a)** || **mantener(se) (en)** · **consolidar(se) (en)**

estremecedor, -a adj.

• CON SUSTS. **suceso** · **accidente** · **tragedia** · **espectáculo** · **acto** · **acontecimiento** || **imagen** *las imágenes estremecedoras del accidente de avión* · **escena** · **situación** · **estampa** || **carta** *Lo cuenta con todo detalle en una carta estremecedora* · **libro** · **historia** · **relato** · **fábula** || **testimonio** · **declaración** · **confesión** · **alegato** · **revelación** · **poesía** · **canción** · ***otras manifestaciones verbales o textuales*** || **estallido** · **golpe** · **ruido** · **sonido** || **dolor** · **quejido** · **grito** *un grito estremecedor en mitad de la noche* · **bramido** || **silencio** · **soledad** || **dato** · **documento** · **retrato** || **experiencia** · **vivencia** · **resultado** || **cifra** · **saldo** · **límite** || **asunto** · **noticia**

estremecer(se) v.

• CON SUSTS. ***persona*** *La mujer se estremeció al oír los disparos* || **mundo** *noticias que estremecieron al mundo entero* · **país** · **sociedad** || **alma** · **conciencia** · **pensamiento** · **memoria** || **cimientos** · **estructura** || **entrañas** *un terremoto que estremeció las entrañas de la tierra*
• CON ADVS. **profundamente** *Semejante visión nos estremeció profundamente* · **considerablemente** · **notablemente** · **ostensiblemente** · **violentamente** || **emocionalmente**

estremecimiento s.m.

• CON ADJS. **profundo** · **hondo** || **enorme** · **grande** || **estético** · **sensorial** · **erótico** || **dulce** · **frío** || **agónico**
• CON VBOS. **entrar (a alguien)** · **recorrer (a alguien)** || **producir** · **causar** · **provocar** · **suponer** || **sentir** *Al verla sintió un frío estremecimiento* · **experimentar** || **evitar** · **reprimir**
• CON PREPS. **con**

estrenar v.

• CON SUSTS. **falda** *Tengo muchas ganas de estrenar mi falda nueva* · **camisa** · **chaqueta** · **pantalón** · **vestido** · **zapato** · **pañuelo** · ***otras prendas de vestir o complementos*** || **espectáculo** *¿Sabes cuándo estrena su nuevo espectáculo?* · **obra** · **película** · **documental** · **programación** || **local** · **casa** · **vivienda** || **medida**
• CON ADVS. **con éxito** *Ha estrenado su última película con gran éxito de crítica y público* || **a bombo y platillo** · **a lo grande** || **a medio gas** || **improvisadamente**

[estreno] → de estreno

estreñido, da adj.

• CON VBOS. **estar** · **andar** · **seguir** *Si sigues estreñido, prueba con estos cereales*

estreñimiento s.m.

• CON ADJS. **crónico**
• CON SUSTS. **tratamiento (de)** · **solución (para)** · **remedio (para)** || **problema (de)** || **síntoma (de)**
• CON VBOS. **prevenir** · **evitar** · **tratar** · **aliviar** *Sigue un tratamiento para aliviar su estreñimiento crónico* · **reducir** · **curar** || **padecer** · **tener**

estrepitosamente adv.

• CON VBOS. **fracasar** *Su primera película fracasó estrepitosamente* · **perder** · **sucumbir** · **naufragar** · **pinchar** · **embarrancar** · **malograr(se)** || **caer** · **derrumbarse** · **hundirse** · **desmoronarse** *A media mañana, la bolsa se desmoronaba estrepitosamente* · **venirse abajo** · **decaer** · **desplomarse** · **derribar** · **bajar** || **fallar** · **equivocarse** · **cantar** || **tropezar** · **patinar** · **chocar** · **estrellarse** · **volcar** || **devaluarse** · **degradarse** · **deteriorarse** || **reír** *Toda la clase se echó a reír estrepitosamente* · **resonar** · **sonar** · **desafinar** · **piar**

estrepitoso, sa adj.

▮ [ruidoso, escandaloso]

• CON SUSTS. **sonido** · **ruido** · **melodía** · **crujido** || **carcajada** *De pronto soltó una estrepitosa carcajada* || **ciudad** · **verbena** · **festejo** · **fiesta**

▮ [exagerado, contundente]

• CON SUSTS. **fracaso** · **derrota** *El entrenador ha sido destituido después de la estrepitosa derrota en la final* · **caída** · **goleada** · **resultado** · **patinazo** · **derrumbe** · **desplome** · **descalabro** · **fiasco** · **quiebra** || **error** · **fallo** · **equivocación** *una estrepitosa equivocación que provocó la risa de los asistentes*

▮ [desordenado]

• CON SUSTS. **comienzo** · **inicio** · **llegada** · **entrada**

estrés s.m.

• CON ADJS. **excesivo** *Todos sus problemas se deben al excesivo estrés que está usted padeciendo* · **fuerte** · **agudo** · **intenso** · **severo** · **crónico** || **permanente** · **diario** · **cotidiano** *Los fines de semana se va al campo para alejarse del estrés cotidiano* || **traumático** · **postraumático** || **emocional** · **profesional** · **laboral** · **ocupacional** || **ecológico** || **vulnerable (a)**
• CON SUSTS. **situación (de)** *enfrentarse a una situación de estrés* · **estado (de)** || **nivel (de)** · **grado (de)** || **síntoma (de)**
• CON VBOS. **dar (a alguien)** · **acuciar (a alguien)** || **aumentar** · **incrementar(se)** || **disminuir** · **reducir(se)** *ejercicios de relajación para reducir el estrés* · **quitar(se)** || **producir** · **provocar** · **causar** · **generar** · **originar** · **favorecer** || **tener** *Tiene estrés desde hace años* · **sentir** · **arrastrar** · **sufrir** · **padecer** || **desahogar** · **encauzar** · **canalizar** || **controlar** · **evitar** · **combatir** · **paliar** · **aplacar** · **aliviar** · **rebajar** || **resistir** · **superar** · **vencer** · **perder** || **diag-**

nosticar *Le han diagnosticado un estrés crónico* · **tratar** || **caer (en)** · **sucumbir (a)** · **dejarse llevar (por)** || **quejarse (de)** || **salir (de)** · **curar(se) (de)** · **librar(se) (de)** · **reaccionar (ante)** || **acabar (con)**
• CON PREPS. **con** · **sin** *Ya se me ha olvidado lo que es vivir sin estrés* || **al borde (de)** || **contra**

estresante adj.

• CON SUSTS. **trabajo** · **tarea** · **labor** · **puesto** · **oficio** || **vida** *Lleva una vida estresante* · **época** · **día** · **jornada** · ***otros períodos*** || **situación** · **ambiente** · **condiciones** *trabajar en condiciones estresantes* · **tensión** · **ritmo** · **rutina** || **sociedad** · **régimen** || **suceso**
• CON ADVS. **altamente** *un ritmo de vida altamente estresante* · **sumamente** || **especialmente**
• CON VBOS. **hacer(se)** · **volver(se)** · **resultar**

estriado, da adj.

• CON SUSTS. **piel** *crema para la piel estriada* · **cuerpo** · **músculo** · **musculatura** || **columna** · **superficie** · **pared** · **mueble** · **tejado** || **corteza**

estribar (en algo) v.

• CON SUSTS. **asunto** · **cuestión** · **tema** || **causa** · **razón** *Las razones del despido no estriban en su actitud ante el trabajo* · **justificación** · **motivo** · **argumento** · **origen** · **fundamento** · **quid** || **dificultad** · **problema** · **obstáculo** · **error** · **fallo** · **riesgo** · **peligro** *El peligro estriba en que evolucione hacia una pulmonía* || **diferencia** · **novedad** · **discrepancia** · **particularidad** · **singularidad** · **peculiaridad** · **originalidad** || **valor** *Su valor estriba en que es completamente natural* · **importancia** · **interés** · **mérito** · **relevancia** || **sabiduría** · **sapiencia** · **fama** || **crítica** · **acusación** · **objeción** || **preocupación** · **temor**

estribillo s.m.

• CON ADJS. **pegadizo** · **contagioso** · **machacón** || **popular** · **famoso** · **célebre** || **alusivo** · **rebuscado**
• CON VBOS. **sonar** || **rezar (algo)** · **proclamar (algo)** · **decir (algo)** || **cantar** · **canturrear** · **tararear** · **entonar** · **recitar** · **corear** · **repetir** || **memorizar** · **aprender** · **saber** · **recordar** || **tener** *La canción tiene un estribillo muy pegadizo*

[estribor] → a estribor

estricto, ta adj.

• CON SUSTS. **padre** · **madre** · **jefe,fa** · **árbitro,tra** *Los jugadores lamentan que el árbitro haya sido tan estricto* · **profesor,-a** · **público** · ***otros individuos y grupos humanos*** || **calendario** · **horario** · **programa** || **palabra** · **comentario** · ***otras manifestaciones verbales*** || **regla** · **norma** · **orden** · **disciplina** · **precepto** · **principio** · **normativa** · **ley** · **política** · ***otras disposiciones*** || **control** · **vigilancia** *presos sometidos a una estricta vigilancia* · **regulación** · **seguimiento** · **supervisión** · **revisión** · **seguridad** · **tutela** || **bloqueo** · **límite** · **dieta** *El médico le ha prescrito una dieta estricta para adelgazar* · **régimen** · **limitación** · **barrera** · **perímetro** || **término** · **condición** · **requisito** · **exigencia** · **cláusula** · **premisa** || **obediencia** · **respeto** · **cumplimiento** *en estricto cumplimiento de la normativa vigente* · **observancia** · **acatamiento** || **conducta** · **carácter** · **actitud** || **aplicación** · **empleo** · **uso** || **apego** · **confianza** · **amistad** || **justicia** *Actuó así por estricta justicia* · **objetividad** · **neutralidad** · **coherencia** || **sentido** · **interpretación** · **acepción** · **significado** · **versión** || **intimidad** *La boda se celebró en la más estricta intimidad* · **temor** · **celo** · **cautela** · **prudencia** · **pudor** || **secreto** · **silencio** · **mutismo** · **hermetismo** · **sigilo** || **lógica** · **razón** · **racionalidad** · **ética** || **procedimiento** · **medida** *Hubo estrictas medidas de seguridad durante la celebración de la cumbre* · **método** · **sistema** · **técnica** · **trámite** || **deber** · **función** · **obligación** · **responsabilidad** || **protocolo** · **ritual** · **burocracia** || **cubismo** · **realismo** · ***otras tendencias y movimientos***
• CON VBOS. **volverse** · **ponerse** · **mantenerse** · **resultar**

estridente adj.

• CON SUSTS. **color** · **tono** · **gama** · **cromatismo** || **sonido** · **ruido** · **música** *Mis vecinos escuchan música estridente a todo volumen* · **silbido** · **risa** · **grito** · **pitido** · **chirrido** || **voz** *con su voz estridente y metálica* · **declaración** · **manifestación** · **clamor** · **mensaje** || **político,ca** · **ministro,tra** · **músico,ca** · ***otros individuos***

estropajoso, sa adj. *col.*

• CON SUSTS. **pelo** *Con el agua del mar el pelo se queda estropajoso* · **cabello** · **melena** · **barba** · **cutis** · **boca** · **lengua** || **tela** || **tacto** || **voz** · **habla**
• CON VBOS. **estar** · **quedar(se)**

estropear(se) v.

• CON SUSTS. **coche** *Se nos estropeó el coche cuando más lo necesitábamos* · **máquina** · **mecanismo** · **pieza** · **motor** || **ordenador** · **lavadora** · **televisor** · **calentador** *Se me ha estropeado el calentador* · **caldera** · **radio** · ***otros aparatos electrónicos*** || **carne** · **leche** · **yogur** · ***otros alimentos*** || **imagen** · **rostro** || **naturaleza** · **paisaje** · **césped** · **jardín** || **fiesta** *Si va a estropearnos la fiesta, es mejor que no venga* · **excursión** · **partido** · **ceremonia** · **viaje** · ***otros eventos*** || **plan** · **negocio** · **sistema** · **invento** *Seguro que llueve y se nos estropea el invento* · **proceso** · **asunto** || **día** · **tarde** *El cielo se cubrió de nubes y se estropeó la tarde* · **vacaciones** · **jornada** · ***otros momentos o períodos***
• CON ADVS. **notablemente** · **visiblemente** || **por completo** · **definitivamente** · **irremediablemente** || **rápidamente** · **paulatinamente** · **con el tiempo**

estropicio s.m. *col.*

• CON ADJS. **general** · **absoluto** || **evidente** *A pesar del evidente estropicio que había organizado en la cocina...* || **grave** · **irremediable** || **político** · **jurídico** · **lingüístico** · **sanitario**
• CON SUSTS. **causa (de)** · **riesgo (de)** || **remedio (de/para)**
• CON VBOS. **causar** · **originar** || **formar** · **organizar** · **hacer** · **montar** || **impedir** · **evitar** || **arreglar** *Aún estamos a tiempo de arreglar el estropicio* · **pagar** || **remediar** · **paliar** · **reparar** || **advertir** · **comprobar** || **salvar(se) (de)**

estructura s.f.

• CON ADJS. **firme** · **sólida** *la sólida estructura de la organización* · **férrea** · **recia** · **robusta** · **eficaz** · **igualitaria** · **consolidada** · **arraigada** || **frágil** · **endeble** *El edificio se ha derrumbado debido a su endeble estructura* · **delicada** · **insegura** · **precaria** · **deficiente** · **débil** || **básica** · **fundamental** · **esencial** || **rígida** · **asfixiante** || **flexible** · **abierta** || **arcaica** · **obsoleta** · **anquilosada** || **vigente** · **imperante** · **dominante** · **integral** || **compleja** · **enrevesada** · **intrincada** · **farragosa** · **sencilla** · **compacta** || **vertebral** · **lineal** · **articulada** · **centrífuga** · **sistemática** || **interna** · **externa** || **narrativa** *la estructura narrativa de una obra* · **delictiva** · **defensiva** || **mental** · **afectiva** · **psíquica** || **social** · **jerárquica** · **orgánica** || **operativa** · **organizativa** · **funcional** · **vertebradora** · **integradora**
• CON SUSTS. **base (de)** · **peso (de)** || **reforma (de)** *Es necesaria una reforma de la estructura interna del partido* ·

modificación (de) · revisión (de) · transformación (de) · cambio (de) · modernización (de) · consolidación (de) || conocimiento (de) · análisis (de) · estudio (de)
• CON VBOS. constar (de algo) || armar(se) · robustecer(se) · afianzar(se) || tambalear(se) · convulsionar(se) · temblar || deteriorar(se) *Con el paso de los años la estructura se ha ido deteriorando* · desmoronar(se) || tener · formar · conformar · componer · vertebrar || crear · elaborar · forjar · delinear · cimentar · habilitar · plantear · replantear || organizar *El director de la obra ha organizado su estructura en tres actos* · dirigir · enderezar || actualizar · modernizar · mejorar · ampliar · reforzar *Ante el peligro de derrumbamiento, han decidido reforzar la estructura de varias construcciones* · fortalecer · apuntalar · centralizar · transformar · aligerar || respetar · mantener · anclar (en algo) · enmarcar || manipular · alterar · dañar · socavar *actividades subversivas que socavan las estructuras de nuestro sistema político* · desestabilizar · remover · subvertir || destruir · desmontar · eliminar · tirar · desmantelar || revisar · inspeccionar || afectar (a) *El terremoto ha afectado gravemente a la estructura de muchos edificios* || persistir (en)

estructurar v.

• CON SUSTS. artículo · discurso · tesis *estructurar la tesis doctoral en capítulos equilibrados* · ***otros textos*** || conjunto · esquema · argumento · información · datos || clasificación · organización || gobierno · sociedad · compañía *La nueva jefa ha estructurado la compañía en tres departamentos* · banda || red · sistema · método · programa · plan || carrera · estudios || actuación · espectáculo · festival || equipo *Han estructurado el equipo dando prioridad a los veteranos* · ejército || edificio · construcción · ciudad · área || exposición · debate · diálogo
• CON ADVS. perfectamente *Había estructurado perfectamente la exposición* · sabiamente · adecuadamente · racionalmente · coherentemente · debidamente · claramente || ordenadamente · minuciosamente || previamente

estruendo s.m.

• CON ADJS. enorme · descomunal · fuerte · gran(de) · impresionante · inmenso · tremendo || insoportable · infernal · pavoroso · terrible · salvaje · estremecedor · ensordecedor || ajeno,na (a) *encerrado en su habitación, ajeno al estruendo exterior* · afectado,da (por)
• CON VBOS. estallar · sonar || apagar(se) · alejar(se) || producir · provocar · generar · amplificar || escuchar · oír *Se oye el estruendo infernal de la discoteca* · sentir || paliar · amortiguar · acallar · aguantar
• CON PREPS. con || en medio (de) *Éramos incapaces de hablar en medio de aquel estruendo* · entre

estruendosamente adv.

• CON VBOS. reír · gritar · chillar · abuchear || sonar · resonar || fracasar *Su estrategia para hacerse con el poder fracasó estruendosamente* · equivocarse · perder · caer

estruendoso, sa adj.

• CON SUSTS. ruido || pitada *El árbitro se llevó una pitada estruendosa* · abucheo · cacerolada · silbido · ovación · aplauso || griterío · escándalo · fiesta || trueno · explosión · deflagración || alarma · sirena || concierto · música || risa · carcajada || fracaso *Después del estruendoso fracaso del equipo en su propio campo...* · derrota · caída · éxito · triunfo || recibimiento

estrujar v.

• CON SUSTS. limón · naranja *estrujar una naranja para que salga todo el zumo* · ***otros frutos*** || hoja · papel · bayeta · trapo || cuerpo · mano || ubre || niño,ña · hijo,ja *Estrujó entre sus brazos a su hija pequeña* · pueblo · ***otros individuos y grupos humanos*** || sesos *Por más que me estrujo los sesos, no me acuerdo de su nombre* · cabeza · cerebro · neuronas · imaginación · mollera · mente || posibilidades

estudiante s.com.

• CON ADJS. joven · adolescente · adulto,ta *En el turno de tarde hay estudiantes adultos* || de primaria · de secundaria · de bachillerato · universitario,ria · de doctorado || oficial · libre · repetidor,-a || ingresado,da · egresado,da || nuevo,va · novato,ta · veterano,na || buen,-a · excelente · brillante · destacado,da || mal,-a · flojo,ja · problemático,ca · mediocre · del montón · regular · mediano,na || aplicado,da · esforzado,da · aventajado,da · adelantado,da · superdotado,da || veterano,na · principiante *un estudiante principiante de violín* · incipiente || aprovechado,da · necesitado,da || trabajador,-a · disciplinado,da · constante · responsable || vago,ga · irresponsable
• CON SUSTS. grupo (de) · generación (de) || protesta (de) *En aquellos años hubo numerosas protestas de estudiantes* · problema (de) || vida (de) *Echo de menos mi vida de estudiante* · época (de) || intercambio (de) · encuentro (de) || viaje (de) · excursión (de) || atención (de/a) *horario de atención a estudiantes* || centro (de)
• CON VBOS. estudiar · trabajar · esforzarse · chapar · dar golpe *Tengo estudiantes que no dan golpe en todo el año* || aprender (algo) || preguntar (algo) *Hay estudiantes en clase que preguntan cosas muy interesantes* || integrar(se) || pasar · aprobar || fallar · fracasar · repetir (algo) · suspender || licenciar(se) · recibir(se) · graduar(se) · doctorar(se) || educar · enseñar · formar · motivar

estudiantil adj.

• CON SUSTS. protesta · revuelta · manifestación *Ha habido numerosas manifestaciones estudiantiles* · marcha · huelga · movilización || movimiento · organización · asociación · agrupación · asamblea · federación · sindicato || comunidad · colectivo · grupo · equipo · población || líder · dirigente · delegado,da · representante || política · participación *Ha aumentado considerablemente la participación estudiantil en las elecciones* · representación || medio · ambiente · mundo · vida · jerga || público · afición || comedia · película · pasaje || época *poemas de su época estudiantil* · etapa || residencia || beca · movilidad · intercambio || emisora || tuna

estudiar v.

• CON ADVS. pormenorizadamente *un investigador que está estudiando pormenorizadamente las causas de la enfermedad* · al detalle · detalladamente · con detalle · con lupa · atentamente · con cautela · de cerca *Ha viajado hasta allí para poder estudiar de cerca a estos animales* || en profundidad · a fondo · prolijamente · exhaustivamente · extensamente · profundamente || concienzudamente · a conciencia · seriamente · aplicadamente *Durante los años de la carrera estudió aplicadamente* · escrupulosamente · duramente · arduamente · intensamente · con interés · debidamente *Hasta ahora no se había estudiado este tema debidamente* || superficialmente · por encima · someramente · a medias · sesgadamente

· a la ligera || documentalmente · científicamente · activamente · empíricamente || en frío

estudio s.m.

▮ [acción o efecto de estudiar]

● CON ADJS. **amplio** *Acaba de publicar un amplio estudio sobre este tipo de animales* · **exhaustivo** · **detallado** · **minucioso** · **prolijo** · **pormenorizado** · **profundo** · **fecundo** || **breve** · **somero** · **elemental** · **superficial** · **sesgado** · **chapucero** || **serio** · **riguroso** · **esmerado** · **concienzudo** *Presentó un concienzudo estudio de mercado* · **atento** · **meticuloso** · **escrupuloso** · **metódico** · **documentado** || **lúcido** · **penetrante** · **convincente** · **fidedigno** · **aleccionador** · **revelador** · **demoledor** *un estudio demoledor acerca de las costumbres alimentarias de los jóvenes* · **concluyente** · **atinado** · **desenfocado** · **farragoso** || **novedoso** · **avanzado** || **preliminar** *El estudio preliminar a esta novela es realmente interesante* · **monográfico** *Ha realizado un estudio monográfico sobre la obra del autor* · **intensivo** · **sistemático** · **analítico** · **cualitativo** || **confidencial** · **en equipo** || **científico** · **técnico** · **de campo** · **de laboratorio** · **de mercado** || **digno,na (de)**

● CON SUSTS. **objeto (de)** · **materia (de)** · **tema (de)** || **alcance (de)** || **libro (de)** · **manual (de)** || **plan (de)** · **programa (de)** · **horario (de)** · **técnica (de)** · **sistema (de)** · **método (de)** · **hábito (de)** || **beca (de)** || **centro (de)** · **instituto (de)** · **casa (de)** · **área (de)** || **servicio (de)** · **gabinete (de)** || **viaje (de)** || **compañero,ra (de)** · **jefe,fa (de)**

● CON VBOS. **difundir(se)** *El estudio se difundió ampliamente gracias a los medios de comunicación* || **versar (sobre algo)** · **tratar (de algo/sobre algo)** · **analizar (algo)** · **basar(se) (en algo)** || **revelar (algo)** · **demostrar (algo)** · **sostener (algo)** · **concluir (algo)** *El estudio no concluye nada* || **obrar en poder (de alguien)** || **tener** *Lo primero que me preguntaron fue qué estudios tenía* · **cursar** · **aprobar** · **sacar** || **iniciar** · **abordar** · **acometer** · **emprender** · **dedicar** || **continuar** · **llevar adelante** · **desarrollar** · **ampliar** · **cultivar** || **culminar** · **terminar** · **completar** || **abandonar** · **dejar** · **retomar** · **absorber** || **convalidar** *No estoy segura de que me vayan a convalidar mis estudios en aquel país* · **validar** · **dar** || **amenizar** · **sustanciar** · **agilizar** · **planificar** || **hacer** · **efectuar** · **elaborar** · **realizar** || **presentar** *Acaba de presentar un interesante estudio sobre...* · **publicar** || **promover** · **auspiciar** · **pagar** · **financiar** · **avalar** || **acceder (a)** · **enfrascarse (en)** · **zambullir(se) (en)** · **adentrarse (en)** · **ahondar (en)** · **persistir (en)** || **dedicarse (a)** *Ha dedicado toda su vida al estudio de los insectos* · **centrarse (en)** *Lo que tienes que hacer ahora es centrarte en tus estudios* · **abocar (a)** || **someter(se) (a)** · **estar (en)** || **invitar (a)**

● CON PREPS. **según** · **a tenor (de)** || **a fuerza (de)** *Consiguió sacar la carrera a fuerza de estudio*

▮ [vivienda, lugar de trabajo]

● CON ADJS. **encerrado,da (en)** *Lleva varios días encerrado en su estudio para terminar la novela*

● CON VBOS. **alquilar** || **montar** · **poner** · **decorar** · **amueblar** || **trabajar (en)**

estudioso, sa

1 **estudioso, sa** adj.

● CON SUSTS. ***persona*** *un alumno muy estudioso*

● CON VBOS. **ser** · **volver(se)** · **estar**

2 **estudioso, sa** s.

● CON ADJS. **experto,ta** · **experimentado,da** · **reputado,da** · **cualificado,da** · **de prestigio** · **excelente** · **prestigioso,sa** || **principal** · **importante** · **relevante** · **máximo,ma**

● CON SUSTS. **grupo (de)** || **edición (para)** · **trabajo (de)** || **referencia (para)** · **objetivo (de)** || **opinión (de)**

● CON VBOS. **analizar (algo)** · **investigar (algo)** *Muchos estudiosos han investigado este fenómeno sin llegar a ninguna conclusión definitiva* · **publicar (algo)** || **asegurar (algo)** · **señalar (algo)** · **proponer (algo)** || **debatir (algo)** · **discutir (algo)** || **acudir (a)**

estupefacción s.f.

● CON ADJS. **absoluta** · **total** || **general** *Lo declararon ganador ante la estupefacción general* · **popular** · **social** || **desconcertante** · **atónita**

● CON SUSTS. **cara (de)** · **gesto (de)** || **causa (de)** || **estado (de)** *Se encontraba en tal estado de estupefacción que fue incapaz de reaccionar* · **nivel (de)** · **ataque (de)** || **tiempo (de)**

● CON VBOS. **cesar** · **aumentar** || **causar** *Nos causa una enorme estupefacción comprobar cómo el Gobierno...* · **producir** || **manifestar** · **mostrar** · **expresar** || **superar**

● CON PREPS. **con** *Vi con estupefacción cómo se la llevaban a la comisaría*

estupefaciente

1 **estupefaciente** adj.

● CON SUSTS. **sustancia** · **droga**

2 **estupefaciente** s.m.

● CON SUSTS. **ingestión (de)** · **demanda (de)** · **empleo (de)** · **uso (de)** || **brigada (de)** *La brigada de estupefacientes ha estado buscándolo durante meses* · **grupo (de)** || **control (de)** · **inspección (de)** · **prueba (de)**

➤ Véase también **DROGA**

estupefacto, ta adj.

● CON SUSTS. **público** · **espectador,-a** · **testigo** · ***otros individuos y grupos humanos*** || **cara** · **expresión** · **ojos** · **rostro** *ante el rostro estupefacto del vigilante* · **mirada** · **sonrisa** || **actitud**

● CON VBOS. **estar** · **dejar** *Su decisión me ha dejado estupefacta* · **quedar(se)** · **mostrar(se)** || **asistir** · **presenciar** · **contemplar** · **observar** · **mirar** · **comprobar**

● CON ADVS. **totalmente** · **completamente** || **realmente** · **verdaderamente** || **literalmente**

estupendo, da adj.

● CON ADVS. **sencillamente** · **realmente** · **verdaderamente**

● CON VBOS. **ser** *Es estupendo que nos hayamos encontrado* · **estar** *Con su nuevo peinado está estupendo* · **parecer** · **quedar**

estupidez s.f.

● CON ADJS. **absoluta** · **solemne** *Lo que dijo era una solemne estupidez* · **profunda** · **total** · **supina** · **pura** · **trivial** · **simple** · **auténtica** · **perfecta** · **monumental** · **descomunal** · **mayúscula** · **superlativa** || **congénita** · **pretenciosa** || **innegable** · **indudable** || **irremediable** · **fatal** || **humana** || **innumerables** *decir innumerables estupideces* · **numerosas**

● CON SUSTS. **sarta (de)** · **serie (de)** || **señal (de)** || **grado (de)** · **cota (de)**

● CON VBOS. **cometer** · **hacer** *Hace estupideces y distrae a los demás alumnos* || **decir** · **contar** · **narrar** · **hablar** || **lanzar** · **soltar** · **dejar caer** || **bordear** · **constituir** || **delatar** *comportamiento que delata una gran estupidez* · **revelar** · **reflejar** · **demostrar** || **soportar** *Dijo que no so-*

portaba tanta estupidez · **combatir** || **rayar (en)** || **reírse (de)** || **tachar (de)** · **tildar (de)**

estupor s.m.

● CON ADJS. **absoluto** · **profundo** || **colectivo** · **general** · **generalizado** || **verdadero**
● CON SUSTS. **sensación (de)** · **estado (de)** || **cara (de)** · **gesto (de)** · **mueca (de)**
● CON VBOS. **causar** · **producir** · **provocar** · **sembrar** || **sentir** || **expresar** · **manifestar** · **mostrar** || **fingir** · **disimular** || **llenar (de)** || **asistir (con)** · **ver (con)** · **comprobar (con)** *Comprobó con estupor cómo lo dejaban pasar el primero* · **contemplar (con)** · **leer (con)** || **recordar (con)**
● CON PREPS. **ante** · **en medio (de)** *El director anunció su dimisión en medio del estupor general* || **con** · **sin**

etapa s.f.

● CON ADJS. **crucial** · **decisiva** · **fundamental** · **trascendental** · **vital** || **eliminatoria** || **nueva** *Hoy comienza una nueva etapa en la vida de nuestra empresa* · **brillante** · **boyante** · **ilusionante** || **azarosa** · **contrarreloj** *el ganador de la etapa contrarreloj* || **larga** · **prolongada** · **dilatada** · **avanzada** · **pasajera**
● CON VBOS. **empezar** · **iniciar(se)** · **abrir(se)** · **transcurrir** · **avanzar** · **cerrar(se)** || **afrontar** *afrontar las etapas difíciles de la vida* · **emprender** || **atravesar** · **pasar** · **vivir** || **hacer** · **cubrir** · **culminar** · **superar** · **remontar** · **quemar** · **terminar** · **zanjar** || **saltarse** || **entrar (en)** *entrar en una etapa de bonanza económica* · **adentrarse (en)** · **pasar (por)** *Es que estamos pasando por una mala etapa* || **amoldar(se) (a)**

eternizar(se) v.

● CON SUSTS. **obra** *Se eternizaban las obras del ferrocarril por la mala gestión del Ayuntamiento* · **trabajo** · **proyecto** || **proceso** · **trámite** · **publicación** || **lucha** · **conflicto** · **guerra** || **litigio** · **pleito** · **queja** · **problema** || **momento** · **instante** · **tiempo** · **período** · **existencia** || **huelga** · **espera** || **movimiento** · **viaje** *Las constantes paradas eternizan los viajes* || **asunto** · **tema** · **cuestión**

eterno, na adj.

● CON SUSTS. **debate** · **polémica** · **discusión** · **problema** · **conflicto** · **dilema** *el eterno dilema del ser humano* · **duda** · **pregunta** · **cuestión** · **tema** || **verdad** *No hay verdades eternas* || **rival** *El equipo se enfrenta mañana con su eterno rival* · **enemigo,ga** · **compañero,ra** || **candidato,ta** · **aspirante** || **guerra** · **lucha** · **pugna** || **amor** *Al despedirse se juraron amor eterno* || **promesa** · **historia** || **adolescente** · **niño,ña** · **juventud** || **reposo** · **descanso** *Recemos por el descanso eterno de su alma* · **sueño** · **vida** · **primavera** · **viaje** · **retorno** · **gloria** · **salvación** || **gratitud** *Le debemos eterna gratitud*
● CON VBOS. **hacerse**

[ética] s.f. → ético, ca

ético, ca

1 ético, ca adj.

● CON SUSTS. **código** *el código ético de la profesión* · **valor** · **principio** · **orden** · **postulado** · **norma** || **conciencia** · **escrúpulo** · **intuición** · **formación** · **desarrollo** || **reflexión** · **debate** · **dilema** *plantear un dilema ético* · **conflicto** · **cuestionamiento** || **comportamiento** · **actitud** · **conducta** · **acuerdo** · **pacto** · **disposición** || **exigencia** · **deber** · **obligación** · **compromiso** *En el debate se habló del compromiso ético de los medios de comunicación* || **problema** · **asunto** · **tema** · **aspecto** · **cuestión** · **consideración** || **criterio** · **punto de vista** · **comité** || **dimensión** · **sentido** · **carácter** || **causa** · **razón** *No ha aceptado la propuesta por razones éticas* · **motivos** · **imperativo** · **finalidad** || **ejercicio** · **esfuerzo** || **fundamento** · **base** · **componente** · **contenido** || **marco** · **límite** · **referencia** · **implicación** *las implicaciones éticas de una ley* || **relativismo** · **escepticismo** · **formalismo** || **honradez** · **rectitud**

2 ética s.f.

▌[moral]

● CON ADJS. **intachable** *un profesional con una ética intachable* · **irreprochable** · **honesta** · **cuestionable** · **discutible** || **contradictoria** · **confusa** · **deformada** · **dudosa** *rodeado de personajes de dudosa ética* · **doble** || **elemental** · **arraigada** · **lesa** || **profesional** · **laboral** · **comercial** · **empresarial** · **judicial** · **ciudadana** · **política** · **informativa** || **pública** · **social** · **personal** || **democrática** · **cristiana** || **sujeto,ta (a)** · **carente (de)** *una persona carente de ética ciudadana* · **falto,ta (de)**
● CON SUSTS. **falta (de)** || **cuestión (de)** · **ejemplo (de)**
● CON VBOS. **predicar** · **tener** · **reinstaurar** || **saltarse** · **pisotear** · **quebrantar** · **transgredir** || **seguir** · **aceptar** · **rechazar** || **carecer (de)** || **atentar (contra)** *Tu comportamiento atenta contra la ética más elemental* · **ir (contra)** || **apegarse (a)**
● CON PREPS. **con** · **sin**

▌[rama del saber] Véase **DISCIPLINA**

[etiqueta] → de etiqueta; etiqueta

etiqueta s.f.

▌[protocolo, ceremonial]

● CON ADJS. **estricta** · **rigurosa** *En la invitación se exige rigurosa etiqueta*
● CON VBOS. **seguir** · **respetar** || **saltarse** · **exigir**

eucalipto s.m.

● CON ADJS. **fragante** · **oloroso**
● CON SUSTS. **gota (de)** · **esencia (de)** · **caramelo (de)** *caramelos de eucalipto que suavizan la garganta* · **aceite (de)** · **miel (de)** || **bosque (de)**
➤ Véase también **ÁRBOL**

eufemismo s.m.

● CON ADJS. **mero** · **simple** || **grueso** · **burdo** · **vulgar** || **encubridor** · **diplomático** || **socorrido** · **manido** · **repetido** · **conocido** · **recurrente** || **púdico** · **irónico** || **lingüístico** · **ideológico** · **político** · **jurídico**
● CON VBOS. **emplear** · **utilizar** · **usar** · **aplicar** || **interpretar** || **andarse (con)** · **hablar (con)** · **recurrir (a)** *No recurra a eufemismos y llame a las cosas por su nombre* · **valerse (de)** · **acudir (a)** || **disfrazar (con)** · **ocultar (con)** || **dejarse (de)**
● CON PREPS. **con** · **sin**

euforia s.f.

● CON ADJS. **creciente** · **desatada** · **desbordante** · **desbordada** · **desenfrenada** · **desaforada** · **incontenida** · **contagiosa** *la contagiosa euforia del público* · **loca** · **plena** · **desmedida** · **exagerada** · **enorme** || **colectiva** *un clima de euforia colectiva* · **general** · **generalizada** || **contenida** · **moderada** · **lógica** || **infantil** · **juvenil** || **bursátil** · **especuladora** · **inversora** · **compradora** · **económica** · **electoral**
● CON SUSTS. **arranque (de)** · **arrebato (de)** · **explosión (de)** · **brote (de)** || **reacción (de)** · **demostración (de)** *en un intento de evitar las demostraciones de euforia* · **expre-**

sión (de) · clima (de) || fruto (de) · eco (de) || grado (de)
● CON VBOS. **desatar(se)** · **reinar** *En la sede del partido reinaba la euforia* · **desbocar(se)** · **desbordar(se)** || **invadir (a alguien)** · **apoderar(se) (de alguien)** · **embargar (a alguien)** || **decaer** · **enfriar(se)** · **apagar(se)** · **desinflar(se)** · **desvanecerse** · **diluir(se)** · **disipar(se)** · **derrumbar(se)** · **remitir** *La euforia inversora está remitiendo* || **provocar** · **causar** · **ocasionar** · **suscitar** · **aumentar** · **destapar** · **contagiar** || **sentir** · **rebosar** · **derrochar** *Los jugadores derrochaban euforia al final del partido* · **segregar** || **contener** · **frenar** · **atemperar** · **aplacar** || **saltar (de)** || **dejarse llevar (por)** || **teñir (de)**
● CON PREPS. **con**

eufórico, ca adj.

● CON SUSTS. **aficionado,da** · **afición** · **multitud** · **público** · **hinchada** · **militante** *Los militantes del partido estaban eufóricos* · ***otros individuos y grupos humanos*** || **alegría** · **ira** || **gesto** *El representante salió de la reunión con un gesto eufórico* · **cara** · **sonrisa** || **discurso** · **declaración** || **espíritu** · **tono** || **ambiente** · **clima** · **panorama** || **triunfo** *el triunfo eufórico de la selección* · **derroche** || **reacción** || **grito** · **cántico** || **momento** || **sesión** *La bolsa ha vivido hoy una sesión eufórica*
● CON VBOS. **estar** · **salir** · **mostrarse** · **ponerse** || **encontrar(se)** · **sentirse** *Se sentía eufórica por haber sido seleccionada* · **mantener(se)** · **seguir** · **continuar** || **hablar** · **comentar**

euro s.m.

● CON SUSTS. **zona** *vivir en la zona euro*
➤ Véase también **MONEDA**

euskera s.m. Véase IDIOMA

eutanasia s.f.

● CON ADJS. **voluntaria** · **activa** · **pasiva** || **legal** · **ilegal**
● CON SUSTS. **ley (de)** *un debate sobre la ley de la eutanasia* · **regulación (de)** · **legalización (de)** || **admisión (de)** · **aceptación (de)** · **defensa (de)** || **tema (de)** · **debate (sobre)** || **derecho (a)** · **despenalización (de)** *Hay grupos que piden la despenalización de la eutanasia* || **práctica (de)** · **aplicación (de)** · **solicitud (de)** || **caso (de)**
● CON VBOS. **favorecer** · **facilitar** || **aceptar** · **admitir** || **regular** *leyes para regular la eutanasia* · **legalizar** · **despenalizar** || **condenar** · **castigar** || **autorizar** · **denegar** · **prohibir** || **defender** · **apoyar** · **promover** || **solicitar** · **pedir** || **practicar** · **efectuar** · **aplicar** || **oponer(se) (a)** · **luchar (contra)**

evacuación s.f.

● CON ADJS. **urgente** · **de emergencia** · **inmediata** *Ordenaron la evacuación inmediata del edificio* · **rápida** || **caótica** · **precipitada** · **precoz** || **progresiva** · **masiva** · **parcial** · **total** · **previa** || **militar** *la evacuación militar de la zona* · **civil** || **posible** · **eventual** · **obligada** · **imprescindible** · **necesaria** · **preventiva** || **nocturna**
● CON SUSTS. **simulacro (de)** *Esta mañana ha habido un simulacro de evacuación* · **plan (de)** · **operación (de)** || **vía (de)** · **ruta (de)** || **tarea (de)** · **labor (de)** · **servicio (de)** || **orden (de)** · **medida (de)** || **posibilidad (de)** · **problema (de)**
● CON VBOS. **comenzar** · **iniciar** · **empezar** || **ordenar** · **forzar** || **facilitar** · **organizar** · **preparar** || **prevenir** || **proceder (a)** *En cuanto el ministro dio la orden se procedió a la evacuación de las tropas* || **ayudar (a)** · **participar (en)**

evacuar v.

▮ [sacar]

● CON SUSTS. **herido,da** · **víctima** · **vecino,na** *Hubo que evacuar a los vecinos ante el peligro de que se propagase el incendio* · **trabajador,-a** · **personal** · **gente** · **tripulación** · **población** · ***otros individuos y grupos humanos*** || **agua** · **gas**

▮ [dejar libre]

● CON SUSTS. **zona** *Los bomberos evacuaron la zona a toda prisa* · **ciudad** · **edificio** · **habitación** · **vivienda** · ***otros lugares*** || **avión** · **barco** · **tren**
● CON ADVS. **necesariamente** *Había que evacuar necesariamente el colegio* · **urgentemente** || **inmediatamente** · **precipitadamente** · **a toda prisa** · **rápidamente** || **militarmente**

▮ [realizar]

● CON SUSTS. **consulta** · **trámite**

evadir v.

● CON SUSTS. **impuestos** *Acaban de descubrir que llevaba años evadiendo los impuestos* · **fisco** · **pago** · **tributo** || **dinero** · **capital** · **divisas** || **justicia** · **prisión** · **cárcel** || **vigilancia** · **control** *¿Cómo consiguieron los terroristas evadir el control policial?* · **prohibición** || **problema** · **responsabilidad** · **realidad** || **acción** · **consecuencia** || **tema** *Cuando hablamos se las arregla para evadir el tema* · **asunto** · **cuestión** · **pregunta** || **enfrentamiento** · **pelea** || ***persona*** *Yo en esos casos hago todo lo posible por evadir a mi jefe*

☐ USO Alterna a veces los complementos directos (*evadir los problemas*) con los complementos encabezados por la preposición *de* (*evadirse de los problemas*).

evaluación s.f.

● CON ADJS. **académica** · **docente** · **jurídica** · **médica** · **técnica** · **científica** || **crítica** · **rigurosa** *someter el examen a una rigurosa evaluación* · **cuidadosa** · **prudente** · **adecuada** · **atinada** || **completa** · **exhaustiva** · **detallada** || **parcial** · **somera** *una evaluación somera de los daños* · **apresurada** || **positiva** · **negativa** || **interna** · **externa** || **oficial** · **personal** *la evaluación personal de cada alumno* || **objetiva** · **imparcial** · **justa** || **subjetiva** · **sesgada** · **tendenciosa** · **injusta** || **sujeto,ta (a)**
● CON SUSTS. **criterio (de)** *acordar un único criterio de evaluación* · **procedimiento (de)** · **método (de)** · **proceso (de)** · **entrevista (de)** · **sistema (de)** || **comisión (de)** · **junta (de)** · **comité (de)** || **informe (de)** || **objeto (de)**
● CON VBOS. **realizar** · **hacer** · **efectuar** · **llevar a cabo** · **aventurar** || **adelantar** · **retrasar** · **postergar** || **pasar** · **superar** · **aprobar** *Casi toda la clase ha aprobado esta evaluación* || **pedir** · **solicitar** || **obtener** · **recibir** || **aceptar** || **someter(se) (a)**

evaluar v.

● CON ADVS. **exhaustivamente** *Se han evaluado exhaustivamente las características del terreno* · **a fondo** · **detalladamente** · **someramente** || **cuidadosamente** · **debidamente** · **con certeza** · **imparcialmente** *...y garantizan que evaluarán a los alumnos imparcialmente* || **positivamente** · **favorablemente** · **negativamente** · **desfavorablemente** || **científicamente** · **técnicamente** · **electoralmente**

evaporarse v.

● CON SUSTS. **agua** · **vino** · **alcohol** · ***otros líquidos*** || ***persona*** *El jefe de la banda se evaporó con el botín* || **di-**

nero · fondos · presupuesto · beneficio · cantidad || ilusión · esperanza · deseo
• CON ADVS. por completo · sin dejar rastro || como por encanto · por arte de magia · misteriosamente · como el humo || repentinamente · rápidamente · en un periquete · aceleradamente · por momentos · lentamente

[evasión] → de evasión; evasión

evasión s.f.

[fuga, huida]

• CON ADJS. **momentánea · fugaz || existencial · mental**
• CON SUSTS. **ganas (de) · ansia (de) · espíritu (de) || momento (de) · rato (de)** *un rato de evasión frente al televisor*
• CON VBOS. **entregarse (a) · disfrutar (de)**
• CON PREPS. **de** *literatura de evasión*

[impago o blanqueo de dinero]

• CON ADJS. **fiscal** *un empresario acusado de evasión fiscal* **· impositiva · tributaria · ilegal · contributiva**
• CON SUSTS. **delito (de) · escándalo (de) · caso (de)** *Ha salido a la luz un nuevo caso de evasión de impuestos* **· control (de) · intento (de) · plan (de) · trama (de) · red (de)**
• CON VBOS. **combatir** *una campaña para combatir la evasión de divisas* **· evitar · reducir · facilitar · buscar · frenar || acusar (de) · denunciar (por) · luchar (contra) · procesar (por)**

[evasiva] s.f. → evasivo, va

evasivo, va

1 **evasivo, va** adj.

• CON SUSTS. **respuesta · comentario** *Sospecharon de él por sus continuos comentarios evasivos* **· declaración · movimiento · maniobra || mirada · gesto || conducta · comportamiento · actitud || carácter · tendencia**
• CON VBOS. **mostrarse** *Tu hermana siempre se muestra evasiva conmigo* **· notar (a alguien) · resultar · parecer**

2 **evasiva** s.f.

• CON ADJS. **habitual · recurrente**
• CON VBOS. **lanzar · dar || recibir** *Solo he recibido evasivas de la compañía* **· escuchar || salir (con) · venir (con)** *No me vengas con evasivas* **· responder (con) · contestar (con) · incurrir (en) || recurrir (a) · refugiarse (en) · salir del paso (con)**

evento s.m.

• CON ADJS. **magno · solemne** *un evento solemne que fue cubierto por la prensa internacional* **· protocolario · internacional || histórico · memorable · trascendental · señalado · prestigioso || multitudinario** *reticente a acudir a eventos multitudinarios* **· masivo · concurrido || festivo · lamentable · accidentado || habitual · aislado · puntual · insólito · extraordinario**
• CON SUSTS. **escenario (de) · marco (de) || importancia (de) · repercusión (de) · consecuencia (de) · fama (de) || calendario (de) · programa (de)** *Han colgado en la página electrónica de la empresa el programa del evento*
• CON VBOS. **producir(se) · ocurrir · suceder · tener lugar · acontecer · acaecer || proyectar · programar · convocar · cancelar** *Las fuertes lluvias han obligado a cancelar el evento* **|| organizar · coordinar · orquestar || patrocinar · auspiciar || inaugurar · clausurar || celebrar · llevar a cabo · simultanear || protagonizar · capitalizar || amenizar** *los músicos que amenizaron el evento* **· reventar || presenciar · evocar · recordar · conmemorar · narrar || fechar || invitar (a) || acudir (a) · asistir (a)** *No le ha sido posible asistir al evento por problemas de agenda* **· participar (en) · faltar (a) || gozar (de)**

eventual adj.

• CON SUSTS. **contrato · empleo** *El aumento del empleo eventual preocupa a los sindicatos* **|| trabajador,-a · personal · gobierno || separación · divorcio · crisis · ruptura || guerra · ataque · invasión · liberación || acuerdo · alianza** *Ambos países han firmado una alianza eventual* **· pacto · negociación · tratado · declaración || ley · norma · reforma || victoria · derrota · fracaso || retraso · demora || desastre · accidente · lesión** *El seguro cubre las lesiones eventuales dentro del lugar de trabajo* **|| abandono · deserción · retirada · renuncia || suceso · hecho · acción · negocio || escasez · dificultad || candidato,ta · candidatura · sucesión || colaboración · participación** *El tratado contempla una eventual participación en la guerra* **|| socio,cia · apoyo · rechazo || regreso || solución · fórmula · salida || satisfacción · alivio** *un alivio eventual de los síntomas gripales* **|| aparición · formación · brote · desaparición || devaluación · bloqueo || cambio · restauración || traslado** *traslado eventual del negocio* **· traspaso || uso · consumo · aplicación || incorporación · presencia**

evidencia s.f.

• CON VBOS. **arrojar · ofrecer · presentar · mostrar · destapar || afrontar · negar** *Nadie niega la evidencia de las amenazas* **· ocultar · tapar · encubrir · disfrazar · distorsionar · tergiversar || tener** *La fiscal tiene evidencia de que el testigo no dice la verdad* **· constituir || analizar · constatar || poner (en)** *Varios tiros a puerta pusieron en evidencia la defensa de nuestro equipo* **· dejar (en) · quedar (en) · estar (en) || rendirse (a/ante) || cerrar los ojos (ante)**

☐ EXPRESIONES **en evidencia** [en una situación comprometida]

evitar v.

• CON SUSTS. **aumento · publicación · llegada · proliferación ·** ***otros sucesos*** **|| escándalo** *Debemos evitar el escándalo a toda costa* **· rumor · sospecha || error · fallo · caída · tropiezo · recaída || contacto · compañía · contagio || tentación · ocasión · problema || mal · desastre · guerra || multa · castigo || tema · asunto · cuestión · situación ||** ***persona*** *Tengo la impresión de que evitas a tu madre*
• CON ADVS. **a toda costa · a todo trance** *El objetivo de las negociaciones era evitar a todo trance una guerra* **· a la desesperada · en la medida de lo posible || de milagro** *El trapecista evitó una caída de milagro* **· por poco || a medias · a duras penas**

evocador, -a adj.

• CON SUSTS. **fuerza · capacidad · poder** *el poder evocador de la música* **· resultado || sentimiento · recuerdo || narración · descripción · ejercicio · poema** *En aquella época el autor escribía poemas evocadores de su infancia* **· discurso · frase · verso · diálogo · mensaje · cartel · nombre · título ·** ***otras manifestaciones verbales o textuales*** **|| imagen · dibujo · monumento || música · sonido · canción || recital · espectáculo || paseo** *un evocador paseo por las callejuelas medievales de la ciudad* **· panorama · paisaje · trasfondo || sonrisa · guiño || belleza**

evolución s.f.

• CON ADJS. **vertiginosa** *...por no hablar de la vertiginosa evolución de la tecnología moderna* · **fulgurante** · **imparable** || **gradual** · **progresiva** · **moderada** · **apreciable** · **significativa** *una evolución significativa en el aprendizaje de un idioma* · **inapreciable** || **futura** · **pendiente** || **lineal** · **natural** · **impredecible** || **positiva** · **favorable** · **impecable** · **negativa** · **desfavorable** || **a la baja** · **al alza** *...donde se alerta de la evolución al alza de los precios* || **técnica** · **tecnológica** · **biológica** · **histórica** · **política** · **intelectual** · **personal** *Se trata de cuidar la evolución personal de cada alumno* · **humana** · **económica** · **salarial** || **acorde (con)**

• CON VBOS. **producir(se)** · **registrar(se)** || **invertir(se)** · **torcer(se)** · **truncar(se)** · **quebrar(se)** || **experimentar** *Los enfermos que han experimentado una evolución positiva serán tratados con...* · **sufrir** · **acusar** || **observar** · **seguir** · **vigilar** || **controlar** · **encarrilar** · **enderezar** · **corregir** · **rectificar** · **impulsar** || **jalonar**

evolucionar v.

• CON ADVS. **positivamente** *El enfermo evoluciona positivamente* · **favorablemente** · **satisfactoriamente** · **negativamente** · **desfavorablemente** || **a la baja** · **al alza** || **considerablemente** || **a marchas forzadas** · **a pasos agigantados** *La niña no empezó bien, pero evoluciona a pasos agigantados* || **gradualmente** · **progresivamente**

exacerbado, da adj.

• CON SUSTS. **seguidor,-a** · **partidario,ria** · **afición** · **público** · ***otros individuos y grupos humanos*** || **ambiente** *un ambiente exacerbado por la desinhibición de los sentimientos* · **clima** || **rasgo** · **característica** · **estilo** || **exaltación** · **ponderación** · **lirismo** || **temor** · **miedo** *miedo exacerbado a la oscuridad* · **pasión** · **ilusión** · **amor** · **sentimentalismo** · ***otros sentimientos o emociones*** || **deseo** · **apetito** · **ánimo** · **consumo** || **competencia** · **competitividad** · **rivalidad** · **violencia** || **crítica** · **rechazo** · **réplica** · **defensa** || **fanatismo** · **conservadurismo** · **comunismo** · **liberalismo** *En su juventud fue seguidora del liberalismo más exacerbado* · **nacionalismo** · **patriotismo** · **racismo** · **individualismo** · **egocentrismo** · ***otras tendencias o ideologías***

exacerbar v.

▮ [irritar]

• CON SUSTS. **ánimo** *Sus palabras solo sirvieron para exacerbar el ánimo de los afectados* · **espíritu** || ***persona***

▮ [agravar, hacer más vivo e intenso]

• CON SUSTS. **enfermedad** · **dolor** · **dolencia** *Tantas emociones exacerbaron su dolencia* · **mal** || **problema** · **crisis** || **violencia** *Los últimos acontecimientos han exacerbado la violencia en la zona* · **competencia** · **tensión** · **conflicto** · **debate** · **rivalidad** · **discrepancia** || **crítica** · **réplica** · **amenaza** · **discurso** || **deseo** *momentos de tensión que exacerbaban sus deseos de renunciar* · **pasión** · **afán** · **impulso** · **apego** || **miedo** · **angustia** · **preocupación** · **frustración** · **intranquilidad** || **odio** · **rencor** · **indignación** · **descontento** · **resentimiento**

exactitud s.f.

• CON ADJS. **absoluta** *Nos proporcionó los datos que necesitábamos con absoluta exactitud* · **máxima** · **total** · **completa** · **gran(de)** || **necesaria** · **exigible** || **matemática** · **milimétrica** · **precisa** · **rigurosa** · **escrupulosa** · **meticulosa** · **cuidadosa** · **cuidada** || **engañosa**

• CON SUSTS. **falta (de)** || **nivel (de)** · **grado (de)**

• CON VBOS. **requerir** · **pretender** || **tener** || **verificar** · **comprobar** · **confirmar** · **garantizar**

• CON PREPS. **con** *No lo sabe con exactitud* · **sin**

exacto, ta adj.

• CON SUSTS. **número** *Se desconoce el número exacto de personas desaparecidas* · **cifra** · **monto** · **suma** · **cuantía** · **cantidad** || **dimensión** · **medida** · **peso** · **volumen** · **edad** || **dinero** · **valor** · **importe** || **reparto** || **momento** · **fecha** · **día** · **hora** || **punto** · **sitio** *No me acuerdo del sitio exacto en el que puse esos papeles* · **lugar** · **ubicación** · **situación** || **copia** · **réplica** · **traducción** · **reproducción** || **descripción** · **definición** · **análisis** || **información** · **dato** · **palabra** || **observación** · **valoración** · **diagnóstico** || **visión** · **idea** · **conocimiento** || **significado** *Desconozco el significado exacto de esta palabra* · **contenido** || **causa** · **resultado** · **alcance** || **circunstancia** · **perfil** · **límite** *Es difícil definir los límites exactos entre ambas disciplinas* || **coincidencia** · **correspondencia** · **equivalencia** || **ciencia**

exageración s.f.

• CON ADJS. **gran(de)** · **evidente** *Se trata de una evidente exageración* · **flagrante** · **manifiesta** · **tremenda** · **desmedida** · **desmesurada** · **extremada** · **abusiva** || **pequeña** · **ligera** || **burda** · **absurda** · **delirante** · **gratuita** || **peligrosa** · **interesada** · **doctrinal** || **habitual** || **propenso,sa (a)** *una artista propensa a la exageración*

• CON SUSTS. **tendencia (a)** || **colmo (de)**

• CON VBOS. **bordear** · **rozar** *Tanto adorno roza la exageración* || **cometer** || **caer (en)** · **incurrir (en)** · **pecar (de)** || **calificar (de)**

exagerado, da adj.

• CON SUSTS. ***persona*** *No seas exagerada* || **acento** || **cantidad** · **cifra** *Me pidieron una cifra exagerada por el apartamento* · **precio** || **oferta** · **propuesta** || **condena** · **multa** · **castigo** · **pena** || **pesimismo** · **optimismo** · **triunfalismo** · **ánimo** · **entusiasmo** · **admiración** || **lujo** · **pompa** || **aumento** · **bajada** · **caída** · **reducción** || **carga** · **trabajo** || **respuesta** · **reacción** *una reacción exagerada ante un problema menor* · **afirmación** · **conclusión** · **generalización** || **presupuesto** · **gasto** || **temor** · **confianza** · **precaución** || **contenido** · **forma** || **seriedad** · **importancia** *Creo que le está dando una importancia exagerada al asunto* · **pretensión** · **vanidad** || **extensión** · **distancia** · **altura** · **peso** · ***otras magnitudes*** || **polémica** · **violencia** || **extremo** · **caso** || **expresión** · **versión** · **apreciación** · **elogio** · **comparación** || **retrato** · **caricatura** · **análisis** · **descripción** · **diagnóstico** · **valoración**

• CON VBOS. **considerar** · **pecar (de)**

exagerar v.

• CON ADVS. **al máximo** · **en demasía** · **en exceso** || **un ápice** *Y no exagero un ápice si digo que...* || **a conciencia** · **deliberadamente** || **artificialmente**

exaltación s.f.

• CON ADJS. **patriótica** *Hizo esas declaraciones en un clima de exaltación patriótica* · **nacionalista** · **nacional** || **política** · **democrática** · **electoral** || **idealista** · **espiritual** *poesía de exaltación espiritual* · **religiosa** || **amorosa** · **pasional** · **familiar** · **vital** || **febril** · **irracional**

• CON SUSTS. **acto (de)** · **fiesta (de)** || **momento (de)** · **clima (de)** || **objetivo (de)** · **intento (de)** || **discurso (de)** || **motivo (de)** · **grado (de)** *El grado de exaltación política del discurso nos pareció excesivo*

• CON VBOS. **producir** · **suponer** · **encarnar** || **promover** || **convertir (en)** · **usar (como)**

exaltado, da adj.

● CON SUSTS. **ánimo** *para aplacar los ánimos exaltados de los espectadores* · **carácter** · **espíritu** || **espectador,-a** · **aficionado,da** · **público** · **creyente** · **sociedad** · ***otros individuos y grupos humanos*** || **amor** *Le escribía cartas de amor exaltado* · **pasión** · **cariño** · **odio** · ***otros sentimientos*** || **tono** · **lenguaje** · **protesta** || **espontaneidad** · **vitalismo** || **idealismo** · **religión** · **dogma** · **creencias** · **valor** *los valores exaltados de la juventud* · **política** || **nacionalismo** · **consumismo** · **humanismo** · ***otras tendencias y movimientos*** || **color** · **música** · **poesía**

examen s.m.

● CON ADJS. **de admisión** *aprobar el examen de admisión* · **de grado** || **médico** · **ocular** · **psicológico** · **de laboratorio** || **de conciencia** *hacer un profundo examen de conciencia* · **interior** · **público** || **escrito** · **oral** || **teórico** · **práctico** || **parcial** · **final** || **periódico** · **rutinario** *Se trata solo de un examen médico rutinario* || **oficial** · **reglamentario** || **atento** · **concienzudo** · **cuidadoso** · **meticuloso** · **detallado** · **minucioso** · **riguroso** · **estricto** · **severo** || **profundo** · **intensivo** · **exhaustivo** · **pormenorizado** · **prolijo** · **total** || **superficial** · **somero** · **ligero** · **sucinto** · **retrospectivo** || **buen(o)** · **brillante** · **redondo** *El examen me ha salido redondo* || **mal(o)** · **deficiente** · **desastroso** || **sujeto,ta (a)** *una propuesta sujeta a examen* · **pendiente (de)** || **digno,na (de)**
● CON SUSTS. **objeto (de)** || **ejercicio (de)** · **hoja (de)** · **modelo (de)** · **ejemplo (de)** || **resultado (de)** · **nota (de)** · **calificación (de)** || **tasa (de)** · **derecho (de)** || **convocatoria (de)** · **día (de)**
● CON VBOS. **tener lugar** || **delatar (algo)** · **revelar (algo)** || **convocar** · **hacer público** || **preparar** *preparar el examen de conducir* · **practicar** · **efectuar** · **realizar** · **hacer** · **pasar** · **rendir** || **bordar** · **clavar** || **aprobar** · **superar** · **salvar** || **suspender** · **catear** · **reprobar** || **corregir** · **revisar** *Los alumnos que lo deseen podrán revisar el examen* || **impugnar** || **presentar(se) (a)** · **someter(se) (a)**

examinar v.

● CON ADVS. **profundamente** · **en profundidad** · **detalladamente** *El forense, tras examinar el cuerpo detalladamente...* · **pormenorizadamente** · **al detalle** · **con detalle** · **por extenso** · **exhaustivamente** · **palmo a palmo** · **de arriba abajo** *examinar un terreno de arriba abajo* · **de cerca** · **detenidamente** · **cuidadosamente** *En estos momentos, la Policía Científica examina cuidadosamente las pruebas* · **concienzudamente** · **a conciencia** · **meticulosamente** · **minuciosamente** · **escrupulosamente** · **atentamente** · **con atención** · **con interés** · **con cautela** || **someramente** · **superficialmente** · **por encima** · **brevemente** || **con {mis/tus/sus...} propios ojos** · **de visu**

exasperante adj.

● CON SUSTS. **lentitud** *Me atendieron con una lentitud exasperante* · **parsimonia** · **torpeza** || **monotonía** · **rutina** || **retraso** · **tardanza** · **demora** · **espera** || **clima** · **sensación** *una sensación exasperante de no poder hacer nada* · **circunstancia** · **situación** · **estado** || **límite** · **dificultad** || **atasco** · **tráfico**

excedencia s.f.

● CON ADJS. **voluntaria** · **forzosa** || **remunerada** || **laboral**
● CON SUSTS. **funcionario,ria (en)** · **magistrado,da (en)** · **juez (en)** · **fiscal (en)** · **policía (en)** || **año (de)** *un año de excedencia por maternidad* · **período (de)** · **plazo (de)** || **situación (de)** · **régimen (de)**
● CON VBOS. **finalizar** · **acabar** · **concluir** || **pedir** · **solicitar** *Solicitó una excedencia para cuidar de un familiar* · **conseguir** · **tramitar** · **presentar** · **negociar** || **obtener** · **conceder** · **dar** || **denegar** || **cumplir** · **ampliar** || **tener** || **estar (de)** · **disfrutar (de)**

exceder v.

● CON SUSTS. **tamaño** · **dimensión** · **extensión** · **longitud** · **cantidad** · **precio** · **altura** · **edad** · ***otras magnitudes*** || **límite** · **nivel** · **tope** · **superficie** · **cupo** · **máximo** *La cantidad excede el máximo presupuestado* || **sueldo** · **asignación** · **renta** · **presupuesto** || **competencias** · **responsabilidad** · **atribución**
● CON ADVS. **considerablemente** · **largamente** · **notablemente** · **en mucho** *Esa tarea excede en mucho mis competencias* · **ampliamente** · **con creces** || **ligeramente** · **en poco** · **por poco**

excelencia s.f.

● CON ADJS. **sublime** || **admirable** · **solemne**
● CON SUSTS. **grado (de)** · **nivel (de)** || **premio (de)**
● CON VBOS. **admirar** · **alabar** *La crítica ha alabado la excelencia de su última obra* · **aplaudir** · **premiar** · **reconocer** || **buscar** · **alcanzar** · **lograr** · **conferir** · **recuperar** || **rayar (en)** || **aspirar (a)**
● CON PREPS. **por** *Es el plato típico por excelencia*

excéntrico, ca adj.

● CON SUSTS. ***persona*** *A este bar siempre vienen personajes excéntricos* || **carácter** · **personalidad** · **comportamiento** · **actitud** || **toque** · **tono** · **aire** || **rareza** · **extravagancia** · **fantasía** || **hábito** · **manía** · **obsesión** · **costumbre** · **rol** · **papel** || **imagen** · **vestimenta** · **ropa** · **estilo** *el estilo excéntrico del diseñador* · **aspecto** || **discurso** · **ocurrencia** || **fama (de)**
● CON VBOS. **considerar** || **tildar (de)** · **tachar (de)**

excepción

1 excepción s.f.

● CON ADJS. **escasa** · **contada** · **única** || **curiosa** · **rara** || **honrosa** *salvo honrosas excepciones* · **sana**
● CON SUSTS. **vía (de)**
● CON VBOS. **confirmar** *Ha sido la excepción que confirma la regla* || **encontrar** · **hallar** || **plantear** · **presentar** || **constituir** · **suponer** || **hacer** · **justificar**
● CON PREPS. **con** · **sin** · **de** *un invitado de excepción* · **salvo**

2 excepción (a) s.f.

● CON SUSTS. **regla** · **norma** *Su caso constituye una excepción a la norma general* · **dogma** · **principio** · **mandamiento**

excesivo, va adj.

● CON SUSTS. **calor** *el calor excesivo de los últimos días* · **frío** · **humedad** || **fuerza** · **peso** · **velocidad** · **volumen** · **altura** · **valor** · ***otras magnitudes*** || **confianza** · **optimismo** · **euforia** · **alegría** · **entusiasmo** · **pesimismo** || **tolerancia** · **lealtad** · **prudencia** · **flexibilidad** || **número** · **cantidad** || **crecimiento** · **incremento** · **aumento** · **distancia** || **demanda** · **oferta** · **producción** || **precio** *No nos podemos permitir pagar un precio excesivo* · **gasto** · **cobro** · **déficit** || **utilización** · **uso** *El uso excesivo de estos productos puede resultar nocivo para la salud* · **consumo** || **presión** · **riesgo** || **presencia** · **protagonismo** · **importancia** · **dependencia** · **concentración** · **influencia** || **frecuencia** *En mi trabajo hay que viajar con excesiva frecuencia* · **tiempo**

|| insistencia · vigilancia · control · permisividad || violencia || burocracia · gestión · trámite
● CON VBOS. **considerar** · **encontrar** *Encuentro excesivo el control que ejerce el Estado*

exceso s.m.

● CON ADJS. **auténtico** · **verdadero** · **tremendo** · **desmedido** · **peligroso** || **posible** · **supuesto** · **probado** || **gastronómico** · **verbal** *El exceso verbal que han protagonizado algunos líderes del partido...* · **salarial** · **sentimental** · **sexual** · **criminal** · **policial** || **ocasional** · **navideño** || **consciente (de)** · **causado,da (por)** *un accidente causado por un exceso de alcohol*
● CON VBOS. **producir(se)** || **cometer** *Cuide la dieta y no cometa excesos* || **constituir** · **suponer** · **representar** || **corregir** · **frenar** · **atajar** · **evitar** · **eliminar** *eliminar el exceso de grasa* || **detectar** · **señalar** || **criticar** · **censurar** · **reprobar** || **llevar (a)** || **caer (en)** · **incurrir (en)** || **acabar (con)** · **cortar (con)**
● CON PREPS. **por** · **sin**

excitación s.f.

● CON ADJS. **enorme** · **desmedida** · **incontenible** · **febril** · **frenética** · **enloquecida** · **compulsiva** || **evidente** · **palpable** · **contenida** || **nerviosa** *una crisis de excitación nerviosa* · **sexual** || **infantil** · **juvenil** || **preso,sa (de)**
● CON SUSTS. **grado (de)** · **nivel (de)** · **estado (de)** · **ataque (de)** || **momento (de)** · **clima (de)** || **sensación (de)**
● CON VBOS. **notar(se)** · **palpar(se)** *Se palpaba la excitación del público* · **reinar** || **crecer** · **aumentar** · **desbordar(se)** · **subir (de tono)** · **bajar** · **disminuir** || **sentir** · **sufrir** · **tener** · **mostrar** · **contagiar** || **contener** · **refrenar** · **reprimir** · **resistir** · **calmar** || **alimentar** · **provocar**
● CON PREPS. **de** *El público gritaba de excitación*

excitante

1 excitante adj.

● CON SUSTS. **aventura** · **experiencia** *Visitar este país ha sido una de las experiencias más excitantes de mi vida* · **odisea** · **desafío** · **acción** · **trabajo** · **vida** || **curso** · **día** *cansada después de un día tan excitante* · **hora** · ***otros períodos*** || **sensación** · **placer** · **imagen** || **hipótesis** · **idea** · **investigación** · **resultado** || **diversión** · **atracción** || **lectura** · **trama** *la trama excitante de la película* · **argumento** · **propaganda** || **gente** · **sociedad** · **relación** || **sustancia** · **bebida**

2 excitante s.m.

● CON VBOS. **tomar** · **beber** · **ingerir** · **consumir** || **suministrar** · **administrar** || **servir (de)**

excitar(se) v.

● CON SUSTS. ***persona*** *Te encuentro muy excitado* || **público** · **opinión pública** *Aquel nuevo escándalo excitó enormemente a la opinión pública* · **masas** || **curiosidad** · **imaginación** · **fantasía** || **sentidos** · **vista** · **órgano** || **nervios** · **ánimos** || **celos**
● CON ADVS. **sobremanera** · **excesivamente** *Aquellas historias excitaban excesivamente su fantasía* || **sexualmente**

[exclusiva] s.f. → en exclusiva; exclusivo, va

exclusivo, va

1 exclusivo, va adj.

● CON SUSTS. **información** *Ha conseguido una información exclusiva* · **reportaje** · **entrevista** || **diseño** · **creación** || **regalo** || **dedicación** *un trabajo que exige dedicación exclusiva* · **competencia** · **responsable** · **responsabilidad** · **problema** · **atribución** · **función** · **decisión** || **zona** · **acceso** · **paso** · **tránsito** || **uso** · **disfrute** || **servicio** · **distribución** · **suministro** *un producto de suministro exclusivo para nuestro país* || **promoción** · **oferta** *Se trata de una oferta exclusiva para clientes* · **venta** || **préstamo** · **concesión** || **educación** || **objetivo** · **finalidad** · **propósito** || **derechos** *La compañía discográfica no tiene los derechos exclusivos de todas sus canciones* · **patrimonio**

2 exclusiva s.f.

● CON ADJS. **absoluta** || **nueva** · **interesante**
● CON VBOS. **conceder** *conceder una exclusiva a una revista* · **dar** || **hacer** · **vender** || **lanzar** · **publicar** · **sacar** · **ofrecer** || **tener** · **conseguir** · **arrogarse** · **contratar**
● CON PREPS. **en** *informar en exclusiva*

[excursión] → de excursión; excursión

excursión s.f.

● CON ADJS. **entretenida** · **instructiva** · **divertida** · **interesante** || **aburrida** · **tediosa** || **breve** · **larga** || **matinal** · **nocturna** || **guiada** · **a pie** · **en autocar** · **marítima** · **aérea** || **opcional** · **obligatoria** || **campestre** · **urbana** · **dominguera** · **artística** · **turística** || **escolar** · **de trabajo** · **diplomática** · **publicitaria** || **infantil**
● CON SUSTS. **día (de)** || **programa (de)** || **compañero,ra (de)** *Una compañera de excursión sufrió un pequeño accidente* · **responsable (de)**
● CON VBOS. **comenzar** · **terminar** || **hacer** · **realizar** · **iniciar** · **emprender** · **continuar** · **repetir** || **organizar** · **programar** · **ofrecer** || **disfrutar (de)** || **apuntar(se) (a)**

excusa s.f.

● CON ADJS. **buena** *Tengo una buena excusa para no asistir a la fiesta* · **excelente** · **inmejorable** · **perfecta** · **pintiparada** || **creíble** · **razonable** · **legítima** || **hipócrita** · **mezquina** || **endeble** · **inconsistente** · **insostenible** · **inaceptable** · **vana** · **barata** · **falsa** || **rebuscada** · **peregrina** · **rocambolesca** · **novelesca** · **descabellada** · **alambicada** · **increíble** || **vieja** · **típica** · **socorrida** · **consabida** · **manida** || **suficiente** · **insuficiente** · **innecesaria** || **simple** · **mera** *Lo que me cuentas me suena a mera excusa* || **absolutoria**
● CON VBOS. **valer** || **sobrar** || **buscar** *Estoy buscando una excusa para no ponerme al teléfono* · **encontrar** · **hallar** · **inventar** · **idear** || **tener** || **poner** · **utilizar** · **dar** · **aducir** · **alegar** · **esgrimir** · **aventurar** · **soltar** · **{poner/servir} en bandeja (a alguien)** || **pedir** · **presentar** *Preséntele por favor mis excusas y dígale que no he podido ir* · **ofrecer** · **formular** || **recibir** · **aceptar** || **rebatir** · **refutar** || **ahorrar** || **poner (algo como)** *Siempre que llega tarde pone el tráfico como excusa* · **pensar (en)** · **sonar (a)** *Lo del compromiso ineludible suena a excusa* || **dar (con)** · **servir (de)** || **escudarse (en/tras)** || **deshacerse (en)**
● CON PREPS. **con** · **bajo** || **a modo (de)**

execrable adj.

● CON SUSTS. **asunto** · **acto** *Todos los líderes políticos han condenado el execrable acto* · **hecho** || **dictador,-a** · **tirano,na** · **escritor,-a** · ***otros individuos*** || **patrioterismo** · **terrorismo** · **radicalismo** · ***otras tendencias y movimientos*** || **régimen** · **dictadura** · **tiranía** || **crimen** · **delito** · **violencia** · **asesinato** *Juzgado el autor del execrable asesinato* · **atentado** · **guerra** || **comportamiento** · **actuación** · **acción** · **conducta** · **procedimiento** · **hábito** · **actitud** || **vicio** · **lacra** · **herejía**

exento, ta (de) adj.

● CON SUSTS. **humor** · **interés** *una información exenta de interés* · **emoción** || **impuesto** · **tributación** · **pago** · **gravamen** · **tributo** · **tasación** · **tasa** · **carga** *una actividad económica exenta de carga fiscal* · **arancel** · **contribución** · **cuota** · **peaje** · **IVA** || **pena** · **castigo** · **sanción** · **multa** || **responsabilidad** · **culpa** *¿Realmente hay alguien exento de culpa en esta cuestión?* · **obligación** · **imposición** · **deber** · **compromiso** || **polémica** · **crítica** · **tensión** · **controversia** *Las últimas elecciones no han estado exentas de controversia* · **discrepancia** · **discusión** · **debate** · **contradicción** · **escándalo** · **tirantez**

● CON VBOS. **estar** · **quedar(se)** *quedar exento de responsabilidades* · **mantener(se)**

exequias s.f.pl.

● CON ADJS. **fúnebres** · **de difunto** || **reales**

● CON SUSTS. **misa (de)** · **ritual (de)**

● CON VBOS. **tener lugar** || **celebrar** *Celebraron las exequias del difunto rey durante varios días seguidos* · **preparar** || **asistir (a)** · **acudir (a)** · **ir (a)** · **participar (en)**

[exhalación] → como una exhalación; exhalación

exhalación s.f.

● CON ADJS. **profunda** · **fuerte** · **tenue** || **de alivio**

● CON VBOS. **lanzar** · **soltar** · **dejar escapar** *Dejó escapar una exhalación de alivio* · **dar** · **emitir**

□ EXPRESIONES **como una exhalación*** [muy rápido] *Pasó corriendo como una exhalación*

exhaustivamente adv.

● CON VBOS. **enumerar** · **referirse** · **apuntar** · **detallar** · **explicar** *El manual explica exhaustivamente el funcionamiento del programa* · **aclarar** · **interrogar** · **dialogar** · **entrevistar** · ***otros verbos de lengua*** || **buscar** · **investigar** · **rastrear** · **escrutar** · **peinar** · **explorar** || **registrar** · **revisar** · **documentar** · **catalogar** *ejemplares exhaustivamente catalogados* || **analizar** · **estudiar** · **examinar** · **considerar** *Hemos considerado exhaustivamente todas las posibilidades* || **informar** · **difundir** · **divulgar** · **publicar** || **describir** · **narrar** · **contar** || **controlar** *Las fuerzas de seguridad están controlando exhaustivamente el equipaje de mano de los pasajeros* · **comprobar** · **supervisar** · **preparar** · **verificar** || **conocer**

exhaustivo, va adj.

● CON SUSTS. **análisis** *un análisis exhaustivo de la situación política* · **repaso** · **examen** · **estudio** · **investigación** · **lectura** · **reconocimiento** · **exploración** · **indagación** · **chequeo** · **búsqueda** · **rastreo** · **reflexión** || **lector,-a** · **crítico,ca** · **historiador,-a** *un artículo escrito por un historiador exhaustivo* · **investigador,-a** · ***otros individuos*** || **interrogatorio** · **conversación** · **debate** · **declaración** · **consulta** · **manifestación** · **testimonio** || **control** · **revisión** · **supervisión** *bajo la exhaustiva supervisión de los delegados de cada sede* · **seguimiento** · **registro** · **inspección** · **vigilancia** · **comprobación** · **cacheo** · **prueba** || **explicación** · **aclaración** · **argumentación** · **justificación** || **descripción** · **narración** · **historia** · **ensayo** || **libro** · **informe** *Han redactado un informe exhaustivo de más de diez páginas* · **artículo** || **dato** · **fuente** · **cifra** · **documentación** || **procedimiento** · **método** · **propuesta** · **proceso** · **técnica** · **estrategia** · **plan** · **planteamiento** · **proyecto** || **trabajo** *un exhaustivo trabajo de recopilación de documentos* · **función** · **labor** · **tarea** || **catálogo** · **listado** · **clasificación** · **inventario** · **diccionario** · **archivo** · **repertorio** · **antología** · **relación** · **lista** || **evaluación** *una evaluación exhaustiva previa al diagnóstico* · **valoración** · **opinión** · **diagnóstico** · **balance** · **visión** || **recorrido** · **calendario** · **campaña** · **gira** · **visita**

exhausto, ta adj.

● CON SUSTS. **persona** *El ciclista llegó exhausto al final de la meta* || **cuerpo** || **economía** · **arcas**

● CON ADVS. **completamente** · **absolutamente** *Estaba absolutamente exhausta después de dos noches sin dormir* || **físicamente** · **moralmente** · **psicológicamente** · **mentalmente**

● CON VBOS. **estar** · **sentir(se)** · **encontrar(se)** · **dejar** · **quedar(se)** · **notar (a alguien)** || **llegar** · **acabar** · **terminar** || **desfallecer** · **caer** *El corredor cayó exhausto pocos metros antes de la meta*

exhibición

1 **exhibición** s.f.

● CON ADJS. **brillante** · **magistral** *Tuvimos la suerte de asistir a una magistral exhibición aérea* · **magnífica** · **exquisita** · **impecable** · **perfecta** · **grandiosa** · **soberbia** · **formidable** · **espectacular** · **admirable** · **asombrosa** · **increíble** · **sensacional** · **bárbara** · **memorable** *La actuación de ayer fue una exhibición memorable* · **antológica** || **pura** · **verdadera** || **burda** · **grosera** · **indecente** · **impúdica** *una impúdica exhibición de imágenes macabras* · **obscena** · **bochornosa** · **vergonzosa** · **lamentable** · **macabra** · **pésima** || **modesta** · **ostentosa** · **gratuita** || **pública** · **popular** · **masiva** || **personal** · **propia** || **permanente** · **continua** · **especial** || **acrobática** · **aérea** · **armamentística** *El desfile fue una auténtica exhibición armamentística* · **malabar** · **pirotécnica** || **deportiva** · **olímpica** · **ecuestre** · **hípica** · **futbolística** · **goleadora** || **cinematográfica** · **fotográfica** · **pictórica** · **arqueológica**

● CON SUSTS. **sala (de)** · **espacio (de)** · **circuito (de)** || **torneo (de)** · **partido (de)** *El nuevo jugador podría debutar en el partido de exhibición que se juega el próximo miércoles* · **vuelo (de)** || **afán (de)**

● CON VBOS. **hacer** · **realizar** · **efectuar** · **ofrecer** · **dar** · **organizar** || **protagonizar** · **presenciar** || **bordar** · **redondear** · **rematar** · **rubricar** || **acudir (a)** · **asistir (a)** *asistir a una exhibición de fotografía*

2 **exhibición (de)** s.f.

● CON SUSTS. **facultades** · **habilidad** · **arte** · **conocimiento** · **inteligencia** · **talento** · **fuerza** · **musculatura** · **poder** *una innecesaria exhibición de poder* · **poderío** · **grandeza** · **valor** · **bravura** · **brutalidad** · ***otras cualidades*** || **amor** · **alegría** · **euforia** · **frialdad** · **entusiasmo** · ***otros sentimientos o sensaciones***

exhibir v.

● CON ADVS. **abiertamente** *No tuvo vergüenza en exhibir abiertamente su ignorancia* · **públicamente** · **sin tapujos** · **a pelo** || **generosamente** · **de refilón** || **dignamente**

exhumar v.

● CON SUSTS. **cadáver** *Exhumaron el cadáver para practicarle una autopsia* · **cuerpo** · **muerto,ta** || **documento** · **texto** *La investigación conlleva exhumar textos apenas conocidos para conocer más a fondo ese período histórico* || **recuerdo** · **memoria**

exigencia s.f.

● CON ADJS. **expresa** · **firme** · **enérgica** · **terminante** · **severa** *las severas exigencias del guión* || **elevada** · **extrema** · **inalcanzable** || **desmedida** · **desmesurada** · **desorbitada** · **abusiva** · **descarnada** || **razonable** · **atendible** ·

justa · **legítima** *La representante sindical se refirió a las legítimas exigencias de los trabajadores* || **antigua** · **nueva** · **actual** · **acuciante** · **apremiante** · **inaplazable** · **perentoria** · **imperiosa** · **prioritaria** || **insoslayable** · **irrenunciable** · **inexcusable** · **inexorable** · **sine qua non** || **inaceptable** · **intolerable** · **injustificada** · **inútil** || **acorde (con)** *un producto acorde con las exigencias legales* || **económica** · **salarial** · **técnica** · **legal** · **laboral**
- CON SUSTS. **nivel (de)** · **grado (de)**
- CON VBOS. **plantear** · **presentar** · **formular** · **imponer** · **establecer** || **satisfacer** · **cumplir** *cumplir las exigencias estipuladas en la normativa vigente* · **atender** · **aceptar** · **acatar** · **asumir** · **contraer** · **canalizar** || **desatender** · **desestimar** · **desoír** · **eludir** · **acallar** || **negociar** · **justificar** || **incrementar** · **rebajar** · **aflojar** · **dulcificar** || **constituir** *derechos que constituyen exigencias infranqueables* || **ir (con)** · **venir (con)** || **ceder (a)** · **acceder (a)** · **plegarse (a)** · **someter(se) (a)** · **atenerse (a)** · **adaptar(se) (a)** · **amoldar(se) (a)** · **adecuar(se) (a)** · **responder (a)** *Debemos responder a las exigencias de los clientes* || **oponer(se) (a)** · **negar(se) (a)**
- CON PREPS. **a la altura (de)** · **a la medida (de)** || **por** · **en función (de)**

exigente adj.

- CON SUSTS. **público** *Pretenden satisfacer al público más exigente* · **crítico,ca** · **entrenador,-a** · **jefe,fa** · **profesor,-a** · **cliente** · ***otros individuos y grupos humanos*** || **entrenamiento** · **juego** || **preparación** · **educación** · **formación** || **prueba** · **examen** || **normativa** · **disciplina** || **trabajo** *un trabajo exigente que no le dejaba tiempo libre para atender a su familia* · **compromiso** · **contrato** || **demanda** · **características** · **calidad** || **competencia** · **competitividad** · **rivalidad** || **condiciones** · **requisitos** *los exigentes requisitos de ingreso de la escuela de danza*
- CON ADVS. **especialmente** · **excesivamente**
- CON VBOS. **volver(se)** · **poner(se)**

exigir v.

- CON ADVS. **enérgicamente** *La representante exigió enérgicamente que se reconocieran sus derechos* · **firmemente** · **con firmeza** · **con todas {mis/tus/sus...} fuerzas** || **insistentemente** · **reiteradamente** *...porque la oposición ha exigido reiteradamente la dimisión del ministro* · **machaconamente** · **repetidamente** · **sin descanso** · **por activa y por pasiva** || **expresamente** · **explícitamente** || **a gritos** · **a voces** || **inútilmente** *Se cansaron de exigir inútilmente una solución* · **sin resultado** · **sin éxito** || **{en/como} compensación** · **a cambio**

exiliado, da

1 **exiliado, da** adj.

- CON SUSTS. **emigrante** · **inmigrante** · **escritor,-a** *poemas de escritores exiliados* · **poeta** · **político,ca** · **militante** · **rey** · **reina** · ***otros individuos***
- CON VBOS. **vivir** · **estar** · **encontrar(se)** · **sentir(se)**

2 **exiliado, da** s.

- CON ADJS. **político,ca** · **de guerra** *Se decretó la amnistía para los exiliados de la guerra* || **ilustre** · **famoso,sa**
- CON SUSTS. **grupo (de)** · **conjunto (de)** · **comunidad (de)** || **vuelta (de)** *El Gobierno permitió la vuelta de los exiliados* · **retorno (de)** || **condición (de)** · **vida (de)** || **familia (de)** · **hijo,ja (de)**
- CON VBOS. **retornar** · **volver** || **ir(se)** · **marchar(se)** · **huir** · **partir**

eximente

1 **eximente** adj.

- CON SUSTS. **circunstancia** *circunstancias eximentes de un delito* · **factor** · **razón** || **certificado**

2 **eximente** s.amb.

- CON ADJS. **completo,ta** · **total** *Una enfermedad congénita es eximente total para el servicio militar* || **incompleto,ta** · **parcial** || **judicial** · **de responsabilidad** *presentar eximentes de responsabilidad* || **aplicable** || **improcedente**
- CON VBOS. **caber** *Aquí no cabe la eximente de legítima defensa* · **concurrir** || **considerar** · **constituir** || **alegar** · **aplicar** *El tribunal le aplicó el eximente de enajenación mental* || **descartar** || **presentar (como)**

eximir (de) v.

- CON SUSTS. **responsabilidad** · **obligación** *La empresa no se puede eximir de las obligaciones que tiene con sus trabajadores* · **deber** · **exigencia** · **compromiso** · **cumplimiento** · **imperativo** · **débito** || **culpa** *eximir de culpa a un detenido* · **culpabilidad** · **acusación** · **cargo** || **pago** · **impuesto** · **tributación** · **gravamen** · **tributo** · **contribución** *La fundación está eximida del pago de estas contribuciones* · **abono** · **cotización** · **tasa** · **plusvalía** || **pena** · **castigo** · **sanción** · **multa** || **control** · **prueba** · **examen** || **requisito** · **licencia** · **autorización**
- CON ADVS. **temporalmente** · **permanentemente** · **definitivamente**
- CON VBOS. **pagar** · **declarar** · **tributar**

existencia

1 **existencia** s.f.

- CON ADJS. **breve** *En el transcurso de su breve existencia, la institución acometió importantes proyectos* · **corta** · **fugaz** · **efímera** || **larga** · **dilatada** · **prolongada** · **fecunda** || **lánguida** · **anodina** · **banal** || **apacible** · **pacífica** · **cómoda** · **acomodada** || **accidentada** · **azarosa** · **precaria** · **tormentosa** · **sedentaria** || **difícil** · **dura** · **atormentada** · **atribulada** · **amarga** · **desdichada** || **probable** · **posible** *Se está especulando con la posible existencia de unas grabaciones que probarían...* · **eventual** || **cotidiana** || **humana**
- CON VBOS. **peligrar** || **truncar(se)** || **intuir** · **sospechar** · **comprobar** · **demostrar** · **probar** · **confirmar** *Las últimas investigaciones confirman la existencia de ozono* · **detectar** · **determinar** · **reconocer** · **admitir** · **revelar** · **desvelar** · **anunciar** · **negar** · **justificar** || **prolongar** · **enderezar** || **alterar** · **poner en peligro** · **amargar** *noticias que amargan la existencia* · **hacer imposible** || **condensar** || **jalonar** || **tener** · **llevar** *llevar una pacífica existencia* · **disfrutar (de)** · **adaptar(se) (a)** || **basar(se) (en)** || **luchar (por)** *seres vivos que luchan por la existencia*

2 **existencias** s.f.pl.

- CON ADJS. **escasas** · **mínimas** · **suficientes** · **básicas** · **iniciales** · **de sobra** *Tenemos existencias de sobra para abastecer a la ciudad hasta la primavera* · **totales** · **completas** · **elevadas** · **amplias** · **sobrantes** · **remanentes** · **abundantes** · **disponibles** · **acumuladas** · **almacenadas** || **mundiales** · **permanentes** · **actuales**
- CON SUSTS. **inventario (de)** · **almacén (de)** · **restos (de)** · **control (de)** || **salida (de)** · **reposición (de)** *reposición automática de existencias* · **liquidación (de)** || **crecimiento (de)** · **aumento (de)** · **exceso (de)** *Han bajado los precios por el exceso de existencias* · **acumulación (de)** · **falta (de)**
- CON VBOS. **agotar(se)** *El producto ha tenido tanto éxito que ya se han agotado las existencias* · **extinguir(se)** · **fal-**

tar · disminuir · aumentar · crecer · quedar || tener · acumular · reducir || asegurar · garantizar · liquidar *Los dueños han vendido el negocio y están liquidando todas las existencias* · reponer || almacenar · guardar || acabar (con) · quedarse (sin) · deshacerse (de) · carecer (de) || proveer (de) · abastecer(se) (de) · disponer (de) || dar salida (a)

● CON PREPS. **hasta fin (de)** *promoción hasta fin de las existencias* · **en** *Ya no nos quedan unidades en existencias*

existencial adj.

● CON SUSTS. **angustia** *Tras el fallecimiento de su marido, quedó sumida en una profunda angustia existencial* · **asfixia** · **miedo** · **vacío** · **tristeza** · **dolor** · **desolación** · **hastío** · **pesimismo** · **descontento** || **optimismo** || **desengaño** · **frustración** · **fracaso** · **desarraigo** · **confusión** || **felicidad** *la búsqueda de la felicidad existencial* · **absurdo** · **miseria** || **problema** · **cuestión** · **preocupación** · **conflicto** · **crisis** *El artista confiesa que se encuentra en plena crisis existencial* · **huida** || **pregunta** · **duda** *un joven lleno de dudas existenciales* · **interrogante** · **enigma** · **dilema** · **reflexión** || **moral** · **filosofía** · **estética** || **búsqueda** · **anhelo** · **aspiración** · **inquietud** · **hondura** · **equilibrio** || **peripecia** · **experiencia** · **aventura** || **poesía** *una edición especial de poesía existencial de la posguerra* · **teatro** · **novela** · ***otras creaciones*** || **postura** · **opción** · **condición** · **dimensión** · **compromiso** || **significado** · **razón** · **sentido** · **porqué**

[existencias] s.f.pl. → existencia

[éxito] → éxito; sin éxito

éxito s.m.

● CON ADJS. **arrollador** *Tu amigo tuvo un éxito arrollador en la fiesta* · **aplastante** · **abrumador** · **arrasador** · **irresistible** · **imparable** · **indescriptible** · **sin precedentes** · **apoteósico** · **grandioso** · **monumental** · **sonado** *Tras varios éxitos sonados en el mundo del cine, ahora quiere dedicarse a la canción* · **clamoroso** · **desbordante** · **rebosante** · **deslumbrante** · **esplendoroso** · **flamante** · **rutilante** · **dorado** · **completo** · **total** · **auténtico** · **verdadero** · **pleno** · **redondo** · **rotundo** *La película cosechó un rotundo éxito* · **sin paliativos** · **desmesurado** · **creciente** · **apreciable** · **notable** || **fulgurante** · **fulminante** · **vertiginoso** || **indudable** · **inequívoco** · **ostensible** || **concluyente** · **decisivo** · **reparador** || **discreto** · **a medias** · **escaso** *Visto el escaso éxito de las medidas adoptadas, se está estudiando un cambio de estrategia* || **casual** · **imprevisible** || **fugaz** · **efímero** · **pasajero** || **ansiado** · **deseado** · **esperado** · **merecido** || **abocado,da (a)** || **borracho,cha (de)** || **de público** · **popular** · **multitudinario** || **comercial** · **de ventas** *El último libro de esta novelista fue un éxito de ventas*

● CON SUSTS. **clave (de)** *Dicen que la constancia es la clave del éxito* · **llave (de)** · **garantía (de)** || **ápice (de)** || **mieles (de)**

● CON VBOS. **llegar (a alguien)** · **sonreír (a alguien)** *Desde que cambió de trabajo el éxito le sonríe* · **favorecer (a alguien)** · **sobrevenir** || **fraguar(se)** · **consolidar(se)** · **reverdecer** || **empañar(se)** · **nublar(se)** · **apagar(se)** · **devaluar(se)** · **diluir(se)** || **residir (en algo)** || **subirse a la cabeza (a alguien)** *El éxito se le ha subido a la cabeza y ya no quiere saber nada de sus antiguos amigos* || **perseguir** · **acariciar** · **desear** · **anhelar** · **conquistar** · **conseguir** · **lograr** · **obtener** · **cosechar** · **anotar(se)** · **tener** · **atesorar** · **arrojar** · **revalidar** · **merecer** || **digerir** · **asumir** · **saborear** · **paladear** · **malgastar** || **compartir** · **acaparar** · **arrogarse** · **capitalizar** · **arrebatar** || **cimentar** · **apuntalar** · **remachar** · **auspiciar** · **avalar** · **refrendar** · **corroborar** || **reconocer** · **airear** · **magnificar** · **augurar** · **prever** || **atribuir (a algo)** · **deber** *El éxito de este producto se debe a su buena relación calidad-precio* || **abocar (a)** · **lanzarse (a)** · **acostumbrar(se) (a)** || **disfrutar (de)** · **gozar (de)** || **colmar (de)**

● CON PREPS. **al calor (de)** · **con posibilidad (de)** · **con** *superar con éxito una enfermedad* · **sin** *pedir ayuda sin mucho éxito*

□ EXPRESIONES **de éxito** [exitoso] *un libro de éxito*

éxodo

1 éxodo s.m.

● CON ADJS. **rural** *La industrialización provocó un masivo éxodo rural a principios del siglo pasado* · **campesino** · **urbano** || **vacacional** · **veraniego** · **estival** · **turístico** || **forzoso** · **obligado** · **forzado** || **civil** · **general** · **familiar** · **juvenil** · **bíblico** · **intelectual** *unas medidas que pretenden frenar el éxodo intelectual y la fuga de cerebros* || **irremediable** · **doloroso** · **dramático** *el dramático éxodo de miles de familias* · **trágico** · **desesperado** || **masivo** · **gigantesco** || **ordenado** · **silencioso** · **rápido**

● CON VBOS. **durar** || **iniciar(se)** · **comenzar** || **propiciar** · **provocar** · **frenar** *La leve recuperación económica no logró frenar el masivo éxodo de población* · **evitar** || **emprender** || **condenar (a)**

2 éxodo (de) s.m.

● CON SUSTS. **refugiados,das** · **inmigrantes** · **población** *Los ataques provocaron el éxodo de la población civil* · **habitantes** · **ciudadanos,nas** || **jugadores,ras** · **artistas** · **profesores,ras** || ***otros individuos y grupos humanos*** || **capital** · **empresas**

exonerar (de) v.

● CON SUSTS. **pago** *los contribuyentes exonerados del pago del impuesto* · **cotización** · **impuesto** · **tributo** || **deber** · **obligación** · **responsabilidad** || **culpa** · **cargo** *Lo exoneraron de todo cargo porque no había pruebas contra él* || **papeleo** · **trámite**

exorbitante adj.

● CON SUSTS. **cantidad** · **cifra** · **suma** · **gasto** · **precio** · **salario** · **remuneración** · **coste** · **tasa** · **arancel** *Impusieron exorbitantes aranceles para impedir la entrada de sus productos* · **peaje** · **fianza** || **deuda** · **endeudamiento** || **ganancia** · **beneficio** || **aumento** *Los precios de algunos alimentos han sufrido un aumento exorbitante en el último año* · **incremento** || **poder** · **privilegio** · **riqueza** || **pena** · **castigo** || **cláusula** || **subida** · **alza**

exótico, ca adj.

● CON SUSTS. **lugar** · **tierras** *viajar a tierras exóticas* · **país** · **isla** · **barrio** · **escenario** · **paraje** · **paisaje** · **ambiente** || **viaje** · **procedencia** · **destino** || ***persona*** *un bailarín exótico* || **animal** · **ave** · **pez** · **especie** · **planta** · **flor** || **comida** · **plato** · **fruta** *yogur con sabor a frutas exóticas* || **cultura** · **nombre** · **doctrina** || **belleza** *la exótica belleza de la isla* · **perfume** || **enfermedad** || **película** · **historia** · **aventura** || **imagen** · **toque**

expandir(se) v.

● CON SUSTS. **fuego** · **humo** || **noticia** · **rumor** · **sospecha** || **enfermedad** *Hay que hacer algo antes de que la enfermedad se expanda* · **mal** · **epidemia** · **cáncer** · **tumor** · **virus** · **fiebre** || **empresa** · **multinacional** · **compañía** · **negocio**

• CON ADVS. {por/a} todas partes || como la peste · como la pólvora *La noticia se expandió como la pólvora* · sin control · vigorosamente || gradualmente · progresivamente

expansión s.f.

• CON ADJS. fuerte · notable · acusada · pujante · acelerada · fulgurante *La fulgurante expansión del virus preocupa a las autoridades sanitarias* · vertiginosa · arrolladora · desenfrenada · desmesurada · espectacular · imparable || uniforme · gradual · escalonada *Impulsaremos una escalonada expansión urbanística en la zona* · paulatina · permanente || futura || económico · comercial · urbana · urbanística · industrial · empresarial · técnica · tecnológica

• CON SUSTS. amenaza (de) *ante la amenaza de expansión de la competencia* · fuerza (de) · ritmo (de) || proceso (de) · ciclo (de) || polo (de) || plan (de)

• CON VBOS. producir(se) · consolidar(se) · acelerar(se) || experimentar · sufrir || facilitar · fomentar · potenciar *potenciar la expansión comercial* · promover · fortalecer · provocar || controlar · frenar · ralentizar · limitar · detener · evitar

expectación s.f.

• CON ADJS. gran(de) · enorme · desbordante || inusitada *La película ha despertado una inusitada expectación tras los últimos acontecimientos políticos* · sorprendente · especial || cierta

• CON VBOS. crecer *Crece la expectación en torno al caso de las escuchas ilegales* · aumentar || decrecer · disminuir · decaer · apagar(se) || levantar *Su vuelta a los ruedos ha levantado una enorme expectación* · despertar · provocar · crear · generar · concitar · producir

expectante adj.

• CON SUSTS. público *actuar ante un público expectante* · auditorio · afición · ***otros individuos y grupos humanos*** || ojos · mirada · presencia || silencio *Se produjo un silencio expectante* · situación · ambiente · tónica || posición · postura · actitud · temple · ánimo

• CON VBOS. estar || esperar · aguardar · vivir · acechar || seguir · mantener(se)

expectativa s.f.

• CON ADJS. ambiciosa · gran(de) *una empresa con grandes expectativas de crecimiento* · amplia · enorme · desmedida · desmesurada · exagerada · viva · arraigada || buena · favorable · positiva · halagüeña *Crecen las expectativas halagüeñas sobre su recuperación* || mala · desfavorable · negativa · catastrófica · negra || falsa · irreal · infundada · fundada || oficial || acorde (con)

• CON VBOS. crecer · afianzar(se) · cumplir(se) · desbordar(se) · despejar(se) || enfriar(se) · aguar(se) · frustrar(se) · truncar(se) · desinflar(se) · desmoronar(se) · desvanecer(se) || albergar · abrigar · tener · depositar *Deposité todas mis expectativas en aquel puesto* · canalizar · mantener · conservar || crear · despertar · generar · sembrar · ampliar · aumentar · inflar · avivar · alimentar · reforzar · reavivar · renovar · reabrir · justificar || disminuir · reducir · pulverizar || confirmar · corroborar · alcanzar · cubrir · satisfacer *un empleo nuevo que satisfaga sus expectativas* · colmar · superar · sobrepasar · rebasar · batir || defraudar · decepcionar · traicionar · desmentir · incumplir || responder (a)

• CON PREPS. a la altura (de) · con arreglo (a) · según *funcionar según las expectativas* || al calor (de)

expedición s.f.

• CON ADJS. científica *Un famoso antropólogo capitaneaba la expedición científica* · botánica · zoológica · antropológica · arqueológica · médica || militar || humanitaria · cultural · conmemorativa · submarina · espacial · comercial · punitiva || deportiva · olímpica || internacional · conjunta || americana · europea · danesa · aragonesa · ***otros gentilicios*** || clandestina · oficial || infantil · juvenil · escolar · universitaria

• CON SUSTS. miembro (de) · componente (de) · integrante (de) · jefe,fa (de) · director,-a (de) · guía (de)

• CON VBOS. partir *La expedición militar partirá mañana* · zarpar · salir || tener éxito · fracasar · frustrar(se) || acometer · afrontar · realizar · hacer || montar · organizar · promover · financiar || capitanear · dirigir · encabezar || enrolar(se) (en) · participar (en) · formar parte (de) *Forma parte de la expedición periodística que cubre el acto*

expediente s.m.

• CON ADJS. académico *Tiene usted un expediente académico envidiable* · personal · curricular · administrativo · burocrático || judicial · criminal · penal · clínico · militar || disciplinario · acusatorio · recusatorio · informativo || oficial · reglamentario · preceptivo · correspondiente · rutinario *abrir un expediente rutinario* || buen(o) · impecable · intachable · inmejorable · inigualable · modélico || mal(o) · discreto · mediocre · mejorable || público · confidencial · secreto || voluminoso || anexo,xa (a) *los mapas anexos al expediente*

• CON SUSTS. número (de) || apertura (de) · instrucción (de) · curso (de) · lectura (de) · revisión (de) · examen (de) · traslado (de) || acceso (a) *¿Quién tiene acceso a estos expedientes?*

• CON VBOS. constar (de algo) · contener (algo) || amontonar(se) || basar(se) (en algo) · demostrar (algo) · obrar en poder (de alguien) *El expediente obra en poder de los abogados* || prescribir || abrir · incoar · iniciar · formar · levantar · presentar · reabrir · cerrar · sobreseer || cursar · tramitar · instruir · paralizar || cumplimentar · sustanciar || revisar · inspeccionar · sellar *sellar un expediente judicial* || calificar · aprobar · denegar || archivar · trasladar · remitir · extraviar || ensuciar || anotar (en) · consignar (en) · incorporar (a) · anexar (a) || constar (en) · figurar (en) || acceder (a) · bucear (en) || dar curso (a) *Están tardando demasiado en dar curso al expediente* · dar carpetazo (a) || quitar hierro (a) || amenazar (con)

• CON PREPS. conforme (a) · de acuerdo (con) · según *obrar según el expediente*

expedir v.

• CON SUSTS. pasaporte · carné · título · certificado *¿En qué ventanilla se expide el certificado de familia numerosa?* · ***otros documentos*** || decreto · ley || envío · paquete · carta · fax

expeler v.

• CON SUSTS. aire · agua · gas · humo · ***otros líquidos o fluidos***

expendedor, -a

1 expendedor, -a adj.

• CON SUSTS. máquina *la máquina expendedora de billetes de metro* · aparato · carro *un carro expendedor de perros calientes* || empresa || estación · tienda · establecimiento

2 **expendedor, -a** s.

● CON ADJS. **automático,ca** *un expendedor automático de billetes*

● CON SUSTS. **representante (de)** || **asociación (de)**

expender v.

● CON SUSTS. **alcohol** *La normativa de este país prohíbe expender alcohol a menores* · **tabaco** · **bebida** · **gasolina** · **medicamento** · **fármaco** · **leche** · ***otros productos*** || **billete** · **entrada** · **boleto** · **quiniela**

experiencia s.f.

▮ [práctica prolongada o conocimiento obtenido de ella]

● CON ADJS. **larga** *una larga experiencia como maestro* · **amplia** · **vasta** · **extensa** · **gran(de)** · **dilatada** · **nutrida** · **profunda** · **rica** · **vívida** · **sobrado,da (de)** || **corta** · **escasa** || **probada** · **contrastada** · **reconocida** *un profesional de reconocida experiencia* · **indudable** · **demostrable** || **laboral** *En el currículum debes hacer constar tu experiencia laboral* · **profesional** || **acorde (con)**

● CON SUSTS. **falta (de)** *Se detectaron graves fallos debidos a la falta de experiencia de los organizadores* · **dosis (de)**

● CON VBOS. **demostrar (algo)** *La experiencia demuestra que no se puede bajar la guardia cuando se trata de...* · **enseñar (algo)** · **aconsejar (algo)** · **decir (algo)** || **aflorar** || **avalar (algo/a alguien)** || **adquirir** · **acumular** · **atesorar** · **ganar** · **obtener** · **tener** *¿Tiene usted experiencia en el cuidado de niños?* · **destilar** · **rezumar** · **depositar** || **aportar** · **deparar** · **proporcionar** || **exigir**

● CON PREPS. **a fuerza (de)** · **a la luz (de)** · **con** · **sin** · **por** *Lo sé por experiencia*

▮ [efecto de experimentar]

● CON ADJS. **dura** *Puedes aprender mucho de esta dura experiencia* · **fuerte** · **agotadora** · **accidentada** · **tormentosa** || **mala** · **negativa** · **amarga** · **aciaga** · **traumática** · **dolorosa** · **lamentable** · **agridulce** || **interesante** · **buena** · **positiva** · **maravillosa** || **útil** · **enriquecedora** *Este viaje ha sido una experiencia muy enriquecedora* · **aleccionadora** · **reveladora** · **catártica** · **impagable** || **imborrable** · **inolvidable** · **única** · **irrepetible** || **nueva** *Quiero conocer mundo y vivir nuevas experiencias* · **inédita** · **piloto** *En este instituto están llevando a cabo una experiencia piloto de enseñanza bilingüe* · **previa** · **anterior** · **repetida** || **directa** · **personal** · **propia** || **imprescindible** · **indispensable** · **necesaria** || **internacional** · **religiosa** · **histórica** · **humana**

● CON SUSTS. **cúmulo (de)**

● CON VBOS. **compartir** · **intercambiar** *El objetivo de este foro es intercambiar experiencias* · **transmitir** || **aprovechar** · **capitalizar** · **acumular** || **vivir** · **revivir** · **repetir** *Fue interesante, pero no repetiría la experiencia* · **llevar a cabo** · **poner en práctica** || **contar** · **relatar** · **condensar** · **blanquear** || **valorar** · **aquilatar** || **pasar (por)** *Espero que no tengas que pasar por esta experiencia tan difícil* · **contar (con)** || **aprender (de)** · **alimentar(se) (de)**

experimental adj.

● CON SUSTS. **lenguaje** · **poesía** || **escritor,-a** · **músico,ca** · **artista** · **pintor,-a** · **autor,-a** || **literatura** · **cine** *un festival de cine experimental* · **medicina** · **física** · **música** · ***otras disciplinas*** || **obra** · **trabajo** · **título** · **creación** · **resultado** || **idea** · **técnica** *Usamos una técnica experimental; todavía está en período de prueba* · **método** · **tratamiento** · **sistema** || **etapa** · **fase** || **fórmula** · **modelo** · **reactor** || **vanguardia** · **línea** · **camino** · **fin** · **búsqueda** || **aspecto** · **dato** *una hipótesis basada en datos experimentales* || **plan** · **proyecto** · **programa** · **prueba** · **estudio** || **vacuna** · **medicamento** · **droga** || **carrera** · **vuelo** || **laboratorio** · **escuela** · **centro** · **grupo** || **puesta en marcha** · **funcionamiento** *Se ha puesto en funcionamiento experimental el nuevo tren* || **cultivo** · **plantación** · **cosecha** · **granja**

experimentalmente adv.

● CON VBOS. **comprobar** · **demostrar** *Ha sido experimentalmente demostrado que...* · **probar** · **esclarecer** · **certificar** · **analizar** · **estudiar** || **poner en marcha** *El nuevo servicio de atención al cliente se puso en marcha experimentalmente hace un año* · **implantar** · **instalar** || **arrancar** · **comenzar** || **funcionar**

experimentar v.

● CON SUSTS. **cambio** · **variación** · **fluctuación** · **transformación** · **modificación** · **remodelación** · **evolución** || **movimiento** · **giro** · **vaivén** || **aceleración** · **acelerón** · **empuje** · **salto** || **subida** *Los precios del crudo experimentaron una fuerte subida en el primer trimestre del año* · **alza** · **ascensión** · **auge** · **aumento** · **incremento** · **desarrollo** · **crecimiento** · **avance** · **expansión** · **repunte** · **reactivación** · **recuperación** · **mejora** · **mejoría** || **bajada** · **bajón** · **caída** · **descenso** · **retroceso** *experimentar un retroceso y desaparecer* · **baja** · **pérdida** · **agravamiento** · **empeoramiento** · **decaimiento** · **desgaste** · **fracaso** || **sensación** · **emoción** || **alegría** · **rabia** · **odio** · **amor** · **pena** · **tristeza** · ***otros sentimientos o emociones*** || **calor** · **frío** · **dolor** · **placer** · **temblor** · ***otras sensaciones*** || **sistema** · **técnica** *En ese hospital están experimentando una nueva técnica quirúrgica para...* · **procedimiento** · **proceso**

● CON ADVS. **en carne propia** *Tras haberlo experimentado en carne propia, entiendo mucho mejor lo que están pasando los afectados* · **personalmente** · **directamente** || **intensamente** · **vivamente** || **angustiosamente** · **felizmente** || **día a día**

experimento s.m.

● CON ADJS. **científico** *experimentos científicos con animales* · **genético** · **biológico** · **bacteriológico** · **médico** · **clínico** · **de laboratorio** · **nuclear** · **atómico** · **militar** || **artístico** · **literario** · **cinematográfico** · **fotográfico** · **culinario** · **periodístico** · **mediático** · **sociológico** || **crucial** · **esencial** · **de gran valor** || **determinante** · **revelador** · **concluyente** || **novedoso** · **revolucionario** *En esta universidad están llevando a cabo un revolucionario experimento* · **avanzado** · **pionero** · **práctico** · **preliminar** || **arriesgado** · **complicado** · **difícil** · **complejo** · **costoso** · **secreto** || **polémico** · **mortífero** · **peligroso** · **ilegal** || **desastroso** · **fallido** · **poco afortunado** || **exitoso** · **con éxito** · **feliz**

● CON SUSTS. **éxito (de)** · **fracaso (de)** · **resultado (de)** *Los resultados del experimento son muy alentadores* · **fase (de)** || **diseño (de)** · **condiciones (de)** || **piloto** *un experimento piloto en dos fases*

● CON VBOS. **demostrar (algo)** · **probar (algo)** · **revelar (algo)** || **tener éxito** · **fracasar** || **salir {bien/mal/regular}** || **realizar** · **hacer** *El responsable médico dijo que era mejor atenerse a un método probado y no hacer experimentos* · **llevar a cabo** · **ensayar** · **repetir** · **emprender** · **acometer** || **idear** · **diseñar** · **controlar** || **prohibir** || **someter(se) (a)** · **prestar(se) (a)** *El enfermo se prestó voluntariamente al experimento*

● CON PREPS. **a través (de)** · **mediante**

experto, ta

1 **experto, ta** adj.

●CON SUSTS. **abogado,da · científico,ca · equipo · público ·** ***otros individuos y grupos humanos***

2 **experto, ta** s.

●CON ADJS. **destacado,da · famoso,sa · conocido,da · reconocido,da · afamado,da · prestigioso,sa · acreditado,da · reputado,da**

●CON SUSTS. **grupo (de) · reunión (de) · comisión (de)** *una comisión de expertos reunida ayer* **· panel (de) || opinión (de) · criterio (de) · estimación (de) · juicio (de) · conclusión (de) · afirmación (de) || informe (de)** *el informe de los expertos en explosivos* **· explicación (de) · asesoramiento (de) · testimonio (de) || participación (de) · presencia (de)**

●CON VBOS. **estimar (algo) · considerar (algo) · opinar (algo) · pensar (algo) · calcular (algo)** *Los expertos calculan que la recuperación económica se empezará a notar a principios de año* **· aconsejar (algo) || aclarar (algo) · explicar (algo) · asegurar (algo) · sostener (algo) · concluir (algo) · polemizar (algo) || consultar · contratar** *Actualmente, necesitan contratar a un experto en informática*

3 **experto, ta (en)** s.

●CON SUSTS. **medicina · astronomía · biología ·** ***otras disciplinas***

expiar v.

●CON SUSTS. **culpa · pecado · crimen · delito · falta || iniquidad · infamia · mal || derrota** *El equipo intentará expiar la vergonzosa derrota de la fase preliminar* **· fracaso**

expirar v.

●CON SUSTS. ***persona*** *El enfermo expiró esta mañana* **|| plazo** *Mañana expira el plazo para presentar alegaciones* **· período · tiempo || mandato · acuerdo** *Hace tiempo que expiró el acuerdo de pesca entre los dos países* **· contrato || ultimátum**

explayarse v.

●CON ADVS. **a gusto** *Dispuse de tiempo suficiente en el examen para explayarme a gusto con las preguntas* **· a {mis/tus/sus...} anchas · a placer || a conciencia · a fondo · ampliamente**

explicación s.f.

●CON ADJS. **larga · amplia · extensa · cumplida** *una cumplida explicación sobre un tema* **· exhaustiva · detallada · pormenorizada · minuciosa · elocuente · prolija || breve · sucinta · lacónica · sintética · somera · vaga · atropellada || debida · pertinente · suficiente · insuficiente || plausible · convincente** *Dieron una explicación nada convincente* **· irrefutable · satisfactoria · concluyente · endeble · inconsistente · insostenible || atinada · certera · adecuada · torpe · rudimentaria || clara · meridiana · confusa** *una declaración llena de explicaciones confusas* **· enmarañada · enrevesada || lógica · racional · coherente · razonada · absurda · peregrina · contradictoria · inútil · tonta || desconcertante · sorprendente · rebuscada · retorcida || lineal · literal · general · genérica || didáctica · técnica** *Se adjunta en el anexo una explicación técnica del proyecto* **|| oficial · pública || verbal · por escrito**

●CON VBOS. **constar (de algo) · afectar (a algo) · aludir (a algo) || buscar · encontrar · tener || pedir · exigir · reclamar · deber** *Me debe usted una explicación* **|| aventurar · formular · hilvanar · tejer · remachar · aderezar · exponer || dar · ofrecer · rendir · brindar · recibir || seguir** *seguir las explicaciones del profesor* **· entender || aceptar · rebatir · refutar · negar || delegar · evitar · obviar || atender (a) · atenerse (a) || deshacerse (en)** *Se deshizo en explicaciones que no eran más que excusas*

explicar v.

●CON ADVS. **a fondo · con detalle · detalladamente · punto por punto** *un folleto en el que se explican las instrucciones punto por punto* **· pormenorizadamente · minuciosamente · ce por be · de pe a pa · con (todo) lujo de detalles · con pelos y señales** *explicar la versión de los hechos con pelos y señales* **· completamente · exhaustivamente · por activa y por pasiva · de primera mano || a grandes rasgos · a grandes trazos · por encima · de soslayo · vagamente · someramente || largamente · ampliamente · extensamente · por extenso · profusamente · prolijamente · cumplidamente** *La portavoz explicará cumplidamente los pormenores de la situación* **· elocuentemente · pomposamente || brevemente · esquemáticamente · sintéticamente · sucintamente · lacónicamente · atropelladamente || claramente · sin ambages · sin tapujos** *Nos explicó sin tapujos la reforma fiscal prevista* **· nítidamente · lisa y llanamente · confusamente · enrevesadamente || coherentemente · razonadamente** *Conviene que expliques razonadamente tu punto de vista* **· ordenadamente · adecuadamente · satisfactoriamente · convincentemente · debidamente · inútilmente || insuficientemente · a duras penas · suficientemente** *...sin explicar suficientemente los motivos que le llevaron a dimitir* **|| al unísono || oralmente · por escrito || públicamente · privadamente**

explícitamente adv.

●CON VBOS. **constar || aludir · mencionar** *En la declaración, mencionó su nombre explícitamente* **· nombrar · citar · referir(se) · señalar · decir · introducir ·** ***otros verbos de lengua***

explícito, ta adj.

●CON SUSTS. **comentario · referencia** *En su trabajo hace referencia explícita a la cuestión de...* **· mención · alusión · mensaje · título · lenguaje || voluntad · deseo** *Es deseo explícito del señor presidente que les transmita mis condolencias* **· mandato · orden · ley || consentimiento · permiso || compromiso · pacto · voto · relación || reconocimiento · disculpa · confesión || pronunciamiento · declaración · gesto · exhibición || crítica · condena · denuncia · oposición** *su oposición explícita al proyecto* **|| forma · manera · estrategia || apoyo · respaldo || amenaza · advertencia || sexo · violencia · espectáculo**

●CON ADVS. **suficientemente** *No aparece suficientemente explícito en la cláusula del contrato* **· excesivamente**

●CON VBOS. **ser · estar · hacer(se) · mostrarse · resultar**

exploración s.f.

●CON ADJS. **primera || minuciosa · meticulosa** *una exploración meticulosa de la zona afectada* **· concienzuda · rigurosa · cuidadosa · atenta || completa · profunda · en profundidad · a fondo · exhaustiva · detallada · de cerca || parcial · superficial · somera || rutinaria || médica · clínica**

●CON VBOS. **efectuar · realizar · hacer · llevar a cabo** *llevar a cabo una exploración completa del lugar* **· practicar || someter(se) (a)** *someterse a una exploración rutinaria*

explosión

1 **explosión** s.f.

• CON ADJS. **gran(de)** · **fuerte** · **poderosa** · **violenta** *De pronto, oímos una violenta explosión* · **terrible** · **grave** · **devastadora** · **infernal** || **ligera** · **leve** · **pequeña** || **ruidosa** · **atronadora** · **sonoro** · **estruendosa** · **ensordecedora** · **apagada** · **sorda** · **ahogada** || **atómica** · **nuclear** · **controlada** *una explosión controlada para abrir un túnel* || **demográfica** · **popular** · **social**

• CON SUSTS. **riesgo (de)** · **efecto (de)** · **consecuencia (de)** || **momento (de)** · **lugar (de)** || **cadena (de)** || **motor (de)** · **fuerza (de)** · **onda (de)** · **intensidad (de)** · **centro (de)** · **dirección (de)** · **foco (de)**

• CON VBOS. **producir(se)** · **desatar(se)** · **registrar(se)** · **resonar** · **detonar** || **provocar** · **controlar** · **hacer** || **sufrir** || **oír** *La explosión se ha oído en toda la ciudad* · **percibir** · **escuchar** || **amortiguar**

• CON PREPS. **a resultas (de)**

2 **explosión (de)** s.f.

• CON SUSTS. **alegría** · **júbilo** · **entusiasmo** · **optimismo** · **creatividad** · **vitalidad** · **fuerza** || **luz** · **color** · **música** || **violencia** · **ira** *una explosión de ira popular* · **furia**

explosionar v.

• CON SUSTS. **artefacto** · **bomba** · **mina** || **vehículo** *Fallecen trece personas al explosionar un vehículo en la localidad de...*

explosivo, va

1 **explosivo, va** adj.

• CON SUSTS. **artefacto** *Esta mañana ha explotado un artefacto explosivo* · **paquete** · **mina** · **carga** || **sustancia** · **material** · **potencial** || **combinación** *El alcohol y el coche constituyen una combinación explosiva* · **cóctel** · **mezcla** || ***persona*** *una chica realmente explosiva* || **pareja** · **relación** || **declaración** *Hizo unas declaraciones explosivas a la prensa* · **comentario** · **noticia** · **información** || **reacción** · **salida** · **erupción**

2 **explosivo** s.m.

• CON ADJS. **casero** · **artesanal** || **cargado,da (de)** *un coche cargado de explosivos*

• CON SUSTS. **fábrica (de)** · **fabricación (de)** || **experto,ta (en)** || **colocación (de)** · **desactivación (de)** · **detector (de)** || **tenencia (de)** *un delito de tenencia de explosivos* || **metralla (de)**

• CON VBOS. **confeccionar** · **fabricar** || **detectar** · **desactivar** *Han tenido que avisar a los artificieros para que desactivasen el explosivo* || **activar** || **atentar (con)** · **minar (con)** || **cargar(se) (de)** · **llenar (de)**

explotación s.f.

• CON ADJS. **racional** *...para lograr una explotación racional de los recursos* · **intensiva** || **abusiva** · **salvaje** · **ilegal** · **descarada** · **incontrolada** || **privada** · **conjunta** || **agraria** · **forestal** *Han prohibido la explotación forestal para proteger parte de la selva* · **ganadera** · **pesquera** · **minera** · **comercial** *no apto para la explotación comercial* · **turística** || **económica** · **laboral** · **obrera** · **sexual**

• CON SUSTS. **licencia (de)** · **derecho (de)** || **gasto (de)** · **beneficio (de)** · **ingreso (de)** · **margen (de)** || **víctima (de)**

• CON VBOS. **tener lugar** || **fomentar** · **incrementar** · **facilitar** · **permitir** || **desarrollar** · **planificar** || **condenar** *La organización condena la explotación salvaje de la costa con fines turísticos* · **denunciar** || **suspender** · **abolir** || **monopolizar** · **controlar** || **dedicar(se) (a)** · **someter (a)**

explotar v.

■ [estallar]

• CON SUSTS. **bomba** · **artefacto** || **globo** || ***persona*** *No le lleves la contraria porque es una persona que explota muy fácilmente*

■ [sacar provecho]

• CON SUSTS. **mina** *explotar las minas de carbón* · **finca** · **tierra** · **recurso** · **negocio** · **empresa** · **proyecto** · **idea** || **trabajador,-a** *Esa empresa explota a sus trabajadores* · **empleado,da** · **gente** · ***otros individuos y grupos humanos***

• CON ADVS. **intensamente** · **al máximo** *Queremos explotar al máximo las posibilidades de este local* · **a conciencia** || **abusivamente** · **vilmente** · **descaradamente** || **en exclusiva** || **comercialmente** · **económicamente** · **políticamente** · **electoralmente** *Todos los partidos tratarán de explotar electoralmente los últimos acontecimientos*

exponencialmente adv.

• CON VBOS. **aumentar** *En los últimos años la inversión en este campo ha aumentado exponencialmente* · **incrementar(se)** · **elevar(se)** · **crecer** · **multiplicar(se)**

exponente s.m.

• CON ADJS. **máximo** *ser el máximo exponente de un movimiento artístico* · **mayor** · **destacado** · **principal** || **buen(o)** · **magnífico** · **perfecto** · **mejor** · **valioso** · **fiel** || **claro** · **palmario** || **típico** · **clásico** *un exponente clásico de la música de la pasada década*

[exponer] → exponer; exponerse (a)

exponer v.

• CON SUSTS. **obra** *La fotógrafa expuso su obra en una pequeña galería* · **fotografía** · **pintura** · **cuadro** · **escultura** || **idea** · **teoría** · **plan** · **propuesta** · **proyecto** || **demanda** · **petición** · **condición** || **asunto** · **situación** · **cuestión** · **tema**

• CON ADVS. **abiertamente** · **públicamente** || **extensamente** · **profusamente** · **prolijamente** · **a fondo** · **pormenorizadamente** · **detalladamente** · **con detalle** · **con todo lujo de detalles** *Les expuse mi plan con todo lujo de detalles para que no quedaran dudas* · **con pelos y señales** · **elocuentemente** · **repetidamente** || **brevemente** · **sintéticamente** · **sumariamente** · **esquemáticamente** · **a grandes rasgos** · **a vuelapluma** · **fugazmente** · **atropelladamente** || **claramente** *Durante la negociación del contrato, ambas partes expusieron claramente sus condiciones* · **nítidamente** · **ordenadamente** · **coherentemente** · **gráficamente** · **crudamente** · **sin tapujos** · **sin ambages** · **con rotundidad** · **convincentemente** *un largo artículo en el que expone convincentemente sus tesis* · **confusamente** || **a los cuatro vientos** · **a bombo y platillo** · **a voces** || **verbalmente** · **oralmente** · **por escrito** *Debe exponer por escrito los motivos de su reclamación*

exponerse (a) v.

• CON SUSTS. **riesgo** · **peligro** || **público** · **juicio** · **crítica** · **reprimenda** · **castigo** · **sanción** || **luz** · **sol** *productos para exponerse al sol con protección* · **calor** · **frío** · **inclemencia** · **aire**

• CON ADVS. **abiertamente** || **injustificadamente** · **innecesariamente** *exponerse innecesariamente a las críticas* · **insensatamente** · **absurdamente** · **inútilmente** || **arriesgadamente** · **con riesgo**

exportación s.f.

● CON ADJS. **masiva || directa · indirecta**
● CON SUSTS. **volumen (de) · porcentaje (de) · cuota (de) · cupo (de) · mercado (de) · empresa (de) || costo (de)**
● CON VBOS. **crecer** *El año pasado crecieron las exportaciones a los países vecinos* · **aumentar · incrementar(se) || decrecer · disminuir || facilitar · fomentar · promover** *un plan para promover las exportaciones* · **relanzar · permitir · canalizar · encauzar || recortar · restringir · obstaculizar · perjudicar · impedir · prohibir · denegar || gravar || dedicar(se) (a) · destinar (a)** *Las mejores frutas de esta región se destinan a la exportación*

exportar v.

● CON SUSTS. **excedente · mercancía · material · alimento · cosecha || petróleo · crudo · combustible · gasolina · energía · gas || ropa · prenda · televisor · carne · coche ·** ***otros productos*** **|| comprador,-a · futbolista · profesional** *El país exporta todos los años profesionales en medicina* · **técnico,ca · ejército · cliente || tecnología · ideología · conocimiento · cultura · moda** *una nueva campaña para exportar la moda nacional* · **tradición · doctrina || droga · terrorismo · armamento || imagen · modelo · música · idea · diseño · espectáculo**
● CON ADVS. **básicamente · principalmente · esencialmente || ilegalmente · libremente** *Exportan libremente los productos excedentes de su cosecha* · **fácilmente · rápidamente · directamente || realmente · personalmente · totalmente || actualmente · anualmente · regularmente · habitualmente**

exposición s.f.

▮ [explicación]

● CON ADJS. **amplia · extensa · larga · elocuente · profusa · prolija · exhaustiva · detallada** *una detallada exposición de las causas que pueden originar el fenómeno* · **pormenorizada · minuciosa || breve · sucinta · telegráfica · somera · escueta · sumaria · por encima || dramática · descarnada · viva · vívida · gráfica || espléndida · atractiva · atinada · acertada || clara** *El tribunal la felicitó por su exposición clara y didáctica* · **lineal · coherente · ordenada || confusa · caótica · abigarrada · deshilvanada**

▮ [presentación al público]

● CON ADJS. **monográfica · antológica** *Se acaba de inaugurar una exposición antológica del fotógrafo...* · **colectiva · pública || artística · cultural · didáctica || permanente · temporal** *El museo ha programado dos exposiciones temporales muy interesantes para este año* · **itinerante || única · irrepetible**
● CON SUSTS. **galería (de) · sala (de) || catálogo (de)**
● CON VBOS. **abrir(se) · cerrar(se) || inaugurar · prorrogar · visitar || preparar · organizar · programar · montar · hacer · realizar · prodigar || dedicar (a algo)** *una exposición dedicada a la pintura impresionista* **|| avalar · auspiciar · subvencionar || participar (en)** *¿Qué artistas participan en esa exposición colectiva?* · **acudir (a)**

exprés adj.

● CON SUSTS. **olla** *preparar el cocido en una olla exprés* · **cafetera || café || servicio · correo || autobús · vía · tren || secuestro**

expresamente adv.

● CON VBOS. **aludir · mencionar · citar · referirse** *El dueño del negocio se refirió expresamente a la posibilidad de abrir otro local* · **nombrar || decir · reconocer · declarar · afirmar · indicar · manifestar · señalar** *El contrato señala expresamente la fecha de finalización* **|| pedir · solicitar · apelar · dirigirse || prohibir · autorizar · permitir · otorgar || renunciar · rechazar · negar · renegar · condenar || viajar** *He viajado expresamente para verte* · **ir · venir · desplazarse ·** ***otros verbos de movimiento*** **|| acudir · asistir · presentarse**

expresar(se) v.

● CON ADVS. **correctamente · con corrección · incorrectamente || claramente** *El documento debe expresar claramente las condiciones económicas de...* · **nítidamente · a las claras · sin ambages · sin tapujos · crudamente · lisa y llanamente · abiertamente · manifiestamente · sin reservas · con cautela · con reservas || con rotundidad · categóricamente · radicalmente · acaloradamente · vivamente || como un libro abierto** *A pesar de su corta edad, la niña se expresa como un libro abierto* · **elocuentemente · con claridad · con convicción · convincentemente** *Los alumnos están aprendiendo a expresar sus ideas convincentemente* · **coherentemente · debidamente || sintéticamente · resumidamente · brevemente || vagamente · confusamente · atropelladamente · con dificultad || a vuelapluma || democráticamente** *El pueblo se expresó democráticamente en las urnas* **|| con franqueza · de (todo) corazón · cordialmente || acremente · duramente · con acritud || oralmente · verbalmente · de viva voz · por escrito · gráficamente** *expresar los resultados gráficamente*

expresión

1 expresión s.f.

▮ [gesto]

● CON ADJS. **apacible** *un semblante de expresión apacible* · **serena · impasible || airada · displicente || natural**
● CON VBOS. **agriar(se) · demudarse · cambiar** *Al oírlo, se le cambió la expresión* **|| delatar || dulcificar** *dulcificar la expresión de la cara* · **endurecer**

▮ [manifestación]

● CON ADJS. **clara** *Se valorará la expresión clara y la buena presentación* · **diáfana · nítida · meridiana · cruda · descarnada · rotunda · elocuente · confusa · abstrusa || afortunada · desafortunada · descabellada · controvertida || formal · solemne · rimbombante · alambicada || escueta · lapidaria · redundante || elevada · culta · coloquial || llamativa · grosera · malsonante** *Habla con expresiones malsonantes* · **soez · procaz || amable · insultante · vejatoria || literal · simbólica · irónica · sarcástica || genuina · verdadera · libre || máxima · mínima** *reducir algo a la mínima expresión* **|| común · frecuente · conocida · socorrida · manida · usada · tópica · trillada · pegadiza || desusada · rara · infrecuente || individual · pública · social || verbal · oral · hablada · escrita** *Los alumnos van a realizar actividades para mejorar la expresión escrita* · **corporal · artística · estética · plástica · gráfica**
● CON SUSTS. **forma (de) · medio (de) · cauce (de) || capacidad (de) · facilidad (de)** *tener facilidad de expresión* **|| libertad (de)** *en contra de que coarte la libertad de expresión*
● CON VBOS. **denotar (algo) · significar (algo) · implicar (algo) || acuñar** *Los jóvenes han acuñado una nueva expresión para...* · **aplicar · traducir · difundir · popularizar || encontrar · emplear · utilizar · usar · manejar · soltar · proferir · lanzar || cuidar · vigilar · analizar** *analizar una expresión semánticamente* · **entorpecer**

2 **expresión (de)** s.f.

• CON SUSTS. **apoyo · afecto · amistad · amor · respeto · gratitud · solidaridad** *El presidente agradeció públicamente las expresiones de solidaridad recibidas* · **ayuda · cariño · simpatía · reconocimiento || dolor · angustia · sufrimiento · descontento · pena · desánimo** *Una expresión de desánimo ensombreció su rostro* · **indignación · tristeza · amargura || preocupación · ansiedad · miedo · desasosiego · temor · inquietud || rechazo** *El diputado abandonó la sala como expresión de rechazo* · **protesta · odio · repudio · crítica · descalificación || alegría · contento · euforia · júbilo**

expresividad s.f.

• CON ADJS. **gran(de)** *un niño de gran expresividad* · **honda · profunda · intensa · desbordante · viva · efusiva · torrencial · fluida · espontánea · rotunda · fuerte · deslumbrante · pura · suma · total · máxima || escasa · contenida || artística · literaria · musical · corporal** *ejercicios para mejorar la expresividad corporal* · **emocional · cromática || cargado,da (de) · lleno,na (de) · falto,ta (de)**

• CON SUSTS. **falta (de) · exceso (de) · derroche (de) || grado (de)**

• CON VBOS. **manifestar · alcanzar · lograr || aumentar · disminuir || dotar (de)** *el rasgo que dota a su prosa de mayor expresividad*

expresivo, va adj.

• CON SUSTS. **fuerza** *Emociona profundamente la fuerza expresiva de sus versos* · **intensidad · riqueza · elocuencia · fluidez · elegancia || valor · calidad · cualidad || capacidad · potencial** *el enorme potencial expresivo de la música* · **posibilidad || instrumento · recurso · medio · forma · fórmula · técnica || eficacia · fortaleza · madurez || hallazgo · acierto || sencillez · naturalidad · claridad · concisión || pobreza · carencia || libertad || lenguaje · oratoria · mensaje · testimonio · respuesta · registro || escritor,-a · autor,-a · profesor,-a · niño,ña** *¡Qué niño tan expresivo; lo dice todo con los ojos!* · ***otros individuos* || gesto · saludo · sonrisa || necesidad || música · imagen · signo**

• CON ADVS. **sumamente** *una voz sumamente expresiva* **|| suficientemente · plenamente || escasamente**

exprimir v.

• CON SUSTS. **fruta · naranja · limón · pomelo || empleado,da** *Exprimía a sus empleados con sueldos tercermundistas* · **contribuyente · personal** · ***otros individuos y grupos humanos* || bolsillo · beneficio · rendimiento || recurso · resorte · posibilidad · capacidad · facultad · cualidad · servicio || cerebro** *exprimirse el cerebro para dar con la solución de un problema* · **imaginación · talento || idea · información · cultura || lenguaje · texto || vacaciones · tiempo**

• CON ADVS. **al máximo · hasta la última gota · hasta el límite · como un limón**

expropiar v.

• CON SUSTS. **casa · vivienda · estudio · inmueble || dinero · poder · bienes** *Le expropiaron todos sus bienes* · **petróleo · material || industria · empresa · tierra · territorio · terreno · finca · parcela**

• CON ADVS. **ilegítimamente** *Protestan porque les han expropiado ilegítimamente los terrenos* · **legalmente**

exquisito, ta adj.

• CON SUSTS. **manjar · guiso · plato · pastel · pescado · carne** · ***otros alimentos o comidas* || vino · cóctel** *El camarero me sirvió un cóctel exquisito* · **champán · zumo · batido** · ***otras bebidas* || educación · modales** *hacer gala de unos modales exquisitos* · **comportamiento · gusto || *persona***

• CON VBOS. **ser · estar · resultar · quedar**

extasiado, da adj.

• CON SUSTS. **público · espectador,-a** *espectador extasiado ante la pantalla* · **lector,-a** · ***otros individuos y grupos humanos* || rostro · mirada · ojos**

• CON VBOS. **estar · quedar(se) · dejar || contemplar · caer**

éxtasis s.m.

▮ [droga sintética]

• CON ADJS. **vegetal**

• CON SUSTS. **pastilla (de) · píldora (de) · componente (de) || ruta (de)**

• CON VBOS. **fabricar**

➤ Véase también **DROGA**

▮ [estado de exaltación o enajenación]

• CON ADJS. **místico · divino · amoroso · religioso || colectivo** *La victoria provocó un éxtasis colectivo*

• CON SUSTS. **búsqueda (de) · ardor (de) · momento (de)**

• CON VBOS. **alcanzar · rozar · experimentar || provocar || llevar (a)** *La espectacular actuación llevó al público al éxtasis* · **llegar (a) · disfrutar (de) · caer (en)**

• CON PREPS. **al borde (de)**

extender(se) v.

▮ [desplegar o aumentar]

• CON SUSTS. **mapa · periódico || tela · traje · velo · mano || servicio** *El Ayuntamiento extenderá el servicio de transportes a los pueblos colindantes* **|| crema · mantequilla · basura**

• CON ADVS. **como una mancha de aceite** *La corrupción se extendió como una mancha de aceite* · **como la peste · como la pólvora || por todas partes · de punta a punta · de extremo a extremo · ampliamente || rápidamente · a pasos agigantados || gradualmente · progresivamente** *La infección se fue extendiendo progresivamente* **|| a {mis/tus/sus...} anchas** *Me dieron tiempo ilimitado y me extendí a mis anchas en la exposición* **|| desproporcionadamente · excesivamente · sin límite · sin medida**

▮ [emitir]

• CON SUSTS. **cheque** *Extendió un cheque por valor de mil euros* · **recibo · documento · pasaporte**

extensamente adv.

• CON VBOS. **comentar · hablar · conversar · opinar · responder · informar · comunicar || explicar · exponer · describir · argumentar** *Argumentó extensamente ante los medios a favor de la reforma* · **defender · relatar · desarrollar · teorizar || referirse · citar · recordar || debatir · discutir** *En la reunión se discutió extensamente la posibilidad de reducir el equipo* · **criticar || *otros verbos de lengua* || abordar · revisar · estudiar · analizar · tratar · reflexionar || dedicar(se) · cultivar · ocuparse · trabajar || emplear · usar**

[extensivo, va]

→ extensivo, va; hacer extensivo, va (a alguien)

extensivo, va adj.

● CON SUSTS. **cultivo || ganadería · agricultura · ganado · explotación · cría** *la cría extensiva del ganado ovino* · **producción || desarrollo · planteamiento · sistema || decreto · ley · condena · control || forma · carácter · interpretación** *Apeló a una interpretación abierta y extensiva de la ley* || **horario** *los horarios extensivos de algunos comercios*

● CON VBOS. **hacer** *Quiero hacer extensiva mi felicitación a la familia de los novios*

extenso, sa adj.

● CON SUSTS. **obra · novela** *una de las novelas más extensas que he leído* · **poema · cuento · relato · artículo · reseña · comentario · carta · discurso · conferencia** *En su extensa conferencia expuso una teoría muy novedosa sobre...* · ***otras manifestaciones verbales o textuales*** **|| lista · nómina · gama · repertorio · catálogo · relación · base de datos · bibliografía · vocabulario || trabajo · informe** *un extenso informe acerca de la situación económica del país* · **documento || formación · trayectoria · bagaje || producción** *Entre su extensa producción, se encuentran títulos tan interesantes como...* **|| familia · linaje · reparto · plantilla || viaje · gira · recorrido · carrera || terreno · territorio · extensión · jardín · llanura · meseta · zona · parcela · red || período** *Pasó allí un extenso período de su vida* · **jornada**

☐ EXPRESIONES **por extenso** [con mucho detalle] *relatar algo por extenso*

extenuado, da adj.

● CON SUSTS. **jugador,-a · delantero,ra · público · equipo** · ***otros individuos y grupos humanos*** **|| cuerpo**

● CON ADVS. **completamente · totalmente || físicamente · emocionalmente**

● CON VBOS. **acabar · terminar · caer** *Cayó extenuado tras alcanzar la meta* **|| estar · encontrar(se) · sentirse · quedar(se) · dejar || volver · llegar**

exterior adj.

● CON SUSTS. **lado · parte · cara · aspecto || fachada · piso · habitación · terraza || asuntos** *los asuntos exteriores de un país* · **relaciones · política · comercio · economía || mundo · espacio** *explorar el espacio exterior* · **realidad · atmósfera || imagen** *Un equipo de asesores se encarga de la imagen exterior del dirigente* · **mirada || vida || estructura · arquitectura**

exteriorizar v.

● CON SUSTS. **alegría · euforia · júbilo · felicidad · entusiasmo · descontento · malestar · indignación · pena · ira · desilusión · desagrado · desazón** *El psicólogo le recomendó que exteriorizara su desazón* · **rabia · temor · miedo · pánico ·** ***otros sentimientos o emociones*** **|| opinión · acuerdo · desacuerdo · oposición · discrepancia || sorpresa**

● CON ADVS. **abiertamente · sin reservas** *En este clima de tolerancia es posible exteriorizar sin reservas cualquier opinión* · **sin rubor · públicamente || comedidamente**

exterminar v.

● CON SUSTS. **población · especie · minoría · enemigo ||** ***animal*** **|| plaga**

● CON ADVS. **de raíz · por completo · completamente**

exterminio s.m.

● CON ADJS. **completo · total** *Lucharemos contra esta plaga hasta su total exterminio* · **absoluto || brutal · salvaje · atroz · despiadado · bárbaro · sádico · espantoso · horrendo · monstruoso · macabro · execrable || sistemático · metódico · silencioso · masivo · selectivo || deliberado · premeditado · programado || preventivo || étnico · genocida · ideológico · político · mediático · físico || judío · nazi || amenazado,da (de)** *un pueblo que estuvo amenazado de exterminio durante mucho tiempo*

● CON SUSTS. **operación (de) · campaña (de) · guerra (de) || campo (de) · arma (de) || víctima (de) · partidario,ria (de)**

● CON VBOS. **ordenar · llevar a cabo · perpetrar · consumar(se) || padecer · sufrir · vivir || ocultar · encubrir · negar || condenar · denunciar · combatir · frenar · evitar || llevar (a) · someter (a) || sobrevivir (a)** *Sobrevivió al exterminio nazi y ahora cuenta su terrible experiencia en este libro* · **librar(se) (de) || luchar (contra) · protestar (contra)**

externamente adv.

● CON VBOS. **afectar** *Las grietas han afectado externamente al edificio* · **manifestar · acusar || modificar · dividir · cambiar** *Ha cambiado un poco, pero solo externamente* · **transformar || actuar · intervenir · gestionar · aplicar · elaborar || aconsejar · asesorar || contratar || juzgar · evaluar · cuestionar · visualizar · distinguir · definir || parecer · disimular · representar** *El delegado que nos representa externamente...* **|| endeudarse || ejercitar · consolidar**

externo, na adj.

● CON SUSTS. **aspecto · signo · imagen || capa · superficie · parte · cara · lado || deuda** *la condonación de la deuda externa* · **endeudamiento · financiación · préstamo · crédito · inversión** *La empresa ha sobrevivido gracias a la inversión externa* · **capital · fondos · ahorro · recursos · activos || ayuda · apoyo · colaboración · cooperación || mercado · demanda · venta · precio · arancel · competencia || factor** *los factores externos que influyen en el envejecimiento* · **agente · condición || control · presión · amenaza · riesgo · peligro || ataque · influencia || fuentes || consulta** *las consultas externas de un hospital* **|| enemigo,ga · candidato,ta · empleado,da · trabajador,-a · personal · proveedor,-a · asesor,-a** *Lo mejor es contratar a un asesor externo que sea realmente objetivo* · **colaborador,-a**

extinción s.f.

● CON ADJS. **definitiva · total · práctica · completa · masiva || posible · probable · segura · eficaz || inevitable · irremediable · inexorable** *la lenta pero inexorable extinción de tantas especies animales* **|| rápida · lenta · progresiva || amenazado,da (de) · abocado,da (a)**

● CON SUSTS. **especie (en) || peligro (de) · riesgo (de) · amenaza (de) || causa (de) || proceso (de) · fase (de) || tarea (de) · labor (de)** *las labores de extinción de un incendio* · **faena (de) · trabajo (de) · servicio (de) · equipo (de) || fecha (de)** *la fecha de extinción de su contrato de trabajo* · **cláusula (de)**

● CON VBOS. **causar · provocar · originar || evitar || abocar(se) (a) · llevar (a) · dirigir(se) (a) || condenar (a)**

● CON PREPS. **al borde (de) · en estado (de) · en peligro (de)** *flora y fauna en peligro de extinción* · **en trance (de) · en vías (de)**

extinguir(se) v.

● CON SUSTS. **especie || dinosaurio · ave · felino · fauna ·** ***otros animales o plantas*** **|| fuego · incendio** *Los bomberos aún no han logrado extinguir el incendio* · **llama · foco · brasa || luz · sonido · ruido || afecto · amor ·**

cariño || vida · existencia · día · tarde || período · mandato · legislatura || cultura · tradición *una tradición que se extinguió hace ya varios siglos* · costumbre · uso || lengua · escritura || mundo · planeta · universo || contrato · acuerdo · convenio · arrendamiento · relación laboral *La relación laboral que había entre las dos empresas se extinguió el año pasado* · vínculo || problema · polémica · delito · crimen · epidemia · dolencia · peligro · mal || responsabilidad · obligación · deber · función · cargo · puesto || felicidad · alegría · placer · satisfacción || esperanza · ilusión · fe || miedo · obsesión · pesadilla · inquietud
• CON ADVS. progresivamente · lentamente *Esta vieja costumbre se ha ido extinguiendo lentamente* · poco a poco · gradualmente || rápidamente · repentinamente · bruscamente || completamente · por completo · totalmente *Algunas de estas especies de aves se han extinguido ya totalmente* · parcialmente || definitivamente · inexorablemente · irremisiblemente || espontáneamente · automáticamente

extirpar v.

• CON SUSTS. bazo · colon · riñón · útero · amígdala · ***otras partes del cuerpo*** || tumor · quiste *extirpar un quiste de un ovario* · cáncer || mal · problema · error · lacra || corrupción · impunidad · injusticia · miseria *El candidato se comprometió con los ciudadanos a extirpar la miseria de todos los rincones del país* · ignorancia || memoria · pasado · recuerdo || espíritu · sentimiento · capacidad || idea · prejuicio · tópico · hábito || causa · razón
• CON ADVS. totalmente · parcialmente || de raíz *extirpar de raíz la miseria, la corrupción y la ignorancia* · definitivamente · preventivamente || quirúrgicamente

extorsión s.f.

• CON ADJS. política · social · terrorista *...prisioneros de la extorsión terrorista* · militar · burocrática || económica · de fondos · fiscal || personal · racial || sentimental *...gritos, recriminaciones, lágrimas y otras formas de extorsión sentimental* · intelectual · moral || presunta || inadmisible · vil · inmoral · impune · ilegal
• CON SUSTS. amenaza (de) · intento (de) · tentativa (de) · carta (de) || caso (de) · práctica (de) · delito (de) · situación (de) || campaña (de) · operación (de) · plan (de) · trama (de) || víctima (de) *Declaró que había sido víctima de la extorsión de un funcionario público* · objeto (de) || pago (de) || red (de) · grupo (de) || afán (de) · actitud (de)
• CON VBOS. salir a la luz || sufrir · pagar || cometer · hacer · realizar || descubrir · destapar || acusar (de) · denunciar (por) || dedicar(se) (a)

extracción s.f.

▮ [obtención de algo]
• CON ADJS. minera · forestal || dental || de sangre
• CON SUSTS. labores (de) · operación (de) · actividad (de) · trabajo (de) || proyecto (de) || bomba (de) *una bomba de extracción de agua* · método (de) · sistema (de) · técnica (de) || sala (de) *Había varios enfermeros haciendo análisis en la sala de extracciones*
• CON VBOS. hacer · realizar || dedicar(se) (a) || participar (en) *Muchos mineros participan en la extracción del carbón en esta zona*

▮ [origen de una persona]
• CON ADJS. social · burguesa · campesina · política · ideológica · religiosa || baja · humilde *una persona de humilde extracción social* · modesta · alta
• CON VBOS. proceder (de) · ser (de)
• CON PREPS. de

extradición s.f.

• CON ADJS. forzosa || administrativa || automática || temporal
• CON SUSTS. proceso (de) · solicitud (de) · petición (de) · demanda (de) · orden (de) || tratado (de) *De acuerdo con el tratado de extradición vigente entre los dos países...* · convenio (de) · procedimiento (de)
• CON VBOS. solicitar · pedir · tramitar · lograr · obtener || conceder · permitir · autorizar · denegar *Han vuelto a denegar la extradición de los terroristas* · rechazar · negar · ordenar · exigir || evitar

extraer v.

• CON SUSTS. palabra *No lograron extraerle una sola palabra sobre lo sucedido* · declaración · confesión · información · dato || enseñanza · lección *¿Qué lección podemos extraer de esta experiencia fallida?* · conclusión *Es demasiado pronto para extraer conclusiones* · idea || jugo · beneficio · provecho · rendimiento · rentabilidad || agua · petróleo · mineral · piedra || dinero *extraer dinero de un cajero automático* · fondo || cita · muestra || muela · sangre *Le extrajeron sangre para analizarla* · célula · tejido · órgano || cuerpo · cadáver
• CON ADVS. de raíz · de cuajo || a pelo *Le extrajeron la muela a pelo, sin anestesia*

☐ USO Se construye frecuentemente con complementos encabezados por la preposición *de*: *De sus palabras se extrae una moraleja.*

extraescolar adj.

• CON SUSTS. actividad *Estos niños tienen demasiadas actividades extraescolares* · deporte || educación · formación || jornada · horario *El año próximo abrirán el centro en horario extraescolar* || realidad · entorno

extralimitarse (en) v.

• CON SUSTS. papel · cargo · puesto · atribución · función || oferta · propuesta · trabajo · labor || ejercicio · derecho · competencia · poder · consumo *Se ha extralimitado el consumo de energía* · capacidad · juicio
• CON ADVS. inevitablemente · forzosamente

extranjero, ra

1 **extranjero, ra** adj.
• CON SUSTS. país · potencia · nación · institución · gobierno · embajada · territorio || capital *una empresa mantenida con capital extranjero* · inversión || empresa · compañía · entidad · banca · banco · mercado · firma || mano de obra · inversor,-a · turista *Esta catedral gótica es una de las más visitadas por los turistas extranjeros* · visitante · embajador,-a · diplomático,ca · delegado,da · ***otros individuos y grupos humanos*** || lengua · idioma · moneda *coleccionar monedas extranjeras* || costumbre || cine · literatura · prensa · periódico · película · obra || apoyo · ayuda *Las autoridades del país han solicitado ayuda extranjera* · participación || invasión · injerencia *una intolerable injerencia extranjera en nuestros asuntos*

2 **extranjero** s.m.
▮ [lugar]
• CON VBOS. emigrar (a) *Hace años mis abuelos tuvieron que emigrar al extranjero* · salir (a) · viajar (a) · ir (a) · volver (de) · regresar (de) || vivir (en) · estudiar (en) ·

trabajar (en) || **invertir (en)** *Los empresarios del sector están empezando a invertir en el extranjero*
● CON PREPS. **a** · **en** · **desde**

extrañeza s.f.

● CON ADJS. **absoluta** · **profunda** · **total** || **patente** · **manifiesta** · **evidente**
● CON SUSTS. **cara (de)** *Cuando le dije que lo sabía todo, me miró con cara de extrañeza* · **expresión (de)** · **gesto (de)** · **mirada (de)** · **señal (de)** · **signo (de)** || **sensación (de)**
● CON VBOS. **evidenciar(se)** || **causar** *A estas alturas, ya nada me causa extrañeza* · **producir (a alguien)** · **provocar (a alguien)** || **aumentar** || **mostrar** · **manifestar** · **expresar** · **reflejar** || **ocultar** · **disimular** || **acoger (con)** · **recibir (con)** *Recibió la noticia con extrañeza* || **mirar (con)**
● CON PREPS. **en medio (de)** · **con**

extraño, ña

1 **extraño, ña** adj.
● CON VBOS. **ser** · **parecer** · **resultar** || **estar** · **encontrar (a alguien)** · **notar (algo/a alguien)** *Lo noto extraño últimamente* · **sentirse**

2 **extraño, ña** s.
● CON VBOS. **desconfiar (de)** · **fiarse (de)** || **hablar (con)** *En lugares como este, nadie habla con extraños*

extraordinario, ria adj.

▮ [fuera de lo común, muy notable]
● CON SUSTS. ***persona*** *una artista extraordinaria* || **talento** · **capacidad** · **facultades** · **poderes** || **fuerza** · **valor** · **esfuerzo** || **belleza** · **calidad** · **sensibilidad** · ***otras cualidades*** || **popularidad** · **éxito** · **importancia** *un tema de una importancia extraordinaria* || **crecimiento** · **desarrollo** · **evolución** || **libro** · **texto** · **película** · **cuadro** · **sinfonía** · ***otras obras***
● CON VBOS. **volverse** · **ser** · **estar**

▮ [no ordinario]
● CON SUSTS. **sesión** *Se ha anunciado una sesión extraordinaria para mañana por la mañana* · **asamblea** · **reunión** · **junta** *junta extraordinaria de vecinos* · **congreso** · **examen** · **juicio** · ***otros eventos*** || **beneficio** · **ingreso** · **paga** || **presupuesto** · **gasto** · **impuesto** || **trabajo** · **labor** · **horas** *hacer horas extraordinarias en el trabajo* || **premio** · **sorteo** *sorteo extraordinario de lotería* || **convocatoria** *Tienes otra oportunidad para aprobar: ha salido una convocatoria extraordinaria* · **elección** · **legislatura** || **período** · **visita**

extrapolar v.

● CON SUSTS. **conclusión** · **consecuencia** || **resultado** *extrapolar los resultados electorales de la comunidad al resto del país* · **dato** · **cifra** · **número** · **cantidad** || **cuestión** · **caso** · **circunstancia** · **situación** · **escenario** · **atmósfera** · **tema** · **asunto** || **reflexión** · **consideración** · **idea** · **concepto** · **disquisición** || **comportamiento** · **actitud** · **tratamiento** · **actuación** || **frase** · **palabra** · **discurso** · ***otras manifestaciones verbales***

extravagante adj.

● CON SUSTS. ***persona*** *un personaje sumamente extravagante* || **personalidad** · **actitud** · **comportamiento** · **costumbre** · **hábito** || **vestimenta** · **vestuario** *Siempre utilizó un vestuario extravagante para sus actuaciones* · **ropa** || **idea** · **pensamiento** · **fantasía** || **propuesta** || **espectáculo** · **película** · **novela** · **cuadro** · ***otras creaciones*** || **gesto** · **mueca** · **pirueta**
● CON VBOS. **resultar** || **calificar (de)** *El espectáculo fue calificado de extravagante por la prensa internacional*

extremar v.

● CON SUSTS. **precaución** · **atención** *Si llueve, extreme la atención al conducir* · **cautela** · **control** · **vigilancia** · **seguridad** · **medida** *para extremar las medidas de seguridad laboral* · **cuidado** · **prudencia** · **tacto** · **rigor** · **garantía** · **disciplina** || **importancia** · **influencia**

extremaunción s.f.

● CON VBOS. **dar** · **administrar** · **recibir** || **pedir** *Le pidió la extremaunción al sacerdote*

extremidad s.f.

● CON ADJS. **superior** · **inferior** || **delantera** · **trasera** · **posterior** || **atrofiada** · **desarrollada** *extremidades delanteras poco desarrolladas* · **rota**
● CON SUSTS. **desarrollo (de)** · **crecimiento (de)** || **lesión (en)** *El caballo tiene varias lesiones en las extremidades traseras* · **fractura (de)** · **parálisis (de)**
● CON VBOS. **responder** *Después del accidente, no le respondían las extremidades inferiores* || **desarrollar(se)** || **perder** · **amputar** · **quitar** || **salvar** || **levantar** · **bajar** · **mover**

extremista adj.

● CON SUSTS. **grupo** · **facción** *La propuesta solo fue apoyada por la facción extremista del partido* · **sector** · **núcleo** · **círculo** || **organización** · **banda** · **comando** · **partido** · **milicia** · **votante** · **militante** *Los militantes más extremistas piden su dimisión* · **líder** · **político,ca** || ***otros individuos y grupos humanos*** || **línea** · **posición** · **voto** *El voto extremista ha aumentado en las últimas elecciones* · **actitud** · **tendencia** · **mentalidad** || **política** · **ideología** · **movimiento** · **religión** || **ley** · **postulado** · **planteamiento** *Con un planteamiento tan extremista, no llegaremos a ningún acuerdo* · **propuesta** || **acción** · **operación** || **fuerza** · **peligro**

[extremo] → de extremo a extremo; extremo, ma

extremo, ma

1 **extremo, ma** adj.
● CON SUSTS. **lado** · **parte** || **zona** · **región** · **área** · **punto** · ***otros lugares*** || **fuerza** · **intensidad** · **valor** · **arrojo** · **potencia** || **caso** · **ejemplo** || **situación** · **circunstancia** || **pobreza** · **miseria** · **carencia** · **necesidad** || **temperatura** *las temperaturas extremas del desierto* · **altura** · **profundidad** · **velocidad** · ***otras magnitudes*** || **posición** · **actitud** || **reacción** || **opinión** · **punto de vista** · **posicionamiento** · **ideología** || **importancia** · **trascendencia** · **gravedad** · **seriedad** || **rapidez** *Realizó el trabajo con extrema rapidez* · **paciencia** · **belleza** · **delicadeza** · **sensibilidad** · **debilidad** · ***otras cualidades*** || **rudeza** · **violencia** · **fealdad** · **descortesía** · **estrechez** · **grosería** · ***otros defectos*** || **precaución** · **cautela** || **medida** *Solo excepcionalmente se tomarán medidas extremas* · **recurso** · **solución** · **salida** · **condición** || **deporte**

2 **extremo** s.m.
● CON ADJS. **innecesario** · **indeseable** · **intolerable** *En aquella época, la corrupción había alcanzado extremos intolerables* · **insoportable** · **insostenible** · **vergonzoso** · **aberrante** · **inhumano** · **desorbitado** · **absurdo** || **impensable** · **inimaginable** · **insospechado** · **sorprendente** ||

alarmante · **peligroso** · **preocupante** || **opuesto** *Nuestros intereses se encuentran en extremos opuestos* · **irreconciliable** · **remoto** || **derecho** · **izquierdo**
● CON VBOS. **tocar(se)** · **atraer(se)** *Los extremos se atraen* || **alcanzar** || **acercar** · **conciliar** || **llevar (a)** *No es necesario llevar las cosas a esos extremos* · **conducir (a)** · **llegar (a)** || **mover(se) (entre)** · **oscilar (entre)**
● CON PREPS. **entre** · **en**
□ EXPRESIONES **en último extremo** [en último caso]

extrovertido, da adj.

● CON SUSTS. ***persona*** *Es una joven alegre y extrovertida* || **ciudad** · **país** · **pueblo** · **sociedad** || **carácter** · **temperamento** · **espíritu** · **personalidad** *Tiene una personalidad extrovertida y comunicativa* · **comportamiento** · **actitud** · **voluntad** || **espectáculo**
● CON VBOS. **parecer** · **volver(se)** · **mostrar(se)**

exuberante adj.

● CON SUSTS. **región** · **país** · **isla** · ***otros lugares*** || **primavera** · **vegetación** · **flora** · **naturaleza** · **selva** · **jardín** *La casa estaba rodeada por un exuberante jardín* · **parque** · **plantación** · **espesura** · **vergel** · **pradera** · **pasto** || **anatomía** · **cuerpo** · **figura** · **físico** · **musculatura** · **desnudez** · **pecho** · **seno** · **busto** · **melena** · **cabellera** *Era corpulento, de cara redonda y cabellera exuberante* || ***persona*** || **belleza** · **sensualidad** · **sexualidad** || **riqueza** *En ese palacio destaca la riqueza exuberante de la decoración* · **abundancia** · **barroquismo** · **diversidad** || **cromatismo** · **colorido** · **color** || **personalidad** · **carácter** · **espíritu** *Una de las principales características de ese artista es su espíritu inquieto, creativo y exuberante* || **imaginación** · **creatividad** · **genio** || **música** · **canción** · **disco** · **ritmo**

exudar v.

● CON SUSTS. **agua** · **sangre** · **sudor** · ***otros líquidos*** || **optimismo** *Los muchachos exudaban optimismo antes del partido* · **buen humor** · **alegría** · **amor** · **entusiasmo** · **ilusión** · ***otros sentimientos o emociones***

exultante (de) adj.

● CON SUSTS. **alegría** · **júbilo** *Los ganadores estaban exultantes de júbilo* · **regocijo** · **satisfacción** || **juventud** · **vitalidad** · **confianza**
● CON VBOS. **estar** · **mostrar(se)** · **ver (a alguien)** · **notar (a alguien)** || **proclamar** · **señalar** · **celebrar**

F f

fabricación s.f.

● CON ADJS. **casera** · **artesanal** *un dulce de fabricación artesanal* · **industrial** · **mecánica** || **en serie** · **en cadena** · **masiva** || **nacional** · **regional** · **local** · **propia** · **extranjera** || **clandestina** · **ilegal** *La Policía ha descubierto un taller de fabricación ilegal de...*

fabricar v.

● CON ADVS. **en cadena** · **en serie** *fabricar coches en serie* · **en masa** || **industrialmente** · **artesanalmente** || **en exclusiva** || **a medida** || **íntegramente**

[fábula] → de fábula; fábula

fábula s.f.

● CON ADJS. **moral** *una fábula moral de nuestro tiempo* || **infantil** · **futurista** · **navideña** · **romántica** || **tradicional** · **moderna** || **interesante** · **sobrecogedora** · **fantástica** · **verosímil** · **extraordinaria**

● CON SUSTS. **moraleja (de)** *Conozco muy bien la moraleja de esa fábula* · **personaje (de)** · **animal (de)**

● CON VBOS. **contar** · **narrar** · **oír** || **crear** *La autora se basó en la realidad para crear su fábula* · **escribir** · **construir** · **componer** · **inventar** · **idear**

□ EXPRESIONES **de fábula*** [muy bien o muy bueno] *col.*

fabulosamente adv.

● CON VBOS. **adornar** · **decorar** *Decoró fabulosamente su casa nueva* · **engalanar** · **ornamentar** || **retribuir** · **pagar** || **portarse** *Se portó fabulosamente conmigo* · **responder** || **ilustrar** || **mejorar** · **crecer** *Los precios de los pisos están creciendo fabulosamente* · **aumentar** || **cantar** · **actuar**

fabuloso, sa adj.

● CON SUSTS. **negocio** · **contrato** · **ingreso** · **ganancia** *Este negocio produce unas ganancias fabulosas* · **sueldo** · **herencia** || **precio** *unas joyas a precios fabulosos* · **suma** · **cantidad** || **tesoro** · **joya** · **colección** · **arsenal** · **biblioteca** || **mundo** · **imperio** · **época** || **viaje** · **aventura** · **historia** *Le encantaba inventarse historias fabulosas*

● CON VBOS. **ser** · **resultar** · **parecer** *Me parece fabuloso que vengas* · **estar**

facción s.f.

● CON ADJS. **mayoritaria** · **minoritaria** *Se produjo un duro enfrentamiento entre la facción mayoritaria y la minoritaria a causa de...* || **disidente** · **rebelde** · **insurgente** · **rival** · **enfrentada** || **fanática** · **radical** · **conservadora** *un dirigente de la facción conservadora del partido* || **pequeña** · **aislada**

● CON SUSTS. **líder (de)** · **miembro (de)** · **militante (de)**

● CON VBOS. **dirigir** || **formar** · **constituir** · **aglutinar** · **conciliar** || **disolver** *Se ha disuelto la facción más radical de aquel partido político* || **escindir(se) (en)** · **dividir(se) (en)** *El ejército rebelde se dividió en dos facciones* || **pertenecer (a)** · **adscribirse (a)** · **unirse (a)**

faceta

1 faceta s.f.

● CON ADJS. **enigmática** · **curiosa** · **peculiar** · **especial** · **diferente** · **distinta** · **diversa** || **conocida** · **desconocida** *En la biografía se revela una faceta desconocida del autor* · **ignorada** · **olvidada** · **antigua** · **nueva** || **doble** · **innumerable** || **característica** || **múltiples** · **numerosas**

● CON VBOS. **confluir** || **explorar** · **investigar** · **cultivar** · **descuidar** || **desplegar** · **reconocer** · **conocer** · **presentar** · **descubrir** · **mostrar** · **exhibir** · **lucir** · **explotar** *Tienes que explotar más tu faceta de cantante* · **tener** · **ocultar** || **abarcar** · **combinar**

2 faceta (de) s.f.

● CON SUSTS. **estilo** *Estudiaremos las diferentes facetas de cada estilo* · **arte** · **artista** · **cultura** · **creación** · **obra** · **trayectoria** · **programa** · **proceso** || **proyecto** · **actividad** · **trabajo** · **labor** · **investigación** · **negocio** || **personalidad** *No conocía yo esa faceta de tu personalidad* · **conducta** · **talento** || ***persona*** || **realidad** · **vida** *Me sorprendió mucho esa faceta de su vida* · **biografía** · **enfermedad**

fachada s.f.

● CON ADJS. **principal** *la fachada principal de la casa* · **frontal** · **lateral** · **posterior** · **trasera** || **exterior** *la fachada exterior del edificio* · **interior** || **marítima** · **urbana**

● CON VBOS. **derrumbarse** || **arreglar** · **restaurar** · **rehabilitar** · **adecentar** · **blanquear** *Desde que blanqueamos la fachada, la casa está mucho más bonita* · **enjalbegar** · **remozar** · **encalar** · **pintar** || **presentar** || **preservar** || **encaramarse (a)** · **subirse (a)** · **descolgarse (por)**

facial adj.

● CON SUSTS. **vello** *eliminar el vello facial* || **rasgo** · **expresión** · **gesto** || **parálisis** · **traumatismo** · **herida** · **hematoma** || **gimnasia** · **movilidad** || **tratamiento** · **limpieza** *hacerse una limpieza facial* · **masaje** · **rejuvenecimiento** · **estética** · **cirugía** · **implante** · **crema**

fácil adj.

● CON SUSTS. **tarea** *Convencerte no fue tarea fácil* · **empresa** || **dinero** · **ganancia** || **venta** · **construcción** · **traducción** · **arreglo** · ***otros procesos*** || **camino** · **acceso** || **éxito** · **reconocimiento** || **presa** || **lectura** *una obra de fácil lectura* · **libro** · **canción** || **explicación** · **comunicación** · **comprensión** · **deducción** || **risa** *Soy una persona*

de risa fácil · **chiste** || **victoria** · **triunfo** || **autor,-a** · **compositor,-a** · **pintor,-a** || **hombre** · **mujer**
● CON ADVS. **enormemente** · **extraordinariamente** · **inmensamente** · **profundamente** · **sumamente** · **terriblemente** · **tremendamente** · **excesivamente** · **en extremo** || **especialmente** · **particularmente** *una lectura particularmente fácil para los primeros lectores*
● CON VBOS. **ser** · **volver(se)** · **hacer(se)** · **estar** · **poner(se)** · **resultar** · **parecer** *Parecía fácil conseguirlo*

facilidad s.f.

● CON ADJS. **portentosa** · **pasmosa** *Tenía una facilidad pasmosa para las matemáticas* · **asombrosa** · **extraordinaria** · **envidiable** · **increíble** · **singular** · **extraña** || **suma** · **absoluta** · **total** · **gran(de)** *Tengo gran facilidad para aprender idiomas* · **excesiva** · **escasa** || **camaleónica** || **aparente**
● CON VBOS. **dar** *Nos dieron muchas facilidades para pagar la hipoteca* · **conceder** · **brindar** · **desplegar** · **mostrar** || **encontrar** · **tener** · **poseer** · **poner** · **perder**

facilitar v.

● CON SUSTS. **pacto** · **acuerdo** · **diálogo** *El encuentro facilitó el diálogo entre los dirigentes* · **comunicación** · **encuentro** · **entendimiento** · **acercamiento** · **paz** · **tregua** · **reconciliación** · **solución** · **negociación** || **trabajo** · **labor** *Tu colaboración facilitó enormemente la labor de la Policía* · **proyecto** · **tarea** · **investigación** || **desarrollo** · **ascenso** *¿Tu crees que sus relaciones facilitaron su ascenso en la empresa?* · **cambio** · **desplazamiento** · **crecimiento** · **tramitación** · **camino** || **acceso** · **salida** *Las nuevas medidas de tráfico facilitarán la salida de las grandes ciudades* · **ingreso** · **paso** · **tráfico** · **flujo** · **retorno** || **uso** · **funcionamiento** · **empleo** || **transporte** · **distribución** · **intercambio** · **tránsito** || **comprensión** · **lectura** || **integración**
● CON ADVS. **inmensamente** · **enormemente** · **notablemente** *Tu ayuda facilitó notablemente mi trabajo* · **notoriamente** · **ostensiblemente** · **claramente** · **decisivamente** · **considerablemente** *La información recibida facilitó considerablemente la investigación* · **en lo posible** || **en {gran/cierta/alguna/escasa} medida**

factible adj.

● CON SUSTS. **solución** · **salida** *buscar una salida factible a la crisis* · **alternativa** · **opción** · **propuesta** · **posibilidad** || **pacto** · **acuerdo** *Todos piensan que el acuerdo es factible* · **entendimiento** · **acercamiento** · **conciliación** || **teoría** · **hipótesis** · **fórmula** · **idea** *proponer una idea factible* · **plan** · **objetivo** · **proyecto** · **método** · **operación** || **realización** · **viabilidad** || **plazo** · **fecha** *Debemos fijar una fecha factible* || **victoria** · **éxito** || **cambio** || **camino** *No va a ser fácil encontrar un camino factible* · **vía** || **trabajo** · **tarea** || **viaje** · **expedición**
● CON ADVS. **perfectamente** *Esta alternativa es perfectamente factible* || **técnicamente** · **tecnológicamente** || **escasamente** · **plenamente**
● CON VBOS. **hacer** *Su colaboración hizo factible el proyecto* · **volverse** || **considerar** · **ver** · **parecer** · **resultar** · **creer**

fáctico, ca adj.

● CON SUSTS. **poder** *los poderes fácticos que gobiernan el mundo* || **apoyo** · **respaldo** · **acuerdo**

factor

1 factor s.m.

● CON ADJS. **desencadenante** *el factor desencadenante de la revolución* · **detonante** · **causante** · **propicio** · **coadyuvante** · **condicionante** || **agravante** · **potenciador** · **estimulante** · **atenuante** || **primordial** · **capital** · **crucial** · **fundamental** · **decisivo** *Ese fue el factor decisivo en la derrota del equipo* · **determinante** · **esencial** · **preponderante** · **relevante** · **importante** · **de peso** · **sustancial** · **principal** || **humano** *El factor humano es crucial en los accidentes de tráfico* || **irrelevante** · **secundario** · **coyuntural** || **común** · **característico** || **incontrolable** || **congénito** · **sanguíneo**
● CON SUSTS. **cúmulo (de)** · **serie (de)** · **conjunto (de)** || **tiempo** *El factor tiempo juega a nuestro favor*
● CON VBOS. **concurrir** · **converger** · **confluir** · **conjugar(se)** || **asumir** || **constituir**

2 factor (de) s.m.

● CON SUSTS. **protección** *una crema con factor de protección alto* · **riesgo** || **estabilidad** · **equilibrio** · **coherencia** · **integración** · **unidad** · **vertebración** || **división** · **distorsión**

factura s.f.

▌[cuenta, recibo]

● CON ADJS. **abusiva** · **astronómica** *Nos pasaron una factura de teléfono astronómica* · **millonaria** · **abultada** · **elevada** · **jugosa** || **cara** · **barata** || **asumible** · **abordable**
● CON VBOS. **pagar** *Todavía tengo que pagar la factura de la luz* · **abonar** · **finiquitar** || **presentar** · **pedir** · **tener** · **traer** || **aligerar** · **rebajar** · **amañar** || **hacer** || **cargar (con)**

▌[ejecución, hechura]

● CON ADJS. **bella** *un gol de bella factura* · **impecable** · **perfecta** · **cuidada** · **minuciosa** · **excelente** · **insuperable** · **excepcional** · **admirable** · **irreprochable** || **reciente** *el estreno de dos filmes de factura reciente*

□ EXPRESIONES **pasar factura** (a alguien) [tener consecuencias negativas para alguien] *col.*

facturar v.

● CON SUSTS. **equipaje** *facturar el equipaje en el aeropuerto* · **maleta** · **pertenencias** || **dinero** *¿Sabes cuánto dinero factura esta empresa?*

facultad s.f.

● CON ADJS. **portentosa** *Tiene unas facultades portentosas para el baile* · **ilimitada** · **plena** · **mermada** || **adquirida** · **innata** *unas facultades innatas para el arte* || **mental** · **física** || **musical** · **artística** · **literaria** · **poética** · **deportiva** || **discrecional** || **sobrado,da (de)** *Estás sobrada de facultades para realizar este trabajo* · **pletórico,ca (de)**
● CON VBOS. **menguar** || **desarrollar** · **ejercer** · **usar** · **emplear** · **poseer** · **tener** || **delegar** · **conceder** || **malgastar** · **desperdiciar** *Es una pena que desperdicies tus facultades de esa manera* · **alterar** · **dañar** · **perder** || **arrogarse** · **atribuir(se)** · **usurpar** || **restringir** · **limitar** · **acotar** || **abusar (de)** *Abusa de las facultades que posee* · **hacer uso (de)** · **gozar (de)**
● CON PREPS. **en uso (de)** *Está en pleno uso de sus facultades mentales* · **sin perjuicio (de)**

facultativo, va adj.

● CON SUSTS. **parte** *...de pronóstico grave, según el parte facultativo* · **prescripción** · **orden** || **examen** · **revisión** || **personal** · **cuerpo** *una huelga promovida por el cuerpo facultativo de este hospital* || **título**

faena s.f.

▮ [actuación]

●CON ADJS. **completa · plena · espléndida · monumental · excelente || de aliño** *una faena de aliño que el público supo entender* **|| de relumbrón**

●CON VBOS. **brindar || enderezar · echar a perder · malograr || culminar · completar · finalizar · ejecutar · ventilar · rematar · remachar · bordar · redondear · cuajar · iniciar**

▮ [trabajo]

●CON SUSTS. **traje (de) · uniforme (de) · mono (de) · ropa (de)** *ropa de faena para trabajar en el huerto*

●CON VBOS. **tener {mucha/poca} · quedar**

▮ [mala pasada] *col.*

●CON ADJS. **imperdonable**

●CON VBOS. **hacer (a alguien) || no tener nombre**

□EXPRESIONES **meterse en faena · entrar en faena** [empezar una tarea] *col.*

faenar v.

●CON SUSTS. **flota · barco** *La mayoría de los barcos faenaban en aguas comunitarias* **· pesquero · buque · pescador,-a**

●CON ADVS. **legalmente · ilegalmente** *pesqueros que faenan ilegalmente*

fagot s.m. Véase **INSTRUMENTO MUSICAL**

fajo (de) s.m.

●CON SUSTS. **billetes** *Sacó del bolsillo un fajo de billetes* **· papeles · entradas · documentos**

falacia s.f.

●CON ADJS. **completa · total · absoluta · monumental · verdadera · evidente · flagrante || absurda** *No sé cómo se pueden creer esas absurdas falacias* **· burda || infame · vil · sucia**

●CON SUSTS. **serie (de) · sarta (de) · cúmulo (de)**

●CON VBOS. **destapar(se) · desvelar(se) · difundir(se)** *una falacia que se difundió por todo el país* **|| demostrar · denunciar** *denunciar una falacia ante un tribunal* **· condenar · delatar · publicar · airear || negar · desmentir · combatir · rechazar · desenmascarar || representar · entrañar · constituir || tachar (de) · calificar (de)** *Calificó de falacias todo lo dicho por el periodista*

falaz adj.

●CON SUSTS. **argumento** *Vuelven a recurrir a argumentos falaces y manidos* **· expresión · afirmación · promesa · alusión · historia · dilema || ideología · pensamiento · idea · planteamiento · criterio · solución**

●CON VBOS. **considerar** *Consideró falaces todas las afirmaciones del testigo* **· volverse || calificar (de)**

falda

1 **falda** s.f.

▮ [prenda de vestir]

●CON ADJS. **recta · de vuelo · vaporosa · evasé · abombada · tableada · de tablas || corta · larga · tobillera || lisa** *Como la falda es lisa, combina muy bien con todo* **· estampada · (a/de) rayas · (a/de) cuadros · (a/de) lunares || clásica · extravagante · estrafalaria**

●CON SUSTS. **vuelo (de) · revoloteo (de) || pantalón** *Me he comprado una falda pantalón* **· tubo**

●CON VBOS. **acortar · alargar || recogerse** *La bailaora se recogió la falda y empezó el zapateado* **· levantar || agarrar · sujetar**

➤ Véase también **ROPA**

▮ [parte baja de un monte]

●CON ADJS. **de montaña** *El convento está en la falda de la montaña* **· de monte · de cerro · de volcán**

●CON VBOS. **cubrir** *La hierba cubría las faldas de las montañas* **|| bordear · recorrer || descender (por) · bajar (por) · ascender (por) · subir (por)** *El camino sube por la falda del volcán*

2 **faldas** s.f.pl. *col.*

▮ [mujeres]

●CON SUSTS. **lío (de)** *Está metido en un lío de faldas del que no sabe cómo salir* **· asunto (de) · escándalo (de) · afición (a)**

[faldas] s.f.pl. →falda

falla s.f.

▮ [grieta]

●CON ADJS. **profunda || geológica**

●CON VBOS. **abrirse** *A causa del terremoto, se abrieron grandes fallas en el terreno* **· moverse**

▮ [defecto]

●CON ADJS. **humana · mecánica · técnica · eléctrica · de seguridad || temporal · reiterada** *Las reiteradas fallas del mecanismo impidieron la presentación del prototipo* **· imperdonable · catastrófica**

●CON VBOS. **dificultar (algo) · impedir (algo) · interrumpir (algo) · amenazar (algo) || encontrar · detectar** *Detectaron a tiempo la falla en el motor derecho del avión* **· descubrir · señalar · registrar || producir · causar · provocar · cometer || corregir · reparar · superar · solucionar**

fallar v.

▮ [no acertar]

●CON SUSTS. **tiro · disparo · golpe · gol** *Me dio mucha rabia fallar el gol* **· intento || pronóstico**

●CON ADVS. **gravemente · clamorosamente** *¿Cómo pudo fallar tan clamorosamente ese tiro?* **· estrepitosamente · por completo || por poco**

▮ [decidir]

●CON SUSTS. **juez** *La juez falló en contra del acusado* **· jurado · tribunal**

●CON ADVS. **a favor · en contra || unánimemente** *El jurado falló a favor unánimemente* **· por unanimidad · mayoritariamente · coherentemente || imparcialmente · salomónicamente · parcialmente || irrevocablemente**

fallecer v.

●CON ADVS. **trágicamente** *En el accidente fallecieron trágicamente dos personas* **· dramáticamente || inesperadamente · prematuramente · recientemente**

fallido, da adj.

●CON SUSTS. **acto · acción · atentado** *el atentado fallido de los terroristas* **· golpe · asalto · robo · secuestro · invasión · disparo || intento** *Tras varios intentos fallidos de llegar a un acuerdo...* **· tentativa · ocasión · remate || experimento · proyecto · operación || pronóstico · resultado || conexión · llamada || negociación · fusión ||**

crédito · **inversión** *Una inversión fallida lo llevó a la ruina* || **expedición** · **misión**

fallo s.m.

▮ [error]

● CON ADJS. **garrafal** *¿Cómo pude cometer un fallo tan garrafal?* · **clamoroso** · **monumental** · **como una catedral** · **mayúsculo** · **catastrófico** · **estrepitoso** · **abultado** · **grave** · **grueso** · **irreparable** · **reiterado** || **intolerable** · **inexcusable** · **inadmisible** · **imperdonable** *Fue un fallo imperdonable por mi parte* · **incomprensible** || **sin importancia** · **ligero** · **anecdótico** · **disculpable** · **leve** · **simple** · **inadvertido** · **inapreciable** · **imperceptible** || **sonado** *un gol frustrado que se convirtió en el fallo más sonado de la liga* · **llamativo** · **ostensible** · **flagrante** · **estruendoso** · **manifiesto** · **apreciable** · **de bulto** · **al descubierto** || **humano** *Aseguran que el accidente se debió a un fallo humano* · **involuntario** || **en cadena** · **encadenados** · **repetido** · **múltiple** · **repentino** · **habitual**
● CON SUSTS. **cúmulo (de)** · **serie (de)** · **secuencia (de)**
● CON VBOS. **deslizarse** · **producir(se)** *Se produjo un fallo en el motor del coche* · **descubrir(se)** · **delatar (a alguien)** || **cometer** · **causar** · **provocar** · **originar(se)** · **achacar (a algo/a alguien)** *Achacan el fallo del piloto a la densa niebla* || **subsanar** · **arreglar** · **soslayar** · **corregir** *corregir los fallos del examen* · **enmendar** || **magnificar** · **dar importancia** || **tener** · **detectar** · **notar** · **percibir** · **encontrar** · **destapar** · **acusar** · **buscar** · **hallar** · **perdonar** · **compensar** · **disculpar** *Intenté disculpar mi fallo ante mis compañeros* · **ocultar** · **pasar por alto** || **sufrir** || **caer (en)**
● CON PREPS. **a prueba (de)** *un mecanismo construido a prueba de fallos*

▮ [sentencia]

● CON ADJS. **salomónico** · **ecuánime** || **absolutorio** · **a favor** · **en contra** || **unánime** · **inapelable** || **defensivo**
● CON VBOS. **acatar** *Expresó su intención de acatar el fallo judicial* · **desobedecer** · **desoír** · **burlar** · **recurrir** · **impugnar** || **prescribir** · **derogar** · **revocar** · **rectificar** || **emitir** *El tribunal emitió el fallo de conformidad* · **proclamar** · **ejecutar** || **imputar** || **aferrarse (a)**

falsamente adv.

● CON VBOS. **prometer** · **asegurar** · **afirmar** · **informar** || **denominar** · **calificar** || **escudarse** · **justificar** · **reprochar** || **testificar** · **declarar** · **imputar** · **denunciar** · **acusar** *...y fueron falsamente acusados de crímenes de guerra* · **atribuir** || **certificar** · **documentar** · **avalar** || **sonreír** *En cada rueda de prensa sonreía falsamente ante los periodistas* || **actuar** · **vender**

falsear v.

● CON SUSTS. **verdad** · **realidad** · **hecho** · **situación** · **historia** · **información** · **contenido** · **causa** || **número** · **presupuesto** *falsear los presupuestos generales* · **factura** || **resultado** *Lo acusaron de falsear el resultado de las elecciones* · **dato** · **estadística** · **balance** || **traducción** · **certificado** · **documento** · **licencia** · **firma** *Falseó la firma para que el texto pasara el trámite* · **acta** · **elección** · **declaración** · **testimonio** · **respuesta** || **postura** · **idea** · **lógica** · **prueba** *Se demostró que habían falseado las pruebas*
● CON ADVS. **a escondidas** · **encubiertamente** || **adrede** || **descaradamente** · **evidentemente** · **ostensiblemente** · **perceptiblemente** · **claramente** *Dos cazadores habían falseado claramente sus licencias de armas* || **maliciosamente** · **deliberadamente** · **intencionadamente**

falsedad s.f.

● CON ADJS. **total** · **absoluta** · **completa** · **rotunda** || **palpable** · **manifiesta** · **ostensible** · **notoria** · **al descubierto** || **presunta** · **supuesta** · **posible** · **probable** || **reiterada** || **documental** *Se sienta en el banquillo acusada de falsedad documental* · **ideológica**
● CON SUSTS. **sarta (de)** *Tras pronunciar toda una sarta de falsedades y calumnias...* · **serie (de)** · **cúmulo (de)** || **delito (de)**
● CON VBOS. **salir a la luz** || **sacar a la luz** · **poner de manifiesto** · **demostrar** · **destapar** · **desenmascarar** · **descubrir** · **esclarecer** · **denunciar** · **publicar** || **soltar** · **decir** || **percatarse (de)** · **incurrir (en)** || **acusar (a alguien) (de)**

falsete s.m.

● CON SUSTS. **voz (de)**
● CON VBOS. **cantar (en)** *especializados en cantar en falsete* · **recitar (en)**

falsificación s.f.

● CON ADJS. **perfecta** *Es una falsificación perfecta de uno de los cuadros más cotizados del pintor* · **conseguida** · **lograda** || **tosca** · **burda** *Me dieron una burda falsificación de un billete* · **descarada** || **mera** · **simple** || **documental** · **electoral** · **artística**
● CON SUSTS. **delito (de)**
● CON VBOS. **detectar** · **descubrir** · **investigar** *Están investigando la falsificación de pruebas en el juicio* || **hacer** · **realizar** || **constituir**
● CON PREPS. **a prueba (de)**

falsificar v.

● CON SUSTS. **carné** · **pasaporte** *Se relaciona a la sospechosa con una red dedicada a falsificar pasaportes* · **identificación** · **identidad** · **visado** · **pase** · **tarjeta** · **firma** · **título** · **licencia** · **permiso de trabajo** · **placa** || **certificado** · **nómina** · **cheque** · **documento** · **acta** · **receta** · **notas** · **contrato** || **joya** · **insignia** · **billete** *Detenidos unos jóvenes que falsificaban billetes de 100 euros* · **moneda** · **dinero** · **sello** || **cuadro** · **pintura** · **obra** || **cifra** · **dato** · **prueba** · **marca** || **pasado** · **historia** · **idea**

[falso] → en falso; falso, sa

falso, sa adj.

● CON SUSTS. **cuadro** · **pintura** *Han desarticulado una banda dedicada al tráfico de pinturas falsas* · **obra** || **dato** · **información** · **noticia** · **prueba** || **contrato** · **documento** · **pasaporte** · **carné** || **nombre** · **identidad** · **imagen** · **sonrisa** || **declaración** · **palabras** || **expectativas** *No quiero crearme falsas expectativas* || **joya** · **billete** · **moneda** · **sello** || ***persona*** *Parecía honrado, pero tu amigo ha resultado ser bastante falso* || **modestia** · **amabilidad** || **interés** · **preocupación** · **deseo**
● CON ADVS. **completamente** *Todo lo que dijo era completamente falso* · **absolutamente** · **totalmente** · **rotundamente** · **de pies a cabeza** · **rematadamente** · **por los cuatro costados** || **parcialmente** · **en parte** || **ostensiblemente** · **clamorosamente** · **sin lugar a dudas** · **de todas todas**

[falta] s.f. → falto, ta

[faltar] → faltar; faltar (a)

faltar v.

● CON SUSTS. **tiempo** *Me faltó tiempo para acabar* · **espacio** · **dinero** || **material** · **pieza** || **detalle** *Contó todo sin faltar detalle* · **información** · **dato** || **carisma** · **personalidad** · **espíritu** · **ánimo** · **motivación** · **gana** || **valor** · **determinación** · **claridad** · ***otras cualidades*** || **aire** · **fuerza** · **energía**

faltar (a) v.

▮ [agraviar o incumplir]

● CON SUSTS. **profesor,-a** · **jefe,fa** · **padre** *No consiento que faltes a tu padre* · **madre** · **gente** · ***otros individuos y grupos humanos*** || **palabra** *Prometió guardar silencio y no quiere faltar a su palabra* · **compromiso** · **deber** · **promesa** · **acuerdo** · **obligación** || **verdad** *Negar la influencia de su obra sería faltar a la verdad* · **rigor** · **sinceridad** · **honestidad** || **respeto** *Mantiene que la directiva le faltó al respeto y a la dignidad, y exige una compensación* · **lealtad** · **amistad** · **dignidad**

● CON ADVS. **gravemente** · **seriamente**

▮ [no acudir]

● CON SUSTS. **cumpleaños** · **cita** *Espero que no faltes a la cita del sábado* · **reunión** · **certamen** · **competición** · ***otros eventos*** || **trabajo** · **consulta** · **clase** · ***otros compromisos***

● CON ADVS. **reiteradamente** *faltar reiteradamente al trabajo* · **frecuentemente** · **asiduamente** · **continuamente** · **constantemente**

falto, ta

1 falto, ta (de) adj.

● CON SUSTS. **fuerza** · **ritmo** · **reflejo** · **forma** *Encontré a los jugadores cansados y faltos de forma física* · **carisma** || **idea** *una escritora falta de ideas pero con un estilo personal* · **imaginación** · **criterio** || **interés** · **ganas** · **chispa** · **contenido** · **personalidad** || **ética** · **respeto** · **moral** · **escrúpulo** · **educación** · **sensibilidad** || **sentido** · **lógica** · **calidad** · **rigor** || **recursos** · **medios** · **dinero** · **tiempo** · **espacio** || **cariño** · **amor** · **sentimiento**

● CON VBOS. **estar** · **quedar(se)** · **volver(se)** *Desde hace algunos minutos, el encuentro se ha vuelto falto de interés* · **mantener(se)** · **sentirse**

□ USO Se construye generalmente con sustantivos no contables en singular (*falto de fuerza*) o contables en plural (*falto de recursos*).

2 falta s.f.

▮ [ausencia]

● CON ADJS. **evidente** *Entre ellos había una evidente falta de diálogo* · **acusada** · **inequívoca** · **clamorosa** · **ostensible** · **notoria** · **perceptible** · **al descubierto** || **total** · **absoluta** · **completa** · **profunda** || **apremiante** · **acuciante**

● CON VBOS. **percibir(se)** · **notar(se)** *Cada día se nota más su falta entre nosotros* · **agudizar(se)** · **agravar(se)** *Con la sequía se agravó la falta de agua* || **salir a la luz** || **acuciar** || **sacar a la luz** || **detectar** || **compensar** · **suplir** *en un vano intento de suplir su falta de calidad* · **paliar** · **amortiguar** · **subsanar** · **neutralizar** · **solventar** || **acusar** *Después de las vacaciones, el equipo acusa la falta de entrenamiento* · **achacar** · **sufrir** || **aducir**

□ USO Se construye frecuentemente con complementos encabezados por la preposición *de*: *falta de costumbre*.

▮ [infracción]

● CON ADJS. **intolerable** · **imperdonable** · **punible** · **grave** *La han expulsado por una falta grave de disciplina* · **garrafal** || **menor** · **leve** || **voluntaria** · **deliberada** · **intencionada** || **reiterada** || **de ortografía** · **de puntualidad**

● CON SUSTS. **cúmulo (de)** · **acumulación (de)** || **gravedad (de)** || **culpable (de)**

● CON VBOS. **hacer** · **cometer** · **realizar** · **confesar** · **reconocer** *Por lo menos reconociste tu falta* · **expiar** · **reparar** · **subsanar** || **disculpar** · **dispensar** · **perdonar** · **exculpar** · **encubrir** || **señalar** · **pitar** · **tirar** *El delantero metió un gol al tirar la falta* · **recibir** || **imputar** · **reprochar** · **castigar** · **detectar** · **penalizar** · **sancionar** || **constituir** || **corregir** || **absolver (de)** || **acusar (de)** *Lo acusaron de una falta que él no había cometido* · **incurrir (en)** || **tropezar (con)**

□ EXPRESIONES **echar** (algo) **en falta** [echarlo de menos] || **hacer falta** [ser necesario] || **sin falta** [con seguridad]

fama s.f.

● CON ADJS. **mala** · **buena** *Es un restaurante con muy buena fama* || **merecida** *La merecida fama de maestro se la ha ido ganando poco a poco* · **reconocida** · **constatada** · **inmerecida** || **notable** · **considerable** · **gran(de)** · **relativa** || **sólida** · **extendida** · **dilatada** · **universal** *una artista de fama universal* · **mundial** · **internacional** || **fugaz** · **pasajera** · **efímera** || **indudable** · **incuestionable** || **sobrado,da (de)** · **ávido,da (de)** *Muchas jóvenes promesas del espectáculo están ávidas de fama*

● CON SUSTS. **ápice (de)** · **halo (de)** || **salto (a)**

● CON VBOS. **acrecentar(se)** · **afianzar(se)** · **llegar(le) (a alguien)** · **subirse a la cabeza (a alguien)** *No es uno de esos jovencísimos futbolistas a los que se les sube la fama a la cabeza* || **eclipsar(se)** · **apagar(se)** · **empañar(se)** · **derrumbar(se)** · **decrecer** · **decaer** · **declinar** · **periclitar(se)** || **consolidar(se)** · **aumentar** || **sonreír (a alguien)** *Sigue intentándolo, porque algún día la fama te sonreirá* · **sobrevenir** || **buscar** · **perseguir** || **alcanzar** · **adquirir** · **tomar** · **cobrar** · **acaparar** · **conseguir** · **ganarse** · **granjearse** · **labrar(se)** · **forjar(se)** · **conquistar** || **ensuciar** *El escándalo ensució su buena fama* · **ensombrecer** · **comprometer** · **erosionar** · **perjudicar** · **dañar** · **perder** · **dilapidar** · **minar** || **saborear** · **digerir** · **tener** · **sobrellevar** || **atesorar** · **acreditar** · **cimentar** · **mantener** || **capitalizar** || **gozar (de)** · **disfrutar (de)** · **aspirar (a)** || **saltar (a)** · **lanzarse (a)** · **encumbrar(se) (a)** · **catapultar(se) (a)**

● CON PREPS. **al calor (de)**

□ USO Se construye muy frecuentemente con sustantivos encabezados por la preposición *de*: *fama de persona honrada*.

familia s.f.

● CON ADJS. **unida** · **compenetrada** · **inseparable** · **bien avenida** *Da gusto ver a una familia tan bien avenida* · **cohesionada** · **compacta** · **homogénea** || **vertebrada** · **desavenida** · **heterogénea** · **desperdigada** || **adinerada** · **acomodada** · **de clase {alta/media/baja}** *proceder de una familia de clase media* · **humilde** · **distinguida** · **de solera** · **de abolengo** · **real** *un retrato de la familia real* || **abultada** · **numerosa** *un descuento por ser familia numerosa* · **abundante** · **nutrida** · **escasa** || **convencional** · **desnaturalizada** || **política** *Mañana voy a conocer a mi familia política* || **monoparental** · **patriarcal** · **matriarcal**

● CON SUSTS. **espíritu (de)** · **aire (de)** *Todos los hermanos tiene el mismo aire de familia* || **cabeza (de)** *Se necesita un justificante firmado por el cabeza de familia* · **padre (de)** · **madre (de)** || **médico,ca (de)** || **libro (de)** *presentar el libro de familia para acceder a las ayudas* || **fotografía (de)** · **retrato (de)** *Los líderes políticos posan para el habitual retrato de familia*

● CON VBOS. **descomponer(se)** · **desmembrar(se)** · **fragmentar(se)** · **disgregar(se)** · **escindir(se)** · **desperdigar(se)** · **fraccionar(se)** · **quebrar(se)** · **distanciar(se)** · **romper(se)** || **unir(se)** *Aquella desgracia hizo que la familia se uniese más* · **llevar(se) {bien/mal/regular}** || **ser** *Aquí todos somos familia* · **formar** *Tiene muchas ganas de tener hijos y formar una familia* · **aglutinar** · **integrar** · **crear** · **tener** || **continuar** · **sostener** · **mantener** · **alimentar** · **atender** · **desatender** || **proceder (de)** · **provenir (de)** · **descender (de)** · **venir (de)** · **pertenecer (a)** || **nacer (en)** · **criar(se) (en)** · **crecer (en)** · **vivir (en)** · **emparentar (con)** || **apoyarse (en)** *Tras el fracaso sentimental, se apoyó mucho en su familia*
● CON PREPS. **en** *celebrar un bautizo en familia*

familiar adj.

● CON SUSTS. **vida** · **mundo** · **entorno** *un entorno familiar estable* · **contexto** · **ámbito** · **ambiente** · **clima** · **núcleo** · **círculo** || **empresa** *una pequeña empresa familiar* · **negocio** · **taller** || **situación** · **circunstancias** *Vive unas difíciles circunstancias familiares* || **grupo** · **saga** || **economía** *Nuestra economía familiar en este momento no es muy boyante* · **salario** · **fortuna** · **patrimonio** · **herencia** || **reunión** · **fiesta** · **comida** *Mañana tenemos una comida familiar* || **fotografía** · **retrato** || **historia** · **genealogía** · **raíces** · **historial** · **antecedentes** · **orígenes** · **tradición** || **problema** *un problema familiar de difícil solución* · **conflicto** · **tragedia** || **lazos** · **relaciones** || **planificación** *una clínica de planificación familiar*
● CON VBOS. **hacer(se)** · **resultar**

familiaridad s.f.

● CON ADJS. **excesiva** *Nos trató con excesiva familiaridad sin apenas conocernos* · **absoluta** · **indiscutible** || **entrañable** · **sincera** · **respetuosa** || **de trato**
● CON SUSTS. **gesto (de)** || **grado (de)** || **ambiente (de)** *Se encuentra muy a gusto en ese ambiente de familiaridad* · **clima (de)**
● CON VBOS. **tener** · **mantener** || **mostrar** · **demostrar** || **tratar (con)**

familiarizar(se) (con) v.

● CON SUSTS. **alumno,na** · **compañero,ra** *Se ha familiarizado rápidamente con sus compañeros* · ***otros individuos y grupos humanos*** || **mundo** *familiarizarse con el mundo laboral* · **medio** · **ambiente** · **entorno** · **trabajo** · **ciudad** || **obra** · **música** · **libro** || **lenguaje** · **idioma** *En cuanto te familiarices con el idioma, todo te resultará más fácil* || **concepto** · **técnica** · **método** · **sistema**

famoso, sa adj.

● CON ADVS. **mundialmente** *Se hizo mundialmente famosa* · **universalmente** · **tremendamente** · **sumamente** || **tristemente** *el tristemente famoso asesino en serie...*
● CON VBOS. **hacer(se)**

fan s.com.

● CON ADJS. **incondicional** *Soy fan incondicional de ese cantante* · **apasionado,da** · **enloquecido,da** · **enfebrecido,da** · **enfervorizado,da** · **histérico,ca**
● CON SUSTS. **club (de)** *formar parte de un club de fans* · **grupo (de)**
● CON VBOS. **abarrotar (algo)** || **gritar** · **chillar** · **aplaudir (a alguien)** · **vitorear (a alguien)** || **llenar(se) (de)**

fanático, ca

1 **fanático, ca** adj.

● CON SUSTS. **hincha** *Hubo serios altercados, provocados por los hinchas fanáticos de los dos equipos* · **aficionado,da** · **admirador,-a** · **seguidor,-a** · **criminal** · **asesino,na** · ***otros individuos y grupos humanos*** || **ideología** · **pensamiento** · **actitud** || **terrorismo** *...víctimas de un terrorismo fanático y atroz* · **violencia** · **extremismo** · **ira** · **locura** · **ceguera** || **secta**
● CON VBOS. **volverse** · **hacerse**

2 **fanático, ca** s.

● CON ADJS. **extremista** · **peligroso,sa** · **violento,ta** · **acérrimo,ma** · **obsesivo,va** || **del deporte** · **de la música** · **político,ca** · **religioso,sa**
● CON SUSTS. **grupo (de)** · **puñado (de)** · **secta (de)** · **banda (de)**

fanatismo s.m.

● CON ADJS. **violento** · **terrorista** · **suicida** · **asesino** || **ciego** · **radical** *condenar el fanatismo radical de un grupo de...* · **sectario** · **exaltado** · **ferviente** · **impulsivo** · **apasionado** · **enfervorizado** · **recalcitrante** · **irracional** · **exacerbado** · **acérrimo** · **encendido** · **entusiasta** · **fogoso** || **teocrático** · **religioso** *...actos marcados por el fanatismo religioso* · **ideológico** · **nacionalista** · **patriótico** · **étnico** · **revolucionario** || **del peor signo** · **contagioso** · **partidista** || **cegado,da (por)** *Actuó sin pensar, cegado por el fanatismo* || **imbuido,da (por)**
● CON VBOS. **cegar (a alguien)** || **impulsar** · **alimentar** || **combatir** *combatir el fanatismo con la educación* · **reprimir** · **aplacar** · **atemperar** || **inculcar (a alguien)** · **imbuir (en alguien)** || **enfrentar(se) (a)** · **plantar cara (a)** *una asociación que planta cara al fanatismo de cualquier signo* · **oponerse (a)** || **conducir (a)** || **dar alas (a)**
● CON PREPS. **contra** *una lucha contra el fanatismo político*

fanfarrón, -a adj.

● CON SUSTS. ***persona*** || **actitud** *una actitud fanfarrona ante los compañeros* · **comportamiento** · **aire** || **expresión** · **tono** *No entiendo a qué viene tu tono fanfarrón*
● CON VBOS. **ponerse**

fantasear (con) v.

● CON SUSTS. **idea** *Se pasó años fantaseando con la misma idea* · **imagen** · **sueño** · **ilusión** · **paraíso** || **actor** · **actriz** · **ídolo** · ***otros individuos***
● CON ADVS. **frecuentemente** · **continuamente**

[fantasía] → de fantasía; fantasía

fantasía s.f.

● CON ADJS. **desbordante** *Desde pequeña tuvo una fantasía desbordante* · **exuberante** · **incontenible** · **fértil** · **fecunda** · **viva** · **contagiosa** · **ardiente** || **onírica** · **excéntrica** · **sexual** || **infantil** || **rebosante (de)** · **lleno,na (de)** *un cuento lleno de fantasía* || **tendente (a)** · **propenso,sa (a)**
● CON SUSTS. **alarde (de)** || **mundo (de)** *Este chico vive en un mundo de fantasía* || **toque (de)** *La historia está bien contada pero no le vendría mal un toque de fantasía* · **brizna (de)** · **pizca (de)**
● CON VBOS. **volar** *Dejó volar su fantasía* · **crecer** · **realizar(se)** || **desbordarse** · **inundar (algo)** || **inflar** · **avivar** · **alimentar** *Esos relatos no hacen más que alimentar su fantasía* || **ejercitar** · **desarrollar** · **tener** · **canalizar** · **echar** · **crear** || **derrochar** *un texto que derrocha fantasía*

y buen humor · **contagiar (a alguien)** · **hacer volar** || **vivir** · **acariciar** || **propender (a)**

☐ EXPRESIONES **de fantasía*** [con muchos adornos o hecho de manera imaginativa y poco corriente] *unos pendientes de fantasía*

fantasioso, sa adj.

● CON SUSTS. ***persona*** *un niño tremendamente fantasioso* || **mente** · **carácter** || **idea** · **tesis** · **propuesta** · **hipótesis** · **conjetura** || **historia** *Esta vez no me lo creo, es una historia demasiado fantasiosa* · **rumor** · **versión**

fantasma

1 **fantasma** s.m.

● CON VBOS. **surgir** · **aparecer** · **cernerse (sobre algo/ sobre alguien)** · **acechar** · **planear** *el fantasma de la derrota planea sobre el equipo* · **atormentar (a alguien)** · **revivir** || **volver** · **regresar** || **desvanecerse** *Por fin se desvanecieron los fantasmas que tenía en la cabeza* · **desaparecer** · **alejarse** || **vencer** *¡Es necesario que venzas esos fantasmas de una vez!* · **enterrar** · **desterrar** · **ahuyentar** · **evitar** || **tener** · **ver** || **invocar** · **conjurar** · **despertar** *Han despertado los fantasmas del pasado* · **avivar** · **desenterrar** || **acabar (con)**

2 **fantasma (de)** s.m.

● CON SUSTS. **guerra** · **hambre** · **pobreza** · **emigración** · **desempleo** · **droga** || **corrupción** · **crispación** · **división** · **abstención** || **imaginación** · **duda** || **crisis** · **recesión** · **inflación** || **muerte** · **derrota**

fantasmagórico, ca adj.

● CON SUSTS. **apariencia** *un viejo caserón, de apariencia fantasmagórica* · **aspecto** · **estampa** · **silueta** · **rostro** || **presencia** · **aparición** || **atmósfera** · **paisaje** · **ciudad** · **edificio**

fantasmal adj.

● CON SUSTS. **ciudad** · **pueblo** *un pueblo fantasmal y abandonado* · **paisaje** · **poblado** · **barrio** · **casa** · **cuarto** · **desierto** · **mansión** · **páramo** || **ambiente** · **atmósfera** · **entorno** || **luz** · **halo** · **sombra** · **llama** · **aparición** · **figura** · **silueta** · **línea** || **aire** · **aspecto** · **carácter** || **paso** · **andar** · **movimiento** · **mueca** || **grito** · **voz** · **alarido** · **chirrido** *el chirrido fantasmal de una puerta* || **vacío** · **silencio** || **vida** · **presencia** · **existencia** || **conjura** · **conspiración** · **trama** · **intriga** *...intrigas fantasmales, ocultas y misteriosas, que no tardarán en salir a la luz* || **sociedad** · **gobierno** · **comisión** · **cortejo** · **congreso** · **consejo** · **grupo** · **partido** · **entidad** || **sueño** · **recuerdo** · **pensamiento** *pensamientos turbios y fantasmales* || **candidato,ta** · **enemigo,ga** · **personaje**

fantástico, ca adj.

● CON SUSTS. **cine** *el festival de Cine Fantástico* · **literatura** · **narrativa** · **película** · **novela** · **cuento** · **comedia** · **relato** · **fábula** · **historia** · **género** || **aventura** · **viaje** || **criatura** *Unas criaturas fantásticas escalaron la pierna del gigante y...* · **persona** || **carácter** || **sueño** · **imaginación**

● CON VBOS. **ser** · **volver(se)** · **estar** · **resultar**

farándula s.f.

● CON SUSTS. **personaje (de)** · **gente (de)** *No faltó a la fiesta gente de la farándula* · **miembro (de)** · **figura (de)** · **estrella (de)** || **mundo (de)**

faraónico, ca adj.

● CON SUSTS. **dinastía** || **edificio** · **construcción** · **obra** · **estructura** · **monumento** · **tumba** *Me impresionó la visita de las tumbas faraónicas* · **templo** · **pirámide** · **escultura** · **arquitectura** || **trabajo** · **plan** · **proyecto** · **operación** || **época** · **cultura** || **espectáculo** || **medida** *un enorme edificio, de medidas faraónicas* · **dimensión** · **grandeza** · **suma**

farfullar v.

● CON SUSTS. **palabra** *Apareció farfullando palabras sin sentido* · **frase** · **opinión** · **idea** · **ocurrencia** · **incoherencia** || **disculpa** · **excusa** · **maldición** *Farfulló una maldición y se alejó indignado* · **insulto** · **queja**

● CON ADVS. **ininteligiblemente** · **incoherentemente** · **descaradamente** · **violentamente**

faringitis s.f.

● CON ADJS. **aguda** · **crónica** · **incipiente** || **vírica** || **ligera** · **fuerte** || **afectado,da (de)** · **aquejado,da (de)**

● CON SUSTS. **origen (de)** · **tratamiento (de)** · **diagnóstico (de)** || **síntoma (de)** · **caso (de)**

● CON VBOS. **agudizar(se)** · **acentuar(se)** · **agravar(se)** || **curar(se)** || **detectar** · **diagnosticar** *El médico le diagnosticó una faringitis aguda* || **reponerse (de)** · **restablecerse (de)** · **recobrarse (de)**

farmacéutico, ca

1 **farmacéutico, ca** adj.

● CON SUSTS. **sector** *Según los economistas, el sector farmacéutico está en alza* · **industria** · **empresa** · **compañía** · **grupo** · **mercado** || **laboratorio** · **investigación** || **gasto** *El gasto farmacéutico del año pasado ascendió a...* · **consumo** · **factura** · **producción** · **distribución** || **profesión** · **especialidad** || **preparado** *Han retirado del mercado varios preparados farmacéuticos* · **producto** · **planta** · **receta**

2 **farmacéutico, ca** s.

● CON SUSTS. **colegio (de)** · **gremio (de)**

● CON VBOS. **atender (a alguien)** || **recetar (algo)** · **expender (algo)** || **consultar (a)** *Consulte a su farmacéutico*

farmacia s.f.

▮ [rama del saber]

● CON SUSTS. **estudiante (de)** · **licenciado,da (en)** · **profesor,-a (de)** · **doctor,-a (en)** *Es doctor en farmacia y especialista en...* || **facultad (de)** · **departamento (de)**

▮ [comercio]

● CON ADJS. **de guardia** *buscar una farmacia de guardia* · **de turno**

● CON SUSTS. **ayudante (de)**

➤ Véase también **ESTABLECIMIENTO**

fármaco s.m.

● CON ADJS. **eficaz** *un fármaco eficaz contra la fiebre* · **efectivo** · **beneficioso** · **potente** · **milagroso** · **adecuado** · **ineficaz** · **contraproducente** || **tradicional** · **moderno** · **nuevo** · **experimental** || **analgésico** · **antibiótico** · **adelgazante** · **antiinflamatorio** · **antiácido** · **antidepresivo** · **antivírico** · **antimicótico** · **antiepiléptico** · **anticanceroso** · **antirretroviral** · **inhibidor** · **inmunosupresor** || **genérico** *Sustituyeron el que me habían prescrito por un fármaco genérico* || **alérgico,ca (a)**

● CON SUSTS. **dosis (de)** · **cóctel (de)** · **ingestión (de)** · **uso (de)** || **precio (de)** · **coste (de)** · **mercado (de)** || **alergia (a)** · **resistencia (a)**

• CON VBOS. **curar (a alguien)** · **aliviar (a alguien)** · **frenar (algo)** · **retrasar (algo)** · **controlar (algo)** · **inhibir (algo)** · **solucionar (algo)** || **actuar** *El fármaco actuó de manera casi inmediata* || **recetar** · **prescribir** · **despachar** · **administrar** || **lograr** · **encontrar** · **obtener** · **elaborar** · **ensayar** · **probar** · **desarrollar** · **comercializar** || **aprobar** · **autorizar** *Han autorizado un nuevo fármaco contra esa enfermedad* || **tomar** · **ingerir** · **combinar**

farra s.f.

• CON SUSTS. **noche (de)** *Aquella noche de farra acabó con un trágico accidente* · **día (de)**
• CON VBOS. **ir(se) (de)** · **salir (de)**

farragoso, sa adj.

• CON SUSTS. **carta** · **artículo** *Escribió un artículo farragoso e incomprensible* · **párrafo** · **noticia** · **informe** · **correo** · ***otros textos*** || **estilo** · **lenguaje** || **explicación** *una explicación obtusa y farragosa que nadie entendió* · **discurso** · **pregunta** · **respuesta** · ***otras manifestaciones verbales*** || **debate** · **diálogo** · **negociación** · **discusión** *Nos enfrascamos en una larga y farragosa discusión* · **polémica** || **proceso** · **desarrollo** · **curso** || **administración** · **trámite** · **práctica** · **burocracia** || **mezcla** · **relación** · **reunión** · **acumulación** || **terreno** · **mundo** · **campo** *Los que tienen que moverse a diario en el farragoso campo de la política local saben que...* || **sistema** · **estructura** · **ley** · **normativa** · **metodología** || **erudición** · **saber** · **estudio** · **análisis**

farsa s.f.

• CON ADJS. **tremenda** · **monumental** *Todo este asunto me parece una monumental farsa* · **completa** · **descomunal** · **total** · **pura** || **ridícula** · **grotesca** · **esperpéntica** || **lamentable** · **trágica** · **solemne** · **grandiosa** || **legal** · **jurídica** · **electoral** · **democrática** · **política** || **repugnante** *Se vio envuelta en una repugnante farsa electoral* · **cínica** · **retorcida** · **burda** || **sacramental** || **antigua**
• CON SUSTS. **aire (de)** · **tono (de)** || **clave (de)** *Es una obra escrita en clave de farsa* || **problema (de)**
• CON VBOS. **escribir** · **estrenar** *Estrenan una farsa cómica sobre...* · **representar** || **planear** · **organizar** · **urdir** · **tejer** · **maquinar** · **levantar** · **montar** · **oficiar** · **construir** · **consumar** || **esclarecer** · **desvelar** · **descubrir** · **destapar** *Los medios destaparon la farsa urdida por la empresa* · **desenmascarar** · **desmontar** || **boicotear** · **desbaratar** · **denunciar** || **rozar** · **bordear** || **calificar (de)** *Calificó de farsa aquel desagradable espectáculo* || **participar (en)** · **contribuir (a)** · **colaborar (en)** || **caer (en)**

farsante s.com.

• CON SUSTS. **panda (de)** *Me parecen todos una panda de farsantes* · **colección (de)**
• CON VBOS. **engañar** · **mentir** || **ser** · **parecer** · **volverse** || **quedar (como)** *Ese comentario me hizo quedar como un farsante* · **calificar (de)**

fascículo s.m.

• CON ADJS. **semanal** · **quincenal** · **mensual** || **promocional** · **coleccionable** || **atrasado** *Se pueden conseguir los fascículos atrasados llamando a este teléfono*
• CON SUSTS. **colección (de)** · **serie (de)** · **edición (en)** || **obra (en/por)** · **enciclopedia (en/por)** · **curso (en/por)** *un curso de inglés en fascículos*
• CON VBOS. **salir** · **aparecer** || **editar** · **redactar** || **entregar** · **distribuir** || **coleccionar** · **encuadernar** *Tengo que llevar a encuadernar estos fascículos* · **empastar** || **publicar (en)**

fascinación s.f.

• CON ADJS. **profunda** · **absoluta** *Este actor ejerce una fascinación absoluta sobre las adolescentes* · **enorme** · **persistente** · **poderosa** · **irresistible** · **irremediable** · **incontenible** || **cautivadora** · **arrebatadora** · **magnética** · **subyugante** · **deslumbrante**
• CON VBOS. **despertar(se) (en alguien)** *La fascinación por la música se despertó en ella cuando...* || **provocar** · **ejercer** · **generar** || **sentir** *Siento una enorme fascinación por los temas esotéricos* · **experimentar** · **confesar** · **mostrar** · **demostrar** || **dejarse llevar (por)** *Se dejó llevar por la fascinación de la cultura indígena* · **ceder (a)** · **sucumbir (a)** · **rendirse (a/ante)** · **sentirse atraído (por)** · **resistirse (a)** || **sustraer(se) (de/a)**

fascinante adj.

• CON SUSTS. ***persona*** *una mujer fascinante* || **paisaje** · **recorrido** · **ciudad** *visitar una ciudad fascinante* · **país** · **mundo** · ***otros lugares*** || **época** *en una época fascinante de nuestra historia* · **tiempo** · **vacaciones** · **semana** · ***otros períodos*** || **vida** · **aventura** || **obra** · **libro** · **historia** · **asunto** · **tema** || **fenómeno** · **espectáculo** *el espectáculo fascinante de una puesta de sol* || **trabajo** · **reto** || **descubrimiento**
• CON VBOS. **ser** · **volver(se)** · **estar**

fascinar v.

• CON ADVS. **poderosamente** · **absolutamente** · **profundamente** *una película que me fascinó profundamente* · **intensamente** · **fuertemente** · **considerablemente** · **enormemente** · **extraordinariamente**

fase s.f.

• CON ADJS. **final** *la fase final del campeonato* · **última** · **crucial** · **álgida** · **terminal** · **avanzada** · **irreversible** · **intermedia** · **de laboratorio** || **temprana** · **inicial** · **preliminar** · **incipiente** · **preparatoria** *Antes de ingresar hay que pasar una fase preparatoria* · **introductoria** || **valedera (para)** · **clasificatoria** · **eliminatoria**
• CON VBOS. **abrir(se)** *Se acaba de abrir la fase de pruebas para...* || **atravesar** · **alcanzar** · **empezar** *Esta noche la luna empieza la fase menguante* || **terminar** · **culminar** · **cerrar** || **escalonar** · **ordenar** || **pasar (por)** · **encontrar(se) (en)**

fastidiar(se) v.

• CON SUSTS. ***persona*** *No fastidies a tu hermano, por favor* || **vida** · **plan** *La lluvia nos fastidió el plan* · **programación** · **vacaciones** · **fiesta** || **ganas (de)** *Parece que vienes con ganas de fastidiar* · **afán (de)**

fastidio s.m.

• CON ADJS. **evidente** *Con evidente fastidio, reconoció su error* · **permanente** · **terrible** · **enorme**
• CON SUSTS. **cara (de)** · **gesto (de)** *Me miró con gesto de fastidio* · **expresión (de)** · **actitud (de)**
• CON VBOS. **mostrar** · **esgrimir** || **ocultar** · **disimular** · **esconder** *Escondió su fastidio para no disgustar a su madre* || **provocar** · **producir** || **quejarse (con)** *Su primera reacción fue quejarse con fastidio*

fastidioso, sa adj.

• CON SUSTS. **molestia** · **lesión** · **enfermedad** *Es una enfermedad fastidiosa porque requiere mucho reposo* · **dolor** || **trámite** · **burocracia** · **papeleo** *escaparse del fastidioso*

papeleo · **trabajo** || **traba** · **problema** · **rémora** · **obligación** · **prohibición** · **cuestión** || **retraso** · **efecto** · **elemento**
• CON VBOS. **volverse** · **hacerse** · **resultar**

fastuosamente adv.

• CON VBOS. **decorar** · **adornar** · **vestir** || **conmemorar** · **celebrar** *Ayer se celebró fastuosamente el décimo aniversario de...* || **recibir** *El gobernador fue recibido fastuosamente por...*

fastuoso, sa adj.

• CON SUSTS. **ceremonia** · **boda** *una boda realmente fastuosa* · **fiesta** · **banquete** || **riqueza** · **tesoro** || **mansión** · **palacio** · **escenario** || **decoración** · **adorno** · **escaparate** || **despliegue** *un fastuoso despliegue de medios*

fatal adj.

▮ [desgraciado, inevitable]

• CON SUSTS. **avería** · **accidente** *Ayer se produjo un fatal accidente en la carretera comarcal* · **caída** · **tropiezo** · **paso** · **incidente** · **percance** · **choque** · **golpe** · **disparo** || **herida** · **enfermedad** || **mujer** · **atracción** *Siento una atracción fatal por esta ciudad* || **destino** · **desenlace** *El secuestro de los rehenes tuvo un fatal desenlace* · **consecuencia** · **resultado** || **decisión** · **noticia** || **impulso** · **movimiento** · **viaje** || **coincidencia** · **casualidad** · **suerte** || **equivocación** · **error** *Dicen que el choque se debió a un error fatal del conductor* · **distracción** || **sucesión** · **mezcla** · **combinación** || **plazo**

fatalidad s.f.

• CON ADJS. **verdadera** · **terrible** *Fue una terrible fatalidad que el coche se saliera de la carretera* · **amarga** · **triste** || **del destino** *Hay que asumir las fatalidades del destino* · **casual** · **imprevisible** || **sin remedio** · **irremediable** · **inexorable** · **ineludible** || **histórica**
• CON SUSTS. **serie (de)** · **cadena (de)** · **cúmulo (de)** || **fruto (de)** *La terrible caída fue fruto de la fatalidad* || **signo (de)**
• CON VBOS. **producir(se)** · **darse** · **ocurrir** · **amenazar** || **sobrellevar** · **aceptar** · **vencer** *No debemos olvidar que solo si nos mantenemos juntos venceremos la fatalidad* || **abocar(se) (a)** · **abandonar(se) (a)** · **resignarse (a)** · **dejarse llevar (por)** || **atribuir (a)** *atribuir los últimos sucesos a la fatalidad* || **luchar (contra)**

fatalmente adv.

• CON VBOS. **truncar(se)** *Su carrera se truncó fatalmente antes de lo esperado* · **concluir** · **acabar** · **finalizar** · **desembocar** · **abocar** · **conducir** · **destinar** · **arrastrar** · **llevar** *Este pacto nos llevará fatalmente a la división* · **evolucionar** · **llegar** || **resbalar** · **caer** · **golpear** · **empujar** · **dañar** · **perjudicar** || **suceder** · **cumplir(se)** · **aproximar(se)** · **repetir(se)** · **agravar(se)** *Las inundaciones en la zona sur se agravarán fatalmente en los próximos días* || **enloquecer** || **cruzar(se)** || **equivocarse** || **dividir(se)**

fatídico, ca adj.

• CON SUSTS. **suceso** · **hecho** · **experiencia** || **noche** · **tarde** · **mañana** *Os contaré lo que ocurrió aquella fatídica mañana* · **momento** · **fecha** · **día** · **año** · **minuto** · **mes** · ***otros períodos*** || **virus** · **enfermedad** · **accidente** · **caída** · **golpe** || **destino** · **vuelo** · **viaje** *Ojalá no hubieran hecho nunca aquel fatídico viaje* || **operación** · **proceso** · **combinación** · **resultado** || **aventura** · **profecía** · **cita** || **límite** · **listón** · **barrera** · **punto** · **plazo** || **pregunta** · **palabra** · **error** *cometer un error fatídico* || **cifra** · **estadística**

fatiga s.f.

• CON ADJS. **tremenda** *Comenzó a sentir una tremenda fatiga y se desmayó* · **profunda** · **acusada** · **acumulada** || **extenuadora** || **vital** · **anímica** · **emocional** · **mental** · **muscular** *un masaje contra la fatiga muscular* · **física**
• CON SUSTS. **muestra (de)** *no dar muestras de fatiga* · **señal (de)** · **síntoma (de)**
• CON VBOS. **venir (a alguien)** · **entrar (a alguien)** · **pasárse(le) (a alguien)** || **experimentar** · **sentir** · **acusar** · **tener** · **sufrir** · **acumular** || **manifestar** · **exteriorizar** || **vencer** · **combatir** *unas vitaminas para combatir la fatiga* || **provocar**

fauces s.f.pl.

• CON ADJS. **temibles** · **peligrosas** · **terribles** *Apresó a su víctima con sus terribles fauces* · **voraces** · **grandes** || **oscuras** · **tenebrosas**
• CON VBOS. **abrir** · **cerrar** *El cocodrilo cerró sus fauces y se sumergió en el agua* || **hincar** · **clavar** || **enseñar**

fauna s.f.

• CON ADJS. **local** · **autóctona** · **de zona** *un trabajo sobre la fauna de la zona* · **endémica** || **marina** · **acuática** · **urbana** · **terrestre** · **oceánica** || **protegida** · **en vías de extinción** || **silvestre** · **salvaje** || **abundante** *Es una zona con abundante fauna autóctona* · **escasa**
• CON SUSTS. **variedad (de)** · **especie (de)** · **reserva (de)** *una reserva de fauna ibérica*
• CON VBOS. **poblar (un lugar)** · **abundar (en un lugar)** || **estudiar** · **descubrir** · **conocer** || **conservar** · **proteger** · **dañar** || **extinguirse**

[favor] → a favor; favor

favor s.m.

• CON ADJS. **gran(de)** · **enorme** · **valioso** · **impagable** · **inestimable** || **flaco** *Flaco favor le está haciendo a su partido con declaraciones de ese tipo* · **pequeño**
• CON VBOS. **consistir (en algo)** || **pedir** · **solicitar** · **implorar** · **mendigar** · **regatear** || **hacer** *¿Por fin te hizo el favor que le pediste?* · **prodigar** · **conceder** · **dispensar** · **otorgar** || **devolver** *Le devolvió el favor con creces* · **deber** · **pagar** || **negar** · **denegar** · **escatimar** || **obtener** · **arrancar (a alguien)** || **tener** || **colmar (de)** || **gozar (de)** · **disfrutar (de)**

favorable adj.

• CON SUSTS. **sentencia** *No estoy de acuerdo con la sentencia favorable al demandante* · **fallo** · **decisión** · **resolución** · **acuerdo** || **resultado** · **marcador** *El partido acabó con un marcador favorable al equipo visitante* || **juicio** · **opinión** · **comentario** · **actitud** || **clima** *un clima favorable a los nuevos cambios* · **atmósfera** · **viento** · **ambiente** · **caldo de cultivo** || **influencia** · **consecuencia** · **suerte** || **saldo** · **balance** || **día** · **época** · **año** · ***otros períodos***
• CON ADVS. **totalmente** · **enteramente** · **absolutamente** || **sin reparos** · **decididamente** || **clamorosamente** · **declaradamente** *La ministra es declaradamente favorable al aumento de...* · **manifiestamente** || **con reparos** · **parcialmente** · **escasamente** · **en absoluto** *Este viento no es en absoluto favorable para salir a navegar*
• CON VBOS. **volverse** · **ponerse**

favorablemente adv.

• CON VBOS. **evolucionar · desarrollarse · recuperarse** *Se recupera favorablemente de la operación* · **progresar · cambiar · crecer || responder · reaccionar || influir · repercutir** *Estas medidas repercutirán favorablemente en la creación de empleo* · **afectar || informar · pronunciarse · comentar · hablar · valorar · juzgar · considerar · examinar || acoger · recibir** *Las noticias fueron recibidas favorablemente en los mercados internacionales* · **aceptar || resolver · saldar · solucionar || pasar** *Solo dos alumnos pasaron favorablemente la prueba de...* · **superar**

favorecer v.

• CON SUSTS. **entendimiento** *Se trata de favorecer un mayor entendimiento entre ambas partes* · **solución · diálogo · acercamiento · encuentro · pacto · tregua · paz · reconciliación · acuerdo || proyecto · desarrollo || migración · llegada · cambio · renovación · adaptación** · ***otros procesos*** **|| candidato,ta · aspirante** *Las pruebas garantizan que no se favorecerá a ningún aspirante* · **jugador,-a** · ***otros individuos y grupos humanos***
• CON ADVS. **claramente · a las claras · ostensiblemente · descaradamente** *El jurado favoreció descaradamente al candidato local* · **sin tapujos · abiertamente || decisivamente · notoriamente · notablemente · considerablemente · enormemente · desproporcionadamente · extremadamente**

favoritismo s.m.

• CON ADJS. **claro** *Ha habido un claro favoritismo hacia el candidato más joven* · **descarado · evidente · escandaloso · ligero · arbitrario || intolerable**
• CON SUSTS. **caso (de) · delito (de) · sospecha (de) · acusación (de) · denuncia (de)**
• CON VBOS. **evitar · denunciar · negar** *La consejera negó cualquier tipo de favoritismo en la concesión del premio* · **criticar || mantener · tolerar · imponer · aumentar || acusar (de) · sospechar (de)**

fax s.m.

❚ [sistema de transmisión, dispositivo]
• CON SUSTS. **aparato (de) · máquina (de) || línea (de) · número (de)** *Mi número de fax no ha cambiado* · **servicio (de) || mensaje (de) || papel (de)**
• CON VBOS. **funcionar · averiarse**
• CON PREPS. **vía** *Te llegará un mensaje vía fax* · **a través (de) · mediante · por**

❚ [documento]
• CON ADJS. **oficial · urgente || procedente (de un lugar)**
• CON VBOS. **llegar** *Por fin ha llegado el fax que esperábamos* **|| recibir · enviar** *Envíen un fax a la atención de...* · **mandar · poner · cursar · remitir · dirigir · transmitir || escribir · leer · contestar**

[fe] → dar fe (de); de buena fe; fe

fe s.f.

• CON ADJS. **fervorosa · ardiente · apasionada · viva** *una fe viva y verdadera, que da sentido a todo* · **ferviente · entusiasta · cándida || ciega** *Tiene una fe ciega en sus amigos* · **absoluta · total · ilimitada · profunda · imperecedera · inconfesada · inquebrantable · incondicional · inalterable || escasa || infundada || del carbonero** *...con una fe del carbonero que ubicaba a Dios en todo lo que hacía*
• CON SUSTS. **acto (de) · misterio (de) · prueba (de) · símbolo (de) · auto (de)**
• CON VBOS. **fortalecer(se)** *Mi fe se fortaleció con aquella experiencia...* · **afianzar(se) · arraigar (en alguien) · difundir(se) · brotar || mellar(se) · tambalearse · cuartear(se) · quebrar(se) · extinguir(se) || tener** *tener fe en una misma* · **abrazar · profesar · abrigar · alcanzar || perder · traicionar** *Ha traicionado la fe que todos teníamos puesta en él* · **defraudar · minar · socavar · erosionar · quebrantar || dar · compartir · predicar** *Pasó toda su vida predicando la fe cristiana* **|| manifestar · inspirar · infundir · irradiar || recuperar · reavivar · renovar · recobrar || mantener · conservar · defender · alimentar || adherirse (a) · perseverar (en) || abjurar (de) · renegar (de) · apostatar (de) || refugiarse (en)**
• CON PREPS. **sin menoscabo (de) · con · sin · gracias (a)**
☐ EXPRESIONES **de buena fe*** · **de mala fe** [con buena o mala intención]

febrero s.m. Véase **MES**

febril adj.

• CON SUSTS. **estado** *El enfermo cayó en un estado febril que le duró dos días* · **delirio · sopor · temblor || trabajador,-a · poeta · escritor,-a · artista** · ***otros individuos*** **|| lenguaje · escritura · película · cinta · novela · comedia** · ***otras creaciones*** **|| ciudad · mundo · ambiente · barrio · casa** · ***otros lugares*** **|| actividad · trabajo · empeño · esfuerzo || ritmo · movimiento** *La ciudad mostraba esta mañana un movimiento febril* · **ajetreo · trasiego · vorágine · viaje · pulso || día · mañana · año · hora** · ***otros períodos*** **|| carrera · proceso · desarrollo · desfile || deseo · demanda · pasión · voluntad · insistencia · búsqueda · obsesión || excitación · impaciencia · furia · tensión · intensidad · extroversión · competitividad · consumismo || animación · baile · música · juego || imaginación** *Una idea así solo podía salir de una febril imaginación como la tuya* · **mente · idea · ocurrencia · invención · inspiración · interpretación · sueño · pesadilla · plan || mirada · ojos · signo · trazo · imagen || tono · brillo · aspecto**
• CON VBOS. **volverse · mantenerse**

febrilmente adv.

• CON VBOS. **trabajar · buscar · dedicarse · esforzarse** *...encargos y peticiones que se esforzaba febrilmente en atender* · **entregarse · laborar · aplicarse** *Estaban tan entusiasmados y se aplicaban tan febrilmente a la tarea, que no repararon en que...* · **comprometerse · impulsar · tratar || pintar · dibujar · diseñar || leer · estudiar · repasar · examinar · anotar || recorrer · correr · lanzarse · circular · mover · rotar || comprar** *...se lanzaron a comprar febrilmente alimentos ante la amenaza de un huracán* · **construir · producir · edificar · amplificar · negociar · exportar · distribuir || escribir · garabatear** *garabatear febrilmente notas en un cuaderno* · **debatir · llamar · denunciar · teclear**

fecal adj.

• CON SUSTS. **aguas** *depuración de aguas fecales para el riego de jardines* · **residuo · vertido · resto || heces · materia · organismo || incontinencia · filtración** *La infección ha sido producida por una filtración fecal*

fecha s.f.

• CON ADJS. **decisiva · perentoria · crucial · señalada || exacta** *El vencimiento de la garantía depende de la fecha exacta de la compra* · **aproximada || anecdótica · histórica**

• CON VBOS. vencer *La fecha límite para entregar los documentos vence el próximo mes* · llegar · aproximarse || recordar · rememorar || olvidar · saltarse || conmemorar · celebrar || fijar *¿Fijaron ya la fecha de la boda?* · asignar · marcar · poner · concertar · acordar · determinar · dar · aventurar · tener || cuadrar *No me cuadran las fechas* · encajar || atenerse (a) *Debes atenerte a las fechas fijadas para presentar la documentación* · acordarse (de)

fechar v.

• CON SUSTS. carta · informe · contrato · ***otros documentos*** || novela *¿Cuándo fue fechada esta novela?* · obra · película · cuadro · ***otras creaciones*** || nacimiento *El nacimiento del músico se fecha en el año...* · muerte · fallecimiento · llegada · ***otros sucesos***
• CON ADVS. aproximadamente *Destacan dos cuadros fechados aproximadamente en torno a...* · con aproximación · con precisión · precisamente · con exactitud · puntualmente · exactamente

fechoría s.f.

• CON ADJS. monumental · grave · terrible || presunta || innumerables · múltiples · incontables || implicado,da (en)
• CON SUSTS. autor,-a (de) *Acaban de detener al autor de las fechorías producidas estos últimos días* · compañero,ra (de) || víctima (de)
• CON VBOS. planear · preparar · maquinar || hacer · cometer · perpetrar · consumar · llevar a cabo || encubrir · perdonar || perseguir · juzgar · castigar || asumir || arrepentirse (de) · pagar (por) *El criminal tendrá que pagar por todas sus fechorías*

fecundación s.f.

• CON ADJS. artificial · in vitro · asistida *La pareja recurrió a la fecundación asistida para tener un hijo* · externa · natural · interna || animal · vegetal
• CON SUSTS. tratamiento (de) *seguir un tratamiento de fecundación* · técnica (de) · programa (de) · centro (de)
• CON VBOS. tener éxito · fracasar || intentar · impedir · cortar · evitar || programar || engendrar (por) *Ha engendrado mellizos por fecundación artificial* · obtener (por)

fecundar v.

• CON SUSTS. óvulo · huevo · hembra
• CON ADVS. artificialmente

fecundo, da adj.

• CON SUSTS. año *un año fecundo para la investigación médica* · legislatura · siglo · día · ***otros periodos*** || escritor,-a · artista · investigador,-a · periodista || imaginación · ingenio · genio · talento · memoria · intuición · idea *un grupo de buenos estudiantes, imaginativos y con ideas fecundas* · ocurrencia · invención · musa || estudio · reflexión · análisis · investigación || actividad · labor · trabajo · tarea · dedicación · esfuerzo *Lo lograron gracias al fecundo esfuerzo que...* · quehacer || procedimiento · programa · sistema · planteamiento · estrategia || trayectoria · carrera · camino · senda · itinerario · recorrido · andadura · derrotero · vida · biografía · experiencia *una experiencia fecunda e inolvidable para nosotros y para nuestros hijos* · viaje · aventura || relación · contacto · amistad · complicidad · encuentro · convivencia · colaboración · consenso · alianza · unión · intercambio · mezcla · mestizaje · síntesis || diálogo *...medidas que aspiran a promover un diálogo fecundo y constructivo entre todos* · comunicación · debate · controversia · discrepancia · discusión · polémica || tradición · cultura · historia · legado · mito || influencia · magisterio · escuela · docencia · enseñanza · aprendizaje · lección || modelo · ejemplo *Fue un fecundo ejemplo de vida para todos nosotros* || mensaje · palabra · metáfora · soliloquio · artículo · afirmación · testimonio || propuesta · sugerencia · interrogante · pregunta || error · duda · contradicción || serie · gama · género

federar(se) v.

1 [unir por alianza]
• CON SUSTS. continente · pueblo · tierra · estado *Varios pequeños estados independientes se federaron...* · república · región
• CON ADVS. solidariamente · conjuntamente

2 [inscribirse en una federación]
• CON SUSTS. atleta · deportista · jugador,-a || asociación · peña *¿Qué pasos hay que dar para federar una peña de bolos?* · entidad · club · equipo · conjunto || ***otros individuos y grupos humanos***
• CON ADVS. obligatoriamente · opcionalmente · voluntariamente

□ USO Se construye frecuentemente con la preposición *en*: *federarse en un deporte.*

fehaciente adj.

• CON SUSTS. prueba *No ha dado usted una sola prueba fehaciente de que lo que dice es verdad* · demostración · muestra · testimonio · constancia · conocimiento · constatación · confirmación · manifestación · ejemplo || hecho · dato *Todavía no hay datos fehacientes que demuestren las acusaciones* · documento · documentación · información || señal · símbolo · indicio · estigma || narración · crónica *una novela sin pretensiones de ser una crónica fehaciente de la época* || resultado · conclusión || autorización · requerimiento · permiso · negativa

fehacientemente adv.

• CON VBOS. explicar · afirmar · expresar · contar · aclarar · asegurar · contestar · ***otros verbos de lengua*** || demostrar · acreditar · probar · certificar · constar · notificar · documentar *Solo te devuelven el dinero si documentas fehacientemente los gastos que has tenido* · registrar || comprobar · corroborar · constatar · confirmar · verificar *La universidad se encargará de verificar fehacientemente si la documentación aportada es correcta* || atestiguar · testificar · testimoniar || negar · desmentir · rechazar · denunciar || conocer · saber || determinar · establecer · fijar || mostrar · revelar · reflejar || participar · contribuir *Sus propuestas han contribuido fehacientemente a la mejora de los resultados* · respaldar · apoyar · defender

felicidad s.f.

• CON ADJS. suma · absoluta · suprema · máxima · total · plena · inmensa · infinita · enorme || irrefrenable · desbordante · a raudales · incontenible *Contagiaba a todos su incontenible felicidad* · arrebatadora · contagiosa || imperecedera · eterna · duradera · perpetua || fugaz · efímera || dorada · idílica *en busca de una felicidad idílica y eterna* || pletórico,ca (de) · borracho,cha (de) · rebosante (de) || resplandeciente (de) · radiante (de) *Desde que le comunicaron la noticia está radiante de felicidad* || lleno,na (de) · pleno,na (de) · henchido,da (de)
• CON SUSTS. instante (de) · momento (de) || arrebato (de) · ideal (de) *Cada uno tiene un ideal de felicidad distinto* · sensación (de) || gesto (de) · cara (de) || búsqueda (de)

• CON VBOS. **consistir (en algo)** || **reinar** · **apoderar(se) (de alguien)** · **invadir (a alguien)** *La felicidad invadía a todos los asistentes* · **embargar (a alguien)** · **colmar (a alguien)** || **truncar(se)** · **empañar(se)** *Solo su ausencia podía empañar su felicidad* · **extinguir(se)** · **desvanecerse** · **ahogar(se)** · **brotar** || **buscar** · **desear** · **perseguir** || **conseguir** · **alcanzar** · **conquistar** · **vislumbrar** || **transmitir** · **irradiar** *Da gusto estar con ella porque irradia felicidad* · **desprender** · **rebosar** · **derrochar** · **derramar** · **rezumar** || **dar (a alguien)** · **deparar (a alguien)** · **proporcionar (a alguien)** || **perder** · **recuperar** || **experimentar** · **sentir** · **saborear** || **aspirar (a)** || **resplandecer (de)** · **henchir(se) (de)** · **colmar (de)** · **explotar (de)** · **estallar (de)** · **reventar (de)** · **vibrar (de)** || **dar saltos (de)** · **saltar (de)** *Saltó de felicidad cuando se lo contamos*
• CON PREPS. **al borde (de)**

felicitación s.f.

• CON ADJS. **navideña** || **cordial** *Reciban mis más cordiales felicitaciones* · **amable** · **efusiva** · **calurosa** · **cálida** · **emotiva** · **sincera** || **de compromiso** · **fría** · **protocolaria** || **merecida**
• CON SUSTS. **lluvia (de)** · **sinfín (de)**
• CON VBOS. **copar** · **cosechar** · **recibir** || **expresar** · **dar** · **transmitir** || **dedicar** · **escribir** || **mandar** · **enviar** *¿Enviaste todas las felicitaciones que habías escrito?* || **hacer extensiva (a algo)** || **deshacerse (en)** *Se deshizo en felicitaciones hacia el trabajo realizado* · **colmar (de)**

felicitar v.

• CON SUSTS. **ganador,-a** · **triunfador,-a** · **homenajeado,da** *¿Te has acercado a felicitar al homenajeado?* · **protagonista** · **equipo** · ***otros individuos y grupos humanos*** || **pascua** *Como todos los años, me ha escrito para felicitarme la Pascua* · **navidad** · **año** · **cumpleaños** · **santo** · **fiestas**
• CON ADVS. **sinceramente** · **de (todo) corazón** *Te felicito de todo corazón por tu éxito* · **honestamente** || **cordialmente** · **efusivamente** · **calurosamente** · **afectuosamente** · **cálidamente** || **fríamente** · **escuetamente** || **deportivamente** *El jugador felicitó deportivamente a su contrincante*

feliz adj.

• CON SUSTS. ***persona*** *La niña es completamente feliz* || **final** *Estaba claro que la película iba a tener un final feliz* · **conclusión** · **desenlace** · **término** || **hallazgo** *Esta vacuna será para muchos un feliz hallazgo* · **nacimiento** · **encuentro** · **ocasión** · **descubrimiento** · **invención** || **comentario** · **ocurrencia** · **idea** *Y fue entonces cuando tuvo la feliz idea de...*
• CON ADVS. **absolutamente** · **inmensamente** *Desde que nació su hija se siente inmensamente feliz* · **enormemente** · **sumamente** · **increíblemente** || **escasamente** || **como unas castañuelas** *Mírala, está feliz como unas castañuelas*
• CON VBOS. **ser** · **estar** · **sentirse** · **parecer** || **considerar (a alguien)** · **ver (a alguien)** · **notar (a alguien)**

felizmente adv.

• CON VBOS. **recuperarse** *Se está recuperando felizmente del grave accidente que sufrió* · **reponerse** · **vencer** · **superar** || **culminar** · **terminar** · **concluir** · **coronar** · **consumar** || **rescatar** · **recuperar** · **salvar** · **regresar** *regresar felizmente de un peligroso viaje* · **volver** || **pasar** · **llegar** · **proseguir** · **alcanzar** · **debutar** · **confirmar** || **disfrutar** · **vivir** · **ejercer** · **transcurrir** || **resolver** *El problema se resolverá felizmente si todos ponemos un poco de nuestra parte* · **extirpar** · **esclarecer** · **descubrir** || **unir(se)** · **juntar(se)** · **reencontrar(se)** · **coincidir**
• CON ADJS. **casado,da** *Llevan felizmente casados más de cuarenta años* · **comprometido,da** · **embarazado,da**

femenil adj.

• CON SUSTS. **rama** · **categoría** · **grupo** · **equipo** || **voleibol** · **básquet** · **sófbol** · **judo** · **fútbol** · **gimnasia** || **torneo** · **campeonato** · **circuito** || **hospital**

femenino, na adj.

• CON SUSTS. **sexo** · **género** · **condición** || **población** · **público** *un programa dirigido principalmente al público femenino* · **personal** · **equipo** · **personaje** · **protagonista** || **modelo** · **candidata** · **prototipo** || **mundo** · **ámbito** · **universo** · **perspectiva** · **interpretación** · **versión** · **trabajo** · **alma** · **identidad** · **valores** || **papel** · **literatura** *Conozco bien la literatura femenina del siglo pasado* · **revista** || **voz** · **figura** · **belleza** *especialistas en belleza femenina* · **moda** || **torneo** *torneo femenino de tenis* · **competición** · **prueba** · **categoría** · **rama** || **tenis** · **natación** · ***otros deportes*** || **rostro** · **cuerpo** · **desnudo** · **anatomía** · **formas** · **genitales** · **hormona** || **esterilidad** · **frigidez** || **presencia** · **participación** · **voto** *una campaña para ganarse el voto femenino en las próximas elecciones* || **liberación** *Esta asociación apoya la liberación femenina*

fémur s.m.

• CON SUSTS. **prótesis (en)** || **cartílago (de)** · **cabeza (de)** *romperse la cabeza del fémur* · **cuello (de)** · **base (de)** || **fisura (en)** · **rotura (en)** · **lesión (en)** · **necrosis (de)** || **operación (de)**
• CON VBOS. **partir(se)** · **fracturar(se)** · **romper(se)** || **operar** · **recolocar**

fenomenal

1 fenomenal adj.

• CON VBOS. **ser** · **estar** *Los dos actores han estado fenomenales* · **poner(se)**

2 fenomenal adv.

• CON VBOS. **pasarlo** *A pesar de que volvimos muy cansados, lo pasamos fenomenal* || **vivir** · **dormir** || **trabajar** · **escribir** · **cocinar** · **cantar** ***otros verbos de acción***

fenómeno s.m.

• CON ADJS. **asombroso** · **aislado** · **singular** · **curioso** *Ayer se produjo un curioso fenómeno en el cielo de nuestro país* · **sorprendente** · **extraordinario** · **extraño** · **misterioso** · **enigmático** || **crucial** · **apoteósico** · **incontenible** || **político** · **artístico** · **cultural** *El estreno de la obra fue el fenómeno cultural más importante del año* · **deportivo** · **literario** · **musical** || **meteorológico** *una zona en alerta por fenómenos meteorológicos adversos* · **atmosférico** · **climático** || **terrestre** · **natural** · **sobrenatural** · **sobrehumano** || **imperceptible** · **marginal** || **social** *La música rock es un fenómeno social para la juventud* · **popular** · **de masas** · **sociológico**
• CON SUSTS. **causa (de)** || **serie (de)** *una serie de fenómenos sobrenaturales e inexplicables*
• CON VBOS. **ocurrir** *El fenómeno ocurrió a altas horas de la noche* · **producir(se)** · **surgir** · **acaecer** · **desencadenar(se)** · **repetir(se)** · **difundir(se)** || **presenciar** *Presenciamos un fenómeno sorprendente* · **experimentar** || **descubrir** · **observar** · **estudiar** · **explicar** · **describir** · **aclarar** · **predecir**

feo, a adj.

• CON ADVS. **verdaderamente · realmente** *La situación se puso realmente fea* · **excepcionalmente · extraordinariamente · extremadamente · asombrosamente · sorprendentemente · impresionantemente · increíblemente · formidablemente · tremendamente || sumamente · condenadamente · con ganas** *No te compres ese vestido, es feo con ganas* · **a rabiar · como un demonio · horriblemente** *Los pisos que vimos ayer eran horriblemente feos y pequeños*

• CON VBOS. **ser · estar · poner(se)** *Cuando el asunto se puso feo, todos se fueron* · **volverse · quedarse**

feria s.f.

• CON ADJS. **de teatro · taurina · del libro** *En la feria del libro de este año, firma mi autora preferida* · **de artesanía · judicial · de arte · musical · hípica || inaugural · tradicional || infantil**

• CON SUSTS. **apertura (de) · inicio (de)** *El pregón marca el inicio de la feria* **|| final (de) · cierre (de) || marcha (de) · funcionamiento (de) || barraca (de) · atracción (de)** *Los niños se subieron en todas las atracciones de la feria* · **puesto (de) || estrella (de)**

• CON VBOS. **montar · empezar · inaugurar · abrir(se) || acabar · concluir || visitar || acudir (a)**

fermentar v.

• CON SUSTS. **pan · azúcar · uva · vino** *un vino que ha fermentado en barricas de roble* · **leche · mosto || idea · mentalidad · tendencia · vocación · corriente** *una corriente artística que nunca llegó a fermentar* · **religión · racismo · terrorismo || conflicto · crisis · tensión · corrupción** *una situación ideal para que fermentaran la corrupción y el delito* · **desidia || odio · miedo · indignación · nostalgia · melancolía**

ferocidad s.f.

• CON ADJS. **gran(de)** *la gran ferocidad de una plaga de langosta* · **tremenda · terrible · extrema · incontenible · creciente · ambiciosa · desmedida**

• CON VBOS. **aplacar · incrementar || demostrar || disputar (con) · pelear (con) · luchar (con)** *La osa luchó con ferocidad para defender a sus oseznos* · **atacar (con) · combatir (con)**

• CON PREPS. **con · sin**

feroz adj.

• CON SUSTS. **crítico,ca · adversario,ria** *Dos antiguos amigos ahora transformados en feroces adversarios políticos* · **político,ca · escritor,-a ·** ***otros individuos y grupos humanos*** **|| lobo,ba · alimaña ·** ***otros animales*** **|| artículo · carta · editorial** *El periódico publica hoy un editorial feroz sobre la nueva ley de educación* · **informe ·** ***otros textos*** **|| individualismo** *el feroz individualismo de la sociedad de consumo* · **radicalismo · surrealismo ·** ***otras tendencias o movimientos*** **|| crítica · oposición · sátira · rechazo · diatriba · embate || competencia · batalla · lucha · competitividad · guerra · enfrentamiento · rivalidad || odio · aversión**

férreamente adv.

• CON VBOS. **controlar** *controlar férreamente la disciplina del alumnado* · **dirigir · administrar · aplicar · dominar · gobernar · conducir · guiar · ejercer · asignar · mandar · sostener · llevar las riendas** *más de una década llevando férreamente las riendas del país* **|| mantener · custodiar · vigilar · guardar · defender · proteger || estructurar** *Logró estructurar férreamente su partido* · **construir · vertebrar · organizar · articular · jerarquizar || agarrar · amarrar · anclar · unir · asir · apretar · sujetar · aliarse || oponerse** *Mi padre se oponía férreamente a vender la casa familiar* · **enfrentarse · resistir || impedir · censurar · armar || cumplir · seguir**

férreo, a adj.

▌ [relacionado con el ferrocarril]

• CON SUSTS. **línea · vía** *el accidente en la vía férrea que une...* · **tramo · trazado · corredor · tendido · infraestructura · puente · túnel · transporte**

▌ [rígido, estricto]

• CON SUSTS. **organización · partido · comité || conservadurismo** *...marcado por el férreo conservadurismo de su familia* · **radicalismo · consumismo ·** ***otras tendencias*** **|| control · dictadura · vigilancia · gobierno · dominio · mando · régimen · autoridad · presidencialismo · despotismo · poder · supervisión** *Ejercía una férrea supervisión de todo el proceso* **|| mano · batuta · férula · timón || medida · dispositivo · ley · norma · regla · orden · esquema · canon · estrategia** *Con una férrea estrategia defensiva, el equipo logró el triunfo ante su rival* · **modelo · pauta · criterio · código · reglamento · método || guión · catecismo · libro de estilo · dieta · horario · itinerario || sistema · estructura** *La novela sigue la estructura férrea del género policial* · **política · condición · exigencia · ortodoxia || arquitectura · construcción · esqueleto · composición || convicción · moral · lógica · argumento · principio · ética · doctrina · razón · convencimiento || marcaje · oposición · bloqueo · cerco · lucha · embargo · batalla · marca · competencia · rechazo · negativa** *El Gobierno sigue manteniendo su férrea negativa a pactar con...* · **protesta · presión || defensa · resistencia · apoyo · pilar · protección · cobertura · tutela · resguardo · garantía · seguridad · escolta · custodia · sustento || disciplina** *una férrea disciplina para el estudio* · **voluntad · determinación · decisión · motivación · austeridad · militancia · obstinación · obediencia · alineamiento || barrera · cinturón · límite · cordón · corsé · dique · tenazas || censura** *Con el tiempo fue desapareciendo la férrea censura informativa* · **silencio · hermetismo · secreto · mutismo · cerrazón · cierre · represión · clandestinidad · contención || unidad · vínculo · lealtad · alianza · compromiso** *...lo que demuestra nuestro férreo compromiso con la democracia* · **contrato · unión · dependencia · pacto · cohesión · acuerdo || actitud · carácter · postura · personalidad · posición · disposición · concepción || salud · energía · pulso · solidez · dureza || defensor,-a · negociador,-a || opositor,-a · detractor,-a · crítico,ca · marcador,-a · oponente · adversario,ria · enemigo,ga || dirigente · gobernante · director,-a · comandante · gobernador,-a · capataz,-a**

ferretería s.f.

• CON SUSTS. **producto (de) · artículo (de)**

➤ Véase también **ESTABLECIMIENTO**

ferri s.m.

• CON ADJS. **diario · semanal**

• CON SUSTS. **terminal (de) · servicio (de) · línea (de) || usuario,ria (de) · pasajero,ra (de) || tripulación (de) · tripulante (de) || billete (de) · pasaje (de) || comunicación (por)** *Las comunicaciones por ferri se encuentran cortadas a causa del temporal*

• CON VBOS. **navegar || zarpar · partir · llegar · arribar · atracar** *Acaba de atracar el ferri en el que llegan nuestros*

amigos || **chocar · encallar · colisionar · naufragar · hundir(se)** || **tomar · coger · perder** || **cargar · descargar** *Los operarios descargarán el ferri dentro de unos minutos* || **viajar (en) · ir (en) · cruzar (en) · embarcar (en) · llegar (en)**
• CON PREPS. **a bordo (de) · en**

ferrocarril s.m.

• CON ADJS. **metropolitano · de cercanías** || **subterráneo · de alta velocidad** || **moderno · confortable** || **eléctrico · de vapor**
• CON SUSTS. **línea (de) · estación (de) · terminal (de) · red (de) · vía (de) · tramo (de)** *Este tramo del ferrocarril todavía está en construcción* · **trazado (de)** || **empleado,da (de) · maquinista (de) · conductor,-a (de)** || **usuario,ria (de) · viajero,ra (de)** || **compañía (de)** || **túnel (de)** || **vagón (de) · maquinaria (de)**
• CON VBOS. **salir · partir · arrancar** || **circular** || **llegar** *El ferrocarril llegó a la estación con un ligero retraso* · **detener(se) · frenar** || **descarrilar** *Los técnicos no saben por qué descarriló el ferrocarril* || **transportar (algo/a alguien) · arrastrar (algo)** || **arreglar · reparar · construir** || **trasladar(se) (en) · viajar (en) · regresar (en) · subir (a) · bajar (de)**
• CON PREPS. **a bordo (de) · en**

ferroviario, ria

1 **ferroviario, ria** adj.

• CON SUSTS. **tráfico** *un denso tráfico ferroviario* · **circulación · caos** || **empresa · compañía** || **personal · empleado,da** || **línea · red · sistema · tendido · trazado · tramo** || **transporte · servicio** || **infraestructuras · plan** || **estación · terminal · nudo** || **conexión · enlace · comunicación** || **tarifas** *Anuncian un aumento de las tarifas ferroviarias para el mes que viene* || **desastre · accidente**

2 **ferroviario, ria** s.

• CON SUSTS. **sindicato (de) · asociación (de) · gremio (de)**
• CON VBOS. **trabajar (como/de)** *De joven trabajé de ferroviario en la estación de mi pueblo*

fértil adj.

I [que permite la reproducción]

• CON SUSTS. **hombre · mujer · macho · hembra · animal · planta** || **embrión · semilla · esperma · ovario** || **edad** *una mujer en edad fértil*

I [que produce mucho]

• CON SUSTS. **ribera · región · suelo · terreno** *una finca con mucha piedra y poco terreno fértil* · **superficie · tierra** || **autor,-a · compositor,-a · escritor,-a · guionista** || **diálogo · conversación · prosa** || **año** *Los dos últimos años fueron los más fértiles de su última etapa como compositor* · **etapa · día · hora · curso ·** ***otros períodos*** || **imaginación · fantasía · inteligencia · creatividad · ingenio · invención · inspiración · lectura** || **corriente · rumbo · trayectoria** *un homenaje por su rica y fértil trayectoria en el cine* · **derrotero · camino** || **relación · coexistencia · alianza** *objetivos alcanzados gracias a la fértil alianza entre...* · **pacto · simbiosis · interacción · contagio · fusión**

fertilidad s.f.

• CON ADJS. **humana** *La edad de fertilidad humana ronda...* · **animal · vegetal** || **masculina · femenina · sexual** || **alta · baja** || **creativa · creadora** *un autor de gran fertilidad creadora* || **de la tierra · del suelo · de ideas**
• CON SUSTS. **centro (de) · clínica (de)** || **culto (a) · rito (de) · diosa (de) · fetiche (de)** || **tratamiento (de)** *Se está sometiendo a un tratamiento de fertilidad* · **problema (de)** || **período (de) · técnica (de) · tasa (de)**
• CON VBOS. **aumentar · estimular** || **controlar · medir** || **reducir · perder** *La tierra se erosiona, se contamina y pierde fertilidad*

fertilizar v.

• CON SUSTS. **terreno · tierra** *Existen buenos productos para fertilizar la tierra* · **siembra · campo · plantación** || **óvulo · huevo · semilla**

ferviente adj.

• CON SUSTS. **deseo · vocación · inclinación · interés · propósito · esperanza · promesa** || **europeísmo** *Era conocido por su ferviente europeísmo* · **federalismo · realismo · consumismo ·** ***otras tendencias*** || **admirador,-a · defensor,-a · partidario,ria · seguidor,-a · devoto,ta · militante** *Es un militante ferviente y muy comprometido con las ideas del partido* · **hincha · amante · entusiasta · aficionado,da · simpatizante · impulsor,-a · promotor,-a · lector,-a · coleccionista · creyente** || **detractor,-a · opositor,-a · crítico,ca · enemigo,ga** *Soy una ferviente enemiga del tabaco* || **adhesión · aplauso · voto · defensa · admiración · devoción · felicitación · exaltación · apoyo** *...contaba con el ferviente apoyo de toda la comunidad* · **recepción · enhorabuena · dedicación · afán · abrazo · amor · amistad · simpatía** || **reivindicación · acto reivindicativo · alegato · proclama · protesta · filípica · oposición** *El grupo de diputados dejó clara su ferviente oposición a la reforma constitucional* · **lucha · esfuerzo** || **creencia · catolicismo · fe · misticismo · mística · plegaria · oración**

fervientemente adv.

• CON VBOS. **desear** *El equipo desea fervientemente ganar el campeonato* · **esperar · creer · anhelar · querer · intentar** || **apoyar · defender · inclinarse · aplaudir · admirar · festejar · jalear · pronunciarse a favor · mostrarse a favor** || **oponerse** *La directiva se opone fervientemente a las propuestas de...* · **disputar** || **exclamar · proclamar · notificar · repetir · exhortar · instigar · pedir · invitar**
• CON ADJS. **seguidor,-a · partidario,ria** *El presidente era fervientemente partidario de la reforma* · **creyente · crítico,ca · liberal · demócrata · sindicalista**

fervor s.m.

• CON ADJS. **encendido · combativo · ardiente · amoroso** || **religioso** *Sus artículos demuestran un enorme fervor religioso* · **místico** || **patriótico · nacionalista · artístico** || **acendrado · puro · verdadero** || **popular** *La actriz salió a saludar en medio del fervor popular* || **poseído,da (de) · henchido,da (de) · lleno,na (de)**
• CON SUSTS. **oleada (de)** *Con la visita del Pontífice, se produjo una oleada de fervor por todo el país*
• CON VBOS. **embargar (a alguien) · animar (a alguien)** || **reverdecer · exaltar(se) · enfriar(se)** || **sentir · tener** || **ganar · perder · mitigar · atenuar** || **concitar · contagiar** *Contagia su fervor a todos los que la rodean* · **suscitar** || **gozar (de) · henchir(se) (de)**
• CON PREPS. **con** *hablar con fervor* · **sin**

fervorosamente adv.

• CON VBOS. **rezar · pedir · orar · rogar · desear** || **aplaudir** *Los asistentes al acto aplaudieron fervorosamente a su candidato* · **aclamar · vitorear · ovacionar** || **elogiar ·**

alabar · **ensalzar** · **admirar** || **defender** *defender fervorosamente una causa* · **respaldar** · **apoyar** · **adherirse** · **condenar** || **afirmar (algo)** · **manifestar (algo)**

fervoroso, sa adj.

● CON SUSTS. **creyente** · **católico,ca** · **devoto,ta** · **practicante** || **homenaje** *Tributaron un fervoroso homenaje a su maestro* · **aplauso** · **adhesión** · **apoyo** · **colaboración** · **agradecimiento** · **aprecio** · **voto** · **beso** · **respeto** · **elogio** || **partidario,ria** · **seguidor,-a** · **público** *El cantante actuó anoche ante un público fervoroso* · **defensor,-a** · **admirador,-a** · **adepto,ta** · **aficionado,da** · **militante** · **amigo,ga** || **enemigo,ga** || **sindicalista** · **nacionalista** · **republicano,na** · **demócrata** · **opositor,-a** || **lector,-a** · **escritor,-a** · **exegeta** || **deseo** · **pasión** · **entusiasmo** *una película acogida con fervoroso entusiasmo por la crítica* · **interés** || **discurso** · **declaración** · **testimonio** · **diálogo** · **frase** · **ataque** · **alegato** *lanzar un fervoroso alegato contra...* · **reivindicación**

festejar v.

● CON SUSTS. **aniversario** · **centenario** *Mañana se festeja el primer centenario de su nacimiento* · **cumpleaños** · **día** · **santo** · **efemérides** || **victoria** · **triunfo** · **éxito** · **gol** · **resultado** || **regreso** · **llegada** *Una multitud de fans festejaba la llegada de su equipo al estadio* · **nacimiento** · **aparición** · **ascenso** · ***otros acontecimientos***

● CON ADVS. **por todo lo alto** *Festejaron el nacimiento de su primer hijo por todo lo alto* · **a lo grande** · **fastuosamente** · **multitudinariamente** || **con alborozo** *Los presentes festejaron la clasificación con alborozo* · **a bombo y platillo** · **ruidosamente**

festejo s.m.

● CON ADJS. **nupcial** · **taurino** · **conmemorativo** *los festejos conmemorativos del tercer centenario de...* || **inaugural** || **popular** · **oficial** · **íntimo** · **multitudinario**

● CON VBOS. **tener lugar** · **aguar(se)** · **echar(se) a perder** || **celebrar** · **acoger** || **boicotear** · **arruinar** · **reventar** || **preparar** · **planear** || **animar** · **amenizar** *Una banda de música se encargará de amenizar los festejos* || **unirse (a)** · **sumarse (a)** · **asistir (a)**

festival s.m.

● CON ADJS. **de cine** · **de teatro** · **musical** · **de ópera** · **cultural** · **benéfico** · **folklórico** || **de verano** · **de otoño** · **de primavera** · **de invierno** || **internacional** · **mundial** || **prestigioso** *un prestigioso festival de cine*

● CON SUSTS. **ganador,-a (de)** · **participante (de)** || **programa (de)** · **actividad (de)** · **jornada (de)** · **desarrollo (de)** · **trayectoria (de)** *seguir de cerca la trayectoria de un festival* · **historia (de)** · **edición (de)** · **actuación (de)** || **premio (de)** · **galardón (de)** || **inauguración (de)** *Nos han invitado a la inauguración del festival* · **apertura (de)** · **clausura (de)** || **sede (de)** || **director,-a (de)** · **patrocinador,-a (de)**

● CON VBOS. **celebrar** · **inaugurar** *Inauguraron el festival un día antes de lo previsto* · **clausurar** · **organizar** · **realizar** || **ganar** || **actuar (en)** · **participar (en)** · **asistir (a)** *Sus ocupaciones le impiden asistir este año al festival de...*

festividad s.f.

● CON ADJS. **local** *Mañana se celebra una festividad local* · **regional** · **autonómica** · **nacional** · **universal** || **tradicional**

● CON VBOS. **celebrar** *¿Qué día se celebra la festividad de nuestro patrón?* · **conmemorar**

festivo, va adj.

● CON SUSTS. **jornada** · **día** *Mañana es día festivo* · **puente** · **semana** || **calendario** · **programa** || **clima** · **aire** · **atmósfera** · **ambiente** *Aquel día se percibía un ambiente festivo en el pueblo* || **tono** · **carácter** · **cariz** · **espíritu** || **lenguaje** · **discurso** *Leyó un discurso festivo y optimista* · **texto** · **obra** · **teatro** · **espectáculo** || **celebración** · **acto** · **manifestación** · **suceso**

fetiche s.m.

● CON ADJS. **auténtico** *Esa actriz es un auténtico fetiche para su público* || **sexual** · **erótico** || **milagroso** · **protector** · **poderoso**

● CON SUSTS. **actor** · **actriz** · **personaje** · **autor,-a** · **banda** · **equipo** · ***otros individuos y grupos humanos*** || **objeto** · **palabra** · **imagen**

● CON VBOS. **adorar** · **idolatrar** || **crear** · **desmontar** || **convertir (en)** *La campaña publicitaria ha conseguido convertirla en un fetiche erótico*

fétido, da adj.

● CON SUSTS. **bomba** *tirar una bomba fétida* || **olor** *De repente, un olor fétido invadió la habitación* · **aliento** · **ambiente** || **desagüe** · **estercolero** · **basurero** · **vertedero** · **alcantarilla** · **cloaca** || **agua**

feto s.m.

● CON ADJS. **humano** · **animal** || **prematuro** · **a término** *De los ocho fetos, solo uno llegó a término* || **sano** · **deforme** || **vivo** · **muerto**

● CON SUSTS. **desarrollo (de)** · **gestación (de)** · **evolución (de)** || **malformación (de)**

● CON VBOS. **crecer** · **formarse** · **desarrollarse** || **medir** · **pesar** || **nacer** · **sobrevivir** · **depender** || **moverse** · **patear** · **oír** || **proteger** · **salvar** · **conservar** · **mantener** || **exponer** · **manipular** · **dañar** || **abortar** · **expulsar** *La gata expulsó el feto espontáneamente*

fiabilidad s.f.

● CON ADJS. **total** · **máxima** · **absoluta** *Fuentes de absoluta fiabilidad aseguran que...* · **plena** · **alta** · **gran(de)** · **considerable** || **relativa** · **escasa** · **baja** · **limitada** · **mínima** · **nula** · **dudosa** || **científica** *La fiabilidad científica que demuestra el informe es total* · **técnica** || **reconocida** · **innegable** · **probada** · **indudable**

● CON SUSTS. **falta (de)** || **índice (de)** · **nivel (de)** *un elevado nivel de fiabilidad* · **garantía (de)** || **sensación (de)** || **imagen (de)** *Con la publicidad intentan dar una imagen de fiabilidad*

● CON VBOS. **mejorar** · **aumentar** · **mantener** || **garantizar** · **asegurar** · **demostrar** · **avalar** · **constatar** || **otorgar (a algo/a alguien)** · **conferir** · **merecer** · **inspirar (a algo/a alguien)** *El seguro que tenemos no me inspira fiabilidad* || **empañar** · **socavar** · **enturbiar** · **restar (a algo/a alguien)** · **perder** || **cuestionar** *Me estoy empezando a cuestionar la fiabilidad de...* || **carecer (de)** · **gozar (de)** · **contar (con)** || **velar (por)** · **insistir (en)** · **confiar (en)**

fiable adj.

● CON SUSTS. **método** · **alternativa** *una alternativa fiable para la solución de un problema* · **sistema** · **fórmula** || **motor** · **vehículo** || **medición** · **baremo** · **valoración** · **estadística** *No existe ninguna estadística fiable a ese respecto* · **sondeo** · **comunicación** || **hipótesis** · **predicción** · **pista** · **evidencia** · **indicio** · **estimación** · **cálculo** · **pronóstico** *realizar un pronóstico fiable* || **indicador** · **información** · **índice** · **dato** · **cifra** · **fuente** · **soporte** · **base**

· registro || estudio · trabajo · censo || persona · testigo · compañero,ra · socio,cia · *otros individuos* || representación · descripción || informe · análisis · recuento · resultado *El estudio no proporciona resultados fiables* || calidad · seguridad · defensa
● CON ADVS. **absolutamente · del todo** *No creo que sean datos del todo fiables* · **plenamente · completamente || escasamente · dudosamente**

fiambre s.m.

● CON SUSTS. **surtido (de)**
● CON VBOS. **comer · servir · cortar**

[fianza] → bajo fianza; fianza; sin fianza

fianza s.f.

● CON ADJS. **multimillonaria · elevada · alta · fuerte || módica · irrisoria · baja || civil · juratoria**
● CON SUSTS. **libertad (bajo/sin)** *El magistrado decretó la libertad bajo fianza del preso*
● CON VBOS. **avalar || imponer** *El juez le impuso una fianza considerable* · **poner · fijar · decretar · estipular · pedir || pagar · depositar || rebajar** *...así que van a pedir que le rebajen la fianza*
● CON PREPS. **bajo · sin** *prisión sin fianza*

fiarse v.

● CON ADVS. **absolutamente · totalmente** *Me fío totalmente de lo que me dices* · **plenamente · ciegamente** *No deberías fiarte tan ciegamente de ellos* · **por completo**

□ USO Se construye con complementos encabezados por la preposición *de*: *No me fío mucho de ella.*

fiasco s.m.

● CON ADJS. **monumental · descomunal || total · absoluto** *La convocatoria resultó ser un absoluto fiasco*
● CON VBOS. **suponer** *Aquello supuso el fiasco más grande de toda su vida* · **constituir · resultar || llevarse · sufrir || terminar (en) · acabar (en)** *Todo el proyecto acabó en un fiasco monumental*

fibra s.f.

● CON ADJS. **acrílica · óptica · de nailon · de vidrio · natural || sensible · íntima · sentimental · emocional · dramática · humana · personal · moral · maternal || irracional · racional · vital** *Fue una persona vigorosa, rebelde y llena de fibra vital* || **patriótica · reaccionaria · política · social** *...hechos aparentemente intrascendentes, que van debilitando la fibra social de una comunidad* · **revolucionaria · nacionalista · nacional · chovinista · imperial · institucional**

ficción s.f.

● CON ADJS. **cinematográfica · novelesca · literaria · científica · histórica · fantástica · teatral · dramática || pura** *No hagas caso, todo es pura ficción* · **absoluta**
● CON SUSTS. **ciencia** *una novela de ciencia ficción* || **personaje (de) · héroe (de) · heroína (de) || novela (de) · historia (de) · obra (de) · literatura (de) · relato (de) · serie (de)** *Ahora hace guiones para series de ficción* · **libro (de) · programa (de) || ser (de) · ente (de) || mundo (de) · terreno (de)**
● CON VBOS. **urdir · tramar · crear · idear || nutrir(se) (de)**

ficha s.f.

● CON ADJS. **técnica · bibliográfica · policial** *El detenido tiene una extensa ficha policial* · **médica · clínica · escolar · federativa · bancaria · artística · farmacológica · judicial · informativa · cinematográfica || breve · simple · básica · completa · extensa**
● CON VBOS. **contener (algo) · informar (de algo)** *La ficha bibliográfica nos informa de...* || **rellenar · llenar || guardar · archivar · colocar · ordenar · clasificar · actualizar || anotar (en) || figurar (en) · constar (en)** *Esa enfermedad no consta en la ficha médica del paciente*

fichaje s.m.

● CON ADJS. **estrella · estelar · magnífico · flamante** *El flamante fichaje no pudo evitar la derrota del equipo* || **caro · costoso || acertado · controvertido · polémico || deseado · anhelado || reciente · posible || nacional · extranjero** *Están negociando el próximo fichaje extranjero* · **comunitario**
● CON VBOS. **concretar(se) || frustrar(se) · fracasar · fallar || costar || negociar · confirmar · ultimar · cerrar · acordar · conseguir · realizar · llevar a cabo || descartar · desaconsejar || renunciar (a) · pagar (por)**

fichero s.m.

● CON ADJS. **informático · informatizado · automatizado · manual || central · adjunto** *En el fichero adjunto encontrarás...* || **policial · judicial · fiscal || documental || completo · amplio · abultado** *Guardaba expedientes de todos sus empleados en un abultado fichero* · **actualizado · obsoleto**
● CON VBOS. **elaborar · realizar · generar · crear · reunir · confeccionar || abrir · ejecutar · copiar · cortar · guardar || cerrar · borrar** *Borré los ficheros infectados por el virus* · **eliminar || recibir · enviar · adjuntar || acceder (a)** *Se accede al fichero haciendo doble clic con el ratón* · **figurar (en) || almacenar (en) · guardar (en)**

fidedigno, na adj.

● CON SUSTS. **fuente** *Fuentes fidedignas afirman que...* · **información · documentación · noticia · dato || relato** *El libro es un relato fidedigno de las condiciones de vida de...* · **artículo · libro · obra · película || memoria · recuerdo · reconstrucción · reproducción · representación · recreación || versión · traducción · adaptación · retrato · visión · interpretación · transcripción** *una transcripción fidedigna del texto griego* · **descripción · aproximación · edición || estadística · encuesta · medición · medida · número · indicador · índice · pista · prueba || estudio · diagnóstico · dictamen · investigación || pensamiento · conocimiento · idea || narrador,-a · representante · testigo** *Usted fue testigo fidedigno de que durante el acto de inauguración no hubo...* · **traductor,-a · intérprete**

fidelidad s.f.

● CON ADJS. **total · suma · absoluta · ilimitada · eterna** *Al casarse, se juraron fidelidad eterna* || **incondicional · ciega · inalterable · inquebrantable** *Muestra una fidelidad inquebrantable a sus ideas* · **estricta · obsesiva · devota || entusiasta || inconfesada**
● CON VBOS. **jurar · ofrecer · profesar** *Profesa una fidelidad absoluta a su país* · **guardar · mostrar · rendir · mantener · prestar || romper · quebrantar || pedir · exigir** *El contrato exige fidelidad* || **conquistar · captar || faltar (a)**

□ EXPRESIONES **alta fidelidad** [sistema de reproducción o grabación de sonidos]

[fideo]

→ como un fideo

fiebre s.f.

● CON ADJS. **elevada** · **alta** · **baja** || **tropical** · **asiática** || **consumista** *En rebajas se percibe mucho más la fiebre consumista* · **acaparadora** · **inversora** · **especuladora**

● CON SUSTS. **acceso (de)** · **ataque (de)** || **grados (de)** · **décimas (de)**

● CON VBOS. **remitir** *Ayer empezó a remitir la fiebre* · **aplacar(se)** · **bajar(le) (a alguien)** · **írse(le) (a alguien)** · **desaparecer** || **venir (a alguien)** · **entrar (a alguien)** *Desde que le ha entrado la fiebre inversora...* · **apoderarse** · **desatar(se)** · **subirle (a alguien)** *¿A qué hora te suele subir la fiebre?* || **combatir** *un medicamento para combatir la fiebre* · **vencer** || **tener** · **sentir** · **contraer**

fiel

1 fiel adj.

● CON SUSTS. **esposo,sa** · **socio,cia** · **ayudante** *Lleva siendo su fiel ayudante más de treinta años* · **aliado,da** · **colaborador,-a** · **compañero,ra** · **amigo,ga** · **seguidor,-a** · **militante** · **afición** · **electorado** *...con los votos de un electorado fiel* || **secretario,ria** · **sirviente** · **servidor,-a** · **escudero,ra** · **criado,da** · **lacayo,ya** · **representante** · **cliente** || **cronista** *un cronista fiel a los hechos* · **copista** · **intérprete** || **lector,-a** · **oyente** · **público** || **testigo** *un fiel testigo de lo ocurrido* · **monaguillo,lla** || **infantería** · **guardián** · **defensor,-a** · **depositario,ria** · **ejecutor,-a** · **garante** · **espada** || ***otros individuos y grupos humanos*** || **perro,rra** || **trasunto** · **copia** · **retrato** *Este niño es el fiel retrato de su madre* · **reflejo** · **espejo** · **réplica** · **imitación** · **imagen** · **representación** · **adaptación** · **reproducción** · **radiografía** || **relato** · **memoria** · **reportaje** · **testimonio** *La Policía está buscando un testimonio fiel de lo que ocurrió aquella noche* · **relación** · **descripción** · **expresión** · **traducción** · **transcripción** · **lectura** || **cumplimiento** · **entrega** || **indicador** *Este es un indicador fiel de la calidad de vida de este país* · **exponente** · **instrumento**

● CON ADVS. **completamente** · **totalmente** · **absolutamente** · **sin ninguna duda** · **indiscutiblemente** || **hasta la muerte** · **hasta el final** *Juró que le sería fiel hasta el final*

● CON VBOS. **mantenerse** · **continuar** · **permanecer**

2 fiel (a) adj.

● CON SUSTS. **idea** *A lo largo de su carrera siempre fue fiel a sus ideas* · **teoría** · **tesis** · **consigna** · **concepto** · **postulado** · **ideal** · **filosofía** · **doctrina** · **principio** *Siempre se mantuvo fiel a sus principios* · **máxima** · **ideología** · **ideario** · **creencia** · **credo** · **convicción** · **causa** · **mensaje** || **amigo,ga** · **compañero,ra** · **jefe,fa** · **superior** || **familia** · **apellido** · **herencia** *Su padre lo acusaba de no haber sido fiel a la herencia familiar* · **raíces** · **tradición** · **memoria** · **patria** · **amistad** || **escuela** · **canon** · **perfil** · **línea** · **estilo** *Fiel a su estilo, se presentó con un extravagante vestido rojo* · **visión** · **espíritu** · **sentido** || **compromiso** · **cita** · **promesa** · **vocación** || **proyecto** · **programa** *Los organizadores del congreso han sido fieles al programa* · **objetivo** · **propósito** || **carácter** · **condición** || **ritual** · **liturgia** || **época** · **costumbre** *Fiel a sus costumbres, cada mañana...* · **rutina** || **texto** · **original** *La copia es fiel al original* · **partitura** · **letra** · **palabra** || **regla** · **legalidad**

fielmente adv.

● CON VBOS. **informar** *Nos ha informado fielmente de lo ocurrido* · **narrar** · **reflejar** · **resumir** · **transmitir** · **traducir** · **transcribir** · **reproducir** · **reconstruir** · **recrear** · **retratar** · **reencarnar** · **representar** · **interpretar** · **evocar** · **emular** · **imitar** · **copiar** · **captar** *La obra capta fielmente la sociedad de la época* · **recoger** · **trasladar** · **responder** || **ajustarse** *Los datos se ajustan fielmente a la realidad* · **corresponder(se)** · **coincidir** · **medir** || **desempeñar** · **ejecutar** · **aplicar** · **cumplir** *Hay que cumplir fielmente la ley* · **atenerse** · **obedecer** · **respetar** · **servir** · **seguir** || **mantener** · **adaptar** *adaptar fielmente una novela al cine* · **conservar** · **recuperar** || **creer**

fiera s.f.

● CON ADJS. **feroz** · **salvaje** · **indomable** · **indómita** · **desbocada** · **temible** || **voraz** · **hambrienta** · **depredadora** || **suelta** *una fiera suelta por la ciudad* · **enjaulada** || **herida** *Salió al escenario como una fiera herida*

● CON SUSTS. **domador,-a (de)** || **jaula (de)** || **rugido (de)** || **víctima (de)**

● CON VBOS. **acechar** · **atacar (algo/a alguien)** · **atemorizar (a alguien)** || **rugir** || **domesticar** · **amaestrar** *Es sorprendente la capacidad de ese domador para amaestrar a las fieras* · **amansar** · **calmar** · **aplacar** || **enjaular** · **encerrar** · **cazar** · **vencer** || **soltar** · **liberar** || **ahuyentar** || **temer** || **enfrentarse (a)** · **echar (a)** · **arrojar (a)** || **ponerse (como)** *Cuando se lo dije se puso como una fiera conmigo*

□ EXPRESIONES **hecho una fiera** [muy irritado] || **ser una fiera** ({en/para} una actividad) [destacar en ella] *Es una fiera en los negocios* || **ser una fiera corrupia** [tener muy mal carácter]

[fiesta]

→ de fiesta; fiesta

fiesta s.f.

● CON ADJS. **espectacular** · **a lo grande** *Por su cumpleaños montamos una fiesta a lo grande* · **antológica** · **apoteósica** · **desenfrenada** · **vibrante** · **soberbia** || **íntima** · **pequeña** *El sábado tendremos una pequeña fiesta* || **concurrida** · **animada** · **lucida** || **de capa caída** *La fiesta estaba ya de capa caída y...* · **apagada** · **deslucida** || **señalada** || **patronal** · **popular** · **de cumpleaños** || **nacional** *un día de fiesta nacional* · **regional** · **local** || **de guardar**

● CON VBOS. **ensombrecer(se)** · **aguar(se)** *Con el mal tiempo se aguó la fiesta* · **empañar(se)** · **desinflar(se)** · **enfriar(se)** · **decaer** · **apagar(se)** || **ambientar(se) (en)** || **hacer** · **celebrar** · **dar** · **montar** · **organizar** · **preparar** *preparar la fiesta de fin de curso* || **guardar** · **santificar** || **tener** · **perderse** || **animar** · **amenizar** · **prender** || **reventar** · **amargar (a alguien)** || **asistir (a)** · **acudir (a)** · **ir (a)** || **invitar (a alguien) (a)** *¿Quién te invitó a la fiesta?*

□ EXPRESIONES **tengamos la fiesta en paz** [se usa para pedir a alguien que no discuta]

figura s.f.

▮ [cuerpo, silueta]

● CON ADJS. **estilizada** *Esa modelo tiene una figura muy estilizada* · **agraciada** · **erguida** · **esbelta** · **armoniosa** || **desgarbada** · **deforme** · **enjuta** || **frágil** · **delicada** *una bailarina de figura delicada* · **ingrávida** || **voluminosa** · **imponente** · **curvilínea** || **hierática**

● CON VBOS. **devaluar(se)** || **recortarse (sobre algo)** · **perfilar(se)** · **proyectar(se)** · **dibujar(se)** *Su figura se dibujaba a lo lejos* || **distorsionar** || **realzar** *Este vestido realza tu figura* || **visualizar** || **inmortalizar**

▮ [persona destacada]

● CON ADJS. **capital** · **crucial** · **fundamental** · **trascendental** || **de relumbrón** · **de importancia** · **de primera fila** · **destacada** *La figura más destacada en la materia es...* · **representativa** · **prominente** · **notoria** · **mítica** · **insigne** · **rutilante** · **clara** · **inmortal** || **entrañable** || **llorada** · **recordada**

● CON SUSTS. **clave** *Fue una figura clave en la etapa de la transición*

● CON VBOS. **despuntar** || **ensuciar** · **manchar** || **suplantar** · **encarnar** || **evocar** · **recordar** || **erigir(se) (en/como)**

figurado, da adj.

● CON SUSTS. **sentido** *Lo dijo en sentido figurado* · **acepción** · **lenguaje** · **traducción** || **forma** · **manera** *usar una palabra de manera figurada* || **imagen** · **animación** · **realidad**

figurar v.

● CON ADVS. **a la cabeza (de algo)** *Nuestro país ya no figura a la cabeza de los países exportadores de petróleo* · **en cabeza** · **destacadamente** · **en un lugar {destacado/honroso/privilegiado...}**

fijación s.f.

● CON ADJS. **infantil** *Esto no es más que una fijación infantil, no le den más importancia* · **personal** · **sexual** · **amorosa** || **perpetua** · **permanente** · **patológica** || **obsesiva** · **enfermiza** *Siente una fijación enfermiza por ella* || **incurable** · **irreversible** · **incontrolable** || **preocupante**

● CON VBOS. **tener** *Tiene fijación con las arañas* · **sentir**

fijamente adv.

● CON VBOS. **mirar** · **observar** *Me encanta observar fijamente cómo se mueven las hormigas* · **atender** · **dirigir {la vista/la mirada/la atención}**

[fijar] →fijar; fijarse

fijar v.

● CON SUSTS. **cartel** · **rótulo** · **letrero** || **mirada** · **vista** · **ojos** · **atención** *Últimamente me cuesta más fijar la atención en lo que hago* · **imagen** || **objetivo** · **meta** || **fecha** · **precio** *Fijaron el precio mínimo en...* · **tarifa** · **salario** · **impuesto** · **tasa** · **límite** · **plazo** · **horario** · **calendario** · **número** · ***otras medidas y cantidades*** || **orden** · **condiciones** *fijar las condiciones de un acuerdo* · **postura** · **norma** · **base** || **método** · **estrategia** · **criterio** || **características** · **detalles** || **residencia** *...y fijaron su residencia en esta ciudad* · **domicilio** · **sede**

● CON ADVS. **irrevocablemente** · **definitivamente** || **de antemano** *Ya se había fijado de antemano el plazo límite de entrega de la solicitud* || **unilateralmente**

fijarse v.

● CON ADVS. **atentamente** *Debes fijarte atentamente en los detalles para...* · **escrupulosamente** · **con detenimiento** || **por un momento** *No se fijó ni por un momento en...*

□ USO Se construye con complementos encabezados por la preposición *en*: *una persona que se fija en los pequeños detalles.*

[fijo] →a plazo fijo; fijo, ja

fijo, ja adj.

● CON SUSTS. **trabajo** *Por fin ha encontrado un trabajo fijo* · **empleo** · **puesto** · **contrato** · **cargo** || **trabajador,-a** · **empleado,da** · **plantilla** || **cantidad** · **renta** · **sueldo** · **ingreso** · **capital** · **interés** *un préstamo con un interés fijo de...* · **tipo de cambio** || **coste** · **precio** · **tasa** || **fecha** · **plazo** · **día** · **hora** || **lugar** *No tenemos un lugar fijo de vacaciones* · **domicilio** · **sede** || **rumbo** · **punto** · **dirección** || **ley** · **regla** · **idea** *Es una persona de ideas fijas* || **telefonía** · **teléfono**

● CON VBOS. **ser** || **estar** · **seguir** *una idea que sigue fija en mi cabeza* · **quedar(se)** · **mantener(se)**

fila s.f.

● CON ADJS. **larga** · **corta** · **interminable** · **kilométrica** || **serpenteante** || **doble** *Tuvimos que aparcar en doble fila*

● CON VBOS. **avanzar** · **dar la vuelta (a algo)** · **girar** || **hacer** *un nutrido grupo de personas haciendo fila para...* · **engrosar** · **guardar** · **encabezar** || **romper** *¡Rompan filas!* · **cerrar** || **seguir** || **salir (de)** || **poner(se) (a/en)** · **volver (a)** · **retornar (a)** || **colar(se) (en)**

● CON PREPS. **en** · **en medio (de)**

□ EXPRESIONES **en fila india** [unos detrás de otros]

filarmónico, ca adj.

● CON SUSTS. **orquesta** *el director de la orquesta filarmónica* · **coro** || **sociedad** · **asociación** || **afición**

filete s.m.

● CON ADJS. **a la plancha** · **frito** · **empanado** || **crudo** · **pasado** · **{muy/poco/bien} hecho** *Por favor, tráigame el filete muy hecho* · **{muy/poco/bien} cocido** · **en su punto** · **al punto**

● CON VBOS. **cortar** · **sazonar** · **salpimentar** || **dorar** *Dorar el filete en un poco de aceite de oliva* · **freír** · **pasar** || **servir** · **adornar** · **presentar**

filial

1 filial adj.

▮ [relacionado con los hijos]

● CON SUSTS. **amor** · **cariño** *Siente un cariño filial por sus alumnos* · **relación**

▮ [que depende de otra empresa principal]

● CON SUSTS. **empresa** · **sociedad** *Se ha constituido una sociedad filial para gestionar el patrimonio de...* · **compañía** · **banco** · **factoría** || **equipo** *El equipo filial sorprendió a todos con su victoria* · **conjunto**

2 filial s.m.

▮ [equipo]

● CON SUSTS. **jugador,-a (de)** *Ante la avalancha de lesiones, el entrenador tuvo que recurrir a varios jugadores del filial* · **promesa (de)** · **entrenador,-a (de)**

● CON VBOS. **entrenar** || **proceder (de)** *El nuevo jugador procede del filial* || **jugar (contra)**

3 filial s.f.

▮ [empresa]

● CON SUSTS. **presidente,ta (de)** · **empleado,da (de)** *Es el mejor empleado de la filial* · **dueño,ña (de)** || **capital (de)** · **venta (de)** · **compra (de)** *Los directivos están reunidos para decidir la compra de la filial de...* || **categoría (de)** · **condición (de)**

● CON VBOS. **dirigir** · **fundar** *Fundarán una filial que proporcionará numerosos puestos de trabajo* · **abrir** · **instalar** || **absorber** · **reestructurar** || **trabajar (en)** *Trabaja en la filial como directora de ventas* · **emplear (a alguien) (en)**

filmar v.

• CON SUSTS. **película · corto · vídeo · documental · serie · telenovela · entrevista** *El reportero filmó una entrevista exclusiva con el presidente* · **superproducción · reportaje · anuncio · escena || interior** *Filmaron primero los interiores del cortometraje* · **exterior · paisaje · montaña** · ***otros lugares*** **|| batalla · entrada · movimiento** · ***otras acciones o procesos***

• CON ADVS. **íntegramente** *El cámara filmó íntegramente lo que pasó* · **con todo detalle || magistralmente** *...quien filmó magistralmente la realidad de su país* · **elegantemente**

filmografía s.f.

• CON ADJS. **extensa** *Las películas más importantes de su extensa filmografía son...* · **prolija · nutrida · abundante · amplia · completa · sólida · dilatada || notable · brillante || escasa · corta · breve · pobre · mediocre · exigua**

filmoteca s.f.

• CON SUSTS. **sede (de)** *Han inaugurado la nueva sede de la filmoteca* · **archivo (de) || programación (de)**

• CON VBOS. **organizar** *La filmoteca organiza un ciclo de cine argentino* · **dirigir · programar (algo) || proyectar (algo) · exhibir (algo) · repasar (algo) · presentar (algo) · ofrecer (algo) || recuperar (algo) · conservar (algo) · restaurar** *La filmoteca ha restaurado algunas de las primeras películas sonoras*

[filo] → al filo (de); de doble filo

filología s.f. Véase **DISCIPLINA**

filón s.m.

• CON ADJS. **de oro** *Esa canción fue un filón de oro para el grupo* · **de éxito || tecnológico · argumental** *Ha encontrado un nuevo filón argumental para sus obras* · **temático · comercial · editorial · literario · artístico · poético · narrativo · informativo · profesional · electoral || valioso · rico · auténtico · nuevo || inagotable · abierto**

• CON VBOS. **explotar** *La cadena seguirá explotando el filón del programa* · **utilizar · constituir || descubrir · encontrar · hallar || mantener · alimentar**

filosofía s.f. Véase **DISCIPLINA**

□ EXPRESIONES **tomarse las cosas con filosofía** [aceptar los problemas con serenidad]

filosófico, ca adj.

• CON SUSTS. **saber** *un compendio del saber filosófico de la época* · **pensamiento · reflexión · meditaciones · especulaciones · ideas || problema · polémica · cuestión · tema · aspectos || principio · planteamiento · concepto · concepción · sistema · corriente** *el principal representante de la corriente filosófica denominada...* **|| texto · literatura · obra · tratado** *leer un interesante tratado filosófico* · **estudio · ensayo · comedia · drama || discusión · debate · pregunta · discurso · consideración · disquisición || argumento · explicación · análisis · razón || carga** *una película con una importante carga filosófica* · **contenido · fundamento · punto de vista · sentido || panorama** *un panorama filosófico desolador* · **tradición**

filtrar(se) v.

• CON SUSTS. **luz · rayos · onda · sonido || agua** *Hay que filtrar el agua para su potabilización* · **gasolina · café · sal** · ***otros líquidos o sustancias*** **|| información** *Investigan quién ha filtrado la información secreta a...* · **noticia · dato · declaración · comentario · cifra · rumor** *En esos días, se filtró el rumor de que...* · **chisme · detalles || documento · informe · nota · texto · carta · borrador || secreto · enigma · misterio || plan** *Se ha filtrado a la prensa el plan de...* · **proyecto · programa || sentimiento · cariño**

filtro s.m.

▮ [dispositivo]

• CON ADJS. **solar · antipolen || protector**

• CON VBOS. **funcionar || instalar · poner · cambiar · eliminar · quitar || limpiar || usar || actuar (como) · servir (de)** *Este trozo de tela nos servirá de filtro provisional*

• CON PREPS. **a través (de)**

▮ [procedimiento de selección] *col.*

• CON ADJS. **riguroso · duro** *Hubo de superar un duro filtro para acceder a ese puesto* · **estricto || previo · posterior || policial**

• CON VBOS. **establecer || pasar · superar**

[fin] → fin; llegar a su fin

fin s.m.

▮ [final]

• CON ADJS. **inminente · inevitable** *...el fin inevitable de una etapa* · **inexorable || drástico · abrupto**

• CON VBOS. **aproximarse · acercarse** *Creo que afortunadamente se está acercando el fin de todo este asunto* · **llegar || predicar · aventurar · augurar · adivinar · predecir** *predecir el fin del mundo* **|| dar (a algo) · marcar · sellar · poner (a algo) || tener** *una historia que parece no tener fin* **|| llegar (a) · abocar(se) (a)**

• CON PREPS. **a**

▮ [objetivo]

• CON ADJS. **oscuro · mal(o) · delictivo · inconfesable || noble · pacífico · humanitario** *una asociación con fines humanitarios* · **benéfico · ultraísta || político || preventivo · curativo || disuasorio · utilitario**

• CON VBOS. **establecer** *Lo primero es establecer los fines que pretendemos conseguir* · **perseguir || distorsionar || atenerse (a)**

□ EXPRESIONES **al fin y al cabo** [en definitiva] **|| en fin** [en conclusión] **|| fin de semana** [período formado por el sábado y el domingo] **|| por fin · al fin** [finalmente] **|| sin fin** [sin límite]

final

1 final adj.

• CON SUSTS. **punto** *De esta forma pone el punto final a su carrera deportiva* · **colofón || decisión · acuerdo · solución · proposición || juicio || objetivo || producto · costo · destino · balance · clasificación || resultado · victoria · triunfo · derrota || capítulo · escena · imagen || fase** *la fase final de unas negociaciones* · **etapa · recta · parte · tramo || acción · actuación**

2 final s.m.

• CON ADJS. **feliz** *La historia tiene un final feliz* · **exitoso · honroso · airoso || dramático · trágico** *La obra tiene un trágico final* · **amargo · tormentoso · infausto · desolador · desgraciado · aciago · nefasto** *Se prevé un final nefasto en todo este asunto* · **catastrófico · apocalíptico · agridulce || súbito · brusco · abrupto · drástico · con-**

cluyente || **sorprendente** *La novela tiene un sorprendente final* · **inesperado** · **imprevisible** · **impredecible** · **imprevisto** · **incierto** · **en el aire** || **previsible** · **esperable** *El final esperable era que se reconciliasen* · **esperado** || **inevitable** · **inexorable** || **inminente** · **temprano** · **rápido** || **de película** *Lo que me estás contando parece un final de película* · **esplendoroso** · **soberbio** · **rutilante** · **glorioso** · **apoteósico** || **reñido** *el reñido final de la etapa ciclista* · **apretado** · **a cara de perro**

● CON VBOS. **llegar** · **avecinarse** · **aproximarse** · **acercarse** · **precipitar(se)** *Se precipita el final del invierno* || **vislumbrar** · **atisbar** · **esperar** || **embocar** · **encarar** · **acometer** · **alcanzar** · **tener** || **augurar** · **aventurar** · **anticipar** · **destripar** *Nos destripó el final de la película que estábamos viendo* || **marcar** · **sellar** · **amagar** || **dar (a algo/a alguien)** · **proporcionar** · **deparar** *Ambos equipos nos depararon un final de liga muy interesante* || **abocar(se) (a)** · **encaminar(se) (a)** · **dirigir(se) (a)** · **llegar (a)** || **resistir (hasta)** *Resistió hasta el final de la carrera a pesar de...*

finalidad s.f.

● CON ADJS. **principal** *La finalidad principal de este viaje es descansar* · **esencial** · **primordial** · **exclusiva** · **última** · **inmediata** || **expresa** *Nos utilizó con la finalidad expresa de...* · **clara** · **evidente** · **manifiesta** · **declarada** || **supuesta** · **pretendida** · **presunta** || **doble** *Con este proyecto, cumplimos una doble finalidad* || **encubierta** · **oculta** || **verdadera** · **auténtica** || **legítima** · **ilegítima** || **propia** · **específica** · **concreta** *Este fármaco tiene una finalidad muy concreta* || **utilitaria**

● CON VBOS. **subyacer (a algo)** || **cumplir** *Este aparato cumple perfectamente la finalidad para la que fue diseñado* · **perseguir** · **poseer** · **tener** · **albergar** || **desvirtuar** · **perder** || **definir** || **alejar(se) (de)** · **apartar(se) (de)** || **tener (como/por)** *Esta campaña tiene como finalidad promover el transporte público*

● CON PREPS. **con** *actuar con una finalidad* · **sin**

finalista

1 **finalista** adj.

● CON SUSTS. **obra** · **novela** *Aún no han anunciado el nombre de las novelas finalistas* · **proyecto** · **trabajo** || **concursante** · **equipo** · **participante** · **escritor,-a** · ***otros individuos y grupos humanos***

2 **finalista** s.com.

● CON ADJS. **regional** · **nacional** · **internacional** · **continental** · **mundial**

● CON SUSTS. **puesto (de)** · **plaza (de)** · **selección (de)**

● CON VBOS. **seleccionar** · **elegir** *Los dos finalistas elegidos son...* || **quedar** · **proclamar(se)** · **dejar** · **salir** || **llegar (a)** · **convertir(se) (en)**

3 **finalista (de)** s.com.

● CON SUSTS. **premio** · **concurso** · **torneo** · **campeonato** · **ciclo** · **certamen**

finalizar v.

● CON ADVS. **felizmente** *La reunión finalizó felizmente para ambas partes* · **con éxito** · **brillantemente** || **trágicamente** · **fatalmente** *Su larga enfermedad finalizó fatalmente* || **inesperadamente** *El viaje finalizó inesperadamente* · **sorprendentemente** · **abruptamente** · **calculadamente** · **terminantemente**

financiación s.f.

● CON ADJS. **exigua** · **escasa** · **insuficiente** *Las deficiencias del servicio se derivan de la insuficiente financiación concedida por el Gobierno* · **deficiente** || **generosa** · **suficiente** || **ilegal** · **irregular** || **a plazos** *¿Existe la posibilidad de financiación a plazos?* · **a fondo perdido**

● CON SUSTS. **fuente (de)** · **vía (de)** || **plan (de)** || **gasto (de)** || **fleco (de)**

● CON VBOS. **recaer (en alguien)** || **buscar** *Están buscando financiación para poner en escena una nueva obra de teatro* · **encontrar** || **conceder** · **asignar** · **canalizar** || **negar** · **regatear**

financiar v.

● CON ADVS. **a plazos** *financiar una compra a plazos* · **a fondo perdido** · **a crédito** || **generosamente** || **proporcionalmente** · **a partes iguales** || **puntualmente**

financiero, ra adj.

● CON SUSTS. **mundo** *personas pertenecientes al mundo financiero* · **sector** · **ámbito** · **comunidad** || **mercado** *una crisis en el mercado financiero* · **sistema** || **entidad** · **organismo** · **institución** · **grupo** · **centro** · **imperio** || **servicio** *los servicios financieros de la empresa* · **administración** || **situación** · **crisis** *atravesar una grave crisis financiera* · **desastre** · **problema** · **dificultad** · **fraude** · **agujero** || **resultado** · **éxito** || **apoyo** · **respaldo** · **asistencia** || **operación** · **inversión** · **especulación** || **legislación** · **reforma** || **recurso** · **incentivo**

finanzas s.f.pl.

● CON ADJS. **públicas** · **altas** *un ejecutivo de altas finanzas*

● CON SUSTS. **director,-a (de)** · **responsable (de)** *Ahora mismo la paso con el responsable de finanzas* · **jefe,fa (de)** || **saneamiento (de)** · **administración (de)** · **manejo (de)** || **crisis (de)** · **recuperación (de)** · **escasez (de)** || **mundo (de)** *una persona del mundo de las finanzas* · **situación (de)**

● CON VBOS. **administrar** · **manejar** · **sanear** *sanear las finanzas de la empresa* · **equilibrar** · **mejorar** · **estabilizar** || **disponer (de)** · **andar (bien/mal) (de)** *No vino al viaje porque andaba mal de finanzas* || **poner orden (en)**

finca s.f.

● CON ADJS. **rural** *Pasamos el verano en una finca rural* · **campestre** · **rústica** · **urbana** · **privada** || **hermosa** · **lujosa** · **magnífica** · **espléndida** || **extensa** · **amplia** · **inmensa** · **pequeña** || **vecina** · **colindante** *El camino llega hasta la finca colindante* · **limítrofe** · **anexa** · **contigua** || **de ganado** · **ganadera** · **vinícola** · **de recreo**

● CON SUSTS. **dueño,ña (de)** · **propietario,ria (de)** · **vigilante (de)** · **guardián,-a (de)** · **cuidador,-a (de)** · **campesino,na (de)** · **poblador,-a (de)** · **mozo,za (de)** · **portero,ra (de)** · **capataz,-a (de)** · **administrador,-a (de)** · **representante (de)** · **heredero,ra (de)** || **adquisición (de)** · **rendimiento (de)** · **explotación (de)** *ceder los derechos de explotación de la finca* · **posesión (de)** · **expropiación (de)** · **ampliación (de)** · **recalificación (de)** · **valor (de)**

● CON VBOS. **poseer** · **adquirir** · **tasar** || **hipotecar** · **traspasar** · **embargar** · **derribar** · **expropiar** · **recalificar** || **visitar** || **mudar(se) (a/de)** · **trasladar(se) (a/de)** || **instalar(se) (en)** · **alojar(se) (en)**

fingir v.

● CON SUSTS. **enfermedad** · **lesión** || **dolor** · **sorpresa** *Disimuló y fingió sorpresa* · **asombro** · **amor** · **orgasmo** · **gratitud** · ***otros sentimientos o sensaciones*** || **muerte** ||

ignorancia · desconocimiento · indiferencia || problema · avería

finiquitar v. *col.*

[pagar]

● CON SUSTS. **factura** · **cuenta** *Finiquitar la cuenta pendiente* || **crédito**

[terminar]

● CON SUSTS. **convenio** · **acuerdo** *Finiquitaron el acuerdo con...* · **contrato** · **relación** || **negociación** · **operación** · **compra** || **negocio** || **trámite**

finlandés s.m. Véase IDIOMA

fino, na

1 **fino, na** adj.

● CON SUSTS. **pelo** · **cabello** · **mano** · **pierna** · **labios** · **dedo** || **cable** · **alambre** · **varilla** · **fideo** || **voz** · **olfato** *tener un olfato muy fino* · **gusto** · **oído** · **sensibilidad** · **sentido** · **instinto** || **lenguaje** · **palabra** · **ironía** · **humor** *Lo que más me gusta de él es su humor fino e inteligente* · **juego** || **modales** · **cortesía** · **elegancia** || ***persona*** *Es una mujer fina y elegante* || **vino** · **aceite** || **arena** · **lluvia** · **aire**

● CON VBOS. **ser** · **estar** · **poner(se)** *Cuando se pone fina no la soporto* · **quedar(se)**

2 **fino** adv.

● CON VBOS. **hilar** || **hablar**

finura s.f.

● CON ADJS. **exquisita** · **necesaria** · **destacable** · **escasa** · **excesiva** *expresarse con excesiva finura* · **singular** || **de espíritu** · **gastronómica** · **intelectual** · **expresiva** · **estilística** · **artística** · **literaria**

● CON SUSTS. **falta (de)** · **exceso (de)**

● CON VBOS. **faltar** || **hablar (con)** · **tratar (con)**

firma s.f.

● CON ADJS. **original** · **autógrafa** · **auténtica** *El experto confirmó que la firma del cuadro era auténtica* · **falsa** || **ampulosa** · **escueta** · **ilegible** || **al pie** *Falta la firma al pie del documento* · **al dorso** · **al margen** || **a favor** *recoger firmas a favor de una causa* || **electrónica** || **autorizada** · **testimonial**

● CON VBOS. **urgir** || **necesitar** · **faltar** || **comprobar** · **autentificar** · **validar** · **verificar** · **convalidar** · **compulsar** || **imitar** · **falsificar** *Algunos estudiantes falsificaban la firma de sus padres en las notas* || **poner (en un sitio)** *Para que el documento sea válido tienes que poner tu firma al final* · **estampar** · **imprimir** · **grabar** · **echar** *¿Me echas una firma aquí?* || **pedir** *Están pidiendo firmas en favor de...* · **recoger** · **reunir** · **recabar** · **conseguir** || **agilizar** · **desbloquear** || **avalar** || **rubricar (con)**

● CON PREPS. **a falta (de)** *Todo está listo a falta de un par de firmas*

firmante adj.

● CON SUSTS. **parte** || **país** · **estado** *los Estados firmantes del tratado de paz* || **grupo** · **organización** · **partido** *Todos los partidos firmantes del pacto...* · **sindicato** · **fuerza** · **comunidad**

firmar v.

● CON SUSTS. **papel** · **carta** · **informe** · **libro** · **dedicatoria** · **talón** · **presupuesto** · **multa** · ***otros textos o documentos*** || **pintura** · **cuadro** || **comunicado** · **declaración** · **manifiesto** · **memorándum** · **testimonio** · **convocatoria** || **acuerdo** · **visto bueno** · **tratado** · **paz** · **alianza** · **contrato** · **convenio** · **pacto** · **tregua** · **concordato** · **conformidad** || **ley** · **norma** · **medida** · **reglamento** · **estatuto** · **código** · **legislación** · **mandato** · **orden** *El juez firmó una orden de desalojo* · ***otras disposiciones*** || **dimisión** · **amnistía** · **indulto** · **renuncia** · **cesión** · **retractación** · **separación** · **aceptación** || **empate** *Con un gol en el último minuto se firmó el empate* · **triunfo** · **derrota** · **tablas** || **sentencia** · **resolución** · **moción** · **fallo** · **decreto** || **proyecto** · **propuesta** · **tesis** · **programa** · **plan** · **oposición**

● CON ADJS. **gustoso,sa** · **encantado,da** · **obligado,da** *No me culpen de lo que dice la carta porque la firmé obligado* · **forzado,da**

● CON ADVS. **a ojos cerrados** · **sin dudarlo** *Todos habíamos firmado sin dudarlo el manifiesto por la paz* || **de {mi/tu/su...} puño y letra** · **debidamente** · **correctamente** || **a regañadientes** · **en contra de {mi/tu/su...} voluntad** · **por compromiso** · **con gusto** · **gustosamente** || **en blanco** || **al pie (de algo)** · **al dorso (de algo)**

[firme] → con mano firme; en firme; firme

firme adj.

● CON SUSTS. **soporte** · **pilar** || **apoyo** *Mostró su firme apoyo a la nueva propuesta* || **paso** · **movimiento** · **gesto** || **dominio** · **control** · **mano** *Maneja la empresa con mano firme* · **disciplina** || **alianza** · **compromiso** *...con el firme compromiso de cumplir lo acordado* · **garantía** · **unión** || **postura** · **posición** · **actitud** || **carácter** · **voluntad** · **intención** · **propósito** *Mantiene su firme propósito de...* || **adversario,ria** · **defensor,-a** · **aliado,da** · **partidario,ria** · **seguidor,-a** || **creencia** · **convicción** · **convencimiento** · **deseo** · **exigencia** || **determinación** · **decisión** · **sentencia** · **condena** · **defensa** *Hizo una firme defensa del acusado* || **gobernante** · **gobierno** · **autoridad** · **poder** · **política** · **candidato,ta** *Es un firme candidato a la presidencia* || **negativa** · **rechazo** · **resistencia** · **oposición** · **bloqueo** || **tierra** *llegar a tierra firme* · **muro** *los firmes muros de la fortaleza*

● CON ADVS. **como una roca** *Se mantiene firme como una roca*

● CON VBOS. **ser** · **estar** · **poner(se)** · **mantener(se)** *Se mantuvo firme en su postura*

firmemente adv.

● CON VBOS. **sujetar(se)** *Sujétate firmemente porque esta carretera tiene muchas curvas* · **agarrar(se)** · **aferrar(se)** · **coger(se)** || **mantener(se)** · **consolidar(se)** *Se consolidó firmemente como el candidato favorito* · **asentar(se)** · **instalar(se)** · **arraigar** · **enraizar** || **oponer(se)** · **condenar** · **luchar** · **atrincherar(se)** · **defender** · **resistir** *Resistieron firmemente al intento de invasión* || **reclamar** · **exigir** · **proclamar** · **establecer** · **fundamentar** · **cimentar** · **reafirmar** || **apostar** · **apoyar** · **sostener** · **respaldar** *¿Se siente respaldado firmemente por sus compañeros?* · **confiar** · **decidir** || **pisar** · **apretar** · **asir** · **empuñar** || **prometer** || **convencer(se)** · **creer** *Cree firmemente que las cosas pueden mejorar* · **desear** · **negar** · **atenerse** || **proponer(se)** · **comprometer(se)** || **avanzar**

● CON ADJS. **dispuesto,ta** · **resuelto,ta** · **decidido,da** · **convencido,da** || **unido,da** || **partidario,ria** *Era firmemente partidaria del cambio de dirección*

fiscal

1 **fiscal** adj.

▮ [del fisco]

● CON SUSTS. **inspección** || **beneficio** *grandes beneficios fiscales* · **desgravación** · **incentivo** · **exención** || **legislación** · **ley** · **normativa** · **reforma** *Han votado en contra de la reforma fiscal propuesta por el Gobierno* || **política** · **sistema** · **materia** · **actividad** || **régimen** · **trato** · **tratamiento** *Desconozco el tratamiento fiscal de esa inversión* · **presión** || **delito** · **fraude** || **experto,ta** · **asesor,-a** · **inspector,-a** || **domicilio** · **paraíso** *con cuentas millonarias en un paraíso fiscal* || **año** · **ejercicio** · **calendario**

2 **fiscal** s.com.

▮ [jurista]

● CON ADJS. **antidroga** · **anticorrupción** || **de turno** · **de guardia** · **de distrito**

● CON SUSTS. **tesis (de)** · **conclusiones (de)** · **informe (de)** *El informe del fiscal es concluyente* || **jefe** *Lo nombraron fiscal jefe de la audiencia...*

● CON VBOS. **encargar(se)** · **llevar (un asunto)** || **acusar** · **interrogar** · **preguntar** · **investigar** || **solicitar** · **reclamar** *El fiscal antidroga reclama un cambio en la ley* · **pedir** · **proponer** || **argumentar (algo)** || **recurrir (algo)** || **elegir** · **nombrar**

fisco s.m.

● CON VBOS. **recaudar (algo)** || **engañar** · **defraudar** *Lo acusaron de defraudar al fisco una gran cantidad de dinero* · **burlar** · **eludir** · **evadir** || **pagar (a)** *Este año tengo que pagar al fisco mucho más que el año pasado* · **cumplir (con)** · **tributar (a)** || **declarar (a)** · **ocultar (a)** || **reclamar (a)**

fisgar v.

● CON ADVS. **continuamente** *Estás continuamente fisgando en los asuntos ajenos* · **cotidianamente** || **por detrás** *Se dedica a fisgar por detrás todo lo que hacemos* · **ocultamente** || **impertinentemente**

[física] s.f. → físico, ca

físicamente adv.

● CON VBOS. **cansar(se)** · **agotar(se)** · **hundir(se)** || **mermar** · **deteriorar** · **empeorar** · **estropear(se)** · **desgastar(se)** || **mejorar** · **recuperar(se)** *Tras la enfermedad, le costó recuperarse físicamente* · **reponer(se)** || **agredir** *El inculpado agredió físicamente a un vigilante jurado* · **maltratar** · **dañar** · **lesionar** · **afectar** · **repercutir** || **aceptar(se)** || **desplazar(se)** *Necesitamos un reportero que se desplace físicamente al lugar de los hechos* · **trasladar(se)**

físico, ca

1 **físico, ca** adj.

▮ [corporal]

● CON SUSTS. **daño** *A pesar del golpe no sufrió daños físicos de importancia* · **percance** · **tara** · **defecto** · **maltrato** · **abuso** · **castigo** · **buen trato** || **ejercicio** · **esfuerzo** · **trabajo** || **preparador,-a** · **entrenador,-a** || **cansancio** · **agotamiento** · **desgaste** *El exceso de trabajo le produjo un progresivo desgaste físico* · **bajón** · **malestar** · **dolor** · **sufrimiento** · **placer** · **bienestar** · **poderío** || **universo** · **medio** · **entorno** · **espacio** · **mapa** · **paisaje** || **estado** · **aspecto** · **parecido** · **rasgo** · **belleza** || **crecimiento** · **movimiento** · **desarrollo** *Hay que estar atentos al desarrollo físico y psíquico del bebé* · **cambio** · **deterioro** · **mejora** || **atracción** *una atracción puramente física* · **contacto** · **cercanía**

▮ [de la física]

● CON SUSTS. **principio** · **ley** · **teoría** · **hipótesis** || **fenómeno** · **proceso** · **reacción** · **prodigio**

2 **físico, ca** s.

▮ [persona]

● CON ADJS. **experto,ta** · **reputado,da** · **conocido,da** · **famoso,sa** · **ilustre** *Ha venido a dar una conferencia un ilustre físico extranjero* · **galardonado,da** · **premiado,da** · **brillante** · **excepcional** · **eminente**

● CON SUSTS. **grupo (de)** · **equipo (de)** *Un equipo de físicos ha propuesto una hipótesis alternativa a...*

● CON VBOS. **estudiar (algo)** · **investigar (algo)** · **proponer (algo)** · **demostrar (algo)** || **contratar** *Hemos contratado a una física nueva para el departamento* || **premiar** · **galardonar** || **trabajar (como/de)** · **ejercer (como/de)**

3 **físico** s.m.

▮ [aspecto]

● CON ADJS. **exuberante** · **agraciado** · **agradable** · **atractivo** *Cree que puede conseguirlo todo con un físico atractivo* · **imponente** · **espectacular**

● CON VBOS. **deteriorar(se)** || **cuidar** *Pasa muchas horas cuidando su físico* · **mejorar** || **tener** · **poseer** *La actriz posee un físico exuberante* · **lucir** || **jugarse**

4 **física** s.f.

▮ [rama del saber] Véase **DISCIPLINA**

fisiológico, ca adj.

● CON SUSTS. **necesidad** · **función** || **respuesta** · **reacción** · **proceso** · **mecanismo** · **estudio** || **dolencia** *Sus dolencias fisiológicas le impiden...* · **molestia** · **desequilibrio** || **higiene** || **suero** *ponerse suero fisiológico*

fisioterapeuta s.com.

● CON ADJS. **personal** · **particular** || **experto,ta** *...gracias a un experto fisioterapeuta* · **experimentado,da** · **hábil** · **diplomado,da**

● CON SUSTS. **título (de)** · **carrera (de)** · **estudios (de)**

● CON VBOS. **tratar (a alguien)** · **atender (a alguien)** · **masajear (a alguien)** || **cuidar (a alguien)** · **supervisar (a alguien)** || **ir (a)** · **acudir (a)** || **trabajar (de)**

fisonomía s.f.

● CON ADJS. **atrayente** · **agraciada** · **expresiva** · **amable** · **espléndida** || **grotesca** · **horrenda** || **inconfundible** · **característica** · **definida** · **marcada** · **peculiar** · **particular** · **singular** · **especial** · **propia** · **específica** || **actual** · **nueva** *El barrio presenta una nueva fisonomía desde la última vez que vine* · **antigua** · **tradicional** · **familiar** || **habitual** || **urbana** · **urbanística** *El Ayuntamiento pretende mejorar la fisonomía urbanística* · **territorial** · **arquitectónica** · **paisajística** || **corporal** · **personal** || **llana** *la fisonomía especialmente llana de esta comarca* || **política**

● CON SUSTS. **cambio (de)** || **rasgo (de)**

● CON VBOS. **destacar** · **llamar la atención** || **transformar** · **modificar** · **renovar** · **alterar** *Los años no alteraron ni un ápice su fisonomía* · **cambiar** · **desfigurar** || **mostrar** *La zona muestra una cuidada fisonomía* · **lucir** · **exhibir** || **tener** · **poseer** · **adquirir** · **recuperar** *Con todas estas mejoras, el barrio está recuperando su habitual fisonomía* · **mantener** || **reconocer** · **identificar** || **dotar (de)**

fístula s.f.

• CON ADJS. **molesta · dolorosa || arteriovenosa · anal**
• CON VBOS. **localizar · descubrir || presentar || tratar · eliminar**

flacidez s.f.

• CON ADJS. **de cuerpo · de piel · muscular**
• CON SUSTS. **tendencia (a) || problema (de)**
• CON VBOS. **presentar || evitar** *Evito la flacidez haciendo ejercicio regularmente* **|| controlar · combatir || disimular || luchar (contra)**

flaco, ca adj.

• CON SUSTS. ***persona*** *una muchacha flaca y de piernas largas* **|| pollo · perro,rra · rocín ·** ***otros animales*** **|| árbol || pierna · brazo · dedo · pata || favor** *Flaco favor le hace la oposición al Gobierno con esas actitudes* **· servicio · consuelo · honor || punto · lado · costado || memoria · cabeza** *un chico de flaca cabeza y poca imaginación* **|| bolsillo · bolsa · medio · presupuesto · gestión || novela · currículum · historial · guión**
• CON VBOS. **ser · estar** *El chico siempre ha estado flaco* **· quedar(se) · mantener(se) · seguir**

flagelar v.

• CON SUSTS. **espalda · espinazo || enemigo,ga · recluso,sa · preso,sa · pueblo || mente** *recuerdos persistentes que flagelaban su mente atormentada* **· alma · conciencia**
• CON ADVS. **públicamente** *Se negó a flagelarse públicamente admitiendo su error* **· humillantemente**

flagrante adj.

• CON SUSTS. **delito · violación** *...hechos que constituyen una flagrante violación de los derechos humanos* **· atentado · agresión · infracción · ilegalidad · mentira · engaño · adulterio · crimen · robo · plagio · insubordinación || ausencia · incumplimiento · déficit · carencia · falta** *Ante la flagrante falta de medios, decidieron...* **· vacío · desigualdad · desacuerdo · desacierto · desconocimiento · incompetencia · incongruencia · impunidad || error** *El primer gol se produjo tras un error flagrante del defensa* **· deficiencia · defecto · fallo · olvido · omisión · fracaso || debilidad · desfallecimiento · nulidad · obcecación · soledad · temor · censura** *...episodios de flagrante censura política* **· indiferencia · quebrantamiento · exageración || caso · realidad · situación · hecho · aspecto · condición · carácter · motivo · acto** *flagrantes actos de corrupción* **· ocasión || contradicción · contraste · divergencia · diferencia · desviación · negación · oposición** *La actitud adoptada por el periódico, en flagrante oposición al Gobierno, resultó...* **|| evidencia · ejemplo · prueba** *La prueba flagrante de su error se destapó cuando...* **· muestra · exhibición · manifestación · conclusión || delincuente · violador**

flamante adj.

• CON SUSTS. **cargo · puesto** *Ocupa un flamante puesto en una gran empresa de...* **|| edificio · casa · instalación || campeón,-a · ganador,-a · vencedor,-a · premiado,da · titular · entrenador,-a** *El flamante entrenador dio una rueda de prensa* **· fichaje · candidato,ta || licenciado,da · universitario,ria || matrimonio · pareja · esposo,sa** *Acudió a la recepción con su flamante esposa* **|| coche** *La vi pasar por el barrio en un coche flamante*
• CON VBOS. **ser · estar**

flamear v.

▮ [despedir llamas]
• CON SUSTS. **antorcha · fuego · hoguera**

▮ [ondear]
• CON SUSTS. **bandera** *Las banderas flameaban al viento* **· banderín · estandarte · enseña || pañuelo · vela**

flamenco, ca

1 **flamenco, ca** adj.
• CON SUSTS. **baile · cante · arte · música · guitarra · danza · tablao** *Esta joven cantaora actúa por primera vez en un tablao flamenco* **|| artista · guitarrista || mundo · noche || juerga || escuela · pintura** *una exposición de pintura flamenca* **|| influencia · estilo || cuadro · tapiz**

2 **flamenco** s.m.

▮ [cante o baile]
• CON ADJS. **clásico · tradicional · puro || innovador**
• CON SUSTS. **representante (de) · figura (de) · leyenda (de) · mito (de)** *Ha muerto uno de los mitos del flamenco* **· cantante (de) · cantaor,-a (de) || espectáculo (de) · ciclo (de) · festival (de) · recital (de)**
• CON VBOS. **bailar · cantar || oír · escuchar**

▮ [ave]
• CON ADJS. **rosa · rosado · andino · chileno · americano · europeo · menor · mayor**
• CON SUSTS. **grupo (de) · colonia (de)**

☐ EXPRESIONES **ponerse flamenco** [ponerse chulo] *col.*

flan s.m.

• CON ADJS. **de huevo · de vainilla · chino · con nata || rico · exquisito · sabroso · apetitoso**
• CON SUSTS. **molde (para)**
• CON VBOS. **elaborar · hacer · preparar || comer**

☐ EXPRESIONES **{como/hecho} un flan** [muy nervioso] *col.*

flanquear v.

• CON SUSTS. **carretera · camino** *Dos hileras de pinos flanquean el camino de la finca* **· ruta · acceso · entrada · salida · recorrido · tramo || ciudad · pueblo · terreno || edificio · casa · escalinata · escenario · puerta || cortejo** *Un escuadrón flanqueaba el cortejo* **· féretro · marcha**
• CON ADVS. **rápidamente || colosalmente · magníficamente · extraordinariamente**

flaquear v.

• CON SUSTS. **ciclista** *El ciclista empezó a flaquear a pocos kilómetros de la meta* **· concursante · equipo ·** ***otros individuos y grupos humanos*** **|| fuerza · ánimo** *Llámame si te empiezan a flaquear los ánimos* **· voluntad || pierna** *Me flaquean las piernas de puro nervio* **· mano · brazo**

flash s.m.

• CON ADJS. **fotográfico · de cámara || de magnesio** *Antiguamente los fotógrafos usaban un flash de magnesio* **|| automático · de relleno || informativo · de última hora**
• CON SUSTS. **luz (de) · relampagueo (de) · fogonazo (de) || disparo (de)**
• CON VBOS. **saltar** *¿Ha saltado el flash?* **|| modular · deslumbrar · cegar** *El flash cegó a todos los que posaban para la foto* **|| usar · utilizar · disparar || prohibir**

flato s.m.

● CON ADJS. **doloroso · molesto**
● CON VBOS. **dar(le) (a alguien) · entrar(le) (a alguien)** *No hables mientras corres o te entrará flato* · **producir · cesar · evitar**

flauta s.f.

● CON ADJS. **travesera · de pico · dulce · de caña**
➤ Véase también **INSTRUMENTO MUSICAL**

☐ EXPRESIONES **sonar la flauta** [salir algo bien casualmente] *col.*

flecha s.f.

● CON ADJS. **fallida · certera**
● CON SUSTS. **punta (de)**
● CON VBOS. **apuntar · indicar · orientar || dar en el blanco** *Necesitábamos que la flecha diera en el blanco para ganar el campeonato* · **acertar · dar (a algo/a alguien) · alcanzar (a algo/a alguien) || fallar · errar || volar · surcar (algo)** *La flecha surcó el aire y...* · **salir disparada || clavar || lanzar · disparar · dirigir (a algo/a alguien) || seguir** *Siga usted la flecha y llegará sin problemas*

flechazo s.m.

● CON ADJS. **intenso · repentino · auténtico** *Lo suyo fue un auténtico flechazo* · **fulminante · a primera vista · amoroso · irresistible**
● CON VBOS. **surgir** *Entre ellos surgió un flechazo*

fleco

1 **fleco** s.m.

● CON ADJS. **suelto · pendiente** *Todavía nos quedan algunos flecos pendientes* **|| legal · burocrático · jurídico · financiero · electoral**

2 **fleco (de)** s.m.

● CON SUSTS. **tela · tejido · alfombra · mantón** *Se me han enredado algunos flecos del mantón* · **chaleco · falda** · ***otras prendas de vestir*** **|| negociación · acuerdo · contrato** *El jugador cerró anoche los últimos flecos del contrato* · **coalición · concertación · transacción || financiación · instrucción · ley** *Quedan pendientes algunos flecos de la nueva ley que se negocia en el Parlamento* · **reconversión · ayuda || crisis · guerra · revolución · accidente · drama || celebración · fiesta · feria || coste · cifra · lote || prosperidad || fase · etapa · semana**

flema s.f.

▌[mucosidad]

● CON VBOS. **formarse || tener** *El bebé tose porque tiene flemas* · **expulsar**

▌[impasibilidad]

● CON ADJS. **británica** *Hizo gala de su flema británica y no se alteró* **|| arrogante · inalterable · orgullosa**
● CON VBOS. **mostrar · demostrar || tener · perder**

flemón s.m.

● CON VBOS. **tener · salir** *No fui a trabajar porque me salió un flemón* · **hinchar(se) || doler**

flequillo s.m.

● CON ADJS. **largo · corto || lacio · tieso**
● CON VBOS. **cortar · dejar(se) || alzar · fijar** *Se fija el flequillo con gomina* · **peinar · moldear · encrespar(se)**

fletar v.

● CON SUSTS. **avión** *Fletaron un avión para viajar hasta las islas* · **vuelo · embarcación · barco · autocar · autobús**

flexibilidad s.f.

● CON ADJS. **laboral · horaria** *Estoy contenta con la flexibilidad horaria de mi trabajo* **|| mental · de costumbres**
● CON VBOS. **tener · recuperar || dar · proporcionar · ofrecer · aumentar · mostrar** *La ministra mostró bastante flexibilidad al negociar el acuerdo* **|| permitir || pedir · exigir · obtener · lograr || perder**

flexibilizar v.

● CON SUSTS. **postura** *Después de hablar con sus compañeros de partido decidió flexibilizar su postura* · **posición || calendario · jornada laboral || política · sistema · régimen || despido || economía · mercado || requisito** *Han flexibilizado los requisitos para entrar en la escuela* · **condiciones · criterio**

flexible adj.

● CON SUSTS. **objeto · tubo || piel · plástico · fibra ·** ***otros materiales*** **|| padre · madre · juez · profesor,-a · árbitro,tra · líder · político,ca · negociador,-a ·** ***otros individuos*** **|| posición · actitud · punto de vista · postura || sistema · régimen · mecanismo · articulación || ley** *Desde mi punto de vista, la ley debería ser más flexible en lo que se refiere a...* · **norma · normativa · legislación · estatuto ·** ***otras disposiciones*** **|| método · política · fórmula · línea de actuación** *encontrar una línea de actuación más flexible que mejore el rendimiento* · **procedimiento · estrategia || plan · programa · iniciativa · propuesta || horario** *un horario flexible que nos permite...* · **calendario || marco · ambiente · entorno · espacio || economía** *...medidas que fueron configurando una economía flexible y competitiva* · **mercado · comercio || crédito · préstamo · hipoteca · empréstito · amortización · contratación · contrato || plazo · condición · término · cláusula · límite · póliza**
● CON VBOS. **ser · estar · volver(se) · poner(se) · mantener(se) · hacer(se) · mostrarse**

flexionar v.

● CON SUSTS. **rodilla · brazo · pierna · músculo ·** ***otras partes del cuerpo***
● CON ADVS. **ligeramente · levemente** *Para este ejercicio, flexionen levemente las piernas* · **bruscamente**

flexo s.m.

● CON VBOS. **iluminar · alumbrar** *Un viejo flexo alumbra la mesa llena de papeles* **|| encender · apagar · enchufar · desenchufar**

flojear v.

● CON SUSTS. **fuerza · pierna** *Cuando me dieron la noticia, me flojearon las piernas* **|| carácter || calidad** *flojear la calidad de un producto* **|| equipo** *El equipo flojeó en el segundo tiempo* **|| economía · beneficio · divisa · moneda · empresa || partido · película** *La película empieza bien y luego flojea* · **concierto**

flojera s.f.

● CON ADJS. **mental · física · de piernas** *Me puse nerviosa y me entró una gran flojera de piernas*
● CON VBOS. **venir(le) (a alguien)** *Cuando terminó todo me vino la flojera* · **entrar(le) (al alguien) || tener · sentir || provocar || vencer**

[flojo, ja] →en la cuerda floja; flojo, ja

flojo, ja adj.

▮ [con poca fuerza]

● CON SUSTS. **viento** · **aire** || **tiro** *Lanzó un tiro flojo que no alcanzó la portería* · **disparo** · **remate** || **rival** · **contrario,ria** · **enemigo,ga** || **lazo** · **nudo** *Prefiero llevar el nudo de la corbata un poco más flojo* · **atadura**

● CON VBOS. **ser** · **estar** · **quedar(se)** *Tras la enfermedad se quedó muy flojo* · **andar** || **tirar** · **disparar** · **chutar**

▮ [de escasa calidad]

● CON SUSTS. **película** · **libro** · **historia** · **guión** · **espectáculo** · **demostración** · **exposición** *La exposición fue bastante floja, esperaba otra cosa* · **presentación** || **trabajo** · **examen** *Hiciste un examen muy flojo* · **ejercicio** || **temporada** · **partido** || **estudiante** · **autor,-a** · **pintor,-a** · **jugador,-a**

● CON VBOS. **ser** · **volverse** · **quedar**

▮ [incontenible]

● CON SUSTS. **risa** *Cuando me da la risa floja no hay quien me pare*

[flor] →a flor de piel; flor

flor s.f.

● CON ADJS. **mustia** · **marchita** || **primorosa** · **delicada** || **primaveral** || **fragante** · **olorosa** || **exótica** *un jardín lleno de flores exóticas* · **silvestre**

● CON SUSTS. **ramo (de)** || **vestido (de)** *Iré a la fiesta con un vestido de flores* · **camisa (de)** · **blusa (de)** · **pantalón (de)** · **pañuelo (de)** · ***otras prendas de vestir***

● CON VBOS. **brotar** · **abrir(se)** || **marchitar(se)** · **ajar(se)** · **agostar(se)** || **reverdecer** || **echar** *El almendro ya está echando las primeras flores* · **retoñar** || **coger** · **recoger** · **arrancar**

□ EXPRESIONES **a flor de piel*** [en la superficie] *tener los nervios a flor de piel* || **la flor y nata** [lo más destacado en su especie] || **ni flores** [ni idea] *col.*

flora s.f.

● CON ADJS. **arbórea** *la flora arbórea de la región* · **boscosa** · **arborescente** || **marina** · **subacuática** · **submarina** · **costera** · **coralina** || **petrificada** · **fósil** || **intestinal** *El yogur es muy bueno para la flora intestinal* · **bacteriana** · **vaginal** || **exuberante** · **abundante** · **inigualable** · **amenazada** · **escasa** · **microscópica** || **natural** · **autóctona** · **indígena** · **local** · **peninsular** · **regional** || **rara** · **diversa** · **extraña** || **salvaje** · **silvestre** · **virgen** · **inexplorada**

● CON SUSTS. **protector,-a (de)** · **defensor,-a (de)** || **reserva (de)** · **recuperación (de)** || **característico (de)** *El verdor intenso es característico de la flora de ese país* · **vida (de)** · **estudio (de)** · **diversidad (de)**

● CON VBOS. **preservar** · **salvar** || **perjudicar** *Los insecticidas perjudican la flora natural* · **destruir** · **quemar** · **arrasar** || **recuperar** · **resurgir** · **evolucionar** || **estudiar**

floral adj.

● CON SUSTS. **adorno** *el adorno floral de la iglesia* · **estampado** · **decoración** · **tapiz** · **cuadro** · **motivo** · **tema** || **fragancia** · **olor** · **esencia** || **conjunto** · **arreglo** *Hizo un arreglo floral para decorar el comedor* · **muestra** · **corona** · **ofrenda** || **recorrido** · **parque** || **arte** · **exposición** · **homenaje** · **concurso** · **juegos** *Fue la ganadora de los juegos florales*

florecer v.

● CON SUSTS. **planta** · **rama** · **árbol** · **campo** || **negocio** *Florecen los negocios de importación en la zona...* · **comercio** · **turismo** · **industria** · **economía** · **mercado** || **cultura** · **arte** || **amor** *...y floreció el amor entre ellos* || **imperio** *El Imperio incaico floreció gracias a* · **ciudad** · **barrio** · ***otros lugares*** || **humanismo** · **romanticismo** · **surrealismo** · ***otras tendencias*** || **idea** · **teoría**

floreciente adj.

● CON SUSTS. **negocio** *Sus padres regentan un negocio floreciente* · **mercado** · **empresa** · **comercio** · **industria** · **emporio** · **cadena** || **época** · **período** *uno de los períodos más florecientes de la historia de Francia* · **momento** || **vida** · **tradición** · **cultura** *Difundieron su floreciente cultura alrededor del mundo conocido* · **actividad** · **arte** · **movimiento** || **comunidad** · **civilización** · **ciudad** *De un pequeño pueblo pasó a ser una ciudad floreciente* || **escuela** · **clase** · **disciplina**

florecimiento s.m.

● CON SUSTS. **época (de)** · **período (de)** || **indicio (de)**

● CON VBOS. **tener lugar** · **darse** · **producirse** || **adelantar(se)** · **retrasar(se)** || **propiciar** · **provocar** *La subida de sus acciones ha provocado el florecimiento de un negocio antes anquilosado* · **reivindicar** · **augurar** · **favorecer** · **permitir** · **impedir** || **ayudar (a)** *medidas que ayudan al florecimiento empresarial* · **asistir (a)**

florero s.m.

● CON VBOS. **adornar (algo)** · **alegrar (algo)** || **estorbar (algo)** · **impedir (algo)** · **tapar (algo)** · **ocultar (algo)** *El florero me ocultaba el rostro de la mujer que estaba enfrente de mí* || **arreglar** · **colocar** || **meter (en)** · **poner (en)**

florín s.m. Véase **MONEDA**

floripondio s.m. *col.*

● CON ADJS. **enorme** · **horrible** *Se puso un horrible floripondio en la solapa del traje* · **feo** · **horroroso** · **indescriptible**

● CON VBOS. **llenar (de)** · **adornar (con)** *cortinas adornadas con enormes floripondios*

floristería s.f. Véase **ESTABLECIMIENTO**

floritura s.f.

● CON SUSTS. **técnica** · **escénica** · **dialéctica** · **retórica** · **diplomática** · **táctica** · **de expresión** · **lingüística** *un discurso lleno de florituras lingüísticas*

● CON VBOS. **permitir(se)** *No está el asunto como para permitirse florituras* · **hacer** · **poner** || **admitir** · **caber** || **asombrar (con)** · **deleitar (con)** *El patinador deleitó a los espectadores con sus mejores florituras* · **adornar (con)** · **hablar (con)**

flota s.f.

● CON ADJS. **abultada** · **numerosa** · **ingente** · **inmensa** || **pequeña** · **reducida** || **pesquera** *La flota pesquera no podrá salir a faenar* · **naval** · **aérea** · **submarina** · **de coches** · **de autocares** *una enorme flota de autocares*

● CON VBOS. **entrar en batalla** || **zarpar** *La flota zarpó rumbo a...* · **atracar** *La flota atracó en el puerto* || **zozobrar** · **naufragar** || **hundir(se)** || **amarrar**

flotador s.m.

●CON ADJS. **hinchable · inflable**

●CON VBOS. **llevar · colocar · poner(se) || necesitar · precisar || hinchar · inflar || nadar (con) · bañarse (con) · ayudarse (de)**

[flotar] →flotar; flotar (en)

flotar v.

●CON SUSTS. **barco · embarcación · nave || tumbona · cuerpo · cadáver · botella ·** ***otras cosas materiales*** **|| euro · yen · peso ·** ***otras monedas*** **|| rumor · respuesta** *La respuesta a aquella pregunta quedó flotando en el aire* **· pregunta · mensaje · nombre ·** ***otras manifestaciones verbales*** **|| sensación · miedo** *El miedo flotaba en el ambiente* **· temor · alegría · euforia · amor · rencor ·** ***otros sentimientos o emociones*** **|| recuerdo** *Aún flotaban por la casa los viejos recuerdos de la infancia* **· pensamiento · idea || duda · incógnita · cuestión || olor · música**

flotar (en) v.

●CON SUSTS. **agua · río · aceite ·** ***otros líquidos*** **|| entorno · ambiente** *Flotaba en el ambiente una sensación de paz y felicidad* **· espacio · atmósfera · aire · vacío · nube** *Siempre parece que estás flotando en una nube* **· limbo || sociedad · opinión pública || mercado de valores**

[flote] →a flote; sacar a flote; salir a flote

fluctuar v.

●CON SUSTS. **precio** *...la manera en que está fluctuando el precio de la vivienda* **· moneda · divisa · mercado || renta · caudal || edad || población ||** ***persona*** *El profesor fluctúa demasiado en sus juicios*

●CON ADVS. **libremente || periódicamente**

fluidamente adv.

●CON VBOS. **circular** *En esta carretera es imposible circular fluidamente* **· moverse · conducir · salir · entrar || hablar · conversar · dialogar** *Dialogué fluidamente con mi antigua jefa* **· expresar(se) · responder · recitar · deletrear ·** ***otros verbos de lengua*** **|| relacionarse · tratar**

fluidez s.f.

●CON ADJS. **notable** *...con notable fluidez de palabra* **· gran(de) · total · escasa || verbal · lingüística · narrativa · creativa · expresiva || ofensiva**

●CON SUSTS. **falta (de)** *Manifiesta cierta falta de fluidez verbal* **· grado (de)**

●CON VBOS. **dar · adquirir · ganar || dotar (de)**

●CON PREPS. **con** *hablar con fluidez* **· sin**

fluido, da

1 fluido, da adj.

●CON SUSTS. **lenguaje** *tener un lenguaje muy fluido* **· conversación · discurso · dialéctica · diálogo · coloquio · dicción · estilo · voz** *leer un texto con voz fluida* **· sonido || tráfico** *A estas horas hay un tráfico muy fluido* **· marcha · circulación · movimiento · paso || relación** *una relación de trabajo totalmente fluida* **· trato · amistad || comunicación · intercambio** *un fluido intercambio de ideas* **· contacto · correspondencia · lectura · juego · clima || información · salida** *Por el momento, la salida de la ciudad es fluida* **· entrada · comercio**

●CON VBOS. **ser · estar · hacer(se)** *Para hacer fluida la lectura es necesario...*

2 fluido s.m.

●CON ADJS. **vital · corporal || eléctrico** *producirse un problema en el fluido eléctrico*

●CON VBOS. **salir · correr · derramar(se) · manar || diluir(se) || verter** *una multa por verter fluidos contaminantes* **· soltar · expeler · emanar · desprender · exudar || contener**

fluir v.

●CON SUSTS. **agua · lágrimas** *Las lágrimas fluían por sus mejillas* **· gas ·** ***otros líquidos o gases*** **|| coches · trenes · tráfico · circulación · corriente · tránsito || vida · tiempo** *¿Por qué el tiempo fluye con tanta rapidez?* **· juventud · año · día || dinero · capital · gasto · ahorro || prosa · narración · novela · melodía · música · ritmo || ideas · recuerdos** *...mientras fluyen los viejos recuerdos de su juventud* **· pensamientos · conocimiento · opiniones || información · palabras** *Las palabras fluían de su boca casi involuntariamente* **· diálogo** *El diálogo de los personajes fluye ágil a lo largo de toda la novela* **· preguntas · conversación · comunicación · datos || críticas · quejas · lamentos || humor · sátira · gracia · risa || amistad · amor · afecto · sentimientos · emociones**

●CON ADVS. **a borbotones · a chorros · a raudales** *Por sus venas fluye a raudales la sangre andaluza* **· sin control · abundantemente · con fuerza || lentamente · rápidamente · con rapidez · serenamente · con suavidad · ligeramente · levemente || con agilidad · con facilidad** *A los pocos minutos, la conversación ya fluía con facilidad* **· fácilmente · libremente || como el agua · continuamente · interminablemente · permanentemente · sin cesar · constantemente · ininterrumpidamente · sin detenerse · sin pausa · sin interrupción || espontáneamente · naturalmente · con naturalidad · con normalidad**

flujo s.m.

●CON ADJS. **caudaloso** *...para generar un caudaloso flujo de divisas* **· copioso · abundante · crecido · torrencial** *...que suscitan un flujo torrencial de imágenes asociadas* **· ingente · inagotable || irrefrenable · impetuoso · incontrolable || incesante · continuo** *el continuo flujo de gente que iba llegando* **· constante · ininterrumpido || sanguíneo · vaginal · migratorio** *un constante flujo migratorio de un país al otro* **· turístico · económico · de divisas**

●CON VBOS. **correr · recorrer · circular || encauzar · canalizar · dirigir · desviar || permitir · controlar** *...para controlar el flujo de turistas que visitan cada año el país* **· interrumpir || usar**

fluorescente s.m.

●CON SUSTS. **tubo · lámpara || color · tinte || luz · iluminación || chaleco · banda || tono · rotulador**

fluvial adj.

●CON SUSTS. **puerto · parque · cuenca · cauce** *...tierras de cultivo que se abastecen de este cauce fluvial* **· curso · ribera · tramo · valle · paisaje · dique · infraestructura · línea · vía · acceso || transporte** *Harán el envío por transporte fluvial* **· navegación · crucero · viaje · tránsito · tráfico** *Esta zona siempre fue apta para el tráfico fluvial* **|| vida · fauna · ecosistema || erosión · desbordamiento · contaminación || sistema · recurso || agua · corriente || paso · puesto**

fobia s.f.

●CON ADJS. **incurable · congénita · obsesiva · persistente · insoportable || social** *Sufre fobia social desde la adolescencia* · **intelectual · laboral · escolar**

●CON VBOS. **tener · sufrir · experimentar || curar · superar** *...a fin de superar todas sus fobias* · **vencer || manifestar · reconocer · disimular || adquirir**

foco

1 **foco** s.m.

▮ [lámpara, faro]

●CON VBOS. **iluminar (algo) || fundir(se) · fallar || apagar** *...al apagarse los focos, finalizó el rodaje* · **alumbrar · encender · prender**

▮ [punto, centro]

●CON VBOS. **surgir** *Surgieron nuevos focos de violencia por toda la región* · **extinguir(se) || detectar · descubrir || constituir**

2 **foco (de)** s.m.

●CON SUSTS. **luz || incendio** *El foco del incendio se localizó en el octavo piso* · **fuego || protesta · sublevación · agitación · tensión · conflicto · malestar · inestabilidad · violencia · peligro || infección · epidemia** *Las aguas estancadas son un foco de epidemias* · **contaminación · transmisión · enfermedad · dolor || interés · atención · atracción** *Las ruinas romanas constituían el foco de atracción de la localidad* · **investigación || pobreza** *los focos de pobreza y marginación que se acumulan en el norte...* · **marginalidad**

fofo, fa adj.

●CON SUSTS. **carne · barriga · grasa || aspecto · blandura**

●CON VBOS. **estar · poner(se) · quedar(se) · volver(se)**

fogata s.f.

●CON VBOS. **arder · calentar (a alguien) · humear · extinguirse · apagar(se) || encender · prender · atizar || consumirse (en)**

●CON PREPS. **alrededor (de) · al calor (de)** *confidencias al calor de la fogata* · **en torno (a)**

fogón s.m.

●CON VBOS. **encender · apagar · alimentar · atender || compartir || cocinar (en) || trabajar (en) · dedicarse (a)** *Desde muy joven quiso dedicarse a los fogones*

●CON PREPS. **al frente (de) · sobre · entre** *Me paso la vida entre fogones*

fogoso, sa adj.

●CON SUSTS. **líder · jugador,-a** *un jugador fogoso sin grandes cualidades técnicas* · **afición · público ·** ***otros individuos y grupos humanos*** **|| inspiración · carácter · naturaleza · temperamento · actitud · energía || ritmo · tono || juventud || romance** *Vivieron un fogoso romance*

[fogueo] → de fogueo; fogueo

fogueo s.m.

●CON SUSTS. **bala (de) · cartucho (de) · munición (de) || pistola (de) · arma (de) · revólver (de) || tiro (de) · disparo (de) · prueba (de)**

folclórico, ca adj.

●CON SUSTS. **música · baile · danza · arte · cuento · canción || grupo** *un grupo folclórico de baile regional* · **ballet · agrupación || traje · material · pieza · vestido || festival · gala · acto · espectáculo · estudio · evento · fiesta || artista · cantante · bailarín || ámbito · género · tradición · ritmo · riqueza · costumbre · tópico · acervo**

folio s.m.

●CON VBOS. **escribir · firmar · redactar** *Apenas conseguí redactar unos pocos folios sin que...* **|| ensuciar · arrugar || entregar || anotar (en) · garabatear (en)**

follaje s.m.

●CON ADJS. **espeso · frondoso · denso · tupido || multicolor · amarillento · marrón · rojizo** *un bosque de hermoso follaje rojizo* · **verde · ocre || seco · brillante || tropical · otoñal · perenne**

●CON VBOS. **filtrar (algo) · ocultar** *El follaje ocultaba la entrada de la cueva* · **cubrir**

●CON PREPS. **entre** *Entre el follaje asomaba el hocico de un jabalí*

folletín s.m.

●CON ADJS. **televisivo · radiofónico · por entregas** *...en esta especie de folletín por entregas en que se ha convertido la negociación* **|| sentimental · rosa · romántico · de capa y espada · lacrimógeno || decimonónico · viejo || barato**

●CON SUSTS. **héroe (de) · heroína (de) · personaje (de) · malo,la (de) || literatura (de) · género (de) · escena (de) · técnica (de)**

●CON VBOS. **escribir · editar · publicar**

folleto s.m.

●CON ADJS. **extenso · breve · de mano || turístico** *Recogí unos folletos turísticos en la agencia de viajes* · **propagandístico · publicitario · informativo · explicativo · divulgativo · de presentación · de emisión · político · electoral**

●CON VBOS. **informar (de algo) · explicar (algo) · indicar (algo)** *El folleto indica que el museo se encuentra junto a la plaza* · **señalar (algo) || circular || redactar · escribir · componer · titular · corregir · editar** *un folleto que se edita en cinco idiomas* · **imprimir · publicar · autorizar · registrar || repartir · distribuir · buzonear · difundir · enviar · adjuntar || presentar · mostrar || anunciar(se) (en)**

follón s.m.

●CON ADJS. **enorme · descomunal · mayúsculo · de campeonato** *Se armó un follón de campeonato cuando...* · **de mil demonios**

●CON VBOS. **liar(se) · organizar(se)** *Como éramos muchos, se organizó un follón tremendo* · **armar(se) · producir(se) || montar · resolver** *¿Conseguisteis resolver el follón?* **|| tener || meter(se) (en)** *Me prometiste que no te meterías en más follones*

fomentar v.

●CON SUSTS. **gasto · ahorro** *una política fiscal dirigida a fomentar el ahorro* · **consumo · inversión || deporte · lectura** *un plan para fomentar la lectura* · **pintura ·** ***otras actividades*** **|| empleo · turismo** *...con el fin de fomentar el turismo rural en la región* · **formación || cultura · paz · justicia · convivencia · integración · tolerancia** *Los profesores intentan fomentar la tolerancia entre sus alum-*

nos · **respeto** || **desarrollo** · **crecimiento** · **reforma** · **cambio** · **iniciativa** || **participación** · **ayuda** · **cooperación** · **colaboración** · **intervención** · **diálogo** · **relación** *Estos encuentros sirven para fomentar la relación entre los departamentos*

fomento s.m.

• CON SUSTS. **política (de)** · **proyecto (de)** · **plan (de)** *Acaban de presentar un plan de fomento de la lectura* · **programa (de)**
• CON VBOS. **emprender** · **abordar** · **apoyar** *Las autoridades dicen apoyar el fomento del empleo* · **favorecer**

fonda s.f.

• CON ADJS. **modesta** · **miserable** · **humilde** || **acogedora** *Solía hospedarse en una acogedora fonda cercana al puerto* · **cómoda** · **tranquila** · **ruidosa** · **incómoda**
• CON SUSTS. **dueño,ña (de)** · **propietario,ria (de)** · **patrón,-a (de)** || **huésped (de)** · **cliente (de)**
• CON VBOS. **hospedarse (en)** · **parar (en)** · **comer (en)**

fondear v.

• CON SUSTS. **barco** *...cuando el barco tuvo que fondear en aguas próximas a...* · **buque** · **barca** · ***otras embarcaciones***

[fondo] → a fondo; a fondo perdido; de fondo; fondo; sin fondo; sin fondos

fondo

1 **fondo** s.m.

▮ [capital, dinero]

• CON ADJS. **de pensiones** *...para la apertura de una cuenta en un fondo de pensiones* · **de inversión** · **de reserva** · **de compensación** · **de garantía** || **comunal** · **público** || **confidencial**
• CON SUSTS. **aporte (de)** · **inyección (de)** *El aumento del capital social supondrá una inyección de fondos en la empresa...*
• CON VBOS. **depositar** · **abrir** || **tener** *Creo que no tengo fondos en la cuenta* · **recaudar** *Están recaudando fondos en favor de la causa* · **recoger** · **engrosar** · **sacar** · **reunir** · **recabar** || **manejar** · **gestionar** · **canalizar** · **invertir** *Este año se van a invertir más fondos en educación* · **dedicar** · **esquilmar** · **malgastar** · **gastar** || **desbloquear** · **blindar** · **congelar** || **solicitar** · **pedir** || **blanquear** · **malversar** *Está siendo juzgado por malversar fondos públicos* · **desviar** || **intervenir** || **carecer (de)** *Carezco de fondos suficientes para invertir en propiedades inmobiliarias*

▮ [profundidad, parte más honda]

• CON ADJS. **marino** *...al causar daños irreparables en el fondo marino* · **oceánico** || **abisal**
• CON SUSTS. **mar (de)** *...con distintas variantes, pero un mismo mar de fondo*
• CON VBOS. **llegar (a)** *llegar al fondo del asunto* · **bajar (hasta)** · **bucear (en)** || **lanzar(se) (a)** · **emerger (de)**

▮ [condición de una persona]

• CON ADJS. **buen(o)** *Es desobediente, pero tiene buen fondo* · **noble** · **mal(o)**

2 **fondo (de)** s.m.

▮ [parte más honda]

• CON SUSTS. **botella** · **cajón** · **pozo** · ***otros recipientes o contenedores*** || **barranco** · **valle** · ***otros lugares*** || **corazón** · **alma** *En el fondo de su alma, sabe que se ha equivocado* · **conciencia** · **memoria** || **cuestión** · **historia** · **asunto** · **trama** · **investigación** || **problema** · **discusión** · **polémica** || **hechos** · **palabras**

▮ [base]

• CON SUSTS. **amargura** · **tristeza** *una película cómica con un fondo de tristeza* · **culpa** · **desesperación** || **verdad** *Hay un fondo de verdad en lo que dice* · **certeza** · **duda** || **idealismo** · **realismo**

▮ [caldo]

• CON SUSTS. **pescado** *Sofría unos minutos y vierta el fondo de pescado* · **carne** · **ave**

□ EXPRESIONES **a fondo*** [profundamente] *conocer un tema a fondo* || **a fondo perdido*** [prestado con la condición de que se devuelvan solo los intereses] *un préstamo a fondo perdido* || **bajos fondos** [barrios habitados por delincuentes] || **fondo de armario** [ropa básica] || **tocar fondo** [llegar al límite en una situación adversa]

fontanería s.f.

• CON SUSTS. **conocimientos (de)** || **instalaciones (de)** || **labor (de)** · **pieza (de)**
➤ Véase también **ESTABLECIMIENTO**

fontanero, ra s.

• CON ADJS. **profesional** · **habilidoso,sa** · **chapucero,ra** || **buen,-a** · **eficaz** · **eficiente** · **rápido,da** · **lento,ta** || **caro** · **barato**
• CON SUSTS. **aprendiz,-a (de)** · **ayudante (de)** · **gremio (de)** · **curso (de)**
• CON VBOS. **arreglar (algo)** · **reparar (algo)** || **llamar** · **avisar** *Hay que avisar al fontanero deprisa* || **trabajar (como/de)** · **ejercer (de)** · **preparar(se) (para)**

foráneo, a adj.

• CON SUSTS. **sociedad** · **ejército** || **estudiante** · **mano de obra** *...debido al crecimiento de la mano de obra foránea* · **competencia** · **estrella** · **jugador,-a** · **visitante** · **artista** · **figura** || **lengua** · **idioma** || **arte** · **cine** *Ni el cine foráneo ni el nacional son culpables de...* || **capital** · **dinero** · **inversor,-a** · **inversión** · **interés** · **título** · **aportación** *Se ha solventado el problema gracias a una aportación foránea de capital* · **participación** || **empresa** *...y que sea una empresa foránea la que se beneficie del proyecto* · **entidad** · **banco** · **caja** · **administración** · **mercado** · **producto** || **país** · **zona** · **población** · **región** || **procedencia** · **origen** || **influencia** · **influjo** · **importación** *...con unos aranceles que vetan la importación foránea* · **corriente** || **conflicto** *Nuestras tropas participarán en un conflicto foráneo* · **ámbito**

forcejear (con) v.

• CON SUSTS. **asaltante** · **malhechor,-a** · **delincuente** · **agresor,-a** · **ladrón,-a** *La mujer forcejeó con el ladrón y...* · **agente** · ***otros individuos*** || **situación** || **puerta**
• CON ADVS. **violentamente** *Forcejearon violentamente para entrar en la casa* · **bruscamente** · **fuertemente** || **subrepticiamente**

forcejeo s.m.

• CON ADJS. **dialéctico** *Los candidatos mantuvieron un intenso forcejeo dialéctico durante el debate* · **físico** · **verbal** · **político** · **ideológico** || **largo** · **breve** · **continuo** · **corto** · **permanente** || **áspero** · **intenso** · **desigual** · **fuerte** · **violento** · **tenso** || **simple** · **pequeño** · **serio**
• CON VBOS. **producir(se)** · **iniciar(se)** · **durar** || **entablar**

· **mantener** · **sostener** · **protagonizar** *Los dos jugadores protagonizaron un permanente forcejeo en su lucha por el balón* || **asistir (a)** · **enzarzarse (en)**
● CON PREPS. **durante** · **tras** · **en**

forense

1 **forense** adj.
● CON SUSTS. **medicina** · **antropología** · **práctica** · **ciencia** · **criminología** · **psiquiatría** || **laboratorio** · **informe** · **examen** *El examen forense reveló la causa de la muerte* · **reconocimiento** · **fase** · **análisis** · **calificación** · **investigación** · **estudio** || **equipo** · **personal** · **médico,ca** · **doctor,-a** · **psiquiatra** *En el juicio ratificó el diagnóstico un psiquiatra forense* · **psicólogo,ga** · **juez** · **catedrático,ca** || **departamento** · **depósito** *Trasladaron el cadáver al depósito forense* · **zona** · **oficina** · **sala** || **certificado** · **discurso** · **dictamen** *...no está permitido el acceso al dictamen forense* · **acta** || **juicio** || **vida** · **jerga** · **terminología** · **lenguaje** || **prueba** *La prueba forense ha resultado definitiva* · **balística**

2 **forense** s.
● CON ADJS. **eminente** · **experto,ta** *Han avisado a un experto forense para el caso* · **especializado,da** || **municipal** · **oficial** || **de policía** · **de turno** · **de guardia**
● CON SUSTS. **dictamen (de)** · **constatación (de)** · **informe (de)** *Ha salido a la luz el informe del forense del caso* · **dato (de)** · **diligencia (de)** || **oficina (de)** · **mesa (de)**
● CON VBOS. **examinar (un cuerpo)** · **dictaminar (algo)** *El forense dictaminó la hora exacta de la muerte* · **certificar (algo)** · **calificar (algo)** · **determinar (algo)**

forjar v.

● CON SUSTS. **metal** · **reja** · **espada** · **daga** || **relación** · **vínculo** · **coalición** · **amistad** *Les ha llevado muchos años forjar su actual amistad* · **unión** · **unidad** · **cohesión** · **lazo** || **acuerdo** · **alianza** · **pacto** · **consenso** · **paz** · **contrato** · **compromiso** || **imagen** · **identidad** · **nombre** · **reputación** · **carácter** · **personalidad** · **estilo** · **estética** || **ilusión** · **sueño** · **deseo** · **fantasía** · **quimera** · **esperanza** || **destino** · **futuro** · **porvenir** · **posibilidad** || **programa** · **proyecto** · **propuesta** · **decisión** || **victoria** · **fortuna** · **liderazgo** · **superioridad** · **triunfo** · **mérito** · **éxito** *¿Cuáles fueron los factores que forjaron el éxito de la empresa?* || **leyenda** · **historia** · **mito** · **hazaña** || **idea** · **concepto** · **mentalidad** *una mentalidad forjada por muchos años de represión y, por tanto, muy difícil de cambiar* · **filosofía** · **opinión** · **teoría** · **visión** · **conciencia** || **líder** · **héroe** · **ganador,-a** · **poeta** · **jugador,-a** · **clientela** · **equipo** · **actor** · **actriz** · **alumno,na** · ***otros individuos y grupos humanos*** || **sistema** · **estructura** · **organización** || **ideología** · **humanismo** · **nacionalismo** · **realismo** · ***otras tendencias*** || **mundo** · **nación** · **espacio** · **país** · **patria**

forma s.f.

● CON VBOS. **tener** · **tomar** · **adquirir** · **cobrar** · **adoptar** · **calcar** || **mantener** · **conservar** · **guardar** *Prefirió guardar las formas y no montar un escándalo* · **respetar** || **moldear** · **modelar** · **dar** *Estamos dando forma a un nuevo proyecto* || **presentar** · **mostrar** · **revestir** || **perder** · **transgredir** || **cambiar (de)** || **dotar (de)**
● CON PREPS. **con** *una nube con forma de conejo*
□ EXPRESIONES **de todas formas** [a pesar de todo] || **en forma** [físicamente bien]

formación s.f.

▌[agrupación]
● CON ADJS. **parlamentaria** · **política** · **musical** || **montañosa** · **rocosa** *Esta es la formación rocosa más importante del continente*
● CON VBOS. **constituir** · **organizar** || **liderar** · **encabezar** || **ser miembro (de)** · **pertenecer (a)** *No pertenece a ninguna formación política*

▌[educación, instrucción]
● CON ADJS. **integral** *En esta universidad recibirás una formación integral* · **completa** · **profunda** · **avanzada** || **mala** · **precaria** · **elemental** *No poseía más que una formación elemental* · **superficial** · **escasa** · **deficiente** || **sólida** · **buena** · **impecable** || **profesional** · **académica** *Su formación académica es excelente* || **continua** || **adecuada** · **específica** *una formación específica y acorde con las necesidades del puesto que se ofrece*
● CON VBOS. **recibir** · **adquirir** || **absorber** · **aprovechar** || **impartir** · **dar** · **aportar** || **tener** · **poseer** || **culminar** · **concluir** · **completar** || **mejorar**

formal adj.

● CON SUSTS. **aspecto** · **cuestión** · **asunto** || **propuesta** · **invitación** *Acabamos de recibir una invitación formal para asistir a la ceremonia* · **oferta** · **solicitud** · **petición** · **pedido** · **presentación** || **acusación** · **denuncia** · **declaración** · **protesta** || **negociación** · **acuerdo** · **reunión** *Se está celebrando una reunión formal entre los presidentes de ambas cadenas* · **encuentro** · **compromiso** · **acto** || **análisis** · **estudio** · **investigación** || **lenguaje** · **lógica** · **estructura** · **planteamiento** · **respuesta** · **recurso** *Este poeta emplea en sus obras variados recursos formales* || **belleza** *la belleza formal de su poesía* · **brillantez** · **equilibrio** · **rigor**
● CON VBOS. **ser** *Este chico es muy formal y responsable* · **estar** · **poner(se)** · **volver(se)**

formalidad s.f.

▌[trámite, requisito]
● CON ADJS. **simple** · **pura** · **mera** *Este último trámite es una mera formalidad* || **burocrática** · **administrativa** · **legal** · **jurídica** · **procesal** · **política** · **litúrgica** || **dilatoria** · **inútil** || **de rigor** · **protocolaria** || **obligatoria** · **inexcusable** · **inevitable**
● CON VBOS. **cumplimentar** · **cubrir** · **saltarse** || **simplificar** · **abreviar** · **diligenciar** · **agilizar** *Es necesario que agilicemos las formalidades burocráticas* || **constituir** || **plegarse (a)** · **cumplir (con)** *Quieras o no, tienes que cumplir con ciertas formalidades*

▌[seriedad, responsabilidad]
● CON ADJS. **admirable** || **debida** *Hay que comportarse con la debida formalidad en este tipo de actos*
● CON SUSTS. **toque (de)** *Su presencia confirió un toque de formalidad a la ceremonia*
● CON VBOS. **dar (a algo)** · **conferir (a algo)** || **requerir** · **exigir** · **rogar** *El ponente rogó formalidad en el cumplimiento de los plazos* || **establecer** · **guardar** · **aparentar** · **revestir**
● CON PREPS. **con** *Os pido que os comportéis con la mayor formalidad posible*

formalismo s.m.

● CON ADJS. **mero** *Tranquilo, que estas preguntas son solo un mero formalismo para...* · **puro** · **ceremonioso** || **distante** · **frío** *el frío formalismo de ciertos poemas modernistas* · **insustancial** || **radical** · **excesivo** · **extremo** ·

alarmante · fuerte · rígido · intenso · hipócrita || estético · teórico · temático · técnico · práctico || jurídico · político · retórico · burgués · social · verbal || modernista · clásico *...para romper con el formalismo clásico de épocas pasadas* · conceptual · figurativo · artístico · descriptivo

● CON SUSTS. **carga (de)** · **peso (de)** · **exceso (de)** *Se quejó del exceso de formalismo y calificó la decisión de...* || **renuncia (a)** · **liberación (de)** || **gusto (por)**

● CON VBOS. **imponer** · **favorecer** · **impulsar** · **superar** || **detestar** || **apartar(se) (de)** · **renunciar (a)** · **oponer(se) (a)** · **huir (de)** *...cuando quisieron huir del formalismo académico* · **liberar(se) (de)** || **conducir (a)** · **caer (en)** *Tratamos de expresar nuestra opinión sin caer en formalismos* · **gustar (de)** · **reparar (en)** || **revestir(se) (de)** · **encerrar(se) (en)**

formalizar v.

● CON SUSTS. **pacto** · **acuerdo** *Formalizaron el acuerdo con la firma del documento* · **alianza** · **decisión** || **renuncia** · **baja** · **cese** · **despido** · **nombramiento** || **denuncia** · **demanda** · **recurso** || **unión** · **relación** · **noviazgo** *No parecen muy dispuestos a formalizar su noviazgo* · **compromiso** · **divorcio** · **situación** || **solicitud** · **petición** · **trámite** · **matrícula** *¿Cuándo acaba el plazo para formalizar la matrícula?* · **inscripción** || **pago** · **compra** *formalizar una compra ante notario* · **operación** · **venta** · **oferta** · **contrato** || **teoría** · **propuesta** · **análisis**

formalmente adv.

● CON VBOS. **vestir** || **entrar en vigor** *Mañana entra formalmente en vigor la nueva ley* · **iniciar (un proceso)** · **convocar** || **adecuar(se)** · **ajustar(se)** || **decidir** · **acordar** · **aceptar** · **comprometer(se)** *Se comprometió formalmente a cumplir los objetivos* || **presentar** · **exponer** · **expresar** · **anunciar** *¿Sabes cuándo se anunciará formalmente el compromiso?* · **establecer** · **elegir** || **reconocer** · **rechazar** · **recusar** || **contestar** · **acusar** *Lo acusaron formalmente de malversación de fondos públicos* · **denominar** || **representar** · **ejercer** || **requerir** · **solicitar** || **respetar**

formar v.

▌ [crear, constituir]

● CON SUSTS. **organización** · **conjunto** · **compañía** · **equipo** *formar un equipo de trabajo* · **red** · **gobierno** *...en cuanto a los posibles pactos para formar Gobierno* · **comité** · **comisión** · **alianza** · **coalición** · **frente** || **pareja** *La verdad es que forman muy buena pareja* · **familia** || ***otros grupos humanos*** || **juicio** *No te formes un juicio equivocado al respecto* · **imagen** || **parte** *Estoy muy contenta de formar parte de esta asociación*

▌ [instruir, educar]

● CON SUSTS. **población** · **persona** · **niño,ña** *formar a los niños para que sean responsables* · **joven** · **alumno,na** · **discípulo,la** · **profesional** · **público** · ***otros individuos y grupos humanos***

formatear v.

● CON SUSTS. **disco duro** · **disquete** · **ficha**

formativo, va adj.

● CON SUSTS. **período** *...una vez que los jóvenes hayan terminado este período formativo* || **actividad** · **acción** || **ciclo** · **programa** · **curso** · **proceso** · **etapa** · **módulo** · **itinerario** · **recurso** · **área** · **campaña** · **tarea** · **proyecto** · **estrategia** · **taller** · **plan** · **nivel** · **sistema** · **centro** · **fuente** · **instrumento** · **material** || **oferta** · **demanda** · **déficit** || **carácter** *En el centro se desarrollan dos programas de carácter formativo, dirigidos a...* · **aspecto** · **valor** · **política**

formato s.m.

● CON ADJS. **pequeño** · **gran(de)** · **mediano** · **panorámico** *Me gusta ver las películas en formato panorámico* · **de bolsillo** · **gigante** · **reducido** || **convencional** · **universal** · **tradicional** · **habitual** · **popular** · **único** · **especial** || **alargado** · **redondo** || **digital** *archivos musicales en formato digital* · **analógico** || **televisivo** · **radiofónico**

● CON VBOS. **aumentar** · **reducir** · **cambiar** *cambiar el formato de un archivo de texto* · **adaptar** · **recortar**

fórmula s.f.

● CON ADJS. **revolucionaria** *Este tipo de comercio introduce una fórmula revolucionaria en el panorama nacional...* · **novedosa** · **nueva** · **innovadora** || **trillada** · **manida** · **universal** · **conocida** · **vigente** · **secreta** *una sustancia cuya fórmula secreta nunca se ha revelado* || **magistral** · **salomónica** || **mágica** · **infalible** *Dice tener una fórmula infalible para curar la tos* · **segura** · **efectiva** · **socorrida** · **flexible** || **drástica** *...drásticas fórmulas que intentan acabar con el caos circulatorio* || **enrevesada**

● CON VBOS. **prosperar** · **surtir efecto** || **buscar** *Están buscando una nueva fórmula contra la caída del cabello* || **implantar** · **acuñar** · **enunciar** || **descubrir** · **averiguar** · **idear** · **hallar** · **encontrar** · **deducir** · **dilucidar** · **descifrar** · **revelar** · **desvelar** || **tener** · **conocer** || **usar** · **aplicar** · **emplear** · **arbitrar** *...salvo que los partidos sepan arbitrar una fórmula integradora* || **simplificar** || **dar (con)** *No se dará por vencido hasta dar con la fórmula para...* || **recurrir (a)** · **adherirse (a)**

formular v.

● CON SUSTS. **pregunta** *¿Alguien quiere formular alguna otra pregunta?* · **cuestión** · **interrogante** · **cuestionamiento** · **consulta** · **interpelación** · **declaración** · **afirmación** · **comentario** · ***otras manifestaciones verbales*** || **reclamación** · **crítica** · **queja** · **denuncia** · **demanda** · **reivindicación** · **recurso** · **protesta** || **petición** · **solicitud** · **llamamiento** *Organizaciones no gubernamentales formularon un llamamiento a la población para que colaborase con...* · **llamada** · **pedido** · **requerimiento** · **exigencia** || **acusación** · **imputación** · **cargo** · **querella** || **hipótesis** · **teoría** · **idea** · **reflexión** · **planteamiento** · **juicio** · **opinión** || **propuesta** · **oferta** · **invitación** · **proposición** · **proyecto** · **iniciativa** · **sugerencia** *Las quejas y sugerencias formuladas por los usuarios son analizadas en...* || **advertencia** · **anuncio** · **recomendación** · **amenaza** · **aviso** · **indicación** || **observación** · **objeción** · **reparo** || **deseo** · **propósito** · **objetivo** *El ministerio formuló los objetivos del nuevo programa de formación* || **alegación** · **alegato** · **defensa** || **promesa** · **compromiso** · **juramento** || **dictamen** · **resolución** · **decisión** · **veredicto** · **sentencia** || **pronóstico** *Los periodistas no se atrevían a formular ningún pronóstico sobre el resultado de las elecciones* · **vaticinio** · **augurio** · **predicción**

● CON ADVS. **verbalmente** · **oralmente** · **por escrito** *Todas las quejas fueron oportunamente formuladas por escrito* || **explícitamente** · **oficialmente** · **voluntariamente** · **públicamente**

formulario s.m.

● CON ADJS. **detallado** *Para solicitar la plaza, es preciso rellenar un detallado formulario* · **completo** · **largo** || **rígido** · **riguroso** || **breve** · **conciso** || **oficial** · **simplificado** · **homologado**

• CON VBOS. **rellenar** · **cumplimentar** *Tardé más de dos horas en cumplimentar el formulario* · **completar** · **firmar** || **presentar** · **recoger** || **requerir** · **exigir** *¿Le exigieron a usted el formulario para solicitar el empleo?*

fornido, da adj.

• CON SUSTS. **muchacho,cha** · **guardaespaldas** *Los esfuerzos del fornido guardaespaldas por impedir que...* · **deportista** · **portero,ra** · ***otros individuos*** || **cuerpo** · **aspecto** · **torso**
• CON VBOS. **ser** · **volver(se)** · **mantener(se)** · **estar** · **poner(se)**

foro s.m.

• CON ADJS. **de debate** *...para crear un foro de debate sobre el sector* · **de discusión** || **abierto** · **restringido** || **concurrido**
• CON SUSTS. **participante (de)** · **miembro (de)**
• CON VBOS. **auspiciar** · **organizar** · **inaugurar** · **constituir** || **presidir** || **participar (en)** · **intervenir (en)** *¿Sabes quién intervendrá en el foro de esta tarde?*

forofo, fa s.

• CON ADJS. **empedernido,da** *Hasta los más empedernidos forofos agradecerían que...* · **incondicional** · **absoluto,ta** · **radical** · **acérrimo,ma**

forro s.m.

• CON ADJS. **de tela** · **de cuero** · **de plástico**
• CON VBOS. **romper(se)** · **rasgar(se)** *Se ha rasgado el forro del abrigo* · **fabricar**
□ EXPRESIONES **forro polar** [prenda de abrigo] || **ni por el forro** [en absoluto] *col. No se parecen ni por el forro*

fortachón, -a adj. *col.*

• CON SUSTS. ***persona*** *Vigilaba la puerta un hombre fortachón con cara de pocos amigos* || **cuerpo**
• CON VBOS. **ser** · **estar** · **poner(se)** *Te estás poniendo muy fortachón* · **mantener(se)**

fortalecer(se) v.

• CON SUSTS. **corazón** · **músculo** *fortalecer los músculos de la espalda para evitar los dolores* · **pierna** · **brazo** || **espíritu** · **carácter** · **personalidad** · **aspecto** · **imagen** || **conocimiento** · **educación** · **experiencia** || **arte** · **literatura** · **política** · **deporte** · **economía** || **raíz** · **relación** · **vínculo** · **amistad** · **unidad** · **cohesión** · **cooperación** · **lazo** · **confianza** *Estas actitudes no ayudan a fortalecer mi confianza en ellos* · **coalición** · **unión** · **colaboración** · **convivencia** || **poder** · **liderazgo** · **dominio** · **control** · **autoridad** · **influencia** || **posición** *La alianza sirvió para fortalecer la posición de la empresa en el mercado americano* · **papel** || **voluntad** · **ánimo** · **autoestima** || **esfuerzo** · **trabajo** · **labor** || **idea** · **valor** · **argumento** · **hipótesis** || **lucha** *Tras la cumbre, los presidentes anunciaron que fortalecerán la lucha conjunta contra el tráfico de drogas* · **competitividad** · **competencia** || **esperanza** · **aspiración** · **expectativa** || **estrategia** · **proyecto** || **fe** · **creencia**
• CON ADVS. **notablemente** *Estas medidas han contribuido a fortalecer notablemente la economía regional* · **significativamente** · **enormemente** · **sustancialmente** || **electoralmente** · **económicamente** · **políticamente** *El partido ha salido fortalecido políticamente con el resultado de su último congreso* · **institucionalmente** · **comercialmente** || **internamente** · **moralmente** · **psicológicamente**

fortalecimiento s.m.

• CON ADJS. **interno** · **estructural** || **muscular** || **político** · **militar** · **económico** · **bancario** · **democrático** · **moral** · **institucional** · **financiero** · **ideológico**
• CON VBOS. **provocar** · **conseguir** *con el fin de conseguir el fortalecimiento económico e institucional de los municipios* · **conllevar** · **permitir** · **consolidar** · **fomentar** · **facilitar** · **favorecer** || **obstaculizar** · **dificultar** || **experimentar** || **trabajar (para)** · **redundar (en)** · **contribuir (a)** · **ayudar (a)** *...a fin de ayudar al fortalecimiento de las instituciones* · **coadyuvar (a)**

fortaleza s.f.

I [fortificación]

• CON ADJS. **inexpugnable** · **sólida** · **recia** · **imponente** || **vulnerable** · **débil** · **desprotegida** || **acorazada** · **defensiva** || **en ruinas** || **medieval** · **militar** || **enemiga**
• CON VBOS. **levantar(se)** · **alzarse** || **construir** *Esta fortaleza fue construida por los árabes* || **asaltar** · **atacar** · **cercar** · **invadir** · **asediar** · **saquear** · **arrasar** || **defender**

I [fuerza]

• CON ADJS. **incombustible** · **inagotable** || **innata** || **tremenda** · **enorme** · **extraordinaria** · **sobrehumana** · **inusitada** · **sorprendente** · **admirable** || **necesaria** · **suficiente** || **muscular** · **física** || **de carácter** · **de ánimo** · **anímica** · **interior** · **espiritual** · **mental** · **psíquica** · **psicológica** · **ideológica** || **política** · **jurídica** · **económica** · **financiera** · **administrativa**
• CON SUSTS. **demostración (de)** · **alarde (de)** · **manifestación (de)** · **señal (de)** · **signo (de)** · **muestra (de)** *una divisa que sigue dando muestras de fortaleza* || **ausencia (de)**
• CON VBOS. **perder** · **minar** *...lo que significaría minar la fortaleza de esta organización* || **exhibir** · **demostrar** · **manifestar** · **desplegar** · **derrochar** *Me asombra la fortaleza que derrocha* || **hallar** · **encontrar** · **conseguir** · **adquirir** · **tener** · **poseer** · **mantener** · **desarrollar** || **necesitar** *Se necesita una gran fortaleza para superar este tipo de desgracias* || **gozar (de)** · **carecer (de)**

fortificación s.f.

• CON ADJS. **militar** · **urbana** · **real** || **antigua** · **moderna** || **sólida** · **recia** · **imponente** · **en ruinas** || **de defensa** · **blindada** || **gran(de)** · **pequeña**
• CON VBOS. **alzarse** || **construir** · **levantar** || **destruir** · **arrasar** || **defender** · **vigilar**

fortificar v.

• CON SUSTS. **castillo** · **ciudadela** *Habían fortificado la ciudadela en previsión de un posible ataque enemigo* · **edificio** · **bastión** · **asentamiento** · **ciudad** · **recinto** · **posición** · **poblado** || **lugar** · **plaza** || **base** · **campamento** *No fortificaron el campamento, ya que era solo un asentamiento provisional* · **barrera** || **ánimo** · **alma** · **esperanza** · **espíritu** *uno de los ejercicios que más eleva y fortifica el espíritu*

fortuito, ta adj.

• CON SUSTS. **encuentro** *Tuvimos un encuentro fortuito en medio de la calle* · **aparición** · **suceso** · **circunstancia** · **incidente** · **hecho** · **acción** || **descubrimiento** · **hallazgo** || **disparo** · **explosión** *Una explosión fortuita provocó el incendio* · **estallido** || **caída** · **golpe** · **choque** · **accidente** · **desgracia** || **fallo** · **avería**
• CON ADVS. **totalmente** *a consecuencia de un desgraciado accidente, totalmente fortuito*

fortuna s.f.

▌[gran cantidad de bienes]

● CON ADJS. **inmensa** *amasar una inmensa fortuna* · **ingente** · **desorbitada** · **fabulosa** · **incalculable** · **vasta** · **enorme** · **cuantiosa** · **abundante** · **copiosa** · **abultada** || **escasa** · **pequeña**

● CON VBOS. **acrecentar(se)** *...que parece acrecentar la fortuna del clan familiar* · **aumentar** · **decrecer** || **reunir** · **acumular** *A base de trabajar, consiguió acumular una considerable fortuna* · **acaparar** · **hacer** · **lograr** · **amasar** · **forjar** · **labrar** · **ganar** || **perder** · **malgastar** · **derrochar** · **despilfarrar** · **disipar** · **dilapidar** *En dos años dilapidó la fortuna de sus padres* || **legar** *Cuando murió, legó toda su fortuna a una asociación benéfica* · **heredar** || **tener** · **atesorar** · **ostentar** || **emplear** · **dedicar** · **gastar** || **costar** *El vestido que te vas a comprar cuesta una fortuna*

▌[suerte, azar]

● CON ADJS. **próspera** *una empresa que gozó de próspera fortuna mientras...* · **propicia** · **de cara** || **adversa** · **mudable** · **en contra** · **desfavorable**

● CON SUSTS. **golpe (de)** · **toque (de)** || **rueda (de)** *En esa pintura aparece representada la rueda de la fortuna*

● CON VBOS. **deparar (algo)** *¿Qué nos deparará la fortuna para el año que viene?* · **marcar (algo)** · **declinar** || **favorecer (a alguien)** · **sonreír(le) (a alguien)** *Parece que por fin le sonríe la fortuna* || **tener** · **probar** *Probé fortuna en varios trabajos, hasta dar con este* || **tropezar (con)**

● CON PREPS. **en brazos (de)** || **por** *Por fortuna, no hubo que lamentar víctimas* || **con** *Lo intentó con escasa fortuna* · **sin**

forzar v.

▌[romper, desencajar]

● CON SUSTS. **entrada** · **puerta** *Los ladrones forzaron la puerta y desvalijaron la vivienda* · **ventana** · **cerradura**

▌[someter a presión, obligar]

● CON SUSTS. **situación** *Es mejor no forzar la situación y dejar que las cosas sigan su ritmo* · **circunstancia** || **dimisión** *Aquellos hechos forzaron la dimisión del presidente* · **renuncia** · **despido** · **marcha** · **salida** · **retirada** · **abandono** || **prórroga** *El gol en el último minuto forzó la prórroga* · **aplazamiento** · **suspensión** · **cambio** · **desempate** || **sonrisa** *Intentó forzar una sonrisa sin conseguirlo* || **máquina** *Son ya los primeros, y eso que todavía no están forzando la máquina*

● CON ADVS. **excesivamente** · **en demasía** · **notablemente** · **peligrosamente**

forzoso, sa adj.

● CON SUSTS. **exilio** · **retiro** · **desalojo** *El mal estado del edificio obligó a un desalojo forzoso* · **traslado** · **separación** · **desaparición** · **reclusión** · **aislamiento** || **aterrizaje** *Tuvieron que realizar un aterrizaje forzoso a causa de la niebla* · **amarre** || **jubilación** · **excedencia** · **paro** *...para volver al trabajo después de un paro forzoso de dos semanas* || **reconversión** · **conversión** · **cambio** · **regulación** || **trabajo** · **servidumbre** || **expropiación** · **enajenación** · **liquidación** · **acuerdo** · **medida** · **reclutamiento** || **hospitalización** · **internamiento** || **heredero,ra** · **protagonista** || **atención**

● CON VBOS. **hacer(se)** · **volverse**

fosforescente adj.

● CON SUSTS. **amarillo** · **verde** · **naranja** · ***otros colores*** || **peto** · **chaleco** · ***otras prendas de vestir*** || **material** · **sustancia** · **líquido** || **brillo** · **efecto** · **luz** || **pegatina** · **tinta**

foto s.f. *col.*

● CON SUSTS. **cámara (de)**

Véase también fotografía

fotocopia s.f.

● CON ADJS. **compulsada** *Necesito presentar una fotocopia compulsada de mi expediente académico* · **autentificada** || **en color** · **en blanco y negro** || **aumentada** · **reducida** · **a escala** || **clara** · **nítida** · **borrosa**

● CON VBOS. **hacer** · **sacar** || **solicitar** || **aportar** *Debe usted aportar dos fotocopias del documento* · **adjuntar**

fotocopiadora s.f.

● CON ADJS. **industrial** · **de oficina** || **a color** · **convencional** · **láser**

● CON SUSTS. **servicio (de)** *El servicio de fotocopiadora se encuentra en la planta baja*

● CON VBOS. **funcionar** · **averiarse** · **atascarse** || **instalar** · **enchufar** · **conectar** || **manejar** · **reparar**

fotogénico, ca adj.

● CON SUSTS. ***persona*** *una chica fotogénica y con mucho estilo* || **cara** · **rostro** · **sonrisa** · **gesto** · **expresión** · **postura** || **lugar**

fotografía s.f.

● CON ADJS. **en blanco y negro** *¿Dónde pusiste aquellas viejas fotografías en blanco y negro?* · **en color** · **sepia** || **panorámica** · **general** · **en primer plano** || **desenfocada** · **movida** · **enfocada** || **nítida** · **borrosa** || **clara** · **oscura** || **a toda plana** || **digital** · **de estudio** · **artística** || **trucada** · **retocada** · **manipulada** || **original** · **inédita** · **de archivo** · **de agencia**

● CON SUSTS. **álbum (de)** · **pie (de)**

● CON VBOS. **velar(se)** · **perder {color/nitidez}** · **desvaírse** || **difundir(se)** || **hacer** · **sacar** · **tomar** · **obtener** || **ver** || **revelar** *¿Todavía no has revelado las fotografías del viaje?* · **procesar** || **retocar** · **manipular** · **trucar** · **ampliar** · **reducir** || **publicar** · **exponer** · **mostrar** || **enmarcar** *Tengo que enmarcar esta fotografía para ponerla en el salón* || **desenfocar** || **aparecer (en)** *No me gusta nada aparecer en las fotografías* · **salir (en)** · **sacar (a alguien) (en)**

fotógrafo, fa s.

● CON ADJS. **profesional** · **aficionado,da** · **independiente** *Trabajaba como fotógrafo independiente para varios medios de comunicación* · **de prensa** · **de moda** || **buen,-a** · **excepcional** · **excelente** · **mediocre** · **irregular** || **creativo,va** · **imaginativo,va** · **artístico,ca**

● CON SUSTS. **laboratorio (de)** · **aprendiz,-a (de)** · **puesto (de)**

● CON VBOS. **fotografiar (algo/a alguien)** · **retratar (algo/a alguien)** *La fotógrafa retrató a los novios justo antes de subir al coche* · **inmortalizar** || **buscar** · **llamar** · **contratar** || **trabajar (como/de)**

fracasar v.

● CON SUSTS. **reunión** · **acuerdo** · **negociación** *...tras fracasar la negociación en Bruselas* · **diálogo** · **cumbre** · **alianza** || **ofensiva** · **rebelión** · **insurrección** · **levantamiento** || **plan** · **fórmula** · **táctica** · **iniciativa** · **intento** *Fracasaron todos sus intentos de convencerme* · **proyecto** · **idea** · **investigación** · **operación** · **negocio** || **política** · **gestión** *...una gestión económica que fracasó rotundamente* || **jugador,-a** · **aspirante** · **equipo** · ***otros individuos y grupos humanos*** || **matrimonio** *una joven pareja cuyo matri-*

monio fracasó · **relación || novela · película · canción · representación ·** ***otras creaciones***
• CON ADVS. **estruendosamente · aparatosamente · estrepitosamente · ostensiblemente · notablemente · clamorosamente · apoteósicamente || totalmente · rotundamente · absolutamente · de pleno · por completo · en toda línea · en toda regla · sin paliativos || deportivamente · académicamente · artísticamente · políticamente · electoralmente** *...donde acaban haciéndose un hueco quienes fracasan electoralmente* · **profesionalmente · comercialmente · estratégicamente || por poco · en parte || indefectiblemente · inevitablemente**

fracaso s.m.
• CON ADJS. **absoluto · rotundo · total** *Su última película ha supuesto un fracaso total de taquilla* · **completo · supino · profundo · de envergadura · de grandes dimensiones · monumental · mayúsculo · tremendo · descomunal · soberano · inconmensurable · sin paliativos || parcial || manifiesto · flagrante · sonado** *El partido de ayer fue un sonado fracaso del entrenador* · **ostensible · aparatoso · espectacular · estrepitoso · escandaloso · clamoroso · resonante || desolador · catastrófico · abrumador · amargo · aleccionador || seguro · irremediable · inapelable || honroso || escolar || comercial · de ventas · económico · deportivo · académico · político || predestinado,da (a)** *un proyecto predestinado al fracaso desde su concepción*
• CON SUSTS. **causa (de)** *detectar las causas del fracaso* · **motivo (de) · razón (de) || consecuencia (de) · resultado (de) · síndrome (de) || sensación (de) · situación (de) · imagen (de) · estampa (de) || índice (de)** *el índice de fracaso escolar* · **nivel (de) · tasa (de) || responsable (de) · culpable (de) || riesgo (de)**
• CON VBOS. **avecinarse · sobrevenir · llegar || fraguar(se) · consumar(se) || difuminar(se) || acuciar (a alguien) || resultar · constituir · representar || encajar** *Debes aprender a encajar mejor los fracasos* · **afrontar · encarar · asumir · digerir · saborear · superar · reconocer · admitir || vivir** *En aquella época vivió el mayor fracaso de toda su carrera profesional* · **sufrir · cosechar · tener || deparar · acarrear || augurar · auspiciar || enjugar · corregir · enderezar · paliar · mitigar · amortiguar · evitar || preconizar || arrastrar (a) · conducir (a)** *La falta de apoyo popular condujo la operación al más absoluto fracaso* · **llevar (a) · abocar(se) (a) · encaminar(se) (a) · dirigir(se) (a) || predestinar (a) || hacer frente (a) || aprender (de) · saldarse (con) · desembocar (en) || responder (de) · cargar (con)**
• CON PREPS. **al filo (de) · al borde (de) || en caso (de) || a raíz (de)**

fraccionar v.
• CON SUSTS. **unidad · unión · grupo || pago** *...además de fraccionar el pago en cuatro plazos* · **abono · tarifa · plazo ·** ***otras cantidades*** **|| estado · nación || terreno · área · propiedad**

fractura s.f.
• CON ADJS. **profunda · aparatosa || irremediable || parcial · total || legal · política · territorial**
• CON VBOS. **producir(se) · consumar(se)** *...días en que parecía consumarse la fractura del Estado* **|| curar(se) || tener · sufrir** *El paciente sufre fractura de fémur* · **hacer(se) || provocar · ocasionar || reparar || recuperarse (de)**

fracturar(se) v.
• CON SUSTS. **rodilla · brazo · tobillo · cadera ·** ***otras partes óseas del cuerpo*** **|| población · sociedad || unidad · unión · cohesión · vínculo** *...cuando se fracturó el vínculo que los había unido durante tantos años* **|| consenso · acuerdo || personalidad || poder**
• CON ADVS. **gravemente · severamente · irremediablemente**

fragancia s.f.
• CON ADJS. **masculina · femenina · juvenil || suave · fuerte · duradera · penetrante || floral · fresca**
• CON VBOS. **crear · producir || desprender** *Esta resina desprende una suave fragancia de pino* · **oler || aspirar** *...aspirando la suave fragancia de su perfume*

[fraganti] → in fraganti

frágil adj.
• CON SUSTS. **jarrón · estatua · cristal · piel ·** ***otros objetos o materias*** **||** ***persona*** *...un hombre sumamente frágil y dubitativo* **|| gobierno · democracia · monarquía · economía · empresa · partido · institución · organización || apariencia** *Era una mujer de apariencia frágil, pero con un carácter fuerte* · **aspecto · imagen · figura · estampa || salud · ánimo · espíritu || memoria** *...pudo recordar rostros que hacía tiempo habían desaparecido de su frágil memoria* · **conciencia · personalidad · inteligencia || moral · fe · convicciones || paz · tranquilidad · equilibrio || reconciliación · tregua · armisticio · estabilidad · armonía** *La frágil armonía de aquel noviazgo duró poco tiempo* · **unidad || sistema · estructura · red · metodología · norma || liderazgo · poder** *...un triunfo tan ajustado en las elecciones les dará un poder político demasiado frágil* · **autoridad || límite · línea · frontera**
• CON VBOS. **ser · volver(se) · estar · quedar(se)**

fragilidad s.f.
• CON ADJS. **extrema · aparente · creciente · evidente · especial || de memoria · mental · moral || monetaria · económica || de salud · física · vital · ósea · crónica · psicológica · humana || defensiva · militar · diplomática**
• CON SUSTS. **sensación (de) · impresión (de)** *Da impresión de fragilidad, pero tiene mucha fuerza* · **situación (de) || síntoma (de)**
• CON VBOS. **manifestar · demostrar · evidenciar · poner al descubierto · dejar patente || reconocer · ignorar || criticar || aprovechar** *El equipo supo aprovechar la fragilidad defensiva del rival* **|| darse cuenta (de)**

fragor

1 **fragor** s.m.
• CON ADJS. **continuo · constante · incesante || bélico · marino · electoral** *...metidos de lleno en el fragor electoral* · **mediático · verbal · turístico**
• CON VBOS. **aterrar (a alguien) · asustar (a alguien) || cesar · aumentar** *Su dura intervención aumentó el fragor del debate* **|| sentir · notar · oír · percibir || aguantar · resistir || caer (en) · fallecer (en) || encontrar(se) (en)**

2 **fragor (de)** s.m.
• CON SUSTS. **batalla** *En el fragor de la batalla se lanzó contra el enemigo y...* · **combate · lucha · guerra || tambores || terremoto · tormenta · agua || tráfico · público** *El fragor del público resonaba en todo el estadio* **|| mitin · discurso · debate · polémica · discusión**

fraguar v.

▮ [forjar]

● CON SUSTS. **espada · armadura · daga · metal**

▮ [idear, planear, iniciar]

● CON SUSTS. **proyecto · operación · empresa · plan · estrategia || idea** *En su cabeza se comenzó a fraguar la descabellada idea de...* **· concepto · noción · teoría || historia** *El acusado fraguó una historia inverosímil para justificar su inocencia* **· leyenda · mito · libro · novela · poema · ficción · guión || acuerdo · consenso · compromiso · pacto · alianza** *...cuando se fraguó la alianza entre todos los sectores opositores al Gobierno* **· amistad · relación · unidad · unión · fusión · nexo || victoria · triunfo · éxito · imagen · reputación || derrota · fracaso** *El fracaso electoral había empezado a fraguarse en los últimos años de su presidencia* **· catástrofe · tragedia · tormenta · escándalo · problema · crisis · ruina || complot · conspiración · conjuración · trama · confabulación · maniobra · maquinación || golpe · ataque · crimen · agresión · atentado** *Se desconoce aún cómo y dónde se fraguó el brutal atentado* **· asesinato || rebelión · sublevación · reacción · respuesta · venganza · oposición || lucha · pelea · guerra || división · escisión · enemistad · divorcio || trayectoria · carrera · vida || cambio · transición · mejoría**

▮ [endurecerse, fortalecerse]

● CON SUSTS. **cemento** *Deja que el cemento fragüe antes de dar la segunda capa* **· masa || personalidad · carácter**

francamente adv.

● CON VBOS. **hablar · decir · expresar · opinar · contestar · explicar** *Te voy a explicar francamente cuál es la situación* **· exponer ·** ***otros verbos de lengua*** **|| creer · pensar · condenar · reconocer** *Reconozco francamente que he desatendido mis obligaciones* **· desear · admitir || sonreír · mirar**

[francés] → a la francesa; francés

francés s.m. Véase **IDIOMA**

franco, ca

1 **franco, ca** adj.

▮ [libre de impuestos]

● CON SUSTS. **zona · puerto** *llegar a un puerto franco*

▮ [sincero]

● CON SUSTS. ***persona*** *Desde la primera vez que la vi me di cuenta de que era una persona totalmente franca* **|| diálogo || pensamiento**

● CON VBOS. **volverse · mantenerse**

2 **franco** s.m.

▮ [unidad monetaria] Véase **MONEDA**

franela s.f.

● CON SUSTS. **sábana (de) · traje (de) · camisa (de) · pantalón (de) ·** ***otras prendas de vestir*** **|| tela (de)**

franja s.f.

● CON ADJS. **estrecha · ancha || separadora · divisora || horaria** *¿Sabes cuál es el programa líder de esta franja horaria?* **|| costera**

● CON VBOS. **recorrer** *recorrer la franja oriental de un país* **· rodear (algo) || separar (algo) · dividir (algo)**

● CON PREPS. **a lo largo (de)**

franquear v.

▮ [poner franqueo]

● CON SUSTS. **carta** *franquear una carta para enviarla por correo* **· paquete · envío**

▮ [atravesar]

● CON SUSTS. **barrera · muro** *Muchos reclusos intentaron franquear los muros de la prisión* **· frontera · obstáculo · control · línea divisoria · cerco || puerta · umbral** *Cuando franqueó el umbral, todo el mundo comenzó a aplaudirle* **· entrada · paso · acceso || listón || terreno**

franqueo s.m.

● CON ADJS. **postal || pagado · concertado** *La empresa tiene franqueo concertado*

● CON SUSTS. **tarifa (de)**

● CON VBOS. **llevar · poner (a algo)**

franqueza s.f.

● CON ADJS. **total** *Quiero que me digas con total franqueza lo que piensas* **· absoluta · extrema || desbordante · inusual**

● CON SUSTS. **arranque (de) · alarde (de)**

● CON PREPS. **con** *hablar con franqueza* **· sin**

frasco s.m.

● CON ADJS. **de cristal · de vidrio · de plástico || de colonia · de perfume · de jarabe**

● CON VBOS. **contener (algo) || llenar · vaciar || abrir · cerrar · precintar** *El fabricante precinta cada frasco antes de introducirlo en su caja* **|| tapar · destapar || guardar (en) · meter (en) · conservar (en)**

frase s.f.

● CON ADJS. **larga · corta || enrevesada · rimbombante** *...entre frases rimbombantes y comentarios melifluos* **· llamativa || genial · brillante · feliz · deslumbrante · inteligente · ingeniosa || sucinta · simple · lacónica · telegráfica · escueta || lapidaria** *...zanjando con una frase lapidaria aquella conversación* **· rotunda · contundente · certera · apropiada || trillada · manida · estereotipada · tópica · conocida || inconexa · inacabada · hueca · sin sentido · alambicada · incoherente · absurda || procaz · malsonante** *No me gusta que uses frases malsonantes* **· desafortunada || transparente · ambigua || alusiva · comprometida**

● CON VBOS. **aflorar || constar (de algo) || entrecortar(se) || subrayar · recalcar || construir · hilvanar** *un discurso con frases bien hilvanadas y razonamientos articulados...* **· hilar · ligar · componer · ordenar · acuñar · encabezar · formar · hacer || empezar · terminar · interrumpir || emplear · pronunciar · decir · escribir || citar · copiar · repetir · recordar || analizar · interpretar · apostillar || puntuar · entrecomillar · corregir || extrapolar · tergiversar || oír · escuchar || clavar**

□ EXPRESIONES **frase hecha** [frase acuñada y a menudo coloquial]

fraternal adj.

● CON SUSTS. **relación · lazo** *Nos unen lazos fraternales con la República de...* **· vínculo || amistad · cariño · afecto · respeto || beso · abrazo** *un abrazo fraternal acabó con veinte años de enemistad y de incomprensión* **· caricia · gesto || consejo || espíritu · carácter · sentido**

fraterno, na adj.

• CON SUSTS. **amor · solidaridad** *...gracias a la solidaridad fraterna entre los pueblos* · **sentimiento · aliento · apoyo · ayuda · unión || lazos** *...con quien trabó lazos fraternos que pervivieron durante muchos años*

fratricida adj.

• CON SUSTS. **guerra · lucha** *Con el cambio de régimen terminaron las luchas fratricidas* · **batalla · duelo · enfrentamiento · confrontación · riña · conflicto · rivalidad || locura** *un país inmerso en una locura fratricida*

fraude s.m.

• CON ADJS. **absoluto · total · completo · de ley || millonario · descomunal || inmobiliario · comercial · económico · fiscal** *...están siendo juzgados por un delito de fraude fiscal* **|| de grandes proporciones** *un dato que permitió destapar un fraude de grandes proporciones* **|| impune || al descubierto**
• CON SUSTS. **alcance (de) · monto (de)**
• CON VBOS. **salir a la luz || ascender (a algo)** *El fraude inmobiliario ascendía a la cuantiosa cifra de...* **|| urdir · tramar || perpetrar · realizar · cometer || sacar a la luz · detectar · destapar · descubrir · revelar · desvelar · denunciar || investigar · esclarecer || perseguir · combatir** *El Ministerio ha puesto en marcha un plan para combatir el fraude* · **vencer · subsanar || ocultar**
• CON PREPS. **a prueba (de)**

fraudulento, ta adj.

• CON SUSTS. **contrato · alquiler · descuento · venta · compra · dinero · cobro** *...para impedir cobros fraudulentos del subsidio de desempleo* · **enriquecimiento || maniobra · uso · operación** *...en operación fraudulenta de compra venta de bonos...* · **estrategia · manipulación · práctica · actividad · acto || empresa · negocio || gestión · financiación || quiebra · bancarrota || triunfo · elección · votación** *Se inició una investigación a raíz de la votación fraudulenta en la pasada sesión*
• CON ADVS. **claramente · abiertamente · a todas luces** *¿No era a todas luces fraudulenta aquella operación financiera?*

freático, ca adj.

• CON SUSTS. **agua || capa · manto || nivel** *...cuya acción provoca la disminución del nivel freático*

frecuencia

1 frecuencia s.f.

• CON ADJS. **anual · mensual · quincenal · semanal · diaria || constante · uniforme · regular · sostenida || creciente · alta · elevada · exagerada · extrema || decreciente · baja · escasa · inaudible || irregular · oscilante || relativa || modulada · radial · cardíaca** *Su frecuencia cardíaca se dispara cuando hace mucho ejercicio*
• CON VBOS. **registrar(se) || oscilar · mantener(se) · alterar(se) · subir · bajar** *Está bajando la frecuencia con la que...* **|| evaluar · calibrar · medir** *¿Por qué no mides la frecuencia?* · **calcular · ajustar || sintonizar · captar** *Transmiten en una frecuencia muy difícil de captar* **|| usar**

2 frecuencia (de) s.f.

• CON SUSTS. **salida · llegada · paso** *la frecuencia de paso de los trenes* **|| aparición · emisión · disparo || contacto · encuentro** *La frecuencia de los encuentros fue disminuyendo*

☐ EXPRESIONES **con frecuencia** [frecuentemente] *¿Visitas con frecuencia a tus amigos?*

frecuentar v.

• CON SUSTS. **restaurante** *Solemos frecuentar ese restaurante porque nos encanta su comida* · **tienda · local · barrio · ciudad ·** ***otros lugares*** **|| amigo,ga** *Hace tiempo que no frecuenta a los amigos* · **compañero,ra · familia ·** ***otros individuos o grupos humanos***
• CON ADVS. **habitualmente · asiduamente** *En aquellos años, frecuentó asiduamente los círculos literarios de...* · **diariamente · periódicamente**

fregadero s.m.

• CON VBOS. **atascar(se) · rebosar || instalar · montar || desatascar || llenar · vaciar**
• CON PREPS. **bajo · debajo (de)**

fregado s.m. *col.*

• CON VBOS. **montar · organizar** *Menudo fregado organizaste, estarás contento* · **armar · liar || meter(se) (en) · estar (en)** *No sé como me las arreglo, pero siempre estoy en todos los fregados*

fregona s.f.

• CON VBOS. **absorber (algo) || pasar** *En un momentito paso la fregona y acabo* · **escurrir · retorcer · agarrar || limpiar (con) · secar (con)**
• CON PREPS. **a golpe (de) · con · sin**

freiduría s.f. Véase **ESTABLECIMIENTO**

freír v.

• CON SUSTS. **carne · pescado · verdura · patata** *freír las patatas a fuego medio* · **filete ·** ***otros alimentos***
• CON ADVS. **ligeramente · levemente || a fuego {lento/ vivo}**

freír (a) v. *col.*

• CON SUSTS. **tiros · balazos || impuestos || preguntas** *Cuando llegó al aeropuerto, un grupo de periodistas lo empezó a freír a preguntas*

frenar v.

• CON SUSTS. **coche · camión · moto · tren ·** ***otros vehículos*** **|| ola · avalancha · oleada** *unas iniciativas orientadas a frenar la oleada de violencia* · **flujo || derrumbe · caída · desplome · deterioro · descenso || ascenso · incremento · crecimiento · recuperación · proceso · desarrollo · evolución || marcha · avance · expansión · invasión · propagación · proliferación · ritmo || salida · entrada || tendencia · deseo · intento · iniciativa · gasto · consumo || virus · epidemia · hemorragia** *Si aprietas con fuerza en la herida, conseguirás frenar la hemorragia* · **enfermedad · infección || crisis · violencia · guerra · corrupción · agresión · ataque · incendio || inflación**
• CON ADVS. **en seco** *Frenó el coche en seco* · **de golpe · bruscamente · drásticamente** *Con estas medidas se pretende frenar drásticamente el aumento del paro* **|| progresivamente · paulatinamente · gradualmente || por completo · considerablemente · de raíz || temporalmente**

frenazo s.m.

• CON ADJS. **en seco · brusco · fuerte · grave**
• CON VBOS. **pegar** *Si el piloto no pega un frenazo arrolla a un grupo de aficionados* · **dar · sufrir**

frenesí s.m.

●CON ADJS. **loco · desatado || continuo · irrefrenable || popular · festivo · social || creativo** *Invadido por un frenesí creativo, el poeta...* · **expresivo · sensorial || auténtico** *víctima de un auténtico frenesí por la pintura* · **gozoso || de ovación · de aplausos · de ruido**

●CON VBOS. **desatar · alcanzar**

●CON PREPS. **con** *He estudiado con auténtico frenesí para conseguir aprobar el examen*

frenéticamente adv.

●CON VBOS. **saltar · bailar · correr · recorrer || mover(se)** *Movía frenéticamente los brazos para avisar al conductor* · **agitar · sacudir || luchar · atacar || buscar** *buscar frenéticamente una solución* · **desear (algo) || aplaudir || gastar · consumir · derrochar · despilfarrar || trabajar** *trabajar frenéticamente, sin parar ni un momento* · **vivir**

frenético, ca adj.

●CON SUSTS. ***persona*** *Mi padre se puso frenético al conocer la noticia* || **día** *Hoy ha sido un día frenético* · **jornada · mañana · año ·** ***otros períodos*** **|| comunicación · diálogo · discurso || trasiego · ajetreo · actividad · trabajo · tarea** *...ocupadísimos en la frenética tarea de catalogar todos los libros de la biblioteca en tan breve tiempo* || **ritmo · baile · danza · compás · canto || búsqueda · indagación · investigación || movimiento · carrera · marcha · maratón · paseo · persecución · acoso || proceso · cambio · desarrollo · curso || vida** *Estoy cansada de la vida frenética de la ciudad, del ruido, de las prisas* · **existencia || deseo · esfuerzo · impulso · interés · empeño · entusiasmo · entrega · ímpetu · inquietud || ataque · enfrentamiento · pugna · lucha || agenda · calendario · horario || aplauso** *La virtuosa improvisación del trompetista arrancó frenéticos aplausos del público* · **palmoteo · parpadeo · gesto || pasión · excitación · alborozo · alegría · júbilo || consumo · derroche · despilfarro · gasto** *El Gobierno tomó medidas ante el frenético gasto de ese ministerio* || **aumento · crecimiento · subida · ascenso** *La especulación inmobiliaria ha sido la causa del frenético ascenso de los precios de la vivienda* || **éxodo · escapada · evacuación**

●CON VBOS. **estar · poner(se) · volver(se)** *El ritmo se volvió frenético al final* · **hacerse**

[frente] → frente; frente a frente; hacer frente (a)

frente

1 frente s.m.

▮ [en una guerra]

●CON ADJS. **militar · de guerra · de ataque · de defensa · de batalla** *Murió en el frente de batalla* || **común · enemigo · contrario || interno · externo**

●CON VBOS. **enviar (a)** *El presidente decidió enviar más soldados al frente* · **ir (a) · luchar (en)**

▮ [en meteorología]

●CON ADJS. **frío · cálido · de lluvias** *Un frente de lluvias se dirige hacia el centro peninsular*

●CON VBOS. **acercar(se) · avecinar(se) · pasar**

2 frente s.f.

▮ [parte de la cara]

●CON ADJS. **sudorosa · caliente · fría || despejada · amplia**

●CON SUSTS. **sudor (de)** *Nadie le regaló nada, lo consiguió todo con el sudor de su frente* || **marcas (de) · arrugas (de)**

●CON VBOS. **besar || secar || fruncir**

□EXPRESIONES **al frente** [al mando] || **con la frente muy alta** [sin avergonzarse] || **de frente** [directamente, sin rodeos] || **hacer frente** (a algo)* [enfrentarse a ello]

frente a frente loc.adv./loc.adj.

●CON VBOS. **luchar · medir(se) · pelear · competir** *dos empresas que compiten frente a frente en el sector de...* || **encontrar(se) · reunir(se) · coincidir || situar(se) · colocar(se) · poner(se) · sentar(se) · hallar(se) · quedar(se) · permanecer · estar** *Los dos equipos ya están frente a frente en el campo de juego* || **mirarse · verse || dialogar · hablar · responder**

●CON SUSTS. **enfrentamiento · pelea || conversación · debate**

[fresca] s.f. → fresco, ca

fresco, ca

1 fresco, ca adj.

●CON SUSTS. **tiempo** *A pesar del tiempo fresco y desapacible...* · **mañana · noche · día · aire · brisa · viento** *un viento fresco del norte* || **pescado · merluza** *Preferiría merluza fresca* · **verdura · pollo ·** ***otros alimentos*** **|| agua · cerveza ·** ***otras bebidas*** **|| cemento · pintura · tinta · yeso || aroma · colonia · aliento || sangre · savia || lugar** *Para su conservación, guárdese en un lugar fresco* · **casa · habitación || estilo · imagen · belleza || noticia** *Hoy tengo noticias frescas sobre el tema* · **dato · información || lenguaje · tono**

●CON ADVS. **como una lechuga · como una rosa** *Aunque haya dormido poco, está fresca como una rosa*

●CON VBOS. **ser · volver(se) · mantener(se) · quedar(se) · estar · poner(se)** *Se puso fresca la tarde*

2 fresco s.m.

▮ [pintura]

●CON ADJS. **famoso · célebre · inédito · desconocido || antiguo · clásico || preciado · magnífico · impresionante** *un impresionante fresco cubría la sala*

●CON SUSTS. **técnica (de)**

●CON VBOS. **decorar (algo)** *Los más famosos frescos del pintor decoraban la iglesia* · **cubrir (algo) || deteriorar(se) || pintar · trazar || restaurar** *Dedicarán el presupuesto a restaurar los frescos de la basílica* · **destruir · conservar || exhibir || mirar · ver · admirar · analizar**

3 fresca s.f.

▮ [frío moderado]

●CON ADJS. **agradable**

●CON VBOS. **aprovechar** *Aproveché la fresca para dar un paseo* · **buscar || venir (con) · salir (con)** *Prefiere salir con la fresca para hacer deporte* || **trabajar (con) || tumbar(se) (a)**

▮ [comentario descarado] *col.*

●CON VBOS. **soltar** *Me soltó una fresca y se fue* · **decir**

□EXPRESIONES **al fresco** [a la intemperie] || **traerle** (a alguien) (algo) **al fresco** [no importarle] *col.*

frescor s.m.

●CON ADJS. **agradable · suave || nocturno · matinal · otoñal || seco · húmedo || de brisa · de aire || de sierra · de lluvia**

● CON SUSTS. **ambiente (de)** · **sensación (de)** *Este suavizante da a la ropa una sensación de frescor muy agradable*
● CON VBOS. **sentir** · **notar** *Noté un frescor estimulante al abrir la ventana* · **respirar** || **llenar(se) (de)**

fresno s.m. Véase ÁRBOL

frialdad s.f.

● CON ADJS. **total** · **suma** · **absoluta** *Me saludó con absoluta frialdad* · **recalcitrante** · **implacable** · **cruel** || **inhumana** || **sorprendente** *Recibió la noticia con sorprendente frialdad* || **aparente**
● CON PREPS. **con**

fríamente adv.

● CON VBOS. **matar** · **golpear** · **disparar** · **rematar** *Uno de ellos fue rematado fríamente cuando estaba herido* · **asesinar** · ***otros verbos que expresan agresión*** || **juzgar** · **enjuiciar** || **declarar** · **responder** · **saludar** · **despedir(se)** || **tratar** · **mirar** · **recibir** || **planear** · **calcular** · **analizar** *Lo primero que tenemos que hacer es analizar fríamente los pros y los contras* · **razonar** · **pensar** · **considerar** · **decidir** || **ver** · **observar**

fricción s.f.

● CON ADJS. **suave** · **leve** *La más leve fricción puede generar ampollas dolorosas* · **ligera** || **grave** · **seria** · **intensa** · **fuerte** || **continua** · **constante** · **repentina** || **térmica** · **interna** · **personal** · **social** · **política** · **diplomática** *...en alusión a las fricciones diplomáticas surgidas en los últimos días*
● CON SUSTS. **motivo (de)** *un motivo de fricción entre ambos países* · **elemento (de)** · **punto (de)** · **superficie (de)**
● CON VBOS. **surgir** *...al margen de las fricciones surgidas entre ambos* · **originar(se)** || **aumentar** · **disminuir** || **provocar** · **causar** · **generar** · **producir** · **crear** || **reducir** · **suavizar** · **evitar**

friega s.f.

● CON VBOS. **aliviar (a alguien)** || **dar** *Dar friegas de alcohol es bueno para bajar la fiebre* · **recibir**

frigorífico, ca

1 **frigorífico, ca** adj.

● CON SUSTS. **camión** *una empresa de camiones frigoríficos* · **buque** || **almacén** · **armario** · **centro** · **cámara** || **industria** · **almacenamiento**

2 **frigorífico** s.m.

● CON SUSTS. **luz (de)** · **bandeja (de)** · **hielo (de)** || **temperatura (de)** · **termostato (de)**
● CON VBOS. **abrir** · **cerrar** || **descongelar** || **meter (en)** · **guardar (en)** · **conservar (en)** · **dejar (en)** · **sacar (de)**

frijol s.m.

● CON SUSTS. **cosecha (de)** · **grano (de)** || **plato (de)**
● CON VBOS. **sembrar** · **plantar** · **cultivar** · **producir** · **cosechar** · **recoger** · **comercializar** || **consumir** · **cocinar** · **preparar**

[frío, a] → a sangre fría; como un jarro de agua fría; en frío; frío, a

frío, a

1 **frío, a** adj.

● CON SUSTS. **clima** · **estación** · **invierno** · **día** · **noche** || **agua** · **aire** || **oficina** *Trabaja en una oficina fría y funcional* · **habitación** · **local** · **zona** · ***otros lugares*** || **tela** · **asiento** · **cama** · ***otras cosas materiales*** || **plato** · **entremeses** · **bebida** || **recibimiento** *Nos dispensó un frío y distante recibimiento* · **saludo** · **acogida** || **temperamento** · **carácter** || ***persona*** *Su jefe es frío, seco y muy poco amable* || **expresión** · **gesto** · **sonrisa** · **mirada** || **decisión** · **elección** || **reacción** · **respuesta** · **tono**
● CON ADVS. **como un témpano** *una persona de mirada fría como un témpano* · **como el hielo** · **como el acero** · **como la nieve** · **como una serpiente**
● CON VBOS. **ser** · **volver(se)** · **quedar(se)** *Me quedé fría con la noticia* · **mantener(se)** · **estar** · **poner(se)** · **dejar (a alguien)** || **servir** · **comer**

2 **frío** s.m.

● CON ADJS. **polar** · **siberiano** · **ártico** · **glacial** · **gélido** · **invernal** || **húmedo** · **seco** · **penetrante** · **punzante** || **estimulante** · **paralizante** || **persistente** · **implacable** || **acusado** · **crudo** · **de narices** · **que pela** *Este invierno está haciendo un frío que pela* || **industrial** || **reinante** *A pesar del frío reinante, nos atrevimos a salir* · **incipiente**
● CON SUSTS. **ola (de)** *Han anunciado una ola de frío para la próxima semana* · **golpe (de)**
● CON VBOS. **llegar** · **asomar** · **entrar (a alguien)** *Siempre me entra frío después de comer* || **azotar** · **arreciar** · **recrudecerse** || **remitir** · **irse(le) (a alguien)** · **aplacar(se)** || **tener** · **sentir** · **pasar** *Si no te abrigas, pasarás frío* || **combatir** *Un buen jersey de lana es ideal para combatir el frío* · **ahuyentar** · **quitar** · **mitigar** || **dar (a alguien)** *Me está dando frío verte en manga corta* || **tiritar (de)** · **temblar (de)** · **estremecerse (de)** || **resguardar(se) (de)** · **guarecerse (de)** · **preservar (de)** || **morirse (de)**

□ EXPRESIONES **en frío*** [sin estar bajo la presión de las circunstancias] *col.*

[friolera] s.f. → friolero, ra

friolero, ra

1 **friolero, ra** adj.

● CON SUSTS. ***persona*** *Mi hermana pequeña es la más friolera de la familia*

2 **friolera** s.f. *col.*

▌[gran cantidad]

● CON VBOS. **costar** *El piso costaba una friolera de millones* || **gastar** · **perder** · **pagar** || **ganar** · **recaudar** · **acumular** || **tener** · **llevar** || **salir (por)** *El cuadro le salió por la friolera de dos mil euros*

frisar v.

● CON SUSTS. **años** *Cuando ocurrió aquello, frisaba los cuarenta años* · **edad** || **metros** · **distancia** · **extensión**

fritura s.f.

● CON ADJS. **de pescado** · **de verdura** · **variada** || **apetitosa** · **sabrosa** · **grasienta**
● CON SUSTS. **tiempo (de)** · **proceso (de)** || **aceite (de)** · **puesto (de)**
● CON VBOS. **preparar** · **consumir**

frivolidad s.f.

● CON ADJS. **absoluta** · **total** · **excesiva** *Creo que trataron la noticia con una frivolidad excesiva* · **alarmante** · **descarada** || **ofensiva** · **hiriente**
● CON SUSTS. **dosis (de)** · **muestra (de)** · **alarde (de)** || **tiempo (de)** · **época (de)**

• CON VBOS. **cometer** *...y cometió la intolerable frivolidad de criticar el caso sin conocerlo* · **provocar** · **acrecentar** *Esos programas no hacen sino acrecentar la ya alarmante frivolidad de la televisión* || **criticar** · **denunciar** || **evitar** · **abandonar** · **permitir** || **huir (de)** *En este espectáculo parece que tratan de huir de la frivolidad* · **caer (en)** || **tachar (de)** · **calificar (de)** · **acusar (de)** || **actuar (con)** · **abordar (con)** *La prensa abordó con excesiva frivolidad aquel asunto* · **tratar (con)**

frívolo, la adj.

• CON SUSTS. ***persona*** *una mujer frívola y superficial* || **comentario** *...harto ya de comentarios frívolos e intrascendentes* · **tema** || **personalidad** · **comportamiento** · **actitud** · **acto** · **posición** || **noticia** · **anécdota** || **detalle** · **toque** · **afición** || **vida** · **ambiente** || **literatura** · **cine** · **teatro** · **libro** · **comedia** · **novela** · **obra** || **juicio** · **análisis** *...indignado ante un análisis tan frívolo y superficial de la situación* · **denuncia** · **razón** || **imagen** · **alarde**
• CON VBOS. **calificar (de)** · **considerar** || **acusar (de)** · **tachar (de)** || **volverse**

frondoso, sa adj.

• CON SUSTS. **roble** · **almendro** · **acacia** · ***otros árboles*** || **jardín** · **bosque** · **vegetación**

frontal adj.

▮ [relativo a la frente]

• CON SUSTS. **lesión** · **hueso** · **herida** · **parte** · **región** · **segmento** · **lóbulo** *Tiene una lesión en el lóbulo frontal* · **corteza**

▮ [delantero]

• CON SUSTS. **línea** · **límite** · **sección** · **franja** · **fachada** *en la fachada frontal del edificio*

▮ [directo, de frente]

• CON SUSTS. **ataque** · **embestida** · **asalto** · **atentado** · **remate** · **tiro** || **postura** · **conducta** · **actitud** · **estilo** *Su estilo es directo, frontal, sin contemplaciones* || **choque** · **colisión** · **golpe** · **accidente** || **combate** · **lucha** · **enfrentamiento** · **guerra** · **batalla** || **oposición** · **crítica** *Lanzó una crítica frontal y despiadada al líder de la oposición* · **rechazo** · **repudio** · **repulsa** · **antagonismo** || **perspectiva** · **visión** · **toma** · **plano** · **encuadre** · **imagen** || **diálogo** · **discusión** · **negociación**

frontalmente adv.

• CON VBOS. **chocar** *un accidente en el que dos coches chocaron frontalmente* · **colisionar** · **empotrarse** · **estrellarse** · **impactar** · **embestir** · **golpear** || **oponerse** *¿Por qué crees que se oponen tan frontalmente a nuestra propuesta?* · **contradecir** · **enfrentar(se)** · **combatir** · **rechazar** · **discrepar** || **violar** · **vulnerar** *una actuación inaceptable que vulnera frontalmente los estatutos* · **incumplir** · **contravenir** · **conculcar** · **infringir** || **atacar** · **criticar** *El presidente evitó criticar frontalmente al Gobierno autonómico tras la polémica medida* · **arremeter** · **descalificar** · **condenar** · **atentar** || **acometer** · **abordar** · **encarar**
• CON ADJS. **opuesto,ta**

frontera s.f.

• CON ADJS. **imprecisa** · **borrosa** · **confusa** *La frontera entre ambos conceptos es más bien confusa* · **dudosa** · **resbaladiza** · **incierta** · **indefinida** · **tenue** · **difusa** || **nítida** · **clara** *...territorio en el que se desvanece la clara frontera que separa lo real de lo imaginario* || **insalvable** · **imposible** · **tajante** || **divisoria**
• CON VBOS. **diluir(se)** · **difuminar(se)** · **derrumbar(se)** || **abrir(se)** · **cerrar(se)** *Cerraron las fronteras a los productos procedentes de aquel país* || **vulnerar** · **transgredir** · **violar** · **romper** · **burlar** || **pasar** · **traspasar** · **rebasar** · **sobrepasar** · **cruzar** *Los fugitivos lograron cruzar la frontera* || **trazar** · **dibujar** · **demarcar** · **delimitar** · **marcar** · **establecer** · **fijar** || **anular** · **eliminar** *El tratado elimina cualquier tipo de frontera entre los Estados miembros* || **recorrer** · **bordear** || **blindar** || **llegar (a)** · **detener(se) (en)** || **lindar (con)**

fronterizo, za adj.

• CON SUSTS. **puesto** · **control** *Detenían a todos los coches en el control fronterizo* · **acceso** · **paso** || **punto** · **límite** · **territorio** · **tierra** · **sector** · **espacio** || **país** · **estado** · **pueblo** · **municipio** · **puerto** · **departamento** · **poblado** || **problema** · **conflicto** · **litigio** · **incidente** || **acuerdo**

frontón s.m.

▮ [lugar de juego]

• CON ADJS. **cubierto** · **municipal**
• CON SUSTS. **acceso (a)** · **entrada (a)** · **salida (de)**
• CON VBOS. **construir** · **inaugurar** · **abrir** · **cerrar** · **clausurar** || **llenar** · **abarrotar** *El público abarrotaba el frontón*

▮ [actividad deportiva] Véase **DEPORTE**

fructífero, ra adj.

• CON SUSTS. **año** *Fue un año muy fructífero para los avances científicos* · **mes** · **curso** · ***otros períodos*** || **investigación** · **información** || **relación** · **encuentro** · **reunión** · **diálogo** · **debate** || **colaboración** *La colaboración entre ambos partidos políticos fue bastante fructífera* · **negociación** · **pacto** · **acuerdo** || **camino** · **trayectoria** · **carrera** · **historia** · **vida** || **paso** · **avance** || **actividad** · **gestión** · **negocio** || **resultado** · **trabajo** · **experiencia**
• CON VBOS. **calificar (de)** *El presidente calificó de muy fructíferas las negociaciones*

fructificar v.

• CON SUSTS. **plan** · **proyecto** || **negociación** *La negociación entre patronal y sindicatos fructificó a pesar de los pronósticos agoreros* · **conversación** · **relación** || **trato** · **pacto** · **acuerdo** || **esfuerzo** · **sacrificio** · **investigación** || **gestión** · **operación** · **intervención**

frugal adj.

• CON SUSTS. **desayuno** · **almuerzo** · **merienda** · **cena** · **colación** · **aperitivo** · **consumición** · **menú** · **cóctel** · **comida**

fruición s.f.

• CON ADJS. **intensa** · **admirable** · **gran(de)** || **real** · **verdadera**
• CON PREPS. **con** *comer con fruición; leer con fruición*

fruncir v.

• CON SUSTS. **gesto** · **ceño** *fruncir el ceño en un gesto de enfado* · **entrecejo** · **ceja** || **labio** · **boca** · **nariz** || **tela**

frustración s.f.

• CON ADJS. **absoluta** *...sumidos en la más absoluta frustración tras la derrota* · **profunda** · **honda** · **enorme** · **tremenda** · **inmensa** · **seria** || **dolorosa** · **angustiosa** · **amarga** *Consiguió superar la amarga frustración de no haber conseguido el trabajo* · **penosa** || **ciego,ga (de)** || **sumido,da (en)** · **hundido,da (en)**

● CON VBOS. **entrar (a alguien) · invadir (a alguien) · anidar || traslucir(se)** *En sus versos se trasluce la frustración del amor perdido* || **sufrir · sentir · padecer · experimentar · tener || vencer · superar · conjurar || soltar · dejar salir** *El psicólogo te ayudará a que dejes salir tus frustraciones* · **descargar · expresar · manifestar · ocultar || producir · causar · ocasionar · crear · engendrar · deparar · generar || hundir(se) (en) · caer (en) || colmar (de)**

frustrar(se) v.

● CON SUSTS. **delito · asesinato · robo · asalto** *La Policía consiguió frustrar el asalto que había planeado la banda* · **atentado || huida · fuga · evasión || tentativa · intentona · intento · jugada · plan · proyecto · posibilidad · carrera || esperanza · deseo · sueño · aspiración** *Cuando suspendió el examen de ingreso, se frustraron todas sus aspiraciones* · **ilusión · expectativa · vocación · empeño · propósito || proceso** *Su ascenso al poder frustró el proceso de modernización del país* · **transformación · cambio · renovación · reforma · revolución || relación · contacto · reunión · compromiso · contrato || labor · operación · fusión** *La fusión de ambas empresas se frustró; fue imposible llegar a un acuerdo* · **venta · actuación · acción · victoria · conquista · fichaje || obra · película · novela || viaje** *Al final se frustró el viaje que tanto tiempo llevábamos planeando* · **evento || vida**

fruta s.f.

● CON ADJS. **abundante · escasa || ácida · amarga · dulce || pasada** *Deberías retirar la fruta pasada para que el resto no se pudra* · **podrida · mustia · perecedera || madura · fresca · lozana · verde** *No le gusta comer la fruta verde, la prefiere madura* || **sabrosa · apetitosa · exquisita · deliciosa · rica · apetecible || seca · jugosa · carnosa || empalagosa · insípida || en conserva · escarchada · abrillantada || del tiempo · de la estación || tropical · silvestre · del bosque · cítrica**

● CON SUSTS. **zumo (de) · jugo (de) · bebida (de) · tarta (de)** *Por su cumpleaños le compramos una tarta de frutas* || **pieza (de) || variedad (de) || centro (de) · cesto (de)**

● CON VBOS. **abundar** *En esta zona abundan las frutas silvestres* · **escasear || madurar · pudrir(se) || saborear · paladear · degustar · comer · desayunar** *Me ha dicho el médico que me conviene desayunar fruta* || **producir · cultivar · recoger || pelar** *¿Puedes pelar la fruta para hacer la tarta, por favor?* · **cortar · trocear · exprimir · enlatar || comercializar · importar · exportar** *El país exporta toneladas de frutas a los países vecinos* || **identificar**

frutal

1 **frutal** adj.

● CON SUSTS. **árbol · zona || aroma** *Predominan en este vino los aromas frutales* · **fragancia**

2 **frutal** s.m.

● CON SUSTS. **plantación (de) · campo (de) · huerta (de) · finca (de) || variedad (de)**

● CON VBOS. **producir · crecer · secarse || plantar · regar || talar** *Tuvieron que talar todos los frutales enfermos* · **cortar**

frutería s.f. Véase **ESTABLECIMIENTO**

frutero, ra

1 **frutero, ra** s.

● CON VBOS. **atender (a alguien)** *El frutero me atendió con una sonrisa* · **despachar · pesar (algo)**

2 **frutero** s.m.

▮ [recipiente]

● CON ADJS. **repleto · vacío || suntuoso · recargado** *Recibió como obsequio un recargado frutero de porcelana* · **sencillo**

● CON VBOS. **adornar · decorar || llenar**

fruto

1 **fruto** s.m.

● CON ADJS. **dulce · ácido · amargo || apetitoso** *los apetitosos frutos de ese árbol* · **apetecido · apreciable || jugoso || podrido || prohibido || inequívoco** *Este premio es el fruto inequívoco de tantos años de investigación* · **indudable || insospechado · esperable · lógico || cuantiosos · abundantes · escasos** *los escasos frutos de su lucha contra la enfermedad* · **exiguos**

● CON VBOS. **madurar · pudrirse || reportar · dar** *Ya les anuncié que este esfuerzo daría sus frutos* · **rendir · producir || obtener · sacar || recolectar · cosechar · recoger || saborear · paladear || gozar (de)**

2 **fruto (de)** s.m.

● CON SUSTS. **trabajo** *El crecimiento económico, fruto del trabajo diario, incidirá...* · **esfuerzo · actividad · lucha · presión · acción · iniciativa · proceso · política || alianza · pacto · acuerdo · negociación · acercamiento · convenio · compromiso · colaboración || relación · amistad** *El proyecto nació como fruto de la amistad de los dos artistas* · **amor · admiración || accidente · casualidad · improvisación · crisis · engaño || voluntad · necesidad · debilidad · cansancio · indiferencia || análisis · investigación · reflexión · imaginación** *Todo fue fruto de su imaginación; en realidad nada había sucedido* · **creencia || experiencia · inexperiencia · inseguridad · cabezonería · ignorancia || angustia · tristeza · emoción · frustración** *La depresión que sufre ahora es fruto de su frustración* · **felicidad · alegría** · ***otros estados de ánimo***

☐ EXPRESIONES **fruto seco** [fruto que no tiene jugo]

fucsia s.m.

● CON SUSTS. **rosa** *una camisa rosa fucsia*

➤ Véase también **COLOR**

[fuego] →abrir fuego; a fuego lento; alto el fuego; a sangre y fuego; fuego

fuego s.m.

● CON ADJS. **ardiente** *tener un fuego ardiente en el corazón* · **abrasador · incandescente · crepitante || voraz · arrasador · devastador** *Un fuego devastador destruyó el teatro* · **destructivo · asolador · inextinguible || lento** *cocinar un guiso a fuego lento* · **vivo · fuerte · medio · moderado · suave || espectacular** *edificios devorados por un espectacular y dantesco fuego que...* · **dantesco · aparatoso || fatuo || purificador · vivificador · interior || a discreción · discrecional · cruzado**

● CON SUSTS. **foco (de) || arma (de)**

● CON VBOS. **quemar (algo/a alguien) · abrasar (algo/a alguien) · destruir (algo/a alguien) · devastar (algo) · arrasar (algo)** *El fuego arrasó muchas hectáreas de pino* · **devorar (algo) · consumir (algo) || cobrar fuerza · extender(se)** *El fuego se extendió por el fuerte viento* · **propagar(se) · declarar(se) || aplacar(se) · extinguir(se) · apagar(se) || crepitar · chisporrotear || sofocar · controlar** *Los bomberos tardaron poco en controlar el fuego* · **combatir || atizar · alimentar · reavivar · avivar || encender(se) · tener · pedir · dar (a alguien)** *¿Me das fue-*

go, por favor? · **pegar** || **prender** · **hacer** · **provocar** || **arrojar** · **despedir** || **abrir** *...ante la situación el policía abrió fuego causando la muerte inmediata de...*

● CON PREPS. **a la luz (de)** *Hicimos una cena en el campo a la luz del fuego* || **a prueba (de)**

□ EXPRESIONES **alto el fuego*** [cese de las acciones militares] || **entre dos fuegos** [en medio de dos bandos enfrentados] || **fuegos artificiales** [artificios de pólvora que producen luces de colores] || **jugar con fuego** [hacer imprudentemente algo]

fuente

1 **fuente** s.f.

▌ [de agua]

● CON ADJS. **torrencial** · **caudalosa** || **inagotable** · **interminable** · **inacabable** || **fecunda**

● CON VBOS. **surgir** · **nacer** *¿Dónde nace esta fuente tan caudalosa?* · **manar** · **brotar**

▌ [de información]

● CON ADJS. **confidencial** *Fuentes confidenciales han revelado que...* || **inequívoca** · **fidedigna** · **fiable** || **legítima** · **oficial** || **identificada** · **sin identificar** || **histórica**

● CON VBOS. **consultar** || **revelar** · **desvelar** · **citar** *en un documento que no citaba sus fuentes de información* || **detectar** · **conocer** || **contrastar** || **obtener (de)** · **acudir (a)** || **fiarse (de)** · **confiar (en)**

2 **fuente (de)** s.f.

● CON SUSTS. **sonido** · **luz** · **energía** · **calor** · **alimentación** *La especie desapareció de la zona tras quedarse sin su principal fuente de alimentación* || **datos** · **información** · **conocimiento** · **sabiduría** || **inspiración** · **placer** · **vida** || **recursos** · **abastecimiento** · **ingresos** *Su sueldo es su única fuente de ingresos* · **riqueza** · **financiación** · **divisas** || **alegría** · **felicidad** · **tristeza** · **sufrimiento** || **males** · **malentendidos** · **problemas** · **fricciones** · **polémica** · **contradicciones** · **tensiones** · **conflictos** · **escándalos** || **contagio** *Es importante identificar todas las posibles fuentes de contagio* · **infección** · **inestabilidad**

fuera (de) loc.prep.

● CON SUSTS. **plazo** *No le concedieron la beca porque entregó la solicitud fuera de plazo* · **tiempo** · **hora** || **sitio** · **lugar** *...avergonzada por haber dicho cosas tan fuera de lugar* || **juego** · **combate** || **serie** *Nos ha demostrado que es un auténtico fuera de serie* || **broma**

□ USO Se usa muy frecuentemente con expresiones, como *lo común, lo corriente* o *lo habitual*: *una inteligencia fuera de lo común.*

fuerte

1 **fuerte** adj.

● CON ADVS. **como un roble** · **como un toro**

● CON VBOS. **ser** · **volver(se)** · **mantener(se)** *Se mantuvo fuerte hasta el final* · **estar** · **poner(se)** || **mostrarse** · **sentirse**

2 **fuerte** adv.

● CON VBOS. **coger(se)** · **agarrar(se)** · **sujetar(se)** *Sujétate fuerte, porque ahora vienen muchas curvas* || **pegar** · **golpear** || **hablar** · **gritar** *Como no grites más fuerte, no te va a oír* || **jugar** · **apostar** || **oler** · **sonar** · **saber** *Sabe demasiado fuerte para mi gusto* || **soplar** · **respirar** || **venir** · **pisar** || **tirar** · **empujar** || **desayunar** · **almorzar** · **comer** · **cenar**

fuertemente adv.

● CON VBOS. **acentuar(se)** · **agudizar(se)** · **deteriorar(se)** *La imagen de la empresa se ha deteriorado fuertemente a raíz de...* · **depreciar(se)** · **desarrollar(se)** · **aumentar** · **reducir(se)** || **atar** · **estrechar** · **vincular** · **unir** *Fueron situaciones difíciles, pero sirvieron para unir fuertemente a la familia* · **arraigar** · **asentar(se)** · **aferrar(se)** · **agarrar(se)** · **anclar(se)** · **abrazar** · **relacionar(se)** · **ligar(se)** || **golpear** · **impactar** || **implicarse** · **comprometerse** · **enredar(se)** · **involucrar(se)** *Llevaba años fuertemente involucrado en actividades ilegales* || **atraer** · **llamar la atención** || **repercutir** · **incidir** · **condicionar** · **afectar** · **influir** · **acusar el impacto** || **oler** · **saber** *...estaría más sabrosa si no supiera tan fuertemente a ajo* || **empujar** · **impulsar** · **respaldar** · **apoyar** · **apostar** · **subvencionar** || **proteger** · **custodiar** · **vigilar** · **controlar** · **escoltar** · **militarizar** || **armar** *Los asaltantes iban encapuchados y fuertemente armados* · **pertrechar** · **equipar** || **criticar** · **rechazar** · **contestar** · **contrastar** · **condenar** · **cuestionar** · **sancionar** · **entorpecer** · **restringir** · **atacar** · **reprimir** *Tuve que reprimir fuertemente mis deseos de gritar*

● CON ADJS. **hostil** · **reacio,cia** · **beligerante**

[fuerza] →a fuerza (de); cobrar fuerza; con todas {mis/tus/sus...} fuerzas; fuerza

fuerza s.f.

● CON ADJS. **gran(de)** · **brutal** · **bestial** · **incalculable** · **descomunal** · **colosal** · **tremenda** · **enorme** · **desmesurada** · **desmedida** *Tiene una fuerza desmedida para su edad* || **escasa** · **pequeña** || **imparable** · **desbordante** *la desbordante fuerza de la primavera* · **incontenible** · **invencible** · **inquebrantable** · **irrefrenable** · **irresistible** || **demoledora** · **aplastante** · **abrumadora** · **asfixiante** · **arrasadora** · **arrolladora** *El futbolista entró al terreno de juego con una fuerza arrolladora* · **cegadora** || **ciega** · **bruta** || **disuasoria** · **rotunda** · **dominante** · **penetrante** · **determinante** || **centrípeta** · **centrífuga** || **renovada** *Volvió a él la esperanza y se sintió con fuerzas renovadas* || **beligerante** · **militar** · **policial** · **bélica** || **física** · **moral** · **interior** || **inequívoca** · **indudable** · **soterrada** || **opuestas** || **pletórico,ca (de)** · **sobrado,da (de)** *Se nota que está sobrado de fuerza*

● CON SUSTS. **ápice (de)** || **señal (de)** · **manifestación (de)** · **demostración (de)** · **arranque (de)** || **derroche (de)** · **pozo (de)**

● CON VBOS. **residir (en algo)** *La fuerza de sus cuadros reside en el color y en la perspectiva* || **desinflar(se)** · **decrecer** · **flaquear (a alguien)** *Me están empezando a flaquear las fuerzas* · **apagar(se)** · **derrumbar(se)** · **agotar(se)** · **diluir(se)** · **decaer** · **desfondarse** · **faltar (a alguien)** *Me falta fuerza para enfrentarme sola a ese problema* || **traslucir(se)** || **converger** · **concurrir** · **oponerse** || **erigir(se)** · **impeler** || **cobrar** · **adquirir** · **tomar** · **reponer** *Después de tu enfermedad, tienes que reponer fuerzas* · **recuperar** · **recobrar** || **aunar** · **agrupar** · **aglutinar** · **unir** · **redoblar** · **incrementar** || **poseer** *Poseía una fuerza fuera de lo normal* · **tener** · **rebosar** · **destilar** || **guardar** · **conservar** || **demostrar** · **desplegar** || **emplear** · **dedicar** · **ejercer** · **aplicar** · **usar** · **hacer** || **insuflar** · **imprimir** · **dar** *Aquella noticia le dio fuerza para seguir luchando* · **transmitir** || **malgastar** · **derrochar** || **ahorrar** · **dosificar** · **canalizar** || **combatir** · **vencer** · **neutralizar** · **nivelar** *Hay que nivelar la fuerza de los equipos, porque son muy desiguales* || **mermar** · **atemperar** · **minar** · **diezmar** · **perder** · **aflojar** || **calibrar** · **acechar** · **magnificar** || **imponer** || **abusar (de)** · **recurrir (a)** · **hacer uso (de)** || **someter(se) (a)** · **rendirse (ante/a)** || **hacer acopio (de)**

Más vale que hagan acopio de fuerzas, porque nos esperan días agotadores · **henchir(se) (de)** || **alimentar(se) (de)**

☐ EXPRESIONES **a la fuerza** [forzosamente] *entregar algo a la fuerza* || **fuerza de voluntad** [determinación, empeño] || **fuerzas armadas** [conjunto formado por los Ejércitos de Tierra y de Aire y por la Armada de un país] || **fuerzas de orden (público)** [agentes de la autoridad] || **fuerzas vivas** [conjunto de grupos sociales que impulsan la actividad de un lugar] || **sacar fuerzas de flaqueza** [hacer un esfuerzo extraordinario] || **írse(le)** (a alguien) **la fuerza por la boca** [hablar mucho y no actuar en consecuencia] *col.*

fuga

1 **fuga** s.f.

▌[huida, pérdida]

● CON VBOS. **preparar** · **organizar** · **planear** || **intentar** · **emprender** || **frustrar(se)** · **detener** · **obstaculizar** · **evitar** · **frenar** · **detectar** *Una fuga de gas sin detectar fue la causa de la explosión* || **darse (a)** *Cuando llegó la Policía, los ladrones se dieron a la fuga*

▌[composición musical]

● CON ADJS. **a {dos/tres/cuatro...} voces**

● CON VBOS. **componer** · **interpretar**

2 **fuga (de)** s.f.

● CON SUSTS. **gas** · **agua** · **combustible** · **aire** || **capitales** *Los rumores de crisis provocaron importantes fugas de capitales* · **divisas** || **información** · **datos** · **votos** || **cerebros**

fugaz adj.

● CON SUSTS. **etapa** · **reinado** *Este acontecimiento puso fin a su fugaz reinado* · **plazo** · **vacaciones** · **mañana** · **curso** · **instante** · ***otros momentos o períodos*** || **tormenta** *una fugaz tormenta de verano* · **aguacero** · **lluvia** · **nevada** · ***otros fenómenos meteorológicos*** || **estrella** || **reunión** *En una reunión fugaz, el equipo de ministros decidió...* · **baile** · **comida** · **conferencia** · **representación** · ***otros eventos*** || **gesto** · **movimiento** · **sonrisa** · **guiño** || **recuerdo** *Solo tengo un recuerdo fugaz de ese viaje* · **evocación** · **memoria** · **idea** · **pensamiento** · **ocurrencia** · **decisión** || **aparición** · **estancia** · **visita** · **encuentro** · **presencia** · **permanencia** · **comparecencia** · **existencia** || **paso** · **viaje** · **tránsito** · **pasada** · **camino** · **paseo** · **periplo** · **carrera** · **andanza** · **trayectoria** · **vuelo** · **estela** || **éxito** *La serie tuvo un éxito fugaz entre el público adolescente* · **fama** · **gloria** · **celebridad** · **victoria** · **triunfo** || **destello** · **brillo** · **resplandor** *Un resplandor fugaz iluminó el horizonte* · **esplendor** · **fogonazo** · **centelleo** · **deslumbramiento** · **chispa** · **luminaria** || **relación** · **matrimonio** · **noviazgo** *Tuvieron un noviazgo fugaz y ahora son grandes amigos* · **flirteo** · **romance** · **aventura** || **pareja** · **novio,via** || **alusión** · **referencia** · **mención** || **felicidad** · **alegría** · **alivio** · **consuelo**

fugazmente adv.

● CON VBOS. **aparecer** · **asomar** · **regresar** · **volver** · **llegar** · **reaparecer** *El actor reapareció fugazmente en aquella película* · **emerger** · **salir a flote** · **desaparecer** || **pasar** · **cruzar** · **atravesar** *Un oscuro pensamiento atravesó fugazmente su mente* · **desplazar(se)** · **encaminar(se)** · **mover(se)** · **superar** || **situar(se)** · **alcanzar** · **conquistar** · **encabezar** · **ocupar** || **recordar** · **rememorar** *un período intenso y fructífero, que fue fugazmente rememorado por el autor en sus memorias* · **olvidar** || **ver** · **atisbar** · **mirar** · **distinguir** · **identificar** · **reparar** · **presenciar** || **exponer** · **exhibir** · **mencionar** · **mostrar** · **subrayar** || **relumbrar** · **brillar** · **destellar** · **iluminar** || **acercar(se)** · **equiparar(se)** · **tocar(se)** · **contactar** · **acariciar** · **estrechar** · **rozar** · **conocer** · **relacionarse** *Coincidí con él en muy pocas ocasiones, así que solo nos hemos relacionado fugazmente* · **saludar** || **encargarse (de algo)** · **ejercer** · **dirigir**

fular s.m.

● CON ADJS. **vistoso** · **de colores** · **estampado** · **liso** · **de seda** || **clásico** · **elegante** || **anudado** *Llevaba un fular anudado de forma sofisticada sobre el pecho*

● CON VBOS. **vestir** · **llevar** · **poner(se)** · **quitar(se)**

fulgurante adj.

● CON SUSTS. **estrella** · **cometa** · **nieve** · **piedra preciosa** · **armadura** · **espada** || **mirada** *un joven moreno, de ojos grandes y mirada fulgurante* · **pupila** || **destello** · **chispazo** || **color** *Desde allí se veía el mar, de fulgurante color turquesa* · **colorido** · **pintura** · **mancha** · **figura** · **imagen** || **éxito** · **triunfo** · **victoria** · **acierto** · **auge** || **aparición** · **comienzo** · **salida** · **inicio** · **arranque** · **irrupción** · **despegue** · **debut** *El actor, en su fulgurante debut como guionista y director, supo conciliar...* · **entrada** · **apertura** || **minuto** · **curso** · **jornada** · **día** · **año** · ***otros períodos*** || **ascenso** · **ascensión** · **subida** · **crecimiento** · **expansión** · **aceleración** · **progresión** · **evolución** · **salto** · **vuelo** · **acelerón** || **carrera** *Tras obtener su título de economista, comenzó una fulgurante carrera política* · **trayectoria** · **desarrollo** · **camino** · **marcha** · **paso** · **vida** · **pasado** · **galopada** || **texto** · **diálogo** · **relato** · **ensayo** · **estilo** · **prosa** · **retórica** || **reacción** · **respuesta** · **solución** · **decisión** · **determinación** · **intervención** || **contraataque** · **contragolpe** · **gol** *Bastó con un gol fulgurante al principio del segundo tiempo para dar la vuelta a la situación* · **jugada** · **juego** · **tanto** · **tiro** · **recorte** · **remontada** · **encuentro** || **ofensiva** *El ejército inició una fulgurante ofensiva en...* · **ataque** · **batalla** · **guerra** · **reconquista** || **artista** · **pianista** · **escritor,-a** · **jugador,-a** *Ya no era el fulgurante jugador de otros tiempos* || **belleza** · **alegría** · **cualidad** · **personalidad** || **amor** · **enamoramiento** · **pasión** · **romance** · **idilio** · **romanticismo** · **relación**

fulminante adj.

● CON SUSTS. **cáncer** *Murió de un cáncer fulminante* · **infarto** · **parálisis** · ***otras enfermedades mortales*** || **muerte** · **fallecimiento** || **golpe** · **gancho** · **puñetazo** · **puñalada** · **estocada** · **disparo** || **remate** · **gol** · **jugada** *Marcó el segundo gol en una fulminante jugada de contragolpe* · **regate** || **cese** · **despido** · **destitución** · **expulsión** · **dimisión** · **baja** · **defenestración** || **supresión** *La supresión fulminante de la medicación antidepresiva puede tener graves consecuencias* · **eliminación** · **sustitución** · **cancelación** · **suspensión** · **rescisión** · **exclusión** || **reacción** · **respuesta** · **réplica** · **contestación** *La fulminante contestación dejó descolocado a su rival* · **mirada** || **decisión** · **determinación** · **dictamen** · **medida** · **orden** || **ataque** · **caída** *La empresa sufrió ayer una caída fulminante de su cotización a causa de...* · **contraataque** · **contragolpe** · **asalto** · **asedio** · **conquista** · **reconquista** || **irrupción** · **arrancada** · **arranque** · **entrada** · **debut** · **despegue** || **éxito** · **victoria** || **carrera** *Poco después emprendió una carrera fulminante como actriz* · **trayectoria** || **ascenso** · **progresión** · **avance** · **subida** · **escalada** || **efecto** · **consecuencia** · **resultado** · **repercusión**

fulminar (con) v.

● CON SUSTS. **mirada** *Cuando se lo dije, me fulminó con la mirada* · **gesto** · **ojos**

fumador, -a s.

• CON ADJS. **empedernido,da** *Cuando la conocí ya era una fumadora empedernida* · **compulsivo,va** · **tenaz** · **recalcitrante** · **impenitente** · **inveterado,da** || **ocasional** · **esporádico,ca** · **habitual** *Soy fumadora habitual desde hace unos años* || **pasivo,va** · **activo,va**

fumar v.

• CON SUSTS. **cigarrillo** · **puro** · **porro** · **droga** · **tabaco** {**rubio/negro...**}
• CON ADVS. **sin parar** · **incesantemente** · **como una chimenea** *Cuando está nervioso fuma como una chimenea* · **como un carretero** · **como un loco** · **insistentemente** · **compulsivamente** || **ocasionalmente** · **esporádicamente** · **con moderación** || **a hurtadillas** *La pillamos fumando a hurtadillas* · **a escondidas** || **en pipa**

[función] → en funciones; función

función s.f.

▌[responsabilidad, uso, papel]

• CON ADJS. **vital** · **decisiva** · **crucial** · **esencial** *una función esencial dentro de la empresa* · **primordial** · **fundamental** · **secundaria** · **determinante** · **preponderante** || **destacada** · **activa** · **estricta** · **exhaustiva** || **tangencial** || **testimonial** · **representativa** · **reguladora** || **penosa** · **sacrificada** || **delicada** *La de la embajadora es una función sumamente delicada* || **curativa** · **catártica** · **docente** · **social** · **práctica** · **absorbente** · **coagulante** || **legítima**
• CON VBOS. **devaluar(se)** · **desnaturalizar(se)** || **tomar** · **asumir** · **aceptar** · **absorber** · **adquirir** · **aunar** || **perder** · **cancelar** · **anular** || **tener** *¿Qué función tiene esta palanca?* · **ejercer** · **desempeñar** · **realizar** · **cumplir** · **hacer** · **llevar a cabo** · **atender** || **desatender** *La acusaron de desatender sus funciones* · **vulnerar** · **exceder** *No asumiré esa responsabilidad porque excede mis funciones* || **encomendar** · **ceder** · **traspasar** · **delegar** · **compartir** · **asignar** · **atribuir** · **dar (a algo)** || **usurpar** · **arrogarse** · **suplantar** || **deslindar** · **delimitar** · **adecuar** || **conocer** · **analizar** || **prorrogar** || **abdicar (de)** *Fue entonces cuando abdicó de sus funciones como presidente* || **ceñir(se) (a)** · **atenerse (a)** · **cambiar (de)** || **extrapolarse (en)** · **excederse (en)** *El viceconsejero adjunto se ha excedido en sus funciones*
• CON PREPS. **sin perjuicio (de)**

▌[espectáculo, puesta en escena]

• CON ADJS. **de gala** · **teatral** · **benéfica** || **redonda** *Nos salió una función redonda* || **matinal** · **vespertina** · **nocturna**
• CON VBOS. **empezar** · **terminar** *La función terminó con una larga ovación* || **representar** · **dar** · **suspender** · **ensayar** || **asistir (a)**

▌[relación formal]

• CON ADJS. **algebraica** · **lógica** · **matemática** · **aritmética** · **geométrica** · **parabólica**

☐ EXPRESIONES **en funciones*** [en sustitución provisional del titular del cargo] || **en función de** (algo) [dependiendo de ello]

funcionar v.

• CON SUSTS. **máquina** · **lavadora** · **lavavajillas** · **radio** · **aspiradora** · ***otros aparatos electrónicos*** || **motor** · **mecanismo** || **producto** · **artículo** · **invención** || **obra** · **película** *La película no funcionó y el director se arruinó* · **novela** · **disco** · **antología** · ***otras creaciones*** || **empresa** *La empresa no funciona como quisiéramos* · **negocio** · **fábrica** || **idea** · **plan** || **relación** *Hace años que su relación no funciona bien* · **acuerdo** · **pacto** · **equipo** || **cabeza** *Últimamente parece que no me funciona muy bien la cabeza* · **riñón** · ***otras partes del cuerpo***
• CON ADVS. **bárbaro** · **a plena satisfacción** · **correctamente** · **adecuadamente** · **apropiadamente** || **ni a la de tres** *Este trasto no funciona ni a la de tres* · **con dificultad** · **a duras penas** · **a trancas y barrancas** · **incorrectamente** || **a medias** · **a medio gas** · **a cámara lenta** || **a tope** · **a pleno rendimiento** *En aquella época la fábrica funcionaba a pleno rendimiento* · **a toda máquina** · **a todo tren** || **con fluidez** · **como un reloj** · **como la seda** · **a las mil maravillas** *Mi cámara nueva funciona a las mil maravillas* · **viento en popa** || **en equipo** · **armónicamente** · **al unísono** · **coherentemente** || **temporalmente** · **ocasionalmente** || **comercialmente** *Retiraron el producto porque no funcionaba comercialmente*

funcionario, ria s.

• CON ADJS. **municipal** · **público,ca** · **estatal** · **policíaco,ca** · **de prisiones** || **eficaz** · **rápido,da** · **experimentado,da** · **experto,ta** · **ineficaz** · **lento,ta** · **perezoso,sa** · **corrupto,ta** || **alto,ta** *una alta funcionaria de la administración regional* · **administrativo,va**
• CON SUSTS. **oposición (a)** *Me estoy preparando las oposiciones a funcionario municipal* || **puesto (de)**
• CON VBOS. **trabajar (como/de)**

funda s.f.

• CON VBOS. **cubrir (algo)** *Una funda cubre los sofás y los protege del polvo* · **tapar (algo)** · **proteger (algo)** · **aislar (algo)** || **colocar** · **estirar** · **poner** · **quitar** || **sacar (de)** · **meter (en)** · **guardar (en)** · **conservar (en)**
• CON PREPS. **dentro (de)** *Nunca me olvido de guardar las gafas dentro de la funda*

☐ EXPRESIONES **funda nórdica** [cubierta en la que se envuelve un relleno de plumas]

fundación s.f.

• CON ADJS. **benéfica** · **cultural** || **pública** · **privada** *¿Qué fundación privada subvenciona este proyecto de investigación?*
• CON SUSTS. **director,-a (de)** · **presidente,ta (de)** || **sede (de)** · **sala (de)** || **beca (de)** *Las becas de la fundación permiten a varios jóvenes estudiar en el extranjero* · **patrocinio (de)** || **colección (de)** · **fondos (de)** || **estatuto (de)**
• CON VBOS. **acoger (algo)** · **exponer (algo)** *La fundación expone las mejores obras de su colección de pintura* · **exhibir (algo)** · **organizar (algo)** · **celebrar (algo)** · **publicar (algo)** · **convocar (algo)** || **patrocinar (algo)** · **becar (a alguien)** · **colaborar (en algo)** · **apoyar (algo/a alguien)** || **constituir** · **crear** · **presidir** *El escritor preside la fundación cultural que lleva su nombre* · **dirigir**

fundado, da adj.

• CON SUSTS. **argumento** · **hipótesis** · **idea** · **opinión** · **reflexión** · **crítica** · **análisis** || **sentimiento** · **sensación** · **impresión** · **percepción** *...una percepción firme, fundada en algo más que indicios ocasionales* || **indicio** · **conjetura** · **especulación** · **creencia** · **presunción** · **estimación** || **duda** · **sospecha** *Existen sospechas fundadas de que el empresario participó en la estafa* · **alarma** · **temor** · **miedo** · **inquietud** · **recelo** || **rechazo** · **protesta** · **reivindicación** · **reclamación** · **acusación** · **denuncia** · **queja** *...se sancionará a todo empleado del que se hayan recibido quejas fundadas* · **querella** || **esperanza** · **expectativa** · **aspiración** · **pretensión** || **rumor** · **tópico**

fundador, -a adj.

• CON SUSTS. **socio,cia** *Hoy hacen un homenaje al único socio fundador todavía vivo* · **miembro** · **presidente,ta** · **director,-a** || **país** · **estado** || **grupo** · **núcleo**

fundamentado, da adj.

• CON SUSTS. **acción** · **actuación** || **criterio** · **opinión** *...con el objetivo de enseñar a los alumnos a expresar opiniones fundamentadas* · **análisis** · **razón** · **argumento** · **juicio** · **tesis** || **acusación** · **crítica** · **queja** · **denuncia** *Ninguna de las denuncias estaba fundamentada* · **ataque** || **sospecha** · **duda** · **impresión** || **petición** · **suplicatorio** · **reclamación** · **querella** · **pedido** || **esperanza** · **expectativa** · **posibilidad** || **resolución** · **decisión** · **opción**

fundamental adj.

• CON SUSTS. **aspecto** *El ministro resaltó los aspectos fundamentales de la nueva ley* · **rasgo** · **característica** · **diferencia** || **papel** · **figura** · **nombre** || **principio** · **premisa** · **requisito** || **libertad** · **derecho** *una campaña en defensa de los derechos fundamentales* · **ley** || **propósito** · **meta** · **objetivo** || **aportación** · **investigación** || **descubrimiento** · **hallazgo** · **logro** || **componente** *Los componentes fundamentales de esta estructura son...* · **miembro** · **pieza** · **elemento** · **partícula** · **instrumento** || **causa** · **motivo** · **razón** · **síntoma** || **regla** · **pauta** · **eje** || **preocupación** · **problema** · **error** || **texto** *Los textos fundamentales de esta autora se encuentran en...* · **libro** · **novela** · **ópera** · **cuadro** · ***otras obras*** || **valor** · **idea** · **ideología** · **enseñanza** || **tema** *El tema fundamental de la obra es la fugacidad del tiempo* · **cuestión** · **contenido** || **clave** · **pilar** · **piedra**
• CON VBOS. **volverse** · **hacer(se)**

fundamentalmente adv.

• CON VBOS. **centrar(se)** · **orientar(se)** · **dirigir(se)** · **concentrar(se)** *Sus esfuerzos se concentran fundamentalmente en aislar el virus que causa la enfermedad* · **ocuparse** · **interesar(se)** · **preocupar(se)** || **trabajar** · **dedicar(se)** · **estudiar** · **encargarse** || **basar(se) (en algo)** · **apoyar(se) (en algo/en alguien)** · **depender (de algo)** · **deber(se) (a algo)** || **consumir** · **tomar** · **alimentar(se)** || **consistir (en algo)** · **tratar (de algo)** · **versar (sobre algo)** || **afectar** *La escasez de agua afecta fundamentalmente a los cultivos hortícolas* · **influir** || **caracterizar(se) (por algo)** || **emplear** · **utilizar** · **recurrir** || **hablar (de algo)** · **escribir (sobre algo)**

fundamentar v.

• CON SUSTS. **postura** · **opinión** *...al fundamentar su opinión en datos más que en corazonadas* · **idea** · **crítica** · **manifestación** · **afirmación** · **estrategia** · **planteamiento** · **esquema** · **apreciación** || **decisión** · **acuerdo** · **hecho** || **solicitud** · **petición** · **ruego** || **sentencia** · **acusación** *No había elementos suficientes para fundamentar la acusación* || **negativa** · **rechazo** · **renuncia** || **triunfo** · **victoria** || **necesidad** || **hipótesis** · **intuición** · **teoría** || **duda** · **sospecha** · **especulación**
• CON ADVS. **específicamente** · **concretamente** · **precisamente** · **esencialmente** · **básicamente** || **realmente** · **verdaderamente** · **auténticamente**

□ USO Se construye a menudo con complementos encabezados por la preposición *en*: *Nuestra postura se fundamenta en diversos estudios que...*

[fundamento]

→ fundamento; sin (ningún) fundamento

fundamento s.m.

• CON ADJS. **sólido** · **firme** · **de peso** *No existe ningún fundamento de peso en el que apoyar la denuncia* · **determinante** · **básico** · **último** || **atentatorio,ria (contra)** || **acorde (con)**
• CON SUSTS. **agresión (contra)** *Pensamos que esta iniciativa supone una agresión contra los fundamentos de nuestra sociedad* · **ataque (contra)** · **defensa (de)**
• CON VBOS. **tener** · **establecer** *Lo más importante es establecer los fundamentos del acuerdo* || **seguir** · **acatar** · **aceptar** || **violar** · **incumplir** · **socavar** · **poner patas arriba** · **criticar** || **atenerse (a)** · **ajustar(se) (a)** || **ir (contra)** · **atentar (contra)** *una acción que atenta contra los fundamentos democráticos de nuestra convivencia* || **carecer (de)**
• CON PREPS. **sin** · **con** *hablar con fundamento*

fundición s.f.

• CON ADJS. **antigua** · **moderna** || **de hierro** · **de acero** · **de vidrio** · **en bronce**
• CON SUSTS. **técnica (de)** · **método (de)** · **proceso (de)** *el proceso de fundición del hierro* || **empresa (de)** · **planta (de)** · **pabellón (de)** · **taller (de)** · **horno (de)** · **caldera (de)** || **pieza (de)** · **molde (de)** · **estructura (de)** · **bloque (de)** · **tubería (de)**
• CON VBOS. **dirigir** *Nuestro invitado dirige la mayor fundición de acero del país* · **instalar** · **cerrar** · **clausurar** || **visitar** · **recorrer** · **inspeccionar** || **trabajar (en)**

fúnebre adj.

• CON SUSTS. **pompas** · **honras** · **ceremonia** · **ritual** · **acto** · **homenaje** · **cortejo** *un cortejo fúnebre compuesto por...* · **procesión** || **oración** · **discurso** · **elogio** || **música** · **marcha** *¿Sabes quién compuso esa conocida marcha fúnebre?* · **canto** || **coche** · **furgón** · **carroza** || **imagen** · **aspecto** · **tono** · **carácter**

funeral s.m.

• CON ADJS. **sentido** · **emotivo** *Ayer se tributó un emotivo funeral a la artista* · **frío** · **tenso** || **multitudinario** *...un multitudinario funeral en su memoria* · **impresionante** || **oficial** · **de Estado** *Se celebró un funeral de Estado en honor a las víctimas* · **solemne** · **regio** || **religioso** *¿Sabes cuándo se celebrará el funeral religioso de...?* · **catedralicio**
• CON VBOS. **tener lugar** · **transcurrir** *El funeral transcurrió en un ambiente de tristeza* || **hacer (a alguien)** · **dar (a alguien)** · **tributar (a alguien)** · **rendir (a alguien)** || **oficiar** *El obispo oficiará el funeral en la catedral de la ciudad* · **celebrar** · **organizar** · **presidir** · **pagar** || **tener** || **protagonizar** || **politizar** || **postergar** · **prohibir** || **invitar (a)** || **asistir (a)** · **acudir (a)** *Miles de personas acudieron ayer al funeral* · **faltar (a)**

funerario, ria adj.

• CON SUSTS. **empresa** · **servicio** · **mercado** · **negocio** · **agencia** · **sector** · **monopolio** || **arte** · **máscara** · **estela** *En las excavaciones descubrieron varias estelas funerarias* · **lápida** · **piedra** · **losa** · **inscripción** · **figura** · **caja** · **urna** || **ceremonia** · **rito** · **costumbre** · **práctica** · **cultura** || **arquitectura** · **construcción** · **edificio** · **recinto** · **local** · **conjunto** *El conjunto funerario será abierto al público próximamente* · **templo** · **monumento** · **pirámide** · **cripta** · **cámara** · **sala** · **nicho** || **acto** · **honras** · **procesión** · **misa** · **liturgia** || **material** · **ropa** · **ajuar** *El ajuar funerario del difunto ha sido estudiado por varios especialistas* || **canto** · **canción** || **coche** · **furgón** · **transporte** || **hallazgo** · **yacimiento** || **tono** · **semblante** || **recuerdo** · **elogio** || **elemento** · **símbolo** · **corona**

funesto, ta adj.

●CON SUSTS. **suceso · acontecimiento · evento · episodio · hecho || enfermedad · violencia · desastre · guerra ||** ***persona*** *un funesto personaje* **|| aplicación** *La funesta aplicación de la ley tuvo graves consecuencias* **· llegada · aparición · cambio · experiencia || institución · empresa · régimen || película · novela · cuento · ópera ·** ***otras obras*** **|| año · día · noche** *la noche más funesta de mi vida* **· hora ·** ***otros momentos o períodos*** **|| consecuencia · repercusión · balance · efecto · resultado · saldo · secuela · desenlace || manía** *...por su funesta manía de pensar en voz alta* **· costumbre · práctica · creencia · tradición || destino · augurio · presagio · presentimiento · previsión · diagnóstico · visión · designio || azar · casualidad · coincidencia · accidente || error · equivocación · descuido · equívoco · fallo · desaguisado · confusión · desviación || recuerdo** *...ante el funesto recuerdo de los atentados* **· memoria · pasado · precedente**

furia s.f.

●CON ADJS. **ciega** *la furia ciega e incontrolable de los atacantes* **· animal · violenta · desmedida · desatada · arrebatada · brava · desenfrenada · imparable · incontenible · irrefrenable · arrolladora · demoledora · arrebatadora · implacable || contenida** *el dominio y la furia contenida demostrados a lo largo de la carrera* **|| preso,sa (de)**

●CON SUSTS. **ataque (de)** *Nos sorprendió su ataque de furia* **· acceso (de) · arranque (de) · arrebato (de)**

●CON VBOS. **desatar(se) · desencadenar(se) · entrar (a alguien) · poseer (a alguien) || calmar(se) · sosegar(se) · apagar(se) || aplacar · atemperar · apaciguar · detener || liberar · descargar · derramar || sentir || dar rienda suelta (a)**

furibundo, da adj.

▌[enfadado]

●CON SUSTS. **carácter · mirada** *Me lanzó una mirada furibunda en mitad de la reunión* **|| ataque · crítica · queja ||** ***persona*** **|| reacción · respuesta · golpe || protesta · discusión** *Se organizó una discusión furibunda entre los portavoces de cada partido* **|| discurso · campaña**

●CON VBOS. **estar · poner(se)**

▌[entusiasta]

●CON SUSTS. **seguidor,-a** *Era un seguidor furibundo de esa serie televisiva* **· hincha · defensor,-a · admirador,-a || afición · amor · regocijo || ritmo**

furioso, sa adj.

●CON SUSTS. ***persona*** **|| animal · bestia || golpe** *un furioso golpe de mar contra las rocas* **· ataque · combate || oposición**

●CON VBOS. **estar · poner(se)** *Se puso furioso conmigo por no habérselo contado antes*

furor s.m.

●CON ADJS. **auténtico · verdadero** *Esta serie está causando verdadero furor en mi país* **|| encendido · indómito · súbito**

●CON VBOS. **provocar · desatar || detener · apagar || actuar (con)**

□EXPRESIONES **furor uterino** [deseo sexual irrefrenable en la mujer] **|| hacer** (algo) **furor** [ponerse o estar muy de moda] *Las medias que llevaba hicieron furor hace unos años*

furtivamente adv.

●CON VBOS. **entrar** *Esperaron a la noche para entrar furtivamente en el recinto* **· salir · merodear · transitar · escabullirse · huir || cazar · pescar || visitar · encontrar(se) · citar(se) · quedar || relacionar(se) · amar(se) · besar(se)** *Se besaban furtivamente cuando lograban escapar de las miradas* **|| observar · mirar · escuchar**

furtivo, va adj.

●CON SUSTS. **cazador,-a · caza · pescador,-a · pesca || encuentro · cita · contacto · visita || relación · amor · beso || lágrima** *Por su rostro resbaló una lágrima furtiva* **|| mirada || experiencia**

fusible s.m.

●CON SUSTS. **caja (de)**

●CON VBOS. **fundir(se) · saltar** *Veamos por qué han saltado los fusibles* **· quemar(se) · fallar || cambiar**

fusión s.f.

●CON ADJS. **nuclear || financiera · comercial · empresarial · bancaria · sectorial || espiritual || progresiva · repentina · inesperada** *La inesperada fusión bancaria no ha gustado a los inversores*

●CON SUSTS. **propuesta (de) · plan (de)** *Elaboraron un ambicioso plan de fusiones comerciales* **· proyecto (de) · operación (de) · acuerdo (de) · proceso (de) || temperatura (de)**

●CON VBOS. **gestarse** *La fusión se gestó en la reunión del lunes* **· producir(se) || proponer · acordar · negociar · acelerar · culminar · aprobar · autorizar · anunciar || impedir · prohibir · obstaculizar** *La competencia intentó obstaculizar la fusión de ambas entidades* **· evitar · retrasar**

fusionar(se) v.

●CON SUSTS. **átomo · núcleo || empresa** *Que ambas empresas se fusionasen fue la mejor decisión* **· compañía · entidad · banco · sociedad · corporación · grupo || alma · corazón**

fuste s.m.

●CON ADJS. **escaso** *un conferenciante de escaso fuste* **· notable**

●CON SUSTS. **personaje (de)** *Es un personaje de mucho fuste* **· profesional (de) · científico,ca (de) · artista (de) · equipo ·** ***otros individuos y grupos humanos*** **|| obra (de)** *una obra de poco fuste*

●CON VBOS. **tener · perder || reconocer || carecer (de)**

fútbol s.m.

●CON ADJS. **vistoso · espectacular · imaginativo · elegante · de calidad || lento · aburrido · tosco || mediocre · discreto · pobre · sencillo · técnico · elaborado || agresivo · de ataque · directo** *El equipo apuesta por un fútbol directo e imaginativo* **· ofensivo || defensivo · conservador · práctico || clásico · moderno**

●CON SUSTS. **portero,ra (de) · delantero,ra (de) · centrocampista (de) · defensa (de) · técnico (de) · masajista (de) · árbitro (de) || seguidor,-a (de) · hincha (de) · amante (de) || campo (de) · estadio (de)** *Debido a los incidentes han clausurado el estadio de fútbol* **|| cantera (de) · federación (de) || tarde (de) · noche (de)** *Se espera una gran noche de fútbol* **|| bota (de) · balón (de) · pelota**

(de) || **sala** *un partido de fútbol sala* · **playa** · **siete** · **americano**
● CON VBOS. **escuchar** · **ver** || **retransmitir** || **saber (de)**
➤ Véase también **DEPORTE**

futuro, ra s.m.

● CON ADJS. **halagüeño** · **prometedor** *...lo cual podría empañar su prometedor futuro* · **ilusionante** · **esperanzador** · **alentador** · **arrollador** || **amenazante** · **amenazador** || **venturoso** · **feliz** · **idílico** · **mejor** || **incierto** · **inseguro** · **resbaladizo** · **nebuloso** · **imprevisible** · **impredecible** · **insospechado** · **azaroso** || **desolador** · **aciago** · **desesperanzador** · **negro** · **nublado** · **precario** || **predecible** · **previsible** · **inequívoco** || **próximo** · **cercano** *Podría cambiarse la Constitución en un futuro cercano* · **inmediato** · **remoto** · **lejano** · **a {corto/medio/largo} plazo** *Dispondremos de una vacuna en un futuro a medio plazo*
● CON SUSTS. **plan (de/para)** · **previsión (de)** · **expectación (de)**
● CON VBOS. **esperar (a alguien)** · **aguardar (a alguien)** · **presentar(se)** · **deparar (a alguien)** *Nadie sabe lo que deparará el futuro* || **despejar(se)** · **sonreír (a alguien)** *Por fin parece que nos sonríe el futuro* || **nublar(se)** · **malograr(se)** · **torcer(se)** || **predecir** · **adivinar** · **aventurar** · **augurar** *Auguró a la pareja un venturoso futuro* · **prejuzgar** || **vislumbrar** · **ver** · **atisbar** · **conocer** || **proporcionar** · **auspiciar** · **dar** · **ofrecer** · **tener (por delante)** *Esta chica tiene por delante un futuro prometedor* || **desvelar** · **descifrar** · **dilucidar** || **segar** · **hipotecar** || **encarar** · **afrontar** || **perfilar** · **clarificar** || **perseguir** · **encarrilar** · **enderezar** · **forjar** · **labrarse** *A fuerza de estudiar se está labrando un futuro prometedor* · **cimentar** || **programar** · **trazar** · **marcar** || **sellar** · **ligar** · **comprometer** || **preconizar** || **abrir(se) (a)** · **dirigir(se) (a)** · **caminar (hacia)** · **avanzar (hacia)** · **plantar cara (a)** *Tenemos que aprender a plantar cara al futuro* || **cerrar los ojos (ante)** · **desentenderse (de)** || **prepararse (para)** · **preocuparse (por)** · **pensar (en)** *Todo lo hace pensando en el futuro de sus hijos* · **mirar (a/hacia)**
● CON PREPS. **con miras (a)** · **para** · **ante** || **con** *una profesión con futuro* · **sin**

G g

gabardina s.f.

● CON ADJS. **clásica**
● CON SUSTS. **forro (de)** *Se me ha roto el forro de la gabardina* || **gambas (con/a)** *una ración de gambas a la gabardina*
● CON VBOS. **ocultar(se) (bajo)** · **enfundar(se) (en)**
➤ Véase también **ROPA**

gabinete s.m.

▌[despacho, oficina]

● CON ADJS. **de crisis** *abrir un gabinete de crisis* || **jurídico** · **fiscal** · **ministerial** · **diplomático** · **gubernativo** · **de prensa** · **de comunicación** · **comisarial** · **académico** · **económico** · **militar** || **psicopedagógico** *En este gabinete psicopedagógico trabajan varios prestigiosos psicólogos* · **técnico** · **científico** · **de estudios** · **de mediación** · **de orientación** || **avanzado** · **regional** · **local** · **nacional**

gaceta s.f.

● CON ADJS. **literaria** *Escribo artículos en una gaceta literaria* · **médica** · **universitaria** · **oficial** · **informativa** · **de noticias** · **de sucesos** · **de sociedad** || **periódica** · **mensual** · **semanal** · **trimestral** · **semestral**
● CON SUSTS. **suscripción (a)** · **edición (de)**
● CON VBOS. **publicar** *Volvieron a publicar la gaceta cuando se instauró la democracia* · **editar** || **dirigir** · **coordinar** || **leer** · **hojear** || **escribir (en)** || **suscribir(se) (a)**

gacho, cha adj.

● CON SUSTS. **cabeza** *Reconoció, con la cabeza gacha, que había roto el jarrón* · **orejas** · **mirada** · **ojos**
● CON VBOS. **estar** · **poner(se)** · **mantener(se)**

gafar(se) v. *col.*

● CON SUSTS. **día** *Cada vez que vienes de negro se te gafa el día* · **plan** · **evento** · **asunto** · **negocio** · **proyecto** || **juego** · **deporte** · **partido** *Parece que el partido se ha gafado*

gafas s.f.pl.

● CON ADJS. **de sol** *A veces uso gafas de sol* · **graduadas** · **para leer** · **de cerca** *¿Dónde habré puesto mis gafas de cerca?* · **de lejos** · **progresivas** · **especiales** · **protectoras** *...ya que los soldadores necesitan gafas protectoras para trabajar* · **multifocales** || **ahumadas** *...lo observa todo detrás de unas gafas ahumadas* · **de espejo** || **panorámicas** · **de visión nocturna** · **de soldador** · **de buceo** · **de piscina** · **de esquí** || **de pasta** · **de concha** · **de carey** · **de plástico** || **modernas** · **estilosas** · **clásicas** · **de diseño**
● CON SUSTS. **montura (de)** · **funda (de)** *He perdido la funda de las gafas* · **cristal (de)**
● CON VBOS. **empañar(se)** · **romper(se)** || **llevar** · **usar** · **utilizar** · **poner(se)** *Solo me pongo las gafas para conducir* · **calar(se)** · **probar(se)** · **quitar(se)** || **necesitar** · **prescribir (a alguien)** || **graduar** || **cambiar (de)**

gafe

1 **gafe** adj.

● CON SUSTS. ***persona*** *Tu amigo, además de pesimista, es muy gafe* || **año** · **día** *Cuando salga del examen te diré si ha sido o no un día gafe* · ***otros momentos o períodos*** || **lugar** · **situación** · **asunto** || **fama (de)** *La fama de gafe que arrastra es bien merecida*

2 **gafe** s.com.

● CON ADJS. **verdadero,ra** · **auténtico,ca**
● CON SUSTS. **aureola (de)** · **sombra (de)**
● CON VBOS. **tener** *Parece que tiene el gafe, se nos estropeó el coche nada más salir* · **arrastrar** || **romper** · **evitar** · **echar** · **espantar** || **cuidar(se) (de)** · **acabar (con)**

gaita s.f.

● CON ADJS. **gallega** · **asturiana** · **escocesa** · **bretona** · **venezolana** || **eléctrica**
➤ Véase también **INSTRUMENTO MUSICAL**

☐ EXPRESIONES **templar gaitas** [interceder, mediar] *col.*

[gala] → de gala; gala; hacer gala (de)

gala s.f.

● CON ADJS. **benéfica** *una gala benéfica para recaudar fondos* · **solidaria** · **comprometida** || **rigurosa** · **solemne** || **lírica** · **cinematográfica** · **televisiva** || **nocturna** · **veraniega** *una gala veraniega que se celebra todos los años en un lugar diferente* · **anual** || **en honor de alguien** || **inaugural** · **de inauguración** · **de apertura** · **de clausura**
● CON SUSTS. **baile (de)** *El baile de gala tendrá lugar en...* · **función (de)** · **cena (de)** · **concierto (de)** || **traje (de)** · **vestido (de)** || **equipo (de)** *El entrenador ha decidido sacar a su equipo de gala*
● CON VBOS. **celebrar(se)** · **tener lugar** || **organizar** *¿Sabes quién ha organizado esta gala?* · **ofrecer** || **presentar** · **dirigir** || **abrir** · **despedir** || **asistir (a)** · **acudir (a)** || **participar (en)**
● CON PREPS. **de** *traje de gala*

☐ EXPRESIONES **hacer gala de** (algo)* [presumir de ello] || **tener a gala** (algo) [presumir en exceso de ello]

galantería s.f.

● CON ADJS. **exquisita** · **proverbial** · **masculina** · **excesiva** · **decimonónica** · **anacrónica**
● CON SUSTS. **clima (de)** · **gesto (de)** *En un sorprendente gesto de galantería...* · **falta (de)** · **muestra (de)**

• CON VBOS. **tener · demostrar · permitirse || corresponder · devolver** *De alguna manera hemos de devolver la galantería con la que nos ha tratado*
• CON PREPS. **con** *Respondió a su petición con una exquisita galantería*

galápago s.m.

• CON ADJS. **terrestre** *Los galápagos terrestres se aletargan en invierno entre el fango* · **acuático**
• CON SUSTS. **concha (de)**
• CON VBOS. **aletargarse · arrastrarse · bucear || desovar**

galardón s.m.

• CON ADJS. **merecido** *Concedieron al escritor un merecido galardón* · **inmerecido || preciado · ansiado · codiciado || digno**
• CON SUSTS. **entrega (de) · concesión (de)**
• CON VBOS. **recaer** *El ansiado galardón recayó en...* **|| otorgar · conceder** *El jurado ha acordado por unanimidad conceder el galardón a...* · **ofrecer || recibir · obtener · ganar · conquistar · merecer || compartir · dedicar || exhibir** *El actor exhibía con orgullo el preciado galardón* · **lucir · ostentar || desear · anhelar · perseguir**

galardonado, da adj.

• CON VBOS. **resultar · salir** *Su última novela salió galardonada anoche*

galardonar v.

• CON SUSTS. **ganador,-a · participante** *El director galardonó con una medalla a todos los participantes de la carrera* · **equipo · escritor,-a · artista ·** ***otros individuos y grupos humanos*** **|| labor · trabajo** *Con este premio se galardona el trabajo de toda una vida* · **esfuerzo || investigación · campaña || obra · proyecto · libro · artículo · película · novela · imagen · fotografía ·** ***otras creaciones***
• CON ADVS. **merecidamente · justamente · debidamente**

galería

1 galería s.f.

▌[lugar]

• CON ADJS. **espaciosa · larga · amplia || luminosa · soleada || comercial**
• CON VBOS. **rodear (algo) · circundar (algo) || decorar · adornar · recorrer || pasear (por)** *Me encantaba pasear por las galerías de la universidad antigua*

▌[grupo, conjunto]

• CON ADJS. **amplia** *una amplia galería de personajes contemporáneos* · **nutrida · variada · variopinta · auténtica · nueva · curiosa · magnífica · fascinante · particular · atractiva · extensa · peculiar**

2 galería (de) s.f.

• CON SUSTS. **arte · exposiciones · retratos · fotos || personajes** *una obra en la que aparece una curiosa galería de personajes pintorescos* · **mujeres · tipos · héroes · rostros · poetas ·** ***otros individuos*** **|| alimentación** *Hago la compra en una galería de alimentación del barrio* · **tiendas || servicios** *un incendio en una galería de servicios del aeropuerto* · **evacuación · comunicación || tiro**

galés s.m. Véase **IDIOMA**

galimatías s.m. *col.*

• CON ADJS. **completo · total || verdadero · puro · auténtico · aparente || complicado · ininteligible** *Su carta era un galimatías ininteligible* · **incomprensible · incongruente · tremendo · extraño || de cifras · de números · lingüístico · argumental · jurídico · político · legal · ideológico · numérico · general**
• CON VBOS. **montar · desencadenar · originar · generar · provocar || ordenar · aclarar** *Quizá el contable te ayude a aclarar este galimatías de números* · **resolver · entender · descifrar || sortear || convertir(se) (en) · transformar(se) (en) || meter(se) (en) · salir (de)** *Ahora ya no sabe cómo salir del galimatías que desencadenaron sus opiniones* · **encontrarse {con/en/en medio (de)}**

gallardía s.f.

• CON ADJS. **notable · loable · indudable · verdadera · destacable · admirable || necesaria** *Carece de la necesaria gallardía para oponerse a la decisión de su jefe* · **suficiente · escasa · suma || acostumbrada · innata || moral · política** *A pesar de ser inocente, tuvo la gallardía política de renunciar a su cargo* · **personal · física**
• CON SUSTS. **imagen (de) · arranque (de)** *Tenga usted, señor ministro, un arranque de gallardía y atrévase a reconocer que...* · **lección (de) · muestra (de) · gesto (de) || falta (de) · ausencia (de)**
• CON VBOS. **tener · faltar · aparentar · derrochar · mostrar · demostrar · lucir || elogiar · pregonar · destacar**
• CON PREPS. **con** *Supo responder con gallardía a las falsas acusaciones de sus oponentes*

gallardo, da adj.

• CON SUSTS. **personaje · caballero · hombre · actor · actriz ·** ***otros individuos*** **|| actitud || estampa · planta · figura** *La actriz lucía su gallarda figura enfundada en un exótico vestido japonés*

gallego s.m. Véase **IDIOMA**

galleta s.f.

▌[pasta horneada]

• CON ADJS. **crujiente · sabrosa · dura · blanda || de chocolate · de mantequilla || energética** *He metido en la mochila unas cuantas galletas energéticas para el camino* · **dietética · nutritiva · sin azúcar · integral || casera · artesana**
• CON SUSTS. **caja (de) · envase (de) · paquete (de) · lata (de) || receta (de)**
• CON VBOS. **hacer · elaborar · hornear · dorar · tostar · bañar || mojar** *No mojo las galletas en la leche porque me gustan crujientes* · **untar || atiborrar(se) (de)**

▌[golpe] *col.*

• CON ADJS. **sonora** *Todos oyeron la sonora galleta que le dio*
• CON VBOS. **plantar (a alguien) · estampar (a alguien)**
➤ Véase también **GOLPE**

gallina s.f.

• CON ADJS. **ponedora · clueca · de puesta · de corral** *Habían comprado unas cuantas gallinas de corral para criarlas en el campo* · **autóctona || en pepitoria**
• CON SUSTS. **huevo (de) · carne (de) · caldo (de)** *Dicen las abuelas que no hay nada mejor para el resfriado que un caldo de gallina* · **piel (de) || granja (de) · corral (de)**
• CON VBOS. **cacarear · picotear (algo)** *Las gallinas picoteaban sin parar los restos de pan que los niños les arro-*

jaban · **empollar (algo)** · **cloquear** · **poner huevos** · **picar (algo/a alguien)** || **alimentar** · **criar** · **desplumar**

□ EXPRESIONES **gallina ciega** [juego infantil] || **la gallina de los huevos de oro** [fuente inagotable de beneficios] *col.*

gallinero s.m. *col.*

▌[en un teatro]

● CON SUSTS. **entrada (de)** · **asiento (de)** · **butaca (de)** · **público (de)** *El público del gallinero solía ser el más alborotador*

● CON VBOS. **llenar(se)** · **vaciar(se)** || **abarrotar** *A los cinco minutos de abrir el teatro ya se había abarrotado el gallinero*

gallito, ta

1 **gallito, ta** adj. *col.*

● CON SUSTS. ***persona*** *El árbitro expulsó del partido a un delantero gallito que se le había enfrentado* || **comportamiento** · **plan** *Venía en plan gallito*

● CON VBOS. **ponerse** *Se puso gallito conmigo...* · **mostrarse**

2 **gallito, ta** s. *col.*

● CON ADJS. **presumido,da** · **auténtico,ca**

● CON VBOS. **alardear** · **presumir** || **hacerse** *Le gusta hacerse el gallito delante de sus amigos*

gallo s.m

▌[animal]

● CON ADJS. **de pelea** · **de corral**

● CON SUSTS. **cresta (de)** · **pata (de)** || **pelea (de)** *El enfrentamiento entre ambos líderes políticos parecía una pelea de gallos* · **riña (de)** || **peso** *la categoría de peso gallo*

● CON VBOS. **cantar** · **cacarear** · **picar** || **despertar (a alguien)** || **desplumar**

▌[nota desafinada] *col.*

● CON VBOS. **escapárse(le) (a alguien)** *A algún miembro del coro se le ha escapado un gallo* || **soltar** · **hacer** || **perdonar** · **disculpar**

□ EXPRESIONES **en menos que canta un gallo** [en muy poco tiempo] *col.* || **otro gallo (nos) cantara** [otra cosa sucedería] *col.*

galopante adj.

● CON SUSTS. **crisis** *la crisis galopante que sufre el sector energético* · **inflación** · **déficit** · **desempleo** · **paro** · **deuda** · **pobreza** · **endeudamiento** · **especulación** · **bancarrota** · **devaluación** · **recesión** *El país está inmerso en una recesión galopante* || **corrupción** · **deterioro** · **degradación** · **deformación** · **degeneración** · **desigualdad** · **pérdida** *A la pérdida galopante de poder adquisitivo de la población hay que sumarle...* · **regresión** · **miseria** · **erosión** || **proceso** · **cambio** · **alcoholismo** · **drogadicción** · **delincuencia** · **burocratización** · **crueldad** · **contaminación** *...debido a la contaminación galopante que sufre nuestro planeta* · **sequía** · **pesimismo** · **materialismo** · **mundialización** || **cáncer** · **anemia** · **gripe** · ***otras enfermedades*** || **globalización** · **capitalismo** *uno de los símbolos más representativos del capitalismo galopante* · **liberalismo** · ***otras tendencias*** || **crecimiento** · **incremento** · **aumento** · **subida** · **difusión** || **ritmo** *La cuota de mercado está creciendo a un ritmo galopante* · **velocidad** · **proporción** · **paso**

galopar v.

● CON SUSTS. **jinete** || **caballo** *El caballo galopaba libremente por la campiña* · **yegua** · **equino** · **potro,tra**

galope s.m.

● CON ADJS. **largo** · **corto** · **de costado** · **circular** · **acompasado** · **desacompasado** *Los jueces penalizaron el galope desacompasado del caballo* || **vigoroso** · **violento** · **frenético**

● CON VBOS. **iniciar** · **frenar** *El jinete frenó el galope al acercarse a la valla*

□ EXPRESIONES **a {todo/pleno/puro} galope** · **a galope tendido** [muy deprisa]

gama

1 **gama** s.f.

● CON ADJS. **gran(de)** · **amplia** · **extensa** · **variada** *una gama variada de modelos* · **rica** · **limitada** · **pequeña** · **escasa** || **alta** *un coche de la gama alta* · **de lujo** · **media** · **baja** || **cromática** · **musical**

● CON VBOS. **ampliar** · **enriquecer** · **renovar** || **ofrecer** · **tener**

2 **gama (de)** s.f.

● CON SUSTS. **colores** *Puede elegir entre una rica gama de colores* · **matices** · **productos** · **materiales** · **modelos** · **motores** *La marca ofrece una gran gama de motores* · **recursos** · **posibilidades** · **disciplinas**

gamba s.f.

● CON ADJS. **fresca** · **congelada** · **pelada** || **cruda** · **a la plancha** · **al ajillo** *una ración de gambas al ajillo* · **a la gabardina** · **al natural**

● CON SUSTS. **cabeza (de)** · **cola (de)** · **cáscara (de)** *He puesto un plato para echar las cáscaras de las gambas* || **plato (de)** · **ración (de)**

● CON VBOS. **pescar** · **capturar** || **pelar** *Me encantan las gambas, pero odio pelarlas* · **cocer** · **freír** · **rebozar** · **saltear**

□ EXPRESIONES **meter la gamba** [hacer o decir algo poco acertado] *col.*

gamberrada s.f.

● CON ADJS. **cruel** · **mortal** · **inoportuna** || **juvenil** · **infantil** · **estudiantil** || **inocente** || **tonta** · **sin gracia** || **callejera** · **escolar**

● CON SUSTS. **autor,-a (de)** *Aún no hemos conseguido identificar a los autores de tan cruel gamberrada* · **víctima (de)** · **testigo (de)**

● CON VBOS. **ocurrírse(le) (a alguien)** || **hacer** · **sufrir** · **cometer** || **consentir** · **castigar** *Si no castigamos convenientemente las gamberradas, cundirá el mal ejemplo* || **confesar** · **reconocer** || **presenciar**

gamberro, rra

1 **gamberro, rra** adj.

● CON SUSTS. **espíritu** · **actitud** · **comportamiento** · **humor** · **alma** · **carácter** · **faceta** *Abrió el concierto con una canción en la que dejaba ver su faceta más gamberra* || ***persona***

2 **gamberro, rra** s.

● CON ADJS. **callejero,ra** *La Policía Municipal tomará medidas inmediatas contra los gamberros callejeros* · **urbano,na** || **pirómano,na** || **propio,pia (de)** *un comportamiento propio de gamberros*

• CON SUSTS. **grupo (de)** · **pandilla (de)** · **panda (de)** · **banda (de)**
• CON VBOS. **actuar** · **molestar (a alguien)** · **dañar (algo)** · **atacar (algo/a alguien)** *La atacaron unos gamberros en la parada del autobús* · **agredir (a alguien)** · **atemorizar (a alguien)** · **provocar (a alguien)** · **destrozar (algo)** · **apedrear (algo)** · **incendiar (algo)** · **quemar (algo)** · **arrasar (algo)** || **hacer** *Como no dejes de hacer el gamberro en clase, tendré que hablar con tus padres* || **coger** · **detener**

ganadería s.f.

• CON ADJS. **bovina** *Se ha registrado un descenso de la ganadería bovina local* · **ovina** · **porcina** || **famosa** · **legendaria** · **mítica** · **afamada** || **local** · **nacional** · **autóctona** || **extensiva** · **intensiva** || **brava** · **mansa** || **trashumante** *Son pocos los dedicados a la ganadería trashumante* || **productiva** · **ecológica**
• CON SUSTS. **empresario,ria (de)** · **dueño,ña (de)** *Es dueño de una ganadería afamada por su encaste* || **crianza (de)** *Se dedica a la crianza de ganadería ovina* · **explotación (de)** · **crecimiento (de)** · **producto (de)** · **derivado (de)** || **novillo (de)** · **toro (de)** · **res (de)** · **astado (de)** || **divisa (de)** *El toro muestra en su lomo la divisa de la ganadería a la que pertenece* · **escudo (de)** · **encaste (de)**
• CON VBOS. **desarrollar** · **fomentar** *Las medidas fomentarán la ganadería de la región* · **impulsar** · **premiar** || **heredar**

ganado s.m.

• CON ADJS. **nómada** · **trashumante** *por una zona en la que es frecuente el paso del ganado trashumante* || **vacuno** · **ovino** · **porcino** · **bovino** · **caprino** · **autóctono**
• CON SUSTS. **cabeza (de)** *Era mayoral de un rebaño con mil cabezas de ganado vacuno* || **matanza (de)** || **pastor,-a (de)** || **cría (de)**
• CON VBOS. **abrevar** *El ganado solía abrevar en esta fuente* · **pacer** || **desperdigar(se)** · **descarriarse** · **diseminar(se)** || **pastorear** · **apacentar** || **criar** *Se dedica a criar ganado* || **guardar** · **recoger** · **reunir** || **dispersar** · **separar** || **atacar** *Los lobos atacaban al ganado* · **diezmar** · **aniquilar**

ganador, -a

1 **ganador, -a** adj.

• CON SUSTS. **concursante** *El concursante ganador podrá volver la semana que viene* · **aspirante** || **equipo** *El equipo ganador recibirá un valioso premio* · **conjunto** · **institución** || ***otros individuos y grupos humanos*** || **opción** · **proyecto** || **novela** · **película** *una película ganadora de dos oscar* · **documental** · **cuadro** · ***otras obras*** || **candidatura** · **papeleta** · **boleto** || **caballo** *Apostamos al caballo ganador* || **espíritu** · **mentalidad** || **racha** *Lleva una racha ganadora: no ha perdido en toda la noche*

2 **ganador, -a** s.

• CON ADJS. **máximo,ma** *El máximo ganador del torneo es...* · **principal** · **absoluto,ta** · **único,ca** || **imbatible** · **insuperable** · **invicto,ta** · **invulnerable** · **aplastante** || **claro,ra** · **indiscutible** · **seguro,ra** · **auténtico,ca** · **moral** *Para público y especialistas fue la ganadora moral de la prueba* || **probable** · **eventual** · **futuro,ra** · **reciente** *El reciente ganador del certamen hizo unas breves declaraciones en rueda de prensa* · **inesperado,da** · **virtual** || **oficial** · **legítimo,ma** · **justo,ta** · **merecido,da** · **destacado,da** || **afortunado,da** *Tenemos ahora con nosotros al afortunado ganador de...* || **nato,ta** *Es un ganador nato* || **anónimo,ma**
• CON SUSTS. **nombre (de)** *El jurado reveló el nombre del ganador* · **identidad (de)**
• CON VBOS. **decidir** · **elegir** · **declarar (a alguien)** · **resultar** · **anunciar** || **identificar** · **distinguir** *El recuento de votos distinguía claramente al ganador* · **conocer** || **saberse** · **sentirse** || **felicitar** · **aclamar** *Los asistentes aclamaron con un largo aplauso al ganador del festival* · **aplaudir** · **vitorear** · **ovacionar** · **apoyar** || **condecorar** · **premiar** || **medirse (con)** · **enfrentarse (a)**

ganancia s.f.

• CON ADJS. **aproximada** *El negocio tuvo una ganancia aproximada de...* · **neta** || **tremenda** · **inmensa** · **incalculable** · **exorbitante** · **ilimitada** · **astronómica** · **desmedida** *Me parecen desmedidas esas ganancias de las que me hablas* · **abultada** || **cuantiosa** · **copiosa** · **pingüe** · **suculenta** · **jugosa** · **sustanciosa** · **máxima** || **discreta** · **modesta** · **escasa** · **exigua** · **insignificante** · **nula** · **mínima**
• CON SUSTS. **ánimo (de)** || **aumento (de)** · **disminución (de)** · **recorte (de)** · **reducción (de)** || **cálculo (de)**
• CON VBOS. **aumentar** · **incrementar(se)** · **afluir** || **disminuir** · **decrecer** · **menguar** · **esfumarse** || **engrosar** *Las ganancias obtenidas con las inversiones especulativas vinieron a engrosar su fortuna personal* || **tener** · **conseguir** · **obtener** · **cosechar** · **embolsar(se)** *Si todo sale bien, el dueño de la compañía se embolsará una ganancia neta de...* · **anotar(se)** || **producir** · **arrojar** · **reportar** · **generar** || **perder** · **enjugar** *Las malas ventas del último año enjugaron las ganancias de la empresa* · **recortar** || **blanquear** · **canalizar** · **invertir** · **declarar** · **ocultar** || **saldarse (con)** *El año se saldó con cuantiosas ganancias*

□ EXPRESIONES **no arrendar la ganancia** (a alguien) [no envidiar su suerte]

ganancial

1 **ganancial** adj.

• CON SUSTS. **bien** *El problema se presentó con el reparto de los bienes gananciales* · **patrimonio** || **recuento** · **carácter** · **coste** · **costo** · **garantía**

2 **gananciales** s.m.pl.

• CON SUSTS. **régimen (de)** *Renunciaron ante notario al régimen de gananciales* · **sociedad (de)** · **sistema (de)**
• CON VBOS. **repartir** · **dividir** *Acordaron dividir los gananciales a partes iguales* · **disputar(se)**

[gananciales] s.m.pl. → ganancial

[ganar] → ganar; ganar (a); ganarse

ganar v.

I [vencer]

• CON SUSTS. **competición** *una atleta que ha ganado numerosas competiciones de velocidad* · **concurso** · **partido** · **partida** · **juego** · **encuentro** || **contienda** · **disputa** · **debate** · **batalla** · **combate** · **guerra** || **votación** · **voto** · **elección** *el partido que gane las elecciones generales*
• CON ADVS. **por {gran/poca/enorme...} diferencia** || **por puntos** · **por mayoría** · **largamente** · **ampliamente** · **sobradamente** · **holgadamente** *Las encuestas indicaban que ganaríamos holgadamente la votación* · **cómodamente** · **abrumadoramente** · **arrolladoramente** · **rotundamente** · **con rotundidad** · **a lo grande** · **en toda la línea** · **claramente** · **nítidamente** · **inobjetablemente** · **convincentemente** || **ajustadamente** *después de ganar ajusta-*

damente por un solo punto · **apretadamente** · **estrechamente** · **por poco** · **por los pelos** · **por la mínima** · **a duras penas** · **a trancas y barrancas** · **con dificultad** · **a partes iguales** || **rápidamente** · **lentamente** · **progresivamente** || **palmo a palmo** · **de cabo a rabo** · **de punta a punta** || **limpiamente** *Ganó limpiamente la partida, sin hacer trampas* · **dignamente** · **en buena lid** · **meritoriamente** · **merecidamente** · **a pulso** || **virtualmente** · **de antemano** · **moralmente** · **a domicilio** || **a toda costa** || **democráticamente** *El partido en el poder ganó democráticamente las elecciones* · **deportivamente**

▌[obtener, conseguir]

● CON SUSTS. **dinero** *¿Cuánto dinero ganas?* · **sueldo** · **salario** || **tiempo** *Ganaremos tiempo si vamos por este atajo* || **puesto** · **fama** · **prestigio** || **audiencia** · **oyente** · **público** · **espectador,-a** · **amigo,ga** *un viaje de recreo que le sirvió para ganar nuevos amigos* || **fuerza** · **confianza** · **seguridad** || **terreno** · **territorio** · **lugar**

● CON ADVS. **a espuertas** · **a manos llenas** *ganar dinero a manos llenas*

ganar (a) v.

● CON SUSTS. **cartas** *¡Siempre me ganas a la cartas!* · **parchís** · **ajedrez** · ***otros juegos*** || **fútbol** · **baloncesto** *A baloncesto seguro que no me ganas* · **tenis** · ***otros deportes***

ganarse v.

● CON SUSTS. **afecto** · **amor** · **amistad** · **aprecio** · **simpatía** *En seguida se ganó la simpatía y la estima de todos* · **estima** · **confianza** · **lealtad** || **reconocimiento** *La obra ha conseguido ganarse el reconocimiento de la crítica* · **respeto** · **aplauso** · **ovación** || **animadversión** · **antipatía** · **enemistad** · **hostilidad** · **rechazo** · **crítica** · **desprecio** || **derecho** · **lugar** · **nombre** · **fama** || **vida** *Se gana la vida como enfermero*

● CON ADVS. **a pulso** *Se ganó a pulso la fama que tiene*

[ganas] → con ganas; ganas

ganas s.f.pl.

● CON ADJS. **enormes** *Tengo unas ganas enormes de que vengas* · **tremendas** · **intensas** · **incontenibles** · **irrefrenables** · **irresistibles** || **escasas** · **pocas** || **instintivas** || **pletórico,ca (de)** · **rabioso,sa (de)**

● CON VBOS. **dar (a alguien)** *A veces me dan ganas de abrazarte, pero...* · **entrar (a alguien)** · **venir (a alguien)** · **crecer** · **aumentar** || **disminuir** · **calmar(se)** · **pasárse(le) (a alguien)** *Se me han pasado las ganas de dar un paseo* · **írse(le) (a alguien)** || **tener** · **sentir** · **alimentar** · **echar** || **perder** *Según aseguraba, perdió las ganas de vivir cuando...* · **quitar (a alguien)** · **vencer** || **manifestar** · **expresar** · **ocultar** · **contener** || **saciar** || **reventar (de)** · **reconcomerse (de)** · **dejarse llevar (por)**

● CON PREPS. **con** *llover con ganas* · **sin** *reír sin ganas*

□ EXPRESIONES **de {buena/mala} gana** [con buena o mala disposición] *col. ayudar de buena gana* || **tenerle ganas** (a alguien) [desear encontrar el momento de perjudicarlo] *col. Desde que le ganó el campeonato le tiene ganas*

□ USO Se usa también en singular.

ganchillo s.m.

● CON SUSTS. **labor (de)** · **prenda (de)** · **bufanda (de)** · **chaqueta (de)** · **tapete (de)** · **gorro (de)** · **colcha (de)** · **obra (de)** · **aguja (de)**

● CON VBOS. **hacer** *Se aficionó a hacer ganchillo cuando estuvo ingresada en el hospital*

gancho s.m.

▌[pieza curva]

● CON SUSTS. **alfiler (de)** · **curva (de)**

● CON VBOS. **colgar** *Antes de poner la cortina hay que colgar los ganchos en la barra* · **sujetar** · **clavar** || **colgar (de)**

▌[atractivo] *col.*

● CON ADJS. **popular** · **comercial** · **electoral** *Las encuestas favorecen al candidato con más gancho electoral* · **publicitario** · **cultural** · **de público** · **literario** · **visual** · **sexual** · **juvenil** · **artístico** · **político** · **mediático** · **melódico** · **hipnótico** · **televisivo** || **efectivo** · **fácil** · **principal** *El principal gancho de esta zona es su ambiente nocturno* · **morboso**

● CON VBOS. **tener** · **perder** · **encontrar** · **poseer** || **explotar** · **aprovechar** *aprovechar el gancho publicitario del personaje* || **utilizar (como/de)** · **usar (como/de)** · **ejercer (de)** · **servir (de/como)** || **carecer (de)**

● CON PREPS. **con** *una historia con mucho gancho* · **sin**

▌[puñetazo]

● CON ADJS. **de izquierda** · **de derecha** *El contrincante le propinó un contundente gancho de derecha* · **bajo** · **alto** · **largo** · **corto** · **zurdo** || **demoledor** · **preciso** · **implacable** · **decisivo** · **letal** · **perfecto** · **fallido**

➤ Véase también **GOLPE**

ganchudo, da adj.

● CON SUSTS. **nariz** *una nariz ganchuda y prominente* · **bastón** · **herramienta** · **pico**

ganga s.f.

● CON ADJS. **auténtica** · **verdadera** · **inesperada** · **del siglo** *Encontré la ganga del siglo en los anuncios por palabras* · **increíble**

● CON VBOS. **buscar** · **encontrar** · **conseguir** *En ese mercadillo puedes conseguir muchas gangas* · **ofrecer** · **cazar** · **adquirir** · **llevarse** || **aprovecharse (de)** · **beneficiarse (de)**

● CON PREPS. **a precio (de)** *Liquidamos toda la mercancía a precio de ganga*

gangrenar(se) v.

● CON SUSTS. **pierna** *Se le infectó la herida y se le gangrenó la pierna rápidamente* · **brazo** · **miembro** · **extremidad** · ***otras partes del cuerpo*** || **úlcera**

● CON ADVS. **irreparablemente** · **irremediablemente** · **desgraciadamente** || **inmediatamente**

ganso, sa s.

● CON SUSTS. **pluma (de)** *un edredón de plumas de ganso* · **cría (de)** || **pastor,-a (de)** || **bandada (de)**

□ EXPRESIONES **hacer el ganso** [hacer el tonto] *col.*

garabato s.m.

● CON ADJS. **ininteligible** · **ilegible** · **confuso** · **intraducible** || **infantil** · **artístico**

● CON VBOS. **hacer** · **pintar** · **escribir** · **dibujar** · **borrar** *Borra ahora mismo ese garabato que has hecho en la pared* · **trazar**

garaje s.m.

● CON ADJS. **subterráneo** · **descubierto** · **clandestino** || **público** · **privado** || **espacioso** · **gran(de)** · **enorme** · **pequeño**

• CON SUSTS. **plaza (de)** *comprar una plaza de garaje* · **vivienda (con)**
• CON VBOS. **inundar(se)** || **ocupar** · **ampliar** || **guardar (en)** · **aparcar (en)** · **dormir (en)** *Mi coche duerme en el garaje todos los días* · **caber (en)** *En el garaje caben dos coches* || **acceder (a)** · **entrar (en/a)** · **salir (de)** · **sacar (de)** || **contar (con)**

garantía s.f.

▮ [confianza]
• CON ADJS. **absoluta** *La inmobiliaria ofreció absolutas garantías de que las viviendas se entregarían en plazo* · **total** · **plena** || **indudable** · **segura** · **firme** || **suficiente** · **necesaria** || **adecuada** · **debida** || **nula**
• CON SUSTS. **falta (de)**
• CON VBOS. **dar** *...palabras sinceras que daban garantías suficientes de su lealtad* · **ofrecer** · **brindar** · **otorgar** · **proporcionar** · **impartir** · **conferir** · **establecer** · **tener** || **pedir** · **exigir** || **inspirar (a alguien)** *Esa marca no nos inspiraba garantía* || **violar** || **erigir(se) (en)** || **contar (con)** · **gozar (de)** || **cumplir (con)**

▮ [de compra]
• CON SUSTS. **período (de)** || **resguardo (de)**
• CON VBOS. **caducar** || **tener** *El televisor tiene una garantía de tres años* · **sellar** *Tenemos que sellar la garantía para que sea válida* || **estar (en)** *Voy a reclamar porque aún está en garantía*

garantizar v.

• CON ADVS. **absolutamente** · **totalmente** · **plenamente** *Pruébelo sin riesgo. Garantizamos plenamente los resultados* · **por completo** || **parcialmente** || **satisfactoriamente** · **cumplidamente** · **suficientemente** || **económicamente**

garbanzo s.m.

• CON SUSTS. **cultivo (de)** · **cosecha (de)** || **campo (de)** · **plantación (de)** || **potaje (de)** · **guiso (de)** · **puré (de)** || **paquete (de)** · **kilo (de)**
• CON VBOS. **cultivar** *En toda esta región se cultivan garbanzos y lentejas* · **sembrar** · **cosechar** · **plantar** || **{echar/poner} en remojo** *Hay que echar en remojo los garbanzos* · **rehogar** · **cocer** · **hervir** · **triturar**

□ EXPRESIONES **buscarse los garbanzos** [buscar medios económicos para vivir] *col.* || **garbanzo negro** [la persona peor considerada de un colectivo]

garbeo s.m. *col.*

• CON VBOS. **dar** *¿Qué te parece si damos un garbeo?* · **pegar(se)**

garbo s.m.

• CON ADJS. **natural** · **singular** · **expresivo** · **popular** · **ejemplar**
• CON SUSTS. **falta (de)**
• CON VBOS. **faltar(le) (a alguien)** · **sobrar(le) (a alguien)** || **tener** · **dar** · **lucir** *Le encantaba lucir su garbo al andar* · **poner**
• CON PREPS. **con** *bailar con garbo y salero*

[garete] → al garete

garganta s.f.

▮ [parte del cuerpo]
• CON ADJS. **poderosa** · **prodigiosa** *El tenor asombró a todos con su prodigiosa garganta* · **privilegiada** · **versátil** || **humana** · **animal** || **seca** *Necesito un caramelo; tengo la garganta seca* · **delicada** · **irritada** · **roja**
• CON SUSTS. **nudo (en)** *Con un nudo en la garganta, se dirigió al público y dio las gracias por...* || **dolor (de)** · **problema (de)** · **irritación (de)** · **afección (de)** · **infección (de)** · **molestias (de)** · **nódulo (en)** || **pastilla (para)** · **jarabe (para)**
• CON VBOS. **doler** · **irritar(se)** · **resecar(se)** · **picar** · **secar(se)** · **inflamar(se)** || **aclarar** · **afinar** || **aliviar** · **refrescar** *un caramelo de menta para refrescar la garganta* || **cuidar** · **proteger** · **abrigar**

▮ [paso estrecho]
• CON ADJS. **estrecha** · **angosta** || **profunda** · **inmensa** · **insondable** · **gran(de)** · **espectacular** *Caminamos varias horas por la espectacular garganta del río* · **abrupta**
• CON VBOS. **cruzar** · **atravesar** · **recorrer** · **visitar** || **salir (de)** · **entrar (a/en)**

gárgaras s.f.pl.

• CON VBOS. **hacer** *hacer gárgaras con miel y limón*

□ EXPRESIONES **mandar** (algo/a alguien) **a hacer gárgaras** [rechazarlo] *col.*

garra s.f.

▮ [de un animal]
• CON ADJS. **afilada** *La arañó un gato de afiladas garras* · **acerada** · **dura** · **cortante** · **punzante** || **retráctil** || **asesina** || **preso,sa (de/en)**
• CON VBOS. **asomar** || **hincar** *El león hincó las garras a su presa* · **hendir** · **clavar** || **enseñar** · **lanzar** || **arrancar** · **amputar** || **caer (en)** · **estar (en)** || **sacar (de)** || **salvar(se) (de)** · **escapar (de)** *Consiguió escapar de las garras de sus perseguidores* · **librar(se) (de)**

▮ [fuerza, atractivo]
• CON ADJS. **poderosa** · **competitiva** || **artística** *Toda la crítica destacó la garra artística de la actriz* · **literaria** · **novelística** · **musical** · **teatral** || **periodística** || **comercial**
• CON VBOS. **faltar(le) (a algo/a alguien)** || **tener** *Esa chica tiene garra* · **demostrar** || **imponer** · **poner (en algo)** · **echar(le) (a algo)** *Si le echaras más garra, seguro que lo conseguirías*
• CON PREPS. **con** · **sin** *Es una canción sin garra suficiente para llegar al público*

garrafa s.f.

• CON VBOS. **llenar** · **vaciar** · **rellenar** || **beber (de)** · **guardar (en)** *guardar el vino en garrafas*
• CON PREPS. **de** *ginebra de garrafa*

garrafal adj.

• CON SUSTS. **error** · **fallo** *un gol que llegó tras un fallo garrafal de la defensa* · **falta** · **equivocación** · **lapsus** · **defecto** · **falla** · **despiste** · **fracaso** · **torpeza** || **desconocimiento** · **irresponsabilidad** · **debilidad**

garrafón s.m.

• CON SUSTS. **coñac (de)** · **licor (de)** · **ron (de)** · ***otras bebidas alcohólicas***
• CON VBOS. **echar** · **servir** *¿En este bar sirven garrafón?* || **envasar (en)** · **guardar (en)** *Algunos prefieren guardar la mezcla en garrafones*

garrapiñado, da adj.

• CON SUSTS. **almendra** *Mi padre siempre me compraba en las ferias almendras garrapiñadas* · **pipa** · **algarroba**

garrotazo s.m. Véase **GOLPE**

[gas] →a medio gas; gas

gas s.m.

• CON ADJS. **denso · fuerte || irrespirable · lacrimógeno** *La Policía confiscó varias botellas de gas lacrimógeno* **|| tóxico · nocivo · venenoso · contaminante || volátil || natural** *calefacción de gas natural* **· carbónico · hilarante**
• CON SUSTS. **nube (de) · masa (de) · bolsa (de) · yacimiento (de) || fuga (de)** *La explosión fue provocada por una fuga de gas* **· escape (de) · emisión (de) · emanación (de) · chorro (de) || explosión (de) || inhalación (de)** *muerte por inhalación de gas* **· intoxicación (por) || bombona (de) · botella (de) · depósito (de) || instalación (de) · suministro (de) · distribución (de) · provisión (de) · consumo (de) || butano** *una bombona de gas butano* **· grisú · sarín · mostaza**
• CON VBOS. **brotar · desprender(se) || extender(se) · expandir(se) · disipar(se) · diluir(se) · dispersar(se) || intoxicar (a alguien) || inhalar · respirar || exhalar · expeler · despedir · emitir · emanar || oler (a)** *¿No huele mucho a gas?*
□ EXPRESIONES **a todo gas** [a toda velocidad] *col.* **|| gas noble** [elemento químicamente inactivo]

[gaseosa] s.f. →gaseoso, sa

gaseoso, sa

1 **gaseoso, sa** adj.
• CON SUSTS. **estado · elemento · combustible · nube** *A causa del incendio en la planta química se cubrió toda la ciudad con una nube gaseosa* **· cuerpo · composición · molécula || bebida** *El consumo de bebidas gaseosas aumenta en estas fechas* **· agua · líquido || atmósfera · ambiente**

2 **gaseosa** s.f.
• CON ADJS. **burbujeante · refrescante**
• CON SUSTS. **vino (con)** *un vaso de vino con gaseosa* **· tinto (con) · cerveza (con)**
➤ Véase también **BEBIDA**

gasolina s.f.

• CON ADJS. **súper · normal · sin plomo || suficiente · escasa**
• CON SUSTS. **precio (de) || depósito (de) · barril (de) · bidón (de)**
• CON VBOS. **subir** *Mañana sube de nuevo la gasolina* **· bajar || repostar** *Solo hemos parado para repostar gasolina* **|| echar** *Tenemos que echar gasolina en la próxima estación de servicio* **· servir · poner || adulterar || funcionar (con) || llenar (algo) (de/con)** *¿Me llena el tanque con gasolina sin plomo, por favor?* **|| quedarse (sin)**

gasolinera s.f.

• CON SUSTS. **cadena (de) · red (de)**
• CON VBOS. **necesitar · buscar** *Busco una gasolinera cercana* **|| repostar (en) || dirigir(se) (a) · ir (a)**
➤ Véase también **ESTABLECIMIENTO**

gastar v.

■ [consumir, emplear]

• CON SUSTS. **dinero · ahorros** *Gasté mis ahorros demasiado rápido* **· fondos · presupuesto · fortuna || combustible · recursos · reservas || energía** *Es inútil que gaste más energía en intentar convencerle...* **· fuerza · tiempo ·** *otros recursos* **|| tinta · aceite · aire · saliva ·** *otras materias*
• CON ADVS. **desorbitadamente · desaforadamente · desenfrenadamente · a espuertas** *gastar dinero a espuertas* **· a manos llenas · como un loco · compulsivamente · sin restricciones || comedidamente · lentamente · poco a poco · rápidamente || íntegramente** *He gastado íntegramente el tiempo del que disponía* **|| innecesariamente · a la ligera · al tuntún · inútilmente** *Estamos gastando nuestras fuerzas inútilmente* **· alocadamente || justificadamente**

■ [hacer (a alguien)]

• CON SUSTS. **broma** *Le encanta gastar bromas* **· mala pasada**

gasto s.m.

• CON ADJS. **aproximado · exacto || nimio · ajustado · asequible · llevadero · moderado || ingente** *No sé cómo puedes afrontar gastos tan ingentes* **· cuantioso · copioso · prohibitivo · ruinoso · abusivo · astronómico · exorbitante · desorbitado** *Me parecen unos gastos desorbitados teniendo en cuenta el sueldo que recibe* **· desmesurado · desmedido · desaforado · desenfrenado · disparatado · compulsivo || necesario** *Te aseguro que es un gasto necesario* **· legítimo || innecesario · inútil · superfluo || discrecional || anual · mensual · semanal || perentorio || público · comunitario || deducible** *¿Son gastos deducibles los generados por la compra de una vivienda?* **|| energético || limpio,pia (de)**
• CON SUSTS. **presupuesto (de) · partida (de) · registro (de) · política (de)** *La oposición ha criticado la política de gasto público de los nuevos presupuestos* **· capacidad (de) · previsión (de) · plan (de)**
• CON VBOS. **crecer · disparar(se) · desbocar(se) · repuntar || desinflar(se) · disminuir · decrecer · desgravar** *La nueva ley fiscal contempla la posibilidad de desgravar este tipo de gastos* **|| recaer (en alguien) · repercutir (en alguien) || hacer · realizar · generar || soportar · afrontar · acometer · cubrir** *Con un sueldo tan exiguo apenas si consigue cubrir todos sus gastos* **|| costear** *¡Ojalá pueda costearme todos mis gastos sin ayuda!* **· pagar · amortizar · compensar · sufragar · financiar** *Los fondos irán destinados a financiar el gasto público* **|| tener · ocasionar · representar · suponer · implicar · conllevar · reportar · comportar · acarrear · arrojar || aumentar** *El Gobierno ha previsto aumentar los gastos presupuestarios en materia de sanidad* **· incrementar · inflar || reducir** *Se promoverán medidas para reducir el gasto público* **· aminorar · enjugar · contener · controlar · moderar** *Tenemos que empezar a moderar los gastos en compras innecesarias* **· congelar · recortar · cortar · economizar · escatimar || aliviar · amortiguar · canalizar || calcular · deducir || presupuestar · registrar || correr (con)** *No te preocupes, corro yo con todos los gastos* **· cargar (con) || reparar (en)** *Hablando de seguridad, no repararemos en gastos*

gástrico, ca adj.

• CON SUSTS. **jugo · ácido · secreción** *Analizaron la composición de las secreciones gástricas* **· contenido || flujo · acidez || pared · mucosa · superficie · tracto || endoscopia · lavado || protector** *Necesita tomar un protector gástrico en cada comida* **|| molestia · trastorno** *Padece trastornos gástricos que le impiden ingerir determinados alimentos* **· dolor · problema · afección · dolencia · enfermedad · patología · lesión · úlcera · infección · cáncer · tumor · hemorragia**

gastritis s.f.

●CON ADJS. **severa · grave · ligera || aguda · crónica || galopante** *Una gastritis galopante le hizo perder diez kilos* || **propenso,sa (a) · aquejado,da (de)**
●CON SUSTS. **síntoma (de) || tratamiento (para)**
●CON VBOS. **curar · atajar** *un tratamiento eficaz para atajar la gastritis con rapidez* · **prevenir · tratar || detectar · diagnosticar || reponer(se) (de) · mejorar (de)**

gastronomía s.f.

●CON ADJS. **del lugar · autóctona · típica** *conocer la gastronomía típica de la zona* · **clásica · moderna · tradicional · familiar · popular · casera || exquisita · rica · variada**
●CON SUSTS. **libro (de) · tratado (de) · templo (de) · oferta (de)**
●CON VBOS. **degustar || conocer · apreciar · probar**

gatear v.

●CON SUSTS. **niño,ña** *El niño gateaba a los seis meses* · **chico,ca · bebé ·** ***otros individuos***
●CON ADVS. **torpemente · con dificultad · rápidamente**

gatillo s.m.

●CON ADJS. **fácil** *un pistolero de gatillo fácil*
●CON VBOS. **apretar** *Tenemos que averiguar quién apretó el gatillo* · **presionar · accionar · jalar · limar**

[gato] →como el perro y el gato; como gato panza arriba; gato, ta

gato, ta s.

●CON ADJS. **sigiloso,sa** *Un sigiloso gato acechaba a un pajarillo* · **astuto,ta · desconfiado,da · esquivo,va · arisco,ca · huraño,ña · mimoso,sa · juguetón,-a · sumiso,sa || hambriento,ta · famélico,ca || en celo || pardo,da · negro,gra · atigrado,da || montés,-a · de Angora · siamés,-a · persa || doméstico,ca · silvestre · salvaje · callejero,ra || con pedigrí · de raza**
●CON SUSTS. **raza (de) · especie (de) || camada (de) || ojos (de) · mirada (de) || año (de) · signo (de)**
●CON VBOS. **maullar** *El gato maullaba porque quería salir* · **miagar · ronronear · aullar · bufar || arañar (algo/a alguien) · cazar · acechar || lamerse · acicalarse · asearse || merodear || tener · domesticar · cuidar · criar · educar · adoptar || vacunar** *Fuimos al veterinario para vacunar a la gata* · **castrar · esterilizar · sacrificar || ahuyentar · espantar · abandonar**

□EXPRESIONES **a gatas** [con las manos y las rodillas en el suelo] *col. andar a gatas* || **cuatro gatos** [poca gente] || **dar gato por liebre** [engañar] *col.* || **haber gato encerrado** [haber una razón oculta] *col.* || **llevarse el gato al agua** [salir triunfante] *col.*

gavilla (de) s.f.

●CON SUSTS. **trigo** *...unos segaban y otros iban recogiendo las gavillas de trigo* · **cebada · sarmientos || granujas · maleantes** *Menuda gavilla de maleantes se concentra en ese local...* · **artistas || pensamientos · ideas · creencias · argumentos || críticas · errores || proyectos**

□USO Se construye generalmente con sustantivos no contables en singular (*una gavilla de cebada*) o con contables en plural (*una gavilla de artistas*).

gaviota s.f.

●CON SUSTS. **bandada (de) · banda (de) · colonia (de)** *En el puerto pesquero hay una numerosa colonia de gaviotas*
●CON VBOS. **volar · pescar · anidar || graznar**

gaznate s.m. col.

●CON VBOS. **secar(se)** *De tanto hablar se me seca el gaznate* || **aclarar** *Bebió un sorbo de agua para aclararse el gaznate* · **mojar · remojar · refrescar || retorcer**

gazpacho s.m.

●CON ADJS. **frío · fresco · refrescante || espeso · caldoso · picante · fuerte** *Para mi gusto este gazpacho está demasiado fuerte* · **suave · aceitoso · aguado || delicioso · rico · exquisito · suculento · sabroso · apetecible || típico · tradicional · casero · natural · de bote || andaluz · manchego · extremeño || nutritivo · sustancioso**
●CON VBOS. **hacer · preparar · colar** *Si cuelas el gazpacho, resultará más suave al paladar* · **pasar || remover · condimentar || probar · tomar · saborear · beber || atiborrarse (de) || añadir tropezones (a)**

gélido, da adj.

●CON SUSTS. **aire · viento** *Un viento gélido azotaba el valle* · **temperatura · ambiente · agua · clima || saludo · mirada** *Su gélida mirada la dejó sin palabras* · **silencio · trato · carácter · tono · actitud · indiferencia · relación ||** ***persona*** **|| mañana · jornada · tarde** *Todo indica que pasaremos una tarde gélida en la sierra* · **madrugada · noche · invierno ·** ***otros períodos*** **|| tierra · región** *las regiones gélidas del planeta* · **pueblo · latitud ·** ***otros lugares***
●CON VBOS. **ser · volver(se) · quedar(se) · estar · poner(se)** *La tarde se ha puesto gélida*

gemelo, la

1 **gemelo, la** adj.

●CON SUSTS. **hermano,na · hijo,ja · niño,ña || alma** *Todavía no he encontrado a mi alma gemela* || **cañón · cama** *En la habitación más grande pondremos dos camas gemelas* · **columna · pilar · pieza**

2 **gemelo, la** s.

●CON ADJS. **idéntico,ca · falso,sa · univitelino,na · verdadero,ra || prematuro,ra**
●CON SUSTS. **pareja (de)**
●CON VBOS. **tener · esperar · dar a luz** *La parturienta primeriza dio a luz gemelos* · **alumbrar**

3 **gemelo** s.m.

▌[músculo]

●CON SUSTS. **calambre (en) · contractura (en) · tirón (en) · dolor {de/en}**
●CON VBOS. **doler || lesionar(se)** *En el último campeonato se lesionó el gemelo derecho* || **trabajar** *Y ahora un ejercicio para trabajar los gemelos* · **ejercitar · tonificar · fortalecer · desarrollar**

▌[adorno]

●CON ADJS. **llamativo · original · vistoso · de {oro/plata}**
●CON VBOS. **llevar** *Con esta camisa suelo llevar gemelos* · **usar**

4 **gemelos** s.m.pl.

▌[prismáticos]

●CON ADJS. **de teatro**
●CON VBOS. **ver (con) · observar (con/por) · distinguir (con) · espiar (con) || equipar(se) (con)** *Los soldados salieron equipados con gemelos y linternas*

[gemelos] s.m.pl. →gemelo, la

gemido s.m.

● CON ADJS. **agudo · estridente || ahogado** *Oímos golpes y gemidos ahogados tras la puerta* · **apagado · sordo · tenue || hondo · profundo || lastimero || largo · pequeño**
● CON VBOS. **apagar(se) || dar · lanzar** *El cantaor lanzó un gemido doliente, que nos emocionó a todos* **|| oír · escuchar || sofocar**

[gemir] →gemir; gemir (de)

gemir v.

● CON SUSTS. ***animal*** *Cada vez que nos vamos de casa, el perro gime de pena* **||** ***persona*** *Nos encontramos a mi hermano gimiendo de dolor sobre la cama* **|| viento**
● CON ADVS. **tristemente**

gemir (de) v.

● CON SUSTS. **pena · tristeza · desesperación ·** ***otros sentimientos***

gen s.m.

● CON ADJS. **hereditario · transmisor · humano · animal || mutante · anómalo** *Investigan la influencia de un gen anómalo en el desarrollo de la enfermedad* · **defectuoso · sano || responsable · causante · implicado || receptor · supresor · dominante** *El estudio indicaba con claridad cuáles eran los genes dominantes* · **recesivo · inactivo · específico**
● CON SUSTS. **responsabilidad (de) · banco (de) · mutación (en) · herencia (de)**
● CON VBOS. **causar (algo) · producir (algo) · transportar (algo) · transmitir (algo)** *Se ignora qué genes transmiten esa enfermedad* · **determinar (algo) || manipular · alterar · modificar** *Una modificación del gen causaría un grave trastorno físico al animal* · **transformar · dañar · clonar · transferir · sustituir · introducir || analizar · investigar · identificar · encontrar · localizar · descubrir · aislar · detectar || poseer · tener · llevar · heredar** *...para comprobar si las crías heredaban este gen* **|| llevar (algo) (en)** *Esa gracia para el baile se lleva en los genes*

genealogía s.f.

● CON ADJS. **familiar** *Llevo muchos años investigando mi genealogía familiar* **|| amplia · corta · larga · variada · rica · interminable || ilustre · noble**
● CON SUSTS. **especialista (en) · estudioso,sa (de) · experto,ta (en)** *Se ha convertido en un verdadero experto en genealogía* · **estudio (de)**
● CON VBOS. **conocer · seguir · continuar · inventar || investigar · estudiar · fundamentar · trazar** *Han conseguido trazar su genealogía hasta el medievo* · **buscar · acotar · encontrar**

genealógico, ca adj.

● CON SUSTS. **árbol** *Intenta completar su árbol genealógico con los datos que le faltan* · **línea · orden · descendencia || registro · libro · anuario · revista · dato || investigación · búsqueda || criterio · control** *Efectuamos un riguroso control genealógico de todo el ganado vacuno de la comarca*

[generación] →generación; por generación espontánea

generación s.f.

▌[grupo generalmente humano]

● CON ADJS. **primera** *El gen solo se transmite a la primera generación* · **segunda · tercera ·** ***otros ordinales*** **|| última · intermedia || sobresaliente · brillante · aclamada** *una aclamada generación de escritores* · **fracasada || anterior · pasada · reciente || sucesiva · venidera** *Tenemos que luchar por un mundo mejor para las generaciones venideras* · **futura || nueva · emergente · joven || vanguardista · avanzada · cosmopolita · heroica || antagónica · enfrentada (a algo) || perdida · dispersa || parental || poética** *un gran representante de la generación poética del 27* · **creativa · expresiva**
● CON SUSTS. **miembro (de) · compañero,ra (de) || exponente (de)**
● CON VBOS. **forjar(se) · aglutinar(se) · nacer · desarrollar(se) · surgir · aparecer · irrumpir || suceder · preceder || destacar || formar parte (de) · pertenecer (a)** *¿A qué generación literaria pertenece esta autora?*

▌[acción y efecto de generar]

● CON ADJS. **espontánea** *Hemos de advertir que la idea no ha surgido por generación espontánea* · **automática || energética · eléctrica**
● CON SUSTS. **proceso (de) · fuente (de)** *Tras consolidarse como una importante fuente de generación de empleo* · **sistema (de)**
● CON VBOS. **permitir · promover** *una medida que promoverá la generación de nuevos puestos de trabajo en la zona* · **estimular · alentar**

[general] →en líneas generales; general

general adj.

● CON SUSTS. **director,-a** *Mañana tiene concertada una reunión con el director general* · **secretario,ria || sucursal || regla · principio · norma || términos · líneas · aspectos · rasgos || panorámica · visión || título · definición · reflexión || interés** *En la sociedad existe un interés general por estos temas* **|| marcha · evolución · tendencia · tónica · línea** *nuestra línea general de actuación* **|| ambiente · estado** *el estado general de las carreteras* **|| presupuestos** *Mañana se someterá a votación los presupuestos generales del Estado* · **plan · programación || crisis · huelga || historia · cultura · lingüística** *un tratado de lingüística general* **|| medicina · médico,ca**
● CON VBOS. **hacer(se) · volverse**

generalización s.f.

● CON ADJS. **correcta || incorrecta · infundada · gratuita · exagerada || excesiva · abusiva**
● CON VBOS. **establecer** *No deberíamos establecer generalizaciones sobre este asunto* · **acuñar · introducir || deducir || probar · demostrar**

generalizar(se) v.

● CON SUSTS. **situación · problema · conflicto** *Si nadie interviene, el conflicto se generalizará* **|| modelo · patrón · norma · sistema · regla · ley · costumbre · cultura · principio · comportamiento || opinión · impresión · idea · creencia · juicio · teoría || lluvia · frío · calor** *antes de que se generalice el calor en todo el país* · **tiempo · humedad · nubosidad || uso** *el uso generalizado de la informática* · **empleo · utilización · consumo || asistencia · tratamiento · aplicación** *Esperamos generalizar la aplicación del tratamiento en los hospitales públicos* · **servicio · experiencia · plan · vacunación · educación · escolarización · gratuidad || odio · miedo · pánico · duda · desconfianza** *Si se generaliza la desconfianza de los inversores, la bolsa caerá en picado* · **malestar · alegría · esperanza · amor ·** ***otros sentimientos o emociones*** **|| infección · enfermedad**

generar v.

• CON SUSTS. **electricidad · energía || riqueza · ingresos** *una inversión que le está generando enormes ingresos* · **dinero · recursos || empleo · puestos de trabajo || crecimiento · desarrollo || pérdidas · déficit · crisis || confusión · duda · sospechas · polémica** *Sus declaraciones han generado una fuerte polémica* · **queja || problemas · disputas · disturbios · amenazas || clima · ambiente** *La buena relación que mantienen entre sí genera un ambiente de trabajo muy agradable* **|| expectativas · perspectivas || confianza · entusiasmo · simpatía · ilusión · optimismo || resultados** *Confiamos en que estas nuevas inversiones generen buenos resultados*

genérico, ca adj.

• CON SUSTS. **fármaco · medicamento** *una campaña para incentivar el uso de medicamentos genéricos* · **producto || ejemplo · referencia · cita · caso · pregunta · respuesta · clasificación · definición · conclusión || nombre · denominación** *Conozco el producto por su denominación genérica* · **título · término · palabra · epígrafe · apartado · etiqueta || instrucción · norma · principio || opinión · afirmación · reflexión · declaración** *Se limitó a hacer una declaración genérica sobre el asunto* · **alusión · acusación · denuncia · condena · imputación || contenido** *El contenido del documento es demasiado genérico* · **enfoque · tema · sentido · concepto · cuestión || propuesta · oferta · acuerdo** *Los sindicatos proponen un acuerdo genérico basado en los siguientes principios* · **condición · apoyo · compromiso || razón · motivo · fundamento**

• CON ADVS. **excesivamente · absolutamente**

género s.m.

▮ [conjunto de seres]

• CON ADJS. **humano** *A veces dudo de que algunos individuos pertenezcan al género humano* · **animal · vegetal**

• CON VBOS. **pertenecer (a) · encuadrar(se) (en) · adscribir(se) (a)**

▮ [categoría o grupo]

• CON ADJS. **artístico · literario · pictórico** *A lo largo de su vida cultivó distintos géneros pictóricos* · **escultórico · arquitectónico · musical** *Los espectadores prefieren el género musical* · **fotográfico · cinematográfico || clásico · moderno · tradicional · tardío || popular · culto || híbrido · representativo || lírico · épico · teatral · dramático** *Las últimas aportaciones nacionales al género dramático han pasado desapercibidas* · **chico · menor · trágico · narrativo · novelesco · periodístico || caballeresco · pastoral · epistolar** *Una de sus obras más famosas pertenece al género epistolar* · **policíaco · historiográfico · hagiográfico · autobiográfico · biográfico || erótico · pornográfico || realista · fantástico** *A menudo se clasifican sus novelas dentro del género fantástico, pero...* · **costumbrista**

• CON SUSTS. **regla (de) · característica (de) · convención (de) || aficionado,da (a) · cultivador,-a (de) || incursión (en)** *El autor apenas realizó incursiones en el género realista* · **cultivo (de) · abandono (de) || ejemplo (de) · modelo (de) · joya (de) · paradigma (de) · obra (de) || fundación (de) · evolución (de) · vigencia (de) · desarrollo (de) · declive (de)** *Los últimos años de la década traen consigo el declive del género costumbrista*

• CON VBOS. **pervivir || fundar · inaugurar** *La obra inaugura el género picaresco en nuestro país* · **inventar · revitalizar || cultivar** *En sus primeros años cultivó el género policíaco* · **trabajar · tratar · abandonar · superar || dedicar(se) (a) · entregar(se) (a) || adecuar(se) (a) · ajustar(se) (a)**

• CON PREPS. **fuera (de) · dentro (de) · en**

▮ [clase gramatical]

• CON ADJS. **masculino · femenino · neutro || gramatical** *El tema del género gramatical ocupa la mayor parte del libro*

• CON SUSTS. **forma (de) · morfema (de) · marca (de) · flexión (de)**

• CON VBOS. **variar (en)** *un sustantivo susceptible de variar en género y número* · **concordar (en)**

generosamente adv.

▮ [desinteresadamente]

• CON VBOS. **ayudar · contribuir** *Fueron miles los donantes que contribuyeron generosamente con el hospital* · **volcarse · apoyar · arrimar el hombro · donar || actuar · comportarse · portarse** *A pesar de su complicada situación familiar, se portó generosamente con sus padres* **|| ofrecer · brindar · prestarse || conceder · entregar(se)** *un profesor que nos entregó generosamente su saber, su paciencia y su tiempo* · **dar · obsequiar · repartir · distribuir || aceptar · reconocer · acoger · acceder · agradecer || pagar · financiar · subvencionar · retribuir || recompensar · gratificar · invitar**

▮ [ampliamente]

• CON VBOS. **difundir · mostrar · exhibir** *Nunca ha tenido reparos en exhibir generosamente su cuerpo* · **publicar · enseñar || superar · rebasar**

generosidad s.f.

• CON ADJS. **absoluta · suma · enorme || desbordante · desmedida · compulsiva || obsequiosa || inestimable** *Os agradecemos sinceramente vuestra inestimable generosidad* · **impagable · encomiable · ejemplar · inusitada || interesada · desinteresada || habitual · proverbial || lleno,na (de) · rebosante (de)**

• CON SUSTS. **arranque (de)** *En un arranque de generosidad, el ministro ofreció un incremento del dos por ciento* · **gesto (de) · rasgo (de) · muestra (de) || ápice (de)**

• CON VBOS. **tener · mostrar · demostrar || ofrecer · prodigar · derrochar**

• CON PREPS. **con** *El público aplaudió con generosidad a la cantante*

generoso, sa adj.

• CON SUSTS. **persona** *Es un hombre muy generoso que siempre ayuda a los demás en lo que puede* **|| gesto · actitud · espíritu || donación · entrega · contribución · donativo** *Todos los años suele hacer un generoso donativo a alguna asociación* · **propina · dotación · colaboración || dosis · ración** *una generosa ración de pulpo a la gallega* **|| medidas · proporciones** *un escote de generosas proporciones* · **atributos · prestaciones || ofrecimiento · oferta · propuesta || dedicación · esfuerzo · despliegue || mecenazgo · solidaridad · ayuda || palabras** *Muchas gracias, señor, por tan generosas palabras*

• CON VBOS. **volver(se)** *La jefa se había vuelto generosa tras...* **|| mostrarse · sentirse**

génesis s.f.

• CON ADJS. **histórica** *Aunque no hay unanimidad acerca de la génesis histórica de ese acontecimiento...* · **literaria · artística · cultural · evolutiva**

• CON SUSTS. **explicación (de) · análisis (de) · estudio (de) · teoría (de) · propuesta (de)**

• CON VBOS. **conocer · explicar · olvidar · ignorar || investigar · explorar · estudiar** *Se ha dedicado durante meses a estudiar la génesis del conflicto* · **dilucidar · buscar || constituir · tener** *La obra tiene su génesis en una experiencia personal del autor*

[genética] s.f. → genético, ca

genético, ca

1 **genético, ca** adj.

• CON SUSTS. **información** *una información genética de gran valor para acabar con ciertas enfermedades* · **código · herencia · patrimonio · dotación · dato · material · factor · huella · carga · perfil · mapa · memoria · secuencia · conformación · configuración · estructura · componente · recurso · sistema || investigación · estudio · análisis · prueba · test · experimento** *Los especialistas han alertado sobre el riesgo de estos experimentos genéticos* · **diagnóstico · tratamiento · examen · terapia · selección · control || ingeniería** *Nuevos avances en la ingeniería genética indican...* · **tecnología · industria || enfermedad · defecto · aberración · malformación · error · daño || mutación · trastorno · alteración · variación · cambio · modificación · manipulación** *Preocupan enormemente las repercusiones de una hipotética manipulación genética* **|| causa · origen · razón · base · predisposición** *Parece que en su familia hay una predisposición genética a la enfermedad* · **influencia || diferencia · diversidad · identidad · evolución · avance · desarrollo · comportamiento || pureza** *Los expertos velan por la pureza genética de esa raza bovina* · **calidad || determinismo**

2 **genética** s.f. Véase **DISCIPLINA**

genio s.m.

[pronto, temperamento]

• CON ADJS. **buen(o) · mal(o)** *Reconozco que a veces tengo muy mal genio* **|| fuerte · vivo** *Es un estudiante despierto, inquieto y con un genio muy vivo* **|| impulsivo · irascible || endiablado · inaguantable**

• CON SUSTS. **rapto (de) · arranque (de) · brote (de) · ataque (de)**

• CON VBOS. **descomponer(se) || tener || sacar** *Esta chica ha sacado el genio de su padre* · **heredar · manifestar || ocultar · controlar · dominar** *Tienes que dominar tu mal genio* · **tragar(se)**

[capacidad, talento]

• CON ADJS. **innato · singular || creativo · fecundo · intuitivo · artístico** *A parte de sus habilidades sociales y diplomáticas, destaca especialmente por su genio artístico* · **literario**

• CON SUSTS. **ápice (de)** *No tengo ni un ápice de genio creativo*

• CON VBOS. **malograr(se)** *Sería una lástima que acabara malográndose su innato genio musical* **|| desperdiciar · malgastar || desplegar · desarrollar || heredar · transmitir**

[persona]

• CON ADJS. **verdadero** *Es un verdadero genio en matemáticas* · **insigne || inmortal · universal || portentoso · prodigioso · asombroso || indiscutible · incomparable · insuperable || temprano**

• CON VBOS. **considerar (a alguien) || convertir(se) (en)** *quien llegó a convertirse en un genio de los negocios*

genital

1 **genital** adj.

• CON SUSTS. **órgano · aparato · vía · mucosa || nivel · parte · región · zona** *Tengo molestias en la zona genital* · **área || herpes · enfermedad** *la prevención de enfermedades genitales* · **infección · higiene || actividad · función || mutilación · ablación**

2 **genitales** s.m.pl.

• CON ADJS. **masculinos · femeninos**

• CON VBOS. **amputar · extirpar · seccionar · operar || tocar · manosear · palpar · golpear**

[genitales] s.m.pl. → genital

genoma s.m.

• CON ADJS. **humano** *Muchos científicos colaboran en el estudio del genoma humano* · **animal · celular · de virus · de bacteria · nuclear · activo · parental**

• CON SUSTS. **mapa (de)** *Afirmaron que pronto presentarían un mapa del genoma de esa especie animal* · **secuencia (de) || descubrimiento (de) · investigación (de)**

• CON VBOS. **completar · descifrar · conocer || cambiar · manipular || investigar (en)**

gente s.f.

• CON ADJS. **normal** *Te aseguro que a la fiesta asistirá gente normal* · **corriente · sencilla · llana · modesta · humilde · de la calle · de a pie || rica · importante · de posibles || inocente · buena** *Este chico es buena gente* · **honrada · de bien || mala · de mal vivir || joven** *Le encanta estar rodeado de gente joven* · **mayor · menuda || {con/sin} talento · {con/sin} clase**

• CON SUSTS. **masa (de) · afluencia (de) || goteo (de)** *un goteo incesante de gente*

• CON VBOS. **afluir · reunir(se)** *Mucha gente se reunió a la salida del estadio para aplaudir a su equipo* · **juntar(se) · mezclar(se) · congregar(se) · concentrar(se) · agrupar(se) · agolpar(se) · apelotonar(se) · amontonar(se) || dispersar(se)** *Poco a poco la gente se fue dispersando* · **desperdigar(se) · emigrar · inmigrar || arrastrar · atraer · movilizar || conocer** *En esta asociación se conoce gente interesante* **|| llenar(se) (de)** *El bar se llenó de gente en un segundo* · **rodear(se) (de) || tratar {bien/mal} (a) || amedrentar (a)**

gentileza s.f.

• CON ADJS. **suma** *Es un caballero, trata a todo el mundo con suma gentileza* · **extrema · escasa**

• CON SUSTS. **muestra (de) · señal (de)**

• CON VBOS. **demostrar || prodigar · tener** *Tuvo la gentileza de acompañarme* **|| abusar (de)** *No quiero abusar más de tu gentileza, pero...* **|| deshacerse (en)**

• CON PREPS. **con** *actuar con extrema gentileza* · **por**

gentilmente adv.

• CON VBOS. **ceder · ofrecer · obsequiar · donar** *Donó gentilmente todas sus ganancias a una fundación benéfica* · **entregar · proporcionar · regalar || colaborar · facilitar · ayudar · atender · acompañar** *Me acompañó gentilmente hasta la puerta* **|| acceder · aceptar · recibir || pedir · solicitar || comunicar · decir · mencionar · preguntar · invitar**

gentuza s.f. *desp.*

• CON ADJS. **miserable · despreciable · indeseable** *Esos grupos de gamberros no son más que gentuza indeseable* · **depravada**

• CON SUSTS. **clase (de) || reunión (de)**

● CON VBOS. **soportar · aguantar || andar (con) · juntarse (con) || calificar (de/como) · tildar (de) · tachar (de)**

genuinamente adv.

● CON VBOS. **mostrar · demostrar** *una novela en la que demuestra genuinamente que es un escritor de raza* · **presentar · representar · ilustrar || creer (en algo)** *Creía genuinamente en la bondad del ser humano*
● CON ADJS. **español · británico** *¿Es este un comportamiento genuinamente británico?* · **ruso · peruano · americano ·** ***otros gentilicios*** **|| universal · representativo,va** *Es una actitud genuinamente representativa de una persona cargada de prejuicios* **|| democrático,ca · republicano,na || literario,ria** *No solo sus libros, también su vida era genuinamente literaria* **|| moderno,na · contemporáneo,a || puro,ra · abstracto,ta**

genuino, na adj.

● CON SUSTS. **artista · representante** *Es el más genuino representante del centrismo político* **|| arte · música · voz · estilo || sabor** *El chile da a la comida mexicana el sabor genuino de la comida de ese país* **|| idea · pensamiento || expresión · frase · título || producto || representación · versión** *Tiene intención de hacer una versión genuina de la obra del famoso dramaturgo...* **|| fuente · inspiración || identidad · tradición · carácter · sentido || interés**
● CON ADVS. **absolutamente** *un estilo de vida absolutamente genuino*

geografía s.f.

● CON SUSTS. **mapa (de)**
➤ Véase también **DISCIPLINA**

geología s.f. Véase **DISCIPLINA**

geometría s.f. Véase **DISCIPLINA**

geométricamente adv.

▌[en disposición geométrica]

● CON VBOS. **ordenar · situar** *conjuntos de esculturas situadas geométricamente a lo largo de la avenida* · **disponer · organizar · distribuir · clasificar · estructurar**

▌[en progresión geométrica]

● CON VBOS. **aumentar · crecer** *En las poblaciones del extrarradio la población ha crecido geométricamente* · **multiplicar · progresar · ampliar · extender(se)**

geométrico, ca adj.

● CON SUSTS. **dibujo · diseño** *un vestido de diseño geométrico* · **esquema · plano · trazado · arte || sentido · criterio · rigor · orden · equilibrio · forma · disposición || cuerpo · componente · planta** *un edificio de planta geométrica* · **estructura || progresión**

gerente s.com.

● CON ADJS. **general · adjunto,ta** *Fue contratado como gerente adjunto* · **central · estatal · regional || ejecutivo,va · administrativo,va · financiero,ra · apoderado,da · asociado,da · interino,na || antiguo,gua · anterior · futuro,ra · nuevo,va**
● CON SUSTS. **puesto (de)** *Desempeña eficazmente el puesto de gerente* · **cargo (de) · contrato (de) · funciones (de)**
● CON VBOS. **buscar · necesitar · contratar · despedir · destituir || nombrar · elegir · designar · votar || trabajar (como/de)** *trabajar de gerente en una empresa de electrodomésticos*

geriatría s.f. Véase **DISCIPLINA**

germen s.m.

▌[microorganismo]

● CON ADJS. **resistente · infeccioso · nocivo · patógeno** *El análisis reveló la presencia de gérmenes patógenos en la sustancia* · **peligroso · destructivo**
● CON SUSTS. **presencia (de) · existencia (de) · identificación (de) || ataque (de) · entrada (de) · resistencia (a) || propagación (de)** *La propagación de los gérmenes se produce a través del aire* · **crecimiento (de) · contagio (de) || portador,-a (de) || colonia (de) · cultivo (de)**
● CON VBOS. **producir (algo) · provocar (algo)** *los gérmenes que provocan esta infección* · **causar (algo) || anidar (en un lugar) · incubar · nacer · desarrollar(se) · crecer || detectar · aislar** *Ya han conseguido aislar el germen responsable de la epidemia* **|| introducir · inocular || matar · eliminar · atajar · frenar · atenuar || descubrir · investigar · analizar || limpiar (de) · luchar (contra)**

▌[semilla o tallo tierno]

● CON ADJS. **de planta · de trigo · de soja** *una ensalada con germen de soja*

▌[origen de algo]

● CON ADJS. **principal · fundamental · verdadero || original · inicial**
● CON VBOS. **dar lugar (a algo) · ocasionar (algo) · causar (algo) || encontrar(se) (en algo)** *Si el germen de la violencia juvenil se encuentra en la propia situación familiar...* · **hallar(se) (en algo) || brotar · aparecer · nacer · surgir || constituir · representar || conocer**

germinar v.

● CON SUSTS. **grano · semilla** *Las semillas no germinaron porque la tierra estaba demasiado seca* **|| cereal · trigo ·** ***otras plantas*** **|| vida || idea · pensamiento · proyecto · postura || identidad** *el momento en que germinaba la identidad colectiva* **|| movimiento · humanismo** *El humanismo comenzó a germinar en el Renacimiento* · **realismo · estructuralismo · existencialismo ·** ***otras tendencias y movimientos*** **|| odio · rencor · intolerancia · destrucción · división || conflicto** *un largo conflicto que germinó muchos años antes de estallar* · **problema · crisis · discordia · inestabilidad · guerra · violencia · corrupción · rebeldía || negociación · acuerdo · diálogo**

gesta s.f.

● CON ADJS. **extraordinaria · gloriosa · impresionante · numantina · victoriosa · triunfal · histórica · memorable || inmortal || épica · heroica** *La historia recordará la heroica gesta de un equipo modesto que, con esfuerzo y tesón, logró...* **|| nacional || antigua · pesada · olvidada**
● CON SUSTS. **cantar (de)** *El Poema de Mío Cid es un cantar de gesta*
● CON VBOS. **realizar · acometer · emprender || consumar · culminar · coronar || constituir** *La obtención de la independencia constituyó toda una gesta* **|| protagonizar || conocer · evocar · recordar · rememorar · conmemorar || loar · cantar** *El poema canta las gestas de antiguos héroes*

gestación s.f.

● CON ADJS. **avanzada** *La nueva ley ha de ser negociada con todos los grupos pero se encuentra en avanzada ges-*

tación · **múltiple** || **larga** · **complicada** · **difícil** · **breve** · **rápida** · **profunda** · **dura** · **normal**
● CON SUSTS. **tiempo (de)** · **semana (de)** *Está en la última semana de gestación* · **mes (de)** · **años (de)** · **período (de)** *Tras un largo período de gestación, la monumental obra saldrá publicada al finalizar el año* || **estado (de)** · **proceso (de)** · **seguimiento (de)**
● CON VBOS. **empezar** · **continuar** · **desarrollarse** · **terminar** || **observar** · **contemplar** || **participar (en)** *Participaremos encantados en la gestación del proyecto*

gestar v.

● CON SUSTS. **historia** · **leyenda** *una leyenda inverosímil que se empezó a gestar hace siglos* || **idea** · **proyecto** · **trabajo** · **operación** || **acción** · **movimiento** || **revolución** *En el ambiente se notaba que se estaba gestando una verdadera revolución* · **conflicto** || **proceso**

gesticulación s.f.

● CON ADJS. **excesiva** · **exagerada** *Es una actriz convincente y con recursos, pero debe corregir su exagerada gesticulación* || **ostensible** · **aparatosa** · **histriónica** · **compulsiva** · **enérgica** · **teatral** || **reconocible** · **visible** || **correcta** · **adecuada** · **apropiada** · **matizada** · **medida**

gesticular v.

● CON ADVS. **aparatosamente** · **exageradamente** · **histriónicamente** · **excesivamente** · **teatralmente** || **como (un) loco** · **como un poseso** || **nerviosamente** *Sabíamos que mentía porque gesticulaba nerviosamente* · **compulsivamente** || **despectivamente** · **grotescamente** || **pausadamente** · **enérgicamente** *Mientras discutían, ambos gesticulaban enérgicamente* · **vehementemente** · **alegremente**

gestión s.f.

● CON ADJS. **buena** *...destacó por su buena gestión al frente de la empresa* · **excelente** · **brillante** · **eficaz** · **meritoria** · **esmerada** · **minuciosa** · **concienzuda** · **diligente** · **impecable** · **intachable** · **pulcra** · **escrupulosa** || **rápida** *Hizo rápidas gestiones para solucionar el problema* · **rauda** || **laboriosa** · **ardua** · **dilatada** · **intensa** || **mala** · **deficiente** · **catastrófica** · **ineficaz** · **infructuosa** || **en punto muerto** *En este momento las gestiones se encuentran en punto muerto*
● CON VBOS. **prosperar** || **esclarecer(se)** || **paralizar(se)** *Se han paralizado temporalmente las gestiones* · **atascar(se)** || **hacer** · **llevar a cabo** · **realizar** · **llevar** · **conducir** · **tramitar** || **conceder** · **delegar** || **apoyar** · **activar** · **mejorar** · **agilizar** *El nuevo sistema agilizará las gestiones administrativas* · **aligerar** · **centralizar** · **clarificar** || **empeorar** · **entorpecer** · **desestabilizar** · **disfrazar** || **analizar** · **valorar** · **juzgar** · **enjuiciar** || **refrendar** · **revalidar** || **criticar** · **reprobar** || **involucrar(se) (en)** *Me convencieron para que me involucrara más activamente en la dirección y gestión del proyecto*

gestionar v.

● CON SUSTS. **asunto** · **tema** || **empresa** · **establecimiento** · **entidad** · **negocio** · **centro** || **bien** · **dinero** *Consiguió gestionar su dinero con éxito* · **fondos** · **activos** || **medios** · **recursos**
● CON ADVS. **eficazmente** · **efectivamente** · **con éxito** · **diligentemente** *Dice que gestionará lo más diligentemente que pueda el asunto* · **al detalle** · **ejemplarmente** · **profesionalmente** || **diplomáticamente** · **discretamente** · **con mano izquierda** || **con firmeza** || **democráticamente** || **equivocadamente** · **erróneamente** · **pésimamente** · **nefastamente**

gesto

1 gesto s.m.

● CON ADJS. **afirmativo** *hacer un gesto afirmativo con la cabeza* · **a favor** || **revelador** · **significativo** · **patente** · **expresivo** · **testimonial** · **ostensible** || **vivo** · **vivaz** · **diáfano** · **espontáneo** · **natural** · **delicado** *Sedujo a todos con sus gestos delicados* || **amable** · **amistoso** · **cálido** · **cordial** · **efusivo** || **generoso** · **humanitario** *Esa es la intención que se oculta detrás del gesto aparentemente humanitario de...* · **humano** || **encomiable** *Su gesto de generosidad es encomiable* · **loable** · **entrañable** · **honroso** || **severo** · **solemne** · **circunspecto** *Informó de lo acontecido con gesto grave y circunspecto* || **amargo** · **airado** · **arisco** · **brusco** · **hermético** · **burlón** · **despectivo** · **cansino** || **amenazador** *Alzó la mano con gesto amenazador* · **desafiante** || **tibio** · **frío** · **torcido** · **displicente** || **desmedido** · **aparatoso** · **histriónico** *Me puse a ensayar delante del espejo gestos histriónicos* || **instintivo** · **nervioso** · **impulsivo** || **fugaz** · **indeleble**
● CON VBOS. **delatar (a alguien)** · **denotar (algo)** *Ese gesto denotaba una inmensa tristeza* || **demudarse** *Al recibir la noticia se le demudó el gesto* · **descomponer(se)** · **desencajarse** · **agriar(se)** · **deshinchar(se)** || **hacer** *Me hacía gestos desde la ventana* · **cambiar** · **reproducir** · **exhibir** · **prodigar** || **tener (con alguien/hacia alguien)** *No había tenido antes ningún gesto contigo, y ahora es el momento* || **amagar** · **reprimir** · **dulcificar** || **captar** · **interpretar**

2 gesto (de) s.m.

● CON SUSTS. **alegría** · **felicidad** · **tristeza** · **afecto** *La princesa fue recibida entre gestos de afecto y cariño* · **cariño** · **angustia** · **preocupación** · ***otros sentimientos o emociones*** || **asentimiento** · **reconocimiento** · **aprobación** || **satisfacción** · **alivio** · **paz** || **acercamiento** · **buena voluntad** *Para que este acto no quede en un simple gesto de buena voluntad, ahora deberíamos...* · **amabilidad** · **cortesía** · **generosidad** · **caballerosidad** · **sinceridad** · **elegancia** · **gallardía** · **humildad** || **firmeza** · **decisión** · **coraje** · **valor** · **valentía** · **rebeldía** || **amistad** · **apoyo** · **solidaridad** · **complicidad** || **apertura** *La medida se interpretó como un gesto de apertura política* · **distensión** || **desesperación** · **dolor** *Se sienten impotentes ante los gestos de dolor de los enfermos* · **cansancio** · **debilidad** || **protesta** · **desagrado** · **repugnancia** · **desprecio** · **desdén** · **arrogancia** · **desaprobación** *Noté su gesto de desaprobación* || **impotencia** · **resignación** *Todo lo soportaba con valor y entereza, sin que se le escapara siquiera un gesto de resignación* || **autoritarismo** || **agresión**
□ EXPRESIONES **torcer el gesto** [mostrar enfado] *col.*

gigantesco, ca adj.

● CON SUSTS. **proporciones** *un palacio de gigantescas proporciones* · **dimensiones** · **amplitud** || **salto** · **paso** *avanzar a pasos gigantescos* || **esfuerzo** || **obra** · **proyecto** · **plan** · **operación** || **coro** · **ejército** · **equipo** · ***otros grupos humanos*** || **fortuna** *¿Quién heredará su gigantesca fortuna?* · **deuda** · **suma** · ***otras cantidades***

gimnasia s.f.

● CON ADJS. **rítmica** *el campeonato mundial de gimnasia rítmica* · **artística** · **deportiva** · **de mantenimiento** · **aeróbica** · **acuática** · **pasiva** · **mecánica** · **terapéutica** ||

mental *El sudoku es una especie de gimnasia mental* · **cerebral** · **facial** || **diaria** || **básica** · **elemental**
● CON SUSTS. **ejercicio (de)** · **tabla (de)** *El instructor nos ha diseñado una nueva tabla de gimnasia* || **profesor,-a (de)** · **equipo (de)** || **clase (de)** · **sesión (de)** || **ropa (de)** || **aparato (de)** || **federación (de)** · **club (de)** · **escuela (de)**
● CON VBOS. **hacer** *Su médico le ha recomendado que haga gimnasia* · **practicar** · **ejercitar** · **cultivar** || **dedicar(se) (a)**

gimnasio s.m.

● CON ADJS. **público** · **escolar** · **municipal** *Entreno en un gimnasio municipal* · **privado** · **exclusivo** · **de lujo** · **de moda** || **habitual (de)** · **asiduo (de)** · **fanático,ca (de)**
● CON SUSTS. **cuerpo (de)** *el típico cuerpo musculoso de gimnasio* · **piernas (de)** · **brazos (de)** || **aparato (de)** · **ropa (de)** || **socio,cia (de)**
● CON VBOS. **poner** · **montar** · **regentar** · **llevar** · **abrir** · **instalar** *Va a instalar un gimnasio en el sótano de su casa* · **construir** · **cerrar** · **clausurar** || **apuntar(se) (a)** *Me apunté a un gimnasio pero casi no iba por falta de tiempo* · **ir (a)** · **entrenar (en)** · **pasar horas (en)** · **borrar(se) (de)**

gimnasta s.com.

● CON ADJS. **olímpico,ca** *La gran gimnasta olímpica ha ganado nuevamente una medalla* · **acrobático,ca** || **inexperto,ta** · **experto,ta** · **joven** || **ilustre** · **de élite** · **laureado,da** · **mítico,ca** *El abanderado será un mítico gimnasta* · **legendario,ria** || **veterano,na** · **malogrado,da** || **en activo** · **retirado,da**
● CON VBOS. **competir** · **participar** *Los gimnastas que hayan participado en la final...* · **concursar** || **vencer** · **ganar** || **retirar(se)** · **lesionar(se)**

ginebra s.f.

● CON ADJS. **fuerte** · **seca** · **ardiente** · **típica** || **de garrafón**
● CON SUSTS. **combinado (de)** · **chupito (de)** · **dosis (de)** *Se le notaba que llevaba una buena dosis de ginebra en el cuerpo*
● CON VBOS. **macerar (algo) (en)**
➤ Véase también **BEBIDA**

gira s.f.

● CON ADJS. **larga** · **exhaustiva** || **corta** · **breve** || **apretada** · **agotadora** · **ajetreada** || **promocional** · **publicitaria** *Emprendieron una gran gira publicitaria para promocionar su nuevo disco* || **turística** || **mundial** · **internacional**
● CON VBOS. **culminar** *La gira culminó con una gran gala* || **hacer** · **acometer** · **emprender** · **encarar** *La compañía encara la gira promocional con optimismo* · **comenzar** · **realizar** || **anular** · **suspender** · **interrumpir** · **prolongar** · **jalonar (con algo)** || **enrolar(se) (en)**
● CON PREPS. **de** *La compañía de teatro estará de gira durante el verano* · **en**

[girar] →girar; girar (sobre algo)

girar v.

● CON ADVS. **en redondo** · **completamente** || **a la {izquierda/derecha}** *Primero giró a la derecha y después...* · **directamente** || **inesperadamente** · **velozmente** · **rápidamente** · **bruscamente** · **repentinamente** · **levemente** · **ligeramente** · **lentamente** || **acrobáticamente**

girar (sobre algo) v.

● CON SUSTS. **eje** *El eje principal de la investigación gira sobre el presunto robo* || **conversación** · **debate** · **charla** · **entrevista** · **polémica** · **diálogo** · **discusión** · **negociación** || **campaña** *La campaña electoral giró sobre la necesidad de terminar con la inseguridad ciudadana* · **reunión** · **encuentro** · **asamblea** · **certamen** · **feria** · **exposición** || **lucha** · **batalla** · **estrategia** · **tentativa** || **idea** · **texto** · **mensaje** · **discurso** · **comentario** · **palabra** · **pregunta** · **manifiesto** *un manifiesto político contundente que giraba sobre cuatro puntos clave* · **informe** · **declaración** · **información** || **cuestión** · **hipótesis** · **opción** · **duda** || **libro** *Todo el libro gira sobre el mismo tema* · **película** · **poema** · **concierto** · **programa** · ***otras obras***
● CON ADVS. **exclusivamente** · **totalmente** · **en parte** || **monotemáticamente** *Sus conversaciones giran monotemáticamente sobre mujeres y fútbol* · **obsesivamente**

giratorio, ria adj.

● CON SUSTS. **movimiento** · **acción** || **sistema** · **mecanismo** · **barra** *Algunas entradas del metro disponen de barras giratorias* · **aspa** · **hélice** · **rueda** || **plataforma** *La solución consiste en poner la televisión sobre una plataforma giratoria* · **escenario** · **soporte** · **cinta** || **puerta** · **plato** *Se ha roto el plato giratorio del microondas* · **silla** · **sillón** · **taburete**

giro s.m.

● CON ADJS. **completo** *Dio un completo giro a su vida* · **total** · **rotundo** · **radical** · **brusco** *Cuando ella apareció, él dio un giro brusco a la conversación* · **abrupto** · **drástico** || **apreciable** · **visible** || **decisivo** · **inequívoco** · **irreversible** *Piénselo bien, ya sabe que sería un giro irreversible* || **repentino** *el repentino giro que dio entonces su carrera profesional* · **vertiginoso** || **sorprendente** · **imprevisible** · **inesperado** · **insospechado** || **acrobático** || **de {trescientos sesenta/ciento ochenta} grados**
● CON VBOS. **producir(se)** *Se produjo un giro insospechado en la marcha del asunto* || **dar** *La situación dio un giro inesperado* · **experimentar** · **sufrir** || **hacer** · **provocar** · **propiciar** · **imprimir** || **tomar**

glacial adj.

● CON SUSTS. **temperatura** *En el norte del país se alcanzan temperaturas glaciales* · **aire** · **frío** · **viento** || **actitud** · **recibimiento** *No alcanzaba a comprender los motivos del recibimiento glacial que le expresaron* · **acogida** · **saludo** · **despedida** || **gesto** · **mirada** · **sonrisa** || **comentario** · **silencio**

glándula s.f.

● CON ADJS. **sudorípara** · **suprarrenal** · **mamaria** · **sexual** · **prostática** · **endocrina**
● CON SUSTS. **tumor (de)** · **cáncer (de)** · **hipertrofia (de)**
● CON VBOS. **hincharse** · **inflamarse** || **segregar** || **trasplantar** · **extirpar** *Aunque no es necesario extirpar la glándula...* · **implantar** || **afectar** · **perjudicar**

global adj.

● CON SUSTS. **mercado** · **economía** · **comercio** · **sociedad** *En su ensayo analiza la sociedad global contemporánea* · **aldea** · **política** · **sistema** · **red** || **problema** · **conflicto** · **crisis** *La decisión amenazaba con transformar el incidente en una crisis global* · **asunto** · **fenómeno** · **situación** · **contexto** · **consecuencia** · **efecto** · **resultado** · **cambio** · **alcance** || **paz** *Todos estamos de acuerdo en luchar por la paz global* · **negocio** · **lucha** · **experiencia** · **cobertura** ·

movimiento · investigación || visión *Le pedimos que expusiera su visión global del asunto* · percepción · panorámica · perspectiva · óptica · enfoque || proyecto · plan *tras elaborar un plan global para las infraestructuras del transporte* · concepción · estrategia · programa · propuesta || estudio · análisis · prueba · examen || crecimiento · desarrollo *...medidas con las que se pretende lograr el desarrollo global de todos los sectores agrícolas* · expansión · aumento · incremento || presupuesto · monto · ingreso · valor · importe *Todavía desconocemos el importe global de la reforma* · cantidad · cifra · inversión · balance · facturación · cómputo · deuda || actuación · intervención · reforma · solución · tratamiento · participación || acuerdo · pacto *Los partidos políticos acordaron un pacto global en materia de empleo* · compromiso · consenso || opinión · posicionamiento · actitud · decisión || carácter · sentido · forma · manera · términos *Si hablamos solo en términos globales, quedarán fuera aspectos esenciales*

[globo] → como un globo; globo

globo s.m.

●CON ADJS. **aerostático · dirigible || terráqueo** *Participan países procedentes de los más variados lugares del globo terráqueo* · **terrestre || ocular || informativo** *No es más que un globo informativo lanzado desde la propia Administración*

●CON SUSTS. **sonda**

●CON VBOS. **inflar(se) · desinflar(se)** *El globo se desinfló porque no até bien la boquilla* · **deshinchar(se) · pinchar(se) || volar** *El globo sonda voló a gran altura* **|| elevar(se) || hinchar || estallar · explotar**

●CON PREPS. **en** *un viaje en globo*

[gloria] → gloria; sin pena ni gloria

gloria s.f.

●CON ADJS. **celestial · eterna || excelsa · suprema || inmortal || efímera · fugaz || nacional** *Con solo doce años, la gimnasta se había convertido en una gloria nacional*

●CON SUSTS. **ápice (de) || asomo (de) || instante (de)** *Estar en el podio supone vivir unos instantes fugaces de gloria* · **momento (de) · minuto (de)**

●CON VBOS. **subirse(le) a la cabeza (a alguien) || desaparecer · disminuir · mermar || reverdecer || buscar · perseguir · conquistar · ganar · alcanzar · encontrar || tener · disfrutar · saborear** *Los esforzados jugadores pudieron al fin saborear las mieles de la gloria* · **acariciar || augurar || honrar || colmar (de) || gozar (de)**

□EXPRESIONES **cubrirse de gloria** [equivocarse manifiestamente] *irón.* **|| en la gloria** [muy a gusto] *col.* **|| {oler/saber} a gloria** [gustar mucho o ser muy agradable] *col.*

glorieta s.f.

●CON ADJS. **central · principal · lateral**

●CON VBOS. **atravesar · pasar · bloquear · cruzar || girar (en) · dar la vuelta (en/a) · llegar (a)** *Cuando llegues a la glorieta, gira a la derecha* · **terminar (en) · desembocar (en) · desviar(se) (en)**

glorificar v.

●CON SUSTS. **dios · santo · mártir || memoria · nombre · persona** *No hay ningún motivo para glorificar de tal forma a ese personaje* **|| hecho · actuación · realidad || patria · arte · amor · violencia** *Ciertas obras del género glorifican la violencia como recurso válido para la solución de algunos conflictos* · **sabiduría · conocimiento**

glorioso, sa adj.

●CON SUSTS. **época** *en una época gloriosa de la historia de nuestro país* · **tiempo · etapa · instante · década · año · día ·** ***otros momentos o periodos*** **|| futuro · pasado** *el glorioso pasado de esta nación* · **historia · tradición · proyecto · memoria · recuerdo || nombre || obra · actuación · hecho || retorno** *el retorno glorioso del equipo vencedor* · **gesta · descubrimiento · hazaña**

glosa s.f.

●CON ADJS. **breve · pequeña · somera · escueta · marginal** *Concluía sus artículos con breves glosas marginales* **|| interpretativa · aclaratoria · crítica || recordatoria || manuscrita**

●CON VBOS. **escribir · dedicar (a algo/a alguien) · hacer || leer · reproducir** *Reproducimos literalmente la breve glosa del autor* **|| añadir · agregar**

glotonería s.f.

●CON ADJS. **compulsiva · desmedida · insaciable** *Devoraba galletas a todas horas con insaciable glotonería* · **gratuita**

●CON VBOS. **dominar** *Seguirás estando gordo si no dominas tu glotonería* · **vencer · refrenar · atemperar || dar(se) (a)**

●CON PREPS. **con · sin**

glucosa s.f.

●CON SUSTS. **nivel (de) · control (de) · exceso (de)** *controlar el exceso de glucosa en sangre* · **falta (de) · ausencia (de) · concentración (de) · dosis (de) · cifra (de) · cantidad (de) || ingesta (de) || molécula (de)**

●CON VBOS. **tener · consumir · aportar** *los alimentos que aportan glucosa* · **inyectar || metabolizar** *problemas para metabolizar la glucosa* · **procesar · absorber || medir · reducir · controlar · nivelar · normalizar**

glúteo s.m.

●CON ADJS. **firme · flácido** *Tiene usted los glúteos flácidos porque no hace ejercicio*

●CON SUSTS. **zona (de) || músculo (de) || contractura (en) · lesión (en)**

●CON VBOS. **fortalecer · tonificar** *La natación tonifica los glúteos* · **endurecer || ejercitar · trabajar**

gobernante

1 gobernante adj.

●CON SUSTS. **partido · político · líder · grupo · clase** *Pertenecía a la clase gobernante* · **coalición · mayoría · junta · bloque · institución · país**

2 gobernante s.com.

●CON ADJS. **honesto,ta · cumplidor,-a · serio,ria · capaz · honrado,da · íntegro,gra || corrupto,ta · traidor,-a · tramposo,sa || liberal · conservador,-a** *El electorado ha confiado en un gobernante conservador para dirigir el país* · **progresista · demócrata · radical || democrático,ca · dictatorial · tiránico,ca · autoritario,ria || nacional · regional · local** *Los gobernantes locales buscan una solución al problema del aparcamiento* · **municipal || actual · futuro,ra** *Los futuros gobernantes heredarán el déficit presupuestario* · **nuevo,va · anterior || prestigioso,sa · acreditado,da · desacreditado,da || legítimo,ma · ilegítimo,ma**

• CON VBOS. {**jurar/prometer**} **el cargo** · **dimitir** || **elegir** · **votar** · **escoger** · **nombrar** · **renovar** || **entrevistarse (con)** *Las asociaciones de vecinos se entrevistarán hoy con gobernantes municipales* · **tratar (con)** || **cambiar (de)**

gobernar v.

• CON SUSTS. **mundo** · **país** *el partido que gobierna el país* · **nación** · **ciudad** · **pueblo** || **hacienda** · **casa** · **familia** *la dificultad de gobernar firmemente una familia* · **comunidad** || **institución** · **entidad** · **empresa** · **partido** · **equipo** || **sociedad** · **vida** *No permitiré que gobierne mi vida*
• CON ADVS. **justamente** · **prudentemente** *un rey que gobernó prudentemente su reino* · **sabiamente** · **dignamente** || **injustamente** · **abusivamente** || **holgadamente** *El partido en el poder gobierna holgadamente desde que obtuvo la mayoría absoluta* · **cómodamente** · **a {mis/tus/sus...} anchas** *Gobierna a sus anchas sus empresas y negocios* || **con firmeza** *El presidente afirmó que seguiría gobernando con firmeza* · **con mano firme** · **con mano de hierro** · **con mano dura** · **autoritariamente** · **con autoridad** · **férreamente** · **con mano férrea** || **democráticamente** · **dictatorialmente** · **despóticamente** · **tiránicamente** · **por decreto**

gobierno s.m.

• CON ADJS. **eficaz** · **ineficaz** · **inoperante** || **blando** · **débil** *Seguimos con un Gobierno débil, incapaz de afrontar los problemas* · **frágil** · **vacilante** · **laxo** · **tolerante** · **flexible** · **tímido** · **lánguido** · **acomplejado** || **duro** · **firme** · **férreo** · **implacable** · **prepotente** · **intolerante** · **inflexibe** · **valiente** || **justo** *Prometió constituir un Gobierno justo* · **prudente** · **sabio** · **legítimo** · **honesto** · **honrado** || **injusto** · **ilegítimo** · **corrupto** || **homogéneo** · **heterogéneo** · **paritario** *un Gobierno paritario con el mismo número de hombres y mujeres como ministros* || **beligerante** · **hegemónico** || **absoluto** · **soberano** · **democrático** *Tenemos un Gobierno democrático elegido por votación popular* · **absolutista** · **dictatorial** · **tiránico** || **progresista** · **inmovilista**
• CON SUSTS. **presidente,ta (de)** · **jefe,fa (de)** · **vicepresidente,ta (de)** *La vicepresidenta del Gobierno ha declarado ante los medios de comunicación...* · **delegado,da (de)** · **portavoz (de)** · **miembro (de)** · **partido (de)** · **departamento (de)** · **junta (de)** · **coalición (de)** || **política (de)** · **acción (de)** || **medida (de)** *La oposición calificó la medida del Gobierno de injusta y arbitraria* · **modelo (de)** · **programa (de)** · **decisión (de)** · **propuesta (de)** · **previsión (de)** · **voluntad (de)** · **objetivo (de)** · **posición (de)** · **interés (de)** · **responsabilidad (de)** · **resolución (de)** · **gestión (de)** || **remodelación (de)** · **cambio (de)** *Si en las próximas elecciones se produce un cambio de Gobierno...* || **presencia (de)** · **representación (de)** || **dimisión (de)**
• CON VBOS. **constituir(se)** · **formar(se)** · **consolidar(se)** || **entrar** *Cuando entre el nuevo Gobierno* || **actuar** · **gobernar** · **defender (algo)** · **promover (algo)** || **caer** · **derrumbar(se)** · **desmoronar(se)** *La oposición asegura que todo esto es un claro signo de cómo se desmorona el Gobierno* · **tambalearse** · **desmembrar(se)** · **dimitir** || **escorar(se) (hacia algo)** || **vender(se) (a algo/a alguien)** *un Gobierno vendido a las multinacionales* · **traicionar (a alguien)** || **imponer** · **asumir** || **jurar (algo)** *El nuevo Gobierno juró ayer la Constitución* || **tener** · **constituir** · **formar** · **instaurar** · **nombrar** · **decidir** · **elegir** || **presidir** · **dirigir** · **ocupar** || **desestabilizar** · **boicotear** · **erosionar** · **socavar** · **deponer** || **reinstaurar** · **revalidar** || **blindar** · **copar** || **centralizar** || **apoyar** · **criticar** || **estar (en)** || **disentir (de)** *Fueron apresados por disentir del Gobierno* · **discrepar (de)** || **emanar (de)**

gol s.m.

• CON ADJS. **a favor** *Ganaron por dos goles a favor* · **en contra** || **de ventaja** · **de diferencia** *Con dos goles de diferencia a falta de media hora podemos dar el partido por perdido* || **justo** · **injusto** || **decisivo** · **de oro** · **espectacular** · **portentoso** · **fulminante** · **fulgurante** · **apoteósico** *Consiguió la victoria con un gol apoteósico al final del partido* || **en frío** || **tempranero** · **fortuito** · **de casualidad** || **parco,ca (en)** *un partido parco en goles* || **de penalti**
• CON SUSTS. **lluvia (de)** || **olfato (de)** *un jugador con un gran olfato de gol*
• CON VBOS. **buscar** *No buscan el gol, se limitan a defenderse* · **acariciar** || **meter** · **marcar** · **clavar** · **endosar** *¿Cuántos goles os endosaron?* · **encajar** · **endilgar** || **apuntar(se)** · **conseguir** · **conquistar** || **remontar** || **errar** · **fallar** || **validar** · **invalidar** · **anular**

goleada s.f.

• CON ADJS. **abultada** · **aplastante** · **estrepitosa** · **apabullante** || **merecida** · **inmerecida** *El equipo recibió una inmerecida goleada* || **a domicilio**
• CON VBOS. **endosar (a alguien)** · **infligir (a alguien)** || **recibir** · **encajar** *encajar una goleada con deportividad* || **ganar (por)**

golear v.

• CON SUSTS. **equipo** *El equipo ha goleado esta noche a su eterno rival* · **escuadra** · **conjunto** · **combinado** · **selección** || **delantero,ra** · **líder**
• CON ADVS. **fácilmente** · **cómodamente** *La selección ha goleado cómodamente a la débil...* · **rápidamente** · **nuevamente** || **espectacularmente** || **sin piedad** || **precisamente**

golf s.m.

• CON SUSTS. **juego (de)** · **deporte (de)** · **práctica (de)** || **palo (de)** · **pelota (de)** · **carro (de)** · **hoyo (de)** · **bolsa (de)** · **taco (de)** || **swing (de)** · **técnica (de)** || **área (de)** · **campo (de)** *Los campos de golf necesitan ingentes cantidades de agua* · **jaula (de)** · **escuela (de)** · **instalación (de)** || **maestro,tra (de)** · **monitor,-a (de)** · **profesor,-a (de)** · **árbitro (de)** || **torneo (de)** · **abierto (de)**
• CON VBOS. **practicar** || **aficionar(se) (a)** · **jugar (a)**

golfo, fa

1 **golfo, fa** adj. *col. desp.*

• CON SUSTS. ***persona*** *El muchacho es un tanto golfo* || **sesión** *Vimos la película ayer por la noche en la sesión golfa* || **vida**

2 **golfo** s.m.

■ [accidente geográfico]

• CON SUSTS. **aguas (de)** · **corriente (de)** *La corriente del golfo arrastra los restos del naufragio* · **boca (de)** · **costa (de)** · **litoral (de)** · **límite (de)** · **entrada (de)**
• CON VBOS. **abrir(se) (hacia algo)** · **dirigir(se) (a)** · **navegar (hacia)** *Los pesqueros navegaban hacia el golfo buscando un refugio ante la tempestad* · **entrar (a/en)**

golosina s.f.

• CON ADJS. **deliciosa** · **sabrosa** · **apetitosa** · **rica** || **atractiva** · **refrescante** *La fruta también puede ser una refrescante golosina*
• CON VBOS. **comer** · **zampar(se)** || **atiborrar(se) (de)** *Nos atiborramos de golosinas en la feria*

goloso, sa

1 **goloso, sa** adj.

▌[aficionado al dulce]

●CON SUSTS. ***persona*** *Los pediatras aconsejan vigilar la alimentación de los niños golosos* || **ojos** *El niñito miraba los dulces con ojos golosos* · **mirada**

▌[muy apetecible]

●CON SUSTS. **oportunidad** · **ocasión** · **asunto** · **oferta** *Me han hecho una oferta muy golosa que no podré rechazar* · **inversión** || **bocado** · **comida** · **menú** · **cebo** || **trabajo** · **puesto** || **recompensa**

2 **goloso, sa** s.

●CON ADJS. **compulsivo** · **impenitente** · **incorregible**

[golpe] → a golpe (de); a golpes; de golpe y porrazo; golpe; golpe de Estado

golpe

1 **golpe** s.m.

●CON ADJS. **duro** · **violento** · **virulento** · **fuerte** *Recibió un fuerte golpe en el tobillo* · **poderoso** · **tremendo** || **seco** · **brusco** · **débil** · **flojo** · **leve** · **ligero** || **demoledor** · **irresistible** · **implacable** · **mortal** · **mortífero** · **letal** · **fulminante** · **funesto** · **nefasto** · **fatal** · **fatídico** || **certero** · **decisivo** · **contundente** · **rotundo** · **calculado** || **severo** · **serio** · **traumático** · **lesivo** · **irreversible** · **alevoso** · **aparatoso** *un aparatoso golpe en el lateral del vehículo* || **en seco** || **con suerte** · **afortunado** · **fallido** · **fortuito** || **sesgado** · **lateral** · **frontal**

●CON SUSTS. **lluvia (de)** *Después de aguantar una lluvia de golpes...* · **somanta (de)** · **secuela (de)**

●CON VBOS. **dar(se)** · **repartir** · **pegar** · **soltar** · **infligir** · **lanzar** · **largar** · **amagar** · **endilgar** · **endosar** · **sacudir** · **encajar** · **asestar** *La Policía ha conseguido asestar un duro golpe a la cúpula de la organización* · **propinar** · **arrear** · **atizar** · **devolver** *Estaba dispuesto a devolverle el golpe cuando...* || **recibir** · **sufrir** · **resistir** · **soportar** · **aguantar** · **acusar** · **sentir** · **doler** || **esquivar** · **detener** · **evitar** · **desviar** · **parar** || **acertar** · **errar** · **afinar** || **amortiguar** · **contrarrestar** · **neutralizar** || **fraguar(se)** · **capitanear** || **liarse (a)** · **emprenderla (a)** · **responder (a)** || **fulminar (con)** · **moler (a)** || **reponerse (de)** · **recuperarse (de)** · **recobrarse (de)**

2 **golpe (de)** s.m.

●CON SUSTS. **volante** · **timón** · **manillar** · **martillo** || **suerte** *esperar un golpe de suerte* · **fortuna** · **destino** · **azar** || **humor** · **ingenio** · **talento** · **imaginación** · **genialidad** · **genio** · **inteligencia** · **astucia** · **risa** || **efecto** · **propaganda** · **publicidad** · **impacto** · **imagen** · **teatro** · **escena** || **aire** · **viento** *Un fuerte golpe de viento se llevó dos sombrillas* · **mar** · **tos** · **voz**

□EXPRESIONES **de golpe** · **de golpe y porrazo*** [de repente o de forma brusca] *col.* || **de un golpe** [de una sola vez] *Se comió de un golpe el paquete de caramelos* || **golpe bajo** [acción malintencionada] || **golpe de Estado*** [toma ilegal y por la fuerza del gobierno de un país] || **golpe de gracia** [el que se da para rematar] || **golpe de mano** [ataque rápido o inesperado] || **golpe de pecho** [gesto de arrepentimiento] || **golpe de vista** [ojeada] *¿Cuántos números puedes memorizar con un simple golpe de vista?* || **no {dar/pegar} (ni) golpe** [no trabajar] *col. Últimamente estoy que no doy ni golpe*

GOLPE

Información útil para el uso de:

azote; balonazo; bastonazo; bofetada; bofetón; bolazo; botellazo; cabezazo; cachete; capón; castañazo; castaña; cate; codazo; coletazo; coscorrón; coz; galleta; gancho; garrotazo; guantazo; hachazo; leñazo; mamporro; martillazo; mazazo; palmada; palo; patada; pedrada; pelotazo; pisotón; porrazo; puntapié; puñetazo; rodillazo; sopapo; torta; tortazo; trallazo; trancazo; trastazo; trompazo; zambombazo; zapatazo; zarpazo; zurriagazo

●CON ADJS. **espectacular** *un espectacular castañazo* · **descomunal** · **monumental** · **fuerte** · **brutal** · **tremendo,da** · **terrible** · **contundente** · **duro,ra** · **fulminante** · **doloroso,sa** · **certero,ra** || **accidental** · **involuntario,ria** *un cabezazo involuntario* · **incontrolado,da** · **indiscriminado,da** · **pequeño,ña**

●CON SUSTS. **lluvia (de)** · **somanta (de)**

●CON VBOS. **dar** *dar una torta* · **pegar** · **asestar** · **arrear** · **atizar** · **propinar** · **meter** · **lanzar** · **soltar** · **sacudir** · **endosar** · **repartir** · **largar** · **endilgar** || **ganarse** · **llevarse** *llevarse un cachete* · **recibir** · **aguantar** · **soportar** · **resistir** · **sufrir** · **encajar** · **buscarse** || **esquivar** · **evitar** || **librarse (de)** || **liarse (a)** *liarse a bofetadas* · **emprender(la) (a)** · **matar (a)** · **herir (a)**

●CON PREPS. **a** *defenderse a bastonazos; entrar a empujones*

golpear v.

●CON SUSTS. **conciencia** *un hecho brutal que debería golpear nuestras conciencias* · **corazón**

●CON ADVS. **con fuerza** · **con todas {mis/tus/sus...} fuerzas** *...y golpeó con todas sus fuerzas la puerta* · **violentamente** || **duramente** *La vida le había golpeado duramente* · **con dureza** · **con saña** · **fuertemente** · **con firmeza** · **enérgicamente** · **a conciencia** · **ciegamente** || **a diestro y siniestro** · **a discreción** · **sin ton ni son** || **certeramente** *Si al menos golpearan certeramente el balón...* · **de lleno** · **con tino** || **sin miramientos** · **sin piedad** · **a sangre fría** || **a patadas** || **fatalmente** · **gravemente** · **severamente** || **débilmente** · **ligeramente** || **en lo más íntimo (de alguien)** · **en el corazón (de algo/de alguien)**

golpe de Estado loc.sust.

●CON SUSTS. **intento (de)** *Los rumores sobre un intento de golpe de Estado son falsos* · **intentona (de)**

●CON VBOS. **fracasar** · **frustrar(se)** *El golpe de Estado se frustró por falta de apoyo* || **tener éxito** || **dar** · **llevar a cabo** || **planear** · **tramar** · **urdir** · **maquinar** || **sofocar** || **participar (en)**

golpista adj.

●CON SUSTS. **intentona** · **intento** · **conspiración** · **amenaza** · **trama** · **tentativa** · **potencial** || **ejército** *Las tropas del ejército golpista no se han rendido todavía* · **militar** · **oficial** · **general** · **coronel** · **tropa** · **líder** · **militante** || **régimen** · **gobierno** · **junta** *Una junta golpista ha tomado el poder esta madrugada* || **propósito** · **intención** · **estrategia** · **plan** · **objetivo** || **movimiento** · **acción** · **aventura** *La aventura golpista apenas duró unas pocas horas* · **intervención** · **arremetida** · **fracaso**

goma s.f.

▌[tira elástica]

●CON ADJS. **de pelo** *¿Me dejas una goma de pelo para recogérmelo?* · **elástica** · **flexible**

• CON VBOS. **atar (con)** · **sujetar (con)** *Será mejor que sujetes las cartas con una goma para que no se pierda ninguna*
• CON PREPS. **de** *Este niño parece de goma*

▌[sustancia elástica]
• CON ADJS. **de borrar** · **sintética** || **de mascar**
• CON SUSTS. **espuma** *un gorro hecho con goma espuma*
• CON VBOS. **gastar(se)** · **desgastar(se)** · **estropear(se)** · **amarillear** || **borrar (con)**

gomina s.f.
• CON VBOS. **echar** · **poner** *Ponte un poco de gomina para fijar el rizo* · **utilizar** · **usar** · **gastar** · **llevar** || **peinar (con)**

gominola s.f.
• CON SUSTS. **atracón (de)** *darse un atracón de gominolas* || **figuras (de)**
• CON VBOS. **comer** || **atiborrar(se) (de)**

gordo, da
1 **gordo, da** adj.

▌[grueso]
• CON SUSTS. ***persona*** *Un hombre gordo y desaliñado se acercó y nos preguntó por...* || **dedo** *el dedo gordo del pie* || **pez** *Mañana se reúnen todos los peces gordos de...* || **sal** *Para este plato es mejor utilizar sal gorda* · **caldo** · **sopa** || **gota** *Estoy sudando la gota gorda...* || **brocha** *un pintor de brocha gorda*
• CON VBOS. **ser** · **volver(se)** · **quedar(se)** *Después del embarazo me he quedado un poco más gorda* · **estar** · **poner(se)**
• CON ADVS. **excesivamente** · **como un cerdo**

▌[grande, importante]
• CON SUSTS. **premio** *¿Sabes dónde ha recaído el premio gordo?* · **sorpresa** || **problema** · **error** · **fallo** · **fracaso** || **asunto**

2 **gordo** s.m. *col.*

▌[premio]
• CON VBOS. **caer** *Nunca antes había caído el gordo en esta localidad* · **tocar** || **cantar** · **celebrar**

☐ EXPRESIONES **armarse la gorda** [organizarse mucho alboroto] *col.*

gordura s.f.
• CON ADJS. **extrema** · **excesiva** *La gordura excesiva le provoca problemas en las articulaciones* · **exagerada** · **adiposa** · **enfermiza**
• CON SUSTS. **tendencia (a)** · **problema (de)** · **grado (de)** · **nivel (de)** || **tipo (de)** *Depende del tipo de gordura*
• CON VBOS. **asumir** · **tratar** · **disimular** *Intenta llevar prendas con las que disimular su gordura* · **evitar** · **combatir** · **tener**

gorila s.m.

▌[mono]
• CON ADJS. **salvaje** *observar a los gorilas salvajes* · **de montaña** · **domesticado** || **albino**
• CON SUSTS. **cría (de)** · **reserva (de)** || **macho** · **hembra**
• CON VBOS. **capturar** || **cuidar** · **atender** · **amaestrar** · **adiestrar**

▌[guardaespaldas] *col.*
• CON ADJS. **de discoteca** *representaba al típico gorila de discoteca*
• CON VBOS. **escoltar (a alguien)** *Un grupo de gorilas escoltaban al jefe de la banda* · **custodiar (algo/a alguien)** · **vigilar (algo/a alguien)** · **proteger (algo/a alguien)**

gorjear v.
• CON SUSTS. **ave** · **pájaro** *Los pajarillos gorjeaban alegremente*

gorjeo s.m.
• CON ADJS. **dulce** *el dulce gorjeo de un canario* · **suave** · **alborozado** · **metálico** || **continuo** · **entrecortado**
• CON VBOS. **oír** · **escuchar** · **percibir**

gorra s.f.
• CON VBOS. **colocar(se)** · **calzar(se)** · **encajar(se)** · **calar(se)** · **encasquetar(se)** *Se encasquetó la gorra y salió corriendo*
➤ Véase también **ROPA**

☐ EXPRESIONES **con la gorra** [sin esfuerzo] *col.* || **de gorra** [gratis] *col.*

gorro s.m.
• CON VBOS. **encajar(se)** *Encájate bien el gorro o se te volará* · **calar(se)** · **encasquetar(se)** · **colocar(se)** · **calzar(se)**
➤ Véase también **ROPA**

☐ EXPRESIONES **estar hasta el gorro** [estar harto] *col.*

gorrón, -a adj.
• CON SUSTS. ***persona***
• CON VBOS. **ir (de)** · **estar (de)** *A sus años y todavía está de gorrón en casa de sus padres* · **vivir (de/como)**

gota s.f.

▌[partícula de un líquido]
• CON VBOS. **caer** · **resbalar** *Gotas de sudor resbalaban por su rostro* || **recetar** *El médico me ha recetado unas gotas para los ojos* · **mandar** || **echar(se)** · **poner(se)**

▌[enfermedad]
• CON SUSTS. **enfermo,ma (de)** · **caso (de)** || **síntoma (de)** *un tratamiento que ayuda a aliviar los dolorosos síntomas de gota*
• CON VBOS. **padecer** · **tener** · **sufrir**

☐ EXPRESIONES **cuatro gotas** [lluvia escasa] || **gota fría** [masa de aire muy frío] || **ni gota** [nada] *col.* || **ser la gota que colma el vaso** [ser lo que colma la paciencia de alguien] *col.* || **sudar la gota gorda** [esforzarse mucho] *col.*

goteo
1 **goteo** s.m.
• CON ADJS. **continuo** · **incesante** *un incesante goteo de personas que llamaron para preguntar por él* · **constante** · **sostenido** · **permanente** · **importante** || **lento** · **interminable**
• CON SUSTS. **sistema (de)** · **riego (por)** *En verano dejamos puesto el riego por goteo*
• CON VBOS. **comenzar** · **acabar** · **empezar** · **continuar** · **cesar** *No cesaba el goteo del fregadero*

2 **goteo (de)** s.m.
• CON SUSTS. **agua** · **aceite** · ***otros líquidos*** || **noticias** · **datos** · **cifras** || **gente** · **personas** · **público** || **declara-**

ciones *El rumor provocó un goteo de declaraciones que duró varios días* · **acusaciones** · **protestas** || **muertes** · **crímenes** · **accidentes** || **problemas** · **despidos** · **abandonos** · **suspensiones** · **escándalos** || **fugas** · **salidas** · **llegadas**

gótico, ca

1 **gótico, ca** adj.

● CON SUSTS. **estilo** *una catedral de estilo gótico* · **período** || **edificio** · **catedral** · **iglesia** · **templo** · **convento** · **monasterio** · **palacio** · **claustro** *el claustro gótico mejor conservado* · **sala** · **fachada** || **arte** · **pintura** · **arquitectura** || **retablo** · **talla** · **figura** || **influencia** · **reminiscencia** || **letra** · **caligrafía** · **caracteres** || **barrio** *una excursión por el barrio gótico de la ciudad* || **escenografía** · **novela** · **terror**

2 **gótico** s.m.

● CON ADJS. **tardío** *Nos encontramos ante una muestra del gótico tardío* · **clásico** || **original** || **florido** · **flamígero**

gozada s.f. *col.*

● CON ADJS. **auténtica** *El descenso del río en canoa fue una auténtica gozada* · **verdadera** · **inmensa** · **pequeña** · **suprema** || **estética** · **artística** · **visual**

gozar (de) v.

▮ [disfrutar]

● CON SUSTS. **sol** · **aire** · **clima** *Esta zona goza de un clima envidiable* · **buen tiempo** · **temperatura** || **verano** · **vacaciones** *un lugar idóneo para gozar de unas inolvidables vacaciones* · **presente** · **instante** · **vida** · **infancia** · **juventud** · **existencia** || **tacto** · **aroma** · **sabor** · **comida** · ***otros placeres*** || **viaje** · **fiesta** · **estreno** · ***otros eventos*** || **paisaje** · **enclave** · **lugar**

● CON ADVS. **una barbaridad** · **inmensamente** · **horrores** · **enormemente** · **como un loco** · **a lo loco** · **de lo lindo** · **al máximo** || **plenamente** · **intensamente** · **sin freno** · **en plenitud** · **infinitamente**

▮ [tener]

● CON SUSTS. **salud** · **vitalidad** *Mi abuela aún goza de una enorme vitalidad* · **fuerza** · **dinamismo** || **reparto** *La obra goza de un reparto excepcional* · **público** · **compañero,ra** · **jefe,fa** · **padre** · **madre** · ***otros individuos y grupos humanos*** || **estatus** · **rango** · **posición** · **jerarquía** || **beneficio** · **salario** · **prestación** · **monopolio** || **propiedades** · **cualidades** · **características** · **condiciones** *El portero del equipo goza de unas condiciones físicas espléndidas* · **talento** · **inteligencia** · **intuición** · **sensibilidad** || **libertad** *...lo que me ha permitido gozar de una absoluta libertad de movimientos* · **independencia** || **vistas** *El piso goza de unas magníficas vistas al mar* || **popularidad** · **fama** · **renombre** · **tirón** · **gancho** · **reconocimiento** · **prestigio** · **simpatía** · **parabién** · **admiración** · **gloria** || **voto** · **aplauso** · **predilección** || **atractivo** · **encanto** · **carisma** *Como político, no ha heredado el carisma del que gozaba su padre* · **magnetismo** · **gracia** · **aura** || **favor** · **privilegio** · **enchufe** · **carta blanca** · **patente** · **fuero** · **prerrogativa** · **regalía** · **prebenda** || **aprobación** · **visto bueno** *Aunque su noviazgo no gozaba del visto bueno de sus padres...* · **permiso** · **autorización** · **consentimiento** · **aval** · **credencial** || **resultado** · **fruto** · **premio** · **récord** · **éxito** · **triunfo** · **laurel** || **poder** · **influencia** · **protagonismo** · **liderazgo** · **control** · **poderío** · **potestad** · **autoridad** || **amnistía** · **vista gorda** · **perdón** · **excarcelación** · **exención** || **bienestar** · **tranquilidad** · **paz** · **quietud** · **serenidad** · **unidad** · **unanimidad** · **concierto** · **consenso**

● CON ADVS. **especialmente** · **en exclusiva** || **momentáneamente** · **indudablemente**

gozoso, sa adj.

● CON SUSTS. **sensación** · **sentimiento** · **alegría** · **placer** *el gozoso placer del reencuentro* · **regodeo** · **esperanza** || **frenesí** · **arrebato** · **delirio** || **celebración** · **conmemoración** · **cita** · **victoria** · **sorpresa** || **vida** · **etapa** · **momento** *uno de los momentos más gozosos de nuestra vida* · **futuro** · **realidad** || **anuncio** · **presagio** · **noticia** || **experiencia** · **aventura** · **descubrimiento** || **contemplación** · **presencia** · **relación**

grabación s.f.

● CON ADJS. **analógica** · **digital** || **clandestina** · **furtiva** · **ilegal** *dos personas detenidas por hacer grabaciones ilegales* · **ilícita** || **audiovisual** · **en estéreo** *la calidad de una grabación en estéreo* || **casera** · **profesional** · **amateur** || **nítida** · **deficiente**

● CON SUSTS. **estudio (de)** · **sesión (de)** *El famoso cantante está realizando unas sesiones de grabación* · **copia (de)** · **control (de)** || **contenido (de)** · **sonido (de)** · **calidad (de)** · **imágenes (de)** || **proceso (de)**

● CON VBOS. **contener (algo)** · **incluir (algo)** || **autorizar** · **permitir** · **prohibir** || **dirigir** || **ver** · **oír** · **escuchar** *después de escuchar las grabaciones* · **rebobinar** · **borrar** || **alterar** · **manipular**

● CON PREPS. **durante** · **en el curso (de)**

grabar (en) v.

● CON SUSTS. **cinta** · **disco** · **CD** · **DVD** || **cabeza** · **conciencia** · **memoria** *Grábense bien en la memoria estas palabras* · **mente** · **pensamiento** *Mantengo grabada su imagen en mi pensamiento*

[gracia] → de gracia; gracia

gracia s.f.

▮ [broma, chiste]

● CON ADJS. **ingeniosa** *Sus gracias son unas veces ingeniosas y otras burdas* · **ocurrente**

● CON VBOS. **reír (a alguien)** *Siempre le ríen las gracias*

▮ [risa]

● CON VBOS. **hacer** *Me hacen mucha gracia sus chistes* · **causar**

▮ [soltura, elegancia]

● CON ADJS. **innata** · **natural**

● CON SUSTS. **toque (de)**

● CON VBOS. **tener (por arrobas)** · **derrochar** *Es saladísima, derrocha gracia a raudales* · **derramar** · **exhibir** · **mostrar** || **dar** *Yo intentaría darle al discurso un poco más de gracia* || **perder** || **estar (en)**

● CON PREPS. **con** *la gracia con la que se mueve* · **sin**

▮ [perdón, beneficio]

● CON VBOS. **implorar** · **impetrar** || **gozar (de)**

□ EXPRESIONES **caer en gracia** [resultar simpático]

[gracias] s.f.pl. → dar las gracias

graciosamente adv.

▮ [con gracia]

● CON VBOS. **caminar** *¡Se movía y caminaba tan graciosamente...!* · **andar** · **girar** · **ladearse** · **avanzar** · ***otros verbos de movimiento*** || **adornar (algo)**

▌ [generosamente, magnánimamente]

● CON VBOS. **dar** · **conceder** *Su Alteza le concedió graciosamente el privilegio de...:* · **otorgar** · **regalar** || **ofrecer** · **ceder**

gracioso, sa adj.

▌ [divertido]

● CON SUSTS. **situación** · **anécdota** *Solía contarnos anécdotas graciosas de su juventud* · **escena** · **imagen** || **broma** · **juego** · **chiste** || **obra** · **comedia** · **película** · **dibujo** · ***otras creaciones*** || **nombre** · **comentario** *Hacía de vez en cuando comentarios graciosos y ocurrentes* · **respuesta** · **discurso** · **carta** · **artículo** · ***otras manifestaciones verbales o textuales*** || ***persona*** *Conocimos a unos chicos muy graciosos*

● CON VBOS. **ser** · **estar** · **ponerse** · **hacerse** · **volverse** || **considerar** · **encontrar** *¿Encontraste graciosa la película?* · **resultar**

▌ [grácil]

● CON SUSTS. **movimiento** · **giro** · **andar** *un andar gracioso, elegante y algo coqueto que a nadie pasaba inadvertido* · **caminar** · **baile**

▌ [tratamiento honorífico]

● CON SUSTS. **majestad** *su graciosa majestad, la Reina Isabel*

gradación s.f.

● CON ADJS. **ascendente** *disponer las tonalidades en gradación ascendente* · **descendente** || **minuciosa** · **detallada** · **variada** · **rica** · **sutil** || **cromática** · **tonal**

● CON SUSTS. **escala (de)** *seguir una escala de gradación* · **tabla (de)**

[grado] → de (buen) grado; grado

grado

1 **grado** s.m.

▌ [unidad de medida]

● CON ADJS. **centígrado** *Según ha anunciado el parte meteorológico, hoy alcanzaremos los 30 grados centígrados* · **Celsius** · **Fahrenheit** || **de temperatura** · **de abertura** · **de latitud** · **de longitud** || **bajo cero** *Se averió el coche en medio de la nada y pasamos la noche a diez grados bajo cero*

● CON SUSTS. **símbolo (de)**

● CON VBOS. **convertir (en algo)** · **pasar (a algo)** || **alcanzar** || **estar (a)** *La habitación está a varios grados por encima de lo habitual* · **llegar (a)** *El termómetro llegó a quince grados bajo cero* · **ascender (a)** · **descender (a)**

● CON PREPS. **en** *temperatura en grados centígrados*

▌ [nivel, título]

● CON ADJS. **alto** · **avanzado** *una lectura indicada para los grados más avanzados de la enseñanza* · **elevado** || **medio** · **bajo** · **elemental** *Nunca pasó del grado elemental en el colegio* · **incipiente** · **inicial** || **sumo** · **extremo** · **superlativo** || **considerable** · **apreciable** || **militar** · **escolar**

● CON VBOS. **tener** *¿Tienes ya el grado medio de francés?* · **conseguir** · **obtener** · **alcanzar** || **determinar** · **estimar** · **medir** *El cuestionario mide el grado de satisfacción del cliente* · **calibrar** || **subir** · **bajar** · **rebajar** · **superar** || **ascender (de)** *Si estudias, ascenderás de grado rápidamente* · **descender (de)**

2 **grado (de)** s.m.

● CON SUSTS. **satisfacción** · **consenso** · **cumplimiento** *Actualmente trabajan para evaluar el grado de cumplimiento de esta ley* || **interés** *Depende del grado de interés de cada uno* · **atención** · **implicación** || **autoestima** · **seguridad** · **confianza** *encuestas para valorar el grado de confianza de los votantes* · **credibilidad** · **esperanza** || **autonomía** · **conocimiento** · **desarrollo** · **participación** · **compromiso** · **responsabilidad** *Estos hechos reflejan el grado de responsabilidad social de las empresas*

☐ EXPRESIONES **de (buen) grado*** [con gusto, voluntariamente] || **de mal grado** [a regañadientes] || **en grado sumo** · **en alto grado** · **en grado superlativo** [mucho]

graduable adj.

● CON SUSTS. **temperatura** · **volumen** · **altura** · ***otras magnitudes*** || **calefacción** · **luz** · **sonido** || **lama** *persianas de lamas graduables* · **persiana** || **fuente** · **grifo** || **asiento** · **sillín**

graduación s.f.

▌ [medición del grado de algo]

● CON ADJS. **alta** · **excesiva** · **baja** || **alcohólica** *una bebida con una alta graduación alcohólica* || **de la vista** *En este último año me ha aumentado considerablemente la graduación de la vista* · **del oído**

▌ [efecto de graduarse]

● CON ADJS. **máxima** *Esta es la máxima graduación que podrá alcanzar en su carrera militar* · **mayor** · **alta** · **baja** · **menor** || **militar** · **académica** · **escolar** || **de honor**

● CON SUSTS. **ceremonia (de)** *¿Asistirás a la ceremonia de graduación?* · **acto (de)** · **fiesta (de)** || **trabajo (de)** · **tesis (de)** || **examen (de)** · **prueba (de)** || **diploma (de)** *Enseñaba orgulloso su diploma de graduación* || **condición (de)** · **requisito (de)**

● CON VBOS. **obtener** *Obtuvo su graduación con muy buenas notas* · **sacar** · **alcanzar**

graduado, da

1 **graduado, da** s.

● CON ADJS. **superior** · **universitario,ria** *Los graduados universitarios pueden solicitar una beca de estudios en el extranjero* · **técnico,ca** || **con honores**

2 **graduado** s.m.

● CON ADJS. **escolar** · **en educación secundaria**

● CON SUSTS. **título (de)** *Sin el título de graduado escolar no puedes presentarte al examen* · **diploma (de)**

● CON VBOS. **obtener** *un curso que prepara para obtener el graduado escolar* · **sacar** · **tener** · **conseguir** · **superar** || **pedir** · **exigir**

gradual adj.

● CON SUSTS. **cambio** · **transformación** · **reforma** · **renovación** · **desarrollo** *el desarrollo gradual de la comarca* || **regreso** · **retorno** || **proceso** · **transición** || **ascenso** · **aumento** *aumento gradual de los precios* · **incremento** · **subida** · **elevación** || **descenso** *La próxima semana se producirá un descenso gradual de las temperaturas* · **reducción** · **disminución** · **rebaja** || **restablecimiento** · **recuperación** · **mejoría** *Se produjo una mejoría gradual del enfermo* · **estabilización** || **desgaste** · **deterioro** · **empeoramiento** · **caída** · **declive** · **erosión** || **aplicación** · **implantación** || **ejercicio** · **entrenamiento** || **salida** · **retirada** · **abandono** *Se procedió al abandono gradual de la zona por parte de* *las tropas* · **desaparición** · **eliminación** || **introducción** · **integración** · **apertura**

gradualmente adv.

● CON VBOS. **cambiar** · **modificar** · **reemplazar** *Está previsto reemplazar gradualmente los antiguos autobuses por autocares no contaminantes* · **sustituir** · **convertir(se)** · **transformar(se)** · **evolucionar** || **aumentar** · **ampliar** *Fue ampliando gradualmente su cartera de clientes* · **recuperar** · **mejorar** · **incrementar** · **elevar** · **subir** · **crecer** · **desarrollar** · **avanzar** · **extender(se)** · **expandirse** · **intensificar(se)** || **reducir** *El Gobierno planea reducir gradualmente las ayudas al sector* · **disminuir** · **bajar** · **descender** · **empeorar** · **recortar** · **perder** · **devaluar** · **acortar** · **adelgazar** *El médico me sugirió una dieta para adelgazar gradualmente y sin riesgos para mi salud* || **eliminar** · **suprimir** · **suspender** · **descartar** · **acabar** · **doblegar** · **desmantelar** *Se acordó desmantelar gradualmente las centrales nucleares* · **desposeer** · **quitar** || **desaparecer** · **retirar(se)** · **alejar(se)** · **distanciar(se)** · **abandonar** · **desalojar** || **aplicar** *La medida será aplicada gradualmente en todas las escuelas de la provincia* · **poner en marcha** · **incorporar** · **introducir** · **integrar(se)** · **adaptarse** · **implantar** · **imponer** · **establecer** · **adoptar** || **asumir** · **aceptar** · **convencer(se)** · **admitir** *Fueron admitiendo gradualmente los errores cometidos en su gestión* || **realizar** · **hacer** · **llevar a cabo** · **efectuar** · **completar** · **conseguir** · **lograr** · **construir** *construir gradualmente un edificio* || **acercar** · **equiparar** · **aproximar(se)**

graduar v.

● CON SUSTS. **temperatura** *Hemos instalado un termostato para graduar la temperatura de la casa* || **fuerza** · **intensidad** · **volumen** · **altura** · ***otras magnitudes*** || **gafas** · **ojos** · **vista** · **lentes** || **dificultad**

gráficamente adv.

● CON VBOS. **expresar** · **hablar** · **describir** *Me pidieron que describiera el paisaje lo más gráficamente que pudiera* · **resumir** · **explicar** · **ejemplificar** · **exponer** · **relatar** · **representar** || **ilustrar** · **decorar**

gráfico, ca

1 gráfico, ca adj.

● CON SUSTS. **signo** · **símbolo** · **lenguaje** · **significado** · **mensaje** || **arte** *Me gustaría estudiar artes gráficas* · **taller** || **artista** · **creador,-a** · **diseñador,-a** *Trabaja como diseñador gráfico en un importante periódico* · **periodista** · **reportero,ra** · **informador,-a** · **colaborador,-a** || **información** · **descripción** · **ilustración** · **ejemplo** *un ejemplo gráfico que explica muy bien nuestra situación* · **análisis** || **cuadro** · **diseño** · **panorama** · **esquema** || **documento** · **manual** · **detalle** · **testimonio** · **tratamiento** · **seguimiento** · **reportaje** *¿A quién le han encargado el reportaje gráfico de la boda?* · **periodismo** || **sistema** · **medio** · **aparato** · **material** · **soporte** || **humor**

2 gráfico, ca s.

I [esquema]

● CON ADJS. **conciso,sa** · **sintético,ca** · **sinóptico,ca** · **comparativo,va** *Si analizamos el gráfico comparativo del aumento de población por edades...* || **didáctico,ca** · **ilustrativo,va** *un libro de fácil lectura con muchos gráficos ilustrativos* · **esclarecedor,-a** · **clarificador,-a** · **explícito,ta** · **inteligible** || **confuso** · **ininteligible** · **complejo** || **bidimensional** · **tridimensional** · **interactivo,va** · **coloreado,da** *Para su presentación usó gráficas coloreadas* || **de {ordenador/computadora}**

● CON VBOS. **usar** · **mostrar** · **presentar** · **proyectar** · **visualizar** || **crear** · **elaborar** *Elaboré la gráfica con ayuda de un programa informático* · **componer** · **construir** · **diseñar** · **configurar** · **trazar** · **delinear** · **esbozar** || **ampliar** · **expandir**

● CON PREPS. **con** · **mediante** · **a través (de)**

grafología s.f.

● CON VBOS. **conocer (a través de)** *Dice conocer la personalidad de una persona a través de su grafología*

➤ Véase también **DISCIPLINA**

gramática s.f. Véase **DISCIPLINA**

gramatical adj.

● CON SUSTS. **oración** · **estructura** *dos oraciones con una estructura gramatical semejante* · **fórmula** || **regla** · **norma** · **normativa** || **categoría** · **género** · **persona** || **error** *Apenas comete errores gramaticales* · **falta** · **incorrección** · **corrección** || **fenómeno** · **cuestión** · **problema** || **reflexión** · **análisis** · **estudio** *Sus estudios son más léxicos que gramaticales* · **apéndice** || **disciplina** · **tradición**

granada s.f.

I [fruta]

● CON ADJS. **madura** · **verde** || **dulce** · **ácida**

● CON VBOS. **pelar** · **limpiar** · **desgranar** *Desgranar una granada y añadirla a la ensalada*

I [artefacto explosivo]

● CON ADJS. **de mano** *La granada de mano no explotó* · **de artillería** · **de humo** · **de fragmentación** · **de carga hueca** · **de mortero** || **lacrimógena**

● CON VBOS. **estallar** · **explotar** || **tirar** · **lanzar** · **arrojar** · **disparar** || **atentar (con)** · **herir (con)** · **atacar (con)** · **incendiar (con)** *Incendiaron la sede del partido político con varias granadas*

granate s.m.

● CON SUSTS. **mina (de)** || **collar (de)** · **gargantilla (de)**

➤ Véase también **COLOR**

[grande] →a grandes líneas; a grandes rasgos; a lo grande

grandeza s.f.

● CON ADJS. **indiscutible** · **indudable** || **económica** *Hay que añora todavía la grandeza económica que tuvo la ciudad* · **tecnológica** · **política** · **de espíritu** · **de ánimo** · **de miras** · **espiritual** · **moral** · **humana** · **de corazón** · **histórica** · **intelectual** · **literaria** · **poética** *Me impresionó la grandeza poética de su obra* · **teatral** || **antigua** *Ya no podrá recobrar su antigua grandeza*

● CON SUSTS. **delirios (de)** · **aires (de)** · **sueños (de)** *La nueva situación económica hizo resurgir sus sueños de grandeza* · **anhelos (de)** · **afán (de)** · **ínfulas (de)** || **gesto (de)** · **acto (de)** · **rasgo (de)** · **signo (de)** · **detalle (de)** || **sensación (de)** · **sentimiento (de)** || **muestra (de)** · **demostración (de)** · **lección (de)** *Les dio una verdadera lección de grandeza moral* || **falta (de)** · **ausencia (de)**

● CON VBOS. **demostrar** || **perder** · **recuperar**

grandilocuencia s.f.

● CON ADJS. **exagerada** · **desaforada** · **excesiva** · **habitual** *El alcalde habló con su habitual grandilocuencia* · **trágica** · **superflua** · **gratuita** · **rimbombante**

• CON SUSTS. **exceso (de) || demostración (de) · aire (de) · tono (de)**
• CON VBOS. **rozar** *La última parte del discurso rozó la grandilocuencia* || **caer (en) · recurrir (a) · huir (de) · sucumbir (a) · abusar (de)**
• CON PREPS. **con** *Se expresa con la grandilocuencia propia de un orador experimentado* · **sin**

grandilocuente adj.

• CON SUSTS. **lenguaje · retórica · oratoria || frase · sintaxis · palabras** *Procuró embaucarnos con unas cuantas palabras grandilocuentes* · **términos · discurso · comentario · declaración · nombre · título · expresión ·** ***otras manifestaciones verbales*** **|| estilo · tono** *El director se dirigió a sus alumnos con un inapropiado tono grandilocuente* · **carácter · forma · toque · gesto || comentarista · artista · orador,-a ·** ***otros individuos***

grandioso, sa adj.

• CON SUSTS. **ciudad · escenario** *La ópera se representa en un escenario grandioso* · **paisaje ·** ***otros lugares*** **|| monumento · edificio · casa || obra · actuación · espectáculo · ópera · música · imagen || proyecto || momento** *Hicimos una foto para inmortalizar ese grandioso momento* · **instante · episodio || éxito · victoria · fracaso || personaje** *Se convirtió en un personaje grandioso dentro del mundo de la música* · **figura · escritor,-a ·** ***otros individuos*** **|| belleza** *una obra de grandiosa belleza* **|| mente · espíritu · personalidad · actitud**

[granel] →a granel

[granizada] s.f. →granizado, da

granizado, da

1 **granizado, da** adj.

▮ [con hielo picado]

• CON SUSTS. **limón** *Lo que más me apetece es un limón granizado* · **naranja · horchata · café · piña**

2 **granizado** s.m.

▮ [bebida]

• CON ADJS. **refrescante || natural · artesano || de limón · de naranja** *Fuimos a la heladería y me tomé un granizado de naranja* · **de café**
• CON SUSTS. **vaso (de)**
• CON VBOS. **tomar · probar · beber || poner · servir · pedir || hacer**

3 **granizada** s.f.

▮ [caída de granizo]

• CON ADJS. **fuerte** *una fuerte granizada que provocó graves daños en la cosecha* · **continua || de piedras · de balas**
• CON VBOS. **caer** *Es raro que caigan estas granizadas en verano* · **arreciar · arrasar · descargar**

granizar v.

• CON ADVS. **torrencialmente · copiosamente · intensamente** *A mitad de viaje comenzó a granizar intensamente* · **con ganas · con fuerza · abundantemente · violentamente || ligeramente**

granizo s.m.

• CON ADJS. **devastador · fuerte** *El fuerte granizo causó importantes daños en las cosechas de la zona* · **tormentoso · violento · enorme**
• CON SUSTS. **tormenta (de) · tromba (de) · temporal (de) · lluvia (de) || impacto (de) · azote (de) · descarga (de) · golpe (de)**
• CON VBOS. **caer · descargar** *El granizo descargó con violencia durante unos interminables minutos* · **golpear · cesar || dañar (algo) · arrasar (algo) · arruinar (algo) · destruir (algo) · destrozar (algo) · hundir (algo)**

granjearse v.

• CON SUSTS. **simpatía · apoyo** *El candidato supo aprovechar la reunión para granjearse el apoyo del sector empresarial* · **confianza · admiración · amistad · respeto · respaldo · afecto · cariño · reconocimiento · devoción · adhesión · favor · indulgencia · beneplácito || enemistad · antipatía** *Con esos comentarios solo has conseguido granjearte la antipatía de tus compañeros* · **desprecio · odio · hostilidad · desconfianza · animadversión · desafecto · recelo · rechazo · oposición · envidia · ira || amigo,ga · enemigo,ga · adepto,ta** *...esa era la forma que tenía de granjearse adeptos para su causa* · **incondicional · seguidor,-a · lector,-a · fiel · pretendiente · cliente · oyente · público || crítica** *Se ha negado a dejar su cargo, y eso le ha granjeado duras críticas* · **ataque · acusación · abucheo · queja · reproche · bronca || halago · elogio · alabanza · ovación · aplauso** *...una brillante participación en el concierto, que le granjeó el caluroso aplauso del público* **|| fama · imagen · reputación · aura · halo · prestigio · popularidad · desprestigio || sambenito · calificativo · apelativo · apodo · nombre · título** *Sus continuos desplantes a la prensa le han granjeado el título de político difícil* **|| premio · galardón · dinero**

grano

1 **grano** s.m.

▮ [semilla, fruto]

• CON VBOS. **moler** *Utilizaban ruedas hidráulicas para moler granos*

▮ [erupción en la piel]

• CON VBOS. **reventar · sajar** *Me sajaron el grano en el centro de salud* **|| tener · salir (a alguien)** *Me ha salido un grano en la pierna*

2 **grano (de)** s.m.

▮ [parte muy pequeña]

• CON SUSTS. **trigo** *Utiliza para sus collages granos de trigo, arena y tela* · **arroz · avena · maíz ·** ***otros cereales*** **|| anís · mostaza · café** *Antes de poner la cafetera, tienes que moler los granos de café* **|| polvo · sal · oro || polen || pus || humor · ironía · sabiduría · seriedad**

□ EXPRESIONES **grano de arena** [pequeña contribución] *Cada uno aportó su grano de arena* **|| ir al grano** [no andarse con rodeos]

[grasa] s.f. →graso, sa

grasiento, ta adj.

• CON SUSTS. **comida** *Llevo unos días comiendo dulces y comida grasienta, y el estómago empieza a resentirse* · **frito · sustancia · sabor · plato · carne || cocina · superficie · suelo || pelo**
• CON VBOS. **ser · estar · poner(se) · quedar(se)**

graso, sa

1 **graso, sa** adj.

• CON SUSTS. **materia · masa · sustancia · ácido || pelo · piel** *una crema especial para pieles grasas* · **célula || dieta · comida · alimento**
• CON VBOS. **ser · estar · poner(se) · quedar · dejar**

2 **grasa** s.f.

●CON ADJS. **animal · vegetal** *Este producto solo contiene grasas vegetales* · **corporal · humana || comestible · alimentaria · industrial || saturada · insaturada || rico,ca (en)** *una comida rica en grasas* · **lleno,na (de)**

●CON SUSTS. **cúmulo (de) · abundancia (de) · exceso (de)** *El exceso de grasa en el cuerpo puede causar graves enfermedades* · **acumulación (de) · depósito (de) · reserva (de) · capa (de) || reducción (de) · pérdida (de) · absorción (de) || consumo (de) · ingestión (de)** *Si reduces la ingestión de grasas, notarás mejoría* || **contenido (de) · porcentaje (de) · cantidad (de) · partícula (de) || metabolismo (de) || mancha (de)** *una camisa con varias manchas de grasa*

●CON VBOS. **comer · contener · tener || consumir · quemar** *hacer ejercicio para quemar grasas* · **perder · eliminar · reducir || concentrar · acumular · absorber** *Su organismo no absorbe adecuadamente las grasas* · **metabolizar · diluir · disolver || limpiar · quitar || cubrir (de)** *Antes de guardarlas, cubrió de grasa todas las herramientas* · **proteger (con) · llenar (de) || manchar(se) (de)**

●CON PREPS. **con · sin** *una comida sin grasas*

gratamente adv.

●CON VBOS. **sorprender** *Estoy gratamente sorprendida por los resultados obtenidos* · **impresionar · complacer · asombrar · impactar · sobresaltar || sonar || descubrir · comprobar · constatar · ver · percibir || recordar · evocar || aceptar · recibir · acoger** *El público había acogido muy gratamente la trilogía* · **responder**

●CON ADJS. **satisfecho,cha · reconfortado,da · saciado,da · aliviado,da · recompensado,da · beneficiado,da**

gratificación s.f.

●CON ADJS. **extraordinaria · elevada · especial || generosa · adecuada · decorosa · discreta · modesta || exigua · irrisoria · simbólica || económica · salarial || en metálico · en especie || inmediata || moral** *Recibimos sus palabras como una gratificación moral* · **personal || encubierta**

●CON VBOS. **ascender (a una cantidad)** *La gratificación ascendió a 500 euros* || **dar (a alguien) · conceder (a alguien) · pagar · asignar · repartir || fijar || cobrar · percibir · recibir · obtener · aceptar · embolsarse** *Se embolsó una sustanciosa gratificación por los servicios prestados* || **encontrar (en algo) || merecer** *Un trabajo tan concienzudo merece una gratificación como incentivo*

●CON PREPS. **a modo (de)** *A modo de gratificación, percibirán un mes de salario extra* · **en concepto (de) || a cambio (de)**

gratificar v.

●CON SUSTS. **público** *El grupo gratificó al público con dos canciones más* · **asistente · cliente ·** ***otros individuos y grupos humanos*** **|| favor · esfuerzo** *Esperamos que esta recompensa gratifique adecuadamente su esfuerzo* · **trabajo · experiencia**

●CON ADVS. **plenamente · justamente · cuantiosamente · adecuadamente · suficientemente · generosamente** *El dueño del perro gratificará generosamente a quien lo encuentre* || **Insuficientemente · injustamente**

gratis et amore loc.adv.

●CON VBOS. **trabajar** *Estaba dispuesta a trabajar gratis et amore por el proyecto* · **hacer · colaborar · participar · encargarse || entregar · ofrecer · ceder**

gratitud s.f.

●CON ADJS. **enorme** *Manifestamos nuestra enorme gratitud por la ayuda recibida* · **honda · profunda · infinita · suma · desmedida || sincera · sentida || eterna · permanente · imborrable || escasa · insuficiente**

●CON SUSTS. **expresión (de) · palabras (de) || muestra (de) · señal (de) · gesto (de) || falta (de)**

●CON VBOS. **sentir** *Siento una profunda gratitud hacia esa familia* · **albergar · guardar (a alguien) || expresar · manifestar · declarar · transmitir · hacer llegar · testimoniar || colmar (de) || corresponder (a) · responder (a)**

grato, ta adj.

●CON SUSTS. **momento · velada** *Pasamos una grata velada en compañía de unos amigos* · **estancia · visita · viaje · recorrido || experiencia · recuerdo** *Guardo muy gratos recuerdos de esa época* · **memoria || invitación || noticia · sorpresa** *Su visita ha sido una grata sorpresa, señor alcalde* || **entretenimiento · lectura || saludo · conversación || sensación · impresión** *Tu amigo me causó una grata impresión*

●CON ADVS. **especialmente · sumamente**

gratuito, ta adj.

I [gratis]

●CON SUSTS. **uso · disfrute · degustación || cesión · distribución** *La firma llevó a cabo una distribución gratuita de productos con fines publicitarios* || **servicio || asistencia** *Con este seguro dispone de asistencia gratuita en carretera las 24 horas* · **atención · información · publicidad || teléfono · transporte** *transporte público gratuito para las personas mayores de 65 años* · **viaje · medicación · conexión || educación · universidad · escuela · curso** *Hicimos un curso gratuito subvencionado por una fundación* || **material · producto || acceso · entrada** *La entrada al museo es gratuita* · **inscripción**

I [injustificado]

●CON SUSTS. **afirmación · comentario** *un comentario desafortunado, además de innecesario y gratuito* · **crítica · insulto · descalificación · discusión || gesto || erudición || crueldad · violencia · sacrificio · muerte** *el dolor ante la muerte gratuita de miles de inocentes*

gravamen s.m.

●CON ADJS. **máximo · abusivo** *En esa región hay una gran polémica sobre el abusivo gravamen actual de bienes inmuebles o establecimientos comerciales* · **prohibitivo · opresivo · extraordinario · alto · fuerte || mínimo · leve || municipal** *Se ha renovado el gravamen municipal de vecinos y empresas* · **estatal || aduanero · circulatorio · fiscal · impositivo || especial · complementario · adicional** *un gravamen adicional sobre los bienes inmuebles* || **vigente · efectivo · sin efecto · aplicable || progresivo**

●CON SUSTS. **pago (de) · ingreso (de) || objeto (de) · tabla (de) || reducción (de) · supresión (de)**

●CON VBOS. **existir · pesar (sobre algo) || entrar en vigor · recaer (en algo/en alguien) || imponer** *Han impuesto un nuevo gravamen sobre...* · **aplicar · implantar · establecer || subir · elevar · ampliar · reducir · disminuir || mantener · eliminar · suprimir || favorecer · incentivar || pagar · eludir** *Si encontráramos la fórmula de eludir este gravamen...* · **evadir || constituir**

gravar v.

●CON SUSTS. **alcohol** *Unos impuestos muy altos gravan el alcohol* · **tabaco · gasolina ·** ***otros productos*** **|| precio ·**

valor || **renta** · **capital** · **bienes** · **propiedad** || **consumo** · **actividad** · **inversión** · **rendimiento** · **beneficio** || **peaje**

grave adj.

▌[con vibraciones de frecuencia baja]

● CON SUSTS. **sonido** · **voz** *Tiene una voz grave y rotunda* · **timbre** · **tono** · **entonación** · **acento** · **canto** || **instrumento musical**

▌[importante, serio, de consideración]

● CON SUSTS. **importancia** || **acto** · **acontecimiento** · **suceso** · **asunto** · **hecho** · **circunstancia** · **caso** || **situación** · **estado** || **efecto** · **consecuencia** *Los sucesos tuvieron graves consecuencias* · **repercusión** || **destrozo** · **deterioro** · **desperfecto** || **causa** · **motivo** · **culpa** · **responsabilidad** || **incidencia** · **incidente** · **percance** *Tuvo un percance grave con la moto* · **disturbio** · **embrollo** · **escándalo** · **irregularidad** · **atasco** || **conmoción** · **desgracia** · **descalabro** || **desequilibrio** · **desorden** · **desajuste** || **problema** *Tuvimos problemas graves pero pudimos superarlos* · **dificultad** · **inconveniente** · **contrariedad** · **conflicto** · **impedimento** · **aprieto** · **apuro** *Me vi en un grave apuro económico cuando me quedé sin trabajo* · **crisis** || **peso** · **carga** || **equivocación** · **defecto** · **error** · **fallo** || **infracción** · **delito** *Fue castigado por un delito grave de malversación de fondos* · **falta** || **dejación** · **desatención** · **menosprecio** || **debilidad** · **indefensión** · **inseguridad** || **descuido** · **negligencia** · **irresponsabilidad** · **imprudencia** · **desobediencia** · **incumplimiento** || **insuficiencia** · **escasez** *Hubo una grave escasez de agua en la región* · **carencia** · **deficiencia** · **déficit** || **exceso** || **fracaso** · **derrota** · **pérdida** || **semblante** *Su semblante grave expresaba preocupación* · **expresión** || **afirmación** *Hizo afirmaciones graves que sorprendieron a todos* · **advertencia** · **compromiso** || **insulto** · **amenaza** · **calumnia** || **acusación** · **denuncia** || **enfrentamiento** *La implantación de las nuevas medidas ha provocado graves enfrentamientos entre patronal y sindicatos* · **divergencia** · **discrepancia** · **disputa** · **contencioso** || **manipulación** · **vulneración** · **discriminación** *...para acabar con las graves discriminaciones practicadas contra...* · **abuso** · **agresión** · **ataque** · **atentado** · **violación** · **crimen** || **sanción** · **castigo** · **condena** || **duda** · **dilema** · **interrogante** || **peligro** *Me avisaron de que fumar supone un grave peligro para la salud* · **riesgo** || **accidente** · **caída** · **cogida** · **cornada** · **inundación** || **colisión** · **choque** · **impacto** || **daño** · **perjuicio** || **perturbación** · **alteración** *Sufre una alteración grave de sus facultades mentales* · **trastorno** · **anomalía** · **anormalidad** · **atraso** || **dolor** · **molestia** · **enfermedad** · **mal** · **afección** · **dolencia** · **lesión** · **herida** · **fractura** · **quemadura** || **enfermo,ma** · **herido,da** *Se produjeron varios heridos graves en el accidente* || **síntoma** · **pronóstico** *El informe médico dictamina pronóstico grave*

● CON VBOS. **ser** · **estar** · **seguir** · **ponerse** · **volver(se)** · **mantener(se)**

gravedad s.f.

▌[importancia]

● CON ADJS. **máxima** · **extrema** · **enorme** · **suma** · **extraordinaria** *Lo que me cuenta es de una extraordinaria gravedad* · **tremenda** · **indudable** · **especial** || **escasa** · **menor** || **acorde (con)**

● CON SUSTS. **ápice (de)** || **estado (de)** *Se encuentra en el hospital en estado de gravedad*

● CON VBOS. **aumentar** · **disminuir** || **presentar** · **revestir** *Sus heridas no revisten gravedad* || **sufrir** · **experimentar** || **adquirir** || **aliviar** · **mitigar** · **aminorar** · **atemperar** || **calibrar** · **sobrestimar** · **subestimar**

● CON PREPS. **de acuerdo (con)** *De acuerdo con la gravedad de los hechos, se tomó la decisión de...*

▌[atracción entre dos cuerpos]

● CON SUSTS. **centro (de)** · **fuerza (de)** *La precipitación o caída que provoca la fuerza de la gravedad* · **efecto (de)**

gravemente adv.

● CON VBOS. **hablar** · **anunciar** · **declarar** || **atacar** *Esos comentarios atacan gravemente y sin justificación a una persona que siempre...* · **herir** · **acusar** · **insultar** · **calumniar** || **obstaculizar** · **limitar** · **coartar** || **penalizar** · **procesar** · **castigar** · **pasar factura** || **perjudicar** *una medida que perjudica gravemente a los consumidores* · **atentar** · **arruinar** · **enfadar** · **confundir** · **provocar** || **alterar** · **deteriorar** · **disminuir** · **aumentar** *Está aumentando gravemente la cantidad de accidentes causados por el consumo de alcohol* · **menguar** · **trastocar** · **distorsionar** · **debilitar** · **intensificar** || **equivocar(se)** · **pecar** · **faltar** · **fallar** · **defraudar** *El Gobierno ha defraudado gravemente la confianza que el electorado depositó en él* · **infringir** · **errar** · **violar** || **empobrecer(se)** · **enfermar** · **empeorar** · **resentirse** · **adolecer** · **aquejar** · **carecer** · **degenerar** || **cortar(se)** · **dividir** · **desviar(se)** · **distanciar(se)** · **discriminar** · **escindir** || **influir** · **afectar** *Alertan de que las obras puedan afectar gravemente al medio ambiente* · **condicionar** · **repercutir** · **impactar** || **romper** · **fracturar** · **quebrar** · **truncar** || **tambalearse** *Las finanzas de la empresa se tambalean gravemente* · **escorar(se)** · **precipitarse** || **coger** · **alcanzar** · **golpear**

● CON ADJS. **herido,da** · **enfermo,ma** *Tuvo que dejar el trabajo porque estaba gravemente enferma* · **lesionado,da** || **disgustado,da** · **afectado,da** · **indignado,da** · **convulso,sa** || **peligroso,sa** · **dañino,na** · **perjudicial** *Despide una sustancia gravemente perjudicial para la salud* · **ofensivo,va** · **lesivo,va** · **injurioso,sa** · **pernicioso,sa** || **equivocado,da** · **en entredicho** · **en cuestión** · **erróneo,a** · **dudoso,sa** || **imprudente** · **temerario,ria** || **cansado,da** · **debilitado,da** *Su sistema inmunológico se encuentra gravemente debilitado* · **deslucido,da** · **deficitario,ria** || **humillante** · **negativo,va** · **contraproducente** · **atentatorio,ria** · **ultrajante** · **intimidatorio,ria** *Su actitud es gravemente intimidatoria para todos los miembros de este colectivo*

gravidez s.f.

● CON ADJS. **avanzada** *La avanzada gravidez de la joven no le permitía viajar hasta allí*

● CON SUSTS. **estado (de)** *Se encontraba en observación médica por su estado de gravidez* · **período (de)**

● CON VBOS. **ocultar** · **disimular** *Aunque intenta disimular su gravidez, apenas lo consigue*

gravitar v.

● CON SUSTS. **peso** · **responsabilidad** *Habría que evitar que todas las responsabilidades graviten siempre sobre la misma persona* · **presión** · **tensión** || **problema** *uno de los más candentes problemas que gravitan sobre el proceso de paz* · **dificultad** · **riesgo** · **amenaza** · **sombra** · **fatalidad** || **interrogante** · **incógnita** · **sospecha** · **duda** *Una enorme duda gravita sobre esa cuestión de Estado* || **pasado** · **historia**

☐ USO Se construye a menudo con complementos encabezados por la preposición *sobre*: *Sobre ti gravita la responsabilidad.*

gravoso, sa adj.

● CON SUSTS. **tarea** · **labor** · **carga** · **obra** · **mantenimiento** · **ejercicio** || **impuesto** · **pago** · **herencia** · **deuda**

· **costo** · **gasto** *...al ser la hipoteca el gasto más gravoso de la mayoría de los ciudadanos* · **devolución** · **hipoteca** · **multa** · **cargo** || **medida** · **proyecto** · **sistema** *el gravoso sistema sanitario*
● CON ADVS. **demasiado** · **excesivamente** · **sumamente** · **especialmente**
● CON VBOS. **volver(se)** · **hacer(se)**

graznar v.

● CON SUSTS. **pájaro** · **grajo** *Los grajos graznaban de forma escandalosa* · **cuervo** · **ganso** · ***otras aves***

gregario, ria adj.

● CON SUSTS. **vida** · **comportamiento** · **instinto** *el instinto gregario de los lobos* · **fidelidad** · **hábito** · **tendencia** · **voluntad** · **actitud** · **fuerza** · **mentalidad** · **carácter** || **animal** || **sociedad** *una sociedad gregaria que obedece a impulsos previstos y calculados* · **gente** · **trabajador,-a** · ***otros individuos y grupos humanos***

greñas s.f.pl.

● CON ADJS. **enmarañadas** · **largas** · **despeinadas** · **revueltas** · **puntiagudas** · **tiesas** · **sucias**
● CON VBOS. **llevar** · **peinar** · **cortar** *¡A ver si te cortas esas greñas!*

gresca s.f.

● CON ADJS. **descomunal** · **monumental** *Organizó una gresca monumental porque no la habían esperado*
● CON VBOS. **montar(se)** *Menuda gresca se montó anoche en el bar* · **armar(se)** · **liar(se)** || **organizar** · **formar**

griego s.m. Véase **IDIOMA**

grima s.f.

● CON ADJS. **horrorosa** · **horrible** *Me da una grima horrible tocar una serpiente* · **tremenda** · **verdadera** · **auténtica**
● CON VBOS. **dar (a alguien)** · **entrar (a alguien)** · **producir** · **sentir** *Siento grima solo de pensar en lo que podía haber ocurrido* · **provocar**

gripal adj.

● CON SUSTS. **enfermedad** · **proceso** *El proceso gripal sigue su curso; en pocos días se sentirá usted mejor* · **afección** · **ataque** · **dolencia** · **crisis** · **episodio** · **epidemia** · **estado** · **infección** · **síndrome** || **virus** · **síntoma** *Al primer síntoma gripal debes acudir a la consulta* · **actividad** · **cuadro** · **malestar** · **recaída** · **fiebre**

gripe s.f.

● CON ADJS. **viral** · **vírica** · **estacional** · **epidémica** · **otoñal** · **invernal** || **contagiosa** · **agresiva** · **tremenda** · **severa** || **común** · **intestinal** *Pensó que se había comido algo en mal estado pero resultó ser una gripe intestinal* · **estomacal** || **aviaria** · **aviar** · **porcina** · **equina** || **asiática** · **española** · **africana**
● CON SUSTS. **síntoma (de)** *Tengo todos los síntomas de la gripe* · **acceso (de)** || **vacuna (contra)** · **vacunación (contra)** · **campaña (contra)** || **epidemia (de)** · **brote (de)** · **caso (de)** · **incidencia (de)** || **virus (de)**
● CON VBOS. **afectar** · **contagiar(se)** || **remitir** || **agudizar(se)** · **acentuar(se)** · **agravar(se)** || **tener** · **pillar** · **pasar** · **padecer** || **incubar** || **combatir** · **curar** *una medicación para curar la gripe* || **aliviar** || **vacunar(se) (de/contra)** *Nos aconsejaron que nos vacunáramos contra la gripe* || **mejorar (de)**

gris

1 **gris** adj.

● CON SUSTS. ***persona*** *un hombre gris y sin ilusiones* || **carácter** · **personalidad** || **panorama** *¡Vaya panorama más gris me encontré a mi regreso!* || **tiempo** · **día** *No apetece salir en un día tan gris* || **obra**
● CON VBOS. **poner(se)** · **ser** · **estar**

2 **gris** s.m.

● CON ADJS. **marengo** *un gris marengo muy oscuro*
● CON SUSTS. **perla** *un gris perla muy claro* · **plomo**
➤ Véase también **COLOR**

grisáceo, a adj.

● CON SUSTS. **color** · **azul** *un traje azul grisáceo* · **blanco** · **verde** || **tono** · **tonalidad** · **coloración** || **día** · **tarde** · **mañana** · **humo** · **atmósfera** · **luz** · **bruma** · **brillo** || **pelo** · **rostro** · **barba** · **bigote** · **ojos**
● CON VBOS. **ser** · **estar** *El cielo está grisáceo* · **poner(se)** · **quedar(se)**

gritar v.

● CON ADVS. **con todas {mis/tus/sus...} fuerzas** *Grité con todas mis fuerzas, pero no conseguí que me oyeran* · **a {pleno/todo} pulmón** · **de lo lindo** · **desmesuradamente** || **denodadamente** · **desaforadamente** · **desgarradamente** · **estruendosamente** || **como un descosido** · **como un poseso** · **como un loco** *Empezamos a gritar como unos locos cuando nos enteramos de...* || **a coro** *las consignas que los manifestantes gritaban a coro* · **al unísono** || **a la cara** · **a los cuatro vientos** || **con alborozo** || **sin ton ni son**
● CON VBOS. **ponerse (a)** *Cuando nos vio aparecer, se puso a gritar de alegría* · **echarse (a)** · **lanzarse (a)** · **romper (a)**

[grito] → a gritos; a voz en grito; grito

grito

1 **grito** s.m.

● CON ADJS. **hondo** · **agudo** *un grito agudo de dolor* · **penetrante** · **estentóreo** · **estridente** || **gutural** || **horrible** · **espeluznante** *La mujer, aterrorizada, lanzaba gritos espeluznantes* · **fantasmal** || **desaforado** · **contundente** · **ensordecedor** · **a todo pulmón** || **ahogado** · **apagado** || **horrorizado** · **desesperado** · **agónico** · **lastimero** *...con gritos lastimeros que inspiraban compasión* · **exasperado** · **histérico** · **desgarrado** · **desgarrador** || **a favor** · **en favor** · **reivindicativo** · **en contra** || **unánime** *el grito unánime de la multitud*
● CON VBOS. **surgir** · **brotar** *De su garganta brotó un grito de alegría* · **arreciar** || **sonar** · **resonar** · **retumbar** · **martillear (algo/a alguien)** || **entrecortarse** · **ahogar(se)** · **apagarse** || **dar** · **lanzar** *Lanzó un grito que nos dejó paralizados* · **pegar** · **soltar** · **emitir** · **proferir** || **oír** · **escuchar** || **contener** · **acallar** · **sofocar** · **reprimir** *A duras penas pude reprimir un grito de rabia* · **silenciar** · **amortiguar** || **prorrumpir (en)**
● CON PREPS. **a fuerza (de)** *No se consigue nada a fuerza de gritos*

2 **grito (de)** s.m.

● CON SUSTS. **alegría** *Los estudiantes lanzaron un grito de alegría cuando...* · **júbilo** || **dolor** · **desesperación** · **terror** · **impotencia** || **rabia** · **protesta** || **ánimo** · **aliento** · **apoyo** *Algunos profirieron gritos de apoyo al presidente depuesto* || **auxilio** *Lanzó un grito de auxilio* · **socorro** ·

ayuda · **alarma** || **libertad** · **independencia** || **guerra** · **combate**

□ EXPRESIONES **a grito** {**limpio/pelado**} [a voces] || **el último grito** [lo más novedoso] || **poner el grito en el cielo** [demostrar gran indignación]

grogui adj. *col.*

● CON ADVS. **completamente** *Me bajé de la noria completamente grogui* · **totalmente**

● CON VBOS. **estar** · **quedarse** · **encontrar(se)** · **dejar** *Estas pastillas te dejan grogui*

grosería s.f.

● CON ADJS. **absoluta** · **descomunal** · **enorme** · **tremenda** · **mayúscula** · **escandalosa** || **obscena** · **soez** · **de mal gusto** · **impertinente** *No estoy dispuesto a aguantar tanta grosería impertinente* || **inadmisible** · **intolerable** · **imperdonable** · **patética** || **injuriosa** · **indignante** || **inaudita** || **verbal**

● CON SUSTS. **sarta (de)** · **montón (de)** *¿A qué viene ese montón de groserías?* · **exceso (de)**

● CON VBOS. **ofender** · **incomodar** || **decir** · **soltar** || **permitir** · **tolerar** · **soportar** || **perdonar** · **disculpar** *Estoy harta de disculpar sus groserías* || **erradicar** || **bordear** || **responder (con)** || **huir (de)** · **librar(se) (de)** || **rayar (en)** · **caer (en)**

grosero, ra adj.

● CON SUSTS. ***persona*** *Mi vecino de arriba es un hombre muy grosero* || **expresión** · **lenguaje** · **insulto** · **burla** · **chiste** *Me pareció un chiste grosero y sin pizca de gracia* || **actitud** · **maneras** · **estilo** · **actuación**

● CON VBOS. **considerar (algo/a alguien)** || **volverse**

grotesco, ca adj.

● CON SUSTS. **actitud** · **carácter** · **aspecto** *un personaje de aspecto grotesco* · **rasgo** · **tinte** · **expresión** · **gesto** · **mueca** · **movimiento** || **lenguaje** · **discurso** · **palabras** || **incidente** · **episodio** *Más nos vale olvidar este episodio grotesco* · **situación** · **suceso** · **experiencia** · **procedimiento** · **intervención** · **negociación** || **espectáculo** · **representación** · **montaje** · **farsa** · **enredo** · **historia** · **concurso** · **circo** · **acto** · **caricatura** *Más que una descripción del personaje es una caricatura grotesca* · **burla** || **personaje** · **figura** · **títere** · **vestimenta** *Se presentó en la reunión con una vestimenta grotesca* · **elemento** || **tratamiento** · **deformación** · **distorsión** · **visión** || **humor**

● CON VBOS. **volverse** *El espectáculo se volvió grotesco* · **hacerse** · **calificar (algo/a alguien) (de)**

grueso, sa adj.

▮ [gordo]

● CON SUSTS. ***persona*** *un hombre grueso y robusto* || **tronco** · **rama** · **madera** · **árbol** || **intestino** || **sal** || **labios** *tenía unos labios gruesos y llamativos* · **brazo** · **cuello** · **pierna** · ***otras partes del cuerpo*** || **letra** · **línea** · **trazo** · **tinta** · **marca** || **defecto** *Se trata de una película casera, que tiene gruesos defectos en argumento, ritmo y montaje* · **fallo** · **error** · **equivocación** || **problema** · **amenaza** · **abuso** || **diferencia** || **causa** · **motivo** || **pérdida** · **desencanto** · **decepción** · **omisión**

● CON VBOS. **poner(se)** · **mantener(se)**

▮ [hiriente, burdo]

● CON SUSTS. **término** · **palabra** *Eran canciones agresivas, llenas de palabras gruesas y casi insultantes* · **frase** · **expresión** · **lenguaje** · **verborrea** || **chiste** · **humor** · **caricatura** · **parodia** · **broma** · **burla**

grumo s.m.

● CON VBOS. **formar(se)** *Remueve bien la salsa para que no se formen grumos* · **quedar** · **aparecer** · **desaparecer** · **salir** || **hacer** · **desarrollar** · **provocar** · **evitar** · **apreciar**

grumoso, sa adj.

● CON SUSTS. **materia** · **sustancia** · **mezcla** *una mezcla grumosa que me produce náuseas cuando intento tragarla* · **pasta** · **coágulo** · **sopa** · **chocolate**

● CON VBOS. **ser** · **estar** · **dejar** · **quedar(se)** *La papilla de frutas quedó grumosa* · **ponerse**

gruñido s.m.

● CON ADJS. **ronco** · **brusco** · **fuerte** · **airado** || **salvaje** · **hosco** || **repugnante**

● CON VBOS. **lanzar** · **dar** · **emitir** *La fiera se detuvo ante ella y emitió un gruñido escalofriante* || **oír** · **escuchar**

grupo s.m.

● CON ADJS. **amplio** · **numeroso** · **nutrido** *Un nutrido grupo de empresarios se reunió para discutir acerca de...* · **gran(de)** || **exiguo** · **reducido** · **pequeño** || **selecto** *Ante un selecto grupo de invitados, entre los que se encontraban algunos ex ministros* || **compacto** · **amalgamado** · **disperso** || {**bien/mal**} **avenido** *Sin embargo, dabais la impresión de ser un grupo muy bien avenido* · **compenetrado** · **inseparable** · **indisoluble** || **irreconciliable** || **dominante** || **simpatizante (de/con)** || **sanguíneo** *Encontraron un donante con el mismo grupo sanguíneo*

● CON SUSTS. **espíritu (de)** · **mentalidad (de)** · **alma (de)** || **terapia (de)** · **dinámica (de)** || **compañero,ra (de)** · **jefe,fa (de)** · **portavoz (de)** · **campeón,-a (de)** · **líder (de)** · **cabeza (de)** || **miembro (de)** · **componente (de)** · **elemento (de)**

● CON VBOS. **formar(se)** *Se formó un grupo de opositores al régimen* · **constituir(se)** · **crear(se)** · **articular(se)** · **amalgamar(se)** *El grupo se amalgamó en torno a nobles ideales* || **dividir(se)** · **separar(se)** · **distanciar(se)** · **desgajar(se)** · **disolver(se)** · **descomponer(se)** · **disgregar(se)** · **dispersar(se)** · **desperdigar(se)** || **fragmentar(se)** · **romper(se)** · **desmembrar(se)** · **escindir(se)** || **mezclar(se)** · **reunir(se)** · **juntar(se)** *El grupo de amigos se juntaba en el parque* · **congregar(se)** · **apretar(se)** · **amontonar(se)** · **apelotonar(se)** || **llevarse** {**bien/mal/regular**} · **congeniar** · **hermanar(se)** || **dirigir** · **gobernar** · **capitanear** *El almirante capitaneó con pericia al grupo de combate* · **encabezar** · **liderar** || **engrosar** · **integrar** · **aglutinar** || **acallar** || **abandonar** || **formar parte (de)** · **pertenecer (a)** || **adherirse (a)** · **sumarse (a)** · **integrar(se) (en)** · **unir(se) (a)** || **destacar (de)** · **sobresalir (de)**

● CON PREPS. **en** *En aquella época íbamos siempre en grupo*

guantazo s.m.

● CON VBOS. **estampar** *Me contuve antes de estamparle un guantazo*

➤ Véase también **GOLPE**

[guante] → como un guante; de guante blanco; guante

guante s.m.

- CON ADJS. **de boxeo** *Antes del combate el púgil se ajustó los guantes de boxeo* · **de fregar** || **quirúrgico** · **profiláctico** · **higiénico** · **protector** · **térmico** · **ignífugo** || **descabalado** *No sé dónde los pierdo, pero tengo todos los guantes descabalados* || **suave (como)**
- CON SUSTS. **par (de)** · **juego (de)** || **dedo (de)**
- CON VBOS. **arrojar** · **quitar(se)** *Tras quitarse los guantes se estrecharon la mano para saludarse* || **poner(se)** *Antes de salir a la calle, poneos los guantes* · **ajustar(se)** · **enfundarse** || **utilizar** · **usar** · **llevar** · **probarse** · **lucir**
- CON PREPS. **con** *El ladrón iba con guantes y no dejó ni una huella* · **sin** *fregar sin guantes*

☐ EXPRESIONES **colgar los guantes** [retirarse del boxeo] || **echarle el guante** (a alguien) [atraparlo] || **lanzar el guante** [desafiar] || **recoger el guante** [aceptar un desafío]

guantera s.f.

- CON ADJS. **amplia** *El nuevo coche dispone de una amplia guantera* · **pequeña** · **gran(de)**
- CON VBOS. **abrir** · **cerrar** || **llevar (en)** *Coge el paño que llevo en la guantera* || **meter (a/en)** · **introducir (en)** · **sacar (de)** · **extraer (de)** || **dejar (en)** · **guardar (en)**

guapo, pa adj.

- CON SUSTS. **rostro** · **cara** || ***persona*** *un chico muy guapo y bastante simpático*
- CON ADVS. **a rabiar** *Es guapo a rabiar* · **con ganas** || **con reparos** || **verdaderamente** · **realmente** *Tiene una cara realmente guapa* || **extraordinariamente** *El presentador era extraordinariamente guapo* · **increíblemente** · **sorprendentemente** · **condenadamente** · **asombrosamente** · **impresionantemente** · **envidiablemente** · **arrebatadoramente** || **bien** *una chica bien guapa*
- CON VBOS. **ser** *Su prima es muy guapa* · **estar** *Estás guapísimo con ese traje* · **poner(se)** || **ver (a alguien)** *He visto muy guapo a tu hermano* · **parecer(le) (a alguien)** *Me parece muy guapa*

guaraní s.m. Véase **IDIOMA**

guarda s.com.

- CON ADJS. **jurado,da** *Por suerte, el guarda jurado actuó con rapidez* · **de seguridad** · **forestal** · **oficial** || **fronterizo,za** · **nocturno,na** || **armado,da**
- CON VBOS. **acudir** · **avisar** · **vigilar** *Tres guardas vigilan la entrada del banco* || **trabajar (como/de)**

guardabarros s.m.

- CON ADJS. **delantero** · **trasero** *Me han golpeado el guardabarros trasero en el aparcamiento* || **niquelado** · **reluciente** *Has dejado el guardabarros reluciente* · **ancho** || **protector**
- CON VBOS. **llevar** · **incorporar**

[guardar] → de guardar; guardar

guardar v.

▮ [colocar en lugar seguro]

- CON ADVS. **a buen recaudo** *No se preocupe, la documentación está guardada a buen recaudo* · **bajo llave** · **bajo siete llaves** · **como oro en paño** *Guarda como oro en paño las cartas de amor que le enviaba su primer novio* || **en secreto** · **celosamente** · **férreamente** · **herméticamente** || **en custodia** · **en depósito** · **temporalmente** · **provisionalmente**

▮ [conservar, mantener]

- CON SUSTS. **anonimato** · **secreto** *¿Eres capaz de guardar un secreto?* · **confidencialidad** · **intimidad** · **privacidad** · **incógnita** || **silencio** *Tiene usted derecho a guardar silencio* · **mutismo** · **sigilo** || **compostura** · **forma** *A esas alturas de la discusión nadie era capaz de guardar las formas* · **respeto** · **discreción** · **reserva** · **prudencia** · **hermetismo** · **consideración** · **comedimiento** · **moderación** · **cautela** || **recuerdo** *Guardo muy buenos recuerdos de aquel viaje* · **memoria** · **sabor** · **impresión** · **sensación** || **equilibrio** · **orden** · **proporción** · **proporcionalidad** · **armonía** · **calma** || **reposo** · **descanso** || **fidelidad** · **lealtad** · **cariño** · **admiración** · **rencor** · **resentimiento** · **dolor** || **esperanza** · **ilusión** || **relación** · **similitud** · **semejanza** · **paralelismo** · **parecido** · **correspondencia** · **parentesco** · **afinidad** · **vínculo** || **distancia** || **luto** || **cola** · **fila** · **puesto** · **turno** *Decenas de personas guardaron turno toda la noche para obtener sus autorizaciones de trabajo*

▮ [cumplir, obedecer]

- CON SUSTS. **ley** · **mandamiento** · **promesa** · **palabra**
- CON ADVS. **fielmente** · **escrupulosamente**

▮ [cuidar]

- CON SUSTS. **línea** *Si quieres guardar la línea, deberías evitar este tipo de comidas* · **apariencias**
- CON ADVS. **entre algodones** · **cuidadosamente**

☐ EXPRESIONES **guardársela** (a alguien) [esperar el momento oportuno para vengarse de él o ella] *col.*

guardería s.f.

- CON ADJS. **infantil** *El niño va a una guardería infantil* · **preescolar** · **forestal** · **canina** · **fluvial** || **municipal** · **pública** · **universitaria** · **privada** · **laboral** · **gratuita** · **subvencionada** || **nocturna** · **clandestina**
- CON SUSTS. **director,-a (de)** · **profesor,-a (de)** *Nos han presentado a la nueva profesora de la guardería* · **monitor,-a (de)**, **alumno,na (de)** · **niño,ña (de)** · **empleado,da (de)** · **responsable (de)** · **personal (de)** || **servicio (de)** *La empresa cuenta con servicio de guardería* · **plaza (de)**
- CON VBOS. **abrir** · **construir** *Han construido una guardería municipal junto a mi casa* · **crear** · **edificar** · **instalar** || **pagar** || **clausurar** · **cerrar** · **desalojar** · **evacuar** || **admitir (en)** · **inscribir(se) (en)** · **matricular(se) (en)** · **conseguir plaza (en)**

[guardia] → de guardia; guardia

guardia

1 **guardia** s.com.

▮ [persona]

- CON ADJS. **civil** *Un guardia civil me pidió que le enseñara la documentación* · **jurado** · **forestal** · **municipal** · **nacional** · **presidencial** · **costero,ra** · **real** · **pretoriano,na**
- CON VBOS. **ordenar (algo)** *La guardia municipal le ordenó que retirase el vehículo* · **decretar (algo)** || **vigilar (algo/a alguien)** · **patrullar** · **hacer la ronda**

2 **guardia** s.f.

▮ [acción y efecto de guardar]

- CON ADJS. **férrea** · **inquebrantable** *El edificio estaba sometido a una guardia inquebrantable* · **numantina** · **pétrea** · **insalvable** || **endeble**
- CON SUSTS. **cambio (de)**
- CON VBOS. **burlar** || **montar**

□ EXPRESIONES **bajar la guardia** [descuidar la vigilancia] || **poner en guardia** (a alguien) [avisarlo para que tome precauciones]

guarecerse (de) v.

● CON SUSTS. **frío · lluvia · chaparrón** *Nos guarecimos del chaparrón en el portal de una casa* · **viento · tormenta · inclemencia · sol** || **disparo · tiro** *Se guarecieron como pudieron de los tiros y las balas perdidas* · **bombardeo · peligro**

guarnición s.f.

▌ [alimento]

● CON VBOS. **servir (como)** *Con el filete sirven brécol como guarnición* · **acompañar (de/con)**

● CON PREPS. **con** *salchichas con guarnición* · **a modo (de)**

▌ [tropa]

● CON ADJS. **local · general · pequeña** *La residencia presidencial estaba vigilada por una pequeña guarnición* || **militar** *La embajada necesitó que le asignaran una guarnición militar* · **policial**

● CON SUSTS. **comandante (de) · jefe,fa (de)** *Todos los soldados escuchaban atentos a su jefe de guarnición* · **soldado (de)**

● CON VBOS. **instalar · levantar · reforzar** *Ante los recientes acontecimientos han decidido reforzar la guarnición* || **retirar · mantener · atacar · asediar**

guarrada s.f.

● CON VBOS. **decir** *No soporto que digáis guarradas mientras estoy comiendo* · **hacer · imaginar**

guarrería s.f.

● CON VBOS. **decir · hacer** *Este niño es un maleducado, no para de hacer guarrerías* · **imaginar** || **limpiar · recoger**

guarro, rra

1 **guarro, rra** adj. *col.*

▌ [sucio]

● CON VBOS. **ser · volverse · estar** *El bar donde desayunamos estaba muy guarro* · **dejar (algo)**

2 **guarro, rra** s.

▌ [animal]

● CON VBOS. **gruñir · hozar** || **alimentar** *alimentar a los guarros de la granja* · **cebar · engordar · criar** || **sacrificar · matar**

guasa s.f. *col.*

● CON VBOS. **sonar (a) · estar (de)** *No para de bromear, siempre está de guasa* · **traer(se) (con algo) · tomarse (algo) (a)** *Es un asunto serio, no te lo tomes a guasa*

● CON PREPS. **con · sin**

guateque s.m.

● CON ADJS. **divertido · animado · entretenido · a lo grande** *organizar un guateque a lo grande* · **concurrido · antológico · soso · apagado**

● CON VBOS. **hacer · celebrar · dar** *Dimos un guateque para celebrar el fin de curso* · **ofrecer · montar · organizar · preparar** || **tener · perderse** || **animar · amenizar** || **reventar · amargar** *Aquella discusión me amargó el guateque* || **ir (a) · asistir (a) · invitar (a)**

guayabera s.f.

● CON VBOS. **arrugar(se)** || **remangar(se)**

➤ Véase también **ROPA**

gubernamental adj.

● CON SUSTS. **actuación · acción · presión** || **organismo · institución · aparato · estructura · partido · cúpula · sector** || **autoridad · líder · portavoz** *El portavoz gubernamental ha anunciado...* · **representante · delegado,da · funcionario,ria · vocero,ra** || **organización** *una organización no gubernamental especializada en inmigración* · **gestión · administración · burocracia · política · programa** *La oposición no aprobaba el programa gubernamental* · **medida · propuesta · decisión · proyecto · iniciativa · discurso · plan · fórmula · corriente · control · posición** || **fuente · medio · ayuda · servicio · subsidio** || **delegación · agencia · oficina · entidad · comisión** *El escándalo está siendo estudiado por una comisión gubernamental* || **alianza · coalición · pacto** || **corrupción · abuso · crisis** *Las portadas hablan de crisis gubernamental*

guedeja s.f.

● CON ADJS. **rubia** *La niña veía cómo le cortaban las rubias guedejas* · **blanca** || **larga · rala · alborotada** || **de pelo**

● CON VBOS. **atusar(se) · peinar(se)** || **caer** *Sobre la frente le caía una guedeja*

[guerra] → de guerra; en son de guerra; guerra; guerra santa

guerra s.f.

● CON ADJS. **abierta · frontal · integral · soterrada** *un pueblo inmerso en una guerra soterrada* || **encendida · enconada** *una guerra enconada entre clanes rivales* · **encarnizada · intensa · sin tregua · a muerte · a pecho descubierto · desesperada · irresoluble · sin cuartel** || **atroz · terrible · sucia · violenta · cruel · cruenta** *Fue una guerra extraordinariamente cruenta, que se saldó con muchas víctimas* · **sangrienta · despiadada · implacable · infernal · inhumana · desaforada** *Los partidos entablaron una guerra desaforada por conseguir la victoria* || **fugaz · fulgurante** || **justa · injusta** || **catastrófica · desoladora · execrable · infausta** || **estéril · inútil** || **desigual** *Se enfrentaron en una guerra desigual* · **desproporcionada** || **de igual a igual** || **de nervios · psicológica** || **mundial · civil · fraticida · intestina · de guerrillas** *Aseguró que no se podía librar una guerra de guerrillas con fuerzas convencionales* · **convencional · campal · santa** || **atómica · nuclear** || **presto,ta (a)**

● CON SUSTS. **declaración (de)** || **estado (de)** || **botín (de)** *...tras repartirse el botín de guerra* || **secuela (de) · fleco (de)** || **consejo (de)** || **crimen (de)**

● CON VBOS. **amagar · avecinarse · cernerse** || **fraguar(se)** || **empezar · estallar · desencadenar(se) · desatar(se) · armar(se)** || **finalizar · terminar** || **saldarse (con)** || **agravar(se) · recrudecer(se) · arreciar** || **discurrir** || **salpicar · inundar** *La guerra inundó de muertos y heridos la región* · **azotar · asolar · devastar · arrasar** || **hacer** || **provocar · instigar** || **declarar · proclamar · emprender · entablar** || **iniciar · sostener · avivar** || **parar** *Las conversaciones consiguieron parar la guerra a tiempo* · **detener · desactivar · sofocar** || **ganar · perder** || **sufrir** || **condenar** *Multitud de agrupaciones pacifistas condenaron la guerra* || **capitanear** || **participar (en) · lanzar(se) (a) · enfrascarse (en)** *Se enfrascaron absurdamente en una guerra por el control del poder* · **involucrar(se) (en) · enzarzarse (en)** || **sumir(se) (en)** *Durante los años en los que*

el país se sumió en una atroz guerra... || **acabar (con)** · **poner fin (a)** || **librar(se) (de)** || **recobrarse (de)**
● CON PREPS. **en** *El país está en guerra* · **durante** · **a lo largo (de)**
□ EXPRESIONES **dar guerra** [causar molestia] || **guerra fría** [hostilidad entre dos naciones]
□ USO Se construye a menudo con complementos encabezados por las preposiciones *a* (*Es importante ganar la guerra a la violencia*) y *contra* (*En el debate se habló de la guerra contra el terrorismo*).

guerra santa loc.sust.

● CON VBOS. **hacer** || **predicar** || **llamar (a)** · **lanzar(se) (a)** *...en el resto del país se lanzan a una guerra santa*

guerrilla s.f.

● CON ADJS. **urbana** *Están adiestrados para combatir las acciones de una guerrilla urbana* · **rural** · **callejera** || **separatista** · **rebelde** · **insurgente** *Se ha propuesto una tregua a la guerrilla insurgente* · **independiente** || **feroz** · **asesina**
● CON SUSTS. **guerra (de)** *La lucha se convirtió en una auténtica guerra de guerrillas* · **ataque (de)** · **ofensiva (de)** · **provocación (de)** || **líder (de)** · **jefe,fa (de)** · **miembro (de)**
● CON VBOS. **amenazar (algo/a alguien)** · **asaltar (algo/a alguien)** · **atacar (algo/a alguien)** *La guerrilla atacó un poblado custodiado por una guarnición* · **combatir (algo/a alguien)** · **atentar (contra algo/contra alguien)** || **ocupar (algo)** · **controlar (algo)** *Las guerrillas controlan un amplio sector montañoso* · **operar (en un lugar)** || **agrupar(se)** · **surgir** · **integrar** || **desarmar(se)** · **negociar** *La guerrilla negocia el desarme con las autoridades* || **adiestrar** · **apoyar** · **financiar** || **aislar** · **disolver** · **liquidar** · **denunciar** || **comandar** · **dirigir** · **liderar** *Un antiguo miembro de las fuerzas de seguridad lidera la guerrilla* || **enfrentarse (a)** · **luchar (contra/por)** || **unirse (a)**

guerrillero, ra

1 **guerrillero, ra** adj.
● CON SUSTS. **grupo** · **movimiento** *Un grupo de reporteros está cubriendo el movimiento guerrillero* · **organización** · **comando** · **facción** · **equipo** · **banda** || **líder** · **jefe,fa** · **dirigente** · **comandante** || **ofensiva** · **ataque** · **acción** · **actividad** *Se ha detectado actividad guerrillera en las montañas* || **táctica** · **método** || **fuerza** · **violencia** || **campo** || **marcha** · **entrenamiento** · **adiestramiento**

2 **guerrillero, ra** s.
● CON ADJS. **separatista** · **independentista** *Ha sido apresado un grupo de guerrilleros independentistas* || **legendario,ria** · **mítico,ca** *una película sobre la vida del mítico guerrillero* · **indomable**

gueto s.m.

● CON ADJS. **urbano** *Las grandes ciudades tienden a generar guetos urbanos* · **escolar** · **suburbano** · **del extrarradio** · **residual** || **étnico** · **gitano** · **inmigrante** · **judío** · **palestino** || **marginado** · **marginal** *La Policía ha registrado varios guetos marginales en busca de sospechosos* · **violento** || **de lujo** · **de miseria** · **mísero** *La película trata de un niño criado en un mísero gueto* · **pequeño** · **inmundo** || **cultural** · **social** · **lingüístico** · **musical** · **artístico** · **político** · **personal** || **verdadero** · **auténtico**
● CON VBOS. **crear** · **formar** · **hacer** · **consolidar** · **generar** · **levantar** || **destruir** · **quemar** · **arrasar** *Las excavadoras arrasarán el gueto para hacer bloques de viviendas* · **derrumbar** · **abandonar** · **aislar** || **vivir (en)** · **formar parte (de)** · **salir (de)** || **convertir(se) (en)** *El barrio se convirtió en un gueto tras la recesión económica* · **apropiarse (de)** || **refugiar(se) (en)** *Los delincuentes se refugiaron en un pequeño gueto* · **confinar(se) (en)** · **aislar(se) (en)** · **arrinconar(se) (en)** · **encerrar(se) (en)** · **enclaustrar(se) (en)**

guía

1 **guía** s.com.
▮ [persona]
● CON ADJS. **espiritual** · **moral** · **turístico,ca** *Trabaja como guía turístico de un museo*
● CON VBOS. **servir (de/como)** *Dejadme que os sirva de guía por mi ciudad* · **actuar (de/como)**

2 **guía** s.f.
▮ [manual o listín]
● CON ADJS. **didáctica** · **divulgativa** · **de observación** · **de viaje** · **de montaña** · **artística** · **histórica** · **de lectura** *La profesora nos ha recomendado una guía de lectura* · **bibliográfica** || **rural** · **oficial** *Consulta la guía oficial, seguro que nos informa* · **local** · **virtual** · **cultural** || **práctica** · **básica** · **útil** · **completa** *una completa guía de hoteles* · **excelente** · **breve** · **moral** · **provechosa** · **prestigiosa** · **adecuada** · **exhaustiva** || **telefónica** *buscar un número en la guía telefónica* · **comercial** · **administrativa**
● CON VBOS. **incluir (algo)** *La guía incluye un completo mapa de carreteras* · **contener (algo)** || **escribir** · **traducir** · **elaborar** · **editar** · **publicar** · **consultar** || **buscar (en)** · **venir (en)** *¿Viene tu teléfono en la guía?*

guillotina s.f.

● CON VBOS. **subir** · **levantar** || **caer** · **descender** || **instalar** · **montar** *El ejército revolucionario montó guillotinas en las plazas durante la Revolución Francesa* · **aplicar** · **armar** || **evitar** · **eludir** || **enviar (a)** *Por sus crímenes contra el pueblo lo enviaron a la guillotina* · **condenar (a)** · **pasar (por)** || **librar(se) (de)**

guindo s.m. Véase **ÁRBOL**

□ EXPRESIONES **caerse** (alguien) **del guindo** [darse cuenta repentinamente de algo] *col. Ni que te hubieras caído de un guindo*

guiñapo s.m.

● CON ADJS. **completo** *Llevo todo el día hecho un completo guiñapo* · **simple** || **triste** · **lamentable**
● CON VBOS. **convertir(se) (en)**

guiñar v.

● CON SUSTS. **ojo**
● CON ADVS. **pícaramente** *Le guiñó un ojo pícaramente en señal de complicidad* · **maliciosamente** · **amigablemente**

guiño s.m.

● CON ADJS. **cómplice**
● CON VBOS. **hacer** *Me hizo un guiño que no supe interpretar* · **lanzar**

guión s.m.

● CON ADJS. **original** *La película ganó el premio al mejor guión original* · **adaptado** || **establecido** *...siguiendo un guión establecido* || **ágil** · **brillante** || **infame** · **lleno de tópicos** · **aburrido** · **repetitivo** · **confuso** · **enrevesado** ||

teatral · **cinematográfico** *Adaptó el guión cinematográfico a una obra de teatro* · **literario**
● CON VBOS. **fraguar(se)** || **ambientar(se) (en algo)** · **basar(se) (en algo)** *El guión teatral se basa en poemas dialogados de un autor argentino* || **discurrir** || **exigir (algo)** *Dice que no se desnudará, salvo si lo exige el guión* || **escribir** *Este autor escribe magníficos guiones policíacos* · **construir** · **hilar** · **hilvanar** || **dirigir** · **adaptar** *El grupo teatral decidió adaptar el guión de la obra a la actualidad política* · **revisar** · **llevar {al cine/a la televisión}** || **aprender** · **memorizar** · **olvidar** || **representar** || **saltarse** · **seguir** || **atenerse (a)** · **ceñir(se) (a)**

guirigay s.m.
● CON VBOS. **armar** · **montar** *Vaya guirigay que montaron en la fiesta*

guirnalda s.f.
● CON ADJS. **de flores** *Le pusieron una guirnalda de flores en la cabeza* || **preciosa** · **bonita** · **fastuosa** · **vistosa**
● CON VBOS. **poner** · **colocar** || **hacer** || **adornar (con)** *Adornaron la iglesia con guirnaldas* · **coronar (con)**

guisado s.m.
● CON ADJS. **de carne** *preparar un suculento guisado de carne* · **de patatas** · **de verduras** · **de pescado** || **caldoso** · **seco** · **caliente** · **sabroso** · **exquisito** · **suculento** || **tradicional** · **casero**
● CON VBOS. **hacer** · **preparar** · **cocinar** · **condimentar** || **comer** · **tomar** · **saborear** || **servir** · **repartir**

guiso s.m.
● CON ADJS. **de carne** · **de patatas** *preparar un guiso de patatas y verduras* · **de verduras** · **de pescado** || **caldoso** · **seco** || **caliente** · **sabroso** · **exquisito** · **apetecible** · **suculento** · **nutritivo** · **completo** || **tradicional**
● CON VBOS. **hacer** *hacer un guiso tradicional* · **preparar** · **cocinar** · **componer** · **aderezar** · **condimentar** || **comer** · **tomar** · **saborear** · **ofrecer** · **dar** || **servir** · **repartir**

güisqui s.m. Véase **whisky**

guitarra s.f.
● CON ADJS. **eléctrica** · **acústica** · **clásica** · **española** · **flamenca**
● CON SUSTS. **cuerda (de)** · **caja (de)** · **traste (de)**
● CON VBOS. **rasguear** · **rasgar** · **tañer**
➤ Véase también **INSTRUMENTO MUSICAL**

guitarrista s.com.
● CON ADJS. **flamenco,ca** *Hoy actúa un afamado guitarrista flamenco* · **de rock** || **gran** · **conocido,da** · **famoso,sa** · **popular** · **reputado,da** · **afamado,da** · **prestigioso,sa** · **legendario,ria** · **carismático,ca** *el guitarrista más carismático de la banda* · **destacado,da** · **importante** · **célebre** · **favorito,ta** || **profesional** · **aficionado,da** || **consagrado,da** · **veterano,na** · **novel** · **desconocido,da** · **primerizo,za**
● CON SUSTS. **puesto (de)**
● CON VBOS. **tocar (algo)** · **interpretar (algo)** || **acompañar (a alguien)** *el guitarrista que acompañaba a la bailaora* || **dar {un recital/un concierto}** · **actuar** || **componer (algo)**

gula s.f.
● CON ADJS. **enorme** · **desmedida** *comía con una gula desmedida* · **auténtica** · **desaforada** · **incontrolable**
● CON SUSTS. **pecado (de)** *cometer pecado de gula* · **vicio (de)**
● CON VBOS. **comer (con/por)**
● CON PREPS. **con** · **sin**

gurruño s.m.
● CON VBOS. **hacer** *Hice un gurruño con la ropa y la metí en la mochila*

gusanillo s.m.
● CON VBOS. **entrar (a alguien)** *Me entró el gusanillo y piqué algo de comida hace un rato* · **picar (a alguien)** *Me ha vuelto a picar el gusanillo de viajar*

[gusano] → como un gusano

gustar v.
● CON ADVS. **enormemente** · **extraordinariamente** · **profundamente** · **a rabiar** · **con locura** · **con delirio** · **horrores** *Le gusta horrores el chocolate*

gustazo s.m. *col.*
● CON VBOS. **darse** · **pegarse** *Se pegó el gustazo de irse de viaje* · **permitirse**

gustillo s.m.
● CON VBOS. **coger (a algo)** *Después de un rato probando le cogió el gustillo...* · **encontrar (a algo)**

[gusto] → a gusto; buen gusto; de gusto; gusto; mal gusto

gusto s.m.
● CON ADJS. **buen(o)** *Esta carne tiene un gusto buenísimo* || **mal(o)** · **pésimo** || **acusado** · **sumo** || **escaso** · **dudoso** *broma de dudoso gusto* || **delicado** · **exquisito** *una persona de gustos exquisitos y refinados* · **depurado** · **refinado** || **amargo** · **agrio** · **rancio** · **dulce** · **dulzón** · **empalagoso** · **almibarado** · **salado** · **agridulce** || **insípido** · **insulso**
● CON VBOS. **tener (a algo)** · **dar** *No me da ningún gusto verte así* · **dejar** *La salsa me dejó un gusto muy rico* || **perder** || **encontrar (a algo/en algo)** || **manifestar** · **delatar** || **apreciar** || **inculcar (a alguien)** *Sus padres le inculcaron el gusto por la lectura* · **educar** || **hacer gala (de)** || **morir(se) (de)** · **temblar (de)** · **relamerse (de)**
● CON PREPS. **con** *Te acompañaré con gusto* · **sin** *vestirse sin gusto ninguno* · **a** *estar a gusto en algún lugar*
☐ USO Se usa a menudo con la preposición *a*: *chocolate con gusto a naranja.*

gustosamente adv.
● CON VBOS. **aceptar** · **acceder** · **obedecer** *No digo yo que hayamos de obedecer gustosamente las órdenes, pero tampoco creo que...* · **asumir** || **ayudar** · **colaborar** · **volcarse** · **tender un puente** · **echar una mano** · **acompañar** · **atender** · **aclarar** · **apuntarse** · **disponerse** · **participar** *Participó gustosamente en todos los eventos que se organizaron* · **compartir** · **presentarse** · **competir** · **alimentar** || **ceder** · **brindarse** · **prestarse** · **ofrecer** · **dar** *Le daría gustosamente lo que me pide, pero...* · **entregar** · **pagar** *Pagaría gustosamente su regalo, aunque sea caro, solo para verla feliz* · **prestar** || **prescindir** *Gustosamente prescindiría de su presencia* · **renunciar** · **dejar** · **dejarse llevar** · **callar** · **morder el anzuelo** · **caer en la trampa** || **retractarse** · **cambiar** · **trocar** || **gastar** · **invertir**

H h

haba s.f.

● CON ADJS. **seca** || **fresca** · **tierna** *En este restaurante hacen unas habas tiernas con jamón para chuparse los dedos* || **de soja**

● CON VBOS. **cultivar** · **sembrar** · **cosechar** || **cocer** · **poner a hervir** · **rehogar**

☐ EXPRESIONES **en todas partes cuecen habas** [en cualquier sitio surgen inconvenientes] || **ser habas contadas** [ser escaso] *col.*

hábil adj.

▮ [habilidoso]

● CON SUSTS. **negociador,-a** · **jugador,-a** · **delantero,ra** · **conductor,-a** · **comunicador,-a** *Este periodista es un comunicador extremadamente hábil* · ***otros individuos*** || **gestión** · **juego** · **operación** · **movimiento** · **jugada** *una hábil jugada que concluyó en gol* · **maniobra** · **manejo** · **estrategia** · **manipulación** · **campaña** || **negocio** · **compra** · **inversión** || **mano** *llevar con mano hábil una negociación compleja*

● CON ADVS. **tremendamente** · **extraordinariamente** *Aunque es un conductor extraordinariamente hábil, no pudo esquivar el golpe* · **extremadamente** · **sumamente** || **suficientemente** · **escasamente**

▮ [laborable]

● CON SUSTS. **día** *Tenemos diez días hábiles para presentar toda la documentación* · **jornada** · **mes**

habilidad s.f.

● CON ADJS. **asombrosa** · **sorprendente** *Su habilidad para sortear los obstáculos es sorprendente* · **pasmosa** · **increíble** · **portentosa** · **prodigiosa** · **camaleónica** || **gran(de)** · **suma** *Resolvió el problema con suma habilidad* · **enorme** · **extraordinaria** · **tremenda** · **notable** · **destacada** · **insuperable** · **endiablada** || **rara** *Posee la rara habilidad de contentar a todo el mundo* · **singular** · **innata** || **manual** · **política** · **diplomática** · **negociadora** · **social** || **dotado,da (de)** *un relojero dotado de gran habilidad*

● CON SUSTS. **demostración (de)** *Nos hizo una demostración de sus habilidades en la cocina* · **prueba (de)** · **despliegue (de)**

● CON VBOS. **adquirir** · **desarrollar** *Durante el tiempo que tuvo el brazo escayolado, desarrolló la habilidad de hacer lazadas con una sola mano* || **tener** · **poseer** *Posee una extraordinaria habilidad para los juegos de lógica* · **atesorar** || **ejercitar** · **cultivar** · **poner en práctica** · **ejercer** · **hacer** || **mostrar** · **lucir** · **demostrar** · **revelar** · **desplegar** *En las fiestas solía desplegar sus habilidades sociales*

● CON PREPS. **con** · **sin**

☐ USO Se construye a menudo con complementos encabezados por la preposición *para*: *tener habilidad para los negocios.*

habilidoso, sa adj.

● CON SUSTS. **jugador,-a** · **delantero,ra** · **rival** *Nos enfrentamos a un rival especialmente habilidoso* · **director,-a** · **arquitecto,ta** · **sastre,tra** · **político,ca** · **fontanero,ra** · ***otros individuos*** || **guión** · **operación** · **trama** · **trampa** || **lanzamiento**

● CON ADVS. **tremendamente** *un comerciante tremendamente habilidoso* · **extremadamente** · **enormemente** || **especialmente** · **particularmente**

habilitar v.

● CON SUSTS. **local** *Habilitaron el local como sala de reuniones* · **edificio** · **habitación** · **plaza** · **garaje** · ***otros recintos o lugares*** || **acceso** · **salida** · **paso** · **carril** · **vía** *Ante la afluencia de público, hubo que habilitar dos vías alternativas* · **desvío** || **fecha** *El consejo habilitará una fecha para la celebración del pleno* · **día** · **semana** · ***otros momentos o períodos***

habitable adj.

● CON SUSTS. **lugar** · **mundo** · **planeta** · **país** · **ciudad** *Las nuevas medidas harán la ciudad más habitable* · **pueblo** · **zona** · **barrio** · **municipio** · **superficie** || **edificio** · **vivienda** · **hogar** · **casa** · **recinto** · **cueva** · **escenario** || **clima** || **volumen** · **metros cuadrados** *¿Cuántos metros cuadrados habitables tiene este piso?* · **espacio** || **sociedad**

● CON ADVS. **completamente** · **parcialmente**

habitación s.f.

● CON ADJS. **acogedora** · **cómoda** *Se instaló en una cómoda habitación de un céntrico hotel* · **confortable** || **espaciosa** *El piso tiene cuatro espaciosas habitaciones* · **mínima** · **amplia** || **recogida** || **contigua** *Pasó a la habitación contigua a través del balcón* · **retirada**

● CON VBOS. **ordenar** · **adecentar** · **recoger** · **arreglar** || **barrer** · **fregar** · **ventilar** *Abrió la ventana para ventilar la habitación* · **airear** · **refrescar** || **desordenar** · **poner patas arriba** || **alquilar** *Alquilaba habitaciones a estudiantes* · **ofrecer** || **compartir** · **ocupar** || **desalojar** · **desocupar** · **abandonar** || **encerrar (en)** *Cuando está enfadado, se encierra en su habitación* · **recluir(se) (en)** || **salir (de)**

hábitat s.m.

● CON ADJS. **inmenso** *el inmenso hábitat natural en el que vive esta especie* · **grandioso** · **vasto** · **reducido** || **adecuado** · **apropiado** · **idóneo** · **adverso** · **inhóspito** · **extraño** || **natural** · **artificial** · **rural** · **silvestre** || **delicado**

|| **humano** · **social** *el hábitat social en el que se desarrolla nuestra vida* · **cultural** || **propio,pia (de)** · **característico,ca (de)**

● CON VBOS. **extinguir(se)** · **alterar(se)** · **degradar(se)** || **encontrar** · **tener** · **ocupar** · **abandonar** || **amenazar** · **modificar** · **devastar** · **destruir** *La construcción de la nueva autopista destruirá el hábitat natural de miles de animales* || **proteger** · **conservar** · **mantener** || **recomponer** · **mejorar** || **delimitar** || **vivir (en)** · **moverse (en)** || **aclimatar(se) (a)** *La tortuga se ha aclimatado perfectamente a su nuevo hábitat* · **acostumbrar(se) (a)** || **encerrar(se) (en)** || **cambiar (de)** *Diversas causas los obligaron a cambiar de hábitat*

hábito s.m.

▌[vestidura]

● CON VBOS. **vestir** · **tomar** · **colgar** *Después de varios años de monja, colgó los hábitos*

▌[costumbre]

● CON ADJS. **buen(o)** · **saludable** *seguir hábitos de vida saludables* || **mal(o)** · **nocivo** *Fumar es un hábito nocivo* · **pernicioso** · **perjudicial** || **viejo** · **arraigado** · **enraizado** · **secular** · **inmemorial** · **extendido**

● CON VBOS. **pegárse(le) (a alguien)** *Cuando vivió con ellos, se le pegaron algunos de sus hábitos menos ejemplares, como el de...* || **generalizar(se)** · **extender(se)** · **persistir** || **adquirir** *De niño adquirí el hábito de la lectura* · **contraer** · **coger** · **arraigar (en alguien)** · **recuperar** · **conservar** · **mantener** || **tener** *Me ha costado mucho prepararme los exámenes porque no tengo hábito de estudio* || **abandonar** · **dejar** · **perder** · **quitar** · **corregir** · **combatir** · **vencer** · **desterrar** · **erradicar** · **extirpar** || **inculcar** · **implantar** *unas campañas orientadas a implantar ciertos hábitos de higiene en las comunidades más deprimidas* · **instaurar** · **potenciar** · **promover** · **fomentar** || **amoldar(se) (a)** · **apegarse (a)** · **adherirse (a)** || **desprenderse (de)** · **romper (con)** · **cortar (con)**

habituar(se) (a) v.

● CON SUSTS. **mundo** · **lugar** · **casa** · **situación** · **realidad** · **entorno** || **público** · **gente** · **sociedad** · **compañero,ra** *No me costó habituarme a mis nuevos compañeros* · **vecino,na** · ***otros individuos y grupos humanos*** || **trabajo** · **orden** · **disciplina** · **horario** || **ritmo** · **régimen** · **práctica** · **costumbre** || **cambio** *No te preocupes, pronto te habituarás al cambio* · **adelanto** · **novedad** || **altura** · **altitud** · **temperatura** · ***otras variables***

● CON ADVS. **rápidamente** *Se habituó rápidamente y sin dificultad a la nueva situación* · **poco a poco** · **paulatinamente** · **progresivamente** || **fácilmente** · **sin dificultad** || **a la fuerza** · **a trancas y barrancas**

habla s.f.

● CON ADJS. **culta** · **coloquial** · **juvenil** · **infantil** · **campesina** · **cotidiana** · **común** · **popular** *La comedia refleja fielmente el habla popular* · **de la calle** · **local** *Al principio me resultaba difícil entender el habla local* · **vernácula** · **peculiar** · **oficial** · **vulgar** || **fluida** · **entrecortada** · **confusa** || **afectada** · **enfática** · **viva** || **dulce** · **pausada** · **concisa**

● CON SUSTS. **capacidad (de)** || **problema (de)** *Atienden a pacientes con problemas del habla* · **anomalía (de)** || **expresión (de)** · **giro (de)** · **sonido (de)** · **tono (de)**

● CON VBOS. **brotar** || **alterar(se)** · **evolucionar** · **degenerar** || **emplear** *Solo con su familia emplea el habla de su tierra* · **manejar** · **dominar** || **comprender** · **distinguir** · **reconocer** || **estudiar** *Un equipo de dialectólogos estudiaba las hablas rurales* · **analizar** || **escuchar** · **oír** || **imitar** · **reproducir** || **afectar** *Determinadas lesiones cerebrales pueden afectar al habla* · **dificultar** · **obnubilar** · **quitar** · **perder** *Me dejó tan impresionada que perdí el habla* · **recuperar** || **privar (de)** || **influir (en)** || **introducir(se) (en)** · **extender(se) (en)** *una pronunciación que se extendió rápidamente en el habla meridional*

habladuría s.f.

● CON ADJS. **constante** *Se esfuerza en desmentir las constantes habladurías que circulan sobre su relación* · **continua** · **incesante** · **creciente** || **escandalosa** · **polémica** || **maledicentes** · **chismosas** || **falsa** · **infundada** · **vana**

● CON SUSTS. **sarta (de)** *Estos comentarios no son más que una sarta de habladurías* · **cúmulo (de)** · **sinfín (de)** · **rosario (de)**

● CON VBOS. **circular** || **decir (algo)** *Dicen las habladurías que está metido en negocios sucios* || **propagar** · **difundir** · **favorecer** · **alimentar** || **acallar** · **desmentir** || **dar lugar (a)** · **dar pie (a)** · **prestarse (a)** · **dar crédito (a)** || **salir al paso (de)** *Durante la entrevista la actriz salió al paso de las habladurías que circulaban sobre ella*

☐ USO Se usa más frecuentemente en plural.

hablar v.

● CON SUSTS. **inglés** · **chino** · **español** · **catalán** · ***otros idiomas***

● CON ADVS. **por los codos** · **como una cotorra** *¡Cállate ya, que hablas como una cotorra!* · **como un descosido** · **incansablemente** · **inconteniblemente** · **a chorros** || **más de la cuenta** *Habló más de la cuenta y echó a perder nuestro plan* · **de más** · **en exceso** || **largamente** · **largo y tendido** *Tenemos que hablar largo y tendido sobre...* · **extensamente** · **prolijamente** · **a conciencia** || **insistentemente** · **machaconamente** || **con fluidez** *Hablaba varias lenguas con fluidez* · **fluidamente** · **con soltura** · **acompasadamente** || **atropelladamente** *El testigo parecía nervioso y hablaba atropelladamente* · **entrecortadamente** · **con dificultad** · **a trompicones** · **desordenadamente** · **de carrerilla** || **elocuentemente** *De su popularidad hablan elocuentemente las cifras de ventas* · **convincentemente** || **con propiedad** *Hablen con propiedad. Es una muestra de respeto a sus interlocutores* · **como un libro (abierto)** || **coherentemente** · **con sentido** · **sin sentido** || **con autoridad** · **ex cátedra** || **en broma** · **en serio** · **seriamente** || **con segundas** · **entre líneas** || **de memoria** · **de oídas** · **de oído** · **con conocimiento de causa** *Hablo con conocimiento de causa: yo mismo pasé por esa situación* · **de primera mano** || **sin pensar** · **a la ligera** · **sin ton ni son** · **sin fundamento** · **a tontas y a locas** || **de boquilla** *Hablaba mucho de boquilla, pero después no cumplía sus promesas* · **inútilmente** · **en balde** · **a humo de pajas** || **a favor** · **favorablemente** · **en contra** · **desfavorablemente** || **civilizadamente** *¿No podéis hablar civilizadamente en lugar de insultaros?* · **cordialmente** · **coloquialmente** · **plácidamente** || **animadamente** *Los comensales hablaban animadamente mientras se servía el café* · **acaloradamente** · **apasionadamente** · **efusivamente** · **enfáticamente** || **con rotundidad** *El ministro habló con rotundidad acerca de la nueva política de empleo* · **enérgicamente** · **en firme** || **duramente** · **con dureza** · **crudamente** · **secamente** || **descaradamente** · **entre dientes** || **sin reservas** · **sin rodeo(s)** *Les habló sin rodeos de la catastrófica situación económica de la empresa* · **sin tapujos** · **sin am-**

bages || claro · claramente · con claridad · a las claras · lisa y llanamente · en cristiano · en plata · enigmáticamente || sinceramente · francamente *Hablando francamente, no estoy de acuerdo con...* · **a calzón quitado || con cautela · a la defensiva · diplomáticamente || a {mis/tus/sus...} espaldas · a la cara** *No se atrevió a hablarme a la cara y decirme lo que pensaba* · **a cara descubierta · directamente || cara a cara · mano a mano · de igual a igual · de tú a tú || de tú** *Háblame de tú, hay confianza* · **de usted · de vos || alto · bajo** *Habla más bajo, que te van a oír* · **a voz en grito · a grito limpio · a grito pelado · chillonamente · por lo bajini || por teléfono · a cobro revertido**

□ USO También se combina con la locución pronominal *ni papa*: *No habla ni papa de español.*

[hacer]

→ hacer (a alguien); hacer acopio (de); hacer efectivo, va; hacer extensivo, va (a alguien); hacer frente (a); hacer gala (de); hacerse eco (de); hacer(se) realidad; hacer(se) trizas

hacer (a alguien) v.

• CON SUSTS. **daño** *Estos zapatos me hacen un daño espantoso* · **pupa · mal || mella · efecto** *Me tomé el jarabe, pero no me hizo efecto* **|| faena · mala pasada · jugada || burla || sombra** *No quería compartir reparto con actores que le hicieran sombra* **|| ilusión · bien** *Tus palabras de consuelo me hicieron mucho bien* **|| gracia** *Sus bromitas no me hacen ninguna gracia*

• CON ADJS. **feliz · desgraciado,da · infeliz || delgado,da** *Ese traje te hace más delgado* · **gordo,da · alto,ta · esbelto,ta · feo,a ·** ***otras características físicas***

hacer acopio (de) loc.vbal.

• CON SUSTS. **alimentos · víveres** *Antes de salir, hicieron acopio de víveres para enfrentarse al temporal* · **comida || medicamentos || combustible || armas · munición || material · recursos || datos · información · pruebas · documentación || fuerza · paciencia** *...así que, haciendo acopio de paciencia, se lo explicó por cuarta vez*

□ USO Se construye generalmente con sustantivos no contables en singular (*hacer acopio de comida*) o con contables en plural (*hacer acopio de datos*).

hacer efectivo, va loc.vbal.

• CON SUSTS. **cobro · pago** *Dispone usted de diez días para hacer efectivo el pago* · **abono · importe · factura · cheque · talón · depósito · crédito · aval · indemnización || plazo · trámite · cumplimiento || anuncio · programa · proyecto · principio · decisión || acuerdo** *El acuerdo alcanzado se hará efectivo mañana* · **compromiso || orden · mandato · decreto || cambio · aumento · incremento · disminución · descenso · traslado · traspaso || nombramiento · fichaje || embargo · bloqueo · veto · cese · cierre · desarme || sorteo · reparto** *Los damnificados esperaban a que se hiciera efectivo el reparto de las ayudas* **|| control · dominio · despliegue || derecho || deseo · propósito || amenaza · peligro**

hacer extensivo, va (a alguien) loc.vbal.

• CON SUSTS. **invitación · oferta · propuesta · llamamiento · sugerencia · convocatoria || pregunta** *El profesor hizo extensiva la pregunta a todos los alumnos* · **demanda · petición · solicitud || felicitación · agradecimiento · bienvenida · saludo · homenaje · brindis · reconocimiento · galardón || denuncia · condena · crítica · queja · acusación || apoyo** *Los concejales hicieron extensivo su apoyo a los comerciantes* · **ayuda || definición · comentario · mensaje · noticia · reflexión · afirmación · pésame || norma · orden · ley** *...y reclaman que se haga extensiva la ley a todos los ciudadanos europeos* **|| responsabilidad · compromiso · tarea || plan · planteamiento · proyecto || uso · empleo · utilización || permiso · prohibición · acceso || premio · castigo · recompensa**

hacer frente (a) loc.vbal.

• CON SUSTS. **problema · dificultad** *...y nuestro partido sabrá hacer frente a todas las dificultades que se presenten en esta época de crisis* · **obstáculo · crisis · enfermedad · desgracia · catástrofe · adversidad || peligro · riesgo · amenaza || situación · realidad · eventualidad** *¿Está el sistema diseñado para hacer frente a cualquier eventualidad?* **|| crítica · descalificación · acusación · denuncia || ataque · ofensiva · embate || castigo · sanción · condena || necesidad · carencia || compromiso · responsabilidad · obligación · exigencia · reto · desafío || pago · deuda** *Vencían los plazos y no podían hacer frente a las deudas que se acumulaban* · **gasto**

• CON ADVS. **con decisión · con valentía · con firmeza · decididamente · valientemente · animosamente || con pundonor**

hacer gala (de) loc.vbal.

• CON SUSTS. **valentía · fuerza · agudeza · astucia · ingenio · versatilidad · paciencia · originalidad · capacidad · habilidad · inteligencia ·** ***otras cualidades*** **|| conocimiento** *Aunque es un erudito, no hace gala de sus conocimientos* · **saber || técnica · recurso**

hacerse eco (de) loc.vbal.

• CON SUSTS. **declaraciones** *Los informativos se hicieron eco de las declaraciones de...* · **discurso · palabras ·** ***otras manifestaciones verbales*** **|| noticia · información || rumor** *...revista que no quiso hacerse eco de un rumor sin fundamento* **|| opinión**

hacer(se) realidad loc.vbal.

• CON SUSTS. **sueño · ilusión** *Llegó con la esperanza de hacer realidad sus ilusiones* · **fantasía · utopía · cuento (de hadas) · quimera · profecía · visión · invención · milagro · mito · leyenda · ciencia ficción · ensoñación · ensueño || deseo · ideal · aspiración · reivindicación · objetivo · meta** *Con el paso del tiempo su meta profesional se fue haciendo realidad* · **anhelo · esperanza · propósito · horizonte · voluntad · intención · declaración de intenciones · optimismo · querencia · planteamiento · clamor · euforia · ambición || proyecto** *un proyecto ilusionante que tienen intención de hacer realidad a corto plazo* · **plan · iniciativa · estrategia · anteproyecto · propuesta · modelo · prototipo || compromiso · promesa · programa · plataforma · acuerdo · pacto · contrato · decisión · plataforma electoral || opción · posibilidad · candidatura · hipótesis · teoría · perspectiva || amenaza · pesadilla · temor · advertencia · rumor · anuncio · reto · desafío · presagio · pronóstico** *un terrible pronóstico que esperamos no se haga nunca realidad* · **predicción · sospecha · suposición || derecho · principio · deber · valor · legislación · norma · ley · disposición || igualdad · paz · libertad · justicia || transformación · cambio · reforma · creación · construcción · recuperación · impulso · lanzamiento · inauguración · unión · conexión · ampliación · expansión · aumento · homologación ·**

ascenso *...para que se haga finalmente realidad el ascenso a primera división* · **rebajamiento** · **aprobación** · **aplicación** || **palabra** · **afirmación** · **frase** || **idea** · **concepto** · **lema** · **máxima**

hacer(se) trizas loc.vbal.

• CON ADVS. **sin contemplaciones** *Después de leer la carta, la hizo trizas sin contemplaciones* · **sin piedad** · **contundentemente** || **brutalmente** · **violentamente** · **con saña** · **agresivamente** · **aparatosamente** · **bruscamente** || **a propósito** · **con alevosía** · **psicológicamente** || **por completo** · **completamente** · **totalmente** · **literalmente** *El jarrón se cayó y se quedó literalmente hecho trizas*

hacha s.f.

• CON VBOS. **empuñar** · **blandir** *Se dirigió hacia el león blandiendo un hacha* · **esgrimir** || **afilar**

□ EXPRESIONES **desenterrar el hacha de guerra** [iniciar hostilidades] *col.* || **ser un hacha** [ser muy bueno en algo] *col.*

hachazo s.m. Véase **GOLPE**

hachís s.m.

• CON SUSTS. **olor (a)** · **humo (de)** || **resina (de)** · **polen (de)** · **plantación (de)** · **cultivo (de)** || **piedra (de)** *En el registro le descubrieron una piedra de hachís* · **muestra (de)** · **tableta (de)** · **trozo (de)** · **pastilla (de)** · **bola (de)** · **bolsa (de)** || **canuto (de)** · **porro (de)** *Se estaba fumando un porro de hachís* · **cigarro (de)** · **pipa (de)**

• CON VBOS. **fumar** · **quemar** · **ingerir** || **cortar** · **cultivar** · **sembrar**

➤ Véase también **DROGA**

hacienda s.f.

▮ [finca]

• CON ADJS. **gran(de)** · **extensa** *una extensa hacienda en las afueras de la ciudad* · **enorme** · **próspera** · **rica** || **pequeña** · **abandonada** · **venida a menos** || **particular** · **privada** || **agrícola**

• CON SUSTS. **dueño,ña (de)** · **señor,-a (de)** · **propietario,ria (de)**

• CON VBOS. **prosperar** *La hacienda prosperaba gracias a los cuidados de su dueña* || **proteger** · **vigilar** · **cuidar** · **atender** · **administrar** · **desarrollar** · **abandonar** || **cercar** · **vallar** · **flanquear** · **rodear** || **ocuparse (de)**

▮ [patrimonio]

• CON ADJS. **pública** · **foral** · **local** *El impuesto lo gestionan las haciendas locales* · **municipal** · **territorial** · **autonómica** · **regional** · **estatal** · **central** · **nacional**

• CON VBOS. **financiar** · **alimentar** · **engordar** || **intervenir** · **sanear** · **controlar** · **vigilar** || **tener** · **poseer** · **perder** *Había perdido en el juego la mitad de su hacienda* || **aumentar** · **acrecentar** · **reducir** · **disminuir** || **disponer (de)** · **incautarse (de)** · **adueñarse (de)**

hacinamiento s.m.

• CON ADJS. **desmesurado** · **gigantesco** *No sé como puedes vivir en medio de ese gigantesco hacinamiento* · **descomunal** · **gran(de)** · **desmedido** · **monstruoso** · **infernal** || **endémico** · **crónico** || **humano** · **urbano** *el descomunal hacinamiento urbano en las afueras de nuestra ciudad* · **habitacional** · **carcelario** · **penitenciario** · **escolar**

• CON SUSTS. **condiciones (de)** · **situación (de)** *La situación de hacinamiento de las barracas es insostenible* · **problema (de)** || **grado (de)** · **nivel (de)**

• CON VBOS. **producir(se)** · **darse** · **reinar** · **subsistir** || **aumentar** · **disminuir** || **favorecer** *Estas medidas favorecerán sin duda el hacinamiento de los presos* · **provocar** · **agravar** · **permitir** || **combatir** · **controlar** · **paliar** · **contrarrestar** · **reducir** · **aliviar** || **sufrir** · **evitar** || **denunciar** || **sobrevivir (a)**

hada s.f.

• CON ADJS. **madrina** || **buena** · **protectora** *Debe de tener un hada protectora; no se ha caído de milagro* · **benefactora** || **malvada** · **perversa** || **mágica** · **secreta**

• CON SUSTS. **cuento (de)** · **mundo (de)** *Vive en un mundo de hadas* · **historia (de)** · **disfraz (de)** · **varita (de)**

• CON VBOS. **existir** · **habitar (en un lugar)** || **aparecer(se) (a alguien)** · **surgir** || **proteger (algo/a alguien)** · **ayudar (a alguien)** || **esperar** · **invocar** · **encontrar** || **vestir(se) (de)** · **disfrazar(se) (de)** *Para la fiesta me disfrazaré de hada madrina* || **convertir(se) (en)** · **hacer (de)** || **creer (en)**

hado s.m. *poét.*

• CON ADJS. **benéfico** *¡Que los hados benéficos lo protejan durante su camino!* || **maligno** · **cruel** · **malévolo** || **imprevisible** · **caprichoso** || **mágico** · **telúrico**

• CON VBOS. **influir (en algo)** · **guiar (a alguien)** · **proteger (a alguien)** · **abandonar (a alguien)** || **aliarse (con alguien)** *Los hados parecían haberse aliado con sus enemigos* · **conjurarse (contra alguien)** || **desafiar** · **vencer**

halagador, -a adj.

• CON SUSTS. **discurso** · **palabra** *Dedicó palabras halagadoras a su trabajo* · **comentario** || **actitud** || **imagen** · **comparación** || **panorama** · **perspectiva** · **situación** · **futuro** || **noticia** || **cifra** · **beneficio**

• CON ADVS. **sumamente** · **extraordinariamente** || **inusitadamente** *El panorama era inusitadamente halagador* · **sorpresivamente**

halagar v.

• CON SUSTS. **interlocutor,-a** · **público** *La cercanía y familiaridad de los intérpretes halagó al público* · **líder** · **dirigente** · **compañero,ra** · **sociedad** · ***otros individuos y grupos humanos*** || **vanidad** · **inteligencia** · **oído** · **oreja**

• CON ADVS. **abiertamente** · **públicamente** · **descaradamente** · **sin tapujos** · **sin remilgos**

halago s.m.

• CON ADJS. **sincero** *Te puedo asegurar que sus halagos son sinceros* · **cariñoso** · **cortés** · **espontáneo** || **interesado** · **falso** · **tópico** · **vano** · **inútil** || **merecido** · **inmerecido** || **desacostumbrado** · **recurrente** || **público**

• CON SUSTS. **lluvia (de)** *Recibió una lluvia de halagos en todos los periódicos*

• CON VBOS. **hacer** · **verter** · **tributar** · **prodigar** *Es un crítico muy severo y le cuesta prodigar los halagos* · **escatimar** || **granjearse** · **merecer** · **recibir** || **supone** *Que me haya elegido como colaborador suyo supone para mí todo un halago* · **constituir** · **considerar** || **llenar (de)** · **cubrir (de)** · **colmar (de)** || **deshacerse (en)** *El complacido huésped se deshizo en halagos con su anfitriona*

halagüeño, ña adj.

● CON SUSTS. **futuro · destino · expectativa · previsión** *Sus previsiones sobre el negocio son halagüeñas* · **pronóstico · augurio · devenir · predicción · perspectiva · visión || dato · cifra · resultado · diagnóstico · plan · sondeo · balance · tasa · estadística · parte · encuesta** *una encuesta halagüeña para el Gobierno* · **cota · indicador || presente · año · comienzo · momento || declaración · noticia · versión · mensaje · comentario · argumento · libro || panorama** *Se nos avecina un panorama poco halagüeño* · **situación · imagen · cuadro · realidad · paisaje · entorno · hecho · detalle**

hallazgo s.m.

● CON ADJS. **importante · trascendental · sin precedentes || feliz · genial || sorprendente** *Los especialistas consideran el sorprendente hallazgo como una confirmación de sus teorías* · **novedoso || accidental · fortuito · inesperado**

● CON VBOS. **anunciar · dar a conocer · hacer público · sacar a la luz || confirmar** *La Policía confirmó el hallazgo de nuevas pruebas* **|| ofrecer**

● CON PREPS. **a la luz (de)** *A la luz de los últimos hallazgos, en pocos meses podría estar lista una nueva vacuna que...*

halo

1 halo s.m.

● CON ADJS. **luminoso · difuminado || mágico · misterioso** *Con el tiempo perdió el halo misterioso que lo hacía tan atractivo* · **legendario || sobrenatural · divino · espiritual || poético · romántico** *encuentros revestidos de un halo romántico* **|| majestuoso**

● CON VBOS. **envolver (algo/a alguien) · rodear (algo/a alguien)** *Un blanco halo rodeaba su cabeza* · **nimbar (algo/a alguien) || tener || rodear(se) (de) · revestir(se) (de)**

2 halo (de) s.m.

● CON SUSTS. **luz** *Vimos una extraña nave en medio de un halo de luz* · **luminosidad || espiritualidad || energía · fuerza || esperanza || honradez · prestigio** *Un halo de prestigio rodea a esta institución desde hace siglos* **|| tristeza · melancolía || misterio · leyenda** *un personaje envuelto en un halo de leyenda* · **exotismo · secretismo**

halterofilia s.f.

● CON SUSTS. **récord (de)** *Tras batir un nuevo récord de halterofilia...* **|| sala (de) || competición (de) · torneo (de) · campeonato (de) · campeón,-a (de) || exhibición (de)**

● CON VBOS. **practicar || aficionar(se) (a)**

[hambre] → como el hambre; de hambre; hambre

hambre s.f.

● CON ADJS. **canina · voraz** *Los niños llegaban del colegio con un hambre voraz* · **atroz · terrible · mortal · desmesurada · insaciable · incontenible · compulsiva · acuciante · apremiante || atrasada** *Fueron a todos los estrenos para saciar su hambre atrasada de novedades* · **de {días/semanas...} || muerto,ta (de)**

● CON VBOS. **entrar** *¡Con tanto ejercicio me entró un hambre...!* · **despertárse(le) (a alguien) · apremiar (a alguien) · acuciar (a alguien) · asediar (a alguien) · acosar (a alguien) · invadir (a alguien) · acechar (a alguien) · azotar (algo/a alguien) || aplacar(se) || dar || tener · pasar · sentir** *...y empecé a sentir hambre de nuevo* · **sufrir · aguantar || saciar · satisfacer · engañar** *Masticamos unas hierbas para engañar el hambre* · **calmar · mitigar · paliar · amortiguar · apaciguar · combatir · vencer · erradicar** *un plan de ayuda para erradicar el hambre* · **abolir || morir (de) · desfallecer (de) · reventar (de) || matar (de)**

☐ EXPRESIONES **más listo que el hambre** [muy listo] *col.*

hamburguesería s.f.

● CON SUSTS. **franquicia (de) · camarero,ra (de) · cajero,ra (de)**

● CON VBOS. **poner** *Puso una hamburguesería y parece que le va bien* **|| comer (en)** *comer algo rápido en una hamburguesería* · **invitar (a/en)**

➤ Véase también **ESTABLECIMIENTO**

harapiento, ta adj.

● CON SUSTS. ***persona*** **|| uniforme · traje** *A pesar de su traje harapiento, sus gestos y su porte delataban su verdadera identidad* · **trapo**

harapo s.m.

● CON ADJS. **mísero · infame · sucio · viejo**

● CON VBOS. **llevar || zurcir || vestir (con)** *La primera vez que lo vio vestía con unos harapos* · **cubrir(se) (de/con) · abrigar(se) (con) || convertir(se) (en)**

harina

1 harina s.f.

● CON SUSTS. **paquete (de) · saco (de) · puñado (de) · taza (de) · bol (de) · cucharada (de)** *Échale una cucharada de harina* **|| tortilla (de)**

● CON VBOS. **faltar · quedar || poner · añadir · echar || rebozar (con/en)** *rebozar el pescado en harina* · **cubrir (con) || abastecer (de) · desabastecer (de)**

● CON PREPS. **a base (de)** *un bizcocho a base de harina*

2 harina (de) s.f.

● CON SUSTS. **trigo** *pan de harina de trigo* · **maíz · pescado · mandioca · soja || repostería** *La harina de repostería es la más indicada para este tipo de recetas*

☐ EXPRESIONES **meterse en harina** [entrar plenamente en un asunto] *col.* **|| ser** (algo) **harina de otro costal** [ser distinto del asunto que se trata] *col.*

[hasta] → hasta el cansancio; hasta el cuello; hasta el tuétano; hasta la saciedad; hasta las cejas; hasta los huesos

hasta el cansancio loc.adv.

● CON VBOS. **repetir** *Nos repitió las instrucciones hasta el cansancio* · **decir · reiterar · insistir · martillear || gritar || ver · oír · sonar || luchar · pelear || utilizar**

hasta el cuello loc.adv.

● CON VBOS. **abotonar · tapar · cubrir** *Me cubrí de ropa hasta el cuello y me lancé a la calle* **|| meter(se) · implicar(se) · comprometer(se)** *comprometerse hasta el cuello en una relación* · **pringar(se) · enredar(se) || hundir(se) · sumergir(se) · empantanar(se) · enfangar(se) || endeudar(se)** *Evitaba endeudarme hasta el cuello* · **empeñar(se)**

hasta el tuétano loc.adv. *col.*

● CON VBOS. **empapar(se)** · **calar(se)** · **impregnar(se)** || **meter(se)** *En la basílica, el olor del incienso se me metía hasta el tuétano* · **penetrar** · **llegar** · **infiltrar** · **perforar** || **enamorarse** *Se enamoraron hasta el tuétano nada más conocerse* · **sentir** · **conmover**

● CON SUSTS. **peruano,na** *Aunque llevo muchos años viviendo en otro país, me siento peruano hasta el tuétano* · **irlandés,-a** · ***otros gentilicios*** || **nacionalista** · **feminista** · **demócrata** · ***otros seguidores o partidarios de algo***

□ USO Se usa también la variante *hasta los tuétanos*.

hasta la saciedad loc.adv.

● CON VBOS. **decir** *Le habían dicho hasta la saciedad que no volviera por allí* · **explicar** · **describir** · **contar** · ***otros verbos de lengua*** || **repetir** · **reiterar** · **insistir (en algo)** || **pedir** · **solicitar** · **reclamar** || **oír** *una canción que se ha oído hasta la saciedad este verano* · **ver**

hasta las cejas loc.adv. *col.*

● CON VBOS. **endeudarse** · **empeñarse** · **entramparse** · **embargarse** || **embadurnar(se)** *Los pequeños se embadurnaron de chocolate hasta las cejas* · **llenar(se) (de algo)** · **enfangar(se)** || **meter(se) (en algo)** · **implicar(se)** · **comprometer(se)** · **corromper(se)** · **liar(se)** || **ponerse (de droga)** || **calarse (algo)** *calarse la gorra hasta las cejas* · **cubrirse** || **taparse** · **abrigarse** · **embozarse** · **enmascararse** · **vestirse** · **engalanarse** · **enfundarse** · **pintarse** || **armar(se)** · **pertrechar(se)** · **blindar** · **cargar** · **abastecer(se)**

hasta los huesos loc.adv. *col.*

● CON VBOS. **calar(se)** · **mojar(se)** *Parecían cuatro gotas, pero nos mojamos hasta los huesos* · **empapar(se)** · **enfangar(se)**

hastío s.m.

● CON ADJS. **absoluto** · **enorme** · **total** *Dice que la primavera le produce un hastío total* · **inmenso** · **infinito** · **profundo** · **creciente** || **evidente** · **manifiesto** || **comprensible** · **lógico** || **colectivo** · **personal** · **ciudadano** · **juvenil** || **cotidiano** · **estival** *Para paliar el hastío estival se ofrecían actividades diversas* · **veraniego** || **político** · **administrativo** || **matrimonial** · **conyugal** || **existencial** · **vital**

● CON SUSTS. **sensación (de)** || **cara (de)** · **gesto (de)** *Me miró con gesto de hastío* || **signo (de)** · **señal (de)** · **síntoma (de)**

● CON VBOS. **entrar (a alguien)** · **crecer** || **producir** *Le producía hastío vivir en aquel barrio* · **provocar** || **sentir** || **notar** · **percibir** || **superar** · **vencer** · **paliar** · **mitigar** || **mostrar** · **exhibir** · **manifestar** · **expresar** · **reflejar** *La escasa audiencia refleja el hastío del público ante un espectáculo tan zafio* · **revelar** || **ocultar** · **esconder** · **disimular** || **llenar (de)** · **morir (de)** || **luchar (contra)** *una propuesta para luchar contra el hastío juvenil*

● CON PREPS. **con**

hatajo (de) s.m. *desp.*

● CON SUSTS. **vagos,gas** · **inútiles** · **charlatanes,nas** · **idiotas** · **estúpidos,das** · ***otros nombres de personas difamatorios***

hatillo s.m.

● CON VBOS. **coger** · **hacer** *Hizo un hatillo con sus cosas y se marchó* · **deshacer** · **llevar** || **viajar (con)**

haya s.f.

● CON SUSTS. **mesa (de)** · **estantería (de)** · ***otros muebles***

➤ Véase también **ÁRBOL**

hazaña s.f.

● CON ADJS. **heroica** · **gloriosa** · **colosal** · **portentosa** · **esplendorosa** · **histórica** || **insuperable** · **inigualable** · **sin par** || **épica** *El caballero protagonizó memorables hazañas épicas* · **bélica** || **juvenil** · **estudiantil** || **deportiva**

● CON VBOS. **ambientar (en algo)** || **acometer** · **realizar** · **consumar** · **culminar** *El mal tiempo impidió que los montañeros culminaran su hazaña* · **coronar** || **rememorar** · **evocar** · **revivir** · **emular** *El niño quería emular las hazañas gloriosas de sus héroes* · **conmemorar** || **constituir** · **suponer**

haz (de) s.m.

● CON SUSTS. **leña** · **espigas** · **heno** || **luz** *A través de la rendija se colaba un haz de luz* · **rayos** · **láser** · **radiación** · **ondas** · **partículas** · **electrones** · **protones** · **energía** · **fuerza** · **frecuencias** || **fibras** · **nervios** · **filamentos** · **cables** || **vías** · **direcciones** || **miradas** || **posibilidades** · **iniciativas** || **causas** · **motivos** · **relaciones**

□ USO Se construye generalmente con sustantivos no contables en singular (*un haz de leña*) o con contables en plural (*un haz de espigas*).

hazmerreír s.m. *col.*

● CON ADJS. **público** *Si haces eso, te convertirás en el hazmerreír público* · **general**

● CON VBOS. **considerar (a alguien)** || **convertir(se) (en)**

□ USO Se construye frecuentemente con complementos encabezados por la preposición *de*: *Eres el hazmerreír del colegio.*

hebra (de) s.f.

● CON SUSTS. **hilo** · **lana** || **azafrán** *Unas hebras de azafrán le darían muy buen gusto a este guiso* || **luz**

□ EXPRESIONES **pegar la hebra** [entablar conversación o charlar] *col.*

hebreo s.m. Véase **IDIOMA**

hecatombe s.f.

● CON ADJS. **auténtica** · **verdadera** *Se avecinaba una verdadera hecatombe* · **gran(de)** · **atroz** · **sin precedentes** || **final** · **nuclear** || **humanitaria** · **social** · **moral** || **mundial** · **electoral** *Los analistas pronosticaban una hecatombe electoral* · **política** · **financiera** · **económica** · **institucional** · **constitucional** || **deportiva**

● CON VBOS. **producir(se)** · **ocurrir** · **sobrevenir** · **llegar** · **avecinarse** · **fraguarse** · **desencadenar(se)** || **provocar** · **precipitar** *La retirada del jugador precipitó la hecatombe deportiva del equipo* · **causar** || **impedir** · **evitar** · **detener** || **sufrir** || **presagiar** · **vaticinar** || **acabar (en)** || **sobrevivir (a)** *Los pocos que sobrevivieron a la hecatombe se niegan a prestar declaración*

hechicería s.f.

● CON SUSTS. **práctica (de)** · **rito (de)** · **conjuro (de)** || **condena (por)**

● CON VBOS. **perseguir** · **condenar** || **introducir** · **practicar** || **terminar (con)** · **acabar (con)** || **recurrir (a)**

hechizante adj.

• CON SUSTS. **conjuro · sortilegio || belleza** *una muchacha de una belleza hechizante* · **esplendor || sonoridad · sonido · melodía || espectáculo · comedia · libro · canción ·** ***otras creaciones*** **|| discurso · palabras**
• CON ADVS. **sumamente**

hechizar v.

• CON SUSTS. **público · lector,-a · espectador,-a** *una prodigiosa interpretación que había logrado hechizar a los espectadores* · ***otros individuos y grupos humanos*** **|| sentimiento · sentidos**

hechizo s.m.

• CON ADJS. **poderoso** *Nadie podía sustraerse al poderoso hechizo de su mirada* · **irresistible · gran(de) · enorme || certero · fallido || maléfico · fatal · maligno · demoníaco · horrendo || musical · verbal · de luna || alucinatorio · sobrenatural · de amor**
• CON VBOS. **{hacer/surtir} efecto** *Parece que el hechizo hizo efecto...* · **funcionar || fracasar · fallar || ejercer · imponer · probar || destruir · vencer · romper · conjurar · resistir || caer (bajo) · sucumbir (a) || liberar(se) (de) · escapar (a)** *De milagro escapó la princesita al maléfico hechizo de la malvada bruja* · **sustraer(se) (a)**

hecho s.m.

• CON ADJS. **histórico · verídico · real · consumado** *Aquí seguimos una política de hechos consumados* · **fehaciente · constatable · constatado · irrefutable · incontrovertible · incontrovertido · evidente · claro · cierto · concluyente · insoslayable || probable · verosímil || casual** *Si estoy incluido en la lista, se debe a un hecho casual* · **fortuito · circunstancial · accidental · azaroso || aislado** *Se trata de un hecho aislado, por lo que no debemos preocuparnos* · **esporádico · puntual · anecdótico · pasajero · insignificante || insólito** *Encontrar ballenas en estas aguas es un hecho insólito* · **inaudito · llamativo · singular · irrepetible · impredecible || paradigmático · memorable · crucial · trascendental · decisivo · detonante || alarmante · clamoroso · revelador** *La alta abstención en las elecciones es un hecho muy revelador* **|| aciago · infausto · luctuoso || intolerable · vergonzoso** *Manifestamos nuestra indignación ante esos vergonzosos hechos* · **lamentable · censurable · deplorable · execrable · abominable · delictivo · deshonesto || acorde (con)**
• CON VBOS. **ocurrir** *¿Estaba usted presente cuando ocurrieron los hechos?* · **suceder · acaecer || atañer (a alguien) || difundir · publicar · transmitir · airear || exponer · referir · relatar · describir · narrar · contar · confesar** *El acusado terminó por confesar los hechos* · **testimoniar · presentar || presenciar · protagonizar · consumar || negar** *No puedo negar un hecho tan evidente* · **ocultar · tergiversar · distorsionar · disfrazar || condenar · denunciar || investigar · aclarar · esclarecer** *Se abrió una investigación para esclarecer los hechos* · **clarificar · desbrozar · lidiar · achacar || constatar · probar · comprobar · confirmar · corroborar · desmentir · rebatir · descartar || desencadenar · provocar · originar · causar || atenerse (a) · ceñir(se) (a)** *El testigo se ciñó a los hechos en su declaración* **|| quitar hierro (a) · cerrar los ojos (ante)**
• CON PREPS. **al compás (de) · a la luz (de) · a la vista (de)** *A la vista de los hechos, habrá que tomar una determinación firme* · **a tenor (de) · de acuerdo (con)**

hediondo, da adj.

• CON SUSTS. **tufo · olor** *Tenía un aspecto viscoso y desprendía un olor hediondo* **|| charca · cueva · fosa · sumidero || cuerpo**

hedor s.m.

• CON ADJS. **insoportable || penetrante** *el penetrante hedor de la basura*
• CON VBOS. **emanar (de algo) · llegar (a alguien) || tirar de espaldas · impregnar (algo) · llenar (algo) || desprender** *Los huevos podridos desprendían un hedor insoportable* **|| percibir · notar**

hegemonía s.f.

• CON ADJS. **clara** *Las encuestas revelaban la clara hegemonía de los liberales* · **aplastante · rotunda · plena · total · indiscutible || comercial · política · económica**
• CON VBOS. **derrumbar(se) · quebrar(se) || alcanzar · tener** *hasta que la empresa tenga la hegemonía del sector* · **obtener || ejercer · imponer · implantar || conservar** *Si el partido logra conservar la hegemonía en las capitales de provincia, ganará las elecciones* · **mantener · consolidar · revalidar || perder · amenazar · romper || gozar (de) · acabar (con) · poner fin (a) || luchar (por) · competir (por)** *Varios países compiten por la hegemonía en la zona*

heladería s.f. Véase **ESTABLECIMIENTO**

helárse(le) (a alguien) v.

• CON SUSTS. **sangre** *Cuando vio aquel escorpión en su zapatilla, se le heló la sangre en las venas* **|| sonrisa**

hematoma s.m.

• CON ADJS. **fuerte · gran(de) · enorme · doloroso || múltiples · lleno,na (de) || pequeño || cerebral · craneal · interno · facial · muscular**
• CON VBOS. **formar(se)** *El hematoma empezó a formarse justo después de la caída* · **hacer(se) (a alguien) · desaparecer || causar · producir · provocar || sufrir · presentar** *El herido presentaba múltiples hematomas* · **tener || diagnosticar · apreciar · curar || llenar(se) (de)**

hemeroteca s.f.

• CON VBOS. **consultar** *Si quieren comprobar la veracidad de mis afirmaciones, no tienen más que consultar las hemerotecas* **|| bucear (en) · documentar(se) (en) · investigar (en)**

hemofilia s.f.

• CON ADJS. **afectado,da (de) · enfermo,ma (de)**
• CON SUSTS. **caso (de) · síntoma (de)**
• CON VBOS. **afrontar · sufrir · padecer || detectar · diagnosticar || morir (de)**

hemorragia s.f.

• CON ADJS. **cerebral · digestiva · intestinal · nasal · pulmonar · gástrica · vaginal · menstrual || masiva · fuerte · grave · severa · intensa · incontenible · letal · fatal || pequeña || oculta · interna** *para detener la hemorragia interna*
• CON VBOS. **producir(se)** *tras superar el riesgo de que se produjera una hemorragia cerebral* · **surgir || cortar(se) · cesar || padecer || causar · provocar || taponar · controlar · disminuir · frenar · detener · parar · evitar || morir (de/por)**

[henchir] → henchir; henchirse (de)

henchir v.

● CON SUSTS. **pulmón** *Ya en la cumbre, henchimos nuestros pulmones de aire puro* · **fuelle**

henchirse (de) v.

● CON SUSTS. **orgullo** · **vanidad** · **engreimiento** *Se mostró henchido de engreimiento* · **fatuidad** || **moral** · **esperanza** · **ilusión** · **optimismo** || **emoción** *Se despidió de ellos henchida de emoción* · **fervor** · **amor** · **ternura** · **pasión** · **ardor** || **fuerza** · **energía** || **felicidad** · **satisfacción** · **placer** · **gozo** || **ira** · **indignación**

☐ USO Se usa frecuentemente en forma participial: *un público henchido de fervor.*

hendidura s.f.

● CON VBOS. **abrir** · **hacer** · **horadar** || **cerrar** · **tapar** · **coser** || **colar(se) (por)** · **filtrar(se) (por)** *El agua se filtró por una hendidura de la pared*

hepático, ca adj.

● CON SUSTS. **enfermedad** · **problema** · **fallo** · **daño** · **lesión** · **infección** *Lo más importante era evitar una infección hepática* · **trastorno** · **dolencia** · **afección** · **insuficiencia** · **tumor** · **cáncer** · **afectación** · **cirrosis** || **enfermo,ma** *Los enfermos hepáticos están en otra planta* · **paciente** || **trasplante** · **cirugía** · **injerto** || **célula** · **zona** · **función** · **nivel**

hepatitis s.f.

● CON ADJS. **galopante** · **aguda** · **crónica** || **vírica** || **afectado,da (de)** · **aquejado,da (de)**

● CON SUSTS. **brote (de)** *Se ha detectado un brote de hepatitis dentro del hospital* · **epidemia (de)** || **virus (de)** || **secuela (de)** · **síntoma (de)** *Presentaba claros síntomas de hepatitis* || **enfermo,ma (de)**

● CON VBOS. **agudizar(se)** · **acentuar(se)** · **agravar(se)** || **curar(se)** || **prevenir** || **contagiar** · **transmitir** *Le transmitieron la hepatitis a través de una transfusión de sangre* || **diagnosticar** || **luchar (contra)** · **vacunar (contra)** *una campaña para vacunar a los niños contra la hepatitis* || **reponer(se) (de)** · **mejorar(se) (de)** || **morir (de)**

herbolario s.m.

● CON SUSTS. **producto (de)** · **pastilla (de)** *Se estaba tomando unas pastillas de herbolario para adelgazar* · **aficionado,da (a)** · **cultura (de)**

● CON VBOS. **encontrar (en)** *un jarabe muy eficaz que encontrarás en los herbolarios* · **recurrir (a)**

➤ Véase también **ESTABLECIMIENTO**

hercúleo, a adj.

● CON SUSTS. **constitución** *levantadores de pesas de constitución hercúlea* · **talla** · **dimensión** || **fuerza** *Se necesita una fuerza hercúlea para mover esta piedra* · **potencia** || **esfuerzo** · **tarea** · **labor** · **trabajo**

heredar v.

● CON SUSTS. **país** · **trono** *Será el hijo mayor el que herede el trono* · **imperio** · **presidencia** · **cargo** · **posición** · **puesto** · **papel** · **título** · **poder** || **deuda** · **problema** || **fortuna** *Está dilapidando la fortuna que heredó de su familia* · **bienes** · **patrimonio** · **dinero** · **tierra** · **propiedad** · **casa** · **negocio** || **vocación** · **afición** · **gusto** · **talento** *Sin lugar a dudas, ha heredado de su madre su talento artístico* · **carisma** · **estilo** || **costumbre** · **tradición** || **nombre** · **apellido** || **ojos** *unos preciosos ojos verdes que heredó de su abuela* · **boca** · ***otros rasgos físicos***

● CON ADVS. **directamente**

heredero, ra

1 **heredero, ra** adj.

● CON SUSTS. **príncipe** *la boda del príncipe heredero* · **princesa** · ***otros individuos y grupos humanos***

2 **heredero, ra** s.

● CON ADJS. **natural** · **legítimo,ma** *El legítimo heredero es el hijo primogénito del príncipe* || **universal** · **directo,ta** || **actual** · **último,ma** || **rico,ca** · **posible** · **político,ca**

● CON VBOS. **elegir** · **presentar** || **destronar** *...con el único propósito de destronar al heredero* · **sustituir** || **sentirse** · **considerar(se)** || **declarar (a alguien)** · **proclamar (a alguien)** *Tras proclamar al heredero hubo una ovación* · **nombrar (a alguien)**

3 **heredero, ra (de)** s.

● CON SUSTS. **corona** · **trono** *el título de heredero del trono* || **régimen** · **tradición** · **familia** · **estirpe** · **saga** || **negocio**

hereditariamente adv.

● CON VBOS. **transmitir** *una enfermedad que se transmite hereditariamente* · **pasar**

hereditario, ria adj.

● CON SUSTS. **enfermedad** *Padecía una enfermedad hereditaria* · **alergia** · **cáncer** · **gen** || **transmisión** · **causa** · **origen** || **talento** · **inteligencia** · **paciencia** · **habilidad** · **tara** · **torpeza** · ***otras cualidades o defectos*** || **título** · **privilegio** · **derecho** · **cargo** || **régimen** · **monarquía** · **sistema de gobierno** · **democracia**

hereje s.com.

● CON ADJS. **auténtico,ca** · **maldito,ta** || **supuesto,ta** · **consumado,da** · **confeso,sa** || **blasfemo,ma**

● CON SUSTS. **martillo (de)** *Tras convertirse en un verdadero martillo de herejes en la empresa...* · **azote (de)**

● CON VBOS. **convertir(se)** *...para que los herejes se convirtieran al cristianismo* || **perseguir** *perseguir implacablemente a los herejes* · **combatir** · **exterminar** || **denunciar** · **condenar** · **quemar** || **proclamar** · **considerar** · **declarar** || **rehabilitar** || **convertir(se) (en)** || **tildar (de)** · **acusar (de)** *Fue acusado de hereje y conspirador tras varios meses de investigación*

herejía s.f.

● CON ADJS. **abominable** · **execrable** · **inadmisible** · **perniciosa** || **nueva** · **última** · **auténtica** · **verdadera** || **supuesta** · **aparente** || **política** · **económica** *Las nuevas medidas constituían una verdadera herejía económica* · **cultural** · **jurídica** · **democrática**

● CON VBOS. **consistir (en algo)** || **decir** · **cometer** *Cometí la herejía de...* · **inventar** || **bordear** · **rozar** || **combatir** · **perseguir** · **reprimir** · **frenar** · **eliminar** · **cortar de raíz** · **denunciar** || **considerar (algo)** || **acusar (de)** · **condenar (por)** · **excomulgar (por)** || **sonar (a)** · **rayar (en)** *Tus afirmaciones rayan en la herejía* · **calificar (de)**

herencia s.f.

● CON ADJS. **familiar** *Es artesano por herencia familiar* · **tradicional** · **atávica** · **cultural** · **histórica** · **artística** || **generosa** · **escasa** · **pobre** · **exigua** || **disputada**

● CON VBOS. **repartir** · **administrar** *Un tutor administraba la herencia de los hijos menores* · **restituir** || **aceptar** · **reconocer** · **valorar** || **disputar(se)** *Hijos, hermanos y otros parientes se disputaban la pequeña herencia que había dejado* · **reclamar** · **pedir** · **exigir** · **reivindicar** · **impugnar** || **perder** · **jugarse** || **dejar (de/como/en)** *Mi tío me dejó en herencia su casa de campo* · **legar (de/como/en)** || **recibir (de/como/en)** *Había recibido un valioso cuadro como herencia* · **cargar (con)** · **luchar (por)** || **desprenderse (de)** · **renunciar (a)**
● CON PREPS. **a título (de)**

herético, ca adj.

● CON SUSTS. **religión** · **secta** *La investigación descubrió algunas sectas heréticas* · **culto** · **movimiento** || **heterodoxia** · **moral** · **idea** *tras exponer una serie de ideas heréticas* || **creencia**

[herida] s.f. → herido, da

herido, da

1 herido, da adj.

● CON SUSTS. **civil** · **policía** · **soldado** · **trabajador,-a** *Los trabajadores heridos fueron atendidos en seguida* · **manifestante** · **conductor,-a** · ***otros individuos y grupos humanos*** || **pájaro** · **ciervo,va** · **ballena** · ***otros animales*** || **corazón** · **alma** · **orgullo** · **sentimiento** *un desaire innecesario que le deja a uno heridos sus sentimientos* · **conciencia** · **sensibilidad**
● CON ADVS. **gravemente** *Un civil cayó gravemente herido en los enfrentamientos* · **de gravedad** · **mortalmente** · **seriamente** · **profundamente** · **ligeramente** · **levemente** · **sin importancia**
● CON VBOS. **estar** · **resultar** · **salir** · **caer** · **quedar** · **sentirse** *Mi orgullo se siente profundamente herido ante tales palabras*

2 herido, da s.

● CON ADJS. **leve** · **de gravedad** *Los heridos de gravedad serán trasladados inmediatamente al hospital* · **grave** · **de muerte** || **de bala** · **de arma blanca** || **numerosos,sas** · **múltiples**
● CON VBOS. **registrar(se)** *No se registraron heridos de bala en el asalto* · **producir(se)** || **ingresar (en un lugar)** · **llegar** || **curar(se)** · **mejorar** · **recuperarse** || **empeorar** · **agravarse** · **desangrarse** || **socorrer** · **atender** · **ayudar** · **auxiliar** · **examinar** || **trasladar** · **llevar** *Llevaremos a los heridos graves al hospital más cercano* || **dar de alta** *Los heridos de esta planta se van recuperando y pronto serán dados de alta* || **causar** · **ocasionar** · **provocar**

3 herida s.f.

● CON ADJS. **leve** · **de pronóstico reservado** *Ingresó en el hospital con heridas de pronóstico reservado* · **aparatosa** · **grave** · **seria** · **mortal** · **mortífera** || **profunda** *Presentaba una herida profunda en el abdomen* · **superficial** · **ligera** || **contusa** · **punzante** · **incisiva** · **lacerante** · **dolorosa** · **traumática** || **sangrante** · **tumefacta** · **purulenta** || **múltiples** · **numerosas** · **extendidas** || **personal** · **del alma**
● CON SUSTS. **baja (por)** · **muerte (por)** *En el altercado de ayer se registraron varias muertes por herida de bala* · **lesión (por)** || **curación (de)** · **cierre (de)** · **cicatrización (de)** || **infección (de)** · **gravedad (de)**
● CON VBOS. **doler** || **sangrar** · **infectar(se)** *Debe lavarse la herida diariamente para que no se le infecte* · **abrir(se)** · **supurar** || **salir a la luz** || **cicatrizar** · **sanar** || **hacer** *Cayó y se hizo una herida* · **producir** · **causar** · **provocar** · **ocasionar** · **infligir** || **tener** · **sufrir** *No sufrió heridas importantes en el accidente* · **recibir** · **presentar** || **lavar** · **curar** · **restañar** *Solo el tiempo puede restañar las heridas del alma* · **coser** · **suturar** · **cauterizar** · **cerrar** · **obturar** · **atajar** · **saldar** · **sajar** || **recuperarse (de)** · **restablecerse (de)** || **hurgar (en)** *Dejen de buscar culpables y no hurguen más en una herida ya de por sí bastante dolorosa*

herir v.

● CON SUSTS. ***persona*** *Han herido a un policía* || **sentimiento** · **sensibilidad** *Estas imágenes pueden herir la sensibilidad del espectador* · **conciencia** || **orgullo** *Si intentas darle dinero, vas a herir su orgullo* · **dignidad** · **honor**
● CON ADVS. **gravemente** · **de gravedad** · **profundamente** *Hirió profundamente sus sentimientos al portarse tan desconsideradamente* · **seriamente** · **enormemente** · **mortalmente** · **de muerte** || **levemente** · **ligeramente** · **superficialmente** || **involuntariamente** *El cazador hirió involuntariamente a uno de sus perros*

hermanar(se) v.

● CON SUSTS. **pueblo** *Los profundos lazos de amistad y solidaridad que hermanan a nuestros pueblos* · **población** · **nación** · **país** · **ciudad** · **sociedad**

☐ USO Se construye frecuentemente con complementos encabezados por la preposición *con*: *hermanarse una ciudad con otra.*

hermandad s.f.

▮ [asociación]

● CON ADJS. **profesional** · **religiosa** · **rociera** || **santa**
● CON SUSTS. **miembro (de)** *Es miembro de la hermandad local de farmacéuticos* · **compañero,ra (de)** · **devoto,ta (de)** · **socio,cia (de)**
● CON VBOS. **reunir(se)** || **salir en procesión** · **hacer estación de penitencia** || **constituir** *constituir una hermandad profesional* · **formar** · **organizar** || **dirigir** · **presidir** || **admitir (en)** · **entrar (en)** · **inscribir(se) (en)** · **apuntar(se) (a)** · **introducir(se) (en)** · **participar (en)** · **expulsar (de)**

▮ [relación fraternal]

● CON ADJS. **verdadera** · **profunda** · **auténtica** · **amistosa** || **universal** · **humana** || **intelectual**
● CON SUSTS. **relación (de)** · **sentimiento (de)** · **ambiente (de)** || **ejemplo (de)** || **acto (de)** · **comida (de)** · **cena (de)** · **reunión (de)** || **símbolo (de)** · **señal (de)** || **deseo (de)** *el deseo de hermandad entre los pueblos* || **principio (de)** · **ideal (de)**

☐ EXPRESIONES **en hermandad** [como hermanos] *con la intención de vivir y trabajar en hermandad*

☐ USO Se construye frecuentemente con complementos encabezados por la preposición *entre*: *promover la hermandad entre pueblos.*

hermano, na s.

● CON ADJS. **pequeño,ña** *Mañana es el cumpleaños de mi hermana pequeña* · **menor** · **mediano,na** · **mayor** || **mellizo,za** · **gemelo,la** *Se nota que son hermanos gemelos porque se parecen mucho* · **siamés,-a** || **leal** · **fiel** · **inseparable** · {**bien/mal**} **avenidos** || **preferido,da** || **de leche** · **de sangre** *Ya mayores, descubrieron que eran hermanos de sangre* · **carnal** · **adoptivo,va**
● CON VBOS. **llevarse** {**bien/mal/regular**} · **unir(se)** · **distanciar(se)** *dos hermanos, antes muy unidos, se habían distanciado desde la muerte de su madre*

herméticamente adv.

●CON VBOS. **cerrar** *cerrar herméticamente un envase* · **sellar** · **proteger** · **guardar** · **blindar** · **encerrar** · **tapiar** · **cubrir** · **silenciar** · **envolver** · **envasar**

hermético, ca adj.

●CON SUSTS. **cierre** || **envase** · **recipiente** || ***persona*** *un poeta hermético y abstruso* || **personalidad** · **carácter** · **talante** || **defensa** *Una hermética defensa protegió durante los noventa minutos la portería contraria* · **cerrazón** · **protección** · **blindaje** · **rechazo** || **lenguaje** · **jerga** · **discurso** · **texto** · **cháchara** · **respuesta** · **propuesta** · **monólogo** · **discusión** · **afirmación** || **silencio** *La familia de la víctima ha mantenido un hermético silencio durante todo el proceso* · **mutismo** · **incomunicación** || **literatura** · **música** · **pintura** · **teatro** *Se hizo famoso por su teatro vanguardista y más bien hermético* · ***otras manifestaciones artísticas*** || **imagen** · **apariencia** · **aspecto** · **cara** || **gesto** · **sonrisa** || **discreción** · **belleza** · **encanto** · **pureza** || **secreto** *Las negociaciones se llevan con el más hermético secreto* · **símbolo** · **código** · **enigma** · **numerología** · **fenomenología** · **simbolismo** || **pensamiento** · **idea** · **doctrina** · **ideología** || **régimen** · **disciplina** · **sistema** · **control**

hermetismo s.m.

●CON ADJS. **total** *Han querido mantener un hermetismo total sobre las nuevas medidas de seguridad* · **gran(de)** · **absoluto** · **profundo** · **hondo** || **fuerte** · **férreo** || **personal** || **político** · **oficial** · **periodístico**

●CON VBOS. **rodear (algo)** *Un gran hermetismo rodeó el encuentro entre los dos mandatarios* · **existir** · **reinar** · **imperar** || **imponer** · **mantener** · **guardar** · **mostrar** || **romper** · **abandonar** · **dejar** || **sacar (de)** *Por más que le preguntaron, no consiguieron sacarlo de su hermetismo* · **salir (de)** || **encerrar(se) (en)**

hermosura s.f.

●CON ADJS. **extraordinaria** · **excepcional** · **exquisita** · **profunda** · **absoluta** · **infinita** · **legendaria** || **resplandeciente** · **exultante** · **deslumbrante** · **arrebatadora** · **fascinante** · **avasalladora** · **emocionante** || **indescriptible** *un tesoro natural de una hermosura indescriptible* · **indecible** · **incomparable** · **inigualable** · **única** || **rara** · **extraña** · **singular** *Entre sus poemas destacan un par de sonetos de singular hermosura* · **inquietante** · **turbadora** · **perturbadora** · **desconcertante** · **enigmática** || **sencilla** · **serena** · **natural** · **inocente** · **clásica** · **cálida** || **formal** · **interior** · **espiritual** · **oculta** · **externa** || **distante** *La mujer poseía una hermosura fría y distante* · **desafiante** · **fría** · **impenetrable** || **engañosa** · **aparente** · **efímera** *El cuadro evoca la efímera hermosura de las flores* · **caduca** · **pasajera** || **eterna** · **intacta** · **verdadera** || **lleno,na (de)** · **exuberante (de)** · **adornado,da (de)** · **rodeado,da (de)** · **dotado,da (de)**

●CON SUSTS. **derroche (de)** · **exceso (de)** · **carencia (de)**

●CON VBOS. **acrecentar(se)** · **aumentar** || **marchitar(se)** · **ajar(se)** · **perder(se)** · **disminuir** || **iluminar (algo)** || **rebosar** · **emanar** · **atesorar** || **descubrir** · **notar** · **contemplar** · **admirar** || **realzar** *Un sol radiante realzaba la hermosura de aquel paraje* · **resaltar** · **subrayar** || **arrebatar (a algo/a alguien)** || **resplandecer (de)** *El templo engalanado resplandecía de hermosura* · **inundar (algo) (de)** || **contribuir (a)** || **prendarse (de)** *El caballero se prendó de la hermosura de la dama* · **reparar (en)** · **disfrutar (de)**

héroe, heroína

1 **héroe, heroína** s.

●CON ADJS. **valeroso,sa** *El valeroso héroe salvó a la princesa de las garras del dragón* · **intrépido,da** · **audaz** || **esforzado,da** · **abnegado,da** || **mítico,ca** · **mitológico,ca** *un héroe mitológico que simboliza el valor y el coraje* · **legendario,ria** · **anónimo,ma** || **nacional** · **patrio,tria** · **local** || **de guerra** || **propio,pia (de)**

●CON SUSTS. **madera (de)**

●CON VBOS. **aclamar** · **vitorear** *La muchedumbre vitoreaba a los héroes a su paso* || **distinguir** · **condecorar** · **honrar** · **exaltar** · **conmemorar** · **recordar** · **rememorar** · **reconocer** · **premiar** || **forjar** || **convertir(se) (en)** · **erigirse (en/como)** *Con diez medallas olímpicas se erigió en heroína nacional*

2 **heroína** s.f.

▮ [droga]

●CON ADJS. **pura** · **adulterada**

●CON SUSTS. **papelina (de)** *Los detuvieron con una papelina de heroína* · **raya (de)** || **dispensación (de)** · **inyección (de)** || **mono (de)**

●CON VBOS. **inyectar(se)** · **meter(se)** · **chutar(se)**

➤ Véase también **DROGA**

heroicamente adv.

●CON VBOS. **defender** · **resistir** · **soportar** *Soportó heroicamente las críticas* || **mantener** · **sostener** · **empeñarse** · **aferrarse** · **plantarse** · **afirmarse** || **luchar** · **lanzarse** *Se lanzaron heroicamente contra las filas enemigas* · **batirse** · **enfrentarse** · **pelear** || **morir** · **caer** || **comportarse** · **reaccionar** · **afrontar** · **encarar** || **ayudar** · **contribuir** · **respaldar** · **servir**

heroico, ca adj.

●CON SUSTS. **hecho** · **acto** · **gesto** · **acción** · **aventura** · **gesta** *Las gestas heroicas de nuestro glorioso pasado* || **tiempo** · **época** · **período** · **momento** · **año** · **historia** · **pasado** || **soldado** · **guerrero,ra** · **combatiente** · **militar** · **pueblo** · ***otros individuos y grupos humanos*** || **espíritu** · **carácter** · **virtud** · **valor** || **esfuerzo** · **lucha** *Llevó adelante durante años una lucha heroica por los derechos de los trabajadores* · **resistencia** · **victoria** · **triunfo** · **muerte** || **novela** · **poema** || **ejemplo** · **papel** || **amor** *el trágico fin de su heroico amor*

[heroína] s.f.

→ héroe, heroína

heroísmo s.m.

●CON ADJS. **esforzado** *el esforzado heroísmo de los bomberos* · **numantino** · **verdadero** || **ejemplar** · **popular** · **individual** · **personal**

●CON SUSTS. **acto (de)** · **lección (de)** · **dosis (de)** || **espíritu (de)** · **capacidad (de)**

●CON VBOS. **demostrar** · **derrochar** · **requerir** · **exigir** *Cambios tan radicales exigían austeridad, y casi heroísmo, de una población acostumbrada a soportar...* || **exaltar** · **celebrar** · **admirar** · **aplaudir** · **resaltar** · **reconocer** · **admitir** || **apelar (a)**

●CON PREPS. **con** *Soportaba su enfermedad con verdadero heroísmo*

herpes s.amb.

●CON ADJS. **cutáneo,a** · **facial** · **genital** · **oftálmico,ca** || **doloroso,sa**

● CON SUSTS. **secuela (de)** · **marca (de)** || **erupción (de)** · **aparición (de)**
● CON VBOS. **sufrir** · **tener** · **identificar** · **tratar** *Una pomada especial para tratar los herpes faciales* · **curar** || **causar** · **provocar** *La bajada de defensas le provocó el herpes* · **contagiar** · **agravar** · **propagar** || **contraer**

herradura s.f.

● CON ADJS. **de la suerte** *He perdido mi herradura de la suerte*
● CON SUSTS. **arco (de)** · **forma (de)** || **marca (de)** · **huella (de)**
● CON VBOS. **poner (a algo)** *Ya le he puesto herraduras al caballo* · **clavar** · **llevar**

herramienta s.f.

● CON ADJS. **útil** · **eficaz** · **valiosa** · **poderosa** · **infalible** || **fundamental** · **imprescindible** *El teléfono móvil se ha convertido en una herramienta imprescindible para el trabajo* · **indispensable** || **manejable** · **funcional** · **versátil** · **práctica** || **inútil** · **inservible** || **nueva** *Las nuevas herramientas revolucionarán las investigaciones médicas* · **sofisticada** · **revolucionaria** · **básica** · **clásica** · **obsoleta** || **peligrosa** || **de trabajo** · **laboral** || **artesanal** · **manual** · **mecánica** || **informática** · **óptica** · **doméstica** · **virtual** · **bélica** · **política**
● CON SUSTS. **caja (de)** || **uso (de)**
● CON VBOS. **funcionar** · **fallar** || **crear** · **fabricar** · **diseñar** · **inventar** · **idear** || **utilizar** · **manejar** · **emplear** · **empuñar** || **disponer (de)** · **carecer (de)** || **equipar(se) (con)** · **proveer (de)** · **dotar (de)** *La empresa habrá de dotar a sus empleados de las herramientas de trabajo necesarias* || **servir(se) (de)** *Un palo o una piedra pueden servirte de herramienta*

herrero, ra s.

● CON ADJS. **profesional** · **experto,ta** · **novato,ta**
● CON SUSTS. **oficio (de)** · **gremio (de)** *El gremio de herreros ha denunciado la competencia desleal de la administración local* · **sindicato (de)** · **taller (de)** · **aprendiz,-a (de)**
● CON VBOS. **fundir (algo)** · **forjar (algo)** || **trabajar (como/de)** *Trabajé de herrero en una fragua de mi pueblo cuando era joven* · **emplear(se) (como)**

hervidero

1 **hervidero** s.m.

● CON ADJS. **auténtico** · **verdadero** *Las calles a esas horas eran un verdadero hervidero de gente* · **constante** · **populoso** || **humano** · **político** · **cultural** · **intelectual** · **étnico** · **ideológico** · **mental**
● CON VBOS. **conformar** · **configurar** *Las numerosas asociaciones estudiantiles configuran un rico hervidero de ideas y propuestas* || **convertir(se) (en)**

2 **hervidero (de)** s.m.

● CON SUSTS. **gente** · **curiosos,sas** *Alrededor del actor se había congregado un hervidero de curiosos* · **periodistas** · **espías** · **aficionados,das** || **rumores** *Los pasillos de la empresa son un auténtico hervidero de rumores y especulaciones* · **especulaciones** · **ideas** · **comentarios** · **noticias** · **imágenes** || **pasiones** · **intereses** · **insultos** · **nervios** · **conflictos**

hervir v.

● CON SUSTS. **pescado** *Herví pescado para cenar* · **verdura** · **arroz** · ***otros alimentos sólidos*** || **leche** *Cuando la leche hierva, retírala del fuego* · **agua** · ***otros líquidos***
● CON ADVS. **a fuego {lento/vivo}** · **a borbotones** *El agua hervía a borbotones*
● CON VBOS. **poner (a)** · **dejar**

hervor s.m.

● CON ADJS. **pequeño** *Con un pequeño hervor bastará para que la verdura esté lista* · **ligero** · **suave** · **fuerte** || **último** · **nuevo** · **permanente** || **pleno** · **puro** || **popular** · **político** *En esos días la calle era un verdadero hervor político* · **parlamentario** · **posrevolucionario** · **artístico**
● CON VBOS. **arrancar** *Cuando arranque el hervor, retiras la olla del fuego* · **empezar** · **romper** || **dar** · **necesitar** · **mantener**

□ EXPRESIONES **faltar(le)** (a alguien) **un hervor** [estar falto de madurez o de experiencia] *A este chico le falta un hervor*

heterodoxo, xa adj.

● CON SUSTS. **corriente** · **tesis** *Sostiene una tesis claramente heterodoxa* · **planteamiento** · **punto de vista** · **visión** · **carácter** · **personalidad** · **pensamiento** · **idea** || **estilo** · **forma** · **modelo** · **posición** · **postura** · **actitud** · **técnica** · **estrategia** || **mezcla** || **cristianismo** · **judaísmo** · **islamismo** · **marxismo** · **cubismo** *el cubismo heterodoxo de su primera época* · ***otras doctrinas o tendencias*** || **libro** · **artículo** · **película** · **ópera** · ***otras obras*** || **arte** · **flamenco** · **toreo** · **jazz** · ***otras expresiones artísticas*** || **economista** *Es una economista heterodoxa que ha planteado una posible solución para la crisis del sector* · **demócrata** · **político,ca** · **religioso,sa** · **místico,ca** · **judío,a** · **sector** · **facción** · ***otros individuos y grupos humanos***
● CON ADVS. **ligeramente** · **absolutamente** · **completamente** · **creativamente**

heterogéneo, a adj.

● CON SUSTS. **público** *Acudió al acto un público heterogéneo* · **audiencia** · **auditorio** · **electorado** · **población** · **gente** · **sociedad** · **colectivo** · **gobierno** || **grupo** · **masa** · **conjunto** *Los distintos edificios se agrupan en un conjunto heterogéneo de estilos arquitectónicos* · **mezcla** · **suma** · **conglomerado** · **coalición** · **alianza** · **formación** || **universo** · **ciudad** · **mundo** · **ambiente** || **repertorio** *El repertorio del concierto era muy heterogéneo* · **representación** · **muestra** || **composición** · **naturaleza** · **carácter** || **movimiento** · **ideología** · **cultura** · **obra** || **materiales**
● CON ADVS. **absolutamente** · **sumamente** *Su obra se inscribe dentro de un movimiento artístico sumamente heterogéneo* · **extraordinariamente** · **enormemente** · **excesivamente**

híbrido, da adj.

● CON SUSTS. **carácter** · **naturaleza** || **lengua** · **texto** · **composición** · **lenguaje** || **género** *un género híbrido entre la autobiografía y el ensayo* · **modelo** · **versión** || **sistema** · **técnica** · **mecánica** || **terreno** · **ambiente** || **solución** *Propuso una solución híbrida con la intención de contentar a todos* · **fórmula** · **medida** || **motor** · **vehículo** · **coche** · **pieza** || **ejemplar** · **animal** · **planta** · **alimento** · **fruta** *una fruta híbrida de dos variedades de manzanas* · **fruto** || **deporte** · **arte** · **artista** · **cultura** · **trabajo** || **gente** · **grupo** · **formación**

hidalgo, ga s.

▌ [cortés y generoso]

● CON ADJS. **auténtico,ca** · **genuino,na** · **verdadero,ra**

▌ [persona de la nobleza]

● CON ADJS. **de sangre**

➤ Véase también **TÍTULO NOBILIARIO**

hidratación s.f.

● CON ADJS. **equilibrada** · **ideal** · **buena** *Tras la exposición al sol es necesaria una buena hidratación de la piel* · **natural** · **artificial** || **especial** · **intensa** · **profunda** · **máxima** || **necesaria** || **facial** · **corporal** · **de la piel** · **dérmica**

● CON SUSTS. **falta (de)** · **exceso (de)**

● CON VBOS. **mantener** · **asegurar** · **proporcionar** · **favorecer** || **necesitar** · **recibir**

hidratante adj.

● CON SUSTS. **crema** · **cosmético** · **leche** · **espuma** · **gel** · **emulsión** || **masaje** *Notarás en seguida en la piel los efectos de este masaje hidratante* · **tratamiento** || **elemento** · **componente** · **factor** || **propiedad** *un gel de baño con propiedades hidratantes*

● CON ADVS. **sumamente** · **extraordinariamente**

hidráulico, ca adj.

● CON SUSTS. **bomba** · **brazo** · **motor** *La máquina funciona con un motor hidráulico* · **cilindro** · **ascensor** · **amortiguador** · **grúa** · **martillo** · **gato** · **prensa** · **freno** · **mando** · **cierre** · **mecanismo** · **sistema** · **circuito** · **conducción** || **recurso** *El informe mide los recursos hidráulicos de nuestra región* · **energía** · **reserva** || **infraestructura** · **red** · **central** *Están construyendo una nueva central hidráulica* || **obra** · **ingeniería** || **política** · **gestión** · **administración** · **plan** *poner en marcha el plan hidráulico* · **proyecto** · **control** · **regulación** || **déficit** · **inversión** · **canon** || **fuerza** · **función** · **generación**

hidroeléctrico, ca adj.

● CON SUSTS. **energía** · **recurso** · **fuente** · **potencia** · **generación** || **central** · **instalación** · **planta** *Una planta hidroeléctrica suministra luz a toda la zona* · **presa** · **represa** · **embalse** · **complejo** || **producción** · **consumo** · **aprovechamiento** · **desarrollo** || **compañía** · **sector** · **empresa** · **industria** || **proyecto** · **sistema** · **plan** · **obra** · **infraestructura** · **red** *una avería en la red hidroeléctrica*

hielo s.m.

● CON ADJS. **picado**

● CON SUSTS. **cubito (de)** *medio dedo de ron con unos cubitos de hielo* · **bloque (de)** · **barra (de)** · **capa (de)** · **placa (de)** *Había placas de hielo en la carretera* · **plancha (de)** · **bolsa (de)** · **máquina (de)** · **escultura (de)** || **pista (de)** || **corazón (de)** *La madrastra del cuento tenía un corazón de hielo* · **mirada (de)**

● CON VBOS. **formar(se)** · **hacer** · **fabricar** · **producir** || **derretir(se)** *Se derritió el hielo y el refresco quedó aguado* · **deshacer(se)** · **calentar(se)**

● CON PREPS. **con** *café con hielo* · **sin**

☐ EXPRESIONES **romper el hielo** [quebrantar la reserva, el recelo o la frialdad existentes en una relación] *col.*

hierático, ca adj.

● CON SUSTS. **gesto** · **sonrisa** *Le dirigió una sonrisa hierática e indescifrable* · **rostro** · **expresión** · **expresividad** · **actitud** · **tono** *Por el tono hierático de su voz comprendí que...* · **aspecto** · **estilo** · **posición** · **apostura** || **figura** · **imagen** · **esfinge** || **rigidez** · **altivez** · **frialdad** || **institución** · **corporación**

● CON ADVS. **absolutamente** · **totalmente** *Durante toda la intervención adoptó una postura totalmente hierática* · **completamente**

hierba s.f.

● CON ADJS. **fresca** · **seca** || **mala** || **medicinal** · **aromática** · **silvestre**

● CON SUSTS. **brizna (de)** · **manto (de)** · **capa (de)**

● CON VBOS. **crecer** *Las hierbas crecían entre las ruinas del castillo* · **cubrir (algo)** · **extenderse** · **invadir** · **secar(se)** || **pisar** || **cortar** *Todavía tengo que cortar la hierba* · **segar** · **arrancar** || **regar** · **abonar**

● CON PREPS. **entre** *Encontré un anillo entre la hierba*

☐ EXPRESIONES **como la mala hierba** [muy rápidamente] *col.* || {**cortar/segar**} (a alguien) **la hierba bajo los pies** [crearle dificultades insuperables en algún asunto]

[hierro] → con mano de hierro; de hierro; hierro; quitar hierro (a)

hierro s.m.

● CON ADJS. **candente** · **al rojo vivo** *Marcaban las reses con un hierro al rojo vivo* || **forjado** *una reja de hierro forjado* · **galvanizado** · **fundido** · **oxidado** · **colado** · **acerado**

● CON SUSTS. **limaduras (de)** · **óxido (de)** || **plancha (de)** · **chapa (de)** · **barra (de)** · **barrote (de)** · **varilla (de)** · **bola (de)** · **estructura (de)** || **verja (de)** · **reja (de)** · **viga (de)** · **barandilla (de)** · **puente (de)** · **escalera (de)** · **cadena (de)** *una gruesa cadena de hierro* · **puerta (de)** · **escultura (de)** · **radiador (de)** · **guante (de)** || **fundición (de)** · **mina (de)** · **yacimiento (de)** · **explotación (de)** || **amasijo (de)** *Tras el accidente, el coche era un auténtico amasijo de hierros* || **falta (de)** *El análisis detectó falta de hierro en la sangre* · **déficit (de)** · **nivel (de)**

● CON VBOS. **fundir(se)** · **oxidar(se)** || **forjar** · **soldar** · **trabajar** *un artista que trabaja el hierro como material fundamental* || **detectar** · **obtener** · **extraer** · **hallar** || **emplear** · **manipular** || **marcar (con)**

☐ EXPRESIONES **de hierro*** [muy fuerte] *un hombre con salud de hierro* || **quitar hierro** (a algo)* [restarle importancia]

hígado s.m.

▌ [órgano vital]

● CON SUSTS. **trasplante (de)** · **cáncer (de)** *un tratamiento para el cáncer de hígado* · **tumor (de)** · **afección (de)**

● CON VBOS. **metabolizar** · **fabricar** || **inflamar(se)** *Se le inflamó el hígado por el golpe* · **reventar** · **regenerar(se)** || **sustituir** · **recibir** · **rechazar** *Si el paciente rechaza el hígado que le trasplanten...* · **trasplantar** || **afectar** · **destrozar** *Tanto alcohol le destrozó el hígado* · **dañar** · **perforar** · **cuidar** · **proteger** || **enfermar (de)** · **operar (de)**

▌ [alimento]

● CON SUSTS. **aceite (de)** · **paté (de)** *paté de hígado de oca* · **filete (de)**

● CON VBOS. **comer** · **rebozar** · **freír** · **cortar** · **sazonar**

higiene s.f.

● CON ADJS. **personal** · **básica** || **cuidadosa** · **estricta** · **extrema** · **suma** · **absoluta** || **adecuada** *Para evitar ciertas enfermedades es muy importante una higiene adecuada* ·

debida · deficiente || diaria · matutina || masculina · femenina || corporal · bucal *Los especialistas dan mucha importancia a la higiene bucal* · dental · sexual · íntima || moral · mental · intelectual || política · democrática · social · pública · sanitaria · doméstica · escolar || profesional

● CON SUSTS. **producto (de) · artículo (de) || medida (de) · norma (de)** *Intentamos seguir las normas de higiene imprescindibles en el trabajo* || **falta (de) || condiciones (de)**

● CON VBOS. **faltar || exigir · requerir || tener · extremar · cuidar || conservar · mantener || propiciar · garantizar || descuidar** *No deberías descuidar tanto tu higiene personal* || **repercutir (en)**

higiénico, ca adj.

● CON SUSTS. **condición · requisito · necesidad · hábito · garantía · control || problema · deficiencia** *La inspección advirtió ciertas deficiencias higiénicas en el local* || **medida** *Las nuevas medidas higiénicas obligan a tomar estas precauciones* · **norma · campaña || atención · operación · servicio || papel** *un rollo de papel higiénico* || **situación · uso · ejercicio || material · producto · zona**

higo s.m.

● CON ADJS. **chumbo || seco** *un postre a base de higos secos* · **verde · maduro · fresco · blando || relleno · confitado**

● CON SUSTS. **pan (de) · pastel (de) · compota (de) · puré (de) · crema (de) · mermelada (de) || sabor (a)**

● CON VBOS. **caer · madurar · pudrir(se) · estropear(se)** *Haré una mermelada con estos higos antes de que se estropeen* || **comer · pelar · tomar || coger · recoger || cultivar · exportar · producir || saborear · paladear**

□ EXPRESIONES **de higos a brevas** [muy de vez en cuando] *col.* || **hecho un higo** [arrugado] *col.* || **importar un higo** [importar muy poco] *col.*

higuera s.f.

● CON SUSTS. **resina (de)**

➤ Véase también **ÁRBOL**

hijo, ja s.

● CON ADJS. **biológico,ca · adoptivo,va** *Además de sus hijos biológicos, tiene dos hijos adoptivos* || **legítimo,ma · ilegítimo,ma · natural · putativo,va · político,ca · predilecto,ta** *Lo hicieron hijo predilecto de su pueblo natal* || **único,ca** *Me habría encantado tener hermanos, pero soy hijo único* · **pequeño,ña · mayor · menor · primogénito,ta || obediente · desobediente · díscolo,la · insubordinado,da || pródigo,ga · desnaturalizado || preferido,da · consentido,da**

● CON VBOS. **dar {alegrías/disgustos} · portarse {bien/mal/regular} || engendrar · concebir · tener** *Tuvo un hijo por reproducción asistida* · **dar a luz · adoptar · esperar** *esperan un hijo para la primavera* · **perder || criar · educar · mantener || malcriar · consentir** *No deberías consentir tanto a tus hijos* || **castigar · desheredar || velar (por) · cuidar (de)**

□ EXPRESIONES **hijo de papá** [el que disfruta de sobreprotección paterna] *col.* || **hijo de vecino** [persona normal]

hilandero, ra s.

● CON ADJS. **profesional · industrial · artesanal** *Apenas quedan hilanderos artesanales*

● CON SUSTS. **taller (de) · gremio (de) · aprendiz,-a (de)**

● CON VBOS. **hilar (algo) · bordar (algo)** *Unas hilanderas le habían bordado dos juegos de sábanas* · **coser (algo) · tejer (algo) || trabajar (como/de)**

hilar v.

● CON SUSTS. **hilo · bobina · tela · tejido || lana · algodón || trama · argumento · nudo · peripecia || cuento · historia || razonamientos** *una manera muy inteligente de hilar los razonamientos* · **ideas · argumentación · frase** *No es capaz de hilar coherentemente dos frases* || **jugada** *Al principio, al equipo le costó bastante hilar las jugadas en el medio campo* · **juego · pase || cabos**

□ EXPRESIONES **hilar {delgado/fino}** [proceder con exactitud o sutileza en apreciaciones subjetivas]

[hilo] →al hilo (de); hilo

hilo

1 hilo s.m.

▌[fibra, filamento]

● CON ADJS. **grueso · fino** *camisas de hilo fino* · **quebradizo || flojo · tenso · tirante || telefónico · de la luz · musical** *En la tienda se oía de fondo el hilo musical*

● CON SUSTS. **hebra (de) · bobina (de)** *En su costurero había bobinas de hilo de todos los colores* · **carrete (de) · madeja (de) · ovillo (de)**

● CON VBOS. **enredar(se) (en) · desenredar(se) || devanar · liar · tejer · enrollar || tensar** *La niña tensó el hilo de la cometa* · **destensar · cortar || sostenerse (de) || tirar (de)**

▌[secuencia, curso]

● CON ADJS. **conductor · argumental · narrativo**

● CON VBOS. **coger** *La película ya había empezado, pero no tardé en coger el hilo* · **encontrar · cortar · retomar · seguir · perder**

2 hilo (de) s.m.

● CON SUSTS. **agua** *Apenas si sale un hilo de agua por el grifo* · **sangre || discurso** *Con tanta digresión resulta difícil seguir el hilo del discurso* · **conversación · exposición · relato · narración · argumentación · diálogo ·** ***otras manifestaciones verbales o textuales*** || **ficción · realidad || memoria · recuerdos** *tirar del hilo de los recuerdos de la infancia* · **acontecimientos · historia · trama || vida · esperanza** *Todavía queda un hilo de esperanza que nos permite mantener la ilusión* || **voz**

□ EXPRESIONES **{colgar/pender} de un hilo** [estar en una situación muy insegura] || **{mover/manejar} los hilos** (de algo) [controlarlo secretamente] *Era el secretario quien movía los hilos en el departamento*

hilvanar v.

▌[coser con hilvanes]

● CON SUSTS. **vestido · pantalón · camisa · tela · mantel ·** ***otras prendas o tejidos***

▌[encadenar]

● CON SUSTS. **relato · anécdota · historia** *hilvanar una historia con otra* · **recuerdo · comentario || texto · diálogo · explicación · queja · noticia · argumento · trama || biografía · poema · cuento · memoria · canción · actuación || frase · fragmento · secuencia · escena** *La obra es muy larga y las escenas no están bien hilvanadas* · **episodio · verso || jugada · juego · pase · victoria · ataque · derechazo · muletazo || dato** *Es fácil caer en la* *cuenta si te dedicas a hilvanar los datos que tenemos* · **información** || **idea** · **concepto** · **reflexión** · **teoría**

□ USO Se usa frecuentemente con sustantivos en plural (*hilvanar cosas*), coordinados con la preposición *y* (*hilvanar una cosa y otra*) o unidos con las preposiciones *tras* (*hilvanar una cosa tras otra*) o con (*hilvanar una cosa con otra*).

himno s.m.

● CON ADJS. **nacional** · **oficial** *Los espectadores coreaban el himno oficial* || **solemne** · **patriótico** · **sagrado** · **religioso** || **enardecedor** · **vibrante** · **emocionante** · **exaltado** *un exaltado himno a la libertad* · **jubiloso** || **armonioso** · **melodioso** || **ramplón** · **disonante**

● CON SUSTS. **música (de)** · **letra (de)** *Se distribuyeron fotocopias con la letra del himno entre los asistentes al acto* · **nota (de)** · **acorde (de)** · **estrofa (de)** || **interpretación (de)**

● CON VBOS. **sonar** *Tras la entrega de medallas, sonó el himno oficial del país vencedor* || **componer** · **arreglar** · **plagiar** || **entonar** · **cantar** · **corear** · **interpretar** *Un coro interpretó el himno del colegio* · **tocar** · **tararear** · **canturrear** · **silbar** || **escuchar** *Todos escucharon el himno en respetuoso silencio* · **oír** || **arengar (a alguien) (con)**

hincar v.

● CON SUSTS. **diente** · **uña** · **codo** *Si quieres aprobar, tendrás que hincar los codos* · **rodilla** || **punzón** · **tenedor** *Primero se hinca el tenedor en la chuleta y después...* · **arpón**

hinchable adj.

● CON SUSTS. **muñeco,ca** || **colchón** · **colchoneta** · **balsa** · **barca** · **lancha** · **bote** *Nos alejamos de la costa en un bote hinchable* || **castillo** · **laberinto** · **tobogán** · **atracción** *En la playa han montado atracciones hinchables para los niños* || **implante** · **prótesis**

[hinchada] s.f. → hinchado, da

hinchado, da

1 hinchado, da adj.

● CON SUSTS. **lenguaje** · **estilo** · **prosa** · **sintaxis**

● CON VBOS. **estar** · **ponerse** · **mantener(se)** · **sentirse**

2 hinchada s.f.

▌[grupo de hinchas]

● CON ADJS. **fiel** · **sufrida** · **veterana** || **local** *La hinchada local se volcó con las jugadoras* || **radical** · **ultra**

● CON SUSTS. **apoyo (de)** *El entrenador agradeció el apoyo de la hinchada* · **euforia (de)** · **aliento (de)** · **cariño (de)** · **ilusión (de)** · **alegría (de)** · **ovación (de)** · **aplausos (de)** || **irritación (de)**

● CON VBOS. **celebrar (algo)** · **aplaudir (algo/a alguien)** · **volcarse**

hinchar(se) v.

● CON SUSTS. **pie** *Con el calor se le hincharán los pies* · **rodilla** · **cara** · **dedo** · **tobillo** · **pierna** · ***otras partes del cuerpo*** || **cuerpo** || **vela** · **globo** · **balón** · **rueda** · **neumático** || **cifras** *No tuvo pudor para hinchar las cifras* · **coste** · **precio** · **gasto** · **deuda** · **inflación** · **censo** · **presupuesto**

● CON ADVS. **espectacularmente** · **terriblemente** *Me asusté mucho porque se me hinchó terriblemente un dedo* || **peligrosamente** · **alarmantemente** || **progresivamente** · **paulatinamente** · **regularmente** || **automáticamente** || **artificialmente**

hindi s.m. Véase IDIOMA

hindú adj.

● CON SUSTS. **fe** · **mitología** · **dios,-a** · **divinidad** · **parábola** · **rezo** · **gurú**

➤ Véase también **CREYENTE**

hinduismo s.m. Véase RELIGIÓN

hinduista adj.

● CON SUSTS. **fe** · **mitología** · **dios** · **diosa** · **divinidad** · **parábola** · **gurú**

➤ Véase también **CREYENTE**

hipermercado s.m.

● CON SUSTS. **departamento (de)** · **sección (de)**

➤ Véase también **ESTABLECIMIENTO**

hipervínculo s.m.

● CON VBOS. **ver** · **hacer** · **insertar** || **pinchar (en)** *Pincha en este hipervínculo para ver las imágenes*

[hípica] s.f. → hípico, ca

hípico, ca

1 hípico, ca adj.

● CON SUSTS. **federación** *La federación hípica nacional intentará conseguir al menos una medalla* · **club** · **sociedad** · **círculo** · **afición** · **equipo** || **complejo** · **centro** · **recinto** · **instalaciones** · **estadio** · **picadero** || **monitor,-a** *Se necesita monitor hípico para dar clases de montar* · **jinete** · **periodista** · **profesional** || **quiniela** · **apuesta** || **concurso** · **prueba** · **salto** · **competición** · **torneo** · **deporte** · **ejercicio** · **actividad** · **premio** · **raid** · **carrera** · **circo** || **tema** · **motivo** · **reglamento** · **mundo** · **material** · **argot** || **accidente** · **desastre**

2 hípica s.f.

● CON SUSTS. **escuela (de)** *La escuela de hípica dispone de unas modernas instalaciones...* || **clase (de)** · **prueba (de)** · **concurso (de)** · **competición (de)** · **doma (de)** || **amante (de)**

● CON VBOS. **practicar** · **abandonar** || **aficionar(se) (a)**

hipnótico, ca adj.

● CON SUSTS. **capacidad** *la capacidad hipnótica de la televisión* · **efecto** · **atracción** · **poder** · **fuerza** || **ojos** · **mirada** || **ritmo** · **voz** · **música** *una música repetitiva e hipnótica* || **estado** || **belleza** · **espiritualidad** · **fascinación** · **sugestión** || **trance** · **sesión**

hipo s.m.

● CON ADJS. **incontenible** *De repente me entró un hipo incontenible* · **persistente** · **fuerte** || **leve** · **ligero**

● CON SUSTS. **ataque (de)** *Con aquel ataque de hipo no podía hablar* || **remedio (contra/para)**

● CON VBOS. **entrar (a alguien)** · **dar (a alguien)** · **irse(le) (a alguien)** *Si le das un susto, se le irá el hipo* || **quitar (a alguien)** · **curar** · **cortar** · **combatir** || **aguantar** · **contener**

□ EXPRESIONES **quitar** (algo) **el hipo** [resultar muy impresionante] *Es un lugar tan hermoso que quita el hipo*

hipocresía s.f.

●CON ADJS. **tremenda · enorme · monumental · gran(de)** *Aquellas palabras revelaban una gran hipocresía por su parte* · **profunda · absoluta · rotunda · pura · inconcebible || insoportable · odiosa · repugnante || colectiva · reinante · pública · general · imperante || social · política · democrática · electoral · moral · ideológica**

●CON SUSTS. **ejercicio (de) · muestra (de)** *Unas increíbles declaraciones que no son más que una pequeña muestra de su habitual hipocresía* · **acto (de) · prueba (de) · gesto (de) || colmo (de) · dosis (de)**

●CON VBOS. **reinar · imperar** *La hipocresía más absoluta imperaba en aquel ambiente* **|| institucionalizar · permitir · soportar || denunciar** *En sus obras denuncia la hipocresía moral de ciertos estamentos sociales* · **destapar · desenmascarar · atacar · criticar · combatir · perseguir · rechazar · erradicar · eliminar || tener · demostrar · reflejar · revelar || considerar (algo) || acabar (con) · luchar (contra) · acusar (de) || caer (en) · dejarse (de)** *Déjese de hipocresías, señor ministro*

●CON PREPS. **con** *actuar con hipocresía* · **sin**

hipócrita

1 **hipócrita** adj.

●CON SUSTS. **gente · creyente · político,ca** *¿Son los políticos más hipócritas que los demás ciudadanos?* · **gobierno · institución ·** ***otros individuos y grupos humanos*** **|| sociedad · ambiente** *La novela retrata a una serie de personajes que viven en un ambiente hipócrita y opresivo* · **tiempo · época · sistema · país · estado · mundo || comportamiento · conducta · actitud · postura** *No soporto posturas tan hipócritas* · **reacción · respuesta || reserva · reparo · pudor · puritanismo · arrepentimiento || comentario · discurso · lenguaje** *¿Siempre emplea un lenguaje tan hipócrita para dirigirse a ti?* · **sonrisa · palabras · gesto || crítica · condena · denuncia || defensa · apología · elogio || moral · ideología || juego · política · campaña · medida · proyecto · estrategia · manipulación · maniobra · causa**

●CON VBOS. **considerar || calificar (de) · tachar (de) · tildar (de)**

2 **hipócrita** s.com.

●CON ADJS. **redomado,da · consumado,da · absoluto,ta · completo,ta · auténtico,ca**

●CON VBOS. **soportar · aguantar || denunciar · perseguir · atacar · descubrir**

hipoteca s.f.

●CON ADJS. **a bajo interés · a interés variable || personal · inmobiliaria || ventajosa · ruinosa**

●CON SUSTS. **cambio (de) · subrogación (de) || factura (de) · letra (de) · mensualidad (de) · anualidad (de)**

●CON VBOS. **traer cuenta || firmar · contratar** *En ese banco puedes contratar una hipoteca a un bajo interés* · **contraer · constituir · suscribir || pagar · asumir · levantar · cancelar** *Nos tocó la lotería y pudimos cancelar la hipoteca antes de lo previsto* · **liquidar · saldar · subrogar · ejecutar || tener · conseguir || pedir · solicitar || conceder || hacer frente (a)**

hipotecar v.

●CON SUSTS. **vivienda · joya · coche ·** ***otros bienes materiales*** **|| futuro** *Con semejante deuda, has hipotecado tu futuro* · **porvenir · programa · objetivo · proyecto · esperanza · ilusión · aspiración · sueño || posibilidad · opción · oportunidad · probabilidad · capacidad || vida · juventud · infancia · año || libertad · autonomía · independencia · objetividad · soberanía || poder · gobierno · presidencia · dirección · ejecutivo · estado · democracia || desarrollo** *Nuestro periódico ya advirtió de que correríamos el riesgo de hipotecar el desarrollo económico* · **crecimiento · recuperación · renovación · regeneración || actuación · política · decisión · acción · mediación · elección || bienestar** *para no hipotecar el bienestar de las futuras generaciones* · **equilibrio · estabilidad · calidad de vida || trayectoria · carrera · cargo · puesto · posición || triunfo · éxito · victoria · punto · ventaja · prestigio · fama || creencia · idea · principio · ideología · pensamiento · criterio**

hipótesis s.f.

●CON ADJS. **acertada** *Habrá que constatar sobre el terreno si su hipótesis es acertada* · **atinada · certera · válida · cierta · fuerte · falsable || errónea · desacertada || descabellada · disparatada** *La que parecía una hipótesis disparatada resultó ser cierta* · **peregrina · sin pies ni cabeza · sin sentido || burda · manida · trivial || débil · endeble · inconsistente · implausible · remota · insostenible · gratuita || plausible · convincente** *Se plantearon muchas hipótesis, pero ninguna convincente* · **irrebatible · inobjetable · fundada · fundamentada || atrevida · arriesgada · aventurada || rebuscada** *¿Por qué siempre tienes que recurrir a hipótesis rebuscadas para explicar las cosas más sencillas?* · **retorcida · indemostrable · infalsable · mera || de trabajo**

●CON SUSTS. **validez (de) · punto de partida (de) · formulación (de) · desarrollo (de) · demostración (de)**

●CON VBOS. **girar sobre (algo) || circular** *Circulan hipótesis de todo tipo* **|| cobrar fuerza · afianzar(se)** *Se afianza la hipótesis del accidente* · **mantener(se) en pie || derrumbar(se) · desmoronar(se) · venirse abajo · desvanecerse || formular · plantear · aventurar** *¿Te atreves a aventurar una hipótesis sobre las causas de este fenómeno?* · **construir · armar · tejer · urdir · airear || fundamentar · argumentar · basar || falsar · probar · demostrar** *Si consiguieras demostrar esa hipótesis, revolucionarías el mundo de la física* · **contrastar · analizar || barajar · considerar · encarar || sostener · defender · respaldar · apoyar · sustentar · refrendar · reforzar · avalar** *Los últimos descubrimientos parecen avalar tal hipótesis* · **alimentar · corroborar · confirmar · validar · constatar || criticar · objetar · refutar · descartar** *En este punto de la investigación no podemos descartar ninguna hipótesis* · **desestimar · desmentir · desmontar · desbaratar · echar por tierra || especular (con)** *Hacía tiempo que se especulaba con esa hipótesis* · **ceñir(se) (a) · cambiar (de) · partir (de) || salir al paso (de)**

●CON PREPS. **a tenor (de) · a título (de)** *A título de hipótesis apuntó un detalle*

hiriente adj.

●CON SUSTS. **frase · palabras · comentario** *Siempre se le ocurren comentarios hirientes* · **mensaje · crítica · eufemismo · epíteto · apelativo · chiste · insulto ·** ***otras manifestaciones verbales*** **|| tono · humor · pluma · ironía || derrota · golpe || luz** *Una luz hiriente entraba por la ventana entreabierta y le caía sobre los ojos*

●CON ADVS. **sumamente · extraordinariamente**

●CON VBOS. **resultar**

hirsuto, ta adj.

● CON SUSTS. **pelo** *Tenía un pelo hirsuto difícil de peinar* · **barba** · **cabellera** · **ceja** · **bigote** || **rostro** · **pierna** · **pecho** · **piel** || **persona** *Era un hombre hirsuto y esquivo* || **bestia** · **animal**

histeria s.f.

● CON ADJS. **colectiva** *Los seguidores del cantante eran víctimas de la histeria colectiva* · **multitudinaria** · **general** || **preso,sa (de)**

● CON SUSTS. **ataque (de)** *Cuando le comunicaron la noticia, sufrió un ataque de histeria* · **arrebato (de)** · **reacción (de)**

● CON VBOS. **desatar(se)** *Sonó la alarma de incendios y se desató la histeria* · **aflorar** || **apoderar(se) (de alguien)** · **entrar(le) (alguien)** · **dominar (algo/a alguien)** || **bordear** || **provocar** || **controlar** · **superar** || **rayar (en)**

● CON PREPS. **al borde (de)** *Los conductores atrapados en el atasco estaban al borde de la histeria*

histéricamente adv.

● CON VBOS. **gritar** · **chillar** · **aclamar** *Los asistentes aclamaban histéricamente a su líder* || **reaccionar** · **actuar** · **oponerse** · **reclamar** · **repetir**

histérico, ca adj.

● CON ADJS. **perdido,da** *Le di un tranquilizante porque estaba histérico perdido* · **total**

● CON ADVS. **completamente** · **totalmente** · **absolutamente**

● CON VBOS. **estar** · **poner(se)** *Ese ruido me está poniendo histérica* · **volver(se)**

histerismo s.m. Véase **histeria**

historia s.f.

▮ [narración o conjunto de acontecimientos pasados]

● CON ADJS. **verdadera** · **verídica** · **real** *La película está basada en una historia real* · **creíble** · **verosímil** || **inverosímil** · **descabellada** · **increíble** · **fantástica** *Se inventaba historias fantásticas para entretener a los niños* · **falsa** · **inventada** · **inconsistente** || **dramática** · **amarga** · **desoladora** · **infausta** · **negra** || **rocambolesca** · **accidentada** · **ajetreada** · **azarosa** || **tormentosa** *vivir una tormentosa historia de amor* · **turbulenta** || **enrevesada** · **retorcida** · **confusa** · **enigmática** · **accesible** || **aleccionadora** || **de amor** · **de miedo** · **de intriga** · **de niños** || **cándida** · **conmovedora** *Cuando terminó su conmovedora historia...* || **viva** · **palpitante** · **irrepetible** · **manida** || **inmemorial** · **remota** || **dilatada** · **larga** · **lineal** || **clínica** *recuperar la historia clínica de un paciente*

● CON VBOS. **transcurrir** · **ocurrir** · **desarrollar(se)** · **discurrir** · **ambientar(se)** · **fluir** || **fraguar(se)** · **venir de lejos** · **repetir(se)** *Y la historia se repite...* || **circular** *Circulan historias inverosímiles a las que no hay que prestar ninguna atención* || **torcer(se)** · **truncar(se)** · **empañar(se)** · **desmoronar(se)** · **ajar(se)** || **construir** *Los guionistas construyeron una enrevesada historia* · **inventar** · **escribir** · **componer** · **hilvanar** · **tejer** · **urdir** · **forjar** · **moldear** · **trazar** · **trenzar** · **jalonar** || **vivir** · **revivir** · **evocar** · **desenterrar** · **conservar** || **contar** · **relatar** · **referir** *Nos refirió la historia de su vida* · **narrar** · **interpolar** || **corroborar** *Varios testigos corroboraron mi historia* · **confirmar** || **ahondar (en)** · **escarbar (en)** · **zambullir(se) (en)** · **bucear (en)** || **remontarse (en)** · **perderse (en)** *El origen de esa tradición se pierde en la historia* || **cortar (con)** || **dejarse (de)**

● CON PREPS. **a la luz (de)**

▮ [disciplina]

● CON ADJS. **universal** · **local** || **sagrada** · **sacra**

● CON VBOS. **explicar** · **investigar** · **analizar** || **revisar** || **falsear** · **distorsionar** · **tergiversar** · **desfigurar** · **ensuciar** · **disfrazar** · **falsificar** · **manipular** || **ocupar un lugar (en)**

➤ Véase también **DISCIPLINA**

☐ EXPRESIONES **pasar a la historia** [tener relevancia]

historiador, -a s.

● CON ADJS. **objetivo,va** · **tendencioso,sa** · **riguroso,sa** *El manual está dirigido por historiadores rigurosos y objetivos* · **concienzudo,da** || **excelente** · **brillante** · **prestigioso,sa** · **eminente** · **ilustre** · **conocido,da** · **reputado,da** · **célebre** · **preclaro,ra** · **eximio, mia** || **antiguo,gua** · **contemporáneo,a** · **moderno,na** || **falso,sa**

● CON VBOS. **estudiar (algo)** · **investigar (algo)** · **analizar (algo)** *La historiadora analizará la situación política actual en un programa matutino de radio* · **indagar (en) (algo)** · **escrutar (algo)** || **escribir (algo)** · **enseñar (algo)** · **dar una conferencia**

historial s.m.

● CON ADJS. **académico** *un candidato con un brillante historial académico* · **médico** · **delictivo** · **militar** · **político** · **profesional** || **brillante** · **ilustre** · **distinguido** || **intachable** *Se jubiló con un historial intachable* · **impecable** · **limpio** || **turbio** · **oscuro** · **conflictivo** || **amplio** · **largo** *Su biografía narra su largo historial amoroso* · **dilatado** · **extenso** · **nutrido** · **vasto** · **elocuente** || **a cuestas**

● CON VBOS. **tener** · **poseer** || **tener a {mis/tus/sus} espaldas** *Era muy joven pero ya tenía un amplio historial delictivo a sus espaldas* · **llevar a {mis/tus/sus} espaldas** || **presentar** || **manchar** · **ensuciar** · **empañar(se)** · **hipotecar** · **echar por tierra** · **echar a perder** || **inflar** *Pensó que tendría más oportunidades de acceder al puesto si inflaba su historial* || **jalonar** || **reseñar** || **contar (con)** *El nuevo ministro cuenta con un dilatado historial político*

histórico, ca adj.

● CON SUSTS. **territorio** · **ciudad** · **centro** *visitar el centro histórico de la ciudad* · **casco** · **monumento** · **edificio** · **patrimonio** · **comunidad** || **momento** · **etapa** · **tradición** · **marco** *encuadrar una obra en su marco histórico correspondiente* · **contexto** || **hecho** · **acontecimiento** · **hito** · **suceso** || **récord** · **tiempo** · **máximo** *El precio del petróleo acaba de alcanzar un nuevo máximo histórico* · **mínimo** || **personaje** · **dirigente** · **líder** || **deuda** · **compromiso** · **cita** · **visita** || **desastre** · **crisis** · **error** || **victoria** · **triunfo** *el triunfo histórico de nuestro equipo en el campeonato mundial* · **éxito** · **logro** || **proceso** · **cambio** · **evolución** · **trayectoria** || **aventura** · **proyecto** · **operación** · **oportunidad** || **interés** *Esta ciudad tiene un gran interés histórico* · **valor** · **memoria** || **investigación** · **estudio** || **novela** *Siempre me ha encantado leer novelas históricas* · **documento** · **texto**

historieta s.f.

● CON ADJS. **infantil** *el autor de una famosa historieta infantil* · **adulta** · **de caricatura** · **crítica** · **televisiva** || **antológica** · **famosa** · **conocida** || **cómica** · **graciosa**

• CON SUSTS. **personaje (de)** *un conocido personaje de historieta* · **héroe (de)** · **tira (de)** · **autor,-a (de)**
• CON VBOS. **contar** · **escribir** · **dibujar** · **ilustrar** · **publicar**

hito s.m.

• CON ADJS. **histórico** *La firma del tratado entre los dos países constituyó un hito histórico* · **legendario** || **fundamental** · **decisivo** *El desarrollo de una vacuna representa un hito decisivo en la lucha contra esta enfermedad* · **importante** || **emblemático** · **trascendental** · **memorable** · **indiscutible**
• CON VBOS. **marcar** *Ese disco marcó un hito en la historia de la música pop* · **conseguir** · **lograr** || **constituir** · **representar**

hocico s.m.

• CON ADJS. **inflamado** · **puntiagudo** · **húmedo** · **bigotudo** · **babeante**
• CON VBOS. **levantar** · **asomar** *Asomó el hocico tras la puerta para ver quién venía* · **arrastrar** · **frotar** · **acariciar** · **relamerse** *La gata no paraba de relamerse el hocico*
□ EXPRESIONES **meter el hocico** (en algo) [entrometerse, cotillear] *vulg.*

hogar s.m.

• CON ADJS. **feliz** *Querían que sus hijos se criaran en un hogar feliz* · **dulce** · **acogedor** · **confortable** · **hospitalario** || **infeliz** · **invisible** · **inhóspito** · **incómodo** || **paterno** · **familiar** · **materno**
• CON SUSTS. **sabor (de)** || **empleado,da (de)** · **tarea (de)** *Mi mujer y yo nos repartimos las tareas del hogar*
• CON VBOS. **crear** · **formar** *Aspira a casarse y formar un hogar* · **fundar** || **habitar** · **abandonar** || **volver (a)** *¡Qué agradable es volver al hogar después de tantos meses fuera!* · **regresar (a)** || **disfrutar (de)**
• CON PREPS. **al calor (de)**

hogareño, ña adj.

• CON SUSTS. ***persona*** *En general, es un hombre muy hogareño* || **pareja** || **vida** · **convivencia** · **intimidad** · **atmósfera** · **ambiente** · **decoración** || **tono** · **aspecto** || **paz** · **calor** *En invierno no hay nada como el calor hogareño* · **ocio** · **espíritu** · **fiesta** || **problema** · **tarea** · **consumo**

hoguera s.f.

• CON VBOS. **hacer** *Hicieron una hoguera con los trastos viejos* · **encender** · **prender** · **alimentar** · **avivar** || **apagar** || **condenar (a)** · **quemar (en)**
• CON PREPS. **al calor (de)** *Los excursionistas cantaban y charlaban al calor de la hoguera*

[hoja] → hoja; hoja de servicios

hoja s.f.

▌[parte de la planta]

• CON ADJS. **caduca** · **perenne** *un árbol de hoja perenne* · **seca** · **verde**
• CON VBOS. **caer(se)** · **mover(se)** · **salir** · **brotar** · **reverdecer** · **faltar** · **amarillear**

▌[lámina de papel]

• CON ADJS. **en blanco** · **en limpio** · **limpia** || **alargada** · **arrugada**
• CON VBOS. **pasar** · **voltear** · **quitar** · **arrancar** · **romper** · **cortar** · **arrugar** · **alisar** || **rellenar** *Rellene esta hoja con sus datos* · **colorear**

▌[cuchilla]

• CON ADJS. **doble** *una maquinilla de doble hoja* · **de afeitar**
• CON VBOS. **cortar (a alguien)** || **afilar** *Tengo que afilar la hoja del jamonero*

▌[parte movible de una puerta o ventana]

• CON ADJS. **abatible** · **corredera** *una ventana de hoja corredera* · **doble** *una puerta de doble hoja*
□ EXPRESIONES **hoja de cálculo** [programa informático de operaciones matemáticas] || **hoja de servicios*** [documento con los datos profesionales de un funcionario]

hoja de servicios loc.sust.

• CON ADJS. **brillante** *Pese a su brillante hoja de servicios no fue ascendido* · **impecable** · **impoluta** · **intachable** · **limpia** · **diáfana** || **dilatada**
• CON VBOS. **presentar** || **manchar** · **ensuciar** *Ese acto de indisciplina ensucia su hoja de servicios* · **empañar(se)** · **hipotecar** · **echar a perder** · **echar por tierra** || **contar (con)**

hojear v.

• CON SUSTS. **periódico** *Me gusta hojear el periódico mientras desayuno* · **catálogo** · **revista** · **libro** · ***otros textos*** || **álbum** *Hojeando un álbum, vi una fotografía de tu hermana en Machu Pichu* · **páginas**

holandés s.m. Véase **IDIOMA**

holgadamente adv.

• CON VBOS. **vivir** || **superar** · **ganar** *Solo si ganan holgadamente este partido, tienen posibilidades de clasificarse* · **rebasar** · **sobrepasar** · **triunfar** · **imponer(se)** · **vencer** · **derrotar** · **batir** || **gobernar** · **aventajar** · **liderar** || **cumplir** · **conseguir** · **obtener** · **alcanzar** || **caber** *El coche era pequeño pero cabíamos holgadamente los cuatro* · **encajar** · **entrar**

holgado, da adj.

• CON SUSTS. **pantalón** · **vestido** · **camisa** · ***otras prendas de vestir*** || **calle** · **vía** · **paso** · **espacio** || **vida** · **posición** *Tienen una posición holgada y pueden permitirse esos lujos* · **situación** || **pensión** · **presupuesto** || **diferencia** *Hay una diferencia holgada entre el primer clasificado y el segundo* · **margen** · **ventaja** || **mayoría** · **victoria** · **triunfo** · **resultado** || **capacidad** || **salida**
• CON VBOS. **estar (a alguien)** · **dejar** *Han dejado muy holgada la avenida nueva* · **quedar (a alguien)** *La camisa te queda un poco holgada*

holocausto s.m.

• CON ADJS. **judío** · **nazi** || **nuclear** · **atómico** *La crisis de los misiles disparó el miedo al holocausto atómico* · **final** · **infernal** || **ecológico** · **medioambiental** *Los vertidos incontrolados pueden provocar un holocausto medioambiental* · **natural** || **personal** · **mundial** · **humano** || **auténtico** · **atroz** · **espantoso**
• CON SUSTS. **víctima (de)** *recordar a las víctimas del holocausto* · **superviviente (de)** · **huérfano,na (de)** || **horror (de)** || **culpable (de)** · **instigador,-a (de)** · **ejecutor,-a (de)**

● CON VBOS. **perpetrar · ejecutar · provocar · apoyar · instigar || sufrir || permitir · negar · evitar · condenar || recordar · ofrecer || sobrevivir (a)** *Se sentían dichosos por haber sobrevivido al holocausto* · **escapar (de) · asistir (a) || conducir (a) · llevar (a)**

[hombro]

→ a hombros; hombro; hombro con hombro; llevar sobre {los hombros/las espaldas/la conciencia}

hombro s.m.

● CON ADJS. **ancho · amplio · proporcionado · estrecho || firme · fuerte · robusto** *Cargó el saco sobre sus robustos hombros* · **fornido · macizo · marcado · atlético || enclenque · delicado** *Cubría sus delicados hombros con un chal* · **escuálido · raquítico · esmirriado || cuadrado · redondo · redondeado · anguloso || alto · bajo · caído** *Tenía los hombros algo caídos y no le sentaba bien la chaqueta* · **encogido · vencido · abatido · desgarbado || desencajado · dolorido || bronceado · moreno || descubierto** *En su hombro descubierto se veía un tatuaje* || **amigo** *Echaba en falta un hombro amigo sobre el que llorar* · **protector · amable || cargado,da (de) · escurrido,da (de)** *una mujer larguirucha, escurrida de hombros*

● CON SUSTS. **dolor (de) · lesión (de/en) · luxación (de)**

● CON VBOS. **sostener (algo) || doler (a alguien) || mover(se) · cimbrear(se) · entumecer(se) || lesionar(se) · dislocar(se)** *El jugador se dislocó un hombro durante el entrenamiento* · **fracturar(se) · contusionar(se) · romper(se) || encoger(se) (de)** *Cuando le preguntaron se encogió de hombros*

● CON PREPS. **sobre** *Lleva un gran peso sobre sus hombros* · **a** *Se echó el hatillo al hombro y se fue* · **en**

□ EXPRESIONES **{arrimar/poner/apoyar} el hombro** [ayudar] *En esta casa todos tenemos que arrimar el hombro* || **mirar por encima del hombro** (a alguien) [despreciarlo] *col.*

hombro con hombro loc.adv.

● CON VBOS. **trabajar** *Varias organizaciones trabajan hombro con hombro para intentar paliar el hambre en la zona* · **colaborar · construir || compartir || luchar** *Los pueblos autóctonos lucharon hombro con hombro contra el invasor* · **pelear · combatir || marchar · caminar || permanecer**

hombruno, na adj.

● CON SUSTS. **aspecto** *una atleta de aspecto hombruno* · **físico · cuerpo · aire · tono · voz · ademán · gesto || chica · muchacha · mujer**

homenaje s.m.

● CON ADJS. **cálido · caluroso · cariñoso** *Tras recibir un cariñoso homenaje por parte de sus alumnos...* · **afectuoso · emotivo · entrañable · efusivo · fervoroso || sentido · sincero · merecido || multitudinario · íntimo || solemne · digno · apoteósico || póstumo** *en un homenaje póstumo a las víctimas* · **postrero**

● CON SUSTS. **objeto (de)** *El cantautor fue objeto de un sentido homenaje en su pueblo natal*

● CON VBOS. **preparar · organizar · celebrar · constituir || rendir** *En su último artículo rinde homenaje al gran poeta chileno* · **brindar · dedicar · tributar** *Si acudió al homenaje que se le tributaba fue por compromiso* · **hacer · ofrecer · dar · hacer extensivo · prodigar || recibir || participar (en) · sumarse (a)** *Nos sumamos al homenaje que se ofrece al ilustre académico* · **adherirse (a) || obsequiar (con) · deshacerse (en)**

homenajear v.

● CON SUSTS. **artista · escritor,-a · pintor,-a · maestro,tra · periodista · deportista · víctima** *homenajear a las víctimas de terrorismo* · ***otros individuos y grupos humanos*** || **memoria** *Un monumento que homenajea la memoria de los caídos*

● CON ADVS. **en público · gratuitamente · expresamente**

homicida

1 homicida adj.

● CON SUSTS. **arma** *No se ha encontrado en el lugar del crimen el arma homicida* · **conductor,-a || propósito · intención · plan** *los autores materiales del plan homicida* · **acción · actuación · ataque || locura · delirio · instinto · furia · condición · ánimo · ira · impulso · odio · voluntad || oleada · gesto · violencia**

2 homicida s.com.

● CON ADJS. **supuesto,ta · presunto,ta** *Entre los cargos que le atribuían estaba el de presunta homicida* · **potencial · involuntario,ria || sádico,ca · despiadado,da · peligroso,sa · cruel || solitario,ria · doble || meticuloso,sa · calculador,-a**

● CON VBOS. **matar (a alguien) · asesinar (a alguien) · apuñalar (a alguien) · disparar (a alguien) · atacar (a alguien) · forcejear · herir (a alguien) · abatir (a alguien) · sacrificar (a alguien) · golpear (a alguien) || huir · darse a la fuga** *Después del atropello el homicida se dio a la fuga* || **alegar (algo)** *El homicida alegó en el juicio enajenación mental* · **aducir (algo) || entregarse · ingresar (en prisión) || arrepentirse · confesar || detener · arrestar · encarcelar · identificar · capturar · descubrir · interrogar** *El fiscal interrogó a la homicida sobre su relación con las víctimas* || **buscar · perseguir || absolver · exculpar · condenar · procesar · culpar · ejecutar || encubrir**

homicidio s.m.

● CON ADJS. **involuntario** *Fue acusado de homicidio involuntario* · **accidental || por imprudencia || premeditado · deliberado · con alevosía || impune**

● CON SUSTS. **cargo (de) · condena (por)** *cumplir condena por homicidio* || **ola (de)**

● CON VBOS. **cometer || investigar · descubrir || denunciar || imputar** *Se le imputan varios robos y un homicidio* · **confesar || castigar || acusar (a alguien) (de) · absolver (a alguien) (de) · condenar (a alguien) (por)**

homilía s.f.

● CON ADJS. **dominical · anual** *El párroco celebró la homilía anual en honor a la Patrona* · **habitual · tradicional || breve · larga · sencilla** *La ceremonia se abrió con una sencilla homilía* · **prolija · célebre || papal**

● CON VBOS. **dar · lanzar · oficiar** *Ofició una homilía dedicada a su familia* · **celebrar · pronunciar · leer · escuchar || acabar · concluir · abrir · comenzar || escribir · preparar**

homogéneo, a adj.

● CON SUSTS. **grupo** *Formamos un grupo homogéneo y uniforme* · **conjunto · bloque · equipo || producción · obra · sistema || gobierno · sociedad · coalición || sector · colectivo · población · público || término · criterio · lenguaje · dato · cifra · respuesta** *El llamamiento en favor de la paz obtuvo una respuesta homogénea del público* · **discurso · planteamiento · visión · posición · trata-**

miento · ideología || zona · territorio · geografía · paisaje || entramado · combinación · mezcla || pasta · masa · sustancia || libro · texto · película
● CON ADVS. étnicamente · políticamente · químicamente · culturalmente · temáticamente || completamente · totalmente · parcialmente || perfectamente *La pasta ha quedado con una consistencia perfectamente homogénea* · absolutamente · impecablemente · férreamente · exactamente · sumamente || llamativamente · sorprendentemente

homologación s.f.

● CON ADJS. **obligatoria** · **preceptiva** *Se puede acceder a los estudios tras la preceptiva homologación del título* · **ineludible** · **plena** · **absoluta** · **rápida** || **democrática** · **política** · **electoral** || **retributiva** · **salarial** *reclamar la homologación salarial* · **laboral** · **de titulación** · **de convenio**
● CON SUSTS. **requisito (de/para)** *hasta cumplir los requisitos de homologación* · **oferta (de)** · **problema (de)** · **falta (de)** · **proceso (de)** || **documento (de)** · **norma (de)** · **decreto (de)** · **examen (de/para)** · **prueba (de/para)** *Los licenciados deben pasar la prueba de homologación* · **plan (de)**
● CON VBOS. **pedir** · **solicitar** · **reclamar** · **exigir** || **conseguir** *Con el objetivo de conseguir la homologación del convenio...* · **lograr** · **obtener** · **tener** · **acreditar**

homologar v.

● CON SUSTS. **título** *Para poder optar a este trabajo debes antes homologar el título* · **especialidad** · **estudios** · **curso** · **modalidad** · **plan** · **programa** *Un curso de formación con un programa homologado por el Ministerio* || **normativa** · **ley** · **reglamento** · ***otras disposiciones*** || **récord** *las estrictas reglas para homologar un récord mundial* · **marca** · **registro** · **cifra** || **casco** · **pértiga** · **pista** · **circuito** || **coche** · **motor** · **electrodoméstico** · **lámpara** · **vino** · **aceite** · ***otros productos*** || **condición** · **característica** · **requisito** *En cualquier caso, resulta necesario homologar los requisitos mínimos para la circulación de vehículos* || **consumo** · **gasto** · **precio** · **salario** · **sanción** || **denominación** · **calidad** · **validez** || **tarjeta** · **símbolo** · **imagen** || **acuerdo** · **convenio** · **pacto** · **pacificación** · **concierto** || **sistema** · **organización** · **formación** · **fundación** · **partido** · **federación** || **ideología** · **juicio** · **idea** · **teoría**

hondamente adv.

● CON VBOS. **llegar** · **arraigar** · **calar** *Sus enseñanzas han calado hondamente en sus alumnos* · **penetrar** || **cambiar** · **modificar** || **interesar(se)** · **pensar** · **reflexionar** *Los recientes sucesos han hecho reflexionar hondamente a la sociedad americana* || **lamentar** · **querer** · **apreciar** · **amar** || **preocupar** · **influir** · **afectar** *Le han afectado hondamente sus palabras* · **impresionar** || **identificarse** · **conectar** · **vincularse** || **dividir** · **separar** || **conocer** · **investigar** · **examinar** || **suspirar** · **respirar**
● CON ADJS. **preocupado,da** · **afectado,da** · **humano,na** · **personal** · **conmovedor,-a** · **conmovido,da**

hondo, da

1 hondo,da adj.

● CON SUSTS. **agujero** · **pozo** *cavar un pozo muy hondo* · **cajón** · **plato** · **cimientos** · **barranco** · **cueva** || **río** · **lago** · **mar** || **mensaje** · **comentario** · **discurso** · **poema** · **verso** · **libro** · ***otras manifestaciones verbales o textuales*** || **reflexión** · **estudio** · **análisis** · **examen** · **interpretación** || **dramatismo** *Se vieron imágenes de hondo dramatismo* · **lirismo** · **simbolismo** || **impresión** · **sentimiento** · **sensación** || **pesar** · **dolor** · **sufrimiento** · **rencor** · **rechazo** · **odio** · **pesimismo** *Sus últimos escritos reflejan un hondo pesimismo* · **desinterés** · **disgusto** · **malestar** · **desagrado** · **remordimiento** · **resentimiento** || **cariño** · **afecto** · **amor** · **placer** · **gozo** · **deseo** *Me confesó el que era su deseo más hondo* · **sentir** · **fervor** · **pálpito** · **agradecimiento** || **pensamiento** · **conocimiento** · **creencia** · **aprendizaje** || **significado** · **contenido** · **significación** · **sentido** *Es una mujer honrada, trabajadora y con un hondo sentido de la responsabilidad* || **cante** || **clamor** · **estruendo** · **estallido** · **sonido** · **susurro** · **voz** · **grito** || **problema** · **conflicto** · **dilema** · **fracaso** || **misterio** · **enigma** · **secreto** || **intelectual** *uno de los intelectuales más hondos, serios y comprometidos de nuestro tiempo* · **poeta** · **cantante** · **artista** · **músico,ca** · ***otros individuos***

2 hondo adv.

● CON VBOS. **cavar** · **escarbar** · **penetrar** || **respirar** *Relájese y respire hondo* · **suspirar** · **aspirar** · **inspirar** || **calar** · **llegar** · **tocar** *Sus novelan consiguen tocar hondo al lector* · **arraigar**

hondura s.f.

● CON ADJS. **gran(de)** · **enorme** *una tesis de enorme hondura* · **considerable** · **abismal** · **insondable**
□ EXPRESIONES **meterse en honduras** [profundizar en un tema difícil] *col.*

honestidad s.f.

● CON ADJS. **absoluta** *Lo reconocía con la más absoluta honestidad* · **total** · **suma** · **intachable** · **ejemplar** || **incuestionable** · **indudable** · **innegable** || **reconocida** · **contrastada** · **proverbial** · **habitual** || **inquebrantable** · **incorruptible**
● CON SUSTS. **falta (de)** *Si hay algo que no tolero, es la falta de honestidad* || **pizca (de)** · **ápice (de)** || **arrebato (de)** · **arranque (de)** || **gesto (de)** || **muestra (de)** · **prueba (de)** · **señal (de)** || **delito (contra)**
● CON VBOS. **cuestionar** *Nadie cuestiona su honestidad, pero las cuentas no salen* · **poner en duda** · **poner en tela de juicio** || **avalar** || **socavar** || **demostrar** · **probar** || **dar fe (de)**
● CON PREPS. **con**

honesto, ta adj.

● CON SUSTS. **gente** *La empresa necesita gente honesta y con ganas de trabajar* · **persona** · **gobierno** · **pueblo** · **político,ca** · **juez** · **abogado,da** · **policía** · **trabajador,-a** · **candidato,ta** · ***otros individuos y grupos humanos*** || **actitud** · **conducta** || **trabajo** *ganarse la vida con un trabajo honesto* · **colaboración** · **gestión** || **testimonio** · **opinión** · **explicación** · **petición**
● CON ADVS. **absolutamente** · **profundamente** · **sumamente** · **extremadamente** *Confío en ella porque me parece una persona extremadamente honesta*

[hongo] → como hongos; hongo

hongo s.m.

▮ [alimento]

● CON ADJS. **venenoso** *No sabe distinguir los hongos venenosos* · **comestible** · **inofensivo**

• CON SUSTS. **clase (de)** · **especie (de)** *una especie de hongos comestibles* || **sombrero** *Llevaba un sombrero hongo de color marrón*
• CON VBOS. **salir** || **plantar** · **cultivar** · **comer** || **contaminar(se) (con)** · **intoxicar(se) (con)**

▌ [lesión en la piel]
• CON SUSTS. **tratamiento (para/contra)** || **infección (por)**
• CON VBOS. **salir(le) (a alguien)** || **coger** · **contagiar** || **prevenir** · **curar** · **tratar**

honor s.m.

• CON ADJS. **gran(de)** · **inmenso** *¡Qué inmenso honor contar con su presencia!* · **alto** · **desmesurado** || **flaco** · **escaso** · **pequeño** || **merecido** · **inmerecido** || **atentatorio,ria (contra)**
• CON SUSTS. **cuestión (de)** · **lance (de)** || **derecho (a)** *Exigiré en los tribunales que se respete mi derecho al honor* || **lugar (de)** · **medalla (de)** · **matrícula (de)** || **palabra (de)** *Puedes estar tranquilo, te doy mi palabra de honor* || **mancha (en)** · **mácula (en)** || **atentado (contra)** || **ápice (de)**
• CON VBOS. **recaer (en alguien)** || **conceder (a alguien)** · **hacer (a alguien)** *¿Me haría el honor de cenar conmigo?* · **tributar (a alguien)** · **rendir (a alguien)** || **merecer** · **tener** || **conquistar** · **perder** · **devolver** · **recuperar** · **lavar** · **reinstaurar** || **ofender** · **manchar** · **mancillar** *Actos como este son los que mancillan el honor de nuestra institución* · **ensuciar** · **pisar** · **dañar** || **atentar (contra)** || **jurar (por)** || **cubrir(se) (de)**

□ EXPRESIONES **en honor** (de alguien) [como homenaje hacia esa persona] || **en honor a la verdad** [siendo veraz] || **hacer honor a** (algo) [tener un comportamiento acorde con ello] *col.* || **hacer los honores** (a alguien) [atenderlo adecuadamente]

honorable adj.

• CON SUSTS. **señor,-a** · **presidente,ta** · **miembro** *Es un miembro honorable de esta Academia* · **diputado,da** · **representante** · **familia** · ***otros individuos y grupos humanos*** || **salida** *La empresa le proporcionó una salida honorable tras muchos años en la plantilla* · **solución** || **trato** · **profesión** · **posición** · **rango** || **comportamiento** · **actuación** · **arreglo** · **acuerdo**

honorario, ria

1 honorario, ria adj.

• CON SUSTS. **cargo** · **puesto** · **presidente,ta** · **cónsul** · **profesor,-a** || **miembro** *Fue nombrado miembro honorario de la empresa* · **socio,cia** · **ciudadano,na** || **título** · **premio** *Durante la ceremonia se le hará entrega de un premio honorario*

2 honorarios s.m.pl.

• CON ADJS. **elevados** · **altos** · **cuantiosos** *El proyecto final estaba a la altura de los cuantiosos honorarios del arquitecto* · **suculentos** · **sustanciosos** · **jugosos** || **bajos** · **exiguos** *Unos exiguos honorarios que apenas le permitían sobrevivir* · **escasos** · **ajustados** · **raquíticos** || **abusivos** · **desorbitados** · **injustos** || **justos** · **adecuados** · **acordes (con algo)** || **profesionales**
• CON VBOS. **ascender (a algo)** · **sumar (algo)** || **acordar** · **negociar** · **rebajar** || **calcular** · **estipular** · **estimar (en algo)** || **pagar** *Tuvo que hipotecarse para pagar los honorarios de su abogado* · **abonar** · **cobrar** · **percibir** · **recibir**
• CON PREPS. **en concepto (de)** *El intermediario reclamaba una elevada suma en concepto de honorarios*

[honorarios] s.m.pl. → honorario, ria

honra s.f.

• CON VBOS. **tener** || **manchar** · **mancillar** · **empañar** · **dañar** · **lesionar** · **pisotear** · **ofender** · **ultrajar** · **atacar** || **defender** · **limpiar** · **lavar** *El candidato espera lavar su honra en las urnas* || **empeñar** · **hipotecar** · **comprometer** || **perder** · **devolver** · **recuperar** *Recuperar la honra perdida no es fácil* · **recobrar**

□ EXPRESIONES **a mucha honra** [con mucho orgullo] *col.* || **honras fúnebres** [ceremonia en homenaje al que ha fallecido] *Las honras fúnebres se celebrarán en la catedral*

honradamente adv.

• CON VBOS. **trabajar** · **ganarse la vida** · **laborar** · **vivir** · **salir adelante** || **actuar** · **comportarse** · **gobernar** · **cumplir (con algo)** · **desempeñar (algo)** · **ejercer (algo)** *ejercer un cargo honradamente* || **luchar** *Lucha honradamente por sacar adelante a su familia* · **defender(se)** · **ganar** · **triunfar** || **responder** · **contestar** · **escribir** · **hablar** · **creer (algo)** *Él creía honradamente que aquella era la mejor solución* · **reconocer (algo)** · **decir (algo)** · **pensar (algo)**

honradez s.f.

• CON ADJS. **absoluta** · **total** · **extrema** · **intachable** · **cabal** || **a toda prueba** *Durante los años en esa empresa, demostró una honradez a toda prueba* · **inquebrantable** || **indiscutible** · **incuestionable** · **innegable** · **acreditada** · **probada** · **reconocida** · **proverbial** · **característica** || **inusual** || **ejemplar** · **modélica** || **loable** · **respetable** || **personal** · **profesional** · **intelectual** *Con gran honradez intelectual, plantearon una revisión de sus propias teorías* · **científica** · **política**
• CON SUSTS. **prueba (de)** · **gesto (de)** *La devolución de la cartera fue un gesto de honradez por su parte* · **ejemplo (de)** || **falta (de)** · **exceso (de)**
• CON VBOS. **tener** || **exigir** *El coordinador exige honradez a todos sus colaboradores* || **defender** · **reivindicar** || **acreditar** · **probar** · **demostrar** · **reconocer** · **revelar** · **avalar** · **confirmar** · **desmentir** || **valorar** · **destacar** · **resaltar** · **exaltar** || **recompensar** *La empresa recompensó su honradez con un merecido ascenso* || **cuestionar** · **poner en duda** || **empañar** || **confiar (en)** · **fiarse (de)** · **apoyar(se) (en)** · **dudar (de)** || **apelar (a)** *Apelamos a su honradez profesional y personal para que nos diga usted la verdad*
• CON PREPS. **con** *actuar con honradez* · **sin**

honrado, da adj.

• CON SUSTS. **persona** · **ciudadano,na** *Sus vecinos le consideran un ciudadano honrado y trabajador* · **trabajador,-a** · **profesional** · ***otros individuos y grupos humanos*** || **trabajo** · **vida** *llevar una vida honrada* · **conducta** · **crítica** · **actitud**
• CON ADVS. **a carta cabal** || **absolutamente** · **profundamente** · **sumamente** · **tremendamente** · **totalmente**
• CON VBOS. **sentirse** *un galardón con el que me sentí profundamente honrada* · **volverse** · **hacerse**

honrar v.

• CON SUSTS. **muertos** *honrar a los muertos de la última guerra mundial* · **madre** · **padre** · **país** · **pueblo** · ***otros individuos y grupos humanos*** || **bandera** · **escudo** · **ape-**

llido || **tumba** · **mausoleo** || **memoria** *un acto para honrar la memoria de las víctimas* · **recuerdo** · **pasado** · **herencia** || **gloria** · **fama** || **cultura** · **tradición** *honrar la tradición de sus antepasados* · **patrimonio** || **compromiso** · **obligación** || **deuda** *Frente a la idea de honrar la deuda o no pagarla, proponemos revisarla* · **cuota** · **impuesto**

honroso, sa adj.

● CON SUSTS. **mención** · **título** *obtener el honroso título de hijo adoptivo de la ciudad* · **distinción** · **nombre** · **nombramiento** · **enseña** · **blasón** · **uniforme** · **sigla** || **derrota** · **resultado** · **marcador** · **tablas** · **empate** *El equipo logró un honroso empate* · **fracaso** · **rendición** · **capitulación** · **nota** · **victoria** · **igualada** || **salida** · **retirada** · **final** · **jubilación** · **dimisión** *En lugar de presentar una honrosa dimisión, el ministro prefirió seguir en el cargo* · **retiro** · **muerte** · **suicidio** || **paz** · **solución** · **respuesta** · **pacto** · **acuerdo** *negociar un acuerdo honroso* · **compromiso** || **reconocimiento** · **aceptación** · **satisfacción** || **misión** · **fin** · **destino** · **aspiración** · **proyecto** · **razón** · **motivo** · **causa** · **interés** · **intención** *Después de todo le guiaba una intención honrosa* · **intento** · **sistema** · **vía** || **lugar** · **puesto** · **posición** · **clasificación** · **papel** · **cargo** · **función** · **responsabilidad** · **espacio** · **sitio** · **zona** || **paso** · **suceso** · **episodio** · **batalla** · **pugna** || **momento** · **oportunidad** · **tradición** · **pasado** || **trayectoria** *un candidato que está avalado por una honrosa trayectoria política* · **linaje** · **carrera** · **expediente** · **precedente** || **ejemplo** · **muestra** · **representación** || **gesto** · **trato** · **actitud** *Agradecemos la honrosa actitud que las autoridades tuvieron con nosotros* || **actividad** · **profesión** · **trabajo** · **tarea** · **gestión**

[hora] → en hora; entre horas; hora

hora s.f.

● CON ADJS. **exacta** · **en punto** *Llegué a la cita a la hora en punto* · **precisa** · **aproximada** · **pasada** *Ya es la hora pasada; llegamos tarde* || **punta** *Trataba de evitar la hora punta* · **pico** || **temprana** · **primera** *Te enviaré el mensajero a primera hora de la mañana* · **tardía** · **última** · **avanzada** || **intempestiva** || **larga** *La tarea le llevó tres horas largas* || **crítica** · **fatídica** · **suprema** · **final** || **bruja** || **extra**
● CON VBOS. **pasar** · **transcurrir** *Transcurrieron varias horas hasta que los rescataran* || **ser** *¿Es ya la hora?* · **llegar** || **emplear (en algo)** · **dedicar (a algo)** *Dedico tres horas a la semana a hacer deporte* · **ocupar (en algo)** · **llevar (a alguien)** *Me lleva una hora llegar cada día a mi trabajo* · **tomar (a alguien)** || **aprovechar** · **desperdiciar** || **fijar** · **señalar** · **determinar** · **convenir** · **designar** · **cambiar** || **tener** · **dar** *El reloj del ayuntamiento no da la hora* · **pedir** *¿Has pedido hora en la peluquería?* · **preguntar** || **acumular** · **perder** · **recuperar** || **contar** · **calcular** || **durar** *La película dura tres horas* || **caer en la cuenta (de)** || **poner (en)** *Pon el reloj en hora, va atrasado*
● CON PREPS. **durante** · **en** · **en cuestión (de)** · **por espacio (de)** · **tras**

□ EXPRESIONES **a buenas horas mangas verdes** [indica que algo sucede demasiado tarde] *col.* || **a la hora de las gallinas** [muy temprano] *col.* || **a todas horas** [en cualquier momento] || **entre horas*** [entre las comidas] || **hacer horas** [trabajar horas extras] || **horas bajas** [momentos de decaimiento] || **horas muertas** [las perdidas inútilmente] || **la hora de la verdad** [momento decisivo] *col.* || **no ver la hora de** (algo) [estar deseándolo] || **tener** (alguien) **sus horas contadas** [estar cercano a su muerte]

horario, ria

1 **horario, ria** adj.

● CON SUSTS. **señal** *En cuanto suena la señal horaria dan comienzo los informativos* · **campanada** · **cambio** || **huso** · **franja** *Nos encontramos en la misma franja horaria que París* · **zona** · **banda** · **tramo** · **período** · **jornada** · **esfera** || **flexibilidad** · **libertad** · **movilidad** · **rigidez** · **restricción** · **regulación** · **ajuste** *Será necesario hacer un ajuste horario para que coincidan los cuadrantes* · **distribución** · **diferencia** · **margen** · **frecuencia** · **desfase** · **límite** · **control** · **limitación** · **liberación** · **carga** · **reducción** · **ampliación** *Durante el período de ampliación horaria, los centros permanecerán abiertos hasta...* || **costumbre** · **disciplina** · **pauta** · **exigencia** || **información** · **boletín** · **indicación** || **tarjeta** · **ficha**

2 **horario** s.m.

● CON ADJS. **apretado** *No sé si podrá hacerte un hueco, tiene un horario muy apretado* · **agotador** || **abusivo** · **leonino** · **intempestivo** || **estricto** · **riguroso** || **flexible** *Como tengo horario flexible, puedo organizar mi tiempo a mi gusto* · **elástico** · **laxo** || **reducido** · **intensivo** · **continuado** · **escalonado** || **ininterrumpido** · **continuo** · **permanente** · **corrido** || **de verano** · **de invierno** || **laboral** · **escolar** *El horario escolar no coincide con mi horario laboral* · **comercial**
● CON VBOS. **fijar** · **establecer** · **marcar** · **instaurar** · **programar** || **cumplir** · **respetar** *El enfermero rogó a los familiares que respetaran el horario de visitas* · **observar** || **incumplir** *La despidieron por incumplir el horario de trabajo* · **saltarse** · **infringir** || **ajustar(se) (a)** · **ceñirse (a)** · **atenerse (a)** · **regirse (por)**

[horcajada] → a horcajadas

horchata s.f.

● CON ADJS. **de chufa** || **valenciana** · **alicantina** || **fresca** · **refrescante** · **helada**
➤ Véase también **BEBIDA**

horizontal adj.

● CON SUSTS. **posición** *tumbarse en posición horizontal* · **postura** · **disposición** · **sentido** || **línea** · **franja** · **barra** || **eje** · **plano** · **dimensión** || **estructura** · **sindicato** · **organización** · **modelo** · **gremio** · **propiedad** *la ley de la propiedad horizontal* · **mercado** || **transmisión** *transmisión horizontal de una enfermedad* · **distribución** · **movilidad** || **programación** · **integración** · **crecimiento** · **desarrollo**
● CON VBOS. **poner(se)** · **mantener(se)**

horizontalmente adv.

● CON VBOS. **mover(se)** · **atravesar** · **recorrer** *una reforma que recorre horizontalmente toda la organización* || **repartir** · **ordenar** · **poner** · **extender(se)** · **alinear(se)** · **colocar(se)** || **cortar** · **seccionar**

horizonte

1 **horizonte** s.m.

● CON ADJS. **abierto** · **amplio** · **ancho** · **vasto** *Un vasto horizonte se extiende ante nosotros* · **dilatado** · **inabarcable** · **inconmensurable** · **infinito** · **ilimitado** · **sin fin** || **estrecho** || **cercano** · **lejano** · **remoto** || **temporal** · **a {corto/medio/largo} plazo** · **inmediato** *En el horizonte inmediato no se vislumbran obstáculos* || **ambicioso** · **inalcanzable** || **claro** · **difuso** · **crepuscular** · **negro** || **nuevo**

· **alentador** || **laboral** *El conocimiento de idiomas le abrió horizontes laborales* · **profesional** · **político** · **electoral** · **académico** · **económico** · **vital**

● CON SUSTS. **línea (de)** *En el mar apenas se distinguía la línea del horizonte* || **búsqueda (de)** · **falta (de)**

● CON VBOS. **abrir(se)** · **extender(se)** · **dilatar(se)** · **ensanchar(se)** · **despejar(se)** *No acometeremos el plan hasta que no se despeje el horizonte* · **despuntar** · **aparecer** || **cerrar(se)** · **nublar(se)** · **ensombrecer(se)** · **alejar(se)** || **dibujar(se)** · **recortar(se)** · **difuminar(se)** || **contemplar** · **mirar** · **otear** · **escudriñar** *El vigía escudriñaba el horizonte* · **escrutar** · **divisar** · **atisbar** · **vislumbrar** || **tener** · **ampliar** *Quería ampliar mis horizontes y me fui a estudiar al extranjero* || **encarar** || **asomar (en/por)** · **perderse (en)** || **carecer (de)**

2 **horizonte (de)** s.m.

● CON SUSTS. **futuro** · **posibilidades** *Las nuevas tecnologías han abierto un vasto horizonte de posibilidades* · **expectativas** · **oportunidades** · **esperanza** || **modernidad** · **libertad** · **cambio** · **progreso** *Ante tal situación, no cabe imaginar precisamente un horizonte de progreso* · **éxito** · **crecimiento** · **superación** · **estabilidad** || **incertidumbre** · **fracaso** · **crisis** · **tragedia** · **sacrificio** · **inestabilidad** || **paz** *Las últimas conversaciones suponen el inicio de un nuevo horizonte de paz para la zona* · **justicia** · **igualdad** || **guerra** · **injusticia** · **desigualdad** · **lucha** · **ruptura** · **enfrentamiento** || **entendimiento** *abrir un horizonte de entendimiento entre los partidos políticos* · **reconciliación**

horma s.f.

● CON ADJS. **ancha** · **estrecha** || **redondeada** · **cuadrada** · **picuda** || **de zapato** · **de sombrero** || **de pan** · **de queso** || **adecuada** · **idónea** · **apropiada**

● CON VBOS. **ensanchar** · **estrechar** || **ajustarse (a)** *una gama de zapato de material ligero y flexible para que se ajuste a la horma del pie* · **adaptarse (a)** · **poner (en)** · **encajar (en)**

☐ EXPRESIONES **encontrar** (alguien) **la horma de su zapato** [encontrar a alguien con quien igualarse] *col.*

hormiga s.f.

● CON ADJS. **obrera** · **labradora** · **gigante** · **alada** · **con alas** || **laboriosa** · **hacendosa** · **invasora**

● CON SUSTS. **fila (de)** · **hilera (de)** *En verano, las hileras de hormigas atraviesan el patio y el jardín* · **procesión (de)** · **ejército (de)** || **trabajo (de)** · **labor (de)** || **plaga (de)** · **invasión (de)**

● CON VBOS. **trabajar (como)** *...trabajan disciplinadamente como hormigas* · **almacenar (como)** · **ahorrar (como)** || **moverse (como)** · **desfilar (como)** · **pulular (como)**

☐ EXPRESIONES **ser una {hormiga/hormiguita}** [ser ahorrativo y trabajador] *col.*

hormigón s.m.

● CON ADJS. **armado** *una estructura de hormigón armado* · **fortificado**

● CON SUSTS. **estructura (de)** · **base (de)** · **pared (de)** *Los albañiles están construyendo una pared de hormigón* · **placa (de)** · **muro (de)** · **columna (de)** · **plataforma (de)** || **bloque (de)** · **tubo (de)** · **cubo (de)** · **pieza (de)** || **edificio (de)** · **construcción (de)** · **fachada (de)**

● CON VBOS. **fundir** · **mezclar** · **fabricar**

hormigueo s.m.

● CON ADJS. **permanente** · **constante** · **incesante** || **horrible** · **molesto** · **odioso** · **inevitable** || **interior**

● CON VBOS. **provocar** · **sufrir** · **sentir** || **entrar(le) (a alguien)** *Se me han dormido las piernas y ahora me ha entrado un hormigueo insoportable*

hormiguero s.m.

● CON ADJS. **humano** · **de gente** *El centro comercial en estas fechas es un hormiguero de gente* · **de vehículos** · **de visitantes** · **de bicicletas** || **activo** *Desde la altura la ciudad parecía un activo hormiguero humano* · **caótico** · **concurrido** · **siniestro** || **inmenso** · **vasto** · **gigantesco** · **descomunal** · **auténtico** · **verdadero** || **subterráneo** · **urbano**

● CON VBOS. **formar** · **conformar** · **constituir** || **vivir (en)** · **pulular (en)**

hormona s.f.

● CON VBOS. **aumentar** · **disminuir** || **segregar** · **inyectar** || **regular** *Este compuesto regula la hormona del crecimiento*

hormonal adj.

● CON SUSTS. **problema** · **alteración** · **disfunción** *padecer una disfunción hormonal* · **mecanismo** *un cambio en el mecanismo hormonal* · **secreción** · **regulación** · **equilibrio** · **desequilibrio** · **actuación** · **carencia** · **exceso** || **píldora** · **medicación** · **tratamiento** *someterse a un tratamiento hormonal* · **terapia** · **reemplazamiento** · **sustitución** · **análisis**

horno s.m.

● CON ADJS. **de leña** · **de pan** *En la misma tienda tienen un horno de pan* · **de fundición** · **cerámico** · **de cal** · **de alfarero** || **incinerador** · **crematorio** || **alto** *Trabaja en los altos hornos* || **rotatorio** · **giratorio** || **gigantesco** · **pequeño** · **potente** || **suave** · **fuerte** · **moderado** *Ciertos platos requieren asarse a horno moderado* || **termonuclear** · **eléctrico** · **de gas** · **solar** || **microondas** *un libro de recetas para horno microondas* || **auténtico** · **verdadero** *Esta ciudad en agosto es un verdadero horno*

● CON SUSTS. **bandeja (de)** · **puerta (de)** · **rejilla (de)** *colocar el molde sobre la rejilla del horno*

● CON VBOS. **funcionar** · **parar(se)** · **girar** || **abrir** · **cerrar** || **precalentar** · **encender** *Enciende el horno unos minutos antes de introducir el bizcocho* · **apagar** · **programar** · **alimentar** || **instalar** · **montar** · **encastrar** || **meter (a/en)** *Ayúdame a meter el cordero en el horno* · **poner (en)** · **introducir (en)** · **salir (de)** · **sacar (de)** · **retirar (de)** || **calentar (en)** · **fundir (en)** · **asar (en)** · **dorar (en)** · **cocer (en)** · **gratinar (en)** *gratinar los macarrones en el horno*

☐ EXPRESIONES **al horno** [hecho en el horno] *pescado al horno* || **no estar el horno para bollos** [no ser el mejor momento para algo] *col.*

horóscopo s.m.

● CON ADJS. **zodiacal** *consultar el horóscopo zodiacal* · **chino** || **semanal** · **mensual** · **anual**

● CON SUSTS. **sección (de)** · **signo (de)**

● CON VBOS. **decir (algo)** · **predecir (algo)** · **augurar (algo)** *¿Qué te augura el horóscopo para la próxima semana?* || **leer** · **consultar** || **traer** · **tener** || **creer (en)**

[horror] → con horror; horror

horror

1 **horror** s.m.

●CON ADJS. **profundo** *Sentimos un profundo horror ante...* · **absoluto** · **sin paliativos** · **inimaginable** · **terrible** · **infernal** · **insoportable** · **exasperante** · **paralizante** · **imborrable** · **innombrable** || **injustificado** · **irracional** *Su fría mirada inspira un horror irracional* · **abominable** || **terrorista** · **totalitario** || **culpable (de)**
●CON SUSTS. **galería (de)** · **museo (de)** · **catálogo (de)** · **recuento (de)** || **sentimiento (de)** || **símbolo (de)**
●CON VBOS. **desatar(se)** || **sacudir (a alguien/algo)** · **atenazar (a alguien)** || **producir** · **causar** *¿No te causa horror tanto desorden?* · **inspirar** · **infundir** · **sembrar** · **despertar** · **suscitar** · **acentuar** · **aumentar** || **tener** *Tengo horror a los espacios cerrados* · **sentir** · **experimentar** · **sufrir** · **vivir** · **padecer** · **soportar** · **mostrar** · **exteriorizar** || **investigar** · **descubrir** · **denunciar** || **retratar** · **describir** · **expresar** · **contar** · **narrar** · **simbolizar** *Los tonos oscuros de este cuadro simbolizan el horror de la guerra* || **olvidar** · **superar** · **vencer** · **borrar** · **vengar** || **mitigar** · **paliar** · **compensar** · **combatir** · **encarar** · **afrontar** || **escapar (de)** · **huir (de)** *Miles de personas abandonaron el país huyendo del horror* · **salir (de)** · **sobrevivir (a)** || **enfrentar(se) (a)** · **hacer frente (a)** || **estremecerse (de)** || **proteger (de)** · **llenar (de)**
●CON PREPS. **con**

2 **horrores** adv. *col.*

●CON VBOS. **costar** *Me cuesta horrores levantarme tan temprano* · **sudar** || **disfrutar** · **divertirse** · **gustar** · **gozar** || **notarse** · **llamar la atención** · **resaltar** || **ayudar** · **favorecer**

[horrores] adv. *col.* → horror

horrorizar (a alguien) v.

●CON SUSTS. **idea** *Me horrorizaba la idea de perder cuatro horas esperando, pero al final terminé accediendo* · **discurso** · **palabras** · **propuesta** · **decisión** || **muerte** · **miseria** · **maltrato** || **tragedia** · **desastre** *El desastre nuclear horrorizaba a la opinión internacional* · **catástrofe** || **mundo**
●CON ADVS. **absolutamente** · **tremendamente** · **especialmente**

hortaliza s.f.

●CON ADJS. **fresca** · **temprana** · **de temporada** · **cruda** · **seca** || **transgénica**
●CON SUSTS. **cultivo (de)** · **cosecha (de)** || **campo (de)** · **plantación (de)** · **huerto (de)** · **invernadero (de)** || **productor,-a (de)** · **producción (de)** · **mercado (de)** · **sector (de)** *Las heladas han afectado al sector de la hortaliza* || **puesto (de)** *un puesto de hortalizas en el mercado de abastos* || **caldo (de)**
●CON VBOS. **cultivar** · **sembrar** · **producir** · **cosechar** · **plantar** || **recoger** · **recolectar** || **pelar** · **cortar** · **trocear** || **consumir** *Los nutricionistas recomiendan consumir más hortalizas*

hortera adj.

●CON SUSTS. ***persona*** *una chica un poco hortera en su forma de vestir* || **aspecto** · **ramalazo** · **pinta** || **camisa** *Llevaba una camisa estampada muy hortera* · **pantalones** · **vestido** · **pañuelo** · **broche** · ***otras prendas de vestir o complementos*** || **casa** · **piso** · **chalé** · **sitio** || **decoración**
●CON ADVS. **sumamente** · **condenadamente** · **tremendamente** · **horriblemente** · **con ganas** · **a rabiar**

hosco, ca adj.

●CON SUSTS. **rostro** · **apariencia** *un hombre mayor de gesto adusto, aspecto desaliñado y apariencia hosca* · **expresión** · **gesto** · **mirada** || **personalidad** · **carácter** · **actitud** || **lenguaje** · **acento** · **voz** · **palabra** || **realidad** · **panorama** · **ambiente** *No se sentía a gusto en aquel ambiente tenso y hosco* · **estética** || **silencio**

hospedar(se) (en) v.

●CON SUSTS. **casa** · **hotel** · **cabaña** · **pensión** *El viajante se hospedó en una pensión situada en pleno centro* · **motel** · **refugio** · **habitación** · **apartamento** · **pabellón** · **residencia** · ***otros lugares***
●CON ADVS. **cómodamente** · **relajadamente** · **confortablemente** · **tranquilamente** || **habitualmente** · **frecuentemente** · **tradicionalmente** · **actualmente** · **permanentemente** · **periódicamente**

hospital s.m.

●CON ADJS. **general** · **clínico** · **infantil** *La niña fue ingresada en un hospital infantil* · **universitario** · **de maternidad** · **geriátrico** · **de primeros auxilios** · **de quemados** || **militar** || **público** · **privado** || **buen(o)** · **mal(o)** · **afamado** · **famoso** · **reputado** || **antiguo** · **viejo** · **nuevo** · **moderno** || **de campaña** · **de primera sangre** · **de guerra**
●CON SUSTS. **personal (de)** *El personal del hospital está en huelga* · **planta (de)** · **cama (de)** · **unidad (de)** · **habitación (de)** · **urgencias (de)** || **servicio (de)** || **huelga (de)**
●CON VBOS. **ir (a)** · **acudir (a)** *Acuda al hospital cuando note los primeros síntomas* · **llevar (a)** · **ingresar (en)** · **salir (de)** · **enviar (a)** · **mandar (a)** · **remitir (a)** || **trabajar (en)** *Trabajaba de auxiliar en un afamado hospital* · **curar(se) (en)**

hospitalariamente adv.

●CON VBOS. **acoger** *una ciudad que acoge hospitalariamente a sus visitantes* · **ayudar** · **colaborar** · **atender**

hospitalario, ria adj.

▮ [acogedor]

●CON SUSTS. **actitud** *Agradecieron la actitud hospitalaria de los lugareños* · **gesto** · **trato** || **recibimiento** · **acogida** · **apoyo**

▮ [del hospital]

●CON SUSTS. **urgencia** · **ingreso** *Todos los ingresos hospitalarios quedaban registrados* || **centro** · **servicio** · **gestión**

hospitalidad s.f.

●CON ADJS. **amable** *Los huéspedes disfrutaban de la amable hospitalidad de la casera* · **afable** · **atenta** · **cortés** · **cordial** · **acogedora** · **obsequiosa** || **generosa** · **desinteresada** · **espontánea** · **humanitaria** || **exquisita** *El embajador hizo gala de una exquisita hospitalidad* · **refinada** || **habitual** · **proverbial** · **tradicional** · **conocida** || **suma** || **debida** · **esperada**
●CON SUSTS. **muestra (de)** · **gesto (de)** · **señal (de)**
●CON VBOS. **ofrecer** *Fue el primero en ofrecerme su hospitalidad cuando llegué a la ciudad* · **brindar** · **dispensar** · **dar** · **prodigar** || **negar** || **agradecer** || **disfrutar (de)** · **gozar (de)** || **abusar (de)** *No queremos seguir abusando de su hospitalidad*
●CON PREPS. **con** || **en señal (de)** · **en pago (a)**

hospitalización s.f.

●CON ADJS. **urgente** *ordenar la hospitalización urgente de un enfermo* · **inmediata** · **repentina** · **inesperada** · **necesaria** · **nueva** · **reiterada** · **repetida** || **larga** · **tediosa** · **penosa** · **breve** · **escasa** || **posible** · **probable** · **obligada**
●CON SUSTS. **período (de)** *Tras un largo período de hospitalización, el paciente...* · **condición (de)** || **gasto (de)** · **coste (de)** · **precio (de)** · **seguro (de)** · **póliza (de)** · **servicio (de)**
●CON VBOS. **durar (algo)** || **ordenar** · **mandar** · **recomendar** *Los médicos recomendaron su hospitalización* · **comunicar** · **anunciar** || **recibir** · **necesitar** · **requerir** *un tratamiento que no requiere hospitalización* · **precisar** · **sufrir** || **causar** · **provocar** · **implicar** · **preparar** · **programar** || **pagar** · **cubrir** *El seguro cubre tanto la hospitalización como la operación* · **asegurar**

hospitalizar v.

●CON SUSTS. **paciente** · **enfermo,ma** · **herido,da** *Se ha hospitalizado a los heridos más graves del accidente* · ***otros individuos***
●CON ADVS. **excepcionalmente** || **forzosamente** · **obligatoriamente** || **urgentemente** · **inmediatamente**

hostal s.m.

●CON ADJS. **gran(de)** · **pequeño** · **modesto** *un hostal modesto, aunque muy céntrico* || **tranquilo** · **lujoso** · **agradable** · **climatizado** || **antiguo** *Nos hospedamos en un antiguo hostal del centro de la ciudad* · **viejo** · **vetusto** · **tradicional** · **nuevo** · **moderno** · **popular** || **de mala muerte** || **céntrico** · **playero** || **caro** · **barato**
●CON SUSTS. **propietario,ria (de)** · **dueño,ña (de)** · **administrador,-a (de)** · **director,-a (de)** · **gerente (de)** · **recepcionista (de)** *El recepcionista del hostal nos dijo que no había habitaciones libres* · **camarero,ra (de)** · **empleado,da (de)** || **ocupante (de)** · **huésped (de)** · **cliente (de)** || **habitación (de)** · **salón (de)** · **bar (de)** *desayunar en el bar del hostal* · **recepción (de)** || **servicio (de)** · **reserva (de)**
●CON VBOS. **construir** · **reformar** · **montar** || **dirigir** · **regentar** · **llevar** || **hospedar(se) (en)** · **alojar(se) (en)** · **reservar (en)** *Había reservado habitación en un modesto hostal de las afueras* · **registrar(se) (en)** · **dormir (en)** · **desayunar (en)** · **comer (en)** · **quedar(se) (en)** · **vivir (en)** || **trabajar (en)**

hostigar v.

●CON SUSTS. **ciudadano,na** · **detenido,da** · **trabajador,-a** · **rival** *Hostigó a su rival hasta que se hizo con la victoria* · **adversario,ria** · **equipo** · **ejército** · **tropa** · **posición** · **policía** · ***otros individuos y grupos humanos*** || **caballo** *Los jinetes hostigaban una y otra vez a los caballos para llegar antes a la meta* · **perro,rra** · **oveja** · ***otros animales***
●CON ADVS. **permanentemente** · **constantemente** · **continuamente** || **sexualmente** · **violentamente** || **públicamente** *El artista denunció que había sido hostigado públicamente por un grupo de periodistas*

hostil adj.

●CON SUSTS. **sociedad** · **medio** · **entorno** *No me podía sentir a gusto en aquel entorno hostil* · **ambiente** · **atmósfera** · **clima** · **naturaleza** || **mundo** · **país** · **territorio** · **terreno** || **realidad** · **circunstancias** || **público** · **político,ca** · **persona** · ***otros individuos y grupos humanos*** || **actitud** · **postura** · **trato** || **gesto** · **mirada** *ante las miradas hostiles de sus adversarios* · **expresión** · **lenguaje** || **oferta** · **declaración** · **alianza** · **acuerdo** || **acto** · **campaña** · **operación** || **reacción** · **recibimiento** *El recibimiento fue cortés en apariencia pero hostil en el fondo*
●CON ADVS. **ferozmente** · **visceralmente** || **totalmente** · **especialmente** · **profundamente** *Tardaron mucho tiempo en acostumbrarse a un clima profundamente hostil* · **tremendamente** · **sumamente** · **extremadamente** || **manifiestamente** · **abiertamente** *Percibíamos una actitud abiertamente hostil por su parte* · **claramente** || **tradicionalmente**
●CON VBOS. **mostrarse** · **resultar** · **volverse**

hostilidad s.f.

●CON ADJS. **clara** · **abierta** *Las negociaciones se llevaron a cabo en un clima de abierta hostilidad* · **franca** · **manifiesta** · **patente** · **ostensible** || **contenida** · **encubierta** · **soterrada** || **exacerbada** · **incontenible** · **visceral**
●CON SUSTS. **manifestación (de)** · **signo (de)** *No ha de interpretar ese gesto como un signo de hostilidad* · **señal (de)** || **clima (de)** · **ambiente (de)**
●CON VBOS. **desatar(se)** · **desencadenar(se)** || **cesar** || **provocar** · **despertar** *La actitud de los turistas despertó la hostilidad de los lugareños* · **sembrar** || **sentir** · **experimentar** · **profesar** || **manifestar** · **mostrar** *Los ciudadanos mostraron en la calle su hostilidad hacia la política gubernamental* · **demostrar** · **percibir** || **descargar** || **combatir**

hotel s.m.

●CON ADJS. **antiguo** · **vetusto** *Se alojaron en un vetusto hotel del centro* · **nuevo** · **popular** || **gran(de)** · **enorme** · **pequeño** || **céntrico** · **playero** || **magnífico** · **famoso** · **flamante** · **internacional** · **legendario** · **mítico** || **de mala muerte** || **de lujo** · **lujoso** · **modesto** || **climatizado** · **tranquilo** || **caro** · **barato** || **de {dos/tres/cuatro...} estrellas**
●CON SUSTS. **propietario,ria (de)** · **dueño,ña (de)** *El magnate es dueño de casi todos los hoteles de la costa* · **administrador,-a (de)** · **director,-a (de)** · **gerente (de)** · **recepcionista (de)** *Nos indicó amablemente la dirección la recepcionista del hotel* · **botones (de)** · **seguridad (de)** · **camarero,ra (de)** · **empleado,da (de)** || **ocupante (de)** · **huésped (de)** · **cliente (de)** || **suite (de)** · **habitación (de)** *Se citaron en la habitación de un hotel* · **salón (de)** · **bar (de)** · **recepción (de)** || **administración (de)**
●CON VBOS. **construir** · **reformar** *Reformaron el antiguo hotel del pueblo* · **comprar** || **dirigir** · **regentar** · **llevar** *No sabría decirle. En realidad es mi hijo el quien lleva el hotel* || **hospedar(se) (en)** · **alojar(se) (en)** *Los cantantes se han alojado en un famoso hotel de lujo de la ciudad* · **reservar (en)** · **registrar(se) (en)** · **dormir (en)** · **quedar(se) (en)** · **vivir (en)** || **trabajar (en)**

hucha s.f.

●CON ADJS. **irrompible**
●CON SUSTS. **ranura (de)** || **contenido (de)** · **dinero (de)** · **ahorros (de)** *Los ahorros de la hucha no se tocan, ¿eh?*
●CON VBOS. **contener (algo)** || **pasar** · **llenar** · **romper** || **guardar (algo) (en)** · **meter (algo) (en)** *meter monedas en la hucha* · **ahorrar (algo) (en)** · **recoger (algo) (en)** · **sacar (algo) (de)** · **recurrir (a)**

huelga s.f.

●CON ADJS. **de hambre** || **de celo** *Los empleados mantienen una huelga de celo encubierta* · **a la japonesa** · **de brazos caídos** || **general** *Según los sindicatos, el seguimiento de la huelga general fue...* · **masiva** · **indefinida** ||

salvaje · radical · virulenta · beligerante || tranquila · moderada
●CON SUSTS. **derecho (a/de) || ola (de) || seguimiento (de) · convocatoria (de) || éxito (de) · fracaso (de) · llamada (a)**
●CON VBOS. **durar · perdurar · mantenerse · transcurrir · recrudecer(se) || tener éxito · fracasar** *Si fracasa esta huelga, el Gobierno saldrá reforzado* **|| ocasionar · provocar · causar || convocar · decretar · organizar || desconvocar · desactivar || hacer · emprender || apoyar · respaldar · defender · auspiciar · secundar** *Más de un millón de funcionarios secundaron la huelga* **· seguir · votar || neutralizar · reventar · sofocar || llamar (a) · incitar (a) · emplazar (a) || declararse (en) · ir (a) · estar (de/en)**

huella s.f.

●CON ADJS. **dactilar || profunda · imborrable · indeleble** *un gran amigo de todos que dejó una huella indeleble en nuestros corazones* **· inalterable · perdurable · permanente · perenne · imperecedera · perpetua · duradera**
●CON VBOS. **quedar · perdurar · pervivir || traslucir(se) · marcar (algo)** *La huella de su maestro marcó excesivamente su primera época* **|| dejar · imprimir · estampar || tomar (a alguien)** *En comisaría tomaron las huellas al detenido* **|| detectar || rastrear · seguir** *una joven promesa que no parece dispuesta a seguir las huellas de sus predecesores* **|| borrar**

huérfano, na

1 huérfano, na adj.

●CON SUSTS. **niño,ña · hijo,ja · joven · menor ·** ***otros individuos y grupos humanos*** **|| país · comunidad**
●CON VBOS. **ser · estar · quedar(se)** *Me quedé huérfano muy joven*

2 huérfano, na s.

●CON VBOS. **acoger · adoptar || abandonar · dejar** *Su repentino fallecimiento deja dos huérfanos*

3 huérfano, na (de) s.

●CON SUSTS. **padre · madre** *El poeta quedó huérfano de madre a muy temprana edad* **|| guerra || líder · liderazgo · referente · maestro,tra · candidato,ta || ideas** *Un periodismo agresivo y batallador, pero un tanto huérfano de ideas* **· razón · criterio · iniciativa || apoyo · libertad · esperanza · éxito**

huerto s.m.

●CON ADJS. **pequeño · modesto · grande || familiar · particular || trasero** *una casa de campo con huerto trasero*
●CON SUSTS. **producto (de) · verdura (de)** *Comen verdura de su propio huerto* **· fruta (de)**
●CON VBOS. **regar · sembrar · cuidar || trabajar (en) · ocupar(se) (de) · encargar(se) (de) · cultivar (algo) (en) · recolectar (algo) (de) · recoger (algo) (de) || vivir (de)** *Por más que cuidaban el huerto, no podían vivir de él*
□EXPRESIONES **llevarse** (a alguien) **al huerto** [engañarlo] *col.*

[hueso] → en carne y hueso; hasta los huesos; hueso

hueso s.m.

●CON ADJS. **fuerte** *Si quieres tener los huesos fuertes, tendrás que tomar mucho calcio* **· duro · sólido · macizo · robusto · recio · pétreo || frágil** *Sujetaba al pajarillo con delicadeza temiendo quebrar sus frágiles huesos* **· quebradizo · raquítico · endeble**
●CON SUSTS. **articulación (de) || lesión (de) · rotura (de) · fractura (de)**
●CON VBOS. **desencajar(se)** *Hizo un movimiento brusco y se le desencajó un hueso* **· descoyuntar(se) · desarticular(se) · desmembrar(se) || crujir · doler (a alguien) || fracturar(se) · quebrar(se) · romper(se) || roer** *El perro roía un hueso a la puerta de su caseta*
●CON PREPS. **con · sin** *aceitunas sin hueso*
□EXPRESIONES **dar en hueso** [fallar] **|| en los huesos** [muy delgado] *col.* **|| hasta los huesos*** [completamente] **|| hueso de santo** [dulce de mazapán] **|| la sin hueso** [la lengua] *col.*

huésped s.com.

●CON ADJS. **de honor** *...a quien nombraron huésped de honor del hotel* **· ilustre · conocido,da · famoso,sa · distinguido,da · exquisito,ta · insigne || habitual · pródigo,ga · ocasional · nocturno,na · frecuente · efímero,ra · eterno,na · nuevo,va · asiduo,dua · excepcional || incómodo,da**
●CON SUSTS. **casa (de) · habitación (de) · residencia (de) · cuarto (de) || lista (de) || país** *Serán muchos los países huéspedes durante las próximas olimpiadas* **· célula · ciudad · familia**
●CON VBOS. **recibir · invitar · satisfacer · hacer · acoger · tener** *Mañana tengo huéspedes en casa* **· albergar · alojar || acompañar · guiar || desalojar || convertir(se) (en) || despedir(se) (de)**

huevería s.f. Véase ESTABLECIMIENTO

huevo s.m.

●CON ADJS. **frito** *un plato de huevos fritos con patatas* **· duro · pasado por agua · cocido · revuelto · estrellado · al plato · hilado · tibio || huero**
●CON SUSTS. **clara (de) · yema (de) · cáscara (de) || forma (de)**
●CON VBOS. **incubar** *La gallina está incubando un huevo* **· poner || cascar · romper · batir** *¿Puedes ir batiendo los huevos para hacer la tortilla?* **· freír · cocer · pasar por agua · escaldar · estrellar**
□EXPRESIONES **a huevo** [de forma muy favorable] *col.* **|| huevo de zurcir** [utensilio de forma ovalada que se emplea para zurcir medias y calcetines] **|| parecerse como un huevo a una castaña** [no parecerse nada] *col.* **|| pisando huevos** [muy lentamente] *col.* **|| un huevo** [mucho] *col.*

huida s.f.

●CON ADJS. **veloz · vertiginosa · precipitada** *En su precipitada huida, olvidó agarrar el bolso* **· atropellada · frenética · desenfrenada || desesperada · a la desesperada || hacia adelante || en desbandada · masiva · en masa · general**
●CON VBOS. **frustrar(se) || planear · preparar · organizar || intentar · emprender** *Cuando nos acercamos, los ciervos emprendieron la huida* **· llevar a cabo · ejecutar || frenar · detener · abortar || darse (a)**

huidizo, za adj.

●CON SUSTS. ***persona*** *He intentado hablar con ella, pero es una chica tímida y huidiza* **|| gato,ta · perro,rra · pájaro ·** ***otros animales*** **|| mirada** *Mientras hablaba mantenía la mirada huidiza* **· ojos || actitud · tono** *Me respondió desganadamente y en tono huidizo* **· carácter · estilo · imagen || presencia · vida · realidad**

huir v.

● CON ADJS. **despavorido,da** *Cuando vio lo que se le avecinaba, huyó despavorido* · **aterrado,da** · **aterrorizado,da** · **horrorizado,da** · **espantado,da**

● CON ADVS. **como alma que lleva el diablo** *Desde entonces huyo de los charlatanes como alma que lleva el diablo* · **precipitadamente** · **velozmente** · **a toda velocidad** · **a escape** · **a galope** · **a uña de caballo** · **a toda máquina** · **a todo trapo** · **a todo correr** · **como una exhalación** · **atropelladamente** *Apareció un ratón y los clientes huyeron atropelladamente de la tienda* · **desenfrenadamente** · **a la desesperada** || **espectacularmente** || **en desbandada** *Los niños huyeron en desbandada tras romper un cristal con la pelota* · **masivamente** · **en masa** || **de milagro** · **por los pelos** || **inútilmente** || **cobardemente** || **a hurtadillas**

☐ USO Se construye frecuentemente con complementos encabezados por la preposición *de*: *Trataron de huir de aquel lugar.*

humanamente adv.

● CON VBOS. **poder** || **actuar** · **proceder** · **comportarse** · **reaccionar** · **responder** · **hacer (algo)**

● CON ADJS. **posible** *Había hecho todo lo humanamente posible para aprobar las matemáticas* · **imposible** · **aceptable** · **comprensible** · **soportable** · **sostenible** · **viable** · **imaginable** || **insoportable** · **inadmisible** *una situación humanamente inadmisible* · **insostenible** · **incomprensible** · **impresentable** · **reprochable** || **admirable** · **preferible** · **habitable** · **digerible**

humanidad s.f.

■ [seres humanos]

● CON ADJS. **doliente** · **lesa** *un crimen de lesa humanidad*

● CON SUSTS. **patrimonio (de)** *La ciudad ha sido declarada patrimonio de la humanidad* || **futuro (de)** || **crimen (contra)** *Juzgaron al dirigente por crímenes contra la humanidad* || **bien (de)**

■ [compasión]

● CON ADJS. **gran(de)** · **enorme** · **escasa** · **inmensa** · **infinita** · **desbordante** || **lleno,na (de)** · **rebosante (de)** *un corazón rebosante de humanidad*

● CON SUSTS. **acto (de)** · **gesto (de)** · **muestra (de)** || **ápice (de)** · **carga (de)** || **exceso (de)** · **falta (de)**

● CON VBOS. **tener** *Si tuviera un mínimo de humanidad...* · **atesorar** · **mostrar** · **derrochar** · **manifestar** · **rezumar**

● CON PREPS. **con** *tratar a alguien con humanidad* · **sin**

humanismo s.m.

● CON ADJS. **cristiano** · **secular** · **renacentista** · **clásico** · **moderno** || **político** · **científico** · **cívico** · **ético** · **tecnológico** || **liberal** · **radical** · **social** · **universal** *el humanismo universal común a todos los pueblos* || **viejo** · **profundo** *una persona sabia y de profundo humanismo* · **nuevo** · **auténtico** · **gran(de)**

● CON VBOS. **defender** · **difundir** *Dedicó su vida a difundir el humanismo* · **reivindicar** · **transmitir** || **reconstruir** · **recuperar**

humanista adj.

● CON SUSTS. **profesor,-a** · **sabio,bia** *El próximo año se celebra el centenario de la muerte del sabio humanista* · **médico,ca** · ***otros individuos y grupos humanos*** || **herencia** · **tradición** · **legado** · **valores** · **espíritu** · **sentido** · **mensaje** || **ética** · **filosofía** · **educación** *En su currículum demostraba una sólida educación humanista* · **cultura** || **concepción** · **visión** · **idea** · **sueño** · **mirada** · **ideal** · **proyecto** · **enfoque** *el enfoque claramente humanista de sus ensayos sociológicos* · **vocación** · **pensamiento** · **conciencia** || **temperamento** · **talante** · **actitud** · **tono** · **ambiente** || **información** · **discurso** *La delegada leyó un discurso humanista en favor de la paz y la concordia* · **manifiesto**

humanitario, ria adj.

● CON SUSTS. **labor** *Es admirable la labor humanitaria de esa ONG* · **misión** · **tarea** · **acción** · **intervención** · **operación** · **trabajo** · **quehacer** · **obra** · **acto** · **causa** || **organización** *Diversas organizaciones humanitarias trabajaban con los refugiados* · **fundación** · **asociación** · **institución** || **asistencia** · **ayuda** *destinar la ayuda humanitaria a los damnificados* · **cooperación** · **colaboración** · **solidaridad** · **atención** · **compromiso** · **presencia** · **respuesta** || **trabajador,-a** · **asistente** || **caravana** · **convoy** · **campaña** · **zona** · **corredor** · **pasillo** || **catástrofe** · **tragedia** · **crisis** · **crimen** · **desastre** *para evitar un nuevo desastre humanitario* · **problema** · **preocupación** · **drama** || **carácter** · **aspecto** · **actitud** · **condición** · **índole** *un problema de índole humanitaria* · **calidad** · **trato** · **naturaleza** · **derecho** || **razón** · **motivo** · **fin** · **necesidad** · **circunstancia** || **iniciativa** · **propuesta** · **propósito** · **principio** · **objetivo** · **proyecto** · **medida** || **esfuerzo** · **gesto** · **interés**

humanizar(se) v.

● CON SUSTS. **personaje** *El director ha tratado de humanizar a los personajes en su película* · **persona** || **política** · **historia** · **sociedad** · **ley** · **arte** *¿En qué momento de la historia se empieza a humanizar el arte?* || **lugar** · **zona** · **ciudad** · **mundo** · **naturaleza** || **conflicto** *Los intensos esfuerzos internacionales no lograron humanizar el conflicto* · **guerra** || **vida** || **trabajo** · **empresa**

humano, na adj.

● CON SUSTS. **género** || **embrión** · **ser** · **especie** *Un estudio acerca del origen de la especie humana revela nuevos datos* || **cuerpo** · **carne** · **restos** · **rostro** · **figura** · **huella** || **cromosoma** · **gen** · **genoma** || **vida** · **existencia** · **origen** || **relaciones** *En su última obra describe con rigor y profundo conocimiento la complejidad de las relaciones humanas* · **convivencia** || **lenguaje** · **comunicación** || **cerebro** · **conciencia** · **inteligencia** · **conocimiento** || **fallo** · **error** *Dicen que el accidente se debió a un error humano* || **derechos** *una asociación que lucha por los derechos humanos* · **dignidad** || **calor** *La poesía es técnicamente perfecta, pero le falta calor humano* · **energía** || **debilidad** · **fragilidad** || **dolor** · **drama** || **factor** · **condición** · **naturaleza** || **clonación** || **reacción** · **respuesta** || **actuación** · **decisión** · **intervención** · **proyecto** || **actitud** || **dispositivo** · **medios**

humareda s.f.

● CON ADJS. **negra** · **blanca** · **gris** || **densa** · **espesa** · **enorme** · **inmensa** · **fuerte** · **intensa** · **extensa** || **espectacular** *El paso de los coches por el circuito levantó una espectacular humareda* · **impresionante** · **alarmante** · **espantosa** · **sofocante** || **tóxica** · **lacrimógena**

● CON VBOS. **ascender** · **envolver (algo/a alguien)** *La negra humareda envolvía a los bomberos al salir del edificio* · **dirigir** || **salir** · **surgir** · **disiparse** *La humareda de polvo se disipó con el viento* || **provocar** · **generar** · **causar** · **levantar** · **originar** || **desprender**

humeante adj.

● CON SUSTS. **ruina · escombros · ceniza · restos || pistola · arma · cañón || sopa · plato · taza · café** *Después de comer no perdono un buen café humeante* · **tetera · cafetera || pipa · cigarro || calle · asfalto** *Caminaron durante horas sobre un asfalto ardiente y humeante* · **edificio · casa · chimenea · locomotora || aceite · barbacoa || baño** *Al llegar a casa se preparó un reconfortante baño humeante* · **bañera**

humedad s.f.

● CON ADJS. **ambiental · atmosférica · del aire || relativa · máxima · media · mínima · excesiva · extrema · elevada · alta · moderada · escasa · baja || cargado,da (de)** *una brisa cargada de humedad* · **empapado,da (de) · saturado,da (de) · impregnado,da (de)**

● CON SUSTS. **grado (de)** *un aparato especial para controlar el grado de humedad del ambiente* · **índice (de) · nivel (de) || mancha (de) || ambiente** *Si aumenta el nivel de la humedad ambiente...*

● CON VBOS. **salir · aparecer** *Acabábamos de pintar y volvieron a aparecer humedades* · **desaparecer || calar · filtrar(se) · extender(se) || carcomer (algo) || rezumar** *Las paredes de la celda rezumaban humedad* **|| producir · provocar · causar · tener · eliminar || absorber · retener · captar || oler (a)** *El sótano olía a humedad* **|| proteger (algo/a alguien) (de)**

humedecer(se) v.

● CON SUSTS. **ojos** *Se le humedecieron los ojos al recibir la noticia* · **labios · párpados · cuerpo · cabeza · dedo · piel || campo · terreno · césped · pared · suelo · cimiento · cristal || ropa · sábana** *humedecer las sábanas para plancharlas* · **lienzo · pañal · tela · tejido**

● CON ADVS. **completamente · totalmente || permanentemente || ligeramente · levemente** *La fina lluvia humedecía levemente los campos* · **lentamente**

húmedo, da adj.

● CON SUSTS. **tierra · zona · región** *una de las regiones más húmedas del país* · **bosque || ambiente · tiempo · clima** *Esta especie crece en zonas de clima húmedo* · **calor · frío · viento · aire · brisa || superficie · suelo** *Te he dicho mil veces que no pises cuando el suelo está húmedo* · **pared · casa || año · estación || mirada · ojos || ropa** *No guardes todavía esa ropa húmeda* · **toalla · sábana || piel · pelo || arena · hierba || sensación**

● CON VBOS. **ser · estar** *Las toallas de playa están húmedas* **|| poner(se) · quedar(se) · mantener(se)**

□ EXPRESIONES **la húmeda** [la lengua] *col.*

humidificar v.

● CON SUSTS. **ambiente** *un aparato para humidificar el ambiente* · **aire || habitación · casa**

● CON ADVS. **gradualmente · progresivamente · paulatinamente || regularmente** *El médico me ha recomendado humidificar regularmente la habitación del niño* · **periódicamente**

humildad s.f.

● CON ADJS. **profunda · extraordinaria · extrema · suma || admirable** *Aceptó las críticas con una humildad admirable* · **loable || auténtica · verdadera || aparente · falsa · fingida** *Con fingida humildad, el artista declaró no merecer el premio* · **supuesta || inusual · desconocida · insólita · sorprendente · característica || contenida · necesaria · excesiva || franciscana · emilianense || espiritual · intelectual · científica**

● CON SUSTS. **acto (de)** *En un acto de humildad, pidió perdón públicamente* · **gesto (de) · muestra (de) || ejemplo (de) · lección (de) · ejercicio (de) · cura (de)** *Recibir cuatro goles del equipo colista en campo propio es una verdadera cura de humildad* **|| dosis (de) || falta (de) · exceso (de)**

● CON VBOS. **caracterizar (a algo) || mostrar · manifestar · reflejar · revelar · irradiar · inspirar · aparentar || tener · practicar || pedir · reclamar || perder · faltar (a alguien)** *Le falta humildad para reconocer su fallo* · **sobrar || pecar (de)** *Quizás peca de excesiva humildad*

● CON PREPS. **con** *hablar con humildad* · **sin**

humilde adj.

● CON SUSTS. **familia** *Forma parte de una familia humilde* · **gente · persona · trabajador,-a · campesino,na · aprendiz,-a** · ***otros individuos y grupos humanos*** **|| actitud** *Me sorprendió profundamente su humilde actitud ante...* · **tono · talante · apariencia || pueblo · barrio · vivienda · casa** *Vivía toda la familia en una humilde casa* · **hogar · pieza · monumento || ropa · vestimenta || gremio · oficio · trabajo || origen · condición || compañía · equipo** *A pesar de nuestra condición de equipo humilde, no nos asusta visitar al líder* **|| opinión** *En mi humilde opinión...* **|| homenaje**

humildemente adv.

● CON VBOS. **pedir · solicitar · implorar || reconocer · aceptar** *Aceptaremos humildemente la derrota, si se produce* · **asumir · admitir || contribuir · sugerir · ofrecer** *Le ofrecemos humildemente nuestra casa* · **colaborar · proponer · ayudar · aconsejar || acudir · comparecer · llegar · asistir || creer** *Yo creo, humildemente, que lo mejor sería...* · **opinar · calificar || desear · luchar · trabajar · intentar || retirar(se) · ceder · rendirse || bajar · descender · postrarse || confesar · declarar · hablar**

humillación s.f.

● CON ADJS. **absoluta · profunda** *La obligada renuncia supuso para él una profunda humillación* · **grave · flagrante · incalificable || intolerable · hiriente · ultrajante · lacerante · ignominiosa · afrentosa · insidiosa**

● CON VBOS. **infligir (a alguien) · causar (a alguien) · producir (a alguien) · sembrar || recibir · sufrir** *Sufrimos la humillación de quedar en el último puesto* · **sentir · aguantar · soportar** *No estaba dispuesta a soportar más humillaciones* · **tragarse · digerir || constituir · suponer || vengar · lavar || someter (a alguien) (a)**

humillante adj.

● CON SUSTS. **trato** *Se les sometió a un trato humillante y vejatorio* · **condición · situación · resultado · tratamiento · posición || derrota** *Sufrieron una derrota humillante ante su eterno rival* · **pérdida · fracaso · golpe · goleada · retirada · eliminación · sometimiento · paliza || profesión · trabajo || declaración · interrogatorio · palabra || experiencia** *Su primera actuación en público fue una experiencia humillante, pero con el tiempo...* · **lección**

humillar v.

● CON SUSTS. **adversario,ria · rival** *El equipo humilló a su eterno rival con una abultada derrota* · **persona · enemigo,ga · campeón,-a** · ***otros individuos y grupos humanos***

|| **país** · **pueblo** || **cabeza** *Cuando apareció el rey, los súbditos humillaron la cabeza* || **dignidad**

● CON ADVS. **cruelmente** *Lo vejaron y humillaron cruelmente* || **reiteradamente** · **continuamente** || **públicamente** · **verbalmente**

humo s.m.

● CON ADJS. **espeso** · **denso** · **compacto** · **abundante** · **intenso** · **tupido** || **asfixiante** *Como el humo empezaba a ser asfixiante, el sargento les ordenó ponerse las mascarillas* · **sofocante** · **agobiante** · **irrespirable** · **tóxico**

● CON SUSTS. **columna (de)** *A los lejos se veían espesas columnas de humo* · **cortina (de)** *una cortina de humo levantada por la dirección de la empresa para acallar la protesta general* · **nube (de)** *Una nube de humo ocultaba la casa* · **masa (de)** · **emanación (de)** · **bocanada (de)** || **bomba (de)** · **bote (de)** || **señal (de)** *Las tribus indias se comunicaban mediante señales de humo*

● CON VBOS. **salir** *¡Sale humo del televisor!* · **emanar** · **desprender(se)** || **filtrar(se)** · **calar** · **meter(se)** || **ascender** || **expandir(se)** || **disipar(se)** *Abrió las ventanas y el humo se disipó* · **desvanecerse** || **echar** · **despedir** · **expeler** · **expulsar** · **espirar** · **exhalar** · **producir** · **generar** || **extraer** || **inhalar** · **tragar(se)** *Intenta no tragarte el humo* || **llenar (de)** *Nada más encender la chimenea, la habitación se llenó de humo*

● CON PREPS. **entre** · **en medio (de)** · **a través (de)**

□ EXPRESIONES **bajar los humos** (a alguien) [moderar su orgullo] *col.* || **estar** (alguien) **que echa humo** [estar muy enfadado] *col.* || **malos humos** [mal tono, mala actitud] || **subírse(le) los humos** (a alguien) [envanecerse] *col.*

[humor] → buen humor; humor; mal humor; sentido del humor

humor s.m.

● CON ADJS. **excelente** · **buen(o)** *Hoy la jefa está de buen humor* · **saludable** || **mal(o)** · **de perros** · **de mil demonios** || **ácido** · **afilado** · **agudo** · **punzante** · **acerado** · **cáustico** · **corrosivo** · **mordaz** · **sardónico** · **demoledor** · **retorcido** · **blanco** *un programa de humor blanco para toda la familia* || **peculiar** · **particular** · **especial** || **negro** · **amargo** || **inteligente** · **ingenioso** || **sutil** · **fino** *No todo el mundo es capaz de apreciar su fino humor* · **inglés** · **británico** || **de** {**buen/mal/pésimo/dudoso...**} **gusto** · **burdo** · **basto** · **zafio** · **grueso** · **soez** || **contagioso** · **pegadizo** || **socarrón** · **soterrado** || **desbordante** · **a raudales** || **rebosante (de)** · **cargado,da (de)** · **lleno,na (de)** *un discurso lleno de humor*

● CON SUSTS. **sentido (de)** || **golpe (de)** · **toque (de)** *La moderadora del debate puso un toque de humor en las discusiones* · **pizca (de)** · **nota (de)** · **rasgo (de)** · **gota (de)** · **punto (de)** · **brizna (de)** · **ribetes (de)** || **dosis (de)** · **muestra (de)**

● CON VBOS. **alterar(se)** · **agriar(se)** *Tanta desgracia le ha agriado el humor* || **fluir** || **derrochar** · **rebosar** · **rezumar** · **destilar** · **traslucir** · **manifestar** · **expresar** · **transmitir** · **echar** *Si no le echas un poco de humor a la vida...* · **tener** *¿Cómo tienes humor para esas cosas?* || **cultivar** · **ejercitar** · **practicar** || **contagiar** || **hacer gala (de)** *Durante la cena hizo gala de un humor envidiable* · **estar (de)**

● CON PREPS. **con** *Preferí tomarme su retraso con humor* · **sin**

humorista s.com.

● CON ADJS. **buen,-a** · **excelente** · **divertido,da** · **entretenido,da** · **genial** · **brillante** · **inteligente** || **crítico,ca** · **iconoclasta** · **político,ca** · **corrosivo,va** · **sarcástico,ca** · **cáustico,ca** · **grosero,ra** · **soez** || **profesional** · **famoso,sa** · **conocido,da** · **popular** || **imitador,a** · **gráfico,ca** *Trabajo como humorista gráfico para una revista de actualidad política* · **televisivo,va** · **de radio** · **radiofónico,ca**

● CON SUSTS. **grupo (de)** · **dúo (de)** *El famoso dúo de humoristas presentó ayer su nuevo espectáculo*

● CON VBOS. **presentar (algo)** · **contar chistes** · **hacer reír**

humorístico, ca adj.

● CON SUSTS. **dúo** · **trío** *el trío humorístico más famoso de la historia* || **escritor,-a** · **personaje** || **programa** · **concurso** · **espacio** · **serie** · **película** || **literatura** · **género** · **novela** · **relato** · **comedia** · **sátira** · **antología** · **revista** · **artículo** · **comentario** · ***otras creaciones*** || **dibujo** · **caricatura** · **imagen** || **punto de vista** · **visión** *No estoy plenamente de acuerdo con esa visión humorística de la vida* · **enfoque** || **estilo** · **tono** · **clave** *todo ello descrito en clave humorística* || **toque** · **efecto** · **tinte**

● CON ADVS. **plenamente** · **netamente** · **propiamente** *aunque no se trata de una novela propiamente humorística* · **explícitamente** || **tenuemente** · **ligeramente** · **suavemente** || **involuntariamente**

hundimiento s.m.

● CON ADJS. **general** · **definitivo** · **total** · **progresivo** · **paulatino** · **repentino** || **espectacular** · **dramático** · **trágico** *el trágico hundimiento del buque* · **tremendo** · **horrible** || **reciente** · **futuro** · **próximo** · **posible** · **probable** · **anunciado** || **moral** · **económico** · **financiero** · **intelectual** · **personal** · **político** · **profesional**

● CON SUSTS. **riesgo (de)** *Nos advirtieron del riesgo de hundimiento* · **peligro (de)**

● CON VBOS. **provocar** · **producir** · **ocasionar** *El terremoto ocasionó el hundimiento del inmueble* · **suponer** · **implicar** · **conllevar** · **permitir** · **acelerar** · **detener** || **lamentar** · **notar** · **sufrir** || **investigar** · **ocultar** · **tapar** || **impedir** · **evitar** · **prevenir** · **prever** · **augurar**

hundir(se) (en) v.

● CON SUSTS. **mar** · **río** · **lago** · **agua** · **barro** · **lodo** || **vacío** · **profundidad** · **abismo** *hundirse en un profundo abismo* || **miseria** *Cada vez que comete un pequeño fallo, se hunde en la miseria* · **pobreza** · **precariedad** · **indigencia** · **hambruna** || **decadencia** · **derrota** · **deterioro** · **degradación** · **desprestigio** || **desgracia** · **desdicha** · **tragedia** · **drama** · **problema** · **dificultad** · **complicación** · **crisis** · **mal** · **pesadilla** || **caos** *El país se hundió en el caos* · **confusión** · **marasmo** · **oscuridad** · **penumbra** · **tiniebla(s)** · **nebulosa** || **lucha** · **enfrentamiento** · **confrontación** · **contencioso** · **batalla** · **guerra** · **competición** || **mediocridad** · **vulgaridad** · **torpeza** · **simplicidad** · **inoperancia** || **duda** · **incertidumbre** *Vivía permanentemente hundida en la incertidumbre* · **conjetura** || **recuerdo** · **memoria** · **cavilación** · **pensamiento** · **racionalidad** · **filosofía** || **desesperación** · **tristeza** · **angustia** · **melancolía** *Tantas y tantas penalidades lo habían hundido en una profunda melancolía* · **miedo**

● CON ADVS. **paulatinamente** · **de golpe** · **estrepitosamente** || **a ojos vistas** · **inevitablemente** · **irremisiblemente** · **irremediablemente** *Aquel escándalo hundió irremediablemente su carrera* || **completamente** · **totalmente**

|| electoralmente · políticamente · profesionalmente · deportivamente || literalmente

húngaro s.m. Véase IDIOMA

huracán s.m.

• CON ADJS. **fuerte** · **intenso** || **devastador** *Devastadores huracanes asolaban periódicamente la isla* · **arrasador**
• CON SUSTS. **ojo (de)** · **centro (de)** || **amenaza (de)** · **alerta (de)** · **aviso (de)** · **previsión (de)** || **paso (de)** · **embate (de)** || **efecto (de)**
• CON VBOS. **avecinar(se)** · **desatar(se)** · **llegar** || **arrasar (algo)** · **azotar (algo)** *Un huracán azota la costa desde hace varios días* · **asolar (algo)** || **remitir** · **serenar(se)** · **pasar** || **prevenir** || **preparar(se) (para)**
• CON PREPS. **a resguardo (de)**

huracanado, da adj.

• CON SUSTS. **viento** *Un viento huracanado impidió a la población salir de sus casas* · **racha** · **tormenta** · **ráfaga** · **aire** · **tempestad** · **brisa**

huraño, ña adj.

• CON SUSTS. **persona** *Era un hombre huraño y solitario* || **carácter** · **aire** · **gesto** · **aspecto** *Llegó con aspecto huraño y sin saludar a nadie* · **rostro** · **semblante**
• CON VBOS. **volver(se)**

hurgar (en) v.

• CON SUSTS. **pozo** || **bolsillo** · **bolso** · **cajón** *La sorprendí hurgando en los cajones de mi armario* · **armario** · **archivo** *La historiadora hurgó inútilmente en los archivos en busca de nuevos datos reveladores* · **hemeroteca** · **biblioteca** || **barro** · **tierra** || **basura** · **papelera** · **escombro** || **nariz** · **grieta** · **brecha** · **agujero** · **orificio** || **recoveco** · **rincón** || **trastienda** · **almacén** || **interior** · **entraña** *Con esta inquietante película el director hurga en las entrañas de una sociedad hipócrita e insensible* · **tripas** · **entretelas** || **intimidad** · **vida privada** · **privacidad** · **diario** · **secreto** || **alma** · **corazón** · **conciencia** || **vida** · **biografía** · **trayectoria** || **memoria** · **recuerdo** · **pasado** *Dejen ya de hurgar en el pasado y miren hacia adelante* · **historia** · **tradición** || **asunto** · **tema** || **problema** · **conflicto** · **crisis** · **polémica** || **flaqueza** · **defecto** · **miseria** *No me gustan los programas que hurgan en las miserias de la gente* || **herida** *Si no dejas de hurgar en la herida, nunca se cerrará* · **llaga** · **dolor** || **origen** · **fuente** · **motivo**

[hurtadillas] → a hurtadillas

hurtar v.

• CON SUSTS. **dinero** *Denunció en comisaría que le habían hurtado dinero* · **objeto** · **pertenencia** || **información** · **competencia** · **victoria** · **debate**

hurto s.m.

• CON ADJS. **menor** · **pequeño** · **continuado** || **agravado** · **presunto** · **supuesto** || **electoral** *La prensa sigue acusando al partido de propiciar un hurto electoral*
• CON SUSTS. **delito (de)** · **falta (de)** · **tentativa (de)** *Lo acusaron de tentativa de hurto* || **víctima (de)**
• CON VBOS. **cometer** · **producir(se)** · **perpetrar** · **ejecutar** || **castigar** || **representar** · **considerar** || **denunciar** · **imputar** · **investigar** · **descubrir** || **evitar** · **impedir** *Un policía que pasaba por allí impidió el hurto* || **sufrir** || **acusar (de)** · **arrestar (por)**

husmear v.

• CON SUSTS. **aire** · **ambiente** *Nada más entrar husmeó el ambiente por si olía a humo* · **ropa** · **calle** || **vida** · **pasado**
• CON ADVS. **impunemente** · **inocentemente**

□ USO Alterna los complementos encabezados por la preposición *en* (*husmear en la vida de los demás*) con los complementos directos (*husmear la vida de los demás*).

I i

icono s.m.

•CON ADJS. **viviente · vivo · emblemático · representativo || amado · adorado || popular · nacional · universal · tradicional** *El abeto es uno de los iconos tradicionales de la Navidad* **|| gran(de) · pequeño · auténtico · verdadero || futbolístico · juvenil · literario · cultural · religioso · sexual · social · publicitario · comercial · histórico · revolucionario · artístico || informático**
•CON VBOS. **venerar · adorar || pintar · realizar · copiar || identificar || pinchar · pulsar || convertir(se) (en)** *La cantante se convirtió en un icono de los años ochenta* **|| hacer clic (en/sobre)**

[ida] s.f. → de ida; de ida y vuelta; ido, da

[idea] → idea; ni idea

idea s.f.

•CON ADJS. **buena · feliz · excelente · brillante · luminosa · afortunada · acertada** *La conferenciante expuso unas ideas muy acertadas sobre el arte moderno* **· atinada · sensata · razonable · fundada · fecunda || pésima · nefasta · infeliz · fallida || principal · fundamental · crucial · efectiva || general · extendida · predominante · dominante · arraigada · universal · vigente || novedosa · original** *Nos sorprendió con una idea original y novedosa que...* **· llamativa · curiosa || estereotipada · manida · trillada · preconcebida || absurda · desatinada · descabellada** *Como era una idea absolutamente descabellada no le presté la más mínima atención* **· de bombero · disparatada · peregrina · sin pies ni cabeza · estrambótica · alocada · controvertida · atrabiliaria · desaforada · rimbombante || interesante · apreciable · atractiva · sugestiva · jugosa · estimulante · ilusionante · constructiva || cierta · certera · clara** *Tiene las ideas muy claras sobre lo que quiere hacer* **|| falsa · equivocada · errada || aproximada · imprecisa · vaga · borrosa · remota · fugaz · somera || intrincada · tortuosa · retorcida · sutil || fija · absorbente · compulsiva · obsesiva || avanzada · flexible · revolucionaria · igualitaria · atrasada · obsoleta || inaccesible · impracticable** *Era una idea estupenda, pero creo que impracticable* **· inviable || preso,sa (de) · rebosante (de) || acorde (con) · reticente (a)** *una persona reticente a las nuevas ideas*
•CON SUSTS. **arsenal (de) · lluvia (de) || asociación (de)**
•CON VBOS. **consistir (en algo) || ocurrírse(le) (a alguien) · rondar (a alguien) · venir (a alguien) · surgir(le) (a alguien) · asaltar (a alguien) · seducir (a alguien) · cautivar (a alguien) || primar** *una tendencia que hará primar la ideas sencillas frente a...* **· prevalecer · presidir || atañer · concernir · girar · subyacer (en algo) || fraguar(se) · cocinar(se) · fermentar(se) · salir a la luz · aflorar** *En aquel tiempo comenzaron a aflorar ideas muy novedosas en el país* **· brotar · germinar · derivar(se) (de algo) · fluir · emanar · flotar · confluir · converger · circular · traslucir(se) · filtrar(se) · difundir(se) · deslizar(se) || cundir · calar · cuajar** *unas ideas demasiado avanzadas que tardaron en cuajar entre la población* **· cristalizar · afianzar(se) · arraigar (en algo/en alguien) · fructificar · generalizar(se) · fortalecer(se) · prosperar · cobrar fuerza || hacer(se) realidad · funcionar · tener éxito || desmoronar(se) · venirse abajo · caer en el vacío · caer en saco roto · disipar(se) · diluir(se) · derretir(se) · desvanecerse · agotar(se) · agarrotar(se) · devaluar(se) · ir(se) a pique || despejar(se)** *Saldré un rato a pasear para que se me despejen las ideas* **|| culminar || tener · prodigar · derrochar · rebosar || dar · lanzar · verter · dejar caer** *Dejé caer la idea de irnos unos días de vacaciones y fue rápidamente aceptada* **· formular · exponer · proponer · plantear · expresar · transmitir · esgrimir · oponer · desvelar · airear · depositar || inculcar · imprimir · imponer · predicar · pregonar · esparcir · sembrar · intercambiar || concebir · forjar · alumbrar · acuñar · bosquejar · pergeñar · planear · tramar · perfilar || acariciar** *Desde hace tiempo acaricia la idea de regresar a su patria* **· abrigar · barajar · alimentar · madurar || llevar a la práctica · poner en práctica · poner en marcha** *Pusimos inmediatamente en marcha la idea de la reforma* **· ejecutar · llevar a buen puerto · llevar adelante · aplicar || inspirar (a alguien) · despertar(se) (en alguien) || captar · absorber · deducir || aceptar · tomar en consideración || abrazar · profesar · defender · sostener** *¿Sigues sosteniendo la misma idea?* **· sustentar · propugnar · abanderar · enarbolar · propulsar · reavivar · relanzar · renovar · refrescar || avalar · confirmar · corroborar · reforzar · apuntalar · remachar || aclarar** *Creo que necesitas aclarar las ideas antes de tomar una decisión* **· clarificar || discutir · rebatir · desmentir · refutar · desmantelar · desbaratar · desmontar · desterrar · tergiversar · extrapolar · subvertir || condenar · rechazar · criticar || condensar · conjugar · asociar · encadenar · ligar · incardinar · canalizar || conservar · mantener || abandonar · descartar · quitar(se) de la cabeza** *Por fin se le quitó de la cabeza aquella peregrina idea de...* **|| pisar (a alguien) · pisotear · robar (a alguien) · usurpar (a alguien) || malgastar · dilapidar · aprovechar || dejarse llevar (por) · aferrarse (a) · apegarse (a) · ceñir(se) (a)** *Intenté ceñirme lo máximo posible a las ideas que me habían dado* **· amoldar(se) (a) || pensar (en) · ahondar (en) · adentrar(se) (en) · imbuir(se) (de) || persistir (en) · obstinar(se) (en) · insistir (en) · perseverar (en) · abjurar (de) || responder (a)**
•CON PREPS. **a la luz (de) · a la medida (de) · con arreglo (a)** *Con arreglo a las ideas que vayan surgiendo, veremos cómo solucionarlo*

ideal s.m.

• CON ADJS. **alto · elevado || supremo · noble · puro · admirable · irrenunciable || utópico · inalcanzable || platónico · clásico** *La estatua encarna el ideal clásico de la belleza y la armonía* · **caballeresco || estético · poético · ético · político** *Nunca renegó de sus ideales políticos* · **democrático · humanista || de vida**

• CON VBOS. **hacer(se) realidad || latir (en algo/en alguien) · anidar (en alguien) · subyacer · converger || derrumbar(se)** *años de crisis en los que sus altos ideales se derrumbaron* · **caer por tierra · venirse abajo · desmoronar(se) || constituir · representar · encarnar** *La institución encarna los más nobles ideales de la época* · **personificar · simbolizar || tener · abrigar · albergar || buscar · perseguir** *Se le fue la vida persiguiendo un ideal inalcanzable* · **alcanzar · realizar · perder || defender · propugnar · profesar · exponer · predicar · sembrar || combatir · echar por tierra · pisotear || olvidar · abandonar || adherirse (a) · comulgar (con) · soñar (con) || aspirar (a) · luchar (por)** *Siempre luchó por sus ideales* · **abogar (por) || abdicar (de) · renegar (de)**

idealismo s.m.

• CON ADJS. **puro** *Reconoce que su lucha es por puro idealismo* · **irrealizable · visionario · juvenil || filosófico** *una tesis doctoral sobre el idealismo filosófico* · **romántico · histórico · tecnológico · político · estético · burgués · cultural · revolucionario · económico**

• CON VBOS. **prender (en alguien) · desaparecer || perder || aferrarse (a) || renunciar (a)**

idealista adj.

• CON SUSTS. **joven** *Cuando la conocí me pareció una joven idealista* · **filósofo,fa · luchador,-a · asociación · fundación** · ***otros individuos y grupos humanos*** **|| espíritu · carácter · concepción · exaltación || ideología · visión** *Soy demasiado pragmático para aceptar su visión idealista del mundo* · **pensamiento · teoría · razón · fantasía · imagen || generación · movimiento || intención · propósito · causa · lucha · esfuerzo**

idear v.

• CON SUSTS. **procedimiento · método** *idear un nuevo método de ventilación* · **sistema · mecanismo · fórmula · plan · estrategia · solución · medida · recurso · dispositivo || estratagema · maniobra · jugada · complot || timo · atraco** *sospechoso de haber ideado el atraco* · **secuestro · atentado · robo · mentira || proyecto · negocio · iniciativa · propuesta || argumento · trama · historia · guión · fábula || eslogan · anuncio || teoría || película · obra · creación || construcción · edificio**

idéntico, ca adj.

• CON ADVS. **prácticamente · esencialmente · totalmente · exactamente · como dos gotas de agua || genéticamente**

identidad s.f.

• CON ADJS. **verdadera · auténtica || falsa · sospechosa · dudosa || arraigada || propia · individual · colectiva · nacional** *el debatido problema de la identidad nacional* **|| ideológica · cultural · lingüística**

• CON SUSTS. **búsqueda (de) || problema (de) · crisis (de)** *Sufrió una grave crisis de identidad hace unos años* **|| falta (de) || seña (de) · marca (de) || suplantación (de) || carné (de) · carta (de)**

• CON VBOS. **salir a la luz** *cuando salga a la luz su verdadera identidad* · **esclarecer(se) · hacer(se) pública · difundir(se) || difuminar(se) · diluir(se) · desdibujar(se) || afianzar(se) · robustecer(se) || tener · adquirir · obtener || buscar · perseguir || conservar · mantener** *Durante largo tiempo mantuvo su identidad en secreto* · **preservar · salvar · perder || afirmar · reafirmar · certificar · verificar · probar · fortalecer || dar · forjar || usurpar · quitar · denegar · negar || desvelar · desentrañar · averiguar · adivinar || ocultar · disfrazar · desfigurar · deformar · suplantar || cuestionar · poner en tela de juicio || dotar (de) || carecer (de) || cambiar (de)** *un estafador que cambiaba constantemente de identidad*

• CON PREPS. **en busca (de) || con · sin**

identificar(se) v.

• CON ADVS. **a la legua · a simple vista** *Aunque ha pasado mucho tiempo, en la foto lo identificarás a simple vista* · **claramente · nítidamente || a grandes rasgos · en líneas generales || plenamente** *Me identifico plenamente con tu postura* · **profundamente || con certeza · sin lugar a dudas || correctamente · acertadamente || equivocadamente || virtualmente**

ideología s.f.

• CON ADJS. **arraigada · predominante · dominante** *...para conseguir que los derechos humanos sean la ideología dominante* · **preponderante · imperante · reinante || caduca** *Sigue fiel a caducas ideologías* · **de capa caída · en alza || estricta · intachable || exacerbada · recalcitrante · ferviente · rabiosa || combativa** *Manifestó siempre una combativa ideología* **|| de salón || preso,sa (de) || rabioso,sa (de/con)**

• CON VBOS. **derrumbar(se) · diluir(se) · desvanecer(se) || generalizar(se) · extender(se) || calar (en)** *Su ideología caló profundamente en nosotros* **|| tener · seguir · profesar || forjar · instaurar** *Algunas sociedades han instaurado una ideología basada en el dinero* · **difundir · inculcar || mantener · sostener · sustentar · defender · exacerbar || abrazar** *En aquel momento abrazó abiertamente la ideología marxista* · **enarbolar || abandonar · combatir · erradicar || impartir · predicar || personificar || adherirse (a) || creer (en) · simpatizar (con) || aferrarse (a) · persistir (en) || hacer profesión (de) || imbuir(se) (de) || abdicar (de) · abjurar (de) · renegar (de)**

• CON PREPS. **a la luz (de) · en nombre (de)** *actuar en nombre de una ideología* **|| al margen (de) · sin distinción (de)**

idílico, ca adj.

• CON SUSTS. **ambiente · cuadro · escena · panorama · imagen · realidad || paraje** *La casa está situada en un paraje idílico* · **paisaje · hotel · aldea · entorno · enclave** · ***otros lugares*** **|| época · día** *Vivieron días idílicos* · **hora · vacaciones · instante** · ***otros momentos o períodos*** **|| romance · relación · amor || proyecto · plan · previsión · sueño** *Tras hacer realidad el idílico sueño de ganar el torneo por cuarta vez consecutiva* · **futuro || idea · creencia · pensamiento · punto de vista · opinión || solución · situación**

• CON ADVS. **supuestamente · aparentemente** *En un entorno aparentemente idílico...* · **falsamente || absolutamente** *Fueron unas Navidades absolutamente idílicas* · **plenamente || permanentemente · eternamente · fugazmente · pasajeramente || por excelencia**

idilio s.m.

● CON ADJS. **apasionado** *El relato narra el apasionado idilio entre dos jóvenes* · **desenfrenado** · **tormentoso** · **intenso** · **fogoso** || **fulgurante** · **fugaz** · **breve** · **efímero** · **pasajero** · **prolongado** || **platónico** · **pastoril** || **soñado** || **aparente** · **supuesto** *Se habló mucho del supuesto idilio entre ellos...* || **prohibido** · **secreto** · **oculto**

● CON VBOS. **nacer** · **surgir** · **comenzar** · **brotar** · **florecer** || **acabar** · **terminar** || **tener lugar** · **ocurrir** · **producir(se)** || **tener** · **vivir** · **hacer realidad** || **mantener** · **proseguir** *Prosigue el idilio del actor con la tonadillera* · **alimentar** || **romper** · **arruinar** · **empañar** · **abortar** · **interrumpir** || **escribir** · **componer** · **relatar** · **contar** || **airear** · **sacar a la luz** · **hacer público**

idioma s.m.

● CON ADJS. **fácil** · **difícil** *El latín puede parecer al principio un idioma difícil de traducir* · **enrevesado** · **endiablado** *¡Vaya idioma tan endiablado!* · **inaccesible** || **materno** *El catalán es su idioma materno* · **nativo** · **extranjero** || **mayoritario** *El quechua es el idioma indígena mayoritario en Perú* · **minoritario** · **difundido**

● CON SUSTS. **uso (de)** · **dominio (de)** · **ejercicio (de)** || **cuna (de)** || **hegemonía (de)** · **primacía (de)** *la primacía de un idioma frente a otro* · **unidad (de)** || **protección (de)** · **difusión (de)** · **predominio (de)** || **versión (en)** *una película con versión en varios idiomas* || **hablante (de)** · **estudiante (de)** · **profesor,-a (de)** *Soy profesora de idiomas*

● CON VBOS. **predominar** *predominar un idioma en una zona* · **imponer(se)** · **extender(se)** || **provenir (de algo)** · **derivar (de algo)** || **hablar** · **usar** · **utilizar** · **chapurrear** · **saber** · **pronunciar** || **aprender** *Le encanta aprender idiomas* · **enseñar** · **estudiar** || **entender** · **comprender** || **conocer** · **desconocer** · **ignorar** · **dominar** · **olvidar** || **practicar** · **ejercitar** · **perfeccionar** || **cultivar** · **ensuciar** · **divulgar** · **defender** · **proteger** || **mantener** · **conservar** · **preservar** *Esta comunidad lucha por preservar su idioma* · **difundir** || **traducir (a/en/de)** · **verter (a)** *Este autor vertió este texto al idioma castellano* || **doblar (a/en)** · **adaptar (a)** · **adecuar (a)**

IDIOMA

Información útil para el uso de:

albanés; alemán; árabe; armenio; búlgaro; castellano; catalán; checo; chino; coreano; croata; danés; escocés; español; euskera; finlandés; francés; galés; gallego; griego; guaraní; hebreo; hindi; holandés; húngaro; inglés; irlandés; islandés; italiano; japonés; kurdo; latín; lituano; magiar; mongol; neerlandés; noruego; persa; polaco; portugués; quechua; rumano; ruso; serbio; siciliano; sueco; turco; ucraniano; ugandés; valenciano; vasco; vascuence

● CON ADJS. **fácil** *Con este manual de ruso fácil aprenderás en seguida* · **difícil** · **enrevesado** · **endiablado** || **antiguo** · **actual** · **moderno** *estudiar griego moderno* || **inmejorable** *Habla en un alemán inmejorable* · **buen(o)** · **mal(o)** · **excelente** · **fluido** · **correcto** · **espléndido** · **imperfecto** || **hablado** · **escrito** || **cerrado** · **castizo**

● CON SUSTS. **uso (de)** · **dominio (de)** · **ejercicio (de)** || **cuna (de)** || **hegemonía (de)** · **primacía (de)** · **unidad (de)** *mantener la unidad del castellano* || **protección (de)** · **difusión (de)** · **predominio (de)** || **versión (en)** || **hablante (de)** · **estudiante (de)** *una estudiante de turco* · **profesor,-a (de)** || **acento** *Tiene un acento inglés muy marcado*

● CON VBOS. **predominar** · **imponer(se)** · **extender(se)** || **provenir (de algo)** *El castellano proviene del latín* · **derivar (de algo)** || **hablar** · **chapurrear** · **saber** · **dominar** · **pronunciar** || **aprender** · **estudiar** · **enseñar** || **entender** · **comprender** || **conocer** · **desconocer** · **ignorar** · **olvidar** || **practicar** · **ejercitar** · **perfeccionar** *Quiero perfeccionar mi árabe* || **cultivar** · **ensuciar** · **divulgar** · **defender** · **proteger** || **mantener** · **conservar** · **preservar** · **difundir** || **traducir (a/en/de)** · **verter (a)** || **doblar (a/en)** *doblar una película en búlgaro* · **adaptar (a)** · **adecuar (a)** || **manejarse (en)** *No lo domino, pero me manejo bien en gallego* · **defenderse (en)** · **soltarse (en)** || **decir (en)** || **leer (en)** · **escribir (en)** · **expresar (en)** · **saludar (en)** · **despedirse (en)** · **comentar (en)** · **explicar (en)** · **exponer (en)** · **cantar (en)** · **recitar (en)** · **comunicar(se) (en)** || **editar (en)** · **publicar (en)**

idiosincrasia s.f.

● CON ADJS. **peculiar** · **especial** · **característica** · **tradicional** · **particular** *un pueblo de particular idiosincrasia* · **singular** · **propia** || **personal** · **colectiva** · **nacional**

● CON VBOS. **respetar** · **aceptar** · **conocer** · **entender** *Si hubieran hecho algún esfuerzo por entender nuestra idiosincrasia...* · **comprender** || **estudiar** · **analizar** || **tener** · **mantener** · **recuperar** · **cambiar** || **expresar** · **manifestar** · **mostrar** || **formar parte (de)** *...y otros rasgos que forman parte de su tradicional idiosincrasia*

idiota

1 idiota adj.

● CON ADVS. **absolutamente** · **completamente** · **totalmente** · **sumamente** || **verdaderamente** · **realmente** || **tremendamente** · **increíblemente** || **rematadamente** *No puede ser tan rematadamente idiota* · **en extremo** · **redomadamente**

● CON VBOS. **volver(se)** · **ser** · **estar** · **parecer**

2 idiota s.com.

● CON ADJS. **completo,ta** · **perfecto,ta** *Me comporté como una perfecta idiota* · **absoluto,ta** · **total** · **profundo,da** · **perdido,da** · **integral** || **redomado,da** · **rematado,da**

● CON VBOS. **hacer** *¿Puedes dejar de hacer el idiota?*

idiotez s.f.

● CON ADJS. **semejante** *¿Cómo pudiste preguntar semejante idiotez?* || **absoluta** · **verdadera** · **perfecta** · **soberana** · **pura** · **solemne** || **gran(de)** · **inmensa** · **tremenda** · **colosal** · **monumental** · **descomunal** · **congénita** · **supina** · **suprema** · **como la copa de un pino** · **como una catedral** || **personal** · **general** · **dominante** || **increíble** · **impresionante** || **cerril** || **característica** || **lleno,na (de)** || **rayano,na (en)** *El protagonista es de una simpleza rayana en la idiotez*

● CON SUSTS. **serie (de)** · **sarta (de)** *Soltó una sarta de idioteces impresionantes* · **cúmulo (de)** · **sinfín (de)**

● CON VBOS. **hacer** · **cometer** · **soltar** · **largar** · **dejar caer** · **balbucir** · **decir** · **escribir** || **oír** · **escuchar** || **aguantar** *Estoy harta de aguantar tus idioteces* · **soportar** || **celebrar** · **reír(le) (a alguien)** · **publicar** || **bordear** || **incurrir (en)** · **rayar (en)** || **calificar (de)** · **tachar (de)** || **divertir(se) (con)**

● CON PREPS. **ante** *¿Qué se puede hacer ante tanta idiotez?*

ido, da

1 **ido, da** adj.

● CON SUSTS. ***persona*** *Te noto un tanto ida* || **ojos** · **mirada** *Intentaba llamar su atención, pero la joven tenía la mirada ida*
● CON VBOS. **quedarse** · **estar** *Hoy está un poco ido*

2 **ida** s.f.

● CON SUSTS. **viaje (de)** · **camino (de)** · **trayecto (de)** · **vuelo (de)** · **pasaje (de)** · **billete (de)** *He comprado el billete de ida, pero no el de vuelta* || **partido (de)** *Si perdemos el partido de ida, estaremos prácticamente fuera de la final* · **encuentro (de)** · **eliminatoria (de)** · **choque (de)** · **resultado (de)**
● CON VBOS. **disputar** *Disputarán la ida el próximo domingo* || **preparar** · **planear** · **adelantar** · **atrasar** *Tuvo que atrasar la ida por un gripe tremenda* || **ganar (en)** · **perder (en)** · **empatar (en)**

ídolo

1 **ídolo** s.m.

● CON ADJS. **gran** · **excelso** · **auténtico** *Llegó a ser un auténtico ídolo* · **indiscutible** · **emblemático** || **antiguo** · **moderno** · **nuevo** || **venerado** || **caído** · **roto** || **propio** · **local** · **nacional** || **popular** · **infantil** · **juvenil** *una serie de éxitos que lo convirtieron rápidamente en un ídolo juvenil* || **cinematográfico** · **musical** · **de la canción** · **deportivo** · **futbolístico** · **mitológico** · **religioso** || **de masas** || **de barro** · **de carne y hueso** || **mediático** || **económico** · **político** · **cultural**
● CON VBOS. **encarnar** || **caer** || **tener** · **necesitar** || **admirar** · **adorar** · **rendir culto** · **reverenciar** · **venerar** · **honrar** · **encumbrar** || **crear** · **fabricar** || **aplaudir** *Miles de aficionados aplaudían al ídolo del momento* · **jalear** · **aclamar** || **emular** · **imitar** || **destruir** · **derribar** · **desmitificar** || **convertir(se) (en)** · **erigir(se) (en)** *Se erigió pronto en ídolo indiscutible de la canción ligera* || **postrarse (ante)**

2 **ídolo (de)** s.m.

● CON SUSTS. **público** · **afición** *Está llamado a ser el nuevo ídolo de la afición* · **hinchada** · **país** · **grupo** · **gente** || **infancia** · **juventud** · **niñez** · **adolescencia** || **derecha** · **izquierda** || **canción** · **rock** · **música** · **fútbol** *un ídolo del fútbol mundial* · **tenis** · **deporte**

idóneo, a adj.

● CON SUSTS. **persona** · **aspirante** · **candidato,ta** *Por su perfil me parece la candidata idónea* · **sustituto,ta** · **rival** · **compañero,ra** · ***otros individuos y grupos humanos*** || **ocasión** *Esperamos la ocasión idónea para decírselo* · **fecha** · **día** · **semana** · ***otros momentos o períodos*** || **camino** · **marco** · **escenario** · **terreno** · **ciudad** · ***otros lugares*** || **imagen** · **perfil** · **posición** · **ambiente** *Supieron crear el ambiente idóneo para la gran final* || **condición** · **propiedad** · **característica** · **cualidad** · **atributo** || **medio** · **elemento** · **instrumento** · **vehículo** || **equilibrio** *encontrar un equilibrio idóneo* || **cantidad** · **medida** · **altura** · **profundidad** · **peso** · **edad** · ***otras magnitudes*** || **sistema** · **tratamiento** · **fórmula** · **complemento** · **solución** || **expresión** · **palabra** · **calificativo** · **término** · **respuesta**

iglesia s.f.

▮ [edificio]

● CON ADJS. **grande** · **fastuosa** · **impresionante** *Se casaron en una iglesia impresionante* · **enorme** · **cálida** · **preciosa** · **bonita** · **luminosa** || **pequeña** · **sombría** · **triste** · **desangelada** · **fría** || **románica** · **gótica** · **renacentista** · **barroca** *La ciudad destaca por la cantidad de iglesias barrocas que alberga* · **rococó** · **moderna** · **antigua** · **medieval** || **parroquial**
● CON SUSTS. **torre (de)** · **campanario (de)** · **muro (de)** · **columna (de)** · **columnata (de)** || **altar (de)** · **banco (de)** *adornar los bancos de la iglesia* · **retablo (de)** · **imagen (de)** · **frescos (de)** || **coro (de)**
● CON VBOS. **construir** · **edificar** · **alzar** · **levantar** *Tardaron años en levantar la iglesia* · **restaurar** · **reconstruir** · **destruir** || **bendecir** · **consagrar** · **profanar** || **decorar** · **adornar** · **limpiar** · **cuidar** || **entrar (en)** · **ir (a)** · **salir (de)** *Se cayó al salir de la iglesia* · **venir (de)** || **celebrar (en)** · **reunir(se) (en)** · **rezar (en)**

▮ [comunidad]

● CON ADJS. **católica** *los cristianos de la iglesia católica* · **protestante** · **anglicana** · **ortodoxa** · **apostólica** · **evangelista** || **local** · **diocesana**
● CON SUSTS. **doctrina (de)** *seguir la doctrina de la Iglesia* · **mandamiento (de)** || **poder (de)** · **autoridad (de)** · **influencia (de)** · **jerarquía (de)** || **fieles (de)** · **miembro (de)** · **parte (de)** || **sacerdote (de)**
● CON VBOS. **beatificar (a alguien)** || **defender** · **criticar** || **pertenecer (a)** || **meterse (con)** · **rebelar(se) (contra)** || **casar(se) (por)** *Siempre quiso casarse por la Iglesia*
● CON PREPS. **en el seno (de)**

ignorancia s.f.

● CON ADJS. **suma** · **supina** *otra muestra de su supina ignorancia* · **crasa** · **grave** || **gran(de)** · **infinita** · **absoluta** · **profunda** · **completa** · **total** · **perfecta** || **pura** *un error cometido por pura ignorancia* · **simple** || **pertinaz** · **creciente** || **inexcusable** · **culpable**
● CON SUSTS. **grado (de)** || **prueba (de)** || **fruto (de)** *Tales temores son solo fruto de la ignorancia* · **consecuencia (de)** · **causa (de)** · **motivo (de)** || **víctima (de)** || **pozo (de)** || **estado (de)**
● CON VBOS. **manifestar** · **reconocer** · **confesar** · **expresar** || **mostrar** · **demostrar** · **revelar** · **traslucir** || **aducir** · **alegar** *No pueden ustedes alegar ignorancia porque se les avisó varias veces* · **exhibir** || **combatir** || **soportar** || **fingir** || **estar (en)** · **vivir (en)** · **permanecer (en)** *En ocasiones es mejor permanecer en la ignorancia* || **aprovecharse (de)** || **luchar (contra)** · **rescatar (de)** · **redimir (de)** || **sumir(se) (en)** · **caer (en)**

ignorante

1 **ignorante** adj.

● CON SUSTS. ***persona*** *Los alumnos no son tan ignorantes como él dice*
● CON ADVS. **totalmente** · **absolutamente** · **del todo** · **por completo** · **tremendamente** · **profundamente** · **extraordinariamente** · **sumamente**
● CON VBOS. **considerar (a alguien)** || **calificar (de)** · **tildar (de)** · **tachar (de)** · **tomar (por)**

2 **ignorante** s.com.

● CON ADJS. **perfecto,ta** *convertirse en un perfecto ignorante* · **profundo,da** · **total** · **absoluto,ta** || **pobre**

ignorar v.

▮ [desconocer]

● CON SUSTS. **hecho** *No es posible que a estas alturas el presidente ignore estos hechos* · **suceso** · **acontecimiento** · **historia** || **causa** · **motivo** · **móvil** · **razón** · **propósito** · **intención** · **función** · **finalidad** || **consecuencia** *Lo hizo ignorando las consecuencias de sus actos* · **efecto** · **resul-**

tado · daño || altura · edad · peso · valor · temperatura · extensión · *otras magnitudes* || cantidad · cuantía || identidad · origen · procedencia · destino · paradero *Entonces ignorábamos su paradero* · dato · detalle · pormenor · información || existencia · importancia || realidad · verdad || futuro · pasado
● CON ADVS. por completo

▮ [desatender, pasar por alto]

● CON SUSTS. **persona** *Por mucho que intentes ignorar a tus enemigos...* || advertencia · consejo · sugerencia · ruego · petición · ultimátum · señal || amenaza *Pero prefirieron ignorar la amenaza que se cernía sobre ellos* · situación · peligro || reclamación · recurso || ley · norma · reglamentación · cláusula
● CON ADVS. **olímpicamente** *Ignoró olímpicamente sus consejos y así le fue* · a sabiendas

[igual] → a partes iguales; de igual a igual

igualdad

1 **igualdad** s.f.

● CON ADJS. **plena** *En plena igualdad de condiciones...* · absoluta · total · completa || económica · salarial · sexual · racial · social · política · laboral · religiosa · espiritual || numérica || supuesta · efectiva *Reclaman una mayor y más efectiva igualdad* · utópica || falsa · ilusoria · sobre el papel · ficticia || máxima · gran(de)
● CON SUSTS. búsqueda (de) · lucha (por) || ideal (de) · principio (de) · situación (de)
● CON VBOS. hacer(se) realidad || reinar *Cuando reine la igualdad entre todos...* · imperar || tener · poseer · alcanzar · lograr · conseguir *Grupos marginados luchan por conseguir la igualdad* · establecer · mantener || buscar · perseguir · reclamar *Reclaman igualdad de trato* · exigir · reivindicar || defender · proponer · preconizar · predicar · proclamar || apoyar · impulsar · garantizar *Las leyes garantizan la plena igualdad política* · asegurar · reconocer || combatir · suprimir · derribar · quebrar · romper || imposibilitar · evitar · impedir || aspirar (a) · luchar (por) · velar (por) · llegar (a)
● CON PREPS. en aras (de) · en *competir en igualdad de condiciones*

2 **igualdad (de)** s.f.

● CON SUSTS. derechos · oportunidades · condiciones · sexos · trato · salarios

igualitario, ria adj.

● CON SUSTS. tendencia · movimiento · corriente || socialismo · comunismo · derecha · izquierda || comunidad · institución · sociedad · país · mundo *...para intentar conseguir un mundo más igualitario* · asociación · senado || sistema · estructura · modelo || derecho · justicia · educación · salario · retribución · sueldo || trato *Los sindicatos reclaman un trato igualitario* · tratamiento · política · actitud · criterio · procedimiento || distribución · reparto · servicio || participación · representación · incorporación · presencia · integración · cooperación || relación · diálogo · convivencia · negociación · acuerdo || idea · principio · concepto · valor · espíritu *En sus novelas intenta reflejar el espíritu igualitario de la justicia* · mentalidad · ideología · concepción · doctrina · sentido || norma · ley · disposición · legalidad || aspiración · pretensión · afán · objetivo · voluntad · obsesión || paraíso · sueño · utopía · mito · ideal · espejismo || desarrollo · crecimiento · progreso · subida || medida *Según la oposición, la medida no era igualitaria* · ajuste · reforma · decisión

ilegal adj.

● CON SUSTS. actividad || venta · tráfico *La Policía ha actuado eficazmente contra el tráfico ilegal de drogas* · comercio · apropiación · compra · pesca · cultivo || utilización · consumo · empleo · uso || operación · maniobra · negocio || dinero · fondo · financiación · cuenta || arma · droga · vehículo || conexión · reproducción · escucha *...viéndose obligado a dimitir por el caso de las escuchas ilegales* || inmigrante · extranjero,ra · residente || entrada · ingreso · salida *Se había denunciado su salida ilegal del país* · inmigración · ocupación || represión · privación · detención · intervención || contrato · trabajo · horario · despido || acuerdo · decisión · normativa · norma · disposición · ley || invasión · guerra || copia
● CON ADVS. a todas luces · completamente · absolutamente · totalmente

ilegible adj.

● CON SUSTS. libro · documento · manuscrito *un manuscrito medieval ilegible* · fotocopia · nota · *otros textos* || letra · caligrafía · escritura · garabato · grafismo || firma · rúbrica || placa · letrero · cartel || mapa
● CON VBOS. volver(se) *Con el desgaste, la inscripción se volvió ilegible* · quedar(se) · resultar

ilegítimo, ma adj.

● CON SUSTS. hijo,ja · descendiente || gobierno · autoridad · régimen || intromisión · invasión *denunciar la invasión ilegítima de un país* || agresión · violencia · ataque || privación · presión · detención || uso *Se le ha recriminado el uso ilegítimo de la fuerza* · empleo · abuso · utilización || actuación · práctica || dinero · poder · interés || decisión · medio · método · procedimiento · finalidad || fuente *una fuente ilegítima de información* || matrimonio · contrato · acuerdo · pacto · unión · relación *Mantuvo durante años una relación ilegítima*
● CON ADVS. claramente · absolutamente · manifiestamente || supuestamente · presuntamente *Han conseguido el dinero por medios presuntamente ilegítimos*

ileso, sa adj.

● CON SUSTS. persona · conductor · *Sin embargo, el conductor del camión salió ileso* · pasajero · superviviente · *otros individuos*
● CON ADVS. prácticamente · completamente · absolutamente · totalmente *resultar totalmente ileso* || milagrosamente · afortunadamente
● CON VBOS. estar · salir *Sufrieron un espectacular accidente del que afortunadamente salieron ilesos* · resultar · quedar · escapar

ilimitado, da adj.

● CON SUSTS. número *Contaban con un número ilimitado de recursos* · duración · prórroga || espacio · tiempo · longitud · *otras magnitudes* || cantidad · crédito · descuento · dinero · promoción · oferta || poder · ambición · tenacidad || deseo · sueño · anhelo || belleza · libertad · valor · responsabilidad · fe · confianza · esperanza · amor || acceso · recurso *Sabemos que el petróleo no es un recurso ilimitado* || aforo · cabida || crecimiento · expansión · aumento · ensanche · ampliación || horizonte *Nos encontramos ante un horizonte ilimitado de posibilidades* || uso · capacidad · posibilidad *El sistema ofrece posibilidades ilimitadas* · potencial

ilógico, ca adj.

● CON SUSTS. **razonamiento** *plantear un razonamiento ilógico* · **deducción** · **pensamiento** · **análisis** · **argumento** · **consecuencia** · **efecto** || **secuencia** · **sentido** · **orden** || **estructura** · **sistema** || **pregunta** · **respuesta** · **solución** · **conclusión** || **petición** · **elección** · **decisión** · **dictamen** || **discurso** · **frase** · **explicación** || **criterio** · **punto de vista** · **concepción** || **reacción** · **comportamiento** || **situación** · **actitud** *El paciente tiene una actitud ilógica ante su grave enfermedad*

● CON ADVS. **absolutamente** · **totalmente** · **completamente** *Tu comportamiento me resulta completamente ilógico* · **extremadamente**

● CON VBOS. **resultar** · **considerar** · **ver** · **creer** || **calificar (de)** *calificar de ilógico un sistema* · **tachar (de)**

ilusión s.f.

● CON ADJS. **gran(de)** · **verdadera** · **especial** · **enorme** || **viva** · **intensa** · **desbordante** · **entusiasta** || **falsa** *No se deje llevar por falsas ilusiones* · **engañosa** · **falaz** · **infundada** · **vana** || **fugaz** · **efímera** · **mera** · **vaga** *Tenía la vaga ilusión de ganar* || **lejana** · **remota** · **inalcanzable** || **nueva** · **distinta** || **infantil** · **juvenil** · **joven** || **óptica** · **pictórica** || **lleno,na (de)** *En un momento en el que se encontraba lleno de ilusiones...* · **pletórico,ca (de)** || **vacío,a (de)** · **carente (de)** · **necesitado,da (de)**

● CON SUSTS. **inyección (de)** *Necesita una nueva inyección de ilusión*

● CON VBOS. **brotar** · **surgir** · **nacer** · **aparecer** || **hacer(se) realidad** *Se hicieron realidad todas nuestras ilusiones* · **cumplir(se)** · **colmar(se)** || **desmoronar(se)** · **derrumbar(se)** · **venirse abajo** · **deshinchar(se)** · **desinflar(se)** · **desvanecerse** *La ilusión se le desvaneció muy pronto* · **ir(se)** · **extinguir(se)** · **disipar(se)** · **disolver(se)** · **difuminar(se)** · **derretir(se)** · **enfriar(se)** · **aguar(se)** · **ajar(se)** · **desbordar(se)** · **decaer** · **decrecer** || **albergar** *Albergaba la ilusión de tener muchos hijos* · **abrigar** · **acariciar** · **alimentar** · **perseguir** || **hacerse** *Me hago la ilusión de que estoy allí* || **tener (por algo)** · **sentir** · **hacer (a alguien)** *Me hace mucha ilusión* · **poner (en algo)** · **depositar** · **rebosar** · **derrochar** || **conservar** *Conserva la misma ilusión por el trabajo que cuando era joven* · **mantener** · **perder** || **conceder** · **otorgar** · **aunar** || **renovar** *volver al trabajo con ilusión renovada* · **crear** · **forjar** · **tejer** · **reavivar** || **contagiar** · **trasmitir** · **despertar** · **incentivar** || **echar por tierra** *Fue sincera conmigo, pero echó por tierra todas mis ilusiones* · **pulverizar** · **socavar** || **dejarse llevar (por)** · **aferrarse (a)** · **vivir (de)** *No podemos vivir solo de ilusiones* || **llenar (de)** *Me llena de ilusión compartir este momento contigo* || **acabar (con)** || **carecer (de)**

ilusionar(se) (con) v.

● CON SUSTS. **posibilidad** *Se había ilusionado con la posibilidad de ascender en el trabajo* || **idea** *ilusionarse con la idea de remontar la eliminatoria* · **mensaje** · **palabras** || **proyecto** · **plan** · **propuesta** · **iniciativa** || **tarea** · **labor** · **trabajo** || **aventura** · **viaje** || **promesa** · **oferta** · **ofrecimiento** || **futuro**

● CON ADVS. **vanamente** · **en vano** || **ingenuamente** *ilusionarse ingenuamente con las promesas electorales* || **rápidamente** · **inmediatamente**

ilustrar v.

I [añadir ilustraciones]

● CON SUSTS. **libro** · **portada** · **página** · **capítulo** || **historia** · **artículo** · **cuento** · **novela** · **crónica** · ***otros textos***

● CON ADVS. **a todo color** · **a lápiz**

I [ejemplificar, poner de manifiesto]

● CON SUSTS. **exposición** · **información** · **tema** · **tesis** · **idea** · **planteamiento** · **concepto** || **situación** · **conflicto** || **crueldad** · **gravedad** · **peligro** || **importancia** · **conveniencia**

● CON ADVS. **convincentemente** || **a las claras** *La contestación que dio ilustraba bien a las claras sus intenciones* · **claramente** · **gráficamente** · **esquemáticamente** · **visualmente** || **con todo lujo de detalles** *Ilustraba en sus crónicas con todo lujo de detalles la situación que se vivía en...* · **al detalle** · **perfectamente** · **fabulosamente** · **detalladamente** · **pormenorizadamente** · **con precisión** · **elocuentemente** · **ejemplarmente** · **profusamente** · **ricamente** · **genuinamente**

imagen s.f.

● CON ADJS. **clara** · **oscura** · **nítida** *Conservo nítidas imágenes de mi infancia* · **vívida** · **polícroma** || **desenfocada** · **borrosa** · **distorsionada** || **buena** · **mala** · **positiva** *Tiene una imagen muy positiva de ti* · **negativa** || **aparente** · **auténtica** · **real** · **verdadera** · **falsa** · **engañosa** · **capciosa** · **inequívoca** || **propia** · **característica representativa** · **prototípica** · **estereotipada** || **desastrada** · **maltrecha** · **impecable** || **imborrable** · **intachable** || **frágil** · **delicada** · **cándida** *ensombreciéndose así la imagen cándida, frágil e inocente que...* · **severa** · **circunspecta** · **hermética** || **agraciada** · **seductora** · **acogedora** · **persuasiva** · **contagiosa** || **idealizada** · **idílica** || **conmovedora** · **encantadora** · **tierna** · **dulce** || **estremecedora** · **desgarradora** · **desoladora** · **escalofriante** || **dantesca** *Las cámaras captaron imágenes dantescas del incendio* · **grotesca** · **cruda** · **descarnada** · **fantasmal** || **moderna** · **antigua** · **juvenil** · **avejentada** || **virtual** · **pública** *un rumor malintencionado que acabó deteriorando su imagen pública* · **alusiva** · **testimonial** · **milagrera** · **cenital**

● CON SUSTS. **banco (de)** || **cambio (de)** *Se ve más atractivo con este cambio de imagen* || **cuadro (de)**

● CON VBOS. **difundir(se)** · **propagar(se)** || **desmoronar(se)** *Entonces comenzó a desmoronarse la imagen idealizada que tenía de él* · **derrumbar(se)** · **desvanecerse** · **diluir(se)** · **declinar** · **disipar(se)** || **deteriorar(se)** · **descomponer(se)** · **quebrar(se)** · **empañar(se)** · **ensombrecer(se)** · **tambalearse** *Se tambalea su imagen de joven rebelde* · **nublar(se)** · **devaluar(se)** · **escorar(se)** || **denotar (algo)** · **encarnar (algo)** · **delatar (algo)** || **asaltar** *Me asaltaron imágenes horrorosas durante aquella pesadilla* || **dar** *Decía que daba mala imagen llevar el pelo largo* || **tener (de algo/de alguien)** *Tengo una imagen borrosa de lo que sucedió* || **ver** · **mirar** || **fraguar(se)** · **labrar(se)** · **granjearse** || **revivir** || **tomar** · **recibir** · **percibir** · **visualizar** · **captar** *Para captar imágenes a esa distancia hace falta un foco más potente* || **conferir (a algo)** · **forjar** · **acuñar** || **fomentar** · **fortalecer** · **recuperar** · **perfilar** · **cambiar** · **transformar** · **cuidar** *un escritor que cuida mucho su imagen* · **descuidar** || **borrar** · **descentrar** · **desenfocar** · **distorsionar** · **falsear** · **tergiversar** · **disfrazar** · **usurpar** · **dañar** *La acusación de que fue objeto dañó gravemente su imagen* · **atacar** · **ensuciar** · **enturbiar** · **erosionar** · **socavar** || **analizar** · **interpretar** || **lavar** *Todo ello iba encaminado a lavar su imagen ante los accionistas* · **blanquear** · **enderezar** · **mejorar** · **adecentar** · **dulcificar** · **rectificar** · **reponer** || **capitalizar** · **rentabilizar** *Rentabiliza al máximo su imagen de persona distraída y despistada* || **venerar** *Se venera mucho la imagen de San Antonio que hay en esta iglesia* · **adorar** || **descontextualizar** · **decodificar** || **congelar** · **clavar** · **enfocar** *enfocar la imagen antes de hacer una fotografía* · **acercar** · **alejar**

· centrar · cuadrar || plasmar · desvelar · reflejar · traslucir · dejar ver || dejarse llevar (por)

□ EXPRESIONES **ser la viva imagen** (de alguien) [parecérsele mucho] *col.*

imaginación s.f.

● CON ADJS. **viva** *No hace falta tener una imaginación muy viva para darse cuenta de que...* · **fértil** · **fecunda** · **prolífica** · **caudalosa** || **rica** || **pobre** · **escasa** || **desbordante** *...fruto de la desbordante imaginación del autor* · **ardiente** · **encendida** · **exuberante** || **contagiosa** · **portentosa** · **poderosa** · **potente** || **febril** · **calenturienta** *Con su calenturienta imaginación maquinó un plan perverso* · **desaforada** · **desenfrenada** · **desbordada** · **exagerada** || **lleno,na (de)** · **rebosante (de)** *un escrito rebosante de imaginación* · **sobrado,da (de)**

● CON SUSTS. **ápice (de)** · **brizna (de)** · **soplo (de)** · **arsenal (de)** · **dosis (de)** || **capacidad (de)** *Tiene una portentosa capacidad de imaginación* · **falta (de)** || **fuente (de)** || **muestra (de)** · **demostración (de)** || **límite (de)**

● CON VBOS. **desbordar(se)** · **desbocar(se)** · **agudizar(se)** || **nublar(se)** · **bloquear(se)** || **superar** *La imaginación supera las dificultades* || **despertar** || **tener** · **rebosar** · **derrochar** || **echar** *¡Venga, es fácil adivinarlo, solo hay que echarle un poco de imaginación!* · **poner (en algo)** || **usar** · **poner en práctica** · **ejercitar** · **aplicar** · **exprimir** || **volar** · **dejar volar** *Deja volar libremente tu imaginación* || **aguzar** · **avivar** · **estimular** · **canalizar** || **sacudir** · **excitar** || **limitar** · **acotar** · **educar** · **restringir** || **dar rienda suelta (a)** *Intenten dar rienda suelta a su imaginación* · **dejarse llevar (por)** · **jugar (con)** || **pasarse (por)** *un encuentro que no se me había pasado ni por la imaginación* || **poner límites (a)**

● CON PREPS. **a fuerza (de)** · **con** · **sin**

imaginar v.

● CON ADVS. **por un momento** *Me imaginé por un momento que podría conseguirlo* || **ni de lejos** · **ni por asomo** || **remotamente**

imaginario, ria adj.

● CON SUSTS. **línea** *trazar una línea imaginaria* · **raya** · **marca** · **trazo** · **separación** · **frontera** · **límite** || **mundo** · **universo** · **país** · **ciudad** · **pueblo** · **paisaje** · **espacio** · ***otros lugares*** || **realidad** · **vida** · **pasado** · **futuro** || **tiempo** · **época** · **era** || **amigo,ga** · **lector,-a** · **personaje** · **ser** · **animal** || **voz** · **diálogo** · **texto** · **lenguaje** || **viaje** · **recorrido** *un recorrido imaginario por las estrellas* · **aventura** || **suceso** · **hecho** · **acontecimiento** · **caso** · **estado** · **situación**

imán s.m.

● CON ADJS. **potente** *El sistema está dotado de un potente imán que...* · **poderoso** · **permanente** · **irresistible** · **fuerte** · **infalible** || **superconductor** · **autocorrector** || **terapéutico** · **mágico** || **mineral** · **magnético**

● CON SUSTS. **polo (de)** · **intensidad (de)** · **atracción (de)** · **fuerza (de)** *El joven la atraía con la fuerza de un imán* || **efecto**

● CON VBOS. **pegar(se) (a algo)** · **adherir(se) (a algo)** || **atraer (algo)** · **arrastrar (algo)** || **usar** · **utilizar** · **emplear** || **actuar (como/de)** · **ejercer (de)**

imbécil

1 imbécil adj.

● CON ADVS. **completamente** *Estoy completamente imbécil; se me ha vuelto a olvidar* · **absolutamente** · **totalmente** || **verdaderamente** · **realmente** || **tremendamente** · **increíblemente** || **rematadamente** · **en extremo**

● CON VBOS. **ser** · **estar** · **parecer** || **volver(se)** · **poner(se)**

2 imbécil s.com.

● CON ADJS. **completo,ta** · **perfecto,ta** *Es un perfecto imbécil; no te preocupes* · **total** · **profundo,da** · **perdido,da** · **redomado,da** · **rematado,da** · **integral**

● CON VBOS. **hacer** *Durante toda la noche se dedicó a hacer el imbécil*

imbecilidad s.f.

● CON ADJS. **absoluta** *No le quedó más remedio que reconocer su absoluta imbecilidad* · **monumental** · **supina** · **suma** · **inmensa** · **pura** · **soberana** || **congénita** · **generalizada** · **social** · **colectiva** · **humana** · **ajena**

● CON SUSTS. **serie (de)** *Dijo una serie de imbecilidades* · **montón (de)** · **sinfín (de)** · **sarta (de)**

● CON VBOS. **decir** · **hacer** · **cometer** · **reconocer** || **costear** · **subsanar**

imborrable adj.

● CON SUSTS. **tinta** · **pintura** · **sustancia** || **huella** · **mancha** · **rastro** · **secuela** *las secuelas imborrables del accidente* · **cicatriz** · **estela** || **imagen** *la imagen imborrable que su figura ha dejado entre nosotros* · **retrato** · **ejemplo** · **escena** || **recuerdo** *Guardo un recuerdo imborrable de mi maestra* · **experiencia** · **pasado** · **vivencia** || **impresión** · **efecto** · **influencia** · **eco** || **amor** · **tristeza** · **placer** · **dolor** · **alegría** · **pena** · **felicidad** · ***otros sentimientos o emociones*** || **palabra** · **discurso** · **página** || **obra** *dejando para la posteridad una obra imborrable* · **película** · **canción** · **novela** · ***otras creaciones*** || **etapa** · **época** · **episodio** · **día** · **curso** · ***otros momentos o períodos***

imitación s.f.

● CON ADJS. **conseguida** · **lograda** · **excelente** · **perfecta** · **consumada** || **pobre** · **simple** · **pésima** · **burda** *Esta película es una burda imitación de un clásico de los años treinta* · **tosca** · **vil** · **vulgar** · **descarada** · **fallida** · **mala** || **fiel** || **digno,na (de)** *una persona digna de imitación* || **punto por punto** · **en todos sus detalles**

● CON SUSTS. **intento (de)**

● CON VBOS. **hacer** · **lograr** · **conseguir** · **obtener** · **perfeccionar** || **bordar** *En su actuación, bordó la imitación del personaje* || **fallar (en)**

imitar v.

● CON SUSTS. **actitud** · **comportamiento** · **voz** · **ruido** · **gesto** · **palabra** || **aspecto** · **forma** · **modo** · **manera** *Su peculiar manera de bailar ha sido imitada en múltiples ocasiones* || **corriente** · **estilo** · **movimiento** · **tendencia** || **modelo** *Si imitamos su modelo de producción, aumentaremos nuestra competitividad* · **ejemplo** · **esquema** · **sistema** || **ídolo** · **cantante** · **actor** · **actriz** · **maestro,tra** · **artista** · **pintor,-a** · ***otros individuos*** || **firma** *Puedo imitar fácilmente tu firma*

● CON ADVS. **fácilmente** || **fielmente** · **miméticamente** · **punto por punto** · **a la perfección** *un tejido que imita a la perfección la suavidad de la seda* · **en los menores detalles** · **sistemáticamente** || **torpemente** · **burdamente** · **toscamente** · **lejanamente** || **descaradamente** · **claramente** || **inútilmente**

impaciencia s.f.

● CON ADJS. **gran(de)** · **enorme** · **tremenda** · **auténtica** · **verdadera** || **incontenible** · **irrefrenable** *movido por una irrefrenable impaciencia* || **general** · **generalizada** · **colec-**

tiva || habitual · característica · de siempre || lleno,na (de) · rebosante (de) · dominado,da (por) *Dominado por la impaciencia, empezó a gritar*
● CON SUSTS. muestra (de) · signo (de) · gesto (de) · mueca (de) · estado (de)
● CON VBOS. surgir · aflorar || aumentar · crecer *Iba creciendo la impaciencia entre el público* · extenderse · disminuir || asaltar (a alguien) · invadir (a alguien) · dominar (a alguien) · devorar (a alguien) · corroer (a alguien) · consumir (a alguien) · cegar (a alguien) · poder (a alguien) *Me pudo la impaciencia* || tener *Tiene impaciencia por saberlo* · sentir · mostrar · demostrar || provocar · producir || reprimir *Apenas pudo reprimir su impaciencia* · contener · controlar || disimular · ocultar || rezumar · rebosar || expresar || compartir · contagiar || consumirse (de) || dejarse llevar (por) *Se dejó llevar por la impaciencia y el desánimo* · pecar (de)
● CON PREPS. con *Aguardaba con impaciencia la resolución judicial*

impactar v.

▌[chocar]

● CON SUSTS. proyectil · bala · meteorito · cometa || automóvil · coche *El coche que impactó contra el autobús quedó completamente destrozado* · vehículo · avión · nave · objeto

▌[impresionar]

● CON SUSTS. noticia *La noticia de su marcha me impactó fuertemente* · dato || visión · vista || hecho · suceso · acontecimiento · evento || muerte · despido · marcha · desaparición · pérdida · crisis
● CON ADVS. fuertemente · significativamente · gravemente || negativamente · violentamente || de golpe · de lleno *La crisis financiera internacional impactó de lleno en la economía local* · de pleno || directamente · frontalmente *El automóvil impactó frontalmente contra un turismo que iba en dirección contraria* · visualmente

☐ USO Los adverbios son comunes a los dos sentidos.

impacto s.m.

● CON ADJS. fuerte *La gran originalidad de la novela causó un fuerte impacto entre la crítica* · poderoso · potente · rotundo · serio · severo · grave · virulento || considerable · incalculable *La oposición asegura que son unas medidas de incalculable impacto negativo para el desarrollo de la democracia* · notable || fulminante · demoledor · devastador · violento · brutal || favorable · positivo || perjudicial · letal · desfavorable · mortífero || calculado · certero || frontal · lateral *El coche recibió un fuerte impacto lateral* || ambiental · medioambiental · clínico *Los últimos descubrimientos en biología tuvieron un decisivo impacto clínico* · económico || visual · auditivo · sensorial · gustativo · olfativo || sensible
● CON SUSTS. fuerza (de) *Salió despedido por la fuerza del impacto* · violencia (de) · energía (de) · velocidad (de) · magnitud (de) · ruido (de) || momento (de) · lugar (de) · zona (de) || análisis (de) · marca (de)
● CON VBOS. hacer · producir · causar · ocasionar · ejercer || acusar *Acusó un serio impacto psicológico a raíz del accidente* || notar *La víctima notó un primer impacto de bala en...* · percibir || mitigar · aliviar · paliar · amortiguar · aminorar · minimizar · neutralizar · contrarrestar · compensar || valorar · evaluar *evaluar el impacto ambiental de las obras* · calibrar · analizar
● CON PREPS. a causa (de) · como consecuencia (de)

impagable adj.

● CON SUSTS. deuda *La empresa tiene una deuda impagable con todos ustedes* · coste · precio · costo · cuenta || servicio · ayuda · favor · aportación · apoyo · refuerzo · empujón || cualidad · facultad · capacidad · virtud · don · sentido del humor || esfuerzo · sacrificio · entrega *La fundación premiará la impagable entrega de los médicos* || labor · tarea · trabajo || experiencia *Por duro que pareciera, el trabajo les aportó una experiencia impagable* · saber · enseñanza · lección || placer · satisfacción · gozo · goce || novela · película · episodio · página · retrato

imparable adj.

● CON SUSTS. locomotora *la locomotora imparable del progreso* · coche · tren · ***otros vehículos*** || balón · pelota · disparo · tiro *un tiro imparable desde el borde del área* · volea · revés · gol || ***persona*** *El nuevo director técnico es imparable* || noticia · información · verborrea · discurso · perorata · recitación || enfermedad *La imparable enfermedad asoló en pocas semanas a una población que andaba escasa de medidas de higiene* · cáncer · infección · virus || aumento · crecimiento · incremento · avance · expansión · ascenso · contagio · ascensión · auge · progresión · subida || tendencia *Los analistas auguran una imparable tendencia hacia el monopolio* · movimiento · corriente · estilo · moda || fenómeno · desarrollo · carrera · proceso · marcha · evolución · trayectoria · sucesión *la sucesión imparable de escándalos* · cambio || amenaza · catástrofe · tragedia · barbarie · violencia · confrontación · destrucción · siniestro || caída · declive · bajada · decadencia · deterioro · agonía · pérdida || fuerza · ímpetu · impulso · empuje *Con el empuje imparable del equipo lograremos el triunfo* · energía · vitalidad · ansia · frenesí || éxito · triunfo · victoria || iniciativa · proyecto · plan || libertad
● CON VBOS. ser · estar · hacerse · volverse

imparcial adj.

● CON SUSTS. observador,-a · analista · juez · testigo · árbitro,tra *Si el árbitro hubiera sido imparcial...* · mediador,-a · negociador,-a · defensor,-a · público · jurado · tribunal · ***otros individuos y grupos humanos*** || justicia · institución · órgano || juicio *El acusado solo pedía un juicio imparcial* · investigación · proceso · medida · disposición · ley · acuerdo || posición · carácter · información *Una de las premisas del periódico es ofrecer a los lectores información imparcial* · actuación · comportamiento · temperamento · actitud · tratamiento || visión · punto de vista · criterio · opinión · decisión · respuesta · testimonio · declaración · apreciación || crítica · examen · informe · estudio *Se ha solicitado un estudio imparcial sobre el caso* · análisis || programa · ensayo || periódico · revista · medio · emisora

imparcialmente adv.

● CON VBOS. juzgar · decidir · evaluar · enjuiciar · opinar · pensar · dirimir || leer · analizar *La prensa analizó imparcialmente la renuncia del ministro* || actuar *Debe actuar imparcialmente* · conducirse · impartir justicia · aplicar · ejercer · castigar || comunicar · informar · explicar · contar · decir || distribuir · repartir *Se repartieron imparcialmente las cantidades presupuestadas* · otorgar

impartir v.

● CON SUSTS. bendición *El sacerdote impartió la bendición a los presentes* · bautismo · absolución || lección · clase · conferencia · charla · seminario · taller || discurso ·

mensaje · prédica · plática · ideología · doctrina || asignatura *En la facultad necesitan un profesor para impartir algunas asignaturas* · materia · programa · especialidad || curso · módulo · hora · ciclo *El famoso físico fue invitado para impartir un ciclo de conferencias* · etapa || diplomatura · licenciatura · doctorado · título · diploma · certificado · carrera · maestría · máster || teoría · práctica || introducción · iniciación · orientación · noción *En este curso se imparten nociones elementales de física y química* · rudimento || conocimiento · sabiduría · sentido · razón || entrenamiento · preparación · formación · capacitación · aprendizaje || sistema · técnica · método · disciplina · táctica || justicia *el responsable de impartir justicia en el distrito* || directiva · consigna · prohibición · orden *No se sabe quiénes impartieron la orden de abandonar el lugar* · directriz · instrucción || rigor · garantía · calidad · solidez · profesionalidad · excelencia || tranquilidad · paz · serenidad · seguridad || ánimo · aliento || castigo · reprimenda · rapapolvo || beso · abrazo

impasible adj.

● CON SUSTS. espectador,-a *espectadores impasibles ante la dantesca escena* · testigo · público · ***otros individuos y grupos humanos*** || actitud · comportamiento · carácter · talante || belleza · elegancia · dignidad · serenidad · severidad · tranquilidad · ***otras cualidades*** || gesto · expresión · ademán · voz · mirada · rostro *El reo escuchó el veredicto con rostro impasible* || apariencia · aspecto · figura · aire *Lo vimos acercarse con aire impasible...* · porte

● CON ADVS. absolutamente · totalmente · completamente

● CON VBOS. aguantar *Aguantó impasible todas las críticas* · resistir · soportar · tolerar || ser · estar · quedarse · permanecer · mantenerse · continuar · seguir · esperar || contemplar *mientras contemplaba impasible el desaguisado* · mirar · escuchar || recibir · presenciar · asistir (a algo) || ir

impávido, da adj.

● CON SUSTS. público *Jugaron ante un impávido público* · ciudadanía · testigo · asistente · espectador,-a · jugador,-a · atleta · dirigente · político,ca · juez · ***otros individuos y grupos humanos*** || gesto *Transmitió la noticia con gesto impávido* · expresión *un rostro de expresión impávida* · ademán · voz · mirada · rostro

● CON VBOS. mostrarse · encajar || dejar *un resultado que dejó impávidos a los espectadores* · quedarse · permanecer *No podemos permanecer impávidos ante las injusticias* · mantenerse · continuar · seguir || aguantar · soportar · resistir · sufrir · esperar || caminar || observar · contemplar · mirar · ver · escuchar *Escuchaba impávido sus explicaciones* · responder || presenciar · asistir (a algo)

impecable adj.

● CON SUSTS. traje *Se presentó con un impecable traje azul* · pantalón · camisa · chaqueta · ***otras prendas de vestir*** || alfombra · sábana · cortina · mantel · tela || blanco *un vestido de un blanco impecable* · color || cocina *La cocina quedó impecable, como si nadie la hubiera usado* · casa · jardín · calle · ***otros lugares*** || bicicleta · coche · autobús || ***persona*** *un arquitecto serio e impecable* || aspecto · apariencia · imagen · facha · porte · aire · presencia || educación · dignidad · honradez · ética || evento · excursión · ceremonia · función · concierto · recital · espectáculo · partido *Contra todos los pronósticos, el último partido fue impecable* || pase · cabezazo · marcaje · resultado || obra · novela · artículo · documento · texto · página · libro · canción · fotografía · ***otras creaciones*** || dicción · pronunciación · prosa · escritura · acento || modo · técnica *Este trabajo evidencia una técnica impecable* · manera || tarea · labor · trabajo · servicio || estrategia · sistema · procedimiento || actuación *La actuación en todo momento fue impecable* · comportamiento · conducta · actitud · proceder · modales · compostura · talante · trato || trayectoria *Su objetivo era no manchar su impecable trayectoria política* · carrera · evolución · progresión · currículo · historial · palmarés · expediente || argumento · razonamiento · lógica · pensamiento · planteamiento · exposición · réplica · interpretación *Sorprendió la impecable interpretación del joven actor* || gestión · ejecución · factura · operación · desarrollo || producción · dirección · realización · puesta en escena || organización *La impecable organización fue el rasgo distintivo de la feria* · orden · disposición · estructura · clasificación

● CON VBOS. ser · estar *La habitación está impecable* · dejar · poner(se)

impecablemente adv.

● CON VBOS. actuar · comportarse *No tengo nada que reprocharle, se comportó impecablemente* · proceder · tratar || funcionar *El nuevo hospital funciona impecablemente* · servir · progresar || escribir · expresar(se) · describir · exponer || plantear · razonar · interpretar · juzgar · argumentar || dirigir · ejecutar · realizar · cumplir · rematar · terminar || elaborar · resolver *Resolvió el problema impecablemente* || peinar(se) · vestir || ganar

● CON ADJS. ataviado,da · vestido,da *Iba impecablemente vestido para la ocasión* · trajeado,da · uniformado,da · peinado,da || limpio,pia || construido,da *Logró asombrar a los asistentes gracias a un razonamiento impecablemente construido* · fabricado,da

impedido, da adj.

● CON SUSTS. ***persona***

● CON VBOS. estar · encontrarse · quedar(se) *A causa del accidente quedó impedido para caminar* || ver(se) · declarar(se) · dejar

impedimento s.m.

● CON ADJS. gran(de) · serio · grave · notable · insuperable · insalvable · menor || inesperado *Ante el inesperado impedimento técnico, decidió...* · súbito || voluntario · involuntario || jurídico · legal || físico · psíquico · emocional · psicológico · moral · ético || personal · profesional · familiar

● CON VBOS. existir *No existe ningún impedimento físico que le exima de practicar deportes* · surgir · aparecer || poner · oponer || quitar || constituir · representar · suponer *La medida supondrá un serio impedimento para el desarrollo agrario* · resultar || vencer · superar · franquear *Su fuerza de voluntad le permite franquear cualquier impedimento* · salvar || sortear · saltarse · esquivar · evitar || encontrar || tropezar (con)

impedir v.

● CON ADVS. a toda costa · a todo trance · cueste lo que cueste · por todos los medios *Trataron de impedir por todos los medios que se enterara de la fatal noticia* · a la desesperada · decididamente · seriamente || de hecho · virtualmente

impenetrable adj.

• CON SUSTS. **muro · barrera · defensa || selva · bosque || zona · lugar · región · territorio** *un territorio impenetrable por su vegetación* · **confín · reducto · baluarte || castillo · fortaleza · coraza || misterio · enigma · secreto · silencio · oscuridad · niebla || lenguaje · texto || rostro · mirada · aspecto · carácter || jefe,fa** *Nunca sé lo que piensa, es un jefe impenetrable* · **aliado,da · hombre · persona** · ***otros individuos y grupos humanos***
• CON ADVS. **absolutamente · completamente** *secretos de Estado completamente impenetrables* · **totalmente**
• CON VBOS. **hacer(se) · volverse · resultar**

impensable adj.

• CON SUSTS. **situación** *Una situación impensable en otros países sería...* · **cuestión · fórmula || magnitud · dimensión** *La empresa cuenta con unas infraestructuras de dimensiones impensables* · **cantidad · nivel · objetivo · cota || victoria · triunfo · derrota · ventaja || sueño · imagen · meta · récord · actitud · gesta · avance || eliminación · muerte · fallo · ruptura · pérdida || atrevimiento · competencia · conformismo** *Su actitud era de un conformismo impensable en otros tiempos* · **delicadeza || cifra · honorario · sueldo || resultado · recuperación · repercusión** *Sus palabras han tenido una repercusión mediática impensable* · **efecto · consecuencia || desenlace · final || causa · motivo || acuerdo · ley · disposición || límite · extremo**
• CON ADVS. **absolutamente · prácticamente · totalmente · completamente** *Terminó el partido con un resultado completamente impensable* **|| técnicamente**
• CON VBOS. **resultar · hacer(se) · parecer**

impepinable adj. *col.*

• CON SUSTS. **dictamen · argumento || realidad · verdad · razonamiento** *un razonamiento impepinable que dejó a todos sin respuesta* **|| solidez**

imperante adj.

• CON SUSTS. **tendencia · ideología** *Quienes se alejaban de la ideología imperante eran sistemáticamente perseguidos* · **criterio · moral · filosofía · corriente · mentalidad · moda · costumbre || conservadurismo · pragmatismo · capitalismo || sentimiento · miedo · euforia · desánimo · malestar || defecto · insensatez · vicio · estupidez** *Ante la estupidez imperante decidí marcharme* · **mezquindad || ambiente · realidad · clima || tiempo · sol · lluvia || caos · confusión · desorden** *La organización intentó controlar el desorden imperante en la sala* · **desconcierto · descontrol · desbarajuste || miseria · inseguridad · violencia · corrupción · delincuencia || sistema** *avalado por el sistema educativo imperante en esos años* · **régimen · estructura · política · esquema · estrategia || ley** *La ley imperante admite este tipo de acuerdos comerciales* · **norma · modelo · código · parámetro · regla · canon · pauta || orden · calma · tranquilidad · equilibrio || necesidad · deseo || silencio · ruido · griterío · bullicio**

imperar v.

• CON SUSTS. **sentido común** *intentar que impere el sentido común* · **buen sentido · cordura · sensatez · lógica · razón · racionalidad · pragmatismo || ley · justicia · normalidad · orden · disciplina · principio · criterio · voluntad || desconcierto · caos · confusión · incertidumbre · violencia · brutalidad · miedo · terror · nerviosismo · corrupción || paz · calma · tranquilidad · serenidad · silencio · espíritu** *gracias a que imperaba un sano espíritu de colaboración* · **afán || sinceridad · franqueza || respeto · tolerancia · egoísmo · vulgaridad** *la vulgaridad que impera en los programas televisivos* · **mediocridad || dinero**
• CON ADVS. **actualmente · habitualmente · finalmente**

imperativo, va

1 **imperativo, va** adj.

• CON SUSTS. **carácter · naturaleza · talante · actitud · personalidad · comportamiento · cariz || gesto · expresión · tono** *Se dirigió a nosotros en tono imperativo y nos ordenó salir* · **voz · mirada || mandato · norma · actuación · fuerza**

2 **imperativo** s.m.

• CON ADJS. **categórico · ético · moral · legal** *por imperativo legal* · **político · social · judicial · constitucional · personal || apremiante · inexcusable · insoslayable · ineludible**
• CON VBOS. **cumplir · obedecer · aplicar || tener en cuenta || obviar · rechazar · esquivar · eludir || someter(se) (a)** *Se sometieron sin dilaciones al imperativo legal que habían dispuesto* · **supeditar(se) (a) · responder (a)**
• CON PREPS. **por**

imperceptible adj.

• CON SUSTS. **sonrisa · voz · sonido** *sonidos imperceptibles al oído humano* · **tono · palabras · susurro · murmullo · eco || gesto · expresión · mueca || cambio · transformación · retoque · evolución || fenómeno · movimiento · temblor · respiración · latido || cantidad · aumento · incremento** *La tasa de desempleo tuvo un incremento casi imperceptible respecto al trimestre anterior* · **ganancia || límite · horizonte · línea · perfil || descenso · desnivel · subida · ascenso · retroceso · avance · diferencia || sutileza · detalle · matiz || error · fallo · errata · equivocación · descuido · defecto · desperfecto**
• CON ADVS. **prácticamente** *un temblor de tierra prácticamente imperceptible* · **absolutamente · totalmente || casi**
• CON VBOS. **volver(se) · hacer(se)**

imperecedero, ra adj.

• CON SUSTS. **alimento · artículo · producto || recuerdo · memoria · huella** *Dejó una huella imperecedera* · **secuela · impronta || canción · película · relato · libro · poesía** · ***otras manifestaciones artísticas*** **|| arte · estilo · literatura || palabras** *palabras imperecederas que han superado el desgaste del tiempo* · **reflexión || gloria · amor · amistad · valor · carácter · grandeza** *la grandeza imperecedera del ser humano* · **belleza · felicidad · emoción · fe || héroe · heroína · gesta · hazaña**

imperfección s.f.

• CON ADJS. **gran(de) · enorme || evidente · notoria || imperceptible · leve · ligera || grave · excusable · inexcusable** *por una imperfección inexcusable del mecanismo* · **imperdonable · inadmisible || posible** *Entre las posibles imperfecciones de su trabajo...* **|| inherente || humana · histórica · física · administrativa · técnica || lleno,na (de) · repleto,ta (de)**
• CON SUSTS. **cúmulo (de) · sinfín (de) · exceso (de)**
• CON VBOS. **persistir || acumular · presentar** *Si el sistema presenta alguna imperfección, el resultado se verá afectado* **|| percibir · detectar · localizar · descubrir · buscar · encontrar (en alguien) || reconocer · asumir · subrayar · aceptar || corregir** *Me enseñaron a corregir mis imperfecciones y a ser autocrítico* · **pulir · subsanar · de-**

purar || superar · paliar · mitigar || disculpar · tolerar || evitar || reparar (en) · incurrir (en) || huir (de)

imperioso, sa adj.

▮ [fuerte, urgente]

● CON SUSTS. **necesidad** *presionados por la imperiosa necesidad de evitar el contagio* · **urgencia** · **sed** · **exigencia** · **menester** || **deber** · **tarea** · **obligación** · **compromiso** || **llamada** · **llamamiento** *Lanzaron un llamamiento imperioso a todos los Gobiernos* · **demanda** · **cita** || **razón** · **motivo** || **deseo** *Tras la caminata sintió un deseo imperioso de beber agua* · **ansia** · **afán** · **anhelo** · **arrebato** · **gusanillo** || **orden** · **consigna** || **integración** · **reforma** · **cambio** · **avance** · **rectificación** · **disolución**

▮ [autoritario, altivo]

● CON SUSTS. ***persona*** *...pero siempre acabo enamorándome de mujeres imperiosas, con genio y carácter* || **modales** · **formas** || **talante** · **carácter**

impermeable

1 **impermeable** adj.

● CON SUSTS. **superficie** · **capa** *Los muros están revestidos de una capa impermeable* · **barrera** · **terreno** · **muro** · **suelo** · **zona** || **material** · **lona** · **malla** || **vestimenta** · **prenda** · **tejido** · **traje** · **textura** · **tela** || **acabado** · **protección** · **tratamiento**

● CON ADVS. **absolutamente** · **completamente** · **totalmente** *un tejido totalmente impermeable* || **aparentemente**

2 **impermeable** s.m.

● CON ADJS. **largo** · **corto** *La niña llevaba un impermeable corto con capucha* || **transparente** · **chillón**

● CON SUSTS. **forro (de)** *Se me ha descosido todo el forro del impermeable*

➤ Véase también **ROPA**

impertérrito, ta adj.

● CON SUSTS. ***persona*** *mientras los policías, impertérritos, le tomaban declaración* || **mirada** · **rostro** · **semblante** · **expresión** · **gesto** · **aire** · **voz**

● CON VBOS. **seguir** · **continuar** · **permanecer** *A pesar del riesgo que corrían, los agentes permanecieron impertérritos* · **mantenerse** · **proseguir** · **quedarse** · **mostrar(se)** || **aguantar** *El niño aguantó impertérrito el rapapolvo de sus padres* · **soportar** || **afirmar** · **responder** || **mirar** · **observar** · **contemplar** · **escuchar** · **asistir (a algo)**

impertinente adj.

● CON SUSTS. ***persona*** *un niño impertinente y maleducado que no sabe comportarse* || **pregunta** · **cuestión** · **declaración** · **respuesta** *Contestó a sus insistentes preguntas con una respuesta impertinente* · **comentario** · **interrogatorio** · ***otras manifestaciones verbales*** || **mirada** · **gesto** || **salida** · **detalle**

● CON ADVS. **absolutamente** *Su comentario me resultó absolutamente impertinente* · **totalmente** · **altamente** · **sumamente**

● CON VBOS. **ser** *¡No seas impertinente!* · **estar** · **poner(se)**

ímpetu s.f.

● CON ADJS. **gran(de)** *una persona de gran ímpetu* · **enorme** · **desmedido** · **escaso** || **arrollador** · **arrasador** · **avasallador** · **irresistible** · **invencible** || **imparable** · **incontenible** · **irrefrenable** · **creciente** *Las olas batían con creciente ímpetu contra el acantilado* || **juvenil** · **reformista** · **revolucionario** · **renovador** || **lleno,na (de)**

● CON SUSTS. **falta (de)** *Le reprocharon su falta de ímpetu* · **exceso (de)**

● CON VBOS. **aflojar** · **apagar(se)** · **disminuir** || **aplacar(se)** · **serenar(se)** || **crecer** · **aumentar** || **tener** · **adquirir** · **cobrar** · **conservar** · **mostrar** *El equipo mostró un ímpetu imparable en el juego* · **demostrar** · **perder** · **recuperar** || **poner (en algo)** · **dar (a algo)** || **calmar** · **contener** · **atemperar** · **dominar** · **frenar** · **templar** · **atenuar** || **alimentar** · **azuzar** · **avivar** · **animar** || **dejarse llevar (por)** *Se dejó llevar por el ímpetu del entusiasmo*

● CON PREPS. **con**

impetuoso, sa adj.

● CON SUSTS. ***persona*** *Un joven impetuoso y atrevido se lo preguntó directamente* || **carácter** · **naturaleza** · **temperamento** || **viento** · **aire** · **corriente** · **río** · **arroyo** · **torrente** · **crecida** || **salida** *El equipo no supo aguantar la salida impetuosa del rival* · **arranque** · **irrupción** · **avance** · **acción** · **movimiento** || **juego** · **ritmo** *una canción con un ritmo impetuoso y muy pegadizo* · **deseo** · **anhelo** || **subida** · **bajada** · **aumento** · **disminución** || **discurso**

● CON VBOS. **hacer(se)** · **volver(se)**

implacable adj.

● CON SUSTS. **juez** · **fiscal** || **dictador,-a** · **asesino,na** || **adversario,ria** · **enemigo,ga** || ***otros individuos y grupos humanos*** || **odio** *dejarse llevar por un odio implacable y violento* · **furia** · **ira** · **rencor** · **crueldad** · **ensañamiento** || **gobierno** · **dictadura** · **represión** · **dominio** · **tutela** · **poder** · **autoridad** || **ley** *La implacable ley del mercado libre impone...* · **justicia** · **regla** · **normativa** · **medida** · **mandato** · **orden** · **prohibición** · **sentencia** · **veredicto** *Se resistía a aceptar el implacable veredicto de la ciencia* · **fallo** || **venganza** · **castigo** · **embargo** · **rigor** · **disciplina** · **represalia** || **acoso** · **persecución** · **asedio** *Resistieron durante meses el asedio implacable del ejército invasor* · **caza** · **marcaje** · **cacería** || **oposición** · **lucha** · **enfrentamiento** · **batalla** · **guerra** · **ataque** · **contienda** · **competencia** *Nos enfrentamos en la actualidad a la implacable competencia de las multinacionales* · **hostilidad** · **rebeldía** · **puja** || **destrucción** *la implacable destrucción de las llamas* · **terrorismo** · **genocidio** · **eliminación** · **escabechina** || **discriminación** · **denigración** · **segregación** || **golpe** · **derechazo** *Marcó el gol de la victoria con un derechazo implacable* · **mazazo** · **revés** · **látigo** · **flagelo** || **crítica** · **sátira** · **denuncia** · **caricatura** || **lógica** · **análisis** · **disección** · **mirada** · **ojo** · **criterio** · **opinión** · **retrato** · **radiografía** *un estudio sociológico que ofrece una radiografía implacable de la juventud actual* · **interpretación** || **avance** *El avance implacable de la ciencia augura...* · **proceso** · **paso** · **curso** · **marcha** · **desarrollo** · **evolución** · **aumento** · **incremento** || **tiempo** · **reloj** || **deterioro** · **decadencia** · **declive** · **caída** · **descenso** · **disminución** · **retroceso** · **pérdida** || **sol** · **calor** *el calor implacable del desierto* · **bochorno** · **lluvia** || **silencio** · **destino**

implantación s.f.

● CON ADJS. **fuerte** · **plena** *Aunque faltan aún unos meses para la plena implantación de la normativa...* · **general** · **generalizada** || **abrupta** · **rápida** · **instantánea** · **anticipada** || **progresiva** · **lenta** · **espaciada** · **gradual** · **paulatina** || **temporal** · **permanente** · **definitiva** || **fallida** · **incompleta** || **nacional** · **territorial** · **geográfica** · **regional** || **industrial** · **social**

• CON SUSTS. **proceso (de)** *facilitando de esta manera el proceso de implantación nacional de un sistema de recaudación que...* · **proyecto (de)** · **plan (de)** · **programa (de)**
• CON VBOS. **llevar a cabo** · **aplicar** || **defender** · **apoyar** · **propulsar** · **favorecer** *El Gobierno favorecerá la implantación de nuevos centros asociados* · **procurar** · **facilitar** · **subvencionar** · **financiar** || **acelerar** · **lograr** · **conseguir** || **retrasar** · **retardar** · **frenar** · **obstaculizar** · **paralizar** · **detener** · **suspender** || **impedir** · **evitar** || **proponer** · **pedir** · **negociar** · **estudiar** || **proceder (a)** · **contribuir (a)** · **oponerse (a)**

implantar v.

• CON SUSTS. **riñón** *Necesita que le implanten urgentemente un riñón* · **médula** · **chip** · ***otros órganos o piezas*** || **sistema** · **método** *...para implantar un nuevo método ecológico* · **técnica** · **mecanismo** · **procedimiento** · **metodología** · **estrategia** || **ley** · **medida** · **norma** · **normativa** *la normativa implantada para mejorar el tráfico* · **criterio** · **regla** · **reglamento** · **legislación** · **código** · ***otras disposiciones*** || **modelo** · **esquema** · **fórmula** · **solución** || **institución** · **cultura** · **idioma** · **régimen** · **política** · **educación** || **plan** · **programa** · **proyecto** *Piensan implantar aquí un proyecto industrial desarrollado con éxito en otros países* || **pena** · **castigo** · **sanción** || **tributo** · **pago** · **impuesto** · **tarifa** · **tasa** || **orden** · **control** · **vigilancia** || **reforma** · **mejora** || **concepto** *El diseñador implantó un nuevo concepto de moda* · **idea** · **moral** · **ética** · **filosofía** · **conciencia** || **estilo** · **tendencia** · **estética** · **canon** || **costumbre** · **hábito** · **moda** · **tradición** · **uso** || **hegemonía** · **soberanía** · **dominio** · **unidad** · **poder** · **reino** · **reinado**
• CON ADVS. **gradualmente** · **progresivamente** *El Gobierno prevé implantar progresivamente la nueva ley de...* · **paulatinamente** · **experimentalmente** || **al completo** · **definitivamente** · **con éxito** || **miméticamente** · **por la fuerza** · **unilateralmente**

implicar(se) (en) v.

• CON SUSTS. **actividad** · **tarea** · **trabajo** *Me impliqué hasta las cejas en ese trabajo* · **proyecto** · **búsqueda** || **lucha** · **relación** || **partido** · **grupo** · **organización** · **asociación** · **empresa**
• CON ADVS. **activamente** *El director buscaba que el público se implicara activamente en la representación* · **con entusiasmo** · **diligentemente** · **dinámicamente** || **profundamente** · **totalmente** · **a fondo** · **fuertemente** · **hasta el cuello** · **hasta las cejas** || **sinceramente** *Le reprochaba que no se había implicado sinceramente en la relación* || **inevitablemente** · **inexorablemente**

implícito, ta adj.

• CON SUSTS. **alusión** · **comentario** · **referencia** · **mención** *Hizo mención implícita a las tragedias ocurridas* · **mensaje** · **idea** · **contenido** · **lenguaje** || **sentido** · **significado** || **intención** · **pretensión** · **voluntad** · **deseo** || **mandato** · **orden** · **ley** || **medio** · **recurso** · **estrategia** || **consentimiento** *Dio el consentimiento implícito a la boda* · **conformidad** · **anuencia** · **permiso** · **autorización** || **asentimiento** · **aceptación** · **reconocimiento** || **compromiso** · **acuerdo** · **pacto** · **voto** || **relación** · **conexión** · **vínculo** || **disculpa** · **confesión** *El discurso fue una confesión implícita de su desastrosa gestión* · **perdón** || **pronunciamiento** · **declaración** · **gesto** · **discurso** · **interpretación** || **crítica** · **condena** · **denuncia** · **oposición** · **acusación** · **reproche** · **recriminación** · **ofensa** · **descalificación** || **apoyo** · **respaldo** · **sostenimiento** || **amenaza** · **advertencia** · **insinuación** || **sexo** · **erotismo** · **sensualidad** · **violencia** *escenas de violencia implícita*
• CON VBOS. **estar** *El mensaje está implícito en el sentido de la frase* · **resultar** · **quedar(se)** · **aparecer** · **figurar**

implorar v.

• CON SUSTS. **ayuda** *Las poblaciones afectadas por la catástrofe imploran ayuda* · **auxilio** · **protección** · **colaboración** · **limosna** · **apoyo** · **favor** · **voto** · **amparo** · **asistencia** · **merced** || **milagro** || **piedad** · **misericordia** *Miraba al cielo implorando misericordia* · **caridad** · **compasión** · **clemencia** · **comprensión** · **afecto** · **benevolencia** · **consuelo** · **bendición** · **solidaridad** · **reconocimiento** || **justicia** · **perdón** *El condenado imploró perdón e indulgencia* · **indulto** · **condonación** || **paz** · **tregua** · **libertad** · **liberación** *Miles de personas imploraron la liberación de los rehenes* · **solución** · **salvación** || **salud** · **comida** · **alimento** · **agua** · **empleo** · **vivienda** · **lluvia** · **subvención** · **préstamo** · **dinero** · **medicinas**
• CON ADVS. **humildemente** · **a lágrima viva** · **de rodillas** · **desoladamente** || **insistentemente** · **desesperadamente** || **inútilmente** · **en balde**

imponente adj.

• CON SUSTS. **edificio** *el imponente edificio del centro de la plaza* · **pirámide** · **rascacielos** · **mole** · **muro** · **estadio** · **catedral** · **palacio** · **mansión** · **murallas** || **monumento** · **estatua** · **escultura** · **columna** || **estructura** · **arquitectura** · **construcción** || ***otras edificaciones*** || **cordillera** · **montaña** · **macizo** || **presencia** · **aspecto** · **físico** · **corpulencia** · **envergadura** · **silueta** · **apariencia** · **porte** · **belleza** || ***persona*** *El delantero centro es un jugador imponente* || ***animal*** *Y pudimos ver un tigre imponente* || **garras** · **fauces** · **cornamenta** || **llamarada** · **fuego** · **incendio** || **despliegue** · **sistema** · **organización** · **infraestructura** || **manifestación** · **silencio** *Los manifestantes recorrieron las calles en un silencio imponente* || **obra** · **actuación** · **interpretación** || **patrimonio** · **cifra** · **cantidad**

[imponer] → imponer; imponer(se)

imponer v.

▮ [hacer efectivo obligadamente]

• CON SUSTS. **pena** · **sanción** *imponer una sanción ejemplar* · **castigo** · **correctivo** · **multa** · **arresto** · **sentencia** · **condena** || **ley** · **regla** · **norma** · **principio** · **reglamento** · **código** · **estatuto** · ***otras disposiciones*** || **política** *El Gobierno impondrá una nueva política económica* · **pauta** · **estrategia** · **método** · **procedimiento** · **programa** || **tiempo** · **período** · **calendario** · **plazo** · **agenda** || **autoridad** *...para imponer su autoridad sin gritos ni castigos* · **dominio** · **superioridad** · **poder** · **control** · **liderazgo** · **supremacía** · **poderío** || **orden** *¿No hay nadie que imponga en esta asamblea un poco de orden?* · **disciplina** · **obediencia** || **criterio** · **idea** · **tesis** · **visión** · **punto de vista** · **opinión** || **lógica** · **razón** · **sentido común** *...quien impuso el sentido común en la reunión* · **sensatez** · **cordura** || **medida** · **acción** · **solución** || **tratamiento** · **conducta** · **terapia** || **obligación** · **deber** · **responsabilidad** · **carga** · **misión** · **trabajo** || **condición** *El candidato impuso varias condiciones para participar en el debate televisivo* · **necesidad** · **cláusula** · **exigencia** || **cambio** · **modificación** · **reforma** · **reajuste** · **reestructuración** · **recorte** · **renovación** · **reducción** · **restricción** · **revolución**
• CON ADVS. **abusivamente** · **a dedo** · **cautelarmente** · **dictatorialmente** *imponer dictatorialmente unas reglas férreas e inflexibles* · **dogmáticamente** · **impunemente** || **con firmeza** · **con mano de hierro** · **con mano firme** ||

a rajatabla · **a toda costa** *imponer a toda costa un punto de vista* · **a ultranza** · **contra viento y marea** · **inexorablemente** || **gradualmente** · **paulatinamente** · **progresivamente** || **limpiamente** · **sin condiciones** · **unilateralmente**

▮ [infundir]

● CON SUSTS. **respeto** *Tu padre me impone un respeto enorme* · **reserva** || **miedo** · **terror** · **pánico**

▮ [poner en depósito]

● CON SUSTS. **cantidad** · **ahorros** · **retención**
● CON ADVS. **a plazo fijo**

▮ [colocar sobre alguien]

● CON SUSTS. **condecoración** · **medalla** *imponer una medalla al ganador* · **insignia** || **manos** · **ceniza**

imponer(se) v.

● CON SUSTS. **moda** *Se está imponiendo la moda de los pantalones piratas* · **costumbre** · **hábito** || **corredor,-a** · **jugador,-a** · **político,ca** · **equipo** · ***otros individuos y grupos humanos***
● CON ADVS. **nítidamente** · **claramente** *Obtuvo la victoria al imponerse claramente en la última vuelta* · **manifiestamente** || **cómodamente** · **holgadamente** · **sobradamente** · **con autoridad** · **ajustadamente** || **con diplomacia** · **con {buenas/malas} formas** || **abrumadoramente** *El equipo se impuso abrumadoramente en los minutos finales* · **clamorosamente** · **arrolladoramente** · **con rotundidad** · **aplastantemente** · **demoledoramente** || **a domicilio** || **electoralmente** *¡Quién sabe qué partido se impondrá electoralmente en las urnas...!*

imponible adj.

● CON SUSTS. **base** *Los contribuyentes que declararon una base imponible superior a...* · **hecho** · **tipo** · **renta** · **tasa** · **líquido** · **beneficio** || **sanción** · **pena**

importación s.f.

● CON ADJS. **masiva** *Si la crisis del sector es consecuencia de las importaciones masivas...* · **directa** · **libre** · **legal** || **fraudulenta** · **clandestina** · **ilegal**
● CON SUSTS. **volumen (de)** · **porcentaje (de)** · **cuota (de)** · **cupo (de)** · **costes (de)** || **mercado (de)** · **empresa (de)** || **licencia (de)** · **derecho (de)** · **arancel (de)** *Se acordaron nuevos aranceles de importación al tabaco* · **impuesto (de)** · **tasa (de)** · **tarifa (de)** || **producto (de)**
● CON VBOS. **crecer** · **aumentar** · **incrementar** || **decrecer** · **disminuir** *Ha disminuido la importación de zapatos* || **facilitar** · **fomentar** · **promover** · **favorecer** · **relanzar** · **permitir** · **canalizar** · **encauzar** · **monopolizar** || **recortar** · **restringir** · **obstaculizar** · **frenar** · **perjudicar** · **impedir** · **prohibir** · **denegar** || **investigar** *investigar la importación fraudulenta* · **descubrir** || **penalizar** · **sancionar** || **depender (de)** · **dedicar(se) (a)** · **destinar (a)**

importancia s.f.

● CON ADJS. **capital** · **verdadera** · **real** · **suma** · **vital** *Es de vital importancia que llegues a tiempo* · **esencial** · **fundamental** · **crucial** · **determinante** · **decisiva** · **trascendental** · **preponderante** || **abrumadora** · **desmedida** *Quizá concede una importancia desmedida a cosas que no la merecen* · **desmesurada** · **creciente** · **considerable** · **notable** || **particular** · **singular** · **especial** || **escasa** *Como era un asunto de escasa importancia, quedó relegado a un segundo plano* · **insignificante** · **ínfima** · **limitada** · **relativa** · **accesoria** · **anecdótica** · **menor** *No tiene la menor importancia* || **cualitativa** · **estratégica** || **profesional** · **personal** · **familiar** || **local** · **regional** · **nacional** · **internacional** · **global** · **mundial** || **acorde (con)** *Le dieron un trato acorde con su importancia*
● CON SUSTS. **ápice (de)** · **pizca (de)** || **carente (de)** · **falta (de)**
● CON VBOS. **aumentar** · **crecer** || **menguar** · **devaluar(se)** · **decrecer** · **disminuir** || **estribar (en algo)** *La enorme importancia de su legado estriba en...* · **residir (en algo)** || **tener** *¿Por qué tiene tanta importancia para ti?* · **cobrar** · **adquirir** · **conservar** · **revestir** || **perder** || **dar** · **conceder** · **otorgar** · **atribuir** || **calcular** · **calibrar** · **dilucidar** · **sopesar** · **valorar** || **manifestar** · **acreditar** · **confirmar** · **demostrar** · **corroborar** || **hacer {notar/ver}** · **resaltar** · **destacar** · **señalar** · **subrayar** *Aprovecho la ocasión para subrayar la importancia de la cuestión y destacar...* · **magnificar** · **sobrestimar** || **relativizar** · **subestimar** · **quitar** *Aunque intentes quitar importancia a sus palabras...* · **negar** · **desplazar** || **carecer (de)** *No te preocupes, es un pequeño fallo que carece de importancia*

importar v.

▮ [introducir en un país]

● CON SUSTS. **alimento** · **petróleo** *uno de los países que importa más petróleo* · **trigo** · **componente** · ***otros productos*** || **mano de obra** · **trabajadores,ras** · **jugador,-a** || **costumbre** · **idea**
● CON ADVS. **libremente** · **con restricciones**

▮ [extraer, obtener]

● CON SUSTS. **fichero** · **imagen** *importar una imagen de internet* · **documento**

▮ [resultar importante]

● CON ADVS. **extraordinariamente** *Me importa extraordinariamente que las cosas se hagan bien*

☐ USO Se construye generalmente en contextos negativos: *Nunca le importó mucho lo que pensaran los demás.*

importe s.m.

● CON ADJS. **alto** · **abultado** · **desorbitado** *El importe del billete me parece desorbitado* · **elevado** · **caro** || **módico** *un vuelo asequible por el módico importe de...* · **ínfimo** · **irrisorio** · **escaso** || **aproximado** · **medio** · **habitual** · **exacto** *¿Y cuál sería el importe exacto?* · **íntegro** || **proporcional**
● CON SUSTS. **devolución (de)** · **pago (de)** · **reintegro (de)** || **dinero (de)** || **total (de)** · **mitad (de)** · **resto (de)** · **porcentaje (de)**
● CON VBOS. **estimar(se) (en algo)** · **ascender (a algo)** *El importe total asciende a...* · **sobrepasar (algo)** || **pagar** · **abonar** · **satisfacer** · **cobrar** · **saldar** || **adeudar** · **dejar a deber** *Dejé a deber todo el importe de la compra* || **rebajar** · **reducir** || **calcular** · **consignar** · **especificar** · **desglosar** · **detallar** || **asumir** || **enviar** · **recibir**

imposibilitar v.

● CON SUSTS. **tarea** · **actividad** · **labor** · **acción** · **ejercicio** · **celebración** || **vida** · **funcionamiento** *un fallo que imposibilita el funcionamiento normal del sistema* · **respiración** · **visión** || **creación** · **construcción** · **elaboración** · **venta** · **negociación** · ***otras actuaciones*** || **cambio** · **ampliación** · **desarrollo** · **progreso** *imposibilitar el progreso de un plan* · **avance** · **superación** · **mejora** || **movimiento** · **marcha** · **tránsito** || **acceso** · **salida** · **llegada** · **asistencia** || **comunicación** · **transmisión** · **encuentro** || **acuerdo** *La última decisión imposibilitó el acuerdo* · **convivencia** · **integración** || **uso** · **utilización**

• CON ADVS. **totalmente · absolutamente · definitivamente · manifiestamente || de hecho · teóricamente** *Un fallo semejante imposibilitaría teóricamente el funcionamiento del sistema* || **físicamente · materialmente · legalmente · psíquicamente · emocionalmente · moralmente**

imposible adj.

• CON ADVS. **absolutamente · de todo punto || prácticamente** *Me será prácticamente imposible llegar a esa hora* · **virtualmente · casi || humanamente**

• CON VBOS. **ser · estar · resultar · poner(se)** *El tráfico se está poniendo imposible*

☐ EXPRESIONES **hacer lo imposible** (para algo) [intentar conseguirlo agotando todos los medios posibles] *col.*

imposición s.f.

▮ [acción de imponer]

• CON ADJS. **absoluta · severa** *Ante la imposición severa de reglas por parte de la directiva...* · **extrema · máxima · desmesurada || razonable · justa · arbitraria || formal · directa · indirecta || dogmática · dictatorial** *la imposición dictatorial de una ley* · **autoritaria · totalitaria · violenta · por la fuerza · a la fuerza · unilateral · forzosa || legal · normativa · judicial · política · moral · divina || fiscal · económica**

• CON VBOS. **aceptar · admitir** *No admite ninguna imposición de sus superiores* · **acatar · asumir · afrontar · justificar · anunciar || aumentar · incrementar || reducir · rebajar || suponer · comportar · conllevar || sortear · evitar · burlar · desoír** *desoír la imposición arbitraria de una norma absurda* · **rechazar · denunciar || someter(se) (a) · oponer(se) (a)**

▮ [ingreso]

• CON ADJS. **bancaria · a plazo fijo** *la remuneración de una imposición a plazo fijo*

• CON VBOS. **solicitar · negociar || pagar · retribuir**

impostar v.

• CON SUSTS. **tono · voz**

impotencia s.f.

• CON ADJS. **terrible · absoluta · total** *Ante este tipo de injusticias siento una impotencia total* · **aguda || sexual · amorosa · erótica || masculina · viril || manifiesta · proverbial · democrática · terapéutica || local · real · física · moral || general · gran(de) · pura · enorme || transitoria · crónica || creadora · creativa**

• CON SUSTS. **problema (de) · crisis (de) || sensación (de)** *Le entró una gran sensación de impotencia cuando perdió el avión* · **sentimiento (de) || imagen (de) · gesto (de) · señal (de) · mueca (de) · grito (de) || arrebato (de) · acceso (de)**

• CON VBOS. **invadir (a alguien) · embargar (a alguien) · adueñarse (de alguien) · entrar (a alguien) || generar · causar** *Según el estudio, el alcohol puede causar impotencia* · **provocar || mostrar · plasmar · reflejar · demostrar · admitir · reconocer || sentir** *Desde el banquillo los suplentes sentían impotencia al ver perder a su equipo* · **sufrir · padecer || curar · vencer · tratar · prevenir · combatir || desahogar || llorar (de) · estallar (de)**

impracticable adj.

▮ [de difícil acceso]

• CON SUSTS. **camino · carretera · ruta · sendero** *A esa altura, el sendero se volvía impracticable* · **itinerario || terreno · campo · ruedo · pista de esquí**

• CON VBOS. **ser · estar** *El camino está impracticable* · **poner(se) · volverse · hacer(se)**

▮ [que no se puede realizar]

• CON SUSTS. **idea · teoría · tesis || plan · programa · modelo · sistema || sugerencia** *La sugerencia que plantea es, por el momento, impracticable* · **propuesta · iniciativa · solicitud · requerimiento || táctica · método · política** *Los analistas consideran impracticable la política social que pretende llevar a cabo el actual Gobierno* || **ley · enmienda · sentencia · norma || condición · exigencia**

imprecisión s.f.

• CON ADJS. **gran(de) · notable · clara · marcada · llamativa · fatal · inevitable || leve · involuntaria · pequeña** *Solo cometí una pequeña imprecisión* · **insignificante · menor · ligera || constantes · continuas || léxica · gramatical · verbal || narrativa · literaria || cronológica · histórica** *La afirmación supone una grave imprecisión histórica* || **conceptual || lleno,na (de) · cargado,da (de) · plagado,da (de)**

• CON SUSTS. **serie (de) · sucesión (de) || grado (de) || falta (de) || problema (de) || consecuencia (de) · efecto (de)**

• CON VBOS. **surgir · producir(se) || marcar (algo)** *un partido marcado por las continuas imprecisiones en la cesión de la pelota* || **malograr (algo) || cometer · causar · ocasionar || evitar · corregir · minimizar || resaltar · magnificar · aprovechar || caer (en) · adolecer (de) · incurrir (en)** *Estaba agotada e incurrió en varias imprecisiones* · **conducir (a)**

• CON PREPS. **con** *...para evitar expresarte con imprecisión*

impreciso, sa adj.

• CON SUSTS. **dato · número** *un número impreciso de heridos* · **cifra || cantidad · importe · porcentaje · total || altura · edad · temperatura · valor · extensión ·** ***otras magnitudes*** **|| frontera** *delimitar las difusas e imprecisas fronteras entre realidad y ficción* · **límite · contorno · margen || lenguaje · definición · palabra · término · verbo · adjetivo · testimonio · descripción · frase · orden || dibujo · trazo** *Había garabateado su nombre con trazos imprecisos* || **conclusión · respuesta || significado · concepto · noción · idea · percepción || lugar · localización || momento · fecha || equipo · defensa || ley · norma · acuerdo · disposición**

• CON ADVS. **totalmente · tremendamente** *Aunque las indicaciones eran tremendamente imprecisas, llegamos a su casa sin problemas* · **ligeramente · absolutamente || deliberadamente**

impredecible adj.

• CON SUSTS. **consecuencia · efecto · alcance · resultado · final || causa · motivo · razón || comportamiento · personalidad · actitud · carácter** *Por su carácter impredecible e irreflexivo es difícil saber cómo va a reaccionar* · **perfil · temperamento || evolución · desarrollo** *La situación final dependerá del impredecible desarrollo de la tecnología* · **curso · dinámica · movimiento · proceso || cambio · alteración · fluctuación · mutación || incidente · suceso** *Fue una catástrofe natural, un suceso impredecible* · **hecho · avatares || jugador,-a** *Es un jugador impredecible del que puedes esperar cualquier cosa* · **protagonista · autor,-a · equipo · público ·** ***otros individuos y grupos humanos*** **|| noticia · información · dato || reacción · respuesta · pronto || futuro · porvenir · destino || peligro · amenaza · riesgo || clima** *...favorecido por el clima*

impredecible y hostil de la región · **ambiente** · **tiempo** · **temperatura**
● CON VBOS. **volverse**

impregnado, da (de) adj.

● CON SUSTS. **gasolina** · **sangre** · **alcohol** · **tinta** · **orina** · ***otros líquidos*** || **perfume** · **olor** *Salió de la cocina impregnado de un olor grasiento* · **aroma** · **sabor** || **grasa** || **cultura** · **literatura** · **filosofía** · **historia** *ruinas impregnadas de historia* · **ideología** · **ética** · **música** · **lírica** || **espíritu** · **pensamiento** || **tristeza** · **melancolía** · **nostalgia** · **ternura** · **alegría** · **amor** · ***otros sentimientos o emociones*** || **tópicos** *un discurso impregnado de tópicos y clichés* · **frases hechas** · **ironía** · **humor** · **ingenio** · **estilo**
● CON ADVS. **a conciencia** · **totalmente** · **extensamente** · **profundamente** · **absolutamente** · **de la cabeza a los pies** || **teológicamente** · **nostálgicamente** · **culturalmente**

□ USO Se construye generalmente con sustantivos no contables en singular (*un artículo impregnado de ironía*) o con contables en plural (*un artículo impregnado de tópicos*).

[impresión] → de impresión; impresión

impresión s.f.

● CON ADJS. **buena** *Nos llevamos muy buena impresión de la visita* · **agradable** · **grata** · **positiva** *Lo que dice corrobora la impresión positiva que tienen de usted* · **favorable** · **excelente** · **magnífica** · **imborrable** || **mala** · **negativa** · **desfavorable** · **pésima** *El hotel me causó una pésima impresión* · **lamentable** · **desoladora** · **horrorosa** || **honda** · **fuerte** · **profunda** · **vívida** || **primera** *La primera impresión fue muy positiva* || **general** · **particular** · **personal** || **fundada** · **fundamentada** || **engañosa** · **equivocada** · **errónea** · **aparente** · **falsa**
● CON VBOS. **cobrar fuerza** · **quedar en la memoria** · **traslucir(se)** || **mejorar** · **empeorar** · **nublar(se)** || **dar (a alguien)** *Me da la impresión de que su enfermedad es fingida* · **causar (a alguien)** · **producir (a alguien)** *Me produce mucha impresión ver la sangre* · **provocar (a alguien)** · **dejar en la memoria** || **recibir** · **llevarse** *Se llevó una fuerte impresión al recibir la noticia* · **tener** · **recabar** · **abrigar** · **guardar** · **sacar (de algo)** || **manifestar** · **dejar caer** || **avalar** · **corroborar** · **confirmar** || **intercambiar** *Los invitados intercambiaron impresiones antes de la reunión* || **quedarse (con)** *Me quedé con la impresión de que te habías aburrido* · **dejarse llevar (por)** || **sustraer(se) (de/a)** · **recobrarse (de)** · **reponerse (de)** *Tardé un buen rato en reponerme de la impresión* · **sobreponerse (a)** · **salir (de)**

impresionar v.

● CON ADVS. **favorablemente** *El candidato impresionó favorablemente al jurado* · **gratamente** · **positivamente** || **desfavorablemente** · **negativamente** || **fuertemente** · **hondamente** *Me impresionaron hondamente sus palabras* · **sobremanera** · **profundamente** · **vivamente**

impreso, sa

1 impreso, sa adj.

● CON SUSTS. **papel** · **material** · **medio** *Es el único medio impreso de la provincia* · **soporte** · **libro** · **obra** · **periódico** · **diario** · **página** · **catálogo** · **edición** || **letra** · **texto** · **frase** · **sello** *Lleva un sello impreso en la parte superior derecha* · **leyenda** · **nombre** · **imagen** · **fotografía** · **huella** · **anuncio** || **periodismo** · **prensa** *Se dedica al mundo de la prensa impresa* · **literatura** · **cultura**

2 impreso s.m.

● CON VBOS. **cumplimentar** · **llenar** · **rellenar** *Para presentar la solicitud, rellene este impreso* || **compulsar** *¿Dónde puedo compulsar el impreso?* · **legalizar** || **presentar** || **cursar** *Todavía tiene que cursar el impreso de solicitud* || **dar curso (a)**

imprevisible adj.

● CON SUSTS. ***persona*** *Es un político imprevisible pero carismático* || **gobierno** · **equipo** · ***otros grupos humanos*** || **final** *la película tiene un final imprevisible* · **resultado** · **desenlace** · **conclusión** · **solución** · **salida** || **consecuencia** · **secuela** · **éxito** · **triunfo** · **repercusión** *La noticia tendrá imprevisibles repercusiones* || **futuro** · **pronóstico** · **previsión** · **destino** · **hado** || **comportamiento** · **actitud** · **actuación** · **reacción** · **carácter** *tener un carácter inestable e imprevisible* · **personalidad** · **temperamento** · **postura** · **naturaleza** || **movimiento** · **avance** · **escalada** · **oscilación** · **recorrido** · **proceso** · **desarrollo** *El desarrollo económico del país es imprevisible* · **trayectoria** · **curso** · **evolución** || **cambio** · **alteración** · **mutación** · **giro** · **desviación** || **suceso** · **hecho** · **acontecimiento** · **dato** · **fenómeno** || **nieve** · **viento** · **frío** · **calor** · **terremoto** *Los terremotos siempre son imprevisibles* · ***otros fenómenos meteorológicos*** || **cataclismo** · **catástrofe** · **desgracia** · **peligro** · **problema** *Ha surgido un problema imprevisible que debemos solucionar cuanto antes* · **riesgo** · **ataque** · **atentado**

imprevisto, ta

1 imprevisto, ta adj.

● CON SUSTS. **gasto** *A finales de mes tuvimos que hacer frente a un gasto imprevisto* || **situación** · **circunstancia** · **acontecimiento** · **suceso** *Fuimos testigos de excepción de un suceso imprevisto...* · **hecho** · **fenómeno** || **problema** · **obstáculo** · **percance** · **desastre** || **noticia** · **anuncio** · **advertencia** · **decisión** || **giro** · **viaje** · **movimiento** · **cambio** *A última hora hubo un cambio imprevisto en el orden de aparición de los oradores* · **maniobra** || **irrupción** · **novedad** · **aparición** · **llegada** · **visita** || **consecuencia** · **final** *una novela con un final imprevisto* · **resultado** · **desenlace** · **efecto** || **victoria** · **éxito** · **derrota** *una imprevista derrota que deja al equipo en una situación complicada* || **reunión** · **asociación** || **mejora** · **ventaja** · **avance** · **adelanto** · **logro** || **aplazamiento** · **retraso** *Según llegaba al aeropuerto, se anunciaba un retraso imprevisto del vuelo* · **pérdida** · **desventaja** · **retroceso** || **suspensión** · **retirada** · **renuncia** || **falta** · **omisión** · **error** · **fallo**
● CON ADVS. **totalmente** · **completamente** · **absolutamente**

2 imprevisto s.m.

● CON ADJS. **de última hora** · **súbito** · **repentino** *cancelado por un imprevisto repentino* · **inesperado** || **casual** · **eventual** · **ocasional** · **fortuito** || **desafortunado** · **lamentable** · **serio** · **grave**
● CON VBOS. **surgir** *Surgió un imprevisto de última hora y hubo que suspender la función* · **aparecer** · **presentarse** · **sobrevenir** || **constituir** · **representar** || **calcular** *Es preciso calcular bien los posibles imprevistos antes de iniciar el viaje* || **solucionar** · **solventar** || **contar (con)** || **tropezar(se) (con)** · **encontrarse (con)** · **exponerse (a)**

imprimir v.

I [reproducir]

● CON SUSTS. **noticia** · **documento** · **panfleto** · **libro** · **alegato** · **contenido** · **artículo** · **mensaje** · ***otros textos***

● CON ADVS. **a toda plana** *El periódico imprimió a toda plana la noticia* || **a todo color** · **en color** · **en blanco y negro** || **pulcramente**

▮ [dar (a algo), proporcionar (a algo)]

● CON SUSTS. **sello** *Esta directora imprimió un sello innovador a la escuela* · **aire** · **tono** · **estilo** · **aspecto** · **perfil** || **carácter** *El actor logra imprimir su propio carácter al personaje* · **carisma** · **personalidad** · **talante** || **ánimo** · **energía** · **aliento** · **vitalidad** · **impulso** · **ilusión** · **ímpetu** · **interés** · **fuerza** || **velocidad** · **ritmo** *Afortunadamente, la entrada del nuevo defensa imprimió otro ritmo al partido* · **rapidez** || **cambio** · **orientación** · **rumbo** · **giro** · **viraje** || **criterio** · **idea**

improbable adj.

● CON ADVS. **altamente** · **sumamente** *Me parece sumamente improbable conseguir plaza en esta convocatoria* · **extremadamente** · **ciertamente** || **aparentemente** · **estadísticamente** || **harto** *Es harto improbable que vuelva a pasar, pero estaremos prevenidos*

● CON VBOS. **resultar** · **parecer** · **hacer(se)** || **ver** *Veo improbable que salgamos de casa con este tiempo* · **considerar** · **creer** · **juzgar**

ímprobo, ba adj.

● CON SUSTS. **esfuerzo** *Obtuvo el título gracias a un ímprobo esfuerzo* · **sacrificio** · **hazaña** · **lucha** · **investigación** || **trabajo** · **tarea** *La traducción de este libro fue una tarea ímproba* · **labor** · **gestión** || **gasto** · **inversión**

improvisar v.

● CON SUSTS. **discurso** · **palabras** *improvisar unas palabras para los novios* · **frase** · **respuesta** · **explicación** · **conferencia** · **ponencia** · **comunicado** · **verso** · **rima** · **poema** · **soneto** · **cuento** · **brindis** · ***otras manifestaciones verbales o textuales*** || **canción** · **pieza** || **baile** · **paso** || **actuación** · **interpretación** · **número** || **guión** · **programa** · **plan** *¿Eres capaz de improvisar algún plan para esta tarde?* · **estrategia** · **proyecto** || **medida** · **solución** · **fórmula** || **reunión** · **rueda de prensa** · **comparecencia** · **clase** || **celebración** · **fiesta** · **comida** · **cena** || **escapada** · **viaje**

● CON ADVS. **sobre la marcha** · **en el momento** · **deprisa** · **de un día para otro** *improvisar un viaje de un día para otro* · **a bote pronto** · **rápidamente** · **a toda prisa** || **libremente** · **arbitrariamente** || **fácilmente** · **gustosamente**

[improviso] → de improviso

imprudencia s.f.

● CON ADJS. **presunta** || **considerable** · **enorme** · **monumental** · **suma** · **gran(de)** || **grave** *Fue una grave imprudencia por tu parte* · **temeraria** · **imperdonable** · **cara** · **seria** || **leve** · **ligera** · **pequeña** || **peligrosa**

● CON SUSTS. **delito (de)** · **falta (de)**

● CON VBOS. **escapárse(le) (a alguien)** || **cometer** *Se calló, por no cometer ninguna imprudencia* · **decir** · **soltar** || **haber** · **existir** · **apreciar** || **disculpar** · **perdonar** · **permitir** · **denunciar** · **pagar** || **lamentar** || **actuar (con)** · **incurrir (en)** || **acusar (de)** · **calificar (de)**

● CON PREPS. **por** *La condena por imprudencia temeraria puede ascender a...*

imprudente adj.

● CON SUSTS. **conductor,-a** *Las multas para los conductores imprudentes serán más severas* · **peatón** · **persona** · **gente** · ***otros individuos y grupos humanos*** || **conducción** · **actuación** · **maniobra** *una maniobra imprudente que tuvo funestas consecuencias* · **homicidio** || **actitud** · **conducta** · **comportamiento** || **palabra** *Pidió disculpas por sus imprudentes palabras* · **tono** · **acción** · **acto** · **medida** · **iniciativa** · **decisión** || **idea** · **plan** · **ocurrencia** || **ley** · **opción** · **elección**

impuesto, ta s.m.

● CON ADJS. **abusivo** · **asfixiante** · **desorbitado** · **injusto** · **discriminatorio** || **justo** · **equitativo** · **necesario** || **irrisorio** · **módico** || **directo** · **indirecto** · **comunal** · **progresivo** || **obligatorio** · **preceptivo** · **vigente** *El Gobierno está estudiando el impuesto vigente sobre el tabaco* · **discrecional** || **impagado** · **satisfecho** || **revolucionario** || **exento,ta (de)**

● CON SUSTS. **evasión (de)** · **exención (de)** || **pago (de)** *El pago de los impuestos podrá hacerse a partir de mañana* || **sistema (de)** || **recaudación (de)** · **cobro (de)**

● CON VBOS. **recaer (en alguien)** · **acuciar (a alguien)** · **gravar (algo)** *un nuevo impuesto que grava los bienes inmuebles* || **aumentar** · **subir** || **congelar** · **mantener** · **bajar** · **rebajar** || **abolir** *Hace ya muchos años que se abolió el impuesto sobre...* · **implantar** || **recaudar** · **cobrar** · **dedicar** || **pagar** · **desembolsar** · **tributar** · **saldar** || **eludir** *La han denunciado por eludir los impuestos* · **evadir** || **deducir** || **librar(se) (de)** · **eximir (de)** || **freír (a)** · **acribillar (con)**

☐ EXPRESIONES **impuesto de sociedades** [impuesto sobre el beneficio de las empresas] || **impuesto sobre la renta** [impuesto sobre la renta del contribuyente]

impugnar v.

● CON SUSTS. **resolución** · **decisión** · **acuerdo** *¿Existe la posibilidad legal de impugnar el acuerdo?* · **convenio** · **medida** · **orden** · **auto** · **fallo** · **sentencia** · **informe** || **ley** · **decreto** · **proceso** *...después de desvelar la pretensión de su partido de impugnar el proceso* · **norma** · **normativa** · **ordenanza** · **reglamento** · **procedimiento** · **precepto** · **artículo** · ***otras disposiciones*** || **destitución** · **expulsión** · **sanción** · **condena** · **tarjeta** · **rescisión** · **anulación** · **aplazamiento** · **renuncia** || **elección** *El sindicato amenazó con impugnar las elecciones* · **designación** · **nombramiento** · **comicios** · **votación** · **voto** · **instauración** || **aprobación** · **concesión** · **licencia** · **licitación** · **permiso** || **resultado** *El partido impugnó los resultados* · **presupuesto** · **balance** · **cifra** || **concurso** · **prueba** · **oposición** · **examen** || **candidatura** *Los partidos de la oposición amenazan con impugnar ellos mismos la candidatura de...* · **candidato,ta** · **lista**

● CON ADVS. **verbalmente** · **constitucionalmente** · **jurídicamente** · **judicialmente** *impugnar judicialmente la reforma de la ley electoral* · **administrativamente**

impulsar v.

● CON SUSTS. **acercamiento** · **acuerdo** *encontrar la forma de impulsar un acuerdo* · **alianza** · **negociación** · **pacto** || **iniciativa** · **plan** · **propuesta** · **proyecto** · **idea** || **trabajo** · **obra** · **labor** || **ley** · **medida** · **operación** · **aprobación** || **proceso** · **cambio** · **transformación** · **reforma** · **conversión** · **innovación** · **renovación** || **candidatura** || **ascenso** · **carrera** || **divulgación** · **participación** || **insurrección** · **lucha**

● CON ADVS. **enérgicamente** · **fuertemente** · **activamente** · **resueltamente** · **dinámicamente** *La nueva presidenta impulsó dinámicamente las ayudas sociales* · **decididamente** · **decisivamente** · **vitalmente** · **vehementemente** · **tenazmente** || **con cautela**

impulsivo, va adj.

● CON SUSTS. ***persona*** *un joven simpático, pero demasiado impulsivo* || **acto** *En un acto impulsivo la llamó por teléfono* · **acción** · **decisión** || **carácter** *El piloto tenía un carácter muy impulsivo* · **genio** · **pronto** · **temperamento** · **conducta** · **comportamiento** || **gesto** · **movimiento** · **reacción** · **instinto** · **arrebato** || **compra** · **comprador,-a** *un producto dirigido a compradores impulsivos* || **salida** · **respuesta** · **ataque**

impulso s.m.

● CON ADJS. **irreprimible** · **irresistible** *Tuve el impulso irresistible de decirle la verdad* · **irrefrenable** · **desbordante** · **incontenible** · **arrollador** · **ciego** · **combativo** · **frenético** · **súbito** · **vehemente** || **sexual** · **carnal** · **amoroso** · **erótico** · **afectivo** · **instintivo** · **visceral** · **vital** · **social** || **eléctrico** · **económico** *un gran impulso económico para un país que...* || **atávico**

● CON SUSTS. **transmisión (de)** · **sucesión (de)** || **falta (de)**

● CON VBOS. **desatar(se)** · **ahogar(se)** · **aplacar(se)** · **controlar** · **frenar** · **atemperar** · **contener** · **vencer** · **dominar** · **sofocar** · **reprimir** *Tuve que reprimir el impulso de irme* · **moderar** · **neutralizar** · **domar** · **refrenar** · **templar** · **serenar(se)** · **sujetar** || **dar** *dar un nuevo impulso a un negocio* · **coger** · **adquirir** · **cobrar** · **tomar** · **recobrar** · **imprimir** || **seguir** · **liberar** · **dejar escapar** || **ceder (a)** · **dejarse llevar (por)** · **dar rienda suelta (a)** *Después de mucho contenerse, dio rienda suelta a sus impulsos* || **servir (de)** || **carecer (de)**

impulsor, -a

1 impulsor, -a adj.

● CON SUSTS. **fuerza** · **motor** || **papel** *Han premiado su papel impulsor de la cultura* · **agente** · **elemento** · **factor** || **empresa** *una empresa impulsora de las telecomunicaciones* · **sociedad** · **organización** · **órgano** · **cadena** · **conjunto** · **entidad** · **equipo** || **motivo** *el motivo impulsor del proyecto* || **espíritu** · **vocación**

2 impulsor, -a s.

● CON ADJS. **principal** · **gran** · **verdadero,ra** *La verdadera impulsora de la lucha por la igualdad* · **máximo,ma** · **firme** · **auténtico,ca** · **personal** · **decidido,da** · **inicial** || **artístico,ca** · **original** · **genuino,na** || **eficaz**

● CON VBOS. **actuar (como)** · **convertirse (en)**

impune adj.

● CON SUSTS. **crimen** *Esperaba que las autoridades hicieran todo lo posible para que el crimen no quedara impune* · **asesinato** · **magnicidio** · **homicidio** · **matanza** · **masacre** · **genocidio** || **delito** *Prometió no dejar ningún delito impune* · **infracción** · **vulneración** · **delincuencia** || **violación** · **ataque** · **agresión** · **maltrato** · **atentado** · **ofensiva** · **bombardeo** · **tropelía** · **desmán** || **corrupción** *La galopante corrupción urbanística en la zona sigue impune* · **corruptela** · **vicio** || **estafa** · **fraude** · **falsificación** · **plagio** · **mentira** · **atraco** · **robo** · **expolio** · **piratería** · **extorsión** || **delincuente** · **asesino,na** · **criminal** *uno de los más grandes criminales impunes de nuestra historia* · **cómplice** · **responsable** || **crítica** · **ofensa** · **desprecio** · **afrenta** · **acusación** · **calumnia** · **declaración** · **manifestación** || **insolencia** · **agresividad** · **atrevimiento** · **abuso** *Se tomarán medidas para minimizar el abuso impune contra los trabajadores* · **hostigamiento** · **ocultación** || **violencia** · **crueldad** *Tanta crueldad no puede quedar impune* · **atrocidad** · **maldad**

● CON VBOS. **quedar**

impunidad s.f.

● CON ADJS. **total** · **absoluto** *Los ladrones salieron con absoluta impunidad del atraco* · **completa** · **constante** · **flagrante**

● CON SUSTS. **sensación (de)** || **manto (de)** · **zona (de)** || **clima (de)** · **situación (de)** || **grado (de)** || **acuerdo (de)**

● CON VBOS. **combatir** · **extirpar** · **evitar** · **denunciar** || **brindar** *un decreto que brindaba total impunidad a los militares* · **otorgar** · **garantizar** · **facilitar** · **fomentar** · **consentir** · **permitir** || **buscar** · **lograr** · **mantener** || **gozar (de)** · **escudarse (en)** || **luchar (contra)** · **acabar (con)** · **poner fin (a)** *...señalando la importancia de poner fin a la impunidad de los violadores de los derechos humanos* · **terminar (con)**

● CON PREPS. **al abrigo (de)** · **a cambio (de)**

impuro, ra adj.

● CON SUSTS. **aire** · **agua** || **sangre** · **manos** || **pensamiento** · **acto** *cometer actos impuros* · **actividad** · **vida** || **origen**

● CON VBOS. **hacerse** · **volverse** · **quedar**

imputar v.

● CON SUSTS. **crimen** · **atraco** · **homicidio** · **atentado** · **agresión** · **falta** · **robo** · **violación** · **asesinato** *Aunque no había pruebas, le imputaron el asesinato* · ***otros delitos*** || **cargo** · **acusación** · **caso** || **participación** · **responsabilidad** · **autoría** *Sus detractores le imputaban la autoría del doble crimen* · **implicación** || **fallo** · **error** · **fracaso** · **contradicción** · **defecto** · **negligencia** · **arbitrariedad** · **imprudencia** · **anomalía** · **culpa**

inaceptable adj.

● CON SUSTS. **exigencia** · **condición** *El pacto que les ofrecieron tenía unas condiciones inaceptables* · **chantaje** · **presión** · **chulería** || **injerencia** · **intromisión** || **hecho** · **situación** *...con el deseo de poner fin a una situación inaceptable para miles de usuarios* · **realidad** · **acción** · **conflicto** || **derrota** · **afrenta** · **fraude** || **propuesta** · **argumento** · **sentencia** *Para los familiares era una sentencia inaceptable* · **decisión** || **comportamiento** · **actuación** · **conducta** · **método** · **política** · **postura** · **actitud** || **nivel** *La contaminación acústica está alcanzando niveles inaceptables en la zona* · **privilegio** · **marginación** · **cinismo** · **humillación** || **excusa** || **injusticia** · **discriminación**

● CON ADVS. **totalmente** · **absolutamente** *una propuesta absolutamente inaceptable* · **completamente** · **de todo punto** · **a todas luces** || **éticamente** · **moralmente** · **políticamente** · **socialmente**

● CON VBOS. **considerar** · **resultar** || **calificar (de)** · **tildar (de)**

inadmisible adj.

● CON SUSTS. **comportamiento** *Tu comportamiento es de todo punto inadmisible* · **actitud** · **proceder** · **situación** · **acto** · **hecho** · **condición** *Trabajaban con unas condiciones absolutamente inadmisibles* · **propuesta** || **excusa** · **argumento** · **barbaridad** · **disparate** || **aumento** · **disminución** · **deterioro** · **debilidad** || **imposición** · **intromisión** · **chantaje** · **amenaza** || **injerencia** · **comentario** · **declaración** *La oposición calificó de inadmisible la declaración de la presidenta* || **fallo** · **error** · **omisión**

• CON ADVS. **a todas luces · de todo punto · absolutamente || humanamente · éticamente**
• CON VBOS. **hacer(se) · resultar · calificar (de)**

inadvertido, da adj.

• CON ADVS. **absolutamente · completamente · totalmente · prácticamente**
• CON VBOS. **pasar** *una obra que pasó inadvertida durante muchos años* · **permanecer · resultar**

inagotable adj.

• CON SUSTS. **fuente · manantial · mar · caladero · caudal · mina · cantera · filón || recurso || flujo · llanto · sed || conversación · tema · producción** *La producción de este cineasta es inagotable* **|| cabeza || fuerza · vitalidad · capacidad · entusiasmo** *mostrar un entusiasmo inagotable* · **locuacidad · actividad · creatividad · iniciativa · deseo · curiosidad · energía · imaginación · fantasía · ingenio · inspiración · talento · sabiduría** *Una vez más, el filósofo mostró su inagotable sabiduría* · **paciencia · humor · riqueza || archivo · anecdotario · muestrario · repertorio** *un repertorio inagotable de chistes* · **variedad**

inaguantable adj.

• CON SUSTS. ***persona*** *Estos niños son inaguantables* **|| molestia · dolor** *Fui al dentista porque tenía un dolor inaguantable* · **tormento · tensión · presión || ruido · zumbido || película · libro · novela · poesía · música · obra · actuación · concierto · recital || situación · rutina || olor** *Vaciamos la nevera porque tenía un olor inaguantable* · **pestilencia · peste**
• CON ADVS. **absolutamente · completamente · del todo**
• CON VBOS. **ser · estar · hacer(se) · volver(se)**

inalámbrico, ca adj.

• CON SUSTS. **teléfono · micrófono** *La cantante lleva un micrófono inalámbrico que le permite bailar* · **altavoz · teclado · ratón || aparato · equipo · sistema · dispositivo · tecnología · telefonía || acceso · comunicación · red · conexión · transmisión**

inalcanzable adj.

• CON SUSTS. **coche · balón · liebre · corredor,-a · ciclista ·** ***otros seres en movimiento*** **|| deseo** *tener la esperanza de hacer realidad deseos inalcanzables* · **sueño · ideal · utopía · mito · quimera · anhelo || objetivo · objeto · meta** *No veas este proyecto como una meta inalcanzable* · **reto · aspiración · destino · horizonte · pretensión || petición · exigencia · demanda || ventaja** *La corredora consiguió una ventaja inalcanzable para el resto* · **privilegio · diferencia · esplendor || resultado · triunfo · logro · premio · récord · solución || cantidad · cifra · número · cota · nivel · límite · marca · precio · coste || extensión · profundidad · altura · edad ·** ***otras magnitudes***
• CON VBOS. **mantenerse · hacer(se)**

inalienable adj.

• CON SUSTS. **derecho** *los derechos inalienables de todo ser humano* · **dignidad · prerrogativa · privilegio · propiedad · soberanía || principio || responsabilidad**

inalterable adj.

• CON SUSTS. **compromiso · fidelidad** *Mantuvo su fidelidad inalterable hasta el final* **|| memoria · recuerdo || regla · norma · ley || equilibrio · serenidad · quietud · aplomo || rostro · mirada · corazón || espíritu** *Esta institución ha sabido transmitir su espíritu inalterable generación tras generación* · **esencia · principio || carácter · temperamento || rumbo** *El barco mantuvo su rumbo inalterable a pesar de la borrasca* · **dirección · ruta · trayectoria · curso · ritmo || paz || derecho · política || precio · tipo de interés || constante · continuidad || ascenso · subida · mejora · crecimiento || descenso · bajada · pérdida · disminución**
• CON VBOS. **permanecer** *Aunque la situación era delicada, permaneció inalterable durante unas semanas* · **mantenerse · seguir · quedar**

inamovible adj.

• CON SUSTS. **acuerdo · decisión · resolución || postura · posición · criterio · actitud · disposición · intención || realidad · situación · hecho · acontecimiento · evento || dogma · axioma · verdad · norma · programa || fecha** *Lo siento, la fecha es inamovible* **|| bloque · roca · línea · obstáculo · barrera || resultado · empate · marcador || líder · titular** *El joven jugador es ya un titular inamovible en la selección nacional*
• CON ADVS. **aparentemente · prácticamente** *Las condiciones que hemos pactado son prácticamente inamovibles*
• CON VBOS. **mantener(se) · permanecer** *Permanece inamovible en la misma postura* · **considerar**

inanición s.f.

• CON SUSTS. **proceso (de) · síntoma (de) · estado (de)** *Se encontraba en un preocupante estado de inanición* **|| muerte (por)**
• CON VBOS. **desfallecer (de) · desmayarse (por) || morir (de/por) · fallecer (de)**
• CON PREPS. **a causa (de) · como consecuencia (de)**

inapelable adj.

• CON SUSTS. **decisión · juicio · sentencia · fallo** *El jurado pronunció su fallo inapelable* · **veredicto · dictamen · elección || argumento · doctrina · axioma · discurso · lógica · criterio || ley · normativa · orden · mandato || autoridad** *El árbitro es la autoridad inapelable en el campo de juego* · **poder · fuerza || victoria · derrota · triunfo · balance · resultado** *el inapelable resultado de las urnas* · **fracaso · jaque mate || sanción · condena · despido || síntoma · dato · prueba · marca**

inapreciable adj.

• CON SUSTS. **cambio · proceso · evolución || oscilación · descenso · variación · mejora · incremento · aumento** *Los sueldos del sector tuvieron un aumento inapreciable* · **crecimiento · caída || color · brillo · gusto · sabor · olor** *una sustancia de olor inapreciable* **|| matiz · rasgo · tono · punto · aspecto || valor · tesoro · don || trabajo · labor · participación · colaboración || apoyo · ayuda · servicio · favor || cantidad · nivel · porcentaje · cuantía · velocidad || ventaja · diferencia** *las inapreciables diferencias entre las dos fotografías* · **desnivel || consecuencia** *un pequeño error de consecuencias inapreciables* · **daño · efecto · desperfecto**

inaudito, ta adj.

• CON SUSTS. **hecho · suceso · acontecimiento · historia · imagen** *La cámara muestra imágenes inauditas* · **situación · espectáculo · escena · fenómeno || decisión · desenlace · acción || casualidad · rareza || fallo · sentencia || cinismo** *Su comportamiento me pareció de un cinismo inaudito* · **gesto · desvergüenza · incompetencia · incapacidad · ligereza · grosería || actuación · actitud · comportamiento || cifra || violencia** *El tornado azotaba*

la población con una violencia inaudita · **resistencia** · **fuerza** || **pretensión**
● CON ADVS. **completamente** *Me parece completamente inaudito que se comporte así*
● CON VBOS. **resultar** · **considerar** · **parecer**

inaugurar v.

● CON SUSTS. **local** · **sede** *Rodeados de periodistas, inauguraron la nueva sede del partido* · **tienda** · **bar** · **restaurante** · ***otros establecimientos*** || **obra** · **palacio** · **instalación** · **edificio** · **museo** || **ruta** · **autopista** · **carretera** · **tramo** *La ministra acudió a inaugurar el nuevo tramo de la red ferroviaria* · **metro** · **estación** · **plaza** · **calle** || **conferencia** · **exposición** · **curso** · **festival** · **certamen** · **congreso** · ***otros eventos*** || **temporada** · **etapa**
● CON ADVS. **oficialmente** · **públicamente** · **solemnemente** · **formalmente** || **a bombo y platillo** *Pronto inaugurarán a bombo y platillo el nuevo parque temático* · **sin pena ni gloria**

incalculable adj.

● CON SUSTS. **cantidad** · **cifra** · **número** · **suma** · **total** · **multitud** || **magnitud** · **dimensión** · **proporción** || **distancia** · **peso** · **tiempo** · **altura** · **temperatura** · ***otras magnitudes*** || **coste** · **precio** · **valor** *un incalculable valor sentimental* · **riqueza** · **fortuna** *Ha logrado amasar una fortuna incalculable* · **patrimonio** · **tesoro** · **deuda** || **poder** || **mal** · **destrozo** · **daño** · **estrago** · **desastre** · **pérdida** · **consecuencia** · **futuro** · **perjuicio** · **efecto** · **impacto** · **repercusión** *la incalculable repercusión de las nuevas medidas económicas* || **peligro** · **riesgo** || **ayuda** · **beneficio** · **aportación** · **fuerza** · **esfuerzo** || **posibilidad** *Las posibilidades de ese negocio son incalculables*

incansablemente adv.

● CON VBOS. **debatir** · **discurrir** · **preguntar** *El niño pregunta incansablemente los porqués* · **decir** · **charlar** · **contar** · **citar** · **enumerar** · **mentir** · ***otros verbos de lengua*** || **leer** · **escribir** · **estudiar** || **entrenar** *El equipo había entrenado incansablemente para este campeonato* · **viajar** · **correr** · **recorrer** · **caminar** · **jugar** · **saltar** · **nadar** · **navegar** || **luchar** · **atacar** · **disparar** · **batirse** || **trabajar** *Los bomberos trabajaron incansablemente para sofocar el incendio* · **buscar** · **perseguir** · **esforzarse** · **porfiar** · **intentar** · **laborar** || **repetir** · **reiterar** · **revisar** · **reescribir** || **promover** · **participar** · **defender** · **desmentir** · **reforzar** · **propugnar** · **negar** || **denunciar** *Las víctimas habían denunciado incansablemente la situación* · **reclamar** · **cuestionar** · **pedir** · **solicitar**

incapacidad s.f.

● CON ADJS. **física** · **laboral** *un trabajador en situación de incapacidad laboral transitoria* || **parcial** · **total** · **absoluta** · **suma** || **manifiesta** · **ostensible** · **palpable** · **patente** *Han demostrado su patente incapacidad para combatir el desempleo juvenil...* · **al descubierto** · **probada** · **contrastada** || **congénita** · **persistente**
● CON VBOS. **confesar** · **evidenciar** · **manifestar** · **mostrar** · **demostrar** · **probar** · **revelar** || **ocultar** || **bordear** || **rayar (en)** || **hacer gala (de)**

incapacitar (a alguien) v.

● CON SUSTS. **enfermedad** · **accidente** · **lesión** *una lesión que no la incapacita para jugar* · **dolencia** · **defecto** · **minusvalía**
● CON ADVS. **totalmente** · **completamente** · **parcialmente** || **físicamente** *El accidente la incapacitó físicamente para trabajar* · **emocionalmente** · **mentalmente** · **psicológicamente** · **sexualmente** || **realmente** · **verdaderamente** · **notablemente** || **finalmente** · **progresivamente** · **paulatinamente**

incapaz adj.

● CON ADVS. **totalmente** · **absolutamente** *Fui absolutamente incapaz de resolver el ejercicio* · **enteramente** · **de todo punto** · **profundamente** || **mentalmente** · **psicológicamente** || **virtualmente** · **prácticamente**
● CON VBOS. **declarar(se)** · **confesarse** · **reconocerse** · **mostrarse** · **sentirse** *Se retiró porque se sentía incapaz de vencer a un contrincante así* · **ver(se)** || **creer (a alguien)** · **considerar** || **volverse**

incardinar v.

● CON SUSTS. **modelo** · **línea** · **concepción** · **doctrina** *Se trata de una doctrina incardinada en el movimiento regeneracionista que...* || **idea** · **principio** · **valor** || **cambio**
● CON ADVS. **formalmente** || **perfectamente** || **continuamente** · **frecuentemente** || **difícilmente**

incautación s.f.

● CON ADJS. **cautelar** · **forzosa** · **judicial** · **policial**
● CON SUSTS. **proceso (de)**
● CON VBOS. **realizar** · **llevar a cabo** || **comenzar** · **continuar** · **terminar** || **ordenar** · **decretar** *El juez decretó la incautación de los bienes* · **dictar** · **prescribir** || **permitir** · **autorizar** · **facilitar** · **posibilitar** || **solicitar** *El fiscal solicitó la incautación cautelar de las cuentas bancarias* || **proceder (a)**

incautarse (de) v.

● CON SUSTS. **tabaco** · **droga** · **cocaína** · **armas** · ***otras mercancías de contrabando*** || **bienes** · **propiedad** · **patrimonio** · **joya** || **documentación** · **documento** · **papeles** *incautarse de los papeles del vehículo* || **alijo** *La Policía se incautó de un importante alijo de cocaína* · **cargamento** · **arsenal**
● CON ADVS. **cautelarmente** · **preventivamente** · **temporalmente**

incendio s.m.

● CON ADJS. **aparatoso** · **espectacular** · **catastrófico** · **arrasador** · **devastador** || **activo** || **descomunal** · **de grandes proporciones** *Tras declararse un incendio de grandes proporciones...* || **pequeño** || **dantesco** *La explosión provocó un incendio dantesco* · **pavoroso** || **provocado** · **intencionado** · **accidental** · **fortuito** || **controlado** · **incontrolado** || **forestal**
● CON SUSTS. **conato (de)** || **peligro (de)** · **alarma (de)** || **foco (de)** || **causa (de)** · **consecuencia (de)** || **simulacro (de)** || **prevención (de)**
● CON VBOS. **iniciar(se)** · **declararse** · **desatar(se)** · **desencadenar(se)** || **extender(se)** · **propagar(se)** · **cobrar fuerza** · **avanzar** || **aplacar(se)** · **extinguir(se)** *Afortunadamente el incendio se extinguió muy pronto* || **devorar (algo)** *Los incendios de los últimos años han devorado los bosques de medio país* · **destruir (algo)** · **arrasar (algo)** · **quemar (algo)** || **causar** · **ocasionar** · **provocar** · **originar** · **avivar** *El fuerte calor avivó el incendio* · **reavivar** || **sofocar** · **apagar** · **controlar** · **dominar** · **contener** · **combatir** *la dudosa eficacia con la que se combaten los incendios estivales* || **prevenir** · **evitar**
● CON PREPS. **a prueba (de)**

incentivar v.

● CON SUSTS. **equipo** *Es fundamental incentivar al equipo para...* · **alumno,na** · **trabajador,-a** · ***otros individuos y***

grupos humanos || **inversión · consumo · exportación · importación · producción · movilidad · venta · ahorro · cotización** || **economía · comercio · mercado** *Las medidas pretenden incentivar el mercado interno* · **turismo · agricultura** || **capital · fondo · crédito** || **empleo · trabajo · vivienda · contrato · transporte** || **arte · música · literatura · poesía · cine · teatro** || **creatividad · inteligencia · lealtad · independencia · imaginación** *Las frecuentes lecturas incentivaban su fértil imaginación* || **creación · desarrollo · aumento · incremento · natalidad · fomento · construcción · subida · avance · innovación · mejora · promoción** || **cambio · reforma** *El Gobierno busca apoyos para incentivar la reforma fiscal* · **proceso · transferencia · rehabilitación · reducción · conversión · trasvase · ampliación · disminución** || **ilusión · interés · ánimo · esperanza · deseo · esfuerzo** || **cooperación · colaboración** *incentivar la colaboración entre diferentes universidades* · **ayuda · solidaridad · mecenazgo** || **enfrentamiento · lucha · competitividad · competencia · protesta · amotinamiento · violencia · odio** || **diálogo · comunicación · debate**

incentivo s.m.

● CON ADJS. **nuevo** || **fuerte · potente · de peso · tentador** *Le ofrecieron un tentador incentivo* · **atractivo** || **cuantioso · elevado** || **adecuado · suficiente** || **pequeño · inadecuado · insuficiente** || **fiscal · económico · tributario · salarial**

● CON SUSTS. **sistema (de) · política (de) · programa (de) · plan (de)** || **falta (de)**

● CON VBOS. **constituir · representar** || **ofrecer · pagar** *La empresa está pagando incentivos para premiar a los más trabajadores* · **dar · crear** || **cobrar · percibir · buscar · tener** || **eliminar** || **duplicar · triplicar · multiplicar · incrementar** || **pedir · reclamar** || **servir (de)** *una actitud que sirvió de incentivo para...*

incertidumbre s.f.

● CON ADJS. **total · absoluta · completa** *Su demora mantiene al grupo en una completa incertidumbre* · **enorme · profunda · grave · seria** || **política · económica · social · electoral · laboral · profesional** || **inmerso,sa (en) · preso,sa (de)**

● CON SUSTS. **clima (de) · ambiente (de) · situación (de) · tiempo (de) · momento (de) · período (de) · etapa (de) · elemento (de)** || **pozo (de)**

● CON VBOS. **existir · nacer · surgir · reinar · derivarse · planear** || **aplacar(se) · desvanecerse · disipar(se)** *hasta que la sentencia disipó todas las incertidumbres* · **esclarecer(se) · despejar(se)** || **aumentar · agravar(se) · invadir (a alguien) · carcomer (a alguien) · angustiar (a alguien) · asediar (a alguien) · asaltar (a alguien) · acechar (a alguien) · cernerse (sobre alguien) · azotar (algo/a alguien)** || **causar · provocar · conllevar · entrañar · generar · crear · arrojar** || **paliar · resolver · sembrar** *unas reformas que han sembrado la incertidumbre en el sector* · **zanjar** || **reflejar** || **salir (de)** *No saldré de la incertidumbre hasta que no hable con él* · **librar(se) (de) · sacar (de)** || **sumir(se) (en) · estar (en)**

incesante adj.

● CON SUSTS. **aumento · incremento** *el incesante incremento de la demanda* · **crecimiento · desarrollo · mejora · progreso** || **deterioro · disminución · pérdida** || **actividad · ritmo · trasiego** *un trasiego incesante de gente* · **flujo · tráfico · movimiento · alboroto · ajetreo · demanda** || **sudor · lluvia** || **dolor · aplauso** *Los actores volvieron al escenario ante el incesante aplauso del público* · **aclamación · vítores · abucheos · clamor** || **esfuerzo · carrera** || **diálogo · intercambio** || **ruido · martilleo · sonido · repiqueteo · tamborileo** || **búsqueda · persecución** || **bombardeo** *incesantes bombardeos durante toda la noche* · **ataque · pugna · acoso · asedio · lucha · peligro**

● CON VBOS. **hacerse · volverse · mantenerse**

incidente s.m.

● CON ADJS. **fatal · desgraciado** *Esta noche se ha producido un desgraciado incidente en la carretera entre...* · **lamentable · desafortunado · aparatoso · serio** || **aislado · sin importancia · sin trascendencia · nimio · leve · pequeño · menor** || **inesperado · impredecible · imprevisible** || **diplomático** *Como no firmen pronto el acuerdo, se producirá un incidente diplomático entre ambos países* · **laboral**

● CON SUSTS. **cúmulo (de) · causa (de) · consecuencia (de) · resultado (de) · efecto (de)**

● CON VBOS. **ocurrir · acaecer · suceder · producir(se) · tener lugar** || **protagonizar** *La selección protagonizó un pequeño incidente al llegar al campo* || **zanjar · subsanar** || **magnificar · airear · deplorar** || **achacar (a algo/a alguien)** || **olvidar · perdonar · superar** || **dar importancia (a)**

incidir (en algo) v.

● CON ADVS. **sustancialmente · poderosamente · decisivamente · notablemente** *Los anuncios inciden notablemente en la demanda de los productos* · **intensamente · en mucho · enérgicamente · considerablemente · fuertemente** || **inevitablemente** || **de lleno · directamente · de pleno** || **escasamente · moderadamente · ligeramente · indirectamente** *La subida de los precios incidió indirectamente en...* || **negativamente · gravemente · desfavorablemente** *Aquel resultado incidió desfavorablemente en su expediente* || **favorablemente · positivamente**

incierto, ta adj.

● CON SUSTS. **situación · paradero** *Los montañeros desaparecidos se encuentran en paradero incierto* · **momento · tiempo · presente · época** || **futuro** *El futuro se presenta incierto* · **horizonte · destino · porvenir · expectativa · probabilidad · posibilidad** || **comienzo · origen · final · resultado · solución** || **panorama** *Cuando desembarcaron encontraron ante sí un panorama incierto* · **aventura · espera · camino · suerte · fortuna** || **valor · número** || **memoria · recuerdo** || **comportamiento · descubrimiento** || **efecto · causa · consecuencia**

● CON ADVS. **absolutamente · completamente** *ante un horizonte completamente incierto* · **totalmente · rotundamente · enteramente · altamente**

● CON VBOS. **volverse · mantenerse**

incipiente adj.

● CON SUSTS. **proceso · fase · carrera** *La gravedad del escándalo la obligó a abandonar su incipiente carrera* || **estructura · industria · sector · sistema · negocio · comercio · mercado** || **democracia · política · burguesía** || **actividad · movimiento · desarrollo · integración** || **negociación · diálogo · acercamiento** || **recuperación** *Si aprovechamos la incipiente recuperación económica para...* · **reactivación · mejora · subida · ascenso** || **desviación · pérdida · disminución** || **vida · realidad** || **rebelión · sublevación · revolución · crisis · desmoronamiento** || **enfermedad · barriga · calvicie** *Tenía una incipiente calvicie que le hacía parecer mayor* || **voluntad · espíritu**

incisivamente adv.

●CON VBOS. **interrogar · comentar · denunciar · criticar · analizar · penetrar** *penetrar incisivamente en la psicología del protagonista*

incisivo, va adj.

●CON SUSTS. **diente || corte · cirugía · tratamiento · intervención || instrumento** *La Policía ha determinado que el crimen se cometió con un instrumento incisivo* **|| jugador,-a · deportista · delantero,ra · periodista** *El actor no quiso responder a las preguntas del incisivo periodista* **· entrevistador,-a · escritor,-a ·** ***otros individuos*** **|| tono · versión · lenguaje · mirada · juego** *El equipo practica un juego incisivo sobre la portería rival* **· mente · imagen · ritmo · oposición · técnica || carácter · actitud || crítica · burla · sátira · discurso · humor** *Abrió el certamen con un discurso irónico, pero incisivo y directo* **· pregunta · crónica · análisis**

incitar (a) v.

●CON SUSTS. **lectura** *La escuela organiza talleres para incitar a la lectura* **· reflexión · pensamiento · comunicación · participación || bebida · adicción || amor · fantasía || gasto · ahorro || acción · aventura || rebelión · desobediencia** *grupos que incitaban a la desobediencia civil* **· huelga · protesta · crítica · sublevación · revolución · motín · revuelta · agitación || violencia · brutalidad · criminalidad · maldad · asesinato · mal · destrucción || confusión · duda · desorden · caos · error || enfrentamiento · odio · polémica · lucha · pelea · combate · racismo || deseo · erotismo · promiscuidad · sexo · tentación · onanismo || negociación · concordia · diálogo** *En su discurso incitó al diálogo y al entendimiento entre los pueblos* **· mediación · comprensión || cambio · innovación · progreso · avance || emigración · extinción · éxodo || derrocamiento · despido || euforia · entusiasmo · optimismo · sonrisa · risa** *No sabemos si las palabras del señor ministro incitan a la reflexión o a la risa* **· diversión || imaginación · iniciativa || consumo · inversión**

□USO Se construye también con infinitivos: *Siempre nos incita a pensar.*

inclemencia s.f.

●CON ADJS. **del tiempo · del clima · meteorológica · atmosférica · invernal · ambiental · natural || acústica**
●CON VBOS. **recrudecer(se) · intensificar(se) || sufrir · padecer · soportar** *soportando sin protección las inclemencias meteorológicas* **· aguantar || vencer || anunciar · predecir · prever || exponer(se) (a) · guarecer(se) (de)**

inclemente adj.

●CON SUSTS. ***persona*** *un juez autoritario e inclemente* **|| mirada · visión · sátira** *sus inclementes sátiras contra la sociedad de su tiempo* **|| tiempo · clima · naturaleza · noche · verano · invierno · temperatura · condiciones || sol · calor · frío · viento · lluvia · sequía** *Se ha perdido parte de la cosecha por la inclemente sequía* **|| ritmo · acoso** *Toda la delantera sufrió el acoso inclemente de la defensa* **· bombardeo · presión || acción · actuación**

inclinación s.f.

●CON ADJS. **clara · marcada · acusada · inequívoca · perceptible · ostensible || leve · ligera · imperceptible || irrefrenable · imparable · fuerte · vehemente || natural** *Procede de una familia de artistas, de ahí su inclinación natural hacia la pintura* **|| personal · peculiar · curiosa · única || lateral · vertical · horizontal · oblicua · descendente || sexual · política · literaria · ideológica**
●CON SUSTS. **grado (de) · ángulo (de)**
●CON VBOS. **manifestar · mostrar** *Anteriormente ya había mostrado el jurado sus inclinaciones por el ganador* **· reflejar · acusar · sentir · apuntar || marcar · corregir · desviar**

[inclinar] →inclinar la cabeza; inclinarse (a)

inclinar la cabeza

●CON ADVS. **afirmativamente · dubitativamente · hacia {atrás/adelante} || tristemente** *Inclinó la cabeza tristemente cuando le pregunté por el examen* **|| humildemente · respetuosamente · educadamente**

inclinarse (a) v.

●CON ADVS. **abrumadoramente** *Parece que los empleados se inclinarán abrumadoramente a votar en contra* **· decisivamente || descaradamente · ligeramente · peligrosamente || sesgadamente · tendenciosamente || libremente · obligatoriamente**
●CON VBOS. **pensar** *Me inclino a pensar que ya no vendrá* **· creer · opinar · votar** *La mayor parte de la población se inclinará a votar a favor* **· considerar · sospechar · discrepar || apoyar · cooperar · ayudar || hacer · aplicar · buscar**

incoar v.

●CON SUSTS. **expediente** *Habían descubierto tal cúmulo de irregularidades que acabaron incoándole un expediente* **· sumario · demanda · investigación · procedimiento · acción · proceso · acta · sanción · diligencia · juicio · querella**

incógnita s.f.

●CON ADJS. **difícil · ardua · compleja · insoluble · indescifrable** *desvelar una incógnita indescifrable* **· endiablada · intrincada · enrevesada · insondable || sencilla · gran · principal · única · eterna || interesante · curiosa || lleno,na (de) · plagado,da (de) · cargado,da (de) · rodeado,da (de)**
●CON VBOS. **surgir · plantear(se) · abrir(se) · quedar || cernerse (sobre algo/sobre alguien) · gravitar (sobre algo/sobre alguien) || desvanecerse** *La incógnita se desvaneció cuando intervino el primer testigo* **· esclarecer(se) · disipar(se) || residir (en algo) || desentrañar · aclarar · zanjar · descifrar · desvelar · despejar · resolver · despachar · dilucidar || representar · constituir || lanzar · disparar · arrojar** *El balance de su gestión arroja un gran número de incógnitas* **|| mantener**

[incógnito] →de incógnito

incombustible adj.

●CON SUSTS. **material · madera · plástico · metal || líder** *El incombustible líder sindical declaró que...* **· político,ca · deportista** *Una vez más se dispone a saltar a la pista el incombustible deportista* **· luchador,-a ·** ***otros individuos***

incomodidad s.f.

●CON ADJS. **leve · moderada · ocasional · ligera** *Aún nota una ligera incomodidad al andar* **· llevadera · relativa || considerable · tremenda · absoluta · total · profunda · suma · seria · notable · manifiesta · gran(de) · creciente · permanente || personal · material · física · psíquica · emocional · social**

● CON SUSTS. **sensación (de)** *Sin poder evitar cierta sensación de incomodidad* · **situación (de)** ‖ **grado (de)**
● CON VBOS. **sobrellevar** *Tienes que aprender a sobrellevar mejor las incomodidades de este lugar* · **aceptar** ‖ **padecer** · **aguantar** · **sufrir** ‖ **subsanar** · **paliar** · **disimular** ‖ **suponer** *La considerable incomodidad que supone vivir tan lejos del trabajo* · **conllevar** · **representar** ‖ **producir** *una avería que produjo grandes incomodidades* · **generar** · **crear** · **provocar** · **arrastrar** ‖ **encontrar** ‖ **sobreponer(se) (a)**

incómodo, da adj.

● CON SUSTS. **situación** *Ante tan incómoda situación, no supo cómo actuar* ‖ **zapatos** · **camiseta** · **pantalón** · ***otras prendas de vestir*** ‖ **sofá** · **silla** · **butaca** · **sillón** · **asiento** *sentados en unos asientos muy incómodos* ‖ **habitación** · **casa** · **edificio** · **refugio** · **instalación** · **hotel** · **ciudad** · **zona** · ***otros lugares***
● CON ADVS. **terriblemente** *Me encontraba terriblemente incómoda en aquel lugar* · **sumamente** · **visiblemente**
● CON VBOS. **ser** · **volver(se)** ‖ **estar** · **sentirse** *No puedo negar que me sentí incómodo cuando me preguntó sobre el tema* · **encontrar(se)** · **ver(se)** · **hallar(se)** · **poner(se)** ‖ **resultar**

incomparable adj.

● CON SUSTS. **marco** *La entrega de premios tuvo lugar en un marco incomparable* · **ciudad** · **lugar** ‖ ***persona*** *El intérprete es un maestro incomparable en el arte de la guitarra* ‖ **calidad** · **naturaleza** · **nivel** · **magnitud** ‖ **repercusión** · **perspectiva** · **importancia** ‖ **obra** · **arte** · **espectáculo** · **novela** · **poesía** · **cuadro** · ***otras creaciones*** ‖ **tradición** · **historia** ‖ **belleza** · **inteligencia** · **encanto** *La ciudad tiene un encanto incomparable* · **talento** · **fuerza** · **valor** · **elegancia** · **amor** · **placer** · **vista** ‖ **genialidad** · **luminosidad** · **vivacidad** ‖ **oportunidad** ‖ **superioridad** · **mejora**

incompetencia s.f.

● CON ADJS. **absoluta** *Mostró una incompetencia absoluta a la hora de...* · **suma** · **monumental** · **supina** ‖ **visible** · **probada** · **flagrante** · **patente** · **palpable** · **ostensible** · **manifiesta** · **al descubierto** · **llamativa** · **clara** · **contrastada** ‖ **insufrible** · **inadmisible** · **exasperante** · **desastrosa**
● CON VBOS. **demostrar** · **revelar** · **evidenciar** *Su actuación en el caso evidenció una visible incompetencia* · **manifestar** ‖ **bordear** ‖ **rayar (en)**

incompetente

1 incompetente adj.

● CON SUSTS. ***persona*** *una ministra manifiestamente incompetente* ‖ **autoridad** ‖ **empresa** · **directiva** · **órgano** · **equipo** · ***otros grupos*** ‖ **gestión** · **política** · **gobierno**
● CON ADVS. **manifiestamente** · **descaradamente** · **absolutamente**
● CON VBOS. **declarar(se)** · **resultar** · **volverse**

2 incompetente s.com.

● CON ADJS. **perfecto,ta** · **total** *El electricista que hemos llamado es un incompetente total* · **absoluto,ta** · **integral** · **auténtico,ca** · **redomado,da**

incomunicación s.f.

● CON ADJS. **absoluta** · **gran(de)** · **tremenda** · **profunda** · **terrible** · **grave** · **evidente** · **total** · **permanente** · **temporal** ‖ **escasa** · **relativa** · **parcial** ‖ **matrimonial** *una nueva terapia para superar la incomunicación matrimonial* · **familiar** · **generacional** · **interpersonal** ‖ **humana** · **informativa** · **social** · **económica** · **cultural** · **física** · **emocional** · **afectiva** · **lingüística**
● CON SUSTS. **problema (de)** *Hoy en día, muchos jóvenes sufren problemas de incomunicación* ‖ **situación (de)** · **período (de)**
● CON VBOS. **crear** · **generar** *Este desagradable suceso generó una total incomunicación entre las dos instituciones* · **mantener** · **provocar** ‖ **romper** · **levantar** · **desbloquear** · **solucionar** ‖ **impedir** · **sortear** · **evitar** ‖ **dar lugar (a)**

incomunicado, da adj.

● CON SUSTS. **pueblo** · **barrio** · **zona** ‖ **camino** · **carretera** *La carretera se ha quedado incomunicada por la nieve* · **vía** ‖ **prisión** · **edificio** · **habitación** · **celda** ‖ **preso,sa** · **persona**
● CON ADVS. **totalmente** · **completamente** · **prácticamente** · **parcialmente** ‖ **momentáneamente** · **temporalmente** · **permanentemente**
● CON VBOS. **estar** · **quedar(se)** · **encontrar(se)** ‖ **continuar** · **permanecer** · **mantener** ‖ **dejar** *El temporal ha dejado incomunicados a los pueblos de la sierra*

inconcebible adj.

● CON SUSTS. **extremos** · **límites** *una permisividad que llega a límites inconcebibles* ‖ **práctica** · **método** · **sistema** ‖ **comportamiento** · **actitud** · **acción** · **hecho** ‖ **fallo** *Cometió un fallo inconcebible* · **error** · **despiste** ‖ **amor** · **cariño** · **odio** · **alegría** · ***otros sentimientos o emociones*** ‖ **hipocresía** · **mentira** · **engaño**
● CON ADVS. **absolutamente** · **totalmente** · **prácticamente** *Hoy en día nos parece prácticamente inconcebible trabajar así*
● CON VBOS. **resultar** *Tanta incompetencia resulta absolutamente inconcebible* · **parecer** ‖ **considerar** · **calificar (de)** · **tildar (de)**

incondicional adj.

● CON SUSTS. **prisión** · **libertad** *El abogado pedía la libertad incondicional para su cliente* · **amnistía** · **condena** ‖ **fan** · **partidario** · **aficionado** · **amigo** · **defensor** · **aliado** ‖ **militancia** · **colaboración** · **vínculo** · **asociación** · **alineamiento** ‖ **adhesión** · **apoyo** *La empresa se recuperó por el apoyo incondicional de sus empleados* · **respaldo** · **defensa** · **protección** · **auxilio** ‖ **admiración** · **amistad** · **aprecio** · **fe** · **adoración** · **devoción** · **amor** · **cariño** · **afecto** · **odio** · **simpatía** · **rechazo** ‖ **lealtad** · **fidelidad** · **entrega** · **dedicación** *un homenaje por su larga e incondicional dedicación* · **cooperación** · **compromiso** · **interés** · **conducta** · **oposición** · **actitud** ‖ **alianza** *Una alianza incondicional con la oposición tendría efectos insospechados* · **pacto** · **tregua** · **capitulación** · **negociación** ‖ **aceptación** · **cumplimiento** · **acatamiento** · **sumisión** · **subordinación** · **entreguismo** ‖ **cese** · **alto el fuego** · **retirada** *Los manifestantes exigían la retirada incondicional de las tropas* · **salida** · **interrupción** · **devolución** · **disolución**

incondicionalmente adv.

● CON VBOS. **apoyar** *Mi familia apoyó incondicionalmente nuestra decisión* · **respaldar** · **seguir** · **ayudar** · **comprometer(se)** · **volcarse** · **ofrecer(se)** · **alinearse** · **aliarse** ‖ **aceptar** · **acoger** · **admitir** ‖ **rendirse** · **retirar(se)** · **abandonar** *El ejército no aceptaba abandonar incondicionalmente el territorio* · **capitular** · **plegarse** ‖ **conceder** · **entregar** · **otorgar** · **ceder** · **suministrar** ‖ **creer** *Creyó incondicionalmente su versión de los hechos* · **avalar** · **ase-**

gurar · garantizar || admirar *Su madre la admira incondicionalmente* · amar || liberar · soltar · encarcelar

inconfesable adj.

• CON SUSTS. secreto || deseo *Un deseo inconfesable atormentaba al protagonista* · anhelo · aspiración · ambición · sueño · fantasía · esperanza · imaginación || fin · propósito · intención · objetivo · finalidad || pasión · amor · atracción *movidos por la atracción inconfesable del poder* · afecto · querencia · coqueteo || interés · motivo · móvil · razón · causa · motivación || vicio · obsesión · pecado · tentación · debilidad · perversión || crimen · delito · abuso · agresión · chantaje || impulso *refrenar impulsos inconfesables* · instinto · pulsión || acuerdo · pacto *Son los riesgos que corrían al sellar un pacto inconfesable* · trato · compromiso || negocio · enriquecimiento · fortuna · patrimonio · tesorería · comisión · trapicheo || mentira · engaño · simulación · farsa · manipulación

inconformista adj.

• CON SUSTS. ***persona*** || juventud · país · generación *fruto de una generación inconformista* || postura *mantener una postura inconformista* · propuesta · mentalidad · actitud || literatura · cine · película · novela · ***otras manifestaciones artísticas***

• CON VBOS. volver(se) · hacer(se)

inconfundible adj.

• CON SUSTS. sello *El vestido tenía el sello inconfundible del famoso diseñador italiano* · huella · señal · seña · marca · firma || estilo · aire · originalidad || aroma *El aroma inconfundible del café* · perfume · sabor · color · olor · imagen || pieza · obra · fotografía || detalle · característica · rasgo · aspecto || silueta · perfil *La famosa actriz tenía un perfil inconfundible* · figura || voz · acento · sonido · tono · lenguaje

incongruencia s.f.

• CON ADJS. absoluta · total || clara · manifiesta || grave · tremenda · enorme || pequeña · ligera

• CON SUSTS. sarta (de) *En solo un minuto soltó una sarta de incongruencias impresionantes* · serie (de) · cúmulo (de) · montón (de)

• CON VBOS. cometer · decir · escribir · lanzar · proferir · soltar · deslizar · ***otros verbos de lengua*** || advertir · corregir · disculpar || bordear || incurrir (en) · rayar (en) *Lo que dijo rayaba en la incongruencia* · caer (en)

incongruente adj.

• CON SUSTS. actitud · postura *Por mucho que intente justificarse, su postura es incongruente* · comportamiento · vida · propuesta · plan · política · sistema || ***persona*** || frase · expresión · respuesta · ***otras manifestaciones verbales*** || pensamiento · razonamiento · hipótesis · idea

• CON VBOS. considerar · resultar · tachar (de) · calificar (de) *Tras calificar su propuesta de incongruente...* · parecer || volverse

inconmensurable adj. *col.*

• CON SUSTS. poder · fuerza || belleza *un paisaje de una belleza inconmensurable* · riqueza · valor · ganancia · coste · talla || fealdad · pobreza · pérdida || trabajo · esfuerzo · hazaña · gesta || tamaño · extensión · longitud · amplitud · ***otras magnitudes***

inconsciente

1 **inconsciente** adj.

▌[sin consciencia]

• CON SUSTS. ***persona*** *En el coche había un herido inconsciente* || cuerpo

• CON VBOS. estar · quedar(se) · permanecer || caer · desplomarse || yacer · encontrar(se) · hallar(se) || dejar *La brutal caída lo dejó inconsciente*

▌[independiente de la voluntad]

• CON SUSTS. gesto *un gesto inconsciente que la delata* · movimiento · maniobra || reacción · acto · descuido || temor · miedo *Esa actitud revela un miedo inconsciente al fracaso* · deseo · desprecio · ***otros sentimientos*** || manipulación · tendencia

• CON ADVS. totalmente *Asegura que fue un movimiento totalmente inconsciente* · aparentemente

▌[insensato]

• CON SUSTS. ***persona*** *un muchacho inconsciente* || gestión · medida · decisión *Fue una decisión inconsciente e irresponsable* · discurso · acción · actuación · maniobra · estrategia || actitud · comportamiento · conducta

• CON ADVS. especialmente

2 **inconsciente** s.m.

▌[conjunto de procesos mentales]

• CON ADJS. humano · cognitivo || colectivo *ideas que todavía permanecen arraigadas en el inconsciente colectivo* · masculino · femenino || profundo

inconstitucionalidad s.f.

• CON ADJS. total · absoluta *La reforma de la ley se encuentra al borde de la más absoluta inconstitucionalidad* · flagrante || probable · posible

• CON VBOS. juzgar · enjuiciar · dictaminar · decidir · analizar · considerar || bordear · rozar || rayar (en)

incontenible adj.

• CON SUSTS. aluvión *frente al aluvión incontenible de aves migratorias* · flujo · chorro · explosión || fuente · río · manantial || alegría *sentir una alegría incontenible* · ira · pasión · felicidad · ***otros sentimientos o emociones*** || vitalidad · ímpetu · deseo · gana *Me entraron unas ganas incontenibles de salir corriendo* · interés · afán · tendencia · vocación || avance · crecimiento · ascenso · desarrollo · incremento · propagación · alza || carcajada · risa · lágrima · llanto · bostezo || fuerza · potencia · capacidad || verborrea · verbosidad · murmullo *Un murmullo incontenible invadió la sala* || suceso · efecto · reacción · fenómeno || crisis · declive · déficit · pérdida

incontrolable adj.

• CON SUSTS. impulso · movimiento || amor · envidia · pasión · deseo *impulsado por un deseo incontrolable* · euforia · enfado · ***otros sentimientos o emociones*** || fuerza · agresividad · violencia || proliferación · expansión · desarrollo || endeudamiento · déficit || situación · trasiego

• CON ADVS. absolutamente *La violencia en la zona está llegando a niveles absolutamente incontrolables* · totalmente

incontrovertible adj.

• CON SUSTS. prueba *Según afirma, tiene pruebas incontrovertibles que lo demuestran* · demostración · afirmación · conclusión · juicio · ejemplo · testimonio || hecho

· **dato** · **verdad** *La versión oficial se impuso como verdad incontrovertible* · **caso** · **realidad** || **humanidad** · **madurez** · **brillantez** · **unidad** · **prestigio** || **sinceridad** · **garantía** · **certeza** || **norma**

inconveniente s.m.

● CON ADJS. **pequeño** · **ligero** · **leve** · **mínimo** · **superable** · **molesto** · **esporádico** · **inesperado** || **principal** · **gran(de)** · **grave** · **serio** *Ha surgido un serio inconveniente* · **insuperable** · **insalvable** · **gordo**

● CON VBOS. **aparecer** · **surgir** · **derivar(se)** || **desaparecer** || **afrontar** · **considerar** · **sopesar** · **asumir** · **aceptar** || **superar** · **remediar** · **subsanar** · **resolver** · **solventar** · **salvar** *Poco a poco fuimos salvando todos los inconvenientes* · **soslayar** · **aligerar** · **esquivar** · **solucionar** || **suponer** · **conllevar** · **representar** *La negativa a apoyarnos representó un verdadero inconveniente* · **constituir** · **plantear** || **causar** · **acarrear** · **presentar** · **provocar** || **tener** · **sufrir** · **ocasionar** *El cambio de casa ocasionó numerosos inconvenientes* || **hacer frente (a)** · **cargar (con)** || **tropezar (con)** · **encontrarse (con)** || **adolecer (de)**

incorporar(se) v.

● CON ADVS. **activamente** *Se incorporó activamente al trabajo después de una larga enfermedad* · **de lleno** · **alegremente** || **progresivamente** · **gradualmente** · **paulatinamente** · **escalonadamente** *Los coches se van incorporando escalonadamente a la autopista* || **definitivamente** · **en firme**

incorrección s.f.

● CON ADJS. **gramatical** · **lingüística** *evitar la incorrección lingüística* · **histórica** · **legal** · **política** · **protocolaria** · **técnica** || **palpable** · **evidente** || **grave** · **profunda** · **solemne** · **imperdonable** || **ligera** · **leve** · **menor** || **habitual** · **ocasional** || **lleno,na (de)** *El examen estaba lleno de incorrecciones*

● CON SUSTS. **sarta (de)** · **serie (de)** *Corregí en el documento una serie de incorrecciones*

● CON VBOS. **cometer** || **denunciar** · **criticar** · **detectar** || **tolerar** || **incurrir (en)**

incorregible adj.

● CON SUSTS. **alumno,na** · **persona** || **seductor,-a** · **mentiroso,sa** · **mujeriego** || **carácter** *Su carácter incorregible le hizo perder muchos amigos* · **naturaleza** || **costumbre** · **tendencia** || **defecto** · **error**

● CON VBOS. **volverse**

incrédulo, la adj.

● CON SUSTS. **mirada** · **ojos** · **gesto** · **sonrisa** || **mente** || **persona** *convencer a un público incrédulo* || **visión** *El novelista ofrece una visión incrédula del amor* · **tono**

● CON VBOS. **mostrarse** · **volverse** || **escuchar** *El niño escuchaba incrédulo la moraleja* · **contemplar** · **observar** · **asistir** || **preguntar** · **exclamar**

incrementar(se) v.

● CON ADVS. **abrumadoramente** · **alarmantemente** · **peligrosamente** · **espectacularmente** · **desmesuradamente** *En los últimos años, se ha incrementado desmesuradamente el valor del suelo* · **cuantiosamente** · **ampliamente** · **largamente** · **considerablemente** · **decisivamente** · **notablemente** · **ostensiblemente** · **sustancialmente** · **significativamente** · **exclusivamente** || **progresivamente** · **paulatinamente** · **gradualmente** *Le fueron incrementando gradualmente el sueldo* · **uniformemente** || **ligeramente** · **escasamente** · **levemente**

incremento s.m.

● CON ADJS. **abusivo** · **desorbitado** · **acusado** *Se ha producido un incremento acusado de los niveles de polen en la atmósfera* · **abultado** · **pronunciado** · **alarmante** · **desaforado** · **desmedido** · **desmesurado** · **espectacular** · **vertiginoso** · **sensible** · **claro** · **fuerte** || **galopante** · **imparable** · **incontenible** · **insostenible** || **ostensible** · **perceptible** · **marcado** · **notable** *un notable incremento de la violencia* · **palpable** · **apreciable** · **llamativo** · **sostenido** || **ligero** · **leve** *el leve incremento de la renta media* · **moderado** · **insignificante** *El incremento de los impuestos ha sido insignificante* · **testimonial** · **parcial** || **gradual** · **paulatino** · **progresivo** · **lineal** · **escalonado** · **uniforme** · **proporcional** || **brusco** · **abrupto** · **drástico** || **cualitativo** || **de la oferta** · **de la demanda** · **de la producción** · **bursátil** · **económico** · **laboral** · **salarial**

● CON VBOS. **consistir (en algo)** || **promover** · **ocasionar** · **acarrear** · **provocar** · **llevar consigo** · **incentivar** · **implicar** · **conllevar** *Las nuevas medidas conllevarán un fuerte incremento de la demanda* · **impulsar** · **favorecer** || **representar** · **suponer** || **aminorar** · **recaer** · **atajar** · **neutralizar** · **disminuir** || **aplicar** · **arrojar** || **augurar** || **impedir** · **dificultar** || **mantener** · **sostener** · **conservar** || **revertir (en)** · **redundar (en)**

increpar v.

● CON ADVS. **violentamente** · **duramente** *Me increpó duramente por lo que hice* · **acaloradamente** · **enérgicamente** || **verbalmente** · **a voces** || **injustamente** · **injustificadamente** · **impunemente**

incubar v.

▮ [empollar]

● CON SUSTS. **huevo** *La gallina incuba sus huevos*

▮ [desarrollar]

● CON SUSTS. **virus** *Me encuentro fatal, debo estar incubando un virus* · **germen** · **enfermedad** · **gripe** || **odio** *un caldo de cultivo para que se incube y desarrolle el odio y la venganza* · **violencia** · **rencor** · **resentimiento** || **hostilidad** · **rechazo** · **oposición** · **disidencia** || **nazismo** · **ultraísmo** || **crisis** · **problema** · **tormenta** · **depresión económica** · **conflicto** · **déficit** · **fallo** · **tragedia** || **desesperación** · **frustración** · **nostalgia** || **corrupción** · **delincuencia** · **delito** · **barbarie** || **idea** *Pasó muchos años incubando esa idea* · **plan** · **conspiración** · **proyecto**

incuestionable adj.

● CON SUSTS. **hecho** · **realidad** · **dato** · **resultado** · **argumento** *...lo que constituye un argumento incuestionable a favor de su hipótesis* || **calidad** · **prestigio** || **decisión** · **elección** · **libertad** || **punto de vista** · **perspectiva** · **idea** · **tesis** · **hipótesis** · **opinión** || **verdad** · **dogma** *Lo planteó como un dogma incuestionable* || **éxito** · **victoria** · **liderazgo** · **líder** · **hegemonía** · **superioridad** || **belleza** · **inteligencia** · **talento** · **valor** *El público aplaudió el incuestionable valor del torero* || **autoridad** · **legitimidad** · **derecho** || **técnica** · **profesionalidad** *un médico de una profesionalidad incuestionable* || **mérito** · **importancia** || **pérdida** · **error** · **fallo** || **repercusión** · **consecuencia** · **efecto** || **causa** · **razón** · **motivo**

● CON ADVS. **absolutamente** · **totalmente** · **realmente** || **aparentemente**

inculcar v.

● CON SUSTS. **arte** · **cultura** || **valor** *El estudio evalúa la importancia de inculcar los valores democráticos en cualquier sociedad* · **principio** · **respeto** · **disciplina** · **amor** ·

sistema de valores · optimismo · honestidad · fe || costumbre · hábito · práctica || estilo *Se trataba de inculcar en los jóvenes un estilo de vida saludable* · forma de ser · espíritu || ambición · deseo · gusto · afán || idea *Algunos profesores intentaban inculcarnos sus ideas políticas* · concepto · verdad · conocimiento · doctrina · filosofía

incultura s.f.

• CON ADJS. **reinante · creciente · dominante · generalizada || manifiesta · profunda || popular · escolar || política · democrática · histórica · musical**

• CON SUSTS. **muestra (de)** *Su falta de interés es una muestra de su incultura* · **prueba (de) · síntoma (de)**

• CON VBOS. **reinar || exceder · aumentar || disminuir · decrecer || alimentar || combatir || denunciar || acabar (con) · luchar (contra) || aprovecharse (de)** *un tipo de propaganda que se aprovecha de la incultura de muchas personas para...*

incumbir v.

• CON ADVS. **de cerca · personalmente** *Es un asunto que le incumbe personalmente* · **por completo · directamente || indirectamente || principalmente · fundamentalmente || exclusivamente · únicamente · solamente**

incumplimiento s.m.

• CON ADJS. **grave · serio || manifiesto · flagrante · claro || sistemático · persistente · reiterado** *el incumplimiento reiterado de la ley* **|| voluntario · involuntario || oculto · descarado || legal · contractual** *Cualquier incumplimiento contractual se sancionará con la rescisión del contrato*

• CON SUSTS. **delito (de) || caso (de) · situación (de) · ejemplo (de) || grado (de)**

• CON VBOS. **consistir (en algo) || castigar · sancionar · reprender || denunciar** *La asociación ha denunciado el incumplimiento de las leyes medioambientales por parte de la empresa constructora* · **descubrir || encubrir || persistir (en)**

• CON PREPS. **por** *La empresa ha recibido una demanda por incumplimiento de la normativa laboral*

incumplir v.

• CON SUSTS. **norma · regla · ley · normativa · reglamento · legislación** *Sancionarán a los empresarios que incumplan la legislación laboral* · **artículo · reglamentación · constitución · precepto · decreto · resolución ·** ***otras disposiciones*** **|| orden · mandato · mandamiento · instrucción** *Se ha puesto en marcha una nueva investigación para comprobar si el personal de seguridad incumplió las instrucciones* · **exigencia · directriz || compromiso · acuerdo · pacto · promesa · convenio · contrato · palabra · trato · juramento · tratado || obligación · deber · responsabilidad · función || requisito · condición || base · criterio · principio · espíritu || restricción** *un bar que incumple reiteradamente las restricciones de horario* · **limitación · límite || plan · programa · objetivo** *El equipo incumplió los objetivos marcados* · **meta · proyecto || horario · plazo · fecha límite · calendario · agenda || sentencia · decisión || pena · condena · castigo || pago · cuota · presupuesto**

• CON ADVS. **manifiestamente** *incumplir manifiestamente la normativa vigente* **|| reiteradamente · sistemáticamente**

incurable adj.

• CON SUSTS. **enfermedad · cáncer · alergia** *Le han diagnosticado una alergia incurable* · **infección · herida || sufrimiento · padecimiento · dolencia · mal || miedo · depresión || vicio** *Tiene un vicio incurable con las cartas* · **afición || enfermo,ma** *el servicio de atención a los enfermos incurables*

incurrir (en) v.

• CON SUSTS. **delito · falta · irresponsabilidad · abuso · agravio || irregularidad · incompatibilidad · arbitrariedad · falsedad · falacia · desorden || equivocación · equívoco · error · contradicción** *Siempre que intenta explicar su programa, incurre en contradicciones* · **fallo**

• CON ADVS. **inevitablemente · inexorablemente || sistemáticamente · repetidamente**

incursión s.f.

• CON ADJS. **breve · somera · fugaz · leve · extensa || aislada · ocasional · esporádica || larga · honda · rigurosa · seria · profunda** *La autora realiza en su libro una profunda incursión en las causas del conflicto* **|| apasionante · atrevida · polémica · fallida || momentánea · reiterada · repetida · constante · permanente || aérea** *La incursión aérea provocó una decena de muertos y graves daños materiales* · **terrestre · marítima || literaria · anecdótica · artística · cinematográfica · filosófica · discursiva · política · deportiva**

• CON VBOS. **hacer · realizar · facilitar** *Se pretendía facilitar la incursión de las tropas* · **promover · tolerar · permitir · proponer · confirmar · negar · desmentir || denunciar · penalizar · prohibir · evitar**

indagar v.

• CON SUSTS. **nombre · autoría || paradero** *Los agentes indagan el paradero del acusado* **|| información · dato · resultado · pista || pasado · historia · antecedente || valor · precio · cuantía · distancia ·** ***otras magnitudes*** **|| posibilidad · anomalía · origen · causa** *indagar las causas que provocaron el escándalo* · **razón || denuncia · robo · asesinato · maltrato · escándalo** *La fiscalía indaga un nuevo escándalo financiero* · **delito · apropiación · desaparición || influencia · implicación · gestión || empresa**

• CON ADVS. **intensamente · internamente · profundamente · concienzudamente** *La periodista había indagado concienzudamente en su pasado* · **atentamente || seriamente · realmente · verdaderamente || inmediatamente · rápidamente || acertadamente · justamente || judicialmente**

□ USO Con algunos sustantivos alterna el uso de complemento directo (*indagar las razones de algo*) con los complementos encabezados por las preposiciones *en* (*indagar en las razones de algo*) o *sobre* (*indagar sobre las razones de algo*).

indecente adj.

• CON SUSTS. **conducta · comportamiento · actitud || postura · gesto · mirada || ropa · falda · vestido ·** ***otras prendas de vestir*** **|| proposición** *La actriz asegura haber rechazado una proposición indecente* · **propuesta · mensaje ||** ***persona*** *Más que provocador, es un escritor indecente* **|| imagen** *Censuraron algunas imágenes de la película supuestamente indecentes* · **espectáculo || ataque · agresión · acoso || posición · maniobra || hábito · profesión || desprecio · desfachatez** *Me contestó con una desfachatez indecente*

• CON ADVS. **moralmente || políticamente**

indecisión s.f.

• CON ADJS. **absoluta · profunda · manifiesta · seria || leve · ligera || permanente · constante · total || puntual · temporal · momentánea**
• CON SUSTS. **momento (de) · período (de)** *Ya hemos superado el período de indecisión* · **mar (de) || grado (de) || imagen (de) || estado (de) · situación (de)**
• CON VBOS. **asaltar (a alguien) · reinar || sufrir · albergar · mostrar · revelar · reflejar** *Su comportamiento refleja una indecisión permanente* · **manifestar · suscitar || desterrar · despejar || censurar · criticar || aprovechar || incurrir (en)**
• CON PREPS. **ante · por**

indeciso, sa adj.

• CON SUSTS. **votante · electorado · candidato,ta ·** ***otros individuos y grupos humanos*** **|| conducta · actitud · comportamiento · posición || voto · elección · pronunciamiento || tono** *Preguntó el precio del coche con tono indeciso* · **voz · mirada || punto**
• CON VBOS. **ser · volver(se) · declarar(se) || estar** *Existe un gran grupo de electores que aún está indeciso* · **mostrar(se) · mantener(se) · continuar**

indeclinable adj.

• CON SUSTS. **invitación** *una invitación indeclinable que no pudieron rechazar* · **vocación · aspiración · propensión · tendencia || derecho · patrimonio || responsabilidad · compromiso · misión || renuncia || determinación · voluntad · energía || característica · forma · posición** *Han adoptado una posición indeclinable*

indefectiblemente adv.

• CON VBOS. **acabar · desembocar · conducir · llevar · pasar · llegar || ocurrir · suceder · producir(se) · presentarse || repetir · reproducir || fracasar** *Sin un estudio de mercado, el negocio fracasará indefectiblemente* · **equivocarse || convertir(se) · cambiar · transformar(se) · traducirse || afectar · repercutir** *La crisis repercutirá indefectiblemente en el nivel de vida de la población* · **acompañar · suponer · seguir · conllevar**

indefinidamente adv.

• CON VBOS. **continuar · esperar · permanecer · durar · mantener · recordar || vivir · instalar(se)** *Se han instalado allí indefinidamente* **|| crecer || encarcelar · encerrar || aplazar · alargar · demorar(se) · dilatar · prolongar · prorrogar || paralizar** *Los trabajadores amenazan con paralizar indefinidamente las tareas de limpieza y recogida* · **detener · suspender || asegurar || eximir · perdonar || donar · sostener · apoyar**

indefinido, da adj.

• CON SUSTS. **tiempo** *El plazo para entregar las solicitudes se ampliará por un tiempo indefinido* · **duración · vigencia · prolongación · prórroga · moratoria · demora · excedencia · espera · permanencia || contrato** *tener un contrato indefinido* · **contratación · permiso || empleado,da · trabajador,-a || propuesta · proyecto || color · aspecto · aire · cantidad || paro · huelga** *convocar una huelga indefinida de transportes* · **tregua · suspensión · prohibición · prisión**
• CON VBOS. **hacer(se) · mantenerse**

indeleble adj.

• CON SUSTS. **tinta · barniz · pintura || huella** *la huella indeleble que deja en nuestra memoria* · **marca · sello · cicatriz · mancha** *La derrota supondría una mancha indeleble para el equipo* · **signo · impronta · señal · vestigio · traza · herida · estigma || recuerdo · referencia · memoria || gesto · sonrisa**
• CON VBOS. **quedar · permanecer · mantener · conservar** *La ciudad conservaba indelebles las huellas de la guerra*

indemnización s.f.

• CON ADJS. **alta · elevada · fuerte · sustanciosa · cuantiosa · considerable · jugosa · astronómica · exorbitante || justa · adecuada · equilibrada || baja · corta · insuficiente || modesta · escasa · exigua** *Todo lo que le quedó fue una exigua indemnización* **|| compensatoria**
• CON SUSTS. **solicitud (de) · reclamación (de) || concesión (de) || derecho (a)** *No tiene usted derecho a ninguna indemnización*
• CON VBOS. **recibir · percibir · cobrar · obtener || demandar · pedir · exigir · reclamar · solicitar || merecer || conceder · asignar · otorgar · pagar** *Nos pagaron una indemnización por los daños causados* · **denegar · tramitar || acordar · negociar || tener derecho (a)** *¿Tenemos derecho a algún tipo de indemnización?* · **renunciar (a)**
• CON PREPS. **sin perjuicio (de)**

□ USO Se construye a menudo con complementos encabezados por la preposición *por*: *Pidió una fuerte indemnización por daños y prejuicios.*

independencia s.f.

• CON ADJS. **total · absoluta** *Tenía absoluta independencia para elegir* · **plena · entera || escasa · relativa · moderada || soberana || política · económica · laboral · académica · judicial · profesional || de criterio**
• CON SUSTS. **espíritu (de) || muestra (de) || espacio (de) · margen (de) || posibilidad (de)**
• CON VBOS. **conceder · dar · otorgar** *Tras otorgar la independencia a esos pueblos...* **|| restringir · socavar · coartar · arrebatar || ansiar · alcanzar · obtener · adquirir · conquistar · conseguir · lograr · ganar · declarar · proclamar · mantener · preconizar · reclamar · conmemorar || luchar (por) · gozar (de)** *En el nuevo trabajo gozo de gran independencia*
• CON PREPS. **con** *Lo que más le gusta es vivir con independencia*

independiente adj.

• CON SUSTS. ***persona*** *Es una chica muy independiente* **|| prensa · justicia · sistema · economía || teatro · cine · literatura · poesía · música || entidad · compañía** *Una compañía independiente subvencionó el proyecto* · **comisión · organismo · organización || estado** *Tras la liberación, fundaron un Estado independiente* · **república || línea · tendencia · sector · grupo · facción || movimiento · partido || programa · candidatura** *Un grupo de diputados presentó una candidatura independiente* · **lista || personalidad · pensamiento · actitud || vida · existencia || producción · acción · trabajo || elemento · componente · factor || hecho**
• CON ADVS. **totalmente · absolutamente · plenamente · completamente · extremadamente || aparentemente · parcialmente**
• CON VBOS. **hacer(se) · mantenerse**

independizar(se) (de) v.

• CON SUSTS. **padres** *independizarse económicamente de los padres* · **familia · jefe ·** ***otros individuos y grupos humanos*** **|| hogar · núcleo familiar · casa · domicilio || administración · metrópolis · país · imperio · corona · tierra || mercado · federación · poder público · sector**

|| tutela · obediencia · protección || ética · moral · religión · política *Sus propuestas se han independizado de la política de su partido* · ideología · literatura || pintura · moda · tradición · impulso · tendencia || texto · narración
• CON ADVS. económicamente · musicalmente · artísticamente *independizado artísticamente de los movimientos de moda* || rápidamente · recientemente · temporalmente || tradicionalmente || físicamente · emocionalmente *Le ha costado independizarse emocionalmente de ella* · mentalmente || totalmente · completamente

indescifrable adj.

• CON SUSTS. misterio · enigma || adivinanza *Me propuso una adivinanza indescifrable* · acertijo · jeroglífico · problema || lenguaje · código · silencio || signo *El manuscrito contiene gran número de signos indescifrables* · guarismo · huella || encanto · magia || poema · historia || comentario · frase · expresión || letra · escrito · texto · escritura
• CON VBOS. mantenerse · continuar · hacer(se)

indescriptible adj.

• CON SUSTS. sensación · sabor · olor || dolor *Al despedirnos sentí un dolor indescriptible* · sufrimiento · desconsuelo || amor · emoción · satisfacción || situación · espectáculo · marco · panorama || fenómeno · hecho · suceso || impresión · impacto · horror || belleza · atractivo *Su mirada tiene un atractivo indescriptible* · elegancia · personalidad · encanto || júbilo · optimismo · placer · gozo · disfrute || música · magia *la magia indescriptible de una noche bajo la luna* || suciedad
• CON ADVS. absolutamente · totalmente · auténticamente

indeseable adj.

• CON SUSTS. ***persona*** *Aléjate de él, es un personaje indeseable* || efecto · consecuencia · síntoma · reacción || situación · estado · accidente || comportamiento · conducta · actitud
• CON ADVS. altamente · totalmente · claramente · sumamente || moralmente *un defecto moralmente indeseable* · socialmente

indeterminado, da adj.

• CON SUSTS. tiempo · frecuencia · fecha · edad · lugar *aterrizaron en un lugar indeterminado* || cantidad · número *un número indeterminado de víctimas* · cifra · porcentaje || concepto · idea · palabra · significado || mezcla · sabor · color · aspecto

indicación s.f.

• CON ADJS. clara · concreta · precisa · correcta · inequívoca · visible · detallada · pormenorizada · útil || confusa · velada · escasa · breve · escueta · somera *Creo oportuno hacer una somera indicación acerca de...* · sucinta · vaga · aproximada || expresa · obligatoria || legal · médica · técnica || geográfica
• CON VBOS. cumplir · atender · obedecer · observar · seguir *Tendrá usted que seguir las indicaciones médicas al pie de la letra* · recibir || desobedecer · incumplir · contravenir · desoír · saltarse || solicitar · dar · hacer || ajustarse (a) · ceñir(se) (a) *¿Por qué no se ciñe a sus indicaciones?*

indicado, da adj.

• CON SUSTS. altura · edad · temperatura · extensión · ***otras magnitudes*** || momento · plazo *cumplir el plazo indicado de entrega* · tiempo · lugar · recorrido || ***persona*** *Es el actor indicado para este papel* || tratamiento · fármaco · producto · sistema || asunto · tema · programa || cuento *un cuento indicado para niños de corta edad* · película || solución · elección · opción
• CON ADVS. especialmente || normalmente · generalmente

indicador s.m.

• CON ADJS. fiable · fidedigno · infalible · de confianza · disponible || representativo · orientativo *Si la tasa de mortalidad es un indicador orientativo del desarrollo socioeconómico de un país...* · decisivo · concluyente || principal · básico · fundamental · oficial || positivo · favorable · alarmante || último · nuevo || luminoso *El hospital estaba señalado con un indicador luminoso* · claro || económico · bursátil · financiero · monetario · macroeconómico · de precios || estadístico · global · social · de nivel · de consumo
• CON VBOS. medir (algo) · señalar (algo) · indicar (algo) · denotar (algo) · apuntar (algo) || confirmar (algo) · anunciar (algo) *Los indicadores macroeconómicos anunciaban una grave recesión* || acentuar (algo) · reflejar (algo) · ignorar (algo) || publicar *El ministerio ha publicado los indicadores de consumo del último trimestre* · mostrar · conocer || superar · rebasar || atenerse (a)

indicativo, va adj.

• CON SUSTS. dato · detalle · signo · pista · síntoma || símbolo · señal · luz · piloto *Cuando el piloto indicativo de funcionamiento parpadea...* · muestra · rótulo · cartel · letrero · etiqueta || gesto *...lo que podía interpretarse como un gesto indicativo de su buena disposición* · tono · acción · acto · hecho · resultado || valor · cifra · índice · cantidad · precio || carácter · título *Las tarifas se ofrecen solo a título indicativo*

indicio s.m.

• CON ADJS. claro *Hay claros indicios de la veracidad de tan sorprendente hipótesis* · concluyente · determinante · suficiente · evidente · incontestable · incuestionable · inequívoco · fundado · sólido · fehaciente · vehemente · abrumador || revelador · sintomático || débil *El equipo médico detecta débiles indicios de recuperación* · pequeño · endeble · leve · insuficiente · ligero · nimio · tenue · vago || delictivo || innumerables · abundantes · numerosos · múltiples · escasos
• CON SUSTS. cúmulo (de) · serie (de)
• CON VBOS. existir · presentar(se) · salir a la luz · concurrir · traslucir(se) || confirmar (algo) · señalar (algo) · indicar (algo) || apuntar (algo) · delatar (algo) *Numerosos indicios delatan la involucración del presidente en esta trama* || arrojar · constituir · dar · dejar || descubrir · detectar · encontrar *No encontraron indicios concluyentes de su participación en el robo* · hallar · rastrear || percibir · vislumbrar · atisbar · deducir
• CON PREPS. a tenor (de) *A tenor de los indicios que se vislumbran, la economía crecerá este año*

[indiferencia] → con indiferencia; indiferencia

indiferencia s.f.

• CON ADJS. absoluta · total · suma · supina · gran(de) · tremenda || aparente *Mostraba una aparente indiferencia hacia todo* · ostensible · patente · perfecta · creciente || distante · aséptica · escéptica || profunda · silenciosa · solemne · serena || brutal · cruel *No soporto su cruel indiferencia* · inhumana || exasperante · irritante · ener-

vante · preocupante · hiriente · dolorosa || calculada · estudiada || general · generalizada · colectiva · social · oficial · reinante || religiosa · política · moral
● CON SUSTS. **actitud (de) · gesto (de) · cara (de) || ambiente (de)** *Se educó en un ambiente de indiferencia política* · **clima (de) || sensación (de)**
● CON VBOS. **invadir (a alguien) || evidenciar(se) || advertir · sentir · sufrir · percibir || mostrar · exhibir** *...exhibiendo una absoluta indiferencia ante las duras críticas de su rival* · **manifestar · expresar · exteriorizar · pasear · revelar · demostrar · fingir || generar · provocar · suscitar · promover · combatir** *Combatir la indiferencia generalizada era uno de los objetivos prioritarios* || **caer (en)**
● CON PREPS. **ante · con** *mirar con indiferencia* · **desde**

indiferente adj.

● CON SUSTS. **actitud · aire** *Mira todo lo que le rodea con aire distante e indiferente* · **mirada · sonrisa ||** ***persona*** **|| alma · naturaleza**
● CON ADVS. **completamente · totalmente · absolutamente**
● CON VBOS. **resultar(le) (a alguien)** *Me resulta del todo indiferente lo que opinen sobre...* · **mostrarse || dejar · permanecer · quedar(se) · asistir · estar · ser**

indigestarse v.

● CON SUSTS. **cena · desayuno · comida · merienda · aperitivo · alimento · plato || película · lectura · libro** *Se me ha indigestado este libro* · **revista · obra · historia · espectáculo · anuncio · telediario · noticia || tema · cuestión · asunto || celebración · reunión || comentario · opinión · oferta · pensamiento · ideología**
● CON ADVS. **violentamente · terriblemente || internamente**

indignación s.f.

● CON ADJS. **absoluta · ciega · total · mayúscula · profunda || contenida** *Escuchó las acusaciones en medio de una indignación contenida* · **exacerbada · incontenible · irrefrenable || encendida · viva || patente · visible || injustificada · justificada · justa || santa || ciudadana · colectiva · popular · general · personal || ciego,ga (de) · lleno,na (de) · preso,sa (de)** *arrebatados tertulianos que pontifican a diario presos de la indignación*
● CON SUSTS. **ataque (de) · arrebato (de) · brote (de) · marea (de) · ola (de)** *Se desató una ola de indignación popular* || **expresión (de) · gesto (de)** *Rechazó la oferta con un gesto de indignación* · **grito (de) · mueca (de) || muestra (de)**
● CON VBOS. **aflorar · traslucir(se) · desatar(se) · desencadenar(se) || aplacar(se) · decrecer || extender(se) · cundir · inundar (algo) · colmar (algo) · aumentar · crecer || amortiguar · apaciguar · contener · reprimir · descargar** *Descargó su profunda indignación sobre los estudiantes, que nada tenían que ver con...* · **exacerbar || provocar · causar · generar · suscitar · despertar · contagiar · producir || expresar · manifestar · mostrar · destilar** *Sus palabras destilaban una profunda indignación* || **dar rienda suelta (a) · estallar (de/en) · llenar(se) (de)** *La noticia de su llegada me llenó de indignación*
● CON PREPS. **en medio (de)**

indignado, da adj.

● CON SUSTS. **espectador,-a · conductor,-a · persona · vecino,na · gente · pueblo** *...temerosos ante la posibilidad de que el pueblo, profundamente indignado, se alzara en armas* · ***otros individuos y grupos humanos*** **|| reacción || protesta · denuncia** *Las denuncias indignadas de los usuarios aumentaban cada día* || **comentario · pregunta · respuesta || tono · voz**
● CON ADVS. **absolutamente · totalmente · completamente · profundamente · tremendamente · terriblemente · gravemente || injustamente · justamente · justificadamente · comprensiblemente · lógicamente || visiblemente** *Los espectadores se mostraron visiblemente indignados* · **notoriamente · ostensiblemente**
● CON VBOS. **mostrarse || estar · sentirse · encontrarse · quedarse || expresar · preguntar** *Preguntó indignada por el responsable* · **responder · declarar · afirmar · advertir · lamentar**

indigno, na adj.

● CON SUSTS. **político,ca · representante · persona** *Es usted una persona indigna de ocupar un puesto de tanta importancia* · **gente · rival ·** ***otros individuos y grupos humanos*** **|| actitud · comportamiento** *mostrar un comportamiento indigno* · **conducta · actuación · situación || trato** *Fue víctima de un trato indigno* · **acogida · recepción || campaña · mentira · ejemplo || estilo · clase · tono**
● CON ADVS. **absolutamente · totalmente · completamente**
● CON VBOS. **considerar · calificar (de)** *El comité se quedó corto al calificar de indigna la conducta del político* · **declarar || resultar · mostrarse · volverse**

[indirecta] s.f. → indirecto, ta

indirecto, ta

1 indirecto, ta adj.

● CON SUSTS. **vía · camino · medio · procedimiento · fórmula · recurso || efecto · consecuencia · golpe · impacto || impuesto** *Van a subir los impuestos indirectos* · **tasa · tributo · coste · imposición || ingreso · financiación || sufragio · comicios · elección** *El presidente será designado mediante un sistema de elecciones indirectas* || **información · alusión · mención · insinuación · referencia · crítica · pregunta · mensaje || aceptación · reconocimiento || intención · pretensión · voluntad · intento || contacto · relación** *Solo mantenía una relación indirecta con el jefe de la banda* || **influencia · fiscalidad · control || acción · impulso · aumento · apoyo · falta || estilo · expresión || empleo** *El cultivo de hortalizas ha creado miles de empleos indirectos en la zona* || **participación · colaboración · gestión · negociación || participante · responsable** *Ustedes son los responsables indirectos de este desaguisado* · **autor**

2 indirecta s.f.

● CON ADJS. **clara · explícita || implícita · vaga · sutil || maliciosa · malintencionada · hiriente · envenenada**
● CON VBOS. **coger** *Era tan ingenuo que nunca cogía las indirectas* · **pillar · captar · interpretar · entender || lanzar · soltar** *Le solté una indirecta para que nos dejara solos, pero ni aun así* · **dejar caer · tirar · decir**

indiscreto, ta adj.

● CON SUSTS. **testigo · observador,-a · fotógrafo,fa ·** ***otros individuos*** **|| pregunta · declaración** *Hizo unas declaraciones bastante indiscretas a una popular revista rosa* · **comentario · chisme · alusión · entrevista · discusión · conversación || vigilancia · mirada · oído || imagen · foto || cámara · objetivo · micrófono || tema · cuestión**

indiscriminado, da adj.

• CON SUSTS. **uso** *Se recomienda evitar el uso indiscriminado de aerosoles* · **consumo** · **utilización** || **acción** · **actuación** · **práctica** || **disparo** · **atentado** · **asesinato** · **bombardeo** *Toda la zona fue sometida a un bombardeo indiscriminado* · **matanza** · **masacre** · **ataque** · **insulto** · **muerte** || **tala** · **cacería** · **caza** · **deforestación** · **vertido** || **violencia** *Estas actuaciones que no han servido más que para generar una violencia indiscriminada en toda la zona* · **represión** · **detención** · **terrorismo** · **terror** || **cantidad** · **aumento** || **reproducción** · **explotación** || **construcción** *La nueva ley frenará la construcción indiscriminada en las costas* · **importación** · **venta** || **apertura** *Se quejaban de la apertura indiscriminada de grandes superficies comerciales* · **concesión** · **ayuda**

indiscutible adj.

• CON SUSTS. **líder** *Tras proclamarse líder indiscutible de la carrera...* · **artífice** · **protagonista** · **campeón,-a** · **vencedor,-a** · **ídolo** · **estrella** · **favorito,ta** · **figura** · **clásico** · **número uno** · **maestro,tra** · *otros individuos* || **superioridad** · **liderazgo** · **hegemonía** · **supremacía** · **protagonismo** · **autoridad** || **calidad** · **prestigio** *un músico de prestigio indiscutible* · **personalidad** || **éxito** · **logro** · **mérito** *Que haya llegado tan alto tiene un mérito indiscutible* · **victoria** · **hito** || **derecho** · **potencia** · **conocimiento** || **hecho** · **prueba** *la prueba indiscutible de que algo está cambiando* · **dogma** · **resultado** || **cualidad** · **valor** · **virtud** · **valía** · **eficacia** || **inteligencia** · **talento** · **habilidad** · **sentido común** · **honradez** || **decisión** · **orden** · **mandato** || **norma** · **referencia**

indisoluble adj.

• CON SUSTS. **unión** · **unidad** · **vinculación** · **vínculo** || **entramado** · **red** · **malla** || **sustancia** · **materia** · **producto** · **elemento** || **amistad** · **hermandad** *unidos por lazos de hermandad indisoluble* · **lazo** · **matrimonio** · **pareja** || **compromiso** · **contrato** || **binomio** · **conjunto** · **equipo** · **grupo** · **parte** · **patria** · **territorio** || **síntesis** *ejemplo de la síntesis indisoluble de tradición y modernidad* || **realidad** · **hecho** || **contradicción** · **contraste** · **mezcla** · **diferencia**

indisolublemente adv.

• CON VBOS. **unir(se)** · **asociar(se)** · **vincular(se)** · **atar(se)** · **ligar(se)** · **mezclar(se)** *En esta obra se mezclan indisolublemente elementos de la tradición española e iberoamericana* · **fundir(se)**

• CON ADJS. **unido,da** · **asociado,da** · **ligado,da** · **atado,da** · **emparentado,da** · **vinculado,da**

individual adj.

• CON SUSTS. **habitación** *Todavía quedan libres tres habitaciones individuales y cuatro dobles* · **celda** · **cama** · **mantel** · **mesa** || **libertad** · **autonomía** · **desarrollo** *para fomentar el desarrollo individual del niño* · **conciencia** · **derecho** · **psicología** || **vida** · **experiencia** *Depende de la experiencia individual de cada uno* || **nivel** · **carácter** · **rasgo** · **componente** · **pieza** || **decisión** · **iniciativa** *...ha sido posible gracias a la iniciativa individual* · **responsabilidad** · **mérito** || **trabajo** · **labor** · **rendimiento** · **esfuerzo** · **inversión** · **empeño** || **deber** · **obligación** || **estudio** · **formación** · **preparación** · **aprendizaje** · **tutoría** · **seguimiento** || **lucha** · **carrera** · **jugada** *conseguir un gol en una jugada individual* · **práctica** || **intento** · **error** · **fallo** || **bienestar** · **seguridad** · **protección** || **interés** · **constancia** · **ilusión** · **creatividad** || **caso** · **exposición** · **muestra** · **creación**

individualismo s.m.

• CON ADJS. **a ultranza** *...ante una ola de individualismo a ultranza que es necesario combatir* · **exacerbado** · **feroz** · **extremo** *Fue víctima del individualismo extremo que imperaba en la sociedad* · **marcado** · **acendrado** · **absoluto** || **creciente** · **egoísta** · **insolidario** || **imperante** · **reinante**

• CON SUSTS. **exceso (de)** · **ola (de)** || **signo (de)** || **víctima (de)**

• CON VBOS. **llevar (a alguien)** *...un exacerbado individualismo que lo llevó a abandonar el grupo* || **practicar** || **combatir** · **fomentar**

individualista adj.

• CON SUSTS. ***persona*** *Es un jugador individualista que no se acaba de integrar en el equipo* || **carácter** · **actitud** *Mantiene su actitud individualista de siempre* · **estilo** · **aire** · **tono** · **espíritu** · **visión** *la visión individualista del mundo* || **aspiración** · **ambición** || **sociedad** · **mitología** · **cultura** · **riqueza** · **vida** · **dogma** · **fe** || **lenguaje** · **expresión** || **interpretación** · **concepción** · **sentido** || **política** · **ideología** · **filosofía** · **ética** · **lógica** || **tendencia** · **moda**

• CON ADVS. **completamente** · **rigurosamente** · **excesivamente** *En mi opinión es excesivamente individualista* · **profundamente** · **marcadamente**

indocumentado, da adj.

▮ [sin documentación oficial]

• CON SUSTS. **inmigrante** *la legalización de inmigrantes indocumentados* · **emigrante** · **extranjero,ra** · **trabajador,-a** · **ciudadano,na** · **delincuente** · **persona** || **cadáver**

▮ [que carece de suficientes datos]

• CON SUSTS. **lector,-a** *un fallo cronológico que pasará inadvertido al lector indocumentado* || **trabajo** · **hipótesis** · **teoría**

indolente adj.

• CON SUSTS. ***persona*** *un alumno indolente que no entrega nada a tiempo* || **mirada** · **gesto** || **actitud** · **aire**

• CON VBOS. **volverse**

indomable adj.

• CON SUSTS. ***persona*** || **carácter** · **espíritu** · **voluntad** · **corazón** · **ímpetu** || **fiera** · **bestia** · **caballo** · ***otros animales***

indómito, ta adj.

• CON SUSTS. ***persona*** *Es un periodista indómito que nunca se ha conformado con cubrir el expediente* || **carácter** · **personalidad** · **temperamento** · **casta** || **espíritu** · **alma** · **voluntad** · **corazón** || **tierra** · **playa** · **ciudad** || **animal** · **caballo** *El indómito caballo no se dejó montar* || **fiereza** · **salvajismo**

inducir (a) v.

• CON SUSTS. **error** *Las últimas modificaciones pueden inducir a errores de interpretación* · **confusión** · **engaño** · **equivocación** · **equívoco** · **lapsus** · **distracción** · **despiste** || **crimen** · **delito** · **agresión** · **asesinato** · **prevaricación** · **violencia** *Acusan a los guionistas de la serie de inducir a la violencia* · **brutalidad** · **malignidad** · **injusticia** · **contrabando** · **sublevación** · **prostitución** || **consumo** *Debemos evitar que la publicidad nos induzca a un consumo desmesurado* · **gasto** · **compra** · **uso** · **utilización** · **adicción** || **cambio** · **transformación** · **modificación** · **renovación** · **restitución** · **reforma** · **aumento** · **alza** · **alargamiento** · **reducción** · **desgaste** · **caída** · **deflación** ·

ruptura · fortalecimiento || reflexión *profundos pensamientos que inducen a la reflexión* · debate · deducción · conclusión · lectura · respuesta · controversia || vómito · infertilidad · cáncer · muerte · secreción || tranquilidad · paz · tregua

● CON ADVS. con artimañas · maliciosamente · subrepticiamente · veladamente

□ USO Se construye unas veces con sustantivos sin artículo (*inducir a error; inducir a engaño*) y otras con sustantivos acompañados de algún determinante (*inducir al consumo; inducir a la violencia*). Se combina también con complementos de infinitivo (*inducir a alguien a hablar*).

inductivo, va adj.

● CON SUSTS. capacidad · habilidad || método · lógica *un ejercicio de lógica inductiva* · sistema · pensamiento · procedimiento · proceso · tratamiento || razonamiento · suposición · cálculo

indudable adj.

● CON SUSTS. interés · prestigio · importancia · relevancia · trascendencia · repercusión · valor || señal *señal indudable de que las cosas no van bien* · muestra · gesto · signo || acierto · efecto · éxito *el éxito indudable que obtendrá la película* · resultado · triunfo · victoria || apoyo · ayuda · influencia *Ejerce una indudable influencia sobre él* · liderazgo · protagonismo · maestría · experiencia || contribución · aportación || capacidad · talento · pericia || avance · cambio · mejora · ventaja || atractivo *un paraje de indudable atractivo* · parecido || carencia · dificultad · necesidad · urgencia || deseo · pasión · felicidad · odio · amor · cariño · ***otros sentimientos o emociones*** || intención · voluntad · propósito *Mostraba un indudable propósito de mejora, pero...*

● CON VBOS. resultar · volverse

indulgencia s.f.

● CON ADJS. excesiva *comportamientos que se toleran con excesiva indulgencia* · necesaria || plenaria · absoluta · parcial || papal · paterna

● CON SUSTS. muestra (de) · señal (de) · exceso (de)

● CON VBOS. granjearse · conseguir · obtener · ganar(se) · merecer · lograr · recibir || pedir · buscar · implorar *Le lanzó una mirada que parecía implorar indulgencia* || conceder *Con motivo de la celebración se concedió la indulgencia plenaria a todos los peregrinos* · mostrar || ofrecer || gozar (de)

indulgente adj.

● CON SUSTS. público · juez · padre · madre · maestro,tra · ***otros individuos y grupos humanos*** || mirada *El equipo se retiraba al vestuario bajo la mirada indulgente del público* · ojos || actitud · postura || perdón · compasión · castigo · justicia · educación

● CON VBOS. ser *Eres demasiado indulgente con ellos* · volver(se) || estar · poner(se) · mostrarse

indulto s.m.

● CON ADJS. parcial *Aunque el procesado solicite el indulto parcial...* · total · general · individual || inmediato · temporal || merecido · justo · injusto · inmerecido || presidencial · político || favorable (a) · contrario,ria (a)

● CON SUSTS. comité (de) · política (de)

● CON VBOS. llegar || tardar · demorar(se) · retrasar(se) || solicitar · implorar · pedir · intentar · procurar · buscar · esperar · proponer || conceder *Le concedieron el indulto por buena conducta* · otorgar · denegar · derogar · negar · rechazar || merecer || lograr · obtener · recibir · alcanzar · conseguir || decretar · firmar · aprobar · tramitar · gestionar · estudiar · valorar || oponerse (a)

industria s.f.

● CON ADJS. competitiva · dinámica || floreciente · boyante · en alza || emergente · en expansión *La industria de los ordenadores sigue en expansión* · en recesión || intensiva · ligera · pesada · pequeña · mediana || química · farmacéutica · armamentística · automovilística · petrolera · cultural · cinematográfica · discográfica · editorial · turística · textil · pesquera · azucarera *...para hacer frente a la crisis de la industria azucarera*

● CON SUSTS. sector (de) *El sector de la industria hotelera se encuentra en alza* · rama (de) || crisis (de) · desarrollo (de) · fomento (de) · expansión (de)

● CON VBOS. desarrollar(se) · prosperar · extender(se) · decrecer || generar *una zona en la que la industria pesquera genera importantes beneficios* · aportar || crear · implantar · desmantelar · destruir || reflotar · reactivar · transformar · sanear *Es necesario sanear la industria del turismo para hacerla más competitiva* · propulsar · defender · proteger · atenazar

industrial adj.

● CON SUSTS. sector · polígono · nave *Pronto tuvieron que alquilar otra nave industrial* · zona · área · suelo · instalación · complejo · cinturón || residuo · desecho · combustible · grasa · vertido || producción · actividad *En el último trimestre ha mejorado la actividad industrial de la región* · inversión || revolución · desarrollo · reconversión · crisis · declive || producto · tejido · alimento · aceite || pastelería · panadería · pesca || política · proyecto · plan || sociedad · ciudad · país *...hasta convertirse en una país industrial y potente* · cultura || comercio · exportación · importación · cooperación || precio · arancel || uso *un material de uso exclusivamente industrial* || diseño · tecnología || ingeniero,ra · químico,ca · mecánico,ca · perito,ta || vehículo || propiedad · patrimonio

industrialmente adv.

● CON VBOS. producir *la venta de pan que la empresa produce industrialmente* · fabricar · obtener · generar · explotar || establecer(se) · implantar · instalar · montar · crecer · reactivar · recuperar · desarrollar · revolucionar

● CON ADJS. desarrollado,da · avanzado,da · activo,va · potente · poderoso,sa · dinámico,ca || retrasado,da *un país industrialmente retrasado*

inédito, ta adj.

● CON SUSTS. texto · artículo · tesis · carta · página · prólogo · capítulo · manuscrito · poema *A su muerte, encontraron varios poemas inéditos* · documento · códice · ***otros textos*** || foto · imagen *El programa ofreció imágenes inéditas de la película* · retrato · pintura · vídeo || sinfonía · melodía · canción || pintor,-a · novelista · poeta || aspecto · dato · material · tema · idea || estudio · visión · técnica || hecho · situación

● CON ADVS. prácticamente · totalmente · absolutamente

● CON VBOS. ser · estar · quedar || permanecer · seguir *Su colección de cartas sigue inédita*

ineficacia s.f.

● CON ADJS. absoluta · completa · descomunal · extrema · suma · total · tremenda || clara · manifiesta · palmaria · patente *hechos que ponen de manifiesto la patente ineficacia y la falta de previsión por parte de la administración* · **proverbial** · **probada** · **ostensible** · **aparente** || **característica** · **habitual** · **creciente** || **desesperante** · **exasperante** *Mostraba una ineficacia exasperante* · **indignante** · **ofensiva** · **vergonzosa** · **lastimosa** || **imperdonable** · **inadmisible** · **inexcusable** · **intolerable** || **administrativa** · **económica** · **política** · **gubernamental** · **laboral** · **militar** · **narrativa** · **goleadora**

• CON SUSTS. **ejemplo (de)** *El escaso interés de los trabajadores es un ejemplo de la ineficacia del sistema* · **imagen (de)** · **signo (de)** · **síntoma (de)**

• CON VBOS. **caracterizar (a alguien)** || **contagiar(se)** || **aumentar** · **crecer** · **disminuir** · **mantener(se)** || **corregir** · **mitigar** · **suplir** *Suplía su ineficacia con buena voluntad* · **paliar** || **demostrar** · **manifestar** · **mostrar** · **revelar** || **detectar** · **reconocer** || **denunciar** · **reprochar (a alguien)** *La prensa reprochó reiteradamente al Gobierno la probada ineficacia de las nuevas medidas* · **encubrir** · **justificar** || **padecer** || **provocar** · **causar** · **permitir** || **acabar (con)** · **luchar (contra)**

• CON PREPS. **debido (a)** · **por** · **a causa (de)** || **al borde (de)**

ineludible adj.

• CON SUSTS. **responsabilidad** · **obligación** · **compromiso** · **deber** *Tiene el deber ineludible de garantizar la seguridad* || **cita** · **invitación** || **gasto** · **necesidad** || **requisito** · **condición** *una condición ineludible para recibir la subvención* · **presencia** || **recurso** · **trámite** · **paso** · **ley** · **norma** || **cambio** · **reforma** · **consecuencia** || **exigencia** · **urgencia** || **referencia** *Se ha convertido en una referencia ineludible* · **referente** · **lectura** · **principio** || **demanda** · **orden** · **cumplimiento** · **castigo** || **realidad** · **destino** · **fatalidad** || **opción** · **reto**

• CON ADVS. **totalmente** · **completamente** · **a todas luces** *una cita a todas luces ineludible*

• CON VBOS. **hacer(se)** · **volverse**

inenarrable adj.

• CON SUSTS. **experiencia** · **momento** || **éxito** · **satisfacción** · **dicha** · **felicidad** · **belleza** || **sufrimiento** · **dolor** *Sintió un dolor inenarrable al verlo partir* · **horror** · **tragedia** · **desastre** · **odisea**

inequívoco, ca adj.

• CON SUSTS. **respuesta** *Su respuesta fue inequívoca* · **pregunta** · **afirmación** · **declaración** · **expresión** · ***otras manifestaciones verbales*** || **timbre** · **tono** · **resonancia** *un nombre de inequívocas resonancias* || **prueba** · **muestra** · **demostración** · **ejemplo** || **juicio** · **idea** · **opinión** · **criterio** || **mérito** · **valor** *...lo cual pone de relieve el valor inequívoco de sus investigaciones* · **valentía** · **trascendencia** · ***otras cualidades*** || **fascinación** *Compartían una inequívoca fascinación por el arte* · **estima** · **pasión** · **aprecio** · ***otros sentimientos*** || **camino** · **trayectoria** · **carrera** · **frontera** · **límite** · **curso** · **línea** · **trayecto** || **síntoma** · **señal** *Estas cifras son señales inequívocas de la recuperación económica que experimenta el país* · **marca** · **rastro** · **huella** · **contraseña** · **impresión** · **sensación** · **revulsivo** || **referencia** · **significación** · **sentido** || **apariencia** · **aspecto** · **aire** · **pinta** · **tufo** · **imagen** · **sello** *La película tiene el sello inequívoco de su director* || **origen** *Su acento delataba un inequívoco origen inglés* · **raíz** · **motivo** · **razón** · **fuente** · **casta** · **raigambre** || **impulso** · **fuerza** · **tensión** · **presión** · **movimiento** || **deseo** · **interés** · **intención** *Juegan con la inequívoca intención de ganar el campeonato* · **objetivo** · **finalidad** · **sueño** · **aspiración** · **ambición** · **anhelo** · **voluntad** · **vocación** || **apoyo** · **respaldo** · **defensa** || **vínculo** · **puente** · **acuerdo** · **compromiso** *La periodista siempre mantuvo un compromiso inequívoco con la democracia* · **consentimiento** · **colaboración** · **implicación** · **concurso** || **giro** · **transformación** · **orientación** || **oposición** · **rechazo** · **enfrentamiento** · **condena** *la condena inequívoca de todo acto violento* · **amenaza** · **censura** · **afrenta** · **ultimátum** · **reprobación** || **desmarque** · **despedida** · **renuncia** · **retirada** · **falta** · **excepción** · **exclusión** · **ruptura** || **resultado** · **fruto** · **victoria** · **éxito** || **elección** · **opción** · **preferencia** · **tendencia** · **inclinación** *su inequívoca inclinación hacia la música* · **decisión**

inercia s.f.

• CON ADJS. **pura** · **mera** || **alcista** || **histórica** · **atávica** *Hemos de vencer la atávica inercia de un sistema que...* · **tradicional** || **política** · **burocrática** · **inflacionaria** · **económica** · **administrativa** · **ideológica**

• CON SUSTS. **fuerza (de)** · **efecto (de)**

• CON VBOS. **romper** · **vencer** · **superar** · **frenar** || **mantener** · **seguir** || **acusar** · **aprovechar** || **dejarse llevar (por)** *Se dejó llevar por la inercia y no examinó la situación con detalle* · **acabar (con)**

• CON PREPS. **por** *actuar por inercia* · **por efecto (de)**

inerme adj.

• CON SUSTS. **enemigo,ga** · **ciudadano,na** · **rehén** · **pueblo** · **población** · ***otros individuos y grupos humanos*** || **país** · **estado**

• CON VBOS. **estar** · **quedar(se)** || **dejar** · **sentirse** *Los ciudadanos se sienten inermes ante los abusos* · **asistir**

inerte adj.

• CON SUSTS. **cuerpo** · **ser** *Aunque parezca que está vivo, es un ser inerte* || **músculo** · **brazo** · **pierna** || **objeto** · **material** · **materia** · **masa** · **residuo** || **pueblo** · **tradición**

• CON VBOS. **quedar(se)** · **permanecer** · **yacer** || **colgar** · **caer** || **contemplar** · **observar**

inescrutable adj.

• CON SUSTS. **mirada** · **rostro** || **misterio** *el misterio inescrutable de la creación pictórica* · **secreto** · **enigma** || **carácter** · **naturaleza** || **laberinto** · **camino** · **profundidad** · **destino** || **noción** · **concepto** || **sentido** · **significado**

inesperado, da adj.

• CON SUSTS. **visita** *Sorprendió a la opinión pública la visita inesperada del ministro* · **boda** · **reunión** · **reencuentro** · **encuentro** · **llamada** || **muerte** · **fallecimiento** || ***otros eventos*** || **hecho** · **suceso** · **situación** || **resultado** · **desenlace** · **final** · **solución** || **éxito** · **triunfo** · **victoria** · **caída** · **derrota** · **eliminación** · **tropiezo** || **giro** *El coche dio un giro inesperado y chocó contra la valla* · **cambio** · **viraje** · **vuelco** · **frenazo** || **elección** · **decisión** *la decisión inesperada de dejar el trabajo* · **respuesta** || **descubrimiento** · **revelación** || **presencia** · **irrupción** · **aparición** · **reaparición** · **retorno** · **regreso** · **vuelta** || **incidente** · **crisis** · **ruptura** || **conclusión** · **consecuencia** · **efecto** *El tratamiento tuvo efectos inesperados* || **dimisión** · **renuncia** || **acción** · **reacción** · **intervención** · **nombramiento** · **comparecencia** || **obstáculo** · **rival** · **enemigo,ga** · **aliado,da** || **noticia** *Abrieron el telediario con una inesperada noticia* · **dato** · **comentario** · **anuncio** · **declaración** || **aumento** · **ayuda** || **ataque** · **impacto** · **golpe** · **avería** · **contratiempo** · **inconveniente** · **revés** · **problema** || **regalo**

• CON ADVS. **totalmente** · **completamente**

inestimable adj.

● CON SUSTS. **ayuda** *Siempre he contado con la inestimable ayuda de mi madre* · **apoyo** · **colaboración** · **aportación** · **contribución** · **refuerzo** || **servicio** · **labor** · **trabajo** || **virtud** · **sabiduría** · **valor** · **habilidad** || **privilegio** · **oportunidad** · **ventaja** || **recurso** · **capacidad** · **riqueza** · **tesoro** · **pérdida** *El terremoto causó pérdidas inestimables* || **función** · **papel**

inevitablemente adv.

● CON VBOS. **conducir** *Esa actitud conduce inevitablemente a un callejón sin salida* · **llevar** · **remitir** · **encaminar(se)** · **tender** · **acompañar** · **enviar** · **dirigir(se)** · **aproximar(se)** || **desembocar** · **abocar** · **acabar** · **aterrizar** · **llegar** *hasta que llega inevitablemente la hora de despedirse* · **sumergir(se)** || **producir(se)** · **pasar** · **suceder** · **ocurrir** || **surgir** · **aparecer** || **derivar(se)** · **provocar** · **suscitar** · **repercutir** *El cambio de trabajo repercutirá inevitablemente en su futuro* · **causar** · **generar** · **acarrear** · **arrastrar** · **sembrar** · **desatar** · **inducir** || **convertir(se)** · **transformar** · **cambiar** || **implicar** *La decisión implicará inevitablemente algunos riesgos* · **conllevar** · **comportar** · **suponer** || **relacionar(se)** · **asociar(se)** · **unir** · **mezclar(se)** · **ligar** · **vincular(se)** · **hermanar** · **conocer** · **incorporar** · **incluir** || **incurrir** · **caer** · **recaer** || **incidir** · **influir** · **interferir** *Su trabajo interfiere inevitablemente en su vida familiar*

inexcusable adj.

▌[que no se puede excusar o perdonar]

● CON SUSTS. **acto** · **actuación** · **conducta** *Esa es una conducta inexcusable en cualquier empleado* · **comportamiento** · **deslealtad** · **tardanza** || **ignorancia** · **negligencia** · **descuido** *Un descuido inexcusable provocó el accidente* · **fallo** · **error** · **omisión** · **olvido** · **equivocación**

▌[que no se puede omitir]

● CON SUSTS. **lectura** *una novela de lectura inexcusable* · **viaje** · **llegada** || **deber** · **obligación** · **cita** · **tarea** · **responsabilidad** · **compromiso** · **función** || **condición** · **requisito** · **trámite** · **exigencia** · **urgencia** · **necesidad** · **imperativo** || **referencia** *La revista se convirtió en una referencia inexcusable para los aficionados a la música* · **mención** · **modelo** || **presencia** · **visita** · **participación** · **comparecencia** · **asistencia** || **cumplimiento** · **acatamiento** || **parte** · **principio** *un principio inexcusable de todo Gobierno democrático* || **apartado** · **pieza** · **ingrediente**

● CON VBOS. **hacerse** · **volverse**

inexorable adj.

● CON SUSTS. **destino** · **fatalidad** · **designio** · **fatum** || **camino** · **curso** · **proceso** · **paso** · **avance** *el avance inexorable de la ciencia y la tecnología* · **transcurso** · **progresión** · **marcha** · **cambio** · **devenir** || **decadencia** · **declive** · **degradación** · **desgaste** · **deterioro** · **caída** · **degeneración** · **descenso** · **derrumbe** *...anunciaban el derrumbe inexorable del sistema feudal* · **retroceso** · **erosión** || **desastre** · **derrota** · **fracaso** || **final** · **fin** · **desenlace** · **resultado** || **muerte** · **enfermedad** · **destrucción** · **exterminio** · **desaparición** · **extinción** || **tiempo** · **reloj** *continuamente presionados por el reloj inexorable* · **hora** · **pasado** · **época** · **futuro** · **etapa** || **justicia** · **ley** · **condena** · **balanza** · **juicio** || **deber** · **exigencia** · **necesidad** *...ante la necesidad inexorable de introducir un cambio radical* · **cumplimiento** · **obligación**

inexorablemente adv.

● CON VBOS. **avanzar** · **aproximarse** · **avecinarse** · **acercarse** · **encaminarse** · **caminar** · **deslizarse** · **ir** · **dirigir(se)** *Vivimos en un mundo que se dirige inexorablemente hacia la globalización* || **conducir** · **llevar** · **empujar** · **atraer** · **situar** · **arrastrar** || **imponer(se)** *Se ha ido imponiendo inexorablemente la postura de quienes defienden que...* · **marcar** · **condicionar** · **condenar** · **afectar** · **obligar** · **castigar** || **ocurrir** · **llegar** · **cumplir(se)** · **acontecer** · **producir(se)** · **suceder** || **continuar** *La historia continúa inexorablemente su marcha* · **durar** · **desarrollarse** · **proseguir** · **repetir** || **aumentar** · **crecer** · **superar** · **subir** · **recuperar** · **ampliar** · **mejorar** *Según el Gobierno la economía debe mejorar inexorablemente* · **consolidar(se)** · **extender(se)** || **caer** · **perder** · **desaparecer** · **acabar** · **terminar** · **deteriorar(se)** *Las relaciones entre ambos países se deterioraron inexorablemente* · **estropear(se)** · **degenerar** · **consumir(se)** · **derrumbarse** · **extinguir(se)** · **marchitar(se)** · **hundir(se)** · **desvanecer(se)** · **bajar** · **disolver(se)** || **destruir** *La enfermedad avanza poco a poco y destruye inexorablemente las neuronas* · **abatir** · **borrar** · **retrasar** · **minar** · **liquidar** · **impedir** · **desmontar** · **colapsar** · **devorar** · **devastar** · **desecar** · **quebrar** || **unir** · **vincular** · **depender** *La especie depende inexorablemente del agua* · **asociar** · **juntar** · **ligar** || **implicar** · **significar** · **conllevar** · **suponer** · **acarrear** · **traducirse** · **desencadenar** · **provocar** · **causar** · **convertir(se)** || **morir** · **enfermar** · **agravar(se)**

☐ USO Se combina frecuentemente con perífrasis verbales de obligación: *Todos hemos de morir inexorablemente.*

inexperiencia s.f.

● CON ADJS. **clara** · **evidente** · **manifiesta** · **patente** · **probada** || **absoluta** · **total** || **aparente** · **supuesta** || **juvenil**

● CON SUSTS. **muestra (de)** · **señal (de)** · **signo (de)** · **síntoma (de)** || **fruto (de)** · **producto (de)** *Las faltas cometidas fueron producto de su inexperiencia*

● CON VBOS. **demostrar** · **revelar** || **compensar** · **suplir** *Suplía su manifiesta inexperiencia con más horas de trabajo* || **pagar** · **acusar** || **reconocer** · **confesar** || **pecar (de)** · **adolecer (de)** || **achacar (a)** *una derrota que el jugador achacó a su juvenil inexperiencia* · **atribuir (a)**

inexpugnable adj.

● CON SUSTS. **fortaleza** *Convirtieron el castillo en una fortaleza inexpugnable* · **bastión** · **cárcel** · **edificio** · **pabellón** · **pista** · **recinto** || **muralla** *Una muralla inexpugnable, hoy inexistente, protegió la ciudad durante siglos* · **montaña** · **valladar** · **barrera** · **frontera** || **terreno** · **región** · **isla** || **defensa** *El equipo se apoyó en una defensa inexpugnable y no encajó ningún gol* · **selección** · **portero** · **ejército** · **tropa** || **institución** · **régimen** || **sistema** || **teoría** · **argumento** · **disertación** · **tesis**

● CON VBOS. **volverse** · **hacer(se)**

infaliblemente adv.

● CON VBOS. **acertar** · **responder** || **dictaminar** · **diagnosticar** · **describir** || **profetizar** · **adivinar** · **intuir** · **anticipar** · **apuntar** · **prever** || **proceder** · **actuar** · **planear (algo)** · **proyectar** || **garantizar** *Nadie puede garantizar infaliblemente que la empresa resistirá cinco años más* · **asegurar**

infame adj.

● CON SUSTS. **político,ca** *un partido que está lleno de políticos infames* · **escritor,-a** · **criminal** · **traidor,-a** · **gente** · ***otros individuos y grupos humanos*** || **animal** · **bicho** || **antro** · **ciudad** · ***otros lugares*** || **mentira** · **embuste** · **falacia** · **agravio** · **aberración** || **situación** · **condición** || **juego** · **partido** · **espectáculo** · **actuación** · **versión** ||

guerra · **crimen** · **tortura** *De poco sirvió denunciar tan infames torturas ante el tribunal competente* · **delito** · **muerte** || **golpe** · **cuchillada** · **sablazo** || **acusación** *Fue víctima de infames acusaciones* · **campaña** · **persecución** · **proceso** · **juicio** · **ley** || **práctica** · **labor** · **negocio** · **tarea** · **dedicación** · **ocupación** || **teoría** · **mente** || **origen** · **motivo** · **intención**

infamia s.f.

● CON ADJS. **nacional** · **local** · **colectiva** · **pública** *Tras ser expuesto a la infamia pública...* || **histórica** · **política** · **cultural** · **moral** · **lingüística**

● CON SUSTS. **acto (de)** || **sarta (de)** *El periodista vertió una sarta de infamias contra ellas*

● CON VBOS. **constituir** · **representar** || **cometer** · **consumar** · **tramar** · **urdir** || **difundir** · **divulgar** · **lanzar** · **publicar** · **verter** || **castigar** · **redimir** · **vengar** || **soportar** *No es fácil soportar la infamia de la derrota a domicilio contra un equipo inferior* || **calificar (de)** *Calificó sus declaraciones de auténtica infamia* || **llenar (de)** · **cubrir (de)** || **cargar (con)**

infancia s.f.

● CON ADJS. **feliz** · **alegre** · **dichosa** *Tuvo una infancia dichosa* · **divertida** · **normal** · **placentera** || **idílica** · **dorada** · **idealizada** || **desdichada** · **desgraciada** · **triste** · **pobre** · **terrible** · **difícil** · **traumática** · **tormentosa** · **trágica** || **ingenua** · **inocente** · **solitaria** || **añorada** · **irrecuperable** · **perdida** || **remota** · **lejana** || **tranquila** · **turbulenta** || **tierna** *Desde su más tierna infancia vivió entre actores*

● CON SUSTS. **años (de)** || **episodio (de)** || **amigo,ga (de)** *¿Aún conservas a los amigos de la infancia?* || **juego (de)** || **recuerdo (de)** · **trauma (de)** · **herida (de)** || **regreso (a)**

● CON VBOS. **discurrir** · **pasar** · **transcurrir** · **acabar** || **recordar** · **añorar** · **evocar** · **recuperar** · **revivir** *Volvió a su pueblo natal para revivir su infancia* · **olvidar** || **tener** · **vivir** || **marcar** *La guerra marcó nuestra infancia* · **sacudir** *Vivió una infancia sacudida por la desgracia* || **entrar (en)** · **salir (de)** || **volver (a)** · **regresar (a)** · **retornar (a)** · **retroceder (a)** · **remontarse (a)** *Se remontó a su infancia para contarles una enternecedora historia*

● CON PREPS. **desde** · **durante**

infantil adj.

▮ [relativo o perteneciente a los niños]

● CON SUSTS. **literatura** · **teatro** · **cuento** *Ha ganado un concurso de cuentos infantiles* · **relato** · **libro** · ***otras creaciones*** || **cine** · **programa** · **juego** · **espectáculo** · **música** *un disco de música infantil* · **canción** · **coro** || **mortalidad** · **muerte** · **hambre** · **enfermedad** · **afección** || **aprendizaje** · **educación** || **público** *un espectáculo dirigido al público infantil* · **población** || **parque** · **jardín** · **hospital** *Ha ingresado en el hospital infantil* || **categoría** · **equipo** || **escuela** · **guardería** *Han abierto una guardería infantil cerca de mi casa* · **hogar** · **comedor** || **etapa** · **edad** || **obesidad** · **nutrición** · **alimentación** · **alimento** · **leche** || **recuerdo** · **vivencia** · **trauma** · **experiencia** || **prostitución** · **abuso** · **trabajo** · **violencia** || **programación** *Han ampliado el horario de programación infantil* · **suplemento** · **sección** · **horario**

▮ [de niño, ingenuo]

● CON SUSTS. ***persona*** *Es un chico un poco infantil para la edad que tiene* || **ilusión** *Dejándose llevar por ilusiones infantiles* · **entusiasmo** · **amor** · **sueño** || **memoria** · **imaginación** · **fantasía** || **mente** · **mentalidad** · **alma** · **mundo** · **actitud** · **comportamiento** · **travesura** · **respuesta** · **postura** · **reacción** || **mirada** · **sonrisa** · **belleza**

infarto s.m.

● CON ADJS. **agudo** *El paciente ha superado un infarto agudo de miocardio* · **fulminante** · **mortal** || **de corazón** · **cerebral** *...con síntomas de haber sufrido un infarto cerebral* · **de miocardio** · **cardíaco**

● CON SUSTS. **amago (de)** · **síntoma (de)** · **riesgo (de)**

● CON VBOS. **sobrevenir** || **dar (a alguien)** · **tener** *Tuve un amago de infarto y ahora estoy en tratamiento* · **sufrir** · **padecer** · **superar** || **recuperarse (de)** · **reponerse (de)** · **sobrevivir (a)**

□ EXPRESIONES **de infarto** [muy emocionante] *col. una película de infarto*

infatigable adj.

● CON SUSTS. **trabajador,-a** *Quiero tenerlo conmigo porque es un trabajador infatigable* · **artista** · **coleccionista** · **vendedor,-a** · **estudioso,sa** · **escritor,-a** · **lector,-a** || **luchador,-a** · **militante** · **combatiente** · **amante** || **peregrino,na** · **caminante** · **viajero,ra** *Es una viajera infatigable; siempre anda en busca de nuevas aventuras* || ***otros individuos y grupos humanos*** || **actividad** · **labor** · **tarea** · **trabajo** || **campaña** · **lucha** · **búsqueda** · **persecución** || **dedicación** *Mostraba una dedicación infatigable a los niños* · **entrega** · **afición** · **atención** · **esfuerzo** · **voluntad** || **acoso** · **insistencia** || **energía** *...con una energía infatigable que le permite trabajar sin cansarse durante horas y horas* · **ingenio** · **talento**

infausto, ta adj.

● CON SUSTS. **año** · **época** · **pasado** · **día** *el infausto día en que se conocieron* · ***otros momentos o períodos*** || **terreno** · **ciudad** · **inmueble** · **casa** · ***otros lugares*** || **hecho** *un hecho infausto que alteró la vida del pequeño pueblo* · **muerte** · **llegada** · ***otros acontecimientos*** || **recuerdo** · **memoria** · **historia** || **casualidad** · **peripecia** · **aventura** || **final** · **destino** *La novela narra el infausto destino de los protagonistas* || **guerra** · **partido** || **noticia** *Cuando llegó al periódico la infausta noticia...* · **pronóstico** · **señal** · **dato** || **película** · **cinta** · **programa**

infección s.f.

● CON ADJS. **ocular** *Le recetó un colirio especial para su infección ocular* · **vaginal** · **bucal** || **grave** · **leve** || **generalizada** || **vírica** · **bacteriana** || **propenso,sa (a)** · **aquejado,da (de)**

● CON SUSTS. **origen (de)** · **causa (de)** · **portador,-a (de)** || **tratamiento (de)** || **riesgo (de)** *Esas insalubres aguas aumentarán el riesgo de infecciones* · **foco (de)**

● CON VBOS. **transmitir(se)** *La infección se transmite por contacto directo* · **contagiar(se)** · **propagar(se)** || **agudizar(se)** · **acentuar(se)** · **agravar(se)** · **aumentar** || **curar(se)** · **remitir** · **disminuir** || **contraer** *Durante el viaje contrajo una grave infección vírica* · **coger** · **pillar** · **tener** · **desarrollar** || **ocasionar** · **producir** || **atajar** · **cortar** · **detener** · **controlar** · **combatir** *No había tomado ningún medicamento para combatir la infección* · **frenar** || **evitar** · **prevenir** || **aislar** || **localizar** || **dar lugar (a)** || **inmunizar (contra)** · **luchar (contra)**

infeliz

1 infeliz adj.

● CON SUSTS. ***persona*** *A partir de entonces, se convirtió en una mujer amargada e infeliz* || **vida** · **infancia** · **día** *Fue el día más infeliz de mi vida* · ***otros momentos o períodos***

|| ocurrencia · idea *Tuvo la infeliz idea de unirse a ese proyecto* || matrimonio · amor · familia || mundo
● CON ADVS. profundamente · absolutamente · totalmente · enormemente · plenamente · inmensamente · sumamente || desesperadamente · fatalmente · tremendamente *Después de lo ocurrido, se sentía tremendamente infeliz* · terriblemente
● CON VBOS. ser · estar · sentirse · parecer || considerar (a alguien) · ver (a alguien) · notar (a alguien)

2 **infeliz** s.com.
● CON ADJS. pobre *El pobre infeliz nunca llegaba a tiempo*

inferior adj.
● CON ADVS. a todas luces *una calidad a todas luces inferior a lo que yo pensaba* · claramente · manifiestamente · visiblemente · notablemente · de todo punto || ligeramente · sustancialmente · abismalmente · sensiblemente · significativamente || comparativamente || numéricamente *Aun siendo numéricamente inferiores, se impusieron con rotundidad en el segundo tiempo*

inferioridad s.f.
● CON ADJS. manifiesta · clara *la clara inferioridad del equipo contrario* · patente · evidente · ostensible · apabullante · nítida · indiscutible · incuestionable · innegable || ligera || supuesta · teórica || numérica · intelectual · militar · física · psíquica · emocional || consciente (de) · convencido,da (de)
● CON SUSTS. complejo (de) *superar el complejo de inferioridad* || posición (de) · situación (de) · condición (de) · sensación (de) || demostración (de)
● CON VBOS. aceptar · asumir · reconocer *Nadie reconoce su inferioridad antes de empezar un debate* · disimular || constatar · demostrar · acreditar || jugar (en) · combatir (en) · luchar (en) · encontrar(se) (en)
□ EXPRESIONES **en inferioridad de condiciones** [en desequilibrio; con menos medios, garantías o recursos de los debidos]

inferir v.
▌[causar, hacer]
● CON SUSTS. cornada · daño · puñalada *El atracador infirió varias puñaladas al dueño de la tienda* · heridas || ofensa

▌[deducir, extraer]
● CON SUSTS. conclusión · deducción · consecuencia · resultado · moraleja
● CON ADVS. claramente *De sus palabras y su tono podemos inferir claramente un profundo malestar* · lógicamente · perfectamente · automáticamente
□ USO Se construye generalmente con complementos encabezados por la preposición *de*: *inferir una conclusión del examen de los materiales.*

infernal adj.
● CON SUSTS. calor *El último verano hizo un calor infernal* · tiempo · clima || época · noche · etapa · ciclo · jornada · ***otros períodos*** || maquinaria · automóvil · aparato · artefacto · mecanismo || ciudad *El tráfico la convierte en una ciudad infernal* · barrio · casa · habitación · ***otros lugares*** || tiroteo · matanza · lucha · guerra · contienda · ataque · bombardeo *Comenzó un bombardeo infernal de propaganda política* || ruido *El viejo coche hacía un ruido infernal* · estruendo · griterío · estrépito · algarabía || movimiento · ritmo · dinámica · velocidad · horario || travesía · viaje · camino *Atravesamos un camino infernal, lleno de baches y piedras* · carretera · recorrido · excursión · periplo || caos · masificación · tráfico · revuelo · barullo · atasco *Estuve tres horas atrapada en un atasco infernal* · embotellamiento · ajetreo · trasiego || trabajo || situación · acontecimiento · hecho · suceso
● CON VBOS. hacerse · volverse

infidelidad s.f.
● CON ADJS. conyugal *Fue acusada de infidelidad conyugal* · matrimonial · marital || sexual · amorosa || humana · femenina · masculina || supuesta · presunta || congénita · continua
● CON SUSTS. prueba (de) || delito (de) · pecado (de) || historia (de) · caso (de)
● CON VBOS. permitir · consentir · sufrir · soportar *Se cansó de soportar infidelidades* · perdonar || castigar · rechazar || admitir · confesar · reconocer || descubrir · comprobar · confirmar *Las fotos confirmaron su infidelidad* || cometer

infiel adj.
● CON SUSTS. marido *¡Qué puedes esperar de un marido infiel!* · mujer · esposo,sa · cónyuge · novio,via · amante · amigo,ga · compañero,ra · socio,cia · colega · ***otros individuos y grupos humanos*** || voto || traducción || memoria *...si la memoria no me es infiel*
● CON ADVS. presuntamente · supuestamente || profundamente · absolutamente || doblemente · descaradamente
● CON VBOS. calificar (de) · considerar

infierno s.m.
● CON ADJS. espantoso · atroz *Lo que empezó siendo un paraíso se convirtió en un infierno atroz* · brutal · eterno · carcelario || político · fiscal · judicial · burocrático · laboral || personal · moral · espiritual · artístico || verdadero · auténtico · material
● CON SUSTS. llamas (de) · fuego (de) || puerta (de) · antesala (de) · camino (de) · calle (de) || ángel (de)
● CON VBOS. narrar · describir · imaginar || abandonar · evitar · superar || vivir *Viví un verdadero infierno* · aguantar · descubrir || quemar(se) (en) · pudrirse (en) · caer (en) || huir (de) · escapar (de) · salir (de) · sobrevivir (a) || descender (a) · bajar (a) || convertir(se) (en) *Aparcar en esta zona se ha convertido en un auténtico infierno* || condenar (a)
● CON PREPS. en · a

ínfimo, ma adj.
● CON SUSTS. calidad · interés · condición · resultado || parte · porcentaje · porción · dosis · cantidad *Les asignan una cantidad semanal ínfima* · monto · proporción || categoría · nivel · número || tamaño · magnitud · altura · peso · volumen · espacio || probabilidad · posibilidad || salario · pensión · propina · detalle || precio · coste · beneficio *La empresa obtenía beneficios ínfimos* || capacidad

infinitamente adv.
● CON VBOS. alegrar(se) || disfrutar · gozar · aburrir || fortalecer · prolongar(se) · cambiar || volver · repetir · reiterar || superar · rebasar · sobrepasar || lamentar *Lamentamos infinitamente este desgraciado incidente* · sentir · conmover · despreciar · adorar || agradecer *Te agradezco infinitamente lo que hiciste por nosotros* · amar · valorar

● CON ADJS. **triste** *Sus palabras eran infinitamente tristes* · **superior** · **bueno,na** · **pequeño,ña** · **mejor** · **peor** || **rico,ca** · **poderoso,sa**

□ USO Se construye también con adverbios: *infinitamente lejos*.

infinito, ta

1 **infinito, ta** adj.

● CON SUSTS. **paciencia** *Tenía una paciencia infinita con los niños* · **amor** · **cariño** · **ternura** · **grandeza** · **sabiduría** · **inteligencia** · **curiosidad** || **belleza** · **pureza** · **delicadeza** || **bondad** · **generosidad** *la generosidad infinita de estos voluntarios* || **crueldad** · **soberbia** || **dolor** · **tristeza** · **amargura** · **pena** || **distancia** · **espacio** · **extensión** || **tiempo** · **veces** *La he llamado infinitas veces, pero nunca está en casa* · **horas** || **soledad** · **calma** · **tranquilidad** || **capacidad** · **posibilidad** · **combinaciones**

2 **infinito** s.m.

● CON VBOS. **contemplar** || **mirar (a)** *Al caer la tarde se pasaba horas mirando al infinito* || **tender (a)** || **elevar (a)**

inflación s.f.

● CON ADJS. **a la baja** · **elevada** || **larvada** · **latente** · **subyacente** *Es necesario vigilar la inflación subyacente* · **acumulada** · **endémica** || **galopante** *Una inflación galopante fue lo que causó la revuelta* · **descontrolada** · **desorbitada** || **incipiente** · **creciente** || **preocupante**

● CON SUSTS. **tasa (de)** · **índice (de)**

● CON VBOS. **crecer** *La inflación creció el último año por encima de lo previsto* · **aumentar** · **desbocar(se)** · **despuntar** · **disparar(se)** · **repuntar** || **bajar** · **decrecer** · **declinar** · **moderar(se)** || **combatir** · **contener** *El objetivo es contener la incipiente inflación* · **controlar** · **vigilar** · **detener** · **frenar** · **congelar** · **reducir** · **amortiguar** · **compensar**

inflar v.

▌[llenar de aire]

● CON SUSTS. **globo** *Inflamos entre todos los globos para la fiesta* · **flotador** · **neumático** · **rueda** · **pulmón**

● CON ADVS. **a todo pulmón**

▌[exagerar]

● CON SUSTS. **presupuesto** · **coste** *La empresa infló los costes de la última campaña publicitaria* · **costo** · **gasto** · **precio** · **deuda** · **cifra** · ***otras cantidades*** || **lista** · **nota** · **dato** · **resultado** *El Gobierno negó haber inflado los resultados de la encuesta oficial* · **noticia** · **expectativas** || **relevancia** · **importancia** || **fantasía** · **imaginación**

inflexible adj.

● CON SUSTS. **profesor,-a** · **jefe,fa** *Tiene un jefe inflexible y estricto* · **árbitro,tra** · **juez** · **gobierno** · ***otros individuos y grupos humanos*** || **postura** · **posición** · **actitud** || **carácter** · **temperamento** · **talante** · **espíritu** · **mentalidad** · **cabeza** || **terquedad** · **rigidez** · **persistencia** · **empeño** || **ley** · **reglamento** · **norma** · ***otras disposiciones*** || **idea** · **pensamiento** · **teoría** || **esquema** · **estructura** · **jerarquía** *La jerarquía entre los distintos puestos del ejército es inflexible* · **organización** · **programa** · **negociación** || **defensa** · **castigo** || **presupuesto** · **plan** · **horario** *agobiados y presionados por un jefe despótico y un horario inflexible*

● CON ADVS. **absolutamente** · **totalmente** || **especialmente** · **extremadamente** · **excesivamente**

● CON VBOS. **mostrarse** · **permanecer** · **seguir** *A pesar de todos sus ruegos, su madre seguía inflexible* · **volverse** · **mantenerse**

infligir v.

● CON SUSTS. **dolor** · **herida** · **tortura** · **sufrimiento** · **mal** · **lesión** · **suplicio** · **crueldad** · **perjuicio** · **padecimiento** || **daño** · **destrozo** · **destrucción** || **castigo** *En las elecciones los votantes infligieron un duro castigo al partido gobernante* · **correctivo** · **pena** · **condena** · **represión** · **escarmiento** · **reprimenda** || **golpe** · **revés** · **paliza** · **bofetada** · **cuchillada** · **hachazo** · **puñalada** · **machetazo** || **humillación** · **ataque** · **maltrato** · **violencia** · **ofensa** · **agravio** · **desaire** · **ultraje** · **afrenta** · **traición** · **menosprecio** · **vejación** · **agresión** || **derrota** · **goleada** *Tras infligir una goleada histórica a su máximo rival, ocupa el primer puesto* || **pérdida** · **baja** · **muerte**

influencia s.f.

● CON ADJS. **profunda** · **considerable** · **fuerte** · **intensa** · **abrumadora** · **poderosa** · **dominante** · **irresistible** · **viva** || **creciente** · **constante** · **menguante** || **desmedida** · **desmesurada** *Ejerce una influencia desmesurada sobre sus hijos* · **exagerada** · **gran(de)** || **clara** · **patente** · **indudable** *Su indudable influencia empezó a decaer* · **notable** · **notoria** · **apreciable** · **marcada** · **acusada** || **decisiva** · **determinante** || **insignificante** · **escasa** · **ligera** · **leve** · **circunstancial** · **pasajera** || **beneficiosa** · **benéfica** · **positiva** || **dañina** · **nefasta** · **negativa** · **nociva** · **perjudicial** · **funesta** · **perniciosa** · **malévola** || **directa** · **indirecta** *Su estancia en Europa ejerció solo una influencia indirecta sobre su obra artística* || **paterna** · **materna** · **familiar**

● CON SUSTS. **zona (de)** *Dentro de su zona de influencia hay que obedecer sus normas* · **área (de)** · **esfera (de)** || **posición (de)** || **efecto (de)**

● CON VBOS. **crecer** · **decrecer** || **adquirir** · **ganar** · **lograr** *Su objetivo era lograr mayor influencia* · **perder** || **ejercer** · **tener** || **experimentar** · **recibir** · **sufrir** || **acusar** · **revelar** · **sugerir** · **indicar** || **amortiguar** · **contrarrestar** · **neutralizar** || **apreciar** · **percibir** *Se percibe la influencia de la música tradicional en su último disco* · **reconocer** || **gozar (de)** || **despojar(se)** · **sobreponerse (a)** || **rendirse (a/ante)** · **sustraer(se) (de/a)** || **apuntar (a)**

● CON PREPS. **bajo** *bajo la influencia del alcohol*

influir v.

● CON ADVS. **considerablemente** · **notablemente** · **significativamente** · **poderosamente** · **profundamente** · **decisivamente** *El cambio imprevisto de planes influyó decisivamente en mi estado de ánimo* || **escasamente** · **ligeramente** · **temporalmente** || **directamente** · **indirectamente** || **favorablemente** · **positivamente** || **desfavorablemente** · **negativamente** · **gravemente** *El descenso de las ventas influyó gravemente en la economía* || **irremediablemente** *factor que influyó irremediablemente en la pérdida de poder* · **inevitablemente** || **psicológicamente**

□ USO Se construye frecuentemente con complementos encabezados por la preposición *en*: *influir en una decisión*.

influjo s.m.

● CON ADJS. **fuerte** · **magnético** · **marcado** *el marcado influjo en su obra de los poetas clásicos* · **poderoso** · **potente** · **profundo** || **enorme** · **descomunal** · **desmedido** · **escaso** || **decisivo** · **determinante** *Sus lecturas de juventud ejercieron un influjo determinante en su filmografía* || **directo** · **indirecto** || **benefactor** · **benéfico** · **mágico** · **positivo** || **maléfico** · **pernicioso** *Huyó del pernicioso influjo de la ciudad* · **negativo**

• CON VBOS. **ejercer · recibir · sentir || amortiguar || acusar · mostrar || rendirse (a/ante) · sucumbir (ante) · sustraer(se) (de/a)** *Cuesta sustraerse al influjo de su presencia y de sus dotes de persuasión*
• CON PREPS. **bajo** *Actuó bajo el influjo de un potente fármaco*

información s.f.

• CON ADJS. **cierta · creíble · fehaciente · irrebatible · fiable · fidedigna** *Dicen tener información fidedigna sobre el caso* · **veraz · verídica · fiel · transparente · clara · meridiana · precisa || detallada · cumplida · exhaustiva · pormenorizada** *El informe aportó información pormenorizada sobre los hechos* · **puntual · copiosa · abrumadora · prolija · vasta || escueta · sucinta** *la sucinta información existente sobre el asunto* · **concisa · somera · suficiente || reciente · fresca · de última hora · novedosa || decisiva · reveladora · de valor · valiosa · jugosa || ociosa · redundante · anecdótica || a medias · sesgada · deficiente · aproximada · confusa · difusa · profusa · discordante** *Se trataba de informaciones discordantes que era preciso contrastar* · **falsa · infundada · sin fundamento · capciosa || reservada** *No se lo puedo decir; esta información es reservada* · **confidencial · restringida** *...intentaron obtener información restringida sobre aspectos financieros...* · **de dominio público · pública · accesible || imparcial · objetiva · subjetiva · parcial · tendenciosa || favorable · a favor · contraria · desfavorable** *Les acusaron de omitir en el informe la información desfavorable* · **en contra || de oídas · de primera mano** *Aseguró que tenía información de primera mano* · **privilegiada || delicada · preventiva || al descubierto**
• CON SUSTS. **arsenal (de) · cúmulo (de) · lluvia (de) · montañas (de) · alud (de) || medio (de) · fuente (de)** *Aquella es, sin duda, la principal fuente de información para el gran público* **|| acceso (a) · obtención (de)**
• CON VBOS. **salir a la luz · difundir(se) · propagar(se)** *información interesada que fue propagada desde las más altas esferas* · **emanar · deslizar(se) · fluir · circular || obrar en poder** *De la información que obra en poder de la Policía se deduce que...* **|| perder(se)** *Cuando se traduce un texto, siempre se pierde información* · **caer en el vacío || publicar · hacer pública || guardar(se) · reservar(se) · mantener en secreto || acumular · atesorar · tener || adquirir · obtener · recabar** *El periódico recabó información suficiente como para...* · **recopilar · reunir · sonsacar (a alguien) · arrancar (a alguien) · recibir · memorizar || dar · llevar (a alguien) · facilitar · filtrar · proporcionar** *Nos proporcionó una información aproximada de los hechos* · **suministrar · aportar · dejar caer** *Durante la entrevista dejó caer deliberadamente cierta información confidencial* · **brindar · prodigar · ofrecer · transmitir · pasar · trasvasar · intercambiar · escatimar || falsear · tergiversar · desfigurar · distorsionar · adulterar · manipular · maquillar** *Se quejó del amarillismo creciente con que se maquilla la información política* **|| apuntalar · confirmar · corroborar · contrastar || desmentir** *Nadie se atrevió a desmentir tales informaciones* · **rebatir · negar || clarificar** *Tenemos el mayor interés en clarificar esta información* · **precisar · rectificar || airear · desvelar · acallar · censurar || canalizar** *La biblioteca será el centro principal para canalizar la información* · **centralizar · aglutinar · dosificar || asumir · sopesar · valorar || extractar** *Era necesario extractar la información de aquel documento* · **reseñar · resumir · cribar || interpretar · desentrañar || desatender || carecer (de)** *Carecíamos de información detallada y veraz* · **disponer (de) || atenerse (a) · hacerse eco (de) · salir al paso (de)** *El ministro salió al paso de aquella información infundada* **|| dar crédito (a) || tropezar (con)**
• CON PREPS. **a la vista (de) · al hilo (de) · entre**

informal adj.

• CON SUSTS. **camisa · falda** *Se pone una falda informal para ir al trabajo* · **pantalón · traje · ropa ·** ***otras prendas de vestir*** **|| aspecto · estilo · aire · tono · moda · trato || comentario · expresión · lenguaje** *Estaba escrito en un lenguaje demasiado informal* **|| comida · encuentro** *Lo celebramos en un encuentro informal* · **reunión · celebración · conversación · diálogo || contacto · relación || ambiente || gesto · postura · actitud**

informar v.

• CON ADVS. **ampliamente · detalladamente · con pelos y señales · con todo lujo de detalles** *Nos informó con todo lujo de detalles* · **exhaustivamente · extensamente · pormenorizadamente · profusamente · escrupulosamente || a medias · escuetamente · sesgadamente · someramente · vagamente || con rotundidad · con claridad || debidamente** *Han sido ustedes debidamente informados* **|| de viva voz · verbalmente · por escrito || de primera mano · en exclusiva || de antemano · con antelación** *Me informaron con antelación de todo el proceso* **|| favorablemente** *El Ayuntamiento informó favorablemente del proyecto* · **desfavorablemente · negativamente || imparcialmente · objetivamente · subjetivamente || públicamente · confidencialmente**

[informática] s.f. → informático, ca

informático, ca

1 informático, ca adj.

• CON SUSTS. **programa · aplicación · soporte** *una tienda de soportes informáticos* · **recurso · virus** *afectado por un virus informático* · **sistema · mecanismo · red · circuito · portal || equipamiento · equipo · paquete · disco · fichero · documentación || programador,-a · técnico,ca** *Si se repite la incidencia, avise al técnico informático* · **pirata · experto,ta · especialista || lenguaje · comunicación || avance · desarrollo · crecimiento · innovación || industria · empresa · multinacional · sociedad · servicio · sector · mercado** *lo último en el mercado informático* · **coloso · gigante || cálculo · proceso · procedimiento · seguridad || error · fallo · defecto · colapso · caos || crimen · fraude · espionaje** *El detenido está acusado de espionaje informático* · **piratería · delito · robo**

2 informática s.f. Véase DISCIPLINA

informe s.m.

• CON ADJS. **fidedigno** *Informes fidedignos revelan que...* · **creíble · fiable · veraz · fiel · irrefutable || preciso || completo · denso · detallado · pormenorizado · profundo · prolijo · exhaustivo || sesgado** *un informe sesgado que fue filtrado a propósito por...* · **escueto · conciso · somero** *Presentó un informe somero de sus actividades* · **superficial · sucinto || revelador · novedoso || determinante · decisivo** *El abogado había aportado un informe decisivo para la exculpación del acusado* · **concluyente || tajante || confidencial · secreto** *Cuando se sacaron a luz los informes secretos sobre...* · **público · de dominio público || imparcial · objetivo · subjetivo · parcial || favorable · a favor · contrario** *El informe del director de la prisión era contrario a su puesta en libertad* · **desfavorable · en contra || por escrito · verbal || tranquilizador || previo · preceptivo** *Con la documentación en regla y todos* *los informes preceptivos* || **técnico · médico · forense · policial · judicial · pericial · oficial**

● CON VBOS. **concluir (algo) · establecer (algo) · girar (sobre algo)** *El informe giraba sobre los resultados anuales* · **versar (sobre algo)** || **avalar · aprobar · rechazar · apoyar** || **difundir(se)** *El informe confidencial se difundió a través de internet* || **obrar en poder (de alguien)** || **elaborar** *Elaboramos conjuntamente el informe previo* · **escribir · redactar** || **presentar · publicar · hacer público · filtrar** || **enjuiciar · analizar · juzgar · valorar · interpretar · validar** || **corregir · modificar · rebatir · refutar · tergiversar · falsear · falsificar** || **dulcificar · suavizar · matizar** || **desglosar** || **desoír** *La comisión desoyó el exhaustivo informe que le presentamos* || **recabar · solicitar · tramitar** *Se estaba tramitando un informe favorable a...*

● CON PREPS. **a la luz (de) · a tenor (de)**

infracción s.f.

● CON ADJS. **flagrante · grave · seria** *Se trata de una seria infracción del reglamento* · **intolerable** || **leve · menor · pequeña · disculpable · perdonable** || **impune** *una grave infracción legal que todavía permanece impune después de tantos años* || **administrativa · del orden · de tráfico · legal**

● CON VBOS. **producir(se)** || **prescribir** || **cometer** || **representar · constituir** || **detectar · observar · levantar** || **notificar · castigar** *En el nuevo código de tráfico se castigan duramente estas infracciones* || **incurrir (en)**

in fraganti loc.adv. *col.*

● CON VBOS. **coger · pillar** *Lo pillamos in fraganti* · **sorprender · atrapar · detener · descubrir · pescar · cazar · caer · capturar** || **mostrar · filmar · grabar**

infrahumano, na adj.

● CON SUSTS. **condición** *Trabajaban en condiciones infrahumanas* · **ambiente · situación · estado** || **horario** || **trato** || **vida · existencia** || **vivienda** || **experiencia** || **castigo · pena · condena**

infranqueable adj.

● CON SUSTS. **barrera · muro · muralla** *La ciudad estaba protegida por una muralla infranqueable* · **pared · puerta** || **frontera · límite** || **ley · feudo** || **defensa · obstáculo** || **abismo** *Separados por un abismo infranqueable* · **distancia · diferencia**

● CON ADVS. **totalmente · prácticamente**

infravalorar v.

● CON SUSTS. **trascendencia · importancia** *El equipo de abogados había infravalorado la importancia del testimonio* · **categoría** || **capacidad · potencial · poder · esfuerzo · resistencia** || **cualidad · valía · virtud** || **rival · enemigo,ga · contrincante · oponente** · ***otros individuos y grupos humanos*** || **dificultad · riesgo** *Los montañeros infravaloraron los riesgos del temporal* · **gravedad · reto · peligro** || **dato · información** || **papel · función** || **efecto · consecuencia** *Se han infravalorado las consecuencias de su decisión* || **triunfo · victoria · éxito** || **recurso · patrimonio · bien · riqueza** || **empleo · trabajo** *Su trabajo está infravalorado* || **decisión · determinación**

● CON ADVS. **excesivamente · totalmente · completamente** || **equivocadamente · erróneamente**

infringir v.

● CON SUSTS. **ley** *empresas acusadas de infringir la ley* · **norma · artículo · principio · regla · normativa · legislación · precepto · reglamento · ordenanza · estatuto · decreto** · ***otras disposiciones*** || **acuerdo** *El país vecino infringe permanentemente los acuerdos comerciales* · **contrato · convenio · tregua** || **obligación · deber · mandato · orden · destierro** || **derecho · libertad · competencia** || **secreto · tabú** || **límite** *Infringen una y otra vez los límites de velocidad* · **horario · disciplina · celibato · prohibición** || **costumbre · cultura · tradición**

infructuosamente adv.

● CON VBOS. **intentar · probar · pretender · tratar** *Trató infructuosamente de encontrar una solución a gusto de todos* · **procurar** || **buscar · investigar · perseguir · insistir** || **luchar · trabajar · sufrir · soportar** || **negociar · gestionar · contactar · mediar** || **pedir · solicitar · reclamar · demandar** || **llamar** *Tras llamar infructuosamente a su puerta durante un buen rato...*

infructuoso, sa adj.

● CON SUSTS. **búsqueda** *la búsqueda infructuosa de alguna prueba* · **investigación · pesquisa · persecución · indagación · rastrillaje** || **año · día** *Ha sido un día largo e infructuoso* · **etapa · curso · mes** · ***otros períodos*** || **intento · tentativa · prueba · insistencia · reiteración** || **esfuerzo · lucha · sacrificio · labor · trabajo** || **gestión · operación · campaña · actuación · intervención · negocio · venta** || **negociación · reunión · conversación · contacto · entrevista** || **resultado · efecto** || **dominio · control** || **estrategia · procedimiento** *procedimientos infructuosos de integración para alumnos con necesidades educativas especiales* · **método** || **solicitud · reclamo · petición**

infundado, da adj.

● CON SUSTS. **palabras · respuesta · afirmación** *Basó su argumentación en una afirmación totalmente infundada* || **rumor · información · noticia · alegato** || **temor** *absurdamente paralizado por temores infundados* · **sospecha · celos · preocupación · recelo · escepticismo** || **esperanza · posibilidad · ilusión** || **acusación · crítica** *La portavoz ha rechazado las críticas infundadas contra su grupo* · **cargo · denuncia · objeción · demanda · imputación · querella** || **pretexto · prejuicio · cuestionamiento · creencia** || **tesis · informe**

infundir v.

● CON SUSTS. **miedo · temor · respeto** *De primeras infunde un poco de respeto* · **terror · pavor · espanto** || **ánimo** *El entrenador infundió ánimo a sus atletas antes de la gran final* · **valor · vida · moral · energía · fuerza · entusiasmo · fervor · espíritu** || **sospecha · duda · incertidumbre · recelo · desconfianza** *Son medidas severas que pueden infundir desconfianza en los consumidores* || **tranquilidad · calma · serenidad · templanza** || **confianza · esperanza · fe · optimismo · seguridad · convicción** || **gracia · don** || **admiración · cariño · amor · compasión · veneración** || **aire · soplo** *para infundir un soplo de aire fresco a los escenarios* · **aliento · hálito**

infusión

1 **infusión** s.f.

● CON ADJS. **aromática · dulce · amarga · caliente** *Una infusión caliente es un buen remedio para la tos*

● CON SUSTS. **taza (de)**

➤ Véase también **BEBIDA**

2 **infusión (de)** s.f.
● CON SUSTS. **tila** · **manzanilla** · **té** *Preparó una infusión de té después de comer* · **poleo** · **anís** · **hierbas** · **tomillo** · **menta** · **malva** · **romero** · **mate** || **valor** · **ánimo** · **coraje** · **vida** · **juventud** || **sangre** || **dinero**

ingeniar v.
● CON SUSTS. **plan** *Ingeniaron un atractivo plan para escapar sin ser vistos* · **sistema** · **órgano** || **instrumento** · **mecanismo** · **procedimiento** · **método** || **respuesta** · **servicio**
□ EXPRESIONES **ingeniárselas** (para algo) [acudir al ingenio para llevarlo a cabo] *No sé cómo se las ingenia para aprobar si apenas estudia*

ingeniería s.f. Véase **DISCIPLINA**

ingeniero, ra s.
● CON ADJS. **reputado,da** · **conocido,da** *una conocida ingeniera aeronáutica* · **famoso,sa** · **ilustre** · **galardonado,da** · **brillante** · **excepcional** || **de caminos** · **aeronáutico,ca** · **industrial** · **de telecomunicaciones** *un brillante ingeniero de telecomunicaciones* · **informático,ca** · **agrónomo,ma** · **de minas** · **forestal** · **químico,ca**
● CON SUSTS. **equipo (de)** · **colegio (de)** · **escuela (de)** || **estudio (de)** · **informe (de)** · **firma (de)**
● CON VBOS. **construir (algo)** *el ingeniero que ha construido este puente* · **planificar (algo)** · **diseñar (algo)** · **fabricar (algo)** · **inventar (algo)** · **patentar (algo)** · **idear (algo)** || **buscar** · **necesitar** · **contratar** · **despedir** · **requerir** · **precisar** || **trabajar (como/de)** · **ejercer (como/de)**

ingenio s.m.
● CON ADJS. **afilado** · **agudo** · **penetrante** · **punzante** *Siempre ha mostrado un ingenio punzante y polifacético* · **vivo** || **fino** · **sutil** || **brillante** · **portentoso** · **prodigioso** · **luminoso** || **cáustico** · **mordaz** · **sarcástico** · **sagaz** || **fecundo** · **fértil** · **polifacético** || **a raudales** · **desbordante** · **escaso** || **lleno,na (de)** · **pletórico,ca (de)** · **rebosante (de)** *...en su breve columna periodística semanal rebosante de gracia y de ingenio* · **sobrado,da (de)** *una escritora sobrada de ingenio*
● CON SUSTS. **ápice (de)** · **dosis (de)** *Este libro contiene una gran dosis de ingenio* · **gota (de)** || **chispa (de)** · **destello (de)** · **muestra (de)** · **rasgo (de)** || **derroche (de)** || **golpe (de)** · **juego (de)** · **toque (de)** · **alarde (de)**
● CON VBOS. **agudizar(se)** · **desbocar(se)** || **afilar** · **afinar** · **aguzar** · **avivar** || **exprimir** · **ejercitar** *Un ingenio vivo y penetrante que ejercitaba en su programa diario* · **cultivar** || **derrochar** · **derramar** · **rebosar** · **canalizar** || **acreditar** · **demostrar** · **mostrar** · **tener** · **poseer** || **hacer gala (de)** *Hace gala de un ingenio mordaz y sarcástico*

ingenioso, sa adj.
● CON SUSTS. **sistema** · **dispositivo** · **truco** · **mecanismo** *un mecanismo muy ingenioso para que no se salga el agua* · **máquina** · **método** · **procedimiento** || **experimento** · **invención** · **invento** · **ocurrencia** || **fórmula** · **estratagema** · **solución** · **salida** · **estrategia** · **idea** || **reflexión** · **respuesta** · **argumento** *Defendió su tesis con argumentos ingeniosos* · **pregunta** || **diálogo** · **frase** · **chiste** · **broma** · **lenguaje** || **definición** · **descripción** || ***personas*** *un escritor ingenioso* || **comedia** · **película** · **guión** *Premiaron la película por su ingenioso guión* · **artículo** · **novela** · ***otras obras*** || **juego** · **concurso**
● CON ADVS. **supuestamente** · **pretendidamente** *El alumno hizo varias preguntas pretendidamente ingeniosas* || **sumamente** · **profundamente** · **enormemente** · **tremendamente** · **terriblemente**
● CON VBOS. **ser** · **estar** · **resultar** *El invento resultó muy ingenioso* · **ponerse** · **mostrarse**

ingenuidad s.f.
● CON ADJS. **absoluta** · **suma** · **total** || **aparente** *preguntar con aparente ingenuidad por...* · **falsa** || **cándida** · **candorosa** · **infantil** · **pueril** · **inocente** || **tonta** · **absurda**
● CON SUSTS. **dosis (de)** || **gesto (de)** · **aire (de)** *Perdió el aire de ingenuidad que tenía* · **rasgo (de)** || **exceso (de)**
● CON VBOS. **demostrar** · **mostrar** *Siempre había mostrado cierta ingenuidad infantil* || **cometer** || **perder** || **pecar (de)** · **caer (en)** *Caí en la ingenuidad de creerla y me volvió a engañar* || **adolecer (de)**
● CON PREPS. **con**

ingerir v.
● CON ADVS. **en grandes cantidades** *ingerir comida en grandes cantidades* · **sin medida** · **abusivamente** || **compulsivamente** · **vorazmente** || **parcamente** · **moderadamente** · **comedidamente** · **prudentemente**

inglés s.m. Véase **IDIOMA**

ingrato, ta adj.
● CON SUSTS. ***persona*** *una hija ingrata y desagradecida* || **corazón** || **realidad** · **vida** || **experiencia** · **memoria** · **recuerdo** *Guardaba un recuerdo un tanto ingrato de su última visita* || **espectáculo** · **historia** · **noticia** || **tarea** · **labor** · **trabajo** · **profesión** *una profesión ingrata y poco reconocida por la sociedad* · **papel** · **misión** · **esfuerzo**

ingrediente s.m.
● CON ADJS. **principal** *el ingrediente principal de una buena novela de intriga* · **esencial** · **fundamental** · **primordial** || **accesorio** · **secundario** · **complementario** || **imprescindible** · **indispensable** · **insustituible** · **necesario** *La fiesta reunía todos los ingredientes necesarios para ser recordada* · **único** || **secreto** || **natural** · **sano** · **artificial**
● CON SUSTS. **lista (de)** · **cantidad (de)** · **peso (de)** || **mezcla (de)** · **conjunción (de)** · **combinación (de)** || **dosis (de)** · **proporción (de)**
● CON VBOS. **faltar** *No falta ningún ingrediente de la lista* || **añadir** · **agregar** · **poner** · **dosificar** || **combinar** · **entremezclar** · **mezclar** · **conjugar** || **tener** · **conseguir** · **reunir** || **echar en falta** *Echo en falta un ingrediente fundamental para este cóctel*

ingresar v.
▌ [depositar, meter]
● CON SUSTS. **dinero** · **ahorros** · **cheque** · **fondos**
● CON ADVS. **a plazo fijo** *Me han recomendado ingresar mis ahorros a plazo fijo* || **regularmente** · **religiosamente** *La empresa me ingresa la nómina religiosamente a finales de mes* · **puntualmente** · **con retraso**
▌ [entrar, incorporarse]
● CON ADVS. **de lleno** *Lo dejó todo para ingresar de lleno en la política* || **preventivamente** · **voluntariamente**

ingreso s.m.
▌ [ganancia]
● CON ADJS. **cuantioso** *unos cuantiosos ingresos que supo rentabilizar* · **elevado** · **jugoso** · **pingüe** · **sustancioso** ·

abultado · **copioso** · **nutrido** · **desmesurado** || **escaso** · **exiguo** · **módico** · **insuficiente** · **limitado** || **suficiente** · **justo** · **equilibrado** || **extra** *Gracias a estos ingresos extras podré hacer un viaje* · **fijo** || **variable** · **constante**
● CON VBOS. **aumentar** *Nuestros ingresos han aumentado considerablemente este año* · **incrementar(se)** · **mejorar** · **revalorizar(se)** || **disminuir** || **aportar** · **engrosar** || **obtener** · **percibir** · **reportar** *un negocio que reporta pingües ingresos* · **tener** || **blanquear** · **congelar** · **propulsar** · **rentabilizar** || **centralizar** || **negociar** *En la primera entrevista negociamos los ingresos fijos* || **sacar partido (a/de)** · **sufragar (con)**

▌[entrada]

● CON ADJS. **cautelar** · **preventivo** || **hospitalario** *El número de ingresos hospitalarios por esta causa ha disminuido considerablemente en los últimos meses* · **penitenciario**

inhabilitación s.f.

● CON ADJS. **definitiva** · **temporal** || **cautelar** *Se acordó la inhabilitación cautelar del presidente* · **preventiva** || **absoluta** || **profesional** · **laboral**
● CON SUSTS. **pena (de)** · **condena (de)** || **período (de)** · **tiempo (de)**
● CON VBOS. **pedir** · **solicitar** || **decretar** · **prescribir**

inhalar v.

● CON SUSTS. **gas** · **vapor** · **humo** *ingresado tras el incendio por inhalar humo* || **medicamento** · **droga** · **pegamento** · **cocaína** *El informe advierte del riesgo que supone inhalar cocaína*

inherente adj.

● CON SUSTS. **aspecto** · **elemento** · **idea** · **factor** || **facultad** · **atributo** · **rasgo** · **capacidad** · **cualidad** || **riesgo** *Esa decisión tiene un riesgo inherente* · **peligro** · **dificultad** · **seguridad** || **derecho** · **obligación** · **deber** || **valor** · **dignidad** · **estilo** || **contradicción** *Pero su hipótesis encierra una contradicción inherente* · **defecto** · **error** || **angustia** · **crudeza** · **fatalismo** || **problema** · **tensión** · **secreto** || **daño** · **pérdida** · **gasto** *afrontar los gastos inherentes a la compra de una vivienda*

inhumano, na adj.

● CON SUSTS. **trato** *No hay justificación para dispensar un trato tan inhumano* · **tratamiento** · **comportamiento** || **tarea** · **esfuerzo** · **trabajo** || **situación** · **condición** *Denunciaron una y otra vez las condiciones inhumanas en las que vivían* · **ambiente** · **circunstancia** · **entorno** || **método** · **medio** · **sistema** · **práctica** · **medida** · **política** || **castigo** · **pena** · **condena** · **sanción** || **sufrimiento** · **dolor** · **calvario** || **secuestro** · **cautiverio** · **hacinamiento** · **tortura** *estremecedores relatos de torturas inhumanas* · **martirio** · **guerra** · **terrorismo** · **matanza** || **jefe,fa** · **público** · ***otros individuos y grupos humanos*** || **empresa** · **productora** · **partido** · **organización** || **tiranía** · **dictadura** · **totalitarismo** · **capitalismo** || **ley** *abolir una ley inhumana* · **norma** · **normativa** · **orden** · **doctrina** · ***otras disposiciones*** || **frialdad** · **indiferencia** · **asepsia** || **límite** · **extremo** · **cota** · **nivel** || **ensañamiento** · **malicia** · **retorcimiento** · **violencia**

inhumar v.

● CON SUSTS. **restos** *Inhumaron los restos a petición de la familia* · **cuerpo** · **cadáver** || ***persona***

iniciación

1 iniciación s.f.

● CON ADJS. **temprana** · **tardía** · **precoz** · **lejana** · **juvenil** · **infantil** · **inmediata** || **inmejorable** · **magistral** · **óptima** · **dolorosa** · **flamante** || **musical** · **literaria** · **poética** · **artística** *Mi iniciación artística coincidió con mis años de facultad* · **teatral** · **filosófica** · **política** · **profesional** · **religiosa** · **espiritual** · **esotérica** || **sexual** · **erótica** · **amorosa** · **sentimental** · **vital** · **personal** · **existencial**
● CON SUSTS. **curso (de)** · **clase (de)** *clases de iniciación a la guitarra* · **taller (de)** || **rito (de)** *asistir a un rito de iniciación* · **ceremonia (de)** · **ritual (de)** · **prueba (de)** || **sistema (de)** · **proceso (de)** · **camino (de)** · **acuerdo (de)** || **texto (de)** · **obra (de)** · **película (de)** · **libro (de)** · **poema (de)** *Sus primeros escritos se consideran poemas de iniciación* · ***otras creaciones*** || **fecha (de)** · **edad (de)** || **nivel (de)** · **fase (de)** *El proyecto aún se encuentra en fase de iniciación* · **campaña (de)**
● CON VBOS. **empezar** · **abordar** · **continuar** · **vivir** || **promocionar** · **motivar** · **autorizar** || **demorar** · **postergar** *postergar la iniciación de un curso* · **adelantar** || **impartir** · **estudiar** · **analizar** || **anunciar** · **notificar** || **servir (de)** *Estos ejercicios sirven de iniciación al yoga*

2 iniciación (a) s.f.

● CON SUSTS. **arte** · **música** · **dibujo** · **deporte** · **cine** · **lenguaje** · **lectura** *un programa de iniciación a la lectura* · **cultura** || **sexo** || **vida**

inicial

1 inicial adj.

● CON SUSTS. **proyecto** *El proyecto inicial abarcaba muchos más ámbitos* · **idea** · **propuesta** · **objetivo** · **plan** · **programa** · **esquema** · **previsión** || **intención** · **intento** || **inversión** · **presupuesto** *La comisión aprobó el presupuesto inicial* · **capital** · **cifra** · **renta** || **equipo** · **alineación** · **formación** || **postura** · **negativa** *A pesar de la negativa inicial, aceptaron nuestra propuesta* · **rechazo** · **cambio** || **confusión** · **desconcierto** || **reticencia** · **indecisión** · **intervención** || **fase** · **etapa** *Se rindió antes de terminar la etapa inicial* · **compás** || **fecha** · **jornada** *No pude asistir a la jornada inicial del curso* · **minuto** || **valor** · **ventaja** · **éxito** || **petición** · **acuerdo** || **discurso** · **declaración** *Hizo una declaración inicial de intenciones muy prometedora* · **página** · **letra**

2 inicial s.f.

● CON VBOS. **bordar** · **grabar** *Grabaron sus iniciales en el tronco de un árbol* · **inscribir** · **anotar** · **poner** · **escribir** || **responder (a)** · **corresponder (a)** · **identificar (con)** · **firmar (con)**
● CON PREPS. **bajo**

[iniciar] → iniciar; iniciar(se) (en)

iniciar v.

● CON SUSTS. **etapa** · **curso** · **día** · **año** · **verano** · ***otros períodos*** || **andadura** · **camino** · **viaje** · **trayecto** || **visita** *El presidente inicia hoy su visita oficial a...* || **relación** · **diálogo** *Las partes afectadas iniciaron ayer el diálogo* · **negociación** · **conversación** · **amistad** || **búsqueda** · **investigación** *La Policía Científica ha iniciado la investigación de...* · **estudio** || **campaña** · **programa** · **proyecto** || **juicio** · **trámite** || **obra** · **construcción** · **trabajo** || **fabricación** · **modernización** · **reparación** · ***otros procesos***
● CON ADVS. **con {buen/mal} pie** · **con {buenas/malas} perspectivas** || **en firme** · **en falso** · **provisio-**

nalmente · **de cero** · **tímidamente** *Los mercados financieros inician tímidamente su recuperación* || **con ganas** · **con entusiasmo**

iniciar(se) (en) v.

• CON SUSTS. **conocimiento** · **estudio** *El curso es ideal para iniciarse en el estudio del inglés* · **materia** || **cine** *Se inició en el cine con papeles cortos* · **medicina** · **lectura** · **escritura** · **cocina** · **política** · **negocios** · ***otras disciplinas o actividades*** || **ciclismo** · **baloncesto** *Su padre lo inició desde muy joven en el baloncesto* · **karate** · ***otros deportes*** || **habilidad** · **práctica** *iniciarse en la práctica de la meditación trascendental*

iniciativa s.f.

• CON ADJS. **innovadora** *Es necesario que algunos autores acepten el riesgo de emprender iniciativas innovadoras* · **novedosa** · **pionera** · **arriesgada** · **revolucionaria** || **ilusionante** · **interesante** · **atractiva** || **constructiva** || **ambiciosa** || **descabellada** · **disparatada** · **viable** || **privada** *Debemos agradecer a la iniciativa privada la rehabilitación del convento* · **oficial** || **individual** · **colectiva** || **política** · **económica** · **educativa** || **humanitaria** || **en punto muerto**

• CON VBOS. **consistir (en algo)** || **prosperar** · **cuajar** · **fructificar** · **hacer(se) realidad** · **surtir efecto** *...por si la iniciativa no surte el efecto esperado* || **frustrar(se)** · **malograr(se)** · **fracasar** · **caer en saco roto** *Su iniciativa no cayó en saco roto y pronto contará con...* · **ahogar(se)** · **aguar(se)** || **partir (de algo/de alguien)** *Aunque la arriesgada iniciativa había partido del consenso...* · **surgir (de algo/de alguien)** · **corresponder (a alguien)** || **concebir** · **formular** · **proponer** · **plantear** · **lanzar** · **hacer pública** · **presentar** || **llevar adelante** · **llevar a la práctica** · **llevar a término** || **tener** · **tomar** *Como el equipo no tome la iniciativa nos va a caer una goleada* · **recuperar** · **estudiar** · **tomar en consideración** || **apoyar** · **respaldar** · **secundar** · **favorecer** · **auspiciar** · **patrocinar** · **avalar** · **fomentar** · **potenciar** · **impulsar** || **abanderar** · **liderar** · **encabezar** || **aunar** · **canalizar** · **encauzar** || **boicotear** · **torpedear** · **obstaculizar** · **abortar** · **rechazar** · **reprobar** · **sofocar** · **encarar** · **debatir** · **discutir** · **rectificar** || **dar curso (a)** || **ceder (a)** || **carecer (de)** *Carece de la más mínima iniciativa para...*

• CON PREPS. **a tenor (de)** · **con** · **sin** *Me pareció pusilánime y sin iniciativa*

ininteligible adj.

• CON SUSTS. **sonido** · **son** || **palabra** · **frase** · **rezo** · **insulto** · **mensaje** || **ley** *La nueva ley resulta ininteligible* · **respuesta** · **discurso** · **poema** · **novela** || **lenguaje** · **jerga** *Hablaba en una jerga ininteligible para mí* · **lengua** · **idioma** · **argot** || ***otras manifestaciones verbales o textuales*** || **letra** · **garabato** *Firmó con un garabato ininteligible* · **rúbrica** · **manuscrito** · **firma** || **contenido** · **forma** · **aspecto**

• CON VBOS. **hacer(se)** · **volver(se)** · **resultar**

injerencia s.f.

• CON ADJS. **clara** · **manifiesta** · **descarada** · **flagrante** || **directa** || **abierta** || **ilegítima** · **inadmisible** *inadmisibles injerencias en la vida privada* · **indebida** · **intolerable** · **injustificada** · **insoportable** · **brutal** || **impune**

• CON VBOS. **constituir** · **suponer** · **representar** || **denunciar** || **acusar (de)** · **calificar (de)** *Calificó de injerencia descarada la actividad diplomática* || **sustraer(se) (de/a)**

injertar v.

• CON SUSTS. **rama** *Injertamos una rama del naranjo del jardín* · **césped** || **tejido** · **piel** *Después de la quemadura le tuvieron que injertar piel* · **órgano** || **marcapasos**

injuria s.f.

• CON ADJS. **ultrajante** · **vil** · **ignominiosa** · **ofensiva** · **grave** · **intolerable** · **inadmisible** · **injustificable** || **leve** · **inofensiva** || **presunta** *Los acusados declararon por presuntas injurias* · **supuesta** · **posible** || **personal** · **pública** · **privada** || **rayano,na (en)** · **próximo,ma (a)**

• CON SUSTS. **lluvia (de)** · **sarta (de)** || **delito (de)** || **blanco (de)**

• CON VBOS. **hacer mella (en alguien)** *Las injurias no hicieron mella en su buen humor* · **afectar (a alguien)** || **consistir (en algo)** || **lanzar** · **proferir** · **espetar** · **verter** · **propagar** || **bordear** · **rozar** || **constituir** *Sus palabras constituyen una injuria grave* · **suponer** · **representar** || **desmentir** || **vengar** || **escuchar** · **recibir** · **soportar** || **prorrumpir (en)** || **rayar (en)**

injuriar v.

• CON ADVS. **vilmente** || **despiadadamente** · **sin misericordia** · **sin piedad** || **impunemente** · **descaradamente** · **alegremente** *Parecen creer que se puede injuriar alegremente a cualquiera*

injusticia s.f.

• CON ADJS. **gran(de)** · **tremenda** *El despido fue una tremenda injusticia* · **absoluta** · **profunda** · **suma** || **manifiesta** · **flagrante** · **al descubierto** · **clamorosa** · **escandalosa** · **histórica** || **atroz** · **terrible** · **indignante** || **irreparable** || **social**

• CON SUSTS. **víctima (de)** || **efecto (de)** · **producto (de)** · **resultado (de)** *Su situación es el resultado de una injusticia histórica* || **prueba (de)** · **muestra (de)** || **sarta (de)** · **serie (de)** · **cúmulo (de)**

• CON VBOS. **reinar** *un territorio donde reina la injusticia* || **agravar(se)** || **cometer** · **consumar** · **perpetrar** || **sufrir** · **soportar** || **combatir** · **atacar** · **atajar** · **frenar** || **reparar** · **subsanar** · **compensar** · **paliar** · **saldar** || **erradicar** · **abolir** · **extirpar** || **condenar** *El ministro condenó categóricamente la enorme injusticia que han sufrido los afectados por...* · **denunciar** || **constituir** · **representar** · **suponer** || **provocar** · **causar** · **acarrear** || **llevar (a)** || **luchar (contra)** · **acabar (con)** || **calificar (de)**

injusto, ta adj.

• CON ADVS. **absolutamente** *Sus palabras fueron absolutamente injustas* · **completamente** · **totalmente** · **tremendamente** · **profundamente** || **terriblemente** || **a todas luces** *una decisión a todas luces injusta* · **manifiestamente** · **clamorosamente**

inmaculado, da adj.

• CON SUSTS. **blanco** · **blancura** || **superficie** · **pared** · **suelo** || **tela** · **tejido** || **camisa** · **traje** · ***otras prendas de vestir*** || **cutis** · **rostro** || **aspecto** · **aureola** || **trayectoria** · **historial** *El candidato tiene un historial inmaculado* · **pasado** · **balance** || **honradez** · **pulcritud** · **belleza** · **pureza**

• CON VBOS. **poner(se)** · **mantener(se)** *Después de tres violentas peleas, el traje del protagonista se mantenía inmaculado* · **quedar(se)**

inmadurez s.f.

• CON ADJS. **gran(de)** · **enorme** · **absoluta** · **notoria** · **patente** || **psicológica**· **sentimental** · **emocional** · **afec-**

tiva · amorosa · sexual || ideológica · intelectual · política · democrática · artística · profesional || física · pulmonar *Se le detectó inmadurez pulmonar como consecuencia de su nacimiento prematuro* || personal · colectiva · ciudadana · social
● CON SUSTS. muestra (de) · signo (de) || grado (de)
● CON VBOS. demostrar *Esa incapacidad para comprometerse demuestra cierta inmadurez* · revelar · reflejar || reprochar || favorecer · alimentar || superar · vencer · remediar || acusar (de)

inmemorial adj.

● CON SUSTS. tiempo *tradición heredada desde tiempos inmemoriales* · época || costumbre · tradición · hábito · uso · suceso || palabra · imagen · leyenda · sabiduría · parábola · historia · épica · gesta

inmensamente adv.

● CON VBOS. cambiar · transformar(se) · alterar(se) · evolucionar · progresar · crecer || respetar · honrar · admirar *admirar inmensamente a un escritor* || alegrar(se) · disfrutar · divertir(se) || gustar · complacer || gastar || agradecer || dificultar · desalentar || contribuir · ayudar
● CON ADJS. rico,ca *una persona inmensamente rica* · popular · feliz · satisfecho,cha · amable · encantador,-a · agradecido,da · hermoso,sa · valiente · generoso,sa · atractivo,va · fascinante · honrado,da · culto,ta · bueno,na · sensible · emotivo,va · bello,lla · divertido,da || difícil · complicado,da · grave · grande · mayor · superior · inferior || presuntuoso,sa · lejano,na · lúgubre · triste *El final de la película es inmensamente triste*

inmenso, sa adj.

● CON SUSTS. ciudad *Viven en una ciudad inmensa* · casa · habitación · país · zona · edificio *Van a construir un edificio inmenso que albergará en su interior unos grandes almacenes* · sala · espacio · ***otros lugares*** || bosque · pradera || pantalla · escenario · cartel || poder · capacidad · habilidad · vista · facilidad · fuerza · potencial *Tiene un inmenso potencial intelectual, pero lo desaprovecha* || caudal · masa · flujo · cantidad || problema · tragedia · dificultad · conspiración · catástrofe · abismo · enigma · dolor · pérdida · deuda · fraude || fortuna · suerte · triunfo · popularidad · talento · cultura || confianza · fe *Tiene una fe inmensa en su marido* || riqueza · patrimonio || suspiro · expectación || mayoría *La inmensa mayoría votó a favor de la reforma* · griterío || vocación · influencia || ovación · aplauso || dimensión · volumen · longitud · altura · anchura · ***otras dimensiones***

inmerecido, da adj.

● CON SUSTS. resultado · derrota *Según el entrenador, el equipo ha sufrido una inmerecida derrota* · goleada || victoria · exito · triunfo · logro || distinción · galardón · recibimiento · homenaje · premio · copa · trofeo · título · oreja || beca · oportunidad · regalo || fama · honor · prestigio *El cantante británico goza de un inmerecido prestigio* · mérito · reputación · imagen || elogio · aplauso · halago || suerte · fortuna || castigo · sanción *El jugador recibió una sanción inmerecida* · relegación · suspensión || agravio · ofensa · desprecio · descrédito · reproche || ataque · atentado · bofetada · vapuleo · zurra || cargo · puesto · despacho

inmigración s.f.

● CON ADJS. ilegal · irregular · clandestina · indocumentada || masiva · creciente || inevitable || legal · controlada · regulada · perseguida || laboral
● CON SUSTS. ola (de) *Las olas de inmigración provocan un notable aumento de la población* · oleada (de) || ley (de) · política (de) · programa (de)
● CON VBOS. fomentar · normalizar · regularizar · recibir · aceptar · absorber · integrar || controlar · regular *la implantación de nuevas leyes que regulen la inmigración* · limitar · frenar · restringir · eliminar · suprimir · combatir · perseguir || acabar (con)

inmigrante s.com.

● CON ADJS. ilegal · legal · documentado,da · indocumentado,da · sin papeles · irregular · clandestino,na || extracomunitario,ria · extranjero,ra · comunitario,ria *una nueva ley para inmigrantes comunitarios*
● CON SUSTS. contrabando (de) · tráfico (de) || grupo (de) · familia (de) · país (de) || número (de) · registro (de) || llegada (de) *La llegada de inmigrantes ha revitalizado la economía de la zona* · flujo (de)
● CON VBOS. atender *Su labor en la embajada es la de atender a los inmigrantes e intentar solucionar sus dudas burocráticas* · ayudar || perseguir · detectar · defender · detener · deportar · explotar

inmigrar v.

● CON SUSTS. ***persona*** *Los trabajadores inmigraron a las grandes ciudades en busca de empleo* || pájaro *Los pájaros inmigran a esta marisma en verano* · ave · bandada · ***otros animales***
● CON ADVS. forzosamente · por necesidad · por obligación || legalmente · ilegalmente || en masa

inmiscuirse (en) v.

● CON SUSTS. asunto *Te pido por favor que no te inmiscuyas en mis asuntos* · problema · cuestión · decisión *inmiscuyéndose una vez más en una decisión que no le compete* · proceso · conversación · debate · discusión · investigación || ámbito · terreno · tema || trabajo · tarea · labor · negocio || política · lucha · vida
● CON ADVS. directamente · excesivamente · realmente · ocasionalmente

inmoral adj.

● CON SUSTS. acto · actuación · acción · comportamiento *No voy a tolerar este comportamiento inmoral en mi casa* · conducta · procedimiento · práctica || anuncio · exhibición · espectáculo || situación · condición · tendencia · orden · naturaleza *la naturaleza inmoral de unas prácticas que...* || agresión · persecución || derroche · gasto · despilfarro || comercio · política · periodismo · ***otras actividades*** || ***persona*** || omisión · pasividad *ante la pasividad inmoral de los testigos* · silencio · dejación
● CON ADVS. completamente · absolutamente · totalmente · plenamente · altamente · gravemente || profundamente · esencialmente · intrínsecamente · estrictamente || perversamente · éticamente · terriblemente
● CON VBOS. considerar · resultar · calificar (de) *unos carteles calificados de inmorales* · juzgar

inmortal adj.

● CON SUSTS. figura · dios || artista · poeta · músico,ca · héroe · heroína · genio *el inmortal genio de la música europea de todos los tiempos* · ***otros individuos*** || pieza · clásico · novela · relato · monumento · canción · película · obra · verso · ***otras manifestaciones artísticas*** || existencia · memoria · alma · voz · lenguaje · espíritu · carácter · fama *No alcanzará la fama inmortal con estos versos* · amor || historia · tema · gesta · gloria

inmovilizar v.

• CON SUSTS. **coche** *Los agentes procedieron a inmovilizar su coche* · **motocicleta** · **camión** · **furgoneta** · ***otros vehículos*** || **puerta** · **rueda** · **sistema** || **mano** · **brazo** · **muñeca** · ***otras partes del cuerpo*** || **oponente** · **rival** *...tratando de inmovilizar al rival con la espalda en el suelo durante diez segundos* · **contrincante** || **agresor,-a** · **delincuente** · **prófugo,ga** · **malhechor,-a** || ***otros individuos y grupos humanos*** || **sociedad** · **ciudadanía** || **producto** · **elemento** · **artículo** · **mercancía** *La mercancía permanece inmovilizada en la aduana* || **cheque** · **cuenta** *El banco ha inmovilizado su cuenta corriente* · **dinero** · **tarjeta** · **saldo**

• CON ADVS. **perfectamente** || **totalmente** · **completamente** || **inmediatamente** · **temporalmente** *Le han inmovilizado temporalmente el brazo* · **indefinidamente** · **permanentemente** || **probablemente** · **previsiblemente** || **preventivamente** · **cautelarmente**

inmueble s.m.

• CON ADJS. **contiguo** · **vecino** *Según las primeras hipótesis, el incendio se habría originado en el inmueble vecino* · **colindante** · **sito (en un lugar)** || **urbano** · **municipal** · **rústico** · **turístico** · **comercial** · **histórico** || **antiguo** · **vetusto** · **ostentoso** · **rico** || **hermoso** · **horrible** || **familiar** · **público** · **oficial** · **privado** || **abandonado** · **deshabitado**

• CON SUSTS. **acceso (a)** · **entrada (de)** · **salida (de)** || **bienes**

• CON VBOS. **ubicarse (en algún lugar)** · **dar (a un lugar)** *El inmueble da a la calle Mayor* · **situarse (en algún lugar)** *El inmueble se sitúa en la calle de al lado* || **pertenecer (a alguien)** || **traspasar** · **alquilar** || **embargar** *Se procederá a embargar el inmueble por falta de pago* · **hipotecar** · **confiscar** · **intervenir** · **subastar** || **levantar** · **construir** · **reformar** · **restaurar** · **rehabilitar** · **convertir** || **derribar** · **destruir** · **demoler** || **escriturar** *Escrituraron el inmueble por un valor inferior a su precio* || **valorar** · **tasar** || **ocupar** · **abandonar** *Los ladrones abandonaron el inmueble minutos antes de que llegara la Policía* · **desalojar** · **dejar** || **dividir** · **gestionar** · **afectar** || **robar** · **allanar** · **atacar** · **bombardear** || **proteger** · **custodiar** · **vigilar** || **despojar (de)**

inmundo, da adj.

• CON SUSTS. **chabola** · **cuchitril** · **vivienda** · **habitáculo** · **albergue** · **carretera** *A la casa se llegaba por una carretera inmunda* · **prisión** · **gueto** · **pensión** · ***otros lugares*** || **ciénaga** *Vivía en una ciénaga inmunda* · **charca** · **lodazal** || **bestia** · **bicho** · **alimaña** || **suciedad** · **olor** *Desprendía un olor inmundo*

inmune

1 inmune adj.

• CON SUSTS. **célula** · **virus** · **bacteria** · **organismo** · **sistema** || **función** · **respuesta** · **reacción** · **activación** || **ejército** · **zona** || ***persona*** *Aseguró que, después de tantos años, se considera una mujer inmune a las críticas*

• CON ADVS. **prácticamente** · **relativamente** · **completamente** · **totalmente** · **aparentemente** · **absolutamente** || **genéticamente**

• CON VBOS. **hacer(se)** · **volver(se)** || **permanecer** *Permanecen inmunes a sus ataques* · **mantenerse** · **continuar** || **creer(se)** · **considerar(se)** · **sentirse** · **declarar**

2 inmune (a) adj.

• CON SUSTS. **antibióticos** *Su organismo es inmune a los antibióticos* · **insecticida** · **fármaco** · **vacuna** · **penicilina** · ***otras sustancias*** || **infección** · **enfermedad** · **plaga** || **críticas** · **presiones** · **crisis** *un sector que parece inmune a la crisis económica* · **problemas** · **escándalos** · **ataques**

inmunizar (contra) v.

• CON SUSTS. **gripe** · **virus** · **infección** *unas proteínas capaces de inmunizar a los seres vivos contra algunas infecciones* · **cáncer** · **hepatitis** · **tuberculosis** · **contagio** · ***otras enfermedades*** || **veneno** || **miedo** · **temor** || **influencia** · **efecto** · **vicio**

• CON ADVS. **previamente** · **pasivamente** · **totalmente** *El ordenador está totalmente inmunizado contra los virus informáticos* · **completamente** · **preventivamente** · **activamente** || **oralmente**

inmutable adj.

• CON SUSTS. **ley** · **verdad** *Resulta absurdo discutir sobre verdades inmutables* · **orden** · **regla** · **valor** · **principio** · **esencia** · **moral** · **costumbre** · **alma** · **solidez** · **sentencia** || **cara** · **rostro** · **aspecto** · **gesto** · **expresión** *...respondiendo a todas las preguntas con expresión inmutable* || **carácter** · **corazón** || **mundo** · **realidad** · **naturaleza** · **idea**

• CON VBOS. **permanecer** *El misterio del arte permanece inmutable incluso en los movimientos vanguardistas* · **mantenerse**

inmutarse v.

• CON PREPS. **sin** *Lo relató todo sin inmutarse*

• CON ADVS. **un ápice** · **en absoluto** *No se inmutó en absoluto mientras ellos estuvieron presentes*

innato, ta adj.

• CON SUSTS. **don** · **talento** · **cualidad** *Tiene una cualidad innata para los negocios* · **capacidad** · **habilidad** · **instinto** · **dote** · **facultad** · **facilidad** *Tiene facilidad innata para los idiomas* · **genio** · **disposición** · **aptitud** || **bondad** · **sensibilidad** · **simpatía** · **gracia** *una gracia innata en sus movimientos y gestos* · **elegancia** · **gusto** · **virtud** || **astucia** · **inteligencia** · **intuición** · **olfato** · **curiosidad** || **maldad** · **agresividad** · **violencia** · **miedo** || **líder** *Es un líder innato* || **saber** · **conocimiento**

innegable adj.

• CON SUSTS. **talento** · **inteligencia** · **superioridad** · **dotes** · **atractivo** · **fuerza** *El genial director volvió a sorprender con una película de innegable fuerza visual* · **valentía** · **capacidad** · **dominio** · **destreza** · **eficacia** || **importancia** · **trascendencia** *El tema que nos ocupa reviste una trascendencia innegable* · **protagonismo** · **liderazgo** · **grandeza** · **calidad** || **reputación** · **prestigio** || **influencia** *influencias innegables del impresionismo francés* · **interés** · **valor** · **validez** · **valía** · **mérito** · **hecho** || **éxito** · **resultado** · **victoria** || **muestra** · **ejemplo** · **huella** · **marca** · **prueba** || **fiabilidad** · **verosimilitud** || **semejanza**

inocencia s.f.

▌[falta de malicia]

• CON ADJS. **absoluta** · **completa** || **cándida** · **candorosa** · **bendita** · **virginal** || **infantil** · **juvenil** · **pueril** || **aparente** · **incuestionable** || **lleno,na (de)** *El actor encarna un personaje lleno de inocencia*

• CON SUSTS. **pérdida (de)** || **mirada (de)** · **gesto (de)** · **expresión (de)**

• CON VBOS. **perder** · **conservar** *...y aun así todavía conserva su infantil inocencia* || **personificar** · **simbolizar**

▌ [falta de culpabilidad]

• CON ADJS. **absoluta · completa · incuestionable · demostrada || aparente · supuesta · dudosa · cuestionable**
• CON SUSTS. **presunción (de)** *Reclamaron la presunción de inocencia del acusado* · **prueba (de) · veredicto (de)**
• CON VBOS. **avalar · defender · demostrar** *El abogado demostró la inocencia del acusado* · **probar || presumir · presuponer · suponer || proclamar · declarar · reconocer || cuestionar · poner en duda · poner en tela de juicio || dudar (de)**

inocentada s.f.

• CON ADJS. **de {buen/mal} gusto** *Cuando entré en el centro me hicieron una inocentada de muy mal gusto* · **pesada · humillante || divertida · graciosa · ocurrente · peculiar || popular · acostumbrada · tradicional**
• CON SUSTS. **autor,-a (de) || víctima (de)** *A nadie le gusta ser víctima de una inocentada* · **objeto (de)**
• CON VBOS. **gastar** *Los compañeros le gastaron una inocentada* · **hacer (a alguien) || sufrir · soportar · aguantar || librar(se) (de)**

inocente

1 **inocente** adj.

• CON SUSTS. **víctima · gente · civil · ciudadano,na · niño,ña · familia · criatura** *No era más que una criatura inocente* · **alma · *otros individuos y grupos humanos* || comentario · gesto · pregunta** *No hay que ponerse así; solo era una pregunta inocente* · **risa · sonrisa · mirada · acto · actuación || error · fallo || broma · travesura · trastada || tiro · disparo · sangre**
• CON VBOS. **resultar · encontrar · considerar(se) · declarar(se)**

2 **inocente** s.com.

• CON ADJS. **presunto,ta · supuesto,ta**
• CON SUSTS. **día (de)** *El día de los inocentes siempre se gastan bromas* || **muerte (de) · asesinato (de)**
• CON VBOS. **culpar** *No se puede culpar a inocentes por los delitos de quienes...* · **inculpar · acusar · condenar || considerar · juzgar · creer**

inocuo, cua adj.

• CON SUSTS. **sustancia · producto** *un producto inocuo para las plantas* · **líquido · fármaco · medicamento · droga · alimento · virus || conducta · actividad · entretenimiento** *No te preocupes, se trata de un entretenimiento inocuo* · **afición || broma · insulto || método · sistema || efecto · consecuencia**
• CON ADVS. **aparentemente · totalmente · absolutamente · completamente · relativamente · prácticamente**

inofensivo, va adj.

• CON SUSTS. **rival · adversario,ria · contrincante · persona · *otros individuos y grupos humanos* || *animal*** *No tengas miedo, es un perro inofensivo* || **producto · sustancia || virus · arma || broma · juego || golpe || apariencia · aspecto** *un hombre de mediana edad, alto, de aspecto inofensivo*
• CON ADVS. **aparentemente · totalmente · completamente** *Esta semana nos enfrentamos a un adversario completamente inofensivo* · **prácticamente**

inoportuno, na adj.

• CON SUSTS. **momento** *Llamaba en el momento más inoportuno* · **tiempo || medida · decisión · solución · idea** *una idea torpe e inoportuna* || **llegada · visita · encuentro · cita · reunión · llamada || ampliación · cambio · reforma** *una reforma legislativa inoportuna* · **iniciativa · proyecto · *otros eventos* || dato · información · noticia || frase · pregunta** *No respondió la inoportuna pregunta que le planteó el periodista* · **respuesta · declaración · comentario · *otras manifestaciones verbales o textuales* || acto · gesto · movimiento || manera · método · tratamiento || gestión · diligencia · proceso || *persona*** *Disculpe si molesto; espero no ser inoportuno*
• CON VBOS. **estimar · considerar** *El médico considera inoportuno un tratamiento de esas características para...* · **creer · juzgar · resultar · tachar (de) · calificar (de)**

inquebrantable adj.

• CON SUSTS. **juez · jugador,-a · equipo · *otros individuos y grupos humanos* || adhesión · apoyo · fidelidad · lealtad · compromiso** *La presidenta insistió en su compromiso inquebrantable con la educación pública* · **defensa · devoción || fe · esperanza · principio · espíritu · confianza · creencia · moral || fuerza · brío · pasión · entusiasmo · ánimo · fortaleza || voluntad** *Debemos reconocer su voluntad inquebrantable en la defensa de...* · **propósito · posición · decisión · planteamiento · determinación · intención || tesón · perseverancia · obstinación · tozudez · constancia || alto · paz · tregua || amistad · amor · caridad · cortesía · respeto** *el respeto inquebrantable a los derechos humanos* · **fraternidad || unidad · lazo · vínculo · matrimonio || costumbre · tradición** *Nuestros encuentros anuales constituyen ya una tradición inquebrantable* · **afición || norma · ley · regla · deber · *otras disposiciones***

inquietante adj.

• CON SUSTS. **pregunta · respuesta · frase · diálogo || intriga · enigma · dilema · incógnita || libro · película** *Es el escenario perfecto para una película inquietante y turbadora* · **imagen · escena · episodio · historia · anécdota · texto · obra || clima · atmósfera** *Todo se desenvolvió bajo la inquietante atmósfera y la elevada tensión creada por...* · **realidad · panorama · situación · escenario · ambiente · tensión || tono · aspecto · belleza · sensualidad || elemento · dato · noticia · conclusión || asunto** *Otro asunto inquietante que debemos abordar es...* · **fenómeno · hecho || presagio · premonición · pronóstico · futuro || síntoma · signo · posibilidad · ejemplo || escalada · evolución · cambio · proceso · descenso || retraso · demora · espera || coincidencia** *Una serie de coincidencias inquietantes les hicieron sospechar* || **presencia || mirada** *...sin apartar de ella esa mirada inquietante que tanto la turbaba* · **gesto · perfil || sonido · ruido · música · silencio**
• CON ADVS. **realmente · ciertamente · particularmente · profundamente · pretendidamente · terriblemente** *La situación es terriblemente inquietante*
• CON VBOS. **hacer(se) · volver(se) · ponerse · resultar**

inquietud s.f.

• CON ADJS. **ciudadana** *unos datos que contribuyen al aumento de la inquietud ciudadana* · **personal · social || creciente · gran(de) · fuerte · honda · profunda · suma · viva** *Siempre había demostrado una viva inquietud por la música* · **ligera · justificada || afectiva · familiar · íntima || lleno, na (de) · preso, sa (de)**
• CON SUSTS. **clima (de) · motivo (de)** *No me explicaste el motivo de tu inquietud* · **sentimiento (de) · muestra (de) · respuesta (a)**

●CON VBOS. **surgir · nacer · latir · traslucir(se) || desatar(se) · cundir · asaltar (a alguien) · devorar (a alguien) · corroer (a alguien) · azotar (a alguien) || aumentar · avivar(se) · aunar · disminuir · aplacar(se) · desaparecer** *La inquietud desapareció con la llegada de la Policía* **|| responder (a algo) · deberse (a algo) || aliviar · apaciguar · atemperar · atenuar · canalizar · liberar · reprimir · desterrar || producir · causar · provocar · despertar · ocasionar · generar · transmitir** *Algunos de sus cuadros transmiten inquietud; otros paz y equilibrio* **· suscitar · sembrar · plantear || mostrar · inspirar · expresar · manifestar · revelar · reflejar || sentir · experimentar · tener · detectar · compartir || saciar · satisfacer** *alguna actividad de voluntariado que satisfaga su inquietud social*
●CON PREPS. **con** *Esperan con inquietud la comparecencia de la ministra*

inquilino, na s.
●CON ADJS. **habitual · permanente · provisional · fijo,ja · ocasional || ilustre · digno,na || actual** *Tendrá que pedir permiso al actual inquilino para enseñaros la casa* **· nuevo,va · viejo,ja · antiguo,gua || anterior · futuro,ra · próximo,ma || moroso,sa**
●CON VBOS. **marcharse** *El inquilino se marchó sin pagar lo que debía* **|| pagar (algo) · alquilar (algo) || desalojar · echar · expulsar || proteger || recibir · buscar || tener (como)** *Tiene como inquilino a un familiar de su primo*

insaciable adj.
●CON SUSTS. **lector,-a** *Era una lectora insaciable de novelas y relatos* **· devorador,-a · viajero,ra · aficionado,da · equipo · público · especulador,-a · fiera || voracidad · hambre · sed · deseo · codicia** *...movidos por su insaciable codicia de dinero y poder* **· apetito · ambición · avidez · ansia · necesidad || curiosidad · búsqueda · experimentalismo || afán · interés · pasión · afición · obsesión || corrupción · vicio**

insalubre adj.
●CON SUSTS. **zona · barrio · poblado · vivienda ·** ***otros lugares o espacios*** **|| clima · ambiente · trabajo · condiciones** *miles de personas que viven en condiciones insalubres* **· situación || agua · sustancia · vida · foco**

insalvable adj.
●CON SUSTS. **diferencia · discrepancia** *Tenemos discrepancias insalvables sobre este tema* **· divergencia · desacuerdo · división · antagonismo || ventaja · distancia · abismo · brecha · desventaja || obstáculo** *Existían obstáculos insalvables para lograr el objetivo* **· problema · escollo · dificultad · impedimento · barrera · límite · losa · frontera · muro · inconveniente || contradicción · incongruencia || deficiencia · defecto** *El programa cuenta con varios defectos insalvables* **|| desafío · reto · amenaza || situación · hecho · acontecimiento**
●CON VBOS. **volver(se) · hacer(se) · mantener(se)**

insano, na adj.
●CON SUSTS. **persona · gente** *Se había rodeado de gente insana y poco recomendable* **·** ***otros individuos o grupos humanos*** **|| mente || clima · ambiente** *Se respiraba un ambiente insano en la fiesta* **· atmósfera · condiciones · situación || zona · barrio · poblado · vivienda** *Ocupaban una vivienda insana y sin las más mínimas condiciones* **·** ***otros lugares*** **|| placer · odio · fanatismo · furor · afán · intención || alimentación**
●CON ADVS. **profundamente · hondamente · totalmente**

insatisfacción s.f.
●CON ADJS. **absoluta · profunda** *Sentimos una profunda insatisfacción al enterarnos de su decisión* **· intensa · honda · grave · seria · gran(de) · viva · tremenda · suma · extrema · radical · crónica · acumulada || sexual · afectiva · emocional · intelectual · cultural · amorosa || laboral** *El comité expuso la insatisfacción laboral de gran parte de los trabajadores* **· profesional · humana · social · popular · pública · general || amarga · angustiosa · vital · personal · íntima || creciente · permanente · perpetua · patente · visible · soterrada || temporal · constante**
●CON SUSTS. **clima (de)** *Viven en un clima de insatisfacción permanente* **· ola (de) || fuente (de) · poso (de) || grado (de) · punto (de) || gesto (de) · sentimiento (de)**
●CON VBOS. **quedar || aumentar · disminuir || sentir · constatar · experimentar || dejar (a alguien) || manifestar** *El paciente manifestó su insatisfacción al médico* **· expresar · exteriorizar · mostrar · declarar · explicar · exponer || acallar · mitigar · ocultar · reprimir · disimular · contrarrestar || producir** *Los proyectos inacabados producen cierta insatisfacción* **· suscitar · generar || acarrear · deparar · albergar || admitir · reconocer || desatar · despertar**

insatisfecho, cha adj.
●CON SUSTS. **público · artista · espectador,-a · cliente** *No podemos consentir que haya clientes insatisfechos* **· consumidor,-a ·** ***otros individuos y grupos humanos*** **|| sociedad · país || demanda · necesidad · deseo** *Su deseo de viajar a la capital e iniciar una nueva vida quedaba una vez más insatisfecho* **· ansia · aspiración · apetencia · exigencia · petición · curiosidad · promesa · amor**
●CON ADVS. **profundamente · completamente** *Se sentía completamente insatisfecho ante la solución propuesta* **· absolutamente · extremadamente · totalmente · tremendamente || ligeramente**
●CON VBOS. **estar · quedar(se) || dejar · sentirse · mostrarse** *Se mostró insatisfecha con los resultados* **· declararse**

inscripción s.f.
●CON ADJS. **formal · en regla || definitiva · en firme · provisional** *La inscripción provisional para el curso se realizará en la secretaría* **|| voluntaria || previa**
●CON SUSTS. **período (de) · plazo (de)** *El plazo de inscripción finalizará el próximo mayo* **|| impreso (de) · formulario (de)**
●CON VBOS. **hacer · realizar · formalizar** *¿Habéis formalizado ya la inscripción?* **· rellenar || pedir · solicitar || denegar · aceptar**

inseguridad s.f.
●CON ADJS. **reinante · imperante · acechante · grave · considerable · alarmante · creciente || palpable · evidente || ciudadana · callejera · personal · social · cívica · nacional · internacional · global · mundial**
●CON SUSTS. **clima (de) · ambiente (de) || estado (de) · sentimiento (de) || medida (contra)** *Urge tomar medidas contra la creciente inseguridad ciudadana* **· problema (de) || nivel (de) · grado (de)**
●CON VBOS. **invadir (a alguien)** *Le invadió la inseguridad en el momento más decisivo* **· asaltar (a alguien) · acechar (a alguien) · paralizar (a alguien) || aumentar · crecer · remitir · decrecer || dar · causar · crear · generar · provocar · despertar || perder · sufrir · tener · entrañar · comportar || vencer · superar · combatir ||**

luchar (contra) *El alcalde aseguró que lucharía enérgicamente contra la inseguridad callejera*

insensible

1 **insensible** adj.

• CON SUSTS. ***persona*** *Es un hombre frío e insensible* || **corazón** || **comportamiento** · **medida**

• CON ADVS. **absolutamente** · **totalmente** · **completamente** · **extraordinariamente** || **aparentemente** · **especialmente** || **emocionalmente** *Se ha vuelto emocionalmente insensible* · **éticamente**

• CON VBOS. **dejar** · **volver(se)** || **permanecer** · **mostrarse** *Se mostraba insensible a los razonamientos y las explicaciones* · **mantenerse**

2 **insensible (a)** adj.

• CON SUSTS. **calor** · **frío** *Tras vivir tanto tiempo en la montaña se ha vuelto insensible al frío* || **problema** · **dolor** · **sufrimiento** · **queja** · **desgracia** · **violencia** || **razonamiento** · **explicación** · **justificación**

inseparable adj.

• CON SUSTS. **compañero,ra** · **amigo,ga** *Siempre fueron amigos inseparables* · **trío** · **pareja** · **hermano,na** · **familia** · ***otros individuos y grupos humanos*** || **parte** · **elemento** · **concepto** *Libertad y democracia son conceptos inseparables en ese tipo de sociedades* · **complemento** || **conjunto** · **binomio** · **grupo** || **sombra** · **figura** || **vínculo** · **unión**

• CON VBOS. **hacer(se)** · **volver(se)**

inseparablemente adv.

• CON VBOS. **asociar** · **juntar** · **ligar** · **relacionar** · **unir** · **vincular** *personas inseparablemente vinculadas en nuestra memoria*

insertar v.

• CON SUSTS. **anuncio** · **publicidad** *Insertan demasiada publicidad entre un programa y otro* · **propaganda** · **rótulo** · **aviso** · **cuña** || **tarjeta** · **carta** *insertar una carta redactada con el procesador de texto* || **imagen** *Inserta la imagen en el margen derecho de la primera página* · **cuadro** · **nombre** · **texto** · **símbolo** · **gráfico** · **documento** · **archivo** || **nota** · **comentario** · **apostilla** · **discurso** · **noticia** · **preámbulo** || **pensamiento** · **reflexión** || **disco compacto** *En cuanto insertes el disco compacto se reproducirá automáticamente* || **célula** · **gen**

• CON ADVS. **adecuadamente** · **hábilmente** · **correctamente** || **digitalmente**

insignia s.f.

• CON ADJS. **oficial** · **acreditativa** || **famosa** · **conocida** || **preciada** *Recibió la preciada insignia de manos del alcalde* · **meritoria**

• CON SUSTS. **actor** · **autor** · **artista** · **grupo** · ***otros individuos o grupos humanos*** || **deporte** *en un país en el que el deporte insignia es el fútbol* · **programa** · **modelo** · **empresa** · **canción**

• CON VBOS. **arriar** · **enarbolar** · **izar** *Izaron la insignia que daba nombre al barco* · **ondear** || **conceder** · **dar** · **entregar** · **imponer** · **recibir** · **obtener** · **ganar(se)** || **llevar** · **portar** · **lucir** · **vestir**

insignificante adj.

• CON SUSTS. **cuestión** · **tema** · **hecho** · **suceso** · **acontecimiento** · **incidente** || **problema** · **dificultad** · **inconveniente** · **contratiempo** *Fue un contratiempo insignificante, pero molesto* · **obstáculo** || **altura** · **profundidad** · **volumen** · **dimensión** || **cantidad** *...pero al final no me prestaron más que una cantidad insignificante de dinero* · **número** · **porcentaje** · **cifra** · **suma** · **tamaño** · **precio** · **proporción** · **renta** || **valor** · **peso** · **importancia** · **consecuencia** · **repercusión** · **influencia** · **efecto** *La devaluación tendrá un efecto insignificante sobre la economía* · **daño** · **incidencia** · **gravedad** · **impacto** · **desperfecto** || **detalle** *unos detalles insignificantes que no modifican la conclusión* · **parte** · **dato** · **fragmento** · **factor** · **punto** · **matiz** || **cambio** · **retoque** · **avance** · **incremento** · **variación** · **movimiento** · **alza** · **mejora** · **descenso** || **error** · **despiste** · **delito** · **falta** · **lapsus** || **sanción** · **castigo** · **pena** · **condena** *Cumplirá una condena insignificante a pesar de...* || **motivo** · **causa** · **razón** || **participación** · **cooperación** · **colaboración** · **aportación** · **ayuda** · **respaldo**

insinuación s.f.

• CON ADJS. **clara** · **explícita** · **intencionada** · **evidente** || **implícita** · **vaga** · **mínima** · **leve** *Hizo una leve insinuación al escándalo económico que no gustó a la concurrencia* · **sutil** · **velada** · **ligera** || **nueva** · **vieja** · **conocida** || **grosera** · **borde** · **de mal tono** || **hiriente** · **maliciosa** · **malévola** · **malintencionada** · **envenenada** · **capciosa** · **insidiosa** · **injuriosa** · **difamatoria** · **calumniosa** · **dolosa** || **simpática** · **inocente**

• CON VBOS. **deslizar(se)** || **hacer** · **lanzar** · **dejar caer** · **soltar** · **verter** · **repetir** || **captar** · **entender** · **comprender** || **aceptar** · **rechazar** · **desestimar** || **desmentir** · **explicar** || **hacer oídos sordos (a)** *Hizo oídos sordos a sus explícitas insinuaciones* · **ceder (a)** || **resistir(se) (a)** · **salir al paso (de)**

insinuar v.

• CON SUSTS. **posibilidad** *...insinuando así indirectamente la posibilidad de llegar a un acuerdo* · **propuesta** · **decisión** · **solución** · **idea** · **voluntad** · **intención** || **cambio** · **renuncia** · **retirada** *Había estado insinuando la posible retirada de las tropas* · **abandono** · **recuperación** · **retroceso** || **pacto** · **apoyo** · **aceptación** · **acuerdo** || **existencia** || **sonrisa** · **mueca** · **gesto** · **caricia** · **ademán** || **movimiento**

• CON ADVS. **indirectamente** · **veladamente** · **entre líneas** || **abiertamente** · **claramente** · **nítidamente** || **públicamente** *Insinuó públicamente que tenía información privilegiada sobre el caso* · **privadamente** || **sexualmente** *No es la primera vez que se le insinúa sexualmente*

insistencia s.f.

• CON ADJS. **terca** · **contumaz** · **reiterada** · **repetida** · **tenaz** · **pertinaz** · **machacona** *insensibles ante la machacona insistencia de los clientes* · **denodada** · **porfiada** · **obsesiva** · **febril** || **excesiva** · **permanente** || **inquietante** · **sospechosa** · **ofensiva** || **inútil** · **infructuosa**

• CON VBOS. **llamar la atención** || **molestar (a alguien)** · **incomodar (a alguien)** || **soportar** · **sufrir** · **afrontar** · **tolerar** || **criticar** || **perdonar** · **entender**

• CON PREPS. **con** *preguntar algo con insistencia* · **sin** || **a fuerza (de)**

insistente adj.

• CON SUSTS. **rumor** · **comentario** · **alusión** · **especulación** || **oposición** · **negativa** · **rechazo** · **error** || **demanda** · **protesta** · **petición** · **pregunta** · **súplica** · **ruego** · **solicitud** · **reclamación** · **reivindicación** || **mirada** · **gesto** || **acción** · **llamamiento** · **idea** · **mensaje** · **llamada** *Han lanzado una llamada insistente para que colaboremos* · **campaña** · **invitación** *Es imposible no sucumbir a la insistente invitación al consumo* || **lluvia** · **bombardeo** · **aco-**

so · presión || ritmo · movimiento · cadencia · pauta || postura · actitud
• CON VBOS. volverse · hacerse

insistentemente adv.

• CON VBOS. **repetir · reiterar · recordar · volver || hablar · decir · preguntar** *preguntar insistentemente sobre lo mismo* · **señalar · explicar · comentar · declarar · mencionar · aludir · referirse · citar · alabar · prometer ·** ***otros verbos de lengua*** **|| usar · utilizar** *El periodista había utilizado insistentemente todos los métodos de persuasión a su alcance* · **recurrir · acudir || pedir · reclamar · solicitar** *Solicitó insistentemente y sin éxito que corrigieran otra vez su examen* · **demandar · exigir · requerir · rogar · reivindicar · invocar · suplicar || sonar · emitir** *Emite insistentemente un timbre de alarma* · **quejarse · llorar · tocar** *tocar insistentemente el timbre* **|| apelar · llamar · convocar || defender · animar · aplaudir || denunciar · negar · criticar · acusar · golpear · enfrentarse || buscar · perseguir · intentar** *La pareja había intentado insistentemente tener un hijo* · **trabajar || escuchar · oír · mirar**

insistir v.

• CON PREPS. **a base (de)** *A base de insistir consiguió su propósito* · **a fuerza (de)**
• CON ADVS. **al unísono · repetidamente · reiteradamente · una y otra vez · machaconamente || denodadamente · por activa y por pasiva** *Insistieron por activa y por pasiva en sus derechos* · **inútilmente**

insolidario, ria adj.

• CON SUSTS. **mundo · país · sociedad** *Se está convirtiendo en una sociedad insolidaria* · **gente · compañero,ra ·** ***otros individuos y grupos humanos*** **|| carácter · conducta · comportamiento · postura · costumbre · actitud · tendencia · talante || sistema · política · medida · causa || discurso** *un discurso frío e insolidario que fue duramente criticado* · **mensaje · gesto · acto · acción**
• CON ADVS. **profundamente** *un gesto profundamente insolidario* · **totalmente · absolutamente · completamente || claramente**

insolvente adj.

• CON SUSTS. **país · empresa** *Es una empresa insolvente que se mantiene gracias a las ayudas estatales* · **sociedad · banco ·** ***otros grupos humanos*** **|| usuario,ria · deudor,-a · contribuyente ·** ***otros individuos***
• CON VBOS. **declarar(se)** *El deudor se ha declarado insolvente*

insomnio s.m.

• CON SUSTS. **noche (de) · horas (de) · días (de) ·** ***otros periodos*** **|| problema (de)** *Padece un grave problema de insomnio* · **enfermedad (de) · diagnóstico (de) · tratamiento (de) · pastillas (para)**
• CON VBOS. **afectar (a alguien) || padecer · sufrir · tener || causar · producir · provocar || combatir · tratar · medicar || vencer** *Ha logrado vencer el insomnio con terapias naturales* · **curar · mejorar · superar**

insondable adj.

• CON SUSTS. **pozo · laberinto · agujero · escondite · grieta · hueco · fondo || misterio · secreto · enigma · jeroglífico · metáfora || abismo** *Los separa un abismo insondable* · **profundidad || tristeza · soledad · dolor** *un rostro marcado por un insondable dolor* · **agobio · angustia · hermetismo || divinidad · trascendencia · espiritualidad || vacío · silencio**
• CON VBOS. **hacerse · mantenerse**

insoportable adj.

• CON SUSTS. ***persona*** **|| calor · bochorno** *Esta tarde hace un bochorno insoportable* · **frío · clima · temperatura || ruido · volumen · silencio · voz || hedor · olor || carga · peso || presión · intensidad · tensión · ritmo || dolor** *La herida le producía un dolor insoportable* · **tristeza · sufrimiento · indiferencia || tráfico · humo || extremos · límites** *La situación está llegando a límites verdaderamente insoportables* · **situación || carácter** *Tiene un carácter insoportable* · **genio || película** *Nos hemos tragado una película insoportable* · **novela · trabajo || horario || ambiente · relación || exigencia · obligación · vigilancia**
• CON ADVS. **literalmente · absolutamente · completamente**
• CON VBOS. **ser · estar · resultar · hacer(se) · volver(se) · calificar (de) · poner(se)** *Cuando tiene sueño se pone insoportable*

insoslayable adj.

• CON SUSTS. **asunto · cuestión · tema · materia || realidad · hecho · verdad · conclusión · dato || punto de referencia · referencia** *El director se ha convertido en referencia insoslayable en el entorno empresarial del país* · **principio · primacía || responsabilidad · deber · obligación · cometido · tarea · misión · papel || necesidad** *Todos coinciden en la necesidad insoslayable de reducir el gasto público* · **requisito · exigencia · condición · urgencia · prioridad || norma · imperativo || problema** *El desempleo sigue siendo un problema insoslayable* · **obstáculo · dificultad**

insospechado, da adj.

• CON SUSTS. **camino · lugar · rincón · sitio || límite** *La corrupción estaba llegando a límites insospechados* · **extremo · espacio · ámbito · grado · nivel · cota || profundidad · altura · hondura · volumen · extensión || efecto · respuesta · consecuencia · alcance · magnitud** *El problema ha tomado magnitudes insospechadas* · **capacidad · repercusión · influencia || causa · motivo || crecimiento** *La demanda ha experimentado un crecimiento insospechado* · **desarrollo || violencia · fuerza || situación · realidad · mundo** *Con la lectura podemos descubrir mundos insospechados* **|| popularidad · autoridad || amor · cariño · ternura ·** ***otros sentimientos***

insostenible adj.

• CON SUSTS. **situación** *Su decisión originó una situación insostenible* · **posición || ritmo · velocidad || promesa · tendencia || convivencia · relación · vida || endeudamiento · déficit · deuda · carga · gasto · lujo || presión · tensión · fuerza · empuje || acusación · juicio · argumento** *Aunque se empeñe en defenderlo, es un argumento insostenible* · **tesis · verdad · interpretación · contradicción · excusa || aumento** *un aumento insostenible del precio del petróleo* · **crecimiento · disminución · mantenimiento · desarrollo**
• CON ADVS. **totalmente · absolutamente · claramente**
• CON VBOS. **hacer(se) · resultar · volver(se)**

inspeccionar v.

• CON SUSTS. **instalación · fábrica** *La fábrica era inspeccionada cada año* · **obra · restaurante ·** ***otros lugares*** **|| coche · moto · avión ·** ***otros vehículos*** **|| contabilidad · cuenta · calidad · mercancía · trabajo**

• CON ADVS. **a fondo · a conciencia** *inspeccionar a conciencia un edificio* · **concienzudamente · con interés · a la ligera · por encima || detalladamente · exhaustivamente · detenidamente || ocularmente**

inspector, -a s.

• CON SUSTS. **cargo (de) · puesto (de) · cuerpo (de)**
• CON VBOS. **examinar (algo) · investigar (algo)** *El inspector estuvo investigando las cuentas del empresario* · **informar (de algo) · expedientar (a alguien) || llamar · avisar || designar · elegir · nombrar || trabajar (como/de) · convertir(se) (en)**

inspirar v.

▮ [aspirar]

• CONS SUSTS. **brisa · aire** *dar un paseo por el campo para inspirar el aire puro* · **oxígeno · anhídrido carbónico · gas**
• CON ADVS. **profundamente · suavemente**

▮ [producir, provocar]

• CON SUSTS. **confianza** *Su mirada tranquila inspira confianza* · **seguridad · credibilidad · fiabilidad || respeto · temor · terror · miedo · horror · pánico || desconfianza · inquietud · recelo · escepticismo || compasión · lástima** *No deseamos inspirar lástima; simplemente queremos justicia* · **piedad · pena · conmiseración · indulgencia || ternura · simpatía · cariño · afecto · deseo · pasión · devoción · amor || curiosidad · interés · morbo || tranquilidad · serenidad · sosiego · paz · calma || rechazo · desprecio · menosprecio · acritud · desdén || asombro · admiración**
• CON ADVS. **directamente · indirectamente || vagamente**

instalar(se) v.

• CON ADVS. **definitivamente · finalmente || provisionalmente** *El matrimonio se instaló provisionalmente en un piso pequeño* · **temporalmente · por el momento || a {mis/tus/sus...} anchas · cómodamente** *cómodamente instalados en su nueva oficina* · **plácidamente || debidamente || legalmente · ilegalmente**

instancia s.f.

• CON SUSTS. **documento (de) · copia (de)**
• CON VBOS. **cumplimentar · redactar · rellenar · hacer · oficializar · firmar · sellar || presentar** *Las instancias deberán presentarse en un plazo máximo de un mes* · **echar · elevar (a alguien) || agotar(se)**

☐ EXPRESIONES **a instancias de** (alguien) [a petición suya] || **en última instancia** [como último recurso]

[instantánea] s.f. → instantáneo, a

instantáneo, a

1 instantáneo, a adj.

▮ [que se produce en el momento]

• CON SUSTS. **café · cacao · sopa · bebida || fotografía** *una cámara de fotografía instantánea* · **comunicación · mensaje · visión || reacción · respuesta · efecto · solución · beneficio · resultado · consecuencia || muerte** *Este tipo de veneno produce la muerte instantánea* · **eliminación || decisión · elección**

2 instantánea s.f.

▮ [fotografía]

• CON VBOS. **sacar · tomar** *La instantánea fue tomada ayer a la salida de la reunión* · **revelar || exponer · publicar** *Se publicaron todas las instantáneas del fotógrafo...* · **ver || captar · fijar || lograr**

instante s.m.

• CON ADJS. **crucial · decisivo || inolvidable · único · eterno · fugaz · mágico** *La pareja vivió instantes mágicos durante su viaje* || **álgido · crítico** *el instante crítico de la toma de las decisiones trascendentes* · **fatídico**
• CON VBOS. **transcurrir** *Volvió en sí transcurridos unos instantes* · **discurrir · pasar || captar · capturar · detener · fijar · inmortalizar** *una foto para inmortalizar el instante* **|| perder · tener · vivir · saborear · dedicar (a algo) || disfrutar (de) · gozar (de) || volver (en)** *Vuelvo en un instante*

instaurar v.

• CON SUSTS. **costumbre · tradición · moda || institución · organización · régimen · dictadura · monarquía · república · democracia · gobierno · tribunal || ley** *El ministro ha subrayado la necesidad de instaurar una ley que defienda los derechos de este colectivo* · **norma · control · disciplina · impuesto · sanción · condición · restricción || programa · modelo · servicio · proyecto · política · plan · monopolio || paz** *un proyecto que sirva para instaurar definitivamente la paz* · **orden · confianza · libertad · calma || terror · miedo · recelo · violencia || horario · calendario · jornada laboral || lazo · alianza · vínculo || socialismo** *El nuevo Gobierno pretende instaurar un socialismo democrático* · **humanismo · comunismo · corriente** · ***otras tendencias o movimientos***

instintivo, va adj.

• CON SUSTS. **movimiento · reacción** *Mi reacción instintiva fue de rechazo* · **reflejo · respuesta || mirada · mueca · gesto || rechazo · aversión · desprecio · resistencia · desmarque || pasión · pulsión · impulso · pronto · arrebato || deseo** *Todos sentimos el deseo instintivo de protegernos* · **necesidad · búsqueda · afán || miedo · desconfianza · temor || espontaneidad · rapidez · ligereza || vitalismo · heroísmo || elegancia**
• CON ADVS. **totalmente · puramente · meramente**

instinto

1 instinto s.m.

• CON ADJS. **primitivo · primario · natural · básico · visceral · vital · atávico || maternal · sexual || humano · animal** *Se le despertó el instinto animal* · **felino · gregario || impulsivo · desbocado · indomable · irrefrenable · irreprimible · irracional || bajo** *incapaz de controlar sus más bajos instintos* · **puro · profundo || amoroso || asesino · criminal || goleador**
• CON VBOS. **aflorar · despertar · surgir · desbocar(se) || controlar · dominar · contener · domar · atemperar · templar · reprimir || liberar · desfogar · expresar || aguzar · desarrollar** *Casi todos los primates desarrollan el instinto maternal* · **seguir || abandonar(se) (a) · dar rienda suelta (a) · dejarse llevar (por)** *Se dejó llevar por sus instintos*

2 instinto (de) s.m.

• CON SUSTS. **supervivencia · conservación · defensa · protección · adaptación || propiedad · posesión**

instituto s.m.

• CON ADJS. **público · privado · oficial || militar · docente · de investigación · científico || benéfico · social || prestigioso · conocido** *Va a clases a un conocido ins-*

tituto · **nombrado · reputado · ilustre · célebre · destacado · distinguido · insigne || de enseñanza secundaria · de enseñanza media · de idiomas || técnico || superior · elemental · especializado**
● CON SUSTS. **profesor,-a (de) · maestro,tra (de) · alumno,na (de)** *Los alumnos de este instituto son muy conflictivos* · **director,-a (de) · estudiante (de) · compañero,ra (de) · presidente,ta (de)** *El debate será moderado por el presidente del instituto científico* · **miembro (de) · académico,ca (de) || clase (de) · curso (de) · aula (de)**
● CON VBOS. **enseñar (en) · dar clases (en)** *Mi madre da clases en un instituto* **|| asistir (a) · ir (a) · acudir (a) · estudiar (en) || admitir (en) · inscribir(se) (en)** *Se han inscrito en el mismo instituto que nosotros* · **matricular(se) (en) || pertenecer (a)**

instrucción s.f.

▮ [orden]

● CON ADJS. **clara · confusa · complicada || detallada · precisa · minuciosa · pormenorizada || somera || apremiante · urgente**
● CON SUSTS. **manual (de)** *consultar el manual de instrucciones* · **libro (de) · guía (de) · hoja (de) · página (de) || lista (de) · conjunto (de) · serie (de) || falta (de)**
● CON VBOS. **llegar || cumplir** *Cumplieron a rajatabla las instrucciones recibidas* · **seguir · obedecer · acatar · observar || desobedecer · contravenir · desoír · incumplir || dar · enviar · recibir || esperar** *Seguimos esperando instrucciones* **|| leer** *¿Te has leído las instrucciones de montaje?* **|| ceñir(se) (a) · atenerse (a) || carecer (de)**
● CON PREPS. **al margen (de) · en contra (de) || con · sin**
□ USO Se usa más frecuentemente en plural.

▮ [enseñanza de conocimientos]

● CON ADJS. **militar · policial · laboral · cívica || escolar · primaria · académica · universitaria · básica · superior**
● CON SUSTS. **escuela (de) · academia (de)** *una academia de instrucción policial* · **centro (de) || método (de)** *...adaptando nuestro método de instrucción a las peculiaridades de cada alumno* · **curso (de) || ejercicios (de) · maniobras (de) || nivel (de) || mes (de) · año (de) · fase (de) · etapa (de) ·** ***otros períodos***
● CON VBOS. **impartir · recibir || comenzar · iniciar · mejorar · completar** *Decidió completar su instrucción en el extranjero* · **acabar**

▮ [desarrollo de un proceso o un expediente]

● CON ADJS. **sumarial** *Durante la instrucción sumarial, el juez...* · **judicial · interna**
● CON SUSTS. **juzgado (de)** *el juzgado de instrucción número tres de la Audiencia Nacional* · **juez (de) || proceso (de) · fase (de)** *Después de cinco años, la causa se encuentra todavía en fase de instrucción* **|| secreto (de) || modelo (de) · plan (de)**
● CON VBOS. **abrir · reabrir · cerrar || iniciar · terminar · completar** *...hasta que se complete la instrucción del sumario* **|| solicitar · ordenar · cursar · llevar a cabo || disponer** *disponer la instrucción de un sumario administrativo* **|| paralizar · detener · continuar || entorpecer · dificultar · obstruir · bloquear**

instrumentalizar v.

● CON SUSTS. **proceso || justicia · terrorismo · religión** *Los acusan de instrumentalizar la religión con fines políticos* · **ejército · institución · tribunal · ley · norma || juez · trabajador,-a · preso,sa ·** ***otros individuos y grupos humanos*** **|| conflicto · protesta · atentado · huelga · elecciones || televisión · medios de comunicación**
● CON ADVS. **políticamente** *instrumentalizar políticamente el sumario* · **de forma partidista · electoralmente · frívolamente · tendenciosamente · intencionadamente · desaforadamente**

instrumento s.m.

● CON ADJS. **musical · de cuerda** *El violín es un instrumento de cuerda* · **de viento · de percusión · quirúrgico || político · económico || educativo · pedagógico || militar · bélico || de precisión · sofisticado · perfecto · potente · novedoso || rudimentario · tosco || adecuado · válido · útil · eficaz || inadecuado · inútil · ineficaz || decisivo · imprescindible** *un instrumento imprescindible para llevar a cabo la reforma que se pretende* **|| disuasorio · versátil**
● CON VBOS. **afinar** *afinar los instrumentos antes de empezar a tocar* · **tocar · interpretar || emplear · usar** *Lea las instrucciones detenidamente antes de usar este instrumento* · **aplicar · utilizar || inutilizar || perfeccionar · desplegar || dotar (de) · servir (de) || sacar partido (a)**

INSTRUMENTO MUSICAL

Información útil para el uso de:

acordeón; armónica; arpa; bajo; bandurria; castañuela; clarinete; contrabajo; corneta; fagot; flauta; gaita; guitarra; laúd; lira; mandolina; oboe; órgano; pandereta; piano; platillo; saxofón; sintetizador; tambor; teclado; triángulo; trombón; trompa; trompeta; violín; violonchelo; xilófono

● CON ADJS. **afinado,da · desafinado,da** *un piano desafinado*
● CON SUSTS. **sonido (de) · melodía (de)** *la suave melodía del arpa* **|| recital (de) · concierto (de/para) · pieza (de/para) · partitura (para) · sinfonía (para) || virtuoso,sa (de)** *una virtuosa del violín* · **figura (de) · maestro,tra (de)**
● CON VBOS. **sonar · acompañar || tocar · escuchar · estudiar || afinar** *Hay que afinar esta guitarra* · **desafinar(se) · templar · destemplar(se) · conjuntar || interpretar (a/con)**
● CON PREPS. **al compás (de) · al ritmo (de)**

insuficiente adj.

● CON SUSTS. **cantidad** *una cantidad insuficiente de dinero* · **número || altura · profundidad · tiempo · valor · edad ·** ***otras magnitudes*** **|| condición · requisito || medio · recurso**
● CON ADVS. **totalmente** *Los medios con los que contamos para sofocar el incendio son totalmente insuficientes* · **absolutamente · enteramente · a todas luces · de todo punto**
● CON VBOS. **resultar · parecer**

insufrible adj.

● CON SUSTS. ***persona*** *el despótico, paranoico e insufrible director comercial que les había caído en suerte* **|| tiempo · calor · humedad · temperatura || ruido · tráfico · lentitud** *Circulábamos a una lentitud insufrible* **|| partido · película · música · comedia · novela · espectáculo ·** ***otras obras*** **|| argumento · historia · trama || discurso · monserga · sermón** *Echa unos sermones insufribles* · **perorata || dolor · presión · situación · tormento · calvario** *...sin*

olvidar el insufrible calvario de los interminables embotellamientos cotidianos · **agonía** · **aburrimiento** · **acoso** || **pedantería** · **exigencia** || **ciudad** *Es una ciudad insufrible, llena de tráfico y contaminación*
● CON VBOS. **resultar** · **hacer(se)** · **ponerse**

insulso, sa adj.

● CON SUSTS. ***persona*** *un actor insulso y sin gracia* || **juego** · **partido** || **comedia** · **película** · **parodia** · **novela** · **canción** · ***otras obras*** || **historia** · **tertulia** || **texto** · **guión** *un guión insulso apenas compensado por un atractivo reparto de actores* || **tono** · **conversación** · **entrevista** || **vida**
● CON VBOS. **ser** · **volver(se)** · **quedar(se)** || **estar** · **ponerse**

insultar v.

● CON ADVS. **a diestro y siniestro** *Alguien insultaba a diestro y siniestro a todo el que pasaba por allí* · **desconsideradamente** · **impunemente** || **a gritos** · **a voces** · **verbalmente** · **por escrito** · **de palabra** || **a la cara** · **descaradamente** · **en {mi/tu/su...} cara** || **violentamente** · **vilmente**

insulto s.m.

● CON ADJS. **personal** || **hiriente** · **mordaz** · **afilado** · **vejatorio** · **insidioso** · **torpe** · **burdo** · **despectivo** · **indignante** · **ignominioso** · **procaz** · **soez** · **inflamado** · **inocuo** || **a diestro y siniestro** · **gratuito** *los insultos gratuitos del público* · **incalificable** · **intolerable** || **directo** · **provocativo** || **fácil** *persona de lengua viperina e insulto fácil* || **propenso,sa (a)** || **rayano,na (en)** *sarcásticas invectivas rayanas en el insulto personal*
● CON SUSTS. **cruce (de)** · **avalancha (de)** *Tras soportar una avalancha de insultos, el equipo se dirigió cabizbajo al vestuario* · **lluvia (de)** · **sarta (de)** · **alud (de)** · **aluvión (de)** · **cúmulo (de)** · **guerra (de)**
● CON VBOS. **arreciar** || **llover** · **recaer (en alguien/sobre alguien)** || **constituir** · **representar** || **soltar** · **lanzar** · **proferir** · **derramar** · **verter** · **vomitar** · **dedicar (a algo/a alguien)** || **recibir** · **tolerar** · **soportar** || **bordear** · **capear** · **acallar** || **cubrir(se) (de)** · **enzarzarse (en)** · **prorrumpir (en)** || **rayar (en)** *Semejante afirmación raya en el insulto* || **contestar (a)** · **replicar (a)** || **recurrir (a)** *No hace falta recurrir al insulto para hacer presión*

insuperable adj.

● CON SUSTS. **altura** · **cantidad** · **edad** · **extensión** · **precio** · ***otras magnitudes*** || **dificultad** · **crisis** · **problema** · **golpe** *La muerte de su mujer fue para él fue un golpe insuperable* || **muro** · **obstáculo** · **frontera** · **impedimento** · **lastre** || **ventaja** · **récord** *Ha logrado un récord insuperable* · **cifra** · **resultado** · **logro** · **acierto** || **prueba** · **reto** · **desafío** || **miedo** *Tiene un miedo insuperable a la oscuridad* · **temor** · **debilidad** · **dolor** || **jugador,-a** · **rival** · **enemigo** || **talento** · **habilidad** · **maestría** · **potencia** · **calidad** *un texto original, de una calidad y una fuerza insuperables* · **perfección** · **estilo** · **fuerza** · **belleza** · ***otras cualidades*** || **ejemplo** · **modelo** · **muestra** || **atracción** · **deseo**
● CON ADVS. **totalmente** · **completamente** || **prácticamente** || **sencillamente**
● CON VBOS. **hacer(se)** · **volverse**

insurrección s.f.

● CON ADJS. **armada** · **militar** · **guerrillera** · **civil** · **popular** · **callejera** *Las fuerzas de seguridad permanecen alerta ante una amenaza seria de insurrección callejera* · **campesina** · **indígena** · **nacional** · **general** · **juvenil** · **social** · **independentista** · **separatista** || **violenta** · **sangrienta** · **heroica** · **dramática** · **cruenta** · **subversiva** || **exitosa** · **fallida**
● CON SUSTS. **clima (de)** *El gobernante ha expresado su preocupación por el clima de insurrección que reina en el país* || **etapa (de)** || **líder (de)** · **cabecilla (de)** || **triunfo (de)** · **fracaso (de)**
● CON VBOS. **estallar** *La insurrección estalló en los barrios marginales* · **desatar(se)** · **precipitar(se)** || **tener éxito** · **fracasar** || **originar** · **fraguar** · **preparar** · **promover** · **impulsar** · **causar** · **alentar** *alentar la insurrección desde la sombra* · **orquestar** · **fomentar** · **tramar** || **provocar** · **producir** · **dirigir** || **justificar** || **protagonizar** · **liderar** · **encabezar** *Encabezó la insurrección popular que expulsó al presidente del poder* || **combatir** · **aplastar** · **sofocar** · **ahogar** || **mediar (en)** || **sumarse (a)** · **unirse (a)**

intachable adj.

● CON SUSTS. ***persona*** *Es un caballero intachable, honesto y respetuoso* || **institución** *Trabajamos en una institución médica intachable* · **club** · **empresa** · **estado** || **película** *La crítica la ha definido como una película intachable* · **artículo** · **carta** · **poema** · **disco** · ***otras creaciones*** || **conducta** · **comportamiento** · **proceder** · **actuación** · **actitud** · **hábito** · **predisposición** || **aspecto** · **pinta** · **aire** · **apariencia** || **trayectoria** · **carrera** · **expediente** · **historial** *Posee un intachable historial científico y un gran prestigio profesional* · **antecedentes** · **currículum** · **hoja de servicios** || **vida** · **pasado** || **imagen** · **reputación** · **prestigio** || **honradez** · **elegancia** · **honestidad** · **corrección** · **modales** *Era una persona educada, elegante y de modales intachables* · **calidad** · **profesionalidad** · **coherencia** · **integridad** || **gestión** · **técnica** *El pianista exhibió una técnica intachable* · **administración** · **organización** · **trabajo** · **labor** || **ideología** · **moral** · **ética** · **valor** · **código**
● CON VBOS. **volverse** · **mantenerse**

intacto, ta adj.

● CON VBOS. **estar** · **conservar(se)** · **mantener(se)** *La catedral se mantiene intacta desde el siglo XV* · **seguir** · **quedar(se)** · **permanecer** · **preservar** · **continuar** · **dejar** || **reintegrar** · **devolver** · **entregar** || **salir** *Es casi imposible salir intacto de un accidente como este* · **resultar** · **acabar** || **hallar** · **recuperar** · **encontrar** · **rescatar** · **recoger** · **heredar** || **aparecer** · **llegar** · **regresar** · **reaparecer** *Reapareció intacta la documentación robada* · **mostrar** · **presentar**

integración s.f.

● CON ADJS. **total** · **plena** *lograr la plena integración* · **profunda** · **parcial** · **perfecta** || **progresiva** · **gradual** · **paulatina** || **rápida** · **lenta** || **territorial** *un proyecto para impulsar la integración territorial* · **regional** · **nacional** || **económica** · **laboral** · **política** || **social** · **cultural** · **familiar** || **psicológica** · **espiritual** · **moral**
● CON SUSTS. **acuerdo (de)** · **fórmula (de)** · **política (de)** *llevar a cabo una política de integración social* · **proyecto (de)** || **camino (de)** · **proceso (de)** || **grado (de)** · **nivel (de)** || **medida (de)** || **clima (de)** · **período (de)**
● CON VBOS. **consistir (en algo)** || **completar** · **alcanzar** · **impulsar** · **propulsar** · **fomentar** · **acelerar** · **alentar** · **favorecer** · **permitir** · **propiciar** || **controlar** *medidas específicas para controlar la integración de esos alumnos* · **vigilar** · **asegurar** || **evitar** · **impedir** · **bloquear** · **entorpecer** · **torpedear**

integral adj.

▌ [completo, global]

• CON SUSTS. **artista** *un merecido homenaje dedicado a un artista integral* · **escritor,-a** · **maestro,tra** · ***otros profesionales*** || **idiota** · **imbécil** || **rebelde** · **fascista** · **comunista** || **experiencia** *El campamento fue una experiencia integral, sumamente enriquecedora para los niños* · **vida** · **futuro** · **etapa** || **limpieza** · **lavado de cara** · **saneamiento** · **desinfección** · **depuración** || **tratamiento** · **terapia** · **cuidado** · **medicina** || **seguridad** · **salud** · **conservación** · **prevención** || **mejora** · **desarrollo** *formas de contribuir al desarrollo integral de la personalidad* · **crecimiento** · **regeneración** · **renacimiento** · **formación** || **cambio** · **reforma** *El sistema sanitario actual necesita una reforma integral* · **reciclaje** · **transformación** · **remodelación** · **ajuste** · **reparación** || **orden** · **sistema** · **estructura** · **modelo** · **diseño** || **plan** · **proyecto** · **programa** · **política** · **estrategia** · **método** · **protocolo** || **puesta en marcha** · **funcionamiento** || **punto de vista** · **visión** *¿Tiene la ciencia una visión integral del ser humano?* · **enfoque** · **perspectiva** · **criterio** · **concepción** · **concepto** || **opción** · **alternativa** || **solución** *Nuestro trabajo consiste en ofrecer soluciones integrales a los usuarios* || **ayuda** · **apoyo** · **asistencia** · **protección** · **defensa** · **cobertura** · **cooperación** || **poder** · **control** || **problema** · **crisis** · **miseria** || **oposición** · **guerra** · **lucha** || **homenaje** · **espectáculo** · **retrospectiva** · **exposición** · **evento**

▌ [sin refinar]

• CON SUSTS. **pan** · **galleta** · **arroz** · **pasta** · ***otros alimentos***

integralmente adv.

• CON VBOS. **avanzar** · **cambiar** · **reformar** · **mejorar** · **desarrollar(se)** · **colaborar** || **atender** *atender integralmente las necesidades de nuestros mayores* · **formar** · **gestionar** || **aprovechar** *aprovechar integralmente los recursos naturales* || **cultivar**

integridad s.f.

• CON ADJS. **física** *Peligra la integridad física de su persona* · **moral** || **personal** · **intelectual** || **intacta** · **dañada** · **afectada** || **atentatorio,ria (contra)**

• CON SUSTS. **ápice (de)** · **mínimo (de)** || **falta (de)** || **ejemplo (de)** · **modelo (de)**

• CON VBOS. **violar** · **dañar** · **perjudicar** · **amenazar** · **profanar** || **guardar** · **mantener** · **preservar** · **proteger** · **defender** · **conservar** *Intentaron por todos los medios conservar su integridad moral* · **asegurar** · **salvar** || **afectar (a)** · **repercutir (en/sobre)** · **atentar (contra)** *unas imágenes que atentan contra la integridad de las personas* · **velar (por)**

intelectual

1 intelectual adj.

• CON SUSTS. **formación** · **preparación** · **educación** || **ejercicio** · **trabajo** · **tarea** · **actividad** · **aventura** · **juego** · **producción** || **esfuerzo** · **carga** || **cociente** *un niño con un cociente intelectual muy elevado* · **coeficiente** · **capacidad** · **nivel** · **desarrollo** · **evolución** · **progreso** · **madurez** || **batalla** · **debate** *Pocas ocasiones tenemos de asistir a un gran debate intelectual* || **propiedad** *registro de la propiedad intelectual* · **respeto** || **historia** · **novela** · **discurso** · **obra** || **curiosidad** *Lo estudian simplemente por curiosidad intelectual* · **inquietud** · **interés** || **reflexión** · **teoría** · **actitud** · **inspiración** || **libertad** || **posición** · **corriente** · **minoría** · **moda** · **tradición** || **rigor** · **riqueza** · **talento** *La obra refleja un gran talento intelectual* · **elitismo** || **legado** · **memoria** || **trayectoria** *Ha sido condecorada por su trayectoria intelectual como científica* · **medios** || **crisis** · **distanciamiento** · **error** · **pereza** || **honradez** · **vanidad** · **personalidad** || **clima** · **ambiente** · **panorama** || **vida** · **mundo** || **autor,-a** *el autor intelectual del doble asesinato* · **autoría**

• CON ADVS. **eminentemente** · **pretendidamente**

2 intelectual s.com.

• CON ADJS. **comprometido,da** · **liberal** · **progresista** · **orgánico,ca** · **independiente** · **radical** · **crítico,ca** || **de prestigio** *El manifiesto ha sido firmado por un grupo de intelectuales de prestigio* · **de altura** · **reconocido,da** · **destacado,da** · **distinguido,da**

• CON SUSTS. **papel (de)** · **labor (de)** · **función (de)** || **opinión (de)**

inteligencia s.f.

• CON ADJS. **innata** · **natural** || **asombrosa** · **portentosa** · **aguda** · **fina** · **clara** · **luminosa** · **certera** · **intuitiva** · **vivaz** · **profunda** · **acerada** · **afilada** || **crítica** · **mordaz** · **inhumana** · **analítica** · **creadora** || **emocional** *el equilibrio entre la inteligencia emocional y la racional* · **afectiva** · **racional** · **artificial** *el avance de la inteligencia artificial* · **humana** || **militar** · **gubernamental** · **nacional** || **musical** · **matemática** · **lógica** · **artística** · **lingüística** · **política** || **dotado,da (de)** · **lleno,na (de)**

• CON SUSTS. **agravio (a)** || **ápice (de)** · **toque (de)** · **rasgo (de)** || **demostración (de)** · **alarde (de)** · **falta (de)** || **prueba (de)** · **cociente (de)** · **test (de)** || **muestra (de)** · **señal (de)** · **ejemplo (de)** || **servicio (de)** || **atentado (a/contra)** · **ofensa (a)** · **insulto (a)**

• CON VBOS. **destacar** · **sobresalir** · **brillar** || **nublárse(le) (a alguien)** · **embotarse** · **malograr(se)** || **cultivar** · **ejercer** · **ejercitar** *Le proponían juegos para ejercitar la inteligencia* · **aplicar** · **hacer** · **medir** || **derrochar** · **malgastar** · **destilar** || **pisotear** · **dilapidar** || **ofender** · **insultar** || **sobrestimar** · **subestimar** || **aguzar** · **avivar** *avivar la inteligencia con lecturas* · **madurar** || **revelar** · **acreditar** || **dejarse llevar (por)** || **hacer gala (de)** || **atentar (contra)** || **rendirse (a/ante)**

inteligente adj.

• CON SUSTS. **lector,-a** · **escritor,-a** · **alumno,na** · ***otros individuos y grupos humanos*** || **vida** *Hasta ahora no se han encontrado indicios de vida inteligente en ese planeta* · **ser** || **comedia** · **película** · **libro** || **guiño** · **gesto** || **humor** *una novela con un humor inteligente e irónico* · **ironía** || **decisión** · **elección** · **opción** || **idea** · **propuesta** · **iniciativa** · **comentario** · **apreciación** · **pregunta** · **repuesta** · **debate** · **punto de vista** || **estudio** · **reflexión** · **análisis** · **interpretación** · **crítica** || **conducta** · **comportamiento** *tener un comportamiento inteligente* · **postura** || **maniobra** · **táctica** · **plan** · **proyecto** · **procedimiento** || **partido** · **juego** || **inversión** || **edificio** *un edificio inteligente en el que el sistema de calefacción se enciende y se apaga automáticamente*

• CON ADVS. **suficientemente** *Eres lo suficientemente inteligente como para entenderlo* · **sumamente** · **verdaderamente** · **extremadamente** · **realmente** || **escasamente** · **moderadamente** · **relativamente**

inteligible adj.

• CON SUSTS. **sonido** || **texto** *A diferencia de sus anteriores obras, esta es sumamente inteligible* · **palabra** · **vocablo** · **frase** · **mensaje** · **comunicación** · **discurso** · ***otras manifestaciones verbales o textuales*** || **lenguaje** · **idioma** · **jerga**

· argot || información · emisión · significado · interpretación · código *crear un código inteligible* || música · obra · lectura · novela || modo · modelo || alternativa
• CON ADVS. **difícilmente** · **fácilmente** *un problema fácilmente inteligible* · **perfectamente**
• CON VBOS. **hacer(se)** **resultar**

[intemperie] → a la intemperie; intemperie

intemperie s.f.

• CON VBOS. **amparar(se) (de)** · **guarecer(se) (de)** · **resguardar(se) (de)** · **proteger(se) (de)**

intempestivo, va adj.

• CON SUSTS. **hora** · **horario** *Los clásicos del cine se emiten en un horario intempestivo* · **época** || **lluvia** · **tempestad** · **calor** · **frío** *La cabaña nos protegió del frío intempestivo* · **clima** · **borrasca** · **viento** · **vendaval** · **siroco** · ***otros fenómenos meteorológicos adversos*** || **aparición** · **presencia** · **surgimiento** · **nacimiento** · **entrada** · **llegada** || **regreso** · **visita** · **salida** · **retirada** · **marcha** · **despido** · **suspensión** · **evaporación** || **cambio** · **mudanza** · **escisión** || **declaración** · **consideración** · **confesión** · **reacción** *No le contó nada por miedo a una reacción intempestiva* · **discurso** · **palabra** · **noticia** · **opinión** · **puntualización** · **argumento** · **intervención** · **anuncio** || **orden** · **mandato** · **pregunta** || **actitud** · **carácter** · **natural** || **reunión** · **sesión** · **cena** || **relación** · **romance** || **guerra**

intención s.f.

• CON ADJS. **clara** · **abierta** · **manifiesta** · **diáfana** · **patente** · **decidida** · **verdadera** *Pronto vimos cuáles eran sus verdaderas intenciones* || **mala** *Yo diría que actúa con mala intención* · **pérfida** · **perversa** · **retorcida** · **aviesa** · **torcida** · **turbia** · **oscura** · **doble** · **falsa** · **oculta** · **solapada** || **descabellada** · **disuasoria** || **buena** · **noble** · **sana** · **saludable** || **mínima** *No tengo la mínima intención de...* · **defensiva** · **delictiva** || **moral** · **legítima** · **loable**
• CON VBOS. **subyacer (en algo)** · **anidar** · **confluir** || **prosperar** · **torcer(se)** || **salir a la luz** · **transparentar(se)** · **traslucir(se)** · **despejar(se)** · **hacer(se) realidad** || **sacar a la luz** · **manifestar** *Nos manifestó abiertamente su intención de dejar el trabajo* · **revelar** · **confesar** · **declarar** · **desvelar** · **hacer pública** · **proclamar** · **clarificar** · **dejar caer** · **evidenciar** · **airear** · **llevar a la práctica** · **llevar adelante** || **ocultar** *Por mucho que intentes ocultar tus intenciones, sabemos que...* · **esconder** · **disfrazar** · **disimular** · **distorsionar** · **tergiversar** · **desbaratar** · **rectificar** || **descubrir** · **desenmascarar** · **detectar** · **adivinar** · **deducir** · **atisbar** || **albergar** · **abrigar** · **tener** *Tenemos la intención de viajar mucho el año que viene* || **juzgar** · **prejuzgar** || **dudar (de)**

intencionado, da adj.

• CON SUSTS. **incendio** · **fuego** *Según la investigación, el fuego fue intencionado* || **homicidio** *Fue acusado de homicidio intencionado* · **crimen** · **atentado** · **agresión** || **equivocación** · **error** · **fallo** || **disparo** · **remate** · **lanzamiento** · **golpe** || **información** · **filtración** · **intervención** · **pregunta** · **comentario** || **desperfecto** · **avería** · **manipulación** · **corte** · **quiebra** · **bloqueo** · **ruptura** || **omisión** · **silencio** · **desconocimiento** || **campaña** *La campaña de desacreditación fue claramente intencionada* || **acción** · **actuación** · **acto**
• CON ADVS. **bien** · **mal** *palabras mal intencionadas* || **claramente** · **a todas luces** · **indudablemente** · **supuestamente** · **sumamente** · **absolutamente** · **totalmente**

intensamente adv.

• CON VBOS. **brillar** *Parece que las estrellas brillan hoy más intensamente* · **sonar** · **vibrar** · **oler** · **resplandecer** · **respirar** · **emitir** · **fluir** || **llover** · **nevar** *Ha nevado intensamente durante toda la noche* · **caer la lluvia** || **aumentar** · **disminuir** · **reducir(se)** · **menguar** · **crecer** || **reverdecer** · **ruborizarse** || **hablar** · **debatir** *Tras una reunión en la que se debatió intensamente el tratado, los ministros...* · **negociar** · **discutir** || **afectar** · **condicionar** · **atañer** || **aplaudir** · **vitorear** · **silbar** · **criticar** || **amar** · **desear** · **sentir** · **creer** · **doler** · **sufrir** · **padecer** · **experimentar** || **rememorar** · **soñar** · **recordar** || **vivir** · **disfrutar** · **gozar** · **usar** · **aprovechar** · **utilizar** · **emplear** || **trabajar** *Trabajamos intensamente para terminar el informe a tiempo* · **practicar** · **entrenar** · **laborar** · **esforzarse** · **dedicar(se)** · **interesar(se)** · **meterse** · **involucrar(se)** · **afanarse** · **empeñarse** · **aplicarse** || **competir** · **luchar** *luchar intensamente contra la corrupción* · **enfrentarse** · **batallar** · **defender** || **colaborar** · **contribuir** · **apoyar** · **ayudar** · **participar** *El polémico escritor participó intensamente en el debate* · **intervenir** || **buscar** · **perseguir** · **rastrear** · **investigar** · **estudiar** · **indagar** · **fijarse** · **observar** · **escrutar** || **pensar** · **meditar** · **reflexionar** || **proteger** · **cuidar** · **vigilar** · **preocupar(se)**

intensificar v.

• CON SUSTS. **color** · **sabor** || **ritmo** · **movimiento** · **marcha** · **avance** · **movilización** || **ataque** *El enemigo intensificó entonces los ataques aéreos* · **lucha** · **ofensiva** · **bombardeo** · **protesta** || **ayuda** · **voluntad** · **colaboración** · **cooperación** · **campaña** · **participación** · **contacto** · **presencia** · **preparación** || **control** · **vigilancia** *...motivo por el que se empezó a intensificar la vigilancia en los aeropuertos* · **dominio** · **bloqueo** · **presión** · **represión** || **diálogo** · **lazo** · **relación** · **vínculo** || **acción** · **actividad** · **gestión** · **inversión** · **proceso** · **medida** || **persecución** · **búsqueda** · **rastro** · **pesquisa** || **empleo** · **trabajo** · **servicio** · **labor** · **entrenamiento** *El entrenador cree conveniente intensificar el entrenamiento con vistas al próximo partido* · **investigación** || **fuerza** · **esfuerzo** *Este Gobierno intensificará sus esfuerzos para que...* || **sensación** · **pasión** · **reflexión**

intensivamente adv.

• CON VBOS. **preparar(se)** *prepararse intensivamente para un examen* · **dedicarse** · **desarrollar** · **explotar** · **trabajar** *trabajar intensivamente el campo* · **entrenar** · **participar** · **ayudar** || **usar** · **utilizar** · **emplear** · **cultivar** || **buscar** · **investigar**

intensivo, va adj.

• CON SUSTS. **cuidado** · **terapia** · **cura** · **saneamiento** || **curso** · **clase** *Las clases intensivas de inglés me resultaron muy efectivas* · **enseñanza** · **formación** · **taller** · **gimnasia** · **natación** || **horario** · **jornada** || **debate** · **conversación** · **encuentro** · **congreso** · **reunión** || **industrialización** · **comercialización** · **explotación** *controlar la explotación intensiva de la madera* · **inversión** · **producción** · **extracción** || **agricultura** · **ganadería** · **industria** · **pesca** || **rastreo** · **registro** · **interrogatorio** · **vigilancia** *vigilancia intensiva en las fronteras* · **búsqueda** · **patrullaje** · **espionaje** || **estudio** · **investigación** · **examen** · **consulta** || **dedicación** · **esfuerzo** · **trabajo** · **laboreo** · **mano de obra** || **uso** · **aprovechamiento** · **abuso** || **ayuda** · **apoyo** · **atención** · **asistencia** · **cooperación** || **ataque** · **bombardeo** *Algunas organizaciones denuncian el bombardeo intensivo de publicidad en esta época del año* · **combate** · **guerra** · **saqueo** · **pillaje** · **cruzada** · **oposición** || **plan** · **estrategia**

|| reducción · deterioro || crecimiento · desarrollo · despliegue · propagación

intenso, sa adj.

●CON SUSTS. **actividad · trabajo** *tener un trabajo intenso* **· producción · reunión · labor · jornada · día · viaje · dedicación · vocación || sensación · percepción · sabor · olor · dolor || color** *Los cuadros de su primera etapa se caracterizan por los colores intensos* **· colorismo · expresividad · luz || ritmo · ruido · sonido || marca · huella · señal || período · campaña || lirismo · dramatismo || frío · lluvia** *Debido a las intensas lluvias se ha decretado la alerta en toda la región* **· calor · precipitación || vida · trayectoria · biografía || novela · película · historia || pelea · confrontación · partido · debate · lucha || polémica** *una intensa polémica en los medios de comunicación* **· búsqueda · investigación || relación** *Vivimos una relación intensa y apasionada* **· experiencia || amor · deseo · pasión · pena · preocupación · tristeza · alegría · placer · gozo ·** ***otros sentimientos o emociones*** **|| entrenamiento · ejercicio · movimiento || afluencia || carga · fuerza · poder · interés · entrega || violencia**
●CON ADVS. **particularmente · especialmente**

intentar v.

●CON ADVS. **con todas {mis/tus/sus...} fuerzas** *Dice que intentó con todas sus fuerzas dejar de fumar* **· intensamente · tenazmente · afanosamente · denodadamente · seriamente · arduamente || en balde · en vano · vanamente · inútilmente · sin éxito · infructuosamente · a duras penas || por activa y por pasiva · por todos los medios · a toda costa** *El ladrón intentó a toda costa entrar en la casa* **|| incansablemente · una y otra vez** *Intentábamos una y otra vez encender el horno* **· insistentemente · repetidamente || a la desesperada · desesperadamente || por las buenas**

intento s.m.

●CON ADJS. **arriesgado · audaz · desaforado · desesperado · contra reloj || exitoso · fallido** *meter un gol tras varios intentos fallidos* **· fracasado · infructuoso · frustrado · inútil · baldío · vano || decidido · denodado · tenaz · pertinaz · voluntarioso · serio || civilizado · inviable · loable · peregrino · ilusionante || a la desesperada** *hacer un último intento a la desesperada*
●CON VBOS. **fracasar** *Fracasaron sus intentos de sacar adelante el proyecto* **· frustrar(se) · malograr(se) · caer en el vacío || prosperar · tener éxito · valer la pena || abortar · obstaculizar · desbaratar · acometer · llevar adelante || adherirse (a) || cejar (en)** *No cejes en tu intento, seguro que lo consigues* **· desistir (de) · perseverar (en)**

intercambio

1 intercambio s.m.

●CON ADJS. **beneficioso · ventajoso** *un intercambio de ideas muy ventajoso* **· favorable · útil · positivo · fecundo · fructífero || equitativo** *El intercambio entre ambas naciones fue equitativo* **· justo · paritario · satisfactorio || negativo · desfavorable · desigual · injusto · lesivo · desequilibrado · virulento || parcial · total || permanente · temporal || puntual · constante · frecuente || cultural · tecnológico · comercial · político · institucional**
●CON SUSTS. **programa (de)** *participar en un programa de intercambio cultural* **· plan (de) || política (de) · sistema (de) · relación (de) || acuerdo (de) · pacto (de)**
●CON VBOS. **efectuar · llevar a cabo · realizar || favorecer · fomentar** *fomentar el intercambio de culturas* **· permitir || obstaculizar · entorpecer · prohibir**

2 intercambio (de) s.m.

●CON SUSTS. **información · ideas · opiniones · experiencias · impresiones** *Ambos mandatarios mantuvieron un breve intercambio de impresiones acerca de...* **· puntos de vista || prisioneros,ras · rehenes || disparos** *un intercambio de disparos en pleno centro de la ciudad* **· golpes || insultos · acusaciones || territorios · bienes**

interceder v.

●CON ADVS. **personalmente** *Voy a interceder personalmente por ella* **· públicamente · directamente · discretamente || legalmente · ilegalmente · indebidamente || a {mi/tu/su...} favor** *Intercede a su favor; a ver qué se puede hacer*

interceptar v.

●CON SUSTS. **comunicación · conversación** *Los espías interceptaron una conversación entre...* **· línea || envío · mensaje**
●CON ADVS. **al vuelo** *El portero interceptó el balón al vuelo*

interés s.m.

▌[afán, provecho]

●CON ADJS. **gran(de) · enorme · creciente · notable** *Su tesis despertó un notable interés* **· considerable · vivo · sumo · total · profundo · indudable || acuciante · apremiante · insaciable · irrefrenable · ferviente · desbordante · ardiente · candente · desmedido · desorbitado · frenético · inconfesable || escaso · relativo · discreto · tangencial · menor · secundario || coincidente · unánime || enfrentado** *No llegaron a un acuerdo porque tenían intereses enfrentados* **· irreconciliable · encontrado || sincero · palmario · espurio · inequívoco · legítimo || preferencial · preferente** *Nuestro interés preferente es que esté usted bien* **· primordial · prioritario || personal · público · multitudinario · mundial · nacional · local · general**
●CON SUSTS. **ápice (de) · falta (de) || manifestación (de) · muestra (de) || centro (de) · punto (de) · objeto (de) · tema (de)**
●CON VBOS. **aplacar(se) · desvanecerse · difuminar(se) · empañar(se) · enfriar(se)** *El interés de la película se enfría cuando pasa la primera media hora* **· desatar(se) · decaer · amainar · decrecer · disminuir || aumentar · crecer || prender (en alguien) || converger · primar · subyacer (a algo) · salir a la luz · surgir || redundar (en algo) · residir (en algo) · estribar (en algo) || poseer · tener (en algo)** *No sé qué interés puede tener en perjudicarnos* **|| negar · sentir · perder · saciar || acaparar** *Parece que el fútbol acapara el interés de la mayoría* **· adquirir · captar · centrar · cobrar · atraer · canalizar || conceder · imprimir · poner (en algo) · anteponer · desplazar · disfrazar || defender · avalar · salvaguardar · testimoniar || manifestar** *Manifestaron su interés por el piso* **· mostrar · inspirar · transmitir || dañar · vulnerar · socavar · lesionar || conciliar · confluir · conjugar · aunar** *Los empresarios intentaron aunar sus intereses con el objetivo de...* **· armonizar · polarizar · aglutinar · concitar · contraponer || suscitar · despertar · incentivar · enarbolar · avivar · reavivar · rebajar · alimentar · fomentar || atender (a) · plegar(se) (a) || dejarse llevar (por) · tropezar (con) || carecer (de)**

•CON PREPS. **en aras (de)** · **en atención (a)** || **con** · **sin** *Si lees los problemas sin interés, no los entenderás* || **a la medida (de)**

▌[ganancia, comisión]

•CON ADJS. **bancario** · **hipotecario** || **anual** · **trimestral** · **mensual** || **módico** · **abusivo** || **fijo** · **variable**
•CON SUSTS. **tipo (de)** *Han subido los tipos de interés*
•CON VBOS. **subir** · **bajar** || **cargar** · **cobrar** · **pagar** || **tener** *Esta hipoteca tiene un interés variable de...* || **declarar**
•CON PREPS. **con** · **sin** *un préstamo sin intereses*

interesado, da

1 **interesado, da** adj.

▌[que tiene interés en algo]

•CON SUSTS. ***persona*** *Tengo una amiga interesada en el coche que vendes* || **empresa** · **firma** · **compañía** · **club** · **colectivo** · ***otros grupos humanos*** || **país** · **sector** · **parte** *La parte interesada deberá comparecer mañana*
•CON VBOS. **estar** *Está interesado en la compra de un piso* · **mantener(se)** · **mostrarse**

▌[movido por el propio interés]

•CON SUSTS. ***persona*** || **apoyo** *La campaña contó con el apoyo interesado de empresas que habían invertido grandes sumas de dinero en...* · **actuación** · **mediación** || **opinión** · **declaración** · **recomendación** · **elogio** · **exageración** || **filtración** · **difusión** || **omisión** · **confusión**
•CON VBOS. **ser** *Me demostró que era interesado y egoísta*

2 **interesado, da** s.

•CON ADJS. **principal** *Él es el principal interesado y, por tanto, el que debe preocuparse* · **único,ca**
•CON VBOS. **enviar (algo)** · **remitir (algo)** · **solicitar (algo)** *Los interesados en el producto pueden solicitar más información en...* · **llamar (a alguien)** · **inscribirse (en algo)** · **contactar (con alguien)** · **intercambiar (algo)** · **rehusar (algo)** · **visitar (algo)** || **acceder (a algo)**

[interferir] → interferir; interferir (en)

interferir v.

•CON SUSTS. **señal** · **frecuencia** · **canal** · **emisión** · **transmisión** *Una emisora pirata interfería la transmisión radiofónica* · **comunicación** · **programa** || **curso** · **marcha** · **desarrollo** · **tráfico**
•CON ADVS. **abiertamente** · **manifiestamente** || **veladamente** *El delegado interfirió veladamente la marcha de las negociaciones* · **encubiertamente** · **subrepticiamente** || **favorablemente** · **desfavorablemente**

interferir (en) v.

•CON SUSTS. **proceso** *No hicieron declaraciones para no interferir en el proceso judicial* · **gestión** · **asunto** · **acción** · **producción** · **trabajo** · **funcionamiento** *hechos que interfieren en el normal funcionamiento de la sociedad* · **desenvolvimiento** · **vida** · **investigación** · **labor**

interior adj.

•CON SUSTS. **piso** · **patio** *Hay un patio interior con una fuente* · **jardín** · **habitación** · **puerta** || **diseño** · **decoración** || **viaje** · **paisaje** · **ruta** · **exploración** || **ropa** *una firma francesa de ropa interior* || **riqueza** || **asuntos** · **política** · **comercio** · **economía** || **mundo** · **vida** · **atmósfera** · **espacio** || **monólogo** · **voz** *A veces es necesario escuchar nuestra voz interior* · **diálogo** · **silencio** || **mirada** · **visión** || **realidad** · **experiencia** · **lucha** · **fuerza** · **energía** · **presión** · **soledad** · **sentimiento** · **necesidad** · **verdad** · **impulso** *Empujado por un impulso interior, tomó la decisión radical de...* || **fuente** · **origen** · **procedencia** · **causa**

intermediario, ria s.

•CON ADJS. **principal** · **único,ca** · **autorizado,da**
•CON SUSTS. **papel (de)** *desempeñar el papel de intermediario*
•CON VBOS. **hacer (de)** · **actuar (como/de)** *actuar de intermediario en la venta de un terreno* · **ejercer (de)** · **servir (de)** · **acudir (a)**

interminable adj.

•CON SUSTS. **lista** · **serie** · **sucesión** · **cola** · **fila** · **línea** · **cadena** || **jornada** *La jornada se me ha hecho interminable* · **día** · **minuto** · **noche** · **tiempo** · ***otros periodos*** || **escaleras** · **camino** *Anduvimos horas y horas por un camino interminable* · **viaje** || **trabajo** · **discurso** · **conversación** · **discusión** · **reunión** · **fiesta** || **historia** · **novela** · **canción** · **película** · ***otras obras*** || **proceso** · **conflicto** · **problema** · **guerra** · **lucha** || **silencio** · **ovación** · **aplauso** *Al terminar la actuación, el público le brindó un aplauso interminable* || **carrera** · **juego** · **ejercicio** · **tarea**
•CON VBOS. **hacerse** *El discurso se me hizo interminable* || **parecer**

intermitente adj.

•CON SUSTS. **luz** · **estrella** || **señal** *la señal intermitente de las obras* · **semáforo** · **faro** || **sonido** · **ruido** || **parada** · **corte** *cortes de luz intermitentes* || **ritmo** · **actividad** · **trabajo** · **huelga** || **lluvia** *una jornada marcada por la lluvia intermitente* · **chaparrón** · **nevada** · **calor** · **frío** || **combate** · **guerra** · **enfrentamiento** · **bombardeo** || **contrato** || **sensación** · **dolor** *El paciente sufre un dolor intermitente en el brazo* · **molestia** · **enfermedad** || **cronología**

internacional adj.

•CON SUSTS. **nivel** · **ámbito** · **mercado** *introducir un producto en el mercado internacional* · **circuito** || **escena** · **situación** · **panorama** || **prestigio** *un artista con prestigio internacional* · **reconocimiento** · **fama** · **reputación** · **éxito** || **alcance** · **proyección** · **difusión** || **cooperación** · **colaboración** · **relación** *departamento de relaciones internacionales* || **equipo** · **institución** · **organismo** || **certamen** · **exposición** · **simposio** · **congreso** · **concurso** · **premio** *otorgar un premio internacional* · **feria** · **festival** · **homenaje** || **relevancia** · **trascendencia** · **importancia** · **dimensión** *Es un pianista de dimensión internacional* || **crisis** *La subida de los precios de petróleo produjo una grave crisis internacional* · **problema**

internacionalmente adv.

•CON VBOS. **promocionar** · **impulsar** · **popularizar** · **dar a conocer** · **difundir** *difundir una noticia internacionalmente* · **publicar** · **exponer** · **presentar** · **distribuir** *distribuir un producto internacionalmente* · **triunfar** · **fortalecer** · **aislar** || **cooperar** · **colaborar** · **competir** || **reconocer** · **valorar** · **premiar**

[internar] → internar (en); internarse (en)

internar (en) v.

•CON SUSTS. **hospital** · **centro** *Lo han internado en un centro de desintoxicación* · **clínica** · **sanatorio** · **residencia** || **prisión**
•CON ADVS. **inmediatamente** · **urgentemente** · **de urgencia(s)** *Ayer internaron de urgencias a mi abuela*

internarse (en) v.

● CON SUSTS. **bosque · selva · territorio · montaña · cueva** *Encendieron las linternas y se internaron en la cueva* || **país · ciudad || oscuridad · penumbra || red · entramado · trama**
● CON ADVS. **profundamente · hondamente || sigilosamente**

internet s.amb.

● CON SUSTS. **dirección (de) · página (de)** *una página de internet sobre educación vial* · **sitio (de) · portal (de) || dominio (de) · servidor (de) || servicio (de) · línea (de) || usuario,ria (de)** *un servicio dirigido a los usuarios de internet* || **uso (de) · sesión (de) · acceso (a) · conexión (a)**
● CON VBOS. **contratar · tener || conectar(se) (a)** *Para enviar el mensaje tienes que conectarte a internet* · **desconectar(se) (de) · meterse (en) · entrar (en) · salir (de) || navegar (por) · bucear (en) || buscar (en) · encontrar (en) || bajar (de)** *Me bajé de internet unas cuantas canciones* · **colgar (en) · publicar (en) || circular (por)** *Por internet circulan noticias de todo tipo*
● CON PREPS. **a través (de) · por · vía** *En un mensaje difundido vía internet...*

interno, na adj.

● CON SUSTS. **asunto · cuestión · comunicación · investigación · informe · circular · documento || alumno,na || régimen || capa · parte · cara · lado || distribución · difusión · valija** *unos documentos enviados por valija interna* || **organización · organigrama · estructura · cohesión · órgano · gestión · división · articulación || guerra · pelea · batalla · lucha · rencilla · disputa || tensión · discrepancia · enfrentamiento · crisis** *El comité atraviesa una crisis interna* · **fisura · problema · conflicto || debate · votación · encuesta || reglamento · normativa · estatuto · funcionamiento · norma · cargo || medicina · traumatismo** *El accidente le produjo un traumatismo interno* · **derrame · dolor || ahorro · consumo** *Este presupuesto es únicamente para consumo interno*

interpolar v.

● CON SUSTS. **frase · texto || cita** *En su discurso interpoló algunas citas de escritores célebres* · **nota · ejemplo · ilustración · observación · comentario · apostilla · reflexión || anécdota · historia || digresión · excurso**

interponer v.

● CON SUSTS. **denuncia · demanda · querella · recurso (legal) · apelación · acción judicial · queja · moción** *Interpusieron una moción contra el alcalde* || **obstáculo** *Aunque interpusieron numerosos obstáculos en su carrera...* · **barrera**

interpretar v.

▌[representar, ejecutar]

● CON SUSTS. **papel** *...porque siempre interpreta el papel de mujer atormentada* · **personaje · obra · escena · pieza · tema · composición · partitura · fragmento · repertorio**
● CON ADVS. **magistralmente** *La joven orquesta interpretó magistralmente una sinfonía de Haydn* · **brillantemente · con soltura · afinadamente · ejemplarmente || a coro · a cappella · a pelo · en directo || al piano · al violín**

▌[explicar, analizar]

● CON SUSTS. **texto · carta · informe · poema · párrafo · frase · palabras** *Interpreté sus palabras como una despedida* · **mensaje** · ***otras manifestaciones verbales o textuales*** || **sentido · significado || mirada** *No he sabido interpretar sus miradas* · **gesto · señal · signo · símbolo || dato · noticia** · ***otras informaciones*** || **reglamento · ley · norma || orden · instrucciones · recomendación || resultado** *Interpretaron el resultado como una victoria* · **decisión · sentencia || deseo · necesidad · intención || realidad · situación · comportamiento · actitud**
● CON ADVS. **literalmente · al pie de la letra** *Cuando te digo que estoy en la ruina, no lo interpretes al pie de la letra* · **entre líneas || maliciosamente · sesgadamente · retorcidamente · torcidamente · torticeramente || correctamente · adecuadamente · debidamente · coherentemente** *Es imposible interpretar coherentemente este cúmulo de datos contradictorios* · **convincentemente || incorrectamente · equivocadamente · a la ligera || positivamente · negativamente**

intérprete s.com.

▌[traductor]

● CON ADJS. **competente · eficaz · buen,-a || con experiencia · experto,ta || inexperto,ta · novel · novato,ta**
● CON VBOS. **buscar · necesitar · contratar · despedir || hacer (de)** *hacer de intérprete en un congreso internacional* · **actuar (de) · servir (de)**

▌[actor, músico]

● CON ADJS. **profesional · aficionado,da || teatral · cómico,ca · dramático,ca · televisivo,va · musical** *un reputado intérprete musical* || **reputado,da · consumado,da · excelente · destacado,da · conocido,da · famoso,sa · brillante · excepcional || principal · secundario,ria · predilecto,ta**
● CON SUSTS. **protagonista**
● CON VBOS. **actuar · interpretar (algo/a alguien) · tocar (algo) || premiar · galardonar** *Han galardonado a la intérprete protagonista de la serie*

▌[analista, experto]

● CON SUSTS. **privilegiado,da** *intérprete privilegiado de la sociedad de su tiempo* · **perfecto,ta · fiel**

interrogación s.f.

● CON ADJS. **inicial** *la interrogación inicial del español* · **final || ascendente · descendente · marcada · pronunciada**
● CON SUSTS. **signo (de) · marca (de)**
● CON VBOS. **poner · abrir · cerrar || señalar (con)** *Las preguntas aparecen señaladas con interrogaciones* · **marcar (con)**
● CON PREPS. **entre**

interrogante s.amb.

● CON ADJS. **serio,ria** *Nos planteamos serios interrogantes sobre la viabilidad del proyecto* · **difícil · arduo,dua || principal · importante · gran · verdadero,ra || enrevesado,da · intrincado,da · complejo,ja · profundo,da || misterioso,sa · enigmático,ca**
● CON VBOS. **surgir · abrir(se) · asaltar (a alguien) · acuciar (a alguien) || planear (sobre algo) · cernerse (sobre algo) · gravitar (sobre algo) || despejar(se) · disipar(se) · desvanecerse · cerrar(se) || constituir** *Todavía hoy, su desaparición constituye un interrogante* || **plantear · formular · suscitar · despertar · lanzar || resolver · descifrar · desentrañar · interpretar · zanjar || dar res-**

puesta (a) *Intentaremos dar respuesta a los interrogantes que se nos plantean* · **dar solución (a)**

intervención s.f.

■ [participación]

● CON ADJS. **armada** · **militar** · **policial** · **política** · **diplomática** · **humanitaria** *No hubo víctimas gracias a la rápida intervención humanitaria* · **verbal** · **parlamentaria** || **hábil** · **oportuna** *Su oportuna intervención nos libró de un casi seguro castigo* · **a tiempo** · **milagrosa** · **providencial** || **a destiempo** · **inoportuna** || **desastrosa** · **catastrófica** || **destacada** · **decisiva** · **acusada** · **abusiva** || **brillante** · **fulgurante** · **descollante** · **sonada** *Todos los periódicos hablaban de la sonada intervención del candidato* · **campanuda** · **cadenciosa** || **decidida** *La decidida intervención de los vecinos no evitó la tala del roble centenario* · **rápida** · **espontánea** · **improvisada** || **disuasoria** · **tranquilizadora** · **cautelar** · **testimonial** || **a favor** · **en contra**

● CON SUSTS. **alcance (de)** *Dudo sobre cuál deba ser el alcance de la intervención estatal en...*

● CON VBOS. **iniciar** · **terminar** · **interrumpir** || **versar (sobre algo)** *La intervención del conferenciante versará sobre...* || **hacer** · **realizar** *Solo realizó una breve intervención en sus seis meses en el consejo* · **prodigar** · **bordar** · **cuajar** || **completar** · **redondear** *El ponente redondeó su intervención con la lectura de unos versos de...* · **rubricar** || **aderezar** · **salpicar (de/con algo)** *una intervención salpicada de interrupciones* || **tener** || **eludir** · **delegar** || **obstaculizar** · **reventar** · **boicotear** || **planear** · **preparar** || **replicar (a)**

● CON PREPS. **durante** · **a lo largo (de)** *A lo largo de su intervención se oyeron aplausos y abucheos* || **sin perjuicio (de)**

■ [operación]

● CON ADJS. **quirúrgica** || **delicada** *Fue una intervención muy delicada pero todo salió bien* · **complicada** || **de urgencia**

● CON VBOS. **practicar** *Ese es el cirujano que practicó la intervención* || **sufrir** || **someter(se) (a)** *Se sometió a varias intervenciones en la rodilla* || **reponerse (de)** · **recuperar(se) (de)**

intervenir v.

■ [participar]

● CON ADVS. **militarmente** · **políticamente** · **diplomáticamente** · **verbalmente** · **testimonialmente** || **activamente** · **abiertamente** · **drásticamente** || **a partes iguales** *En su éxito intervienen a partes iguales la suerte y el talento* · **tangencialmente** · **abusivamente** · **unilateralmente** · **hábilmente** || **a favor** *Nadie intervino a favor de un aumento de las tarifas* · **en contra** || **brillantemente** *La joven diputada intervino brillantemente en el debate parlamentario* · **cabalmente** · **decisivamente** · **decididamente** || **oportunamente** · **inoportunamente** · **a tiempo** · **a destiempo** || **milagrosamente** · **providencialmente** · **en el último {momento/minuto}** || **de oficio**

■ [operar]

● CON ADVS. **quirúrgicamente** · **de urgencia** · **de inmediato** · **de emergencia**

□ USO Se construye a menudo con complementos encabezados por la preposición *de*: *¿Por qué no te operas de la vista?*

■ [controlar]

● CON SUSTS. **teléfono** *Intervinieron su teléfono y colocaron cámaras en su vivienda* · **correspondencia** || **cuenta** *Intervinieron las cuentas del presunto estafador* · **fondo** · **ahorro** · **patrimonio** || **mercancía** · **cargamento**

● CON ADVS. **cautelarmente** · **preventivamente**

intestino, na

1 **intestino, na** adj.

● CON SUSTS. **lucha** · **guerra** · **batalla** *La batalla intestina por la presidencia había debilitado considerablemente a la organización* · **combate** · **conflicto** · **enfrentamiento** · **revuelta** · **pelea** · **trifulca** · **querella** · **duelo** || **odio** *una comunidad sacudida por odios intestinos* · **rencilla** · **rivalidad** · **discordia** || **debate** · **discusión** · **polémica**

2 **intestino** s.m.

● CON ADJS. **grueso** · **delgado** || **irritable**

● CON SUSTS. **cáncer (de)** · **tumor (de)** · **afección (de)** || **pared (de)** *sustancias que se adhieren a las paredes del intestino*

● CON VBOS. **inflamar(se)** · **obstruir(se)** || **afectar** · **dañar** *Padece una enfermedad digestiva que daña el intestino delgado* · **perforar** · **recorrer** || **proteger** · **cuidar** || **trasplantar** · **extirpar** || **operar (de)** || **enfermar (de)**

íntimamente adv.

● CON VBOS. **relacionar(se)** *dos hechos íntimamente relacionados* · **unir** · **ligar** · **conectar** · **asociar** · **vincular** || **guardar** *Guardaba aquel secreto íntimamente en su corazón* · **conservar** || **percibir** · **sentir**

● CON ADJS. **convencido,da** *Estoy íntimamente convencida de que es inocente* || **triste** · **afligido,da** · **dolido,da** · **herido,da**

intimidad s.f.

● CON ADJS. **total** · **absoluta** · **completa** || **parcial** · **a medias** || **personal** || **secreta** · **estricta** *La boda se celebró en la más estricta intimidad* · **cerrada** · **invulnerable** || **al descubierto** *Se sintió muy vulnerable al ver su intimidad al descubierto* || **celoso,sa (de)** || **atentatorio,ria (contra)**

● CON SUSTS. **violación (de)** · **vulneración (de)** · **invasión (de)** · **falta (de)** · **atentado (contra)** · **protección (de)** · **resguardo (de)** || **ámbito (de)** · **clima (de)** · **toque (de)** · **momento (de)** · **esfera (de)** · **deseo (de)**

● CON VBOS. **tener** *¡En esta casa no hay quien tenga un poco de intimidad!* · **perder** || **airear** · **destapar** · **desvelar** || **guardar** · **resguardar** · **mantener** · **defender** · **proteger** || **violar** · **invadir** · **vulnerar** · **transgredir** || **respetar** || **entrar (en)** *Les agradecemos que nos permitan entrar en la intimidad de sus hogares* · **penetrar (en)** · **adentrarse (en)** · **hurgar (en)** · **escarbar (en)** || **carecer (de)** || **atentar (contra)**

íntimo, ma adj.

● CON SUSTS. **amigo,ga** *A la cena solo invitaron a sus amigos más íntimos* · **colaborador,-a** || **unión** · **fusión** · **conexión** · **colaboración** · **relación** · **contacto** || **carácter** · **esencia** · **fibra** || **sentimiento** · **sensación** · **convencimiento** *Tengo el íntimo convencimiento de que ganaremos* || **deseo** · **anhelo** · **ilusión** · **vocación** || **vida** · **vivencia** · **experiencia** || **conversación** · **charla** · **confidencia** || **diario** · **escrito** · **carta** || **reflexión** · **pensamiento** · **recuerdo** · **secreto** || **comprensión** · **conocimiento** || **acto** · **ceremonia** *Contrajeron matrimonio en una ceremonia íntima* · **evento** || **ambiente** · **círculo** · **mundo** || **faceta** *una entrevista que desvela la faceta más íntima del personaje* · **aspecto** · **detalle**

intolerable adj.

● CON SUSTS. **agresión · ataque · tortura · crimen** *...quien cometió un crimen intolerable* · **insulto · sarcasmo · amenaza · castigo · chantaje · discriminación · conducta · cinismo · intromisión · desafío · provocación · abuso · acoso · injusticia · agravio · ofensa · falta · tensión · condición || desprecio** *Su negativa les pareció un desprecio intolerable* · **humillación · menosprecio · desconsideración · omisión || situación** *Hemos llegado a una situación intolerable* · **hecho · decisión · práctica · declaración · actitud · comportamiento · acto · acción || límite** *Estamos llegando a límites intolerables* · **extremo · cifra · nivel || injerencia · uso · presión** *Está sometida a una presión intolerable* · **pretensión · postura || espectáculo · película**

● CON ADVS. **absolutamente · totalmente** *una actitud totalmente intolerable* · **completamente**

● CON VBOS. **calificar (de) · resultar · volverse · hacer(se)**

intolerante adj.

● CON SUSTS. ***persona*** **|| gente · sociedad** *una época en la que la sociedad era muy intolerante* · **mundo || actitud · espíritu · carácter · talante || discurso · mensaje · comentario · visión · opinión || violencia · atentado || fundamentalismo · barbarie · tribalismo · extremismo || ideología · dogma · mentalidad · concepción · clima || religión · política**

● CON ADVS. **absolutamente** *Su actitud me pareció absolutamente intolerante* · **completamente · enteramente · terriblemente · profundamente · suficientemente || enormemente · necesariamente · resueltamente**

● CON VBOS. **volverse**

intoxicación

1 intoxicación s.f.

● CON ADJS. **aguda · mortal · fuerte · grave · severa || leve · ligera · sin importancia || masiva** *Se produjo una intoxicación masiva por unos mejillones en mal estado* · **múltiple || extraña · rara || etílica · alimentaria** *Han denunciado al restaurante por una intoxicación alimentaria* **|| mediática · ideológica · informativa**

● CON SUSTS. **caso (de) · brote (de) · foco (de)** *Primero hay que detectar el foco de la intoxicación* **|| síntoma (de) || muerte (por)**

● CON VBOS. **producir(se) || afectar (a alguien) || detectar · diagnosticar · investigar || combatir · contrarrestar · evitar** *Desalojaron el edificio para evitar intoxicaciones por humo* **|| sufrir · padecer || provocar · causar · originar · ocasionar · generar || morir (por)**

2 intoxicación (de) s.f.

● CON SUSTS. **alcohol · cocaína · caballo ·** ***otras drogas*** **|| gas · humo** *varias personas heridas por intoxicación de humo* **|| salmonela || televisión · prensa · fútbol**

intranquilo, la adj.

● CON SUSTS. ***persona*** **|| mirada · semblante · expresión · rostro || vida || ambiente || murmullo || sueño · conciencia || aguas · río · mar**

● CON VBOS. **mostrar(se) · sentirse · quedar(se) · ponerse** *Se pone intranquilo cuando no ve a su dueño* · **estar · ser || vivir**

intransigencia s.f.

● CON ADJS. **religiosa · política** *La intransigencia política de las facciones enfrentadas dificultaba enormemente la pacificación de la zona* **|| absoluta · total || paterna · materna**

● CON SUSTS. **muestra (de) || posición (de)** *Adoptaron de inmediato una posición de intransigencia* · **actitud (de) || grado (de) · nivel (de)**

● CON VBOS. **imponer(se) · fracasar || vencer** *para vencer la intransigencia de los violentos* · **combatir · condenar || deponer || luchar (contra)**

intransitable adj.

● CON SUSTS. **camino · calle · carretera · sendero · vía || ciudad · espacio · terreno** *Tras la tormenta, el terreno quedó intransitable* · ***otros lugares***

● CON ADVS. **absolutamente · totalmente || prácticamente** *El camino está prácticamente intransitable*

● CON VBOS. **volver(se) · poner(se) · hacer(se) · quedar · estar**

intrascendente adj.

● CON SUSTS. **partido · encuentro · juego · triunfo || sesión · jornada · episodio · etapa || discusión · cuestión · decisión · conversación** *Mantuvimos una conversación relajada e intrascendente* · **testimonio || hecho · anécdota · asunto** *No te preocupes, es un asunto totalmente intrascendente* · **tema || pasatiempo · espectáculo · entretenimiento · comedia · programa || información · dato · resultado**

● CON ADVS. **totalmente · absolutamente || aparentemente**

● CON VBOS. **volverse · resultar**

intriga s.f.

● CON VBOS. **despejar(se) || desatar(se) || urdir · tejer · maquinar || destapar · desentrañar · desenredar · destripar || mantener** *Con gran habilidad narrativa, el autor logra mantener la intriga hasta el final de la novela* · **dosificar**

intrincado, da adj.

● CON SUSTS. **camino** *Continuaron por un intrincado camino que conducía al otro lado de la isla* · **trazado · circuito · carretera · ruta · itinerario · trayectoria || selva · paisaje · vericueto · bosque · terreno · pantano · recoveco · mundo ·** ***otros lugares*** **|| personaje · autor,-a · figura ·** ***otros individuos*** **|| libro · narración · artículo · poema** *poemas intensos pero a la vez densos e intrincados* · **historia ·** ***otras creaciones*** **|| idea · pensamiento · razonamiento || problema** *encontrar la solución a un intrincado problema* · **complejidad · conflicto · crisis · embrollo · obstáculo · escándalo · asunto || laberinto · trama · red · maraña · ovillo · madeja · tejido · textura || viaje · aventura · periplo · avatar · peripecia || relación · ligadura · mosaico · grupo · alianza || misterio · intriga · secreto · enigma · símbolo · rompecabezas || sistema · procedimiento** *El procedimiento de elección parecía intrincado, pero resultó ser el más eficaz* · **método · estructura · organigrama**

intrínsecamente adv.

● CON ADJS. **perverso,sa · malo,la · violento,ta** *un carácter intrínsecamente violento* · **injusto,ta · malvado,da · diabólico,ca · inmoral · peligroso,sa · antinatural · pesimista · corrupto,ta · absurdo,da · impredecible · inestable · dañino,na** *un producto intrínsecamente dañino* **|| brillante · atractivo,va · bueno,na** *una persona intrínsecamente buena* · **feliz · valioso,sa || paralelo,la · similar · diferente · distinto,ta · relacionado,da** *dos soluciones intrínsecamente relacionadas* · **conectado,da**

introducir(se) (en) v.

● CON SUSTS. **agujero · recoveco · pozo · casa · cajón · zona · territorio · bosque · barrio · edificio** *Se introdujo en el edificio y le perdieron la pista* · ***otros lugares*** || **ambiente** *Su maestro la introdujo en el ambiente literario de la metrópoli* · **mundo · círculo · grupo** || **asunto · cuestión · materia · tema** || **desarrollo · análisis · investigación**

● CON ADVS. **poco a poco · progresivamente · gradualmente · paulatinamente** || **de golpe · abruptamente · directamente** || **de lleno** *La película te introduce de lleno en la etapa de la colonización desde las primeras escenas* || **explícitamente** || **unilateralmente**

intromisión s.f.

● CON ADJS. **grave** *Incurrió en una grave intromisión en asuntos que no le competen al dar la orden* · **flagrante · absoluta** || **intolerable · descarada · descortés · ilegítima · indebida** || **pequeña · ligera · leve** || **habitual**

● CON SUSTS. **acto (de) · gesto (de)** || **delito (de)** *Ha sido acusado de cometer un delito de intromisión en el derecho al honor* || **política (de)**

● CON VBOS. **cometer** || **sufrir** || **denunciar · perdonar** *Perdone la intromisión, pero creo que debería intentarlo al revés* || **constituir · suponer** *La presentación de ese plan supone una intromisión en las competencias de otros organismos* · **representar** || **considerar** || **acusar (de) · calificar (de) · tomar (como)**

introvertido, da adj.

● CON SUSTS. ***persona*** || **carácter** *de carácter introvertido y algo arisco* · **temperamento · personalidad · comportamiento · actitud**

● CON VBOS. **volverse**

intuición s.f.

● CON ADJS. **femenina** || **aguda** *Desde joven dio muestras de una aguda intuición para los negocios* · **penetrante · sagaz · sutil · fina** *con fina intuición para los negocios* || **asombrosa · prodigiosa** || **certera · fallida** || **pura** *Lo supo por pura intuición* || **innata**

● CON VBOS. **surgir** || **fallar** *Si mi intuición no falla, está a punto de llegar* || **tener** *Tengo la intuición de que algo no anda bien* · **albergar** || **confirmar · corroborar** || **guiar(se) (por) · dejarse llevar (por)** || **sustraer(se) (de/a)**

intuir v.

● CON ADVS. **instintivamente** || **claramente** *Intuyó claramente sus intenciones* · **certeramente · acertadamente · justificadamente** || **injustificadamente · injustamente · equivocadamente** || **inmediatamente · rápidamente** || **genialmente · magistralmente**

intuitivo, va adj.

● CON SUSTS. **autor,-a · jugador,-a** *Es un jugador muy intuitivo, con mucha visión de juego* · **artista** · ***otros individuos*** || **mente · talento · habilidad · lógica · capacidad · inteligencia · dotes** *desplegar las dotes intuitivas* · **idea · necesidad** || **trabajo · proceso · búsqueda** || **gesto**

● CON ADVS. **meramente · totalmente · aparentemente · plenamente · puramente** *Cocina de manera puramente intuitiva* · **profundamente**

inundación s.f.

● CON ADJS. **terrible · catastrófica · peligrosa · grave · fuerte** || **generalizada** || **menor · sin importancia** || **inminente · reciente** *para paliar los daños causados por las recientes inundaciones* · **futura** || **anual · previsible** || **monzónica**

● CON SUSTS. **riesgo (de)** *Disminuye el riesgo de inundaciones en el litoral* · **peligro (de) · amenaza (de)** || **secuela (de) · efecto (de)**

● CON VBOS. **producir(se) · registrar(se) · venir · llegar** || **afectar (a algo/a alguien) · asolar (algo) · azotar (algo/a alguien) · castigar (algo/a alguien)** || **causar · provocar · ocasionar** *La rotura de la presa ocasionó graves inundaciones* · **sufrir** || **prevenir · evitar · paliar** || **dar lugar (a)** || **recuperarse (de)**

inusitado, da adj.

● CON SUSTS. **violencia · dureza · fuerza** *Respondió a su ataque con una fuerza inusitada* · **fiereza · virulencia · intensidad · gravedad · fervor** || **rapidez · celeridad · frecuencia** || **belleza** *un valle de una belleza inusitada* · **esplendor** || **movimiento · despliegue** || **importancia · atención · expectación · interés · éxito** *La obra ha tenido un éxito inusitado* · **actividad** || **emoción · crueldad · optimismo**

inútil adj.

● CON SUSTS. ***persona*** || **pasión · sufrimiento** || **esfuerzo · trabajo · lucha · empeño** || **intento** *tras los inútiles intentos de negociación* · **búsqueda · persecución** || **idea · documento · información** || **discusión** *mantener una discusión inútil* · **debate · enfrentamiento · combate · guerra** || **gasto · derroche · consumo · inversión · compra**

● CON ADVS. **absolutamente · prácticamente · completamente · totalmente**

● CON VBOS. **quedar(se) · resultar** *Resulta inútil ayudarte* · **hacer(se)**

inutilidad s.f.

● CON ADJS. **completa · absoluta · total · profunda · supina** || **parcial** || **manifiesta · patente · palpable**

● CON SUSTS. **sensación (de)** *una enorme sensación de inutilidad y de dar trabajo a los demás* · **sentimiento (de)**

● CON VBOS. **comprobar** *Pronto se podrá comprobar la inutilidad de las nuevas medidas económicas adoptadas* · **probar · demostrar · revelar · poner de manifiesto · dejar patente · denunciar** || **reconocer · admitir** *Tuve que admitir la inutilidad de mi plan* · **ver**

inútilmente adv.

● CON VBOS. **esperar** *Esperé inútilmente su llamada* · **permanecer · sufrir · soportar** || **huir · correr · moverse · recorrer** || **hablar · exponer · explicar · debatir · escribir** || **pretender · intentar · tratar · buscar · perseguir** || **esforzarse · insistir** *La familia insistió inútilmente en que ingresaran al enfermo* · **afanarse · arriesgar(se) · luchar · bregar · porfiar · dedicar(se)** || **soñar · querer · aspirar** || **pedir · exigir · implorar · solicitar · reclamar** *Estaba harta de reclamar inútilmente sus derechos* · **apelar** *apelar inútilmente al tribunal supremo* || **acusar · denunciar · desafiar** || **invertir · gastar · emplear · dilapidar · malgastar** *Malgastó inútilmente todo el dinero de la herencia* || **aconsejar · ofrecer · ayudar · invitar**

[invadir] → invadir; invadir (algo/a alguien)

invadir v.

• CON SUSTS. **calle** *Decenas de personas invadieron las calles* · **calzada** · **acera** · **carril** || **planeta** · **país** · **territorio** · **terreno** · **zona** || **estadio** · **parcela** · **casa** · **domicilio** · **habitación** || ***otros lugares*** || **organismo** · **órgano** · **tejido** · **célula** || **mercado** *un nuevo producto que ha invadido el mercado de nuestro país* || **competencia** *Varios artículos de esta nueva ley invaden las competencias autonómicas* || **intimidad** *los periodistas que invaden la intimidad de los famosos* · **privacidad** · **vida privada** || **espíritu** · **ánimo** *No permitan que la invasión invada su ánimo* · **alma** · **conciencia**

• CON ADVS. **militarmente** · **pacíficamente** *Los manifestantes invadieron pacíficamente el Ayuntamiento* || **abiertamente** · **frontalmente** · **descaradamente** || **reiteradamente** · **constantemente**

invadir (algo/a alguien) v.

• CON SUSTS. **ejército** · **batallón** · **flota** · **tropa** || **luz** · **marea** · **olor** *Un olor nauseabundo invadía la atmósfera* || **sensación** *Sin ella a su lado, lo invadía una sensación de vacío* · **rabia** · **impotencia** · **amor** · **odio** · **felicidad** · **alegría** · ***otros sentimientos o emociones*** || **dolor** · **fiebre** · **hormigueo** || **sueño** · **cansancio** *Después de varias horas de caminata, nos invadió un tremendo cansancio* · **sopor** || **inseguridad** · **violencia** · **caos** *El caos y la violencia invadieron la ciudad*

• CON ADVS. **por completo** *Una indescriptible sensación de paz me invadió por completo* · **de pies a cabeza** · **totalmente**

invalidar v.

• CON SUSTS. **firma** · **acta** · **testamento** · **documento** || **prueba** *Tras invalidar las pruebas por su obtención ilegal...* · **testimonio** || **ley** · **reglamento** · **normativa** · **orden** · ***otras disposiciones*** || **decisión** · **elección** · **resultado** · **sentencia** · **votación** *Invalidaron la votación por irregularidades en el recuento* · **recuento** · **triunfo** · **iniciativa** || **acuerdo** · **pacto** || **tesis** *Los nuevos hallazgos antropológicos invalidan la tesis aceptada hasta el momento* · **afirmación** · **premisa** · **razón** || **acto** · **actuación** · **proceso** || **gol** · **tanto** *Perdieron el partido porque les invalidaron dos tantos* · **jugada** · **partido** · **título**

inválido, da s.

• CON ADJS. **total** · **absoluto,ta** · **auténtico,ca** || **de guerra** *la escasa pensión que reciben los inválidos de guerra* || **mental**

invasor, -a

1 invasor, -a adj.

• CON SUSTS. **tropa** · **ejército** · **fuerza** · **grupo** · **soldado** · **amenaza** · **flota** · **cuerpo** · **pueblo** *los pueblos invasores del norte* · **hueste** · **violencia** · **contingente** · **tanque** · **turba** · **ciudadano,na** || **plaga** · **agente** · **organismo** · **virus** *Han detectado un nuevo virus invasor* || **cultura** · **economía** · **música** || **potencia** · **capacidad** · **organización**

2 invasor, -a s.

• CON ADJS. **imperialista** · **imperial** || **foráneo,a** · **externo,na** · **extranjero,ra** || **eventual** · **potencial** || **implacable** · **cruel** · **temible** || **comercial** · **turístico,ca**

• CON VBOS. **detener** · **capturar** · **derrotar** *...hasta que consiguieron derrotar al invasor extranjero y lo obligaron a abandonar el país* · **batir** · **perseguir** · **agredir** · **aniquilar** || **evacuar** · **expulsar** · **repeler** · **rechazar** || **acabar (con)** · **terminar (con)** · **someter (a)** || **plegarse (a)** · **someter(se) (a)** || **luchar (contra)** · **combatir (contra)** · **enfrentar(se) (a)** · **rebelarse (contra)** · **levantarse (contra)** || **defender(se) (de)** · **proteger (de)**

invencible adj.

• CON SUSTS. **ejército** · **equipo** *Después de la derrota de ayer ya no somos un equipo invencible* · **selección** || **héroe** · **heroína** · **rival** · **líder** · **campeón,-a** · **corredor,-a** *Es un corredor invencible, nadie puede alcanzarlo* || ***otros individuos y grupos humanos*** || **obstáculo** · **miedo**

• CON ADVS. **prácticamente** · **absolutamente** · **aparentemente** || **virtualmente** · **técnicamente** · **tecnológicamente**

• CON VBOS. **considerar(se)** · **mostrarse** · **volver(se)** · **hacer(se)** · **creer(se)** *Ni se cree el mejor ni se cree invencible* · **declarar(se)**

inventario s.m.

• CON ADJS. **completo** · **exhaustivo** · **detallado** · **pormenorizado** · **minucioso** *Le pidieron un minucioso inventario de sus posesiones* · **riguroso** · **total** || **parcial** · **somero** · **incompleto** · **provisional** · **preliminar** || **actualizado** · **definitivo** · **oficial**

• CON VBOS. **hacer** · **realizar** · **llevar a cabo** · **elaborar** · **confeccionar** · **redactar** || **completar** · **ampliar** || **presentar** *Presentó al gerente el inventario de las existencias* || **exigir** · **pedir** || **figurar (en)** · **añadir (a)**

inventiva s.f.

• CON ADJS. **gran(de)** · **arrolladora** · **inagotable** · **incesante** · **enorme** · **prolífica** *la prolífica inventiva de este joven director cinematográfico* · **fértil** · **poderosa** · **creadora** || **lleno,na (de)** *un alumno lleno de inventiva*

• CON SUSTS. **dotes (de)** · **capacidad (de)** · **poder (de)**

• CON VBOS. **aguzar** · **desarrollar** · **estimular** · **despertar** || **derrochar** *Derrocha inventiva por los cuatro costados* · **fluir** · **sobrar** || **valorar** || **tener** *Tiene una inventiva enorme* || **dotar (de)** || **dar rienda suelta (a)**

inventor, -a

1 inventor, -a adj.

• CON SUSTS. **capacidad** *conocido por su capacidad inventora* · **inquietud** · **cualidad** · **actitud** · **empresa** · **talento**

2 inventor, -a s.

• CON ADJS. **autodidacta** · **revolucionario,ria** · **genuino,na** · **peculiar** · **ingenioso,sa** · **excéntrico,ca** · **loco,ca** || **esforzado,da** · **astuto,ta** · **tenaz** *El tenaz inventor consiguió terminar su proyecto* || **ingorado,da** · **desconocido,da** *el hoy desconocido inventor de la televisión* || **potencial** · **insigne** · **famoso,sa** · **gran(de)** · **superdotado,da** · **sabio,bia** || **verdadero,ra** · **auténtico,ca**

• CON VBOS. **construir (algo)** · **patentar (algo)** *Si el inventor no patenta su obra...* · **realizar (algo)** · **gestionar (algo)** · **crear (algo)** · **idear (algo)** || **considerar(se)** · **proclamar(se)** || **convertir(se) (en)**

invernal adj.

• CON SUSTS. **estación** · **temporada** *Ha dado comienzo la temporada invernal* · **ciclo** · **época** · **campaña** · **mes** · **tiempo** · **período** || **inclemencia** · **frío** · **temperatura** *La temperatura invernal oscila entre...* · **sol** · **hielo** · **hábitat** · **paisaje** · **noche** · **lluvia** · **clima** · **tempestad** · **tormenta** · **sequía** · **humedad** · **rigor** || **deporte** · **juego** || **mercado** · **parón** · **crisis** || **letargo** *un oso en letargo invernal* · **sueño** · **preparación** || **vacaciones** · **ola** · **turismo** · **viaje**

· **descanso** · **ocio** · **paréntesis** · **actividad** · **pausa** || **centro** · **refugio** *Las aves se dirigen al sur buscando su refugio invernal* · **complejo** || **moda** · **oferta** || **torneo** · **campeón** *El esquiador fue proclamado campeón invernal* || **trabajo** · **refuerzo** · **gira** || **acogida**
● CON ADVS. **prematuramente** · **marcadamente** · **moderadamente**

inverosímil adj.

● CON SUSTS. **historia** · **cuento** · **libro** · **drama** · **película** · **comedia** · **situación** · **trama** · **aventura** · **suceso** · **noticia** · **relato** · **argumento** · **dato** · **enredo** · **versión** *La inverosímil versión del acusado estaba plagada de contradicciones* · **mentira** · **coartada** · **pretexto** || **maniobra** · **jugada** · **pase** · **regate** *Tras un regate inverosímil, el delantero marcó el gol de la victoria* · **gol** · **remontada** · **triunfo** · **juego** || **ejercicio** · **postura** · **ángulo** *Disparó un trallazo imparable desde un ángulo inverosímil* · **posición** || **hipótesis** · **estrategia** · **circunstancia** · **teoría** · **programa** || **excusa** · **justificación** · **declaración** · **explicación** · **descripción** · **análisis**
● CON ADVS. **absolutamente** · **completamente** *una excusa completamente inverosímil* · **totalmente** · **aparentemente** · **prácticamente**
● CON VBOS. **resultar** · **parecer** · **considerar** · **calificar (de)** · **volverse**

inversamente adv.

● CON ADJS. **proporcional** *La cantidad resultante es inversamente proporcional a...* · **simétrico,ca**

inversión s.f.

● CON ADJS. **económica** || **a {corto/medio/largo} plazo** *Siempre se planteó los estudios como una inversión a largo plazo* || **cuantiosa** *La puesta en marcha de este proyecto requiere una cuantiosa inversión* · **copiosa** · **escasa** || **segura** · **arriesgada** || **rentable** · **lucrativa** · **provechosa** · **productiva** · **redonda** · **fructífera** · **fecunda** · **especulativa** || **ruinosa** *Lo que parecía un gran negocio resultó una inversión ruinosa* · **improductiva** · **estéril** · **a fondo perdido**
● CON VBOS. **dar fruto** · **caer en saco roto** || **crecer** *Crece la inversión en el sector tecnológico* · **decrecer** || **recaer (en algo/en alguien)** || **hacer** *Comprando esta casa hiciste la mejor inversión de tu vida* · **realizar** · **llevar a cabo** || **recuperar** · **amortizar** · **amortiguar** || **incrementar** · **apuntalar** · **blindar** · **congelar** || **fomentar** · **incentivar** · **apoyar** · **relanzar** · **ahuyentar** *La inestabilidad política ahuyentó las inversiones* || **canalizar** · **desviar** · **disfrazar** || **sufragar** · **costear** · **afrontar** || **sacar partido (a/de)** · **sacar fruto (a/de)**

inverso, sa adj.

● CON SUSTS. **sentido** *girar en el sentido inverso de las agujas del reloj* · **orden** · **dirección** · **camino** · **recorrido** · **trayecto** · **trayectoria** · **viaje** || **flujo** · **ósmosis** · **movimiento** · **tendencia** || **situación** · **proceso** · **relación** · **efecto** · **proporción** · **fenómeno** · **operación** · **posición** · **decisión** · **opinión** · **reacción** · **solución** · **planteamiento** *Si hacemos el planteamiento inverso, curiosamente, llegamos a la misma conclusión* || **razonamiento** · **justificación** · **razón** || **diccionario** *Los diccionarios inversos ordenan las palabras por su terminación* · **traducción** || **imagen** · **signo**
● CON ADVS. **exactamente** · **justamente** · **precisamente** · **totalmente** · **absolutamente** · **estrictamente** · **simétricamente**

[invertir] → invertir; invertir(se)

invertir v.

● CON SUSTS. **fondos** · **ahorros** *No sé cómo invertir mis ahorros* · **capital** · **dinero** || **tiempo** · **año** · **semana** || **esfuerzo** *Invirtió mucho esfuerzo en aquel proyecto* · **energía** · **trabajo** · **empeño** || **recurso** · **medio** || **conocimiento** · **habilidad** · **saber**
● CON ADVS. **a {corto/medio/largo} plazo** || **a fondo perdido**

invertir(se) v.

● CON SUSTS. **papel** *Finalmente se invirtieron los papeles y la víctima se convirtió en verdugo* · **término** · **orden** · **relación** || **tendencia** *Hacia finales de año, se invirtió la tendencia y el paro disminuyó por primera vez en mucho tiempo* · **corriente** · **racha** · **situación** || **reacción** · **apoyo** || **razonamiento** · **argumento**

investigación s.f.

● CON ADJS. **científica** *La investigación científica es fundamental para el desarrollo de un país* · **policial** · **judicial** · **sumarial** · **oficial** · **de campo** || **rigurosa** · **seria** · **minuciosa** *Será necesaria una minuciosa investigación si se quieren conocer los detalles* · **cuidadosa** · **meticulosa** · **metódica** · **detallada** · **pormenorizada** · **profunda** *El origen del cosmos es objeto de profundas investigaciones* · **en profundidad** · **exhaustiva** · **intensiva** · **concienzuda** · **tenaz** || **superficial** · **somera** || **ardua** · **laboriosa** · **prolija** · **ímproba** || **concluyente** · **fidedigna** *Según investigaciones fidedignas, estas sustancias no son nocivas* · **convincente** · **encaminada** || **infructuosa** · **estéril** · **desencaminada** · **en punto muerto** *Las investigaciones sobre el robo se encuentran en punto muerto* || **secreta** · **privada** · **reservada** · **confidencial** · **a puerta cerrada**
● CON SUSTS. **objeto (de)** *Sus actividades económicas fueron objeto de investigación* · **alcance (de)** || **comisión (de)** · **equipo (de)** · **centro (de)** || **proyecto (de)** *Dirige un proyecto de investigación vinculado a la universidad* · **beca (de)**
● CON VBOS. **progresar** · **prosperar** · **dar fruto** · **llegar a buen puerto** || **versar** · **discurrir** || **difundir(se)** || **salpicar** *La investigación salpicó a altos cargos de...* || **realizar** *Actualmente se están realizando interesantes investigaciones genéticas* · **llevar a cabo** · **llevar adelante** · **emprender** · **acometer** · **abordar** · **practicar** · **abrir** *Se abrirá una investigación sobre los altercados en el campo de fútbol* · **reabrir** · **incoar** || **resolver** · **culminar** · **llevar a buen puerto** || **obstruir** · **obstaculizar** · **desviar** · **denegar** || **agilizar** · **intensificar** · **centralizar** || **afrontar** · **encarar** || **sufragar** *Una empresa farmacéutica sufraga la investigación sobre los efectos terapéuticos de...* · **costear** · **avalar** · **sustentar** · **auspiciar** || **centrar** · **enfocar** · **acotar** · **desglosar** || **obrar en poder (de alguien)** || **someter (a)** *La adjudicación de subvenciones agrarias se someterá a investigación* || **dar fin (a)** || **estar a cargo (de)** · **hacerse cargo (de)** || **ahondar (en)** · **adentrarse (en)** · **enfrascarse (en)** · **involucrar(se) (en)** · **enzarzarse (en)** · **abocar(se) (a)** || **persistir (en)** · **cejar (en)**
● CON PREPS. **a la luz (de)** · **a la vista (de)** · **a tenor (de)** *A tenor de las últimas investigaciones, el incendio pudo haber sido provocado* · **al hilo (de)** || **sin perjuicio (de)**

investigador, -a s.

● CON ADJS. **reputado,da** · **conocido,da** *Una conocida investigadora ha dado la conferencia inaugural* · **famoso,sa** · **ilustre** · **erudito,ta** · **galardonado,da** · **veterano,na** ·

novel · brillante · excepcional · genial · de primera línea · de prestigio · fecundo,da · avezado,da || concienzudo,da *la obra de un concienzudo investigador* · riguroso,sa · paciente · incansable || principal · adjunto,ta || de segunda fila · mediocre · del montón || medio *la forma de trabajar del investigador medio*
● CON SUSTS. grupo (de) · agencia (de) · puesto (de) · cargo (de) || carné (de) *Para utilizar esta biblioteca es imprescindible el carné de investigador*
● CON VBOS. investigar (algo) · profundizar (en algo) · estudiar (algo) *Los investigadores están estudiando el origen de la enfermedad* · analizar (algo) · plantear hipótesis (sobre algo) · demostrar (algo) · mostrar (algo) · presentar (algo) · resolver (algo) · dar a conocer (algo) · divulgar (algo) || acertar · fracasar

investigar v.

● CON SUSTS. hecho *Antes de que se investigaran los hechos, todo parecía estar claro* · caso · suceso · incidente · muerte || crimen *¿Por qué no se investigó el crimen?* · estafa · asesinato · robo · ***otros delitos*** || misterio · causa · origen · lugar · forma · autor,-a · procedimiento · ***otras incógnitas***
● CON ADVS. a fondo · en profundidad *Es un fenómeno complejo que debe ser investigado en profundidad* · profundamente · a conciencia · concienzudamente · detalladamente · con detalle · minuciosamente · exhaustivamente · prolijamente · superficialmente || activamente || ordenadamente || confidencialmente · en exclusiva || científicamente · judicialmente *Se está investigando judicialmente el pago de comisiones* · penalmente · oficialmente

inviable adj.

● CON SUSTS. proyecto · plan · idea · propuesta · opción · alternativa · solución · salida · modelo · sistema · programa *un programa inviable por falta de presupuesto* || fusión · alianza · pacto || operación
● CON ADVS. absolutamente · totalmente · completamente · a todas luces || prácticamente · teóricamente · materialmente || técnicamente · legalmente *Hay que estudiarlo detenidamente, pero creo que legalmente es inviable* · jurídicamente · políticamente · económicamente
● CON VBOS. hacer(se) · volver(se) || considerar · resultar *Esta alternativa resultaría inviable para los inversores que pretendan...*

invierno s.m.

● CON ADJS. frío *En lo más crudo del frío invierno...* · gélido · polar · duro · crudo *Hicieron acopio de leña para afrontar el crudo invierno* · riguroso · severo · bravo · implacable || pleno · auténtico · verdadero || largo · prolongado || gris || suave *con un clima caracterizado por veranos húmedos e inviernos suaves* · tibio · soleado · soportable · llevadero · moderado · templado || pasado · siguiente · venidero || nuclear
● CON SUSTS. día (de) · temporada (de) *La próxima semana empieza la temporada de invierno* · horario (de) || temperatura (de) · rigores (de) || paisaje (de) || campaña (de) || ropa (de) *Llévate ropa de invierno* || deporte (de) || cuarteles (de) · palacio (de) · residencia (de)
● CON VBOS. llegar · venir · presentarse · despuntar · asomar || adelantar(se) · anticipar(se) · retrasar(se) || avanzar · recrudecerse || pasar · irse · transcurrir || visitar · azotar (algo/a alguien) *El invierno inclemente azotaba la aldea* · cernerse || resguardarse (de)
● CON PREPS. durante · a lo largo (de) · a principio(s) (de) · a comienzo(s) (de) *Irán a comienzos del invierno* · a mediados (de) · a final(es) (de)

invitación s.f.

● CON ADJS. amable *Acepté encantado su amable invitación* · cordial · calurosa · afectuosa · atenta · cortés · diplomática · de compromiso · sincera || formal · informal || indeclinable · ineludible || personalizada
● CON SUSTS. tarjeta (de)
● CON VBOS. hacer · cursar · formular · ofrecer · hacer extensiva *La invitación se hacía extensiva a toda la familia* · enviar · mandar || recibir · adquirir · conseguir · tener || rechazar *Es una invitación que no puede rechazar* · declinar · rehusar · desoír || aceptar · atender · agradecer || responder (a)

[invitar] → invitar (a); invitar (a alguien)

invitar (a) v.

● CON SUSTS. diálogo *una propuesta que invita al diálogo y a la conciliación* · debate · conversación · coloquio · charla || calma · tranquilidad · paz · sosiego · reposo *El color de las paredes de esta casa invita al reposo* · descanso · relax · quietud · equilibrio || optimismo · esperanza · alegría · disfrute *un hotel acogedor, que invita al disfrute y al descanso* || nostalgia · pesimismo · desánimo · desesperanza · desasosiego · desconfianza · escepticismo · miedo || reflexión *La película invita a la reflexión sobre...* · análisis · estudio · recuerdo · meditación · contemplación · conocimiento || conflicto · enfrentamiento
● CON VBOS. pensar · reflexionar *unos datos que nos invitan a reflexionar* · recordar · investigar · estudiar · interpretar · meditar · imaginar · profundizar || dudar · sospechar · especular || debatir · conversar · discutir || luchar · combatir · pelear · rebelarse · oponerse
● CON ADVS. sosegadamente · plácidamente

invitar (a alguien) v.

● CON ADVS. amablemente · atentamente · cordialmente · cortésmente · diplomáticamente || de (todo) corazón · efusivamente *El líder invitó efusivamente a todos los presentes a...* · sinceramente || formalmente · informalmente · oficialmente · extraoficialmente

invocar v.

● CON SUSTS. dios · divinidad · espíritu *...tras invocar a los espíritus de sus antepasados* · virgen · santos || diablo · demonio · muertos || solidaridad · libertad · memoria *con la mirada clavada en el cielo como invocando la memoria de los caídos* || ley · justicia · legislación · legalidad · derecho · artículo || razón · principio *Quisiera ahora invocar esos principios éticos básicos que tan a menudo se olvidan*
● CON ADVS. reiteradamente · insistentemente · devotamente *El monje invocaba devotamente la ayuda divina* · humildemente

involucrar(se) (en) v.

● CON SUSTS. política *Hace tiempo se involucró activamente en política* · música · economía · deporte · matemáticas · filosofía · ***otros ámbitos*** || crimen · homicidio · asalto · delito || conflicto · lucha · problema · escándalo · guerra · batalla · ataque · disputa · enfrentamiento · combate · conflagración · refriega || proyecto · tarea · operación · gestión · trabajo *una persona que se involucra totalmente en su trabajo* · investigación · mo-

vida · **negocio** *Descubrieron que se había involucrado en negocios de contrabando* || **negociación** · **acuerdo** · **pacto** · **complot** · **conspiración** · **conjura** · **trama** *involucrado en una trama de delito financiero* || **discusión** *No tiene sentido involucrarse en una discusión sin final* · **debate** · **polémica** · **diálogo** || **relación** · **amistad** || **aventura** · **avatar** · **circunstancia**

● CON ADVS. **activamente** · **decididamente** · **maliciosamente** · **entusiasmadamente** || **de lleno** · **intensamente** · **plenamente** · **profundamente**

involuntario, ria adj.

● CON SUSTS. **protagonista** · **cómplice** · **testigo** *testigo involuntario escoltado por la Policía* · **responsable** · **víctima** || **causante** · **homicida** || **homicidio** · **delito** *cometer un delito involuntario* || **error** · **fallo** · **olvido** · **metedura de pata** · **equivocación** · **falta** || **movimiento** · **gesto** · **golpe** · **codazo** · **tropezón** · **resbalón**

● CON ADVS. **totalmente** · **absolutamente** *un comentario absolutamente involuntario y sin ánimo de ofender* · **completamente**

inyección

1 inyección s.f.

● CON ADJS. **letal** || **directa** *un motor de inyección directa* · **fuerte** · **importante** · **intensa** || **mortal** || **subcutánea** · **intravenosa**

● CON SUSTS. **sistema (de)** · **motor (de)** · **bomba (de)**

● CON VBOS. **poner** *El practicante me puso una inyección* · **recibir** · **dar**

2 inyección (de) s.f.

● CON SUSTS. **insulina** *Tiene que ponerse una inyección de insulina todos los días* · **heroína** · **penicilina** · **calmante** · ***otras sustancias*** || **agua** · **tinta** *una impresora de inyección de tinta* · **gasolina** || **capital** · **dinero** *Sin una inyección de dinero la empresa cerrará* · **fondo** · **recurso** · **liquidez** · **billete** · **divisa** · **dólar** || **moral** · **optimismo** · **ánimo** *Gracias, necesitaba una inyección de ánimo* · **ilusión** · **esperanza** · **entusiasmo** || **estímulo** · **vitalidad** · **energía** · **fuerza** · **oxígeno** · **aire** || **ayuda** · **apoyo** || **tranquilidad** · **estabilidad**

☐ USO Se combina con sustantivos contables en plural (*una inyección de divisas*) o no contables en singular (*una inyección de dinero*).

[ir]

→ ir; ir (en ello); ir (para); irse; ir(se) a pique

ir v.

● CON ADJS. **encaminado,da** · **desencaminado,da** *No vas desencaminado en tu suposición* · **descaminado,da** · **perdido,da** || **adelantado,da** *Ese reloj va adelantado* · **atrasado,da** · **retrasado,da** || **listo,ta** *Si cree que se va a salir con la suya, va lista* · **apañado,da** · **vendido,da** · **expuesto,ta** || **sobrado,da (de)** *ir sobrado de fuerzas* · **pasado,da (de)**

● CON ADVS. **a las mil maravillas** · **de fábula** · **viento en popa** *El negocio iba viento en popa* · **como la seda** *Este coche va como la seda* · **como un reloj** · **bien** · **con {buen/mal} pie** · **tirando** · **regular** · **a trancas y barrancas** · **a salto de mata** · **mal** · **de mal en peor** · **de cráneo** || **a más** *Los disturbios fueron a más y tuvo que intervenir la Policía* · **a menos** · **a la baja** || **en serio** *¿Vas en serio cuando dices que...?* · **en broma** || **con cuidado** · **con ojo** · **con pies de plomo** *Ve con pies de plomo, no sea que quieran engañarte* · **con precaución** · **con cautela** · **a la ligera** || **a por todas** · **a muerte** · **a la desesperada** · **a tope** · **decididamente** · **a fondo** · **a medio gas** || **de cabeza** *Si me llaman para ese trabajo, voy de cabeza* · **a toda costa** · **de buen grado** · **expresamente** · **inexorablemente** · **de un tirón** || **a lo {mío/tuyo/suyo...}** *No se puede contar con él para nada, siempre va a lo suyo* · **por libre** · **por {mi/tu/su...} lado** || **a la deriva** · **sin rumbo** || **a tientas** · **a ciegas** || **de puntillas** *Iba de puntillas para no despertarlo* · **a la pata coja** · **a gatas** || **a dedo** *Fuimos a dedo hasta el pueblo más cercano* || **a empujones** || **a toda pastilla** *No se puede ir a toda pastilla ni por la autopista* · **a toda máquina** · **a toda marcha** · **a toda velocidad** · **zumbando** · **contra reloj** || **de acá para allá** · **de la ceca a la meca** · **de un lado para otro** · **de punta a punta** || **de mano en mano** · **de boca en boca** *Su nombre va de boca en boca desde que ocurrió el escándalo* · **de puerta en puerta** · **de flor en flor** || **de la mano** · **codo con codo** || **a la cabeza** *El delegado iba a la cabeza de la manifestación* || **de camino** || **para largo** *La reunión va para largo, así que no me esperes* || **de punta en blanco** · **de tiros largos** *Los invitados a la fiesta iban de tiros largos* · **de gala** · **de etiqueta** || **a cuerpo** *¿Por qué vas a cuerpo, con el frío que hace?* · **a pelo** · **a pecho descubierto** || **de incógnito** *No llevaba el uniforme porque iba de incógnito* || **a juego** *Este bolso va a juego con los zapatos* · **a medida** || **a contramano** · **a contrapelo** · **a la contra** || **en ayuda (de alguien)** *Me llamó desesperado y fui en su ayuda* || **en son de paz** || **de vacío** || **a mansalva** || **en punto** *El reloj va en punto*

☐ EXPRESIONES **ir a una** [perseguir el mismo fin de forma conjunta] || **ir con** (alguien) [estar de su parte o ser de su gusto] *Yo voy con el equipo azul. Estas juergas nocturnas no van conmigo* || **ir {demasiado/muy} lejos** [llegar a una situación extrema] *col. La discusión fue demasiado lejos* || **ir {de/sobre}** [tratar] *La película iba de una chica que...* || **ir detrás {de/por}** (algo) [desearlo, intentar conseguirlo] *col. Voy detrás de una buena cristalería desde hace tiempo* || **no irle ni venirle** (a alguien) (algo) [no importarle nada] *col. A mí ni me va ni me viene con quién sale* || **qué va** [expresión usada para negar] *col.* || **sin ir más lejos** [sin tener que buscar más ejemplos que los inmediatos] || **{vete (tú)/vaya (usted)} a saber** [expresión con la que se indica desconocimiento, duda o sospecha] || **¿Qué le vamos a hacer?** · **¿Qué se le va a hacer?** [expresión utilizada para expresar resignación]

ira s.f.

● CON ADJS. **ciega** · **furibunda** · **desatada** *las desatadas iras del sargento* · **desenfrenada** · **exacerbada** · **explosiva** · **implacable** · **insaciable** · **incontenible** *Preso de una ira incontenible, la amenazó a gritos* · **irrefrenable** · **irreprimible** · **incontrolable** || **larvada** · **soterrada** · **contenida** · **encubierta** || **ciego,ga (de)** · **rojo,ja (de)** *Se le veía completamente rojo de ira* || **preso,sa (de)** · **propenso,sa (a)**

● CON SUSTS. **ataque (de)** · **arrebato (de)** *En un arrebato de ira, le dijo que no volviera nunca más* · **arranque (de)** · **rapto (de)** · **acceso (de)** · **ráfaga (de)** || **blanco (de)** · **objeto (de)**

● CON VBOS. **apoderarse (de alguien)** · **adueñarse (de alguien)** · **corroer (a alguien)** || **desatar(se)** *Su ira se desataba cada vez que oía mencionar su nombre* · **aflorar** || **aplacar(se)** · **apagar(se)** · **amainar** · **disipar(se)** || **encender** · **despertar** · **concitar** · **sembrar** · **suscitar** || **lanzar** · **descargar** *Descargaba su ira contra los que no tenían culpa de nada* · **desfogar** · **desahogar** · **derramar** · **irradiar** || **reprimir** · **domar** · **apaciguar** · **sofocar** · **calmar** *Era la única capaz de calmar sus iras* · **atemperar** · **templar** · **amortiguar** || **enrojecer (de)** · **estallar (en/de)** · **retorcerse (de)** · **henchirse (de)** || **dar rienda suelta (a)** · **dejarse llevar (por)** · **ceder (a)**

ir (en ello) v.

● CON SUSTS. **vida** *Se empleaba en el juego como si le fuera en ello la vida* · **salud** · **bienestar** · **supervivencia** · **futuro** || **empleo** · **trabajo** · **sueldo** *No puedo perder este cliente porque me va en ello el sueldo* · **sustento** || **prestigio** *Puso sus cinco sentidos en el caso, pues iba en ello su prestigio como juez* · **credibilidad** || **victoria** · **triunfo**

irlandés s.m. Véase **IDIOMA**

ironía s.f.

● CON ADJS. **fina** *Su estilo se caracteriza por una fina ironía* · **sutil** · **elegante** · **sana** · **inteligente** · **ingeniosa** || **aguda** · **afilada** · **punzante** · **ácida** · **incisiva** · **acerada** || **amarga** · **profunda** · **acerba** · **agridulce** || **cruel** · **mordaz** · **hiriente** · **insolente** · **pérfida** · **perversa** · **retorcida** · **demoledora** · **implacable** || **desdeñosa** · **displicente** · **distanciada** · **burlona** *Respondió a las preguntas de los periodistas con burlona ironía* || **solapada** · **soterrada** || **amable** · **benévola** · **tierna** · **regocijante** || **del destino** · **de la vida** || **cargado,da (de)** *un discurso cargado de ironía* · **lleno,na (de)** · **repleto,ta (de)** || **exento,ta (de)**
● CON SUSTS. **toque (de)** *No viene mal un toque de ironía* · **punto (de)**
● CON VBOS. **brillar** || **cultivar** · **destilar** · **rezumar** · **rebosar** · **derrochar** · **prodigar** · **echar (a algo)** *echarle ironía a la vida cotidiana* · **entrañar** || **utilizar** · **emplear** || **captar** · **percibir** || **afinar** || **revestir(se) (de)** · **hacer gala (de)** *Hace gala de una sutil ironía en todas sus obras*
● CON PREPS. **con** *...pregunta impertinente a la que respondió con cruel ironía* · **sin** || **en clave (de)**

ir (para) v.

● CON SUSTS. **músico,ca** · **fontanero,ra** · **albañil,-a** · **abogado,da** *Iba para abogada, pero el cine se cruzó en su camino* · **médico,ca** · ***otros profesionales***

irracional adj.

● CON SUSTS. **animal** · **ser** || **odio** *Sentía un odio irracional hacia sus contrincantes* · **temor** · **miedo** · **angustia** || **acto** · **acción** || **agresión** *El testigo dice que fue una agresión irracional y cobarde* · **ataque** · **lucha** · **venganza** · **defensa** || **pasión** · **ímpetu** · **sentimiento** · **empeño** || **fanatismo** *dejarse llevar por un fanatismo irracional* · **patriotismo** || **reacción** · **respuesta** · **conducta** · **comportamiento** || **componente** · **elemento** · **factor** || **uso** · **explotación** · **consumo** *Debemos evitar el consumo irracional de la energía* || **pensamiento** · **idea** · **discurso** || **texto** · **libro** · **obra**
● CON ADVS. **totalmente** · **absolutamente**

irradiar v.

● CON SUSTS. **onda** · **luz** · **calor** *Esta máquina irradia demasiado calor* · **energía** · **fuerza** || **cultura** · **poesía** · **arte** · **música** · **sabiduría** · **conocimiento** || **optimismo** · **felicidad** · **confianza** · **alegría** · **satisfacción** · **orgullo** *el orgullo que irradiaban sus padres el día de la entrega de premios* · **esperanza** · **fe** · **vitalidad** || **amor** · **cariño** · **amabilidad** · **sensibilidad** · **simpatía** · **accesibilidad** || **belleza** · **magnetismo** *El candidato irradia un magnetismo especial que seduce a los electores* · **carisma** · **esplendor** || **odio** · **ira** · **indignación** · **tristeza** || **tranquilidad** · **serenidad** · **armonía** · **paz** · **equilibrio** · **calma** || **seguridad** · **liderazgo** · **autenticidad**

irreal adj.

● CON SUSTS. **mundo** · **ambiente** · **atmósfera** || **personaje** || **plan** *Es un plan irreal; no creo que lo puedan llevar a cabo* · **proyecto** · **crecimiento** || **visión** · **ilusión** · **espejismo** · **imagen** · **sueño** || **concepción** · **análisis** · **interpretación** || **precio** · **economía** · **cifra** *Si el informe se basa en cifras irreales...*
● CON ADVS. **absolutamente** · **totalmente** · **completamente**

irrealizable adj.

● CON SUSTS. **sueño** · **utopía** · **fantasía** · **deseo** || **plan** · **proyecto** · **programa** · **aventura** · **viaje** || **posibilidad** · **propuesta** *Su propuesta es irrealizable; no se ajusta al presupuesto* || **amor**
● CON ADVS. **teóricamente** · **prácticamente** · **literalmente** · **materialmente** · **absolutamente** · **técnicamente** *Construir una rotonda en esta calle es técnicamente irrealizable*

irrebatible adj.

● CON SUSTS. **cifra** · **dato** *Hay datos irrebatibles que confirman la crisis* · **fórmula** · **información** · **documento** || **argumento** · **razonamiento** · **conclusión** · **afirmación** · **decisión** || **prueba** *pruebas irrebatibles que demuestran la participación del primer ministro en...* · **evidencia** · **verdad** || **razón** · **criterio** · **lógica** *la lógica irrebatible y aplastante de su argumentación* || **mandamiento** · **ley** · **mandato**

irreconciliable adj.

● CON SUSTS. **posición** · **postura** *El congreso estará sin duda marcado por las posturas irreconciliables entre...* · **actitud** · **concepción** · **visión** · **punto de vista** || **bando** · **bloque** · **grupo** · **partido** · **sector** · **facción** · **frente** || **enemigo,ga** · **rival** · **adversario,ria** || **diferencia** *Había entre nosotros diferencias irreconciliables* · **discrepancia** · **divergencia** · **distancia** · **separación** · **enfrentamiento** · **fractura** · **antagonismo** || **convicción** · **creencia** || **tendencia** *Pasó a la historia porque logró fusionar dos tendencias artísticas que parecían irreconciliables* · **línea** · **corriente** || **mundo** · **área** · **campo** · **ámbito** || **extremo** · **polo** || **interés** · **objetivo** · **proyecto** · **deseo**
● CON VBOS. **volverse** · **mantenerse**

☐ USO Se construye generalmente con sustantivos en plural (*Existían dos posiciones irreconciliables*) o coordinados por la conjunción *y* (*La cantidad y la calidad resultan irreconciliables*).

irrecuperable adj.

● CON SUSTS. **dinero** · **cartera** · **joya** · ***otras cosas materiales*** || **enfermo,ma** · **toxicómano,na** || **ejemplar** || **pérdida** · **daño** *El inmueble sufrió daños irrecuperables* · **deterioro** · **situación** || **infancia** · **niñez** · **tiempo** · **pasado** · **momento** · **etapa** · **época** · **recuerdo** · **memoria**
● CON ADVS. **prácticamente** · **definitivamente** *Y te pasas la vida añorando momentos definitivamente irrecuperables* · **absolutamente** · **completamente** · **claramente** · **totalmente**

irrefrenable adj.

● CON SUSTS. **catarata** · **alud** · **flujo** · **corriente** · **movimiento** || ***persona*** *Siempre ha sido una chica impulsiva e irrefrenable* || **alegría** · **satisfacción** · **cariño** · **odio** · **miedo** · **ira** · ***otros sentimientos o emociones*** || **deseo** · **tentación** · **gana** *unas ganas irrefrenables de echarse a llorar* · **apetito** · **vocación** · **voluntad** || **fuerza** *Todos confían en la fuerza irrefrenable de su liderazgo* · **impulso** · **ímpetu** · **impetuosidad** · **arrebato** · **dinamismo** · **poderío** · **frenesí** || **instinto** · **ansia** · **afán** · **ansiedad** · **necesidad** · **empeño** · **compulsión** · **pulsión** · **incontinencia** || **pasión**

· **atracción** · **amor** · **afición** · **devoción** · **interés** · **apego** || **marcha** · **curso** · **trayectoria** || **tendencia** · **inclinación** *Llama enormemente la atención su inclinación irrefrenable a la mentira* · **propensión** · **proclividad** || **avance** · **ascenso** · **crecimiento** · **explosión**
• CON VBOS. **hacer(se)** · **volver(se)**

irrefutable adj.

• CON SUSTS. **testigo** · **fiscal** · **portavoz** · **autor,-a** *Fue el autor irrefutable de dos terribles homicidios* · **artista** || **ganador,-a** · **campeón,-a** || **prueba** *Hay pruebas irrefutables de su pertenencia a la banda* · **evidencia** · **argumento** · **constatación** · **demostración** · **conclusión** · **confirmación** · **argumentación** · **acusación** · **afirmación** || **dato** · **hecho** · **testimonio** · **verdad** · **realidad** · **resultado** · **cifra** · **documento** · **estadística** · **informe** || **teoría** · **tesis** · **razón** · **creencia** · **convicción** · **punto** *Aunque en tu argumentación hay puntos irrefutables...* · **medida** · **cuestión** · **propuesta** · **criterio** || **dogma** · **ley** · **legalidad** · **código** || **valor** · **fuerza** · **rigor** · **calidad** · **fiabilidad** · **exactitud** · **responsabilidad** · **autoridad** || **obra** · **libro** · **clásico** · **título** · **arte**
• CON VBOS. **mantenerse**

irregular adj.

▌[desigual]

• CON SUSTS. **rombo** · **hexágono** · **cuadrado** · ***otros polígonos*** || **pavimento** · **terreno** *Resultará difícil construir en un terreno tan irregular* · **superficie** · **zona** || **longitud** · **peso** · **tamaño** · **dimensión** · **altura** · **extensión** · ***otras magnitudes*** || **proceso** · **desarrollo** · **crecimiento** · **cambio** · **descenso** || **forma** · **aspecto** || **ritmo** · **movimiento** · **cadencia** || **trayectoria** · **temporada** || **tormenta** · **chubasco** || **alimentación** *problemas derivados de una alimentación sumamente irregular* || **libro** · **novela** · **texto** · **película** · **programa** · **sinfonía** · ***otras creaciones*** || **estilo** · **pauta** · **patrón**
• CON ADVS. **totalmente** · **absolutamente** · **sumamente**

▌[ilícito, anómalo]

• CON SUSTS. **inmigrante** · **inmigración** || **financiación** · **pago** · **compra** · **venta** · **cobro** · **transferencia** · **comisión** · **renta** · **crédito** · **ingreso** || **incremento** · **enriquecimiento** || **gestión** · **contrato** · **operación** · **práctica** · **contratación** · **adjudicación** · **actividad** || **comportamiento** · **actuación** · **conducta** *El propietario del local observó la conducta irregular de uno de los clientes* || **situación** · **hecho** · **acción** · **acto** || **agresión** · **intervención** · **detención** || **uso** · **utilización** · **manejo** · **procedimiento**
• CON ADVS. **presuntamente** · **supuestamente** · **manifiestamente** *problemas derivados de una financiación manifiestamente irregular*

irregularidad s.f.

• CON ADJS. **grave** *Había graves irregularidades en la concesión de los permisos* · **seria** || **leve** · **pequeña** · **menor** || **evidente** · **notoria** · **llamativa** · **ostensible** · **probada** || **presunta** · **posible** · **supuesta** || **contable** · **financiera** · **laboral** || **numerosas** · **abundantes**
• CON SUSTS. **cúmulo (de)** *Detectaron un cúmulo de irregularidades en la contabilidad de la empresa* · **serie (de)** · **sarta (de)**
• CON VBOS. **salir a la luz** || **cometer** *Cometió serias irregularidades durante su mandato* · **favorecer** · **propiciar** || **investigar** · **registrar** · **detectar** · **descubrir** · **encontrar** · **destapar** *La prensa destapó irregularidades en la asignación de los fondos* · **desvelar** · **percibir** · **advertir** || **condenar** · **denunciar** · **ocultar** · **justificar** || **corregir** · **subsanar** *Dispone usted de cinco días de plazo para subsanar las irregularidades* · **remontar** · **atajar** · **combatir** · **frenar** || **incurrir (en)**

irrelevante adj.

• CON SUSTS. **cuestión** · **asunto** *No te preocupes, es un asunto irrelevante* · **tema** · **suceso** · **acontecimiento** · **hecho** · **circunstancia** · **cambio** || **problema** · **inconveniente** · **contratiempo** · **obstáculo** || **aspecto** · **elemento** · **factor** *factores irrelevantes para el resultado final* · **característica** || **cantidad** · **número** · **cifra** · **suma** || **pregunta** · **dato** · **noticia** · **ejemplo** · **aportación** || **puesto** · **lugar** · **cargo** · **función** · **papel** || **momento** · **etapa** || **logro** *No se pueden considerar irrelevantes los logros de su investigación* · **mérito** || **error** · **despiste** · **lapsus**
• CON VBOS. **considerar** · **resultar** · **volverse** · **parecer** · **convertir(se) (en)**

irremediablemente adv.

• CON VBOS. **conducir** · **encauzar(se)** · **encaminar(se)** *La actual tensión parece encaminarse irremediablemente hacia una guerra* · **abocar(se)** · **dirigir(se)** · **acercar(se)** · **llevar** · **ir** || **dañar** · **perjudicar** · **lesionar** · **lastimar** || **perder** · **caer** · **recaer** · **empeorar** · **deteriorar** · **bajar** · **menguar** || **crecer** · **multiplicar** · **avanzar** *El deterioro de su memoria avanza irremediablemente* · **superar** || **morir** · **desaparecer** · **acabar** · **terminar** · **sucumbir** || **alterar** *Las largas sequías alteraron irremediablemente el paisaje* · **convertir(se)** · **cambiar** || **marcar** · **influir** · **afectar** · **condicionar** || **pasar** · **ocurrir** · **suceder** · **producir(se)** · **aparecer**

□ USO Se construye muy frecuentemente con participios: *La imagen de la compañía ha quedado irremediablemente dañada.*

irrenunciable adj.

• CON SUSTS. **derecho** *los derechos irrenunciables de cada persona* · **principio** · **valor** · **postura** · **planteamiento** · **convencimiento** · **creencia** · **ideal** · **premisa** · **bandera** || **sueño** · **vocación** · **deseo** · **voluntad** || **objetivo** · **meta** · **destino** · **fin** || **compromiso** *Reducir la temporalidad laboral es uno de los compromisos irrenunciables de este ministerio* · **obligación** · **deber** · **competencia** · **misión** || **exigencia** · **petición** · **reivindicación** · **demanda** || **condición** *...puesto que constituye una de las condiciones irrenunciables del contrato* · **requisito** · **cláusula** || **conquista** · **logro** · **consecución** || **soberanía** · **independencia** · **libertad** · **autonomía**

irreparable adj.

• CON SUSTS. **daño** *La tormenta causó daños irreparables en la antigua capilla* · **perjuicio** · **lesión** · **estrago** · **avería** || **mal** · **pérdida** · **muerte** · **desgracia** · **catástrofe** · **crisis** · **tragedia** · **fracaso** · **destrucción** || **consecuencia** · **secuela** · **efecto** || **desgaste** · **deterioro** · **degeneración** *Poco a poco se produce una degeneración neuronal irreparable* || **error** · **fallo**

irreprimible adj.

• CON SUSTS. **deseo** · **anhelo** · **afán** · **ambición** · **amor** || **ganas** *Sentía unas ganas irreprimibles de besarla* · **apetito** · **sed** || **ira** · **cólera** · **rencor** · **odio** || **llanto** · **sollozo** || **tendencia** · **inclinación** · **instinto** · **impulso** || **necesidad**

irreprochable adj.

• CON SUSTS. **comportamiento** · **proceder** · **conducta** *Durante los diez años que ha permanecido en esta empresa*

ha demostrado una conducta irreprochable · **actuación · modales || equipamiento · conjunto · acabado || calidad · profesionalidad || trabajo || resultado · balance || libro · texto · novela · película · sinfonía ·** ***otras creaciones***
● CON ADVS. **técnicamente · éticamente · moralmente · absolutamente · estilísticamente** *un discurso estilísticamente irreprochable*
● CON VBOS. **volverse · mantener(se)**

irresistible adj.

● CON SUSTS. **tentación · deseo · impulso · arrebato · ganas · pasión · inclinación · vocación · necesidad || atractivo · encanto** *El público se rindió al encanto irresistible de su voz* · **atracción · fascinación · seducción || actor** *Este actor me parece irresistible* · **actriz · personaje ·** ***otros individuos*** **|| música · tema · estribillo · obra · película · novela ·** ***otras creaciones*** **|| oferta · señuelo · reclamo || mirada · sonrisa · gesto || irrupción · aparición · presencia || ascensión · ascenso · avance** *Asistimos al avance irresistible de la ciencia* · **éxito · fama · popularidad · triunfo || fuerza · poder · empuje · presión · tensión · energía · ofensiva** *El equipo mostró durante todo el partido una ofensiva irresistible* **|| golpe · pegada · impacto || fórmula · esquema · prototipo || tendencia** *Tiene una tendencia irresistible al sueño* · **ritmo · velocidad || temor · miedo · suspense · inquietud**
● CON VBOS. **volverse · hacer(se) · parecer**

irresoluble adj.

● CON SUSTS. **ejercicio · examen · prueba || problema** *Parecía un problema irresoluble, pero lograron solucionarlo* · **dificultad · complicación · obstáculo · embrollo · traba · trampa || cuestión · enigma · misterio · duda · pregunta || dilema · contradicción** *El razonamiento presentaba contradicciones irresolubles* · **paradoja · antítesis || conflicto · guerra · enfrentamiento · tensión · pleito · polémica** *Olvidémonos de esta polémica irresoluble y busquemos puntos de contacto* · **debate · discusión · drama || crimen · asesinato || diferencia · escisión · ruptura**

irrespetuoso, sa adj.

● CON SUSTS. ***persona*** **|| público · equipo · sociedad || actitud** *Mostró una actitud irrespetuosa* · **conducta · comportamiento · modales · tratamiento · trato || relación · romance · noviazgo || palabra · expresión · respuesta · texto · discurso** *Fue un discurso irrespetuoso que molestó al público* · **película · guión · obra ·** ***otras manifestaciones verbales o textuales*** **|| silencio · tono · mirada · gesto || plan · sistema · planteamiento · propuesta · proyecto**
● CON ADVS. **completamente · absolutamente**

irreverente adj.

● CON SUSTS. ***persona*** **|| actitud · comportamiento · espíritu || palabra · frase · comedia · obra ·** ***otras manifestaciones verbales o textuales*** **|| tono · mirada · gesto**
● CON ADVS. **absolutamente · completamente** *un comportamiento completamente irreverente*
● CON VBOS. **volverse**

irreversible adj.

● CON SUSTS. **enfermedad · dolencia · afección · lesión** *El accidente le ha dejado una serie de lesiones irreversibles* · **trastorno · disfunción · discapacidad · malformación · coma · locura || hecho · proceso · situación · realidad · acontecimiento · suceso · fenómeno || estadio · etapa · fase** *para evitar que la enfermedad llegue a una fase irreversible* · **período || consecuencia · efecto · secuela · desenlace || daño · perjuicio · pérdida · golpe · impacto || crisis** *El sector agrícola sufre una crisis irreversible* · **trance · problema · mal · desgracia · catástrofe · desastre · descalabro · siniestro · debacle || deterioro · desmoronamiento · declive || cese · ruptura** *una ruptura irreversible entre las dos secciones* · **división · disolución · escisión · cisma || decepción · desengaño · apatía · bajón || cambio · transformación · reforma · transición || carrera · camino · vía · línea || progreso · avance || decisión** *Tomó la decisión irreversible de dimitir* · **elección · posición · punto de vista · valoración || paso · actuación · medida · política · objetivo · proyecto · programa · calendario**

irrevocable adj.

● CON SUSTS. **renuncia · dimisión · cese · cierre · expulsión · pérdida || decisión** *...pero para entonces ella había tomado la decisión irrevocable de dimitir* · **postura · sentencia · fallo · denuncia · elección || orden · mandato || prueba || carácter**

irrisorio, ria adj.

● CON SUSTS. **cantidad · cifra · precio** *La comida nos salió por un precio irrisorio* · **condena · multa · porcentaje · presupuesto · sueldo · suma · rendimiento || cuestión · elemento · motivo · tema · detalle · acto · situación || debate · opinión · juicio · argumento · propuesta** *una irrisoria propuesta de aumento salarial que solo ha generado un enorme descontento* · **planteamiento || ficción · historia · relato · retrato · película · espectáculo · caricatura · tragedia || ingenuidad · pomposidad · anacronismo · confusión**

irrumpir v.

● CON ADVS. **bruscamente** *Irrumpió bruscamente en la reunión con una nota urgente para el director* · **abruptamente · inesperadamente || violentamente · arrolladoramente · con fuerza || sin contemplaciones · descaradamente · abiertamente · a cara descubierta || espectacularmente · a gritos** *Irrumpió a gritos en la sala y los guardias de seguridad lo sujetaron*

irse v.

● CON ADVS. **a toda prisa · como una exhalación** *Llegó, nos saludó y se fue como una exhalación* · **pitando · de puntillas || de buen grado · voluntariamente || de vacío · con las manos vacías || por las ramas · por la tangente** *Las preguntas fueron directas, pero la portavoz se fue por la tangente* · **por los cerros de Úbeda || a la porra · a paseo · con viento fresco · a la mierda || a pique · al garete || de rositas** *...y ninguno de los culpables se irá de rositas*

ir(se) a pique loc.vbal.

● CON SUSTS. **buque · barco · navío · yate ·** ***otras embarcaciones*** **|| cargamento · mercancía || país · gobierno · equipo || proyecto · pronóstico · cálculo** *Con este contratiempo, los cálculos previos se han ido a pique* · **sueño · plan · idea || trabajo** *Todo nuestro trabajo se fue a pique por un descuido* · **esfuerzo · afán || misión · búsqueda · investigación · huelga · reforma || economía · mercado · negocio · empresa · fábrica · restaurante · industria · editorial || relación** *Lucharemos para que nuestra relación no se vaya a pique* · **amistad · matrimonio || acuerdo · proceso de paz · negociación · contrato · arreglo · promesa**

islam s.m.

- CON ADJS. **chiita** · **sunita** || **medieval** · **místico**
- CON SUSTS. **profeta (de)** · **dios (de)**

➤ Véase también **RELIGIÓN**

islámico, ca adj.

- CON ADJS. **fe** · **mezquita** · **paraíso** · **cementerio** · **rezo**

➤ Véase también **CREYENTE**

islamismo s.m.

- CON SUSTS. **profeta (de)** · **dios (de)**

➤ Véase también **RELIGIÓN**

islandés s.m. Véase **IDIOMA**

isósceles adj.

- CON SUSTS. **triángulo**

italiano s.m. Véase **IDIOMA**

itinerante adj.

- CON SUSTS. **vendedor,-a** · **saltimbanqui** · **músico,ca** *Trabajó como músico itinerante por toda Europa* · **reportero,ra** · **profesor,-a** · **médico,ca** · **pueblo** · ***otros individuos y grupos humanos*** || **comando** · **banda** · **tribu** || **autobús** *Un autobús itinerante informará a la población sobre energías alternativas* · **camión** · **convoy** || **vida** · **carrera** · **viaje** · **curso** *El ministerio organiza un curso itinerante de actualización docente* · **recorrido** · **ruta** · **marcha** · **periplo** · **paso** · **avatar** · **peripecia** · **aventura** || **espectáculo** · **feria** · **montaje** · **festival** · **circo** · **teatro** · **competición** || **exposición** · **muestra** *Inauguran una muestra itinerante de arte precolombino* · **colección** · **museo** · **exhibición** || **congreso** · **asamblea** · **foro** · **reunión** · **cortes** · **junta** · **tertulia** || **universidad** · **escuela** · **seminario** · **biblioteca** *Donamos todos nuestros libros a la biblioteca itinerante del municipio* · **hospital** · **juzgado** · **mercado** · **taller** || **narración** · **novela** · **relato** · **crónica** · **película** · **comedia**

izar v.

- CON SUSTS. **bandera** *En los edificios estatales se izarán las banderas a media asta en honor de...* · **estandarte** · **pabellón** · **vela** || **bote**
- CON ADVS. **a media asta**

[izquierda] s.f. → a la {derecha/izquierda}; izquierdo, da

[izquierdo, da] → con mano izquierda; izquierdo, da

izquierdo, da

1 izquierdo, da adj.

- CON SUSTS. **pie** · **brazo** · **muslo** *Tiene una lesión en el muslo izquierdo* · **ojo** · **tobillo** · **hombro** · **costado** · ***otras partes simétricas del cuerpo*** || **lateral** *Jugaba entonces de lateral izquierdo* · **banda** · **margen** · **carril** *El conductor invadió el carril izquierdo* · **ala** · **parte** · **lado** · **borde** · **flanco**

2 izquierda s.f.

▮ [dirección]

- CON VBOS. **torcer (a)** · **girar (a)** *En la primera calle, gire a la izquierda* · **virar (a)**

▮ [organización política]

- CON ADJS. **nueva** · **vieja** · **radical** · **progresista** · **marxista** · **revolucionaria** *Pertenece a la izquierda revolucionaria* · **comunista** · **socialista** · **extrema** · **moderna**
- CON SUSTS. **partido (de)** · **organización (de)** · **fuerza (de)** || **gobierno (de)** · **mandato (de)** || **coalición (de)** *Una coalición de izquierda formada por...* · **alianza (de)** · **división (de)** || **gente (de)** · **persona (de)** *Es una persona de izquierdas* · **militante (de)** · **simpatizante (de)** · **miembro (de)** || **candidato,ta (de)** · **líder (de)** · **político,ca (de)** · **representante (de)** · **dirigente (de)** · **figura (de)** || **pensamiento (de)** · **orientación (de)** · **ideas (de)** · **valores (de)** || **papel (de)** || **intereses (de)** || **voto (de)** *El voto de la izquierda ha aumentado en estos comicios* || **cambio (a)** · **giro (a)**
- CON VBOS. **ganar** · **triunfar** *La izquierda ha triunfado en todos los municipios del sur* · **perder** || **pactar (con)** · **aliarse (con)** || **escorar(se) (hacia)**

J j

jabalí s.m.

● CON ADJS. **fiero · feroz · asustadizo || salvaje · silvestre**
● CON SUSTS. **población (de) · piara (de) · manada (de) · rebaño (de) || cacería (de) · batida (de) · temporada (de) · caza (de) || carne (de) · colmillo (de) · cerda (de)** *Las cerdas del jabalí se utilizan para la fabricación de brochas y cepillos*
● CON VBOS. **hozar** *Los jabalíes hozan la tierra en busca de comida* · **olfatear · chapotear || embestir (a alguien) · atacar (a alguien) · dañar (a alguien) · arrasar (algo) || gruñir · resoplar || cazar · ahuyentar · abatir || asar · guisar**

[jabato] → como un jabato

jabón s.m.

● CON ADJS. **natural** *un jabón natural para pieles delicadas* · **hidratante · perfumado · neutro · de olor · de glicerina · de taco · antiséptico || líquido · en polvo · arenoso || de afeitar · de tocador · de baño · industrial · de lavadora || de sastre** *Utilicé jabón de sastre para señalar la forma del patrón*
● CON SUSTS. **pompas (de) · burbujas (de) · pastilla (de) · espuma (de)**

☐ EXPRESIONES **dar jabón** (a alguien) [adularlo con fines interesados] *col.*

jactancia s.f.

● CON ADJS. **enorme · creciente · desmedida · ostensible || absurda** *Si se me permite, calificaría de absurda jactancia su última declaración* · **extraña · injustificada || lleno,na (de)**
● CON SUSTS. **muestra (de)**
● CON VBOS. **herir (a alguien) || henchir(se) (de) · pecar (de)**
● CON PREPS. **con** *hablar con jactancia* · **sin**

jactancioso, sa adj.

● CON SUSTS. **ademán · gesto · actitud · expresión || aire · aspecto · apariencia || tono · entonación || comentario** *Comenzó su discurso con un comentario jactancioso sobre los logros alcanzados* · **observación · declaración · mensaje · discurso ·** ***otras manifestaciones verbales o comunicativas***
● CON VBOS. **hacer(se) · ponerse**

jactarse v.

● CON ADVS. **públicamente · en público · abiertamente** *Se jacta abiertamente de su antigua amistad con el director* **|| con entusiasmo · con fervor · sin recato · sin pudor || con razón**

☐ USO Se construye con complementos encabezados por la preposición *de*: *jactarse de algo.*

jadeante adj.

● CON SUSTS. **suspiro · voz · aliento · respiración || carrera** *Llegó acalorado tras una jadeante carrera* · **marcha || caballo · yegua · perro,rra ·** ***otros animales*** **|| corredor,-a · atleta ·** ***otros individuos***

jadear v.

● CON ADVS. **entrecortadamente** *El anciano jadeaba entrecortadamente mientras subía la escalera* · **ahogadamente || angustiosamente**

jadeo s.m.

● CON ADJS. **entrecortado · bronco · ronco · ruidoso** *Tras la carrera, solo se oían los ruidosos jadeos de los galgos* · **feroz · exagerado · inhumano || amoroso · de amor · obsceno · salvaje || progresivo · creciente · repetitivo || incontrolado · irrefrenable**
● CON VBOS. **emitir · escuchar · oír**

jalar v. *col.*

▮ [tirar, atraer]

● CON SUSTS. **cabello** *Tenía cogida a una niña en brazos que le jalaba el cabello* · **pelo || brazo · mano ·** ***otras partes del cuerpo*** **|| ropa · camisa · vestido ·** ***otras prendas de vestir*** **|| riendas** *Jaló las riendas en el último momento* · **cuerda**

▮ [comer con mucho apetito]

● CON SUSTS. **carne** *Jalaba carne compulsivamente* · **pescado · pastel · guiso ·** ***otros alimentos o comidas***

jaleo s.m.

● CON ADJS. **monumental · descomunal · mayúsculo** *Se armó un jaleo mayúsculo a las puertas del juzgado* · **de campeonato**
● CON VBOS. **armar(se) · liar(se) || montar · organizar || meter(se) (en)** *Es un chico conflictivo, siempre se está metiendo en jaleos*

jalonar v.

● CON SUSTS. **proceso** *Las polémicas declaraciones de la presidenta jalonaron el proceso de cambio* · **desarrollo · evolución || discurso · parlamento · debate · diálogo · conferencia · libro · entrevista · poema · relato || música · ópera · pieza · sinfonía · partitura || película · filmografía · documental || camino · recorrido · viaje · itinerario · ruta** *Numerosos monasterios jalonan esta ruta* · **excursión · trayecto · diáspora · gira · periplo · curso || existencia · vida · trayectoria · carrera · andadura · historial · biografía · currículo || época · año · historia** *...las múltiples tendencias que jalonan la historia del arte contemporáneo* · **tiempo · episodio · edad · siglo · verano · jornada · reinado** *Una larga serie de revueltas jalonaron su reinado* · ***otros momentos o períodos*** **|| celebración ·**

cóctel · concierto · estreno · fiesta · homenaje · velada · sesión · reunión · *otros eventos*

jamacuco s.m. *col.*

• CON VBOS. **dar (a alguien)** *Cuando vio que le había tocado la lotería casi le da un jamacuco* · **sufrir**

jamón s.m.

• CON ADJS. **serrano** · **york** · **ibérico** *una ración de jamón ibérico* · **cocido** · **curado** · **de pata negra** · **dulce** || **buen(o)** · **sabroso** · **exquisito** · **excelente** · **de {tres/cuatro/cinco...} jotas** *regalar un jamón de cinco jotas* · **de lujo**

• CON SUSTS. **loncha (de)** · **taco (de)** · **pizca (de)** · **bocadillo (de)** *Acabo de pedir un bocadillo de jamón* · **ración (de)** · **plato (de)**

• CON VBOS. **comer** · **tomar** · **saborear** · **pedir** · **servir** · **poner** || **cortar** *cortar el jamón en finas lonchas* · **partir** · **trocear** · **picar** || **dar** · **ofrecer** *Ofrecieron jamón serrano de aperitivo* || **regalar** · **sortear** || **invitar (a alguien) (a)**

jamonero, ra adj.

• CON SUSTS. **cuchillo** || **pueblo** · **zona** || **industria** · **empresa**

japonés s.m. Véase **IDIOMA**

jaqueca s.f.

• CON ADJS. **terrible** *Sufre terribles jaquecas* · **fuerte** · **intensa** · **insoportable** || **frecuentes**

• CON SUSTS. **ataque (de)** · **crisis (de)** || **fármaco (contra)** · **tratamiento (contra)** · **pastilla (para)**

• CON VBOS. **agudizar(se)** · **acentuar(se)** · **pasar(se)** *¿Ya se te pasó la jaqueca?* || **entrar (a alguien)** · **dar (a alguien)** *No tomo chocolate porque me da jaqueca* || **tener** *Me voy a echar un rato porque tengo una jaqueca horrible* · **sufrir** · **padecer** || **recuperarse (de)**

jarabe s.m.

• CON ADJS. **amargo** · **dulce** · **dulzón** || **eficaz** · **ineficaz** || **expectorante** · **antitusígeno** · **para la tos**

• CON VBOS. **{hacer/surtir} efecto** · **actuar** || **tomar** *Estoy tomando un jarabe para la tos* · **ingerir** · **preparar** · **dar {buen/mal} resultado** || **recetar** · **administrar**

□ EXPRESIONES **jarabe de palo** [paliza]

jarana s.f. *col.*

• CON VBOS. **armar(se)** *Armaban jarana todas las noches* · **empezar** · **continuar** || **montar** || **ir(se) (de)** *De vez en cuando se va de jarana con los amigos* · **salir (de)** · **andar (de)**

[jarro] → como un jarro de agua fría

jauría s.f.

• CON ADJS. **canina** || **gran(de)** · **enorme** · **numerosa** · **nutrida** · **revoltosa** · **insaciable** || **de perros** *Una jauría de perros atacó el ganado* · **de periodistas** · **de acreedores**

• CON VBOS. **atacar (algo/a alguien)** · **perseguir (algo/a alguien)** · **acuciar (algo/a alguien)** || **tener** · **llevar** *Se llevaba de caza una enorme jauría*

jefe, fa s.

• CON ADJS. **despótico,ca** · **dictatorial** · **tiránico,ca** || **riguroso,sa** · **exigente** *Tiene una jefa muy exigente* · **estricto,ta** · **serio,ria** · **duro,ra** · **inflexible** · **seco,ca** · **mandón,na** || **permisivo,va** · **comprensivo,va** · **abierto,ta** · **flexible** || **carismático,ca** || **superior** · **máximo,ma** · **supremo,ma** · **ejecutivo,va** || **de servicio** · **de sección** || **auxiliar** · **adjunto,ta** || **espiritual** · **religioso,sa** || **actual** · **nuevo,va** *¿Qué te parece el nuevo jefe?* · **antiguo,gua** || **directo,ta** || **tribal**

• CON VBOS. **mandar (algo/a alguien)** · **dictar (algo)** · **decretar (algo)** · **ordenar (algo)** · **determinar (algo)** · **dirigir (algo/a alguien)** || **despedir (a alguien)** · **echar (a alguien)** · **contratar (a alguien)** || **dimitir** || **nombrar** · **elegir** · **designar** *El Comité ya ha designado al jefe de la nueva delegación* || **destituir** · **reemplazar** · **cesar** || **relevar** · **restituir** || **respaldar** · **apoyar** · **secundar** || **llegar a ser** || **convertir(se) (en)** · **estar (de)** *Ahora que estás tú de jefe podrías dejarnos salir antes* · **ejercer (de)** · **hacer (de)**

□ EXPRESIONES **jefe de Estado** [autoridad superior de un país] || **jefe de Gobierno** [persona que dirige el Consejo de Ministros]

jerarquía s.f.

• CON ADJS. **eclesiástica** · **militar** · **administrativa** · **social** · **estamental** · **laboral** || **alta** *Asistieron a la ceremonia las más altas jerarquías del Estado* · **baja** || **estricta** · **férrea** · **rigurosa** · **marcada** · **fija** · **firme** · **sólida** || **incuestionable** · **inamovible**

• CON VBOS. **regir (algo/a alguien)** || **tambalearse** *Corrían nuevos aires y la vieja jerarquía se tambaleaba* || **establecer** · **crear** · **imponer** · **apuntalar** · **abolir** || **seguir** · **obedecer** || **saltarse** · **desobedecer** || **ocupar un lugar (en)** · **ascender (en)** *Ascendió en la jerarquía social por medio del matrimonio* · **subir (en)** · **escalar (en)** · **descender (en)** · **bajar (en)** || **ordenar (en)** · **ajustarse (a)** *Todas las acciones de nuestra empresa se ajustan a una rigurosa jerarquía de prioridades y objetivos*

jerárquicamente adv.

• CON VBOS. **organizar** · **estructurar** · **ordenar** · **clasificar** · **colocar** *Colocaron jerárquicamente a las distintas personalidades* · **situar** · **disponer** · **establecer** || **depender** *Dependo jerárquicamente de la directora de recursos humanos* · **subordinar(se)** · **supeditar(se)** · **someter(se)**

• CON ADJS. **superior** · **inferior**

jerárquico, ca adj.

• CON SUSTS. **superior** · **responsable** · **autoridad** · **jefe,fa** || **inferior** · **subordinado,da** || **dependencia** · **subordinación** || **estructura** · **orden** · **organización** *la organización jerárquica del Estado* · **sistema** · **escala** · **relación** · **línea** · **cadena** · **estructuración** · **esquema** · **pirámide** || **escalafón** · **escalón** · **nivel** || **rigidez** · **inmovilidad** *La inmovilidad jerárquica no favorece la comunicación entre los individuos*

jerga s.f.

• CON ADJS. **incomprensible** *Tendrás que explicarme de qué hablaban porque su jerga me resulta incomprensible* · **ininteligible** · **endiablada** · **enrevesada** · **abstrusa** · **hermética** · **desconocida** · **oscura** · **cerrada** || **interna** · **particular** || **médica** · **jurídica** · **legal** · **profesional** || **juvenil** · **familiar** · **exclusiva (de alguien)**

• CON VBOS. **emplear** · **utilizar** *No deberías utilizar esa jerga cuando hablas con profanos* · **usar** · **hablar** || **entender** · **traducir** || **comunicarse (con)**

jeringuilla s.f.

• CON ADJS. **hipodérmica** · **desechable** · **estéril** || **nueva** · **usada** · **infectada**

• CON VBOS. **repartir** · **entregar** · **facilitar** · **proporcionar** || **compartir** *Compartir jeringuillas supone un grave riesgo de contagio de enfermedades* · **intercambiar** || **limpiar** · **lavar** · **desinfectar** · **esterilizar** || **desechar** · **tirar** || **clavar** || **pinchar (a alguien) (con)** · **inyectar (algo) (con)**

• CON PREPS. **con**

jersey s.m.

• CON ADJS. **grueso** · **fino** · **ligero** · **gordo** || **liso** · **de rombos** *Le regalé un jersey de rombos* · **{a/de} rayas** ||

de cuello {**alto/vuelto/cisne**} *Me he comprado un jersey negro de cuello alto* · **de pico** || **de lana** · **de punto** · **de cachemir** || **informal** · **de batalla**
● CON SUSTS. **manga (de)**
● CON VBOS. **picar** *Este jersey pica un poco* || **remangar(se)** *Me remangué el jersey y me puse a fregar*
➤ Véase también **ROPA**

jocoso, sa adj.

● CON SUSTS. **tono** · **aspecto** · **carácter** · **aire** · **visión** · **tinte** || **comentario** · **frase** · **poema** · **respuesta** · ***otras manifestaciones verbales o textuales*** || **momento** · **situación** *una serie de situaciones jocosas preparadas para el lucimiento de los actores* · **anécdota** · **chascarrillo** · **lance** || **gag** · **espectáculo** · **parodia**
● CON VBOS. **volver(se)** · **estar** · **poner(se)**

jolgorio s.m. *col.*

● CON ADJS. **verdadero** · **enorme** · **monumental** *A medianoche empezó a llegar gente y se montó un jolgorio monumental* · **descomunal** · **mayúsculo** · **de campeonato** · **considerable** || **general** · **continuo**
● CON SUSTS. **motivo (de)**
● CON VBOS. **armar(se)** · **liar(se)** · **formar(se)** · **reinar** · **montar(se)** || **haber** || **estallar (en)** *En las gradas los hinchas estallaron en un ruidoso jolgorio*

jornada s.f.

● CON ADJS. **festiva** *Mañana no abre el comercio porque es jornada festiva* · **feriada** || **laborable** · **laboral** *Mi jornada laboral es de ocho horas* · **de trabajo** || **media** *un trabajo de media jornada* · **parcial** · **completa** · **partida** · **continua** · **intensiva** *De junio a septiembre trabajamos con jornada intensiva* · **reducida** || **larga** · **apretada** · **dura** · **agotadora** · **ajetreada** · **frenética** · **desenfrenada** · **tranquila** || **redonda** || **decisiva** || **de reflexión** *La jornada de reflexión es el día anterior al de las elecciones*
● CON VBOS. **tener** || **empezar** · **pasar** · **terminar** · **acabar** || **dedicar (a algo)** *Dedicaré la jornada a limpiar y ordenar los armarios* · **emplear (en algo)**
● CON PREPS. **a lo largo (de)** *Les iremos ofreciendo más noticias a lo largo de la jornada* · **durante**

jornal s.m.

● CON ADJS. **medio** · **bajo** · **alto** · **primer(o)** · **buen(o)** · **mínimo** · **completo** · **normal** · **justo**
● CON VBOS. **ganar(se)** *Acude todos los días al trabajo para ganarse el jornal* · **cobrar** · **asegurar(se)** · **perder** || **estar (a)** · **trabajar (a)**

jornalero, ra s.

● CON ADJS. **agrícola** · **agrario,ria** · **extranjero,ra** || **eventual**
● CON VBOS. **buscar** · **necesitar** · **contratar** · **despedir** || **trabajar (como/de)** *En verano solía trabajar de jornalero en la vendimia*

jorobar v. *col.*

● CON ADVS. **enormemente** · **extraordinariamente** · **visceralmente** · **profundamente** · **intensamente**

[jota] →jota; ni jota

jota s.f.

▌[baile]
● CON ADJS. **típica** · **regional** *un concurso de jotas regionales* · **aragonesa**
● CON VBOS. **bailar** · **cantar** · **componer** · **escribir**
☐ EXPRESIONES **ni jota*** [nada o casi nada] *col.*

joven

1 **joven** adj.
● CON SUSTS. **promesa** *una joven promesa de la literatura nacional* || **empresa** · **institución** || **moda** · **ropa** · **arte** || **pareja** · **matrimonio** || **público** · **gente** · **lector,-a** · **director,-a** *La joven directora ha tomado posesión de su cargo* · **empresario,ria** · ***otros individuos y grupos humanos*** || **espíritu** · **mente**
● CON ADVS. **relativamente**
● CON VBOS. **sentirse** · **ver(se)** *Es mayor, pero lo veo muy joven todavía* · **encontrar(se)** · **parecer** · **mantener(se)** · **conservarse** · **estar** *Tiene más edad que yo, pero está bastante joven* · **hacer** || **ser** *Eres muy joven todavía*

2 **joven** s.com.
● CON ADJS. **aventurero,ra** · **rebelde** · **veinteañero,ra** *Un grupo de jóvenes veinteañeros charlaba alegremente a la salida del museo* · **adolescente** · **tímido,da** · **audaz** · **atrevido,da** · **moderno,na** · ***otros adjetivos valorativos***

joya s.f.

● CON ADJS. **auténtica** *El tasador me aseguró que las joyas eran auténticas* · **verdadera** *¡Esta niña es una verdadera joya!* · **falsa** || **valiosa** · **millonaria** · **preciada** · **codiciada** · **digna (de algo/de alguien)** *una joya digna de una reina* || **fabulosa** · **fastuosa** · **portentosa** · **incomparable** · **original** · **única** || **deslumbrante** · **resplandeciente** · **rutilante** || **ostentosa** · **recargada** || **delicada** · **pequeña** · **familiar** · **patrimonial** · **personal** || **artística** · **arquitectónica** *La catedral es la mayor joya arquitectónica de la ciudad* · **pictórica** · **literaria** · **histórica** · **documental** · **bibliográfica** · **discográfica** *Rebuscando en el mercadillo, encontré una joya discográfica* · **musical** · **religiosa**
● CON SUSTS. **colección (de)** *El museo exhibe una importante colección de joyas* · **muestrario (de)** · **lote (de)** · **cofre (de)**
● CON VBOS. **resplandecer** || **diseñar** · **tallar** · **cincelar** · **restaurar** · **falsificar** || **adquirir** · **robar** · **coleccionar** · **atesorar** · **conservar** · **guardar** || **llevar** *Es muy sencilla y no le gusta llevar joyas* · **poner(se)** · **lucir** · **exhibir** · **exponer** || **empeñar** *Tuvimos que empeñar las joyas familiares para salir del bache económico* || **subastar** || **valorar** || **incautarse (de)**

jubilación s.f.

● CON ADJS. **anticipada** · **forzosa** || **deseada** *Después de largos años de trabajo, le llegó la deseada jubilación* · **temida** || **tranquila** || **honrosa** · **escasa**
● CON SUSTS. **edad (de)** · **pensión (de)**
● CON VBOS. **llegar (a alguien)** *Cuando te llegue la jubilación...* || **quedar (a alguien)** *Afortunadamente a mi abuela le quedó una buena jubilación* || **preparar** · **alcanzar** · **conseguir** || **solicitar** · **dar** *Le dieron la jubilación anticipada, aunque él prefería seguir trabajando* · **conceder** || **cobrar** || **disfrutar (de)**

jubilar(se) v.

● CON ADVS. **anticipadamente** · **prematuramente** || **voluntariamente** · **obligatoriamente** · **forzosamente** || **definitivamente** *Voy a tener que jubilar definitivamente estos zapatos* · **recientemente** · **inmediatamente**

júbilo s.m.

● CON ADJS. **desbordante** · **incontenible** · **irrefrenable** || **lleno,na (de)** · **rebosante (de)** *Los ganadores estaban rebosantes de júbilo* · **borracho,cha (de)**
● CON SUSTS. **explosión (de)** · **arranque (de)** · **demostración (de)** · **muestra (de)** · **manifestación (de)** · **señal (de)** || **expresión (de)** · **grito (de)** *El público prorrumpió en gritos de júbilo* || **motivo (de)**
● CON VBOS. **apoderarse (de algo)** *El júbilo se apoderó de las calles más populares* · **desbordar(se)** || **aguar (a al-**

guien) || transmitir · manifestar · mostrar || llenar (de) · colmar (de) *La feliz noticia me colmó de júbilo* || gritar (de) · saltar (de) · dar saltos (de) || estallar (de) · reventar (de) · rebosar (de) || acoger (con) *La decisión de dar por terminado el bloqueo fue acogida con gran júbilo* · recibir (con)

● CON PREPS. **en señal (de)** *Lanzaban los sombreros al aire en señal de júbilo* · **con** · **sin**

judaísmo s.m.

● CON SUSTS. **dios (de)** · **profeta (de)**

➤ Véase también **RELIGIÓN**

[judía] s.f. → judío, a

judicial adj.

● CON SUSTS. **poder** · **sistema** || **autoridad** · **policía** · **funcionario,ria** · **magistrado,da** || **proceso** · **causa** · **acción** · **caso** · **medida** · **procedimiento** · **vía** || **fuente** · **investigación** *Se ha concluido la investigación judicial* || **decisión** · **orden** · **fallo** · **resolución** || **instancia** · **expediente** · **trámite** · **escrito** · **citación** · **sumario** || **querella** · **condena** · **litigio** · **denuncia** · **demanda** · **recurso** · **interposición** · **reclamación** · **problema** · **batalla** || **control** · **registro** *Ayer se llevó a cabo el registro judicial del geriátrico* || **sentencia** · **dictamen** · **disposición** · **intervención** · **declaración** || **departamento** *El hecho fue revelado por el jefe del departamento judicial* · **comité** · **órgano** · **corte (suprema)** || **reforma**

judicialmente adv.

● CON VBOS. **proceder** *Resulta complicado proceder judicialmente contra estas personas* · **actuar** · **intervenir** || **denunciar** · **demandar** · **reclamar** · **querellarse** · **recurrir** *recurrir judicialmente contra un despido* · **impugnar** · **interponer** || **imputar** · **condenar** · **inculpar** || **tramitar** · **citar** · **requerir** *Entregó los documentos que le habían requerido judicialmente* || **controlar** · **registrar** · **investigar** · **indagar** · **resolver** || **reformar**

judío, a

1 **judío, a** adj.

● CON SUSTS. **sinagoga** || **fe** *profesar la fe judía* · **iglesia** · **culto** · **unión** · **matrimonio** · **sepultura** || **asentamiento** · **barrio** *visitar el histórico barrio judío de una ciudad* · **gueto** || **holocausto** · **cementerio** · **plegaria** · **rezo** || **dios** · **profeta**

2 **judío, a** s.

● CON ADJS. **devoto,ta** || **converso,sa** *Se cree que el autor de esa obra era judío converso*

➤ Véase también **CREYENTE**

3 **judía** s.f.

● CON ADJS. **verde** *cenar judías verdes con patatas* · **blanca** · **pinta** || **tierna** · **fresca** || **seca**

● CON SUSTS. **cultivo (de)** · **cosecha (de)** *una buena cosecha de judías* || **campo (de)** · **plantación (de)** || **potaje (de)** · **guiso (de)** · **plato (de)**

● CON VBOS. **brotar** · **crecer** || **cultivar** · **sembrar** · **producir** · **cosechar** · **plantar** *un terreno muy bueno para plantar judías* || **recolectar** || **echar en remojo** · **cocer** · **hervir** · **rehogar** *rehogar las judías con cebolla y ajo* · **saltear**

judo s.m. Véase yudo

[juego] → a juego; juego

juego s.m.

▌[actividad recreativa]

● CON ADJS. **de mesa** *Mi juego de mesa preferido es el parchís* · **de cartas** · **de azar** · **de suerte** · **de palabras** · **de ingenio** · **malabares** *Tendré que hacer auténticos juegos malabares para llegar a tiempo* · **de manos** · **de rol** · **de salón** · **de sociedad** · **recreativos** · **de pelota** · **florales** || {en/de} **equipo** · **individual** || **divertido** · **entretenido** · **ameno** · **apasionante** · **vibrante** · **brillante** · **educativo** || **aburrido** · **anodino** · **insulso** || **difícil** · **fácil** · **sencillo** · **complicado** · **infantil** · **de niños** *Convencerlo será un simple juego de niños* · **de adultos** || **limpio** · **sucio** || **reñido** · **competitivo** · **bronco** · **a la defensiva** || **nivelado** · **desnivelado** · **equilibrado** · **desequilibrado** · **desigual**

● CON SUSTS. **reglas (de)** *Antes de fijar las reglas del juego...* · **normas (de)** · **esquema (de)** · **sistema (de)** · **ritmo (de)** · **estilo (de)** · **técnica (de)** · **visión (de)** || **ventaja (en)** · **entrada (en)** || **tiempo (de)** · **minuto (de)** · **transcurso (de)** *En el transcurso del juego se irán eliminando participantes* · **desarrollo (de)** || **zona (de)** · **terreno (de)** · **campo (de)** · **parque (de)** · **cuarto (de)** · **centro (de)** · **casino (de)** · **mesa (de)** || **adicción (a)** · **afición (a)** · **deuda (de)** || **dinero (en)** · **acción (en)** · **intereses (en)** || **compañero,ra (de)** · **ganador,-a (de)** *Los ganadores del juego participarán en el sorteo de un viaje* || **capacidad (de)**

● CON VBOS. **iniciar(se)** · **empezar** · **terminar** || **animar(se)** · **decaer** · **aletargar(se)** · **serenar(se)** || **crear** *Los escasos minutos en los que el equipo consiguió crear juego* · **disputar** · **practicar** · **dar** · **hilvanar** || **enseñar (a alguien)** · **aprender** || **abrir** · **cerrar** · **concluir** || **amañar** || **enderezar** *A pesar del mal comienzo, la tenista logró enderezar su juego* · **desbaratar** · **cortar** · **galvanizar** || **jugar (a)** *Nos entretuvimos jugando a un divertido juego de cartas* · **ganar (a)** · **perder (a)** · **empatar (a)** || **arriesgar (en)** || **hacer trampas (en)** || **poner (en)** · **entrar (en)** · **estar (en)** *Piensa bien lo que vas a hacer porque están en juego muchas cosas* · **andarse (con)** · **entretener(se) (con)**

● CON PREPS. **en** *Había muchos intereses en juego*

▌[combinación, conjunto]

● CON ADJS. **de llaves** · **de sábanas** · **de toallas** · **de café** · **de té** · **de luces**

☐ EXPRESIONES **a juego*** [en armonía] *un bolso a juego con los zapatos* || **hacer juego** [convenir o corresponderse en orden, proporción y simetría] *Las cortinas hacen juego con la tapicería del sofá*

juerga s.f.

● CON ADJS. **gran(de)** *Ayer nos corrimos la gran juerga* · **monumental** · **apoteósica** · **de campeonato** || **nocturna** · **flamenca**

● CON VBOS. **empezar** · **continuar** · **seguir** || **acabarse** *Llegaron sus padres y se acabó la juerga* || **aguar (a alguien)** || **montar** · **organizar** · **celebrar** || **correr(se)** · **pegar(se)** || **ir(se) (de)** *En cuanto terminemos los exámenes, nos vamos de juerga* · **salir (de)** · **andar (de)**

jueves s.m. Véase DÍA

juez s.com.

● CON ADJS. **justo,ta** · **imparcial** · **ecuánime** · **equitativo,va** · **salomónico,ca** · **atinado,da** · **equilibrado,da** || **maldito,ta** · **injusto,ta** · **parcial** · **tendencioso,sa** *un juez tendencioso que favoreció claramente a una de las partes en litigio* || **severo,ra** · **estricto,ta** · **inflexible** · **implacable** || **indulgente** *La juez se mostró indulgente y le impuso solo una pequeña multa* · **benigno,na** · **permisivo,va** · **flexible** · **laxo,xa** · **conciliador,-a** · **arbitrario,ria** || **de paz** *Nos casará el juez de paz de mi pueblo* · **de instrucción** · **de primera instancia** · **ordinario,ria** · **supremo,ma** · **de línea** *El juez de línea señaló fuera de juego* · **de silla**

● CON VBOS. **dictar sentencia** *Visto el caso, la juez dictó sentencia* · **dictaminar (algo)** · **fallar** · **sentenciar (a alguien)** · **decidir** · **notificar** · **encarcelar** · **apuntillar** ||

prevaricar || **desobedecer** *Ha sido acusada de desobedecer al juez* · **desoír** || **sobornar** *Intentaron sobornar al juez ofreciéndole grandes sumas de dinero* || **recusar** · **impugnar** · **recurrir** || **hacer (de)** · **erigirse (en/como)**

jueza s.f. Véase **juez**

jugada s.f.

● CON ADJS. **maestra** *Una jugada maestra le dio el triunfo frente a sus competidores* · **redonda** · **brillante** · **limpia** || **sucia** · **mala** || **defensiva** · **ofensiva** || **decisiva** *A pocos minutos del final se produjo la jugada decisiva del encuentro* || **brusca** · **fulminante**

● CON VBOS. **fracasar** · **tener éxito** · **funcionar** *Afortunadamente la jugada funcionó* || **calcular** · **planear** · **preparar** · **ensayar** || **hacer** *¡Menuda jugada me has hecho!* · **ligar** · **hilar** · **hilvanar** · **trenzar** || **abrir** · **cerrar** · **concluir** · **culminar** || **descubrir** · **advertir** · **desbaratar** *Desbarató la jugada y evitó hábilmente un gol seguro* · **impedir** || **bordar** · **fallar** || **aclamar** *El público aclamó la brillante jugada* · **aplaudir** · **celebrar** · **recordar** · **revivir** || **anticiparse (a)** · **responder (a)**

jugador, -a s.

● CON ADJS. **compulsivo,va** · **empedernido,da** *un jugador empedernido que había llegado a gastarse cifras millonarias en el casino* · **redomado,da** · **contumaz** · **recalcitrante** · **incansable** · **asiduo,dua** · **declarado,da** · **incorregible** · **irrecuperable** || **esforzado,da** *Las esforzadas jugadoras del equipo de baloncesto no se dieron nunca por vencidas* · **voluntarioso,sa** · **lanzado,da** · **a medio gas** || **aficionado,da** · **profesional** · **de refresco** · **en la reserva** || **experto,ta** *El joven principiante se enfrentaba a expertos jugadores* · **curtido,da** · **bravo,va** · **certero,ra** · **fulgurante** · **astuto,ta** · **excelente** · **brillante** · **hábil** || **decisivo,va** *Es un jugador decisivo para el éxito del equipo* · **determinante** || **ofensivo,va** · **defensivo,va** · **competitivo,va** · **conservador,-a** · **arriesgado,da** · **arrojado,da** · **valiente** · **decidido,da** · **peligroso,sa**

● CON VBOS. **entrenar** || **despuntar** · **destacar** || **fichar** *El club fichó a una nueva jugadora* · **contratar** · **blindar** · **renovar** · **traspasar** · **ceder** · **cesar** · **despedir** || **alinear** *El entrenador no ha revelado aún a qué jugadores alineará para el encuentro* · **sacar** || **placar**

[jugar] →jugar; jugarse

jugar v.

● CON SUSTS. **partido** · **partida** *¿Jugamos una partida a las cartas?* · **encuentro** · **torneo** · **campeonato** || **carta** · **baza** · **ficha**

● CON ADVS. **bien** · **brillantemente** · **bárbaro** · **de miedo** *Estaban muy motivados y jugaron de miedo* · **decisivamente** · **convincentemente** || **mal** · **regular** · **torpemente** · **con desgana** · **sin convicción** || **limpio** · **sucio** || **a lo grande** · **a tope** · **a toda máquina** · **fuerte** · **de farol** *Subí la apuesta porque pensé que jugabas de farol* || **a la desesperada** *Un mal partido no se arregla jugando a la desesperada los últimos minutos* · **a vida o muerte** · **contra reloj** · **incansablemente** || **a la contra** · **a la defensiva** *El partido resultó aburrido porque los dos equipos jugaban a la defensiva* · **defensivamente** · **ofensivamente** · **a cara de perro** · **conservadoramente** · **a medio gas** || **con inteligencia** · **astutamente** · **estratégicamente** || **a {mis/tus/sus...} anchas** · **cómodamente** · **plácidamente** · **con ventaja** · **ventajosamente** || **de memoria** || **en equipo** · **individualmente** *Como somos impares, tenemos que jugar esta partida individualmente* || **mano a mano** · **de igual a igual** · **de poder a poder** || **a puerta cerrada**

jugarreta s.f. *col.*

● CON ADJS. **terrible** · **sucia** · **cruel** || **molesta** · **fastidiosa** || **inesperada**

● CON SUSTS. **víctima (de)** *Fue víctima de la jugarreta de unos gamberros*

● CON VBOS. **fracasar** · **salir cara** *La jugarreta le ha salido muy cara* || **hacer (a alguien)** *La fortuna le hizo una terrible jugarreta* · **preparar** · **planear** · **sufrir**

jugarse v.

● CON SUSTS. **vida** *Dos bomberos se jugaron la vida para rescatar a...* · **cuello** · **pescuezo** · **pellejo** · **tipo** || **prestigio** *Al publicar noticias no contrastadas, el periódico se jugó el prestigio* · **reputación** · **(buen) nombre** || **carrera** · **trabajo** · **puesto** || **futuro** *En estas elecciones nos jugamos el futuro* · **porvenir** || **sueldo** *...en una situación en la que nadie se va a jugar el sueldo a lo tonto* · **dinero** · **bienes** · **herencia** · **propiedades** || **el todo por el todo**

● CON ADVS. **a cara o cruz** *Nos jugamos a cara o cruz quién recogía la cocina*

jugo s.m.

● CON ADJS. **natural** · **de frutas** *Se mezcla la gelatina y una taza de jugo de frutas* || **gástrico** · **intestinal**

● CON VBOS. **beber** *Tiró la pulpa y se bebió el jugo* · **tomar** · **paladear** · **saborear** || **segregar** · **extraer** · **sacar (a algo)** *Intentaré sacar todo el jugo a mi estancia en el extranjero* || **hacer** · **preparar** · **filtrar** · **colar** · **añadir**

jugoso, sa adj.

● CON SUSTS. **fruta** · **bizcocho** · **carne** *El carnicero me aseguró que me llevaba una carne muy jugosa* · **lasaña** · ***otros alimentos o comidas*** || **anécdota** *Puedo contarte muchas anécdotas jugosas sobre nuestro viaje* · **comentario** · **rumor** · **noticia** · **libro** · **canción** || **ganancia** · **premio** · **salario** · **sueldo** · **botín** · **comisión** · **indemnización** · **ingreso** · **rescate** · **suma** · **recaudación** · **propina** · **gratificación** *Obtuvo una jugosa gratificación por destacar como el mejor vendedor del año* · **aguinaldo** || **negocio** · **contrato** · **oferta** · **mercado** · **acuerdo** · **operación** · **demanda** || **información** · **dato** *Se conocieron algunos datos jugosos de la trayectoria del candidato* · **encuesta** · **detalle** || **reflexión** · **análisis** · **idea** · **planteamiento** · **opinión** || **diálogo** · **conversación** · **entrevista** *una jugosa entrevista que aclara muchos interrogantes* · **correspondencia** · **controversia** · **polémica** || **lenguaje** · **estilo** · **escritura** · **léxico**

● CON VBOS. **ser** · **estar** · **mantener(se)** · **quedar**

juguete s.m.

● CON ADJS. **favorito** · **mágico** || **nuevo** · **roto** · **usado** || **moderno** · **antiguo** *una exposición de juguetes antiguos* · **tradicional** · **popular** · **típico** · **de diseño** || **de cuerda** · **electrónico** · **interactivo** || **violento** · **bélico** · **terrorífico** · **terrible** · **diabólico** · **infernal** || **infantil** *una tienda especializada en juguetes infantiles* || **sexista** · **educativo**

● CON SUSTS. **feria (de)** · **sector (de)** · **museo (de)** · **colección (de)** · **muestra (de)** · **mercado (de)** · **industria (de)** · **sección (de)** *la sección de juguetes del hipermercado*

● CON VBOS. **entretener (a alguien)** || **fabricar** · **construir** || **pedir** || **regalar** *Por su cumpleaños le han regalado varios juguetes educativos* || **jugar (con)**

● CON PREPS. **de** *un coche de juguete*

juguetería s.f.

● CON SUSTS. **sección (de)**

➤ Véase también **ESTABLECIMIENTO**

juicio s.m.

I [opinión, valoración, dictamen]

● CON ADJS. **de valor** *Necesito datos objetivos, no juicios de valor* · **moral** || **analítico** · **lógico** · **inapelable** || **positivo** · **favorable** · **negativo** · **desfavorable** · **despectivo** · **demoledor** · **descarnado** || **aventurado** *Intento evitar un juicio aventurado* · **precipitado** · **perentorio** || **crítico** ·

objetivo · ecuánime · salomónico || subjetivo · personal · sesgado · tendencioso · torticero || atinado · acertado · encaminado || equivocado *Se disculpó por haberse formado un juicio equivocado sobre él* · descabellado · ilógico || riguroso · somero || unánime || aleccionador
● CON VBOS. formarse · hacer · emitir · formular *Prefiero esperar antes de formular ningún juicio* · proponer · verter · aventurar || reservarse || someter (a)
● CON PREPS. a tenor (de) · en función (de)

▌[acto judicial]

● CON ADJS. de faltas · declarativo · ordinario · sumario · sumarísimo *Lo condenaron en juicio sumarísimo* · oral || final · universal || justo *Todo el mundo tiene derecho a un juicio justo* · equitativo · imparcial · parcial · injusto · paralelo || a puerta cerrada
● CON SUSTS. celebración (de) · apertura (de) · desarrollo (de) || suspensión (de) *La acusación solicita la suspensión del juicio por incomparecencia de uno de los testigos* · nulidad (de) · repetición (de) · revisión (de) || día (de) · fecha (de) || sesión (de) · acto (de) || sentencia (de) · fallo (de) · costas (de) || actas (de) · expediente (de) || testigo (de) · fiscal (de) · abogado,da (de)
● CON VBOS. celebrar *El juicio se celebró a puerta cerrada* || entablar · llevar adelante · reabrir · incoar · recurrir · impugnar || afrontar · ganar · perder || tramitar · agilizar *La nueva ley pretende agilizar los juicios* · amañar || dirimir || llevar (a alguien) (a) *Quieren llevar a juicio al fabricante del producto defectuoso* · citar (a alguien) (a) · ir (a) · pleitear (en) · someter (a alguien) (a) || comparecer (en) · personarse (en) || testificar (en) · atestiguar (en)

▌[facultad mental]

● CON ADJS. sano *Si no quiere ver a nadie es que no está en su sano juicio*
● CON SUSTS. falta (de)
● CON VBOS. perder · recobrar *Cuando recobró el juicio, se dio cuenta de que habían pasado seis horas*

juicioso, sa adj.

● CON SUSTS. análisis · planteamiento · propuesta *Los socios eligieron la propuesta más juiciosa* · intervención · declaración · elección · opinión · interpretación · advertencia · conclusión || ***persona*** *Estaba seguro de que su hija era una chica juiciosa y ponderada* || espíritu · naturaleza · esencia || inversión

julio s.m. Véase **MES**

jungla s.f.

● CON ADJS. frondosa · exuberante · espesa || húmeda · pluvial || natural · virgen · intacta · inexplorada · salvaje || hostil *Nos adentramos en la jungla hostil que representa esta ciudad y...* · inclemente · inhóspita · adversa || intrincada · oscura || de asfalto · urbana · verbal
● CON VBOS. sobrevivir (en) · perderse (en) · adentrarse (en)

junio s.m. Véase **MES**

júnior adj.

● CON SUSTS. categoría · campeón,-a · récord · prueba *La prueba júnior de tenis se ha suspendido por la lluvia* · torneo · selección · título · equipo || jugador,-a · crítico,ca · consultor,-a · ejecutivo,va *El director había empezado en la empresa como ejecutivo júnior* · ***otros profesionales***

junta s.f.

▌[reunión, comité]

● CON ADJS. provisional · extraordinaria *junta extraordinaria de propietarios* · ordinaria || directiva · general · rectora · electoral || municipal · de distrito *Los presidentes de las juntas de distrito serán los encargados de* · de gobierno · de administración · de estado · militar · de defensa · provincial · interministerial
● CON SUSTS. presidente,ta (de) · vicepresidente,ta (de) · jefe,fa (de) · portavoz (de) *La portavoz de la junta electoral ha anunciado medidas para...* · miembro (de) · responsable (de) · consejero,ra (de) · secretario,ria (de) || reunión (de) · convocatoria (de) || acta (de)
● CON VBOS. reunir(se) *Ayer se reunió la junta de personal docente e investigador* · disolver(se) || decidir (algo) · determinar (algo) · acordar (algo) · decretar (algo) · convenir (en algo) || reclamar (algo) · exigir (algo) · demandar (algo) · requerir (algo) || impugnar (algo) · refutar (algo) · rebatir (algo) · rechazar (algo) *La junta rechazó el acuerdo propuesto por los sindicatos* || subvencionar (algo) · sufragar (algo) · financiar (algo) || comunicar (algo) · manifestar (algo) · declarar (algo) · notificar (algo) · anunciar (algo) *La junta directiva ha anunciado su intención de...* || intervenir · interceder · mediar || presidir · dirigir · encabezar || convocar || proponer (a/ante) · exponer (a/ante) · plantear (a/ante) · sugerir (a/ante)

juntar(se) v.

● CON ADVS. férreamente · fuertemente · indisolublemente || estrechamente · íntimamente · profundamente || ordenadamente · organizadamente *Debemos tratar de juntarnos organizadamente para...* || con los ojos cerrados · sin reservas || decididamente · valientemente || armoniosamente · felizmente · alegremente || políticamente · deportivamente · comercialmente · económicamente

[juntillas] → a pie juntillas

juntura s.f.

● CON VBOS. tapar · cubrir || revisar *Si hay gotera, revisa las junturas* · examinar · inspeccionar · chequear · comprobar || unir · ensamblar · acoplar · empalmar || filtrarse (por) · salir (por)

jura s.f.

● CON ADJS. solemne · ceremoniosa · protocolaria || de bandera · de cargo *Tras la jura del cargo, el presidente concedió una entrevista* · de cuentas · de fidelidad · de gobierno · de gabinete
● CON SUSTS. acto (de) · día (de) · ceremonia (de) · discurso (de)
● CON VBOS. presidir

jurado s.m.

● CON ADJS. justo · imparcial *Fue difícil encontrar un jurado imparcial para un caso tan controvertido* · ecuánime · equitativo · objetivo · neutral · competente · prestigioso · profesional · aséptico · insobornable || injusto · parcial · arbitrario · sesgado · tendencioso || indulgente · condescendiente · tolerante || implacable · inflexible || seleccionador · calificador *El jurado calificador eligió al cocinero vasco por unanimidad*
● CON SUSTS. miembro (de) *No está permitido hablar con los miembros del jurado* · portavoz (de) · presidente,ta (de) || sala (de) || decisión (de) *En breves minutos se nos comunicará la decisión del jurado* · veredicto (de) · fallo (de)
● CON VBOS. deliberar *El jurado lleva varias horas deliberando* · sopesar (algo) || pronunciarse · resolver (algo) · tomar una decisión · decidir (algo) *El jurado decidió*

declarar desierto el premio · **emitir un fallo** · **fallar** · **dictaminar (algo)** · **dictar (algo)** · **optar (por algo)** · **sentenciar (a alguien)** · **formular (algo)** · **otorgar (algo)** || **infringir (algo)** || **reunir(se)** || **convocar** · **nombrar** · **instituir** · **disolver** *Hubo que disolver el jurado y nombrar otro* || **sobornar** || **presidir** *Una prestigiosa escritora presidirá el jurado* · **encabezar** · **integrar** · **componer** · **constituir** || **formar parte (de)**

[juramento] → bajo juramento; juramento

juramento s.m.

● CON ADJS. **solemne** · **ritual** · **protocolario** || **fidedigno** · **falso** · **en falso** · **vano** || **firme** · **categórico** || **forzoso** · **ineludible**

● CON VBOS. **tomar** · **prestar** *Tras prestar juramento, los nuevos ministros tomaron posesión de sus cargos* · **hacer** · **pronunciar** · **formular** · **contraer** · **renovar** || **cumplir** || **romper** · **violar** · **incumplir** · **quebrantar** · **infringir** · **conculcar** || **faltar (a)**

● CON PREPS. **bajo** *declarar bajo juramento*

jurar v.

I [prestar juramento]

● CON SUSTS. **bandera** · **constitución** · **carta magna** · **fuero** · **acta** || **principio** · **posición** · **doctrina** || **cargo** *La nueva ministra juró su cargo en una breve ceremonia* · **puesto** · **plaza** · **presidencia** · **mandato**

I [prometer]

● CON SUSTS. **amor** *Fue aquella noche cuando le juró amor eterno* · **fidelidad** · **lealtad** · **amistad** · **compromiso** · **obediencia** || **silencio** || **venganza** · **muerte**

● CON ADVS. **simbólicamente** · **oficialmente** · **públicamente** · **solemnemente** || **en falso** · **en vano** · **firmemente** · **a la ligera**

□ USO Admite complementos encabezados por las preposiciones *por* (*El presidente juró por su honor que cumpliría lo pactado*) y *ante* (*El artista ha jurado ante la prensa que las acusaciones lanzadas contra él son falsas*).

jurídicamente adv.

● CON VBOS. **asesorar** *Hay un teléfono desde el que se asesorará jurídicamente a las víctimas* · **atender** || **amparar (a alguien)** · **proteger (a alguien)** *Se trata de proteger jurídicamente a los menores* || **apoyar** · **legitimar** · **validar** || **razonar** · **aclarar** || **denunciar** · **reclamar** · **recurrir** || **cumplir** *cumplir jurídicamente un contrato* || **separar** · **catalogar** · **calificar**

● CON ADJS. **inviable** · **imposible** · **insostenible** · **impugnable** · **contradictorio,ria** · **correcto,ta** *un argumento jurídicamente correcto* · **viable** · **válido,da** · **adecuado,da**

jurídico, ca adj.

● CON SUSTS. **asesoría** · **consultoría** || **asesor,-a** *El asesor jurídico del equipo presentó un recurso ante el Comité de Apelación* · **consultor,-a** · **director,-a** · **gerente** || **departamento** · **equipo** · **gabinete** || **marco** *Es necesario que la entidad cuente con un marco jurídico adecuado* · **sistema** · **orden** · **ordenamiento** · **norma** · **doctrina** · **disposición** · **estatuto** · **régimen** · **contrato** || **asunto** · **tema** · **cuestión** || **estudio** · **investigación** · **informe** · **fuente** || **principio** · **valor** || **batalla** · **problema** || **término** · **fórmula** · **lenguaje** · **concepto** || **seguridad** · **protección** · **servicio** · **asistencia** *Durante los dos próximos meses se prestará asistencia jurídica y social a los refugiados* · **asesoramiento** · **apoyo** · **respaldo** · **defensa** || **punto de vista** · **argumento** || **proceso** || **estructura** · **base** · **formación** || **reforma** · **modificación**

jurista s.com.

● CON ADJS. **prestigioso,sa** *La junta estará integrada por seis miembros elegidos entre los más prestigiosos juristas* · **experto,ta** · **destacado,da** · **gran** · **eminente** · **de prestigio** · **de renombre** · **ilustre** · **buen(o),na** · **insigne**

● CON SUSTS. **asociación (de)** · **gremio (de)** *Es una abogada muy conocida en el gremio de los juristas* · **comisión (de)** · **colegio (de)** || **testimonio (de)** · **opinión (de)** *Le pedimos su opinión de jurista sobre el caso* · **turno (de)** · **condición (de)**

● CON VBOS. **asesorar (a alguien)** · **defender (a alguien)** · **abogar (por algo)** · **acusar (a alguien)** || **consultar (a)** || **trabajar (de)**

[justa] s.f. → justo, ta

justicia s.f.

● CON ADJS. **igual (para todos)** · **igualitaria** · **distributiva** *El partido lucha por una mayor justicia distributiva* · **equitativa** · **imparcial** · **objetiva** · **ecuánime** · **salomónica** · **uniforme** · **desigual** · **intrínseca** || **implacable** · **inapelable** · **inexorable** · **estricta** · **indulgente** || **lenta** · **rápida** *Con la reforma de la ley se pretende lograr una justicia más rápida* · **ágil** · **eficaz** || **universal** · **social** · **global** || **divina** || **fugitivo,va (de)** · **perseguido,da (por)**

● CON SUSTS. **acto (de)** *Devolverles sus tierras fue un acto de justicia* · **acción (de)** · **cuestión (de)** || **ideal (de)**

● CON VBOS. **amparar (a alguien)** || **hacer(se) realidad** · **resplandecer** *Hasta que finalmente resplandezcan la verdad y la justicia* || **corromper(se)** || **pedir** · **clamar** · **implorar** · **reclamar** *Los estafados reclaman justicia* · **invocar** · **demandar** · **reivindicar** || **denegar** · **negar** || **defender** · **predicar** · **conquistar** · **agilizar** || **hacer** *Se hizo justicia y pagaron todo lo que debían* · **administrar** · **impartir** *los tribunales encargados de impartir justicia* · **repartir** · **aplicar** · **instaurar** || **obstruir** *Lo acusaron de obstruir la justicia con maniobras dilatorias* · **obstaculizar** · **adulterar** || **burlar** · **eludir** · **sortear** || **apelar (a)** || **luchar (por)** · **colaborar (con)** || **comparecer (ante)** · **presentar(se) (ante)** · **someter(se) (a)** *El parlamentario renunció a la inmunidad y se sometió voluntariamente a la justicia* · **rendirse (a/ante)** || **huir (de)** · **librar(se) (de)** || **revestir(se) (de)**

□ EXPRESIONES **ser de justicia** [ser justo] || **tomarse** (alguien) **la justicia por su mano** [aplicar él mismo un castigo que le parece justo]

justificación s.f.

● CON ADJS. **sólida** · **convincente** · **creíble** · **verosímil** · **plausible** · **razonable** · **irrebatible** || **débil** · **inconsistente** · **pobre** · **torpe** *Ofreció una torpe justificación que no convenció a nadie* · **dudosa** · **peregrina** · **inverosímil** · **insostenible** || **apropiada** · **adecuada** · **debida** *una partida de gastos sin la debida justificación* · **necesaria** · **válida** · **valedera** · **suficiente** · **plena** · **cumplida** · **sobrada** || **inapropiada** · **inadecuada** · **innecesaria** · **inútil** · **vana** · **escasa** · **insuficiente** · **parcial** || **expresa** · **pormenorizada** · **detallada** || **socorrida** · **habitual** || **a ultranza**

● CON SUSTS. **falta (de)** · **criterio (de)**

● CON VBOS. **estribar (en algo)** || **tener** *Tan vergonzoso comportamiento no tiene justificación* · **encerrar** · **constituir** || **buscar** · **encontrar** *Por más que le doy vueltas, no le encuentro justificación alguna* · **hallar** || **exigir** · **demandar** · **requerir** || **ofrecer** · **dar** · **presentar** *Al finalizar el curso tuve que presentar una justificación de todas mis ausencias* · **aducir** || **aceptar** || **desestimar** · **desmontar** · **echar por tierra** · **invalidar** || **servir (de/como)** *Los dolores de espalda le servían de justificación para no hacer ninguna tarea en casa* · **carecer (de)**

● CON PREPS. **a modo (de)** *Alegó falta de tiempo a modo de justificación*

justificado, da

1 **justificado, da** adj.

● CON ADVS. **plenamente** · **suficientemente** · **debidamente** *Las ausencias deberán estar debidamente justificadas* · **perfectamente** · **totalmente** · **completamente** · **ampliamente** · **sobradamente**

2 **justificado** s.m.

▮ [de un texto]

● CON ADJS. **a la izquierda** · **a la derecha** *Pon el título y el nombre del autor con justificado a la derecha*

justificante s.m.

● CON ADJS. **falso** · **oficial** · **válido** || **médico** *El trabajador deberá presentar un justificante médico en caso de enfermedad* · **bancario** · **de pago** · **de gasto** · **de compra** · **de ausencia** · **de viaje**

● CON VBOS. **valer** || **faltar** *Si falta algún justificante, no le puedo abonar el importe completo* || **presentar** · **dar** · **aportar** · **ofrecer** · **mostrar** · **facilitar** · **entregar** · **llevar** || **pedir** · **solicitar** · **reclamar** · **exigir** || **conservar** · **guardar** · **destruir** || **verificar** · **falsificar** *Los implicados se dedicaban a falsificar justificantes bancarios* || **firmar** · **enviar** · **necesitar** · **sellar** · **rellenar** · **cumplimentar** || **disponer (de)**

justificar v.

● CON SUSTS. **acto** · **actuación** · **acción** *No hay nada que justifique una acción tan cruel* · **comportamiento** · **conducta** · **actitud** · **política** · **uso** · **costumbre** · **práctica** || **silencio** || **error** *Trató de justificar su error aduciendo un fallo en el sistema informático* · **fallo** · **equivocación** · **derrota** · **fracaso** || **ataque** · **agresión** · **violencia** · **abuso** || **existencia** · **presencia** · **ausencia** · **falta** · **retraso** · **marcha** · **salida** || **cambio** · **subida** · **bajada** || **causa** · **origen** || ***persona*** *¿Por qué a mí me regañas y a tu hijo siempre lo justificas?* || **esfuerzo** *Poder ayudar a estas personas justifica todos nuestros esfuerzos* · **empeño** || **elección** · **decisión** · **sentencia** · **veredicto** · **negativa** · **intervención** · **propuesta** || **alegría** · **enfado** · **euforia** · **felicidad** · **cariño** · **amor** · **odio** · ***otros sentimientos o sensaciones*** || **deseo** · **interés** || **gasto** *Es necesario justificar los gastos para que te reembolsen su importe* · **pago**

● CON ADVS. **plenamente** · **ampliamente** · **sobradamente** *En este caso el fin justifica sobradamente los medios* · **adecuadamente** · **apropiadamente** · **debidamente** · **convincentemente** · **detalladamente** || **con matices** · **insuficientemente** · **ni de lejos**

justo, ta

1 **justo, ta** adj.

▮ [equitativo, ecuánime]

● CON SUSTS. ***persona*** *un juez justo y equitativo* || **triunfo** *El triunfo del equipo ha sido justo* · **victoria** · **homenaje** · **recompensa** · **premio** · **compensación** · **empate** || **juicio** · **sentencia** · **fallo** · **condena** · **valoración** · **solución** · **decisión** || **comercio** *una tienda de comercio justo* · **reparto** *el reparto justo de la riqueza* || **actitud** · **comportamiento** *Esperamos de ellos un comportamiento justo y equilibrado* || **camino** · **trayectoria** || **reivindicación** *La asociación de vecinos considera justas sus reivindicaciones* · **causa** · **petición** · **reclamación**

● CON ADVS. **absolutamente** · **totalmente** || **excepcionalmente** · **extraordinariamente**

● CON VBOS. **ser** · **volver(se)**

▮ [exacto]

● CON SUSTS. **precio** · **altura** · **profundidad** · **tamaño** · ***otras magnitudes*** || **dinero** *He traído el dinero justo*

▮ [apretado, escaso]

● CON SUSTS. **ropa** · **pantalón** · **camisa** · **vestido** *El vestido te queda un poco justo, pruébate una talla más* · ***otras prendas de vestir*** || **presupuesto** · **sueldo** *El sueldo que me dan me viene un poco justo* · **dinero** · ***otras cantidades económicas***

● CON VBOS. **estar** · **andar** *Este mes ando muy justa de dinero* || **quedar (a alguien)** · **venir (a alguien)**

2 **justa** s.f.

▮ [torneo o certamen]

● CON ADJS. **literaria** · **poética** || **medieval**

● CON SUSTS. **ganador,-a (de)** *El ganador de la justa literaria de este año es...*

● CON VBOS. **celebrar** · **organizar** · **convocar**

juvenil adj.

● CON SUSTS. **albergue** · **residencia** || **asociación** · **club** · **carné** || **categoría** · **equipo** · **grupo** · **selección** · **sector** · **torneo** · **banda** || **obra** *un certamen de obras juveniles* · **lectura** · **literatura** · **novela** · **lenguaje** · **vocabulario** || **estilo** · **moda** · **conjunto** · **corte** *un traje de corte juvenil* || **ímpetu** · **brío** · **curiosidad** · **impulso** · **entusiasmo** · **pasión** · **vitalidad** · **apasionamiento** *con el apasionamiento juvenil propio de esos años* || **movimiento** · **actividad** · **comportamiento** || **ilusión** · **sueño** || **delincuencia** · **delincuente** · **violencia** || **desempleo**

● CON VBOS. **ser** · **estar** · **poner(se)** · **mostrarse** *Se muestra juvenil a pesar de su edad*

[juventud] → de juventud; juventud

juventud s.f.

● CON ADJS. **dorada** · **lozana** · **plena** · **segunda** || **rebelde** · **conflictiva** || **añorada** *Y se pasaba las tardes recordando su añorada juventud* || **lleno,na (de)**

● CON SUSTS. **amor (de)** *La protagonista se reencuentra con un amor de juventud y...* || **tiempo (de)** · **años (de)** · **época (de)** || **ideal (de)** · **idea (de)** · **sueño (de)** · **recuerdo (de)** · **inquietud (de)** || **pecado (de)** · **error (de)** · **actividad (de)** || **obra (de)** · **poema (de)** *El libro recoge sus poemas de juventud* · **memoria (de)** · **película (de)** · **concierto (de)** · ***otras creaciones*** || **elixir (de)** *el elixir de la eterna juventud* · **fuente (de)** || **amigo,ga (de)** · **ídolo (de)**

● CON VBOS. **pasar** · **transcurrir** · **marchitar(se)** *Su juventud se marchitó, pero no así su entusiasmo* || **vivir** *Mis padres están viviendo una segunda juventud* · **revivir** · **evocar** · **añorar** || **lucir** || **perder** · **malgastar** · **emplear** · **dedicar (a algo)** || **gozar (de)** || **volver (a)**

juzgar v.

● CON SUSTS. **acto** *Yo no soy quién para juzgar tus actos, pero creo que te equivocas* · **actuación** · **comportamiento** · **actitud** · **gestión** || **obra** · **hecho** · **caso** · **crimen** · **delito** || **dato** · **cifra** · **palabras** || **escritor,-a** *No puedes juzgar a este escritor sin haber leído nada suyo* · **acusado,da** · **sospechoso,sa** · **culpable** · **persona** · **gobierno** · ***otros individuos y grupos humanos***

● CON ADVS. **imparcialmente** *Solo una persona neutral puede juzgar imparcialmente la situación* · **justamente** · **ecuánimemente** · **con ecuanimidad** · **por el mismo rasero** · **en sus justos términos** · **en su justa medida** · **adecuadamente** || **injustamente** · **parcialmente** · **con parcialidad** || **a la ligera** *Un caso de tanta gravedad no se debe juzgar a la ligera* · **con reservas** || **con dureza** · **con severidad** · **severamente** · **con rigor** · **rigurosamente** || **con benevolencia** · **generosamente** · **con generosidad** · **magnánimamente** · **con magnanimidad** || **favorablemente** *La encuesta revela que los ciudadanos juzgan favorablemente las reformas* · **positivamente** || **negativamente** · **desfavorablemente** || **acertadamente** · **equivocadamente** || **en rebeldía**

K k

kafkiano, na adj.

● CON SUSTS. **situación** *una situación kafkiana que parecía no tener final* · **pesadilla** · **encuentro** · **interrogatorio** · **proceso** · **escena** || **papeleo** · **burocracia** *acostumbrados a naufragar en el océano de nuestra kafkiana burocracia* || **ambiente** · **panorama** · **atmósfera** || **mente** · **procedimiento** · **sistema** · **estrategia** || **tinglado** · **equívoco** · **peripecia** · **periplo** || **relato** · **historia** · **hecho** · **absurdo** · **ejercicio** · **culebrón** || **laberinto** · **edificio** · **país** · **lugar** *un lugar claustrofóbico y angustiosamente kafkiano* · **mundo** · **universo** || **burócrata** · **personaje** · **protagonista** · **escritor,-a** || **tinte** · **ribete** · **tope**
● CON ADVS. **completamente** · **angustiosamente**

karaoke s.m.

▮ [actividad]

● CON ADJS. **animado** · **divertido** · **popular** || **aficionado,da (a)** · **loco,ca (por)**
● CON SUSTS. **concurso (de)** · **competición (de)** · **sesión (de)**
● CON VBOS. **organizar** · **montar** || **ir (a)** · **cantar (en)** *atreverse a cantar en un karaoke*

▮ [aparato]

● CON ADJS. **portátil**
● CON SUSTS. **establecimiento (con)**

katiuska s.f.

● CON ADJS. **de goma** · **impermeable**
➤ Véase también **CALZADO**

kétchup s.m.

● CON VBOS. **poner (a algo)** · **quitar (a algo)** || **mezclar** *mezclar kétchup con mayonesa* · **echar (a algo)** · **añadir (a algo)** || **servir (con)** · **acompañar (con)**
● CON PREPS. **con** *una hamburguesa con kétchup* · **sin**

kilo s.m.

● CON ADJS. **justo** · **escaso** *diez kilos escasos*
● CON SUSTS. **paquete (de)** · **caja (de)** · **envase (de)**
● CON VBOS. **equivaler (a algo)** *Un kilo equivale a mil gramos* || **notárse(le) (a alguien)** || **costar** *¿Cuánto cuesta aquí el kilo de patatas?* · **valer** || **pesar** || **calcular** · **convertir** · **pasar** || **engordar** · **adelgazar** *En menos de una semana ha adelgazado un kilo* · **subir** · **bajar** · **coger**

kilogramo s.m. Véase **kilo**

kilometraje s.m.

● CON ADJS. **excesivo** · **corto** *desplazamientos de kilometraje corto* · **reducido** || **limitado** · **ilimitado** *Pueden ustedes alquilar un coche con kilometraje ilimitado* || **previsto** · **aproximado**
● CON SUSTS. **exceso (de)** · **reducción (de)** · **aumento (de)** || **gasto (de)** *Me reembolsan los gastos de kilometraje* · **tarifa (por)** || **media (de)** · **límite (de)** || **indicador (de)**
● CON VBOS. **indicar** *Las nuevas señales de la carretera indican más claramente el kilometraje* · **señalizar** || **pagar** · **abonar** · **cobrar**

kilométrico, ca adj.

▮ [del kilómetro]

● CON SUSTS. **distancia** *¿Cuál es la distancia kilométrica entre su domicilio y su lugar de trabajo?* · **punto**

▮ [muy largo] *col.*

● CON SUSTS. **fila** · **cola** · **columna** · **hilera** || **atasco** *Un autobús averiado ha provocado esta mañana otro atasco kilométrico* · **embotellamiento** · **retención** || **hilo** · **cinta** · **hebra**

kilómetro s.m.

● CON ADJS. **cuadrado** *El nuevo parque temático ocupará varios kilómetros cuadrados junto al mar* || **justo** · **escaso**
● CON SUSTS. **símbolo (de)** · **abreviación (de)** || **cero**
● CON VBOS. **equivaler (a algo)** || **medir** · **calcular** || **convertir (a algo)** · **pasar (a algo)** || **ocupar** || **distar** *El rancho dista varios kilómetros del pueblo más cercano* || **recorrer** · **andar** · **caminar** · **correr** || **llevar** *Lleva muchos kilómetros a sus espaldas*
● CON PREPS. **a la altura (de)** · **en** || **por** · **a lo largo (de)** · **durante** *Durante varios kilómetros se mantuvo a la cabeza del pelotón* || **a partir (de)** · **desde**

☐ USO También se combina con locuciones del tipo *de alto, de largo, de profundidad, de altura*: *El objeto fue encontrado a tres kilómetros de profundidad.*

kiosco s.m. Véase **quiosco**

kiwi s.m.

● CON ADJS. **verde** · **maduro** · **fresco** · **jugoso** · **blando** || **pasado** · **podrido** · **duro** || **dulce** · **ácido** || **sabroso** · **apetitoso**
● CON SUSTS. **piel (de)** · **rodaja (de)** · **trozo (de)** *una ensalada tropical con trozos de kiwi* || **cosecha (de)** · **recolección (de)** || **importación (de)** · **exportación (de)** · **mercado (de)**
● CON VBOS. **madurar** · **pudrir(se)** · **estropear(se)** || **cultivar** · **coger** || **saborear** · **paladear** · **degustar** || **pelar** · **cortar** · **trocear** *Trocee los kiwis y añádalos a la macedonia*

koala s.m.

● CON ADJS. **macho** · **hembra**
● CON VBOS. **trepar** *El koala trepaba por un eucalipto para comer sus hojas*

kurdo s.m. Véase **IDIOMA**

L l

laberinto

1 **laberinto** s.m.

●CON ADJS. **complicado · complejo · oscuro · intrincado** *Las estanterías de la biblioteca formaban un intrincado laberinto* · **retorcido · enrevesado · alambicado · enredado · inextricable · impenetrable · insondable · interminable · inescrutable · imbricado || burocrático · administrativo · judicial · urbano || atrapado,da (en)** *Solicité la doble nacionalidad y ahora estoy atrapado en un laberinto burocrático* · **inmerso,sa (en) · envuelto,ta (en) · prisionero,ra (de)**
●CON SUSTS. **salida (de) · puerta (de) · final (de)**
●CON VBOS. **recorrer || adentrarse (en) · internarse (en) · penetrar (en) · deambular (por)** *Dicen que un fantasma deambula por este laberinto de salas y corredores* **|| perder(se) (en)** *Me perdí en aquel laberinto de calles* · **enredar(se) (en) || salir (de) · escapar (de)**
●CON PREPS. **a través (de) · en medio (de)**

2 **laberinto (de)** s.m.

●CON SUSTS. **calles · galerías** *Había un laberinto de galerías bajo el castillo* **|| cañerías · tuberías || cables · hilos || pasiones** *Se hallaba envuelto en un laberinto de pasiones* · **dudas**

labia s.f. *col.*

●CON ADJS. **pura · fácil || extraordinaria · proverbial · impresionante · irrefrenable · incontenible · grandilocuente · poderosa || crítica · confusa · peculiar · inútil**
●CON SUSTS. **exceso (de)** *A veces es mejor callar que hacer uso de un exceso de labia* · **abundancia (de)**
●CON VBOS. **tener**

labio s.m.

●CON ADJS. **inferior · superior || carnoso · grueso** *El rostro del retrato robot tiene los labios gruesos* · **prominente · abullonado || fino · delgado · delicado || sensual · voluptuoso** *Anunciaba la bebida una modelo de labios voluptuosos* · **ardiente · cálido || trémulo · cortado** *tener los labios cortados a causa del frío* **|| leporino**
●CON SUSTS. **comisura (de) || barra (de) · lápiz (de) · carmín (de) || color (de)**
●CON VBOS. **abrir · entreabrir · despegar** *El joven no despegó los labios en toda la sesión* **|| apretar · fruncir** *Frunció los labios en un gracioso mohín* · **cerrar · sellar || acercar || chupar(se) · lamer(se) · partir(se)** *Se cayó y se partió el labio* **|| pintar(se) · perfilar(se) || besar (en/con) || brotar (de)** *De sus labios brotó una pequeña sonrisa* · **salir (de) || leer (en)**
☐EXPRESIONES **morderse los labios** [contenerse] *col.*

labor s.f.

●CON ADJS. **ingente** *Me sorprende que pudieran realizar con tanta rapidez esa ingente labor* · **ímproba · vasta · monumental · intensa · agotadora · ardua · esforzada · denodada || delicada · meticulosa · metódica · minuciosa · esmerada · cuidada · depurada · sistemática · exhaustiva** *Tras una exhaustiva labor de búsqueda, se pudieron reunir todos los datos necesarios* · **concienzuda · tenaz · a medias || encomiable · loable · meritoria · destacada · notable · impagable · inestimable** *Agradecemos la inestimable labor que los servicios sanitarios han realizado a lo largo de...* **|| sacrificada · abnegada · callada || efectiva · fecunda** *Fruto de la fecunda labor de aquel período es este centenar de pinturas* · **dilatada · copiosa · fructífera · gratificante || infructuosa · improductiva · estéril || inapreciable · insignificante · simple || preventiva · curativa · defensiva || de campo || humanitaria || en equipo · común**
●CON VBOS. **recaer (en alguien) · corresponder (a alguien) || surtir efecto · fructificar || frustrar(se) · devaluar(se) · diluir(se) · caer en el vacío || desempeñar · realizar · desarrollar** *Exigimos medios para poder desarrollar nuestra labor en condiciones óptimas* · **cumplir · ejercer** *Ejerció durante un tiempo labores administrativas* · **llevar a cabo · llevar adelante || iniciar · emprender · proseguir · culminar · finalizar · rubricar || reconocer · refrendar · apoyar · impulsar || compartir · aliviar · condensar · centralizar · absorber || entorpecer** *Las continuas llamadas ofreciendo pistas falsas entorpecían las labores policiales* · **obstaculizar · impedir · dificultar · boicotear || dedicarse (a) · aplicarse (a) · entregar(se) (a) · consagrar(se) (a) · enfrascarse (en) · volcarse (en)** *Está volcado en su labor investigadora y casi no hace vida social* · **meterse (en) · abocar(se) (a) · bregar (con)**
☐EXPRESIONES **estar por la labor** [estar dispuesto a realizar algo] *col.*

laborable adj.

●CON SUSTS. **hora · día** *Es imposible aparcar en esta zona los días laborables* · **jornada · semana · período**

laboral adj.

●CON SUSTS. **mercado · mundo** *Los jóvenes se quejan de lo difícil que es entrar en el mundo laboral* · **situación · actividad · ámbito · panorama · materia · política || jornada** *En verano se reduce nuestra jornada laboral* · **semana · calendario** *El sindicato ha propuesto una revisión del calendario laboral* · **horario || condiciones · reforma · dignidad · precariedad · estabilidad · esclavitud || convenio · pacto · acuerdo** *La patronal y los sindicatos han llegado a un acuerdo laboral* **|| relación · contrato · for-**

mación · integración · contratación · inserción · legislación || vida · derecho · futuro *Me gustaría poder encontrar un futuro laboral estable* || seguridad · riesgo · siniestralidad · accidente · salud · baja *Tras el accidente tuvo que solicitar la baja laboral* · demanda || conflicto · problema · estrés

laboratorio s.m.

● CON ADJS. **farmacéutico · químico · fotográfico** *Revelamos los carretes de las últimas vacaciones en el laboratorio fotográfico de la esquina* · **espacial · clínico · comercial · forense · nuclear · natural || científico · de investigación** *Es uno de los mayores laboratorios de investigación del país* · **fabricante**

● CON SUSTS. **prueba (de) · análisis (de) · examen (de) · resultado (de)** *Esperaban ansiosos los resultados del laboratorio* || **ensayo (de) · experimento (de) || animal (de)**

● CON VBOS. **testar (algo)** *El laboratorio testaba todos sus productos antes de lanzarlos al mercado* · **investigar (algo) · comercializar (algo) · analizar (algo) || enviar (a)** *¿Has enviado las pruebas al laboratorio?* · **estudiar (en) || hacer prácticas (en)**

laborioso, sa adj.

▌[trabajoso, complicado]

● CON SUSTS. **búsqueda** *Tras una laboriosa búsqueda, la Policía halló importantes pruebas sobre el caso* · **investigación · estudio · análisis · examen || labor · tarea · trabajo · operación || negociación · acuerdo · proceso · preparación · gestión || victoria · triunfo || camino** *Nuestra institución ha recorrido en estos años un largo y laborioso camino* · **vida · carrera || transformación · restauración · reestructuración || digestión || parto**

● CON ADVS. **extremadamente** *un minucioso y extremadamente laborioso trabajo artístico* · **especialmente · sumamente || profundamente**

● CON VBOS. **hacerse · volverse**

▌[muy trabajador]

● CON SUSTS. ***persona*** *Esta tarea solo puede llevarla a cabo un profesional laborioso* || **abeja · hormiga**

labranza s.f.

● CON SUSTS. **aperos (de)** *el cobertizo donde guardaban los aperos de labranza* || **tareas (de) || tierra (de) · campo (de) · casa (de)** *Viven en una casa de labranza a las afueras del pueblo* · **parcela (de) · zona (de)**

labrar v.

● CON SUSTS. **tierra · campo** *las herramientas para labrar el campo* · **parcela · terreno · huerta · huerto · sembrado · surco || piedra · madera · tela || camino · trayectoria · vida · biografía · personalidad · futuro** *Estudiaba con ahínco para labrarse un futuro más esperanzador que el de sus padres* · **porvenir || nombre** *A base de pequeños papeles, el actor se fue labrando un nombre en el mundo del cine* · **prestigio · gloria · éxito · fama · fortuna · título || confianza || felicidad · desgracia · ruina · tumba || acuerdo**

● CON ADVS. **con esfuerzo** *La vida no se lo puso fácil, pero se labró con esfuerzo un cierto prestigio profesional* · **con tesón · a pulso · esforzadamente · pacientemente · con esmero** *El artesano labraba la madera con esmero*

lacerar v.

● CON SUSTS. **ojo** *La intensa luz del sol laceraba sus ojos* · **mano · rodilla ·** ***otras partes del cuerpo*** **|| vista · tejido · ala || corazón · alma || sociedad · país · región || integridad · intereses · reputación**

● CON ADVS. **sin piedad** *una relación tortuosa que había lacerado sin piedad su corazón* · **horriblemente · brutalmente || de modo irreparable**

lacio, cia adj.

● CON SUSTS. **pelo** *El pelo lacio y moreno te favorece mucho* · **melena · barba · cabello · cabellera || mano · músculo || brisa · atmósfera**

● CON VBOS. **ser · estar · poner(se) · quedar(se)**

lacónicamente adv.

● CON VBOS. **responder** *El entrevistado respondió firme y lacónicamente* · **replicar · contestar || explicar · contar · afirmar ||** ***otros verbos de lengua***

lacónico, ca adj.

● CON SUSTS. **periodista · escritor,-a** *Fiel a su fama de escritor lacónico, fue conciso en su respuesta* · ***otros individuos*** **|| respuesta · comentario · frase · declaración · mensaje · comunicado · misiva · definición · lenguaje** *Sus obras se caracterizan por un lenguaje lacónico, ambiguo y un tanto críptico* · **estilo || despedida · agradecimiento**

lacra s.f.

● CON ADJS. **terrible · horrible · tremenda · grave · vergonzante || social || antigua || afectado,da (por)** *los barrios más afectados por la lacra de la drogadicción*

● CON VBOS. **azotar (algo) · asolar (algo) || desaparecer || sufrir** *Millones de personas sufren la lacra del hambre en el mundo* · **padecer || ocultar || combatir · paliar · erradicar · eliminar · extirpar || cargar (con) || acabar (con) · poner fin (a)**

lacrar v.

● CON SUSTS. **sobre** *Un sello de cera lacraba el sobre* · **grifo · urna · caja || mortaja || candidatura**

● CON ADVS. **debidamente**

lacrimógeno, na adj.

● CON SUSTS. **gas** *Una nube de gas lacrimógeno invadió el interior del local* · **proyectil · bomba · granada || efecto || historia** *Llevará a la pantalla la lacrimógena historia de...* · **novela · película · melodrama · folletín · serie · serial · culebrón · programa || homenaje · discurso · declaración · reportaje || lamento**

lactancia s.f.

● CON ADJS. **materna · natural · artificial**

● CON SUSTS. **período (de)** *Durante el período de lactancia, seguí una dieta rica en calcio* · **permiso (de)**

● CON VBOS. **reducir · promover · estimular || fomentar · recomendar · mantener · incluir · practicar**

lácteo, a adj.

● CON SUSTS. **producto** *Soy alérgico a los productos lácteos* · **derivado · preparado · postre || sector · industria · actividad || compañía · empresa · fábrica · grupo · firma · negocio || productor,-a · fabricante || producción · secreción || vida · dieta**

ladear(se) v.

● CON SUSTS. **cabeza** *Ladeó la cabeza a modo de saludo* · **mano · melena · sonrisa || sombrero · cuerpo · torso · columna || avión · coche · camión · nave ·** ***otros vehí-***

culos || ***persona*** *Los espectadores que se sienten en estas butacas tendrán que ladearse un poco para ver el escenario*
● CON ADVS. **ligeramente**

lado s.m.

● CON ADJS. **igual** · **simétrico** · **equidistante** · **paralelo** · **nivelado** · **proporcionado** · **equilibrado** || **diferente** · **desigual** · **asimétrico** · **desnivelado** · **desproporcionado** *El niño dibujó un monigote de lados desproporcionados* · **desequilibrado** || **izquierdo** · **derecho** · **delantero** · **trasero** || **opuesto** *En el lado opuesto de la habitación había una ventana* · **contrario** · **contrapuesto** · **inverso** || **bueno** · **positivo** *Es una persona muy optimista, siempre ve el lado positivo de las cosas* · **correcto** · **adecuado** · **interesante** || **malo** · **negativo** · **equivocado** · **falso** · **desagradable** *Les ocultó el lado más desagradable del asunto para que no sufrieran* · **trágico** · **cruel** || **oscuro** · **misterioso** · **inquietante** || **humano** *En este programa nos gustaría mostrarles el lado humano de la noticia* · **emotivo** · **humanitario** || **espiritual** · **material** || **femenino** · **masculino** || **sesgado,da (hacia)**
● CON VBOS. **medir** · **calcular** · **ajustar** || **mover(se) (a)** · **apartar(se) (a)** *Me aparté a un lado para que pasaran* || **inclinar(se) (a/hacia)** · **escorar(se) (hacia)** · **torcer(se) (a/hacia)** *A pesar de que puse una guía, el árbol se torció hacia un lado* · **decantar(se) (a)** || **caer (de)** || **cambiar (de)**
● CON PREPS. **en** *en el lado opuesto* || **desde**

☐ EXPRESIONES **al lado** (de algo) [junto a ello] *Al lado de este problema está el asunto de...* || **dar de lado** (a alguien) [rechazarlo] *col.* || **de un lado para otro** [en constante actividad] || {**estar/ponerse**} **del lado** (de algo/de alguien) [estar a favor de algo] || {**hacerse/echarse**} **a un lado** [apartarse] || **ir** (alguien) **por su lado** [seguir su camino con independencia de otros] *col.*

ladrar v.

● CON SUSTS. **perro,rra** *El perro del vecino ladró durante toda la noche* · **can** || ***persona*** *un hombre que se pasa el día ladrando a todos los que le rodean*
● CON ADVS. **a la luna** · **al cielo**

ladrón, -a s.

● CON ADJS. **de guante blanco** *Eran ladrones de guante blanco, expertos en defraudar al fisco y realizar estafas millonarias* || **presunto,ta** || **consumado,da** · **experto,ta** || **aficionado,da** · **de poca monta** || **incorregible** · **reincidente** · **recalcitrante** || **astuto** · **silencioso** · **torpe** || **sin escrúpulos**
● CON VBOS. **robar (algo) (a alguien)** · **quitar (algo) (a alguien)** *Un ladrón le quitó la cartera* · **hurtar (algo)** || **entrar (en un lugar)** · **deslizarse** · **asaltar (algo) (a alguien)** || **descubrir** · **atrapar** · **capturar** · **apresar** · **detener** · **prender** · **encarcelar** · **perseguir** || **juzgar**

[lágrima] → a lágrima viva; lágrima

lágrima s.f.

● CON ADJS. **sincera** || **fácil** *Soy de lágrima fácil y lloro por cualquier cosa* · **a flor de piel** · **furtiva** || **amarga** || **ahogado,da (en)** · **anegado,da (en)**
● CON SUSTS. **mar (de)** *Hecha un mar de lágrimas nos contó lo sucedido* || **paño (de)** || **valle (de)**
● CON VBOS. **saltárse(le) (a alguien)** *Se nos saltaban las lágrimas de la risa* · **escapárse(le) (a alguien)** · **asomar** · **afluir** · **brotar** · **asaltar** || **rodar** · **correr** · **deslizarse** · **fluir** || **delatar** || **derramar** · **verter** · **soltar** · **dejar caer** || **contener** *No pude contener las lágrimas durante el homenaje* · **reprimir** · **refrenar** · **ahogar(se)** · **tragarse** || **secar** · **enjugar** || **arrancar** || **estallar (en)** · **prorrumpir (en)** || **deshacerse (en)** · **anegar(se) (en)** · **bañar(se) (en)**
● CON PREPS. **al borde (de)**

☐ EXPRESIONES **a lágrima viva*** [desconsoladamente] *col.* || **lágrimas de cocodrilo** [lágrimas derramadas fingiendo dolor o pena]

lamentable adj.

● CON SUSTS. **situación** · **realidad** · **circunstancia** || **estado** *Encontraron el coche robado en un estado lamentable* · **condición** · **aspecto** || **espectáculo** · **actuación** · **partido** · **temporada** · **campaña** || **hecho** *Las autoridades confirman el lamentable hecho acaecido esta madrugada* · **suceso** · **incidente** · **accidente** · **episodio** · **caso** || **historia** · **asunto** || **error** · **fallo** · **despiste** || **consecuencia** *un accidente con lamentables consecuencias* · **resultado** · **efecto** || **pérdida** · **crisis** || **imagen** · **impresión** || **actitud** · **comportamiento** · **decisión** || **coincidencia**
● CON ADVS. **absolutamente** · **sumamente** · **tremendamente** || **realmente** · **verdaderamente** *Se trata de un asunto verdaderamente lamentable*
● CON VBOS. **calificar (de)** · **considerar** || **resultar** *Resulta lamentable comprobar en qué se está convirtiendo esta ciudad*

lamentación s.f.

● CON ADJS. **conmovedora** · **estremecedora** · **desgarradora** · **torturante** · **doliente** || **amarga** · **triste** *No nos enternece su triste lamentación, señor diputado* · **sentida** · **dolida** · **lastimera** || **agónica** · **desesperada** · **desgarrada** · **angustiosa** || **tremenda** || **vieja**
● CON VBOS. **emitir** · **exhalar** · **manifestar** || **oír** · **escuchar** || **acarrear** *una medida polémica que va a acarrear más de una lamentación*

lamentar v.

● CON SUSTS. **daño** · **desgracia** · **víctima** *Afortunadamente, no hubo que lamentar víctimas* · **muerte** · **herido,da** · **accidente** · **desastre** || **ausencia** · **falta** · **pérdida** · **desaparición** || **situación** · **hecho** · **retraso** *Lamento el retraso, me ha sido imposible llegar antes* · **molestia** · **error** || **decisión**
● CON ADVS. **profundamente** · **en el alma** *Lamento en el alma no poder asistir a la reunión, pero...* · **enormemente** · **infinitamente** · **hondamente** || **sinceramente** · **de (todo) corazón**

lamento s.m.

● CON ADJS. **profundo** · **hondo** || **contenido** · **ahogado** || **triste** · **amargo** · **desconsolado** *el desconsolado lamento de los que lo han perdido todo* · **desgarrado** · **agónico** · **dolido** · **sentido** · **lastimero** · **desgarrador** · **estremecedor** · **angustioso** || **continuo** · **persistente** · **unánime** || **amoroso**
● CON SUSTS. **coro (de)** · **letanía (de)** || **tono (de)** || **grito (de)** · **palabras (de)**
● CON VBOS. **llegar (a alguien)** || **emitir** · **proferir** · **verter** · **repetir** || **oír** *A lo lejos se oía el dulce lamento de un violín* · **escuchar** || **ahogar(se)** · **sofocar** · **contener** || **prorrumpir (en)**

lampiño, ña adj.

● CON SUSTS. **rostro** · **barbilla** · **cara** || **hombre** · **muchacho** · **chico** *Pese a su edad, seguía siendo un chico lampiño*

lana s.f.

●CON ADJS. **virgen · cruda || gruesa · fina**
●CON SUSTS. **madeja (de) · ovillo (de)** *¿Cuántos ovillos de lana necesitas para hacer un jersey de este tamaño?* · **hebra (de)**
●CON VBOS. **cardar · hilar · tejer**
●CON PREPS. **de** *una chaqueta de lana*

lance s.m.

●CON ADJS. **amoroso** *La biografía cuenta con detalle los lances amorosos de la estrella* · **amatorio · de amor · de capa · cómico · deportivo · taurino || apretado · cuerpo a cuerpo || suelto || decisivo** *El delantero intervino en dos lances decisivos del partido* || **rocambolesco**

languidecer v.

●CON ADVS. **tristemente · penosamente || aceleradamente · progresivamente** *A medida que pasaban las horas, su ánimo iba languideciendo progresivamente* · **paulatinamente**

lánguido, da adj.

●CON SUSTS. **atmósfera · tono · movimiento || vida · aire · aspecto · estilo ||** ***persona*** *un muchacho lánguido, tímido y vacilante* || **mirada · ojos · imagen · figura**
●CON VBOS. **ser · volver(se) · estar · poner(se)**

lanzadera s.f.

▮ [vehículo]

●CON ADJS. **espacial** *La lanzadera espacial logró aterrizar sin problemas* || **rápida · potente**
●CON SUSTS. **autobús** *El autobús lanzadera lleva a cabo un recorrido circular* · **tren · buque · cohete · vehículo · coche || servicio**
●CON VBOS. **averiar(se) · estrellar(se) || despegar · aterrizar || construir || utilizar · usar || conducir · pilotar || reparar · arreglar**
●CON PREPS. **a bordo (de)** *la mercancía que iba a bordo de la lanzadera*

▮ [pieza del telar]

●CON ADJS. **automática**
●CON VBOS. **usar · utilizar · emplear · manejar** *Manejaba la lanzadera como nadie*

lanzado, da adj. *col.*

▮ [muy rápido]

●CON VBOS. **salir** *Salió lanzado y llegó el primero de la carrera* · **ir**

▮ [decidido]

●CON SUSTS. ***persona*** *Es raro que le haya dado vergüenza, porque es una chica muy lanzada*
●CON VBOS. **ser · estar**

lanzamiento s.m.

●CON ADJS. **espacial || comercial** *La multinacional prepara el lanzamiento comercial de su nuevo monovolumen* · **editorial · publicitario · oficial || espectacular · por todo lo alto · a bombo y platillo** *el lanzamiento a bombo y platillo de una nueva colección de fascículos semanales* || **próximo · inminente || exitoso · certero · perfecto · buen(o) · definitivo · directo · controlado || indirecto · mal(o) · desviado** *El lanzamiento salió ligeramente desviado* · **descontrolado · fallido · largo || con efecto**
●CON SUSTS. **plataforma (de)** *El cohete está colocado en la plataforma de lanzamiento* · **rampa (de) || campaña (de) · operación (de) · acto (de) || oferta (de) · precio (de)**
●CON VBOS. **llevar efecto || anunciar · preparar || intentar · hacer · realizar · disparar · dirigir (a algo/a alguien) || afinar · acertar · atinar || fallar** *La jugadora no falló ningún lanzamiento a canasta* · **errar || despejar · desviar**

[lanzar] → lanzar; lanzarse (a)

lanzar v.

●CON SUSTS. **pelota** *Lanzó la pelota fuera del campo de juego* · **dardo · jabalina ·** ***otros objetos*** **|| novela · marca · disco ·** ***otros productos comerciales*** **|| mirada · señal** *...desde donde lanzó señales luminosas para advertir de su localización* · **indirecta · guiño · insinuación || acusación · crítica · insulto · improperio · pulla || piropo · calificativo · beso · elogio || proclama · discurso · declaración · comunicado · manifiesto || llamamiento · convocatoria · llamada · llamado · petición || ataque · invasión · bombardeo · asalto · campaña** *Próximamente lanzarán una campaña contra el consumo de drogas* · **ofensiva · operación || idea · propuesta · iniciativa · plan · proyecto · programa · estrategia || consigna · orden || amenaza · ultimátum · aviso · advertencia · desafío · reto || frase** *Se divierte lanzando frases provocadoras en las tertulias radiofónicas* · **sentencia · mensaje · pregunta · grito · respuesta ·** ***otras manifestaciones verbales***
●CON ADVS. **a bombo y platillo · a diestro y siniestro · a los cuatro vientos || con éxito · comercialmente · públicamente || a la desesperada · a la ligera || al vuelo · al aire · al viento · por la borda || con efecto · violentamente · con fuerza**

lanzarse (a) v.

●CON SUSTS. **calle** *A pesar del frío, nos lanzamos a la calle para conocer la vida nocturna de la ciudad* · **carretera · campo ·** ***otros lugares*** **|| búsqueda · conquista · caza · persecución · compra · captura · asalto · abordaje · rescate || aventura · carrera · campaña || fama** *la canción que nos lanzó a la fama* · **estrellato · éxito || ataque · lucha · batalla · cruzada || brazos** *La niña se lanzó a los brazos de su madre*
●CON ADVS. **con desesperación** *El pueblo entero se lanzó con desesperación a la búsqueda del niño perdido* · **a la desesperada · desesperadamente · alocadamente · aventuradamente · ávidamente · temerariamente || a fondo · de lleno · de cabeza** *En su nueva película, la directora se lanza de cabeza al cine de terror* · **en picado · en tromba || decididamente · abiertamente · briosamente · animosamente || espectacularmente**

lapicero s.m. Véase **lápiz**

lapidario, ria adj.

●CON SUSTS. **frase** *un discurso plagado de frases lapidarias y sentenciosas* · **comentario · afirmación · máxima · sentencia ·** ***otras manifestaciones verbales*** **|| pensamiento · reflexión · opinión · juicio · argumento**

[lápiz] → a lápiz; lápiz

lápiz s.m.

●CON ADJS. **de grafito · de colores** *Los niños pintaron sus dibujos con lápices de colores* || **de labios** *Sacó un lápiz de labios del bolso y escribió una nota en el espejo* · **de ojos || óptico**
●CON SUSTS. **punta (de) · mina (de)**

• CON VBOS. **usar** · **manejar** || **borrar** · **tachar** || **afilar** || **sacar punta (a)** || **escribir (con)** · **anotar (con)**
• CON PREPS. **con** · **a** *escribir a lápiz*

lapso s.m.

• CON ADJS. **de tiempo** · **temporal** · **inicial** · **semanal** || **breve** · **corto** *unos cambios que se produjeron en un corto lapso de tiempo* · **intermedio** · **extenso** · **largo** · **pequeño** · **gran(de)** · **dilatado** · **escaso** · **limitado**
• CON VBOS. **transcurrir** *Transcurrido un pequeño lapso, el ruido volvió a aparecer* · **concluir**
• CON PREPS. **tras** · **en** · **durante**

lapsus s.m.

• CON ADJS. **pequeño** · **sin importancia** || **momentáneo** *Sufrí un lapsus momentáneo y no recordaba su nombre* · **temporal** || **desafortunado** · **lamentable** || **linguae** · **de memoria**
• CON VBOS. **deslizar(se)** || **tener** · **cometer** · **sufrir** || **disculpar**

largamente adv.

▌[con amplitud]

• CON VBOS. **superar** *La cantidad de público ha superado largamente las expectativas de los organizadores* · **sobrepasar** · **ganar** · **salir** · **desbordar** · **exceder** || **incrementar** · **ampliar** · **duplicar** · **mejorar** · **aumentar**

▌[durante mucho tiempo]

• CON VBOS. **permanecer** · **residir** · **vivir** · **estar** || **desear** *El regreso del artista, largamente deseado por su público, se hizo esperar unos cuantos años* · **esperar** · **acariciar** · **buscar** · **perseguir** · **anhelar** · **aspirar** || **reivindicar** · **reclamar** · **solicitar** || **conversar** · **hablar** · **dialogar** · **debatir** *un proyecto de ley que fue largamente debatido en el Parlamento* · **comentar** · **departir** · **platicar** || **reflexionar** · **meditar** · **pensar** · **planear** · **cuestionar** || **prometer** · **anunciar** *Las obras públicas, largamente anunciadas por el Gobierno, aún no han comenzado* · **aplazar** · **postergar** || **ovacionar** · **aplaudir** · **aclamar**

□ USO Se construye muy frecuentemente con participios: *una reforma largamente esperada.*

[largar] → largar; largarse (de)

largar v.

▌[dar, propinar]

• CON SUSTS. **bofetada** · **guantazo** · **puntapié** *Me largó un puntapié que me dejó la espinilla dolorida* · ***otros golpes***

▌[hablar, decir] *col.*

• CON SUSTS. **contestación** *La llamé al orden y me largó una mala contestación* · **respuesta** || **perorata** · **rapapolvo** · **sermón** || **rollo**
• CON ADVS. **a base de bien** · **de lo lindo**

▌[aflojar]

• CON SUSTS. **amarra** *Largaron amarras y se hicieron a la mar* · **cabo** · **cuerda** · **soga**

largarse (de) v. *col.*

• CON SUSTS. **país** *Incluso había pensado en largarse del país...* · **ciudad** · **casa** · ***otros lugares***
• CON ADVS. **sin más** · **con viento fresco** || **repentinamente** · **inesperadamente** · **por las buenas**

[largo, ga] → de largo; de tiros largos; largo, ga; largo y tendido

largo, ga adj.

• CON ADVS. **como un día sin pan** *El discurso se me hizo largo como un día sin pan* || **inusualmente** · **insoportablemente** · **sorprendentemente** || **sumamente** · **escasamente**
• CON VBOS. **hacer(se)** *Los días se me hacen muy largos*

largometraje s.m.

• CON ADJS. **interesante** · **original** · **divertido** *Esta noche proyectan un divertido largometraje* · **entretenido** · **gracioso** · **trepidante** · **arrasador** · **arrollador** || **clásico** · **inolvidable** || **nuevo** · **próximo** · **último** || **aburrido** || **documental** *Van a emitir un largometraje documental sobre la guerra de...* · **bélico** · **de animación** · **comercial** · **de acción** · **de suspense** · **del oeste** · **de ficción** || **controvertido** || **barato** · **caro**
• CON SUSTS. **autor,-a (de)** · **director,-a (de)** *...en palabras de la directora del largometraje* · **productor,-a (de)** · **protagonista (de)** || **guión (de)** · **título (de)** · **mundo (de)** || **pase (de)** · **emisión (de)** · **proyección (de)**
• CON VBOS. **narrar (algo)** · **presentar (algo)** · **contar (algo)** · **resumir (algo)** *El largometraje resume la vida del arquitecto catalán* || **dirigir** · **hacer** · **filmar** *El director filmó el largometraje en África* · **rodar** · **montar** · **producir** · **plantear** || **interpretar** · **protagonizar** || **dar** · **echar** · **poner** · **exhibir** · **proyectar** · **ver** || **criticar** · **censurar** *Los críticos han censurado el largometraje por sus referencias a...* · **recomendar** || **financiar** || **restaurar** || **disfrutar (de)** || **salir (en)** · **debutar (en)** *El actor debutó en un largometraje del oeste*

largo y tendido loc.adv.

• CON VBOS. **hablar** *Hemos hablado largo y tendido del asunto, pero no me hemos llegado a ninguna conclusión* · **conversar** · **charlar** · **explicar** · ***otros verbos de lengua***

lascivo, va adj.

• CON SUSTS. ***persona*** || **pensamiento** · **comentario** *No puedo soportarlo: estoy cansada de sus comentarios lascivos* · **conducta** · **comportamiento** · **acto** · **ánimo** · **deseo** || **ojos** *Miraba al dependiente con ojos lascivos* · **beso** · **mirada**

láser

1 láser adj.

• CON SUSTS. **rayo** *una operación quirúrgica con rayo láser* · **luz** || **impresora** · **disco** · **vídeo** · **escáner** *un escáner láser con alta calidad de resolución* · **imagen** · **sonido** || **tecnología** · **técnica** · **calidad** || **disparo** · **pistola** || **sistema** · **equipo** · **dispositivo** || **cirugía**

2 láser s.m.

• CON ADJS. **atómico** · **especial** || **potente** · **cortante** *Los ladrones hicieron el butrón con ayuda de un láser cortante*
• CON VBOS. **aplicar** · **emplear** · **utilizar**

lástima s.f.

• CON ADJS. **verdadera** *Es una verdadera lástima* · **auténtica** · **tremenda** || **digno,na (de)**
• CON SUSTS. **sentimiento (de)** · **manifestación (de)** · **palabras (de)** || **cara (de)**
• CON VBOS. **dar (a alguien)** *¿No te dan lástima estos perros abandonados?* · **inspirar (a alguien)** · **despertar (en alguien)** · **merecer** || **sentir** · **tener**

lastimero, ra adj.

• CON SUSTS. **voz** · **tono** · **sonido** *El sonido lastimero de la campana se podía oír en todo el pueblo* · **acento** · **entonación** · **sonsonete** · **murmullo** · **eco** · **mascullación** || **queja** · **protesta** · **quejido** · **gemido** *un gemido lastimero que penetraba hasta el alma* · **llanto** · **grito** · **planto** · **ay** || **rugido** · **aullido** · **ladrar** · **maullar** || **mirada** · **mueca** · **sonrisa** · **expresión** · **ademán** || **apariencia** · **aspecto** *Era una mujer avejentada, de aspecto lastimero* · **imagen** · **estilo** || **música** · **canto** · **compás** · **nota** || **palabras** · **discurso** · **relato** · **mensaje** · **anuncio** · ***otras manifestaciones verbales***

lastimoso, sa adj.

• CON SUSTS. **episodio** · **situación** *Aunque la situación es verdaderamente lastimosa...* · **estado** · **suceso** · **espectáculo** · **imagen** *la lastimosa imagen de abandono y de desidia que daba la biblioteca municipal* · **argumento** || **ruina** · **derrota** || **descuido** || **grito** · **quejido**

lastre s.m.

• CON ADJS. **pesado** · **penoso** · **abrumador** · **gravoso** *Estas persistentes divisiones internas están convirtiéndose en un gravoso lastre para la empresa* · **engorroso** · **insoportable** · **serio** · **grave** · **amenazador** || **ligero** · **llevadero** || **innecesario** · **sobrante** || **heredado**

• CON VBOS. **sobrar** || **representar** *Las cargas familiares representaban para él un pesado lastre* · **suponer** · **constituir** || **cargar** · **arrastrar** · **acarrear** · **soportar** || **{soltar/echar} (por la borda)** · *Soltamos lastre y el globo ascendió* · **aligerar** · **descargar** · **aliviar** || **desprender(se) (de)** · **deshacer(se) (de)** · **desembarazarse (de)** · **librar(se) (de)** *Por fin he conseguido librarme del enorme lastre que me suponía la hipoteca* · **liberar(se) (de)**

lata s.f.

• CON ADJS. **de conservas** · **de aceite** · **de combustible** · **de pintura** || **vacía** *una lata de cerveza vacía* · **llena**

• CON VBOS. **contener (algo)** || **oxidar(se)** || **abrir** *abrir una lata de mejillones para el aperitivo* · **consumir** · **beber** · **tomar** || **recoger** · **tirar** · **acumular** · **arrojar** · **reciclar** || **llenar** · **rellenar** · **vaciar**

• CON PREPS. **en** *sardinas en lata* || **de** *un juguete de lata*

☐ EXPRESIONES **dar la lata** [molestar] *col.* || **ser** (algo) **una lata** [ser muy molesto] *col.*

latente adj.

• CON SUSTS. **pesimismo** *Sus palabras están marcadas por un pesimismo latente* · **optimismo** · **lirismo** · **consumismo** · **radicalismo** || **hostilidad** · **rivalidad** · **conflicto** *Existe un conflicto latente entre los dos grupos que podría desembocar en un enfrentamiento abierto* · **lucha** · **guerra** · **disputa** · **violencia** · **agresividad** · **división** · **contradicción** · **debate** · **conflictividad** · **tensión** || **odio** · **rencor** · **indignación** · **malestar** · **desconfianza** · **preocupación** · **desconcierto** · **inseguridad** · **recelo** · **miedo** · **temor** *El temor a nuevas represalias continúa latente* · **nerviosismo** · ***otros sentimientos o emociones*** || **problema** · **crisis** · **recesión** || **amenaza** · **peligro** *No debemos bajar la guardia porque el peligro está siempre latente* · **riesgo** || **virus** · **enfermedad** || **cautela** · **sospecha** · **duda** · **incertidumbre** · **pregunta** · **misterio** || **deseo** *A pesar de haberse comprometido en firme, albergaba un deseo latente de independencia* · **aspiración** · **ambición** · **tentación** · **pasión** || **tendencia** · **inclinación** · **impulso** · **fuerza** || **recuerdo** || **presencia** · **vida** · **contenido** || **estado** *formas de vida en estado latente*

• CON VBOS. **ser** · **estar** · **seguir** · **mantener(se)** · **continuar** · **permanecer**

latido s.m.

• CON ADJS. **del corazón** *Durante la prueba, pudieron escuchar los latidos del corazón del bebé* · **cardíaco** · **humano** · **vital** || **irregular** · **rítmico** · **por minuto** · **arrítmico** · **constante** · **firme** · **incontrolado** · **tranquilo** · **fuerte** *Sufría algún problema de corazón: se oía un latido fuerte seguido de varios más débiles* · **largo** · **agudo** · **final** · **imperceptible** · **anormal** · **último** || **poético** *el intenso latido poético de una prosa a la vez medida y arrebatada* · **electrónico** · **cromático**

• CON SUSTS. **ritmo (de)** · **fuerza (de)** || **control (de)**

• CON VBOS. **acelerar(se)** || **controlar** · **elevar** · **ralentizar** · **detener** · **disminuir** · **acompasar** || **sentir** · **percibir** · **escuchar** *...para escuchar los latidos de su corazón* · **oír** · **detectar**

latín s.m. Véase IDIOMA

latir v.

• CON SUSTS. **corazón** · **arteria** · **pulso** || **vida** *...cuando sientes que la vida corre por tus venas y late en tu interior* · **deseo** · **pasión** · **esperanza** || **preocupación** · **descontento** · **disgusto** · **temor** || **pregunta** · **interrogación** · **inquietud** · **cuestión** || **duda** *Late en la opinión pública una angustiosa duda sobre la verdad de los hechos* · **certeza** || **problema** · **violencia**

• CON ADVS. **aceleradamente** · **con fuerza** · **deprisa** · **atropelladamente** || **normalmente** || **despacio** · **lentamente** || **con ritmo** · **acompasadamente** · **desacompasadamente**

latitud s.f.

• CON ADJS. **alta** · **baja** · **ancha** || **meridional** · **ecuatorial** || **geográfica** *un modelo de vida natural en otras latitudes geográficas* · **política** || **exacta** · **adecuada**

• CON SUSTS. **grado (de)** · **minuto (de)** · **segundo (de)** · **coordenada (de)** || **diferencia (de)** · **cambio (de)**

• CON VBOS. **señalar** · **alcanzar** *rumbo al oeste hasta alcanzar la latitud deseada*

laúd s.m.

• CON ADJS. **renacentista**

• CON VBOS. **pulsar**

➤ Véase también **INSTRUMENTO MUSICAL**

laurel s.m.

• CON SUSTS. **corona (de)**

• CON VBOS. **cosechar** *tras muchos años de esfuerzo logró cosechar los laureles del éxito* · **alcanzar** · **lograr** · **recibir** || **coronar (con)** || **gozar (de)** *gozar de los laureles del éxito y de la fama*

➤ Véase también **ÁRBOL**

☐ EXPRESIONES **dormirse en los laureles** [reducir el esfuerzo por confiar en el éxito ya conseguido]

lava s.f.

• CON ADJS. **volcánica** || **petrificada** · **sólida** · **incandescente** *un río de lava incandescente* · **ardiente** · **caliente** || **incontenible**

• CON SUSTS. **mar (de)** *Un imparable mar de lava cubría campos y casas* · **ola (de)** · **campo (de)** · **cuerpo (de)** ·

río (de) · valle (de) · piedra (de) || erupción (de) · chorro (de) · corriente (de) · flujo (de)
● CON VBOS. avanzar · detener(se) || petrificar(se) · solidificar(se) || cubrir (algo) · sepultar (algo) *La lava sepultó la ciudad por completo* · discurrir || arrojar · expulsar · escupir *El volcán escupía lava ardiente de forma violenta* · devolver · vomitar

lavable adj.

● CON SUSTS. material · papel · tela · tejido · madera · pañal · prenda · funda · tapicería || tatuaje *Llevaba en el brazo un tatuaje lavable* · tinta · pintura

lavado s.m.

● CON ADJS. a mano *En la etiqueta de esta prenda se recomienda el lavado a mano* · a máquina · automático · en seco || integral
● CON SUSTS. túnel (de)
● CON VBOS. necesitar *El coche necesita urgentemente un lavado* · precisar || someter (a) · proceder (a)
□ EXPRESIONES **lavado de cara** [arreglo superficial] *col.* || **lavado de cerebro** [anulación de la forma de pensar de una persona] *col.* || **lavado de dinero** [conversión del dinero negro en dinero legal] || **lavado de estómago** [limpieza estomacal]

lavandería s.f.

● CON ADJS. automática · industrial · doméstica || a domicilio || de ropa · de dinero
● CON SUSTS. servicio (de) *El hotel dispone de servicio de lavandería* · sección (de) · taller (de) || lista (de) || maquinista (de)
➤ Véase también ESTABLECIMIENTO

lavar v.

● CON SUSTS. platos *¿Alguien se ofrece para lavar los platos?* · ropa · coche · ***otros objetos*** || mano · cara · dientes *lavarse los dientes con un cepillo eléctrico* · cerebro *Tengo la sensación de que te han lavado el cerebro* · ***otras partes del cuerpo*** || fruta · pescado · lechuga · ***otros alimentos sólidos*** || dinero negro *Acusan a la empresa de lavar dinero negro procedente de comisiones ilegales* · deuda · cheque || suciedad · mancha · sangre · mugre · mierda · trapos sucios || honor · honra · nombre · imagen *En un intento de lavar la deteriorada imagen del candidato, el partido anunció...* · reputación || conciencia · corazón · alma || corrupción · delito · pecado · abuso || herida · lesión · afrenta · ofensa · falta · culpa || niño,ña · hijo,ja · bebé · ***otros individuos***
● CON ADVS. a mano · a máquina · en seco || a fondo *Tuvieron que lavarle a fondo la herida para desinfectarla* · profusamente · cuidadosamente

laxo, xa adj.

● CON SUSTS. gobierno · juez · árbitro,tra *un árbitro demasiado laxo con las sanciones* · alcalde,-sa · profesorado · ***otros individuos y grupos humanos*** || norma · normativa · disciplina · exigencia · ley · medida · plazo · ***otras disposiciones*** || política *Critican la política laxa y complaciente del Gobierno en materia de gastos* · criterio · plan · sistema || interpretación · sentido *Este concepto tiene un sentido laxo y otro estricto* · acepción · término || conciencia · moral *una sociedad en la que domina una moral laxa y acomodaticia* · moralidad · actitud · comportamiento || control · administración · regulación · supervisión · organización

lazo s.m.

● CON ADJS. estrecho · íntimo · firme · fuerte · sólido || indisoluble *los indisolubles lazos que unen a nuestros dos países* · inquebrantable · perdurable · eterno · tradicional || tirante · holgado || intrincado || de sangre *dos monarquías unidas por lazos de sangre* · familiar · fraternal · de amistad *Durante su estancia en París el pintor trabó fuertes lazos de amistad con otros artistas* · amistoso · afectivo · profesional · comercial · de unión *Se investiga si existe algún lazo de unión entre los dos sucesos*
● CON VBOS. unir (algo) *Solo nos unen lazos profesionales* · vincular (algo) || fortalecer(se) · afianzar(se) · perdurar || hacer · anudar · establecer · trabar · crear · entablar · tejer · tender · atar || estrechar *El tratado sirvió para estrechar lazos entre las dos naciones* · reforzar · apretar · tensar · mantener · conservar · echar || aflojar · debilitar · soltar · romper *Decidió romper los lazos que los ataban y pidió el divorcio* · quebrar · cortar · desatar *¿Puedes desatarme el lazo de atrás?* · deshacer || unir (algo) (con) · atar (algo) (con) *Puedes atar las dos cuerdas con un lazo* · sujetar (algo) (con)
● CON PREPS. con · mediante

leal adj.

● CON SUSTS. colaborador,-a *Fue leal colaborador del presidente durante años* · socio,cia · político,ca || fuerzas · tropas || ***otros individuos y grupos humanos*** || perro,rra · animal · mascota || competencia *una ley que garantice la competencia leal en el sector* · oposición || colaboración · apoyo || actitud · acatamiento || saber *Actúo según mi leal saber y entender*
● CON ADVS. completamente · totalmente · profundamente · extraordinariamente

lealmente adv.

● CON VBOS. colaborar *Expresó su intención de colaborar lealmente con las autoridades* · apoyar · cooperar · ayudar · secundar · defender · contribuir · suscribir · seguir · adherirse || cumplir · respetar · observar · aceptar || portarse · comportarse · actuar · competir · disputar(se) (algo) || servir *Había servido lealmente al señor marqués a lo largo de mucho tiempo* · atender · mantener · cuidar · conservar · preservar

lealtad s.f.

● CON ADJS. absoluta *Actuó siempre con absoluta lealtad a sus principios* · total · sin reservas · ciega · sin condiciones · incondicional · ferviente · devota · firme · férrea · inquebrantable · eterna || falsa · de compromiso · circunstancial
● CON SUSTS. muestra (de) *Su silencio fue la mejor muestra de lealtad* · signo (de) · demostración (de) || sentido (de)
● CON VBOS. quebrar(se) || granjearse · conquistar || jurar (a algo/a alguien) · tener (a algo/a alguien) · profesar (a algo/a alguien) *unos seguidores que profesan lealtad ciega a su líder* · tributar (a alguien) · guardar (a algo/a alguien) · mantener · conservar || demostrar || romper · quebrantar || faltar (a)
● CON PREPS. con *servir a alguien con lealtad* · sin

lección

1 lección s.f.

● CON ADJS. magistral · sabia || valiosa · impagable *Nos dio una impagable lección de humanidad* · inestimable ·

provechosa · **útil** · **ilustrativa** · **aleccionadora** || **difícil** · **ardua** · **dura** · **amarga** || **merecida** *El insolente muchacho recibió una merecida lección*

● CON VBOS. **caer en saco roto** || **dar** · **impartir** · **dictar** || **sacar (de algo)** · **extraer (de algo)** *Al menos extraje una provechosa lección de aquel percance* · **obtener (de algo)** || **aprender** · **asimilar** · **saber** · **aprovechar** || **tomar** *Estudiad porque luego vendré a tomaros la lección* · **recitar** · **repetir** || **memorizar** · **retener** · **recordar** || **olvidar** || **merecer** · **recibir** || **examinar(se) (de)** || **servir (de)** *¡Que te sirva de lección!*

2 **lección (de)** s.f.

● CON SUSTS. **anatomía** · **economía** · **matemáticas** · **política** · **interpretación** · **literatura** · **periodismo** · **pintura** · **cine** · **teatro** · **danza** · **música** · ***otras disciplinas*** || **fútbol** *El equipo visitante tardará en olvidar la lección de fútbol que le dio...* · **tenis** · **baloncesto** · ***otros deportes*** || **buen hacer** · **eficacia** · **eficiencia** · **aprendizaje** || **dignidad** · **ética** · **moral** · **responsabilidad** · **sensatez** || **humildad** *Dio a los presentes una lección de humildad y tolerancia* · **pundonor** · **solidaridad** · **amor** · **humanidad** · **tolerancia** · **flexibilidad** · **compromiso** · **sinceridad** · **caridad** · **sencillez** · **sensibilidad** || **temple** · **paciencia** · **serenidad** · **entereza** · **cordura** · **madurez** || **coraje** · **valentía** · **valor** · **poder** · **entusiasmo** || **talento** · **elegancia** · **estilo** || **independencia** · **rebeldía** || **civismo** · **urbanidad** · **compañerismo** *un gesto que fue alabado como una gran lección de compañerismo* · **convivencia** · **deportividad** · **educación** · **(buenas) maneras** · **(buenos) modales** || **unidad** · **democracia** · **libertad** || **sabiduría** · **profesionalidad** · **rigor** · **coherencia**

lechal

1 **lechal** adj.

● CON SUSTS. **cordero** *una sabrosa paletilla de cordero lechal* · **cochinillo** · **ternera**

2 **lechal** s.m.

● CON ADJS. **delicioso** · **exquisito** · **tierno** · **suave**

● CON SUSTS. **carne (de)** · **filete (de)** · **chuleta (de)**

● CON VBOS. **cocinar** · **asar** *El cocinero asó el lechal a fuego lento* · **preparar**

leche s.f.

● CON ADJS. **en polvo** · **condensada** · **entera** *La leche entera tiene más grasa que la desnatada, pero prefiero su sabor* · **semidesnatada** · **desnatada** · **descremada** · **evaporada** · **pasteurizada** · **chocolateada** || **de almendras** · **de coco** · **de soja** || **frita** · **merengada** || **solar** *aplicarse una leche solar con alto índice de protección* · **limpiadora** · **hidratante**

● CON SUSTS. **diente (de)** *Todavía no se me han caído todos los dientes de leche* || **dulce (de)** || **hermano,na (de)** · **hijo,ja (de)** · **madre (de)**

● CON VBOS. **cuajar(se)** · **cortar(se)** *Dejaste la leche fuera de la nevera y se ha cortado* · **agriar(se)** || **pasteurizar** · **embotellar** · **hervir** · **cocer** || **aguar**

➤ Véase también **BEBIDA**

☐ EXPRESIONES **a toda leche** · **echando leches** [muy deprisa] *col.* || **mala leche** [mala intención o mal humor] *col.* || **ser la leche** [ser el colmo o ser algo fuera de lo común] *col. Eres la leche, nunca arreglas lo que estropeas*

[lechuga] → como una lechuga

lechuza s.f.

● CON SUSTS. **ojos (de)**

● CON VBOS. **ulular** *Por la noche oíamos ulular a las lechuzas*

lectivo, va adj.

● CON SUSTS. **año** *En el calendario podrán ver las semanas de exámenes de este año lectivo* · **hora** · **día** · **tarde** · **mañana** || **horario** · **ciclo** · **jornada** *La materia se distribuirá en diferentes jornadas lectivas* · **período** · **tiempo** · **calendario** || **curso** · **actividad** · **clase** · **sesión** || **carga** · **sobrecarga** || **material** *Todos los alumnos deben venir a clase con el material lectivo preparado* || **aumento**

lector, -a s.

● CON ADJS. **ocasional** · **habitual** · **asiduo,dua** · **confeso,sa** · **incansable** *una lectora incansable que disfruta enormemente con cada novela* · **infatigable** · **voraz** · **ávido,da** · **empedernido,da** · **impenitente** · **compulsivo,va** || **inconstante** · **desapasionado,da** || **aficionado,da** · **interesado,da** *Dejaremos unos folletos explicativos para los lectores interesados* · **curioso,sa** · **fervoroso,sa** · **apasionado,da** || **medio,dia** · **convencional** || **culto** · **formado,da** · **iniciado,da** · **especializado,da** *una colección de libros dirigida a lectores especializados en astronomía* · **avezado,da** · **aventajado,da** · **avisado,da** · **prevenido,da** || **inteligente** · **agudo,da** *Cualquier lector agudo se dará cuenta de las trampas que esconde el poco objetivo editorial de...* · **perspicaz** || **atento,ta** *Los lectores atentos no pasarán por alto este curioso detalle* · **cuidadoso,sa** · **concienzudo,da** · **apresurado,da** || **cómplice** · **benevolente** · **exigente**

● CON SUSTS. **clave (para)** · **nota (para)** · **guiño (a/para)** || **opinión (de)** || **carta (de)**

● CON VBOS. **asomarse (a algo)** *El lector que se asome a este libro quedará gratamente sorprendido* · **introducir(se) (en algo)** || **experimentar (algo)** · **familiarizar(se) (con algo)** || **atraer** · **arrastrar** · **trasladar** *La novela traslada a sus lectores a un mundo de pasiones e intrigas* · **sorprender** · **estimular** || **guiar** · **orientar** · **conducir** *La autora conduce al lector a un laberinto de situaciones enredadas* · **llevar** · **llevar de la mano** || **desorientar** · **privar (de algo)** || **acercar(se) (a)** · **llamar la atención (de)** · **dirigir(se) (a)** || **desvelar (algo) (a)** · **advertir (algo) (a)** · **mostrar (algo) (a)** · **anticipar (algo) (a)** *No anticiparé al lector el curioso desenlace de esta novela, pero sí diré que...* || **desplegar (ante)** || **invitar (a)** *En su ensayo invita a los lectores a hacer una reflexión sobre...* · **provocar (en)** *una novela que provoca en el lector intensas emociones*

lectura s.f.

● CON ADJS. **amena** · **apasionante** *Estoy enfrascado en una lectura apasionante* · **gustosa** · **compulsiva** · **ávida** || **fácil** · **fluida** || **difícil** · **ardua** || **provechosa** · **aleccionadora** · **activa** || **metódica** · **sistemática** || **en profundidad** *De una lectura en profundidad del documento se desprenden las siguientes conclusiones...* · **profunda** · **concienzuda** · **exhaustiva** · **minuciosa** · **con lupa** · **atenta** · **meditada** · **detenida** · **sosegada** · **pausada** || **superficial** *Si nos quedamos en una lectura superficial, no entenderemos el verdadero sentido de los hechos* · **por encima** · **de pasada** · **somera** · **apresurada** · **rápida** || **crítica** · **analítica** || **silenciosa** || **comprensiva** · **mecánica** · **descarnada** || **apasionada** · **ferviente** · **desapasionada** · **fría** || **personal** *Esta es mi lectura personal, usted puede no estar de acuerdo* || **fiel** · **rigurosa** · **literal** · **entre líneas** · **sesgada** · **aviesa** || **atinada** · **acertada** *En mi opinión, el*

analista ha realizado una lectura acertada de los datos || equivocada · errónea · desacertada || aficionado,da (a) · amante (de)
• CON SUSTS. sala (de) · puesto (de) || índice (de) · hábito (de) · nivel (de) || libro (de) · guía (de)
• CON VBOS. cultivar · fomentar · promover · potenciar · recomendar || merecer *El ensayo merece una lectura detenida y atenta* || acometer · hacer · realizar · dar (a algo) *A continuación daremos lectura al testamento* || interrumpir · detener || incitar (a) · animar (a) *una campaña orientada a animar a los jóvenes a la lectura* || adentrarse (en) · zambullirse (en) · enfrascarse (en)

leer v.

• CON SUSTS. libro *Estoy leyendo un libro apasionante* · novela · subtítulo · crónica · carta · informe · ***otros textos*** || número · cifra · dato || partitura · plano · información · hora || papel · pantalla · pizarra · ***otras superficies*** || cartas · tarot · (líneas de la) mano *Una cíngara me leyó las líneas de la mano y me dijo que tendría mucha suerte* · estrellas · futuro · destino || labios *Muchos sordos pueden leer los labios* || pensamiento *Parece que me has leído el pensamiento*
• CON ADVS. en voz {alta/baja} · en alto · a coro || de cerca · de lejos || mecánicamente · de carrerilla || a duras penas · con dificultad · con facilidad || con fluidez · de corrido · de un tirón *Leí de un tirón la novela que me regalaste* || a trompicones · atropelladamente · entrecortadamente || pausadamente · plácidamente · tranquilamente || de arriba abajo · de cabo a rabo · concienzudamente · con lupa *Te recomiendo que leas el contrato con lupa* · con detalle · con atención · atentamente || por encima *Lo leí por encima, pero me bastó para hacerme una idea del contenido* · de pasada · de refilón · a la ligera || con interés · con fruición · ávidamente · vorazmente *Es un lector empedernido, lee vorazmente todo lo que cae en sus manos* · compulsivamente · febrilmente · ininterrumpidamente || al pie de la letra · entre líneas *Leyendo entre líneas, de sus palabras se desprendía un mensaje oculto* · con cautela

☐ USO Alterna a veces los complementos directos (*leer las estrellas*) con los complementos encabezados por la preposición *en* (*leer en las estrellas*).

legado s.m.

• CON ADJS. familiar · personal · patrimonial || histórico *rescatar el legado histórico de la ciudad* · cultural · literario · artístico · intelectual · político || valioso · generoso
• CON VBOS. dejar (en herencia) *El gran compositor dejó un legado de más de cien partituras* · dar · hacer || recibir || cargar (con)

legal adj.

• CON SUSTS. disposición · norma · normativa · ordenamiento · precepto || figura · principio · base · marco *Intentaremos buscar soluciones siempre dentro del marco legal* || sistema · texto || imperativo · mandato · obligación · requisito · condición || acción · medida *En relación al fraude, la organización está estudiando tomar las medidas legales oportunas* · medio · recurso · herramienta · instrumento · mecanismo || vía *Esta es la única vía legal existente* · cauce · conducto · trámite · paso || reforma · modificación · cambio || defensa · amparo · apoyo *Contamos con el apoyo legal del Ayuntamiento para...* · ayuda · asistencia · protección · garantía · cobertura · asesoramiento || límite · impedimento · barrera · obstáculo · restricción || vacío · laguna · agujero · resquicio || truco · argucia *una curiosa argucia legal de la que se han valido para...* · pirueta · trampa || problema · conflicto · batalla · proceso || representante · asesor,-a || autoridad · instancia || actividad · negocio *Los ingresos del acusado proceden de negocios legales* · comercio · transacción || miembro · comando
• CON ADVS. absolutamente · enteramente *La importación de estas especies es enteramente legal* · estrictamente · escrupulosamente · totalmente || parcialmente · dudosamente

legalidad s.f.

• CON ADJS. estricta *Su actuación está dentro de la más estricta legalidad* · dudosa || plena · total · completa · absoluta || vigente || acorde (con)
• CON SUSTS. respeto (a) *La transacción se efectuó con escrupuloso respeto a la legalidad* · observancia (de) · defensa (de) || ataque (a) || principio (de) · criterio (de)
• CON VBOS. respetar · observar · mantener || bordear || contravenir · vulnerar · infringir · quebrantar · conculcar · burlar · saltarse · transgredir · violar · subvertir || ajustar(se) (a) *Habrá que estudiar si esa práctica se ajusta a la legalidad o no* · atenerse (a) · cumplir (con) || revestir(se) (de)
• CON PREPS. con arreglo (a) · de acuerdo (con) || dentro (de) · al borde (de) · al filo (de) *actuaciones administrativas al filo de la legalidad* · al margen (de)

legalización s.f.

• CON ADJS. definitiva · inmediata · rápida · irregular · indiscriminada · racional · virtual · indirecta · posible || partidario,ria (de) · contrario,ria (a) *un partido político contrario a la legalización de...* · favorable (a)
• CON SUSTS. trámite (de) · proceso (de) · proyecto (de) · campaña (pro) *Se realizó una campaña pro legalización secundada por...*
• CON VBOS. gestionar(se) || aplazar(se) || permitir *permitir la legalización de una sustancia para uso terapéutico* · facilitar || exigir · reclamar · pedir · solicitar · reivindicar · promover · negociar · proponer · preparar || lograr · obtener || negar · obstaculizar · evitar · impedir · rechazar · retrasar || autorizar · garantizar *garantizar la legalización de ciertas publicaciones* · anunciar || defender · apoyar · forzar || avanzar (en) · oponerse (a) || proceder (a)
• CON PREPS. por · {en/a} favor (de) *Dedicó toda su vida a la lucha en favor de la legalización de los derechos de los animales* || contra · en contra (de)

legalizar v.

• CON SUSTS. actividad · práctica || prostitución · aborto · eutanasia · juego · droga || matrimonio · divorcio || situación *Por fin he podido legalizar mi situación laboral* · residencia · estancia || contrato · venta · operación || edificio · vivienda || armas || cuentas || derechos · manifestación · marcha · huelga *El Gobierno aún no ha legalizado la huelga de...* || documentación · ley · gobierno · partido político || producción · uso *legalizar el uso de una droga con fines médicos* · consumo · promoción

legar v.

• CON SUSTS. fortuna *Legó toda su fortuna a una institución benéfica* · bienes · patrimonio · herencia || obra · propiedad · casa || memoria

legendario, ria adj.

● CON SUSTS. **personaje · figura · estrella || cantante · intérprete · músico,ca · compositor,-a · concierto · maestro,tra · guitarrista · actor · actriz · grupo · banda || líder · guerrillero,ra · héroe · heroína** *Estudiaremos la biografía de alguna heroína legendaria* · **luchador,-a || deportista · futbolista || autor,-a · novela · teatro · historia · texto · obra || familia || lugar** *Por los sucesos allí acaecidos, el pueblo se convirtió en un lugar legendario* · **estadio** *Es un honor para nosotros jugar en este estadio legendario del que tantas estrellas han salido*

legible adj.

● CON SUSTS. **novela · párrafo ·** ***otros textos*** **|| letra** *Le tiemblan las manos y su letra ya no es legible* · **signo · carácter · escritura**

● CON ADVS. **perfectamente · fácilmente · difícilmente** *caracteres difícilmente legibles* · **totalmente · claramente**

legislación s.f.

● CON ADJS. **vigente · actual** *Se está estudiando una reforma de la actual legislación* · **existente || antigua · caduca · obsoleta || restrictiva · severa · taxativa · opresiva · implacable · preceptiva || permisiva · flexible || justa · injusta || controvertida · insuficiente || abundante** *Existe abundante legislación sobre esa materia* · **escasa || exhaustiva · minuciosa || acorde (con)**

● CON SUSTS. **reforma (de) · modificación (de) · revisión (de) || cumplimiento (de) · aplicación (de) · ejecución (de)**

● CON VBOS. **establecer (algo)** *Según establece la legislación vigente, no está permitido...* · **estipular (algo) · disponer (algo) · fijar (algo) · recoger (algo) · prever (algo) || obligar (a algo) · permitir (algo) · prohibir (algo) || aprobar** *Se aprobó una nueva legislación laboral* · **promulgar · tramitar · reformar · cambiar · modificar · refundir · hacer pública · derogar || aplicar · esgrimir || cumplir** *¿Quiénes serán los encargados de velar por que se cumpla la legislación?* · **obedecer || incumplir · desobedecer · infringir** *Le cerraron el negocio porque infringía la legislación vigente* · **conculcar · burlar · saltarse · transgredir · violar · vulnerar · soslayar · sortear || atenerse (a) · ajustar(se) (a)** *Tuvieron que modificar el proyecto para que se ajustara a la legislación* **|| amparar(se) (en)**

● CON PREPS. **de acuerdo (con) · con arreglo (a) · según**

legislativo, va adj.

● CON SUSTS. **reforma · proyecto** *Ha costado mucho poner en marcha el nuevo proyecto legislativo* · **propuesta · medida · cambio · modificación || cláusula · texto** *el texto legislativo es oscuro en algunos puntos* **|| decisión · debate · pacto || poder · órgano · cámara · asamblea · cuerpo · carácter || marco · actividad · acción · función · capacidad || técnica · iniciativa · procedimiento** *Debemos esperar a que se inicie el procedimiento legislativo* · **desarrollo || pleno · elecciones · período · comicios**

legislatura s.f.

● CON SUSTS. **final (de) · inicio (de) · fin (de) · comienzo (de) · principio (de)** *un proyecto que anunció para el principio de la próxima legislatura* **|| balance (de)**

● CON VBOS. **agotar(se) · terminar(se) || abrir** *El Gobierno abrió la legislatura con el anuncio de una nueva ley del suelo* · **inaugurar · cerrar · culminar || encarrilar · prorrogar**

● CON PREPS. **durante · a lo largo (de)**

legitimar v.

● CON SUSTS. **gobierno · régimen** *La medida buscaba revitalizar y legitimar el régimen* · **política · institución || acción · actuación · intervención · operación · decisión · proceso · represión || presencia · situación · uso · posición || violencia** *partidos políticos legitiman la violencia como medio para...* · **delito · corrupción || aborto · eutanasia · extorsión · abuso ·** ***otras actuaciones*** **|| designación · nombramiento · cargo · político,ca**

● CON ADVS. **democráticamente · políticamente · legalmente · en las urnas** *El pueblo ha legitimado en las urnas a sus gobernantes* · **electoralmente || de hecho || plenamente · completamente || moralmente · en conciencia || internacionalmente**

legitimidad s.f.

● CON ADJS. **democrática · constitucional · política · histórica** *Nuestros fueros son tantos que atestiguan la legitimidad histórica de...* · **dinástica || internacional**

● CON SUSTS. **ápice (de) · barniz (de) || falta (de) · pérdida (de)**

● CON VBOS. **aportar · conferir** *La unanimidad de la decisión confiere legitimidad al acuerdo* · **dar || tener · adquirir · arrogarse || apoyar · defender · avalar · acreditar · reconocer || perder · poner {en duda/en entredicho/en tela de juicio} · cuestionar · quitar · restar · negar · socavar || gozar (de) · carecer (de)** *Esa institución carece por completo de legitimidad para impugnar el acuerdo unánime de...*

[legítimo, ma] →en legítima defensa; legítimo, ma

legítimo, ma adj.

● CON SUSTS. **hijo,ja · descendiente · heredero,ra** *Los legítimos herederos impugnaron el testamento* · **sucesor,-a** *el legítimo sucesor a la corona* · **continuador,-a · padre · esposo,sa || acto · actuación · actividad · ejercicio · práctica || intento · movimiento · negocio || instrumento · órgano · procedimiento · mecanismo** *Las elecciones eran el único mecanismo legítimo para acceder al poder* · **medio · recurso · camino · modo || régimen · sistema · modelo || autoridad** *Solo acatarán lo dispuesto por una autoridad legítima* · **poder · fuerza · control · monopolio · soberanía · liderazgo · gobierno · gobernante · mandatario,ria || dueño,ña · propietario,ria · titular · depositario,ria · beneficiario,ria · destinatario,ria · usuario,ria · representante** *Al ser elegido como único representante legítimo del pueblo...* · **interlocutor,-a · aspirante || derecho** *Estoy en mi legítimo derecho de negarme* · **beneficio · premio · reconocimiento · título || afán · empeño · interés · búsqueda · deseo · aspiración** *Todos tenemos la legítima aspiración de mejorar nuestras condiciones de vida, pero...* · **ambición · intención · propósito · proyecto · objetivo · fin || defensa** *Declaró que lo golpeó en legítima defensa* · **huelga · reivindicación · exigencia || opción · elección · decisión || motivo · causa || principio · argumento || pacto · acuerdo · contrato || papel · función || uso** *Simplemente habían hecho uso legítimo de su libertad de expresión* · **empleo · gasto || representación || sentimiento · amor · satisfacción · odio || duda · sospecha || interpretación**

[legua] →a la legua; legua

legua s.f.

● CON ADJS. **marina · marítima · terrestre**

● CON VBOS. **equivaler (a algo) || calcular · convertir · pasar (a algo) || recorrer · andar** *El caballero anduvo varias leguas hasta encontrar una posada* · **caminar · correr || llevar**

● CON PREPS. **a lo largo (de) · durante || a** *a muchas leguas de aquí*

□ EXPRESIONES **a cien leguas*** [de forma clara] *col.* || **a la legua*** [con nitidez] *col.*

leído, da adj.

● CON SUSTS. ***persona*** *Es un placer conversar con gente tan leída*

lejano, na

1 lejano, na adj.

● CON SUSTS. **tierra · país · pueblo · región · ciudad · mundo · destino** *Para estas vacaciones, elija un destino lejano y exótico* · ***otros lugares*** || **tiempo · futuro · pasado · época · día** *los ya lejanos días de nuestra adolescencia* || **pariente · tío,a · primo,ma** *Me reencontré con un primo lejano, al que no veía desde hacía tiempo* · **familiar || parentesco · antecedente || recuerdo · sueño || disparo · remate · tiro · lanzamiento || objetivo** *Intenta plantearte objetivos menos lejanos* · **meta || ruido · eco · voz · sonido · música · luz || horizonte · espacio || oriente · oeste**

● CON ADVS. **felizmente · desgraciadamente || sumamente**

● CON VBOS. **ser · estar · mantener(se) · volver(se) || oír** *Se oía lejano el rumor del viento*

2 lejano (en) adj.

● CON SUSTS. **tiempo** *un acontecimiento lejano en el tiempo* · **espacio || recuerdo · memoria** *vivencias lejanas en nuestra memoria*

[lejos] →a lo lejos; ni de lejos; venir de lejos

lema s.f.

● CON ADJS. **brillante · acertado · inteligente · atractivo · feliz · fallido || famoso · conocido · popular** *La ciudadanía ya no se identifica con el popular lema...* || **polémico || pegadizo** *un lema pegadizo y atractivo que se recuerda con facilidad* || **recurrente · constante || directo · claro · sencillo · explícito · sugerente || inicial · final || principal · central** *el mensaje que se deducía del lema central de la campaña* · **oficial · general · electoral · institucional · gubernamental**

● CON VBOS. **acuñar** *El capitán acuñó el lema del equipo* · **inventar · idear · elegir || tener · seguir** *Toda mi vida seguí un único lema: disfrutar del momento* || **esgrimir · blandir || convertir (en) · llevar (como/de)**

● CON PREPS. **bajo** *Se celebró una conferencia bajo el lema...* · **con**

lencería s.f.

● CON ADJS. **fina** *un conjunto de lencería fina* || **íntima · interior || erótica · sugerente · provocativa || femenina · masculina || de hogar · de cama**

● CON SUSTS. **firma (de) · marca (de) · tienda (de) · empresa (de) · fábrica (de) · cadena (de) || conjunto (de) · prenda (de) || modelo (de)**

● CON VBOS. **vestir · probarse · lucir || hacer · diseñar || gastar (en)**

➤ Véase también **ESTABLECIMIENTO**

lengua s.f.

▌[idioma]

● CON ADJS. **materna** *Mi lengua materna es el español* · **madre · primera · segunda || oficial || natural · artificial || viva · muerta** *una lengua muerta como el latín* || **oral · escrita || enrevesada**

● CON VBOS. **extinguirse || hablar** *hablar varias lenguas* · **entender || cultivar || divulgar || traducir (de/a/en)** *Este libro se tradujo a varias lenguas*

▌[órgano]

● CON ADJS. **bífida || afilada · acerada · mordaz · viperina** *Ten cuidado con ellos, tienen una lengua viperina* || **largo,ga (de) · ligero,ra (de)**

● CON VBOS. **trabarse** *Me puse nervioso y se me trababa la lengua* || **chasquear** *Siempre chasquea la lengua cuando algo le desagrada* || **acallar · atenazar || sacar**

□ EXPRESIONES **con la lengua fuera** [muy fatigado] *col. llegar con la lengua fuera* || **{darle a/soltar} la lengua** [hablar mucho] *col.* || **irse de la lengua** [decir más cosas de la cuenta] *col.* || **lengua de {estropajo/trapo} · media lengua** [la de la persona que no pronuncia bien] *col. La niña trataba de decir con su media lengua que quería agua* || **lengua de gato** [chocolatina o galleta] || **malas lenguas** [gente murmuradora] *col. Dicen las malas lenguas que...* || **morderse la lengua** [contenerse para no decir algo] *Me mordí la lengua para no decirle lo que pensaba de él* || **tener** (algo) **en la punta de la lengua** [no conseguir recordarlo del todo] || **tener la lengua muy larga** [hablar más de lo debido y de forma inconveniente] *col. No le confío ningún secreto porque tiene la lengua muy larga y lo contaría* || **tirar de la lengua** (a alguien) [hacer decir a alguien lo que quiere callar]

lenguaje s.m.

● CON ADJS. **llano** *Lo explicó en un lenguaje llano para que todo el mundo lo entendiera* · **sencillo · claro · directo · práctico · comprensible · inteligible · meridiano · accesible · diáfano || oscuro · ininteligible · abstruso · hermético** *Utilizan un lenguaje hermético que resulta muy difícil de comprender* · **impenetrable · inaccesible || vago · ambiguo · engañoso || fluido · entrecortado || técnico · especializado · profesional || alambicado · farragoso · enrevesado · retorcido · rebuscado || afectado · ampuloso · pomposo** *Tras ese lenguaje pomposo y rimbombante se esconde una gran pobreza de ideas* · **rimbombante · recargado · sobrecargado · exuberante · florido · barroco || lacónico · telegráfico · contundente · descarnado · brusco · combativo · dominante || poético · lírico · metafísico || literal · figurado || soez · malsonante · bronco · zafio · gutural || sexista** *Los profesores tratan de evitar el lenguaje sexista en la escuela* · **discriminatorio · despectivo · mordaz || preciso · cuidado · depurado · esmerado · refinado · cuidadoso || hueco · vacío · redundante · manido · trillado || rico · vivo** *Sus conferencias resultan muy amenas por el lenguaje vivo y desenfadado que utiliza* · **vívido · expresivo · jugoso || formal · informal** *Adoptó un lenguaje informal para dirigirse al público juvenil*

● CON SUSTS. **economía (de) · evolución (de) || dominio (de)** *Demostraba un gran dominio del lenguaje* · **uso (de) · empleo (de) || función (de) · finalidad (de) || procesamiento (de) || teoría (de) · análisis (de)**

• CON VBOS. **delatar (algo/a alguien)** · **caracterizar (algo/a alguien)** || **entrecortar(se)** || **madurar** || **acuñar** || **manejar** *Manejas ya el lenguaje administrativo con total soltura* · **usar** · **utilizar** · **emplear** · **adoptar** · **exhibir** · **cultivar** *Poco amigo de la expresión directa, cultivaba un lenguaje oscuro y alambicado* || **descifrar** · **desbrozar** · **descodificar** · **interpretar** || **adulterar** · **tergiversar** · **manipular** || **abusar (de)**

lente s.amb.

• CON ADJS. **de contacto** *Antes llevaba gafas, pero ahora llevo lentes de contacto* · **de aumento** || **cóncavo,va** · **convexo,xa** || **blando,da** · **duro,ra** *Las lentes duras me irritan los ojos* || **progresivo,va** · **bifocal** || **graduado,da**
• CON SUSTS. **graduación (de)** || **grosor (de)** · **curvatura (de)**
• CON VBOS. **llevar** · **usar** *usar una lente de aumento para ver los detalles más pequeños* || **poner(se)** · **quitar(se)** || **graduar** || **mirar (con/tras)**
• CON PREPS. **a través (de)**

lentejuela s.f.

• CON SUSTS. **vestido (de)** · **traje (de)** · **chaqueta (de)** *Asistió a la recepción con una chaqueta de lentejuelas* · **falda (de)** · **disfraz (de)** || **bordado (de)**
• CON VBOS. **brillar** || **coser** · **descoser**

lentilla s.f.

• CON ADJS. **graduada** · **de color** · **desechable** · **cosmética** · **óptica** · **terapéutica** · **especial** · **seca**
• CON VBOS. **poner(se)** · **colocar(se)** || **buscar** · **usar** · **llevar** *¿Cuántas horas como máximo puedo llevar estas lentillas?* · **perder** || **graduar** · **personalizar**

lentitud s.f.

• CON ADJS. **característica** · **proverbial** · **sistemática** || **gran(de)** · **enorme** · **extremada** · **extrema** · **absoluta** · **suma** · **supina** · **excesiva** · **pasmosa** || **de tortuga** · **paquidérmica** || **parsimoniosa** · **solemne** || **exasperante** *El autobús avanzaba con exasperante lentitud en medio del tráfico* · **desesperante** · **agobiante** · **insufrible** || **palpable** · **patente** · **manifiesta** · **aparente** || **calculada** · **deliberada** *Abrió el sobre con deliberada lentitud* · **interesada** || **disculpable** · **excusable** · **tolerable** · **explicable** || **imperdonable** · **inexcusable** · **intolerable** · **inexplicable** || **mental** · **expositiva** || **administrativa** · **burocrática** *Además, debemos contar con la lentitud burocrática de siempre* · **judicial** · **procesal**
• CON VBOS. **acusar** · **demostrar** · **mostrar** || **explicar** *La falta de personal explica la lentitud del servicio* · **justificar** || **criticar** || **adolecer (de)** · **pecar (de)** || **acostumbrar(se) (a)**
• CON PREPS. **con** *actuar con lentitud y cautela* · **sin** || **debido (a)** · **por**

[lento, ta] → a cámara lenta; a fuego lento; en cámara lenta; lento, ta

lento, ta adj.

• CON SUSTS. **coche** · **tren** · **carro** · ***otros vehículos*** || **pelota** · **nube** · **jugador-a** · **conductor,-a** · ***otras personas o cosas en movimiento*** || **motor** · **maquinaria** · **mecanismo** · **ordenador** · **programa** || **proceso** · **recuperación** *la lenta recuperación de la economía* · **reacción** · **crecimiento** · **avance** · **evolución** · **desarrollo** · **aumento** · **ascenso** || **descenso** · **muerte** · **agonía** · **caída** · **retroceso** · **pérdida** || **circulación** · **tráfico** *Han anunciado tráfico lento a partir del kilómetro...* · **funcionamiento** · **flujo** · **curso** · **transcurso** || **día** *Los días pasan lentos* · **mes** · **año** · **tiempo** · ***otros momentos o periodos*** || **justicia** · **burocracia** · **trámite** || **tarea** · **trabajo** *Es un trabajo lento y minucioso* || **ritmo** · **movimiento** · **paso** · **baile** · **juego** · **giro** · **maniobra** || **cancha** · **pista** || **canción** · **música** *La música lenta me relaja* || **disparo** · **tiro** · **golpe**
• CON VBOS. **ser** · **estar** *La circulación está muy lenta esta mañana*

leña s.f.

• CON SUSTS. **haz (de)**
• CON VBOS. **arder** *La leña no arde porque está húmeda* · **quemar(se)** · **crepitar** || **cortar** · **partir** || **apilar** · **amontonar** || **recoger** *Fuimos al bosque a recoger leña* · **buscar**
□ EXPRESIONES **{añadir/echar} (más) leña al fuego** [dar motivos para empeorar algo] *col.* || **dar leña** [jugar duro] *col.* || **hacer leña del árbol caído** [aprovecharse de la debilidad de alguien] *col.*

leñazo s.m. Véase GOLPE

[leño] → como un leño; leño

leño s.m.

• CON VBOS. **arder** · **crepitar** *Era un placer escuchar cómo crepitaban los leños en la hoguera* || **quemar(se)** || **partir** · **cortar** || **apilar** · **encontrar**
□ EXPRESIONES **como un leño*** [profundamente dormido] *col.*

[león] → como un león

leonino, na adj.

• CON SUSTS. **condición** · **cláusula** *Su situación de necesidad le obligó a aceptar las cláusulas leoninas del contrato* · **contrato** || **sistema**

leporino, na adj.

• CON SUSTS. **labio** *El niño nació con el labio leporino* · **sonrisa**

lesión s.f.

• CON ADJS. **grave** · **severa** · **seria** · **profunda** · **aparatosa** || **leve** *Las lesiones son leves, por lo que se espera una pronta recuperación del herido* · **ligera** · **superficial** || **curable** · **crónica** · **incurable** · **irreparable** · **fatal** || **antigua** · **larga** · **permanente** || **congénita** · **traumática** || **interna** *Aparentemente está ilesa, pero la examinarán para detectar posibles lesiones internas* · **cutánea** · **pulmonar** · **ocular** · **cerebral** · **medular** || **fortuita**
• CON SUSTS. **alcance (de)** *Hasta que no lleguen los resultados de las pruebas no conoceremos el alcance de la lesión* · **diagnóstico (de)** || **secuela (de)** · **consecuencia (de)**
• CON VBOS. **afectar (a algo)** *La lesión no afecta al cerebro* · **extender(se)** || **agravar(se)** · **complicar(se)** · **empeorar(se)** || **hacer(se)** · **sufrir** || **producir (a alguien)** · **causar (a alguien)** · **ocasionar (a alguien)** · **infligir (a alguien)** || **acusar** *El atleta acusó su lesión de rodilla durante la carrera* · **arrastrar** || **diagnosticar** · **tipificar** || **lavar** || **mejorar (de)** · **restablecerse (de)** *La jugadora se restableció de su lesión y volvió a los entrenamientos* · **recuperar(se) (de)** · **recobrarse (de)** · **curar(se) (de)** · **sanar (de)** || **empeorar (de)**

lesionar(se) v.

● CON SUSTS. **jugador,-a** · **trabajador,-a** · ***otros individuos*** || **rodilla** · **ojo** · **muñeca** · **tobillo** · ***otras partes del cuerpo*** || **derecho** · **interés** *Si creen ustedes que se han lesionado sus intereses pueden reclamar a...*
● CON ADVS. **gravemente** · **de gravedad** *Afortunadamente nadie se lesionó de gravedad* · **seriamente** · **irremediablemente** || **desdichadamente** · **inoportunamente** || **fortuitamente** · **involuntariamente** || **a golpes** · **a patadas** · **a puñetazos**

letal adj.

● CON SUSTS. **arma** · **armamento** · **gas** · **veneno** · **sustancia** || **enfermedad** *una enfermedad letal para el ganado vacuno* · **epidemia** · **virus** || **catástrofe** · **inundación** · **ataque** · **agresión** || **efecto** · **consecuencia** *una medida que puede tener consecuencias letales para el sector agrícola* · **resultado** · **repercusión** · **eficacia** · **proyección** · **secuela** || **golpe** · **remate** · **pase** · **centro** · **cabezazo** · **disparo** · **vaselina** · **servicio** · **triple** || **goleador,-a** · **boxeador,-a** · **delantero,ra** · **equipo** *Con el nuevo delantero centro, se ha convertido en un equipo letal para sus rivales* || **combinación** · **asociación** · **binomio** · **mezcla** · **tándem** · **síntesis** || **aburrimiento** *La conferencia me produjo un aburrimiento letal* · **sopor** · **tristeza** · **grisura** · **desolación** · **tostón** || **beso** · **caricia** · **sonrisa** || **atracción** · **atractivo**

letargo s.m.

● CON ADJS. **invernal** *el letargo invernal de los osos* · **veraniego** · **estival** · **primaveral** · **navideño** || **hondo** · **profundo** · **permanente** · **prolongado** · **largo** || **inicial** · **crónico** · **coyuntural** · **habitual** *El oyente madrugador, sumido en su habitual letargo...* · **cotidiano** · **conformista** || **musical** · **político** || **misterioso** · **onírico** · **angustioso** · **peligroso** || **aparente**
● CON SUSTS. **tiempo (de)** · **período (de)** · **época (de)**
● CON VBOS. **abandonar** · **romper** || **producir** || **despertar (de)** *...un ambicioso programa renovador que despertó a esa anquilosada institución de su profundo letargo* · **salir (de)** · **sacar (de)** || **encontrarse (en)** · **dormitar (en)** · **sumir(se) (en)** *Hace años que no escribe; vive sumido en un permanente letargo*

[letra] →al pie de la letra; de {mi/tu/su...} puño y letra; letra

letra s.f.

▌[signo gráfico]

● CON ADJS. **mayúscula** *Rellene los impresos en letra mayúscula* · **capitular** · **versal** · **versalita** · **minúscula** || **negrita** · **redonda** · **cursiva** · **itálica** · **bastardilla** || **legible** · **ilegible** *No sé qué decía la nota porque la letra era completamente ilegible* || **apretada** · **metida** · **suelta** · **buena** *escribir con buena letra* · **mala** || **pequeña** *Es importante que leas la letra pequeña del contrato* · **menuda** || **de molde** · **de imprenta** || **corrida** · **tirada** || **historiada** · **con florituras**
● CON VBOS. **trazar** · **dibujar** || **leer** · **descifrar** · **interpretar**

▌[texto]

● CON ADJS. **pegadiza** *canciones con unas letras muy pegadizas* || **alusiva** · **hueca** || **fiel (a)** *una interpretación fiel a la letra del documento*
● CON VBOS. **decir (de cierta forma)** *La letra de la canción dice así: ...* · **rezar (de cierta forma)** || **escribir** || **saber** *No puedo cantar la canción porque no me sé la letra* · **conocer** || **atenerse (a)** · **aferrarse (a)** *Se aferran a la letra sin entender que lo importante es el espíritu del texto* · **atar(se) (a)**

▌[documento mercantil]

● CON ADJS. **de cambio** · **del tesoro**
● CON VBOS. **girar** || **cobrar** · **pagar** *Prácticamente uno de los sueldos lo destinamos a pagar la letra de la casa* || **deber** · **adeudar** || **vencer** *Necesito reunir esa cantidad antes de que venza la letra* || **protestar**

☐ EXPRESIONES **despacito y con buena letra** [paso a paso, cuidadosamente] || **letra por letra** [sin quitar ni poner nada]

letrado, da s.

● CON ADJS. **eficaz** · **ilustre** · **eminente** · **reputado,da** · **conocido,da** · **acreditado,da** · **famoso,sa** · **influyente** || **especializado,da** *una letrada especializada en derecho laboral* · **experto,ta** · **especialista** · **preparado,da** · **curtido,da** · **inexperto,ta** · **joven** · **brillante** · **astuto,ta** · **hábil** || **defensor,-a** · **querellante** · **opositor,-a** || **criminalista** · **penalista** *Contrató al mejor letrado penalista para que lo sacara de la cárcel* · **constitucionalista** · **laboralista**
● CON SUSTS. **despacho (de)** · **bufete (de)** *Logré incorporarme a un famoso bufete de letrados* · **cuerpo (de)**
● CON VBOS. **llevar {un caso/un asunto}** · **defender (a alguien)** · **acusar (a alguien)** · **denunciar (algo)** · **recurrir (algo)** *El letrado recurrió la sentencia* · **argumentar (algo)** · **presentar un escrito** || **pedir (algo)** · **solicitar (algo)** · **rechazar (algo)** · **desestimar (algo)** || **buscar** · **necesitar** · **contratar** || **ejercer (de)**

letrero s.m.

● CON ADJS. **informativo** · **de advertencia** || **luminoso** *los letreros luminosos de las tiendas* || **llamativo** · **original** · **vistoso** || **(bien) visible** · **a la vista** · **oculto** || **claro** · **confuso** · **ilegible**
● CON VBOS. **decir (algo)** *Ese letrero dice que aquí no se puede fumar* · **informar (de algo)** · **poner (algo)** · **rezar (algo)** · **indicar (algo)** · **anunciar (algo)** || **escribir** || **colgar** *Colgué un letrero en la puerta para que no me molestaran* || **llevar** · **traer** || **leer**

leucemia s.f.

● CON ADJS. **aguda** · **crónica** · **fulminante** · **galopante** || **afectado,da (de)**
● CON SUSTS. **causa (de)** · **origen (de)** || **riesgo (de)** || **caso (de)** || **síntoma (de)** · **manifestación (de)** || **curación (de)**
● CON VBOS. **agudizar(se)** · **acentuar(se)** · **agravar(se)** || **remitir** || **manifestar(se)** || **vencer** · **superar** || **combatir** *Buscan nuevos métodos para combatir la leucemia* · **tratar** · **atajar** || **detectar** · **diagnosticar** || **desarrollar** || **luchar (contra)** || **restablecer(se) (de)** · **reponer(se) (de)** || **curar(se) (de)** *Se curó de la leucemia gracias a un trasplante de médula de su hermano*

levadizo, za adj.

● CON SUSTS. **puente** *Un puente levadizo permitirá el paso de vehículos al muelle* · **barrera** · **puerta**

levadura s.f.

● CON ADJS. **de pan** · **de cerveza** || **fresca** · **seca** · **fermentada** · **disuelta** *La levadura disuelta en agua se añade a la masa y...* · **prensada** · **modificada** || **auténtica** · **artificial** · **óptima** · **perfecta** · **indispensable**
● CON SUSTS. **célula (de)** · **gen (de)** · **genoma (de)** · **molécula (de)** · **proteína (de)** · **cromosoma (de)** · se-

cuenciación (de) || masa (de) · cucharada (de) *Añade una cucharada de levadura a la masa* · gramo (de) · kilo (de) || bote (de) · sopa (de)
● CON VBOS. fermentar · crecer || añadir · mezclar · desleír

levantamiento s.m.

● CON ADJS. violento · sangriento · cruento · incruento || popular *Tras producirse un levantamiento popular contra el régimen dictatorial de...* · general || espontáneo · impulsivo || militar · armado
● CON VBOS. fraguar(se) · estallar · producir(se) || fracasar || preparar *Las fuerzas de la oposición preparan un levantamiento armado* · tramar · urdir || provocar || aplastar · reprimir *Si el ejército no hubiera reprimido el levantamiento...* · sofocar || conmemorar

levantar v.

[alzar, suprimir o dar por terminado]

● CON SUSTS. barrera · cierre · escollo · traba · obstáculo || castigo *No accedió a levantarles el castigo, así que tuvieron que cumplirlo* · sanción · pena · condena || prohibición · bloqueo · veto · procesamiento · veda · restricción *El Gobierno anuncia que se levantarán las restricciones a las importaciones de carne* || embargo · hipoteca · enmienda · recurso || imputación · acusación *Se negó a levantar las acusaciones en contra de...* · recusación || sesión · reunión *Pues si no hay más asuntos, levantamos la reunión* · mesa || secreto · misterio · reserva

[ocasionar o surgir]

● CON SUSTS. ampolla · roce *Las declaraciones del diputado tránsfuga levantaron roces entre sus antiguos compañeros de filas* · roncha · escozor · aspereza || tempestad · polvareda · humareda · viento || ruido · eco · murmullo · alboroto · escándalo · alharaca || protesta *una polémica decisión gubernamental que levantó protestas y provocó manifestaciones callejeras en todo el país* · queja · calumnia · ira · indignación || conflicto · controversia · polémica · oposición || duda · sospecha *La abultada transacción bancaria levantó sospechas* · sombra · reparo · suspicacia · reticencia || deseo · expectativa · esperanza || sorpresa · expectación · admiración · curiosidad

levar v.

● CON SUSTS. anclas *El barco levó anclas y zarpó rumbo al sur*

leve adj.

● CON SUSTS. herida *Solo sufrimos heridas leves en el accidente* · arañazo · rozadura · quemadura · lesión · contractura · contusión · esguince · enfermedad *una enfermedad leve que apenas requiere tratamiento* · dolencia · pronóstico · herido,da || dolor · molestia · comezón · pinchazo · sensación · temblor || golpe · impacto · presión · fricción *Aplique el producto sobre la piel con una leve fricción* · roce · contacto || accidente · percance · incidente · tropiezo *Un leve tropiezo no tiene por qué echar por tierra todo el esfuerzo anterior* || peligro · riesgo || daño · pérdida || error · fallo · equivocación · desliz || delito · infracción · falta · irregularidad || castigo · sanción *La falta fue mínima, por lo que solo recibirá una leve sanción* · pena · sentencia || ejercicio · tarea || movimiento · oscilación · balanceo · giro · inclinación || cambio · alteración · modificación *El proyecto está sujeto a leves modificaciones* · reajuste · corrección || incremento · aumento · crecimiento · subida · alza · apreciación · repunte *Se aprecia un leve repunte de las inversiones* · recuperación · mejoría · mejora · ganancia || descenso *Para mañana se espera un descenso leve de las temperaturas* · bajada · disminución · reducción · repliegue · retroceso · retraso || diferencia · ventaja *Todavía podemos ganar, pues solo nos sacan una leve ventaja* || acento · matiz · toque · dosis || gesto · sonrisa *Cuando la vio, esbozó una leve sonrisa* || indicio *un inhóspito paraje en el que no se apreciaba el más leve indicio de vida* · señal · luz || sonido · gemido · rumor || alusión · mención · ironía || sentimiento · esperanza · inquietud || soplo · brisa *...recibir en la cara la leve brisa de la mañana* · lluvia

levedad s.f.

● CON ADJS. relativa · absoluta *Trataron el tema con absoluta levedad* || aparente · sugerente || bella · poética || imperceptible · inapreciable · etérea
● CON SUSTS. sensación (de) · impresión (de) · aire (de)
● CON VBOS. apreciar · notar · sentir · percibir || reparar (en) · darse cuenta (de)
● CON PREPS. con · de *Hubo dos heridos, ambos de levedad*

léxico, ca

1 léxico, ca adj.

● CON SUSTS. estructura *la estructura léxica del poema* · normativa · configuración · norma · sistema · código || riqueza · variedad · tradición · innovación · empobrecimiento · pobreza *la pobreza léxica de muchos estudiantes* || análisis · corrección · revisión *Sometió el texto a una cuidadosa revisión léxica* || traducción · adaptación · eufemismo || registro · inventario · repertorio *Contaba con un amplio repertorio léxico* || concreción · economía · precisión · simplicidad · conexión || conocimiento · creación · belleza · audacia || campo · plano · aspecto · materia || error · inexactitud · confusión · estridencia · sexismo · abuso || reiteración · redundancia *Había que limpiar el texto de redundancias léxicas irrelevantes* || caudal · cascada || discusión · debate || juego

2 léxico s.m.

● CON ADJS. tradicional · castizo · patrimonial · popular *un gran caudal de voces que pertenecen al léxico popular* · antiguo · medieval · culto · rico · pobre · coloquial · contrastivo || médico · marino · sentimental · espiritual · religioso · amoroso · poético · literario · periodístico · político · deportivo *términos incorporados al léxico deportivo desde otros campos* · taurino · jurídico · militar · académico || familiar · particular · doméstico · cotidiano *una expresión que el pueblo incorporó a su léxico cotidiano* · privado · oficial · común · especial || general · especializado · profesional || leonés · español · turco · griego · latino · árabe · ***otros gentilicios***
● CON SUSTS. evolución (de) *un estudio sobre la evolución del léxico latino* · cultismo (de) · reducción (de) · ampliación (de) || pobreza (de) · riqueza (de) · dominio (de)
● CON VBOS. poseer · tener · dominar || seleccionar · captar · estudiar · clasificar · revisar · usar · enriquecer · recuperar || entrar (en) *La palabra entró en el léxico popular rápidamente* · buscar (en) · incorporar (a)

[ley] → de ley; ley

ley s.f.

• CON ADJS. **justa** *Tenemos esperanzas en que se redacte una ley justa* · **igualitaria** · **ecuánime** · **equitativa** || **injusta** · **discriminatoria** · **abusiva** · **inhumana** || **arbitraria** · **discrecional** · **a medida** || **controvertida** · **farragosa** · **polémica** || **inapelable** · **irrebatible** · **irrefutable** · **inquebrantable** *las inquebrantables leyes de la naturaleza* · **inviolable** · **ineludible** · **inexorable** · **forzosa** · **preceptiva** · **imperativa** || **represiva** · **restrictiva** · **coercitiva** || **categórica** · **taxativa** · **terminante** · **tajante** || **dura** *La ley es muy dura con esa clase de delitos* · **estricta** · **severa** · **férrea** · **de hierro** · **implacable** || **blanda** · **flexible** · **permisiva** · **laxa** · **benigna** || **natural** · **fundamental** · **de oro** *Su éxito radica en que siempre sigue la ley de oro del vendedor* · **orgánica** · **física** · **fonética** || **imperante** · **vigente** · **en vigor** · **sin efecto** · **ancestral** · **obsoleta** · **caduca** · **antigua** || **acorde (con)** · **atentatorio,ria (contra)**

• CON SUSTS. **peso (de)** *Caerá sobre los culpables todo el peso de la ley* || **observancia (de)** || **fleco (de)** || **proyecto (de)**

• CON VBOS. **regir** · **imperar** · **atañer (a alguien)** || **{entrar/estar/seguir} en vigor** *La ley recién aprobada entrará en vigor dentro de dos meses* || **estipular (algo)** · **mandar (algo)** · **ordenar (algo)** || **dimanar (de algo)** · **emanar (de algo)** || **amparar (a alguien)** *En este caso, la ley ampara al inquilino* · **asistir (a alguien)** · **obligar (a alguien)** *Las leyes nos obligan a todos* || **surtir efecto** || **recrudecer(se)** · **desnaturalizar(se)** || **prescribir** · **vencer** || **cocinar(se)** || **dictar** · **promulgar** *Desde que se promulgó esa ley, el número de incendios provocados ha disminuido considerablemente* · **establecer** · **decretar** · **emitir** · **deducir** · **firmar** · **arbitrar** · **instaurar** · **implantar** · **imponer** · **aplicar** · **llevar a la práctica** · **esgrimir** || **consensuar** · **negociar** · **votar** *Hoy se vota en el Congreso la polémica ley universitaria* · **aprobar** · **llevar adelante** · **validar** · **asumir** · **avalar** || **refundir** · **enmendar** · **reformar** · **prorrogar** · **blindar** · **alterar** || **congelar** · **derogar** · **abolir** · **revocar** || **impugnar** · **refutar** · **reprobar** · **boicotear** · **socavar** || **interpretar** · **tergiversar** · **subvertir** || **dulcificar** · **endurecer** || **cumplir** · **respetar** · **observar** · **acatar** · **seguir** · **guardar** || **bordear** · **sortear** · **infringir** · **violar** *Con estas medidas se trata de evitar que los que violan la ley queden impunes* · **incumplir** · **desobedecer** · **contravenir** · **saltarse (a la torera)** · **burlar** *El atleta realizó un salto que parecía burlar la ley de la gravedad* · **eludir** · **transgredir** · **vulnerar** · **conculcar** · **quebrantar** · **pisotear** · **obviar** || **atenerse (a)** · **ceñir(se) (a)** *Ciñéndonos a la ley, no es posible construir en esos terrenos* · **aferrarse (a)** · **apegarse (a)** || **velar (por)** || **abusar (de)** || **someter(se) (a)** · **librar(se) (de)** · **sustraer(se) (de/a)**

• CON PREPS. **dentro (de)** · **bajo** · **al filo (de)** · **al margen (de)** · **fuera (de)** *Ese tipo de actuaciones está desde ahora fuera de la ley* || **a la luz (de)** · **con arreglo (a)** · **de acuerdo (con)** · **según** || **al abrigo (de)** · **a resguardo (de)**

□ EXPRESIONES **con todas las de la ley** [sin paliativos] *Eres un ladrón con todas las de la ley* || **de ley*** [de buena calidad] *oro de ley; un amigo de ley* || **ley de la selva** · **ley del más fuerte** [norma de comportamiento basada en la supervivencia del más fuerte] || **ley de la ventaja** [ventaja que otorga el árbitro a un equipo al no pitar una falta] || **ley de Murphy** [la que desencadena el peor de los resultados] *col.* || **ley de vida** [ley invariable que rige la vida humana]

leyenda s.f.

• CON ADJS. **antigua** *Cuenta una antigua leyenda que al principio de los tiempos los dioses...* · **vieja** · **ancestral** · **tradicional** · **secular** · **remota** · **inmemorial** || **viva** *Este cantante es una leyenda viva del jazz* || **fabulosa** · **fantástica** · **mítica** || **dorada** · **negra**

• CON SUSTS. **personaje (de)** · **héroe (de)** · **heroína (de)** || **aureola (de)** · **halo (de)**

• CON VBOS. **fraguar(se)** · **gestar(se)** · **nacer** · **revivir** · **salir a la luz** · **circular** · **extender(se)** · **cumplir(se)** || **desmoronar(se)** || **seguir (a alguien)** || **contar (algo)** *Cuenta la leyenda que en esta zona vivió...* || **fabricar** · **forjar** · **cimentar** · **alimentar** *unos misteriosos sucesos que alimentan la leyenda de este pueblo como lugar maldito* · **avivar** · **reavivar** · **desenterrar** · **evocar** || **desmontar** · **enterrar** || **narrar** || **convertir(se) (en)** || **teñir (de)** || **alimentar(se) (de)** || **acabar (con)**

• CON PREPS. **según** *Según la leyenda, este caserón está encantado* · **de acuerdo (con)**

[liar] → liar; liarse

liar v.

• CON SUSTS. **cigarrillo** · **porro** · **tabaco** · **picadura** · **pitillo** || **pañuelo** *con un pañuelo liado en la cabeza* · **hatillo** · **velo** · **bufanda** · **ovillo** · **madeja** || **alboroto** · **trifulca** · **zapatiesta** · **guirigay** · **follón** · **pitote** · **escándalo** · **bronca** *Tampoco debemos liar una bronca por esa tontería* · **enredo** || **asunto** *...y para acabar de liar el asunto, no se presentó en la reunión* · **cuestión**

• CON ADVS. **al máximo** || **continuamente** · **constantemente** || **de mala manera** · **con habilidad**

□ EXPRESIONES **liar una buena** [organizar un escándalo]

liarse v.

• CON ADVS. **a golpes** *Como no podía abrir, se lió a golpes con la puerta* · **a bofetadas** · **a palos** · **a patadas** · **a tiros**

liberación s.f.

• CON ADJS. **condicional** · **sin condiciones** · **incondicional** || **inmediata** || **auténtica** · **verdadera** || **nacional** · **personal** · **mental** · **psicológica**

• CON VBOS. **producir(se)** || **anunciar** · **hacer pública** · **proclamar** || **negociar** · **alcanzar** · **conseguir** · **llevar a efecto** || **celebrar** · **conmemorar** *Todos los años se organizan festejos para conmemorar la liberación del país* || **denegar** · **retrasar** · **postergar**

liberal adj.

▮ [comprensivo, tolerante]

• CON SUSTS. ***persona*** *Mis padres siempre han sido muy liberales* || **ideas** · **pensamiento** · **talante** · **actitud** · **espíritu** · **carácter** · **tendencia**

• CON VBOS. **volver(se)**

▮ [que sigue el liberalismo]

• CON SUSTS. **economista** · **político,ca** · **candidato,ta** *El candidato liberal está muy satisfecho con los resultados de las encuestas* || **sociedad** · **estado** · **gobierno** || **partido** *El partido liberal ganó las últimas elecciones nacionales* · **coalición** · **ala** || ***otros individuos y grupos humanos*** || **democracia** || **ideología** · **pensamiento** · **filosofía** · **concepción** · **principios** · **tesis** *un partido tenido por socialdemócrata que presentaba unas tesis liberales* || **economía** · **política** || **revolución** · **reforma** *La reforma liberal que*

impulsa el Gobierno cuenta con una fuerte oposición || **modelo · proyecto · educación || diario · periódico · prensa**
● CON VBOS. **hacer(se)**

▌ [que requiere el ejercicio del intelecto]
● CON SUSTS. **profesión · arte · profesional** *...entre los que había abogados, médicos y otros profesionales liberales*

liberalidad s.f.

● CON ADJS. **pródiga · abierta · generosa || excesiva · exagerada · desmesurada · desmedida** *No creo que sea positivo hacer gala de una desmedida liberalidad* · **asombrosa · gran(de) · creciente · absoluta || escasa · insuficiente || sexual · presupuestaria · pedagógica || de costumbres · de mentalidad · de pensamiento || partidario,ria (de) · contrario (a)**
● CON VBOS. **aportar · predicar · propugnar || limitar · restringir**

liberalismo s.m.

● CON ADJS. **económico · social · político** *Fue uno de los principales representantes del liberalismo político en este país* · **parlamentario · ideológico · capitalista · mercantil · humanista · individualista || clásico · conservador · oligárquico · burgués · doctrinario · autoritario || progresista · democrático** *Nuestro partido defiende un liberalismo democrático y moderno* · **innovador || moderado · atemperado || absoluto · radical · salvaje · extremo · feroz · exagerado · despiadado · exacerbado · fundamentalista || superficial · profundo || rampante · triunfante**
● CON VBOS. **reinar · imperar · triunfar** *En el caso de que triunfe el liberalismo en las próximas elecciones* · **imponer(se) · arrasar || perder · fracasar || defender · representar || abandonar · rechazar || negar · denunciar || practicar · adoptar · implantar || criticar** *los terratenientes conservadores criticaban el liberalismo incipiente de los nuevos gobernantes* || **salir (de) || abrir(se) (a) || oponer(se) (a)**

liberalizar v.

● CON SUSTS. **mercado · economía** *Los expertos apuestan por liberalizar la economía* · **negocio · comercio · precio · sector · servicio · telecomunicación || horario** *Si se liberalizan los horarios, el pequeño comercio podría verse afectado* || **acceso || suelo**
● CON ADVS. **por completo · a fondo || parcialmente**

liberar v.

● CON SUSTS. **población · pueblo · prisionero · rehén · preso · reo · asesino · persona** · ***otros individuos y grupos humanos*** || **animal** *liberar animales criados en cautiverio* || **ciudad · país · región · fortaleza · prisión || mente** *Relájate y libera tu mente* · **cerebro · estrés || recursos · medios · energía || dinero · fondos · precio || líquido · gas** *Esa sustancia puede liberar gases tóxicos si entra en contacto con el agua* · **sustancia · fluido || móvil** *Para usar esa tarjeta tienes que liberar el móvil* · **programa**
● CON ADJS. **sano y salvo** *Los secuestradores liberaron a los rehenes sanos y salvos* · **ileso,sa**
● CON ADVS. **bajo fianza · bajo palabra**

[libertad] → en libertad; libertad

libertad s.f.

● CON ADJS. **absoluta · total · completa · entera** *Tienes entera libertad para hacer lo que quieras* · **plena · suprema · infinita · soberana · amplia · franca · duradera · sin condiciones · incondicional || escasa · precaria || condicional · bajo fianza · sin fianza · bajo palabra · vigilada · tutelar · parcial · provisional || de expresión** *ejercer el derecho a la libertad de expresión e información* · **de prensa · de cátedra · de culto · de pensamiento · de conciencia · de acción · de movimientos || irrenunciable || atentatorio,ria (contra)**
● CON SUSTS. **estado (de) · régimen (de)** *vivir en un régimen de libertades* || **ideal (de) · derecho (a) || ejercicio (de) · uso (de) · abuso (de) || defensa (de)** *El prestigioso escritor fue premiado por su eficaz labor en defensa de la libertad de expresión* · **lucha (por) || restricción (a) · cortapisas (a) · coacción (a) || grito (de)**
● CON VBOS. **reinar · imperar · afianzar(se) · extender(se) || ahogar(se) || dar (a alguien) · conceder (a alguien)** *Concedieron la libertad a los presos políticos* · **otorgar (a alguien) · decretar · permitir (a alguien) · consentir (a alguien) · instaurar || negar (a alguien) · denegar (a alguien) || negociar || conquistar · adquirir · ganar · obtener** *...y tres años después obtendrá la libertad provisional* · **tomarse** *Me he tomado la libertad de usar tu ordenador mientras estabas fuera* || **tener · ejercer · mantener · saborear || defender · reivindicar · preconizar || proclamar · celebrar || hipotecar · perder** *No quiere comprometerse a fondo porque teme perder su libertad* || **restringir · limitar · acotar · arrebatar · coartar · constreñir · atenazar · socavar · revocar · rescindir · pisotear · vulnerar · conculcar · violar · quebrantar || clamar (por) · luchar (por)** *un homenaje a todos los que lucharon por la libertad* || **poner (en) · dotar (de) · gozar (de) || atentar (contra) · privar (de) · carecer (de) || abusar (de)**
● CON PREPS. **con** *hablar y expresarse con libertad* · **en uso (de) || en aras (de) || en** *animales en libertad*

□ USO Se construye frecuentemente con complementos encabezados por la preposición *para*: *absoluta libertad para hacer lo que quieras.*

libertinaje s.m.

● CON ADJS. **absoluto** *Dice que vivimos en una época de absoluto libertinaje sexual* · **puro · total || sexual · moral || juvenil || informativo · cultural · televisivo** *medidas que fomentan el libertinaje televisivo* · **digital**
● CON SUSTS. **época (de) · ola (de) · estado (de) || acto (de)**
● CON VBOS. **propiciar · alentar · favorecer · fomentar || evitar · rechazar || acabar (con)** *Se proponía acabar con el libertinaje y la falta de valores en...* · **degenerar (en) · convertir(se) (en) || invitar (a) · arrastrar (a)**

libidinoso, sa adj.

● CON SUSTS. **beso · mirada · tocamiento || amor · pasión || ánimo · conducta · impulso · costumbre · acto** *Fue definido por todos como un acto libidinoso* || ***persona*** || **deseo || baile · movimiento · gesto**
● CON VBOS. **hacerse · volverse**

libido s.f.

● CON ADJS. **sexual || en alza · por los suelos**
● CON VBOS. **excitar · encender || satisfacer || despertar** *un tratamiento especial para despertar la libido* · **incrementar || atenuar · disminuir**

libra s.f.

▌ [unidad monetaria] Véase **MONEDA**
▌ [unidad de medida]
● CON SUSTS. **peso (en)** *El paquete trae el peso en libras* · **producción (en)**

• CON VBOS. **equivaler** || **pesar** || **calcular** · **convertir** · **pasar** || **producir** · **obtener** *obtener unas libras de té en cada cosecha* · **rendir** · **recoger** || **cargar** · **llevar** · **transportar**

[librar] →librar; librar(se) (de)

librar v.

• CON SUSTS. **batalla** *Ambas empresas libran una batalla por el liderazgo en el sector informático* · **lucha** · **combate** · **guerra** · **enfrentamiento** · **pelea** · **duelo** · **confrontación** · **disputa** · **polémica** · **partida**
• CON ADVS. **cuerpo a cuerpo** || **sin tregua** *librar una lucha sin tregua contra la corrupción* · **con violencia**

librar(se) (de) v.

• CON SUSTS. ***persona*** *Cuando me libré de mi vecino, pude continuar trabajando* || **obligación** *Tengo numerosas obligaciones de las que no me resulta fácil librarme* · **compromiso** · **necesidad** · **tarea** · **encargo** || **miedo** · **angustia** · **agobio** · **trastorno** || **gripe** *Este invierno me he librado de la gripe* · **catarro** · **resfriado** · ***otras enfermedades*** || **pago** · **impuesto** · **hipoteca** · **IVA** || **dictadura** · **régimen** · **totalitarismo** || **guerra** · **invasión** · **tortura** · **masacre** *La familia logró librarse de la masacre gracias a...* · **ataque** · **abuso** · **desastre** · **conflicto** || **lastre** · **yugo** · **opresión** · **peso** · **carga** · **fardo** · **presión** || **acoso** · **asedio** · **acecho** *Se libró del acecho del defensa central y lanzó un potente disparo* · **vigilancia** · **control** || **castigo** · **condena** · **sanción** · **cárcel** · **paliza** · **encierro** · **prisión** · **penitencia** · **varapalo** || **justicia** · **ley** · **servicio militar** · **cargo** · **juicio** · **demanda** || **polémica** · **bronca** · **trifulca** || **problema** *No creo que sea una forma adecuada de librarse del problema* · **peligro** · **apuro** · **dificultad** || **duda** · **incertidumbre** · **sospecha** · **tormento** · **pesadilla** · **preocupación**
• CON ADVS. **de milagro** · **por los pelos** *Se ha librado por los pelos de una buena bronca* · **por casualidad** || **de una vez por todas** · **definitivamente** · **para siempre** || **con suerte** || **a tiempo** · **por poco**

libre adj.

• CON SUSTS. ***persona*** *...donde pudieran disfrutar de sus derechos como ciudadanos libres* || **pueblo** · **país** · **sociedad** · **mundo** || **mente** · **espíritu** · **pensamiento** · **reflexión** || **terreno** · **territorio** · **campo** · **asiento** *No queda ningún asiento libre en el teatro* · **plaza** · **sitio** · **espacio** · **planta** · **habitación** · **casa** · ***otros lugares*** || **tiempo** · **rato** · **tarde** · **mañana** · **día** · **minuto** *No tengo ni un minuto libre* · ***otros momentos o periodos*** || **entrada** *Organizan un concierto con entrada libre y gratuita* · **acceso** · **vía** · **ingreso** · **camino** || **comunicación** · **intercambio** · **circulación** || **expresión** · **imaginación** · **creación** · **prensa** || **traducción** · **interpretación** || **mercado** · **empresa** · **asociación** || **albedrío** · **elección** · **decisión** || **tiro** || **verso** || **mano** *En este momento no tengo libre ninguna de las dos manos* || **amor** · **relación** || **comercio** · **competencia** · **venta** *un medicamento de venta libre* · **disposición** · **exportación** || **lucha** · **caída** || **lenguaje** · **tema** *una redacción de tema libre*
• CON ADVS. **absolutamente** · **totalmente** · **completamente** · **enteramente** || **legalmente** · **políticamente**
• CON VBOS. **ser** · **estar** · **quedar(se)** *Se ha quedado libre un taxi* · **mantener(se)**

☐ EXPRESIONES **al aire libre** [a la intemperie] *Era un día tan agradable que comimos al aire libre* || **por libre** [de manera independiente] *col.*

libremente adv.

• CON VBOS. **moverse** · **circular** *circular libremente por las calles* · **transitar** · **entrar** · **salir** · **desplazarse** · **viajar** · **pasear** · ***otros verbos de movimiento*** || **elegir** *Quiero elegir libremente mi futuro* · **decidir** · **escoger** · **optar** || **interpretar** · **traducir** *El texto está traducido demasiado libremente* || **expresar** · **hablar** · **opinar** · **manifestar** *manifestar libremente una opinión* · **difundir** · **contestar** · ***otros verbos de lengua*** || **disponer (de algo)** · **acceder (a algo)** *acceder libremente a un archivo* || **trabajar** · **actuar**

librería s.f. Véase **ESTABLECIMIENTO**

libreta s.f.

▮ [cuaderno]

• CON ADJS. **escolar** *Los niños llegaban con la libreta escolar bajo el brazo* · **colegial**
• CON SUSTS. **hoja (de)** *Arrancó una hoja de la libreta*
• CON VBOS. **abrir** · **cerrar** || **anotar (en)** · **apuntar (en)** *Los alumnos apuntaron en su libreta el resultado del experimento* · **consignar (en)** · **garabatear (en)** · **dibujar (en)** · **buscar (en)** · **echar mano (de)**

▮ [cartilla]

• CON ADJS. **electoral** · **censal** · **bancaria** · **militar** · **de ahorros** || **particular**
• CON VBOS. **abrir** *La joven pareja abrió una libreta de ahorros en el banco* · **renovar** · **mantener** · **actualizar** · **cerrar** || **ingresar (en)** *Hemos ingresado en la libreta el sueldo mensual* · **depositar (en)** · **sacar (de)** · **retirar (de)**

[libro] →como un libro abierto; libro

libro s.m.

• CON ADJS. **de texto** · **de consulta** · **de estilo** *consultar el libro de estilo de un periódico* || **antológico** · **de caballerías** · **sagrado** || **de cuentas** · **de familia** *Para solicitar la beca tiene que presentar el libro de familia* · **de escolaridad** · **escolar** · **de oro** || **de bolsillo** · **electrónico** · **digital** || **de viejo** || **de cabecera** · **preferido** || **póstumo** || **largo** · **interminable** · **voluminoso** *un voluminoso libro que contenía todo el saber médico de la época* · **grueso** · **pesado** · **enorme** · **inmenso** || **corto** · **breve** · **escueto** · **delgado** · **fino** || **ameno** · **interesante** · **apasionante** · **fascinante** · **sugerente** · **atractivo** || **aburrido** · **anodino** · **insoportable** || **útil** *un libro muy útil para los que dan sus primeros pasos en la cocina* · **aleccionador** · **inútil** || **redondo** · **inteligente** · **penetrante** || **ligero** · **fácil** · **claro** || **denso** · **difícil** *un libro difícil, solo apto para lectores avezados* · **oscuro** · **endiablado** · **intrincado** || **cáustico** · **mordaz** · **ingenioso** · **irónico** || **caro** · **barato** · **de promoción** · **de regalo** || **en venta** · **en oferta**
• CON SUSTS. **lectura (de)** || **cubierta (de)** · **lomo (de)** · **título (de)** · **portada (de)** || **página (de)** · **capítulo (de)** · **prólogo (de)** · **estructura (de)** || **ilustración (de)** · **texto (de)** · **contenido (de)** · **tema (de)** || **principio (de)** · **final (de)** || **avalancha (de)** || **feria (de)** · **promoción (de)** · **oferta (de)** || **presentación (de)**
• CON VBOS. **fraguar(se)** || **circular** · **difundir(se)** || **contener (algo)** · **constar (de algo)** || **tratar (de algo/sobre algo)** *Estoy buscando un libro que trate sobre la historia del sello* · **versar (sobre algo)** · **girar (en torno a algo/sobre algo)** || **interesar (a alguien)** *Un libro de esta temática puede interesar a un amplio abanico de lectores* · **apasionar (a alguien)** · **aburrir (a alguien)** || **escribir** || **corregir** · **revisar** · **traducir** · **glosar** · **resumir** · **extractar** · **refundir** · **acortar** · **alargar** · **completar** · **prologar** ·

ilustrar || encuadernar · desencuadernar · desvencijar || editar · imprimir · publicar *El joven novelista consiguió finalmente que una editorial publicara su libro* · **alumbrar · sacar (a la luz) · lanzar · relanzar · promocionar · divulgar || comprar · vender · regalar || abrir · cerrar || hojear · leer** *¿Cuál es el último libro que has leído?* · **devorar · tragarse · saborear · empezar · terminar || estudiar · memorizar || forrar** *Iba cada día al colegio con los libros forrados* || **enfrascarse (en) · adentrarse (en) · internarse (en) || disfrutar (de/con)**

□ EXPRESIONES **como un libro abierto*** [con claridad y brillantez] || **de libro** [con las cualidades que se consideran típicas] || **libro blanco** [informe general pormenorizado sobre algún asunto oficial]

licencia s.f.

● CON ADJS. **condicional · temporal · provisional · renovable || en vigor · caducada || acreditativa** *Sin licencia acreditativa no se puede acceder al recinto*

● CON VBOS. **caducar · vencer || solicitar (a alguien) · pedir (a alguien) || conceder (a alguien)** *Nos han concedido la licencia de obras sin ninguna pega* · **dar (a alguien) || denegar (a alguien) · negar (a alguien) || obtener · sacar · tomarse || tramitar · expedir · extender || prorrogar · renovar** *Tienes que renovar la licencia de pesca antes de que caduque* || **revocar · cancelar · impugnar**

□ EXPRESIONES **licencia poética** [la que se permite un autor al faltar a ciertas leyes del lenguaje] || **tomarse la licencia** (de algo) [hacerlo sin pedir permiso]

licenciar(se) v.

● CON SUSTS. **estudiante** *una cena organizada por los estudiantes que se acaban de licenciar* · **alumno,na · universitario,ria** · ***otros individuos***

● CON ADVS. **definitivamente · finalmente**

□ USO Se construye frecuentemente con complementos encabezados por la preposición *en*: *licenciarse en Medicina*.

licencioso, sa adj.

● CON SUSTS. **vida** *Dicen que fue un hombre de vida licenciosa* · **historia · tiempo || idea · pensamiento || costumbre ||** ***persona*** *Decían de ella que era una muchacha licenciosa*

lícito, ta adj.

● CON SUSTS. **acto · actividad · operación · ejercicio · acción · actuación || medio** *Utilizamos todos los medios lícitos a nuestro alcance para...* · **recurso · procedimiento · gestión || producto · droga || origen || enriquecimiento · aprovechamiento · cobro · comercio · negocio || uso · utilización · empleo · tenencia · apropiación · posesión · consumo || actitud · comportamiento · conducta || competencia · pugna || ingreso · entrada**

● CON ADVS. **absolutamente** *un procedimiento absolutamente lícito* · **totalmente · perfectamente || claramente · incuestionablemente || moralmente || aparentemente**

licor s.m.

● CON ADJS. **casero** *un licor casero a base de bayas* || **dulce · digestivo · amargo · destilado || fuerte · suave · generoso || clandestino**

● CON SUSTS. **olor (a) || bombón (de)** *una caja de bombones de licor* || **chorro (de) · chupito (de)** *Cuando terminamos de cenar, nos invitaron a un chupito de licor de manzana*

● CON PREPS. **con · sin**

➤ Véase también **BEBIDA**

licuar v.

● CON SUSTS. **manzana** *Para preparar el cóctel, debes licuar dos manzanas, una pera y medio melón* · **tomate · verduras** · ***otros alimentos*** **|| ingrediente || cristal · vidrio · oro || aire · gas || sangre || deuda** *...buscando la mejor forma de licuar la deuda interna* · **pérdidas**

[lid] →en buena lid

líder s.com.

● CON ADJS. **carismático,ca** *El presidente de la organización parecía un hombre gris, bastante alejado de la imagen de líder carismático que...* · **popular || destacado,da · principal · histórico,ca · curtido,da || imbatible · invulnerable · invicto,ta · insuperable || indiscutible** *Ese triunfo lo consagró como líder indiscutible en su campo* · **indiscutido,da · discutido,da || progresista · conservador,-a · independentista · rebelde · opositor,-a || político,ca** *En la cumbre se reunieron los principales líderes políticos del continente* · **parlamentario,ria · empresarial · sindical · obrero,ra · unionista · militar · espiritual**

● CON SUSTS. **condición (de) · papel (de) · posición (de) · imagen (de) || maillot (de) · jersey (de) · camiseta (de) || madera (de)**

● CON VBOS. **nombrar · elegir · renovar || encarnar · representar || aclamar** *Las multitudes aclamaban a su líder* · **ovacionar · jalear · vitorear · valorar || apoyar · respaldar · seguir · acatar || relegar · desbancar · desplazar · deponer · derrocar · destronar || convertir(se) (en) · erigir(se) (como/en)** *La joven sindicalista se erigió pronto en líder del movimiento obrero* || **continuar (de)**

liderazgo s.m.

● CON ADJS. **claro** *El atleta nigeriano mantiene un claro liderazgo en esta edición de la carrera* · **incuestionable · destacado · ostensible · reconocido · firme · férreo · autoritario · imbatible || legítimo || fugaz**

● CON SUSTS. **capacidad (de)** *Buscamos una persona con capacidad de liderazgo para cubrir este puesto*

● CON VBOS. **afianzar(se) · fortalecer(se)** *El liderazgo del secretario general del partido se fortaleció con las elecciones internas* · **robustecer(se) || tambalear(se) || dilucidar · determinar · decidir || alcanzar · asumir** *Tras el hundimiento de la compañía, una empresa sueca asumió el liderazgo del sector* · **ocupar · ostentar · imponer · forjar || defender · mantener · conservar · consolidar · reforzar · revalidar · refrendar · recuperar || cuestionar · poner en {duda/tela de juicio} || socavar · arrebatar · perder || aspirar (a) · luchar (por)** *Dos bandos enfrentados luchan por el liderazgo dentro de la organización* || **gozar (de)**

lidia s.f.

● CON SUSTS. **toro (de)** *Los criadores de los toros de lidia se reunirán para...* · **novillo (de) · ganado (de) · res (de) || jefe,fa (de) · director,-a (de) || lance (de) · suerte (de) || momento (de) · elemento (de) · orden (de)**

● CON VBOS. **terminar · concluir · rematar · iniciar**

[lidiar] →lidiar; lidiar (con)

lidiar v.

• CON SUSTS. **novillo** *Durante las fiestas se lidiaron varios novillos* · **toro** · **res** · **vaquilla** || **corrida** · **encierro**

lidiar (con) v.

• CON SUSTS. **toro** *Lidió con dos bravos toros de...* · **novillo** · **vaquilla** · **res** · **becerro** || **hijo,ja** *Imagínate si tuvieras que lidiar con seis hijos en vez de con uno solo* · **jefe,fa** · **persona** · **cliente** · **clientela** · **oposición** · ***otros individuos y grupos humanos*** || **burocracia** || **gripe** · **cáncer** · ***otras enfermedades*** || **dolor** · **contagio** || **problema** · **crisis** · **conflicto** · **complicación** · **confusión** · **preocupación** || **realidad** · **vida** · **hecho** *A veces es difícil lidiar con los hechos cotidianos* || **duda** · **incertidumbre** · **dilema** || **tragedia** · **debacle** · **desastre** *Los bomberos están acostumbrados a lidiar con este tipo de desastres* · **muerte** || **opinión** · **crítica** · **juicio** || **éxito** · **fama** || **exigencia** · **condición** · **requisito**

• CON ADVS. **con eficacia** · **eficazmente** · **con maestría** · **profesionalmente** · **con astucia** · **con mano izquierda** || **mano a mano** || **duramente**

liebre s.f.

▌[animal]

• CON ADJS. **ágil** · **veloz** *Los perros no consiguieron alcanzar a la veloz liebre* · **rápida** || **mecánica**

• CON SUSTS. **guiso (de)** · **plato (de)**

• CON VBOS. **acechar (algo)** || **correr** · **saltar** · **esconderse** || **cazar** · **perseguir** || **cocinar** · **comer**

▌[corredor de atletismo]

• CON SUSTS. **ritmo (de)** *Apenas unos cuantos corredores aguantaron el ritmo de la liebre*

• CON VBOS. **arrancar** · **acelerar** || **seguir** · **perseguir** || **actuar (de/como)** · **hacer (de)** *Una joven atleta hizo de liebre para la vigente campeona*

□ EXPRESIONES **levantar la liebre** [descubrir sorpresivamente algo oculto que atrae a muchos] *col.*

liga s.f.

▌[tira elástica]

• CON VBOS. **ajustar(se)** *Se ajustó la liga a la pierna* · **poner(se)** · **subir(se)**

▌[competición deportiva]

• CON ADJS. **infantil** · **juvenil** · **amateur** · **profesional** *Seguimos con interés la liga profesional de baloncesto* · **mayor** · **menor** || **masculina** · **femenina** || **nacional** · **mundial** · **local** · **municipal** · **regional**

• CON SUSTS. **campeón,-a (de)** · **líder (de)** · **jugador,-a (de)** *Se han presentado los jugadores de la liga* · **técnico,ca (de)** · **protagonista (de)** · **goleador,-a (de)** · **árbitro,tra (de)** || **jornada (de)** · **final (de)** · **partido (de)** *Han disputado su mejor partido de liga* · **encuentro (de)** · **fase (de)** · **puesto (de)** · **liderato (de)** *Está en juego el liderato de la liga* || **copa (de)** · **trofeo (de)** · **premio (de)** · **triunfo (de)** · **victoria (de)** · **torneo (de)** · **título (de)** *Este es su quinto título de liga* || **reglamento (de)** · **normativa (de)** || **equipo (de)** · **conjunto (de)** · **club (de)**

• CON VBOS. **jugar** · **disputar** · **afrontar** · **encarar** *Encaramos esta nueva liga con profundas reformas en el equipo* || **ganar** · **encabezar** *El club encabeza la liga con varios puntos de ventaja* · **perder** · **arrebatar** || **comenzar** · **seguir** · **abandonar** · **clausurar** || **ascender (en)** · **expulsar (de)** · **clasificar(se) (en)** *Se han clasificado en la liga para la siguiente fase*

▌[asociación]

• CON ADJS. **monárquica** *Los seguidores del rey formaron una liga monárquica* · **federal** || **de naciones**

• CON SUSTS. **militante (de)** · **dirigente (de)** · **directivo,va (de)** · **funcionario,ria (de)** · **tesorero,ra (de)** · **senador,-a (de)** || **reunión (de)** · **escisión (de)** || **voto (de)**

ligadura s.f.

• CON ADJS. **fuerte** · **apretada** · **ceñida** *las ceñidas ligaduras que apretaban sus muñecas* || **débil** · **floja** · **suelta** || **personal** *Mientras no consiga romper sus ligaduras personales no será capaz de vivir su propia vida* · **mental** || **judicial** · **territorial** || **de trompas** · **de venas**

• CON SUSTS. **operación (de)** *una operación de ligadura de venas*

• CON VBOS. **atar (algo/a alguien)** *Las fuertes ligaduras que lo atan a un pasado que quisiera poder olvidar* · **unir (algo/a alguien)** || **practicar** · **hacer** · **realizar** || **descartar** *El cuerpo médico descartó la ligadura de trompas debido a lo complicado de su enfermedad* · **rechazar** · **autorizar** || **deshacer** · **desatar** · **aflojar** · **romper** || **aceptar** || **liberar(se) (de)** *El rehén consiguió liberarse de las ligaduras* || **cortar (con)**

ligamento s.m.

• CON ADJS. **cruzado** *una lesión en el ligamento cruzado* · **lateral** · **anterior** · **externo** · **interno** · **vertebral** || **artificial** *un implante de ligamento artificial* · **natural** || **humano** · **animal**

• CON SUSTS. **rotura (de)** · **fractura (de)** · **esguince (de)** *Le han diagnosticado un esguince de ligamentos* · **distensión (de)** · **lesión (de)** · **desgarro (de)** || **operación (de)**

• CON VBOS. **romper(se)** · **partir(se)** || **afectar** · **lesionar(se)** *Se ha lesionado gravemente el ligamento y no podrá jugar en lo que queda de temporada* · **dañar(se)** · **machacar** · **destrozar(se)** || **reconstruir** · **reparar**

ligar v.

▌[unir, atar]

• CON SUSTS. **cuerda** · **hilo** · **alambre** || **tendón** · **trompas de Falopio** *Le ligaron las trompas de Falopio a los treinta años* · **músculo** || **suerte** · **futuro** *la empresa a la que había ligado su futuro* · **destino** · **porvenir** || **acuerdo** · **negociación** · **decisión** · **pacto** || **proyecto** · **idea** · **plan** · **noción** · **estrategia** || **emoción** · **afecto** · **sensibilidad** · **sentimiento** || **palabras** · **frases** · **notas** · **melodía**

• CON ADVS. **inseparablemente** · **irrevocablemente** · **indisolublemente** · **definitivamente** *Su destino estaba definitivamente ligado a ella* || **estrechamente** · **íntimamente** || **profundamente**

□ USO Se construye a menudo con sustantivos en plural (*ligar pensamientos*), coordinados por la conjunción *y* (*ligar un pensamiento y otro*) o unidos con la preposición *con* (*ligar un pensamiento con otro*).

▌[construir sin interrupción]

• CON SUSTS. **pase** · **jugada** *No consiguieron ligar una buena jugada en todo el partido* · **juego**

• CON ADVS. **de corrido**

▌[establecer relaciones amorosas] *col.*

• CON SUSTS. ***persona*** *Es una chica que liga mucho*

□ USO Se construye generalmente con complementos encabezados por la preposición *con*: *ligar con alguien.*

ligeramente adv.

● CON VBOS. **aumentar · subir · mejorar** *Su estado de salud ha mejorado ligeramente* · **avanzar · recuperarse · incrementar(se) · elevar(se) · ampliar(se) · levantar(se) || descender · disminuir · bajar · reducir(se) · caer** *En el último trimestre cayeron ligeramente los precios* · **rebajar · retroceder · replegarse · devaluar · mermar · descolgarse · retrasar || superar · rebasar · exceder · aventajar · sobrepasar · anticiparse · adelantar || modificar · variar** *La programación puede variar ligeramente si surge algún imprevisto* · **cambiar · corregir · inclinar(se) · mover(se) · ladear(se) · alterar(se) · escorar(se) · apartar(se) · arquear(se) || herir · deformar(se) · dañar** *No ha pasado nada, solo se ha dañado ligeramente el parachoques trasero* · **oprimir · debilitar(se) · lesionar(se) · despintar(se) · vapulear || suavizar(se) · torcer(se) || golpear · tocar · rozar || afectar · influir · sobresaltar · atormentar · asustar || apreciar · percibir · notar**

[ligero, ra] → a la ligera; ligero, ra (de)

ligero, ra (de) adj.

● CON SUSTS. **equipaje** *Siempre intento viajar ligero de equipaje* · **peso · ropa || cascos**

lila

1 **lila** adj./s.m. Véase **COLOR**

2 **lila** s.f.

● CON ADJS. **silvestre · blanca** *un ramo de lilas blancas*
● CON SUSTS. **ramo (de) · manojo (de)** *Llevaba en la cesta un buen manojo de olorosas lilas* **|| perfume (de) · olor (de/a) · aroma (de) · fragancia (de) || arbusto (de)**

[lima] → como una lima

limar v.

● CON SUSTS. **barrote · gatillo · moneda · uña** *Tengo que limarme las uñas* · **diente · colmillo || aspereza** *Se reunieron para conversar e intentar limar asperezas* · **arista · roce || cifra · coste** *Si pudiéramos limar los costes para ajustarlos al presupuesto...* **|| obstáculo · dificultad || detalle** *La obra está casi lista, solo falta limar algunos detalles* · **aspecto || diferencia · discrepancia · divergencia · desigualdad · desacuerdo · contraste**

limbo s.m.

● CON ADJS. **indeciso · impreciso || etéreo || legal** *Esas prácticas deberían ser delito, pero permanecen aún en un limbo legal* · **jurídico || profesional · laboral || económico · bursátil || moral · social**
● CON VBOS. **estar (en)** *Es un niño que nunca presta atención en clase, siempre está en el limbo* · **permanecer (en) · vivir (en) · dejar (en) || enviar (a) · arrojar (a) · mandar (a) · condenar (a) · relegar (a) || descender (a) || salir (de)**

limitación s.f.

● CON ADJS. **fuerte** *El proyecto estaba condicionado por una fuerte limitación temporal* · **seria · grave · drástica · severa · estricta · notable · ostensible · considerable || ligera · menor · sin importancia || sujeto,ta (a)**
● CON VBOS. **suponer** *La falta de presupuesto supone una seria limitación* · **significar · representar || imponer || tener · sufrir || aceptar** *Soy realista y acepto mis propias limitaciones* · **rechazar || superar · vencer · burlar · neutralizar || encontrarse (con) · tropezarse (con) || adaptar(se) (a)** *En la nueva oficina debo adaptarme a ciertas limitaciones de espacio*

limitar adj.

● CON SUSTS. **recurso** *...porque la falta de lectura limita los recursos expresivos* · **cantidad · cupo · número || tiempo · período · plazo · duración · horario || aforo** *Han decidido limitar el aforo diario para evitar el deterioro ambiental de...* · **capacidad · plaza · espacio · superficie · acceso || presupuesto · crédito · gasto || responsabilidad · competencia · ámbito · mandato || talento · conocimiento || edición · serie || potencia · velocidad · tráfico || efecto** *...limitando así los efectos nocivos de dichas sustancias* · **poder || apoyo · ayuda || importación · exportación · producción · crecimiento || libertad · derecho || uso · alcance**
● CON ADVS. **drásticamente · seriamente · severamente · considerablemente** *Se limitaron considerablemente las exportaciones* · **notablemente · extraordinariamente · enormemente || ligeramente || en exclusiva || incesantemente · continuamente · constantemente || físicamente · temporalmente**

[límite] → al límite; límite

límite s.m.

● CON ADJS. **claro · definido · preciso · nítido || borroso · difuso · confuso || estrecho** *La complejidad del tema sobrepasa con mucho los estrechos límites de este artículo* **|| fijo · estricto · severo · férreo || variable · inestable · inseguro · flexible · frágil || insalvable · infranqueable || inalcanzable · insuperable · inhumano · sobrehumano** *Los escaladores tuvieron que esforzarse hasta límites sobrehumanos* **|| consciente (de)**
● CON VBOS. **difuminar(se) · diluir(se) || tener** *Su ambición no tiene límites* **|| poner · marcar · establecer · fijar · trazar · dibujar · demarcar · acotar · prescribir · precisar · imponer · oponer || dilucidar || aceptar · asumir || acariciar · bordear || cruzar · exceder** *Me multaron por exceder el límite de velocidad* · **superar · rebasar · traspasar** *Es muy reservado y no permite que nadie traspase los límites de su intimidad* · **pasar · sobrepasar · trascender · desbordar(se) || saltarse · ignorar · infringir · violar · vulnerar · transgredir · pulverizar · salvar · abolir || llegar (a) · rayar (en) || ceñir(se) (a)**
● CON PREPS. **dentro (de)** *Los especialistas del cine corren riesgos, aunque siempre dentro de unos límites* · **cerca (de) · al borde (de) · por {encima/debajo} (de) · fuera (de) · más allá (de) || sin** *generosidad sin límites*

limosna s.f.

● CON ADJS. **misericordiosa · desinteresada · interesada · caritativa || sustanciosa · abundante · generosa** *El acaudalado caballero le dio una generosa limosna* **|| exigua · raquítica · escasa**
● CON SUSTS. **cepillo (de) · caja (de)**
● CON VBOS. **pedir** *Pedían limosna en la puerta de la iglesia* · **mendigar · implorar · rogar || dar · conceder · ofrecer · entregar · dispensar || arrancar (a alguien) || aceptar** *Tengo mi orgullo y no acepto limosnas* **|| vivir (de)** *No tenía casa ni trabajo y vivía de las limosnas*

limpiamente adv.

▌[honestamente, con corrección]

● CON VBOS. **ganar** *Han ganado limpiamente las elecciones* · **vencer · derrotar (a alguien) · imponer(se) · batir(se) · superar (a alguien) · desbordar (a alguien) || competir**

· **participar** · **luchar** || **celebrarse** *Las elecciones se celebraron limpiamente* · **discurrir** || **actuar** *Acusan al Gobierno de no actuar limpiamente en el proceso de privatización* · **cumplir**

▮ [con destreza]

● CON VBOS. **rematar** · **golpear** · **despejar** *El portero despejó limpiamente la pelota* || **cortar** · **rebanar** · **seccionar** · **dividir** || **atravesar** · **cruzar** · **perforar** · **agujerear** || **ejecutar** · **matar** || **robar** · **sustraer** *Le sustrajeron limpiamente el bolso* · **quitar** · **hurtar** · **despojar**

limpiaparabrisas s.m.

● CON ADJS. **delantero** · **trasero** · **posterior** || **automático** *Al caer la lluvia se acciona el limpiaparabrisas automático* · **manual**

● CON SUSTS. **agua (de)** · **escobilla (de)** · **accesorio (de)** · **goma (de)** || **sistema (de)** · **movimiento (de)** · **intervalo (de)** · **barrido (de)**

● CON VBOS. **funcionar** *El limpiaparabrisas dejó de funcionar en plena tormenta* · **mover(se)** · **estropear(se)** || **limpiar (algo)** || **accionar** · **poner en marcha**

limpiar v.

● CON ADVS. **a fondo** · **a conciencia** · **en profundidad** · **escrupulosamente** *limpiar el termómetro escrupulosamente después de cada uso* · **minuciosamente** · **cuidadosamente** · **de arriba abajo** · **de punta a punta** · **por completo** · **exhaustivamente** || **superficialmente** || **en seco** *Este traje hay que limpiarlo en seco*

limpieza s.f.

● CON ADJS. **a fondo** · **en profundidad** *Estos sillones necesitan una limpieza en profundidad* · **escrupulosa** · **general** *En casa hacemos limpieza general los sábados* · **integral** · **exhaustiva** · **cuidadosa** || **en seco** || **deslumbrante** · **extraordinaria** · **suma** || **étnica**

● CON SUSTS. **producto (de)** *una importante marca de productos de limpieza* · **artículo (de)** || **servicio (de)** · **personal (de)** · **equipo (de)** · **empresa (de)** || **tarea (de)** · **labor (de)** · **trabajo (de)** · **operación (de)** · **campaña (de)** || **falta (de)**

● CON VBOS. **hacer** · **llevar a cabo** || **extremar** || **necesitar** · **requerir**

[limpio, pia] → en limpio; limpio, pia; pasar a limpio

limpio, pia

1 limpio, pia adj.

● CON SUSTS. **conciencia** · **corazón** · **alma** · **espíritu** · **mente** · **mentalidad** || **mirada** · **ojos** || **sentimiento** · **amor** || **intención** · **propósito** · **objetivo** || **expediente** *Nunca cometió una infracción, su expediente está limpio* · **trayectoria** · **reputación** || **juicio** · **proceso** · **campaña** · **elección** || **operación** · **trabajo** *un trabajo limpio realizado por auténticos profesionales* · **ejecución** || **página** · **texto** *El texto está limpio de erratas* || **corte** · **sección** · **perforación** || **juego** · **partido** · **competición** · **enfrentamiento** · **pelea** · **combate** · **guerra** · **batalla** || **victoria** · **jugada** · **pase** · **regate** · **remate** · **gol** · **tanto** || **dinero** || **energía** *La energía solar es una energía limpia* || **sonido** *El sonido llega limpio y claro, sin interferencias* · **voz** || **color** · **imagen** · **fotografía** || **horizonte**

● CON ADVS. **como los chorros del oro** *Dejó la casa limpia como los chorros del oro* · **como una patena** || **de polvo y paja**

● CON VBOS. **ser** · **volver(se)** || **estar** · **poner(se)** · **mantener(se)**

2 limpio, pia (de) adj.

● CON SUSTS. **grasa** · **basura** · **polvo** · **espinas** *Ya está el pescado limpio de espinas* · **manchas** || **criminales** · **enemigos** · **delincuentes** || **culpa** *Su nombre quedó limpio de toda culpa* · **pecado** · **sangre** · **corrupción** · **corruptela** || **responsabilidad** · **sospecha** · **implicación** · **duda** · **acusación** || **deudas** *Heredó una empresa totalmente limpia de deudas* · **gastos** · **impuestos** · **ingresos** · **reservas** · **dinero** || **erratas** · **notas** || **neologismos** · **retórica** · **florituras** · **tópicos**

3 limpio adv.

● CON VBOS. **jugar** *Es una persona honrada que siempre juega limpio* · **actuar**

□ EXPRESIONES **pasar a limpio** (algo)* · **poner en limpio** (algo) [copiarlo para que resulte presentable] *Tengo que pasar a limpio los apuntes* || **sacar en limpio** [llegar a ello como única conclusión]

linaje s.m.

● CON ADJS. **antiguo** || **ilustre** · **noble** · **honroso** · **puro** || **humilde** *La princesa se casó por amor con un artista de humilde linaje*

● CON SUSTS. **apellido (de)** · **pureza (de)**

● CON VBOS. **descender (de)** · **proceder (de)**

linchamiento s.m.

● CON ADJS. **personal** · **social** · **colectivo** || **mediático** *el linchamiento mediático al que ahora se ve sometido* · **público** · **popular** · **periodístico** *El político calificó la situación de auténtico linchamiento periodístico* · **moral** · **político** · **judicial** || **cruel** *El ministro fue sometido a un cruel linchamiento público* · **bárbaro** || **auténtico**

● CON SUSTS. **operación (de)** · **campaña (de)** · **afán (de)** · **intento (de)** · **proceso (de)** || **clima (de)** · **ambiente (de)** || **caso (de)** · **víctima (de)** *El ladrón fue víctima de un linchamiento* || **testigo (de)**

● CON VBOS. **ocasionar** · **propiciar** · **provocar** · **promover** · **permitir** · **consentir** · **posibilitar** || **evitar** · **impedir** *La Policía consiguió finalmente impedir el linchamiento* · **contener** · **detener** · **parar** · **denunciar** || **sufrir** · **padecer** || **presenciar** || **proceder (a)** · **contribuir (a)** || **escapar (a)** · **asistir (a)**

lindar (con) v.

● CON SUSTS. **océano** *La zona sur del país linda con el océano Atlántico* · **mar** · **terreno** · **edificio** · **país** · ***otros espacios*** || **estupidez** · **pedantería** · **cursilería** · **ridiculez** || **patología** · **locura** · **falta de respeto** · **barbarie** *una decisión que linda con la barbarie* || **ficción** · **fantasía** || **abstracción**

● CON ADVS. **al norte** · **al sur** · **al este** · **al oeste**

[lindo] → de lo lindo

[línea] → a grandes líneas; de línea; en líneas generales; en primera línea; entre líneas; línea

línea s.f.

● CON ADJS. **recta** · **curva** *En sus diseños predominan las líneas curvas* · **torcida** · **quebrada** · **zigzagueante** · **serpenteante** · **ondulada** · **ondulante** · **mixta** · **abierta** · **cerrada** || **continua** · **uniforme** · **homogénea** · **de puntos** *doblar el papel por la línea de puntos* · **discontinua** · **entrecortada** · **frágil** · **quebradiza** || **imaginaria** || **horizon-**

tal · vertical · oblicua · diagonal · longitudinal · paralela *Se suelen representar las vías del tren mediante dos líneas paralelas* · perpendicular · tangente · secante · simétrica · convergente · divergente *dos líneas de actuación política absolutamente divergentes* · irreconciliable || maestra *Las líneas maestras del proyecto deben estar claras* · directriz || nítida · clara · diáfana · borrosa || dura · beligerante · blanda *La otra facción representa la línea blanda del partido* || primera *Tienen un apartamento en primera línea de playa* · divisoria · fronteriza · separadora · limítrofe || eléctrica · de metro *Están construyendo una nueva línea de metro en la zona oeste de la ciudad* · aérea || telefónica · de teléfonos · directa · ocupada || de fuego · del frente · defensiva || de meta · de llegada || de actuación · de investigación *Aún no sabemos quién cometió el atentado; estamos siguiendo varias líneas de investigación* || de ropa · de diseño · de muebles *diseñar una nueva línea de muebles* · de coches · *otros productos* || materna · paterna *un primo segundo por línea paterna* · colateral · transversal || ecuatorial · equinoccial

• CON VBOS. confluir *Esas líneas confluyen en un punto* · converger · entrecruzar(se) || bifurcar(se) · divergir · separar(se) || torcer(se) · desviar(se) · enderezar(se) || quebrar(se) · cortar(se) || separar (de algo) *la sutil línea que separa la realidad de la ficción* · dividir || congestionar(se) (línea telefónica) || trazar · dibujar · marcar · perfilar · describir · abrir || seguir *un equipo científico que sigue una novedosa línea de investigación* · observar · proseguir · guardar · mantener *No come dulces porque dice que quiere mantener la línea* · rectificar || cruzar *Nada más cruzar la línea de meta, el corredor se desplomó* · pasar · rebasar · traspasar · sobrepasar · transgredir · bordear || dar (línea telefónica) || orientar(se) (en) · adherirse (a) · perseverar (en) || disentir (de) · desmarcar(se) (de)

• CON PREPS. de acuerdo (con) · en contra (de) || según

□ EXPRESIONES **de línea*** [que hace un recorrido interurbano] *autobús de línea* || **en línea** [conectado] || **en líneas generales*** [sin entrar en detalles]

lineal adj.

• CON SUSTS. trazado · plano · dibujo · diagrama || texto · relato · novela · narración *En un primer momento el lector cree encontrarse ante una narración lineal; sin embargo...* · argumento · historia · prosa · trama · estilo · guión || película · canción · ópera · serie · recital · espectáculo || sueldo · impuesto · cuota · pago · tarifa || progreso · proceso · evolución · desarrollo · trayectoria *Si se examina su biografía se comprueba que ha seguido una trayectoria lineal* · subida · aumento · crecimiento · incremento · revalorización || disminución · bajada · reducción · recorte *La nueva medida consistirá en un recorte lineal de las ayudas* · rebaja · devaluación || discurso · razonamiento · comunicación · conversación · explicación · exposición || visión *una visión lineal y determinista de la historia* · planteamiento · pensamiento · concepción · interpretación · criterio · estudio || estructura · disposición · sistema · orden *Se muestra partidario de seguir un orden lineal en la narración de los hechos* · distribución · diseño · esquema · mecanismo · estructuración || cronología · tiempo · temporalización

linealmente adv.

• CON VBOS. colocar *Los árboles serán colocados linealmente a lo largo de la avenida* · poner · ordenar · estructurar · disponer || avanzar · sucederse · conducir · fluir · seguir || relatar · narrar · interpretar · transcribir || incrementar · aumentar *aumentar linealmente las ventas* · progresar · desarrollar · subir · crecer

lingotazo s.m. *col.*

• CON VBOS. echar · dar · atizar · pegar · tomar *Se tomó un buen lingotazo de ginebra* · trasegar

lingote (de) s.m.

• CON SUSTS. oro *invertir en lingotes de oro* · plata · aluminio · platino

[lingüística] s.f. → lingüístico, ca

lingüístico, ca

1 **lingüístico, ca** adj.

• CON SUSTS. atlas *buscar los datos en el atlas lingüístico* · mapa · terreno · campo · universo · área · plano · tronco || norma · criterio · rigor *El texto ha sido analizado con un gran rigor lingüístico* · corrección · normalización || análisis · teoría · modelo · disciplina · sistema · estudio || unidad · elemento · corpus *extraer la información de un amplio corpus lingüístico* · signo · hecho · fenómeno · aspecto · expresión · contenido · problema · cuestión

2 **lingüística** s.f. Véase **DISCIPLINA**

lío s.m.

• CON ADJS. tremendo · mayúsculo *Cuando descubrieron que faltaban algunos expedientes, se montó un lío mayúsculo* · monumental · de campeonato · de órdago · de mucho cuidado · descomunal · absoluto · total || pequeño *El recepcionista se armó un pequeño lío con nuestros nombres* || inextricable · insoluble · enrevesado || reinante || de faldas

• CON VBOS. armar(se) · montar(se) · organizar(se) || hacer(se) *Me parece que te has hecho un lío con las cifras* || aclarar · resolver · solucionar · solventar · deshacer · desenredar || destapar *La revista destapó un lío de faldas de una reputada personalidad* || meter(se) (en) *Si te vuelves a meter en líos...* · enredar(se) (en) || salir (de) · huir (de)

• CON PREPS. en medio (de) · entre

liquidación s.f.

• CON ADJS. permanente · final · definitiva · total *La tienda ha realizado una liquidación total de existencias al final de la temporada* || incorrecta · irregular || provisional · parcial || inmediata · apresurada · precipitada · acelerada || anticipada · ordenada · suficiente · generosa || por rebajas · por derribo · por quiebra · por cierre *Se procede a la liquidación de las existencias por cierre del comercio* || económica · presupuestaria · fiscal || judicial · extrajudicial || diaria · mensual *la liquidación mensual de la deuda* · anual

• CON SUSTS. proceso (de) · protocolo (de) · mecanismo (de) · fase (de) *Están en la última fase de liquidación que le correspondía* · acto (de) || base (de) · acta (de) || acuerdo (de) · plan (de) || período (de) · fecha (de) · época (de) · campaña (de)

• CON VBOS. cobrar *Antes de marcharse cobró la liquidación que le correspondía* · percibir · pagar || calcular · negociar || confirmar · realizar · resolver · despachar · aprobar · enviar · firmar || aceptar · permitir · rechazar · bloquear · impugnar || proceder (a) *Finalmente procedieron a la liquidación del negocio*

liquidar v.

▮ [saldar, terminar]

● CON SUSTS. **cuenta · deuda · crédito · préstamo** *Con el dinero de la herencia liquidó el préstamo* · **déficit · factura · cuota · impuesto · pago || asunto** *Estoy deseando liquidar este asunto* · **problema · diferencias || sueldo · paga || existencias** *hasta liquidar todas las existencias*
● CON ADVS. **por completo · totalmente || prácticamente · virtualmente**

líquido, da

1 **líquido, da** adj.

▮ [que no es sólido ni gaseoso]

● CON SUSTS. **nata** *un postre casero hecho con nata líquida* · **caramelo · yogur || componente · solución · grasa · residuo || metal · plata · oro || nitrógeno · oxígeno** *una bombona de oxígeno líquido conectada al respirador* · **combustible || dieta || apariencia**
● CON VBOS. **ser · estar · hacerse · mantenerse**

▮ [disponible o neto]

● CON SUSTS. **dinero · activo · capital · valor || suma · importe** *El importe líquido asciende a...* · **cantidad · cuota || recaudación · beneficio · renta · disponibilidad || deuda** *Se ha revelado que tenía una importante deuda líquida*

2 **líquido** s.m.

▮ [fluido, sustancia]

● CON ADJS. **acuoso · transparente** *El agua es un líquido transparente* · **claro · incoloro || viscoso · espeso · denso || a borbotones || tóxico · inocuo || inflamable · contaminante · residual || amniótico · corporal · orgánico || vital || de frenos || lleno,na (de) · rebosante (de)**
● CON VBOS. **salir(se)** *De la cañería salía un líquido viscoso* · **brotar · afluir · chorrear · rebosar || fluir · correr · manar || filtrar(se)** *El líquido se filtraba a través del envoltorio* · **calar || salpicar (algo) · mojar (algo) · empapar (algo) · manchar (algo) || bullir · hervir** *¿A qué temperatura hierve este líquido?* **|| aguar(se) · evaporar(se) · espesar(se) · congelar(se) || beber** *Beba mucho líquido para evitar la deshidratación* · **absorber · tomar || segregar · rezumar · destilar · exudar · expeler · expulsar · orinar || extraer || verter(se) · desparramar(se) · derramar(se)** *Di un golpe a la botella y derramé el líquido* **|| bombear · achicar || inyectar || zambullir(se) (en) · bañar(se) (en) · flotar (en) · nadar (en) · bucear (en) || rociar (con)** *Roció las plantas con un líquido especial* · **impregnar (de) || diluir(se) (en) · disolver(se) (en)**

▮ [cantidad de dinero]

● CON ADJS. **imponible**
● CON VBOS. **disponer (de)** *Al parecer no disponía de líquido para realizar esa operación financiera*

lira s.f.

▮ [instrumento musical]

● CON VBOS. **tañer · pulsar || acompañar (con) · cantar (con)**
➤ Véase también **INSTRUMENTO MUSICAL**

▮ [unidad monetaria] Véase **MONEDA**

[lírica] s.f. → lírico, ca

lírico, ca

1 **lírico, ca** adj.

● CON SUSTS. **género** *Gran parte de su obra se inscribe en el género lírico* · **discurso · teatro · poesía · novela · drama · obra · composición · creación · producción || prosa · fragmento · melodía · texto · escritura · lenguaje || poeta · poetisa · tenor · soprano · voz · cantante || concierto · recital || intensidad · tono · tensión · fuerza || inspiración · tema** *Se trata de un soneto con rima asonante y tema lírico mitológico* · **paisaje || historia · vida || campo · panorama || movimiento · actividad || vocación · actitud || aventura || abstracción · pensamiento · sentimiento**
● CON ADVS. **profundamente** *un película profundamente lírica* · **hondamente · sustancialmente || excesivamente**

2 **lírica** s.f.

● CON ADJS. **antigua · moderna · actual · contemporánea · clásica** *un profundo conocedor de la lírica clásica* **|| amorosa · religiosa || popular**
● CON SUSTS. **mundo (de) · templo (de) · panorama (de) || nombre (de) · figura (de) · promesa (de)**

lirismo s.m.

● CON ADJS. **intenso · vivo · acusado · hondo** *melodías de hondo lirismo* · **profundo || desbordante · exacerbado || contenido · delicado** *Recitó unos versos de un delicado lirismo* · **apagado || escaso || rebosante (de)**
● CON SUSTS. **toque (de) · punto (de) || muestra (de)**

[lirón] → como un lirón

lisa y llanamente loc.adv.

● CON VBOS. **decir · pedir · afirmar · comunicar · hablar · explicar · expresar · negar** *Negaban lisa y llanamente haber participado en la reunión* · **indicar · contestar · escribir · admitir || calificar · significar || considerar · definir · denominar · interpretar · llamar · concluir · absolver || oponerse · excluir · eliminar · pasar · incumplir**

lisiado, da adj.

● CON SUSTS. **rodilla** *No puede jugar porque tiene una rodilla lisiada* · **pierna · brazo ·** ***otras partes del cuerpo*** **||** ***persona*** *El defensa central está lisiado* **|| toro · perro · caballo ·** ***otros animales***
● CON VBOS. **ser · quedar(se)** *...tras quedar lisiado en un fatal accidente* **|| estar · seguir · salir (de algo)** *un terrible accidente del que no salió lisiado de milagro*

[liso, sa] → lisa y llanamente; liso, sa

liso, sa adj.

● CON SUSTS. **superficie · muro · pared · piedra · tablero · fondo · suelo · pavimento · zona || pelo · cabello · melena || pantalón** *un pantalón liso de color negro* · **camisa · jersey ·** ***otras prendas de vestir*** **|| color · papel · ropa · tela || abdomen · vientre** *Si haces estos ejercicios, tendrás el vientre completamente liso* **|| metros** *la prueba de los cien metros lisos* **|| neumático · cilindro**
● CON ADVS. **totalmente · completamente · perfectamente**
● CON VBOS. **ser · estar · mantener(se)**

[lista] s.f. → listo, ta

listín s.m.

● CON ADJS. **telefónico** *buscar un número en el listín telefónico* · **bursátil** · **de precios** || **personal** *Añadiré los datos que me facilites a mi listín personal*
● CON VBOS. **consultar** || **aparecer (en)** · **figurar (en)** || **buscar (en)** · **encontrar (en)**

listo, ta

1 **listo, ta** adj.

▮ [inteligente]

● CON VBOS. **ser** *Es un chico muy listo* · **parecer**

▮ [astuto]

● CON VBOS. **estar** *Estuvo muy lista con la respuesta* · **andar** *Tendrá que andar listo si quiere conseguir el puesto de trabajo* || **pasarse (de)** *No te pases de listo y espera aquí como todo el mundo*

2 **lista** s.f.

● CON ADJS. **completa** · **exhaustiva** · **detallada** *Confeccionó una detallada lista con todo lo necesario para el viaje* · **minuciosa** || **incompleta** · **somera** || **larga** · **extensa** · **nutrida** *la nutrida lista de animales en peligro de extinción* · **abultada** · **enorme** · **profusa** · **interminable** · **inacabable** · **infinita** || **corta** · **breve** · **escueta** || **alfabética** · **ordenada** · **desordenada** || **electoral** · **paritaria** || **de espera** · **de ventas** *Este disco encabeza la lista de ventas* · **de boda**
● CON SUSTS. **cabeza (de)** · **compañero,ra (de)** || **orden (de)** *Nos fueron nombrando por orden de lista*
● CON VBOS. **incluir (algo)** · **contener (algo)** || **abrir** · **cerrar** || **encabezar** · **engrosar** · **completar** · **copar** || **hacer** *No olvides incluir el aceite cuando hagas la lista de la compra* · **confeccionar** · **redactar** · **presentar** · **ordenar** || **ampliar** · **alargar** *Tenemos que hacer una selección para no alargar demasiado la lista* || **reducir** · **acortar** · **restringir** · **cortar** · **abreviar** || **saltarse** · **impugnar** *Las listas electorales han sido impugnadas* || **apuntar (algo) (en)** · **incorporar (algo) (a)** · **figurar (en)** *Mi nombre no figura en la lista de los premiados* · **formar parte (de)** · **ocupar (un lugar) (en)** · **situar (en)** · **ubicar (en)** || **faltar (en)** · **borrar (de)** · **apear (de)**

☐ EXPRESIONES **ir listo** [estar muy equivocado] *col. Vas listo si crees que te voy a dejar el coche* || **pasar lista** [llamar en voz alta a las personas que figuran en una lista]

listón s.m.

● CON ADJS. **alto** · **bajo**
● CON VBOS. **poner** · **colocar** · **dejar** *El último campeón dejó el listón muy alto* || **mantener** *¡Ánimo! Hay que mantener alto el listón* || **subir** · **elevar** || **bajar** *Tendrán que bajar el listón si quieren que alguien supere las pruebas* · **rebajar** || **pasar** · **superar** · **sobrepasar**

litera s.f.

● CON ADJS. **cómoda** · **incómoda** || **rudimentaria** · **moderna** || **pequeña** · **grande** · **amplia** · **estrecha** · **ancha** || **fija** · **desmontable**
● CON SUSTS. **vagón** *Hicimos el trayecto en un vagón litera*
● CON VBOS. **ocupar** · **compartir** || **montar** · **desmontar** || **disponer (de)** *El apartamento dispone de literas en tres de sus habitaciones* · **dotar (de)** || **dormir (en)** · **subir (a)** *una escalera para poder subir a la litera* · **meter(se) (en)**

literal adj.

● CON SUSTS. **cita** *¿Es una cita literal del texto?* · **palabra** · **expresión** · **lenguaje** · ***otras manifestaciones verbales*** || **sentido** · **significado** · **acepción** · **significación** · **contenido** || **interpretación** *Si hace uno una interpretación literal del poema, no entenderá nada* · **lectura** · **traducción** · **desciframiento** · **explicación** · **hermenéutica** · **diagnóstico** || **transcripción** · **copia** · **reproducción** · **repetición** · **plagio** || **versión** · **aplicación** · **recreación** · **adaptación** *La película no pretendía ser una adaptación literal de la novela* · **representación** · **ilustración** · **edición** || **narración** · **historia** · **testimonio** · **descripción** *Hizo ante el policía una descripción literal de los hechos que había presenciado* || **coincidencia** · **paralelo** · **comparación** || **punto de vista** · **perspectiva** · **visión**

literalmente adv.

● CON VBOS. **decir** *Dije literalmente que no aguantaba más y que me iba* · **afirmar** · **citar** · **manifestar** · **declarar** · **responder** · **exclamar** · **preguntar** · **expresar** · **proponer** · ***otros verbos de lengua*** || **copiar** · **reproducir** · **repetir** || **transcribir** · **plasmar** · **representar** · **reflejar** · **escribir** || **traducir** *No se trataba de traducir literalmente el discurso, sino de recuperar su sentido global* · **interpretar** · **entender** || **significar** · **especificar** · **puntualizar** || **aplastar** *El equipo de las estrellas aplastó literalmente a un débil rival* · **desarmar** · **arrasar** · **arrollar** · **comerse** · **destrozar** · **machacar** · **bailar** *La delantera bailó literalmente a una defensa más que endeble* · **barrer** · **borrar** · **conquistar** || **amenazar** · **asaltar** · **crucificar** · **empujar** · **dar un portazo** · **devorar** · **exigir** · **enfrentarse** · **insultar** || **prohibir** *Las ordenanzas prohibían literalmente salir del trabajo a media mañana* · **mandar** · **obligar** || **desaparecer** · **morir** · **perder** || **detener** · **desintegrar** · **pulverizar** · **reducir a escombros** || **aplicar** · **poner en práctica** *El plan fue puesto en práctica literalmente, con las desastrosas consecuencias que todos conocemos* · **utilizar** · **usar** || **desplomar(se)** · **derrumbar(se)** · **hundir(se)** · **desmoronar(se)** *Se llevó una impresión tan fuerte que se desmoronó literalmente delante de todos*

☐ USO Se usa a menudo para subrayar o enfatizar el significado de la palabra a la que acompaña: *Devoró literalmente la comida.*

literario, ria adj.

● CON SUSTS. **obra** · **creación** · **producción** · **texto** · **actividad** *Se dedicó a la actividad literaria desde su juventud* · **invención** · **hecho** || **género** · **ficción** · **ensayo** · **arte** || **lenguaje** *...con las características propias del lenguaje literario* · **lengua** · **personaje** · **expresión** · **estilo** || **tema** · **materia** · **asunto** || **tradición** · **bagaje** · **acervo** · **historia** · **cultura** || **carrera** · **trayectoria** · **vida** · **panorama** *una autora muy original en el panorama literario actual* · **mundo** || **crítica** · **análisis** · **estudio** · **investigación** · **teoría** || **crítico,ca** · **agente** || **premio** *Acaban de otorgarle un importante premio literario en México* || **calidad** · **valor** · **talento** · **vocación** · **afición** || **inclinación** · **tendencia** · **movimiento** · **pensamiento** || **sensibilidad** · **pasión** · **madurez** || **revista** · **publicación** · **suplemento** *Siempre leo las reseñas del suplemento literario del periódico* || **modelo** · **canon** · **norma** || **taller**
● CON ADVS. **estrictamente** · **puramente** · **propiamente**

literato, ta s.

● CON ADJS. **consagrado,da** *El nuevo miembro de la Academia es un literato consagrado* · **conocido,da** · **famoso,sa** · **reputado,da** · **afamado,da** · **prestigioso,sa** · **destaca-**

do,da · **significativo,va** · **importante** · **ilustre** · **insigne** · **excelso,sa** · **célebre** · **mítico,ca** || **novel** *un premio para literatos noveles* · **desconocido,da** · **primerizo,za** || **buen,-a** · **gran** *Los críticos la consideran una gran literata* · **excelente** · **genial** · **magnífico,ca** · **favorito,ta** · **mal,-a** · **pésimo,ma** || **prolífico,ca** · **precoz**
● CON SUSTS. **tertulia (de)** · **congreso (de)** · **reunión (de)**
● CON VBOS. **escribir (algo)** · **publicar (algo)**

literatura s.f.

● CON ADJS. **contemporánea** · **clásica** · **actual** · **moderna** · **medieval** · **renacentista** · **barroca** · **romántica** · **modernista** || **universal** · **nacional** *una de las figuras más relevantes de la literatura nacional* · **extranjera** · **mundial** || **popular** · **oral** || **infantil** · **juvenil** · **dramática** · **fantástica** · **erótica** · **comparada** · **general** · **sagrada** · **religiosa** || **comercial** · **de consumo** · **de bolsillo** || **comprometida** · **combativa**
● CON SUSTS. **premio (de)** · **profesor,-a (de)** · **clase (de)** · **taller (de)** · **curso (de)** || **obra (de)** · **manual (de)** · **diccionario (de)** · **revista (de)** · **autor,-a (de)** · **personaje (de)** || **mando (de)** · **universo (de)**
● CON VBOS. **inspirarse (en algo)** · **influir (a alguien)** · **dirigir(se) (a alguien)** || **escribir** · **crear** · **hacer** · **cultivar** · **traducir** || **leer** || **imitar** || **publicar** *Esta editorial solo publica literatura contemporánea* · **editar** || **vivir (de)** *Muy pocos pueden vivir de la literatura*

litigio s.m.

● CON ADJS. **prolongado** · **largo** · **interminable** *Se pasan la vida enredados en interminables litigios* · **breve** || **reñido** · **enconado**
● CON SUSTS. **objeto (de)** *El presidente llegaba esta mañana a la zona objeto de litigio*
● CON VBOS. **surgir** || **tener (con alguien)** · **mantener (con alguien)** || **provocar** · **reavivar** · **entablar** · **plantear** || **dirimir** · **resolver** · **zanjar** || **ganar** *Al final, ganó el litigio, pero perdió tiempo y dinero* · **perder** || **entrar (en)** · **meter(se) (en)** *No te metas en litigios con esa compañía porque tienen los mejores abogados* · **enredar(se) (en)** || **interceder (en)** || **vencer (en)**

litoral

1 litoral adj.

● CON SUSTS. **territorio** · **parque** *medidas para proteger el parque litoral de la región* · **sierra** · **acantilado** · **borde** · **zona** · **ronda** · **franja** || **pesca** · **regeneración**

2 litoral s.m.

● CON ADJS. **rocoso** *La península tiene un litoral rocoso en la franja norte* · **escarpado** || **costero** · **marítimo** · **portuario** · **turístico**
● CON SUSTS. **paisaje (de)** · **paraje (de)** · **carretera (de)** *La lluvia afectó especialmente a la carretera del litoral* · **ruta (de)** · **tramo (de)** · **línea (de)** || **playa (de)** · **puerto (de)** · **ciudad (de)** · **población (de)** || **provincia (de)** · **comunidad (de)** · **comarca (de)** · **región (de)** · **punto (de)** || **habitante (de)** || **cocina (de)**
● CON VBOS. **recorrer** · **visitar** · **surcar** || **afectar** · **azotar** *Una fuerte tormenta azotó el litoral* · **invadir** · **devastar** || **rastrear** · **peinar** || **promocionar** || **viajar (a)** · **recalar (en)** *El barco recaló en el litoral del país vecino* · **pasear (por)** || **pescar (en)** · **faenar (en)**

litro s.m.

● CON SUSTS. **símbolo (de)** · **abreviatura (de)** || **botella (de)** · **garrafa (de)** · **envase (de)** *Este refresco se vende en envases de litro* · **cartón (de)**
● CON VBOS. **equivaler (a)** || **calcular** · **convertir** · **pasar (a)** || **beber** · **tomar** || **contener** · **almacenar** · **verter** · **derramar**
● CON PREPS. **por** *comprar el aceite por litros*
□ USO Se construye frecuentemente con complementos encabezados por la preposición *de*: *un litro de vino.*

litrona s.f. *col.*

● CON ADJS. **de cerveza** *Llevo en la neverita una litrona de cerveza* || **vacía** · **llena**
● CON VBOS. **beber** · **tomar**

lituano s.m. Véase **IDIOMA**

litúrgico, ca adj.

● CON SUSTS. **acto** · **celebración** · **ceremonia** *...en una breve ceremonia litúrgica celebrada por el obispo* · **fiesta** · **oficio** · **acción** || **libro** · **texto** · **lengua** · **arte** · **obra** || **música** · **canto** *El coro entonó algunos cantos litúrgicos* · **himno** · **cántico** · **letanía** || **calendario** · **año** · **ciclo** · **tiempo** || **objeto** · **ornamento** || **sentido** · **tradición**

liviano, na adj.

● CON SUSTS. **carga** · **peso** || **comida** · **bebida** || **libro** · **novela** · **película** · *otras obras* || **esfuerzo** · **entrenamiento** · **tarea** *Le encomendaron una tarea liviana para que no se fatigara* · **trabajo** · **compromiso** · **proceso** || **norma** · **ley** · **código** · *otras disposiciones* || **sueño** || **sonrisa** || **vestido** *La modelo eligió un liviano vestido negro para la ocasión* · **ropa** · **traje** || **estructura** · **armazón** · **entramado**
● CON VBOS. **hacer(se)** · **volverse**

lívido, da adj.

● CON SUSTS. **rostro** · **cara** · **semblante** || **luz** · **color**
● CON VBOS. **estar** · **quedarse** · **poner(se)** *Cuando pronunciaron el nombre del ganador, se puso lívida*

llaga s.f.

● CON ADJS. **abierta** · **purulenta** · **sangrante** || **profunda** *Tenía en la pierna una llaga bastante profunda* · **superficial** || **dolorosa** · **aparatosa**
● CON VBOS. **cicatrizar** || **abrir(se)** · **cerrar(se)** || **curar** · **sanar** · **restañar** || **tapar** · **cubrir** || **dar (en)**
□ EXPRESIONES **hurgar en la llaga** [insistir indebidamente en un asunto espinoso]

llama s.f.

▌[masa gaseosa que arde]

● CON ADJS. **ardiente** · **incendiaria** · **viva** || **pasional** · **amorosa** *Supo mantener viva la llama amorosa* || **permanente** · **duradera** || **encendida** *mantener encendida la llama de la pasión* · **apagada**
● CON SUSTS. **pasto (de)** *El vehículo abandonado fue pasto de las llamas* || **calor (de)**
● CON VBOS. **encender(se)** · **prender** || **reavivar(se)** *Con el viento sur las llamas se reavivaron* · **cobrar fuerza** || **propagar(se)** · **extender(se)** || **iluminar (algo)** *La llama de una vela iluminaba tenuemente la estancia* · **alumbrar (algo)** · **dar luz** || **quemar (algo)** · **abrasar (algo)** · **arrasar (algo)** · **destruir (algo)** || **apagar(se)** · **extinguir(se)** · **aplacar(se)** || **avivar** || **sofocar** *Los bomberos sofocaron rápidamente las llamas* · **combatir** · **controlar**
● CON PREPS. **junto (a)** · **al amor (de)**

▮ [animal]

● CON SUSTS. **pelo (de)** · **lana (de)** · **leche (de)** · **carne (de)** || **macho** · **hembra**

● CON VBOS. **tirar (de algo)** · **cargar (algo)** *Las llamas cargan el maíz recolectado*

llamada s.f.

● CON ADJS. **telefónica** · **de teléfono** · **local** · **nacional** · **internacional** · **a cobro revertido** || **de atención** *Se trata de una llamada de atención para que se tomen medidas antes de que...* · **al orden** || **general** · **solidaria** || **última** *última llamada para los pasajeros con destino a Buenos Aires* || **urgente** · **apremiante** · **imperiosa** · **perentoria** || **desesperada** · **angustiosa** || **inoportuna** *Una llamada inoportuna interrumpió nuestra conversación* · **imprevista** || **a gritos** · **a voces** || **sordo,da (a)**

● CON SUSTS. **aluvión (de)** *El aluvión de llamadas colapsó la centralita* · **avalancha (de)** · **lluvia (de)**

● CON VBOS. **producir(se)** · **sonar** · **interrumpir(se)** || **colapsar (la línea)** *La avalancha de llamadas llegó a colapsar la línea* || **surtir efecto** || **hacer** *Si necesitas hacer una llamada, ahí está el teléfono* · **lanzar** || **esperar** || **oír** · **recibir** · **atender** · **contestar** · **secundar** || **aceptar** · **rechazar** || **pasar** · **canalizar** · **desviar** · **bloquear** || **responder (a)** *Miles de ciudadanos respondieron a la llamada lanzada por la organización humanitaria* · **dar respuesta (a)** · **acudir (a)**

llamado s.m.

● CON ADJS. **telefónico** · **a cobro revertido** *aceptar un llamado a cobro revertido* || **apremiante** · **urgente** · **desesperado** · **vehemente** || **imprevisto** · **inoportuno** || **a gritos** · **a voces** · **general** *hacer un llamado general a la población* || **sordo,da (a)**

● CON VBOS. **surtir efecto** || **esperar** *Espero un llamado de un familiar* · **atender** · **recibir** · **responder (a)** · **secundar** || **hacer** · **lanzar** · **formular** || **canalizar** · **desviar** *desviar los llamados a otro número*

llamamiento s.m.

● CON ADJS. **encarecido** · **imperioso** · **vehemente** || **urgente** *Desde el hospital lanzaron un llamamiento urgente a todos los donantes para...* · **apremiante** · **desesperado** · **angustioso** || **multitudinario**

● CON VBOS. **surtir efecto** || **lanzar** · **hacer** *Las autoridades hicieron un llamamiento a favor de la paz* · **formular** · **emitir** · **hacer extensivo** || **atender** · **secundar** || **desoír** · **desatender**

☐ USO Se construye frecuentemente con complementos encabezados por la preposición *a*: *un llamamiento a la población.*

[llamar] → llamar; llamar la atención

llamar v.

▮ [invocar, dirigirse a alguien]

● CON ADVS. **por teléfono** · **por megafonía** *Llamaron por megafonía a los padres de un niño perdido* · **por los parlantes** · **por señas** || **a gritos** *Te llamé a gritos, pero no me oíste* · **a voces** || **a filas** · **al orden** || **a cobro revertido** || **de tú** · **de usted** *Yo suelo llamar de usted a todas las personas mayores* || **insistentemente** · **repetidamente** · **enfáticamente**

▮ [denominar]

● CON ADVS. **afectuosamente** · **cariñosamente** *...por eso mis amigos me llaman cariñosamente de esa forma* · **familiarmente** · **pomposamente** · **maliciosamente** || **comercialmente** || **correctamente** · **incorrectamente** · **equivocadamente** · **equívocamente**

llamarada s.f.

● CON ADJS. **gigantesca** · **enorme** · **espectacular** · **intensa** · **imponente** *Una imponente llamarada surgió de la puerta de salida* · **gran(de)** || **roja** · **fulgurante** || **explosiva** · **luminosa** || **accidental** || **de gas** · **de luz** · **de fuego** *Eran espectaculares las llamaradas de fuego que aparecieron tras la detonación* || **de amor** · **de pasión**

● CON VBOS. **originar(se)** *Las llamaradas se originaron en la habitación del fondo* · **brotar** · **salir** · **emerger** || **ascender** · **levantarse** || **propagar(se)** *Las llamaradas se propagaban con rapidez* || **iluminar (algo)** · **fulgurar** || **provocar** · **causar** || **avivar**

llamar la atención loc.vbal.

● CON ADVS. **poderosamente** *Su extraña forma de comportarse me llama poderosamente la atención* · **fuertemente** · **enormemente** · **sumamente** · **horrores** · **ostensiblemente** · **considerablemente** · **escasamente** || **repetidamente** *El profesor le había llamado repetidamente la atención*

llamativo, va adj.

● CON SUSTS. **vestido** *Llevaba un vestido muy llamativo* · **traje** · **zapatos** · **sombrero** · **pendientes** · ***otras prendas de vestir o complementos*** || **jarrón** · **adorno** · **guirnalda** · **decoración** || **portada** · **tapa** · **rótulo** · **cartel** || **señal** · **signo** · **muestra** || **característica** *La característica más llamativa de su personalidad es su infinita paciencia* · **aspecto** · **estilo** · **belleza** · **detalle** · **rasgo** · **matiz** · **apariencia** · **físico** · **diseño** || **color** · **policromía** || **efecto** · **resultado** · **conclusión** · **consecuencia** · **reacción** *La reacción de los oyentes fue llamativa e inesperada* || **título** · **titular** · **nombre** · **frase** · **eslogan** · **expresión** · **respuesta** · **afirmación** · **declaración** *Las llamativas declaraciones del ministro acapararon las portadas de todos los periódicos* · **discurso** · **artículo** · **relato** · **confesión** · **elogio** · ***otras manifestaciones verbales o textuales*** || **ejemplo** · **caso** · **hecho** · **incidente** · **episodio** || **dato** · **cifra** · **información** · **número** · **guarismo** || **cambio** · **subida** · **caída** · **incremento** · **descenso** *Se ha producido un llamativo descenso en la audiencia de este programa* · **modificación** · **transformación** · **bajada** · **desaparición** · **reducción** · **desplome** · ***otros cambios*** || **oferta** · **propuesta** · **idea** · **iniciativa** || **diferencia** *Existen diferencias llamativas entre ambos textos* · **contradicción** · **contraposición** · **discordancia** · **discrepancia** · **disparidad** · **contraste** · **distancia** || **obra** · **disco** · **escultura** *La muestra incluye una serie de llamativas esculturas* · **cuadro** · **dibujo** · ***otras creaciones*** || **derrota** · **error** · **patinazo** · **falta** · **fracaso** · **fallo**

● CON VBOS. **volver(se)**

[llanamente] → lisa y llanamente; llanamente

llanamente adv.

● CON VBOS. **explicar** · **exponer** · **hablar** · **expresar** · **decir** · ***otros verbos de lengua*** || **mostrarse** *Se mostró llanamente, tal y como es* || **oponerse** · **negarse** || **reconocer** *Reconoció llanamente que se había equivocado* · **admitir** · **aceptar** || **suprimir** · **anular** · **eliminar**

☐ USO Se usa frecuentemente en las construcciones *lisa y llanamente, simple y llanamente* y *pura y llanamente.*

llanta s.f.

• CON ADJS. **de aleación** *un coche con llantas de aleación ligera* · **de aluminio** · **de goma** || **delantera** · **trasera** || **defectuosa**
• CON VBOS. **quemar(se)** · **arder** || **usar** · **incorporar** · **incluir** *El nuevo modelo incluye llantas de diseño* · **llevar** || **perforar** · **ponchar** *Alguien me ha ponchado las llantas del coche* || **cambiar** · **reparar** · **sustituir** || **equipar (con)**

llanto s.m.

• CON ADJS. **amargo** *Su amargo llanto me conmovió* · **acerbo** · **lastimero** || **desbordante** · **inconsolable** · **incontenible** · **irreprimible** · **incontrolable** · **compulsivo** · **a flor de piel** · **desgarrado** || **contenido** · **ahogado** || **sincero** || **abundante** · **copioso** || **preso,sa (de)**
• CON SUSTS. **ataque (de)** · **crisis (de)** · **escena (de)** · **explosión (de)** · **mar (de)**
• CON VBOS. **cesar** *Cuando llegó la madre, cesó el llanto de los niños* || **desatar(se)** || **derramar** || **enjugar** · **consolar** · **aliviar** · **calmar** || **contener** · **reprimir** *Hacía esfuerzos inútiles para reprimir el llanto* · **refrenar** · **acallar** || **prorrumpir (en)** · **estallar (en)** · **romper (en)** · **dar rienda suelta (a)** || **deshacerse (en)** · **ahogarse (en)** · **anegarse (en)** · **bañar (en)**
• CON PREPS. **al borde (de)**

[llave] → bajo llave; llave

llave s.f.

[utensilio]

• CON ADJS. **maestra** *una llave maestra para acceder a todas las habitaciones* · **falsa** || **inglesa** || **de paso** · **de contacto**
• CON SUSTS. **copia (de)** · **duplicado (de)** || **entrega (de)** *El dinero restante lo tendremos que abonar en el momento de la entrega de llaves*
• CON VBOS. **entrar** · **salir** · **atorarse** · **enrobinarse** || **encajar** *Ninguna de las llaves encajaba en la cerradura* || **introducir** · **meter** · **sacar** || **echar** · **girar** || **usar** · **perder** || **abrir (con)** · **cerrar (con)** *Cierra la puerta con llave cuando salgas*

[movimiento]

• CON VBOS. **hacer** *Hizo una llave a su atacante y lo inmovilizó* · **practicar** · **aplicar**

llavero s.m.

• CON VBOS. **guardar** · **perder** · **sacar** · **colgar** · **llevar**

llegada s.f.

• CON ADJS. **triunfal** *Cientos de personas aclamaron la llegada triunfal de los medallistas olímpicos* · **apoteósica** || **oportuna** · **a tiempo** · **puntual** *la puntual llegada de la primavera* · **inoportuna** · **intempestiva** || **esperada** · **inesperada** · **sorpresiva** · **repentina** || **multitudinaria** · **en masa** || **en volandas**
• CON SUSTS. **horario (de)** || **línea (de)**
• CON VBOS. **producir(se)** *controlar la llegada masiva de turistas que se produce en verano* · **tener lugar** || **esperar** || **aclamar** · **aplaudir** · **celebrar** || **revivir**

[llegar] → llegar; llegar (a); llegar a buen puerto; llegar a su fin

llegar v.

• CON ADJS. **ileso,sa** · **indemne** · **intacto,ta** *A pesar del largo viaje, la mercancía llegó intacta* · **sano y salvo** || **entero,ra** · **roto,ta** · **dañado,da** · **estropeado,da** || **contento,ta** · **triste** · **angustiado,da** · **cansado,da**
• CON ADVS. **puntualmente** · **en punto** · **a {mi/tu/su...} hora** · **como un reloj** · **pronto** · **tarde** *Llegamos tarde y no nos dejaron pasar* · **con retraso** · **puntual** || **indefectiblemente** · **inexorablemente** · **inevitablemente** *Todo llega inevitablemente a su fin* || **de sobra** · **por los pelos** · **a duras penas** *A duras penas llegamos a fin de mes* · **a trancas y barrancas** · **de refilón** · **remotamente** · **ni de lejos** · **ni por asomo** || **alto** *Si perseveras, llegarás alto* · **lejos** || **hasta el fondo** *No pararé hasta llegar hasta el fondo de este asunto* · **a fondo** || **en tropel** · **en masa** *En cuanto empieza el buen tiempo los turistas llegan en masa* · **en oleadas** · **a raudales** · **en tromba** || **con fluidez** · **escalonadamente** · **ordenadamente** || **a pie** · **a caballo** · **en coche** · ***otros medios de transporte*** || **como una exhalación** || **a cara descubierta** · **de incógnito** · **a hurtadillas** || **de puntillas** *Llegó de puntillas y, sin hacer ruido, se metió en su habitación* · **con cautela** · **sigilosamente** || **como agua de mayo** *La ayuda llegó como agua de mayo* · **felizmente** · **fatalmente** || **en son de paz** · **con cajas destempladas** || **triunfalmente** · **en triunfo**

llegar (a) v.

• CON SUSTS. **final** · **fin** · **desenlace** · **conclusión** *Después de examinar los datos, ¿a qué conclusión has llegado?* · **resultado** · **meta** · **destino** · **punto** *Hemos llegado a un punto en el que no hay marcha atrás* || **compromiso** · **solución** *Entre todos llegaremos a una solución* · **acuerdo** · **arreglo** || **verdad** · **convencimiento** || **director,-a** *Si sigues así, llegarás a directora* · **presidente,ta** · **encargado,da** · ***otros cargos o puestos***

llegar a buen puerto loc.vbal.

• CON SUSTS. **negociación** *Afortunadamente, la negociación llegó a buen puerto* · **acuerdo** || **comisión** · **indagación** · **coalición** || **idea** · **propuesta** *De todas las propuestas que se hicieron, solo unas pocas llegarán a buen puerto* · **proyecto** · **historia** || **deseo** || **demanda** · **querella**
• CON ADVS. **finalmente** *Confiamos en que las obras finalmente lleguen a buen puerto* · **afortunadamente**

llegar a su fin loc.vbal.

• CON ADVS. **inevitablemente** *El verano llegó inevitablemente a su fin* · **inexorablemente** · **irremediablemente** || **trágicamente**

[llenar] → llenar; llenar (de)

llenar v.

• CON SUSTS. **vaso** *¿Me puedes llenar el vaso de agua?* · **caja** · **cajón** · **bolso** · ***otros recipientes o receptáculos*** || **sala** *Un público expectante llenaba la sala del estreno* · **habitación** · **barrio** · **país** · ***otros lugares*** || **expectativas** *El concierto llenó por completo nuestras expectativas* · **esperanzas** · **aspiraciones** · **deseos**
• CON ADVS. **por completo** · **completamente** · **hasta el borde** *Llenó la jarra hasta el borde* · **a rebosar** · **a reventar** · **a tope** · **de bote en bote** || **a medias** · **en parte** *Este puesto llena solo en parte mis aspiraciones* · **parcialmente**

llenar (de) v.

• CON SUSTS. **esperanza** *Las últimas noticias nos llenan de esperanza y optimismo* · **alegría** · **felicidad** · **satisfacción** · **odio** · **desazón** · ***otros sentimientos o emociones*** || **fuerza** · **energía** · **vida** *Muy pocos directores de cine son capaces* *de llenar de vida a sus personajes* || **halagos** · **alabanzas** · **elogios** · **regalos** · **besos** || **insultos** · **críticas** || **recuerdos** *Con el tiempo aquella casa se había llenado de recuerdos* · **ideas** · **tópicos** || **misterio** · **interrogantes** || **peligro** · **problemas** · **dificultades** · **obstáculos**

☐USO Se suele combinar con sustantivos contables en plural (*llenar de elogios*) o no contables en singular (*llenar de alegría*).

[lleno, na]

→ a manos llenas; de lleno; lleno, na

lleno, na adj.

● CON ADVS. **completamente** *No voy a tomar postre, estoy completamente llena* · **del todo** · **totalmente** · **por completo** · **a rebosar** · **a reventar** · **hasta la bandera** *El estadio estaba lleno hasta la bandera* · **de bote en bote** · **hasta los topes** || **en parte** · **parcialmente** · **prácticamente**

● CON VBOS. **estar** · **quedar(se)** *No, gracias; me he quedado completamente lleno*

☐USO Se construye frecuentemente con la preposición *de*: *un discurso lleno de buenas intenciones.*

llevadero, ra adj.

● CON SUSTS. **carga** *con la intención de hacer más llevadera la carga diaria* · **peso** · **obligación** · **compromiso** · **deber** · **norma** · **disciplina** · **cumplimiento** || **trabajo** · **proceso** · **trámite** · **tarea** *Es una tarea sencilla y bastante llevadera* · **esfuerzo** · **labor** · **oficio** || **dolor** · **pena** · **preocupación** · **tristeza** · **miedo** · **ansiedad** || **relación** *Con su nueva compañera la relación era mucho más llevadera* · **convivencia** · **matrimonio** || **castigo** · **condena** · **secuestro** · **asedio** · **cautiverio** · **cadena** · **prisión** || **viaje** · **vuelo** · **trayecto** · **travesía** · **recorrido** || **espera** *La novela hizo que la espera fuera un poco más llevadera* · **estancia** · **día** · **año** · **vida** · ***otros períodos*** || **calor** · **frío** · **clima** · **temperatura** || **precio** · **gasto** · **coste** · **cifra** · **presupuesto** || **gripe** · **jaqueca** · **catarro** · ***otras enfermedades*** || **crisis** · **guerra** · **pobreza** || **adaptación** · **digestión** · **integración**

● CON VBOS. **hacer(se)** *De esta forma la vida se le hace más llevadera*

[llevar]

→ como alma que lleva el diablo; dejarse llevar (por); llevar; llevar a buen puerto; llevar a (buen) término; llevar adelante; llevar a la práctica; llevarse; llevar sobre {los hombros/las espaldas/la conciencia}

llevar v.

▮ [transportar o hacer llegar]

● CON SUSTS. **mensaje** · **palabras** · **pésame** · **noticia** *La radio llevó la noticia a todo el mundo* · **información** · ***otros datos*** || **niño,ña** *llevar a los niños al colegio* · **hijo,ja** · **alumno,na** · ***otros individuos***

● CON ADVS. **a cuestas** · **a hombros** · **a {mis/tus/sus...} espaldas** · **a pulso** · **a rastras** · **en volandas** · **de la mano** · **a empujones** || **en mano** · **en persona** || **por mal camino** *...amistades que lo estaban llevando por mal camino* · **a la deriva** · **a mal traer** · **con mano izquierda** · **diplomáticamente** *Una negociación difícil que supo llevar diplomáticamente* || **indefectiblemente** · **inevitablemente** · **inexorablemente** *...una enfermedad que la llevará inexorablemente a la muerte* · **irremediablemente** · **fatalmente** || **de punta a punta** · **de mano en mano** · **de puerta en puerta** || **a espuertas** · **a manos llenas**

▮ [tener encima]

● CON SUSTS. **sombrero** · **chaqueta** · **camisa** · **zapatos** · **pantalón** *La muchacha llevaba un pantalón vaquero y una camisa de flores* · ***otras prendas de vestir o complementos***

● CON ADJS. **puesto,ta** *Llevas puestos unos pendientes preciosos* · **manchado,da** · **torcido,da** · **roto,ta**

▮ [manifestar]

● CON SUSTS. **aspecto** · **luto** · **facha** · **pinta** *¿Has visto la pinta que llevas?*

▮ [quitar]

● CON SUSTS. **bienes** · **ahorro** *Las vacaciones se llevaron nuestros ahorros* || **honra** · **felicidad** || **hombre** · **mujer** · **padre** · **madre** *Una enfermedad repentina se llevó a su madre cuando él tenía cinco años* · ***otros individuos***

▮ [suponer, implicar]

● CON SUSTS. **tiempo** · **año** *Lleva muchos años aprender a dibujar* · **hora** · **vida** · **mes** *Lleva meses sin llamar* · **semana** · **día** · ***otros períodos*** || **trabajo** · **esfuerzo** *Nos llevó un enorme esfuerzo conseguir que...* · **dinero**

▮ [seguir o marcar]

● CON SUSTS. **paso** · **ritmo** · **compás** *llevar el compás con la mano*

▮ [conducir]

● CON SUSTS. **coche** *¿Sabe usted llevar un coche?* · **bicicleta** · **avión** · ***otros vehículos***

▮ [dirigir, controlar]

● CON SUSTS. **centro** · **institución** · **empresa** · **negocio** · **colegio** · **fundación** || **dirección** · **batuta** · **control** *Sin duda alguna, llevó el control de la situación en todo momento* · **mando** · **timón** · **autoridad** · **dominio** || **cuenta** *¿Quién lleva las cuentas en tu casa?* · **contabilidad** · **recuento** · **registro** · **inventario** · **cómputo** || **administración** · **coordinación** *...para llevar la coordinación del proyecto durante la primera etapa* · **gestión** · **tramitación** · **investigación** · **programa**

● CON ADVS. **a rajatabla** · **a raya** · **con cautela** · **ejemplarmente** *El nuevo entrenador lleva ejemplarmente la dirección del equipo* || **al día**

llevar a buen puerto loc.vbal.

● CON SUSTS. **negociación** · **conversación** · **diálogo** || **acuerdo** · **pacto** *Finalmente, llevaron a buen puerto el pacto que tanto había costado negociar* · **alianza** · **unión** · **contrato** · **compromiso** || **proceso** · **operación** · **campaña** · **empresa** · **trabajo** · **carrera** · **rodaje** || **idea** *...una idea disparatada e imposible llevar a buen puerto* · **proyecto** · **plan** · **programa** · **iniciativa** · **teoría** || **objetivo** · **sueño** *¿Logrará llevar a buen puerto el sueño de volver a su país?* · **deseo** · **empeño** || **misión** · **encargo** · **pedido** || **reforma** · **modificación** · **remodelación** · **ampliación** || **narración** · **novela** · **guión** · **sinfonía** · ***otras creaciones***

llevar a (buen) término loc.vbal.

● CON SUSTS. **proyecto** *...para conseguir que se lleve a término el proyecto* · **plan** · **tarea** · **objetivo** · **propósito** · **iniciativa** · **misión** · **programa** · **campaña** · **idea** || **ataque** *Llevaron a término el ataque durante la madrugada* · **ofensiva** · **amenaza** · **provocación** · **guerra** || **acuerdo** · **negociación** · **compromiso** || **búsqueda** *La Policía llevó a buen término la búsqueda y localización del secuestrado* · **investigación** · **estudio** || **embarazo** · **gestación**

llevar adelante loc.vbal.

● CON SUSTS. **país · democracia · economía · empresa · familia || recorte · privatización · proceso · construcción · creación || proyecto** *Eres la persona ideal para llevar adelante un proyecto como ese* · **programa · propósito · intención · plan · campaña · política · operación · iniciativa · estrategia · diseño · objetivo · propuesta || medida · reforma** *Incluso con todo en contra, llevará la reforma adelante* · **cambio · transformación · desarrollo · decisión · reestructuración || negociación · pacto · conversación · trato · acuerdo** *Solo falta decidir cómo llevaremos adelante el acuerdo comercial* · **diálogo · encuentro || investigación · estudio · trabajo · tarea · obra || idea · tesis · sugerencia || lucha · guerra · revolución || juicio · ley · causa · demanda · interpelación · impugnación || negocio · venta · fusión** *Por fin se llevó adelante la fusión de las dos empresas* **|| embarazo · recuperación**

llevar a la práctica loc.vbal.

● CON SUSTS. **programa · proyecto** *...un proyecto interesante, pero difícil de llevar a la práctica* · **plan · propuesta · estrategia · iniciativa · política || objetivo · propósito · intención · sueño · pasión || idea** *...gracias a un empresario arriesgado que consiguió llevar a la práctica sus novedosas ideas* · **principio · teoría · máxima · pensamiento · tesis || acuerdo · promesa · compromiso · pacto · convención || medida · decisión · solución · resolución · resultado · conclusión || precepto · ley · decreto · estatuto** *El estatuto está aprobado, pero por el momento no se ha podido llevar a la práctica* · **premisa || anuncio · afirmación · frase · enunciado**

llevar a término loc.vbal. Véase **llevar a (buen) término**

llevarse v.

❚ [congeniar]

● CON ADVS. **bien · a las mil maravillas · de maravilla · bárbaro · estupendamente || mal · como el perro y el gato** *Se llevan como el perro y el gato, pero en el fondo no pueden estar separados* · **fatal · a matar · horriblemente**

❚ [estilarse]

● CON SUSTS. **pantalón** *¿Todavía se llevan los pantalones de campana?* · **camisa · camiseta · falda ·** ***otras prendas de vestir*** **|| moda · práctica**

❚ [recibir, experimentar]

● CON SUSTS. **alegría** *¡Qué alegría me llevé cuando dijiste que te quedabas!* · **disgusto || chasco · decepción · desilusión || sorpresa** *Verás qué sorpresa se lleva cuando te vea...* · **susto || premio** *El primer premio me lo llevé yo* · **castigo · reprimenda · regañina · rapapolvo**

❚ [diferenciarse]

● CON SUSTS. ***cantidad*** *Mis hermanos se llevan dos años. Estas tallas apenas se llevan un centímetro de diferencia*

☐ EXPRESIONES **llevarse por delante** (algo/a alguien) [arramblar con ello] *col. El coche se llevó por delante la valla*

llevar sobre la conciencia loc.adv. Véase **llevar sobre {los hombros/las espaldas/la conciencia}**

llevar sobre las espaldas loc.adv. Véase **llevar sobre {los hombros/las espaldas/la conciencia}**

llevar sobre {los hombros/las espaldas/la conciencia} loc.vbal.

● CON SUSTS. **peso · carga** *Lleva una pesada carga sobre los hombros* **|| responsabilidad · compromiso · deber || deuda · coste || culpa** *Sobre la conciencia llevarás esa culpa toda tu vida* · **pecado · crimen · error || estigma · señal || destino || problema** *Está abrumada porque lleva demasiados problemas sobre las espaldas* · **dificultad · pérdida · consecuencia || desafío · riesgo**

llorar v.

● CON SUSTS. **muerte** *El país entero lloró la muerte del artista* · **pérdida · desaparición || desgracia · desdicha**

● CON ADVS. **a lágrima viva · a moco tendido** *Los encontró llorando a moco tendido frente al televisor* · **a mares · a {pleno/todo} pulmón · insistentemente · teatralmente || amargamente** *Lloraban amargamente su derrota* · **angustiosamente · desconsoladamente · sin consuelo · desoladamente · compungidamente || como una Magdalena · como un niño · como una mujer · como un loco · como un Boabdil · como una criatura · como un histérico · como un torrente · como un bebé · como una niñita · como un imbécil · con lágrimas de cocodrilo || a coro**

● CON VBOS. **echarse (a)** *Cuando le dije que no podía venir con nosotros, se echó a llorar* · **romper (a) · poner(se) · dar (a alguien) (por)**

lloro s.m.

● CON ADJS. **contenido || insistente · incontenible · desbordante · compulsivo · incontrolable** *el lloro incontrolable de la niña* **|| amargo · desconsolado · ahogado || sincero · falso**

● CON VBOS. **cesar || contener** *Me costaba mucho esfuerzo contener el lloro* · **reprimir · acallar**

lloroso, sa adj.

● CON SUSTS. **expresión · rostro ||** ***persona*** *La niña, llorosa y asustada, buscaba a sus padres entre los bañistas* **|| ojos** *Pronunció el discurso de despedida con ojos llorosos*

● CON VBOS. **estar · poner(se)**

llover v.

● CON SUSTS. **contratos** *...y le llueven los contratos porque es un gran profesional* · **ofertas · propuestas · proposiciones || aplausos · premios** *Tras la publicación de ese libro le llueven los premios* · **felicitaciones · halagos · homenajes || críticas · insultos · descalificaciones · improperios · abucheos || protestas** *Al Gobierno le llueven las protestas y las reclamaciones* · **quejas · reclamaciones · peticiones || desgracias · problemas || goles · éxitos · victorias**

● CON ADVS. **a cántaros · a manta · a mares** *Ahora no podéis salir, está lloviendo a mares* · **torrencialmente · copiosamente · intensamente · con ganas · con fuerza · abundantemente · a raudales || ligeramente · suavemente · mansamente** *Llovía mansamente sobre los tejados* · **débilmente || sin {parar/cesar}** *Lleva más de una semana lloviendo sin parar* · **ininterrumpidamente · intermitentemente**

● CON VBOS. **romper (a) · ponerse (a) · darle (por)** *En esta zona, cuando le da por llover hay que echarse a temblar* · **pasarse (tiempo)** *Se pasó tres días lloviendo* · **tardar (en) || parar (de) · dejar (de) · cesar (de)**

☐ EXPRESIONES **como llovido del cielo** [de forma inesperada] **|| haber llovido mucho** [haber pasado mucho tiempo] *col.* || **llover sobre mojado** [suceder algo que agrava una situación anterior ya negativa]

lluvia

1 **lluvia** s.f.

• CON ADJS. **copiosa** · **fuerte** · **tormentosa** · **torrencial** *caer una lluvia torrencial* · **a chorros** || **intensa** · **pertinaz** · **tenaz** · **implacable** || **fina** · **fugaz** · **ligera** · **menuda** · **leve** · **tenue** || **beneficiosa** *una lluvia beneficiosa para los cultivos* · **catastrófica** || **intermitente** · **racheada** || **intempestiva** · **inoportuna** || **ácida** *disminuir los niveles de lluvia ácida* || **monzónica**

• CON SUSTS. **agua (de)** · **temporada (de)**

• CON VBOS. **cesar** *No cesa la lluvia de críticas a la política económica del Gobierno* · **remitir** · **amainar** || **apretar** · **arreciar** · **caer** · **azotar** || **calar** *La lluvia me caló por completo* || **amenazar** · **cernerse (sobre algo/sobre alguien)** || **esperar** || **guarecer(se) (de)** · **proteger(se) (de)** · **defender(se) (de)**

• CON PREPS. **a resguardo (de)** *ponerse a resguardo de la lluvia* · **bajo**

2 **lluvia (de)** s.f.

• CON SUSTS. **críticas** · **abucheos** *La afición despidió al equipo rival con una lluvia de abucheos* · **escupitajos** · **reproches** · **silbidos** · **pitos** · **denuncias** · **protestas** · **quejas** · **tomatazos** || **insultos** *El ministro hubo de soportar una lluvia de insultos de los manifestantes* · **descalificaciones** · **injurias** · **difamaciones** · **improperios** · **ataques** || **peticiones** · **demandas** · **consultas** · **reclamaciones** || **acusaciones** · **amenazas** · **palabras** · **preguntas** · **comentarios** · **llamadas** *Se recibió una lluvia de llamadas de los oyentes* · **pronunciamientos** · **promesas** || **goles** · **felicitaciones** · **halagos** · **aplausos** *A su salida al escenario fueron recibidos con una lluvia de aplausos* · **piropos** · **premios** · **regalos** · **trofeos** · **medallas** · **reconocimientos** · **distinciones** || **millones** · **billetes** · **dinero** · **riquezas** · **dólares** || **palos** · **patadas** · **golpes** · **puñetazos** · **puntapiés** · **pedradas** || **datos** *aportar una lluvia de datos sobre la guerra* · **noticias** · **informaciones** || **proyectiles** · **balas** · **flechas**

loable adj.

• CON SUSTS. **actitud** · **empeño** · **afán** *con el muy loable afán de mejorar las infraestructuras, el señor alcalde ha acabado por...* · **interés** · **intención** · **habilidad** · **intento** · **esfuerzo** || **objetivo** *Aunque su objetivo es loable, sentimos comunicarle que...* · **propósito** · **fin** || **acto** · **gesto** · **tarea** · **labor** · **medida** · **trabajo** · **participación** || **iniciativa** · **decisión** · **propuesta**

lobo, ba s.

• CON ADJS. **feroz** *Yo ya no temo al lobo feroz* · **salvaje** · **indómito,ta** · **indomable** · **despiadado,da** · **desalmado,da** · **rabioso,sa** || **inofensivo,va** · **manso,sa** || **hambriento,ta** *Ronda por el pueblo un lobo hambriento que ataca al ganado* · **famélico,ca** · **voraz** · **desnutrido,da** · **depredador,-a** · **devorador,-a** || **astuto,ta** · **sagaz** · **sigiloso,sa** *El lobo acechaba sigiloso a su presa* || **solitario,ria** · **estepario,ria**

• CON SUSTS. **manada (de)** · **piel (de)** · **aullido (de)** · **boca (de)** || **caza (de)** · **veda (de)** · **batida (de)** || **noche (de)** || **perro** *Siempre sale al campo acompañado de su perro lobo*

• CON VBOS. **aullar** *Un lobo solitario aullaba a la luna* · **ulular** || **acechar (algo/a alguien)** || **atacar (algo/a alguien)** · **devorar (algo/a alguien)** *El lobo devoró varias ovejas* · **morder (algo/a alguien)** || **defender(se) (de)**

lóbrego, ga adj.

• CON SUSTS. **cara** · **aspecto** · **imagen** · **semblante** || **lugar** · **mundo** · **sitio** · **sala** · **rincón** || **sótano** · **mazmorra** *Pasó tres años en una lóbrega mazmorra* · **celda** · **foso** · **sepultura** · **túnel** · **laberinto** || **vivienda** · **habitación** · **edificio** || **calle** · **camino** || **ambiente** · **historia** *Por la noche, contaban historias lóbregas alrededor del fuego*

local s.m.

• CON ADJS. **diáfano** · **amplio** · **espacioso** || **pequeño** · **mínimo** · **reducido** || **soleado** · **oscuro** || **de postín** · **de moda** · **destartalado** · **abigarrado** || **anejo** *El local anejo ya está ocupado* || **comercial** *En los bajos del edificio hay varios locales comerciales* · **de copas**

• CON SUSTS. **dueño,ña (de)** · **propietario,ria (de)** · **responsable (de)** || **puerta (de)** · **entrada (de)** · **salida (de)** || **aforo (de)**

• CON VBOS. **abrir** · **inaugurar** · **reabrir** · **habilitar** || **cerrar** · **clausurar** *Clausuraron el local porque no cumplía las normas de seguridad* · **sellar** || **alquilar** · **traspasar** || **llevar** · **regentar** || **frecuentar** || **ocupar** · **desocupar**

localización s.f.

• CON ADJS. **exacta** · **precisa** · **concreta** · **idónea** *Creemos que esta sería la localización idónea para el nuevo centro social* · **certera** · **adecuada** || **aproximada** · **inexacta** || **inmediata** · **rápida** || **difícil** · **complicada** || **definitiva** · **final** || **geográfica** *La empresa cuenta con una nueva localización geográfica* · **territorial** · **espacial** · **industrial** · **física**

• CON SUSTS. **sistema (de)** || **cambio (de)** || **tarea (de)** *Las tareas de localización de los cuerpos resultaron infructuosas* || **mapa (de)**

• CON VBOS. **permitir** · **facilitar** · **favorecer** || **dificultar** · **impedir** · **complicar** *Las condiciones meteorológicas complicaron la localización del foco del incendio* · **evitar** || **determinar** · **indicar** · **precisar** · **confirmar** · **comprobar** · **especificar** || **encontrar** · **detectar** || **colaborar (en)** · **avanzar (en)** *La colaboración ciudadana contribuyó a avanzar en la localización de los delincuentes* · **ayudar (a)** · **trabajar (en)** || **conducir (a)** · **llevar (a)**

locamente adv.

• CON VBOS. **enamorarse** · **amar** · **querer** *Se quieren locamente, pero su amor es imposible* · **admirar** || **lanzarse** *Siempre se lanza locamente a cualquier aventura* · **actuar** · **vivir** · **conducir** · **saltar** || **gastar** · **derrochar** · **dilapidar**

• CON ADJS. **enamorado,da** *Está locamente enamorado de su mujer*

loción s.f.

• CON ADJS. **balsámica** · **bronceadora** · **solar** · **de afeitar** · **capilar** · **hidratante**

• CON VBOS. **oler (a algo)** *La loción balsámica olía a menta* || **aplicar** *Aplíquese la loción después del afeitado* · **poner** · **dar** · **extender** · **echar** || **perfumar(se) (con)** · **hidratar(se) (con)**

[loco, ca] → como (un) loco; loco, ca

loco, ca

1 **loco, ca** adj.

• CON SUSTS. ***persona*** *un científico loco* || **amor** · **pasión** || **gana** *Tengo unas ganas locas de que llegue el día* · **deseo**

|| **idea** · **plan** · **proyecto** || **mañana** *Llevo una mañana loca, todo el tiempo de acá para allá* · **día** · **curso** · **etapa** · ***otros períodos*** || **vaca** *el mal de las vacas locas*
● CON ADVS. **rematadamente** · **completamente** · **totalmente** · **absolutamente** · **por completo** || **como una cabra**
● CON VBOS. **estar** · **volver(se)**

2 **loco, ca** s.
● CON ADJS. **de remate** *...como si estuviera loco de remate* · **de atar** *No le hagas caso; es un loco de atar* || **peligroso,sa** · **inofensivo,va** || **declarado,da** · **rematado,da** · **incorregible** · **redomado,da**
☐ EXPRESIONES **a lo loco** [sin pensar] || **hacer el loco** [divertirse de forma alocada] *col.* || **hacerse el loco** [fingir que no se ha advertido algo] *col.* || **ni loco** [de ninguna manera] *col.*

locomoción s.f.
● CON ADJS. **colectiva** · **pública** || **acuática** · **aérea** || **bípeda**
● CON SUSTS. **empresa (de)** *una importante empresa de locomoción pública* · **empresario,ria (de)** · **trabajador,-a (de)** · **chófer (de)** · **dirigente (de)** || **medio (de)** *Utiliza diferentes medios de locomoción para ir a trabajar* · **gasto (de)** · **coste (de)** · **sistema (de)** · **máquina (de)** · **servicio (de)**

locuaz adj.
● CON SUSTS. **portavoz** · **político,ca** · **comentarista** *Dirige el programa un comentarista deportivo muy locuaz* · **persona** · ***otros individuos*** || **gesto** · **mirada**
● CON VBOS. **mostrarse** *Durante la conferencia se mostró locuaz y seguro de sí mismo*

[locura] s.f. → con locura; locura

locura s.f.
● CON ADJS. **completa** · **absoluta** *El proyecto era una absoluta locura* · **total** · **soberana** · **supina** · **desorbitada** · **exacerbada** · **irrefrenable** · **irreversible** || **pequeña** *Dice que hacer una pequeña locura de vez en cuando lo rejuvenece* || **imprevisible** || **peligrosa** · **inofensiva** || **colectiva** · **contagiosa** || **fratricida** || **preso,sa (de)**
● CON SUSTS. **ataque (de)** *En un ataque de locura tiró todas sus cosas por la ventana* · **arrebato (de)** · **rapto (de)** · **acceso (de)** · **arranque (de)** || **punto (de)** · **toque (de)**
● CON VBOS. **entrar (a alguien)** · **dar (a alguien)** *¿Qué locura te ha dado para que quieras dejarlo todo?* · **venir (a alguien)** · **apoderar(se) (de alguien)** · **arrastrar (a alguien)** · **desatar(se)** · **contagiar(se)** · **sobrevenir (a alguien)** || **írse(le) (a alguien)** || **hacer** · **cometer** *No cometas una locura de la que podrías arrepentirte* · **realizar** || **bordear** · **sentir** || **curar(se)** · **superar** · **vencer** · **ahuyentar** || **rayar (en)** *Algunas de sus reacciones rayan en la locura* · **caer (en)** · **dejarse llevar (por)** || **salir (de)**
● CON PREPS. **al borde (de)** · **al filo (de)**
☐ EXPRESIONES **con locura*** [muchísimo] || **de locura** [extraordinario, fuera de la común] *col.* *Tiene proyectado un viaje de locura*

locutor, -a s.
● CON ADJS. **de radio** · **de televisión** *Su padre fue un gran locutor de televisión* · **radiofónico,ca** · **televisivo,va** || **famoso,sa** · **popular** · **conocido,da** · **ínclito,ta** || **anónimo,ma** · **desconocido,da** || **oficial** · **profesional** · **aficionado,da** || **local** · **nacional** || **hábil** · **ameno,na** · **ingenioso,sa** · **incisivo,va** || **desastroso,sa** · **aburrido,da**
● CON SUSTS. **voz (de)**
● CON VBOS. **relatar (algo)** · **comentar (algo)** · **anunciar (algo)** · **explicar (algo)** *El locutor explicó detalladamente los pormenores de la jornada* · **informar (de algo)** · **precisar (algo)** || **entrevistar (a alguien)** · **preguntar (algo)** || **responder** · **contestar** *La locutora contestaba a las llamadas de los radioyentes* || **asegurar (algo)** · **afirmar (algo)** || **escuchar** · **oír**

locutorio s.m.
● CON ADJS. **telefónico** *regentar un locutorio telefónico* · **de radio** · **radiofónico** || **clandestino** · **ilegal** || **público**

lodo s.m.
● CON ADJS. **espeso** · **pastoso** · **blando** || **tóxico** · **contaminante** · **residual** || **termal**
● CON SUSTS. **avalancha (de)** · **riada (de)** · **río (de)** · **montaña (de)** || **baño (de)** · **capa (de)** || **charco (de)** · **mancha (de)**
● CON VBOS. **meter(se) (en)** · **hundir(se) (en)** · **revolcar(se) (en)** · **chapotear (en)** · **arrastrar(se) (por)** || **salpicar (de)** · **manchar (de)** *Quisieron manchar de lodo el buen nombre de la familia* || **cubrir (de)** · **llenar (de)**
● CON PREPS. **entre** *Las monedas aparecieron entre el lodo*

[lógica] s.f. → lógico, ca

lógicamente adv.
● CON VBOS. **deducir** *De aquí podemos deducir lógicamente que...* · **calcular** · **concluir** · **pensar** || **aclarar** · **explicar** · **razonar** · **argumentar** || **analizar** · **estructurar** · **sistematizar** · **ordenar** · **relacionar** || **admitir** · **reconocer** · **aceptar** || **preguntar** · **responder** *No respondía lógicamente ninguna de las preguntas que se le hacían* || **evolucionar** · **desembocar** || **depender** · **necesitar** || **preocupar** · **afectar**
☐ USO Se usa como adverbio oracional (*Lógicamente, los datos se pueden sistematizar*) y también como modificador verbal (*Los datos se pueden sistematizar lógicamente*).

lógico, ca

1 **lógico, ca** adj.
● CON SUSTS. **secuencia** · **sentido** · **orden** · **cadencia** || **razonamiento** *Si el razonamiento es lógico, la conclusión será correcta* · **argumentación** · **deducción** · **pensamiento** · **implicación** · **derivación** · **operación** · **consecuencia** || **reacción** *Yo diría que su reacción ante los hechos ha sido muy lógica* · **evolución** · **proceso** · **desarrollo** || **rigor** · **análisis** || **estructura** · **sistema** || **positivismo** || **pregunta** · **respuesta** · **discurso** · **explicación** *Espero que tengas unas explicación lógica que justifique tu comportamiento* || **error** · **fallo**
● CON ADVS. **absolutamente** · **totalmente** · **completamente** || **rigurosamente**

2 **lógica** s.f.
● CON ADJS. **aplastante** *Convenció a todos con la lógica aplastante de sus argumentos* · **apabullante** · **implacable** · **palmaria** · **sólida** · **contundente** · **irrebatible** · **inapelable** · **impecable** · **cristalina** || **pura** *Por pura lógica, alguien tuvo que ayudarte* · **simple** || **transparente** · **oscura** || **estricta** · **férrea** || **fallida** · **frágil** · **quebradiza** || **cartesiana** · **deductiva** · **inductiva** · **matemática**
● CON SUSTS. **ápice (de)** · **atisbo (de)** || **falta (de)**

● CON VBOS. **imperar · primar · prevalecer · presidir (algo)** *Una lógica implacable preside todos esos pasos aparentemente absurdos* · **subyacer (a algo) || dictar (algo)** *Lo que ahora dicta la lógica es intentar una negociación de...* || **fallar · resquebrajarse · derrumbarse || tener** *Ese planteamiento suyo no tiene ninguna lógica* || **usar · aplicar · seguir · imponer || contradecir · subvertir · transgredir · pulverizar || apelar (a) || carecer (de) · resistir(se) (a) · ir (contra)**
● CON PREPS. **con** *Estoy tratando de controlar mis nervios y actuar con lógica* · **con arreglo (a) · según || sin**
☐ EXPRESIONES **en buena lógica** [razonando correctamente]

logotipo s.m.

● CON ADJS. **publicitario** *La empresa tiene un nuevo logotipo publicitario* · **promocional · bancario · turístico · comercial · empresarial · político || institucional · oficial** *Se ha presentado el logotipo oficial del torneo* · **clásico · conmemorativo || distintivo · inconfundible · especial · unificado · identificador · difuminado · específico || original · de diseño · famoso · bello · legendario · simpático · animado || gran(de) · enorme · gigante · minúsculo · insignificante · estilizado || nuevo · moderno · futuro**
● CON SUSTS. **autor,-a (de) || diseño (de)** *El diseño del logotipo ganador corresponde a...* · **propuesta (de) · concurso (de)**
● CON VBOS. **crear · realizar · diseñar** *Con motivo del aniversario, han diseñado un nuevo logotipo* · **encontrar · modificar · dibujar · elaborar || necesitar · requerir · encargar || elegir · escoger** *La organización ha escogido un logotipo para su próximo congreso* || **llevar · incorporar · colocar · presentar · lucir · portar || reproducir** *Los falsificadores habían reproducido el logotipo oficial* · **renovar || servir (de) · cambiar (de)**

lograr v.

● CON SUSTS. **sueño · deseo · objetivo** *El esfuerzo ha merecido la pena, al final logramos nuestros objetivos* · **propósito || éxito · meta · victoria · título · triunfo · clasificación || acuerdo** *Tras muchas reuniones y debates internos hemos logrado un acuerdo ecuánime* · **paz · aprobación · consenso · pacto · solución · síntesis ·** ***otros resultados de algo*** **|| equilibrio · estabilidad · bienestar · transparencia ·** ***otros estados positivos*** **|| ganancia · beneficio · rendimiento || desarrollo · reforma · aumento · reparación ·** ***otros cambios de estado*** **|| liberación** *La negociación fue clave para lograr la liberación* · **libertad**
● CON ADVS. **por completo · con creces** *Se esforzó mucho, pero logró con creces lo que quería* · **con éxito · de milagro** *La Policía logró de milagro desarticular la banda* · **por los pelos · a duras penas · a medias · a trancas y barrancas · ni de lejos · ni por asomo || a toda costa** *Quiere lograr ese puesto a toda costa* · **contra viento y marea || a pulso || de un día para otro · repentinamente · de pronto · de golpe y porrazo · gradualmente**

logro s.m.

● CON ADJS. **completo · absoluto · total · descomunal · histórico · trascendental · monumental** *La obtención de esa vacuna representa un logro monumental para la medicina* · **inigualable · insuperable || a medias || capaz (de)**
● CON VBOS. **conseguir · alcanzar** *...un deportista que alcanzó sus mayores logros durante la madurez* · **obtener · cosechar · consumar · arrojar · fraguar · madurar || capitalizar || reconocer (a alguien)** *Sorprendentemente, la oposición reconoció al Gobierno algunos logros* · **regatear (a alguien) · negar || difundir · airear || constituir · representar · suponer**

lombriz s.f.

● CON ADJS. **de tierra || intestinal**
● CON SUSTS. **humus (de) · anillos (de)**
● CON VBOS. **reproducirse · crecer || avanzar · arrastrarse · escarbar (algo) · airear (la tierra) · parasitar (algo/a alguien)**

lomo s.m.

▮ [alimento]

● CON ADJS. **adobado** *unas lonchas de lomo adobado* · **embuchado · fresco · ibérico || a la plancha**
● CON SUSTS. **loncha (de) · rodaja (de) · tapa (de) · bocadillo (de)** *Se ha preparado un bocadillo de lomo* · **montado (de) || cinta (de)**
● CON VBOS. **comer · degustar · probar · tomar || adobar · cortar · dorar · asar · cocinar · preparar · cocer · deshuesar · saltear**

▮ [parte superior de un animal]

● CON VBOS. **arquear · agachar || acariciar** *acariciar el lomo del caballo* || **subir(se) (a)**
● CON PREPS. **a** *Cargó el fardo a lomos de su mula*

▮ [parte de un libro]

● CON ADJS. **fino · grueso || rico · decorado**
● CON VBOS. **imprimir (algo) (en)** *En el lomo del libro se suele imprimir el título y el nombre del autor* · **grabar (algo) (en)**

lona s.f.

▮ [tela]

● CON ADJS. **impermeable** *Cubrieron la pista con una lona impermeable* · **plastificada || portátil · desmontable · móvil · plegable || resistente · endeble || gruesa · fina**
● CON SUSTS. **toldo (de)** *Extendieron un toldo de lona para cubrirse* · **cubierta (de) · carpa (de) · techo (de) · capota (de) · funda (de)**
● CON VBOS. **colocar · desplegar · extender · desmontar || doblar · plegar · recoger · retirar || cubrir (con) · tapar (con)** *Taparon con una lona las herramientas*
● CON PREPS. **bajo**

▮ [suelo del cuadrilátero]

● CON VBOS. **besar** *Un golpe certero con el que su contrincante terminó besando la lona* || **enviar (a alguien) (a) · tirar (a alguien) (a) · tumbar (a alguien) (en)**

loncha s.f.

● CON ADJS. **fina** *unas finas lonchas de queso manchego* · **gruesa · estrecha**
● CON VBOS. **partir · cortar · poner**
● CON PREPS. **en** *queso en lonchas*

longaniza s.f.

● CON ADJS. **picada · adobada · fresca · picante**
● CON VBOS. **preparar · elaborar** *elaborar longanizas en la matanza*

longevo, va adj.

● CON SUSTS. **anciano,na · mujer · hombre · sociedad ·** ***otros individuos y grupos humanos*** **|| vida** *una etapa importante de su longeva vida* · **trayectoria || animal · planta**

longitud s.f.

• CON ADJS. **exacta · precisa · aproximada || adecuada · requerida · suficiente · insuficiente · escasa || exagerada · desmedida**
• CON SUSTS. **unidad (de)** *El metro es una unidad de longitud* · **medida (de) || salto (de)**
• CON VBOS. **tener || sobrepasar · exceder · superar || medir** *Midió la longitud del salón en pasos* · **calcular · determinar · averiguar · establecer · fijar || modificar**

lonja s.f.

• CON ADJS. **pesquera** *Visitamos la lonja pesquera del puerto* · **de pescado · agropecuaria || profesional · comercial · virtual**
• CON SUSTS. **pescado (de) · marisco (de) || venta (en)**

[lontananza] → en lontananza

[loro] → como un loro; loro

loro s.m.

• CON ADJS. **hablador · parlanchín · dicharachero · charlatán || soez · grosero · malhablado · burlón · irreverente || colorido · vistoso**
• CON VBOS. **repetir (algo) (como) · hablar (como)**
□ EXPRESIONES **estar al loro** [estar al corriente] *col.*

[losa] → como una losa; losa

losa s.f.

• CON ADJS. **pesada** *La crisis gravita como una pesada losa sobre la economía* · **insalvable · insuperable || sepulcral**
• CON SUSTS. **suelo (de) · pavimento (de)**
• CON VBOS. **caer (sobre alguien) || pesar (como) || cargar (con)** *No es posible cargar por más tiempo con esta losa* **|| liberar(se) (de) · librar(se) (de)**

loseta s.f.

• CON ADJS. **tradicional · de caucho · hidráulica || adherente · adhesiva**
• CON SUSTS. **suelo (de) · piso (de) · diseño (de) · junta (de)**
• CON VBOS. **desprender(se) · levantar(se)** *Se han levantado las losetas de la cocina a causa de la humedad* **|| fregar · barrer || pisar || fijar · colocar**

lote

1 **lote** s.m.

• CON SUSTS. **concesión (de) · adjudicación (de) · propietario,ria (de) · precio (de)**
• CON VBOS. **incluir (algo)** *El lote incluye tres modelos diferentes* **|| adquirir · obtener · conseguir · entregar · adjudicar** *Adjudicaron el lote al mejor postor* · **reclamar · arrendar || cambiar · permutar || subastar · comercializar || engrosar · sumar · relegar · retirar || meter (en) · salir (de) || pujar (por)**

2 **lote (de)** s.m.

• CON SUSTS. **libros · poemas · películas · obras || productos · material** *El primer premio es un lote de material escolar* **|| acciones** *El banco está interesado en adquirir un lote de acciones de esta empresa* · **empresas || armas · municiones · explosivos || ropa · sillas · toallas · comida · vino || terreno** *He comprado un lote de terreno en el pueblo para hacerme una casa* · **tierras · ganado**
□ USO Se construye generalmente con sustantivos no contables en singular (*un lote de comida*) o con contables en plural (*un lote de libros*).

lotería s.f.

• CON ADJS. **nacional** *un boleto de lotería nacional* · **extraordinaria · navideña · tradicional · primitiva || electrónica**
• CON SUSTS. **número (de)** *Siempre juega el mismo número de lotería* · **billete (de) · décimo (de) · boleto (de) · participación (de) || sorteo (de)** *¿Por qué cadena retransmiten el sorteo de lotería?* · **premio (de) · fondo (de) · ingreso (de) · gordo (de) · recaudación (de) || vendedor,-a (de) · funcionario,ria (de) · vocero,ra (de) · jugador,-a (de) · gerente (de) · ganador,-a (de) · administrador,-a (de) || administración (de)** *Es un pueblo pequeño, pero tiene escuela, farmacia y administración de lotería* · **delegación (de) · agencia (de) · despacho (de)**
• CON VBOS. **tocar (a alguien)** *Te ha tocado la lotería con este trabajo* · **premiar (a alguien) · caer || sortear || jugar (a) · participar (en)**

loto

1 **loto** s.m.

▌[planta]

• CON SUSTS. **flor (de)**
• CON VBOS. **marchitar(se) || florecer**

2 **loto** s.f.

▌[lotería]

• CON SUSTS. **sorteo (de) · premio (de) · boleto (de) || acertante (de)** *Nadie conoce la identidad del único acertante de la loto*
• CON VBOS. **jugar (a)** *Mi padre juega a la loto regularmente*

loza s.f.

• CON SUSTS. **conjunto (de) · pieza (de) · cacharro (de) || plato (de) · taza (de) · tazón (de)** *Para desayunar usamos los tazones de loza* · **vajilla (de)**

lozano, na adj.

• CON SUSTS. ***persona*** *una muchacha alegre y lozana* **|| aspecto** *Tras el período de convalecencia, ha recuperado de nuevo su aspecto lozano* · **rostro · color || árbol · maceta · planta**
• CON VBOS. **ser · estar · mantener(se)**

lubricante adj.

• CON SUSTS. **aceite** *cambiar el aceite lubricante del coche* · **producto · sustancia**

lucero s.m.

• CON ADJS. **del alba** *El lucero del alba anuncia el nuevo día* · **de la mañana · de la tarde**
• CON VBOS. **titilar** *El lucero titila sobre el firmamento estrellado* · **brillar || iluminar (algo) · alumbrar (algo)**

lucha s.f.

• CON ADJS. **violenta · virulenta · sangrienta** *Esta sangrienta lucha ya ha causado más de un millar de víctimas* · **cruenta · feroz · fiera · encarnizada · enconada · despiadada · descarnada · desalmada · bárbara · acerba · incruenta · brutal || encendida · ardiente · acalorada · enardecida · desenfrenada · frenética · desaforada · ciega** *Libran una lucha ciega por el poder* · **inevitable ||**

heroica · épica · valiente · brava · intrépida · vibrante || a vida o muerte · desesperada || activa · enérgica · decidida · esforzada · denodada · a brazo partido · con uñas y dientes · a muerte · a morir · a ultranza · a fondo · incansable · tenaz · porfiada · ferviente · implacable · férrea · a pie firme || intensa · sin cuartel *una lucha sin cuartel para captar audiencia* · sin tregua · a destajo · contra reloj · dura · ardua *No cejaremos en nuestra lucha por ardua que sea* · agotadora · interminable || abierta · declarada · frontal · descarada · soterrada · a campo abierto · en primera línea · a pecho descubierto · a cara descubierta · larvada || cuerpo a cuerpo *Los soldados estaban entrenados para la lucha cuerpo a cuerpo* · frente a frente · mano a mano · codo con codo · disputada · reñida || numantina · defensiva || fratricida · intestina · interna || de igual a igual · equilibrada · desigual *El pequeño propietario y el magnate se enfrentan en una lucha desigual* · desproporcionada · desequilibrada || efectiva · infructuosa · vana || a favor (de algo/de alguien) · en contra (de algo/de alguien) || maniquea · beligerante || a mano armada · a espada || de clases · política · electoral *Estos son los candidatos que protagonizan la lucha electoral* · personal · verbal · dialéctica · callejera || libre || dispuesto,ta (a) · presto,ta (a) *un guerrero presto a la lucha*

● CON SUSTS. espíritu (de) *Demostró usted un gran espíritu de lucha al no darse por vencido ni en los peores momentos* · ánimo (de) || capacidad (de) · impulso (de) || año (de) · siglo (de) · etapa (de) · vida (de) || medida (de) · mecanismo (de) · técnica (de) *practicar técnicas de lucha cuerpo a cuerpo* · sistema (de) · método (de) · estrategia (de) · táctica (de) || programa (de) · plan (de) · campaña (de) || símbolo (de)

● CON VBOS. avecinarse · fraguar(se) · estallar *Estalló una lucha por el poder en el seno del partido* · desatar(se) · desencadenar(se) · iniciar(se) · producir(se) · discurrir · tener lugar || reanudar(se) · recrudecer(se) · avivar(se) · reavivar(se) · reverdecer · cobrar fuerza · fortalecer(se) · agravar(se) · arreciar || cesar · finalizar · amainar || emprender *El Gobierno emprenderá una dura lucha contra el narcotráfico* · entablar · sostener · mantener · librar · oponer · llevar adelante · dar || abanderar *una veterana activista que abandera todavía la lucha por la igualdad* · liderar · capitanear · dirigir · conducir || apoyar · defender · impulsar · incentivar · preconizar · avalar · alimentar · tensar || dirimir · ganar *Los dos bandos están convencidos de que van a ganar la lucha* · perder || interrumpir · desactivar · zanjar || dar un {giro/vuelco} || aprestarse (a) · lanzarse (a) · entrar (en) · enzarzarse (en) *Llevan años enzarzados en una lucha que parece no tener fin* · involucrar(se) (en) · enfrascarse (en) · hundir(se) (en) || perseverar (en) · persistir (en) *¿Por qué persistís en una lucha que está perdida?* || dar fin (a) · cejar (en) · apear(se) (de)

luchar v.

● CON ADVS. activamente *luchar activamente por los derechos humanos* · enérgicamente · decididamente · firmemente · duramente · denodadamente · esforzadamente · arduamente · palmo a palmo · contra viento y marea · a capa y espada · a brazo partido · con todas {mis/tus/sus...} fuerzas · con uñas y dientes *Luchan con uñas y dientes por cada palmo de terreno* · como gato panza arriba · incansablemente · tenazmente · con tesón · porfiadamente · a pie firme · intensamente · sin tregua · a destajo · a muerte · a fondo · a tope · a morir · ardientemente · desaforadamente · sin cuartel · sin descanso || violentamente · encarnizadamente *Los machos de esa especie luchan entre sí tan encarnizadamente que...* · descarnadamente · bárbaramente · a cara de perro · brutalmente || a vida o muerte · a la desesperada || heroicamente · valientemente *Aunque el enemigo era muy superior en número, ellos lucharon valientemente* · meritoriamente || numantinamente · a la defensiva || abiertamente · descaradamente || en buena lid *Lucharon en buena lid y ganó el mejor* || en primera línea · a pecho descubierto · a pelo · a cara descubierta || cuerpo a cuerpo *Abandonaron las armas y acabaron luchando cuerpo a cuerpo* · frente a frente · mano a mano · codo con codo · de igual a igual || con éxito · inútilmente || a favor · en contra || a duras penas || a mano armada · a espada

lúcidamente adv.

● CON VBOS. interpretar *Interpretó lúcidamente el texto y dedujo que...* · pensar · razonar · reflexionar || expresar · manifestar · explicar · exponer · mencionar · decir · comentar *...la cita nocturna con los tertulianos de la radio que comentan, no siempre lúcidamente, los sucesos del día* · ***otros verbos de lengua*** || afrontar · encarar *encarar lúcidamente un problema complejo*

lucidez s.f.

● CON ADJS. repentina · momentánea · fugaz · ocasional || habitual · proverbial · característica

● CON SUSTS. arranque (de) *...hasta que, en un arranque de lucidez, dijo que se negaba a secundar aquel plan descabellado* · arrebato (de) · ataque (de) · rapto (de) · acceso (de) || instante (de) *Tuvo un instante de lucidez en medio de la locura* · momento (de) · fase (de) || destello (de) · ápice (de) · signo (de) · rasgo (de)

● CON VBOS. venir (a alguien) || alcanzar · tener · conservar *En momentos como este es difícil conservar la lucidez* · mantener · recobrar *Don Quijote acaba recobrando la lucidez* || mostrar · presentar || perder

● CON PREPS. con *Estoy demasiado impresionada y no puedo pensar con lucidez*

lucido, da adj.

● CON SUSTS. actuación · papel *La selección ha desempeñado un lucido papel en el campeonato mundial* · trabajo · faena || jugada · maniobra || traje || gala · triunfo · festival · ceremonia *una lucida ceremonia que se llevó a cabo en el teatro municipal* || momento · paisaje

lúcido, da adj.

● CON SUSTS. ***persona*** *un desafío para cualquier lector lúcido y curioso* || personalidad · conciencia · inteligencia · cabeza · mente || visión · mirada · voz · imagen || estado · momento · período · fase || análisis *El periodista hizo un lúcido análisis de la situación política actual* · opinión · reflexión · deducción · razonamiento · argumento || frase · testimonio · comentario · crítica · ensayo · respuesta · ***otras manifestaciones verbales o textuales*** || diagnóstico · solución · comprensión · propuesta || actuación · decisión *Creo que ha tomado una decisión muy lúcida* · comportamiento || ironía · humor || sueño

● CON VBOS. ser · volver(se) · estar *El paciente está lúcido y consciente* · mantener(se)

lucir v.

▌[brillar, dar luz]

● CON SUSTS. sol · estrella *Las estrellas lucían en el cielo despejado* || bombilla · lámpara

● CON ADVS. tenuemente · con intensidad

▮ [exhibir, mostrar]
• CON SUSTS. **traje** · **modelo** · **vestido** *La novia lucía un vestido blanco muy sencillo* · **falda** · **ropa** · **prenda** · **atuendo** · **tacones** · **sombrero** · **escote** || **anillo** · **galones** · **medalla** · **brazalete** · **dorsal** || **peinado** · **bigote** · **barba** || **cuerpo** · **físico** · **musculatura** · **cintura** · **dientes** · **dentadura** *Cuando sonríe, luce una dentadura perfecta* || **sonrisa** · **belleza** || **bronceado**
• CON ADVS. **airosamente** · **con gracia** · **con estilo** · **con elegancia** || **con orgullo** · **gallardamente**

lucrativo, va adj.
• CON SUSTS. **empresa** · **organización** · **industria** · **negocio** *La compañía se ocupaba del lucrativo negocio de...* · **comercio** || **operación** · **práctica** || **fin** · **propósito** · **afán** · **finalidad** · **interés** *una organización creada sin el más mínimo interés lucrativo* · **ánimo** · **idea** || **actividad** · **trabajo** || **especulación**

lucro s.m.
• CON ADJS. **desmedido** || **legítimo** · **ilegítimo**
• CON SUSTS. **afán (de)** *¿Es que a ti solo te mueve el afán de lucro?* · **sed (de)** · **ánimo (de)** · **espíritu (de)**
• CON VBOS. **buscar** · **perseguir**
• CON PREPS. **sin ánimo (de)** *una asociación sin ánimo de lucro*

lúdico, ca adj.
• CON SUSTS. **actividad** *Practica senderismo como actividad lúdica* · **acto** · **espectáculo** · **práctica** · **ejercicio** || **carácter** · **espíritu** · **sentido** · **tono** · **intención** || **complejo** · **centro** · **espacio** · **zona** · **instalación** · **recinto** · **parque** || **ambiente** *La película se desarrolla en un ambiente lúdico y a la vez cargado de magia* · **dimensión** || **concepción** · **visión** || **aspecto** · **parte** · **componente** · **elemento** || **jornada** · **momento** *compartir un momento lúdico* || **propuesta** · **planteamiento** · **proyecto** || **descanso** · **viaje** · **placer** || **obra** · **novela** · **entremés**
• CON ADVS. **meramente** · **absolutamente** · **puramente**

lugar s.m.
• CON ADJS. **recóndito** *Está escondido en algún recóndito lugar* · **oculto** · **desconocido** · **ignoto** · **perdido** · **retirado** · **aislado** · **recogido** || **remoto** · **lejano** · **próximo** · **cercano** || **inaccesible** · **inexpugnable** · **invulnerable** || **accesible** || **trillado** || **abierto** *Estos animales viven en lugares abiertos* · **luminoso** · **soleado** · **diáfano** · **amplio** · **espacioso** · **despejado** · **desahogado** · **aireado** || **cerrado** · **oscuro** · **estrecho** · **angosto** || **paradisíaco** *viajar a lugares paradisíacos* · **idílico** · **exuberante** · **acogedor** · **saludable** · **sano** || **insalubre** · **inhóspito** · **inhabitable** · **intransitable** · **sórdido** · **fantasmal** *El pueblo abandonado se ha convertido en un lugar fantasmal* · **desolador** · **inhumano** · **infernal** · **dantesco** · **infausto** || **concurrido** · **abarrotado** · **atestado** · **infestado** · **abigarrado** · **lleno** || **deshabitado** · **desierto** · **vacío** || **destacado** *El pintor ocupa un lugar destacado entre los artistas de su generación* · **preeminente** · **prominente** · **preponderante** · **honroso** · **de honor** || **secundario** · **relegado** || **específico** || **procedente (de)** · **oriundo,da (de)** · **originario,ria (de)**
• CON SUSTS. **vecino,na (de)** · **habitante (de)** · **gente (de)** || **apego (a)** · **añoranza (de)** || **presencia (en)** · **asistencia (a)**
• CON VBOS. **congestionar(se)** · **despejar(se)** || **caldear(se)** || **acotar** · **delimitar** · **sellar** || **ocupar** · **llenar** · **abarrotar** · **copar** · **poblar** || **abandonar** · **dejar libre** · **desocupar** · **vaciar** || **frecuentar** · **visitar** *Guardan fotografías de todos los lugares que han visitado* || **recorrer** · **pisar** · **hollar** · **cruzar** · **atravesar** · **traspasar** · **bordear** · **vadear** || **peinar** *La Policía peinó el lugar en busca de pruebas* · **rastrear** || **alcanzar** · **conquistar** · **dominar** · **invadir** || **limpiar** · **adecentar** · **airear** · **orear** || **minar** || **ir (a)** · **acudir (a)** · **personarse (en)** · **lanzarse (a)** · **retirar(se) (a)** · **apegarse (a)** || **situar(se) (en)** *El equipo brasileño se situó en un buen lugar de la clasificación* · **ubicar(se) (en)** · **apostar(se) (en)** || **estar (en)** · **vivir (en)** · **residir (en)** · **habitar (en)** · **radicar (en)** || **cambiar (de)** *No me cambies las cosas de lugar, que después no encuentro nada* · **mudarse (de)** || **entrar (en)** · **meter(se) (en)** · **acceder (a)** *Se accede al lugar por un estrecho camino* · **penetrar (en)** · **irrumpir (en)** · **adentrarse (en)** · **internar(se) (en)** · **aventurarse (en)** · **recluir(se) (en)** · **encerrar(se) (en)** || **salir (de)** · **venir (de)** · **provenir (de)** || **pasear (por)** · **vagar (por)** · **merodear (por)** || **perderse (en)**

☐ EXPRESIONES **dar lugar** (a algo) [ocasionarlo] || **en lugar de** (algo) [en su sustitución] || **estar** (algo) **fuera de lugar** [ser inoportuno] || **lugar común** [concepto convencional de uso frecuente] || **sin lugar a dudas** [evidentemente] || **tener lugar** [ocurrir]

lúgubre adj.
• CON SUSTS. **noche** · **día** · **tarde** || **atmósfera** · **ambiente** · **panorama** · **escenario** · **paisaje** *Siempre dibuja el mismo paisaje lúgubre y sombrío* · **aspecto** · **aire** || **augurio** · **vaticinio** · **predicción** || **habitación** · **túnel** · **sótano** · **casa** · ***otros lugares*** || **tono** · **voz** · **mirada** · **sonido** · **silencio** || **historia** *Por la noche, contaban historias lúgubres alrededor de la hoguera* · **cuento** · **relato** · **sueño** || **mundo**
• CON VBOS. **volverse** · **ponerse**

[lujo] → con todo lujo de detalles; lujo

lujo s.m.
• CON ADJS. **fastuoso** *Quedaron deslumbrados por el lujo fastuoso del palacio* · **deslumbrante** · **ostentoso** || **desmedido** · **desmesurado** · **tremendo** || **superfluo** · **innecesario**
• CON SUSTS. **artículo (de)** *impuestos especiales para artículos de lujo* · **prenda (de)** || **gusto (por)**
• CON VBOS. **permitirse** · **darse** *Se dio el lujo de rechazar mi ventajosa oferta* || **exhibir** · **ostentar** · **derrochar** || **vivir (con/sin)** *Vivimos sin grandes lujos, pero con cierta comodidad*

lujosamente adv.
• CON VBOS. **adornar** · **decorar** *El magnate decoró lujosamente su nueva mansión* || **vivir** · **vestir** || **presentar** || **editar** *editar lujosamente una joya bibliográfica* · **publicar**

lujoso, sa adj.
• CON SUSTS. **mansión** · **residencia** · **chalé** · **villa** *Su familia vive en una villa lujosa a las afueras de la ciudad* · **casa** · **apartamento** · **dúplex** · **ático** · **vivienda** · **edificio** · **habitación** · **sala** || **barrio** · **urbanización** · **zona** || **automóvil** · **coche** *dedicarse a la venta de coches lujosos* · **vehículo** · **yate** || **edición** · **obra** · **ejemplar** · **colección** || **ambientación** · **escenario** · **diseño** · **decoración** || **tela** · **ropaje** · **vestido**

lujuria s.f.
• CON ADJS. **auténtica** · **bestial** · **brutal** · **salvaje** *El personaje estaba dominado por una lujuria salvaje* · **depravada**

· perversa · tempestuosa || moderada · contenida || visual · carnal · pasiva
● CON SUSTS. **noche (de) · clima (de) · aroma (de) · paraíso (de) || cara (de) · grito (de) || hambre (de) · sed (de)** *No podía contener su sed de lujuria* · **límite (de) || relación (de) || símbolo (de) · vicio (de) · pecado (de) · enfermedad (de) || impulso (de) · arrebato (de)**
● CON VBOS. **desatar · satisfacer · saciar || aplacar · atemperar · moderar · calmar || entregar(se) (a) · ceder (a) || mirar (con) || enloquecer (de)**

lujurioso, sa adj.

● CON SUSTS. **carácter · actitud || *persona*** *un viejo lujurioso* **|| mirada · suspiro · postura · gesto || acción**

lumbre s.f.

● CON VBOS. **calentar (a alguien) || encender** *Encendí la lumbre para calentar la comida* · **prender · apagar · atizar || dar · pedir || echar (a) || arrimar(se) (a)**
● CON PREPS. **al amor (de) · a la luz (de) · al calor (de)**

lumbrera s.f. *col.*

● CON ADJS. **refulgente · brillante · auténtica** *Es una auténtica lumbrera en matemáticas* **|| académica · docente · intelectual || nacional · internacional · local**

luminosidad s.f.

● CON ADJS. **de la mañana** *La luminosidad de la mañana inundó la estancia* · **matutina · del día · de la tarde · vespertina · solar || alta · gran(de) · intensa · deslumbrante** *Una luminosidad deslumbrante y cegadora inundaba la estancia* · **radiante · esplendorosa · sorprendente · cegadora · brillante || tenue · baja · suave · débil · evanescente · difusa · escasa** *No han salido las fotos debido a la escasa luminosidad* · **nublada || característica · particular · especial · incomparable · excepcional || interior** *El color de las paredes le proporciona una gran luminosidad interior* · **exterior · intrínseca || natural · cromática · pictórica · poética || pleno,na (de) · lleno,na (de)**
● CON SUSTS. **nivel (de) · grado (de) · cota (de) · tonalidad (de) · pico (de) || sensación (de) · juego (de) · chispa (de) || estela (de)**
● CON VBOS. **inundar (algo) · llenar (algo) · cegar (a alguien) || entrar (en algo) · penetrar (en algo) || crecer** *A medida que salía el sol crecía la luminosidad* **|| emitir · proyectar || proporcionar · graduar · aumentar · mejorar · incrementar || disminuir · atenuar · ahogar · perder || recuperar || dotar (de) · gozar (de)**

luminoso, sa adj.

▮ [claro, radiante]

● CON SUSTS. **salón** *El salón de la casa es muy luminoso* · **habitación · ciudad · terreno · *otros lugares* || astro · planeta · estrella · sol || piel · tez · cabello · ojos || otoño · primavera · día · tarde · mañana** *Nos conocimos en una mañana luminosa de primavera* · ***otros períodos* || haz · rayo · reflejo · destello · halo || señal · panel · indicador · anuncio · cartel** *Un gran cartel luminoso indica la entrada al teatro* · **letrero · rótulo · pantalla · baliza · cono || estela · huella · vestigio**

▮ [muy brillante, muy destacado]

● CON SUSTS. **personalidad · bondad · sencillez · elegancia || inteligencia · ingenio · fantasía** *Aún conserva la fantasía luminosa de la niñez* · **gracia · chispa · ironía || optimismo · euforia || estrategia · procedimiento · estructura || lenguaje** *una historia narrada con lenguaje luminoso y preciso* · **dicción · estilo · expresión · discurso · texto · página · prosa · verso · metáfora || idea** *¡En qué momento se me ocurriría la luminosa idea de pedirle que viniera con nosotros!* · **noción · pensamiento · argumento · sugerencia || visión · interpretación · análisis || perspectiva · punto de vista || ejemplo · muestra || aportación · contribución**

luna s.f.

▮ [astro]

● CON ADJS. **llena · creciente · menguante · nueva** *Esa noche todo estaba oscuro porque había luna nueva* **|| resplandeciente · luminosa · rutilante**
● CON SUSTS. **luz (de) · rayo (de)** *Un rayo de luna entraba por mi ventana* · **claro (de) || noche (de) || fase (de) · eclipse (de) || influjo (de) || cara (de)** *la cara oculta de la luna*
● CON VBOS. **salir · asomar || crecer · menguar · decrecer || ocultar(se) · meterse || brillar · resplandecer** *La luna resplandecía en medio de un cielo estrellado* · **rielar · alumbrar · irradiar || pedir** *No estoy pidiendo la luna, simplemente me gustaría...* **|| estar (en)**
● CON PREPS. **a la luz (de)** *una romántica velada a la luz de la luna* · **bajo**

▮ [cristal]

● CON ADJS. **delantera · trasera · lateral || transparente · tintada** *un coche con las lunas traseras tintadas* · **ahumada · laminada**
● CON VBOS. **empañar(se)** *Abre un poco la ventanilla para que no se empañe la luna* · **ensuciar(se) · desempañar(se) || estallar · saltar (en pedazos) · hacer(se) añicos || limpiar || arañar · golpear · romper · destrozar || arreglar · cambiar**

☐ EXPRESIONES **estar en la luna** [estar despistado, no enterarse de las cosas] **|| luna de miel** [período inmediatamente posterior a la boda] **|| pedir la luna** [pedir algo imposible]

lunático, ca adj.

● CON SUSTS. ***persona*** *Mi vecino es un lunático, nunca sabes por dónde te va a salir* **|| plan · proyecto · programa || sueño · aventura**

lunes s.m.

● CON SUSTS. **cara (de)**
➤ Véase también **DÍA**

[lupa] → con lupa

lustrar v.

● CON SUSTS. **zapatos · botas · calzado || superficie · madera · piso · mueble** *un producto especial para lustrar muebles de madera* **|| palmarés · currículo**

lustre s.m.

● CON ADJS. **buen(o) · colorista || literario · musical · político**
● CON VBOS. **dar** *Su presencia en estas páginas da lustre a nuestra revista* · **sacar || restar · perder**
● CON PREPS. **con** *Tras su restauración, los objetos de plata volvían a brillar con lustre* · **sin**

lustro s.m.

● CON ADJS. **dorado** *el lustro dorado de su vida como escritor* · **notable · destacado · espléndido · sensacional || amargo · aciago**

● CON VBOS. **transcurrir** · **cumplir(se)** *Se cumplen hoy tres lustros de la fundación de esta empresa* || **vivir**

lustroso, sa adj.

● CON SUSTS. ***persona*** || **cabellera** · **pelo** · **calva** || **aspecto** || **edificio** *Los constructores deseaban que fuera un edificio elegante y lustroso*

luto s.m.

● CON ADJS. **riguroso** · **estricto** · **medio** || **oficial** · **nacional**

● CON SUSTS. **día (de)** · **jornada (de)**

● CON VBOS. **llevar** *Lleva luto por su abuelo* · **guardar** · **observar** || **aliviar** · **quitar(se)** · **saltarse** || **decretar** || **estar (de)** *Estuve un año de luto* · **vestir (de)** *vestida de riguroso luto* · **ir (de)** · **cumplir (con)** || **teñir (de)** *El desgraciado suceso tiñó de luto la ciudad*

● CON PREPS. **en señal (de)** *un crespón negro en señal de luto*

[luz]

→ a la luz (de); arrojar luz (sobre); a todas luces; dar a luz; dar luz verde (a); luz; luz verde; sacar a la luz; salir a la luz

luz s.f.

● CON ADJS. **natural** · **solar** · **artificial** *trabajar con luz artificial* · **eléctrica** || **matutina** · **vespertina** · **crepuscular** · **otoñal** · **celestial** · **cenital** || **brillante** · **resplandeciente** · **refulgente** · **radiante** · **clara** · **diáfana** · **meridiana** || **cegadora** · **deslumbradora** · **deslumbrante** · **fuerte** · **intensa** || **suave** · **tenue** · **media** · **débil** · **apagada** · **mortecina** · **fantasmal** · **pálida** *conversar a la pálida luz de la luna* · **blanquecina** · **áurea** || **plena** · **directa** · **concentrada** · **indirecta** *un salón espacioso iluminado con luces indirectas* · **difusa** · **sesgada** || **trémula** · **vacilante** *la luz vacilante de una vela* · **centelleante** || **propia** *una actriz que hoy brilla con luz propia en el firmamento de nuestro cine* || **corta** · **de cruce** · **larga** · **de carretera** · **de posición** · **de freno** · **de stop** · **antiniebla** · **intermitente** || **lleno,na (de)**

● CON SUSTS. **fuente (de)** · **foco (de)** · **origen (de)** || **haz (de)** · **rayo (de)** · **chorro (de)** · **ráfaga (de)** || **juego (de)**

● CON VBOS. **encender(se)** *Se encienden las luces de neón y la ciudad se transforma* · **prender(se)** · **surgir** · **brotar** · **proyectar(se)** · **crecer** || **filtrar(se)** *Una suave luz se filtraba a través de los árboles* · **difundir(se)** · **transmitir(se)** || **hacerse** *...tan difícil como que de repente se haga la luz en una mente confusa, caótica y contradictoria* || **brillar** · **resplandecer** · **destellar** · **centellear** || **iluminar (a alguien)** · **invadir (algo)** · **inundar (algo)** · **deslumbrar (a alguien)** · **cegar (a alguien)** *Al salir de aquella oscura cueva, la luz del sol nos cegó* || **apagar(se)** · **desvanecerse** · **difuminar(se)** · **diluir(se)** · **agonizar** · **irse** · **extinguir(se)** · **eclipsar(se)** · **descomponer(se)** · **desviar(se)** || **emitir** · **dar** *¿Puedes dar la luz de la habitación?* · **irradiar** · **arrojar (sobre algo)** *arrojar luz sobre un misterio* · **echar (sobre algo)** · **desprender** · **despedir** · **emanar** || **ver** · **atisbar** · **percibir** · **notar** · **sentir** · **recibir** · **buscar** || **cortar** *Si no pago el recibo, me cortarán la luz* · **amortiguar**

□ EXPRESIONES **a todas luces*** [indudablemente, desde cualquier punto de vista] || **dar a luz*** [parir] || **sacar a la luz*** [publicar]

luz verde loc.sust.

● CON VBOS. **dar** *La directiva dio luz verde al proyecto* · **tener (para algo)** · **conseguir** · **esperar**

M m

macabro, bra adj.

● CON SUSTS. **historia · relato · cuento · crónica || hallazgo · descubrimiento** *El macabro descubrimiento tenía conmocionada a la población* **|| acto · hecho · suceso · asunto || asesinato · crimen || diversión · juego · broma · chiste · humor · comedia || baile · danza · rito · ritual · costumbre || imagen · escena · espectáculo · cuadro · representación · paisaje · detalle** *Por favor, ahórrate los detalles macabros* **|| recuerdo · sueño · pesadilla || trabajo || ambiente · silencio || estadística** *Como cada año, es inevitable mencionar la macabra estadística de accidentes en carretera*
● CON VBOS. **ponerse**

macarra adj. *col.*

● CON SUSTS. **lenguaje · tono · actitud · acento · plan || aspecto · ropa · imagen ||** ***persona*** *Es un chico muy macarra*
● CON VBOS. **hacerse · ponerse**

macerar v.

● CON SUSTS. **queso** *macerar el queso en aceite* **· pescado · carne · tomate · fruta ·** ***otros alimentos***
● CON ADVS. **suficientemente · sobradamente**

machacón, -a adj.

● CON SUSTS. **insistencia · reiteración · pesadez · perseverancia · repetición || ritmo · música · estribillo** *un estribillo machacón que sonaba continuamente en mi cabeza* **· canción · melodía · tema · soniquete · ruido · golpe ||** ***persona*** **|| idea · obsesión** *Tenía la machacona obsesión de llegar puntual a cada cita* **|| campaña · publicidad**

machaconamente adv.

● CON VBOS. **repetir · insistir** *La profesora insistía machaconamente en que no estudiábamos lo suficiente* **· recordar · reiterar · remarcar · reproducir · asegurar · incidir · recalcar · subrayar · constatar · confirmar · destacar || pedir · solicitar · reclamar · exigir · ordenar || decir · hablar · anunciar · informar** *Los medios informaron machaconamente sobre la ola de calor* **· explicar · predicar · advertir · recitar || acusar · recomendar ||** ***otros verbos de lengua*** **|| mostrar · ofrecer · ofertar · servir**

[machamartillo] → a machamartillo

macizo, za

1 **macizo, za** adj.

▌[compacto]

● CON SUSTS. **bloque** *un bloque macizo de granito* **· figura · roca · pared · muro · ladrillo || piedra · metal · madera** *Instaló puertas de madera maciza en toda la casa* **· oro · plata ·** ***otros materiales***

▌[fornido] *col.*

● CON SUSTS. ***persona***
● CON VBOS. **estar · poner(se)** *Con la gimnasia diaria se ha puesto macizo*

2 **macizo** s.m.

▌[grupo de montañas]

● CON ADJS. **montañoso · rocoso || imponente** *Ante ellos se alzaba un imponente macizo rocoso* **· peligroso**
● CON VBOS. **elevarse** *El macizo montañoso se eleva miles de metros sobre el nivel del mar* **· levantarse · alzarse || atravesar · cruzar || evitar || adentrarse (en)**

▌[grupo de plantas]

● CON ADJS. **frondoso** *los frondosos macizos del jardín* **· seco · exuberante · cuidado**
● CON VBOS. **plantar · regar**

madeja s.f.

● CON ADJS. **compleja · confusa** *Era incapaz de entender la confusa madeja de parentescos que se había creado entre ellos* **· inextricable · enrevesada · intrincada · complicada**
● CON SUSTS. **hilo (de)** *Para resolver el asunto solo tienes que tirar del hilo de la madeja hasta el final*
● CON VBOS. **desliar · desenredar · deshacer · desentrañar || liar(se) (en) · enredar(se) (en)** *No te enredes en esa madeja de datos y céntrate en lo importante*

madre s.f.

● CON ADJS. **buena · mala · abnegada** *Siempre fue una madre abnegada* **· cariñosa · tierna · perfecta · protectora · dominante · irresponsable · descuidada || de familia · de alquiler · segunda** *Sentía que era como su segunda madre* **· de leche · adoptiva** *Conoció a su madre adoptiva con cinco años* **· de adopción · natural · verdadera · propia || futura || soltera || superiora** *Me entrevisté con la madre superiora de la congregación*
● CON SUSTS. **figura (de)** *La figura de su madre ha estado presente en los momentos más difíciles de su vida* **· papel (de) · imagen (de) · prototipo (de) || corazón (de) || huérfano,na (de) || reina** *La reina madre estuvo presente en los actos oficiales* **|| patria** *volver a la madre patria*
● CON VBOS. **querer (a alguien) · amar (a alguien) · cuidar (a alguien)** *una madre que ha cuidado a sus hijos con esmero* **· educar || parir · criar (a alguien) || vivir (con) · quedarse (con) || heredar (de)** *Heredó de la madre su gran sentido común* **|| convertir(se) (en)**

☐ EXPRESIONES **la madre que {me/te/lo...} parió** [se usa como muestra de irritación hacia alguien] *col.* **|| madre mía** [se usa para indicar sorpresa o disgusto] *col.*

madrina s.f.

● CON ADJS. **de boda** *La madrina de la boda vestía un traje muy elegante* · **de bautizo || de honor**
● CON SUSTS. **hada** *Al final del cuento, el hada madrina le concede...*
● CON VBOS. **ejercer (de)** *La modelo ejerció de madrina de una nueva marca de ropa* · **hacer (de)**

madrugada s.f.

● CON ADJS. **de ayer** · **de hoy** *La temperatura más baja del invierno se ha registrado en la madrugada de hoy* || **tranquila** · **pacífica** · **fría** · **oscura** · **solitaria**
● CON SUSTS. **hora (de)** *Llamaron a la puerta a altas horas de la madrugada*
● CON VBOS. **llegar** · **pasar**
● CON PREPS. **hasta** · **en** *Los hechos ocurrieron en la madrugada del viernes*
□ EXPRESIONES **de madrugada** [durante la madrugada] *Salimos de madrugada para no pillar atasco*

madrugón s.m.

● CON VBOS. **pegarse** · **darse** *Estoy cansadísima porque ayer me di un madrugón tremendo*

madurar v.

● CON SUSTS. **manzana** *Las manzanas todavía no han madurado* · **kiwi** · **naranja** · **uva** · **tomate** · **melón || chico,ca** · **muchacho, cha** · **sociedad** · ***otros individuos y grupos humanos*** || **vino** · **cava || célula** · **ovocito** · **semilla** · **esencia || inteligencia** · **personalidad** · **carácter || odio** · **venganza || decisión** · **respuesta** · **reacción** · **voto || acuerdo** · **pacto** · **compromiso || idea** *Es una idea interesante, pero tienes que madurarla un poco más* · **pensamiento** · **reflexión** · **concepción** · **preocupación** · **obsesión || sueño** · **propósito || solución** · **salida || estructura** · **sistema** · **esquema** · **coyuntura || cambio** · **evolución** · **desarrollo** · **proceso || voz** · **lenguaje** · **estilo** · **discurso || proyecto** *Estamos en un proyecto empresarial que aún no termina de madurar* · **libro** · **película** · **viaje** · **obra || rentabilidad** · **oferta** · **mercado**

madurez s.f.

● CON ADJS. **gran(de)** · **creciente** · **plena** *Ya en plena madurez, compuso...* · **absoluta** · **máxima** · **gloriosa || espléndida** · **admirable** · **envidiable** *En sus decisiones, manifiesta una envidiable madurez personal* · **ejemplar || personal** · **intelectual** · **afectiva** · **expresiva || musical** · **profesional** · **física** · **artística** *A finales de los años cuarenta, nuestro autor había alcanzado su plena madurez artística* · **creativa** · **reflexiva** · **política**
● CON SUSTS. **obra (de)** *Las últimas novelas constituyen una obra de madurez admirable* · **fruto (de) || grado (de)** · **etapa (de)** · **período (de)** · **momento (de)** · **época (de)** · **fase (de)** · **estado (de)** · **plenitud (de) || signo (de)** · **muestra (de)** *La actriz ha dado sobradas muestras de madurez expresiva* · **señal (de)** · **prueba (de)** · **síntoma (de)** · **lección (de)** · **falta (de)**
● CON VBOS. **faltarle (a alguien) || alcanzar** · **adquirir** · **tener || demostrar** · **probar || exigir** *El puesto exige una madurez profesional de la que aún carece* || **llegar (a)** · **actuar (con)** *Ese joven actúa con una madurez impropia de su edad* · **ganar (en)** · **entrar (en)** · **carecer (de)**

maduro, ra adj.

▌**[que ha alcanzado su desarrollo completo]**
● CON SUSTS. **tomate** *Necesito para la salsa un par de tomates maduros* · **plátano** · **melón** · **uva** · **manzana || *persona* || *animal***
● CON VBOS. **estar** · **poner(se)**

▌**[entrado en años]**
● CON SUSTS. ***persona*** *Sus hijos ya son hombres maduros* || **edad**
● CON VBOS. **ser** · **volver(se)**

▌**[sensato, prudente]**
● CON SUSTS. **público** *La revista está dirigida a un público maduro y comprometido* · **lector,-a** · **niño,ña** · **sociedad** · **equipo** · ***otros individuos y grupos humanos*** || **democracia || relación** *Nuestra relación nunca llegó a ser madura ni estable* · **matrimonio** · **pareja || mentalidad**
● CON ADVS. **completamente** · **totalmente** · **plenamente** · **perfectamente || suficientemente**

maestría s.f.

▌**[destreza, habilidad]**
● CON ADJS. **pasmosa** · **insuperable** · **apabullante** · **asombrosa** · **admirable** · **portentosa** · **desbordante** · **notable** · **proverbial** · **suma** · **consumada** · **indiscutible** · **indudable** *Su maestría en el empleo del color es indudable*
● CON SUSTS. **demostración (de)** *Tras una auténtica demostración de maestría, le cedió la palabra a...* · **ejemplo (de)**
● CON VBOS. **demostrar** · **lucir** · **exhibir** · **revelar** · **acreditar** · **avalar** · **desplegar** · **rezumar** · **mostrar** · **poseer** · **tener** · **adquirir** · **desarrollar || poner a prueba** · **cuestionar** *Los críticos cuestionan su supuesta maestría en la escena*
● CON PREPS. **con**

▌**[estudios de posgrado]**
● CON SUSTS. **estudios (de)** · **nivel (de) || alumno,na (de)**
● CON VBOS. **obtener** · **estudiar** · **realizar**
● CON PREPS. **en** *una maestría en Administración de Empresas*

maestro, tra s.

● CON ADJS. **insigne** · **afamado,da** · **reputado,da** · **acreditado,da** · **prestigioso,sa** · **eminente** · **ínclito,ta** · **respetado,da** · **conocido,da** · **querido,da** · **aventajado,da** · **destacado,da** · **experto,ta** · **consagrado,da** *A pesar de su edad, es ya un maestro consagrado* · **consumado,da**
● CON VBOS. **enseñar (a alguien)** *un consumado maestro que enseñó música a varias generaciones* · **profesar (en un lugar)** · **dar clase || seguir** · **emular** *Emulando a su maestro, dirigió una investigación sobre...* || **estudiar (con)** · **aprender (con)**

[magdalena] → como una Magdalena

[magia] → magia; por arte de magia

magia s.f.

▌**[encanto]**
● CON SUSTS. **halo (de)** · **toque (de)** · **aire (de)**
● CON VBOS. **desvanecer(se)** *En un segundo se desvaneció la magia del momento* · **difuminar(se) || encandilar (a alguien)** · **encantar (a alguien) || derramar** · **irradiar** · **ejercer || perder || rendirse (a)** · **sustraerse (a) || enredar(se) (en)**

▌**[ciencia oculta]**
● CON SUSTS. **truco (de)** · **juego (de)** *A mi hijo le encantan los juegos de magia* · **número (de)**
● CON VBOS. **hacer** *En el espectáculo aparece gente haciendo magia* · **parecer**
● CON PREPS. **por arte (de)** *Resolvió el problema por arte de magia*
□ EXPRESIONES **magia {blanca/natural}** [magia que produce efectos positivos] || **magia negra** [magia que invoca a los espíritus del mal]

magiar s.m. Véase **IDIOMA**

mágico, ca adj.

● CON SUSTS. **palabra · varita** *Entonces apareció un hada madrina con su varita mágica* · **número · cifra · espejo · llave · alfombra · lámpara · objeto · mano || receta · pócima · fórmula · mezcla · solución || toque · pase · efecto · poder || noche** *Fue una noche mágica que nunca olvidaré* · **momento · instante || mundo · ciudad · reino || obra · experimento || pensamiento · creencia || carácter** *Estas danzas tenían un carácter mágico* · **sentido · dimensión || atmósfera · ambiente · clima || círculo · espacio · triángulo || realismo** *El realismo mágico en la literatura hispanoamericana*

magistral adj.

● CON SUSTS. **lección · clase** *El escritor dictó una clase magistral en la universidad* · **conferencia · curso || pase · gol · lanzamiento · jugada · golpe · remate · asistencia || actuación · interpretación** *Su interpretación de la obra de Bach fue magistral* · **dirección · trabajo || dominio · técnica || libro · obra · película · pieza · páginas · versión ·** ***otras creaciones*** **|| trazo · retrato || fórmula**

● CON ADVS. **absolutamente** *Tocó una pieza absolutamente magistral*

magnánimo, ma adj.

● CON SUSTS. **rey · reina** *La magnánima reina, en bien de su pueblo, renunció a todo privilegio* · **emperador · emperatriz · presidente,ta · gobierno ·** ***otros individuos y grupos humanos*** **|| gesto · actitud · comportamiento · espíritu · cordialidad || providencia** *En estas circunstancias difíciles, confiamos más que nunca en la magnánima providencia divina* · **deidad || perdón · disculpa**

● CON VBOS. **volverse**

magnético, ca adj.

● CON SUSTS. **resonancia** *El médico recomendó realizarle una resonancia magnética* **|| polo · polaridad || fuerza · atracción · influencia · campo · onda · carga · corriente || tarjeta · soporte · disco · banda** *la banda magnética de una tarjeta* · **cinta · lector · detector || identificación · carné**

magnetismo s.m.

● CON ADJS. **atrayente · cautivador** *Hay un magnetismo cautivador en sus esculturas* · **seductor · arrebatador || potente · irrefrenable · irresistible · profundo**

● CON VBOS. **atraer (a alguien) · encandilar (a alguien)** *El magnetismo del actor encandila a sus seguidoras* · **arrastrar (a alguien) || emanar (de algo/de alguien) || poseer · irradiar · ejercer** *La luna ejerce un profundo magnetismo sobre nosotros* **|| sustraerse (de/a) · rendirse (a/ante)**

magnicidio s.m.

● CON ADJS. **horrendo · atroz · violento · brutal** *Se ha cometido un brutal magnicidio en el país vecino* **|| frustrado || impune**

● CON VBOS. **cometer · perpetrar · intentar || descubrir · denunciar · condenar · frustrar(se) || juzgar (por) · absolver (de)** *Fue absuelto del magnicidio por falta de pruebas* · **acusar (de)**

magnificar v.

● CON SUSTS. **noticia** *un medio de comunicación muy acostumbrado a magnificar las noticias* · **acontecimiento · incidente · episodio · suceso || problema** *Algunos políticos magnifican los problemas de forma interesada* · **divergencia · conflicto · escándalo · tensión · diferencia · brecha · enfrentamiento · atentado · violencia || influencia · efecto · consecuencia · secuela · daño || crítica · amenaza · acusación · advertencia · manifestación · declaración || importancia · trascendencia · poder · valor · relevancia** *No magnifiquemos la relevancia de sus palabras* · **superioridad · mérito · virtud · calidad · carisma · inteligencia · belleza · fuerza · intensidad || éxito · victoria · logro · acierto · hazaña** *rodeado siempre de una corte de periodistas que magnificaban sus hazañas* **|| error · fallo · equivocación · tropiezo · metedura de pata || ayuda · contribución · aportación** *No pretendemos pasar por alto ni tampoco magnificar su aportación a...* **|| actor · actriz · padre · madre · persona · equipo ·** ***otros individuos y grupos humanos***

magnitud s.f.

● CON ADJS. **máxima** *La magnitud máxima que alcanzó el terremoto fue de...* · **ingente · abrumadora · increíble · enorme · desproporcionada · considerable · apreciable || inapreciable · mínima || proporcional · proporcionada · equivalente || indeterminada · imprecisa || física || acorde (con)**

● CON VBOS. **alterar · aumentar · exceder · sobrepasar · rebasar · igualar · alcanzar** *El incendio alcanzó gran magnitud* **|| disminuir || calcular · sopesar · calibrar · considerar · valorar · medir · ponderar · evaluar · establecer**

● CON PREPS. **en función (de)** *La ayuda a esos países se calcula en función de la magnitud de sus deudas*

magno, na adj.

● CON SUSTS. **aula** *La conferencia tendrá lugar en el aula magna de la facultad* · **escenario · edificio · complejo || carta || exposición · acontecimiento · espectáculo · evento · celebración || asamblea · reunión · encuentro · conferencia || obra · proyecto** *el magno proyecto de restauración de la catedral* **|| institución || ocasión · oportunidad**

mahometano, na adj.

● CON SUSTS. **fe · plegaria**

➤ Véase también **CREYENTE**

maillot s.m.

● CON ADJS. **de líder · de campeón · de regularidad · amarillo**

● CON VBOS. **acreditar (algo)** *El maillot lo acredita como el mejor corredor* **|| perder · ganar || apoderarse (de)** *Se apoderó del maillot en la última etapa*

➤ Véase también **ROPA**

majadería s.f.

● CON ADJS. **descomunal · monumental · como la copa de un pino** *Eso es una majadería como la copa de un pino* · **tremenda || completa · absoluta · perfecta · auténtica · solemne**

● CON SUSTS. **sarta (de) · sinfín (de)**

● CON VBOS. **decir** *Será mejor que te calles, no dices más que majaderías* · **soltar ·** ***otros verbos de lengua*** **|| publicar · escribir · leer**

majadero, ra

1 **majadero, ra** adj. *desp.*

● CON SUSTS. ***persona*** **|| actitud · comportamiento**

● CON VBOS. **volverse · llamar**

2 **majadero, ra** s. *desp.*

● CON ADJS. **redomado,da** · **completo,ta** *Hace falta ser un completo majadero para entrar en su despacho de esa manera*

● CON SUSTS. **panda (de)** · **hatajo (de)**

● CON VBOS. **considerar (a alguien)** *Muchos lo consideran un auténtico majadero*

majar v.

● CON SUSTS. **ajo** *majar el ajo con un poco de sal y perejil* · **almendras** · **azafrán** · **perejil** · **guindilla** · **piñones** · ***otros alimentos*** || **lino** · **tejido**

● CON ADVS. **fuertemente** · **violentamente** · **hábilmente**

majestuoso, sa adj.

● CON SUSTS. **figura** · **porte** *Es ya viejo, pero conserva su porte majestuoso* · **belleza** · **estilo** · **aire** · **vuelo** || **obra** · **edificio** · **construcción** · **mansión** · **arquitectura** · **ruinas** || **paisaje** · **imagen** · **panorama** *Desde el mirador se puede apreciar un panorama majestuoso* · **escenario** || **proporción** *un puente romano de proporciones majestuosas* · **solidez** · **solemnidad** || **animal** · **árbol** || **voz** · **música** || **ritual**

● CON VBOS. **alzarse** *Rodeado de montañas se alza majestuoso un castillo medieval* · **aparecer** · **mostrarse** · **ponerse**

majo, ja adj. *col.*

● CON SUSTS. ***persona*** *Tuvimos suerte en el viaje, nos encontramos con gente maja* || **libro** · **coche** · ***otros objetos***

[mal] → con {buen/mal} pie; de mal en peor; mal; mal de ojo; mal gusto; mal humor; mal tiempo

mal

1 **mal** s.m.

● CON ADJS. **irreversible** · **irreparable** || **menor** *Fue un partido tan malo que los aficionados aceptaron el empate como un mal menor* || **enraizado** · **persistente** · **endémico** · **contagioso** · **extendido** · **atávico** || **congénito** *padecer un mal congénito*

● CON SUSTS. **cúmulo (de)** || **fuerza (de)** *La novela trata de la lucha que se mantiene contra las fuerzas del mal* · **intensidad (de)** || **origen (de)** · **causa (de)** · **fuente (de)**

● CON VBOS. **apoderar(se) (de algo)** · **corroer (a alguien)** · **contagiar(se)** · **extender(se)** || **extinguir(se)** · **abatir(se) (sobre algo/sobre alguien)** · **curar(se)** || **resurgir** · **renacer** · **acechar** || **combatir** · **expulsar** · **ahuyentar** · **desterrar** · **ahogar** · **extirpar** · **cortar (de raíz)** · **erradicar** *una fórmula mágica que permitirá erradicar todos los males del mundo* · **atajar** · **vencer** · **remediar** · **paliar** · **superar** · **aliviar** · **mitigar** || **padecer** · **contraer** || **diagnosticar** · **detectar** · **corregir** || **hacer** · **producir** · **infligir** · **causar** · **ocasionar** · **engendrar** · **acarrear** || **personificar** *El diablo personifica el mal* || **conjurar** || **atribuir (a alguien)** · **achacar (a alguien)** || **acabar (con)** · **librar(se) (de)** || **luchar (contra)**

2 **mal** adv.

● CON ADVS. **rematadamente** · **horriblemente** · **francamente** *Sé que hice el examen francamente mal*

☐ EXPRESIONES **de mal en peor*** [cada vez peor]

mala conciencia loc.sust.

● CON VBOS. **entrar (a alguien)** *Que no te entre mala conciencia por no haber podido asistir a...* · **reconcomer (a alguien)** · **corroer (a alguien)** || **tener** · **soportar** || **calmar** · **lavar** *...unas dulces palabras que solo sirven para lavar su mala conciencia* · **acallar** || **crear** || **cargar (con)**

mala vida loc.sust.

● CON VBOS. **dar** · **llevar** || **remediar** *Un golpe de suerte nos ayudaría a remediar la mala vida que llevamos* || **apartar(se) (de)** *Sueña con una persona que la aparte de la mala vida* || **entregar(se) (a)** *...y terminó entregándose a la mala vida*

malcriado, da adj.

● CON SUSTS. **hijo,ja** · **niño,ña** *A veces se comporta como un niño malcriado* · **chico,ca** · **adolescente** · ***otros individuos***

maldad s.f.

● CON ADJS. **suma** *comportarse con suma maldad* · **gran(de)** || **humana** · **inhumana** · **diabólica** · **demoníaca** || **intrínseca** · **congénita** · **inherente** || **lleno,na (de)**

● CON SUSTS. **fuente (de)**

● CON VBOS. **contagiar(se)** · **anidar (en algo/en alguien)** || **cometer** || **combatir** *Apuntó la necesidad de combatir la diabólica maldad que...* · **atajar** · **vencer** · **erradicar** · **extirpar** || **verter** · **rezumar**

maldecir v.

● CON SUSTS. **día** *Maldigo el día en que te conocí* · **hora** || **enemigo,ga** · **rival** · **persona** · **gente** · ***otros individuos y grupos humanos*** || **hecho** · **suceso** || **destino** · **suerte** *Tiene razones para maldecir su suerte*

● CON ADVS. **en voz alta** · **en voz baja**

mal de ojo loc.sust.

● CON VBOS. **echar** *Parece haber echado el mal de ojo a sus rivales* · **conjurar** || **contrarrestar** · **combatir** · **quitar** || **sufrir** || **proteger(se) (contra)** *Dicen que esta planta protege contra el mal de ojo* · **escapar (a)**

maldición s.f.

● CON ADJS. **bíblica** · **divina** · **histórica** · **familiar** · **faraónica** || **ancestral** · **eterna** || **gitana** · **de bruja**

● CON SUSTS. **rastra (de)** · **serie (de)** · **lista (de)** · **retahíla (de)** · **sarta (de)** || **amuleto (contra)**

● CON VBOS. **perseguir (a alguien)** · **desatar(se)** *A partir de aquel día fue como si se desatara una maldición sobre la familia* || **caer (sobre alguien)** · **cernerse (sobre alguien)** || **conjurar** · **lanzar** · **soltar** *Soltó una retahíla de maldiciones y se marchó* · **echar** · **proferir** · **verter** || **proteger(se) (contra)** || **prorrumpir (en)** *Prorrumpió en una sarta de maldiciones*

maldito, ta adj.

● CON SUSTS. **generación** · **poeta** · **poetisa** · **escritor,-a** *Ha sido definido en ocasiones como un escritor maldito* · **autor,-a** · **artista** · **pintor,-a** · **director,-a** · **juez** || **casa** · **ciudad** · **isla** · **templo** · **aldea** · **montaña** *La leyenda dice que es una montaña maldita* · ***otros lugares*** || **amor** || **leyenda** · **recuerdo** || **libro** · **película** · **palabra** || **casualidad** *La maldita casualidad hizo que nos encontráramos otra vez* · **destino** || **año** · **jornada** · **temporada** · ***otros períodos*** || **guerra** · **viaje**

● CON VBOS. **estar** · **volver(se)**

☐ EXPRESIONES **maldita sea** [se usa para indicar fastidio o irritación] *col.*

☐ USO Se usa frecuentemente para expresar enfado o disgusto: *¿Cuándo terminarán las malditas obras de la carretera?*

maleable adj.

● CON SUSTS. **metal** *Las piezas se confeccionan con un metal maleable y muy resistente* · **producto** · **barro** · **complejo** · **arcilla** · **materia** · **material** || ***persona*** *Es un niño muy maleable; se adapta fácilmente* || **mente** · **personalidad**

● CON ADVS. **fácilmente** · **difícilmente** || **asombrosamente** · **perfectamente** || **emocionalmente**

maleducado, da adj.

● CON SUSTS. **niño,ña** *Si algo me saca de quicio es un niño maleducado e impertinente* · **chico,ca** · **persona** · ***otros individuos*** || **tono** · **actitud** · **comportamiento** · **forma**

● CON VBOS. **tachar (de)** *El profesor la tachó de maleducada delante de sus padres* · **tildar (de)** · **llamar** || **volverse**

maleficio s.m.

● CON ADJS. **funesto** · **terrible** · **poderoso** || **eterno** · **histórico** · **antiguo** · **inevitable** || **extraño** *Era como si un extraño maleficio le impidiera avanzar*

● CON SUSTS. **ruptura (de)** · **final (de)** *La victoria de esta noche supone el final de un maleficio* || **poder (de)** · **víctima (de)** · **portador,-a (de)**

● CON VBOS. **pesar** · **caer (sobre alguien)** || **evitar** · **alejar** || **conjurar** · **hacer** · **ejercer (sobre alguien)** · **lanzar** · **echar** || **vencer** · **superar** · **romper** · **quitar** || **sufrir** · **recibir** || **acabar (con)** · **poner fin (a)** · **luchar (contra)**

maléfico, ca adj.

● CON SUSTS. **espíritu** · **genio** · **monstruo** · **brujo,ja** · **mago,ga** || **fuerza** · **poder** · **influencia** *Ejerce una influencia maléfica sobre los ciudadanos* · **influjo** · **efluvio** || **visión** · **aspecto** · **gesto** · **carácter** || **síntoma** · **efecto** || **designio** · **plan** || **encanto** · **fascinación** || **símbolo** · **nombre** || **lugar** · **dependencia** · **ambiente**

malentendido s.m.

● CON ADJS. **desafortunado** *El desafortunado malentendido provocó un final inesperado* · **lamentable** · **desgraciado** · **grave** · **profundo** · **serio** · **incómodo** || **sin importancia** · **simple** || **evitable** · **inevitable** · **fortuito**

● CON SUSTS. **cúmulo (de)** *Un cúmulo de malentendidos impidió que se llegara a un acuerdo* · **serie (de)**

● CON VBOS. **haber** · **darse** · **producir(se)** · **suscitarse** || **resolver(se)** · **esclarecer(se)** · **deshacer(se)** · **disipar(se)** *Cuando se nos proporcionó la información, se disipó el malentendido* · **despejar(se)** || **solucionar** · **clarificar** · **aclarar** *Con lo fácil que hubiera sido aclarar antes el malentendido...* · **subsanar** · **evitar** || **provocar** || **dar lugar (a)** · **inducir (a)** · **prestarse (a)** *una situación que se presta a peligrosos malentendidos* || **poner fin (a)**

malestar s.m.

● CON ADJS. **general** · **social** *Fue una época de gran malestar social* · **íntimo** || **hondo** · **serio** · **profundo** *Sintió un profundo malestar cuando recibió la noticia* · **infinito** · **rotundo** · **sumo** · **intenso** · **gran(de)** · **creciente** || **ostensible** · **acusado** · **evidente** *La falta de entendimiento con la empresa ha generado un evidente malestar entre los trabajadores* · **visible** · **latente** · **palpable** · **franco** · **claro** · **cierto** · **manifiesto** · **notorio** · **soterrado** || **pasajero** · **reinante** · **imperante** || **incómodo** || **físico** · **psíquico** · **anímico** · **espiritual**

● CON SUSTS. **causa (de)** · **motivo (de)** · **origen (de)**

● CON VBOS. **manifestar(se)** · **poner(se) de manifiesto** *En la asamblea se puso de manifiesto un malestar general* · **evidenciar(se)** · **palpar(se)** · **traslucir(se)** || **aquejar (a alguien)** · **entrar (a alguien)** · **invadir (a alguien)** · **embargar (a alguien)** || **agravar(se)** · **disminuir** || **desatar(se)** · **cundir** · **arreciar** · **aflorar** · **reinar** · **anidar** · **conjurar** || **sentir** · **tener** · **albergar** · **experimentar** || **notar** *Se nota un malestar creciente entre los socios* · **percibir** · **detectar** · **comprender** || **comunicar** · **expresar** *Expresó su malestar públicamente* · **exteriorizar** · **mostrar** · **confesar** · **declarar** · **transmitir** · **hacer llegar** · **ocultar** || **ocasionar** · **causar** · **sembrar** · **provocar (a alguien)** · **producir (a alguien)** · **suscitar** · **crear** · **generar** || **avivar(se)** · **reavivar(se)** · **aumentar** · **agudizar(se)** || **vencer** · **superar** · **calmar** · **aliviar** · **mitigar**

maleta s.f.

● CON ADJS. **llena** · **abarrotada** · **repleta** · **vacía** || **de doble fondo** *Huyeron con el dinero escondido en una maleta de doble fondo* || **a cuestas** *Viajaba con tres maletas a cuestas*

● CON VBOS. **pesar** *Yo llevo la maleta; no pesa nada* || **hacer** *Todavía tengo que hacer la maleta* · **deshacer** · **vaciar** · **llenar** · **desempacar** || **llevar** · **arrastrar** · **transportar** || **facturar** *facturar las maletas en el aeropuerto* · **perder(se)** · **extraviar(se)** · **recuperar** · **encontrar** · **recoger** || **abrir** · **cerrar** || **llevar (en)** · **meter (en)** · **buscar (en)** || **cargar (con)**

malformación s.f.

● CON ADJS. **congénita** · **genética** · **antinatural** · **fetal** || **física** · **corporal** || **grave** *paliar los daños de una grave malformación congénita* · **irreversible** · **crónica** || **posible**

● CON SUSTS. **caso (de)** · **problema (de)** || **tasa (de)** · **posibilidad (de)** · **riesgo (de)** · **detección (de)** · **prevención (de)**

● CON VBOS. **curar** · **corregir** *Gracias a una nueva cirugía se ha corregido su malformación* || **detectar** · **diagnosticar** · **prevenir** · **evitar** || **sufrir** · **presentar** · **padecer** || **causar** || **nacer (con)** *Los resultados mostraban que el niño no nacería con malformaciones*

malgastar v.

● CON SUSTS. **dinero** · **agua** *una campaña publicitaria para evitar que se malgaste el agua* · **corcho** · **petróleo** · **gasolina** · **papel** · **riqueza** · ***otros recursos*** || **juventud** *Malgastas tu juventud sin hacer nada provechoso* · **tiempo** · **día** · ***otros períodos*** || **fuerza** · **energía** · **esfuerzo** · **salud** || **talento** · **capacidad** · **don** · **generosidad** · **comicidad** · **valor** · **credibilidad** · **prestigio** · **experiencia** · ***otras cualidades*** || **oportunidad** *No puedo malgastar las oportunidades que me están brindando* · **ocasión** · **opción** · **privilegio** · **posibilidad** || **éxito** · **victoria** · **triunfo** || **saliva** *No merece la pena malgastar más saliva en este asunto* · **línea** · **palabra** · **página** · **tinta** || **disparo** · **munición** · **cartuchera** · **bala** || **ventaja** · **punto**

mal gusto loc.sust.

● CON ADJS. **evidente** · **palpable** · **ostensible** · **obvio**

● CON SUSTS. **broma (de)** *Fue una broma de mal gusto, sin ninguna gracia* · **chiste (de)**

● CON VBOS. **tener** · **rezumar** *Aquel lugar rezumaba mal gusto por todos los rincones* · **rozar** · **bordear** · **alcanzar** || **ser (de)** · **parecer (de)** *Me parece de muy mal gusto lo que acabas de hacer*

● CON PREPS. **con**

malhumor s.m. Véase **mal humor**

mal humor loc.sust.

● CON ADJS. **permanente** *El jefe parece estar de un permanente mal humor* · **perpetuo** · **profundo** || **evidente** *Ha llegado esta mañana con síntomas de un evidente mal humor* || **arrogante**

● CON VBOS. **reinar** || **tener** · **mostrar** || **sobrellevar** *Llevamos años sobrellevando su mal humor* || **exhibir** · **expresar** || **provocar** · **generar** · **aumentar** || **disimular** *Estaba muy enfadada y no disimuló su mal humor* · **atenuar** || **endulzar** || **estar (de)** *¿Por qué estás de tan mal humor?* · **hacer gala (de)** · **poner(se) (de)**

● CON PREPS. **con**

malhumorado, da adj.

● CON SUSTS. ***persona*** *Mi vecino es un hombre pesimista y malhumorado* || **tono** · **crítica** · **mueca** · **voz** || **cara** · **rostro** · **semblante** · **aspecto**

● CON ADVS. **visiblemente** · **claramente** · **habitualmente**

● CON VBOS. **ser** *Era malhumorado y contestón* · **estar** · **poner(se)** · **volver(se)** || **decir** · **contestar** · **gritar** · **comentar** · **responder** *Respondía siempre malhumorada y con monosílabos* || **sentirse** · **mostrarse**

maliciosamente adv.

● CON VBOS. **confundir** · **manipular** · **omitir** · **tergiversar** || **retardar** · **aplazar** · **dilatar** · **paralizar** · **dificultar** || **encubrir** · **ocultar** *Nos ocultó maliciosamente la noticia* || **preguntar** *El periodista le preguntó maliciosamente si tenía pensado dejar la política* · **decir** · **llamar** · **pregonar** · **pedir** · **declarar** · **asegurar** · **comentar** · **contestar** · **sugerir** · **contar** · **apostillar** || **actuar** · **utilizar** · **ejercer** · **aprovechar** · **obrar** · **comportarse** *No es mala persona, pero alguna vez se comportó maliciosamente* || **sonreír** · **reír** · **mirar** || **interpretar** · **entender** · **pensar** · **cuestionar** · **traducir** · **calcular** · **identificar** || **inducir** · **alentar** · **animar** · **generar** · **motivar** · **propagar** · **transmitir** || **herir** || **atribuir** *Le atribuyen maliciosamente declaraciones que nunca hizo* · **involucrar** · **achacar**

maligno, na adj.

● CON SUSTS. **tumor** *Le van a extirpar un tumor maligno* · **célula** · **melanoma** · **cáncer** · **virus** · **enfermedad** · **dolor** · **quiste** || **espíritu** · **genio** · **ser** *Gritaba enfurecida como si la hubiera poseído un ser maligno* · **poder** · **fuerza** || **voluntad** · **pensamiento** || **semilla** · **fruto** · **efecto** · **influjo** *Todos cayeron bajo el influjo maligno de los conspiradores* || **transformación** · **variante**

● CON VBOS. **volverse** · **hacerse**

□ EXPRESIONES **el maligno** [el diablo]

malintencionado, da adj.

● CON SUSTS. ***persona*** *Son rumores de gente malintencionada* || **falsedad** · **calumnia** · **mentira** || **versión** · **rumor** · **comentario** *un comentario malintencionado y sin razón de ser* · **fuente** · **información** || **interpretación** · **tergiversación** · **manipulación** || **humor** · **broma** · **chiste** *Aunque se interprete como un chiste malintencionado...* · **ironía** · **sátira** · **crítica** || **actitud** · **práctica** || **acusación** · **juicio** · **condena** || **táctica** · **boicot**

malinterpretar v.

● CON SUSTS. **palabras** *El periodista pudo haber malinterpretado sus palabras* · **crítica** · **comentario** · **explicación** · **teoría** · **frase** · ***otras manifestaciones verbales o textuales*** || ***persona*** *Parece que la prensa ha malinterpretado al futbolista* || **movimiento** · **gesto** · **mirada** || **actuación** · **acto** · **decisión** · **orden** || **actitud** · **postura** · **comportamiento** *Han malinterpretado el comportamiento del entrenador con los jugadores* || **sentido** · **interpretación**

● CON ADVS. **intencionadamente** · **deliberadamente**

[malo, la] → mala conciencia; mala vida; malo, la; malos tratos

malo, la adj.

● CON ADVS. **terriblemente** · **condenadamente** *La película que vimos era condenadamente mala* · **sumamente** · **rematadamente** · **con ganas** · **a rabiar**

● CON VBOS. **ser** · **estar** · **poner(se)** · **volverse** · **hacerse**

● CON PREPS. **por** *Te quedas castigado por malo*

□ EXPRESIONES **a malas** [en actitud hostil] || **de malas** [con actitud poco complaciente] || **por las malas** [en contra de la voluntad de alguien]

malograr(se) v.

● CON SUSTS. **esfuerzo** · **empeño** · **energía** || **estreno** *Esperemos que no ocurra nada que malogre el estreno* · **viaje** · **reforma** · **reunión** · **exposición** · ***otros sucesos*** || **proyecto** *El recorte presupuestario malogró el proyecto* · **aspiración** · **propósito** · **objetivo** · **expectativa** · **esperanza** · **planteamiento** || **futuro** · **oportunidad** · **posibilidad** || **talento** · **capacidad** · **voz** · **inteligencia** || **carrera** *Se malogró su carrera por la falta de oportunidades* · **vida** · **trayectoria** || **victoria** · **resultado**

maloliente adj.

● CON SUSTS. **casa** · **ciudad** · **calle** · **suburbio** · ***otros lugares*** || **humo** *De la incineradora sale un humo maloliente* · **olor** · **ambiente** · **tufo** || **agua** · **charca** *El estanque se ha convertido en una charca maloliente* · **humedad** || **cloaca** · **alcantarilla** · **desagüe** · **pozo** || **restos** · **basura** · **desperdicio** · **sustancia** || **carroña** · **putrefacción** || ***persona***

malos tratos loc.sust. Véase **maltrato**

malparado, da adj.

● CON VBOS. **salir** *El equipo salió malparado en su último enfrentamiento contra el eterno rival* · **dejar** · **quedar**

malpensado, da adj.

● CON SUSTS. ***persona*** *No te preocupes, es una chica muy malpensada*

● CON VBOS. **volverse** *Últimamente te has vuelto bastante malpensado*

mal tiempo loc.sust.

● CON SUSTS. **racha (de)** · **ola (de)** *Se avecina una ola de mal tiempo* · **frente (de)**

● CON VBOS. **llegar** *Aquel año llegó pronto el mal tiempo* · **avecinarse** || **irse** · **remitir** · **amainar** · **disiparse** || **persistir** · **perdurar** · **durar** || **tener** *Tuvimos mal tiempo durante todas las vacaciones* || **anunciar** · **predecir** || **desafiar (a)** || **atribuir (a)**

maltratar v.

● CON ADVS. **violentamente** · **duramente** · **cruelmente** · **sin piedad** *Ese artista siempre ha sido maltratado sin piedad por la prensa* · **sin compasión** · **despiadadamente** · **atrozmente** · **injustamente** · **a conciencia** || **físicamente** · **psicológicamente** · **psíquicamente** || **verbalmente** · **de palabra y obra** || **impunemente** · **descaradamente**

maltrato s.m.

● CON ADJS. **físico** · **corporal** · **psíquico** · **psicológico** · **emocional** *la educación para acabar con el maltrato emo-*

cional a las mujeres · **verbal** · **sexual** · **de palabra y obra** || **social** · **familiar** · **doméstico** · **conyugal** · **marital** · **paterno** · **materno** · **intrafamiliar** || **infantil** || **habitual** · **ocasional** · **persistente** · **reiterado** · **evidente** · **impune** || **sometido,da (a)**

● CON SUSTS. **objeto (de)** · **víctima (de)** *una asociación que ayuda a víctimas del maltrato familiar* || **signo (de)** · **indicio (de)** · **muestra (de)** || **caso (de)** *Los vecinos han denunciado un nuevo caso de maltrato a animales* · **delito (de)** · **situación (de)** · **riesgo (de)** · **acusación (de)** · **noticia (de)** · **denuncia (por/de)** || **culpable (de)** · **responsable (de)**

● CON VBOS. **salir a la luz** || **sufrir** · **recibir** · **padecer** || **infligir** *El maltrato que está infligiendo la crítica a...* || **suponer** || **denunciar** · **perseguir** · **combatir** · **evitar** · **prevenir** · **castigar** · **sancionar**

☐ USO Se usa también la variante *malos tratos*.

maltrecho, cha adj.

● CON SUSTS. **paciente** · **víctima** · **familia** · ***otros individuos y grupos humanos*** || **vida** · **orgullo** · **autoestima** · **ánimo** · **salud** || **popularidad** · **imagen** · **reputación** || **relación** · **matrimonio** || **espalda** *Tenía la espalda maltrecha de estar todo el día frente al ordenador* · **rodilla** · **corazón** · ***otras partes del cuerpo*** || **economía** · **industria** · **sector** || **ciudad** · **país** · **pueblo** || **patrimonio** · **cuenta** · **edificio**

● CON ADVS. **absolutamente** · **totalmente** · **completamente** || **gravemente** · **seriamente** *La guerra dejó el país seriamente maltrecho*

● CON VBOS. **estar** · **quedar** · **dejar** *una crisis que ha dejado maltrecha nuestra empresa* · **acabar** · **salir**

malva

1 **malva** adj./s.m. Véase **COLOR**

2 **malva** s.f.

● CON ADJS. **loca** · **real**

● CON SUSTS. **campo (de)** || **flor (de)** *La flor de la malva tiene varias tonalidades*

● CON VBOS. **marchitar(se)** *Aunque seguí tus indicaciones, la malva se marchitó* · **ajar(se)** || **florecer** || **abonar** · **regar** · **trasplantar**

☐ EXPRESIONES **criar malvas** [estar muerto y enterrado] *col.*

malversar v.

● CON SUSTS. **dinero** *Fue condenada por malversar dinero público* · **caudal** · **capital** · **fondo** · **subvención** || **bienes** · **patrimonio** || ***cantidad económica*** *Lo acusaron de malversar varios millones*

mamar v.

● CON ADVS. **vorazmente** · **compulsivamente** · **ávidamente** · **con ansia** || **lentamente**

● CON VBOS. **dar (de)** *En el parque había varias mujeres dando de mamar a sus hijos*

mamarracho s.m. *col.*

● CON VBOS. **llamar (a alguien)** || **calificar (de)** · **tachar (de)** *En una dura conferencia de prensa en la que acabó tachando de mamarrachos a todos los que...*

mamporro s.m. *col.* Véase **GOLPE**

[manada] → en manada; manada

manada

1 **manada** s.f.

● CON ADJS. **numerosa** · **enorme** || **reducida** · **pequeña**

● CON VBOS. **agruparse (en)** · **vivir (en)** *Estos animales suelen vivir en manadas de más de cien miembros* || **salir (en)** · **ir (en)**

2 **manada (de)** s.f.

● CON SUSTS. **elefantes,tas** *Las manadas de elefantes más grandes se encuentran en...* · **toros** · **lobos,bas** · ***otros animales***

manar v.

● CON SUSTS. **sangre** *manar sangre de la herida* · **agua** · ***otros líquidos***

● CON ADVS. **fluidamente** · **a chorros** · **a borbotones** || **sin parar** · **profusamente** · **inconteniblemente**

[mancha] → como una mancha de aceite; mancha

mancha s.f.

● CON ADJS. **leve** · **pequeña** || **grave** · **seria** || **familiar** · **en el {expediente/currículo/historial...}** *Aquella mala nota fue una mancha en mi expediente* || **indeleble** · **perdurable** · **imborrable** · **pertinaz** · **persistente** · **recalcitrante** || **tóxica** · **negra** || **limpio,pia (de)** · **lleno,na (de)**

● CON VBOS. **disolver(se)** *Con este producto se disuelven muy bien las manchas* · **irse** || **quedar** · **persistir** · **saltar** || **caer (a alguien)** || **echar(se)** || **lavar** · **frotar** *Como no frotes bien la mancha, no se te va a quitar* · **limpiar** · **borrar** · **quitar** || **llenar(se) (de)**

manchar v.

● CON SUSTS. **camisa** *Me he manchado la camisa con aceite* · **zapato** · **corbata** · ***otras prendas de vestir*** || **tapicería** · **sábana** · ***otros tejidos*** || **ciudad** · **calle** · **suelo** · **pared** · ***otros lugares*** || **manos** *En tu lugar, no me mancharía las manos con un asunto tan delicado* · **cara** · **piel** || **puerta** · **maleta** · **papel** · ***otras cosas materiales*** || **imagen** · **nombre** · **apellido** · **reputación** · **honor** · **prestigio** · **dignidad** · **credibilidad** · **fama** || **historial** · **trayectoria** · **expediente** · **carrera** *No iba a permitir que nada manchara su exitosa carrera artística* · **actuación** || **pasado** · **historia** · **memoria**

mancomunar v.

● CON SUSTS. **esfuerzos** *Hay que mancomunar esfuerzos para proteger el derecho a la vida* · **trabajo** || **necesidad** · **abastecimiento** · **servicios** · **votos** || **municipio** · **gobierno**

mandado s.m.

● CON VBOS. **hacer** || **ir (a)** · **salir (a)** *Mi hijo ha salido un momento a un mandado*

mandamiento s.m.

● CON ADJS. **judicial** *La Policía ha solicitado un mandamiento judicial para registrar la vivienda* · **legal** · **constitucional** || **religioso** · **eclesiástico** · **divino** · **bíblico** || **nuevo** · **gran** · **único**

● CON VBOS. **regir (algo)** · **ordenar (algo)** || **cumplir** · **acatar** · **observar** · **seguir** · **obedecer** · **vivir** || **desobedecer** · **incumplir** *No era el cuarto mandamiento el único que había incumplido* · **saltarse** · **vulnerar** · **contravenir** · **quebrantar** · **transgredir** · **desafiar** || **establecer** · **inculcar (a alguien)** · **recibir** *Ha recibido un nuevo mandamiento judicial* · **emitir** · **presentar** || **regirse (por)** · **atenerse (a)**

mandar v.

▮ [imponer, exigir]

• CON ADVS. **autoritariamente · con autoridad · con mano firme · con mano de hierro · con mano férrea · con firmeza · con decisión || eficientemente · eficazmente || con malos modos · a gritos · a voces · a voz en grito || valientemente**

▮ [enviar, remitir]

• CON SUSTS. **notificación · documento · instancia · solicitud || carta · tarjeta postal · correo electrónico · fax · telegrama · mensaje** *Le mandaré un mensaje para ver si puede quedar mañana* · **nota · anónimo · paquete || confirmación · acuse de recibo**

• CON ADVS. **por carta · por correo ordinario · por correo urgente || por fax · por correo electrónico** *Será más rápido si lo mandas por fax o por correo electrónico* || **por avión · urgentemente || a vuelta de correo**

mandarina s.f.

• CON ADJS. **verde · madura · pasada · podrida || dulce · ácida** *¡Me has dado una mandarina muy ácida!* || **sabrosa · apetitosa · jugosa · seca**

• CON SUSTS. **cosecha (de) · recogida (de) · producción (de) || gajo (de) · pepita (de) · cáscara (de) || zumo (de) · jugo (de)**

• CON VBOS. **madurar · pudrir(se) · estropear(se) || gustar (a alguien) · apetecer (a alguien) || cultivar · recoger · coger || producir · comercializar · exportar || mondar · pelar · licuar || saborear**

mandato s.m.

▮ [orden]

• CON ADJS. **explícito · expreso** *Es ilegal salvo que se haga por mandato expreso de la ONU* || **categórico · firme · taxativo · tajante · imperativo · preceptivo · inapelable · irrevocable · terminante || presidencial · real · estatal · gubernamental · judicial · legal · fiscal · constitucional · popular** *cumplir el mandato popular* · **democrático || religioso · divino · apostólico**

• CON VBOS. **emanar (de alguien) · recaer (en alguien) || acatar · obedecer · cumplir · aceptar** *Nunca aceptó de buen grado los mandatos de sus superiores* · **asumir · seguir · culminar · ejecutar · dirimir || quebrantar · vulnerar · desobedecer** *Fueron castigados por desobedecer los mandatos divinos* · **incumplir · desoír · infringir · romper || revocar || plegarse (a)**

▮ [período, tiempo]

• CON ADJS. **largo · dilatado || nuevo** *Fue elegido para un nuevo mandato* · **breve || fructífero · estéril**

• CON VBOS. **agotar(se)** *Cuando se agotó su mandato, la ministra...* · **expirar · extinguir(se) · revalidar · saltarse · vencer || acortar · acotar · prorrogar**

[mandíbula] → a mandíbula batiente; mandíbula

mandíbula s.f.

• CON ADJS. **superior · inferior || afilada · prominente || inflamada · hinchada**

• CON SUSTS. **hueso (de) · articulación (de) || dolor (de) · inflamación (de)**

• CON VBOS. **apretar** *El corredor apretaba las mandíbulas por el esfuerzo*

mando s.m.

▮ [autoridad, poder]

• CON ADJS. **férreo · firme || absoluto** *El nuevo director adjunto tendrá el mando absoluto* || **efectivo || regional · local · aliado**

• CON SUSTS. **bastón (de) · vara (de) · puesto (de) || dotes (de) · capacidad (de) · don (de) || cadena (de) · estructura (de) · línea (de) · cambio (de) || poder (de) · voz (de)**

• CON VBOS. **tener · mantener · tomar · retomar · coger · asumir** *¿Sabes quién acaba de asumir el mando?* · **ejercer · ostentar · imponer · empuñar · llevar || entregar · dar · recibir · recuperar · recobrar · devolver · heredar || arrebatar · quitar · perder · delegar · ceder || consolidar || quedar (a) · seguir (a) · continuar (a) · estar (a) · ponerse (a) · hacerse (con) || acceder (a) · llegar (a) || relevar (de)** *Ha sido relevado del mando por el comandante de la división* · **destituir (de)**

▮ [persona]

• CON ADJS. **policial · militar · logístico · guerrillero · terrorista || supremo · máximo · superior · alto · intermedio · bajo · inferior || principal** *Tras reunirse con los principales mandos del grupo...* · **importante || inflexible · prepotente · corrupto · indulgente · flexible · laxo**

• CON VBOS. **dirigir (algo) · coordinar (algo) · ordenar (algo) · decidir (algo) || comunicar (algo) · informar (de algo) || convencer · obedecer** *Siempre obedece a sus mandos* · **desobedecer || apresar · capturar · castigar · culpar** *Culpan a los mandos policiales de lo sucedido en...* · **acusar || relevar · apartar · incorporar || reunir(se) (con) · dialogar (con) · entrevistar(se) (con) || rebelarse (contra)** *...después de que la tropa se rebelara contra los mandos superiores* · **sublevarse (contra)**

▮ [dispositivo]

• CON ADJS. **del televisor** *En su casa siempre discuten por el mando del televisor* · **a distancia · eléctrico · electrónico**

• CON SUSTS. **timón (de) · centro (de) · sala (de) · cabina (de) · cuadro (de) · tablero (de) · panel (de) · sistema (de) || manual (de)**

• CON VBOS. **pulsar · accionar · manipular || apoderarse (de) || zapear (con)**

□ EXPRESIONES **al mando** (de algo) [con poder o jurisdicción] *Un capitán suele estar al mando de una compañía*

mandolina s.f.

• CON VBOS. **pulsar**

➤ Véase también **INSTRUMENTO MUSICAL**

mandón, -a adj. *col.*

• CON SUSTS. **jefe,fa · responsable · encargado,da** *Tiene fama de ser un encargado mandón* · **padre · madre** · ***otros individuos*** || **carácter · actitud** *No me gusta cuando adoptas esa actitud mandona*

• CON VBOS. **volverse**

manejar v.

• CON SUSTS. **pistola · destornillador · cuchillo · pieza** · ***otras armas o herramientas*** || **cámara** *manejar una cámara de vídeo* · **freidora · vitrocerámica** · ***otros aparatos o máquinas*** || **información · resultado · dato · cuenta || situación** *Es ella la que maneja la situación, no él* · **trama · hilo · entresijo · asunto**

• CON ADVS. **con astucia · astutamente · con pericia · hábilmente · con soltura · a las mil maravillas · con fluidez · con firmeza** *La ministra manejaba con firmeza los asuntos económicos del país* · **competentemente || prudentemente · con prudencia** *información confidencial que hay que manejar con prudencia* · **con cautela · con cuidado · discretamente || ordenadamente · adecuadamente · correctamente · incorrectamente || en ex-**

clusiva *El futbolista deja que sea su representante quien maneje sus asuntos en exclusiva*

manejo s.m.

• CON ADJS. **complicado · difícil** *Es una máquina de difícil manejo* · **sencillo · fácil || diestro · competente · eficiente · eficaz · efectivo · hábil** *Demostró un hábil manejo de nuestro idioma* · **racional · adecuado || discrecional · arbitrario · irregular · inexacto || abusivo · incontrolado · irresponsable**

• CON VBOS. **practicar || especializar(se) (en) · ejercitar(se) (en) · adiestrar(se) (en)**

[manga] → bajo manga; manga ancha

manga ancha loc.sust.

• CON ADJS. **suficiente · considerable · demasiada || insuficiente · escasa**

• CON VBOS. **tener** *La ley finalmente aprobada tiene tanta manga ancha que...* · **dejar · demostrar · tolerar || dar (a alguien)**

mangonear v. *col.*

• CON SUSTS. **país** *La oposición lo acusa de haber mangoneado al país* · **vida · espectáculo · leyes · votos · partido · publicidad · institución · sociedad · ciudadanos,nas || dinero**

• CON ADVS. **a {mi/tu/su...} antojo · sin pudor · excesivamente**

□ USO Alterna los complementos directos (*Solo perseguía mangonear la empresa*) con los complementos encabezados por las preposiciones *en* y *sobre* (*Lo que quiero es que dejes de mangonear en mi vida*).

manía s.f.

• CON ADJS. **extravagante · estrambótica · excéntrica · peculiar · insólita · extraña** *Tiene la extraña manía de...* · **rara · curiosa || asentada · extendida · arraigada · obstinada · continua · pertinaz · incorregible || enfermiza · obsesiva · persistente || persecutoria · peligrosa · funesta || inofensiva · inocente || vieja · antigua · nueva**

• CON VBOS. **entrar (a alguien)** *Últimamente le han entrado un montón de manías* · **dar (a alguien) · venir (a alguien) || quitárse(le) (a alguien) · írse(le) (a alguien) || extender(se) || abolir · erradicar · desterrar · corregir** *Tienes que corregir esa manía que te ha dado ahora de morderte las uñas* · **superar · vencer · combatir || adquirir · coger · tener · presentar · sufrir || cortar (con)**

manido, da adj.

• CON SUSTS. **texto · discurso · mensaje · explicación || palabra · término · vocablo || tópico · estereotipo · patrón · cliché · etiqueta · mito || frase** *Es una frase muy manida* · **refrán · dicho · expresión · cita · aforismo · afirmación · aseveración · chiste · muletilla · lema || recurso · fórmula** *La novela explota la manida fórmula del triángulo amoroso* · **táctica · solución · truco · estilo · técnica · estrategia || historia · sermón · digresión · cantinela || discusión · polémica** *No quiero entrar en esta vieja y manida polémica* · **diálogo · debate || excusa · pregunta · crítica · amenaza · respuesta || concepto · tesis · argumento · ejemplo · idea · teoría** *Sostiene una teoría manida y anticuada* · **hipótesis · reflexión · principio || impresionismo · naturalismo · maniqueísmo · prosaísmo ·** ***otras tendencias o movimientos***

• CON VBOS. **estar**

manifestación

1 manifestación s.f.

▌[concentración pública]

• CON ADJS. **a favor** *una manifestación a favor de la sanidad pública* · **en contra || pública · masiva · multitudinaria** *El sindicato organizó ayer una multitudinaria manifestación en contra de...* · **popular || pacífica · violenta · beligerante · silenciosa || legal · ilegal**

• CON VBOS. **tener lugar || hacer · disolver(se) · reventar · convocar · desconvocar · organizar · celebrar || encabezar · secundar · apoyar || asistir (a) · acudir (a) · participar (en)** *Quienes participaron en la manifestación aseguran que...*

▌[muestra, testimonio]

• CON ADJS. **a favor · en contra || contundente · efusiva · enérgica** *Hizo una enérgica manifestación de repudio a cualquier acto de terrorismo* · **firme · estridente || pública · clara · flagrante · fehaciente · indudable · inequívoca · patente || tibia · de compromiso**

• CON VBOS. **recrudecer(se) || acallar** *Nada pudo acallar las manifestaciones de dolor ante la tragedia* · **reventar || desdecirse (de)** *Se desdijo de las manifestaciones hechas en días anteriores* · **disentir (de) · salir al paso (de)**

2 manifestación (de) s.f.

• CON SUSTS. **amor · fidelidad** *una clara manifestación de fidelidad hacia ti* · **odio · alegría · cariño · afecto ·** ***otros sentimientos o emociones*** **|| generosidad · prudencia · comprensión · humor · ingenio · talento ·** ***otras cualidades*** **|| arrogancia · bravuconería · chulería · mal gusto · chabacanería || dolor · pena · duelo** *Su entierro fue una gran manifestación de duelo* · **luto || alma · espíritu · identidad · carácter || libertad · autonomía · soberanía || realismo · humanismo · nacionalismo · cosmopolitismo · racismo ·** ***otras tendencias*** **|| dolencia · debilidad · anemia · síndrome · enfermedad · síntoma || violencia · crisis** *El resultado de las elecciones es una manifestación de la crisis del partido* · **hostilidad · peligro · oposición · lucha · problema · conflicto · división || cambio · alteración · deterioro · degeneración · corrupción || apoyo · colaboración · respaldo** *Fue una explícita manifestación de respaldo al presidente* · **solidaridad · unidad · unanimidad · adhesión · sostén · homenaje || voluntad · intención · deseo · anhelo · empeño · interés** *¿Hubo alguna manifestación de interés en el negocio?* · **apetencia · ambición · vocación · esperanza || fuerza · poder · poderío · fortaleza · firmeza** *La destitución de la cúpula militar ha sido una inequívoca manifestación de firmeza* · **energía · tensión · presión || garantía · seguridad · confianza**

manifestar(se) v.

• CON SUSTS. **trabajadores,ras** *Ayer se manifestaron los trabajadores para pedir una mejora de las condiciones* · **afectados,das · estudiantes · ciudadanía · población ·** ***otros individuos y grupos humanos***

• CON ADVS. **en apoyo (de algo) · a favor · en contra** *manifestarse en contra de una propuesta* **|| abiertamente · inequívocamente · crudamente · literalmente · sin rodeo(s) · sin tapujos** *Los políticos manifestaron sin tapujos cuáles eran sus ideas al respecto* · **claramente · con claridad · nítidamente · sin ambages || con cautela** *En aquella época era necesario manifestarse con cautela* **|| terminantemente · rotundamente · con rotundidad · categóricamente · decididamente · abruptamente · activamente · de (todo) corazón · espontáneamente || en masa** *La gente acudió a manifestarse en masa* · **masivamente · al unísono · progresivamente || verbalmente ·**

silenciosamente || pacíficamente · violentamente · con violencia

manifiestamente adv.

• CON VBOS. **aumentar · crecer · mejorar · ascender · superar || carecer** *La familia carecía manifiestamente de medios económicos* · **adolecer · mantenerse · quedarse || mostrar · revelar · clarificar · percibir · aparecer · descubrir · expresar || referir · aludir** *El periódico alude manifiestamente a las declaraciones hechas por...* · **señalar || degradar · despreciar · violar · cometer || incumplir** *Los países que incumplan manifiestamente la normativa serán sancionados* · **conculcar · interferir · imposibilitar · contradecir · protestar · diferir · cuestionar · acallar || dar · ceder · compartir · confiar · apoyar**

• CON ADJS. **mejorable** *El proyecto es manifiestamente mejorable* · **injusto,ta · insuficiente**

manifiesto, ta

1 **manifiesto, ta** adj.

• CON SUSTS. **inseguridad · dificultad** *El proyecto presenta una dificultad manifiesta* · **oposición || orientación · intención** *Tengo la intención manifiesta de solucionar este problema* · **sentido · acuerdo || verdad · mentira** *No sé cómo puede seguir negando esta mentira manifiesta* · **engaño**

• CON VBOS. **hacerse** *...y en ese momento se hizo manifiesta su incapacidad para...*

2 **manifiesto** s.m.

• CON ADJS. **claro · rotundo** *¿Qué te pareció el rotundo manifiesto publicado ayer?* · **inequívoco || en contra (de algo) · a favor (de algo) || encendido**

• CON VBOS. **publicar** *Se acaba de publicar un manifiesto a favor de...* · **leer · presentar · emitir · firmar || apoyar · suscribir · rechazar || adherirse (a)** *Todos los escritores de su generación se adhirieron al manifiesto*

maniobra s.f.

• CON ADJS. **envolvente · de aproximación || solapada · sutil · encubierta · soterrada · subrepticia · oculta · en la oscuridad · en la sombra · descarada || burda · tosca || arriesgada · audaz · peligrosa · aventurada · difícil || disuasoria · brusca** *El piloto realizó una maniobra brusca para no chocar con...* || **torticera · ventajista · dilatoria || ingeniosa · astuta · artera · efectiva · exitosa · inútil || política · militar · electoral · publicitaria · propagandística · estratégica**

• CON VBOS. **constar (de algo) · consistir (en algo) || fraguar(se) · surtir efecto · tener éxito · fracasar || realizar · acometer · efectuar · ejecutar · concluir · llevar a cabo · llevar adelante · poner en marcha || tramar · urdir · maquinar** *Estuvimos maquinando una arriesgada maniobra para...* · **planear · ensayar · preparar || obstaculizar · abortar · desbaratar · anular · contrarrestar · impedir || {quedar/dejar} al descubierto** *Aquellas declaraciones dejaron al descubierto su astuta maniobra* · **evidenciar · descubrir · desvelar**

manipulación s.f.

• CON ADJS. **histórica · ideológica · electoral · comercial · informática · política · psicológica · sentimental · documental || informativa · periodística · mediática || genética** *un debate abierto en torno a la manipulación genética* · **mecánica · química · biológica || burda · interesada** *Nadie dio crédito a lo que parecía una manipulación interesada de los hechos* · **escandalosa || incorrecta · errónea · ilegal · inmoral · intolerable || evidente** *El clamor fue unánime ante la evidente manipulación del resultado* · **hipotética || sistemática · continua · pertinaz**

• CON SUSTS. **forma (de)** *No pienso ceder a esa forma de manipulación* · **técnica (de) · arte (de) || rumor (de) · sospecha (de) || intento (de) · proceso (de) || objeto (de)**

• CON VBOS. **salir a la luz || descubrir · destapar || disimular · tapar || llevar a cabo · realizar** *Los artificieros realizaron la manipulación del explosivo* · **lograr · conseguir || evitar · denunciar || controlar** *controlar la manipulación de alimentos* · **utilizar · facilitar || acusar (de) · sospechar (de) || dedicar(se) (a)**

manipular v.

▮ [manejar]

• CON SUSTS. **fruta · carne ·** ***otros alimentos*** **|| radio** *Te va a dar un calambre como manipules la radio con las manos húmedas* · **máquina ·** ***otros aparatos***

• CON ADVS. **a las mil maravillas · con pericia · con soltura** *Manipula los pinceles con mucha soltura* · **hábilmente** *¿Cómo aprendiste a manipular tan hábilmente ese aparato?* **|| con cautela · con cuidado**

▮ [tergiversar]

• CON SUSTS. **información · dato** *Hay rumores de que han manipulado los datos* · **grabación · prueba || resultado · cuenta || imagen · memoria || hilo · entresijo || intención · conciencia**

• CON ADVS. **encubiertamente · a escondidas · en la sombra · descaradamente** *Los datos de la estadística fueron manipulados descaradamente* · **sutilmente · ocultamente · soterradamente || maliciosamente · astutamente · con astucia · arteramente || a conciencia || abusivamente**

maniqueamente adv.

• CON VBOS. **dividir** *Los personajes de esta obra de teatro se dividen maniqueamente en buenos y malos* · **separar · diferenciar · distinguir || interpretar || simplificar · reducir**

maniqueo, a adj.

• CON SUSTS. **visión · percepción · imagen** *Tiene una imagen de la vida totalmente maniquea* · **concepción · concepto · término · pensamiento · postura** *Me parece que es una postura simple y maniquea* · **principio · interpretación · solución** *La solución que has adoptado es demasiado maniquea* · **presentación || planteamiento · análisis · esquema || dilema · debate · argumento · discurso || distinción · división · clasificación · distribución · separación || lucha · enfrentamiento · oposición || simplismo · simplificación · esquematismo || libro · película · texto || tentación · trampa || dicotomía · dualidad** *La dualidad maniquea está representada por los dos protagonistas*

manjar s.m.

• CON ADJS. **selecto** *Los manjares más selectos de esa región son...* · **celestial · de dioses · preciado · apreciado || exquisito · delicioso · sabroso · suculento · apetitoso**

• CON VBOS. **catar · probar** *¿Has probado alguna vez manjares como estos?* · **degustar · saborear · paladear || disfrutar (de) · dar buena cuenta (de)**

[mano]

→ a mano alzada; a mano armada; a manos llenas; apretón de manos; como la palma de la mano; con la mano en el corazón; con las manos en la masa; con mano de hierro; con mano dura; con mano firme; con mano izquierda; de mano; de mano en mano; de primera mano; en mano; mano; mano a mano; mano sobre mano

mano

1 **mano** s.f.

▌[parte del cuerpo]

● CON ADJS. **robusta · ruda · fuerte · recia · amplia || estilizada** *un pianista de manos estilizadas* · **esbelta · delicada · candorosa · temblorosa · suave · tierna || tersa · áspera · encallecida · callosa · curtida · enjuta · huesuda · descarnada || agarrotada · entumecida || sucia · limpia || juntas · separadas || de hierro · férrea || amiga** *Lo que necesitaba en aquel momento de dolor era una mano amiga* · **protectora · solidaria · generosa · experta || larga** *Su larga mano llegaba a todos los centros de poder* · **traicionera · asesina · siniestra || encubierta · oculta · negra || atado,da (de)**

● CON SUSTS. **dedo (de) || palma (de) || movimiento (de)**

● CON VBOS. **temblar** *Le tiemblan las manos siempre que escribe en la pizarra* · **agarrotarse || tender · extender · alargar · ofrecer · dar (a alguien)** *Se dieron cortésmente la mano para despedirse* · **estrechar · apretar · retirar || abrir · cerrar · mover || levantar (a alguien) || alzar || estampar || abarcar (con)**

● CON PREPS. **con**

▌[lance en un juego]

● CON ADJS. **de cartas · de ajedrez · de dominó**

● CON VBOS. **jugar · echar** *A ver si quedamos para echar unas manos al mus* **|| ganar · perder**

▌[capa de una sustancia]

● CON VBOS. **faltar · hacer falta || dar · echar · pasar · aplicar || necesitar** *Este parqué necesita una mano de barniz* · **tener**

2 **mano (de)** s.f.

● CON SUSTS. **pintura** *Le he tenido que dar tres manos de pintura a la mesa* · **cal · yeso · cera · barniz · disolvente**

☐ EXPRESIONES **abrir la mano** [condescender] **|| a mano** [manualmente] *lavar a mano* **|| buena mano** (para algo) [destreza, habilidad para ello] **|| con la mano en el corazón*** [con sinceridad] **|| con las manos en la masa*** [en plena realización de algo] *col.* **|| con las manos vacías** [sin lograr lo que se pretendía] **|| con una mano delante y otra detrás** [sin poseer nada] *col.* **|| de la mano** [cogido por ella] *caminar de la mano* **|| de segunda mano** [ya estrenado] **|| echar mano** (a algo) [acudir a ello] **|| echar una mano** [ayudar] *col.* **|| en buenas manos** [bajo la responsabilidad de alguien fiable] **|| en mano*** [en persona] *entregar un paquete en mano* **|| estar** (algo) **en la mano** (de alguien) [depender de esa persona] **|| lavarse las manos** [desentenderse de un asunto] **|| llegar a las manos** [pelearse] **|| mano a mano*** [conjuntamente] **|| mano de obra** [trabajo manual] **|| mano derecha** (de alguien) [persona de su mayor confianza] *El presidente acudió acompañado de su mano derecha* **|| mano izquierda** [habilidad diplomática, sutileza] *Hace falta mucha mano izquierda para negociar con esa gente* **|| mano sobre mano*** [sin hacer nada] **|| poner la mano en el fuego** (por algo) [garantizarlo] *col.* **|| tener** (algo) **entre manos** [tramarlo]

mano a mano loc.adv./loc.adj.

● CON VBOS. **actuar · construir · elaborar · realizar · trabajar** *Obreros municipales y arqueólogos regionales trabajaban mano a mano en el desenterramiento de...* · **establecer · participar || hablar · anunciar · exponer · comunicar · explicar · entrevistar · conversar · discutir · debatir || enfrentar(se) · torear · lidiar · luchar · competir · pelear** *Pelearon mano a mano por el primer puesto* · **disputar · jugar · medirse || verse · negociar · sentarse · cenar · almorzar**

● CON SUSTS. **debate · entrevista · conversación · discusión · negociación || combate · lucha · duelo · enfrentamiento** *Desde el enfrentamiento mano a mano que tuvieron ni se saludan* · **batalla · oposición || encuentro · almuerzo · despacho**

manojo (de) s.m.

● CON SUSTS. **espárragos · perejil · hierba · ajos · cebollas || rosas || llaves** *Dejo aquí el manojo de llaves* **|| ideas · imágenes · recuerdos · evidencias || poemas**

☐ EXPRESIONES **hecho un manojo de nervios** [muy nervioso] *col.*

☐ USO Se construye generalmente con sustantivos no contables en singular (*un manojo de perejil*) o con contables en plural (*un manojo de espárragos*).

mano sobre mano loc.adv.

● CON VBOS. **pasar (tiempo) · llevar · permanecer · esperar** *Llevamos dos horas esperando mano sobre mano a que nos llamen* **|| pensar**

manotear v.

● CON ADVS. **violentamente · bruscamente · fuertemente** *El bebé manoteaba fuertemente y salpicaba toda la papilla* · **enérgicamente || histriónicamente · exageradamente || generosamente**

[mansalva] →a mansalva

mansamente adv.

● CON VBOS. **llover** *Llueve mansamente sobre la ciudad* · **caer la lluvia · nevar · caer la nieve · fluir · deslizarse** *El río se desliza mansamente hacia el mar* **|| dormir · vagar · pacer || ir · moverse · andar · correr · acercarse || flotar** *El barco flotaba mansamente en la ensenada* · **mecer(se) || responder · asentir · admitir || llorar · gemir · sollozar || ofrecer · presentar || doblegarse · humillarse · lamer || llevar · conducir**

mansedumbre s.f.

● CON ADJS. **absoluta · total || acusada · insólita · virtuosa · aparente · ejemplar || engañosa** *la engañosa mansedumbre de la fiera* · **traidora · falsa || característica**

● CON VBOS. **demostrar · mostrar · acentuar · mantener · poner · contagiar || caracterizar(se) (por)**

● CON PREPS. **con · sin**

manso, sa adj.

● CON SUSTS. **toro** *En la pradera había varios toros mansos* · **novillo,lla · res · *otros animales* || *persona*** *Es un chico manso, dócil y...* **|| agua · lluvia || carácter** *Tiene un carácter manso y apacible*

● CON VBOS. **volverse**

[manta] →a manta; manta

manta s.f.

● CON ADJS. **eléctrica · térmica · de lana || de viaje** *Me han regalado una práctica manta de viaje*

● CON VBOS. **poner · colocar · extender || doblar · sacudir || tapar(se) (con) · arrebujarse (bajo) · arropar(se) (con)** *Arropaba a su hijo con una manta de lana* · **cubrir(se) (con) · envolver(se) (en/con)**

● CON PREPS. **bajo · debajo (de)**

☐ EXPRESIONES **liarse la manta a la cabeza** [decidirse a hacer algo de cierta importancia] *col.* **|| tirar de la manta** [descubrir lo que se trataba de ocultar] *col.*

mantear v.

• CON SUSTS. **persona** *Los chicos mantearon a su compañero el día de su cumpleaños*
• CON ADVS. **públicamente** || **bruscamente** · **violentamente**

mantener(se) v.

• CON ADJS. **joven** · **sano,na** · **vivo,va** || **caliente** *Deja la comida en el horno, así se mantiene caliente* || **alerta** · **atento,ta** *Los estudiantes se mantuvieron atentos toda la clase* · **interesado,da** · **intrigado,da** · **despierto,ta** · **expectante** · **activo,va** || **impasible** · **impertérrito,ta** *Fue el único que se mantuvo impertérrito en medio de aquel caos* · **quieto,ta** · **erguido,da** · **firme** || **intacto,ta** *mantener intacta una tradición* · **limpio,pia** || **alejado,da** · **fiel** · **leal**
• CON ADVS. **en (buenas) condiciones** *mantenerse en buenas condiciones físicas* · **en forma** || **desahogadamente** · **dignamente** || **a duras penas** · **a trancas y barrancas** || **en funcionamiento** · **en marcha** · **de pie** *Después de una noche entera sin dormir, a duras penas lograba mantenerme de pie* || **a la baja** · **al alza** · **a la cabeza** *El corredor italiano se mantuvo a la cabeza* · **en primera línea** · **en {mi/tu/su...} puesto** · **al pie del cañón** || **eternamente** · **temporalmente** *El servicio de comedor se mantendrá temporalmente* || **contra viento y marea** · **a capa y espada** · **a toda costa** · **a rajatabla** · **a ultranza** · **a todo trance** · **con firmeza** · **férreamente** · **firmemente** · **heroicamente** · **en {mis/tus/sus...} trece** *Le han presentado infinidad de argumentos en contra, pero él se mantiene en sus trece* || **a buen recaudo** · **bajo llave** · **a salvo** · **en secreto** *La relación se mantuvo en secreto hasta el último momento* · **en custodia** || **a distancia** *Me mantengo a distancia para evitar problemas* · **lejos** · **al margen** · **a raya** *El equipo mantuvo a raya a su oponente* || **punto por punto** · **plenamente** · **a grandes líneas** · **en líneas generales** || **a la espera** · **en tensión** · **en vilo** · **a la contra**

mantenimiento s.m.

• CON ADJS. **constante** · **regular** *Una empresa se ocupa del mantenimiento regular de las instalaciones* · **preventivo** || **adecuado** · **efectivo**
• CON SUSTS. **ejercicio (de)** · **labor (de)** · **obra (de)** || **servicio (de)** · **jefe,fa (de)** || **gastos (de)**
• CON VBOS. **controlar** · **vigilar** || **necesitar** *La nueva maquinaria no necesita mantenimiento* · **requerir** || **encargarse (de)** · **ocuparse (de)** · **hacerse cargo (de)** · **estar a cargo (de)** · **velar (por)** *una medida para velar por el mantenimiento de la paz*

[mantilla] → en mantillas; mantilla

mantilla s.f.

• CON ADJS. **tradicional** *Las mujeres de la procesión iban ataviadas con la tradicional mantilla* · **clásica** · **elegante** · **sencilla** || **apropiada** · **adecuada** || **tocado,da (con)** *Asistió al entierro tocada con mantilla negra*
• CON VBOS. **quedar {bien/mal}** · **sentar {bien/mal}** || **poner(se)** · **probar(se)** · **colocar(se)** · **quitar(se)** · **arreglar(se)(se)** || **llevar** · **usar** · **vestir** · **lucir** *La madrina lucía mantilla y vestido negro*
☐ EXPRESIONES **en mantillas*** [en un estadio muy preliminar] *col.*

mantón s.m.

• CON ADJS. **elegante** · **bordado** · **de seda** · **antiguo** · **típico** · **tradicional** *En la verbena las mujeres vestían el tradicional mantón* || **de Manila**

manual

1 manual adj.

▮ [que se realiza con las manos]

• CON SUSTS. **trabajo** *Los alumnos van a realizar varios trabajos manuales* · **arte** · **oficio** · **actividad** || **instalación** · **montaje** *instrucciones para el montaje manual de la estantería* || **recuento** · **escrutinio** · **cuenta** · **conteo** · **control** · **calculadora** || **limpieza** · **lavado** || **caja de cambios** || **trabajador,-a** · **comprador,-a** || **forma** · **habilidad** *Para esta actividad se requiere una gran habilidad manual* || **método** · **sistema** · **procedimiento**

2 manual s.m.

▮ [libro]

• CON ADJS. **de instrucciones** · **de conducción** · **de supervivencia** *Jamás pensé que llegaría a utilizar el manual de supervivencia* · **de operaciones** · **de educación** · **escolar** · **universitario** · **de estilo** · **de consulta** || **buen(o)** · **célebre** · **famoso** · **completo** · **al uso** *Para resolver este ejercicio se puede consultar cualquier manual al uso* || **práctico** · **claro** · **útil** || **confuso** · **farragoso** · **inútil**
• CON VBOS. **leer** · **consultar** || **editar** · **escribir**

manuscrito, ta

1 manuscrito, ta adj.

• CON SUSTS. **nota** · **anotación** · **carta** *Recibió una carta manuscrita de su padre* · **crónica** · **documento** · **obra** · **poema** · **cuento** · ***otros textos*** || **tradición**
• CON VBOS. **estar**

2 manuscrito s.m.

• CON ADJS. **inédito** · **original** · **autógrafo** || **inacabado** || **único** · **cotizado** · **famoso**
• CON SUSTS. **autor,-a (de)** || **contenido (de)** · **anotación (de)** || **transmisión (de)** · **copia (de)** *Esta copia del manuscrito tiene algunos errores* · **ejemplar (de)** || **ilustración (de)** · **letra (de)**
• CON VBOS. **encontrar** · **hallar** *Han hallado un manuscrito muy valioso en esa biblioteca* · **descubrir** || **conservar** · **destruir** || **iluminar** || **publicar** · **editar** || **redactar** · **copiar** || **leer**

manutención s.f.

• CON ADJS. **gratuita** *La beca incluye alojamiento y manutención gratuita para los estudiantes*
• CON SUSTS. **gasto (de)** · **ayuda (para)** · **pensión (de)**
• CON VBOS. **asumir** · **pagar** · **sufragar** || **incluir** || **hacerse cargo (de)** *Ellos se hacen cargo de la manutención de sus hijos* · **encargar(se) (de)** || **ayudar (en)**

manzana s.f.

• CON ADJS. **verde** · **madura** · **pasada** *En ese cesto hay más de una manzana pasada* · **podrida** || **apetitosa** · **jugosa** · **sabrosa** || **de la discordia**
• CON SUSTS. **cosecha (de)** · **recogida (de)** · **recolección (de)** || **productor,-a (de)** · **producción (de)** · **campaña (de)** · **cultivo (de)** || **compota (de)** · **tarta (de)** *hornear la tarta de manzana* · **buñuelo (de)** || **zumo (de)** · **licor (de)** || **corazón (de)** · **piel (de)** · **cáscara (de)** || **vinagre (de)** *aderezar con vinagre de manzana*
• CON VBOS. **madurar** · **caer** · **pudrir(se)** || **cultivar** · **recoger** · **coger** · **recolectar** || **producir** · **comercializar** || **asar** · **caramelizar** · **confitar** || **saborear** · **paladear** || **pelar** *un utensilio ideal para pelar manzanas* · **cortar**

manzanilla s.f.

▮ [planta]

• CON SUSTS. **infusión (de) · té (de) · bolsita (de) || flor (de) || cultivo (de)**

• CON VBOS. **cultivar · sembrar · producir · cosechar · plantar**

manzano s.m.

• CON ADJS. **florido**

➤ Véase también **ÁRBOL**

maña s.f.

• CON ADJS. **buena** *un cocinero que le echa a su trabajo imaginación y buena maña* **|| poca · escasa**

• CON SUSTS. **falta (de)**

• CON VBOS. **darse (para algo) · tener · coger || manejar (con) · carecer (de)**

mañana

1 **mañana** s.m.

▮ [tiempo futuro]

• CON ADJS. **incierto** *Ignoro lo que me reserva el mañana incierto* · **venturoso**

• CON VBOS. **llegar** *Prefiero vivir el presente y dejar que el mañana llegue cuando tenga que llegar* **|| deparar · reservar || construir · asegurar · enajenar || pensar (en) · preocuparse (por)**

2 **mañana** s.f.

▮ [parte del día]

• CON ADJS. **espléndida** *Aprovecharemos esta espléndida mañana para hacer una excursión* · **radiante · resplandeciente · luminosa · deslumbrante · alegre || cálida · apacible · despejada** *La mañana amanecía despejada* · **plácida · soleada || templada · tibia || fría · lluviosa** *Era una mañana lluviosa de otoño* · **de perros · desapacible · sombría · triste || agitada · ajetreada · de locos** *Hemos tenido una mañana de locos* · **de locura · movida || de fiesta · feriada || inolvidable**

• CON VBOS. **amanecer · despuntar · clarear · nublarse || caer · declinar || transcurrir** *La mañana transcurría fría y desapacible* **|| aprovechar · disfrutar · pasar || desperdiciar · perder** *Perdí toda la mañana tontamente* **|| dedicar (a) · emplear (en)**

• CON PREPS. **por** *¿Quedamos el lunes por la mañana?* · **en · durante · de**

□ EXPRESIONES **hasta mañana** [se usa como señal de despedida cuando al día siguiente se va a ver a la otra persona] **|| pasado mañana** [día que sigue inmediatamente al de mañana]

mapa s.m.

• CON ADJS. **claro · inteligible · legible · nítido · clarificador · ilustrativo · orientador · útil · perfecto || ajustado · exacto** *Nos hicimos con un mapa bastante exacto de la zona* · **fidedigno · fiel** *Trazó un mapa fiel del recorrido* **|| aproximado · orientativo || detallado · exhaustivo · pormenorizado · preciso · prolijo · minucioso · extenso || esquemático** *un mapa esquemático pero muy ilustrativo* · **conciso · simplificador · somero || confuso · embrollado · ilegible · ininteligible · ininterpretable · desorientador · impreciso · inexacto · inútil · rudimentario || desfasado · obsoleto · actualizado || simbólico · representativo · panorámico || turístico** *un mapa turístico con la lista de hoteles de la ciudad* · **escolar · bancario · oficial || físico · geoestratégico · cartográfico · político · autonómico · electoral** *El resultado dio un vuelco al mapa electoral*

• CON VBOS. **describir (algo) · explicar (algo) · guiar (a alguien) || dibujar · elaborar** *Un equipo de expertos elaboró el mapa de la región* · **diseñar · trazar · componer · delinear · reproducir || consultar** *Consultamos un mapa de carreteras actualizado* · **descifrar · interpretar · leer · seguir · usar || desdoblar · extender · desplegar · doblar · plegar || mirar (en)**

□ EXPRESIONES **borrar del mapa** [eliminar] *col.* **|| desaparecer del mapa** [dejar de existir] *col.*

maquillador, -a s.

• CON ADJS. **profesional** *Fui a una maquilladora profesional antes de la fiesta* · **cualificado,da · experto,ta · aficionado,da**

• CON VBOS. **maquillar (a alguien) · pintar (a alguien) || trabajar (como/de)**

maquillaje s.m.

• CON ADJS. **natural · recargado || artístico · teatral · publicitario · político**

• CON SUSTS. **sesión (de) · sala (de) || estuche (de)** *En ese estuche de maquillaje puedes encontrar de todo* · **caja (de) · tubo (de) · bote (de) || capa (de) || operación (de)** *La remodelación del edificio ha sido una simple operación de maquillaje* **|| trucos (de) · consejos (de)**

• CON VBOS. **poner(se) · quitar(se) || lucir · llevar** *Solo llevaba un poco de maquillaje en los ojos* **|| retocar · arreglar**

maquillar v.

▮ [poner maquillaje]

• CON SUSTS. **actor · actriz · chico,ca · mujer** · ***otros individuos*** **|| ojos · cara** · ***otras partes del cuerpo***

▮ [disfrazar para ocultar]

• CON SUSTS. **cuentas · coste · costo · gasto · cifra · presupuesto · crisis · deuda · balance** *Han maquillado el balance para disimular la crisis* **|| información · informe · dato · hechos · resultado || derrota · fracaso · deficiencia · error · problema · defecto || imagen** *El equipo trata de maquillar su imagen en los últimos minutos de partido* · **realidad · verdad · identidad · pasado**

[máquina] → a toda máquina; máquina

máquina s.f.

• CON ADJS. **innovadora · moderna || anticuada · obsoleta · vetusta || eficaz · funcional · manejable · segura** *Inventaron una máquina más segura y manejable* · **poderosa · potente · infalible || desvencijada · inservible · rudimentaria · infernal || a punto · en funcionamiento || de precisión · electrónica · de tecnología avanzada · de tracción · virtual · de vapor || de escribir**

• CON SUSTS. **fallo (de) · error (de) || café (de) || montaje (de) · desguace (de) · desmantelamiento (de) · arreglo (de)**

• CON VBOS. **funcionar || estropear(se)** *Esta máquina se estropea con mucha facilidad* · **fallar || armar · montar || inventar · patentar · fabricar · lanzar al mercado || conectar · accionar · arrancar · enchufar · manipular || desconectar · desenchufar · desactivar · detener** *El conductor no logró detener la máquina* · **parar · inutilizar · controlar || arreglar · engrasar · recomponer · revisar ·**

poner a punto || **desmontar** · **desguazar** · **desmantelar** || **reciclar** · **actualizar**

☐ EXPRESIONES **a toda máquina*** [a gran velocidad]

maquinación s.f.

● CON ADJS. **inteligente** · **astuta** · **sagaz** · **maquiavélica** || **burda** *Pasa los días ideando maquinaciones burdas y retorcidas* · **grotesca** || **calculada** · **estudiada** · **sutil** · **minuciosa** · **precisa** · **premeditada** || **compleja** · **complicada** · **retorcida** || **oscura** *Negó haber dirigido ninguna oscura maquinación política* · **perversa** · **siniestra** · **sórdida** · **turbia** · **fraudulenta** || **presunta** · **supuesta** || **empresarial** · **diplomática** · **electoral** · **política** || **culpable (de)**
● CON SUSTS. **delito (de)** · **víctima (de)** *Fue víctima de una turbia maquinación*
● CON VBOS. **constituir** || **tener éxito** · **fallar** · **fracasar** *La perversa maquinación fracasó gracias a una denuncia* || **salir a la luz** || **instigar** · **tejer** · **tramar** · **urdir** · **dirigir** · **consumar** || **revelar** · **sacar a la luz** *La prensa sacó a la luz la minuciosa maquinación electoral* · **destapar** · **descubrir** · **detectar** || **desbaratar** || **acusar (de)** · **denunciar (por)**

maquinar v.

● CON SUSTS. **plan** *Los presuntos delincuentes maquinaban un plan para asaltar el banco* · **estrategia** · **tesis** || **operación** · **crimen** · **agresión** · **intriga** · **conspiración** · **trama** · **enredo** · **estafa** · **fuga** · ***otras acciones ilícitas o ilegítimas***

maquinaria s.f.

● CON ADJS. **agrícola** *Son fabricantes de tractores y de maquinaria agrícola* · **tecnológica** · **industrial** || **pesada** · **compleja** · **de alta tecnología** || **de guerra** · **bélica** · **militar** || **usada** · **nueva** || **electoral** *El partido puso en marcha su maquinaria electoral* · **ecológica** · **escénica**
● CON VBOS. **funcionar** · **fallar** || **manejar** · **utilizar** || **contratar** · **adquirir** *El Gobierno adquiere maquinaria para captar agua subterránea en...* · **alquilar**

[mar] → a mares; mar

mar

1 mar s.amb.

● CON ADJS. **abierto,ta** · **ancho,cha** · **inmenso,sa** *El mar inmenso se extendía ante nuestros ojos* · **vasto,ta** · **profundo,da** · **insondable** || **alto,ta** · **bajo,ja** || **revuelto,ta** *Un mar revuelto nos acompañó durante toda la travesía* · **agitado,da** · **alborotado,da** · **bravío,a** · **bravo,va** · **embravecido,da** · **encrespado,da** · **enfurecido,da** · **impetuoso,sa** · **proceloso,sa** · **grueso,sa** · **arbolado,da** · **rizado,da** || **en calma** *Es un día caluroso, con la mar en calma* · **apacible** · **sereno,na** · **calmado,da** · **calmo,ma**
● CON SUSTS. **espuma (de)** · **olas (de)** · **oleaje (de)** || **golpe (de)** *De pronto, un golpe de mar azotó la cubierta del buque* · **fuerza (de)** · **bravura (de)** || **arena (de)** · **orilla (de)** · **puerto (de)** || **fondo (de)**
● CON VBOS. **extenderse** || **azotar (algo)** · **batir (algo)** · **embestir (algo)** · **tragarse (algo)** *El mar se tragó los restos del naufragio* · **devorar (algo)** || **calmarse** · **serenarse** · **encresparse** · **picarse** · **bramar** || **esquilmar** · **contaminar** || **surcar** *Un velero solitario surcaba los mares* · **sondear** || **lanzar(se) (a)** · **zambullirse (en)** · **bucear (en)** · **flotar (en)** · **hundir(se) (en)** · **naufragar (en)** || **echarse (a)** · **hacerse (a)** *A finales del verano se hicieron a la mar* · **internar(se) (en)** · **adentrarse (en)** *Me advirtieron de que no me adentrase demasiado en el mar* || **navegar (en)** · **viajar (por)** · **pescar (en)** || **desembocar (en)**

2 mar (de) s.m.

● CON SUSTS. **dudas** *La respuesta me dejó inmersa en un mar de dudas* · **problemas** · **confusiones** · **contradicciones** || **lágrimas** · **sollozos**

☐ EXPRESIONES **alta mar** [parte del mar que se encuentra a bastante distancia de la costa] || **a mares*** [abundantemente] *col.* || **mar de fondo** [nerviosismo latente]

[marajá] → como un {marajá/rajá}

maraña s.f.

● CON ADJS. **enredada** · **enrevesada** *una enrevesada maraña de normas y preceptos que hay que seguir al pie de la letra* · **entreverada** · **intrincada** · **incomprensible** · **inextricable** · **endiablada** · **compleja** · **complicada**
● CON VBOS. **esclarecer(se)** || **desenredar** · **desentrañar** · **deshacer** · **desliar** · **desbrozar** · **resolver** · **solucionar** || **tejer** · **trenzar** · **urdir** || **internar(se) (en)** · **adentrarse (en)** *Nos íbamos adentrando más en aquella intrincada maraña de zarzas y arbustos* · **meter(se) (en)** · **enredar(se) (en)** || **escapar (de)** · **salir (de)**
● CON PREPS. **entre** *Lo encontré entre una maraña de cables, ordenadores y teléfonos*

maratón s.amb.

● CON ADJS. **popular** || **verdadero,ra** · **auténtico,ca** *Estos últimos días hemos vivido un auténtico maratón informativo* || **frenético,ca** || **informativo,va** · **televisivo,va** · **cinematográfico,ca** · **benéfico,ca** · **de baile**
● CON SUSTS. **comienzo (de)** · **final (de)** || **ganador,-a (de)** · **corredor,-a (de)** · **participante (de)** *Todos los participantes de la maratón recibieron un obsequio* · **aficionado,da (de/a)** || **edición (de)** · **celebración (de)** *Los festejos se abrían con la celebración de una maratón popular* · **prueba (de)** · **carrera (de)** · **clasificación (de)** || **duración (de)** · **distancia (de)**
● CON VBOS. **correr** *Un número récord de personas han corrido la maratón de este año* · **ganar** · **preparar** · **terminar** || **unirse (a)** · **participar (en)** · **apuntar(se) (a)** || **triunfar (en)**

maratoniano, na adj. *col.*

● CON SUSTS. **carrera** · **etapa** · **partido** || **cumbre** · **encuentro** *Se resolvió todo en un maratoniano encuentro* · **reunión** · **sesión** · **pleno** · **negociación** · **interrogatorio** · **proceso** || **campaña** · **gira** *El presidente hizo una gira maratoniana por el país* · **jornada** · **viaje**

[maravilla] → a las mil maravillas; maravilla

maravilla s.f.

● CON ADJS. **verdadera** · **auténtica** · **absoluta** || **suprema** · **gran** · **pequeña** · **insuperable** || **admirable** · **asombrosa** · **sorprendente** || **sublime** · **prodigiosa** || **octava** *la octava maravilla del mundo*
● CON VBOS. **hacer** *Tuvo que hacer maravillas para que no se hundiera su negocio* || **hablar** *Me han hablado maravillas del nuevo fichaje* · **decir**

☐ EXPRESIONES **de maravilla** [muy bien] *Me viene de maravilla que te quedes con los niños*

☐ USO Se construye a menudo con complementos encabezados por la preposición *de*: *una maravilla de película.*

maravilloso, sa adj.

● CON ADVS. **absolutamente** · **completamente** · **totalmente** || **verdaderamente** · **realmente** *Hemos vivido momentos realmente maravillosos* || **simplemente**
● CON VBOS. **ser** · **estar** · **parecer** · **resultar** · **considerar**

marca s.f.

▌[señal]

● CON ADJS. **distintiva** · **identificadora** · **identificativa** || **inconfundible** · **inequívoca** || **visible** *Trazó una marca bien visible en el suelo* · **ostensible** || **indeleble** · **imborrable** · **férrea** · **de fuego** || **personal** · **característica**
● CON VBOS. **delatar (algo/a alguien)** || **perdurar** || **dejar** *Su obra dejó una marca inconfundible* · **estampar** · **trazar** · **borrar**

▌[sello comercial]

● CON ADJS. **competitiva** || **representativa** · **conocida** · **desconocida** · **exitosa** || **comercial** *Tomó su apellido para la marca comercial* || **de lujo** · **exclusiva** · **prestigiosa** || **nacional** · **extranjera**
● CON SUSTS. **ropa (de)** · **zapatillas (de)** · **televisión (de)** · ***otras cosas materiales*** || **publicidad (de)**
● CON VBOS. **tener éxito** · **triunfar** || **fracasar** · **devaluar(se)** *una marca de lujo que se ha devaluado en los últimos años* || **acuñar** · **difundir** · **popularizar** · **homologar** · **reforzar** || **llevar** *No suelo llevar marcas conocidas* || **pagar** *Aunque hay otros productos parecidos, este es más caro porque pagas la marca*

▌[récord]

● CON ADJS. **imbatible** · **inmejorable** · **insuperable** · **accesible** · **batible** || **olímpica** *El campeón mundial pulverizó una vez más la marca olímpica*
● CON VBOS. **acariciar** · **alcanzar** · **establecer** · **escalar** || **igualar** *Es una marca que nadie ha podido igualar* · **mejorar** · **batir** · **superar** · **pulverizar** · **reventar** · **rebasar** · **sobrepasar** || **ostentar** *El corredor nigeriano ostenta la mejor marca de este año*

marcador s.m.

● CON ADJS. **a favor** · **favorable** · **desfavorable** · **en contra** *con el marcador en contra 0-3* · **alternante** || **abultado** · **apretado** || **inapelable** · **concluyente** · **contundente** || **pendiente (de)**
● CON VBOS. **abrir** · **cerrar** *El marcador se cerró a favor del equipo visitante* || **equilibrar** · **igualar** · **nivelar** · **desequilibrar** · **remontar** *Era difícil remontar aquel marcador* || **dar la vuelta (a)**

marcaje s.m.

● CON ADJS. **estrecho** · **estricto** · **exhaustivo** · **asfixiante** · **implacable** · **férreo** *El delantero fue sometido a un férreo marcaje* · **riguroso** · **severo** · **laxo**
● CON VBOS. **aplicar** · **ejercer** *La oposición ha decidido ejercer un riguroso marcaje al Gobierno* · **estrechar** || **burlar** · **eludir** || **huir (de)** || **someter (a)**

marcapasos s.m.

● CON ADJS. **urinario** · **cerebral** · **cardíaco**
● CON SUSTS. **rotura (de)** · **fallo (de)** || **colocación (de)** || **paciente (con)**
● CON VBOS. **colocar** · **implantar** *Debido a sus problemas de corazón, le han implantado un marcapasos* · **incorporar** · **poner** · **injertar** || **llevar** *Con el tiempo se ha acostumbrado a llevar el marcapasos*

marcar v.

▌[hacer una marca]

● CON SUSTS. **camiseta** · **libro** · **botella** · **vaso** · ***otros objetos***

▌[señalar, indicar]

● CON SUSTS. **línea** · **tendencia** · **trayectoria** || **rumbo** · **pauta** · **objetivo** · **dirección** · **meta** · **camino** *Su padre le marcó el camino que lo llevó al éxito* · **destino** · **sentido** || **inicio** · **comienzo** *un descubrimiento que marcó el comienzo de una nueva era* · **fin** · **final** · **principio** · **arranque** · **nacimiento** || **ritmo** · **paso** · **compás** · **cadencia** || **diferencia** · **distancia** · **límite** *El río marca el límite con la provincia vecina* · **frontera** · **desacuerdo** · **discrepancia** · **oposición** || **regreso** · **retorno** · **vuelta** || **cambio** *Esta película marcó un cambio en la historia del cine* · **aumento** · **crecimiento** · **inflexión** · **giro** · **viraje** · **desarrollo** · **evolución** · **alza** · **ascenso** · **caída** · **disminución**
● CON ADVS. **con seguridad** · **decisivamente** *El nacimiento de la niña marcó decisivamente la dirección de sus vidas* · **indudablemente** · **inexorablemente** · **irremediablemente** || **negativamente** · **trágicamente** || **poderosamente** · **profundamente** · **de cerca**

▌[conseguir, lograr]

● CON SUSTS. **gol** *El capitán del equipo marcó un gol en el último minuto* · **punto** · **tanto** · **canasta**

[marcha] → marcha; puesta en marcha

marcha

1 **marcha** s.f.

▌[acción de marchar]

● CON ADJS. **arrolladora** · **fulgurante** · **imparable** · **inexorable** · **segura** || **frenética** · **desenfrenada** · **trepidante** *Era imposible seguir la marcha trepidante de los hechos* · **vertiginosa** || **pausada** · **silenciosa** · **acompasada** · **lenta** || **rápida** · **constante** · **continua** || **atropellada** · **desacompasada** · **irregular** || **itinerante** · **viva**
● CON VBOS. **emprender** · **acometer** || **acelerar** *un descubrimiento que aceleró la marcha de la investigación* · **mantener** || **aflojar** · **aminorar** · **disminuir** · **obstaculizar** · **ralentizar** · **frenar** · **interrumpir** · **detener** || **continuar** · **proseguir** · **reanudar** · **cambiar** · **enderezar** || **controlar** *Con el estudio controlaremos mejor la marcha del mercado en este período* · **seguir** · **vigilar** || **interferir (en)** · **afectar (a)** · **influir (en)**

▌[manifestación, desfile]

● CON ADJS. **pacífica** *una marcha pacífica que se desarrolló sin incidentes* · **cívica** · **violenta** · **beligerante** · **legal** · **ilegal** || **de protesta** *Los sindicatos optaron por convocar una marcha de protesta contra...* · **reivindicativa** · **conmemorativa** || **multitudinaria** · **larga** · **gran(de)** · **espectacular** · **gigantesca** · **triunfal** || **militar** · **sindical** · **estudiantil** · **solidaria** · **ciclista**
● CON VBOS. **partir** · **concluir** · **culminar** · **finalizar** || **recorrer** · **transcurrir** · **discurrir** · **fluir** || **disolver(se)** *La marcha se disolvió pacíficamente* || **abrir** · **cerrar** · **encabezar** *Encabezaba la marcha una banda de música* || **organizar** · **convocar** · **respaldar** || **permitir** · **frenar** · **reprimir** || **participar (en)** · **sumarse (a)**
● CON PREPS. **al paso (de)**

▌[composición musical]

● CON ADJS. **fúnebre** · **militar** · **nupcial** *Los músicos tocaron una marcha nupcial al paso de los recién casados*

▌[diversión] *col.*

● CON VBOS. **ir(le) (a alguien)** *A mis amigos les va la marcha* || **tener** || **salir (de)** · **ir(se) (de)** *Esta noche nos vamos de marcha* · **venir(se) (de)**

▌[de un vehículo]

● CON SUSTS. **cambio (de)** · **palanca (de)**
● CON VBOS. **meter** · **adaptar** · **reducir**

2 **marcha (de)** s.f.

• CON SUSTS. **acontecimiento** *El periodista informaba puntualmente sobre la marcha de los acontecimientos en aquel país* · **proceso** || **organización** · **negocio** · **empresa** || **economía** · **inflación** · **mercado** || **conversación** · **negociación** · **acuerdo** · **operación** || **estudio** · **investigación** || **plan** · **campaña** · **programa** · **proyecto** · **reforma** · **sistema** · **trabajo** *La marcha de los trabajos de reconstrucción no era tan rápida como deseábamos* || **terapia** · **tratamiento**

□ EXPRESIONES **a marchas forzadas*** [rápidamente y bajo presión] || **poner en marcha** (algo) [hacer que empiece a funcionar] || **sobre la marcha** [de forma improvisada]

marchar v.

• CON ADVS. **a la cabeza** *Los afectados marchaban a la cabeza de la manifestación* · **a la cola** || **coherentemente** · **a la deriva** · **decididamente** · **pesadamente** || **al unísono** · **codo con codo** || **a regañadientes** *El público se marchó a regañadientes del concierto* · **de buen grado** · **voluntariamente** · **de puntillas** *Se marchó de puntillas para no hacer ruido* · **ordenadamente** · **pacíficamente** · **atropelladamente** · **a escape** *Me marché a escape de la reunión* || **dignamente** · **honrosamente** · **con la cabeza alta** || **a la perfección** · **como un reloj** · **a las mil maravillas** *Este equipo marcha a las mil maravillas* · **de maravilla** · **sobre ruedas** · **viento en popa** *La investigación marcha viento en popa* · **con {buen/mal} pie** · **con {buen/mal} ritmo** · **a toda máquina** · **a pasos agigantados**

marchitar(se) v.

• CON SUSTS. **hortensia** *El frío marchitó las hortensias* · **begonia** · **geranio** · **rosa** · ***otras plantas o flores*** || **sonrisa** · **rostro** · **labios** || **belleza** · **juventud** · **lozanía** || **sentimiento** · **amor** *El paso de los años no marchitó su amor* · **cariño** · **deseos** · **esperanzas** · **ilusión** || **relación** · **amistad** || **ideales** · **recuerdos**

marcial adj.

• CON SUSTS. **arte** *El judo es un arte marcial* || **ley** *declarar la ley marcial en un lugar* · **tribunal** · **corte** · **disciplina** · **juicio** || **música** · **marcha** · **himno** · **acorde** · **son** · **banda** · **desfile** · **escena** || **aire** *desfilar con aires marciales* · **porte** · **paso** · **movimiento** · **andar** · **ademán** · **paseo** · **espíritu** || **dote** · **destreza** · **capacidad** · **ejercicio** · **virtud** · **valor**

marco s.m.

▮ [encuadre, ambiente]

• CON ADJS. **amplio** · **flexible** · **favorable** *Necesitamos un marco favorable para que la negociación tenga éxito* · **propicio** || **desfavorable** · **estricto** || **narrativo** · **negociador** · **jurídico** · **de foto** || **acogedor** · **incomparable** · **indescriptible** || **envuelto,ta (en)** · **rodeado,da (de)** *Es un hotel rodeado del marco indescriptible del desierto*

• CON VBOS. **delimitar** *El acuerdo delimita nuestro marco de actuación* · **negociar** · **proporcionar** · **alterar** || **rebasar** · **sobrepasar** · **superar** · **traspasar** || **ceñir(se) (a)** · **circunscribir(se) (a)** · **limitar(se) (a)** · **encerrar (en)** || **inscribir(se) (en)** *Esta medida se inscribe en el marco fijado por las negociaciones* · **insertar(se) (en)** || **situar(se) (en)** · **ubicar(se) (en)**

• CON PREPS. **dentro (de)** · **en el interior (de)** · **fuera (de)**

▮ [unidad monetaria] Véase **MONEDA**

[marea] → contra viento y marea; marea

marea

1 **marea** s.f.

• CON ADJS. **alta** · **baja** *En este yacimiento los arqueólogos solo pueden trabajar cuando la marea está baja* || **humana** · **migratoria** || **creciente**

• CON VBOS. **crecer** *La marea crecía por momentos y el agua ya nos llegaba por las rodillas* · **subir** · **avanzar** || **cubrir (algo)** · **engullir (algo)** · **tragarse (algo/a alguien)** || **detener** · **controlar** || **soportar** · **resistir** || **provocar**

2 **marea (de)** s.f.

• CON SUSTS. **acusaciones** · **críticas** · **reproches** · **repulsas** · **protestas** · **desconfianza** · **indignación** · **irritación** · **reacciones** || **ideas** || **corrupción** · **escándalos** *No pudo evitar la marea de escándalos que fueron saliendo a la luz* || **cambio** || **inmigrantes** · **refugiados,das** · ***otros individuos***

□ EXPRESIONES **marea negra** [petróleo líquido vertido en el mar] || **marea roja** [acumulación de microorganismos en el mar de tono rojizo]

marejada s.f.

• CON ADJS. **fuerte** · **gruesa**

• CON SUSTS. **fuerza (de)** *La fuerza de la marejada hizo que el barco encallara cerca de la costa*

• CON VBOS. **desatar(se)** · **levantar(se)** · **cesar** || **azotar (un lugar)** *La fuerte marejada que azota la zona...* || **esperar** *Para mañana esperamos una gruesa marejada en el norte* || **soportar**

mareo s.m.

• CON ADJS. **leve** · **ligero** · **sin importancia** · **fuerte** || **momentáneo** · **pasajero** · **persistente** · **repentino**

• CON SUSTS. **remedio (contra)**

• CON VBOS. **dar (a alguien)** *Le dan mareos con mucha frecuencia* · **entrar(le) (a alguien)** · **venir(le) (a alguien)** || **írse(le) (a alguien)** · **pasárse(le) (a alguien)** || **sufrir** *Sufrí un ligero mareo a causa del calor* · **producir(le) (a alguien)** || **superar**

margen

1 **margen** s.m.

• CON ADJS. **estrecho** *El candidato de la oposición se impuso por estrecho margen* · **escaso** · **exiguo** · **discreto** · **ajustado** · **apretado** || **amplio** · **ancho** · **considerable** · **abrumador** · **abultado** · **holgado** · **enorme** || **cierto** · **limitado** · **moderado** · **aproximado** || **cómodo** · **tranquilizador** || **previsto** *El margen previsto es bastante amplio* || **comercial** · **económico**

• CON VBOS. **haber (para algo)** · **quedar (para algo)** || **delimitar** · **acotar** · **establecer** · **trazar** || **estrechar** · **decrecer** · **rebajar** · **disminuir** · **acortar** || **conceder** · **dar (a algo/a alguien)** · **otorgar (a algo/a alguien)** · **dejar (a algo/a alguien)** *Aunque no nos han dejado apenas margen de actuación...* || **sobrepasar** · **rebasar** *Está prohibido rebasar el margen trazado* · **traspasar** · **ensanchar** · **respetar**

2 **margen (de)** s.m.

• CON SUSTS. **acción** · **actuación** · **maniobra** || **autonomía** · **libertad** · **flexibilidad** · **confianza** *Tienes que dar un margen de confianza al sustituto* || **duda** · **error** · **oscilación** · **variación** || **riesgo** · **seguridad** || **mejora** · **progresión** || **diferencia** · **ventaja** · **victoria** || **beneficio** · **explotación** · **ganancia** *el abultado margen de ganancias de esta empresa* · **pérdida** || **interpretación** · **negociación** || **tiempo**

3 **margen** s.f.

● CON ADJS. **izquierda · derecha · occidental · oriental · norte · sur** *un municipio situado en la margen sur* · **contraria · opuesta**
● CON VBOS. **limpiar · recuperar · repoblar || unir** *un puente para unir las márgenes del río en su desembocadura* · **cubrir || situar(se) (en) · ubicar(se) (en) · localizar(se) (en) · asentarse (en) · encontrar(se) (en) || discurrir (por) · correr (por) · transcurrir (por)**

marginación s.f.

● CON ADJS. **absoluta** *Vive en la más absoluta marginación* · **profunda · radical · total || humillante · opresiva · injusta · intolerable || permanente · persistente || laboral · profesional · social · personal**
● CON SUSTS. **bolsa (de) || estado (de) · situación (de) || índice (de) · grado (de)**
● CON VBOS. **aumentar · crecer · aminorar · disminuir || azotar** *La marginación azota a esta zona del país* **|| reducir · frenar · combatir** *El objetivo de la asociación es combatir la marginación social* · **paliar · erradicar · prevenir || superar · vencer || denunciar · condenar || soportar · sufrir · experimentar || sacar (de) · salir (de) · acabar (con) · luchar (contra)** *luchar contra la creciente marginación laboral* **|| vivir (en)**

marginado, da adj.

● CON SUSTS. **niño,ña · ciudadano,na · trabajador,-a · persona ·** ***otros individuos*** **|| población · colectivo · gente · minoría** *El músico se ha convertido en la voz de una minoría marginada* · **familia · juventud ·** ***otros grupos humanos*** **|| lugar · gueto** *El documental se introducía en la vida de un gueto marginado* · **barrio · zona || capa · sector · estrato || ambiente**
● CON ADVS. **socialmente · injustamente || totalmente · completamente**
● CON VBOS. **quedar(se) · estar · vivir · dejar · sentirse** *Era la primera vez que se sentía marginada por sus ideas* · **ver(se) · encontrar(se)**

mariano, na adj.

● CON SUSTS. **culto · advocación · devoción** *la profunda devoción mariana del poeta* · **vocación || congregación || oración** *rezar una oración mariana* · **rogativa · alabanza · letanía || aparición || cántico · tema · canto · canción · himno || santuario · estatua · monumento || fiesta · celebración · congreso || centro · colegio**

marido s.m.

● CON ADJS. **fiel · infiel || ideal · complaciente || buen · mal || anterior · actual · futuro** *Su futuro marido trabaja en la construcción* · **nuevo · antiguo**
● CON SUSTS. **relación (con) · recuerdo (de) || figura (de)**
● CON VBOS. **amar · querer · cuidar · acompañar || tener · buscar || abandonar || enamorar(se) (de)** *Se enamoró de su marido cuando estaban en la universidad* · **casar(se) (con) · vivir (con) || divorciarse (de) · separarse (de)**

marihuana s.f.

● CON ADJS. **terapéutica || legal · ilegal**
● CON SUSTS. **aroma (a) · olor (a) · humo (de) · humareda (de) || cultivo (de) · cultivador,-a (de) · plantación (de) · campo (de) · siembra (de) || semilla (de) · hoja (de)** *una infusión de hojas de marihuana* · **planta (de) · rama (de) · maceta (de) || porro (de) · canuto (de)** *liarse un canuto de marihuana* · **cigarrillo (de) · infusión (de) · pastel (de)**
● CON VBOS. **cultivar** *Cultivaba marihuana para consumo propio* · **plantar · podar · recolectar · secar · regar || fumar**
➤ Véase también **DROGA**

[marina] s.f. → marino, na

marinero, ra

1 **marinero, ra** adj.

● CON SUSTS. **pueblo** *Visitamos los pueblos marineros del norte* · **villa · aldea · localidad · zona · ambiente || actividad · jornada || traje** *una foto de un niño con traje marinero* · **gorra · ropa · chaqueta · tela || comida · cocina · salsa · arroz || vocación**

2 **marinero, ra** s.

● CON ADJS. **profesional · experto,ta · curtido,da || de reemplazo**
● CON SUSTS. **tripulación (de)** *una tripulación de marineros muy curtida* · **grupo (de) || alma (de)**
● CON VBOS. **embarcar · desembarcar · llegar · partir || faenar** *Los marineros faenaban cerca de la costa* · **trabajar · pescar || naufragar**

□ EXPRESIONES **a la marinera** [preparado con una salsa que lleva agua, aceite, ajo, cebolla y perejil] *arroz a la marinera*

marino, na

1 **marino, na** adj.

● CON SUSTS. **fondo · lecho · profundidad · suelo || especie** *Se trata de una especie marina en peligro de extinción* · **lobo · mamífero · concha · tortuga · fauna · organismo · ave · animal · monstruo || cultivo · producto · pesca || reserva · agua** *un nuevo método para desalar agua marina* **|| paisaje · parque · horizonte || vida · mundo · ambiente · entorno · zona · región || brisa** *Corría una agradable brisa marina* · **corriente || azul** *una chaqueta azul marino*

2 **marino** s.m.

● CON ADJS. **experto · profesional · conocido · ilustre · legendario**
● CON VBOS. **navegar · embarcar · desembarcar**

3 **marina** s.f.

● CON ADJS. **de guerra || mercante**
● CON SUSTS. **infantería (de) · infante (de)**

marital adj.

● CON SUSTS. **vida** *Mis abuelos van a celebrar cincuenta años de vida marital* · **convivencia · relación || fidelidad · compromiso**

marítimo, ma adj.

● CON SUSTS. **salvamento · vigilancia · policía · patrulla · servicio || paisaje · puerto · paseo** *El paseo marítimo de este pueblo tiene varios kilómetros* · **parque · área · espacio · zona · sector · litoral · franja · frontera · barrio · ciudad · fachada || tráfico · transporte · navegación** *El temporal afectará a la navegación marítima en...* **|| excursión · crucero · travesía · aventura || plataforma · estación || accidente || comunicación** *medidas para mejorar las comunicaciones marítimas entre ambos países* · **bloqueo · línea · ruta · vía || fauna · flora · pesca · agua || negocio · comercio || trasvase**

marqués, -a s. Véase **TÍTULO NOBILIARIO**

marrón s.m.

▮ [color]

• CON ADJS. **rojizo · dorado · grisáceo**
• CON SUSTS. **avellana** *pintado de marrón avellana* · **chocolate · teja**
• CON VBOS. **ser · estar · poner(se) · volver(se) · quedar(se)**
➤ Véase también **COLOR**

▮ [contratiempo] *col.*

• CON VBOS. **caer · pasar · comerse · tragarse**

martes s.m. Véase DÍA

martillazo s.m. Véase GOLPE

martillo s.m.

• CON ADJS. **neumático · mecánico · hidráulico**
• CON SUSTS. **ruido (de) · estruendo (de) · sonido (de) · golpe (de) || mango (de) · cabeza (de) || pez** *Tengo un pez martillo en el acuario* · **hueso** *El hueso martillo está en el oído*
• CON VBOS. **usar · emplear** *Habrá que emplear un martillo hidráulico potente para abrir la zanja* · **manejar || coger · empuñar · esgrimir || servir(se) (de) · valer(se) (de) || golpear (con) · agredir (con) · romper (con)** *El ladrón rompió el cristal con un martillo*

mártir s.com.

• CON ADJS. **verdadero,ra · auténtico,ca** *Ese chico es un auténtico mártir* **|| santo,ta || de la causa**
• CON SUSTS. **papel (de)** *Estoy harta de que te adjudiques siempre el papel de mártir* · **condición (de) || alma (de) · vocación (de) || culto (a) || memoria (de) · homenaje (a)**
• CON VBOS. **beatificar · declarar · canonizar || matar · torturar · asesinar || venerar (como) · convertir(se) (en)** *Los medios de comunicación la han convertido en una mártir*

martirio s.m.

• CON ADJS. **auténtico · verdadero** *Estos zapatos son un verdadero martirio* **|| diario · cotidiano · continuo · perpetuo · chino || cruel · inhumano · insoportable · insufrible · implacable · llevadero || caído,da (en) · dispuesto,ta (a)**
• CON VBOS. **ser (para alguien)** *Las interminables obras están siendo un martirio para todos los vecinos* **|| sufrir · soportar · vivir · padecer || aliviar · infligir || poner fin (a) || convertir(se) (en)** *Este trabajo se ha convertido en un martirio* · **llegar (a) || someter (a) || llevar (a) · conducir (a)**

marzo s.m. Véase MES

[masa] → con las manos en la masa; en masa

masacrar v.

• CON SUSTS. **población · pueblo || obra** *Una obra masacrada por la crítica por ser demasiado convencional y estar llena de tópicos* · **película · representación · título** · ***otras creaciones***
• CON ADVS. **brutalmente · a sangre fría · sin piedad · sin compasión · sin escrúpulos · vilmente** *...para evitar que se masacre vilmente a los más débiles* **|| indiscriminadamente · masivamente · a destajo || impunemente**

masacre s.f.

• CON ADJS. **brutal · atroz · cruel · espeluznante · indescriptible · vil || indiscriminada · en masa || impune || culpable (de) · responsable (de) || de la población**
• CON VBOS. **producir(se) · ocurrir** *La masacre ocurrió a pesar de la vigilancia del ejército* **|| llevar a cabo · cometer · provocar · causar || condenar · castigar · denunciar · investigar · silenciar · maquillar || evitar** *El alto el fuego evitó una masacre* · **impedir · detener · parar || presenciar || narrar · describir || informar (de) · acusar (de) || escapar (de) · librar(se) (de) · salvar(se) (de) || participar (en)** *Durante el interrogatorio, negó haber participado en la masacre* · **intervenir (en)**

[mascar] → mascar; mascarse

mascar v.

▮ [desmenuzar con los dientes]

• CON SUSTS. **chicle** *Está todo el día mascando chicle* **|| tabaco · coca || polvo · barro || goma (de) · tabaco (de)**

▮ [decir en voz baja]

• CON SUSTS. **palabra** *Apenas pude entenderlo porque me habló mascando las palabras* · **insulto**

mascarse v. *col.*

• CON SUSTS. **tragedia** *A esas horas ya se empezaba a mascar la tragedia* · **desastre · tensión · dolor · emoción · miedo · silencio || derrota · fracaso**
• CON ADVS. **en el ambiente · en el aire**

masculino, na adj.

• CON SUSTS. **sexo · género · condición || rostro · cuerpo · desnudo · anatomía · formas · genitales · hormona || población** *el deporte más seguido por la población masculina* · **público · personal · protagonista · personaje · equipo || modelo · candidato · prototipo || mundo · ámbito · universo · perspectiva · mentalidad · interpretación · versión · trabajo · amor || punto de vista · alma · identidad · valor || papel** *una mujer interpretando un papel masculino* **|| literatura · revista || voz** *Al otro lado sonó una voz masculina que no reconocí* · **figura · belleza · moda || torneo · competición** *una competición masculina de salto de altura* · **prueba · categoría · rama || esterilidad · impotencia**

mascullar v.

• CON SUSTS. **palabras · frases** *Los asistentes mascullaban entre dientes frases de desaprobación* · **insultos · blasfemias · improperios**
• CON ADVS. **entre dientes**

masificar(se) v.

• CON SUSTS. **deporte · cultura · conocimiento || ciudad** *Nuestra ciudad se ha masificado en los últimos años* · **urbe || venta · uso · consumo · gustos · moda || aulas** *Los estudiantes se quejan de que las aulas se han masificado* · **universidad || internet · correo electrónico**
• CON ADVS. **indiscriminadamente || inevitablemente · indefectiblemente · inexorablemente || rápidamente · paulatinamente**

masivo, va adj.

• CON SUSTS. **celebración · acto · campaña || participación** *la participación masiva de la ciudadanía* · **asistencia · movilización · enfrentamiento · afluencia · concurrencia · presencia · público || salida · llegada** *la llegada masiva de veraneantes* · **desalojo · despido · acceso || apoyo · respaldo || transporte · difusión** *La noticia ha* *tenido una difusión masiva a través de internet* || **oferta** · **demanda** · **consumo** · **ingreso** · **venta** · **compra** || **medio** · **número** · **uso** · **flujo** || **emigración** · **inmigración** · **éxodo** *La guerra ha provocado el éxodo masivo de la población desplazada* · **deportación** · **expulsión** · **fuga** || **exterminio** · **muerte** · **extinción** · **secuestro** || **destrucción** · **tala**

[mata] → a salto de mata; mata

mata s.f.

● CON VBOS. **brotar** *Están empezando a brotar las matas de tomate* · **nacer** · **crecer** || **secar(se)** || **sembrar** · **plantar** || **regar** · **trasplantar**

□ EXPRESIONES **mata de pelo** [porción abundante de cabello]

[matacaballo] → a matacaballo

matador, -a

1 **matador, -a** adj. *col.*

▌[muy feo, inapropiado]

● CON SUSTS. **traje** · **vestido** *Era una noche muy especial, pero se puso un vestido matador* · **camisa** · ***otras prendas de vestir*** || **color**

2 **matador, -a** s.

▌[torero]

● CON ADJS. **de toros** *La profesión que figura en su carné es matador de toros*

● CON SUSTS. **actuación (de)** · **faena (de)** || **escalafón (de)** · **carrera (de)**

matanza s.f.

● CON ADJS. **brutal** *Los autores de la brutal matanza...* · **cruel** · **atroz** · **espantosa** · **horrible** · **espeluznante** · **infernal** · **sangrienta** || **indiscriminada** · **en masa** || **impune** || **inenarrable** || **culpable (de)** · **responsable (de)**

● CON VBOS. **producir(se)** || **recrudecer(se)** || **cometer** · **perpetrar** · **ordenar** · **provocar** || **detener** *...con el objetivo de detener la matanza de focas en ese país* · **evitar** · **impedir** || **condenar** · **castigar** · **denunciar** · **investigar** *La atroz matanza está siendo investigada por las fuerzas de seguridad* · **silenciar** || **presenciar** || **narrar** · **describir** || **informar (de)** || **librar(se) (de)** · **escapar (a/de)** · **participar (en)** · **intervenir (en)** || **acusar (de)**

matar v.

● CON SUSTS. **hambre** *...aunque solo sea un aperitivo para ir matando el hambre* · **sed** · **gusanillo** || **sueño** · **aburrimiento** || **tiempo** *Mataba el tiempo leyendo revistas*

● CON ADVS. **a golpes** · **a patadas** · **a tiros** || **a quemarropa** · **a sangre fría** · **sin pestañear** · **sin contemplaciones** · **sin piedad** · **con alevosía** · **vilmente** · **atrozmente** · **cruelmente** || **a diestro y siniestro** · **indiscriminadamente** · **en masa** || **accidentalmente** *Lo mató accidentalmente* · **por accidente** || **impunemente**

mate

1 **mate** adj.

▌[sin brillo]

● CON SUSTS. **fotografía** · **papel** || **color** *Pintó las paredes con colores mates muy cálidos* · **tono** · **luz** · **fondo** · **acabado**

2 **mate** s.m.

▌[canasta]

● CON ADJS. **espectacular** *El jugador hizo un mate espectacular*

● CON VBOS. **hacer** · **realizar**

▌[planta]

● CON SUSTS. **infusión (de)** || **hoja (de)**

● CON VBOS. **cultivar** · **sembrar** · **plantar** || **beber** · **tomar** *¿A qué hora te gusta tomar mate?* · **pasar** || **preparar**

matemáticamente adv.

● CON VBOS. **calcular** · **demostrar** · **probar** || **clasificar(se)** *Matemáticamente, nos hemos clasificado para la final* · **conseguir** · **asegurar(se)** · **proclamar(se)** || **ganar** · **perder** || **descender** || **funcionar**

[matemáticas] s.f.pl. → matemático, ca

matemático, ca

1 **matemático, ca** adj.

● CON SUSTS. **fórmula** *El resultado se obtiene con una complicada fórmula matemática* · **ecuación** · **formulación** · **cálculo** · **operación** || **problema** · **solución** || **modelo** · **teoría** · **sistema** · **clasificación** || **lógica** · **análisis** || **pensamiento** · **razonamiento** *Se trata de que aprendan las nociones básicas del razonamiento matemático* || **noción** · **concepto** || **conocimiento** || **exactitud** *un fenómeno que puede ser anticipado con exactitud matemática* · **precisión** · **puntualidad** || **descenso** · **ascenso** · **desarrollo** || **objeto** · **procesador**

● CON ADVS. **absolutamente** · **estrictamente**

2 **matemáticas** s.f.pl.

● CON SUSTS. **problema (de)** *resolver unos problemas de matemáticas* · **ejercicio (de)**

➤ Véase también **DISCIPLINA**

materia s.f.

▌[sustancia física]

● CON ADJS. **prima** *los precios de las materias primas en los mercados de...* · **áspera** · **blanda** · **flexible** · **porosa** · **resistente** *Necesitamos una materia resistente al frío* · **dura** · **sólida** || **viva** · **inerte** · **tangible**

● CON VBOS. **formar(se)** · **crear(se)** · **ablandar(se)** *una materia que se ablanda con el calor* · **endurecer(se)** · **descomponer(se)** · **alterar(se)** · **enfriar(se)** · ***otros verbos de cambio de estado*** || **estudiar** · **analizar**

▌[objeto de estudio o debate]

● CON ADJS. **oscura** · **difícil** · **abstrusa** || **candente** || **confidencial** · **reservada** · **delicada** *No me atreví a hablar de una materia tan delicada en público* · **resbaladiza** || **de estudio**

● CON VBOS. **abordar** · **juzgar** || **entrar (en)** *La ponente entró rápidamente en materia* · **ceñir(se) (a)** || **iniciar(se) (en)**

▌[asignatura]

● CON ADJS. **optativa** · **obligatoria** · **troncal** · **de libre configuración** · **alternativa** || **dura** · **difícil** · **fácil** · **interesante** *Las materias de libre configuración eran las más interesantes*

● CON VBOS. **estudiar** · **cursar** · **preparar** · **dominar** || **ofertar** *Siempre ofertan esa materia en el semestre de otoño* · **enseñar** · **impartir** || **aprobar** *A mí me costó horrores aprobar esa materia* · **suspender** || **examinar(se) (de)** · **matricular(se) (en)**

□ EXPRESIONES **materia gris** [la que supuestamente contiene el cerebro] *col.*

material s.m.

• CON ADJS. **dúctil · flexible · maleable || duro · firme · resistente || suave · endeble · precario || apropiado · idóneo · necesario · de primera necesidad || valioso · de valor · inútil · imprescindible || confidencial** *Este informe está elaborado con material confidencial* || **militar · escolar · quirúrgico · de construcción · de laboratorio · de oficina · sensible · humano || de desecho · desechable · de derribo** *Con las obras de la casa se ha acumulado mucho material de derribo* || **de {primera/segunda} mano**

• CON VBOS. **deteriorar(se) || preparar · reunir** *Es conveniente reunir el material antes de empezar a trabajar* || **tener · emplear · utilizar · usar || cuidar · descuidar || disponer (de) · contar (con) · carecer (de) || pertrechar(se) (con/de) || cubrir (con/de) · revestir (de)** *Revistieron las paredes del horno de un material resistente al calor*

materialismo s.m.

• CON ADJS. **dialéctico · filosófico** *una teoría basada en los principios del materialismo filosófico* · **histórico · cultural · marxista · positivista · intelectual || feroz · desbordado · excesivo · radical || consumista** *En estas fechas se desata el materialismo consumista* || **popular · social || práctico · envolvente**

• CON SUSTS. **práctica (de) || principios (de) · escuela (de) || cultura (de) · época (de) · ola (de) || exceso (de) · peligro (de)**

• CON VBOS. **imponer(se) · desatar(se) || destruir · criticar** *El columnista viene criticando el materialismo como indicio de una sociedad decadente* || **conducir (a) · pertenecer (a) || acabar (con)**

materialista adj.

• CON SUSTS. ***persona*** *Es el hombre más materialista que conozco* || **sociedad · mundo** *El espectáculo es un fiel reflejo del mundo materialista en que vivimos* || **mensaje · crítica || carácter · práctica · comportamiento || valor · sentido || mentalidad · concepción** *una concepción materialista de la vida* · **planteamiento || fin · objetivo · época**

• CON VBOS. **volverse**

materializar(se) v.

• CON SUSTS. **acuerdo · pacto · convenio** *Tras una larga negociación, ayer se materializó el convenio entre ambas partes* · **compromiso · fusión · ruptura || compra · venta · envío · rebaja · descuento · operación · inversión · traspaso · oferta · pago · ayuda || sueño** *Necesito mucho dinero para materializar este sueño* · **deseo · objetivo || proyecto · idea · propuesta · medida · hecho || cambio · reforma || victoria · triunfo** *A pesar de su buen juego, el equipo no logró materializar el triunfo*

• CON ADVS. **en breve · a {corto/largo} plazo · con retraso · inmediatamente · rápidamente || adecuadamente || finalmente**

materialmente adv.

• CON ADJS. **imposible** *Es materialmente imposible que nos veamos este fin de semana* · **inviable · incapaz · inabarcable || posible · factible || ilegible · indescifrable || destrozado,da** *Después del accidente la familia quedó materialmente destrozada* · **imposibilitado,da**

maternal adj.

• CON SUSTS. **hospital** *Fuimos a visitar a mi hermana al hospital maternal* · **jardín · escuela || baja · permiso · plan · defensa · protección || ropa · traje || actitud · educación || instinto** *Cada vez que veo un niño me viene el instinto maternal* || **amor · cariño · dedicación · entrega · ternura · sacrificio || figura · seno · mujer**

• CON VBOS. **ponerse · volverse**

maternidad s.f.

• CON ADJS. **prematura · reciente · tardía || esperada · feliz** *Nuestra revista ofrece útiles consejos para una maternidad feliz* · **anhelada || próxima · futura || responsable · irresponsable || clandestina || biológica || orgulloso,sa (de)**

• CON SUSTS. **baja (de/por) · licencia (por) · permiso (de/por) · subsidio (de/por)** *Ya he solicitado el subsidio de maternidad* || **hospital (de) · clínica (de) · centro (de) · planta (de)**

• CON VBOS. **acercarse · adelantar(se) · retrasar(se) || frustrar(se) || asumir · vivir || incentivar** *Han aprobado varias medidas para incentivar la maternidad* · **penalizar || disfrutar (de) · gozar (de)**

• CON PREPS. **por razón (de)** *prestaciones por razón de maternidad*

materno, na adj.

• CON SUSTS. **hogar · casa || familia** *Mi familia materna es originaria de Italia* · **abuelo,la · tío,a · sangre · apellido || línea** *una enfermedad que se transmite por línea materna* · **rama · filiación · vía || herencia · influencia · escuela || transmisión · contagio || lengua · idioma || útero · vientre · seno · pecho · leche · lactancia || figura || amor · calor · atención · dedicación · consejo || abandono**

matiz s.m.

• CON ADJS. **sin importancia** *Su propuesta difería de la nuestra en un pequeño matiz sin importancia* · **insignificante || imperceptible · nimio · pequeño · ligero · vago || cierto || diferenciador · peculiar · especial · particular · propio || destacable · importante · relevante** *Cabe señalar un matiz relevante en el que nadie parece haber reparado* · **significativo · revelador || ideológico · positivo · negativo**

• CON VBOS. **advertir(se) || captar** *Capté en sus palabras un claro matiz de afecto* · **apreciar · notar · observar · percibir || destacar · señalar · añadir · precisar || dar** *Este artista ha logrado darle un matiz diferenciador a su trabajo* · **introducir · aportar || adquirir || reparar (en) · detener(se) (en)**

• CON PREPS. **con** *Apoyo tu idea, pero con matices* · **sin**

matización s.f.

• CON ADJS. **importante · sutil · ligera || acertada** *Me pareció muy acertada la matización del periodista* · **brillante · sagaz · pertinente || obligada**

• CON VBOS. **faltar || hacer · establecer · formular · introducir · aplicar || precisar · necesitar || permitir**

matizar v.

• CON SUSTS. **color** *Si matizas el color del fondo, se verá mejor* · **tono || declaración · palabras** *El ministro se ha visto obligado a matizar sus palabras* · **afirmación · *otras manifestaciones verbales* || postura · posición · opinión · crítica · significado || sentimientos · intención || cifra · tema · información · dato**

● CON ADVS. **con cautela · debidamente || significativamente · parcialmente || agudamente · adecuadamente · oportunamente**

matriarcal adj.

● CON SUSTS. **sociedad · hogar || derecho · régimen** *el régimen matriarcal de algunas civilizaciones antiguas* **|| origen**

matrícula s.f.

▮ [de un vehículo]

● CON ADJS. **falsa || doblada || diplomática · del Cuerpo Diplomático || nacional · extranjera**

● CON SUSTS. **placa (de) · número (de)** *¿Has anotado el número de la matrícula?* **· datos (de)**

● CON VBOS. **cambiar || comprobar · anotar · apuntar**

● CON PREPS. **con** *un coche con matrícula extranjera*

▮ [inscripción]

● CON ADJS. **imprescindible · necesaria · preceptiva || escolar**

● CON SUSTS. **período (de) · plazo (de)** *El plazo de matrícula todavía está abierto* **|| gastos (de) · tasas (de)**

● CON VBOS. **vencer || hacer · presentar** *La matrícula se presentará en la secretaría del centro* **· formalizar · oficializar · tramitar · cumplimentar || pagar**

☐ EXPRESIONES **matrícula (de honor)** [calificación académica máxima]

matricular (en) v.

● CON SUSTS. **universidad · escuela · curso** *matricularse en un curso de inglés* **· carrera · instituto · academia**

matrimonial adj.

● CON SUSTS. **enlace** *El enlace matrimonial tendrá lugar en...* **· vínculo · compromiso · lazo || separación · ruptura · nulidad || fracaso · desastre · fin || vida · convivencia || acta** *Nos hicieron una foto firmando el acta matrimonial* **· contrato || consentimiento || problema · crisis · discusión || desavenencia** *frecuentes desavenencias matrimoniales* **· infidelidad || lecho · cama · hogar || alianza · anillo · símbolo || celebración · ceremonia · sacramento || consejero,ra || institución · régimen · política || situación · asunto**

matrimonio s.m.

▮ [pareja de casados]

● CON ADJS. **compenetrado** *El suyo es un matrimonio muy compenetrado* **· unido · {bien/mal} avenido · cohesionado || sólido · indisoluble · endeble || feliz · infeliz · modélico** *Forman un matrimonio modélico*

● CON VBOS. **deshacer(se) · romper(se)** *El informe habla del número total de matrimonios que se rompen al año* **· quebrar(se) || divorciar(se) · separar(se) || reconciliar(se)** *Afortunadamente, el matrimonio se reconcilió* **|| compartir (algo)**

▮ [unión o relación conyugal]

● CON ADJS. **duradero · largo || corto · efímero · fugaz || de conveniencia** *Aunque en un principio pudo parecer un matrimonio de conveniencia, con el tiempo...* **|| tormentoso**

● CON VBOS. **durar || fracasar · naufragar · irse a pique || deteriorar(se)** *Su matrimonio iba poco a poco deteriorándose* **· tambalearse · terminar(se) || concertar || celebrar** *El matrimonio se celebró en el ayuntamiento* **· contraer · constituir · formar · consumar || anular · disolver || debilitar · fortalecer || prometerse (en)**

maullar v.

● CON SUSTS. **gato,ta**

maullido s.m.

● CON ADJS. **suave · cariñoso · débil · agudo · penetrante · intenso · alto · melódico** *El maullido de un gato siamés es agudo y penetrante, mientras que los de otras razas son más melódicos* **· meloso || persistente · prolongado · insistente || desagradable**

● CON VBOS. **pegar · soltar** *De pronto, el gato soltó un maullido* **· dar || aguantar · soportar || oír · escuchar**

[máxima] s.f. → máximo, ma

máximo, ma

1 **máximo, ma** adj.

● CON SUSTS. **temperatura · altura · precio · extensión · peso ·** ***otras magnitudes*** **|| interés · importancia** *un tema de máxima importancia para el Gobierno* **|| grado · nivel · cota · rango · cotización · valor · número · cantidad || tensión** *Se están viviendo momentos de máxima tensión en la zona del conflicto* **· preocupación · esfuerzo · intensidad || respeto · atención · rigor · seriedad · profesionalidad · eficacia · rendimiento || aspiración · objetivo || autoridad · representante · figura** *la máxima figura del fútbol europeo* **· exponente · responsable || expresión · ejemplo || galardón || perfección · esplendor · limpieza · calidad** *Utilizamos materiales de máxima calidad para la fabricación de cada pieza* **· garantía || riesgo · peligro**

2 **máxima** s.f.

▮ [sentencia, regla]

● CON ADJS. **vieja · antigua · ancestral || sabia || oriental**

● CON VBOS. **rezar** *Como reza la vieja máxima...* **· decir (algo) || aceptar · seguir · obedecer · poner en práctica** *Decidió poner en práctica la antigua máxima que dice...* **· aplicar · tomar en consideración · imponer || recordar · repetir · citar || acuñar**

[mayo] → como agua de mayo; mayo

mayo s.m. Véase **MES**

[mayor] → al por {mayor/menor}; con la mayor brevedad; de mayor a menor

[mayoría] → mayoría; por mayoría

mayoría s.f.

● CON ADJS. **abrumadora** *El proyecto fue aprobado por mayoría abrumadora* **· abultada · aplastante · arrasadora · arrolladora · inmensa** *Una inmensa mayoría votó a favor* **· indiscutible || amplia · desahogada · holgada** *El Gobierno tenía una holgada mayoría en la cámara legislativa* **· suficiente || escasa · exigua · ajustada · justa · relativa · insuficiente · precaria || a favor · en contra || en bandeja** *El pacto les puso la mayoría en bandeja* **|| silenciosa** *Esa mayoría silenciosa y sufrida que nunca se mete en política* **|| absoluta · simple · de progreso**

● CON VBOS. **votar · decidir · rechazar || aglutinar** *Se necesitaba un proyecto capaz de aglutinar a una amplia mayoría de los miembros del Parlamento* **· concitar · reunir || alcanzar · conseguir · obtener** *Obtuvimos una ajustada mayoría* **· sacar · lograr · revalidar · perseguir · perder || ostentar** *Ostentan la mayoría del capital de la sociedad* **· tener || adherir(se) (a) · supeditar(se) (a)**

mayoritario, ria adj.

• CON SUSTS. **accionista** *Los accionistas mayoritarios estaban presentes en la junta* · **socio,cia** · **participación** || **partido** · **grupo** · **sindicato** · **sector** || **opinión** · **sentir** *una propuesta de acuerdo con el sentir mayoritario* · **voluntad** · **postura** · **criterio** · **punto de vista** || **voto** *El voto mayoritario fue para...* · **escrutinio** · **decisión** || **confianza** · **apoyo** · **respaldo** || **acuerdo** · **consenso** || **representación** · **fuerza** · **control** || **sistema** || **lengua** *La lengua mayoritaria en esta zona es...* || **público** · **líder**
• CON VBOS. **hacerse** · **volverse**

[mayúscula] s.f. → mayúsculo, la

mayúsculo, la

1 **mayúsculo, la** adj.

• CON SUSTS. **letra** *rellenar un impreso con letras mayúsculas* || **error** *Fue un error mayúsculo dejar pasar esa oportunidad* · **disparate** · **fallo** · **torpeza** · **deficiencia** · **falla** · **patinazo** || **sorpresa** · **susto** · **asombro** · **estupefacción** · **conmoción** · **sobresalto** || **enfado** · **escándalo** · **indignación** · **cabreo** · **disgusto** · **protesta** *La protesta por el cierre de las fábricas fue mayúscula* · **queja** · **bronca** · **pateo** · **pañolada** || **problema** · **catástrofe** · **desastre** · **conflicto** · **descalabro** · **fracaso** || **confusión** · **lío** · **caos** · **desorden** · **enredo** · **revuelo** *En cuanto empiezan las actividades, se organiza un revuelo mayúsculo en el aula* · **alboroto** · **desconcierto** · **descontrol** · **jaleo** · **follón** · **galimatías** || **decepción** *Cuando descubrí su forma de ser, sentí una decepción mayúscula* · **desilusión** · **desencanto** · **humillación** · **bochorno** || **desconocimiento** *Ha demostrado un desconocimiento mayúsculo de los hechos* · **incapacidad** · **insolvencia** || **dispendio** · **gasto** · **recaudación** · **recompensa**

2 **mayúscula** s.f.

• CON VBOS. **escribir (en)** · **poner (en)** · **empezar (por)** *Los nombres propios empiezan por mayúscula*
• CON PREPS. **en** *un texto con las letras en mayúscula*

mazacote s.m.

• CON ADJS. **voluminoso** · **enorme** || **feo** · **horrible** *un horrible mazacote de cemento* || **pesado** · **denso**

mazazo s.m. Véase GOLPE

mearse (de) v. *vulg.*

• CON SUSTS. **risa** *mearse de risa con un chiste* || **miedo** · **susto**

[meca] → de la Ceca a la Meca; meca

meca s.f.

• CON ADJS. **espiritual** · **teatral** · **musical** · **del cine** *El famoso actor ha fijado su residencia en la meca del cine* · **del arte** · **de la moda** *La ciudad se convirtió en la meca de la moda* · **del deporte** || **mundial** · **universal** · **oficial**

[mecánica] s.f. → mecánico, ca

mecánico, ca

1 **mecánico, ca** adj.

• CON SUSTS. **escalera** · **ventilación** *El enfermo respiraba mediante ventilación mecánica* || **taller** · **escuela** || **fallo** · **problema** · **avería** · **ajuste** || **juego** · **juguete** *una tienda especializada en juguetes mecánicos* || **toro** · **caballo** · **búfalo** || **aspecto** · **medios** || **órgano** · **brazo** || **artefacto** · **bomba** · **aparato** · **artilugio** || **pala** · **sierra** || **método** · **sistema** · **estructura** || **elemento** · **componente** · **producto** · **conjunto** || **principio** · **planteamiento** · **aplicación** || **ingeniería** · **ingeniero,ra** *Hemos encargado la dirección del proyecto a un ingeniero mecánico* || **transporte** · **tracción** · **movimiento** · **maniobra** · **gesto** · **gimnasia** · **acto** *Ha sido un acto mecánico* || **rendimiento** · **trabajo** · **mejora** || **ruido** · **sonido** || **asistencia** · **respuesta** · **oferta** || **copia** · **reproducción** · **reiteración** · **repetición**

2 **mecánico, ca** s.

• CON ADJS. **de coches** · **de aviación** · **industrial** · **naval** · **cuántico,ca** · **aéreo,a** · **dental** || **de confianza** *Siempre llevo el coche a mi mecánico de confianza* || **especialista** · **profesional**
• CON SUSTS. **aprendiz,-a (de)** *Mi sobrino está de aprendiz de mecánico en un taller del barrio* · **gremio (de)**
• CON VBOS. **reparar** · **arreglar** · **pulir** || **trabajar (como/de)** || **acudir (a)** · **llevar (el coche) (a)** · **poner (el coche) en manos (de)**

3 **mecánica** s.f.

• CON ADJS. **muscular** · **celular** || **automotriz** · **ferroviaria** || **cinemática** · **dinámica** · **estática** · **cuántica** || **sideral** · **electoral** *un gran conocedor de la mecánica electoral* || **perfecta** · **innovadora** · **potente** · **diesel** || **parlamentaria** · **política**
➤ Véase también **DISCIPLINA**

mecanismo s.m.

• CON ADJS. **asequible** · **fácil** · **sencillo** || **complejo** *El mecanismo de este juguete es muy complejo para un niño de dos años* · **difícil** · **endiablado** · **enrevesado** · **intrincado** || **articulado** · **rígido** || **de precisión** *La maquinaria posee un refinado mecanismo de precisión* · **preciso** · **de relojería** · **sofisticado** · **delicado** || **rudimentario** · **primitivo** || **anticuado** · **obsoleto** · **inútil** · **novedoso** *La empresa acaba de implantar un novedoso mecanismo de trabajo* || **adecuado** · **efectivo** || **administrativo** · **legislativo** · **de control** · **físico** || **virtual** · **digital**
• CON VBOS. **funcionar** *El asesor explicó cómo funcionaba el mecanismo de las subvenciones* || **deteriorar(se)** · **estropear(se)** · **fallar** · **detener(se)** *El mecanismo se detuvo por causas todavía desconocidas* · **parar(se)** || **articular** · **idear** · **crear** · **arbitrar** *Es preciso arbitrar mecanismos de control interno* · **preparar** · **disponer** · **establecer** · **implantar** · **poner a prueba** || **accionar** *Un problema técnico impidió al responsable accionar el mecanismo de emergencia* · **arrancar** · **poner en marcha** · **poner en funcionamiento** || **agilizar** · **redoblar** · **perfeccionar** || **desentrañar** · **desmantelar** · **desmontar** || **reparar** · **revisar** *El informe argumenta la necesidad de revisar los actuales mecanismos de control* · **arreglar** · **poner a punto** · **engrasar**

mecanizar v.

• CON SUSTS. **actividad** *mecanizar la actividad agropecuaria* · **trabajo** · **labor** · **tarea** · **proceso** || **agricultura** · **campo** || **movimiento** *movimientos mecanizados como los de los trabajadores de las cadenas de montaje* · **gesto** || **juego** · **aprendizaje** || **información** · **gestión**
• CON ADVS. **completamente** · **totalmente** || **informáticamente**

mecanografiar v.

• CON SUSTS. **manuscrito** · **documento** || **folio** *mecanografiar los folios a doble espacio* · **copia** · **hoja** || **línea** · **texto** · **página** · **ejemplar** || **carta** · **nota** · **escrito** · **relato** · **verso** · **novela** || **letras** · **números**
• CON ADVS. **rápidamente** || **a {un/doble} espacio**

mecanógrafo, fa s.

- CON ADJS. **profesional · rápido,da · lento,ta**
- CON SUSTS. **escuela (de) · curso (para) · examen (de)**
- CON VBOS. **escribir (algo) · transcribir (algo)** *Las entrevistas las ha transcrito un mecanógrafo profesional* · **pasar a máquina (algo) · copiar (algo)**

mecha s.f.

▮ [de una vela]

- CON VBOS. **encender · prender** *Un camión de fumigación prendió la mecha* || **apagar**

▮ [de pelo]

- CON ADJS. **rubia** *Se ha dado unas mechas rubias muy favorecedoras* · **morena · pelirroja · clara · oscura · caoba · de color** || **rizada · lisa**
- CON VBOS. **dar(se) · poner(se) · llevar**
- CON PREPS. **con** *una melena rubia con mechas caobas*

mechar v.

- CON SUSTS. **carne** *mechar la carne del pavo con huevo y patata* · **redondo**

mechón s.m.

- CON ADJS. **de pelo · de cabello** || **rebelde** || **rubio · cobrizo · rojo · castaño · moreno · blanco · canoso**
- CON VBOS. **caer(se)** || **teñir** *Me teñí solo un mechón para ver cómo quedaba* · **cortar · rizar** || **cubrir (con)**

medalla s.f.

- CON ADJS. **honrosa · merecida** *una merecida medalla que guarda entre sus recuerdos* || **ansiada · codiciada** || **disputada** || **deportiva · olímpica · militar** || **de oro · de plata · de bronce · de honor**
- CON VBOS. **conseguir · cosechar** *Cosechó dos medallas de oro en la última Olimpiada* · **llevar(se) · ganar** *Su máxima ilusión es ganar una medalla olímpica* · **obtener · conquistar · asegurar · perseguir · arrebatar · lograr** || **acariciar · arañar** || **disputar(se)** || **conceder · dar · otorgar** *El jurado ha decidido otorgar la medalla a un cineasta mexicano* · **entregar · adjudicar · imponer · recibir** || **colgar(se) · poner(se)** *Consiguió el presupuesto para construir la biblioteca y ponerse así una medalla de cara a las próximas elecciones* · **anotar(se) · quitar(se)** || **exhibir · lucir · ostentar · llevar** *Suele llevar al cuello una pequeña medalla de plata* || **luchar (por) · aspirar (a)** || **desposeer (de)**

[media] s.f. → medio, dia

mediación s.f.

- CON ADJS. **exitosa · bienintencionada · efectiva · útil** || **inefectiva · inútil** || **gubernamental** *Los sindicatos han rechazado la mediación gubernamental* · **política · familiar · social** || **posible · eventual** *Podría hacer falta una eventual mediación en el conflicto* || **internacional · extranjera**
- CON SUSTS. **intento (de) · esfuerzo (de) · fracaso (de)** || **acuerdo (de) · oferta (de)** || **capacidad (de) · papel (de)** *La embajadora asumió su papel de mediación entre ambas partes* || **labor (de) · proceso (de)** || **órgano (de)**
- CON VBOS. **fracasar** *A pesar de los esfuerzos, la mediación internacional fracasó* || **pedir · solicitar · rechazar** || **realizar · llevar a cabo**

[mediana] s.f. → mediano, na

mediano, na

1 **mediano, na** adj.

- CON SUSTS. **edad** *una mujer de mediana edad* · **tamaño · estatura** *Soy moreno y de estatura mediana* · **talla** || **empresa** *una ley que favorece a la pequeña y mediana empresa* · **industria · negocio · banco** || **empresario,ria · comerciante · productor,-a · proveedor,-a · acreedor,-a · inversor,-a** || **potencia · alcance · calibre · velocidad · inteligencia** || **escala · formato** || **éxito**

2 **mediana** s.f.

▮ [de una carretera]

- CON ADJS. **estrecha · ancha**
- CON VBOS. **cruzar** *Un vehículo circulaba a gran velocidad y cruzó la mediana* · **saltar(se) · atravesar** || **chocar (con/contra) · colisionar (con/contra) · volcar (sobre/en)**

[mediar] → mediar; mediar (en)

mediar v.

- CON SUSTS. **palabra** *...y sin mediar palabra se levantó y se fue* · **diálogo · acusación · acuerdo** || **error · inconveniente** *De no mediar ningún inconveniente, la noticia saldrá a la luz muy pronto* · **imprevisto · sorpresa** || **razón** *Si es así, debe mediar una razón de peso* · **razonamiento · motivo · causa · provocación** || **día · hora ·** ***otros periodos***

☐ USO Se usa generalmente en contextos negativos: *sin mediar palabra.*

mediar (en) v.

- CON SUSTS. **conflicto** *Se ha mostrado ineficaz para mediar en los conflictos sociales* · **crisis · problema** || **discusión · polémica · debate** || **pelea** *Prefiero no mediar en tus peleas conyugales* · **riña · pugna · disputa** || **asunto · operación** || **liberación**

medias tintas loc.sust. *col.*

- CON VBOS. **caber · valer** *Háblame con claridad, porque en este asunto no valen medias tintas* || **andarse (con)** *He comprobado que aquí no se andan con medias tintas* · **venir (con) · dejarse (de)**

mediático, ca adj.

- CON SUSTS. **repercusión** *La boda ha tenido especial repercusión mediática* · **impacto · presencia · éxito · atención** || **espectáculo · fenómeno** *Se ha convertido en un fenómeno mediático* || **personaje · artista · sociedad** *Vivimos en una sociedad mediática* · **clase ·** ***otros individuos y grupos humanos*** || **mundo · imperio · universo · entorno · sistema** || **estrategia · oportunismo · manipulación · montaje** || **acoso · presión · batalla · ofensiva · linchamiento · guerra · campaña** || **red · maquinaria · conglomerado · despliegue · cobertura** *Se hizo famoso gracias a la cobertura mediática del suceso* || **control · mando** || **cultura**

medicación s.f.

- CON ADJS. **eficaz · contraindicada · {con/sin} efectos secundarios · intensa · fuerte** *Me mandaron una medicación muy fuerte para...* · **potente · severa · estricta · suave · ligera** || **adecuada · indicada · habitual** || **preventiva · tradicional** || **gratuita · costosa · cara · subvencionada · asequible** || **casera · natural** || **sujeto,ta (a)**
- CON SUSTS. **dosis (de)** *tomar la dosis de medicación indicada* · **cantidad (de)** || **efecto (de)** *No quiero conducir bajo el efecto de la medicación* · **reacción (a) · error**

(de) · contraindicaciones (de) · tolerancia (a) || régimen (de) · suministro (de) || programa (de) · plan (de) || período (de)
• CON VBOS. {hacer/surtir} efecto || tomar · necesitar · emplear · usar || recibir · aceptar · abandonar || recetar · prescribir · administrar · suspender · retirar || cambiar · combinar || tolerar · rechazar || responder (a) · encontrarse (bajo) || tratar (con) · curar (con)
• CON PREPS. a base (de) *Consiguió soportar el dolor a base de medicación*

médicamente adv.

• CON VBOS. tratar · controlar *controlar médicamente a un paciente* · atender · asistir || examinar · valorar || aconsejar · desaconsejar || denominar *¿Cómo se denomina médicamente este tratamiento?* · demostrar · impedir

☐ USO Se construye muy frecuentemente con participios: *un tratamiento controlado médicamente.*

medicamento s.m.

• CON ADJS. efectivo · eficaz *Este medicamento lo recetan mucho porque es muy eficaz* · milagroso || inefectivo · ineficaz · contraindicado || {con/sin} efectos secundarios || curativo · preventivo || experimental · nuevo || drástico · fuerte *El médico me advirtió que era un medicamento muy fuerte* || genérico || amargo · vomitivo *Decidí no volver a tomar aquel medicamento tan vomitivo*
• CON SUSTS. dosis (de) · posología (de) || contraindicaciones (de) · tolerancia (a) · alergia (a) || efecto (de)
• CON VBOS. {hacer/surtir} efecto *No todos los medicamentos hacen efecto de forma inmediata* · actuar *un medicamento que actúa sobre el foco del dolor* · potenciar · dar {buen/mal} resultado · sentar mal · producir (algo) *Este medicamento puede producir efectos secundarios* || caducar || administrar · aplicar · prescribir · recetar *Me han recetado un medicamento para controlar la tensión* · espaciar || suministrar · dispensar · comercializar · retirar *retirar un medicamento del mercado* || emplear · usar · aprobar || tomar · ingerir · tolerar || descubrir · desarrollar · probar · fabricar · ensayar

medicina s.f.

▮ [medicamento]

• CON ADJS. eficaz · expeditiva · drástica · milagrosa · reconstituyente || ineficaz · contraproducente · perjudicial || contraindicada *Esta medicina está contraindicada para pacientes con problemas hepáticos* || innovadora
• CON VBOS. {hacer/surtir} efecto || administrar · aplicar · dosificar || dispensar · prescribir || tomar *Prefiero no acostumbrarme a tomar muchas medicinas* · ingerir · espaciar

▮ [rama del saber]

• CON ADJS. tradicional · alternativa *un centro de medicina alternativa* · natural · preventiva · general · paliativa · interna
• CON VBOS. ejercer *Ejerzo la medicina desde hace muchos años* · practicar
➤ Véase también **DISCIPLINA**

medicinal adj.

• CON SUSTS. planta · hierba *El jengibre se usa en las comidas y como hierba medicinal* · alimento · especie || producto · fórmula · sustancia · droga · gas · agua || uso *Algunos países prohíben el uso medicinal de la marihuana* · consumo · fines || propiedades · acción · efecto || balón || patente

medición s.f.

• CON ADJS. exacta · precisa · fiable *Estas mediciones son fiables porque están realizadas con un instrumental muy preciso* · fidedigna || aproximada · imprecisa · a ojo *Con una simple medición a ojo se hubiera sabido que el mueble no cabía* || de campo
• CON VBOS. hacer *Hicieron las últimas mediciones antes de proceder a la voladura del edificio* · realizar · efectuar

médico, ca

1 médico, ca adj.

• CON SUSTS. atención · tratamiento *Sigo un tratamiento médico muy estricto* · parte · diagnóstico · revisión · chequeo · examen *El especialista me ha aconsejado someterme a un examen médico anual* · control · informe · ayuda · cuidado · consejo · reconocimiento · receta · reposo || seguro · centro · consultorio · consulta || cuerpo · equipo · asociación · colegio || ética · profesión · gasto *El Ejecutivo anunció las nuevas medidas con las que se controlará el gasto médico* || investigación · formación · tecnología · ciencia · experimento · procedimiento · especialidad · disciplina || avance · progreso · indagación · discurso · revista

2 médico, ca s.

• CON ADJS. de cabecera *La médica de cabecera me recomendó vacunarme contra la gripe* · de familia · especialista · residente · forense · internista || de guardia · de urgencia(s) || experto,ta · eminente · competente · eximio,mia · notable · ilustre || prestigioso,sa · conocido,da · afamado,da · reputado,da || acreditado,da · colegiado,da · diplomado,da || mediocre · de segunda fila · aficionado,da
• CON SUSTS. consulta (de) || competencia (de)
• CON VBOS. recetar (algo) · prescribir · recomendar || examinar (a alguien) · revisar · reconocer (a alguien) · visitar (a alguien) || tratar (a alguien) *¿Qué médico te ha tratado a ti?* · operar || consultar *Si tiene dudas, consulte a su médico* · preguntar || acudir (a) · ir (a) · llevar (a) *Esta tarde voy a llevar a la niña al médico, porque...* || ejercer (como/de)

[medida]

→ a la medida (de); a medida; medida; medida de seguridad; tomar medida(s)

medida s.f.

▮ [medición]

• CON ADJS. aproximada · exacta · fidedigna · precisa · correcta · incorrecta
• CON SUSTS. unidad (de)
• CON VBOS. tomar *Esta tarde vienen a tomar las medidas para las cortinas nuevas* · obtener

▮ [disposición, acción]

• CON ADJS. acertada *La reducción de ese impuesto resultó una medida económica acertada* · adecuada · apropiada · atinada · saludable · salomónica · meditada || controvertida · polémica · desaconsejable · contraproducente · innecesaria *Considero que registrar a todos los asistentes fue una medida innecesaria* || arbitraria · discrecional · discriminatoria · injusta · igualitaria || necesaria · conveniente · oportuna · imprescindible · inevitable · justificada || abusiva · desorbitada · desproporcionada · excesiva || urgente *medidas urgentes para reducir los efectos de la ola de calor* · perentoria · inmediata · automática · eventual · coyuntural · temporal || drástica *Tras repetidos actos de vandalismo, el director se vio obligado a adoptar medidas drásticas* · estricta · contundente · extrema · radical · férrea · terminante · expeditiva ·

implacable · fulminante · inobjetable · irrefutable || permisiva *Las medidas eran tan permisivas que dieron problemas* · laxa || efectiva · eficaz · decisiva || disparatada · descabellada · aventurada · arriesgada · precipitada · cautelosa || cautelar · disuasoria · preventiva · profiláctica · terapéutica || de presión *Iniciaron una huelga como medida de presión* · disciplinaria · legal

● CON SUSTS. paquete (de) · abanico (de) · arsenal (de) *Se aprobó un arsenal de medidas contra el fraude fiscal* · batería (de) || alcance (de)

● CON VBOS. consistir (en algo) · urgir · cocinar(se) · prosperar · surtir efecto · tener éxito · funcionar || caer como una bomba *Las nuevas medidas cayeron como una bomba* || atañer · regir || agotar(se) || idear · perfilar *La empresa está perfilando medidas para hacer frente a la morosidad* · plantear · pensar · proponer || votar · decidir · aprobar · tramitar · arbitrar · concertar · establecer · dictar · decretar · dictaminar · firmar || tomar · adoptar · implantar · imponer *El comité deportivo impuso férreas medidas antidopaje* · aplicar *Las medidas recientemente aprobadas se empezarán a aplicar a partir de enero* · llevar a cabo · emprender · hacer efectiva · llevar {adelante/a la práctica} · poner {en juego/en práctica} · emplear · oponer || extremar · recrudecer(se) · intensificar *intensificar las medidas contra el deterioro medioambiental* · dosificar · dulcificar || acatar · asumir · encajar · recibir · acoger || burlar *Logró burlar las medidas de vigilancia* · desobedecer || aconsejar · prescribir · auspiciar · avalar · apoyar · impulsar || desaconsejar · vetar · reprobar · rechazar *Rechazaron la medida por considerarla abusiva* · socavar · impugnar || retirar · congelar · revocar · derogar · rectificar

● CON PREPS. con arreglo (a) · en contra (de) · a favor (de)

□ EXPRESIONES **a (la) medida*** [adaptado al destinatario] || **a medida que** [al mismo tiempo que]

medida de seguridad loc.sust.

● CON ADJS. fuerte *El acto se desarrolló bajo fuertes medidas de seguridad* · estricta · drástica · notable · extrema · rigurosa · severa || escasa · insuficiente || habitual · excepcional || necesaria · imprescindible · inevitable || rodeado,da (de) *una visita rodeada de extremas medidas de seguridad*

● CON VBOS. aumentar · disminuir · decrecer · faltar || adoptar · establecer *Se establecerán nuevas medidas de seguridad en los aeropuertos* · dictar · aplicar · desplegar · poner en práctica || incrementar · reforzar · redoblar *Tras el atraco, el banco redobló las medidas de seguridad* · extremar · rebajar · suprimir || burlar · saltarse || echar en falta

medieval adj.

● CON SUSTS. época · período · mundo · tiempo || castillo *un castillo medieval perfectamente conservado* · ciudad · muralla · puente · mercado · villa · pueblo · población · reino · ruinas || arte · música · literatura *Se ha especializado en literatura medieval española* · teatro · poesía · épica · lírica · polifonía · pintura || juglar · caballero · guerrero,ra · monje · escribano · amanuense · trovador || texto · crónica · cuento · relato · romance · leyenda *La película está basada en una leyenda medieval* || filosofía · pensamiento · teología || historia · pasado · origen || tema · estilo || mentalidad · actitud || torneo · tradición *Esta celebración se remonta a una tradición medieval* · fiesta · aventura · justa

[medio, dia] →a media asta; a medias; a media voz; a medio gas; de medio a medio; medias tintas; medio, dia

medio, dia

1 **medio, dia** adj.

▮ [equidistante entre dos extremos]

● CON SUSTS. punto · término · nivel || tono *Hablaba en un tono medio, sin gritar* || edad · tamaño · distancia · altura · peso · profundidad · ***otras magnitudes*** || crecimiento || enseñanza *El año pasado aumentó la cantidad de alumnos en la enseñanza media* · escuela || dotación · coste

▮ [la mitad]

● CON SUSTS. kilo · litro · docena · kilómetro · tonelada · euro || centenar *Medio centenar de personas asistieron al acto* · millón · millar || punto || siglo · año · mañana · día · hora *En el trabajo tenemos media hora para comer* · segundo · minuto · ***otros periodos***

2 **medio** s.m.

▮ [centro]

● CON ADJS. justo

● CON VBOS. estar (en) *Hija mía, siempre estás en el medio* · pasar (por) · poner (en) *Hicimos un corro y pusimos nuestras mochilas en el medio*

▮ [recurso]

● CON ADJS. económico · político · legal · técnico · tecnológico · didáctico || humano · de comunicación · impreso · de transporte || abundantes · ingentes · suficientes *Contamos con medios suficientes para llevarlo a cabo* || escasos · limitados · precarios · exiguos · insuficientes || a {mi/tu/su...} alcance · a {mi/tu/su...} disposición · disponible *Tuvieron que conformarse con los medios disponibles* · legítimo || efectivo · eficaz · infalible · ineficaz || necesario · imprescindible · oportuno · conveniente · adecuado · acertado || moderno · avanzado · desarrollado · anticuado · obsoleto || disuasorio · convincente || sobrado,da (de) *En esta empresa no andamos sobrados de medios* · escaso,sa (de)

● CON SUSTS. uso (de) || profusión (de) · exhibición (de) · abundancia (de) · escasez (de) || ambiente *cuidar el medio ambiente*

● CON VBOS. escasear *Sobraban las ideas pero escaseaban los medios* · faltar · sobrar || tener · necesitar · pedir · solicitar || proporcionar · brindar · ofrecer · procurar · poner a disposición (de alguien) || crear · descubrir · inventar · desarrollar || emplear · poner · dedicar · aplicar · encauzar || escatimar *En la organización del evento no escatimaron medios* · ahorrar · recortar || aprovechar · malgastar || disponer (de) *No disponen de medios para atender a los enfermos más graves* · contar (con) || dotar (de) · equipar (con) *un aula equipada con los medios más modernos* · proveer (de) · pertrechar(se) (con/de) || valerse (de) || reparar (en)

3 **media** s.f.

▮ [promedio]

● CON ADVS. aproximada · exacta || alta · baja || alarmante || aritmética · geométrica · ponderada

● CON VBOS. alcanzar · superar · sobrepasar · rebasar *La asistencia de hoy ha rebasado la media diaria* · romper || sacar · mantener || calcular · hacer || establecer || llegar (a) *No se llega a la media europea*

▮ [prenda de vestir]

● CON ADJS. corta · tobillera

● CON SUSTS. carrera (en) *En cuanto me descuido se me hace una carrera en las medias*

● CON VBOS. romper(se) · caer(se)

➤ Véase también **ROPA**

☐EXPRESIONES **a medias*** [a partes iguales] || **de medio a medio*** [totalmente] || **quitar de en medio** (a alguien) [apartarlo, matarlo] *col.*

mediocre adj.

• CON SUSTS. **persona** *Es un pintor bastante mediocre* || **juego** · **temporada** *El entrenador fue despedido por la mediocre temporada del equipo* · **partido** · **campaña** || **película** · **producción** · **espectáculo** · **versión** · **novela** · **sonata** · **drama** · **soneto** · ***otras obras*** || **actuación** · **interpretación** · **trabajo** · **formación** || **resultado** · **solución**

mediocridad s.f.

• CON ADJS. **general** · **social** · **política** *Los ciudadanos se sienten desolados ante tanta mediocridad política* || **reinante** · **dominante** || **absoluta** *un profesional de una mediocridad absoluta* · **extrema** · **completa** · **alarmante** || **irremediable** || **desoladora** · **oscura** || **áurea** · **dorada** || **diaria** · **cotidiana** || **aparente**

• CON SUSTS. **tiempo (de)** · **ola (de)** || **tono (de)** || **imperio (de)**

• CON VBOS. **detestar** · **soportar** · **despreciar** || **reflejar** || **superar** · **romper** || **salir (de)** · **huir (de)** *un concurso televisivo que intenta huir de la mediocridad reinante* || **sumir (en)** · **quedarse (en)** · **resignar(se) (a)** || **salvar (de)** · **rescatar (de)** *El premio literario le sirvió de estímulo y lo rescató de la mediocridad*

medir v.

• CON SUSTS. **altura** *Tomó un metro para medir la altura de la mesa* · **tiempo** · **nivel** · **velocidad** · **volumen** · **tamaño** · ***otras magnitudes*** || **inteligencia** *un test para medir la inteligencia* · **belleza** · **capacidad** · **eficacia** · **fuerza** *Medirán sus fuerzas en un combate* · ***otras cualidades*** || **importancia** · **gravedad** · **valor** || **consecuencia** *No medí las consecuencias de mis palabras cuando le hablé así* · **efecto** · **alcance** · **impacto** || **riesgo** *Antes de invertir en bolsa, deberías medir los riesgos* · **peligro**

• CON ADVS. **aproximadamente** · **más o menos** · **a ojo** · **a bulto** *Si no tienes un metro, mídelo a bulto* · **a voleo** || **exactamente** · **con exactitud** · **con precisión** *Ante todo hemos de medir con precisión la cantidad de yodo que debe ponerse en la mezcla* · **escrupulosamente** · **minuciosamente** · **ajustadamente** · **apropiadamente** || **por el mismo rasero** *Aquí no hay favoritismos, medimos a todos por el mismo rasero*

☐EXPRESIONES **medir {las/mis/tus/sus...} palabras** [hablar con cuidado y control]

meditación s.f.

• CON ADJS. **trascendental** *técnicas de meditación trascendental* || **profunda** · **honda** || **serena** · **reposada** · **calmada** || **larga** *Este libro es el resultado de una larga meditación de su autor* · **prolongada** || **mística** || **sumido,da (en)**

• CON SUSTS. **estado (de)** || **período (de)** || **ejercicio (de)** · **técnica (de)**

• CON VBOS. **hacer** · **practicar** *Desde que practico la meditación me encuentro más relajado* || **sumir(se) (en)** · **dedicar(se) (a)** || **invitar (a)**

meditar v.

• CON SUSTS. **asunto** · **problema** · **cuestión** || **respuesta** *Necesito meditar mi respuesta antes de aceptar semejante ofrecimiento* · **decisión** · **elección** · **determinación**

• CON ADVS. **serenamente** · **con calma** *Es un asunto de extrema gravedad, que debe ser meditado con calma* · **sin prisas** · **tranquilamente** · **reposadamente** · **con tiempo** · **con tranquilidad** || **profundamente** *Meditó profundamente el problema hasta que halló una solución* · **concienzudamente** · **largamente** *una decisión largamente meditada* || **en frío**

• CON VBOS. **invitar (a)** *Los recientes acontecimientos invitan a meditar inevitablemente sobre el destino de la humanidad* · **incitar (a)** · **llevar (a)**

medrar (en) v.

• CON SUSTS. **empresa** *El chico medró en la empresa con astucia y fue escalando puestos* · **trabajo** · **política** · **partido** · **vida** · **literatura** · **escalafón**

• CON ADVS. **económicamente** · **políticamente** · **socialmente** || **fácilmente** · **provechosamente**

médula s.f.

• CON ADJS. **ósea** · **espinal**

• CON SUSTS. **banco (de)** · **transplante (de)** *someterse a un transplante de médula* · **intervención (de)** · **operación (de)** || **lesión (de)** · **tumor (de)** · **enfermedad (de)** · **cáncer (de)** || **célula (de)** · **membrana (de)**

• CON VBOS. **necesitar** · **donar** *una persona sana que ha donado médula ósea* || **trasplantar** · **intervenir**

☐EXPRESIONES **hasta la médula** [muy intensamente] *col.*

medular adj.

• CON SUSTS. **trasplante** *El médico dijo que el trasplante medular había sido un éxito* · **punción** || **cáncer** · **lesión** · **traumatismo** · **daño** || **línea** · **parte** *Parece que la lesión ha alcanzado la parte medular* · **zona** || **crecimiento** · **función** || **aspecto** · **cuestión** · **problema**

megafonía s.f.

• CON ADJS. **estridente** · **estruendosa** || **centralizada** · **móvil**

• CON SUSTS. **sistema (de)** · **equipo (de)** *Tienen que venir a arreglar el equipo de megafonía* · **servicio (de)** · **instalación (de)** · **complemento (de)** || **mensaje (de)** || **encargado,da (de)**

• CON PREPS. **por** *Nos comunicaron por megafonía que iban a cerrar* · **mediante**

mejilla s.f.

• CON ADJS. **sonrosada** *un bebé de mejillas sonrosadas* · **colorada** · **encendida** · **arrebolada** · **pálida**

• CON VBOS. **sonrojar(se)** · **encender(se)** · **arrebolar(se)** || **poner** *Estoy harto de abusos, no voy a poner la otra mejilla* · **acercar** || **acariciar** · **pellizcar** || **besar (en)**

mejora s.f.

• CON ADJS. **clara** · **apreciable** · **evidente** *Supone una evidente mejora de las infraestructuras* · **indudable** · **visible** · **palpable** · **ostensible** · **patente** · **perceptible** · **manifiesta** || **significativa** *El informe detecta una mejora significativa en la calidad de vida* · **sustancial** · **notable** · **acusada** · **decisiva** · **sustanciosa** · **necesaria** || **ligera** · **moderada** · **escasa** · **leve** || **imperceptible** · **inapreciable** · **insignificante** || **lenta** · **rápida** · **vertiginosa** · **gradual** · **progresiva** · **paulatina** · **sostenida** · **a {corto/medio/largo} plazo** *Con la implantación de estas medidas, se espera una mejora a medio plazo* || **integral** · **parcial** || **cualitativa** · **cuantitativa**

• CON SUSTS. **espíritu (de)** · **promesa (de)** · **proyecto (de)** · **programa (de)** · **propuesta (de)** · **plan (de)** · **línea (de)** · **obra (de)** · **trabajo (de)** · **actuación (de)** || **síntoma (de)** · **signo (de)** · **posibilidad (de)**

• CON VBOS. **producir(se)** *Gracias a esa revolucionaria técnica, se produjo una mejora de los cultivos de...* · **operar(se)** || **consolidar(se)** · **desvanecerse** || **realizar** · **implantar** || **augurar** · **vislumbrar** · **atisbar** *Se atisba una* *mejora en la economía del país* · **apreciar** · **percibir** · **notar** · **detectar** · **diagnosticar** · **reconocer** · **registrar** || **reportar** *El cambio de horario no nos reportó ninguna mejora* · **acarrear** · **conllevar** · **suponer** · **implicar** || **constituir** · **significar** || **experimentar** · **acusar** · **anotar** || **solicitar** *Los usuarios del polideportivo solicitaron mejoras en las instalaciones* · **pedir** · **negociar** || **alcanzar** · **obtener** · **arrancar** || **redundar (en)** *Este aumento en la recaudación redundará en una mejora del servicio* · **revertir (en)**

mejorable adj.

● CON ADVS. **considerablemente** || **claramente** *Su rendimiento escolar es claramente mejorable* · **manifiestamente** · **clamorosamente**

mejorar v.

● CON SUSTS. **calidad de vida** · **salud** || **imagen** · **aspecto** · **apariencia** || **condiciones** · **recursos** · **instalaciones** · **infraestructuras** · **servicios** · **técnicas** || **relaciones** · **trato** || **competitividad** · **eficiencia** · **capacidad** · **rendimiento** *Si no se mejora el rendimiento, el fracaso será seguro* · **producción** || **ingresos** · **recaudación** · **economía** · **rentabilidad** *El nuevo convenio trata de mejorar la rentabilidad de la empresa* || **situación** · **mundo** || **tiempo** *A partir del viernes, el tiempo mejorará*

● CON ADVS. **considerablemente** · **enormemente** · **espectacularmente** · **notablemente** · **significativamente** · **sustancialmente** · **decisivamente** · **en mucho** · **con creces** · **largamente** || **ligeramente** *Como el tiempo había mejorado ligeramente, decidimos salir a dar un paseo* · **escasamente** || **apreciablemente** · **palpablemente** · **manifiestamente** · **perceptiblemente** · **ostensiblemente** || **cualitativamente** · **cuantitativamente** || **progresivamente** *El enfermo fue mejorando progresivamente hasta su total recuperación* · **paulatinamente** · **gradualmente** || **lentamente** · **rápidamente** · **a pasos agigantados** · **vertiginosamente** · **a marchas forzadas**

mejoría s.f.

● CON ADJS. **clara** · **apreciable** · **evidente** · **indudable** · **ostensible** · **palpable** · **perceptible** || **completa** · **franca** · **acusada** *una acusada mejoría de las condiciones climatológicas* · **notable** · **sorprendente** · **sustancial** · **moderada** · **ligera** *Se percibe una ligera mejoría en los mercados financieros* · **leve** || **paulatina** · **progresiva** · **gradual** || **lenta** · **rápida** || **económica** · **climática** · **física** · **personal**

● CON VBOS. **producir(se)** *Se ha producido una franca mejoría en su estado de salud* || **experimentar** · **acusar** || **percibir** · **apreciar** · **notar** · **detectar** · **registrar** · **prever**

mejunje s.m.

● CON VBOS. **dar (a alguien)** || **beber** · **tomar** · **probar** *No pienso probar ese mejunje que has preparado* || **mezclar** · **hacer**

melancolía s.f.

● CON ADJS. **profunda** · **honda** *recuerdos de su ya perdida juventud que le provocaban una honda melancolía* · **insondable** || **amarga** · **soterrada** · **terrible** || **dulce** · **lánguida** *Los paisajes brumosos le provocaban una lánguida melancolía* || **indefinible** · **vaga** · **incierta** || **contenida** · **a raudales** || **lleno,na (de)** · **preso,sa (de)** *Siempre que se acordaba de su tierra caía presa de una profunda melancolía* · **propenso,sa (a)** · **sumido,da (en)**

● CON SUSTS. **estado (de)** *Desde que ella se fue, quedó sumido en un permanente estado de melancolía* · **sensación (de)** || **crisis (de)** · **arrebato (de)** || **tendencia (a)** · **propensión (a)**

● CON VBOS. **entrar (a alguien)** *Empezamos a hablar de los viejos tiempos y me entró una gran melancolía* · **invadir (a alguien)** · **venir (a alguien)** · **anidar (en alguien)** || **írse(le) (a alguien)** · **pasárse(le) (a alguien)** || **producir (a alguien)** · **provocar (a alguien)** · **causar** · **generar** · **contagiar** || **sentir** · **tener** || **aliviar** · **vencer** · **superar** || **sumir(se) (en)** · **hundir(se) (en)** · **ahogar(se) (en)** · **desembocar (en)** · **conducir (a)** || **salir (de)** · **huir (de)** · **escapar (de)** || **teñir (de)** *una música teñida de dulce melancolía* · **impregnar (de)**

melancólico, ca adj.

● CON SUSTS. ***persona*** *Es una chica triste y melancólica* || **temperamento** · **carácter** · **espíritu** || **sonrisa** · **mirada** · **expresión** · **visión** · **rostro** || **ambiente** · **estilo** · **tono** *Se despidió con tono triste y melancólico* · **atmósfera** · **clima** · **aire** || **libro** · **poesía** · **película** · **música** · **melodía** · **canción** · **cuento** · **carta** || **recuerdo** · **reflexión** || **sentimiento** · **tristeza** · **nostalgia**

● CON ADVS. **tremendamente** *Esta canción me hace sentir tremendamente melancólica y nostálgica* · **enormemente** · **ligeramente** · **profundamente**

● CON VBOS. **estar** · **poner(se)** *Se puso melancólico con los recuerdos de su infancia* · **quedar(se)** · **ser** · **volver(se)**

melena s.f.

● CON ADJS. **larga** · **abundante** · **espesa** · **densa** · **tupida** · **frondosa** · **exuberante** || **encrespada** · **enmarañada** · **desmadejada** · **rebelde** || **suelta** *Me gustas más con la melena suelta* · **recogida** · **al viento**

● CON VBOS. **enredar(se)** || **peinar** · **desenredar** · **atusar** *Antes de entrar a verlo se estiró el vestido y se atusó la melena* || **alisar** · **rizar** · **recoger** *Para trabajar en la cocina tendrás que recogerte esa melena* · **teñir** · **cortar** · **lavar** || **exhibir** · **lucir** · **llevar** · **tener**

□ EXPRESIONES **soltarse la melena** [lanzarse a actuar de forma desinhibida] *col.*

mellado, da adj.

● CON SUSTS. **dentadura** · **boca** *una niña con la boca mellada* · **diente** || **niño,ña** · **anciano,na** · ***otros individuos*** || **cuchillo** *Este cuchillo no corta bien porque está mellado* · **machete** · **filo** · **hoja** · **navaja** || **arado** · **azadón** · **hacha** || **poder** · **crítica** || **lápiz**

mellar(se) v.

● CON SUSTS. **filo** · **cuchillo** *Melló el cuchillo al intentar cortar una pieza de metal* · **machete** · **navaja** · **arado** · **diente** || **plato** · **vaso** · **taza** || **confianza** *graves hechos que mellaron seriamente la confianza en el Gobierno* · **fe** · **moral** · **fuerza de voluntad** · **mentalidad** · **espíritu** · **afán** · **ilusión** || **prestigio** · **crédito** · **legitimidad** · **dignidad** · **reputación**

mellizo, za

1 mellizo, za adj.

● CON SUSTS. **hermano,na** *Desconocía que tuviera un hermano mellizo* · **hijo,ja** · **niño,ña** · **bebé**

2 mellizo, za s.

● CON ADJS. **idéntico,ca**

● CON SUSTS. **embarazo (de)** *El médico le anunció un embarazo de mellizos* · **pareja (de)**

● CON VBOS. **tener** · **esperar** · **dar a luz** *Dio a luz a unas mellizas preciosas* · **alumbrar**

melodía s.f.

● CON ADJS. **suave** *Durante la cena, un pianista interpretaba suaves melodías* · **linda** · **acompasada** · **relajante** ||

cautivadora *El público se rindió ante esas cautivadoras melodías* · **arrebatadora** || **pegadiza** · **contagiosa** · **repetitiva** · **trillada** · **persistente** || **encadenada** || **insulsa** · **ramplona** || **desafinada**
● CON VBOS. **surgir** · **brotar** · **entrecortar(se)** · **difuminarse** · **perderse** || **pegárse(le) (a alguien)** *Se me pegó la melodía y me pasé todo el día tarareándola* · **envolver (a alguien)** || **componer** *Compuso primero la melodía y después la letra* || **cantar** · **interpretar** · **reproducir** · **entonar** · **canturrear** · **tararear** · **silbar** *Silbaba una alegre melodía* · **susurrar** || **escuchar** || **seguir** || **dejarse {llevar/atrapar} (por)** *Cerró los ojos y se dejó llevar por la melodía*
● CON PREPS. **al compás (de)** · **al ritmo (de)**

melódico, ca adj.

● CON SUSTS. **música** *Se inició como cantante de música melódica* · **canción** · **cantante** · **tema** || **acorde** · **giro** · **sentido** || **discurso** · **acento** *Lo contrataron en la radio por su acento melódico y su voz profunda* || **estilo** · **línea** · **inspiración** || **belleza** · **riqueza** · **pureza**

melodioso, sa adj.

● CON SUSTS. **voz** · **acento** · **tono** · **frase** || **canto** · **coro** || **música** · **instrumento** || **ritmo** · **acorde** *Se dejó atrapar por los acordes melodiosos de su música*

melodrama s.m.

● CON ADJS. **romántico** · **sentimental** · **pasional** || **intimista** · **psicológico** || **musical** · **de aventuras** || **de intriga** · **de suspense** *un melodrama de suspense de gran éxito en taquilla* || **bélico** · **criminal** || **familiar** · **juvenil** || **social** · **rural** · **político** · **religioso** || **tradicional** · **típico** *La película era el típico melodrama sentimental* · **convencional** · **popular** || **intenso** · **interesante** || **duro** · **tenso** · **descarnado** · **desmedido** · **exagerado** *La obra me pareció un melodrama exagerado* · **patético**
● CON SUSTS. **aire (de)** · **toque (de)** || **tópico (de)** · **elemento (de)**
● CON VBOS. **rozar** *Hay escenas de la película que rozan el melodrama* || **protagonizar** || **dirigir** · **ambientar** || **ver**

meloso, sa adj.

● CON SUSTS. ***persona*** *una chica simpática, pero demasiado melosa* || **voz** *un locutor de voz melosa* · **dicción** || **canción** · **balada** · **música** · **cantante** || **palabras** · **frase** || **actitud** · **mirada** *Consigue siempre lo que quiere con esa mirada melosa*
● CON VBOS. **ser** · **estar** · **poner(se)**

membranoso, sa adj.

● CON SUSTS. **estructura** · **cuerpo** || **sistema** · **órgano** || **material**

memorable adj.

● CON SUSTS. **frase** · **discurso** · **palabras** · **prólogo** · **artículo** · **poema** · **obra** · ***otras manifestaciones verbales o textuales*** || **faena** *El torero hizo una memorable faena* · **actuación** || **fecha** · **jornada** · **día** · **episodio** · ***otros momentos o períodos*** || **viaje** *La excursión se convirtió en un viaje memorable* · **experiencia** · **hecho** *un hecho memorable de nuestra historia* · **acontecimiento**
● CON VBOS. **hacer(se)**

[memoria] → de memoria; memoria

memoria s.f.

▌[capacidad de recordar, recuerdo]

● CON ADJS. **buena** · **excelente** · **de elefante** *No necesita agendas; tiene una memoria de elefante* · **portentosa** · **asombrosa** *Hacía gala de su asombrosa memoria recitando sin titubear interminables poemas* · **envidiable** · **privilegiada** · **proverbial** · **pasmosa** · **fecunda** · **fidedigna** || **mala** · **flaca** · **frágil** · **quebradiza** · **precaria** · **borrosa** *...escudriñando en la memoria borrosa de la infancia* · **selectiva** || **viva** · **vívida** · **imborrable** · **imperecedera** *una obra magna que hará imperecedera la memoria de su autor* · **perdurable** || **infausta** · **llorada** || **histórica** · **fotográfica** || **a {corto/medio/largo} plazo** *¿En qué zona del cerebro se localiza la memoria a corto plazo?* || **presente (en)** · **vivo,va (en)** *sucesos aún vivos en su memoria*
● CON SUSTS. **ejercicio (de)** · **juego (de)** || **pérdida (de)** · **falta (de)** · **fallo (de)** · **lapsus (de)** · **problema (de)** || **golpe (de)**
● CON VBOS. **fallar** · **flaquear** · **nublar(se)** · **empañar(se)** · **borrar(se)** · **írse(le) (a alguien)** || **reverdecer** || **hacer** · **ejercitar** · **despertar** · **refrescar** *Les haré un breve resumen para refrescarles la memoria* · **reavivar** · **avivar** · **aguzar** · **agudizar** · **alimentar** · **recuperar** *testimonios que permiten recuperar la memoria histórica* · **recobrar** · **revivir** · **rebobinar** · **ganar** || **tener** · **conservar** · **guardar** · **atesorar** || **perder** *Se dio un golpe en la cabeza y perdió la memoria* · **atenazar** · **bloquear** · **distorsionar** · **alterar** · **extirpar** || **honrar** · **ofender** · **ensuciar** · **profanar** || **traer (a)** *Este olor a jazmín me trae a la memoria nuestro viaje a Granada* · **venir (a)** · **volver (a)** || **retener (en)** · **guardar (en)** · **grabar (en)** · **mantener (en)** · **perdurar (en)** · **pervivir (en)** · **anclar (en)** || **escarbar (en)** · **hurgar (en)** · **bucear (en)** · **ahondar (en)** · **rescatar (de)** || **apegarse (a)** · **alimentar(se) (de)** || **borrar (de)** *Me gustaría borrar de mi memoria aquel incidente* · **confundirse (en)**

▌[almacenamiento informático]

● CON ADJS. **auxiliar** · **virtual** · **temporal** · **básica**
● CON SUSTS. **capacidad (de)** || **tarjeta (de)** · **chip (de)** || **RAM** *¿Cuánta memoria RAM tiene tu ordenador?* · **ROM** · **caché**

▌[informe, relación]

● CON ADJS. **exhaustiva** · **minuciosa** · **detallada** || **anual** · **semestral** · **mensual** || **oficial** || **de calidades** *la memoria de calidades de una vivienda*
● CON SUSTS. **presentación (de)** · **defensa (de)** · **redacción (de)**
● CON VBOS. **redactar** *Los profesores redactaron una memoria del curso* · **escribir** || **presentar**

□ EXPRESIONES **de memoria*** [utilizando exclusivamente la capacidad memorística]

memorístico, ca adj.

● CON SUSTS. **ejercicio** · **prueba** || **aprendizaje** · **estudio** · **enseñanza** · **conocimiento** || **capacidad** *Tienes una capacidad memorística impresionante* · **habilidad** · **proeza**

memorizar v.

● CON SUSTS. **lista** *No merece la pena memorizar esta lista* · **ítem** · **fecha** · **detalle** · **nombre** · ***otros datos*** || **canción** · **poema** · **estribillo** || **texto** · **papel** · **párrafo** || **apuntes** · **temario** · **teoría**

mención s.f.

● CON ADJS. **breve** · **leve** · **somera** · **tangencial** || **expresa** · **literal** || **obligada** · **inexcusable** || **especial** *Su innovador diseño mereció una mención especial* · **honorífica** · **honrosa** || **digno,na (de)** *No hubo ningún problema digno de mención*
● CON VBOS. **hacer** *Quisiera hacer especial mención a las declaraciones de...* · **introducir** · **deslizar** || **ignorar** · **obviar**

mencionar v.

● CON ADVS. **brevemente** · **de pasada** *La directora mencionó el asunto de pasada* · **al vuelo** · **por encima** · **de refilón** · **tangencialmente** · **someramente** || **expresamente** · **explícitamente** · **literalmente** || **especialmente** · **circunstancialmente** || **a propósito** · **ni por asomo** *No mencionó ni por asomo que fuera a casarse*

mendicidad s.f.

● CON SUSTS. **práctica (de)** · **ejercicio (de)** *Un cúmulo de desafortunadas circunstancias lo llevó al ejercicio de la mendicidad* || **extensión (de)** · **erradicación (de)** · **control (de)** || **causa (de)**

● CON VBOS. **extender(se)** || **erradicar** *un plan para erradicar la mendicidad* · **prohibir** · **fomentar** || **ejercer** · **practicar** · **abandonar** || **acabar (con)** · **salir (de)** *Buscó trabajo desesperadamente para salir de la mendicidad* || **dedicar(se) (a)** · **vivir (en)**

mendrugo s.m.

● CON ADJS. **de pan** || **duro** · **seco**

● CON VBOS. **comer** · **compartir** || **mendigar** · **conseguir** · **ganar(se)**

menear v.

● CON SUSTS. **cabeza** · **cuerpo** · **cadera** · **esqueleto** · **cola** · **culo** · **rabo** *Los perros suelen estar contentos cuando menean el rabo* · **pierna**

● CON ADVS. **suavemente** · **enérgicamente** · **alegremente**

☐ EXPRESIONES **de no te menees** [muy considerable] *col.*

meneo s.m. *col.*

● CON ADJS. **de cadera** · **de cabeza** · **de hombros**

● CON VBOS. **dar (a algo/a alguien)** *Para despertarlo tuvimos que darle un buen meneo* · **recibir** · **meter (a algo/a alguien)** · **pegar (a algo/a alguien)**

menester s.m.

● CON ADJS. **doméstico** · **profesional** || **habitual**

● CON VBOS. **cumplir** || **dedicar(se) (a)** · **ocupar(se) (de/en)**

menguante adj.

● CON SUSTS. **luna** · **cuarto** *Esta semana la luna está en cuarto menguante* · **figura** || **evolución** · **tónica** || **prestigio** || **economía** *La economía menguante de este país no podría soportar...*

menguar v.

● CON SUSTS. **sueldo** · **ingresos** · **presupuesto** · **beneficios** · **fondos** · **ganancias** · **tasa** · ***otras cantidades económicas*** || **interés** · **confianza** · **esperanza** || **fama** · **prestigio** · **reputación** || **clientela** · **audiencia** *Inexplicablemente, empezó a menguar la audiencia del popular programa* || **posibilidades** · **facultades** || **valor intensidad** · **importancia** || **salud** *un problema que absorbía sus fuerzas y hacía menguar su salud* · **ánimo** · **apetito** · **voracidad** || **diferencia** · **margen** || **memoria** · **concentración**

● CON ADVS. **considerablemente** · **sensiblemente** · **seriamente** *La crisis hizo menguar seriamente los ingresos de la empresa* · **intensamente** · **sobremanera** · **notablemente** · **ligeramente** || **alarmantemente** · **asombrosamente** · **contundentemente** || **paulatinamente** · **progresivamente** *Durante años ha visto menguar progresivamente sus ganancias* · **rápidamente** · **deprisa** || **sustancialmente** · **cuantitativamente** || **irremediablemente**

meningitis s.f.

● CON ADJS. **bacteriana** · **vírica** || **fulminante** || **aquejado,da (de)** *Ingresó en el hospital aquejado de meningitis* || **aguda** · **grave**

● CON SUSTS. **brote (de)** · **epidemia (de)** · **virus (de)** · **ataque (de)** || **enfermo,ma (de)** || **causa (de)** · **origen (de)** || **vacuna (contra)** || **síntoma (de)** *El médico los calificó como síntomas claros de meningitis* || **caso (de)**

● CON VBOS. **agudizar(se)** · **remitir** || **superar** · **erradicar** || **combatir** · **atajar** · **prevenir** *Han puesto en marcha medidas para prevenir la meningitis entre la población escolar* || **transmitir** || **detectar** · **diagnosticar** || **vacunar (contra)** · **luchar (contra)** || **restablecerse (de)** · **recuperarse (de)** · **recobrarse (de)** · **morir (de)**

[menor]

→ al por {mayor/menor}; de mayor a menor

menoscabar v.

● CON SUSTS. **prestigio** · **reputación** · **fama** · **buen nombre** *Sus declaraciones no menoscabarán el buen nombre de nuestra institución* || **dignidad** *Parece empeñado en menoscabar la dignidad y la autoestima de los estudiantes* · **calidad** · **originalidad** · **importancia** || **economía** · **fondos públicos** · **finanzas** || **capacidad** · **competencias** || **libertad** · **derechos** · **independencia** · **soberanía** || **intereses** *No deberían menoscabarse los intereses de las minorías* · **posibilidades** || **autoridad** · **gobierno** · **credibilidad**

● CON ADVS. **gravemente** || **injustamente**

menosprecio s.m.

● CON ADJS. **claro** · **absoluto** · **total** || **constante** · **general** || **injustificado** · **gratuito** · **injusto** || **displicente** · **directo** || **grave** · **intolerable** · **flagrante**

● CON SUSTS. **actitud (de)** *Hablaba con una actitud de menosprecio insoportable* · **situación (de)** || **víctima (de)**

● CON VBOS. **sufrir** · **aguantar** *Tuvo que aguantar el menosprecio de todos sus compañeros* || **favorecer** *ideas que favorecen el menosprecio hacia...* · **inspirar** · **comportar** || **expresar** · **criticar** · **evitar** || **granjear(se)** · **ganarse** || **caer (en)**

mensaje s.m.

● CON ADJS. **claro** · **directo** || **meridiano** · **rotundo** · **tajante** · **encendido** || **ambiguo** · **confuso** · **abstruso** · **discordante** · **enrevesado** · **cifrado** · **subliminal** *anuncios publicitarios que encierran mensajes subliminales* · **entre líneas** · **soterrado** · **sesgado** || **eficaz** · **ineficaz** || **alarmante** *Continuamente nos llegan mensajes alarmantes de la zona en conflicto* · **acuciante** · **disuasorio** || **de esperanza** · **de paz** · **de apoyo** · **de calma** · **de tranquilidad** · **de unidad** · **conciliador** · **constructivo** · **tranquilizador** · **ilusionante** · **halagüeño** · **esclarecedor** || **secreto** · **confidencial** · **testimonial** || **de bienvenida** *Dirigió a los asistentes un cálido mensaje de bienvenida* · **inaugural** · **de despedida** || **electrónico**

● CON VBOS. **consistir (en algo)** || **circular** · **difundir(se)** · **extender(se)** · **llegar** *Agradecemos los mensajes de apoyo que nos han llegado por parte de...* || **surtir efecto** · **caer en saco roto** · **caer como una bomba** || **girar (sobre algo/en torno a algo)** · **versar (sobre algo)** · **contener (algo)** || **encerrar** · **tener** || **dirigir** · **lanzar** · **enviar** · **mandar** · **hacer llegar (a alguien)** · **retransmitir** · **dar (a alguien)** · **dejar** *dejar un mensaje en el contestador* · **exponer** · **emitir** · **transmitir** · **canalizar** · **esparcir** · **sembrar** · **predicar** · **pregonar** || **escribir** · **transcribir** · **codificar** · **cifrar** · **descifrar** || **recibir** *Había recibido un mensaje en el móvil advirtiéndome de...* · **encontrar** ·

aceptar · **encajar** · **recordar** · **silenciar** · **obviar** || **captar** *Por fin captó el mensaje y dejó de molestarnos* · **comprender** · **entender** · **interpretar** · **desentrañar** · **decodificar** · **traducir** · **aclarar** · **clarificar** · **interceptar** || **confirmar** · **desmentir** || **alterar** · **distorsionar** · **tergiversar** · **desfigurar** · **adulterar**

menstruación s.f.

● CON ADJS. **abundante** · **escasa** || **irregular** || **dolorosa**
● CON SUSTS. **día (de)** *el primer día de la menstruación* · **período (de)**
● CON VBOS. **llegar (a alguien)** · **venir (a alguien)** *¿A qué edad te vino la primera menstruación?* || **interrumpir(se)** · **cortar(se)** · **írse(le) (a alguien)** || **tener**

mensual adj.

● CON SUSTS. **periodicidad** · **frecuencia** || **sueldo** · **salario** · **ingreso** *Los ingresos mensuales de la compañía están disminuyendo de manera alarmante* || **gasto** · **pago** · **cuota** · **abono** · **recibo** || **variación** · **incremento** · **inflación** || **publicación** · **revista** *Estoy suscrita a una revista mensual de política internacional* · **boletín** · **informe** · **edición** · **entrega** || **porcentaje** · **promedio** || **balance** · **inventario** *hacer el inventario mensual de productos* || **reunión** · **visita** · **encuentro** · **junta** · **sesión**

mensualidad s.f.

● CON ADJS. **cómoda** || **atrasada**
● CON SUSTS. **importe (de)** · **pago (de)**
● CON VBOS. **ingresar** · **abonar** · **cobrar** · **pagar** *pagar las mensualidades del crédito bancario* · **percibir** · **deber** || **fraccionar (en)** *Puede fraccionar el pago en cómodas mensualidades*

mental adj.

● CON SUSTS. **enfermo,ma** · **deficiente** · **retrasado,da** · **perturbado,da** · **discapacitado,da** · **débil** || **estado** · **condición** · **situación** || **enfermedad** · **problema** · **retraso** *Nació con un leve retraso mental* · **retardo** · **perturbación** · **desequilibrio** · **incapacidad** · **enajenación** · **trastorno** · **deficiencia** || **confusión** · **estrechez** || **trabajo** · **esfuerzo** *Tuve que hacer un gran esfuerzo mental para seguir la exposición* · **concentración** · **pereza** || **facultad** · **capacidad** · **coeficiente** || **desarrollo** · **gimnasia** · **ejercicio** · **actividad** || **fortaleza** · **fuerza** · **poder** || **claridad** · **rapidez** *un trabajo que requiere destreza y rapidez mental* · **agilidad** || **higiene** · **salud** || **bloqueo** · **error** || **esquema** · **patrón** · **mapa** || **examen** · **repaso** || **clínica** · **sanatorio** · **asociación** || **viaje** · **juego**

mentalidad s.f.

● CON ADJS. **moderna** · **actual** · **avanzada** · **progresista** || **abierta** · **receptiva** *Estamos buscando colaboradores flexibles y con mentalidad receptiva para dinamizar el equipo* · **tolerante** · **permisiva** || **tradicional** · **conservadora** || **inmovilista** · **anacrónica** · **retrógrada** · **anquilosada** · **arraigada** · **cerrada** · **hermética** · **intolerante** · **intransigente** · **cuadriculada** || **sana** · **sensata** · **firme** · **débil** || **ganadora** · **triunfadora** · **positiva** *Tiene una mentalidad positiva que consigue motivar a todos* · **negativa** · **escéptica** || **obsesiva** · **retorcida** *Con su mentalidad retorcida de siempre, veía oscuras maquinaciones a cada paso* · **trastornada** || **analítica** · **racional**
● CON SUSTS. **cambio (de)** · **problema (de)** · **diferencia (de)**
● CON VBOS. **subyacer (en algo/en alguien)** · **evolucionar** || **tener** · **poseer** || **inculcar (a alguien)** · **moldear** · **forjar** || **reflejar** *Es una ley que refleja claramente la mentalidad de aquella época* || **cambiar (de)** *Solo si cambia de mentalidad empezará a aceptar la situación* · **seguir (con)**

mentalmente adv.

● CON VBOS. **calcular** *Calculé el precio mentalmente* || **repasar** · **recitar** · **repetir** || **reconstruir** *reconstruir una escena mentalmente* · **recomponer** || **guiar** · **apoyar** · **acompañar** || **comunicar(se)** || **bloquear(se)** || **preparar(se)**
● CON ADJS. **fuerte** · **sano,na** · **sólido,da** || **débil** · **discapacitado,da** · **incapacitado,da** · **enfermo,ma** · **perturbado,da** *La agresora era una mujer mentalmente perturbada* · **desequilibrado,da** · **trastornado,da** || **cansado,da** · **agotado,da** · **rendido,da** || **relajado,da** || **despierto,ta** · **espabilado,da** || **preparado,da** *Aunque era solo un niño, estaba mentalmente preparado para enfrentarse* · **maduro,ra** · **inmaduro,ra**

mentar v.

● CON SUSTS. ***persona*** *No me mientes a mi madre* || **nombre** || **diablo** · **bicha** *Después de lo sucedido, nombrar a su compañera de piso es como mentarle a la bicha* || **tema** · **asunto** · **cuestión** || **problema**

mente s.f.

● CON ADJS. **clara** · **brillante** *En esta universidad se formaron algunas de las mentes más brillantes del país* · **privilegiada** · **poderosa** · **portentosa** · **inteligente** · **aguda** · **perspicaz** *Una mente perspicaz se habría dado cuenta en seguida* · **perceptiva** · **lúcida** · **despierta** · **ágil** · **vivaz** · **rápida** || **dispersa** · **distraída** || **abierta** · **libre** · **audaz** · **sensata** || **cerrada** · **obtusa** || **activa** · **en funcionamiento** · **ocupada** || **vacía** · **desocupada** || **analítica** · **escrutadora** · **cartesiana** · **cuadriculada** || **oscura** · **retorcida** *¿Qué mente retorcida puede estar detrás de semejante crimen?* · **calculadora** · **malvada** · **pérfida** · **sucia** || **desequilibrada** · **perturbada** · **enajenada** · **calenturienta** *Tan peregrina idea solo puede ser fruto de una mente calenturienta* · **febril** || **abierto,ta (de)**
● CON SUSTS. **dominio (de)** · **control (de)** || **poder (de)** *En algunas circunstancias, es asombroso observar el gran poder de la mente* || **problema (de)** · **estado (de)** · **enfermedad (de)** || **capacidad (de)** · **facultad (de)** || **estudio (de)** || **interior (de)** · **rincón (de)** || **fruto (de)** · **producto (de)**
● CON VBOS. **nublar(se)** · **ofuscar(se)** *Se le ofusca la mente cuando alguien le lleva la contraria* · **obnubilar(se)** · **perturbar(se)** · **trastornar(se)** · **entumecer(se)** || **despejar(se)** · **serenar(se)** || **abrir** · **ensanchar** · **alimentar** · **ocupar** *los pensamientos que ocupan su mente* · **ejercitar** *Ejercito la mente resolviendo crucigramas* · **estrujar** · **exprimir** || **relajar** *Escuchaba música suave para relajar su mente* · **descansar** · **vaciar** · **liberar** || **bloquear** · **desviar** · **desbloquear** || **venir (a)** *Cuando mencionaste el asunto, me vino a la mente un nombre* · **rondar (por)** · **grabar (en)** || **desterrar (de)** · **borrar (de)**
□ EXPRESIONES **con la mente en blanco** [sin poder reaccionar o pensar] || **tener** (algo) **en mente** [tener intención de realizarlo]

mentir v.

● CON SUSTS. **testigo** · **niño,ña** · **gobierno** · **junta** · ***otros individuos y grupos humanos*** || **medio de comunicación** · **prensa** · **periódico** || **cartas** · **bola de cristal** · **rayas de la mano** · **estrellas**
● CON ADVS. **descaradamente** *Mintió descaradamente cuando dijo que él no tenía nada que ver* · **clamorosamente** · **en {mi/tu/su...} cara** *Tuvo la desfachatez de mentirme en la cara y decirme que sí* · **como un bellaco**

|| **impunemente** || **bajo juramento** *El castigo puede ser muy grave si mientes bajo juramento* || **bien** · **mal**
● CON VBOS. **saber** *Lo que te pasa es que no sabes mentir* || **acusar (de)** *La oposición acusó al Gobierno de mentir* || **obligar (a)**

mentira s.f.

● CON ADJS. **gran(de)** · **enorme** · **como una catedral** · **descomunal** · **flagrante** · **gigantesca** · **monumental** · **solemne** || **de nada** *¡Cómo te pones por una mentira de nada!* · **insignificante** · **pequeña** · **leve** · **sin importancia** · **piadosa** || **vil** · **infame** · **sucia** · **burda** || **creíble** · **verosímil** || **al descubierto**
● CON SUSTS. **sarta (de)** · **cúmulo (de)** · **serie (de)**
● CON VBOS. **circular** *Circulaban muchas mentiras sobre las actividades de...* · **difundir(se)** || **tejer** · **urdir** · **maquinar** · **idear** || **contar** *¿Quién no ha contado una mentira alguna vez?* · **decir** · **soltar** · ***otros verbos de lengua*** || **disfrazar** || **descubrir** · **destapar** · **desvelar** · **despejar** || **creer(se)** *No te creas todas las mentiras que te cuenten* || **pillar (a alguien)** · **desmontar** *La abogada desmontó todas las mentiras del acusado* · **desenmascarar** · **refutar** · **desmentir** || **condenar** · **desterrar**

mentiroso, sa

1 mentiroso, sa adj.

● CON VBOS. **dejar (por)** *Presentó unos datos que dejaban a la directora por mentirosa* · **llamar (a alguien)** · **tener (por)** || **volverse**

2 mentiroso, sa s.

● CON ADJS. **gran** · **compulsivo,va** *Te has convertido en un mentiroso compulsivo* · **redomado,da** · **de tomo y lomo**
● CON VBOS. **considerar (a alguien)**

mentolado, da adj.

● CON SUSTS. **caramelo** · **tabaco** · **cigarrillo** *un paquete de cigarrillos mentolados* · **infusión** · **té** · **poleo** · **pasta de dientes** · **dentífrico** · **jarabe**

menú s.m.

■ [en un restaurante]

● CON ADJS. **del día** *¿Cuál es el menú del día?* · **infantil** · **de la casa** *Yo tomaré el menú de la casa* · **especial** || **rico** · **apetecible** · **variado** · **monótono** · **sano** · **atractivo** · **suculento** || **barato** · **caro**
● CON SUSTS. **plato (de)** || **precio (de)** || **degustación** *Nos pusieron un menú degustación para compartir*
● CON VBOS. **incluir (algo)** *El menú incluye dos platos a elegir y postre* || **preparar** · **hacer** || **pedir** · **tener** · **compartir** · **ofrecer** · **presentar** || **elegir** · **escoger** || **comer**

■ [en informática]

● CON ADJS. **informático** || **interactivo** *La página electrónica tiene un menú interactivo* · **de opciones** · **de visualización** · **de inicio** · **de ayuda**
● CON VBOS. **aparecer** *El menú de opciones aparece al ejecutar el programa* || **seguir** || **acceder (a)** *Puedes acceder al menú con la ayuda del ratón*

meollo

1 meollo s.m.

● CON ADJS. **central** · **esencial** · **importante** || **verdadero**
● CON VBOS. **radicar (en algo)** *El meollo radica en encontrar el dinero necesario para...* · **consistir (en algo)** || **constituir** || **descubrir** || **ir (a)** *Déjate de rodeos y ve al meollo del asunto* || **situar(se) (en)** · **encontrar(se) (en)**

2 meollo (de) s.m.

● CON SUSTS. **cuestión** *No acabo de ver el meollo de la cuestión* · **problema** · **asunto** · **tema** || **conflicto** · **crisis** · **situación**

mercadillo s.m.

● CON ADJS. **popular** · **tradicional** || **semanal** · **diario**
● CON SUSTS. **puesto (de)** · **chiringuito (de)** || **tendero,ra (de)** · **vendedor,-a (de)** || **día (de)** || **ropa (de)**
● CON VBOS. **haber** · **poner** · **montar** *Los jueves montan el mercadillo* · **organizar** *Han organizado un mercadillo medieval en el pueblo* || **visitar** || **comprar (en)** *Compré varios libros en el mercadillo* · **vender (en)** · **ir (a)**

mercado s.m.

● CON ADJS. **en alza** · **boyante** *La competencia es dura en un mercado tan boyante* · **competitivo** · **jugoso** · **prometedor** · **propicio** || **a la baja** · **de capa caída** || **variable** · **oscilante** *No pueden dar datos económicos ya que es un mercado irregular y oscilante* · **impredecible** · **imprevisible** || **nuevo** || **flexible** · **sin barrera(s)** || **ambulante** · **itinerante** || **negro** *Aquellas joyas alcanzaron un precio desorbitado en el mercado negro* || **de abastos**
● CON SUSTS. **valor (de)** || **ley (de)**
● CON VBOS. **abrir** · **cerrar** || **crecer** · **afianzar(se)** · **consolidar(se)** · **variar** || **recalentar(se)** · **congestionar(se)** · **sosegar(se)** · **calmar(se)** *Con la devaluación de esa moneda se calmaron los mercados de divisas* · **apagar(se)** · **enrarecer(se)** · **estrangular(se)** · **decrecer** · **derrumbar(se)** · **irse a pique** || **acometer** · **conquistar** · **controlar** *Decía que las multinacionales controlaban el mercado* · **invadir** · **ocupar** · **copar** · **acaparar** · **saturar** · **atenazar** · **aprovechar** || **disputar(se)** · **repartir(se)** || **agilizar** · **incentivar** · **relanzar** · **abastecer** · **alimentar** || **equilibrar** *¿Sería necesario un banco central que equilibrara los mercados financieros?* · **estabilizar** · **regular** · **desequilibrar** · **desestabilizar** || **salir (a)** · **sacar (a)** *Esta empresa sacó al mercado un novedoso aparato* · **irrumpir (en)** || **vender (en)** · **comprar (en)**
● CON PREPS. **de acuerdo (con)** · **en** · **en función (de)** *Aumentaremos o disminuiremos la producción en función del mercado*

mercancía s.f.

● CON ADJS. **de valor** *En ese tren se transportan mercancías de valor* · **de calidad** · **de primera necesidad** || **frágil** · **peligrosa** || **ilegal** · **legal** · **de contrabando** || **competitiva** · **nueva**
● CON SUSTS. **tren (de)** · **transporte (de)** || **arancel (a/de)** · **impuesto (a)** · **tasa (a/de)** || **pedido (de)**
● CON VBOS. **circular** · **pasar (la aduana)** || **cargar** *Entre los dos cargaron la mercancía en el furgón* · **descargar** · **transportar** · **acarrear** || **enviar** *No enviaré la mercancía hasta que no reciba su importe* · **expedir** · **despachar** · **suministrar** · **reponer** · **recibir** || **importar** · **exportar** · **comprar** · **vender** *vender la mercancía a un minorista* · **pagar** || **blanquear** · **reciclar** || **inspeccionar** *Las autoridades aduaneras inspeccionaron la mercancía sospechosa* · **revisar** || **requisar** · **confiscar** · **decomisar** · **intervenir** · **retener** || **comerciar (con)** || **incautarse (de)** *Tras el registro, la Policía se incautó de la mercancía robada*

mercante adj.

● CON SUSTS. **barco** · **buque** *Han llegado a puerto dos buques mercantes* · **marina**

mercantil adj.

● CON SUSTS. **actividad** *La devaluación ha paralizado toda la actividad mercantil de la región* · **intercambio** · **ope-**

ración · relación · transacción · tráfico || sociedad · entidad · empresa · establecimiento · banco || derecho · sentencia · ley *una ley mercantil común a varios países* || carácter · materia || documento · documentación · registro || contrato · acuerdo || perito,ta *En sus tiempos estudió perito mercantil* · técnico,ca || estudio · formación · carrera · profesor,-a

mercería s.f.

● CON SUSTS. **artículo (de)**
➤ Véase también **ESTABLECIMIENTO**

merecer v.

● CON SUSTS. **premio · aplauso · beso** *Te mereces un beso por lo bien que te has portado* || **puesto · cargo · trabajo · homenaje · reconocimiento · privilegio · título · calificativo** || **suerte** *¡Tengo una suerte que no me la merezco!* · **fama · triunfo · trofeo · victoria · empate** || **castigo · azote · sanción · crítica · condena · fracaso** || **confianza · respeto · apoyo · respaldo · protección** || **atención · interés · estudio** *Este singular fenómeno merece un estudio detallado* · **análisis · consideración** || **respuesta · comentario** || **vacaciones · descanso**
● CON ADVS. **con creces · sobradamente** *un consumado artista que merecía sobradamente el homenaje que se le tributó* · **de sobra · justamente · en justicia**

merecidamente adv.

● CON VBOS. **ganar** *ganar merecidamente un partido* · **vencer · triunfar · derrotar · perder** || **conseguir · alcanzar · obtener · recibir** *recibir merecidamente un premio* · **adjudicarse** || **gozar (de algo)** || **premiar (a alguien)**

merecido s.m.

● CON VBOS. **dar (a alguien)** *No te quejes; te han dado tu merecido con toda razón* || **tener · recibir · llevar(se)**

merendar v.

● CON ADVS. **frugalmente · opíparamente**
● CON VBOS. **dar (de)** *dar de merendar a los niños* · **salir (a)**

merendero s.m.

● CON ADJS. **popular · campestre**
● CON SUSTS. **zona (de) · área (de)** *El futuro parque tendrá un auditorio al aire libre y un área de merendero* || **licencia (de)**
● CON VBOS. **ir (a) · quedar(se) (en)** || **comer (en)**

merengar v.

● CON SUSTS. **leche · claras** *Primero debes merengar las claras con el azúcar, luego...*

meridianamente adv.

● CON VBOS. **comprender · entender · conocer · saber** || **hablar · decir · explicar** *Aunque explicó meridianamente sus propósitos, se le malinterpretó* · **exponer** · ***otros verbos de lengua*** || **percibir · ver · observar · descubrir**
● CON ADJS. **claro,ra** *No puede decirse que lo dejara meridianamente claro* · **nítido,da** || **sencillo,lla · simple** || **preciso,sa · exacto,ta**

meridiano, na adj.

● CON SUSTS. **claridad · luz · lucidez** *A pesar de sus años, demuestra una lucidez meridiana* · **nitidez · sencillez · pureza** || **precisión · exactitud · seguridad · rotundidad · escrupulosidad** || **ejemplo · caso · excepción · prueba · evidencia · realidad** || **información · mensaje** *El mensaje no podía ser más meridiano* · **explicación · alusión · expresión · respuesta · réplica · lectura** || **razón · factor · motivación · propósito** || **coincidencia · parentesco · distinción · diferencia** || **consecuencia · conclusión** *El análisis de la obra conduce a una conclusión meridiana* · **triunfo**

merienda s.f.

● CON ADJS. **generosa · fuerte · suculenta · rica · deliciosa · relajante · espléndida · gratuita · fastuosa** || **ligera** *una merienda ligera antes de continuar con la marcha* · **liviana · frugal · pequeña · rápida** || **infantil · escolar** || **clásica · castiza · campestre · tradicional · popular** || **vespertina**
● CON SUSTS. **hora (de) · bolsa (de)**
● CON VBOS. **dar (a alguien)** *¿Os dan merienda?* || **comer · tomar** *Tomamos la merienda en el parque* · **degustar** || **coger · llevar · traer** || **celebrar** *Celebraron una merienda el día de su cumpleaños* · **organizar** || **comprar** || **invitar (a)**

mérito s.m.

● CON ADJS. **extraordinario · notable · sobresaliente · destacado** *Entre los méritos más destacados de la organización sobresale...* · **relevante · insigne** || **probado · reconocido · indiscutible** *Los grabados poseen un indiscutible mérito artístico* · **indudable** || **insuficiente · escaso · exiguo · dudoso** || **propio** *conseguir algo por méritos propios* · **ajeno** || **abundantes · numerosos · innumerables · suficiente · sobrado,da (de)**
● CON SUSTS. **ápice (de)** *No se le puede quitar un ápice de mérito* || **concurso (de)** *un concurso de méritos para la concesión de una beca de investigación*
● CON VBOS. **adornar (a alguien) · distinguir (a alguien) · reunirse (en alguien) · corresponder (a alguien)** || **estribar (en algo) · radicar (en algo)** *El mérito de su hazaña radica en que la realizó sin contar con ayuda* · **residir (en algo)** || **tener · poseer · ostentar · acumular · reunir** *La obra reúne los méritos suficientes para obtener el primer premio* · **atesorar · hacer · contraer · aumentar** || **arrogarse · atribuir (a alguien)** *Se le atribuye el mérito de aunar todas las fuerzas políticas por primera vez en mucho tiempo* · **conceder** || **probar · demostrar · acreditar · avalar** || **evaluar** *La junta evaluó los méritos de los solicitantes y decidió...* · **enjuiciar · aquilatar · considerar · comprobar · verificar** || **reconocer (a alguien)** *Le reconocieron sus méritos en un homenaje* · **ponderar · alabar · destacar · resaltar · magnificar · subrayar** || **reducir · regatear** *No seré yo quien regatee los méritos de...* · **negar · arrebatar (a alguien) · quitar (a alguien) · sustraer (a alguien) · empañar(se)** *Son fallos nimios que en nada empañan el mérito de la tarea* || **constituir · representar · suponer**
● CON PREPS. **a la altura (de) · en función (de)** *Los candidatos obtendrán una puntuación en función de sus méritos* · **según**
☐ EXPRESIONES **de mérito** [valioso, importante]

meritoriamente adv.

● CON VBOS. **ganar · luchar · conseguir** *Consiguieron meritoriamente la segunda posición* · **triunfar** || **servir · actuar · cumplir** *Habían cumplido meritoriamente una tarea nada sencilla*

meritorio, ria adj.

● CON SUSTS. **resultado · triunfo · empate** *El equipo local consiguió un meritorio empate* · **victoria** || **puesto** *lograr un puesto meritorio en la clasificación* · **lugar** || **aportación · contribución** || **edición · campaña · temporada · gira · exposición** || **figura** *una figura meritoria del ciclismo* *mundial* · **artista** · **profesional** || **obra** · **trabajo** · **labor** · **prueba** || **representación** · **actuación** *La joven actriz ha protagonizado una meritoria actuación en su última película* · **papel** · **faena** || **actitud**

mermar v.

• CON ADVS. **considerablemente** *La falta de recursos merma considerablemente sus posibilidades de éxito* · **notablemente** · **grandemente** || **apreciablemente** · **ostensiblemente** · **a ojos vistas** || **escasamente** · **ligeramente**

merodear (por) v.

• CON SUSTS. **alrededores** · **inmediaciones** · **barrio** *Merodeaba por el barrio un tipo sospechoso* · **ciudad** · **casa** · ***otros lugares***

mes s.m.

• CON ADJS. **pasado** · **próximo** · **venidero** *El tiempo mejorará en los meses venideros* · **que viene** · **entrante** *Me voy de viaje el mes entrante* · **siguiente** · **presente** *Nos veremos a finales del presente mes* · **actual** · **anterior** || **natural** *El plazo es de un mes natural* || **buen(o)** · **llevadero** || **duro** · **difícil** · **negro** || **largo** · **corto** || **de verano** *Julio y agosto son los meses de verano por excelencia* · **veraniego** · **de invierno** · **invernal** · **de primavera** · **primaveral** · **de otoño** · **otoñal** || **frío** · **caluroso** · **apacible** · **desapacible**

• CON SUSTS. **fin (de)** *Tendremos un fin de mes bastante difícil* · **final (de)** · **comienzo (de)** · **principio (de)**

• CON VBOS. **empezar** · **pasar** · **transcurrir** *Solo habían transcurrido dos meses desde su marcha* || **vencer** *El mes que nos dieron de plazo vence mañana* · **cumplirse** *El mes se cumplió hace dos días* · **terminar** · **finalizar** || **pagar** · **cobrar** · **deber** *El inquilino debía un mes de alquiler* || **cumplir** *El bebé cumple tres meses mañana*

• CON PREPS. **a primeros (de)** · **a principio(s) (de)** · **a comienzo(s) (de)** *Páseme la factura a comienzos de mes* · **a mediados (de)** · **a final(es) (de)** · **a lo largo (de)** · **durante**

MES

Información útil para el uso de:

enero; febrero; marzo; abril; mayo; junio; julio; agosto; septiembre; octubre; noviembre; diciembre

• CON ADJS. **próximo** · **anterior** · **pasado** · **siguiente** · **entrado** *No lo sabremos hasta bien entrado noviembre* || **buen(o)** · **espléndido** · **caluroso** · **apacible** · **desapacible** · **frío** · **seco** · **húmedo** · **otoñal** *Este año tenemos un julio casi otoñal* · **primaveral** · **invernal** · **veraniego** || **mal(o)** · **horrible** · **duro** · **difícil** · **negro** || **ajetreado** || **corto** · **largo** · **interminable**

• CON SUSTS. **mes (de)**

• CON VBOS. **llegar** · **venir** · **pasar** || **empezar** · **comenzar** · **avanzar** · **transcurrir** *Enero transcurrirá más deprisa de lo habitual* · **terminar** || **deparar (a alguien)** · **presentárse(le) (a alguien)** *Febrero se nos presenta desastroso* || **dedicar (a algo)** · **emplear (en algo)** || **echar a perder** · **malgastar** || **nacer (en)** *La niña nació en marzo* · **finalizar (en)** · **vencer (en)**

• CON PREPS. **a partir (de)** || **a primeros (de)** *Tu cumpleaños es a primeros de junio* · **a principio(s) (de)** · **a comienzo(s) (de)** · **a mediados (de)** · **a final(es) (de)** · **a último(s) (de)** · **a lo largo (de)** · **durante** || **desde** · **hasta** · **para** *Me lo pedían para abril*

mesa s.f.

• CON ADJS. **camilla** · **de operaciones** · **de estudio** · **de comedor** · **de trabajo** · **de noche** · **de luz** · **camarera** · **de servicio** · **auxiliar** · **extensible** · **plegable** · **de centro** · **ratona** || **de negociaciones** || **electoral** || **buena** *Siempre fue amante de la buena mesa*

• CON SUSTS. **anfitrión,-a (de)** · **compañero,ra (de)** || **tenis (de)** · **juego (de)** || **vino (de)** · **sal (de)** || **reloj (de)**

• CON VBOS. **poner** · **quitar** *¿A quién le toca quitar la mesa?* · **levantar** || **servir** · **atender** *Ese es el camarero que atiende nuestra mesa* · **desatender** || **reservar** · **tener** || **bendecir** || **presidir** || **calzar** *Puedes usar esta cuña para calzar la mesa* || **sentar(se) (a/en)** · **levantar(se) (de)**

• CON PREPS. **en** · **en medio (de)**

□ EXPRESIONES **a mesa puesta** [sin ocuparse de nada] || **de mesa** [para servir en la mesa] *vino de mesa* || **mesa redonda** [reunión de personas para debatir un asunto]

mesar v.

• CON SUSTS. **barba** · **bigote** · **cabello** *Era una situación como para rasgarse las vestiduras y mesarse los cabellos* · **ceja** · **pelo**

• CON ADVS. **lentamente** · **pausadamente** · **tranquilamente** · **parsimoniosamente**

meta s.f.

• CON ADJS. **alcanzable** · **asequible** *Pasar la prueba técnica me parecía una meta asequible* · **razonable** · **posible** · **al alcance (de alguien)** *Pasar a la historia es una meta al alcance de muy pocos* || **inalcanzable** · **ambiciosa** · **difícil** · **inaccesible** · **imposible** · **ilusoria** · **utópica** || **irrenunciable** || **modesta** · **ridícula** || **volante** *El corredor comenzó la escapada después de cruzar la primera meta volante* || **acorde (con)** · **ajustado,da (a)**

• CON SUSTS. **línea (de)**

• CON VBOS. **alcanzar** *Había alcanzado su meta y se sentía satisfecho* · **cumplir** · **hacer(se) realidad** · **cruzar** *El corredor keniata cruzó la meta en primer lugar* · **pasar** · **sobrepasar** · **batir** · **coronar** · **escalar** · **vislumbrar** || **marcar** · **fijar(se)** · **trazar** · **establecer** · **proponer(se)** · **perseguir** *Se cansó de perseguir metas inalcanzables* · **seguir** · **encarar** || **errar** || **aspirar (a)** || **llegar (a)**

[metafísica] s.f. → metafísico, ca

metafísico, ca

1 **metafísico, ca** adj.

• CON SUSTS. **tema** · **cuestión** · **problema** *el problema metafísico del cuerpo y el alma* || **concepto** · **teoría** · **argumento** || **reflexión** · **pensamiento** · **visión** · **explicación** || **sentido** · **contenido** · **fondo** || **preocupación** · **duda** *¿Quién puede ayudarme con esta duda metafísica?* · **angustia** · **soledad** · **imposibilidad** || **carácter** · **orden** · **dimensión** || **tono** · **actitud** || **poesía** · **poeta** · **pintura** · **obra** *En su obra más metafísica, el autor intentó definir...* · **drama** || **etapa** · **época** || **tradición** · **carga**

2 **metafísica** s.f. Véase **DISCIPLINA**

metafórico, ca adj.

• CON SUSTS. **sentido** *Utilizó la expresión en sentido metafórico* · **uso** · **carácter** || **forma** · **modo** · **estilo** || **lenguaje** · **expresión** · **poesía** · **discurso** || **juego** · **recurso** · **idea** · **elemento** || **carga** · **valor** · **dimensión** *Este poema tiene una dimensión literal y otra metafórica*

metal s.m.

• CON ADJS. **precioso** *joyas con metales preciosos* · **noble** · **resistente** · **pesado**

● CON SUSTS. **detector (de)** *Todos los visitantes tendrán que pasar por un detector de metales* || **fusión (de)** · **aleación (de)** · **transformación (de)** || **brillo (de)** · **corrosión (de)**
● CON VBOS. **brillar** · **lucir** || **empañar(se)** · **oxidar(se)** · **rayar(se)** || **trabajar** · **bruñir** || **corroer** *La humedad había corroído el metal*
□ EXPRESIONES **vil metal** [dinero] *col.*

[metálico] →en metálico; metálico, ca

metálico, ca adj.

● CON SUSTS. **estructura** *Una estructura metálica sostiene el techo* · **construcción** · **armadura** · **valla** · **reja** · **puerta** · **pieza** · **verja** || **plancha** · **placa** · **chapa** · **lámina** · **malla** · **tela** · **hilo** || **viga** *Han dejado las vigas metálicas a la vista como elemento decorativo* · **barra** || **tubo** · **tubería** · **anillo** · **red** · **viaducto** · **puente** || **elemento** · **material** · **producto** || **carpintería** · **mueble** · **estantería** · **mesa** || **caja** · **envase** · **recipiente** · **depósito** || **moneda** · **prótesis** || **aleación** || **punta** · **cubiertos** · **hoja** || **ruido** · **voz** *Una voz fría y metálica respondió al otro lado del teléfono* || **música** · **rock**
□ EXPRESIONES **en metálico*** [con dinero en efectivo]

metalúrgico, ca adj.

● CON SUSTS. **industria** · **sector** *La actividad del sector metalúrgico se ha consolidado...* · **sindicato** · **grupo** · **empresa** || **obrero,ra** · **trabajador,-a** · **empresario,ria** · **dirigente**

metamorfosis s.f.

● CON SUSTS. **proceso (de)** *Estas orugas experimentan un proceso de metamorfosis* · **fase (de)**
● CON VBOS. **operar(se) (en algo/en alguien)** · **producir(se) (en algo/en alguien)** || **experimentar** · **sufrir** || **pasar (por)**

metástasis s.f.

● CON ADJS. **galopante** || **afectado,da (de)** *un paciente afectado de metástasis en el hígado* · **aquejado,da (de)**
● CON SUSTS. **cáncer (con)** || **riesgo (de)** *Todavía corre riesgo de metástasis* · **peligro (de)** || **presencia (de)**
● CON VBOS. **extender(se)** *La metástasis se ha extendido a varios órganos* || **detectar** · **diagnosticar** || **prevenir** · **evitar** || **provocar** · **producir** || **tener** · **padecer** · **sufrir** · **desarrollar** || **haber**

meteórico, ca adj.

● CON SUSTS. **ascenso** · **subida** *Se produjo una meteórica subida de los precios* · **ascensión** · **surgimiento** · **aumento** · **crecimiento** · **expansión** · **avance** · **progreso** *el progreso meteórico de la ciencia* · **progresión** || **marcha** · **velocidad** · **carrera** *Esa campaña marcó el inicio de su meteórica carrera hacia la presidencia* · **recorrido** · **trayectoria** || **éxito** || **juego**

[meter] →meter; meterse (a); meter(se) (en); meterse en el bolsillo

meter v.

● CON SUSTS. **libro** · **ropa** *Mete la ropa en el armario* · ***otras materias u objetos físicos*** || **miedo** *Les metía el miedo en el cuerpo con esas absurdas leyendas* · **susto** || **idea** · **cizaña** *Siempre estaba metiendo cizaña entre ellos, hasta que consiguió que se enemistaran* || **rollo** *Lo siento, menudo rollo te he metido* · **charla** · **sermón** · **discurso** · **cuento** · **trola** · **mentira** || **prisa** · **presión** || **ruido** · **jaleo** *Haced el favor de no meter tanto jaleo* || **patada** *En el partido me metió una patada sin querer* · **bofetada** · **puntapié** · ***otros golpes*** || **bajo** · **pantalón** *Me metieron estos pantalones y me los han dejado cortos* · **falda** · **mangas** || **marcha** *Al meter directamente la segunda marcha, el coche se caló* || **dinero** · **ahorro** *Metí todos mis ahorros en un banco que quebró* · **fondo** || **mano** *pillados metiéndose mano*
● CON ADVS. **a empujones** *Dos hombres la agarraron y la metieron a empujones en un coche* · **a golpes** · **a patadas** || **hasta el fondo** *Metió la mano hasta el fondo del agujero y sacó un paquetito* · **hasta el tuétano**
□ EXPRESIONES **a todo meter** [muy rápidamente] *col.*

meterse (a) v.

● CON SUSTS. **monja** · **cura** || **abogado,da** · **futbolista** · **médico,ca** · **militar** · **comercial** *No te metas a comercial, que no es lo tuyo* · ***otras profesiones***

meter(se) (en) v.

● CON SUSTS. **habitación** *...y se metió, enfadada, en su habitación* · **cárcel** · **coche** · **armario** · **ropero** · ***otros lugares*** || **piel** · **pellejo** *Métete tú en mi pellejo y verás...* · **entresijo** · **hondura** · **entraña** || **problema** · **berenjenal** · **lío** · **follón** · **atolladero** · **enredo** · **dificultad** · **aprieto** · **fregado** · **apuro** · **brete** · **jaleo** *Nunca antes se había metido en jaleos* · **guirigay** || **disputa** · **trifulca** · **lucha** || **conjetura** · **reflexión** || **investigación** *meterse de lleno en una investigación* · **análisis** · **estudio** || **proyecto** · **programa** · **plan** || **harina** · **faena** · **trabajo** · **actividad** *Nunca me interesó meterme en la actividad política* · **menester** · **tarea** · **labor** || **conversación** · **diálogo** · **debate** · **discusión** || **papel** · **rol** || **burbuja** · **caparazón** *El asustadizo animal se metió en su caparazón y nadie logró verlo* · **concha** || **final** · **semifinales** || **campaña** · **período** · **plazo** · **temporada** || **novela** *Cuando te metes en la novela no la puedes dejar* · **película** · **trama**
● CON ADVS. **a escondidas** · **a hurtadillas** *Los niños se metieron a hurtadillas en el jardín del vecino* · **subrepticiamente** · **de rondón** || **a fondo** · **de lleno** · **hasta el cuello** *Estoy metido hasta el cuello en este proyecto* · **hasta las cejas** || **entre pecho y espalda** · **en vena** || **como una exhalación**

meterse en el bolsillo loc.vbal.

● CON SUSTS. **admirador,-a** *Con una sonrisa de oreja a oreja se metía a sus admiradores en el bolsillo* · **adversario,ria** || **espectador,-a** · **público** · **asistente** · **audiencia** · **auditorio** || **crítica** *El director se metió a la crítica en el bolsillo con su última película* · **jurado** || **electorado** || ***otros individuos y grupos humanos***

meticuloso, sa adj.

● CON SUSTS. **juez** · **historiador,-a** · **profesor,-a** *Era un profesor exigente y meticuloso* · **persona** · ***otros individuos*** || **investigación** *La Policía Científica está llevando a cabo una meticulosa investigación* · **estudio** · **análisis** · **exploración** || **argumentación** · **trabajo** · **informe** · **examen** · **biografía** || **planificación** · **plan** · **proyecto** · **táctica** || **revisión** *una meticulosa revisión médica* · **descripción** · **repaso** || **fama (de)** · **actitud**
● CON VBOS. **volverse**

metódico, ca adj.

● CON SUSTS. **análisis** · **estudio** · **trabajo** · **lectura** · **labor** || **profesional** · **trabajador,-a** *una trabajadora metódica y ordenada* · **profesor,-a** · **persona** · ***otros individuos*** || **actitud** · **carácter** · **vida** || **hábitos** · **costumbres** *Es una persona de costumbres metódicas y hábitos arraigados* || **selección** || **duda**

método s.m.

• CON ADJS. **nuevo · revolucionario · novedoso || tradicional · clásico · artesanal** *turrón elaborado con un método artesanal* **|| anticuado · rudimentario · atrasado · obsoleto || infalible** *un método infalible para quitar las manchas* **· eficaz · efectivo · útil · inútil || asequible · plausible || impracticable · inaplicable || preventivo · disuasorio || científico · deductivo · inductivo · analítico · cartesiano || adecuado · correcto · inadecuado · incorrecto || ortodoxo** *Es un método poco ortodoxo pero efectivo* **· heterodoxo || flexible · rígido · estricto · riguroso || drástico · expeditivo · abusivo · inhumano || controvertido · convincente || claro · sencillo · complejo · enrevesado · intrincado || exhaustivo · integral || introductorio · elemental** *En el cursillo seguimos un método elemental de inglés* **· básico · superior || de trabajo · curativo · didáctico**

• CON SUSTS. **aplicación (de) · cambio (de) · diferencia (de) || eficacia (de) · éxito (de) · problema (de) · error (de)** *El experimento fracasó por un error de método*

• CON VBOS. **difundir(se) || agotar(se) || adoptar** *Adopté el método que me pareció más eficaz* **· aplicar · emplear · usar · utilizar · seguir · poner en práctica · practicar · copiar || dictar · impartir · implantar** *La dirección implantó nuevos métodos de trabajo en la empresa* **· instaurar || preconizar · apoyar · impulsar · reprobar || desarrollar · inventar · diseñar · perfeccionar · mejorar || cambiar (de)** *En vista del éxito habrá que cambiar de método* **|| atenerse (a) || desconfiar (de)**

metro s.m.

▌[medio de transporte]

• CON SUSTS. **conductor,-a (de) · empleado,da (de) · usuario,ria (de) || estación (de)** *Vivo a diez minutos de la estación de metro* **· boca (de) · línea (de) · red (de) || extensión (de) · ampliación (de) || instalaciones (de) || abono (de) · billete (de)**

• CON VBOS. **llegar · pasar** *Por la noche, el metro pasa cada cuarto de hora* **|| retrasar(se) || transportar (a alguien) || ampliar || acondicionar · modernizar · construir · inaugurar || utilizar** *Utilizo el metro para ir al trabajo* **· alcanzar · perder || viajar (en) · ir (en) · trasladar(se) (en) || apear(se) (de) · subir(se) (a) · bajar(se) (de)**

▌[unidad de medida]

• CON ADJS. **lineal · cuadrado** *un piso de setenta metros cuadrados* **· cúbico || escaso** *La mesa mide un metro escaso* **· largo**

• CON SUSTS. **símbolo (de) · abreviatura (de)**

• CON VBOS. **costar · valer (algo)** *¿Cuánto vale el metro de esta tela?* **|| medir || calcular · convertir || pasar · superar · rebasar || recorrer · caminar · andar** *Antes de caer anduvo varios metros más* **|| distar (de algo) · separar(se) (de algo) || equivaler (a)**

☐ USO También se combina con locuciones del tipo *de alto, de largo, de profundidad, de altura*: *Mide tres metros de largo.*

metropolitano, na adj.

• CON SUSTS. **área** *el área metropolitana de la ciudad* **· zona · región · sector · costa · ámbito || entorno · cinturón || alcaldía · municipio · intendencia · distrito || gobierno** *Se basan en un estudio realizado por el Gobierno metropolitano* **· comisión · organismo · patronato · ente || crecimiento · desarrollo || abastecimiento · ordenación || transporte · tren · ferrocarril · aeropuerto || catedral · parque || policía · hospital** *El hospital metropolitano brinda atención a pacientes de toda la provincia* **|| plan · sistema**

mezcla s.f.

• CON ADJS. **armoniosa · equilibrada** *El nuevo perfume es una equilibrada mezcla de esencias orientales* **· ordenada · homogénea · a partes iguales · proporcionada · proporcional || desordenada · caótica · confusa · incoherente · arbitraria · azarosa · abigarrada · farragosa · enrevesada · inextricable · heterogénea · variada · desigual · desproporcionada · desequilibrada · inestable · volátil || densa · compacta · ligera || inteligente · hábil · sabia || explosiva** *Ese cóctel es una mezcla explosiva* **|| estudiada**

• CON VBOS. **producir(se) · formar(se) · crear(se) || hacer · obtener** *...y remover hasta obtener una mezcla homogénea* **|| dosificar || constar (de algo)**

mezclar v.

• CON ADVS. **al azar** *Mezcló los ingredientes al azar y le salió un plato sorprendente* **· al tuntún · sin orden ni concierto · desordenadamente · {con/sin} equilibrio || a partes iguales · proporcionalmente · proporcionadamente · homogéneamente · armónicamente · armoniosamente** *La decoradora sabía mezclar armoniosamente estilos muy diversos* **· equilibradamente · hábilmente · sabiamente · inteligentemente · coherentemente || heterogéneamente · desigualmente · desproporcionadamente · desequilibradamente || indisolublemente || cuidadosamente**

mezquita s.f.

• CON ADJS. **grande · enorme · fastuosa || antigua || famosa**

• CON SUSTS. **púlpito (de) || imán (de)** *El imán de la mezquita dirigía la oración* **· líder (de) · muecín (de) || alminar (de) · minarete (de)**

• CON VBOS. **construir · edificar · alzar · levantar · derribar || remodelar · reconstruir · rehabilitar || decorar · adornar || orar (en) · rezar (en) || acudir (a)** *Los hombres acudieron masivamente a la mezquita* **· ir (a) · reunir(se) (en)**

[miedo] → de miedo; miedo

miedo s.m.

• CON ADJS. **atroz · espantoso · aterrador · cerval** *Un miedo cerval se reflejaba en su ojos* **· horroroso · atenazador · clínico || insuperable · irreprimible · irrefrenable · inevitable · insoportable · terrible || instintivo · irracional · visceral || justificado · fundado · infundado** *Tu miedo a los fantasmas es infundado* **· injustificado || arraigado · atávico** *leyendas inspiradas en los miedos atávicos del ser humano* **|| escénico · general || latente · soterrado · palpable || a flor de piel · en el cuerpo || preso,sa (de)**

• CON SUSTS. **ataque (de) · ola (de) || expresión (de) · cara (de) · gesto (de)**

• CON VBOS. **acechar (a alguien) · planear · acuciar · asaltar (a alguien) · entrar(le) (a alguien)** *Cuando se vieron solos en la oscuridad, les entró un miedo irracional* **· sobrevenir · calar (en alguien) · embargar (a alguien) · prender (en alguien) · invadir (a alguien) · apoderarse (de alguien)** *El miedo se apoderó de ellos y salieron huyendo* **· dominar (a alguien) · imperar · reinar · anidar (en alguien) · atenazar (a alguien) · sobrepasar · corroer (a alguien) || aflorar · brotar · surgir · desatar(se) · salir a flote · palpitar || cundir · extender(se)** *A medida que aparecían nuevos casos, el miedo se extendía entre la población* **· propagar(se) || remitir · amainar · disipar(se)**

· **alejar(se)** · **extinguirse** · **desvanecerse** · **aplacar(se)** || **paralizar (a alguien)** · **inmovilizar (a alguien)** · **dejar clavado (a alguien)** || **dar** *Tus amenazas no me dan ningún miedo* · **causar** · **producir** · **inspirar** · **meter** · **infundir** · **despertar** · **engendrar** · **sembrar** · **clavar** · **instaurar** · **dimanar** · **emanar** || **atizar** · **exacerbar** · **esparcir** · **contagiar** || **tener** · **sentir** · **pasar** *¿Pasaste mucho miedo durante el terremoto?* · **experimentar** · **albergar** || **transmitir (a alguien)** · **confesar** · **esconder** · **disfrazar** || **vencer** · **superar** · **soportar** · **sobrellevar** · **perder** · **combatir** · **controlar** · **contener** · **aguantar(se)** · **apaciguar** · **ahuyentar** · **reprimir** · **desterrar** · **conjurar** || **temblar (de)** · **estremecerse (de)** *Me estremecí de miedo al oír el grito* · **morirse (de)** · **cagarse (de)** || **dejarse llevar (por)** || **alimentarse (de)** || **librar(se) (de)** · **desprenderse (de)** · **recobrarse (de)**

□ EXPRESIONES **de miedo*** [excelente] *Cocina de miedo*

miel

1 **miel** s.f.

● CON ADJS. **natural** *El postre llevaba miel natural por encima* · **pura** · **de flores** · **de romero** · **silvestre** · **ecológica** || **de abejas** || **dulce** · **rica** || **pringosa**

● CON SUSTS. **tarro (de)** · **cucharada (de)** || **panal (de)** · **colmena (de)** || **producción (de)** · **cosecha (de)**

● CON VBOS. **producir** · **fabricar** || **elaborar** · **recoger** · **obtener** || **saborear** · **probar** *¿Has probado la miel de romero?* · **paladear**

● CON PREPS. **con** *leche caliente con miel*

2 **mieles (de)** s.f.pl.

● CON SUSTS. **fama** · **éxito** *Tras varios fracasos, por fin pudo saborear las mieles del éxito* · **victoria** · **triunfo** · **popularidad** · **gloria**

□ EXPRESIONES **dejar** (a alguien) **con la miel en los labios** [dejarlo al inicio de un disfrute] *col.*

[mieles] s.f.pl. → miel

miembro

1 **miembro** s.m.

▮ [parte del cuerpo]

● CON ADJS. **superior** · **inferior** || **desproporcionado** · **deforme** · **informe** || **proporcionado** *Era alto y de miembros proporcionados* || **viril**

● CON VBOS. **agarrotar(se)** · **dislocar(se)** · **anquilosar(se)** · **entumecer(se)** || **curar(se)** || **perder** || **amputar** · **trasplantar** · **implantar** || **mover** *Tras el accidente no podía mover los miembros superiores* · **inmovilizar** · **estirar**

▮ [persona]

● CON ADJS. **presunto** *Han detenido a un presunto miembro de una red de extorsión* || **destacado** · **distinguido** · **representativo** · **influyente** · **insigne** · **principal** || **activo** · **pasivo** · **radical** · **moderado** || **honorario** · **honorífico** · **de honor** || **fundador** · **permanente** · **suplente**

● CON VBOS. **elegir** · **excluir** · **nombrar** || **hacer(se)** || **convertir(se) (en)**

2 **miembro (de)** s.m.

● CON SUSTS. **jurado** · **banda** *Han identificado a todos los miembros de la banda criminal* · **familia** · **organización** · **comité** · **red** · **gremio** · **cuerpo** *Tres miembros del cuerpo de bomberos han resultado heridos* · ***otros grupos humanos***

miércoles s.m. Véase **DÍA**

mierda s.f. *vulg.*

● CON VBOS. **extender(se)** · **propagar(se)** · **difundir(se)** || **llenar (de)** · **cubrir(se) (de)** *Con esa lamentable actuación se ha cubierto de mierda* · **hundir(se) (en)** · **pringar(se) (de)** || **irse (a)** · **mandar (a)** || **oler (a)**

□ EXPRESIONES **estar de mierda hasta el cuello** [hallarse en situación muy comprometida por actuaciones ilegales o ilegítimas] *col.*

migrar v.

● CON SUSTS. **población** *la población rural que ha ido migrando poco a poco a la ciudad* · **familia** · **gente** · **habitante** · ***otros individuos y grupos humanos*** || **ave** · **bandada** · **cigüeña** · **pato,ta** · ***otros animales*** || **célula**

migratorio, ria adj.

● CON SUSTS. **especie** *el comportamiento de las especies migratorias* · **ave** · **pez** · **pájaro** · ***otros animales*** || **trabajador,-a** · **familia** || **movimiento** · **corriente** · **flujo** · **ola** · **oleada** *la fuerte oleada migratoria de principios de siglo* · **marea** · **avalancha** · **aluvión** · **desplazamiento** · **viaje** · **vuelo** · **éxodo** · **trasiego** · **sangría** · **espantada** || **ruta** *Estas aves siguen la ruta migratoria que ya han trazado otras especies* · **vía** · **paso** · **corredor** · **circuito** · **río** || **ley** · **regulación** · **legislación** · **normativa** · **programa** · **sistema** · **medida** || **destino** *En esa época, América era el destino migratorio por excelencia* · **área** · **ciudad** · **estado** · **círculo** · **mapa** || **política** · **acuerdo** · **autoridad** · **negociación** · **control** · **reforma** || **problema** · **presión** · **problemática** · **caos** · **crisis** *Hay muchos países afectados por una profunda crisis migratoria* · **riesgo** · **amenaza** · **conflicto** · **desestabilización** · **discriminación** · **alerta**

[mil] → a las mil maravillas; en (mil) pedazos

[milagro] → de milagro; milagro

milagro s.m.

● CON ADJS. **asombroso** · **sorprendente** · **inexplicable** · **prodigioso** · **portentoso** || **celestial** · **divino** || **económico** *el milagro económico alemán*

● CON VBOS. **ocurrir** · **producir(se)** · **suceder** · **darse** · **hacer(se) realidad** || **hacer** · **obrar** *Esta loción contra el acné obra milagros* · **presenciar** || **narrar** · **conmemorar** || **constituir** · **suponer** · **representar** || **pedir** || **creer (en)** · **rezar (por)**

□ EXPRESIONES **de milagro*** [por poco]

milagrosamente adv.

● CON VBOS. **conseguir** · **lograr** · **solucionar** · **encontrar** || **escapar** · **huir** · **salvar(se)** · **librar(se) (de algo)** *Se libró milagrosamente de la muerte* · **salir ileso,sa** · **salir vivo,va** · **sobrevivir** · **conservar(se)** *Tras siglos de guerras y catástrofes naturales, el edificio se conserva en pie milagrosamente* || **recuperar(se)** · **revivir**

milagroso, sa adj.

● CON SUSTS. **producto** · **sustancia** · **agua** · **medicamento** · **jarabe** · **fármaco** · **píldora** · **pócima** · **hierbas** || **receta** · **fórmula** · **tratamiento** · **cura** · **adelgazamiento** · **dieta** *No te creas las dietas milagrosas que anuncian* || **curación** · **recuperación** *Su recuperación del coma ha sido milagrosa* || **solución** · **remedio** · **panacea** · **facultad** || **temporada** · **año** || **hecho** · **suceso** · **fenómeno** || **resultado** *La publicidad de estas cremas promete resultados milagrosos* · **efecto** || **aparición** · **imagen** || **escapada** · **escape**

● CON VBOS. **calificar (de)**

milenario, ria adj.

● CON SUSTS. **cultura** *la cultura milenaria del Perú* · **civilización** · **pueblo** · **ciudad** || **historia** · **tradición** · **costumbre** · **arte** || **lengua** · **saber** · **conocimiento** || **raíces** · **orígenes** || **celebración** · **juego** · **fiesta** || **edificio** · **ruina** · **monumento** || **técnica** *El masaje es una técnica milenaria muy eficaz* · **método** || **árbol** · **bosque** · **animal** · **alimento**

milenio s.m.

● CON ADJS. **último** · **pasado** · **anterior** || **presente** · **actual** || **próximo** · **siguiente** · **venidero** || **nuevo** · **antiguo**
● CON SUSTS. **año (de)** · **década (de)** || **mitad (de)** · **fin (de)** || **cambio (de)** *El cambio de milenio produjo una oleada de rumores*
● CON VBOS. **llegar** · **transcurrir** *El milenio ha transcurrido con grandes sobresaltos* · **durar** · **pasar** || **acercar(se)** · **avecinar(se)** || **empezar** · **comenzar** || **acabar** · **terminar** · **finalizar** || **despedir** · **recibir** · **inaugurar** · **celebrar**
● CON PREPS. **a lo largo (de)** *¿Cómo ha evolucionado la sociedad a lo largo de este milenio?* · **a mediados (de)** · **a comienzos (de)** · **a finales (de)**

milimetrado, da adj.

● CON SUSTS. **papel** · **cuaderno** · **cristal** || **tiempo** *El tiempo de algunos ejercicios gimnásticos está milimetrado* · **movimiento** || **sistema** · **proceso**

[milímetro] → al milímetro

militancia s.f.

● CON ADJS. **activa** · **radical** || **inactiva** · **apagada** || **fiel** *Me sorprende que abandonara el partido tras años de fiel militancia* · **incondicional** · **ejemplar** || **larga** · **probada** || **rebelde** · **díscola** || **política** · **partidista** · **de base**
● CON VBOS. **ejercer** · **practicar** · **hacer** · **abandonar** || **ocultar** *Incluso en los momentos más comprometidos no ocultó su militancia política* · **negar** · **reconocer** · **admitir** || **reunir** · **agrupar** · **disgregar** · **convocar** || **pertenecer (a)**

militante adj.

● CON SUSTS. **político,ca** · **intelectual** · **trabajador,-a** · **ciudadano,na** *En aquella época, había pocos ciudadanos militantes de partidos políticos* · **católico,ca** · **judío,a** · ***otros individuos*** || **actitud** · **política** || **participación** · **actividad**

[militar] → militar; militar (en); servicio militar

militar

1 militar adj.

● CON SUSTS. **régimen** · **gobierno** · **dictadura** · **golpe** · **rebelión** · **conflicto** || **cúpula** · **jerarquía** · **tribunal** · **servicio** · **carrera** *...año en el que inició su carrera militar* · **inteligencia** || **marcha** · **desfile** · **saludo** · **paseo** · **uniforme** · **mentalidad** · **estrategia** || **base** *Hay una base militar cerca de aquí* · **región** · **academia** · **campamento** · **hospital** · **prisión** · **arsenal** || **agregado** · **personal** · **portavoz** · **jefe,fa** · **juez** · **convoy** · **policía** || **superioridad** · **poder** · **poderío** · **fuerza** · **control** · **presencia** *Hubo una importante presencia militar en el acto* · **despliegue** · **escalada** || **intervención** · **operación** · **incursión** · **enfrentamiento** · **acción** · **ofensiva** · **ataque** · **represión** · **patrullaje** · **campaña** · **misión** *La enviaron en una misión militar secreta a la zona del conflicto* · **instrucción** · **entrenamiento** · **adiestramiento** · **cooperación** · **ayuda** · **alianza** · **participación** · **dispositivo** || **equilibrio** · **tensión** · **retirada** · **repliegue** · **situación** · **solución** || **victoria** · **derrota** *Tras la derrota militar, la rendición era inevitable* || **avión** · **vehículo** · **unidad** · **operativo** · **maquinaria** · **patrulla** || **medalla** · **honor** · **condecoración**

2 militar s.com.

● CON ADJS. **de carrera** · **de {alta/baja} graduación** · **de vocación** || **experimentado,da** · **experto,ta** · **bisoño,ña** || **valeroso,sa** · **valiente** || **en primera línea** · **en la retaguardia** · **en la reserva**
● CON VBOS. **combatir** · **batallar** · **luchar** · **entrar en acción** || **jurar bandera** || **ascender** · **condecorar** *Condecoraron al militar por su heroica acción* · **degradar** || **reclutar**

militar (en) v.

● CON SUSTS. **partido** *militar en un partido político* · **filas** · **bando** · **sindicato** · **movimiento** · **frente** · **asociación** · **organización** · **agrupación** · **grupo** · **formación** · **coalición** · **ONG** || **equipo** *un jugador que siempre ha militado en equipos españoles* · **{primera/segunda...} división** · **liga** · **conjunto** · **club** · **federación** || **oposición** · **izquierda** · **derecha** · **liberalismo** · **socialismo** · **anarquismo** · **vanguardia** · **clandestinidad**
● CON ADVS. **activamente** *Militaba activamente en una organización ecologista* · **decididamente**

militarmente adv.

● CON VBOS. **intervenir** *El presidente aseguró que su país era neutral y no intervendría militarmente en el conflicto* · **apoyar** · **defender** || **ocupar** · **invadir** || **derrotar** · **vencer** || **saludar**

milla s.f.

● CON ADJS. **cuadrada** · **náutica** · **marina**
● CON SUSTS. **símbolo (de)** · **abreviación (de)**
● CON VBOS. **equivaler (a algo)** || **medir** · **calcular** · **contar** || **convertir** · **pasar** || **distar (de algo)** *El pueblo dista varias millas de ese lugar* || **recorrer** · **andar** · **caminar** *Caminó varias millas para encontrar un teléfono* · **correr** · **navegar** || **adentrar(se)** · **alejar(se)** · **acercar(se)** · **desviar(se)** · **separar(se)**
● CON PREPS. **por** · **a lo largo (de)** · **durante**

milonga s.f.

▌[composición musical]

● CON VBOS. **cantar** · **bailar**

▌[mentira] *col.*

● CON VBOS. **contar** *Me contó una milonga para convencerme* · **soltar** · **decir** || **sonar (a)** || **venir (con)** *No me vengas con milongas, que sé toda la verdad* · **dejar(se) (de)** · **reparar (en)**

mimo s.m.

● CON VBOS. **hacer** *La abuela le hacía mimos y carantoñas al niño* · **dar** · **prodigar** || **necesitar** · **recibir** || **reclamar** · **pedir** || **rodear (de)** · **abandonarse (a)** || **tener ganas (de)**
● CON PREPS. **con** *Te lo presto, pero trátalo con mimo, que es una joya*

minar v.

▌[colocar minas]

● CON SUSTS. **zona** · **área** · **terreno** · **camino** · **puente** *El plan era minar el puente por el que pasarían las autoridades* · **puerto** · **edificio** · ***otros lugares***

■ [debilitar]

• CON SUSTS. **resistencia** · **salud** *Este trabajo está minando tu salud* · **fortaleza** · **estabilidad** · **solidez** · **equilibrio** || **confianza** · **moral** · **autoestima** *Una crítica tan dura mina la autoestima de cualquiera* · **certeza** · **paciencia** || **credibilidad** · **reputación** · **prestigio** · **integridad** · **respeto** || **voluntad** · **capacidad** · **esfuerzo** · **fuerza** · **ímpetu** · **ánimo** · **facultad** · **valor** · **potencial**

minero, ra adj.

• CON SUSTS. **zona** · **área** · **región** · **tierra** · **centro** · **cuenca** · **comarca** · **localidad** · **complejo** · **poblado** · **campamento** || **yacimiento** *Encontraron numerosos yacimientos mineros en la zona* · **explotación** · **excavación** · **exploración** || **vagoneta** · **tren** · **linterna** · **casco** || **infraestructura** · **reconversión** · **industria** · **sector** · **negocio** · **compañía** || **federación** · **patronal** *La patronal minera ha abierto una ronda de negociaciones* · **sindicato** || **marcha** · **manifestación** || **potencial** · **recurso** || **líder** *El líder minero ha mantenido fructuosas conversaciones con el Gobierno* · **dirigente** · **ayudante** || **crisis** · **desastre** · **masacre** · **problema** · **conflicto** || **cante** · **tradición** *un pueblo de gran tradición minera*

miniatura s.f.

• CON ADJS. **exquisita** · **bella** · **trabajada** · **valiosa**

• CON SUSTS. **reproducción (en)** · **construcción (en)** · **copia (en)** || **tamaño** *una reproducción en tamaño miniatura*

• CON PREPS. **en** *un tren en miniatura* · **de** *juguetes de miniatura*

minimizar v.

• CON SUSTS. **problema** *No minimices el problema* · **crisis** · **desastre** || **importancia** || **incidente** · **escándalo** · **papel** || **molestia** · **daño** · **pérdida** · **bajas** || **impacto** *La empresa toma medidas para minimizar el impacto de la crisis* · **efecto** · **consecuencias** · **alcance** || **riesgo** · **peligro** || **crítica** · **polémica** · **recelo** · **diferencia** · **discrepancia** || **impuestos** · **costes** || **posibilidad** · **competencia**

mínimo s.m.

• CON ADJS. **indispensable** *Con esta técnica quirúrgica la incisión se reduce al mínimo indispensable* · **necesario** · **requerido** · **exigido** · **estipulado** || **histórico**

• CON VBOS. **alcanzar** · **superar** · **rebasar** · **batir** · **pulverizar** *La veterana atleta pulverizó ayer su mínimo histórico* || **necesitar** *Para que esto funcione necesito un mínimo de colaboración por vuestra parte* · **exigir** · **pedir** · **requerir** || **llegar (a)** · **estar (bajo)** *En cuestión de recursos estamos bajo mínimos*

minoría s.f.

• CON ADJS. **exigua** · **ínfima** · **pequeña** · **franca** · **absoluta** || **silenciosa** · **notoria** · **influyente** · **relevante** || **cualificada** · **selecta** *un producto de calidad dirigido a una selecta minoría* · **elegida** · **escogida** || **olvidada** · **despreciada** || **religiosa** · **étnica** || **de edad** *Su minoría de edad le impedía votar*

• CON SUSTS. **derechos (de)** · **situación (de)** · **futuro (de)** || **discriminación (de)** · **marginación (de)**

• CON VBOS. **conformar** || **defender** · **ayudar** · **proteger** || **perseguir** · **atacar** · **eliminar** · **excluir** || **estar (en)** *Estamos en franca minoría, por lo que no conseguiremos...* · **aparecer (en)** · **presentar(se) (en)** · **pertenecer (a)** · **formar parte (de)**

minoritario, ria adj.

• CON SUSTS. **accionista** *los accionistas minoritarios de una compañía* · **socio,cia** || **partido** · **coalición** · **gobierno** · **sindicato** || **grupo** · **parte** · **sector** *La propuesta fue rechazada por un sector minoritario del partido* · **núcleo** || **etnia** · **gueto** || **posición** · **postura** · **fuerza** · **representación** · **opinión** || **arte** · **género** · **disciplina** · **lectura** · **música** || **público** · **audiencia** *Ese género musical tiene una audiencia minoritaria* || **lengua** · **religión** · **cultura** || **participación** · **interés** *El interés por este tema es minoritario* || **comercio**

minucioso, sa adj.

• CON SUSTS. **investigador,-a** *un investigador minucioso y bien documentado* · **dibujante** · **escritor,-a** · **compositor,-a** · **corrector,-a** · **persona** · ***otros individuos*** || **libro** · **bordado** · **pintura** · **gráfico** · ***otras creaciones*** || **planchado** · **reparación** || **estudio** · **análisis** · **detalle** · **observación** · **lectura** *Me encargaron una lectura minuciosa del manuscrito* · **auditoría** · **prueba** · **informe** || **investigación** · **inspección** · **examen** · **búsqueda** *Tras una búsqueda minuciosa de pruebas...* · **seguimiento** · **repaso** · **recorrido** · **pesquisa** || **descripción** · **exposición** · **explicación** · **presentación** || **revisión** · **inventario** · **recopilación** · **lista** · **recuento** *A fin de mes se hace un recuento minucioso de la mercancía* · **registro** · **escrutinio** || **trabajo** · **plan** · **labor** · **tarea**

• CON ADVS. **excesivamente** · **extremadamente**

• CON VBOS. **volverse**

[minúscula] s.f. → minúsculo, la

minúsculo, la

1 minúsculo, la adj.

• CON SUSTS. **letra** || **tamaño** · **distancia** · **cuerpo** || **problema** · **detalle** || **pantalón** · **minifalda** *Salió al escenario con una minifalda minúscula* · **traje de baño** · ***otras prendas de vestir*** || **partícula** · **pieza** · **fracción** || **sala** · **habitación** · **pueblo** *Visitamos un pueblo minúsculo al este de la ciudad* · ***otros lugares*** || **grupo** · **parte** || **hecho** · **acontecimiento** · **experiencia** || **papel** *En la obra solo tiene un papel minúsculo* || **fuerza**

• CON VBOS. **hacerse** · **volverse**

2 minúscula s.f.

• CON VBOS. **escribir (en)** · **poner (en)** *Pon tu dirección de correo electrónico en minúscula*

• CON PREPS. **en** *todas las letras en minúscula*

minusválido, da

1 minusválido, da adj.

• CON SUSTS. ***persona*** *Se ha ocupado siempre de su hija minusválida*

2 minusválido, da s.

• CON ADJS. **físico,ca** · **psíquico,ca**

• CON SUSTS. **integración (de)** *una ley de integración de los minusválidos* · **rehabilitación (de)** · **protección (de)** || **condición (de)** || **asociación (de)** || **rampa (para)** *Construyeron varias rampas para minusválidos en el centro* · **acceso (para)** · **facilidades (para)**

• CON VBOS. **ayudar** · **atender** || **contratar**

minusvalorar v.

• CON SUSTS. **realidad** · **hecho** || **posibilidad** || **trabajo** *No hizo bien al minusvalorar el trabajo de sus compañeros* · **tarea** || **peligro** · **crisis** · **necesidad** || **aportación** · **hallazgo** || **capacidad** · **importancia** · **mérito** || **papel** · **influencia** · **peso** · **valor**

minuta s.f.

▌[factura]

●CON ADJS. **de honorarios**
●CON VBOS. **presentar · dar · recibir || abonar · pagar** *Pagamos una costosa minuta a la abogada que lleva el caso* **· cobrar || aumentar · rebajar**

▌[borrador]

●CON VBOS. **escribir · redactar** *El secretario redactó la minuta de la reunión* **· realizar · preparar · corregir**

minuto s.m.

●CON ADJS. **interminable** *Todos esperamos el veredicto durante unos interminables minutos* **· largo || breve || último** *Apareció en el último minuto*
●CON VBOS. **pasar · transcurrir || durar · tardar** *Ahora mismo estoy con usted, tardo un minuto* **|| pedir · tener || arañar · contar · conceder** *¿Me concedería dos minutos para explicarle el problema?* **· dar || disponer (de)**
●CON PREPS. **en cuestión (de)** *Esto se resuelve en cuestión de cinco minutos*

mirada s.f.

●CON ADJS. **inteligente · viva · expresiva** *Aunque no habló, su expresiva mirada lo dijo todo* **· desbordante · ardiente · encendida · vivaz · febril · apagada · lánguida · cansina · inexpresiva || cautivadora · atractiva · sugerente · seductora · pícara || angelical** *Me cautivó su mirada angelical* **· cándida · ingenua · cálida · inocente || cristalina · clara · diáfana · limpia · franca · tranquila · serena · comprensiva · tierna · acogedora || enigmática · impenetrable · inescrutable || esquiva · huidiza · evasiva · extraviada** *Después de la caída, tenía la mirada extraviada y decía cosas sin sentido* **· perdida || rápida · fugaz · somera · superficial · apresurada · por encima · parcial · de soslayo · distraída · de refilón · furtiva || fría · distante · dura · pétrea · inmisericorde · desafiante · despectiva · displicente · descarada || acerada · aguda · penetrante** *De pronto, clavó en mí su penetrante mirada y...* **· implacable · mordaz · sardónica || asesina · fulminante · hostil · torva · aviesa · amenazadora · siniestra · ávida · codiciosa** *...ante las miradas codiciosas de los allí presentes* **|| indulgente · tolerante || turbia · borrosa · sucia · sesgada · torcida || suplicante · angustiada · ansiosa · circunspecta || curiosa · atónita · incrédula · cómplice || subversiva · sarcástica · irónica · altiva · soberbia · condescendiente · herida || fija · atenta** *Las gimnastas saltaban sobre el tapiz bajo la atenta mirada de la entrenadora* **· escrutadora · inquisitiva · de arriba abajo · honda · profunda || poética · lírica · artística · personal · introspectiva || objetiva · científica**
●CON VBOS. **perder(se)** *Sentada frente al mar, su mirada se perdía en el horizonte* **|| delatar || echar · lanzar · dirigir (a alguien) · dedicar (a alguien) · volver · devolver · prodigar || clavar · fijar · levantar · bajar · enfocar · extender · aguzar || cruzar** *Durante la ceremonia, madre e hija cruzaron una mirada de complicidad* **· intercambiar || sostener · mantener || apartar · desviar** *Cuando le pregunté si tenía algo que decirme, desvió la mirada* **· rehuir · esquivar · eludir · evitar · sortear · extraviar || recibir · centrar** *La gran estrella de cine centró todas las miradas de la noche* **· captar || recorrer (con)** *Recorrió con la mirada el vasto panorama que se abría ante él* **· abarcar (con) || hechizar (con) · fulminar (con) · taladrar (con) · condenar (con) || ser blanco (de) · rendirse (a/ante) || jugar (con)**
●CON PREPS. **a resguardo (de)** *Quedaremos en algún lugar a resguardo de miradas indiscretas*

[miramiento] → miramiento; sin miramientos

miramiento s.m.

●CON ADJS. **escaso** *Tuvo con nosotros escasos miramientos* **· excesivo**
●CON VBOS. **tener · mostrar || andarse (con)** *Es algo rudo y no se anda con miramientos a la hora de dar su opinión*
●CON PREPS. **con · sin**

mirar v.

●CON ADVS. **adelante · atrás** *Piensa en el futuro y no mires atrás* **· a lo lejos || frente a frente · cara a cara · de frente · de igual a igual || de reojo · de refilón · de soslayo · furtivamente · al soslayo · al sesgo · de costado · de lado · de pasada · por un momento · por encima || descaradamente · disimuladamente** *Los asistentes a la conferencia miraban disimuladamente el reloj* **· a hurtadillas || con lupa · con detalle · de arriba abajo · de cerca · con atención · atentamente · con interés · ávidamente · con detenimiento || fijamente** *Le estrechó la mano mirándolo fijamente a los ojos* **· sin pestañear · insistentemente || mal · desfavorablemente · desdeñosamente · por encima del hombro · despectivamente || esperanzadamente · angustiadamente · amenazadoramente · enigmáticamente · condescendientemente · atónitamente**

□EXPRESIONES **de mírame y no me toques** [muy delicado] *col.*

mirilla s.f.

●CON ADJS. **telescópica**
●CON PREPS. **por** *Espiaba por la mirilla a sus vecinos* **· a través (de)** *Vio a través de la mirilla quién llamaba antes de abrir la puerta*

misa s.f.

●CON ADJS. **solemne · mayor · de difuntos · del gallo · de gloria || cantada || negra**
●CON VBOS. **transcurrir || decir · celebrar · oficiar · cantar || oír · perder · saltarse || ir (a)** *Va a misa todos los domingos* **· asistir (a) · faltar (a) || ayudar (a)**

□EXPRESIONES **ir** (algo) **a misa** [ser totalmente cierto o preceptivo] *col.* **|| no saber de la misa la {media/mitad}** [ignorar gran parte de un asunto] *col.*

[misceláneа] s.f. → misceláneo, a

misceláneo, a

1 **misceláneo, a** adj.

●CON SUSTS. **libro · obra · texto** *Compuso un texto misceláneo muy curioso* **· volumen || carácter · temática || colección**

2 **miscelánea** s.f.

●CON ADJS. **de textos · de ensayos · de cuentos || deportiva · histórica**
●CON SUSTS. **página (de)** *una página de miscelánea deportiva*
●CON VBOS. **componer · formar · constituir || presentar · editar · publicar · hacer**

miserable adj.

▌[infeliz, desafortunado]

●CON SUSTS. ***persona*** *En ese momento, me sentí el hombre más miserable del mundo* **|| mundo · realidad || país · barrio · zona · chabola · choza · casa ·** ***otros lugares*** **|| condiciones · estado** *La vivienda presentaba un estado mi-*

serable || vida · existencia · destino || tiempo · época · *otros periodos*
● CON VBOS. volverse · sentirse

▌[insignificante]

● CON SUSTS. salario · sueldo *cobrar un sueldo miserable* · pensión || cantidad · monto || resultado · ganancia

▌[mezquino] *desp.*

● CON SUSTS. *persona* *Es una mujer egoísta y miserable* · actitud || libro · artículo · *otros textos*

miseria s.f.

● CON ADJS. total · completa · enorme · tremenda || profunda · absoluta *La plaga de langosta ha dejado a miles de familias en la más absoluta miseria* · infrahumana · amarga · inmunda || al descubierto || pequeña *las pequeñas miserias de cada cual* || imperante · permanente || condenado,da (a) || humana *...una obra que muestra sin tapujos las miserias humanas*
● CON SUSTS. pozo (de) · foco (de) · causa (de) · problema (de) || nivel (de) · índice (de) · grado (de) · umbral (de) || condiciones (de) · situación (de) · bolsa (de) || salario (de) · sueldo (de) · pensión (de) || lucha (contra)
● CON VBOS. crecer · propagar(se) · extender(se) · agravar(se) || acuciar (a algo/a alguien) · azotar (algo/a alguien) · afectar (a alguien) || aliviar *La ayuda humanitaria alivió en parte la terrible miseria de la población* · combatir · denunciar · erradicar · extirpar · abolir || estar (en) · vivir (en) · hallar(se) (en) · caer (en) · hundir(se) (en) · sumir(se) (en) · quedar(se) (en) || sacar (de) *Buscaba desesperadamente un empleo que la sacara de la miseria* · rescatar (de) · salir (de) · acabar (con) || cerrar los ojos (ante) · luchar (contra) · ahondar (en)
● CON PREPS. al filo (de)

misericordia s.f.

● CON ADJS. divina · humana || lleno,na (de)
● CON SUSTS. obra (de)
● CON VBOS. tener *Tenga misericordia y ayúdeme* · ejercer · otorgar || implorar · suplicar · pedir || confiar (en)
● CON PREPS. con · sin *Lo golpearon sin misericordia*

misericordioso, sa adj.

● CON SUSTS. dios || *persona* *Cuando me caí, me recogió un transeúnte misericordioso* || amor · ayuda || crítica *Recibió críticas muy poco misericordiosas en su primera actuación*
● CON VBOS. volverse

mísero, ra adj.

● CON SUSTS. vivienda · sueldo *Era mucho trabajo para un sueldo tan mísero* · gratificación · pensión · limosna || puntuación *Ha sacado una puntuación mísera en la prueba oral* · resultado || condición · cantidad || época · tiempo

misión s.f.

● CON ADJS. arriesgada · peligrosa · penosa · sacrificada || honrosa · extraordinaria || difícil · ardua · compleja · complicada · delicada · comprometida · peliaguda · imposible *Lograr un acuerdo parece una misión imposible* || cumplida · exitosa || fallida · incumplida || secreta · confidencial · especial · rutinaria || urgente · apremiante · insoslayable · prioritaria · preeminente · principal · fundamental || futura · próxima || de paz *enviar tropas en misión de paz* · diplomática · humanitaria · evangelizadora · testimonial · informativa · de apoyo · militar
● CON SUSTS. alcance (de) · resultado (de) *El resultado de la misión diplomática ha sido satisfactorio* || responsable (de) · encargado,da (de) · portavoz (de) · representante (de)
● CON VBOS. tener éxito · fracasar || recaer (en alguien) || consistir (en algo) || corresponder (a alguien) · tocar (a alguien) || encomendar · asignar (a alguien) · confiar (a alguien) *Solo a una persona de su talento podía confiarle una misión tan delicada* · encargar (a alguien) · delegar · arrogarse || dirigir · capitanear · encabezar || acometer · afrontar · emprender · desempeñar · llevar a cabo · ejecutar · desarrollar · tener *El mediador tiene una difícil misión que cumplir* || cumplir · consumar · culminar *La sonda espacial no pudo culminar su misión debido a un fallo en uno de los reactores* · llevar a término · llevar a buen puerto || incumplir || desvelar · descubrir · explicar · comunicar || prorrogar · suspender · cancelar · abortar || enviar (a) *El capitán envió a sus mejores hombres a la peligrosa misión* · lanzar(se) (a) · participar (en) · intervenir (en) || informar (de) · tener (como) · atenerse (a)

misiva s.f.

● CON ADJS. breve · extensa *Expliqué todas mis quejas a la empresa en una extensa misiva* · pequeña || educada · discreta · formal · confidencial || anónima || de felicitación
● CON SUSTS. contenido (de) · texto (de) || destinatario,ria (de) · encabezamiento (de) · membrete (de) *Reconocí inmediatamente el membrete de la misiva* || envío (de) · intercambio (de)
● CON VBOS. llegar || redactar · dirigir · firmar *Firmó la misiva con los dos apellidos* · responder || enviar · entregar · intercambiar · rechazar || acabar · empezar || leer · publicar *Han publicado las misivas que se intercambiaron los dos poetas durante su juventud*

[mismo] → por el mismo rasero

[misterio] → de misterio; misterio

misterio s.m.

● CON ADJS. profundo · intrincado *Lograron desentrañar un intrincado misterio* · hondo · recóndito · oculto · arcano || insondable · impenetrable · indescifrable · inexplicable *los inexplicables misterios del alma humana* · irresoluble · insoluble · inextricable || lleno,na (de)
● CON SUSTS. halo (de) *El caso siempre ha estado envuelto en un halo de misterio* · toque (de) · punto (de) · hálito (de) · aire (de) · clima (de) || comedia (de) · película (de) · historia (de) · novela (de)
● CON VBOS. acechar · planear || residir (en algo) || desvanecer(se) · despejar(se) · esclarecer(se) · salir a la luz || sembrar · mantener || encerrar *La sonrisa de ese retrato encierra un profundo misterio* · esconder(se) · guardar || constituir · suponer · revestir || aclarar *Busca pistas para aclarar el misterio* · desvelar · desentrañar · descubrir · descifrar · destapar · desenredar · explicar · solucionar · desenmarañar · dilucidar · resolver · solventar · levantar · sacar a la luz · desbrozar · destripar || adentrarse (en) *adentrarse en los misterios de las civilizaciones antiguas* · ahondar (en) · bucear (en) · penetrar (en) · internar(se) (en) · enredar(se) (en) · perder(se) (en) || teñir (de) · envolver (en) · cubrir (de) · rodear (de) || arrojar luz (sobre)

misterioso, sa adj.

● CON SUSTS. *persona* *Una misteriosa mujer se paraba todos los días frente a su casa* || personalidad · actitud · comportamiento || caso · asunto · hecho || asesinato ·

muerte || desaparición *Investigan la misteriosa desaparición de una joven* · **robo** · **accidente** · **incendio** · ***otros sucesos*** || **causa** · **razón** · **origen** || **sonido** · **ruido** *Los misteriosos ruidos llegaban desde la planta baja* · **tono** · **voz** || **paraje** · **enclave** · **laberinto** · **casa** || **planeta** · **mundo** · **universo** || **animal** · **planta** || **enfermedad** *Murió en África de una misteriosa enfermedad* || **aparato** · **objeto** · **cuerpo** || **aparición** · **hallazgo** || **secreto** · **pasado**
• CON VBOS. **ser** · **volver(se)** · **estar** · **poner(se)** *Se ha puesto muy misteriosa con este asunto*

[mística] s.f. → místico, ca

místico, ca

1 **místico, ca** adj.
• CON SUSTS. **lenguaje** · **pensamiento** · **creencia** · **concepto** · **poesía** · **verso** · **libro** · **diálogo** || **poeta** · **poetisa** · **pintor,-a** · ***otros individuos*** || **trance** · **éxtasis** · **arrebato** · **sentimiento** || **aventura** · **experiencia** *Asegura haber tenido una experiencia mística* · **búsqueda** · **devaneo** || **toque** · **rasgo** · **halo** · **tono** · **aspecto** || **cuerpo** · **espacio** · **entidad** || **simbología** · **religiosidad** || **sentido** · **carácter** *Entre las obras de carácter místico del pintor figuran...* · **naturaleza** || **fenómeno** · **ascensión** · **visión** · **concepción** · **verdad** || **estudio** · **disciplina** · **filosofía** · **literatura** *uno de los principales representantes de la literatura mística española* · **teología** · **movimiento** · **corriente** · **tendencia** || **actitud** · **vocación** || **unión** || **ritual** · **tradición** || **etapa** · **época**
• CON VBOS. **ser** · **estar** · **ponerse**

2 **mística** s.f.
• CON ADJS. **religiosa** · **teológica** · **panteísta** || **judía** · **cristiana** · **oriental** · **islámica** · **musulmana** · **sufí** || **filosófica** || **universal**

mítico, ca adj.

• CON SUSTS. **figura** · **personaje** · **nombre** · **artista** *un artista mítico de mediados del siglo pasado* · **actor** · **actriz** || **lugar** · **universo** || **poema** · **película** · **obra** · ***otras creaciones*** || **pasado** · **tiempo** · **año** || **acontecimiento** · **noticia** || **imagen** · **símbolo** · **aura** || **dimensión** · **categoría** || **grupo** · **líder** || **programa** *Llegó a convertirse en uno de los programas míticos de la cadena* · **revista** || **marca** · **elemento**

mitigar v.

• CON SUSTS. **efecto** *Intentaremos mitigar los efectos del incendio* · **consecuencia** · **impacto** · **alcance** || **dolor** · **sufrimiento** · **enfermedad** · **daño** · **tensión** *Espero que mis palabras hayan ayudado a mitigar la tensión* · **crispación** || **pena** · **soledad** · **angustia** · **temor** · **alarma** · **ansia** · **tristeza** · **desamor** || **problema** · **crisis** · **derrota** · **fracaso** · **tragedia** · **conflicto** · **drama** *¿Cómo mitigar el drama social que vive el país?* · **catástrofe** · **contaminación** || **pérdida** · **caída** · **descenso** · **degradación** · **deterioro** || **hambre** · **sed** · **sequía** · **ausencia** · **pobreza** · **escasez** *El objetivo del acuerdo es mitigar la escasez de agua en la región* · **déficit** · **penuria** · **gazuza** || **desigualdad** · **desequilibrio** · **diferencia** *Se han adoptado medidas para mitigar las enormes diferencias sociales que aún existen* · **disparidad** · **distancia** · **injusticia** · **inestabilidad** || **ataque** · **persecución** · **acoso** · **sanción** · **bloqueo** · **violencia** || **crítica** · **enfrentamiento** · **debate** · **protesta** · **denuncia** · **rencilla** || **ardor** · **calor** · **frío**

mitin s.m.

• CON ADJS. **electoral** · **político** || **concurrido** *Cerró la campaña un concurrido mitin en la localidad de...* || **caluroso**
• CON VBOS. **tener lugar** || **convocar** · **dar** · **celebrar** *Celebrarán el mitin en la plaza de toros* || **reventar** · **boicotear** || **acudir (a)** · **asistir (a)** · **participar (en)**

mito s.m.

• CON ADJS. **clásico** *obras de arte inspiradas en mitos clásicos* · **platónico** · **bíblico** · **literario** · **erótico** || **ancestral** · **histórico** · **viviente** *Es un mito viviente del jazz* · **vivo** · **legendario** · **fantástico** · **imaginario** || **dorado** · **inalcanzable** || **manido** · **conocido** · **anclado (en)**
• CON VBOS. **fraguar(se)** · **nacer** *Murió el artista y nació el mito* · **crecer** · **revivir** || **derrumbar(se)** · **desmoronarse** · **desvanecerse** || **fabricar** · **crear** · **forjar** · **gestar** · **cimentar** || **alimentar** · **cultivar** · **desenterrar** · **evocar** || **contar** · **relatar** · **explicar** · **interpretar** || **destruir** · **desmontar** · **pulverizar** · **desterrar** || **convertir(se) (en)** · **acabar (con)** *Con este programa divulgativo se pretende acabar con ciertos mitos sobre la enfermedad* · **servirse (de)** · **recurrir (a)**

mixto, ta adj.

• CON SUSTS. **grupo** · **equipo** *Un equipo mixto de investigación supervisa el proyecto* · **banda** · **población** · **conjunto** || **empresa** · **entidad** · **sociedad** · **comisión** || **ejército** · **cuerpo** · **policía** · **tripulación** · **patrulla** *Una patrulla mixta, formada por policías y militares, se ocupará de la seguridad* || **coro** · **voces** || **pareja** || **naturaleza** · **carácter** || **región** · **zona** || **escuela** · **educación** · **colegio** · **enseñanza** || **ensalada** *De primero pedimos ensalada mixta* · **sándwich** || **financiación** · **fondos** · **capital** · **renta** || **sistema** · **técnica** · **fórmula** || **prueba** || **vehículo**
• CON VBOS. **hacer(se)**

mocasín s.m.

• CON ADJS. **indio** · **moderno** · **en cuero** · **sin suela** || **de sport**
➤ Véase también **CALZADO**

mocho, cha

1 **mocho, cha** adj.
▮ [sin punta]
• CON SUSTS. **tronco** || **cuerno** · **asta** || **torre**

2 **mocho** s.m. *col.*
▮ [fregona]
• CON VBOS. **pasar** · **usar** || **mojar** · **escurrir** || **fregar (con)** *fregar el suelo con el mocho*

mochuelo s.m. *col.*

▮ [asunto o responsabilidad engorrosa]
• CON VBOS. **cargar (a alguien)** · **colgar (a alguien)** · **echar (a alguien)** · **imputar (a alguien)** || **cargar (con)** *Todos los años me toca a mí cargar con el mochuelo*

moción s.f.

• CON ADJS. **de censura** *La grupos de la oposición presentaron una moción de censura contra el presidente* · **de confianza**
• CON VBOS. **prosperar** *La moción no prosperó por falta de apoyos* || **presentar** · **plantear** · **proponer** · **tramitar** · **retirar** || **apoyar** · **respaldar** · **defender** · **avalar** || **debatir** · **negociar** · **acordar** · **votar** || **aceptar** · **aprobar** *El pleno aprobó la moción por amplia mayoría* · **rechazar** || **ganar** · **perder** || **adherirse (a)**

[moco] → a moco tendido; moco

moco s.m.

● CON ADJS. **espeso · denso**

● CON VBOS. **tener** *He llevado a la niña al pediatra porque tiene muchos mocos* · **limpiar(se) · sonarse · sacar(se)**

□ EXPRESIONES **a moco tendido*** [desconsoladamente] *col.* || **no ser** (algo) **moco de pavo** [no ser poca cosa] *col.* || **tirarse el moco** [presumir o darse importancia] *col.*

[moda] → a la moda; moda

moda s.f.

● CON ADJS. **última** *La última moda entre los jóvenes es...* · **rabiosa · actual · imperante · preponderante · a la última** || **pasajera · cambiante · efímera · fugaz · transitoria** || **infantil · juvenil · premamá · masculina · femenina** || **literaria · cinematográfica** || **de alta costura · prêt-à-porter · urbana**

● CON SUSTS. **dictado (de) · tiranía (de) · esclavo,va (de)** || **diseñador,-a (de) · firma (de) · desfile (de) · tienda (de)** *una tienda de moda juvenil* · **mundo (de) · pasarela (de) · tendencia (de)** || **diseño (de)**

● CON VBOS. **desatar(se) · imponer(se) · triunfar** *Triunfa la moda de viajar a destinos exóticos* · **arraigar · llevar(se) · cundir · extender(se)** || **pasar · amainar** || **dictar** || **implantar · instaurar · marcar** *Este cantante marcó la moda durante mucho tiempo* || **seguir · lucir** || **apuntarse (a) · adherirse (a) · dejarse llevar (por)**

● CON PREPS. **al abrigo (de) · en función (de) · según**

□ EXPRESIONES **a la moda*** [siguiendo sus dictados] *vestir a la moda; ir a la moda* || **de moda** [actual, que sigue la moda] *estar de moda; pasarse de moda*

modales s.m.pl.

● CON ADJS. **buenos · perfectos · impecables** *Hizo gala de unos modales impecables* · **intachables · exquisitos · refinados · esmerados · delicados · pulcros** || **corteses · caballerescos · civilizados · cautos** || **malos · pésimos** *Tiene unos modales pésimos en la mesa, pero estoy segura de que lo hace para provocar* · **arrabaleros · groseros · toscos · rudos · zafios · bruscos** || **afectados · pomposos · ampulosos**

● CON VBOS. **tener · lucir · exhibir · mostrar · demostrar** || **enseñar** *Alguien debería enseñarles modales a estos niños* · **aprender · corregir** || **carecer (de) · hacer gala (de)**

modelar v.

● CON SUSTS. **barro · arcilla · masa · cerámica** || **escultura · pieza · objeto** || **figura · cuerpo** *Va todo los días al gimnasio para modelar su cuerpo* · **rasgo · brazo · pierna · abdomen · nariz · labio** || **pensamiento · idea · lenguaje · educación** || **conducta · carácter** *La rigurosa educación que recibió contribuyó a modelar su carácter* · **personalidad · voluntad** || **personaje**

modelo

1 **modelo** s.com.

▌ [profesión]

● CON ADJS. **de pasarela** *Se hizo famosa como modelo de pasarela* · **profesional · publicitario,ria · aficionado,da** || **conocido,da · famoso,sa · reputado,da**

● CON SUSTS. **agencia (de)** *Lo conocí por medio de una agencia de modelos* || **desfile (de) · pase (de)** || **pose (de) · retrato (de) · foto (de) · álbum (de)**

● CON VBOS. **desfilar · posar** || **fotografiar** || **trabajar (como/de)**

2 **modelo** s.m.

▌ [arquetipo, patrón]

● CON ADJS. **dominante · imperante · extendido · conocido · imitable · a imitar** || **nuevo** *un nuevo modelo de financiación* · **revolucionario · novedoso · moderno · actual · vigente · clásico · antiguo · anticuado** *Estos coches son más baratos porque son modelos que se han quedado anticuados* · **viejo · obsoleto** || **paritario · jerarquizado · redistributivo · justo · injusto** || **integral · uniformador · integrador · excluyente** || **fecundo · útil · eficaz · práctico** || **de conducta · financiero · económico · industrial · educativo** || **acorde (con)** *una propuesta acorde con el modelo económico que propugnan*

● CON VBOS. **imponer(se) · extender(se)** || **derrumbar(se)** *Los viejos modelos se derrumban para dejar paso a...* · **desmoronarse · quebrar(se) · venirse abajo** || **trazar · delinear · diseñar · crear · desarrollar · alumbrar · erigir · dictar** || **aplicar · implantar · extrapolar** || **imitar · seguir** || **romper · abandonar** *La empresa abandonó pronto el modelo jerarquizado de organización y lo sustituyó por uno más integrador* || **cambiar · renovar(se) · alterar · distorsionar · subvertir** || **preconizar · apoyar · impulsar · criticar · reprobar** || **usar (como/de) · servir (como/de)** *una forma de sonata clásica que ha servido de modelo a otras muchas* · **actuar (como/de)** || **ajustar(se) (a) · atener(se) (a) · ceñir(se) (a) · adaptar(se) (a) · amoldar(se) (a) · anclar(se) (en) · guiar(se) (por)** || **separar(se) (de)** *Optó por separarse de los modelos y probar vías experimentales* · **desviar(se) (de)**

● CON PREPS. **según · en función (de)**

moderación s.f.

● CON ADJS. **salarial** || **justa**

● CON SUSTS. **llamada (a) · llamamiento (a)** *un llamamiento a la moderación salarial*

● CON VBOS. **pedir · exigir · predicar · practicar · ejercer**

● CON PREPS. **con** *beber con moderación* · **sin**

moderado, da adj.

● CON SUSTS. **postura · actitud · talante** *un político de talante moderado* · **línea** || **tono · discurso · lenguaje** || **crecimiento · incremento · subida · repunte · alza · aumento** || **descenso · bajada** || **precio · inflación** || **propuesta · reforma · solución** || **cantidad · dosis** *El médico me recomendó tomar vino en dosis moderadas* · **consumo** || **dirigente · líder · político,ca · ala · sector** *El sector moderado del partido no está de acuerdo con la propuesta* · **partido · oposición** · ***otros individuos y grupos humanos*** || **nacionalismo** || **éxito** *La obra tuvo un éxito moderado entre el público juvenil* · **optimismo · interés** || **fuerza** *viento racheado de fuerza moderada* · **debilitamiento** || **pérdida · recorte**

● CON VBOS. **hacerse · mantenerse · volverse**

moderador, -a

1 **moderador, -a** adj.

● CON SUSTS. **efecto · fuerza** || **función · trabajo** || **elemento**

2 **moderador, -a** s.

● CON SUSTS. **papel (de)** *Esta periodista ejerce muy bien el papel de moderadora* · **labor (de) · calidad (de)** || **puesto (de)**

● CON VBOS. **actuar (de) · ejercer (de)**

moderar v.

▌ [suavizar]

● CON SUSTS. **tono · volumen · voz** || **velocidad · ritmo** || **discurso · lenguaje · palabras** *El profesor le pidió al* *alumno que moderara sus palabras* || **crítica · comentario · declaración** || **posición · postura** || **conducta · comportamiento · actos · medida** || **política · actuación** || **exceso · consumo** || **impulso · deseo · apetito** *Estas hierbas ayudan a moderar el apetito de manera natural* · **tendencia** || **efecto · consecuencia · impacto** || **precio · gasto · impuesto · carga · salario** || **crecimiento** *Los precios del petróleo podrían moderar el crecimiento de la economía* · **éxito · desarrollo · opulencia** || **exigencia · ambición** || **miedo · temor**

▮ [dirigir]

● CON SUSTS. **debate** *Aún no se sabe quién va a moderar el debate electoral* · **coloquio · mesa redonda · programa · foro · simposio** || **grupo**

modernidad s.f.

● CON ADJS. **absoluta · completa · radical · plena · rabiosa** *La rabiosa modernidad de sus propuestas musicales sorprendió a unos y escandalizó a otros*

● CON SUSTS. **espíritu (de) · toque (de)** *Van a reformar la institución para introducir un toque de modernidad* · **punto (de) · barniz (de)** || **señal (de) · muestra (de) · prueba (de)**

● CON VBOS. **aprobar · admirar · resaltar · destacar · subrayar** || **criticar · denunciar**

moderno, na adj.

● CON SUSTS. **arte · danza · música · literatura · cine · poesía · pintura · arquitectura · escultura · teatro ·** ***otras manifestaciones artísticas*** || ***persona*** *una revista para el hombre moderno* || **sociedad · país · ciudad · mundo · civilización** || **mentalidad · pensamiento** || **estética · estilo** || **vestido** *Es un vestido muy moderno, y te favorece mucho* · **pantalón · camiseta ·** ***otras prendas de vestir*** || **apartamento · hotel · casa · edificio** || **democracia · economía** || **instalación · centro · complejo** || **toque · detalle** || **versión** || **ciencia · medicina** *uno de los avances más importantes de la medicina moderna* || **técnica · método · medio · equipo · tecnología · material** || **apariencia · fachada · forma · aspecto** || **historia · vida · tiempo · época · edad** || **coche · vehículo · transporte**

modestia s.f.

● CON ADJS. **natural · habitual · característica** || **falsa** *No es falsa modestia, verdaderamente creo que cualquiera podría haberlo hecho* · **calculada** || **absoluta · excesiva** || **encomiable · admirable · envidiable**

● CON SUSTS. **ápice (de) · exceso (de) · lección (de) · acto (de)** || **plural (de)**

● CON VBOS. **derrochar · guardar · practicar · tener** || **perder** || **pecar (de)**

● CON PREPS. **con** *Con su habitual modestia, atribuyó todo el mérito a sus colaboradores* · **sin**

☐ EXPRESIONES **modestia aparte** [dejando a un lado la modestia del que habla]

modesto, ta adj.

● CON SUSTS. ***persona*** || **vida · costumbre · hábito · gusto** *una persona de gustos modestos* || **origen · procedencia** || **casa · vivienda · construcción · edificación · barrio** *Vivía en un barrio modesto en las afueras de la ciudad* || **objetivo · fin · finalidad · aspiración · pretensión · meta** || **recuperación · progreso · crecimiento · aumento · resultado · producción** || **cifra · número** *Se desplazó un modesto número de tropas* · **cantidad · volumen** || **contribución · aporte** || **presupuesto · ingreso · sueldo · renta · tasa** || **cargo · puesto** || **libro · película ·** ***otras creaciones*** || **opinión** *En mi modesta opinión...* · **parecer**

módico, ca adj.

● CON SUSTS. **cantidad · cifra · suma · precio** *En nuestro establecimiento puede adquirir un excelente colchón por un módico precio* · **coste · cuota · tarifa · impuesto · factura · descuento · ingreso · pago · plazo · aportación**

modificación s.f.

● CON ADJS. **profunda · completa · importante · seria · decisiva · notable · ostensible · drástica · radical** || **parcial · ligera** *Aceptaron nuestro proyecto con ligeras modificaciones* · **leve · pequeña · mínima · de detalle** || **lenta · progresiva · paulatina · abrupta · repentina** || **irreversible** *una erupción volcánica que provocó una modificación irreversible del hábitat de estos animales* || **justa · injusta · abusiva**

● CON SUSTS. **objeto (de)** || **propuesta (de) · intento (de) · proyecto (de) · plan (de) · método (de)**

● CON VBOS. **producir(se) · operar(se) · tener lugar · acaecer · sobrevenir · ocurrir** || **proponer · propulsar · impulsar · favorecer · apoyar · aceptar · rechazar** || **hacer · introducir** *La oposición pretende introducir algunas modificaciones en la ley* · **llevar a cabo · llevar adelante · poner en práctica · tramitar** || **acarrear · implicar · suponer · comportar · provocar · causar** || **experimentar · sufrir** *Se amplía el servicio, pero las tarifas no sufrirán modificación* || **aclimatar(se) (a) · acomodar(se) (a)**

modificar v.

● CON ADVS. **sustancialmente · por completo · totalmente · profundamente · seriamente · considerablemente · ostensiblemente · decisivamente · drásticamente · radicalmente · a fondo · a conciencia · de arriba abajo · de raíz** || **ligeramente** *modificar ligeramente el ángulo para que la pieza encaje* · **levemente** || **irrevocablemente** || **progresivamente · gradualmente · de un día para otro** || **a la baja · al alza · negativamente · positivamente** || **unilateralmente** *No se pueden modificar las condiciones del contrato unilateralmente* || **abusivamente**

modisto, ta s.

● CON ADJS. **buen,-a · excelente · brillante · exquisito,ta** || **conocido,da · famoso,sa** *El famoso modisto ha dado una rueda de prensa esta mañana* · **reputado,da · admirado,da** || **creativo,va · imaginativo,va · rompedor,-a · innovador,-a** *un modisto muy innovador para su época* · **audaz · atrevido,da** || **veterano,na · joven · novel** || **polémico,ca**

● CON VBOS. **diseñar (algo)** *La modista ha diseñado una colección espectacular* · **crear (algo) · coser (algo) · arreglar (algo)**

modorra s.f.

● CON ADJS. **plácida · suave · invencible**

● CON VBOS. **entrar (a alguien)** *Después de comer me entra una modorra...* · **dar (a alguien) · apoderarse (de alguien)** || **pasárse(le) (a alguien)** || **sacudir(se)** *Sacúdete la modorra y vamos a jugar al tenis* || **tener** || **despertar (de) · salir (de) · arrancar (de) · acabar (con)** || **invitar (a)**

modular

1 modular adj.

● CON SUSTS. **programa · sistema · teoría** || **equipo · motor · elemento** || **mueble** *He comprado un mueble modular para la habitación de los niños* · **aparato · prótesis** || **arquitectura · estructura** *Diseñó un edificio con una* *estructura modular* · **construcción** || **diseño** · **distribución** · **división** || **modelo** · **tipo** || **fábrica** · **aula** · **centro**

2 **modular** v.

● CON SUSTS. **voz** *Modula la voz como una auténtica experta* · **sonido** · **tono** || **velocidad** · **intensidad** · **fuerza** · **volumen** || **espacio** · **nivel** || **ayuda**

mofarse v.

● CON ADVS. **públicamente** · **ocultamente** · **subrepticiamente** · **descaradamente** · **irrespetuosamente** || **en {mis/tus/sus} narices**

☐ USO Se construye frecuentemente con complementos encabezados por la preposición *de*: *mofarse de una persona*.

mojar v.

● CON ADVS. **completamente** · **de pies a cabeza** *Me caí al río y me mojé de pies a cabeza* · **hasta los huesos**

mojigatería s.f.

● CON ADJS. **excesiva** · **extrema** || **puritana** · **religiosa** · **monjil** · **social**

[molde] → de molde; molde

molde s.m.

● CON ADJS. **rectangular** · **cuadrado** · **circular** || **tradicional** · **clásico** || **establecido** · **manido** · **fijo** || **acorde (con)**

● CON SUSTS. **pan (de)** *una tostada de pan de molde* || **letra (de)**

● CON VBOS. **hacer** · **realizar** · **diseñar** · **fabricar** || **romper** *Con esa audaz propuesta ha roto moldes* || **untar** *Si untas el molde con mantequilla, no se te pegará el bizcocho* · **preparar** · **rellenar** || **ajustar(se) (a)** *La obra se ajusta perfectamente a los moldes de la novela realista* · **adaptar(se) (a)** · **acoplar(se) (a)** · **acomodar(se) (a)** · **responder (a)** || **sacar (de)** · **salir(se) (de)** · **encajar (en)** || **echar (algo) (en)** · **poner (algo) (en)**

● CON PREPS. **según** · **de acuerdo (con)**

moldear v.

● CON SUSTS. **arcilla** · **barro** · **estatua** · **figura** · **efigie** || **cuerpo** · **pelo** || **héroe** · **heroína** · **pueblo** · **sociedad** · **personaje** || **ciudad** *Las diferentes culturas fueron moldeando el carácter abierto de la ciudad* · **barrio** · **territorio** || **novela** · **obra** · **discurso** || **personalidad** *Parece que no ha acabado de moldear su personalidad* · **comportamiento** · **identidad** · **carácter** · **perfil** · **actitud** || **opinión** · **mentalidad** · **conciencia** *propaganda burdamente dirigida a moldear los hábitos y las conciencias* · **mente** · **idea** · **concepto** || **historia** · **trayectoria** · **carrera** · **vida** · **existencia** · **realidad** · **currículum** || **talento** · **imaginación** · **sensibilidad** || **belleza** · **hermosura** || **futuro**

● CON ADVS. **por completo** · **completamente** || **cuidadosamente** · **primorosamente** · **con mesura** · **perfectamente** || **decisivamente** · **conscientemente** || **a {mi/tu/su...} antojo** · **caprichosamente** · **a {mi/tu/su...} gusto** *Moldea a su gusto el perfil de sus actores* · **a conveniencia** · **a {mi/tu/su...} imagen y semejanza** || **hábilmente** · **con precisión** || **descaradamente** · **impunemente**

moler v.

■ [triturar]

● CON SUSTS. **grano** *Usaban dos grandes piedras para moler el grano* · **trigo** · **maíz** · **café** · ***otros frutos***

■ [maltratar]

● CON ADVS. **a golpes** *Contó que unos matones lo habían molido a golpes* · **a palos** · **a patadas**

molestar (a alguien) v.

● CON SUSTS. **actitud** *¿No te molesta su actitud prepotente?* · **gesto** · **tono** · **modales** · **presencia** || **desprecio** · **desdén** · **prepotencia** · **autosuficiencia** || **declaración** · **comentario** · **palabra** || **ruido** · **humo**

● CON ADVS. **enormemente** *Me molesta enormemente que me interrumpas cuando estoy hablando* · **extraordinariamente** · **profundamente** · **intensamente** · **terriblemente**

molestia s.f.

● CON ADJS. **grave** · **fuerte** · **seria** || **leve** · **ligera** *Tras la intervención, puede sentir ligeras molestias que desaparecen a las pocas horas* · **pequeña** · **llevadera** || **pasajera** · **ocasional** · **continua** · **persistente** · **crónica** · **constante** · **permanente**

● CON VBOS. **aparecer** · **surgir** · **reaparecer** || **remitir** · **cesar** · **desaparecer** || **entrar (a alguien)** || **causar** · **ocasionar** *Las obras se están realizando de noche para no ocasionar molestias a los usuarios* · **provocar** · **suponer (a alguien)** || **tener** · **sentir** *Empecé a sentir molestias a medianoche* · **sufrir** · **notar** · **padecer** · **acusar** · **soportar** · **aguantar** · **arrastrar** || **perdonar** · **disculpar** *Cerrado por reforma, disculpen las molestias* || **aliviar** · **paliar** · **atenuar** · **disminuir** · **reparar** · **solventar** · **subsanar** · **quitar** · **evitar** · **ahorrarse** || **recuperar(se) (de)** *Ya me he recuperado de mi molestia muscular*

☐ EXPRESIONES **tomarse la molestia** (de algo) [molestarse en ello]

molino s.m.

● CON ADJS. **de agua** · **de viento** || **de harina** · **de aceite** || **de mano** || **manchego** · **holandés**

● CON SUSTS. **aspas (de)** *Las aspas del molino se movían por la fuerza del viento* · **rueda (de)** · **piedra (de)** || **paisaje (de)**

● CON VBOS. **usar** · **utilizar** || **machacar (algo) (en)** · **moler (algo) (en)** · **triturar (algo) (en)**

mollera s.f. *col.*

● CON ADJS. **duro,ra (de)** *una mujer un poco dura de mollera* · **cerrado,da (de)** || **escaso,sa (de)**

● CON VBOS. **derretirse** || **estrujarse** *Me estoy estrujando la mollera para encontrar una solución* · **exprimirse** || **meter(se) (algo) (en)** · **sacar (algo) (de)**

momentáneo, a adj.

● CON SUSTS. **sensación** · **impresión** · **percepción** || **alivio** · **tranquilidad** · **respiro** || **euforia** · **alegría** · **enfado** || **antojo** · **capricho** · **necesidad** || **pausa** *Tuve que hacer una pausa momentánea para recuperar el aliento* · **parón** · **ruptura** · **suspensión** · **interrupción** · **abandono** · **retirada** · **caída** · **bajón** · **ausencia** || **amnesia** *Justo después del accidente tuvo una amnesia momentánea* · **lapsus** · **confusión** · **pérdida** *una pérdida momentánea de la corriente eléctrica* || **éxito** · **esplendor** · **ventaja** · **liderato** || **solución** · **satisfacción** · **reparación** · **recuperación**

[momento] → momento; por un momento

momento s.m.

● CON ADJS. **actual** · **presente** · **pasado** · **eterno** || **álgido** · **culminante** · **cumbre** · **candente** || **delicado** · **especial** *Juntos vivimos momentos muy especiales* · **irrepetible** · **único** · **inolvidable** · **memorable** || **trascendental** · **importante** · **histórico** *Asistimos a un momento histórico con* *la firma de este tratado* · **crítico** · **crucial** · **decisivo** || **de la verdad** || **halagüeño** · **ilusionante** · **propicio** || **desolador** · **terrible** || **último** *Se echó atrás en el último momento*

● CON VBOS. **llegar** *Ya beberás cuando llegue el momento, pero no ahora* · **transcurrir** || **aguar(se)** || **atravesar** *La empresa atraviesa malos momentos* · **pasar** · **vivir** · **presenciar** · **esperar** || **captar** · **desvelar** · **inmortalizar** || **asistir (a)**

● CON PREPS. **a la altura (de)**

□ EXPRESIONES **de momento** · **por el momento** [en el presente, aunque la situación pueda cambiar en el futuro] *De momento es mejor no intervenir* || **de un momento a otro** [muy pronto]

[mona] s.f. → mono, na

monacal adj.

● CON SUSTS. **vida** · **costumbre** · **tradición** || **reclusión** · **aislamiento** · **retiro** · **clausura** || **austeridad** · **sobriedad** *La estancia, decorada con sobriedad monacal, solo contenía una mesa y unas sillas* || **silencio** · **serenidad** || **recinto**

monarquía s.f.

● CON ADJS. **absoluta** · **parlamentaria** · **democrática** · **hereditaria** || **antigua**

● CON SUSTS. **instauración (de)** · **restauración (de)** · **configuración (de)** · **abolición (de)** · **caída (de)** || **papel (de)** || **legitimidad (de)** || **heredero,ra (de)** *heredero de la monarquía austro-húngara*

● CON VBOS. **instaurar** · **restaurar** *En ese país se restauró la monarquía en el año...* || **abolir** · **derrocar** · **deponer** · **apoyar**

monasterio s.m.

● CON ADJS. **de clausura** *las ruinas de un antiguo monasterio de clausura* · **cisterciense** · **cluniacense** || **en ruinas** · {**bien/mal**} **conservado** || **austero** · **severo** || **majestuoso** · **antiguo** · **tranquilo** · **bello**

● CON SUSTS. **abad,-esa (de)** *Es el abad del monasterio desde hace tres décadas* · **prior,-a (de)** || **claustro (de)** || **ruinas (de)**

● CON VBOS. **acoger (a alguien)** || **fundar** || **restaurar** · **rehabilitar** || **visitar** || **retirar(se) (a)** *El viejo rey se retiró a un monasterio* · **recluir(se) (en)** · **profesar (en)** · **vivir (en)** · **residir (en)** · **habitar (en)** · **hospedar(se) (en)** · **acudir (a)** · **enterrar (en)** · **enclaustrar(se) (en)**

monástico, ca adj.

● CON SUSTS. **orden** · **comunidad** · **oficio** || **conjunto** · **recinto** · **iglesia** · **coro** · **claustro** · **jardín** · **huerta** || **vida** · **disciplina** · **horario** · **costumbre** · **hábito** · **quietud** · **sobriedad** *Siempre organizó su casa con una sobriedad monástica* · **trabajo** || **oración** · **espiritualidad** · **silencio**

mondar v.

● CON SUSTS. **patata** *mondar las patatas para hacer una tortilla* · **pera** · **manzana** · ***otros frutos u hortalizas***

moneda s.f.

● CON ADJS. **auténtica** · **falsa** *Se ha detectado la circulación de moneda falsa* · **nueva** || **corriente** · **de cambio** · **nacional** · **extranjera** || **argentina** · **europea** · ***otros gentilicios*** || **fraccionaria** || **fuerte** · **débil** · **estable** · **convertible**

● CON SUSTS. **cara (de)** *En la cara de la moneda hay una estrella* · **cruz (de)** · **reverso (de)** || **cambio (de)** · **valor (de)** · **paridad (de)** || **puñado (de)** · **reserva (de)**

● CON VBOS. **circular** || **cotizar(se)** · **apreciar(se)** · **revalorizar(se)** · **revaluar(se)** · **depreciar(se)** · **devaluar(se)** || **acuñar** · **emitir** *Emitieron moneda con la efigie del nuevo monarca* || **implantar** || **falsificar** · **coleccionar** || **cambiar** *Acudí a un banco para cambiar moneda* || **pagar (con)** · **emplear (como)** · **servir (como)** · **adoptar (como)**

□ EXPRESIONES **pagar con la misma moneda** [portarse una persona con otra de igual forma que esta se ha portado con ella] || **ser moneda corriente** [ser habitual] *col.*

MONEDA

Información útil para el uso de:

bolívar; boliviano; chelín; corona; dólar; escudo; euro; florín; franco; libra; lira; marco; peseta; rublo; rupia; yen

● CON ADJS. **auténtico,ca** · **falso,sa** *un euro falso* · **nuevo,va**

● CON SUSTS. **cambio (de)** · **valor (de)** · **paridad (de)** · **apreciación (de)** · **depreciación (de)** || **puñado (de)** · **reserva (de)**

● CON VBOS. **cotizar(se)** · **apreciar(se)** · **revalorizar(se)** · **revaluar(se)** || **depreciar(se)** · **devaluar(se)** || **circular** *La peseta ya no circula* || **acuñar** · **emitir** || **costar** · **valer** · **gastar** · **cobrar** · **ganar** · **suponer (a alguien)** *Esto te supondrá casi cien dólares* || **contar** · **calcular** || **faltar** · **deber** · **abonar** || **invertir** · **apostar** · **cambiar** · **coleccionar** · **falsificar** || **perder** · **encontrar** *Me encontré un yen japonés* || **pagar (con/en)** *pagar en rublos*

● CON PREPS. **en** *calcular un precio en rupias*

monetario, ria adj.

● CON SUSTS. **sistema** · **política** *La política monetaria propuesta por el ministro ha sido bien acogida* · **regulación** · **control** · **régimen** · **reforma** · **medida** · **estrategia** · **plan** || **estabilidad** · **liquidez** || **crisis** · **impacto** *La crisis económica está teniendo un grave impacto monetario* || **reserva** · **depósito** || **autoridad** || **zona** · **unión** · **acuerdo** || **oferta** *una oferta monetaria que no podemos rechazar* || **expansión** · **flujo** || **emisión** · **valor** || **mercado**

mongol s.m. Véase IDIOMA

mono, na

1 **mono, na** s.

● CON SUSTS. **año (de)** · **signo (de)**

● CON VBOS. **saltar** · **agarrarse** · **trepar** · **subir(se) (a algo)** || **chillar** || **venir (de)** *¿Es verdad que venimos del mono?* · **descender (de)**

2 **mono** s.m.

▮ [prenda de vestir]

● CON ADJS. **de trabajo** *Cada viernes me llevo a casa el mono de trabajo para lavarlo* · **de faena** · **de mecánico** · **de competición** · **de vuelo**

➤ Véase también **ROPA**

▮ [síndrome de abstinencia] *col.*

● CON VBOS. **entrar(le) (a alguien)** · **pasárse(le) (a alguien)** || **tener** *Cuando llegó al hospital tenía el mono* · **sufrir** || **aliviar** · **combatir** · **superar** · **vencer** || **salir (de)** · **estar (con)** · **andar (con)**

3 **mona** s.f. *col.*

▮ [borrachera]

● CON VBOS. **tener** · **cogerse** *Se cogió una mona terrible y ahora se encuentra muy mal* || **dormir**

□ EXPRESIONES **el último mono** [la persona menos importante] *col.* || **tener monos en la cara** [se usa para protestar ante miradas impertinentes] *col. ¿Qué pasa? ¿Tengo monos en la cara?*

monólogo s.m.

● CON ADJS. **largo · interminable · incesante · breve || interior** *la técnica literaria del monólogo interior* **|| inteligente** *Su inteligente monólogo gustó mucho a todos los asistentes* **|| célebre || divertido · cómico · teatral · literario**
● CON SUSTS. **recurso (de) · técnica (de) || uso (de) · utilización (de) || forma (de)**
● CON VBOS. **abrir · cerrar || protagonizar · hacer · escribir · construir || soltar · decir · recitar** *La primera vez que recitó un monólogo en público se puso tremendamente nervioso* **· declamar || recurrir (a)**

monopolio s.m.

● CON ADJS. **económico · comercial · informativo || exclusivo · absoluto · férreo || efectivo** *Esa empresa ejerce un monopolio efectivo en el sector de la telefonía* **· real · virtual || legal · estatal · oficial · privado · ilegal**
● CON SUSTS. **ley (contra) || fin (de) || situación (de)**
● CON VBOS. **extender(se) · quebrar(se) || tener** *¿Crees que tienes el monopolio de la verdad?* **· ejercer · ostentar · instaurar · establecer · crear · propiciar · consolidar · fortalecer · acaparar · mantener · conservar · perder · permitir || romper · desarticular · eliminar || regular · prohibir || disfrutar (de) · renunciar (a) · salir (de) || luchar (contra)** *medidas para luchar contra los monopolios mediáticos* **· terminar (con) · poner fin (a)**

monopolizar v.

● CON SUSTS. **mercado · sector · servicio · producto · negocio · tabaco · petróleo || situación · conversación · campaña** *Los grandes partidos han monopolizado la campaña electoral* **· acto || información · propuesta || idea · razón · verdad || distribución · venta · importación** *Monopolizaron completamente la importación de aquel producto* **· fabricación · emisión || telefonía · televisión · telecomunicaciones · medios**
● CON ADVS. **absolutamente · totalmente || efectivamente · en la práctica** *Esa empresa monopoliza en la práctica el servicio de ambulancias* **· virtualmente · legalmente · ilegalmente**

monotonía s.f.

● CON ADJS. **lenta · persistente · inalterable · previsible · pertinaz || doméstica · cotidiana · laboral || oscura · gris || aburrida · fatigosa · cansina** *La cansina monotonía en la que está sumergido...* **|| triste · dulce**
● CON SUSTS. **sensación (de) · vida (de) || peligro (de) · cansancio (de)**
● CON VBOS. **cansar** *Me cansa tanta monotonía* **· hartar || romper** *Una buena manera de romper la monotonía es...* **· evitar · eludir · alegrar || propiciar || caer (en)** *Poco a poco la relación fue cayendo en la monotonía* **· sumir (en) || salir (de) · huir (de) · escapar (de) · luchar (contra) || repetir (algo) (con)**

monótono, na adj.

● CON SUSTS. **ruido · sonido** *No sabíamos de dónde provenía aquel sonido monótono* **· goteo · voz · música · ritmo || movimiento · paso · transcurso · discurrir** *el monótono discurrir del tiempo* **|| vida || sesión · espectáculo · película · juego || repetición · sucesión · uniformidad**
● CON VBOS. **hacerse · resultar**

monserga s.f.

● CON ADJS. **de siempre** *Estoy harto de oír la misma monserga de siempre* **· conocida · habitual || continua · interminable · permanente · cansina**
● CON VBOS. **dar (a alguien) · repetir || venir (con)** *No me vengas con monsergas y haz lo que tienes que hacer* **· andarse (con) || dejarse (de)**

[monta] → de poca monta

montado, da adj.

▮ [que está batido]
● CON SUSTS. **nata · clara · huevo**

▮ [que va a caballo]
● CON SUSTS. **policía · soldado**

montaje s.m.

● CON ADJS. **publicitario · periodístico · comercial · cinematográfico · artístico · teatral · operístico · escénico || espectacular** *La obra contaba con un montaje espectacular* **· grandioso · brillante · excepcional · acertado · correcto · cuidado · esmerado || complejo · aparatoso · artificial · sensacionalista · efectista || realista · sobrio || burdo · desvergonzado · descarado || astuto · hábil · sutil || nuevo · último**
● CON VBOS. **funcionar · tener éxito · fracasar || hacer · realizar · preparar · urdir** *Urdieron un montaje para acabar con su carrera artística* **· tramar · orquestar · dirigir · llevar a cabo || descubrir** *Finalmente la prensa acabó por descubrir el montaje tramado contra ella* **· destapar**

montaña s.f.

● CON ADJS. **alta** *deportes de alta montaña* **· baja || abrupta · escarpada · accidentada · rocosa · nevada · pelada || inaccesible · inexpugnable || majestuosa**
● CON SUSTS. **cima (de)** *Desde la cima de la montaña se divisa un espléndido paisaje* **· cumbre (de) · pico (de) · cresta (de) || pie (de) · falda (de) · cara (de) · ladera (de) || puerto (de)** *Permanecen cerrados varios puertos de montaña* **· ruta (de) · sendero (de) || refugio (de) · estación (de) || actividad (de) · turismo (de) · deporte (de) · carrera (de) · esquí (de) · ciclismo (de) · etapa (de) || bicicleta (de) · moto (de) || botas (de) · ropa (de) || guía (de)** *El grupo de excursionistas iba acompañado por un guía de montaña*
● CON VBOS. **alzarse · levantarse · erguirse · recortarse || subir · bajar · escalar** *La montaña nunca ha sido escalada por su cara norte* **· coronar || preferir** *Para tus vacaciones ¿prefieres la montaña o la playa?* **|| ascender (a) · trepar (a) · descender (de) · ir (a) · subir (a) · bajar (de) || dominar (algo) (desde)**

□ EXPRESIONES **hacer una montaña de algo** [complicarlo innecesariamente] **|| hacérsele** (algo) **una montaña** (a alguien) [resultarle muy difícil] **|| montaña rusa** [atracción de ferias y parques de atracciones]

montañismo s.m.

● CON SUSTS. **técnica (de) · expedición (de) || amante (de) || accidente (de) || ropa (de) · botas (de) · equipo (de)** *No saldremos sin el equipo de montañismo adecuado* **· material (de)**
● CON VBOS. **ejercitar · practicar || aficionar(se) (a)**

montar v.

▮ [subir, ir]
● CON ADVS. **en coche · en tren** *Se montó en el tren justo a tiempo* **· en avión ·** ***otros medios de transporte*** **|| a ca-**

ballo *Sabe montar a caballo con gran destreza* · **en burro** · **en camello** · ***otros animales*** || **a horcajadas** · **a la grupa** || **a pelo** || **cómodamente** · **con dificultad**

▮ [crear, organizar] *col.*

● CON SUSTS. **negocio** *Montaron un negocio muy rentable* · **tienda** · **factoría** · **fábrica** · **bar** · ***otras empresas*** || **espectáculo** *El espectáculo que montaron en la plaza mayor tuvo gran repercusión* · **película** · **función** · **comedia** · **ópera** || **escándalo** · **número** · **lío** · **tinglado** · **guirigay** · **follón** · **pitote** · **cirio** · **revolución** · **cacao** · **parafernalia** · **jaleo** · **zafarrancho** *Cada vez que cocinas, montas un zafarrancho* || **juerga** · **jolgorio** · **jarana** · **tangana**

● CON ADVS. **a lo grande** *Montaron el musical a lo grande y fue un éxito de público* · **con éxito**

▮ [batir]

● CON SUSTS. **clara** · **nata** *Primero se monta la nata, y luego se agrega...*

● CON ADVS. **a punto de nieve** || **enérgicamente** · **intensamente**

▮ [preparar]

● CON SUSTS. **pistola** · **fusil** *Los soldados estaban aprendiendo a montar el fusil* · **escopeta**

● CON ADVS. **debidamente** · **correctamente** · **reglamentariamente**

monte s.m.

● CON ADJS. **abrupto** · **escarpado** · **accidentado** · **rocoso** · **pelado** || **alto** *Nos adentramos en una zona de monte alto* · **bajo**

● CON SUSTS. **falda (de)** · **cumbre (de)** · **ladera (de)** *Nos encontrábamos en la ladera del monte cuando se desató la tormenta* · **cima (de)** · **alto (de)** · **pico (de)** || **vegetación (de)** · **tierra (de)** || **conejo (de)** · **ave (de)** · **animal (de)** · **cabra (de)** || **cuchillo (de)** || **excursión (de)**

● CON VBOS. **subir** · **escalar** · **bajar** · **descender** || **ir (a)** || **hacer fuego (en)**

montura s.f.

▮ [armazón]

● CON ADJS. **de gafas** || **fina** · **gruesa**

● CON VBOS. **ajustar** || **elegir**

▮ [conjunto de arreos]

● CON VBOS. **poner** · **colocar** *colocar las monturas a los caballos* · **ajustar** · **quitar**

monumental adj.

● CON SUSTS. **teatro** · **monasterio** · **palacio** · **casa** · **escalera** *Desde el vestíbulo arranca una escalera monumental* · **fachada** · **torre** · ***otras edificaciones*** || **ciudad** · **recinto** · **plaza** · **calle** · **zona** · ***otros lugares urbanos*** || **arte** · **pintura** · **escultura** · **arquitectura** || **guía** · **catálogo** · **ruta** · **patrimonio** · **importancia** · **valor** *una ciudad con un gran valor monumental* || **espectáculo** · **fiesta** · **exposición** · ***otros eventos*** || **bronca** · **pitada** · **abucheo** · **gresca** · **escándalo** *Fue un escándalo monumental que salpicó a todos los directivos* · **polémica** · **controversia** · **división** || **fiasco** · **fracaso** *Su primera participación en el cine fue un fracaso monumental* · **chasco** · **disgusto** · **derrota** · **derrumbe** · **desastre** · **decepción** || **disparate** · **error** · **tontería** · **fallo** · **majadería** · **torpeza** · **patinazo** · **perogrullada** · **gazapo** · **pifia** · **chapuza** · **chorrada** · **patochada** · **equívoco** · **barbaridad** || **trabajo** · **esfuerzo** *Lograron rehabilitar la zona gracias al monumental esfuerzo de los voluntarios* · **labor** · **tarea** · **interés** · **empeño** · **empresa** · **obra** || **lío** · **atasco** · **confusión** · **complicación** · **caos** · **embrollo** · **tumulto** · **tinglado** · **jaleo** || **disputa** · **pelea** · **rifirrafe** · **reyerta** || **paliza** · **choque** · **tortazo** · **batacazo** *Se pegó un batacazo monumental* · **bofetada** · **descalabro** || **cinismo** · **engaño** · **mentira** · **estafa** · **contrasentido** · **hipocresía** · **tergiversación** · **tongo** || **susto** *Los niños me han dado un susto monumental* · **sorpresa** || **proeza** · **éxito** · **logro** · **alarde** || **idea** · **iniciativa** · **plan** · **proyecto** || **cabreo** · **enfado** · **mosqueo**

monumento s.m.

● CON ADJS. **histórico** · **artístico** *El edificio ha sido declarado monumento artístico nacional* · **arqueológico** · **científico** · **de interés artístico** · **de interés cultural** || **ecuestre** · **funerario** || **nacional** || **reconocido**

● CON VBOS. **levantar(se)** · **alzar(se)** || **construir** · **erigir** *Erigieron en su memoria un grandioso monumento* || **derribar** · **derruir**

☐ USO Se construye a menudo con complementos encabezados por la preposición *a*: *Toda la obra constituye un monumento a la insensatez.*

moquear v.

● CON SUSTS. ***persona*** *El niño no deja de moquear* || **nariz** *Estaba constipado y le moqueaba la nariz*

[mora] s.f. → moro, ra

[morada] s.f. → morado, da

morado, da

1 morado, da adj.

● CON SUSTS. **ojo** *¿Por qué se te ha puesto el ojo morado?* || **maíz**

➤ Véase también **COLOR**

2 morada s.f.

● CON ADJS. **última** *...acompañaron al difunto hasta su última morada*

● CON SUSTS. **allanamiento (de)** *Le juzgaron por robo y allanamiento de morada*

● CON VBOS. **allanar**

☐ EXPRESIONES **pasarlas moradas** [encontrarse en una situación muy difícil o apurada] *col. Las pasamos moradas para encontrar casa* || **ponerse morado** [hartarse, saciarse] *Se puso morado de pasteles*

moral s.f.

▮ [moralidad]

● CON ADJS. **intachable** · **estricta** · **férrea** || **laxa** || **doble** *En su discurso denunciaba la doble moral y la hipocresía de los que...* || **católica** · **cristiana** || **natural** · **fundamental** || **atentatorio,ria (contra)** || **sujeto,ta (a)**

● CON SUSTS. **falta (contra)** · **lección (de)** · **ejemplo (de)**

● CON VBOS. **tener** || **dañar** · **ofender** · **quebrantar** · **perjudicar** · **transgredir** *La obra no es mala porque los personajes del relato transgredan la moral establecida sino porque está pésimamente escrita* || **practicar** · **seguir** || **predicar** || **aceptar** · **rechazar** || **ir (contra)** · **atentar (contra)** || **actuar de acuerdo (con)** · **comulgar (con)**

▮ [ánimo, confianza]

● CON ADJS. **inquebrantable** · **de hierro** || **quebradiza** · **por los suelos** *La noticia me dejó la moral por los suelos* || **elevada** · **enaltecida** || **pletórico,ca (de)** · **lleno,na (de)** · **pleno,na (de)**

● CON SUSTS. **inyección (de)**

● CON VBOS. **decaer** · **bajar** *Y, sobre todo, que no te baje la moral por esto* · **enfriar(se)** || **subir** · **robustecer(se)** · **fortalecer(se)** *Para fortalecer la moral, nada mejor que unas buenas vacaciones* || **enardecer** · **alimentar** · **recu-**

perar || comer · socavar · minar · perder || echar || transmitir · inculcar · infundir · insuflar || afectar (a) *Nada parece afectar a su moral de hierro* || henchir(se) (de) · llenar(se) (de)

moraleja s.f.

● CON ADJS. oportuna · acertada · certera · aguda · sensata · sabia · sutil · clara *La película tenía una moraleja clara* || obvia · evidente · transparente · innecesaria || bonita · ñoña · sencilla · típica || feliz · amarga · trágica *una historia con una trágica moraleja* || ilustrativa · instructiva · significativa || sentenciosa || principal · destacable || final · resultante || incluida *un relato con moraleja incluida*

● CON SUSTS. fábula (con) · texto (con)

● CON VBOS. derivar(se) *De esa anécdota se derivan, al menos, dos moralejas* · desprender(se) || inferir · concluir || sacar · extraer · obtener · entresacar · entrever || contener · encerrar *El relato encierra una bella moraleja* · esconder || aprender || resaltar · subrayar || terminar (con)

● CON PREPS. con *un cuento con moraleja* · sin

moralidad s.f.

● CON ADJS. asfixiante · estricta || dudosa || personal · pública · política · sexual · profesional *El abogado ha incumplido manifiestamente los principios de la moralidad profesional*

● CON SUSTS. falta (de) *Me preocupa profundamente su falta de moralidad* · exceso (de) || lección (de) · ejemplo (de) · fuente (de) || criterio (de) · principio (de) || cuestión (de) · problema (de)

● CON VBOS. tener || perturbar · escandalizar · atacar || ir (contra) · atentar (contra) *una iniciativa que atenta contra la moralidad de buena parte de la ciudadanía* || carecer (de)

moralmente adv.

● CON VBOS. respaldar · apoyar · ayudar || sentirse · considerar *La entrenadora se considera moralmente responsable del fracaso de su equipo* || destruir · dañar · hundir *Estas acusaciones injustas lo han hundido moralmente* · destrozar · agredir · atentar (contra algo)

● CON ADJS. aceptable · inaceptable *una situación moralmente inaceptable* · justo,ta · injusto,ta · lícito,ta · ilícito,ta · justificable · injustificable || repugnante · prohibido,da || cuestionable || correcto,ta · incorrecto,ta · bueno,na · malo,la || responsable · culpable

morbo s.m.

● CON ADJS. fácil · barato || perverso · frívolo || informativo *Algunos periodistas están en contra del morbo informativo* · político · erótico

● CON VBOS. gustar || generar · cultivar · dar · tener · despertar *Estas imágenes han despertado el morbo en los telespectadores* · suscitar · levantar · alimentar · fomentar · aumentar · añadir · acrecentar || buscar · explotar · asegurar || quitar *Hay que empezar por quitar el morbo a ese suceso* || caer (en) · sucumbir (a) || llenar (de) · cargar (de) || huir (de)

● CON PREPS. por *Lo hacen por puro morbo*

morboso, sa adj.

● CON SUSTS. ***persona*** || actitud · aspecto || interés · curiosidad *Reconocía sentir una curiosidad morbosa por saber lo que pasó* · satisfacción · deleite · atractivo · atracción · culto · fascinación · pasión · afán · ánimo || tema · historia · caso · imagen · detalle · contenido || juego · broma *una broma morbosa que no me hizo ninguna gracia* || relación · encuentro

mordaz adj.

● CON SUSTS. crítico,ca · humorista · escritor,-a · ***otros individuos*** || libro *una colección de sus libros más mordaces* · frase · discurso · pregunta · película · historia · diálogo · comentario · novela · verso · fábula · ***otras manifestaciones verbales o textuales*** || crítica · autocrítica · denuncia · dardo · censura · descalificación · imprecación · reprimenda · acusación · rejonazo || humor *un humor mordaz, agudo e inteligente* · ironía · parodia · comedia · sátira · sentido del humor · chiste · caricatura || lenguaje · lengua · pluma · estilo *Con el estilo mordaz e incisivo de sus comentarios se ganó no pocos enemigos* · escritura || mirada · punto de vista · visión · perspectiva || análisis · retrato *La obra es un retrato mordaz y ácido de la vida moderna* · repaso · lectura · reflexión · consideración · conclusión · observación · testimonio · descripción

● CON VBOS. ser · estar || hacerse · volverse · ponerse || resultar

mordaza s.f.

● CON VBOS. poner (a alguien) *Los secuestradores le pusieron una mordaza y lo introdujeron en un coche* · imponer · colocar || quitar(se) · despegar(se) || tapar (con) || librar(se) (de) *El diario no conseguirá librarse fácilmente de la mordaza informativa que el poder le ha impuesto*

mordedura s.f.

● CON ADJS. mortal *la mordedura mortal de una serpiente venenosa* · peligrosa · inofensiva

● CON SUSTS. marca (de) · señal (de) || antídoto (contra)

● CON VBOS. curar(se) || sufrir · presentar *El paciente presentaba una extraña mordedura en la pierna* || proteger(se) (de)

moreno, na adj.

● CON SUSTS. ***persona*** *Mi hermana menor es morena* || pelo · piel · melena · cabellera · color || azúcar · pan

● CON VBOS. ser · estar · poner(se) · mantener(se) *Se mantiene morena todo el año* || teñir(se) (de)

[morir] → a morir; morir

morir v.

● CON ADVS. heroicamente · dignamente · trágicamente · violentamente · plácidamente *Murió plácidamente en su cama* · cristianamente · voluntariamente || repentinamente · de repente · de imprevisto || atrozmente · a golpes · de hambre || irremediablemente || por poco *Por poco muere ahogado cuando...* || literalmente · teatralmente · simbólicamente || de gusto *Me muero de gusto al pensar en un baño de espuma*

● CON VBOS. dejar(se) · hacer · ir (a) · llevar (a) || disponerse (a) · echarse (a)

morisco, ca

1 morisco, ca adj.

● CON SUSTS. rey · reina · pueblo *Llegamos ahora a un precioso pueblo morisco* · comunidad · ciudad · cultura || arte · danza · novela · música · narración · poema || estilo · tema *una novela de tema morisco* || influencia || origen

2 morisco, ca s.

● CON SUSTS. expulsión (de) || tierra (de) || traje (de)

mormón, -a adj.

● CON SUSTS. **fe** · **iglesia** · **misionero,ra**
➤ Véase también **CREYENTE**

mormonismo s.m. Véase RELIGIÓN

moro, ra

1 **moro, ra** adj.
● CON SUSTS. **palacio** · **reino** · **tierra** || **fiesta** · **tradición** || **rey** · **reina** *un traje de reina mora*

2 **mora** s.f.

▌[fruta]
● CON ADJS. **verde** *Estas moras no se pueden comer porque están muy verdes* · **madura** · **pasada** · **podrida** · **pocha** || **dulce** · **ácida** · **desabrida** || **sabrosa** · **apetitosa** · **jugosa**
● CON SUSTS. **mermelada (de)** · **pastel (de)** · **helado (de)** || **recolección (de)**
● CON VBOS. **madurar** · **pudrir(se)** · **estropear(se)** || **saborear** · **paladear** · **degustar** || **cultivar** · **recolectar** · **coger** *Salíamos al campo a coger moras* || **confitar**

▌[tardanza]
● CON SUSTS. **intereses (por)** · **deuda (en)** · **crédito (en)**
☐ EXPRESIONES **haber moros en la costa** [haber personas que vigilen o supongan algún riesgo] *col.*

moroso, sa

1 **moroso, sa** adj.
● CON SUSTS. **cliente** · **deudor,-a** · **vecino,na** *En la reunión se habló de los vecinos morosos* · **contribuyente** · ***otros individuos*** || **empresa** · **entidad**

2 **moroso, sa** s.
● CON SUSTS. **cobrador,-a (de)** || **lista (de)** *la amplia lista de morosos que deben dinero a esta empresa* · **registro (de)** · **relación (de)** || **cifra (de)** · **volumen (de)**

morriña s.f. *col.*

● CON ADJS. **gran(de)** · **escasa** · **intensa** · **dura**
● CON SUSTS. **ataque (de)** *A veces le dan ataques de morriña*
● CON VBOS. **entrar(le) (a alguien)** *Llevaba tan solo una semana fuera y ya me había entrado morriña* · **venir(le) (a alguien)** || **pasárse(le) (a alguien)** || **tener** · **sentir** || **sobrellevar** || **vencer**

[morro] →a morro; morro

morro

1 **morro** s.m. *col.*

▌[descaro]
● CON VBOS. **tener** *Tienes un morro que te lo pisas; siempre te libras de trabajar* · **echar (a algo)** *echarle morro a la vida*
● CON PREPS. **por** *Se quedó con todo por el morro*

▌[parte inferior de la cara]
● CON VBOS. **romper(se)** || **torcer** *No tuerzas el morro, intentaré llegar a tiempo* || **dar(se) (en)** · **caer(se) (de)** *Se cayó de morros contra el suelo*

2 **morro (de)** s.m.
● CON SUSTS. **coche** *Tenía un golpe en el morro del coche* · **autocar** · **avión** · ***otros vehículos*** || **ternera** · **cerdo** · **vaca** · ***otros animales***
☐ EXPRESIONES **a morro*** [pegando los labios] *Agarró la botella y bebió a morro* || **estar de morros** [estar enfadado] *col.*

morrocotudo, da adj. *col.*

● CON SUSTS. **susto** · **golpe** *Se cayó del columpio y se dio un golpe morrocotudo* · **paliza** · **batacazo** · **trompazo** || **disgusto** · **enfado** · **chasco** · **fiasco** || **lío** · **rodeo** || **catarro** · **gripe** || **libro** · **película** · ***otras creaciones***

mortal adj.

● CON SUSTS. **víctima** || **restos** || **peligro** · **trampa** · **enemigo** · **ataque** || **efecto** · **consecuencia** || **enfermedad** · **contagio** · **herida** · **puñalada** · **bala** || **salto** *El bailarín terminó la coreografía con un doble salto mortal* · **caída** || **envidia** · **odio** || **aburrimiento** || **error** · **golpe** *Esas palabras fueron un golpe mortal para su amor propio* · **prueba**
● CON ADVS. **de necesidad** *Encontraron a la víctima con dos puñaladas, ambas mortales de necesidad*

mortalidad s.f.

● CON ADJS. **elevada** *En un siglo en el que hubo una elevada mortalidad a causa de las epidemias* · **alta** · **baja** || **prematura** || **infantil** · **juvenil** · **masculina** · **femenina** · **materna**
● CON SUSTS. **tasa (de)** · **índice (de)** · **cifra (de)** || **causa (de)** || **aumento (de)** · **disminución (de)** · **retroceso (de)** · **descenso (de)** *Se está registrando un importante descenso de la mortalidad en los pacientes* · **reducción (de)** || **riesgo (de)**
● CON VBOS. **retroceder** · **descender** · **disminuir** · **aumentar** || **ocasionar** · **producir** · **provocar** || **reducir** *medidas para reducir la mortalidad en carretera* · **rebajar**

mortalmente adv.

● CON VBOS. **aburrir(se)** *Me aburrí mortalmente en la fiesta de ayer* || **herir** · **golpear** · **apuñalar** · **atropellar** · ***otros verbos que expresan agresión*** || **alcanzar (a alguien)** *El disparo lo alcanzó mortalmente*

mortandad s.f.

● CON ADJS. **elevada** *La elevada mortandad registrada en la zona estaba relacionada con las extremas temperaturas del invierno* · **masiva** || **infantil** · **humana** · **animal**
● CON SUSTS. **índice (de)** · **tasa (de)** · **datos (de)** || **ascenso (de)** · **aumento (de)** · **récord (de)** || **causa (de)** *La principal causa de mortandad en este grupo de población es el cáncer de pulmón*
● CON VBOS. **causar** · **producir** · **provocar** · **ocasionar** || **reducir** || **luchar (contra)**

mortecino, na adj.

● CON SUSTS. **matiz** · **tonalidad** · **tono** || **aspecto** *Venía con un aspecto mortecino y cansado* · **aire** · **semblante** || **verde** · **azul** · **amarillo** · ***otros colores*** || **luz** *bajo la luz mortecina de una farola* · **destello** · **reflejo** · **resplandor** · **claridad** · **brillo** · **llama** · **vela** · **lámpara** || **sonido** · **voz** || **mirada** · **expresión**

mortífero, ra adj.

● CON SUSTS. **artefacto** · **arma** · **bomba** · **gas** || **enfermedad** · **virus** *alarma ante el nuevo virus mortífero* || **accidente** · **ataque** · **atentado** || **plan** · **proyecto** || **brote** *brotes mortíferos de peste*
● CON ADVS. **excepcionalmente** *La investigación ha confirmado que se trata de un veneno excepcionalmente mortífero* · **extremadamente**

mortificación s.f.

● CON ADJS. **física** · **corporal** · **psicológica** · **mental** · **interior** || **cotidiana** · **diaria**

● CON SUSTS. **sensación (de)** · **capacidad (de)** *Me impresionó su enorme capacidad de resistencia y de mortificación* · **dosis (de)** || **instrumento (de)** · **medida (de)**
● CON VBOS. **sufrir** · **suponer** *Aquella difícil convivencia supuso una auténtica mortificación para él* || **vivir** · **practicar** || **someter (a alguien) (a)**

moruno, na adj.

● CON SUSTS. **pincho** *una ración de pinchos morunos* · **té** || **paño** || **aspecto** · **tez**

[mosca] → como moscas; mosca; ni una mosca

mosca s.f.

● CON SUSTS. **vuelo (de)** · **zumbido (de)** *El único ruido que se oía era el zumbido de las moscas* || **plaga (de)** · **nube (de)** || **peso** *la categoría de peso mosca*
● CON VBOS. **espantar** · **cazar** · **atrapar** · **matar** || **caer (como)** · **morir (como)** || **acudir (como)** *Sus fans acudían como moscas a sus conciertos* · **venir (como)**
☐ EXPRESIONES **{andar/estar} mosca** [desconfiar] *col.* || **con la mosca {en/detrás de} la oreja** [en actitud recelosa] *col.* || **matar moscas a cañonazos** [emplear medios excesivamente poderosos en relación con el propósito que se persigue] || **mosquita muerta** [persona inocente solo en apariencia] *col.* || **por si las moscas** [por si acaso] *col.*

moscatel

1 moscatel adj.

● CON SUSTS. **uva** · **vino**

2 moscatel s.m.

● CON ADJS. **perfumado** · **dulce** *Tomamos en el aperitivo un moscatel dulce* · **de grano**
➤ Véase también **BEBIDA**

mosqueo s.m. *col.*

● CON ADJS. **tremendo** *Se cogió un tremendo mosqueo cuando ella apareció* · **monumental** || **ligero**
● CON SUSTS. **causa (de)**
● CON VBOS. **pasárse(le) (a alguien)** *Todavía no se le ha pasado el mosqueo* || **coger** · **pillar** · **tener**

mostaza s.f.

● CON ADJS. **suave** · **fuerte** || **en grano** || **amarilla** · **verde** · **marrón** · **francesa** · **inglesa**
● CON SUSTS. **grano (de)** || **salsa (de)** · **vinagreta (de)** || **pizca (de)** *añadir una pizca de mostaza* || **amarillo** *una blusa amarillo mostaza* · **verde** · **marrón** || **gas** *los efectos letales del gas mostaza*
☐ EXPRESIONES **a la mostaza** [preparado con ese ingrediente] *un filete a la mostaza*

mosto s.m.

● CON ADJS. **amargo** · **dulce** · **concentrado** · **casero** || **de uva** · **de granada** · **de cerveza** · **de moscatel** · **de manzana**
● CON SUSTS. **zumo (de)** · **bebida (de)** || **residuo (de)** · **cata (de)** *La bodega invitó a una cata de mosto* · **producto (de)** · **elaboración (de)** || **grano (de)** · **color (de)** · **efluvio (de)** *Se tambaleaba ligeramente por los efluvios del mosto*
● CON VBOS. **fermentar** · **hervir** *El mosto hervía en las tinajas* || **producir** · **conseguir** · **manipular** · **transformar** || **celebrar (con)**
➤ Véase también **BEBIDA**

mostrador s.m.

● CON SUSTS. **caja (de)** *Hicimos cola para pagar ante la caja del mostrador*
● CON VBOS. **limpiar** · **ordenar** || **acercar(se) (a)** *Nos acercamos al mostrador de la compañía aérea para facturar*
● CON PREPS. **detrás (de)** · **encima (de)** · **sobre** · **al pie (de)**

mostrar(se) v.

● CON ADJS. **animado,da** · **dispuesto,ta** · **complacido,da** · **satisfecho,cha** *mostrarse satisfecho del trabajo realizado* · **orgulloso,sa** || **decidido,da** *Se mostró decidida a emprender el viaje* · **cobarde** · **valiente** · **torpe** · **incapaz** || **remiso,sa** · **reticente** *¿Por qué te muestras tan reticente?* · **amable** · **agradecido,da** · **duro,ra** · **insensible** · **desagradable** · **comprensivo,va** · **benévolo,la** || **interesado,da** *mostrarse interesado por un tema* · **favorable** · **partidario,ria** · **propicio,cia** · **locuaz** · **benigno,na** || **nervioso,sa** *Durante toda la comida se mostró muy nerviosa* · **tenso,sa** · **tranquilo,la** · **inquieto,ta** · **confuso,sa** · **preocupado,da**
● CON ADVS. **abiertamente** *No pudo mostrar abiertamente su enfado* · **a las claras** · **manifiestamente** · **ostensiblemente** · **nítidamente** *Su rostro mostraba nítidamente la satisfacción de la victoria* · **a las mil maravillas** · **en todo su esplendor** || **ni de lejos** || **categóricamente** *Mostraré categóricamente mi rechazo a...* · **crudamente** · **generosamente** · **elocuentemente** || **detalladamente** · **con detalle** · **por completo** || **sinceramente** · **sin tapujos** · **a los cuatro vientos** *Mostraba a los cuatro vientos su felicidad* || **de refilón** · **a pelo** || **a favor** · **en contra** || **a la defensiva** *Si no dejas de mostrarte a la defensiva, es imposible que yo me acerque a ti*

mota

1 mota s.f.

● CON ADJS. **pequeña** · **mínima** · **insignificante**
● CON VBOS. **ver** *Está todo tan limpio que no se ve ni una mota* || **barrer** · **quitar** · **limpiar** || **dejar** · **quedar**

2 mota (de) s.f.

● CON SUSTS. **polvo** *Después de la limpieza no quedó ni una mota de polvo* · **suciedad** · **tierra** · **arena** || **algodón** || **luz** || **sangre**

mote s.m.

● CON ADJS. **afectuoso** · **cariñoso** *No te enfades, era solo un mote cariñoso* · **simpático** || **despectivo** · **sarcástico** · **sangrante** · **hiriente**
● CON VBOS. **poner (a alguien)** · **asignar (a alguien)** · **colgar (a alguien)** || **sacar (a alguien)** *Es muy ingenioso sacando motes a la gente* || **sobrellevar** || **cargar (con)**

motel s.m.

● CON ADJS. **de carretera**
● CON SUSTS. **habitación (de)** · **cuarto (de)** · **bar (de)** · **recepción (de)** *En la recepción del motel no había nadie* || **cliente (de)**
● CON VBOS. **llegar (a)** · **ir (a)** || **quedar(se) (en)** *Como ya era muy tarde, nos quedamos en un motel* || **alojar(se) (en)** · **dormir (en)** · **registrar(se) (en)**

motín s.m.

● CON ADJS. **grave** · **violento** · **sangriento** || **carcelario**
● CON SUSTS. **conato (de)** *Se ha reforzado la vigilancia ante los sucesivos conatos de motín* · **intento (de)** || **víctima (de)** · **líder (de)**
● CON VBOS. **estallar** · **producir(se)** · **desatar(se)** *Ayer se desató un motín en la cárcel de...* || **extender(se)** || **protagonizar** · **dirigir** || **sofocar** · **capear**

motivación s.f.

▮ [estímulo]

● CON ADJS. **principal** · **gran(de)** · **verdadera** · **intensa** · **continua** || **escasa** · **suficiente** || **individual** || **psicológica** · **escolar** · **laboral** *un estudio reciente acerca de la motivación laboral* · **sexual**

● CON SUSTS. **falta (de)** · **ausencia (de)** *la ausencia de motivación de algunos estudiantes* · **problema (de)** || **dosis (de)** || **fuente (de)**

● CON VBOS. **faltar (a alguien)** || **tener** · **mantener** || **necesitar** · **hallar** · **recuperar** *Parece que el premio le ayudó a recuperar la motivación que estaba perdiendo* || **aumentar** · **mejorar** || **procurar** · **fomentar** || **servir (de)**

▮ [causa]

● CON ADJS. **incomprensible** · **oscura** *No ha revelado a nadie las oscuras motivaciones de tan horrendo crimen* · **clara** || **poderosa** · **fuerte** · **profunda** · **central** || **psicológica** · **política** · **económica** · **religiosa** · **ideológica**

● CON VBOS. **averiguar** *averiguar las motivaciones de un robo* · **entender** · **conocer** || **dar** · **ocultar** || **obedecer (a)** · **responder (a)** || **cambiar (de)**

motivador, -a adj.

● CON SUSTS. **fuerza** · **energía** · **causa** || **hecho** · **suceso** || **reflexión** · **decisión** · **mensaje** *El entrenador lanzó un mensaje motivador a sus jugadores* || **profesor,-a** · **presentador,-a** · **escritor,-a** · ***otros individuos***

motivar v.

● CON SUSTS. **crítica** · **protesta** *El anuncio del Gobierno motivó una masiva protesta de los ciudadanos* · **declaración** · **petición** · **respuesta** · **opinión** · **denuncia** || **reacción** · **participación** · **intervención** · **campaña** || **despido** · **suspensión** || **problemas** · **gastos** || **alegría** · **inquietud** · **confianza** || **aparición** || **violencia** *No hay posible argumento para motivar la violencia* · **estancamiento** || **salida** · **solución**

motivo

1 **motivo** s.m.

▮ [causa]

● CON ADJS. **verdadero** *¿Quieres que te confiese el verdadero motivo?* || **especial** · **fundamental** · **principal** · **general** || **secundario** · **menor** || **serio** · **profundo** · **grueso** || **suficiente** *Medítalo, no tienes suficientes motivos* · **insuficiente** || **determinante** · **desencadenante** *El motivo desencadenante de la huelga fue la congelación de salarios* || **justificado** · **injustificado** · **legítimo** · **valedero** || **irrebatible** · **concluyente** · **inequívoco** · **de peso** *No parece que este sea un motivo de peso* || **insignificante** · **irrisorio** · **trivial** · **anecdótico** || **desconocido** · **oculto** *Tiene que haber algún motivo oculto* · **oscuro** · **misterioso** || **humanitario** *Nuestras tropas permanecen allí por motivos humanitarios* || **sobrado,da (de)** *Está sobrada de motivos para actuar como lo hace* · **cargado,da (de)**

● CON VBOS. **aclarar(se)** *¿Cuándo se aclarará el verdadero motivo de su marcha?* · **desvelar(se)** · **esclarecer(se)** || **persistir** || **responder (a algo)** · **subyacer (a algo)** · **estribar (en algo)** · **radicar (en algo)** || **converger** || **dar (a alguien)** · **ofrecer** · **tener** *No tienes motivos para quejarte* || **aducir** · **alegar** *Alegó motivos de salud para justificar su ausencia* · **esgrimir** || **explicar** · **justificar** || **preguntar** · **buscar** · **averiguar** *Me gustaría averiguar los motivos que has tenido para actuar así* || **descubrir** · **clarificar** · **desentrañar** · **dilucidar** || **saber** · **ignorar** · **desconocer** || **determinar** · **decidir** || **revelar** *¿Nos revelarás el motivo de tanto misterio?* · **desvelar** · **destapar** || **ahondar (en)** || **obedecer (a)** *La separación obedeció a diferentes motivos*

▮ [rasgo, tema, detalle]

● CON ADJS. **floral** · **musical** · **literario** || **figurativo** · **narrativo** || **taurino** || **navideño** *Habían decorado todo con motivos navideños* · **decorativo** · **temático** || **clásico** · **renacentista** · **barroco**

● CON VBOS. **desarrollar** || **recrear** *Recreando un motivo alegórico de la poesía renacentista...* · **imitar** || **partir (de)** · **decorar (con)**

2 **motivo (de)** s.m.

● CON SUSTS. **compasión** · **piedad** · **alegría** *Su visita fue motivo de alegría para todos* · **enfado** · **orgullo** · ***otros sentimientos o emociones*** || **risa** · **llanto** || **celebración** || **alarma** · **queja** · **escándalo** || **duda** · **extrañeza** · **sospecha** · **incertidumbre** || **inquietud** · **zozobra** · **preocupación** · **interés** *El tema del libro es motivo de interés para muchos estudiosos* || **seguridad** · **tranquilidad** · **esperanza** || **comentario** · **debate** · **controversia** · **polémica** · **discusión** · **disputa** || **conflicto** · **desavenencia** · **discordia** · **pelea** *El deporte no debía ser motivo de pelea* · **enfrentamiento** · **fricción** · **división** · **persecución** · **divorcio** || **reflexión** *Las ideas desarrolladas han sido motivo de reflexión del autor a lo largo de muchos años* · **estudio** || **salud** · **higiene** *Por motivos de higiene se ruega...*

☐ EXPRESIONES **con motivo** (de algo) [a causa de ello] *Con motivo de las fiestas patronales...*

moto s.f.

● CON ADJS. **de carreras** · **deportiva** || **acuática** *alquilar una moto acuática* · **náutica**

● CON SUSTS. **casco (de)** *Le pusieron una multa por no llevar el casco de la moto* · **llaves (de)** · **motor (de)** · **rueda (de)** · **asiento (de)** || **ruido (de)** || **conductor,-a (de)** · **ocupante (de)** || **accidente (de)** · **caída (de)**

● CON VBOS. **averiar(se)** · **estropear(se)** || **chocar** · **estrellar(se)** || **conducir** · **manejar** · **llevar** || **acelerar** · **arrancar** *Arrancamos la moto y nos fuimos* · **parar** || **dejar** · **aparcar** || **tener** · **poseer** || **reparar** · **arreglar** · **revisar** · **limpiar** · **lavar** || **montar(se) (en)** *Nunca me he montado en una moto* · **ir (en)** · **subir(se) (en)** · **bajar(se) (de)**

● CON PREPS. **a bordo (de)**

☐ EXPRESIONES **como una moto** [muy nervioso o muy rápido] *col.* || **vender la moto** [convencer] *col. No me quieras ahora vender la moto de que harías cualquier cosa por mí*

motociclismo s.m.

● CON SUSTS. **premio (de)** *Se ha disputado el gran premio de motociclismo* · **título (de)** || **jornada (de)** · **temporada (de)** · **carrera (de)** · **torneo (de)** · **mundial (de)** || **circuito (de)** · **entrenamiento (de)** · **tiempo (de)** || **piloto (de)** · **campeón,-a (de)** || **aficionado,da (a)**

● CON VBOS. **practicar** · **hacer** || **aficionar(se) (a)**

motor, -a

1 **motor, -a** adj.

● CON SUSTS. **músculo** · **cuerpo** · **placa** || **coordinación** · **discapacidad** · **habilidad** · **actividad** · **capacidad** *El equipo médico valorará la capacidad motora del paciente* · **función** · **inhibición** · **fuerza** · **debilidad** · **enfermedad** || **lancha** *Fuimos al islote en una lancha motora* · **embarcación**

2 **motor** s.m.

● CON ADJS. **de arranque** · **de explosión** · **de reacción** · **de gasolina** || **a punto** *Buscaré un buen mecánico que me ponga el motor a punto* || **al ralentí** *Durante varios mi-*

nutos, dejamos el motor al ralentí de un coche · **a medio gas** || **generador** · **impulsor** || **de búsqueda**
● CON VBOS. **funcionar** || **rugir** || **encender** · **apagar** · **arrancar** || **accionar** · **propulsar** || **homologar** || **engrasar** *engrasar el motor de la máquina de coser*

3 **motor (de)** s.m.
● CON SUSTS. **equipo** *El joven delantero sigue siendo el motor del equipo* · **ciudad** · **zona** · **país** || **acción** · **actividad** *Las pequeñas empresas familiares podrían llegar a convertirse en el motor de la actividad económica de esa región* · **cambio** · **construcción** · **producción** || **revolución** · **integración** · **progreso** · **recuperación** · **evolución** · **transformación** · **desarrollo** · **crecimiento** || **ciencia** · **cultura** · **educación** · **economía** · **política** · **historia** || **lucha** · **violencia** || **empresa** · **bolsa** *una importante compañía cuyas acciones se convirtieron en el motor de la bolsa la pasada jornada* || **vida {social/pública/económica...}** · **idea** · **ideología**

motriz adj.
● CON SUSTS. **fuerza** || **sistema** · **rueda** · **eje** · **planta** || **idea** · **iniciativa** || **problema** · **dificultad** *Este niño presenta dificultades motrices que le impiden realizar ciertos ejercicios* || **desarrollo** · **capacidad** || **acción**

movedizo, za adj.
● CON SUSTS. **arenas** *Es una zona de arenas movedizas* · **tierra** · **terreno**
● CON ADVS. **extraordinariamente** · **sumamente**

[mover] → mover la cabeza; mover(se)

mover la cabeza
● CON ADVS. **afirmativamente** *Cuando le pregunté, movió afirmativamente la cabeza* · **negativamente** || **a uno y otro lado** || **pesadamente** *La gacela movía pesadamente la cabeza en un intento por escapar* || **tristemente** · **apesadumbradamente**

mover(se) v.
● CON ADVS. **rápidamente** · **desenfrenadamente** · **atropelladamente** *Hablaba y se movía atropelladamente* · **como un loco** · **a todo tren** || **lentamente** · **con dificultad** · **a cámara lenta** *No sé qué me pasa hoy, me muevo a cámara lenta* · **a paso de tortuga** · **perezosamente** · **parsimoniosamente** || **ligeramente** · **pesadamente** · **cómodamente** *El autor se movía cómodamente por los territorios imaginarios de...* || **con decisión** · **con soltura** · **con fluidez** · **con gracia** || **con cautela** *moverse con cautela en asuntos problemáticos* · **con pies de plomo** || **armónicamente** · **acrobáticamente** · **de puntillas** · **en oleadas** · **a la deriva** · **al unísono** · **a tientas** || **a {mi/tu/su...} aire** · **a {mis/tus/sus...} anchas** *El delantero se movía a sus anchas por el terreno de juego* || **a la baja** || **a pulso**

móvil

1 **móvil** adj.
● CON SUSTS. **unidad** *La Policía Local cuenta con varias unidades móviles* · **parque** · **oficina** · **puesto** · **escenario** · **discoteca** · **clínica** · **quirófano** · **hospital** *Se instalaron varios hospitales móviles cerca del lugar siniestrado* · **equipo** · **biblioteca** · **banco** || **radar** · **control** · **antena** · **operador** || **grúa** · **escala** · **puente** || **cámara** · **dispositivo** · **panel** || **imagen** · **parte** || **teléfono** *llamar desde un teléfono móvil* · **telefonía** · **red** · **servicio** · **aparato**

2 **móvil** s.m.
▌[teléfono]
● CON ADJS. **de {segunda/tercera/última...} generación**
● CON SUSTS. **cargador (de)** · **batería (de)** *cargar la batería del móvil* · **melodía (de)** · **tono (de)** · **logo (de)** · **pantalla (de)** · **mensaje (de)**
● CON VBOS. **sonar** || **cargar** · **encender** · **apagar** || **usar** · **utilizar** || **personalizar** || **hablar (por)** · **llamar (a/desde)** *Es mejor que me llames al móvil* || **cambiar (de)**
▌[motivo, razón]
● CON ADJS. **sexual** · **pasional** · **económico** || **auténtico** *Todavía no hemos descubierto su auténtico móvil* · **verdadero** || **secreto** · **oculto** · **encubierto** · **misterioso** · **obvio** || **inconfesable** *Ha obrado por móviles inconfesables* || **justificado** · **injustificado** || **apremiante**
● CON VBOS. **salir a la luz** *Pronto saldrá a la luz el móvil del crimen* || **entender** · **conocer** || **averiguar** · **descubrir** · **destapar** · **dilucidar** · **establecer** · **determinar** · **descartar** || **ocultar** · **desconocer** · **ignorar** || **obedecer (a)**

3 **móvil (de)** s.m.
● CON SUSTS. **acto** · **trama** · **maniobra** *¿Cuál habrá sido el móvil de esta audaz maniobra?* || **asalto** · **atentado** || **crimen** · **asesinato** · **matanza** · **muerte** || **agresión** · **paliza** · **pelea** · **reyerta** || **robo** · **extorsión** · **secuestro** *Se descarta que el móvil del secuestro sea solo económico* || **revolución**

movilidad s.f.
● CON ADJS. **extrema** · **plena** · **extraordinaria** · **libre** || **reducida** · **escasa** · **mínima** || **física** · **geográfica** *una nueva línea de ferrocarriles para impulsar la movilidad geográfica* · **social** · **laboral** || **de capital** · **de personas** · **ciudadana** · **estudiantil** · **universitaria**
● CON SUSTS. **problema (de)** *un paciente con problemas de movilidad* · **dificultad (de)** · **falta (de)** · **limitación (de)** || **ayuda (para)** · **beca (de)** · **méritos (de)** · **puntos (de)** || **plan (de)** · **política (de)** || **capacidad (de)** · **grado (de)** · **índice (de)**
● CON VBOS. **tener** *Tiene la movilidad suficiente para practicar la natación* || **favorecer** · **permitir** · **dar** · **aportar** · **facilitar** · **fomentar** · **impulsar** · **potenciar** · **promover** · **generar** · **garantizar** || **incrementar** · **mejorar** *Los ejercicios de rehabilitación han mejorado enormemente su movilidad* || **necesitar** · **lograr** · **conseguir** · **recuperar** || **limitar** · **frenar** · **perder** || **carecer (de)**

movimiento s.m.
● CON ADJS. **vasto** · **inequívoco** · **fatal** || **afirmativo** *Hizo un claro movimiento afirmativo con la cabeza* · **en falso** || **expansivo** · **a pie** · **en marcha** || **a la baja** *Nos encontramos con un movimiento económico a la baja* || **imparable** *Su movimiento ha sido imparable desde entonces* · **creciente** · **continuo** · **discontinuo** · **incesante** · **intermitente** · **periódico** || **fugaz** · **vivo** · **febril** · **frenético** · **vertiginoso** *Los bailarines realizaban vertiginosos movimientos de piernas* · **atropellado** · **desenfrenado** · **trepidante** · **ajetreado** · **incontrolado** · **repentino** || **abrupto** · **brusco** · **espasmódico** · **automático** || **grácil** · **parsimonioso** · **pausado** · **leve** · **pequeño** || **centrífugo** · **centrípeto** · **envolvente** · **cíclico** · **circular** *Aplíquese la pomada en suaves movimientos circulares* · **lineal** · **giratorio** · **rotatorio** · **vibratorio** || **basculante** · **oscilante** · **pendular** · **de ida y vuelta** || **rítmico** · **armónico** · **airoso** · **acompasado** · **sostenido** · **sincopado** · **acrobático** || **irregular** · **desacompasado** · **arrítmico** || **compulsivo** · **instintivo** · **inconsciente** || **ofensivo** · **defensivo** · **beligerante** || **filosófico** · **cultural** *En esta ciudad hay un importante movimiento cultural* · **ideológico** · **político** ·

electoral || popular · patriótico · igualitario || legítimo · regular || migratorio *Leí un interesante estudio sobre los movimientos migratorios de los últimos veinte años*
● CON VBOS. **difundir(se)** · **extender(se)** · **imponer(se)** || **triunfar** || **aglutinar** || **iniciar** · **acelerar** · **agilizar** || **interrumpir** · **detener** · **frenar** · **aminorar** · **disminuir** · **ralentizar** · **atajar** · **atenazar** || **imprimir (a algo)** · **dar (a algo)** || **abanderar** · **encabezar** *Fue elegido para encabezar el movimiento electoral* · **capitanear** · **dirigir** · **alentar** || **dejarse llevar (por)** || **enrolar(se) (en)**
● CON PREPS. **en** *Estamos en movimiento*

mozo, za

1 **mozo, za** adj.
● CON SUSTS. **años** · **tiempos** *Se pasa el día recordando sus tiempos mozos*

2 **mozo, za** s.
● CON ADJS. **apuesto,ta** *Ha venido a buscarla un mozo muy apuesto* · **casadero,ra** || **de escuadra**

3 **mozo** s.m.
● CON ADJS. **de equipaje** *Cuando bajé del tren, en seguida vino un mozo de equipaje* · **de espadas** · **de mudanza** · **de cuerda** · **de almacén** · **de hotel** · **de cuadra**
● CON VBOS. **atender (a alguien)** · **ayudar (a alguien)** · **cargar (con algo)** || **llamar** · **avisar** *Avisa a un mozo para que nos ayude con la maleta* · **buscar** · **necesitar** · **contratar** || **trabajar (como/de)**

muchedumbre s.f.

● CON ADJS. **numerosa** *Una numerosa muchedumbre se había dado cita en el puerto* · **inmensa** || **agitada** · **exaltada** · **enardecida** · **enfervorizada** || **extasiada**
● CON VBOS. **afluir** · **agolpar(se)** *La muchedumbre se agolpaba en aquella plaza para ver pasar la procesión* · **congregar(se)** · **concentrar(se)** · **reunir(se)** · **juntar(se)** · **agrupar(se)** · **apelotonar(se)** || **asistir (a algo)** · **presenciar (algo)** · **acudir (a algo)** || **dispersar(se)** · **desperdigar(se)** || **enardecer(se)** || **manifestar(se)** || **arrastrar** *Sus palabras arrastraron a una muchedumbre enfervorizada* · **atraer** · **llevar** · **mover**

[muda] s.f. → mudo, da

mudanza s.f.

▮ [traslado a otro lugar]
● CON SUSTS. **proceso (de)** · **trámite (de)** || **camión (de)** *Metimos todas nuestras cosas en el camión de la mudanza* · **empresa (de)** || **gastos (de)** · **coste (de)** || **viaje (de)**
● CON VBOS. **empezar** · **comenzar** · **terminar** || **hacer** · **realizar** *Realizamos la mudanza el fin de semana pasado* || **preparar** || **estar (de)**

▮ [cambio]
● CON ADJS. **de lealtades** · **de criterio** · **ideológica**
● CON SUSTS. **tiempo (de)** *Vivimos en tiempos de mudanza política* || **razón (de)**
● CON VBOS. **causar** · **provocar** *No sé qué pudo provocar esa mudanza en su actitud* || **hacer** *No es aconsejable hacer mudanza en tiempos de tanta agitación*

mudar(se) (de) v.

● CON SUSTS. **casa** · **piso** *Algunos de mis vecinos están pensando en mudarse de piso* · **domicilio** · **residencia** · **despacho** · **ciudad** · **lugar** · **territorio** || **ropa** *Me mudé de ropa nada más llegar a casa* · **chaqueta** · ***otras prendas de vestir*** || **piel** || **opinión** *Muda de opinión con demasiada frecuencia* · **costumbre** · **criterio**

mudo, da

1 **mudo, da** adj.
● CON SUSTS. ***persona*** *Esta mujer es muda de nacimiento* || **lenguaje** · **letra** · **consonante** || **época** · **etapa** || **cine** *Era un conocido actor de la época del cine mudo* · **película** · **comedia** · **escena** · **espectáculo** · **versión** || **mapa**
● CON VBOS. **estar** · **ser** · **quedar(se)** *Me quedé mudo, no supe qué contestarle* · **permanecer** · **volver(se)**

2 **muda** s.f.
● CON ADJS. **de ropa** · **blanca** || **diaria** · **semanal**
● CON VBOS. **llevar** *¿Llevas una muda de ropa para cambiarte?* · **traer** || **cambiar(se) (de)**

mueble

1 **mueble** adj.
● CON SUSTS. **bienes** *un inventario de bienes muebles*

2 **mueble** s.m.
● CON ADJS. **viejo** · **antiguo** *un coleccionista de muebles antiguos* · **nuevo** || **clásico** · **moderno** · **funcional** || **de lujo** || **práctico** · **cómodo** · **incómodo**
● CON SUSTS. **empresa (de)** · **industria (de)** · **fábrica (de)** || **tienda (de)** *Fuimos a la tienda de muebles a mirar estanterías* · **almacén (de)** || **revista (de)** || **bar** *Tenemos vacío el mueble bar* · **cama** *un mueble cama para el dormitorio*
● CON VBOS. **hacer juego (con algo)** || **conjuntar** || **fabricar** · **elaborar** || **restaurar** · **decorar** · **pintar** || **cuidar** · **destrozar** || **armar** *Armamos el mueble en un momento* · **ensamblar** · **montar** · **desmontar**

mueca

1 **mueca** s.f.
● CON ADJS. **burlona** · **risueña** || **amarga** · **crispada** || **forzada** *y me respondió con una forzada mueca de resignación* · **sardónica** || **expresiva** · **cariñosa** · **extraña** || **despectiva** || **cómplice**
● CON VBOS. **escapárse(le) (a alguien)** || **hacer** · **mostrar** · **dibujar** · **esbozar** · **esgrimir** · **amagar** · **cruzar** *Lo miré y nos cruzamos una mueca cómplice* · **lanzar** · **simular** || **ocultar** · **esconder** · **reprimir**

2 **mueca (de)** s.f.
● CON SUSTS. **desdén** · **desprecio** · **desagrado** · **rabia** || **asombro** · **sorpresa** · **perplejidad** *sin poder ocultar una expresiva mueca de perplejidad* · **felicidad** · **satisfacción** || **amargura** · **dolor** · **tristeza** · **consternación** || **disgusto** · **contrariedad** · **desilusión** · **desencanto** · **asco** · **espanto** || **impotencia** · **resignación**

muela s.f.

● CON VBOS. **picar(se)** *Se me ha picado una muela y tengo que ir al dentista* || **doler (a alguien)** || **empastar** · **extraer** · **sacar**

☐ EXPRESIONES **muela del juicio** [la que nace en la edad adulta en cada extremo de la mandíbula]

muermo s.m. *col.*

● CON VBOS. **sacudir(se)** *Nos sacudimos el muermo y nos fuimos a dar un paseo* || **acabar (con)** || **convertir(se) (en)** · **transformar(se) (en)** || **desperezar(se) (de)**

[muerte] → a muerte; a vida o muerte; muerte

muerte s.f.

● CON ADJS. **natural** · **digna** || **terrible** · **dolorosa** · **trágica** · **atroz** · **ignominiosa** || **dulce** · **tranquila** *Tuvo una*

muerte tranquila · **serena** · **apacible** · **buena** · **justa** || **gloriosa** · **honrosa** · **heroica** || **cierta** · **segura** · **esperada** · **anunciada** *El fin de la empresa fue como una muerte anunciada* || **inesperada** · **prematura** · **imprevisible** · **inexplicable** || **cercana** · **próxima** · **lejana** || **inexorable** · **irreparable** || **rápida** · **fulminante** · **súbita** · **repentina** · **instantánea** · **temprana** || **lenta** · **larga** || **accidental** · **fortuita** || **violenta** · **a golpes** || **en vida**
● CON SUSTS. **pena (de)** || **causa (de)** · **noticia (de)**
● CON VBOS. **producir(se)** *Su muerte se produjo en 1998* · **tener lugar** · **ocurrir** || **sobrevenir** *Si la muerte me sobreviene pronto...* · **llegar (a alguien)** · **venir** · **arrebatar (a alguien)** || **acechar** *La muerte acecha desde todos los rincones* · **acercar(se)** || **dar** *Dio muerte al caballo para no hacerlo sufrir* · **provocar (a alguien)** · **causar** · **ocasionar** · **engendrar** · **sembrar** · **acelerar** || **sentir** · **lamentar** || **asumir** · **afrontar** · **arrostrar** · **encarar** · **merecer** || **sufrir** · **recibir** || **superar** · **vencer** *En el poema el amor vence la muerte* || **esperar** · **prever** · **augurar** · **anunciar** · **presagiar** || **conjurar** · **decretar** || **conmemorar** || **imputar (a alguien/a algo)** || **presenciar** || **abocar(se) (a)** · **estar a las puertas (de)** || **sobrevivir (a)** · **hacer frente (a)** · **asistir (a)** || **condolerse (por)** || **condenar (a)** || **enviar (a alguien) (a)**
● CON PREPS. **al filo (de)** || **so pena (de)** · **a raíz (de)** · **hasta**

[muerto, ta]

→ como un muerto; en punto muerto; muerto, ta

muerto, ta

1 **muerto, ta** adj.

● CON ADVS. **cerebralmente** · **clínicamente** *Los médicos determinaron que estaba clínicamente muerta*
● CON VBOS. **estar**

2 **muerto, ta** s.

● CON VBOS. **causar** *La catástrofe causó muchos muertos* || **enterrar** · **desenterrar** · **exhumar** || **honrar** || **oler (a)** || **resucitar (a)** *un guiso humeante y apetitoso que resucitaba a un muerto*

3 **muerto** s.m. *col.*

▮ [carga]

● CON VBOS. **caer** || **cargar (con)** *Me hicieron cargar con el muerto de terminar yo sola el dichoso trabajo*

☐ EXPRESIONES **hacer el muerto** [dejarse flotar boca arriba en el agua]

muestra

1 **muestra** s.f.

▮ [ejemplar, porción]

● CON ADJS. **representativa** *una muestra representativa de la pintura contemporánea* || **amplia** · **nutrida** · **generosa** || **antológica** · **parcial** · **selecta** · **itinerante**
● CON VBOS. **presentar** · **ofrecer** *El comercial me ofreció una muestra completa de sus productos* · **exponer** || **tomar** · **extraer** *extraer una muestra de sangre* || **seleccionar** · **elegir** · **escoger** || **constituir** · **representar**

▮ [señal, demostración]

● CON ADJS. **clara** · **reveladora** · **evidente** · **palpable** *La muestra más palpable del apoyo con que contaba era...* · **ostensible** || **inequívoca** · **concluyente** · **probatoria** · **fehaciente** · **flagrante** || **viva** · **diáfana** · **luminosa** · **efusiva**
● CON VBOS. **dar** *Dio muestras de sentirse a gusto* || **detectar** || **poner (como/de)**

2 **muestra (de)** s.f.

● CON SUSTS. **afecto** · **agradecimiento** · **cariño** · **lealtad** · **buena voluntad** · **solidaridad** *muestras de solidaridad de los vecinos* · **respeto** · **gratitud** || **sensibilidad** · **confianza** *Las inversiones son una muestra de confianza en la compañía* · **eficiencia** · **sensatez** || **acuerdo** · **apoyo** · **unidad** || **flaqueza** · **intolerancia** · **debilidad** || **sangre** · **orina** *Preséntese en ayunas y traiga una muestra de orina* · **laboratorio** || **pintura** · **fotografía** · **obra** · **arte** *En el interior de la catedral hay una buena muestra del arte románico de esta comarca* · **teatro** · **óleo** · **escultura** · **cine** · **trabajo** · **colección**

mugido s.m.

● CON ADJS. **desgarrado** · **agónico** · **doloroso** · **espantoso** || **profundo** · **ronco** · **sordo** · **ensordecedor** · **atronador** · **estremecedor** || **entrecortado** || **lejano**
● CON VBOS. **emitir** · **pegar** · **soltar** · **dar** || **oír** *Al amanecer oímos los mugidos de las vacas* · **escuchar**

mugir v.

● CON SUSTS. **vaca** · **toro** · **ternero,ra** · **becerro,rra** · **buey**

mujer s.f.

▮ [esposa]

● CON ADJS. **fiel** · **infiel** || **futura** *Acudió a la fiesta con su futura mujer* · **actual** · **anterior**
● CON SUSTS. **relación (con)**
● CON VBOS. **buscar** || **amar** || **enamorar(se) (de)** · **casar(se) (con)** || **separar(se) (de)** · **divorciar(se) (de)**

muleta s.f.

▮ [bastón]

● CON VBOS. **usar** · **llevar** *Después del accidente tuve que llevar muletas durante unos meses* · **necesitar** || **agarrar(se) (a)** · **sujetar(se) (con)** · **apoyar(se) (en)** || **blandir** || **andar (con)** · **ir (con)**

▮ [paño rojo con el que se torea]

● CON SUSTS. **pase (de)**

mullido, da adj.

● CON SUSTS. **cama** · **alfombra** · **almohada** · **colchón** · **almohadón** · **sofá** · **sillón** · **cojín** || **hierba** *Se quedó dormido sobre la mullida hierba*
● CON VBOS. **ser** · **estar** · **poner(se)** · **mantener(se)**

[mulo, la]

→ como una mula; mulo, la

mulo, la s.

● CON ADJS. **de carga** || **sufrido,da** · **manso,sa** || **terco,ca (como)** *¡Eres terco como una mula!* · **testarudo,da (como)**
● CON SUSTS. **mozo,za (de)** || **caravana (de)** · **recua (de)** *El ejército utilizaba recuas de mulos para transportar material por las montañas* · **reata (de)** · **compañía (de)** · **grupo (de)** || **senda (de)** || **carreta (de)** · **tranvía (de)**
● CON VBOS. **trotar** · **cocear (algo/a alguien)** || **rebuznar** || **tirar** · **trabajar** · **arar (algo)** || **abrevar** *un remanso donde abrevan los mulos* || **cargar** *Cargaron las mulas con los aperos y se dispusieron a trabajar* · **descargar** || **atar** · **soltar** || **montar (en)** · **viajar (en)** · **ir (en)**
● CON PREPS. **a lomos (de)** · **sobre**

multa s.f.

● CON ADJS. **elevada** · **considerable** · **cuantiosa** · **severa** · **desmesurada** *La multa que me han puesto por aparcar en doble fila es desmesurada* · **desorbitada** || **pequeña** · **ridícula** · **irrisoria** || **justa** · **injusta**

● CON SUSTS. **cuantía (de)** · **importe (de)** || **aviso (de)**
● CON VBOS. **prescribir** || **poner (a alguien)** · **imponer (a alguien)** · **endosar** · **notificar** || **pagar** *Nos conminaron a pagar la multa en un breve plazo* || **protestar** · **recurrir** || **quitar (a alguien)** · **rebajar** · **condonar** || **sancionar (con)**
● CON PREPS. **bajo** · **so pena (de)** *Los establecimientos comerciales deben cumplir la normativa vigente so pena de graves multas o cierre del local* || **en concepto (de)**

multar v.

● CON ADVS. **severamente** *Le pueden multar a usted severamente por pescar aquí sin licencia* || **injustamente** · **justamente** || **a diestro y siniestro**

múltiple adj.

● CON SUSTS. **accidente** · **colisión** · **choque** *El choque múltiple provocó un enorme atasco en la autopista* · **ataque** || **esclerosis** *Le diagnosticaron hace años una esclerosis múltiple* · **fractura** || **embarazo** · **nacimiento** · **parto** || **delito** · **homicidio** · **asesino,na** · **asesinato** || **uso** *El nuevo edificio contará con un salón de uso múltiple* · **función** · **ocupación** || **fracaso** || **banca** · **subasta** || **interpretación** · **sentido** · **significado** || **demanda** · **acusación** · **denuncia** || **obra** · **identidad** · **personaje** · **diálogo** · **libro** || **visión** · **mirada**

multiplicación s.f.

I [operación matemática]

● CON ADJS. **sencilla** *una sencilla multiplicación aritmética* · **complicada**
● CON SUSTS. **factor (de)** · **problema (de)** · **ejercicio (de)** · **signo (de)** · **operación (de)** || **resultado (de)**
● CON VBOS. **hacer** *Necesito la calculadora para hacer unas multiplicaciones* · **realizar** · **calcular** · **efectuar** || **comprobar** · **revisar** || **resolver**

I [aumento, incremento]

● CON SUSTS. **fase (de)** · **tiempo (de)** · **proceso (de)**
● CON VBOS. **estimular** · **provocar** · **fomentar** || **frenar** *frenar la multiplicación de un virus* · **evitar** · **limitar** · **impedir**

multiplicador, -a adj.

● CON SUSTS. **efecto** *el efecto multiplicador de las noticias alarmantes* · **agente** · **poder** · **valor** · **coeficiente** · **mecanismo** · **eco** · **índice**

multiplicar(se) v.

● CON ADVS. **rápidamente** · **ostensiblemente** · **notablemente** · **considerablemente** · **espectacularmente** *Las ventas se han multiplicado espectacularmente en poco tiempo* · **como hongos** || **por varios enteros** || **alarmantemente** *Este virus se multiplica alarmantemente al introducirse en el organismo* · **preocupantemente** · **sorprendentemente** || **incontroladamente** · **por generación espontánea** · **automáticamente**

multitud s.f.

● CON ADJS. **gran(de)** · **enorme** · **inmensa** · **impresionante** · **pequeña** || **agitada** · **enfervorizada** *La multitud enfervorizada rompió en aplausos* · **entusiasta** · **enardecida** · **pletórica** · **extasiada** · **indignada** || **gozosa** · **exultante** || **abigarrada** || **vociferante** *Una multitud vociferante coreaba los eslóganes de...* · **vocinglera** || **pacífica** · **tranquila**
● CON SUSTS. **baño (de)** · **loor (de)** *La actriz fue recibida en loor de multitudes*
● CON VBOS. **reunir(se)** · **formar(se)** · **congregar(se)** *La multitud se congregó frente a las murallas de la ciudad* · **concentrar(se)** · **agolpar(se)** · **apostar(se)** · **abarrotar (un lugar)** || **apretar(se)** · **apiñar(se)** *Una multitud entusiasmada se apiñó a la entrada del teatro* || **dispersar(se)** · **manifestar(se)** · **movilizar(se)** || **abuchear (a alguien)** · **aclamar (a alguien)** · **vitorear (a alguien)** *La multitud no cesaba de vitorearlos* · **corear (algo)** · **celebrar (algo)** || **rodear (algo/a alguien)** · **arropar (a alguien)** || **desfilar** || **convocar** · **arengar**
● CON PREPS. **en medio (de)** · **entre** *Me había perdido entre la multitud*

multitudinario, ria adj.

● CON SUSTS. **público** *El legendario grupo actuó ante un público multitudinario* · **ejército** · ***otros grupos humanos*** || **celebración** · **fiesta** · **reunión** · **boda** · **congreso** · **mitin** · **homenaje** *El actor recibió un homenaje multitudinario en su pueblo natal* · **acto** · **conferencia** · **concierto** · ***otros eventos*** || **respuesta** · **testimonio** · **discurso** · **expresión** · **llamamiento** · **plegaria** || **éxito** · **triunfo** · **consagración** || **asistencia** · **concurrencia** *Los sindicatos prevén una multitudinaria concurrencia a la manifestación* · **manifestación** · **afluencia** · **presencia** · **participación** · **aglomeración** · **concentración** || **interés** · **adhesión** *La campaña para la donación de sangre tuvo una adhesión multitudinaria* · **apoyo** · **respaldo** · **colaboración** · **esfuerzo** · **curiosidad** · **tenacidad** || **aceptación** · **recepción** · **acogida** · **recibimiento** *Fue objeto de un recibimiento multitudinario al regresar a su tierra* · **bienvenida** || **adiós** · **aplauso** · **pitada** · **grito** · **despedida** · **protesta** · **queja** · **oposición** || **histeria** · **ira** · **pasión** || **pelea** · **enfrentamiento** *La protesta terminó con un enfrentamiento multitudinario* · **batalla** · **lucha** · **riña** · **confrontación** · **debate** · **pugna** · **reyerta**

mundanal adj.

● CON SUSTS. **ruido** *lejos del mundanal ruido* · **bullicio** · **estruendo** · **trajín** · **tráfico** || **pretensión** · **interés** · **deseo**

mundano, na adj.

● CON SUSTS. **personaje** · **espíritu** · **carácter** · ***otros individuos*** || **ambiente** · **vida** · **existencia** · **placer** *entregarse a los placeres mundanos* · **fiesta** · **costumbre** · **viaje** || **literatura** · **crónica** · **espectáculo** || **vanidad** · **frivolidad** *la frivolidad mundana y superficial de la que hace gala en su columna periodística*

mundial adj.

● CON SUSTS. **organismo** · **organización** · **asociación** · **sistema** · **red** · **política** || **economía** · **mercado** · **comercio** *redes de comercio mundial* · **demanda** · **producción** · **productor** || **campeonato** · **competencia** || **campeón,-a** · **título** · **corona** · **marca** · **récord** || **clasificación** || **guerra** *Ante la posibilidad de que se declarase una guerra mundial...* || **autoridad** · **líder** · **experto,ta** || **éxito** · **fama** · **reconocimiento** · **renombre** || **crisis** *la crisis mundial del agua* · **recesión** · **problema** · **fenómeno** · **impacto** · **consecuencia** || **gira** · **estreno** || **asamblea** · **foro** · **cumbre** · **congreso** · **conferencia** || **ámbito** · **contexto** · **panorama** · **escala** · **orden** || **reserva** · **recurso** || **lugar** · **posición** || **potencia** · **capital** || **día** *Mañana es el día mundial del medio ambiente* · **celebración** || **atlas** · **mapa** || **población** || **opinión** · **atención**

mundo

1 mundo s.m.

● CON ADJS. **desarrollado** · **subdesarrollado** · **en vías de desarrollo** || **globalizado** *el funcionamiento de la economía*

en el mundo globalizado || **cruel** · **feliz** · **justo** || **civilizado** · **salvaje** || **árabe** · **occidental** · **oriental** || **ilimitado** · **estrecho** || **antiguo** · **moderno** · **actual** · **contemporáneo** · **prehistórico** || **conocido** · **nuevo** · **desconocido** *un fascinante viaje a un mundo desconocido* || **privado** · **particular** · **imaginario**
● CON SUSTS. **vuelta (a)** *dar la vuelta al mundo* || **creador,-a (de)** · **fin (de)** · **origen (de)** || **mapa (de)** · **países (de)** · **rincones (de)**
● CON VBOS. **girar** · **dar vueltas** || **evolucionar** · **desarrollar(se)** · **acabar(se)** *¡Ánimo, hombre, que no se acaba el mundo!* || **crear** · **descubrir** · **inventar** *Se aísla y se inventa su propio mundo* || **recorrer** · **atravesar** · **invadir** || **conocer** · **estudiar** · **investigar** || **ver** *Es una persona que ha visto mucho mundo* || **cambiar** · **mejorar** · **modificar** · **destruir** || **dejar** · **abandonar** || **viajar (por)** *Pasó gran parte de su vida viajando por el mundo* · **deambular (por)** · **peregrinar (por)** · **andar (por)** || **encerrarse (en)** · **irse (de)** · **salir (de)** *No sale de su mundo*
● CON PREPS. **alrededor (de)**

2 **mundo (de)** s.m.
● CON SUSTS. **cine** · **teatro** · **literatura** · **música** · **arte** · **ópera** · **televisión** · **danza** · **toros** · **canción** || **cultura** · **espectáculo** · **farándula** · **moda** *Destacó primeramente en el mundo de la moda* || **negocios** · **informática** · **internet** · **telecomunicaciones** · **ciencia** · **enseñanza** || **sueños** · **fantasía** · **imaginación** || **drogas** · **prostitución** || **ciclismo** · **motociclismo** · **deporte** *Es uno de los personajes con mejor reputación en el mundo del deporte*

□ EXPRESIONES {**caérsele/venírsele**} (a alguien) **el mundo encima** [deprimirse o abatirse] *col.* || **hacer un mundo de** (algo) [otorgarle una importancia que no tiene] *col.* || **hacérse(le)** (algo) **un mundo** (a alguien) [parecerle de enorme envergadura] || **no ser** (algo) **nada del otro mundo** [ser común y corriente] *col.* || **tercer mundo** [conjunto de países subdesarrollados] || **venir** (alguien) **al mundo** [nacer]

munición s.f.
● CON ADJS. **escasa** · **insuficiente** · **suficiente** || **efectiva** · **inservible** || **pertrechado,da (de)**
● CON VBOS. **faltar** · **sobrar** || **usar** · **utilizar** · **tener** · **haber** || **gastar** · **malgastar** || **pertrechar (de/con)** *Se pertrechó a la tropa con abundante munición de víveres y armamento*

municipal adj.
● CON SUSTS. **organización** · **pleno** || **empleado,da** · **funcionario,ria** *El alcalde ha anunciado que este año aumentarán los sueldos de los funcionarios municipales* · **intendente,ta** · **autoridad** · **concejal,-a** · **comisario,ria** · **director,-a** · **presidente,ta** · **inspector,-a** · **tesorero,ra** · ***otros cargos, títulos y ocupaciones*** || **elecciones** · **comicios** || **gobierno** · **policía** · **institución** · **administración** · **comité** || **impuesto** *el impuesto municipal sobre bienes inmuebles* · **empresa** *la empresa municipal de transportes* · **economía** · **fondos** || **ordenanza** · **reglamento** · **disposición** · **normativa** || **biblioteca** · **archivo** || **cabecera** · **término** || **parque** *Inauguran el anfiteatro del parque municipal* · **mercado** · **museo** · **teatro** || **servicio** · **transporte** || **ley** · **moción** || **proyecto** · **propuesta**

muralla
1 **muralla** s.f.
● CON ADJS. **alta** · **imponente** · **elevada** · **gruesa** · **sólida** · **débil** || **defensiva** *La ciudad está rodeada por una antigua muralla defensiva* · **separadora** || **inexpugnable** · **infranqueable** · **de contención** · **de separación** || **antigua** · **histórica** · **romana** · **medieval** || **china** || **humana**
● CON SUSTS. **restos (de)** · **ruinas (de)**
● CON VBOS. **alzar(se)** · **levantar(se)** || **rodear (algo)** *la muralla medieval que rodea el casco antiguo* · **cercar (algo)** || **derrumbar(se)** · **desmoronar(se)** · **resquebrajar(se)** || **defender** · **proteger (algo/a alguien)** || **construir** || **abatir** · **derribar** · **destruir** · **derruir** · **batir** || **atacar** || **franquear** · **traspasar** · **atravesar** *Las tropas atravesaron la muralla por el lado norte* · **cruzar** · **escalar** || **reforzar** · **vigilar** || **restaurar** · **reconstruir** || **avistar** || **asomarse (a)**
● CON PREPS. **tras** · **desde**

2 **muralla (de)** s.f.
● CON SUSTS. **ladrillos** · **piedra** · **madera** · **cemento** || **fuego** || **troncos** · **árboles** · **vegetación** || **hombres** · **soldados** · **agentes** · **curiosos,sas** || **incomunicación** *Es importante derribar la muralla de la incomunicación para que la relación entre ambos países avance* · **prejuicios** · **indiferencia** || **escudos**

murga s.f. *col.*
● CON VBOS. **dar** *Los niños estuvieron toda la tarde en casa dando la murga*

murmullo s.m.
● CON ADJS. **fuerte** · **profundo** · **penetrante** || **constante** *Hay un constante murmullo en la clase* · **permanente** · **incesante** || **suave** *el suave murmullo del agua* · **débil** · **leve** · **imperceptible** · **ligero** || **entrecortado** · **continuo** || **monótono** · **apacible** || **de aprobación** · **de desaprobación** || **de voces** *Llegó hasta nosotros el murmullo de las voces* · **del agua**
● CON VBOS. **producir(se)** · **levantar(se)** · **surgir** · **llegar (a alguien)** || **crecer** *Creció el murmullo entre los asistentes* · **aumentar** · **apagar(se)** || **distorsionar(se)** || **arrullar (a alguien)** || **oír** *Se oyó un murmullo de indignación que recorrió la sala* · **percibir** · **escuchar** || **acallar** · **cortar** || **perder(se) (en)**

murmuración s.f.
● CON ADJS. **inquietante** · **alarmante** · **indignante** || **inverosímil** · **increíble** || **falsa** · **infundada**
● CON VBOS. **circular** *No des crédito a las murmuraciones que circulan en internet* || **desatar** · **levantar** || **propagar** · **sembrar** || **despertar** · **suscitar** || **dar pie (a)** · **dar lugar (a)**

murmurar v.
● CON ADVS. **entre dientes** *La oímos murmurar entre dientes algo ininteligible* · **para {mis/tus/sus...} adentros** · **en voz baja** || **suavemente** · **débilmente** || **al oído**

muro
1 **muro** s.m.
● CON ADJS. **sólido** · **recio** · **firme** · **de hierro** || **defensivo** *Un muro defensivo rodea la ciudad* || **inexpugnable** · **infranqueable** · **insalvable** || **ciego**
● CON VBOS. **alzar(se)** · **levantar(se)** || **derrumbar(se)** · **desmoronar(se)** · **desplomar(se)** *El muro estaba ya en malas condiciones y se desplomó* · **abatir(se)** · **caer(se)** · **resquebrajar(se)** || **construir** · **erigir** || **destruir** · **derribar** · **derruir** · **batir** || **escalar** · **saltar** · **atravesar** · **cruzar** · **traspasar** · **superar**

2 **muro (de)** s.m.
● CON SUSTS. **alambre** · **piedra** · **roca** · **ladrillos** · ***otros materiales*** || **vegetación** · **yedra** || **fuego** || **contención** *Están construyendo un muro de contención para prevenir nuevos desbordamientos* · **defensa** · **protección** · **seguri-**

dad · **cierre** || **incomprensión** *Se ha alzado un muro de incomprensión que dificulta la convivencia* · **indiferencia** · **prejuicios** || **silencio** · **oscuridad** || **terror** · **vergüenza** · **lamentaciones**

musa s.f.

● CON ADJS. **auténtica** *La auténtica musa de este pintor fue su mujer* · **mítica** || **inspiradora** || **del teatro** · **del cine**

● CON VBOS. **inspirar (a alguien)** || **tener** · **buscar** · **descubrir** || **convertir(se) (en)** *La actriz se fue convirtiendo poco a poco en musa de toda una generación* · **hacer (de)** · **ejercer (de)**

musaraña s.f. *col.*

● CON VBOS. **mirar (a)** *Deja de mirar a las musarañas y hazme un poco de caso* · **pensar (en)** *En clase siempre está pensando en las musarañas*

muscular adj.

● CON SUSTS. **dolor** · **dolencia** *Tuvo que ir al médico por una dolencia muscular* · **lesión** · **contractura** · **sobrecarga** · **problema** · **molestia** · **rotura** · **desgarro** · **contusión** · **tirón** *El jugador se retiró del entrenamiento a causa de un tirón muscular* · **atrofia** · **distrofia** · **deterioro** · **daño** · **distensión** · **rigidez** · **debilidad** || **tensión** · **fatiga** · **cansancio** || **masa** · **tejido** · **fibra** · **célula** || **fuerza** · **capacidad** · **desarrollo** *conseguir un adecuado desarrollo muscular* · **tono** · **potencia** || **contracción** · **relajación** · **espasmo** || **relajante** || **estiramiento** · **fortalecimiento** *Se ha observado en el paciente un rápido fortalecimiento muscular* · **ejercicio**

músculo s.m.

● CON ADJS. **lacio** · **flácido** || **tenso** · **fuerte** · **de acero** || **activo** · **paralizado** · **inerte** || **longitudinal** · **constrictor** · **flexor** · **extensor** · **aductor**

● CON VBOS. **fortalecer(se)** · **desarrollar(se)** · **crecer** || **entumecer(se)** · **desentumecer(se)** *¿Qué puedo hacer para desentumecer estos músculos?* || **contraer(se)** · **agarrotar(se)** *Se me han agarrotado los músculos con los nervios y la tensión* · **atrofiar(se)** · **desgarrar(se)** || **hacer** *ir al gimnasio a hacer músculos* || **mover** · **ejercitar** · **estirar** · **calentar** · **tonificar** *estiramientos y ejercicios de calentamiento para tonificar los músculos* · **tensar** · **poner en tensión** · **relajar** || **lucir** · **exhibir**

[música] s.f. → músico, ca

[musical] → musical; pieza musical

musical adj.

● CON SUSTS. **obra** · **teatro** · **comedia** · **espectáculo** · **pieza** · ***otras manifestaciones artísticas*** || **versión** · **adaptación** || **director,-a** · **dirección** · **producción** · **creación** · **interpretación** || **oído** · **vocación** *Ha heredado de su padre su vocación musical* · **afición** · **talento** · **sensibilidad** || **cultura** · **conocimiento** · **educación** · **formación** · **enseñanza** · **estudios** *Mi sobrina ha decidido centrarse en sus estudios musicales* · **escuela** || **notación** · **lenguaje** · **nota** || **tradición** · **patrimonio** · **legado** || **crítica** *Se dedica a hacer críticas musicales para una revista especializada* || **instrumento** || **hilo** || **voz** · **sonido**

musicalmente adv.

● CON VBOS. **dirigir** · **elaborar** · **revisar** || **ilustrar** · **plasmar** || **expresar(se)** · **acompañar** || **formar(se)** *Se formó musicalmente en Alemania* · **madurar** · **educar** · **crecer**

☐ USO Se construye frecuentemente con participios: *una obra dirigida musicalmente por....*

músico, ca

1 músico, ca s.

● CON ADJS. **buen,-a** · **notable** · **competente** · **talentoso,sa** · **brillante** · **formidable** *Pienso que es un músico formidable* · **excelente** · **eminente** · **consumado,da** · **virtuoso,sa** || **mal,-a** · **mediocre** *Considerado antes un músico mediocre, ahora en cambio ha saltado a la fama* · **de pacotilla** || **popular** · **conocido,da** · **famoso,sa** · **destacado,da** *los músicos más destacados del siglo pasado* · **nombrado,da** · **renombrado,da** · **afamado,da** || **reputado,da** · **reconocido,da** · **respetado,da** *Siempre fue muy respetado como músico de jazz* · **laureado,da** · **prestigioso,sa** · **distinguido,da** || **insigne** · **ilustre** · **respetable** · **modesto,ta** || **desconocido,da** || **aficionado,da** *Solo soy un músico aficionado* || **profesional** · **consagrado,da** · **de {primera/segunda} fila** || **ambulante** · **de feria** || **aburrido,da** || **versátil** || **predilecto,ta** *¿Recuerdas cuáles eran los músicos predilectos de nuestra juventud?*

● CON VBOS. **tocar (algo)** · **interpretar (algo)** · **estrenar (algo)** · **dar conciertos** *Este músico dará su próximo concierto en Argentina* || **conjuntar(se)** || **destacar** · **triunfar** · **fracasar** || **contratar** || **ejercer (de)** · **hacer (de)** || **ir (para)** *Parece que el niño va para músico* || **consagrar(se) (como)** · **convertir(se) (en)** *Se convirtió en un músico excepcional*

2 música s.f.

● CON ADJS. **viva** · **rápida** · **animada** · **movida** · **trepidante** · **desenfrenada** || **ensordecedora** *Bajen el volumen de esa música ensordecedora, por favor* · **atronadora** · **a toda pastilla** · **a todo volumen** · **electrizante** || **suave** *una música suave, tranquila y relajante* · **apacible** · **lenta** · **tranquila** · **pausada** · **de fondo** *No puedo estudiar con música de fondo* || **armoniosa** · **melodiosa** · **cadenciosa** · **acompasada** · **pautada** || **desacompasada** · **desafinada** *No hicimos un buen ensayo, la música nos salió desafinada* · **estridente** || **alegre** · **triste** · **solemne** || **irresistible** · **arrebatadora** · **cautivadora** · **celestial** || **repetitiva** · **machacona** · **contagiosa** · **pegadiza** *Aquel verano se puso de moda una música muy pegadiza* · **inspirada** · **ramplona** || **tonal** · **atonal** || **clásica** · **barroca** *Fuimos a un concierto de música barroca* · **sinfónica** · **ligera** · **fúnebre** · **de salón** · **moderna** · **popular** · **tradicional** · **ambiental** · **de cámara** · **instrumental** · **vocal** · **enlatada** || **adicto,ta (a)** · **aficionado,da (a)**

● CON SUSTS. **mundo (de)** · **ámbito (de)** · **mercado (de)** || **concierto (de)** *En honor a las víctimas organizarán un concierto de música clásica* · **ciclo (de)** · **festival (de)** · **sesión (de)** · **lección (de)** · **muestra (de)** · **programa (de)** || **ritmo (de)** · **armonía (de)** · **esencia (de)** · **sentido (de)** || **grupo (de)** · **banda (de)** · **director,-a (de)** · **intérprete (de)** · **genio (de)** · **mito (de)** · **amante (de)** *Un concierto al que deben acudir todos los amantes de la música sinfónica* || **escuela (de)** · **curso (de)** || **instrumento (de)**

● CON VBOS. **surgir** · **brotar** · **fluir** · **difundir(se)** · **discurrir** · **seguir** || **poner (a algo)** *Me gustaría poner música a este poema* || **aburrir (a alguien)** · **dormir (a alguien)** · **adormilar (a alguien)** · **acompañar (a alguien)** · **calmar (a alguien)** *Dicen que la música calma a las fieras* · **amansar (a alguien)** || **seducir (a alguien)** · **encandilar (a alguien)** || **llegar (a alguien)** *Es una música bonita, pero no me llega* · **regalar los oídos (a alguien)** || **pegárse(le) (a alguien)** || **entrecortar(se)** · **parar(se)** · **interrumpir(se)** || **escribir** · **componer** · **arreglar** · **orquestar** || **publicar** · **emitir** *Esa emisora de radio emite una vez por semana música tradicional* · **prodigar** || **tocar** · **interpretar** · **cantar** · **canturrear** · **tararear** · **entonar** · **silbar** · **susurrar** || **escuchar** *Me puedo pasar las horas muertas escuchando música* · **oír** · **percibir** · **experimentar** · **sentir** · **bailar** || **descargar (de la red)** || **dejarse llevar (por)** ·

sumergir(se) (en) · **zambullir(se) (en)** || **gozar (de)** · **disfrutar (de)**
● CON PREPS. **al calor (de)** · **al compás (de)** *Fue un recital mágico, todo el público vibraba al compás de la música* · **al ritmo (de)** · **al son (de)**
□ EXPRESIONES **con la música a otra parte** [se usa para alejar a alguien de forma intempestiva] *col.*

musitar v. *col.*

● CON SUSTS. **palabra** *Avergonzados, seguíamos musitando palabras de disculpa* · **oración** · **mensaje** · ***otras manifestaciones verbales*** || **plegaria** · **ruego** || **ruido** · **sollozo**
● CON ADVS. **entre dientes** · **imperceptiblemente**

mustio, tia adj.

● CON SUSTS. ***persona*** *una muchacha mustia, lánguida y desangelada* || **rosa** · **geranio** *Los geranios se han quedado mustios por el fuerte calor de estos días* · **hortensia** · ***otras plantas*** · **campo** || **aspecto** · **imagen** · **gesto** · **cara** · **mirada** · **voz** *Lo dijo con voz mustia y ahogada* || **vida** *Llevé en aquella ciudad una vida mustia, monótona* || **ánimo** · **ilusión** || **sabor**
● CON VBOS. **ser** · **dejar** *La noticia la ha dejado mustia* || **estar** · **poner(se)** · **quedar(se)**

musulmán, -a

1 **musulmán, -a** adj.
● CON SUSTS. **fe** · **dios** · **profeta** · **mezquita** · **paraíso** · **cementerio** · **plegaria** · **rezo**

2 **musulmán, -a** s.
● CON ADJS. **devoto,ta** || **chiita** · **sunita** · **sufí**
➤ Véase también **CREYENTE**

mutilación s.f.

● CON ADJS. **grave** · **atroz** · **salvaje** || **física** · **corporal** · **sexual** · **genital** || **textual** · **cinematográfica** || **de guerra**
● CON SUSTS. **práctica (de)**
● CON VBOS. **provocar** · **causar** · **practicar** · **ejecutar** || **sufrir** · **padecer** || **someter (a)**

mutilar v.

● CON SUSTS. ***persona*** || **brazo** · **pierna** · ***otras partes del cuerpo*** || **vídeo** · **cinta** · **película** · **texto** · **documento** *un documento probatorio mutilado* · **novela**
● CON ADVS. **terriblemente** · **horriblemente** || **brutalmente** · **cruelmente** · **atrozmente** *El motorista se mutiló atrozmente con el quitamiedos* · **bárbaramente** · **sin piedad**

mutismo s.m.

● CON ADJS. **absoluto** *Se mantuvo en el más absoluto mutismo* · **total** · **permanente** · **inaccesible** || **sepulcral**
● CON VBOS. **guardar** · **mantener** *He decidido mantener el mutismo hasta el final* || **romper** *Rompió su mutismo para decir...* || **encerrar(se) (en)** · **permanecer (en)** || **salir (de)**

mutuo, tua adj.

● CON SUSTS. **respeto** *Nuestra relación se basa en el respeto mutuo y el diálogo sincero* · **confianza** · **tolerancia** · **reconocimiento** · **simpatía** · **aprecio** · **conocimiento** · **interés** · **seducción** · **comprensión** · **amistad** · **deseo** · **admiración** · **afecto** *El afecto que sentimos es mutuo* · **amor** · ***otros sentimientos o emociones*** || **acuerdo** · **disenso** · **consenso** · **consentimiento** · **entendimiento** || **acusación** · **reproche** *La reunión transcurrió en un clima tenso, de acusaciones y reproches mutuos* · **recriminación** || **desconfianza** · **antipatía** · **desprecio** · **rencor** · **odio** · **aversión** || **enemistad** · **agresión** · **destrucción** · **desencanto** || **beneficio** · **apoyo** · **ayuda** · **cooperación** · **protección** · **defensa** || **felicitación** · **disculpa** · **concesión** *Ha habido concesiones mutuas*
□ USO Se construye generalmente con sustantivos no contables en singular (*amor mutuo*) o con contables en plural (*disculpas mutuas*).

N n

nacer v.

• CON SUSTS. **niño,ña** · **bebé** *Fue un parto complicado, porque el bebé nació de nalgas* · **gato,ta** · ***otros seres vivos*** || **pelo** *Aunque te corten el pelo al cero te nacerá muy deprisa* · **pluma** || **astro** · **sol** *El Sol nace por el Este* || **río** · **manantial** || **miedo** *El miedo nace de la ignorancia* · **amargura** · **odio** · **amor** · ***otros sentimientos***

naciente adj.

• CON SUSTS. **sol** *el Imperio de sol naciente* · **estrella** · **luz** || **asociación** · **agrupación** || **civilización** · **sociedad** · **burguesía** · **nación** · **régimen** *El régimen naciente recibió numerosos apoyos* · **democracia** · **república** · **imperialismo** · **capitalismo** || **industria** || **movimiento** · **estética** · **moda** || **mercado** *Estos países son un mercado naciente para este tipo de productos* || **vida**

nacimiento s.m.

• CON ADJS. **prematuro** · **feliz** *Celebraron el feliz nacimiento del primogénito* · **puntual** · **tardío**

• CON VBOS. **producir(se)** · **tener lugar** || **celebrar** · **conmemorar** *Este año se conmemora el nacimiento de Cervantes*

[nacimiento] → de nacimiento; nacimiento

nación s.f.

• CON ADJS. **soberana** || **española** · **argentina** *la nación argentina* · **francesa** · ***otros gentilicios***

• CON VBOS. **formar(se)** · **surgir** *Y surgió así una nación que llegaría a ser fuerte y poderosa* · **conformar(se)** · **constituir(se)** · **emerger** · **nacer** · **unir(se)** · **poblar(se)** || **desmembrar(se)** · **despoblar(se)** · **separar(se)** || **expandir(se)** · **prosperar** *La nación comenzó a prosperar a finales del siglo* || **independizar(se)** · **liberar(se)** || **gobernar** · **regir** || **anexionar(se)** *...e intentó luego anexionarse la nación vecina* · **sojuzgar**

nacional adj.

• CON SUSTS. **policía** *La Policía Nacional se hará cargo de la investigación* · **universidad** · **gobierno** · ***otros organismos*** || **selección** *la selección nacional de baloncesto* · **equipo** || **legislación** · **ley** · **normativa** · **disposición** · **norma** || **plan** · **proyecto** || **nivel** · **ámbito** · **alcance** || **elecciones** *Los sondeos sobre las elecciones nacionales pronostican...* · **partido** · **diputado,da** || **problema** · **crisis** || **defensa** · **seguridad** || **moneda** · **economía** · **industria** · **producción** || **prueba** · **examen** · **certamen** · **concurso** *Me he presentado a un concurso nacional de fotografía* · **premio** || **artista** · **escritor,-a** || **fiesta** · **feriado** · **festejo** || **diario** · **periódico** · **publicación** || **interés** *Es un asunto de interés nacional* · **preocupación** · **relevancia** · **importancia** · **conciencia** || **realidad** · **situación** · **coyuntura**

nacionalidad s.f.

• CON ADJS. **doble** *Los hijos nacidos en España de padres mexicanos poseen la doble nacionalidad* · **histórica** || **chilena** · **inglesa** · **china** · ***otros gentilicios***

• CON VBOS. **ostentar** · **tener** *Aunque tengo la nacionalidad española, nací en el extranjero* · **poseer** || **adquirir** · **obtener** · **cambiar** · **solicitar** · **pedir** · **perder** · **conservar** || **conceder** · **otorgar** · **denegar** *Le denegaron la nacionalidad británica* · **revocar**

nacionalismo s.m.

• CON ADJS. **democrático** · **revolucionario** · **progresista** · **liberal** · **conservador** · **moderado** *un político que sentó las bases del nacionalismo moderado* || **moderno** · **actual** · **acorde con los tiempos** || **extremista** · **fanático** · **radical** · **sectario** · **exacerbado** · **agresivo** || **tribal** · **étnico** || **racista** || **local** · **provinciano** · **regional** · **estatal** · **periférico** · **centrista** · **descentralizador** || **cultural** · **histórico** · **económico** || **romántico** *el nacionalismo romántico de los autores de esta época* || **doctrinario**

• CON VBOS. **triunfar** || **tolerar** || **fomentar** · **impulsar** *Con estas medidas se impulsa veladamente el nacionalismo* · **apoyar** · **alimentar** · **avivar** · **reforzar** || **reivindicar** · **defender** · **alabar** || **criticar** · **rechazar** *En sus últimas declaraciones rechaza de plano el nacionalismo* || **luchar (contra)** · **negociar (con)**

nacionalista adj.

• CON SUSTS. **movimiento** *Este movimiento nacionalista nació a finales del siglo pasado* || **régimen** · **gobierno** · **sector** || **líder** · **dirigente** · **diputado,da** · **político,ca** · **candidato,ta** *una entrevista al candidato nacionalista* · **aliado,da** || ***otros individuos y grupos humanos*** || **espíritu** · **sentimiento** · **fervor** · **furor** || **coalición** · **alianza** || **oposición** || **reivindicación** *La principal reivindicación nacionalista era...* · **discurso** · **demagogia** || **campaña** || **orientación**

nacionalizar v.

• CON SUSTS. **economía** · **empresa** · **industria** *Se están tomando medidas para nacionalizar estas industrias* · **petróleo** || ***persona*** *Los trabajadores que deseen nacionalizarse deben presentar...* || **beneficio** || **proyecto** · **campaña** || **debate**

nadador, -a s.

• CON ADJS. **célebre** · **famoso,sa** · **destacado,da** · **experimentado,da** || **rápido,da** · **lento,ta** || **olímpico,ca** · **profesional** · **aficionado,da** || **con clase** · **con futuro**

• CON SUSTS. **trayectoria (de)** *La trayectoria de este nadador en los últimos tres años ha sido impecable* · **carrera (de)** || **delegación (de)** · **grupo (de)** || **entrenamiento (de)** *el duro entrenamiento de los nadadores profesionales* · **preparación (de)** · **ejercicio (de)** || **rendimiento (de)**
• CON VBOS. **lograr** *El nadador logró un nuevo récord olímpico* · **ganar** · **perder** · **derrotar (a alguien)** · **aspirar (a algo)** *un nadador que aspira a la medalla de oro* || **nadar** · **entrenar** · **competir** || **debutar** · **retirar(se)** || **cumplir** · **rendir**

nadar v.

• CON ADVS. **rápidamente** · **lentamente** · **velozmente** || **a contracorriente** *Nadie tuvo entonces el valor de nadar a contracorriente y reconocer que...* · **con dificultad** || **entre dos aguas** || **a crol** · **a mariposa** · **a braza** · **a espalda**

nafta s.f.

• CON ADJS. **súper** · **normal** · **sin plomo**
• CON SUSTS. **precio (de)** || **depósito (de)** · **tanque (de)** *el tanque de nafta de un auto* || **barril (de)** · **bidón (de)**
• CON VBOS. **subir** · **bajar** || **repostar** *parar a repostar nafta* || **echar** · **poner** || **adulterar** || **funcionar (a/con)** || **llenar (algo) (de/con)** || **quedarse (sin)**

naranja

1 **naranja** s.m.

▌[color]

• CON SUSTS. **butano** *unos bañadores naranja butano*
➤ Véase también **COLOR**

2 **naranja** s.f.

▌[fruta]

• CON ADJS. **verde** · **madura** · **pasada** · **pocha** || **dulce** · **ácida** · **amarga** · **desabrida** || **sabrosa** · **apetitosa** · **jugosa** || **sanguina** · **de zumo** · **de mesa**
• CON SUSTS. **cosecha (de)** · **recogida (de)** || **zumo (de)** *tomarse un zumo de naranja* · **jugo (de)** · **refresco (de)** || **cáscara (de)** *Ralla la cáscara de naranja y añádela a la mezcla* · **corteza (de)** · **piel (de)** || **gajo (de)** · **pipo (de)** · **pepita (de)** || **mermelada (de)** · **helado (de)**
• CON VBOS. **madurar** · **pudrir(se)** · **estropear(se)** · **echar(se) a perder** || **cultivar** · **recoger** · **producir** || **pelar** · **cortar** · **mondar** || **exprimir** *Exprime bien las naranjas para que salga todo el jugo*

☐ EXPRESIONES **media naranja** [persona complementaria a otra] *col. Mi prima dice que ya ha encontrado su media naranja*

naranjada s.f.

• CON ADJS. **dulce** · **amarga**
• CON SUSTS. **conserva (de)** · **jarra (de)** *una jarra de naranjada*
➤ Véase también **BEBIDA**

naranjo s.m.

• CON SUSTS. **campo (de)** · **plantación (de)** || **flor (de)**
• CON VBOS. **cultivar**
➤ Véase también **ÁRBOL**

narciso s.m.

• CON SUSTS. **flor (de)** || **ramo (de)**
• CON VBOS. **brotar** || **marchitar(se)** · **florecer** || **sembrar** · **plantar** || **abonar** · **regar** · **trasplantar** *Voy a trasplantar el narciso de la maceta al jardín*

narcótico, ca

1 **narcótico, ca** adj.

• CON SUSTS. **efecto** *los efectos narcóticos del alcohol* || **sustancia** · **droga**

2 **narcótico** s.m.

• CON ADJS. **fuerte** · **potente** *Le tuvieron que administrar un potente narcótico* · **poderoso** · **terrible** || **vegetal** · **opiáceo** · **sintético** || **ilegal**
• CON SUSTS. **tráfico (de)** · **producción (de)** · **distribución (de)** · **contrabando (de)** || **adicción (a)** *Tuvo que ingresar en una clínica debido a su adicción a los narcóticos* · **sobredosis (de)** || **control (de)** || **demanda (de)**
• CON VBOS. **adquirir** · **importar** || **consumir** · **inyectar** · **suministrar** *El médico decidió suministrarle un poderoso narcótico* · **administrar** || **alterar**

nardo s.m.

• CON SUSTS. **campo (de)** || **flor (de)**
• CON VBOS. **brotar** · **nacer** · **crecer** || **secar(se)** · **marchitar(se)** · **florecer**

nariz s.f.

• CON ADJS. **chata** · **roma** || **afilada** · **aguileña** *un rostro de nariz aguileña* · **respingona** · **griega** || **abultada** · **picuda** · **prominente** · **pronunciada** · **puntiaguda** · **perfilada** || **taponada** · **atascada**
• CON VBOS. **congestionar(se)** · **tapar(se)** · **destapar(se)** · **sangrar** *Me empezó a sangrar la nariz* · **picar** · **moquear** || **escarbar (en)** · **hurgar (en)** *No te hurgues en la nariz, marranote*

☐ EXPRESIONES **asomar la nariz** (por un lugar) [aparecer por allí] || **dar en la nariz** (algo) (a alguien) [hacerle sospechar] *col.* || **en las narices** (de alguien) [en su presencia] *col.* || **hinchárse(le)** (a alguien) **las narices** [hartarse] *col.* || **meter las narices** (en algo) [inmiscuirse, entrometerse] || **no ver** (alguien) **más allá de sus narices** [ser poco perspicaz] *col.*

narración s.f.

• CON ADJS. **larga** · **extensa** · **completa** · **detallada** · **pormenorizada** · **profusa** *una profusa narración cargada de detalles* || **breve** · **corta** · **escueta** · **condensada** || **descarnada** || **histórica** · **testimonial** · **lineal** *una narración lineal, sin saltos en el tiempo...* · **retorcida** · **poderosa** || **lenta** · **rápida** · **trepidante**
• CON VBOS. **discurrir** · **fluir** · **avanzar** *La narración avanzaba a un ritmo trepidante* · **seguir** || **conducir** · **ordenar** · **construir** · **crear** · **hilar** · **hilvanar** *Hilvanó su narración sin omitir detalle* · **recopilar** · **tejer** || **leer** · **escuchar** || **interrumpir** · **dejar a medias** || **continuar (con)**
• CON PREPS. **al hilo (de)** *Al hilo de la narración, iba yo haciéndome a la idea de las terribles calamidades por las que habían pasado*

narrar v.

• CON SUSTS. **historia** · **hecho** · **suceso** *La periodista narró el suceso con todo detalle*
• CON ADVS. **a grandes rasgos** · **apresuradamente** · **aproximadamente** · **someramente** || **con pelos y señales** *Un texto conmovedor en el que narra con pelos y señales las vicisitudes de...* · **con todo lujo de detalles** · **detalladamente** · **escrupulosamente** · **minuciosamente** || **convincentemente** || **oralmente** · **verbalmente**

[narrativa] s.f. → narrativo, va

narrativo, va

1 **narrativo, va** adj.

●CON SUSTS. **literatura · género · obra · escritura · prosa · texto · poema · ficción · discurso · lenguaje || eficacia · valor · calidad** *una novela de una enorme calidad narrativa* · **destreza · habilidad · talento · capacidad · agilidad · maestría · fluidez · frescura · vitalidad · intensidad || técnica** *un curso de técnicas narrativas* · **procedimiento · tratamiento · fórmula · estructura · juego || hilo** *El hilo narrativo de esta novela es bastante difícil de seguir* · **progresión · desarrollo · ritmo || mundo · universo** *los numerosos personajes que conforman su universo narrativo* · **sistema || estilo · estética || producción · trayectoria · ciclo || voz || realismo** *el espeluznante realismo narrativo de esta autora*

2 **narrativa** s.f.

●CON ADJS. **fantástica · experimental** *En este momento está ensayando nuevas posibilidades dentro de la narrativa experimental* · **moderna · contemporánea · actual || épica · histórica · tradicional || infantil** *Esta editorial se dedica principalmente a la narrativa infantil* · **juvenil || cinematográfica || epistolar**

nasal adj.

●CON SUSTS. **fosas** *El médico le diagnosticó una infección en las fosas nasales* · **cavidad · orificio · tabique · apéndice · mucosa || obstrucción · congestión** *un medicamento para la congestión nasal* · **catarro || fractura · traumatismo · hemorragia || sonido · consonante · vocal · voz || inhalador**

[nata] s.f. → nato, ta

natal adj.

●CON SUSTS. **tierra · país** *Tenía muchas ganas de regresar a su país natal* · **estado · región · provincia · ciudad · localidad · población · villa · pueblo · barrio · casa** *un plan para convertir su casa natal en un museo* · ***otros lugares*** **|| idioma || control**

natalidad s.f.

●CON ADJS. **alta · elevada** *Las estadísticas otorgan a ese país la natalidad más elevada del mundo* · **baja · escasa · moderada || mundial**

●CON SUSTS. **tasa (de)** *una tasa de natalidad excepcionalmente baja* · **índice (de) · nivel (de) || control (de)**

●CON VBOS. **aumentar · crecer** *una zona en la que está creciendo la natalidad a pasos agigantados* **|| disminuir · decrecer || fomentar** *Con estas medidas se pretende fomentar la natalidad en nuestro país* · **incentivar · estimular · premiar || reducir · limitar · mantener · controlar · regular || registrar**

nativo, va adj.

●CON SUSTS. **población · comunidad · tierra · ciudad · pueblo · tribu ·** ***otros grupos humanos*** **|| indio,dia · profesor,-a · guía** *Una guía nativa nos acompañó durante la excursión* · ***otros individuos*** **|| bosque · especie · animal · vegetación || lengua** *Hablaba su lengua nativa solo en el ámbito familiar* · **idioma · lenguaje || origen · raíz**

nato, ta

1 **nato, ta** adj.

●CON SUSTS. **organizador,-a** *Es una organizadora nata* · **comunicador,-a · seductor,-a · manipulador,-a · don · virtud ·** ***otras cualidades o defectos*** **|| artista · pedagogo,ga · profesor,-a · político,ca · cocinero,ra ·** ***otros profesionales***

2 **nata** s.f.

●CON ADJS. **montada** *un postre recubierto de nata montada* · **batida · líquida**

●CON VBOS. **agriar(se)** *La nata se agrió con el calor* · **cortar(se) || formar(se) · salir || montar · batir** *Lo primero que tengo que hacer es batir la nata*

natural adj.

▮ [relativo a la naturaleza o procedente de ella]

●CON SUSTS. **recurso · reserva** *un país con una enorme reserva natural de petróleo* · **riqueza · patrimonio · belleza || desastre · fenómeno · catástrofe || medio · entorno · ambiente · hábitat · espacio · mundo || luz** *El hotel está dotado de amplios salones, con luz natural y espacios diáfanos* · **iluminación || historia · ciencia · filosofía || ley · derecho || medicina || selección · muerte · causa || don · dote · condiciones** *Tienes condiciones naturales para los deportes* · **capacidad || tendencia · inclinación || cauce · paso · proceso**

▮ [semejante a la naturaleza]

●CON SUSTS. **tamaño** *una estatua de tamaño natural*

▮ [sin mezcla, sin alteración]

●CON SUSTS. **zumo · jugo · producto**

▮ [espontáneo]

●CON SUSTS. ***persona*** *La chica a la que entrevistaron estuvo muy natural* **|| respuesta**

naturaleza s.f.

▮ [medio natural]

●CON ADJS. **exuberante** *...perdidos en medio de la naturaleza exuberante de la isla* **|| indómita · inhóspita** *un paraje de naturaleza inhóspita* · **salvaje || virgen · vegetal**

●CON SUSTS. **fuerza (de) · fenómeno (de) || enamorado (de) · amante (de) || respeto (a)**

●CON VBOS. **deteriorar(se) · regenerar(se) || esquilmar · adulterar · dañar · contaminar · destrozar || conservar · cuidar · proteger** *Entre todos debemos conservar, proteger y cuidar la naturaleza que nos rodea* · **respetar || explorar · invadir || disfrutar (de)**

▮ [esencia o propiedad]

●CON ADJS. **característica · genuina · propia · compleja** *la compleja naturaleza de un problema* **|| extraña · sorprendente · peculiar || humana · espiritual || política · jurídica · social · económica**

●CON VBOS. **estudiar · analizar || comprender · captar** *No soy capaz de captar la naturaleza de sus actos* · **desentrañar · dilucidar || transformar · modificar · alterar · desvirtuar · tergiversar || residir (en) · ahondar (en) || depender (de) · estar en función (de)**

☐ EXPRESIONES **naturaleza muerta** [bodegón]

naturalidad s.f.

●CON ADJS. **pasmosa** *Actuó con una naturalidad pasmosa* · **suma · a raudales || absoluta · total · completa || engañosa · ficticia · fingida · falsa**

●CON VBOS. **tener · poseer || derrochar · demostrar · mostrar || hacer gala (de) · actuar (con) · desenvolverse (con)**

●CON PREPS. **con** *desenvolverse con naturalidad* · **sin**

naturalista adj.

• CON SUSTS. **corriente · pensamiento · filosofía · realismo · materialismo || pintura** *una exposición de pintura naturalista* · **literatura** · ***otras manifestaciones artísticas*** || **pensador,-a · seguidor,-a || asociación**

naturalizar(se) v.

▮ [nacionalizarse]

• CON SUSTS. ***persona*** *Mi tío se naturalizó mexicano hace unos años*

▮ [hacer natural]

• CON SUSTS. **texto · redacción · poesía || actitud · costumbre** *En pocos años se naturalizó la costumbre de comer aquellos exóticos frutos* || **derechos**

naufragar v.

• CON SUSTS. **barco** *El barco naufragó frente a las costas gallegas* · **navío · yate · flota** · ***otras embarcaciones*** || **marinero,ra · pescador,-a** · ***otros individuos y grupos humanos*** || **acuerdo** *El acuerdo estaba a punto de ser alcanzado, pero naufragó pocas horas antes de la firma* · **investigación · plan · proyecto · negocio · intento || matrimonio · relación** *La relación de la pareja acabó naufragando en un mar de diferencias*

náusea s.f.

• CON ADJS. **fuerte** *Esta mañana me he levantado con fuertes náuseas* · **intensa · profunda · terrible · invencible || existencial · vital**

• CON VBOS. **aparecer || dar (a alguien)** *Solo con verlo me dan náuseas* · **entrar (a alguien) · provocar · producir · causar · ocasionar · originar || sentir** *Fue a primera hora de la tarde cuando empezó a sentir náuseas* · **experimentar · sufrir · tener · venir (a alguien)** *Esta pastilla es para que no te vengan náuseas* || **soportar · aguantar · superar**

☐ USO Se usa más frecuentemente en plural.

nauseabundo, da adj.

• CON SUSTS. **lugar** *Sin darnos cuenta fuimos a parar a un lugar nauseabundo* · **mundo · vertedero || hedor · olor** *un olor nauseabundo que procedía de la basura allí acumulada* || **realidad · existencia · guerra || imagen · aspecto**

• CON VBOS. **ser · volver(se) · estar**

náutico, ca adj.

• CON SUSTS. **club** *Solían frecuentar el club náutico de la localidad* · **escuela · centro · complejo · instalación · infraestructura · zona · área · sector || actividad · afición · deporte · esquí · turismo || enseñanza · competición || accidente** *un accidente náutico sin víctimas* || **moto || carta**

navaja s.f.

▮ [cuchillo]

• CON ADJS. **afilada · puntiaguda · punzante || roma**

• CON VBOS. **doblar · plegar · abrir** *Cuidado, no te cortes al abrir la navaja* · **cerrar || empuñar · blandir · esgrimir || amenazar (con) · apuñalar (con) · herir (con)**

• CON PREPS. **con** *pelar una naranja con la navaja* · **a punta (de)**

▮ [molusco]

• CON ADJS. **al natural · enlatada · cruda · fresca**

• CON VBOS. **abrir(se) · cerrar(se) || recoger · capturar · extraer · mariscar** *En esta época del año gana algo de dinero mariscando navajas*

[navaja] →a punta de {navaja/pistola}; navaja

navajazo s.m.

• CON ADJS. **profundo · mortal**

• CON SUSTS. **autor,-a (de)** *La Policía ha arrestado al presunto autor del navajazo* · **víctima (de)**

• CON VBOS. **afectar** *El navajazo le ha afectado uno de los pulmones* || **recibir · dar · asestar · meter || herir (de) · morir (por) · asesinar (de) · matar (de)**

naval adj.

• CON SUSTS. **base** *Mi hermano trabaja en una base naval* · **unidad · escuela || sector · zona || fuerza · autoridad · flota || combate · batalla** *Este cuadro representa la batalla naval que tuvo lugar en...* · **lucha · guerra · bloqueo || construcción · modelismo || industria · empresa || ingeniero,ra · ingeniería || fiesta**

nave s.f.

▮ [embarcación]

• CON ADJS. **varada**

• CON SUSTS. **casco (de) · popa (de) · proa (de) · cubierta (de) · puente (de)**

• CON VBOS. **zarpar · partir** *¿Desde qué puerto partieron las naves?* · **arribar || viajar · surcar · navegar · maniobrar || zozobrar · escorarse || fondear · recalar · encallar · varar(se) · volcar · irse a pique · naufragar · hundir(se) || conducir · llevar · controlar · tripular || abandonar || derribar · dinamitar · volar || tomar (al abordaje) · abordar || cargar || abanderar || subir (a) · embarcarse (en)** *Con veinte años se embarcó en una nave para dar la vuelta al mundo*

• CON PREPS. **a bordo (de)**

▮ [vehículo volador]

• CON ADJS. **aérea · espacial** *el lugar exacto en el que se precipitó la nave espacial* · **estelar · militar || moderna · poderosa · extraterrestre · orbital · interplanetaria**

• CON SUSTS. **nodriza** *transmitir datos a la nave nodriza* · **madre**

• CON VBOS. **volar · despegar** *La nave despegó a la hora fijada* · **salir · aterrizar · tomar tierra || ascender · descender || estrellarse · accidentarse || lanzar · pilotar || enviar · desviar || derribar || salir (de) · subir (a) · bajar (de) || contactar (con) · impactar (contra)** *Un meteorito impactó contra la nave espacial* · **viajar (en)**

• CON PREPS. **a bordo (de)**

▮ [espacio entre muros o arcadas]

• CON ADJS. **central** *La nave central de la catedral es realmente impresionante* · **principal · lateral**

▮ [almacén o espacio de trabajo]

• CON ADJS. **industrial · militar · municipal || inmensa · gran(de) · pequeña**

• CON VBOS. **levantar · construir · habilitar · adecentar || derribar · destruir · volar · desalojar**

navegación s.f.

• CON ADJS. **espacial · aérea · fluvial** *En esta zona está prohibida la navegación fluvial* · **marítima · marina · oceánica · submarina · deportiva || a vapor · a vela ||**

{por/vía} **satélite** · **por internet** · **informática** || **ilegal** · **libre** · **internacional** || **aficionado,da (a)** *Todos los miembros de mi familia son aficionados a la navegación* · **amante (de)**

• CON SUSTS. **diario (de)** *el diario de navegación del capitán* · **carta (de)** || **instrumento (de)** · **aparato (de)** · **equipo (de)** || **problema (de)** · **fallo (de)** || **programa (de)** · **sistema (de)** · **técnica (de)** || **condición (de)** *unas condiciones favorables de navegación* · **tiempo (de)** · **velocidad (de)** || **ruta (de)** || **arte (de)** || **permiso (de)** · **norma (de)**

navegador s.m.

• CON ADJS. **de internet** *¿Qué navegador de internet empleas en el trabajo?* · **de coche** · **quirúrgico**

• CON SUSTS. **versión (de)** || **mercado (de)**

• CON VBOS. **configurar** *Los informáticos han configurado el navegador para...* · **cambiar** · **incorporar** · **separar** · **cerrar** || **distribuir** · **comercializar** || **trabajar (con)**

navegante s.com.

• CON ADJS. **veterano,na** *un homenaje en honor del veterano navegante* · **experimentado,da** · **experto,ta** · **profesional** · **consumado,da** · **ilustre** || **aficionado,da** || **valiente** · **intrépido,da** || **errante** · **solitario,ria** || **de internet**

• CON SUSTS. **aviso (para/a)** *Atención, aviso a navegantes: que nadie venga a la reunión sin...*

navegar v.

▮ [en una nave]

• CON SUSTS. **barco** · **pesquero** *El pesquero navegó mar adentro* · **velero** · **navío** · **flota** · ***otras embarcaciones*** || **marinero,ra** · **patrón** · **pescador,-a** · ***otros individuos y grupos humanos***

• CON ADVS. **a barlovento** · **a la deriva** *La balsa navegó a la deriva durante varios días* · **a toda máquina** · **a toda vela** · **contra viento y marea** · **sin rumbo** · **viento en popa**

▮ [en una red informática]

• CON ADVS. **por internet** · **por la red** *Se pasa el día sentado frente al ordenador, navegando por la red* · **virtualmente**

navidad s.f.

• CON ADJS. **feliz** *Que pases una feliz Navidad junto a tus seres queridos* · **emotiva** · **cálida** · **entrañable** · **añorada** · **mágica** || **fría** · **blanca** || **apoteósica** · **gloriosa** · **solemne** || **comercial**

• CON SUSTS. **día (de)** · **tiempo (de)** · **fiestas (de)** · **vacaciones (de)** || **misa (de)** · **auto (de)** · **oratorio (de)** || **cena (de)** *Ya hemos elegido el menú para la cena de Navidad* · **comida (de)** || **lotería (de)** · **premio (de)** · **sorteo (de)** || **árbol (de)** · **regalo (de)** · **compras (de)**

• CON VBOS. **acercar(se)** · **avecinar(se)** · **llegar** || **transcurrir** || **celebrar** *¿En tu casa acostumbran a celebrar la Navidad?* · **festejar** · **conmemorar** || **revivir** · **evocar**

navío s.m.

• CON VBOS. **navegar** · **partir** · **surcar (algo)** *El navío surca veloz los mares* · **zarpar** || **amarrar** · **atracar** *El navío atracó de madrugada* · **fondear** · **maniobrar** || **hundir(se)** · **irse a pique** · **naufragar** *Varios navíos naufragaron en aquellas costas* || **embarrancar** · **encallar** · **varar(se)** · **escorar(se)** · **zozobrar** || **avistar** · **botar** · **abordar** · **tripular** || **desembarcar (de)** · **embarcar(se) (en)** *La tripulación embarcó en el navío, con rumbo desconocido*

• CON PREPS. **a bordo (de)**

neblina s.f.

• CON ADJS. **dispersa** · **suave** *Una suave neblina daba un aspecto misterioso al paisaje* · **ligera** || **densa** · **espesa** · **persistente** · **intensa** || **matinal** *En la cuenca del río es frecuente la aparición de neblinas matinales* · **gris**

• CON VBOS. **aparecer** · **levantar(se)** · **registrar(se)** *Esta madrugada se han registrado neblinas en varios puntos del litoral* · **cubrir (algo)** · **formar(se)** · **flotar** · **producir(se)** · **avanzar** || **desaparecer** · **disipar(se)** · **despejar(se)**

• CON PREPS. **en medio (de)** *En medio de la neblina vimos una silueta que avanzaba hacia nosotros* · **entre** · **bajo**

[nebulosa] s.f. → nebuloso, sa

nebuloso, sa

1 nebuloso, sa adj.

▮ [con nubes, poco claro]

• CON SUSTS. **panorama** · **ambiente** *...unos poemas sumergidos en un ambiente nebuloso y hermético* · **clima** · **atmósfera** || **mañana** · **tarde** · **día** || **iluminación** · **luz** · **estela** · **imagen** || **área** · **zona** · **lugar** · **paisaje** · **firmamento** || **frontera** || **período** *un período nebuloso de la historia de nuestro país* || **expresión** · **mirada** · **visión** || **retórica** · **argumento** · **idea** || **confusión**

2 nebulosa s.f.

▮ [concentración de materia cósmica]

• CON ADJS. **débil** · **ingrávida** || **densa** · **uniforme** || **planetaria**

• CON VBOS. **formar(se)** · **producir(se)** || **despejar(se)** || **entrar (en)** · **internarse (en)** · **sumirse (en)** · **perderse (en)** *En mi sueño me perdía en una especie de nebulosa de la que era incapaz de salir* · **diluirse (en)** · **envolver (en)** || **salir (de)**

▮ [estado de incertidumbre]

• CON ADJS. **vaga** · **confusa** · **indefinida** · **sombría** || **envuelto,ta (en)**

3 nebulosa (de) s.f.

• CON SUSTS. **gas** · **polvo** || **ideas** · **palabras** · **promesas** · **sueños** || **dudas** · **cavilaciones** · **sospechas** · **contradicciones**

□ USO Se construye generalmente con sustantivos no contables en singular (*una nebulosa de polvo*) o con contables en plural (*una nebulosa de sueños*).

necesario, ria adj.

• CON SUSTS. **condición** · **requisito** || **paso** *¿Has dado ya los pasos necesarios para...?* · **trámite** || **cualidad** · **dato** · **factor** · **rasgo** · **elemento** · **componente**

• CON ADVS. **absolutamente** *Es absolutamente necesario que vengas* · **como el aire** · **como el comer** · **totalmente** · **de todo punto**

[necesidad] → de necesidad; de primera necesidad; necesidad

necesidad s.f.

• CON ADJS. **primaria** · **primera** *ante la tendencia alcista de los precios en los artículos de primera necesidad* · **básica** || **enorme** · **abrumadora** · **urgente** · **acuciante** · **apre-**

miante · compulsiva · vehemente · imperante · imperiosa *¿No sientes la imperiosa necesidad de decírselo?* · incontenible · vital · indudable · inexcusable · ingente · insaciable · insoslayable · irrefrenable · irreprimible · perentoria *Esos cambios son de una necesidad perentoria en el propio Gobierno* · preeminente || colectiva · personal || lógica · instintiva · justa || acorde (con) *un pacto acorde con la necesidad histórica del momento*

• CON VBOS. acuciar (a alguien) · apremiar (a alguien) · asediar (a alguien) || cubrir *¿Es suficiente con esto para cubrir las primeras necesidades?* · atender · colmar · satisfacer *Tengo satisfechas todas mis necesidades básicas* · paliar · remediar · saciar · aliviar || desatender || calibrar · tener en cuenta · tomar en cuenta · valorar · considerar · evaluar *Lo primero es evaluar las necesidades más urgentes* · constituir || acusar · tener *No tienes necesidad de ir pregonando por ahí que...* · aducir · deducir · demostrar · imponer · plantear · representar · sobrepasar · solucionar · detectar · solventar · sufragar || aclimatar(se) (a) · acomodar(se) (a) · adaptar(se) (a) · ajustar(se) (a) · amoldar(se) (a) · cumplir (con) || ahondar (en) || responder (a) *Aquello respondía a una profunda necesidad de renovación* · liberar(se) (de)

• CON PREPS. a la medida (de) *un préstamo a la medida de sus necesidades* · en función (de) · a la altura (de) · a tenor (de)

□ EXPRESIONES **hacer** (alguien) **sus necesidades** [orinar o defecar] *col.*

necesitar v.

• CON ADVS. a toda costa *Necesito a toda costa que hables con él* · como el aire · como el comer · compulsivamente · acuciantemente · apremiantemente || inmediatamente · urgentemente *Necesitamos urgentemente ese dinero* · con urgencia

□ USO Alterna los complementos directos (*Todos necesitamos a los demás*) con los complementos encabezados por la preposición *de* (*Todos necesitamos de los demás*).

necio, cia adj.

• CON SUSTS. *persona* *una chica necia y obstinada* || palabras · pregunta · respuesta || negación · afirmación · oposición || actitud *Has tenido una actitud necia y muy poco constructiva* · actuación · acción · comportamiento || pretensión || realidad

[necrológica] s.f. → necrológico, ca

necrológico, ca

1 **necrológico, ca** adj.

• CON SUSTS. nota *Con motivo de su aniversario han publicado notas necrológicas en todos los periódicos* · texto · aviso · artículo · prosa || género · estilo || homenaje · elogio

2 **necrológica** s.f.

• CON ADJS. sentida · emocionada *Le dedicaron una emocionada necrológica en la prensa local* · agradecida || hermosa || oficial

• CON SUSTS. página (de) · sección (de) *la sección de necrológicas de un diario* · apartado (de)

• CON VBOS. escribir *Colaboraba en el periódico escribiendo las necrológicas de escritores ilustres* · redactar || publicar · firmar · dedicar || leer

néctar s.m.

▌[jugo de las flores]

• CON VBOS. chupar · extraer · libar *Las abejas libaban el néctar de las flores* · succionar

▌[bebida]

• CON ADJS. local · selecto · divino · dulce · precioso · afrodisíaco || de (los) dioses *No era un buen restaurante, pero a su lado cualquier cosa me sabía a néctar de dioses* · de la victoria

➤ Véase también **BEBIDA**

neerlandés s.m. Véase IDIOMA

negación s.f.

• CON ADJS. absoluta *Su llegada al poder supuso la negación absoluta de todas las libertades* · completa · total · general · final || rotunda · radical · tajante *La respuesta fue contundente: una negación tajante de todas las acusaciones* · obstinada · drástica · despiadada · seca · intransigente · irracional || constante · permanente · sistemática · perseverante || explícita *Prefiero una negación explícita a andar con rodeos*

• CON VBOS. significar · suponer · implicar · constituir || pedir || motivar *Aún no se saben las causas que han motivado su negación* || justificar · confirmar

negar v.

▌[desmentir, contradecir]

• CON SUSTS. evidencia · realidad *No quieras negar la realidad, por cruda que resulte* · existencia · presencia · veracidad *El Gobierno niega la veracidad de los hechos allí descritos* · verdad · autenticidad · prueba · argumento · evento · hecho *El acusado negó los hechos* || efecto · consecuencia *Nunca negué las consecuencias de mi error* · trascendencia · valor · importancia · implicación · interés · alcance · repercusión · peso · relevancia · significación · influencia · gravedad || acusación · imputación · crítica || cargo · responsabilidad *No niego mi responsabilidad en el accidente* · delito · culpa · crimen · robo || promesa · afirmación · declaración · aseveración || relación *Siempre negó su relación con esa persona* · vinculación · trato · acuerdo · vínculo · nexo *La detenida negó cualquier nexo con los narcotraficantes* || versión · visión · teoría · hipótesis || condición · carácter · esencia · fundamento · calidad *Te gustarán más o menos, pero no se puede negar su calidad* · propiedad || capacidad *Nadie puede negar tu enorme capacidad de organización* · competencia · efectividad · validez || resultado · logro · mérito · éxito || noticia *Negaron la noticia con un desmentido* · rumor · habladuría

▌[denegar, rechazar]

• CON SUSTS. beneplácito · permiso *Las autoridades negaron el permiso para la manifestación* · licencia · autorización *Me negaron la autorización a entrar en el país* · aprobación · petición · favor · conformidad || apoyo · participación · colaboración · ayuda || derecho *Nadie puede negarnos el derecho a un trabajo digno* · justicia || posibilidad · oportunidad · opción || regalo

• CON ADVS. abiertamente · expresamente || absolutamente · en redondo *El sospechoso negó en redondo su vínculo con...* · rotundamente · por completo · por sistema · punto por punto · radicalmente · tajantemente · taxativamente · terminantemente · categóricamente *Han negado categóricamente todas las acusaciones* · con firmeza · con rotundidad · de plano · de pleno · enérgicamente · enfáticamente || reiteradamente · por activa y por pasiva · repetidamente · insistentemente · a los cuatro vientos || a toda costa · a ultranza · fehacientemente || lisa y llanamente

□ USO Los adverbios son comunes a los dos sentidos.

[negativa] s.f. → negativo, va

negativamente adv.

● CON VBOS. **afectar** *Este hecho afectará negativamente a su imagen* · **influir** · **repercutir** · **arrastrar** · **contribuir** · **marcar** || **juzgar** · **valorar** · **decidir** · **ver** · **determinar** · **calificar** · **informar** *Han informado negativamente la solicitud* · **enjuiciar** · **acoger** · **decantarse** · **cotizarse** || **evolucionar** *La situación puede evolucionar negativamente si continúa la huelga* · **desarrollarse** · **acrecentar** · **avanzar** · **funcionar** || **alterar** · **cambiar** · **modificar** · **operar** · **intervenir** || **describir** · **caracterizar** · **exponer** · **presentar** · **configurar** · **conformar** || **distinguir** · **discriminar** · **contrastar** *Datos fiables que contrastan muy negativamente con nuestras expectativas* · **comparar** || **penalizar** · **gravar** || **finalizar** · **concluir** · **acabar**

negativo, va

1 **negativo, va** adj.

▌[desfavorable, perjudicial]

● CON SUSTS. **evaluación** · **balance** · **informe** *La comisión de investigación entregó un informe negativo sobre el proyecto* || **tendencia** · **crecimiento** || **efecto** · **impacto** · **consecuencia** · **repercusión** || **respuesta** · **reacción** || **imagen** · **aspecto** · **forma** · **impresión** · **percepción** || **idea** · **energía** *No me cae bien: transmite energía negativa* · **actitud** · **carga** · **fuerza** || **saldo** · **resultado** · **récord** || **signo** · **sentido** · **factor** *El político discutió los factores negativos y positivos del paquete de medidas económicas* · **elemento** || **valor** · **nota** · **punto** · **tasa** || **panorama** · **clima** · **ambiente** || **variación** · **diferencia** || **racha** · **período** || ***persona*** *una mujer negativa y sin ilusión*

● CON ADVS. **absolutamente** · **totalmente** · **completamente** || **parcialmente** · **en parte** || **verdaderamente** · **ciertamente** || **en absoluto**

● CON VBOS. **ser** · **volver(se)** · **estar** · **poner(se)**

2 **negativo** s.m.

▌[imagen fotográfica]

● CON VBOS. **revelar** *¿Has revelado ya los negativos?* · **digitalizar** || **clasificar** · **ordenar**

3 **negativa** s.f.

▌[negación]

● CON ADJS. **firme** · **irrevocable** · **terminante** *Que conste en el acta mi más terminante negativa a esa propuesta* · **rotunda** · **sistemática** · **tajante** · **absoluta** · **categórica** · **enérgica** · **contumaz** · **contundente** · **expresa** *Rechazó la invitación con una expresa negativa* · **fehaciente** · **obstinada** · **radical** · **taxativa** · **cerrada**

● CON VBOS. **comunicar** · **dar (a alguien)** · **manifestar** · **expresar** · **hacer pública** · **formular** · ***otros verbos de lengua*** || **aceptar** *No acepto una negativa como respuesta* · **rechazar** · **reiterar** · **justificar** || **contestar (con)** · **responder (con)**

negligencia s.f.

● CON ADJS. **grave** || **presunta** · **supuesta** · **posible** || **profesional** · **médica** *El paciente falleció a causa de una negligencia médica* · **criminal** · **policial** · **humana** || **imperdonable** · **inaceptable** *El juicio estuvo plagado de negligencias inaceptables para la defensa* · **inexcusable** · **inexplicable** · **intolerable** || **disculpable** · **explicable**

● CON SUSTS. **cúmulo (de)** · **muestra (de)**

● CON VBOS. **cometer** · **achacar** · **castigar** · **condenar** · **disculpar** || **actuar (con)** *Lo acusaron de haber actuado con negligencia en la investigación*

negligente adj.

● CON SUSTS. **actitud** · **conducta** *Creen que el accidente se debió a una conducta negligente* · **comportamiento** || ***persona*** *una campaña dirigida a los conductores negligentes* || **acción** · **actuación** · **trato** || **gestión** · **labor** || **manipulación** · **prevaricación** · **omisión**

negociación s.f.

● CON ADJS. **abierta** · **distendida** · **exitosa** · **avanzada** · **fructífera** · **sin condiciones** || **a cara de perro** · **tensa** *Tras tensas negociaciones, ambas partes alcanzaron un acuerdo* · **tirante** || **difícil** · **agotadora** · **ardua** · **farragosa** · **intensa** · **turbulenta** · **crucial** || **a pique** || **a puerta cerrada** *Se desconocen los términos del pacto porque fue una negociación a puerta cerrada* · **discreta** · **confidencial** · **secreta** || **cara a cara** · **de igual a igual** · **paritaria** || **colectiva** || **comercial** · **diplomática** · **política** || **en punto muerto** *Con la negociación en punto muerto, se desconoce si se llegará a algún acuerdo* · **interminable** · **larga** · **contra reloj** || **inútil** · **improductiva** · **infructuosa** *Fueron años de infructuosas negociaciones...*

● CON SUSTS. **fruto (de)** *Y, como fruto de la negociación, continúa la colaboración entre ambos organismos* · **resultado (de)** || **fleco (de)** || **ronda (de)**

● CON VBOS. **consumar(se)** · **culminar** · **prosperar** · **tener éxito** || **torcer(se)** · **truncar(se)** · **zozobrar** || **caldear(se)** || **distender(se)** || **llevar a buen puerto** *El mediador llevó a buen puerto las negociaciones* · **llevar adelante** · **acordar** · **arbitrar** · **auspiciar** · **cerrar** · **concertar** · **entablar** || **afrontar** · **centralizar** · **conducir** · **delegar** · **mantener** · **emprender** · **encarar** · **encarrilar** · **enderezar** || **agilizar** · **desbloquear** || **bloquear** · **romper** · **boicotear** · **cancelar** · **congelar** · **interrumpir** · **obstaculizar** *La amenaza de huelga obstaculizará las negociaciones* · **obstruir** · **reventar** · **zanjar** || **reabrir** · **reanudar** · **reiniciar** · **relanzar** || **incitar (a)** || **involucrar(se) (en)**

negociador, -a

1 **negociador, -a** adj.

● CON SUSTS. **proceso** · **ronda** *Ya se iniciaron las rondas negociadoras para el proceso de paz* · **actividad** · **reunión** · **sesión** · **fase** · **vía** *Afortunadamente se ha optado por la vía negociadora para la resolución del conflicto* · **maratón** || **jefe,fa** · **líder** || **comisión** · **equipo** · **mesa** · **delegación** · **grupo** · **parte** || **voluntad** · **posición** · **estrategia** · **misión** · **política** · **táctica** || **capacidad** · **talante** *El talante negociador es una de sus grandes virtudes* · **fuerza** · **esfuerzo** || **tono** · **estilo**

2 **negociador, -a** s.

● CON ADJS. **hábil** · **buen,-a** · **experto,ta** *Tras años de experiencia ha llegado a ser un experto negociador* · **férreo,a** · **duro,ra** · **tenaz** · **correoso,sa** || **transigente** · **intransigente**

● CON VBOS. **pactar (algo)** *Una vez que los negociadores hayan pactado las condiciones del acuerdo...* · **determinar (algo)** · **acordar (algo)** · **disponer (algo)** || **exigir (algo)** · **reclamar (algo)** · **reivindicar (algo)**

negociante s.com.

• CON ADJS. **nato,ta · astuto,ta · hábil · habilidoso,sa · avispado,da · experimentado,da · intrépido,da · buen,-a || duro,ra · conflictivo,va · sin escrúpulos** *No quieren tener relaciones económicas con negociantes sin escrúpulos* **· implacable || avaro,ra || pequeño,ña**
• CON VBOS. **convertirse (en) · transformarse (en)**

negociar v.

• CON SUSTS. **precio** *Los proveedores negocian duramente los precios con los mayoristas* **· tasa · arancel · cantidad · sueldo || compra · venta** *La agencia inmobiliaria se encargará de negociar la venta del piso* **· traspaso · adquisición · préstamo || norma · ley · código · constitución · reglamento ·** ***otras disposiciones*** **|| acuerdo · convenio · contrato · tratado · pacto · paz · alianza · canje** *No se negociará ningún canje con los terroristas* **|| solución · salida · liberación · levantamiento · rescate || límite · requisito · condición · plazo · marco** *Propusieron negociar un nuevo marco de colaboración tras las elecciones* **· término || iniciativa · proyecto · plan · programa · propuesta || ayuda · asistencia · entrega** *Si algún día se negocia la entrega de las armas...* **· devolución · concesión · cooperación · colaboración · donación || modificación · reforma · aumento · ajuste** *...con intención de negociar el ajuste de plantilla* **· reducción || demanda · reivindicación · exigencia · petición || dimisión · cese · renuncia · despido || ingreso · incorporación · retorno · acceso · participación || derecho · soberanía · libertad · asilo**
• CON ADVS. **arduamente · duramente** *Negociaron duramente la subida salarial* **· detalladamente · punto por punto · caso por caso || a cara de perro · a la baja || cara a cara · de igual a igual · mano a mano || contra reloj · altiro || informalmente || a puerta cerrada** *Los sindicatos y la patronal negociaron a puerta cerrada* **|| unilateralmente**

negocio s.m.

• CON ADJS. **boyante · floreciente · próspero · pujante · exitoso · de capa caída** *El negocio del arte estaba de capa caída* **|| redondo** *La venta de la casa resultó un negocio redondo* **· buen(o) · rentable · jugoso · lucrativo · pingüe · sustancioso · fructífero || dinámico · competitivo · productivo || deficitario · catastrófico · infructuoso · abusivo · ruinoso · desastroso · mal(o) · improductivo · de poca monta || limpio · legal · honrado || clandestino · fraudulento · ilegal · sucio · turbio** *una empresa que utilizaban como tapadera de turbios negocios* **· oscuro || al descubierto || electrónico · familiar · privado**
• CON SUSTS. **volumen (de)** *El volumen de negocios de esta empresa ha aumentado en los últimos años* **· cifra (de) || visión (de) || viaje (de) · plan (de) · hombre (de) · mujer (de) · mundo (de) · centro (de)**
• CON VBOS. **marchar · ir sobre ruedas** *El negocio iba sobre ruedas y me propusieron ampliarlo* **· ir viento en popa · tener éxito · prosperar · triunfar · expandir(se) || hundir(se) · irse (a pique) · derrumbar(se) · quebrar · tambalearse · zozobrar · decaer · fracasar || abrir · montar** *Monté mi primer negocio sin ayuda* **· emprender · poner · constituir · acometer || desmontar · cerrar · liquidar · traspasar || ampliar · diversificar · reformar · recortar || sacar adelante · llevar adelante || arruinar || planear · idear · ocurrírse(le) (a alguien) || enderezar · sanear · reflotar || obstaculizar · pisar** *Contó su idea y le pisaron el negocio* **· absorber || gestionar · llevar · regentar · tener · explotar · hacer || blanquear · blindar · destapar** *Destaparon un negocio ilegal de importación de especies protegidas* **|| apalabrar · concertar || estar a cargo (de) || embarcar(se) (en)** *Me embarqué en un negocio poco rentable* **|| invertir (en)**

[negro] → negro, gra; punto negro

negro, gra

1 negro, gra adj.

• CON SUSTS. **tintura || pan · café · pimienta · aceituna || nube** *El cielo se llenó de nubes negras en pocos minutos* **· cielo · aguas || suerte · destino · futuro · presentimiento || día · época** *Fue una época negra para el país* **· período · año || mercado · dinero · mano || novela · humor · pintura · cine · comedia · crónica || lista** *estar en la lista negra de los morosos* **|| pelo · cabello · ojos || agujero · hoyo || humo · tierra || magia · misa || oveja** *Siempre fui la oveja negra de la familia* **|| comunidad · población · continente || fondo || crespón · bandera**
• CON ADVS. **como el carbón** *Lávate las manos, que las tienes negras como el carbón* **· como la noche · como un tizón · como la muerte · como el hollín · como el azabache**
• CON VBOS. **ser · estar · poner(se) · quedar(se)**

2 negro s.m.

• CON SUSTS. **azabache** *una melena negro azabache* **· antracita**
➤ Véase también **COLOR**

□ EXPRESIONES **{estar/ponerse} negro** (algo) [ser o hacerse difícil de realizar] **|| pasarlas negras** [pasarlo mal] *col.* **|| tener la negra** [tener mala suerte] *col.* **|| verse** (alguien) **negro** [tener dificultades para realizar algo] *Con el frío que hacía me vi negro para arrancar el coche*

negruzco, ca adj.

• CON SUSTS. **color · gris · pardo · verde · tono · tonalidad** *El fuego ha dejado el monte de una tonalidad negruzca* **· aspecto || aceite · líquido · mancha · leño · piedra · piel || pelaje · plumaje · capa**
• CON VBOS. **ser · estar · poner(se) · quedar(se)**

neófito, ta s.

• CON VBOS. **introducir · apadrinar**

nervios s.m.pl.

• CON ADJS. **a flor de piel** *En el examen tenía los nervios a flor de piel* **· de punta · en tensión || de acero · templados || preso,sa (de)** *Durante unos minutos fue presa de los nervios y no supo qué responder* **|| incontrolables · incontenibles · irreprimibles**
• CON SUSTS. **ataque (de) · crisis (de) · manojo (de)** *Tranquilízate, que estás hecho un manojo de nervios*
• CON VBOS. **aflorar · entrar (a alguien) · desatar(se) · salir a la luz · asaltar · atenazar || jugar una mala pasada (a alguien)** *Los nervios me jugaron una mala pasada cuando menos me lo esperaba* **· traicionar (a alguien) · delatar (a alguien) || apoderar(se) (de) · apropiar(se) (de) || sosegar(se) · calmar(se) · aplacar(se) · serenar(se) || descomponer(se) · encrespar(se) || perder** *Si pierdes los nervios, perderás el control de la situación* **· apaciguar · atemperar · templar · dominar · controlar · contener · superar · vencer · desfogar || alterar · tensar || notar · acusar · tener || dejarse llevar (por) || poner(se) (de)** *Su actitud egoísta me pone de los nervios* **· estar (de)**

nerviosismo s.m.

• CON ADJS. **evidente** *con falta de sueño, poco concentrados y con un nerviosismo evidente* · **palpable** · **a flor de piel** || **gran(de)** · **acusado** · **exacerbado** · **febril** · **frenético** || **tenso** || **preso,sa (de)**
• CON SUSTS. **estado (de)** || **ápice (de)** · **muestra (de)** || **ataque (de)**
• CON VBOS. **agudizar(se)** · **aumentar** · **disminuir** || **serenar(se)** · **calmar(se)** || **apoderar(se)** || **notar(se)** · **palpar(se)** · **delatar** || **cundir** · **extender(se)** · **propagar(se)** || **provocar** · **causar** · **originar** · **generar** · **desatar(se)** || **superar** · **vencer** · **controlar** · **dominar** || **dejarse llevar (por)** *No te dejes llevar por el nerviosismo e intenta mantener la calma* · **sobreponer(se) (a)**

nervioso, sa adj.

• CON SUSTS. **jugador,-a** · **niño,ña** *Es un niño muy nervioso, no para en todo el día* · **público** · **afición** · ***otros individuos y grupos humanos*** || **carácter** · **temperamento** · **natural** *Tú es que eres de natural nervioso*
• CON ADVS. **enormemente** · **sumamente** · **terriblemente** *Estaba terriblemente nervioso antes del examen* · **tremendamente** · **notablemente** || **ostensiblemente** · **visiblemente** · **claramente**
• CON VBOS. **ser** · **estar** · **poner(se)** · **quedar(se)**

netamente adv.

• CON ADJS. **superior** *Nos enfrentamos a un equipo netamente superior, pero...* · **inferior** || **positivo,va** · **negativo,va** · **favorable** || **político,ca** · **comercial** *Tienen una visión netamente comercial de las campañas políticas* · **deportivo,va** · **artístico,ca** · **literario,ria** || **conservador,-a** · **vanguardista** · **renovador,-a** · **femenino,na** · **masculino,na**

neto, ta adj.

▮ [libre de descuentos o sin añadidos]

• CON SUSTS. **cantidad** *En la etiqueta del producto debe aparecer la cantidad neta* · **cifra** · **importe** · **suma** · **activo** · **peso** · **valor** · **cuantía** · **coste** · **superficie** || **ahorro** · **ganancia** · **reserva** · **rendimiento** · **pérdida** · **beneficio** *La empresa duplicó su beneficio neto en el primer trimestre* · **plusvalía** · **recaudación** · **excedente** · **ingreso** · **utilidad** · **rentabilidad** · **dividendo** || **sueldo** · **retribución** · **salario** · **renta** || **deuda** · **endeudamiento** || **incremento** · **aumento** *El aumento neto del presupuesto con respecto al del año anterior es de...* · **subida** · **disminución** · **crecimiento** || **margen** · **diferencia** || **resultado** · **saldo** || **contribución** *un país receptor de grandes subvenciones agrícolas y con muy baja contribución neta* · **aportación** · **comisión** || **subvención** · **crédito** · **financiación** · **inversión** || **patrimonio** · **negocio** · **edificabilidad** · **empleo** || **venta** · **demanda** || **contribuyente**

▮ [limpio, claro]

• CON SUSTS. **distinción** · **definición** · **delimitación** || **superioridad** · **ventaja** · **mayoría** || **victoria** *El equipo no brilló, pero logró una neta victoria ante...* · **triunfo** || **frontera** · **límite** || **perfil** *Son estas unas provincias de neto perfil agrícola* · **imagen** · **contorno**

neumático, ca

1 **neumático, ca** adj.

• CON SUSTS. **lancha** *Fuimos a bordo de una lancha neumática* · **embarcación** · **bote** · **balsa** · **colchón** · **puerta** || **sistema** · **suspensión** · **martillo** · **recogida de basuras** *un sistema de recogida neumática de basuras*

2 **neumático** s.m.

• CON VBOS. **estallar** *El neumático estalló a causa de un bache* · **reventar(se)** · **pinchar(se)** · **desinflar(se)** · **perder aire** · **pegarse al suelo** || **inflar** · **llenar** || **revisar** · **cambiar** · **parchear**

neumonía s.f.

• CON ADJS. **bacteriana** · **vírica** || **atípica** || **crónica** · **aguda** · **recurrente** || **grave** · **seria** || **afectado,da (de)** · **aquejado,da (de)**
• CON SUSTS. **principio (de)** *Me diagnosticaron principio de neumonía* || **brote (de)** · **epidemia (de)** || **cuadro (de)** *Ingresó en el hospital con un cuadro de neumonía crónica* || **enfermo,ma (de)**
• CON VBOS. **agudizar(se)** · **acentuar(se)** · **agravar(se)** || **remitir** || **manifestar(se)** || **atajar** · **prevenir** · **combatir** || **contagiar** · **transmitir** · **pillar** || **detectar** · **diagnosticar** || **luchar (contra)** || **restablecerse (de)** · **reponer(se) (de)** · **mejorar (de)** || **hospitalizar (por)** *La han hospitalizado por una neumonía*

neurología s.f.

• CON SUSTS. **avance (de)** · **desarrollo (de)**
➤ Véase también **DISCIPLINA**

neurona s.f.

• CON ADJS. **cerebral** · **motora** · **sensitiva** · **sensorial** · **productora** · **receptora** · **transmisora** · **motriz**
• CON VBOS. **funcionar** · **activar(se)** *Han descubierto que este método hace que se activen las neuronas* · **reactivar(se)** || **fallar** *¿A ti te fallan las neuronas o qué?* || **dañar** · **afectar** *una extraña enfermedad que afecta directamente a las neuronas* · **destruir** · **matar** · **desintegrar** · **perder** · **anular** · **saturar** || **estimular** · **ejercitar**

neurosis s.f.

• CON ADJS. **obsesiva** · **angustiosa** · **depresiva** · **traumática** || **colectiva**
• CON SUSTS. **principio (de)** · **síntoma (de)** · **gravedad (de)** · **curación (de)**
• CON VBOS. **producir** · **provocar** *Esta situación le está provocando una neurosis obsesiva* · **crear** · **generar** || **sufrir** · **superar** || **diagnosticar** · **curar** · **sofocar**

neurótico, ca adj.

• CON SUSTS. **paciente** *un médico especializado en tratar a pacientes neuróticos* · **enfermo,ma** · ***otros individuos*** || **carácter** · **personalidad** · **comportamiento** · **actitud** || **trastorno** *Varios miembros de su familia sufren trastornos neuróticos* · **depresión** · **obsesión** · **emoción**

neutral adj.

• CON SUSTS. **país** *Fueron varios los países neutrales en este conflicto* · **zona** · **área** · **terreno** · **territorio** · **distrito** · **estadio** · **campo** *Los más justo sería disputar el partido en un campo neutral* · **cancha** || **opinión** · **postura** · **posición** · **actitud** · **carácter** · **tratamiento** || **observador,-a** · **espectador,-a** · **mediador,-a** · **árbitro,tra** · **jurado** · **tribunal** · **comisión** · **ejército** · **fuerza** · **organismo** · ***otros individuos y grupos humanos*** || **informe**
• CON ADVS. **completamente** · **absolutamente** · **totalmente** · **rigurosamente** || **aparentemente** · **supuestamente** || **políticamente**
• CON VBOS. **declararse** *Declararse neutral fue la mejor decisión que pudo haber tomado* || **mantenerse** · **permanecer**

neutralidad s.f.

● CON ADJS. total · absoluta *Me permito cuestionar la absoluta neutralidad del árbitro de este partido* · estricta · escrupulosa · máxima || aparente · pretendida · falsa || política · electoral · fiscal · financiera · institucional · militar · informativa *el premio otorgado a esta cadena por la neutralidad informativa de sus noticias* · ideológica · moral · profesional
● CON SUSTS. principio (de) || actitud (de) · postura (de) · posición (de) || falta (de)
● CON VBOS. pedir · exigir *Los trabajadores exigen neutralidad a la hora de examinar sus casos* · reclamar || conseguir · alcanzar || asegurar · garantizar · proteger · respetar · defender · mantener · preservar || romper · vulnerar · abandonar · perder || fingir · aparentar || actuar (con) *La presentadora actúa siempre con total neutralidad*

neutralizar v.

● CON SUSTS. acción || ataque *operaciones del ejército para neutralizar el ataque del enemigo* · amenaza · peligro · riesgo · ofensiva || aumento · diferencia · pérdida · ventaja || impacto · influencia · efecto · consecuencia || poder · fuerza || problema · conflicto · protesta · crítica || veneno *Le suministraron un antídoto para neutralizar el veneno* · enfermedad · virus

neutro, tra adj.

● CON SUSTS. lugar *La final tendrá lugar en un lugar neutro para ambas aficiones* · situación · posición · espacio · zona · país · escenario · ambiente · estadio || voz · lenguaje · palabra || tono *Declaró en un tono neutro que no se sentía aludido por...* · color · luz · fondo || sabor || comportamiento · carácter || pH

nevar v.

● CON ADVS. copiosamente · en abundancia *Nevó en abundancia durante la noche* · abundantemente · con fuerza · intensamente || escasamente · ligeramente || intermitentemente · persistentemente *Hace dos días que nieva persistentemente* · ininterrumpidamente · sin parar

nexo s.m.

● CON ADJS. estrecho · indisoluble · fuerte *...elementos que tienen un fuerte nexo con las tradiciones populares* || duradero · efímero || evidente · claro · discutible · tenue || familiar · de unión · de amistad · de afecto · laboral · profesional
● CON VBOS. perdurar · durar || disolver · romper *El presidente afirmó que no se romperán de ninguna forma los nexos diplomáticos con nuestros aliados* || estrechar · fortalecer · debilitar || establecer

[ni]

→ ni a la de tres; ni de lejos; ni idea; ni jota; ni palabra; ni papa; ni por asomo; ni torta; ni tres en un burro; ni un alfiler; ni un alma; ni una mosca

ni a la de tres loc.adv. *col.*

● CON VBOS. resolver · descifrar · acertar · dar en el clavo || aprobar *A este paso no apruebas el examen de matemáticas ni a la de tres* · pasar · superar || encontrar · conseguir · lograr || entrar · encajar || funcionar *Este ordenador no funciona ni a la de tres* · arrancar · encender · resultar || largar · soltar
□ USO Se usa en contextos negativos.

ni de lejos loc.adv.

● CON VBOS. acercarse · llegar · aproximarse · alcanzar · seguir · sumar || lograr *No lograron ni de lejos los apoyos necesarios* · conseguir · cubrir · cumplir · colmar *La propuesta no ha colmado ni de lejos las expectativas generadas* · satisfacer || equivaler · comparar(se) · parecer(se) || reflejar *Las cifras no reflejan ni de lejos la magnitud del problema* · representar · constituir · mostrar · manifestar · gozar (de) || soñar · pensar · imaginar · crear || justificar · compensar *exiguas ganancias que no compensaban ni de lejos las pérdidas acumuladas* · disculpar · reparar
□ USO Se usa en contextos negativos.

nidificar v.

● CON SUSTS. águila · búho *Los búhos suelen nidificar en cuevas y oquedades* · pájaro · *otras aves*

nido s.m.

● CON ADJS. natural · artificial *Las aves de este parque viven en nidos artificiales* || familiar · paterno · materno · de amor *¿Y en este nidito de amor lleváis tres años?* || de víboras · de ratas || de conflictos *Aquella zona del país era un permanente nido de conflictos* · de violencia · de corrupción || de espías · de confidentes
● CON VBOS. desmoronarse *El nido de las cigüeñas se desmoronó por su enorme peso* || colgar || construir · hacer || destruir · abandonar || proteger || volver (a) · regresar (a) || servir (de)
□ EXPRESIONES nido de abeja [bordado de adorno]

niebla s.f.

● CON ADJS. compacta · densa *Una densa niebla dificultaba la visión* · espesa · tupida · intensa || ligera || impenetrable · persistente · envolvente || matinal · vespertina
● CON SUSTS. banco (de) *Un banco de niebla fue la causa del accidente*
● CON VBOS. avanzar · bajar · caer · desvanecer(se) · irse · disipar(se) *La niebla comenzaba a disiparse* · espesar(se) · extender(se) · levantar(se) || invadir (algo) · envolver (algo) · ocultar (algo) · cubrir (algo)
● CON PREPS. entre · en medio (de)

nieto, ta s.

● CON ADJS. adorado,da · querido,da || predilecto,ta · favorito,ta || pequeño,ña · mayor
● CON SUSTS. contacto (con) · relación (con)
● CON VBOS. nacer *Mi primera nieta nació hace quince días* || tener || cuidar · acompañar · visitar
● CON PREPS. en compañía (de) *Al abuelo le gusta estar en compañía de sus nietos*

nieve s.f.

● CON ADJS. artificial *una pista de esquí con nieve artificial* · natural || blanca || dura · en polvo · resbaladiza || racheada || primavera
● CON SUSTS. cota (de) || tormenta (de) · temporal (de) *El temporal de nieve dejó incomunicados a veinte pueblos* · precipitación (de) · avalancha (de) · alud (de) *Un enorme alud de nieve sepultó a cinco excursionistas* || copo (de) || capa (de) *La capa de nieve tenía diez centímetros de espesor* · manto (de) || cañón (de) · deporte (de) || muñeco (de)
● CON VBOS. remitir || cubrir (algo) *Cuando nos despertamos la nieve había cubierto todo el jardín* · recubrir (algo) · sepultar (algo) || caer *La nieve caía abundante-*

mente · **precipitarse || derretir(se) · deshacer(se) · fundir(se) · cuajar || resguardar(se) (de)**

[nieve] →a punto de nieve; nieve

ni idea loc.pron. *col.*

● CON VBOS. **tener** *No tengo ni idea de dónde está*

□ USO Se usa en contextos negativos.

ni jota loc.pron. *col.*

● CON VBOS. **comprender · entender** *Los niños no entendieron ni jota de la explicación* · **saber**

□ USO Se usa en contextos negativos.

nimio, mia adj.

● CON SUSTS. **característica · rasgo · detalle** *Esos detalles que creíste nimios fueron decisivos en el resultado final* · **aspecto · pormenor · matiz · anécdota · adorno || cantidad · cifra · gasto** *Llevaba cuenta hasta del gasto más nimio* · **resultado · ahorro · porcentaje** *Solo un porcentaje nimio de votantes se declaraba partidario de...* · **precio · indemnización · sueldo · superficie || problema · incidente** *un incidente nimio y sin trascendencia* · **dificultad · desgracia · tráfago · enredo || cambio · modificación** *Eran modificaciones aparentemente nimias, pero resultaron ser...* · **enmienda || diferencia · ventaja || crítica · objeción · observación · puntualización** *Una nimia puntualización es suficiente para que se irrite* **|| error · falta · equivocación · irregularidad** *por nimias que parezcan las irregularidades detectadas...* · **delito · mentira || posibilidad** *No existe la más nimia posibilidad de que...* · **causa**

[ningún] →bajo ningún concepto; sin (ningún) fundamento

niñería s.f.

● CON ADJS. **pura · mera · soberana · típica** *travesuras que son las típicas niñerías de un chaval de doce años*

niñero, ra s.

● CON VBOS. **buscar · encontrar · contratar || alojar || servir (de) · oficiar (de) · trabajar (como)** *Mientras estudiaba la carrera trabajaba como niñera*

niñez s.f.

● CON ADJS. **alegre · dichosa · divertida · dorada · feliz · normal · placentera || desdichada · desgraciada · triste** *una triste niñez de posguerra y hambre* · **pobre · terrible · difícil · traumática · trágica · solitaria || irrecuperable · perdida**

● CON SUSTS. **amigo,ga (de)** *Todavía mantengo amigos de la niñez* · **compañero,ra (de) · maestro,tra (de) || recuerdo (de)** *A su cabeza volvían los recuerdos de la niñez* · **memoria (de) · vivencia (de) || episodio (de) · escena (de) || trauma (de) · problemática (de) || fotografía (de) · imagen (de) || inocencia (de) · ingenuidad (de) || años (de)**

● CON VBOS. **discurrir · transcurrir** *Su niñez transcurrió en un tranquilo pueblo...* **|| recordar · añorar · evocar · recuperar · revivir · olvidar || tener · vivir · pasar · abandonar || regresar (a)** *Vernos de nuevo fue como regresar a la niñez* · **retornar (a) · retroceder (a) · remontarse (a)**

● CON PREPS. **desde · durante · a lo largo (de)**

niño, ña s.

● CON ADJS. **buen(o),na · mal(o),la · travieso,sa** *No es un niño malo, pero sí es muy travieso* **|| malcriado,da · maleducado,da · consentido,da · mimado,da || pequeño,ña · chico,ca · grande · crecido,da || lactante · de pecho · de teta || adelantado,da · retrasado,da · retardado,da**

● CON VBOS. **nacer** *Todos los días nacen niños* · **crecer · desarrollarse · hacerse mayor · hacerse {hombre/mujer} || gatear** *El niño no anda todavía, pero ya gatea* · **andar a gatas · corretear || calmar(se) · llorar · chillar · dormir(se) · despertar(se) || portarse {bien/mal/regular...}** *¿Se han portado bien los niños?* **|| estudiar · aprender · progresar || esperar · tener · dar a luz · concebir || dar de mamar · amamantar** *¿Has amamantado a tus tres niños?* **|| {coger/tener/llevar/sostener} en brazos · sujetar · contener || acunar · arrullar || atender · cuidar · bañar · lavar · peinar || educar · criar** *Tan joven y ha criado a cuatro niños* · **malcriar || hacer carantoñas (a) · hacer cucamonas (a)**

□ EXPRESIONES **la niña de {mis/tus/sus...} ojos** [persona preferida por otra] *col.* **|| (ni) qué niño muerto** [se usa para reforzar una negación o indicar menosprecio] *col.* **|| niño burbuja** [el que necesita estar en un espacio desinfectado] **|| niño probeta** [el concebido mediante fecundación in vitro] **|| niño prodigio** [el que posee habilidades o capacidades sumamente desarrolladas para su edad]

ni palabra loc.pron.

● CON VBOS. **entender** *Lo ha dicho todo tan deprisa que no he entendido ni palabra* · **oír · saber · conocer || cruzar · decir · contar ·** ***otros verbos de lengua***

□ USO Se usa en contextos negativos. Se usan también las variantes *ni media palabra* y *ni una palabra*.

ni papa loc.pron. *col.*

● CON VBOS. **entender** *No entendí ni papa de lo que dijo* · **hablar · saber · decir || ver**

□ USO Se usa en contextos negativos.

ni por asomo loc.adv.

● CON VBOS. **pensar · considerar · planificar · plantearse · ocurrirse** *No se me ocurrió ni por asomo que hubieras dejado de trabajar* · **imaginar · soñar · creer · dudar · sospechar || parecerse** *La directora actual no se parece, ni por asomo, a su predecesor en el cargo* · **llegar** *una cantidad que no llegaba ni por asomo a los mil euros* · **adaptarse · acercarse · alcanzar · aproximarse · vincular · relacionar · compartir** *No compartimos con ellos ni por asomo esos criterios de actuación* **|| mencionar · citar · referirse · tocar · incidir || aparecer · encontrar(se) · presentar · mostrar · figurar · hallar(se) · acudir || aceptar · admitir · cumplir · aprobar** *Sabían que la comisión no aprobaría ni por asomo aquella propuesta* **|| esperar · aspirar · atreverse · desear · pretender** *No pretendemos ni por asomo convenceros de que...* · **querer · intentar || conseguir · recuperar · lograr || ver · descubrir · detectar · contemplar · vislumbrar · oír**

□ USO Se usa en contextos negativos.

nítidamente adv.

● CON VBOS. **percibir · recordar · escuchar · oír · ver · visualizar · apreciar · distinguir** *una figura que se distinguía nítidamente entre las demás* · **vislumbrar · acordarse · notar(se) · sentir · observar · contemplar || plasmar · exponer · reflejar · mostrar · describir · expresar · manifestar · narrar · revelar · presentar || perfilar · dibujar**

· **trazar** · **delinear** · **marcar** || **definir** · **configurar** · **demarcar** · **deslindar** *Se trata de deslindar nítidamente las nuevas funciones del gerente* · **recortar(se)** · **establecer** · **delimitar** || **diferenciar(se)** · **separar** · **cortar** · **escindir** · **dividir** · **desmarcarse** || **comprometerse** · **posicionarse** *El sindicato se posicionó nítidamente a favor de la propuesta* · **pronunciarse** || **destacar(se)** · **resaltar** · **señalar** · **subrayar** · **proyectarse** || **triunfar** · **vencer** · **ganar** · **imponerse** *En los comicios se impuso nítidamente el partido opositor* · **superar** · **rebasar** · **aventajar** *El joven ciclista aventajaba nítidamente al pelotón* · **dominar**

nitidez s.f.

● CON ADJS. **total** *una figura que se veía con total nitidez* · **absoluta** · **meridiana**
● CON PREPS. **con** *Recuerdo sus palabras con nitidez* · **sin**

nítido, da adj.

● CON SUSTS. **perfil** *el perfil nítido de la catedral a la luz de la luna* · **contorno** · **frontera** · **límite** · **delimitación** || **imagen** · **visión** · **percepción** · **recuerdo** *Sus recuerdos de la guerra parecían nítidos a pesar de los años* · **impresión** · **panorama** || **idea** · **plan** · **propuesta** · **mensaje** || **gesto** · **mirada** · **señal** *Una señal nítida para todos de lo que estaba ocurriendo* · **sonido** || **expresión** · **definición** · **ejemplo** || **posición** · **oposición** || **ocasión** || **estilo**
● CON ADVS. **absolutamente** · **completamente**
● CON VBOS. **ser** · **volver(se)** · **estar**

ni torta loc.pron. *col.*

● CON VBOS. **ver** *Sin las gafas, no veía ni torta* || **entender** · **saber** · **comprender**
□ USO Se usa en contextos negativos.

ni tres en un burro loc.pron. *col.*

● CON VBOS. **ver** *Si me quito las lentes, no veo ni tres en un burro*
□ USO Se usa en contextos negativos.

ni un alfiler loc.pron. *col.*

● CON VBOS. **caber** *En el concierto no cabía ni un alfiler* · **entrar**
□ USO Se usa en contextos negativos.

ni un alma loc.pron. *col.*

● CON VBOS. **haber** *No había ni un alma en la playa* || **asistir** · **aparecer** *No apareció ni un alma por la presentación* · **acudir** · **llegar** · **entrar** || **ver**
□ USO Se usa en contextos negativos.

ni una mosca loc.pron. *col.*

● CON VBOS. **escuchar** · **oír** *No quiero oír ni una mosca* · **sentir** · **matar**
□ USO Se usa en contextos negativos.

[nivel] → nivel; paso a nivel

nivel

1 **nivel** s.m.

● CON ADJS. **buen(o)** · **alto** · **avanzado** · **elevado** *Para el puesto se requiere un elevado nivel de inglés* · **acomodado** · **superior** || **aceptable** · **adecuado** · **medio** · **básico** · **intermedio** · **respetable** · **suficiente** || **mal(o)** · **bajo** · **insuficiente** *mercancías sin un nivel suficiente de calidad* || **mínimo** · **inapreciable** || **inicial** · **elemental** · **inferior** || **inmejorable** · **insuperable** · **inalcanzable** || **desmesurado** · **desorbitado** · **extraordinario** || **esperable** *El grupo de alumnos tiene el nivel esperable para su edad* · **exigible** || **subterráneo** || **cualitativo** · **cuantitativo** || **innegable** · **reconocido**
● CON VBOS. **subir** *fármacos necesarios para subir el nivel de glucosa en la sangre* · **incrementar** · **aumentar** · **elevar** · **remontar** · **recuperar** || **bajar** · **descender** · **decrecer** · **rebajar** || **tener** · **mantener** · **alcanzar** *Si alcanzas un nivel básico de alemán, puedes solicitar esta beca* || **superar** · **sobrepasar** · **batir** · **franquear** · **traspasar** · **escalar** · **cruzar** · **rebasar** || **requerir** · **exigir** || **dar (a algo)** || **llegar (a)** *Es bueno, pero no llega al nivel del otro* || **pasar (de)** · **cambiar (de)**

2 **nivel (de)** s.m.

● CON SUSTS. **vida** *Esta ciudad presenta el nivel de vida más alto del país* || **calidad** · **exigencia** · **eficacia** · **excelencia** · **precisión** · **rigor**

nivelar v.

● CON SUSTS. **altura** · **calidad** · **espesor** · **peso** · **temperatura** · ***otras magnitudes*** || **superficie** · **terreno** *Será necesario nivelar el terreno antes de construir* · **firme** · **carretera** || **juego** · **partido** · **lucha** · **encuentro** · **choque** || **marcador** · **resultado** · **tanteo** || **diferencia** · **desventaja** · **desajuste** · **desequilibrio** *El nuevo Gobierno promete nivelar los grandes desequilibrios sociales* · **desproporción** · **disparidad** · **ventaja** || **déficit** · **economía** · **sueldo** *medidas tomadas a fin de nivelar los sueldos de los profesores de todo el país* · **presupuesto** · **pago** · **precio** · **deuda** · **inflación** || **dominio** · **fuerza** · **poder**

no s.m.

● CON ADJS. **concluyente** · **tajante** · **contundente** · **rotundo** *Su respuesta fue un rotundo no* · **taxativo** · **terminante** · **radical** · **sin paliativos**
● CON VBOS. **responder** · **dar** · **decir** · **afirmar** || **recibir** · **obtener** || **aceptar** *No aceptaré un no a esta invitación* · **rechazar**

nobiliario, ria adj.

● CON SUSTS. **familia** *Esta es una de las familias nobiliarias más importantes del país* · **estirpe** · **dinastía** · **clase** · **estamento** · **oligarquía** || **palacio** · **casa** || **título** · **derecho** · **sucesión** || **condición** · **origen** *un apellido de origen nobiliario* || **pretensión** · **nombramiento** || **grandeza** · **distinción**

noble adj.

▌[ilustre, honroso, de buen corazón]

● CON SUSTS. **familia** · **gente** *Es un pueblo de gente noble, alegre y trabajadora* · **caballero** · **hombre** · **mujer** · ***otros individuos y grupos humanos*** || **tierra** · **pueblo** · **ciudad** || **causa** · **aspiraciones** · **propósito** · **ideal** || **comportamiento** · **actitud** || **arte** · **tarea** || **sentimiento** · **espíritu** || **lengua** · **lenguaje**

▌[principal, de gran calidad]

● CON SUSTS. **planta** · **zona** *En la zona noble del palacio se encontraban los salones* · **entrada** · **edificio** || **madera** · **metal** · **material**

nobleza s.f.

● CON ADJS. **natural** · **humana** *Siempre había creído en la nobleza humana* · **espiritual** · **interior** || **alta** · **gran(de)** · **humilde** · **pequeña** || **acreditada** · **tradicional** · **antigua** *Estos palacios pertenecían a la nobleza más antigua del país* · **encastada** · **rancia** · **decadente** · **nueva** || **provinciana**

· **rural** || **política** · **militar** · **intelectual** || **hereditaria** || **ociosa** || **lleno,na (de)** *una persona llena de nobleza*
● CON VBOS. **acreditar** *En una época en la que era necesario acreditar la nobleza para...* · **tener** · **mostrar** · **derrochar** || **perder** · **quitar** · **recuperar** || **aprovechar** · **valorar** || **proceder (de)**
● CON PREPS. **con** *actuar con nobleza*

noche s.f.

● CON ADJS. **estrellada** *disfrutando de una noche estrellada y sin nubes* · **despejada** · **clara** · **iluminada** · **oscura** · **nublada** · **negra** · **sombría** · **lúgubre** · **cerrada** *No se veía nada porque era noche cerrada* · **profunda** || **buena** · **redonda** · **perfecta** · **inolvidable** · **maravillosa** || **mala** *He pasado una mala noche* · **de perros** · **desapacible** · **horrible** || **fría** · **fresca** · **cálida** · **calurosa** *una calurosa y húmeda noche de verano* · **templada** || **larga** · **corta** · **eterna** · **interminable**
● CON VBOS. **avecinarse** · **acercarse** · **avanzar** || **llegar** · **caer** *Al caer la noche, abandonaron el lugar* || **transcurrir** · **declinar** || **aguar(se)** · **arruinar(se)** · **estropear(se)** || **pasar** · **vivir**
□ EXPRESIONES **buenas noches** [se usa como saludo por la noche] || **de la noche a la mañana** [en poco tiempo] || **hacer noche** [detenerse para dormir] || **la noche es joven** [se usa para incitar a alguien a comenzar o proseguir alguna diversión nocturna] || **noche toledana** [la que se pasa sin dormir] *col.* || **pasar la noche en {blanco/vela}** [pasarla sin dormir]

[noche] → de noche; noche; pasar la noche

noción

1 noción s.f.

● CON ADJS. **precisa** · **clara** || **vaga** *sin tener más que una vaga noción de lo ocurrido* · **confusa** || **equivocada** · **errónea** · **falsa** · **perversa** || **exacta** || **básica** · **fundamental** · **elemental** *tener nociones elementales de inglés* · **importante** · **dominante** || **mental** · **teórica** · **conceptual** · **ideológica** || **filosófica** · **religiosa** · **jurídica** · **histórica** · ***otros adjetivos relativos a campos del saber***
● CON VBOS. **tener** · **adquirir** · **asumir** · **recibir** · **aceptar** || **recuperar** · **perder** *Cuando me pongo a leer pierdo totalmente la noción del tiempo* · **rechazar** · **criticar** || **fortalecer** · **reforzar** || **cambiar** · **revisar** || **analizar** · **aclarar** · **explicar** || **incluir** · **introducir** *En su última obra introdujo nociones metafísicas novedosas*

2 noción (de) s.f.

● CON SUSTS. **realidad** *aturdido y sin ninguna noción de la realidad* · **tiempo** · **espacio** || **libertad** · **justicia** · **decencia** || **música** · **pintura** · **geografía** · **matemáticas** · ***otras disciplinas*** || **francés** · **inglés** · **alemán** · ***otros idiomas***

nocivo, va adj.

● CON SUSTS. **sustancia** *una sustancia nociva para la salud* · **producto** · **agente** · **elemento** · **emisión** · **gas** · **humo** · **germen** || **solución** · **tratamiento** · **fármaco** || **aditivo** · **componente** || **resultado** · **consecuencia** · **efecto** · **influencia** || **acción** · **actividad** · **práctica** · **hábito** · **costumbre** || **imagen**
● CON ADVS. **especialmente** *El humo del tabaco es especialmente nocivo para niños y ancianos* · **tremendamente** · **altamente** · **enormemente** · **sumamente** · **gravemente** · **realmente**
● CON VBOS. **resultar** · **considerar** *Los psicólogos consideran estos hábitos muy nocivos para el desarrollo de la personalidad*
□ USO Admite complementos encabezados por la preposición *para*: *una emisión nociva para el medio ambiente.*

nocturno, na adj.

● CON SUSTS. **vigilancia** · **guardia** · **trabajo** · **actividad** || **trabajador,-a** · **enfermero,ra** · **vigilante** || **salida** · **escapada** · **visita** · **caminata** · **paseo** *En verano nos gusta dar paseos nocturnos por la playa* || **vida** *Este barrio tiene una agitadísima vida nocturna* · **ocio** · **diversión** · **fiesta** · **movida** || **horario** · **hora** · **servicio** · **turno** · **sesión** · **jornada** || **autobús** · **vuelo** · **tarifa** || **iluminación** · **luz** || **visión** || **programa** · **informativo** · **programación** *Están renovando la programación nocturna de la radio* || **hábito** · **costumbre** || **local** · **club** · **centro** || **animal** · **ave**

nodriza s.f.

● CON SUSTS. **embarcación** · **nave** *Tienen que esperar a que llegue la nave nodriza antes de partir* · **buque** · **barco** · **avión** · **camión** · ***otros vehículos***
● CON VBOS. **amamantar (a alguien)** || **servir (de)** · **actuar (de)**

nogal s.m.

● CON SUSTS. **nuez (de)** || **mesa (de)** · **balaustrada (de)** · ***otros muebles***
● CON VBOS. **zarandear** · **varear**
➤ Véase también **ÁRBOL**

nómada adj.

● CON SUSTS. **pueblo** · **sociedad** · **tribu** · **población** · **familia** · **gente** · **inmigrante** · **pastor,-a** || **vida** *Llegó un momento en que se cansó de la vida nómada y se estableció allí* · **carácter** · **espíritu** · **pensamiento** · **cultura**

nombramiento s.m.

● CON ADJS. **oficial** · **legal** || **a dedo** *Denunciaron nombramientos a dedo de directores y subdirectores en...* · **discrecional** || **honroso** · **merecido** · **inmerecido**
● CON VBOS. **aceptar** · **declinar** · **recibir** · **rechazar** || **conseguir** · **obtener** || **conceder** · **otorgar** *El órgano competente para otorgar el nombramiento oficial es...* · **decidir** || **tener en {mi/tu/su...} poder** || **impugnar**

nombrar v.

▌ [elegir, designar]

● CON SUSTS. **director,-a** · **presidente,ta** *Ayer la nombraron presidenta de la asociación* · **encargado,da** · ***otros cargos***
● CON ADVS. **democráticamente** · **por mayoría** · **popularmente** · **oficialmente** · **a dedo** || **provisionalmente** *La ministra de agricultura ha sido nombrada provisionalmente y ocupará su puesto hasta que haya elecciones* · **temporalmente** || **expresamente** · **personalmente**

▌ [mencionar, citar]

● CON ADVS. **de memoria** *Nombró de memoria todos los países de América* · **de pasada** || **consecutivamente** · **en orden** · **desordenadamente** · **uno tras otro** || **al hilo (de algo)**

nombre s.m.

● CON ADJS. **adecuado** · **apropiado** · **inapropiado** || **sonoro** · **rimbombante** || **honroso** · **ilustre** · **distinguido** · **acreditado** || **falso** *Usaba un nombre falso porque traba-*

jaba para los servicios de inteligencia · **verdadero** · **artístico** · **supuesto** || **conocido** · **desconocido** || **buen** *por el buen nombre de la empresa* · **digno** · **respetable** · **de solera** || **impronunciable** · **llamativo** · **extraño** · **exótico** || **agraciado** || **compuesto** · **simple** || **arbitrario** || **propio** *Los nombres propios se escriben con mayúscula inicial* · **abstracto** · **animado** · **inanimado** · **colectivo** · **concreto** · **contable** · **incontable** · **continuo** · **discontinuo** · **apelativo** · **común** · **genérico** || **comercial** *¿Ya has encontrado un nombre comercial para el nuevo producto?* · **de soltero,ra** · **de pila**

● CON VBOS. **consolidar(se)** · **difundir(se)** || **pegar(le) (a alguien)** · **cuadrar(le) (a alguien)** *El nombre que le pusieron le cuadra perfectamente* || **recibir** · **tomar** · **tener** · **llevar** || **poner (a algo/a alguien)** *Si tuviera una niña, le pondría el nombre de mi madre* · **dar (a algo/a alguien)** · **dar {mi/tu/su...}** *Ni siquiera me dio su nombre* · **conceder** · **atribuir** · **otorgar** || **acuñar** · **forjar(se)** · **labrar(se)** *Con los años se ha ido labrando un nombre entre los de su profesión* || **saber** · **conocer** *Nadie conoce su verdadero nombre* · **recordar** · **desvelar** · **revelar** · **averiguar** || **olvidar** · **ignorar** || **decir** · **pronunciar** · **susurrar** · **gritar** || **ensuciar** · **empañar** · **deshonrar** · **profanar** · **lavar** · **limpiar** · **honrar** || **ostentar** · **adquirir** · **conservar** · **perder** · **mantener** || **rehabilitar** · **recuperar** || **imponer** · **estampar** || **barajar** *un puesto para el que se barajan varios nombres* · **encontrar** · **elegir** *Aún no hemos elegido el nombre si es niño* || **usurpar** · **robar** || **bautizar (con)** || **cambiar (de)** · **tener (por)** || **llamar (a alguien) (por)**

□ EXPRESIONES **en nombre** (de alguien) [en representación suya] || **no tener nombre** (alguna actuación) [ser nefasta o muy censurable]

nómina s.f.

● CON ADJS. **abultada** · **exigua** · **jugosa** · **sustanciosa** || **mensual** · **semanal**

● CON VBOS. **cobrar** *cobrar la nómina a fin de mes* · **recibir** || **pagar** · **ingresar** || **retener** · **embargar** || **congelar** · **aumentar** · **engrosar** *Las horas extras que hice el mes pasado engrosarán algo mi nómina* · **reducir** || **retribuir**

● CON PREPS. **en** *Creo que ya no sigue en nómina*

nominal adj.

● CON SUSTS. **cantidad** · **valor** *incrementar el valor nominal de las acciones de la compañía* · **término** · **cambio** · **cupón** · **crecimiento** *el crecimiento nominal de la economía* · **salario** · **interés** · **tipo(s)** · **convergencia** · **aumento** · **importe** · **rentabilidad** · **gasto** · **nivel** · **renta** · **cheque** || **autoridad** · **poder** || **aprobación** · **aceptación**

nominar v.

● CON SUSTS. **director,-a** *Han nominado a la directora de cine para varios premios* · **dirigente** · **presidente,ta** · **secretario,ria** · **aspirante** · **candidato,ta** · ***otros individuos y grupos humanos*** || **película** · **documental**

● CON ADVS. **oficialmente** · **justamente** *Todo el mundo coincidió en que había sido justamente nominado*

nominativo, va adj.

● CON SUSTS. **cheque** *extender un cheque nominativo* · **talón** || **datos** || **título** *Los títulos nominativos de ese grupo industrial han ido al alza* · **valores** || **documento** · **papel**

[non] → sine qua non

noquear v.

● CON SUSTS. **rival** · **enemigo,ga** · **oponente** · **contrincante** *El púgil noqueó a su contrincante en el segundo asalto* · **equipo** · ***otros individuos y grupos humanos***

● CON ADVS. **rápidamente** · **definitivamente** || **espectacularmente** || **técnicamente**

norma

1 norma s.f.

● CON ADJS. **estricta** · **severa** · **inflexible** · **férrea** *Siempre acató las férreas normas del internado* · **restrictiva** · **estrecha** · **de hierro** · **categórica** · **terminante** · **taxativa** || **flexible** · **permisiva** · **elástica** · **laxa** || **obligatoria** · **de obligado cumplimiento** *La norma es de obligado cumplimiento a partir de mañana* · **forzosa** · **inviolable** · **inquebrantable** · **ineludible** · **insoslayable** · **inexorable** || **vigente** · **imperante** · **arraigada** · **vieja** · **nueva** || **injusta** · **abusiva** · **arbitraria** · **discrecional** || **justa** · **igualitaria** || **elemental** *Solo le pedimos que cumpla unas elementales normas de cortesía* · **fundamental** · **básica** || **preventiva** · **disuasoria** · **cautelar** || **clara** · **ambigua** · **detallada** · **expresa** · **tácita** || **controvertida** *Finalmente decidieron no impugnar tan controvertida norma* || **fiel (a)** · **acorde (con)**

● CON SUSTS. **observancia (de)**

● CON VBOS. **disponer** · **establecer** · **estipular** *La norma estipula que los locales deben disponer de rejillas de ventilación* · **especificar** || **regir (algo)** · **presidir (algo)** · **legislar** || **dimanar (de alguien)** *normas que dimanan de una autoridad superior* · **emanar (de alguien)** || **amparar (a alguien)** || **surtir efecto** || **respetar** · **obedecer** · **acatar** · **observar** · **seguir** || **saltarse** · **desobedecer** · **incumplir** · **infringir** *La mayoría de los conductores infringe las normas de circulación alguna vez* · **socavar** · **burlar** · **desafiar** · **rebasar** · **contravenir** · **quebrantar** · **romper** · **transgredir** · **violar** · **conculcar** · **vulnerar** · **pisotear** · **obviar** · **pisar** || **aplicar** · **ejecutar** || **dictar** *Se hacía necesario dictar normas que protegieran el medio ambiente* · **promulgar** · **decretar** · **publicar** · **emitir** · **instaurar** · **fijar** · **implantar** · **imponer** *Aquel tipo quería imponer siempre sus normas* · **sentar** · **dar** · **firmar** || **abolir** · **derogar** · **congelar** || **impugnar** || **acordar** · **arbitrar** · **negociar** || **cambiar** · **modificar** · **alterar** || **clarificar** · **subvertir** || **inculcar** *Trató de inculcar a sus alumnos ciertas normas de comportamiento* · **difundir** · **recibir** || **centralizar** · **homologar** || **cumplir (con)** · **atenerse (a)** *Aténgase a las normas y no salga del recinto* · **ceñir(se) (a)** · **amoldar(se) (a)** · **plegarse (a)** || **ajustar(se) (a)** · **encajar (en)** || **adherirse (a)** · **aferrarse (a)** · **apegarse (a)** · **tener (por)** *Tengo por norma no aceptar regalos de mis subordinados* || **salirse (de)** · **sustraer(se) (de/a)** · **hacer oídos sordos (a)** · **faltar (a)**

● CON PREPS. **con arreglo (a)** *Evaluaron la prueba con arreglo a unas normas muy estrictas* · **según** || **al filo (de)** · **al borde (de)**

2 norma (de) s.f.

● CON SUSTS. **conducta** · **actuación** · **comportamiento** || **convivencia** · **urbanidad** · **cortesía** · **prudencia** · **equidad** · **seguridad** *Les rogamos que respeten todas las normas de seguridad* || **moralidad** · **decencia** · **vestimenta** · **higiene** || **ortografía** · **gramática** || **circulación** · **tráfico** · **tránsito** || **uso** · **utilización** · **fabricación** · **navegación** · **tramitación** · **funcionamiento** || **selección** · **valoración** || **vida**

normal adj.

• CON SUSTS. **persona** *Me considero una mujer normal y corriente* || **situación** · **condiciones** || **tamaño** · **peso** *El bebé nació con un peso normal* · **medida** · **altura** · **nivel** || **actividad** · **función** || **curso** · **proceso** · **desarrollo** · **marcha** · **funcionamiento** · **cauce** || **día** · **jornada** *una jornada normal de trabajo* · **tiempo** · **vida** || **manera** · **forma** || **procedimiento** *El procedimiento normal para tramitar las becas consiste en...* · **operación** · **actuación** || **correo** || **gasolina**

• CON ADVS. **absolutamente** · **completamente** · **totalmente**

normalidad s.f.

• CON ADJS. **total** · **absoluta** · **plena** · **completa** · **relativa** || **política** · **democrática** · **institucional** · **constitucional** · **legislativa** · **económica** *nuevas medidas encaminadas a recuperar la normalidad económica* · **ciudadana** · **laboral** · **académica** · **doméstica**

• CON SUSTS. **clima (de)** · **ambiente (de)** · **situación (de)** · **fase (de)** || **imagen (de)** || **grado (de)** · **nivel (de)**

• CON VBOS. **reinar** || **alcanzar** · **establecer** · **restablecer** *La Policía intentó restablecer la normalidad después de la manifestación* · **recuperar** · **garantizar** || **exigir** || **volver (a)** · **retornar (a)**

• CON PREPS. **con** *El acontecimiento se desarrolló con total normalidad*

normalizar v.

• CON SUSTS. **situación** *a fin de normalizar la situación económica del municipio* · **panorama** || **país** · **nación** · **economía** · **vida** || **servicio** · **suministro** || **tráfico** · **flujo** · **funcionamiento** || **relación** *El Gobierno se mostró dispuesto a normalizar sus relaciones con el país vecino* || **lengua** · **uso**

normalmente adv.

• CON VBOS. **comportarse** · **trabajar** · **entrenar** · **vivir** || **transcurrir** *La fiesta transcurrió normalmente y sin incidente alguno* · **fluir** · **desarrollar** · **funcionar** || **aplicar** · **utilizar** · **realizar**

[normativa] s.f. → normativo, va

normativo, va

1 **normativo, va** adj.

• CON SUSTS. **referente** · **sistema** · **marco** · **ética** || **reforma** *una manifestación en contra de la reforma normativa del Gobierno* · **modificación** || **poder** · **capacidad** · **instrumento** || **obra** · **diccionario** · **definición** · **gramática** || **regulación** · **ordenamiento** · **esquema**

2 **normativa** s.f.

• CON ADJS. **vigente** *Habría que cumplir la normativa vigente* || **elástica** · **laxa** · **permisiva** · **flexible** *La normativa europea es demasiado flexible en este punto* || **inflexible** · **férrea** · **estricta** · **rigurosa** · **severa** || **ambigua** · **controvertida** · **discriminatoria** · **injusta** || **cautelar** · **taxativa** || **acorde (con)**

• CON VBOS. **establecer** · **dictar** · **obligar** · **regular** · **afectar** || **prever** || **fijar** · **tramitar** · **cambiar** · **aplicar** *Se está aplicando la normativa con rigor* · **derogar** || **acatar** · **cumplir** · **obedecer** · **seguir** || **vulnerar** · **burlar** · **saltarse** · **transgredir** · **infringir** · **violar** · **incumplir** · **quebrantar** · **desobedecer** *Desobedecieron la normativa y serán multados* · **conculcar** · **contravenir** || **amparar(se) (en)** · **adherirse (a)** · **atenerse (a)**

• CON PREPS. **al compás (de)** · **con arreglo (a)**

norte s.m.

▌[punto cardinal]

• CON ADJS. **magnético**

• CON SUSTS. **país (de)** *el modo de vida de los países del norte* · **ciudad (de)** · **pueblo (de)** || **hemisferio** *una de las zonas más habitadas del hemisferio norte* · **polo** · **latitud** || **lado** · **zona** · **cara** *La expedición ascendió por la cara norte* · **parte** · **frontera** · **fachada** · **extremo** || **dirección** · **sentido**

• CON VBOS. **recorrer** || **viajar (a)** · **trasladarse (a)** · **emigrar (a)** · **dirigirse (a)** · **huir (a)** || **llegar (a)** · **proceder (de)** · **vivir (a/en)** || **orientar(se) {a/hacia}** · **apuntar (a)** · **dar (a)**

• CON PREPS. **a** *...está situado al norte* · **por** · **hacia**

▌[meta, referencia]

• CON VBOS. **perder** *El éxito no le hizo perder el norte* · **tener** · **buscar** || **carecer (de)**

• CON PREPS. **con** · **sin**

noruego s.m. Véase IDIOMA

nostalgia s.f.

• CON ADJS. **honda** · **intensa** · **profunda** || **amarga** · **dulce** || **sentida** · **triste** || **presa (de)** *con lágrimas en los ojos y presa de la nostalgia*

• CON SUSTS. **arrebato (de)** · **sensación (de)** · **sentimiento (de)**

• CON VBOS. **asaltar (a alguien)** · **embargar** *Cuando estoy lejos de mi familia me embarga una enorme nostalgia* · **entrar** · **inundar (a alguien)** || **despertar(se) (en alguien)** · **venir (a alguien)** · **sobrevenir (a alguien)** || **sentir** · **tener** · **experimentar** || **producir** · **causar** · **generar** · **suscitar** · **provocar** || **combatir** · **vencer** · **superar** · **evitar** || **teñir (de)** || **alimentar(se) (de)** · **vivir (de)** || **invitar (a)** *un paisaje otoñal que invita a la nostalgia* · **sumergir(se) (en)**

• CON PREPS. **con** *El texto evoca con nostalgia los años de juventud*

nostálgico, ca adj.

• CON SUSTS. **recuerdo** · **evocación** *Aquel cuadro era una clara evocación nostálgica de su época de juventud* · **mirada** · **ilusión** · **visión** || **espíritu** · **sentimiento** · **deseo** · **sueño** || ***persona*** || **obra** · **drama** · **comedia** · **música** · **canción** · ***otras creaciones*** || **discurso** · **conversación** || **exilio** · **viaje** · **despedida** || **voz** · **tono** *Supo recitar el texto con el tono nostálgico que requería*

• CON VBOS. **ser** · **volver(se)** · **estar** · **poner(se)** · **sentir(se)** *Parece que se siente un poco nostálgica*

nota s.f.

▌[escrito]

• CON ADJS. **explicativa** · **aclaratoria** · **informativa** · **recordatoria** · **reveladora** || **breve** · **escueta** *Me lo comunicó en una escueta nota* · **extensa** || **urgente** · **importante** || **a vuelapluma** *Escribió una nota a vuelapluma y se marchó* · **al vuelo** · **sobre la marcha** || **de {mi/tu/su...} puño y letra** · **a mano** · **manuscrita** || **de pie de página** *Esta excepción la podemos mencionar en una nota de pie de página* · **final** · **de prensa** || **confidencial** · **pública**

• CON VBOS. **escribir** · **redactar** · **dictar** · **coger** · **tomar** *Los alumnos no paraban de tomar notas* · **rectificar** · **leer**

|| añadir · interpolar · dejar || publicar · difundir *El gabinete de prensa difundió una nota en la que...* · hacer pública · filtrar · enviar · hacer llegar · entregar

▮ [sonido de cierta frecuencia]

● CON ADJS. **alta · baja · aguda · grave · sostenida || disonante**

● CON VBOS. **tocar · mantener · ligar || afinar · entonar · fallar || desafinar (en) || llegar (a)** *Esta soprano llega con facilidad a las notas más altas*

▮ [calificación]

● CON ADJS. **buena** *sacar buenas notas* · **mala · alta · baja · media · mínima · de corte**

● CON VBOS. **sacar · obtener** *el ejemplar que obtuvo la mejor nota en el concurso canino...* · **alcanzar · mejorar || poner · dar · subir** *Me subieron la nota en la revisión de examen* · **bajar · mantener · redondear · revisar || calcular || pedir · exigir · requerir · necesitar**

▮ [rasgo]

● CON ADJS. **dominante** *Los colores claros fueron la nota dominante del desfile* || **característica · distintiva · pintoresca · discordante**

● CON VBOS. **poner** *Una vez más, tuviste que poner la única nota discordante en la reunión*

▮ [cuenta, factura]

● CON VBOS. **pedir · traer** *El camarero nos trajo la nota*

☐ EXPRESIONES **dar la nota** [actuar de manera discordante] *col.* || **tomar buena nota** (de algo) [fijarse bien en ello para tenerlo en cuenta]

[nota]

→ nota; tomar nota

notable

1 **notable** adj.

▮ [importante, significativo]

● CON SUSTS. **éxito · repercusión** *un tema de notable repercusión en la opinión pública* · **interés · prestigio · acierto || mejoría · recuperación · mejora || aumento** *El precio del petróleo ha sufrido un notable aumento en las últimas semanas* · **incremento · crecimiento · desarrollo · avance · subida || esfuerzo · intensidad || impacto · influencia || disminución · reducción · descenso · retraso · pérdida · diferencia || aportación · actuación · trabajo · exposición · protagonismo || ausencia · falta** *Tu notable falta de interés en el trabajo te traerá problemas* · **presencia || experiencia · actividad || calidad · cantidad · volumen || transformación · cambio** *un notable y positivo cambio de imagen* || **habilidad · capacidad · fuerza · solidez || excepción**

● CON VBOS. **hacerse**

2 **notable** s.m.

▮ [calificación]

● CON VBOS. **sacar · obtener · conseguir || poner** *Me han puesto un notable en...* || **aspirar (a) || estar (para)** *El trabajo es bueno, pero no está para notable*

notablemente adv.

● CON VBOS. **cambiar · variar · alterar(se) · modificar · corregir || aumentar · incrementar · ampliar · elevar · subir** *Los precios subieron notablemente* · **crecer · alargar · acentuar || reducir · disminuir · bajar · recortar · decaer · empeorar** *Día a día su estado de ánimo empeora notablemente* || **influir · afectar · repercutir · condicionar · incidir · pesar · acusar || reforzar** *Reforzaron notablemente las medidas de seguridad* · **contribuir · enriquecer · beneficiar · facilitar · fortalecer · potenciar · acelerar · favorecer · simplificar · flexibilizar · agilizar** *El nuevo programa informático agiliza notablemente el trabajo contable* · **ayudar · impulsar · estimular || perjudicar · complicar(se) · dificultar · encarecer** *La bajada de la producción encareció notablemente el precio de la leche* · **endurecer · irritar · debilitar · retrasar · limitar · restringir · interferir · dañar || diferir · contrastar · diferenciarse · distanciarse · parecerse · asemejarse || superar** *El éxito obtenido superó notablemente todas las previsiones* · **destacar · adelantar · aventajar · rebasar · exceder**

● CON ADJS. **inferior · superior · mejor · menor || distinto,ta · diferente · opuesto,ta** *Sus personalidades e inquietudes eran notablemente opuestas* || **difícil · complejo,ja**

notarial adj.

● CON SUSTS. **documento** *Mañana tengo que recoger sin falta unos documentos notariales* · **permiso · acta · escritura · carta · certificación · formulario · requerimiento · declaración · testimonio · poder · conducto || gasto** *Apenas pudimos hacer frente a los gastos notariales* · **honorario · coste · arancel || actividad · actuación · operación || sistema** *un complejo sistema notarial* · **colegio**

notar(se) v.

● CON SUSTS. **presencia** *Al notar mi presencia, dejó de hablar* · **ausencia || falta · error · diferencia || cambio · efecto** *Los ciudadanos están notando los efectos de la crisis* · **impacto · pérdida · ganancia · caída || molestia · síntoma · cansancio · dolor · temblor · movimiento || frío · calor · corriente**

● CON ADVS. **a la legua · a simple vista** *Se nota a simple vista que es una copia falsa* · **a ojos vistas · claramente · a las claras · con claridad · nítidamente · fácilmente · descaradamente** *Se notaba descaradamente que iba detrás de su dinero* · **ostensiblemente · palpablemente · especialmente · sensiblemente || vagamente || por un momento · inmediatamente || desfavorablemente**

☐ EXPRESIONES **hacer notar** [señalar] || **hacerse notar** [llamar la atención] *col.*

noticia s.f.

● CON ADJS. **buena** *¡Traigo buenas noticias!* · **alegre · excelente · ilusionante · tranquilizadora · halagüeña || mala · alarmante · dura · triste · amarga · luctuosa · desoladora · desgarradora · infausta || sorprendente · impactante** *La opinión pública se vio sacudida por una impactante noticia* · **intempestiva · inquietante · conmovedora || a toda plana · a {dos/tres/cuatro...} columnas || candente · última · fresca || confusa · contradictoria · detallada || previsible · imprevista · inesperada** *Recibimos con alegría la inesperada noticia de tu embarazo* · **esperada · impredecible || tendenciosa · sesgada · imparcial || falsa · veraz · fiable · fidedigna · inverosímil · verosímil || oficial** *Aún no hay noticias oficiales sobre la negociación de la deuda externa* · **oficiosa || infundada · sin confirmar · sin fundamento || reveladora · novedosa · jugosa || somera · superficial · anecdótica || en exclusiva · confidencial || ávido,da (de)** *En las vacaciones nadie está ávido de noticias* · **parco,ca (en)**

● CON SUSTS. **avalancha (de) · lluvia (de) · ola (de) || origen (de) · procedencia (de) · fuente (de)**

● CON VBOS. **estallar · desbordar(se) || sorprender (a alguien)** *Debo reconocer que la noticia de tu boda me sor-*

prendió mucho · **caer como una bomba** · **salpicar** || **salir a la luz** · **trascender** || **difundir(se)** · **circular** · **correr** · **extender(se)** · **cundir** · **propagar(se)** *La noticia de la renuncia se propagó rápidamente* || **emanar (de algo)** · **brotar** · **surgir** || **alterar** · **cambiar** · **distorsionar** · **falsear** · **adulterar** · **tergiversar** || **exagerar** · **amplificar** · **magnificar** *Los medios han magnificado la noticia de manera escandalosa* · **maquillar** · **manipular** || **negar** · **desmentir** · **corroborar** · **confirmar** · **rectificar** · **refutar** || **recibir** · **acoger** · **esperar** || **interpretar** · **comentar** · **reseñar** || **celebrar** · **festejar** *Los ciudadanos festejaron la noticia del derrocamiento del régimen militar* || **dar** · **comunicar** · **emitir** · **pregonar** · **publicar** · **transmitir** · **retransmitir** || **airear** · **desenterrar** · **destapar** · **desvelar** · **esparcir** · **hacer pública** · **filtrar** || **sopesar** · **calibrar** · **valorar** || **tener** *¿Tienes noticias de tu hermano?* || **salir al paso (de)** · **hacerse eco (de)** || **inundar (de)** · **acribillar (a)** || **tropezar (con)**

• CON PREPS. **al filo (de)** || **al corriente (de)** *Está siempre al corriente de las noticias económicas nacionales* || **al calor (de)** · **al compás (de)** · **al hilo (de)** · **a tenor (de)**

notificación s.f.

• CON ADJS. **legal** · **judicial** *En la notificación judicial se especifica la fecha en la que se celebrará la vista* · **notarial** · **bancaria** · **municipal** || **formal** · **oficial** · **pública** || **oficiosa** · **obligatoria** · **voluntaria** · **personal** || **verbal** · **por escrito** *Está esperando la notificación por escrito de la sanción impuesta por...* || **previa** · **inmediata** || **interna** || **falsa** || **escueta**

• CON SUSTS. **sistema (de)** · **proceso (de)** || **fecha (de)** *La fecha de notificación de la multa es...*

• CON VBOS. **llegar** || **expirar** || **escribir** · **preparar** · **realizar** · **hacer** · **efectuar** · **tramitar** · **presentar** · **comunicar** || **solicitar** · **reclamar** · **esperar** *Lleva varias semanas esperando la notificación de la resolución* || **mandar** · **enviar** · **remitir** · **entregar** || **recibir** *Me extraña no haber recibido aún la notificación de apertura* · **recoger** || **firmar** · **suscribir** || **rechazar** · **anular** · **retirar** || **proceder (a)**

notificar v.

• CON SUSTS. **resolución** *La Comisión debe notificar por escrito la resolución* · **decisión** · **fallo** · **sentencia** · **veredicto** || **concesión** · **rescisión** · **aplazamiento** · **prórroga** · **convocatoria** || **multa** · **embargo** · **denuncia** · **sanción** · **despido** || **importe** *Se le notificó el importe de la multa* · **cantidad** · **fecha** || **apertura** · **cierre**

• CON ADVS. **por escrito** · **de palabra** · **en persona** · **verbalmente** · **oralmente** || **notarialmente** · **oficialmente** *El jurado notificará oficialmente al ganador la concesión del premio* || **fehacientemente**

notoriamente adv.

• CON ADJS. **afectado,da** · **consternado,da** · **emocionado,da** *El ganador se mostró notoriamente emocionado* · **enojado,da** · **debilitado,da** || **distanciado,da** · **distinto,ta** · **diferente** || **falso,sa** *una firma notoriamente falsa* · **inferior** · **incómodo,da** · **insuficiente**

notoriedad s.f.

• CON ADJS. **gran(de)** · **notable** · **enorme** *El suceso tuvo una enorme notoriedad internacional* · **escasa** · **cierta** || **universal** · **internacional** · **nacional** || **indudable** · **innegable** || **merecida** *un artista que no ha conseguido la merecida notoriedad* · **ganada**

• CON SUSTS. **afán (de)** *No es mal artista, pero se ve a la legua su afán de notoriedad* · **ánimo (de)** · **ansia (de)** · **deseo (de)**

• CON VBOS. **decrecer** · **aumentar** || **ganar** · **obtener** · **conseguir** · **adquirir** · **cobrar** · **alcanzar** || **tener** · **mantener** · **perder** || **buscar** *Con declaraciones tan escandalosas solo busca la notoriedad* · **perseguir** || **dar (a algo/ a alguien)**

notorio, ria adj.

• CON SUSTS. **presencia** · **ausencia** *Existe una notoria ausencia de estudios serios sobre este problema* · **falta** || **hecho** · **participación** || **artista** · **poeta** · **figura** · **personaje** · ***otros individuos y grupos humanos*** || **ventaja** · **diferencia** · **cambio** || **sensibilidad** · **originalidad** · **importancia** || **incremento** · **aumento** · **refuerzo** · **retraso** || **mejoría** · **recuperación** *Se percibe un gran optimismo por la notoria recuperación de la economía regional* || **desprecio** · **miedo** · **temeridad** || **espacio**

• CON ADVS. **especialmente** · **particularmente**

• CON VBOS. **hacerse**

novatada s.f.

• CON ADJS. **divertida** · **graciosa** · **ocurrente** || **de {buen/ mal} gusto** · **pesada** · **salvaje** · **humillante** · **hiriente**

• CON VBOS. **gastar** *En el colegio me gastaron una novatada bastante graciosa* · **hacer (a alguien)** || **sufrir** · **soportar** · **aguantar** · **sobrellevar** · **encajar** || **ser víctima (de)** · **librarse (de)**

novato, ta adj.

• CON SUSTS. **público** · **presidente,ta** · **director,-a** *un director novato en estas lides* · **conductor,-a** · **jugador,-a** · ***otros individuos y grupos humanos***

novedad s.f.

• CON ADJS. **absoluta** · **completa** · **total** || **cierta** · **escasa** · **relativa** || **principal** *La principal novedad de la moda de este año reside en...* · **única** || **rabiosa** · **curiosa**

• CON SUSTS. **alud (de)** · **avalancha (de)** *una avalancha de novedades informáticas* · **cúmulo (de)** · **serie (de)**

• CON VBOS. **residir (en algo)** · **estribar (en algo)** || **aparecer** · **llegar** *Cada otoño llegan novedades tecnológicas* || **producir(se)** || **tener** · **traer** · **llevar** · **esperar** || **representar** · **constituir** *Hoy en día este tipo de obra artística ya no constituye una novedad* || **incorporar** · **contener** || **afrontar** · **enfrentar** || **ensayar** || **haber** *¿Hay novedades de tus padres?* || **hacer frente (a)** || **hacerse (a)** · **acostumbrar(se) (a)**

novedoso, sa adj.

• CON SUSTS. **película** · **documental** · **libro** · **pintura** · ***otras creaciones*** || **idea** · **tesis** · **concepto** · **concepción** · **hipótesis** · **teoría** · **conclusión** || **interpretación** · **revisión** *Lleva a cabo una revisión novedosa de la biografía del artista* · **reflexión** · **estudio** · **observación** · **aproximación** · **fundamentación** · **formulación** || **sistema** · **esquema** · **método** · **técnica** *Se está implantando una novedosa técnica de riego* · **estrategia** · **procedimiento** · **instrumento** · **tecnología** · **recurso** || **programa** · **proyecto** · **propuesta** · **iniciativa** · **oferta** · **plan** · **promesa** || **enfoque** · **planteamiento** · **tendencia** · **alternativa** · **perspectiva** *Había que abordar el estudio de ese tema desde una perspectiva novedosa* · **visión** · **punto de vista** · **opción** · **postura** || **discurso** · **expresión** · **comentario** · **afirmación** · **lenguaje** *un argumento interesante expuesto en un lenguaje novedoso* · **crítica** · **adjetivación** || **dato** · **información** · **noticia** · **documentación** || **producto** · **invento** · **fórmula** · **solución** · **producción** · **medicamento** · **vacuna** · **hallazgo** || **antología** · **mezcla** · **colección** · **combinación** · **mixtura** · **selección** · **conjunción** || **elemento**

Incluyó elementos novedosos en el modelo tradicional · **lance** · **parte** || **situación** · **panorama** *Se abre ante nosotros un panorama novedoso* · **cuadro**

novel adj.

● CON SUSTS. **conductor,-a** || **artista** *un artista novel y prometedor* · **autor,-a** · **director,-a** · **actor** · **actriz** · **músico,ca** · **banda** || **político,ca** · **líder** · **candidato,ta** || ***otros individuos y grupos humanos***

novela s.f.

● CON ADJS. **entretenida** · **absorbente** · **ágil** · **amena** · **trepidante** || **aburrida** *Era una novela tan aburrida que no pasé de la página diez* · **soporífera** · **anodina** || **espléndida** · **excelente** · **fascinante** · **apasionante** *...calificada por la crítica como una apasionante novela policíaca* · **inmejorable** · **incitante** · **sustanciosa** · **irresistible** || **prosaica** · **insoportable** · **insulsa** · **insustancial** || **descabellada** || **célebre** · **memorable** || **cáustica** · **sarcástica** · **satírica** · **irónica** · **alambicada** || **rosa** · **negra** *Este escritor, considerado uno de los maestros de la novela negra...* · **sentimental** · **romántica** · **de romance** · **picaresca** · **bizantina** · **morisca** · **de caballerías** · **de vaqueros** · **de aventuras** · **ejemplar** · **de tesis** *Su última obra es una novela de tesis con un tono claramente moralizante* · **epistolar** · **griega** · **pastoril** · **histórica** || **cuidada** · **trabajada** · **redonda** · **desigual** || **retorcida** · **difícil** · **fácil** · **intrincada** · **lineal** || **profusa** · **voluminosa** *una voluminosa novela en la que se cuenta la historia de...* · **corta** · **larga** || **testimonial** · **autobiográfica** · **verídica** || **descarnada** · **dura** · **trágica** || **lacrimógena** · **emotiva** || **inconclusa** · **inacabada** *Además de su obra poética, dejó un par de novelas inacabadas* || **póstuma**

● CON SUSTS. **género (de)** *El género de la novela no es el que cultivó con más acierto* · **tema (de)** · **historia (de)** · **asunto (de)** · **ambiente (de)** · **final (de)** · **trama (de)** || **presentación (de)** *La presentación de la novela estará a cargo del reconocido periodista...* || **autor,-a (de)** · **personaje (de)** · **protagonista (de)** || **borrador (de)**

● CON VBOS. **describir (algo)** · **retratar (algo)** · **reflejar (algo)** · **abordar** || **versar (sobre algo)** *Todas sus novelas versan sobre los mismos temas* · **tratar (de algo/sobre algo)** · **girar (sobre algo)** · **plantear (algo)** || **inspirar(se) (en algo)** || **introducir (al lector)** · **llevar (al lector)** || **discurrir** *La novela discurre en la época de posguerra...* · **fluir** · **desarrollar(se)** || **circular** || **tener éxito** · **fracasar** · **ser {una bomba/un bombazo}** || **frustrar(se)** · **seguir** || **escribir** · **pergeñar** · **componer** · **construir** · **tramar** · **cocinar** · **ultimar** · **rematar** || **editar** · **publicar** · **ilustrar** · **prologar** · **traducir** *...un autor que tradujo varias novelas del francés al español* · **comentar** · **divulgar** · **difundir** · **vender** || **abrir** · **cerrar** · **hojear** · **leer** · **vivir** · **acometer** · **emprender** || **empezar** · **terminar** · **concluir** · **dejar (a medias)** · **abandonar** · **interrumpir** || **acortar** · **alargar** · **sintetizar** · **resumir** · **aligerar** || **dedicar (a algo/a alguien)** · **firmar** *Durante la feria, el autor firmará su última novela* || **jalonar** || **refundir** · **transcribir** · **llevar al cine** || **protagonizar** || **meter(se) (en)** · **internar(se) (en)** · **adentrar(se) (en)** · **zambullirse (en)** · **sumergir(se) (en)** || **hacer frente (a)**

● CON PREPS. **a lo largo (de)** · **durante** · **sobre (algo)** *una apasionante novela sobre el mundo de la televisión* · **acerca (de algo)**

novelesco, ca adj.

● CON SUSTS. **literatura** · **ficción** · **género** *Toda su obra se inscribe en el género novelesco* · **estructura** · **construcción** · **forma** · **argumento** || **historia** · **relato** · **intriga** · **trama** · **tema** · **asunto** · **materia** · **creación** · **obra** · **material** · **personaje** || **hecho** · **vida** *una vida novelesca y apasionada como pocas* · **mundo** || **espacio** · **ámbito** · **estatuto** || **final** · **tono** · **tipo** · **estilo**

noviazgo s.m.

● CON ADJS. **largo** · **eterno** · **infinito** · **corto** *Quizá durante el corto noviazgo fue cuando la pareja...* · **fugaz** || **feliz** · **sin éxito** || **formal** · **informal** || **turbulento** · **tormentoso** || **supuesto** || **real** · **político**

● CON VBOS. **prolongar(se)** · **durar** || **fracasar** || **mantener** *Mantienen un noviazgo que dura ya varios años* · **iniciar** · **alargar** || **romper** || **anunciar** · **desvelar** · **confirmar** || **imponer** · **aceptar** || **oponerse (a)**

noviembre s.m. Véase **MES**

novio, via s.

● CON ADJS. **formal** || **de toda la vida** · **antiguo,gua** *Había quedado con su antiguo novio*

● CON SUSTS. **traje (de)** · **vestido (de)** *una tienda especializada en vestidos de novia* || **viaje (de)** *irse de viaje de novios*

● CON VBOS. **tener** *¿Tienes novia?* · **buscar** · **encontrar** · **conocer** || **hacerse** *Se hicieron novios al poco tiempo de conocerse* || **dejar** · **quitar (a alguien)** || **casarse (con)** · **romper (con)** · **salir (con)** || **vestir(se) (de)** || **llevar {años/meses...} (de)** *Llevan cinco años de novios*

nubarrón s.m.

● CON ADJS. **oscuro** · **negro** *un cielo cubierto de nubarrones negros* · **gris** · **plomizo** || **borrascoso** · **tormentoso** · **denso** || **amenazante**

● CON VBOS. **aproximar(se)** · **avecinarse** · **alejar(se)** || **formar(se)** · **disipar(se)** · **despejar(se)** · **desvanecer(se)** || **cernerse** *Se ciernen oscuros nubarrones sobre su futuro político* · **amenazar (algo/a alguien)** || **cubrir** · **oscurecer** *Densos nubarrones oscurecían el cielo otoñal* · **teñir** || **descargar (lluvia)**

nube

1 **nube** s.f.

● CON ADJS. **densa** · **espesa** *una espesa nube de humo* · **tupida** || **gris** · **grisácea** · **negra** · **negruzca** · **blanca** · **rojiza** · **rosada** || **siniestra** · **plomiza** · **oscura** · **sombría** || **de lluvia** · **de tormenta** · **tormentosa** · **borrascosa** || **amenazadora** · **amenazante** || **de verano** *un amor que pasó como una nube de verano* · **pasajera** || **tóxica** · **radioactiva**

● CON VBOS. **formar(se)** *Por la tarde se formarán nubes en la sierra* · **desvanecer(se)** · **disipar(se)** · **dispersar(se)** || **avecinar(se)** · **acercar(se)** · **aproximar(se)** · **cernerse (sobre algo/sobre alguien)** · **alejar(se)** · **mover(se)** · **desplazar(se)** · **levantar(se)** · **pasar** || **cubrir (algo)** *Las nubes cubrieron el sol por un momento* · **ocultar (algo)** || **descargar (lluvia)** || **sobrevolar** *La avioneta sobrevoló las nubes* · **atravesar**

2 **nube (de)** s.f.

● CON SUSTS. **gas** · **humo** · **polvo** *envueltos en una nube de polvo* · **contaminación** · **incienso** · **fuego** · **espuma** || **mosquitos** · **moscas** · **abejas** · **pájaros** || **fotógrafos,fas** *Una nube de fotógrafos rodeaba a los ganadores* · **reporteros,ras** · **periodistas** · **micrófonos** · **cámaras** · **curiosos,sas** · **agentes** · **jugadores,ras** || **emoción** · **angustia**

☐ EXPRESIONES **bajar de las nubes** [entrar en contacto con la realidad] *¡Chico, baja de las nubes!* || **en las nubes** [despistado, fuera de la realidad] || **poner** (algo/a alguien) **por las nubes** [ensalzarlo mucho] || **por las nubes** [muy caro]

nublar(se) v.

• CON SUSTS. **vista** · **ojos** · **visión** · **mirada** · **retina** || **semblante** · **rostro** *un enfado que le nubló el rostro unos segundos* · **sonrisa** || **cielo** *En pocos minutos, el cielo se nubló completamente* · **región** · **ciudad** · **paisaje** || **día** · **mañana** · **tarde** *La tarde se nubló de repente y empezó a llover* || **mente** *Pensemos un poco, no dejemos que la situación nos nuble la mente* · **pensamiento** · **entendimiento** · **entendederas** · **sentido** · **juicio** · **conciencia** · **memoria** *Cuando no se le nubla la memoria tiene momentos de lucidez* · **intuición** · **cerebro** · **idea** || **imagen** · **impresión** · **percepción** || **horizonte** · **futuro** · **porvenir** · **destino** || **triunfo** · **éxito** · **victoria** · **fama**

nubosidad s.f.

• CON ADJS. **variable** *Pronosticaron para hoy descenso de la temperatura y nubosidad variable* · **parcial** · **intermitente** || **gran(de)** · **acusada** · **intensa** · **baja** · **poca** · **escasa** || **creciente** · **en aumento**

• CON VBOS. **aumentar** *A partir del mediodía aumenta la nubosidad y se esperan nevadas* · **incrementarse** · **disminuir** || **desaparecer** · **desvanecerse** || **pronosticar** · **esperar**

nuboso, sa adj.

• CON SUSTS. **cielo** *un cielo nuboso y encapotado* · **panorama** || **intervalo** · **frente** · **masa** · **núcleo** || **día** · **tarde**

• CON ADVS. **parcialmente**

• CON VBOS. **ponerse** || **permanecer** · **continuar** *Los cielos continuarán nubosos varios días* || **amanecer**

nuclear adj.

• CON SUSTS. **amenaza** · **explosión** · **guerra** · **holocausto** *una película sobre un imaginario holocausto nuclear* · **ataque** · **catástrofe** · **terror** || **energía** · **combustible** · **central** · **reactor** *Los técnicos trabajaban en la reparación del reactor nuclear* · **bomba** · **arsenal** || **medicina** · **física** || **fisión** · **fusión**

núcleo

1 núcleo s.m.

• CON ADJS. **básico** · **central** · **interno** · **externo** · **inicial** · **íntimo** || **pequeño** *Un pequeño núcleo de casas rodea la iglesia* · **amplio** · **dilatado** · **fuerte** · **férreo** · **estable** || **duro** · **pesado** · **conflictivo** || **esencial** · **principal** · **fundamental** · **importante** · **sustancial** || **familiar** *la educación dentro del núcleo familiar* · **social** || **urbano** · **natural** · **poblado** · **costero** · **turístico** · **habitado** · **humano** · **industrial** || **aglutinador** || **político** · **dirigente** *Formaban parte del núcleo dirigente de la revolución* · **histórico** · **generacional** || **operativo** || **argumental** *El núcleo argumental de la película se basa en una historia real* · **conceptual** · **temático** · **imaginativo** || **celular** · **atómico** · **cerebral** || **armado** || **terrestre**

• CON VBOS. **afectar** *El incendio afectó al núcleo central de la ciudad* · **alcanzar** || **fortalecer** · **consolidar** · **mantener** || **constituir** · **formar** · **configurar** · **componer** || **rodear** · **disociar** || **crear** · **destruir** *situaciones que pueden llegar a destruir el núcleo familiar* · **desmantelar** · **rehacer** || **contener** || **desarrollar** || **convertir(se) (en)** · **erigir(se) (en)** || **centrar(se) (en)**

2 núcleo (de) s.m.

• CON SUSTS. **pensamiento** · **argumento** · **debate** || **problema** · **conflicto** *Sus diferencias ideológicas constituyen el núcleo del conflicto* || **poder** · **sistema** || **población**

nudista adj.

• CON SUSTS. **playa** · **cala** · **piscina** || **práctica** *Han prohibido la práctica nudista en esta zona* || **zona** · **área** · **hotel** · **pueblo**

nudo

1 nudo s.m.

▌[lazo]

• CON ADJS. **doble** · **marinero** · **corredizo** · **ciego** || **enmarañado** · **enrevesado**

• CON VBOS. **apretar** · **desatar** *¿Me ayudas a desatar este nudo?* · **aflojar** · **soltar** · **cortar** · **romper** || **hacer** · **deshacer**

▌[centro, núcleo]

• CON ADJS. **ferroviario** · **viario** · **aéreo** || **norte** *En las horas punta conviene evitar el nudo norte* · **sur** · **central** || **fronterizo** || **importante** · **estratégico** · **vital** · **gran(de)** · **principal**

• CON VBOS. **unir** · **conectar** · **enlazar** || **alcanzar** · **pasar** · **atravesar** · **evitar** || **construir** · **soterrar** *...para soterrar el nudo que enlaza las principales vías de la ciudad* · **perforar** · **transformar** || **salir (de)** · **llegar (a)** · **acceder (a)** · **volver (a)** || **afectar (a)** *El atasco afecta al conflictivo nudo de...* || **confluir (en)** || **situar(se) (en)** · **ubicar(se) (en)** · **encontrar(se) (en)** *El pueblo se encuentra en el nudo fronterizo donde...*

▌[sensación de angustia]

• CON ADJS. **en el estómago** · **en la garganta** *Cuando recibí la noticia, se me hizo un nudo en la garganta*

• CON VBOS. **hacer(se)** · **deshacer(se)**

▌[unidad marítima de velocidad]

• CON ADJS. **náutico** || **de velocidad** · **de intensidad** *un viento de cincuenta nudos de intensidad* || **por hora**

• CON SUSTS. **viento (de)** {**un, dos, tres...**} · **fuerza (de)** {**un, dos, tres...**} *El viento sopla con una fuerza de treinta nudos*

• CON VBOS. **equivaler** || **medir** · **calcular**

• CON PREPS. **a** *El yate navega a diez nudos por hora*

2 nudo (de) s.m.

• CON SUSTS. **corbata** · **zapato** || **comunicación** · **tráfico** · **carretera** · **camino** · **enlace** *el principal nudo de enlace de la ciudad* · **conexión** · **intersección** · **acceso** || **argumentación** · **novela** · **obra** || **problema**

nuevo, va adj.

• CON ADVS. **totalmente** *Nos tuvimos que enfrentar a una situación totalmente nueva* · **absolutamente** · **parcialmente** · **enteramente** || **radicalmente** *Introdujeron productos radicalmente nuevos en el mercado* · **rabiosamente**

• CON VBOS. **ser** · **estar** · **mantener(se)**

☐ EXPRESIONES **como nuevo** [reconfortado, renovado] || **de nuevo** [otra vez]

☐ USO Su significado puede variar según vaya delante del sustantivo o detrás: *Cada día aparece con un nuevo coche* (otro coche). *Estoy deseando estrenar mi coche nuevo* (un coche sin usar).

[nuevo, va]

→ **de nueva construcción**; **de nueva planta**; **nuevo, va**

nulidad s.f.

• CON ADJS. **absoluta · completa · total · parcial || ostensible || matrimonial** *...antes de conseguir la nulidad matrimonial*

• CON VBOS. **dictaminar · decretar || pedir** *...a pedir la nulidad del proceso que se sigue contra ellos* · **solicitar · tramitar || obtener · conseguir · lograr || otorgar · conceder · denegar || acordar**

nulo, la adj.

• CON SUSTS. **interés · voluntad · posibilidad** *un plan con nulas posibilidades de éxito* · **efecto · resultado · incidencia · valor · atención · variación · protección · trascendencia · aprovechamiento · competencia · credibilidad · validez · dedicación · influencia || visibilidad** *En este tramo de carretera la visibilidad es nula* · **capacidad · creatividad · planificación || voto · acto · combate · salida · actividad · aportación · participación || crecimiento · aumento** *un aumento nulo de la productividad* · **beneficio · inflación || educación**

• CON VBOS. **declarar · considerar · hacer(se)**

numantinamente adv.

• CON VBOS. **resistir(se)** *El país se resistía numantinamente a la modernización* · **defender · asegurar · mantener(se) · preservar · atrincherar || luchar · reaccionar**

numantino, na adj.

• CON SUSTS. **defensor,-a · caudillo,lla ·** ***otros individuos*** **|| resistencia** *un claro ejemplo de resistencia numantina* · **defensa · gesta · desafío · lucha · épica · batalla · empate · cerco || baluarte · refugio · búnker || tozudez · empecinamiento · aguante · cerrazón · obstinación** *Su numantina obstinación hizo imposible llegar a un acuerdo* **|| actitud · posición · postura · posicionamiento · juicio · decisión · política || empeño · entusiasmo · intento · heroísmo || declaración · discurso** *el discurso numantino y apocalíptico del dirigente* · **alocución · llamamiento || recurso · vía · estrategia**

numéricamente adv.

• CON VBOS. **superar || aumentar · crecer || disminuir** *Este año las denuncias por agresiones han disminuido numéricamente* · **reducir**

• CON ADJS. **equivalente · inferior** *Jugaron con un equipo numéricamente inferior* · **superior**

numérico, ca adj.

• CON SUSTS. **superioridad · ventaja** *La ventaja numérica del equipo contrario contribuyó a su victoria* · **mayoría · inferioridad || desigualdad · desequilibrio · diferencia || igualdad · equilibrio · orden · proporción · armonía || clave** *una clave numérica de seis dígitos* · **código · sistema · término · dato || recuento · cálculo · balance · valoración · importancia || fuerza · expansión || problema · cuestión**

número s.m.

■ [cantidad]

• CON ADJS. **escaso · bajo · insignificante · reducido** *Solo un reducido número de especialistas tiene acceso a esa información* · **pequeño · irrisorio · menor · exiguo · precario || gran(de) · abultado** *los abultados números del presupuesto anual* · **alto · infinito · elevado · ingente · copioso || desmesurado · desproporcionado · desmedido || exacto · aproximado · redondo || decimal · entero · fraccionario · quebrado · cardinal · ordinal · positivo · negativo · primo · natural · par · impar · non · racional · irracional · complejo · real · imaginario || agraciado** *El número agraciado con el primer premio de la lotería fue...* · **premiado || incalculable · incontable · indeterminado || aleatorio · correlativo || paritario**

• CON VBOS. **incrementar(se) · crecer · decrecer || cuadrar** *Algo hemos hecho mal, porque los números no cuadran* **|| ajustar · recortar · achicar · rebajar · redondear · reducir** *Con esta medida, buscan reducir el número de desempleados* · **disminuir · acortar · engrosar || especificar · establecer · precisar · determinar || acertar** *¿Has acertado algún número del sorteo?* **|| contabilizar · sumar · restar · medir · extrapolar · truncar || calcular · echar · hacer** *Hagamos números antes de concretar la inversión* **|| alcanzar · sobrepasar · superar || memorizar || aumentar (en) · crecer (en)**

■ [acción extravagante]

• CON ADJS. **habitual** *Anoche entró y me montó el habitual número de todos los meses* **|| histriónico · lacrimógeno · histérico || espectacular · sonoro**

• CON VBOS. **montar · organizar · preparar · hacer · armar** *Lo que creo es que le gusta armar el número en público* · **repetir · protagonizar || presenciar · soportar** *...porque ya estaba harto de soportar sus numeritos* **|| convertir(se) (en)**

□ EXPRESIONES **en números rojos** [con saldo negativo en una cuenta bancaria] **|| número dos** [persona que ocupa la segunda posición en una labor de mandato] **|| número uno** [persona que destaca en algo]

numeroso, sa adj.

• CON SUSTS. **pueblo · país · familia** *una familia numerosa formada por los padres y cuatro hermanos* · **grupo · público · afluencia · audiencia · representación · presencia · plantilla · plantel · clientela · equipo · comunidad · concurrencia · colectivo · población · colonia · legión · guarnición · delegación** *una numerosa delegación en representación de nuestro país* · **reunión · promoción || material · bibliografía · documentación ||** ***otros conjuntos***

• CON VBOS. **hacerse**

[numismática] s.f. → numismático, ca

numismático, ca

1 numismático, ca adj.

• CON SUSTS. **ciencia · tradición || inversión · valor || exposición · museo · gabinete**

2 numismática s.f. Véase DISCIPLINA

nupcial adj.

• CON SUSTS. **compromiso** *Anunciaron a sus familiares su compromiso nupcial* · **contrato · enlace · bendición · rito · evento · ceremonia · festejo · fiesta · gala · banquete** *Aún no saben dónde celebrarán su banquete nupcial* · **almuerzo || vestido · atuendo · traje · anillo · alianza || cámara · alcoba · lecho · noche || recorrido · paseo · cortejo · comitiva || tarta · pastel || marcha**

nupcias s.f.pl.

• CON ADJS. **primeras · segundas** *Se casó en segundas nupcias a los cinco años de haberse quedado viudo*

• CON VBOS. **contraer**

nutrición s.f.

• CON ADJS. **buena · correcta** *Una correcta nutrición es imprescindible para el desarrollo del niño* · **adecuada ·**

equilibrada · **natural** || **deficiente** · **mala** || **mineral** · **vegetal** · **artificial** || **humana** *un estudio sobre la nutrición humana* · **animal** · **infantil**
● CON SUSTS. **experto,ta (en)** · **especialista (en)** || **centro (de)** · **plan (de)** · **programa (de)** || **problema (de)**

nutrido, da adj.

● CON SUSTS. **grupo** *Un nutrido grupo de estudiantes visitó la exposición* · **serie** · **abanico** · **masa** · **conjunto** · **ristra** · **repertorio** · **catálogo** || **representación** · **delegación** · **colonia** · **séquito** · **escolta** *El presidente y su nutrida escolta acudieron a...* || **desfile** · **asamblea** · **feria** · **reunión** · **manifestación** · ***otros eventos*** || **biblioteca** *Heredó de su padre una nutrida biblioteca* · **archivo** · **depósito** · **hucha** || **correspondencia** · **documentación** · **bibliografía** · **literatura** || **cifra** · **cantidad** · **ingreso** · **emolumento** · **beneficio** · **rédito** || **agenda** · **programa** · **programación** · **filmografía** · **calendario** · **currículum** · **historial** · **carrera** || **elenco** · **relación** · **muestra** · **muestrario** · **lista** · **índice** · **censo** · **nómina** *una revista con una muy nutrida nómina de suscriptores* · **exposición** || **asistencia** · **presencia** · **concurrencia** · **participación** · **público** · **reparto** || **aplauso** · **apoyo** *La campaña recibió un nutrido apoyo de las empresas del sector* · **respaldo** · **cobertura**

nutrir(se) v.

● CON SUSTS. **organismo** · **cuerpo** · **planta** · **animal** *Estos animales se nutren de plancton* · **niño,ña** · **bebé** || **fuego** · **tierra** || **grupo** · **equipo** *Se necesitan nuevos fichajes que nutran al equipo titular* · **clientela** · **asistencia** · **reparto** · **séquito** || **listas** · **filas** || **diálogo** · **obra** || **impuesto** · **dinero** · **fondos** *Las ganancias serán destinadas a nutrir los fondos necesarios para...* · **arcas** || **colección** · **catálogo** · **biblioteca** || **idioma** · **lengua** || **inteligencia** *¿Cómo se puede nutrir o estimular la inteligencia?* · **talento** · **creatividad** · **conocimiento** · **memoria**

nutritivo, va adj.

● CON SUSTS. **alimentación** · **alimento** *El pescado azul es un alimento sano y nutritivo* · **bebida** · **producto** · **suplemento** · **complemento** · **sustancia** · **dieta** · **menú** · **plato** · **manjar** || **valor** *Para conservar el valor nutritivo de las hortalizas se deben preparar...* · **poder** · **propiedad** || **beneficio** · **ventaja** || **necesidades** *las necesidades nutritivas de los niños pequeños* · **deficiencias**

Ñ ñ

ñacurutú s.f.

●CON SUSTS. **pluma (de) || ejemplar (de) · pareja (de) || macho · hembra**
●CON VBOS. **cantar || acechar** *Un ñacurutú acechaba a su presa desde...*

ñame s.m.

●CON SUSTS. **raíz (de) · tubérculo (de) || corteza (de) || plantación (de)**
●CON VBOS. **cultivar · sembrar · cosechar · plantar || pelar · cortar · trocear** *Primero trocea el ñame y después lo echas al sancocho* **|| cocinar · cocer**

ñandú s.m.

●CON SUSTS. **carne (de) || macho · hembra**
●CON VBOS. **correr**

ñu s.m.

●CON SUSTS. **rebaño (de) · manada (de) · grupo (de) || macho · hembra**
●CON VBOS. **rumiar · pastar** *Un ñu pastaba alejado de su rebaño* **· migrar**

O o

obcecarse v.

• CON ADVS. **completamente** *Se ha obcecado completamente en esa idea* · **totalmente** · **absolutamente** || **tercamente** · **ciegamente** · **tontamente** · **inútilmente**

☐ USO Se construye con complementos encabezados por la preposición *en*: *Creo que te obcecas en algo que no tiene sentido.*

[obedecer] → obedecer; obedecer (a)

obedecer v.

• CON SUSTS. **norma** *Todos debemos obedecer las normas* · **ley** · **reglamento** · **orden** · ***otras disposiciones*** || **indicación** · **instrucción** *Obedecí las instrucciones del médico punto por punto*

• CON ADVS. **al pie de la letra** *Obedecí sus indicaciones al pie de la letra* · **a rajatabla** · **estrictamente** · **punto por punto** || **a pies juntillas** · **sin rechistar** · **ciegamente** · **sin pestañear** *Obedecieron sin pestañear las órdenes del jefe* · **sin reservas** · **sin demora** · **servicialmente** · **puntualmente** || **a regañadientes** · **de buen grado** · **gustosamente**

obedecer (a) v.

• CON SUSTS. **deseo** · **afán** *una meticulosidad que obedece a su afán de perfección* · **creencia** · **impulso** · **intención** · **interés** · **iniciativa** · **reacción** || **conveniencia** · **capricho** · **oportunismo** · **necesidad** || **moda** · **tradición** · **costumbre** || **doctrina** · **ley** *Sin duda, ese comportamiento obedece a alguna ley natural que...* · **principio** · **norma** · **fórmula** || **estrategia** · **maniobra** · **operación** · **plan** *Todo obedecía a un plan previamente diseñado* · **planteamiento** · **previsión** · **lucha** · **campaña** || **lógica** · **pauta** · **recomendación** || **fin** · **objetivo** · **causa** · **propósito** · **motivo** · **razón** · **factor** · **decisión** · **presión** || **fallo** *Este ruido obedece a un fallo en el motor* · **error** · **avería** || **petición** · **invitación** || **instinto** · **realidad** || **mezcla** · **suma** || **corazonada** · **tincada** · **presentimiento**

obediencia s.f.

• CON ADJS. **ciega** *Sus seguidores le profesan una obediencia ciega* · **devota** · **fiel** · **incondicional** · **absoluta** · **sin condiciones** · **total** || **celosa** · **escrupulosa** · **estricta** *La obediencia estricta a las normas es un requisito para...* · **rigurosa** || **debida** || **sujeto,ta (a)**

• CON SUSTS. **falta (de)** · **espíritu (de)** || **juramento (de)**

• CON VBOS. **deber** · **rendir** · **tributar** · **jurar** · **practicar** || **exigir** *Nos exigían obediencia incondicional a...* · **imponer** || **ganar(se)** || **someter (a)**

• CON PREPS. **en señal (de)** *Inclinó la cabeza en señal de obediencia*

obediente adj.

• CON SUSTS. ***persona*** *una niña obediente y disciplinada* · ***animal*** *un perro muy obediente* || **espíritu** · **gesto** || **legislación**

• CON ADVS. **excesivamente** · **sumamente** · **esencialmente**

• CON VBOS. **mostrarse** · **volverse**

obesidad s.f.

• CON ADJS. **acusada** · **marcada** · **grave** · **mórbida** || **patológica** · **clínica** · **preocupante** · **irreversible** · **congénita** · **crónica** || **localizada** · **recurrente** || **infantil** *...una campaña educativa para la prevención de la obesidad infantil*

• CON SUSTS. **problema (de)** · **síntoma (de)**

• CON VBOS. **desarrollar** · **padecer** · **acusar** || **causar** · **provocar** || **prevenir** · **evitar** *Para evitar la obesidad es conveniente...* · **atajar** · **controlar**

objeción s.f.

• CON ADJS. **grave** · **seria** · **firme** · **de peso** || **insalvable** · **irrebatible** · **convincente** *Plantearon una serie de objeciones poco convincentes a nuestra propuesta* || **fundada** · **fundamentada** · **infundada** || **insignificante** · **pequeña** · **ridícula** · **nimia** || **rebuscada** · **socorrida** || **de conciencia**

• CON VBOS. **sustentar(se) (en algo)** || **plantear** · **presentar** *Nadie presentó la menor objeción* · **hacer** · **poner** · **oponer** · **formular** · **aducir** · **esgrimir** || **atender** || **contestar** · **rebatir** · **desestimar** *Si desestiman nuestras objeciones, volveremos a intentarlo* · **rechazar** · **neutralizar** || **fundamentar** || **replicar (a)** · **responder (a)** || **tropezar (con)**

objetar (a) v.

• CON SUSTS. **actuación** · **comportamiento** *No tengo nada que objetar a su comportamiento* · **actitud** · **conducta** · **hecho** || **opinión** · **argumento** · **idea** · **teoría** · **declaración** · **discurso** || **decisión** · **plan** · **proyecto** · **resultado**

☐ USO Se usa generalmente en contextos negativos (*No hay nada que objetar a...*) o irreales (*Si hubiera algo que objetar a...*).

objetividad s.f.

• CON ADJS. **absoluta** *Actuaron con absoluta objetividad* · **completa** · **plena** · **total** · **implacable** || **meridiana** · **probada** · **verdadera** · **falsa**

• CON SUSTS. **falta (de)** *Deben afrontar una denuncia por la falta de objetividad del comité*

• CON VBOS. **buscar** *un informe que busca ante todo la objetividad* · **perseguir** || **conseguir** · **mantener** · **preservar** · **garantizar** · **conservar** · **perder**

● CON PREPS. **con** *analizar una prueba con objetividad* · **en aras (de)** *En aras de una verdadera objetividad en el concurso, los autores firmarán con seudónimo*

objetivo, va

1 **objetivo, va** adj.

● CON SUSTS. **criterio** · **opinión** *No puedo dar una opinión objetiva porque estoy demasiado implicada en el asunto* · **actuación** · **comentario** · **juicio** · **afirmación** · **definición** · **conocimiento** *tener un conocimiento objetivo del tema* || **sentido** · **factor** · **hecho** || **juez** *...una juez tan objetiva como ella no se dejará llevar por...* · **jurado** · **árbitro,tra** · **profesor,-a** · ***otros individuos y grupos humanos***

2 **objetivo** s.m.

● CON ADJS. **realista** · **fácil** · **al alcance de la mano** · **alcanzable** · **asequible** · **razonable** · **perseguible** || **imposible** · **inabordable** · **inaccesible** · **inalcanzable** · **difícil** · **remoto** || **claro** · **inequívoco** · **meridiano** · **nítido** · **patente** || **dudoso** · **impreciso** · **oculto** · **oscuro** || **ambicioso** · **modesto** || **descabellado** *Aunque su objetivo era descabellado, insistía en llevarlo a la práctica* · **peregrino** · **utópico** · **vano** || **firme** · **tenaz** || **principal** · **crucial** · **irrenunciable** · **final** · **legítimo** || **apremiante** · **inmediato** · **perentorio** || **contrapuesto** · **enfrentado** || **acorde (con)**
● CON SUSTS. **búsqueda (de)** · **persecución (de)** || **cumplimiento (de)** · **logro (de)**
● CON VBOS. **hacer(se) realidad** *...un objetivo utópico que terminó por hacerse realidad* || **derrumbar(se)** · **quebrar(se)** · **desmoronar(se)** · **malograr(se)** · **truncar(se)** || **abordar** · **afrontar** · **perseguir** · **pretender** · **encarar** · **intentar** · **llevar a la práctica** · **cumplir** *Logré cumplir los objetivos más perentorios en un plazo muy breve* · **llevar a buen puerto** · **llevar a término** || **abandonar** · **deponer** · **incumplir** || **echar por tierra** · **tirar por tierra** *Las estadísticas tiraron por tierra hasta los objetivos más realistas* · **desbaratar** · **llevarse por delante** · **rebajar** *Tuvieron que rebajar considerablemente sus objetivos de venta* · **desviar** · **perder de vista** || **conseguir** · **alcanzar** · **sobrepasar** · **superar** *Superaremos con creces los objetivos marcados para este año* · **culminar** · **coronar** · **obtener** · **mantener** · **acariciar** || **albergar** · **tener** · **proponer(se)** *Me propuse el objetivo de hacer gimnasia todos los días* · **establecer** · **delimitar** · **delinear** · **fijar** · **formular** · **marcar** · **perfilar** · **trazar** || **alterar** · **cambiar** · **distorsionar** · **tergiversar** || **clarificar** · **centrar** · **cuadrar** || **aunar** · **conciliar** · **conjugar** || **hacer público** · **confesar** *Nunca confesó sus objetivos ocultos* · **desvelar** · **plantear** || **conocer** · **reconocer** || **atenerse (a)** · **aferrarse (a)** · **ceñirse (a)** *ceñirse estrictamente a los objetivos fijados* · **hacer frente (a)** · **perseverar (en)** · **persistir (en)** || **apear(se) (de)** · **desistir (de)** || **dirigir(se) (a)** · **encaminar(se) (a)** || **obedecer (a)**

objeto (de) s.m.

▮ [fin, propósito]

● CON SUSTS. **visita** *¿Cuál es el objeto de su visita?* · **reunión** · **encuentro**

▮ [materia, asunto]

● CON SUSTS. **atención** · **interés** *El escándalo dejó de ser objeto de interés para la prensa* · **consideración** · **curiosidad** · **preocupación** || **deseo** · **culto** *El cuerpo se ha convertido hoy en día en objeto de culto* · **homenaje** · **admiración** · **veneración** · **adoración** · **amor** || **control** · **vigilancia** · **seguimiento** · **persecución** · **amenaza** · **presión** · **inspección** · **advertencia** · **coacción** || **estudio** *...un fenómeno que es objeto de estudio de numerosos especialistas* · **análisis** · **investigación** · **reflexión** · **revisión** · **examen** · **conocimiento** · **lectura** · **valoración** || **discusión** · **debate** · **polémica** · **controversia** · **comentario** · **disputa** · **litigio** · **escándalo** · **conversación** || **lucha** · **batalla** · **conflicto** · **conquista** || **ataque** · **malos tratos** *Denunció que en prisión fue objeto de malos tratos* · **atentado** · **agresión** · **bombardeo** · **boicot** · **sabotaje** · **asalto** || **abuso** · **chantaje** · **atropello** · **vejación** · **atraco** · **delito** · **robo** || **crítica** *La película fue objeto de duras críticas por parte de...* · **denuncia** · **acusación** · **protesta** · **censura** · **condena** · **abucheo** · **vituperio** || **sanción** *La empresa fue objeto de fuertes sanciones comerciales* · **querella** · **demanda** || **ira** · **odio** · **desdén** || **reforma** · **cambio** · **modificación** · **renovación** · **ajuste** · **reelaboración** · **ampliación** || **burla** · **broma** · **chanza** · **chiste** *un personaje pintoresco que ha sido objeto de chistes en todo el país* · **risa** · **sarcasmo** · **chirigota** · **cuchufleta** || **conjetura** · **cábala** · **especulación** || **compra** · **venta** · **consumo**

obligación s.f.

● CON ADJS. **irrenunciable** · **ineludible** *Es para mí una obligación ineludible hacerme cargo de...* · **inevitable** · **inexcusable** · **insoslayable** · **indeclinable** · **forzosa** · **sine qua non** || **urgente** · **inaplazable** · **apremiante** · **imperiosa** · **perentoria** || **agobiante** · **asfixiante** · **pesada** · **abrumadora** · **estricta** || **engorrosa** · **penosa** · **incómoda** · **fatigosa** || **llevadera** || **exento,ta (de)** · **libre (de)** · **sujeto,ta (a)** *...un puesto que está sujeto a una serie de obligaciones inexcusables*
● CON VBOS. **acuciar (a alguien)** || **atañer (a alguien)** · **concernir (a alguien)** · **incumbir (a alguien)** || **derivar(se)** *De aquel encargo se derivaban nuevas obligaciones* · **emanar** · **pesar (sobre alguien)** || **extinguir(se)** · **diluir(se)** || **adquirir** · **arrogarse** · **contraer** · **tener** · **imponer** · **delegar** · **transmitir** · **traspasar** || **abolir** · **cancelar** || **atender** · **cumplir** *Puede confiar en él porque siempre cumple sus obligaciones* · **asumir** · **encarar** · **afrontar** · **tomarse a pecho** · **saldar** · **satisfacer** || **desatender** *Le llamaron la atención por desatender sus obligaciones* · **descuidar** · **incumplir** · **infringir** · **saltarse** · **eludir** · **obviar** · **transgredir** · **conculcar** · **soslayar** · **posponer** || **entrañar** *Este puesto entraña muchas obligaciones* || **rebasar** · **exceder** || **escapar (de)** · **librar(se) (de)** · **desentenderse (de)** · **inhibir(se) (de)** · **faltar (a)** · **sustraer(se) (de/a)** · **descargar(se) (de)** · **atenerse (a)** · **hacerse cargo (de)** || **dispensar (de)** *Me dispensaron de mis obligaciones hasta que...* · **eximir (de)** · **exonerar (de)** · **absolver (de)** · **aligerar (de)** || **carecer (de)**
● CON PREPS. **a la altura (de)** · **en función (de)** || **por**

obligar v.

● CON ADVS. **a la fuerza** *Lo obligaron a callar a la fuerza y con amenazas* · **a golpes** · **a empujones** || **inexorablemente**

☐ USO Se construye con complementos encabezados por la preposición *a*: *Nos obligaron a salir del local.*

obligatorio, ria adj.

● CON SUSTS. **educación** · **enseñanza** *enseñanza secundaria obligatoria* · **escolarización** || **prácticas** || **asignatura** *¿Cuáles son las asignaturas obligatorias del primer año de la carrera?* · **tema** · **materia** · **ejercicio** · **lectura** · **referencia** || **uniforme** || **voto** · **cumplimiento** · **uso** || **seguro** · **afiliación** || **pago** · **cuota** · **impuesto** · **trámite** || **condición** · **requisito** · **dato** || **servicio militar** · **recluta-**

miento || cierre · parada · firma · apertura · entrega · *otras acciones*
● CON ADVS. **absolutamente · de todo punto**
● CON VBOS. **hacer · considerar · parecer**

oboe s.m.

● CON ADJS. **solista || barroco**
➤ Véase también **INSTRUMENTO MUSICAL**

[obra] → de palabra y obra; obra

obra s.f.

● CON ADJS. **intrincada · difícil · ardua · incomprensible · indescifrable · inaccesible · abstrusa · abigarrada || accesible · comprensible || abierta** *una obra abierta y susceptible de múltiples lecturas* · **controvertida · fidedigna · ecuánime · profunda · representativa || aleccionadora · analítica · mordaz || amena · apasionante · palpitante · electrizante · arrolladora · sugerente · llamativa || aburrida · anodina · trillada || inspirada · original · nueva · novedosa || espectacular · portentosa · maestra** *De su colección destacan varias obras maestras* · **magna · meritoria · de valor · valiosa · perfecta · redonda** *Su última novela es una obra redonda y cerrada que cuenta con todos los ingredientes para ser un éxito* · **rotunda · intachable || imperfecta · a medias · inacabada · incompleta · inconclusa · pobre || capital · fundamental · imprescindible || imborrable · inmortal · memorable · única · buenas** *Dedicó su vida a las buenas obras* **|| conocida · famosa · universal · desconocida || clásica · moderna || de juventud · de madurez || larga · prolija · breve || abundante · copiosa · ingente · cuantiosa · nutrida · vasta · voluminosa · extensa · dilatada · concentrada · dispersa || escasa · exigua || antológica · completa** *Sus obras completas están recogidas en cuatro gruesos tomos* · **escogida · selecta || anónima · apócrifa · autógrafa · póstuma || artística · de arte · literaria · de estreno || de reconstrucción · de ampliación · de remodelación** *Las obras de remodelación del viejo palacio están muy retrasadas* **|| benéfica · de caridad · bienintencionada || privada · pública**
● CON SUSTS. **autor,-a (de) || interés (por) || cumbre** *una antología que comprende las obras cumbre de la literatura universal*
● CON VBOS. **aparecer · salir a la luz · hacer(se) realidad || versar (sobre algo) · tratar (de algo) · girar (sobre algo)** *Toda su obra gira en torno a las relaciones humanas* **|| decaer · despuntar || circular** *La obra circuló de mano en mano durante los años que estuvo prohibida* **|| acometer · abordar · emprender || ejecutar · construir || escribir · componer · pergeñar · representar || aplaudir · aceptar · rechazar · silbar || bordar · llevar a buen puerto · culminar || acabar · concluir · terminar · consumar · ultimar · interrumpir || firmar · sellar || derruir · desbloquear · desbrozar · desmontar || agilizar · aligerar || dedicar (a alguien) · dirigir (a alguien) || plagiar · copiar · adulterar · tergiversar · aderezar || auspiciar · impulsar · promover || difundir · divulgar** *...una editorial pequeña, encargada de divulgar las obras menos comerciales* · **exhibir · publicar || reunir || analizar · criticar · juzgar · estudiar · interpretar · valorar · saborear · conocer** *Pocos investigadores conocen a fondo las obras de arte de este período* **|| protagonizar || abjurar (de) || adentrarse (en) || dar fin (a)** *Han dado fin a las obras de reconstrucción del casco histórico*

obrar v.

● CON ADVS. **a conciencia · concienzudamente · celosamente · con conocimiento de causa** *Obré con conocimiento de causa, por lo que asumo todas las responsabilidades* · **en conciencia || juiciosamente · responsablemente · con responsabilidad || a la ligera · a {mi/tu/su...} antojo || en consecuencia** *Yo pensaba que no debía asistir, así que obré en consecuencia* · **coherentemente · en correspondencia || con dureza · con firmeza || de {buena/mala} fe** *Suponemos que obraron de buena fe al pedir el aplazamiento* · **maliciosamente || por cuenta propia · a espaldas (de alguien)**

obrero, ra

1 **obrero, ra** adj.

● CON SUSTS. **movimiento · revolución · lucha · huelga · revuelta** *Durante la revuelta obrera del año...* · **causa || clase · sector || líder · dirigente || central · sindicato · partido || barrio** *El jugador pasó su infancia en un barrio obrero de...* · **ciudad · mundo · familia || abeja · hormiga**

2 **obrero, ra** s.

● CON ADJS. **asalariado,da · fijo,ja · eventual**
● CON SUSTS. **cuadrilla (de) · gremio (de) · asociación (de) · plantilla (de) · sindicato (de) || capataz,-a (de)**
● CON VBOS. **trabajar · estar en activo · estar de baja || contratar · despedir · mantener (en plantilla) · dar de baja · dar de alta || retribuir**

obsceno, na adj.

● CON SUSTS. **lenguaje** *Hizo uso de un lenguaje obsceno e indecoroso* · **vocabulario || comentario · discurso · palabra · respuesta ·** ***otras manifestaciones verbales*** **|| exhibicionismo || ritual · espectáculo · arte · cuadro || material · contenido || silencio · tono || gesto**
● CON ADVS. **verdaderamente** *Me pareció un comentario verdaderamente obsceno* · **claramente · abiertamente || absolutamente · totalmente || moralmente · sexualmente**
● CON VBOS. **resultar · parecer · encontrar · considerar** *Consideraron muy obsceno su comportamiento*

obsequiar v.

● CON ADVS. **desinteresadamente · generosamente** *Fuimos generosamente obsequiados con un magnífica comida* · **espléndidamente · altruistamente || amablemente · atentamente · gentilmente**

□ USO Se construye muy frecuentemente con complementos encabezados por la preposición *con*: *Nos obsequiaron con un viaje a Roma.*

obsequio s.m.

● CON ADJS. **delicado · fino · exquisito · lujoso** *un obsequio excesivamente lujoso* · **suculento || modesto · pequeño · sencillo || merecido · inmerecido || atento · digno · impagable || inestimable · preciado · valioso || tradicional** *Aquí se venden los tradicionales obsequios navideños* **|| gratuito || comercial · navideño · publicitario · en especie || acompañado,da (de)** *La suscripción a nuestra revista viene acompañada de un obsequio totalmente gratuito*
● CON VBOS. **dar · conceder · entregar · otorgar · brindar · adjudicar · ofrecer · prometer || enviar · hacer llegar** *Le hice llegar un pequeño obsequio a través de mis padres* **|| retirar · recoger || aceptar · agradecer || rechazar · declinar · rehusar || cosechar · obtener · recibir**

· **intercambiar** *Los presidentes intercambiaron obsequios en su primer encuentro*
● CON PREPS. **como** *...y como obsequio, le entregaron una reproducción de...* · **de**

observación s.f.

▌[contemplación, análisis]

● CON ADJS. **de pasada** · **de paso** || **minuciosa** *el resultado de una minuciosa observación* · **rigurosa** · **profunda** · **atenta** || **lateral** || **de campo**
● CON SUSTS. **capacidad (de)** *Tiene una gran capacidad de observación* · **dotes (de)**
● CON PREPS. **en** *El paciente permanecerá en observación unas horas*

▌[comentario, indicación]

● CON ADJS. **acertada** *Todas sus observaciones fueron acertadas* · **atinada** · **certera** || **brillante** · **inteligente** · **aguda** *Sus agudas observaciones mejoraron notablemente el texto original* · **penetrante** · **mordaz** · **sutil** || **oportuna** · **pertinente** · **relevante** || **impertinente** · **inoportuna** · **fuera de tono** || **irrelevante** · **nimia** · **superficial** || **atingente (a algo)** || **circunstancial**
● CON VBOS. **venir al caso** *observaciones bienintencionadas que no vienen al caso* || **aceptar** · **desestimar** · **rechazar** · **corroborar** || **puntualizar** · **rectificar** *Se vio obligado a rectificar sus impertinentes observaciones* || **hacer** *¿Tienes que hacer alguna observación?* · **plantear** · **formular** · **presentar** · **expresar** || **introducir** · **añadir**

observador, -a

1 **observador, -a** adj.

● CON SUSTS. **lector,-a** *...crítica que no se le habrá pasado por alto al lector observador* · **público** · **espectador,-a** · **audiencia** · ***otros individuos y grupos humanos*** || **espíritu** · **actitud** *Se sentó con actitud observadora en la banqueta* · **carácter**
● CON VBOS. **volverse** · **considerar(se)**

2 **observador, -a** s.

● CON ADJS. **internacional** *Los observadores internacionales se han desplazado a la zona para...* · **diplomático,ca** · **presidencial** · **electoral** · **político,ca** · **oficial** · **extranjero,ra** · **financiero,ra** · **militar** · **externo,na** || **apasionado,da** · **cínico,ca** · **crítico,ca** *Se define como una observadora crítica de la realidad* · **sagaz** · **perspicaz** · **imparcial** · **privilegiado,da** · **lúcido,da** · **atento,ta** · **sensible** · **implacable** · **ecuánime** || **superficial** · **casual** · **ocasional**
● CON SUSTS. **ojo (de)** · **mirada (de)** · **enfoque (de)** *La historia contada desde el enfoque de un observador directo de...* · **perspectiva (de)** || **puesto (de)** · **postura (de)** · **condición (de)** || **experiencia (de/como)** *Tiene una larga experiencia como observadora financiera*

observar v.

▌[advertir, percibir visualmente]

● CON ADVS. **a distancia** · **a lo lejos** · **de cerca** *Es un paisaje que merece la pena observar de cerca* || **a simple vista** || **de reojo** · **de soslayo** || **plácidamente**

▌[examinar]

● CON ADVS. **atentamente** *Observen atentamente lo que muestra ahora el microscopio* · **con atención** · **concienzudamente** · **con detalle** · **con interés** · **de arriba abajo** · **detalladamente** · **detenidamente** · **escrupulosamente** · **meticulosamente** · **minuciosamente** · **con cautela** · **punto por punto** · **al detalle** || **descaradamente**

▌[cumplir]

● CON ADVS. **al pie de la letra** · **a rajatabla** *observar las órdenes a rajatabla* · **religiosamente** · **estrictamente** · **escrupulosamente** · **a pie juntillas** · **plenamente** · **férreamente**

observatorio s.m.

● CON ADJS. **astronómico** *...con un observatorio astronómico desde el que se estudiará el firmamento* · **espacial** · **meteorológico** · **terrestre** · **militar** · **solar** · **vulcanológico** · **sísmico** || **operativo** · **en funcionamiento** || **político** · **nacional** · **internacional**
● CON SUSTS. **telescopio (de)** *Los telescopios de todos los observatorios se han enfocado esta noche hacia...*
● CON VBOS. **visitar**

obsesión s.f.

● CON ADJS. **constante** · **continua** · **insaciable** · **insistente** · **permanente** · **persistente** · **fija** · **recurrente** · **contumaz** · **creciente** · **repentina** || **tremenda** · **desmedida** · **desmesurada** · **acaparadora** · **desaforada** · **desenfrenada** · **irrefrenable** *Fue víctima de una irrefrenable obsesión por el dinero* · **irreprimible** · **intensa** · **irracional** || **caprichosa** · **excéntrica** · **extravagante** · **desviada** · **perfeccionista** || **oculta** · **secreta** · **inconfesable** || **inevitable** · **lógica** || **angustiosa** · **enfermiza** *Tiene una obsesión enfermiza por ser siempre el mejor* · **ciega** · **febril** · **infantil** · **perversa** · **sexual** · **histérica** · **paranoica** · **patológica** · **morbosa** · **neurótica** || **auténtica** · **verdadera** · **principal** · **pura** || **particular** · **personal** || **envuelto,ta (en)** · **preso,sa (de)** · **rayano,na (en)** *Adoptó una actitud rayana en la obsesión* · **fiel (a)** · **enganchado,da (de)**
● CON VBOS. **apoderar(se) (de alguien)** · **asaltar (a alguien)** · **cegar (a alguien)** · **entrar (a alguien)** · **venir (a alguien)** || **anidar (en alguien)** · **acompañar (a alguien)** · **imbuir (a alguien)** || **ir a más** · **resurgir** · **írse(le) de la cabeza (a alguien)** *No logro que se me vaya de la cabeza esta obsesión* || **calmar** · **templar** · **atemperar** · **reprimir** · **resistir** · **vencer** · **afrontar** *Tienes que afrontar tu desmedida obsesión por...* · **superar** · **abandonar** || **acrecentar** · **aumentar** || **satisfacer** · **desfogar** · **liberar** || **bordear** · **llegar a ser** || **reflejar** · **revelar** · **simbolizar** || **compartir** · **confesar** · **desentrañar** · **desvelar** · **ocultar** || **heredar** *He heredado la obsesión organizadora de mi madre* · **tener** || **convertir(se) (en)** · **rayar (en)** || **librar(se) (de)** · **huir (de)**

obsesivamente adv.

● CON VBOS. **repetir** *un tema que se repite obsesivamente a lo largo de su obra* · **insistir** · **manifestar** · **decir** || **girar** *Sus cuadros giran obsesivamente en torno a su niñez* · **buscar** · **perseguir** · **seguir** · **mirar** · **observar** · **controlar** || **preocupar(se)** · **empeñarse** || **enamorarse** || **limpiar** · **ordenar** · **recoger** · **colocar** || **escribir** · **leer** · **pintar** · **trabajar** · ***otros verbos de acción***

obseso, sa s.

● CON ADJS. **sexual** *...una carta que lo tachaba de obseso sexual* || **del poder** · **del trabajo** · **del orden** · **de la perfección** · **de la seguridad**

obstaculizar v.

● CON SUSTS. **carretera** · **camino** *Un árbol caído obstaculizaba el camino* · **calle** · **vena** · **río** · **tubería** · ***otras vías*** || **tránsito** · **paso** · **circulación** · **marcha** · **tráfico** *Los coches mal aparcados obstaculizaban el tráfico* · **acceso** · **entrada** · **llegada** · **salida** || **ataque** · **maniobra** · **lectura**

· ejercicio || operación · transacción · compraventa · pago · comercio · negocio · intercambio || justicia *Se la acusa de obstaculizar la justicia* · educación · libertad · expresión libre || desarrollo · avance · proceso · progreso · crecimiento *Una de las causas que obstaculizan el crecimiento económico es...* · realización · funcionamiento || acuerdo · negociación · pacto · entendimiento · compromiso · gestión · firma *obstaculizar la firma de un acuerdo* || trabajo · investigación · labor · tarea · pesquisa · indagación · inspección || iniciativa · posibilidad · intento · objetivo · voluntad · propósito || diálogo · conversación · discurso · comunicación · debate || relación · coordinación || carrera · formación · línea · trayectoria || intervención · participación *Nadie pretende obstaculizar tu participación en el proyecto* · solución · decisión

● CON ADVS. **considerablemente · por completo · totalmente · parcialmente · en parte || deliberadamente** *Los manifestantes obstaculizaban el paso deliberadamente*

obstáculo s.m.

● CON ADJS. **colosal · tremendo · ingente · grave · serio || infranqueable** *Se enfrentaban a obstáculos infranqueables* · **insalvable · insoslayable · insuperable || superable || pequeño · menor · insignificante · sin importancia · leve || disuasorio**

● CON SUSTS. **carrera (de)**

● CON VBOS. **derivar (de algo)** *El principal obstáculo para resolver el problema se deriva de la falta de recursos* || **impedir {el paso/el acceso...} || derrumbar(se) || introducir · levantar · oponer · poner** *Parece que solo trata de poner obstáculos a la investigación* || **afrontar · bordear · rodear · burlar · sortear · franquear · salvar · remontar · superar · vencer** *Afortunadamente vencimos todos los obstáculos y llegamos a un acuerdo* · **solventar · subsanar · soslayar · vadear · rebasar · sobrepasar · saltar(se) || allanar · limar · desbrozar · abatir · derribar || constituir · suponer · representar || cerrar los ojos (ante) · tropezar (con)** *El proyecto tropezó con varios obstáculos* || **llenar (de) · sembrar (de)** *Sembraron de obstáculos su carrera profesional* · **colmar (de) || despejar (de)**

obstinarse (en) v.

● CON SUSTS. **actitud · acción · decisión · idea || seguimiento · tarea · investigación · búsqueda || consecución · logro · propósito || mantenimiento** *¿Qué sector se obstina en el mantenimiento de este modelo económico?* · **prolongación · permanencia · perpetuación || aceptación · reconocimiento || rechazo · negativa** *Se obstinó en su negativa y no pudimos convencerlo* · **resistencia || aumento || ataque**

obstruir v.

● CON SUSTS. **conducto · arteria** *El colesterol obstruye las arterias* · **río · tubería · tubo · autopista · carretera · calle · camino · canal ·** ***otras vías*** **|| acceso · paso · salida · desagüe · entrada** *Los coches no deben obstruir la entrada al colegio* · **circulación · tráfico · tránsito || justicia · acción · enjuiciamiento · funcionamiento · procedimiento · licitación || desarrollo · crecimiento · progreso · ritmo · marcha || investigación · pesquisa · inspección · esclarecimiento · indagación · trabajo · tarea || solución · decisión · iniciativa · propuesta · resolución || acuerdo · pacto** *Objeciones de última hora obstruyeron un pacto que parecía próximo* · **negociación · plan · relación · contacto · cooperación · colaboración || debate · diálogo** *...pero no conseguirán obstruir el diálogo entre el Gobierno y la oposición* · **comunicación · difusión**

obtener v.

● CON SUSTS. **información** *Allí obtendrás toda la información necesaria* · **dato · imagen · prueba || resultado** *El experimento obtuvo unos buenos resultados* · **rendimiento · fruto · beneficio · garantía · compensación || ventaja · descuento** *Con la nueva tarjeta obtendrá usted suculentos descuentos* · **oportunidad || licencia · autorización · permiso || triunfo · victoria · premio · título || plaza · votos · escaño || nacionalidad || apoyo · reconocimiento · respaldo** *...una propuesta que obtendrá nuestro incondicional respaldo* || **dinero · ingresos · capital · recursos || respuesta · contestación**

● CON ADVS. **a toda costa** *Me propuse obtener pruebas a toda costa* · **por los pelos || a cambio · en contrapartida · en recompensa · en compensación || de primera mano · virtualmente**

obturar v.

● CON SUSTS. **desagüe · cañería · arteria · vena ·** ***otras vías*** **|| agujero · orificio · entrada · salida · paso**

obtuso, sa adj.

● CON SUSTS. **ángulo** *trazar un ángulo obtuso* || **mentalidad · ideología · carácter · pensamiento · cerebro · mente** *No es esta una novela fácil para mentes obtusas* || ***persona***

obviar v.

● CON SUSTS. **asunto · cuestión || hecho · situación** *No se puede obviar la difícil situación que atraviesa el país* · **realidad · acontecimiento || dificultad · problema · inconveniente · crisis || responsabilidad** *¿Quién podría obviar la responsabilidad en los errores cometidos?* · **imperativo · obligación · papel · función || detalle · dato · aspecto · factor || trámite** *Si se pudiera obviar ese trámite administrativo...* · **paso · etapa · estadio || ley · sentencia · norma · regla · protocolo · legalidad · derecho · compromiso · acuerdo** *Para avanzar en la negociación deberán obviar los acuerdos alcanzados* · **decisión || referencia · alusión · mención || crítica · amenaza · reproche · descalificación · acusación || pregunta · mensaje · discurso · consideración · opinión · valoración · propuesta · comentario** *Prefiero obviar tus comentarios sobre...* · **palabra ·** ***otras manifestaciones verbales***

obvio, via adj.

● CON SUSTS. **razón** *Rechazaré este ofrecimiento por razones obvias* · **motivo · causa · objetivo || repercusión · consecuencia · conclusión · respuesta || signo · prueba · muestra · demostración || problema · cuestión || influencia** *Es obvia la influencia que estos hechos tienen sobre...* · **apoyo || superioridad · inferioridad** *Se encontraban en una obvia inferioridad numérica* || **discrepancia · diferencia · rechazo**

● CON VBOS. **hacer(se) · volver(se) · tornar(se) || resultar · parecer** *Parecen obvias las causas del incendio*

[ocasión] → con ocasión (de); ocasión

ocasión s.f.

● CON ADJS. **propicia · oportuna · única · tentadora || excepcional · fantástica · magnífica · inmejorable · de oro** *Es una ocasión de oro para reunir a toda la familia* · **dorada · inigualable · sonada || aislada · esporádica || de gol || innumerables** *Tuvieron innumerables ocasiones de gol* · **escasas · abundantes · múltiples**

● CON VBOS. **presentarse** *No se ha presentado todavía la ocasión propicia para...* · **llegar · proliferar || esfumarse**

|| **dar** *La reunión nos dio la ocasión de conocerlo* · **brindar** · **proporcionar** · **{ofrecer/poner/servir} en bandeja (a alguien)** || **aprovechar** · **atrapar** · **explotar** || **perder** · **desaprovechar** *Desaprovechamos la magnífica ocasión que se nos ha presentado* · **desperdiciar** · **malgastar** · **dilapidar** · **errar** · **dejar** · **pasar** || **desbaratar** · **echar a perder** *un comentario inapropiado que echó a perder una ocasión tan fantástica* || **tener** || **representar** · **constituir** || **disfrutar (de)** · **gozar (de)**
● CON PREPS. **a la altura (de)** · **a precio (de)** *un viaje barato, a precio de ocasión*

ocasional adj.
● CON SUSTS. **hecho** · **descubrimiento** *El éxito de la expedición se debió a un descubrimiento ocasional que...* · **coincidencia** · **hallazgo** · **situación** || **paso** · **presencia** *Contaban con la presencia ocasional de algún grupo de renombre* · **aparición** · **llegada** · **marcha** || **desliz** · **aventura** · **encuentro** *Aún seguían teniendo encuentros ocasionales en secreto* · **relación** · **contacto** || **trabajo** · **empleo** · **personal** || **disculpa** · **exabrupto** · **respuesta** · **crítica** · **discrepancia** · **conversación** · **ocurrencia** · **reflexión** || **llovizna** · **chubasco** || **intervención** · **incursión** · **participación** || **saludo** || **venta** · **utilización** · **uso** || **éxito** *una trayectoria poco brillante con algún éxito ocasional* · **escándalo** || **obra** · **lectura** · **papel** || **amante** · **artista** · **pintor,-a** · **periodista** · **pareja** · ***otros individuos y grupos humanos***

ocasionar v.
● CON SUSTS. **dolencia** · **lesión** · **herida** · **fractura** · **infección** · **quemadura** *El accidente le ocasionó quemaduras muy graves* · **angustia** · **trauma** || **coste** · **gasto** · **inversión** · **devaluación** || **daño** · **desperfecto** · **muerte** · **víctima** · **pérdida** · **perjuicio** · **destrozo** · **agravio** · **quebranto** · **deterioro** · **derrota** || **molestia** · **trastorno** · **problema** · **revuelo** *La llegada de la actriz ocasionó un enorme revuelo en el aeropuerto* · **tumulto** · **caos** · **desequilibrio** · **desajuste** · **contratiempo** || **accidente** *En la mañana de ayer la fuerte lluvia ocasionó numerosos accidentes* · **riesgo** · **peligro** · **inconveniente** · **percance** · **tragedia** · **drama** · **conflicto** · **siniestro** · **enfrentamiento** · **incendio** · **inundación** · **crisis** || **crítica** · **denuncia** · **movilización** · **protesta** · **reacción** · **condena** · **discrepancia** · **huelga** · **inconformidad** · **resistencia** || **aglomeración** · **atasco** · **colapso** · **congestión** · **retención** || **sufrimiento** · **dolor** · **disgusto** *No quisiera ocasionarte ningún disgusto* · **desencanto** · **desesperanza** · **tristeza** · **alegría** · **felicidad** · ***otros sentimientos*** || **atraso** · **demora** · **retraso** || **aumento** · **beneficio** · **incremento**

ocio s.m.
● CON ADJS. **nocturno** || **urbano** *Aprovechamos diferentes ofertas de ocio urbano* · **de masas** · **popular** || **activo** · **pasivo** · **apacible**
● CON SUSTS. **sociedad (de)** *Según el autor, nos encaminamos hacia una sociedad del ocio* · **cultura (de)** || **empresa (de)** · **mercado (de)** · **sector (de)** · **industria (de)** || **área (de)** *En la tienda había un área de ocio* · **local (de)** · **recinto (de)** · **centro (de)** · **complejo (de)** · **espacio (de)** · **parque (de)** || **actividad (de)** · **oferta (de)** · **programa (de)** || **tiempo (de)** · **momento (de)** *No he tenido un momento de ocio en toda la semana* · **rato (de)** · **jornada (de)** · **semana (de)** · **hora (de)** *...y no quiere renunciar a sus horas de ocio* || **equipamiento (de)** · **producto (de)** · **artículo (de)** || **alternativa (de)** *...ofrece una alternativa de ocio diferente* · **forma (de)**
● CON VBOS. **emplear** *Quería saber en qué empleaba mis momentos de ocio los fines de semana* · **aprovechar** || **combatir** || **disfrutar (de)** · **invitar (a)** *esas horas del día que invitan al ocio* || **entregarse (a)**

ocioso, sa adj.
● CON SUSTS. **persona** *un joven despreocupado y ocioso* · **clase** || **vida** · **hora** · **momento** · ***otros periodos*** || **pregunta** *Podía parecer una pregunta ociosa, pero no lo era* · **comentario** · **palabra** · ***otras manifestaciones verbales*** || **actitud**
● CON VBOS. **ser** *No es ocioso insistir en la necesidad de...* · **estar** *Está ocioso casi todo el día* · **mantener(se)** · **volver(se)**

ocre adj./s.m. Véase **COLOR**

octubre s.m. Véase **MES**

ocular adj.
● CON SUSTS. **globo** · **tensión** · **cirugía** *...y está habiendo sorprendentes avances en cirugía ocular* || **testigo** *Fueron varios los testigos oculares del atentado* || **inspección** *Falta la inspección ocular del domicilio del detenido* · **análisis** · **examen** · **investigación** · **revisión** · **observación** · **registro** · **vista** · **estimación**

ocultar v.
● CON SUSTS. **verdad** · **realidad** · **hecho** · **información** · **problema** · **dato** · **detalle** || **satisfacción** · **alegría** · **emoción** *Aunque trataba de ocultar sus emociones...* · **malestar** · **preocupación** · ***otros sentimientos o sensaciones*** || **identidad** *Ocultó su verdadera identidad durante varios años* · **nombre** · **rostro** · **relación** || **intención** · **propósito** · **objetivo** || **dinero** · **patrimonio** · **inversión** || **crimen** · **delito** · **cuerpo** · **cadáver**
● CON ADVS. **a duras penas** || **celosamente** · **a toda costa** *Parecía que trataba de ocultar a toda costa algo que llevaba en la mano* || **a propósito** · **deliberadamente** · **descaradamente** · **maliciosamente** · **arteramente** || **oficialmente** · **oficiosamente**

□ USO Se usa a menudo con expresiones, como *a la vista, a la gente, a los demás* o *a la opinión pública*: *La información sobre el escándalo se ocultó descaradamente a la opinión pública.*

oculto, ta adj.
● CON SUSTS. **cámara** · **micrófono** *utilizar micrófonos ocultos en las investigaciones* || **cara** *la cara oculta de la Luna* · **rostro** · **lado** · **mano** || **secreto** *...capaz de desvelar los secretos más ocultos* · **misterio** · **clave** · **pista** · **fórmula** || **historia** *una historia oculta y enigmática* · **trama** || **verdad** · **razón** · **justificación** || **negocio** · **fondos** · **tesoro** || **sentimiento** · **pasión** · **vicio** || **ciencias** *Siempre me han atraído las ciencias ocultas* · **conocimientos** || **mundo** · **sociedad** || **interés** · **intención** || **significado** *No busques un significado oculto en sus palabras* · **sentido** · **contenido** || **armas** · **drogas** || **fuerzas** · **energía**
● CON VBOS. **estar** · **permanecer** · **hallar(se)** · **mantener(se)** · **encontrar(se)**

[ocupar] → ocupar; ocupar(se)

ocupar v.
● CON SUSTS. **despacho** *La nueva directora ocupará este despacho* · **edificio** · **sitio** · **espacio** · **página** *El artículo que estoy leyendo ocupa varias páginas* · ***otros lugares*** || **tiempo** *Desearía ocupar mi tiempo libre de forma prove-*

chosa · **verano** · **jornada** · **día** · **vacaciones** · ***otros períodos*** || **puesto** · **cargo** · **posición** · **plaza** · **escaño** · **poder**
● CON ADVS. **íntegramente** · **por completo** || **temporalmente** *ocupar temporalmente un puesto* · **provisionalmente** · **eventualmente** · **definitivamente** || **militarmente** · **violentamente** · **pacíficamente**

ocupar(se) v.

● CON ADVS. **a tiempo {completo/parcial}** *...tarea que actualmente me ocupa a tiempo completo* · **de lleno** · **en exclusiva** · **enteramente** || **indefinidamente** · **temporalmente** || **activamente** *La ministra prometió ocuparse activamente de fortalecer los vínculos con...* || **en persona**

ocurrencia s.f.

● CON ADJS. **acertada** · **atinada** · **afortunada** *Esa ocurrencia tuya ha sido muy afortunada* · **ingeniosa** · **oportuna** || **graciosa** · **agradable** · **feliz** *¡Qué feliz ocurrencia tuviste al venir!* || **desafortunada** · **fuera de tono** · **inoportuna** · **infeliz** · **desagradable** || **absurda** · **disparatada** · **alocada** · **peregrina**
● CON SUSTS. **sarta (de)**
● CON VBOS. **decir** · **soltar** · **dejar caer** · **tener** || **celebrar** · **criticar** · **reír** *Le ríen todas las ocurrencias, incluso las más desafortunadas* · **quitar(se) de la cabeza** || **reír(se) (de)** || **dar (con)**

ocurrente adj.

● CON SUSTS. **frase** *Echábamos de menos sus ocurrentes frases* · **discurso** · **comentario** · **nombre** · **crítica** · **diálogo** · **monólogo** · ***otras manifestaciones verbales o textuales*** || **idea** *tener la ocurrente idea de...* · **propuesta** · **opinión** || **verborrea** · **estilo** · **lenguaje** · **anecdotario** || **síntesis** · **conclusión** · **teoría** · **solución** · **fórmula** · **juego** || **escritor,-a** *un escritor original y ocurrente* · **portavoz** · **representante** · ***otros individuos*** || **carácter**
● CON ADVS. **sumamente** *...que era una persona sumamente ocurrente* · **extraordinariamente** · **especialmente** · **sorprendentemente**

[ocurrir] → ocurrir; ocurrírse(le) (a alguien)

ocurrir v.

● CON SUSTS. **hecho** *Los hechos ocurrieron durante la mañana de...* · **fenómeno** · **incidente** · **caso** · **acontecimiento** · **historia** · **escena** · **episodio** · **anécdota** · **encuentro** · **llegada** || **accidente** · **catástrofe** · **desastre** · **desgracia** *Me dijo muy nervioso que había ocurrido una desgracia* · **incendio** · **terremoto** · **explosión** || **disturbio** · **altercado** · **asalto** · **refriega** || **problema** · **contratiempo** · **emergencia** · **complicación** || **cambio** · **modificación** · **alteración** || **tiroteo** · **delito** · **robo** · **secuestro** · **homicidio** · **crimen** · **asesinato** || ***otros sucesos***
● CON ADVS. **a la vista (de alguien)** *El accidente ocurrió a la vista de todos* · **ante {mis/tus/sus...} ojos** || **de un día para otro** *El cambio, por supuesto, no ocurrió de un día para otro* || **indefectiblemente** · **inexorablemente** · **inevitablemente**

ocurrírse(le) (a alguien) v.

● CON SUSTS. **idea** · **plan** || **solución** *La solución al problema se me ocurrió mientras te esperaba* · **remedio** · **arreglo** · **truco** || **fórmula** · **forma** · **manera** || **disparate** · **estupidez** · **majadería**
● CON ADVS. **ni por asomo** *Ni por asomo se me habría ocurrido a mí un plan así* · **remotamente** · **ni por un momento** · **ni en sueños** · **ni en broma** · **ni borracho** || **a bote pronto** *A bote pronto no se me ocurrió nada que decir* · **de pronto** · **de repente**

odiar v.

● CON ADVS. **a muerte** *Los dos se odian a muerte* · **a rabiar** · **a morir** · **intensamente** · **profundamente** · **visceralmente** *Odio visceralmente este tipo de comentarios* · **terriblemente** · **con ganas** · **para siempre** || **cordialmente**

odio s.m.

● CON ADJS. **ancestral** *acciones que solo sirvieron para avivar el odio ancestral entre...* · **antiguo** · **viejo** · **atávico** · **vivo** · **africano** || **eterno** · **infinito** · **secular** || **acendrado** · **descarnado** || **verdadero** · **hondo** · **profundo** · **arraigado** · **recalcitrante** || **tremendo** · **terrible** · **ciego** · **mortal** · **descabellado** · **desmedido** · **sin límite** || **afilado** · **encarnizado** · **enconado** · **instintivo** · **visceral** · **exacerbado** · **exaltado** · **feroz** · **encendido** · **intenso** · **insaciable** · **reconcentrado** || **a flor de piel** · **larvado** *Acabó por desatarse un odio larvado durante años* · **soterrado** · **declarado** · **intestino** || **desatado** · **desenfrenado** · **irrefrenable** · **irreprimible** · **furibundo** · **incontenible** · **implacable** || **contenido** || **injustificado** || **preso,sa (de)** *La víctima, presa de un odio visceral...*
● CON SUSTS. **arrebato (de)** *...y en un arrebato de odio, cometió tan terrible acción* · **ola (de)** || **expresión (de)** · **muestra (de)** || **sentimiento (de)**
● CON VBOS. **nacer** *un odio ya encarnizado que nació de un cúmulo de malentendidos* · **surgir** · **aflorar** · **fluir** · **fermentar(se)** · **gestar(se)** || **desatar(se)** · **desbocar(se)** · **dirigir(se)** · **estallar** || **extender(se)** · **mantener(se)** · **perdurar** || **aplacar(se)** *Su odio no se aplacó con las explicaciones que dieron* · **atemperar(se)** · **atenuar(se)** || **apoderarse (de alguien)** · **anidar (en alguien)** · **latir (en alguien)** · **palpitar (en alguien)** || **atenazar (a alguien)** · **corroer (a alguien)** · **embargar (a alguien)** · **envenenar (a alguien)** || **albergar** · **guardar** · **encerrar** · **tener** · **sentir** · **experimentar** || **destilar** *unas palabras que destilan odio* · **rezumar** · **irradiar** · **emanar** || **apaciguar** · **mitigar** · **reprimir** · **apagar** · **desterrar** · **superar** · **vencer** · **deponer** || **atizar** · **avivar** · **reavivar** · **exacerbar** || **despertar** · **concitar** · **suscitar** · **engendrar** · **cultivar** · **incubar** · **sembrar** *para no sembrar más el odio y el rencor* · **cosechar** · **acumular** · **granjearse** || **depositar** · **descargar** · **desfogar** || **tomar (a alguien)** *Acabó tomándole un odio terrible* · **coger (a alguien)** · **manifestar** · **destapar** || **profesar** · **prodigar** · **inocular** || **alimentar(se) (de)** || **incitar (a)** · **dejarse llevar (por)** *un escritor notable que se ha dejado llevar por el odio olvidando la objetividad* || **teñir(se) (de)**

☐ USO Se construye a menudo con complementos encabezados por las preposiciones *a* (*odio a una persona*) y *hacia* (*odio hacia una persona*).

oeste s.m.

● CON SUSTS. **país (de)** · **ciudad (de)** · **pueblo (de)** || **longitud** *Se localizó el huracán a 67 grados de longitud oeste* || **lado** · **zona** *Los museos de la ciudad están en la zona oeste* · **cara** · **parte** · **frontera** · **fachada** · **extremo**
● CON VBOS. **recorrer** || **viajar (a)** · **trasladar(se) (a)** · **emigrar (a)** · **dirigirse (a)** · **huir (a)** || **llegar (a)** · **proceder (de)** · **vivir (a/en)** || **orientar(se) {a/hacia}** · **apuntar (a)** · **dar (a)**
● CON PREPS. **a** *...está situado al oeste* · **por** *El sol se oculta por el oeste* · **hacia**

ofensa

1 **ofensa** s.f.

● CON ADJS. **denigrante · humillante · indignante || pública || imperdonable · intolerable || grave** *una ofensa muy grave a nuestro principios* **· seria || explícita · implícita · soterrada || gratuita** *Fue una ofensa gratuita a la memoria de nuestro benefactor* **|| intencionada · involuntaria || provocadora || verdadera**

● CON SUSTS. **ánimo (de)**

● CON VBOS. **arreciar || infligir · lanzar · proferir · verter || recibir || lavar · saldar · vengar · castigar · repeler || disculpar · perdonar** *Perdone usted la ofensa, si cree que ha existido* **|| constituir · representar || caer (en) · llegar (a)** *...comentarios mordaces y malintencionados, aunque sin llegar a la ofensa* **|| cubrir(se) (de)**

2 **ofensa (a)** s.f.

● CON SUSTS. **buen nombre** *una ofensa al buen nombre de esta institución* **· dignidad · honor · memoria · recuerdo**

[ofensiva] s.f. → ofensivo, va

ofensivamente adv.

● CON VBOS. **jugar** *Como el equipo no juegue más ofensivamente, nos podemos despedir del campeonato* **· ayudar · apoyar · empujar · sostener || funcionar · fallar** *Empezamos a fallar ofensivamente en el segundo tiempo* **· mejorar**

ofensivo, va

1 **ofensivo, va** adj.

● CON SUSTS. **juego** *El equipo despliega un juego ofensivo que todos los rivales respetan* **· jugador,-a · equipo · formación || capacidad · poder · poderío · potencial · contundencia · bagaje · mentalidad · talento · esquema · táctica || carencia · fallo || rebote || comentario** *Sus comentarios no son mordaces, sino ofensivos* **· palabra · pregunta · alusión · referencia · propuesta ·** ***otras manifestaciones verbales o comunicativas***

● CON ADVS. **enormemente · sumamente** *Todos consideramos que su comportamiento fue sumamente ofensivo* **· fuertemente · gravemente · netamente · claramente · realmente**

2 **ofensiva** s.f.

● CON ADJS. **apabullante · arrolladora · demoledora · espectacular · fulgurante · exitosa || fulminante · rápida || en toda regla** *una ofensiva militar en toda regla* **|| violenta || militar · policial · terrorista** *Han sufrido la peor ofensiva terrorista de su historia* **· guerrillera · armada || política · gubernamental · oficial || económica · diplomática** *El presidente inicia una ofensiva diplomática en busca de respaldo internacional* **· publicitaria || verbal · colectiva**

● CON VBOS. **desatar(se) || recrudecer(se) || tener éxito · fracasar || planear · preparar** *Nuestra empresa está preparando una nueva ofensiva publicitaria para...* **|| iniciar · emprender · acometer · llevar a término || descargar · desplegar · lanzar · relanzar || capitanear · comandar · dirigir · encabezar || abortar** *La ofensiva policial fue abortada en el último momento* **· rechazar · repeler · cortar · interrumpir · sofocar · contrarrestar · neutralizar · detener · frenar || pasar (a)** *Creo que es el momento de pasar a la ofensiva* **· volver (a) · persistir (en)**

oferta s.f.

● CON ADJS. **elevada · astronómica** *hacer una oferta astronómica por un jugador* **|| generosa · jugosa · sustanciosa || exigua || inmejorable · mejorable · ventajosa || seductora · sugerente · tentadora · incitante · irresistible** *Es una oferta irresistible* **· atractiva · interesante · llamativa || novedosa || en firme · firme · provisional**

● CON SUSTS. **abanico (de) · avalancha (de) || ley (de)** *la ley de la oferta y la demanda*

● CON VBOS. **tentar (a alguien)** *Es una buena oferta, pero no me tienta* **|| caer en saco roto** *Aunque era una oferta muy generosa, cayó en saco roto* **· decaer || reanimar(se) || hacer** *Nos hizo una oferta inmejorable* **· lanzar · formular · cursar · brindar · hacer extensiva || mejorar · subir · canalizar || analizar · estudiar · meditar · sopesar · tomar en consideración** *Pienso tomar en consideración todas las ofertas de trabajo que me hagan* **· considerar · comparar || aceptar || rechazar** *Le haré una oferta que no podrá rechazar* **· rehusar · desechar · desestimar · desoír · declinar || tentar (con)**

oficial adj.

● CON SUSTS. **visita** *El presidente se encuentra de visita oficial en Alemania* **· viaje · delegación || acto · ceremonia · inauguración · cierre · presentación || programa · calendario || fuente · dato · cifra · información · resultado · nota · cálculos · lista || historia · versión || lenguaje · lengua · idioma** *Los idiomas oficiales del congreso serán...* **|| publicación · boletín · comunicado · informe || respuesta · discurso · declaración || precio · tasa || partido · dependencias · organismo** *El permiso lo tiene que expedir un organismo oficial* **|| propuesta · proyecto || apoyo · colaboración**

● CON VBOS. **hacer(se)**

oficiar v.

● CON SUSTS. **ceremonia** *Un sacerdote ofició la ceremonia religiosa* **· celebración · rito || homilía · misa || boda · enlace · nupcias || entierro · funeral**

oficina s.f.

● CON ADJS. **postal** *¿Dónde está la oficina postal más cercana?* **· gubernamental · ministerial · federal · presupuestaria · administrativa · comercial || de correos · de turismo · de viajes · de prensa · de negocios · de ventas || general · pública · privada || nacional · internacional · local**

● CON SUSTS. **horas (de)** *Llame en horas de oficina, por favor* **· horario (de)** *¿Podría decir cuál es su horario de oficina?* **|| jefe,fa (de) || material (de) · útiles (de)**

● CON VBOS. **abrir · instalar · inaugurar · cerrar · trasladar || dirigir || trabajar (en)** *Trabajo en una oficina del centro* **· estar a cargo (de)**

oficioso, sa adj.

● CON SUSTS. **anuncio** *El anuncio es oficioso; tendremos que esperar hasta que sea oficial* **· mensaje · documento · información · nota · lema || diario · boletín · himno || portavoz · representante · administrador,-a · embajador,-a · ganador,-a · candidato,ta ·** ***otros individuos*** **|| escrutinio · recuento** *Según un recuento oficioso, la ganadora será...* **· cálculo · referéndum · análisis || nivel · título** *Intenta conseguir el título oficioso de la federación...* **· campeonato · categoría · mundial · récord || acuerdo · pacto || viaje** *El ministro ha realizado un viaje oficioso al país vecino* **· contacto || órgano · ministerio**

[ofrecer] → ofrecer; ofrecerse

ofrecer v.

● CON SUSTS. **servicio** · **producto** · **mercancía** || **dato** · **información** *Me ofrecieron información sobre un nuevo sistema de pago* · **explicación** || **ayuda** · **apoyo** · **colaboración** *dispuesto a ofrecer su colaboración desinteresadamente* || **ventaja** *Su propuesta ofrecía más ventajas que inconvenientes* · **beneficio** · **descuento** || **visión** *ofrecer una innovadora visión sobre...* · **imagen** · **panorama** || **resultado** · **conclusión** · **solución** || **complicación** · **dificultad** *El nuevo encargo no ofrece ninguna dificultad* · **problema** · **inconveniente** · **duda** · **misterio** || **sorpresa** || **alternativa** · **condición** · **salida** · **oportunidad** *ofrecer una segunda oportunidad* · **posibilidad** || **garantía** · **calidad**

● CON ADVS. **informalmente** · **verbalmente** || **en exclusiva** *Estas ventajas se ofrecen en exclusiva para nuestros clientes*

ofrecerse v.

● CON ADJS. **encantado,da** · **gustoso,sa** · **voluntario,ria** *Nos ofrecimos voluntarios para ayudar*

● CON ADVS. **amablemente** · **atentamente** · **generosamente** · **gentilmente** · **cordialmente** · **de buen grado** *Varias personas se han ofrecido de buen grado a testificar* · **con gusto** · **gustosamente** · **sin reservas** || **incondicionalmente** · **desinteresadamente** · **gratuitamente** · **voluntariamente** · **sin compromiso** · **humildemente** || **a regañadientes** || **a la desesperada** · **inútilmente** || **en ayuda (de alguien)**

ofrecimiento s.m.

● CON ADJS. **amable** *Le agradecí enormemente su amable ofrecimiento* · **atento** · **cortés** · **cordial** · **gentil** || **generoso** · **desinteresado** · **desprendido** || **de compromiso** · **interesado** || **atractivo** · **tentador** *No he podido rechazar un ofrecimiento tan tentador* || **comprometido** || **reiterado** · **inesperado**

● CON VBOS. **caer en saco roto** || **hacer** · **hacer extensivo** *Hice extensivo mi ofrecimiento a todos los participantes* || **aceptar** *Acepto con mucho gusto su amable ofrecimiento* · **atender** · **agradecer** || **rechazar** · **declinar** · **desestimar** · **rehusar** || **meditar** · **sopesar** · **considerar** · **tomar en consideración** · **estudiar** || **mantener** · **retirar**

ofrenda s.f.

● CON ADJS. **floral** *Los mandatarios colocaron la ofrenda floral en el monumento* · **de flores** || **simbólica** · **religiosa** · **filial** · **artística** · **musical** *El día de su boda les dedicaron una ofrenda musical* · **mortuoria** || **amable** · **agradable** · **tradicional**

● CON SUSTS. **voluntad (de)** · **carácter (de)** *El libro tenía un carácter de ofrenda hacia los fieles lectores* || **partícipe (de)**

● CON VBOS. **depositar** *Depositaron la ofrenda a los pies de la Virgen* · **ofrecer** · **colocar** · **llevar** · **entregar** · **presentar**

[oída] → de oídas

[oído] → al oído; de oído; oído

oído s.m.

● CON ADJS. **agudo** · **fino** · **sensible** · **sutil** · **buen(o)** · **prodigioso** · **absoluto** · **presto** || **mal(o)** || **agradable (a)** *Esta música es muy agradable al oído* · **suave (a)** || **duro,ra (de)** *Habla un poco más alto, que soy algo duro de oído*

● CON VBOS. **pitar (a alguien)** *Mi hermano fue al médico porque le pitaban los oídos* · **silbar (a alguien)** · **zumbar (a alguien)** || **destaponar(se)** · **taponar(se)** || **afinar** · **agudizar** · **aguzar** || **aplicar** · **poner** · **prestar** · **abrir** *Abre bien los oídos, porque la noticia es increíble* || **ejercitar** · **tener** *Tiene tan buen oído como su padre* || **perder** || **martillear** · **taladrar** *El ruido me está taladrando los oídos* || **tapar(se)**

□ EXPRESIONES **al oído*** [en voz muy baja y cerca de la oreja] || **entrar por un oído y salir por el otro** [no hacer efecto] *col.* || **regalar el oído** [elogiar diciendo cosas agradables] *col.*

oír v.

● CON SUSTS. **sonido** · **murmullo** · **voz** · **música** || **concierto** · **radio** *Suelo oír la radio mientras voy en el coche* · **televisión** · **ruido** || **disparos** · **tiros** || **misa** · **noticias** || **pregunta** *Oí a la perfección todas las preguntas* · **comentario** · **palabra** · **expresión** · ***otras manifestaciones verbales*** || **opinión** *Tienen ustedes que oír mi opinión antes de pronunciarse* · **consejo** · **crítica** · **queja**

● CON ADVS. **a la perfección** · **perfectamente** *Pude oír todo perfectamente* · **claramente** · **con claridad** · **nítidamente** || **involuntariamente** · **sin querer** || **con dificultad** · **confusamente** || **atentamente** · **con atención** || **casualmente** · **de pasada** · **de refilón** || **de primera mano** · **de viva voz** · **a lo lejos**

□ EXPRESIONES **como quien oye llover** [sin prestar ninguna atención] *col.*

□ USO También se combina con locuciones pronominales del tipo *ni (una) palabra, ni papa, ni una mosca*: *Durante el examen no se oyó ni una mosca.*

ojeada s.f.

● CON ADJS. **superficial** · **rápida** · **simple** *Una simple ojeada me bastó para comprender* · **somera** · **sucinta** || **retrospectiva**

● CON VBOS. **dar(le) (a algo)** · **echar** *Todavía no he podido echar una ojeada rápida al periódico*

ojear v.

● CON SUSTS. **libro** *Ojeaba un libro mientras esperaba el autobús* · **periódico** · **revista** · **catálogo** · **noticia** · **página** · **prensa** · **fotografía** · **cuadro** || **finca** · **terreno** · **inmueble** · **edificio** *Nos acercamos para ojear el edificio* · **casa** · **apartamento** || **posibilidad** · **éxito** · **título** · **reto** · **salida** · **solución** || **presa**

● CON ADVS. **displicentemente** · **por encima** · **rápidamente** · **de pasada** · **casualmente**

ojeriza s.f.

● CON ADJS. **especial** *Sin saber muy bien el motivo, le había cogido una especial ojeriza* · **hosca** · **personal** · **política**

● CON VBOS. **coger (a algo/a alguien)** · **tener (a algo/a alguien)** *Espero que no me tengan ojeriza por lo que hice*

[ojo] → a ojo; a ojo de buen cubero; a ojos vistas; cerrar los ojos (ante); con {mis/tus/sus...} propios ojos; con ojo; mal de ojo; ojo; ojo por ojo; un ojo de la cara

ojo

1 ojo s.m.

● CON ADJS. **claro** · **oscuro** · **profundo** · **rasgado** · **saltón** *Sus grandes ojos saltones brillaban de la excitación* · **vago** || **negro** · **castaño** · **marrón** · **azul** · **zarco** · **verde** · **gris** || **único** · **bizco** · **redondo** · **legañoso** || **a la virulé** *El golpe le dejó el ojo a la virulé* · **a la funerala** · **amoratado** · **morado** || **alegre** · **triste** · **luminoso** || **cristalino** · **vidrioso** · **lloroso** || **chispeante** · **expresivo** · **vivaz** · **vivo** ·

inexpresivo || **acechante** *unos ojos acechantes que me vigilaban a todas horas* · **penetrante** · **vigilante** || **perspicaz** · **público** · **crítico** · **de médico** · **de águila** · **clínico** || **de plato** · **desorbitado** · **en órbita** · **extraviado** · **en blanco**
● CON SUSTS. **blanco (de)** · **cuenca (de)** · **globo (de)** · **iris (de)** · **fondo (de)** *Lanzaba miradas turbadoras desde el fondo de sus ojos* · **rabillo (de)** || **guiño (de)** · **expresión (de)**
● CON VBOS. **llorar (a alguien)** || **congestionar(se)** · **nublar(se)** · **empañar(se)** || **hinchar(se)** *Se le hincharon los ojos de tanto llorar* · **inflamar(se)** || **cegar(se)** || **engañar (a alguien)** · **delatar (a alguien)** · **mentir** *Esos ojos no pueden mentir* || **abrir** · **pelar** *En esta foto salí pelando los ojos* · **cerrar** · **entornar** · **entreabrir** · **levantar** · **alzar** · **bajar** || **clavar** · **fijar** || **desviar** · **mantener fijo** · **volver** · **torcer** · **dirigir** || **guiñar** *Me guiñó un ojo en señal de complicidad* || **saltar** || **lavar** · **pintar** *¿No crees que se pinta mucho los ojos?* || **entrar (por)**
● CON PREPS. **con** *mirar con ojos inquietantes*

2 **ojo (de)** s.m.

● CON SUSTS. **cerradura** · **aguja** · **llave** · **lente** · **cámara** || **huracán** · **tormenta** *Después de sus declaraciones, el presidente se encuentra en el ojo de la tormenta*

□ EXPRESIONES **abrir** (a alguien) **los ojos** [desengañarlo] || **dichosos los ojos** [indica alegría en los encuentros] || **echar el ojo** (a algo) [fijarse en ello para tratar de conseguirlo] *col.* || **echar un ojo** (a algo) [estar atento a ello] *col.* || **en un abrir y cerrar de ojos** [repentinamente] *col.* || **ojo avizor** [alerta] *col.* || **pegar ojo** [dormir] *col. A ver si hoy consigo pegar ojo* || **poner los ojos en** (algo) [escogerlo] || **quitarle el ojo** (a alguien) [dejar de mirar] || **ser** (una persona) **el ojo derecho** (de otra) [disfrutar de su mayor confianza] *col.* || **tener entre ojos** (a alguien) [tenerle ojeriza] || **tener ojo para** (algo) [tener especial habilidad para captarlo] || **un ojo de la cara*** [mucho dinero] *col.* || **írsele** (a alguien) **los ojos tras** (algo) [mirarlo con gran deseo]

ojo por ojo loc.adv.

● CON VBOS. **devolver** *devolver ojo por ojo el mal recibido* · **contestar** · **responder** || **aplicar la ley**

ola

1 **ola** s.f.

▮ [onda del agua]

● CON ADJS. **alta** · **fuerte** · **gigantesca** || **agitada** · **alborotada** · **revuelta** || **amenazante** · **brava** *un mar de olas bravas y encrespadas* · **embravecida** · **encrespada** · **enfurecida** · **impetuosa** || **mansa** · **apacible** || **mecido,da (por)** *una pequeña barca mecida por las olas*
● CON SUSTS. **cresta (de)** *El surfista buscaba la cresta de la ola* || **ritmo (de)** · **vaivén (de)**
● CON VBOS. **romper** *Olas gigantescas rompían en los acantilados* · **batir (algo)** · **golpear (algo)** · **sacudir (algo)** · **arremeter (contra algo)** · **embestir (algo)** · **azotar (algo)** · **abalanzarse (sobre algo)** || **encrespar(se)** · **levantar(se)** · **desatar(se)** · **desencadenar(se)** || **calmarse** · **cesar** || **rugir** *...y en la costa las olas rugían con fuerza* · **bramar** || **tragarse (algo)** · **arrastrar (algo)** *Las olas arrastraron hasta la orilla los restos del naufragio* · **barrer (algo)** || **salpicar** || **surcar** *El bajel surcaba las olas...*

▮ [oleada]

● CON ADJS. **destructiva** · **delictiva** *preocupación por la creciente ola delictiva* · **represiva** · **salvaje** · **tumultuosa** · **turbulenta** || **conservadora** · **nacionalista** · **extremista** · **fundamentalista** · **integrista** · **liberal** · **democrática** · **racista** · **democratizadora** · **modernizadora** · **liberalizadora** · **moralizadora** || **migratoria** · **inmigratoria** · **emigratoria** || **alcista** · **creciente** · **consumista** || **especulativa** · **expansiva** · **intensa** · **nueva** · **privatizadora** *Continúa la ola privatizadora de empresas públicas* || **tecnológica**
● CON VBOS. **levantar** || **aplacar** · **combatir** · **controlar** · **frenar**

2 **ola (de)** s.f.

● CON SUSTS. **miedo** · **optimismo** · **desconfianza** || **calor** · **frío** *Una fuerte ola de frío azota la zona* · **viento** || **terrorismo** · **violencia** · **criminalidad** · **xenofobia** · **crímenes** · **secuestros** *La ola de secuestros llevó a los vecinos a exigir...* · **ataques** · **atentados** · **robos** · **asesinatos** · **racismo** || **indignación** · **críticas** · **protesta** · **huelgas** · **manifestaciones** *El atentado provocó una ola de manifestaciones en todo el mundo* · **descontento** · **acusaciones** · **odio** || **rumores** · **comentarios** · **noticias** · **información** · **opinión** · **pronósticos** · **anuncios** || **despidos** · **deportación** · **desalojos** · **expulsiones** · **deserciones** || **emigrantes** · **inmigrantes** · **turistas** · **refugiados,das**

□ USO Se construye con sustantivos no contables en singular (*ola de calor*) o con contables en plural (*ola de protestas*).

[oleada] → en oleadas; oleada

oleada

1 **oleada** s.f.

● CON VBOS. **afectar (algo/a alguien)** · **azotar (algo/a alguien)** || **desatar(se)** · **producir(se)** · **extender(se)** || **crecer** · **aumentar** · **disminuir** || **provocar** *Sus declaraciones provocaron una oleada de críticas* · **desencadenar** || **detener** · **controlar** · **frenar** · **contener** · **combatir** *combatir la oleada de violencia* · **contrarrestar**

2 **oleada (de)** s.f.

● CON SUSTS. **calor** · **frío** || **cartas** *Recibí una oleada de cartas en contestación a mi pregunta* · **llamadas** · **preguntas** · **rumores** || **agresiones** · **ataques** · **bombardeos** · **crímenes** · **asesinatos** *La necesidad de frenar la oleada de asesinatos* · **muertes** · **atentados** · **atracos** · **robos** · **secuestros** · **vandalismo** · **violencia** || **arrestos** · **detenciones** · **despidos** || **escándalos** *Una oleada de escándalos afectó en el pasado a esta organización* · **huelgas** · **incendios** · **problemas** || **indignación** · **miedo** · **odio** · **terror** || **solidaridad** || **acusaciones** · **críticas** · **protestas** · **reacciones** · **reclamaciones** || **emigración** · **emigrantes** · **inmigración** · **inmigrantes** · **refugiados,das** || **demencia**

□ USO Se construye con sustantivos no contables en singular (*oleada de violencia*) o con contables en plural (*oleada de preguntas*).

oler v.

● CON ADVS. **a rayos** *un producto que huele a rayos* · **espantosamente** · **fatal** · **apestosamente** || **estupendamente** *La comida huele estupendamente* · **de miedo** · **maravillosamente** || **intensamente** || **a quemado** · **a chamusquina** · **a cuerno quemado**

□ EXPRESIONES **oler** (a algo) [dar la impresión] *col.*

□ USO Se construye frecuentemente con complementos encabezados por la preposición *a*: *Huele a pan recién hecho.*

olfatear v.

● CON SUSTS. **rastro** *Los sabuesos olfateaban el rastro de la presa* · **hedor** · **olor** · **viento** · **aire** · **humo** · **suelo** || **peligro** *Los animales estaban inquietos y parecía que pu-*

dieran olfatear el peligro · **riesgo** · **sangre** · **cadáver** · **muerte** || **gol** · **triunfo** · **victoria** · **fracaso** · **desánimo** || **noticia** *Un periodista incansable que olfatea la noticia en la calle* · **escándalo** · **negocio** || **droga** · **estupefaciente** || **presa**

● CON ADVS. **inmediatamente** *Olfatearon inmediatamente el humo* · **automáticamente** || **afanosamente** || **de lejos** · **con cautela** · **prudentemente**

olfato s.m.

● CON ADJS. **agudo** · **fino** *Los perros tienen un olfato muy fino* · **sofisticado** || **infalible** · **certero** · **acertado** || **embotado** · **adormecido** || **comercial** · **político**

● CON SUSTS. **sentido (de)**

● CON VBOS. **despertar(se)** · **embotarse** || **fallar** *Nos falló el olfato para conseguir un resultado más ventajoso* || **avisar (de algo)** · **advertir (de algo)** · **engañar (a alguien)** || **ejercitar** · **usar** || **afinar** · **aguzar** · **desarrollar** || **tener (para algo)** *Tiene un olfato extraordinario para los negocios* · **mostrar** · **demostrar** · **revelar** · **acreditar** || **perder**

● CON PREPS. **con** *un vendedor con mucho olfato* · **sin**

olímpicamente adv.

● CON VBOS. **pasar** *¿Siempre pasas olímpicamente de lo que te aconsejan?* · **ignorar** · **saltarse** · **desentenderse** · **desinteresarse** · **desatender** · **olvidar** · **descuidar** *Descuidaba olímpicamente sus obligaciones* · **incumplir** · **desconocer** · **evadir** · **lavarse las manos** || **despreciar** · **rechazar** *Había rechazado olímpicamente varias proposiciones interesantes* · **prescindir** · **desairar** · **menospreciar** · **desdeñar** · **dar la espalda** · **menoscabar** · **desechar** · **descartar** · **desaprovechar**

olímpico, ca adj.

● CON SUSTS. **juegos** · **anillo** · **antorcha** *Ha llegado a nuestra ciudad la antorcha olímpica* · **divisa** · **bandera** · **llama** · **fuego** · **título** · **himno** || **atleta** · **campeón,-a** · **medallista** *Se ha homenajeado a los medallistas olímpicos* · **entrenador,-a** · **deportista** · **preparador,-a** · **corredor,-a** · ***otros individuos*** || **delegación** · **selección** · **equipo** · **comité** · **organismo** ***otros grupos humanos*** || **sede** *La ciudad intenta ser la próxima sede olímpica* · **villa** · **ciudad** · **zona** · **área** || **puerto** · **playa** · **montaña** || **piscina** · **estadio** || **gimnasia** *¿Retransmiten la competición de gimnasia olímpica?* · **maratón** · **esgrima** · **tiro** · **tenis** · **boxeo** · ***otros deportes*** || **historia** · **tradición** · **gesta** · **leyenda** || **aspiración** · **gloria** · **triunfo** · **laurel** || **vuelta** · **prueba** · **torneo** || **metal** · **medalla** · **oro** · **plata** · **bronce** || **cita** · **final** · **eliminatoria** · **competición** · **clasificación** || **marca** · **récord** || **participación** *Con esa derrota concluyó su participación olímpica* · **nominación** || **tregua** · **paz** || **movimiento** · **espíritu** · **ideal** · **sueño** || **mascota** · **lema**

oliva s.f.

● CON SUSTS. **aceite (de)** || **verde** *un verde oliva muy suave*

olivo s.m.

● CON ADJS. **verde** || **silvestre** · **de secano**

● CON SUSTS. **polen (de)** || **campo (de)** · **tierra (de)** || **productor,-a (de)** · **trabajador,-a (de)** · **sector (de)** · **temporada (de)** || **cultura (de)** · **símbolo (de)** || **aroma (de)** · **esencia (de)**

● CON VBOS. **varear** · **zarandear** || **coronar (con)**

➤ Véase también **ÁRBOL**

☐ EXPRESIONES **tomar el olivo** [guarecerse en la barrera] *Ante el cuarto, que mostró una bravura excepcional, tuvo que tomar el olivo*

olla s.f.

● CON ADJS. **exprés** *A mí no me gusta cocinar en la olla exprés* · **rápida** · **a presión**

● CON VBOS. **hervir** *Ya está hirviendo la olla* · **cocer** · **poner a {hervir/cocer}** || **tapar** · **destapar** || **vaciar** · **llenar** || **echar (a)** · **meter (en)** · **mezclar (en)** · **cocinar (en)**

☐ EXPRESIONES **olla podrida** [guiso] || **írse(le)** (a alguien) **la olla** [desvariar] *col.*

olmo s.m. Véase **ÁRBOL**

olor s.m.

● CON ADJS. **agradable** · **dulce** · **ligero** · **suave** || **apestoso** *La ciénaga desprendía un olor apestoso* · **repelente** · **desagradable** · **nauseabundo** · **pestilente** · **fétido** · **hediondo** · **infecto** || **denso** · **fuerte** *Un fuerte olor a desinfectante lo impregnó todo* · **acre** · **intenso** · **potente** · **penetrante** *un penetrante olor a jazmín* · **embriagador** · **irresistible** · **asfixiante** || **corporal** · **natural**

● CON VBOS. **penetrar** · **impregnar** · **invadir** · **calar** · **llegar** *Desde la cocina llegaba el olor del bizcocho* · **asaltar** || **dispersar(se)** · **esparcir(se)** · **extender(se)** || **diluir(se)** · **evaporar(se)** || **atufar** · **echar para atrás** *un olor a amoníaco tan intenso que echaba para atrás* · **tirar de espaldas** · **tirar para atrás** || **delatar** *El olor a tabaco de la ropa lo delató* || **despedir** *Este ambientador despide un agradable olor a flores* · **desprender** · **emanar** · **emitir** · **rezumar** || **captar** · **percibir** · **notar** · **sentir**

☐ USO Se usa a menudo con la preposición *a*: *olor a azahar*; *olor a podrido.*

olvidar v.

● CON ADVS. **del todo** · **totalmente** · **por completo** *Olvidé por completo lo que tenía que decir* · **absolutamente** || **de un día para otro** *De un día para otro olvidó todos los favores que le habían hecho* · **por un momento** · **fugazmente**

olvido s.m.

● CON ADJS. **completo** · **absoluto** · **grave** · **imperdonable** *Fue un olvido imperdonable por mi parte* · **serio** || **lamentable** || **leve** · **sin importancia** || **repentino** · **momentáneo** · **frecuentes** || **perpetuo** · **prolongado** · **silencioso** || **involuntario** *un olvido totalmente involuntario* || **condenado,da (a)** · **relegado,da (a)**

● CON VBOS. **conjurar** || **reparar** *Desearía reparar un olvido tan lamentable* · **paliar** · **restañar** · **subsanar** || **caer (en)** *...para evitar que la denuncia caiga en el olvido* · **relegar (a)** · **permanecer (en)** · **tener (en)** · **sumir(se) (en)** · **anclarse (en)** · **abocar(se) (a)** · **condenar (a)** *pueblos deshabitados que han sido condenados al olvido* || **preservar (de)** · **rescatar (de)** · **salir (de)** · **librar(se) (de)** || **caer en la cuenta (de)** *Inmediatamente caí en la cuenta de mi olvido*

omisión s.f.

● CON ADJS. **clamorosa** · **flagrante** · **llamativa** · **notoria** || **casual** · **fortuita** · **involuntaria** · **inadvertida** || **sospechosa** · **deliberada** · **maliciosa** || **imperceptible** · **leve**

|| **imperdonable · inadmisible · inexplicable · injustificada · justificada** *La omisión del pago de la cuota estaba plenamente justificada* || **grave · seria · sistemática** || **de ayuda · del deber · de socorro** || **responsable (de)**
● CON SUSTS. **caso (de)** || **pecado (de)**
● CON VBOS. **producir(se)** || **corregir · subsanar · enmendar** || **incurrir (en) · pecar (de)** || **acusar (de)**

omiso, sa adj.

● CON SUSTS. ***persona*** *Es un joven omiso y perezoso* || **carácter**
☐ EXPRESIONES **hacer caso omiso** (de algo) [no tenerlo en cuenta] *Hizo caso omiso de mis recomendaciones*

omitir v.

● CON ADVS. **casualmente · accidentalmente · inadvertidamente** || **adrede · deliberadamente** *Omitió deliberadamente algunos datos en el informe* · **intencionadamente · meditadamente · premeditadamente · conscientemente · voluntariamente · interesadamente** || **libremente**

omnipotente adj.

● CON SUSTS. **poder** *Hasta el final mantuvo su poder omnipotente* · **figura · autoridad · personalidad · hegemonía** || **político,ca · presidente,ta · jefe,fa · mandatario,ria · tirano,na · déspota · asesor,-a ·** ***otros cargos o puestos*** || **banca · mercado · industria · estado · asociación · multinacional ·** ***otras organizaciones*** || **sistema · cultura** || **dios**
● CON VBOS. **volverse · hacerse**

onda s.f.

● CON ADJS. **buena** *una persona joven y dinámica que transmite muy buenas ondas* · **mala** || **expansiva** *La onda expansiva causó grandes destrozos* || **cerebral** || **electromagnética · hertziana · sonora** || **corta · larga · media**
● CON VBOS. **llegar** || **difundir(se) · viajar** *...una onda sonora que viaja por el espacio* || **transmitir · emitir · irradiar · emanar · enviar** || **captar** *Este transistor no capta bien las ondas* · **coger · pillar · detectar · percibir · recibir** || **perder** || **cambiar (de) · seguir (en)** *A pesar del tiempo transcurrido, sigue en la onda de...* · **estar (en/fuera de)** || **moverse (por)**
☐ USO Se usa más frecuentemente en plural.

ondear v.

● CON SUSTS. **bandera · estandarte** *Los coloridos estandartes ondeaban al viento* · **insignia** || **pañuelo · vela · tela**
● CON ADVS. **a media asta**

ondulado, da adj.

● CON SUSTS. **pelo · cabello** *Tiene un hermoso cabello ondulado* · **melena** || **superficie · terreno · tablero · tabla · fondo** *El fondo marino es arenoso y ondulado* · **suelo · pavimento · techo · escenario** || **cartón · hierro · metal · vidrio · aluminio ·** ***otras materias***
● CON ADVS. **ligeramente · naturalmente · suavemente · sumamente · levemente**
● CON VBOS. **ser · volver(se) · mantener(se)** || **estar · poner(se)** *Con la humedad el pelo se me pone ondulado* · **quedar(se)**

onírico, ca adj.

● CON SUSTS. **mundo** *El autor ha recreado su propio mundo onírico* · **universo · aire · paisaje · clima · retrato · ambiente · lienzo · espacio** || **carácter · registro · tono** *La escena tiene un evidente tono onírico* · **sentido · fondo · aspecto** || **recurso · contenido · proceso** *...para estudiar los procesos oníricos en pacientes esquizofrénicos* · **recorrido** || **plano · desdoblamiento · simbolismo** || **barniz · tamiz** || **estado · realidad** || **viaje**
● CON ADVS. **marcadamente** *Mantiene una estética marcadamente onírica* · **evidentemente · inesperadamente**

onomástica s.f.

■ [conmemoración del santo]
● CON ADJS. **señalada**
● CON SUSTS. **día (de)** *Hoy celebra el día de su onomástica* · **fecha (de)**
● CON VBOS. **celebrar** *El gobernante celebró su onomástica con una cena oficial* · **conmemorar · festejar**
● CON PREPS. **con motivo (de)**

onomatopéyico, ca adj.

● CON SUSTS. **sonido · palabra** *Trataba de clasificar las palabras onomatopéyicas en...* · **contracción** || **origen · sentido**

onza s.f.

● CON VBOS. **equivaler** *¿A cuánto equivale una onza?* || **pesar** || **calcular · convertir**
● CON PREPS. **en** *Calcular el peso en onzas*

opción s.f.

● CON ADJS. **clara · inequívoca · seria** || **mejor** *Esa es nuestra mejor opción* · **peor** || **excelente · única · última** || **asequible · viable · posible · razonable · lógica** || **imposible · inviable · absurda** || **drástica** || **personal · laboral · profesional**
● CON SUSTS. **abanico (de)** *El abanico de opciones no era excesivamente amplio* · **serie (de)** || **diversidad (de)**
● CON VBOS. **presentar(se) · surgir** *Nos surgió la opción de un viaje...* · **derivar(se)** || **agotar(se)** || **dar (a alguien) · plantear · proponer · brindar · abrirse** *Un asunto complejo en el que se abren varias opciones* || **tener** *Todavía tengo la opción de cambiarme de grupo* || **analizar · barajar** *barajar varias opciones* · **considerar · tomar en consideración · sopesar · elegir · escoger** || **tomar · descartar** || **apoyar · avalar · defender** || **aunar · hipotecar** || **vislumbrar** || **elegir (entre) · escoger (entre) · decantarse (por)**

opcional adj.

● CON SUSTS. **elemento · componente · equipamiento** *El coche tiene un equipamiento opcional* · **accesorio · equipo** || **factor** || **módulo · asignatura** || **cláusula** *Revisaron la cláusula opcional* · **oferta · compra · canal · vía** || **excursión · visita** || **carácter** *La oferta tiene un carácter opcional hasta fin de promoción* || **menú**

ópera s.f.

● CON ADJS. **famosa · conocida · popular** || **convencional · de cámara · experimental** || **realista · cómica · bufa** || **en {uno/dos/tres} actos**
● CON SUSTS. **teatro (de)** *inaugurar un nuevo teatro de ópera* · **temporada (de) · festival (de) · compañía (de)** || **libreto (de)**
● CON VBOS. **tener éxito · fracasar** || **cantar · dirigir · representar · componer · ensayar · estrenar** || **promover** *una campaña para promover la ópera* · **subvencionar** || **triunfar (en) · destacar (en)** || **entender (de)** *Confieso que no entiendo de ópera* · **aficionar(se) (a)**
☐ EXPRESIONES **ópera prima** [primera obra de un artista]

operación s.f.

● CON ADJS. **a gran escala** *Se va a poner en marcha una operación policial a gran escala* · **de grandes proporciones** · **de altos vuelos** · **vasta** || **de corto alcance** · **sencilla** · **simple** · **rutinaria** · **pequeña** || **compleja** · **difícil** · **delicada** || **arriesgada** *Ha concluido una arriesgada operación contra el narcotráfico* · **a vida o muerte** *una operación quirúrgica a vida o muerte* · **contra reloj** || **necesaria** · **exitosa** · **fallida** || **secreta** · **al descubierto** || **disuasoria** · **preventiva** || **quirúrgica** · **aritmética** · **matemática** · **comercial** · **económica** · **electoral** · **militar** · **bélica** · **táctica** · **política** · **urbanística** · **mercantil** · **humanitaria** · **policial** || **ofensiva** · **defensiva**

● CON SUSTS. **sala (de)** *cirujanos que se pasan horas y horas en la sala de operaciones* || **resultado (de)** || **salida** *Con el comienzo de las vacaciones comienza también la operación salida* · **retorno**

● CON VBOS. **consistir (en algo)** · **fraguar(se)** · **frustrar(se)** || **salir {bien/regular/mal}** · **fracasar** · **tener éxito** || **preparar** · **organizar** · **planear** || **tramar** · **urdir** · **maquinar** · **orquestar** || **financiar** · **apoyar** · **patrocinar** || **desbaratar** || **dirigir** *La persona encargada de dirigir la operación tiene mucha experiencia* · **controlar** · **pilotar** · **capitanear** · **supervisar** || **emprender** · **poner en marcha** · **ejecutar** · **realizar** · **llevar adelante** · **llevar a buen puerto** · **practicar** *Le practicaron una operación a corazón abierto* || **cerrar** · **culminar** · **ultimar** · **completar** || **adherirse (a)** · **involucrar(se) (en)** · **formar parte (de)** || **someter(se) (a)** || **recuperar(se) (de)** *El paciente se recupera satisfactoriamente de su operación* · **reponerse (de)** · **restablecerse (de)**

operar v.

● CON ADVS. **a cara descubierta** *No han podido detener a la banda a pesar de que opera a cara descubierta* || **a favor** || **a la baja** · **al alza** || **a medio gas** || **a corazón abierto** · **a vida o muerte** · **desesperadamente** · **urgentemente** || **con éxito** *Me operaron con éxito de una rotura de menisco*

☐ USO Se construye a menudo con complementos encabezados por la preposición *de*: *Tienen que operarme de cataratas.*

opinar v.

● CON ADVS. **sin ambages** · **sinceramente** *Opino sinceramente que no se debe intervenir* · **sin tapujos** · **abiertamente** · **libremente** · **personalmente** || **a la ligera** *gente que opina a la ligera sobre cualquier cosa* · **irreflexivamente** · **a lo loco** · **a lo tonto** · **a humo de pajas** · **acaloradamente** · **sin conocimiento de causa** || **con conocimiento de causa** *Intento siempre opinar con conocimiento de causa aunque...* · **con fundamento** · **meditadamente** · **con sensatez** · **razonadamente** || **humildemente** · **imparcialmente** || **rotundamente** || **mayoritariamente** · **al unísono** · **minoritariamente**

● CON VBOS. **inclinarse (a)** *Me inclino a opinar que todo es mentira*

opinión s.f.

● CON ADJS. **controvertida** *Ya no sorprenden tanto sus controvertidas opiniones* · **peregrina** · **extraña** · **chocante** · **confusa** || **contradictoria** · **discordante** · **divergente** · **enfrentada** || **clara** *No tengo una clara opinión sobre lo que ha pasado* · **inequívoca** · **diáfana** || **atinada** · **acertada** || **precipitada** · **intempestiva** || **fundada** · **fundamentada** · **formada** · **justificada** · **meditada** · **ponderada** · **razonada** · **sensata** · **respetable** · **sincera** · **reservada** || **arbitraria** · **gratuita** · **infundada** · **injustificada** · **sin fundamento** || **constructiva** · **jugosa** || **a favor** · **favorable** *Mantiene su opinión favorable al acuerdo* · **benigna** · **acorde (con)** || **desfavorable** · **en contra** · **negativa** || **ecuánime** · **imparcial** || **parcial** · **sesgada** || **decisiva** *...siendo esta opinión decisiva a la hora de elegir entre las dos opciones* · **determinante** · **convincente** || **arraigada** · **extendida** · **preponderante** · **dominante** · **mayoritaria** · **minoritaria** · **unánime** · **personal** || **categórica** · **rotunda** · **tajante** · **taxativa** · **drástica** · **extremada** · **radical** · **despectiva** || **matizada** || **partidario,ria (de)** *Hay pocos partidarios de opiniones tan arbitrarias*

● CON SUSTS. **abanico (de)** · **cambio (de)**

● CON VBOS. **concurrir** · **confluir** · **converger** || **difundir(se)** · **extender(se)** · **circular** · **fluir** || **traslucir(se)** || **convencer** || **dar** · **aventurar** · **dejar caer** · **lanzar** · **manifestar** · **emitir** · **expresar** *Expresó su opinión de forma contundente* · **verter** · **formular** · **destilar** || **hacer pública** · **publicar** · **airear** · **transmitir** || **avalar** · **defender** · **corroborar** · **suscribir** · **compartir** || **rebatir** · **refutar** · **rechazar** · **oponer** · **desoír** · **obviar** || **tergiversar** · **desfigurar** · **moldear** · **formar(se)** *Aún no me he formado opinión sobre ese asunto* || **conciliar** · **consensuar** · **aglutinar** · **confrontar** · **canalizar** · **desviar** || **analizar** · **considerar** · **tomar en consideración** *Si tomamos en consideración tu opinión, tendríamos que...* · **calibrar** · **sopesar** · **comentar** · **interpretar** · **desglosar** · **explicar** · **fundamentar** · **aclarar** · **rectificar** || **pedir** · **recabar** *La encuesta pretende recabar la opinión de...* · **recoger** · **solicitar** · **sonsacar** || **sondear** · **tantear** · **pulsar** || **tener** · **abrigar** · **mantener** · **esgrimir** · **sostener** · **sustentar** · **forjar** · **reservarse** *Prefiero reservarme mi opinión* · **guardarse** *Puede usted guardarse sus opiniones* || **adherirse (a)** · **cambiar (de)** · **dejarse llevar (por)** · **concordar (con)** || **ahondar (en)** · **perseverar (en)** || **disentir (de)** · **salir al paso (de)** · **lidiar (con)**

● CON PREPS. **al hilo (de)** · **de acuerdo (con)** · **en función (de)**

opio s.m.

● CON SUSTS. **campo (de)** · **plantación (de)** *una plantación de opio* · **cultivo (de)** · **cosecha (de)** || **goma (de)** · **perfume (de)** · **incienso (de)** · **pasta (de)** · **derivado (de)** || **humo (de)** · **bocanada (de)** || **sueño (de)** || **laboratorio (de)** · **fumadero (de)** || **hegemonía (de)** || **productor,-a (de)** · **producción (de)** · **catador,-a (de)**

● CON VBOS. **fumar** || **plantar** · **generar** · **transformar**

➤ Véase también **DROGA**

opíparamente adv.

● CON VBOS. **alimentarse** · **desayunar** · **comer** · **cenar** *Ayer cenamos opíparamente en tu casa* · **beber**

opíparo, ra adj.

● CON SUSTS. **banquete** *El embajador ofreció un opíparo banquete* · **cena** · **comida** · **yantar**

[oponer] → oponer; oponerse

oponer v.

● CON SUSTS. **fuerza** · **resistencia** || **barrera** · **traba** · **limitación** · **objeción** *No opuso ninguna objeción a mis afirmaciones* · **obstáculo** · **impedimento** · **veto** || **idea** · **argumento** · **visión** · **punto de vista** · **opinión** · **razón** || **reserva** · **reparo** · **precaución** || **estrategia** · **táctica** · **medida**

oponerse v.

• CON ADVS. **absolutamente · totalmente · por activa y por pasiva** *Nos hemos opuesto por activa y por pasiva a ese descabellado plan* · **por completo · diametralmente · de plano · radicalmente · rotundamente · en redondo** *Mis padres se oponían en redondo a que saliera con ella* · **terminantemente · a toda costa · categóricamente · con firmeza · con rotundidad · duramente · con todas {mis/tus/sus...} fuerzas** *Los trabajadores se opusieron con todas sus fuerzas al cierre de la fábrica* · **decididamente · enérgicamente · firmemente · férreamente · drásticamente · vigorosamente || abiertamente · frontalmente · lisa y llanamente · clamorosamente || ardientemente · fervientemente · visceralmente · abruptamente || con matices · moderadamente || por sistema · sin fundamento || por escrito · verbalmente · oficialmente**

oporto s.m.

• CON ADJS. **aromático · dulce** *degustar un oporto dulce* · **seco · blanco**

• CON SUSTS. **vino (de) · paté (al) · salsa (de)**

➤ Véase también **BEBIDA**

oportunidad s.f.

• CON ADJS. **de oro** *Dejó pasar una oportunidad de oro* · **dorada · excepcional · inigualable · inmejorable · única** *Este viaje era una oportunidad única para conocer México* · **preciosa · seria || asequible || propicia**

• CON VBOS. **presentarse** *Oportunidades como esta solo se presentan una vez en la vida* · **surgir · pasar || agotar(se) · desvanecerse · esfumarse · malograr(se) · truncar(se) || abrir(se) · derivar(se) || brindar · conceder · dar** *Me dieron una segunda oportunidad para...* · **otorgar · {poner/tener} en bandeja || negar · desbaratar || tener · capitalizar · vislumbrar || aprovechar** *Aproveché la primera oportunidad que tuve para presentarme* · **atrapar || dejar {escapar/pasar} · perder · desaprovechar · desperdiciar · malgastar · echar a perder · errar · dilapidar || disfrutar (de) · disponer (de) · gozar (de)** *No todos gozamos de las mismas oportunidades*

oportuno, na adj.

• CON SUSTS. **momento** *Es el momento oportuno para que...* · **tiempo · lugar · fecha || medida · decisión · solución || llegada · visita · encuentro || llamada · comunicación · aviso · orden || información · dato · respuesta · explicación || manera · método || tratamiento · hallazgo · detección || ayuda · consejo** *No supiste apreciar ese oportuno consejo* **|| gestión · diligencia · proceso || refuerzo · ampliación · cambio · reforma**

• CON ADVS. **sumamente · verdaderamente · dudosamente**

• CON VBOS. **estar · resultar · parecer** *No me parece oportuno que lo llames* · **volverse · ser** *Creo que es oportuno recordar el nombre de la filial a los asistentes* **|| estimar · considerar · creer**

oposición s.f.

▌[disconformidad, enfrentamiento]

• CON ADJS. **rotunda · radical · terminante · total** *Mi oposición al proyecto era total* **|| acerba · dura · a ultranza · implacable · feroz · encarnizada · enconada · agria · acérrima · fuerte · ferviente · vehemente · visceral · violenta · beligerante || decidida · denodada · firme** *Con tan firme oposición, el plan no prosperará* · **férrea · en firme · tenaz · frontal || con matices · parcial · testimonial || insistente · obstinada · persistente · pertinaz · sistemática · abrumadora · flagrante · clara** *La propuesta del Gobierno suscitó una clara oposición por parte de los sindicatos* · **inequívoca || débil · endeble · ligera · tibia · roma || constructiva · efectiva || unánime · unida**

• CON SUSTS. **actitud (de)**

• CON VBOS. **aumentar · cobrar fuerza** *Cada día cobra más fuerza la oposición a...* · **recrudecer(se) || salir a la luz || decrecer · disminuir || aglutinar · avivar || zanjar · vencer · contrarrestar · desterrar || ejercer · practicar · plantear · sustentar || desoír**

▌[partidos opuestos a un Gobierno]

• CON ADJS. **desorganizada · dispersa · organizada || irreconciliable**

• CON VBOS. **estar {en contra/a favor} (de algo) || desarticular(se) · desintegrar(se) · desmembrar(se) · ablandar(se) · desvanecer(se) || acallar · silenciar** *Es preciso silenciar a la oposición si queremos que...* · **aplastar || capitanear · dirigir · encabezar** *Encabezaba la oposición un dirigente con muchas tablas* **|| enfrentarse (a) · negociar (con)**

▌[examen]

• CON ADJS. **difícil · fácil · complicada · compleja · dura || concurrida**

• CON SUSTS. **examen (de) || concurso** *La plaza saldrá a concurso oposición*

• CON VBOS. **preparar · estudiar || aprobar · sacar** *A pesar de ser una oposición muy dura, logró sacarla a la primera* · **superar · suspender · convocar || impugnar** *un grupo de candidatos impugnó la oposición* **|| presentarse (a)**

opositor, -a s.

• CON ADJS. **acérrimo,ma** *el más acérrimo opositor a nuestras propuestas* · **enconado,da · feroz · ferviente · implacable · férreo,a · firme · obstinado,da · tenaz · voluntarioso, sa · esforzado,da || constante · sistemático || frontal · radical · moderado · tibio**

opresión s.f.

• CON ADJS. **fuerte · brutal · intensa · asfixiante** *Ejercía una opresión asfixiante sobre sus subordinados*

• CON SUSTS. **situación (de) · forma (de) || víctima (de)**

• CON VBOS. **ejercer · hacer · soportar** *cansada de soportar la opresión del ambiente* **|| prolongar · perpetuar || denunciar || acabar (con)** *Por fin acabaron con la brutal opresión a la que estaban sometidos* · **liberar(se) (de) · librar(se) (de) · resistir(se) (a) || someter (a)**

opresivo, va adj.

• CON SUSTS. **clima · ambiente** *una reunión en la que se respiraba un ambiente opresivo y agobiante* · **aire · tiempo · atmósfera || carácter · tono || entorno · contexto · mundo || sistema** *Se sentía atrapado por un sistema opresivo y absurdo* · **régimen · imperialismo · comercialismo || jefe,fa · fiscal · director,-a · sargento ·** ***otros cargos o puestos*** **|| peso** *Sentía un peso opresivo en el pecho* · **acoso**

• CON VBOS. **volver(se) · hacer(se)**

oprimir v.

• CON SUSTS. **pueblo** *un pueblo que no estaba dispuesto a dejarse oprimir* · **sociedad · minoría · población ||** ***persona*** **|| labios · mano · sien · corazón · pecho** *una intensa angustia oprimía su pecho* · **cintura · alma || botón · tecla** *El servicio se conectaba con solo oprimir la tecla precisa* · **pulsador**

• CON ADVS. **considerablemente · fuertemente · abrumadoramente · intensamente · poderosamente · cruelmente** *...ante esos regímenes totalitarios que oprimen cruelmente a la población* || **levemente · ligeramente · suavemente**

oprobio s.m.

• CON ADJS. **vergonzante · vergonzoso · escandaloso · imborrable** || **semejante** *¿Por qué hemos de tolerar semejante oprobio?* · **verdadero** || **marcado,da (por)** *una vida marcada por el oprobio*

• CON VBOS. **experimentar · sentir · sufrir** *...para todos aquellos que sufrieron el oprobio de verse perseguidos por...* || **cargar (con)** || **cubrir(se) (de) · llenar (de) · cargar (de)** || **librar(se) (de) · salvar(se) (de)**

optar (a) v.

• CON SUSTS. **título · premio · victoria · medalla** *La joven atleta podría optar a medalla de oro si...* || **presidencia · reelección · cargo · plaza · alcaldía · candidatura** || **ayuda · subvención** *No cumplía los requisitos para optar a la subvención*

• CON ADVS. **abiertamente** *optar abiertamente a un puesto de trabajo* · **decididamente · con decisión · con reservas** || **libremente** || **con posibilidades**

optativo, va adj.

• CON SUSTS. **asignatura** *varias asignaturas optativas para cursarlas en dos años* · **materia · enseñanza** || **prueba · examen** *un examen optativo para subir nota* · **seminario · trabajo** || **equipamiento · accesorio · elemento · componente** || **carácter · modalidad · uso**

[óptica] s.f. → óptico, ca

óptico, ca

1 **óptico, ca** adj.

• CON SUSTS. **nervio · fibra · calibración** || **ilusión** *sufrir una ilusión óptica*

2 **óptica** s.f.

▮ [parte de la física] Véase **DISCIPLINA**
▮ [comercio] Véase **ESTABLECIMIENTO**

optimismo s.m.

• CON ADJS. **desmedido · desmesurado · desaforado · desbordante** *Estaba un poco cohibido ante aquel optimismo desbordante* · **por los cuatro costados · moderado** || **absoluto · ciego · encendido · denodado · recalcitrante · descarnado** || **justificado · sincero · sano · vivo · contagioso** *Nos dejamos llevar por su optimismo contagioso* · **voluntarioso** || **admirable · envidiable · loable** || **falso · forzado · efímero · infundado · injustificado** *un optimismo absolutamente injustificado* · **gratuito** || **reinante · lleno,na (de) · poseído,da (de) · rebosante (de)** *una persona jovial, animosa y rebosante de optimismo* · **sobrado,da (de) · pletórico,ca (de)**

• CON SUSTS. **cara (de) · gesto (de)** || **arrebato (de) · inyección (de)** *Se echa en falta una inyección de optimismo para salir de la crisis* · **atisbo (de)** || **ola (de) · ráfaga (de) · soplo (de)**

• CON VBOS. **desbordar(se) · extender(se)** *El optimismo se extendió rápidamente entre la población* · **apoderar(se) (de alguien) · embargar (a alguien) · aumentar · reinar · cundir · brotar** || **aguar(se) · decrecer · enfriar(se)** || **traslucir(se)** || **demostrar** *Siempre demostró un optimismo envidiable en situaciones adversas* · **manifestar · mostrar · transmitir · irradiar · desprender · rebosar · rezumar · albergar** || **derrochar · compartir · contagiar** *un mercado que no logra contagiarse del optimismo internacional* · **despertar · inculcar · infundir · insuflar · sembrar** || **avivar · reavivar** || **practicar** || **perder** || **actuar (con) · hacer gala (de)** || **henchir(se) (de) · teñir (de)** || **invitar (a)** *...con palabras que invitan al optimismo y a la esperanza* · **participar (de)**

optimista adj.

• CON SUSTS. ***persona*** *Es una mujer bastante optimista* || **actitud · posición · postura · talante** || **visión** *bajo una visión optimista de la vida* · **mirada · perspectiva · punto de vista** || **cifras · números · resultado** || **previsión · estimación · pronóstico** *El pronóstico de los médicos es muy optimista* · **diagnóstico · futuro** || **mensaje · discurso · lectura · interpretación** || **mercado · programa** || **panorama · ambiente · clima · atmósfera** || **tono · toque**

• CON ADVS. **absolutamente** *Soy absolutamente optimista sobre el futuro* · **decididamente · excesivamente** || **relativamente · moderadamente**

• CON VBOS. **ser · volver(se) · mantener(se) · estar**

optimizar v.

• CON SUSTS. **recursos** *Es imprescindible optimizar recursos y reducir costos* · **capacidad · tiempo** || **gestión · trabajo · producción · técnica** || **funcionamiento · calidad · instalaciones · infraestructura** || **rendimiento · resultado · rentabilidad · beneficio** *...con el fin de determinar riesgos y optimizar beneficios* · **ventaja · ingreso · costos** || **uso · utilización · tratamiento · consumo** || **transporte · distribución · suministro · servicio** *Se producen estos cambios para optimizar el servicio de atención al cliente* || **vínculo · relación · situación** || **información · conocimiento**

óptimo, ma adj.

• CON SUSTS. **resultado · balance** || **condiciones** *mantenerse en óptimas condiciones* · **estado · equipamiento · configuración · prestación** || **humor** *Se encontraba de un humor óptimo esa mañana* · **momento · ánimo · temperatura · situación** || **precio · presupuesto · ahorro** || **volumen · tamaño · peso · dimensión · espacio · cantidad · dosis** || **porvenir · futuro** *Su esfuerzo le auguraba un óptimo futuro* · **tiempo** || **comportamiento · funcionamiento · sistema** || **calidad** *Vendemos productos de óptima calidad* · **nitidez · resolución** || **trabajo · labor** || **desarrollo · aprovechamiento · rendimiento** *La maquinaria tiene un rendimiento óptimo* · **mantenimiento · tratamiento · explotación** || **maduración · fermentación · maceración** || **grado · nivel · equilibrio** *Hemos conseguido un equilibrio óptimo de ganancias y pérdidas* · **estabilidad** || **reparto · distribución** || **escenario · lugar · ambiente · contexto · terreno · panorama · emplazamiento** || **modelo · diseño** *El avión tiene un diseño óptimo* || **servicio · empleo · uso · utilización** || **salud · seguridad** || ***persona*** *A todos nos pareció un óptimo candidato*

• CON ADVS. **correctamente · absolutamente · especialmente · escasamente** || **psicológicamente · físicamente** || **aritméticamente**

• CON VBOS. **calificar (de)** *El doctor ha calificado de óptimo el estado físico del corredor* · **considerar**

opuesto, ta adj.

• CON ADVS. **abiertamente · declaradamente · decididamente** || **absolutamente · totalmente · por completo · diametralmente** *Ambos sostienen opiniones diametralmente opuestas* · **frontalmente**

opulencia s.f.

● CON ADJS. **económica** *Por aquella época llegó incluso a conocer cierta opulencia económica* · **informativa** · **consumista** · **material** · **política** || **imperiosa** · **creciente** · **repentina** · **inmediata** || **elegante** · **conspicua** · **procaz** · **absurda** || **moderada** · **minoritaria** || **falsa** · **falaz** · **hiriente** · **insultante** · **vergonzante** || **efímera**

● CON SUSTS. **imagen (de)** *El magnate del petróleo es la misma imagen de la opulencia* · **espejo (de)** || **signo (de)** · **señal (de)** · **símbolo (de)** || **época (de)** · **país (de)** · **sociedad (de)** · **mundo (de)**

● CON VBOS. **vivir (en)** *Su familia vivía en la opulencia desde que...* · **nadar (en)**

oración s.f.

▮ [rezo]

● CON ADJS. **piadosa** · **devota** · **ferviente** · **fervorosa** || **sentida** · **sincera** *una sincera oración en acción de gracias* || **solemne** || **fúnebre** *una oración fúnebre en memoria del difunto*

● CON VBOS. **elevar** · **pronunciar** · **rezar** || **dedicar** · **ofrecer** · **tributar** · **rendir** · **decir** · **hacer**

● CON PREPS. **en** · **mediante**

▮ [frase]

● CON ADJS. **larga** *Teníamos que analizar sintácticamente oraciones muy largas* · **elaborada** · **compleja** · **enrevesada** · **intrincada** · **difícil** · **rimbombante** || **simple** · **compuesta** || **corta** · **inacabada** · **inconexa** *un discurso compuesto por oraciones inconexas* · **incoherente** · **absurda** · **coherente** || **transparente** · **ambigua**

● CON VBOS. **encadenar(se)** · **subordinar(se)** · **coordinar(se)** · **componerse (de algo)** || **construir** · **componer** · **ordenar** · **ligar** || **emplear** · **escribir** || **puntuar** · **entrecomillar** · **corregir** · **analizar** · **segmentar** · **descomponer** · **fragmentar** · **articular** || **empezar** · **encabezar** · **terminar**

oráculo s.m.

● CON VBOS. **acertar** *El oráculo acertó en sus vaticinios* · **achuntar** · **equivocar(se)** · **fallar** || **vaticinar (algo)** · **pronosticar (algo)** · **profetizar (algo)** · **anunciar (algo)** || **consultar**

● CON PREPS. **según**

oral adj.

▮ [expresado con la palabra hablada]

● CON SUSTS. **lección** · **examen** *un examen oral de historia* · **pregunta** · **respuesta** || **juicio** · **vista** · **audiencia** || **comunicación** · **transmisión** · **discurso** || **forma** · **lenguaje** · **lengua** · **comprensión** · **expresión** || **narración** · **narrativa** · **literatura** · **relato** || **tradición** *la tradición oral* · **historia** · **cultura** || **informe** · **testimonio** · **registro**

▮ [relativo a la boca]

● CON SUSTS. **vía** · **administración** *vacuna de administración oral* || **vacuna** · **suero** || **sexo**

oralmente adv.

● CON VBOS. **exponer** *Expuse oralmente mi propuesta al comité* · **contestar** · **transmitir** · **decir** · **manifestar** · ***otros verbos de lengua*** || **comprometerse** *Se comprometió oralmente a hacerlo* · **prometer**

[oratoria] s.f. → oratorio, ria

oratorio, ria

1 **oratorio, ria** adj.

▮ [que persuade y conmueve]

● CON SUSTS. **capacidad** · **dotes** *Demostró sus grandes dotes oratorias* · **virtud** · **talento** · **brillantez** · **altura** · **estilo** · **técnica** || **elocuencia** · **contundencia** · **énfasis** · **artillería** · **munición** · **pompa** *La excesiva pompa oratoria de su discurso no gustó al público*

2 **oratorio** s.m.

▮ [lugar para orar]

● CON ADJS. **recogido** · **apartado** · **pequeño** · **privado** *Celebraron la ceremonia en un oratorio privado*

▮ [composición musical]

● CON ADJS. **profano** · **sagrado** · **espiritual** · **navideño** *componer un oratorio navideño* || **escénico** || **barroco** · **romántico**

● CON SUSTS. **ópera** *ópera oratorio en dos actos*

● CON VBOS. **componer** · **representar** · **interpretar** · **estrenar**

3 **oratoria** s.f.

▮ [rama del saber]

● CON ADJS. **brillante** *la brillante oratoria de este diputado* · **buena** · **exagerada** · **austera** · **mediocre** · **montaraz** · **infame** · **tópica** · **rimbombante** || **clásica** · **parlamentaria**

➤ Véase también **DISCIPLINA**

órbita s.f.

▮ [trayectoria]

● CON ADJS. **lunar** *Tras abandonar la órbita lunar el satélite saldrá hacia...* · **solar** · **terrestre** · **polar** · **marciana** || **concéntrica** · **exocéntrica** *El cometa describía una órbita exocéntrica* · **elíptica** · **inclinada** · **alta** · **baja** || **correcta** · **exacta** · **precisa** · **justa** · **fija**

● CON VBOS. **describir** · **ajustar** || **estar (en)** · **poner (en)** *Se ha puesto en órbita un satélite de telecomunicaciones* · **situar (en)** · **colocar (en)** · **entrar (en)** *Se prevé que la sonda entrará en la órbita de Marte a mediados de año* || **salir(se) (de)** · **sacar (de)** || **pertenecer (a)** *enumerar los planetas que pertenecen a la órbita solar*

▮ [cuenca del ojo]

● CON ADJS. **ocular** · **del ojo**

▮ [área de influencia]

● CON ADJS. **personal** *La prensa no tiene derecho a entrar sin permiso en la órbita personal de...* · **individual** · **familiar** · **literaria** · **cultural** · **estilística** · **surrealista** · **vanguardista** · **política** · **religiosa** · **ideológica** || **económica** · **operacional** || **de poder** · **de influencia** *Ante la magnitud de la órbita de influencia de la banca, el Gobierno...* · **de partido**

órdago s.m.

● CON ADJS. **definitivo** · **brutal** · **auténtico** *Su propuesta supone un auténtico órdago para el proceso* · **arriesgado** || **económico** · **político** · **electoral**

● CON VBOS. **lanzar** · **aceptar** *Aceptamos el órdago, aun teniendo todas las de perder* · **echar** · **perder** *perder un órdago a la grande* · **responder**

□ EXPRESIONES **de órdago** [considerable] *col.*

orden

1 **orden** s.m.

▮ [ordenación, colocación]

● CON ADJS. **estricto** · **férreo** · **fijo** · **riguroso** *Establecieron un orden riguroso en los trámites para...* · **impecable**

|| aleatorio · libre · caótico · relativo || equitativo || ascendente · descendente · alfabético · cronológico *Las fotos estaban colocadas en orden cronológico* · estamental · de antigüedad · jerárquico · arbitrario · numérico · lineal || abierto · cerrado · de combate

● CON VBOS. **determinar · fijar** *Fijaban un orden jerárquico para colocar a los invitados* · **marcar · establecer · cuidar || modificar · alterar · cambiar** *Cambió el orden de los apellidos para no aparecer el primero* · **subvertir · transgredir · contravenir · romper || seguir** *¿Dirías que estos números siguen un orden?* || **atenerse (a)**

▌[equilibrio, calma]

● CON ADJS. **general · integral · total || imperante · reinante · coyuntural || establecido** *No se tolerará ninguna alteración del orden establecido* || **legal · constitucional · público · defensivo**

● CON VBOS. **imperar · reinar** *En las calles volvía a reinar el orden* || **derrumbar(se) || implantar · imponer · instaurar · reinstaurar** *Las autoridades lograron reinstaurar el orden entre la población* · **guardar || subvertir · alterar · desequilibrar · desestabilizar · socavar** *unas declaraciones dirigidas a socavar el orden constitucional* · **trastocar · convulsionar · dañar · violar · transgredir · contravenir · conculcar || vigilar · respetar || velar (por) · cuidar (de) · llamar (a)** *La directora nos llamó al orden*

2 **orden** s.f.

▌[mandato, norma]

● CON ADJS. **apremiante · perentoria · de inmediato cumplimiento || categórica · enérgica · tajante** *una orden tajante que no admite réplica* · **taxativa · terminante · estricta || arbitraria · justificada · injustificada · justa · injusta || inapelable · irrevocable || cautelar · sumarial · sin efecto || oportuna** *Cuando sean cursadas las órdenes oportunas*

● CON VBOS. **emanar (de algo/de alguien) || cursar · dar** *Por la radio han dado la orden de permanecer en casa durante el temporal* · **emitir · lanzar · promulgar · decretar · impartir · tramitar || recibir · acatar · obedecer · cumplir · ejecutar || desatender · desobedecer · incumplir · infringir · saltarse** *Nos saltamos la orden que prohibía aparcar y nos cayó una multa* · **quebrantar · violar · desoír** *Los bañistas desoyeron la orden de no bañarse...* || **abolir · derogar · revocar || denegar || impugnar** *Impugnaron la orden por un defecto de forma*

▌[institución]

● CON ADJS. **religiosa · de caballería · sacerdotal**

● CON SUSTS. **miembro (de)** *Según mantienen los miembros de esta orden religiosa...*

● CON VBOS. **fundar || pertenecer (a) · ingresar (en) · salir (de)**

☐ EXPRESIONES **hasta nueva orden** [hasta que se revoque una disposición anterior]

ordenación s.f.

▌[disposición]

● CON ADJS. **textual · terminológica · léxica · temática** *Llevaban a cabo una ordenación temática de los contenidos* · **semántica · alfabética · tipológica || cronológica · temporal || territorial** *aspectos que forman parte de la ordenación territorial de este país* · **espacial · urbana · municipal · local · social · continental · metropolitana || urbanística** *Proyectará la ordenación urbanística de la ciudad* · **planimétrica · geométrica · arquitectónica || jurídica || discreta · rigurosa · extraordinaria · lógica · adecuada · personal · interior · sistemática · racional · flexible · general || educativa · académica · universitaria || de transportes · de tráfico** *Requiere una ordenación del tráfico por carretera* · **de comercio · ferroviaria · portuaria · vial**

● CON SUSTS. **plan (de) · ley (de)** *Se ha aprobado la ley de ordenación educativa en esos niveles*

● CON VBOS. **establecer · determinar · fijar || alterar · saltarse · conculcar**

▌[acción de conferir un orden]

● CON ADJS. **sacerdotal · episcopal**

● CON SUSTS. **ceremonia (de)** *Asistimos a la ceremonia de ordenación de dos nuevos sacerdotes* · **misa (de)**

ordenadamente adv.

● CON VBOS. **organizar · clasificar** *clasificar ordenadamente toda la documentación* · **alinear · colocar · poner · situar · recoger · recopilar · estructurar · aparcar · disponer || distribuir · repartir · dar · ofrecer · suministrar · facilitar · seleccionar || desplegar · juntar · mezclar || abandonar** *Pidieron por los altavoces que abandonáramos ordenadamente el edificio* · **retirarse · salir · marchar · evacuar · llegar · volver · avanzar · retroceder · subir · entrar · dirigirse · trasladar · pasear · concurrir · acudir** *acudir ordenadamente a presentar una solicitud* || **trabajar · realizar · llevar a cabo · proceder · manejar · resolver · afrontar · encarar · efectuar · actuar · restablecer · ejecutar · reparar · aplicar || exponer** *Expuso ordenadamente sus argumentos* · **presentar · defender · explicar · transmitir · repetir · definir · redactar · confesar · desvelar · perorar · desgranar · leer || investigar · meditar · pensar · planificar · preparar || crecer · aumentar · ampliar · prolongar · cambiar · renovar · corregir || continuar · proseguir · transcurrir** *El acto transcurrió ordenadamente y sin incidentes* · **discurrir || liquidar · acabar · suspender · cerrar · finiquitar · diluir(se) · negociar || utilizar · usar · explotar**

ordenador s.m.

● CON ADJS. **portátil · de sobremesa**

● CON VBOS. **apagar(se) · bloquear(se) · colgarse** *El ordenador se colgó y me dejó con el trabajo a medio hacer* · **fallar · desbloquear(se) || funcionar || usar · manejar · programar || alimentar || conectar · encender · reiniciar · resetear || escribir (a) · pasar (a)** *pasar un trabajo a ordenador*

ordenanza

1 **ordenanza** s.com.

▌[persona]

● CON ADJS. **servicial · serio,ria · profesional**

● CON SUSTS. **trabajo (de) · puesto (de)** *obtener un puesto de ordenanza en la administración pública* || **uniforme (de)**

● CON VBOS. **llamar · contratar || trabajar (como/de)**

2 **ordenanza** s.f.

▌[norma o disposición]

● CON ADJS. **actual · en vigor** *Según las ordenanzas en vigor, deberíamos...* · **vigente || obsoleta || estricta · preceptiva || oficial · capitular**

● CON VBOS. **dictaminar · regir || entrar en vigor || cumplir · obedecer · observar · respetar · atender || desobedecer · incumplir · saltarse · infringir · quebrantar · transgredir · violar || derogar · abolir · revocar || dar cumplimiento (a) · faltar (a)** *Faltó a las ordenanzas vigentes y fue multado por ello*

• CON PREPS. **según** *Según las ordenanzas municipales, la recogida de basuras será...*

ordenar v.

▮ [disponer en orden]

• CON ADVS. **adecuadamente · correctamente · debidamente · incorrectamente || armónicamente · armoniosamente · coherentemente || cuidadosamente** *Ordenó cuidadosamente las fotos en el álbum* · **detalladamente · pulcramente || al tuntún** *Los libros habían sido ordenados al tuntún* · **aleatoriamente · arbitrariamente · libremente || cautelarmente || alfabéticamente · cronológicamente** *ordenar cronológicamente las cartas* · **de mayor a menor · de menor a mayor · en serie · jerárquicamente · numéricamente**

▮ [mandar]

• CON ADVS. **a gritos · a voces · con malos modos** *Me ordenó con muy malos modos que saliera de la habitación* · **a cajas destempladas || terminantemente · tajantemente · taxativamente || verbalmente · por escrito**

ordeñar v.

• CON SUSTS. **ganado · cabra · oveja · vaca**

ordinal adj.

• CON SUSTS. **número · numeral || sentido · colocación · denominación**

ordinario, ria adj.

▮ [común, corriente, no especial]

• CON SUSTS. ***persona*** *Soy una chica ordinaria, de costumbres sencillas* || **vida · costumbre || período · jornada · temporada || modo · carácter || sesión** *discutir un proyecto en sesión ordinaria* · **reunión · asamblea · congreso · pleno || norma · ley · legislación || funcionamiento · actividad || plazo · convocatoria · régimen || presupuesto · gasto · ingreso || mantenimiento · inspección || justicia · tribunal · jurisdicción · juzgado · legislatura · juez || vía** *...una vez agotada la vía ordinaria* · **procedimiento || correo** *enviar un paquete por correo ordinario* · **envío**

▮ [grosero, maleducado]

• CON SUSTS. ***persona*** *palabras de una chica ordinaria y chabacana* || **actitud · modales**

• CON VBOS. **volverse**

orear v.

• CON SUSTS. **habitación** *Todas las mañanas oreo mi habitación* · **casa ·** ***otros espacios cerrados*** **|| tejido · ropa · frazada**

oreja s.f.

• CON ADJS. **descomunal · gran(de)** *El elefante tiene unas grandes orejas* · **sobresaliente · prominente · pronunciada · protuberante || pequeña · exigua || de soplillo · felina · puntiaguda · peluda**

• CON SUSTS. **dolor (de) || jalón (de) · tirón (de)** *Me dieron un buen tirón de orejas para felicitarme por mi cumpleaños*

• CON VBOS. **asomar || mover · menear · aletear || amputar · arrancar · tatuar || pegar · poner · parar** *Paremos la oreja que la profesora va a leer las notas* || **cortar · merecer** *La labor del diestro en el segundo toro merece sobradamente la oreja* || **rozar || llevar (en) || tirar (de) · jalar (de) || premiar (con)**

☐ EXPRESIONES **{aplastar/planchar} la oreja** [dormir] *col.* || **ver las orejas al lobo** [apercibirse de un peligro próximo]

orgánicamente adv.

• CON VBOS. **depender (de alguien)** *una institución que depende orgánicamente del Ministerio de Economía* · **vincular(se) · adscribir(se) · encuadrar(se)**

orgánico, ca adj.

• CON SUSTS. **compuesto · materia** *abono hecho con materia orgánica* · **material · cuerpo · unidad || cultivo · agricultura · producto || residuo · desecho · resto · abono · basura || ley · carta · reglamento · estatuto · reforma || sistema · estructura** *Hay que mejorar la estructura orgánica de esta institución* · **función · desarrollo || carga · contenido || descomposición · composición · química || enfermedad · causa || democracia · cargo**

organización s.f.

▮ [institución]

• CON ADJS. **jerarquizada · articulada · ágil · abierta · transparente · dinámica · moderna · avanzada · férrea || fiable · modélica · perfecta · seria · sólida || frágil · anquilosada · hermética · cerrada || criminal** *desarticular una organización criminal* · **delictiva || humanitaria · no gubernamental · sin ánimo de lucro**

• CON SUSTS. **dirigente (de) · portavoz (de) · responsable (de) · representante (de) · líder (de) || miembro (de) · bases (de) · sector (de) || objetivo (de) || seno (de) · control (de)**

• CON VBOS. **incluir (algo) · comprender** *Es una organización muy grande que comprende un gran número de miembros* · **aglutinar · centralizar || funcionar || tambalearse · venirse abajo · disolver(se) · quebrar(se) || crear · fundar · promover · concebir · llevar adelante · poner al día** *Cuando recibió el comprometido encargo de poner al día una organización tan caótica y anquilosada...* · **reformar · refundir · refundar || controlar · dirigir || desarticular · desbaratar · desestabilizar || erosionar || pertenecer (a)** *Pertenezco a una organización humanitaria*

• CON PREPS. **a cargo (de) · al frente (de)** *¿Quién está al frente de la organización?*

▮ [acción y efecto de organizar]

• CON ADJS. **eficaz · buena · impecable** *La organización del viaje fue impecable* || **flexible || caótica · desastrosa · deficiente** *la deficiente organización del congreso* · **ineficaz · mala · precaria**

• CON SUSTS. **necesidad (de) · esfuerzo (de) · capacidad (de) || fallo (de) · problema (de) || grado (de) · nivel (de)**

• CON VBOS. **recaer (en alguien) || confiar (a alguien) · encargar**

▮ [orden, disposición]

• CON ADJS. **alfabética · cronológica · estamental · jerárquica**

• CON SUSTS. **falta (de)**

organizar v.

• CON SUSTS. **fiesta** *Nuestra empresa organiza fiestas, espectáculos y banquetes* · **espectáculo · ceremonia · congreso · exposición · partido ·** ***otros eventos*** **|| trabajo · curso · programa · viaje · vida · calendario · agenda || escándalo** *Les organizó un buen escándalo* · **follón · jaleo · número**

• CON ADVS. **a lo grande** *organizar una cena a lo grande* · **a bombo y platillo · por todo lo alto || detalladamente**

· **con (todo) detalle** · **concienzudamente** · **escrupulosamente** *un viaje escrupulosamente organizado* · **cuidadosamente** · **ordenadamente** · **coherentemente** · **debidamente** || **a duras penas** · **a marchas forzadas** · **precipitadamente** · **improvisadamente** · **sobre la marcha** *El reparto de los alimentos se organizó sobre la marcha* || **{con/sin} prisas** || **anticipadamente** · **con antelación** · **con tiempo** · **paulatinamente** || **alfabéticamente** · **cronológicamente** *organizar cronológicamente unos hechos* · **democráticamente** · **políticamente**

órgano s.m.

▮ [parte del cuerpo]

• CON ADJS. **afectado** *La revisión médica confirmó que el órgano estaba afectado* · **infectado** || **adulto** · **joven** · **vital** || **corporal** · **animal**

• CON SUSTS. **funcionamiento (de)** · **función (de)** · **desarrollo (de)** || **donación (de)** *una organización para fomentar la donación de órganos* · **trasplante (de)** · **clonación (de)**

• CON VBOS. **crecer** · **desarrollar(se)** || **funcionar** · **realizar su función** || **fallar** || **donar** · **extirpar** · **trasplantar** · **implantar** || **dañar** · **lesionar(se)** *Una de las víctimas del accidente se lesionó varios órganos vitales* || **clonar** || **extender(se) (a)** *La infección se había extendido a otros órganos* · **afectar (a)**

▮ [instrumento musical]

• CON ADJS. **barroco** · **electrónico** || **cromático**

• CON SUSTS. **obra (para)** *una obra para órgano barroco*

• CON VBOS. **sentarse (a)**

➤ Véase también **INSTRUMENTO MUSICAL**

▮ [parte de una estructura o una institución]

• CON ADJS. **de gobierno** · **ejecutivo** *representantes de los órganos ejecutivo, legislativo y judicial* · **legislativo** · **judicial** · **jurisdiccional** · **constitucional** · **administrativo** · **político** · **electoral** || **autonómico** · **estatal** · **central** · **comunitario** || **académico** · **científico** || **de representación** · **representativo** || **de difusión** · **de expresión** *La revista pretende convertirse en el órgano de expresión del partido* || **castrense** · **de defensa** · **de seguridad** || **de decisión** · **decisorio** · **de control** *Los órganos de control no funcionaron adecuadamente* · **de gestión** · **gestor** · **de dirección** · **de poder** · **de arbitraje** · **de coordinación** · **coordinador** · **de competencia** · **de contratación** || **auditor** · **consultivo** · **consultor** · **asesor** · **de asesoramiento** · **de consulta** || **activo** · **competente** · **influyente** || **democrático** · **legítimo**

• CON VBOS. **fallar** · **funcionar** || **actuar** || **someter(se) (a)** || **incumbir (a)**

orgía

1 **orgía** s.f.

• CON ADJS. **sexual** · **musical** · **sonora** *El concierto fue una auténtica orgía sonora* · **jurídica** · **política** · **verbal** · **criminal** · **espiritual** · **nihilista** || **onírica** · **nocturna** || **gran(de)** · **verdadera** · **auténtica** · **perpetua** · **diaria** · **desenfrenada** || **sensorial** · **visual** *El atardecer en ese lugar es una orgía visual* · **óptica** · **cromática** || **multitudinaria** · **colectiva** · **masiva** || **terrorista** · **sangrienta** · **destructora** · **infernal** · **grotesca** · **salvaje** · **bestial** || **comercial** · **consumista** *En esas fechas se vive una verdadera orgía consumista* · **especulativa** · **inflacionaria** · **inversora** || **goleadora** · **futbolística** || **creadora** *Se encuentra en plena orgía creadora*

2 **orgía (de)** s.f.

• CON SUSTS. **placer** · **sexo** · **éxtasis** · **abrazos** · **desenfreno** · **fantasía** · **júbilo** || **sangre** *En ese país se vive una diaria orgía de sangre* · **muertos** · **cadáveres** · **salvajismo** · **asesinatos** · **destrucción** · **terror** || **dinero** · **cifras** · **consumo** || **vocablos** · **chistes** · **descalificaciones** || **alcohol** · **champán** · **humo** · **vino** || **color** · **sabor** · **sonido**

☐ USO Se construye generalmente con sustantivos no contables en singular (*una orgía de destrucción*) o con contables en plural (*una orgía de asesinatos*).

orgullo s.m.

• CON ADJS. **desmedido** · **exacerbado** · **exaltado** || **injustificado** · **justificado** · **legítimo** *el legítimo orgullo de todo padre ante sus hijos* || **patrio** · **familiar** || **lleno,na (de)** · **pletórico,ca (de)**

• CON SUSTS. **arranque (de)** · **arrebato (de)**

• CON VBOS. **constituir** · **representar** *El triunfo de la selección representa un orgullo para nuestro país* || **atemperar** · **deponer** · **disimular** || **dañar** · **herir** *Hirieron mi orgullo al llamarme...* · **lesionar** · **mancillar** · **pisotear** · **ofender** · **ultrajar** || **derrochar** · **mostrar** · **sentir** || **colmar (de)** · **llenar (de)** *Ver triunfar a mis alumnos me llena de orgullo* · **henchir(se) (de)** || **reventar (de)** · **no caber en {mí/ti/sí...} (de)**

orgullosamente adv.

• CON VBOS. **decir** · **declarar** · **reivindicar** · **afirmar** · **anunciar** · **manifestar** · **proclamar** *Proclaman orgullosamente su origen y sus objetivos políticos* · ***otros verbos de lengua*** || **enseñar** *Enseñaba orgullosamente las fotografías de sus nietos* · **exhibir** · **lucir** · **enarbolar** || **mirar** || **hacer gala (de algo)** · **atribuirse (algo)**

orgulloso, sa adj.

• CON ADVS. **sumamente** · **extremadamente** || **especialmente** *Está especialmente orgulloso de sus hijos* · **profundamente** || **tremendamente**

• CON VBOS. **estar** · **mostrarse** || **volverse** · **ser**

☐ USO Se construye frecuentemente con complementos encabezados por la preposición *de*: *Estamos muy orgullosos de tu comportamiento.*

orientación s.f.

• CON ADJS. **apropiada** · **correcta** || **clara** *un informe con una clara orientación partidista* · **evidente** · **inequívoca** || **favorable** || **sesgada** · **equivocada** || **general** · **vaga** · **precisa** || **sexual** · **política** · **económica**

• CON SUSTS. **falta (de)** || **gabinete (de)**

• CON VBOS. **dar** · **imprimir** || **cambiar** *cambiar la orientación política de un partido* · **corregir** · **modificar** · **revisar** · **desviar** || **vislumbrar** || **adherirse (a)** || **cambiar (de)**

orientar v.

• CON SUSTS. **cliente** *Contamos con un servicio de información para orientar a los nuevos clientes* · **estudiante** · **ciudadano,na** · ***otros individuos y grupos humanos*** || **actividad** · **trabajo** *Ha sabido orientar su trabajo para adaptarse a los tiempos actuales* · **investigación** · **tarea** || **esfuerzo** · **recurso** · **actuación** · **conducta** · **estrategia** · **medios** || **respuesta** · **resultado** || **negocio** · **empresa** || **carrera** *Orientó su carrera hacia la investigación* · **formación** · **educación** · **destino** · **futuro** || **política** · **economía** · **sociedad** · **población**

original

1 **original** adj.

▮ [originario o diferente]

● CON SUSTS. **pecado** *...marcados por el pecado original* || **versión** *una película en versión original* · **edición** · **título** || **libro** · **guión** · **obra** · **texto** · **manuscrito** · **relato** · **imagen** · **traducción** · ***otras formas de creación*** || **música** *El director de la película también compuso la música original* · **partitura** || **historia** · **tema** · **argumento** · **material** || **aportación** · **contribución** || **tratamiento** · **punto de vista** · **redacción** · **estilo** || **fuente** · **modelo** · **proyecto** · **idea** *proponer una idea original e innovadora* · **trabajo** · **propuesta** || **documento** · **contrato** · **acta** || **forma** · **color** · **tamaño** · **formato** · **sabor** || **elemento** · **pieza** · **fórmula** · **composición** · **equipo** || **trazado** · **orden** · **escenario**

2 **original** s.m.

▮ [obra]

● CON ADJS. **auténtico** *Este cuadro es un original auténtico* · **falso**

● CON SUSTS. **reproducción (de)** · **copia (de)** || **edición (de)** · **corrección (de)** *Nos ocupamos de la corrección de originales* || **autenticidad (de)** · **falsedad (de)**

● CON VBOS. **imprimir** · **publicar** · **fotocopiar** || **devolver** · **conservar** · **retener** || **editar** · **corregir** || **presentar** *¿Tuviste que presentar el original o te aceptaron una fotocopia?* || **sellar** · **legalizar** || **falsificar** · **adulterar** || **vender** · **subastar** · **comprar** || **hallar** · **encontrar** · **buscar**

originalmente adv.

▮ [en o desde su origen]

● CON VBOS. **aparecer** · **derivar** · **proceder** · **provenir** · **surgir** · **partir** *El viaje partió originalmente del Orinoco* · **venir** || **crear** *El sistema fue creado originalmente para...* · **generar**

▮ [con originalidad]

● CON VBOS. **titular** · **denominar** · **anunciar** · **escribir** · **describir** · ***otros verbos de lengua*** || **inventar** · **diseñar** · **decorar** *Busco algunas ideas para decorar originalmente mi habitación* · **componer** · **crear** || **clasificar** · **estructurar** · **ordenar**

originariamente adv.

● CON VBOS. **proceder** · **provenir** · **venir** || **anunciar** · **presentar** · **publicar** *El libro se publicó originariamente en inglés* · **aparecer** || **escribir** · **redactar** || **significar** *Originariamente, esa palabra significaba algo muy distinto*

originario, ria (de) adj.

● CON SUSTS. **zona** *un plato originario de esta zona* · **región** · **territorio** · **pueblo** · ***otros lugares***

originar(se) v.

● CON SUSTS. **crisis** · **problema** · **conflicto** *Se originó un grave conflicto entre...* · **pelea** · **revuelo** · **dificultad** · **incidente** · **batalla** · **enfrentamiento** || **polémica** · **discusión** · **protesta** || **paro** · **empleo** || **escasez** · **sequía** || **incendio** *El incendio se originó anoche en...* · **fuego** · **accidente** · **explosión** · **daño** || **gasto** · **coste** · **inflación** || **miedo** · **temor** · **dolor** · **malestar** || **situación** · **hecho** || **tendencia** · **movimiento** || **universo** *una sorprendente teoría sobre cómo se originó el universo* · **vida**

oriundo, da (de) adj.

● CON SUSTS. **pueblo** *Soy oriunda de un pequeño pueblo costero* · **ciudad** · **territorio** · **región** · ***otros lugares***

ornamental adj.

● CON SUSTS. **carácter** · **sentido** · **papel** · **motivo** · **valor** || **riqueza** · **grandeza** · **fasto** || **fuente** · **vasija** · ***otros objetos*** || **decoración** · **elemento** *La columna está arropada por varios elementos ornamentales* · **estética** || **retórica** · **jardinería** *Realiza un tipo de jardinería ornamental muy complejo* · **orfebrería** · **escultura** · **pintura** · **literatura** || **chapa** · **piedra** · **ladrillo** · **roca** || **prosa** · **vocabulario** || **utilización** · **uso** · **funcionalidad** || **árbol** · **seto** · **planta** *Han colocado en el portal unas plantas ornamentales* · **jardín** · **fauna** || **sistema** · **diseño** · **función**

● CON ADVS. **meramente** *La plaza tiene una fuente meramente ornamental en el centro* · **puramente** · **singularmente** · **especialmente** · **exclusivamente** · **fundamentalmente**

[oro] → a peso de oro; como los chorros del oro; como oro en paño; de oro; oro

oro

1 **oro** s.m.

● CON ADJS. **codiciado** · **preciado** · **cegador** · **refulgente** || **de ley** *un reloj de oro de ley* || **olímpico**

● CON SUSTS. **mina (de)** · **yacimiento (de)** · **explotación (de)** · **reserva (de)** *Las reservas de oro se están agotando* || **plancha (de)** · **lingote (de)** · **pepita (de)** || **capa (de)** · **papel (de)** · **pan (de)** || **moneda (de)** · **huevo (de)** · **medalla (de)** · **disco (de)** · **anillo (de)** · **pendientes (de)** || **fiebre (de)** · **quimera (de)** || **bodas (de)** *Mis padres celebrarán este año sus bodas de oro* || **ornamento (de)** · **filigrana (de)** || **peso (en)** *Este chico vale su peso en oro de lo majo que es* || **regla (de)** *una de las reglas de oro de nuestra profesión*

● CON VBOS. **devaluarse** · **revaluarse** || **detectar** · **obtener** · **extraer** · **hallar** || **buscar** · **acariciar** · **conquistar** *conquistar el oro en un campeonato* || **bruñir** || **emplear** · **manipular** || **fundir** || **revestir (de)** · **recubrir (de)** || **bañar (con/en)** · **cubrir (de)**

● CON PREPS. **a precio (de)**

2 **oros** s.m.pl.

● CON SUSTS. **as (de)** · **sota (de)** · **caballo (de)** · **rey (de)** *Sale el que tenga el rey de oros* || **{dos/tres/cuatro...} (de)** || **muestra (de)**

● CON VBOS. **robar** · **echar** || **pintar** *¿Otra vez pintan oros?* || **cantar {las cuarenta/las veinte} (en)** || **ir (a)**

☐ EXPRESIONES **oro negro** [petróleo]

[oros] s.m.pl. → oro

ortodoxo, xa adj.

▮ [conforme con doctrinas o prácticas fundamentales]

● CON SUSTS. **corriente** · **tesis** · **planteamiento** · **punto de vista** · **pauta** · **medio** *conseguir algo por medios poco ortodoxos* · **práctica** · **interpretación** || **estilo** · **manera** · **forma** · **modelo** · **posición** · **postura** · **actitud** · **técnica** · **fórmula** · **estrategia** || **purismo** *estar dentro del purismo más ortodoxo* · **idea** · **formalismo** · **nacionalismo** · **liberalismo** · **europeísmo** · **cristianismo** · **judaísmo** · **islamismo** · **comunismo** · **marxismo** · **socialismo** · ***otras doctrinas o tendencias*** || **arte** · **flamenco** · **jazz** · **toreo** · **cine** *Prefiero un cine más ortodoxo y tradicional* · ***otras***

expresiones artísticas || partido (político) · sector · clero · artista · cantaor,-a · economista · religioso,sa · creyente · judío,a · *otros individuos y grupos humanos*
● CON ADVS. absolutamente · estrictamente

▌ [relacionado con las Iglesias de la Europa oriental]
● CON SUSTS. fe · iglesia · sacerdote · pope · patriarca · obispo · arzobispo · monje · monasterio · cementerio · rezo || cristiano,na *Me declaro cristiano ortodoxo*
➤ Véase también **CREYENTE**

ortografía s.f.

● CON ADJS. **mala · deplorable** *hacer un examen con una ortografía deplorable* · **buena · correcta · en condiciones · esmerada · cuidadosa · meticulosa || tradicional · moderna**
● CON SUSTS. **falta (de)** *cometer faltas de ortografía* · **error (de) · lapsus (de) || regla (de) · norma (de)** *desconocer las normas de ortografía*
● CON VBOS. **aprender · enseñar || ignorar · desconocer · saber · dominar** *dominar la ortografía de una lengua extranjera* || **cuidar · descuidar · desdeñar · saltarse || uniformar · unificar || fallar (en)** *Suspendió por fallar en ortografía*

ortográfico, ca adj.

● CON SUSTS. **error** *cometer un error ortográfico* · **falta · fallo || duda · problema || signo · acento · acentuación || corrector,-a** *Trabajo de correctora ortográfica para una pequeña editorial* · **corrección · revisión || regla · norma · normativa · reforma · cambio**

ortopédico, ca adj.

● CON SUSTS. **cirujano,na** *En la clínica nos atendió la cirujana ortopédica* · **técnico,ca · médico,ca || instituto · centro · taller · hospital · clínica || tratamiento · problema · investigación · cirugía || calzado** *De pequeña usaba calzado ortopédico* · **collarín · braguero · corsé · cuello · colchón · sostén · brazo · pierna · muleta || aparato · elemento · material** *Han abierto una tienda de material ortopédico en el barrio* · **instrumento · artilugio · artefacto**

orujo s.m.

● CON ADJS. **digestivo || de hierbas · de oliva · de aceituna · de higos · de uva · de cereza**
● CON SUSTS. **aceite (de) · brasero (de) · pan (de) || quemazón (de) || productor,-a (de) · extractor,-a (de)**
● CON VBOS. **oler (a) || macerar (en)**
➤ Véase también **BEBIDA**

osadía s.f.

● CON ADJS. **descabellada · incalificable · escandalosa || por {mi/tu/su...} parte** *Atreverse a bromear así fue una osadía por su parte*
● CON SUSTS. **alarde (de) · gesto (de) · muestra (de) · acto (de)**
● CON VBOS. **llegar** *Llegó a tal punto su osadía que...* || **espantar (a alguien) || tener** *Tuvo la osadía de decirme...* · **cometer · demostrar · mostrar · reconocer || constituir · representar || permitir** *Solo alguien con su prestigio podía permitirse tamaña osadía...* · **perdonar || condenar · castigar || pagar cara** *Pagó cara la osadía de intentar...* || **caer (en)**

oscilar v.

● CON SUSTS. **péndulo || cantidad · número · medida · valor · curva · profundidad || precio** *El precio del alquiler oscila en función de la temporada* · **cifra · tarifa · coste · inversión || rebaja · diferencia · descuento · pérdida || producción · venta || velocidad · fuerza || temperatura || pena** *La pena oscilará entre tres meses y un año de cárcel* · **condena · multa · sanción || salario · presupuesto · indemnización · cotización || porcentaje · media · promedio || resultado · sondeo || edad**
● CON ADVS. **en mucho · enormemente · notablemente · ostensiblemente · considerablemente || escasamente · imperceptiblemente · ligeramente** *Estas tarifas pueden oscilar ligeramente según la zona del país* · **levemente || decisivamente || a la baja · al alza || abruptamente · de un día para otro · progresivamente · gradualmente · radicalmente**

☐ USO Se construye frecuentemente con complementos encabezados por la preposición *entre*: *La temperatura máxima oscilará entre los diez y los doce grados.*

oscurecer(se) v.

● CON SUSTS. **futuro** *El comienzo de la guerra oscureció nuestro futuro* · **destino · panorama · expectativas · prestigio · fama · resultado || ideas · recuerdo · razón · mensaje · discurso || cielo** *El cielo se oscureció por completo* · **luz · sol · día · tarde || habitación · cuarto · dormitorio** · *otros espacios cerrados* || **color** *Oscurecí ligeramente el color de las paredes* · **pintura · figura · cuadro || piel · rostro · ojos · pelo** *En invierno se me oscurece el pelo* · **mechas**
● CON ADVS. **progresivamente · paulatinamente · gradualmente** *El cielo se iba oscureciendo gradualmente* · **rápidamente · de repente || totalmente · ligeramente · completamente**

oscuro, ra adj.

● CON SUSTS. **habitación** *Esta habitación está muy oscura* · **casa · zona · calle** · *otros lugares* || **cielo · tarde || motivo · móvil · razón · significado || asunto** *Se vio envuelta en oscuros asuntos inmobiliarios...* · **lado || profesor,-a · crítico,ca · periodista** *un periodista oscuro y ambiguo* · *otros individuos* || **amor · deseo · intención · sentimiento || futuro · pasado · porvenir · origen || texto · estilo || azul · verde** · *otros colores* || **tono · tonalidad · color** *Si combinas el pantalón con una camisa de un color oscuro, el efecto será...*
● CON ADVS. **completamente · totalmente · como boca de lobo** *una noche oscura como boca de lobo* · **absolutamente**
● CON VBOS. **ser · volver(se) · quedar(se) || estar · poner(se)**

óseo, a adj.

● CON SUSTS. **médula** *Le hicieron un trasplante de médula ósea* || **cuerpo · tejido · caparazón · fragmento || trasplante · injerto · implante || metabolismo · desarrollo** *Hay que observar el desarrollo óseo del paciente* · **enriquecimiento · sistema · pérdida · metástasis || origen · problema · enfermedad · complicación · edema · cáncer · deterioro · infarto || fractura · lesión · ruptura || estructura** *el análisis de la estructura ósea* · **densidad · masa · soporte · superficie || carbonato · calcio · fosfato**

oso, sa s.

● CON ADJS. **polar · pardo,da · gris · panda · perezoso,sa · hormiguero,ra · marino,na || arborícola** *Los koalas son*

pequeños osos arborícolas · **de las cavernas** || **salvaje** · **amaestrado,da** || **de peluche** || **enorme** · **ágil**
● CON SUSTS. **piel (de)** · **garra (de)** · **zarpa (de)** || **zarpazo (de)** · **abrazo (de)** || **cría (de)** · **cachorro,rra (de)**
● CON VBOS. **rugir** · **gruñir** || **engullir (algo/a alguien)** · **devorar (algo/a alguien)** || **abalanzarse** · **atacar** || **nadar** · **trepar** || **cazar** · **capturar** · **abatir** || **proteger** · **conservar** · **recuperar** || **soltar** · **liberar** || **domar** · **amaestrar** · **entrenar**
□ EXPRESIONES **anda la osa** [indica sorpresa o admiración] *col.*

ostensible adj.

● CON SUSTS. **mejora** *Una mejora ostensible de la administración tributaria fue la sugerencia que...* · **mejoría** · **avance** · **éxito** · **enriquecimiento** · **aumento** · **incremento** · **subida** · **beneficio** · **encarecimiento** || **disminución** · **descenso** · **reducción** · **merma** · **recorte** · **ahorro** · **empeoramiento** · **agravamiento** *el ostensible agravamiento de la situación social* · **desprestigio** · **aminoración** || **ausencia** · **falta** · **debilidad** · **limitación** · **baja** · **déficit** · **incapacidad** · **anomalía** · **atraso** *Esta región muestra un ostensible atraso económico* · **deformidad** · **enfermedad** || **diferencia** · **cambio** · **desigualdad** · **desequilibrio** · **modificación** *No se produjo una modificación ostensible en el número de...* · **discrepancia** · **disparidad** || **dominio** · **presencia** · **liderazgo** · **magisterio** · **superioridad** *La superioridad del equipo visitante era ostensible* · **primacía** · **estrellato** || **agresividad** · **intromisión** · **atropello** · **injerencia** || **muestra** · **signo** · **síntoma** · **despliegue** · **prueba** *Fue una prueba ostensible de su generosidad* · **demostración** · **impacto** || **gesto** · **corte de manga** · **sonrisa** || **alejamiento** · **ruptura** · **bronca** · **radicalización** · **desapego** · **indiferencia** · **abstención** || **error** *El texto estaba plagado de ostensibles errores* · **fallo** · **fracaso** · **derrota** · **mentira** · **omisión** || **frialdad** · **animadversión** · **descontento** · **mal humor** *La actriz, de ostensible mal humor, insultó a la prensa* · **enfado** · **decepción** · **disgusto** || **afán** · **esfuerzo** · **trabajo** · **dedicación** || **perjuicio** · **agravio** · **daño** · **engaño** || **acatamiento** · **complacencia** · **satisfacción** || **bigote** · **nariz** · **fealdad** || **afirmación** · **declaración** · **manifestación** · **testimonio** · **explicación**

ostensiblemente adv.

● CON VBOS. **disminuir** *Este año han disminuido ostensiblemente los casos de hepatitis* · **bajar** · **rebajar** · **reducir(se)** · **perder** · **empeorar** · **recortar** · **descender** · **desmejorar** · **palidecer** || **aumentar** *El presupuesto para educación ha aumentado ostensiblemente* · **mejorar** · **subir** · **reforzar** · **crecer** · **proliferar** · **elevar** · **encarecer** · **incrementar** · **recrudecerse** || **afectar** · **enfadarse** · **disfrutar** · **preocupar(se)** · **acusar** || **variar** · **cambiar** *El nuevo trabajo cambiará ostensiblemente tu vida* · **modificar** · **trastocar** · **convertir** || **perjudicar** · **atentar** · **invadir** · **manchar** · **dificultar** · **boicotear** || **sobresalir** · **diferir** · **destacar** · **notar** || **abandonar** · **distanciarse** · **marcharse** · **salir** · **alejarse** · **desmarcarse** || **mostrar** · **señalizar** · **enseñar** · **referirse** · **indicar** · **protestar** · **llamar la atención** || **fracasar** · **fallar** · **equivocarse** *Se equivocaron ostensiblemente en las medidas tomadas ante la catástrofe* || **cojear** · **sonreír** · **dar la espalda** · **estrechar la mano** · **reír** · **levantar los brazos** || **pasarse** · **incumplir** *La discoteca incumplió ostensiblemente las normas de seguridad* · **saltarse** || **animar** · **favorecer** · **secundar** · **apoyar** · **inclinar**
● CON ADJS. **mayor** · **peor** · **superior** || **falso,sa** · **erróneo,a** · **incompatible** || **satisfecho,cha** · **dolido,da** · **nervioso,sa** *En el vídeo se la veía ostensiblemente nerviosa* · **afectado,da** · **sensible**

ostentación

1 **ostentación** s.f.
● CON ADJS. **gran(de)** · **abusiva** · **público** · **vana** *una persona de costumbres sencillas y muy lejos de toda vana ostentación* · **pura** · **exagerada** || **sexual**
● CON SUSTS. **afán (de)** *un artista con gran creatividad y nulo afán de ostentación* · **símbolo (de)** · **signo (de)** · **objeto (de)** · **muestra (de)**
● CON VBOS. **hacer** || **evitar** · **odiar** · **censurar** || **caer (en)**
● CON PREPS. **con** · **sin** *una ceremonia sin grandes ostentaciones*

2 **ostentación (de)** s.f.
● CON SUSTS. **riqueza** *...sin hacer nunca ostentación de su riqueza* · **poder** · **dinero** · **fortuna** · **lujo** · **joyas** · **consumo** || **fuerza** *Calificaron la acción de una ostentación de fuerza inadmisible* · **valentía** · **inteligencia** · **potencial** · **belleza** · **ignorancia** · ***otras cualidades*** || **amistad**

ostentar v.

● CON SUSTS. **título** · **grado** · **rango** · **cargo** · **puesto** *la persona ideal para ostentar ese puesto* || **récord** *ostentar el récord de salto de longitud* · **índice** · **tasa** || **rasgo** · **talante** · **cualidad** · **característica** · **vicio** · **elocuencia** || **poder** · **liderazgo** · **primacía** · **mayoría absoluta** · **control** · **hegemonía** · **fuerza** · **corona** · **cetro** · **garrote** || **derecho** · **privilegio** *Esa empresa ostenta el privilegio de ser la única que...* · **prerrogativa** · **inmunidad** || **capitalidad** · **ciudadanía** · **nacionalidad** · **pasaporte** || **carrera** · **mérito** · **currículum** · **historial** · **antigüedad** || **emblema** · **símbolo** · **bandera** · **blasón** || **dinero** · **fortuna** *...sin haber ostentado jamás sus títulos ni su fortuna* · **patrimonio** · **legado** · **capital** || **fama** · **imagen** · **aura** · **aureola** || **efecto**

ostentoso, sa adj.

● CON SUSTS. ***persona*** *Es una mujer ostentosa y altiva* || **lujo** · **gasto** · **derroche** · **consumo** · **despilfarro** || **boda** *La ostentosa boda reunió a lo más florido de la sociedad* · **casamiento** · **ceremonia** · **acto** || **cinismo** || **gesto** *Se dirigió a él haciendo ostentosos gestos de desagrado* · **muestra** || **vida**
● CON ADVS. **visiblemente** · **especialmente** *llevar una vida especialmente ostentosa* · **excesivamente** · **sumamente**

[ostra] → como una ostra

otear v.

● CON SUSTS. **horizonte** · **cielo** · **costa** · **terreno** · **cima** · **abismo** · **infinito** || **presa** *apostados como aves de rapiña oteando su presa* || **amenaza** · **desafío** · **peligro** || **futuro** *...para otear el futuro con algo más de calma* · **porvenir** · **panorama** · **realidad** || **posibilidad** · **éxito** · **título** · **reto** · **salida** · **solución**
● CON ADVS. **a lo lejos** · **en lontananza**

otoñal adj.

● CON SUSTS. **tiempo** · **clima** · **temperatura** · **ambiente** || **luz** *una luz otoñal que baña suavemente el paisaje* · **sol** · **luminosidad** · **color** || **lluvia** · **chaparrón** · **neblina** || **frescor** · **tibieza** || **día** · **amanecer** · **mañana** · **tarde** · **atardecer** · **noche** || **melancolía** · **tristeza** *...en un clima de melancólica tristeza otoñal* · **delirio** || **plenitud** · **rigor** || **programación** · **temporada** || **paisaje** · **panorama** ·

escena · horizonte || perfume · brisa · viento || resfriado · gripe || cosecha || amor *Parecía una entrañable historia de amor otoñal* · **cita**
● CON ADVS. **prematuramente · moderadamente · marcadamente**

otoño s.m.

● CON ADJS. **cálido · caliente · tibio || amarillento · pardo · lluvioso · mortecino || pasado** *El otoño pasado todavía no nos conocía* · **próximo || movido · tranquilo · turbulento · romántico · cultural**
● CON SUSTS. **luz (de) · sol (de) · temperatura (de)**
● CON VBOS. **entrar** *Hoy entra el otoño* · **llegar · irrumpir · acercar(se) · asomar · avecinarse · despuntar || alejar(se) · pasar · transcurrir || adelantar(se) · anticipar(se) · retrasar(se)**
● CON PREPS. **a principios (de) · a mediados (de) · a final(es) (de) · a lo largo (de) · durante**

otorgar v.

● CON SUSTS. **subvención · préstamo · crédito · ayuda** *El Ministerio otorgará una ayuda a quienes...* · **beca || premio · galardón · título · medalla || permiso · licencia · concesión · certificado || confianza** *Los electores otorgaron su confianza al nuevo candidato* · **voto || beneficio · favor · privilegio · ventaja · protagonismo · importancia**

[otro] →de un día para otro

ovación s.f.

● CON ADJS. **intensa · apoteósica · atronadora · clamorosa · ensordecedora · gran(de) · larga · prolongada** *El día del estreno la película se llevó una prolongada ovación* · **unánime · cerrada · sonora || calurosa** *Fue recibida con una calurosa ovación* · **cálida · efusiva · entusiasta || breve || merecida || de gala**
● CON VBOS. **desatar(se) || apagar(se) || dar · dispensar · brindar · rendir · tributar || llevarse · cosechar · arrancar** *Su discurso arrancó una sonora ovación entre el público* · **recoger · recibir** *La propuesta recibió una merecida ovación* · **merecer || estallar (en)** *Los espectadores estallaron en una clamorosa ovación* · **romper (en) · prorrumpir (en) · deshacerse (en) || obsequiar (con)**

ovacionar v.

● CON SUSTS. **actuación** *El público ovacionó largamente la magistral actuación* · **representación || película · obra || propuesta · discurso || candidato,ta · artista · orquesta · equipo ·** ***otros individuos y grupos humanos***
● CON ADVS. **calurosamente · efusivamente · con ganas · a rabiar · largamente || unánimemente** *Su actuación fue unánimemente ovacionada por el público presente* · **merecidamente**

oval adj.

● CON SUSTS. **despacho** *...en el Despacho oval de la Casa Blanca* · **salón · oficina · sala · circuito · recinto ·** ***otros lugares*** **|| forma · aspecto || balón ·** ***otros objetos físicos***
● CON ADVS. **ligeramente** *Tenía una forma ligeramente oval*

oveja s.f.

● CON ADJS. **mansa · doméstica || churra · merina**
● CON SUSTS. **lana (de) · pelo (de) · leche (de) · queso (de) · piel (de) · balido (de) || rebaño (de) · hatajo (de) · cabaña (de) || redil (de) · corral (de) || cañada (de) || pastor,-a (de) || cría (de) · pastoreo (de)**
● CON VBOS. **balar || pastar** *Las ovejas suelen pastar en las tierras comunales* · **pacer || cuidar · apacentar · pastorear · guardar · criar || marcar · esquilar · trasquilar**
□ EXPRESIONES **oveja {descarriada/negra}** [persona que destaca negativamente en un grupo]

ovillar v.

● CON SUSTS. **lana** *¿Has terminado de ovillar la lana?* · **hilo · cuerda**

ovillo s.m.

● CON ADJS. **complejo** *Hasta que los tribunales logren desenredar el complejo ovillo que forman las tramas económicas y financieras* · **complicado · enrevesado · intrincado · confuso**
● CON SUSTS. **hilo (de) || forma (de)**
● CON VBOS. **enredar(se) · liar(se) || desenmarañar** *Era imposible desenmarañar aquel ovillo de turbias tramas y conspiraciones* · **desentrañar · deshacer · desenredar || hacer(se)** *Se hizo un ovillo y se durmió* **|| tirar (de)** *Al tirar del ovillo, la Policía descubrió...*

oxidar(se) v.

● CON SUSTS. **hierro · acero · alambre ·** ***otros metales*** **|| chapa · barandilla || superficie || organismo · cuerpo · articulaciones** *Hago tan poco ejercicio, que se me han oxidado las articulaciones* · **memoria ||** ***persona*** *Si el lesionado no se esfuerza y hace algo de ejercicio, se terminará oxidando* **|| relación**

oxigenado, da adj.

● CON SUSTS. **agua** *desinfectar las heridas con agua oxigenada*

oxigenar(se) v.

● CON SUSTS. **pulmón · sangre · organismo · piel** *un producto para que la piel se oxigene* · **arteria · cabeza || circulación · tránsito || pelo · cabellera || ambiente || túnel · habitación ·** ***otros espacios cerrados*** **|| juego** *Necesitamos un delantero que se encargue de oxigenar el juego del equipo*
● CON ADVS. **medianamente · suficientemente · ampliamente || mecánicamente** *oxigenar mecánicamente a un paciente*

oxígeno s.m.

● CON SUSTS. **bombona (de) || balón (de)** *Su incorporación al equipo era el balón de oxígeno que necesitábamos para...* · **bocanada (de) · inyección (de)**
● CON VBOS. **faltar(le) (a alguien)** *Me encontraba como si me faltara el oxígeno* **|| circular || dar · insuflar || inhalar · inspirar · respirar**

P p

[pa] → de pe a pa

pabellón s.m.

▮ [edificio]

● CON ADJS. **municipal || deportivo · de exposiciones · de invierno · de hielo || temporal · permanente || oficial · representativo**

● CON VBOS. **construir · habilitar · levantar · montar || rehabilitar · reconstruir · desmontar · destruir || abrir · cerrar · inaugurar** *Hoy inauguran el nuevo pabellón deportivo* **|| alquilar || exponer (en) · celebrar(se) (en) · tener lugar (en)**

▮ [bandera nacional]

● CON VBOS. **izar · arriar · enarbolar**

☐ EXPRESIONES **dejar el pabellón alto** [dejar en buen lugar]

[pábulo] → dar pábulo (a)

pacer v.

● CON SUSTS. **vaca** *verdes prados donde pacían las vacas* **· oveja ·** ***otros animales***

● CON ADVS. **tranquilamente · plácidamente · placenteramente || libremente · a {mis/tus/sus...} anchas**

pachanguero, ra adj.

● CON SUSTS. **música · coplilla · ritmo** *La canción tiene un ritmo un poco pachanguero* **· tonadilla · marcha || orquesta · banda || verbena || estilo · aire**

pacharán s.m.

● CON ADJS. **de endrinas** *una copita de pacharán de endrinas* **· navarro**

➤ Véase también **BEBIDA**

pachorra s.f. *col.*

● CON ADJS. **increíble** *Nos atendió con una pachorra increíble* **· sorprendente || total · absoluta || habitual · proverbial**

● CON VBOS. **tener**

● CON PREPS. **con** *caminar con pachorra*

pachucho, cha adj. *col.*

● CON VBOS. **estar · andar || poner(se)** *La niña no ha venido porque se ha puesto pachucha*

paciencia s.f.

● CON ADJS. **admirable** *Su paciencia para esperar los resultados de cada experimento es admirable* **· encomiable · loable || a raudales · considerable · inagotable · infinita · inmensa · del Santo Job · suma · excesiva · sobrehumana || escasa · insuficiente || suficiente · necesaria** *una persona con la paciencia necesaria para tratar a estos enfermos* **|| resignada**

● CON SUSTS. **dosis (de) · vaso (de)** *Sus palabras terminaron por colmar el vaso de la paciencia* **· límite (de) || demostración (de) · muestra (de) · alarde (de) · ejercicio (de) · colmo (de) · acopio (de) || falta (de) || cuestión (de)**

● CON VBOS. **desbordar(se) || flaquear** *Después de varios meses de reclamaciones sin conseguir nada, mi paciencia empezó a flaquear* **· agotar(se) || demostrar · acumular · tener || perder · ejercitar || colmar · poner a prueba** *Sus reiteradas negativas a atender cualquier sugerencia acabaron poniendo a prueba la paciencia de...* **· minar · socavar || echar (a algo)** *Es cuestión de echarle tiempo y paciencia* **· requerir** *...porque la restauración de obras antiguas requiere mucha paciencia* **|| abusar (de)**

● CON PREPS. **a base (de) · con** *Con paciencia y esfuerzo consigue uno sus objetivos*

paciente s.com.

● CON ADJS. **grave · leve · terminal || asintomático,ca · aprensivo,va || buen(o),na · mal(o),la · sufrido,da · modélico,ca**

● CON SUSTS. **historial (de) || atención (a)** *el servicio de atención al paciente* **· asistencia (a) · medicación (de) · tratamiento (de) · visita (a) · seguimiento (de) || lista (de) · espera (de) || estado (de)** · *en función del estado del paciente* **· condición (de) · vida (de) · evolución (de) || salud (de)**

● CON VBOS. **ingresar (en el hospital)** *El paciente ingresó en el hospital de madrugada con evidentes síntomas de salmonelosis* **|| mejorar · curar(se) · sanar · recuperarse · restablecerse || sufrir · empeorar · fallecer || operar · tratar · medicar || examinar · controlar · seguir · asistir · proteger · visitar || atender · informar** *Se informó detenidamente al paciente de todos los riesgos de la intervención* **· defender · citar · asignar || internar** *Debido al carácter leve de sus heridas, no se consideró necesario internar a la paciente* **· hospitalizar || dar de alta** *Hace unos días la paciente estaba grave, pero mañana la dan de alta* **|| trasladar · aislar || acompañar · rodear · abandonar**

pacientemente adv.

● CON VBOS. **esperar** *Los turistas esperaban pacientemente su turno para visitar la basílica* **· aguardar || aguantar · tolerar · resistir · soportar · padecer · sufrir**

pacíficamente adv.

● CON VBOS. **arreglar · resolver · solucionar || celebrar · festejar** *Los aficionados festejaron pacíficamente el triunfo de su equipo* **|| compartir · conversar · convivir · comportarse · proclamar || concentrarse · manifestarse** *Vamos a convocar a los afectados para que se manifiesten* *pacíficamente* · **reunirse** · **marchar** · **desfilar** · **dividirse** || **reclamar** · **pedir** || **protestar** · **reaccionar** · **resistir** · **defender(se)** || **aguantar** · **soportar** || **entrar** · **invadir** · **ocupar** || **salir** · **abandonar** *Los asistentes abandonaron pacíficamente el recinto* · **retirar(se)** · **regresar** · **disolver(se)** · **desalojar** || **desarmar(se)** || **transformar**

pacífico, ca adj.

● CON SUSTS. ***persona*** *Puedes hablar tranquilamente con él, es un hombre muy pacífico y sensato* || **solución** *Es preciso encontrar una solución pacífica al problema* · **salida** · **resolución** · **fin** || **convivencia** · **coexistencia** *establecer una coexistencia pacífica* · **relación** || **método** · **vía** · **sistema** · **recurso** || **transición** · **cambio** · **evolución** · **marcha** || **protesta** · **resistencia** · **lucha** · **oposición** · **revolución** || **acto** · **actividad** || **diálogo** · **conversación** · **acuerdo**

pacifismo s.m.

● CON ADJS. **radical** · **activo** *...un pacifismo activo pero sin violencia que deje oír su voz* · **progresista** · **revolucionario** · **a ultranza** · **incómodo** || **benigno** · **ingenuo** · **tolerante** · **responsable** · **sincero** || **discursivo** · **retórico** · **académico** · **clásico** || **antinuclear** · **ecológico** || **falso** · **supuesto** *Al fin y al cabo, ese supuesto pacifismo no escondía más que intereses empresariales* · **disfrazado** · **de salón**

● CON SUSTS. **defensa (de)** *un movimiento en defensa del pacifismo y la ecología* · **valores (de)** · **ideales (de)** · **tópicos (de)** · **activista (de)** · **exponente (de)** · **cultura (de)**

● CON VBOS. **predicar** · **reafirmar(se)** · **apoyar** · **invocar** · **defender** · **propugnar** · **impulsar** || **cesar** · **combatir** || **practicar** · **imponer** · **retomar** || **apelar (a)** · **abogar (por)** · **hacer gala (de)**

● CON PREPS. **en nombre (de)**

pacifista

1 **pacifista** adj.

● CON SUSTS. **organización** *La organización pacifista convocó una manifestación en defensa de...* · **movimiento** · **frente** · **asociación** · **colectivo** · **bloque** · **agrupación** · **partido** · **sector** · **plataforma** · **comité** · ***otros individuos y grupos humanos*** || **líder** · **diputado,da** · **militante** · **representante** · **activista** · **manifestante** · ***otros individuos*** || **manifestación** · **acto** · **marcha** · **movilización** · **acción** · **concentración** · **convocatoria** · **protesta** || **lucha** · **iniciativa** · **conspiración** · **campaña** · **estrategia** || **película** · **libro** · **libelo** · **escrito** · **conferencia** || **proclama** · **alegato** · **mensaje** · **himno** || **vocación** · **convicción** · **espíritu** · **actitud** · **conciencia** · **sentimiento** · **tradición** || **posición** · **postura** · **tesis** · **discurso** · **pensamiento** · **idea** · **política** · **opinión** · **corriente** *La corriente pacifista dentro del partido ha dejado muy clara su postura* · **alternativa** · **oposición**

2 **pacifista** s.com.

● CON ADJS. **a ultranza** · **radical** · **convencido,da** *Soy una pacifista convencida* · **activo,va** · **dinámico,ca** || **tolerante** · **responsable** || **verde** · **ecológico,ca** · **antinuclear** || **falso,sa** · **supuesto,ta** · **retórico,ca**

● CON VBOS. **convocar** · **luchar** · **protestar** · **movilizar(se)** || **exigir (algo)** · **reclamar (algo)** *Entre otras medidas, los pacifistas reclamaron el cese inmediato del ataque* · **pedir (algo)** || **apoyar (algo)** · **solidarizarse (con algo)**

pactar v.

● CON SUSTS. **resultado** · **salida** · **solución** || **acuerdo** · **decisión** · **resolución** · **alto el fuego** *El ejército invasor pactó el alto el fuego sin condiciones* · **arreglo** || **ley** · **norma** · **reglamentación** || **precio** · **tarifa** · **cuota** || **programa**

● CON ADVS. **a puerta cerrada** *La prensa reveló que pactaron a puerta cerrada el resultado del encuentro* · **punto por punto** · **en todos sus extremos** · **sin condiciones** || **de igual a igual** · **democráticamente** || **de palabra** · **verbalmente**

pacto s.m.

● CON ADJS. **beneficioso** · **útil** · **eficaz** || **con matices** · **firme** · **en firme** · **provisional** *un pacto provisional que tendría que ser refrendado dos meses más tarde* · **incondicional** · **sin condiciones** || **en el aire** · **en la cuerda floja** || **secreto** · **soterrado** || **amistoso** · **común** · **de palabra** || **bilateral** · **de caballeros** · **de igual a igual** || **salomónico** · **ecuánime** · **equitativo** || **vigente** · **válido** · **inválido** || **de gobierno** · **de legislatura** · **de intereses** || **acorde (con)** · **reticente (a)** || **favorable (a)** · **proclive (a)**

● CON SUSTS. **alcance (de)** · **vigencia (de)** · **objetivo (de)** *Una vez conseguido el objetivo del pacto...* || **términos (de)** · **contenido (de)** · **puntos (de)** *acordar los puntos del pacto* · **condiciones (de)** · **texto (de)** || **firma (de)** · **cumplimiento (de)** · **aplicación (de)** · **resultado (de)** · **fruto (de)** *La nueva medida ha sido fruto del pacto suscrito entre la patronal y los sindicatos* || **desarrollo (de)** · **ruptura (de)** · **fracaso (de)** · **éxito (de)** || **oferta (de)** · **propuesta (de)** || **juego (de)** || **firmante (de)** *Los firmantes del pacto acordaron como fecha de aplicación...*

● CON VBOS. **consistir (en algo)** · **constar (de algo)** || **cuajar** · **madurar** · **hacer(se) realidad** · **fraguar(se)** || **salir a la luz** || **desvanecerse** · **disolver(se)** · **quebrar(se)** · **venirse abajo** · **deshacer(se)** || **caber** *Está visto que en este caso no cabe pacto alguno* · **encajar** || **establecer** · **perfilar** · **hacer** || **acordar** · **negociar** · **consensuar** · **forjar** · **urdir** · **cocinar(se)** *El pacto se cocinó de espaldas a los interesados* · **alcanzar** · **cerrar** *Tras muchas horas de negociación cerramos un pacto en firme* · **lograr** · **culminar** · **acariciar** · **perseguir** · **esgrimir** || **formalizar** · **oficializar** · **sellar** *...y sellaron el pacto con un apretón de manos* · **firmar** · **suscribir** · **aceptar** · **refrendar** · **revalidar** · **validar** · **convalidar** · **invalidar** · **legalizar** · **ilegalizar** || **desvelar** · **promulgar** · **oponer** || **hacer efectivo** *El pacto se hizo efectivo el mismo día que lo firmaron* · **llevar a buen puerto** · **llevar adelante** · **llevar a la práctica** · **acometer** || **respetar** · **cumplir** · **acatar** · **asumir** || **favorecer** · **impulsar** *La institución responsable de impulsar el difícil pacto...* · **auspiciar** · **propiciar** · **propulsar** · **avalar** · **arbitrar** · **pilotar** || **incumplir** · **infringir** · **quebrantar** · **transgredir** · **violar** · **romper** || **abolir** · **desactivar** · **boicotear** · **torpedear** · **impedir** · **obstaculizar** · **trabar** || **desbloquear** · **prorrogar** || **atenerse (a)** · **ceñir(se) (a)** · **faltar (a)** || **llegar (a)** *Llegamos a un pacto gracias a las concesiones hechas desde las dos partes*

padecer v.

● CON SUSTS. **dolencia** · **síntoma** · **afección** · **síndrome** *Padece el síndrome de fatiga crónica* · **daño** · **cansancio** || **cáncer** · **diabetes** · **depresión** · ***otras enfermedades*** || **crisis** · **problema** || **efecto** · **consecuencia** *La población está padeciendo ahora las consecuencias de la mala gestión de los últimos años* || **miseria** · **pobreza** · **mal** · **escasez** || **ataque** · **incendio** · **accidente**

padecimiento s.m.

● CON ADJS. **insoportable** · **insufrible** · **intenso** · **doloroso** · **grave** · **incurable** || **largo** · **permanente** · **prolongado** · **continuo** · **constante** || **común** *un padecimiento*

muy común entre la población adulta || **leve** · **ligero** · **breve** · **temporal** · **transitorio** · **llevadero** · **soportable**
● CON VBOS. **producir** · **provocar** · **ocasionar** · **causar** || **aliviar** *Se tomaron medidas para aliviar el padecimiento de los más afectados* · **mitigar** · **aligerar** · **aminorar** · **poner fin** || **pasar** · **soportar** · **sufrir** · **tener**

padre s.m.
● CON ADJS. **de familia** || **adoptivo** · **biológico** · **natural** · **de acogida** · **putativo** || **santo** · **de la Iglesia** || **benévolo** · **dulce** · **afectuoso** · **buen(o)** · **cariñoso** · **responsable** · **solícito** || **severo** · **riguroso** *un padre riguroso en la educación de sus hijos* || **mal(o)** · **ausente** · **despreocupado** · **irresponsable** || **entregado** · **protector**
● CON SUSTS. **imagen (de)** · **figura (de)** · **papel (de)** || **influencia (de)** *La influencia de su padre se dejaba sentir en toda su obra* · **tutela (de)** || **amor (de)** || **huérfano,na (de)** || **responsabilidad (de)** · **obligación (de)**
● CON VBOS. **educar (a alguien)** · **criar (a alguien)** · **cuidar (a alguien)** · **velar (por alguien)** · **preocuparse (por alguien)** || **parecerse (a)** · **heredar (de)** *Heredó de su padre el gusto por la música clásica* || **vivir (con)** || **ejercer (de)** · **hacer (de)**

padrenuestro s.m.
● CON SUSTS. **versión (de)** · **modificación (de)** · **invocación (de)** || **rezo (de)**
● CON VBOS. **rezar** · **recitar** *Recitaba el padrenuestro con gran devoción* · **cantar** · **decir** || **saber(se)**

padrino s.m.
● CON ADJS. **de boda** · **de bautizo** *Sus padrinos de bautizo fueron sus tíos* · **de honor**
● CON VBOS. **designar** · **nombrar** · **elegir** || **tener** || **ejercer (de)**

padrón s.m.
● CON ADJS. **municipal** *Sus datos personales aparecen en el padrón municipal* · **electoral**
● CON SUSTS. **cifras (de)** · **datos (de)** || **documento (de)** · **hoja (de)** || **oficina (de)** || **aumento (de)** · **descenso (de)** *El descenso del padrón preocupa a las autoridades del pueblo* || **fiabilidad (de)**
● CON VBOS. **reflejar (algo)** · **revelar (algo)** || **elaborar** · **confeccionar** || **mantener** · **actualizar** *Ya han actualizado el padrón electoral* · **renovar** · **rectificar** · **cambiar** || **aparecer (en)** · **figurar (en)** · **constar (en)** || **inscribir (en)** *Tiene usted que ir al Ayuntamiento a inscribirse en el padrón* || **borrar (de)** · **excluir (de)**

paella s.f.
● CON ADJS. **familiar** · **casera** · **tradicional** || **valenciana** || **popular** · **multitudinaria** · **turística** || **campestre** · **de campaña** || **de verduras** · **de pollo** · **de marisco** · **mixta** *una paella mixta para cuatro personas* || **en su punto** · **pasada** || **sosa** · **salada**
● CON SUSTS. **plato (de)** · **ración (de)** · **tapa (de)** || **tropezones (de)**
● CON VBOS. **contener (algo)** || **pasarse** || **servir** · **poner** · **repartir** || **hacer** · **preparar** *Ya tenemos todos los ingredientes para preparar la paella* · **cocinar** || **comer** · **probar** · **degustar** || **encargar** · **pedir** || **acompañar (con algo)**

paga s.f.
● CON ADJS. **extraordinaria** · **extra** *la paga extra de diciembre* || **mensual** · **semanal** · **periódica**
● CON SUSTS. **retraso (de)** || **importe (de)**
● CON VBOS. **recibir** · **dar** *Mamá, ¿me das la paga de la semana?* · **cobrar** · **percibir** · **abonar** || **incluir** || **aumentar** · **subir** || **garantizar** || **repartir (en)** *La prestación se repartirá en catorce pagas*

pagano, na adj.
● CON SUSTS. **rito** · **ritual** · **ceremonia** · **celebración** · **sacrificio** || **costumbre** · **tradición** *No cabe duda de que la tradición pagana pervive en muchas manifestaciones de esa cultura* · **cultura** · **gusto** || **fiesta** · **festividad** *Esta tradición religiosa tiene su origen en una festividad pagana* · **festejo** · **carnaval** · **conmemoración** · **feria** · **orgía** || **divinidad** · **dios,-a** · **espíritu** · **talismán** || **religión** · **culto** · **adoración** · **creencia** · **superstición** · **fábula** · **mito** · **filosofía** || **santuario** *En esa época, todavía pervivían restos de santuarios paganos* · **templo** · **tabernáculo** || **aspecto** · **elemento** || **origen** || **belleza** · **amor** || **obra** · **texto** *Los textos paganos recién descubiertos abren nuevos caminos para la investigación* · **pintura** · **música**

pagar v.
● CON SUSTS. **deuda** *Pagó todas sus deudas religiosamente* · **impuesto** · **multa** · **factura** · **gasto** *Me ofrecí para pagar los gastos del desplazamiento* · **cuota** · **entrada** · **tarifa** · **diferencia** · **intereses** · **coste** · **fianza** · **costas** · **indemnización** · **rescate** || **servicio** · **alquiler** || **sueldo** *Todavía no me han pagado el sueldo de este mes* · **salario** · ***otras cantidades*** || **condena** · **crimen** · **delito** *...una novela negra en la que el culpable paga su delito* · **culpa**
● CON ADJS. **gustoso,sa** *Te pago muy gustosa la matrícula del curso si quieres aprender* || **exento,ta (de)** · **libre (de)** · **obligado,da (a)**
● CON ADVS. **caro** *Pagarás caro tu acción* || **generosamente** · **fabulosamente** · **a peso de oro** · **con creces** *Reconozco que me pagó con creces el favor que le hice* · **sobradamente** || **con tarjeta** *Tuve que pagar con tarjeta porque no tenía dinero suficiente en efectivo* · **en efectivo** · **en metálico** · **en especie** || **al contado** *Como pagamos al contado, nos hicieron un descuento* · **a tocateja** · **a plazos** · **en cuotas** · **en cómodos plazos** · **a cuenta** · **a crédito** · **contra reembolso** · **a partes iguales** · **a escote** *Decidimos pagar a escote la cena* · **en compensación** || **puntualmente** *Me paga el alquiler puntualmente a principios de mes* · **religiosamente** · **escrupulosamente** · **cumplidamente** · **íntegramente** · **con demora** || **con gusto** · **gustosamente**

pagaré s.m.
● CON ADJS. **de banco** · **de empresa** · **del tesoro** || **foral** || **falso** *Me engañaron con un pagaré falso* · **en blanco** || **garantizado**
● CON SUSTS. **subasta (de)** *convocar una subasta de pagarés* · **cartera (de)** · **programa (de)** · **mercado (de)** || **emisión (de)** *La empresa ha realizado una nueva emisión de pagarés* · **vencimiento (de)** || **resguardo (de)**
● CON VBOS. **emitir** || **comprar** · **adquirir** · **vender** || **adjudicar** · **dar** || **firmar** *Firmó varios pagarés por importe de...* · **suscribir** || **aceptar** || **abonar** || **tener (en)** · **invertir (en)**

[página] → a pie de página; página; página electrónica

página s.f.
● CON ADJS. **arrugada** || **bella** · **hermosa** · **abarrotada** · **apretada** · **borrosa** || **abierta** · **holgada** || **desgarrada** · **negra** *Los terribles hechos constituyen una página negra que todos queremos olvidar* · **oscura** || **electrónica** · **impresa** || **completa** · **entera** || **inicial** · **central** *La noticia*

era tan importante que se publicó en las páginas centrales de la revista · **final** · **última** · **interior** · **correlativa** · **precedente** · **siguiente** || **informativa** · **promocional** · **de última hora** · **de la historia** *Con este acuerdo se cierra una de las páginas más controvertidas de la historia* · **en blanco** || **cultural** · **de espectáculos** · **deportiva** · **de propaganda** · **económica** · **editorial** · **internacional** · **nacional**
●CON VBOS. **pasar** *Pasas las páginas demasiado deprisa* · **leer** · **recorrer** · **ojear** *Ojeé las páginas de economía por si había alguna noticia que me interesara* || **repasar** · **revisar** · **corregir** · **borrar** || **emborronar** · **llenar** || **dedicar** · **ofrecer** || **firmar** · **titular** · **encabezar** · **publicar** || **incluir** · **insertar** · **intercalar** || **desdoblar** · **desplegar** · **doblar** · **arrugar** || **cortar** · **arrancar** || **escribir (en)**
□EXPRESIONES **pasar página** [pasar a otro asunto olvidando el anterior] *Prefiero pasar página y no darle importancia a este asunto*

página electrónica loc.sust.

●CON ADJS. **interactiva** · **informativa** · **comercial** · **educativa** · **electoral** · **pornográfica** || **oficial** *información que aparece en la página electrónica oficial de la empresa* · **acreditada** || **municipal** · **personal** · **institucional** · **corporativa** *información que aparece en la página electrónica corporativa de la empresa*
●CON SUSTS. **diseñador,-a (de)** · **responsable (de)** · **dueño,ña (de)** · **autor,-a (de)** || **visitante (de)** · **usuario,ria (de)** || **dominio (de)**
●CON VBOS. **crear** · **diseñar** · **construir** · **tener** · **abrir** · **colgar** || **cerrar** || **gestionar** · **actualizar** · **mantener** · **modificar** || **visitar** *Miles de usuarios visitan nuestra página electrónica* · **ver** · **consultar** || **financiar** · **patrocinar** || **entrar (en)** · **acceder (a)** · **navegar (por)** · **moverse (por)** · **conectarse (a)**

pago s.m.

●CON ADJS. **forzoso** · **ineludible** · **inexcusable** · **perentorio** || **pendiente** *El acuerdo permitirá cubrir todos los pagos pendientes hasta el...* · **atrasado** || **gravoso** · **oneroso** · **módico** || **puntual** · **retrasado** || **en efectivo** · **en metálico** *En la tienda de la esquina solo admiten el pago en metálico* · **con tarjeta** · **en especie** || **a crédito** · **aplazado** · **a plazos** · **a partes iguales** · **al contado** · **a tocateja** || **exento,ta (de)** *En este museo los menores de edad están exentos de pago* · **libre (de)** || **pendiente (de)**
●CON SUSTS. **plazo (de)** · **orden (de)** · **medio (de)** · **forma (de)** · **facilidades (de)** · **condiciones (de)** || **tarjeta (de)**
●CON VBOS. **vencer** *El pago de los plazos del televisor vence a fin de mes* || **efectuar** · **ejecutar** · **hacer efectivo** · **realizar** · **respetar** || **satisfacer** · **saldar** · **zanjar** · **afrontar** · **atender** · **tributar** || **incumplir** · **eludir** · **obstaculizar** || **agilizar** *La empresa ha adoptado medidas para agilizar los pagos atrasados* · **canalizar** · **domiciliar** || **aplazar** · **retrasar** · **diferir** · **demorar** || **condonar** · **aliviar** || **exigir** · **reclamar** || **conminar (a)** || **eximir (de)** · **exonerar (de)** · **librar(se) (de)** *Se libraron del pago de la entrada porque...*
●CON PREPS. **al corriente (de)** · **por** *En esta empresa practicamos el pago por servicio* || **de** *televisión de pago*

paisaje s.m.

●CON ADJS. **idílico** *La ceremonia tuvo como fondo un idílico paisaje* · **romántico** · **incomparable** · **majestuoso** · **paradisíaco** · **pintoresco** || **abrupto** · **agreste** · **escarpado** || **árido** · **desértico** · **desolador** *El texto describía un paisaje desolador* · **estepario** · **yermo** · **fantasmal** || **abigarrado** || **vasto** · **extendido** · **dilatado** || **rural** · **campestre** · **urbano** · **industrial** || **cotidiano** · **habitual** || **solitario** · **tétrico**
●CON SUSTS. **belleza (de)** · **calidad (de)** · **esencia (de)** · **grandeza (de)** || **cuadro (de)** · **fotografía (de)** || **descripción (de)** · **cambio (de)** · **fisonomía (de)** · **recreación (de)** · **marco (de)** *en el marco de un paisaje paradisíaco*
●CON VBOS. **ofrecer(se) a la vista** · **extenderse** *El paisaje agreste se extendía hasta donde alcanzaba la vista* || **componer** *Las ramas de los árboles componían en la oscuridad un paisaje fantasmal* · **dominar** *Desde el piso se domina un impresionante paisaje* || **descubrir** · **contemplar** · **fotografiar** · **pintar** · **describir** || **proteger** · **estropear** || **disfrutar (de)** · **gozar (de)** · **recrearse (en)** || **borrar (de)**
●CON PREPS. **en medio (de)** · **a través (de)**

[paisano] → de paisano

paja s.m.

●CON SUSTS. **brizna (de)** · **gavilla (de)** · **hacina (de)** · **haz (de)** *Los haces de paja se apilaban en el granero después de la siega*
●CON VBOS. **aventar** · **separar**

pajarería s.f. Véase **ESTABLECIMIENTO**

[pájaro] → como un pajarito; pájaro

pájaro s.m.

●CON ADJS. **cantor** || **exótico** · **salvaje** || **multicolor** · **colorido** · **llamativo** || **migratorio** || **hembra** · **macho**
●CON SUSTS. **banda (de)** · **bandada (de)** || **vuelo (de)** *Lleva años observando el vuelo de los pájaros* · **canto (de)** · **trino (de)** || **nido (de)** · **jaula (de)** || **reclamo (de)** || **cría (de)** || **carpintero** · **mosca**
●CON VBOS. **cantar** · **gorjear** · **piar** · **trinar** || **volar** · **planear** · **aletear** || **anidar** || **picotear** || **cazar**
●CON PREPS. **a vista (de)** · **a vuelo (de)**
□EXPRESIONES **matar dos pájaros de un tiro** [obtener dos resultados en una sola acción] *col.* || **tener pájaros en la cabeza** [ser fantasioso] *col.*

pala s.f.

▮ [herramienta]

●CON ADJS. **excavadora** · **mecánica** *Un grupo de curiosos observaba cómo la pala mecánica removía la tierra* · **cargadora** || **ergonómica**
●CON VBOS. **usar** · **emplear** · **manejar** · **empuñar** || **cavar (con)** *Cavaremos la fosa con la pala* · **trabajar (con)** · **servir(se) (de)** || **jugar (con)** *Los niños juegan en la arena con el cubo y la pala*

▮ [raqueta]

●CON SUSTS. **campeonato (de)**
●CON VBOS. **jugar (a)** *jugar a las palas en la playa*

[palabra] → de palabra; de palabra y obra; ni palabra; palabra

palabra s.f.

●CON ADJS. **amable** · **cordial** · **de ánimo** *Quiero agradecerles a todos las palabras de ánimo* · **de consuelo** · **buena** *No me contento solo con buenas palabras, necesito hechos concretos* || **ácida** · **brusca** · **controvertida** || **hueca** *Pronunció un discurso lleno de palabras huecas y rimbombantes que no convenció a nadie* · **vacía** · **vana** · **rimbombante** · **trillada** || **a favor** · **en contra** || **certera** · **justa** · **precisa** · **oportuna** · **directa** || **inoportuna** · **fuera de lugar** · **fuera de contexto** || **clara** · **cristalina** · ro-

tunda || **atropellada** *Llegó tan nervioso que apenas podía balbucear unas palabras atropelladas e inconexas* · **entrecortada** · **inconexa** || **imborrable** · **memorable** · **de grato recuerdo** || **cargada (de algo)** *...para dedicarle unas palabras cargadas de afecto y admiración* || **de honor** · **mágica** · **malsonante** · **soez** · **premonitoria** · **literal** · **última** *Aquella oferta era su última palabra y no pensaba ceder más* || **parco,ca (en)** *una persona muy seria y parca en palabras*

● CON SUSTS. **avalancha (de)** · **lluvia (de)** · **sarta (de)** || **uso (de)** *Hice uso de la palabra cuando el tribunal me la concedió* || **persona (de)**

● CON VBOS. **brotar** · **surgir** · **fluir** · **discurrir** || **extender(se)** · **difundir(se)** · **caer como una bomba** || **sonar** *palabras de ánimo que aún suenan en mi cabeza* || **entrecortar(se)** · **trabar(se)** · **truncar(se)** || **agotar(se)** · **devaluar(se)** · **caer en saco roto** *Confiemos en que tan alentadoras palabras no caigan en saco roto* · **caer en el vacío** || **delatar (a alguien)** || **decir** · **articular** · **mascullar** · **pronunciar** · **predicar** · **farfullar** · ***otros verbos de lengua*** || **enlazar** · **ligar** || **soltar** · **lanzar** · **improvisar** · **verter** || **cruzar** *Durante el trayecto no crucé palabra con ninguno de los pasajeros* · **intercambiar** · **dirigir(le) (a alguien)** || **negar(le) (a alguien)** || **conceder** · **brindar** · **dar** *El moderador le dio la palabra al siguiente participante* · **tener** · **dedicar** || **empeñar** · **cumplir** · **arrancar** *No hemos logrado arrancarle ni una sola palabra* · **aceptar** · **incumplir** · **violar** || **corroborar** · **refrendar** · **refutar** · **repetir** || **falsear** · **tergiversar** · **descontextualizar** · **sacar de contexto** · **extrapolar** || **acuñar** *Habrá que acuñar una palabra nueva para designar a este artefacto* · **inventar** · **usar** || **recordar** · **encontrar** · **olvidar** || **entender** · **interpretar** · **descifrar** · **escuchar** · **oír** || **recobrar** || **malgastar** · **medir** · **ahorrar(se)** || **atenerse (a)** · **dejarse llevar (por)** || **faltar (a)** *Faltó a su palabra de decirme la verdad* · **desdecirse (de)** || **salir al paso (de)** || **abusar (de)** || **dar sentido (a)**

● CON PREPS. **al hilo (de)** · **a través (de)**

□ EXPRESIONES **dar** (a alguien) **la palabra de** (algo) [prometérselo, asegurárselo] || **dejar** (a alguien) **con la palabra en la boca** [interrumpirlo o dejar de escucharlo de repente] || **palabras mayores** [cuestiones de gran importancia] || **quitar** (a alguien) **la palabra de la boca** [decir lo que otro estaba a punto de expresar] || **ser de pocas palabras** [hablar poco] || **tener unas palabras** (con alguien) [discutir] || **tomarle la palabra** (a alguien) [valerse de lo que promete para obligarlo a que lo cumpla]

palabrota s.f.

● CON ADJS. **soez** · **fea** · **obscena** · **ofensiva** · **grosera** · **ordinaria** · **vulgar**

● CON VBOS. **ofender (a alguien)** || **decir** · **soltar** *Cuando se bajó del coche, el conductor soltó una retahíla de palabrotas* · **utilizar** · **gritar** · **escaparse**

paladar s.m.

● CON ADJS. **hendido** *El niño tiene el paladar hendido* || **refinado** · **delicado** · **exquisito** · **fino** · **privilegiado** · **selecto** · **especial** || **entendido** *Es un vino para paladares entendidos* · **educado** || **sencillo** · **atrofiado** · **vulgar** · **grosero** · **embotado** || **caprichoso** · **exigente** · **remilgado** || **agradable (a)** · **desagradable (a)** · **sensible (a)** · **sabroso,sa (a)**

● CON VBOS. **afinar** || **satisfacer** *un menú con el que satisfacer los paladares más exigentes* · **contentar** · **estimular** · **educar** · **seducir** || **tener** || **dar gusto (a)**

paladinamente adv.

● CON VBOS. **confirmar** · **declarar** · **afirmar** · **expresar** · **responder** · ***otros verbos de lengua*** || **reconocer** *Reconoció paladinamente su intervención en los hechos* · **desvelar** · **confesar**

palanca s.f.

● CON ADJS. **de cambios** *la palanca de cambios del coche* · **de apoyo** · **de mando**

● CON SUSTS. **pomo (de)** · **recorrido (de)** || **efecto** *¿Cree usted que lo sucedido puede tener un efecto palanca en otros ámbitos de la Administración?*

● CON VBOS. **accionar** · **mover** · **usar** · **bajar** *Para desconectar el sistema basta con bajar la palanca* · **manejar** · **empujar** · **subir** · **pulsar** · **activar** || **sujetar** || **servir (de)** · **utilizar (como)** || **tirar (de)** · **apoyar(se) (en)**

□ EXPRESIONES **hacer palanca** (con algo) [utilizarlo como palanca]

palco s.m.

● CON ADJS. **real** · **presidencial** · **de honor** *Toda la familia real permanecía de pie en el palco de honor* · **de autoridades** · **regio** · **de personalidades** · **principal** · **oficial** || **privado** · **reservado** || **de invitados** · **de platea** · **de lujo** · **de prensa** · **de directivos** || **vecino** *Miraba de forma indiscreta a los ocupantes del palco vecino* || **completo** · **lleno** · **atestado** || **vacío** *Va a ser difícil encontrar un palco vacío a estas alturas* · **desocupado**

● CON SUSTS. **integrantes (de)** · **ambiente (de)** *El ambiente del palco no podía ser de mayor alegría*

● CON VBOS. **ocupar** · **llenar** || **acudir (a)** · **invitar (a)** · **subir (a)** · **salir (a)** *El dirigente del club tuvo que salir de nuevo al palco para saludar a los aficionados* · **asistir (a)** · **ausentarse (de)** || **saludar (a)** · **mirar (a)** · **dedicar (a)** · **dirigir(se) (a)** || **protestar (a)** · **pitar (a)** · **increpar (a)**

paleografía s.f. Véase **DISCIPLINA**

paleontología s.f. Véase **DISCIPLINA**

palestra s.f.

● CON ADJS. **pública** · **electoral** · **política** · **internacional** · **oficial** || **dura** · **exigente**

● CON VBOS. **abandonar** · **dejar** || **salir (a)** · **saltar (a)** *Este oscuro personaje saltó a la palestra a raíz de un escándalo financiero* · **volver (a)** · **lanzar (a)** · **llevar (a)** · **sacar (a)** · **traer (a)** · **poner (en)** · **subir (a)** · **aparecer (en)** · **devolver (a)**

[paleta] s.f. → paleto, ta

paleto, ta

1 **paleto, ta** adj. *desp.*

● CON SUSTS. ***persona*** *El protagonista del relato es un hombre algo paleto que...* || **aspecto** · **modales** · **gesto** · **ropa**

2 **paleta** s.f.

▮ [tabla para mezclar colores]

● CON ADJS. **de pintor** · **de artista** · **de colores** || **viva** *A medida que evoluciona su obra, la pintora utiliza una paleta más viva* · **colorista** · **cromática** · **rica** · **clara** · **suave** · **amplia** · **variada**

▮ [herramienta]

● CON ADJS. **de albañil** · **de cocina**

● CON VBOS. **usar** *Usa la paleta para sacar los huevos de la sartén* · **emplear** · **manejar**

▮ [diente incisivo]

●CON VBOS. **salir** *Al bebé ya le han salido las paletas superiores* · **caerse** · **faltar**

paliar v.

●CON SUSTS. **problema** *una incómoda decisión tomada para paliar el grave problema de la escasez de agua* · **dificultad** · **error** · **fracaso** · **quebranto** || **necesidad** · **carencia** · **escasez** · **déficit** · **ausencia** · **falta** · **deficiencia** · **defecto** · **laguna** · **vacío** · **baja** || **efecto** *medicamentos para paliar los efectos secundarios* · **consecuencia** · **impacto** · **repercusión** · **secuela** || **situación** · **hecho** · **crisis** · **catástrofe** · **desastre** · **sequía** · **hambre** · **mal** · **pobreza** · **desempleo** · **miseria** · **bancarrota** · **riada** || **daño** · **perjuicio** · **erosión** · **deterioro** · **desperfecto** · **destrozo** *Enviaron inmediatamente ayuda humanitaria para paliar los destrozos de la inundación* · **estropicio** || **dolor** · **sufrimiento** · **frustración** · **resentimiento** · **depresión** · **lesión** · **cojera** || **desequilibrio** · **desigualdad** · **diferencia** || **caída** · **pérdida** · **descenso** · **disminución** · **reducción** || **inflación** · **aumento** · **alza** · **incremento** *nuevas medidas para paliar el incremento de los accidentes de tráfico* || **crítica** · **protesta** · **demanda** · **reclamo** || **embate** · **ofensiva** · **choque** · **opresión** · **amenaza** || **desconcierto** · **incertidumbre** · **confusión** · **caos** *con el fin de paliar en lo posible el caos urbanístico* · **nervios** · **estrés** · **ansiedad** · **desazón** || **olvido** · **desconocimiento** · **abandono** · **desatención** · **conocimiento** · **reconocimiento**

●CON ADVS. **ligeramente** · **levemente** || **en gran medida** · **al máximo** || **notablemente** *unas medidas que han contribuido a paliar notablemente la crisis financiera* || **en lo posible** · **en lo que cabe** · **en alguna medida** || **parcialmente** · **en parte** || **temporalmente** · **momentáneamente**

[paliativo, va] → paliativo, va; sin paliativos

paliativo, va adj.

●CON SUSTS. **cuidado** · **remedio** · **tratamiento** *Le están aplicando un tratamiento paliativo para reducir los efectos de la enfermedad* · **medida** · **terapia** · **cirugía**

palidecer v.

●CON SUSTS. **rostro** · **cara** · **mejillas** · **piel** || ***persona*** *Sus amigos palidecieron al verla así* || **éxito** · **gloria** · **popularidad** · **fama** · **prestigio** · **nombre** || **importancia** *Aunque se trata de una situación delicada, su importancia palidece en comparación con las crisis anteriores* · **interés** · **auge** · **apogeo** · **esplendor**

●CON ADVS. **bruscamente** · **repentinamente** · **claramente** · **considerablemente** *Su fama ha palidecido considerablemente en los últimos años* · **ligeramente** · **visiblemente** || **paulatinamente** · **progresivamente** · **por momentos**

palidez s.f.

●CON ADJS. **blanca** · **mortecina** · **cadavérica** · **translúcida** · **enfermiza** || **de piel** · **de rostro** *la extrema palidez de su rostro* · **de cara** · **facial** || **pronunciada** · **extrema** · **alarmante** · **tolerable** || **súbita** · **repentina**

●CON VBOS. **denotar (algo)** || **destacar** || **mostrar** · **reflejar** || **quitar** *quitar la palidez con un poco de maquillaje* · **disimular** || **proporcionar** || **contrastar (con)**

paliza s.f.

●CON ADJS. **descomunal** · **espectacular** · **monumental** · **contundente** · **severa** · **soberbia** · **brutal** · **tremenda** · **terrible** || **mortal** || **electoral** · **deportiva**

●CON VBOS. **dar** *Nos dieron una buena paliza en el partido de ayer* · **atizar** · **propinar** · **asestar** · **endosar** || **recibir** · **encajar** · **llevarse** · **sufrir** || **merecer** · **ganar(se)** · **buscar(se)** || **evitar** || **librar(se) (de)**

[palma] → como la palma de la mano; palma

palma

1 **palma** s.f.

▮ [cara interior de la mano]

●CON SUSTS. **línea (de)** · **raya (de)**

●CON VBOS. **leer** · **interpretar** · **enseñar** · **extender** || **tener (en)** · **caber (en)** *Es tan pequeño que cabe en la palma de la mano* · **golpear (con)**

▮ [árbol]

●CON SUSTS. **aceite (de)** · **coco (de)** · **resina (de)** · **cera (de)** || **techo (de)** · **palapa (de)**

➤ Véase también **ÁRBOL**

2 **palmas** s.f.pl.

●CON VBOS. **sonar** · **resonar** || **tocar** · **batir** · **dar** *El público daba palmas al ritmo de la música*

☐ EXPRESIONES **como la palma de la mano*** [perfectamente] || **llevarse** (alguien) **la palma** [sobresalir o destacar en algo]

palmada s.f.

●CON ADJS. **sonora** || **simple** · **suave** *Unas suaves palmaditas en la cara sirvieron para reanimarlo* || **amable** · **afectuosa** · **de ánimo** · **cariñosa**

●CON VBOS. **sentir** || **merecer** || **dar**

➤ Véase también **GOLPE**

palmarés s.m.

●CON ADJS. **brillante** · **lustroso** · **intachable** · **impresionante** *Su impresionante palmarés acompleja a sus adversarios* · **fantástico** · **envidiable** · **excepcional** · **espectacular** · **privilegiado** || **rico** · **acreditado** · **digno** · **dilatado** *Un dilatado palmarés profesional lo avala* · **nutrido** || **deportivo** · **profesional** || **popular** · **oficial** || **corto** · **reciente** · **limitado** · **modesto** · **mediocre** · **discreto** || **personal** · **global** · **colectivo** · **particular** || **local** · **internacional**

●CON VBOS. **poseer** · **lograr** *Pocos artistas han logrado un palmarés tan brillante* · **cosechar** · **tener** · **proporcionar** || **estrenar** *Con este triunfo el tenista estrena su palmarés* · **inaugurar** || **ampliar** · **igualar** · **completar** · **disminuir** · **superar** · **comparar** || **alardear** · **mostrar** || **figurar (en)** *Ya son varias las jugadoras que figuran en el palmarés del torneo de golf* · **arrasar (con)** · **contar (con)** · **faltar (en)** · **retirar (de)** · **borrar (de)** · **inscribir(se) (en)**

[palmas] s.f.pl. → palma

palmera s.f.

●CON ADJS. **canaria** · **tropical** · **datilera** · **bucanera**

●CON SUSTS. **coco (de)** · **dátil (de)**

➤ Véase también **ÁRBOL**

palmito s.m.

▮ [talle esbelto] *col.*

●CON ADJS. **espectacular** · **soberbio** · **impresionante** || **estilizado** · **esbelto** · **espigado** || **moderno** · **bronceado** *...para lucir un palmito bronceado durante el verano*

● CON VBOS. **pasear** *Le gusta pasear su palmito por la playa* · **menear** · **llevar** || **lucir** · **mostrar** · **enseñar** · **exhibir** · **resaltar** || **estrenar**

[palmo] → palmo; palmo a palmo

palmo

1 **palmo** s.m.

● CON VBOS. **equivaler (a algo)** || **medir** · **tener** || **levantar** *Aunque la niña no levantaba un palmo del suelo, tenía un carácter muy fuerte* · **construir** · **ocupar** || **ceder** *Mi vecino no cede un palmo en su postura* · **perder** || **quedar(se) (a)**

2 **palmo (de)** s.m.

● CON SUSTS. **anchura** · **ancho** · **grosor** · **grueso** · **alto** · **altura** || **terreno** · **tierra** · **territorio**

□ EXPRESIONES **dejar** (a alguien) **con un palmo de narices** [dejarlo frustrado sin lo que esperaba conseguir] *col.* || **palmo a palmo*** [poco a poco, por estadios o etapas]

palmo a palmo loc.adv.

● CON VBOS. **conocer** *Conozco la comarca palmo a palmo* || **buscar** · **rastrear** · **registrar** · **revisar** · **analizar** · **examinar** · **barrer** · **investigar** · **peinar** · **explorar** · **escrutar** || **recorrer** · **visitar** · **retroceder** · **adelantar** · **acercar** || **luchar** · **pelear** · **conquistar** · **ganar** · **colonizar** · **reconquistar** *reconquistar palmo a palmo un terreno* · **avanzar** · **superar**

palo s.m.

▮ [madero]

● CON ADJS. **de mesana** · **mayor** *el palo mayor de una embarcación* || **largo** · **alargado** · **corto**

● CON VBOS. **blandir** *El agresor blandía un palo amenazadoramente* · **esgrimir** || **coger** · **agarrar** · **sujetar** · **sostener** || **subir(se) (a)**

● CON PREPS. **con**

▮ [golpe que se da con un trozo de madera]
Véase **GOLPE**

▮ [disgusto] *col.*

● CON ADJS. **considerable** · **auténtico** · **importante** || **duro** · **fuerte**

● CON VBOS. **llevar(se)** *Me llevé un palo monumental cuando me dijo que se iba* · **encajar** · **recibir** · **ser (para alguien)** · **suponer (a alguien)**

□ EXPRESIONES **a palo seco** [sin nada accesorio] *col.* || **dar palos de ciego** [actuar a tientas, sin guía ni plan] *col.* || **no dar un palo al agua** [vaguear] *col.*

palpable adj.

● CON SUSTS. **realidad** · **hecho** || **ejemplo** · **muestra** *La más palpable muestra de su imaginación es...* · **prueba** · **demostración** · **constatación** · **evidencia** || **resultado** · **beneficio** *El negocio aún no ha dado beneficios palpables* · **consecuencia** · **efecto** · **fruto** · **impacto** · **huella** · **reflejo** || **desesperación** · **alegría** · **cariño** · **enfado** · **ira** · **odio** · ***otros sentimientos o emociones*** || **malestar** · **tensión** · **crispación** · **nerviosismo** || **diferencia** · **contraste** · **desigualdad** *la palpable desigualdad entre los dos equipos* || **crecimiento** · **incremento** · **aumento** · **mejoría** || **deterioro** · **empeoramiento**

● CON VBOS. **hacerse** · **resultar**

palpablemente adv.

● CON VBOS. **aumentar** · **avanzar** · **incrementar(se)** || **mejorar** · **progresar** · **prosperar** || **demostrar** *datos que demuestran palpablemente el fracaso del proyecto* · **ejemplificar** · **mostrar** · **reflejar** || **observar**

palpar v.

● CON SUSTS. **vientre** · **abdomen** *Después de palpar el abdomen del paciente, el médico...* · **cuello** · **cara** · **rostro** · **mama** · ***otras partes del cuerpo*** || **tensión** · **emoción** *A falta de dos minutos para el final, la emoción se palpaba en el campo* · **nerviosismo** · **satisfacción** · **preocupación** · **ilusión** · **sentimiento** · **impresión** · **sensación** · **ánimo** || **dolor** · **muerte** · **miedo** *En situaciones como esta se palpa el miedo en el ambiente* · **decepción** · **mal** · **riesgo** · **peligro** || **ambiente** · **realidad** · **situación** || **fruta** · **melón** · **sandía**

● CON ADVS. **a tientas** *Tras el apagón repentino, buscamos y palpamos a tientas el interruptor en la pared* || **furtivamente** || **superficialmente** · **por encima** · **ligeramente** || **directamente** · **de lleno** · **de cerca**

palpitante adj.

● CON SUSTS. **corazón** *Bajo su fría imagen había un corazón palpitante, inquieto y enamoradizo* || **intensidad** · **dinamismo** · **empuje** · **ansiedad** · **pulsión** · **deseo** · **fuerza** || **pasión** · **abrazo** · **beso** || **actualidad** *un tema de palpitante actualidad* · **realidad** · **presente** · **modernidad** || **cuestión** · **tema** · **asunto** || **argumento** · **historia** · **crónica** · **retrato** · **testimonio** · **documento** · **diálogo** || **vida** · **juventud** · **adolescencia** · ***otros períodos*** || **sinfonía** · **obra** · **libro** · **canción** · **película** · ***otras manifestaciones artísticas***

● CON VBOS. **ponerse** · **hacerse** · **volverse**

palpitar v.

● CON SUSTS. **corazón** *Le palpita el corazón cada vez que lo ve* · **vena** · **ojo** || **amor** · **pasión** · **deseo** · **emoción** · **pulsión** || **miedo** · **odio** · **angustia** · **ansiedad** · **preocupación** *En sus palabras palpitaba una profunda preocupación por el futuro* · **temor** · **desconfianza** · **resentimiento** || **fuerza** · **vitalidad** · **vida** || **poesía** · **literatura** · **melodía** · **obra** · **creación** · **cubismo** · **flamenco** · **partitura** · **acorde** · **tendencia** || **país** · **ciudad** · **banquillo**

pálpito s.m.

● CON ADJS. **profundo** · **hondo** || **funesto** · **emocionado**

● CON VBOS. **dar** || **tener** · **sentir** *Sintió un profundo pálpito al reencontrarse con ella* · **percibir** · **escuchar**

pamplina s.f. *col.*

● CON VBOS. **decir** · **contar** || **leer** || **dejar(se) (de)** *Déjate de pamplinas y ponte a estudiar* || **venir (con)**

[pan] → como un día sin pan; pan

pan s.m.

▮ [alimento]

● CON ADJS. **blando** · **tierno** · **crujiente** || **duro** · **seco** · **correoso** || **reciente** · **de hoy** · **del día** · **fresco** · **de ayer** || **rallado** · **tostado** · **frito** · **molido** || **de molde** *una rebanada de pan de molde* · **de barra** · **de hogaza** · **de pueblo** · **payés** · **de leña** · **de viña** || **ácimo** · **blanco** · **moreno** · **negro** || **candeal** · **integral** · **de trigo** · **de centeno** · **de maíz** · **de avena** · **de cereales** · **de mijo** · **de higo** · **de leche** · **dulce** || **de cebolla** · **de ajo** || **de torrija**

● CON SUSTS. **barra (de)** · **hogaza (de)** · **rebanada (de)** · **ración (de)** · **miga (de)** *El mantel estaba lleno de migas de pan* · **migaja (de)** · **mendrugo (de)** · **pedazo (de)** ·

pico (de) · cuscurro (de) · rosca (de) · tostada (de) || horno (de)
● CON VBOS. **fermentar · revenir(se) || amasar · hornear** *En esta panadería hornean el pan según el método antiguo* **· cocer · tostar || rebanar · rallar · untar · cortar || racionar || alimentar(se) (de)** *Últimamente se alimenta solo de pan y verduras*

▌[hoja muy fina de metal]

● CON ADJS. **de oro** *un retablo gótico con figuras recubiertas de pan de oro* · **de plata**

☐ EXPRESIONES **ganarse el pan** [mantenerse con el trabajo propio] *col.* || **llamar al pan, pan y al vino, vino** [hablar claramente] *col.* || **ser el pan (nuestro) de cada día** [ser cotidiano] *col.* || **ser pan comido** [ser muy fácil] *col.*

panadería s.f.

● CON ADJS. **industrial || artesana · artesanal · casera**
● CON SUSTS. **horno (de) || producto (de)**
➤ Véase también **ESTABLECIMIENTO**

panadero, ra

1 **panadero, ra** adj.

● CON SUSTS. **horno** *Aquí se cuece el pan en un horno panadero* **|| industria · sector · empresario,ria || patata** *patatas panaderas como guarnición*

2 **panadero, ra** s.

● CON ADJS. **rico,ca · próspero,ra · humilde · modesto,ta · tradicional · artesano || experto,ta · profesional**
● CON SUSTS. **aprendiz,-a (de) · oficio (de)** *El oficio de panadero lo aprendió de su padre* **· escuela (de) || uniforme (de) || familia (de)**
● CON VBOS. **atender (a alguien) · despachar (a alguien) · vender (algo) || hacer pan || trabajar (de/como)** *Trabaja como panadero desde hace mucho tiempo*

pandereta s.f.

● CON ADJS. **navideña || tradicional · popular**
● CON SUSTS. **flamenco (de) · cultura (de)**
➤ Véase también **INSTRUMENTO MUSICAL**

pandilla

1 **pandilla** s.f.

● CON ADJS. **juvenil || rebelde · rival** *una pelea entre pandillas rivales* **· violenta · agresora · peligrosa · criminal · mafiosa || callejera · de barrio · urbana || motorizada**
● CON SUSTS. **guerra (de) · pelea (de) · reyerta (de) || compañero,ra (de)** *Después de muchos años, me reencontré con mis compañeros de pandilla* **· amigo,ga (de) · gente (de) || miembro (de) · integrante (de) · líder (de)**
● CON VBOS. **operar · actuar** *En esa zona, las pandillas violentas actúan impunemente* **· delinquir · atacar · pelear(se) || formar · organizar · montar · reunir · integrar || capitanear · dirigir · liderar || detener · desarticular || salir (con) · divertirse (con) · ir (en) || pertenecer (a) · unirse (a) · ser (de) || enfrentarse (a)**
● CON PREPS. **en** *Salían a divertirse en pandilla*

2 **pandilla (de)** s.f.

● CON SUSTS. **amigos,gas** *Sale con su pandilla de amigos todos los sábados por la tarde* **· chiquillos,llas · adolescentes || asesinos,nas · atracadores,ras · delincuentes · mafiosos,sas || gamberros,rras · locos,cas · borrachos,chas || desaprensivos,vas**

panel

1 **panel** s.m.

▌[tablero]

● CON ADJS. **solar** *un edificio con paneles solares* **· acústico || deslizante || metálico · de cristal**
● CON VBOS. **desplomarse || poner · montar · apoyar || quitar · desmontar || derribar || dividir (con) · separar (con/por medio de)**

▌[tablón]

● CON ADJS. **electrónico · digital || enorme · visible** *Instalaron un panel visible desde la curva para evitar más accidentes* **· inmenso · gigantesco || publicitario · informativo · de señalización · de señales · luminoso || de consumo · de audiencia || móvil · integrado** *Toda la información puede encontrarse en el panel integrado situado a la derecha del conductor*
● CON VBOS. **informar (de algo) · avisar (de algo) || señalar · indicar** *El panel indica retenciones hasta el kilómetro...* **|| instalar || encontrar(se) (en)**

▌[cuadro]

● CON ADJS. **principal · central · auxiliar || de control · de mandos · de alarma || de instrumentos**
● CON VBOS. **configurar · diseñar || manejar** *un manual para aprender a controlar el panel de mandos* **· controlar · utilizar**

2 **panel (de)** s.m.

▌[grupo de personas]

● CON SUSTS. **expertos,tas · científicos,cas · especialistas** *El proyecto saldrá adelante porque contamos con un excelente panel de especialistas* **· asesores,ras**

panfleto s.m.

● CON ADJS. **político · reaccionario · libertario · pacifista · partidista · clandestino · doctrinario · propagandístico · subversivo || calumnioso · zafio || anónimo || célebre || infumable · insoportable**
● CON SUSTS. **autor,-a (de) · texto (de)**
● CON VBOS. **circular · señalar (algo) · acusar (a alguien)** *El panfleto acusa directamente al concejal de todo lo sucedido* **· reivindicar (algo) || escribir · publicar · firmar · redactar · editar · hacer · imprimir || recibir · leer** *El abuelo leía cualquier panfleto que caía en sus manos* **|| repartir · arrojar** *arrojar panfletos desde un coche* **· lanzar · difundir · remitir · adjuntar · distribuir || idear · diseñar || tirar · romper || tildar (de)**

pánico s.m.

● CON ADJS. **general · generalizado || atroz · terrible · incontrolable || infundado · injustificado || patológico || escénico || preso,sa (de) · dominado,da (por)**
● CON SUSTS. **ataque (de) · brote (de) · sensación (de) · momento (de) · minutos (de) · ola (de) · escena (de)** *Se vivieron intensas escenas de pánico* **· clima (de) · situación (de) || cara (de) · gesto (de) || grito (de)**
● CON VBOS. **desatar(se) · desencadenar(se) · surgir || cundir** *Es importante informar bien a la ciudadanía para evitar que cunda el pánico* **· extender(se) · propagar(se) · reinar || adueñarse (de alguien) · dominar (a alguien) · apoderar(se) (de alguien) · entrar (a alguien)** *Le entró el pánico cuando se bloqueó el ascensor* **· sobrevenir (a alguien) · venir (a alguien) || paralizar (a alguien) || disipar(se) || causar · provocar · sembrar · dar · infundir · inspirar · despertar || sentir · tener · sufrir || atajar · sofocar · controlar** *controlar el pánico y el caos generalizado* **· dominar · ahuyentar · vencer ||**

estremecerse (de) · dejarse llevar (por) · temblar (de) · recuperar(se) (de)
• CON PREPS. al borde (de) || en medio (de)

panorama s.m.

• CON ADJS. catastrófico · dantesco · desastroso · siniestro · sombrío · gris · negro || incierto · inquietante *El panorama político comienza a ser inquietante* · amenazador · preocupante · angustioso || desalentador · desesperanzador · desolador || esperanzador · halagüeño · ilusionante · tranquilizador · aleccionador || novedoso · general · actual || saludable · soberbio · idílico · inmejorable || inabarcable · vasto · amplio || internacional · nacional · mundial || político · electoral · musical *una importante figura del panorama musical latinoamericano* · cinematográfico · literario · artístico · deportivo · económico · cultural · televisivo
• CON VBOS. dibujar(se) · ofrecer(se) (a alguien) · presentarse (a la vista) || despejar(se) · esclarecer(se) · normalizar(se) || enrarecer(se) || abarcar (con la vista) · contemplar · divisar *Desde la cima se divisaba un amplio panorama* || presentar · describir · pintar · trazar · bosquejar || representar · configurar || clarificar · enderezar · desvelar || desequilibrar *Los últimos acontecimientos han desequilibrado el panorama económico* || desaparecer (de) · aparecer (en)
• CON PREPS. a la vista (de)

[panorámica] s.f. → panorámico, ca

panorámico, ca

1 **panorámico, ca** adj.

• CON SUSTS. vista · paisaje · visión · formato || ruta · excursión · recorrido · visita || exposición || pantalla *un televisor de pantalla panorámica* · cámara · receptor · televisión · fotografía || mirador · balcón · ascensor · autobús *Los turistas visitaron el centro histórico de la ciudad en un autobús panorámico* · techo

2 **panorámica** s.f.

• CON ADJS. hermosa *Le envió una postal con una hermosa panorámica de la isla* · bella · espectacular || rica · sugerente · variada · detallada · fresca · innovadora || amplia · general *Para la publicidad se escogieron varias panorámicas generales del complejo hotelero* · completa · inabarcable · vasta · privilegiada || excelente · soberbia · formidable · espléndida · apasionante
• CON VBOS. ofrecer(se) · abarcar · mostrar · presentar(se) · constituir || trazar · brindar *El mirador brinda una panorámica excelente del valle* · proporcionar · aportar · describir || captar || admirar || disfrutar (de) *para que disfruten ustedes de las panorámicas de la costa* · gozar (de)

pantalla s.f.

• CON ADJS. gigante · enorme || extraplana · plana *un ordenador con pantalla plana* · de cristal líquido · panorámica || protectora · acústica *una pantalla acústica para evitar los ruidos de la carretera* || doméstica
• CON SUSTS. cuota (de) || protector (de) *Voy a poner una foto como protector de pantalla* · retorno (a)
• CON VBOS. filtrar (algo) *La pantalla de la lámpara filtra la luz* · difuminar (algo) · proteger (de algo) || contemplar || ver (en) · presenciar (en) || presentar (en) *No entiendo cómo presentan en pantalla imágenes de tan mal gusto* · mostrar (en) · poner (en) · llevar (a) · proyectar (en) *El gerente proyectó en una pantalla los resultados del primer trimestre* · trasladar (a) · mantener (en) || aparecer (en) · salir (en) · estar (en) · llegar (a) · regresar (a) · permanecer (en) · reaparecer (en) · desfilar (por) · suceder (en)
• CON PREPS. a través (de)

□ EXPRESIONES **gran pantalla** [cine] *col.* || **pantalla de humo** [información que se difunde para distraer la atención de otro asunto] || **pequeña pantalla** [televisión] *col.*

pantalón s.m.

• CON ADJS. corto · largo || vaquero · tejano · de pana · de algodón || de campana · de pinzas *unos elegantes pantalones de pinzas* || deportivo · de vestir · de sport
• CON SUSTS. falda *Parece que ya no se lleva la falda pantalón* || pirata · bombacho
• CON VBOS. encoger *Los pantalones eran de algodón y encogieron al lavarlos* · desteñir || remangarse · subir(se) || ajustar(se) · apretar(se) · ceñir(se) || coser · zurcir · confeccionar · arreglar · meter · sacar · agrandar · ensanchar · estrechar
➤ Véase también **ROPA**

□ EXPRESIONES **bajarse los pantalones** [ceder en condiciones poco honrosas] *col.* || **llevar los pantalones** [mandar; imponer la propia autoridad] *col.*

pantanoso, sa adj.

• CON SUSTS. terreno · zona · agua *un lago de aguas pantanosas* || asunto *Entramos ahora en un asunto pantanoso en el que conviene actuar con gran cautela* · cuestión · situación · tema

pantomima s.f.

■ [representación mímica]
• CON SUSTS. danza (de) · espectáculo (de) || versión (en) *una versión en pantomima de su última obra* · argumento (de)
• CON VBOS. representar · interpretar *Interpreta una pantomima sugerente* · presentar · recrear || inspirarse (en)

■ [fingimiento]
• CON ADJS. grotesca · burda · lamentable · miserable
• CON VBOS. hacer *Hizo una burda pantomima electoral* || tratarse (de) || calificar (de) · considerar (como) · tachar (de)

pantufla s.f. Véase CALZADO

[panza] → como gato panza arriba

panzada

1 **panzada** s.f. *col.*

• CON ADJS. espectacular · monumental · tremenda
• CON VBOS. darse · pegarse · meterse

□ USO Se construye frecuentemente con complementos encabezados por la preposición *a*: *pegarse una panzada a estudiar.*

2 **panzada (de)** s.f. *col.*

• CON SUSTS. marisco *pegarse una buena panzada de marisco* · pasteles · sopa · ***otros alimentos o comidas*** || televisión · cine
• CON VBOS. reír *¡Menuda panzada de reír nos dimos!* · leer · correr · estudiar · barrer · ***otros verbos de acción***

[paño] → como oro en paño; paño

paño s.m.

• CON ADJS. frío · tibio · húmedo *frotar las manchas con un paño húmedo* · seco · empapado || de cocina

• CON SUSTS. **abrigo (de) · traje (de) · falda (de) · bayeta (de)**
• CON VBOS. **poner · colocar || cubrir (con) · secar (con)**
□ EXPRESIONES **en paños menores** [en ropa interior] *col.* || **paño de lágrimas** [persona que consuela] || **paños calientes** [lo que suaviza el rigor con que se debe actuar] *col.*

[papa] → ni papa

papal adj.

• CON SUSTS. **tiara · anillo · trono · emblema · palacio · sucesión || visita** *La ciudad se prepara para la visita papal* **· viaje · gira · recepción · audiencia · misa || encíclica · bula · dispensa · documento · mensaje · decreto · texto · discurso** *Millones de fieles han seguido atentamente el discurso papal* **· orden · carta · requisitoria · tesis || bendición || mediación · arbitraje · venia · clemencia || infalibilidad** *la infalibilidad papal como dogma de fe* **· autoridad · doctrina · magisterio · enseñanza · poder · influencia · presión · propuesta || nuncio** *El nuncio papal en Chile fue recibido por el presidente* **· guardia · comitiva · legado · portavoz · embajada · séquito || clausura || diplomacia · política || elección · decisión**

papel s.m.

▌[pliego, hoja]

• CON ADJS. **cuadriculado** *un cuaderno de papel cuadriculado* **· pautado · rayado || timbrado · oficial · del estado · de pagos · de oficio || absorbente · secante || de cocina · de impresora · de regalo** *envolver un paquete con papel de regalo* **· de fumar · de calco · higiénico · sanitario · fotográfico || de periódico · de aluminio · de estraza · de lija · de seda · picado · satinado · vegetal · de plata · carbónico · de china || fino · grueso || continuo**
• CON SUSTS. **hoja (de) || legajo (de) · taco (de) || celo** *pegar algo con papel celo* **· celofán · biblia · cebolla · pinocho · carbón · charol · cuché || moneda**
• CON VBOS. **acabar(se)** *Se ha acabado el papel de la impresora* **· faltar || obrar en poder || tener · amontonar || doblar** *Dobló cuidadosamente el misterioso papel y se lo metió en el bolsillo* **· plegar · pegar || emborronar · garabatear · estampar || usar · reciclar || escribir (en) · dibujar (en) · anotar (en)**
• CON PREPS. **sobre || entre** *Está uno perdido entre tanto papel*

▌[documento]

• CON ADJS. **en regla** *tener los papeles en regla* **|| privado · personal · confidencial · oficial**
• CON VBOS. **faltar** *No pudo pasar porque le faltaba un papel* **|| necesitar · pedir · solicitar · tramitar · legalizar · validar · rellenar · firmar · sellar · compulsar** *No le aceptaron los papeles porque no estaban compulsados* **· verificar || guardar · archivar · ordenar || examinar · mirar**

▌[cometido, función]

• CON ADJS. **capital · crucial** *Este documento ha desempeñado un papel crucial en la investigación* **· decisivo · determinante · esencial · fundamental · predominante · preeminente · preponderante · importante · sustancial || de {primera/segunda...} fila · estelar · destacado · protagonista · principal · descollante · lucido || airoso** *El delegado desempeñó un airoso papel en las negociaciones* **· honroso || discreto · menor · secundario** *una actriz que siempre ha interpretado papeles secundarios* **· testimonial · deslucido || arduo · comprometido · delicado || constructivo**
• CON VBOS. **dar vida (a alguien)** *Su papel da vida a un emperador romano* **|| corresponder(le) (a alguien) · recaer · tocar(le) (a alguien) || devaluar(se) · fortalecer(se) · invertir(se) || dar** *Todavía no está decidido a quién le darán el papel principal* **· conceder · distribuir · otorgar || asumir · aceptar** *Acepté el papel de mediador a pesar de ser comprometido* **· rechazar || tener · ostentar · arrogarse · suplantar · usurpar · vivir · conservar || desempeñar · jugar** *Sus declaraciones jugaron un papel determinante en la marcha de los acontecimientos* **· ejercer · cumplir || hacer · interpretar · representar · bordar · ensayar || dilucidar || amoldar(se) (a) · ceñirse (a) · meterse (en) || abdicar (de)**
• CON PREPS. **a la altura (de)** *Estuvo a la altura del delicado papel que le tocó asumir* **|| en función (de)**
□ EXPRESIONES **papel mojado** [lo que ya no tiene valor] *col.* || **perder los papeles** [perder el control de uno mismo] *col.* || **sin papeles** [sin documentación oficial] *col.*

papeleo s.m.

• CON ADJS. **complejo · engorroso || eterno · interminable · largo · lento · considerable || imprescindible · necesario · inevitable || administrativo · burocrático · judicial · oficial || inmerso,sa (en)** *La organización estaba inmersa en un interminable papeleo para conseguir la subvención*
• CON SUSTS. **aumento (de) · reducción (de) || avalancha (de) · lío (de)**
• CON VBOS. **cumplimentar · firmar || gestionar · tramitar || ultimar · resolver · sacar adelante** *Un abogado sacará adelante el papeleo que requiere la apertura del negocio* **|| reducir · simplificar || evitar · saltarse || cargar (con) || librarse (de)**

papelería s.f.

• CON ADJS. **escolar · técnica · especializada**
• CON SUSTS. **artículo (de) · objeto (de) · empresa (de) · material (de)**
➤ Véase también **ESTABLECIMIENTO**

papeleta s.f.

▌[voto]

• CON ADJS. **en blanco || electoral** *Garantizaron la existencia de suficientes papeletas electorales de todos los partidos*
• CON VBOS. **depositar** *Miles de ciudadanos depositarán mañana su papeleta y ejercerán su derecho al voto* **· enviar (por correo) · introducir (en la urna)**

▌[problema]

• CON ADJS. **difícil · complicada** *A la vuelta me encontré una complicada papeleta* **· enrevesada · engorrosa**
• CON VBOS. **caer en suerte (a alguien) · caer(le) (a alguien) · tocar(le) (a alguien)** *Me tocó a mí la difícil papeleta de convencer a mi padre para...* **· presentárse(le) (a alguien) || afrontar** *Decidí afrontar la papeleta de despedirlo sin más dilaciones* **· encarar · resolver · salvar · solventar || tener || encontrar(se) (con) · enfrentar(se) (a)**

[par] → abrir de par en par; de par en par

parabién s.m.

• CON VBOS. **conceder (a alguien) · dar (a alguien) · hacer llegar (a alguien) || recibir || gozar (de)** *La película goza de los parabienes de la crítica*

parábola s.f.

▌[narración]

• CON ADJS. **bíblica · evangélica · social · política · moral · cultural · existencial || ilustrativa** *una ilustrativa parábola de la sociedad consumista* **· demoledora · crítica · memorable · expresiva · famosa · vigorosa · aleccionadora**

• CON VBOS. **aludir (a algo)** *La parábola alude a la necesidad de estar prevenidos* **· narrar (algo) || comentar · emplear || interpretar · acelerar || servir (como)**

▌[curva abierta]

• CON ADJS. **perfecta · excelente · preciosa · soberbia**

• CON VBOS. **diseñar** *El arquitecto diseñó una parábola como parte de la cubierta del edificio* **· trazar · describir** *El obús describió una amplia parábola antes de estrellarse contra...*

[parabólica] s.f. → parabólico, ca

parabólico, ca

1 **parabólico, ca** adj.

• CON SUSTS. **antena** *Han llenado el tejado de antenas parabólicas* **· pantalla · reflector || trayectoria · arco · tiro · curva · vuelo**

2 **parabólica** s.f.

• CON ADJS. **colectiva** *una parabólica colectiva para toda la comunidad de vecinos* **· individual**

• CON VBOS. **recoger (algo)** *La parabólica recoge señales digitales* **· emitir (algo) || instalar · montar** *Esta tarde vendrán los técnicos a montar la parabólica* **· poner · colocar || orientar || tener || disponer (de)**

paracaídas s.m.

• CON SUSTS. **salto (con) · lanzamiento (con) · maniobra (con)**

• CON VBOS. **abrir(se) · romper(se) · fallar || poner(se) · colocar(se) || doblar · plegar || saltar (en/con/sin)** *un cursillo para aprender a saltar en paracaídas* **· tirarse (en/con/sin) · lanzarse (en/con/sin) · arrojarse (en/con/sin) || descender (en/con/sin) · bajar (en/con/sin)** *El piloto bajó en paracaídas tras abandonar el avión en llamas* **· aterrizar (en/con/sin) · llegar (en/con/sin)**

parachoques s.m.

• CON ADJS. **delantero · trasero || aerodinámico · integrado || reforzado** *un vehículo todoterreno con parachoques reforzado* **· deformable · indeformable**

• CON VBOS. **romper(se) || golpear · doblar · rozar || perder || fijar · reforzar**

[parada] s.f. → parado, da

paradero s.m.

• CON ADJS. **desconocido** *El empresario se encuentra en paradero desconocido* **· conocido · secreto || actual · exacto || habitual**

• CON SUSTS. **indicio (de) · noticias (de/sobre) · pista (de)**

• CON VBOS. **saber · ignorar · desconocer · conocer · controlar · predecir || buscar · averiguar · rastrear · investigar** *La Policía Judicial investiga el paradero de las pruebas desaparecidas* **|| encontrarse (en) · permanecer (en) · seguir (en) · continuar (en) · hallarse (en) · estar (en) || dar (con) · trasladarse (a) · preguntar (por) · enterarse (de) · informar (de/sobre)**

paradigma s.m.

• CON ADJS. **convencional** *un paradigma convencional que determina el diseño final del producto* **· emblemático · típico · inequívoco || particular · diverso || abierto · cerrado || irregular**

• CON VBOS. **construir · constituir || erigirse (en) · convertirse (en)**

paradisíaco, ca adj.

• CON SUSTS. **lugar · rincón · marco · paraje** *un paraje paradisíaco perdido en medio de una isla* **· sitio · panorama · país · jardín · mundo || ambiente · sueño · estado · viaje || comienzo · pasado · tiempo**

parado, da

1 **parado, da** s.

▌[desempleado]

• CON ADJS. **de larga duración** *ayudas especiales para los parados de larga duración* **· oficial · nuevo,va · falso,sa || inscrito,ta · registrado,da**

• CON SUSTS. **número (de) · cifra (de) · récord (de) · nivel (de) · censo (de)** *El censo de parados presenta unas cifras preocupantes* **· proporción (de) || sector (de) · grupo (de) || formación (de)**

• CON VBOS. **cobrar (algo) · percibir (algo)** *Los parados perciben un subsidio según el tiempo cotizado* **|| registrar(se) · inscribir(se) || aumentar · disminuir · bajar · subir · incrementar(se) · crecer · reducir · decrecer || sumar (algo) · superar (algo) || participar (en algo) · acceder (a algo) || emplear · contratar · aceptar · acoger · formar || amparar · beneficiar · ayudar** *cursos de reciclaje laboral que ayudan a los parados a encontrar trabajo* **· subvencionar · mantener || marginar**

2 **parada** s.f.

▌[detención, interrupción]

• CON ADJS. **breve · corta · momentánea** *Hagamos una parada momentánea para coger fuerzas* **· instantánea || larga · prolongada || intermitente** *tráfico con paradas intermitentes* **· discrecional · automática || forzosa · obligatoria · obligada · oficial · programada · frecuente · constante || imprevista** *Tuvimos que hacer una parada imprevista para repostar* **· repentina · esporádica || intermedia · principal || sensacional** *El portero hizo tres paradas sensacionales* **· de mérito · meritoria · impresionante · imposible · electrizante · espectacular · extraordinaria · acrobática || cardíaca** *sufrir una parada cardíaca* **· cardiorrespiratoria · respiratoria || definitiva || técnica · biológica · ecológica**

• CON SUSTS. **circulación (con)** *En el nudo norte encontramos circulación con paradas constantes* **· punto (de) · lugar (de) · tiempo (de) || posición (de)**

• CON VBOS. **producir(se) · durar || efectuar · hacer · realizar · suprimir · prohibir** *La línea amarilla de la calzada prohíbe el estacionamiento y la parada de vehículos* **· permitir || espaciar || fijar · programar || exigir · solicitar || provocar** *Las obras provocaron largas paradas del tráfico* **|| tener · sufrir**

▌[lugar donde se para]

• CON ADJS. **siguiente · próxima** *Yo me bajo en la próxima parada* **· anterior || de autobús · de bus · de taxi · de metro · de tren · de tranvía**

• CON SUSTS. **marquesina (de) · señal (de)**

• CON VBOS. **situar** *El Ayuntamiento ha decidido situar una parada de autobuses junto al colegio* **· ubicar · distribuir · repartir · trasladar || instalar · construir · habilitar · adecuar · adecentar || pasarse · saltarse || esperar (en)**

Ayer estuve veinte minutos esperando en la parada de taxis · **acudir (a)**

▌[desfile]

● CON ADJS. **militar || tradicional · conmemorativa || solemne · imponente || impecable**

● CON VBOS. **iniciar · concluir || organizar · celebrar · realizar · suspender || presenciar** *Miles de personas presenciaron la parada militar del día de las Fuerzas Armadas* **|| asistir (a) || desfilar (en)**

3 **parada (de)** s.f.

● CON SUSTS. **corazón || balón** *Fue una espectacular parada del balón* **|| portero · cancerbero || reloj · cronómetro** *La parada del cronómetro se realizará al pisar la línea de meta* · **motor · máquina · mecanismo · sistema || imagen || servicio**

□ EXPRESIONES **salir {bien/mal} parado** [tener buena/mala suerte en algo]

paradoja s.f.

● CON ADJS. **absurda · inexplicable · incongruente · disparatada · contradictoria · engañosa · ridícula · incoherente · aberrante || manifiesta · aparente · curiosa** *una de las curiosas paradojas de la vida* · **permanente · conocida · antigua || mayúscula · monumental**

● CON VBOS. **darse · producir(se) || usar || explicar || constituir || incurrir (en) · abusar (de)**

● CON PREPS. **en clave (de)**

paradójico, ca adj.

● CON SUSTS. **situación · circunstancia** *Se da la paradójica circunstancia de que el empresario ha denunciado a su propia empresa* · **hecho · fenómeno · panorama || estilo · frase · información · dato · verdad · caso || figura · personaje || aspecto · apariencia || final · resultado**

● CON ADVS. **especialmente · marcadamente · absolutamente** *un caso absolutamente paradójico que ha desconcertado a todos los analistas* · **evidentemente · visiblemente || aparentemente**

● CON VBOS. **resultar · parecer · considerar**

paraíso s.m.

● CON ADJS. **perdido || verdadero || celestial · terrenal** *una isla que es como el paraíso terrenal* · **terrestre · rural · doméstico || natural · artificial || soñado · utópico · imaginado || cercano · particular · propio || fiscal** *La sede central de la empresa se encuentra en un paraíso fiscal*

● CON VBOS. **conquistar · construir · encontrar · alcanzar || buscar · añorar · perder || expulsar (de) · arrojar (de) || gozar (de) · disfrutar (de) || entrar (en) · volver (a)** *el sueño de volver al paraíso perdido* · **llegar (a) || salir (de) · venir (de) || vivir (en)**

paraje s.m.

● CON ADJS. **natural || remoto · recóndito** *Recorrieron parajes recónditos en las montañas* · **solitario · aislado · inhóspito || protegido · de valor ecológico · valioso · singular · único · representativo || boscoso** *Escogieron un paraje boscoso para montar el campamento* · **frondoso || paradisíaco · exótico · idílico · atractivo || árido · anodino**

● CON SUSTS. **belleza (de) || inmediaciones (de)**

● CON VBOS. **frecuentar · visitar** *Pocas personas visitan ese inhóspito paraje* · **elegir · atravesar || proteger · conservar** *El Ayuntamiento dedica gran parte de su presupuesto a conservar el paraje natural* · **deteriorar · degradar || conocer || pasear (por) · transitar (por) · disfrutar (de) · gozar (de) · recrearse (en) || inspirar(se) (en)**

paralelismo s.m.

● CON ADJS. **claro · evidente · fuerte · marcado || posible · existente || estrecho** *Sus historias guardan un estrecho paralelismo con su vida* · **estricto || forzado · laxo · inexistente**

● CON VBOS. **existir || dibujar · establecer · trazar · esbozar || ver** *Los críticos ven un posible paralelismo entre los dos movimientos artísticos* **|| forzar || guardar · mantener**

paralelo, la adj.

● CON SUSTS. **línea** *Trace una línea paralela* · **recta · vía** *Las vías del tren siempre son paralelas* **|| movimiento · giro || juego · maniobra · táctica || invento · descubrimiento · logro · éxito || calle · carretera · barra · pista || vida · historia · evento · mundo || trayecto · trayectoria · camino** *Sus vidas han seguido caminos paralelos* · **recorrido || negocio · negociación · reunión || actividad · proceso · operación · investigación · causa · pensamiento || juicio · mercado · gobierno**

□ EXPRESIONES **en paralelo** [al mismo tiempo]

parálisis s.f.

● CON ADJS. **absoluta · general · total · parcial** *tras sufrir una parálisis parcial* · **progresiva || alarmante · peligrosa || irreversible || fortuita · inesperada · repentina · súbita || virtual || ocasional · momentánea · temporal · pasajera** *Los analistas confían en que la parálisis inversora sea pasajera* · **transitoria || interna || funcional || cerebral · facial · intestinal || administrativa · democrática · gubernamental · judicial · legislativa · policial · institucional · oficial · política · social · económica · inversora · informativa · operativa || aquejado,da (de)** *El país está aquejado de una alarmante parálisis política* · **condenado,da (a)**

● CON SUSTS. **ataque (de) · situación (de) || imagen (de) || sensación (de) · síntoma (de)** *A los primeros síntomas de parálisis acudió al hospital* **|| peligro (de) · riesgo (de) || remedio (contra)**

● CON VBOS. **producir(se) · afectar (a algo)** *La parálisis que tiene afecta únicamente a ciertas articulaciones* · **dar (a alguien) || agravar(se) || experimentar · padecer · arrastrar · registrar || provocar** *La desconfianza hacia las instituciones ha provocado una parálisis social* **|| evidenciar || evitar · remontar || sufrir (de) || salir (de) · poner fin (a)**

● CON PREPS. **al borde (de)**

paralítico, ca

1 **paralítico, ca** adj.

● CON SUSTS. ***persona*** *Una paciente paralítica recuperó la movilidad de las piernas tras someterse a ese nuevo tratamiento* **|| pierna · mano · brazo**

● CON VBOS. **quedar(se) · dejar · ser · estar**

2 **paralítico, ca** s.

● CON ADJS. **cerebral**

paralizar v.

● CON SUSTS. **dedo** *un intenso frío que paralizaba los dedos de las manos* · **labio · músculo · pierna · brazo ·** ***otras partes del cuerpo*** **|| obra** *El Ayuntamiento paralizó las obras del hotel porque infringían la normativa vigente* · **construcción · edificación · derribo · maquinaria || actividad · trabajo · acción · negociación · reforma || operación · comercialización · venta · compra · inversión || proceso · búsqueda · gestión · trámite · expediente || plan · proyecto · iniciativa** *Han decidido paralizar las iniciativas*

con impacto medioambiental || **investigación · prueba · ensayo** || **producción · fabricación · elaboración · redacción · composición** || **país** *La huelga general ha paralizado el país* · **ciudad · servicio · tráfico · economía · política · sistema**
● CON ADVS. **cautelarmente** *Ante el riesgo de toxicidad, han optado por paralizar cautelarmente su comercialización* · **preventivamente** || **definitivamente · de raíz · por completo** || **virtualmente** || **momentáneamente · por un momento · temporalmente** *Un aparatoso accidente paralizó temporalmente el tráfico en una de las principales vías de acceso* · **provisionalmente**

paranoia s.f.

● CON ADJS. **acusada · fuerte · absoluta** || **general · generalizada · colectiva** *La paranoia colectiva se apoderó del público presente* · **imperante · reinante** || **curable · incurable**
● CON SUSTS. **estado (de)** || **acceso (de) · ataque (de) · brote (de) · crisis (de)** || **cuadro (de) · síntoma (de) · diagnóstico (de)** || **tratamiento (para)**
● CON VBOS. **apoderarse (de alguien) · asaltar (a alguien) · sobrevenir(le) (a alguien)** || **curar(se)** || **bordear · rozar** *Su comportamiento roza la paranoia señor alcalde* || **sufrir · tener** || **superar** || **mejorar (de) · recuperar(se) (de) · salir (de)**
● CON PREPS. **al borde (de)**

paranoico, ca adj.

● CON SUSTS. **miedo · pavor · temor · preocupación · obsesión** *la manía persecutoria es una obsesión paranoica* || **dictador,-a · hincha · gente** · ***otros individuos y grupos humanos*** || **fantasía · ficción · alucinación · idea · fabulación · pensamiento** || **explicación · aseveración · respuesta · coartada · sospecha** *Sus paranoicas sospechas lo llevan a desconfiar de cualquier desconocido* || **actitud · impulso · rasgo · veta · precisión · crisis** || **actividad · acto · lectura · consumismo · conspiración**
● CON VBOS. **ser · volver(se) · estar · poner(se)**

parapeto s.m.

● CON ADJS. **improvisado** *Unas tablas le sirvieron de improvisado parapeto contra el viento* · **eventual**
● CON VBOS. **proteger (algo)** || **buscar** || **aprovechar · usar** || **utilizar (de/como) · servir (de/como) · actuar (de/como) · hacer (de)** *La estatua hace de parapeto* · **poner (de/como) · convertir(se) (en) · emplear (como)** || **resguardar(se) (tras) · ocultar(se) (tras) · refugiarse (en) · apoyar(se) (en)**

parapléjico, ca

1 **parapléjico, ca** adj.
● CON SUSTS. ***persona*** *El médico atendió al joven parapléjico*
● CON VBOS. **ser · estar · quedar(se)**

2 **parapléjico, ca** s.
● CON SUSTS. **rehabilitación (de)** || **centro (de) · unidad (de)** *Está en la unidad de parapléjicos del hospital* · **área (de)**

para rato loc.adv.

● CON VBOS. **ir · quedar (a alguien) · tener (cuerda)** *No va a parar de hablar, tiene cuerda para rato*

parar(se) v.

● CON ADVS. **bruscamente · en seco · de golpe · de repente** || **por un momento**

parche s.m.

● CON ADJS. **poroso · medicinal** || **aparatoso** *un parche demasiado aparatoso para un orificio tan pequeño* · **ostentoso** || **ineficaz · inoperante · inofensivo · insuficiente** || **provisional** *No es una verdadera solución, sino un parche provisional para ir tirando* · **temporal · transitorio**
● CON VBOS. **tapar (algo)** || **llevar · lucir · mostrar** || **poner · colocar · usar · quitar(se)** *Dentro de una semana podrá quitarse el parche del ojo* || **aplicar · suministrar**

parchís s.m.

● CON SUSTS. **jugador,-a (de)** || **partida (de)** || **ficha (de) · pieza (de) · tablero (de) · cubilete (de) · dado (de)** || **juego (de)**
● CON VBOS. **sacar · guardar** || **jugar (a)** *Estuvimos jugando al parchís hasta las tantas de la noche* · **ganar (a) · perder (a)**

[parcial] → a tiempo {completo/parcial}

parcialidad s.f.

● CON ADJS. **absoluta · manifiesta · evidente · patente** *Habían dado muestras de una parcialidad tan patente que tuvieron que rectificar* · **notoria · flagrante · descarada** || **supuesta · presunta · sospechosa · aparente · pretendida** || **nula · inexistente** || **intolerable · insoportable · insostenible** || **vergonzosa · grave · turbia**
● CON SUSTS. **apariencia (de) · acusación (de) · críticas (de) · sospechas (de)**
● CON VBOS. **denunciar · criticar** *El entrenador no entró a criticar la evidente parcialidad del árbitro* · **desvelar** || **fomentar · aparentar · manifestar · demostrar · confesar · reconocer** || **dar muestras (de) · acusar (de)** *Lo acusan de flagrante parcialidad a favor de una de las candidaturas* · **actuar (con) · pecar (de) · sospechar (de)**

parco, ca (en) adj.

● CON SUSTS. **palabras** *Siempre ha sido muy parco en palabras* · **declaraciones · comentarios · explicaciones · elogios** *La crítica fue parca en elogios con el famoso director* · **halagos · aplausos · críticas · autocríticas · frases** || **noticias · información** || **detalles · adornos · decoración** || **goles** *un partido repleto de incidentes y parco en goles* · **victorias · resultados · cifras · acuerdos** || **alimentación · comida · comer · beber · yantar · consumo · consumir**
● CON VBOS. **ser · estar · resultar**

□ USO Se construye generalmente con sustantivos en plural: *una crónica parca en halagos.*

pardo, da adj.

● CON SUSTS. **oso** || **bestia** || **nube** *nubes pardas que anuncian tormenta* · **día** || **color · tono**

parduzco, ca adj.

● CON SUSTS. **color · gris · marrón · rojo · tono · tonalidad · aspecto · matiz** *Con el tiempo adquiere un matiz parduzco* || **piel · tez** || **cielo · luz · tarde · día · nube** || **paisaje · campo · árbol · monte · hoja** *un suelo cubierto de hojas parduzcas*
● CON VBOS. **ponerse · volverse**

pareado, da

1 **pareado, da** adj.
● CON SUSTS. **casa · chalé** *una urbanización de chalés pareados* · **edificio · vivienda**

2 **pareado** s.m.

▮ [verso]

● CON ADJS. **famoso · célebre · conocido || divertido** *Repitió aquel divertido pareado que decía...* · **ingenioso || simple · sencillo || soso · infame · horrendo · ripioso · certero · mal(o) · penoso · inoportuno**

● CON VBOS. **venir a cuento || escribir · componer · hacer · formar · acuñar** *Un anuncio de televisión acuñó el famoso pareado*

parecer s.m.

▮ [opinión]

● CON ADJS. **concordante · favorable || distinto · diverso · contrapuesto · encontrado · contrario || general** *Lamento discrepar del parecer general, pero voy a votar en contra* · **generalizado · unánime · particular · personal**

● CON VBOS. **concurrir || dar · intercambiar · expresar · emitir || pedir · solicitar** *Antes de tomar una decisión, solicitaremos el parecer de un grupo de expertos* · **recabar || conocer · tener en cuenta · contrastar · confrontar || contrariar || tener · sostener || ser (de)** *Soy de tu mismo parecer* **|| discrepar (de) · disentir (de) || cambiar (de)**

● CON PREPS. **de acuerdo (con)** *de acuerdo con el parecer de la directiva* · **en contra (de)**

parecer(se) v.

● CON ADVS. **como dos gotas de agua** *No hay forma humana de distinguirlos; se parecen como dos gotas de agua* · **en todo · extraordinariamente · sumamente · considerablemente · en mucho · enormemente · notablemente · significativamente || a grandes líneas · en líneas generales** *dos propuestas que se parecen en líneas generales* **|| en poco · escasamente · vagamente · remotamente · ligeramente || ni de lejos · ni por asomo** *Esta ciudad no se parece ni por asomo a la que visité en mi juventud*

parecido s.m.

● CON ADJS. **claro · indudable · asombroso · sorprendente · enorme** *Hay un enorme parecido entre las dos tradiciones* · **estrecho · fuerte · notable · sumo || cierto · leve || escaso · lejano · remoto · vago || familiar || físico**

● CON VBOS. **existir || guardar** *Guarda un asombroso parecido con su abuela* · **mantener · tener || mostrar || percibir · notar · ver** *Aunque dicen que son iguales, yo no les veo el parecido* · **encontrar**

[pared] → entre cuatro paredes; pared

pared s.f.

● CON ADJS. **compacta · dura || gruesa · delgada · fina || divisoria · separadora || prefabricada** *¿Cuáles son las ventajas de las paredes prefabricadas?*

● CON SUSTS. **reloj (de) · mapa (de) · calendario (de) · almanaque (de) · espejo (de) || papel (de) · pintura (de)**

● CON VBOS. **derrumbarse · desplomar(se) · resquebrajar(se) · desconcharse** *La pared está empezando a desconcharse* · **caer(se) · desmoronar(se) · venirse abajo || derribar · abatir · romper · echar abajo || levantar · construir · alzar || empapelar · encalar · revocar · arreglar · pintar · alisar || arañar · estropear || atravesar · agujerear** *agujerear la pared con un taladro* **|| colgar (de) · empotrar (en)**

● CON PREPS. **contra · de cara (a)** *otra vez castigada de cara a la pared*

☐ EXPRESIONES **poner** (a alguien) **contra la pared** [ponerlo en una situación muy difícil] *col.* **|| subirse** (alguien) **por las paredes** [mostrarse muy irritado] *col.*

[pareja] s.f. → parejo, ja

parejo, ja

1 **parejo, ja** adj.

● CON VBOS. **venir · llegar · ir · correr** *...dando muestras evidentes de que sus intenciones no corren parejas* · **discurrir · marchar · seguir**

2 **pareja** s.f.

▮ [persona]

● CON ADJS. **estable · fija || inestable · temporal · actual · antigua || homosexual · heterosexual || de novios · de enamorados · de recién casados || de hecho || {bien/mal} avenida**

● CON SUSTS. **relación (de) · vida (de/en)** *hacer vida de pareja* **|| problema (de) · conflicto (de) · crisis (de) || intercambio (de)**

● CON VBOS. **llevarse {bien/mal/regular} · discutir · entenderse || buscar · encontrar** *Mucha gente encuentra pareja en internet* **|| tener · formar || dejar · abandonar || vivir (en)** *Viven en pareja desde hace ya varios años* **|| cambiar (de) || romper (con) · cortar (con) || agrupar (por/en) · distribuir (por/en)**

● CON PREPS. **por** *baile por parejas*

☐ EXPRESIONES **hacer {buena/mala} pareja** [resultar compatibles/incompatibles] *Mi hermano y su novia hacen muy buena pareja*

parentesco s.m.

● CON ADJS. **cercano · estrecho · próximo || lejano · remoto || lineal || carnal · familiar || político · intelectual** *dos autores que guardan un estrecho parentesco intelectual*

● CON SUSTS. **relación (de) · grado (de) · lazo (de) · vínculo (de) · línea (de)**

● CON VBOS. **guardar · tener**

paréntesis s.m.

● CON ADJS. **largo** *Hizo un largo paréntesis en su trabajo para viajar por el mundo* · **prolongado || pequeño · breve** *Y aquí he de abrir un breve paréntesis para referirme a...* · **efímero · fugaz · anecdótico || temporal · pasajero · momentáneo · transitorio · permanente · definitivo || circunstancial · coyuntural || forzoso · obligado || clarificador || informativo · musical · publicitario || festivo · navideño · vacacional || veraniego · estival** *Las clases se reanudarán tras el paréntesis estival* · **invernal**

● CON VBOS. **abrir · cerrar** *Al final de la frase cierras el paréntesis y pones un punto y seguido* · **dejar · hacer || introducir · intercalar · insertar**

● CON PREPS. **durante · entre** *una aclaración entre paréntesis* · **tras**

pareo s.m.

● CON ADJS. **socorrido** *Siempre lleva un socorrido pareo en la maleta*

● CON SUSTS. **falda** *una falda pareo muy vistosa*

● CON VBOS. **combinar || anudar(se) || envolver(se) (en)**

➤ Véase también **ROPA**

pariente s.com.

● CON ADJS. **cercano,na** *Tiene parientes cercanos en Cuba y Venezuela* · **próximo,ma · lejano,na || carnal · sanguíneo,a**

• CON VBOS. **tener** · **encontrar** · **reconocer** || **perder** || **buscar** *Nos dijo que venía buscando a un pariente lejano* || **visitar** · **acoger** · **ver**

paripé s.m.

• CON ADJS. **ridículo** · **absurdo** · **innecesario** · **escandaloso** · **curioso** · **puro** *Lo suyo es un puro paripé*
• CON VBOS. **hacer** *hacer el paripé para llamar la atención* · **montar** · **escenificar** · **organizar** || **sufrir** · **aguantar** · **tolerar** || **prestarse (a)** · **participar (en)** · **resistirse (a)** || **tildar (de)** · **calificar (de)** *La oposición calificó la reunión con los sindicatos de paripé electoral*

paritario, ria adj.

• CON SUSTS. **composición** *La composición del Gobierno no tiene que ser paritaria* · **distribución** *una distribución paritaria de hombres y mujeres* · **reparto** · **equilibrio** || **número** · **oferta** · **tasa** · **cantidad** · **nivel** · **proporción** || **intercambio** · **negociación** · **fusión** · **reunión** · **diálogo** · **conversación** · **vinculación** · **relación** · **correlación** · **alianza** · **acuerdo** || **comisión** · **lista** · **dirección** · **asamblea** · **comité** · **gobierno** · **órgano** · **organismo** · **sociedad** · **senado** || **sistema** *La entidad funciona bajo un sistema paritario de administración* · **régimen** · **modelo** · **esquema** · **política** · **democracia** || **participación** · **representación** · **presencia** · **inclusión** || **control** *establecer el control paritario de la empresa* · **decisión** · **expresión** · **voto**

paro s.m.

▮ [situación de desempleo]
• CON ADJS. **forzoso** || **prolongado** · **indefinido** || **condenado,da (a)** *trabajadores condenados al paro forzoso*
• CON SUSTS. **problema (de)** · **causa (de)** || **curso (de)** || **oficina (de)** *Para realizar este curso hay que estar registrado en la oficina del paro*
• CON VBOS. **apuntarse (a)** *Se apuntó al paro con la esperanza de que lo llamaran para algún trabajo* · **quedarse (en)** || **abocar (a alguien) (a)** || **salir (de)** || **acabar (con)** · **dar solución (a)**
• CON PREPS. **en** *Lleva varios años en paro*

▮ [estipendio]
• CON SUSTS. **cobro (de)** · **percepción (de)** || **seguro (de)** · **subsidio (de)** · **prestación (de)**
• CON VBOS. **cobrar** *Está cobrando el paro* · **percibir** · **obtener** || **solicitar** · **pedir** || **calcular**
• CON PREPS. **en concepto (de)**

▮ [conjunto de personas desempleadas]
• CON ADJS. **elevado** · **acuciante** · **galopante** · **alarmante** || **creciente** || **reducido** · **menguante** · **decreciente** · **estabilizado** · **estable** || **juvenil** · **masculino** · **femenino**
• CON SUSTS. **aumento (de)** · **descenso (de)** || **bolsa (de)** · **cola (de)** · **lista (de)** || **nivel (de)** *El nivel del paro descendió durante el último trimestre* · **tasa (de)** · **índice (de)** · **porcentaje (de)** · **cifras (de)** · **datos (de)** · **estadística (de)**
• CON VBOS. **aumentar** *Las estadísticas confirman que el paro está aumentando de forma alarmante* · **agravar(se)** · **crecer** · **subir** || **bajar** · **decrecer** · **descender** · **disminuir** · **reducir(se)** · **mantener(se)** || **generar** || **combatir** *medidas para combatir el paro* · **erradicar** · **eliminar** · **resolver**

▮ [huelga]
• CON ADJS. **mayoritario** · **minoritario** · **general** *Pocos trabajadores secundaron el paro general de ayer* · **unánime**
• CON SUSTS. **jornada (de)** · **día (de)** · **semana (de)** || **oleada (de)** · **avalancha (de)**
• CON VBOS. **convocar** *Los sindicatos han convocado un paro para mañana* · **decretar** || **secundar** · **acatar**
• CON PREPS. **durante**

parodia s.f.

• CON ADJS. **ácida** · **descarnada** · **carismática** · **mordaz** *una parodia mordaz de la sociedad de la época* || **divertida** · **graciosa** · **hilarante** · **disparatada** || **atinada**
• CON SUSTS. **tono (de)** · **aire (de)** · **aspecto (de)**
• CON VBOS. **hacer** *Hacía una parodia de la situación política actual* · **realizar** || **encajar** · **soportar** · **aguantar** || **dirigir (contra algo/contra alguien)** || **servir(se) (de)** || **caer (en)** *Comienza siendo una crítica, pero acaba cayendo en la parodia*
• CON PREPS. **en clave (de)** *Analizan la actualidad en clave de parodia* · **en forma (de)**

☐ USO Se construye a menudo con complementos encabezados por las preposiciones *contra* (*una parodia contra la clase política*), *a* (*una parodia a un personaje público*) y *de* (*una parodia de una película*).

parón s.m.

• CON ADJS. **brusco** · **en seco** *El parón en seco del autobús me asustó* || **imprevisto** · **inesperado** · **repentino** || **económico** · **industrial** · **comercial**
• CON VBOS. **producir(se)** *Se produjo un parón inesperado en las máquinas* || **causar** || **experimentar** · **sufrir** · **tener** || **hacer** · **realizar**

párpado s.m.

• CON ADJS. **enrojecido** · **arrugado** · **abultado** · **hinchado** · **caído** · **apretado** · **carnoso** || **superior** *En urgencias le descubrieron una pequeña herida en el párpado superior* · **inferior** || **cansado** · **fatigado** · **pesado**
• CON SUSTS. **caída (de)**
• CON VBOS. **bajar** · **cerrar** · **caer** · **abrir** · **entornar** · **mover** · **sujetar** · **levantar** · **juntar** || **frotar** *El niño se frota los párpados porque tiene sueño* · **restregar** || **maquillar** · **pintar**

parra s.f.

• CON SUSTS. **hoja (de)** · **rama (de)** || **fruto (de)** · **uva (de)** || **sarmiento (de)**
• CON VBOS. **sembrar** · **plantar** || **podar** · **regar** · **cuidar**
• CON PREPS. **a la sombra (de)** · **bajo** *Descansaron un rato bajo la parra*

☐ EXPRESIONES **subirse** (alguien) **a la parra** [tomarse o exigir atribuciones que no le corresponden] *col.*

parrafada s.f. *col.*

• CON ADJS. **larga** *Soltó una larga parrafada y después...* · **gran(de)** · **interminable** · **extensa** · **prolongada** · **densa** || **insípida** · **aburrida** · **insustancial** · **insulsa** · **inútil** || **desatinada** · **inoportuna** · **intempestiva**
• CON VBOS. **echar** · **soltar** · **cruzar** · **decir**

parranda s.f.

• CON ADJS. **nocturna** *las parrandas nocturnas del verano*
• CON SUSTS. **noche (de)** · **compañero,ra (de)** · **colega (de)** · **vida (de)**
• CON VBOS. **organizar** · **armar** · **empezar** · **continuar** || **estar (de)** · **salir (de)** · **ir (de)**

parricidio s.m.

• CON ADJS. **cruel** · **brutal** · **atroz** *La Policía investiga el atroz parricidio* · **doble** || **frustrado** · **fallido** · **fracasado** || **premeditado** || **presunto** · **supuesto**

• CON SUSTS. **testigo (de)** · **autor,-a (de)** · **acusado,da (de)** *La acusada de parricidio declarará esta tarde ante el juez* || **caso (de)** · **intento (de)** · **delito (de)**
• CON VBOS. **cometer** || **investigar** · **esclarecer** · **resolver** · **descartar** *una muerte misteriosa en la que no se descarta el parricidio* || **acusar (de)** · **incitar (a)** · **inducir (a)** · **absolver (de)**

parrilla s.f.

▮ [utensilio de cocina]

• CON VBOS. **encender** · **apagar** · **conectar** · **prender** · **calentar**
• CON PREPS. **a** *chuletas a la parrilla* · **sobre** · **en**

▮ [programación]

• CON ADJS. **televisiva** · **radiofónica** || **diaria** · **semanal** *Las distintas cadenas han decidido cambiar la parrilla semanal* · **mensual** · **trimestral** · **de verano**
• CON SUSTS. **novedad (de)** · **presentación (de)**
• CON VBOS. **establecer** · **fijar** · **decidir** · **negociar** || **cambiar** · **alterar** · **ajustar** *ajustar la parrilla a los gustos del público* || **estrenar** · **anunciar** · **ofrecer** || **mantener(se) (en)** · **aparecer (en)** · **desaparecer (de)** · **retirar (de)** · **regresar (a)** *La serie regresará a la parrilla el mes que viene*

□ EXPRESIONES **parrilla de salida** [lugar de un circuito en el que se sitúan los vehículos al comenzar la carrera]

parsimonia s.f.

• CON ADJS. **absoluta** · **total** · **excesiva** *Todo lo hace con excesiva parsimonia* · **extrema** || **desesperante** · **irritante** · **exasperante** || **pasmosa** · **extraña** || **aparente** || **lenta** · **delicada** · **elegante** · **ceremoniosa** || **estudiada** · **calculada** || **habitual** *Caminaba con su parsimonia habitual* · **proverbial**
• CON PREPS. **con** · **ante**

[parte] → a partes iguales; parte

parte

1 **parte** s.m.

▮ [comunicación, información]

• CON ADJS. **facultativo** · **médico** *Según el parte médico, el estado de la paciente es grave* · **policial** · **meteorológico** · **de guerra** || **provisional** · **oficial**
• CON VBOS. **indicar (algo)** *El parte oficial indica que la muerte se produjo por causas naturales* · **reflejar (algo)** · **señalar (algo)** · **confirmar (algo)** · **certificar (algo)** · **informar (de algo)** || **facilitar** · **difundir** || **firmar** · **conocer** || **rellenar** · **remitir** || **escuchar** || **poner** *Si sigues comportándote así, te van a poner un parte*
• CON PREPS. **según** · **en**

2 **parte** s.f.

▮ [porción, pieza, componente]

• CON ADJS. **considerable** · **gran(de)** · **sustancial** *Se desprendió una parte sustancial de la maquinaria* · **representativa** || **insignificante** · **menor** · **mínima** · **pequeña** || **proporcional** || **integrante** *Estas magníficas obras de arte son parte integrante de nuestro patrimonio cultural* · **constitutiva**
• CON VBOS. **integrar (algo)** · **constituir (algo)** · **componer (algo)** || **juntar** · **reunir** · **engarzar** · **ensamblar** || **desgajar** || **formar** · **tener** || **cumplir** *Yo ya he cumplido mi parte*

▮ [participante, miembro]

• CON ADJS. **contraria** · **en conflicto** · **enfrentada** · **en litigio** · **beligerante** · **lesa** || **interesada** · **implicada**
• CON SUSTS. **reunión (de)** || **acuerdo (de/entre)** · **compromiso (de/entre)**
• CON VBOS. **conciliar** *Va a ser difícil conciliar a las dos partes en esta negociación* · **reunir** · **poner de acuerdo** · **conjuntar**

□ EXPRESIONES **dar parte** (de algo) [comunicarlo oficialmente] *Cuando nos atracaron fuimos a dar parte a la comisaría* || **de parte** (de alguien) [en su nombre] || **en parte** [no enteramente]

participación s.f.

• CON ADJS. **desprendida** · **generosa** *La realización del acto fue posible gracias a la generosa participación de todos los socios* · **abnegada** · **sin reservas** · **voluntaria** · **activa** · **decidida** · **entusiasta** || **efectiva** || **necesaria** · **inexcusable** || **decisiva** · **determinante** || **testimonial** · **simbólica** || **asidua** · **ocasional** · **esporádica** || **multitudinaria** · **abrumadora** · **masiva** *Este año esperamos una participación masiva de los alumnos* · **elevada** · **nutrida** · **mayoritaria** · **importante** · **notable** || **moderada** · **discreta** · **escasa** · **exigua** · **minoritaria** || **brillante** · **destacada** *Le agradecimos su destacada participación en la puesta en marcha del negocio* · **descollante** || **equitativa** · **igualitaria** · **paritaria** · **justa** · **salomónica** || **de lotería**
• CON SUSTS. **alcance (de)** || **espíritu (de)** || **falta (de)**
• CON VBOS. **consistir (en algo)** || **diluir(se)** || **salir a la luz** || **pedir** *Pedimos la participación decidida de todos los afectados* · **solicitar** || **tener (en algo)** || **declinar** · **eludir** · **cancelar** || **obstaculizar** · **paralizar** · **frenar** · **impedir** || **negociar** || **confesar** *El detenido terminó por confesar su participación en la estafa* · **declarar** · **reconocer** || **imputar (a alguien)** || **dar (a alguien)** || **conseguir** · **obtener** · **fomentar** · **permitir** · **favorecer** · **impulsar** · **apoyar** · **poner en marcha** || **contar (con)** *Contábamos con la participación abrumadora del público*

participar v.

• CON ADJS. **gustoso,sa** · **encantado,da** || **obligado,da** · **forzado,da**
• CON ADVS. **limpiamente** · **deportivamente** || **desprendidamente** · **generosamente** · **gratis et amore** · **voluntariamente** *Participé voluntariamente en el experimento* · **de mil amores** || **abnegadamente** · **activamente** · **decididamente** · **en primera línea** *Mi hermano participó en primera línea en las tareas de extinción del incendio* · **incansablemente** || **con entusiasmo** · **con gusto** · **gustosamente** · **con fruición** · **con interés** · **esperanzadamente** || **personalmente** *La embajadora participó personalmente en la organización del acto* || **a partes iguales** · **a tope** · **plenamente** · **en la medida de {mis/tus/sus...} posibilidades** · **destacadamente** || **decisivamente** || **en masa** || **modestamente**
• CON VBOS. **tener el gusto (de)** · **invitar (a alguien) (a)**

partícipe s.com.

• CON VBOS. **hacer** *Hizo partícipes del éxito a todos los miembros del equipo* · **sentirse** || **considerar** || **convertir(se) (en)** || **figurar (como)**

particular adj.

• CON SUSTS. **casa** · **vivienda** *El abogado tiene el despacho en su vivienda particular* · **domicilio** · **despacho** · **consulta** · **biblioteca** || **vehículo** · **coche** || **escuela** · **centro** · **colegio** · **clase** *dar clases particulares de matemáticas* || **colección** · **fondo** || **criterio** · **concepción** · **análisis** · **en-**

tendimiento · juicio · interpretación · punto de vista || gusto · deseo · preferencia · estética *...todo ello dentro de su particular estética minimalista* · **interés || cuestión · caso · situación || actividad · proyecto || secretario,ria** *Para pedir cita con él, tienes que hablar con su secretario particular* || **característica · rasgo || modo de {ser/pensar/estar/entender...}**

□ EXPRESIONES **en particular** [de manera distinta o especial] || **sin otro particular** [sin nada más que añadir]

partida **partida** s.f.

▮ [remesa de mercancías]

● CON VBOS. **llegar || solicitar · enviar · entregar · recibir** *Hemos recibido esta mañana una partida de fármacos* || **comprar · gastar · agotar || asignar · aprobar || incautarse (de)** *La Policía se incautó de una partida de estupefacientes*

▮ [registro]

● CON ADJS. **de nacimiento · de bautismo**

▮ [juego]

● CON ADJS. **reñida** *La reñida partida de ajedrez se prolongó durante...* · **disputada · interesante · emocionante || aburrida · tediosa || insólita · imprevista || de cartas · de naipes · de ajedrez · de parchís · de dominó · de billar · de bolos · de ping-pong**

● CON VBOS. **empezar · terminar || echar** *¿Echamos una partida de cartas?* · **jugar || perder · ganar**

partidario, ria

1 **partidario, ria** adj.

● CON ADVS. **totalmente · decididamente · incondicionalmente · sin reservas || moderadamente · dentro de un orden**

2 **partidario, ria** s.

● CON ADJS. **absoluto,ta · acérrimo,ma** *Es partidario acérrimo de la informatización del sistema* · **firme · incondicional || entusiasta · ferviente · fervoroso,sa · fogoso,sa || convencido,da · decidido,da || declarado,da || {con/sin} reservas**

● CON VBOS. **congregar · reunir · aglutinar · convocar || arrastrar || granjearse** *Fue hábil y se granjeó numerosos partidarios* || **tener**

□ USO Se construye frecuentemente con complementos encabezados por la preposición *de*: *los partidarios de la reforma.*

[partido] → a brazo partido; partido; tomar partido

partido s.m.

▮ [encuentro deportivo]

● CON ADJS. **benéfico · copero** *Nuestro equipo no ha perdido todavía ningún partido copero* || **aburrido · aletargado · interminable · lento** *un lento y aburrido partido de balonmano* · **mal(o) · pésimo · plomizo || electrizante · trepidante · apoteósico · brillante · buen(o) || desafortunado · infausto || a vida o muerte · reñido** *Los dos equipos eran muy buenos y el partido de fútbol fue muy reñido* · **a cara de perro · bronco · crucial || a cara o cruz || equilibrado · igualado** *El partido estuvo durante todo el tiempo muy igualado y solo al final...* · **de poder a poder || asequible || agotador** *un agotador partido de tenis de varias horas de duración* || **a puerta cerrada · en abierto** *un partido de baloncesto en abierto* || **de ida y vuelta · de ida · de vuelta**

● CON VBOS. **tener lugar || caldear(se) · ambientar(se) || celebrar(se) · disputar · jugar · afrontar · dirimir · sellar || encarrilar · enderezar · nivelar · remontar · empatar || bordar · ganar || perder** *Perdimos el partido por un tanto* || **robar || amañar** *Están investigado si alguien amañó el partido* · **adulterar || capitanear || presenciar · seguir · ver · contemplar || transmitir · retransmitir || participar (en) || salir reforzado (de) || disfrutar (de)**

● CON PREPS. **en · a lo largo (de) · durante**

▮ [grupo político]

● CON ADJS. **irreconciliable** *dos partidos irreconciliables en política económica* || **gobernante || democrático · legal · ilegal || político** *afiliarse a un partido político* || **simpatizante (de/con)**

● CON SUSTS. **actividad (de) || miembro (de) · cabeza (de) · líder (de)**

● CON VBOS. **salir {vencedor/derrotado} · triunfar || disolver(se)** *El partido se disolvió tras la derrota electoral* · **desmembrar(se) · derrumbarse · escorar(se) || aglutinar** *un partido que aglutina un amplio abanico de tendencias* || **crear · fundar · refundar · formar || presidir · encabezar || derrotar || legalizar · ilegalizar · abolir || votar** *Siempre he votado al mismo partido* || **afiliar(se) (a) · enrolar(se) (en) · simpatizar (con) || disentir (de)**

▮ [provecho, beneficio]

● CON VBOS. **sacar** *A esa idea se le puede sacar mucho partido*

□ EXPRESIONES **ser** (alguien) **un buen partido** [estar en situación de casarse y disfrutar de una buena posición económica o social] *col.* || **tomar partido*** [elegir una opción sin quedarse al margen]

partir v.

▮ [ponerse en marcha o proceder]

● CON ADVS. **como una bala || de cero** *un negocio que partió de cero* · **de la nada || originalmente · originariamente** *La idea partió originariamente de ella*

▮ [dividir]

● CON ADVS. **limpiamente · de un {golpe/tajo...} · en {dos/tres/cuatro...}** *De un corte lo partió en dos*

□ EXPRESIONES **a partir de** [desde]

partitura s.f.

● CON ADJS. **musical** *Para aprender a leer bien una partitura musical...* || **original · espléndida || difícil · compleja · fácil**

● CON SUSTS. **autor,-a (de) || página (de) · parte (de) || colección (de)** *una colección de partituras de zarzuela muy interesante* || **copia (de) · ejemplar (de)**

● CON VBOS. **leer · estudiar · conocer** *Se presentó al ensayo sin conocer la partitura* · **revisar || publicar · editar || componer · escribir || interpretar · ejecutar · cantar || presentar · estrenar || seleccionar · escoger** *Escogió su partitura de violín preferida*

parto s.m.

● CON ADJS. **vaginal · (con/por) cesárea** *El niño venía de nalgas, por eso hubo que realizar un parto por cesárea* · **natural · con fórceps || inducido · espontáneo · programado || prematuro · a término · normal || múltiple · gemelar || sin dolor · doloroso · traumático || rápido** *El parto fue rápido y sin complicaciones* · **fácil · feliz || largo · difícil · laborioso · duro · complejo · delicado · de (alto) riesgo**

● CON SUSTS. **dolores (de)** · **fecha (de)** *El tocólogo ha adelantado una semana la fecha del parto* · **canal (de)** · **síntoma (de)** · **contracciones (de)** · **molestias (de)** · **sala (de)** *Todas las salas de parto estaban ocupadas* || **preparación (a)** *un curso de preparación al parto*
● CON VBOS. **complicar(se)** · **adelantar(se)** · **producirse** · **durar** · **discurrir** || **atender** · **presenciar** · **programar** · **acelerar** · **inducir** *Si dentro de unas horas continúa igual, será preciso inducir el parto* · **provocar** · **monitorizar** || **tener** · **esperar** · **preparar** || **recuperarse (de)** *ejercicios para recuperarse del parto* · **asistir (a)** · **acompañar (a)** · **ayudar (a)** || **llegar (a)** · **estar (de)** · **ponerse (de)**

parturienta s.f.

● CON ADJS. **primeriza** · **multípara** · **primípara** · **joven**
● CON VBOS. **dar a luz** *La parturienta dio a luz un hermoso bebé* · **dilatar** · **evolucionar** || **atender** · **asistir** · **ayudar** · **tratar** · **controlar** · **anestesiar** || **ocuparse (de)** *En seguida una matrona se ocupó de la parturienta*

[pasa] s.f. → paso, sa

[pasada] s.f. → de pasada

pasadizo s.m.

● CON ADJS. **secreto** · **desconocido** · **subterráneo** · **oculto** || **lóbrego** · **oscuro** || **tortuoso** · **complicado** || **estrecho** · **largo** · **cubierto** · **pequeño** · **interminable** *Recorrieron un pasadizo interminable* · **continuo** || **abandonado** · **antiguo** *Un antiguo pasadizo unía el edificio con el exterior de la muralla* · **estratégico** || **lleno,na (de)**
● CON SUSTS. **red (de)** · **laberinto (de)**
● CON VBOS. **unir (algo)** · **comunicar (algo)** || **atravesar** · **recorrer** · **usar** · **explorar** · **descubrir** || **excavar** · **construir** *Van a construir un nuevo pasadizo subterráneo* · **reconstruir** || **bajar (por)** · **atajar (por)** · **salir (por)** · **huir (por)** · **transitar (por)** *Hace años que nadie transita por ese pasadizo* · **desembocar (en)**
● CON PREPS. **a través (de)** · **por** · **a lo largo (de)** · **hacia** · **en**

[pasado] → a toro pasado; pasado

pasado s.m.

● CON ADJS. **aleccionador** · **intachable** *Fue elegida para el cargo porque tiene un pasado intachable* · **imborrable** || **oscuro** · **turbio** · **borrascoso** · **tormentoso** · **turbulento** · **tortuoso** || **desgraciado** || **esplendoroso** · **feliz** *Estas fotos solo son recuerdos de un pasado feliz* || **dilatado** || **cercano** · **inmediato** · **reciente** · **vivo** || **lejano** · **remoto** · **inmemorial** || **a cuestas** || **anclado,da (en)** · **inmerso,sa (en)** · **preso,sa (de)** *una persona presa de su pasado*
● CON SUSTS. **recuerdo (de)** · **huella (de)** · **resto (de)**
● CON VBOS. **atenazar (a alguien)** · **gravitar (sobre alguien)** · **pesar (sobre alguien)** || **empañar(se)** · **difuminar(se)** · **borrar(se)** || **venir (a la memoria)** || **salir a la luz** *Su turbio pasado terminó por salir a la luz y tuvo que dimitir* || **descubrir** · **desenterrar** · **destapar** · **desvelar** || **investigar** · **revisar** || **interpretar** || **recordar** · **rememorar** · **traer (a la memoria)** · **revivir** · **recuperar** || **desterrar** · **olvidar** *Quería olvidar el pasado y mirar solo hacia el futuro* || **honrar** || **distorsionar** · **tergiversar** · **subvertir** || **ensuciar** · **enturbiar** · **manchar** || **digerir** · **superar** · **zanjar** || **reconstruir** · **purgar** || **tener** *Una buena parte de los políticos tienen pasado* || **adentrarse (en)** · **ahondar (en)** *un libro que ahonda en el pasado de esta monarquía* · **profundizar (en)** · **internarse (en)** · **bucear (en)** · **escarbar (en)** || **aferrarse (a)** · **anclarse (en)** · **apegarse (a)** · **encerrarse (en)** *Se encierra a menudo en el pasado para no tener que enfrentarse con la realidad* · **vivir (en)** · **alimentarse (de)** · **dejarse llevar (por)** || **volver (a)** · **remontarse (a)** · **retornar (a)** || **huir (de)** *Huir del pasado no suele ser la forma de resolver los problemas* · **escapar (de)** · **renegar (de)** · **abjurar (de)** · **cortar (con)** · **romper (con)** || **atormentar(se) (con)**

pasaje s.m.

● CON ADJS. **de ida** *Reservé un pasaje solo de ida porque no estaba seguro de volver* · **de vuelta** · **de ida y vuelta**
● CON VBOS. **reservar** · **encargar** · **retirar** || **comprar** · **pagar** || **tener**

pasajero, ra

1 **pasajero, ra** adj.

▮ [fugaz, transitorio]

● CON SUSTS. **fenómeno** · **hecho** · **suceso** || **moda** · **éxito** · **fama** · **efervescencia** · **ola** || **tendencia** · **inclinación** · **estímulo** · **reacción** · **impulso** || **molestia** *unas molestias pasajeras en el estómago* · **malestar** · **mareo** · **trastorno** · **dolencia** · **dolor** · **indisposición** · **enfermedad** · **locura** || **crisis** · **problema** · **dificultad** *Tuvieron algunas dificultades pasajeras pero lograron superarlas* · **adversidad** · **desgracia** · **desventura** · **bache** · **anomalía** · **trago** || **convulsión** · **polémica** · **escándalo** · **conflicto** || **disgusto** · **enfado** · **inquietud** · **nerviosismo** · **malhumor** · **desánimo** · **decepción** · **depresión** · **angustia** || **alegría** *La alegría pasajera de los días de carnaval* · **alivio** · **bienestar** · **felicidad** · **ilusión** · **tranquilidad** · **éxtasis** · **placer** || **situación** · **etapa** · **estado** · **fase** · **coyuntura** · **momento** || **recuperación** *Se trataba tan solo de una recuperación pasajera* · **subida** · **desarrollo** · **descenso** · **devaluación** · **desaceleración** · **amortiguación** · **reducción** || **entretenimiento** · **distracción** · **evasión** || **relación** · **romance** *Confesó que habían tenido un romance pasajero* · **amor** · **ligue** · **aventura** · **historia** || **nube** · **nubarrón** · **tormenta** || **golondrina** || **imagen** · **idea** · **sentimiento** · **canción** · **recuerdo** · **sueño**

2 **pasajero, ra** s.

▮ [persona]

● CON ADJS. **a bordo** · **en tránsito** *aviso para los pasajeros en tránsito* || **habitual** · **asiduo,dua** · **ocasional** || **clandestino,na** || **desesperado,da** · **impaciente** · **intranquilo,la** || **seguro,ra** · **confiado,da**
● CON SUSTS. **equipaje (de)** · **asiento (de)** · **confort (de)** · **seguridad (de)** *La seguridad de los pasajeros es prioritaria* · **airbag (de)** || **transporte (de)** · **tráfico (de)** · **flujo (de)** · **tránsito (de)** · **movimiento (de)** · **afluencia (de)** || **tren (de)** · **avión (de)** · **autobús (de)** · **barco (de)** · **vehículo (de)** || **terminal (de)** · **línea (de)** || **volumen (de)** · **exceso (de)** || **control (de)** · **lista (de)**
● CON VBOS. **llegar** · **salir** · **subir** · **bajar** · **esperar** · **embarcar** · **desembarcar** · **abandonar (un lugar)** *Los pasajeros abandonaron el avión a las once* · **viajar** · **volar** · **hacer escala** || **trasladar** · **transportar** · **llevar** · **recoger** · **evacuar** || **atender** · **proteger**

pasaporte s.m.

● CON ADJS. **en regla** *Comprobamos que nuestros pasaportes estuvieran en regla antes de salir de viaje* · **en vigor** || **caducado**
● CON VBOS. **caducar** · **vencer** || **solicitar** · **tramitar** *¿Cuál es la documentación necesaria para tramitar el pasaporte?* · **sacar** · **renovar** || **conceder** · **dar** · **extender** · **validar** · **expedir** || **denegar** || **sellar** *En la frontera nos sellaron el pasaporte* || **falsificar**

[pasar]

→ pasar; pasar a limpio; pasar la noche; pasar(lo); pasar (por); pasar revista (a); pasarse (de); pasárse(le) por la cabeza (a alguien)

pasar v.

• CON SUSTS. **calle · río** *pasar el río en barca* || **barrera · línea · listón · límite** || **prueba** *El concursante no logró pasar todas las pruebas* · **examen · curso** *Mi hermano pasó el curso sin dificultad* || **día · tiempo · verano** *pasar los veranos en la playa* · **rato** · ***otros períodos*** || **sal** *Pásame la sal, por favor* · **tarro · lápiz · goma** || **dato · texto** · ***otras informaciones*** || **tormenta · racha** *Ánimo, que las malas rachas pasan pronto* || **dolor** *¿Se te ha pasado ya el dolor de cabeza?* · **molestia**

• CON ADJS. **desapercibido,da** *Su intervención pasó desapercibida* · **inadvertido,da · airoso,sa** || **despistado,da · distraído,da** *Pasó distraído a mi lado y ni me vio* · **desprevenido,da**

• CON ADVS. **a {mi/tu/su...} lado** || **a toda máquina** *Pasó a toda máquina por mi lado, camino del trabajo* · **a todo tren · como una exhalación · a uña de caballo · rápidamente · fugazmente** || **de largo** || **a cámara lenta · lentamente** || **de puntillas** *El ministro pasó de puntillas sobre el tema para no despertar la polémica* · **de refilón · de soslayo · por los pelos** *Me dieron un aprobado justito, así que pasé por los pelos* || **de incógnito · sin pena ni gloria** *Era un espectáculo muy esperado, pero pasó sin pena ni gloria* || **de boca en boca · de mano en mano** || **airosamente · de sobra · holgadamente · ventajosamente · favorablemente** || **con suerte** || **indefectiblemente · inevitablemente · inexorablemente · irremediablemente** || **en balde** || **de un día para otro** || **a cuchillo** *Serán juzgados los que dieron la orden de pasar a cuchillo a cientos de civiles* || **mano sobre mano** *Me pasé toda la tarde mano sobre mano sin hacer nada* || **lisa y llanamente · olímpicamente** *...y nos dijo que pasaba olímpicamente de volverle a llamar* · **soberanamente**

pasar a limpio loc.vbal.

• CON SUSTS. **carta** *¿Me corriges esta carta antes de pasarla a limpio?* · **escrito · párrafo · informe · boceto** · ***otros textos***

pasar la noche loc.vbal.

• CON ADVS. **al raso · a la intemperie** || **en blanco · en vela** *Pasé la noche en vela, preocupado por si te había ocurrido algo*

pasar(lo) v.

• CON ADVS. **bárbaro · de fábula** *Fuimos todos a la fiesta y me lo pasé de fábula* · **fenomenal · de maravilla · maravillosamente · de miedo · estupendamente · de lo lindo · en grande** *Ven con nosotros, que lo pasarás en grande* · **bien** || **regular · mal** *Lo pasa muy mal cada vez que viaja en avión* · **fatal**

pasar (por) v.

• CON SUSTS. **casa · calle · ciudad** *...y pasaremos por diferentes pueblos y ciudades europeos* · **país · barrio** · ***otros lugares*** || **período** *Este negocio ha pasado por períodos de prosperidad, pero también de crisis* · **fase · momento · etapa**

□ EXPRESIONES **pasar por alto** [hacer caso omiso] || **pasar por encima** (de algo) [actuar sin ningún tipo de consideración hacia ello]

pasar revista (a) loc.vbal.

• CON SUSTS. **batallón · compañía · soldados** *El mando militar pasó revista a los soldados que estaban a punto de salir en una misión* · **tropa · desfile** || **agenda · calendario** || **asunto** *Pasamos revista a los asuntos pendientes antes de comenzar la reunión* · **problema · tema** || **historia · pasado**

pasarse (de) v.

• CON ADJS. **listo,ta** *Piensa bien las cosas, no vayas a pasarte de listo* || **amable · bueno,na** *Creo que se pasa de bueno, después de lo mal que se han portado ellos con él* · **generoso,sa · servicial**

pasárse(le) por la cabeza (a alguien) loc.vbal.

• CON ADVS. **ni loco · ni por un momento** *...ante una idea que ni por un momento se me había pasado por la cabeza* · **remotamente · ni por asomo · ni en sueños · ni de broma · ni en broma · ni borracho**

pasatiempo s.m.

• CON ADJS. **entretenido · agradable · apasionante · divertido** *Nos enseñaron algunos pasatiempos muy divertidos* · **relajante** || **inocente · sencillo · fácil** || **banal · intrascendente · trivial · frívolo · vano** || **mero · puro · simple** || **complicado · difícil** || **original** || **favorito** *Los coches de carreras son su pasatiempo favorito* · **principal** || **literario · lógico · lúdico · matemático · televisivo · veraniego · infantil · educativo**

• CON SUSTS. **página (de) · revista (de) · sección (de) · suplemento (de)**

• CON VBOS. **constituir** || **hacer · resolver** *Resuelve pasatiempos y crucigramas* || **tener** || **tomarse en serio** || **dedicar(se) (a) · entretener(se) (con)** || **servir (de) · tomar (como)**

• CON PREPS. **como · de**

pase s.m.

▌[entrega del balón]

• CON ADJS. **preciso · calculado · certero · milimétrico · impecable · buen(o) · gran · fantástico · mágico · inverosímil** || **fallido · mal(o)** || **en profundidad · aéreo · interior** || **defensivo · ofensivo** *El entrenador criticó a sus jugadores porque no practicaban el pase ofensivo* · **letal** || **corto · largo** || **rápido · lento** || **de rodilla · de tacón · de espuela**

• CON VBOS. **salir (a alguien)** *Le salió un fantástico pase de tacón* || **ejecutar · hacer · poner en práctica · realizar · efectuar** || **dar · lanzar · enviar** || **hilvanar** *Si los delanteros consiguieran hilvanar un par de pases como este...* || **recibir · cabecear · interceptar** || **aclamar**

▌[lance taurino]

• CON ADJS. **de pecho · de grupa · de muleta** || **templado · cambiado** *Le gustaba iniciar la faena con unos cuantos pases cambiados* · **invertido · corrido · circular · ceñido** || **medio · bajo · alto** || **por alto · por bajo** || **doble · suelto · aislado · natural**

• CON VBOS. **dar · pegar · alternar · cuajar · sacar** || **trenzar · ligar · engarzar · encadenar** *Encadenó una serie de pases de pecho con los que levantó al público* · **enlazar · doblar** || **bordar · templar · acabar** || **tragar(se)** || **rematar (con)** *Remató la faena con un pase ceñido*

▌[clasificación]

• CON ADJS. **directo · automático** || **meritorio · brillante**

• CON VBOS. **asegurar(se)** *La selección tratará de asegurarse su pase a la siguiente ronda* · **lograr · alcanzar** ·

obtener · **concretar** || **buscar** · **intentar** *El equipo intentará esta tarde su pase a la final*

▮ [permiso]

● CON ADJS. **libre** · **internacional** *Se le denegó el pase internacional por...* · **temporal** · **provisional** || **de favor** · **de pernocta**
● CON VBOS. **conceder (a alguien)** · **dar (a alguien)** · **otorgar (a alguien)** · **facilitar (a alguien)** || **denegar** · **negar** || **obtener** · **recibir** · **conseguir** · **adquirir** · **tener** || **pedir** · **negociar**

▮ [proyección]

● CON ADJS. **televisivo** · **musical** *La fiesta se cerró con un ameno pase musical* || **anual** · **gratis** · **de entrada**

pasear v.

● CON ADVS. **a {mis/tus/sus...} anchas** · **a cuerpo** · **a gusto** || **apaciblemente** · **serenamente** · **sosegadamente** · **plácidamente** · **despreocupadamente** · **tranquilamente** · **gustosamente** || **de punta en blanco** *Se paseaba por los locales de moda de punta en blanco* || **de incógnito** || **de arriba abajo** *La sala estaba llena de pasajeros que paseaban impacientes de arriba abajo*

[paseo] → de paseo; paseo

paseo s.m.

▮ [acción de pasear]

● CON ADJS. **agradable** · **delicioso** · **grato** · **sosegado** || **estimulante** · **reconfortante** || **accidentado** || **breve** · **corto** *Dimos un corto paseo por los alrededores* · **pequeño** || **prolongado** · **largo** || **monótono** || **triunfal** *Los vencedores tuvieron su paseo triunfal por las calles principales de la ciudad*
● CON SUSTS. **zona (de)** · **lugar (de)** · **área (de)** || **bicicleta (de)** · **coche (de)** · **silla (de)** *llevar a un bebé en la silla de paseo* || **uniforme (de)** · **traje (de)** || **ritmo (de)**
● CON VBOS. **prolongar(se)** *El paseo se prolongó hasta última hora de la tarde* || **dar** || **salir (de)** · **ir (de)** || **llevar (a alguien) (de)** · **sacar (a alguien) (de)** || **estar (de)**
● CON PREPS. **durante**

▮ [lugar]

● CON ADJS. **alargado** · **ancho** · **estrecho** || **arbolado** · **ajardinado** || **peatonal** *las obras del nuevo paseo peatonal* · **principal** · **céntrico** · **central** || **campestre** · **marítimo** · **comercial**
● CON VBOS. **extenderse** || **inaugurar** || **recorrer** · **cruzar** · **ocupar** · **atravesar** · **tomar** *Gire a la derecha y siga recto hasta tomar el paseo central* · **seguir** · **coger** || **visitar** || **caminar (por)** *Por las noches solíamos caminar por el paseo marítimo* · **andar (por)**
● CON PREPS. **a lo largo (de)**

pasión s.f.

● CON ADJS. **abrasadora** · **ciega** *consumido por una pasión ciega y arrolladora* · **ardiente** · **incendiaria** · **encendida** · **febril** · **fervorosa** · **ardorosa** · **incandescente** · **visceral** · **arrebatada** · **arrolladora** · **turbulenta** · **desbordante** · **frenética** · **exacerbada** · **exaltada** · **arrasadora** · **fulgurante** || **desaforada** · **desbordada** · **desenfrenada** *Se propuso inútilmente dominar aquella desenfrenada pasión por...* · **desorbitada** · **desmedida** · **desmesurada** · **insaciable** · **sin barreras** || **incontenible** · **incontrolable** · **irrefrenable** · **indomable** · **irresistible** || **adormecida** || **absorbente** · **obsesiva** · **enfermiza** · **loca** · **insana** · **sórdida** || **sana** || **palpitante** · **vívida** · **viva** || **a flor de piel** · **latente** · **contagiosa** || **efímera** · **fugaz** || **instintiva** · **inconfesable** · **inconfesada** || **amorosa** · **carnal** || **intelectual** · **artística** || **poseído,da (por)** · **preso,sa (de)** *Vivía preso de una pasión inconfesable* || **ciego,ga (de)** · **lleno,na (de)** · **rebosante (de)** || **carente (de)** · **falto,ta (de)**
● CON SUSTS. **arranque (de)** · **arrebato (de)** || **ápice (de)** || **exceso (de)**
● CON VBOS. **surgir** *¿Cuándo surgió tu pasión por el cine?* · **aflorar** · **brotar** · **desencadenar(se)** || **desatar(se)** · **desbocar(se)** · **desbordar(se)** · **enardecer(se)** · **exaltar(se)** || **apoderarse (de)** · **entrar(le) (a alguien)** · **prender (en)** || **embargar** · **anidar (en)** · **consumir(le) (a alguien)** || **calmar(se)** · **decrecer** · **disminuir** · **aminorar** · **aplacar(se)** · **enfriar(se)** · **sosegar(se)** · **desvanecerse** *una pasión desbordante que fue desvaneciéndose con el paso del tiempo* || **perdurar** || **palpitar** *El entusiasmo y la pasión palpitaban en cada uno de sus actos* || **transmitir(se)** · **traslucir(se)** || **despertar** *...para volver a despertar su pasión por la naturaleza* · **encender** · **exacerbar** · **alimentar** · **atizar** · **avivar** · **reavivar** · **cultivar** · **engendrar** || **inculcar(le) (a alguien)** · **contagiar** *Era capaz de contagiar a quien lo escuchara su pasión por las palabras* || **liberar** · **desfogar** · **verter** || **apaciguar** · **atemperar** · **templar** · **moderar** · **amortiguar** || **contener** · **controlar** · **dominar** · **reprimir** · **sofocar** || **derramar** · **derrochar** || **confesar** · **declarar** · **destapar** || **sentir** · **encerrar** · **albergar** · **experimentar** || **dar rienda suelta (a)** · **dejarse llevar (por)** *Se dejó llevar por la pasión y se lo confesó todo* || **henchir(se) (de)** · **vibrar (de)**

pasional adj.

● CON SUSTS. **arrebato** *en pleno arrebato pasional* · **impulso** · **reacción** · **estallido** · **frenesí** · **desvarío** || **fuego** · **fuerza** || **crimen** *Todo apunta a que se trata de un crimen pasional* · **venganza** · **conflicto** · **problema** · **delito** · **violencia** || ***persona*** *Es una chica muy pasional* || **carácter** · **temperamento** · **estado** || **móvil** · **motivo** || **relación** · **juego** · **amor** · **entrega** · **triángulo** || **drama** *Se basa en un drama pasional y policial en el que...* · **melodrama** · **obra** · **historia** · **novela** · **relato** · **discurso** · **retórica** · **lírica**
● CON ADVS. **tremendamente** · **terriblemente** · **enormemente** · **desmesuradamente** · **desproporcionadamente**

[pasivo, va] → pasivo, va; por activa y por pasiva

pasivo, va

1 **pasivo, va** adj.

● CON SUSTS. **sujeto** · **actitud** *No entiendo su actitud tan pasiva ante el problema* · **papel** || **resistencia** || **eutanasia** || **fumador,-a** || **voz** *una oración en voz pasiva*
● CON VBOS. **ser** · **estar** · **permanecer** · **mantener(se)** · **quedarse**

2 **pasivo** s.m.

▮ [conjunto de deudas]

● CON ADJS. **elevado** *problemas derivados de los altos costos y los elevados pasivos de las pensiones* · **superior** || **exigible** || **financiero** · **bancario** · **laboral**
● CON SUSTS. **coste (de)** · **cantidad (de)** · **fondo (de)**
● CON VBOS. **declarar**

pasmado, da adj.

● CON ADVS. **absolutamente** *Se quedó absolutamente pasmada* · **completamente** · **literalmente** · **momentáneamente** · **totalmente**
● CON VBOS. **estar** · **dejar** *Me dejas pasmada* · **quedar(se)** · **permanecer** · **seguir**

[pasmarote] →como un pasmarote

pasmo s.m.

● CON ADJS. **auténtico · cierto · verdadero || general · público · universal · propio || momentáneo · fugaz · pasajero**

● CON SUSTS. **cara (de)** *Se quedaron con cara de pasmo cuando apareció rapado* · **expresión (de) · sensación (de)**

● CON VBOS. **entrar (a alguien) · dar (a alguien)** *Casi le da un pasmo del frío que hacía* || **suscitar · causar · provocar · producir || sufrir · tener || salir (de) · despertar (de) · recuperarse (de) · recobrarse (de) || llenar (de)** *una autoestima tan elevada que llena de pasmo a sus colaboradores*

● CON PREPS. **al borde (de) · con**

[paso] →abrirse paso; a pasos agigantados; paso, sa; paso a nivel; salir al paso (de)

paso, sa

1 **paso, sa** adj.

● CON SUSTS. **uva** *un pastel con uvas pasas* · **ciruela**

2 **paso** s.m.

▮ [movimiento, ritmo]

● CON ADJS. **ágil · rápido · arrasador · arrollador · trepidante · implacable · vivaz · vivo || firme** *La tropa avanzaba con paso firme* · **seguro || inseguro · vacilante** *...y se acercó a nosotros con paso vacilante* · **sigiloso || regular · uniforme · constante · sostenido · rítmico · parsimonioso · marcial · de la oca || de baile || cansino · lento · renqueante || crucial · cualitativo · decisivo** *La fusión fue un paso decisivo para nuestra empresa* · **fundamental · importante · histórico · trascendente · de gigante || delicado || inexorable · obligado · inevitable · necesario || en falso · en firme || irreversible || honroso**

● CON VBOS. **dar** *Han dado un importante paso en su relación al tomar la decisión de...* || **acelerar** *Si no aceleras el paso no llegaremos a tiempo al cine* · **agilizar · aligerar · avivar · apretar || aflojar · frenar · aminorar · ralentizar || marcar · seguir · calcular · anticipar || permitir · ceder || encarrilar · enderezar · desviar || desandar || constituir · significar · suponer || obviar · saltarse || enseñar · aprender** *Aunque no sepas bailar puedes aprender algunos pasos*

▮ [lugar, acceso]

● CON ADJS. **de cebra** *cruzar por el paso de cebra* · **de peatones || a nivel || angosto · estrecho** *Los dos pueblos estaban unidos por un estrecho paso en las montañas* || **montañoso · entre montañas || libre · expedito · abierto || prohibido · permitido**

● CON VBOS. **dejar** *Las máquinas dejaron el paso libre y pudimos continuar* || **cortar · bloquear · obstaculizar · obstruir · obturar · impedir · restringir · vetar · prohibir || abrir(se) · desbloquear(se) · liberar**

3 **pasa** s.f.

● CON ADJS. **sultana · moscatel · de Corinto || sin pepitas**

● CON SUSTS. **pastel (de) · bizcocho (de) · pan (de) || puñado (de)**

● CON VBOS. **añadir** *añadir pasas a un bizcocho* · **agregar · echar · incorporar · poner**

● CON PREPS. **con** *una salsa con pasas*

☐ EXPRESIONES **a {un/dos/tres...} pasos** [a corta distancia] || **de paso** [aprovechando la ocasión] || **paso del Ecuador** [fiesta o viaje de los estudiantes en la mitad de la carrera] || **seguir los pasos** (a alguien) [espiarlo o vigilarlo] || **seguir los pasos** (de alguien) [imitarlo en lo que hace]

paso a nivel loc.sust.

● CON ADJS. **con barrera(s) · sin barrera(s)** *el peligro de un paso a nivel sin barreras*

● CON VBOS. **bajar · cerrar || levantar · abrir || atravesar · cruzar**

pasodoble s.m.

● CON ADJS. **popular · conocido || taurino · fallero**

● CON SUSTS. **son (de) · ritmo (de) · música (de)** *La música del pasodoble animó a la gente a bailar* || **repertorio (de) · selección (de)**

● CON VBOS. **oír · escuchar || tocar · interpretar · cantar · tararear · bailar || poner || arrancar (con)** *La fiesta arrancó con un popular pasodoble*

● CON PREPS. **a ritmo (de)**

pasta s.f.

▮ [masa]

● CON ADJS. **de papel** *objetos hechos con pasta de papel* · **de celulosa · de algodón · vítrea · de cemento · cerámica · arcillosa || sólida · homogénea || de dientes** *Se está acabando la pasta de dientes* · **dentífrica · dental || de coca · de opio**

● CON SUSTS. **base** *Consumen pasta base mezclada con tabaco*

● CON VBOS. **pasarse || producir · preparar || convertir (en)**

▮ [alimento]

● CON ADJS. **alimenticia · fresca** *Ha preparado pasta fresca para cenar* · **al huevo · al dente || fina · deliciosa · refrigerada**

● CON SUSTS. **ensalada (de) · plato (de) · receta (de)**

● CON VBOS. **amasar · hervir · escurrir** *Escurra bien la pasta antes de ponerla en el plato* · **cocer · cocinar · preparar · hacer · añadir || comer · cenar || acompañar (con algo)**

▮ [dinero] *col.*

● CON ADJS. **gansa** *Han ganado una pasta gansa en la lotería*

● CON VBOS. **conseguir · robar · ganar · aflojar · pedir · prestar · dejar · tener** *No tiene suficiente pasta para comprarlo*

pastar v.

● CON SUSTS. **vaca · oveja ·** ***otros animales*** **|| rebaño · ganado**

● CON ADVS. **a sus anchas · libremente || placenteramente · plácidamente · apaciblemente**

pastelería s.f.

● CON ADJS. **industrial · congelada || artesana · artesanal**

● CON SUSTS. **horno (de) · escaparate (de) || producto (de) · especialidad (de)**

➤ Véase también **ESTABLECIMIENTO**

pastelero, ra adj.

● CON SUSTS. **crema** *tarta de crema pastelera* · **tarta || industria · fábrica || tradición · familia || maestro,tra · artista || manga · molde**

pasteurizar v.

● CON SUSTS. **leche** *pasteurizar la leche para eliminar los gérmenes*

[pastilla] → a toda pastilla; pastilla

pastilla

1 **pastilla** s.f.

● CON SUSTS. **sobredosis (de) · dosis (de) || ingestión (de) · consumo (de) || bote (de) · caja (de)**

● CON VBOS. **tomar** *Olvidé tomarme la pastilla antes de comer* · **ingerir · tragar · masticar · chupar · deshacer || prescribir · recetar || recurrir (a)**

● CON PREPS. **en** *detergente en pastillas* · **en forma (de) || a base (de)**

2 **pastilla (de)** s.f.

● CON SUSTS. **éxtasis · hachís · cocaína · *otras drogas* || cloro · flúor · fibra · *otros sustancias* || jabón || chocolate · caldo || freno** *las pastillas de freno del coche*

□ EXPRESIONES **a toda pastilla*** [muy deprisa] *col.*

pastor, -a s.

▮ [del ganado]

● CON ADJS. **de ovejas · de cabras || nómada**

● CON SUSTS. **pueblo (de)** *un pueblo de pastores perdido en la montaña* · **comunidad (de) · grupo (de) · familia (de)**

● CON VBOS. **guiar (el rebaño) · llevar (el rebaño) · cuidar (el rebaño)**

▮ [eclesiástico]

● CON ADJS. **protestante · evangélico · de la iglesia**

● CON VBOS. **presidir (algo) · rezar · orar · adoctrinar (a alguien) · predicar**

pastoril adj.

● CON SUSTS. **género · novela · zarzuela · nana · relato · espectáculo · drama · epopeya · verso || idilio · rincón || ambiente** *Toda la obra se desarrolla en un ambiente pastoril* · **ámbito · cultura · sociedad · mundo || tradición · actividad · vida · cuadro**

pastoso, sa adj.

● CON SUSTS. **voz · tono · boca · lengua || sustancia · materia · mezcla** *...hasta obtener una mezcla pastosa* · **textura · sensación · producto · pintura · sopa · puré**

● CON ADVS. **excesivamente · ligeramente**

● CON VBOS. **ser · volver(se) · quedar(se) · estar · poner(se)** *A medida que se añade la harina, la salsa se va poniendo pastosa*

[pata] s.f. → a la pata coja; patas arriba; pato, ta

[patada] → a patadas; patada

patada s.f. Véase **GOLPE**

patalear v.

● CON ADVS. **con fuerza · con intensidad · con ganas · vigorosamente · furiosamente** *El detenido comenzó a patalear furiosamente* · **enérgicamente · intensamente · airadamente · ostensiblemente · tímidamente · desesperadamente** *El niño pataleaba desesperadamente por un juguete* · **impetuosamente · alocadamente · violentamente · impulsivamente**

pataleta s.f.

● CON ADJS. **infantil · ridícula · mera · absurda · espectacular · estúpida · sonora · simple**

● CON VBOS. **dar (a alguien)** *Le dio una pataleta y no veas el número que montó* **|| coger · sufrir || reaccionar (con) · reducir(se) (a) || tachar (de) · calificar (de)**

patas arriba loc.adv./loc.adj.

● CON SUSTS. **silla · mesa** *Para reparar la mesa habrá que ponerla primero patas arriba* **|| habitación** *Cuando los niños se fueron, la habitación quedó patas arriba* · **casa · local · *otros espacios cerrados* || adversario,ria · equipo · comisión || idea · teoría** *El tribunal puso patas arriba la teoría del doctorando* · **tesis · interpretación || gobierno · partido · federación · institución** *El administrador anterior había dejado la institución patas arriba* **|| novela · película · arte · literatura · economía || teatro · auditorio · estadio || entramado · trama · andamiaje · mecanismo || estructura · cimiento · organización · modelo · sistema · fundamento · jerarquía || plan · procedimiento · estrategia**

□ USO Se construye frecuentemente con los verbos *poner*, *estar*, *quedarse*, *seguir* y con otros, generalmente causativos o copulativos.

patata s.f.

● CON ADJS. **temprana · tardía · vieja · nueva** *un saco de patatas nuevas* **|| transgénica · de la huerta || crujiente · sabrosa**

● CON SUSTS. **puré (de) · crema (de) || tortilla (de)** *¡Qué buena te ha salido la tortilla de patata!* **|| bolsa (de)** *una bolsa de patatas fritas* · **ración (de) · plato (de) · fuente (de)** *Nos había servido una fuente de patatas fritas* **|| taco (de) · rodaja (de)**

● CON VBOS. **pelar · cortar · trocear || hervir · cocer · freír** *Fría las patatas a fuego lento* · **guisar · asar · dorar || sembrar · plantar · cultivar || comer · degustar**

● CON PREPS. **con** *un filete con patatas*

□ EXPRESIONES **ni patata** [absolutamente nada] *col. no saber ni patata* **|| patata caliente** [problema del que pretende uno desembarazarse] *col.*

patatús s.m. *col.*

● CON VBOS. **dar (a alguien)** *Cuando se enteró de que era el ganador, casi le da un patatús*

patear v. *col.*

▮ [recorrer a pie]

● CON SUSTS. **calle** *Se había pateado toda la calle para encontrar la farmacia* · **terreno · ciudad · asfalto · monte · escalera · *otros lugares***

● CON ADVS. **incansablemente · de arriba a abajo**

▮ [dar golpes con los pies]

● CON SUSTS. **pelota** *patear la pelota de saque* · **balón · bola · cuero · esférico || penalti · falta · saque · tiro || cara · cabeza · estómago · mano · cuerpo · tobillo || puerta** *Pateó la puerta y entró*

● CON ADVS. **involuntariamente · inocentemente || brutalmente · violentamente · dañinamente · salvajemente || con saña**

[patena] → como una patena

patentar v.

● CON SUSTS. **invento** *Si no patentas el invento, alguien te lo puede copiar* · **sistema · producto · técnica · modelo · marca · nombre · idea · concepto**

paternal adj.

●CON SUSTS. **amor · cariño · interés · instinto · dulzura · ternura · afecto** *una grave carencia de afecto paternal* || **abrazo · gesto** *En un gesto paternal, tomó al niño en brazos y lo consoló* · **consejo · relación** || **cobijo · protección · acogida · mano · comprensión** || **figura · tono · aire** *Tiene un aire paternal y protector* · **actitud · aspecto · carácter · espíritu · imagen · conciencia · lenguaje** || **control · reproche · bronca · sermón**
●CON VBOS. **ponerse · volverse**

paternidad

1 paternidad s.f.

●CON ADJS. **legítima** || **efectiva** || **próxima · reciente** *Lo felicito por su reciente paternidad* · **futura** || **esperada · feliz · anhelada** || **responsable · irresponsable** || **biológica**
●CON SUSTS. **declaración (de) · filiación (de)** || **prueba (de)** || **permiso (de)** *El informe demuestra que cada vez más hombres solicitan el permiso de paternidad* · **derechos (de) · demanda (de)**
●CON VBOS. **acercarse · adelantar(se) · retrasar(se)** || **frustrar(se)** || **averiguar · dilucidar** || **demostrar · probar** || **reclamar · reivindicar** || **confirmar · reconocer** *Le reconocieron su paternidad tras un largo proceso* · **declarar** || **atribuir (a alguien)** *Le atribuyeron falsamente la paternidad del invento* · **arrogarse** || **alegar** || **ejercer · asumir · vivir** || **disfrutar (de) · gozar (de)**

2 paternidad (de) s.f.

●CON SUSTS. **invento** *la polémica sobre la paternidad del invento* · **concepto · idea** || **iniciativa · propuesta · proyecto** || **frase · declaraciones** *En todo momento negó la paternidad de las declaraciones que le habían atribuido* · **discurso** || **novela · poema · disco · película ·** ***otras obras*** || **atentado · explosión** || **movimiento · moda · estilo**

paterno, na adj.

●CON SUSTS. **hogar** *jóvenes que abandonan el hogar paterno* · **casa · domicilio** || **familia · familiar · abuelo,la · tío,a · apellido · sangre** || **rama · vía · línea · filiación** || **genes · herencia · transmisión · contagio · influencia** || **figura · autoridad · imagen** || **bendición · consentimiento** *Si eres menor de edad, necesitas el consentimiento paterno* · **autorización · permiso · consejo** || **tutela · disciplina · imposición · decisión** || **empresa** || **amor · atención · orgullo** || **ausencia · presencia**

patético, ca adj.

●CON ADVS. **realmente · verdaderamente**
●CON VBOS. **ser · estar · ponerse · volverse · hacer(se)** || **considerar · resultar (a alguien) · parecer (a alguien)**

patinaje s.m.

●CON ADJS. **artístico · acrobático · sobre hielo** *un torneo de patinaje sobre hielo* · **sobre ruedas · olímpico · urbano** || **profesional · amateur**
●CON SUSTS. **campeón,-a (de)** *Veremos a la campeona nacional de patinaje* · **amante (de) · aficionado (a) · artista (de) · profesional (de)** || **pista (de) · rampa (de)** || **escuela (de) · parque (de)** || **escena (de) · programa (de) · espectáculo (de) · ejercicio (de)** || **competición (de) · torneo (de) · campeonato (de) · prueba (de) · concurso (de) · exhibición (de)** *Después del campeonato hubo una exhibición de patinaje* · **modalidad (de)**
●CON VBOS. **practicar** || **competir (en) · aficionar(se) (a)**

patinar v.

●CON SUSTS. **coche** *El coche patinó sobre la placa de hielo* · **camión · moto ·** ***otros vehículos*** || **rueda · embrague · llanta** || **niño,ña** *Los niños patinaban alegremente en la pista* · **chico,ca ·** ***otros individuos***
●CON ADVS. **excesivamente · estrepitosamente · peligrosamente · temerariamente** || **accidentalmente · tontamente**

patinazo s.m.

●CON ADJS. **descomunal · mayúsculo · monumental · espectacular** || **llamativo · sonado** || **público** || **lamentable** || **grave · importante** *un patinazo importante en su gestión* · **serio** || **leve**
●CON VBOS. **cometer · dar · tener** || **admitir · reconocer** || **corregir**

pato, ta

1 pato, ta s.

▌[animal]

●CON ADJS. **salvaje** *un grupo de patos salvajes que nadan en el río* · **silvestre · real**
●CON SUSTS. **bandada (de) · colonia (de)** *En esta laguna hay una importante colonia de patos* · **pareja (de)** || **ejemplar (de) · cría (de)** || **bebedero (de)**
●CON VBOS. **volar · nadar · caminar · andar** || **emigrar** || **cazar · capturar**

2 pato s.m.

▌[carne]

●CON ADJS. **laqueado** *un restaurante especializado en pato laqueado* · **a la naranja · confitado · al ajillo**
●CON SUSTS. **jamón (de)** *Como entrantes había jamón de pato y ensalada* · **pechuga (de) · hígado (de) · paté (de) · confit (de) · foie-gras (de)**
●CON VBOS. **preparar · cocinar · hacer · guisar · asar** || **tomar · comer**

3 pata s.f.

●CON ADJS. **de elefante** *pantalones de pata de elefante* || **de palo** *un pirata con una pata de palo*
●CON VBOS. **romper(se)** || **arreglar · encolar** *encolar la pata de la mesa* · **pegar**

☐EXPRESIONES **a cuatro patas** [apoyándose en el suelo con las manos y las rodillas] || **a la pata coja*** [apoyándose solo en un pie] || **de pata negra** [de un cerdo ibérico de calidad] *col. jamón de pata negra* || **estirar la pata** [morir] *col.* || **mala pata** [mala suerte] || **meter la pata** [equivocarse] *col.* || **pagar el pato** [ser castigado sin merecerlo] *col.* || **pata de gallo** [arruga en el ángulo externo del ojo] || **patas arriba*** [en desorden]

patochada s.f. *col.*

●CON ADJS. **auténtica · solemne** *No es más que una solemne patochada* · **monumental · colosal · descomunal · soberana · pura**
●CON VBOS. **decir · soltar** *Soltó tal patochada en medio de clase que el profesor no pudo contener la risa* · **responder · cometer** || **calificar (de) · tildar (de)**

patológico, ca adj.

●CON SUSTS. **proceso · mecanismo** || **caso · carácter** *el carácter patológico de una conducta violenta* · **rasgo** || **comportamiento · conducta · personalidad · manifestación** || **análisis · estudio · informe** || **problema · trastorno** *...para ayudar a quienes sufren este trastorno pato-*

lógico · **alteración** || **efecto** · **consecuencia** · **germen** || **mentiroso,sa** · **embustero,ra** · **ludópata** · **jugador,-a**

patoso, sa adj.

● CON SUSTS. **movimiento** · **andar** *El andar patoso del bebé arrancaba la sonrisa de todos* || **corredor,-a** · **jugador,-a** · **mago,ga** · **detective** · **delincuente** · ***otros individuos*** || **chiste** · **comentario** · **investigación**

● CON ADVS. **rematadamente** *¡Hay que ver lo rematadamente patoso que eres!* · **completamente** · **ostensiblemente** · **notablemente** · **absolutamente**

● CON VBOS. **ser** · **estar** · **mostrarse** || **moverse** · **sentirse** · **resultar**

[patria] s.f. →patrio, tria

patriarcal adj.

● CON SUSTS. **sociedad** · **familia** · **sistema** *un sistema patriarcal de gobierno caracterizado por...* · **clan** · **figura** · **relación** · **estructura** · **modelo** · **paradigma** · **vida** || **régimen** · **control** · **orden** · **poder** · **dominación** || **concepción** *...destacando la necesidad de superar la concepción patriarcal de nuestra sociedad* · **ideología** · **visión** · **valor** · **cultura** · **religión** · **tradición** · **costumbre**

patrimonio s.m.

● CON ADJS. **abundante** · **cuantioso** *Heredó un cuantioso patrimonio familiar* · **enorme** · **incalculable** · **ingente** · **monumental** · **nutrido** · **considerable** || **de valor** · **valioso** || **colectivo** · **común** · **comunal** · **nacional** · **público** || **personal** · **familiar** · **privado** || **histórico** · **artístico** *La ciudad ostenta el patrimonio artístico más valioso de toda la región* · **cultural** · **de la humanidad** || **bibliográfico** · **documental** || **político**

● CON SUSTS. **conservación (de)** || **declaración (de)** · **impuesto (de)**

● CON VBOS. **aumentar** · **crecer** · **acrecentar(se)** || **disminuir** · **deteriorar(se)** || **difundir(se)** || **amasar** · **labrar(se)** *Había conseguido labrarse un enorme patrimonio* · **reunir** · **constituir** · **engrosar** · **incrementar** || **heredar** · **dejar (a alguien)** · **legar (a alguien)** || **diezmar** · **despilfarrar** · **dilapidar** · **perder** || **ostentar** || **cuidar** · **proteger** · **vigilar** || **intervenir** || **declarar** *el deterioro que ha sufrido el parque después de declararlo patrimonio de la humanidad* || **formar parte (de)** || **velar (por)**

patrio, tria

1 patrio, tria adj.

● CON SUSTS. **madre** || **conciencia** · **sentimiento** · **amor** || **tierra** · **territorio** · **frontera** *Su misión es defender las fronteras patrias* · **historia** || **enseña** · **insignia** · **símbolo** *un símbolo patrio digno de respeto*

2 patria s.f.

● CON ADJS. **querida** · **amada** · **adorada** · **añorada** || **común** · **libre** · **soberana** · **digna** || **propia** · **adoptiva** *Se integró rápidamente en su patria adoptiva* · **nueva** || **desdichada** · **oprimida**

● CON SUSTS. **servicio (a)** · **traición (a)** · **amor (a)** *Lo hizo por amor a su patria* · **defensa (de)** · **culto (a)** · **homenaje (a)** || **padre (de)** *El panteón donde reposan los padres de la patria* · **traidor,-a (a)** · **enemigo,ga (de)** · **líder (de)** · **benefactor,-a (de)** || **libertad (de)** · **independencia (de)** · **destino (de)** · **futuro (de)** · **males (de)** || **conciencia (de)**

● CON VBOS. **traicionar** · **dañar** · **atacar** · **abandonar** · **dejar** || **servir** *un cuerpo armado que tiene como lema servir a la patria* · **amar** · **construir** · **encontrar** · **hacer** || **defender** · **salvar** · **liberar** · **preservar** || **añorar** · **extrañar** *A pesar del paso del tiempo, todavía extraña su patria* · **recordar** · **echar de menos** · **echar en falta** || **morir (por)** · **soñar (con)** · **brindar (por)** · **jurar (por)** || **salir (de)** · **retornar (a)** · **refugiarse (en)** · **volver (a)** *Sueña con volver a su patria algún día* · **regresar (a)** · **trasladar(se) (a)** || **renunciar (a)**

☐ EXPRESIONES **patria chica** [lugar en el que se ha nacido]

patriotismo s.m.

● CON ADJS. **verdadero** · **auténtico** · **real** · **puro** · **indudable** · **velado** || **falso** · **supuesto** · **ilusorio** · **convencional** · **de salón** || **encendido** · **profundo** · **arrebatado** · **inflamado** · **exacerbado** · **ardiente** *una muestra de ardiente patriotismo* · **visceral** · **excesivo** · **hondo** · **vigoroso** · **feroz** · **violento** · **enérgico** · **firme** · **inusitado** || **honrado** · **valiente** · **noble** · **heroico** · **sereno** || **arraigado** · **acendrado**

● CON SUSTS. **falta (de)** · **concepto (de)** · **cuestión (de)** · **idea (de)** *El candidato a la presidencia explicó su idea de patriotismo* · **forma (de)** · **dosis (de)** · **declaración (de)** · **espíritu (de)** || **acto (de)** · **lección (de)** · **ejemplo (de)** · **muestra (de)** · **prueba (de)** · **ejercicio (de)** · **alarde (de)** · **explosión (de)** *El público arrancó a aplaudir en una explosión de encendido patriotismo*

● CON VBOS. **demostrar** · **recuperar** · **ejercer** || **exaltar** · **ensalzar** · **pregonar** · **defender** || **estimular** · **encender** · **invocar** · **preconizar** · **alimentar** · **enseñar** · **debilitar** || **transmitir** · **conservar** · **contagiar** || **imbuir (de)** · **impregnar (de)** · **alertar (contra)** || **enardecerse (con)** *enardecido con el patriotismo de los civiles* · **arder (de)** || **armarse (de)** · **apoyarse (en)** · **actuar (por)** · **caer (en)** || **dar muestras (de)** *un país en el que la mayoría de los ciudadanos dan muestras de verdadero patriotismo*

patrocinador, -a

1 patrocinador, -a adj.

● CON SUSTS. **marca** · **firma** · **empresa** · **entidad** *la entidad patrocinadora del campeonato de tenis* · **compañía** · **fundación** · **banco** · **comité**

2 patrocinador, -a s.

● CON ADJS. **principal** · **oficial** *una firma que se ha convertido en patrocinadora oficial del equipo*

● CON SUSTS. **nombre (de)** || **imagen (de)** · **derechos (de)** || **regalo (de)** *Los ganadores recibieron regalos de sus patrocinadores* || **presencia (de)** · **apoyo (de)** · **dinero (de)**

● CON VBOS. **aportar (algo)** · **invertir (algo)** || **financiar (algo)** || **hallar** · **buscar** · **encontrar** · **conseguir** · **necesitar** *Necesita un patrocinador que lo apoye económicamente* · **tener** · **elegir** || **actuar (como)** · **convertir(se) (en)** || **contar (con)** · **cambiar (de)**

patrocinar v.

● CON SUSTS. **exposición** · **fiesta** · **retransmisión** · **espectáculo** *El espectáculo está patrocinado por diversos organismos* · **representación** · **concierto** · **conferencia** · **convención** · **competición** · **encuentro** · **mitin** · **acto** · ***otros eventos*** || **disco** · **libro** · **cuadro** · **lienzo** · **mural** · ***otras creaciones*** || **certamen** *institución que patrocina el certamen teatral todos los años* · **muestra** · **concurso** · **prueba** · **premio** || **proyecto** · **idea** · **invento** · **programa** · **campaña** || **asociación** · **club** · **grupo** · **compañía** · **equipo** · **partido** || **iniciativa** · **movimiento** || **viaje** · **expedición** · **aventura** || **querella** · **legislación** · **escrito** || **reconstrucción** · **restauración** *La comunidad ha anunciado que patrocinará la restauración de sus monumentos* · **rehabilitación**

● CON ADVS. **activamente · generosamente** *gracias a los que han patrocinado generosamente el proyecto* **· decididamente || austeramente · mínimamente || directamente || regularmente · asiduamente · tradicionalmente · ocasionalmente**

patrón, -a s.m.

▮ [jefe]

● CON ADJS. **exigente · duro,ra || permisivo,va · comprensivo,va || actual · nuevo,va · antiguo,gua || mayor** *El evento será presidido por la patrona mayor de la cofradía de pescadores* **|| de embarcación · de obra**
● CON SUSTS. **cargo (de) · título (de)** *obtener el título de patrón de navegación* **|| figura (de) || uniforme (de)**
● CON VBOS. **dirigir (algo/a alguien) · mandar (algo/a alguien) || contratar (a alguien)** *El patrón de la obra ha contratado a nuevos trabajadores* **· despedir (a alguien) || dimitir || nombrar · elegir · designar || reemplazar · destituir || respaldar · apoyar** *En el último momento, varios trabajadores decidieron apoyar al patrón* **· secundar || convertir(se) (en) || trabajar (como/de)**

▮ [pauta]

● CON ADJS. **conocido · universal || racional · lógico || original** *Todas las variaciones del patrón original* **· originario · básico || fijo · variable || genético || de actuación** *un delincuente con unos patrones de actuación variables* **· de comportamiento · de conducta || acorde (con)**
● CON SUSTS. **cambio (de) || ausencia (de) · falta (de)**
● CON VBOS. **dictar · establecer · fijar · trazar || alterar** *El animal alteró de un día para otro sus patrones de comportamiento* **· cambiar || seguir || saltarse · abandonar || adoptar || acomodar(se) (a) · ajustar(se) (a)** *La medida se ajusta perfectamente a los patrones de actuación de la empresa* **· atenerse (a) · ceñir(se) (a) · obedecer (a) · encajar (en) || salir(se) (de) || corresponder (a)**
● CON PREPS. **con arreglo (a) · dentro (de) · según**

☐ EXPRESIONES **cortado por el mismo patrón** [que tiene gran semejanza con otro]

patrulla s.f.

● CON ADJS. **policial · militar · paramilitar · mixta · armada · uniformada || de rescate · de rastreo · de refuerzo · de defensa · de vigilancia · acrobática || terrestre · naval** *una patrulla naval para la vigilancia de la costa* **· aérea · fluvial · fronteriza · callejera · costera · vecinal || a caballo** *Las patrullas a caballo rastreaban el monte* **· a pie · motorizada · móvil || rutinaria · esporádica · nocturna · diurna · incontrolada**
● CON SUSTS. **miembro (de) · jefe,fa (de) · agente (de) · portavoz (de) · tripulante (de) · compañero,ra (de) || presencia (de) · despliegue (de) · ataque (a) || coche** *Al ver el coche patrulla salieron huyendo* **· avión · barco · radio**
● CON VBOS. **vigilar (algo/a alguien) · controlar (algo/a alguien) · perseguir (algo/a alguien)** *Una patrulla persiguió a los atracadores y consiguió detenerlos* **· rastrear (algo) · investigar (algo/a alguien) · explorar (algo) · sobrevolar (algo) || disparar · abrir fuego · atacar (algo/ a alguien) · destruir (algo) · intervenir · actuar · operar || interceptar (algo/a alguien)** *Una patrulla nocturna interceptó el desembarco del alijo* **· emboscar (a alguien) · acordonar (algo/a alguien) · desarmar (a alguien) · sorprender || localizar (algo/a alguien) · detener (algo/a alguien) · liberar · rescatar · escoltar · custodiar || informar · denunciar || esconder(se) · infiltrar(se) · camuflar(se) · desplegar(se) || formar · crear · movilizar · desmovilizar · organizar · reforzar || dirigir · comandar · coordinar** *Es complicado coordinar patrullas de voluntarios para...* **|| llamar · avisar · alertar** *El sonido de la alarma alertó a la patrulla* **· enviar · mandar · esquivar || encontrarse (con)**

paulatinamente adv.

● CON VBOS. **reducir · disminuir** *...con la pretensión de que el tráfico en el centro disminuya paulatinamente* **· descender · perder · bajar · caer · rebajar · ceder · decrecer · empeorar · menguar · consumir · degradarse · decaer || mejorar · aumentar · crecer · incrementar · subir** *El precio de los alimentos ha ido subiendo paulatinamente* **· elevar · avanzar · progresar || cambiar · sustituir · transformar · convertir · modificar · variar · reformar · renovar(se) || eliminar · desaparecer · desvanecerse · evaporarse || suprimir · quitar · borrar · olvidar || introducir · imponer** *una moda que se impone paulatinamente entre los más jóvenes* **· comenzar · iniciar · implantar · establecer || recuperar · recobrar · restablecer || trasladar · desplazar || adaptarse · asentarse · acostumbrarse** *Me fui acostumbrando paulatinamente al frío* **|| agrandar(se) · alargar(se) · enamorar(se) · alejar(se) · debilitar(se) · desarrollar(se) · secar(se)**

paulatino, na adj.

● CON SUSTS. **proceso · cambio · reforma || reducción · supresión · cierre · disminución** *una disminución paulatina de la presión fiscal* **· desaparición · descenso · deterioro · eliminación · pérdida** *la paulatina pérdida de credibilidad de los políticos* **· desmantelamiento · envejecimiento · degradación · endurecimiento · recorte · abandono || mejora · incorporación · recuperación** *momentos de recuperación paulatina de la actividad económica* **· aumento · incremento · crecimiento · integración · fusión · apertura · ampliación · privatización**

pausa s.f.

● CON ADJS. **breve** *breves pausas publicitarias* **· corta · leve · momentánea · pequeña || detenida · larga · prolongada** *Durante la prolongada pausa nos sirvieron un refrigerio* **|| coyuntural · transitoria · temporal · esporádica · periódica · instantánea || calculada · medida || oportuna** *La pausa a medio camino fue muy oportuna para recuperar fuerzas* **· merecida || estratégica · táctica || técnica || forzosa · necesaria · obligatoria · inevitable || inesperada · intempestiva · súbita || veraniega · estival · invernal · semanal || publicitaria · comercial · musical · digresiva || horaria || respiratoria**
● CON SUSTS. **momento (de) · instante (de) · hora (de) · semana (de) · día (de) ·** ***otros períodos***
● CON VBOS. **durar** *la inesperada pausa duró más de lo previsto* **|| abrir · cerrar · manejar || hacer · marcar · imponer(se) || intercalar || interrumpir** *Un problema familiar le obligó a interrumpir su pausa veraniega* **|| aprovechar · utilizar**
● CON PREPS. **con · durante · sin · tras** *Tras una larga y merecida pausa, retomaron la negociación*

pausado, da adj.

● CON SUSTS. **voz · tono · ritmo** *Hacemos ejercicio a un ritmo muy pausado* **· respiración · actitud · aspecto · aire · modales · hablar || respuesta · discurso · lectura** *Se trata de un excelente ensayo que merece una lectura pausada* **· reflexión · explicación · intervención · debate · análisis · negociación || andar · caminar · movimiento · avance · recorrido · evolución · crecimiento**
● CON VBOS. **hacerse · volverse**

pauta s.f.

●CON ADJS. **fija** *No les dieron unas pautas fijas para trabajar* · **variable** · **rígida** · **flexible** || **concreta** · **específica** · **particular** || **ilustrativa** || **de actuación** · **de comportamiento** · **de conducta** || **publicitaria** · **informativa** || **acorde (con)**
●CON SUSTS. **serie (de)** || **ausencia (de)** · **falta (de)** || **cambio (de)** || **diseño (de)** · **selección (de)**
●CON VBOS. **regir (algo)** || **definir** · **determinar** · **dar** · **establecer** · **fijar** · **marcar** · **trazar** · **dictar** || **adoptar** · **recoger** || **alterar** · **cambiar** · **modificar** || **seguir** *Se siguieron las pautas fijadas por los organizadores* · **obedecer** || **tener** · **mostrar** *La paciente mostraba pautas de comportamiento bastante previsibles* || **atenerse (a)** · **disentir (de)** || **servir (de)** || **regirse (por)**
●CON PREPS. **con arreglo (a)** · **en función (de)**

pautado, da adj.

●CON SUSTS. **papel** *La música se escribe en papel pautado* || **actividad** · **agenda** · **guión** || **encuentro** · **reunión** || **camino** · **fase** || **precio** || **lenguaje**

[pavo] →como un pavo real; pavo, va

pavo, va

1 **pavo, va** s.
▮ [animal]
●CON ADJS. **real**
●CON SUSTS. **moco (de)** · **cola (de)**
●CON VBOS. **criar** · **engordar** · **cebar** · **alimentar** || **matar**

2 **pavo** s.m.
▮ [carne]
●CON ADJS. **relleno** · **trufado** || **exquisito** · **sabroso** · **insípido**
●CON SUSTS. **carne (de)** · **filete (de)** *filetes de pavo a la plancha* · **pechuga (de)** · **fiambre (de)**
●CON VBOS. **asar** · **rellenar** *Se rellena el pavo con la mezcla, se salpimenta y...* · **trufar** · **aderezar** || **comer** · **cenar** · **probar**

□EXPRESIONES **edad del pavo** [la de la adolescencia] *col. Algunos de estos alumnos están entrando en la edad del pavo*

pavor s.m.

●CON ADJS. **tremendo** || **general** · **generalizado** || **irrefrenable** *un pavor irrefrenable a los aviones* · **irresistible** · **insoportable** || **lleno,na (de)** · **mudo,da (de)** · **preso,sa (de)**
●CON SUSTS. **escalofrío (de)** · **sentimiento (de)** · **estremecimiento (de)** · **cara (de)** · **expresión (de)** · **grito (de)** · **alarido (de)** || **clima (de)** · **escenario (de)**
●CON VBOS. **entrar(le) (a alguien)** || **desatar(se)** *Con la epidemia se desató un pavor generalizado* || **atenazar** || **dar** · **infundir** *Aquel inhóspito lugar infundía pavor* · **inspirar** · **causar** · **producir** · **provocar** · **ocasionar** || **experimentar** · **sentir** || **dominar** || **temblar (de)**

payasada s.f.

●CON ADJS. **burda** · **tosca** · **patética** · **ridícula** || **célebre** · **clásica** · **habitual** || **general** · **pública** || **graciosa** · **divertida** · **cómica**
●CON VBOS. **hacer** *Se pasa el día haciendo payasadas* || **soportar** || **reírse (de)** || **tachar (de)** · **calificar (de)** || **cansarse (de)** · **hartarse (de)**

[paz] →en paz; en son de paz; paz; proceso de paz

paz s.f.

●CON ADJS. **estable** · **firme** · **sólida** · **segura** · **inquebrantable** · **serena** || **duradera** *Los dos países alcanzaron una paz duradera tras muchos años de enfrentamiento* · **prolongada** || **efímera** · **frágil** · **inestable** · **precaria** *una paz precaria que deja pendientes de resolución los problemas de fondo* || **sin condiciones** || **enorme** · **inmensa** || **honrosa** || **celestial** · **social** · **de espíritu** · **interior** *Sus palabras me dieron una inmensa paz interior* || **de los cementerios**
●CON SUSTS. **búsqueda (de)** || **acuerdo (de)** || **amenaza (para)** || **espíritu (de)** · **estado (de)** · **sensación (de)** · **signo (de)** || **ideal (de)** || **período (de)** · **tiempo (de)** *En aquella época se vivían tiempos de paz*
●CON VBOS. **afianzar(se)** · **asentar(se)** · **hacer(se) realidad** || **reinar** *Después del alboroto la paz reinaba por fin en casa* · **imperar** || **anhelar** · **desear** · **buscar** · **perseguir** || **implorar** || **alcanzar** · **conquistar** · **establecer** · **instaurar** *Su mayor logro como gobernante fue instaurar la paz en una época de guerras continuas* · **forjar** · **recobrar** · **restablecer** · **poner (entre varias personas)** || **concertar** · **negociar** · **firmar** || **cimentar** · **consolidar** || **preconizar** · **sembrar** || **romper** *una medida con la que se corre el riesgo de romper la paz* · **quebrantar** · **alterar** · **enturbiar** · **perturbar** · **quebrar** · **reventar** · **transgredir** || **dar (a alguien)** · **proporcionar (a alguien)** || **quitar (a alguien)** · **arrebatar (a alguien)** · **amenazar** || **clamar (por)** · **aspirar (a)** · **velar (por)** · **luchar (por)** · **trabajar (por)** || **gozar (de)** · **vivir (en)** || **llenar (de)** · **colmar (de)** || **invitar (a)** *un lugar que invita a la paz y a la reflexión*
●CON PREPS. **en aras (de)** *Sería necesario hacer algunos sacrificios en aras de la paz social* || **en señal (de)**

□EXPRESIONES **dejar en paz** [no molestar] || {**descansar/reposar**} **en paz** [haber fallecido] || {**estar/quedar**} **en paz** [no deber nada] || **hacer las paces** [reconciliarse]

[pe] →de pe a pa

peaje s.m.

●CON ADJS. **alto** · **elevado** · **cuantioso** · **exorbitante** · **sustancioso** · **exagerado** || **bajo** · **escaso** · **razonable** || **automático** *el peaje automático de la nueva carretera radial* || **político** · **en especie** || **libre (de)**
●CON SUSTS. **autopista (de)** · **vía (de)** · **radial (de)** · **túnel (de)** · **autovía (de)** · **tramo (de)** · **carretera (de)** || **cobro (de)** · **pago (de)** · **sistema (de)** · **tarifa (de)** || **cabina (de)** · **caseta (de)** · **puesto (de)** · **estación (de)** · **área (de)** · **control (de)**
●CON VBOS. **cobrar** *Cobran un peaje exagerado para un trayecto tan corto* · **pagar** || **saltarse** || **incrementar** · **rebajar** || **salir (de)** · **entrar (en)**

peatón, -a s.

●CON ADJS. **atento,ta** · **vigilante** · **prudente** || **despistado,da** · **desorientado,da** · **distraído,da** · **imprudente**
●CON SUSTS. **paso (de)** *Cruzaremos por el paso de peatones* · **isla (de)** · **tránsito (de)** · **tráfico (de)**
●CON VBOS. **atravesar (algo)** · **cruzar (algo)** || **circular** · **pasar** · **transitar** || **atropellar** *El coche atropelló al peatón y se dio a la fuga* · **arrollar** · **pillar**

pecado s.m.

●CON ADJS. **horrendo** · **infame** · **nefando** · **ominoso** || **imperdonable** *Están enfadados porque cometí el imperdonable pecado de no invitarlos* · **inconfesable** · **mortal** · **grave** || **venial** · **leve** · **perdonable** · **disculpable** · **menor** || **original** || **carnal** || **culpable (de)** · **libre (de)** · **limpio,pia (de)**

• CON SUSTS. **sombra (de) · mancha (de) || conciencia (de) · sentido (de) · idea (de)**
• CON VBOS. **consistir (en algo) || acechar || cometer** *cometer un pecado mortal* **|| confesar · reconocer || imputar || expiar · purgar · perdonar || arrepentirse (de) · doler(se) (de) || absolver (de) · liberar (de) || caer (en)**
• CON PREPS. **en**

pecador, -a

1 **pecador, -a** adj.
• CON SUSTS. **alma · cuerpo · vida · persona**
• CON VBOS. **reconocerse · saberse** *El personaje se sabe pecador y busca ser redimido* **· sentirse · considerar(se) · calificar (de)**

2 **pecador, -a** s.
• CON ADJS. **arrepentido,da · vil · pobre · indigno,na · atormentado,da** *La obra tiene como protagonista a un pecador atormentado* **· potencial · confeso,sa · contrito,ta · redimido,da · impenitente**
• CON SUSTS. **alma (de) · tierra (de)**
• CON VBOS. **confesarse · convertirse · arrepentirse || redimir · perdonar · salvar · liberar · castigar**

pecaminoso, sa adj.

• CON SUSTS. **pasión · fantasía · aspecto · contenido · connotación · relación** *Le aconsejaron abandonar esa relación pecaminosa* **· sexo · película || vida · conducta** *...ya que la Iglesia las considera conductas pecaminosas* **· comportamiento · condición · tendencia · costumbre || actividad · tocamiento · práctica · ejercicio || incitación · deseo · tentación**
• CON ADVS. **ligeramente · levemente · venialmente · simplemente || intrínsecamente · esencialmente · oscuramente**
• CON VBOS. **considerar · juzgar · describir (como) · calificar (de)** *Cuando se estrenó la película, algunas personas la calificaron de pecaminosa* **· resultar**

pecar v.

• CON ADVS. **gravemente || levemente || de palabra (y obra)**
☐ USO Se construye frecuentemente con complementos encabezados por la preposición *contra*: *pecar contra Dios.*

[pecho]

→ entre pecho y espalda; pecho; tomarse a pecho

pecho s.m.

• CON ADJS. **musculoso · tatuado || firme · postizo · de silicona || grande · pequeño · abundante · exuberante · generoso · enorme · plano || envidiable · bonito || materno** *alimentar al recién nacido con el pecho materno*
• CON SUSTS. **angina (de) · cáncer (de) · dolor (en/de) · presión (en) · tumor (de) · molestias (en) · tos (de) || niño,ña (de) || golpes (de)** *Dándote golpes de pecho no solucionarás nada*
• CON VBOS. **aumentar · disminuir · crecer · caer(se) || asomar || sacar** *Sacó pecho y caminó con decisión hacia la oficina del jefe* **· lucir · enseñar · resaltar · realzar || dar** *darle el pecho a un bebé* **· tomar || golpear(se) || tener || cubrir · tapar || aferrarse (a) · colgar (a/de)**
☐ EXPRESIONES **partirse el pecho** (por algo) [luchar denodadamente por ello] *col.* **|| tomarse** (algo) **a pecho*** [tomarse algo demasiado en serio] *col.*

peculiaridad s.f.

• CON ADJS. **curiosa · principal · extraña · verdadera · interesante · significativa · dominante || específica · propia** *Cada pieza artesanal ofrece una peculiaridad propia* **· personal · autóctona · concreta · distinta**
• CON VBOS. **residir (en algo)** *Su peculiaridad reside en la forma de presentar los platos* **|| poseer · tener · presentar** *El hallazgo presenta varias peculiaridades significativas* **· ofrecer · desarrollar · mantener · incorporar · conservar || aceptar · respetar · entender · defender || observar · reconocer · analizar** *Analiza las peculiaridades del fenómeno* **· recoger · constatar · contemplar · descubrir · subrayar || constituir || apelar (a) · atender (a) · adaptar(se) (a) · ahondar (en) · ampararse (en)**

pedagogía s.f. Véase DISCIPLINA

pedagógico, ca adj.

• CON SUSTS. **labor** *Está realizando una importante labor pedagógica en un centro de educación especial* **· trabajo · tarea · esfuerzo · investigación || renovación · innovación || modelo · criterio** *tenía unos criterios pedagógicos muy diferentes a los míos* **· valor || sistema · plan · planteamiento · método · estrategia || proyecto · actividad · misión · acción || capacidad · vocación · dotes · aptitud · cualidades || material · instrumento || obra** *una editorial especializada en obras pedagógicas* **· ensayo · adaptación · contenido · explicación || necesidad · fin · finalidad · función || formación** *la formación pedagógica del profesorado* **· experiencia || interés · voluntad**

pedante adj.

• CON SUSTS. ***persona*** *un escritor muy pedante* **|| actitud · tono · aire** *Su aire pedante provoca el rechazo de sus compañeros* **· comportamiento · conducta || texto · escrito**
• CON ADVS. **absolutamente · totalmente · excesivamente · ligeramente · completamente · extremadamente || irritantemente · insufriblemente**
• CON VBOS. **ponerse · volverse || resultar || tachar (de) · tildar (de)**

pedantería s.f.

• CON ADJS. **suma · detestable · cargante** *un libro de una pedantería cargante* **· estomagante · insoportable || grandilocuente || vulgar || habitual · característica · provisional || rayano,na (en)**
• CON SUSTS. **dosis (de) · pizca (de) || asomo (de)**
• CON VBOS. **bordear** *Pronunció un discurso que bordeaba la pedantería* **· rozar || caer (en) · rayar (en)**
• CON PREPS. **con**

[pedazo]

→ a pedazos; en (mil) pedazos; pedazo

pedazo s.m.

• CON ADJS. **buen · grande · enorme · inmenso · gigantesco || pequeño · diminuto || único · último · primer**
• CON VBOS. **hacer** *La explosión hizo pedazos las ventanas de varias casas* **· arrancar · lanzar · coger · recoger || romper(se) (en) · saltar (en)** *saltar en mil pedazos* **· estallar (en) · partir(se) (en) · volar (en)**
☐ EXPRESIONES **a pedazos*** [en muy malas condiciones] *col. El techo se caía a pedazos* **|| pedazo de pan** [persona muy bondadosa] *col.*

[pedernal]

→ como el pedernal

[pedestal]

→ en un pedestal; pedestal

pedestal s.m.

• CON ADJS. **alto · elevado || honroso · digno || humilde · pequeño || justo · merecido** *un jugador que tiene su digno y merecido pedestal en la historia de este club* · **injusto**

• CON VBOS. **subir(se) (a) || apear(se) (de) · bajar(se) (de) || caer(se) (de) || poner (en) · tener (en)** *Después de su éxito, todos la tenían en un pedestal* **|| estar (en)**

• CON PREPS. **encima (de) · sobre · en lo alto (de)**

pedido s.m.

• CON ADJS. **cuantioso · gran(de) · sustancioso || insignificante · pequeño || en firme || a domicilio** *Esta empresa no admite pedidos a domicilio* **|| numerosos · abundantes**

• CON SUSTS. **avalancha (de)** *La llegada del verano provocó una avalancha de pedidos* · **cúmulo (de)**

• CON VBOS. **hacer · realizar · encargar · formular || recibir || denegar** *Nos denegaron el pedido por ser inferior a la cantidad mínima estipulada* · **rechazar || enviar · llevar · entregar**

[pedir] → a pedir de boca; pedir; pedir perdón

pedir v.

• CON ADVS. **a gritos** *Me pidió a gritos que me acercara hacia ellos* · **a voces · a voz en grito || pacíficamente · por las buenas || formalmente · con todo respeto** *Nos pidieron con todo respeto que saliéramos de allí porque era una propiedad privada* · **respetuosamente · por favor · gentilmente · humildemente · diplomáticamente || informalmente || lisa y llanamente · sin ambages** *Decidí que lo mejor era no andarme con rodeos y pedirle sin ambages que me acompañara* **|| con firmeza · con todas {mis/tus/sus...} fuerzas · de (todo) corazón · encarecidamente · ardientemente · fervientemente · vigorosamente · clamorosamente || insistentemente · machaconamente · reiteradamente · repetidamente · una y otra vez · por activa y por pasiva · a diestro y siniestro || a regañadientes || en firme || por escrito · verbalmente · expresamente || en exclusiva || a coro** *Todo el público pidió a coro que interpretaran una canción más* · **unánimemente · en solitario · personalmente || extraoficialmente · oficialmente · por conducto oficial || en balde** *En balde le he pedido una y otra vez que adopte hábitos de vida más saludables* · **inútilmente · sin éxito || {en/como} compensación · a cambio** *Tú pídele a cambio más días de vacaciones*

pedir perdón loc.vbal.

• CON ADVS. **de (todo) corazón** *Cuando se dieron cuenta del daño causado, pidieron perdón de todo corazón* · **con todas {mis/tus/sus...} fuerzas · de rodillas || a regañadientes || humildemente · modestamente || por escrito · verbalmente · formalmente || públicamente · en público · en privado**

pedrada s.f. Véase **GOLPE**

pedrería s.f.

• CON ADJS. **delicada · fina · elegante · lujosa · exclusiva || de imitación · de fantasía || refulgente · brillante · resplandeciente || lleno,na (de) · mojado,da (de)**

• CON SUSTS. **traje (de) · vestido (de) · bolso (de)**

• CON VBOS. **bordar (en/con)** *un corpiño negro bordado con pedrería* · **realzar (con) · tachonar (de) · cuajar (de) · recamar (en/con)**

pegadizo, za adj.

• CON SUSTS. **música · canción · ritmo · melodía · estribillo** *Esta canción tiene un estribillo muy pegadizo* · **tema · banda sonora · sintonía · letra · sonoridad · partitura · tonada · versión · cadencia · sonido · sonsonete · cabecera || swing · tango · rumba · vals ||** ***otras formas musicales*** **|| expresión · eslogan** *los eslóganes pegadizos de algunos anuncios publicitarios* · **verso · narración · estrofa · estilo · fórmula · mote · nombre · título || anuncio · mensaje · publicidad || humor · entusiasmo** *Su entusiasmo es pegadizo y anima a seguir trabajando* · **euforia · delirio**

pegajoso, sa adj.

• CON SUSTS. **sustancia · crema · saliva · pintura · barniz · capa · mancha · pátina || mano · dedo · superficie || calor** *No aguanto el calor pegajoso del verano* · **aire · humedad · brisa · ambiente · atmósfera · sopor || marcaje || amabilidad · cortesía · actividad ||** ***persona*** *un compañero demasiado pegajoso*

• CON VBOS. **ser · volver(se) · quedar** *Se me han quedado las manos pegajosas* **|| estar · dejar · poner(se)**

pegamento s.m.

• CON ADJS. **{de/en} barra · líquido** *Para este trabajo es mejor el pegamento líquido* · **industrial · permanente · de contacto || eficaz · revolucionario · fuerte**

• CON SUSTS. **bote (de) · barra (de) · tubo (de)**

• CON VBOS. **unir (algo) · pegar (algo) || usar · aplicar · poner || inhalar · oler · ingerir · esnifar || pegar (con) · unir (con)** *Unió las dos partes del mueble con pegamento de contacto* · **agarrar (con) · arreglar (con) || llenar (de) · impregnar (de) || actuar (de) · servir (de)**

pegar v.

▮ [adherir]

• CON SUSTS. **cromo** *¿Has pegado ya los cromos en el álbum?* · **sello · cartel · pegatina · etiqueta || parte · lado · cara · fragmento · trozo · pedazo || madera · papel · plástico ·** ***otras materias*** **|| silla · juguete ·** ***otros objetos*** *col.*

▮ [contagiar]

• CON SUSTS. **gripe · varicela** *Le han pegado la varicela en el colegio* · ***otras enfermedades*** **|| hábito · aspecto · apariencia · acento** *Después de un año en París se le ha pegado el acento francés* · **forma de hablar**

▮ [golpear]

• CON SUSTS. **tiro · puñetazo · golpe · bofetada · cabezazo** *Le pegó un cabezazo sin querer* · **empujón || pase** *El torero pegó un buen pase*

▮ [producir] *col.*

• CON SUSTS. **susto · salto · bote · sobresalto · brinco · respingo || grito** *Pegó un grito que despertó a toda la familia* · **voz · berrido · alarido · mugido · rugido || vuelta · vuelco · empujón · estirón** *La niña ha pegado un buen estirón* · **tirón · bajón || madrugón · carrera · caminata · galopada || vacaciones · juerga · comilona · excursión · ducha · baño · chapuzón · garbeo · gustazo**

▮ [gustar] *col.*

• CON SUSTS. **canción** *la canción que más pega este verano* · **libro || tendencia · corriente · línea · moda**

▮ [agregarse] *col.*

• CON SUSTS. ***persona*** *Se me pegó durante la fiesta y no supe quitármelo de encima*

• CON ADVS. **como una lapa**

▮ [encajar, corresponder]

● CON ADVS. **perfectamente** · **a la perfección** · **de maravilla** || **ni con cola**

pegote s.m. *col.*

● CON VBOS. **hacer** · **tener** · **ver** · **poner** *¿Quién ha puesto ese pegote en la pared?* · **quitar**

peinado s.m.

▮ [arreglo del pelo]

● CON ADJS. **especial** · **nuevo** *Lleva un peinado nuevo que le sienta muy bien* · **moderno** · **original** || **sencillo** · **liso** · **recargado** · **discreto** || **elegante**

● CON SUSTS. **forma (de)** || **taller (de)** *un taller de peinados africanos* · **clase (de)**

● CON VBOS. **realizar** · **hacer** *La peluquera le hizo un sencillo peinado* || **cuidar** · **arreglar(se)** || **lucir** · **llevar** || **elegir** || **cambiar (de)**

▮ [rastreo]

● CON ADJS. **exhaustivo** · **minucioso** · **completo** || **parcial**

● CON SUSTS. **tarea (de)** · **labor (de)** *Continuaron las labores de peinado de la zona hasta que lo encontraron* || **campaña (de)** || **resultado (de)**

● CON VBOS. **comenzar** · **empezar** · **terminar** || **ordenar** || **participar (en)** *Varios agentes participaron en el peinado del barrio*

peinar v.

▮ [cepillar]

● CON SUSTS. ***persona*** *La novia se está peinando* || **cabello** · **pelo** *Ahora le ha dado por peinarse el pelo hacia arriba* · **cabeza** || **ropa**

▮ [rastrear]

● CON SUSTS. **zona** *La Policía estuvo peinando la zona en busca de pruebas* · **área** · **terreno** · **territorio** · **bosque** · ***otros lugares***

pelado, da adj.

● CON SUSTS. **terreno** *un terreno pelado que no vale nada* · **finca** · **monte** · **superficie** · **campo** · **paisaje** || **grito** *Cantaban a grito pelado* · **chillido**

● CON VBOS. **estar** · **quedar(se)** *Después de las vacaciones me he quedado pelada* · **dejar**

pelambrera s.f. *col.*

● CON ADJS. **abundante** || **rizada** · **hirsuta** · **indómita** · **ensortijada** · **recia** || **brillante** · **larga** *Con esa larga pelambrera no te reconocía*

● CON PREPS. **con**

pelar v.

● CON SUSTS. **fruta** · **cebolla** · **patata** *pelar patatas para hacer una tortilla* · **ajo** · **calabacín** · **pepino** · ***otros frutos*** || **ave** · **pollo** · **gallina** · **conejo,ja** · ***otros animales*** || **barba** · **cabeza** · **bigote** · **persona** || **cable** *Hay que pelar los dos cables antes de unirlos* · **palo** · **tronco**

● CON ADVS. **completamente** · **al cero** *En verano le gusta pelarse al cero* · **por completo** · **a cepillo** || **minuciosamente** · **con detenimiento** · **meticulosamente** · **cuidadosamente** · **escrupulosamente**

□ EXPRESIONES **que pela** [extremo, muy fuerte] *Abrígate, que hace un frío que pela* || **que se las pela** [forma rápida o intensa de hacer algo] *col. Corre que se las pela* || **ser duro de pelar** [ser difícil de vencer o convencer] *col.*

pelea s.f.

● CON ADJS. **a brazo partido** · **a muerte** · **a vida o muerte** *una pelea a vida o muerte por el dominio de la manada* · **épica** || **sangrienta** · **violenta** *Presencié una violenta pelea entre la Policía y los manifestantes* · **encarnizada** · **enconada** · **a cara de perro** · **sin cuartel** · **sin tregua** || **agria** · **controvertida** · **reñida** *La pelea era muy reñida, porque los dos contendientes eran fuertes* · **acalorada** · **aparatosa** || **a bocados** · **a mordiscos** · **a patadas** · **a golpes** · **a tiros** || **cuerpo a cuerpo** *una pelea cuerpo a cuerpo para conseguir el título de campeón de Europa* · **a pecho descubierto** || **limpia** · **sucia** || **descomunal** · **monumental** || **injustificable** · **inútil** || **multitudinaria** || **callejera** · **campal** · **intestina** · **juvenil** || **propenso,sa (a)**

● CON VBOS. **fraguar(se)** · **desatar(se)** · **desencadenar(se)** *Al final del partido se desencadenó una pelea campal entre los seguidores de ambos equipos* · **recrudecer(se)** · **producir(se)** || **disolver(se)** · **resolver(se)** *La monumental pelea solo se resolvió cuando intervino la Policía* || **buscar** *¿Buscas pelea o qué?* · **querer** · **alimentar** || **entablar** · **iniciar** · **librar** *...y acabaron librando una violentísima pelea* · **sostener** · **dar** || **terminar** · **zanjar** *Lo mejor era zanjar aquella absurda pelea cuanto antes* · **desactivar** || **ganar** · **perder** || **arbitrar** || **enzarzarse (en)** *Se enzarzaron en una aparatosa pelea por una discusión de tráfico* · **enredar(se) (en)** · **enfrascarse (en)** · **entrar (en)** · **intervenir (en)** · **participar (en)** · **verse envuelto (en)** || **incitar (a)** || **vencer (en)** || **dar término (a)**

pelear v.

● CON ADVS. **a brazo partido** · **a muerte** *El corredor español peleó a muerte para revalidar su título* · **sin tregua** · **con encono** · **violentamente** || **como un león** *Tuve que pelear como un león para defender mis intereses* · **con arrojo** · **con valentía** · **con valor** · **valientemente** · **con decisión** · **arduamente** · **como gato panza arriba** *Toda la plantilla peleó como gato panza arriba para conservar su trabajo cuando reestructuraron la empresa* · **con todas {mis/tus/sus...} fuerzas** · **a tope** · **palmo a palmo** · **sin cuartel** || **a golpes** || **abiertamente** · **a pecho descubierto** *Peleaban a pecho descubierto y sin armas* · **cuerpo a cuerpo** · **frente a frente** || **por un quítame allá esas pajas** *Aquella era una cuestión nimia y yo no estaba dispuesto a pelearme por un quítame allá esas pajas*

peleón, -a adj.

● CON SUSTS. **carácter** *Tiene un carácter muy peleón y siempre está provocando* · **persona** || **vino** *Nos sirvieron un vino peleón que no pudimos terminar*

● CON VBOS. **ser** · **estar** · **volverse**

peliagudo, da adj.

● CON SUSTS. **asunto** *Era un asunto un poco peliagudo y no sabía cómo abordarlo* · **tema** · **punto** · **decisión** · **situación** || **encargo** · **misión** · **tarea** · **trabajo** · **reto** · **desafío** || **crisis** · **problema** || **mundo** || **amenaza**

● CON VBOS. **ponerse**

película s.f.

▮ [obra cinematográfica]

● CON ADJS. **aburrida** *La película fue muy aburrida* · **soporífera** · **larga** · **interminable** · **corta** || **interesante** · **original** · **divertida** · **entretenida** · **graciosa** · **trepidante** *Vimos una trepidante película de acción* || **almibarada** · **lacrimógena** || **espectacular** · **excelente** · **genial** · **redonda** · **ambiciosa** · **arriesgada** || **arrasadora** · **arrolladora** || **célebre** · **clásica** · **de culto** · **inolvidable** || **mediocre** · **del montón** *Vimos una película del montón que* *no pasará a la historia* · **anodina** || **taquillera** · **de éxito** · **comercial** · **experimental** || **de acción** · **bélica** · **de guerra** · **romántica** · **musical** · **fantástica** · **de dibujos animados** · **de tesis** · **de género** · **X** · **de vaqueros** · **de ciencia ficción** · **de miedo** · **de terror** || **doblada** · **subtitulada** · **con subtítulos** · **en versión original** · **muda** · **sonora**

● CON SUSTS. **guión (de)** || **avalancha (de)** || **pase (de)** *Tenemos invitaciones para el primer pase de la película* · **proyección (de)**

● CON VBOS. **aburrir (a alguien)** · **divertir (a alguien)** · **entretener (a alguien)** || **tener éxito** · **fracasar** · **pasar sin pena ni gloria** || **decaer** · **frustrar(se)** || **tratar (de algo)** · **versar (sobre algo)** || **contar** *La película contaba la historia de una familia que emigra a...* · **resumir** || **transcurrir (en un lugar)** || **durar** · **prolongarse** || **dirigir** · **hacer** · **filmar** · **rodar** · **montar** · **producir** · **doblar** · **subtitular** || **interpretar** · **protagonizar** || **ambientar** *La directora ha ambientado la película en la época romana* || **dar** *Esta noche dan una película del oeste* · **poner** *Algunos cines ponen películas en versión original* · **echar** · **pasar** · **exhibir** · **proyectar** · **ofrecer** || **estrenar** · **reponer** || **ver** · **visionar** || **analizar** · **criticar** || **recomendar** || **acortar** · **cortar** · **censurar** || **empezar** · **terminar** · **interrumpir** || **rebobinar** *Cuando terminé de ver la película, la rebobiné hasta el principio* || **alquilar** · **sacar** || **disfrutar (de)** || **meterse (en)** *No te gustan estas películas porque no te metes en ellas* · **enfrascarse (en)** · **zambullirse (en)** || **salir (en)** *Me gustaría algún día salir en una película, pero con un papel pequeño*

▮ [capa]

● CON ADJS. **fina** *la finísima película que protege la piel* · **delgada** · **transparente**

● CON VBOS. **formar(se)** || **atravesar** · **traspasar** || **filtrar(se) (por)**

peligrar v.

● CON SUSTS. **vida** · **existencia** · **supervivencia** *Los vertidos tóxicos hacen peligrar la supervivencia de algunas especies* · **futuro** || **amor** · **fidelidad** · **amistad** · **paz** · **tranquilidad** · **integridad** · **estabilidad** · **continuidad** · **equilibrio** · **convivencia** · **independencia** || **victoria** · **clasificación** *Es un mal resultado que hace peligrar la clasificación del equipo para la siguiente ronda* · **triunfo** · **celebración** || **alianza** · **coalición** · **unión** · **acuerdo** · **pacto** · **negociación** · **diálogo** · **participación** || **puesto** · **empleo** · **ascenso** || **inversión** · **beneficio** · **negocio** *El negocio peligra seriamente tras la aprobación de la última ley* · **privilegio** · **pensión** || **trabajo** · **bienestar** · **salud**

● CON ADVS. **seriamente** · **gravemente** · **claramente** · **nítidamente** · **abiertamente** · **injustificadamente** · **absurdamente**

[peligro] → en peligro; peligro

peligro s.m.

● CON ADJS. **grave** · **serio** *La explotación de los recursos naturales entraña serios peligros* · **severo** · **sumo** || **leve** · **ligero** · **menor** · **relativo** · **pequeño** || **acuciante** · **amenazante** · **inminente** *El peligro de derrumbe del edificio es inminente* · **inmediato** || **impredecible** · **imprevisible** · **incalculable** || **latente** || **de muerte** · **mortal** || **expuesto,ta (a)**

● CON SUSTS. **manifestación (de)** · **situación (de)** · **sensación (de)** || **señal (de)** · **foco (de)** || **ocasión (de)** *No hubo ni una ocasión de peligro en todo el partido* · **jugada (de)** · **acción (de)** || **advertencia (de)**

● CON VBOS. **acechar (a alguien)** *Acechaba el peligro de un nuevo ataque* · **planear (sobre alguien)** · **cernerse (sobre alguien)** · **amenazar (a alguien)** · **asomar** · **avecinarse** · **acuciar (a alguien)** || **existir** · **persistir** · **subsistir** · **latir** || **agravar(se)** · **agudizar(se)** · **crecer** · **aumentar** *Con las fuertes nevadas aumenta el peligro de avalancha* · **incrementarse** · **arreciar** || **amainar** · **aminorar** · **decrecer** · **remitir** · **aplacar(se)** · **despejar(se)** · **desvanecerse** · **extinguir(se)** · **disipar(se)** || **derivar(se) (de algo)** · **residir (en algo)** || **afrontar** · **arrostrar** · **encarar** || **atravesar** · **correr** *No te preocupes, aquí no corremos ningún peligro* · **sufrir** · **bordear** || **eludir** · **evitar** · **rehuir** · **sortear** · **soslayar** · **ahuyentar** · **conjurar** · **neutralizar** || **superar** · **salvar** · **vencer** || **avivar** || **ocasionar** · **causar** · **provocar** · **engendrar** · **acarrear** · **comportar** *Su consumo no comporta ningún peligro para la salud* · **entrañar** · **revestir** · **suponer** · **ofrecer** || **percibir** · **detectar** · **notar** · **presentir** · **prever** || **calcular** · **calibrar** · **sopesar** || **advertir (de)** · **alertar (de/sobre)** *El ministro alertó sobre el peligro de la deforestación* · **avisar (de)** · **apercibir (de/contra)** || **escapar (de)** · **huir (de)** · **librar(se) (de)** · **salir (de)** || **exponer(se) (a)** · **pasar (por)** *Pasaron por innumerables peligros al atravesar la frontera* · **hacer frente (a)** || **desentenderse (de)** || **poner (en)** || **encontrarse fuera (de)**

● CON PREPS. **al abrigo (de)** · **a resguardo (de)** || **a la vista (de)** *A la vista del peligro, los periodistas se alejaron de la zona de los enfrentamientos* || **en**

peligrosamente adv.

● CON VBOS. **acercarse** · **aproximarse** · **rozar** *Los dos coches llegaron a rozarse peligrosamente* · **arrimarse** · **bordear** · **inclinar(se)** · **asemejarse** · **contornear** · **lindar** · **acechar** · **parecerse** || **mover(se)** · **desviar(se)** · **cruzar** · **cabalgar** · **conducir** || **crecer** · **incrementar** · **acrecentar** · **engrosar** · **amplificar** · **aumentar** *El endeudamiento de la empresa está aumentando peligrosamente* · **elevar** || **reducir** · **descender** · **disminuir** · **empeorar** · **detener** · **debilitar(se)** · **dañar** · **enrarecer** || **cambiar** · **alterar** *obras que alteran peligrosamente el medio ambiente* · **volverse** || **acentuar** · **agravar** · **ahondar** · **exacerbar** || **amenazar** *Las inundaciones amenazan peligrosamente la región* · **atentar** · **atacar** || **alentar** · **inducir** · **apostar** || **incidir** · **afectar** · **influir** || **vivir** · **actuar** · **jugar**

peligroso, sa adj.

● CON ADVS. **enormemente** · **extremadamente** · **sumamente** *una actitud sumamente peligrosa* · **tremendamente** · **considerablemente** || **gravemente** || **ligeramente** · **relativamente**

● CON VBOS. **volver(se)**

pelirrojo, ja adj.

● CON SUSTS. ***persona*** *Un chico pelirrojo nos indicó el camino* || **melena** · **pelo** · **cabello** · **cabellera** · **cabeza** · **barba** · **trenza** · **cuerpo** · **cara** · **rostro** · **peluca**

pellejo s.m. *col.*

● CON VBOS. **quitar** · **lavar** · **limpiar** || **curtir** · **secar** || **arriesgar** · **jugarse** *pilotos que se juegan el pellejo en cada carrera* · **apostar** || **dejarse** · **perder** · **costar** || **salvar** *Salvó el pellejo de milagro* · **conservar** · **proteger** · **defender** · **cuidar** || **estar (en)** · **meterse (en)** · **ponerse (en)** *Para entenderlo necesitas ponerte en su pellejo*

pellizco

1 **pellizco** s.m.

▮ [agarrón con los dedos]

● CON VBOS. **dar** *Le dio un cariñoso pellizco en la mejilla* · **pegar**

▌ [cantidad de dinero]

● CON VBOS. **coger(se)** · **sacar(se)** · **llevarse** · **conseguir** · **ganar(se)**

2 **pellizco (de)** s.m.

● CON SUSTS. **sal** *echar un pellizco de sal* · **azúcar** · **pimienta** · **pan** || **dinero** *llevarse un buen pellizco de dinero* · **beneficios** · **premios** · **votos** · **inversión** || **fantasía** · **superación** · **sentimiento** · **generosidad** · **historia** · **tiempo** · **rabia**

[pelo] → a pelo; con pelos y señales; pelo; por los pelos

pelo s.m.

● CON ADJS. **cano** · **canoso** · **encanecido** · **blanco** · **castaño** · **moreno** · **oscuro** · **negro** · **rubio** || **abundante** · **escaso** || **denso** · **espeso** *tener el pelo espeso y abundante* · **tupido** || **encrespado** · **desmadejado** · **estropajoso** · **desmelenado** || **rebelde** · **dócil** · **moldeable** || **largo** · **corto** *Te sienta muy bien el pelo corto* || **ensortijado** · **ondulado** · **rizado** · **lacio** · **liso** · **fosco** || **postizo** · **natural** · **artificial**

● CON SUSTS. **mecha (de)** · **mechón (de)** · **mata (de)** || **corte (de)** || **color (de)** · **tinte (de)** || **caída (de)** · **tirón (de)** || **secador (de)**

● CON VBOS. **encrespar(se)** · **enredar(se)** *El pelo se me enreda con mucha facilidad* · **ensortijarse** · **erizar(se)** · **caer(se)** || **atusar** *Se atusó el pelo antes salir al escenario* · **mesar** · **desenredar** || **cortar** · **rapar** · **teñir** || **peinar** · **cepillar** · **rizar** · **alisar** · **ondular** || **perder**

□ EXPRESIONES **al pelo** [de manera oportuna] *col.* || **con pelos y señales*** [con todos los detalles] *col.* || **de medio pelo** [de poca categoría] *col.* || **no tener pelos en la lengua** [decir lo que se piensa sin reparo] *col.* || **no tener un pelo de tonto** [no serlo en absoluto] || **no ver el pelo** (a alguien) [no aparecer] *col.* || **poner los pelos de punta** [causar miedo] *col.* || **por los pelos*** [por muy poco] *col.* || **tirarse de los pelos** [irritarse por haber cometido una equivocación irremediable] *col.* || **tomar el pelo** (a alguien) [burlarse de él] *col.*

pelotazo s.m.

▌ [golpe con una pelota]

● CON ADJS. **cruzado** · **largo** · **aéreo**

➤ Véase también **GOLPE**

▌ [actuación económica que produce el enriquecimiento rápido] *col.*

● CON ADJS. **financiero** · **electoral** · **económico** · **urbanístico** *medidas para frenar el pelotazo urbanístico en las zonas costeras* · **populista** · **nacional**

● CON SUSTS. **cultura (de)** · **década (de)** · **época (de)** · **tiempos (de)** · **etapa (de)** · **política (de)** · **economía (de)** · **negocio (de)** · **fiebre (de)**

peloteo s.m.

▌ [pases de pelota]

● CON ADJS. **largo** *peloteos largos desde el fondo de la cancha* · **corto**

● CON SUSTS. **ruido (de)** || **ritmo (de)** · **intensidad (de)**

● CON VBOS. **aguantar** · **mantener** || **buscar** *El tenista buscó más el peloteo que los golpes ganadores*

▌ [adulación] *col.*

● CON ADJS. **constante** *un constante peloteo que pone nervioso al profesor* · **descarado** || **interesado**

● CON VBOS. **regalar** || **hartar(se) (de)** · **cansar(se) (de)**

pelotera s.f. *col.*

● CON ADJS. **tremenda** · **monumental** *Ayer tuve una pelotera monumental con mi vecino* · **espectacular** · **mayúscula** · **descomunal** · **enorme** · **formidable** · **inmensa**

● CON VBOS. **armar** · **montar** *Montó una pelotera descomunal* · **tener** || **enzarzarse (en)** · **acabar (en)**

peluquero, ra s.

● CON ADJS. **de señoras** · **de hombres** || **buen,-a** · **excelente** · **creativo,va** · **rompedor,-a** || **de confianza** *Solo deja que le corte el pelo su peluquero de confianza* · **novato,ta** · **prestigioso,sa** · **de renombre** · **famoso,sa** · **conocido,da** || **caro** · **barato**

● CON SUSTS. **aprendiz,-a (de)** *Trabaja como aprendiz de peluquera* · **diploma (de)** · **curso (de)**

● CON VBOS. **peinar (a alguien)** · **cortar el pelo (a alguien)** · **lavar {el pelo/la cabeza} (a alguien)** · **acicalar (a alguien)**

[pena] → a duras penas; pena; pena capital; sin pena ni gloria

pena s.f.

▌ [sentimiento]

● CON ADJS. **enorme** *Sentía una enorme pena de dejar todo aquello* · **honda** · **profunda** · **insondable** · **infinita** || **abrumadora** · **angustiosa** · **amarga** · **inconsolable** || **irreversible** || **llevadera**

● CON SUSTS. **expresión (de)** · **manifestación (de)** · **sentimiento (de)** *embargado por un sentimiento de pena que no podía explicar* · **sensación (de)** · **cara (de)** · **gesto (de)**

● CON VBOS. **afligir (a alguien)** · **embargar (a alguien)** *Desde que se enteró de la terrible noticia la embarga una profunda pena* || **entrar (a alguien)** || **aliviar** · **enjugar** · **mitigar** · **aminorar** · **amortiguar** · **atenuar** · **ahogar** · **ahuyentar** || **causar** · **dar** *Me da mucha pena que ya nunca nos veamos* · **inspirar** · **ocasionar** · **producir** || **sentir** · **tener** || **confesar** || **apechugar (con)** || **morir(se) (de)**

▌ [castigo]

● CON ADJS. **benigna** · **leve** · **menor** || **dura** *Han decidido implantar penas más duras para este tipo de delitos* · **severa** · **mayor** || **desmesurada** · **exorbitante** · **desorbitada** · **injusta** || **proporcional** · **justa** || **efectiva** || **capital** · **de muerte** · **de cárcel** · **de prisión** *La fiscal solicitó para el acusado un pena de prisión de diez años* · **de reclusión** || **libre (de)**

● CON SUSTS. **revisión (de)** · **petición (de)** · **reducción (de)** · **cumplimiento (de)** · **suspensión (de)** · **rebaja (de)** · **redención (de)** · **fianza (de)**

● CON VBOS. **consistir (en algo)** || **establecer** · **implantar** · **imponer** · **infligir** || **agravar** || **incrementar** · **rebajar** *Le rebajaron la pena por concurrencia de circunstancias atenuantes* || **abolir** *abolir la pena de muerte* · **derogar** || **aceptar** · **asumir** || **condonar** · **conmutar** || **revisar** || **cumplir** · **purgar** · **redimir** || **incumplir** || **acumular** · **merecer** || **ejecutar** || **cargar (con)** · **castigar (con)** · **condenar (a)** · **eximir (de)**

● CON PREPS. **sin perjuicio (de)**

□ EXPRESIONES **a duras penas*** [con gran dificultad] || **de pena** [muy mal] *col.* || **hecho una pena** [en muy malas condiciones] *col.* || **{merecer/valer} la pena** (algo) [compensar el esfuerzo invertido] || **sin pena ni gloria*** [sin nada que destacar]

pena capital loc.sust.

● CON ADJS. **en vigor** · **legal** · **ilegal** || **contrario,ria (a)** · **partidario,ria (de)**

● CON VBOS. **aplicar · pedir · conmutar || abolir** *Luchan para abolir la pena capital en su país* || **instaurar · reinstaurar || oponerse (a) || sentenciar (a) · castigar (con) · condenar (a)**
● CON PREPS. **contra · a favor (de)**

penal

1 **penal** adj.
● CON SUSTS. **derecho** *una abogada especializada en derecho penal* · **código · legislación · ley · norma · reforma || delito · cargo · antecedente** *Tiene antecedentes penales* · **responsabilidad || acción · causa · denuncia · demanda** *interponer una demanda penal* || **sanción · sentencia · disposición || juicio · proceso · procedimiento || centro || sistema · régimen**

2 **penal** s.m.
▮ [cárcel]
● CON ADJS. **de alta seguridad** *A los criminales más peligrosos los llevan a los penales de alta seguridad* || **especial**
● CON VBOS. **albergar (a alguien) · dar cabida (a alguien) || ingresar (en) · trasladar (a) · llevar (a) || escapar (de) · fugarse (de)**
● CON PREPS. **en**

penalidad s.f.

● CON ADJS. **gran(de) || grave · seria · terrible · amarga · triste** *Sus tristes penalidades no eran mayores que las de otros* || **múltiples · infinitas · numerosas || lleno,na (de)**
● CON VBOS. **abatir(se) (sobre algo/sobre alguien) · afligir (a alguien) · azotar (a alguien) || afrontar** *Afrontó múltiples penalidades durante su destierro* · **combatir · mitigar · aliviar · redimir || pasar · soportar · sufrir || imponer**

penalización s.f.

● CON ADJS. **económica** *Le impusieron una fuerte penalización económica* · **fiscal · académica || drástica · efectiva · preventiva · encubierta || mínima · máxima · considerable · importante · grave · fuerte**
● CON SUSTS. **punto (de)** *El equipo acumula varios puntos de penalización* · **cláusula (de) · sistema (de) · fórmula (de)**
● CON VBOS. **aumentar · incrementar · regular · agilizar || aplicar · establecer** *La ley establece una fuerte penalización en esas circunstancias* · **registrar || sufrir · evitar · cumplir · tener · pagar || suponer · provocar · implicar || arriesgarse (a)** *Si no presentas los documentos te arriesgas a una penalización* · **entenderse (como)**

penalmente adv.

● CON VBOS. **demandar · denunciar || investigar** *La fiscal cree que no hay base legal para poder investigar penalmente el asunto* || **condenar · sancionar**

[penalti] → de penalti; penalti

penalti s.m.

● CON ADJS. **a favor · en contra || claro · dudoso · indudable · posible || de libro · como una catedral · como la copa de un pino || tonto**
● CON VBOS. **pitar** *El árbitro pitó un penalti a favor del equipo visitante* · **señalar || escamotear · saltarse · pasar por alto · ver** *otro penalti de libro que el árbitro no ve* || **cometer · hacer || lanzar · tirar · transformar || errar · fallar · marcar || parar · entrar || castigar (con) · sancionar (con)**

☐ EXPRESIONES **casarse de penalti** [casarse por estar embarazada la mujer] *col.*

pender (de) v.

● CON SUSTS. **hilo** *Sus vidas pendían de un hilo* || **cuello · cabeza · puerta · perchero**

☐ USO También se construye con la preposición *sobre*: *una permanente amenaza que pende sobre nuestras cabezas.*

pendiente

1 **pendiente** adj.
● CON SUSTS. **asunto · tema · cuestión · problema** *Han convocado una nueva reunión para tratar algunos problemas pendientes* || **decisión · acuerdo · contrato · compromiso || cita · reunión · encuentro || tarea · trabajo · asignatura** *Le ha quedado una asignatura pendiente para septiembre* || **compra · cambio · visita ·** ***otros eventos*** **|| cuenta · deuda · factura || juicio · causa**
● CON VBOS. **quedar · tener (algo) || estar (de algo/de alguien)** *Prometió estar más pendiente de los asuntos familiares* · **seguir (de algo/de alguien) · vivir**

2 **pendiente (de)** adj.
● CON SUSTS. **aceptación · aprobación** *una medida pendiente de aprobación* · **autorización · firma || comprobación · verificación · revisión · confirmación · ratificación || contestación · decisión · juicio** *Su caso está pendiente de juicio* · **resolución · sentencia || reforma · renovación · traspaso || análisis · valoración || cobro · pago || ascenso · destino** *Aprobó las oposiciones y ahora está pendiente de destino* · **expulsión || estreno · publicación · emisión**

3 **pendiente** s.m.
▮ [joya]
● CON ADJS. **largo · corto || precioso · llamativo · original** *Me trajeron unos originales pendientes de Perú* · **vistoso || de tuerca · de clip || de bisutería · de fantasía · de imitación · de {oro/plata} || auténtico · falso**
● CON SUSTS. **par (de) || tuerca (de)**
● CON VBOS. **colgar || caer(se) · romper(se) || poner(se) · quitar(se) || llevar** *No suelo llevar pendientes* · **usar || perder || regalar || cambiar (de)**

4 **pendiente** s.f.
▮ [inclinación]
● CON ADJS. **empinada · extremada · fuerte** *una señal de subida con fuerte pendiente* · **acentuada · pronunciada · brusca · vertiginosa || leve · ligera · suave · tenue · moderada || gradual · progresiva || sostenida · uniforme**
● CON VBOS. **acentuarse || bajar || escalar · subir || superar · vencer** *Los corredores vencieron la pendiente sin dificultad* || **ascender (en) || trepar (por) || deslizarse (por) · precipitarse (por) · resbalar (por) · rodar (por) · despeñarse (por)**
● CON PREPS. **en** *un camino en pendiente* · **con**

penetrante adj.

● CON SUSTS. **clavo · astilla · aguja || perfume · hedor · olor || sonido · ruido · voz || dolor · frío || mirada** *Había quedado seducido por su penetrante mirada* · **ojos · vista || fuerza · vigor · poder · ánimo || análisis · estudio** *un estudio lúcido y penetrante* · **examen · observación · descripción · indagación · investigación · búsqueda || visión · crítica · comentario · valoración · alegato · defensa · juicio · interpretación · insinuación · refutación || ensayo · relato · libro · retrato · obra · artículo · comedia · novela · poema || ensayista · crítico,ca** *En mi opinión, se trata del crítico actual más penetrante y agu-*

do · **cronista** · **autor,-a** · **teórico,ca** · **teólogo,ga** · **tertuliano,na** || **talento** · **ingenio** · **inteligencia** · **erudición** · **perspicacia** · **lucidez** || **cerebro** · **mente**
● CON VBOS. **volverse** · **hacerse**

penitencia s.f.

● CON ADJS. **adecuada** · **debida** · **merecida** || **ejemplar** · **desproporcionada** · **excesiva** || **larga** · **amarga** *una amarga penitencia con la que habrá de cargar durante toda su vida* · **cruel** · **dura** · **insufrible** · **intensa** · **rigurosa** || **breve** · **corta** · **leve** · **ligera** · **llevadera** *Está cumpliendo una penitencia bastante llevadera* || **personal** || **acorde (con)**
● CON SUSTS. **camino (de)** · **estación (de)** · **sacramento (de)** || **años (de)**
● CON VBOS. **consistir (en algo)** || **cumplir** · **pagar** · **rendir** || **suavizar** · **atenuar** · **rebajar** · **reducir** || **aumentar** · **incrementar** || **hacer** · **practicar** || **imponer** · **poner** · **asignar** || **arrastrar** || **poner (como/de)**

penitenciario, ria adj.

● CON SUSTS. **institución** · **centro** · **recinto** · **hospital** · **psiquiátrico** · **establecimiento** · **complejo** || **régimen** · **política** · **ley** · **sistema** *la reforma del sistema penitenciario* · **reglamento** · **administración** · **gestión** · **autoridad** *Las autoridades penitenciarias se niegan a hacer declaraciones* || **beneficio** · **permiso** *disfrutar de un permiso penitenciario* · **tercer grado** · **vigilancia**

penoso, sa adj.

● CON ADVS. **particularmente** · **especialmente** · **verdaderamente** · **ciertamente** · **simplemente** *La película me resultó simplemente penosa*
● CON VBOS. **resultar (a alguien)** · **parecer (a alguien)** || **ser** · **estar**

pensador, -a s.

● CON ADJS. **libre** · **liberal** · **original** · **avanzado,da** *No hay duda de que fue una pensadora avanzada para su época* · **innovador,-a** · **comprometido,da** · **abierto,ta** · **flexible** || **destacado,da** · **insigne** · **brillante** · **prestigioso,sa** · **ilustre** · **respetado,da** · **reputado,da** · **notable** · **distinguido,da** · **admirado,da** · **influyente** || **profundo,da** · **sabio,bia** · **sesudo,da**
● CON SUSTS. **obra (de)** *Por fin se publica íntegra la obra del insigne pensador* · **figura (de)** · **trayectoria (de)**

pensamiento s.m.

▮ [idea]

● CON ADJS. **audaz** · **ingenioso** · **renovador** *Aportó a la empresa su pensamiento renovador y pragmático* || **original** · **pasajero** · **fugaz** || **certero** · **clarividente** · **lúcido** · **sagaz** || **accesible** · **claro** · **lineal** · **riguroso** · **descarnado** || **descabellado** · **abstruso** · **confuso** · **retorcido** · **mal(o)** *tener malos pensamientos* · **débil** · **oscuro** · **sombrío** · **anticuado** || **fidedigno** · **fiel** || **acorde (con)** || **absorto,ta (en)**
● CON SUSTS. **libertad (de)**
● CON VBOS. **asaltar (a alguien)** *Me asaltaban terribles pensamientos* · **invadir (a alguien)** · **venir (a alguien)** · **absorber (a alguien)** || **nublar(se)** || **agotar(se)** || **alumbrar** · **concebir** · **madurar** · **llevar a la práctica** || **albergar** · **tener** || **alejar** · **borrar** · **desterrar** || **relacionar** · **ligar** || **canalizar** · **dominar** · **conservar** · **cultivar** · **tergiversar** || **perder(se) (en)** · **adentrarse (en)** · **sumirse (en)** · **encerrarse (en)** *Se encierra en sus pensamientos y es difícil sacarlo de ahí* · **abstraerse (en)** · **dejarse llevar (por)** · **ahondar (en)** · **bucear (en)** || **grabar (en)** · **meterse (en)** · **guardar (en)**
● CON PREPS. **al hilo (de)**

▮ [conjunto de ideas]

● CON ADJS. **actual** · **vigoroso** · **poderoso** · **vivo** || **sólido** · **compacto** || **complejo** · **intrincado** · **difícil** · **hermético** · **inaccesible** · **prolijo** · **hondo** · **profundo** *El ensayo trasluce un pensamiento profundo, riguroso y lúcido* · **sencillo** · **maduro** || **único** · **dominante** · **extendido** · **arraigado** || **crítico** · **discordante** · **rebelde** || **filosófico** · **teológico** · **científico** || **abstracto** · **analítico** · **cartesiano** · **racional** · **platónico**
● CON SUSTS. **línea (de)** · **corriente (de)** · **sistema (de)** · **escuela (de)**
● CON VBOS. **brotar** · **germinar** · **fluir** · **discurrir** · **deslizar(se)** · **traslucir(se)** · **difundir(se)** || **inculcar** *El maestro inculcó su pensamiento a sus discípulos* · **transmitir** || **analizar** · **interpretar** · **explicar** · **exponer** · **presentar** || **condensar** · **resumir** · **desglosar** || **criticar** · **condenar** || **anclar** || **abanderar**

□ EXPRESIONES **leer el pensamiento** [adivinar lo que alguien piensa]

pensante adj.

● CON SUSTS. **cabeza** *Es la cabeza pensante de la institución* · **cerebro** · **mente** || **ser** · **criatura** · **máquina** || **gente** · **ciudadano,na** · **sociedad** · **sujeto** · **pueblo** · **minoría** · **mundo**

pensar v.

● CON ADVS. **a conciencia** *Piensen ustedes a conciencia en los pros y los contras de su decisión* · **concienzudamente** · **hondamente** · **profundamente** · **seriamente** *Tenía que pensarme seriamente mi contestación antes de...* || **brevemente** · **por un momento** *Por un momento pensé que te habías ido por un instante* · **detenidamente** · **largamente** · **con tiempo** · **deprisa** || **a bote pronto** · **en frío** · **fríamente** · **en caliente** || **ordenadamente** · **con calma** || **estratégicamente** || **a lo grande** *Siempre piensa todo a lo grande: los viajes más espectaculares, las mejores fiestas...* || **equivocadamente** · **maliciosamente** || **sinceramente** || **ni de lejos** *Ni de lejos pienses que te dejarán marchar sin...* · **ni por asomo** · **remotamente**
● CON VBOS. **ponerse (a)** || **dar (que)** *Aquellas misteriosas declaraciones dieron mucho que pensar* · **invitar (a)** *un ensayo enjundioso y bien construido que invita a pensar* || **inclinarse (a)**

pensativo, va adj.

● CON SUSTS. **actitud** · **aire** · **rostro** *Nos miró con rostro pensativo* · **expresión** · **semblante** · **mirada** · **gesto** || **persona** *Tiene fama de hombre pensativo y circunspecto*
● CON VBOS. **estar** · **quedar(se)** · **dejar (a alguien)** *Las imágenes me dejaron pensativa*

pensión s.f.

▮ [dinero]

● CON ADJS. **escasa** · **exigua** · **insuficiente** · **indigna** || **suficiente** · **digna** · **sustanciosa** · **jugosa** || **de por vida** · **vitalicia** || **laboral** · **de viudedad** *Mi madre cobra una pensión de viudedad*
● CON VBOS. **cobrar** · **percibir** · **tener** || **pedir** · **solicitar** || **conceder** *¿Le han concedido a tu hermano la pensión que solicitó?* · **denegar** || **rebajar** · **subir** *El Gobierno ha prometido que subirá las pensiones* || **disfrutar (de)** · **vivir (de)**
● CON PREPS. **en concepto (de)**

▮ [establecimiento]

● CON ADJS. **barata** · **cara** || **de mala muerte** · **inmunda** || **decente** · **aseada**
● CON SUSTS. **huésped (de)** · **tarifas (de)**
● CON VBOS. **alojar(se) (en)** *Nos alojamos en una pensión de mala muerte a las afueras de la ciudad* · **residir (en)**

pensionista s.com.

● CON SUSTS. **condición (de)** || **número (de)** · **colectivo (de)** · **grupo (de)** || **cartilla (de)** · **tarjeta (de)** || **hogar (de)** || **ventaja (de)**

penumbra s.f.

● CON ADJS. **apacible** · **confortable** · **débil** · **discreta** || **ambiental** || **densa** · **espesa** · **absoluta** *Se cortó la electricidad y nos quedamos en la más absoluta penumbra* || **misteriosa** · **tenebrosa** · **sombría** · **extraña** || **fría** · **fresca** *la fresca penumbra del cobertizo* || **suave** · **ligera** · **leve** || **envuelto,ta (en)** · **sumido,da (en)**
● CON SUSTS. **zona (de)** · **ambiente (de)** · **luz (de)**
● CON VBOS. **reinar** || **envolver (algo/a alguien)** · **bañar (algo/a alguien)** || **aprovechar** · **buscar** || **permanecer (en)** · **vivir (en)** · **dejar (en)** · **mantener (en)** · **adentrarse (en)** *Los jóvenes se adentraron en la penumbra de la cueva* · **internar(se) (en)** · **desaparecer (en)** · **esconder(se) (en)** · **quedar(se) (en)** · **sumir(se) (en)** · **perder(se) (en)** || **acostumbrarse (a)** *Después de un rato te acostumbras a la penumbra* · **acomodar(se) (a)**
● CON PREPS. **en** *una habitación en penumbra*

[peor] → de mal en peor

pepino s.m.

● CON SUSTS. **rodaja (de)** *Adornó la ensalada con rodajas de pepino* || **ensalada (de)** || **cultivo (de)** || **mascarilla (de)**
● CON VBOS. **cultivar** · **sembrar** · **cosechar** · **plantar** || **pelar** · **cortar** · **trocear** · **picar** · **rallar**
☐ EXPRESIONES **importar** (algo) **un pepino** (a alguien) [importarle muy poco] *col.*

pepita s.f.

▮ [semilla]

● CON VBOS. **germinar** || **quitar** · **sacar** *sacar las pepitas de la sandía* · **eliminar** || **escupir** · **comer** · **tragar**

▮ [trozo de oro]

● CON ADJS. **dorada** · **de oro** *un río en el que se encontraron varias pepitas de oro* || **valiosa** || **verdadera** · **falsa**
● CON SUSTS. **buscador,-a (de)**
● CON VBOS. **brillar** · **relucir** || **encontrar** · **buscar** · **extraer**

[pequeño, ña] → con la boca {chica/pequeña}

pera s.f.

● CON ADJS. **verde** · **madura** · **pasada** *Esas peras parecen un poco pasadas, ¿no?* · **podrida** || **dura** · **blanda** || **dulce** · **apetitosa** · **jugosa** || **blanquilla** · **limonera** · **de agua** || **en almíbar** · **en vino**
● CON SUSTS. **cosecha (de)** · **recogida (de)** · **recolección (de)** || **producción (de)** · **mercado (de)** || **jugo (de)** · **zumo (de)** · **néctar (de)** *zumo con néctar de pera y de manzana* · **licor (de)** || **piel (de)** · **corazón (de)**
● CON VBOS. **madurar** · **pudrir(se)** · **estropear(se)** || **cultivar** · **recoger** · **coger** *Cogieron unas cuantas peras del árbol* · **recolectar** || **pelar** · **cortar** · **trocear** · **confitar**
☐ EXPRESIONES **pedir peras al olmo** [pretender algo imposible] *col.* || **ser la pera** [ser sorprendente] *col.*

peral s.m. Véase **ÁRBOL**

peraltar v.

● CON SUSTS. **curva** *Los arquitectos decidieron peraltar la curva de los arcos para darles mayor altura* · **arco** · **bóveda**

percance s.m.

● CON ADJS. **grave** · **serio** · **aparatoso** || **fortuito** || **propenso,sa (a)**
● CON VBOS. **causar** · **ocasionar** *No me gustaría ocasionar ningún percance* || **sufrir** · **tener**

percatarse (de) v.

● CON SUSTS. **suceso** · **engaño** *Menos mal que nos percatamos del engaño* · **robo** · **estafa** · **accidente** · **impacto** || **presencia** · **ausencia** · **desaparición** · **llegada** || **señal** · **pista** · **ruido** || **situación** · **problema** · **asunto** || **importancia** || **error**
● CON ADVS. **a tiempo** *Se percataron a tiempo de la desaparición del bolso*

percepción s.f.

● CON ADJS. **borrosa** · **confusa** · **distorsionada** · **deformada** · **errónea** *una percepción errónea de los sabores* || **clara** · **nítida** || **visual** · **sensitiva** · **humana** · **sensorial** || **negativa** · **positiva** || **objetiva** · **ecuánime** · **real** || **colectiva** · **general** || **individual** · **personal** · **popular** · **subjetiva** *Demuestra tener una percepción demasiado subjetiva de las cosas*
● CON SUSTS. **capacidad (de)** · **límite (de)** || **error (de)** · **falta (de)** · **problema (de)** · **cambio (de)** *Experimenta en su último trabajo un cierto cambio de percepción de la realidad*
● CON VBOS. **nublar(se)** || **distorsionar** · **perder**

perceptible adj.

● CON ADVS. **a ojos vistas** · **visiblemente** · **ostensiblemente** || **claramente** *Presentaba síntomas de agotamiento claramente perceptibles* · **con claridad** · **con nitidez** · **nítidamente**
● CON VBOS. **hacer(se)**

percibir v.

● CON ADVS. **a ojos vistas** · **a simple vista** *un error que se percibe a simple vista* · **claramente** · **con claridad** · **a las claras** · **con nitidez** · **nítidamente** || **borrosamente** · **distorsionadamente** · **con dificultad** || **ligeramente** || **negativamente** · **positivamente** || **por un momento** *Por un momento se percibió la señal, pero luego desapareció otra vez*

[perder] → perder; perder(se)

perder v.

▮ [dejar de tener]

● CON SUSTS. **vista** *Con los años, he perdido vista* · **oído** · **olfato** · **apetito** · **gusto** · **sueño** || **paraguas** · **cartera** · **bolso** · ***otros objetos*** || **color** *Tu camisa ha perdido el color* · **brillantez** · **brillo** · ***otras cualidades*** || **memoria** · **equilibrio** · **personalidad** · **identidad** · **vida** · **compostura** · **lucidez** || **rumbo** *Que los problemas no te hagan perder el rumbo* · **norte** · **camino** · **dirección** || **deseo** · **interés** · **gana** *Es preferible que tome usted algo que le haga perder las ganas de comer* · **ilusión** · **fuerza** · **energía** · **impulso** · **esperanza** · **curiosidad** · **aliento** || **miedo** · **temor** · **vergüenza** · **paciencia** *Con los niños es fundamental no perder la paciencia* · **nervios** · **alegría** · **optimismo** · **cariño**

· **amor** || **poder** · **control** · **autoridad** · **dominio** · **hegemonía** · **soberanía** · **privilegio** · ***otras situaciones de preeminencia*** || **costumbre** *perder la costumbre de estudiar* · **hábito**

● CON ADVS. **a chorros** *El coche perdía gasolina a chorros* · **a espuertas** · **a raudales** || **paulatinamente** · **poco a poco** *Fue perdiendo poco a poco la memoria* · **a pasos agigantados** · **rápidamente** · **gradualmente** || **inevitablemente** · **inexorablemente** · **irremediablemente** · **irrevocablemente** · **para siempre** || **ostensiblemente** · **literalmente**

▮ [no alcanzar a tiempo]

● CON SUSTS. **vuelo** *perder el vuelo y quedarse en tierra* · **avión** · **tren** · **autobús** · **barco** · ***otros medios de transporte***

▮ [desaprovechar, malgastar]

● CON SUSTS. **hora** · **día** · **juventud** · **tiempo** *No pierdas el tiempo y procura estudiar* · ***otros períodos*** || **ocasión** · **oportunidad** · **posibilidad**

● CON ADVS. **por completo** · **totalmente** · **inútilmente** · **tontamente** *He perdido tontamente toda la mañana*

▮ [no ganar]

● CON SUSTS. **pleito** · **juicio** · **apelación** || **votación** · **elecciones** · **comicios** || **batalla** · **lucha** · **combate** · **guerra** · **pelea** || **partido** · **campeonato** · **encuentro** *Si perdemos este encuentro, no nos clasificaremos* · **final** · **set**

● CON ADVS. **por mucho** · **por poco** · **por {gran/escasa...} diferencia** · **por mayoría** · **abrumadoramente** · **abultadamente** · **por escaso margen** *Nuestro equipo perdió la final por un escaso margen* · **ajustadamente** || **estrepitosamente** · **clamorosamente** || **injustamente** · **justamente** · **en buena lid** · **en buena ley** || **deportivamente** *Hay que saber perder deportivamente* · **políticamente** · **judicialmente** || **de antemano** · **anticipadamente**

perder(se) v.

● CON ADVS. **a lo lejos** · **en el horizonte** *Vimos cómo el avión despegaba y se perdía en el horizonte* · **en lontananza**

perdición s.f.

● CON ADJS. **absoluta** · **total** || **inexorable** · **irremediable** · **irremisible** · **segura** *Las malas compañías lo arrastran a una perdición segura* || **propia** || **profesional** || **eterna**

● CON VBOS. **buscar(se)** || **acercarse (a)** · **ir (a)** || **arrastrar (a)** · **conducir (a)** · **llevar (a)** *Su agresividad la llevó a su propia perdición*

pérdida s.f.

● CON ADJS. **dolorosa** · **gran(de)** || **lamentable** · **llorada** · **sentida** · **sensible** || **decisiva** · **seria** · **severa** || **irrecuperable** · **irremediable** *la pérdida irremediable de facultades físicas y mentales* · **irreemplazable** · **irreparable** · **irreversible** || **drástica** || **abultada** *No es fácil ocultar las abultadas pérdidas del negocio* · **acusada** · **astronómica** · **copiosa** · **gruesa** · **incalculable** · **ingente** || **pequeña** · **ligera** · **insignificante** · **asumible** || **progresiva** · **galopante** || **económica** · **material**

● CON SUSTS. **riesgo (de)** · **peligro (de)** · **amenaza (de)** · **causa (de)** · **consecuencia (de)** · **proceso (de)** · **sensación (de)** · **época (de)** · **problema (de)**

● CON VBOS. **avecinarse** · **consumar(se)** || **agravar(se)** *Las pérdidas se agravaron con la crisis* || **diluir(se)** || **anotar(se)** || **afrontar** · **asumir** · **acusar** · **digerir** *Todavía no han digerido tan dolorosa pérdida* · **encajar** || **neutralizar** · **aminorar** · **amortiguar** · **enjugar** · **mitigar** · **compensar** · **paliar** · **remontar** · **sufragar** || **ocultar** · **maquillar** || **experimentar** · **soportar** · **sufrir** *La empresa aquel año sufrió pérdidas millonarias* || **acarrear** · **{traer/llevar} consigo** · **suponer** · **ocasionar** · **reportar** · **infligir** · **arrojar** *El negocio ha arrojado numerosas pérdidas en los últimos años* || **detectar** || **achacar (a algo/a alguien)** || **calcular** · **calibrar** || **constituir** · **representar** || **recobrarse (de)** · **recuperar(se) (de)** · **reponer(se) (de)** · **resarcir(se) (de)** || **revertir (en)** · **saldar(se) (con)** · **redundar (en)**

● CON PREPS. **en caso (de)** *en caso de pérdida o robo de las tarjetas de crédito* || **a pesar (de)** · **al margen (de)** · **a tenor (de)**

perdidamente adv.

● CON VBOS. **enamorarse** *En cuanto la vio, se enamoró perdidamente de ella*

● CON ADJS. **enamorado,da**

[perdido] → a fondo perdido; perdido, da

perdido, da adj.

▮ [total, completo]

● CON ADJS. **borracho,cha** · **enamorado,da** · **histérico,ca** *Está histérica perdida porque todavía no la han llamado* · **imbécil** · **tonto,ta**

▮ [desubicado]

● CON VBOS. **estar** · **dejar** · **sentirse** · **ver(se)**

perdiz s.f.

● CON ADJS. **roja** · **silvestre** · **salvaje** || **estofada**

● CON VBOS. **cazar** · **levantar** || **preparar** · **cocinar** *Existen muchas maneras de cocinar las perdices* · **guisar** · **escabechar** · **asar** · **rellenar**

☐ EXPRESIONES **marear la perdiz** [dar rodeos en un asunto sin encararlo o resolverlo] *col.*

[perdón] → pedir perdón; perdón

perdón s.m.

● CON ADJS. **generoso** · **indulgente** · **magnánimo** || **amplio** · **general** · **parcial**

● CON VBOS. **pedir** *Vengo a pedirte perdón* · **solicitar** · **implorar** · **suplicar** · **impetrar** || **conceder** · **otorgar** || **denegar** · **negar** || **merecer** || **gozar (de)**

perdonar v.

● CON SUSTS. **error** · **fallo** · **lapsus** · **despiste** · **defecto** *Le perdono todos sus defectos, porque los compensa con creces con otras cosas* · **deficiencia** || **ignorancia** · **desconocimiento** || **culpa** · **ofensa** · **pecado** || **delito**

● CON ADVS. **a regañadientes** || **con generosidad** · **generosamente** · **condescendientemente** · **con magnanimidad** · **misericordiosamente** || **de (todo) corazón** *Me perdonó de todo corazón y yo se lo agradecí*

perecedero, ra adj.

● CON SUSTS. **artículo** · **producto** · **bien** · **mercancía** · **recurso** || **alimento** *Debemos consumir primero los alimentos perecederos* · **comida** || **amor** · **felicidad** *Al fin y al cabo la felicidad es perecedera, efímera y engañosa* · **fe** · **emoción** || **texto** · **discurso** || **valor** || **actualidad** · **moda** || **huella** · **efecto** || **ideología** · **pensamiento** · **programa**

perecer v.

● CON SUSTS. ***persona*** *El avión cayó al mar y perecieron todos los pasajeros* || **alimento** · **producto** *Con este calor, los productos lácteos perecen muy rápido*

• CON ADVS. **en el acto** · **súbitamente** || **violentamente** · **cruelmente**

[peregrinación] →en peregrinación; peregrinación

peregrinación s.f.

• CON ADJS. **larga** · **continua** · **inacabable** · **interminable** || **solemne** · **reverencial** · **devota** · **religiosa** · **cultural** || **multitudinaria** *una multitudinaria peregrinación de fieles* · **masiva** || **periódica** · **anual**
• CON SUSTS. **lugar (de)** · **centro (de)** · **punto (de)** · **ruta (de)** · **camino (de)** · **viaje (de)** · **sitio (de)** · **tiempo (de)** · **meta (de)** *La milenaria ciudad era meta de peregrinaciones*
• CON VBOS. **hacer** · **iniciar** · **realizar** · **empezar** · **acabar** · **interrumpir** || **organizar** · **fomentar** · **impedir** · **frustrar** · **acoger** || **presidir** · **encabezar** || **participar (en)** · **regresar (de)** · **ir (de)** · **estar (de)** · **asistir (a)**

peregrino, na

1 **peregrino, na** adj.
▮ [extraño o carente de lógica]
• CON SUSTS. **idea** *No me venga usted con ideas peregrinas* · **argumento** · **tesis** · **teoría** · **argumentación** · **razón** · **razonamiento** · **consideración** · **comparación** · **opinión** · **ocurrencia** · **doctrina** · **análisis** || **planteamiento** *Es un planteamiento peregrino, pero cuenta con el apoyo de varios departamentos* · **estrategia** · **fundamento** · **criterio** · **concepción** || **conclusión** · **deducción** · **decisión** · **calificación** · **dictamen** || **pista** · **prueba** · **justificación** · **pretexto** · **excusa** · **explicación** · **respuesta** · **motivo** || **petición** · **pregunta** · **reivindicación** · **sugerencia** || **división** · **distinción** · **clasificación** || **intento** · **pretensión** · **propósito** · **objetivo** || **acusación** *acusaciones peregrinas sin ningún fundamento que no fueron tomadas en consideración* · **reproche** · **negativa** · **reconvención** || **relato** · **historia** · **narración** · **ensayo** · **carta** · **novela** · **trama** · **página** · **noticia** · **versión** · **frase** · **apostilla** || **afirmación** · **debate** · **declaración** · **discusión** *peregrinas discusiones sobre política* · **rumor** · **comentario** || **personaje** · **figura** || **caso** · **tema** · **cuestión** *No perdamos tiempo con una cuestión tan peregrina* · **asunto** · **concepto** · **situación** · **hecho** · **materia** · **medida** · **iniciativa** · **alternativa** · **posibilidad** · **circunstancia**

2 **peregrino, na** s.
▮ [persona]
• CON SUSTS. **albergue (de)** · **camino (de)** · **llegada (de)** || **afluencia (de)** *debido a la continua afluencia de peregrinos* · **avalancha (de)** · **flujo (de)**
• CON VBOS. **viajar** · **recorrer (un lugar)** *Los peregrinos recorrieron el camino hasta la ermita* · **transitar** || **llegar** · **acudir** · **partir**

perenne adj.

• CON SUSTS. **hoja** *árboles de hoja perenne* · **cultivo** || **recuerdo** · **sonrisa** · **gesto** · **presencia** · **huella** *Dejó una huella perenne en nuestros corazones* || **obra** · **pensamiento** · **idea** · **valor** · **situación** || **amenaza** · **lucha** · **problema** · **sospecha** || **sensación** · **sentimiento** || **amor** · **devoción** · **entrega** || **insatisfacción** · **amargura**

perentorio, ria adj.

• CON SUSTS. **necesidad** *para cubrir necesidades perentorias* · **urgencia** || **gasto** · **pago** · **inversión** || **deber** · **obligación** · **compromiso** · **exigencia** · **norma** || **solicitud** · **orden** · **pregunta** · **reclamo** · **petición** · **demanda** · **plegaria** · **reivindicación** · **instrucción** · **interdicto** || **aviso** · **advertencia** · **llamada** || **trabajo** · **quehacer** · **labor** · **ocupación** · **tarea** · **menester** || **decisión** · **solución** · **respuesta** || **realización** · **medida** · **apertura** · **destrucción** · **armonización** · **ajuste** · **reforma** · **ejecución** · **operación** || **objetivo** · **deseo** · **inclinación** || **atención** · **problema** *Convocó una reunión urgente para resolver varios problemas perentorios* · **juicio** || **plazo** *Se debe presentar en el plazo perentorio de dos días* · **fecha** · **término** · **momento** · **tiempo** · **lapso**

pereza s.f.

• CON ADJS. **incontenible** · **invencible** || **mental** · **intelectual**
• CON VBOS. **entrar(le) (a alguien)** · **venir** || **provocar** · **producir** · **dar** *Con este calor, da pereza hacer cualquier cosa* || **sacudirse** || **revelar** · **mostrar** · **tener** || **superar** · **vencer** || **dejarse llevar (por)** *Me dejé llevar por la pereza y no estudié nada en toda la tarde* · **sucumbir (a)** || **luchar (contra)**

perfección s.f.

• CON ADJS. **absoluta** · **extrema** · **suma** · **total** || **matemática** · **milimétrica** || **admirable** *Es una obra de admirable perfección*
• CON SUSTS. **búsqueda (de)** *Nunca cejó en su búsqueda personal de la perfección artística* · **camino (de)** || **colmo (de)** · **súmmum (de)** · **ideal (de)** || **dechado (de)**
• CON VBOS. **alcanzar** · **conseguir** · **lograr** || **rozar** || **buscar** · **procurar** · **perseguir** || **rayar (en)** *trabajos meticulosos que casi rayan en la perfección*

perfeccionamiento s.m.

• CON SUSTS. **curso (de)** *Se trata de un curso de perfeccionamiento para profesores de música* · **clase (de)** · **programa (de)** · **estudio (de)** || **proceso (de)** || **vía (de)** || **grado (de)** · **nivel (de)**
• CON VBOS. **promover** · **impulsar** *impulsar el perfeccionamiento tecnológico* · **estimular** · **permitir** || **invertir (en)** || **servir (para)** *un programa de intercambio de estudiantes que sirve para el perfeccionamiento del idioma* · **contribuir (a)** || **ocupar(se) (de)** · **trabajar (en)**

perfeccionismo s.m.

• CON ADJS. **formal** · **instrumental** || **apasionado** · **excesivo** · **exagerado** · **obsesivo** *Es de un perfeccionismo obsesivo; no consiente el más mínimo error* · **enfermizo** · **insano** · **pernicioso** · **nocivo** · **maniático** || **implacable** · **inflexible** · **duro**
• CON SUSTS. **propensión (a)** · **afán (de)** *Su afán de perfeccionismo hace que corrija continuamente sus escritos* · **deseos (de)** || **dosis (de)** · **grado (de)**
• CON VBOS. **exigir (algo)** || **asumir** || **practicar** · **buscar** || **alcanzar**

perfeccionista adj.

• CON SUSTS. **afán** · **espíritu** · **actitud** · **anhelo** · **manía** · **ansia** · **carácter** · **estilo** · **empeño** || ***persona***
• CON ADVS. **demasiado** · **absolutamente** · **tremendamente** · **completamente** · **excesivamente** *Tiene una jefa excesivamente perfeccionista* · **exageradamente**
• CON VBOS. **volverse**

perfectamente adv.

• CON VBOS. **saber** *Sabes perfectamente lo que quiero decir* · **conocer** || **combinar(se)** · **conjugar** · **llevarse** · **coordinar(se)** · **compenetrar(se)** || **recordar** *Recordaba perfectamente todo lo sucedido* || **integrar(se)** · **unir(se)** ·

acoplar(se) · adaptar(se) · amoldar(se) · encajar || hablar || funcionar · cumplir || reflejar || describir · explicar · definir || entender · comprender

perfecto, ta adj.

▌[adecuado, excelente]

• CON SUSTS. ***persona*** *Es usted la mujer perfecta para este trabajo* || **medida · altura · largo · ancho · proporciones · edad ·** ***otras magnitudes*** **|| trabajo · resultado · efecto · acabado || aspecto**

• CON VBOS. **ser** *¿Acaso somos perfectos?* · **estar · quedar · resultar**

▌[total, absoluto]

• CON SUSTS. **conocimiento · dominio** *con un perfecto dominio del alemán* · **control · corrección · fluidez · maestría · entendimiento || disparate · desconocimiento · ignorancia · olvido || idiota** *¡Eres un perfecto idiota!* · **imbécil · embustero,ra · irresponsable · embaucador,-a || caballero · galán || derecho** *Tiene usted perfecto derecho a reclamar* || **unión** *En estos momentos existe una unión perfecta entre la afición y el equipo* · **comunión · adscripción · alianza · adherencia · asimilación · conjunción · integración · conexión · acoplamiento · amalgama · empaste || coordinación · adaptación · armonía · equilibrio · correlato · articulación · correspondencia · ensamblaje · simbiosis · compenetración · sincronización · igualdad**

pérfido, da adj.

• CON SUSTS. ***persona*** *Un pérfido compañero lo delató* || **lengua · mente** *Solo una mente pérfida puede maquinar algo así* || **artes**

• CON VBOS. **volverse · mostrarse**

perfil s.m.

▌[línea de contorno]

• CON ADJS. **aguileño** *un rostro enjuto de perfil aguileño* · **afilado || redondeado · rectilíneo || inconfundible · nítido · borroso · difuso · vago || aerodinámico**

• CON VBOS. **destacar(se) · acentuar(se) · recortar(se) · percibir(se) || difuminar(se) || delimitar · delinear · trazar · bordear · esbozar · abocetar · marcar · dibujar** *...mientras la luz metálica de la luna dibujaba el perfil de las montañas* || **moldear**

▌[conjunto de rasgos]

• CON ADJS. **necesario · apropiado · adecuado** *Los candidatos no responden al perfil adecuado* · **idóneo · ideal || bajo** *El equipo ha mantenido un perfil bajo a lo largo de todo el campeonato* · **elevado || psicológico · biográfico · histórico · cultural || humano · profesional || autoritario · dominante**

• CON VBOS. **cuajar || dar** *Este candidato no da el perfil adecuado para el puesto* · **tener · arrojar || definir · establecer · cambiar · modificar || pedir · requerir · exigir · demandar || mejorar · completar || ajustar(se) (a)** *la característica que más se ajusta a su perfil de político moderado* · **responder (a) · corresponder (a) || carecer (de)**

[perfilar] → perfilar; perfilar(se)

perfilar v.

▌[delinear, contornear]

• CON SUSTS. **labio** *perfilar los labios con un lápiz oscuro* · **ojo · párpado · figura · silueta || imagen** *Con rápidos trazos perfiló perfectamente la imagen de un caballo* · **retrato · caricatura · modelo · diseño || límite · línea · marco · borde · contorno · linde**

▌[perfeccionar, rematar]

• CON SUSTS. **idea · pensamiento · definición · frase · conjunto || guión · novela · descripción · texto · personaje** *Le falta perfilar con mayor profundidad a algunos personajes* · **argumento || plan · estrategia · programa · proyecto · propuesta · programación · objetivo · propósito · pretensión || acuerdo** *Los presidentes se reúnen para perfilar el acuerdo comercial* · **alianza · pacto · convenio · compromiso · contrato · concierto || personalidad · carácter · instinto · idiosincrasia || detalle · rasgo · característica · aspecto · modalidad || futuro · horizonte · perspectiva || camino · rumbo · trayectoria || postura** *El Gobierno sigue sin perfilar la postura que tomará ante el conflicto* · **tesis · visión · planteamiento · posición || medida · solución · resolución · directriz || estilo · gusto · tendencia**

• CON ADVS. **a grandes rasgos** *perfilar a grandes rasgos un plan* || **ajustadamente · con precisión || adecuadamente · cabalmente || claramente** *perfilar claramente una idea* · **con claridad · nítidamente · {con/en} detalle || definitivamente**

perfilar(se) v.

• CON ADVS. **a lo lejos · en el horizonte** *Desde varios kilómetros antes se perfilan en el horizonte las torres de las iglesias de la ciudad* · **en lontananza || claramente · con claridad · con nitidez**

perforar v.

• CON SUSTS. **túnel · pozo · agujero · oquedad · orificio || pared · suelo · montaña · terreno · superficie || portería · defensa · meta || tímpanos · oídos** *una música atronadora que perfora los oídos*

• CON ADVS. **accidentalmente** *La máquina perforó accidentalmente la pared* · **limpiamente**

perfume s.m.

• CON ADJS. **floral · natural || exótico · misterioso · oriental · romántico · salvaje || denso · embriagador** *el perfume embriagador del jazmín* · **fuerte · intenso · penetrante · profundo || delicado · ligero** *Usa siempre un perfume muy ligero para no llamar la atención* · **suave || fragante · oloroso · encantador · inconfundible || estimulante · incitante · seductor || femenino · masculino · varonil || pastoso · dulzón · insoportable · nauseabundo · pegajoso || indefinible · extraño · exclusivo || ecológico**

• CON SUSTS. **agua (de) · fragancia (de) · olor (de) || frasco (de) || gota (de)** *Con unas gotas de perfume es suficiente* · **toque (de)**

• CON VBOS. **penetrar · ocupar (algo/a alguien) · invadir (algo/a alguien) · impregnar (algo/a alguien) · llegar (a algo/a alguien) || tirar de espaldas || evaporar(se)** *No cerré bien el frasco y el perfume se evaporó* || **dejar** *Dejaba a su paso un perfume de azahar* · **despedir · desprender** *El perfume que desprendían las rosas invadía toda la estancia* · **destilar · emanar · exhalar || conservar || aspirar · respirar · oler · inhalar · olfatear || captar · percibir || evocar · identificar · distinguir || llevar · poner(se) · usar || envasar || impregnar(se) (de/en) · sumergir(se) (en)**

perfumería s.f.

• CON SUSTS. **tienda (de) · firma (de) · empresa (de) · línea (de) · negocio (de) · marca (de)**

➤ Véase también **ESTABLECIMIENTO**

pergeñar v. col.

●CON SUSTS. **proyecto · plan · estrategia · sistema** *Intentamos pergeñar un sistema de reducción de costes algo más efectivo* · **planteamiento · esquema · molde · línea || idea · teoría · hipótesis · tesis · reflexión || acuerdo · pacto · consenso** *Han pergeñado un consenso frágil y plagado de condiciones* · **solución · jugada || cálculo · cuenta · números**

pericia s.f.

●CON ADJS. **extraordinaria · suma · magistral · indudable** *su pericia indudable en el manejo de los ordenadores* · **admirable || escasa · relativa || profesional · técnica · gestora · negociadora || rematadora**
●CON VBOS. **tener · desarrollar · adquirir · perder || mostrar · revelar · exhibir · demostrar**
●CON PREPS. **con** *Con extraordinaria pericia, logró resolver la complicada situación*

periférico, ca adj.

●CON SUSTS. **barrio** *Cada vez vive más gente en los barrios periféricos* · **urbanización · sector · zona · distrito · cinturón · población · localidad · vía · territorio · país || nervio · sangre · visión** *Le falta visión periférica y no detecta el movimiento* · **circulación || nacionalismo · nacionalista || administración · sistema · economía · cultura · conflicto**

periódico, ca

1 **periódico, ca** adj.
●CON SUSTS. **viaje · campaña · expedición · excursión · redada · invasión || caída · crisis · enfermedad · dolencia || inundación · catástrofe · terremoto || difusión · frecuencia || prensa** *La prensa periódica no ha tenido tiempo de recoger la noticia* · **publicación || tabla · clasificación** *la clasificación periódica de los elementos químicos* **|| cambio · evolución · renovación · rotación || cadencia · ritmo || repetición · vuelta · revisión · rectificación || reunión · convocatoria · visita || órbita || exhibición · presentación · aparición · asistencia · presencia · concentración**

2 **periódico** s.m.
●CON ADJS. **liberal · renovador · conservador || efímero · decano || local · nacional · extranjero · de provincias** *Los periódicos de provincias apenas prestaron atención al suceso* **|| prestigioso · clandestino || electrónico · digital || mural || de hoy · de ayer · retrasado**
●CON SUSTS. **editorial (de)** *El editorial del periódico critica duramente las últimas declaraciones del ministro* · **artículo (de) · sección (de) · crónica (de) · reportaje (de) · crítica (de) || suplemento (de) || lector,-a (de) · crítico,ca (de) · redactor,-a (de) · reportero,ra (de) · columnista (de) || recorte (de)** *Guardo una caja llena de recortes de periódico* · **página (de) · cita (de) || cabecera (de) · titular (de)** *los titulares del periódico de hoy* **|| papel (de) || difusión (de) · lectura (de)** *Baja la lectura de periódicos*
●CON VBOS. **abrir (con algo)** *El periódico abre hoy con la noticia del maremoto en Asia* · **contar (algo) · publicar (algo) · difundir (algo)** *Un periódico nacional difundió las declaraciones del acusado* · **mencionar (algo) · descubrir (algo) · anunciar (algo) · informar (de algo) · decir (algo)** *Lo dice el periódico de hoy* · **investigar (algo) || apoyar (algo/a alguien) · criticar (algo/a alguien) || abrir · cerrar · leer · ojear** *Me gusta ojear el periódico mientras desayuno* · **hojear || fundar · editar || repartir · distribuir || escribir (en) · colaborar (en/con) · citar (en) || venir (en)** *La noticia no venía en el periódico* · **salir (en) · aparecer (en) · enviar (a) · figurar (en)**
●CON PREPS. **en**

periodista s.com.

●CON ADJS. **objetivo,va · imparcial · independiente || tendencioso,sa · parcial || buen,-a · excelente · atrevido,da · osado,da || profesional** *una periodista profesional de reconocido prestigio* · **aficionado,da · colaborador,-a · especializado,da** *un periodista especializado en cine* **|| de televisión · de radio · de prensa escrita || joven · inexperto,ta · novel · novato,ta · veterano,na · famoso,sa · afamado,da || curtido,da · experimentado,da**
●CON VBOS. **informar (de algo) · comunicar (algo) · entrevistar (a alguien) · preguntar (algo) · escribir (algo) · opinar (sobre algo) · denunciar (algo)** *Varios periodistas han denunciado las escuchas telefónicas* · **descubrir (algo) · investigar (algo) || declarar (a) · trabajar (como/de)**

periodístico, ca adj.

●CON SUSTS. **labor** *La cadena está realizando una estupenda labor periodística* · **actividad · trabajo · oficio · profesión · ejercicio · carrera · premio || crónica · artículo · texto · reportaje** *reportajes periodísticos sobre temas de actualidad* · **columna · comentario · nota · declaración · titular || medios · fuente · información · investigación** *La fundación ha convocado un premio a la investigación periodística* **|| lenguaje · estilo · género || gremio · equipo · mundo**

período s.m.

●CON ADJS. **álgido · esplendoroso · feliz || febril · fecundo** *Con esta obra se inauguró el período más fecundo de su trayectoria artística* · **productivo · fértil || desgraciado · infausto · luctuoso · triste · trágico || infructuoso || crucial · esencial · fundamental · trascendental || dilatado · prolongado** *un prolongado período de estabilidad económica* · **largo || breve · fugaz || turbulento || aproximado || histórico · laborable · vigente**
●CON SUSTS. **duración (de) · cierre (de) · apertura (de) · arranque (de)**
●CON VBOS. **durar · transcurrir || avecinar(se) · iniciar(se) || prescribir · terminar(se) · vencer || alargar(se) || emprender · inaugurar · reabrir || concluir · zanjar || acortar** *Han tenido que acortar el período de rebajas* · **prorrogar · ampliar · reducir || atravesar · pasar || acotar || estudiar · investigar · analizar || meter(se) (en) || disfrutar (de)** *A principios de siglo, se disfrutó de un período de prosperidad* · **asistir (a) || dar fin (a) || datar (de)** *Las joyas encontradas datan del período precolombino* · **proceder (de)**
●CON PREPS. **a lo largo (de) · durante · al final (de) · a mitad (de) · fuera (de) || desde · a partir (de)**

peripecia s.f.

●CON ADJS. **azarosa · peligrosa · arriesgada || accidentada · infausta || incontables · infinitas · numerosas**
●CON VBOS. **atravesar · vivir** *Vivieron incontables peripecias hasta que llegaron a su destino* · **sufrir || superar || pasar (por)**

peritonitis s.f.

●CON ADJS. **aguda** *Lo ingresaron en el hospital por una peritonitis aguda* · **grave || afectado,da (de) · aquejado,da (de)**
●CON SUSTS. **operación (de)** *Se está recuperando muy bien de su operación de peritonitis* **|| síntoma (de) || principio (de) || ataque (de) · problema (de)**

• CON VBOS. **agravar(se) || remitir || mejorar (de) · restablecer(se) (de) · reponer(se) (de) || operar (de)**

perjudicar v.

• CON ADVS. **enormemente** *La crisis perjudicó enormemente la evolución favorable de la economía* · **grandemente · profundamente · gravemente · seriamente · severamente || considerablemente · notablemente · ostensiblemente || en alguna medida · escasamente · ligeramente · levemente · moderadamente · relativamente || directamente** *La nueva medida perjudicaba directamente a los consumidores* · **indirectamente || irremediablemente || económicamente · electoralmente**

perjudicial adj.

• CON ADVS. **altamente · enormemente · extraordinariamente** *Los resultados del informe son extraordinariamente perjudiciales para la imagen de la compañía* · **gravemente · sumamente · terriblemente · considerablemente || doblemente || especialmente || manifiestamente · potencialmente**

• CON VBOS. **demostrar(se) · resultar · revelar(se)** *La sustancia se reveló altamente perjudicial para la salud* · **volver(se) || considerar**

[perjuicio] → perjuicio; sin perjuicio (de)

perjuicio s.m.

• CON ADJS. **enorme · grave · serio** *El temporal causó serios perjuicios económicos en la zona* · **severo · tremendo · incalculable || considerable · notable · ostensible || leve · ligero · menor · escaso || irremediable · irreparable** *No se deriva ningún perjuicio irreparable de la suspensión cautelar decretada por el juez* · **irreversible || numerosos · abundantes · incontables || material · físico · moral · inmaterial || posible · potencial**

• CON VBOS. **derivar(se) (de algo) || causar · acarrear** *Sus declaraciones le acarrearon notables perjuicios a su vida profesional* · **entrañar · ocasionar · producir · provocar · infligir || constituir · suponer · representar || paliar · aminorar · reparar · compensar** *para compensar daños y perjuicios* **|| calcular || redundar (en) · revertir (en) || resarcir(se) (de) || advertir (de) · avisar (de) · lamentar(se) (de)**

• CON PREPS. **al margen (de)**

perla s.f.

▌[masa de nácar]

• CON ADJS. **auténtica · cultivada** *un broche de perlas cultivadas* · **verdadera · artificial · natural · clásica · falsa**

• CON SUSTS. **collar (de) · rosario (de) · broche (de) || pescador,-a (de) · buscador,-a (de) · tratante (de) · mercader (de) || color · gris** *El suéter lo prefiero gris perla* · **tono**

• CON VBOS. **formar(se) · nacer || brillar · destellar · lucir || cultivar · fabricar || buscar · extraer || bordar (con)** *El vestido de la novia se había bordado con perlas* · **adornar(se) (con) · coronar (con) · salpicar (de)** *col.*

▌[dicho insólito o muy llamativo]

• CON ADJS. **exquisita · hermosa · refinada || inolvidable · antológica · memorable || literaria · retórica**

• CON SUSTS. **antología (de)**

• CON VBOS. **soltar** *Soltó alguna que otra perla de antología* · **lanzar · dejar caer · decir · salir · dedicar || leer** *una recopilación en la que se pueden leer perlas como esta...* · **escuchar · escribir || parafrasear · repetir**

□ EXPRESIONES **de perlas** [muy bien u oportunamente]

permanecer v.

• CON ADJS. **inmóvil** *Durante unos minutos deberá permanecer inmóviles* · **quieto,ta · igual · intacto,ta · invariable · impasible · impertérrito,ta · imperturbable · inalterable · indiferente || expectante** *El público permanecía expectante* · **atento,ta · callado,da · concentrado,da || cautivo,va · confinado,da · detenido,da · encarcelado,da · encerrado,da · arrestado,da · aislado,da · atrapado,da · bloqueado,da · escondido,da · incomunicado,da · desaparecido,da · secuestrado,da · abandonado,da || ingresado,da · hospitalizado,da** *Los heridos que aún permanecen hospitalizados...* · **internado,da || activo,va · inactivo,va || abierto,ta · cerrado,da** *El establecimiento permanecerá cerrado por motivos de...* **|| fiel · firme · constante**

• CON ADVS. **a buen recaudo** *Los documentos permanecen a buen recaudo en mi casa* · **a salvo · en secreto || en {mi/tu/su...} puesto** *Cada responsable permanecerá en su puesto hasta nueva orden* · **al pie del cañón · en primera línea || al margen || a toda costa · firmemente || brevemente · temporalmente · largamente · indefinidamente · eternamente · para siempre || mano sobre mano** *Los asesores permanecían mano sobre mano a la espera de ordenes superiores* **|| a la espera · en suspenso**

permisivo, va adj.

• CON SUSTS. **jefe,fa** *un jefe muy permisivo con sus empleados* · **árbitro,tra · juez · madre · padre || sociedad · comunidad · país · institución · administración ||** ***otros individuos y grupos humanos*** **|| ley** *una ley educativa demasiado permisiva* · **norma ·** ***otras disposiciones*** **|| política · jurisdicción || actitud · comportamiento · mentalidad · carácter · posición · voluntad || ambiente · entorno** *niños criados en un entorno permisivo* · **situación · medio · ámbito · atmósfera · contexto · clima || teoría · definición · interpretación · lógica || educación · enseñanza · escuela · tradición · método || tiempo · época · horario · año · era**

• CON VBOS. **volverse · hacerse** *Sus padres se han hecho más permisivos con el paso de los años*

permiso s.m.

• CON ADJS. **imprescindible** *Es imprescindible un permiso oficial para entrar en este edificio* **|| irrevocable || discrecional · restringido || expreso** *Pedí permiso expreso para ausentarme del trabajo por unas horas* **|| breve · permanente · renovable || en regla · en vigor** *Mi permiso de residencia está en vigor* · **temporal · provisional · oficial || de residencia · de trabajo**

• CON SUSTS. **solicitud (de) || caducidad (de) · vencimiento (de) || día (de)** *Aprovechamos nuestro día de permiso para hacer una excursión* · **tiempo (de)**

• CON VBOS. **vencer · caducar || conceder (a alguien) · dar (a alguien)** *Les di permiso para ver la película si terminaban todos los deberes* · **otorgar (a alguien) || pedir (a alguien) · solicitar (a alguien) · exigir (a alguien) · requerir || obtener · recibir || denegar (a alguien) · negar (a alguien)** *Nos negaron el permiso para acampar en la reserva* **|| impugnar || anular · cancelar · revocar · retirar · derogar · abolir || hacer extensivo || abusar (de) || contar (con) · disfrutar (de) · gozar (de) || carecer (de)**

• CON PREPS. **con · sin**

pernicioso, sa adj.

• CON SUSTS. **elemento · factor · aspecto · sustancia || efecto** *Habló a los jóvenes sobre los efectos perniciosos del alcohol* · **consecuencia · secuela || influencia** *Estos nuevos amigos representaban una influencia perniciosa sobre*

ella · **influjo** · **intervención** || **enfermedad** · **anemia** || **rumor** · **mentira** · **crítica** · **prejuicio**
● CON ADVS. **sumamente** · **completamente** · **totalmente** · **esencialmente** · **particularmente** *vertidos tóxicos particularmente perniciosos para el ecosistema* · **extraordinariamente** · **altamente** · **absolutamente** · **tremendamente**

perogrullada s.f. *col.*

● CON ADJS. **absoluta** · **completa** · **total** || **como la copa de un pino** · **como una catedral** · **descomunal** · **enorme** · **monumental**
● CON VBOS. **decir** · **soltar** · **preguntar** *Por favor, deja de preguntar perogrulladas constantemente* · **responder** · **escribir**

perorata s.f. *desp.*

● CON ADJS. **larga** · **interminable** *Sus interminables peroratas me dan dolor de cabeza* · **inacabable** || **aburrida** · **tediosa** · **insufrible** · **monótona** || **incomprensible** · **sin sentido** || **apasionada** · **solemne** || **habitual** · **consabida** *Al regresar nos soltó la consabida perorata sobre...* · **tópica** · **típica** || **oficial**
● CON VBOS. **soltar** · **lanzar** · **largar** · **dar** · **echar** · **finalizar** · **comenzar** · **concluir** || **escuchar** · **aguantar** *Ya no aguanto más sus aburridas peroratas* · **oír** · **perderse**

perpetrar v.

● CON SUSTS. **asesinato** *El asesinato se perpetró a plena luz del día, pero nadie vio nada* · **homicidio** · **crimen** || **asalto** · **robo** || **delito**
● CON ADVS. **con alevosía** *Perpetraron el crimen con alevosía* · **impunemente** || **violentamente**

[perpetuar] → perpetuar(se); perpetuar(se) (en)

perpetuar(se) v.

● CON SUSTS. **persona** || **vida** · **especie** *el instinto de perpetuar la especie* || **dinastía** · **estirpe** · **apellido** · **nombre** || **memoria** · **fama** · **recuerdo** || **situación** · **tradición** *Año tras año, los habitantes del pueblo perpetúan la tradición del carnaval* · **mito** || **privilegio** · **prerrogativa** · **dominio**

perpetuar(se) (en) v.

● CON SUSTS. **cargo** · **función** · **posición** · **puesto** || **gobierno** *un partido perpetuado en el gobierno durante más de dos décadas* · **mando** · **poder** · **presidencia** || **cartelera**

[perpetuidad] → a perpetuidad

perpetuo, tua adj.

● CON SUSTS. **cadena** *condenado a cadena perpetua por el asesinato de tres personas* · **condena** · **prisión** · **presidio** · **reclusión** · **inhabilitación** || **nieve** *una montaña de nieves perpetuas* · **hielo** || **infancia** · **adolescencia** · **juventud** || **cambio** · **mudanza** · **movimiento** · **progreso** · **transformación** *una ciudad que se encuentra en transformación perpetua* · **búsqueda** · **retorno** || **exilio** · **fuga** · **huida** || **desazón** · **angustia** · **frustración** · **inquietud** · **asombro** · **incertidumbre** || **tensión** · **alerta** || **contradicción** · **dilema** || **esfuerzo** · **lucha** || **fiesta** · **jolgorio** || **descanso** · **vacaciones** || **crisis** · **conflicto** · **guerra** · **batalla** · **enfrentamiento** · **amenaza** || **paz** · **silencio** || **castidad** · **hermosura** · **belleza** || **sonrisa** · **mirada**

perplejidad s.f.

● CON ADJS. **gran(de)** · **enorme** · **profunda** · **completa** · **absoluta** *No podemos menos que expresar nuestra absoluta perplejidad* || **patente** · **escéptica** || **general** · **personal**
● CON SUSTS. **grado (de)** · **período (de)** · **estado (de)** || **motivo (de)** · **causa (de)** || **escena (de)** || **cara (de)** *Puso cara de perplejidad* · **gesto (de)**
● CON VBOS. **despejar(se)** || **causar** · **acarrear** · **generar** · **producir** · **provocar** *La noticia provocó perplejidad entre los asistentes* · **suscitar** · **despertar** · **crear** || **sentir** || **confesar** · **declarar** · **reconocer** · **manifestar** || **abocar (a)** · **sumir(se) (en)** · **llenar (de)** · **descubrir (con)** || **salir (de)** *No salgo de mi perplejidad*
● CON PREPS. **con**

perplejo, ja adj.

● CON ADVS. **absolutamente** · **totalmente** · **profundamente** · **sumamente** · **completamente** *Me dejó completamente perpleja su reacción* · **extraordinariamente** · **tremendamente**
● CON VBOS. **dejar** || **quedar(se)** *El entrevistado se quedó perplejo ante la pregunta* · **estar** · **sentirse** · **mostrarse** · **andar** · **permanecer** || **asistir** · **mirar** · **observar** · **contemplar** · **comprobar** || **preguntar(se)** · **confesar(se)**

[perro, rra] → como (a) un perro; como el perro y el gato; de perros; perro, rra

perro, rra s.

● CON ADJS. **fiel** · **leal** · **inofensivo,va** · **manso,sa** · **sumiso,sa** · **faldero,ra** || **astuto,ta** · **sagaz** · **inteligente** || **imponente** *Aquel mastín era un perro imponente* · **peligroso,sa** · **fiero,ra** · **asesino,na** || **famélico,ca** · **flaco,ca** · **pulgoso,sa** · **sarnoso,sa** · **rabioso,sa** || **en celo** || **desobediente** · **obediente** · **adiestrado,da** · **amaestrado,da** || **doméstico,ca** · **salvaje** || **callejero,ra** · **abandonado,da** · **vagabundo,da** *una asociación que recoge perros vagabundos* || **con pedigrí** · **de raza** || **de presa** · **guardián** · **sabueso** · **de caza** · **rastreador,-a** · **de rastreo** · **de rescate** · **de ciego** · **de pelea** · **de trineo**
● CON SUSTS. **raza (de)** || **jauría (de)** · **manada (de)** · **camada (de)** || **cachorro,rra (de)** || **adiestrador,-a (de)** · **cuidador,-a (de)** · **criador,-a (de)** · **entrenador,-a (de)** || **collar (de)** · **correa (de)** · **bozal (de)** || **año (de)** · **signo (de)** || **guía** · **lazarillo** · **policía** *un perro policía especializado en la búsqueda de drogas*
● CON VBOS. **ladrar** · **aullar** · **gruñir** · **llorar** · **gemir** · **jadear** || **olfatear (algo)** · **olisquear (algo)** · **husmear (algo)** || **morder (algo/a alguien)** · **atacar (a alguien)** · **acosar (a alguien)** || **lamer (algo/a alguien)** · **roer (algo)** *En el patio había un grupo de perros royendo unos huesos* || **obedecer (a alguien)** · **acompañar (a alguien)** · **guiar (a alguien)** || **tener** · **cuidar** · **criar** || **adiestrar** · **educar** · **amaestrar** · **entrenar** || **pasear** · **sacar** *Hoy saco yo al perro* || **vacunar** · **castrar** · **esterilizar** · **sacrificar** · **abandonar**
□ EXPRESIONES **como el perro y el gato*** [muy mal] *llevarse como el perro y el gato* || **de perros*** [muy malo] *col. un día de perros* || **{echar/soltar} los perros** (a alguien) [reprenderlo duramente] || **perrito caliente** [bocadillo con una salchicha] *col.*

persa s.m. Véase **IDIOMA**

persecución s.f.

● CON ADJS. **sangrienta** · **encarnizada** · **enconada** *la enconada persecución de sus seguidores* · **cruenta** || **intensa** · **severa** · **terrible** · **desenfrenada** · **frenética** · **trepidante** · **veloz** · **desaforada** · **implacable** · **sin descanso** · **sin cuartel** · **incansable** · **tenaz** · **denodada** || **infructuosa** · **inútil** || **policial** · **penal** · **legal**
● CON SUSTS. **objeto (de)** *El libro fue objeto de una encarnizada persecución* || **acto (de)** · **campaña (de)** || **prueba (de)**

• CON VBOS. **desatar(se)** · **arreciar** || **finalizar** · **terminar** || **iniciar** · **emprender** · **llevar a cabo** · **acometer** || **sufrir** || **burlar** *Los agresores lograron burlar la persecución policial en el último momento* · **eludir** || **lanzarse (a)** · **someter (a)** || **escapar (de)** · **huir (de)** · **librar(se) (de)**

persecutorio, ria adj.

• CON SUSTS. **manía** *Tiene manía persecutoria y no permite que nadie le contradiga* · **obsesión** · **paranoia** · **afán** · **delirio** || **campaña** · **medida** · **idea**

perseguidor, -a

1 **perseguidor, -a** adj.

• CON SUSTS. **grupo** · **pelotón** · **vehículo**

2 **perseguidor, -a** s.

• CON ADJS. **inmediato,ta** *...hasta que logró distanciarse de sus inmediatos perseguidores* · **máximo,ma** · **cercano,na** · **principal** · **directo,ta** || **incansable** *un perseguidor incansable de ideas que hagan mejor al ser humano* · **implacable** · **riguroso,sa** · **infatigable**

• CON VBOS. **atrapar (a alguien)** · **alcanzar (a alguien)** · **adelantar (a alguien)** || **vigilar** · **despistar** *El atracador consiguió despistar a sus perseguidores al doblar la esquina* · **aventajar** || **huir (de)** · **zafarse (de)**

perseguir v.

• CON SUSTS. **balón** · **coche** · ***otras cosas en movimiento*** || **objetivo** *Solo persigue el objetivo de concienciar a la población sobre la necesidad de...* · **sueño** · **anhelo** · **victoria** *Durante todo el partido, el equipo persiguió incansablemente la victoria* · **paz** · **título** · **verdad** || **delito** · **fraude** · **corrupción** · **crimen** · **terrorismo** · **violencia** || **culpable** · **ladrón,-a** · **responsable** · **corrupto,ta** · **acreedor,-a** *Hace meses que persigue sin éxito a sus acreedores* · **autor,-a** · **delincuente** || **mafia** · **banda** · ***otros grupos***

• CON ADVS. **a toda costa** · **incansablemente** · **intensamente** || **ávidamente** · **con fruición** || **constantemente** · **insistentemente** · **sin tregua** *Persiguió sin tregua su sueño de tener una casa cerca del mar* || **largamente** || **descaradamente** || **inútilmente** · **sin éxito** || **penalmente** · **judicialmente**

perseverar (en) v.

• CON SUSTS. **empeño** · **lucha** *Prometió perseverar en la lucha contra la corrupción* · **esfuerzo** · **intento** || **error** · **errata** || **camino** · **línea** · **senda** · **tradición** · **ruta** || **estrategia** · **programa** · **objetivo** · **deseo** · **búsqueda** *Debemos perseverar en la búsqueda de una solución pacífica* || **idea** · **fe** · **opinión** · **discurso** · **razón** · **principio** · **convicción** · **tesis** · **argumento** || **política** · **conducta** · **actitud** · **papel** · **postura** *Si la oposición persevera en su postura...* || **trabajo** · **tarea** · **quehacer** · **labor** · **práctica** · **misión** · **investigación** · **profesión** · **actuación** || **terapia** · **tratamiento** *Persevere usted en el tratamiento y pronto verá los resultados* · **cura** · **nutrición** || **pacificación** · **diálogo** · **acercamiento** · **solución** · **medida** · **decisión** || **ajuste** · **reducción** · **eliminación** · **seguimiento** · **conservación** || **acusación** · **denuncia** · **agravio** || **fidelidad** · **amor** · **abuso**

• CON ADVS. **contra viento y marea** || **eficazmente** · **con éxito** || **con tesón** · **con firmeza**

persignarse v.

• CON SUSTS. **creyente** · **fiel** · **cura** · **monje,ja** · **hombre** · **mujer** · ***otros individuos y grupos humanos***

• CON ADVS. **respetuosamente** *Los asistentes se persignaban respetuosamente al entrar en la iglesia* · **reverencialmente** || **burlonamente** · **irónicamente** || **rápidamente** · **inconscientemente**

persistente adj.

• CON SUSTS. **lluvia** · **niebla** *La persistente niebla ha causado el retraso de varios vuelos* || **déficit** · **crisis** · **problema** · **sequía** || **fortaleza** · **debilidad** · **fiebre** · **dolor** *un dolor persistente en la espalda* || **movimiento** · **búsqueda** · **tendencia** · **caída** || **silencio** || **sensación** *una sensación persistente de mareo* · **presión**

• CON VBOS. **volverse** · **hacerse**

persistir (en) v.

• CON SUSTS. **error** · **equivocación** · **incumplimiento** · **anomalía** · **drama** · **violencia** · **desacato** · **vulneración** · **calamidad** || **actitud** · **conducta** *Persistió en su mala conducta y lo expulsaron temporalmente del colegio* · **postura** · **posición** · **política** || **esfuerzo** · **empeño** · **interés** · **ánimo** · **afán** || **investigación** · **estudio** · **idea** *Es absurdo persistir en una idea tan controvertida* · **tesis** · **análisis** · **propuesta** · **reflexión** · **supuesto** · **pensamiento** || **objetivo** · **aspiración** · **propósito** · **pretensión** · **sueño** · **utopía** || **deseo** · **pasión** || **creencia** *Todavía persisten en la ingenua creencia de que...* · **ideología** · **ideario** || **ataque** · **ofensiva** · **agresión** · **golpe** · **insulto** · **calumnia** · **venganza** · **asesinato** || **lucha** · **batalla** · **enfrentamiento** · **confrontación** · **rebelión** || **sistema** · **estructura** · **organización** · **esquema** · **mecanismo** || **solución** · **acuerdo** · **decisión** || **declaración** · **afirmación** · **discurso** · **acusación** · **denuncia** || **realismo** · **genialidad** · **desánimo** · **absurdo** · **equilibrio** · **respeto** · **soberbia** · **ridículo** || **rechazo** · **negativa** · **estupidez** · **cinismo** · **ceguera** · **rigidez** · **intransigencia** · **autoritarismo** · **derrotismo**

[persona] → en persona; persona

persona s.f.

• CON VBOS. **considerar** · **tratar** *No me gusta como trata a las personas* · **encasillar** || **recibir** · **agasajar** · **importunar** || **suplantar** · **postergar** || **imitar** · **parodiar** · **caricaturizar** || **autorizar** *Puede usted autorizar a otra persona para que actúe en nombre y representación suya* || **buscar** *Buscamos personas con ambición e iniciativa propia* || **congeniar (con)** · **simpatizar (con)** · **convivir (con)**

□ EXPRESIONES **bella persona** [persona noble, honrada, sincera] || **en persona*** [personalmente] || **persona física** [ciudadano, contribuyente] || **persona jurídica** [empresa, institución, corporación]

personaje s.m.

• CON ADJS. **polifacético** · **rico en matices** · **complejo** · **alambicado** || **contradictorio** · **siniestro** || **enigmático** *El protagonista de la obra es un personaje enigmático y con un pasado oscuro* · **hermético** · **misterioso** || **fascinante** · **atractivo** || **extraño** · **peculiar** · **estrafalario** · **pintoresco** · **curioso** || **cómico** || **entrañable** · **popular** *un personaje muy popular en el barrio* · **famoso** · **carismático** || **relevante** · **emblemático** · **central** · **principal** *el personaje principal de la comedia* · **protagonista** · **secundario** · **ilustre** *La estatua de la plaza representaba a cierto personaje ilustre de la villa* || **real** · **de carne y hueso** · **de ficción** · **de película** · **de novela** · **histórico** · **legendario** · **literario** · **cinematográfico**

• CON SUSTS. **interpretación (de)** · **caracterización (de)** · **construcción (de)** · **creación (de)** · **análisis (de)** · **evolución (de)**

• CON VBOS. **inventar** · **construir** · **crear** · **delinear** · **perfilar** · **configurar** || **interpretar** · **representar** · **bordar** *En su última representación borda el personaje del padre* ·

vivir · revivir || recordar || inmortalizar || caricaturizar || suplantar || dar vida (a) || ahondar (en) · profundizar (en) · meterse en la piel (de)

personal

1 **personal** adj.

● CON SUSTS. **deseo · interés · satisfacción · preferencia || gusto · punto de vista · criterio · opinión · acción · iniciativa · experiencia** *La novela es fruto de la experiencia personal de su autor* || **elección · opción · decisión** *Se trata de una decisión personal en la que nadie puede intervenir* || **bienes · préstamo** *Ha decidido pedir un préstamo personal para comprarse la furgoneta* || **razón · motivo · asunto · problema · cuestión · plano || triunfo · marca · falta · jugada || defensa · seguridad || aseo · cuidado · protección || ordenador || dato** *Rellene el impreso con sus datos personales* || **beneficio · gasto · inversión || amigo,ga** *Dijo que era amigo personal del señor presidente* · **representante · relación || venganza || sello · huella**

● CON ADVS. **estrictamente** *Se trata de un asunto estrictamente personal*

2 **personal** s.m.

● CON ADJS. **de seguridad · militar · policial · administrativo · docente · de limpieza || contratado · asalariado · fijo · legal · ilegal || en huelga**

● CON SUSTS. **jefe,fa (de) · director,-a (de) · responsable (de) · miembro (de) || comisión (de) · junta (de) || régimen (de) · huelga (de) || falta (de) · exceso (de) || recorte (de) · ajuste (de) · aumento (de) || gasto (de) · pago (de) · costo (de) || capacitación (de) || área (de) · planta (de)**

● CON VBOS. **despedir · reducir · contratar** *Tienen que contratar nuevo personal* · **seleccionar || formar · enseñar · preparar || alentar · animar || controlar || conocer || necesitar · requerir || nutrir(se) (de) · dotar (de)**

personalidad s.f.

● CON ADJS. **gran(de) · acusada · marcada · arraigada · vigorosa · fuerte** *La afición confía en la fuerte personalidad del nuevo entrenador* · **de hierro · férrea · poderosa || desbordante · exuberante · arrasadora · arrebatadora · arrolladora · torrencial || combativa · emprendedora || carismática · fascinante · original · polifacética || subyugante · absorbente · atractiva · magnética** *subyugados por su magnética personalidad* · **misteriosa || transparente · cristalina · diáfana || tranquila · calma || camaleónica · cambiante · impredecible || irritable · nerviosa · compulsiva || enigmática · extraña · abstrusa · difícil · compleja · retorcida || contradictoria · controvertida || doble** *Tardaron mucho tiempo en descubrir que tenía doble personalidad* · **oculta · incipiente || anodina**

● CON SUSTS. **ápice (de) || falta (de) · problema (de) || reflejo (de) · modelo (de) || suplantación (de)**

● CON VBOS. **aflorar · emerger || afianzar(se) · fortalecer(se) · robustecer(se) · cuajar · madurar || debilitar(se) || destacar || atraer (a alguien) · arrastrar (a alguien) · subyugar (a alguien) · fascinar (a alguien) || construir · forjar · moldear · bosquejar · perfilar || adquirir · tener** *No tiene ninguna personalidad* || **marcar · dulcificar · desfigurar || dar · imprimir** *una decoración que imprime personalidad a la casa* · **insuflar || demostrar · reflejar · revelar · imponer || suplantar · usurpar || descubrir · desvelar || estudiar || adentrarse (en) · ahondar (en)** *una biografía que permite ahondar más que otras en la personalidad del artista* · **bucear (en) || aclimatar(se) (a) · sustraer(se) (de/a) || llenar (algo) (con) · inundar (algo) (con)**

personalizar v.

● CON SUSTS. **atención · trato** *Todos nuestros clientes reciben un trato personalizado* · **enseñanza || acusación** *La periodista personaliza las acusaciones en la figura de...* · **denuncia · crítica · invectiva · ataque · conflicto · discriminación || problema · necesidad · fracaso · tragedia · lucha · triunfo || trabajo · carrera · proceso || noticia · mensaje · mandato || resultado · causa || coche · ordenador · habitación** *En esta revista encontrarás ideas para personalizar tu habitación* · **móvil · menú**

● CON ADVS. **especialmente || ingeniosamente · creativamente**

personalmente adv.

● CON VBOS. **ir** *No es necesario ir personalmente a entregar ese documento* · **aparecer · asistir · acudir · visitar · trasladar(se) · acompañar || comprobar** *...y pude comprobar personalmente la labor que desarrolla...* · **verificar · controlar · supervisar · vigilar || ocupar(se) · encargar(se)** *Yo me encargaré personalmente de esa gestión* · **dirigir · organizar || aclarar · explicar · resolver · solucionar || llamar · hablar || conocer** *¡Qué suerte la de conocer personalmente a esa escritora...!* · **entrevistar(se) · tratar || comunicar · notificar · informar · avisar || entregar** *entregar personalmente una invitación* · **dar · creer(se)** *Personalmente, no me creo una palabra de lo que dice* · **estar dispuesto (a algo)**

personarse (en) v.

● CON SUSTS. **causa · juicio || casa · ayuntamiento** *Se debe usted personar en el ayuntamiento para tramitar la documentación* · **sala · ciudad ·** ***otros lugares***

personificar v.

● CON SUSTS. **bondad** *El protagonista personifica la bondad* · **inocencia · valor · fidelidad · esperanza · justicia · honestidad** *Es la honestidad personificada* · **esfuerzo · sabiduría || espíritu** *un símbolo que personifica el espíritu de las fiestas* · **alma · sentimiento || personaje · papel · rol · héroe · heroína · psicópata || injusticia · arrogancia · coraje · destrucción || reforma · modelo · idea || ideal** *El país personificó en él su ideal de libertad* · **sueño · poder || actitud · perfil || cambio · rumbo · reacción || pasado · tradición || oposición · fanatismo || éxito · fracaso**

● CON ADVS. **prototípicamente · paradigmáticamente · tópicamente || temporalmente · provisionalmente || claramente · totalmente · gráficamente · precisamente || paradójicamente || destacadamente · eminentemente**

perspectiva s.f.

● CON ADJS. **frontal · lateral || amplia · abarcadora · global · inabarcable || reducida · limitada || esperanzadora · halagüeña · ilusionante · tranquilizadora · favorable · positiva · alentadora || alarmante · catastrófica · desalentadora · incierta** *Las perspectivas del negocio son inciertas* · **insegura · desoladora · siniestra · sombría · terrible · oscura · negra || inequívoca · cierta · segura || apropiada · novedosa || plural · sesgada** *Adoptan ustedes una perspectiva parcial y sesgada* || **analítica**

● CON SUSTS. **falta (de)** *ante la falta de perspectiva histórica de...* · **cambio (de) · análisis (de)**

● CON VBOS. **avecinar(se) · presentar(se)** *Se presentaba una perspectiva halagüeña tras las elecciones* · **hacer(se) realidad · surgir || derivar(se) (de algo) || desvanecerse || tener · adquirir · adoptar · tomar · encarar || vislum-**

brar *Empezamos a vislumbrar una perspectiva esperanzadora para nuestros proyectos* · **augurar** || **conformar** || **analizar** || **defraudar** || **trazar** || **cerrar los ojos (ante)**
● CON PREPS. **a la luz (de)** · **desde** · **a través (de)**

persuasión s.f.

● CON ADJS. **intensa** · **fuerte** · **irresistible** *la irresistible persuasión que ejerce sobre sus lectores* || **fina** · **alegre** · **diabólica** · **ingenua** · **misteriosa** · **amistosa**
● CON SUSTS. **técnica (de)** · **arte (de)** *dominar el arte de la persuasión* · **medio (de)** · **instrumento (de)** · **elemento (de)** · **método (de)** || **capacidad (de)** · **poder (de)** · **dotes (de)** *Hizo gala una vez más de sus dotes de persuasión* · **fuerza (de)** || **trabajo (de)** · **labor (de)** · **estrategia (de)** · **intento (de)** · **táctica (de)**
● CON VBOS. **tener éxito** · **surtir efecto** · **fracasar** || **usar** || **poseer** · **tener**

persuasivo, va adj.

● CON SUSTS. **político,ca** · **candidato,ta** · **orador,-a** · ***otros individuos*** || **fuerza** · **capacidad** *un diplomático con gran capacidad persuasiva* · **dotes** · **carácter** || **método** · **técnica** · **recurso** · **labor** · **tarea** || **discurso** · **argumento** · **oratoria** · **comunicación**
● CON ADVS. **enormemente** *Posee un carácter enormemente persuasivo* · **sumamente** · **completamente** · **totalmente** · **extraordinariamente** · **fuertemente** · **tremendamente** || **escasamente**
● CON VBOS. **volverse** · **ponerse** · **resultar**

pertenecer v.

● CON ADVS. **de lleno** · **de pleno** · **totalmente** || **{con/de} pleno derecho** || **por derecho propio** || **en exclusiva** *La casa le pertenece en exclusiva*

□ USO Se construye con complementos encabezados por la preposición *a*: *Este terreno pertenece a mi familia.*

perteneciente (a) adj.

● CON SUSTS. **grupo** · **sector** *una empresa perteneciente al sector de la metalurgia* · **departamento** · **cuerpo** · **empresa** · **compañía** · **asociación** · **organización** · **comunidad** · **institución** · **corporación** · **mundo** · **ámbito** · **etnia** · **familia** · **equipo** || **época** · **generación** || **serie** · **colección** · **fondos** · **biblioteca** || **red**

pertinaz adj.

● CON SUSTS. **sequía** · **lluvia** · **llovizna** · **aguacero** · **tormenta** *Una pertinaz tormenta les obligó a retrasar la salida* · **nieve** · **niebla** || **enfermedad** · **dolor** · **trastorno** · **constipado** · **sordera** · **migraña** · **lesión** || **empeño** · **insistencia** · **manía** · **obsesión** · **intento** · **cabezonería** · **esfuerzo** || **entrega** · **dedicación** · **devoción** · **afición** || **aficionado,da** · **seguidor,-a** · **coleccionista** · **militante** · **animador,-a** · **defensor,-a** *La actriz fue pertinaz defensora del cine nacional* · **impulsor,-a** · **amante** · **mujeriego** || **oposición** · **resistencia** *su pertinaz resistencia a la terapia* · **rechazo** · **bloqueo** · **negativa** || **rutina** · **monotonía** · **aburrimiento** · **melancolía** · **nostalgia** || **crisis** · **problema** · **pobreza** · **flagelo** · **recesión** *...para paliar la pertinaz recesión económica* || **agresión** · **bombardeo** · **ofensiva** · **acusación** · **acoso** · **coacción** · **venganza** · **insidia** || **ignorancia** · **desconocimiento** · **torpeza** · **incompetencia** · **ineficiencia**

pertinente adj.

● CON SUSTS. **permiso** · **autorización** *Sin la pertinente autorización, usted no puede acceder al recinto* · **licencia** · **requisito** || **investigación** *Se ha ordenado la realización de la investigación pertinente* · **estudio** · **análisis** · **comprobación** · **pregunta** || **medida** · **acción** · **instrucción** · **procedimiento** · **actuación** · **decisión** · **resolución** · **modificación** · **reforma** · **arreglo** || **trámite** · **diligencia** · **gestión** · **alegación** || **certificado** · **informe** · **documentación** · **prueba** · **documento** · **dato** · **información** *una información pertinente para el caso* || **autoridad** · **organismo** *Presentamos una reclamación ante los organismos pertinentes* · **órgano** · **administración** · **instancia** || **tiempo** · **momento** || **situación** · **entorno** · **marco**

pertrechado, da adj.

● CON ADVS. **perfectamente** · **completamente** *Los soldados se presentaron completamente pertrechados* · **fuertemente** · **suficientemente** · **totalmente** · **de arriba abajo** · **de pies a cabeza** · **adecuadamente** · **convenientemente**

perturbación s.f.

● CON ADJS. **atmosférica** · **climática** || **mental** · **anímica** · **emocional** · **física** · **fisiológica** · **psicológica** · **psiquiátrica** || **social** · **monetaria** · **financiera** · **natural** || **grave** *El muchacho padece una grave perturbación mental* · **importante** · **seria** · **fuerte** · **intensa** · **notable** · **clara** · **mínima** · **leve**
● CON SUSTS. **factor (de)** *el precio del petróleo como factor de perturbación financiera* · **elemento (de)** · **causa (de)** · **riesgo (de)** · **tiempo (de)** · **foco (de)** · **ausencia (de)** · **exceso (de)** · **estado (de)** · **cúmulo (de)**
● CON VBOS. **producir(se)** · **avecinar(se)** || **evitar** · **sufrir** · **provocar** · **cometer** · **generar** · **causar** · **experimentar** || **acusar (de)** *Acusan a algunos manifestantes de perturbación del orden público*

perturbador, -a adj.

● CON SUSTS. **elemento** · **factor** || **acontecimiento** · **hecho** · **escena** || **figura** · **presencia** · **sombra** || **sonido** · **efecto** · **atmósfera** *bajo la influencia de una atmósfera perturbadora* || **miedo** · **temor**

perturbar v.

● CON SUSTS. ***persona*** *Los gritos perturbaron a los vecinos* || **orden** · **paz** · **tranquilidad** · **armonía** · **equilibrio** · **calma** · **estabilidad** || **silencio** || **descanso** · **sueño** *El ruido nocturno puede perturbar el sueño* || **situación** · **ambiente** · **clima** || **desarrollo** · **funcionamiento** || **alegría** · **amor** · ***otros sentimientos*** || **relación** · **convivencia** · **vida** || **trabajo** · **labor** || **visión** · **mente** · **salud**
● CON ADVS. **gravemente** · **profundamente** · **enormemente** || **visiblemente** · **notablemente** · **ostensiblemente**

perversidad s.f.

● CON ADJS. **brutal** *Golpeó al caballo con brutal perversidad* · **ilimitada** · **máxima** · **abrumadora** · **indudable** || **inexplicable** · **indecible** · **inimaginable** || **intrínseca** · **inherente** || **singular**
● CON SUSTS. **grado (de)** *un grado de perversidad inconcebible* · **fruto (de)** · **dosis (de)** · **modelo (de)** · **límites (de)**
● CON VBOS. **crecer** · **aumentar** || **disminuir** · **aplacar(se)** || **denunciar** · **criticar** · **vituperar** || **alimentar** · **estimular** · **reforzar** || **mitigar** || **mostrar** · **demostrar**

perversión s.f.

● CON ADJS. **brutal** · **grave** · **total** · **absoluta** *la absoluta perversión de la verdad* · **tremenda** · **severa** · **cruel** · **peligrosa** · **inconfesable** · **horrenda** || **despreciable** · **deleznable** · **vil** · **horrible** · **terrible** || **moral** · **sexual** · **política** · **ideológica** || **de menores** *acusado de perversión de menores*

●CON SUSTS. **foco (de)** · **acto (de)** · **toque (de)** · **grado (de)** · **factor (de)**
●CON VBOS. **mostrar** || **abandonar** · **esconder** · **ocultar** *Intentan ocultar así una grave perversión ideológica* · **evitar** || **criticar** · **denunciar** · **señalar** · **descubrir** · **combatir** · **vituperar** || **luchar (contra)** || **dar rienda suelta (a)**

perverso, sa adj.

●CON SUSTS. **asesino,na** · **criminal** · ***otros individuos*** || **mente** *Solo una mente perversa podría concebir algo semejante* · **ánimo** · **naturaleza** · **carácter** · **humor** · **aspecto** · **hábito** || **uso** · **utilización** *utilización perversa de mecanismos legales* · **acción** · **lectura** · **manipulación** || **efecto** · **consecuencia** · **principio** · **situación** · **realidad** || **método** · **sistema** · **mecanismo** · **dinámica** · **proceso** · **procedimiento** · **lógica** *rumores insidiosos que obedecen a una lógica perversa* · **estrategia** · **fórmula** · **instrumento** || **plan** · **proyecto** · **idea** || **intención** · **voluntad** || **sonrisa** · **mirada** · **gesto**
●CON ADVS. **intrínsecamente** · **claramente** · **esencialmente** · **particularmente** || **ciertamente** · **especialmente** · **absolutamente** · **sumamente** · **completamente** · **totalmente** · **extraordinariamente** · **tremendamente**

pervertir v.

●CON SUSTS. ***persona*** || **lenguaje** || **verdad** · **realidad** · **sociedad** || **norma** · **justicia** · **orden** *para pervertir el orden democrático y constitucional* || **idea** · **sentimiento**
●CON ADVS. **sin escrúpulos** · **sin conciencia** · **sin reparos** || **claramente** · **completamente** · **totalmente** || **impunemente**

[pervivir] → pervivir; pervivir (en)

pervivir (en) v.

●CON SUSTS. **memoria** *terribles acontecimientos que perviven todavía en la memoria de los ciudadanos* · **recuerdo** · **imaginación** · **cabeza** · **retina** || **hijo,ja** · **nieto,ta** · **descendiente** *La tradición pervive así en sus descendientes* · ***otros individuos y grupos humanos*** || **tradición** · **historia** || **artesanía** · **pintura** · **literatura** || **paisaje** · **ciudad** · **sociedad** *Las desigualdades que perviven en la sociedad moderna...* · **país** · **planeta** || **escenario**

pesadamente adv.

●CON VBOS. **caer** *El saco cayó pesadamente al suelo* · **derrumbarse** · **desmoronarse** · **desplomarse** || **lastrar** · **gravitar** || **mover(se)** *Se mueve pesadamente y le cuesta respirar con normalidad* · **avanzar** · **marchar** · **caminar** · **empujar** · **acercarse** · **subir** · **girar** · **llegar** || **digerir** · **dormir** · **dormitar** · **respirar** || **bromear** || **insistir** · **reiterar** · **repetir**

pesadez s.f.

●CON ADJS. **habitual** · **repentina** || **física** · **estomacal** || **narrativa**
●CON SUSTS. **sensación (de)** · **estado (de)**
●CON VBOS. **evitar** *La aconsejó que no comiera tanto para evitar la sensación de pesadez* · **sentir** · **quitar** · **producir** || **caer (en)** · **librarse (de)**

pesadilla s.f.

●CON ADJS. **terrible** · **dramática** · **espantosa** · **atroz** *La atroz pesadilla terminó por hacerse realidad* || **extraña** || **auténtica** || **fantasmal** · **irreal** || **nocturna** || **repetida** · **reiterada** · **común**
●CON VBOS. **hacer(se) realidad** || **tener** *Ayer no dormí bien porque tuve pesadillas* · **vivir** · **protagonizar** · **sufrir** || **desenterrar** · **revivir** || **extinguir** || **hundir(se) (en)** || **despertar (de)** · **salir (de)** *Creí que no saldría nunca de aquella pesadilla* || **convertir(se) (en)** *El viaje se les convirtió en una auténtica pesadilla* · **terminar (en)**

pesado, da adj.

●CON SUSTS. **mesa** · **maleta** · **equipo** · ***otras cosas materiales*** || **lastre** *Aquel acontecimiento supuso un pesado lastre en su carrera* · **losa** · **herencia** · **carga** · **fardo** || **arma** · **artillería** · **armamento** || **peso** || **vehículo** *Han prohibido que los vehículos pesados circulen por esta carretera* · **tráfico** · **maquinaria** · **transporte** · **camión** || **metal** · **material** · **industria** || **digestión** || **broma** || ***persona*** *un chico muy pesado* || **machaconería** · **insistencia**
●CON VBOS. **volver(se)** · **ponerse** · **resultar** · **hacer(se)**

pesadumbre s.f.

●CON ADJS. **honda** · **profunda** · **sentida** || **duradera** · **aparente** · **pasajera**
●CON SUSTS. **tintes (de)** · **tono (de)** · **sensación (de)** *Al despedirse la invadió una sensación de pesadumbre* · **muestra (de)** · **gesto (de)**
●CON VBOS. **causar** · **producir** · **acrecentar** · **aliviar** || **sentir** · **reflejar** *Su rostro reflejaba pesadumbre y abatimiento* · **vencer** || **ocultar** · **disimular** || **recordar (con)** · **asumir (con)**

pésame s.m.

●CON ADJS. **dolido** · **doloroso** · **profundo** || **sentido** *Le hizo llegar su más sentido pésame a través de una nota* · **sincero**
●CON VBOS. **dar** · **expresar** · **transmitir** · **hacer llegar** · **testimoniar** || **recibir** *Recibió agradecida el pésame de todos sus compañeros*

pesar

1 pesar s.m.

▌[pena, tristeza]

●CON ADJS. **hondo** · **profundo** · **gran(de)** || **sentido** || **amargo** *Un amargo pesar me embargaba desde su marcha*
●CON VBOS. **causar** *Los dramáticos hechos me causaron un hondo pesar* || **confesar** · **testimoniar** · **transmitir** · **hacer llegar** · **comunicar** || **teñir (de)**

2 pesar v.

▌[tener peso]

●CON ADVS. **como el plomo** *El mueble pesaba como el plomo* · **como una losa** || **decisivamente** · **notablemente** · **considerablemente** · **abrumadoramente** || **a ojo** *Pesé los ingredientes a ojo porque no tenía báscula* || **sobre {mi/tu/su...} conciencia**

pesaroso, sa adj.

●CON ADVS. **profundamente**
●CON VBOS. **estar** · **andar** || **afirmar** · **decir** · **contar** · **narrar** · **relatar** · **referir** · **explicar** · **exponer** · **manifestar** || **mostrarse** *Se mostraron visiblemente pesarosos* · **sentirse** · **quedar(se)** || **admitir** *Admitió pesaroso que él también era culpable* · **aceptar** · **asentir** · **asumir** · **reconocer**

pesas s.f.pl.

▌[instrumento para hacer gimnasia]

●CON SUSTS. **sesión (de)** *La sesión de pesas dura unos cuarenta minutos* · **programa (de)** · **competición (de)** || **manejo (de)** · **ejercicio (de/con)** || **monitor,-a (de)** · **entrenador,-a (de)**

• CON VBOS. cargar · levantar || calibrar · colocar || hacer *También hace pesas en el gimnasio* || entrenar (con) · ejercitar (con) · trabajar (con)

pesca s.f.

• CON ADJS. riberena · fluvial · marítima · submarina *Una de mis aficiones es la pesca submarina* · deportiva || de bajura · de arrastre · de fondo · de altura || ilegal *La guardia costera trata de impedir la pesca ilegal* · clandestina · irregular · furtiva || artesanal · industrial · profesional · especializada · comercial · tradicional || intensiva · extractiva

• CON SUSTS. jornada (de) · temporada (de) *Esta semana se ha iniciado la temporada de pesca* · época (de) · día (de) · excursión (de) · viaje (de) || barco (de) · buque (de) · bote (de) · embarcación (de) · lancha (de) · flota (de) || puerto (de) || aparejos (de) *preparar los aparejos de pesca* · útiles (de) · elementos (de) · equipo (de) · accesorio (de) || red (de) · arpón (de) · anzuelo (de) · caña (de) || banco (de) · volumen (de) || coto (de) · área (de) · sector (de) · zona (de) || licencia (de) *¿Qué impreso hay que rellenar para obtener la licencia de pesca?* · permiso (de) · reglamento (de) · norma (de) · ley (de) || acuerdo (de) · tratado (de) · convenio (de)

• CON VBOS. escasear · desaparecer *...en un pueblo costero en el que está desapareciendo la pesca* || aumentar · abundar || relajar (a alguien) || prohibir *una ley que prohíbe la pesca furtiva en esta zona* · regular · permitir || practicar || ir(se) (de) · salir (de) || vivir (de) · dedicar(se) (a)

pescadería s.f. Véase ESTABLECIMIENTO

pescadero, ra s.

• CON SUSTS. oficio (de) · labor (de)

• CON VBOS. atender (a alguien) · despachar (a alguien) || ofrecer (algo) · mostrar (algo) || tener (algo) *El pescadero al que yo voy tiene un pescado fresco buenísimo* · traer (algo) · conseguir (algo) || trabajar (de/como)

pescado s.m.

• CON ADJS. blanco · azul · graso · común || fresco · congelado *El consumo de pescado congelado ha descendido en el último trimestre* · enlatado · ahumado · salado · seco · en conserva · del día || de mar · de río · de roca || frito · crudo · hervido *Hoy no puedes comer más que un poco de pescado hervido* · al horno · macerado · a la plancha · rebozado · a la parrilla · horneado · a la sal · dorado · crujiente · cocido || apreciado *un pescado muy apreciado por los consumidores* · fino · sabroso · apetitoso

• CON SUSTS. lonja (de) · mercado (de) · puesto (de) *Hoy abren un nuevo puesto de pescado en el mercado* · mayorista (de) · subasta (de) · factoría (de) || caldo (de) · sopa (de) · conserva (de) · fritura (de) · aceite (de) · harina (de) · caldereta (de) || cabeza (de) *Guarda las cabezas del pescado para hacer caldo* · huevas (de) · espina (de) · filete (de) || pala (de) · tenedor (de) · cubiertos (de)

• CON VBOS. pudrir(se) · estropear(se) || proceder (de un lugar) || capturar · extraer || limpiar · escamar · congelar || hacer · freír · hervir · rebozar · hornear · asar · dorar · cocer · saltear || comer *El médico le ha dicho que tiene que comer más pescado* · degustar · probar · saborear || importar · exportar · empaquetar || aborrecer · detestar · gustar(le) (a alguien) || alimentar (de)

pescador, -a s.

• CON ADJS. experto,ta · avezado,da · aficionado,da · profesional || humilde · modesto,ta || artesanal · de caña *A lo largo del río pudimos ver a varios pescadores de caña*

• CON SUSTS. pueblo (de) · aldea (de) · comunidad (de) · familia (de) *Proviene de una familia de pescadores* || red (de) · caña (de) || cofradía (de) · grupo (de) || barca (de) · flota (de)

• CON VBOS. faenar · pescar · capturar (algo) *El pescador capturó ayer varios ejemplares de trucha* || hacerse a la mar

pescar v.

• CON SUSTS. pulpo · trucha · merluza · *otros peces* || enfermedad · resfriado *Ayer me cayó un chaparrón y he pescado un buen resfriado* || significado *Como no pescaba el significado de sus oscuras palabras, me lo tuvieron que explicar* · chiste · indirecta

• CON ADVS. a la primera · al vuelo *Le pesqué al vuelo un guiño que le hizo a su compañera* || con las manos en la masa *Pescaron a los ladrones con las manos en la masa* · in fraganti

pescuezo s.m.

• CON VBOS. salvar || torcer · retorcer *Cada vez que me acuerdo de lo que me ha hecho me dan ganas de retorcerle el pescuezo* || coger (de) · agarrar (por)

peseta s.f. Véase MONEDA

pesimismo s.m.

• CON ADJS. arraigado · hondo · profundo *Un profundo pesimismo se apoderó de todos cuando...* · serio · franco · nato || exacerbado · exagerado || amargo · doloroso || leve · ligero || general · imperante · permanente || infundado · gratuito || agotador

• CON SUSTS. motivo (de) · razón (para) · síntoma (de) · causa (de) || tono (de) · aire (de) || situación (de) · sensación (de)

• CON VBOS. abatirse (sobre algo/sobre alguien) · cernerse (sobre algo/sobre alguien) · apoderarse (de algo/de alguien) · asaltar (a alguien) · entrar (a alguien) · venir (a alguien) || cundir *Con el fracaso de la misión cundió el pesimismo entre los promotores* · extender(se) · reinar · respirar(se) || remitir || causar · ocasionar · provocar · suscitar · engendrar · sembrar || rezumar · sentir || combatir · superar *para superar el amargo pesimismo que la invade* · vencer || contagiar (a alguien) || invitar (a) || ceder (ante) · dejarse llevar (por) · salir (de) · huir (de) · luchar (contra) || teñir (de)

pesimista adj.

• CON SUSTS. *persona* *Si se tiene en cuenta que es la valoración de un hombre muy pesimista...* || posición · opinión · visión · consideración · mirada · análisis · balance · postura · sentimiento · disposición || hipótesis · previsión · pronóstico · predicción · augurio · mensaje || clima *En el equipo se percibe un clima pesimista* · ambiente · panorama || actitud · tono *un artículo escrito en tono pesimista* || tendencia

• CON ADVS. excesivamente · profundamente · especialmente *Las previsiones de los analistas para este año son especialmente pesimistas*

• CON VBOS. ser · estar · poner(se) · volver(se)

[peso] → al peso; a peso de oro; de peso; peso

peso s.m.

●CON ADJS. **gran(de)** · **excesivo** *El accidente pudo deberse a que el vehículo cargaba con un peso excesivo* · **abrumador** · **agobiante** · **aplastante** · **asfixiante** · **insoportable** || **ideal** || **liviano** · **llevadero** · **insignificante** || **decisivo** · **determinante** · **preponderante** · **indiscutible** · **incalculable** || **aproximado** · **exacto** *Con esta balanza calcularemos el peso exacto* || **afectivo** · **corporal** || **pesado** · **ligero** · **pluma** · **mosca** · **gallo** · **wélter** || **acorde (con)** || **libre (de)** · **ligero,ra (de)**

●CON VBOS. **faltar** · **sobrar** || **recaer (sobre alguien)** *...puesto que todo el peso de la negociación recayó sobre él* · **gravitar (sobre alguien)** || **soltar(se)** || **adquirir** · **ganar** · **perder** · **conservar** · **sobrepasar** *El paquete sobrepasaba con creces el peso máximo permitido* || **dar** *Está muy delgada; no da el peso que corresponde a su edad* || **aceptar** · **asumir** · **aguantar** · **arrastrar** · **llevar sobre {los hombros/las espaldas/la conciencia}** *Lleva sobre la conciencia un peso terrible* · **sobrellevar** · **soportar** · **acarrear** · **sostener** || **aligerar** · **aliviar** · **quitar(se) de encima** || **desequilibrar** · **equilibrar** · **desplazar** · **amortiguar** || **calcular** · **calibrar** · **aquilatar** || **cargar (con)** *Cargó él con todo el peso de la negociación* || **descargar(se) (de)** · **liberar(se) (de)** · **librar(se) (de)** || **bajar (de)** · **subir (de)** · **aumentar (de)**

□EXPRESIONES **caer** (algo) **por su (propio) peso** [ser evidente] || **de peso*** [importante, decisivo] *razones de peso* || **peso pesado** [personaje de gran relevancia] *col.*

pesquisa s.f.

●CON ADJS. **primera** || **encaminada** · **desencaminada** || **discreta** *Realizaron discretas pesquisas para no levantar sospechas entre el vecindario* || **detallada** · **exhaustiva** · **laboriosa** · **minuciosa** || **infructuosa** || **oficial**

●CON SUSTS. **alcance (de)** || **resultado (de)** || **objetivo (de)**

●CON VBOS. **tener éxito** *Las pesquisas tuvieron éxito y pudieron detener al jefe de la banda* · **fracasar** || **iniciar(se)** · **seguir** || **hacer** · **realizar** · **efectuar** || **acabar** · **concluir** · **resolver** || **continuar** · **intensificar** · **obstruir** || **encargar(se) (de)**

[pestañear] → pestañear; sin pestañear

pestañear v.

●CON PREPS. **sin** *Se quedó mirando fijamente y sin pestañear*

●CON ADVS. **compulsivamente** *Los nervios la hacían pestañear compulsivamente* · **frenéticamente** · **descontroladamente** || **instintivamente** · **inconscientemente**

pestilente adj.

●CON SUSTS. **olor** · **hedor** · **tufo** || **sustancia** · **material** · **residuo** · **agua** · **charca** · **lodo** · **basura** *Tendríamos que deshacernos cuanto antes de esta basura pestilente* · **humo**

●CON VBOS. **hacerse** · **volverse**

pestillo s.m.

●CON VBOS. **saltar** || **abrir** · **descorrer** · **quitar** || **correr** · **echar** *Echaron el pestillo para que nadie los molestara* || **poner** · **bloquear** || **cerrar (con)** *una puerta cerrada con pestillo*

petanca s.f.

●CON SUSTS. **torneo (de)** · **campeonato (de)** *En las fiestas del barrio se organiza un campeonato de petanca* · **juego (de)** || **jugador,-a (de)** || **bola (de)** · **bocha (de)**

●CON VBOS. **jugar (a)** · **ganar (a)** · **perder (a)**

petardo s.m.

●CON ADJS. **fuerte** · **estruendoso** · **sonoro** || **pirotécnico**

●CON SUSTS. **traca (de)** || **ruido (de)** *el ruido ensordecedor de los petardos*

●CON VBOS. **explotar** · **estallar** || **encender** · **colocar** · **poner** · **tirar** *En la calle había varios niños tirando petardos* · **arrojar** · **lanzar** || **jugar (con)**

petición s.f.

●CON ADJS. **apremiante** · **encarecida** · **clamorosa** · **vehemente** · **insistente** · **reiterada** || **desmedida** · **desorbitada** · **inalcanzable** · **peregrina** || **fundamentada** || **generalizada** · **unánime** *La mejora de las condiciones de los trabajadores fue la petición unánime* || **formal** · **informal** · **oficial** || **expresa** || **de auxilio** · **de socorro** · **de ayuda** || **innumerables** · **múltiples** || **personal** · **privada** · **secreta** || **sordo,da (a)**

●CON SUSTS. **alud (de)** · **aluvión (de)** *ante el aluvión de peticiones de los oyentes* · **avalancha (de)** · **lluvia (de)** · **cúmulo (de)** || **derecho (de)** || **pliego (de)**

●CON VBOS. **llegar** || **prosperar** · **surtir efecto** || **basar(se) (en algo)** || **caer en saco roto** *Su petición de auxilio no cayó en saco roto* · **caer en el vacío** || **hacer** · **realizar** · **plantear** · **presentar** · **elevar** · **formular** · **cursar** · **tramitar** || **formalizar** · **oficializar** || **recibir** || **aceptar** · **confirmar** · **aprobar** || **atender** *Dicen que pronto atenderán nuestras peticiones* · **cumplir** · **satisfacer** · **resolver** · **considerar** · **estudiar** · **tomar en consideración** || **apoyar** · **respaldar** · **suscribir** · **avalar** || **canalizar** · **encauzar** || **bloquear** · **denegar** · **rechazar** · **desatender** · **desoír** || **rebajar** · **acallar** || **conocer** || **acribillar (a)** · **cejar (en)** *No cejaré en mi petición hasta que le den curso* || **anticipar(se) (a)** · **dar curso (a)** || **acceder (a)** *Terminó por acceder a su insistente petición de salir a cenar* · **ceder (a)** · **plegarse (a)** || **responder (a)** · **contestar (a)**

peto s.m.

▌[pieza que se coloca sobre el pecho]

●CON ADJS. **reflectante** · **fosforescente** || **protector** · **antibalas** *El policía llevaba un peto antibalas* || **de armadura** · **de pantalón** · **de caballo** *El toro se estrelló contra el peto del caballo*

▌[prenda de vestir]

●CON ADJS. **vaquero** *El niño iba vestido con un peto vaquero y unas deportivas* · **de pana**

➤ Véase también **ROPA**

petrificar(se) v.

●CON SUSTS. **material** *un material que se va petrificando con el paso del tiempo* · **fósil** · **madera** · **lava** · ***otras materias*** || **cuerpo** · **alma** · **corazón**

petróleo s.m.

●CON ADJS. **codiciado** · **preciado** · **ansiado** || **crudo**

●CON SUSTS. **pozo (de)** · **refinería (de)** · **barril (de)** || **mancha (de)** *En el mar había una gran mancha de petróleo* || **precio (de)** · **crisis (de)** || **industria (de)**

●CON VBOS. **derramar(se)** · **salir** || **buscar** · **encontrar** · **tener** || **extraer** · **sacar** · **explotar** || **verter** || **transportar**

petrolero, ra

1 **petrolero, ra** adj.

●CON SUSTS. **sector** *el auge del sector petrolero* · **negocio** · **industria** · **empresa** · **grupo** · **consorcio** · **monopolio** · **mercado** || **buque** · **barco** || **yacimiento** · **pozo** || **producto** · **recurso** · **excedente** || **suministro** *La crisis está* *afectando profundamente al suministro petrolero* || **trabajador,-a** · **empleado,da**

2 **petrolero** s.m.

● CON SUSTS. **hundimiento (de)** *El hundimiento del petrolero ha causado un desastre ecológico* · **accidente (de)** · **catástrofe (de)** · **desastre (de)** · **vertido (de)** || **capitán (de)** · **tripulación (de)**
● CON VBOS. **atracar** · **zarpar** · **navegar** || **hundir(se)** · **naufragar** · **encallar** || **interceptar** · **abordar**
● CON PREPS. **a bordo (de)**

petrolífero, ra adj.

● CON SUSTS. **yacimiento** *un país con importantes yacimientos petrolíferos* · **pozo** · **reserva** · **plataforma** · **explotación** · **instalación** · **depósito** · **enclave** · **refinería** · **planta** · **zona** · **región** || **sector** · **empresa** · **compañía** *Es la compañía petrolífera más importante del mundo* · **industria** · **grupo** · **operador** · **producto** || **mercado** · **comercio** · **importación** · **exportación** || **recurso** · **riqueza** || **crisis** · **embargo**

petulante adj.

● CON SUSTS. ***persona*** *una chica petulante y presumida* || **actitud** *la actitud petulante que adopta cuando habla de determinados temas* · **estilo** · **postura** · **tono** · **aire** · **apariencia** || **lenguaje** · **expresión** · **palabras**
● CON VBOS. **volverse** · **resultar**

peyorativo, va adj.

● CON SUSTS. **connotación** *La palabra tiene claras connotaciones peyorativas* · **sentido** · **carga** · **matiz** · **carácter** · **cariz** || **lenguaje** · **término** · **palabra** · **fórmula** · **calificativo** · **alusión** · **jerga** · **definición** · **acepción** · **descripción** · **calificación** || **mirada** · **visión** · **juicio** · **postura** · **crítica** || **tono** · **acento** || **intención** · **ánimo** · **voluntad**

pez s.m.

● CON ADJS. **tropical** · **exótico** · **de colores** · **vistoso** · **luminoso** · **eléctrico** || **de río** · **de mar** · **marino** · **de agua dulce** · **de agua salada** · **de fondo** · **abisal** *Las cámaras recogían imágenes de peces abisales hasta ahora desconocidos* || **venenoso** · **tóxico** · **sabroso** · **apreciado** || **volador** · **carnívoro** · **depredador** · **voraz** *Se trata de un pez muy voraz que se alimenta principalmente de pequeños moluscos* || **cartilaginoso** · **fósil**
● CON SUSTS. **banco (de)** *A varias millas de la costa encontraron un enorme banco de peces* · **cardumen (de)** || **alimento (para)** · **cebo (para)** || **cría (de)** · **alevín (de)**
● CON VBOS. **nadar** · **flotar** · **saltar** · **aletear** || **remontar** {**la corriente/el río**} || **morder** · **picar** *Toda la tarde intentando pescar y aún no ha picado ni un pez* · **boquear** || **desovar** || **pescar** · **capturar** · **coger** · **atrapar** · **criar**

□ EXPRESIONES **como pez en el agua** [con gran desenvoltura] *col.* || **estar pez** (en algo) [no saber nada de ello] *col.* || **pez gordo** [persona con poder e influencia] *col.*

piadoso, sa adj.

● CON SUSTS. ***persona*** *una dama piadosa* || **carácter** · **vida** || **mentira** *Solo era una mentira piadosa* || **obra** · **leyenda** · **libro** · **oración** || **recuerdo** · **imagen** || **sepultura**
● CON VBOS. **hacerse** · **volverse**

piano s.m.

● CON ADJS. **de cola** · **electrónico**
● CON SUSTS. **sonido (de)** · **timbre (de)** || **sonata (para)** · **sinfonía (para)** · **partitura (para)** || **profesor,-a (de)** · **estudiante (de)** · **clase (de)** · **lección (de)** · **estudios (de)** · **carrera (de)** || **concurso (de)** || **acompañamiento (de)** *canciones con acompañamiento de piano*
● CON VBOS. **sentarse (a)** *Se sentó al piano y nos deleitó con una preciosa canción* · **acompañar (a)**
➤ Véase también **INSTRUMENTO MUSICAL**

piara s.f.

● CON ADJS. **de cerdos** · **de jabalíes**
● CON VBOS. **arrear**

picadillo s.m.

● CON SUSTS. **sopa (de)** · **relleno (de)**
● CON VBOS. **preparar** · **añadir**

□ EXPRESIONES **hacer picadillo** [destrozar] *col.*

[picado] → en picado

picadura s.f.

❙ [mordedura]

● CON ADJS. **fuerte** · **severa** · **dolorosa** *Las picaduras de avispa son muy dolorosas* · **mortal** · **letal** || **lleno,na (de)**
● CON SUSTS. **alergia (a)** · **inflamación (por)** || **pomada (para)** *una pomada para las picaduras de mosquitos*
● CON VBOS. **sufrir** || **evitar** · **combatir** || **transmitir (por)** · **morir (por)**

❙ [agujero en un diente]

● CON VBOS. **empastar** *El dentista le tuvo que empastar varias picaduras* || **prevenir** · **evitar**

picante adj.

❙ [que pica]

● CON SUSTS. **salsa** · **pimiento** · **chile** · **guindilla** · **pimentón** · **guiso** · ***otros alimentos o comidas*** || **producto** · **especia** · **polvo** || **toque** *patatas con un ligero toque picante* · **sabor**
● CON ADVS. **ligeramente** · **excesivamente**
● CON VBOS. **ser** · **estar** · **quedar(se)**

❙ [con gracia y malicia]

● CON SUSTS. **chiste** · **historia** · **aventura** · **anécdota** · **nota** *Uno de los parlamentarios puso la nota picante a la sesión* · **letra** · **comentario** · **piropo** · **imagen**

picar v.

❙ [producir una picadura]

● CON SUSTS. **araña** · **mosquito** *Anoche me picó un mosquito* · **avispa** · ***otros insectos*** || **bicho**

❙ [experimentar o producir picor]

● CON SUSTS. **espalda** *Me pica la espalda* · **mano** · **cara** · ***otras partes del cuerpo*** || **salsa** *Esta salsa pica demasiado* · **pimienta** · **guindilla** · **pimiento** · ***otros alimentos o comidas***

❙ [animar, estimular]

● CON SUSTS. **curiosidad** · **interés** · **orgullo** || **gusanillo** *Le ha picado el gusanillo con la novela y no la suelta*

❙ [trocear]

● CON SUSTS. **carne** *medio kilo de carne picada* · **ajo** · **cebolla** · **perejil** · ***otros alimentos sólidos***
● CON ADVS. **finamente** · **en trozos** {**grandes/pequeños**} · **en juliana** · **en tiras** · **en dados**

picardía s.f.

● CON SUSTS. **falta (de)** · **exceso (de)** || **dosis (de)** · **golpe (de)** · **gesto (de)** · **punto (de)**

● CON VBOS. **tener** *Tiene picardía suficiente para desenvolverse en ese ambiente* || **actuar (con)** · **hablar (con)** · **mirar (con)** · **sonreír (con)** || **carecer (de)**

[picaresca] s.f. → picaresco, ca

picaresco, ca

1 **picaresco, ca** adj.

● CON SUSTS. **literatura** · **género** · **narrativa** · **novela** · **comedia** · **historia** · **narración** · **relato** · **versión** || **aventura** · **situación** || **realismo** · **humor** || **personaje** || **tradición** *Se trata de la obra más importante de la tradición picaresca en nuestro país*

2 **picaresca** s.f.

● CON ADJS. **laboral** *medidas que tratan de evitar la picaresca laboral de quienes cobran el paro y tienen trabajo* · **social** · **política** · **urbana**
● CON SUSTS. **caso (de)** · **asunto (de)** · **muestra (de)** || **ingenio (de)** · **recursos (de)**
● CON VBOS. **surgir** || **erradicar** · **perseguir** · **eliminar** · **evitar** || **facilitar** || **acabar (con)** || **vivir (de)**

pícaro, ra adj.

● CON SUSTS. ***persona*** *Cayeron en manos de un pícaro abogado que casi les arruina* || **mirada** · **sonrisa** · **gesto** || **chiste** · **humor**

pico s.m.

▮ [cúspide de una montaña]

● CON ADJS. **nevado**
● CON SUSTS. **cara (de)** *Había nevado en la cara norte del pico* · **ladera (de)** · **zona (de)**
● CON VBOS. **sobrevolar** *La avioneta sobrevoló el pico más alto del monte* · **escalar** · **alcanzar** || **llegar (hasta)** · **subir (a)** · **bajar (de)**

▮ [herramienta]

● CON VBOS. **usar** · **emplear** · **manejar** || **coger** · **agarrar** · **soltar** || **servir(se) (de)** *Los vecinos se sirvieron de picos y palas para despejar la zona* · **valer(se) (de)** || **abrir (con)**

▮ [boca] *col.*

● CON ADJS. **de oro** *Esta profesora tiene un pico de oro*
● CON VBOS. **abrir** · **cerrar** *Cierra el pico, que no es asunto tuyo*

☐ EXPRESIONES **de picos pardos** [de juerga] *col.*

picor s.m.

● CON ADJS. **fuerte** *Le entró un fuerte picor en la garganta* · **irritante** · **insoportable** · **molesto** || **continuo** · **insistente** || **leve** · **ligero**
● CON SUSTS. **sensación (de)**
● CON VBOS. **entrar(le) (a alguien)** · **calmar(se)** || **tener** · **padecer** · **sufrir** || **producir** · **provocar** || **aliviar** *una pomada para aliviar el picor*

[pie] → al pie de la letra; al pie del cañón; a pie; a pie de página; a pie juntillas; con {buen/mal} pie; con pies de plomo; de pies a cabeza; pie; por {mi/tu/su...} propio pie

pie s.m.

▮ [parte del cuerpo]

● CON ADJS. **ancho** *zapatos especiales para pies anchos* · **estrecho** · **deformado** || **firme** · **renqueante** · **tambaleante** · **vacilante** || **cavo** · **valgo** · **zambo** · **plano** *Se libró de la mili por pies planos* || **descalzo** · **calzado**
● CON VBOS. **doler (a alguien)** *De tanto andar me duelen los pies* · **hacer daño (a alguien)** · **entumecer(se)** · **picar (a alguien)** || **medir (algo)** || **oler (a alguien)** · **apestar (a alguien)** || **levantar** *¿Por qué levantas tanto los pies al andar?* · **arrastrar** · **apoyar** || **lesionar(se)** · **torcer(se)** · **fracturar(se)** || **calzar(se)** || **ajustar(se) (a)** · **amoldar(se) (a)** *Estos zapatos se amoldan perfectamente a su pie* || **cojear (de)** *Cojeaba un poco del pie derecho*

☐ EXPRESIONES **al pie de la letra*** [literalmente] || **al pie del cañón*** [sin abandonar el deber] || **a pie*** [andando] || **buscarle {cinco/tres} pies al gato** [insistir en encontrar dificultades inexistentes] *col.* || **con {buen/mal} pie*** · **con el pie {derecho/izquierdo}** [con buena o mala suerte] *col.* || **con los pies en el suelo** [con realismo y sensatez] || **con pies de plomo*** [con mucho cuidado] *col.* || **dar pie** (a algo) [dar motivo] || **de a pie** [común, normal] *los ciudadanos de a pie* || **en pie** [levantado, parado] || **hacer pie** [tocar fondo con los pies] *En este lado de la piscina no hago pie* || **no dar pie con bola** [no acertar en nada] *col.* || **no tener** (algo) **pies ni cabeza** [no tener sentido] *col.* || **parar los pies** (a alguien) [detener su acción impetuosa] *col.* || **pie a tierra** [se usa para pedir a alguien que baje de un lugar alto] || **pie de foto** [texto que aparece debajo de una fotografía] || **por pies** [muy deprisa] *col.* || **sacar los pies del {plato/tiesto}** [comportarse con descaro] *col.* || **sin pies ni cabeza** [sin lógica]

[piedad] → piedad; sin piedad

piedad s.f.

● CON SUSTS. **falta (de)** · **ausencia (de)** || **sentimiento (de)** || **acto (de)** · **obra (de)** · **ejercicio (de)** || **gesto (de)** · **mirada (de)** · **sonrisa (de)** · **asomo (de)** *sin que se atisbara en sus ojos un vago asomo de piedad*
● CON VBOS. **pedir** · **implorar** · **suplicar** · **invocar** || **sentir** · **tener** · **rezumar** || **inspirar (a alguien)** *Los animales indefensos me inspiran piedad* · **contagiar** || **procurar** · **fomentar** · **alimentar** || **carecer (de)**
● CON PREPS. **sin** *Los críticos atacaron sin piedad su nueva obra*

[piedra] → a (un) tiro de piedra; como una piedra; piedra

piedra s.f.

● CON ADJS. **primera** *Asistió a la colocación de la primera piedra del nuevo hospital* || **preciosa** *joyas con piedras preciosas* · **semipreciosa** · **noble** || **irregular** · **dura** · **pesada** || **calcárea** · **volcánica** · **caliza** || **milenaria** · **antigua** · **ancestral**
● CON SUSTS. **lluvia (de)** · **avalancha (de)** · **desprendimiento (de)** || **montón (de)** · **bloque (de)** · **cantera (de)** || **colección (de)** || **levantador,-a (de)** || **cartón** *decorados de cartón piedra*
● CON VBOS. **arrojar** · **lanzar** · **tirar** || **tallar** · **pulir** · **labrar** · **pintar** · **afilar** || **tropezar(se) (con)** *Tropezó con una piedra y cayó al suelo*
● CON PREPS. **de** · **en** *una obra en piedra y madera*

☐ EXPRESIONES **a la piedra** [cocinado sobre una piedra muy caliente] *carne a la piedra* || **de piedra** [muy sorprendido] *Me has dejado de piedra* || **piedra angular** [base o fundamento principal de algo] || **piedra filosofal** [remedio milagroso] || **tirar piedras contra el propio tejado** [actuar en perjuicio de los propios intereses]

[piel] → a flor de piel; piel

piel

1 **piel** s.f.

● CON ADJS. **dorada · bronceada · morena · oscura · negra || clara · blanca** *Soy de piel muy blanca y necesito un buen protector solar* **· pálida · nívea · de porcelana · lechosa || sonrosada · colorada · enrojecida · quemada || seca** *una crema hidratante para pieles secas* **· grasa · mixta || fina · delicada · sensible || luminosa · suave** *Tiene una piel suave y tersa* **· sedosa · tersa · satinada · de seda · perfecta · saludable · joven · juvenil · hidratada || arrugada · rugosa · acartonada · áspera · curtida · escamosa · congestionada || pigmentada · cetrina || segunda · muerta || humana · animal**

● CON VBOS. **ajar(se) · resquebrajar(se) · envejecer · secar(se) · resecar(se) · irritar(se) || broncear(se)** *No todas las pieles se broncean con la misma facilidad* **· tostar(se) || cuidar** *cuidar la piel con crema hidratante* **· proteger || curtir · tratar · teñir · untar || lacerar(se) || tatuar || traspasar || cambiar** *Algunos animales cambian la piel cada cierto tiempo* **· mudar || meter(se) (en)**

2 **piel (de)** s.f.

● CON SUSTS. **melocotón** *La piel del melocotón me produce alergia* **· ciruela · pera · manzana · uva · plátano · naranja · limón ·** ***otras frutas*** **|| chorizo · salchicha · butifarra ·** ***otros embutidos*** **|| cara · mano ·** ***otras partes del cuerpo***

□ EXPRESIONES **{arrancar/sacar} la piel a tiras** (a alguien) [criticarlo o amenazarlo muy gravemente] **|| dejarse** (alguien) (en algo) **la piel** [esforzarse al máximo en ello] *Se deja la piel en su trabajo* **|| {meterse/ponerse} en la piel** (de alguien) [imaginar que se está en su lugar] **|| piel de gallina** [la que tiene un aspecto granuloso] *Tengo tanto frío que se me ha puesto la piel de gallina* **|| ser (de) la piel del diablo** [ser muy travieso] *col.*

[pierna]

→ a pierna suelta; pierna

pierna s.f.

● CON ADJS. **larga · corta · delgada · gorda · torcida · bonita · esbelta · musculosa · fuerte || agarrotada · temblorosa || desnuda || ortopédica · de madera**

● CON SUSTS. **lesión (en) · herida (en) · calambre (en)**

● CON VBOS. **doler · temblar** *Me temblaban las piernas de miedo* **· flaquear || fortalecer(se) || abrir · subir · levantar · separar || cerrar** *Cerró las piernas para impedir que el balón entrara en la portería* **· bajar · juntar || doblar · arquear · cruzar · encoger · mover || romper(se) · fracturar(se) || curar(se) · enyesar · escayolar · inmovilizar · amputar || depilar(se)**

□ EXPRESIONES **dormir a pierna {suelta/tendida}** [dormir muy bien] *col.* **|| estirar las piernas** [mover las piernas para desentumecerlas] **|| por piernas** [muy deprisa] *col.*

[pieza]

→ pieza; pieza musical

pieza s.f.

● CON ADJS. **antigua · valiosa · codiciada** *una codiciada pieza de caza* **|| esencial · fundamental · medular || incompleta · inservible || clásica · popular** *Terminaron el concierto interpretando varias piezas populares* **|| breve · larga · amplia || favorita || decorativa · de museo || literaria · dramática · teatral · artística · musical || arqueológica** *Han robado algunas piezas arqueológicas de la excavación* **|| de caza · de pesca || dental || textil || de recambio · de repuesto**

● CON SUSTS. **conjunto (de) · colección (de) · selección (de) · serie (de) || clave** *la pieza clave de un rompecabezas*

● CON VBOS. **faltar || articular · disponer · empalmar · encajar · ensamblar** *ensamblar unas piezas con otras para montar una estantería* **· entrelazar · engarzar · enlazar · insertar || reemplazar · reponer · sustituir · robar || exhibir** *Se exhiben varias piezas artísticas cedidas por coleccionistas privados* **· reunir || componer · escenificar · interpretar · rescatar** *Ha rescatado del olvido una pieza teatral clásica* **|| elegir || jugar || mover || capturar · cobrar(se) · cazar · abatir**

● CON PREPS. **por** *Robaban vehículos de lujo para venderlos por piezas*

□ EXPRESIONES **de una pieza** [muy sorprendido] *col.*

pieza musical loc.sust.

● CON VBOS. **componer** *Compuso una breve pieza musical para la ocasión* **· arreglar || interpretar · ejecutar · tocar · ensayar** *Ensayamos esta difícil pieza musical durante varios meses* **|| canturrear · tararear · entonar**

pila

1 **pila** s.f.

▮ [generador de corriente eléctrica]

● CON ADJS. **recargable · de botón · solar · eléctrica · de hidrógeno · de combustible · alcalina**

● CON SUSTS. **contenedor (de) · recogida (de) · reciclaje (de) || paquete (de) || batería (de)**

● CON VBOS. **acabar(se) · gastar(se) || poner · quitar · cambiar** *Tengo que cambiar las pilas de la linterna* **· sustituir || recargar || reciclar || funcionar (con)** *un juguete que funciona con pilas*

● CON PREPS. **a** *un secador a pilas*

▮ [pieza donde cae o se echa el agua]

● CON ADJS. **bautismal || de lavar · de fregar**

● CON VBOS. **llenar · vaciar || limpiar · enjuagar**

2 **pila (de)** s.f.

● CON SUSTS. **ropa** *Y todavía tengo que planchar una pila de ropa* **· platos · libros · papeles · cajas ·** ***otros objetos***

□ EXPRESIONES **cargar las pilas** [cargarse de energía] *col.* **|| ponerse las pilas** [hacer algo con diligencia] *col.*

□ USO Se construye generalmente con sustantivos no contables en singular (*una pila de dinero*) o con contables en plural (*una pila de platos*).

píldora s.f.

● CON ADJS. **milagrosa || antidepresiva** *El médico le recetó píldoras antidepresivas* **· contraceptiva · abortiva · anticonceptiva · postcoital · del día después · adelgazante**

● CON SUSTS. **sobredosis (de) · frasco (de)**

● CON VBOS. **tomar · ingerir || recetar**

□ EXPRESIONES **dorar la píldora** (a alguien) [adularlo] *col.*

[pillar]

→ pillar; pillar (a alguien)

pillar v. *col.*

▮ [adquirir, tener]

● CON SUSTS. **resfriado** *Con este frío no he podido evitar pillar un resfriado* **· infección · gripe ·** ***otras enfermedades*** **|| cabreo · rebote · berrinche · rabieta || dinero · pasta** *Ha pillado mucha pasta desde que sale por televisión* **· suma · subvención · premio · reintegro · décimo · cifras concretas || borrachera · cogorza · tajada · pedo || costo · caballo · cocaína ·** ***otras drogas*** **|| indirecta · ironía · broma · chiste**

▮ [montarse en un vehículo]

● CON SUSTS. **metro** *Si me doy prisa, pillo un metro a las nueve* · **taxi** · **tren** · **avión** · ***otros medios de transporte***

pillar (a alguien) v. *col.*

● CON ADJS. **desprevenido,da** · **indefenso,sa** · **despistado,da** · **desprotegido,da** || **retrasado,da** · **adelantado,da** · **descolocado,da** · **desubicado,da** || **joven** · **mayor** *Dice que las nuevas tecnologías ya lo han pillado mayor* · **viejo,ja** || **dormido,da** · **despierto,ta**

● CON ADVS. **por sorpresa** · **in fraganti** *Lo pillaron in fraganti, cuanto intentaba entrar a la casa por una puerta trasera* · **a contrapié** · **a contrapelo** · **con las manos en la masa** *La Policía pilló a los delincuentes con las manos en la masa* · **de improviso** · **en falso** · **en pelotas** · **en bragas** · **en cueros** · **con el culo al aire** · **a trasmano** · **en Babia** || **lejos** · **cerca** · **al lado** *La universidad me pilla al lado de casa*

pilotar v.

● CON SUSTS. **avión** · **helicóptero** *Huyeron pilotando su propio helicóptero* · **coche** || **grupo** · **país** · **equipo** || **proyecto** *¿Quién será el encargado de pilotar un proyecto tan innovador?* · **plan** · **programa** · **operación** · **política** · **estrategia** || **acuerdo** · **pacto** · **consenso** · **negociación** || **proceso** · **desarrollo** · **transición** · **cambio** · **modernización** · **transformación** · **reforma** · **renovación** · **reconversión** *para pilotar la reconversión industrial* · **ampliación** || **crisis** · **tormenta**

● CON ADVS. **con mano firme** · **con firmeza** *Fue capaz de pilotar con firmeza la difícil salida de la crisis* || **con acierto** · **diestramente** · **con maestría** · **con soltura** · **con pericia** || **personalmente**

□ USO Admite la variante *pilotear.*

piloto

1 **piloto** s.com.

● CON ADJS. **de avión** · **de coche** · **de helicóptero** || **de carreras** || **de pruebas** *Entró en la escudería como piloto de pruebas* || **exitoso,sa** · **destacado,da** · **experimentado,da**

● CON SUSTS. **casco (de)** · **uniforme (de)** || **cabina (de)** || **pericia (de)** || **experiencia (de)** · **horas de vuelo (de)**

● CON VBOS. **volar** || **partir** · **despegar** || **aterrizar** · **tomar tierra** || **conducir (algo)** *El piloto que conducía el avión pidió ayuda a la torre de control* · **manejar (algo)** · **pilotar (algo)** || **bombardear (algo)**

2 **piloto** s.m.

▮ [luz de algunos aparatos]

● CON ADJS. **luminoso** · **de alarma** || **intermitente**

● CON VBOS. **encender(se)** *El piloto rojo de alarma se encendió cuando...* · **dar destellos** || **apagar(se)** · **funcionar** || **instalar** · **llevar** · **tener**

▮ [prototipo, modelo]

● CON SUSTS. **piso** *Visitamos el piso piloto de la urbanización* || **experiencia** · **proyecto** · **plan** · **modelo** · **programa** *un programa piloto de recuperación de residuos*

□ EXPRESIONES **piloto automático** [dispositivo que dirige de forma automática un barco o un avión]

pimienta s.f.

● CON ADJS. **negra** · **blanca** · **verde** · **dulce** · **gorda** || **en grano** · **molida** || **picante** · **fuerte**

● CON SUSTS. **grano (de)** || **pizca (de)** · **pellizco (de)** *Se añade luego un pellizco de pimienta molida* · **punta (de)** || **molinillo (de)**

● CON VBOS. **picar** || **añadir** · **agregar** · **incorporar** || **moler** · **triturar** || **sazonar (con)** · **espolvorear (con)**

● CON PREPS. **a** *un entrecot a la pimienta*

pimiento s.m.

● CON ADJS. **verde** · **rojo** *pimientos rojos asados* · **amarillo** || **morrón** · **picante** · **choricero** · **de piquillo** || **crudo** · **natural** · **asado** · **seco** · **relleno**

● CON SUSTS. **tira (de)** *adornar la ensaladilla rusa con tiras de pimiento* · **rodaja (de)** · **trozo (de)** || **ensalada (de)** · **salsa (de)** · **bocadillo (de)** || **bote (de)** · **lata (de)**

● CON VBOS. **madurar** · **pudrir(se)** · **estropear(se)** || **cultivar** · **sembrar** · **recoger** · **recolectar** || **producir** · **comercializar** || **pelar** · **cortar** · **trocear** || **asar** · **freír** · **rellenar** *rellenar los pimientos con bacalao* · **rehogar**

□ EXPRESIONES **importar un pimiento** [importar muy poco] *col.*

pincel s.m.

● CON ADJS. **fino** *Para los retoques usa un pincel fino* · **grueso** · **mediano** || **sabio** · **enérgico**

● CON SUSTS. **trabajador,-a (de)** · **genio (de)** · **artista (de)** *Desde pequeño se reveló como un artista del pincel* · **maestro,tra (de)** || **trazo (de)** · **golpe (de)** · **vuelo (de)** · **toque (de)** · **uso (de)** · **trayectoria (de)** · **retoque (de)** || **punta (de)** · **rabo (de)** · **pelo (de)**

● CON VBOS. **trazar (algo)** · **esbozar (algo)** · **dibujar (algo)** · **pintar (algo)** · **marcar (algo)** · **sombrear (algo)** · **perfilar (algo)** · **difuminar (algo)** || **sacudir** · **manejar** *Manejaba el pincel con destreza* · **empuñar** · **sostener** · **coger**

□ EXPRESIONES **ir hecho un pincel** [vestir de manera muy elegante]

pinchar v.

▮ [picar con algo punzante]

● CON SUSTS. **rueda** · **globo** *Los niños se dedicaron a pinchar los globos* · **goma**

▮ [intervenir]

● CON SUSTS. **teléfono** *Los servicios secretos han pinchado su teléfono* · **conversación**

▮ [poner en el tocadiscos]

● CON SUSTS. **disco** · **canción** · **tema**

pinchazo s.m.

▮ [perforación]

● CON ADJS. **súbito** *El accidente se debió a un súbito pinchazo* · **inoportuno**

● CON VBOS. **tener** · **sufrir** || **arreglar** · **reparar**

▮ [escucha telefónica]

● CON ADJS. **ilegal** || **telefónico**

● CON VBOS. **realizar** · **autorizar** || **investigar** · **denunciar** · **descubrir**

▮ [sensación corporal] *col.*

● CON ADJS. **agudo** *Sintió un pinchazo agudo en el pecho* · **hondo** · **profundo** · **doloroso** · **fuerte** || **leve** · **ligero** · **pequeño**

● CON SUSTS. **marca (de)** *Aún tienes en el brazo la marca del pinchazo* · **señal (de)** · **zona (de)** · **profundidad (de)**

● CON VBOS. **dar (a alguien)** *Últimamente me dan pinchazos en las manos* || **sufrir** · **sentir** · **notar**

pinche s.m.

● CON ADJS. **de cocina** *Están buscando un pinche de cocina con experiencia*

• CON VBOS. **ayudar (a alguien)** · **asistir (a alguien)** || **trabajar (como/de)**

pincho s.m.

▮ [trozo de comida que se toma de aperitivo]

• CON ADJS. **de tortilla** *A media mañana siempre toma un pincho de tortilla*

• CON SUSTS. **bar (de)** || **merluza (de)** · **pescadilla (de)**

• CON VBOS. **comer** · **tomar**

□ EXPRESIONES **pincho moruno** [carne troceada y ensartada en una varilla]

pingüe adj.

• CON SUSTS. **beneficio** *El negocio le está proporcionando pingües beneficios* · **ganancia** · **negocio** · **cantidad** · **suma** · **recompensa** · **sobresueldo** · **subvención** · **monopolio** · **renta** · **dividendo** · **emolumento** · **honorario** · **ingreso** · **compensación** · **fruto** · **ventaja** · **interés** · **propiedad**

□ USO Se usa más antepuesto a sustantivos en plural: *pingües ganancias.*

pino s.m.

• CON ADJS. **blanco** · **negro** · **albar** · **enano** || **carrasco** · **piñonero** · **silvestre** *Junto a la finca había una zona de pinos silvestres* · **resinero** · **despeluchado** · **resinoso**

• CON SUSTS. **olor (a)** · **esencia (de)** · **ambientador (de)** · **limpiador (de)** · **combustión (de)** || **aguja (de)** *El suelo estaba cubierto por agujas de pino* · **piñón (de)** · **leña (de)** · **semillero (de)** · **tocón (de)** || **hectárea (de)** · **campo (de)** · **bosque (de)** || **estantería (de)** · **silla (de)** · ***otros muebles***

• CON VBOS. **oler (a)**

➤ Véase también **ÁRBOL**

□ EXPRESIONES **en el quinto pino** [muy lejos] *col.* || **hacer el pino** [ponerse cabeza abajo]

pinta s.f.

• CON ADJS. **extraña** · **rara** *un hombre con unas pintas muy raras* || **buena** · **estupenda** · **mala** *gente de mala pinta* || **inequívoca**

• CON VBOS. **tener** *Esta comida tiene una pinta estupenda* · **ver** || **dejarse llevar (por)**

pintada s.f.

• CON ADJS. **política** · **de denuncia** · **reivindicativa** · **amenazadora** · **intimidatoria** || **insultante** · **procaz** · **provocativa** || **callejera** *Le han puesto una multa por hacer pintadas callejeras* || **lleno,na (de)** · **repleto,ta (de)**

• CON VBOS. **hacer** · **realizar** || **borrar** · **limpiar** || **firmar**

pintar v.

▮ [crear]

• CON SUSTS. **cuadro** · **retrato** · **paisaje** · **dibujo** · **fresco** · **friso** · **acuarela**

• CON ADVS. **a la acuarela** · **al óleo** *pintar retratos al óleo* · **al pastel** · **al temple** · **a carboncillo** · **a lápiz**

▮ [cubrir con pintura]

• CON SUSTS. **pared** *Pintaré las paredes de colores* · **fachada** || **casa** · **habitación** · **silla** || ***otras cosas materiales*** || **ojo** · **labio** · **uña** · ***otras partes del cuerpo***

□ EXPRESIONES **pintar algo** (en algún sitio) [ser oportuno o pertinente] *col. Esta nota no pinta nada en el capítulo tres*

pintor, -a s.

▮ [artista]

• CON ADJS. **buen(o),na** · **excelente** · **prestigioso,sa** · **conocido,da** · **famoso,sa** · **afamado,da** · **reputado,da** · **consagrado,da** · **significativo,va** · **ilustre** *...quien escribiera la biografía del ilustre pintor flamenco* · **insigne** · **importante** || **novel** · **primerizo,za** · **desconocido,da** || **obsesivo,va** || **moderno,na** · **contemporáneo,a** · **renacentista** · **barroco,ca** · **modernista** || **de corte** || **retratista** · **paisajista**

• CON SUSTS. **exposición (de)** *una exposición de pintores cubistas* · **certamen (de)** · **premio (de)** · **escuela (de)** || **vocación (de)**

• CON VBOS. **pintar (algo)** · **retratar (algo)** *El pintor retrató a la familia real a la entrada del palacio*

▮ [persona que cubre superficies con pintura]

• CON ADJS. **profesional** *Estoy buscando un pintor profesional que...* · **novato,ta** · **chapucero,ra** || **de brocha gorda**

• CON SUSTS. **cuadrilla (de)**

• CON VBOS. **buscar** · **necesitar** · **contratar** || **trabajar (como/de)**

pintoresco, ca adj.

• CON SUSTS. **personaje** *Acudían al bar los más pintorescos personajes* · **tipo** || **fauna** · **conjunto** || **aspecto** · **imagen** · **forma** || **comportamiento** || **lugar** · **localidad** · **ciudad** · **pueblo** *El recorrido turístico incluye la visita a algunos pueblos pintorescos* · **ambiente** || **situación** · **escena** · **hecho** · **circunstancias** || **detalle**

pintura s.f.

▮ [obra de arte]

• CON ADJS. **antigua** *Posee entre sus fondos varias pinturas antiguas* · **clásica** · **moderna** · **contemporánea** || **célebre** · **famosa** · **desconocida** || **valiosa** · **sin valor** || **representativa**

• CON SUSTS. **exposición (de)** · **colección (de)** · **muestra (de)** · **premio (de)** · **concurso (de)** · **taller (de)**

• CON VBOS. **exhibir** · **enmarcar** *Enmarcaré la pintura para colgarla en el salón* · **colgar** || **comprar** · **vender** · **subastar** || **copiar** · **imitar** · **falsificar**

▮ [producto para pintar]

• CON ADJS. **acrílica** · **plástica** · **de exterior** · **de interior** || **seca** · **húmeda**

• CON SUSTS. **mano (de)** *Esta fachada necesita una mano de pintura* · **capa (de)** || **bote (de)** · **aerosol (de)** · **tubo (de)**

• CON VBOS. **secar(se)** *Tienes que esperar a que la pintura se seque* || **aguar(se)** · **disolver(se)** || **pulverizar** · **rociar** || **verter** · **derramar** || **aplicar**

□ EXPRESIONES **no poder ver** (a alguien) **ni en pintura** [no soportarlo] *col.*

piñón s.m.

▮ [semilla del pino]

• CON SUSTS. **salsa (de)** · **vinagreta (de)** · **tarta (de)** · **pastel (de)** · **gazpacho (de)** || **puñado (de)**

• CON VBOS. **comer** *Comió tantos piñones que le sentaron mal* || **abrir** · **partir** · **machacar** · **tostar** || **coger** · **recoger** · **sacar**

▮ [rueda pequeña dentada]

• CON SUSTS. **diente (de)** · **tamaño (de)**

• CON VBOS. **meter** *El ciclista metió el piñón de once dientes y...* · **mover** · **cambiar** · **sustituir**

□ EXPRESIONES **estar a partir un piñón** [entenderse muy bien] *col.* || **ser de piñón fijo** [ser muy terco] *col.*

pío, a adj.

● CON SUSTS. *persona* || actitud · devoción

□ EXPRESIONES **no decir ni pío** [no decir nada] *col.*

pionero, ra

1 **pionero, ra** adj.

● CON SUSTS. **programa · proyecto** *Numerosas empresas se han interesado por este proyecto pionero* · **experiencia · iniciativa · labor · obra · trabajo · acción || empresa · fábrica · centro** *Acaban de abrir un centro pionero para el estudio de...* · **grupo · institución || profesional · artista** · *otros individuos y grupos humanos* || **estudio · investigación || sistema · instalación || fórmula**

2 **pionero, ra** s.

● CON VBOS. **convertir(se) (en)**

□ USO Se construye a menudo con complementos encabezados por la preposición *en*: *una compañía pionera en el tratamiento de residuos.*

[pique] → ir(se) a pique

piquete s.m.

● CON ADJS. **informativo · de huelga · de trabajadores · de huelguistas · sindical · de protesta || violento**

● CON SUSTS. **actuación (de) · acción (de)** *Algunos trabajadores no acudieron por miedo a la acción de los piquetes* · **presencia (de) || grupo (de)**

● CON VBOS. **impedir (algo) · paralizar (algo) · bloquear (algo) · evitar (algo) || formar · organizar · montar**

pira s.f.

● CON ADJS. **colectiva || ardiente || funeraria** *Se quemaba a los muertos en piras funerarias* · **crematoria**

● CON VBOS. **consumir(se) (en) · quemar (en) · arder (en) || llevar (a) · acabar (en) · tirar (a)**

piramidal adj.

● CON SUSTS. **organigrama** *el organigrama piramidal de la empresa* · **jerarquía · orden · ordenamiento · esquema · forma || estructura · representación · formación · sistema || plataforma · cúspide** *Desde aquí se puede observar la cúspide piramidal del edificio*

pirata

1 **pirata** adj.

● CON SUSTS. **barco · embarcación || bandera || copia** *la copia pirata de una película* · **grabación · juego · vídeo · programa · disco · cinta · casete · videojuego · CD · DVD || manual · edición || radio · emisora** *Las autoridades no logran descubrir desde dónde emite la emisora pirata* || **fábrica · empresa**

2 **pirata** s.com.

● CON ADJS. **informático,ca · telefónico,ca · aéreo,a** *Se desconoce todavía la identidad de los piratas aéreos que secuestraron el avión*

● CON SUSTS. **asalto (de) · abordaje (de) · banda (de) · ataque (de) || película (de)** *Hoy echan una película de piratas* · **cine (de) · novela (de) · historia (de) · aventura (de) || espíritu (de) || ruta (de)**

piratear v.

● CON SUSTS. **programa · película · cinta · disco · emisión || tarjeta || copia · original** *Estuvieron intentando piratear el original, pero les fue imposible*

piratería s.f.

● CON ADJS. **informática · industrial · aérea · intelectual · musical · discográfica · cultural**

● CON SUSTS. **acto (de) · delito (de)** *Está siendo juzgada por un delito de piratería informática* · **acusación (de/por) · caso (de)**

● CON VBOS. **practicar || combatir · evitar · detectar · denunciar · controlar || facilitar || luchar (contra) || acusar (de) || incurrir (en)**

piropo s.m.

● CON ADJS. **gracioso · simpático || ingenioso || chabacano · grosero · soez || conocido · popular · repetido**

● CON SUSTS. **lluvia (de) · serie (de)**

● CON VBOS. **decir · echar · lanzar · soltar || encajar · recibir || escatimar** *El profesor no escatimó piropos para sus alumnos* || **deshacerse (en)** *Los invitados se deshacían en piropos hacia la novia*

pírrico, ca adj.

● CON SUSTS. **victoria** *...que después de la pírrica victoria de anoche se ha colocado en segunda posición* · **triunfo · ventaja · éxito · resultado · empate · mayoría || bagaje · punto · positivo · parcial · recompensa · remuneración · botín · compensación || meta · objetivo · intento · incursión**

pirueta s.f.

● CON ADJS. **arriesgada · atrevida · audaz · vertiginosa · increíble · difícil · hábil || doble · en el aire || dialéctica** *Con una hábil pirueta dialéctica llevó la discusión a su terreno* · **verbal · jurídica**

● CON VBOS. **hacer** *Los acróbatas hacen arriesgadas piruetas en el aire* · **realizar · ejecutar · dar**

pisar v.

▌[poner los pies]

● CON SUSTS. **calle · tierra** *El vuelo fue larguísimo y no veíamos la hora de pisar tierra* · **suelo · calzada · superficie**

● CON ADVS. **con firmeza · firmemente · con seguridad · fuerte || en falso · sobre seguro || a fondo · suavemente**

▌[tratar desconsideradamente]

● CON SUSTS. **derecho · ley · norma || dignidad · honor · orgullo || sueño · ilusión** *No dejéis que os pisen vuestras ilusiones*

▌[anticiparse con mala intención, hacerse con algo]

● CON SUSTS. **idea** *Se adelantó y me pisó la idea* · **iniciativa · plan · negocio · propuesta**

piso s.m.

▌[suelo]

● CON ADJS. **resbaloso · resbaladizo · deslizante || duro · blando || húmedo · seco || lento · rápido** *una cancha cubierta y de piso rápido* || **sintético**

● CON VBOS. **crujir || fregar · barrer · encerar · lustrar || alicatar · acuchillar · embaldosar · enlosar || pisar · pisotear || tirar(se) (a) · arrojar(se) (a)** *El delincuente la arrojó al piso para robarle la cartera* · **caer(se) (a)**

▌[apartamento, vivienda]

● CON ADJS. **amplio · espacioso** *Se han mudado a un espacioso piso del centro* · **luminoso · enorme || pequeño · diminuto · modesto · bajo || de alquiler** *Vive en un piso de alquiler* · **de soltero · de acogida · de estudiantes ·**

de realojo || familiar · social · municipal · protegido · subvencionado || nuevo · lujoso || franco *La Policía ha encontrado un nuevo piso franco en la ciudad*
● CON SUSTS. **edificio (de) · bloque (de) · portal (de) || llave (de) · puerta (de) || construcción (de) · oferta (de) · demanda (de) · promoción (de) · compraventa (de) · adjudicación (de) · entrega (de) · concesión (de) || propietario,ria (de) · dueño,ña (de) · inquilino,na (de) || entrada (de)** *Ya hemos pagado la entrada del piso* · **letra (de) · hipoteca (de) || piloto** *visita virtual a un piso piloto*
● CON VBOS. **alquilar · arrendar · comprar · vender · tener · encontrar · tasar · asegurar · registrar · buscar** *Está buscando piso en la ciudad* **|| limpiar · pintar · adecentar · airear · ventilar · organizar · habilitar · acondicionar · reformar · ornamentar · amueblar || compartir || instalar(se) (en) · vivir (en)** *Viven juntos en un piso compartido* · **residir (en) || trasladarse (a/de) · mudarse (a/de) · cambiar (de) || hacer obra (en)**
□ EXPRESIONES **serruchar el piso** (a alguien) [trabajar secretamente en contra de su prestigio]

pisotear v.

● CON SUSTS. **suelo · piso · parqué · baldosín || jardín · césped · nieve || etnia · población · colectivo** *Consideramos que se han pisoteado los intereses colectivos* · **trabajador,-a · cliente ·** ***otros individuos y grupos humanos*** **|| derecho · libertad · propiedad · soberanía · democracia || dignidad · orgullo · honor · imagen · prestigio || principio · ideal · ética · moral · valor · causa || voluntad** *Dicen algunos periodistas que el Gobierno ha pisoteado la voluntad popular* · **esperanza · sueño · ilusión · interés || norma · ley · constitución · reglamento · artículo ·** ***otras disposiciones*** **|| símbolo · concepto · idea || labor · trayectoria · carrera** *El escándalo que se ha descubierto podría pisotear su brillante carrera* · **lucha || cine · arte · cultura || acuerdo · tregua**

pisotón s.m.

● CON ADJS. **intencionado**
➤ Véase también **GOLPE**

pista

1 **pista** s.f.

▌[indicio]

● CON ADJS. **clara · certera · fiable · segura · solvente · sólida · correcta · acertada || decisiva · concluyente · definitiva · fundamental** *La tarjeta de visita fue la pista fundamental para...* **|| desencaminada · falsa** *Durante un tiempo persiguieron una pista falsa* · **errada · insegura · dudosa · vaga || documental**
● CON SUSTS. **falta (de) || juego (de)** *Los monitores del campamento organizaron un juego de pistas*
● CON VBOS. **llevar a la solución (de algo) || arrojar · dar || dejar · dejar caer** *En la reunión dejaron caer alguna pista sobre sus planes* **|| encontrar** *La Policía ya ha encontrado varias pistas fiables* · **hallar || buscar · perseguir · seguir · rastrear · husmear · olfatear || perder** *perderle la pista a alguien* **|| destapar · descubrir · desvelar · encontrar**
● CON PREPS. **en busca (de) · tras** *tras la pista de los ladrones*

▌[lugar]

● CON ADJS. **deportiva || forestal || lenta · rápida**
● CON VBOS. **reservar || tomar · coger || enfilar || jugar (en)** *Siempre juega en pista de tierra batida* · **bailar (en)**

2 **pista (de)** s.f.

● CON SUSTS. **aterrizaje** *El avión se salió de la pista de aterrizaje por causas desconocidas* · **despegue · pruebas · aviación || baile · atletismo** *El nuevo estadio olímpico incluye una pista de atletismo* · **tenis · juego · esquí · baloncesto · entrenamiento || tierra · hielo · cemento · asfalto · hierba** *Yo nunca he jugado en pista de hierba* · **nieve · césped · moqueta · madera**

[pistola] →a punta de {navaja/pistola}; pistola

pistola s.f.

● CON ADJS. **de aire comprimido · de fogueo · automática || reglamentaria || de juguete · de agua · simulada || armado,da (con)**
● CON SUSTS. **tiro (de) · disparo (de) || calibre (de) || cañón (de) · gatillo (de) · culata (de) · seguro (de)** *Se había atascado el seguro de la pistola*
● CON VBOS. **dirigir (a algo/a alguien) · apuntar (a algo/ a alguien) || empuñar · sacar** *El atracador sacó la pistola y amenazó al dependiente* · **esgrimir · desenfundar || bajar · deponer || llevar · tener || cargar · descargar · calibrar || disparar || amenazar (con) · apuntar (con) || armarse (de)**
● CON PREPS. **a punta (de)** *un atraco a punta de pistola* · **con**

pitido s.m.

● CON ADJS. **agudo || insistente · intermitente · largo || aislado || insoportable · atronador · infernal** *unas máquinas que emiten un pitido infernal* · **molesto · ensordecedor || inaudible · imperceptible || inicial · final || de aviso**
● CON SUSTS. **concierto (de) · clamor (de) · lluvia (de)**
● CON VBOS. **sonar** *Sonó el pitido de la alarma* **|| dar · lanzar · emitir · producir || oír · escuchar**

pitillo s.m.

● CON SUSTS. **humo (de) · ceniza (de) || cajetilla (de) || boquilla (de)**
● CON VBOS. **consumir(se) || echar** *¿Nos vamos fuera a echar un pitillo?* · **fumar · encender · apagar · chupar || pedir**

pito s.m.

▌[instrumento que produce sonido]

● CON SUSTS. **golpe (de) · sonido (de) · silbido (de)**
● CON VBOS. **sonar || oír** *El jugador asegura que no oyó el pito del árbitro* **|| tocar**

▌[cigarrillo] *col.*

● CON VBOS. **echar** *Voy a echarme el último pito del día* · **fumar · encender || pedir**
□ EXPRESIONES **importar un pito** [importar muy poco] *col.* **|| por pitos o por flautas** [por un motivo o por otro] *col.* **|| tomar** (a alguien) **por el pito del sereno** [no hacerle caso] *col.*

pitorreo s.m. *col.*

● CON SUSTS. **ambiente (de) · clima (de)** *Con este clima de pitorreo es muy difícil concentrarse* · **situación (de)**
● CON VBOS. **traer(se)** *Menudo pitorreo se traen entre ellos*

pitote s.m. *col.*

● CON ADJS. **monumental · descomunal · impresionante**
● CON VBOS. **formar(se) · liar(se) || armar · montar** *Los clientes montaron un pitote descomunal*

pizarra s.f.

▮ [mineral]

•CON ADJS. **adusta · antigua · natural · dura · importada · tradicional || negra · gris · azul || reluciente**
•CON SUSTS. **tejado (de)** *casas con tejado de pizarra* · **disco (de) · chapitel (de) || lámina (de) · laja (de) · lasca (de) · placa (de) || ladera (de) · suelo (de) · baldosa (de) · teja (de) || cantera (de) · mina (de) · pedrera (de) || cubierto,ta (de)** *un terreno cubierto de pizarra*

▮ [superficie que se utiliza para escribir]

•CON ADJS. **blanca · verde · roja || bursátil · deportiva · telefónica · portátil · electrónica · cibernética**
•CON SUSTS. **jugada (de)** *Consiguieron un espléndido gol después de hilar a la perfección una jugada de pizarra* · **juego (de) · táctica (de) · planteamiento (de) · trabajo (de) · lección (de) · movimiento (de) · fórmula (de) || trazo (en)**
•CON VBOS. **marcar (algo)** *La pizarra marcaba un tanteo favorable a poco del final* || **ver · leer · borrar · tapar · cubrir || salir (a) · sacar (a alguien) (a) · llamar (a alguien) (a)** *llamar a un alumno a la pizarra* || **pintar (en/sobre) · garabatear (en/sobre) · dibujar (en/sobre)** *Los niños dibujaron en la pizarra un mapa de colores* · **escribir (en/sobre)**

pizca (de) s.f.

•CON SUSTS. **sal** *A la ensalada le falta una pizca de sal* · **azúcar · pimienta ·** ***otras sustancias*** **|| talento · gracia · humor · chispa · sentimiento · emoción · comprensión · cariño || orgullo** *Si tuvieran una pizca de orgullo, se dejarían la piel en el campo* · **casta · clase · categoría || ironía · sarcasmo || desgana · vergüenza || piedad || suerte**

☐EXPRESIONES **ni pizca** [nada] *col.*

placentero, ra adj.

•CON SUSTS. **vida · momento · experiencia · acto · velada** *Pasó una velada muy placentera en compañía de sus amigos* · **reunión || trabajo · actividad · viaje · paseo · excursión · lectura || relación · matrimonio || sexualidad · atracción || tiempo · atmósfera || sensación · tranquilidad · bienestar · satisfacción || efecto**
•CON VBOS. **hacer(se) · volverse · resultar**

[placer] →a placer; de placer; placer

placer s.f.

•CON ADJS. **gran(de) · enorme · tremendo · infinito · inmenso · sumo · profundo · hondo · intenso · desenfrenado || incomparable · indescriptible · impagable || delicioso · refinado · estimulante · especial · raro · verdadero** *Ha sido un verdadero placer conocerla* || **mero · puro** *Nos ayudaba por el puro placer de hacerlo* || **pequeño · efímero · fugaz || carnal · sexual · celestial · estético · gastronómico**
•CON SUSTS. **fuente (de)** *el arte como fuente de placer* · **objeto (de) || búsqueda (de) || síntesis (de) || viaje (de) · crucero (de) || sensación (de) · momento (de) || noche (de)**
•CON VBOS. **buscar || experimentar · sentir · encontrar (en algo)** *Encuentra en la lectura un placer especial* · **obtener (de algo) · sacar (de algo) · recibir || dar (a alguien) · proporcionar (a alguien) · procurar (a alguien) · prometer (a alguien) || producir · causar · provocar || disfrutar · saborear** *Hacía tiempo que el equipo no saboreaba el placer de la victoria* · **paladear · degustar · probar || abandonar(se) (a) · darse (a) · resistirse (a) || estallar (de)**

plácidamente adv.

•CON VBOS. **pasear · andar · avanzar || dormir** *Los niños dormían plácidamente* · **descansar · reposar · dormitar · roncar · yacer · esperar · tumbarse · sentarse · recostarse · soñar || hibernar · gandulear · remolonear · aburrirse · entregarse** *Cerró los ojos y se entregó plácidamente al sueño* · **dejarse || asentarse · instalarse · habitar · atracar · ubicarse · hallarse · mantenerse · acomodarse · encontrarse · posar || transcurrir** *La vida transcurre plácidamente en la comarca* · **vivir · discurrir · desarrollarse · marchar · fluir · envejecer · madurar · acostumbrarse || charlar · hablar · conversar** *Conversamos plácidamente durante horas* · **pensar · encajar · decir · filosofar · chismorrear || rumiar · pacer · pastar || contemplar · observar · ver · seguir || comer · desayunar · tomar || disfrutar · tomar el sol · jugar · leer · sonreír · festejar · veranear · acariciar || morir** *Murió plácidamente, sin angustia ni dolor* · **fallecer · cerrar los ojos**

plaga s.f.

•CON ADJS. **terrible** *La terrible plaga se propagó rápidamente* · **tremenda · inmensa · invasora || verdadera · auténtica || nueva · moderna · secular || bíblica**
•CON SUSTS. **control (de) · prevención (de) || aparición (de) · presencia (de) · entrada (de) · propagación (de) · contagio (de) · ataque (de) || efecto (de)**
•CON VBOS. **azotar (algo)** *Una plaga desconocida azota la región* · **infestar (algo) || desatar(se) · propagar(se) · extender(se)** *Las plagas de langostas se extienden con sorprendente velocidad* || **extinguir(se) || eliminar · erradicar · exterminar || anunciar · presagiar || combatir** *combatir la plaga del fraude fiscal* · **controlar · evitar || introducir || sufrir · experimentar || acabar (con) · luchar (contra)**

plagar(se) (de) v.

•CON SUSTS. **gente** *Las calles estaban plagadas de gente* · **multitud · gentío · muchedumbre · policía · reporteros,ras · periodistas · curiosos,sas ·** ***otros individuos y grupos humanos*** **|| bichos · insectos** *La cocina está plagada de insectos* · **langostas · cucarachas || errores · dificultades · erratas** *un texto plagado de erratas* · **disparates · imprecisiones · inexactitudes · fallos · incertidumbre · problemas · mentiras · contradicciones · deficiencias || notas · fechas · citas · cifras || fragancias · aromas || nostalgia** *Contó una historia plagada de nostalgia y de recuerdos* · **sabiduría · virtud · talento · emoción || literatura · documentos · referencias · respuestas || insultos · descalificaciones · críticas · acusaciones || triunfos · victorias · éxitos || ejemplos · matices || trampas · guiños** *La obra está plagada de guiños al público* || **estrellas** *bajo un cielo plagado de estrellas*
•CON ADVS. **rápidamente · fortuitamente · casualmente**

☐USO Se construye generalmente con sustantivos no contables en singular (*plagado de basura*) o con contables en plural (*plagado de insectos*).

plagiar v.

•CON SUSTS. **libro · canción** *El cantante ha sido acusado de plagiar una canción* · **novela · cuadro ·** ***otras creaciones*** **|| idea · argumento · propuesta · diseño · proyecto**
•CON ADVS. **burdamente · descaradamente** *Aquella obra plagiaba descaradamente una novela inédita* · **ostensiblemente · sin contemplaciones || impunemente · ilegalmente || literalmente || parcialmente · totalmente · ligeramente**

plagio s.m.

•CON ADJS. **absoluto · parcial · total || burdo** *Su hipótesis no era más que un burdo plagio* · **tosco || descarado · flagrante || impune || literal**

• CON SUSTS. **delito (de) || acusación (de) · denuncia (de)**
• CON VBOS. **demostrar · encontrar · descubrir || acusar (de)** *Lo acusaron de plagio y lo descalificaron del concurso*

plan s.m.

• CON ADJS. **peligroso · arriesgado · audaz · ambicioso || atractivo** *Habían diseñado un plan atractivo pero peligroso* · **novedoso || intensivo · severo · drástico || efectivo · seguro · viable || a medida · flexible** *Nuestro banco ofrece un plan flexible muy fácil de adaptar a su economía* **|| calculado · preconcebido · previsto || detallado · exhaustivo · minucioso · riguroso · concienzudo · vago || descabellado · disparatado** *Solo se le ocurrían planes disparatados* · **loco · inseguro · alocado · desorbitado · sin pies ni cabeza || impracticable · inviable · indefendible || {abocado/destinado} al fracaso** *Era un plan abocado al fracaso y por eso lo cancelamos* **|| endiablado · diabólico · enrevesado · perverso · retorcido · turbio || provisional · improvisado || de acción · de actuación · defensivo || en punto muerto || al descubierto || acorde (con)**
• CON VBOS. **consistir (en algo) || armar(se) · fraguar(se) || cuajar · hacer(se) realidad · concretar(se) || salir {bien/mal/regular/con arreglo a lo previsto} · surtir efecto · tener éxito · funcionar || cuadrar || salir a la luz || derrumbar(se) · fallar · fracasar · naufragar · venirse abajo** *El plan se vino abajo por falta de medios* · **deshacer(se) · frustrar(se) · torcer(se) · zozobrar || ocurrírse(le) (a alguien) · pasárse(le) (a alguien) por la cabeza || filtrar(se) || acariciar · barajar · maquinar · concebir · tramar** *La Policía sospechaba que estaban tramando un nuevo plan* · **urdir · idear · inventar · madurar · incubar · preparar · hacer · trazar · diseñar · delinear · esbozar · bosquejar · perfilar · pergeñar · tejer · pilotar || tener || establecer** *Establecieron un plan de acción muy minucioso* · **montar · lanzar · plantear · relanzar || concertar · orquestar · arbitrar · negociar · consensuar || ejecutar · realizar · llevar a la práctica · poner en funcionamiento** *Hemos puesto en funcionamiento un plan intensivo para prevenir accidentes* · **poner en marcha · implantar · llevar a término · llevar a buen puerto · llevar adelante · culminar || cumplir · seguir** *Seguimos el plan a rajatabla y salió según lo previsto* · **incumplir || cambiar · alterar · enmendar · rectificar · refundir · distorsionar || congelar · prorrogar · cancelar · bloquear · boicotear · obstruir · desbloquear · derogar · desactivar · desarticular · paralizar · desbaratar** *Aquel contratiempo desbarataba todos nuestros planes de vacaciones* · **desmantelar · desestabilizar · destrozar · pisar · echar por tierra || apoyar · defender · avalar · suscribir · apuntalar · propulsar · criticar · homologar** *Todavía no han homologado el nuevo plan de estudios* · **tramitar || airear** *Desde que la prensa viene aireando los planes políticos del Gobierno* · **destapar · desvelar · confesar || adherirse (a) · atenerse (a) · ceñir(se) (a) || carecer (de) || interferir (en)**
• CON PREPS. **con arreglo (a) · según**

[plana] s.f. → a toda plana

planchado, da adj. *col.*

▌[sorprendido]

• CON VBOS. **estar · quedar(se) · dejar** *Su respuesta me dejó planchada*

planchazo s.m.

• CON ADJS. **espectacular · monumental · tremendo · colosal || inoportuno || inesperado**
• CON VBOS. **darse · pegarse** *Si sigues adelante, te vas a pegar un tremendo planchazo* · **llevarse**

[planear] → planear; planear (sobre algo)

planear v.

▌[idear, programar]

• CON SUSTS. **viaje · vacaciones** *Ya estamos planeando las vacaciones de verano* · **fin de semana · excursión · salida || proyecto · idea · tema · cuestión · asunto || decisión · jugada · venta · reforma · negociación ·** ***otras actuaciones*** **|| golpe · asalto · asesinato · crimen · atentado**
• CON ADVS. **al detalle · de antemano · detalladamente** *planear detalladamente una excursión* · **estratégicamente · minuciosamente · concienzudamente · ordenadamente || con antelación · anticipadamente · con tiempo**

▌[volar, sobrevolar]

• CON SUSTS. **avión** *Se apagaron los motores y el avión comenzó a planear* · **aeroplano || pájaro · gaviota · águila ·** ***otras aves***

planear (sobre algo) v.

• CON SUSTS. **incertidumbre** *la incertidumbre que planea sobre nuestro futuro* · **duda · interrogante · misterio · miedo · temor · incógnita · sospecha · pregunta · confusión || sombra · fantasma · espíritu · espectro · ángel || problema · peligro · riesgo · crisis · amenaza || consecuencia · secuela** *Las secuelas del terremoto todavía planean sobre la devastada región*

planetario, ria adj.

• CON SUSTS. **orden · sistema** *un nuevo satélite en el sistema planetario* · **satélite || entorno · anillo · órbita || descubrimiento || atracción · fenómeno**

planificación s.f.

• CON ADJS. **adecuada · conveniente · prevista · necesaria || concienzuda · detallada · minuciosa · esmerada · ordenada || previa || drástica || económica · técnica · urbanística · estratégica · turística · urbana || familiar** *un centro de planificación familiar*
• CON SUSTS. **programa (de) · política (de) · método (de) · tareas (de) || centro (de) || falta (de)**
• CON VBOS. **faltar || llevar a cabo · realizar** *Realizamos entre todos la planificación del viaje* · **efectuar || revisar**
• CON PREPS. **con**

planificar v.

• CON SUSTS. **futuro · temporada · tiempo · vacaciones · curso · jornada · vida || trabajo** *Para que no haya sorpresas, es importante planificar el trabajo* · **tarea · acción · viaje · juego · operación · inversión || familia · equipo** *El entrenador se dispone a planificar el equipo de la próxima temporada* **|| empresa · ciudad · barrio || golpe · asesinato · atentado · crimen || jugada · reforma · venta · negocios ·** ***otras actuaciones***
• CON ADVS. **a conciencia · concienzudamente · al detalle · detalladamente · en sus {más pequeños/menores} detalles · minuciosamente · exhaustivamente || ordenadamente || con antelación** *La empresa planificó la operación con antelación* · **con tiempo · anticipadamente**

[plano] → de plano; plano

plano s.m.

• CON ADJS. **claro** *Consultamos un plano muy claro de la zona* · **confuso || a mano alzada || corto · largo || primer**

En primer plano en la foto aparece mi hermano · **frontal** · **inclinado** || **cenital**
● CON VBOS. **delinear** · **dibujar** *Para indicarnos la salida, dibujó un plano del edificio* · **levantar** · **trazar** || **rodar** || **copiar** · **reproducir** || **seguir** · **consultar** · **leer** · **mirar** || **extender** · **desplegar** · **doblar** *Dobla el plano, que me estás metiendo una esquina por el ojo* · **plegar** · **cerrar** || **orientar(se) (con)** · **guiar(se) (por)** || **figurar (en)** · **venir (en)** *Esta calle no viene en el plano*

[planta] → de nueva planta; planta

planta s.f.

▌[vegetal]
● CON ADJS. **de interior** · **de exterior** · **acuática** || **natural** · **artificial** *El local está decorado con plantas artificiales* || **ornamental** · **decorativa** || **exótica** · **autóctona** || **venenosa** · **curativa** · **medicinal** · **aromática** || **carnívora** || **rala** · **pelada** · **frondosa** || **seca** · **muerta** · **enferma**
● CON SUSTS. **especie (de)** · **familia (de)** || **esqueje (de)** · **rama (de)** · **flor (de)** · **hoja (de)** · **tallo (de)** · **raíz (de)** || **cultivo (de)** · **cuidado (de)** *un libro sobre el cuidado de las plantas de interior* || **variedad (de)** · **diversidad (de)** || **virus (de)** · **enfermedad (de)**
● CON VBOS. **brotar** · **nacer** · **despuntar** · **crecer** · **madurar** · **dar fruto** || **agostar(se)** · **ajar(se)** · **marchitarse** · **secar(se)** *Se me han secado todas las plantas* · **estropear(se)** || **reverdecer** · **recuperar(se)** || **fumigar** · **abonar** · **regar** *En verano riegan las plantas todos los días* · **podar** || **sembrar** · **arrancar** · **trasplantar**

▌[piso]
● CON ADJS. **amplia** · **diáfana** || **alta** · **baja**
● CON VBOS. **subir (a)** *El ascensor nos subió a la octava planta* · **bajar (a)** · **vivir (en)**

▌[instalación industrial]
● CON VBOS. **construir** · **instalar** · **abrir** · **cerrar** · **modernizar** *Se han puesto en marcha las obras para modernizar la planta depuradora de aguas residuales* · **mantener** || **trabajar (en)**

plantado, da adj. *col.*

● CON VBOS. **dejar** *Lo que peor me sienta es que me dejen plantado* · **quedar(se)** || **estar** *Está ahí plantado, mirando todo*

[plantar] → plantar; plantar cara (a)

plantar v.

▌[meter en tierra]
● CON SUSTS. **abeto** · **rosal** · **eucalipto** · **césped** · **hierba** · ***otras plantas o flores*** || **semilla** *Plantó las semillas en una maceta* · **esqueje** || **terreno** || **bandera** || **edificación** · **tienda** · **poste** || **base** *Con este acuerdo se plantan las bases para una futura cooperación* · **fundamento** · **cimiento**

▌[dar] *col.*
● CON SUSTS. **beso** *Me plantó un beso de agradecimiento* · **bofetón** || **batalla**

plantar cara (a) loc.vbal.

● CON SUSTS. **situación** || **adversidad** · **crisis** · **problema** *Hay que plantar cara a los problemas con decisión* || **futuro**
● CON ADVS. **con decisión** · **decididamente** · **con determinación** || **con arrojo** · **con valentía** *Debes plantarle cara al futuro con valentía* · **con valor** · **valientemente** || **abiertamente** · **sin reservas**

planteamiento s.m.

● CON ADJS. **abierto** · **claro** · **certero** · **nítido** · **riguroso** · **sensato** *Hizo un planteamiento sensato y se aprobó la propuesta* · **viable** || **analítico** · **lineal** || **convincente** || **novedoso** · **nuevo** · **original** || **abstruso** · **confuso** · **oscuro** · **enmarañado** · **descabellado** *Su planteamiento era totalmente descabellado* · **peregrino** || **equivocado** · **erróneo** · **viciado** · **inviable** || **acorde (con)**
● CON SUSTS. **cambio (de)** || **diferencia (de)** · **discrepancia (de)** || **error (de)** · **defecto (de)** || **falta (de)** || **contenido (de)** · **alcance (de)**
● CON VBOS. **consistir (en algo)** · **afectar (a algo)** || **derrumbar(se)** · **venirse abajo** · **diluir(se)** || **esbozar** · **hacer** · **proponer** · **exponer** · **formular** || **aceptar** *Los socios aceptaron el único planteamiento viable para el proyecto* || **abanderar** · **defender** · **orientar** || **desmontar** · **rebatir** · **rechazar** || **aunar** || **amoldar(se) (a)** · **comulgar (con)** *Nadie comulga con sus planteamientos* || **ahondar (en)**

plantear v.

● CON SUSTS. **pregunta** · **cuestión** · **interrogante** *Suele comenzar sus clases planteando algún interrogante a los alumnos* · **duda** · **incógnita** · **dilema** · **enigma** · **incertidumbre** || **problema** · **dificultad** · **conflicto** *El ministro no desecha la posibilidad de plantear un conflicto de jurisdicción* · **complicación** · **problemática** || **necesidad** · **condición** · **exigencia** · **requisito** || **conveniencia** · **utilidad** || **objetivo** *una reunión para plantear detalladamente los objetivos del curso* · **reto** · **desafío** · **estrategia** · **proyecto** · **propuesta** · **iniciativa** · **programa** · **plan** · **intención** · **deseo** || **idea** · **reflexión** · **consideración** · **concepto** || **alternativa** · **posibilidad** · **opción** · **disyuntiva** || **solución** · **hipótesis** · **medida** · **tesis** · **teoría** || **debate** · **discusión** · **controversia** · **polémica** || **enfoque** · **punto de vista** *Los candidatos plantearon sus puntos de vista sobre la economía nacional* · **postura** || **diferencia** · **oposición** · **discrepancia** || **reivindicación** · **demanda** · **moción** · **pleito** · **queja** · **querella** *Se vio obligada a plantear una querella ante los tribunales* · **petición** · **solicitud** · **sugerencia** · **reclamación** || **objeción** · **reparo** · **inconveniente** || **inquietud** · **curiosidad** · **interés**
● CON ADVS. **verbalmente** · **por escrito** || **repetidamente** · **insistentemente** · **con insistencia** || **informalmente** *una decisión que ya nos había planteado informalmente* · **de pasada** · **de refilón** || **a las claras** · **sin ambages** · **sin tapujos** || **con cautela** · **abruptamente** · **crudamente** · **de raíz** || **con mano izquierda** · **diplomáticamente**

plantilla s.f.

▌[conjunto de empleados]
● CON ADJS. **abultada** · **suficiente** *una plantilla de trabajadores suficiente para satisfacer la demanda* · **amplia** · **competitiva** · **sobredimensionada** || **escasa** · **insuficiente** · **ajustada** || **fija** · **congelada** || **profesional** · **laboral** · **docente** · **policial**
● CON SUSTS. **reducción (de)** · **recorte (de)** *Se avecina un drástico recorte de la plantilla* · **ajuste (de)** · **regulación (de)** || **aumento (de)** · **ampliación (de)** · **incremento (de)** || **falta (de)** · **excedente (de)** || **reestructuración (de)** || **trabajador,-a (de)** · **compañero,ra (de)**
● CON VBOS. **engrosar** · **componer(se)** · **formar** · **juntar** · **reunir** || **contratar** · **ampliar** || **asegurar** || **aligerar** · **reducir** · **despedir** *Han decidido despedir a una parte de la plantilla para reducir costes* || **dosificar** || **contar (con)** · **disponer (de)** || **formar parte (de)** · **pertenecer (a)**
● CON PREPS. **en** *el número de trabajadores en plantilla*

▮ [pieza para el calzado]

● CON ADJS. **ortopédica · protectora**
● CON VBOS. **usar · utilizar · llevar || diseñar · hacer || necesitar || ajustar · adaptar**

plantón s.m. *col.*

● CON VBOS. **dar** *Me dio un plantón de más de una hora* **|| justificar · argumentar || aguantar · soportar · sufrir**

plasmar v.

● CON SUSTS. **paisaje · mundo · realidad** *Se trata de una crónica que plasma fielmente la realidad de aquellos días* · **movimiento · color || obra · vida** *El reportaje plasma en imágenes la vida de los pastores nómadas* **|| idea · imagen · recuerdo · impresión · visión · experiencia || inquietud · proyecto || alegría** *En sus lienzos plasma la alegría de la vida familiar* · **euforia · amor · odio · cariño** · ***otros sentimientos o emociones***
● CON ADVS. **a las mil maravillas · bellamente || gráficamente · nítidamente · vivamente || emblemáticamente · simbólicamente || fielmente · literalmente || por escrito** *Plasmó por escrito todas sus experiencias en el viaje* · **visualmente**

plástico, ca

1 **plástico, ca** adj.

▮ [moldeable]

● CON SUSTS. **material · elemento · componente · objeto · explosivo · derivado · envase · residuo || pintura**

▮ [relacionado con el arte de la plástica]

● CON SUSTS. **artes · expresión · obra · movimiento || cirugía** *una operación de cirugía plástica* **|| artista · cirujano,na**

2 **plástico** s.m.

● CON ADJS. **acrílico · inyectado · sintético · rígido · duro · biodegradable** *bolsas de plástico biodegradable* · **agrícola · protector || envuelto,ta (en)**
● CON VBOS. **fabricar · producir || reciclar · reutilizar**
● CON PREPS. **de · en**

plata s.f.

▮ [metal]

● CON ADJS. **de ley**
● CON SUSTS. **mina (de) · yacimiento (de) · explotación (de) · reserva (de) || bodas (de)** *celebrar las bodas de plata* **|| medalla (de)** *El equipo de natación ha obtenido la medalla de plata* **|| pieza (de) · marco (de) · cubertería (de) · bandeja (de) · copa (de) || cadena (de) · pulsera (de) · anillo (de) · pendientes (de) · gargantilla (de) · colgante (de) || moneda (de) || filigrana (de) · ornamento (de) || pan (de) · capa (de) · aleación (de)**
● CON VBOS. **detectar · obtener · extraer · hallar || manipular · limpiar** *un producto especial para limpiar la plata* · **pulir || fundir || labrar · tallar || revestir (con) · bañar (con/de) || hacer (en)**

▮ [dinero, riqueza]

● CON VBOS. **tener** *No tengo plata para comprar eso* · **robar · ganar · gastar(se) · ahorrar · perder · pedir**

□ EXPRESIONES **en plata** [sin rodeos] *col. Hablando en plata, esto es un desastre*

plátano s.m.

▮ [fruto]

● CON ADJS. **verde · maduro · pasado · podrido · pocho · duro · blando || dulce · sabroso · apetitoso || frito**
● CON SUSTS. **plantación (de) · cultivo (de) · cosecha (de) · recogida (de) || productor,-a (de)** *La región se ha convertido en una de las mayores productoras de plátanos del país* · **producción (de) · importación (de) · exportación (de) · mercado (de) || cáscara (de)** *Resbaló con una cáscara de plátano* · **piel (de) || zumo (de) · batido (de) · yogur (de) · compota (de) || sabor (a)**
● CON VBOS. **madurar · estropear(se) || pelar · mondar · trocear || flambear**

▮ [árbol]

● CON ADJS. **de sombra** *Una hilera de plátanos de sombra bordeaba el camino*
➤ Véase también **ÁRBOL**

platicar v.

● CON ADVS. **largamente** *Estuvo platicando con su vecino largamente* · **largo y tendido || casualmente || seriamente · amistosamente || mutuamente · simultáneamente**

[platillo] → a bombo y platillo; platillo

platillo

1 **platillo** s.m.

● CON ADJS. **volante** *Los habitantes de la zona afirman haber visto platillos volantes* · **volador**

2 **platillos** s.m.pl.

● CON VBOS. **chocar**
➤ Véase también **INSTRUMENTO MUSICAL**

[platillos] s.m.pl. → platillo

plató s.m.

● CON ADJS. **de televisión · televisivo · de cine · cinematográfico · de rodaje** *Los actores acudieron al plató de rodaje para continuar la grabación*
● CON SUSTS. **decoración (de) · escenario (de) · montaje (de) || programa (de) · público (de)**
● CON VBOS. **pisar** *Nunca había pisado un plató de televisión* · **recorrer · visitar || abandonar || entrar (en) · salir (de) || expulsar (de) · echar (de) || acudir (a) · asistir (a) · ir (a) · sentar(se) (en) || invitar (a alguien) (a) · llevar (a alguien) (a) || cambiar (de)**

platónico, ca adj.

▮ [relativo a Platón]

● CON SUSTS. **mito · cueva · caverna · símbolo · imagen || pensamiento · idea · filosofía** *un interesante estudio acerca de la evolución de la filosofía platónica* · **estudio · diálogo · argumentación**

▮ [ideal, idílico]

● CON SUSTS. **amor** *En su obra podemos encontrar continuas referencias tanto al goce sensorial como al ideal del amor platónico* · **relación · romance · enamoramiento · sentimiento · deseo · idilio · abrazo || amante · amado,da || mundo · atmósfera · lago · cielo · isla** · ***otros lugares***

playa s.f.

● CON ADJS. **ancha · extensa · larga · vasta || pequeña · aislada · recogida || abarrotada** *Esta playa está abarrotada durante todo el mes de agosto* · **concurrida || vacía · solitaria · abandonada || limpia · sucia || paradisíaca · perdida || nudista · privada**
● CON SUSTS. **arena (de) · orilla (de) · acantilado (de) · entrante (de) · espigón (de) || vigilante (de) · bandera (de) || acceso (a) || primera línea (de)**

• CON VBOS. **extender(se)** *La playa se extiende a lo largo de varios kilómetros* || **recorrer** · **visitar** · **limpiar** || **bañarse (en)** · **pasear (por)** || **veranear (en)** · **ir (a)**
• CON PREPS. **a lo largo (de)** || **a pie (de)**

playero, ra adj.

• CON SUSTS. **moda** *un desfile de moda playera* · **atuendo** · **vestido** · **zapatillas** · **gorro** || **ambiente** · **estampa** · **escena** || **bar** · **chiringuito** *Trabaja como camarera en un chiringuito playero* · **sombrilla** · **toldo** · **silla** || **nudismo** || **lugar** · **municipio**

plaza s.f.

▮ [lugar donde confluyen las calles]

• CON ADJS. **monumental** · **histórica** || **abarrotada** · **concurrida** *Y de repente llegamos a una plaza concurrida en la que...* || **preciosa** · **artística** || **amplia** · **pequeña** · **coqueta**

▮ [fortificación]

• CON ADJS. **inexpugnable** · **difícil** · **fuerte**
• CON VBOS. **asaltar** · **sitiar** || **defender** · **guarnecer** || **conquistar** *Las tropas enemigas conquistaron una importante plaza cercana a la costa* · **tomar** || **resistir (en)**

▮ [puesto, empleo]

• CON ADJS. **fija** · **provisional** || **codiciada**
• CON VBOS. **convocar** *Este año no se convocará ninguna plaza* || **ganar** · **obtener** · **escalar** || **ocupar** · **copar** · **tener** || **conservar** · **perder** || **amortizar** || **concursar (por)**

□ EXPRESIONES **plaza de toros** [lugar donde se celebran corridas de toros]

[plazo] →a plazo fijo; a plazos; plazo

plazo

1 **plazo** s.m.

• CON ADJS. **ajustado** · **justo** · **apretado** *Dieron uno plazo muy apretado para presentar toda la documentación* · **estricto** · **exacto** · **inflexible** || **apremiante** · **perentorio** || **escaso** · **breve** · **exiguo** · **insuficiente** || **dilatado** · **largo** · **suficiente** || **flexible** *Los plazos para matricularse en la academia son flexibles* || **aproximado** || **vigente** || **legal**
• CON SUSTS. **ampliación (de)** · **prórroga (de)** || **cierre (de)**
• CON VBOS. **llegar** || **terminar** *El plazo de entrega termina hoy* · **agotar(se)** · **caducar** · **vencer** · **prescribir** · **expirar** || **abarcar** · **transcurrir** || **acuciar (a alguien)** · **agobiar (a alguien)** || **establecer** · **acotar** || **dar** · **conceder** *Nos han concedido una plazo de reclamación muy breve* · **imponer** || **cumplir** || **incumplir** · **rebasar** · **sobrepasar** || **abrir** · **iniciar** || **acortar** · **estirar** · **alargar** · **extender** · **prorrogar** || **apurar** || **negociar** || **ajustar(se) (a)** · **atener(se) (a)** · **ceñir(se) (a)**
• CON PREPS. **dentro (de)** · **fuera (de)** *...porque presentó el recurso fuera de plazo* || **de** *dos meses de plazo*

2 **plazo (de)** s.m.

• CON SUSTS. **presentación** *El plazo de presentación de candidaturas finaliza mañana* · **ejecución** · **inscripción** · **admisión** · **entrega** · **alegaciones** · **prescripción** · **solicitud** · **recepción** · **matrícula** || **día** · **mes** *en un plazo de tres meses* · ***otros períodos***

plebiscito s.m.

• CON ADJS. **popular** · **nacional** · **presidencial** || **vinculante**
• CON SUSTS. **resultado (de)** · **balance (de)** || **convocatoria (de)**
• CON VBOS. **convocar** · **celebrar** || **ganar** · **perder** || **boicotear** || **participar (en)** · **votar (en)** || **someter (a)** *No es obligatorio someter a plebiscito la aprobación de...*

plegaria s.f.

• CON ADJS. **tradicional** *la tradicional plegaria del día de Navidad* · **cotidiana** · **ritual** || **colectiva** · **pública** · **póstuma** || **religiosa**
• CON SUSTS. **libro (de)** || **sala (de)**
• CON VBOS. **rogar** · **elevar** *Los fieles asistentes elevaron una plegaria para pedir por la paz* · **dirigir** · **rezar** · **pronunciar** · **recitar** · **leer** || **oír** · **escuchar** || **asistir (a)** · **participar (en)** || **invocar (con)** · **sumar(se) (a)** · **participar (de)**

plegarse (a) v.

• CON SUSTS. **mayoría** *En este asunto yo me pliego a la mayoría* · **jefe,fa** || **empresa** · **gobierno** · **justicia** · **sindicato** · **patronal** · **dirección** || ***otros individuos y grupos humanos*** || **exigencia** · **petición** · **dictado** · **reivindicación** · **mandato** · **orden** || **presión** · **amenaza** · **chantaje** · **boicot** · **ultimátum** · **abuso** · **fuerza** *La población no se plegará a la fuerza del ejército invasor* · **problema** || **deseo** *Se plegaron a los deseos del jefe* · **condición** · **interés** · **designio** · **voluntad** · **iniciativa** · **pretensión** · **plan** · **necesidad** · **demanda** · **proyecto** · **propuesta** || **consigna** · **directriz** · **norma** · **ley** · **disposición** · **medida** · **modelo** · **canon** *plegarse al canon impuesto por la tradición* · **prohibición** · **disciplina** · **parámetro** || **control** · **mando** · **poder** · **autoridad** · **hegemonía** · **jerarquía** || **criterio** · **decisión** · **ideología** · **planteamiento** · **política** · **punto de vista** *Consiguió que todos nos plegáramos a su punto de vista* · **realidad** · **concepto** || **huelga** · **movilización** · **protesta** || **tiempo** · **moratoria** · **calendario**
• CON ADVS. **deliberadamente** · **intencionalmente** · **voluntariamente** || **incondicionalmente** · **completamente** · **totalmente** || **mansamente** · **humildemente** · **cobardemente** · **sin rechistar** · **disciplinadamente**

pleito s.m.

• CON ADJS. **largo** · **viejo** *Pretenden reabrir el viejo pleito de...* || **legal** · **civil** · **judicial** · **jurídico** || **matrimonial** · **conyugal** · **laboral** · **testamentario**
• CON SUSTS. **objeto (de)** · **resultado (de)** · **resolución (de)**
• CON VBOS. **buscar** · **entablar** · **reabrir** || **tener** *una persona conflictiva que tiene pleitos con todo el mundo* || **afrontar** · **solucionar** · **liquidar** · **dirimir** · **solventar** || **ganar** · **perder** || **fallar** || **llevar** *Su abogado lleva todos los pleitos en los que anda metido* · **tramitar** || **entrar (en)** · **meter(se) (en)** · **llegar (a)**

plenamente adv.

• CON VBOS. **coincidir** · **suscribir** *El presidente suscribió plenamente las declaraciones del ministro* · **adherirse** · **identificar(se)** · **compartir** · **sumarse** · **estar de acuerdo** · **aceptar** · **armonizar** · **admitir** · **consensuar** · **reconocer** · **acatar** *Dice que acata plenamente las órdenes de sus superiores* · **asimilar** · **absorber** || **asumir** · **dedicarse** · **hacerse cargo** · **consagrarse** · **inscribirse** · **integrar(se)** · **adscribir(se)** · **asociar(se)** · **enraizar(se)** · **imbuirse** · **sumergirse** · **adentrarse** · **insertarse** *Hace muchos años que vive aquí, pero aún no se siente plenamente insertado en esta sociedad* · **asentar(se)** · **instalarse** · **enfrascarse** · **incorporarse** · **interesarse** || **participar** · **colaborar** · **respaldar** · **volcarse** · **lanzarse** · **apoyar** || **cumplir** · **satisfacer** · **ajustarse** · **adaptar(se)** · **acoplar(se)** · **acomo-**

dar(se) · **encajar** · **alcanzar** *No se han alcanzado plenamente los objetivos de ventas en este cuatrimestre* || **formar(se)** · **conformar(se)** · **constituir(se)** · **configurar(se)** · **realizar(se)** · **cuajar** || **acertar** · **triunfar** · **dar en la diana** · **vencer** · **superar** || **recaer** *La responsabilidad de lo ocurrido recayó plenamente en el gerente* · **incidir** · **afectar** · **repercutir** || **supeditar** · **subordinar** · **someterse** || **mantener** · **sustentar** · **defender** · **sostener** || **confiar** *¿Confías plenamente en él?* · **fiarse** || **apartar(se)** · **separar(se)** || **gozar** · **disfrutar** || **recuperar(se)** · **rehabilitar(se)** · **restablecer(se)** · **recobrar(se)** *un fuerte golpe del que todavía no se ha recobrado plenamente* · **reponer(se)** || **justificar** · **autorizar** · **acreditar** · **valorar** · **aprobar** · **garantizar** · **normalizar** · **revalidar** · **asegurar** · **ratificar** · **consolidar** · **afianzar**

plenario, ria adj.

● CON SUSTS. **sesión** *A la sesión plenaria asistieron representantes de todos los grupos políticos* · **reunión** · **asamblea** · **comisión** · **consejo** · **conferencia** · **encuentro** · **convocatoria** || **juicio** · **debate** · **discusión** · **aprobación** *revocar una aprobación plenaria* · **acuerdo** · **decisión** || **intervención** · **ponencia** *Tenía que preparar una ponencia plenaria para un congreso* || **indulgencia** · **absolución** || **autoridad**

plenitud

1 plenitud s.f.

● CON ADJS. **total** · **verdadera** · **auténtica** · **absoluta** · **máxima** *Cuando el eclipse de luna se halle en su máxima plenitud* || **sentimental** · **vital** · **humana** · **personal** · **afectiva** · **anímica** · **espiritual** || **física** · **artística** · **musical** · **creadora** · **intelectual** · **literaria** · **profesional**

● CON SUSTS. **sensación (de)** *una sensación de plenitud que duró apenas unos instantes* · **estado (de)** || **momento (de)** · **instante (de)** · **vida (de)** · **etapa (de)** · **época (de)** · **tiempo (de)** · **período (de)** · **estadio (de)**

● CON VBOS. **alcanzar** *para alcanzar la plenitud en las relaciones personales* · **sentir** · **adquirir** || **hallar(se) (en)** · **encontrar(se) (en)** · **vivir (en)** || **llegar (a/en)** || **lucir (en)** · **brillar (en)**

2 plenitud (de) s.f.

● CON SUSTS. **derecho** · **condición** · **facultad** · **sentido** · **gloria** · **madurez** · **poder** *La plenitud de poderes seguía en manos del monarca* · **belleza** *Al atardecer el paisaje muestra la plenitud de su belleza* · **capacidad**

[pleno] → a pleno rendimiento; de pleno; pleno, na

pleno, na

1 pleno, na adj.

■ [que está en su punto central o culminante]

● CON SUSTS. **desarrollo** · **auge** · **apogeo** · **proceso** · **rendimiento** · **funcionamiento** · **vuelo** *Sufrieron una avería en pleno vuelo* || **curso** · **invierno** · **verano** · **día** · ***otros períodos*** || **sol** *caminar a pleno sol* || **dominio** · **conocimiento** · **sentido** || **poderes** · **derecho** · **ejercicio** || **centro** *Vive en una casa en pleno centro de la ciudad* · **corazón** · **barrio** || **respeto** · **respaldo** || **empleo** *medidas para lograr el pleno empleo*

● CON VBOS. **estar** · **sentirse**

□ USO Con este sentido, se usa generalmente delante del sustantivo: *Tiene pleno dominio del idioma.*

2 pleno s.m.

■ [reunión]

● CON ADJS. **legislativo** · **municipal** · **parlamentario** || **ordinario** · **extraordinario** · **urgente**

● CON VBOS. **celebrar** · **convocar** · **solicitar** || **aprobar (algo) (en)** · **votar (algo) (en)** || **comparecer (en)**

■ [totalidad de un grupo]

● CON SUSTS. **reunión (de)** · **sesión (de)** || **composición (de)** || **miembro (de)** · **representante (de)**

● CON VBOS. **acordar (algo)** · **decidir (algo)** · **determinar (algo)** · **decretar (algo)** || **exigir (algo)** · **reclamar (algo)** · **demandar (algo)** · **requerir (algo)** || **aprobar (algo)** · **votar (algo)** || **rechazar (algo)** || **reunir(se)** *El pleno se reunirá en sesión ordinaria, al menos, dos veces al año* || **constituir** || **nombrar** · **elegir** *Se abre el proceso para elegir el pleno de la asamblea* || **formar parte (de)** · **pertenecer (a)**

3 pleno (de) s.m.

● CON SUSTS. **investidura** · **moción** · **control** · **elección** · **ratificación** || **urgencia** *El proyecto se aprobó ayer en un pleno de urgencia* || **congreso** *El pleno del congreso votará esta semana si...* · **ayuntamiento** · **partido** · **corte** · **cámara** · **asamblea** · ***otros organismos e instituciones*** || **magistrados** · **diputados** · **consejeros** · **jueces** · ***otros cargos***

□ EXPRESIONES **en pleno** [en su totalidad]

pletórico, ca (de) adj.

● CON SUSTS. **alegría** · **felicidad** || **satisfacción** *Está pletórico de satisfacción por el premio de su hija* · **orgullo** || **elegancia** · **talento** · **ingenio** · **imaginación** · **voz** · ***otras cualidades*** || **fuerza** · **energía** · **salud** · **vida** · **facultad** · **vitalidad** *Desde que va a clases de yoga se siente pletórica de vitalidad* · **poder** · **fortaleza** || **moral** · **ánimo** · **gana** · **entusiasmo** · **ilusión** · **optimismo** · **triunfalismo** · **motivación** || **trabajo** · **actividad** || **contenido** · **connotación** · **significado** · **referencia** · **sugerencia**

● CON VBOS. **estar** · **sentirse** · **mostrarse** || **poner(se)**

□ USO Se construye con sustantivos contables en plural (*pletórico de significados*) o no contables en singular (*pletórico de voz*).

plomizo, za adj.

● CON SUSTS. **cielo** · **nube** · **atmósfera** · **horizonte** || **día** · **tarde** *Era una tarde plomiza de otoño* · **mañana** · **atardecer** · ***otros momentos o períodos*** || **color** · **gris** || **ciudad** · **lugar** · **mar** || **novela** · **disco** · **ópera** · **obra** · **libro** · ***otras creaciones*** || **partido** · **sesión** · **ceremonia** · **encuentro** · **fútbol** || **discurso** · **presentación** · **conferencia** · **sermón** · **exposición** *una exposición tan plomiza que casi me quedo dormido* || **pesadez** · **insistencia**

[plomo] → como el plomo; con pies de plomo; plomo

plomo

1 plomo s.m.

● CON SUSTS. **gasolina (con/sin)** || **sales (de)** || **soldado (de)** *una colección de soldaditos de plomo* || **perdigón (de)** || **tubería (de)** || **mina (de)**

● CON VBOS. **pesar** || **detectar** · **obtener** · **extraer** · **hallar** || **emplear** · **manipular** · **utilizar** || **fundir** || **contaminar (con)**

2 plomos s.m.pl.

● CON VBOS. **fundir(se)** · **saltar** *¿Han saltado de nuevo los plomos?* || **cambiar**

[plomos] s.m.pl. → plomo

pluma s.f.

▮ [de ave]

• CON SUSTS. **edredón (de) · cojín (de) · almohada (de)** *una cómoda almohada de plumas* · **sombrero (de) · tocado (de) · penacho (de) · adorno (de) · corona (de) || peso** *campeón de peso pluma*

▮ [instrumento para escribir]

• CON ADJS. **estilográfica || afilada** *la afilada pluma de la periodista* **|| valiosa · antigua · labrada**

• CON SUSTS. **colección (de)**

• CON VBOS. **guardar · enfundar · sacar · coger || regalar · dar · heredar || escribir (con)**

▮ [estilo literario]

• CON ADJS. **buena** *Siempre ha tenido buena pluma* **|| irónica · mordaz · acerada · envenenada · sarcástica · ingeniosa · aguda || brillante · genial · privilegiada || ágil · fácil**

• CON SUSTS. **facilidad (de)**

• CON VBOS. **ejercitar · emplear · usar · poner al servicio (de algo) || cargar || colgar · abandonar || salir (de)** *bellas composiciones que salieron hace ya muchos años de su pluma* · **brotar (de) || combatir (con) · luchar (con) || carecer (de)**

[plumazo] → de un plumazo

plumero s.m.

• CON VBOS. **pasar** *Pásale el plumero al mueble del salón* **|| limpiar (con)**

☐ EXPRESIONES **verse(le) el plumero** (a alguien) [descubrirse sus intenciones] *col.*

plural adj.

• CON SUSTS. **mundo · sociedad** *Vivimos en una sociedad plural* · **grupo · estado · partido · organización · organismo || representación · modelo · política || creador,-a · artista** *Sus viajes por todo el mundo han hecho de ella una artista plural* · **intelectualidad · mente || creación · obra · espectáculo · arte || educación** *Pretenden dar a sus hijos una educación abierta y plural* · **cultura · ciencia || reflexión · perspectiva · visión · concepto || situación · realidad · convivencia || información · mensaje || composición · dimensión || programación · oferta · opción · proyecto || debate · discusión**

• CON VBOS. **volverse · hacerse**

pluralidad

1 **pluralidad** s.f.

• CON ADJS. **cultural** *la pluralidad cultural de un país* · **social · lingüística · religiosa · étnica · histórica || informativa · política · ideológica || moral**

• CON SUSTS. **respeto (a) · defensa (de) · aceptación (de) || muestra (de) · reflejo (de) · signo (de) · ejemplo (de) || falta (de) || intento (de) · búsqueda (de)**

• CON VBOS. **defender · garantizar · asegurar || reconocer · aceptar · respetar || reflejar** *El artículo refleja una amplia pluralidad de opiniones*

• CON PREPS. **con**

2 **pluralidad (de)** s.f.

• CON SUSTS. **tradiciones · lenguas || opiniones · voces · ideas** *una asociación en la que prima la pluralidad de ideas* · **criterios · enfoques || derechos · perspectivas**

plusmarca s.f.

• CON ADJS. **espectacular · flamante · fulgurante · imbatible · inigualable · inusitada || anterior · antigua · nueva || mundial · olímpica**

• CON VBOS. **alcanzar · lograr · establecer || batir · pulverizar** *un espectacular registro que ha pulverizado la anterior plusmarca mundial* · **superar · rebajar · mejorar · igualar || ostentar · poseer**

población s.f.

▮ [conjunto de habitantes]

• CON ADJS. **adulta · infantil** *La población infantil ha aumentado espectacularmente en el último año* · **joven · juvenil · envejecida · anciana || rural · urbana · mundial || humana · civil || flotante · autóctona · foránea · extranjera · emigrante · inmigrante || activa · asalariada · escolar || culta · informada || indigente · marginada · analfabeta · parada** *La población parada exige medidas urgentes al Gobierno* **|| dispersa · masificada || estimada · total || bovina · equina · vacuna · aviar**

• CON SUSTS. **censo (de) || densidad (de) · índice (de)** *el índice de población escolar* **|| núcleo (de) · segmento (de) || condiciones de vida (de)**

• CON VBOS. **concentrar(se)** *En esta zona se concentra una gran cantidad de población rural* · **hacinar(se) · dispersar(se) || superar (una cantidad) · decrecer || conmocionar(se) || congregar · movilizar** *...para movilizar a la población civil* · **reunir · aglutinar · agrupar || atenazar · sojuzgar · someter · masacrar || liberar || atender · educar · mentalizar || censar · calcular · medir · evaluar · clasificar || vacunar**

• CON PREPS. **entre** *Entre la población comenzaba a cundir el desánimo*

▮ [conjunto de edificios y espacios]

• CON ADJS. **abarrotada · deshabitada · vacía || gran(de) · pequeña || cercana** *Nos mudamos a una población cercana* · **lejana · remota · marginal || pintoresca || rica · pobre || industrial · agrícola · costera** *Las poblaciones costeras son las más cotizadas* · **fronteriza · serrana**

• CON VBOS. **colapsar(se) || amenazar · asediar** *Las tropas invasoras asediaron la población durante meses* · **rodear · sitiar || arrasar · asolar · incendiar · invadir · ocupar · tomar || conquistar || frecuentar · habitar || vivir (en) · residir (en) · mudarse (a) · afincarse (en) · radicar (en) || pertenecer (a)**

pobre

1 **pobre** adj.

▮ [sin recursos, de baja calidad; escaso]

• CON SUSTS. **país** *ayudar a los países más pobres* · **pueblo · barrio · familia · sector · área || hombre · chico,ca · persona ||** ***otros individuos y grupos humanos*** **|| decoración · arte || libro · película || dieta** *una dieta pobre en grasas* **|| impresión** *El discurso ha causado una pobre impresión* · **aspecto || contenido**

• CON VBOS. **morir · vivir || quedarse · resultar**

☐ USO Con este sentido, se usa generalmente detrás del sustantivo: *Trabaja en una asociación que ayuda a las familias más pobres del barrio.*

▮ [desafortunado]

• CON SUSTS. **hombre** *Déjalo, el pobre hombre no sabe lo que dice* · **mujer · familia ·** ***otros individuos y grupos humanos***

☐ USO Con este sentido, se usa generalmente delante del sustantivo: *Esta pobre familia ya ha sufrido bastante.*

2 **pobre (de)** adj.

●CON SUSTS. **recursos** *El equipo se mostró muy pobre de recursos ofensivos* · **medios** · **dinero** || **espíritu** · **voluntad** || **emociones** · **sentimientos** · **sensibilidad** || **contenido** *un artículo apresurado pobre de contenido* · **imágenes** · **significado** || **ideas** · **imaginación** · **criterio** · **conocimientos** · **sabiduría**

pobreza s.f.

●CON ADJS. **absoluta** · **enorme** · **extrema** · **profunda** · **terrible** · **suma** || **creciente** · **rampante** · **imperante** · **alarmante** || **lastimosa** · **agobiante** || **al descubierto** || **endémica** *Eliminar esta pobreza endémica supone un reto considerable para...* · **colectiva** · **personal** || **de medios** *Nuestro principal problema era la pobreza de medios* · **de recursos** · **de ideas** || **intelectual** · **imaginativa** · **literaria** · **tecnológica** || **condenado,da (a)** · **sumido,da (en)** · **hundido,da (en)**

●CON SUSTS. **condiciones (de)** · **estado (de)** · **situación (de)** || **grado (de)** · **índice (de)** *un estudio para determinar el índice de pobreza en la región* · **nivel (de)** · **tasa (de)** · **umbral (de)** || **bolsa (de)** || **lucha (contra)** || **voto (de)**

●CON VBOS. **acechar (a alguien)** · **acuciar (a alguien)** · **azotar (a alguien)** || **aumentar** · **recrudecer(se)** · **agudizar(se)** · **extender(se)** || **decrecer** · **disminuir** || **combatir** *El primer objetivo era combatir la creciente pobreza* · **aliviar** · **aminorar** · **reducir** · **mitigar** · **paliar** || **solucionar** · **superar** · **vencer** || **eliminar** · **erradicar** · **abolir** || **condenar** || **sufrir** · **padecer** · **conocer** · **practicar** || **dar solución (a)** · **luchar (contra)** || **escarbar (en)** || **rescatar (de)** · **sacar (de)** *Aquellas medidas lograron sacarnos de la pobreza* || **vivir (en)** · **hundir(se) (en)** · **sumir(se) (en)**

pócima s.f.

●CON ADJS. **mágica** · **milagrosa** || **secreta** · **misteriosa** || **medicinal** || **ponzoñosa** · **venenosa** · **nociva** || **vomitiva** · **intragable** · **repugnante**

●CON VBOS. **encontrar** · **preparar** || **tomar** · **beber** · **ingerir** *Había ingerido la pócima preparada por la bruja* || **dar (a alguien)** · **ofrecer (a alguien)**

[poco] → de poca monta; por poco

podar v.

●CON SUSTS. **árbol** *Mañana deberíamos empezar a podar los árboles* · **rama** · **seto** · **planta** || **texto** · **artículo** · **libro** · **tesis doctoral**

poder

1 **poder** s.m.

●CON ADJS. **absoluto** · **ilimitado** · **total** · **completo** · **supremo** · **sumo** · **amplio** · **vasto** · **considerable** · **enorme** *una mujer con un enorme poder de persuasión* · **inmenso** · **alto** · **portentoso** · **abrumador** · **desmedido** · **exorbitante** · **abusivo** · **omnímodo** · **feudal** || **acaparador** *el poder acaparador de la televisión* · **asfixiante** · **centrípeto** || **cegador** · **ciego** · **irresistible** · **penetrante** · **implacable** · **inflexible** || **férreo** · **firme** · **sólido** · **efectivo** || **arbitrario** · **discrecional** *Hay quien dice que en la recalificación del suelo los alcaldes tienen un alto poder discrecional* · **exclusivo** || **decisivo** · **determinante** · **dominante** || **efímero** · **fugaz** || **legítimo** · **ilegítimo** || **soterrado** · **emergente** · **directo** · **indirecto** || **fáctico** · **comunal** · **soberano** || **autonómico** · **central** · **civil** · **económico** · **mental** · **judicial** · **político** · **ejecutivo** || **adquisitivo** *una subida de las pensiones para evitar la pérdida del poder adquisitivo* · **curativo** · **destructivo** · **bélico** || **disuasorio** · **decisorio** || **borracho,cha (de)** · **ciego,ga (de)**

●CON SUSTS. **acceso (a)** · **asalto (a)** · **ascenso (a)** · **llegada (a)** · **conquista (de)** || **ambición (de)** · **deseo (de)** || **ámbito (de)** · **círculo (de)** · **esfera (de)** · **hilo (de)** *Ignoramos quién maneja los hilos del poder* · **cuota (de)** · **reparto (de)** || **ápice (de)** || **sumisión (a)** · **obediencia (a)** || **uso (de)** · **abuso (de)** · **acumulación (de)** · **equilibrio (de)** || **demostración (de)** · **manifestación (de)** · **signo (de)**

●CON VBOS. **acentuar(se)** · **afianzar(se)** · **fortalecer(se)** · **aumentar** · **robustecer(se)** · **abarcar (algo)** || **debilitar(se)** · **decrecer** · **disminuir** · **escorar(se)** · **agotar(se)** · **derrumbar(se)** · **desarticular(se)** · **desmembrar(se)** · **desmoronar(se)** *El poder económico de la empresa se desmoronó a raíz del escándalo* · **diluir(se)** · **derretir(se)** || **dimanar** · **emanar** || **recaer** · **llegar (a algo/a alguien)** || **absorber** · **corromper** || **adquirir** · **alcanzar** · **conquistar** *Conquistó el poder en unas elecciones limpias* · **ganar** · **tomar** · **obtener** · **escalar** · **acariciar** · **asumir** · **arrogarse** · **usurpar** || **acumular** *Desde entonces, el dictador acumula un inmenso poder* · **aglutinar** · **atesorar** · **amasar** || **acaparar** · **copar** · **controlar** || **tener** · **poseer** · **ostentar** · **conservar** || **ejercer** · **usar** · **detentar** · **imponer** · **desplegar** || **conceder** · **traspasar** · **delegar** · **repartir(se)** *Los vencedores se repartieron todo el poder* || **consolidar** · **blindar** · **cimentar** · **centralizar** || **magnificar** || **erosionar** · **socavar** · **minar** · **recortar** · **achicar** · **acotar** || **combatir** · **desafiar** · **desmantelar** || **hipotecar** · **perder** · **arrebatar** · **revocar** || **dejar** · **abandonar** || **acceder (a)** · **subir (a)** · **encumbrar(se) (a)** · **llegar (a)** · **llevar (a)** · **revestir(se) (de)** *La nueva directora se revistió de un poder absoluto* · **alimentar(se) (de)** || **aferrarse (a)** · **permanecer (en)** · **mantener(se) (en)** · **apear(se) (de)** · **asentar(se) (en)** || **rendirse (a/ante)** · **someter(se) (a)** · **subordinar(se) (a)** || **abusar (de)** · **gozar (de)** || **renunciar (a)** || **enfrentar(se) (a)** · **luchar (contra)**

●CON PREPS. **en uso (de)** · **con** · **sin**

2 **poder (de)** s.m.

●CON SUSTS. **atracción** · **convocatoria** *Su poder de convocatoria ha aumentado con la nueva campaña de publicidad* · **convicción** · **persuasión** · **seducción** · **decisión** · **sugestión** · **captación** || **destrucción** · **veto** · **aniquilación** · **detección** || **curación** || **anticipación** · **adivinación** · **concentración** · **retención** · **observación** *Es un escritor con un gran poder de observación* || **penetración** || **expansión** · **transformación**

poderío s.m.

●CON ADJS. **absoluto** · **total** || **abrumador** · **aplastante** · **asombroso** || **creciente** · **emergente** || **espacial** · **aéreo** · **militar** · **nuclear** · **ofensivo** · **bélico** · **económico** · **financiero** · **artístico** · **técnico** · **tecnológico** *El poderío tecnológico de la empresa ha aumentado tras las últimas inversiones*

●CON SUSTS. **demostración (de)** · **exhibición (de)** · **manifestación (de)** · **símbolo (de)** · **despliegue (de)** · **lección (de)** || **sensación (de)**

●CON VBOS. **aumentar** · **incrementar(se)** || **ganar** *...gracias a una política de investigación que les ha permitido ganar poderío técnico* · **alcanzar** · **lograr** || **tener** · **mantener** · **conservar** || **perder** || **derrochar** *un joven banderillero que derrocha arte y poderío* || **demostrar** · **mostrar** || **ratificar** || **gozar (de)**

●CON PREPS. **con** *una artista con mucho poderío*

poderosamente adv.

●CON VBOS. **llamar la atención** · **reclamar la atención** · **influir** · **influenciar** · **marcar** · **atraer** · **afectar** · **condicionar** · **repercutir** · **interesar** · **mover los ánimos** · **pesar** *El escándalo pesó poderosamente sobre el resultado* *de las elecciones* · **gravitar** · **resonar** *El eco de sus voces aún resuena poderosamente en nuestra memoria* · **retener** || **contribuir** · **revitalizar** · **auxiliar** · **favorecer** · **respaldar** || **destacar** · **incidir** · **reflejarse** · **sobresalir** *Su estilo literario sobresale poderosamente entre los prosistas de su generación* · **crecer** · **aumentar** · **prosperar** || **recordar** · **contrastar** · **semejar** · **asemejarse** || **alimentar** · **nutrir** · **abastecer** || **sorprender** · **cautivar** || **presionar** · **dominar** · **clamar** · **activar** · **avanzar** · **abrirse paso** · **frenar**

poderoso, sa adj.

● CON SUSTS. **entidad** · **grupo** *Hubo de competir contra un grupo empresarial muy poderoso* · **empresa** · **organización** · **país** · **flota** · **ejército** || **rival** · **enemigo,ga** *Nos enfrentamos a un poderoso enemigo* || **antídoto** *un poderoso antídoto contra la picadura de la serpiente* · **medicamento** · **somnífero** || **arma** · **bomba** · **imán** · **telescopio** · **herramienta** · **instrumento** · **máquina** · **técnica** · **factor** || **defensa** · **saque** · **servicio** || **brazo** · **musculatura** · **músculo** · **zancada** || **garganta** · **voz** || **imaginación** · **instinto** · **interés** · **voluntad** · **intuición** · **sugestión** · **capacidad** · **personalidad** || **atracción** · **presión** · **influencia** *la poderosa influencia que ejerce sobre sus compañeros* · **impronta** · **influjo** · **dominio** · **efecto** · **impacto** · **fuerza** || **iluminación** || **fuente** · **medio** · **motor** · **dedo** · **persona** || **corriente** · **movimiento** · **economía** || **alianza** · **vínculo** · **combinación** · **mezcla** · **trama** · **red** || **estímulo** · **motivo** · **razón** · **argumento** *Aportaron poderosos argumentos a favor de su hipótesis, pero fueron igualmente desestimados* || **imagen** · **símbolo** · **llamada**

● CON ADVS. **extraordinariamente** *un telescopio extraordinariamente poderoso* · **inmensamente** · **sumamente** · **tremendamente** · **excesivamente** · **especialmente** || **escasamente** || **económicamente** · **militarmente** *un país muy poderoso militarmente*

● CON VBOS. **hacer(se)** · **volver(se)**

podio s.m.

● CON ADJS. **reñido** · **disputado** || **ansiado** · **codiciado** *El atleta subió por fin al codiciado podio* · **deseado** · **soñado** || **olímpico** · **mundial**

● CON SUSTS. **escalón (de)** *Varios ciclistas luchaban por el tercer escalón del podio* · **peldaño (de)** · **lugar (de)** · **puesto (en)** · **plaza (de)** || **candidato,ta (a)** · **aspirante (a)**

● CON VBOS. **alcanzar** · **conseguir** · **ocupar** · **copar** · **lograr** · **compartir** · **rozar** · **perder** || **subir(se) (a)** · **ascender (a)** *...puntuación que le permite ascender de nuevo al podio con todos los honores* · **aupar(se) (a)** · **acceder (a)** · **llevar (a)** · **conducir (a)** · **entrar (en)** || **apear(se) (de)** · **bajar (de)** · **caerse (de)** · **descender (de)** || **aspirar (a)** · **luchar (por)** · **pelear (por)**

podrido, da adj.

● CON SUSTS. **fruta** · **verdura** · **alimento** || **sociedad** · **mundo** · **ambiente** || **política** · **régimen** · **situación** || **conciencia** · **mente** · **mentalidad** || **mentira** *Todo lo que han publicado sobre su familia es mentira podrida* · **envidia**

● CON VBOS. **oler (a)** · **estar**

□ EXPRESIONES **estar podrido** (de dinero) [tenerlo en gran abundancia] *col.*

podrir(se) v. Véase **pudrir(se)**

poema s.m.

● CON ADJS. **bello** · **hermoso** *un hermoso poema sobre la amistad* · **precioso** · **deslumbrante** · **exquisito** · **logrado** · **sobrecogedor** · **emotivo** · **tierno** || **concentrado** · **profundo** · **hondo** || **hermético** · **misterioso** · **enigmático** · **inaccesible** || **florido** · **afectado** · **pomposo** · **rimbombante** · **ripioso** · **forzado** · **pobre** · **mediocre** || **breve** *La conferenciante cerró su exposición con un breve poema* · **extenso** · **largo** || **autógrafo** · **anónimo** · **apócrifo** · **póstumo** || **inédito** · **nuevo** · **desconocido** · **suelto** *El poeta dejó varios poemas sueltos sin publicar* || **alegórico** · **irónico** · **simbólico** · **lírico** · **dramático** · **religioso** · **místico** · **épico** || **popular** · **tradicional** · **conocido** · **famoso**

● CON SUSTS. **antología (de)** · **colección (de)** · **libro (de)** · **selección (de)** · **conjunto (de)** · **recopilación (de)** || **recital (de)** · **lectura (de)** || **verso (de)** · **metro (de)** · **rima (de)** · **estrofa (de)** · **estructura (de)** · **estribillo (de)**

● CON VBOS. **llegar (a alguien)** || **rimar** || **versar (sobre algo)** *El largo poema versa sobre las aventuras de un héroe legendario* || **componer** · **escribir** · **redactar** · **crear** || **declamar** · **leer** · **recitar** || **editar** · **publicar** · **divulgar** || **interpretar** · **analizar** · **explicar** · **comentar** · **estudiar** || **rescatar** · **transcribir** || **dedicar (a algo/a alguien)** *Dedicó un emotivo poema al artista fallecido*

poesía s.f.

● CON ADJS. **buena** · **bonita** · **bella** · **hermosa** || **lograda** · **expresiva** · **sugerente** · **emotiva** · **tierna** || **espléndida** · **antológica** · **memorable** · **exquisita** || **profunda** · **honda** · **sentida** || **afectada** · **forzada** · **pomposa** · **florida** · **ripiosa** · **mediocre** · **pobre** || **inédita** · **anónima** · **desconocida** || **conocida** · **famosa** · **popular** · **tradicional** || **lírica** · **dramática** · **épica** · **religiosa** *Esta autora se dedicó principalmente a la poesía religiosa* · **mística** · **alegórica** · **irónica** · **simbólica**

● CON SUSTS. **libro (de)** · **colección (de)** · **antología (de)** *una importante antología de poesía medieval* · **recopilación (de)** · **volumen (de)** · **revista (de)** || **premio (de)** · **certamen (de)** · **concurso (de)** || **recital (de)** · **lectura (de)** || **verso (de)** · **estructura (de)** · **rima (de)** · **estribillo (de)** · **estrofa (de)**

● CON VBOS. **llegar (a alguien)** || **rimar** || **versar (sobre algo)** || **componer** · **crear** · **escribir** *Empezó a escribir poesía cuando aún era un niño* · **redactar** || **analizar** · **interpretar** · **comentar** · **explicar** || **declamar** · **leer** · **recitar** || **publicar** · **divulgar** · **editar** || **traducir** · **transcribir** || **dedicar (a algo/a alguien)**

polaco s.m. Véase **IDIOMA**

polar adj.

● CON SUSTS. **casquete** · **círculo** *el círculo polar ártico* · **región** · **órbita** · **zona** || **estrella** · **oso,sa** || **aire** · **viento** · **tormenta** · **frío** *Hacía un frío polar* · **temperatura** || **ecosistema** · **deshielo** || **noche** || **origen** || **exploración**

polarizar v.

● CON SUSTS. **país** · **sociedad** || **atención** *El debate político polarizó la atención de todo el país* · **interés** || **debate** · **discusión**

[polémica] s.f. → polémico, ca

polémico, ca

1 polémico, ca adj.

● CON SUSTS. **tema** *un tema polémico que está en boca de todos* · **asunto** · **cuestión** · **materia** || **personaje** · **figura** · **periodista** · **presentador,-a** · ***otros individuos y grupos humanos*** || **actitud** || **obra** · **película** · **pieza** · **libro** · **título** · ***otras obras de creación*** || **decisión** · **ley** *Los ciudadanos han salido a la calle en protesta por la polémica ley* · **ordenanza** · **disposición** · **norma** · **normativa** · **decreto** || **estudio** · **tesis** · **proyecto** || **declaración** · **dis-**

curso · **frase** · **explicación** · **respuesta** · ***otras manifestaciones verbales***
● CON VBOS. **volverse** *Muy polémico te has vuelto tú*

2 **polémica** s.f.
● CON ADJS. **acalorada** · **agitada** · **animada** · **ardiente** · **encendida** *Los tertulianos se enzarzaron en una encendida polémica* · **vehemente** || **fuerte** · **gran(de)** · **aguda** · **agria** · **reñida** · **controvertida** · **viva** · **tensa** · **ardua** · **descarnada** · **dura** · **intensa** · **vibrante** · **encarnizada** · **enconada** · **tormentosa** || **bizantina** · **confusa** · **enrevesada** · **farragosa** · **embarullada** · **inútil** || **manida** · **larga** · **vieja** *Sigue viva en las columnas de opinión la vieja polémica acerca de si...* · **eterna** · **irresoluble** · **incesante** || **candente** · **abierta** · **soterrada** · **álgida** || **pública** · **ideológica** · **deportiva** · **científica** · **periodística** · **ética** || **cargado,da (de)** · **envuelto,ta (en)** · **rodeado,da (de)** *Su persona siempre está rodeada de polémica* · **teñido,da (de)** · **exento,ta (de)** || **propenso,sa (a)**
● CON SUSTS. **causa (de)** · **foco (de)** · **motivo (de)** · **centro (de)** · **eje (de)** || **clima (de)** *Existía un clima de polémica en la reunión* · **ánimo (de)** · **voluntad (de)** || **objeto (de)** · **tema (de)** || **secuela (de)** · **efecto (de)**
● CON VBOS. **desatar(se)** · **desencadenar(se)** · **estallar** · **surgir** *La polémica surgió a raíz de sus declaraciones sobre...* · **saltar** · **brotar** · **asaltar (a alguien)** · **venir de lejos** || **acentuar(se)** · **agravar(se)** · **cobrar fuerza** *una polémica que cobró fuerza cuando intervino ante el ministro uno de los afectados* · **arreciar** · **aumentar** · **recrudecer(se)** · **caldear(se)** · **enrarecer(se)** · **extender(se)** || **apagar(se)** · **aplacar(se)** *La polémica se aplacó gracias a la mediación de un tercero* · **calmar(se)** · **serenar(se)** · **amainar** · **decrecer** · **desinflar(se)** · **sosegar(se)** · **difuminar(se)** · **diluir(se)** · **disipar(se)** · **disminuir** · **extinguir(se)** · **agotar(se)** · **finalizar** · **cesar** || **esclarecer(se)** || **atañer (a algo/a alguien)** · **girar (sobre algo/sobre alguien)** || **salpicar (a alguien)** *El diario intenta evitar que le salpique la controvertida polémica* || **traslucir(se)** || **armar** · **crear** · **entablar** · **establecer** · **causar** · **originar** · **traer** · **provocar** · **suscitar** *No quería que mi decisión suscitara ninguna polémica* · **despertar** · **generar** · **engendrar** · **levantar** · **sembrar** · **abrir** · **iniciar** · **{poner/servir} en bandeja** || **alimentar** · **atizar** · **avivar** || **acallar** · **apaciguar** · **amortiguar** · **atemperar** · **desactivar** || **magnificar** || **dirimir** · **encarar** · **protagonizar** || **evitar** · **eludir** || **zanjar** · **saldar** · **sofocar** || **reabrir** *Los medios de comunicación han reabierto la polémica de...* · **reavivar** · **relanzar** || **desbloquear** · **desviar** || **augurar** || **airear** || **ahondar (en)** · **entrar (en)** · **enzarzarse (en)** · **enredar(se) (en)** · **enfrascarse (en)** · **involucrar(se) (en)** · **intervenir (en)** · **mediar (en)** · **terciar (en)** *un editorial moderado que pretende terciar en la polémica a ver si así bajan las aguas* · **participar (en)** || **incitar (a)** || **librar(se) (de)** || **desentenderse (de)** · **salir al paso (de)** · **quitar hierro (a)** || **teñir (de)**
● CON PREPS. **al calor (de)** · **al hilo (de)**

policía

1 **policía** s.com.
▌[persona]
● CON ADJS. **de incógnito** · **de paisano** *...sin sospechar que estaba siendo vigilado por un policía de paisano* · **de servicio**
● CON VBOS. **ejercer (de)** · **trabajar (como/de)**

2 **policía** s.f.
▌[cuerpo]
● CON ADJS. **militar** · **secreta** · **municipal** · **nacional** · **judicial**
● CON SUSTS. **control (de)** *Los ladrones burlaron el control de policía* · **coche (de)** · **agente (de)**
● CON VBOS. **buscar (algo/a alguien)** *La Policía continúa buscando a los autores del crimen* · **perseguir (algo/a alguien)** · **vigilar (algo/a alguien)** || **detener (a alguien)** · **dar el alto (a alguien)** · **multar (a alguien)** || **patrullar (algo)** || **burlar** · **sortear** || **denunciar (a/ante)** · **llamar (a)** *¿Y llamaste a la Policía?* || **rendirse (a/ante)** || **huir (de)** · **escapar (de)**

policíaco, ca adj.

● CON SUSTS. **novela** *Es una lectora impenitente de novelas policíacas* · **película** *Esta noche ponen una película policíaca en la televisión* · **historia** · **cine** · **comedia** · **intriga** · **filme** · **serie** · **trama** · **relato** · **literatura** · **género** || **interrogatorio** · **investigación** · **informe**

policial adj.

● CON SUSTS. **fuente** *según la información procedente de fuentes policiales* || **autoridad** · **jefe,fa** · **jefatura** || **cuerpo** · **agente** · **funcionario,ria** · **personal** · **efectivos** *Numerosos efectivos policiales vigilaban la zona* || **represión** · **vigilancia** · **presencia** · **custodia** · **control** · **protección** || **acción** · **operativo** · **despliegue** · **cordón** · **contingente** · **barrera** || **antecedentes** *La sospechosa no tenía antecedentes policiales* || **dependencias** || **carrera** · **labor** · **investigación** · **operación** || **corrupción** || **versión** *La versión policial no concuerda en nada con la de los testigos* · **denuncia** · **informe**

policromado, da adj.

● CON SUSTS. **madera** *una talla en madera policromada* · **escultura** · **talla** · **relieve** · **piedra** · **cerámica** · **pieza** · **retablo** *Lo más valioso de la iglesia es el retablo policromado del altar*

polifacético, ca adj.

● CON SUSTS. **artista** *un polifacético artista que se ha dedicado tanto a la pintura como a la poesía* · **escritor,-a** · **creador,-a** · **cantante** · **banda** · ***otros individuos y grupos humanos***

polígono s.m.

▌[figura geométrica]
● CON SUSTS. **lado (de)** · **ángulo (de)** · **área (de)** || **forma (de)** *una caja con forma de polígono de seis lados* · **tamaño (de)**
● CON VBOS. **dibujar**

▌[sector urbanístico]
● CON ADJS. **industrial** *Trabaja en un polígono industrial de las afueras de la ciudad* · **comercial** · **residencial** · **de viviendas** · **agroalimentario** · **militar** · **empresarial** *Van a trasladar la oficina al nuevo polígono empresarial* · **de tiro**
● CON SUSTS. **nave (de)** · **fábrica (de)** · **tienda (de)** · **almacén (de)** · **recinto (de)** *El nuevo recinto del polígono abarcará una extensión aproximada de...*
● CON VBOS. **construir** · **crear** · **instalar** || **ampliar** · **desarrollar** || **gestionar** || **trabajar (en)** || **situar(se) (en)** *Creo que la fábrica se sitúa en un polígono cercano a la carretera* · **ubicar(se) (en)**

polinizar v.

● CON SUSTS. **flor** · **planta**
● CON ADVS. **copiosamente** · **rápidamente**

[política] s.f. → político, ca

políticamente adv.

● CON VBOS. **comprometer(se) || participar · intervenir · actuar || abordar · hablar · decidir · responder || negociar · organizar · solucionar · acordar · repartir(se) || aislar** *Lo aislaron políticamente en su propio partido* **|| capitalizar · controlar · utilizar || ganar · perder**

● CON ADJS. **correcto,ta** *Emplea siempre un lenguaje políticamente correcto* **· conveniente · oportuno || relevante || posible · realizable · viable · rentable** *un proyecto muy rentable políticamente* **|| inviable · complejo · irrealizable || influyente || delicado,da · complicado,da || desacertado,da · inaceptable · incorrecto,ta** *declaraciones políticamente incorrectas*

político, ca

1 **político, ca** adj.

● CON SUSTS. **partido** *En la reunión intervendrán los líderes de los tres principales partidos políticos* **· grupo · frente || representante · socio,cia · adversario,ria · enemigo,ga || crisis · cambio || clima** *Últimamente el clima político está bastante crispado* **· ambiente · aire || pacto · acuerdo · compromiso · respaldo · apoyo · voluntad || analista · periodista · comentarista || escándalo · delito || pensamiento · corriente · movimiento || planteamiento · punto de vista || decisión · opción · elección · posibilidad || panorama · escenario · situación · mapa · régimen || abanico · factor · aspecto || agotamiento · coste** *El coste político de esa decisión será enorme* **|| carácter · cariz · tono · fibra · tinte · talante**

2 **político, ca** s.

● CON ADJS. **de pies a cabeza · de raza · nato,ta · de peso** *Varios políticos de peso han mostrado su desacuerdo con...* **|| agresivo,va · duro,ra · conciliador,-a · flexible · contemporizado,da || ambicioso,sa · trabajador,-a · cumplidor,-a || derechista · izquierdista · centrista · populista · conservador,-a · progresista**

● CON VBOS. **dar un mitin · prometer (algo) · cumplir (algo) · decepcionar · negociar (algo) · gobernar · pactar**

3 **política** s.f.

● CON ADJS. **tolerante** *un grupo que se caracteriza por su política tolerante* **· contemporizadora · flexible · blanda · laxa · de salón || de hierro · dura · estricta · implacable · calculada · inflexible · asfixiante · drástica || audaz · eficaz · emprendedora · viable · positiva · útil || arbitraria · discrecional · demagógica · coyuntural · sesgada || desfasada · anquilosada · obsoleta · dilatoria · inoperante · inviable · catastrófica · desastrosa · perjudicial || de hechos consumados** *La política de hechos consumados del Gobierno ha disgustado a...* **· del avestruz || imperante || comunal · discriminatoria · igualitaria || económica** *un cambio en la política económica del Gobierno* **· monetaria · presupuestaria · social · exterior || acorde (con) · partidario,ria (de) · propulsor,-a (de)**

● CON VBOS. **consistir (en algo) || derrumbar(se) · escorar(se) (hacia algo) || delinear · trazar · establecer** *El documento establece la política del partido para esta legislatura* **|| poner en marcha · aplicar · ejecutar · implantar · instaurar · emprender · llevar adelante · llevar a la práctica · poner en práctica · seguir · liderar || conjugar · consensuar · negociar · apoyar · impulsar · refrendar · auspiciar · avalar · revalidar || desbaratar · censurar · reprobar** *un informe que reprueba la política anquilosada e inflexible de la organización* **· rebatir · rectificar · subvertir · hipotecar || ejercer · practicar · conocer || abandonar · dejar || entender (de)** *No entiendo nada de política* **· hablar (de) || entrar (en)** *Entré en la política de la mano de mi madre* **· perseverar (en) · salir (de) || disentir (de)**

polivalente adj.

● CON SUSTS. **empleado,da** *Buscan empleados polivalentes que puedan desempeñar distintos trabajos* **· profesional · deportista · jugador,-a · personaje ·** ***otros individuos*** **|| centro · sala · edificio · espacio · pista · local · pabellón || vehículo** *Quiero comprarme un vehículo polivalente que me sirva para el trabajo y para el ocio* **· turismo || función · sentido**

póliza s.f.

● CON ADJS. **ventajosa · millonaria · elevada || ruinosa · desfavorable || vigente · en vigor || a todo riesgo** *Hemos suscrito una póliza a todo riesgo* **|| de seguros**

● CON SUSTS. **beneficiario,ria (de) · condiciones (de)**

● CON VBOS. **cubrir (algo)** *La póliza cubrió todos los desperfectos* **|| vencer || contratar · concertar · suscribir || renovar · rescindir** *La compañía rescindió la póliza sin previo aviso* **|| cobrar**

pollería s.f. Véase ESTABLECIMIENTO

[pollo] → como un pollo; pollo

pollo s.m.

● CON ADJS. **de corral || asado** *De segundo hay pollo asado* **· frito · guisado · a la plancha || relleno**

● CON SUSTS. **muslo (de) · alita (de) · pechuga (de) · filete (de) · piel (de) · carne (de) · caldo (de)** *una pastilla de caldo de pollo* **· sopa (de) || granja (de)**

● CON VBOS. **freír · asar · rebozar · cocer · rellenar · rehogar || picar · trocear || alimentar · criar · engordar · cebar**

□ EXPRESIONES **montar un pollo** [formar un escándalo] *col.*

polo s.m.

● CON ADJS. **enfrentado · irreconciliable || opuesto** *dos pintores que representan dos polos opuestos en el panorama artístico actual* **|| magnético || de desarrollo**

● CON VBOS. **atraer(se) · repeler(se)**

polución s.f.

● CON ADJS. **atmosférica** *...debido a los altos niveles de polución atmosférica* **· sonora · acústica · ambiental · marítima**

● CON SUSTS. **nivel (de) · índice (de) · límite (de) || aumento (de)** *Se está registrando un preocupante aumento de la polución* **· descenso (de) · récord (de) || problema (de) · riesgo (de) || control (de) · medidas (para)**

● CON VBOS. **aumentar || reducir · limitar · evitar**

polvareda s.f.

● CON ADJS. **enorme · densa · intensa · gran(de)** *Una gran polvareda cubrió el horizonte* **· inmensa · amplia · fuerte**

● CON VBOS. **cubrir (algo) || levantar(se)** *declaraciones que han levantado una enorme polvareda* **· crear(se) || provocar · originar**

● CON PREPS. **entre** *Desapareció entre la polvareda*

polvo s.m.

● CON ADJS. **denso · espeso || insalubre · radiactivo || concentrado || cósmico · galáctico · estelar · espacial · etéreo || de años · de siglos || cubierto,ta (de)** *Las hojas de las plantas estaban cubiertas de polvo* **· lleno,na (de)**

●CON SUSTS. **brizna (de)** · **mota (de)** *Después de limpiar, no quedó ni una mota de polvo* · **capa (de)** *libros cubiertos de una capa de polvo* · **nube (de)**
●CON VBOS. **entrar** · **cubrir (algo)** · **impregnar (algo)** · **acumular(se)** *El polvo se acumula en todos los rincones de la casa* || **desparramar(se)** · **esparcir(se)** · **extender(se)** || **ensuciar (algo)** || **limpiar** · **aspirar** · **quitar** *quitar el polvo con un plumero* · **sacudir(se)** || **levantar** *el polvo que levantan los caballos* || **arrastrar** || **deshacer(se) (en)** · **convertir(se) (en)** · **reducir (a)**
●CON PREPS. **en** *detergente en polvo*
□EXPRESIONES **hacer polvo** [destrozar] *col.* || **hecho polvo** [exhausto] || **morder el polvo** [humillarse]

[pólvora] → como la pólvora; pólvora

pólvora s.f.
●CON SUSTS. **reguero (de)** *El rumor se extendió como un reguero de pólvora* · **nube (de)** · **restos (de)** || **fábrica (de)** || **barril (de)** · **munición (de)**
●CON VBOS. **mojar(se)** · **agotar(se)** || **quemar** · **cargar** · **incendiar** || **oler (a)** *En aquel lugar olía tremendamente a pólvora*

polvoriento, ta adj.
●CON SUSTS. **camino** *Avanzaban por un camino polvoriento* · **carretera** · **calle** · **lugar** · **terreno** · **explanada** · **paisaje** · **superficie** · **escenario** · **suelo** · **desván** · **esquina** · **recoveco** || **archivo** *archivos polvorientos de la época de la guerra*

pomada s.f.
●CON ADJS. **analgésica** · **antiinflamatoria** · **antibiótica** || **milagrosa** · **mágica** · **eficaz**
●CON VBOS. **absorber (algo)** || **caducar** · **estropear(se)** || **recetar** || **poner** · **aplicar** *Tienes que aplicarte la pomada tres veces al día* · **dar** · **extender** || **aliviar (con)** · **calmar (con)**

pompa s.f.
▌[ampolla llena de aire]
●CON ADJS. **de jabón** · **de chicle**
●CON VBOS. **reventar** || **hacer** · **lanzar** · **hinchar** || **explotar** · **pinchar**

▌[fausto, suntuosidad]
●CON ADJS. **gran(de)** *La ceremonia estuvo rodeada de una gran pompa* · **desmesurada** · **aparatosa** || **solemne** · **protocolaria** · **oficial** · **ceremoniosa**
●CON VBOS. **recibir (con)** · **inaugurar (con)** *Inauguraron el nuevo teatro con gran pompa* · **celebrar (con)**
□EXPRESIONES **pompas fúnebres** [ceremonias en honor de un difunto]

ponche s.m.
●CON VBOS. **celebrar (con)**
➤ Véase también **BEBIDA**

ponencia s.f.
●CON ADJS. **interesante** · **aburrida** · **tediosa** || **inaugural** *¿Quién va a dar la ponencia inaugural?* · **magistral** || **instructiva** · **informativa**
●CON SUSTS. **ciclo (de)** *un ciclo de ponencias sobre investigación genética* || **título (de)** · **tema (de)**
●CON VBOS. **tratar (sobre algo)** · **versar (sobre algo)** *La ponencia versó sobre la utilidad de los últimos avances tecnológicos en la enseñanza* || **dar** · **presentar** · **pronunciar** · **ofrecer** · **impartir** · **dictar** || **preparar** · **improvisar** || **amenizar (con algo)** *Amenizó la ponencia con anécdotas divertidas* · **jalonar (con algo)** || **presenciar** · **saltarse** · **perderse** || **titular** · **resumir** || **asistir (a)** · **acudir (a)** · **faltar (a)**

[poner] → poner (algo/a alguien); poner a prueba; poner a punto; poner (en algo); poner en práctica; poner en riesgo; poner remedio (a); ponerse

poner (algo/a alguien) v.
●CON ADVS. **en marcha** · **en práctica** · **a prueba** · **en funcionamiento** · **a disposición (de alguien)** · **sobre el tapete** || **al día** · **al tanto** · **de manifiesto** || **en hora** || **en peligro** · **en duda** · **bajo sospecha** · **en tela de juicio** · **en riesgo** · **en juego** || **en {mi/tu/su...} sitio** · **en pie** · **de relieve** · **punto por punto** || **en evidencia** · **al descubierto** · **a la defensiva** · **a raya** || **de acuerdo** · **en común** · **a partes iguales** || **al sol** · **a la sombra** · **al trasluz** · **a la cabeza** · **en remojo** || **boca arriba** · **boca abajo** || **al rojo vivo** · **al límite** · **a tope** · **a toda pastilla** · **a punto** || **a buen recaudo** · **bajo llave** · **en custodia** || **a tiro de piedra** · **a huevo** · **en bandeja** || **en boga** || **en libertad** || **en limpio** · **por escrito** || **en órbita** · **en vilo**

poner a prueba loc.vbal.
●CON SUSTS. **motor** · **máquina** · **herramienta** · **instrumento** · **vehículo** · **coche** || **sistema** · **dispositivo** || **medicamento** · **antídoto** · **vacuna** · **receta** || ***persona*** || **paciencia** *Les pido por favor que no pongan a prueba mi paciencia* · **confianza** || **característica** · **aptitud** · **eficacia** · **eficiencia** · **validez** · **funcionamiento** *poner a prueba el funcionamiento de un electrodoméstico*

poner a punto loc.vbal.
●CON SUSTS. **motor** · **máquina** · **mecanismo** · **sistema** · **dispositivo** *La Policía está poniendo a punto el nuevo dispositivo de seguridad* · **infraestructura** || **coche** · **moto** · **vehículo** || **casa**

poner (en algo) v.
●CON SUSTS. **dinero** *Dice que ha puesto mucho dinero en este proyecto* || **atención** · **interés** *No pone usted ningún interés en su trabajo* · **esfuerzo** · **trabajo** · **dedicación** || **amor** || **conocimiento** · **saber** · **sabiduría** · **capacidad** || **experiencia** · **profesionalidad**

poner en práctica loc.vbal.
●CON SUSTS. **consejo** · **sugerencia** · **recomendación** · **idea** · **opinión** · **propuesta** || **plan** · **proyecto** · **política** *Están poniendo en práctica una nueva política económica* · **medida** || **ley** · **resolución** · **acuerdo**

poner en riesgo loc.vbal.
●CON SUSTS. **vida** · **salud** · **supervivencia** || **comercio** · **empresa** · **negocio** *una desacertada gestión que pone en riesgo el negocio* || **plan** · **proyecto** · **objetivo** · **propuesta** · **idea** || **futuro** || **seguridad** · **estabilidad** · **unidad** || **credibilidad** *El escándalo puso en riesgo su credibilidad y su prestigio* · **imagen**

poner remedio (a) loc.vbal.
●CON SUSTS. **crisis** · **problema** · **contratiempo** · **desbarajuste** · **situación** *para poner remedio a la situación* · **conflicto** || **error** · **equivocación** || **cuestión**

ponerse v.
●CON SUSTS. **sol** *Caminaron hasta que se puso el sol* · **astro** · **luna**

pontífice s.m.

• CON ADJS. **máximo · sumo · santo || católico · romano**
• CON SUSTS. **visita (de) · viaje (de)** *El viaje del pontífice estuvo rodeado de fuertes medidas de seguridad*
• CON VBOS. **oficiar (algo) · {celebrar/decir} misa · {dar/impartir} la bendición** *El pontífice dio la bendición urbi et orbi desde el balcón de...* **|| beatificar (a alguien) · canonizar (a alguien) || recibir · acoger || elegir · designar**

pop

1 **pop** adj.
• CON SUSTS. **tendencia · género · música** *un grupo de música pop* **· melodía · tema · sonido || cantante · banda · grupo || arte · cultura · estética** *¿Cuáles son las características de la estética pop?* **· estilo || festival**

2 **pop** s.m.
• CON ADJS. **electrónico · tradicional || nacional · internacional**
• CON SUSTS. **rey (de) · reina (de) · estrella (de)** *Soñaba con convertirse en una estrella del pop* **· ídolo (de) || grupo (de) || canción (de) · clásico (de)** *un disco que recoge los clásicos del pop* **|| amante (de) · adepto,ta (a/de)**

[popa] → viento en popa

popular adj.

• CON SUSTS. **actor · actriz · personaje** *Se convirtió en uno de los personajes más populares del país* **· estrella · banda ·** ***otros individuos y grupos humanos*** **|| cultura · costumbre · fiesta · religiosidad · romería · peregrinación · procesión || imaginación · música · arte · literatura · poesía · cuento · leyenda** *una leyenda popular que se ha ido transmitiendo de padres a hijos* **· dicho · traje || canción · canto · copla || decisión · elección || respuesta · reacción · calor · protesta · apoyo** *El alcalde contó con apoyo popular a lo largo de todo su mandato* **· voluntad · éxito || clase** *las clases populares*
• CON VBOS. **hacerse**

popularidad s.f.

• CON ADJS. **arrolladora · enorme** *El programa está alcanzando una enorme popularidad* **· gran(de) · tremenda · suma · notable · candente || notoria · reconocida || escasa · relativa || merecida || internacional · universal || efímera · fugaz · cierta || creciente · ascendente · en ascenso · en descenso · descendente · menguante**
• CON SUSTS. **ápice (de) || índice (de) · cota (de) · encuesta (de) || pérdida (de) · caída (de) · falta (de) || momento (de) · baño (de)**
• CON VBOS. **crecer · subir · ascender · afianzar(se) · robustecer(se) · aumentar || bajar · disminuir · decrecer · decaer** *Su popularidad empezó a decaer al segundo año de mandato* **· declinar || buscar · perseguir || tener · consolidar · adquirir · alcanzar · conquistar · conseguir · ganar · cobrar** *La revista cobró rápidamente popularidad entre los lectores especializados* **· lograr · tomar · recobrar · mantener || perder · dañar · perjudicar · erosionar · minar || aprovechar || disfrutar (de) · gozar (de) || afectar (a)**
• CON PREPS. **en el centro (de) · en la cima (de)** *Se retiró de su fulgurante carrera en la cima de la popularidad*

popularizar(se) v.

• CON SUSTS. **música · tema · canción** *el grupo que popularizó la canción del verano del año pasado* **· ritmo · melodía · ópera · versión · sonata || personaje · imagen** *El programa popularizó internacionalmente la imagen del presentador* **· figura · rostro · voz || libro · argumento · historia · letra · repertorio · obra · lenguaje · poema || carrera · prueba · certamen · concurso · programa || concepto · creencia · teoría · estilo · idea · cultura · ciencia · arte || chiste · dicho || producto** *Se ha popularizado el producto gracias a la publicidad televisiva* **· marca · eslogan · lema · anuncio || deporte · cocina || baile**
• CON ADVS. **rápidamente · vertiginosamente || peligrosamente || mundialmente · internacionalmente · enormemente || definitivamente || desigualmente**

popularmente adv.

• CON VBOS. **llamar · denominar · nombrar · conocer** *Se la conoce popularmente como la plaza del mercado* **· decir || elegir · escoger**

por aclamación loc.adv.

• CON VBOS. **aprobar · elegir** *El presidente de la asociación fue elegido anoche por aclamación* **· acordar · decidir · designar · ratificar · reelegir**

por activa y por pasiva loc.adv.

• CON VBOS. **decir · explicar · demostrar · afirmar · anunciar** *Están anunciando por activa y por pasiva el inicio de las obras* **· desmentir · relatar · declarar · señalar · sostener · recordar || pedir · preguntar · exigir · solicitar · reclamar · quejarse** *Los vecinos se han quejado por activa y por pasiva de los ruidos de la calle* **|| repetir · reiterar · insistir · ratificar · repasar · certificar · subrayar · asegurar · justificar · garantizar || negar** *Le negaron por activa y por pasiva la posibilidad de repetir el examen* **· oponer · ocultar · perjudicar · rebatir · rechazar · combatir · dar la espalda · agotar · matar · asfixiar || apoyar · favorecer · contar · elogiar · aceptar · ponderar || participar · actuar · practicar || ofrecer · prometer · intentar · emprender || analizar · investigar · examinar**

por aproximación loc.adv.

• CON VBOS. **acertar** *Acertamos la fecha por aproximación* **· alcanzar · averiguar · conseguir · dar (con algo) || decidir · predecir · prever · saber · apuntar || actuar || calcular · delimitar · describir · determinar · imaginar(se) || parecerse**

por arte de magia loc.adv.

• CON VBOS. **desaparecer** *No me creo que el dinero desapareciera por arte de magia* **· evaporarse || transformar(se) · volver (a algo) · convertir(se) (en algo) · cambiar · modificar || aparecer · brotar · llegar · nacer · salir · surgir || encontrar || abrir(se) · cerrar(se)** *La ventana se abría y se cerraba por arte de magia*

porcentaje s.m.

• CON ADJS. **elevado · gran(de) · abrumador** *Un porcentaje abrumador de estudiantes suspendió el examen* **· abultado · amplio · apreciable · relevante · representativo || bajo · pequeño · menor · escaso · reducido · mínimo · insignificante** *El estudio arroja un porcentaje insignificante de error en las previsiones* **· despreciable · irrisorio · desolador || aproximado · justo · medio**
• CON SUSTS. **tabla (de) · gráfico (de) || diferencia (de)**
• CON VBOS. **aumentar · incrementar(se)** *El porcentaje de turistas extranjeros en nuestras playas se ha incrementado respecto al año pasado* **|| decrecer · disminuir || denotar || calcular · evaluar · deteriorar · especificar · medir || determinar · fijar · establecer || aumentar · rebajar || rebasar · sobrepasar || arrojar**

● CON PREPS. **en términos (de)** *en términos de porcentaje de voto*

por completo loc.adv.

● CON VBOS. **cambiar · modificar · alterar · renovar · absorber · reformar · transformar(se) · transfigurar(se) · desvirtuar · trastocar · revolucionar · sustituir || enloquecer · madurar · secar(se) · desnudar(se) · aclimatarse ||** ***otros verbos de cambio*** **|| anochecer || eliminar · destruir · demoler · romper · borrar · suprimir · derrumbarse · venirse abajo · abolir · cortar · ahogar · eclipsar · aislar · arder · apagar · arrasar · arruinar** *La crisis arruinó por completo a miles de familias* **· truncar · agotar · consumir(se) · extinguirse · vaciar · acabar · quemar(se) · devorar · desintegrar(se) || rechazar · descartar · desestimar** *Desestimaron por completo la propuesta* **· desechar · anular · paralizar · bloquear · atajar · prescindir · privar · negar · excluir · cancelar · invalidar · detener · impedir · oponerse · inhabilitar · desacreditar · desmentir · repudiar || cerrar** *Aconsejan cerrar por completo puertas y ventanas* **· cubrir · tapar · cegar · silenciar · omitir · oscurecer · sepultar · enterrar || desarrollar · lograr · materializar · llevar a cabo · efectuar || abrir · aclarar · mostrar · clarificar · subsanar · salvar · revelar · desvelar · esclarecer · resolver · solucionar · explicar · aflorar · definir · reflejar || triunfar** *un modelo que ha triunfado por completo en nuestro país* **· acertar · fracasar · sucumbir · fallar · naufragar || escapar · alejarse · desaparecer · esfumarse · desvanecerse · apartarse · separarse · distanciarse · desmarcarse · disiparse · diluirse · desgajarse · despegarse · desvincularse · desligarse · huir || abandonar · renunciar · desentenderse · parar · despreocuparse** *Despreocúpate por completo, yo me encargaré de todo* **· rendirse · ceder · cesar · desasistir || perder · deteriorarse · desgastarse** *Hay que cambiar las ruedas, se han desgastado por completo* **· pudrirse || ignorar · desconocer · olvidar · equivocarse || carecer · faltar || diferir · coincidir · identificarse · diferenciar || entregarse · dedicarse · consagrarse · apoyar · adherirse · integrar(se) · adscribir · admitir · inscribir(se) || asumir · encajar · ajustarse · adaptarse · someterse · aceptar · asimilar · acomodarse || llenar · ocupar · abarrotar · superar · desbordar · exceder · colmar · copar · monopolizar || repetir · reconstruir** *Reconstruyeron por completo el auditorio* **· replantear · reescribir · rediseñar · recomponer || recuperarse · reponerse · restablecerse · restaurar · curarse || controlar · dominar · acaparar · adueñarse · apoderarse · conquistar · convencer(se) || depender · descansar** *La responsabilidad de la gestión descansa por completo en ella* **· condicionar || garantizar · asegurar · confiar · satisfacer · desconfiar**

● CON ADJS. **inútil · inservible · incapaz || idóneo,a · satisfactorio,ria · necesario,ria || ajeno,na · ciego,ga · ignorante || dueño,ña || previsible · claro,ra · inofensivo,va || quieto,ta || lleno,na** *...ante un auditorio lleno por completo* **· vacío,a · carente || dependiente · independiente || inaceptable || irreversible || diferente · inadvertido,da**

por correo loc.adv./loc.adj.

● CON VBOS. **votar || comunicar · notificar · transmitir · contestar || enviar · mandar · remitir · recibir || pedir · solicitar · encargar · reservar || comprar · vender || llegar** *El paquete llegó por correo hace un par de días*

● CON SUSTS. **voto** *El plazo para solicitar el voto por correo empieza hoy* **|| anuncio · propaganda · publicidad · mensaje**

por cuenta {ajena/propia} loc.adv./loc.adj.

● CON VBOS. **trabajar · actuar · ejercer · emprender || establecer(se)** *Dejó la empresa donde trabajaba y se estableció por cuenta propia*

● CON SUSTS. **empleado,da · trabajador,-a || trabajo**

por cuenta propia loc.adv.

Véase **por cuenta {ajena/propia}**

por doquier loc.adv.

● CON VBOS. **aparecer · aflorar · surgir · crecer · florecer · brotar** *Brotan por doquier todo tipo de flores silvestres* **· encontrar(se) || proliferar · multiplicar(se) · desperdigar(se) · difundir(se) · expandir · pulular || plantar · sembrar · esparcir || triunfar · vencer · reinar · campar || acechar · asediar · bombardear || repetir** *El grito de rechazo a la violencia se ha repetido por doquier* **· intervenir || dar · entregar · repartir**

por el mismo rasero loc.adv.

● CON VBOS. **medir** *El árbitro no ha medido a todos los jugadores por el mismo rasero* **· juzgar · valorar · enjuiciar · evaluar · calificar || tratar**

□ USO Se usa también la variante *con el mismo rasero.*

por encima loc.adv.

● CON VBOS. **calcular** *Costará unos tres mil euros, calculando por encima* **|| examinar** *Examinar los asuntos por encima nos permite hacernos una primera idea de ellos* **· analizar · estudiar · repasar || considerar · juzgar || leer · mirar · observar · ver · ojear || preparar**

por escrito loc.adv.

● CON VBOS. **anunciar · avisar · comunicar · aducir · decir · explicar · exponer · manifestar** *Manifesté mi desacuerdo por escrito y todavía no me han contestado* **· responder · contestar ·** ***otros verbos de lengua*** **|| pedir · solicitar**

por generación espontánea loc.adv.

● CON VBOS. **aparecer · surgir** *una protesta que no surgió por generación espontánea, sino motivada por...* **· brotar || extenderse · multiplicarse · reproducirse**

por la borda loc.adv.

● CON VBOS. **echar** *No estoy dispuesto a echar por la borda tantos años de trabajo y esfuerzo* **· tirar · arrojar · lanzar || caer · irse · saltar** *Saltaron por la borda y nadaron hacia la costa* **· salir**

por la espalda loc.adv.

● CON VBOS. **atacar** *Los asaltantes la atacaron por la espalda* **· agredir · apuñalar · disparar · golpear || criticar · injuriar**

por las buenas loc.adv.

● CON VBOS. **pedir · aceptar || convencer** *Trataremos de convencerla por las buenas para que nos acompañe* **· persuadir || intentar · probar || conseguir · procurar · obtener**

por lo alto loc.adv.

● CON VBOS. **calcular · estimar || tirar · contar · medir || redondear** *redondear el precio por lo alto*

por lo bajo loc.adv. *col.*

▌[por debajo de lo que se considera probable]

• CON VBOS. **tirar · calcular · contar · estimar** *Estimamos por lo bajo que han asistido unas diez mil personas a la manifestación* ‖ **redondear · nivelar · igualar**

▌[en voz baja o con disimulo]

• CON VBOS. **susurrar · mascullar · rumorear · decir · responder · hablar** *El profesor los regañó por hablar por lo bajo durante el examen* ‖ **sonreír · llorar · reír · aplaudir** ‖ **aceptar · reconocer · admitir · confesar**

por los cuatro costados loc.adv. *col.*

• CON VBOS. **arder** *Cuando llegaron los bomberos, la casa ardía por los cuatro costados* · **desangrarse · derramarse** ‖ **acosar · atacar · rodear** ‖ **respirar · destilar · irradiar** *Irradia felicidad por los cuatro costados* · **rezumar**

por los pelos loc.adv./loc.adj. *col.*

• CON VBOS. **librarse · escapar(se) · salvar(se) · evitar · sobrevivir** ‖ **llegar · alcanzar · conseguir · aprobar** *Aprobé por los pelos la asignatura* · **lograr · obtener · cumplir · clasificarse · entrar** ‖ **ganar · superar · derrotar · eliminar** ‖ **coger · traer · tomar · pillar** *Me pillas por los pelos, estaba a punto de salir*

• CON SUSTS. **victoria** *una victoria por los pelos que mete al equipo en semifinales* · **clasificación · aprobado · aprobación** ‖ **acuerdo · pacto**

por mayoría loc.adv.

• CON VBOS. **decidir · acordar · elegir** *Fue elegida por mayoría para presidir la asamblea* · **salir elegido · votar · determinar · resolver · designar · definir · dictaminar · dictar · escoger** ‖ **aprobar** *El Parlamento aprobó por mayoría...* · **aceptar · admitir · autorizar · ratificar · asumir · permitir · convalidar · refrendar · confirmar · pronunciarse · establecer** ‖ **ganar · triunfar · derrotar · obtener · lograr · alcanzar** ‖ **apoyar · avalar · recomendar · respaldar · secundar** ‖ **reconocer** *El jurado reconoció por mayoría los méritos del candidato* · **conceder · investir · nombrar · otorgar · proclamar** ‖ **anunciar · opinar · proponer · reclamar · pedir**

pormenor s.m.

• CON ADJS. **insignificante · nimio · pequeño** ‖ **numerosos** *El libro se recrea en numerosos pormenores de la vida del político* · **diversos**

• CON VBOS. **analizar · estudiar** *En la segunda fase estudiaremos los pormenores de la operación* ‖ **referir** *Nos refirió hasta los pormenores más insignificantes del viaje* · **relatar · explicar · detallar · discutir** ‖ **desvelar · adelantar · proporcionar** ‖ **conocer · ignorar · desconocer** ‖ **descuidar · omitir** ‖ **entrar (en)** *No entraremos ahora en los pormenores del asunto* · **recrear(se) (en)**

☐ USO Se usa más frecuentemente en plural.

pormenorizadamente adv.

• CON VBOS. **decir · contar · explicar · detallar · describir** · ***otros verbos de lengua*** ‖ **analizar · estudiar** *Después de estudiar pormenorizadamente las diferentes opciones...* · **informar(se)** ‖ **preparar**

pormenorizado, da adj.

• CON SUSTS. **análisis · estudio · investigación · examen** *un examen pormenorizado de la situación* · **seguimiento** ‖ **repaso · revisión** ‖ **lectura · balance · valoración · crítica** ‖ **descripción** *El testigo hizo una pormenorizada descripción de los hechos* · **explicación · comentario** ‖ **relato · historia · narración · crónica** ‖ **información · documentación · detalle · dato** ‖ **recuento · relación · lista**

por {mi/tu/su...} cuenta loc.adv.

• CON VBOS. **actuar · trabajar · vivir** ‖ **establecer(se) · instalar(se) · intentar** ‖ **reunir(se) · negociar** ‖ **investigar · pensar · decidir** *No puedes decidir esto por tu cuenta* ‖ **ir** *No me esperes; iré por mi cuenta*

por {mi/tu/su...} propio pie loc.adv.

• CON VBOS. **llegar · bajar · entrar** *El herido entró en el hospital por su propio pie* · **salir · subir**

pornografía s.f.

• CON ADJS. **visual · literaria** ‖ **infantil** ‖ **informática · en internet · cibernética** ‖ **blanda · dura · sadomasoquista** ‖ **legal · ilegal**

• CON SUSTS. **escena (de)** *protagonizar escenas de pornografía* · **imagen (de)** ‖ **difusión (de) · tráfico (de) · comercialización (de) · intercambio (de) · distribución (de) · red (de)** ‖ **posesión (de) · consumo (de)** *El aumento del consumo de la pornografía...* · **oferta (de)**

• CON VBOS. **difundir · comercializar** *Está acusado de comercializar pornografía ilegal* · **intercambiar · distribuir · consumir · vender · comprar · erradicar · eliminar** ‖ **traficar (con)**

pornográfico, ca adj.

• CON SUSTS. **película · vídeo · revista · espectáculo · cinta · fotografía · publicación · cine · imagen · página** ‖ **acto · número · escena** ‖ **material · contenido** *páginas electrónica de contenido pornográfico* · **género** ‖ **actor · actriz** ‖ **industria · mercado** ‖ **obscenidad**

• CON VBOS. **tachar (de) · considerar**

por poco loc.adv.

▌[estar a punto de]

• CON VBOS. **caerse** *Por poco se cae* · **chocar · morir · matar(se)** *Ten más cuidado; por poco te matas* · **derribar**

▌[por escaso margen, en escasa medida]

• CON VBOS. **fallar · equivocarse · fracasar · perder** *Perdimos el partido por poco* · **desviarse · salir fuera · salir mal** ‖ **ganar · superar · exceder · rebasar · aventajar** *El campeón aventaja por poco al segundo* ‖ **escapar · evitar · esquivar · librarse**

por puntos loc.adv./loc.adj.

• CON VBOS. **ganar · vencer · perder** *El púgil perdió por puntos ante un correoso rival* · **derrotar · superar**

• CON SUSTS. **clasificación · victoria** ‖ **carné** *el nuevo carné de conducir por puntos*

porra s.f.

▌[palo]

• CON ADJS. **tradicional · casera · oficial · metálica** *Los guardias llevan unas porras metálicas* · **de metal · de goma · extensible · reglamentaria**

• CON SUSTS. **impacto (de) · golpe (de)**

• CON VBOS. **llevar · empuñar** ‖ **usar · utilizar** ‖ **hacer uso (de)** ‖ **pegar (con) · atizar (con) · golpear (con)**

▌[apuesta colectiva]

• CON ADJS. **millonaria** ‖ **semanal · periódica** ‖ **hípica · futbolística**

• CON VBOS. **hacer · organizar · realizar** ‖ **echar** *¿Has echado ya la porra para el próximo partido?* ‖ **ganar · llevarse · acertar · perder** ‖ **cobrar · pagar** ‖ **participar (en) · apostar (en)**

☐ EXPRESIONES **irse** (algo) **a la porra** [estropearse] *col.* ‖ **mandar a la porra** (algo) [rechazarlo] *col.*

[porrazo] → de golpe y porrazo; porrazo

porrazo s.m. Véase **GOLPE**

porro s.m.

• CON SUSTS. **calada (de)** · **humo (de)** · **olor (a)**
• CON VBOS. **preparar** · **liar** · **rular** · **pasar** · **compartir** · **encender** · **fumar** · **apagar**

por sorpresa loc.adv.

• CON VBOS. **aparecer** · **llegar** *Mi hermano llegó ayer por sorpresa* · **presentar(se)** || **abatir** · **atacar** || **coger** · **pescar** · **pillar** · **descubrir** · **encontrar** || **mostrar**

por sorteo loc.adv.

• CON VBOS. **elegir** · **escoger** · **seleccionar** · **designar** · **determinar** · **decidir** · **establecer** · **fijar** || **acceder** · **ocupar** || **corresponder** · **tocar** · **salir** *Los temas de la oposición salen por sorteo* || **cubrir** *Todas las plazas disponibles se han cubierto por sorteo*

portador, -a

1 **portador, -a** adj.
• CON SUSTS. **paciente** *los pacientes portadores del virus* · **enfermo,ma** · **persona** · ***otros individuos*** || **mosquito** · **insecto** · **animal** || **palabra** · **signo**

2 **portador, -a** s.
• CON SUSTS. **condición (de)** || **cheque (a)** *pagar con un cheque al portador* · **talón (a)** · **título (a)** · **acción (a)**
• CON VBOS. **pagar (a)**

3 **portador, -a (de)** s.
• CON SUSTS. **cheque** · **talón** · **billete** · **mensaje** || **virus** · **enfermedad** · **anticuerpo** · **gen** · **bacteria** · **germen** · **parásito** || **maleficio** || **significado** *¿Cuál es la palabra portadora de significado en esta expresión?* · **sentido** · **valor**

[portar] → portar; portarse

portar v.

• CON SUSTS. **arma** *No se pueden portar armas de fuego* · **armamento** · **pistola** · **fusil** · **revólver** || **dispositivo** · **teléfono** || **pancarta** · **cartel** · **estandarte** || **distintivo** · **identificación** · **lazo** || **féretro** *Los amigos más cercanos portaban el féretro* || **antorcha** || **arras** || **carné** · **pasaporte** · **documentación** · **resguardo** || **maillot** · **luto** · **vestimenta** · **uniforme** || **información**

portarse v.

• CON ADVS. **como es debido** · **de maravilla** · **maravillosamente** *Se portaron maravillosamente toda la tarde* · **estupendamente** · **extraordinariamente** · **excepcionalmente** · **bien** · **espléndidamente** || **deplorablemente** · **horriblemente** · **pésimamente** · **nefastamente** · **mal** *Los niños hoy se han portado muy mal*

portátil adj.

• CON SUSTS. **ordenador** *Me llevé el ordenador portátil a la conferencia* · **teléfono** · **computadora** · **televisor** · **radio** · **terminal** · **equipo** · **máquina** || **nevera** · **cocina** || **escalera** · **andamio** · **estructura** · **valla** || **plaza** · **caseta** · **escenario** || **ducha** · **baño** · **servicio** *El Ayuntamiento ha puesto varios servicios portátiles en el recinto ferial*

portazo s.m.

• CON ADJS. **sonoro** *...pegando un sonoro portazo al salir* · **ruidoso** · **estrepitoso** · **tremendo** · **frío** || **accidental** · **involuntario** · **intencionado** · **definitivo** · **simbólico**
• CON VBOS. **sonar** || **dar** *Dio un portazo sin querer* · **pegar**
• CON PREPS. **de** *Cerró de un portazo y se fue*

porte s.m.

▮ [prestancia]
• CON ADJS. **distinguido** *una anciana de porte noble y distinguido* · **elegante** || **severo**
• CON VBOS. **tener** · **poseer** || **conservar** · **mantener**

por teléfono loc.adv./loc.adj.

• CON VBOS. **hablar** · **conversar** · **llamar** *La llamé por teléfono pero no estaba* || **comunicar(se)** · **decir** · **contar** · **explicar** · **informar** · **avisar** · **advertir** || **consultar** · **preguntar** · **interrogar** · **entrevistar** || **responder** · **protestar** · **discutir** || **felicitar** || **convocar** *Nos convocaron a la reunión por teléfono* || **negociar** · **acordar** || **pedir** · **solicitar** || **suscribirse** · **inscribirse** · **encargar** · **reservar** *Hemos reservado el hotel por teléfono* || **autorizar**
• CON SUSTS. **conversación** · **declaración** · **confesión** || **petición** · **pedido** · **consulta** · **suscripción** || **trámite** *Puede usted realizar todos los trámites por teléfono o por internet* · **denuncia** || **asistencia** · **servicio**

portento s.m.

• CON ADJS. **musical** · **artístico** *Desde niña demostró ser un portento artístico* || **físico** · **sexual** · **de belleza** · **natural** || **cultural** · **científico**

portentoso, sa adj.

• CON SUSTS. **investigador,-a** · **violinista** · **ciclista** · **poeta** · **escritor,-a** · **equipo** · ***otros individuos y grupos humanos*** || **obra** *una obra portentosa y rotunda* · **película** · **cuadro** · **estatua** · **ensayo** · ***otras creaciones*** || **cambio** · **desarrollo** || **interpretación** · **ejecución** · **exhibición** · **actuación** *Su portentosa actuación le permitió alcanzar el primer puesto* || **marcaje** · **pirueta** · **do de pecho** · **gol** || **facultad** · **voz** · **memoria** · **imaginación** · **don** · **cualidad** · **inteligencia** *Se le atribuye una inteligencia portentosa* · **ingenio** · **retentiva** · **mente** · **cabeza** · **genio** || **facilidad** · **habilidad** · **belleza** · **elocuencia** · **versatilidad** · **arte** · **fertilidad** *tierras agrícolas de portentosa fertilidad* || **poder** · **dominio** · **vitalidad** · **físico** · **potencia**

portero, ra s.

▮ [persona que cuida un portal]
• CON VBOS. **limpiar (algo)** · **fregar (algo)** *El portero friega la escalera una vez a la semana* · **vigilar (algo)** · **cuidar (algo)** || **avisar** · **llamar** || **tener** · **buscar** · **necesitar** · **contratar** *Hemos contratado a una portera nueva en mi edificio*

▮ [guardameta]
• CON ADJS. **titular** · **suplente** · **profesional** *Ha sido portero profesional durante muchos años* · **aficionado,da** · **en la reserva** || **excelente** · **brillante** · **hábil** · **ágil** · **curtido,da** · **experimentado,da** || **seguro,ra** · **fiable** · **inseguro,ra** · **vacilante**
• CON SUSTS. **salida (de)** · **rechace (de)** · **intervención (de)** · **parada (de)** · **despeje (de)** · **saque (de)** || **actuación (de)** *gracias a la brillante actuación del portero* · **acierto (de)** || **error (de)** · **fallo (de)** || **expulsión (de)**
• CON VBOS. **parar (algo)** · **entrenar(se)** · **destacar** || **salir** · **adelantarse** || **dudar** · **vacilar** || **fichar** · **contratar** · **renovar** *Han renovado al portero para las próximas*

tres temporadas · **traspasar** · **ceder** · **cesar** · **despedir** · **buscar** · **necesitar** || **superar** · **rebasar** · **sorprender** || **expulsar** || **jugar (de)** · **poner(se) (de)** || **meter(le) (a)** *A este portero le han metido seis goles en tres partidos* · **colar(le) (a)**

☐ EXPRESIONES **portero {automático/eléctrico}** [mecanismo que abre el portal desde el interior de la vivienda]

por todo lo alto loc.adv.

● CON VBOS. **celebrar** · **festejar** · **conmemorar**

portugués s.m. Véase IDIOMA

por unanimidad loc.adv.

● CON VBOS. **votar** · **elegir** || **nombrar** *Los socios la nombraron por unanimidad presidenta de honor* · **designar** · **apoyar** || **acordar** · **decidir** · **resolver** · **decretar** · **fallar** · **adoptar** || **conceder** · **rechazar** *una propuesta que fue rechazada por unanimidad* || **pedir**

por un momento loc.adv.

● CON VBOS. **dejar** · **abandonar** · **olvidar** *Olviden por un momento sus problemas* · **detenerse** · **parar** · **interrumpir** · **apartar** · **aislarse** · **desaparecer** || **creer** · **pensar** *Piensa por un momento lo que podría haber sucedido si...* · **imaginar** · **considerar** · **suponer** · **aceptar** · **admitir** · **dar crédito** || **sentir** · **caer en la cuenta** · **percibir** · **notar** · **escuchar** · **mirar** · **fijarse** · **observar** · **dar la impresión**

☐ USO Se construye frecuentemente en contextos negativos o irreales: *Imagínese por un momento...*

porvenir s.m.

● CON ADJS. **brillante** · **espléndido** · **esplendoroso** · **gran(de)** · **luminoso** || **esperanzador** · **halagüeño** · **ilusionante** || **alarmante** · **inquietante** · **preocupante** · **incierto** *el incierto porvenir de la empresa* · **inseguro** · **desalentador** · **negro** · **oscuro**

● CON VBOS. **avecinarse** || **nublarse** || **forjar** · **labrar(se)** || **tener** *Tiene un gran porvenir como escritor* · **asegurar** *Ahorra todo lo que puede para asegurarse el porvenir* · **garantizar** || **hipotecar** · **arriesgar** · **jugarse** || **afrontar** · **encarar** || **augurar** · **aventurar** · **pronosticar** · **vislumbrar** · **atisbar** · **conocer** · **esperar** || **hacer frente (a)** || **interesar(se) (por)**

● CON PREPS. **con** · **sin** *un invento sin porvenir*

[posar] → posar; posarse

posar v.

● CON SUSTS. **modelo** *El modelo posó durante horas con decenas de trajes diferentes* · **actor** · **actriz** · ***otros individuos***

posarse v.

● CON SUSTS. **mariposa** *La mariposa se posó sobre un pétalo de la flor* · **abeja** · **pájaro** · ***otros animales*** || **avión** · **helicóptero** · **nave**

posdata s.f.

● CON VBOS. **añadir** *añadir una posdata a la carta* · **poner** · **escribir** · **leer**

pose s.f.

● CON ADJS. **natural** · **femenina** || **artificial** · **forzada** || **provocativa** · **atrevida** · **sensual** · **obscena** · **erótica** · **sexual** · **lasciva** || **triunfal** · **estelar** || **cómica** · **graciosa** · **divertida** || **fea** · **ridícula** · **engreída** || **seria** · **triste**

● CON SUSTS. **sesión (de)**

● CON VBOS. **adoptar** · **tomar** · **mantener** || **poner** · **hacer** · **ensayar** *Estuvo ensayando poses delante del espejo antes de la sesión fotográfica* || **poner(se) (en)** · **aparecer (en)** || **cambiar (de)**

● CON PREPS. **con** · **sin**

poseído, da

1 **poseído, da** adj.

● CON SUSTS. ***persona*** || **cuerpo** · **mente**

● CON VBOS. **estar** · **sentirse** · **vivir**

2 **poseído, da (por)** adj.

● CON SUSTS. **demonio** · **diablo** · **espíritu** *Se decía que la casa estaba poseída por los espíritus* · **mal** || **fuerza** · **poder** · **dinero** || **pasión** · **ambición** *poseído por una ambición sin límite, se lanzó a...* · **furia** · **rabia** · **miedo** · **pánico** · ***otros sentimientos o emociones***

posesión s.f.

▌[estado o condición]

● CON ADJS. **legal** · **legítima** || **ilegal** · **ilegítima** || **plena** *Hizo el testamento en plena posesión de sus facultades* · **total** · **absoluta**

● CON SUSTS. **toma (de)** *Durante la toma de posesión de su nuevo cargo...* · **ceremonia (de)** · **título (de)** · **certificado (de)**

● CON VBOS. **estar (en)** *estar en posesión de la verdad* · **encontrar(se) (en)** · **hallar(se) (en)**

▌[lo poseído]

● CON VBOS. **vender** *Se vio obligada a vender todas sus posesiones* · **comprar** · **repartir** || **confiscar** · **arrebatar** · **usurpar** · **perder** || **tomar** · **asegurar(se)** || **disputar(se)** · **conservar** · **mantener** || **limitar** · **regular** · **vigilar** · **prohibir** || **luchar (por)** · **renunciar (a)**

☐ USO Se construye generalmente con sustantivos en plural: *repartir las riquezas.*

posesivo, va adj.

● CON SUSTS. **pronombre** · **adjetivo** || **madre** · **padre** · **pareja** · **novio,via** *Dejé a mi novio porque era demasiado posesivo* · **marido** · **mujer** · ***otros individuos*** || **carácter** · **temperamento** · **actitud** || **afán** · **deseo**

● CON VBOS. **volverse**

[poseso, sa] → como un poseso

[posibilidad] → con posibilidad (de); posibilidad

posibilidad s.f.

● CON ADJS. **real** · **seria** || **insospechada** · **inesperada** || **escasas** *Las posibilidades de triunfar en este asunto son muy escasas* · **exiguas** · **limitadas** · **lejana** · **remota** || **descabellada** || **infinitas** · **múltiples** *Analizaremos las múltiples posibilidades que se ofrecen antes de decidir nada* || **desfavorables** · **favorables** · **halagüeñas** || **abierto,ta (a)** || **acorde (con)**

● CON SUSTS. **abanico (de)** *Se nos ofreció todo un abanico de posibilidades para financiar la compra* · **arsenal (de)** · **serie (de)** *Se nos presentan una serie de posibilidades*

● CON VBOS. **caber** · **existir** · **quedar** *¿Queda alguna otra posibilidad?* || **incrementar(se)** · **afianzar(se)** · **aumentar** · **cobrar fuerza** *Con el tiempo cobraba fuerza la posibilidad de realizar un viaje a...* · **hacer(se) realidad** || **ofrecer(se)** · **presentar(se)** · **surgir** · **abrir(se)** || **decrecer** · **agotar(se)** · **desaparecer** · **desvanecerse** · **esfumar(se)** · **diluir(se)** · **frustrar(se)** · **malograr(se)** · **truncar(se)** || **derivar(se) (de algo)** || **dar (a alguien)** · **conceder (a alguien)** · **brindar (a alguien)** *Brindamos a nuestros clientes la po-*

sibilidad de devolver cualquier artículo || **afrontar** · **encarar** · **aceptar** · **desbloquear** || **analizar** · **estudiar** · **examinar** · **calcular** · **considerar** · **tomar en consideración** *Hay que tomar en consideración todas las posibilidades* · **sopesar** · **calibrar** · **contemplar** · **barajar** · **dilucidar** || **entrever** · **vislumbrar** · **atisbar** · **acariciar** || **plantear** · **dejar caer** · **insinuar** · **aventurar** || **dilapidar** · **perder** · **hipotecar** || **descartar** *No se debe descartar ninguna posibilidad* · **excluir** · **rechazar** · **negar** || **dañar** *El octavo puesto conseguido hoy daña seriamente sus posibilidades de renovar el título* · **obstaculizar** || **rebasar** · **exceder** · **sobrepasar** *Este trabajo sobrepasa mis posibilidades* || **aferrarse (a)** · **contar (con)** · **depender (de)** || **cerrar los ojos (ante)** · **hacer frente (a)**
● CON PREPS. **en función (de)** *Nos asignaron las tareas en función de nuestras posibilidades* · **a la altura (de)** · **a la medida (de)** · **a la vista (de)** || **al límite (de)**

posible adj.

● CON ADVS. **perfectamente** *Es perfectamente posible conciliar los intereses de ambas partes* · **plenamente** · **totalmente** · **completamente** || **escasamente** · **difícilmente** · **dudosamente** || **humanamente** *Hay que hacer lo humanamente posible para evitar este tipo de injusticias* || **virtualmente** · **teóricamente** || **tecnológicamente** · **técnicamente** · **científicamente** · **médicamente** · **matemáticamente**
● CON VBOS. **hacer(se)** *...ya que fueron ellos quienes hicieron posible el acuerdo*

posición s.f.

● CON ADJS. **acomodada** · **desahogada** *Gracias a su desahogada posición económica puede hacer lo que quería* · **aventajada** · **ventajosa** · **destacada** · **privilegiada** · **de privilegio** · **envidiable** · **inmejorable** · **honrosa** || **mejorable** · **precaria** · **delicada** · **difícil** · **incómoda** · **controvertida** || **cercana** · **a favor** · **favorable** || **conciliadora** · **constructiva** · **dialogante** *Las dos partes adoptaron una posición dialogante y muy constructiva durante toda la negociación* · **flexible** · **tolerante** · **moderada** · **razonable** · **avanzada** || **imparcial** · **ecuánime** · **neutral** || **sesgada** || **cómoda** *Su posición en este asunto es muy cómoda* · **segura** · **tibia** || **decisiva** · **testimonial** || **extrema** · **a ultranza** · **radical** · **cerrada** · **intransigente** · **inflexible** · **fija** · **firme** · **inamovible** · **inquebrantable** · **tenaz** · **numantina** · **tajante** || **contraria** · **en contra** · **discordante** · **discrepante** · **opuesta** *Aunque nuestras posiciones son opuestas, nos llevamos bien* · **incompatible** · **irreconciliable** · **beligerante** · **enconada** · **enfrentada** · **defensiva** || **retrasada** · **adelantada** · **central** · **lateral** || **dominante** · **preeminente** · **preponderante** || **unánime** · **colectiva** · **común** · **personal** *Dejemos de lado posiciones personales en favor del grupo* || **erguida** || **política** · **intelectual** · **estratégica**
● CON VBOS. **afianzar(se)** · **fortalecer(se)** · **asegurar(se)** || **agravar(se)** · **empeorar** · **escorar(se)** || **ablandar(se)** || **despejar(se)** || **converger** || **subirse a la cabeza** *...y se le ha subido su posición de privilegio a la cabeza* || **adoptar** · **asumir** · **tomar** · **aceptar** || **compartir** · **concertar** · **conciliar** *No era fácil conciliar posiciones tan divergentes* · **consensuar** · **acercar** || **exponer** · **plantear** · **clarificar** · **considerar** || **conservar** · **mantener** · **sostener** · **sustentar** · **defender** · **rectificar** || **arañar** · **escalar** · **mejorar** · **ganar** · **copar** || **perder** · **ceder** *El corredor en cabeza cedía posiciones poco a poco* · **socavar** || **abusar (de)** || **abdicar (de)** · **cambiar (de)** || **persistir (en)** || **acercar(se) (a)** · **aproximar(se) (a)**

posicionar(se) v.

● CON ADVS. **a favor** · **en contra** || **a la cabeza** · **estratégicamente** *La empresa se ha posicionado estratégicamente en el mercado* || **con decisión** · **con firmeza** · **firmemente** · **tajantemente** || **en relación (con algo)**

positivamente adv.

● CON VBOS. **saber** *Sé positivamente que no me equivoqué* || **juzgar** · **ver** · **enjuiciar** · **valorar** *La directora valoró positivamente su dedicación y esfuerzo* · **evaluar** · **calificar** · **decidir** · **determinar** · **informar** · **decantar(se)** || **evolucionar** *El paciente evoluciona positivamente* · **desarrollar(se)** · **funcionar** || **afectar** · **influir** · **repercutir** · **arrastrar** · **contribuir** · **marcar** · **reaccionar** || **sellar** · **finalizar** · **concluir** *Concluye positivamente la participación del equipo en los juegos olímpicos* · **acabar** · **saldar** || **distinguir** · **discriminar** · **contrastar** · **comparar** · **identificar** || **acoger** · **recibir** · **aceptar** || **pensar**

positivo, va adj.

▮ [afirmativo, a favor]

● CON SUSTS. **respuesta** || **análisis** · **prueba** · **test**
● CON VBOS. **dar** *Dio positivo en el control antidopaje* · **salir** · **resultar**

▮ [bueno, provechoso, útil]

● CON SUSTS. ***persona*** *Es una chica muy positiva: siempre encuentra el lado bueno de las cosas* || **experiencia** *Estudiar en el extranjero es una experiencia sumamente positiva* · **resultado** · **fruto** || **efecto** · **impacto** || **factor** · **aspecto** · **lado** || **balance** · **ingreso** · **saldo** · **tasa** || **noticia** · **dato** · **señal** || **imagen** · **panorama** · **jornada** || **actividad** · **ayuda** · **cambio** || **actitud** · **comportamiento** || **sentido** · **visión** *gracias a su visión positiva y a su espíritu de cooperación* · **enfoque** || **ambiente** · **aire**
● CON ADVS. **altamente** · **sumamente**
● CON VBOS. **ser** · **volver(se)** || **estar** · **ponerse**

▮ [que tiene un valor mayor que cero]

● CON SUSTS. **energía** · **carga** || **número** || **valor** · **tendencia** *Las acciones continuaron con su tendencia positiva* · **punto**

poso

1 **poso** s.m.

● CON ADJS. **agridulce** · **amargo** · **agrio** || **melancólico** · **nostálgico** · **sentimental** · **trágico** || **espiritual** · **cultural** · **ideológico** || **profundo**
● CON VBOS. **quedar** *Solo quedan los posos del café* || **dejar** *una relación que le dejó un amargo poso de tristeza* || **tener** || **quitar** · **colar**

2 **poso (de)** s.m.

● CON SUSTS. **café** · **té** · **vino** || **tristeza** · **amargura** · **melancolía** · **nostalgia** *Las letras de sus canciones tienen un poso de nostalgia* · **insatisfacción** · **frustración** · **resentimiento** · **recelo** · **soledad**

posponer v.

● CON SUSTS. **fecha** *Por motivos familiares, han pospuesto la fecha de la boda* · **día** · **hora** · **mes** || **inicio** · **comienzo** · **partida** · **salida** || **término** · **conclusión** · **finalización** || **fiesta** · **celebración** · **exposición** · **viaje** · **encuentro** · **elecciones** · **comicios** · ***otros eventos*** || **curso** · **labor** · **tarea** · **trabajo** · **proyecto** || **entrega** · **calificación** · **decisión** · **firma** · **acuerdo** · **elección** · **nombramiento** || **pago** · **cobro** · **ingreso** || **compra** · **venta**
● CON ADVS. **de un día para otro** *La agencia pospuso el viaje de un día para otro* · **precipitadamente** || **momen-**

táneamente · temporalmente || sin avisar · sin previo aviso

postal

1 **postal** adj.

• CON SUSTS. **código** *La carta no llegó porque faltaba el código postal* · **distrito** · **apartado** · **dirección** || **correo** · **paquete** · **tarjeta** · **giro** · **envío** || **oficina** · **empresa** · **servicio** || **voto** *Ya se pueden recoger los impresos para el voto postal* · **sello**

2 **postal** s.f.

• CON ADJS. **navideña** · **de ficción** · **turística** · **típica** || **panorámica** || **original**

• CON SUSTS. **matasellos (de)** · **destinatario,ria (de)** · **remitente (de)** || **imagen (de)** · **contenido (de)**

• CON VBOS. **llegar** || **escribir** · **enviar (a alguien)** · **mandar (a alguien)** *Me mandó una postal preciosa del puerto* · **echar** *echar una postal al buzón* || **recibir** · **leer** · **coleccionar** · **guardar** · **conservar**

posteridad s.f.

• CON ADJS. **lejana** · **próxima** || **literaria** · **artística** · **científica** || **gloriosa**

• CON SUSTS. **ambición (de)** · **ganas (de)** || **precio (de)**

• CON VBOS. **garantizar** || **dejar (para)** *Entre las obras que dejó para la posteridad cabe destacar...* · **legar (a)** || **pasar (a)** · **quedar (para)**

• CON PREPS. **para** *Y ahora, una foto para la posteridad*

[postín] → de postín; postín

postín s.m.

• CON VBOS. **dar(se)** *Se da mucho postín porque ha estudiado en una universidad extranjera*

• CON PREPS. **de** *una vajilla de mucho postín*

postizo, za adj.

• CON SUSTS. **barba** · **bigote** · **pelo** · **cejas** || **dentadura** *Lleva dentadura postiza* · **diente** || **pestaña** · **uña**

postor, -a s.

• CON ADJS. **mejor** *vender algo al mejor postor* · **firme** || **anónimo,ma** · **desconocido,da**

• CON SUSTS. **falta (de)** · **ausencia (de)** *En ausencia de postores, la subasta se anuló*

• CON VBOS. **encontrar** · **hallar** · **buscar**

postración s.f.

• CON ADJS. **física** *en estado de postración física* · **clínica** || **espiritual** · **anímica** || **extrema** · **terminal** || **económica**

• CON SUSTS. **situación (de)** · **estado (de)** · **condición (de)** · **actitud (de)** · **fase (de)**

• CON VBOS. **atajar** · **combatir** || **generar** || **llevar (a)** · **sumir (en)** *La muerte de su madre lo sumió en una larga postración* || **salir (de)** · **acabar (con)** · **sacar (de)**

postre s.m.

• CON ADJS. **apetitoso** · **apetecible** || **dulce** · **refrescante** · **ligero** · **digestivo** · **pesado** · **contundente** || **de verano** · **de invierno** || **típico** · **tradicional** || **novedoso** · **original** || **espectacular** · **llamativo** · **variado** || **lácteo** || **preferido** *El helado es su postre preferido* · **favorito**

• CON SUSTS. **cuchara (de)** *Pon cucharas de postre para la tarta* · **cuchillo (de)** · **tenedor (de)** · **plato (de)** || **momento (de)** · **hora (de)** || **receta (de)** · **carta (de)** *¿Nos puede traer la carta de postres?*

• CON VBOS. **servir** · **pedir** || **tomar** *Nunca toma postre* || **llegar (a)** · **ir(se) (a)**

• CON PREPS. **de** *¿Qué hay de postre?* · **como** · **para**

□ EXPRESIONES **a la postre** [al final; en definitiva]

postulado s.m.

• CON ADJS. **principal** · **básico** *los postulados básicos de una corriente filosófica* · **fundamental** · **elemental** || **político** · **ideológico** · **filosófico** · **cultural** · **económico** · **religioso** || **extremista** · **radical** · **moderado** || **dogmático** · **academicista** · **dominante** || **viejo** · **tradicional** · **antiguo** · **desfasado** *Algunos de sus postulados se han quedado desfasados* || **propio** · **nuevo** · **novedoso** || **idealista** · **ingenuo** · **utópico** || **fundado** · **sólido** || **opuesto,ta (a)** · **contrario,ria (a)** · **seguidor,-a (de)**

• CON SUSTS. **fidelidad (a)** · **aceptación (de)** · **defensa (de)** || **contenido (de)**

• CON VBOS. **consistir (en algo)** || **asumir** · **aceptar** · **recoger** || **contradecir** · **contrariar** · **rebatir** *Sus alumnos le rebatieron algunos postulados* · **cuestionar** || **difundir** · **dar a conocer** · **publicar** · **imponer** · **proponer** · **redactar** || **defender** · **corroborar** || **seguir** · **cumplir** || **desarrollar** · **aplicar** || **confiar (en)** · **aferrar(se) (a)** · **atrincherar(se) (en)** || **oponer(se) (a)** · **renunciar (a)** · **adaptar(se) (a)** · **desdecir(se) (de)** || **apoyar(se) (en)** · **basar(se) (en)** *Su teoría se basa en tres postulados*

postular v.

• CON SUSTS. **tesis** · **teoría** · **hipótesis** *Los astrónomos postularon varias hipótesis para explicar el fenómeno* · **concepto** · **ley** · **idea** · **proyecto** || **opción** · **método**

póstumo, ma adj.

• CON SUSTS. **hijo,ja** || **obra** *El poeta dejó tres obras póstumas* · **película** · **sinfonía** · **novela** · ***otras creaciones*** || **homenaje** · **tributo** · **reconocimiento** · **premio** || **gloria** · **éxito** || **legado** · **mensaje** · **venganza** || **carácter** · **título** *Fue nombrado hijo adoptivo de la ciudad a título póstumo* || **edición** · **publicación** · **volumen** || **estreno** · **versión**

postura s.f.

• CON ADJS. **clara** *Su postura al respecto siempre ha sido muy clara* · **explícita** · **diáfana** · **reveladora** · **determinante** || **a favor** · **favorable** || **ecuánime** · **flexible** · **razonable** · **conciliadora** · **tolerante** · **neutral** || **contraria** · **en contra** · **enfrentada** *El acuerdo no será fácil porque las partes sostienen posturas totalmente enfrentadas* · **opuesta** · **antagónica** · **discordante** · **reñida** · **irreconciliable** · **maniquea** || **categórica** · **contundente** · **decidida** · **férrea** · **fija** · **firme** · **rotunda** · **inflexible** · **intransigente** · **tajante** · **terminante** · **inamovible** *Conciliar dos posturas tan inamovibles requirió de mucha destreza* · **tenaz** · **numantina** · **obstinada** · **recalcitrante** · **irrenunciable** · **severa** · **a ultranza** · **cerrada** · **extrema** · **radical** || **beligerante** · **combativa** · **defensiva** · **enconada** || **cómoda** *Escogió la postura más cómoda en la discusión* · **ambigua** · **tibia** · **testimonial** || **controvertida** · **incómoda** || **colectiva** · **común** · **unánime** · **personal** || **discriminatoria** || **erguida** · **frontal** || **política**

• CON VBOS. **acercar(se)** || **traslucir(se)** || **adoptar** · **tomar** || **dejar ver** *Sus palabras dejan ver una postura conciliadora y dialogante* · **perfilar** || **acordar** · **unificar** · **aunar** · **compatibilizar** · **conciliar** · **consensuar** · **conjuntar** · **compartir** || **aclarar** · **clarificar** · **explicar** *Les expliqué mi postura personal sobre la situación* · **rectificar** || **analizar** · **prejuzgar** || **abanderar** · **avalar** · **defender** · **mantener** · **sostener** · **sustentar** · **enarbolar** || **llegar (a)** · **adherirse (a)** · **cambiar (de)** *La asociación cambió de pos-*

tura cuando vio el informe · **persistir (en)** || **enfrentarse (a)** || **descansar (en)**

potable adj.

● CON SUSTS. **agua** *una fuente de agua potable*

potencia s.f.

▌ [capacidad]

● CON ADJS. **bárbara** · **descomunal** · **desmesurada** · **fuerte** || **irresistible** · **arrolladora** · **inagotable** · **demoledora** || **plena** *La máquina está a plena potencia en este momento* || **adquisitiva** · **económica** · **física** · **psíquica** · **muscular** · **deportiva**

● CON SUSTS. **ápice (de)** || **arranque (de)** || **falta (de)** · **pérdida (de)** · **aumento (de)** · **limitación (de)** · **diferencia (de)** · **nivel (de)**

● CON VBOS. **crecer** · **aumentar** || **disminuir** · **menguar** || **adquirir** · **desarrollar** || **controlar** || **desplegar** *Los dos equipos desplegaron toda su potencia durante el partido* · **mostrar** · **usar** || **valerse (de)**

▌ [país que destaca]

● CON ADJS. **mundial** · **internacional** · **nacional** || **económica** · **militar**

● CON VBOS. **convertir(se) (en)**

potencial s.m.

● CON ADJS. **enorme** · **inmenso** · **ilimitado** · **inimaginable** · **ingente** *El país dispone de un potencial energético ingente* · **inagotable** · **vasto** || **valioso** || **futuro** || **de recursos** · **de crecimiento** · **productivo** · **energético** · **creativo** || **escaso** · **limitado** · **reducido** || **latente** · **oculto** · **desaprovechado**

● CON VBOS. **aumentar** · **disminuir** || **tener** || **elevar** · **incrementar** · **mejorar** · **mantener** || **aprovechar** · **explotar** || **desaprovechar** · **echar a perder** · **dilapidar** || **alcanzar** · **perder** || **dañar** · **erosionar** · **perjudicar** · **frenar** || **revelar** · **exhibir** · **mostrar** || **analizar** *El informe analiza el potencial pesquero de sus aguas* · **valorar**

potencialmente adv.

● CON ADJS. **peligroso,sa** *La consideran una raza potencialmente peligrosa* · **explosivo,va** · **devastador,-a** · **grave** · **crítico,ca** · **conflictivo,va** · **contaminante** · **mortal** · **catastrófico,ca** · **agresivo,va** · **violento,ta** · **hostil** || **rico,ca** *una zona potencialmente rica por sus abundantes recursos naturales* · **rentable** · **fecundo,da** · **activo,va** *La población potencialmente activa no es muy numerosa*

potenciar v.

● CON SUSTS. **capacidad** *Entrena diariamente para potenciar su capacidad de resistencia* · **talento** || **dotes** · **cualidades** · **aptitudes** · **virtudes** || **desarrollo** · **formación** || **figura** · **imagen** *El objetivo de la campaña es potenciar la imagen de la región* || **papel** · **participación** · **contribución** · **presencia** || **política** · **turismo** *una campaña dirigida a potenciar el turismo rural* · **sector** · **comercio** · **negocio** · **oferta** · **trabajo** || **intercambio** · **actividad** · **actuación** || **inversión** · **consumo** · **uso** || **movilidad** · **relación** || **cultura** · **arte**

● CON ADVS. **considerablemente** · **enormemente** · **notablemente** || **activamente** *medidas que potencian activamente el uso del transporte público*

potentado, da s.

● CON ADJS. **gran** · **millonario,ria** · **rico,ca** || **auténtico,ca** *Se convirtió en un auténtico potentado* · **famoso,sa** || **económico,ca** · **financiero,ra**

● CON SUSTS. **hijo,ja (de)** · **familia (de)** *El cuadro pertenece a una familia de potentados* || **riqueza (de)** · **capricho (de)** *Tiene caprichos de potentado*

potente adj.

● CON SUSTS. **fuerza** · **chorro** · **emisión** || **motor** || **moto** · **coche** · **avión** *En esa época ya había aviones muy potentes* · ***otros vehículos*** || **lavadora** · **secador** · **horno** · ***otros aparatos eléctricos*** || **calefacción** · **refrigeración** || **golpe** · **disparo** · **tiro** · **bomba** · **cañonazo** || **saque** · **remate** *...pero el potente remate del delantero se estrelló contra el poste* · **servicio** || **armamento** · **arma** · **pistola** || **voz** · **sonido** · **ruido** · **ritmo** · **tono** · **volumen** || **jugador,-a** · **deportista** · **grupo** · **equipo** · ***otros individuos y grupos humanos*** || **producto** · **ordenador** *Han comprado ordenadores más potentes* || **organización** · **industria** || **luz** · **reflejo**

potestad s.f.

● CON ADJS. **discrecional** · **plena** · **exclusiva** || **legítima** · **legal** || **sancionadora** · **disciplinaria** || **administrativa** · **legislativa** || **paterna** · **materna**

● CON SUSTS. **ley (de)** · **derechos (de)**

● CON VBOS. **dar** · **conceder** · **adjudicar** · **otorgar** · **delegar** || **arrogarse** *La compañía se arrogó la potestad de edificar en la zona sin el permiso requerido* || **negar** *Le negaron la potestad de llevar adelante cualquier iniciativa* || **tener** || **disfrutar (de)** · **gozar (de)** · **disponer (de)** || **carecer (de)**

□ EXPRESIONES **patria potestad** [autoridad legal de los padres sobre sus hijos menores de edad]

[potosí] → un potosí

pozo

1 **pozo** s.m.

● CON ADJS. **hondo** · **profundo** · **insondable** · **sin fondo** || **subterráneo** *Han encontrado pozos subterráneos utilizados durante la guerra* · **ciego** · **seco** || **natural** · **artificial**

● CON SUSTS. **boca (de)** · **fondo (de)** · **brocal (de)** · **tapa (de)** · **cubo (de)** || **agua (de)** *una huerta regada con agua de pozo*

● CON VBOS. **abrir** · **cavar** · **excavar** · **cerrar** · **tapar** || **explotar** || **caer (en/a)** *Un niño se ha caído a un pozo* · **hundir(se) (en)** *hundido en el pozo sin fondo de sus miserias y sus contradicciones* · **sumir(se) (en)** || **extraer (de)** *Extrajeron agua del pozo* · **sacar (de)** || **salir (de)** || **asomar(se) (a)**

● CON PREPS. **a pie (de)** · **al borde (de)**

2 **pozo (de)** s.m.

● CON SUSTS. **agua** · **petróleo** || **sabiduría** *Esta mujer es un pozo de sabiduría* · **ciencia** · **fuerza** · **tolerancia** · **comprensión** · **ternura** · **sensualidad** · **vida** · **vitalidad** · ***otras cualidades*** || **corrupción** · **inmoralidad** · **maldad** · **ineficiencia** · **incompetencia** · **ignorancia** · **distracción** · **insidia** *El vecindario se había convertido en un pozo de insidias* · ***otros defectos*** || **miseria** · **angustia** · **desesperación** · **silencio** · **sombra** · **tristeza** · **amargura** · **oscuridad** · **dolor** · **problema** · **insatisfacción** · **frustración** · **resentimiento** · **alienación** · **calamidad** · **marasmo** · **pobreza** || **ideas** · **sorpresas** · **incertidumbre** · **dudas** *Estaba sumergida en un pozo de dudas*

□ USO Se construye con sustantivos no contables en singular (*pozo de petróleo*) o contables en plural (*pozo de sorpresas*).

[práctica] s.f. → llevar a la práctica; poner en práctica; práctico, ca

practicante

1 **practicante** adj.

● CON SUSTS. **católico,ca** *Es católica practicante* · **judío,a** · **musulmán,-a** · ***otros creyentes***

2 **practicante** s.com.

▮ [persona que practica alguna actividad o religión]

● CON ADJS. **asiduo,dua** · **habitual** *Es un practicante habitual de deportes de riesgo* · **frecuente** · **ocasional** || **ferviente** · **fervoroso,sa**

▮ [persona que pone inyecciones]

● CON ADJS. **profesional** *No quiero pincharte yo; prefiero llamar a un practicante profesional* · **buen,-a** · **experto,ta** · **veterano,na** · **novato,ta**

● CON SUSTS. **maletín (de)** || **título (de)**

● CON VBOS. **llamar** · **avisar** · **necesitar** · **buscar** || **acudir (a)** *Acuden al practicante solo para las vacunas*

practicar v.

▮ [perforar]

● CON SUSTS. **hueco** · **orificio** · **agujero** · **boquete** · **butrón**

▮ [realizar, ejercer, profesar]

● CON SUSTS. **acto** · **actividad** · **actuación** · **acción** || **tenis** · **natación** · **submarinismo** · ***otros deportes*** || **tango** · **paso** *Te aprenderás el baile en cuanto practiques estos cuatro pasos* · **salsa** · **movimiento** · **taconeo** || **alemán** *Hace mucho que no practico el alemán* · **italiano** · ***otros idiomas*** || **abogacía** · **carpintería** · **medicina** · ***otras profesiones*** || **operación** · **intervención** · **reconocimiento** · **cesárea** || **pintura** · **literatura** · **macramé** · **grabado** || **nudismo** || **budismo** · **islam** · ***otras religiones*** || **culto** · **meditación** || **incremento** · **rebaja** · **recorte** · **reducción** · **descuento** · **retención** || **prueba** *Le practicaron varias pruebas de diagnóstico* · **auditoría** · **investigación** · **peritaje** · **examen** · **análisis** · **evaluación** · **estudio** || **registro** · **detención** · **arresto** · **redada** · **cacheo** · **inspección** · **control** · **vigilancia** · **seguimiento** · **interrogatorio** · **careo** · **requerimiento** || **diligencia** · **trámite** *En la actualidad se practica este trámite por la vía rápida* · **gestión** || **sistema** · **método** · **táctica** · **política** · **modelo** || **ideología** · **filosofía** · **pensamiento** · **principio** || **costumbre** *Es una costumbre muy antigua que aún se practica en la región* · **afición** · **pasión** · **vicio** · **hábito** · **uso** · **ritual** || **virtud** · **moral** · **fidelidad** · **respeto** · **tolerancia** · **diplomacia** · **prudencia** · **moderación** · **discreción** · **modestia** · **generosidad** · **caridad** · **justicia** || **ataque** · **agravio** · **acoso** · **abuso** · **chantaje** · **coacción** · **extorsión** *Está más que demostrado que practican la extorsión y el chantaje* · **crueldad** · **malos tratos** · **represión** · **persecución** · **exclusión** · **discriminación** || **hipocresía** · **cinismo** · **demagogia** || **amiguismo** · **enchufismo** · **clientelismo** · **sectarismo** · **corporativismo** || **abstención** · **absentismo** · **austeridad** · **abstinencia** · **castidad** || **crítica** · **disidencia** · **insumisión**

● CON ADVS. **con fruición** · **intensamente** · **con soltura** || **legalmente** · **ilegalmente** *Practicaba ilegalmente la medicina* || **con disciplina** || **diariamente** · **regularmente** *Conviene practicar deporte regularmente* · **asiduamente** · **de vez en cuando**

práctico, ca

1 **práctico, ca** adj.

● CON SUSTS. ***persona*** *Procuro ser práctico* || **actividad** · **trabajo** *un trabajo fundamentalmente práctico* || **instrumento** · **utensilio** || **aplicación** *El descubrimiento tiene una aplicación práctica muy importante* · **uso** · **empleo** · **manejo** || **guía** · **manual** · **dato** || **enfoque** · **criterio** · **planteamiento** · **punto de vista** · **consejo** *fichas con prácticos consejos de cocina* || **mente** · **inteligencia** · **interés** · **formación** · **conocimiento** || **efecto** · **parte** || **ejemplo** · **ejercicio** · **caso** *Veamos un caso práctico* · **supuesto** · **desarrollo** · **clase** · **curso**

● CON ADVS. **eminentemente** · **fundamentalmente** · **estrictamente** || **sumamente**

● CON VBOS. **volverse** · **hacer(se)** · **resultar**

2 **práctica** s.f.

● CON ADJS. **común** · **arraigada** · **tradicional** · **popular** · **normal** · **extendida** *Se trata de una práctica muy extendida entre los comerciales* · **acreditada** · **usual** · **frecuente** · **acostumbrada** · **general** · **generalizada** · **habitual** · **preponderante** · **dominante** || **ancestral** · **centenaria** || **beneficiosa** *y otras prácticas igualmente beneficiosas para la salud* · **saludable** || **aberrante** · **abusiva** · **discriminatoria** || **funesta** · **destructiva** · **dañina** · **nociva** · **perjudicial** || **legal** · **ilegal** || **infrecuente** || **agotadora**

● CON SUSTS. **falta (de)** · **cuestión (de)** *Ya lo harás mejor, es cuestión de práctica* || **período (de)**

● CON VBOS. **adquirir** · **coger** · **ganar** || **necesitar** || **admitir** · **permitir** · **aplaudir** · **refrendar** · **avalar** || **censurar** · **prohibir** · **erradicar** *con el fin de erradicar prácticas discriminatorias* || **ejercer** · **conservar** || **instaurar** · **reinstaurar** · **difundir** · **fomentar** · **consagrar** || **abandonar** · **perder** || **adiestrar(se) (en)** · **ejercitar(se) (en)** · **iniciar(se) (en)** *Se inició en la práctica del esquí cuando era una niña* · **perseverar (en)** || **llevar (a)** · **poner (en)** || **atenerse (a)** · **cortar (con)** || **mejorar (con)**

● CON PREPS. **en** *Le han hecho un contrato en prácticas*

□ EXPRESIONES **en la práctica** [en la realidad] *En la práctica, las cosas se hacen de otro modo*

[pragmática] s.f. → pragmático, ca

pragmático, ca

1 **pragmático, ca** adj.

● CON SUSTS. **político,ca** · **partido** · **militar** · **líder** · **candidato,ta** · ***otros individuos y grupos humanos*** || **actitud** *mantener una actitud pragmática* · **carácter** · **sentido** · **estilo** *un político de estilo pragmático* · **enfoque** · **tratamiento** · **talante** · **criterio** · **pensamiento** · **doctrina** · **comportamiento** · **posición** · **postura** · **perfil** · **interés** · **visión** · **punto de vista** · **intención** · **voluntad**

● CON VBOS. **volverse** · **hacerse**

2 **pragmática** s.f. Véase **DISCIPLINA**

preámbulo s.m.

● CON ADJS. **breve** · **escueto** || **largo** · **detenido** · **interminable** || **brillante** · **magnífico** || **general** · **editorial** · **retórico** · **academicista** || **introductorio** · **preparatorio**

● CON VBOS. **encabezar (algo)** · **preceder (a algo)** || **redactar** · **poner** || **tener (como)** · **colocar (como)** · **servir (de)** || **andarse (con)** *No te andes con preámbulos y dime ya lo que quieres* || **arrancar (con)** · **empezar (con)**

● CON PREPS. **a {manera/modo/título} (de)** || **sin** *...y sin más preámbulos me dijo que estaba despedido*

precario, ria adj.

● CON SUSTS. **situación** · **condición** · **estado** · **posición** · **circunstancia** · **ambiente** · **momento** · **estatus** || **empleo** *Dice el Gobierno que se ha propuesto eliminar el empleo precario* · **contrato** · **trabajo** · **puesto** · **trabajador,-a** · **profesión** · **tarea** || **vivienda** · **casa** · **edificación** · **construcción** · **edificio** · **espacio** · **campamento** · **asenta-**

miento · carpa || población · comunidad · poblado · área || equilibrio · estabilidad *una precaria estabilidad democrática* · paz · tranquilidad · tregua · calma || existencia · vida · supervivencia · experiencia · realidad · futuro || salud *Tuvo que dejar la actividad pública por su precaria salud* · economía · nutrición · atención · asistencia · alimentación · libertad · formación · educación · democracia · protección || unidad · compromiso · relación · coordinación · acuerdo · alianza || criterio · plan · solución *La medida fue solo una solución precaria para un problema permanente* · arreglo · proyecto · medida || estructura · infraestructura · carretera · embarcación · organización · medio · recurso · material · sistema · equipo || mayoría · cantidad · número · sueldo · monto · quórum · guarismo || resultado · victoria · triunfo · ventaja

precaución s.f.

● CON ADJS. **mínima || debida · inevitable · necesaria** *Tomaron las precauciones necesarias para no perderse* · **requerida || desmedida · exagerada · extrema · suma · máxima · especial || habitual · legal**
● CON SUSTS. **medida (de) · norma (de) || falta (de) || señal (de) · aviso (de) · campaña (de) · zona (de) || motivo (de)**
● CON VBOS. **tomar · poner · adoptar · tener || extremar** *La organización extremó las precauciones* · **exagerar · aumentar || recomendar · aconsejar · pedir**
● CON PREPS. **con** *conducir con precaución* · **sin || por**

precavido, da adj.

● CON SUSTS. **persona** *un error que no le pasará inadvertido al lector precavido* || **actitud · tono · discurso || actuación · juego**
● CON ADVS. **excesivamente · extremadamente || por naturaleza**
● CON VBOS. **ser · volver(se) || estar · mostrar(se) · mantener(se)**

precedente s.m.

● CON ADJS. **cercano · inmediato** *El hecho tiene un precedente inmediato en la historia de nuestro país* · **remoto · lejano || paradigmático · positivo · valioso || nuevo · único · aislado** *Se apoyó en un precedente aislado para defender su presunta ilegalidad* || **premonitorio · conocido || grave · importante · serio || funesto · nefasto · negativo · perjudicial · incómodo · peligroso · mal(o)** *Ha sentado un mal precedente* || **administrativo · jurídico · legal · histórico · familiar**
● CON SUSTS. **ausencia (de) · falta (de)**
● CON VBOS. **existir || crear · sentar** *Con esto sientan ustedes un mal precedente* · **establecer · fijar · constituir · instituir || citar · mencionar · señalar · registrar || aplicar · seguir || tener || advertir (sobre) · aludir (a) · apoyar(se) (en) · contar (con) || servir (de)** *Por primera vez, y sin que sirva de precedente, haré referencia a...* || **carecer (de)**
● CON PREPS. **sin** *un acontecimiento sin precedentes* · **con**

precepto s.m.

● CON ADJS. **estricto · inviolable || laxo · relativo || administrativo · legal · constitucional || moral · religioso · humano || externo · interno || acorde (con)**
● CON SUSTS. **cumplimiento (de) · observancia (de) || serie (de) · conjunto (de)**
● CON VBOS. **obedecer · observar** *ciertos preceptos morales que raramente se observan a rajatabla* · **seguir · cumplir · llevar a la práctica · respetar || desobedecer · saltarse · incumplir · infringir · burlar · conculcar** *La medida conculcaba ciertos preceptos constitucionales* · **romper · impugnar · violar · transgredir · despreciar · vulnerar || enmendar || atenerse (a) · desentenderse (de)**
● CON PREPS. **según** *según los preceptos legales*

preciado, da adj.

● CON SUSTS. **bien** *Es uno de nuestros bienes más preciados* · **don || valor · derecho || joya · perla · metal · mineral || líquido · manjar || tesoro · botín · mercancía || trofeo · galardón** *pero solo los diez primeros optan al preciado galardón* · **título || oportunidad · ocasión || testimonio · secreto || documento · billete · símbolo || recurso · órgano || puesto · logro · sueño**
● CON VBOS. **volverse · hacer(se)**

[precio] → a precio (de); precio

precio s.m.

● CON ADJS. **abultado · alto · caro · abusivo** *Tuvimos que pagar un precio abusivo por la comida* · **astronómico · desmesurado · desorbitado · disparatado · desmedido · exorbitante · impagable · inaccesible · por las nubes · prohibitivo · máximo · injusto || asequible · medio · competitivo · ventajoso || equitativo · justo · ajustado || bajo · barato · módico · irrisorio · por los suelos** *En las rebajas los precios están por los suelos* · **insignificante · mínimo · simbólico || fijo · variable · vigente · disuasorio || al detalle** *Calculamos el precio del viaje al detalle* · **aproximado · al alza · a la baja · exacto || insuficiente**
● CON SUSTS. **ajuste (de) · nivel (de) || subida (de) · incremento (de) · repunte (de) · descenso (de)**
● CON VBOS. **aumentar · subir · disparar(se)** *Los precios del petróleo se dispararon con la crisis* · **multiplicar(se) || repuntar · estabilizar(se) · fluctuar · mantener(se) || bajar · derrumbarse** *Los expertos aseguran que no hay peligro de que los precios se derrumben* · **desplomarse · disminuir || establecer · poner (a algo) · fijar · amañar · negociar · estipular · homologar · regatear || calcular · aquilatar || incrementar · inflar** *Inflaban el precio para aumentar los beneficios* || **congelar · rebajar · ajustar · apuntalar · reventar || cobrar** *Me cobraron el precio máximo por la reparación* · **pagar · satisfacer · sufragar || rebasar · sobrepasar || atenerse (a)**

precipicio s.m.

● CON ADJS. **hondo · profundo · enorme · insondable || insalvable · insuperable** *Ante ellos se abría un precipicio insuperable*
● CON VBOS. **abrir(se) || arrojar(se) (a) · lanzar(se) (a) · tirar(se) (a) || caer(se) (a/en) · despeñar(se) (por) || salir (de) || condenar (a) || asomar(se) (a) · abocar(se) (a) · encaminar(se) (a)**
● CON PREPS. **al borde (de)** *Estoy al borde del precipicio* · **al filo (de) · al fondo (de)**

precipitación

1 **precipitación** s.f.

▮ [caída desde lo alto]

● CON VBOS. **provocar · originar · causar** *Investigan qué pudo causar la precipitación del vehículo* · **experimentar · sufrir || acelerar · detener · frenar · retardar · ralentizar · amortiguar · mitigar · paliar · aminorar · evitar · impedir · controlar || presenciar · ver · observar**

▮ [premura, efecto de precipitarse]

● CON ADJS. **excesiva · gran(de) · enorme || imprudente · incomprensible**
● CON SUSTS. **momento (de) · signo (de)**

• CON VBOS. **reprochar** · **cometer** || **percibir** · **detectar** · **observar** || **caer (en)** · **pecar (de)** · **acusar (de)**
• CON PREPS. **con** *Actuó con excesiva precipitación*

2 **precipitaciones** s.f.pl.

▮ [lluvia]

• CON ADJS. **débiles** · **moderadas** || **fuertes** · **intensas** · **copiosas** · **prolongadas** · **tormentosas** · **torrenciales** || **abundantes** *la llegada de un frente borrascoso que dejará abundantes precipitaciones en el norte del país* · **continuas** · **constantes** || **esporádicas** · **escasas** · **aisladas** || **generalizadas** · **locales** || **pluviales**
• CON SUSTS. **ausencia (de)** · **falta (de)** · **escasez (de)** *sequía provocada por la escasez de precipitaciones* || **posibilidad (de)** · **riesgo (de)** || **previsión (de)**
• CON VBOS. **registrar(se)** · **caer** || **persistir** · **mantenerse** · **continuar** || **anunciar** · **augurar** · **prever** *Se prevén precipitaciones para el fin de semana* · **esperar**
• CON PREPS. **con posibilidad (de)** · **con riesgo (de)**

[precipitaciones] s.f. → precipitación

precipitado, da adj.

• CON SUSTS. ***persona*** *un chico inteligente, pero algo precipitado y no muy reflexivo* || **decisión** · **medida** · **solución** · **elección** || **conclusión** · **juicio** · **opinión** *una opinión precipitada y llena de prejuicios* · **crítica** · **ataque** · **reconocimiento** || **respuesta** · **declaración** || **salida** · **marcha** · **retirada** · **abandono** · **regreso** · **cierre** · **jubilación** || **boda** · **encuentro** · **reunión** · ***otros eventos*** || **acuerdo** · **pacto** || **actitud** · **carácter** || **realización** · **aplicación** *una aplicación precipitada de la ley* || **acción** · **acto** · **reacción** || **cambio** · **final** *Desluce un tanto la película su precipitado final*
• CON VBOS. **considerar** · **calificar (de)** || **volverse**

precipitar(se) v.

▮ [desencadenar, acelerar algo]

• CON SUSTS. **guerra** · **elección** *El presidente precipitó las elecciones debido a la debilidad del Gobierno* · ***otros acontecimientos*** || **abandono** · **salida** · **expulsión** · **exilio** · **retirada** *...momento en el que el comandante en jefe precipitó la retirada de las tropas* · **marcha** · **huida** · **regreso** · **llegada** || **crisis** · **ruptura** · **cambio** || **renuncia** · **cese** · **dimisión** || **caída** · **destrucción** · **ruina** *La mala gestión precipitó la ruina de la institución* · **final**

▮ [arrojar desde un lugar alto]

• CON SUSTS. **coche** · **moto** · ***otros vehículos*** || **agua** *...cuando la tromba de agua se precipitó sobre el pueblo* · **barro** · **nieve**

□ USO Se construye frecuentemente con complementos encabezados por las preposiciones *a* (*Su gestión precipitó la empresa a la ruina*) y *hacia* (*El vehículo se precipitó hacia el acantilado*).

precisar v.

▮ [necesitar]

• CON ADVS. **acuciantemente** · **apremiantemente** *Preciso su ayuda apremiantemente* · **urgentemente** · **absolutamente** · **a toda costa**

□ USO Alterna los complementos directos (*precisar un poco de apoyo*) con los complementos encabezados por la preposición *de* (*precisar de un poco de apoyo*).

▮ [determinar de modo preciso]

• CON SUSTS. **altura** · **profundidad** · **extensión** · **edad** · **temperatura** · ***otras magnitudes*** || **fecha** *Tendría que consultar mi agenda para precisar la fecha* · **momento** · **instante** · **día** · **tiempo** || **cantidad** · **cifra** · **número** · **cuantía** || **detalles** · **característica** · **aspecto** || **razón** · **causa** || **fuente** *El periodista se negó a precisar su fuente de información* · **origen** · **lugar** · **localización** || **información** · **instrucciones** · **dato** · **resultado**
• CON ADVS. **exactamente** · **con exactitud** · **al detalle** · **claramente** · **específicamente**

[precisión] → de precisión; precisión

precisión s.f.

• CON ADJS. **absoluta** · **total** · **suma** · **extrema** *un dispositivo de extrema precisión* || **exacta** · **matemática** · **milimétrica** · **meridiana** · **exquisita** · **minuciosa** · **rigurosa** || **atinada** · **justa** · **impecable** || **característica** · **habitual** || **desacostumbrada** · **inusual** · **asombrosa** || **conceptual** · **científica** · **técnica** · **histórica**
• CON SUSTS. **falta (de)** || **grado (de)**
• CON VBOS. **faltar** || **hacer** *Sin embargo, convendría hacer una precisión antes de pasar al siguiente punto* · **dar** || **necesitar** · **exigir** · **pedir** || **carecer (de)**
• CON PREPS. **con** *...que servirá para determinar con mayor precisión el origen del incendio* · **sin**

precocidad s.f.

• CON ADJS. **artística** *La precocidad artística del cantante dejó asombrado al jurado* · **intelectual** · **musical** · **profesional** · **sexual** || **asombrosa** · **inaudita** · **sorprendente**
• CON SUSTS. **ejemplo (de)** · **caso (de)** || **alarde (de)** · **récord (de)**
• CON VBOS. **superar (en)**
• CON PREPS. **con**

precoz adj.

• CON SUSTS. **diagnóstico** · **detección** *una campaña para la detección precoz del cáncer* · **prevención** · **tratamiento** || **síntoma** · **aparición** · **desarrollo** · **mejoría** || **niño,ña** *Fue un niño precoz: tocaba el piano y componía con solo seis años* · **alumno,na** · **artista** · ***otros individuos*** || **evacuación** · **eyaculación** · **embarazo** · **menopausia** · **madurez** || **carrera** · **especialización** || **delincuencia** || **lectura**

precursor, -a adj.

• CON SUSTS. **figura** *figura precursora del modernismo en Europa* · **artista** · **carácter** || **corriente** · **movimiento** · **arte** || **producto** || **célula** · **proteína** · **molécula**

predecesor, -a s.

• CON ADJS. **lejano,na** · **inmediato,ta** *Su predecesor inmediato se jubiló antes de tiempo* · **reciente** · **directo** || **importante** · **ilustre** · **famoso,sa** · **reputado,da**
• CON SUSTS. **huella (de)** · **marca (de)** · **influencia (de)** · **herencia (de)** · **testimonio (de)** · **diferencia (con)** || **memoria (de)** · **homenaje (a)** *Preparan un homenaje a los predecesores en el cargo* · **importancia (de)** || **ejemplo (de)** · **estilo (de)**
• CON VBOS. **emular** · **seguir** · **imitar** || **diferenciar(se) (de)** · **romper (con)** || **heredar (de)**

predecir v.

• CON SUSTS. **futuro** · **mañana** · **porvenir** || **resultado** · **momento** · **final** · **fecha** · **desenlace** || **tiempo** *predecir el tiempo de los próximos días* · **temperatura** · **precipitaciones** · **terremoto** || **riesgo** · **catástrofe** · **desastre** · **tragedia** || **evolución** · **desarrollo** · **cambio** || **consecuencia** · **efecto** · **impacto** *para predecir el impacto sobre la opinión pública* · **alcance** · **eco** || **ventas** || **respuesta** · **comportamiento** · **actitud** || **victoria** · **éxito** || **fracaso** · **derrota** · **pérdida** || **crecimiento** · **incremento** · **recu-**

peración · mejora · progreso · avance || descenso · caída · reducción · desgaste
● CON ADVS. **a grandes rasgos** *incapaz de predecir más que a grandes rasgos su evolución* · **en líneas generales** · **con {cierto/algún/poco/escaso...} margen de error** || **con exactitud** · **con precisión** || **acertadamente** · **atinadamente** · **con agudeza** · **con certeza** || **a {corto/medio/largo} plazo**

predestinar (a) v.

● CON SUSTS. **éxito** · **gloria** · **triunfo** · **victoria** · **premio** || **fracaso** *El proyecto parecía predestinado al fracaso* · **derrota** || **cargo** · **puesto** · **lugar** · **profesión**

predicar v.

● CON SUSTS. **sermón** · **homilía** · **discurso** || **evangelio** *...en su misión de predicar el evangelio a todas las personas* · **palabra de Dios** · **fe** · **certeza** · **catecismo** · **religiosidad** · **evangelización** · **conversión** · **ecumenismo** || **protestantismo** · **catolicismo** · **islamismo** · ***otras religiones*** || **pacifismo** *Se dedica a predicar el pacifismo por el mundo* · **feminismo** · **humanismo** · ***otras tendencias*** || **doctrina** · **idea** · **teoría** · **estética** · **ideal** · **ética** · **valor** · **moral** || **mensaje** *predicar el mensaje bíblico* · **nueva** · **enseñanza** || **fórmula** · **receta** || **amor** · **tolerancia** *un líder famoso por predicar la tolerancia* · **paciencia** · **moderación** · **discreción** · **sensatez** · **prudencia** · **reconciliación** · **diálogo** · **respeto** · **bondad** · **justicia** · **igualdad** · **fraternidad** · **paz** || **guerra santa** · **violencia** · **intolerancia** · **terrorismo** · **odio** · **competitividad** || **reforma** · **renovación** · **metamorfosis** · **cambio** || **liberalización** · **privatización** · **despido** || **retorno** · **vuelta** || **fin** · **final** · **destrucción** · **ruptura** · **anulación**
● CON ADVS. **con el ejemplo** *Todos deberíamos predicar con el ejemplo* || **en el desierto** · **en tierra fértil** || **abiertamente** · **agresivamente** || **a destajo** · **insistentemente** || **con devoción** · **alegremente** · **con hipocresía**

predicción s.f.

● CON ADJS. **acertada** · **atinada** · **certera** · **encaminada** · **fiable** || **equivocada** · **desencaminada** · **fallida** · **errónea** || **arriesgada** *Era una predicción demasiado arriesgada* · **aventurada** · **difícil** · **a ojo** || **optimista** · **halagüeña** || **pesimista** · **agorera** || **económica** *Todas sus predicciones económicas han fallado* · **meteorológica** · **climatológica**
● CON SUSTS. **capacidad (de)** · **dotes (de)** || **sistema (de)** · **técnica (de)** · **mapa (de)** *un mapa de predicción climática* || **centro (de)** · **servicio (de)** || **ejercicio (de)**
● CON VBOS. **hacer(se) realidad** · **fallar** *Han fallado todas las predicciones sobre la operación salida* || **hacer** · **dar** · **echar al aire** · **lanzar** · **emitir** · **dejar caer** · **arriesgar** · **aventurar** || **errar (en)**

predilección s.f.

● CON ADJS. **absoluta** *Siente absoluta predilección por uno de sus nietos* · **verdadera** · **auténtica** · **desmesurada** · **ciega** || **clara** · **evidente** || **especial**
● CON SUSTS. **signo (de)**
● CON VBOS. **expresar** · **manifestar** · **declarar** · **confesar** || **demostrar** · **mostrar** || **sentir** · **tener** *Tenía una especial predilección por la música popular* || **gozar (de)**

predilecto, ta adj.

● CON SUSTS. **hijo,ja** · **discípulo,la** · **alumno,na** *Trata de modo distinto a sus alumnos predilectos* || **amigo,ga** · **compañero,ra** · **amante** || **artista** · **músico,ca** · **compositor,-a** · **cineasta** · **escritor,-a** · **poeta** · **autor,-a** || ***otros individuos*** || **programa** · **película** · **lectura** || **tema** · **repertorio** · **canción** · **frase** || **afición** · **deporte** || **destino** *el destino predilecto de muchos turistas extranjeros* · **ciudad** · **terreno** · **hotel** · ***otros lugares*** || **blanco** · **objetivo** · **víctima** || **modelo** · **marca** || **comida** · **especialidad** · **postre** · **plato** || **momento**

predisposición s.f.

● CON ADJS. **absoluta** · **total** · **real** || **desinteresada** · **generosa** · **voluntariosa** · **animosa** · **vocacional** · **sacrificada** || **buena** · **excelente** *Iban con una excelente predisposición hacia el diálogo* · **especial** · **favorable** · **positiva** || **ejemplar** · **modélica** · **noble** · **loable** || **clara** · **manifiesta** · **patente** || **heredada** · **hereditaria** · **genética** · **innata** *Su predisposición hacia la música es innata* · **natural** · **inicial** || **habitual** · **incondicional** || **humana** · **personal** || **propia** · **ajena** · **de {mi/tu/su...} parte** *Anunció la predisposición de su parte a negociar* || **desfavorable** · **dudosa** · **escasa** · **mala** · **negativa** · **nula** || **mental** · **anímica** · **biológica** · **física** · **psicológica**
● CON SUSTS. **falta (de)**
● CON VBOS. **tener** · **albergar** || **expresar** · **anunciar** · **revelar** · **manifestar** · **reiterar** · **adelantar** || **mostrar** · **demostrar** · **reflejar** · **evidenciar** || **notar** *La entrenadora notó rápidamente que la niña tenía predisposición* · **percibir** · **encontrar** · **reconocer**
● CON PREPS. **con**

predominante adj.

● CON SUSTS. **nota** · **elemento** · **rasgo** · **característica** · **valor** || **tónica** || **opinión** *Disiente de las opiniones predominantes de su partido* · **criterio** · **posición** · **punto de vista** || **idea** · **hipótesis** || **doctrina** · **dogma** · **ideología** · **teoría** || **lengua** · **cultura** · **lenguaje** || **estética** · **estilo** · **forma** · **color** || **impresión** · **sensación** || **papel** · **peso** || **política** · **actitud** · **sentimiento** · **fuerza** || **imagen** · **perfil** · **figura** || **corriente** *las corrientes filosóficas predominantes en el siglo pasado* · **tendencia** · **fuente** · **configuración**
● CON VBOS. **volverse** · **hacer(se)**

preeminente adj.

● CON SUSTS. **autor,-a** · **figura** *una figura preeminente de la narrativa contemporánea* · **autoridad** · **familia** · ***otros individuos y grupos humanos*** || **lugar** · **posición** · **puesto** · **sitio** || **papel** *Tuvo un papel preeminente en la negociación del acuerdo* · **misión** · **destino** || **necesidad** · **exigencia**
● CON VBOS. **hacerse**

prefabricado, da adj.

● CON SUSTS. **casa** · **caseta** *Los feriantes han instalado varias casetas prefabricadas* · **barracón** · **edificio** || **pista** · **pared** · **techo** · **panel** || **hormigón**

preferencia s.f.

● CON ADJS. **abierta** · **clara** · **inequívoca** *Muestra una preferencia inequívoca por el baloncesto* · **absoluta** || **manifiesta** · **acusada** · **marcada** · **descarada** || **disimulada** || **incondicional** · **sincera** || **involuntaria** · **inconsciente**
● CON SUSTS. **orden (de)** *Escriba los nombres en orden de preferencia* · **posición (de)** || **lugar (de)** · **tribuna (de)** · **grada (de)** · **vía (de)** || **regla (de)** · **derecho (de)**
● CON VBOS. **dar** · **tener** *En los cruces tienen preferencia los que vienen por la derecha* · **otorgar** · **dirigir (hacia algo)** · **centrar (en algo)** || **despertar** || **confesar** · **declarar** · **manifestar** || **mostrar** · **exhibir** · **revelar** || **gozar (de)** *Desde hace años goza de las preferencias del público*
● CON PREPS. **de** · **con**

preferente adj.

● CON SUSTS. **clase** *viajar en clase preferente* · **división** ‖ **trato** · **atención** ‖ **lugar** *un hecho singular que ocupa un lugar preferente en la historia de este país* · **sitio** · **situación** ‖ **derecho** · **condición** · **uso** · **adquisición** ‖ **suscripción** · **participación** ‖ **objetivo** · **interés** *El interés preferente de los alumnos es la informática* · **blanco** · **meta** · **intención** ‖ **dedicación** · **rehabilitación** ‖ **crédito** *El banco les ha concedido un crédito preferente* · **acuerdo** · **mérito** ‖ **criterio** · **línea** · **carácter** *Atenderemos su pedido con carácter preferente* ‖ **actuación** · **acción** · **actividad** ‖ **tema** · **proyecto**

● CON VBOS. **volverse** · **hacerse**

preferir v.

● CON ADVS. **abiertamente** · **claramente** · **inequívocamente** ‖ **por encima de todo** *Por encima de todo, preferiría quedarme aquí* · **sobretodo** · **rotundamente** · **abrumadoramente** · **marcadamente** ‖ **sinceramente**

pregonar v.

● CON SUSTS. **noticia** *En una edición especial los periódicos pregonaban la noticia a los cuatro vientos* · **rumor** · **bando** · **secreto** ‖ **virtud** · **cualidad** *El vendedor pregonaba a voces las maravillosas cualidades de su producto* · **valor** · **bondad** ‖ **plan** · **programa** · **intención** · **idea** · **cambio** · **política** ‖ **logro** · **éxito** · **resultado**

● CON ADVS. **a bombo y platillo** *Utilizó los periódicos para pregonar a bombo y platillo su plan innovador* · **a los cuatro vientos** ‖ **a voces** · **a gritos** · **a voz en grito**

pregunta s.f.

● CON ADJS. **impertinente** *No contestaré una pregunta tan impertinente* · **comprometida** · **indiscreta** · **inoportuna** · **insidiosa** · **incisiva** · **maliciosa** · **malintencionada** · **aviesa** ‖ **con {doble/segunda} intención** *Era una pregunta con doble intención; no me di por aludido* · **de doble filo** · **alambicada** · **capciosa** · **enigmática** · **sesgada** ‖ **descabellada** · **sin pies ni cabeza** · **fuera de lugar** ‖ **complicada** · **compleja** · **difícil** · **endemoniada** · **endiablada** *...una pregunta endiablada que no supe cómo responder* · **enrevesada** · **abstrusa** ‖ **fácil** · **sencilla** · **inocente** · **sincera** ‖ **personal** *En la entrevista no se atenderán preguntas personales* ‖ **aleccionadora** · **intencionada** · **atinada** · **certera** · **oportuna** ‖ **crucial** · **esencial** · **enjundiosa** · **fundamental** · **elemental** ‖ **acuciante** · **apremiante** · **candente** ‖ **directa** · **a bocajarro** *Me lanzó la pregunta a bocajarro* · **a quemarropa** · **a bote pronto**

● CON SUSTS. **lluvia (de)** · **sarta (de)** *Me acribillaron con una sarta de preguntas indiscretas* ‖ **contestación (a)** · **respuesta (a)**

● CON VBOS. **acuciar (a alguien)** · **asaltar (a alguien)** · **brotar** *De sus labios brotó una lluvia de preguntas* · **surgir** · **fluir** · **caber** ‖ **circular** · **flotar en el aire** · **quedar en el aire** *La pregunta quedó en el aire, sin respuesta* · **caer en el vacío** ‖ **atañer** ‖ **formular** · **hacer** · **plantear** *Planteé una pregunta clara y sencilla* · **lanzar** · **espetar** · **dejar caer** · **repetir** ‖ **contestar** · **atender** · **responder** · **resolver** · **zanjar** · **despachar** · **aclarar** *Nadie quiso aclararme tan enigmática pregunta* · **esclarecer** ‖ **capear** · **esquivar** · **obviar** · **desviar** · **sortear** *El entrenador sorteó hábilmente todas las preguntas incómodas* · **dejar (en el aire)** · **eludir** ‖ **devolver** ‖ **comprender** ‖ **acribillar (a)** · **freír (a)** *Los periodistas me frieron a preguntas*

● CON PREPS. **al hilo (de)** *Al hilo de esa pregunta le diré que...* · **en función (de)** · **según** · **respecto (a)**

preguntar v.

● CON ADVS. **abiertamente** · **sin tapujos** *Me preguntó sin tapujos por mi opinión sobre...* · **sin miedo** · **sin rodeos** ‖ **a bocajarro** · **a quemarropa** · **directamente** ‖ **insistentemente** · **por activa y por pasiva** *Le he preguntado por activa y por pasiva sobre sus intenciones, pero...* ‖ **honradamente** · **sinceramente** ‖ **en voz {alta/baja}** · **a gritos** · **a voces** · **a voz en grito** ‖ **capciosamente** · **enigmáticamente** · **maliciosamente** · **con doble intención** · **con segundas** · **con retintín** ‖ **a lo loco** *Deja preguntar a lo loco y piensa un poco* · **a bote pronto** · **sin ton ni son**

prejuicio s.m.

● CON ADJS. **arraigado** *Los prejuicios arraigados son difíciles de combatir* · **asentado** · **hondo** · **atávico** · **enraizado** · **anquilosado** ‖ **extendido** · **común** · **vulgar** · **reiterado** · **conocido** · **consabido** ‖ **fuerte** · **claro** · **acendrado** ‖ **infundado** *El suyo era un prejuicio totalmente infundado* · **injustificado** · **absurdo** ‖ **discriminatorio** ‖ **preso,sa (de)** · **libre (de)** · **cargado,da (de)** · **lleno,na (de)**

● CON SUSTS. **falta (de)** · **ausencia (de)** ‖ **serie (de)** · **montón (de)**

● CON VBOS. **aflorar** · **existir** ‖ **desvanecerse** ‖ **tener** *Tiene un montón de prejuicios* · **albergar** · **acumular** · **perder** ‖ **combatir** · **vencer** · **desterrar** · **superar** *Ojalá que todo esto le ayude a superar sus prejuicios* ‖ **caer (en)** · **ceder (a)** · **dejarse llevar (por)** ‖ **desprender(se) (de)** · **liberar(se) (de)** ‖ **luchar (contra)**

● CON PREPS. **con** *una persona con prejuicios* · **sin**

prejuzgar v.

● CON SUSTS. **cuestión** · **tema** · **materia** · **asunto** ‖ **actuación** *No prejuzguemos la actuación del juez* · **acción** · **procedimiento** · **actividad** ‖ **futuro** · **porvenir** ‖ **decisión** · **resultado** · **conclusión** · **desenlace** · **solución** · **resolución** · **respuesta** · **sentencia** ‖ **culpabilidad** · **responsabilidad** · **intención** · **autoría** · **imputación** · **inocencia** *prejuzgar la inocencia o culpabilidad de un detenido* · **participación** ‖ **comportamiento** · **conducta** · **postura** · **carácter** · **opinión** ‖ **motivación** · **motivo** · **razón** · **causa** · **móvil** ‖ **consecuencia** · **efecto** *No se pueden prejuzgar los efectos de esta última medida basándose simplemente en un diagnóstico previo* · **repercusión**

● CON ADVS. **desfavorablemente** ‖ **de antemano** *Se trata únicamente de no prejuzgar de antemano la conducta de los demás* · **con anterioridad** ‖ **dogmáticamente** · **alegremente** · **gratuitamente**

preliminar adj.

● CON SUSTS. **etapa** · **fase** *las fases preliminares de un proyecto* · **paso** ‖ **acción** · **acuerdo** · **decisión** · **declaración** ‖ **conversación** · **encuentro** · **reunión** · **ronda** ‖ **ensayo** · **lectura** · **nota** ‖ **esquema** · **análisis** *un análisis preliminar de la situación* · **diagnóstico** · **evaluación** · **recuento** · **cálculo** · **estimación** · **examen** · **investigación** · **pesquisa** · **estudio** · **explicación** · **revisión** · **informe** · **resumen** ‖ **cifra** · **dato** *De momento, únicamente disponemos de datos preliminares* · **resultado** ‖ **diligencia** · **prueba** · **audiencia** · **juicio** · **vista**

prematrimonial adj.

● CON SUSTS. **relaciones** · **sexo** · **experiencia** · **cohabitación** · **castidad** ‖ **cursillo** · **catequesis** ‖ **acuerdo** *Los dos actores firmaron un acuerdo prematrimonial* · **contrato** ‖ **época** · **período**

prematuro, ra adj.

● CON SUSTS. **bebé** *Como el bebé fue prematuro, tuvo que pasar varios días en la incubadora* · **niño,ña** · **hijo,ja** ‖

parto · nacimiento || envejecimiento · edad · vejez · calvicie || madurez || muerte · fallecimiento · mortalidad *el índice de mortalidad prematura* **|| retirada · jubilación || relación · experiencia || sexo · eyaculación || diagnóstico · juicio · cálculo · decisión · elección · hipótesis || apertura · cierre || presentación · declaración** *una declaración prematura de intenciones* **|| realización · eliminación || reacción · violencia**
● CON VBOS. **considerar · calificar (de)**

premeditado, da adj.

● CON SUSTS. **asesinato · crimen · homicidio** *Lo declararon culpable de homicidio premeditado* **· genocidio || robo · atraco || agresión · ataque · ofensiva · venganza · incendio · destrucción || engaño · olvido · trampa || plan · estrategia · fórmula || acción · operación · campaña || objetivo** *con el objetivo premeditado de aclarar lo sucedido* **· intención · idea · actitud || interrupción**

premiar v.

● CON SUSTS. **artista · músico,ca · trabajador,-a · equipo · orquesta · concursante ·** ***otros individuos y grupos humanos*** **|| obra · novela · relato · película · cuadro · pieza · disco · publicación ·** ***otras creaciones*** **|| candidatura · papeleta · número** *el número que ha sido premiado en el sorteo de hoy* **· décimo · billete · boleto · participación · terminación · combinación · cupón || tarea · labor** *Se ha premiado su labor de treinta años al frente de la asociación* **· actividad · trabajo · investigación · colaboración || afán · interés · dedicación · esfuerzo · desvelo**
● CON ADVS. **adecuadamente** *Considera que no han premiado adecuadamente su colaboración* **· como es debido · debidamente · como se merece(n) · merecidamente · en justicia · ex aequo · justamente || injustamente · inmerecidamente**

premio s.m.

● CON ADJS. **acreditado · reconocido** *un reconocido premio de poesía* **· prestigioso · renombrado · valioso || ansiado · codiciado || justo · legítimo · merecido · inmerecido · injusto || considerable · cuantioso · sustancioso** *El premio es muy sustancioso y hay muchos candidatos* **· jugoso || exiguo || literario · deportivo**
● CON SUSTS. **lluvia (de) || entrega (de) · concesión (de) · obtención (de) || reparto (de) · lista (de)**
● CON VBOS. **recaer (sobre alguien)** *El premio recayó sobre un escritor casi desconocido* **|| crear** *La fundación ha creado un premio con su nombre* **· establecer || conceder · otorgar · adjudicar · asignar · amañar || arañar · disputar · alcanzar · conquistar · embolsar(se) · ganar · cosechar** *Esta investigadora ha cosechado varios premios internacionales* **· obtener · recibir || rechazar || acaparar · atesorar · merecer || sufragar || galardonar (con) · nominar (para)** *Han nominado la película a varios premios* **|| optar (a) · presentarse (a)**
● CON PREPS. **de** *un lote de libros de premio* **· con · sin**

premisa s.f.

● CON ADJS. **inicial · básica · elemental · esencial · sustancial · fundamental** *Una premisa fundamental es que el producto sea asequible* **· necesaria · obligada · indispensable · insoslayable · irrenunciable || clara · categórica · sólida · incontestable || fundada · racional || equivocada · errónea** *El razonamiento parte de una premisa errónea* **· falsa || anterior · previa · subyacente || convenida · preestablecida || argumental · conceptual · ideológica · teórica || organizativa · reivindicativa**
● CON SUSTS. **serie (de) · conjunto (de)**
● CON VBOS. **descansar (sobre algo) · apoyar(se) (en algo) || anticipar · establecer · fijar · sentar · formular · plantear** *...siempre que las premisas estén correctamente planteadas* **· exponer || aceptar · admitir · asumir · presuponer · cumplir · afirmar · mantener · sostener || abandonar** *Para resolver la situación es necesario abandonar la premisa de que...* **· descartar · ignorar · obviar · transgredir · contradecir · contravenir || compartir · negociar || utilizar || constituir || acudir (a) · partir (de) · poner (como) || deducir(se) (de) · derivar(se) (de)** *La conclusión que se deriva de las premisas anteriores es...* **· basar(se) (en) · fundamentar(se) (en) · regir(se) (por) · reposar (sobre)**
● CON PREPS. **a partir (de) · bajo · con · desde · en función (de)**

premonición s.f.

● CON ADJS. **clara || triste · dura · inquietante || negra · mala · ominosa · siniestra** *Tuve la siniestra premonición de que iba a pasar algo terrible* **|| genial** *Una premonición genial le hizo adivinar el resultado* **· milagrosa**
● CON VBOS. **cumplir(se) || tener · hacer · expresar**

prenda s.f.

● CON ADJS. **ajustada · holgada · ceñida || llamativa · original · clásica · (a/de) rayas || imprescindible · básica · socorrida || de calidad** *Los precios son elevados porque solo venden prendas de calidad* **· delicada · de moda · impecable || elegante · deportiva · de vestir · de montaña · de paseo · de playa · de ciudad · de noche · de día · de verano · de abrigo · de invierno** *Ya he guardado todas las prendas de invierno* **· de primavera · de otoño · de batalla || textil · vaquera || íntima || femenina · masculina || cómoda · incómoda || rebajada · en oferta**
● CON SUSTS. **confección (de) · patrón (de) · talla (de) || marca (de) · firma (de) || colección (de) · modelo (de) · línea (de) · gama (de)**
● CON VBOS. **ajustar(se) · ceñir(se) · atar(se) || dar de sí · encoger** *En la etiqueta dice que esta prenda puede encoger* **· arrugar(se) || abrochar · desabrochar · llevar · poner(se) · quitar(se) || alisar · remangar(se) || rebajar || diseñar · confeccionar · coser · cortar · tejer · zurcir || cambiarse (de) · mudarse (de)**
☐ EXPRESIONES **no soltar prenda** [no dar ninguna información] *col.*

prendarse (de) v.

● CON SUSTS. ***persona*** *Se prendó de ella en cuanto la conoció* **|| mirada · ojos · sonrisa || belleza · delicadeza · manera · simpatía ·** ***otras cualidades***
● CON ADVS. **súbitamente · repentinamente**

[prender] → prender; prender (en alguien)

prender v.

● CON SUSTS. **fuego · mecha · vela · llama · chispa · hoguera · cerilla · fósforo · mechero** *el momento romántico del concierto, con todos los mecheros prendidos en alto...* **· antorcha · bengala · lumbre · yesca || cigarrillo · puro · pitillo || madera · leña · gasolina || luz · bombilla · linterna · farol · foco || televisión · radio** *Lo primero que hace al llegar a casa es prender la radio* **· computadora · motor · cámara || ánimo · fiesta**

prender (en alguien) v.

● CON SUSTS. **llama · chispa** *La chispa del amor prendió en ellos desde su primer encuentro* **· fuego || apatía · desánimo · deseo · desilusión** *La desilusión y el desánimo prendieron pronto en los participantes* **· emoción · miedo**

· **pasión** · **sentimiento** || **interés** · **afición** · **curiosidad** *La curiosidad tardó en prender en los espectadores* · **duda** · **incertidumbre**

[prensa] → prensa; rueda de prensa

prensa s.f.

● CON ADJS. **escrita** · **digital** · **diaria** · **semanal** || **matutina** · **vespertina** || **rosa** *un debate sobre los límites de la prensa rosa* · **del corazón** · **amarilla** || **especializada** · **deportiva** · **literaria** · **universitaria** · **financiera** · **económica** || **local** · **nacional** · **internacional** *El suceso fue destacado por la prensa internacional* · **extranjera** || **libre** · **independiente** || **parcial** · **adicta** · **gubernamental**

● CON SUSTS. **conferencia (de)** · **rueda (de)** *ofrecer una rueda de prensa* · **reunión (de)** · **medio (de)** || **nota (de)** · **comunicado (de)** · **recorte (de)** · **noticia (de)** || **artículo (de)** · **titular (de)** · **comentario (de)** · **fotografía (de)** || **corresponsal (de)** *Fue corresponsal de prensa en Asia durante bastantes años* · **hombre (de)** · **mujer (de)** || **jefe,fa (de)** · **gabinete (de)** · **secretario,ria (de)** *El secretario de prensa del partido ha dado a conocer...* || **cobertura (de)** · **atención (de)** · **oficina (de)** || **libertad (de)** · **ley (de)** · **censura (de)**

● CON VBOS. **publicar (algo)** · **anunciar (algo)** · **denunciar (algo)** · **comunicar (algo)** · **hacer público (algo)** || **publicar (en)** · **colaborar (en)** || **declarar (a/en)** *Declaró a la prensa que no volvería a presentarse a las elecciones* · **aparecer (en)**

□ EXPRESIONES **tener {buena/mala} prensa** [gozar de buena o mala fama]

prensar v.

● CON SUSTS. **uva** · **aceituna** || **papel** || **hojalata** · **metal** · **chatarra** *Prensan la chatarra y después la venden*

preocupación s.f.

● CON ADJS. **enorme** · **gran(de)** · **tremenda** · **desmedida** · **honda** · **profunda** *sucesos inquietante que vivimos con profunda preocupación* · **arraigada** · **suma** · **grave** · **intensa** · **seria** · **acusada** || **acuciante** · **apremiante** · **candente** · **viva** || **fija** · **obsesiva** · **persistente** · **absorbente** · **a cuestas** || **latente** || **infundada** *Quizá sea una preocupación infundada, pero no se me va de la cabeza* · **vana** || **ligera** · **llevadera** || **incontables** · **infinitas** || **humanitaria** · **social** || **envuelto,ta (en)** · **preso,sa (de)** · **sumido,da (en)** · **personal** · **general**

● CON SUSTS. **cúmulo (de)** · **suma (de)** || **expresión (de)** · **gesto (de)** *Ambos nos miramos con gesto de preocupación* · **muestra (de)** · **asomo (de)** || **objeto (de)**

● CON VBOS. **apoderar(se) (de alguien)** · **absorber (a alguien)** · **afectar (a alguien)** · **embargar (a alguien)** · **asaltar (a alguien)** · **entrar (a alguien)** · **invadir (a alguien)** · **sobrevenir (a alguien)** · **acechar (a alguien)** · **acosar (a alguien)** · **acuciar (a alguien)** · **atormentar (a alguien)** · **corroer (a alguien)** · **influir** || **aflorar** · **desatar(se)** · **despertar (en alguien)** · **surgir** · **cundir** · **agravar(se)** · **resurgir** || **aplacar(se)** · **desaparecer** *Todas nuestras preocupaciones desaparecerían si encontráramos el informe* · **desvanecerse** · **disipar(se)** · **irse(le) (a alguien)** || **traslucir(se)** || **dar (a alguien)** *¡Cuántas preocupaciones nos dan los hijos!* · **ocasionar (a alguien)** · **reportar (a alguien)** || **sentir** · **sufrir** || **transmitir (a alguien)** · **contar (a alguien)** || **aligerar** · **apaciguar** · **olvidar** || **encauzar** · **solucionar** · **atender** || **dar salida (a)** · **liberar(se) (de)** · **librar(se) (de)** · **lidiar (con)** *La consciencia y la serenidad necesarias para lidiar con las preocupaciones del día a día* || **aliviar(se) (de)**

● CON PREPS. **con**

preocupar(se) v.

● CON ADVS. **enormemente** · **profundamente** · **vivamente** · **ostensiblemente** · **notablemente** || **gravemente** · **seriamente** · **sinceramente** || **justificadamente** || **injustificadamente** · **sin motivo** *Creo que te preocupas sin motivo* · **sin razón** · **inútilmente**

preparar(se) v.

● CON ADVS. **a conciencia** · **a fondo** · **concienzudamente** *Ha preparado concienzudamente el examen* · **escrupulosamente** · **detalladamente** · **con detalle** · **al detalle** *El viaje se preparó al detalle* · **con todo lujo de detalles** · **con dedicación** · **exhaustivamente** || **con esfuerzo** · **arduamente** · **con tensión** || **con antelación** *Preparamos la visita con mucha antelación* · **con tiempo** · **de antemano** || **a lo grande** · **estratégicamente** || **a lo loco** · **atropelladamente** · **a marchas forzadas** · **a medias** · **en parte** || **en balde** || **sobradamente** · **suficientemente**

□ USO Se construye frecuentemente con complementos encabezados por la preposición *para*: *Debes prepararte para el futuro.*

preparativos s.m.pl.

● CON ADJS. **cuidadosos** · **minuciosos** · **estudiados** || **intensos** · **largos** · **costosos** || **excepcionales** || **listos** || **plenos** *En plenos preparativos del viaje, la agencia decidió cancelarlo* · **previos** · **primeros** · **últimos** || **suficientes** · **insuficientes** || **bélicos** · **militares** · **electorales** · **olímpicos** *Los preparativos olímpicos avanzan muy deprisa* · **técnicos** · **logísticos**

● CON SUSTS. **días (de)** · **semanas (de)** · **años (de)** · ***otros períodos*** || **fase (de)** || **cantidad (de)**

● CON VBOS. **adelantar(se)** · **avanzar** · **proseguir** || **concluir** *Por fin han concluido los preparativos para el acto* || **abordar** · **iniciar** · **llevar a cabo** · **efectuar** · **realizar** · **ultimar** || **establecer** · **organizar** · **centrar** || **acelerar** *Se aceleran los preparativos del desfile* · **intensificar** · **reforzar** · **retrasar** · **interrumpir** · **suspender** || **delegar** || **centralizar** · **supervisar** · **dirigir** || **afanarse (en)**

● CON PREPS. **durante** · **en medio (de)** *En medio de los preparativos se fue la luz*

preponderante adj.

● CON SUSTS. **factor** · **miembro** · **componente** · **elemento** · **aspecto** · **tono** · **nota** || **personaje** *Es un personaje preponderante en la vida política del país* · **figura** · **grupo** · **clan** · **asociación** · ***otros individuos y grupos humanos*** || **asunto** · **tema** · **cuestión** || **palabra** · **idioma** · **lengua** · **habla** || **papel** *El acuerdo puede desempeñar un papel preponderante en el restablecimiento de la paz* · **función** · **posición** *Ocupa entre sus compañeros una posición preponderante* · **lugar** · **situación** · **rol** || **peso** · **importancia** · **relevancia** · **protagonismo** || **actividad** *La actividad preponderante de la región es la agricultura* · **práctica** · **tendencia** · **ideología** || **estilo** · **género** · **moda** · **tradición** · **costumbre**

[presa] s.f. → de presa; preso, sa

presagiar v.

● CON SUSTS. **resultado** || **desastre** · **desgracia** · **tragedia** · **guerra** · **muerte** || **derrota** · **derrumbe** · **debacle** · **caída** || **triunfo** *Las encuestas presagiaban el triunfo electoral del partido* · **victoria** || **lluvia** · **temporal** · **tormenta** · **chubascos** · **aguacero** || **problema** · **crisis** || **futuro** · **augurio** || **cambio** · **final** · **ruptura** *Nada hacía presagiar la ruptura de las relaciones diplomáticas* · **giro** · **vuelco**

presagio s.m.

• CON ADJS. **mal(o)** · **negro** · **funesto** · **agorero** · **infausto** · **amenazador** · **aciago** *Un presagio aciago se cernía sobre ellos* · **inquietante** · **oscuro** · **sombrío** *Se ciernen sombríos presagios sobre el futuro de la economía* || **falso** · **incierto** || **buen(o)** · **halagüeño** || **certero** || **cargado,da (de)** · **lleno,na (de)**

• CON VBOS. **acechar (a alguien)** · **cernerse (sobre alguien)** · **consumar(se)** *Los presagios más oscuros se han consumado* || **cumplir(se)** *Finalmente se han cumplido los presagios* || **sentir** · **tener** · **vaticinar** · **augurar** || **confirmar** · **desmentir** || **convertirse (en)**

prescindir v.

• CON ADVS. **completamente** · **del todo** · **por completo** *Decidí prescindir por completo de su dinero* · **enteramente** · **totalmente** · **absolutamente** || **abiertamente** · **olímpicamente** || **en parte** · **parcialmente** · **temporalmente** · **por ahora** · **momentáneamente** · **por un tiempo** · **definitivamente**

□ USO Se construye con complementos encabezados por la preposición *de*: *prescindir del coche.*

prescribir v.

▮ [recetar]

• CON SUSTS. **fármaco** · **medicación** · **medicamento** || **terapia** · **tratamiento** || **dieta** · **régimen** || **ejercicio** · **reposo** *La doctora le prescribió reposo durante dos semanas* · **actividad**

▮ [caducar]

• CON SUSTS. **período** · **plazo** *Debo enviar la solicitud antes de que prescriba el plazo estipulado* · **límite** || **conclusión** · **decisión** || **obligación** || **ley** · **reglamento** || **expediente** || **caso** · **demanda** · **condena** · **fallo** · **sentencia** · **pena** || **crimen** · **delito** · **infracción** · **multa** *La multa prescribe dentro de cinco años*

presencia s.f.

▮ [hecho de estar presente]

• CON ADJS. **clara** · **visible** · **viva** · **ostensible** || **desbordante** · **masiva** *Hay una presencia masiva de bacterias en las muestras analizadas* · **multitudinaria** · **nutrida** || **entrañable** · **grata** · **imborrable** · **tranquilizadora** · **ansiada** || **asidua** · **constante** · **permanente** · **habitual** *Se ha logrado gracias a la presencia habitual de la Policía en la zona* || **ocasional** · **simbólica** · **escasa** · **fugaz** || **disuasoria** · **testimonial** || **paritaria** || **inexcusable** · **necesaria** · **urgente** || **policial** · **militar** · **pública** · **institucional** · **social** · **informativa**

• CON SUSTS. **acto (de)** *hacer acto de presencia* || **falta (de)** *Se ha criticado la falta de presencia institucional en los actos de ayer*

• CON VBOS. **aumentar** · **crecer** · **afianzar(se)** · **consolidar(se)** · **disminuir** · **decrecer** || **molestar (a alguien)** *Empezaba a molestarme su constante presencia en mi casa* || **advertir** · **descubrir** · **detectar** · **sentir** · **notar** · **percibir** · **confirmar** || **aclamar** · **destacar** · **señalar** || **desear** · **esperar** · **reclamar** · **requerir** *Se requiere la presencia del demandante* || **prodigar** || **justificar** || **inundar (con)** *Inundaba el aire con su mera presencia*

• CON PREPS. **ante** *Siempre temblaba ante su presencia* · **en** *en presencia de su abogada*

▮ [aspecto]

• CON ADJS. **buena** *un señor de buena presencia y aire distinguido* · **mala** · **imponente** *Su imponente presencia no pasó desapercibida* · **majestuosa** · **mayestática** · **acusada** · **fuerte** · **abrumadora**

presencial adj.

• CON SUSTS. **curso** *El curso es presencial, con turnos de mañana o de tarde* · **clase** · **alumno,na** || **testigo**

presenciar v.

• CON SUSTS. **enfrentamiento** · **lucha** · **pelea** · **evento** · **acontecimiento** · **ceremonia** · **acto** || **accidente** · **catástrofe** · **desastre** · **tragedia** *Nunca había presenciado una tragedia como esta* · ***otros sucesos*** || **discurso** · **charla** · **ponencia**

• CON ADJS. **atónito,ta** · **estupefacto,ta** · **sorprendido,da** · **asombrado,da** · **incrédulo,la** || **ensimismado,da** · **cariacontecido,da** · **impasible** · **impotente**

• CON ADVS. **de cerca** · **en primera línea** · **en carne y hueso** · **en vivo y en directo** *Se están buscando testigos que hayan presenciado el accidente en vivo y en directo* · **in situ** || **en silencio** · **sin pestañear** · **sin inmutarse** · **sin mover una ceja** || **de lejos** || **de incógnito**

presentador, -a s.

• CON ADJS. **famoso,sa** · **popular** *un popular presentador de televisión* || **de televisión** · **de radio** || **nuevo,va** · **novato,ta** · **antiguo,gua** · **anterior** · **actual** || **experimentado,da** · **curtido,da** || **ágil** · **aburrido**

• CON SUSTS. **estrella** *la presentadora estrella de la temporada*

• CON VBOS. **trabajar (como/de)** · **ejercer (como/de)** · **debutar (como)** · **encasillar (a alguien) (como)** · **triunfar (como)**

[presentar] → presentar(se); presentar(se) (a)

presentar(se) v.

▮ [acudir, asistir]

• CON ADJS. **sano y salvo** · **puntual** · **impoluto,ta** || **obligado,da**

• CON ADVS. **de punta en blanco** || **de improviso** · **de incógnito** · **repentinamente** · **sin avisar** *Se presentó en mi casa sin avisar* · **sin previo aviso** · **de golpe y porrazo** · **abruptamente** · **por las buenas** || **como un clavo** · **puntualmente** || **en persona** || **a las tantas** *Iba a llegar a las diez y se presentó a las tantas*

▮ [exhibir, exponer]

• CON ADVS. **a bombo y platillo** *Hace un mes presentaron a bombo y platillo su programa político* · **a lo grande** || **a cara descubierta** · **a pelo** || **a grandes rasgos** *Presentaron el programa sin detalles, a grandes rasgos* · **sintéticamente** · **con detalle** · **detalladamente** · **pormenorizadamente** · **punto por punto** || **reiteradamente** || **con éxito** · **dignamente** · **negativamente** || **a lo lejos** || **alfabéticamente** · **cronológicamente** · **en orden** · **ordenadamente** *Las propuestas se presentaron ordenadamente* · **desordenadamente** · **verbalmente**

▮ [manifestarse, aparecer]

• CON ADJS. **complicado,da** *La situación se presenta complicada* · **difícil** · **fácil** · **sencillo,lla** · **incierto,ta**

• CON ADVS. **bien** · **mal** · **regular** *El verano se me presenta regular* · **de perlas** · **estupendamente**

presentar(se) (a) v.

• CON SUSTS. **concurso** · **premio** · **certamen** · **convocatoria** || **prueba** · **examen** · **oposición** *Se presentó a una oposición y lo suspendieron en el primer ejercicio* || **filas**

• CON ADVS. **voluntariamente** · **a la fuerza** *...y sus amigos lo obligaron, así que se presentó al concurso a la fuerza*

presente s.m.

▮ [momento temporal]

● CON ADJS. **esplendoroso · halagüeño · prometedor · esperanzador · ilusionante || desalentador · doloroso · incierto · inestable || inmediato || rabioso**

● CON VBOS. **aprovechar · vivir** *vivir el presente sin dejarse abrumar por el futuro* **|| captar || tener || aferrarse (a) · ceñir(se) (a) || huir (de) · escapar (de) || disfrutar (de)**

presentimiento s.m.

● CON ADJS. **buen(o) || mal(o) · terrible · trágico · oscuro · triste · amargo || fuerte || extraño || fundado · infundado** *Sus presentimientos son infundados*

● CON VBOS. **acechar (a alguien) · asaltar (a alguien)** *De pronto me asaltó el terrible presentimiento de que no volvería a verlo* **· venir (a alguien) || confirmar(se) || tener** *Tengo un mal presentimiento* **· albergar · abrigar · sentir || corroborar**

presentir v.

● CON SUSTS. **muerte · peligro** *Antes del terremoto, los perros ladraban mucho, como si presintieran el peligro* **· problema · tormenta || resultado · éxito · fracaso || final · cambio · movimiento · mejora || futuro**

● CON ADVS. **acertadamente** *Presintió acertadamente su llegada* **· equivocadamente || con fundamento · justificadamente || sin fundamento · infundadamente || injustamente · injustificadamente**

preservar v.

● CON SUSTS. **medio ambiente** *La organización lucha por preservar un medio ambiente natural y saludable* **· naturaleza · ecosistema · paisaje · flora · fauna · especie || vida · salud · futuro || seguridad · orden** *Las medidas preventivas se mantendrán con la intención de preservar el orden y la estabilidad* **· paz · estabilidad · libertad · tranquilidad · armonía || identidad** *...un marco legislativo adecuado que preserve la identidad cultural de cada país* **· integridad · unidad · intimidad · imagen · memoria || buen nombre · honor · prestigio · honorabilidad || cultura · patrimonio || zona · entorno · espacio || interés** *El comité intenta preservar los intereses de los trabajadores* **· derecho ·** ***otros bienes***

● CON ADVS. **debidamente · en buen estado** *Los socios deberán preservar todas las instalaciones en buen estado* **|| a toda costa · por encima de todo**

preservativo s.m.

● CON ADJS. **de látex · lubricado || seguro · fino**

● CON SUSTS. **caja (de) · paquete (de) · marca (de) || información (sobre) || uso (de)** *una campaña para recomendar el uso del preservativo*

● CON VBOS. **romper(se) || usar · utilizar · llevar · tener || poner(se) · quitar(se) || recomendar · aconsejar · preferir || extender · promocionar**

● CON PREPS. **con · sin**

presidencia s.f.

● CON ADJS. **corta** *En su corta presidencia tomó algunas medidas trascendentales* **· breve || duradera · larga || temporal · vitalicia || efectiva || honorífica · institucional**

● CON SUSTS. **función (de) · papel (de) || período (de)**

● CON VBOS. **corresponder (a alguien) · recaer (en alguien)** *La presidencia honorífica recayó en el socio más antiguo* **|| culminar || empezar · comenzar · continuar · seguir · finalizar · terminar || alcanzar · conseguir · ganar · conquistar · obtener · escalar · asumir** *Asumió la presidencia temporal hasta el fin del ejercicio* **|| abandonar · delegar · perder || ocupar · ejercer · ostentar || llegar (a) · acceder (a) · hacerse (con) · hacerse cargo (de)** *Nadie quería hacerse cargo de la presidencia* **· elegir (para) · mantener(se) (en) || dimitir (de) · cesar (en) · apear(se) (de) · destituir (de)**

● CON PREPS. **a cargo (de) || a lo largo (de) · desde · durante**

presidente, ta s.

● CON ADJS. **nuevo,va · antiguo,gua · anterior · posterior || de mesa || honorífico,ca · honorario,ria** *Es presidenta honoraria de la fundación* **|| electo,ta · vitalicio,cia || ejecutivo,va · en funciones · in péctore · interino,na · dimisionario,ria**

● CON SUSTS. **cargo (de) · puesto (de) · función (de)**

● CON VBOS. **gobernar · dirigir (algo) · administrar (algo)** *El presidente administra la recaudación de la comunidad* **|| dimitir · cesar (en sus funciones) || mandar (algo) · ordenar (algo) || nombrar · investir · elegir || destituir || ejercer (de/como)** *Hasta las próximas elecciones ejercerá de presidenta en funciones* **· actuar (de/como) · hacer (de) || votar (para/como)**

presidir v.

● CON SUSTS. **gobierno · empresa · organismo · institución · administración · fundación · club · entidad || nación · país** *los candidatos a presidir el Gobierno del país* **|| jurado · grupo · equipo · comisión || reunión · ceremonia · sesión · acto · encuentro ·** ***otros eventos*** **|| mesa** *¿Quién presidirá la mesa?*

presión s.f.

● CON ADJS. **acuciante · agobiante** *Sus amenazas ejercían una presión agobiante sobre los demás* **· aplastante · asfixiante · sofocante · abrumadora || inaguantable · insoportable · insostenible · estresante · inhumana || continua · insistente · directa · descarada** *Su presión sobre el tribunal ha sido además de continua, descarada* **|| considerable · enorme** *El gas salió con una enorme presión* **· fuerte · gran(de) · tremenda · acusada · intensa · irresistible · severa || leve · débil · ligera · indirecta · a la baja || fiscal · económica · administrativa · laboral || atmosférica || sujeto (a) · sometido (a)**

● CON SUSTS. **objeto (de) · efecto (de)** *Las cañerías reventaron por efecto de la presión*

● CON VBOS. **gravitar (sobre algo/sobre alguien) · acuciar (a alguien) · cernerse (sobre algo/sobre alguien) · absorber · sostener || agravar(se) · agudizar(se) · aumentar** *La presión aumentaba según iba descendiendo el submarino* **· arreciar || disminuir · decaer · decrecer · aplacar(se) || hacer · ejercer · realizar · aplicar || aguantar · soportar** *con unos contrafuertes que podían soportar una gran presión* **· sufrir · acusar || eludir · evitar · sacudirse · resistir · vencer || aliviar · aminorar · aflojar · aligerar · atemperar · liberar || incrementar · intensificar · redoblar || dejarse llevar (por) · rendirse (a/ante) · ceder (a) · plegarse (a) || someter (a)** *Durante los exámenes nos sometieron a una tremenda presión* **|| librar(se) (de)**

preso, sa

1 **preso, sa** adj.

▮ [apresado, prisionero]

● CON VBOS. **caer** *caer preso de los celos* **· estar · encontrarse · hallarse · quedar(se) || seguir · continuar · permanecer || llevar (a alguien)** *Dos guardias llevaban presa a una mujer* **· llevar (tiempo)** *...dado el tiempo que llevaba preso en el mismo penal*

2 **preso, sa (de)** adj.

▮ [dominado por algo]

● CON SUSTS. **pánico** *El terremoto hizo que todos salieran corriendo presos del pánico* · **miedo** · **nervios** · **ira** · **ansiedad** · **desesperación** · **excitación** · **histeria** · **nerviosismo** · **emoción** *El ganador del premio fue presa de la emoción* · **angustia** · **furia** · **celos** · **irritación** · **rabia** || **delirio** · **locura** *Murió preso de la locura* · **demencia** · **paranoia** · **enajenación** || **nostalgia** · **desgana** · **depresión** · **melancolía** · **abatimiento** · **desidia** · **hastío** || **contradicción** · **incertidumbre** · **confusión** · **duda** *Vivían presos de la duda y la desesperanza* · **error** · **indecisión** · **dilema** · **malentendido** || **ideología** · **principio** · **idea** *Algunos siguen presos de ideas inamovibles a las que se aferran como a un último recurso* · **fundamentalismo** · **militarismo** · **concepción** · **convicción** || **aspiración** · **deseo** · **ambición** · **obsesión** · **tentación** · **voluntad** · **expectativa** · **codicia** *Los herederos seguían enfrentados, presos de la codicia y del interés, para obtener cada uno la parte más sustanciosa de...* · **necesidad** · **dependencia** · **adicción** · **interés** || **prejuicio** · **intolerancia** · **soberbia** · **fanatismo** || **llamas** *No tardó en consumirse todo el edificio, preso de las llamas* || **cáncer** · **viruela** · **sida** · ***otras enfermedades***

3 **preso, sa** s.

▮ [persona encarcelada]

● CON ADJS. **político,ca** *petición de indulto para un preso político* · **de conciencia** · **común** || **peligroso,sa** || **preventivo,va** · **reincidente** *La protagonista es una presa reincidente que está logrando reformarse* · **excarcelado,da** · **convicto,ta** · **de {buena/mala} conducta**

● CON SUSTS. **acercamiento (de)** · **reagrupamiento (de)** · **dispersión (de)** · **reinserción (de)** · **excarcelación (de)** || **trato (a)** *...a fin de que el trato a los presos sea más humanitario* · **comportamiento (de)** · **conducta (de)**

● CON VBOS. **cumplir condena** *Varios presos peligrosos cumplen condena en esta cárcel* || **escapar** *Las presas escaparon después de amotinarse* · **fugarse** · **huir** · **salir libre** || **amotinarse** || **reformar(se)** · **regenerar(se)** || **encarcelar** · **trasladar** · **extraditar** · **intercambiar** || **amnistiar** · **liberar** · **excarcelar** *excarcelar a un preso político* · **dejar libre** || **juzgar** · **sentenciar**

4 **presa** s.f.

▮ [construcción]

● CON ADJS. **hidroeléctrica** · **hidráulica** || **en funcionamiento** · **en actividad**

● CON SUSTS. **aliviadero (de)** · **compuerta (de)** · **nivel (de)** || **capacidad (de)**

● CON VBOS. **llenar(se)** *La presa se ha llenado con las lluvias de este invierno* · **contener agua** · **vaciar(se)** · **desbordar(se)** · **romper(se)** || **producir electricidad** · **suministrar energía** *una presa que suministra energía a la región* || **construir** · **hacer** || **abrir** || **volar** *Volaron la presa con cuatro cargas de TNT*

▮ [pieza de caza, captura]

● CON ADJS. **indefensa** · **fácil** *un parlamentario novato que era presa fácil para los periodistas* · **solitaria** || **confiada** || **codiciada**

● CON SUSTS. **perro,rra (de)** · **ave (de)**

● CON VBOS. **acechar** · **vigilar** || **perseguir** · **amenazar** · **atrapar** || **liberar** · **soltar** || **abatir(se) (sobre)** *El león se abatió sobre su presa*

prestación s.f.

● CON ADJS. **laboral** · **social** · **por desempleo** · **de ayuda** · **de servicio** *La prestación del servicio de comedor no estaba estipulada* · **pública** · **contributiva** · **no contributiva** · **sanitaria** · **económica** · **familiar** · **individual**

● CON SUSTS. **nivel (de)** · **sistema (de)** · **catálogo (de)** · **régimen (de)** · **derecho (a)** || **pago (de)** · **cobro (de)** · **recorte (de)**

● CON VBOS. **solicitar** *solicitar la prestación de desempleo* || **conceder** || **denegar** · **negar** || **cobrar** *Ha aumentado el número de personas que cobran una prestación por desempleo* · **recibir** || **ampliar** · **aumentar** · **reducir** || **calcular** || **acceder (a)**

● CON PREPS. **en materia (de)**

préstamo s.m.

● CON ADJS. **de interés {alto/bajo}** *El banco ofrece préstamos de interés muy bajo para las hipotecas* · **en condiciones {favorables/desfavorables}** · **a fondo perdido** || **a plazos** || **hipotecario** · **personal** || **asequible** · **ruinoso**

● CON SUSTS. **interés (de)** · **plazo (de)** *Los plazos del préstamo son mensuales* || **concesión (de)** · **amortización (de)**

● CON VBOS. **vencer** || **pedir** · **solicitar** · **tramitar** · **concertar** *Concertamos un préstamo personal con el banco* || **conceder (a alguien)** · **dar (a alguien)** || **establecer** · **fijar** || **liquidar** · **pagar** · **saldar** · **zanjar** · **amortizar** || **condonar** *el mismo banco que condonó en su día el préstamo anteriormente concedido* || **avalar**

● CON PREPS. **en** · **en concepto (de)**

prestancia s.f.

● CON ADJS. **gran(de)** · **enorme** · **indudable** · **evidente** · **escasa** || **especial** · **refinada** · **elegante** · **serena** · **caduca** || **natural** *un hombre de una gran prestancia natural* · **personal** · **estética** · **decorativa** || **lleno,na (de)**

● CON SUSTS. **toque (de)** *Las joyas le dan un toque de prestancia* || **falta (de)**

● CON VBOS. **tener** · **mantener** · **conservar** *Ha conservado la prestancia con el paso de los años* · **mostrar** · **perder** || **dar** · **aportar** · **quitar** · **restar** || **alabar** · **admirar** · **advertir** · **notar** · **reconocer** || **destacar (por)** · **presumir (de)** · **jactarse (de)**

● CON PREPS. **de** · **con** *un equipo con prestancia*

[prestar] → prestar; prestarse (a)

prestar v.

▮ [ceder en préstamo]

● CON SUSTS. **libro** · **disco** · **camisa** · ***otros objetos*** || **dinero**

▮ [otorgar, dar, conceder]

● CON SUSTS. **voz** *una asociación que presta su voz a las víctimas de la catástrofe* || **apoyo** *Nos prestó todo su apoyo durante el proyecto* · **asistencia** · **ayuda** · **colaboración** · **auxilio** · **servicio** || **atención** *Si no prestas más atención, no lo entenderás* · **oído** · **vigilancia** || **declaración** · **testimonio** · **juramento**

prestarse (a) v.

● CON SUSTS. **ambigüedad** *Una parte del texto se prestaba a ambigüedad, y fue corregida* · **confusión** · **engaño** · **equívoco** · **conjetura** · **especulación** · **pregunta** *Su repentina desaparición se presta a muchas preguntas* · **sospecha** · **suspicacia** || **análisis** · **interpretación** · **lectura** · **simplificación** || **crítica** · **habladuría** · **controversia** · **discrepancia** || **abuso** *La antigua reglamentación se prestaba a numerosos abusos* · **exceso** · **corrupción** · **irregularidad** · **trampa** · **manipulación** · **manejo** || **charla** · **conversación** · **entrevista** *El galardonado se prestó gustoso a una entrevista* · **debate** · **diálogo** · **discusión** || **enfrentamiento** · **campaña** || **componenda** · **farsa** · **jue-**

go · **maniobra** · **prueba** · **negocio** · **operación** *Los implicados se prestaron de buen grado a la operación porque era segura y muy lucrativa* · **trapicheo** · **complicidad**
● CON ADJS. **encantado,da** *Mi hermano se prestó encantado a ayudarme con la mudanza* · **gustoso,sa**
● CON ADVS. **de buen grado** · **generosamente** · **amablemente** · **voluntariamente** · **gentilmente** · **con gusto** || **a regañadientes**

presteza s.f.

● CON ADJS. **gran(de)** · **enorme** · **suma** · **sorprendente** · **inusual**
● CON VBOS. **admirar** · **alabar**
● CON PREPS. **con** *gracias a que las fuerzas de seguridad actuaron con presteza*

prestigio s.m.

● CON ADJS. **considerable** · **enorme** || **merecido** *un merecido prestigio tras años de servicio* · **ganado** · **incuestionable** *profesionales de un prestigio incuestionable* · **innegable** · **indudable** · **intachable** · **sólido** · **acreditado** · **reconocido** || **escaso** · **inmerecido** · **maltrecho** · **relativo** || **atentatorio,ria (contra)**
● CON SUSTS. **ápice (de)** · **pérdida (de)** · **falta (de)** · **cuestión (de)** · **nivel (de)** || **halo (de)** · **aura (de)**
● CON VBOS. **afianzar(se)** · **consolidar(se)** *Su prestigio se ha consolidado con los últimos éxitos obtenidos* · **aumentar** · **extender(se)** · **crecer** · **acrecentar(se)** · **robustecer(se)** · **subirse a la cabeza (a alguien)** || **deteriorar(se)** · **empañar(se)** · **ensombrecer(se)** · **enturbiar(se)** · **devaluar(se)** · **mellar(se)** · **disminuir** · **declinar** · **decrecer** · **derrumbar(se)** || **basar(se) (en algo)** || **adquirir** · **alcanzar** · **conseguir** *El autor consiguió gran prestigio con esta novela* · **ganar** · **granjearse** || **forjar(se)** · **labrar** · **cimentar** || **tener** · **ostentar** · **capitalizar** · **mantener** || **dar** *Su asistencia dio prestigio al congreso* || **avalar** || **comprometer** · **hipotecar** · **dañar** · **perjudicar** *La noticia perjudicó seriamente al prestigio de la entidad* · **echar a perder** · **{echar/tirar} por tierra** · **dilapidar** · **desperdiciar** · **perder** · **socavar** · **minar** || **atentar (contra)** · **ir (contra)** · **afectar (a)** · **redundar (en)** || **gozar (de)** *un restaurante que goza de reconocido prestigio*
● CON PREPS. **a la altura (de)** · **de** *profesionales de prestigio* · **con** · **sin**

presumible adj.

● CON SUSTS. **marcha** · **salida** || **cierre** *Se habló del presumible cierre de la fábrica* · **traspaso** · **reforma** || **candidato,ta** · **autor,-a** · **responsable** · ***otros individuos*** || **cambio** · **tendencia** · **depreciación** · **ampliación** || **objetivo** · **víctima** || **éxito** · **delito** · **error** || **pacto** · **complicidad** *Se barrunta la presumible complicidad de su marido* · **aprobación** || **renuncia** · **pérdida** || **origen** · **existencia** || **enfermedad** · **patología** || **absolución** · **dispensa**

presumir v.

▮ **[vanagloriarse]**
● CON ADVS. **públicamente** · **sin pudor** *Presumía sin pudor de sus incontables virtudes* || **con entusiasmo** · **con fervor**

□ USO Se construye con complementos encabezados por la preposición *de*: *Siempre está presumiendo de sus buenos resultados.*

▮ **[sospechar]**
● CON ADVS. **acertadamente** · **con fundamento** · **justificadamente** || **equivocadamente** *Se presumió, equivocadamente, que el resultado iba a ser favorable* · **infundadamente** · **injustamente** · **injustificadamente** · **sin fundamento**

presunción

1 **presunción** s.f.
● CON ADJS. **penal** || **favorable** · **fundada**
● CON VBOS. **prevalecer** *Ante la falta de datos concluyentes, prevaleció la presunción de inocencia* || **respetar** · **salvaguardar** · **mantener** || **vulnerar** · **defender** || **alegar** · **aceptar** || **gozar (de)** · **amparar(se) (en)**

2 **presunción (de)** s.f.
● CON SUSTS. **inocencia** · **veracidad** · **legalidad** · **buena fe** *A los imputados les ampara la presunción de buena fe* || **culpabilidad** *El jurado partió de una presunción de culpabilidad* · **delito** · **responsabilidad** · **corrupción**

presunto, ta adj.

● CON SUSTS. **atracador,-a** · **criminal** · **asesino,na** · **secuestrador,-a** || **encubridor,-a** *el presunto encubridor de los hechos* · **cómplice** · **instigador,-a** || **dueño,ña** · **autor,-a** · **responsable** · **infractor,-a** || **implicado,da** · **culpable** || **miembro** · **integrante** · **militante** *Un presunto militante de la banda prestó declaración ayer* || **cabecilla** · **dirigente** · **traficante** · **enemigo,ga** || **culpabilidad** · **responsabilidad** · **participación** · **comisión** || **pertenencia** · **vinculación** · **involucración** · **alianza** · **respaldo** || **corrupción** · **enriquecimiento** *el presunto enriquecimiento ilegal del alcalde* · **malversación** · **falsedad** · **evasión** || **cobro** · **pago** *El presidente del equipo negó el presunto pago de primas a los jugadores* · **soborno** || **anomalía** · **plagio** · **problema** || **delito** · **violación** · **secuestro** || **infracción** · **falta** · **irregularidades** || **interés** · **móvil** · **intención** || **acuerdo** · **pacto**

presupuestario, ria adj.

● CON SUSTS. **asignación** *por asignación presupuestaria municipal para planes de desarrollo* · **dotación** · **partida** · **ejecución** · **recurso** || **déficit** · **equilibrio** · **ajuste** · **recorte** *Han anunciado un recorte presupuestario para hacer frente a la crisis* · **reducción** · **ampliación** || **acuerdo** · **proyecto** · **reforma** · **política** || **dificultad**

presupuesto s.m.

● CON ADJS. **ajustado** · **equilibrado** · **moderado** · **suficiente** || **abultado** · **elevado** · **sustancioso** · **ambicioso** *La obra tenía un presupuesto muy ambicioso* · **astronómico** · **irreal** · **desmedido** · **desorbitado** || **desequilibrado** · **disparatado** · **descabellado** · **irrealizable** || **aproximado** *Calculamos el presupuesto aproximado del viaje* || **escaso** · **exiguo** · **irrisorio** · **insuficiente** || **vigente** · **actual** || **familiar** · **nacional** || **anual** · **trimestral** · **mensual**
● CON SUSTS. **ajuste (de)** · **aprobación (de)** · **presentación (de)** · **reducción (de)** · **aumento (de)** · **prórroga (de)**
● CON VBOS. **decrecer** · **disminuir** *Su presupuesto familiar ha disminuido últimamente* || **aumentar** · **crecer** || **hacer** · **calcular** · **estimar** · **fijar** · **esbozar** · **desglosar** || **pedir** · **presentar** · **defender** · **elaborar** · **aceptar** · **aprobar** *Se aprobó por unanimidad el presupuesto de la asociación* · **rechazar** · **impugnar** || **debatir** · **discutir** · **revisar** || **dedicar (a algo)** *Parte del presupuesto se ha dedicado a mejorar las infraestructuras* · **destinar** || **ajustar** · **equilibrar** · **inflar** · **estirar** · **arbitrar** · **rectificar** || **recortar** · **aligerar** · **rebajar** || **incrementar** || **congelar** · **prorrogar** *La medida prorroga el presupuesto un año más* || **gastar** || **exceder** · **rebasar** · **sobrepasar** · **superar** · **desequilibrar** || **enjugar** · **sufragar** || **ajustar(se) (a)** *ajustarse estrictamente al presupuesto* · **amoldar(se) (a)** · **acomodar(se)**

(a) · conformarse (con) · atenerse (a) || salir(se) (de) *Es un coche caro, se sale de nuestro presupuesto*
● CON PREPS. **dentro (de) · fuera (de)**

pretender v.

● CON ADVS. **a toda costa** *No se puede pretender cualquier objetivo a toda costa* **|| abusivamente · interesadamente || inútilmente · vanamente || legítimamente**

pretensión s.f.

● CON ADJS. **desmedida** *las desmedidas pretensiones de los propietarios* **· desaforada · desorbitada · exagerada · excesiva || absurda · descabellada · ridícula · irreal · inalcanzable || inútil · vana · ilegítima · oscura || justificada · legítima · modesta · razonable || verdadera || dinástica · económica · laboral · artística**
● CON VBOS. **desinflar(se)** *Sus pretensiones económicas se desinflaron cuando se le explicaron ciertos detalles* **· desvanecerse || prosperar || entrever(se) · traslucir(se) || abrigar · albergar || alcanzar · lograr** *Los manifestantes lograron solo algunas de sus pretensiones* **· satisfacer · colmar · saciar · complacer || rebajar** *Hora es de que empiecen a rebajar sus desorbitadas pretensiones* **|| apoyar · avalar || declarar · airear · desvelar · descubrir || esconder · ocultar || ceder (a) || revestir(se) (de)**
● CON PREPS. **con · sin** *un libro de viajes sin más pretensiones*

pretexto s.m.

● CON ADJS. **absurdo · descabellado** *Era un pretexto a todas luces descabellado* **· peregrino · ridículo · inverosímil · extraño · original || inadmisible · injustificable || falso · inútil · vano || burdo** *¿A quién se le ha podido ocurrir un pretexto tan burdo?* **· torpe · tonto || creíble · increíble || consabido · conocido · viejo · habitual · de siempre · cotidiano**
● CON SUSTS. **sarta (de) · serie (de)**
● CON VBOS. **ocurrírse(le) (a alguien) || inventar** *Se inventaba increíbles pretextos para no pagar el alquiler* **· urdir · tener · aducir · esgrimir || aceptar · admitir || buscar · encontrar || dar (con) || {dar/ofrecer/presentar/usar} (como) · poner (de/como) · escudar(se) (en) · recurrir (a) · valer(se) (de) || venir (con)** *...y que no me venga ahora con pretextos*
● CON PREPS. **bajo** *bajo el pretexto de defender el honor de la familia* **· con**

prevalecer v.

● CON SUSTS. **criterio** *Finalmente ha prevalecido el criterio de la mayoría* **· opinión · voluntad · idea || justicia · libertad · orden || interés · derecho** *Hago desde aquí un llamamiento para que prevalezcan los derechos de las víctimas* **|| experiencia · sentimiento || régimen || sistema · organismo · institución**

prevalente adj.

● CON SUSTS. **derecho · interés · posición · criterio** *una propuesta que se aparta de los criterios prevalentes* **· idea · tesis · punto de vista · valor || enfermedad** *las enfermedades alérgicas prevalentes en la población* **· infección · patología**

prevenir v.

● CON SUSTS. **infarto** *Una alimentación adecuada ayuda a prevenir el infarto* **· cáncer · infección ·** ***otras enfermedades*** **|| brote · crisis · caída || arrugas** *una crema hidratante para prevenir las arrugas* **· envejecimiento || erosión · incendio || problema · accidente · situación · abuso || riesgo · peligro · aparición || muerte · violencia · ataque · terrorismo · guerra**

preventivo, va adj.

● CON SUSTS. **prisión** *Se encuentra detenido bajo prisión preventiva* **· reclusorio · centro · cárcel || preso,sa · recluso,sa · policía · agente · efectivo || detención · arresto · suspensión · cierre · clausura** *El juez ha dispuesto la clausura preventiva de la discoteca* **· embargo · prohibición · neutralización · invalidación · sanción · fianza || control** *un control preventivo de alcoholemia* **· vigilancia · patrullaje · supervisión · observación · registro || medida · norma · disposición · código · ley || criterio · programa** *un programa preventivo de incendios* **· estrategia · política · procedimiento · plan · método · sistema · modelo · proyecto || aviso · señal · señalización · alerta · luz || campaña · información · propaganda · divulgación · charla** *Van a dar una charla preventiva contra la drogadicción* **· folleto || medicina · tratamiento · terapia · asistencia · vacuna · vacunación · salud · vendaje · medicamento · chequeo · dosis || mantenimiento · atención · ayuda · protección · conservación · cuidado || acción · actividad · acto · operación · conducta · intervención || labor · trabajo · esfuerzo · tarea** *El responsable de la Policía habló de la importancia de las tareas preventivas* **· gestión || fin · intención · objetivo || reserva · provisión || guerra · ataque · lucha**

prever v.

● CON SUSTS. **futuro · resultado · desenlace · final || consecuencias** *Antes de adoptar una estrategia es necesario prever las posibles consecuencias* **· reacción · efecto · secuela || situación · problema · dificultad || riesgo · peligro · vicisitud · contingencia · avatares ·** ***otras situaciones inciertas*** **|| tragedia · conflicto · desastre** *No habíamos previsto un desastre de tales dimensiones* **· catástrofe · desgracia ·** ***otros males*** **|| posibilidad || cantidad · peso · altura · valor · edad ·** ***otras magnitudes*** **|| crecimiento · evolución · reducción · desarrollo · avance · incremento · pérdida · movimiento ·** ***otros procesos*** **|| necesidad || día · mes · año · fecha · minuto ·** ***otros momentos o períodos***
● CON ADVS. **con antelación** *Su llegada estaba prevista con mucha antelación* **· con tiempo · de antemano · anticipadamente · largamente || al detalle || insuficientemente · suficientemente**

previsible adj.

● CON SUSTS. **consecuencia · daño · efecto** *Los efectos previsibles de una intervención médica de alto riesgo* **· impacto · repercusión · implicación || resultado · decisión · final · desenlace || respuesta · reacción || desarrollo** *El desarrollo de los acontecimientos fue totalmente previsible* **· crecimiento · evolución · movimiento || relación**
● CON ADVS. **absolutamente · por completo · totalmente || en cierta medida** *El desenlace era en cierta medida previsible* **· ligeramente**

previsión s.f.

● CON ADJS. **halagüeña · optimista || aciaga · negra · pesimista · amenazante || ajustada · acertada** *La experta hizo una previsión muy acertada del desarrollo de la situación* **· certera · exacta || aproximada · inexacta · fallida || actual** *Con arreglo a las previsiones actuales, no existe peligro de contagio* **|| social · económica · sanitaria · médica || del tiempo · meteorológica** *la previsión meteorológica del tiempo*

● CON SUSTS. **falta (de)** *La oposición atribuyó el fracaso de la medida a la absoluta falta de previsión del Gobierno* · **error (de)** || **capacidad (de)**
● CON VBOS. **cumplir(se)** *Se cumplieron las previsiones y se agotaron las entradas* · **confirmar (algo)** · **corroborar (algo)** · **dar {en el blanco/en el clavo}** || **fallar** *Han fallado todas nuestras previsiones* · **incumplir(se)** · **desbordar(se)** || **esperar** || **formular** · **hacer** · **lanzar** · **avanzar** · **aventurar** || **vislumbrar** · **tener** || **alterar** · **desbaratar** · **pulverizar** || **mantener** · **rebajar** · **revisar** *Hay que revisar las previsiones de ventas* || **rebasar** · **sobrepasar** || **acertar (en)** · **fracasar (en)**
● CON PREPS. **con arreglo (a)**

[prima] s.f. → primo, ma

primar v.

● CON SUSTS. **bienestar** · **desarrollo** · **natalidad** · **diálogo** *una sociedad en la que prime el diálogo y el respeto* · **convivencia** · **comercio** || **criterio** · **idea** · **principio** · **valor** · **ideología** · **enfoque** · **posición** · **postura** · **hipótesis** · **concepto** || **interés** *En estos casos prima el interés general sobre el particular* · **esfuerzo** · **deseo** · **voluntad** · **afán** || **ley** · **norma** || **lógica** · **sentido común** · **sensatez** · **equilibrio** · **prudencia** · **cautela** · **respeto** · **mesura** · **templanza** · **razón** || **calidad** *No debe primar el precio, sino la calidad de nuestros productos* · **derecho** · **experiencia** · **competitividad** || **motivo** · **argumento** · **motivación**
□ USO Se construye a menudo con complementos encabezados por la preposición *sobre*: *Los intereses económicos priman sobre los derechos laborales.*

primavera s.f.

● CON ADJS. **espléndida** · **alegre** · **feliz** · **esplendorosa** · **exuberante** · **hermosa** · **radiante** · **brillante** · **resplandeciente** · **multicolor** · **florida** · **deslumbrante** · **luminosa** · **mágica** · **pletórica** || **lluviosa** · **seca** || **pasada** *La pasada primavera fue muy lluviosa* · **próxima** · **siguiente** || **tardía** · **temprana** · **eterna** || **estrenada** · **nueva** || **marcada (por algo)** *una primavera marcada por todo tipo de manifestaciones reivindicativas* · **revuelta** || **democrática** · **económica** || **artística** *Para la crítica, estamos ante una nueva primavera artística* · **cinematográfica** · **cultural** · **deportiva**
● CON SUSTS. **aire (de)** · **lluvia (de)** · **cosecha (de)** · **flor (de)** · **día (de)** || **amor (de)** · **fiebre (de)** · **ropa (de)** *Todavía no he sacado la ropa de primavera* || **campaña (de)** · **rebajas (de)** || **explosión (de)** || **alergia (de)**
● CON VBOS. **llegar** · **venir** · **empezar** · **acercar(se)** · **avecinarse** · **irrumpir** · **despuntar** · **florecer** || **pasar** · **transcurrir** || **adelantar(se)** · **anticipar(se)** · **retrasar(se)** *Este año la primavera se está retrasando mucho* || **entrar (en)**
● CON PREPS. **en** · **a comienzos (de)** · **a final(es) (de)** · **a principio(s) (de)** · **a mediados (de)** · **a lo largo (de)** · **durante**

primaveral adj.

● CON SUSTS. **sol** · **luz** *Por la ventana entraba una luz primaveral* · **calor** · **lluvia** · **temperatura** · **clima** · **tiempo** · **tormenta** || **mañana** *dar un paseo en una mañana primaveral* · **tarde** · **día** · **estación** · **temporada** · **época** · ***otros períodos*** || **alergia** || **ropa** · **vestido** · ***otras prendas de vestir***
● CON ADVS. **prematuramente** · **marcadamente** · **moderadamente** · **ligeramente**

primerizo, za adj.

● CON SUSTS. **madre** *un libro dirigido a las madres primerizas* · **padre** · **abuelo,la** || **amor** || **película** · **poema** · **libro** · ***otras creaciones*** || **trabajo** · **empleo** || **fruto** · **logro** · **éxito**

[primero, ra] → de primera mano; de primera necesidad; en primera línea

primicia s.f.

● CON ADJS. **absoluta** · **verdadera** || **mundial** *un descubrimiento que será una primicia mundial*
● CON VBOS. **anunciar** · **dar** · **lanzar** || **obtener** · **conocer** · **conseguir** · **tener** || **dar (en/como)** *Damos la noticia en primera página como primicia* · **ofrecer (en)** *ofrecer una información en primicia* · **presentar (en/como)**
● CON PREPS. **con carácter (de)** · **a modo (de)**

primo, ma

1 **primo, ma** s.

● CON ADJS. **carnal** · **segundo,da** · **lejano,na** || **materno,na** · **paterno,na**
● CON SUSTS. **hermano,na** *Somos primas hermanas*

2 **prima** s.f.

▮ [bonificación]

● CON ADJS. **de riesgo** · **única** · **de emisión** · **de seguros** · **aseguradora** · **especial** || **millonaria** *Se ha denunciado el pago de primas millonarias a algunos jugadores* || **a terceros**
● CON SUSTS. **volumen (de)** · **aumento (de)** *Lo llamaron de la aseguradora para hablar del aumento de la prima* · **seguro (de)** · **concepto (de)** || **pago (de)**
● CON VBOS. **cobrar** · **pagar**

primordial adj.

● CON SUSTS. **papel** · **función** · **cometido** || **objetivo** · **fin** · **finalidad** · **intención** || **cuestión** · **asunto** *Reiteran que no es asunto primordial para el partido en estos momentos* · **tema** || **razón** · **preocupación** · **interés** || **obligación** · **responsabilidad** || **actividad** · **tarea** · **misión** *Su misión primordial es ayudar a las personas más desfavorecidas* || **forma** · **manera** || **valor** · **característica** · **condición** || **lugar** · **fuente** || **elemento** *la libertad como elemento primordial de la democracia* · **objeto**
● CON VBOS. **volverse** · **hacer(se)**

príncipe, princesa s.

● CON ADJS. **heredero,ra** *El príncipe heredero acompañó a los reyes en su viaje* · **regente** || **de cuento** · **encantado,da** || **joven**
□ EXPRESIONES **príncipe azul** [hombre ideal supuestamente soñado como pareja] || **príncipe de las tinieblas** [el diablo]

[principio] → de principios; principio

principio s.m.

▮ [comienzo]

● CON ADJS. **abrupto** · **inesperado** · **repentino** || **ilusionante** · **prometedor** *La película tiene un principio muy prometedor, pero luego decae* · **arrollador** || **in media res**
● CON VBOS. **aproximar(se)** · **acercar(se)** *Se acerca el principio de curso* · **avecinarse** || **marcar** *hecho que marcó el principio de una nueva relación institucional con...* · **determinar** · **representar** || **vislumbrar** · **anticipar**
● CON PREPS. **desde** · **a** · **en**

▮ [fundamento]

● CON ADJS. **básico** · **elemental** · **esencial** · **fundamental** · **sustancial** · **irrenunciable** · **incuestionable** · **inexcusable** · **insoslayable** · **absoluto** || **sólido** *Su padre le in-*

culcó unos principios muy sólidos · **férreo** · **firme** · **arraigado** · **asentado** · **inmutable** · **inquebrantable** · **profundo** · **íntimo** · **fundamentado** · **acendrado** || **débil** *Su postura se basa en principios muy débiles* · **endeble** · **relativo** · **laxo** || **de actuación** || **moral** · **ético** · **filosófico** · **religioso** · **igualitario** · **legal** · **profesional** · **matemático** · **lógico** || **acorde (con)** · **atentatorio,ria (contra)** *una conducta atentatoria contra los principios más elementales de nuestra organización*

• CON SUSTS. **declaración (de)** · **acuerdo (de)** || **cuestión (de)** · **asunto (de)** · **problema (de)** · **crisis (de)** || **conjunto (de)** || **observancia (de)**

• CON VBOS. **consistir (en algo)** || **hacer(se) realidad** · **afianzar(se)** · **difundir(se)** || **desvanecerse** · **quebrar(se)** || **converger** || **establecer** · **sentar** *En su discurso sentó los principios de actuación de la empresa* || **tener** · **inculcar** || **cumplir** · **seguir** · **llevar a la práctica** · **observar** · **acatar** · **profesar** · **jurar** || **defender** · **primar** *La medida prima el principio del interés colectivo sobre el privado* · **proclamar** · **enarbolar** · **esgrimir** · **sustentar** || **cuestionar** · **desafiar** *El experimento desafía algunos principios básicos de la física* · **poner en duda** || **burlar** · **conculcar** · **saltarse** · **incumplir** · **infringir** · **contradecir** · **contravenir** · **traicionar** · **transgredir** · **violar** · **pisotear** · **quebrantar** · **desvirtuar** · **socavar** · **subvertir** · **tergiversar** · **romper** · **vulnerar** · **difuminar** || **aferrar(se) (a)** · **apegarse (a)** || **basar(se) (en)** · **fundar(se) (en)** · **fundamentar(se) (en)** · **regir(se) (por)** *Su relación se rige por el principio de la buena fe y la confianza mutua* · **asentar(se) (en)** · **ajustar(se) (a)** · **atenerse (a)** · **sujetar(se) (a)** · **ceñir(se) (a)** · **amoldar(se) (a)** || **renegar (de)** · **abdicar (de)** · **abjurar (de)** · **apear(se) (de)** || **atentar (contra)** · **velar (por)**

• CON PREPS. **por** *fiel a sus costumbres por principio* · **de** *un hombre de principios* · **a la luz (de)** · **con arreglo (a)** · **en función (de)** · **según** · **sin menoscabo (de)**

pringar(se) v. *col.*

• CON ADVS. **de arriba abajo** · **hasta el cuello** · **hasta las cejas** *Me caí y me pringué de barro hasta las cejas* · **por completo** · **totalmente** · **de lleno** · **de cabo a rabo**

prioridad s.f.

• CON ADJS. **absoluta** *El caso tiene prioridad absoluta sobre todos los demás* · **alta** · **máxima** · **plena** · **total** || **fundamental** · **principal** · **primera** · **irrenunciable** · **inmediata** · **verdadera** · **suma** · **suprema**

• CON SUSTS. **orden (de)** · **grado (de)** || **cuestión (de)** · **problema (de)**

• CON VBOS. **dar (a algo)** *Debemos dar prioridad a este asunto* · **asignar (a algo)** · **conceder (a algo)** · **conferir (a algo)** · **otorgar (a algo)** · **tener (sobre algo)** · **ostentar** || **definir** · **establecer** · **fijar** · **acordar** || **cambiar** *La nueva situación no cambia ninguna de nuestras prioridades* · **modificar** · **abandonar** || **comunicar** · **declarar** · **enunciar** || **constituir** || **gozar (de)**

prioritario, ria adj.

• CON SUSTS. **tarea** *Solucionar el problema del paro es una de las tareas prioritarias del Gobierno* · **labor** · **acción** · **actuación** · **misión** || **área** · **aspecto** · **asunto** · **tema** *Ahora mismo no es un tema prioritario* · **cuestión** · **punto** || **objetivo** · **obra** · **plan** · **medida** · **programa** · **proyecto** · **intención** || **atención** · **interés** · **línea** || **problema** · **preocupación** · **necesidad** *La mejora de las infraestructuras es la necesidad prioritaria de esta zona* || **carácter** · **función** || **gasto** · **inversión** || **opción** · **idea** · **tendencia**

• CON VBOS. **volverse** · **hacer(se)**

prisa s.f.

• CON ADJS. **excesiva** *No tenía excesiva prisa* · **exagerada** · **desmedida** · **enloquecedora** · **vertiginosa** · **acuciante**

• CON VBOS. **entrar(le) (a alguien)** *De repente le entraron unas prisas tremendas por marcharse* · **correr** · **venir(le) (a alguien)** · **acuciar (a alguien)** || **írse(le) (a alguien)** || **darse** · **meter** · **tener** · **llevar** || **perder** || **dejarse llevar (por)**

• CON PREPS. **con** *Siempre anda con prisas* · **sin**

☐ EXPRESIONES **deprisa y corriendo** [con premura y sin cuidado]

prisión s.f.

• CON ADJS. **dura** · **efectiva** · **rigurosa** || **suave** · **leve** · **llevadera** || **en firme** · **firme** || **cautelar** · **preventiva** *El juez decretó la prisión preventiva del sospechoso* · **domiciliaria** · **condicional** · **incondicional** · **mayor** · **menor** || **de máxima seguridad**

• CON SUSTS. **condena (de)** · **pena (de)** || **tiempo (de)**

• CON VBOS. **cumplir** · **purgar** || **eludir** *Eludió la prisión pagando una elevada fianza* || **decretar** || **internar (en)** · **recluir (en)** · **confinar (en)** · **entrar (en)** · **condenar (a)** || **escapar(se) (de)** · **fugarse (de)** · **huir (de)** · **evadirse (de)** || **salir (de)**

prisionero, ra s.

• CON ADJS. **de guerra**

• CON SUSTS. **intercambio (de)** · **canje (de)** · **liberación (de)** || **campo (de)** || **grupo (de)**

• CON VBOS. **escapar** *Varios prisioneros lograron escapar durante el ataque* || **apresar** · **capturar** · **hacer** || **encarcelar** · **juzgar** || **dejar libre** · **liberar** · **soltar** || **castigar** · **maltratar** · **tratar {bien/mal}** || **caer** || **permanecer (como)**

privación

1 privación s.f.

• CON ADJS. **forzosa** || **ilegal** · **injusta** · **merecida** || **temporal** · **prolongada** · **definitiva** *Este delito conlleva la privación definitiva del cargo*

• CON SUSTS. **pena (de)** · **sanción (de)** || **situación (de)** · **sentimiento (de)** || **período (de)**

• CON VBOS. **pasar** *Durante la guerra pasaron grandes privaciones* · **sufrir** · **vivir**

2 privación (de) s.f.

• CON SUSTS. **bien** · **posesión** · **patrimonio** · **pensión** *El fiscal solicitó la privación de la pensión de la acusada* || **alimento** · **comida** · **tabaco** || **cargo** · **empleo** · **dignidad** · **estatus** · **poder** || **derecho** · **libertad** *Se le impondrá una pena de privación de libertad* · **inmunidad** · **nacionalidad** · **vida** || **carné** · **permiso** *multado con privación del permiso de conducir* || **información** || **capricho** · **placer** || **respaldo** · **apoyo** || **sueño** · **ilusión** || **beneficio** · **futuro**

privado, da adj.

• CON SUSTS. **negocio** · **asunto** · **tema** · **materia** || **sector** · **empresa** · **entidad** · **consejo** || **iniciativa** *Gracias a la iniciativa privada, se han creado numerosos puestos de trabajo* · **inversión** · **financiación** · **participación** · **capital** || **propiedad** · **espacio** · **vida** || **colegio** · **universidad** · **clínica** *Ha dado a luz en una clínica privada* · **emisora** · **galería** · **avión** || **correspondencia** · **conversación** · **documento** || **colección** · **coleccionista** || **detective** *Contrató a un detective privado para averiguar la verdad* · **agente** || **servicio** · **sistema**

☐ EXPRESIONES **en privado** [privadamente]

privatizar v.

●CON SUSTS. **empresa** *privatizar una empresa pública* · **monopolio · compañía · fábrica · banca · entidad · institución · organismo · ente · filial || economía · beneficio · ganancia || servicio** *una propuesta de privatizar los servicios municipales de limpieza* · **actividad · producción · explotación · gestión || cadena · televisión · telefonía || hospital · sanidad · carretera** *El Estado ha privatizado la nueva carretera* · **autopista · zona · tierra · patrimonio · sector · campo || recursos · medios · acciones || escuela · educación**

●CON ADVS. **prácticamente · totalmente** *Como consecuencia, varios estados han privatizado totalmente el sector eléctrico* || **realmente || en breve · brevemente · parcialmente**

privilegiado, da adj.

I [destacado]

●CON SUSTS. **memoria** *Esta alumna tiene una memoria privilegiada* · **inteligencia · cuerpo · físico · olfato · dotes** · ***otras cualidades*** **|| paisaje · rincón · escenario** · ***otros lugares*** **|| testigo** *Fue testigo privilegiado de su época* · **persona · artista** · ***otros individuos***

●CON VBOS. **considerar (algo/a alguien) · sentirse**

I [con privilegios]

●CON SUSTS. **heredero,ra · invitado,da · cliente || clase · grupo · estatus · trato** *gozar de un trato privilegiado* · **tratamiento || crédito** *A los empleados del banco les conceden créditos privilegiados* · **interés**

privilegio s.m.

●CON ADJS. **antiguo** *La institución perdió sus antiguos privilegios fiscales* · **viejo · tradicional || legítimo || exclusivo · intransferible · irrenunciable · personal · especial · particular || abusivo · dudoso · ilegítimo · inmerecido || tributario · económico · fiscal · social · comercial**

●CON SUSTS. **serie (de) || régimen (de)**

●CON VBOS. **recaer (en alguien) || adquirir · obtener · arrogarse · arrebatar (a alguien) · merecer || tener** *Tiene usted los mismos privilegios que los demás socios* · **ostentar · ejercer || defender · conservar · perder || conceder** *Le han concedido ciertos privilegios por su antigüedad en la empresa* · **dar · otorgar || revocar · abolir || aferrarse (a) || disfrutar (de) · gozar (de) · abusar (de)**

●CON PREPS. **con · sin**

probar v.

I [comprobar la adecuación o el funcionamiento, poner a prueba]

●CON SUSTS. **ropa · traje · uniforme · bañador** · ***otras prendas de vestir*** **|| gafas · pendientes · sombrero** · ***otros complementos*** **|| radio · televisión · lavadora · microondas** · ***otros aparatos o máquinas*** **|| sistema · instrumento · herramienta · método || aprendiz,-a · jugador,-a** *Como entrenador, soy partidario de probar en partidos difíciles a los jugadores que prometen* · **equipo · actor** · ***otros individuos y grupos humanos***

I [examinar, degustar]

●CON SUSTS. **sopa** *Prueba la sopa por si le falta sal* · **guiso · vino** · ***otros alimentos o bebidas*** **|| bocado** *Llevo toda la mañana sin probar bocado*

●CON VBOS. **dar (a)** *Me dio a probar un poco de su helado*

I [demostrar]

●CON SUSTS. **inocencia** *Los hechos prueban la absoluta inocencia del acusado* · **culpabilidad · acusación · hipótesis · existencia · veracidad || eficacia · funcionamiento · servicio · capacidad · calidad · fuerza · validez**

●CON ADVS. **claramente · convincentemente · con éxito · sin lugar a dudas · sobradamente · suficientemente · con certeza · con fruición · fehacientemente || debidamente** *Los pasajeros probaron debidamente su identidad* · **con buenos argumentos || científicamente · experimentalmente · empíricamente · documentalmente**

□EXPRESIONES **probar {suerte/fortuna}** [participar en un juego de azar o en una empresa arriesgada] *Decidió probar suerte y montó un negocio por cuenta propia*

probeta s.f.

●CON ADJS. **graduada** *Hay que determinar el volumen de la muestra por medio de una probeta graduada* **|| metálica · de vidrio**

●CON SUSTS. **bebé · niño,ña** *los primeros niños probeta* **|| animal**

●CON VBOS. **contener || utilizar · usar · emplear || fecundar (en) · concebir (en)**

problema s.m.

●CON ADJS. **abrumador · acuciante · urgente** *Deben resolver en primer lugar los problemas más urgentes* · **apremiante · perentorio · devastador || complejo · complicado · difícil · arduo · endemoniado · endiablado · enmarañado · intrincado · enrevesado · abstruso · alambicado · inextricable · insoluble · irresoluble · irreversible || delicado** *Es difícil abordar un problema tan delicado* · **espinoso · peliagudo · controvertido || grave · hondo · profundo · serio · severo · insoslayable · insalvable · galopante || descomunal · gordo · mayúsculo · de consideración · ingente · grueso · apreciable · integral · vasto || capital · crucial · decisivo || álgido · candente · vigente || clásico** *el clásico problema del huevo y la gallina* · **eterno · endémico · congénito || coyuntural · pasajero · latente · soterrado || imprevisible · imprevisto || banal · insignificante · trivial** *No estamos ante un problema trivial* · **nimio · leve · ligero · fácil · sencillo · simple · tangencial · cotidiano || desencadenante || personal · matemático · algebraico · moral · político · laboral**

●CON SUSTS. **cúmulo (de) · serie (de) · retahíla (de) · rosario (de) · mar (de) · sinfín (de) || alcance (de)** *No terminaba de ver el alcance del problema* · **fondo (de) · magnitud (de) · gravedad (de) · dimensión (de) || raíz (de) · origen (de) · causa (de) · consecuencia (de) · efecto (de) || solución (de)**

●CON VBOS. **llegar · aparecer · surgir · empezar** *Entonces empezaron los problemas* · **presentar(se) · suscitar(se) · desencadenar(se) · acaecer · salir a la luz · emerger · venir de lejos** *problemas que vienen de lejos* · **concurrir · confluir · fraguar(se) · aflorar · brotar · engendrar || acechar (a alguien) · acosar (a alguien) · azotar (a alguien) · salpicar (a alguien)** *El problema de la corrupción salpicó a todo el comité* · **asaltar (a alguien) · recaer (en alguien) · abatirse (sobre alguien) · caer(le) (a alguien) · planear (sobre alguien) · cernerse (sobre alguien) · gravitar (sobre alguien) · repercutir (en algo) · acuciar (a alguien) · absorber (a alguien) · ocupar (a alguien) · subyacer (en algo) || agravar(se)** *El problema de la sequía se agravó con la llegada del verano* · **agudizar(se) · acentuar(se) · recrudecer(se) · arreciar · desbocar(se) · desbordar(se) || amainar · extinguir(se) · remitir · agotar(se) · apagar(se) · disipar(se) · aplacar(se) · difuminar(se) || despejar(se) · esclarecer(se) · desaparecer** *Los problemas no han desaparecido del todo* **|| derivar(se) (de algo) · estribar (en algo) · residir (en algo) · atañer (a alguien) · anidar (en algo) || constituir · representar ·**

suponer || **poner** · **plantear** || **detectar** *Cancelaron la operación tras detectar un problema técnico en el aparato* · **augurar** · **vislumbrar** · **diagnosticar** · **airear** · **destapar** || **dilucidar** · **dirimir** · **desentrañar** · **aclarar** · **sopesar** · **subestimar** · **desenfocar** || **acotar** · **centrar** · **encauzar** · **enderezar** · **capitalizar** || **abordar** · **afrontar** *Suele afrontar los problemas con decisión* · **combatir** · **encarar** · **arrostrar** · **capear** · **asumir** · **atender** || **dejar de lado** · **posponer** · **relegar** · **desatender** · **delegar** || **bordear** · **sortear** · **soslayar** · **evitar** · **desviar** · **desplazar** · **eludir** · **obviar** · **orillar** · **aparcar** · **olvidar** || **solucionar** *Afortunadamente pudieron solucionar todos los problemas* · **resolver** · **superar** · **vencer** · **zanjar** · **ventilar** *Su asesor ventiló el problema en dos minutos* · **despachar** · **saldar** · **atajar** · **solventar** · **salvar** · **remontar** · **erradicar** · **extirpar** || **paliar** · **aligerar** · **aliviar** · **mitigar** · **silenciar** *Siempre silenció sus problemas económicos* · **aminorar** · **amortiguar** · **apaciguar** · **conjurar** · **enmendar** · **subsanar** · **acallar** · **desactivar** · **disimular** · **disfrazar** · **compensar** · **desbloquear** || **dar** *Últimamente el coche me está dando muchos problemas* · **acarrear** · **causar** · **ocasionar** · **crear** · **entrañar** · **traer** || **alimentar** · **reavivar** *Con su actitud solo conseguía reavivar el eterno problema de...* || **tener** *Tiene problemas personales* · **atravesar** · **arrastrar** · **sufrir** · **encajar** · **incubar** || **achacar** · **endilgar** · **endosar** · **aducir** || **meter(se) (en)** *¡No te metas en problemas!* · **involucrar(se) (en)** · **enzarzar(se) (en)** · **abocar(se) (a)** · **hundir(se) (en)** · **enfrascarse (en)** · **encontrar(se) (con)** · **topar (con)** · **tropezar (con)** *Tropezamos con algunos problemas gordos a lo largo de la investigación* · **ver(se) envuelto (en)** · **lidiar (con)** *Tuvo que lidiar con un serio problema* || **luchar (con)** · **plantar cara (a)** · **hacer frente (a)** · **enfrentarse (a)** · **bregar (con)** · **adentrarse (en)** · **ahondar (en)** · **acabar (con)** · **dar respuesta (a)** · **arrojar luz (sobre)** · **dar solución (a)** · **quitar hierro (a)** · **salir (de)** · **sobreponerse (a)** || **cerrar los ojos (ante)** · **desentenderse (de)** *La oposición acusa al Gobierno de querer desentenderse del problema* · **zafar(se) (de)** · **desembarazarse (de)** · **librar(se) (de)** || **crecerse (ante)** || **colmar (de)**

● CON PREPS. **a la medida (de)** · **a la vista (de)** · **en función (de)** · **con** *alumnos con problemas de aprendizaje* · **sin**

problemático, ca adj.

● CON SUSTS. **barrio** · **área** · **zona** · ***otros lugares*** || **etapa** · **futuro** · **época** *Fue una época muy problemática* · **año** · ***otros momentos o períodos*** || **aspecto** · **punto** · **factor** · **cuestión** || **persona** · **alumno,na** · **adolescente** *un tratamiento individualizado para adolescentes problemáticos* · **clase** · ***otros individuos y grupos humanos*** || **caso** · **hecho** · **obra** · **tema** || **debate** || **conducta** · **relación** *Siempre tuvo una relación problemática con sus padres* · **situación** || **salida** · **opción** · **solución**

● CON ADVS. **sumamente** · **particularmente** · **especialmente** · **enormemente** · **profundamente**

● CON VBOS. **resultar** *Ese aspecto resulta especialmente problemático* · **presentar(se)** · **considerar** · **volverse**

procedencia s.f.

● CON ADJS. **clara** · **indeterminada** · **diversa** *Acudieron músicos de procedencia muy diversa* || **dudosa** · **oscura** · **ilícita** || **humilde**

● CON SUSTS. **lugar (de)** · **país (de)** · **ciudad (de)**

● CON VBOS. **esclarecer** *Por fin se esclareció la procedencia del dinero* · **establecer** · **determinar** · **fijar** · **demostrar** · **identificar** · **aclarar** · **dilucidar** || **indagar** · **investigar** || **averiguar** · **descubrir** || **conocer** || **desconocer** · **ignorar** || **confirmar** · **garantizar** *La empresa garantiza la procedencia de todos sus productos* || **indicar**

● CON PREPS. **de** *mercancía de procedencia ilícita*

procedente adj.

● CON SUSTS. **viajero,ra** · **turista** *Los turistas procedentes de ese país precisan un visado* · **forastero,ra** || **refugiado,da** · **inmigrante** || ***otros individuos y grupos humanos*** || **vuelo** · **avión** · **transporte** · ***otros vehículos*** || **producto** · **carga** · **recurso** · **ayuda** · **importación** || **fondos** · **dinero** *El dinero procedente de la colecta se destinará a una ONG* · **ingreso** · **inversión** || **noticia** · **documento** · **mensaje** · **carta** · **paquete**

☐ USO Se construye con complementos encabezados por la preposición *de*: *una carta procedente de Brasil.*

proceder

1 proceder s.m.

● CON ADJS. **justo** · **ecuánime** · **justificado** *Su proceder estaba totalmente justificado* || **adecuado** · **recto** *Todos lo admiran por su recto proceder* || **irregular** · **arbitrario** · **injusto**

2 proceder v.

▮ [actuar, disponerse a hacer algo]

● CON ADVS. **coherentemente** · **con arreglo (a algo)** *Procederemos con arreglo a la ley* · **en consecuencia** · **en justicia** · **con rectitud** · **humanamente** || **legalmente** · **de oficio** || **con orden** · **ordenadamente** *Procedieron ordenadamente al desalojo del inmueble* || **con cautela** · **con detalle** · **detenidamente** || **con decisión** · **con firmeza** · **sin contemplaciones** || **abusivamente** · **duramente** · **a la ligera** · **unilateralmente** || **científicamente**

▮ [provenir]

● CON ADVS. **etimológicamente** || **originalmente** · **originariamente** *alimentos que proceden originariamente de América*

procedimiento s.m.

▮ [medio, recurso, vía]

● CON ADJS. **complejo** *El procedimiento para solicitar la ayuda es demasiado complejo* · **complicado** · **intrincado** · **largo** || **estricto** · **exhaustivo** || **nuevo** · **novedoso** || **efectivo** · **eficaz** · **útil** || **inútil** · **ineficaz** || **abusivo** · **violento** · **invasivo** || **deductivo** *Resolvió el problema mediante un procedimiento deductivo* · **inductivo** · **lógico** || **preventivo** · **disuasorio** · **expeditivo** · **breve** || **administrativo** · **cautelar** · **democrático** · **técnico**

● CON SUSTS. **serie (de)** · **arsenal (de)** · **variedad (de)** · **conjunto (de)**

● CON VBOS. **agotar(se)** || **esclarecer** || **ensayar** · **probar** · **seguir** *Se sigue un procedimiento muy efectivo para detectar los virus* · **aplicar** · **poner en práctica** · **arbitrar** || **cambiar**

● CON PREPS. **con arreglo (a)** · **en función (de)** *en función del procedimiento aplicado* · **mediante** · **según** · **a través (de)**

▮ [proceso oficial]

● CON ADJS. **judicial** · **penal** · **civil** · **legal** · **burocrático**

● CON VBOS. **agilizar** *La nueva medida para agilizar el procedimiento penal ya ha sido aprobada* · **obstruir** · **vulnerar** · **revocar** || **incoar** · **instruir**

procesador

1 procesador s.m.

● CON ADJS. **rápido** *Necesitamos un procesador más rápido* · **potente** || **digital** · **electrónico** · **moderno**

● CON SUSTS. **familia (de)** · **serie (de)** || **fabricante (de)**

● CON VBOS. **instalar · montar · incorporar** *El equipo incorpora el procesador más potente del mercado* · **incluir · utilizar || diseñar · fabricar · desarrollar**

2 **procesador (de)** s.m.

● CON SUSTS. **textos · datos · información**

procesamiento s.m.

▌[proceso de transformación]

● CON ADJS. **efectivo** *para lograr el procesamiento efectivo de toda la información* || **cerebral · visual**

● CON SUSTS. **planta (de)** *una planta de procesamiento de residuos* · **centro (de) · laboratorio (de) || capacidad (de) · velocidad (de) · sistema (de) · método (de)**

● CON VBOS. **generar · bloquear · regular**

▌[proceso judicial]

● CON ADJS. **cautelar · preventivo · firme || penal**

● CON SUSTS. **auto (de) || petición (de) · orden (de) · solicitud (de)**

● CON VBOS. **acordar** *Han acordado el procesamiento de los imputados* · **decretar · levantar · revocar · impugnar**

procesar v.

▌[someter a un proceso de transformación]

● CON SUSTS. **cambio · dato** *Este ordenador puede procesar una gran cantidad de datos* · **lenguaje · documento · imagen · noticia** *Todavía está procesando la noticia* · **texto · secuencia · palabra || residuo · basura**

▌[someter a un proceso judicial]

● CON SUSTS. **sospechoso,sa · implicado,da** *Han procesado a algunos de los implicados en el caso* · **detenido,da** · ***otros individuos y grupos humanos***

● CON ADVS. **en rebeldía**

procesión s.f.

● CON ADJS. **religiosa · tradicional · popular || solemne · emotiva · emocionante || larga · lenta**

● CON SUSTS. **paso (de) || itinerario (de) · recorrido (de) || día (de) · tarde (de)**

● CON VBOS. **salir · partir · avanzar || recorrer (un lugar) · discurrir (por un lugar) · atravesar (un lugar)** *La procesión atravesará el centro de la ciudad* · **dirigir(se) (a un lugar) || desviar · interrumpir || encabezar · presidir · abrir · cerrar** *Cierran la procesión el alcalde y las autoridades locales* || **ver · observar || asistir (a) · disfrutar (de)**

● CON PREPS. **en** *sacar una imagen en procesión*

[proceso] → proceso; proceso de paz

proceso s.m.

● CON ADJS. **accidentado · tortuoso** *El autor se enfrentaba a un tortuoso proceso de creación* · **turbulento · ajetreado · azaroso · farragoso || arduo · complejo · delicado || ilusionante · necesario || incipiente · avanzado** *un cuerpo en avanzado proceso de descomposición* || **homogéneo · uniforme · lineal · gradual · paulatino · lento · en punto muerto || ágil · frenético · vertiginoso · galopante || firme · seguro · implacable · imparable · inexorable · irreversible** *El médico afirma que se trata de un proceso irreversible* · **reversible · imprevisible · previsible || cíclico · recurrente · paralelo || evolutivo · regresivo || analítico · sintético || deductivo · inductivo · lógico || curativo · vital || judicial · electoral · de paz · político · democrático · burocrático · parlamentario || vírico** *El paciente llegó aquejado de un proceso vírico* · **inflamatorio · Infeccioso · inmunitario · alérgico · tumoral || químico · biológico · físico · neurológico · cerebral · mental · cognitivo** *Los procesos cognitivos subconscientes reciben la máxima atención de los especialistas* · **celular || histórico · industrial · migratorio**

● CON SUSTS. **causa (de) · consecuencia (de) · resultado (de) · éxito (de) · fracaso (de) || etapa (de) · fase (de) · ritmo (de) || expediente (de)**

● CON VBOS. **consistir (en algo) || desarrollar(se) · desencadenar(se) · desatar(se) · acelerar(se) · prosperar · discurrir · avanzar · afianzar(se) · despejar(se) || detener(se) · interrumpir(se) · ralentizar(se)** *No podemos permitir que se ralentice el proceso de producción* · **enrarecer(se) · truncar(se) || afrontar · experimentar · sufrir** *El color de este aparejo indica que ha sufrido un acusado proceso de oxidación* · **atravesar · seguir || madurar · emprender · llevar a buen puerto · llevar a cabo · llevar adelante || ampliar · agilizar** *Han agilizado el proceso para modernizar las instalaciones* · **desbloquear · aligerar · alimentar · incentivar · abrir · reabrir · relanzar · financiar || impedir · frenar · bloquear · boicotear · socavar · torpedear · alterar · dañar · desequilibrar · distorsionar · impugnar · obstaculizar · paralizar** *Llegados a este punto, es absolutamente imposible paralizar el proceso de fabricación* · **parar · suspender · congelar · revocar || encabezar · abanderar · liderar · pilotar · capitanear || comprender · describir · mostrar · revisar · comprobar · analizar · criticar · diagnosticar · vislumbrar || instruir (causa judicial) · sobreseer || afectar (a) || hacer frente (a)**

proceso de paz loc.sust.

● CON SUSTS. **marcha (de) · futuro (de)** *El futuro del proceso de paz no está todavía asegurado* · **crisis (de) || pasos (de) · etapas (de)**

● CON VBOS. **irse a pique · fracasar · estancar(se) || consolidar(se) · avanzar || apoyar** *Varios Gobiernos apoyan el nuevo proceso de paz* · **impulsar · plantear · iniciar · activar || bloquear · reventar · romper · abandonar · aplazar || reactivar** *...sino los pasos que se dan para reactivar el proceso de paz* · **desbloquear · encarrilar**

proclamar v.

● CON SUSTS. **rey** *Fue proclamado rey a los diez años de edad* · **reina · emperador · emperatriz · gobernador,-a** · ***otros tratamientos*** **|| campeón,-a · ganador,-a · vencedor,-a || victoria · triunfo || independencia** *proclamar la independencia de un territorio* · **república || inocencia** *La acusada proclamó su inocencia desde un principio*

● CON ADVS. **abiertamente · sin tapujos · con claridad || a bombo y platillo · a los cuatro vientos** *Los periódicos proclamaron a los cuatro vientos el nuevo romance* · **a toda plana || a gritos · a voces · a voz en grito · con alborozo || ardientemente · enfáticamente · contra viento y marea · fervientemente · a ultranza · repetidamente || unánimemente · al unísono · a coro** *Los jugadores eufóricos proclamaba su victoria a coro*

proclive (a) adj.

● CON SUSTS. **tristeza · desaliento** *Tiene una fuerte personalidad y no es proclive al desaliento* · **desengaño · enfado · llanto · lloro · sufrimiento · desánimo** · ***otros estados de ánimo*** **|| infección · catarro · depresión** · ***otras enfermedades*** **|| diálogo · consenso · negociación · acuerdo** *Ambas partes se muestran proclives a un acuerdo* · **pacto · ayuda · colaboración · tolerancia · aceptación || elogio || cambio · mantenimiento · ahorro || fracaso · éxito · error || uso · abuso · exceso || vicio · violencia · adulterio · pecado · corrupción**

● CON VBOS. **volverse · mantenerse**

procurar v.

● CON ADVS. **con todas {mis/tus/sus...} fuerzas** *Procuré con todas mis fuerzas no dejarme convencer* · **obstinadamente** · **tenazmente** || **por todos los medios** · **a toda costa** || **a duras penas** · **en la medida de lo posible**

prodigio s.m.

● CON ADJS. **auténtico** *Este lugar es un auténtico prodigio de la naturaleza* · **verdadero** || **falso** || **apoteósico** · **asombroso** · **extraordinario** · **inexplicable** || **joven** · **nuevo** · **pequeño** || **técnico** · **tecnológico** · **económico** || **artístico** · **cinematográfico** · **literario** *Ha sido calificado por la crítica como prodigio literario* · **musical** · **imaginativo** · **interpretativo**

● CON SUSTS. **cúmulo (de)** · **sucesión (de)** || **niño,ña** *un niño prodigio que es capaz de dar una conferencia a universitarios*

● CON VBOS. **consumar(se)** · **producir(se)** · **tener lugar** || **realizar** · **lograr** · **obrar** *La informática obra diariamente pequeños prodigios* || **explicar** *un prodigio tecnológico muy difícil de explicar* || **esperar** · **presenciar** || **asistir (a)**

prodigioso, sa adj.

● CON SUSTS. **memoria** · **técnica** · **voz** · **aptitud** · **mente** *Su prodigiosa mente ha creado mundos fantásticos* · **cabeza** · **valor** · **capacidad** *una capacidad prodigiosa para la aritmética* · **inteligencia** · **facilidad** · ***otras cualidades*** || **época** · **año** · **década** · **siglo** · **tiempo** · **final** · ***otros momentos o períodos*** || **invento** · **máquina** · **instrumento** · **artilugio** · **artefacto** · **herramienta** · **aparato** || **trabajo** · **labor** · **actuación** · **interpretación** || **resultado** · **efecto**

pródigo, ga adj.

● CON SUSTS. **hijo,ja** · **escritor,-a** · **artista** *Cientos de obras han salido del taller de este pródigo artista* · **científico,ca** · **profesional** · **alumno,na** · **empleado,da** · **ayudante** · ***otros individuos*** || **jornada** · **temporada** · ***otros períodos*** || **tierra** · **zona** *La población se desplazaba en busca de zonas pródigas en pastos* · ***otros lugares***

☐ USO Se usa a menudo con complementos encabezados por la preposición *en*: *una jornada pródiga en goles*.

producción s.f.

● CON ADJS. **cinematográfica** · **científica** · **literaria** · **artística** || **textil** · **siderúrgica** · **industrial** · **artesanal** || **abundante** · **cuantiosa** · **elevada** · **dilatada** *Este autor tiene una dilatada producción de obras de teatro* · **copiosa** · **nutrida** · **suficiente** || **exagerada** · **excesiva** · **desmedida** || **escasa** · **insuficiente** || **en cadena** · **en serie** · **en masa** · **conjunta**

● CON SUSTS. **ayuda (a)** || **trabas (a)** *Han puesto varias trabas a la producción desde el Gobierno* || **nivel (de)** · **tasa (de)** · **volumen (de)** || **línea (de)** · **sistema (de)**

● CON VBOS. **aumentar** · **incrementar** || **decaer** *La producción ha decaído por falta de demanda* · **disminuir** · **decrecer** · **declinar** || **lanzar** · **relanzar** || **apoyar** · **fomentar** · **incentivar** · **proteger** *Se adoptaron medidas para proteger la producción textil nacional* || **bloquear** · **frenar** · **paralizar** · **detener** · **suspender** · **restringir** · **limitar** || **dirigir** · **atender** · **controlar** || **vender** · **colocar** *La empresa todavía no ha colocado su ingente producción* · **comercializar** · **distribuir** · **canalizar** · **encauzar** · **orientar** · **exportar** · **importar** · **blanquear** || **reponer** || **dar salida (a)** *No va a ser fácil dar salida a toda la producción de este año* || **revertir (en)**

producir v.

● CON SUSTS. **admiración** · **asombro** *Un planteamiento que en aquellos tiempos debió producir auténtico asombro* · **alegría** · **sorpresa** · **indignación** · **agotamiento** · **cansancio** · **desasosiego** · **desazón** · **temor** · **molestia** *Estos zapatos me producen unas molestias enormes* · **espanto** · **náusea** · **sueño** · ***otras emociones o sensaciones*** || **dinero** · **beneficio** *Aquella inversión produjo cuantiosos beneficios* · **interés** || **película** || **cambio** · **efecto** · **consecuencia** · **fruto** · **modificación** · **reforma** · **alteración** · **revolución** · **resultado** || **aceite** · **zapato** · ***otros bienes o mercancías***

● CON ADVS. **a granel** · **a gran escala** *La fábrica producía a gran escala para abaratar costes* · **en cadena** · **en serie** · **a destajo** · **febrilmente** || **en exclusiva** || **de un día para otro** · **a cámara lenta** || **indefectiblemente** · **inevitablemente** *...lo que producirá inevitablemente una avalancha de declaraciones...* · **inexorablemente**

productivo, va adj.

▌[que produce o que es capaz de producir]

● CON SUSTS. **economía** · **sector** · **actividad** || **sistema** · **programa** · **proceso** · **estructura** *La actual estructura productiva permite obtener buenos rendimientos* · **cadena** · **infraestructura** || **época** · **ciclo** || **planta** · **aparato** · **unidad** · **agente** · **activo** || **campo** · **tierra** · **terreno** *Lo han convertido en un terreno productivo de gran calidad* || **capacidad** · **potencial** *La industria de artesanía local tiene un enorme potencial productivo* · **fuerza** || **eficacia** · **eficiencia** · **desarrollo** · **crecimiento**

● CON VBOS. **volverse**

▌[útil, provechoso]

● CON SUSTS. **reunión** · **congreso** · **clase** · **curso** · **conferencia** || **uso** · **empleo** || **trabajo** · **aprendizaje** *La experiencia le ha supuesto un productivo aprendizaje* · **inversión** || **jornada** · **día**

● CON VBOS. **resultar**

producto s.m.

● CON ADJS. **competitivo** · **novedoso** · **revolucionario** · **fiable** · **de confianza** || **básico** · **de primera necesidad** · **esencial** || **típico** · **característico** || **artesanal** *una tienda de productos artesanales típicos de la zona* · **industrial** · **comercial** || **nacional** · **de importación** || **natural** · **artificial** · **de laboratorio** || **perecedero** · **duradero**

● CON SUSTS. **precio (de)** || **línea (de)** · **variedad (de)** · **lista (de)** · **gama (de)** || **mercado (de)** · **oferta (de)** · **demanda (de)** || **calidad (de)** · **valor (de)** || **estrella** *En la reunión se presentó el producto estrella de la temporada*

● CON VBOS. **agotar(se)** *El novedoso producto se agotó en pocas horas* || **circular** · **difundir(se)** || **vencer** || **crear** · **diseñar** · **inventar** · **patentar** || **fabricar** *Fabrican sus productos siguiendo la normativa vigente* · **elaborar** · **producir** · **realizar** · **manufacturar** · **reciclar** || **lanzar** · **sacar** *Han sacado unos nuevos productos de limpieza muy económicos* · **relanzar** · **monopolizar** || **colocar** · **comercializar** · **distribuir** · **ofrecer** · **suministrar** · **expender** · **vender** · **importar** · **exportar** · **dirigir** *un producto dirigido a un público infantil* || **adulterar** · **bloquear** · **boicotear** · **copiar** || **gravar** || **anunciar** || **consumir** · **comprar** || **necesitar** · **buscar** · **encontrar**

productor, -a

1 productor, -a adj.

● CON SUSTS. **país** · **región** *la principal región productora de cereales del país* · **zona** || **planta** · **centro** · **fábrica** · **central** || **sector** · **empresa** · **agente** || **capacidad** || **aparato** · **órgano** · **célula**

2 productor, -a s.

● CON ADJS. **gran** · **pequeño,ña** · **principal** · **fuerte** · **importante** || **agrícola** · **agropecuario,ria** · **textil** · **viti-**

vinícola *una familia de productores vitivinícolas* || **local** · **nacional** · **internacional** · **mundial** || **cinematográfico**
● CON VBOS. **producir (algo)** · **vender (algo)** · **distribuir (algo)** · **financiar (algo)** *Una conocida productora de cine financiará el largometraje* · **apoyar (algo)**

proeza s.f.

● CON ADJS. **descomunal** · **enorme** *Pocos alpinistas han conseguido la enorme proeza de llegar a esta cumbre por la cara norte* · **monumental** · **portentosa** · **extraordinaria** · **ingente** || **pequeña** || **insólita** || **heroica** · **histórica** · **técnica** · **física** · **intelectual** · **artística** · **deportiva**
● CON SUSTS. **serie (de)**
● CON VBOS. **llevar a cabo** · **realizar** · **acometer** || **superar** || **constituir** · **representar** || **conmemorar**

profano, na adj.

I [no religioso]

● CON SUSTS. **arte** · **música** *el período en el que la música profana europea comenzó a cobrar importancia* · **literatura** · **escultura** · **pintura** · **lírica** · **lenguaje** || **ámbito** · **lado** · **faceta** · **carácter** · **tema** || **obra** · **creación** · **espectáculo** · **representación** · **canción** · **cantata** · **oratorio** || **rito**

I [no entendido]

● CON SUSTS. **público** · **espectador,-a** · **lector,-a** *un ensayo dirigido a lectores profanos* · ***otros individuos y grupos humanos***

profecía s.f.

● CON ADJS. **certera** · **fallida** · **falsa** · **maléfica** || **apocalíptica** · **catastrófica** · **bíblica**
● CON VBOS. **hacer(se) realidad** *Afortunadamente, la profecía no se hizo realidad* · **confirmar(se)** · **verificar(se)** || **decir (algo)** *tal como dice la profecía* · **predecir (algo)** · **pronosticar (algo)** · **anunciar (algo)** || **hacer** · **lanzar** || **cumplir** || **desmentir** · **incumplir**

proferir v.

● CON SUSTS. **declaración** · **expresión** · **discurso** · **afirmación** · **palabra** *No volvió a proferir otra palabra en público* · **mensaje** || **acusaciones** · **críticas** · **amenazas** · **calumnias** · **improperios** · **insultos** *Empezó a proferir insultos en medio de la calle* · **blasfemias** · **injurias** · **obscenidades** · **descalificaciones** · **vituperios** · **afrentas** || **sentencias** · **fallos** || **gritos** · **gemidos** · **sollozos** || **disparates** · **tonterías** · **barbaridades**

profesar v.

I [aceptar, seguir]

● CON SUSTS. **hinduismo** *Los dos profesan el hinduismo* · **catolicismo** · **budismo** · ***otras religiones*** || **fe** · **creencia** · **credo** · **culto** · **doctrina** · **confesión** · **confesionalidad** || **ideología** · **idea** · **principio** · **planteamiento** · **dogma** · **máxima** · **convicción** · **teoría** · **moral** · **ideario** · **ideal** · **ley** · **espíritu** || **ecologismo** · **humanismo** *Es una organización que profesa el humanismo* · **liberalismo** · ***otras tendencias*** || **estilo** · **estética** · **gusto** || **disciplina** · **ciencia** · **filosofía** · **cultura** · **tradición**

I [ejercer]

● CON SUSTS. **abogacía** · **medicina** · **oficio** · ***otras profesiones***

I [sentir]

● CON SUSTS. **amor** · **afecto** · **cariño** · **amistad** · **simpatía** · **devoción** *La devoción que profesaba a su maestro se refleja en toda su obra* · **respeto** · **estima** · **veneración** · **aprecio** · **adoración** · **pasión** · **entusiasmo** · **fervor** || **admiración** *Confesó públicamente la admiración que profesaba hacia su rival* · **lealtad** · **fidelidad** · **reconocimiento** · **obediencia** · **confianza** · **dedicación** · **compromiso** · **comprensión** · **gratitud** || **odio** · **enemistad** · **hostilidad** · **antipatía** · **animadversión** · **rechazo** · **inquina** · **rivalidad** · **resentimiento** · **rencor** · **aversión** · **desprecio** · **aborrecimiento**

profesión s.f.

● CON ADJS. **liberal** || **arriesgada** · **de riesgo** || **abnegada** · **sacrificada** *una profesión vocacional y muy sacrificada* · **gratificante** || **digna** · **honesta** · **honrada** · **honrosa** · **reconocida** · **prestigiosa** || **de medio pelo** · **deshonrosa** || **itinerante** · **fija** · **conocida** *De ella solo se sabe que no tiene hijos ni profesión conocida* || **vocacional** || **a tiempo {completo/parcial}**
● CON SUSTS. **aprendiz,-a (de)**
● CON VBOS. **cultivar** · **ejercer** *Mi compañero ejerce su profesión desde que se licenció* · **practicar** · **tener** || **homologar** || **dar {mis/tus/sus...} primeros pasos (en)** *Di mis primeros pasos en esta profesión de la mano de un gran maestro* · **iniciar(se) (en)** · **debutar (en)** · **estrenarse (en)** · **ejercitar(se) (en)** · **estudiar (para)** · **adiestrar(se) (en)** || **dedicar(se) (a)** · **consagrar(se) (a)** · **meterse (a)** · **predestinar (a)** || **retirar(se) (de)** · **cortar (con)** · **cesar (en)**

profesional

1 profesional adj.

● CON SUSTS. **formación** · **vida** · **carrera** *un homenaje en reconocimiento a su carrera profesional* · **trayectoria** · **ámbito** · **actividad** · **trabajo** · **desarrollo** · **experiencia** *Para el puesto exigen cinco años de experiencia profesional en el sector* · **éxito** · **andadura** · **futuro** · **labor** || **escritor,-a** · **músico,ca** · **fotógrafo,fa** · **deportista** · **médico,ca** · ***otros profesionales*** || **tropa** · **ejército** || **contacto** · **relación** · **asesoramiento** · **crítica** || **coro** · **orquesta** || **secreto** · **deontología** · **ética** · **rigor** · **obligación** *Mis obligaciones profesionales me impiden estar mañana con ustedes* || **deformación** || **satisfacción** *una encuesta sobre el grado de satisfacción profesional de los trabajadores*

2 profesional s.com.

● CON ADJS. **acreditado,da** · **conocido,da** · **cotizado,da** · **eminente** · **prestigioso,sa** · **reputado,da** · **afamado,da** || **completo,ta** · **consumado,da** · **de pies a cabeza** *Con su actuación demostró ser un profesional de pies a cabeza* || **competente** · **experto,ta** · **preparado,da** · **diestro** · **curtido,da** || **en activo** *Estamos buscando profesionales en activo que...*
● CON VBOS. **jubilar(se)** · **trabajar** · **actuar** || **contratar** · **formar** || **aglutinar**

profesionalidad s.f.

● CON ADJS. **gran(de)** · **consolidada** · **reputada** *Contrataron a un abogado de reputada profesionalidad* · **demostrada** · **probada** · **acreditada** · **incuestionable** · **notoria** · **notable** · **destacada** · **patente** || **correcta** · **suficiente** || **dudosa** · **cuestionable**
● CON SUSTS. **ejemplo (de)** · **lección (de)** · **demostración (de)** || **aumento (de)** || **falta (de)** *...y algunos detalles más que demuestran su falta de profesionalidad* · **ausencia (de)** || **grado (de)** · **nivel (de)**
● CON VBOS. **empañar(se)** · **enturbiar(se)** || **manifestar(se)** || **probar** · **demostrar** · **exhibir** · **acreditar** · **constatar** || **avalar** *Avala sobradamente su profesionalidad la brillante trayectoria que ha seguido en la empresa desde*

que... · **cuestionar || reconocer · alabar · elogiar · valorar**

● CON PREPS. **con** *realizar un trabajo con profesionalidad*

profesor, -a s.

● CON ADJS. **célebre** *Conocimos por fin a la célebre profesora de danza* · **ilustre · prestigioso,sa · famoso,sa · distinguido,da · insigne · renombrado,da · reputado,da · respetado,da · destacado,da · acreditado,da · afamado,da || brillante · excelente · buen,-a · competente · cualificado,da** *La academia busca profesores cualificados* · **experto,ta · consumado,da · docto,ta · curtido,da · especializado,da · notable || entusiasta · motivado,da** *El nuevo profesor parece muy motivado* · **estimulante · divertido,da · entretenido,da || mal,-a · pésimo,ma · incompetente · aburrido,da · deficiente · absentista · falso,sa || asociado,da · contratado,da · interino,na · numerario,ria · funcionario,ria · instructor,-a · titular** *Su objetivo es conseguir una plaza de profesor titular* · **universitario,ria · emérito,ta · honorario,ria · visitante · invitado,da** *Este trimestre trabaja como profesora invitada en una universidad extranjera* · **permanente · sustituto,ta**

● CON SUSTS. **sala (de)** *La reunión tendrá lugar en la sala de profesores* **|| plaza (de) · puesto (de) || grupo (de) · claustro (de) · asociación (de) · sindicato (de) · colectivo (de) · cuerpo (de) · equipo (de) · plantilla (de) || formación (de)** *cursos de formación de profesores*

● CON VBOS. **{dar/impartir} clase · enseñar (algo) · explicar (algo) · investigar (algo) · prestar servicio (a alguien) || examinar (a alguien) · evaluar (a alguien) · aprobar (a alguien) · suspender (a alguien) || reprobar (a alguien) · castigar (a alguien) · corregir (a alguien) || tener a su cargo (algo/a alguien) · educar (a alguien) || formar escuela || tener || emular** *la relativa ausencia de profesores a los que poder emular* **|| contratar** *Han contratado a un profesor especializado en informática* · **despedir · reemplazar || nombrar** *La nombraron profesora emérita tras una brillante carrera* **|| ejercer (de) || aprender (con)**

profético, ca adj.

● CON SUSTS. **papel · don · capacidad · dotes · cualidad || misión || contenido · dimensión · sentido** *El sentido profético de sus palabras se vio corroborado* · **valor · mensaje · sueño · palabras · voz · título · denuncia · significado || movimiento · religión · tradición**

profetizar v.

● CON SUSTS. **calamidad · desgracia** *Había profetizado toda suerte de desgracias* · **destrucción · castigo · catástrofe · debacle · hecatombe · muerte · guerra || futuro || triunfo · recuperación || resultado · derrota · desaparición · caída || llegada · aparición · surgimiento · nacimiento · existencia · fin · final ||** ***otros eventos***

profiláctico, ca adj.

● CON SUSTS. **tratamiento · cura · limpieza || medio · medida** *medidas profilácticas para evitar contagios* · **recurso · procedimiento · sistema || efecto · función · valor || razón · carácter · necesidad · deficiencia || consejo · pauta || guante · mascarilla · antibiótico · vacuna · medicamento · medicina || distancia**

profundamente adv.

● CON VBOS. **calar · penetrar · adentrarse · entrar · ahondar · sumir · arraigar · enraizar · permear || conocer · interesar(se) · involucrar(se) · implicar(se) || cambiar · renovar · modificar · reformar · revolucionar** *descubrimientos que revolucionaron profundamente la ciencia de la época* · **reformular · alterar · revisar · transformar · reestructurar || meditar · pensar · reflexionar · cuestionar || amar · lamentar** *Lamento profundamente no poder asistir a tu boda* · **sentir · admirar · respetar · conmover(se) · emocionar(se) · enamorar(se)** *Se enamoró profundamente de ella* · **querer · apreciar · valorar · desear · agradecer · deplorar || odiar · doler · entristecer · enfadar · sufrir · deprimir(se) · decepcionar · preocupar(se) · desanimar · molestar** *Le molestó profundamente el comportamiento de sus compañeros* · **perturbar · desagradar · desmoralizar · desconfiar · avergonzar(se) || vincularse · unir · ligar** *un hecho profundamente ligado a los sucesos de la semana pasada* · **conectar · identificarse || dividir · distanciarse · alejar(se) || estudiar · analizar** *analizar profundamente las causas* · **investigar · examinar || marcar · influir · condicionar · atraer · llamar la atención · incidir · impactar || afectar · herir · trastornar · sacudir · impresionar · lastimar · resentirse · minar · perjudicar · trastocar || creer · convencerse** *Está profundamente convencida de que lleva razón* **|| suspirar · dormir · inspirar · respirar**

[profundidad] → en profundidad; profundidad

profundidad s.f.

● CON ADJS. **inmensa · abismal · inabarcable · inescrutable · insondable** *las profundidades insondables del fondo marino* · **insuperable · enorme · impresionante** *Sus escritos son de una profundidad impresionante* **|| psicológica** *personajes de enorme profundidad psicológica* · **dramática · literaria · filosófica · conceptual || abisal · marina**

● CON SUSTS. **carga (de) || falta (de)**

● CON VBOS. **alcanzar || dar || adentrarse (en) · bajar (a) · internar(se) (en) · hundir(se) (en) · sumir(se) (en) · bucear (en) || meter(se) (en)** *La conferenciante se metió en demasiadas profundidades* · **ahondar (en)**

● CON PREPS. **en** *un análisis en profundidad de la situación actual* · **con**

profundizar (en) v.

● CON SUSTS. **cuestión · asunto · tema · investigación · estudio** *Al terminar su tesis, decidió profundizar exhaustivamente en el estudio de...* · **causa · detalle**

● CON ADVS. **a conciencia · al detalle · concienzudamente · con detalle** *Si profundizas con detalle en el asunto, te llevarás algunas sorpresas* · **con interés · cuidadosamente · detalladamente · detenidamente · exhaustivamente**

profundo, da adj.

❚ [hondo, que llega muy abajo o muy hacia el interior]

● CON SUSTS. **mar · río · laguna || barranco · abismo · agujero · bache** *Las obras han dejado profundos baches en la carretera* · **pozo · brecha || cajón · armario · recipiente || raíz · agua || mirada** *Posee una mirada profunda, dulce e inteligente* · **avance · caída · acercamiento || golpe · puñetazo · puñalada**

❚ [absoluto, intenso]

● CON SUSTS. **silencio · vacío · oscuridad || sordera · ceguera · parálisis** *Sufre una parálisis profunda de las extremidades inferiores* **|| idea · teoría · reflexión · razonamiento || simbología · imagen || palabra · discurso** *Pronunció un discurso interesante y profundo* · **respuesta ·** ***otras manifestaciones verbales o textuales*** **|| obra · libro · novela · cuadro ·** ***otras creaciones*** **|| estudioso,sa · conocedor,-a · sabio,bia || sonido · voz · tono || preocupación · dolor · consternación** *La gente recibió la noticia* *con profunda consternación* · **depresión** · **desilusión** · **disgusto** · **malestar** · **pena** · **tristeza** · **angustia** · **cansancio** · **crispación** · **desaliento** || **amor** · **afecto** · **amistad** · **admiración** · **cariño** · **respeto** *como prueba del profundo respeto que le profesaba* · **simpatía** · **aprecio** · **concordia** · **solidaridad** || **afinidad** · **vinculación** · **relación** · **unión** · **integración** · **compromiso** · **comunicación** · **alianza** · **identificación** || **antipatía** · **animadversión** · **aversión** · **asco** · **rechazo** · **indiferencia** · **odio** · **desprecio** · **envidia** || **sentimiento** · **emoción** · **emotividad** · **sensación** · **inquietud** || **atracción** · **anhelo** · **atención** · **aspiración** · **deseo** · **interés** · **ilusión** · **inclinación** · **tendencia** || **creencia** · **convicción** · **convencimiento** · **seguridad** · **fe** || **saber** · **conocimiento** · **enseñanza** · **entendimiento** · **comprensión** · **cultura** · **dominio** · **formación** || **significado** · **sentido** · **motivo** · **razón** · **causa** · **valor** *Estas viejas fotos tienen un profundo valor para mí* · **contenido** || **debilidad** · **estupidez** · **imbecilidad** · **inutilidad** · **inseguridad** · **torpeza** || **fractura** · **discrepancia** · **corte** · **cisma** · **contradicción** · **contraste** · **diferencia** *Nos separan profundas diferencias ideológicas* · **desigualdad** · **desequilibrio** · **divergencia** · **división** · **asimetría** || **falta** · **carencia** · **recorte** · **limitación** · **reducción** · **necesidad** || **cambio** · **transformación** *Fue necesaria una profunda transformación del sistema educativo* · **renovación** · **revisión** · **reorganización** · **remodelación** · **reforma** · **metamorfosis** · **modificación** · **corrección** · **actualización** · **ajuste** · **alteración** || **análisis** · **estudio** · **interpretación** · **investigación** · **examen** · **búsqueda** · **evaluación** · **apreciación** · **crítica** || **impresión** · **huella** *Dejó una profunda huella en la institución* · **consecuencia** · **efecto** · **influencia** · **recuerdo** · **vivencia** · **arraigo** · **impronta** || **desconfianza** · **duda** · **cuestionamiento** · **cuestión** · **pregunta** · **interrogación** || **crisis** · **complejidad** · **injusticia** *un conflicto que tiene sus raíces en las profundas injusticias sociales de la región* · **problema** · **error** · **equivocación** · **dificultad** · **recesión** || **azul** *una camisa color azul profundo* · **rojo** · **carmesí**

▮ [cerrado a la influencia externa]

● CON SUSTS. **sur** · **América** · **España** *pueblos de la España profunda* · ***otros lugares***

profusamente adv.

● CON VBOS. **sangrar** · **manar** · **sudar** · **vomitar** · **orinar** || **ilustrar** · **adornar** · **decorar** · **engalanar** · **iluminar** · **pintar** · **tatuar** · **anotar** || **utilizar** · **usar** · **emplear** *Empleaba profusamente el mismo argumento* · **aplicar** · **manejar** || **difundir** · **divulgar** · **propagar** · **extender** · **promocionar** · **publicitar** · **publicar** · **editar** · **circular** *El vídeo circula profusamente por internet* · **distribuir** · **repartir** || **exponer** · **exhibir** · **mostrar** · **lucir** · **airear** || **aparecer** · **figurar** · **constar** · **recoger** || **tratar** *Todos los medios han tratado profusamente la noticia* · **abordar** · **cultivar** · **practicar** · **dedicarse** || **documentar** · **argumentar** · **analizar** · **estudiar** · **explicar** · **describir** · **detallar** || **citar** · **aludir** · **anunciar** · **hablar** · **prodigarse** · **expresar** · **comentar** · **contestar** · **escribir** *Se ha escrito profusamente del tema en las últimas semanas* · **informar** || **insultar** · **abuchear** · **silbar** · **criticar** · **acusar** · **denunciar** · **arremeter** || **elogiar** · **aplaudir** · **celebrar** · **condecorar** · **galardonar**

☐ USO Se construye muy frecuentemente con participios: *una estancia profusamente decorada.*

profusión

1 **profusión** s.f.

● CON ADJS. **enorme** · **gran(de)** · **máxima**

● CON VBOS. **limitar** · **eliminar**

● CON PREPS. **con** · **sin** *describir algo sin gran profusión de detalles*

2 **profusión (de)** s.f.

● CON SUSTS. **sangre** · **agua** || **datos** · **detalles** · **cifras** · **citas** · **notas** · **ideas** || **imágenes** · **ilustraciones** · **anuncios** · **carteles** · **adornos** || **obras** · **publicaciones** · **libros** || **premios** · **medallas** || **medios** · **recursos** *El Gobierno ha destinado una enorme profusión de recursos al plan de seguridad* · **fondos** · **materiales**

programa s.m.

● CON ADJS. **ambicioso** *Diseñaron un ambicioso programa de actuación* · **completo** · **nutrido** · **integral** · **detallado** || **drástico** · **riguroso** · **severo** · **efectivo** || **a medida** *Han elaborado un programa a medida para cada cliente* · **accesible** · **elástico** · **flexible** · **preconcebido** || **acelerado** · **apretado** · **gradual** || **novedoso** · **innovador** || **impracticable** · **obsoleto** || **de actividades** · **de actos** · **de actuaciones** · **de medidas** · **de formación** || **cultural** · **educativo** · **informativo** · **radiofónico** *La cadena quiere lanzar un nuevo programa radiofónico* · **televisivo** · **electoral** · **informático** · **militar** · **comercial** · **político**

● CON SUSTS. **marco** *...para preparar el nuevo programa marco de la investigación*

● CON VBOS. **hacer(se) realidad** || **difuminar(se)** || **elaborar** · **preparar** *Están preparando el programa cultural de la temporada* · **trazar** · **perfilar** · **planificar** · **plantear** · **concebir** · **delinear** · **establecer** || **organizar** · **dirigir** · **promover** · **negociar** · **arbitrar** · **capitanear** || **afrontar** · **encarar** · **emprender** || **emitir** *Esta noche emiten un programa informativo especial* · **lanzar** · **presentar** · **relanzar** || **implantar** · **llevar a la práctica** · **poner en funcionamiento** · **poner en marcha** · **instaurar** · **aplicar** · **ejecutar** · **implementar** · **llevar adelante** · **seguir** *Su hermano sigue un programa de formación acelerado* · **cumplir** || **financiar** · **apoyar** · **patrocinar** || **alterar** · **modificar** · **cambiar** · **trastocar** · **afinar** || **homologar** · **validar** · **refundir** || **desglosar** || **bloquear** · **cancelar** · **retirar** · **echar por tierra** *La falta de motivación echó por tierra todo el programa* · **desmantelar** · **desmontar** · **congelar** · **hipotecar** || **desbloquear** || **incumplir** · **saltarse** || **ajustar(se) (a)** · **amoldar(se) (a)** · **ceñir(se) (a)** *Las clases no se ceñían casi nunca al programa* || **perseverar (en)**

programación s.f.

● CON ADJS. **nutrida** · **variada** · **interesante** · **amena** · **entretenida** || **prevista** || **en abierto** || **televisiva** · **electoral** · **cinematográfica** · **deportiva** · **radiofónica** · **musical** · **operística** · **teatral**

● CON VBOS. **aligerar** · **alterar** *En el último momento los organizadores alteraron la programación del acto* · **modificar** || **elaborar** · **redactar** · **planear** · **planificar** || **conocer** · **consultar** *consultar la programación televisiva en internet* || **ajustar(se) (a)** · **ceñir(se) (a)**

programador, -a

1 **programador, -a** s.

▮ [persona]

● CON ADJS. **informático,ca** || **experto,ta** · **con experiencia** · **novel** · **novato,ta** · **inexperto,ta**

● CON VBOS. **avisar** · **llamar** *Si no se soluciona el problema tendremos que llamar a un programador informático* · **buscar** · **necesitar** · **contratar** || **trabajar (como/de)** · **ejercer (como/de)**

2 **programador** s.m.

▮ [dispositivo]

● CON VBOS. **estropear(se)** *Se ha estropeado el programador de la lavadora* · **funcionar** || **arreglar** · **reparar** · **instalar**

progresar v.

● CON SUSTS. **país** · **pueblo** · **ciudad** · **sociedad** · **economía** || **enfermedad** *El médico nos explicó que la enfermedad progresa muy lentamente* · **infección** · **crisis** || **investigación** · **tecnología** · **ciencia**

● CON ADVS. **adecuadamente** *El nuevo estudiante progresa adecuadamente en todas las materias* · **favorablemente** · **satisfactoriamente** || **gradualmente** · **linealmente** · **paulatinamente** · **ininterrumpidamente** · **armónicamente** || **a pasos agigantados** *...un enfermo que está progresando a pasos agigantados y pronto saldrá del hospital* · **espectacularmente** · **a ojos vistas** · **considerablemente** · **notablemente** · **rápidamente** || **a trancas y barrancas** · **con dificultad** · **lentamente**

progresión s.f.

● CON ADJS. **espectacular** *una progresión espectacular del índice de empleo* · **fuerte** · **fulgurante** · **rápida** · **vertiginosa** · **implacable** · **imparable** || **inexorable** · **constante** · **continua** · **fija** || **lenta** *especies expuestas, en lenta progresión, a su inexorable extinción* || **aritmética** · **geométrica** · **exponencial** || **ascendente** · **descendente** · **lineal** || **sujeto,ta (a)**

● CON SUSTS. **margen (de)** · **capacidad (de)** || **línea (de)** · **curva (de)** || **ritmo (de)** *el ritmo de progresión de la infección viral* · **velocidad (de)** || **riesgo (de)**

● CON VBOS. **aumentar** · **mantener(se)** · **persistir** · **disminuir** || **cortar(se)** · **detener(se)** *Afortunadamente, la progresión de la enfermedad se ha detenido* · **interrumpir(se)** · **truncar(se)** || **acelerar** · **potenciar** || **frenar** · **reducir** · **retardar** || **experimentar** · **presentar** · **sufrir** || **seguir** · **observar**

● CON PREPS. **en** *en progresión ascendente*

progresista adj.

● CON SUSTS. **ciudadanía** · **intelectual** · **líder** *El líder progresista es el mejor valorado en las últimas encuestas* · **electorado** · ***otros individuos y grupos humanos*** || **partido** · **sector** · **rama** · **ala** · **corriente** *La nueva medida cuenta con la oposición de la corriente progresista del partido* · **bloque** · **coalición** · **grupo** · **fuerza** · **candidatura** || **ideología** · **postura** · **pensamiento** · **tendencia** *movimientos de tendencia progresista* · **signo** · **visión** · **tono** · **mentalidad** · **convicción** · **ideas** · **valores** || **proyecto** · **programa** · **política** · **estrategia** · **opción** · **alternativa** · **voto** || **periódico** · **diario** · **prensa**

● CON VBOS. **volverse** · **hacerse**

progresivamente adv.

● CON VBOS. **aumentar** *El objetivo este año es aumentar progresivamente nuestra presencia en el mercado* · **crecer** · **ampliar** · **incrementar** · **extenderse** · **mejorar** · **intensificar** · **recuperar(se)** || **disminuir** · **empeorar** · **bajar** · **descender** · **reducir(se)** · **deteriorar(se)** *Su salud se deteriora progresivamente* · **debilitar(se)** · **aligerar(se)** || **aparecer** · **surgir** · **manifestarse** || **desaparecer** · **perder(se)** · **extinguirse** || **absorber** · **acumular** · **adquirir** · **ganar** · **incorporar(se)** · **integrar** · **añadir** *A continuación, añada harina progresivamente hasta que la salsa adquiera el espesor deseado* || **convertir(se)** · **derivar** · **evolucionar** · **cambiar** · **transformar** · **desarrollar(se)** || **articular** · **estructurar** · **imponer** · **controlar** · **ordenar** || **aplicar** *Aplique la crema progresivamente a la zona afectada* · **usar** · **emplear** || **aproximar(se)** · **acercar(se)** · **alejar(se)** · **apartarse** · **abandonar** || **enfriar(se)** · **encarecer(se)** · **palidecer** · **embrutecer(se)** · **enfermar** · **relajarse** · **endurecer(se)** *Es un material que se endurece progresivamente* || **entender** · **comprender** · **querer** · **enamorar(se)** · **amar**

progresivo, va adj.

● CON SUSTS. **aumento** · **avance** · **incremento** · **mejora** || **caída** *La progresiva caída de la bolsa preocupa a los inversores* · **envejecimiento** · **disminución** · **descenso** · **pérdida** · **reducción** · **retroceso** · **eliminación** · **desaparición** · **degradación** · **deterioro** · **empeoramiento** || **cambio** · **modificación** · **atención** || **liberalización** · **separación** · **alejamiento** · **acercamiento** || **diferencia** || **impuesto** · **pago** || **lente** *El oculista me ha recomendado las lentes progresivas*

progreso s.m.

● CON ADJS. **notable** · **considerable** · **apreciable** || **acelerado** *el progreso acelerado de su enfermedad* · **desenfrenado** · **fulgurante** · **imparable** || **lineal** · **ordenado** · **uniforme** · **sistemático** · **escalonado** · **homogéneo** || **estancado** · **detenido** · **retardado** || **irreversible** || **efectivo** · **real** || **material** · **espiritual** · **mental** · **intelectual** · **afectivo** · **cultural** · **económico** · **social**

● CON SUSTS. **pacto (de)** · **gobierno (de)** · **mayoría (de)** · **alternativa (de)** · **fuerzas (de)** · **idea (de)** · **proyecto (de)** *Presentan su programa electoral como un proyecto de progreso* · **política (de)** · **futuro (de)** || **oportunidad (de)** · **posibilidad (de)** · **falta (de)** · **voluntad (de)**

● CON VBOS. **afianzar(se)** || **asentar(se) (en algo)** · **cimentar(se) (en algo)** · **basar(se) (en algo)** || **desvanecerse** · **estancarse** || **conformar** · **constituir** || **apoyar** · **fomentar** *medidas para fomentar el progreso económico de la región* · **estimular** · **sostener** · **sustentar** || **frenar** · **impedir** · **obstaculizar** · **obstruir** · **bloquear** · **interrumpir** · **neutralizar** · **atenazar** || **percibir** · **augurar** · **constatar** || **redundar (en)** *La nueva ley redundará en el progreso y la calidad de vida de los ciudadanos*

● CON PREPS. **en aras (de)**

prohibir v.

● CON SUSTS. **venta** · **consumo** · **importación** · **exportación** · **comercialización** · **difusión** *Se ha prohibido la difusión de estas imágenes porque atentan contra la intimidad de las personas* · **fabricación** · ***otras actuaciones*** || **entrada** · **salida** · **paso** · **tráfico** · **estacionamiento** · **aparcamiento** · **circulación** *En este puerto está prohibida la circulación de camiones* · **acceso** || **uso** · **práctica** · **utilización** · **empleo**

● CON ADVS. **categóricamente** · **drásticamente** · **estrictamente** · **rotundamente** · **severamente** · **tajantemente** *Les prohibió tajantemente asistir a la fiesta* · **terminantemente** || **absolutamente** · **totalmente** · **enteramente** · **por completo** *El médico me prohibió la sal por completo* · **de raíz** · **radicalmente** || **justamente** · **injustamente** · **abusivamente** || **parcialmente** || **expresamente** · **literalmente** · **oficialmente** · **virtualmente** || **temporalmente** *Habían prohibido temporalmente usar aquel acceso* · **cautelarmente** · **con reservas** · **definitivamente**

prohibitivo, va adj.

● CON SUSTS. **precio** · **suma** · **cifra** · **cantidad** · **coste** *El coste del proyecto es absolutamente prohibitivo* · **gasto** || **gravamen** · **impuesto** · **arancel** || **nivel** || **horario**

● CON ADVS. **absolutamente** · **totalmente** · **completamente** · **realmente** · **verdaderamente** || **prácticamente**

● CON VBOS. **ser** · **volver(se)** || **estar** · **poner(se)** · **mantener(se)** || **resultar**

prójimo s.m.

• CON SUSTS. **amor (a) · ayuda (a) · entrega (a) · respeto (a/hacia)** *Una de las bases de la convivencia es el respeto al prójimo* · **dedicación (a) · servicio (a) || vida (de)** *meterse en la vida del prójimo* · **asunto (de) · pecado (de) · defecto (de) || sufrimiento (de) · dolor (de) || bien (de) · bienestar (de) || relación (con)**
• CON VBOS. **amar · respetar · ayudar · socorrer · asistir || oprimir · molestar · hacer daño · ofender · engañar · rechazar || fiarse (de) · entregar(se) (a) · desentenderse (de)**

proletario, ria

1 **proletario, ria** adj.
• CON SUSTS. **poder · revolución · revuelta** *Las revueltas proletarias de aquel año provocaron...* · **movimiento || reivindicación · voto || espíritu · idealismo · cosmopolitismo · internacionalismo · universalismo || origen · procedencia || partido · organismo || barrio** *Reside en un barrio proletario de las afueras de la ciudad* · **hogar · gueto · grupo**

2 **proletario, ria** s.
• CON ADJS. **asalariado,da || rebelde · contestatario,ria · sumiso,sa**

proliferación s.f.

• CON ADJS. **excesiva** *alertados por la excesiva proliferación de tales sustancias* · **desmedida · desmesurada || descontrolada || selectiva || alarmante || lenta · rápida || incesante · continua · generalizada · imparable || reciente · actual**
• CON VBOS. **aumentar · disminuir || constatar** *Se ha constatado la proliferación de casinos ilegales en la costa* **|| favorecer · estimular · permitir · causar || evitar · frenar · inhibir · prevenir · combatir · impedir || contener** *un tratamiento para contener la proliferación del virus* · **controlar · regular**

proliferar v.

• CON ADVS. **desmesuradamente · sin control** *La venta callejera prolifera sin control en las zonas turísticas* · **sin límite · alarmantemente || rápidamente || como champiñones · como setas**

prolífico, ca adj.

• CON SUSTS. **animal || mujer · descendencia · familia || autor,-a · artista · director,-a** *Se trata sin duda del director más prolífico de nuestro país* · **escritor,-a · novelista || carrera · obra · actividad · trabajo · labor · producción · contribución · colaboración**

prolijo, ja adj.

• CON SUSTS. **escritor,-a · autor,-a · poeta · cineasta ·** ***otros creadores*** **|| novela · narración** *una extensa y prolija narración de lo ocurrido* · **libro · publicación · edición ·** ***otros textos*** **|| obra · composición · ópera · sonata || correspondencia · epistolario · filmografía · discografía · bibliografía** *Hay una prolija bibliografía sobre el escritor francés* **|| información · informe · dato · documento · documentación || enumeración · relación · lista** *Presentaron una prolija lista de quejas y reclamaciones* · **listado · registro · antología · recuento · catalogación || extensión · estilo · tono · exactitud · verismo · seriedad || parsimonia · lentitud || detalle · precisión · pormenores || investigación · análisis · examen · estudio · búsqueda** *Tras una prolija búsqueda, encontraron los datos que faltaban* · **desarrollo · tratamiento · persecución || razonamiento · pensamiento · reflexión · disquisición || plan · programa · labor · tarea · trabajo · actividad · ejercicio || recorrido · carrera** *Aquel fue el inicio de una prolija carrera periodística* · **currículum vítae · biografía**
• CON VBOS. **ser · estar · ponerse · mostrarse**

prolongar v.

• CON SUSTS. **carretera · calle || frase · texto · canción · composición || estancia** *Decidieron prolongar su estancia una semana más* · **permanencia · viaje · vacaciones || curso · clase · actividad || relación · contrato || plazo · período || reunión** *La reunión se prolongó hasta altas horas de la madrugada* · **encuentro · fiesta · baile || crisis · conflicto · proceso · negociación || situación · racha || mandato · carrera · legislatura || vida || enfermedad · sufrimiento · agonía**
• CON ADVS. **indefinidamente · sine die · sin límite · temporalmente · permanentemente · eternamente || excesivamente** *Han prolongado el curso excesivamente* **|| gradualmente · paulatinamente · progresivamente · moderadamente || considerablemente || incomprensiblemente · sin sentido · innecesariamente || voluntariamente · involuntariamente || artificialmente**

promedio s.m.

• CON ADJS. **aproximado** *El promedio aproximado de visitantes al día supera todas las previsiones*
• CON VBOS. **calcular · medir || alcanzar · rebasar · sobrepasar · superar · exceder || arrojar** *Las estadísticas arrojan un promedio de participación más elevado de lo esperado* **|| fijar · establecer · regular · determinar**
• CON PREPS. **como** *Como promedio cada ciudadano consume al día...* · **de · por encima (de) · por debajo (de)**

promesa s.f.

• CON ADJS. **categórica · en firme · firme · formal** *Me hizo la promesa formal de que vendría, y sin embargo...* · **solemne · incondicional || sincera** *Por su voz, me pareció una promesa sincera* · **creíble · veraz || esperanzadora · ilusionante || ineludible || en falso · falsa · vana** *palabras que suenan a vanas promesas de político en campaña electoral* **|| electoral**
• CON SUSTS. **serie (de) · avalancha (de) · cúmulo (de) · retahíla (de) · rosario (de)**
• CON VBOS. **hacer(se) realidad || caer en saco roto || formular · hacer || atender · cumplir** *Los ciudadanos exigieron que se cumplieran las promesas electorales* · **llevar a la práctica || arrancar (a alguien) · contraer · mantener** *Mantuve hasta el final mi firme promesa de asistir* · **salvar · revalidar · recordar || avalar · aceptar || romper · saltarse · incumplir · negar · olvidar · quebrantar · violar · invalidar · desatender · desoír · eludir || creer (en)** *Lo siento, pero ya no creo en sus falsas promesas* · **fiarse (de) · confiar (en) || faltar (a) · desdecirse (de) · desentenderse (de) || liberar (a alguien) (de)**

prometedor, -a adj.

• CON SUSTS. **futuro** *una tenista con un futuro prometedor* · **panorama · perspectiva · horizonte || carrera · trayectoria || comienzo · inicio · arranque · principio · debut · punto de partida || joven · candidato,ta · artista · jugador,-a · equipo · figura · abogado,da ·** ***otros individuos y grupos humanos*** **|| mercado · negocio** *Se han embarcado en un prometedor negocio* **|| resultado · técnica · avance || novela · obra · película ·** ***otras creaciones*** **|| idea · proyecto · iniciativa**
• CON ADVS. **escasamente · enormemente · altamente · sumamente || políticamente**

prometer v.

• CON SUSTS. **el oro y el moro** *Después de prometerme el oro y el moro, se marchó dejándome sin nada* · **la luna y las estrellas**
• CON ADVS. **de (todo) corazón** · **sinceramente** · **firmemente** · **en firme** || **largamente** || **de palabra** · **verbalmente** · **por escrito** *Prometí por escrito que no divulgaría la información* · **oficialmente** || **en falso** · **falsamente**

promocionar v.

• CON SUSTS. **cantante** · **jugador,-a** · **tenista** · ***otros individuos y grupos humanos*** || **película** · **disco** *El grupo ha anunciado una gira para promocionar su nuevo disco* · **libro** · ***otras creaciones*** || **turismo** *En los últimos años se ha promocionado mucho el turismo rural* · **consumo** · **deporte** · ***otras actividades*** || **zona** · **ciudad** · **barrio** · ***otros lugares*** || **artículo** · **producto** · **oferta** || **imagen** · **candidatura**
• CON ADVS. **activamente** · **incansablemente** || **comercialmente** · **internacionalmente** *La campaña pretende promocionar internacionalmente la nueva imagen de la fundación*

promover v.

• CON SUSTS. **desarrollo** · **reforma** · **cambio** · **iniciativa** || **participación** · **ayuda** · **cooperación** *Las medidas para promover la cooperación internacional han sido muy eficaces* · **intervención** · **diálogo** || **uso** *promover el uso de la informática* || **turismo** · **deporte** *una campaña para promover el deporte entre los jóvenes* · **lectura** · ***otras actividades*** || **empleo** · **cultura** · **paz** · **justicia** || **gasto** · **ahorro** *...a fin de promover el ahorro en las familias* · **consumo** · **inversión**
• CON ADVS. **activamente** · **incansablemente** · **a ultranza**

promulgar v.

• CON SUSTS. **ley** · **norma** · **normativa** · **reglamento** *La dirección del centro ha promulgado el nuevo reglamento escolar* · **ordenanza** · **decreto** · **edicto** · **legislación** · **constitución** || **acuerdo** · **convenio** · **pacto** || **régimen**

pronosticar v.

• CON SUSTS. **victoria** *Las encuestas pronostican una victoria arrolladora de su partido* · **caída** · **triunfo** || **derrota** · **pérdida** · **fracaso** || **calamidad** *...como esos agoreros que pronosticaron toda suerte de calamidades* · **desgracia** · **debacle** · **hecatombe** · **caos** · **crisis** · **ataque** || **final** · **ocaso** || **tiempo** · **lluvia** · **sol** · **niebla** || **futuro** · **resultado** *Nadie se atreve a pronosticar el resultado del encuentro* || **cambio** · **crecimiento** · **aumento** · **incremento** · **subida** || **reducción** · **descenso** *Se ha pronosticado un descenso progresivo de las temperaturas en los próximos días* || **movimiento** · **tendencia**

[pronóstico] → de pronóstico reservado; pronóstico

pronóstico s.m.

• CON ADJS. **atinado** · **acertado** *Su pronóstico sobre el desarrollo de la crisis no resultó a la postre muy acertado* · **certero** · **infalible** · **realista** || **optimista** · **tranquilizador** · **benigno** · **esperanzador** · **halagüeño** || **pesimista** · **preocupante** *El pronóstico del tiempo en la montaña era preocupante* · **alarmante** · **amenazador** · **desalentador** · **negro** · **oscuro** · **catastrófico** · **aciago** · **sombrío** || **difícil** · **imprevisible** · **incierto** · **inseguro** · **reservado** · **grave** || **arriesgado** · **aventurado** || **descabellado** · **equivocado** · **falso** · **fallido** || **médico** *El pronóstico médico es esperanzador* · **económico** · **político** || **acorde (con)**
• CON VBOS. **augurar** · **hacer(se) realidad** || **cernerse (sobre algo)** · **circular** || **irse a pique** || **dar** · **hacer** · **avanzar** · **lanzar** · **emitir** · **formular** · **aventurar** · **arriesgar** || **acertar** · **corroborar** · **cumplir** · **confirmar** · **verificar** || **alterar** · **rectificar** · **incumplir** || **desmentir** · **pulverizar** · **rebasar** || **fallar** *En la última votación fallaste todos tus pronósticos* · **errar**
□ EXPRESIONES **contra todo pronóstico** [en contra de los existentes] *Salió adelante contra todo pronóstico* || **de pronóstico reservado*** [de resultado incierto] *heridas de pronóstico reservado*

[pronto] → a bote pronto

pronunciado, da adj.

• CON SUSTS. **cuesta** · **curva** *señal de tráfico de curva pronunciada* · **ladera** · **rampa** · **pendiente** · **bache** · **desnivel** || **alza** · **ascenso** · **aumento** · **subida** · **repunte** || **bajada** · **caída** *una pronunciada caída de la bolsa* · **descenso** · **desaceleración** · **deterioro** · **déficit** · **reducción** · **declive** · **repecho** || **altibajo** · **inestabilidad** || **calva** · **calvicie** · **ceja** · **nariz** *Tiene los ojos grandes y la nariz muy pronunciada* || **escote** · **minifalda** || **distancia**

[pronunciar] → pronunciar; pronunciarse

pronunciar v.

• CON SUSTS. **palabra** · **sílaba** · **frase** · **nombre** · **apellido** *¿Cómo se pronuncia su apellido?* · **discurso** *Aún no saben quién pronunciará el discurso de apertura* · **conferencia** · ***otras manifestaciones verbales***
• CON ADVS. **claramente** · **con claridad** · **bien** || **con dificultad** · **mal** || **en voz {alta/baja}** *Pronuncié su nombre en voz alta pero no me oyó* || **lentamente** · **velozmente**

pronunciarse v.

• CON ADVS. **a favor** *Tu hermano se pronunció abiertamente a favor de la medida* · **favorablemente** · **afirmativamente** || **en contra** *pronunciarse en contra de la guerra* · **desfavorablemente** || **abiertamente** · **sin ambages** · **sin tapujos** · **claramente** || **decididamente** · **categóricamente** · **radicalmente** · **rotundamente** · **con rotundidad** · **tajantemente** || **democráticamente**

propagación s.f.

• CON ADJS. **rápida** *Se teme una rápida propagación de la epidemia* · **incontrolable** · **inmediata** · **incontenible** · **inexorable** || **lenta** · **progresiva** || **imposible** · **dificultosa** · **fácil** || **cultural** · **ideológica** · **lingüística** · **económica**
• CON SUSTS. **velocidad (de)** · **ritmo (de)** · **capacidad (de)** || **foco (de)** · **causa (de)** *La falta de higiene fue la principal causa de propagación* · **mecanismo (de)** || **riesgo (de)** · **peligro (de)**
• CON VBOS. **continuar** · **persistir** || **aumentar** · **disminuir** || **evitar** · **impedir** · **frenar** · **prevenir** · **detener** · **atajar** · **combatir** || **favorecer** · **facilitar** *Ciertos medios de comunicación facilitaron la propagación del rumor* · **causar** · **provocar** || **contener** · **controlar** · **regular**

propaganda s.f.

• CON ADJS. **masiva** · **abundante** · **continua** *Durante el enfrentamiento, la propaganda bélica fue continua* · **desaforada** · **incansable** · **repetitiva** · **omnipresente** || **engañosa** · **falaz** · **falsa** · **maliciosa** · **nociva** · **apabullante** · **anestesiante** || **interesada** · **parcial** || **abierta** · **directa** · **descarada** · **agresiva** || **persuasiva** · **incitante** · **efectiva** *Nos convencieron mediante una propaganda muy efectiva* || **inefectiva** · **inútil** || **subliminal** · **subrepticia** · **enmas-**

carada · alusiva || favorable (a algo) · contraria (a algo) · en favor (de algo) || clandestina · subversiva · ilegal || legal · oficial || gratuita · cara || enemiga · partidista || bélica · electoral · política · publicitaria · televisiva · mediática || lleno,na (de) *una revista llena de propaganda* · harto,ta (de)
● CON SUSTS. **acto (de)** *Al acto de propaganda electoral asistieron muchos seguidores* · **campaña (de)** · **anuncio (de)** · **vídeo (de)** · **dosis (de)** · **fruto (de)** || **aparato (de)** · **instrumento (de)** || **envío (de)** · **distribución (de)**
● CON VBOS. **inundar (algo/a alguien)** · **invadir (algo/a alguien)** || **calar (en alguien)** *La propaganda masiva e incesante acaba por calar en los ciudadanos* · **prender (en alguien)** · **cuajar** || **disfrazar** || **hacer (de algo)** · **utilizar** || **repartir** · **distribuir** · **enviar** *No paran de enviarme propaganda a mi casa* · **mandar** · **lanzar** · **difundir** · **volcar** || **combatir** || **presentar (como)** · **usar (como)**
● CON PREPS. **con** · **de** *un regalo de propaganda* · **mediante**

propagar(se) v.

● CON SUSTS. **fuego** *El fuego se propagó a gran velocidad a causa del viento* · **incendio** · **llama** || **bulo** · **chisme** · **chismorreo** · **mentira** · **rumor** || **noticia** · **mensaje** · ***otras informaciones*** || **enfermedad** *...un cordón sanitario para impedir que la enfermedad se propague* · **microbio** · **virus** || **duda** · **hipótesis** · **idea** · **tesis** || **conocimiento** · **pensamiento**
● CON ADVS. **a bombo y platillo** · **a los cuatro vientos** *periodistas que se dedican a propagar a los cuatro vientos las intimidades de...* · **a voces** · **a voz en grito** || **en oleadas** *El fuego se propagó en oleadas* · **de boca en boca** · **al unísono** || **como la pólvora** · **rápidamente** · **velozmente**

propensión s.f.

● CON ADJS. **acusada** *una acusada propensión a la sinusitis* · **fuerte** · **manifiesta** · **clara** · **sostenida** || **elevada** · **excesiva** || **escasa** · **incipiente** · **relativa** · **moderada** || **conocida** · **tradicional**
● CON VBOS. **percibir(se)** || **mostrar** · **tener**

propenso, sa (a) adj.

● CON SUSTS. **alergia** · **gripe** · **depresión** · **leucemia** · ***otras enfermedades*** || **insulto** · **descalificación** · **crítica** || **ira** · **enfado** · **odio** || **fatiga** · **desánimo** · **desmoralización** · **melancolía** · **tristeza** || **avería** · **error** *un mecanismo que ha demostrado ser poco efectivo y propenso al error* · **fallo** · **problema** || **agresión** · **ataque** · **pelea** *un joven propenso a las peleas callejeras* · **lucha** · **guerra** · **huelga** · **asesinato** · **corrupción** · **desmán** || **accidente** · **caída** · **desastre** · **gafe** · **percance** || **discusión** · **polémica** · **controversia** || **pacto** · **compromiso** · **conciliación** · **concurrencia** || **exceso** *propenso, como tantos políticos populistas, al exceso y a la desmesura* · **exageración** · **hipérbole** · **desmesura** · **anarquía** · **escándalo** || **rotura** · **disgregación** || **cambio** · **vaivén**
● CON VBOS. **volverse**

propiciar v.

● CON SUSTS. **acuerdo** · **arreglo** · **solución** || **consenso** · **entendimiento** · **acercamiento** *Es imprescindible propiciar el acercamiento entre las dos partes* · **unión** · **encuentro** || **enfrentamiento** · **confrontación** · **lucha** · **desencuentro** || **participación** · **debate** · **diálogo** || **cambio** *Su entrada en el negocio propició el cambio de estrategia* · **desarrollo** · **triunfo** · **aumento**

[propiedad] → con propiedad; propiedad

propiedad s.f.

[posesión]

● CON ADJS. **colectiva** · **común** · **comunal** · **pública** · **municipal** · **estatal** || **particular** *La calle era de propiedad particular y estaba prohibido el paso* · **personal** · **privada** · **exclusiva** · **familiar** || **colindante** · **vecina** · **limítrofe** || **legítima** · **ilegítima** || **intelectual** · **inmobiliaria** · **industrial**
● CON SUSTS. **límite (de)** || **derecho (de)** *derechos de propiedad intelectual* · **ley (de)** · **título (de)** · **régimen (de)** · **escritura (de)** · **registro (de)** || **cambio (de)** · **robo (de)**
● CON VBOS. **tener** *Su familia tiene muchas propiedades* · **poseer** · **ostentar** || **declarar** || **heredar** · **adquirir** · **arrogarse** · **usurpar** || **arrebatar** · **confiscar** · **congelar** || **allanar** · **saquear** *Durante la noche los ladrones habían saqueado varias propiedades de la zona* · **invadir** · **asolar** || **administrar** · **custodiar** · **tutelar** · **garantizar** · **reivindicar** || **poner en venta** · **enajenar** · **hipotecar** || **delimitar** · **demarcar** || **adueñarse (de)** *Mediante un subterfugio legal, se adueñó de todas las propiedades colindantes* || **desposeer (a alguien) (de)**

[cualidad esencial]

● CON ADJS. **característica** · **distintiva** *una propiedad distintiva de la zona es el clima tropical* · **destacada** · **acusada** · **notoria** · **exclusiva** || **curativa** · **regenerativa** · **medicinal** · **terapéutica** *agua mineral con propiedades terapéuticas* · **mágica** || **magnética** · **física** · **química** · **cromática** · **alimenticia** · **nutritiva** || **tóxica** · **cancerígena**

[corrección o exactitud al hablar o escribir]

● CON ADJS. **necesaria** *Los conceptos complejos deben expresarse con la necesaria propiedad* · **exigible** · **requerida**
● CON PREPS. **con** *hablar con propiedad* · **sin**

propina s.f.

● CON ADJS. **espléndida** · **generosa** · **cuantiosa** · **jugosa** · **sustanciosa** || **excesiva** · **desproporcionada** || **digna** · **adecuada** · **proporcionada** || **ridícula** · **raquítica** · **escasa** · **mísera** · **pobre** || **incluida** *La propina está incluida en el precio*
● CON VBOS. **dar** · **dejar** *Los turistas dejaron una generosa propina* · **ofrecer** || **aceptar** · **recibir** · **merecer** · **cobrar** || **calcular**
● CON PREPS. **de** *un euro de propina* · **como**

propinar v.

● CON SUSTS. **patada** *Durante el partido le propinaron varias patadas en el tobillo* · **puntapié** · **bofetada** · **bofetón** · **puñetazo** · ***otros golpes*** || **paliza** || **derrota**

[propio, pia] → con {mis/tus/sus...} propios ojos; en carne propia; por cuenta {ajena/propia}; por {mi/tu/su...} propio pie

proponer v.

● CON SUSTS. **solución** · **medida** *Algunas medidas que se han propuesto para paliar la sequía son...* · **proyecto** · **plan** · **idea** · **iniciativa** · **alternativa** || **nombramiento** · **candidatura** · **nombre** · **pacto** || **creación** · **reforma** · **cambio** || **lectura** · **visión** · **reflexión** || **sanción**
● CON ADVS. **abiertamente** *Su hermano nos propuso abiertamente trabajar con él en la tienda* · **claramente** · **directamente** · **públicamente** || **en firme** · **firmemente** · **oficialmente** || **de pasada** *En la reunión propuse de pasada la reforma de los estatutos* · **indirectamente** · **tentativamente** · **informalmente** · **provisionalmente** || **por mayoría**

[proporción] → de proporciones; proporción

proporción s.f.

● CON ADJS. **justa · adecuada · requerida · debida || armoniosa · equitativa · homogénea || gigantesca · formidable · incalculable · monumental · colosal || alarmante** *El problema adquirió proporciones alarmantes*
● CON VBOS. **aumentar · disminuir · crecer · decrecer || adquirir · cobrar · tomar || guardar** *guardar la proporción de edificabilidad* · **mantener · respetar || fijar · establecer · determinar || alterar || calcular**
● CON PREPS. **de** *un escándalo de proporciones mayúsculas*

proporcional adj.

● CON SUSTS. **cantidad · número || precio · valor · tarifa · alquiler · cifra · importe · presupuesto || grosor · tamaño · extensión · altura · profundidad · edad ·** ***otras magnitudes*** **|| tiempo · esfuerzo** *Deberían exigirle un esfuerzo proporcional a su capacidad* · **paciencia · éxito || votación · sufragio · escrutinio · apoyo || castigo · multa** *una multa proporcional a la infracción cometida* · **pena · sanción || cambio · modificación · revisión · adaptación || aumento · crecimiento · incremento** *un incremento proporcional a las ventas* · **avance || reducción · disminución · rebaja · caída || reparto · parte** *Le dieron de vacaciones la parte proporcional a los meses trabajados* · **distribución || representación · participación · presencia · representatividad**

proposición s.f.

● CON ADJS. **favorable** *Se planteó ante la comisión una proposición favorable al acuerdo* · **a favor · desfavorable · en contra || inicial · provisional · informal || oficial** *La proposición oficial todavía no se conoce* · **definitiva · en firme || honesta · deshonesta · modesta || atractiva · convincente · interesante || chocante · descabellada · vacía || de ley**
● CON VBOS. **hacer · plantear · formular · mantener || aceptar · admitir · tramitar || apoyar · respaldar** *La totalidad de los miembros respaldó la proposición* · **suscribir · aprobar || declinar · desestimar · rechazar · rehusar || examinar · estudiar · considerar** *Todavía estamos considerando la proposición inicial* · **tomar en consideración**

propósito s.m.

● CON ADJS. **firme** *Me hice el firme propósito de no volver a aquel lugar* · **decidido · inquebrantable · tenaz · renovado || claro · expreso · manifiesto · declarado · diáfano || ambicioso · desaforado || honesto · legítimo · sano · sincero** *Tiene sinceros propósitos de no volver a mentir* · **modesto || descabellado · peregrino · retorcido · vano || delictivo** *Trató de ocultarnos sus propósitos delictivos* · **deshonesto · ilegítimo · inconfesable · oscuro · encubierto · oculto · secreto · solapado · soterrado · velado || unánime || de enmienda**
● CON SUSTS. **unidad (de) · declaración (de) · falta (de) · firmeza (de) · sentido (de) · diversidad (de)**
● CON VBOS. **hacer(se) realidad · subyacer (a algo) · cundir || desvanecerse · venirse abajo · malograr(se) || entrever(se) · traslucir(se) || hacer(se)** *Se hizo una vez más el propósito de corregirse* · **sacar || tener · abrigar · albergar · renovar · hacer · madurar · perseguir || llevar adelante · llevar a la práctica · llevar a término · cumplir** *Finalmente, cumplió su propósito de retirarse de la política* · **vivir || desbaratar · desvirtuar · distorsionar || incumplir || expresar · formular · declarar · confesar · reconocer · desvelar · emitir · averiguar** *La Policía nunca averiguó sus oscuros propósitos de forma casual* · **achacar (a alguien) || persistir (en) · aferrar(se) (a) · obstinar(se) (en) · perseverar (en) · ceñir(se) (a) || desistir (de)** *Ha desistido de su propósito de liderar el acuerdo* · **abdicar (de) · cejar (en) || obedecer (a) · responder (a) · servir (a) || creer (en)**
● CON PREPS. **con**

propuesta s.f.

● CON ADJS. **atractiva · seductora · sugerente · tentadora · jugosa · llamativa · ilusionante · nueva · novedosa · vivaz || brillante · atinada · salomónica || factible · viable · realizable || firme · en firme** *¡Por fin alguien tenía una propuesta en firme!* · **provisional · testimonial || flexible · exhaustiva || controvertida · polémica · descabellada · sin pies ni cabeza · ilusa · peregrina · impracticable · inviable · irrealizable · desorbitada · desaforada**
● CON SUSTS. **alcance (de) || avalancha (de)** *Recibimos una avalancha de propuestas en el buzón de sugerencias* · **serie (de) || contenido (de) · objetivo (de) · finalidad (de) · interés (de)**
● CON VBOS. **consistir (en algo) · constar (de algo) || emanar (de algo/de alguien) · circular · salir a la luz · cobrar fuerza · hacer(se) realidad · prosperar · cristalizar · cuajar · calar · surtir efecto · tener éxito || caer como una bomba · caer en el vacío · caer en saco roto** *La suya era una propuesta inviable y pronto cayó en saco roto* · **aguar(se) · decaer || perfilar · delinear · plantear · presentar** *Nos presentó una propuesta muy atractiva* · **establecer · lanzar · formular · llevar · articular · acuñar · firmar · tramitar || acotar · afinar · hacer extensiva · enmendar || defender · apoyar** *Apoyé sin dudarlo su brillante propuesta* · **suscribir · refrendar · sostener · sustentar · abanderar · avalar · secundar · sustanciar · enarbolar · desbloquear || declinar** *Declinar una propuesta tan atinada ha sido un error* · **rechazar · rehusar · bloquear · obstruir · echar para atrás · desestimar · retirar · denegar · desbaratar || llevar a la práctica · llevar adelante · llevar a buen puerto · acometer || barajar** *El comité está barajando varias propuestas* · **considerar · tomar en consideración · sopesar · votar || criticar · rebatir · reprobar || airear · desvelar** *Desveló su propuesta al inicio de la reunión* **|| consensuar · conjugar · conjuntar · aunar · canalizar || adherirse (a) · ceñir(se) (a) || desistir (de) · apear(se) (de) · salir al paso (de)**
● CON PREPS. **a la vista (de)** *A la vista de una propuesta tan tentadora, tal vez cambiemos de opinión* · **a tenor (de)**

propugnar v.

● CON SUSTS. **cambio · reforma · renovación · modificación** *Todos los juristas consultados propugnaban la modificación de algunos artículos de la ley* · **revisión · transformación · enmienda || idea · concepto · teoría · tesis · ideal || reducción · ampliación** *La mayoría de los parlamentarios propugnaron la ampliación de las ayudas a otros afectados* · **incremento · desarrollo · desaparición · recuperación || libertad · tolerancia · abstención** *un grupo minoritario que propugna la abstención en las próximas elecciones* · **diálogo || ruptura · abolición · ocupación · ataque**

propulsar v.

● CON SUSTS. **automóvil · coche · vehículo** *una cilindrada capaz de propulsar el vehículo a gran velocidad* · **tren · cohete · proyectil · ascensor || piedra · material || agua · petróleo || candidato,ta · equipo ·** ***otros individuos y grupos humanos*** **|| empresa · país · democracia || cambio · transformación · modificación · renovación || idea · proyecto · plan** *El Gobierno anterior propulsó algunos planes de edificación* · **iniciativa || creación · crecimiento · aumento · construcción · prosperidad || venta · ingreso · bolsa · dotación · comercio || ofensiva · campaña ·**

sublevación || alianza *propulsar la alianza entre ambos bandos* · pacto · acuerdo · consenso · convergencia

prórroga s.f.

● CON ADJS. indefinida *Me han concedido la prórroga indefinida del permiso* · temporal || suficiente · insuficiente || forzosa · automática · opcional || presupuestaria · médica · técnica

● CON SUSTS. plazo (de) || decreto (de) || petición (de) · solicitud (de) · concesión (de) || situación (de) · régimen (de) || acumulación (de)

● CON VBOS. durar · extender(se) *La prórroga se extiende hasta el próximo mes* || conceder · denegar · rechazar || pedir · solicitar · obtener || tramitar

● CON PREPS. con posibilidad (de) *un contrato de un año con posibilidad de prórroga* || en caso (de)

prorrogar v.

● CON SUSTS. fecha · plazo *Han prorrogado el plazo para entregar las solicitudes* · jornada · tiempo · veraneo · ***otros períodos*** || función · musical · espectáculo · exposición || mandato · ley · secreto · visa *Le prorrogan la visa un año más* · embargo · licencia · disposición || misión · cargo · papel · labor · puesto · cometido · presidencia || contrato · convenio · acuerdo · tregua · compromiso · vínculo · pacto · tratado · alto el fuego · armisticio · alquiler *El inquilino podrá prorrogar el alquiler en caso de...* · arrendamiento · negociación || presupuesto · plan · modelo || apoyo · trabajo · tarea · encargo · ayuda · participación || estancia · permanencia · continuidad · estadía · presencia *Se prorroga la presencia de las tropas en la zona de conflicto*

prorrumpir (en) v.

● CON SUSTS. aplausos *El público prorrumpió en aplausos* · sollozos · carcajadas · exclamaciones · gritos · insultos

proscrito, ta adj.

● CON SUSTS. delincuente · maleante · revolucionario,ria · líder · familia · banda *El ejército buscaba a la banda proscrita* · ***otros individuos y grupos humanos*** || obra · película · libro

● CON VBOS. estar · declarar *Las autoridades la declararon proscrita* · quedar · sentirse

proseguir v.

● CON SUSTS. carrera · camino · viaje *Después de un breve descanso, proseguimos nuestro viaje* || trabajo · tarea · labor · obra · construcción · actividad || estudio · investigación · búsqueda · proceso || negociación *Los sindicatos y los empresarios prosiguen la negociación sobre...* · conversación · diálogo · debate || campaña · gira · política || relato

● CON ADVS. a pesar de las dificultades *El equipo prosiguió la investigación a pesar de las dificultades* · a toda costa · contra viento y marea · a muerte · esforzadamente · a ultranza · hasta el final · sin descanso || esperanzadamente · felizmente

prospección s.f.

● CON ADJS. profunda · superficial || de mercado *una nueva empresa de prospección de mercados* · comercial · económica || arqueológica · petrolífera *Se ha autorizado una prospección petrolífera en la zona* · petrolera · minera · acuífera · oceanográfica · pesquera · meteorológica · geofísica || sociológica · psicológica · anímica

● CON SUSTS. resultado (de) · conclusión (de) · labores (de) · trabajo (de) *Los trabajos de prospección minera han finalizado* · tarea (de) · estudio (de) || campaña (de) · período (de) || empresa (de) · plataforma (de) *una gran plataforma de prospección petrolífera* || permiso (de) · concesión (de)

● CON VBOS. realizar · acelerar · iniciar · efectuar · emprender · terminar · interrumpir

prosperar v.

● CON SUSTS. comerciante · empresario,ria · gremio · ***otros individuos y grupos humanos*** || país · región · provincia · comunidad · ciudad · ***otros lugares*** || capitalismo *El capitalismo prosperó rápidamente en mi país* · humanismo · ***otras tendencias*** || cultura · tecnología · empleo · salud pública || noviazgo · amistad · paz · bienestar || propuesta · proyecto · iniciativa · opción · alternativa · teoría · tesis · candidatura || idea *Confiamos en que más ideas como esta prosperen en nuestra comunidad* · medida · reforma · decisión · resolución · ley · fórmula · estrategia || recurso · demanda · denuncia · petición · apelación · reclamo · acusación *Está por ver si prosperan las acusaciones contra...* · causa · gestión · proceso · diligencia || intento · intención · esfuerzo · pretensión · empeño || negociación *Si prosperan las negociaciones, pronto se producirá la fusión* · acuerdo · relación · reunión · diálogo · conversación · alianza || acción · campaña · operación · inversión · venta · maniobra · jugada || banca · empresa · negocio · economía · compañía · firma · cooperativa · destilería || investigación · indagación · pesquisa

● CON ADVS. rápidamente · velozmente · a pasos agigantados || como hongos *...con pequeños negocios que prosperan como hongos* · como la espuma || sin dificultad · fácilmente · sin obstáculos

protagonizar v.

● CON SUSTS. novela · película *Dirige y protagoniza la película...* · programa · serie · escena · episodio · ensayo · drama || suceso · batalla · ataque · confrontación · duelo · incidente *Dos menores protagonizaron un incidente callejero* · masacre · lucha · riña · pelea · protesta · tiroteo · tragedia · sublevación || reunión · festival · recital · llegada · acontecimiento · actuación · acto · hazaña · gesta · historia · peripecia · intento · jugada · juego · victoria *Los jugadores protagonizaron una histórica victoria* · debate · sesión

proteger v.

● CON SUSTS. país · población · ciudadano,na · usuario,ria · consumidor,-a *Proteger a los consumidores es nuestro objetivo principal* · niño,ña · ***otros individuos y grupos humanos*** || comercio *medidas para proteger el comercio interno y la exportación* · pesca · práctica · ***otras actividades*** || vida || patrimonio · bien · interés *proteger el interés de los ciudadanos* · derecho || imagen · reputación || flora · fauna · especie · espacio natural · medio ambiente

● CON ADVS. a capa y espada · con uñas y dientes *La leona protegía con uñas y dientes a sus cachorros* · contra viento y marea · a cualquier precio · a toda costa · a muerte · a ultranza || adecuadamente *Para proteger adecuadamente tus intereses, debes...* · debidamente · celosamente · escrupulosamente || fuertemente · herméticamente

protesta s.f.

● CON ADJS. acalorada · airada *Las palabras del representante provocaron una airada protesta* · encendida · vehemente · exacerbada · desaforada · desmedida · enconada · viva · intensa || obstinada · reiterada || contundente · enérgica *Quiero expresar mi protesta más enér-*

gica acerca de... · **firme** · **rotunda** || **civilizada** · **justa** · **fundada** · **legítima** · **eficaz** || **ineficaz** · **testimonial** · **tibia** *La medida fue recibida con una tibia protesta* · **inútil** · **infundada** · **injusta** || **en cadena** · **en masa** · **masiva** · **mayoritaria** · **multitudinaria** · **clamorosa** · **unánime** || **minoritaria** || **oficial** · **por escrito** *En esta oficina solo admiten protestas por escrito* · **verbal** || **diplomática** || **innumerables** · **múltiples** · **numerosas**

• CON SUSTS. **avalancha (de)** · **ola (de)** · **oleada (de)** · **lluvia (de)** || **expresión (de)** · **señal (de)** · **muestra (de)** · **objeto (de)** *La reforma se ha convertido en objeto de protesta por parte de...*

• CON VBOS. **consistir (en algo)** || **avecinarse** · **estallar** · **desatar(se)** · **desencadenar(se)** · **nacer** · **surgir** · **brotar** · **arreciar** · **recrudecer(se)** · **surtir efecto** · **tener éxito** || **caer en saco roto** *A pesar de ser una protesta masiva, cayó en saco roto* · **fracasar** · **ahogar(se)** · **remitir** · **aplacar(se)** · **amainar** || **expresar** · **hacer** · **manifestar** · **plantear** · **presentar** · **formular** · **hacer llegar** *Hicimos llegar nuestra protesta a los organizadores* · **transmitir** || **organizar** · **orquestar** · **capitalizar** · **abanderar** · **apoyar** *Nadie apoyará una protesta tan infundada e injusta como la suya* · **respaldar** · **suscribir** · **atender** · **alimentar** · **avivar** · **reavivar** · **activar** · **levantar** · **incentivar** · **redoblar** · **acoger** · **sostener** · **sustentar** · **canalizar** · **encauzar** || **acallar** · **silenciar** · **sofocar** *Era urgente sofocar la protesta* · **amortiguar** · **apaciguar** · **mitigar** · **paliar** · **atemperar** · **contrarrestar** · **desactivar** · **desatender** · **desoír** · **desviar** || **ocasionar** · **provocar** · **suscitar** · **basar (en algo)** || **deponer** || **estallar (en)** · **incitar (a)** · **adherir(se) (a)** *Me adherí a la protesta sin dudarlo* · **cejar (en)** || **responder (a)** · **salir al paso (de)** · **reaccionar (ante)** · **hacer oídos sordos (a)** *Hicieron oídos sordos a las reiteradas protestas de...*

• CON PREPS. **en señal (de)**

protestante adj.

• CON SUSTS. **fe** · **iglesia** · **cristianismo** || **pastor,-a** *Tenía como vecino a un pastor protestante* · **ministro,tra** · **reverendo,da** · **vicario,ria** || **reforma**

➤ Véase también **CREYENTE**

protestantismo s.m.

• CON ADJS. **orangista** · **luterano** · **calvinista** · **adventista** · **anglicano** · **anabaptista** · **metodista** · **baptista** || **puritano**

• CON SUSTS. **fundador (de)**

➤ Véase también **RELIGIÓN**

protestar v.

• CON ADVS. **abiertamente** · **activamente** · **de palabra y obra** · **con fuerza** · **con rotundidad** · **enérgicamente** · **insistentemente** · **intensamente** · **manifiestamente** · **vivamente** || **violentamente** · **enfurecidamente** *El público protestó enfurecidamente cuando...* · **airadamente** · **acaloradamente** · **ardientemente** · **desesperadamente** · **desaforadamente** || **en masa** *Los estudiantes protestamos en masa ante aquella injusticia* · **clamorosamente** || **civilizadamente** · **calmadamente** · **ordenadamente** || **inútilmente** · **con éxito** || **oficialmente** · **por vía diplomática** · **por escrito** · **verbalmente**

protocolario, ria adj.

• CON SUSTS. **rango** · **orden** || **tratamiento** · **fórmula** · **regla** · **carácter** || **acto** · **ceremonia** · **audiencia** · **visita** · **gasto** · **saludo** *Tras el saludo protocolario, posaron para la foto oficial* · **atención** || **obligación** · **compromiso**

protocolo s.m.

• CON ADJS. **formal** · **estricto** · **riguroso** || **diplomático** · **médico** · **oficial** · **de actuación**

• CON SUSTS. **jefe,fa (de)** · **director,-a (de)** || **gastos (de)** · **servicios (de)** · **problema (de)** · **cuestión (de)** · **norma (de)** || **acto (de)** · **salón (de)**

• CON VBOS. **marcar (algo)** · **decir (algo)** · **establecer (algo)** *alineados tal como lo establece el protocolo* · **fijar (algo)** || **dar** · **imponer** || **cumplir** · **seguir** · **saltarse** || **ajustar(se) (a)** *La actuación del embajador se ha ajustado en todo momento al protocolo establecido* · **amoldar(se) (a)** · **atender (a)**

• CON PREPS. **con arreglo (a)** · **en función (de)** · **según** *actuar según el protocolo* · **por razones (de)**

prototipo s.m.

• CON ADJS. **humano** · **femenino** · **masculino** || **nuevo** · **antiguo** · **original** · **primitivo** · **clásico** · **único** || **industrial** *Se dedica al diseño de prototipos industriales en una empresa de automóviles* · **social** · **estético** || **eficaz** · **perfecto** · **ideal** · **homologado**

• CON SUSTS. **autor,-a (de)** · **creador,-a (de)** || **desarrollo (de)** · **versión (de)** · **representación (de)** · **denominación (de)** || **fábrica (de)**

• CON VBOS. **crear** · **desarrollar** · **construir** *El presupuesto para construir el prototipo del cohete...* · **obtener** · **fabricar** · **probar** · **patentar** · **presentar** || **encarnar** · **representar** || **establecer** · **fijar** · **perfilar** || **responder (a)** · **ajustar(se) (a)** *La nueva máquina se ajusta totalmente al prototipo homologado* || **disponer (de)** · **trabajar (con)**

provecho s.m.

• CON ADJS. **buen(o)** · **máximo** *Querían obtener el máximo provecho de la situación* · **gran(de)** · **abundante** · **considerable** · **incalculable** · **inestimable** · **sustancioso** · **indirecto** || **exclusivo** · **propio** || **discreto** · **escaso** *El negocio les reportó un provecho más bien escaso* · **exiguo** · **relativo** · **mínimo** · **moderado** || **intelectual** · **económico** · **moral** · **material** · **inmaterial**

• CON VBOS. **obtener** · **sacar** · **adquirir** || **juzgar** · **calcular** · **medir** || **dar** · **reportar** · **rendir** || **redundar (en)** *La medida redundó en provecho de todos*

• CON PREPS. **de** *ser una persona de provecho* || **con** · **sin**

provechoso, sa adj.

• CON SUSTS. **trabajo** · **labor** *Estamos seguros de que su labor resultará provechosa para la comunidad* · **actividad** · **experiencia** · **lectura** || **resultado** · **idea** · **iniciativa** · **proyecto** · **plan** · **solución** · **conclusión** || **relación** · **amistad** || **uso** · **utilización** · **rendimiento**

proverbial adj.

• CON SUSTS. **paciencia** · **sensibilidad** · **profesionalidad** · **coraje** · **humildad** · **concisión** · **discreción** *Con su proverbial discreción, declinó hacer cualquier comentario* · **hospitalidad** · **cortesía** · **simpatía** · **delicadeza** · **curiosidad** · **prudencia** · **lucidez** · **modestia** · **pulcritud** · **rigor** · **puntualidad** || **inteligencia** · **agudeza** · **talento** · **sabiduría** · **capacidad** || ***otras cualidades*** || **cinismo** · **torpeza** · **lentitud** · **demagogia** *No queremos que los políticos hagan gala de su proverbial demagogia* · **insensibilidad** · ***otros defectos***

• CON VBOS. **hacerse**

providencial adj.

• CON SUSTS. **milagro** · **hecho** · **suceso** || **mandatario,ria** · **personaje** *un personaje providencial para la solución del conflicto* · **héroe** · **heroína** · **salvador,-a** · ***otros individuos*** || **encuentro** · **aparición** · **visita** · **descubrimiento** · **in-**

tervención *La intervención providencial de la Policía impidió el sabotaje* || beneficio · solución · idea
• CON VBOS. volverse · resultar

[provincia] → de provincias

provinciano, na adj. *col. desp.*

• CON SUSTS. gente · sociedad · burguesía *una familia de clase media de la burguesía provinciana* · ***otros individuos y grupos humanos*** || vida · costumbre · hábito || ambiente *No soportaba el ambiente provinciano de su ciudad natal* · atmósfera · aire · aspecto · estilo || ciudad · mundo || mentalidad · actitud · comportamiento

provisional adj.

• CON SUSTS. conclusión *Las conclusiones provisionales del encuentro son favorables* · balance · resultado || pacto · acuerdo || medida · cierre · apertura · suspensión *la suspensión provisional de los derechos de reunión y manifestación* || cargo · puesto · presidente,ta · director,-a · gobierno || calendario · horario · fecha · plazo · hora · clasificación || denominación · título *el título provisional de la obra* || solución · salida · arreglo · reparación || dato · cifra · información || licencia · permiso · autorización || detención · prisión *El juez ha decretado prisión provisional para los dos detenidos* · libertad || estructura · forma || plan · proyecto || cálculo · valoración · estimación || juicio · decisión · elección

provisto, ta (de) adj.

• CON SUSTS. motor · cámara · sistema || instrumento · herramienta || recurso · medio || víveres *Iban bien provistos de víveres* · alimentos · agua · bebidas || arma · pistola · rifle · municiones || medicinas · fármacos · botiquín || dinero · fondos || licencia · permiso · documentación

provocador, -a

1 **provocador, -a** adj.

• CON SUSTS. ***persona*** *un artista provocador* || actitud · tono · talante · estilo · aire · carácter · gesto *El jugador hizo un gesto provocador* · ánimo · espíritu || presencia || acción · comportamiento || idea · título · libro · obra · programa · estética · escena · papel || pregunta · respuesta · declaración · discurso · lenguaje · mensaje || humor · desfachatez · ironía *Hay en sus obras una corrosiva y provocadora ironía* || propuesta · consigna || fama (de) *Tiene fama de provocador*
• CON ADVS. abiertamente · claramente · descaradamente || absolutamente · totalmente · a todas luces || ligeramente || intencionadamente
• CON VBOS. considerar · tachar (de) · acusar (de) · calificar (como) || resultar

2 **provocador, -a** s.

• CON SUSTS. grupo (de)

provocar v.

• CON SUSTS. deseo · interés · curiosidad · afán || admiración · ira · confusión · agitación · temor · alarma · dolor · furia · ganas · irritación · nerviosismo · miedo · risa *Sus palabras provocaron la risa de los asistentes* · ***otros sentimientos o sensaciones*** || ataque · choque · conflicto · crisis · problema · disputa || peligro · caos · daño *La tormenta provocó cuantiosos daños en las cosechas* · tragedia · incendio · pobreza · desgaste · falta || infección · gripe · depresión · ***otras enfermedades*** || aumento · subida || disminución · reducción · recorte · empobrecimiento || cambio · alteración · modificación || llegada · aparición · presencia · surgimiento || unión · separación · parada · corte *cortes de luz provocados por las obras*
• CON ADVS. inevitablemente *La crisis provocó inevitablemente muchos cambios en la empresa* · irremediablemente

provocativo, va adj.

• CON SUSTS. ***persona*** *un hombre provocativo y sensual* || actitud · carácter || aire · tono · forma · estilo || ropa · prenda · indumentaria · atuendo || declaración · mensaje · lenguaje · término · pregunta · respuesta · carta · artículo · frase · palabra · ***otras manifestaciones verbales o textuales*** || acto · gesto · mirada · comportamiento · movimiento || pose · posición · postura || desnudez · cuerpo · curvas || erotismo || propuesta *una propuesta artística provocativa y estimulante* · hipótesis · tratamiento || estética · título · obra · novela · libro || campaña *El publicista reconoció que la campaña puede resultar algo provocativa* · montaje · propaganda

proyectar v.

• CON SUSTS. luz *La lámpara proyectaba una luz tenue sobre la habitación* · sombra · película · imagen · misil || obra · trabajo · plan || deseo · idea · ilusión · sueño · futuro || inconsciente · mente · pensamiento || viaje · reforma · cambio · ***otras actuaciones***
• CON ADVS. a grandes rasgos · en líneas generales *Solo tenemos que proyectar el trabajo en líneas generales* · a grandes trazos · esquemáticamente || en sus menores detalles · punto por punto *Proyectamos nuestro viaje punto por punto* · detalladamente

proyecto s.m.

• CON ADJS. ambicioso · faraónico · brillante · audaz · arriesgado · atractivo · ilusionante · sugerente · tentador · vehemente || constructivo · innovador · novedoso · pionero · inobjetable · serio · viable || en firme · avanzado || controvertido · descabellado *Afortunadamente, el descabellado proyecto no prosperó* · disparatado · aparatoso · inviable · costoso · modesto || en mantillas · balbuciente · prematuro · provisional · inconcluso · en punto muerto || colectivo · común · en equipo · personal || de futuro *Acusan al partido de carecer de un proyecto de futuro* || de ley || de vida · vital
• CON SUSTS. alcance (de) || borrador (de) || objetivo (de) · interés (de) · finalidad (de) || inicio (de) · fin (de)
• CON VBOS. consistir (en algo) · constar (de algo) || tener éxito · triunfar · ir sobre ruedas *El proyecto de la nueva película va sobre ruedas* · {seguir/ir} adelante · avanzar · prosperar · hacer(se) realidad · cuajar · cristalizar · fructificar · discurrir · desbordar(se) || fracasar · ir(se) a pique · venirse abajo · torcer(se) · frustrar(se) · naufragar · truncar(se) · malograr(se) · derrumbar(se) · quebrar(se) · ahogar(se) · paralizar(se) *La falta de recursos determinó que se paralizase el proyecto* · estancar(se) · decaer · desmoronar(se) · difuminarse · desvanecerse · agotar(se) || absorber || gestar(se) || salir a la luz *El controvertido proyecto salió a la luz gracias a la prensa* || tener · abrigar · quitar(se) de la cabeza *Mejor será que te quites de la cabeza ese proyecto tan disparatado* · acariciar || esbozar · idear · concebir · perfilar · trazar · tramar · cocinar · fraguar · madurar · delinear · articular · pergeñar · tejer · desglosar · bosquejar || acotar · afinar · retocar · rectificar · enderezar · alterar · enmendar || plantear · presentar *Nos presentaron un innovador proyecto para...* · formular · dar a luz · alumbrar · difundir · filtrar || negociar · concertar · consensuar · canalizar · encauzar · validar · firmar · votar || encabezar · capitalizar · liderar · pilotar · aglutinar · ges-

tionar · **tramitar** || **ejecutar** · **poner en marcha** *Nadie quería poner en marcha un proyecto inviable y costoso como aquel* · **llevar a la práctica** · **agilizar** · **abordar** · **emprender** · **implantar** · **lanzar** · **acometer** · **{sacar/llevar} adelante** · **llevar a buen puerto** · **llevar a término** · **culminar** · **coronar** · **reflotar** · **relanzar** · **resucitar** · **revitalizar** · **desbloquear** || **apoyar** *A pesar de ser un proyecto todavía en mantillas, lo apoyé sin reservas* · **defender** · **auspiciar** · **avalar** · **sostener** · **sustentar** · **impulsar** · **promover** · **propulsar** · **propugnar** · **cimentar** || **aceptar** · **acoger** || **obstaculizar** *Había muchas personas interesadas en obstaculizar nuestro proyecto, pero finalmente...* · **bloquear** · **boicotear** · **desbaratar** · **desestabilizar** · **torpedear** · **desmantelar** · **desmontar** · **cancelar** · **arrinconar** · **congelar** · **descuidar** · **denegar** · **rechazar** · **derogar** · **desactivar** || **embarcarse (en)** · **aventurar(se) (en)** · **enrolar(se) (en)** · **involucrar(se) (en)** *Mi hermano se ha involucrado en un proyecto personal muy novedoso* · **adherirse (a)** · **meter(se) (en)** · **enfrascarse (en)** · **abocar(se) (a)** || **ceñir(se) (a)** || **dar curso (a)**

prudencia s.f.

●CON ADJS. **absoluta** · **extrema** · **máxima** · **exquisita** *El periodista demostró una exquisita prudencia en su entrevista* · **suma** || **necesaria** · **conveniente** · **debida** · **oportuna** · **natural** · **proverbial** || **diplomática**

●CON SUSTS. **dosis (de)** · **exceso (de)** · **falta (de)** *Su falta de prudencia es lo que más les preocupa* || **actitud (de)** · **medida (de)** · **política (de)** · **ejercicio (de)** · **línea (de)** · **tono (de)** · **mensaje (de)** · **sentido (de)**

●CON VBOS. **primar** || **tener** · **demostrar** || **extremar** · **guardar** · **redoblar** || **aconsejar** *Le aconsejamos extrema prudencia a la hora de negociar* · **recomendar** · **pedir** · **requerir** · **precisar**

●CON PREPS. **con** *conducir con prudencia* || **por razones (de)**

prudencial adj.

●CON SUSTS. **distancia** *Guarde una distancia prudencial con el vehículo de delante* · **período** · **plazo** *Dispone de un plazo prudencial para devolver el dinero* · **tiempo** · **fecha** · **hora** · **límite** · **espera** || **control** · **supervisión** · **norma** || **actitud** · **reserva** · **silencio**

prudente adj.

●CON SUSTS. **persona** · **conductor,-a** · **médico,ca** · **político,ca** · **gente** · ***otros individuos y grupos humanos*** || **actitud** · **conducta** || **decisión** · **medida** · **iniciativa** · **comportamiento** · **actuación** · **conducción** · **maniobra** || **uso** · **manejo** || **silencio** · **distancia** *Mantenga el aparato a una distancia prudente de las fuentes de calor* || **palabra** · **tono** || **opción** · **elección**

●CON VBOS. **volverse** · **mostrarse** · **mantenerse**

[prueba] →a prueba (de); poner a prueba; prueba

prueba s.f.

▌[testimonio, argumento determinante]

●CON ADJS. **aplastante** · **abrumadora** *Las pruebas a favor de su inocencia eran abrumadoras* · **inapelable** · **incontestable** · **incontrovertible** · **incuestionable** · **irrebatible** · **irrefutable** · **indiscutible** · **indudable** · **inequívoca** · **de peso** · **consistente** · **innegable** · **inobjetable** · **contundente** · **rotunda** · **sólida** · **convincente** · **descarnada** · **flagrante** || **decisiva** · **concluyente** *Todavía no han presentado ninguna prueba concluyente* · **determinante** · **terminante** || **clara** · **meridiana** · **ostensible** · **palmaria** · **palpable** · **patente** · **fiable** || **fehaciente** · **fidedigna** *Solo le pedía una prueba fidedigna de sus palabras* · **valedera** · **exhaustiva** · **minuciosa** · **irreversible** || **inconsistente** · **débil** · **dudosa** · **endeble** · **insostenible** · **testimonial** || **condicional** || **a favor** · **en contra** || **analítica** · **empírica** · **documental** · **de laboratorio**

●CON SUSTS. **cúmulo (de)** || **fuerza (de)** · **valor (de)**

●CON VBOS. **obrar en poder (de alguien)** · **salir a la luz** · **sacar a la luz** || **delatar (a alguien)** *Pruebas abundantes e incontestables lo delataron* || **aducir** · **alegar** · **dar** · **presentar** *No se presentó ninguna prueba clara de su culpabilidad* · **aportar** · **esgrimir** · **practicar** || **buscar** · **recabar** · **deducir** · **amañar** *Amañó las pruebas para no ser incriminado* · **tergiversar** · **falsificar** || **descubrir** · **destapar** · **desvelar** · **encontrar** · **hallar** || **verificar** · **comprobar** || **aceptar** || **cuestionar** · **poner en tela de juicio** · **negar** · **refutar** · **poner en duda** · **reprobar** · **impugnar** || **constituir** · **representar** · **suponer** || **apoyar(se) (en)** *Mi decisión se apoya en las pruebas aportadas* · **sustentar(se) (en)** · **rendirse (a/ante)**

●CON PREPS. **a la luz (de)** *El comité decidirá a la luz de las pruebas* · **a tenor (de)** · **a título (de)** · **según** · **en función (de)** · **de acuerdo (con)**

▌[ensayo, examen, tentativa]

●CON ADJS. **difícil** · **dura** · **de fuego** · **decisiva** || **arriesgada** · **peligrosa** · **mortal** || **reñida** · **irresoluble** || **objetiva** || **a puerta cerrada** *La prueba a puerta cerrada era la más difícil*

●CON VBOS. **afrontar** · **disputar** || **bordar** · **ganar** *Nuestro equipo ganó merecidamente la reñida prueba* · **vencer** · **pasar** · **superar** · **salvar** || **repetir** || **validar** · **invalidar** || **fallar** · **perder** || **triunfar (en)** · **salir airoso (de)** · **fracasar (en)**

●CON PREPS. **a** *trabajar unos meses a prueba* · **de**

☐EXPRESIONES **a prueba de** (algo)* [resistente a ello]

psicología s.f.

▌[rama del saber] Véase **DISCIPLINA**

▌[manera de pensar]

●CON VBOS. **tener** · **comprender** *para comprender la psicología de los jóvenes* · **conocer**

●CON PREPS. **con** *Trata a sus hijos con mucha psicología*

psicológicamente adv.

●CON VBOS. **afectar** *La difícil situación de su familia acabó por afectarle psicológicamente* · **dañar** · **perjudicar** · **destrozar** · **destruir** || **cansar(se)** · **sufrir** · **debilitar(se)** || **golpear** · **torturar** · **maltratar** || **controlar** · **influir** · **juzgar** || **tratar** || **fracasar** · **hundir(se)** · **entregarse** · **sustraerse** || **apoyar** *Todos la apoyaron psicológicamente cuando perdió su empleo* · **beneficiar** · **ayudar** || **estudiar** · **analizar** · **investigar**

psicológico, ca adj.

●CON SUSTS. **problema** · **enfermedad** || **teoría** · **punto de vista** *Desde el punto de vista psicológico, los personajes de esta novela...* || **factor** · **rasgo** · **aspecto** · **componente** || **mecanismo** · **estructura** · **desarrollo** || **efecto** · **consecuencia** · **repercusión** *las terribles repercusiones psicológicas de cualquier guerra* · **impacto** · **ventaja** || **terapia** · **asistencia** *Los familiares de los heridos necesitaron asistencia psicológica* · **tratamiento** · **apoyo** · **preparación** || **barrera** · **guerra** · **tortura** · **presión** · **tensión** || **retrato** · **perfil** || **hondura** *un poema de gran hondura psicológica* · **complejidad** || **introspección** · **análisis** · **penetración** · **indagación** · **estudio** *el profundo estudio psicológico de los personajes* || **terrorismo** · **violencia** · **daño** || **drama** · **novela**

psicosis s.f.

• CON ADJS. **aguda · esquizofrénica · maníaca · depresiva** *en medio de una terrible psicosis depresiva* **· mixta · paranoica · persecutoria · destructiva || colectiva · social · contagiosa · personal**

• CON SUSTS. **tratamiento (de) || clima (de)** *Un clima de psicosis se apoderó de la ciudad* **· situación (de) · estado (de) · brote (de) · ola (de)**

• CON VBOS. **generalizar(se) · extender(se) || aparecer · entrar(le) (a alguien) || sufrir · padecer || tratar · curar || crear** *La subida del petróleo creó cierta psicosis económica* **· generar · fomentar · alimentar || acabar (con) · luchar (contra)**

psiquiatra s.com.

• CON ADJS. **profesional** *Está siendo tratado por una psiquiatra profesional* **· investigador,-a || experimentado,da · famoso,sa · de renombre · estimado,da · destacado,da** *Han pasado su caso a un destacado psiquiatra del hospital* **· reconocido,da · prestigioso,sa · expeditivo,va · ilustre || controvertido,da · excéntrico,ca · polémico,ca || de consulta · de cabecera · de guardia · de profesión · infantil · de hospital**

• CON SUSTS. **gabinete (de) · antesala (de) · diván (de) · clínica (de) || paciente (de) · sesión (de) || certificado (de) · informe (de)** *Necesita un informe del psiquiatra* **· materia (de) || médico,ca** *Mi hermano es médico psiquiatra* **· doctor,-a**

• CON VBOS. **recetar (algo) · curar (a alguien) · tratar (a alguien) || acertar · equivocarse || recomendar · necesitar || consultar · visitar || enviar (a) · ir (a) · acudir (a)** *Lo convencieron y al final acudió al psiquiatra* **· hablar (con)**

psiquiatría s.f. Véase **DISCIPLINA**

pubertad s.f.

• CON ADJS. **plena || tardía · prematura**

• CON SUSTS. **época (de)** *La época de la pubertad está plagada de cambios* **· edad (de) · plenitud (de) || tránsito (de)**

• CON VBOS. **adelantar(se) · retrasar(se) · llegar || traspasar · pasar · superar || rememorar · recordar || estar (en) · llegar (a) · entrar (en)** *Sus hijos están entrando en la pubertad* **· volver (a) · salir (de)**

publicar v.

• CON SUSTS. **libro · obra · novela** *Esta autora ha publicado dos novelas recientemente* **· artículo · disco · trabajo · memorias · texto · carta · anuncio ·** ***otras obras*** **|| noticia · fotografía** *Varios periódicos han publicado las fotografías en sus primeras páginas* **· resultado · detalle** *No queremos publicar los escabrosos detalles de...* **· lista · información · dato || sentencia · decreto · comunicado**

• CON ADVS. **a los cuatro vientos · a toda plana** *La prensa nacional publicaba ayer a toda plana la escandalosa noticia* **· con todo lujo de detalles · abiertamente · claramente || lujosamente · pulcramente || en (rigurosa) exclusiva**

publicidad s.f.

• CON ADJS. **continua** *Y sin embargo hacen continua publicidad de productos que...* **· insistente || persuasiva · seductora · incitante · engañosa** *Denunciaron a la empresa por publicidad engañosa* **· subliminal || efectiva · eficaz · ineficaz || radiofónica · televisiva · mediática**

• CON SUSTS. **agencia (de) · empresa (de) · departamento (de) || campaña (de) || contrato (de) · derechos (de) || emisión (de) · tiempo (de) · espacio (de) · cartel (de) · anuncio (de)**

• CON VBOS. **difundir(se) || dar · lanzar · repartir** *Se dedica a repartir publicidad por los buzones* **|| hacer || recibir · soportar || prohibir · restringir · regular · controlar || invertir (en) · gastar (en) || contar (con) · gozar (de)**

• CON PREPS. **a través (de)**

publicista s.com.

• CON ADJS. **profesional · experto,ta || creativo,va · original · ocurrente || conocido,da · famoso,sa · afamado,da · reconocido,da || prolífico,ca · influyente**

• CON SUSTS. **trabajo (de) · servicios (de) || equipo (de)** *Un equipo de publicistas se está encargando de la nueva campaña*

publicitario, ria adj.

• CON SUSTS. **anuncio · aviso** *Voy a poner un aviso publicitario en un periódico* **· cartel · mensaje · folleto · material · eslogan · frase · lema || valla · espacio · corte · panel · pantalla · interrupción · bloque || lanzamiento · promoción · campaña** *Han lanzado una novedosa campaña publicitaria para prensa, radio y televisión* **· estrategia · política || pauta · técnica · recurso || inversión · ingresos · presupuesto · contrato || apoyo · operación || agencia** *Trabajó varios años en una conocida agencia publicitaria* **· compañía · industria · empresa · sector · mercado || éxito · golpe · gancho · reclamo || difusión · bombardeo · despliegue · saturación || finalidad · afán || modelo** *Es actriz, pero trabaja más como modelo publicitaria*

público, ca

1 público, ca adj.

• CON SUSTS. **opinión** *Los hechos han preocupado mucho a la opinión pública* **|| servicio · fondos · arcas · dinero · presupuesto · poderes · cargo · institución · administración · empresa || televisión · enseñanza · sanidad · transporte** *una campaña para promover el uso del transporte público* **|| lugar · hospital · colegio · universidad · centro · edificio || imagen · proyección || acto · evento · presentación · convocatoria || vida · trayectoria**

• CON VBOS. **hacer(se)** *Las calificaciones no se harán públicas hasta la semana que viene*

2 público s.m.

• CON ADJS. **fervoroso · enardecido · exaltado · enfervorizado || abigarrado · vociferante · vocinglero · tumultuoso || atento · entregado** *El mítico grupo actuó ante un público entregado* **· entusiasta · caluroso · encantado · extasiado · convencido || crítico · difícil · frío** *El discurso no logró convencer a un público frío y escaso* **· renuente || entendido · exigente || unánime || abundante · numeroso · nutrido · escaso || repleto,ta (de) · abarrotado,da (de)** *El teatro estaba abarrotado de público* **· lleno,na (de) · rebosante (de)**

• CON SUSTS. **afluencia (de) · éxito (de)** *La obra tuvo gran éxito de público y crítica* **· asistencia (de) · acogida (de) · presencia (de) · falta (de) · ausencia (de) · respuesta (de) || aglomeración (de) · cola (de) || ovación (de) · participación (de) || emoción (de) · aceptación (de) · cariño (de) || sector (de)**

• CON VBOS. **asistir (a un evento) · acudir · afluir · llenar {la sala/el recinto...} || agolpar(se)** *El público se agolpaba en la puerta esperando la salida del músico* **· apelotonar(se) · congregar(se) · reunir(se) || entregarse · emocionar(se) · entusiasmar(se) · conmocionar(se) · caldear(se) · enardecer(se) · encrespar(se) · calmar(se)**

|| divertir(se) · gozar · distraer(se) · entretener(se) || aburrir(se) · cansar(se) · bostezar || abuchear (a alguien) · gritar (algo) · aplaudir (a alguien) *El público, emocionado, aplaudió durante varios minutos* · ovacionar (a alguien) · silbar (a alguien) · vociferar (algo) || participar · intervenir || aglutinar || ganarse *No supo ganarse al público* || evacuar · desalojar || rebosar (de) · bullir (de) *Las terrazas bullían de público a esa hora de la noche*

• CON PREPS. **en** *hablar en público* || **entre** *perdida entre el numeroso público que se había reunido* || **por parte (de)**

□ EXPRESIONES **el gran público** [la mayoría de las personas]

pudor s.m.

• CON ADJS. **natural · lógico · explicable · inevitable || falso** *Había cierto falso pudor en su rechazo de la oferta* · **hipócrita · fingido · absurdo · ridículo**

• CON SUSTS. **sentido (de) || falta (de) || pizca (de) · asomo (de)** *Se lo soltó en sus narices si el menor asomo de pudor*

• CON VBOS. **entrar (a alguien) · dar (a alguien) || sentir · tener** *No tiene ningún pudor en reconocer su escabroso pasado* · **mostrar || perder · conservar · vencer || ofender** *imágenes que ofenden el pudor y la decencia pública*

• CON PREPS. **sin** *Señor ministro, ha mentido usted sin el menor pudor* · **con**

pudrir(se) v.

• CON SUSTS. **pescado · verdura · fruta** *La fruta se estaba pudriendo por el calor* · **huevo · *otros alimentos* || madera · material || asunto · situación || proyecto · relación**

• CON ADVS. **por completo · totalmente · irremediablemente || a ojos vistas**

pueblo s.m.

▮ [lugar]

• CON ADJS. **gran(de) · pequeño || acogedor · pintoresco · típico · turístico || deshabitado · desierto** *Pasamos por varios pueblos desiertos en mitad de la sierra* · **fantasmal · abandonado · inhóspito || lejano · aislado · perdido · alejado · remoto · cercano · situado (en un lugar) || antiguo · medieval · nuevo || costero** *Se mudaron a un pequeño pueblo costero* · **marinero · serrano || natal || procedente (de) · originario (de)**

• CON VBOS. **situar(se) (en un lugar) · ubicar(se) (en un lugar) · lindar (con algo) || hermanar(se) || invadir · ocupar** *Los feriantes ocuparon todo el pueblo con sus caravanas* · **asaltar · asediar · sitiar || frecuentar · habitar || mudarse (a) · afincar(se) (en) · vivir (en) · residir (en) · radicarse (en) · morar (en) · nacer (en) · ir (a)** *Los fines de semana vamos al pueblo*

▮ [conjunto de personas]

• CON ADJS. **activo · bullicioso · hospitalario · acogedor · abierto || ancestral · autóctono**

• CON VBOS. **extinguir(se) || concentrar(se) · reunir(se) · dispersar(se) · desmembrar(se) || conmocionar(se)** *El pueblo entero se conmocionó por la noticia* || **sublevar(se) · levantar(se) || conquistar · masacrar · dividir** *La nueva medida dividió al pueblo* · **sojuzgar || movilizar (a)**

□ EXPRESIONES **de pueblo** [pueblerino, rústico]

pueril adj.

• CON SUSTS. **razón · motivo · causa · argumento · excusa** *Intentó disculparse con una excusa ingenua, casi pueril* || **reflexión · comentario || comportamiento · actitud || reacción · respuesta || candidez · ingenuidad · inocencia || antojo · capricho · rabieta || mentira || hecho**

[puerta] → a puerta cerrada; puerta; puerta a puerta

puerta s.f.

• CON ADJS. **blindada · de seguridad || principal** *La puerta principal estaba cerrada* · **de acceso · de entrada · de servicio · de salida · de atrás · de emergencia**

• CON SUSTS. **apertura (de) · cierre (de) || cerradura (de) · pomo (de) · llave (de) · timbre (de) || umbral (de) · quicio (de) · marco (de)**

• CON VBOS. **abrir** *Abrió la puerta sigilosamente para no despertar al niño* · **derribar · tirar · abatir · descerrajar · forzar · echar abajo || entornar · entreabrir || cerrar · atrancar · blindar · condenar · sellar · asegurar · tapiar || franquear · traspasar** *Traspasó decidido la puerta de entrada al salón* · **cruzar · atravesar || golpear || llamar (a)** *Los invitados tuvieron que llamar varias veces a la puerta*

• CON PREPS. **por debajo (de)**

□ EXPRESIONES **a las puertas** (de algo) [muy próximo a que suceda] *col.* || **a puerta cerrada*** [en ausencia de público] || **dar con la puerta en las narices** [negar bruscamente lo que se pide] *col.* || **de puertas adentro** [en privado] || **por la puerta grande** [triunfalmente] || **puerta a puerta*** [casa por casa sin cita previa]

puerta a puerta loc.adv./loc.adj.

• CON SUSTS. **distribución · reparto · entrega** *la entrega puerta a puerta de mercancías* · **recogida · venta || campaña · servicio**

• CON VBOS. **ir · recorrer · visitar || repartir**

[puerto] → llegar a buen puerto; llevar a buen puerto

puerto s.m.

▮ [lugar para las embarcaciones]

• CON ADJS. **marítimo** *En la antigüedad la ciudad tenía el puerto marítimo más importante del Mediterráneo* · **fluvial || pesquero · deportivo · comercial · industrial || fronterizo**

• CON VBOS. **albergar (algo) || alcanzar · abandonar || anclar (en) · atracar (en) · entrar (en) · llegar (a) · partir (de)**

• CON PREPS. **con base (en)**

▮ [paso entre montañas]

• CON ADJS. **de montaña || de {primera/segunda/tercera} categoría || duro** *Es el puerto más duro de toda la carrera ciclista* · **peligroso**

• CON VBOS. **subir · bajar || cruzar · pasar · atravesar**

□ EXPRESIONES **puerto seco** [recinto aduanero para el control de mercancías] || **tomar puerto** (una embarcación) [llegar a él]

puesta en marcha loc.sust.

• CON ADJS. **inmediata · inminente** *Parece inminente la puesta en marcha del programa de ayuda a...* || **prevista**

• CON VBOS. **urgir (a alguien) || acelerar** *Los promotores han acelerado la puesta en marcha de la campaña publicitaria* · **adelantar · permitir || retrasar · aplazar · demorar · entorpecer · frenar || anunciar · comunicar**

puesto s.m.

▮ [sitio, espacio, posición]

• CON ADJS. **primer(o) · segundo · último || destacado** *El equipo ocupa un puesto destacado en la clasificación* · **preeminente · aventajado · descollante || retrasado || de honor** *Ocuparon el puesto de honor en la tribuna* ·

honorífico · honroso || codiciado · merecido · delicado || interino · provisional · precario · fijo · permanente · vitalicio || libre · vacante || defensivo · fronterizo *El puesto fronterizo estaba bien vigilado* · de trabajo · militar · de vigilancia
● CON SUSTS. cambio (de) · reserva (de)
● CON VBOS. corresponder (a alguien) · recaer (en alguien) || conseguir · alcanzar · ganar *Después de la victoria de ayer, ha ganado dos puestos en la clasificación general* · lograr · escalar · dilucidar || tener · ocupar · copar · desempeñar · ejercer · ostentar · cubrir · merecer || ofrecer · sacar a concurso || aceptar · asumir · jurar || abandonar *Un centinela nunca puede abandonar su puesto* · ceder · dejar · desocupar · perder || quitar · usurpar || conservar · mantener · guardar · recobrar · recuperar · revalidar || amortizar || aferrarse (a) · afianzar(se) (en) · permanecer (en) · disputar (por) · luchar (por) || relegar (a) *Lo relegaron al último puesto con una maniobra ilícita* || apear(se) (de)

▌ [establecimiento comercial pequeño]
● CON ADJS. ambulante · callejero || de golosinas · de helados
● CON VBOS. montar · poner · instalar || desmontar *Cuando empezó a llover, los comerciantes desmontaron sus puestos* · quitar || comprar (en)

puja s.f.

● CON ADJS. baja · elevada *Las pujas de algunas subastas son sumamente elevadas* || a favor (de algo) || reñida *Los dos equipos mantienen una reñida puja por el primer puesto* · competida · disputada · apasionada · apasionante || electoral
● CON SUSTS. precio (de) · condiciones (de) || proceso (de) · sistema (de)
● CON VBOS. abrir · iniciar · interrumpir || ganar *Se ignora quién ganó finalmente la puja* · conseguir · perder || amañar · resolver || elevar · subir · superar || mantener · retirar · rechazar || entrar (en/a) · participar (en) · intervenir (en) · sumarse (a) || acudir (a) · presentarse (en/a) || salir (a) · poner (a)

pujante adj.

● CON SUSTS. empresa · industria *una industria pujante con crecientes beneficios* · economía · sector · mercado · cadena || comercio · actividad · oferta · demanda · iniciativa || nación · país *un país económicamente muy pujante* · sociedad · ciudad · zona · barrio · territorio · colonia · *otros lugares* || ritmo · crecimiento · desarrollo || cultura · idioma · lengua · tradición || generación · juventud · equipo · movimiento || oposición *Numerosos ciudadanos han contribuido a formar una pujante oposición a la guerra* || realidad · situación · momento || promoción · campaña || teoría · hipótesis
● CON VBOS. volverse · mantenerse

pujar (por) v.

● CON SUSTS. cuadro *Pujó por el cuadro hasta conseguirlo* · obra || lote || compra · fichaje · jugador,-a || victoria · triunfo · título · puesto
● CON ADVS. fuerte · alto || insistentemente · persistentemente · decididamente

pulcramente adv.

● CON VBOS. actuar || confeccionar · fabricar || vestir(se) · trajear(se) · encorbatar(se) · afeitar(se) · asear(se) *Los niños estaban pulcramente aseados y listos para salir* · lavar(se) || ordenar · colocar(se) · clasificar || redactar · escribir · traducir · anotar · apuntar || editar *un libro pulcramente editado* · imprimir · publicar · reeditar · reproducir || interpretar · bordar
☐ USO Se construye muy frecuentemente con participios: *una persona pulcramente vestida.*

pulcro, cra adj.

● CON SUSTS. aspecto · presentación · forma · impresión · carácter · estilo || escritor,-a · profesional · *otros individuos* || ropa · vestimenta · atuendo || escritura *Su escritura es pulcra y clara* · caligrafía · texto · redacción || traducción · discurso · edición · estudio · versión || trabajo *un trabajo pulcro que ha sido cuidado en los menores detalles* · faena · labor || interpretación · actuación || arquitectura · música
● CON VBOS. ser · estar · mantener(se) *Mantiene pulcro su aspecto a pesar de su enfermedad*

pulgada s.f.

● CON ADJS. cuadrada
● CON VBOS. equivaler (a algo) || medir || calcular · convertir *Convierta las pulgadas en centímetros* || pasar · rebasar || acortar · alargar || mover(se) · desplazar(se)
● CON PREPS. de *un televisor de catorce pulgadas*

pulir v.

● CON SUSTS. superficie · suelo · mármol · madera · piedra *una herramienta diamantada para pulir piedras* · escultura · espejo || perfil · borde || detalles *Todavía hay que pulir algunos detalles de la propuesta* · imagen || estilo · acento || fallos · errores · defectos || discrepancias · diferencias *La reunión servirá para intercambiar ideas y pulir diferencias*
● CON ADVS. a fondo · escrupulosamente · minuciosamente

pulla s.f.

● CON ADJS. agria · dura · hiriente · punzante · sangrante · inmisericorde || irónica · sarcástica · graciosa · divertida || sutil
● CON SUSTS. sarta (de) || objeto (de)
● CON VBOS. lanzar · soltar *Cuando menos te lo esperas, te suelta una pulla* · intercambiar

[pulmón] → a pleno pulmón; a todo pulmón; pulmón

pulmón s.m.

● CON ADJS. sano · enfermo · invadido
● CON SUSTS. cáncer (de) · enfermedad (de) · problema (de) || trasplante (de)
● CON VBOS. funcionar || encharcar(se) · dilatar(se) · infectar(se) || llenar *Inspira hondo y llena de aire los pulmones* · henchir · vaciar || cuidar · proteger · dañar · perjudicar || afectar (a) *La enfermedad le afectó a los pulmones y tuvo que ser hospitalizado*

pulmonía s.f.

● CON ADJS. fuerte · de cuidado || grave · aguda · crónica || afectado,da (de) · aquejado,da (de)
● CON SUSTS. enfermo,ma (de) || caso (de) || brote (de) *Temen que haya habido un brote de pulmonía* || síntoma (de) || baja (por)
● CON VBOS. coger · agarrar · pillar *No salgas a la calle con el pelo mojado, que vas a pillar una pulmonía* || contagiar · tener || diagnosticar · tratar · medicar || curar(se) (de) || morir (de)

[pulso] → a pulso; pulso

pulso s.m.

▮ [latido]

●CON ADJS. **firme · rítmico · constante || agitado · desbocado || tembloroso · débil** *El herido tenía el pulso muy débil* · **imperceptible · trémulo**

●CON SUSTS. **falta (de) · pérdida (de)**

●CON VBOS. **temblar(le) (a alguien)** *Y no les tiembla el pulso cuando tienen que echar a alguien* · **alterárse(le) (a alguien) · latir(le) (a alguien) || recobrar · recuperar || tomar** *para tomar el pulso a la situación económica del país*

▮ [contienda]

●CON ADJS. **desigual · desequilibrado · reñido** *Mantienen un pulso muy reñido por dominar la empresa* || **a cara de perro · crispado || de fuerza · político**

●CON VBOS. **echar** *Vamos a echar un pulso, a ver quién gana* · **entablar · librar · mantener || ganar · perder**

□EXPRESIONES **a pulso*** [con esfuerzo o por méritos propios] *Te lo has ganado a pulso*

punción s.f.

●CON ADJS. **medular · abdominal · espinal · lumbar · intramuscular · ventricular · ovárica · mamaria**

●CON VBOS. **realizar** *Le realizaron una punción lumbar* · **practicar · hacer || someterse (a)**

pundonor s.m.

●CON ADJS. **enorme · gran(de) · suficiente · ejemplar**

●CON SUSTS. **lección (de) · gesto (de) · ejemplo (de)** *El lateral derecho ha sido, a lo largo de todo el partido, un ejemplo de pundonor, entrega y constancia* · **exhibición (de) · modelo (de) · detalle (de) · derroche (de)**

●CON VBOS. **mostrar** *El equipo volvió a mostrar coraje y pundonor en el campo de juego* · **demostrar · exhibir · tener · derrochar || atacar · ofender · defender || igualar (en)**

●CON PREPS. **con**

punible adj.

●CON SUSTS. **hecho** *La pena señalada para un hecho punible puede reducirse cuando...* · **acto · acción · conducta · comportamiento || amenaza · provocación || infracción · falta · delito · crimen · atraco · robo · asesinato || insolvencia || actividad · negocio || pecado · imprudencia · exceso || materia**

●CON ADVS. **legalmente · éticamente** *un comportamiento éticamente punible*

●CON VBOS. **considerar · declarar**

[punta] →a punta de {navaja/pistola}; de punta; de punta a punta; de punta en blanco; punta

punta s.f.

●CON ADJS. **afilada · roma · redonda || de lanza · de cuchillo · de zapato**

●CON SUSTS. **tecnología · velocidad || hora** *El tráfico se hace imposible a la hora punta*

●CON VBOS. **indicar (algo) · orientar(se) (a algo/hacia algo) · dirigir(se) (a algo/hacia algo) || salir · sobresalir || pinchar (algo)** *La punta del cuchillo pincha, ten cuidado* · **cortar (algo) || herir (a alguien) · entrar (en algo) · penetrar (en algo) || hundir · meter · hender || afilar · sacar** *Es capaz de sacarle punta a los comentarios más inocentes* · **redondear · remachar · recortar** *recortar las puntas de la melena*

●CON PREPS. **con · sin**

□EXPRESIONES **a punta pala** [en gran cantidad] *col.* || **de punta*** [tieso, con la punta hacia arriba] *Se me ponen los pelos de punta* || **de punta a punta*** [de un extremo al otro] || **de punta en blanco*** [muy bien vestido] *col.* || **tener** (algo) **en la punta de la lengua** [estar a punto de recordarlo]

puntapié s.m.

●CON ADJS. **inicial**

➤ Véase también **GOLPE**

puntería s.f.

●CON ADJS. **buena · excelente** *Tiene una puntería excelente* · **fina · impecable · atinada · certera || deficiente · escasa · mala**

●CON SUSTS. **falta (de) · fallo (de) · error (de) || ejercicio (de) · prueba (de) · juego (de) || alarde (de) || cuestión (de)**

●CON VBOS. **faltar(le) (a alguien) · fallar (a alguien)** *Le falló la puntería y le dio al cristal* || **tener · probar · afinar || carecer (de)**

●CON PREPS. **con · sin**

puntero, ra adj.

●CON SUSTS. **empresa · industria · laboratorio** *Aseguró que estaban en condiciones de convertirse en un laboratorio puntero* · **instituto · entidad · compañía · centro · sector || profesional · artista · especialista · grupo · figura · cantante · banda || club · equipo · conjunto · deporte || país · región · ciudad || técnica · tecnología || producto** *Nace un producto puntero en el mercado de las telecomunicaciones* · **canción · publicación · programa · información || valor · posición || marca || iniciativa · estilo**

puntiagudo, da adj.

●CON SUSTS. **espina · clavo · barra · lanza · navaja · cuchillo || orejas · nariz** *un hombre alto, moreno, con gafas y de nariz puntiaguda* || **hocico · cuerno · morro || casco · sombrero || forma**

[puntilla] →de puntillas; puntilla

puntilla s.f.

●CON ADJS. **final · última · definitiva** *Asestó la puntilla definitiva a un rival que para entonces ya estaba desmoronado* · **determinante || mortal · fatal**

●CON VBOS. **suponer · significar || llegar** *La puntilla final llegó en los últimos minutos del partido* || **faltar(le) (a alguien) || dar · poner** *El brasileño puso la puntilla con un espléndido gol* · **clavar · asestar · recibir || afilar || fallar (en) || servir (de) || rematar (con) · fulminar (con)**

□EXPRESIONES **de puntillas*** [apoyándose sobre las puntas de los pies]

puntilloso, sa adj.

●CON SUSTS. **crítico,ca** *Tiene fama de ser un crítico puntilloso e inconformista* · **profesor,-a** · ***otros individuos*** || **carácter || rigor · exigencia · justicia || actuación · crítica · comentario**

●CON VBOS. **mostrar(se) · volverse**

[punto] →a punto de caramelo; a punto de nieve; de todo punto; en punto muerto; poner a punto; por puntos; punto; punto de vista; punto negro; punto por punto

punto

1 **punto** s.m.

●CON ADJS. **a favor** *La propuesta tenía pocos puntos a favor y muchos en contra* · **en contra || álgido · cenital**

· **crucial** · **fuerte** · **decisivo** · **de oro** · **ganador** || **débil** *Atacaron sus puntos débiles para convencerlo* · **flaco** || **delicado** || **controvertido** · **conflictivo** · **polémico** · **discordante** · **ácido** || **sin retorno** *Nos encontramos en un punto sin retorno, así que no hay vuelta atrás* || **muerto** *dejar el motor en punto muerto* || **cardinal** *los cuatro puntos cardinales*
• CON VBOS. **anotar(se)** · **apuntar(se)** · **marcar** · **atesorar** · **cosechar** · **escalar** · **rebañar** · **remontar** *El equipo visitante remontó los puntos de diferencia y ganó el partido* · **ganar** · **perder** || **malgastar** · **desperdiciar** || **restar** · **sumar**

2 **punto (de)** s.m.

• CON SUSTS. **encuentro** *Nos veremos en el punto de encuentro del aeropuerto* · **concentración** · **reunión** · **entrada** · **salida** · **llegada** · **tránsito** · **origen** || **apoyo** · **arranque** · **atracción** · **equilibrio** || **conexión** · **coincidencia** · **acuerdo** · **confluencia** · **contacto** · **semejanza** || **conflicto** · **diferencia** · **divergencia** · **fricción** · **inflexión** *El punto de inflexión de la curva se ve claramente en el gráfico* || **discusión** · **reflexión** · **interés** · **referencia** · **mira** || **costa** *Vive en algún punto de la costa* · **ciudad** · **geografía** || **humor** *El libro tiene el punto justo de humor* · **alegría** · **optimismo** · **locura** · **nostalgia** · **tristeza** || **sutura** *Cerraron la herida con tres puntos de sutura* · **cruz** · **media** · **luz** · **venta** · **control** · **agenda** || **partida** · **partido** · **penalti** · **ventaja**

□ EXPRESIONES **a punto** [a tiempo] || **a punto de caramelo*** [en estado propicio] || **a punto de nieve*** [hasta que la clara adquiere densidad y consistencia] *batir las claras a punto de nieve* || **de todo punto*** [completamente] || **en punto** [sin retraso ni adelanto] || **en su punto** [en su mejor estado] || **hasta cierto punto** [en cierta manera] || **poner los puntos sobre las íes** [puntualizar] || **punto de vista*** [opinión] *Me gustaría conocer tu punto de vista* || **punto por punto*** [estrictamente, en todos sus pormenores]

punto de vista loc.sust.

• CON ADJS. **a favor** · **favorable** · **contrario** · **opuesto** · **desfavorable** · **discordante** || **crítico** *Lo ideal, desde un punto de vista crítico, sería...* · **mordaz** · **cualitativo** · **fundamentado** · **novedoso** · **original** *Es un análisis desde un punto de vista original y lleno de audacia* · **sugerente** · **interesante** · **peculiar** · **integral** · **flexible** || **correcto** · **incorrecto** || **arbitrario** · **parcial** · **sesgado** · **inflexible** · **radical** || **mayoritario** · **minoritario** · **personal** · **objetivo** · **subjetivo** · **unánime** || **analítico** || **físico** · **literario** · **filosófico** · **económico** · ***otros adjetivos relativos a campos del saber***
• CON VBOS. **confluir** · **converger** · **coincidir** || **divergir** · **alejarse** · **enfrentar(se)** || **traslucir(se)** || **dar** · **tener** · **imponer** · **ofrecer** *La película ofrece un interesante punto de vista sobre...* · **presentar** · **exponer** · **reafirmar** · **oponer** · **recabar** · **conseguir** || **defender** · **sostener** · **sustentar** || **tergiversar** · **distorsionar** · **refutar** · **rectificar** || **condensar** · **sopesar** *Sopesé todos los puntos de vista antes de decidir que...* · **enjuiciar** || **aunar** · **conciliar** *No era fácil conciliar puntos de vista tan contrarios* · **consensuar** · **conjugar** || **hacerse (con)** · **carecer (de)**
• CON PREPS. **desde** · **según**

punto negro loc.sust.

▌[lo que resulta muy negativo]

• CON VBOS. **salir a la luz** *Finalmente salió a la luz el único punto negro de su historial* || **buscar** · **encontrar** · **hallar** || **destapar** · **desvelar** || **evitar** *La Policía recomienda evitar los puntos negros de las carreteras*

punto por punto loc.adv./loc.adj.

• CON VBOS. **coincidir** *Coincido punto por punto con lo que usted plantea* · **corresponder** · **responder** · **comparar** · **ajustar(se)** · **suscribir** · **sumar(se) (a algo)** · **alinear(se) (con algo)** · **asumir** || **confirmar** · **ratificar** *La detenida ratificó punto por punto sus declaraciones anteriores* · **corroborar** · **repasar** · **repetir** · **reproducir** · **reiterar** · **retomar** · **recrear** || **rebatir** · **refutar** · **rechazar** *Aunque rechazó punto por punto las acusaciones, nadie lo creyó* · **negar** · **desmentir** · **denunciar** · **replicar** · **contravenir** · **contestar** · **dar respuesta** · **resistir** · **criticar** · **poner en duda** · **atacar** || **aclarar** · **delimitar** · **detallar** · **desglosar** · **desmenuzar** · **resumir** || **analizar** · **explicar** · **ver** · **considerar** *Es preciso considerar este asunto punto por punto* · **reexaminar** · **recoger** · **anotar** · **abordar** || **cumplir** · **seguir** · **observar** · **respetar** *Deben ustedes respetar punto por punto el contrato* · **atender** || **negociar** · **pactar** · **defender** · **debatir** · **respaldar** · **votar** · **sostener** · **mantener** || **aprender** · **dictar** · **dar lectura** · **pensar** · **saber**
• CON SUSTS. **negociación** · **pacto** · **reflexión** || **copia** · **reproducción** · **repetición** · **resumen** || **desmentido** · **refutación** · **réplica** || **ratificación** · **corroboración** || **análisis** · **examen**

puntuación s.f.

• CON ADJS. **excelente** *Sacó una excelente puntuación en el examen de ingreso* · **magnífica** · **alta** · **máxima** · **buena** || **merecida** · **justa** || **baja** · **mínima** · **insuficiente** · **mal(a)** · **injusta**
• CON SUSTS. **sistema (de)** · **orden (de)** · **criterio (de)** · **barrera (de)** · **escala (de)** · **diferencia (de)** || **prueba (de)** · **carrera (de)**
• CON VBOS. **sacar** · **conseguir** · **obtener** · **tener** · **lograr** · **alcanzar** · **cosechar** || **dar** · **asignar** · **conceder** *El jurado concedió a la gimnasta la máxima puntuación* · **otorgar** · **recibir** || **comparar** · **equiparar** || **bajar** · **subir** · **mejorar** || **superar (en)**

puntual puntual adj.

▌[sin retraso]

• CON SUSTS. ***persona*** *Me extraña porque es un chico muy puntual* || **autobús** · **tren** || **salida** · **llegada** · **aterrizaje** || **pago** *el pago puntual de impuestos*
• CON VBOS. **ser** · **estar** || **llegar** *El tren, como siempre, llegaba puntual* · **salir** · **ir** · **acudir** · **presentar(se)**

▌[concreto, exacto]

• CON SUSTS. **acción** · **medida** *Se puede tomar alguna medida puntual de modo inmediato* · **acuerdo** · **pacto** · **contrato** · **convenio** · **denuncia** || **hecho** · **acontecimiento** · **acto** · **negociación** || **lugar** · **zona** || **detalle** · **diferencia** · **ejemplo** · **caso** · **discrepancia** || **motivo** · **razón** || **crítica** · **comentario** · **referencia** · **respuesta** · **información** *El Gobierno prometió brindar información puntual sobre la nueva ley de medio ambiente* · **observación** · **anécdota** · **recordatorio** || **apoyo** · **ayuda** · **colaboración** · **participación** · **seguimiento** || **momento** · **ocasión** · **situación** || **cuestión** · **tema** *En la reunión se tratarán solo dos temas puntuales* · **asunto** || **mejora** · **cambio** · **modificación** · **corrección** · **refuerzo** · **retoque**

puntualidad s.f.

• CON ADJS. **absoluta** *El tren llegó con puntualidad absoluta* · **máxima** · **británica** · **inglesa** · **matemática** · **milimétrica** · **ejemplar** · **proverbial** · **exquisita** · **rigurosa** · **suma** · **escrupulosa** · **religiosa** · **impecable** || **nula** · **deficiente** · **escasa** · **insuficiente**
• CON SUSTS. **falta (de)** · **incentivo (a)** || **índice (de)**

● CON VBOS. ser de agradecer · mejorar || dejar que desear *Reconozco que mi puntualidad deja mucho que desear* · empeorar || rogar(le) (a alguien) · exigir (a alguien) · encarecer (a alguien) · requerir (a alguien) || extremar · garantizar *Esta empresa garantiza la puntualidad de los envíos* · observar || desatender || afectar (a) *Las obras no afectarán a la puntualidad del servicio*
● CON PREPS. con *Les rogamos que lleguen con la máxima puntualidad*

puntualización s.f.

● CON ADJS. breve · pequeña · precisa · simple · mera · nimia · somera || conveniente · necesaria · obligada · oportuna || de detalle
● CON VBOS. hacer *Los asistentes hicieron varias puntualizaciones muy oportunas* · realizar · introducir || solicitar || aceptar

puntualizar v.

● CON SUSTS. noticia · hecho · información || aspecto · detalle *Quieren puntualizar un par de detalles* · cuestión || afirmación · declaración · discurso · palabra · término || concepto · idea
● CON ADVS. con exactitud · con precisión · sabiamente || correctamente · debidamente *La periodista puntualizó debidamente sus declaraciones* · oportunamente

puntualmente adv.

▮ [a la hora]
● CON VBOS. acudir · asistir · llegar · estar || celebrar(se) · estrenarse · producir(se) · tener lugar · convocar || comenzar · empezar · terminar || pagar *El inquilino paga puntualmente el alquiler todos los meses* · cobrar · abonar

▮ [en su momento, oportunamente]
● CON VBOS. informar *una rueda de prensa en la que el delegado del Gobierno informará puntualmente a la prensa* · citar · expresar · describir · escribir · repetir · reflejar || conocer · recordar · cumplir · revisar || establecer · fijar · indicar · señalar || denunciar

puntuar v.

▮ [poner signos ortográficos]
● CON SUSTS. redacción *El ejercicio consistió en puntuar una redacción a la que le faltaban las comas y los puntos* · dictado · carta · frase · oración · ***otros textos***

▮ [calificar con puntos]
● CON SUSTS. examen · control · trabajo · ejercicio · prueba *Me han puntuado muy bajo esta prueba*

▮ [obtener puntos]
● CON SUSTS. equipo *El equipo puntuó en la primera ronda de partidos* · atleta · deportista · ***otros individuos y grupos humanos***
● CON ADVS. en casa · a domicilio

punzada s.f.

● CON ADJS. repentina · violenta · dolorosa *Sintió una dolorosa punzada en el estómago* · terrible · fuerte || leve · ligera · pequeña
● CON VBOS. sentir · notar · sufrir · tener

punzante adj.

● CON SUSTS. instrumento · objeto *Se hizo una herida con un objeto punzante* · herramienta · utensilio || puya · dardo · lápiz || arista · extremo || cuchillo · daga · navaja · arma || crónica · pregunta · artículo · declaración · comentario · ***otras manifestaciones verbales o textuales*** || dolor · frío · olor || tristeza · melancolía · angustia · ansiedad || crítica *con la característica crítica punzante e irónica de todas sus obras* · ataque · contragolpe · estocada || humor · ironía · sarcasmo · sátira · comedia · ingenio || epigrama · invectiva · indirecta || reflexión *El ensayo constituye una reflexión aguda y punzante sobre la sociedad de consumo* · consideración · idea || sonido · voz · grito · timbre

puñalada s.f.

● CON ADJS. certera · fulminante · grave · profunda · mortal · decisiva · crítica || fallida · superficial
● CON SUSTS. autor,-a (de) · víctima (de)
● CON VBOS. alcanzar (algo) *La mortal puñalada le había alcanzado el corazón* · afectar (a algo) || dar · asestar · propinar · pegar · clavar · lanzar · devolver || recibir *La víctima recibió varias puñaladas superficiales* · sufrir · presentar || errar · fallar || matar (a/de/con) · asesinar (a) · coser (a) || liarse (a) · terminar (a) || morir (de)
□ EXPRESIONES puñalada trapera [faena, mala pasada]

puñetazo s.m. Véase GOLPE

[puño] → como puños; de {mi/tu/su...} puño y letra; puño

puño s.m.

● CON ADJS. abierto · entreabierto · cerrado || amenazador · amenazante · fulminante || de hierro *Cuando suelta su puño de hierro es fulminante* · poderoso · recio · robusto || en alto || izquierdo · derecho
● CON SUSTS. golpe (de) · despeje (de)
● CON VBOS. abrir *Abrió el puño para enseñarme lo que tenía dentro* · cerrar · apretar || alzar · levantar · blandir · enarbolar · esgrimir || lanzar · soltar · estrellar · descargar
□ EXPRESIONES de {mi/tu/su...} puño y letra* [de forma autógrafa] || en un puño [dominado, sometido] *...pero tuvieron a su rival en un puño durante toda la segunda mitad*

[pupila] s.f. → pupilo, la

pupilo, la

1 **pupilo, la** s.
● CON ADJS. joven · antiguo,gua · nuevo,va || aventajado,da · destacado,da *El profesor acudió al congreso acompañado de uno de sus pupilos más destacados* · aplicado,da · despierto,ta · brillante · buen,-a || retrasado,da · perezoso,sa · vago,ga || predilecto,ta · preferido,da
● CON VBOS. aprender (algo) · estudiar (algo) || enseñar · educar · formar · instruir · aleccionar || convertir(se) (en) · tener (como) · tomar (a alguien) (como)

2 **pupila** s.f.
● CON VBOS. abrir · clavar · fijar (en) (algo/alguien) || contraer · dilatar *unas gotas para dilatar la pupila*

pureza s.f.

● CON ADJS. absoluta *la pureza absoluta del agua* · gran(de) · incomparable · infinita || inmaculada · inocente · cándida · divina · virginal || cristalina || escasa || técnica · lingüística · de intención || lleno,na (de) *versos que rezuman pureza y candidez*
● CON VBOS. degradar(se) || tener · rezumar · conservar · mantener · preservar *Este aparato permite preservar la pureza del aire de la sala* · demostrar · encontrar || ga-

rantizar · avalar · vigilar || adulterar · corromper · enturbiar · empañar || velar (por)
● CON PREPS. **con** · **sin**

purgar v.

[expiar]

● CON SUSTS. **año** · **etapa** · **pasado** || **condena** *Tras purgar su condena, salió de la cárcel dispuesto a empezar una nueva vida* · **pena** · **prisión** · **cárcel** · **cadena perpetua** || **culpa** · **responsabilidad** || **pecado** · **exceso** · **falta** || **delito** · **crimen** *condenado a treinta años de prisión para purgar su crimen* || **error** · **equivocación** · **desacierto** || **problema** · **crisis**

[evacuar una sustancia]

● CON SUSTS. **entraña** · **vientre** · **intestino** || **radiador** *Cuando llegue el otoño, tendré que purgar los radiadores* · **tubería**

[purificar]

● CON SUSTS. **ánimo** · **corazón** · **alma** · **espíritu**

purificación

1 **purificación** s.f.

● CON ADJS. **absoluta** · **total** · **completa** || **ambiental** || **racial** · **étnica** || **espiritual** · **ética** · **moral** · **social** · **religiosa** · **lingüística** · **ritual**
● CON SUSTS. **sistema (de)** · **proceso (de)** · **método (de)** || **planta (de)** · **lugar (de)** || **rito (de)** · **acto (de)** *Saltaban sobre las hogueras como acto de purificación* · **bautismo (de)** || **ansia (de)** · **deseo (de)**
● CON VBOS. **realizar**

2 **purificación (de)** s.f.

● CON SUSTS. **agua** · **aire** *El sistema logra la purificación del aire contaminado en los lugares cerrados* · **atmósfera** · **ambiente** || **cuerpo** · **alma** · **sangre** · **espíritu** || **lenguaje**

puro, ra

1 **puro, ra** adj.

[libre de mezcla o contaminación]

● CON SUSTS. **aire** *...porque tengo ganas de salir de aquí para respirar aire puro* · **atmósfera** · **agua** · **color** · **luz** || **alcohol** · **veneno** · **sustancia** · **oro** · **metal** · **material** || **estado** *la naturaleza en estado puro* || **amor** · **sentimiento** · **amistad** || **nervio** *Esta chica es puro nervio* || **arte** · **estilo** · **forma**
● CON ADVS. **químicamente** *una sustancia químicamente pura*
● CON VBOS. **ser** · **estar** · **mantener(se)**

[mero, solo]

● CON SUSTS. **casualidad** *Nos encontramos en la calle de pura casualidad* · **azar** · **coincidencia** || **verdad** *Cuesta admitirlo, pero es que es la pura verdad* || **instinto** · **placer** || **ilusión** · **magia** · **teatro** *Lo tuyo es puro teatro* · **invención** *Era todo una pura invención*

2 **puro** s.m.

[cigarro]

● CON SUSTS. **caja (de)** · **humo (de)**
● CON VBOS. **fumar(se)** · **echar(se)** *Después de comer se toma un café y se echa un puro* · **encender** || **apagar** · **terminar** · **tirar** · **apurar** || **repartir** · **ofrecer** · **regalar**

[castigo] *col.*

● CON VBOS. **meter** *El entrenador le metió un buen puro*

púrpura

1 **púrpura** s.m.

● CON ADJS. **profundo**
➤ Véase también **COLOR**

2 **púrpura** s.f.

● CON ADJS. **imperial** · **real** · **regia** · **sacerdotal** · **cardenalicia**

putrefacción s.f.

● CON ADJS. **avanzada** · **social** · **intelectual** · **política**
● CON SUSTS. **estado (de)** · **grado (de)** · **situación (de)** · **fase (de)** || **síntoma (de)** · **signo (de)** · **olor (a)** *De la fábrica sale un fuerte olor a putrefacción* · **efluvios (de)** || **proceso (de)** · **inicio (de)** · **comienzo (de)**
● CON VBOS. **producir(se)** || **evitar**

putrefacto, ta adj.

● CON SUSTS. **carne** · **agua** · **resto** · **basura** · **organismo** || **cuerpo** · **cadáver** || **aspecto**
● CON VBOS. **estar** *La carne se quedó fuera de la nevera y está putrefacta* · **poner(se)** · **volver(se)** · **quedar(se)**

Q q

quebradero de cabeza loc.sust.

• CON ADJS. **frecuente · constante · ocasional · intenso**
• CON VBOS. **dar · ocasionar (a alguien)** *¿Te ha ocasionado muchos quebraderos de cabeza la redacción del informe?* · **causar (a alguien) · proporcionar (a alguien) · provocar (a alguien) || suponer (a alguien)** *No me supone ningún quebradero de cabeza ocuparme de este asunto* · **producir (a alguien) || convertir(se) (en)**

quebradizo, za adj.

• CON SUSTS. **rama · hueso · uña** *Tengo las uñas quebradizas por falta de vitaminas* · **piel · suelo · hielo · metal · madera || terreno · mundo** · ***otros lugares*** **|| salud · moral · espíritu · memoria · valor · autoridad · liderazgo · estado emocional · voluntad · fidelidad** *Su quebradiza fidelidad fue uno de los problemas de su matrimonio* · **conciencia || voz · palabra · lenguaje · rumor || equilibrio · estabilidad · entereza · consistencia · resistencia || aspecto** *Ya no eres aquella muchacha solitaria y de aspecto quebradizo que conocí en mi juventud* · **carácter · apariencia · naturaleza · identidad · statu quo || hilo · puente · relación · pacto · paz · línea || personaje · hombre · mujer · partido** · ***otros individuos y grupos humanos***
• CON VBOS. **volver(se) · ponerse**

quebrantar v.

• CON SUSTS. **roca · hueso · piedra || ley · norma · normativa · legalidad · legislación · artículo · reglamento** *Fue acusado de haber quebrantado el reglamento de la institución* · **estatuto · constitución** · ***otras disposiciones*** **|| mandato · orden · deber · responsabilidad || acuerdo · compromiso · juramento · promesa** *Cuando quebrantó su promesa, dejamos de confiar en ella* · **pacto · tregua || derecho · libertad · igualdad || principio · moral · conciencia · máxima || confianza** *Con su actitud, hizo que se quebrantara la confianza que todos habíamos depositado en él* · **relación · amistad || secreto · tabú · sigilo || paz · tranquilidad · descanso · salud || condena · arresto · castigo · prisión || fe · tradición · costumbre**

quebrar(se) v.

• CON SUSTS. **hueso · rama · palo · mástil · pata** *Se ha quebrado una pata de la mesa* · ***otros objetos rígidos*** **|| voz · palabra · emoción || empresa · banco** *Durante la crisis quebraron varios bancos* **|| resistencia** *El fuerte sol y el calor acabaron por quebrar la resistencia de los montañeros* · **defensa · aguante · voluntad · ánimo · espíritu · esperanza · ilusión || democracia · organización · sistema || período · racha · tendencia · trayectoria || objetivo · pretensión · proyecto · deseo || amistad · convivencia** *No siempre se puede evitar que la convivencia termine quebrándose* · **familia · matrimonio · relación || unidad · equilibrio · consenso · acuerdo · cohesión · calma · orden · estabilidad · igualdad · pacto · solidaridad · tregua** *Ninguno de los dos bandos reconoce haber quebrado la tregua* · **quietud · silencio || confianza · fidelidad · lealtad || modelo · esquema · posición || principio · dogma · ley · moral · norma · regla · derecho · deber || base** *Tales afirmaciones quiebran las bases del tradicional entendimiento entre nuestros países* · **costumbre · tradición || hegemonía · monopolio · cúpula · dominio · poder · liderazgo** *Tras admitir abiertamente que su liderazgo se había quebrado, presentó su dimisión* **|| imagen · personalidad · carácter**

quechua s.m. Véase **IDIOMA**

[queda] → toque de queda

quedamente adv.

• CON VBOS. **hablar · pronunciar · decir · llamar · conversar || sonar · resonar || silbar · cantar || llorar** *...mientras la chica, sentada en el suelo, lloraba quedamente* · **quejarse || festejar · celebrar · reír · sonreír || deslizar(se) · mover(se) · avanzar**

quedar(se) v.

• CON ADVS. **en blanco** *Estaba tan nervioso que me quedé en blanco en el examen* · **a medias · en punto muerto || en tierra · frente a frente · a lo lejos · a un tiro de piedra** *Su casa está muy cerca, queda a un tiro de piedra* · **en tierra de nadie || a buen recaudo · a {mi/tu/su...} disposición** *Quedo a su disposición para lo que sea* **|| a oscuras** *Le da miedo quedarse a oscuras* **|| sin palabras** *Al escuchar la noticia se quedó sin palabras* **|| como un señor** *Sabe cómo tratar a la gente y queda siempre como un señor* · **divinamente · a gusto · como Dios · bien || fatal · de pena · mal · como un cerdo || en custodia · en depósito || a medida**

☐ USO Se construye también con adjetivos y con participios, que funcionan, al igual que los adverbios, como complementos predicativos: *La ciudad quedó destruida. Te habrás quedado calvo.*

quedo, da adj.

• CON SUSTS. **voz** *Inició con voz queda y triste su relato* · **silbido · palabra || llanto || sonido · ruido · murmullo || paso**

quehacer s.m.

• CON ADJS. **habitual · cotidiano** *Contestar la correspondencia era uno de sus escasos quehaceres cotidianos* · **diario · rutinario || principal || meticuloso · esmerado** ·

crítico || público · doméstico · político *Este tipo de actividades son parte del quehacer político diario* · académico · científico · periodístico · cinematográfico · literario · cultural · poético · intelectual || abundantes · numerosos · variados · diversos
● CON VBOS. desempeñar · realizar || dejar de lado · abandonar · descuidar *Le reprochaban que hubiera descuidado sus quehaceres profesionales* · interrumpir || supervisar · controlar || aligerar (de) · descargar (de) · librar(se) (de) || cumplir (con) · encargarse (de) · ocuparse (de) · dedicar(se) (a) || volver (a) *Después de esta breve pausa, vuelvo a mis quehaceres*

queja s.f.

● CON ADJS. general · unánime · habitual · repetida || dura · enérgica · honda · profunda || continua *las continuas quejas de los vecinos* · insistente · apremiante · reiterada · persistente || sentida · lastimosa · lastimera · amarga || legítima · justa · justificada · injusta · injustificada || testimonial || sordo,da (a) *Los poderes públicos siguen sordos a nuestras quejas*
● CON SUSTS. arsenal (de) · cúmulo (de) · avalancha (de) · lluvia (de) *El apagón ha provocado una lluvia de quejas de los usuarios* · rosario (de)
● CON VBOS. llegar · salir · fluir · arreciar · desatar(se) · traslucir(se) || escapar (de alguien) *Ni una queja escapó de sus labios* || caer en el vacío || expresar · emitir · exponer · formular *Deben ustedes formular sus quejas lo más claramente posible* · manifestar · presentar · plantear · reiterar · dejar caer · verter · lanzar · soltar · levantar · alzar · hacer extensiva || ahogar · acallar · amortiguar · soslayar || suscitar || desmontar · refutar || escuchar · atender · suscribir · canalizar || desatender · desoír *El Gobierno desoyó la queja unánime de los agricultores* || hacer oídos sordos (a) · salir al paso (de)

quejarse v.

● CON ADVS. vivamente · abiertamente || continuamente · sin parar · constantemente · repetidamente · incesantemente · insistentemente *Se quejaba insistentemente de dolores en la espalda* · persistentemente · tenazmente · {de/por} vicio || desoladamente · desesperadamente || airadamente || inútilmente *Los afectados se quejaron inútilmente a la compañía telefónica* || verbalmente · por escrito || a coro

quejido s.m.

● CON ADJS. profundo · hondo || amargo · lastimero · lastimoso || sonoro · débil · apagado · entrecortado
● CON VBOS. exhalar · emitir · lanzar · soltar || ahogar · sofocar || escuchar · oír *Se oían quejidos entrecortados*

quejoso, sa adj.

● CON SUSTS. *persona* || tono · escrito · texto
● CON ADVS. permanentemente · continuamente · raramente
● CON VBOS. estar || poner(se) · mostrarse *La niña se mostró quejosa y dolorida* · andar

quejumbroso, sa adj.

● CON SUSTS. gemido · voz *hablar con voz quejumbrosa* · tono · sonido · rumor · cantar · ladrido · llanto || exhortación · llamada || protesta · cantinela · crítica
● CON VBOS. ser · estar · volverse · ponerse

quema s.f.

● CON ADJS. intencionada · controlada *la quema controlada de rastrojos* · ilegal || parcial · total · general || sistemática · constante · permanente
● CON VBOS. salvar(se) (de) *Al descubrirse el desfalco ninguno de los directivos se salvó de la quema* · escapar (de) · huir (de)
□ EXPRESIONES huir de la quema [apartarse de un peligro]

quemadura s.f.

● CON ADJS. leve *sufrir quemaduras leves por una larga exposición al sol* · ligera · grave · de {primer/segundo/tercer} grado · profunda · pequeña || total · parcial || interna · superficial · externa · de la piel || solar · de cigarro · química
● CON SUSTS. emergencia (por) || lesión (por) *un decálogo de sugerencias para prevenir las lesiones por quemaduras* || curación (de) · tratamiento (de) || pomada (para) · bálsamo (para) || extensión (de)
● CON VBOS. causar · provocar · dejar || sufrir || curar · tratar

[quemarropa] → a quemarropa

querella s.f.

● CON ADJS. criminal · judicial · personal || interna · intestina
● CON SUSTS. objeto (de) || sarta (de) *Se enredaron en una interminable sarta de querellas*
● CON VBOS. presentar · poner · formular · elevar · plantear · entablar · interponer *Interpuso la querella en el juzgado número...* · instruir · incoar · sostener (con alguien) || ampliar · retirar || resolver · dirimir *Recurrieron a los tribunales para dirimir sus querellas* · dilucidar || rechazar · archivar · sobreseer · sortear · admitir

querellarse v.

● CON ADVS. individualmente *Los miembros del sindicato se han querellado individualmente contra...* · personalmente · colectivamente || sin éxito || criminalmente · civilmente

querencia s.f.

● CON ADJS. marcada · acusada *Tiene una acusada querencia a llevar la contraria* · irrefrenable · obstinada || clara · evidente · manifiesta · inequívoca · ostensible || especial || natural || individual · particular
● CON VBOS. percibir(se) · notar(se) || manifestar · mostrar || sentir *Sentía una acusada querencia por su pueblo natal*

querer v.

● CON ADVS. profundamente · con todas {mis/tus/sus...} fuerzas *Quería conseguir el ascenso con todas sus fuerzas* · de (todo) corazón · con toda {mi/tu/su...} alma · a rabiar *A ese piloto, el público lo quiere a rabiar y allá donde va, causa alboroto* · a morir · ardientemente · fervientemente · fervorosamente · a todo trance · a toda costa || en exclusiva || sinceramente
□ EXPRESIONES querer bien (a alguien) [desearle lo mejor] || querer decir [significar] || sin querer [sin intención]

queso s.m.

● CON ADJS. fresco · curado · tierno *La receta se prepara con doscientos gramos de queso tierno* · semicurado · ahumado · de mezcla · de bola · de tetilla · de untar *una tarrina de queso de untar* · de gratinar || manchego

· **del país** || **desgrasado** · **desnatado** · **en aceite** || **fundido** · **rallado** || **sabroso** · **salado** · **sin sal** *El cardiólogo solo me permite comer queso sin sal* || **rancio**

● CON SUSTS. **pieza (de)** · **loncha (de)** · **feta (de)** · **porción (de)** · **taco (de)** || **tapa (de)** *De aperitivo nos sirvieron tapas de queso y de jamón* · **ración (de)** · **tabla (de)** · **bocadillo (de)** || **fábrica (de)** || **tarta (de)** · **flan (de)**

● CON VBOS. **partir** · **cortar** · **trocear** · **picar** · **rallar** *Hay que rallar queso para espolvorearlo en la pasta* · **fundir** || **espolvorear** · **gratinar** || **comer** · **degustar** · **saborear**

☐ EXPRESIONES **dársela con queso** (a alguien) [engañarlo] *col.*

quicio s.m.

● CON VBOS. **apoyar(se) (en)** *Sintió un mareo y tuvo que apoyarse en el quicio de la puerta* · **apostar(se) (en)** || **asomar(se) (a)**

● CON PREPS. **desde** · **bajo**

☐ EXPRESIONES **sacar de quicio** (a alguien) [ponerlo fuera de sí] || **sacar de quicio** (algo) [darle un sentido distinto del natural]

quid

1 **quid** s.m.

● CON ADJS. **verdadero** *¿Cuál es el verdadero quid del problema?* · **auténtico**

● CON VBOS. **radicar (en algo)** · **residir (en algo)** *El quid de este asunto parece residir en...* · **estribar (en algo)** || **descubrir** · **dilucidar** · **intuir** · **averiguar** || **dar (con)**

2 **quid (de)** s.m.

● CON SUSTS. **cuestión** *En mi opinión, el quid de la cuestión es...* · **asunto** · **embrollo** · **problema**

quiebra s.f.

● CON ADJS. **absoluta** · **total** *Si no logra el aval, tendrá que declararse en quiebra total* · **definitiva** || **grave** · **estrepitosa** || **irreparable** · **irreversible** · **inevitable** · **imparable** · **inminente** || **voluntaria** · **inesperada** · **fraudulenta** || **en cadena** || **económica** · **financiera** · **técnica** || **moral** *Según dice, estamos asistiendo a la quiebra moral de la sociedad* · **ideológica** · **de valores** · **de confianza** · **social**

● CON VBOS. **producir(se)** || **provocar** || **afrontar** · **remontar** || **evitar** *La empresa evitó la quiebra gracias a un acuerdo con los bancos* · **paliar** || **decretar** || **encontrar(se) (en)** · **ir (a)** · **entrar (en)** · **sumir(se) (en)** · **abocar (a)** · **precipitar(se) (a)** || **declarar(se) (en)** || **salir (de)** · **recuperar(se) (de)** · **salvar(se) (de)** *Gracias a sus hábiles negociaciones logró salvarse de la quiebra* · **rescatar (de)**

● CON PREPS. **en** *Compró un restaurante en quiebra con la intención de relanzarlo*

quiebro s.m.

● CON ADJS. **airoso** *un airoso quiebro con la muleta* · **elegante** · **grácil** || **brusco** · **repentino** *El repentino quiebro en su estrategia comercial responde a...* · **inesperado** · **sorprendente** || **espectacular** · **magistral** || **inverosímil** || **ingenioso** · **original** || **verbal**

● CON VBOS. **hacer** · **dar**

quietud s.f.

● CON ADJS. **absoluta** · **apacible** · **permanente** · **inalterable** · **eterna** || **aparente** *La aparente quietud de la noche estaba cargada de oscuros presagios* || **reinante**

● CON VBOS. **imperar** · **reinar** *En aquel lugar reinaba la quietud más absoluta* || **sentir** || **perturbar** · **alterar** · **romper** · **interrumpir** || **mantener** · **conservar** || **gozar (de)**

quijotesco, ca adj.

● CON SUSTS. **aventura** · **misión** · **empresa** · **labor** *Tratan de llevar a cabo una quijotesca labor* · **plan** · **andanza** || **batalla** · **pelea** · **cruzada** · **combate** · **lucha** · **demanda** || **manía** · **delirio** · **sueño** · **ilusión** · **visión** · **evocación** || **romance** · **amor** || **planteamiento** · **propuesta** · **declaración** || **empeño** *Sigue investigando con el empeño quijotesco de conocer...* · **causa** || **libro** · **frase** || **héroe** · **figura** || **posada** · **venta** *Nos albergamos en una quijotesca venta de La Mancha* · **lugar**

quilogramo s.m. Véase **kilogramo**

quimera s.f.

● CON ADJS. **inverosímil** · **irreal** · **irrealizable** · **utópica** || **vieja** || **obsesiva**

● CON VBOS. **hacer(se) realidad** *Sus viejas quimeras se hicieron por fin realidad* || **perseguir** || **alentar** · **alimentar** · **forjar** || **soñar (con)** || **perderse (en)** || **rayar (en)**

[química] s.f. → químico, ca

químico, ca

1 **químico, ca** adj.

● CON SUSTS. **laboratorio** · **empresa** · **compañía** · **industria** · **sector** · **ingeniería** · **ciencia** || **arma** · **armamento** *El tratado prohíbe expresamente el armamento químico* · **guerra** · **accidente** · **espionaje** || **arsenal** · **basurero** || **agente** · **componente** · **elemento** · **enlace** · **sustancia** *una sustancia química venenosa* · **producto** · **compuesto** *Soy alérgica a este compuesto químico* · **estupefaciente** · **gas** · **material** · **aditivo** · **fibra** · **residuo** || **reacción** · **cambio** · **proceso** · **tratamiento** || **composición** · **valor**

2 **química** s.f.

■ [afinidad] *col.*

● CON ADJS. **buena** *Entre la pareja de actores parece que hay buena química* · **estupenda** · **mala** || **personal** || **visible** · **notable** · **considerable** · **manifiesta** · **patente** · **notoria**

● CON VBOS. **existir** · **surgir** · **crear(se)** · **desaparecer** || **haber** *Si no hay química entre ellos la convivencia será difícil* · **tener** || **notar** · **apreciar** || **revelar** · **reflejar**

■ [rama del saber] Véase **DISCIPLINA**

quimioterapia s.f.

● CON ADJS. **intensiva** · **agresiva** · **abrasiva** || **leve** · **suave** · **llevadera** || **oral** *Un estudio compara la eficacia de la quimioterapia oral y la intravenosa* · **intravenosa** · **combinada** || **anticancerosa** · **antitumoral** || **estándar** · **convencional** · **tradicional** || **preoperatoria** · **posoperatoria**

● CON SUSTS. **dosis (de)** · **sesión (de)** · **ciclo (de)** || **tratamiento (de/con)** · **administración (de)** || **efecto (de)** · **reacción (a)**

● CON VBOS. **administrar** · **aplicar** || **sobrellevar** || **reaccionar (a)** || **tratar(se) (con)** *La operaron y ahora la están tratando con quimioterapia* · **someter(se) (a)**

quimono s.m.

● CON ADJS. **oriental** · **japonés** *Aparecieron vestidos con el tradicional quimono japonés* || **típico** · **tradicional** || **liso** · **estampado**

➤ Véase también **ROPA**

quina s.f. Véase **BEBIDA**

quiniela s.f.

• CON ADJS. **ganadora** *La quiniela ganadora estaba premiada con...* · **acertante** · **premiada** || **semanal** · **periódica** || **de la suerte** || **millonaria** || **hípica** · **de fútbol** · **futbolística**
• CON VBOS. **tocar(le) (a alguien)** || **echar** || **rellenar** *Hemos rellenado la quiniela a voleo* || **acertar** · **ganar** || **jugar (a)**

quiosco s.m.

• CON ADJS. **callejero** · **de barrio** || **cercano** · **modesto** · **desmontable** · **acristalado** || **de prensa** · **de periódicos** · **de flores** · **de bebidas** · **de helados** · **de golosinas** · **de lotería**
• CON SUSTS. **venta (en)** *un producto de venta exclusiva en quioscos* || **edición (de)** · **coleccionable (de)** · **novela (de)** || **concesión (de)**
• CON VBOS. **poner** *Ya han puesto el quiosco de helados en la esquina* · **abrir** · **traspasar** || **regentar** · **atender** · **llevar** || **trabajar (en)**

quirófano s.m.

• CON ADJS. **móvil** · **de urgencia(s)**
• CON SUSTS. **ingreso (en)** || **auxiliar (de)** · **enfermero,ra (de)** *Trabaja como enfermera del quirófano de oftalmología* || **mesa (de)** · **equipo (de)** · **material (de)**
• CON VBOS. **entrar (en/a)** · **pasar (por/a)** *En los últimos años he pasado por el quirófano varias veces* · **ir (a)** || **sacar (de)** · **salir (de)** || **llevar (a)** · **conducir (a)** || **operar (en)**

quirúrgicamente adv.

• CON VBOS. **intervenir** *intervenir a un paciente quirúrgicamente* · **operar** · **tratar** · **resolver** || **extirpar** · **extraer**

quirúrgico, ca adj.

• CON SUSTS. **material** *El hospital de campaña no contaba con el material quirúrgico adecuado* · **equipo** · **instrumental** · **láser** || **técnica** · **método** || **intervención** · **tratamiento** *el tratamiento quirúrgico de la obesidad mórbida* · **operación** · **práctica** · **actividad** · **procedimiento** || **clínica** · **hospital** · **centro** · **área** · **unidad** || **asistencia** · **atención** || **precisión** · **error** · **riesgo** || **reparación** · **corrección**

quiste s.m.

• CON ADJS. **sebáceo** || **benigno** · **maligno** · **cancerígeno**
• CON VBOS. **reventar** · **salir(le) (a alguien)** || **encontrar(le) (a alguien)** *Le encontraron un quiste y tuvieron que intervenirla quirúrgicamente* || **extirpar** · **quitar** · **sajar**

quitanieves s.f.

• CON SUSTS. **máquina** · **equipo** *Miles de conductores quedaron atrapados hasta que llegaron los equipos quitanieves* · **escudo** · **camión** · **vehículo** · **patrulla** || **servicio**
• CON VBOS. **actuar** · **trabajar** · **funcionar** · **pasar** || **despejar (un lugar)** *La quitanieves despejó la carretera de acceso a...* · **limpiar (un lugar)** · **desplazar (algo)** || **circular** · **transitar** || **conducir** · **maniobrar**

[quitar] → quitar de la cabeza; quitar hierro (a)

quitar de la cabeza loc.vbal.

• CON SUSTS. **idea** · **pensamiento** *A ver si consigue quitarse de la cabeza esos pensamientos obsesivos* · **imagen** · **recuerdo** || **problema** · **tema** · **obsesión** || **melodía** · **canción** *No me puedo quitar de la cabeza la canción que tarareabas ayer*

☐ USO Se usa también la variante *sacar de la cabeza*.

quitar hierro (a) loc.vbal.

• CON SUSTS. **declaración** *El polémico jugador quitó hierro a sus declaraciones de la semana pasada* · **afirmación** · **palabra** · **mención** · ***otras manifestaciones verbales*** || **expediente** · **auto** · **llamamiento** · **documento** · **comunicado** || **asunto** · **hecho** · **situación** *Hizo una broma para quitar hierro a la situación* · **caso** · **tema** || **polémica** · **discrepancia** · **diferencia** · **debate** · **crítica** · **enfrentamiento** || **problema** · **conflicto** *El Gobierno ha querido quitar hierro al conflicto surgido con el país vecino* · **crisis** · **drama** · **destrozo** || **ausencia** · **retirada** · **dimisión** · **falta** || **operación** · **plan** · **maniobra** · **iniciativa**

[quite] → al quite

R r

rábano s.m.

- CON ADJS. **picante || fresco · crudo · cocido**
- CON SUSTS. **manojo (de)**
- CON VBOS. **cultivar · sembrar · cosechar · plantar || picar · rallar**

☐ EXPRESIONES **{coger/tomar} el rábano por las hojas** [equivocarse en la interpretación de algo] *col.* || **importar un rábano** [importar muy poco] *col.*

rabia s.f.

▌[enfermedad]

- CON SUSTS. **caso (de) || portador,-a (de) || síntoma (de) || vacuna (contra) || virus (de)**
- CON VBOS. **contagiar · transmitir · inocular || erradicar || vacunar (contra)** *El médico lo tuvo que vacunar contra la rabia por una mordedura de perro* || **morir (de)**

▌[ira, aversión]

- CON ADJS. **enorme · incontenible** *Sintió una rabia incontenible cuando...* · **exacerbada || soterrada · contenida · acumulada || preso,sa (de)** *Preso de rabia, comenzó a gritar exigiendo un abogado* · **lleno,na (de) · ciego,ga (de) · cargado,da (de)**
- CON SUSTS. **ataque (de) · acceso (de) · arrebato (de) · arranque (de) · explosión (de) || gesto (de) · sentimiento (de) · expresión (de) || lágrima (de) · grito (de)**
- CON VBOS. **entrar(le) (a alguien)** *Le entra una rabia que no puede controlar* · **apoderarse (de alguien) · corroer (a alguien) · carcomer (a alguien) · invadir (a alguien) || apagar(se) · aplacar(se) || traslucir(se) || tener · sentir · despertar || dar (a alguien)** *Me da mucha rabia que no puedas venir* · **producir (a alguien) || calmar · atemperar · contener · reprimir || almacenar · acumular || descargar · soltar || llenar(se) (de) || estallar (de/en) · reventar (de) · retorcerse (de) · morirse (de)**
- CON PREPS. **con** *gritar con rabia* · **sin || de** *llorar de rabia*

▌[fuerza, energía]

- CON SUSTS. **ejemplo (de)** *Este jugador es un ejemplo de rabia, agallas y pundonor* || **exhibición (de)**
- CON VBOS. **poner** *Hay que poner más rabia en el juego*
- CON PREPS. **con** *Apretó los dientes con rabia*

[rabiar] → a rabiar

rabieta s.f. *col.*

- CON ADJS. **verdadera · auténtica || infantil || virulenta · tremenda · violenta || propenso,sa (a)**
- CON VBOS. **dar (a alguien) · entrar (a alguien) · pasárse(le) (a alguien) || pillar · coger** *Cuando supieron la noticia de la descalificación se cogieron una rabieta de cuidado* · **tener || disimular**

rabino s.m.

- CON ADJS. **principal · jefe · gran || prestigioso · conocido · preeminente || extremista · moderado || judío · ortodoxo**
- CON SUSTS. **carrera (de) · discurso (de) · sermón (de)**
- CON VBOS. **rezar || declarar (algo) · enseñar (algo) || nombrar · elegir || hacerse || preguntar (a)**
- CON PREPS. **bajo la dirección (de)** *Estudió bajo la dirección del gran rabino de Jerusalén*

rabiosamente adv.

- CON VBOS. **aplaudir** *Al terminar su discurso, el auditorio aplaudió rabiosamente* · **aclamar || odiar · envidiar · oponerse || morder**
- CON ADJS. **nuevo,va · actual · moderno,na · contemporáneo,a** *las tendencias del arte más rabiosamente contemporáneo* || **vigente** *Es un tema que sigue rabiosamente vigente* || **original || novedoso,sa · renovado,da || libre · enérgico,ca · joven · independiente · individualista**

rabioso, sa adj.

▌[que padece la enfermedad de la rabia]

- CON SUSTS. **perro,rra** *Se comportaba como un perro rabioso* · **lobo,ba · fiera ·** ***otros animales***

▌[muy enfadado]

- CON SUSTS. **ciudadano,na** *Los ciudadanos están rabiosos con sus últimas declaraciones* · **ciudadanía · vecino,na · cliente · multitud ·** ***otros individuos y grupos humanos*** **|| patada · zarpazo · puñalada ·** ***otros golpes*** **|| oposición · revanchismo**
- CON VBOS. **estar · poner(se) · volver(se)**

▌[intenso, marcado]

- CON SUSTS. **dolor · picor || verde · fucsia · amarillo** *Llevaba una camiseta de un amarillo rabioso* · **rojo ·** ***otros colores*** **|| neoliberalismo · feminismo · consumismo · humanismo ·** ***otras tendencias*** **|| estilo (musical) · rock · punk · pop · blues || futuro · actualidad · presente · modernidad · novedad · vanguardia · contemporaneidad · vigencia · moda · inmediatez · modernismo · juventud || deseo · gana** *Tenía unas ganas rabiosas de ir al concierto* **|| independencia · individualidad · individualismo · subjetividad || energía · intensidad**

[rabo] → de cabo a rabo; rabo

rabo s.m.

- CON VBOS. **mover** *El perro movía alegremente el rabo* · **menear · agitar · levantar || cortar** *El torero cortó las dos orejas y el rabo* · **conseguir || dar · pedir · conceder · repartir || sumar** *En la última temporada, el diestro llegó a sumar seis rabos* || **tirar (de) · coger (de)**

☐ EXPRESIONES **con el rabo entre las piernas** [con vergüenza]

racanear v. *col.*

• CON SUSTS. **dinero** || **esfuerzo** *sin racanear esfuerzos ni dedicación* · **empeño** · **trabajo** · **dedicación** · **cariño** || **mérito** · **alabanza** · **aplauso** || **punto**

racha

1 **racha** s.f.

▮ [período de tiempo]

• CON ADJS. **buena** · **favorable** · **espectacular** · **exitosa** · **ganadora** || **mala** *Ya verás cómo se acaba pronto esta mala racha* · **negativa** · **adversa** · **desastrosa** · **nefasta** · **pésima** || **deportiva** · **goleadora** *la racha goleadora de un equipo* || **económica** · **alcista**

• CON VBOS. **venir** · **llegar** · **pasar** || **interrumpir(se)** · **cortar(se)** · **terminar** · **acabar** · **torcer(se)** · **truncar(se)** · **quebrar(se)** · **romper(se)** || **llevar** · **atravesar** *El país atraviesa una magnífica racha económica* · **arrastrar** || **aprovechar** · **desaprovechar** || **enderezar** || **estar (en)** *Ahora que estamos en racha no vamos a irnos del casino* · **seguir (en)** · **entrar (en)** || **pasar (por)** *Estoy pasando por una mala racha*

• CON PREPS. **en**

▮ [golpe de viento]

• CON ADJS. **huracanada** *vientos con rachas huracanadas* · **fuerte** · **moderada** || **continuas** · **esporádicas**

• CON SUSTS. **alerta (por)**

• CON VBOS. **seguir** *Siguen las fuertes rachas de viento en el litoral* · **continuar** || **azotar (algo)** · **afectar (a algo/a alguien)**

2 **racha (de)** s.f.

• CON SUSTS. **suerte** *¡Es una racha de buena suerte!* · **éxitos** · **triunfos** · **victorias** · **aciertos** *Con una racha tan elevada de aciertos no se le escapará el título* || **fracasos** · **derrotas** · **fallos** || **problemas** || **resultados** || **violencia** · **accidentes** *Se tomarán medidas para frenar la racha de accidentes laborales* · **descalabros** · **incendios** || **acusaciones** · **críticas** || **buen juego** · **mal juego** || **viento**

☐ USO Se construye generalmente con sustantivos no contables en singular (*una racha de suerte*) o con contables en plural (*una racha de fallos*).

racheado, da adj.

• CON SUSTS. **viento** *A esa hora persistían los fuertes vientos racheados* · **lluvia** · **nieve** · **tormenta**

racial adj.

• CON SUSTS. **discriminación** · **segregación** · **marginación** || **prejuicio** · **intolerancia** · **barrera** || **odio** *Esta situación es consecuencia de un odio racial largamente alimentado* · **tensión** · **violencia** · **guerra** · **conflicto** · **problema** || **diferencia** · **división** · **igualdad** || **mezcla** · **mestizaje** · **diversidad** || **pureza** · **minoría** || **integración** *El programa de integración racial fue un completo éxito* · **convivencia** || **cuestión** · **tema** || **motivo** · **origen** · **factor** || **ley** · **política**

racimo

1 **racimo** s.m.

• CON ADJS. **escogido** · **selecto** || **reducido** · **pequeño**

• CON SUSTS. **bomba (de)** · **proyectil (de)** || **uva (de)**

• CON VBOS. **recoger** *La familia entera trabajaba recogiendo los racimos de uvas* · **cosechar** · **cortar** || **hacer** || **desgranar**

• CON PREPS. **en**

2 **racimo (de)** s.m.

• CON SUSTS. **uvas** · **plátanos** · **cerezas** · ***otros frutos*** || **flores** *En primavera brotan pequeños racimos de flores blancas* · **rosas** || **células** || **palabras** · **frases** · **ideas** · **poemas** || ***persona*** *Aún conserva un racimo de fieles seguidores*

raciocinio s.m.

• CON ADJS. **certero** · **lúcido** || **agudo** · **riguroso** · **profundo** · **poderoso** || **frío** · **implacable** || **complejo** · **intrincado**

• CON SUSTS. **capacidad (de)** *la capacidad de raciocinio del ser humano* || **acto (de)** · **proceso (de)** · **forma (de)** || **falta (de)** · **ausencia (de)**

• CON VBOS. **perder** *En la etapa final de la enfermedad, se puede perder el raciocinio* · **dificultar** · **mantener** || **actuar (con)**

ración

1 **ración** s.f.

• CON ADJS. **generosa** · **abundante** *En este bar sirven abundantes raciones* · **buena** || **escasa** · **mínima** · **exigua** · **raquítica** || **doble** · **habitual** · **media** · **consabida** || **diaria** · **cotidiana** · **semanal**

• CON VBOS. **servir** · **ofrecer** · **recibir** · **pedir** || **comer** *Comimos una ración de chorizo y otra de croquetas* · **degustar** · **tomar** · **ingerir** · **dar** || **invitar (a)**

2 **ración (de)** s.f.

• CON SUSTS. **gambas** · **calamares** *Habíamos pedido una ración de calamares y unos refrescos* · **croquetas** · ***otros alimentos*** || **agua** · **comida** · **pan** *Esta es mi ración diaria de pan* || **aplausos** · **críticas** · **popularidad** · **felicitaciones** · **reproches** || **violencia** · **sangre** · **sufrimiento**

racional adj.

• CON SUSTS. **persona** · **animal** || **comportamiento** · **conducta** · **postura** || **pensamiento** · **lógica** · **decisión** · **elección** || **explicación** *No se ha encontrado una explicación racional para este fenómeno* · **discurso** · **respuesta** · **solución** · **análisis** · **examen** || **uso** · **utilización** *consejos para una utilización racional de la energía* · **distribución** · **explotación** · **aprovechamiento** · **gestión** · **método** || **ordenación** · **orden** · **sistema**

racionalista adj.

• CON SUSTS. **corriente** · **movimiento** *precursora en su tiempo de los movimientos racionalistas* · **tradición** · **escuela** || **pensamiento** · **teoría** · **visión** · **interpretación** || **ideal** · **ideario** *La escuela tiene un ideario racionalista* · **principio** || **arquitectura** · **arte** · **estilo** || **filosofía** · **enseñanza** · **educación** · **sociedad** || **pensador,-a** · **filósofo,fa** · **educador,-a**

racionalizar v.

• CON SUSTS. **sentimiento** · **afecto** · **emoción** · **intuición** · **violencia** || **conducta** · **postura** · **experiencia** || **gasto** *Con estas medidas se pretende racionalizar el gasto de la empresa* · **coste** · **recurso** · **inversión** · **consumo** · **presupuesto** || **mercado** · **sector** · **servicio** || **trabajo** · **esfuerzo** || **gestión** · **producción** *racionalizar la producción es la mejor forma de ahorrar costes* · **funcionamiento** · **explotación** · **uso** || **sistema** · **programa** · **estructura**

• CON ADVS. **adecuadamente** · **correctamente** · **certeramente** · **sabiamente**

racionamiento s.m.

• CON ADJS. **alimenticio** · **eléctrico** · **energético** *La escasez de lluvias conduce al racionamiento energético* || **ex-**

tra · estricto · riguroso || inevitable · innecesario || mensual · anual

● CON SUSTS. **cartilla (de) · tarjeta (de) · libreta (de) · cupón (de) || cola (de) || sistema (de) · plan (de)** *El Gobierno anunció un plan de racionamiento de agua para hacer frente a la sequía* · **programa (de) · medida (de) · campaña (de) || época (de) · tiempo (de)**

● CON VBOS. **imponer · decretar · ordenar || provocar · causar · generar · motivar || iniciar · prolongar || evitar**

racionar v.

● CON SUSTS. **alimentos · medicamentos · agua** *Racionan el agua para que les dure todo el día* **|| luz · energía · electricidad || ventas · consumo · gasto**

● CON ADVS. **temporalmente · provisionalmente · indefinidamente**

racismo s.m.

● CON ADJS. **institucional · callejero · ambiental · cotidiano || social · cultural · ideológico**

● CON SUSTS. **brote (de) · ola (de) · ataque (de) · problema (de) · manifestación (de) || apología (de)** *una denuncia presentada por supuesta apología del racismo* · **incitación (a) · instigación (a) || ejemplo (de) || víctima (de)**

● CON VBOS. **manifestar · demostrar || rechazar · condenar · combatir · odiar || defender · propugnar || luchar (contra)** *Lleva toda la vida luchando contra el racismo en su país* · **enfrentarse (a) · oponerse (a) || incitar (a) || actuar (con)**

racista adj.

● CON SUSTS. ***persona*** **|| ideología · sistema · régimen · política · programa || actitud** *rechazar tajantemente cualquier actitud racista o xenófoba* · **mentalidad · comportamiento · trato || lenguaje · contenido · discurso · comentario · chiste · declaración · pintada · pancarta · insulto || atentado · crimen · ataque · agresión · discriminación · violencia || disposición · legislación · ley · normativa**

radiación s.f.

● CON ADJS. **alta · intensa · débil || solar** *protegerse de las radiaciones solares* · **ultravioleta || infrarroja · electromagnética || nuclear · ionizante · cósmica · atómica · térmica || afectado,da (por) · causado,da (por)**

● CON SUSTS. **zona (de) || onda (de) || dosis (de) · nivel (de)** *El nivel de radiación constatado supera el máximo autorizado* **|| fuente (de) || efecto (de) || detector (de)**

● CON VBOS. **durar · desaparecer · acabar || emitir** *A causa del accidente, la planta nuclear empezó a emitir radiaciones por encima de los límites de seguridad* · **producir · emanar · esparcir || recibir · captar · sentir || filtrar || exponer(se) (a) · someter(se) (a)**

radiactividad s.f.

● CON ADJS. **baja** *residuos de baja radiactividad* · **alta · media || natural · artificial · ambiental || espontánea**

● CON SUSTS. **nivel (de) · dosis (de) · índice (de) || medidor (de) · detector (de) || escape (de)** *La empresa asegura que no hubo ningún escape de radiactividad* · **fuga (de) · peligro (de)**

● CON VBOS. **afectar (a algo) · contaminar (algo) || desaparecer || emitir · liberar || detectar || controlar** *controlar la radiactividad ambiental* · **medir || usar || exponer(se) (a)**

radiactivo, va adj.

● CON SUSTS. **material** *El accidente ocasionó la liberación de toneladas de material radiactivo* · **sustancia · elemento · producto · masa · basura · residuo · polvo || yodo · combustible · isótopo · agua || accidente · contaminación · escape · amenaza · fuga · problema || armamento || agente · efecto**

radiante

1 **radiante** adj.

● CON SUSTS. ***persona*** *En su juventud era una mujer radiante* **|| luz · luminosidad || color · colorido || día · cielo · sol** *una mañana de sol radiante* **|| futuro · porvenir** *Sus méritos le auguran un porvenir radiante* **|| belleza · atractivo || figura · cara · rostro · sonrisa · mirada**

● CON VBOS. **ser · estar · mostrarse · mantener(se) · poner(se)**

2 **radiante (de)** adj.

● CON SUSTS. **amor · alegría · felicidad** *Se le ve una cara radiante de felicidad* · **satisfacción · entusiasmo · euforia · optimismo ·** ***otros sentimientos o emociones*** **|| belleza || color · luz** *días radiantes de luz y color*

radiar v.

● CON SUSTS. **concierto · partido · corrida · debate · encuentro · tertulia || canción · tema · anuncio · mensaje · discurso · historia**

● CON ADVS. **en directo · en vivo** *La comparecencia de la ministra será radiada en vivo en nuestro programa* · **en diferido || en exclusiva**

radical adj.

● CON SUSTS. **político,ca · crítico,ca · árbitro,tra · profesor,-a · afición · sector · partido ·** ***otros individuos y grupos humanos*** **|| actitud** *una actitud radical ante un problema social de tanta envergadura* · **comportamiento · carácter · condición || afirmación · planteamiento · discurso · respuesta ·** ***otras manifestaciones verbales o comunicativas*** **|| idea** *ideas radicales que incitan a la violencia* · **postura · creencia · pensamiento · decisión · teoría · ideología · movimiento || apoyo · defensa || oposición · crítica · condena · enfrentamiento · ruptura · corte · separación || negación · rechazo** *Algunos sectores expresaron un rechazo aún más radical al acuerdo* · **eliminación || ley · norma · disposición || cambio · giro · transformación · mejora || diferencia · contraste || solución** *La dirección adoptó soluciones radicales para zanjar la cuestión* · **fórmula · acuerdo**

● CON ADVS. **absolutamente · extremadamente** *un cambio extremadamente radical en su trayectoria política*

● CON VBOS. **ser · estar || poner(se) · volver(se) · mantener(se) · resultar**

radicalismo s.m.

● CON ADJS. **político · ideológico** *Fue una época marcada por el fanatismo y el radicalismo ideológico* · **nacionalista · religioso · social · verbal || violento · intransigente · revolucionario**

● CON SUSTS. **brote (de)** *evitar un posible brote de radicalismo* · **caso (de) · alarde (de) · clima (de) · tono (de) · grado (de) || falta (de)**

● CON VBOS. **sustentar · justificar · defender || rechazar || caer (en) || oponerse (a)**

radicalizar v.

● CON SUSTS. **postura** *El sindicato ha radicalizado enormemente su postura* · **posición · actitud || discurso · mensaje · ideología · creencia · política || huelga** *Los trabajadores decidieron radicalizar la huelga* · **protesta · conflicto · movilización · enfrentamiento || violencia**

• CON ADVS. **enormemente** · **extraordinariamente** || **alarmantemente** || **progresivamente** · **paulatinamente** || **imperceptiblemente** · **visiblemente** · **manifiestamente**

radicalmente adv.

• CON VBOS. **cambiar** · **modificar** · **transformar** *En los últimos diez años la ciudad se ha transformado radicalmente* · **variar** · **alterar** · **trastocar** · **reformar** · ***otros verbos de cambio de estado*** || **recomponer** · **enderezar** · **rectificar** · **mejorar** || **expresar** · **pronunciar(se)** · **plantear** · **manifestar** || **oponerse** · **enfrentarse** · **negar** · **contrastar** · **contradecir** · **rechazar** *El sindicato rechazó radicalmente la propuesta de la empresa* || **apartar** · **descartar** · **separar** · **distinguir** · **diferenciar** || **diferir** · **discrepar** · **disentir** || **cortar** *Decidí cortar radicalmente con esa relación* · **eliminar** · **acabar** || **traspasar** · **incumplir** · **violar** · **romper**
• CON ADJS. **opuesto,ta** *Tu visión de lo ocurrido es radicalmente opuesta a la mía* · **partidario,ria** · **contrario,ria** · **en contra** · **a favor**

radicar (en algo) v.

• CON SUSTS. **cuestión** *En mi opinión, la cuestión radica en conseguir atraer a nuevos clientes* · **asunto** · **tema** || **razón** · **explicación** · **esencia** || **problema** · **error** · **fallo** · **peligro** · **dificultad** || **diferencia** · **novedad** · **discrepancia** · **polémica** · **conflicto** || **interés** · **valor** · **mérito** · **éxito** *El éxito de este programa matinal radica en su tratamiento de la información* · **riqueza** || **temor** · **preocupación** · **duda** || **solución** · **salida**

radio

1 **radio** s.m.

▮ [hueso]

• CON SUSTS. **rotura (de)** · **fractura (de)** · **fisura (de)** *Tenía una fisura en el radio que le producía dolores intensos*
• CON VBOS. **fracturar(se)** *En el accidente de tráfico se fracturó el radio del brazo derecho* · **partir(se)** · **astillar(se)** · **romper(se)**

2 **radio** s.f.

▮ [medio de comunicación]

• CON ADJS. **fuerte** · **alta** *No te puedo oír, la radio está demasiado alta* · **a todo volumen** || **baja**
• CON SUSTS. **emisora (de)** · **cadena (de)** · **programa (de)** || **onda (de)**
• CON VBOS. **transmitir (algo)** *La radio está trasmitiendo en directo el partido* || **encender** · **poner** · **conectar** · **prender** || **apagar** *No te olvides de apagar la radio cuando te vayas* || **subir** · **bajar** *Baja un poco la radio, por favor, está demasiado fuerte* || **escuchar** *Escucho la radio todas las mañanas* · **oír** || **dar (en)** *¿Dan en la radio un programa sobre medicina?* · **emitir (en)** || **aparecer (en)**

□ EXPRESIONES **radio macuto** [propagación popular de rumores] *col.*

radiofónico, ca adj.

• CON SUSTS. **programa** *Dirige un programa radiofónico de consejos médicos* · **emisión** · **serial** · **espacio** || **locutor,-a** · **periodista** · **guionista** · **periodismo** || **emisora** · **empresa** · **cadena** · **medio** || **tertulia** · **debate** *Los candidatos participarán en un debate radiofónico* · **entrevista** · **concurso** · **informativo** · **novela** || **información** · **mensaje** · **discurso** || **comunicación** · **retransmisión** || **mercado** · **audiencia** || **guión** · **publicidad** · **programación** || **sector** · **género** · **formato**

radioterapia s.f.

• CON ADJS. **tradicional** · **convencional** || **oncológica** || **paliativa** · **curativa** · **radical** || **externa** · **interna**
• CON SUSTS. **tratamiento (de)** · **efecto (de)** · **sesión (de)** *La paciente será sometida a varias sesiones de radioterapia* || **servicio (de)** · **unidad (de)** · **equipo (de)**
• CON VBOS. **funcionar** · **tener éxito** · **fracasar** || **requerir** · **necesitar** · **precisar** *Afortunadamente, no precisa radioterapia* || **recibir** · **aguantar** || **prescribir** · **aconsejar** || **administrar** · **aplicar (a alguien)** · **seguir** || **someter(se) (a)** · **tratar(se) (con)** || **responder (a)**

ráfaga (de) s.f.

• CON SUSTS. **viento** *Una ráfaga de viento me llevó el sombrero* · **aire** · **fuego** || **luz** · **luminosidad** · **claridad** || **ametralladora** · **dinamita** · **disparos** · **balas** · **tiros** · **proyectiles** || **improperios** · **insultos** · **críticas** || **inspiración** · **optimismo** *...para dar fin a ese cúmulo de desgracias con una ráfaga de optimismo* · **esperanza** || **belleza** · **torería** || **cólera** · **cabreo** · **intemperancia** · **ira** · **violencia** || **melancolía** · **duda** · **miedo** · **cansancio**

□ USO Se construye generalmente con sustantivos no contables en singular (*una ráfaga de fuego*) o con contables en plural (*una ráfaga de disparos*).

raído, da adj.

• CON SUSTS. **vestimenta** · **pantalón** *Llevaba un pantalón raído y sucio* · **jersey** · ***otras prendas de vestir*** || **alfombra** · **moqueta** · **tapete** · **sábana** · **manta** || **tapicería** · **tejido** · **tela** || **aspecto** · **apariencia**
• CON ADVS. **totalmente** · **completamente** *Entre los escombros había una cortina completamente raída* · **por completo**
• CON VBOS. **estar** · **quedar(se)**

raigambre s.f.

• CON ADJS. **fuerte** · **profunda** *Es una creencia de profunda raigambre popular* · **honda** · **antigua** · **vieja** · **clara** · **reconocida** · **sólida** · **ilustre** || **popular** · **tradicional** · **clásica** · **medieval** · **histórica** · **cultural** · **religiosa** *una región de fuerte raigambre religiosa*
• CON SUSTS. **tener** · **poseer** · **mantener**

[raíz] → de raíz; raíz

raíz s.f.

• CON ADJS. **profunda** · **honda** *hondas raíces ancladas en un pasado legendario* · **fuerte** · **firme** · **sólida** || **antigua** · **lejana** · **remota** · **primitiva** · **milenaria** · **ancestral** · **atávica** || **originaria** · **original** || **clara** *Según su análisis, la caída del voto juvenil tiene una raíz muy clara* · **inequívoca** · **ignota** || **viva** || **común**
• CON VBOS. **aflorar** *Las raíces de ese árbol afloran por encima de la tierra* || **penetrar (en algo)** · **hundir(se)** · **anclar** · **extender(se)** || **robustecer(se)** || **arrancar** · **desbrozar** || **buscar** · **perseguir** · **encontrar** · **tener** || **profundizar (en)** · **ahondar (en)** · **escarbar (en)** · **bucear (en)** || **apegarse (a)** || **retornar (a)** · **volver (a)** *Cansado de vivir fuera de su país, quiso volver a sus raíces* · **remontar(se) (a)** || **contar (con)**
• CON PREPS. **con** *una artista con raíces flamencas*

□ EXPRESIONES **a raíz de** (algo) [a causa de algo] || **de raíz*** [desde el principio] *cortar con los problemas de raíz*

[rajá] → como un {marajá/rajá}

[rajatabla] → a rajatabla

[ralentí] → al ralentí

ralentizar v.

• CON SUSTS. **ritmo** · **velocidad** · **tiempo** || **paso** · **carrera** · **marcha** || **tráfico** *La lluvia ha ralentizado el tráfico en*

toda la ciudad · **circulación** · **vehículo** || **imagen** || **actividad** · **trabajo** · **reforma** · **negociación** · **juego** || **desarrollo** · **progresión** · **crecimiento** *La crisis en el sector está ralentizando el crecimiento de la empresa* · **expansión** · **propagación** · **proceso** · **producción** · **iniciativa** || **inversión** · **economía** · **consumo** · **comercio**
● CON ADVS. **extraordinariamente** · **considerablemente** · **notablemente** *El corredor ralentizó notablemente la marcha en los últimos kilómetros* · **significativamente** · **excesivamente** || **momentáneamente** · **temporalmente**

rallar v.

● CON SUSTS. **pan** · **queso** · **cebolla** · **coco** · **zanahoria** *Voy a rallar unas zanahorias para la ensalada* · **chocolate** · ***otros alimentos sólidos***

ralo, la adj.

● CON SUSTS. **pelo** · **cabello** · **barba** *un hombre de barba rala* · **bigote** · **flequillo** · **melena** || **vegetación** · **maleza** · **arboleda** · **bosque** · **planta** · **rama**

rama s.f.

▌ [parte de las plantas]

● CON ADJS. **verde** · **seca** *Recogieron ramas secas para la chimenea* · **desnuda** || **enraizada (en algo)** · **robusta** · **retorcida** · **inclinada** · **serpenteante** || **raquítica** · **delgada** · **esmirriada** · **gruesa** || **enhiesta** · **erguida** · **esbelta**
● CON VBOS. **salir** *Del tronco central sale un gran número de ramas* · **nacer** · **enraizar(se) (en algo)** · **crecer** || **tronchar(se)** · **tronzar(se)** · **desgajar(se)** · **desprender(se)** · **romper(se)** · **partir(se)** || **enredar(se)** · **entrecruzar(se)** || **derivar(se)** || **cortar** · **podar** · **limpiar**

▌ [sector, sección]

● CON ADJS. **femenina** · **masculina** · **juvenil** || **familiar** || **del conocimiento** · **del saber** *Esta universidad cuenta con titulaciones que abordan todas las ramas del saber* · **de la ciencia** || **política** · **ejecutiva** · **legislativa** · **judicial** · **militar** · **sindical** || **industrial** · **textil** *acuerdos que favorecen a las ramas textil y electrónica* || **progresista** · **conservadora** · **reaccionaria** · **fundamentalista** · **activista** · **rebelde**
● CON VBOS. **nacer** · **surgir** || **bifurcarse** · **desgajar(se) (de algo)** · **separar(se) (de algo)** || **unificar** · **unir** || **dividir(se) (en)**

☐ EXPRESIONES {**andarse/irse**} **por las ramas** [divagar, omitir lo esencial] *col. ¡No te andes por las ramas y suéltalo ya!* || **en rama** [en estado natural, sin elaborar] *canela en rama*

ramadán s.m.

● CON ADJS. **sagrado**
● CON SUSTS. **noche (de)** · **mes (de)** *Miles de palestinos acudían para orar con ocasión del primer viernes del mes de ramadán* · **período (de)** · **época (de)** · **inicio (de)** · **fin (de)** || **ayuno (de)** · **comida (de)** *Está preparando la comida de ramadán* · **oración (de)** · **fiesta (de)** · **celebración (de)**
● CON VBOS. **comenzar** · **finalizar** · **concluir** || **observar** *Observa religiosamente el ramadán* · **cumplir** · **vivir** · **seguir** · **respetar** · **celebrar** · **hacer** · **iniciar** || **anunciar** · **dictar**
● CON PREPS. **durante** · **en** · **tras**

ramalazo s.m. *col.*

● CON ADJS. **conocido** · **oculto** || **repentino** · **inesperado** || **tremendo** · **pequeño** · **leve** || **de genialidad** *Tiene un ramalazo de genialidad que lo hace diferente* · **de ingenio** · **humorístico** · **irónico** || **de locura** · **de furia** · **violento** · **racista** · **autoritario** · **de indisciplina** · **revolucionario** *¿Cuánto le duró el ramalazo revolucionario?* · **rebelde**
● CON VBOS. **salir(le) (a alguien)** · **dar(le) (a alguien)** · **entrar(le) (a alguien)** · **atacar(le) (a alguien)** · **escapárse(le) (a alguien)** *De vez en cuando se le escapa algún ramalazo autoritario* · **durar(le) (a alguien)** · **pasárse(le) (a alguien)** || **salir a la luz** || **tener** · **sentir** · **conservar** || **mostrar** · **sacar a la luz** || **esconder** · **frenar** · **combatir** · **reprimir** · **evitar** · **superar**

ramificación s.f.

● CON ADJS. **compleja** · **variada** · **intrincada** · **enmarañada** · **extensa** · **infinita** · **amplia** · **densa** · **confusa** || **familiar** · **internacional** · **empresarial** · **legal** · **religiosa** · **eléctrica** · **nerviosa** · **reticular** · **celular** · **molecular** || **múltiples** · **numerosas** *una trama criminal con numerosas ramificaciones por diversos países* · **abundantes**
● CON SUSTS. **cadena (de)** · **maraña (de)** · **red (de)** · **diagrama (de)** · **sistema (de)** · **nivel (de)**
● CON VBOS. **salir** · **extender(se)** *Las ramificaciones del negocio se extienden por varios sectores* · **crecer** · **surgir** · **brotar** · **alcanzar (algo)** · **multiplicar(se)** || **investigar** *La Policía está investigando las ramificaciones internacionales de la peligrosa banda* · **descubrir** · **desarticular** || **tener**

ramificarse v.

● CON SUSTS. **tronco** · **árbol** *Con el paso de los años, se había ramificado el árbol más allá del muro* · **arbusto** || **enfermedad** · **tumor** || **vena** · **carretera** *A esa altura se ramifica la carretera* · **conducto** · **calle** · ***otras vías*** || **red** · **molécula** · **conexión** · **cadena** · **circuito** · **laberinto** || **interés** · **investigación** · **pesquisa** || **familia** · **generación** || **empresa** · **organización** *una organización que se ha ramificado en todo el continente* || **discurso** · **historia** · **acción**
● CON ADVS. **interminablemente** · **extensamente** · **continuamente** · **constantemente** · **infinitamente** || **internamente** · **en todas direcciones** || **nuevamente** · **vivamente**

ramillete

1 **ramillete** s.m.

● CON ADJS. **variado** · **variopinto** · **amplio** *un amplio ramillete de artistas y nombres ilustres* · **buen(o)** · **pequeño** || **selecto** · **escogido** · **antológico**
● CON VBOS. **reunir** · **recoger** · **seleccionar** · **escoger** · **hacer** · **encontrar** || **constituir** · **componer** || **depositar** *Depositó un pequeño ramillete de flores en el monumento* · **entregar** · **recibir** · **poseer** || **pertenecer (a)**

2 **ramillete (de)** s.m.

● CON SUSTS. **flores** *Llevaba un oloroso ramillete de flores silvestres* · **hierbas** · **perejil** · **albahaca** · **menta** || **figuras** · **estrellas** · **nombres** · **artistas** · **personajes** · **deportistas** · **famosos,sas** || **canciones** · **frases** · **poemas** · **versos** · **cuentos** || **voces** *un ramillete de voces procedentes de muy distintos países* · **opiniones** · **opciones**

ramo s.m.

● CON ADJS. **enorme** · **precioso** · **bonito** · **vistoso** *La novia llevaba un vistoso ramo de flores* · **original** || **oloroso** || **austero** · **sencillo** · **simple** · **pequeño** · **pobre** || **de flores** · **de rosas** || **nupcial** · **de novia** · **de boda**
● CON VBOS. **regalar** · **enviar** *Le envió un enorme ramo de rosas por su cumpleaños* · **depositar** · **entregar** · **colocar** · **lanzar** || **recibir** · **recoger** · **encargar** || **lucir** · **llevar** || **hacer** · **diseñar** · **preparar** · **componer**

rana s.f.

● CON ADJS. **saltarina** || **enorme** · **pequeña** || **venenosa** · **común**

● CON SUSTS. **salto (de)** · **anca (de)** *una ración de ancas de rana* · **ejemplar (de)** || **campeonato (de)** · **prueba (de)** · **concurso (de)** || **ojos (de)** || **postura (de)** *Uno de los ejercicios de la tabla es la postura de la rana* || **hombre** *un traje de hombre rana*
● CON VBOS. **croar** · **cantar** · **saltar** || **convertir(se) (en)** *Tras el hechizo el príncipe se convirtió en rana*
□ EXPRESIONES **salir** (alguien) (a alguien) **rana** [defraudarle] *col.*

rancio, cia adj.

▌[que sabe o huele mal]
● CON SUSTS. **vino** · **pan** · **queso** *un queso rancio olvidado en la quesera* · **mantequilla** · ***otros alimentos*** || **sabor** · **olor** · **color** · **tono** · **aroma** · **voz** · **perfume**
● CON VBOS. **ser** · **estar** *Este pan está rancio* · **poner(se)** · **volver(se)** · **quedarse**

▌[anticuado, obsoleto]
● CON SUSTS. **atmósfera** · **ambiente** · **estilo** · **tono** · **aire** || **idea** · **discurso** *Sigue con su discurso rancio de siempre* · **espíritu** · **filosofía** · **movimiento** · **ideología** || **cine** · **espectáculo** · **humor** || **persona** · **familia**

▌[arraigado]
● CON SUSTS. **abolengo** *Pertenece a una familia de rancio abolengo* · **tradición** · **aristocracia** · **estirpe**

rango s.m.

● CON ADJS. **alto** · **elevado** · **máximo** *Había alcanzado el máximo rango dentro de su escalafón* · **medio** · **bajo** · **mayor** · **menor** · **superior** · **inferior** · **igual** || **oficial** · **militar** *el rango militar de coronel* · **legal** · **ministerial** · **legislativo** · **protocolario** · **diplomático** · **universitario** · **académico** · **social** · **profesional** · **nacional** *La institución tiene rango nacional* · **internacional** · **de edad**
● CON VBOS. **dar (a algo/a alguien)** · **conceder (a algo/a alguien)** · **solicitar** || **tener** · **adquirir** *Hasta que el compromiso no adquirió rango oficial no se hizo público* · **alcanzar** || **corresponder (a algo/a alguien)** || **conservar** · **mantener** · **perder** || **elevar (a)** *unos estudios que pronto serán elevados al rango de diplomatura* · **ascender (a/de)** · **promover (a)** · **acceder (a)** · **consolidar(se) (en)** · **pasar (de)** · **cambiar (de)** || **relegar (a)** · **rebajar (a)** · **degradar (a)** · **disminuir (de)**

rap s.m.

● CON SUSTS. **grupo (de)** · **banda (de)** *De este barrio han salido varias bandas de rap* · **cantante (de)** · **estrella (de)** · **artista (de)** · **sesión (de)** · **concierto (de)** · **disco (de)** · **música (de)** · **ritmo (de)** · **arreglo (de)** || **estilo** · **jazz** *un grupo de jazz rap* · **flamenco**
● CON VBOS. **hacer** · **componer** *Empezó a componer rap por diversión y hoy es una estrella* · **mezclar** · **fusionar** || **cantar** · **bailar** · **interpretar** · **improvisar** · **practicar** · **escuchar** · **oír**

rapapolvo s.m. *col.*

● CON ADJS. **buen(o)** · **gran(de)** · **duro** · **memorable** · **tremendo** · **severo** · **sonado** || **fugaz** · **ligero** · **pequeño** || **público**
● CON VBOS. **caer(le) (a alguien)** || **echar(le) (a alguien)** || **llevar(se)** *Me llevé un buen rapapolvo por lo que hice* · **aguantar** || **librar(se) (de)**

rapar v. *col.*

● CON SUSTS. **cabeza** · **pelo** · **melena** · **barba**
● CON ADVS. **completamente** · **al cero** *Se ha rapado al cero*

rápel s.m.

● CON ADJS. **volado**
● CON SUSTS. **aficionado,da (a)**
● CON VBOS. **practicar** · **hacer** · **realizar** || **descender (en)** · **descolgarse (en)** *todo lo necesario para descolgarse en rápel por la pared trasera del edificio* · **tirarse (en)**

rapero, ra adj.

● CON SUSTS. **grupo** · **joven** · **cantante** · **compositor,-a** || **música** · **ritmo** · **versión** · **movimiento** *jóvenes que se sienten identificados con el movimiento rapero* · **estética** · **iconografía** · **sonido**

rapidez s.f.

● CON ADJS. **gran(de)** *Camina con gran rapidez* · **enorme** · **suma** · **endiablada** · **vertiginosa** · **sorprendente** · **extrema** · **inusitada** · **asombrosa** || **escasa** · **insignificante** · **moderada**
● CON VBOS. **requerir** · **pedir** · **buscar** · **exigir**
● CON PREPS. **con** *actuar con rapidez*

rápido, da adj.

● CON SUSTS. **coche** · **tren** · **avión** · **moto** · ***otros vehículos*** || **pelota** · **nube** · **jugador-a** · **conductor,-a** · ***otras personas o cosas en movimiento*** || **motor** · **maquinaria** · **mecanismo** · **ordenador** · **programa** || **proceso** · **recuperación** · **reacción** · **crecimiento** *consecuencias de un crecimiento urbanístico desordenado y rápido* · **avance** · **evolución** · **desarrollo** · **aumento** · **ascenso** || **descenso** · **muerte** · **agonía** · **caída** · **retroceso** · **pérdida** || **día** · **mes** · **año** *Este año se me ha pasado muy rápido* · **tiempo** · ***otros momentos o períodos*** || **ritmo** · **movimiento** · **paso** · **baile** · **juego** · **giro** · **maniobra** || **disparo** · **tiro** · **golpe**
● CON ADVS. **como el viento** *Salió de casa, rápido como el viento* · **como un rayo** · **como una bala** · **como una centella**
● CON VBOS. **ser** · **estar** *El presidente estuvo rápido con la respuesta*

rapiña s.f.

● CON ADJS. **descarada** · **desvergonzada** · **colosal** || **lamentable** · **intolerable**
● CON SUSTS. **ave (de)** *Parecen aves de rapiña que planean sobre su presa* || **derecho (de)** · **afán (de)** · **cultura (de)** · **espíritu (de)** · **sistema (de)**
● CON VBOS. **practicar** · **favorecer** *una medida que favorecía a largo plazo la rapiña ecológica* · **propiciar** · **justificar** || **evitar** · **frenar** · **combatir** · **denunciar** || **vivir (de)** *El artículo acusaba a la empresa de vivir de la rapiña* || **entregar (a)** · **dedicar(se) (a)**

rappel s.m. Véase **rápel**

rapto (de) s.m.

● CON SUSTS. **patriotismo** · **nacionalismo** · **realismo** || **locura** · **celos** *...y, en un rapto de celos, abandonó la casa* · **ira** · **indignación** · **irracionalidad** · **desesperación** · **demencia** · **histeria** · **furor** || **genio** · **lucidez** · **inspiración** *Así que, en un rapto de inspiración, me di la vuelta y me dirigí a...* · **genialidad** · **lirismo** · **fantasía** || **entusiasmo** · **alegría** · **humor** · **optimismo** · **euforia** || **sinceridad** *...lo confesó en un rapto de sinceridad del que nunca se arrepentirá bastante* · **generosidad** · **modestia** · **humildad** · **solidaridad** · **compasión** · **coherencia** · **espontaneidad** || **descaro** · **soberbia** · **inmodestia** · **egoísmo** · **radicalidad** || **coraje** · **temeridad** · **valentía**

raqueta s.f.

●CON ADJS. **nueva · vieja · antigua || reglamentaria · antirreglamentaria || ligera · pesada · tensa · floja || de tenis · de ping-pong · de esquí**

●CON SUSTS. **deporte (de)** *Soy muy malo en todos los deportes de raqueta* · **juego (de) · estrella (de) · profesional (de) || cuerda (de) · mango (de) · empuñadura (de) || agarre (de)** *posición de agarre de la raqueta*

●CON VBOS. **coger · agarrar** *Si agarras la raqueta de ese modo, no tendrás suficiente movilidad* · **empuñar || usar · utilizar || dejar · tirar · arrojar · soltar · colgar · doblar · enfundar || romper · arreglar · encordar · tensar || golpear (con) · tocar (con) · dar (a) || cambiar (de)**

raquítico, ca adj.

●CON SUSTS. ***persona*** *Mi hermana no come nada. Se está quedando raquítica* || **cantidad · cifra · suma · ahorro · ingreso · salario · sueldo · pensión** *Se queja porque solo cuenta con una pensión raquítica* · **ayuda · subvención · aportación · presupuesto · aumento || altura · tamaño || resultado**

●CON VBOS. **quedarse** *Si no come se va a quedar raquítico* · **estar**

raquitismo s.m.

●CON ADJS. **infantil** *En aquella época muchos niños sufrían raquitismo infantil* || **crónico || afectado,da (de)**

●CON SUSTS. **secuela (de) || causa (de) || síntomas (de)**

●CON VBOS. **atajar · prevenir · controlar || padecer · sufrir || detectar · diagnosticar · curar**

rareza s.f.

▌[ejemplar único]

●CON ADJS. **auténtica** *En su colección privada tiene auténticas rarezas* · **verdadera · extrema || destacada · principal || fascinante · exquisita || atractiva · atrayente · exótica · sugerente · sorprendente || imprescindible || desconocida · ignorada || discográfica · bibliográfica · musical · literaria · artística · arqueológica**

●CON SUSTS. **coleccionista (de) · buscador,-a (de)**

●CON VBOS. **tener · atesorar** *Atesora rarezas artísticas de todos los continentes* · **coleccionar || apreciar · contemplar**

▌[peculiaridad, manía]

●CON ADJS. **simple · pequeña** *Tiene pequeñas rarezas, como todo el mundo* || **obsesiva · desconcertante · inexplicable || lleno,na (de)**

●CON SUSTS. **aire (de)**

●CON VBOS. **aguantar** *No aguanto más sus rarezas* · **soportar · comprender || hacer caso (de)**

[ras] → a ras (de)

rasante adj.

●CON SUSTS. **vuelo** *El avión hizo un vuelo rasante sobre la colina para localizar a los supervivientes* · **sobrevuelo || tiro · disparo · envío · centro · ataque · bala · balón || trayectoria · nivel · cota**

[rasero] → por el mismo rasero

rasgado, da adj.

●CON SUSTS. **ojos · mirada || sonido · lamento · grito · tono · voz** *Su voz rasgada añade fuerza y expresividad a todo lo que canta* || **boca**

rasgar v.

●CON SUSTS. **tela · velo · túnica · falda ·** ***otras prendas de vestir*** || **cielo** *Un rayo rasgó el cielo e iluminó la noche* · **aire**

☐EXPRESIONES **rasgarse las vestiduras** [escandalizarse por algo] *col.*

[rasgo] → a grandes rasgos; rasgo

rasgo s.m.

▌[característica]

●CON ADJS. **esencial · fundamental || propio** *los rasgos propios de la música pop* · **peculiar · privativo · genuino · constitutivo · inconfundible · único · neto || acusado · marcado · destacable · dominante · predominante** *Los rasgos predominantes de su estilo son la ironía y el humor* || **característico · caracterizador || significativo · particular · decisivo · definitorio · distintivo · diferenciador || físico · acústico · lingüístico · literario · pictórico · psicológico · psíquico · emocional · afectivo · espiritual**

●CON VBOS. **destacar · resaltar · sobresalir · predominar || caracterizar (algo) · definir (algo) || tener · presentar · mostrar || adquirir · perder · conservar || representar · constituir** *Su peculiar sentido del humor constituye un rasgo esencial de su personalidad* || **perfilar · delinear · describir · analizar · establecer · esbozar · bosquejar || caracterizarse (por) || ahondar (en)**

▌[facciones]

●CON ADJS. **suave · agraciado** *Su rostro es de rasgos suaves y agraciados* · **agradable || marcado · fuerte · inconfundible || facial**

●CON VBOS. **endurecer(se)** *Con la edad se endurecieron los rasgos de su cara* || **destacar · resaltar · marcar(se)**

☐EXPRESIONES **a grandes rasgos*** [sin entrar en detalles]

rasguear v.

●CON SUSTS. **guitarra** *No sé tocar la guitarra, pero la rasgueo* · ***otros instrumentos musicales de cuerda***

[rasguño] → rasguño; sin un rasguño

rasguño s.m.

●CON ADJS. **simple · pequeño** *A pesar de la aparatosa caída, solo tiene pequeños rasguños* · **ligero · leve · menor · mínimo || superficial · profundo || lleno,na (de)**

●CON VBOS. **infectárse(le) (a alguien) · salir(le) (a alguien) · quedar(le) (a alguien) || sufrir · hacer(se)** *¿Cómo te has hecho este rasguño?* · **causar · ocasionar · recibir · tener**

●CON PREPS. **con · sin** *Terminó el partido sin un solo rasguño*

[raso] → al raso

raspar v.

●CON SUSTS. **piel · codo · rodilla · brazo · cara** *Se cayó y se raspó toda la cara* · ***otras partes del cuerpo*** || **pintura · mancha || superficie** *raspar la superficie de una cosa* · **capa || pared · puerta · lateral** *Un autobús le ha raspado el lateral del coche*

rasta

1 **rasta** adj.

●CON SUSTS. **pelo · peinado · trenza · melena · aspecto · estilo || ritmo · música · cantante · canción · público · fiesta** *No puedes ir con esa ropa a una fiesta rasta* · **ambiente · bar || ideología · filosofía**

2 **rasta** s.f.

● CON ADJS. **natural**

● CON VBOS. **hacer** *¿Conoces a alguien que pueda hacerme rastas?* · **llevar** · **quitar(se)** · **tener** || **lavar**

rastafari adj./s.com. Véase CREYENTE

[rastra] → a rastras

rastrear v.

● CON SUSTS. **zona** · **alrededores** · **calle** · **campo** *Rastrearon el campo con perros de caza* · **bosque** · **habitación** · ***otros lugares*** || **huella** · **indicio** · **pista** · **prueba** · **signo** || **antecedente** · **historia** · **origen** *Un equipo de especialistas está rastreando el origen del fenómeno* · **influencia** || **memoria** · **pasado** · **recuerdos** || **cuentas** · **contabilidad** · **correspondencia** · **datos** · **archivos** || **delito**

● CON ADVS. **intensamente** · **detenidamente** · **exhaustivamente** · **minuciosamente** · **detalladamente** · **con detalle** · **con precisión** · **concienzudamente** · **a conciencia** · **palmo a palmo** *La Policía rastreó palmo a palmo el terreno en busca de pruebas del delito* · **a fondo**

rastrero, ra adj.

● CON SUSTS. ***persona*** *Es un delator vil y rastrero* || **actitud** · **comportamiento** · **conducta** · **intención** · **reacción** · **condición** · **objetivo** · **miras** || **profesión** · **ocupación** · **tarea** · **labor** · **trabajo** || **juego** · **táctica** *Logró ponerlos en su contra con tácticas rastreras* · **intento** · **amenaza** · **chantaje** || **existencia** · **vida** || **política**

rastrillar v.

● CON SUSTS. **jardín** · **monte** · **suelo** · **terreno** *Los voluntarios rastrillaron el terreno que rodeaba las instalaciones* || **zona** · **parque** · **barrio** || **hierba** · **arena** · **tierra** || **hoja** · **fruto**

rastro s.m.

● CON ADJS. **claro** · **evidente** · **revelador** · **patente** · **tangible** || **imborrable** · **perdurable** · **eterno** || **personal** · **social** · **familiar** · **histórico** · **político** · **económico** · **financiero** · **documental**

● CON VBOS. **borrar(se)** · **perder(se)** || **seguir** · **perseguir** · **buscar** || **recuperar** · **encontrar** · **olfatear** *Los perros olfatearon el rastro* · **hallar** · **detectar** || **dejar** *Desapareció sin dejar rastro*

● CON PREPS. **sin** *sin rastro del avión desaparecido*

rastrojo s.m.

● CON ADJS. **seco** · **espinoso**

● CON SUSTS. **quema (de)** · **limpieza (de)** || **campo (de)** · **tierra (de)** · **zona (de)** || **montón (de)** · **restos (de)**

● CON VBOS. **quedar** · **crecer** || **quemar** · **recoger** || **abandonar** · **acumular** || **limpiar (de)**

rasurar v.

● CON SUSTS. **cabeza** *Para interpretar su personaje, tuvo que rasurarse la cabeza* · **cráneo** · **mejilla** · **cara** · ***otras partes del cuerpo*** || **barba** · **bigote** · **vello** · **pelo**

● CON ADVS. **perfectamente** · **impecablemente** || **totalmente** · **completamente** · **del todo** · **al cero**

rata s.f.

● CON ADJS. **enorme** *En el desván había dos enormes ratas* · **gigante** || **común** · **de agua** · **de campo** · **de cloaca** || **de laboratorio** · **experimental**

● CON SUSTS. **año (de)** · **signo (de)** || **plaga (de)** · **nido (de)** · **madriguera (de)** || **cría (de)**

● CON VBOS. **proliferar** || **inundar (un lugar)** · **invadir (un lugar)** · **infestar (un lugar)** · **rodear (un lugar)** · **llenar (un lugar)** || **huir (como)** *Los responsables huyeron como ratas para no dar la cara* · **matar (como)** · **morir (como)** || **oler (a)** || **experimentar (con)** · **probar (en)** *La nueva medicina se ha probado ya en ratas*

ratero, ra s.

● CON ADJS. **vulgar** *Ese robo no pudo ser obra de unos vulgares rateros* · **simple** · **pobre** · **de tres al cuarto** · **de poca monta** · **pequeño,ña** · **conocido,da** · **profesional** || **experimentado,da** · **hábil** · **audaz**

● CON VBOS. **perseguir** · **detener** · **apresar** · **coger** · **pillar** || **juzgar** · **condenar** *Condenan a un ratero a un año y ocho meses* || **acusar (de)** · **calificar (de)**

ratificar v.

● CON SUSTS. **idea** · **decisión** · **compromiso** *Aprovecho la ocasión para ratificar el compromiso de este Gobierno con...* · **acuerdo** *Ambos dirigentes se entrevistarán mañana para ratificar el acuerdo* · **convenio** · **tratado** · **pacto** · **designación** || **escrito** · **informe** · **documento** || **validez** · **verdad** · **evidencia** || **noticia** · **testimonio** · **información** · **declaración** *El ministro ratificó ayer las declaraciones del portavoz de su partido* · **contenido** || **apoyo** *La presidenta no dudó en ratificar su apoyo a los empresarios* · **confianza** · **respaldo** · **oposición** || **denuncia** · **fallo** · **sentencia** · **ley** || **tendencia** · **voluntad** || **intención** · **interés** · **deseo**

● CON ADVS. **por completo** · **enteramente** · **plenamente** || **con firmeza** · **con rotundidad** · **categóricamente** || **a medias** · **con reservas** || **punto por punto** · **en todos los extremos** · **en líneas generales** || **por mayoría** *Se ratificó por mayoría la proposición de ley sobre las ayudas a las familias numerosas*

[rato] → para rato; rato

rato s.m.

● CON ADJS. **mal(o)** · **buen(o)** || **breve** · **ameno** · **agradable** · **divertido** · **alegre** · **entretenido** || **largo** · **aburrido** || **libre** *Te llamaré en cuanto tenga un rato libre* · **ocupado** · **de ocio** · **de trabajo**

● CON VBOS. **demorarse** · **tardar** *Todavía tardaré un rato en terminarlo* || **pasar** *Pasó un rato largo mirando el escaparate* · **llevar** || **hacer** *Hace un rato que lo estoy esperando* || **tener**

● CON PREPS. **al cabo (de)** *Al cabo de un rato, comenzó a llover* · **dentro (de)** · **durante** · **después (de)** · **por** · **tras**

□ EXPRESIONES **a ratos*** [intermitentemente, de vez en cuando] *Llovía a ratos* || **para rato*** [para mucho tiempo] || **ratos perdidos** [tiempo libre entre actividades]

ratonera s.f.

● CON ADJS. **inmensa** · **descomunal** · **monumental** || **pequeña** || **auténtica**

● CON VBOS. **meterse (en)** · **caer (en)** || **entrar (en)** · **salir (de)** || **atrapar (en)** || **convertirse (en)** *Sus negocios sucios se han convertido en su propia ratonera*

[raudal] → a raudales

[raya] → a raya; raya

raya s.f.

I [línea]

● CON ADJS. **lateral** · **oblicua** · **vertical** · **horizontal** · **perpendicular** || **doble** · **simple** · **continua** *sin pisar la raya continua de la carretera* · **discontinua** || **divisoria** · **fronteriza** || **imaginaria** || **diplomática** || **en medio** *peinarse con la raya en medio*

• CON VBOS. **dividir (algo) · partir (algo) · separar (algo)** *La raya separaba las dos partes de la habitación* || **dibujar · pintar · trazar · repasar · poner · marcar · borrar** || **seguir · bordear · pisar · cruzar · traspasar · sobrepasar · atravesar**
• CON PREPS. **de** *una camisa de rayas* · **a**

▌[dosis de droga]

• CON VBOS. **meterse · esnifar** *esnifar una raya de cocaína* · **aspirar · preparar**

☐ EXPRESIONES **a raya*** [dentro de los límites establecidos] || **pasar(se) de la raya** [sobrepasar los límites de lo razonable] *Esta vez te has pasado de la raya*

rayar (en) v.

• CON SUSTS. **insulto · calumnia** *unas declaraciones que rayan en la calumnia* · **maledicencia** || **prevaricación · usura · cohecho · chantaje** · ***otros delitos*** || **anarquía · materialismo · integrismo** || **tercermundismo · subdesarrollo** || **disparate · ridículo · absurdo · caricatura · excentricidad · monstruosidad · esperpento** || **desvarío** *afirmaciones atolondradas e incongruentes que rayaban en el desvarío* · **agitación · obsesión · manía · histeria · locura · delirio · paranoia · esquizofrenia · paroxismo · oligofrenia** || **estupidez · incompetencia · inoperancia · estulticia** || **indiferencia** *Fue amonestada porque su actitud rayaba en la indiferencia* · **desinterés · abandono** || **crueldad · maltrato** *una conducta agresiva y desconsiderada que raya en el maltrato y en la crueldad* · **acoso · tortura · violencia · terrorismo · escarnio** || **cursilería · pedantería · amaneramiento · afectación** || **perfección · excelencia · exquisitez · santidad** || **ironía · falta de respeto · intolerancia** || **abuso · exageración** || **egoísmo · soberbia · pecado**

[rayo] →a rayos; como un rayo; rayo

rayo

1 **rayo** s.m.

• CON ADJS. **divino** || **cósmico · tormentoso** || **refulgente · flamígero · luminoso · resplandeciente · cegador · pálido** *pálidos rayos de luna* || **certero · fulminante · destructor · abrasador · ardiente** || **solar** *una crema protectora para la exposición a los rayos solares* · **lunar · estelar** || **ultravioleta · infrarrojo · catódico · radiactivo** || **efímero · instantáneo** || **primer(o)** *con los primeros rayos del sol* · **tempranero · madrugador**
• CON SUSTS. **impacto (de)** || **tormenta (de)** *Se produjo una terrible tormenta de rayos* || **resplandor (de) · luz (de)** || **láser** *un tratamiento facial con rayos láser* · **X · gamma · UVA**
• CON VBOS. **caer** *Le cayó un rayo encima* · **reverberar · refractar · surgir** || **brillar · refulgir · resplandecer** || **filtrar(se) · entrar · penetrar** || **concentrar(se)** *Los rayos de luz se concentran en un solo punto* || **matar (a alguien) · herir (a alguien) · sacudir (algo) · destrozar (algo)** || **emitir · despedir · disparar · lanzar** || **recibir · absorber** || **fulminar (con)** || **proteger (de) · defender(se) (de)** || **bañar(se) (en)**

2 **rayo (de)** s.m.

• CON SUSTS. **luz** *Por la rendija se filtraban algunos rayos de luz* · **sol · luna · energía · calor · fuego** || **esperanza · ilusión · alegría · felicidad · amor · indignación · ira · venganza** · ***otros sentimientos o emociones*** || **inspiración**

☐ EXPRESIONES **a rayos*** [muy mal] *col. Ese jarabe sabe a rayos*

[raza] →de raza; raza

raza s.f.

• CON ADJS. **pura** *una yegua de pura raza* · **mixta · híbrida · cruzada · superior · inferior · fuerte · débil** || **humana** || **animal · canina · bovina · ovina · vacuna · equina · salvaje** || **aborigen · autóctona** *Se trata de preservar las razas animales autóctonas* || **protegida · superviviente** || **desaparecida · extinguida · perdida · en peligro de extinción · rara** || **única** || **genuina · original** || **transgénica · artificial · manipulada · sintética**
• CON SUSTS. **cruce (de) · mezcla (de) · pureza (de)** || **pedigrí (de)**
• CON VBOS. **extinguir(se) · extender(se) · predominar** || **diferenciar(se)** || **crear · cruzar · patentar** || **proteger** *una medida para proteger las razas en peligro de extinción* · **rescatar · defender · preservar · mejorar · mantener · conservar** || **exterminar · destruir** || **purificar** || **segregar** || **discriminar (por)** || **pertenecer (a)**
• CON PREPS. **de** *un perro de raza*

razón s.f.

• CON ADJS. **poderosa** *Hay poderosas razones para pensar que...* · **contundente · aplastante · fuerte · profunda** || **convincente · de peso** *No nos dan una razón de peso que apoye tan extraña propuesta* · **fundada · fundamentada · concluyente · valedera · meridiana** || **obvia · consabida · indudable · irrefutable · irrebatible** || **seria · estricta** || **apremiante · imperiosa · determinante · desencadenante** || **suficiente** *Esa no es una razón suficiente para abandonar el trabajo* · **insuficiente** || **arbitraria · trivial · superficial · vana · peregrina** *Con razones tan peregrinas no convencerás a nadie* · **inconsistente** || **a favor** *Hay muchas razones a favor de esta decisión* · **en contra** || **oculta · inconfesable** || **humanitaria** || **sobrado,da (de) · privado,da (de)**
• CONS SUSTS. **pérdida (de) · voz (de)** *Escucha por una vez la voz de la razón* · **fuerza (de) · sentido (de) · imperio (de) · cultivo (de) · uso (de)** *conclusión evidente a la que se llega con el simple uso de la razón*
• CON VBOS. **concurrir** *Multitud de razones concurren para explicar este hecho* || **faltar(le) (a alguien)** *No te falta razón cuando dices que...* || **residir (en algo) · estribar (en algo)** || **esclarecer(se)** || **ofuscárse(le) (a alguien) · obnubilárse(le) (a alguien)** || **dictar (algo)** *Haz caso a lo que te dicta la razón* || **tener** *Tienes toda la razón* · **dar (a alguien)** *No me des la razón para que me calle* · **llevar · imponer · arrogarse** || **presentar · ofrecer · aducir** *Adujo razones de índole legal* · **alegar · esgrimir · barajar** || **aclarar** *Necesito aclarar las razones que me han llevado a comportarme así* · **clarificar · desentrañar** || **considerar · analizar · sopesar · valorar · estudiar** || **explicar · exponer** || **oponer · rebatir** || **ignorar** *Ignoro la razón por la que renunciaste a la beca* || **disfrazar** || **perder** || **asistir (a alguien) · carecer (de)** || **responder (a) · obedecer (a) · atender (a) · atenerse (a) · escudarse (en)** *Se escudó en razones de salud para justificar su ausencia* · **cargarse (de)** || **ahondar (en)**
• CON PREPS. **con arreglo (a)** || **con** *Se criticó, con razón, el hecho de que...* · **sin** *...una vitalidad que se fue apagando sin razón aparente*

☐ EXPRESIONES **avenir(se) a razones** [atender y dejarse convencer por las propuestas de los demás] *Es una persona difícil, que no se aviene fácilmente a razones* || **entrar en razón** [darse cuenta de lo que es razonable]

razonable adj.

• CON SUSTS. ***persona*** *Tu jefe parece razonable* || **precio** *La casa tiene un precio razonable* · **coste · interés · gasto · cifra · remuneración · oferta** || **tiempo · plazo · límite · nivel · grado · dosis · cantidad** || **altura · extensión · edad · volumen** · ***otras magnitudes*** || **distancia · diferen-**

cia · ventaja || explicación *Su explicación me pareció totalmente razonable* · criterio · hipótesis · argumento · idea · conclusión · plan · alternativa || sospecha · duda || solución · salida · objetivo · aprovechamiento · acuerdo · medida || exigencia *Ninguna de sus exigencias eran razonables* · demanda · petición · reivindicación · pretensión || actitud · postura · reacción · decisión · elección || evolución · desarrollo

● CON ADVS. **absolutamente · completamente · aparentemente || medianamente · escasamente**

● CON VBOS. **ver · considerar** *Considero poco razonable la solución que me han propuesto* **|| volverse**

razonamiento s.m.

● CON ADJS. **profundo · sólido · lúcido · riguroso · minucioso · prolijo · impecable** *Desde luego, el razonamiento es impecable, pero...* **|| simple · sencillo · claro · obvio · evidente · objetivo || intrincado · rebuscado** *El razonamiento resulta un poco rebuscado* **· alambicado · críptico · complicado || correcto · válido · acertado · ajustado · coherente || incorrecto · inválido · desacertado · infundado · incoherente** *Pierde fuerza porque el razonamiento es incoherente en algunos puntos* **· ilógico · defectuoso · confuso · absurdo || fundado · concluyente · aplastante · irrebatible · inapelable || deductivo · inductivo · cartesiano || ordenado · articulado · lineal || burdo · ridículo · peregrino · infundado · sin pies ni cabeza · traído por los pelos · incongruente || torticero · interesado · capcioso || demoledor || matemático · lógico || personal · particular · subjetivo**

● CON SUSTS. **capacidad (de) · habilidad (de) · destreza (de) || ejercicio (de) · test (de) || línea (de) · error (de) · proceso (de) · lógica (de) · marco (de) · método (de) · estructura (de) || falta (de) · ausencia (de)**

● CON VBOS. **sustentar(se) (en algo)** *El razonamiento se sustentaba en bases sólidas* **· apoyar(se) (en algo) · basar(se) (en algo) || concordar (con algo) · valer || hacer · construir** *un razonamiento sólido y bien construido* **· articular · montar · plantear · esgrimir · remachar || deshacer · desmontar || compartir · analizar · comprender || usar · aplicar · emplear · utilizar · hilar || aceptar · admitir · seguir · encontrar || rechazar · rebatir** *para rebatir el razonamiento con argumentos de peso* **· refutar · atacar · contestar**

● CON PREPS. **de acuerdo (con) · según** *Según tu razonamiento, deberíamos meternos en el negocio* **|| en función (de)**

reabrir(se) v.

● CON SUSTS. **herida** *Su encuentro con ella había reabierto viejas heridas* **|| local · lugar · institución · establecimiento · universidad · colegio · mercado · bolsa · banco · tienda** *La tienda cerró por reforma el año pasado, pero van a reabrirla pronto* **|| caso · investigación · sumario · asunto · cuestión · inspección · expediente · informe · tema** *¿Es necesario reabrir ahora este tema ya casi olvidado?* **· episodio · pesquisa || juicio · proceso · pleito · litigio · querella · instrucción · diligencia || conflicto · discusión · debate · enfrentamiento · polémica · crisis · guerra · batalla · escándalo · contencioso · desavenencia · hostilidad · duelo || esperanza · expectativa || acuerdo · conversación · negociación** *La empresa y el sindicato reabren la negociación del convenio* **· diálogo · contrato · pacto · tratado · compromiso || duda · temor** *Se han reabierto los temores de una escalada de violencia* **· incertidumbre · inquietud · interrogante · incógnita · sospecha || período · ciclo · temporada**

reacción s.f.

● CON ADJS. **natural · lógica** *Tu reacción es lógica teniendo en cuenta lo que has sufrido* **· normal · común || fuerte · dura · extrema · visceral || expeditiva · drástica** *...un hecho que, por sí solo, no pudo producir tan drástica reacción...* **|| favorable · positiva · a favor || desfavorable · adversa** *reacciones adversas a los medicamentos* **· negativa · en contra · contraria · a la contra · opuesta · despectiva || crítica · beligerante · airada · enconada · violenta || rápida** *Gracias a la rápida reacción de las fuerzas de seguridad...* **· fulgurante · fulminante · súbita · instantánea · inmediata · brusca · a bote pronto || lenta · tardía** *En una tardía reacción, el presidente del Gobierno declaró...* **|| momentánea · eventual · ocasional || espontánea · automática · inconsciente · instintiva** *Toda injusticia nos produce una instintiva reacción de rechazo* **· impulsiva || comprensible · explicable · previsible || imprevisible** *A veces tiene reacciones imprevisibles* **· impredecible · inesperada · intempestiva || sensata · serena** *...reacciones casi siempre impulsivas y muy raramente serenas* **· tranquila · calmada · moderada · mesurada || incomprensible · irracional · incontrolada** *una reacción incontrolada de grupos radicales* **· arrolladora · desmedida · desmesurada · desaforada · desproporcionada || calurosa · fría · tibia || física · emocional · alérgica** *Tuve una urticaria producida por una reacción alérgica* **· inmunológica · química · atómica || colectiva · social · ciudadana** *Hubo una inmediata reacción ciudadana a favor de la ley* **· popular || oficial || clamorosa · unánime** *La reacción de la opinión pública ha sido unánime* **· en cadena || solidaria || espectacular** *Sorprende especialmente la espectacular reacción de los mercados*

● CON SUSTS. **capacidad (de)** *Tiene una enorme capacidad de reacción en situaciones de peligro* **· falta (de) || peligro (de)**

● CON VBOS. **producir(se) · desatar(se) · desencadenar(se)** *El fuego podría desencadenar una reacción en cadena* **· fraguar(se) || impactar || tener · experimentar · presentar || causar · ocasionar · provocar** *Cualquier intento de vulnerar las libertades individuales provoca una reacción social* **· originar · suscitar · estimular || conseguir || controlar** *Intento controlar mis reacciones más viscerales* **· reprimir · moderar · madurar || calcular · esperar · prever || valorar**

● CON PREPS. **a tenor (de)** *A tenor de la reacción del público, la actriz...*

reaccionar v.

● CON ADVS. **enérgicamente · vigorosamente · con vehemencia** *reaccionar con vehemencia ante una provocación* **|| espontáneamente · mecánicamente** *Reaccioné mecánicamente, sin pensar* **|| impulsivamente · desaforadamente · desproporcionadamente · visceralmente || con serenidad · serenamente · con prudencia · con cautela · con lentitud · con discreción · con mesura || bruscamente** *Estaba un poco nerviosa y reaccionó bruscamente* **· fulminantemente · rápidamente · inmediatamente · de inmediato · prontamente · con prontitud · a bote pronto || a tiempo** *Evitó el accidente al reaccionar a tiempo y frenar* **· tardíamente || previsiblemente · inesperadamente || positivamente · favorablemente · a favor || con alegría · con entusiasmo** *¿Quién no reaccionaría con entusiasmo ante una noticia como esa?* **· de buen grado · con emoción · dignamente || negativamente · desfavorablemente · a la contra · en contra** *Tras meditarlo, reaccioné en contra* **· con reservas || con tibieza · con frialdad · con dureza · de mala manera · violentamente · airadamente · con indignación** *Me pareció tan injusto que reaccioné con indignación* **· con amenazas · a la defensiva || a la ligera || al alza** *Los mercados financieros* *reaccionaron al alza después de...* · **a la baja || oficialmente || unánimemente · al unísono**

reacio, cia adj.

● CON SUSTS. **público · sector · grupo · sociedad · gente || actitud · posición · comportamiento · tendencia** *Los sociólogos observan una tendencia reacia a la modificación de esta ley* · **opinión**

● CON ADVS. **completamente · absolutamente** *Sigue absolutamente reacio a firmar el acuerdo* · **totalmente · extremadamente · sumamente · fuertemente · decididamente · profundamente || particularmente · especialmente · inicialmente · aparentemente · finalmente**

● CON VBOS. **declararse** *Se han declarado reacios a hacer cualquier concesión* · **manifestarse · mostrarse || estar · encontrar(se) · ponerse || ser · seguir · mantenerse**

□ USO Se construye con complementos encabezados por la preposición *a*: *mostrarse reacio a dialogar.*

reactivar v.

● CON SUSTS. **economía** *Dicen que tomarán medidas para reactivar la economía* · **consumo · demanda · mercado · sector · inversión · crecimiento · empleo · producción · exportaciones · venta · turismo · industria || proceso · proyecto · negociación** *Todos los interesados estaban de acuerdo en reactivar las negociaciones* · **relación · operación · investigación · mecanismo || carrera || polémica · debate · discusión || crisis · lucha · batalla || caso · sumario**

● CON ADVS. **urgentemente · considerablemente || económicamente · diplomáticamente · comercialmente · industrialmente**

readmitir v.

● CON SUSTS. **trabajador,-a · empleado,da** *Una sentencia judicial obliga a la compañía a readmitir a los empleados* · **alumno,na · profesor,-a ·** ***otros individuos***

● CON ADVS. **forzosamente · obligatoriamente || oficialmente || voluntariamente || provisionalmente**

reafirmar v.

● CON SUSTS. **importancia · papel · valor · interés || personalidad || posición · postura · punto de vista · pensamiento · idea · principio · teoría** *Los resultados parecen reafirmar la teoría* · **tesis || decisión · voluntad || apoyo · compromiso || fe · confianza** *reafirmar la confianza en las instituciones* **|| oposición · crítica · desacuerdo · rechazo || temor · duda || movimiento · institución || derecho · legitimidad · independencia · inocencia** *Se reafirmó en su inocencia una vez más*

● CON ADVS. **con {mi/tu/su...} presencia || con fuerza · con rotundidad** *Reafirmamos con rotundidad nuestro compromiso con este ilusionante proyecto* · **firmemente · enérgicamente · decididamente · resueltamente || sin paliativos · sin ambages**

reajuste s.m.

● CON ADJS. **profundo · serio · importante · drástico** *El Gobierno podría llevar a cabo un drástico reajuste presupuestario* **|| pequeño · mínimo · leve · ligero · coyuntural || necesario · inevitable · irremediable || esperado · inesperado || proporcional · equilibrado || próximo · inmediato · de última hora · reciente · previsto || horario · económico · presupuestario · estructural · ministerial · accionarial · institucional · técnico · gubernamental · laboral · salarial · de personal** *Debido a las dificultades de la empresa, se aprobó el reajuste de personal* · **de plazos · de programación || al alza · a la baja**

● CON SUSTS. **fórmula (de) · plan (de) · proyecto (de) · medida (de) · proceso (de) · programa (de) · propuesta (de) || etapa (de) · período (de)**

● CON VBOS. **producir(se) || avecinarse || hacer · realizar · efectuar · llevar a cabo · practicar · imponer · aplicar · ejecutar || anunciar · prever · vaticinar || provocar** *La crisis reciente provocó un reajuste ministerial* · **aplazar · frenar || pedir · reclamar · exigir · proponer · acordar || aprobar · autorizar || rechazar · descartar || afrontar · encarar || recurrir (a)**

[real] → como un pavo real; real

real adj.

■ [verdadero]

● CON SUSTS. **vida** *Después de las vacaciones cuesta volver a la vida real* · **mundo · espacio || tiempo || personaje · hecho** *una película basada en hechos reales* · **historia · situación · existencia · elemento · imagen || nombre · identidad · conocimiento || precio · coste · eficacia · sentido · nivel · fuerza || problema · riesgo || validez**

● CON VBOS. **hacerse · volverse**

■ [del rey o la reina]

● CON SUSTS. **familia** *La ceremonia contará con la presencia de algunos miembros de la familia real* · **casa · autoridad || privilegio · audiencia · sangre · ascendencia || camino || servicio · sirviente,ta · séquito · cortejo · guardia · emisario · oficio || colección · palacio · palco · aposento · carroza · corona || boda · enlace · bautizo · ceremonia**

realeza s.f.

■ [dignidad real, magnificencia]

● CON ADJS. **hereditaria · de sangre || revestido,da (de)**

● CON SUSTS. **pompa (de) · aire (de) || signo (de)**

● CON VBOS. **adquirir**

■ [conjunto de familias reales]

● CON ADJS. **española · europea ·** ***otros gentilicios*** **|| reinante**

● CON SUSTS. **miembro (de) · personaje (de)** *A pesar de su parentesco, nunca ha sido reconocido como un personaje de la realeza* · **representante (de) · cronista (de) || rama (de) · linaje (de) · título (de) || símbolo (de) · atributo (de) || culto (a)**

● CON VBOS. **reunir(se) || destronar || emparentar (con)**

[realidad] → hacer(se) realidad; realidad

realidad s.f.

● CON ADJS. **verdadera · auténtica || virtual · onírica · ideal · idílica · aparente · inexistente · falsa · cambiante || apremiante · imperiosa · inmediata || manifiesta · palpable** *La consolidación democrática ya es una realidad palpable* · **exterior · constatable · elocuente || incuestionable · incontestable · incontrovertible · irrefutable · inobjetable · insoslayable || fría · dura · conflictiva · amarga · cruel · dolorosa · trágica · asfixiante · abrumadora · cruda** *tras el choque con la cruda realidad* · **descarnada · brutal · tremenda · espantosa · inquietante · sórdida · adusta · atroz || diaria · cotidiana · actual** *La obra pretende reflejar la realidad actual de los emigrantes* · **presente || candente · palpitante || circundante · imperante || aberrante || social · política · histórica** *El novelista ha sabido reflejar con verosimilitud la realidad histórica de principios de siglo* **|| ajeno,na (a) · alejado,da (de) · aislado,da (de) || inmerso,sa (en) · atrapado,da (en)**

● CON SUSTS. **sensación (de)** *El cuadro transmite una enorme sensación de realidad* · **visos (de)** · **aire (de)** · **aspecto (de)** || **imagen (de)** · **reflejo (de)** · **espejo (de)** · **noción (de)** || **golpe (de)** · **sentido (de)** · **percepción (de)** || **choque (con)** · **encuentro (con)**
● CON VBOS. **imponer(se) (a algo/a alguien)** *La realidad siempre acaba imponiéndose* · **llegar** || **esclarecer (algo)** · **confirmar (algo)** || **dar (a algo)** · **cobrar** || **vivir** || **conocer** · **percibir** · **constatar** · **captar** · **discernir** · **ver** · **tocar** · **palpar** || **observar** · **analizar** · **describir** || **aceptar** · **asumir** · **afrontar** *...intentando afrontar la realidad con valentía* || **desconocer** · **ignorar** · **obviar** · **soslayar** · **negar** · **rechazar** · **cuestionar** || **transgredir** *una autora que transgrede la realidad con la fuerza de su imaginación* || **cambiar** · **modificar** · **transformar** · **alterar** · **interpretar** || **idealizar** · **inventar** || **deformar** · **distorsionar** · **desfigurar** · **desvirtuar** · **adulterar** · **tergiversar** *Ustedes han tergiversado descaradamente la realidad* · **falsear** || **ocultar** · **tapar** · **disfrazar** · **enmascarar** · **adornar** · **tamizar** · **maquillar** · **moldear** · **suavizar** · **edulcorar** || **reflejar** · **desvelar** · **destapar** · **desenmascarar** · **plasmar** *plasmar la realidad de los hechos tal como es* || **aferrarse (a)** · **apegarse (a)** · **ceñir(se) (a)** · **ajustar(se) (a)** · **atenerse (a)** · **amoldar(se) (a)** *Se amolda siempre a la realidad, por dura que sea* · **adecuar(se) (a)** || **enfrentarse (a)** · **lidiar (con/contra)** · **chocar (con)** · **darse de bruces (contra)** · **tropezar (con)** || **tener conciencia (de)** · **estar (en)** *No está en la realidad de las cosas* || **rendirse (a/ante)** || **huir (de)** · **escapar (a/de)** · **evadirse (de)** · **abstraerse (de)** · **sustraer(se) (de/a)** · **cerrar los ojos (ante)** *De nada sirve cerrar los ojos ante la cruda realidad* · **alejar(se) (de)** || **ahondar (en)** || **bajar (a)** · **vivir (en)**
● CON PREPS. **a la luz (de)** · **a la vista (de)** · **al margen (de)** · **fuera (de)**
□ EXPRESIONES **en realidad** [verdaderamente]

realismo s.m.

● CON ADJS. **mágico** *Su literatura pertenece al más puro realismo mágico* · **fantástico** · **poético** · **narrativo** · **literario** · **histórico** · **sucio** || **fotográfico** · **descriptivo** || **puro** · **exacerbado** · **extremo** · **feroz** · **descarnado** · **atroz** · **crudo** · **cruel** · **sórdido** || **social** · **moral** · **académico** || **tradicional** · **convencional** · **decimonónico** || **lleno,na (de)** · **cargado,da (de)** · **impregnado,da (de)** · **falto,ta (de)** · **exento,ta (de)**
● CON SUSTS. **dosis (de)** · **nota (de)** · **lección (de)** · **ejercicio (de)** · **muestra (de)** · **tono (de)** · **voluntad (de)** · **baño (de)** · **toque (de)** · **carga (de)** || **falta (de)** · **ausencia (de)**
● CON VBOS. **adquirir** · **conseguir** · **lograr** · **tener** · **mantener** · **perder** || **acentuar** || **dotar (de)** || **carecer (de)**
● CON PREPS. **con** *actuar con realismo*

realista adj.

● CON SUSTS. **actitud** · **espíritu** · **visión** · **planteamiento** *Los ciudadanos demandan un planteamiento realista de sus problemas* · **discurso** · **política** · **prisma** · **programa** · **posición** · **estilo** · **tono** || **propuesta** · **medida** || **objetivo** · **meta** · **expectativa** · **pronóstico** || **solución** *una solución realista que puede considerarse definitiva* · **alternativa** || **escuela** · **poética** · **estética** · **credo** || **arte** · **obra** · **pintura** · **escultura** · **retrato** · **paisaje** · **fotografía** || **literatura** *Es uno de los mayores exponentes de la literatura realista* · **narrativa** · **relato** · **novela** · **teatro** · **poesía** || **cine** · **película** · **corto** · **documental** || **pintor,-a** · **escultor,-a** · **escritor,-a**
● CON ADVS. **abiertamente** · **fuertemente** · **descarnadamente** *una serie de fotografías descarnadamente realistas* · **crudamente** · **extremadamente** || **eminentemente** · **fundamentalmente** · **esencialmente** · **profundamente**

realizable adj.

● CON SUSTS. **utopía** · **sueño** *Pese a todo, hubiera sido un sueño realizable* · **quimera** · **fantasía** || **proyecto** · **propuesta** · **programa** || **objetivo** · **meta** · **plan** || **idea** · **deseo** · **promesa** · **compromiso**
● CON ADVS. **difícilmente** · **dudosamente** || **fácilmente** *Es un proyecto fácilmente realizable* · **perfectamente** || **técnicamente** · **científicamente** · **políticamente**
● CON VBOS. **considerar** || **mostrarse** || **resultar**

realizar v.

● CON SUSTS. **acción** · **actividad** · **obra** *Realizó las obras en su casa con fondos de la comunidad* || **proyecto** || **encargo** · **misión** · **tarea** · **trabajo** || **sueño** *Logró realizar su sueño de trabajar como actor* || **movimiento** *Realizó un movimiento brusco y se lesionó la rodilla* · **ascenso** · **descenso** · **giro** · **cambio** || **viaje** · **excursión** || **llamada** · **pregunta** || **ejercicio** · **ensayo** *Para asegurarnos de que todo saldrá bien, mañana realizaremos un último ensayo* · **prueba** || **estudio** · **análisis** · **investigación** · **indagación** · **cálculo** || **sondeo** · **encuesta** · **referéndum** || **programa de televisión** · **obra de teatro** · **rodaje**
● CON ADVS. **adecuadamente** · **convenientemente** · **satisfactoriamente** · **de buen grado** || **con éxito** · **a plena satisfacción** · **a las mil maravillas** || **deficientemente** · **inadecuadamente** · **insatisfactoriamente** || **íntegramente** · **por completo** || **a duras penas** · **parcialmente** || **a conciencia** · **concienzudamente** *Es muy metódica y realiza concienzudamente todo lo que se le encarga* || **convincentemente** || **a la ligera** || **paulatinamente** · **gradualmente** · **ordenadamente** || **a cámara lenta** · **a toda máquina** || **en equipo** *Realizamos el trabajo en equipo para ganar tiempo*

realmente adv.

● CON VBOS. **ocurrir** · **suceder** *¿Realmente sucedió como ella lo cuenta?* || **entender** · **comprender** · **saber** *Creo que no sabe realmente lo que pasó* · **conocer** · **precisar** || **cambiar** · **modificar** || **importar** · **gustar** · **necesitar** || **lograr** · **conseguir** · **interesar(se)** || **incidir** || **creer** || **plantear(se)**

realzar v.

● CON SUSTS. **belleza** · **atractivo** · **hermosura** · **esplendor** *el rico artesanado que realza el esplendor de las estancias reales* · **presencia** · **imagen** · **figura** || **silueta** · **contorno** || **pecho** · **glúteo** · **nalgas** · **busto** · ***otras partes del cuerpo*** || **obra** · **papel** · **tema** || **importancia** *Le gusta realzar la importancia de su cargo* · **interés** || **superioridad** · **valor** · **fuerza** || **atributo** · **talento** · **dote** · **carisma** · **cualidad** · **prestigio** || **sabor** *Utiliza condimentos exóticos para realzar el sabor de sus platos* · **color** || **personalidad** · **carácter** || **actuación**
● CON ADVS. **adecuadamente** || **desmedidamente** · **al máximo** · **enormemente** · **considerablemente**

reanudar v.

● CON SUSTS. **negociación** · **diálogo** · **conversación** · **discusión** · **protesta** · **movilización** || **guerra** · **combate** · **lucha** · **bombardeo** · **enfrentamiento** · **ataque** · **ofensiva** || **proceso** · **juicio** || **trabajo** *Después de una breve pausa, reanudaron el trabajo* · **tarea** · **labor** · **actividad** · **servicio** || **obras** · **construcción** · **pruebas** · **operación** || **carrera** · **competición** || **clases** *reanudar las clases después de las vacaciones* · **sesión** · **encuentro** · **entrenamiento** · **ensayo** · **juego** || **vuelo** · **marcha** · **viaje** || **contacto** · **relación** · **colaboración** || **sistema** · **instalación**
● CON ADVS. **a toda velocidad** · **rápidamente** · **inmediatamente** · **a todo tren** || **prudentemente** · **tímidamente** · **cautamente** || **cíclicamente** · **periódicamente**

reavivar v.

● CON SUSTS. **fuego · incendio** *un fuerte viento reavivó el incendio* · **hoguera · llama · brasa || conversación · diálogo · discurso || polémica** *La publicación de las comprometidas fotos reavivó la polémica* · **discusión · debate · disputa · conflicto · enfrentamiento · protesta · lucha · guerra · controversia · pulso · crispación · discordia || idea · caso · hipótesis · proyecto || crisis · tensión · malestar · escándalo · problema · hostilidad · herida · terrorismo || rivalidad · oposición · pugna · competencia || euforia** *Los últimos resultados de las encuestas han reavivado la euforia de los militantes* · **paz · ánimo · entusiasmo · orgullo · nostalgia || esperanza · optimismo** *un merecido triunfo que reaviva el optimismo de los jugadores* · **ilusión · fe · expectativa · deseo · sueño || interés · curiosidad || pasión · odio · rencor · atracción · sentimiento || temor** *Los anuncios reavivaron el temor de los mercados bursátiles* · **pánico || memoria · recuerdo · pasado || rumor · duda · especulación · sospecha · misterio || inquietud · incertidumbre**

rebaja s.f.

● CON ADJS. **considerable · cuantiosa · sustanciosa** *Se logró una rebaja sustanciosa del precio de algunos alimentos* · **sustancial · jugosa · espectacular · drástica · fuerte || ligera · pequeña · moderada || global · total · generalizada · máxima · media || gradual · porcentual · escalonada · temporal || adicional || efectiva · inmediata || proporcional || fiscal · tributaria · salarial · comercial · impositiva || de temporada**
● CON SUSTS. **época (de) · campaña (de) · período (de)**
● CON VBOS. **empezar · llegar · comenzar · entrar en vigor || terminar · acabar || afectar (a algo/a alguien) · suponer (algo) · propiciar (algo) || anunciar** *Ya están anunciando las rebajas de enero* **|| proponer · negociar · pedir · solicitar || hacer (a alguien)** *¿No me hará usted una pequeña rebaja?* · **aplicar** *Se le aplica una rebaja del diez por cien* · **practicar · establecer · incluir || aceptar · aprobar · permitir · admitir · acordar || rechazar · descartar · impedir || conseguir · lograr || experimentar · aprovechar || anticipar · posponer || poner (en) · estar (en)** *Están en rebajas desde hace una semana* **|| ir (a/de) · salir (de) · comprar (en) || compensar (con)**
● CON PREPS. **en · de** *Voy de rebajas, a ver lo que encuentro*

rebajar v.

▌[hacer más bajo, reducir]
● CON SUSTS. **altura · espacio · distancia · volumen || edad || nivel · listón · baremo || intensidad · tiempo · fuerza || color · luminosidad || café** *¿Podría rebajarme el café con un poco de leche, por favor?* · **caldo · coñac · alcohol · amoníaco · *otras sustancias* || kilo · centímetro · punto · segundo || cintura · barriga** *unos ejercicios abdominales excelentes para rebajar la barriga* · **glúteo · *otras partes del cuerpo* || precio · coste · importe · recibo || dólar** *Me lo rebajaron dos dólares* · **euro · *otras monedas* || pan · libro · ropa · cristalería · entrada** *Vamos al cine los miércoles porque rebajan la entrada* · **cosméticos · *otros artículos* || tarifa · impuesto · fianza · cotización · deuda · peaje · fiscalidad · cuota · hipoteca · alquiler || interés · tipo de interés · pensión · sueldo** *...piden garantías de que no se rebajarán los sueldos* · **presupuesto · beneficio · salario · consumo · dotación · ingreso · gasto · comisión · premio · suma · indemnización || cifra · déficit · porcentaje** *Decidieron rebajar su porcentaje de ganancia para paliar la crisis de la empresa* · **calificación || número · cantidad · media · índice · tasa · quórum || condena** *El Tribunal Supremo rebajó la condena en una polémica sentencia* · **pena · sanción · multa · prisión · penalización · castigo || requisitos · condiciones · exigencias · peticiones || pretensiones · objetivos · previsiones · expectativas · demandas** *El sindicato se niega a rebajar sus demandas salariales* **|| tensión · irritación · conflictividad · crispación · crítica || plazo · margen · límite · barrera · marca · cupo · tope || prestigio · dignidad · valor · categoría · calidad**
● CON ADVS. **sustancialmente · considerablemente · ostensiblemente || drásticamente** *La primera medida del gabinete de crisis fue rebajar drásticamente el valor de la moneda* · **de golpe · progresivamente · paulatinamente · gradualmente || ligeramente · moderadamente · mínimamente · en algo · al máximo || a toda costa · en lo posible**

▌[humillar, despreciar]
● CON SUSTS. **empleado,da · subordinado,da · rival** *un rival a quien ha ido rebajando a lo largo de la campaña electoral* · **persona · *otros individuos***

rebanada s.f.

● CON ADJS. **sabrosa · tostada || de pan || fina · gorda · gruesa**
● CON SUSTS. **lado (de) · cara (de)**
● CON VBOS. **tomar · desayunar** *Desayuno solo dos rebanadas de pan con aceite* · **comer || untar · mojar || cortar**
● CON PREPS. **en** *cortar las berenjenas en rebanadas muy finas*

rebanar v.

● CON SUSTS. **pan · cebolla · pepino · *otros alimentos sólidos* || cuello · dedo** *Se rebanó un dedo mientras cocinaba* · **cabeza · oreja · *otras partes del cuerpo* || monopolio · renta || territorio · parterre · calzada · asfalto**
● CON ADVS. **limpiamente · de un tajo || finamente** *El primer paso es rebanar finamente las cebollas* **|| completamente · hasta la raíz || longitudinalmente · en oblicuo · transversalmente || a trozos · en rodajas**

rebañar v.

● CON SUSTS. **plato · cacerola · sartén · olla · taza · *otros recipientes* || sopa · salsa** *Rebañó toda la salsa del plato* · **natillas · yogur · *otros alimentos o comidas* || dinero · millón · bolsillo · céntimo · euro · sueldo · beneficio · rédito · arca || voto** *En la recta final los candidatos tratan de rebañar hasta el último voto* · **punto · décima · papeleta · centímetro · kilo · metro · segundo || espectador,-a · elector,-a || embalse · solar · superficie**

rebaño s.m.

● CON ADJS. **trashumante · nómada || ovino · caprino || disciplinado · dócil || humano**
● CON SUSTS. **pastor,-a (de) · conductor,-a (de) || animal (de) · miembro (de)** *Varios miembros del rebaño se habían quedado rezagados*
● CON VBOS. **pasar** *Un rebaño de ovejas pasó por delante de nosotros* **|| pastar || llevar · guiar · pastorear · reunir · marcar · vigilar || formar · constituir · integrar · componer || cuidar (de) || unirse (a) · volver (a) · formar parte (de)**
● CON PREPS. **en** *Salieron en rebaño a tomar las calles*

rebasar v.

● CON SUSTS. **velocidad · peso · altura · distancia · *otras magnitudes* || límite** *Me multaron por rebasar el límite de velocidad* · **barrera · frontera · tope · línea · umbral · nivel · marco · mínimo · techo · molde || ámbito · espacio · campo || dimensión** *un conflicto que ya rebasa la dimensión nacional* · **tamaño · capacidad** *...antes de que* *se rebasara la capacidad del estadio* · **aforo** · **medida** || **expectativa** · **estimación** · **previsión** · **pronóstico** · **cálculo** · **objetivo** · **proyección** · **meta** || **cifra** · **cantidad** · **presupuesto** · **precio** · **suma** · **número** · **promedio** || **marca** · **récord** · **registro** · **parámetro** || **plazo** · **edad** · **tiempo** || **norma** · **requisito** · **criterio** · **control** · **legislación** · **ley** || **voluntad** · **atribución** · **función** · **facultad** || **adversidad** · **dificultad** · **desafío** · **oposición**

● CON ADVS. **ampliamente** · **con creces** · **de sobra** · **en mucho** · **excesivamente** · **holgadamente** *El crecimiento de la empresa ha rebasado holgadamente nuestras mejores expectativas* · **sobradamente** · **considerablemente** || **ostensiblemente** · **notablemente** · **nítidamente** || **a la baja** · **ligeramente**

rebatir v.

● CON SUSTS. **afirmación** · **argumento** *Al abogado le costó mucho rebatir los argumentos de la defensa* · **argumentación** · **explicación** · **razón** · **intervención** · **declaración** · **apostilla** · **aserto** · **testimonio** || **idea** · **tesis** · **teoría** *La investigación rebatió de manera contundente la teoría de que...* · **opinión** · **interpretación** · **juicio** · **concepto** · **criterio** · **postulado** || **propuesta** · **sugerencia** · **planteamiento** · **política** · **estrategia** · **propósito** · **plan** || **acusación** · **crítica** · **denuncia** · **imputación** · **inculpación** · **condena** || **norma** · **decisión** · **sentencia** · **recurso** · **auto** · **articulado** || **dato** · **información** · **versión** · **hecho** · **informe** · **estudio** || **cifra** · **cuenta** · **número** || **duda** · **desconfianza**

● CON ADVS. **contundentemente** · **firmemente** · **rotundamente** · **de forma contundente** || **punto por punto** *La alcaldesa rebatió punto por punto, ante la prensa, las duras acusaciones de...* · **caso por caso** · **minuciosamente** · **detalladamente** || **absolutamente** · **totalmente** · **completamente** · **definitivamente** || **con argumentos** · **racionalmente** · **jurídicamente** || **duramente** · **enérgicamente** || **fácilmente**

rebelde adj.

● CON SUSTS. **estudiante** · **hijo,ja** · **persona** · **líder** · ***otros individuos*** || **fuerzas** *La fuerzas rebeldes se habían apoderado de la ciudad* · **comando** · **movimiento** · **tropa** · **ejército** · **guerrilla** · **alianza** · ***otros grupos humanos*** || **carácter** · **espíritu** · **comportamiento** · **actitud** · **talante** || **territorio** · **zona** || **campamento** · **facción** || **pelo** *Tengo un pelo muy rebelde; me cuesta mucho darle forma*

● CON VBOS. **volverse** · **ponerse**

rebeldía s.f.

● CON ADJS. **profunda** · **auténtica** · **enorme** · **extrema** · **radical** *Mostraba en sus escritos una rebeldía radical contra el sistema* · **feroz** · **tenaz** · **encarnizada** · **obsesiva** || **brava** · **numantina** || **adolescente** · **infantil** · **juvenil** || **social** · **política**

● CON SUSTS. **intento (de)** · **brote (de)** · **acto (de)** · **gesto (de)** · **símbolo (de)** · **muestra (de)** · **grito (de)** || **actitud (de)** · **espíritu (de)**

● CON VBOS. **aflorar** · **brotar** || **suscitar** · **provocar** · **ocasionar** · **despertar** · **reavivar** || **mantener** *...ahora que ya no mantiene la rebeldía de sus años mozos* · **conservar** || **sofocar** · **acallar** · **vencer** · **canalizar** · **tolerar** || **manifestar** · **expresar** · **demostrar** || **simbolizar** || **declarar(se) (en)** *Ha sido declarado en rebeldía por no comparecer ante el juez*

● CON PREPS. **con** *reaccionar con rebeldía* · **en señal (de)** *Se negó a colaborar con ellos en señal de rebeldía*

rebelión s.f.

● CON ADJS. **armada** · **militar** · **civil** · **fiscal** || **parlamentaria** · **independentista** · **popular** *una época de frecuentes rebeliones populares* · **ciudadana** · **interna** · **estudiantil** · **juvenil** · **social** · **campesina** · **sindical** · **vecinal** || **violenta** · **cruenta** · **sangrienta** · **pacífica**

● CON SUSTS. **conato (de)** · **intento (de)** || **clima (de)** · **espíritu (de)**

● CON VBOS. **gestar(se)** · **fraguar(se)** · **incubar(se)** || **estallar** · **desencadenar(se)** *Se desencadenó una rebelión contra los mandos* || **cobrar fuerza** · **extender(se)** || **tener éxito** · **triunfar** *La rebelión triunfó clamorosamente en todos los rincones del país* || **fracasar** || **organizar** *Organizaron una rebelión para exigir sus derechos* · **preparar** · **tramar** · **planear** · **planificar** · **encabezar** · **liderar** || **causar** · **provocar** · **concitar** · **alimentar** || **sofocar** · **acallar** · **frenar** · **abortar** · **aplastar** · **reprimir** · **evitar** · **aplacar** · **ahogar** || **conmemorar** || **participar (en)** *Están siendo juzgados por participar en una rebelión armada* · **sumarse (a)** · **alzar(se) (en)** || **incitar (a)** · **instigar (a)** · **llamar (a)** || **acusar (de)**

● CON PREPS. **en** *ciudadanos en rebelión*

rebobinar v.

● CON SUSTS. **cinta** *rebobinar una cinta de vídeo* · **casete** · **película** · **vídeo** · **canción** || **recuerdo** · **memoria** · **pasado** || **conversación** · **discurso** · **situación**

rebosante (de) adj.

● CON SUSTS. **alegría** · **felicidad** *Lo encontré relajado, risueño, rebosante de felicidad* · **satisfacción** · **gozo** · **dicha** || **cariño** · **sentimiento** · **ternura** || **vitalidad** · **salud** *consejos para disfrutar de una vida rebosante de salud* · **vida** · **energía** · **juventud** · **vigor** · **fuerza** · **coraje** · **empuje** || **optimismo** · **entusiasmo** · **sueños** *Eran jóvenes inexpertos e inmaduros, pero rebosantes de sueños y ambiciones* · **esperanza** · **confianza** || **amargura** · **dolor** || **ideas** · **imaginación** · **sabiduría** · **creatividad** · **ingenio** · **humor** *una película rebosante de humor* · **inteligencia** · **invención** · **talento** · **inspiración** || **humanidad** · **nobleza** · **franqueza** · **sensibilidad** · **generosidad** *Era una persona excepcional, rebosante de generosidad y nobleza* · **inocencia** · **ingenuidad** · **autenticidad** || **sensualidad** · **erotismo**

● CON VBOS. **mantenerse** · **estar**

□ USO Se construye generalmente con sustantivos no contables en singular (*rebosante de alegría*) o con contables en plural (*rebosante de sueños*).

[rebosar] → a rebosar; rebosar

rebosar v.

● CON SUSTS. **vaso** *Si sigues echando agua, vas a rebosar el vaso* · **copa** · **embalse** · ***otros recipientes*** || **agua** · **vino** *La copa rebosa vino* · ***otros líquidos*** || **cliente** · **espectador,-a** · **público** *La sala rebosaba público* · **gente** · ***otros individuos y grupos humanos*** || **felicidad** · **optimismo** · **alegría** · **euforia** · **entusiasmo** · **ilusión** · **idealismo** · **confianza** · **esperanza** || **cariño** · **sentimiento** · **ternura** || **energía** · **fuerza** *El conjunto local rebosaba fuerza e ilusión antes del partido* · **ardor** · **vigor** · **coraje** · **empuje** · **fortaleza** || **humor** · **ironía** · **sentido del humor** · **mordacidad** *Sus comentarios rebosaban mordacidad* || **imaginación** · **ingenio** · **lucidez** · **talento** *un autor que rebosa talento e imaginación* · **genio** · **maestría** · **expresividad** · **lirismo** · ***otras cualidades*** || **amargura** · **dolor** *El documental rebosa dolor y capta perfectamente los sentimientos de las víctimas* || **vida** · **salud** · **tranquilidad** · **vitalidad** · **estabilidad** · **juventud** || **dignidad** · **integridad** · **honestidad** · **nobleza** || **idea** · **erudición** · **pensamiento** || **sensualidad** · **erotismo**

rebozar v.

● CON SUSTS. **carne** · **pescado** *rebozar el pescado con harina y huevo* · **filete** · ***otros alimentos sólidos***
● CON ADVS. **ligeramente** · **levemente** || **totalmente** · **completamente** || **al sol** *turistas hacinados rebozándose al sol de agosto*

rebuscado, da adj.

● CON SUSTS. **lenguaje** *En su novela utiliza un lenguaje rebuscado y artificial* · **estilo** · **frase** · **palabra** · **adjetivo** · **sintaxis** · **prosa** || **fórmula** · **expresión** · **pregunta** || **excusa** · **justificación** · **explicación** || **nombre** *Se empeñó en ponerle a la nueva tienda ese nombre tan rebuscado* · **denominación** || **historia** · **título** · **estribillo** · **rima** || **argumento** · **hipótesis** · **razonamiento** || **propuesta**
● CON ADVS. **excesivamente** · **especialmente** · **particularmente** · **sumamente**
● CON VBOS. **sonar** · **resultar** *La excusa resulta tan rebuscada que es difícil de creer*

rebuscar (en) v.

● CON SUSTS. **basura** · **cajón** · **despensa** *Rebuscaremos en la despensa por si queda algo de comida* · **nevera** · **armario** || **bolso** · **bolsillo** · **cartera** || **montaña** · **montón** · **pila** || **archivo** *Tuve que rebuscar en los archivos para dar con la información* · **biblioteca** · **hemeroteca** || **libro** · **página** || **memoria** · **historia** · **pasado**
● CON ADVS. **pacientemente** · **concienzudamente** · **meticulosamente** · **detenidamente** || **inútilmente** *...rebuscando inútilmente en la memoria los recuerdos perdidos de la infancia* · **vanamente**

rebuznar v.

● CON SUSTS. **asno,na** · **burro,rra** · **pollino**

recabar v.

● CON SUSTS. **información** *un formulario para recabar información sobre los asistentes al curso* · **datos** · **informes** · **testimonios** · **pruebas** · **evidencias** · **documentación** · **declaraciones** · **huellas** · **indicios** || **permiso** · **licencia** · **autorización** · **consentimiento** · **aquiescencia** · **aprobación** · **aceptación** || **apoyo** · **ayuda** *Para llevar adelante el proyecto necesitaron recabar ayuda económica de instituciones y empresas* · **recursos** · **firmas** · **colaboración** · **adhesión** · **voto** · **solidaridad** · **atención** · **respaldo** · **participación** · **cooperación** · **contribución** || **dinero** · **fondos** · **inversión** · **aportación** · **subvención** · **avales** || **opinión** *una sección destinada a recabar opiniones de los internautas* · **impresión** · **criterio** · **parecer** · **postura** · **versión** · **punto de vista** || **acuerdo** · **consenso** · **paz** · **armonía** · **estabilidad** · **sosiego**
□ USO Se construye generalmente con sustantivos contables en plural (*recabar apoyos*) o no contables en singular (*recabar información*).

recaer v.

● CON SUSTS. **enfermo,ma** · **paciente** *Algunos pacientes que estaban casi curados de la gripe, han recaído* · ***otros individuos*** || **responsabilidad** *No es aconsejable que recaiga toda la responsabilidad en una sola persona* · **tarea** · **carga** · **misión** · **encargo** · **papel** · **labor** · **peso** · **función** · **trabajo** · **investigación** · **competencia** || **premio** *El primer premio del concurso recayó en un joven escritor peruano* · **galardón** · **honor** · **privilegio** · **distinción** · **beneficio** · **mención** · **reconocimiento** · **título** · **beca** · **don** · **mérito** · **favoritismo** || **poder** · **autoridad** · **control** · **mandato** · **mando** · **liderazgo** · **titularidad** · **potestad** · **protagonismo** || **organización** · **dirección** · **coordinación** · **gestión** · **planificación** · **gerencia** || **cargo** · **puesto** · **alcaldía** · **presidencia** · **vicepresidencia** · **plaza** · **nombramiento** · **candidatura** · **gobierno** · **jefatura** · **adjudicación** · **designación** || **sanción** · **condena** *Recayó sobre los culpables una condena de veinte años* · **castigo** · **pena** · **multa** · **penalización** || **coste** · **impuesto** · **gasto** · **inversión** · **financiación** · **cotización** · **recaudación** · **deuda** · **tributo** · **presupuesto** · **precio** || **duda** · **sospecha** *Todas las sospechas de la Policía recayeron sobre el marido de la víctima* · **especulación** || **decisión** · **elección** · **fracaso** · **victoria** · **consecuencia** · **resolución** · **desenlace** || **crisis** · **desgracia** · **problema** · **sufrimiento** · **enfermedad** || **aumento** · **incremento** · **recorte** · **rebaja** · **ampliación** || **énfasis** · **acento** || **acusación** · **crítica** *La mayoría de las críticas recayeron sobre el jugador que falló el penalti* · **insulto** · **burla**
□ USO Se construye con las preposiciones *en* (*El cargo ha recaído en la candidata mejor preparada*) y *sobre* (*Toda la responsabilidad recayó sobre mí*).

recaída s.f.

● CON ADJS. **inesperada** · **imprevista** · **brusca** *La paciente ha sufrido una brusca recaída* || **peligrosa** · **preocupante** · **irreversible** · **grave** · **fuerte** · **profunda** · **seria** || **leve** · **ligera** · **sin importancia** || **nueva** · **continua** · **constante** · **frecuente** || **anual** · **mensual** · **semanal** · **diaria** · **periódica** || **bursátil** · **gripal**
● CON SUSTS. **riesgo (de)** · **peligro (de)** · **posibilidad (de)** · **indicio (de)** || **ciclo (de)** · **fase (de)** · **período (de)** · **etapa (de)**
● CON VBOS. **registrar(se)** || **experimentar** · **producir(se)** *Se ha producido una recaída de los índices bursátiles* · **tener lugar** || **ocasionar** · **causar** · **provocar** || **sufrir** · **tener** · **padecer** || **evitar** · **impedir** · **prevenir** || **sobrevivir (a)** · **recuperarse (de)** *Poco a poco, se está recuperando de la recaída*

recalar v.

● CON SUSTS. **barco** · **buque** *Este buque recala frecuentemente en el puerto de...* · **nave** · ***otras embarcaciones*** || **viajero,ra** · **turista** · **profesional** · **jugador,-a** · **artista** · **agrupación** · ***otros individuos y grupos humanos*** || **obra** · **exposición** *La exposición recalará en Buenos Aires la próxima primavera* · **espectáculo** · **muestra**
● CON ADVS. **finalmente** · **recientemente** · **nuevamente** · **definitivamente** || **periódicamente** · **regularmente** · **frecuentemente** · **ocasionalmente** || **difícilmente** · **posiblemente** · **fácilmente**

recalcar v.

● CON SUSTS. **importancia** · **necesidad** · **relevancia** · **trascendencia** || **hecho** · **dato** · **idea** · **observación** · **aseveración** · **afirmación** · **frase**
● CON ADVS. **insistentemente** · **repetidamente** · **una y otra vez** *Me recalcó una y otra vez que debía poner mucho cuidado en no cometer la misma falta* · **por activa y por pasiva** · **machaconamente** || **con exactitud** · **con precisión**

recalcitrante adj.

● CON SUSTS. **enemigo,ga** *una persona que no tiene enemigos recalcitrantes* · **jefe,fa** · **rival** · **gobierno** · ***otros individuos y grupos humanos*** || **marxismo** · **nacionalismo** · **americanismo** · **liberalismo** *Practica un liberalismo recalcitrante* · ***tendencias, movimientos o ideologías*** || **actitud** · **postura** · **carácter** · **moral** · **alma** || **gesto** · **signo** · **prueba** || **odio** *Confiesa que actuó cegado por un odio recalcitrante a...* · **amor** · **soledad** · **sentimentalismo** · **sentimiento** || **optimismo** · **frialdad** · **estabilidad** · **paciencia** · ***otras cualidades*** || **sosería** · **ineptitud** · **inhabilidad** · **misantropía** · **morosidad** · **amateurismo** · ***otros defectos*** || **diario** · **medio radiofónico** · **prensa** || **crítica**

Ha recibido críticas recalcitrantes por parte de algunos medios · **boicot** · **rechazo** · **oposición**
● CON VBOS. **hacerse** · **mantenerse**

recámara s.f.

● CON ADJS. **cargada** · **vacía**
● CON VBOS. **guardar (en)** *Todavía guarda una bala en la recámara* · **dejar (en)** · **estar (en)** · **quedar(se) (en)**

recapacitar (sobre) v.

● CON SUSTS. **decisión** *Quizás recapacite sobre su decisión de abandonar la política* · **elección** · **respuesta** || **postura** · **actitud** · **opinión** · **palabras** · **idea** || **propuesta** · **plan** || **motivo** · **causa** · **razón** || **posibilidad** · **error**
● CON ADVS. **detenidamente** · **cuidadosamente** · **seriamente** *Será mejor que recapacitemos seriamente antes de dar una respuesta definitiva* · **atentamente** · **profundamente** || **brevemente** · **a tiempo** · **tardíamente**

recapitular v.

● CON SUSTS. **hechos** · **información** · **datos** || **explicación** · **argumentación** *Recapitulemos ahora la argumentación desde el principio* · **argumento** · **conocimiento** · **materia** · **tema** · **contenido** · **investigación** || **vida** · **trayectoria** · **historia** · **pasado** · **experiencia**
● CON ADVS. **desde el principio** || **brevemente** *La profesora recapituló brevemente el tema anterior* · **ordenadamente** || **serenamente**

recargar v.

▮ [cargar de nuevo]
● CON SUSTS. **teléfono** · **batería** *Tengo que recargar la batería del móvil* · **pila** · **mechero** · **encendedor** · **tarjeta** · **cartucho** || **máquina** · **programa** || **arma** · **munición** || **energía** · **fuerza(s)** · **combustible** · **interés**

▮ [sobrecargar]
● CON SUSTS. **maleta** || **aire** · **ambiente** *Tantos objetos recargan demasiado el ambiente* · **atmósfera** · **escena** || **estilo** · **adorno** · **boato** || **agenda** *Siempre tiene la agenda recargada* · **calendario**

▮ [incrementar]
● CON SUSTS. **impuesto** · **costo** · **factura** · **presupuesto** · **depósito** · **gravamen** · **tarifa** · **consumo**

recargo s.m.

● CON ADJS. **adicional** *El envío del producto a domicilio tiene un recargo adicional de...* · **extraordinario** · **especial** · **correspondiente** *...con el correspondiente recargo del diez por ciento* || **fiscal** · **económico** · **presupuestario** || **municipal** · **autonómico** || **de demora** *Transcurrido este plazo, será aplicado un recargo de demora* · **de equivalencia** · **de apremio**
● CON SUSTS. **importe (de)** · **interés (de)**
● CON VBOS. **imponer** · **aplicar** · **establecer** · **exigir** || **suprimir** · **reducir** · **retirar** · **evitar** · **descontar** || **abonar** · **pagar** *Tuve que pagar un recargo porque la factura estaba vencida* · **soportar** · **recaudar** · **cobrar** || **suponer** · **comportar**
● CON PREPS. **sin** *una multa sin recargo* · **con**

recatado, da adj.

● CON SUSTS. ***persona*** *una muchacha tímida y recatada* || **mirada** · **gesto** · **maneras** · **costumbres** || **estilo** · **imagen** · **aspecto** · **aire** · **elegancia** || **carácter** · **actitud** · **conversación** · **intención** || **ropa** · **prenda** · **atuendo** *Llevó a la ceremonia un atuendo sencillo y recatado* · **vestimenta** || **vida** · **existencia**
● CON VBOS. **mostrar(se)** · **parecer** *Al principio parecía recatado, pero luego...* · **volver(se)** || **vestir**

recaudación s.f.

● CON ADJS. **alta** · **gran(de)** · **elevada** · **cuantiosa** · **sustanciosa** *La organización obtuvo una sustanciosa recaudación mediante rifas, concursos y actos culturales* · **jugosa** · **boyante** || **baja** · **escasa** · **exigua** · **pequeña** · **moderada** || **aduanera** · **fiscal** · **ejecutiva** · **tributaria** · **impositiva** · **municipal** · **publicitaria** || **en taquilla** || **total** · **completa** · **íntegra** · **media** || **anual** · **mensual** · **diaria** || **irregular** || **líquida**
● CON SUSTS. **sistema (de)** · **método (de)** · **mecanismo (de)** · **campaña (de)** · **servicio (de)** || **cifra (de)** · **volumen (de)** · **récord (de)** · **pérdida (de)** || **capacidad (de)** · **nivel (de)**
● CON VBOS. **aumentar** *Este año ha aumentado la recaudación de impuestos* · **ascender (a una cantidad)** *¿A cuánto asciende la recaudación de esta semana?* || **disminuir** · **decrecer** · **descender** || **rondar (una cantidad)** · **sumar (una cantidad)** · **superar (una cantidad)** || **totalizar (una cantidad)** || **hacer** · **efectuar** || **obtener** · **lograr** · **generar** || **elevar** · **incrementar** · **engordar** · **engrosar** · **reducir** || **dedicar (a algo)** · **destinar (a algo)** · **llevar** || **mejorar** · **agilizar** || **recoger** · **entregar** · **donar** · **ingresar** || **robar** || **huir (con)** || **disponer (de)**
● CON PREPS. **de** *diez mil euros de recaudación*

recaudar v.

● CON SUSTS. **fondos** *Están recaudando fondos para finalizar la restauración de la capilla* · **dinero** · **capital** · **impuesto** · **contribución** · **tributo** · **arbitrios** · **colecta** · **ingreso** · **cantidad** · **suma** · **beneficio** || **votos** || **información** · **recursos**
● CON ADVS. **diariamente** · **mensualmente** · **anualmente** || **aproximadamente**

☐ USO Se construye generalmente con sustantivos no contables en singular (*recaudar dinero*) o con contables en plural (*recaudar votos*).

[recaudo] → a buen recaudo

recelar (de) v.

● CON SUSTS. ***persona*** *Recela hasta de sus mejores amigos* || **intención** · **propósito** · **sinceridad** *Recelo de su sinceridad porque me ha engañado muchas veces* · **actitud** · **buena voluntad** || **idea** · **propuesta** · **proyecto** · **plan** · **sistema** || **apoyo** · **compromiso** · **promesa** *Raro es el votante que no recela de las promesas electorales* || **idoneidad** · **capacidad** || **situación** · **trayectoria** || **contrato** *Algunos trabajadores recelaban del contrato que les ofrecían* · **acuerdo** · **pacto** || **anuncio** · **palabra** || **uso** · **empleo**
● CON ADVS. **inicialmente** · **finalmente** || **enormemente** · **extraordinariamente** || **instintivamente** · **justificadamente** || **mutuamente**

recelo s.m.

● CON ADJS. **profundo** · **instintivo** · **gran(de)** · **enorme** · **fuerte** || **ligero** · **leve** || **justificado** · **fundado** · **lógico** || **injustificado** · **infundado** · **gratuito** || **inicial** · **viejo** · **creciente** · **latente** *Con los nervios afloran recelos latentes y soterradas sospechas* || **mutuo**
● CON SUSTS. **clima (de)** · **actitud (de)** · **atmósfera (de)** · **poso (de)**
● CON VBOS. **aflorar** · **persistir** · **inspirar (a alguien)** || **disipar(se)** · **desvanecerse** · **diluir(se)** || **sentir** · **tener** · **guardar** · **abrigar** · **albergar** · **mostrar** || **causar** · **despertar** *Los nuevos productos despiertan recelos injustificados entre los compradores* · **provocar** · **generar** · **producir**

· **levantar** · **suscitar** || **vencer** · **desterrar** · **perder** · **superar** · **acallar** || **inducir (a)** · **incitar (a)**
● CON PREPS. **con** *Es lógico que vean con recelo sus propuestas* · **sin**

recepción

1 **recepción** s.f.

▌[vestíbulo]

● CON SUSTS. **mostrador (de)** || **encargado,da (de)**
● CON VBOS. **atender (en)** || **acercarse (a)** · **llegar (a)** || **esperar (en)** · **encontrarse (en)** || **llamar (a)**

▌[celebración]

● CON ADJS. **agradable** · **vistosa** || **animada** · **concurrida** · **multitudinaria** || **fría** · **protocolaria** || **formal** · **oficial** · **diplomática** · **militar** · **social** || **tradicional**
● CON SUSTS. **discurso (de)** · **acta (de)** || **fecha (de)** || **cóctel (de)** · **bebida (de)** · **aperitivo (de)**
● CON VBOS. **producir(se)** · **tener lugar** *La recepción oficial de los embajadores tuvo lugar en los salones de...* · **celebrar(se)** || **organizar** · **preparar** · **facilitar** || **suspender** · **aplazar** || **presidir** · **amenizar** || **boicotear** || **invitar (a)** · **asistir (a)** · **participar (en)** || **encargarse (de)**

▌[recibimiento, acogida]

● CON ADJS. **cordial** · **cariñosa** · **afectuosa** · **cálida** *El cantante de ópera recibió una cálida recepción por parte del público* · **calurosa** · **efusiva** · **apoteósica** · **entusiasta** || **crítica** · **fría** · **tibia** || **provisional**
● CON SUSTS. **plazo (de)** · **período (de)** || **centro (de)** · **oficina (de)** || **comité (de)**
● CON VBOS. **dar (a alguien)** · **ofrecer** · **brindar**

2 **recepción (de)** s.f.

● CON SUSTS. **obras** · **originales** · **documentos** · **cartas** · **imágenes** || **programas** · **expedientes** || **quejas** · **solicitudes** · **peticiones** · **instancias** || **ayudas** · **fondos** · **ofertas** || **llamadas** · **visitantes** || **señales** · **estímulos**

receptivo, va adj.

● CON SUSTS. **persona** · **alumno,na** · **lector,-a** · **público** · **auditorio** · ***otros individuos y grupos humanos*** || **posición** · **postura** · **actitud** *tener una actitud receptiva ante los problemas ajenos* · **espíritu** · **sensibilidad** || **ambiente** · **atmósfera** · **clima** || **turismo**
● CON ADVS. **escasamente** · **especialmente** · **sensiblemente** · **totalmente** · **sumamente** · **extremadamente** || **cautelosamente**
● CON VBOS. **ser** || **mostrarse** *El Gobierno se ha mostrado escasamente receptivo a la propuesta de...* · **estar** || **volver(se)** · **poner(se)**
☐ USO Se construye frecuentemente con complementos encabezados por la preposición *a*: *Se mostraron muy receptivos a la propuesta.*

recesión s.f.

● CON ADJS. **dura** · **acusada** · **grave** *Los negocios experimentaron una grave recesión por la crisis económica* · **severa** · **profunda** · **alarmante** || **prolongada** · **persistente** || **creciente** · **en aumento** *La recesión de la empresa iba en aumento* · **galopante** || **económica**
● CON SUSTS. **época (de)** · **período (de)** · **fase (de)** || **consecuencia (de)** · **efecto (de)** · **secuelas (de)**
● CON VBOS. **producir(se)** || **aumentar** · **extender(se)** · **acentuar(se)** *La política ineficaz del Gobierno hizo que se acentuara la recesión en pocos meses* || **decrecer** || **sufrir** · **atravesar** · **experimentar** || **afrontar** · **encarar** || **superar** · **remontar** || **sumir(se) (en)** *El país se sumió en una grave recesión económica* || **entrar (en)** · **salir (de)**
● CON PREPS. **a causa (de)** *A causa de la recesión, tuvimos que recortar los gastos*

receta s.f.

● CON ADJS. **conocida** · **consabida** || **mágica** · **milagrosa** · **magistral** · **ideal** || **infalible** · **segura** · **universal** || **casera** · **tradicional** *dulces elaborados según la receta tradicional* · **familiar** · **clásica** || **original** · **creativa** || **fácil** · **simple** · **elaborada** · **complicada** || **económica** · **de cocina** · **culinaria** · **gastronómica** · **médica** *Este medicamento no se vende sin receta médica* · **de laboratorio**
● CON SUSTS. **libro (de)**
● CON VBOS. **tener éxito** · **salir {bien/mal...}** · **fallar** || **hacer** · **inventar** *Le encanta inventar nuevas recetas de cocina* · **encontrar** · **tener** *No tenemos ninguna receta mágica que resuelva los problemas, pero...* || **dar (a alguien)** · **proponer (a alguien)** · **ofrecer (a alguien)** · **recomendar (a alguien)** · **pasar (a alguien)** || **probar** · **elaborar** · **preparar** || **repetir** || **aplicar** · **seguir** · **utilizar** · **poner en práctica** || **saber** · **olvidar** · **conocer**
● CON PREPS. **con** *Solo se dispensa con receta médica* · **sin**

recetar v.

● CON SUSTS. **medicamento** · **fármaco** · **pastillas** · **jarabe** *El médico me ha recetado un jarabe para la tos* · **medicina** || **sustancia** || **descanso** · **vacaciones**

recetario s.m.

● CON ADJS. **de cocina** · **gastronómico** · **culinario** || **amplio** · **extenso** *La página contiene un extenso recetario, con más de mil recetas* · **completo** || **popular** · **tradicional** · **vanguardista** · **moderno** · **clásico**
● CON VBOS. **escribir** · **elaborar** · **recopilar** · **publicar** || **consultar** *Tendré que consultar el recetario porque no recuerdo los ingredientes* || **incluir (en)**

rechazar v.

● CON SUSTS. **propuesta** · **sugerencia** · **oferta** *Le haré una oferta que no podrá rechazar...* · **iniciativa** · **invitación** · **pretensión** || **idea** · **argumento** · **doctrina** · **ideología** · **presupuesto** · **posibilidad** || **petición** · **solicitud** · **encargo** || **pacto** · **plan** · **proyecto** *No deberías rechazar el proyecto antes de pensarlo bien* · **acuerdo** · **medida** || **recurso** · **acusación** · **apelación** || **ayuda** · **apoyo** · **beca** || **violencia** *Rechazamos abiertamente la violencia*
● CON ADVS. **abiertamente** · **expresamente** · **frontalmente** · **abruptamente** · **irrevocablemente** || **firmemente** · **en firme** · **con firmeza** *Rechacé con firmeza su propuesta porque no me interesaba* · **decididamente** · **con decisión** · **con rotundidad** · **rotundamente** · **categóricamente** · **de plano** · **de pleno** · **en redondo** · **sin contemplaciones** · **sin medias tintas** · **sin paliativos** || **en líneas generales** · **por completo** · **punto por punto** · **de lleno** · **por activa y por pasiva** · **sin dudarlo** || **enérgicamente** · **vigorosamente** · **fuertemente** · **terminantemente** *La ministra rechazó terminantemente las acusaciones dirigidas contra el Gobierno* · **olímpicamente** || **por sistema** · **de antemano** *No rechaces la oferta de antemano, piénsatelo un poco* || **equivocadamente** || **cordialmente** · **acremente** · **con cajas destempladas** · **visceralmente** || **repetidamente** · **reiteradamente** || **directamente** · **indirectamente** || **abrumadoramente** *La asamblea rechazó abrumadoramente la proposición* · **clamorosamente** · **fehacientemente** || **oficialmente** · **verbalmente** · **por escrito** · **a mano alzada**

rechazo s.m.

● CON ADJS. **total** · **absoluto** *Las injusticias como esta provocan en nosotros el más absoluto rechazo* · **completo** || **claro** · **hondo** · **profundo** · **inequívoco** || **fuerte** *Sus palabras fueron recibidas con un fuerte rechazo* · **severo** ·

firme · **decidido** · **visceral** · **sentido** · **feroz** · **férreo** · **obstinado** · **tenaz** · **pertinaz** · **contumaz** · **enérgico** · **vehemente** · **vigoroso** · **desmedido** · **violento** || **rotundo** · **contundente** · **concluyente** · **terminante** · **tajante** · **taxativo** · **sin paliativos** · **categórico** · **reiterado** || **frontal** · **radical** || **tibio** · **moderado** · **diplomático** · **testimonial** || **físico** · **instintivo** · **psicológico** || **unánime** · **masivo** · **multitudinario** · **abrumador** · **clamoroso** || **popular** · **social** · **general** · **colectivo** *Las últimas medidas del Gobierno provocaron un gran rechazo colectivo* || **cardíaco**

● CON SUSTS. **actitud (de)** || **manifestación (de)** · **expresión (de)** · **demostración (de)** · **muestra (de)** · **señal (de)** *Las críticas son algo más que una señal de rechazo a la decisión tomada por la junta* · **síntoma (de)** || **medicación (contra)** · **prevención (de)**

● CON VBOS. **sentir** · **sufrir** · **experimentar** || **traer como consecuencia** · **causar** · **provocar** · **despertar** · **inspirar** · **suscitar** · **concitar** · **acarrear** || **exteriorizar** · **manifestar** · **poner de manifiesto** · **expresar** · **hacer constar** || **vencer** · **superar** *Superó el rechazo de sus compañeros y acabó ganándose su afecto* · **conjurar** || **tropezar(se) (con)** · **encontrar(se) (con)**

● CON PREPS. **en señal (de)**

rechinar v.

● CON SUSTS. **dientes** *Un terrible ruido que hacía rechinar los dientes* || **pestillo** · **gozne** · **cadena** · **puerta** · **rueda** || **acento** · **dicción** · **expresión** · **palabra** *una brillante traducción, en la que solo desentonan algunas palabras que rechinan un tanto al oído* · **voz** · **eco** · **tono** || **organización** · **estructura** · **tinglado**

[rechupete] → de rechupete

recibimiento s.m.

● CON ADJS. **acogedor** · **afectuoso** · **cariñoso** · **cordial** · **cortés** · **cálido** · **caluroso** · **amistoso** · **emotivo** *Le tributaron un emotivo recibimiento* || **efusivo** · **clamoroso** · **grandioso** · **esplendoroso** · **espectacular** · **apoteósico** · **multitudinario** · **abrumador** || **tibio** · **frío** · **seco** · **glacial** · **gélido** · **hostil** · **diplomático** || **triunfal** || **solemne** · **oficial** *El recibimiento oficial de los embajadores tendrá lugar en el palacio de la presidencia* || **merecido**

● CON SUSTS. **ceremonia (de)** · **acto (de)** · **fiesta (de)** · **desfile (de)** · **comida (de)** · **espectáculo (de)** || **comitiva (de)** · **comité (de)**

● CON VBOS. **producir(se)** · **tener lugar** · **celebrarse** || **tener** *He tenido un recibimiento muy cordial en el nuevo trabajo* || **hacer (a alguien)** · **dar (a alguien)** · **ofrecer (a alguien)** · **dispensar (a alguien)** · **tributar (a alguien)**

recibir v.

● CON ADVS. **favorablemente** *recibir favorablemente una propuesta* · **de buen grado** || **afectuosamente** · **atentamente** · **cordialmente** *Recibe cordialmente mi más sincera felicitación* · **efusivamente** · **calurosamente** · **con los brazos abiertos** · **con alborozo** · **con alegría** || **con cortesía** · **cortésmente** *Me recibió cortésmente en su casa* || **fríamente** · **gélidamente** · **secamente** · **con hostilidad** · **con cajas destempladas** || **con cautela** · **con reservas** || **con interés** · **con inquietud** · **con preocupación** *Recibí con preocupación la noticia de tu enfermedad* || **a cambio** *...y sin recibir nada a cambio* · **como contrapartida** · **en compensación** · **en recompensa** || **de primera mano** || **con honor** · **en triunfo** || **en depósito** · **a domicilio** · **en persona** · **por correo** · **por correo electrónico** *Recibí el impreso de solicitud por correo electrónico*

recibo s.m.

● CON ADJS. **correspondiente** *Pagué el recibo correspondiente al mes de abril* || **original** · **falso** · **acreditativo** · **fehaciente** || **detallado** · **desmenuzado** · **desglosado** · **pormenorizado** || **mensual** *un recibo mensual de teléfono* · **anual** || **atrasado** || **actualizado** · **al día** *tener todos los recibos al día* || **por importe (de algo)** *Tengo un recibo por importe de 100 euros*

● CON SUSTS. **acuse (de)** || **duplicado (de)** *Necesito un duplicado del recibo de la luz*

● CON VBOS. **pedir** · **exigir** · **reclamar** || **emitir** · **expedir** · **extender** *La empresa extendió el recibo correspondiente a la compra* || **obtener** · **presentar** · **guardar** · **devolver** || **pagar** · **abonar** · **cobrar** · **domiciliar** *Domicilié en el banco los recibos del servicio de comedor del colegio* || **acusar** *acusar recibo de un correo electrónico* || **cumplimentar** · **firmar** · **autentificar** · **compulsar**

□ EXPRESIONES **no ser** (algo) **de recibo** [ser inaceptable] *col.*

reciclaje s.m.

● CON ADJS. **profesional** · **laboral** · **doméstico** · **ecológico** || **continuo** · **permanente** · **periódico**

● CON SUSTS. **planta (de)** · **depósito (de)** · **contenedor (de)** · **máquina (de)** · **centro (de)** · **fábrica (de)** · **industria (de)** · **sector (de)** || **técnica (de)** · **curso (de)** *La semana próxima asistiremos a un curso de reciclaje profesional* || **plan (de)** · **programa (de)** · **campaña (de)** *una nueva campaña de reciclaje de basura* || **proceso (de)** · **período (de)** || **material (de)** || **papelera (de)** *De vez en cuando conviene eliminar los archivos de la papelera de reciclaje*

● CON VBOS. **contribuir (a)** · **colaborar (en)** || **dedicarse (a)** · **ocuparse (de)** || **recurrir (a)**

reciclar v.

● CON SUSTS. **papel** · **vidrio** · **plástico** · **recipiente** · **pila** · **batería** · **chatarra** · **material** · **ruedas** · **neumáticos** · **combustible** || **residuos** *En la actualidad se reciclan todo tipo de residuos* · **desperdicios** · **desechos** · **basura** || **medicamentos** · **armas** || **dinero** || **conocimiento** · **destreza** || **profesores** *Cursos intensivos para reciclar profesores de Enseñanza Secundaria* · **policías** · **políticos** · **músicos** · ***otros profesionales***

● CON ADVS. **continuamente** · **periódicamente** · **constantemente** · **permanentemente** || **apresuradamente** · **rápidamente** || **debidamente** · **convenientemente** || **profesionalmente** · **mentalmente** · **políticamente**

□ USO Se construye generalmente con sustantivos no contables en singular (*reciclar vidrio*) o con contables en plural (*reciclar neumáticos*).

recién adv.

● CON ADJS. **nacido,da** · **casado,da** *una pareja de recién casados* · **parido,da** || **llegado,da** · **salido,da** || **estrenado,da** · **inaugurado,da** · **comprado,da** *un coche recién comprado* || **pintado,da** · **cocinado,da** · **hecho,cha** *pan recién hecho* · **construido,da** || **terminado,da** · **preparado,da** · **publicado,da**

reciente adj.

● CON SUSTS. **hecho** *Es un hecho muy reciente que no se puede olvidar todavía* · **suceso** · **caso** · **acontecimiento** || **historia** · **pasado** || **predecesor** · **antepasado** || **descubrimiento** · **hallazgo** · **aparición** · **creación** · **adquisición** || **llegada** · **visita** · **reunión** · **viaje** *El libro lo compré en un viaje reciente* · **gira** || **campaña** · **ataque** · **enfrentamiento** || **entrevista** · **declaración** · **artículo** · **estudio** · **encuesta** · **anuncio** · **informe** · **investigación** *Una investigación reciente demuestra que...* · **libro** · **periódico** · **no-**

vela · obra · trabajo || acuerdo · ley · aprobación · reforma || versión · edición · producción · publicación || fecha *Este trabajo es de fecha muy reciente* · día || pan || pintura

recio, cia adj.

• CON SUSTS. ***persona*** || musculatura *...exhibiendo su recia musculatura por las playas de moda* · voz · torso · complexión · rostro · cuerpo || porte · tamaño || personalidad · actitud · espíritu · carácter · perfil · estilo || abolengo || árbol · tronco || edificio · columna · arquitectura || tormenta · temporal *Se hallaban en medio de un recio temporal* || carga || defensa · ataque || disciplina || sabor · aroma

recíproco, ca adj.

• CON SUSTS. confianza · respeto *Nuestro respeto y admiración son recíprocos* · comprensión · entendimiento · reconocimiento · sentimiento · admiración · simpatía · amistad · atracción · amor || protección · asistencia · apoyo *actividades para fomentar el apoyo recíproco y la colaboración entre las organizaciones* · colaboración · participación · compromiso · lealtad · garantía · beneficio · intercambio · influencia || interés · atención · entusiasmo · aceptación · comunicación || acusación *Hubo acusaciones recíprocas de irregularidades en las elecciones* · reproche · recriminación · insulto || felicitación · disculpa · concesión || desconfianza · antipatía · enemistad · agresión · destrucción · desencanto · celos · aborrecimiento · odio || gesto · actitud · voluntad || relación

recitar v.

• CON SUSTS. poesía · poema · verso *su exquisita manera de recitar los versos* || discurso · lección · consigna · tema · texto · papel · tabla (de multiplicar)

• CON ADVS. íntegramente · al pie de la letra · de pe a pa *Me lo sabía muy bien y recité el texto de pe a pa* || de un tirón · de corrido · de carrerilla · sin interrupción || de memoria || a coro *Los alumnos recitaban a coro la lección* || limpiamente · sin equivocar(se) · sin trabucar(se) || teatralmente || monocordemente · cansinamente

reclamación s.f.

• CON ADJS. firme · enérgica · vehemente · obstinada · persistente · reiterada · contundente · tajante · taxativa || general · extendida *Una reclamación muy extendida entre los usuarios de internet es...* || argumentada · fundada · fundamentada · legítima · justificada *Considero que mi reclamación está perfectamente justificada* || injustificada · infundada || infructuosa · inútil || unánime · popular || oficial · legal || inapelable || testimonial

• CON SUSTS. avalancha (de) · lluvia (de) · oleada (de) · alud (de) || hoja (de) · libro (de) *Este establecimiento dispone de libro de reclamaciones* · impreso (de) || motivo (de)

• CON VBOS. seguir su curso *La reclamación sigue su curso sin incidentes* · prosperar || tener éxito · caer en saco roto || hacer · presentar · poner · interponer *La asociación de consumidores denunció las dificultades para interponer reclamaciones* · exponer · plantear · formular || tramitar *Se exige más rapidez a la Administración para tramitar las reclamaciones* · canalizar · cursar || secundar · suscribir || asumir || denegar · rechazar · desestimar

reclamar v.

• CON SUSTS. ayuda · apoyo · asistencia · cuidado · atención *Los celos son la forma con la que algunos niños reclaman la atención de sus padres* · interés · respeto || justicia · igualdad || deuda · pago · indemnización *Reclamé a la compañía de seguros una indemnización* || herencia · premio · prima || puesto · presidencia · soberanía || solución *Los ciudadanos reclaman soluciones para...* · mejora · medida || servicios || derecho (a) *Si lo considera oportuno, usted tiene derecho a reclamar* · posibilidad (de) · opción (de)

• CON ADVS. con firmeza · enérgicamente · encarecidamente || acaloradamente *La multitud reclamaba acaloradamente que se hiciera justicia* · clamorosamente · a coro · a gritos · a voces · a voz en grito || incansablemente · una y otra vez · insistentemente · reiteradamente · machaconamente · por activa y por pasiva · largamente · a ultranza · decididamente · sin ambages || en balde · inútilmente || documentalmente || con (toda) justicia · en justicia

reclinar v.

• CON SUSTS. sillón *Puedes reclinar completamente el sillón hacia atrás* · silla · asiento · butaca · respaldo || cabeza · cuello

• CON ADVS. suavemente *Reclinó suavemente la cabeza en su hombro y se quedó dormido* · levemente · ligeramente || del todo · completamente || hacia atrás

recluso, sa

1 recluso, sa adj.

• CON SUSTS. población *La mayor parte de la población reclusa*

2 recluso, sa s.

• CON ADJS. común || preventivo,va · condenado,da · en {segundo/tercer} grado || díscolo,la · subversivo,va || fugado,da · peligroso,sa *Un peligroso recluso se había fugado de...*

• CON SUSTS. modelo *Durante su estancia en la cárcel fue un recluso modelo* || número (de) · grupo (de) · colectivo (de) || celda (de) · módulo (de) · pabellón (de) || situación (de) · comportamiento (de) || visita (a)

• CON VBOS. fugarse · escapar · huir · evadirse · abandonar (la prisión) · salir (de prisión) || ingresar · entrar (en prisión) || amotinarse || encarcelar · encerrar · aislar · recluir || dejar/poner en libertad · liberar · soltar || procesar · condenar · amnistiar · indultar || trasladar *Trasladan a una reclusa herida al hospital* · llevar · conducir · agrupar · confinar · separar · dispersar || interrogar · visitar

reclutar v.

• CON SUSTS. hombres · mujeres · jóvenes || mercenarios,rias · soldados · voluntarios,rias *Una buena fórmula para reclutar voluntarios sería...* · jugadores,ras || fieles · adeptos,tas · militantes || agentes · candidatos,tas · miembros || tropa · personal · gente || ***otros individuos o grupos humanos***

• CON ADVS. a la fuerza || en masa

□ USO Se construye generalmente con sustantivos no contables en singular (*reclutar gente*) o con contables en plural (*reclutar fieles*).

[recobrar] → recobrar; recobrarse (de)

recobrar v.

• CON SUSTS. paz · calma *Después de la terrible tormenta, la ciudad recobró la calma* · tranquilidad · normalidad · libertad · serenidad || confianza *Parece que los inversores recobran la confianza* · alegría · esperanza · ilusión · iniciativa || fuerza · energía · vitalidad · deseo · impulso · aliento || vida · tiempo *Intentemos recobrar el tiempo perdido* || conciencia · razón · sentido · conocimiento ||

dignidad · credibilidad *Será difícil, señor ministro, que recobre usted la credibilidad que ha perdido ante los ciudadanos de este país* · **esplendor || memoria · recuerdo || forma · imagen · tono || papel · posición · prestigio · protagonismo || actualidad · vigencia · vigor · supremacía || interés · ritmo · altura || titularidad · lugar · terreno**
●CON ADVS. **de golpe · de repente** *Recobró la memoria de repente* · **súbitamente · rápidamente || poco a poco · paulatinamente · gradualmente**

recobrarse (de) v.

●CON SUSTS. **gripe · catarro · bronquitis** *Todavía no ha logrado recobrarse de la bronquitis* · **depresión · pulmonía ·** ***otras enfermedades*** **|| lesión · herida · dolor · cansancio · debilidad · secuela || desmayo · desfallecimiento · desánimo · desaliento || pérdida · accidente** *Aunque intentara ocultarlo, le costó mucho recobrarse del accidente* · **caída · naufragio || guerra · golpe · crisis || susto · miedo**

recolección s.f.

●CON ADJS. **temprana · tardía || manual · mecánica || masiva · indiscriminada || anual · mensual**
●CON SUSTS. **tarea (de) · labor (de) · trabajo (de) || servicio (de) · campaña (de) || época (de) · período (de) · temporada (de)** *El otoño es la temporada de recolección de setas* **|| centro (de) · lugar (de) · sistema (de)**
●CON VBOS. **llegar · empezar · iniciar || trabajar (en) · estar (en) · participar (en)**

recolectar v.

●CON SUSTS. **uva · aceituna · frutos** *recolectar los frutos maduros* · **setas · plantas · flores || documentación · datos · información · pruebas · material || artículos · poemas · cuentos || dinero · fondos · donativos · premios · firmas** *Se necesitan voluntarios para recolectar firmas para la campaña* · **votos || basura · residuos**

□USO Se construye generalmente con sustantivos no contables en singular (*recolectar dinero*) o con contables en plural (*recolectar donativos*).

recomendación s.f.

▌[consejo]

●CON ADJS. **seria** *Su padre le hizo una seria recomendación antes del viaje* · **viva · enérgica · urgente · encarecida · reiterada · constante || atenta · amable · amistosa · cordial · cariñosa || prudente · sabia · constructiva · atinada · acertada · útil** *Me resultó muy útil tu recomendación de que comprara los billetes de avión con tiempo* · **valiosa || inútil · ociosa || infalible || adicional**
●CON SUSTS. **serie (de) · conjunto (de) · lista (de) · decálogo (de) · catálogo (de) · manual (de) · guía (de)**
●CON VBOS. **caer en saco roto** *A veces tengo la impresión de que mis recomendaciones caen en saco roto* **|| hacer (a alguien) · dar (a alguien) · formular · transmitir || pedir || aceptar · seguir · escuchar · atender · obedecer || desoír · desatender · desobedecer · pasar por alto · ignorar || interpretar || atenerse (a) · hacer caso (a/de)** *No hagas caso a esa recomendación, no tiene mucho sentido*

▌[trato de favor]

●CON ADJS. **elogiosa** *Mi antiguo jefe redactó una recomendación muy elogiosa para mi nuevo trabajo*
●CON SUSTS. **carta (de)**
●CON PREPS. **por** *conseguir un trabajo por recomendación*

recomendar v.

▌[aconsejar]

●CON ADVS. **seriamente · vivamente · enérgicamente || atentamente · amablemente · cordialmente · cariñosamente · efusivamente || prudentemente · sabiamente · acertadamente || encarecidamente** *Les recomiendo encarecidamente este libro* · **reiteradamente** *El médico me ha recomendado reiteradamente que haga un poco de ejercicio* · **machaconamente || desinteresadamente**

recompensa s.f.

●CON ADJS. **gran(de) · elevada** *Ofrecieron una elevada recompensa a quien comunicara el paradero del familiar desaparecido* · **generosa · espléndida · jugosa · suculenta · sustanciosa · cuantiosa · abultada · pingüe || merecida · justa || injusta · inmerecida || exigua · insuficiente · raquítica · ridícula · pírrica**
●CON SUSTS. **cazador,-a (de)** *Es un cazador profesional de recompensas*
●CON VBOS. **adjudicar · conceder** *Le concedieron una sustanciosa recompensa en pago a sus servicios* · **otorgar · pagar || fijar · establecer || tener · recibir · ganar · cobrar · embolsar · obtener · conseguir || merecer || pedir · denegar || dar (en)** *Si haces eso por mí tendré que darte algo en recompensa* · **ofrecer (en) || obtener (en/como)**
●CON PREPS. **a título (de) · en · como**

recomponer v.

●CON SUSTS. **aparato · construcción · reloj · maquinaria || ruinas · puzle · rompecabezas · piezas · fragmentos || situación · proceso · hechos** *La investigación permitió recomponer parcialmente los hechos* · **escena · escenario || historia · pasado || política · economía · sociedad || unidad · equilibrio || consenso · pacto · acuerdo || gobierno · partido · alianza · coalición · equipo · banda || líneas · esquema · estrategia || familia · hogar || país · mundo · región || relación · vínculo · diálogo || imagen · figura · vida**
●CON ADVS. **enteramente** *No va a ser fácil recomponer enteramente el rompecabezas* · **completamente · del todo · parcialmente || perfectamente || rápidamente · progresivamente · paulatinamente || cuidadosamente · pacientemente**

reconcomer (a alguien) v.

●CON SUSTS. **envidia** *La envidia la tenía completamente reconcomida* · **celos · tirria · odio · rabia · rencor || mala conciencia · sentimiento de culpa || verdad** *La verdad reconcome siempre a quien intenta ocultarla* · **certeza || impaciencia · gana · curiosidad · duda · intriga · incertidumbre · sensación || asunto · cuestión · problema · pregunta · idea · pensamiento**
●CON ADVS. **por dentro · profundamente · interiormente || poco a poco · lentamente**

□USO Alterna los sujetos (*La envidia los reconcome*) con los complementos encabezados por las preposiciones *de* y *por* (*Se reconcomen de envidia*).

recóndito, ta adj.

●CON SUSTS. **zona · paraje · rincón · pueblo** *Huyó a un pueblo recóndito para que nadie lo encontrara* · **aldea · ciudad · calle ·** ***otros lugares*** **|| olvido · recuerdo · emoción · sentimiento || secreto · pensamiento** *No sé bien qué guardará en sus pensamientos más recónditos* · **razón · idea**
●CON ADVS. **extraordinariamente · enormemente || increíblemente · sorprendentemente**

reconfortante adj.

• CON SUSTS. **palabra** *Dirigió a los soldados unas reconfortantes palabras de ánimo* · **mensaje** · **noticia** · **historia** || **gesto** || **presencia** || **sensación** · **situación** · **suceso** || **baño** · **ducha** · **calor** || **bebida** · **comida** · **refrigerio** · **aperitivo** || **ejercicio** · **trabajo** · **actividad** || **viaje** · **masaje** · **descanso** *Después de un reconfortante descanso, continuamos con la excursión* || **ambiente** · **atmósfera**

• CON ADVS. **tremendamente** · **extraordinariamente** · **totalmente** || **extrañamente** || **igualmente** || **aparentemente** || **mínimamente**

reconocer v.

▮ [distinguir, diferenciar]

• CON SUSTS. ***persona*** *No reconoció a su hija* || **rostro** · **gesto** *Reconoció en seguida el gesto que hacía con las cejas* · **semblante** · **mirada** || **carácter** · **talante** · **índole** · **modo de ser** || **síntoma** *La doctora supo reconocer perfectamente los síntomas de la enfermedad*

• CON ADVS. **a la legua** *Se reconoce a la legua el personaje descrito* · **a la primera** · **al vuelo** || **claramente** · **sin problemas** · **perfectamente** · **sin lugar a dudas**

▮ [admitir, aceptar]

• CON SUSTS. **falta** · **fallo** · **error** · **defecto** · **limitación** · **culpa** · **responsabilidad** *...quien reconoció abiertamente su responsabilidad en el fallo técnico* · **delito** || **contribución** *Todos reconocieron positivamente su contribución en el proyecto* · **participación** || **éxito** · **triunfo** · **victoria** · **fracaso** || **mérito** · **valor** · **valía** · **genio** · **virtud** || **importancia** · **relevancia** || **esfuerzo** · **logro** · **trabajo** || **verdad** · **realidad** · **hechos** *¿Reconoce el acusado los hechos?*

• CON ADVS. **abiertamente** *Nunca reconocerá abiertamente que él fue el culpable* · **con franqueza** · **sinceramente** || **claramente** · **a las claras** || **expresamente** · **manifiestamente** || **de antemano** || **de plano** · **de pleno** · **sin reservas** · **sin tapujos** *Reconoció sin tapujos su culpa* · **sin lugar a dudas** · **sin ambages** · **sin cortapisas** || **a medias** · **parcialmente** · **entre líneas** · **con matices** · **por lo bajo** || **a duras penas** · **a regañadientes** || **generosamente** · **humildemente** || **universalmente** · **internacionalmente** || **documentalmente** · **por escrito** · **verbalmente**

reconocido, da adj.

• CON SUSTS. **especialista** *Contrataron a un reconocido especialista en derecho laboral* · **artista** · **político,ca** · **escritor,-a** · **autor,-a** · ***otros individuos*** || **valor** · **prestigio** *un profesional de reconocido prestigio* · **fama** || **capacidad** · **mérito** · **maestría** · **habilidad** · **talento** || **trayectoria** *Es una empresaria de dilatada y reconocida trayectoria* · **experiencia** · **labor** · **biografía** || **derecho** · **independencia**

• CON ADVS. **unánimemente** · **plenamente** || **oficialmente** *Para el cargo exigen título expedido por una universidad oficialmente reconocida* · **públicamente** || **suficientemente** · **escasamente** || **internacionalmente** · **mundialmente** · **universalmente** · **históricamente** || **tardíamente** · **tempranamente** · **recientemente**

[reconocimiento] →en reconocimiento (de/a); reconocimiento

reconocimiento s.m.

▮ [agradecimiento, estimación]

• CON ADJS. **abierto** · **vivo** · **amplio** · **unánime** · **universal** · **multitudinario** · **público** *Su gestión al frente de la banca nacional cuenta con el reconocimiento público* · **internacional** · **absoluto** || **franco** · **sentido** · **sincero** *Lo logramos gracias a ustedes, que cuentan con nuestro sincero reconocimiento* || **de** {**mi/tu/su...**} **mérito** · **merecido** · **legítimo** · **inmerecido** || **oficial** || **digno,na (de)** · **merecedor,-a (de)** *Su labor, difícil pero eficaz, la hizo merecedora de un reconocimiento unánime* · **acreedor,-a (de)** || **ávido,da (de)**

• CON SUSTS. **muestra (de)** · **prueba (de)** · **señal (de)** || **testimonio (de)**

• CON VBOS. **lograr** · **obtener** · **adquirir** *El escritor manifestó su sorpresa por el reconocimiento que había adquirido su novela* · **conquistar** · **cosechar** || **merecer** || **otorgar** · **rendir** · **testimoniar** · **tributar** || **expresar** · **hacer público** · **manifestar** · **mostrar** · **poner de manifiesto** *Con esta estatuilla la Academia puso de manifiesto el reconocimiento al valor testimonial de la película* · **ostentar** || **regatear** || **gozar (de)**

• CON PREPS. **en señal (de)**

▮ [revisión, observación]

• CON ADJS. **completo** · **a fondo** · **exhaustivo** *efectuar un reconocimiento exhaustivo de la zona* || **somero** · **superficial** || **médico** · **policial** || **mensual** · **periódico**

• CON VBOS. **practicar** · **hacer** · **efectuar** || **pasar** *Tengo que pasar un reconocimiento médico antes de salir de viaje* || **someter(se) (a)**

reconquistar v.

• CON SUSTS. **novio,via** · **cliente** · **público** · ***otros individuos y grupos humanos*** || **amor** · **confianza** *Se había propuesto reconquistar su confianza, costara lo que costara* || **libertad** · **paz** · **estabilidad** || **poder** · **prestigio** · **título** · **corona** || **lugar** · **puesto** *Con mucho esfuerzo consiguió reconquistar el puesto que se merecía en la empresa* · **cargo** || **país** · **territorio** · **terreno** · **tierra** || **mercado**

• CON ADVS. **totalmente** · **por completo** · **palmo a palmo** || **parcialmente** || **finalmente**

reconsiderar v.

• CON SUSTS. **situación** *Reconsideraremos la situación a la luz de los nuevos datos* · **asunto** || **diagnóstico** · **fallo** · **decisión** || **postura** · **actitud** · **intención** · **opinión** || **negativa** · **renuncia** · **dimisión** *Se negó a reconsiderar su dimisión* · **apoyo** · **participación** · **castigo** || **política** · **estrategia** · **papel** · **plan** · **propuesta**

• CON ADVS. **detenidamente** *Le pedimos que reconsiderara detenidamente nuestra propuesta* · **detalladamente** · **concienzudamente** || **rápidamente** · **por encima** || **a la luz (de algo)** · **a la vista (de algo)**

reconstituyente

1 **reconstituyente** adj.

• CON SUSTS. **producto** || **bebida** *Dieron a los corredores una bebida reconstituyente después de la carrera* · **tónico** · **loción** · **líquido** · **aceite** · **solución** · **inyección** · **fórmula**

2 **reconstituyente** s.m.

• CON ADJS. **natural** || **energético** || **eficaz** · **potente** · **fuerte**

• CON SUSTS. **consumo (de)** || **suministro (de)** || **función (de)**

• CON VBOS. **necesitar** · **precisar** · **pedir** || **tomar** *Después de correr la maratón hay que tomar algún reconstituyente* · **beber** · **ingerir** || **dar** · **administrar** · **suministrar** || **recetar** *El médico le recetó un reconstituyente para combatir la anemia* · **mandar**

reconstruir v.

• CON SUSTS. **edificación** · **edificio** *El Ayuntamiento ha diseñado un plan para reconstruir edificios del casco histórico* · **casa** · **fachada** · **muro** · **iglesia** · **castillo** · **estructura** || **lugar** · **país** · **territorio** · **mundo** · **ciudad** ·

poblado · aldea · zona *Están llegando las primeras ayudas para que se reconstruya la zona devastada por el huracán* || **narración · descripción · novela · película** || **economía · sistema · democracia · política** || **imagen · físico** || **acontecimiento · acto · historia** *La Policía tardó varios días en reconstruir la historia* · **hechos · época · etapa** || **catástrofe · visita · batalla ·** ***otros sucesos*** || **pasado · vida · recuerdo · memoria** || **pasos · camino**

● CON ADVS. **totalmente · por completo · en sus menores detalles · al detalle · punto por punto** *Hizo un esfuerzo por reconstruir sus palabras punto por punto* · **minuto a minuto · día a día · paso a paso** || **parcialmente** || **de memoria** || **desde el principio · desde sus cimientos · desde cero** || **{con/sin} esfuerzo · dificultosamente · esforzadamente**

reconversión s.f.

● CON ADJS. **profunda · dura · traumática** || **global · integral · total** || **parcial · incompleta** || **lenta · progresiva** || **siderúrgica · naval · industrial · tecnológica · agrícola** || **laboral · profesional**

● CON SUSTS. **plan (de)** *Las obras se enmarcan en el plan nacional de reconversión naval* · **programa (de) · propuesta (de)** || **proceso (de)** || **período (de) · etapa (de) · época (de)**

● CON VBOS. **realizar · acometer · generar · promover · impulsar** || **necesitar** *Para ser competitiva, esta industria necesita una reconversión global* || **acordar · negociar** || **sufrir · superar** || **financiar** || **someter(se) (a)**

recopilar v.

● CON SUSTS. **datos · información · documentación** *No es necesario recopilar más documentación* · **material · bibliografía** || **catálogo · conjunto · archivo · antología · índice** || **canciones** *recopilar las canciones de una época* · **textos · temas · trabajo · testimonios**

● CON ADVS. **cuidadosamente · meticulosamente · pacientemente**

☐ USO Se construye generalmente con sustantivos no contables en singular (*recopilar información*) o con contables en plural (*recopilar datos*).

récord s.m.

● CON ADJS. **flamante · exclusivo · fulgurante · sin precedentes · inigualable · inusitado** *La película obtuvo un récord inusitado de taquilla* || **imbatible · inalcanzable · asequible** || **meritorio** || **vigente** || **mundial · nacional** || **económico · político · deportivo · olímpico** *La nadadora australiana ostenta el nuevo récord olímpico en los cien metros espalda*

● CON SUSTS. **libro (de)** *Una prueba con la que entró en el libro de los récords*

● CON VBOS. **tener en {mi/tu/su...} haber · ostentar · conseguir · alcanzar · obtener · lograr · cosechar · anotarse · arrebatar (a alguien)** || **establecer** || **batir** *¿Quieres batir algún récord andando tan deprisa?* · **sobrepasar · rebasar · superar · pulverizar** || **acariciar · rozar** *El atleta ha rozado el récord mundial en el último campeonato* · **arañar** || **invalidar** || **homologar** || **acercar(se) (a) · aspirar (a)**

recordar v.

● CON ADVS. **vivamente** *Recordó vivamente ante el público los méritos del actor* · **poderosamente** || **largamente · extensamente · eternamente · para siempre** *Recordaré para siempre lo que hiciste por mí* || **a bote pronto** || **con claridad · con nitidez** *Recuerdo con nitidez algunos sucesos de mi infancia* · **nítidamente · con precisión** || **con detalle · detalladamente · con todo lujo de detalles** || **al pie de la letra · de memoria · de carrerilla** || **con dificultad** *Comenzó a recordar con dificultad lo que había sucedido antes del accidente* · **a duras penas · a cámara lenta · a medias · vagamente · remotamente · borrosamente** || **fugazmente · brevemente · de pasada** || **insistentemente** *Mi madre me recordaba insistentemente que...* · **machaconamente** || **gratamente · emocionadamente · con emoción · con cariño** *Recuerdo con mucho cariño los años que pasé en esa ciudad* · **en {mi/tu/su...} corazón · en mucho · sentidamente**

● CON VBOS. **invitar (a)** *Os invito a recordar conmigo aquellos años de...*

recorrido s.m.

● CON ADJS. **extenso · largo · exhaustivo · minucioso · detenido · parsimonioso** || **corto · breve · pequeño · somero** || **principal · oficial · tradicional** || **abrupto · accidentado · apretado · tortuoso** *...en el que lleva a cabo un tortuoso recorrido por sus traumas de otros tiempos* · **retorcido · sinuoso · discontinuo · prolijo** || **intransitable · impracticable** || **llano · recto · lineal** || **turístico** || **de ida y vuelta** *Hicimos el recorrido de ida y vuelta en muy poco tiempo* || **profesional** *su recorrido profesional como tenista*

● CON SUSTS. **tiempo (de) · cambio (de)** || **kilómetros (de) · distancia (de)** || **mapa (de)**

● CON VBOS. **discurrir** *El recorrido discurre por fértiles vegas* || **hacer · trazar · iniciar · interrumpir · seguir · proseguir · culminar · terminar** || **alterar · modificar** *La organización de la carrera ciclista tiene intención de modificar el recorrido* · **acortar · alargar · desviar** || **allanar · despejar · obstaculizar** || **jalonar** *Plazas, puentes, monumentos y magníficas vistas jalonan el recorrido a lo largo de unos veinte kilómetros*

● CON PREPS. **durante** *Disfrutamos mucho durante todo el recorrido* · **a lo largo (de) · {en/a} mitad (de) · al final (de) · en**

recortar v.

● CON SUSTS. **altura · anchura · longitud · extensión** || **plazo · tiempo · período** || **distancia · diferencia** || **precio · dinero · cuota · tasa** *Este año han recortado las tasas de matrícula en la universidad* · **asignación · partida · presupuesto** || **cantidad · cuantía · sueldo · nómina · emolumento · pensión · salario** || **ayuda · subvención · beca** || **gasto · coste** || **beneficio · ganancia · pérdida · déficit** *El Gobierno tomó medidas para recortar el déficit público* · **deuda** || **servicio · horario** || **derecho**

● CON ADVS. **fuertemente · drásticamente · severamente · notablemente · considerablemente** *La deuda creciente hizo inevitable que se recortaran considerablemente los gastos de representación* · **apreciablemente · sustancialmente · ostensiblemente · significativamente** || **gradualmente · progresivamente** || **ligeramente · levemente · tímidamente**

recorte s.m.

● CON ADJS. **fuerte** *Los trabajadores protestan por el fuerte recorte salarial* · **elevado · drástico · severo · acusado · apreciable · significativo** || **ligero · leve · insignificante · inapreciable** || **gradual · progresivo** || **económico · presupuestario** *...intentando evitar el inminente recorte presupuestario en sanidad* · **salarial · social · laboral** || **de plantilla · de personal**

● CON SUSTS. **medida (de) · política (de) · plan (de) · proceso (de) · propuesta (de) · programa (de)** || **expectativa (de) · precisión (de)** || **serie (de) · conjunto (de)**

● CON VBOS. **sufrir · experimentar · acusar** || **causar · provocar** *La situación provocó un recorte de los tipos de interés* · **acarrear · entrañar** || **imponer · aplicar**

recostar(se) v.

• CON SUSTS. **cabeza** *...recostando la cabeza sobre los hombros de su madre* · **cuerpo** || ***persona*** *La pequeña se recostó en un sillón y se quedó dormida*
• CON ADVS. **completamente** · **totalmente** || **levemente** · **ligeramente** · **suavemente** · **con desmayo** || **cómodamente** · **tranquilamente** · **relajadamente** · **plácidamente** · **placenteramente**

recrear v.

• CON ADVS. **fielmente** · **con fidelidad** || **fidedignamente** · **convincentemente** *una novela que recrea convincentemente el reinado de los Reyes Católicos* || **literalmente** · **al pie de la letra** || **al detalle** · **detalladamente** · **minuciosamente** *El dibujo recrea minuciosamente la vida en un castillo medieval* · **exhaustivamente** · **brillantemente**

recreativo, va adj.

• CON SUSTS. **máquina** · **instalación** · **juego** *un salón de juegos recreativos* · **actividad** · **ejercicio** · **campamento** || **lectura** · **escritura** || **área** · **espacio** *con espacios recreativos para niños* · **parque** · **zona** · **salón** || **sociedad** · **centro** · **complejo** · **club** · **peña** || **fin** · **objetivo** · **propósito** · **uso** || **programa** · **plan**

recreo s.m.

• CON ADJS. **largo** · **corto** · **breve** *Después de un breve recreo, se reanuda la actividad escolar* || **personal** · **particular** · **privado**
• CON SUSTS. **patio (de)** · **área (de)** *Los vecinos demandan más áreas de recreo en el barrio* · **espacio (de)** · **zona (de)** · **lugar (de)** · **finca (de)** · **sitio (de)** · **sala (de)** · **centro (de)** || **clima (de)** · **ambiente (de)** || **hora (de)** · **tiempo (de)** · **día (de)** · **viaje (de)** || **barco (de)** · **embarcación (de)** · **yate (de)** || **timbre (de)**
• CON VBOS. **tomar(se)** || **salir (a)** *Al oír el timbre, los niños salieron al recreo* · **ir (a)** · **entrar (de)** · **volver (de)**
• CON PREPS. **en** · **durante**

recriminar v.

• CON SUSTS. **alumno,na** · **jugador,-a** *El entrenador recriminó duramente a las jugadoras durante el descanso* · **equipo** · **gobierno** · ***otros individuos y grupos humanos*** || **hecho** · **acción** · **actuación** · **gestión** || **actitud** · **comportamiento** · **proceder** · **postura** · **talante** || **descuido** · **error** · **fallo** · **equivocación** · **defecto** || **ausencia** · **desaparición** · **tardanza** · **retraso**
• CON ADVS. **duramente** · **con dureza** · **severamente** · **con severidad** · **contundentemente** || **afablemente** · **afectuosamente** · **cariñosamente** · **elegantemente** · **suavemente** · **diplomáticamente** || **justamente** *Sé que me recriminas justamente por no haberte llamado* · **injustamente** || **merecidamente** || **verbalmente** · **públicamente** · **por escrito** || **moderadamente** · **ruidosamente** · **airadamente** || **expresamente** · **inmediatamente** || **constantemente** · **continuamente**

recrudecer(se) v.

• CON SUSTS. **guerra** · **enfrentamiento** · **combate** · **batalla** · **conflicto** · **lucha** · **disputa** · **debate** *La nueva ley de educación recrudece el debate sobre la financiación de las universidades* · **polémica** · **tensión** · **oposición** · **choque** · **pelea** · **discrepancia** || **bombardeo** · **ataque** *Estas semanas se han recrudecido los ataques con virus informáticos* · **ofensiva** · **bloqueo** · **matanza** · **represión** · **violencia** · **asesinato** · **agresión** · **delincuencia** · **acoso** · **represalia** · **masacre** || **sanción** · **embargo** · **medida** · **control** · **ley** || **enfermedad** · **epidemia** · **gripe** · **demencia** || **pobreza** *una región en la que se recrudecen cada día que pasa la pobreza y la marginación* · **privación** · **falta** · **escasez** · **penuria** · **injusticia** · **sequía** || **crisis** · **problema** · **caos** · **desastre** · **escándalo** · **fractura** · **división** · **dificultad** || **protesta** *Se recrudece en todo el país la protesta por la subida de impuestos* · **manifestación** · **movilización** · **encierro** · **paro** · **huelga** · **grito** || **crítica** · **amenaza** · **acusación** · **reproche** · **insulto** || **tormenta** · **temporal** *Anuncian que el temporal se recrudecerá durante la noche* · **frío** · **inclemencia** · **ventisca** · **viento** · **invierno**

[recta] s.f. → recto, ta

rectangular adj.

• CON SUSTS. **forma** *El paquete tenía forma rectangular* · **formato** · **estructura** · **base** · **cuerpo** · **figura** · **prisma** · **cubo** || **superficie** · **espacio** · **terreno** · **área** || **cuadro** · **marco** *Para esta foto es mejor un marco rectangular* · **mesa** · **tabla** · **ventana** · **papel** · **pieza** || **planta** · **bloque** · **nave** · **edificio** · **habitación** · **salón** · **sala**
• CON ADVS. **perfectamente** · **claramente** · **aproximadamente** · **prácticamente** || **geográficamente**

rectificación s.f.

• CON ADJS. **inmediata** *El Gobierno reclamó al diputado la inmediata rectificación de sus declaraciones* · **tardía** · **pronta** · **ulterior** · **posterior** || **oportuna** · **adecuada** · **necesaria** || **severa** · **polémica** · **matizada** || **pública** *Los responsables de la revista han hecho una rectificación pública* · **oficial** · **institucional**
• CON SUSTS. **carta (de)** · **escrito (de)** · **nota (de)** *Tuvo que presentar una nota de rectificación para actualizar los datos* · **comunicado (de)** || **demanda (de)** · **pedido (de)** · **solicitud (de)** || **derecho (de)** · **posibilidad (de)**
• CON VBOS. **producir(se)** || **pedir** · **exigir** *...cuando el portavoz de la oposición exigía una rectificación por parte del Gobierno* · **solicitar** · **reclamar** · **demandar** · **recomendar** · **necesitar** · **requerir** || **hacer** · **aplicar** || **publicar** · **anunciar** || **aceptar** · **agradecer** · **rechazar** · **enmendar** || **apoyar** · **favorecer** · **defender** || **esperar**

rectificar v.

• CON SUSTS. **rumbo** · **trayectoria** · **tendencia** · **trayecto** · **tiro** · **camino** · **curso** · **línea** · **movimiento** · **curva** || **declaración** · **afirmación** · **discurso** · **comentario** · **observación** · **mensaje** · **nota** · **escrito** · **carta** · **documento** · **acta** · ***otras manifestaciones verbales o textuales*** || **dato** · **información** · **noticia** *El periodista se ha visto obligado a rectificar la noticia* · **resultado** || **previsión** · **pronóstico** · **expectativa** *Hemos tenido que rectificar nuestras expectativas de ventas por la crisis del sector* || **posición** · **postura** *Ninguno de los dos piensa rectificar su postura* · **punto de vista** · **actitud** · **imagen** · **opinión** · **comportamiento** · **criterio** · **conducta** || **política** · **práctica** · **actuación** · **medida** · **intervención** · **estrategia** || **proyecto** · **plan** · **iniciativa** · **propuesta** *La ministra tuvo que rectificar su propuesta inicial* · **borrador** · **intención** · **voluntad** || **decisión** · **resolución** · **sentencia** · **auto** · **ley** · **código** || **contrato** · **convenio** || **cuenta** · **presupuesto** · **factura** || **error** · **fallo** · **problema** · **desequilibrio** · **equivocación** · **confusión** · **despiste** · **deformación** || **acusación** · **crítica** · **denuncia** · **negativa** · **imputación** · **insulto** · **exabrupto** || **sazonamiento** · **punto de sal**
• CON ADVS. **cabalmente** · **sabiamente** · **humildemente** || **por completo** · **de extremo a extremo** || **públicamente** *Los miembros del partido le piden que rectifique públicamente sus palabras* · **en público** · **abiertamente** · **oficialmente** || **inmediatamente** · **rápidamente** · **apresuradamente**

rectitud s.f.

• CON ADJS. **moral · personal · individual || insobornable · intachable · incuestionable · modélica · extrema || dudosa · discutible || política · fiscal · profesional** *un trabajador que siempre ha mostrado una intachable rectitud profesional* · **familiar || humana**

• CON SUSTS. **criterio (de) · sentido (de) || ejemplo (de)** *Su padre fue un ejemplo de rectitud y honestidad* · **ejercicio (de) · signo (de) · lección (de) || ausencia (de) · carencia (de) · falta (de)**

• CON VBOS. **tener || demostrar · mostrar || garantizar || defender · cuestionar || confiar (en) · dudar (de) || actuar (con)** *Como político, siempre actuó con rectitud y transparencia* · **vivir (con) · obrar (con)**

recto, ta

1 **recto, ta** adj.

• CON SUSTS. **línea · ángulo || camino** *¿Cuál es el camino más recto para llegara al centro?* · **vía · trayectoria · tramo || sentido** *¿Lo dices en sentido recto o figuradamente?* **|| persona** *un juez recto, cabal y absolutamente objetivo* **|| actitud · actuación** *Su actuación fue absolutamente recta; nada se le puede reprochar* · **comportamiento · proceder || carácter · talante**

• CON ADVS. **absolutamente · totalmente · extraordinariamente || moralmente**

• CON VBOS. **poner(se) · mantener(se) || seguir · caminar · andar**

2 **recta** s.f.

• CON ADJS. **larga · pequeña · buena · gran(de) || paralela · convergente || final** *¡Ánimo, que estamos ya en la recta final!*

• CON VBOS. **cruzarse** *Dos rectas se cruzan en un punto* · **converger || desviarse || dibujar · esbozar · trazar · delinear || enfilar · tomar**

recuerdo s.m.

• CON ADJS. **vivo · vívido · intenso · profundo · nítido · claro · fidedigno || impreciso · confuso · vago** *A pesar de que yo era muy pequeña, guardo todavía un vago recuerdo de aquella casa* · **borroso · desvaído || antiguo · viejo || inevitable · persistente · perdurable · imborrable** *Dejó un recuerdo imborrable entre los suyos* · **indeleble · eterno || fugaz || especial || ocasional · anecdótico || alegre · dulce · agradable · grato · cálido · emocionado** *Hizo un emocionado recuerdo de sus padres* · **entrañable · sentido || triste · agridulce · amargo · ingrato · aciago · infausto · funesto · nostálgico || lleno,na (de) · cargado,da (de) || digno,na (de)**

• CON SUSTS. **motón (de) · sinfín (de) · aluvión (de) || libro (de) · álbum (de) · colección (de) || baúl (de) · caja (de) || foto (de) · imagen (de) · objeto (de) || tienda (de) · venta (de)**

• CON VBOS. **venir (a la memoria)** *Me vienen a la memoria gratos recuerdos de aquellos veranos* · **aflorar · asaltar (a alguien) · fluir · flotar || subsistir · perdurar · perpetuar(se) · anidar (en alguien) || borrar(se) · difuminar(se) · diluir(se) · disipar(se) · empañar(se) · apagar(se) · perder(se) || tener** *Tengo un bello recuerdo de ese día* · **atesorar · acumular · reunir || verter · destilar · suscitar · despertar || evocar · traer (a la memoria) · desenterrar · refrescar · revivir · reavivar · avivar · hilvanar** *crónicas vivas y pintorescas que construye hilvanando recuerdos de su juventud* **|| mantener (vivo) · conservar · guardar · anclar (en algo) || dejar · olvidar · desterrar · extirpar · evitar || desfigurar · distorsionar || tributar · honrar** *honrar el recuerdo de los muertos* · **profanar || dar (a alguien)** *Dale recuerdos de mi parte* · **dedicar (a alguien) · tener (para alguien) || ahondar (en) · bucear (en) · hundir(se) (en) · abandonarse (a) · dejarse llevar (por) · aferrarse (a) · alimentar(se) (de) || permanecer (en)** *Permanecerán siempre en nuestro recuerdo* · **pervivir (en) · arraigar (en) · latir (en) · quedar (en) || invitar (a) · arrastrar (a) || cargar (con)**

• CON PREPS. **de** *Llévate esta foto de recuerdo* · **como · para**

recuperación s.f.

• CON ADJS. **absoluta · total · completa · efectiva || franca · acusada · palpable · notable · constatable · visible · real || avanzada · sostenida || paulatina · progresiva** *Logré una progresiva recuperación de la visión* · **gradual · lenta · en punto muerto** *La recuperación de la economía está en punto muerto* **|| rápida · pronta** *Te deseamos una pronta recuperación* **|| imparable · implacable || costosa · difícil || ligera · moderada · tímida** *El informe médico anunciaba una tímida recuperación* · **tibia · parcial || física · anímica || económica · electoral**

• CON SUSTS. **proceso (de) · plan (de) || fase (de) · período (de) · etapa (de) || signo (de) · síntoma (de) || capacidad (de)**

• CON VBOS. **producir(se) || detener(se) · interrumpir(se) || experimentar · notar · acusar · detectar · registrar** *Se registra una ligera recuperación en la bolsa* · **constatar · percibir · comprobar || lograr · conseguir || facilitar**

[recuperar] → recuperar; recuperarse

recuperar v.

• CON ADJS. **intacto,ta · íntegro,gra** *Recuperó íntegro el dinero* · **indemne · sano y salvo || dañado,da · estropeado,da**

• CON ADVS. **en {buen/mal/perfecto...} estado** *Hubiera preferido haberlos recuperado en buen estado; sin embargo...*

recuperarse v.

• CON ADVS. **por completo · del todo · totalmente** *Esperamos que te recuperes totalmente muy pronto* · **plenamente · sobradamente · con creces || satisfactoriamente** *El enfermo se recupera satisfactoriamente* · **favorablemente · felizmente || rápidamente · a ojos vistas** *La economía del país se recupera a ojos vistas* · **de un día para otro · a marchas forzadas || paulatinamente · poco a poco · progresivamente · gradualmente || ligeramente · parcialmente · lentamente · a duras penas · ni por asomo**

recurrir v.

▮ [acudir]

• CON ADVS. **a la desesperada || en último extremo** *Solo recurriría a tus ahorros en último extremo* · **excepcionalmente · en caso de necesidad**

▮ [apelar, reclamar]

• CON SUSTS. **decisión** *El abogado anunció ayer que no recurrirá la decisión de la juez* · **sentencia · dictamen · fallo · veredicto** *El fiscal está estudiando la posibilidad de recurrir este veredicto ante el Tribunal Supremo* · **auto**

recurso

1 **recurso** s.m.

▮ [medio]

• CON ADJS. **suficiente · abundante · inagotable · enorme || disponible · a {mi/tu/su...} alcance || efectivo · expeditivo · disuasorio || fácil · manido · socorrido** *Utilizó un recurso muy socorrido para salir del apuro* · **conocido || natural · económico · material · energético ·**

humano · **personal** || **sobrado,da (de)** *Saldrá adelante, es una persona muy sobrada de recursos* || **escasos** · **precarios** · **exiguos** · **limitados** *Los recursos del planeta son limitados* || **cuantiosos** *A pesar de los últimos problemas, aún le quedan cuantiosos recursos económicos* · **ingentes** · **múltiples**
● CON SUSTS. **conjunto (de)** · **serie (de)** · **abanico (de)** · **abundancia (de)** · **cantidad (de)** || **falta (de)** · **escasez (de)** · **disponibilidad (de)** || **inyección (de)** · **fuente (de)** || **área (de)** · **portal (de)** · **catálogo (de)** · **guía (de)** · **centro (de)** · **red (de)**
● CON VBOS. **aumentar** · **crecer** || **disminuir** · **agotar(se)** || **usar** *Estaba dispuesta a usar todos los recursos a su alcance* · **emplear** · **utilizar** · **aprovechar** · **aplicar** || **obtener** · **recabar** · **captar** · **aunar** · **conseguir** || **conceder** · **brindar** || **denegar** · **regatear** · **escatimar** *El centro no escatimará recursos para facilitar la adaptación de los nuevos alumnos* · **congelar** || **explotar** *explotar los recursos naturales del continente* · **gestionar** · **canalizar** · **encauzar** · **dosificar** || **invertir** · **dedicar** · **dirigir** · **destinar** || **gastar** · **malgastar** · **desviar** · **esquilmar** || **hacer uso (de)** · **acudir (a)** · **echar mano (de)** · **valerse (de)** || **contar (con)** *una región que cuenta con recursos muy limitados* · **disponer (de)** · **dotar (de)** || **abusar (de)** *Abusa del recurso al chiste fácil*
● CON PREPS. **sin** *una persona sin recursos*

■ [apelación legal]
● CON ADJS. **administrativo** · **contencioso** · **legal** *¿Qué recursos legales nos quedan para evitar este abuso de poder?* || **cautelar** · **probatorio** · **extraordinario**
● CON VBOS. **surtir efecto** · **prosperar** || **poner** · **interponer** · **presentar** *A partir de hoy hay un plazo legal de tres días para presentar un recurso de apelación* · **elevar** · **levantar** · **tramitar** · **formular** · **plantear** · **arbitrar** || **retirar** *Se retiró el recurso de inconstitucionalidad una vez reformado el texto legal* || **dictar** || **ganar** · **perder** || **rechazar** · **revocar** · **rebatir** · **desoír** || **decidir (sobre)**

2 **recurso (a/de)** s.m.
● CON SUSTS. **pataleo** *Ya no se puede hacer nada, solo nos queda el recurso al pataleo* || **armas** *sin recurrir al injustificable recurso de las armas* · **violencia** · **fuerza** · **miedo** · **insulto**

red s.f.

■ [tejido de hilos o cuerdas]
● CON ADJS. **de pesca**
● CON VBOS. **lanzar** · **echar** *echar las redes al mar* || **tejer** · **trenzar** || **coser** · **arreglar** · **reparar** · **remendar** || **pescar (con)**
● CON PREPS. **con** · **sin** *saltar sin red*

■ [entramado]
● CON ADJS. **vasta** *una vasta red de falsificadores que operaban internacionalmente* · **extensa** · **inmensa** · **inabarcable** || **compleja** · **intrincada** · **enmarañada** · **inextricable** || **densa** · **tupida** || **asfixiante** || **comercial** *La empresa intentará modernizar y ampliar su red comercial* · **económica** · **delictiva** || **nacional** · **internacional** || **de carreteras** · **viaria** · **ferroviaria** · **de metro** · **de autobuses** · **sanitaria** || **de centros** · **de servicios** || **telefónica** · **de comunicaciones** || **envuelto,ta (en)** · **inmerso,sa (en)** · **atrapado,da (en)** *Se vio atrapado en una compleja red judicial*
● CON VBOS. **extender(se)** · **crecer** || **congestionar(se)** || **envolver (algo/a alguien)** || **organizar** · **tejer** · **trabar** · **trenzar** || **mejorar** *La nueva legislación mejoró la red sanitaria* · **reforzar** · **ampliar** || **desarticular** *La Policía desarticuló una importante red de narcotraficantes* · **desmantelar** || **echar** · **desplegar** || **enredar(se) (en)** · **implicar(se) (en)** || **zafarse (de)** · **escapar (de)**
● CON PREPS. **en** · **entre**

■ [internet]
● CON VBOS. **bloquear(se)** · **saturar(se)** || **conectar(se) (a)** || **navegar (por)** *Con la tarifa plana se puede navegar por la red las veinticuatro horas* · **bucear (en)** · **buscar (en)** || **bajar(se) (de)** · **descargar(se) (de)** *Puedes descargarte la convocatoria de la beca de la red* · **colgar (en)** · **subir (a)**
● CON PREPS. **en** *trabajar en red*

redacción s.f.

● CON ADJS. **buena** · **excelente** *Me ha dicho el profesor que le he entregado una redacción excelente* · **correcta** || **mala** · **deficiente** · **mejorable** || **completa** · **minuciosa** · **cuidada** · **elaborada** · **ordenada** · **estilizada** || **incompleta** || **ágil** · **coherente** · **precisa** || **incoherente** · **imprecisa** · **inconexa** || **clara** · **transparente** || **compleja** · **enrevesada** · **ambigua** || **original** · **inicial** · **definitiva** · **final** || **actual** || **escolar** · **oficial** · **legal**
● CON SUSTS. **consejo (de)** · **mesa (de)** · **comité (de)** · **jefe,fa (de)** · **equipo (de)** *un trabajo que asumirá el equipo de redacción* || **fase (de)** · **proceso (de)** || **error (de)** · **problema (de)** || **concurso (de)** · **trabajo (de)** · **ejercicio (de)** || **manual (de)** · **normas (de)** || **nota (de)**
● CON VBOS. **escribir** · **hacer** · **componer** · **encargar** · **entregar** || **fechar** || **corregir** *Dedico mucho tiempo a corregir las redacciones de los niños* · **revisar** · **evaluar** · **enmendar** · **cuidar** · **mejorar**

redactor, -a s.

● CON ADJS. **buen,-a** · **excelente** *Se convirtió en una excelente redactora* · **reputado,da** · **prestigioso,sa** || **en prácticas** · **eventual** · **fijo,ja**
● CON SUSTS. **curso (para)** · **escuela (de)** · **aprendiz,-a (de)** || **cargo (de)** · **puesto (de)** · **funciones (de)** · **trabajo (de)** || **jefe**
● CON VBOS. **escribir (algo)** · **redactar (algo)** · **revisar (algo)** · **corregir (algo)** *Un redactor corrige todos los textos antes de que se publiquen* || **buscar** · **necesitar** · **contratar** *Quieren contratar a un redactor nuevo para la sección de deportes* || **trabajar (como/de)** · **entrar (como/de)** *entrar de redactor en un periódico* · **empezar (como)** · **llegar (a)** · **convertir(se) (en)**

redil s.m.

● CON VBOS. **abandonar** || **salir(se) (de)** · **alejar(se) (de)** || **traer (a)** · **devolver (a)** · **atraer (a)** || **meter (en)** *El pastor logró meter a todas las ovejas en el redil* · **entrar (a/en)** || **volver (a)** *Los que habían abandonado el partido en la escisión no parecían muy dispuestos a volver al redil* · **regresar (a)** · **retornar (a)**
● CON PREPS. **en** · **dentro (de)**

redimir (de) v.

● CON SUSTS. **pecado** · **error** *Su brillante actuación en la campaña la ha redimido de errores anteriores* · **fallo** · **delito** · **falta** · **fracaso** · **culpa** || **peso** · **carga** · **yugo** · **dolor** || **infierno** · **pena** · **condena**

rédito s.m.

● CON ADJS. **amplio** · **escaso** *una labor cultural con escaso rédito material* · **buen(o)** · **mal(o)** · **alto** · **bajo** · **suculento** · **sustancioso** || **político** · **electoral** · **económico** · **bancario** · **material** · **personal** || **neto** *El rédito neto por hectárea de estos cultivos es de...*
● CON VBOS. **sacar** *No deberían sacar rédito electoral de este suceso* · **obtener** · **percibir** · **cobrar** · **recoger** || **pro-**

ducir · dar · ofrecer · proporcionar · rendir || reducir · bajar · subir · elevar || pagar · invertir || fijar · determinar || vivir (de) || poner (a)

redoblar v.

● CON SUSTS. **esfuerzo** *la imperiosa necesidad de redoblar esfuerzos para salir de la crisis* · **tarea** · **actividad** · **trabajo** · **dedicación** · **entrenamiento** · **labor** || **vigilancia** · **seguridad** · **medida de seguridad** · **presión** · **disciplina** || **despliegue** · **mecanismo** *La Policía recomendó a las autoridades redoblar los mecanismos de seguridad durante la ceremonia* · **operativo** || **vigor** · **fuerza** · **ímpetu** · **intensidad** || **ataque** · **crítica** *La presidenta redobla sus críticas a la gestión de las ayudas* · **protesta** · **advertencia** · **amenaza** · **denuncia** · **exigencia** · **desafío** || **responsabilidad** · **compromiso** || **inquietud** · **desazón** · **preocupación**

□ USO Se construye generalmente con sustantivos no contables en singular (*redoblar la vigilancia*) o con contables en plural (*redoblar las medidas de seguridad*).

redoble s.m.

● CON ADJS. **de tambor** *Un redoble de tambores anunciaba la entrada del rey* · **de campana** · **de timbal** || **atronador** · **continuo** · **fuerte** · **sonoro** || **tenue** · **tímido** || **fúnebre** · **lúgubre** || **anunciador (de algo)** · **expectante** · **triunfal**
● CON VBOS. **sonar** · **resonar** · **cesar** || **señalar (algo)** *El redoble del tambor señala el comienzo de la ceremonia* · **anunciar (algo)** || **escuchar** · **oír** · **tocar**

redomado, da adj.

● CON SUSTS. **pícaro,ra** · **sinvergüenza** *La mujer fue engañada por unos sinvergüenzas redomados* · **bromista** · **pillo,lla** || **mentiroso,sa** · **embustero,ra** · **cínico,ca** · **enredador,-a** · **hipócrita** || **imbécil** · **cateto,ta** · **tonto,ta** *Solo a un tonto redomado se le ocurre actuar de esa manera* · **majadero,ra** || **holgazán** · **vago,ga** || **astucia** · **falacia** · **hipocresía** · **cinismo** · **desvergüenza**

redondear v.

▮ [calcular]

● CON SUSTS. **cantidad** *Redondeó generosamente la cantidad que debía abonarnos* · **cuantía** · **cifra** · **número** || **dinero** || **ingreso** · **gasto** · **pago** || **sueldo** · **salario**
● CON ADVS. **al alza** · **por lo alto** *Para cuadrar los números, redondearemos por lo alto* || **a la baja** · **por lo bajo**

▮ [rematar]

● CON SUSTS. **actuación** · **operación** · **trabajo** || **faena** · **jugada** · **marcador** *El equipo consiguió redondear el marcador con dos tantos a su favor* || **tarde** *Para redondear una tarde tan espléndida, podríamos llamar a tus amigos y...* · **temporada** || **triunfo** · **victoria** || **fiesta** · **evento** || **texto** · **frase** · **intervención** · **discurso**

[redondo] → en redondo; redondo, da

redondo, da adj.

▮ [circular, esférico]

● CON SUSTS. **pelota** · **columna** · **gafas** · ***otros objetos*** || **círculo** · **circunferencia** · **esfera** · ***otras figuras geométricas*** || **espacio** · **jardín** · **terreno** · **ciudad** · **mundo** · **universo** · ***otros lugares***

▮ [perfecto, completo, rotundo]

● CON SUSTS. **número** · **guarismo** · **cifra** · **cantidad** *Póngame una decena, que es una cantidad redonda* || **novela** *la novela más redonda del autor* · **película** · **trabajo** · **libro** · **guion** · **historia** · **composición** · **pieza** · **versión** · **relato** · ***otras creaciones*** || **jornada** · **día** *He tenido un día redondo* · **noche** · **velada** || **negocio** · **venta** · **inversión** *La compra de aquel piso fue una inversión redonda* · **gestión** || **espectáculo** · **función** · **jugada** · **concierto** · **representación** · **exposición** · **encuentro** · **partido** || **éxito** · **triunfo** · **resultado** · **final** || **voz** · **timbre** · **sonido**
● CON VBOS. **ser** || **estar** · **poner(se)** || **salir** *La jugada te ha salido redonda* · **quedar**

reducción s.f.

● CON ADJS. **fuerte** · **severa** · **drástica** · **intensiva** || **apreciable** · **considerable** · **acusada** *Se produjo una acusada reducción del paro en el último trimestre del año pasado* · **notable** · **ostensible** || **alarmante** · **peligrosa** · **grave** || **brusca** · **abrupta** · **vertiginosa** || **ligera** · **moderada** · **leve** · **suave** · **contenida** || **paulatina** · **progresiva** *Calculamos una progresiva reducción en los gastos* · **lineal** · **proporcional** · **gradual** || **inevitable**
● CON SUSTS. **proceso (de)** · **política (de)** · **objetivo (de)** · **programa (de)** · **plan (de)** · **medida (de)** · **esfuerzo (de)** · **ritmo (de)** · **propuesta (de)** · **estrategia (de)** · **compromiso (de)** · **acuerdo (de)**
● CON VBOS. **producir(se)** || **sufrir** · **experimentar** *El precio de la gasolina ha experimentado una ligera reducción* · **acusar** · **registrar** || **llevar a cabo** · **aplicar** *El Gobierno desea aplicar una reducción del gasto público* · **practicar** · **imponer** || **causar** · **provocar** · **ocasionar** · **acarrear** · **entrañar** || **negociar** · **acordar** *Los sindicatos pretenden acordar una reducción de la jornada laboral* || **compensar**

reducir(se) v.

● CON SUSTS. **nivel** · **grado** · **tasa** || **volumen** · **espacio** · **longitud** · **altura** · **tamaño** · **peso** · **velocidad** || **tiempo** · **plazo** · **período** · **edad** · **duración** || **precio** · **costo** *nuevas medidas que permitirán a la empresa reducir los costos y los riesgos financieros* · **gasto** · **deuda** || **hipoteca** · **crédito** · **salario** · **inversión** || **dosis** · **cantidad** · **proporción** · **ventaja** · **diferencia** || **residuos** · **contaminación** || **riesgo** *Una formación más especializada reduciría el riesgo de accidente laboral* · **mortalidad** · **enfermedad** · **dolor** || **participación** · **contribución** · **trabajo** · **esfuerzo**
● CON ADVS. **enormemente** · **intensamente** · **severamente** · **drásticamente** *Redujeron drásticamente los gastos* · **al {máximo/mínimo}** || **considerablemente** · **notablemente** · **visiblemente** · **ostensiblemente** · **significativamente** · **sustancialmente** · **a ojos vistas** || **alarmantemente** *Se habían reducido alarmantemente sus niveles de glucosa* · **peligrosamente** || **repentinamente** · **bruscamente** · **abruptamente** · **a marchas forzadas** || **gradualmente** *Conviene reducir gradualmente la velocidad del coche* · **progresivamente** · **paulatinamente** || **ligeramente** · **levemente** || **numéricamente**

reducto s.m.

● CON ADJS. **último** *Estas dos ciudades eran el último reducto del régimen* · **único** · **pequeño** || **inexpugnable** · **impenetrable** · **amurallado** · **cerrado** || **extraordinario** · **hermoso** · **importante** || **natural** *un hermoso reducto natural, rodeado de ríos y abundante vegetación* · **protegido** || **personal** · **particular**
● CON VBOS. **perdurar** · **mantener(se)** · **quedar** || **existir** || **buscar** · **encontrar** || **crear** · **defender** *defendiendo a capa y espada su inexpugnable reducto* · **conservar** · **salvar** || **perder** · **eliminar** || **convertir(se) (en)**

redundar (en) v.

● CON SUSTS. **beneficio** *una medida que redundará en beneficio de toda la comunidad* · **provecho** · **aprovechamiento** · **rendimiento** · **interés** *Buscamos una solución que redunde en interés de la mayoría* || **mejora** · **aumento** · **incremento** · **fortalecimiento** *La estabilidad política de aquellos años redundó en el fortalecimiento de las institu-*

ciones democráticas · **desarrollo** · **progreso** · **reforzamiento** · **recuperación** · **ampliación** · **expansión** · **despegue** || **prestigio** · **gloria** · **honra** · **éxito** || **perjuicio** · **detrimento** *La disposición no debería redundar en detrimento de los intereses de los ciudadanos* · **riesgo** · **menoscabo** · **pérdida** · **disminución** · **reducción** · **descenso** · **recorte** · **dificultad** || **demanda** · **atención** · **propensión** · **búsqueda** || **crispación** · **frustración** · **postración**

reelegir v.

• CON SUSTS. **líder** · **candidato,ta** · **alcalde,-sa** *El pueblo reeligió al alcalde por tercera vez consecutiva* · **rector,-a** · ***otros cargos***

• CON ADVS. **mayoritariamente** · **por mayoría** · **por unanimidad** · **unánimemente** · **por la mínima** · **abrumadoramente** · **triunfalmente** || **democráticamente** *La asociación reeligió democráticamente a su presidenta* · **a dedo** || **nuevamente** · **una vez más** · **de nuevo** || **recientemente** · **últimamente**

reembolsar v.

• CON SUSTS. **cantidad (económica)** *Le reembolsaron una elevada cantidad de dinero* · **cifra** · **dinero** · **importe** *reembolsar el importe total de un producto* · **diferencia** || **deuda** · **préstamo** || **sueldo** · **honorario** · **pago**

• CON ADVS. **inmediatamente** · **rápidamente** · **anticipadamente** || **completamente** · **por completo** · **por entero** · **totalmente** · **íntegramente** · **parcialmente** || **en efectivo**

[reembolso] → contra reembolso; reembolso

reembolso s.m.

• CON ADJS. **parcial** · **total** · **mínimo** || **económico** · **tributario** || **inmediato** || **único**

• CON SUSTS. **plazo (de)** *Lo sentimos, pero se le ha pasado el plazo de reembolso* · **comisión (de)** · **impuesto (de)** · **tasa (de)** · **derecho (de)** · **orden (de)**

• CON VBOS. **garantizar** · **asegurar** · **prometer** || **pedir** · **solicitar** · **obtener** · **autorizar**

• CON PREPS. **con** · **sin** · **mediante**

□ EXPRESIONES **contra reembolso*** [abonándolo a la recepción] *Les ruego que me envíen este libro contra reembolso*

reemprender v.

• CON SUSTS. **camino** · **marcha** *Reemprendimos la marcha después de comer* · **viaje** · **carrera** || **obras** · **actividad** · **negocio** · **tarea** · **labor** · **trabajo** · **misión** · **actuación** · **entrenamiento** · **vida** || **negociación** · **diálogo** · **conversación** || **guerra** · **ataque** *Las tropas rebeldes habían reemprendido los ataques tras una breve tregua* || **ensayo** · **investigación** · **búsqueda**

• CON ADVS. **inmediatamente** · **rápidamente**

reencontrar(se) (con) v.

• CON SUSTS. ***persona*** *reencontrarse con un viejo amigo* || **senda** · **camino** · **lugar** || **gol** *Tras las últimas derrotas, el equipo se ha reencontrado con el gol* · **ilusión** · **triunfo** · **victoria** · **éxito**

□ USO Alterna los complementos directos (*reencontrar a un amigo*) con los complementos encabezados por la preposición *con* (*reencontrarse con un amigo*).

reencuentro s.m.

• CON ADJS. **esperado** *El esperado reencuentro con sus padres se produjo en...* · **anhelado** · **deseado** · **ansiado** || **buscado** · **provocado** || **inesperado** · **accidental** · **casual** || **feliz** · **triste** · **emocionante** *Vivimos un emocionante reencuentro* · **gozoso** · **emotivo** · **agradable** || **familiar** · **amistoso** || **histórico** · **triunfal**

• CON SUSTS. **punto (de)** · **lugar (de)** *un lugar de reencuentro con la naturaleza y la tranquilidad* || **momento (de)** · **época (de)**

• CON VBOS. **producir(se)** || **buscar** · **desear** · **anhelar** · **ansiar** · **esperar** || **provocar** · **propiciar** *El museo de la ciudad propicia el reencuentro de los vecinos con la historia de su comunidad* · **facilitar** · **permitir** · **posibilitar** || **festejar** · **celebrar**

reestructurar v.

• CON SUSTS. **empresa** · **compañía** · **organización** · **institución** · **entidad** · **negocio** · **ministerio** · **gobierno** · **ejército** || **economía** · **sector** *Aunque puedan faltar medios para reestructurar el sector público, deberíamos...* · **comercio** · **transporte** · **industria** · **minería** · **flota** || **área** · **sección** · **departamento** *reestructurar el departamento de contabilidad* · **filial** · **delegación** · **sucursal** · **equipo** · **grupo** · **plantilla** · **ejecutiva** · **gabinete** || **sistema** · **organigrama** · **programación** *En la actualidad nuestro objetivo es reestructurar la programación y adaptarla a...* · **programa** · **horario** · **esquema** · **proyecto** || **gasto** · **deuda** || **actividad** · **servicio**

• CON ADVS. **profundamente** · **totalmente** · **completamente** · **en profundidad** · **por completo** · **de arriba abajo** · **de pies a cabeza** · **parcialmente** · **en parte** · **ligeramente** · **superficialmente** || **acertadamente** · **erróneamente** · **equivocadamente** || **precipitadamente** · **lentamente**

referencia s.f.

• CON ADJS. **clara** *una clara referencia al malestar general* · **precisa** · **exacta** · **directa** · **explícita** · **expresa** || **vaga** · **somera** · **imprecisa** · **indirecta** · **velada** · **tácita** || **fugaz** · **de pasada** *Hizo una referencia de pasada a los tiempos predemocráticos* · **de paso** · **tangencial** · **ocasional** · **circunstancial** · **aislada** || **inevitable** · **obligatoria** · **inexcusable** *Ese libro es una referencia inexcusable para todos los alumnos del primer curso* || **elocuente** · **ilustrativa** || **oportuna** · **inoportuna** || **manida**

• CON SUSTS. **punto (de)** · **índice (de)** · **marco (de)** || **obra (de)** *consultar un dato en una obra de referencia* · **manual (de)** · **texto (de)** || **moneda (de)** · **precio (de)** || **lugar (de)** · **zona (de)** || **criterio (de)** · **dato (de)** · **nivel (de)** || **persona (de)** · **socio,cia (de)** · **autor,-a (de)**

• CON VBOS. **constar** · **faltar** || **hacer** · **dar** *El profesor dio unas referencias bibliográficas imprescindibles* · **indicar** || **deslizar** · **introducir** · **añadir** · **completar** || **sentar** || **obviar** · **evitar** · **eludir** || **pedir** · **necesitar**

referendo s.m. Véase **referéndum**

referéndum s.m.

• CON ADJS. **decisivo** · **determinante** · **concluyente** || **disputado** · **reñido**

• CON SUSTS. **día (de)** · **fecha (de)** · **campaña (de)** || **resultado (de)**

• CON VBOS. **celebrar(se)** || **convocar** *El Gobierno ha convocado un referéndum para el día...* || **ganar** · **perder** || **boicotear** · **amañar** || **someter (a)** *Finalmente, el tema se someterá a referéndum* || **participar (en)** · **votar (en)** || **decidir (en)** · **aprobar (en)**

referir(se) v.

• CON ADVS. **directamente** · **explícitamente** · **expresamente** · **exactamente** || **extensamente** · **por extenso** · **con detalle** *La bióloga refirió con todo detalle sus últimos descubrimientos* || **reiteradamente** || **indirectamente** · **veladamente** · **de refilón** · **de soslayo** · **tangencialmente**

|| **brevemente · someramente · sumariamente · vagamente · a grandes rasgos · de pasada** *En mi trabajo solo me referí de pasada a la biografía de...* · **de paso · por encima || ni por asomo**

[refilón]
→ de refilón

refinado, da adj.

● CON SUSTS. **aceite · alcohol · azúcar** · ***otras sustancias*** || ***persona*** *Era una mujer refinada y culta* || **gusto** *un lugar muy apreciado por gastrónomos, sibaritas y otras gentes de gustos refinados* · **estilo · elegancia · trato · maneras · costumbres · educación || cultura · sensibilidad · vocabulario · expresión · humor || paladar · sabor || estrategia · técnica** *Cuentan con delanteros de técnica refinada y gran habilidad para dirigir el juego* · **táctica || música · voz || lenguaje · prosa**

reflectar v.

● CON SUSTS. **luz · imagen · sonido · calor**

reflejar v.

● CON ADVS. **adecuadamente · ajustadamente · en su verdadera dimensión** *El libro refleja en su verdadera dimensión la importancia de...* · **en toda su dimensión || claramente · a las claras · a lo lejos · nítidamente || detalladamente · al detalle · pormenorizadamente · con precisión · concienzudamente · concretamente || elocuentemente · sinceramente · crudamente || en justicia · con justicia · justamente || en todos sus detalles · en toda su crudeza · en toda su magnitud || ni de lejos** *una apresurada crónica que no refleja ni de lejos lo verdaderamente acontecido*

reflejo, ja

1 **reflejo, ja** adj.

● CON SUSTS. **acción · acto** *Su reacción fue un acto reflejo e inconsciente* · **gesto || movimiento || reacción**

2 **reflejo** s.m.

▮ [destello]

● CON ADJS. **claro · intenso || tenue · tibio · pálido || deslumbrante · resplandeciente · luminoso · brillante || nítido**

● CON VBOS. **proyectar(se) || emitir · despedir · irradiar · dar** *¿Te das reflejos en el pelo?*

▮ [trasunto, efecto, reproducción]

● CON ADJS. **fiel · vivo** *Su rostro era el vivo reflejo de la desconfianza* · **palpable · claro**

● CON VBOS. **constituir · representar**

▮ [movimiento instintivo]

● CON ADJS. **automático · inconsciente · instintivo · natural · puro · inmediato || carente (de) · rápido,da (de) · lento,ta (de)**

● CON SUSTS. **rapidez (de)** *un jugador con una enorme rapidez de reflejos* · **falta (de) · fallo (de) || juego (de)**

● CON VBOS. **tener · perder · disminuir** *El alcohol disminuye los reflejos de cualquier conductor*

reflexión s.f.

● CON ADJS. **profunda · honda · penetrante · aguda · lúcida · jugosa · madura || superficial · de circunstancias || oportuna · conveniente · necesaria · propicia · acertada · certera · atinada · fundada** *...en el que expone fundadas reflexiones acerca de la situación financiera* · **imprescindible · constructiva || sensata · inteligente · cauta · meditada · cabal || serena** *A pesar de la urgencia del momento, hizo una reflexión serena y sensata sobre...* · **calmada · pausada · detenida · seria || urgente || novedosa || fría · desapasionada || breve · somera || acerada · mordaz · amarga || inoportuna · fuera de lugar**

● CON SUSTS. **motivo (de) · objeto (de)** *El objeto de sus reflexiones era convencer a los electores de la necesidad del cambio* || **serie (de) || jornada (de) · espacio (de) · período (de) · proceso (de) · tiempo (de) || ejercicio (de) · capacidad (de) || llamada (a) · invitación (a)**

● CON VBOS. **imponer(se) || hacer · realizar · dedicar || presentar** *En esta conferencia quisiera presentar algunas reflexiones sobre...* · **formular · plantear · proponer · avanzar · aventurar · añadir · introducir · centrar** *Centró su reflexión en la política internacional del Gobierno* · **lanzar · verter || alimentar · despertar || provocar · promover · suscitar** *La obra pretende suscitar la reflexión del público* || **merecer || incitar (a) · inducir (a) · invitar (a)** *Su rotundo éxito invita a una reflexión sobre la importancia de la fuerza de voluntad* · **llamar (a) || adentrarse (en)**

● CON PREPS. **a la luz (de) · al hilo (de)**

reflexionar v.

● CON ADVS. **en profundidad** *Tenemos que reflexionar en profundidad sobre el asunto* · **profundamente · largamente · extensamente · detenidamente · con tiempo · serenamente · con calma · tranquilamente · con tranquilidad || brevemente · ligeramente || en frío**

● CON VBOS. **incitar (a) · invitar (a)** *La situación invita a reflexionar seriamente sobre...*

reflexivo, va adj.

● CON SUSTS. ***persona*** *un hombre reflexivo y prudente* || **tono** *El presidente habló en tono reflexivo* · **mirada · gesto || actitud · carácter · talante · pensamiento || capacidad · hondura || labor · esfuerzo || discurso · libro · obra · documento · texto || lectura · voto** *Los candidatos piden siempre el voto reflexivo de los ciudadanos* || **contemplación · silencio**

● CON ADVS. **profundamente · enormemente · extraordinariamente**

● CON VBOS. **ser · volver(se) · estar · poner(se)**

reflotar v.

● CON SUSTS. **buque** *Los remolcadores reflotaron el buque encallado* · **lancha** · ***otras embarcaciones*** || **economía · mercado || empresa · industria · negocio** *una serie de iniciativas privadas para reflotar el negocio* · **equipo · país || idea · pensamiento · propuesta · sistema**

● CON ADVS. **nuevamente || económicamente · financieramente**

reforma s.f.

● CON ADJS. **completa · total · integral** *Lo que se necesita es una reforma integral de las estructuras económicas* · **honda · profunda · a fondo · en profundidad · drástica · radical || necesaria · urgente** *Este piso necesita una reforma urgente* · **apremiante · perentoria || progresiva · gradual · paulatina || constructiva || superficial · parcial · a medias · provisional || política · democrática** *Se inició una tímida reforma democrática en ese país* · **institucional · administrativa · educativa · laboral · estructural**

● CON SUSTS. **objeto (de) || alcance (de)** *No sabemos aún cuál será el alcance de la reforma legislativa*

● CON VBOS. **hacer(se) realidad · salir adelante** *La reforma saldrá adelante a pesar de las dificultades* · **prosperar · cuajar || culminar · finalizar || frustrar(se) · congelar(se) || avecinarse · gestar(se) · cocinar(se) || basar(se) (en algo) · fundamentar(se) (en algo) || atañer (a algo) · afectar (a algo) || urgir || emprender · llevar a cabo** *El Gobierno llevó a cabo una profunda reforma laboral* ·

llevar adelante · sacar adelante || establecer · imponer · implantar · cimentar · desencadenar || afrontar · encarar || promover · impulsar · incentivar · preconizar · propugnar · plantear || defender · apoyar · avalar · auspiciar · abanderar *Abanderó la reforma educativa desde la creencia de que...* **· gestionar · pilotar || acordar · consensuar · negociar · votar || bloquear || abocar(se) (a) || contribuir (a)**

reformar v.

• CON SUSTS. **ley** *La ley electoral debería ser reformada* **· estatuto · artículo · reglamento ·** ***otras disposiciones*** **|| casa** *He pedido un préstamo para reformar mi casa* **· cocina · barrio · ciudad · país · mundo ·** ***otros lugares*** **|| sistema · plan · estructura · política · modelo · economía · mercado || texto · obra**

• CON ADVS. **completamente · por completo · totalmente** *Decidió reformar su negocio totalmente* **· profundamente · en profundidad · a fondo · de arriba abajo · radicalmente || parcialmente · ligeramente || democráticamente** *...con un homenaje al político que reformó democráticamente el país*

reformatorio s.m.

• CON ADJS. **de menores · de adultos · público · privado**

• CON VBOS. **regenerar (a alguien) || abandonar || entrar (en) · acabar (en)** *Cometió varios robos y acabó en el reformatorio* **· pasar (por) || internar (en) · ingresar (en) · recluir (en) · conducir (a) || salir (de) · escapar (de) · fugarse (de)**

reforzar v.

• CON SUSTS. **seguridad** *El informe aconseja reforzar la seguridad en esta zona* **· vigilancia · protección · control · defensa** *un eficaz complejo vitamínico que reforzará sus defensas* **· lucha || medida · dispositivo · aparato · sistema · mecanismo || presencia** *...para reforzar nuestra presencia en esos nuevos mercados* **· lazos · vínculo · relación || imagen · papel · posición** *El inesperado nombramiento reforzaba su posición dentro del grupo* **|| acción · trabajo || equipo · personal · empresa || tendencia · línea || conclusión · idea · hipótesis** *Los nuevos datos no refuerzan precisamente esa hipótesis* **· argumento || sospecha · creencia · convicción || éxito · triunfo · victoria**

• CON ADVS. **fuertemente** *Reforzaremos fuertemente todos los dispositivos de seguridad* **· extraordinariamente · enormemente || completamente · totalmente · enteramente || temporalmente · indefinidamente**

refractar v.

• CON SUSTS. **luz · rayo · sol · cristal · prisma**

refrán s.m.

• CON ADJS. **socorrido · conocido · manido · trillado || popular · tradicional · clásico || antiguo · viejo** *Hay un viejo refrán que dice...* **|| apropiado · oportuno · traído por los pelos || agudo · sentencioso · lapidario**

• CON VBOS. **circular || decir (algo) · rezar (algo) || venir a cuento || traer a colación · recordar || aplicar** *Aplícate el refrán popular que dice a propósito...* **|| acuñar**

refrenar v.

• CON SUSTS. **impulso** *Parece que, gracias a la meditación, ha logrado refrenar sus impulsos* **· pasión · ímpetu · ansia · ansiedad · ardor · deseo · instinto · sentimiento || agresividad · ira · cólera · violencia · exceso · rigor || curiosidad · entusiasmo · optimismo · alegría**

• CON ADVS. **en alguna medida · parcialmente || con dificultad || voluntariamente**

refrendar v.

• CON SUSTS. **autoridad · liderato · liderazgo · poder · popularidad · superioridad || vigencia · rigor · legalidad · categoría || acuerdo** *Los presidentes se reúnen hoy para refrendar el acuerdo de libre comercio* **· pacto · compromiso || propuesta · proyecto · plan · política · estrategia · programación · disposición || creencia · idea · iniciativa · intención · planteamiento · teoría · punto de vista** *Refrendó luego su punto de vista con una serie de argumentos que parecieron muy convincentes* **· hipótesis · tesis · opinión · postura · posición · razón · convicción || decisión · elección · opción · voto** *Hizo un llamado a la ciudadanía para refrendar el voto por la paz* **|| palabras · declaración · dato · texto · documento** *Antes de refrendar el documento, había que analizarlo con detalle* **|| gestión · labor · práctica · trabajo · acción · acto · actuación · proceso || decreto** *Los asistentes se comprometieron a refrendar el decreto en la siguiente sesión* **· mandato · principio · ley || éxito · triunfo · victoria**

• CON ADVS. **formalmente · oficialmente || definitivamente**

refrescante adj.

• CON SUSTS. **ducha · baño** *Nos dimos un refrescante baño en el mar* **|| gel · crema · loción · tónico · perfume || aire · brisa || sandía · naranja ·** ***otras frutas*** **|| comida · alimento · bebida · trago**

refrescar v.

• CON SUSTS. **zona · habitación · casa** *Llegaremos antes para abrir las ventanas y refrescar la casa* **·** ***otros lugares*** **|| garganta · gaznate · piel · pies · manos · lengua ·** ***otras partes del cuerpo*** **|| verano · tarde · calor · sofoco || ambiente · aire || memoria** *¿Te acuerdas o quieres que te refresque la memoria?* **· recuerdo · idea · conocimiento · dato · concepto || mirada · vista · panorama · imagen**

[refresco] → de refresco; refresco

refresco s.m.

• CON ADJS. **de cola · de naranja · de limón || embotellado · natural || exótico · original || {con/sin} burbujas** *Para los niños compra algún refresco sin burbujas* **· {con/sin} gas || sin azúcar · ligero · sano · azucarado · isotónico**

• CON SUSTS. **lata (de) · caja (de) || compañía (de) · empresa (de) · fabricante (de) · fábrica (de) || venta (de) || marca (de) || máquina (de) · puesto (de)** *A la salida del estadio hay un puesto de refrescos y bocadillos*

• CON VBOS. **pedir · ofrecer || abrir || repartir · distribuir || anunciar || fabricar**

➤ Véase también **BEBIDA**

☐ EXPRESIONES **de refresco*** [como sustituto o refuerzo]

refriega s.f.

• CON ADJS. **cruenta** *La refriega fue cruenta; de hecho se saldó con varias víctimas mortales* **· violenta · sangrienta || de disparos · de insultos · de acusaciones · dialéctica · electoral · política**

• CON VBOS. **desencadenar(se) || empezar · iniciar · provocar · originar || terminar · detener · evitar || presenciar || intervenir (en) · tomar parte (en)** *Se vio obligada a tomar parte en la refriega para calmar a la pareja* **· participar (en) · enredarse (en) · enzarzarse (en) || resultar {herido/alcanzado/ileso} (en)** *Afortunadamente, resultó ilesa en la refriega* **· herir(se) (en)**

refrigeración s.f.

• CON ADJS. **escasa · insuficiente** *En pleno verano, la refrigeración de este local resulta insuficiente* **· fuerte || doméstica · industrial || por agua · por aire · líquida**

●CON SUSTS. **sistema (de) · circuito (de) · equipo (de)** *El equipo de refrigeración está averiado* · **aparato (de) · máquina (de) · cámara (de) · torre (de) || conducto (de) · tubo (de) || técnico,ca (de)**
●CON VBOS. **averiar(se) · funcionar · fallar || instalar || requerir** *Algunos medicamentos requieren refrigeración para su almacenamiento* · **precisar || graduar · regular || reparar · arreglar || disponer (de) · dotar (de)**
●CON PREPS. **en · con · sin** *productos que se conservan sin refrigeración*

refrigerar v.

●CON SUSTS. **ambiente · aire · edificio · local · habitación || agua · bebida · carne · fruta ·** ***otros alimentos o bebidas*** **|| motor** *La función del radiador es refrigerar el motor* · **circuito**

refrigerio s.m.

●CON ADJS. **frugal · ligero** *Durante el descanso, sirvieron un ligero refrigerio* · **pequeño || sabroso · apetitoso || improvisado · sencillo**
●CON VBOS. **tomar · compartir || servir · ofrecer · poner || preparar** *Prepararé un pequeño refrigerio y luego continuaremos trabajando* **|| obsequiar (con) · invitar (a)**

refrito

1 **refrito** s.m.

●CON ADJS. **sabroso · apetitoso · buen(o) · exquisito || indigesto**
●CON VBOS. **hacer** *hacer un refrito con cebolla y pimiento* · **preparar · elaborar || incorporar · añadir · agregar**

2 **refrito (de)** s.m.

●CON SUSTS. **tomate · pimiento · cebolla · ajo || citas · lecturas · obras · trabajos** *El artículo no es más que un refrito de trabajos de otros investigadores* · **textos · materiales · personajes · recortes · ideas · referencias**

refugiado, da s.

●CON ADJS. **político,ca** *Llegaron a ese país como refugiados políticos* · **de guerra**
●CON SUSTS. **campo (de) · grupo (de) · campamento (de) || ola (de) · oleada (de) · flujo (de)**
●CON VBOS. **acoger · recibir || ayudar** *Trabajaba en una organización que ayudaba a los refugiados* · **atender || ocupar(se) (de)**

[refugiar] → refugiarse (de); refugiarse (en)

refugiarse (de) v.

●CON SUSTS. **lluvia** *Nos metimos en un portal para refugiarnos de la lluvia* · **tormenta · viento · frío · calor · sol ·** ***otros fenómenos meteorológicos*** **|| invasión · batalla · guerra · peligro || ataque · agresión · acometida || misiles · bombas · balas · llamas · humo || críticas** *...refugiándose así de las críticas que habían vertido sobre su persona* · **injusticia · presión · amenazas · tensiones · problemas**

refugiarse (en) v.

●CON SUSTS. **casa · edificio · cueva · sótano · portal** *Cuando empezó a llover, nos refugiamos en un portal* · **soportal · embajada ·** ***otros espacios cerrados o protegidos*** **|| imaginación · pensamiento · silencio || trabajo · lectura** *Se refugió en la lectura para olvidar* · **escritura || comida · bebida · alcohol · droga · tabaco || idea · mito · esperanza · soledad · fantasía · dolor || literatura · música · física · informática ·** ***otras disciplinas o actividades***
●CON ADVS. **temporalmente · provisionalmente · preventivamente**

refugio s.m.

●CON ADJS. **salvador · seguro** *Este edificio constituye un refugio seguro* · **protector · tranquilizador || plácido · acogedor || recóndito · remoto · último · secreto || inaccesible** *Era un refugio natural prácticamente inaccesible* · **impenetrable · blindado || de emergencia · circunstancial · temporal** *Es solo un refugio temporal, mientras nos acomodamos en otra parte* **|| abarrotado || maternal · materno** *Quizá echaba de menos el refugio materno* **|| natural · financiero · artístico · creativo || subterráneo · antiaéreo · atómico · nuclear · de montaña || ilusorio · mental · ideológico · personal**
●CON SUSTS. **lugar (de) · zona (de) · campamento (de) · centro (de) || solicitud (de)**
●CON VBOS. **amparar (a alguien) || constituir || tener · hallar** *Han hallado un refugio prehistórico excavado en la roca* · **descubrir · encontrar · conseguir · alcanzar · obtener · recibir || buscar** *Ella buscaba en ti el refugio de un amigo* · **pedir · necesitar || dar (a alguien)** *Le dio refugio en su casa* · **brindar (a alguien) · ofrecer (a alguien)** *La organización le ofreció refugio y ayuda* · **prestar (a alguien) · garantizar (a alguien) || construir || abandonar** *Abandonaron apresuradamente los refugios subterráneos* · **evacuar || alojar(se) (en) · ocultar(se) (en) · resguardar(se) (en) · proteger(se) (en) || disponer (de) || convertir (en) · habilitar (como) · usar (como)** *Cuando era niña, usaba aquel árbol como un refugio* · **servir (de) || hallar (en algo) · encontrar (en algo) || resistir (en) · permanecer (en)**
●CON PREPS. **en busca (de)**

refundir v.

●CON SUSTS. **texto** *Refundió el texto de varios relatos en una novela bastante original* · **documento · manifiesto || nación · estado · democracia · institución || partido** *El nuevo partido político refunde varios partidos minoritarios* · **asociación · empresa · organización ·** ***otros grupos humanos*** **|| ley · precepto · legislación** *El Gobierno refundirá en un solo texto toda la legislación vigente sobre...* · **enmienda · estatuto · disposición || proyecto · programa · plan · propuesta · sistema**

refutar v.

●CON SUSTS. **ministro,tra** *El líder de la oposición refutó a la ministra con sólidos argumentos* · **analista · líder ·** ***otros individuos*** **|| artículo · informe · obra · carta · libro ·** ***otros textos*** **|| palabras · discurso · afirmación · declaración · aseveración · respuesta ·** ***otras manifestaciones verbales*** **|| dato · cifra · resultado · noticia · rumor · información || argumento · razonamiento · razón** *La fiscal fue más hábil y refutó con facilidad las razones aducidas por el abogado* · **justificación · prueba · testimonio || teoría · tesis · idea · hipótesis · planteamiento · pensamiento · principio · máxima || interpretación · punto de vista · opinión · versión · criterio || acusación · cargo · imputación || crítica · calumnia · queja · ataque · descalificación · protesta || mentira · mito · especie**
●CON ADVS. **adecuadamente · satisfactoriamente || con pruebas · con argumentos · razonablemente · coherentemente || fundadamente · documentadamente · empíricamente · científicamente || completamente · punto por punto** *Fue refutando punto por punto las graves acusaciones que...* · **totalmente || de forma categórica · claramente · fácilmente || públicamente**

[regadera] → como una regadera

regadío s.m.

●CON ADJS. **tradicional · agrícola**
●CON SUSTS. **tierra (de) · zona (de) · superficie (de) · terreno (de) · finca (de) || cultivo (de/en) · agricultura (de)** *La mayoría del pueblo se dedica a la agricultura de*

regadío || **sistema (de)** *modernizar los sistemas de regadío para aumentar la producción* · **canal (de)** · **plan (de)** || **agua (de)**
● CON VBOS. **cultivar** || **convertir (en)** · **transformar (en)** || **sembrar (en)** · **poner (en)**

regalo s.m.
● CON ADJS. **precioso** *Es un regalo precioso, muchas gracias* · **maravilloso** · **exquisito** · **valioso** · **amable** || **de {buen/mal/escaso/dudoso...} gusto** · **apropiado** · **oportuno** || **original** · **típico** · **habitual** || **merecido** · **inmerecido** || **inesperado** *Me sorprendió con un regalo totalmente inesperado* || **socorrido** || **de aniversario** · **de cumpleaños** · **navideño**
● CON SUSTS. **lluvia (de)** · **entrega (de)** || **papel (de)** · **tienda (de)** · **artículo (de)** · **objeto (de)** · **lista (de)**
● CON VBOS. **hacer (a alguien)** · **dar (a alguien)** *Te daré un regalo si te portas bien* · **enviar** · **entregar** · **ofrecer (a alguien)** · **conceder (a alguien)** || **merecer** *Yo creo que se merece un regalo mejor* || **recibir** · **acaparar** || **apreciar** · **valorar** || **rehusar** · **declinar** · **rechazar** || **colmar (de)** *La quería tanto que la colmaba de regalos y atenciones* · **llenar (de)** · **obsequiar (con)**
● CON PREPS. **de** *un DVD de regalo*

[regañadientes] → a regañadientes

regañar v.
● CON ADVS. **duramente** · **severamente** · **tenazmente** || **violentamente** · **sin compasión** || **amablemente** · **cariñosamente** · **ligeramente** *La maestra lo regañó ligeramente por su falta de atención* || **continuamente** · **repetidamente** · **constantemente**

regañina s.f. *col.*
● CON ADJS. **simple** *Aunque había sido una simple regañina, el niño lloraba desconsoladamente* · **pequeña** · **suave** || **buena** · **monumental** · **soberana**
● CON VBOS. **recibir** · **merecer** · **ganarse** · **dar** || **escuchar** · **aguantar** · **sufrir** || **librar(se) (de)** · **salvar(se) (de)**

regate s.m.
● CON ADJS. **rápido** *El delantero se deshizo de su marcador con un rápido regate* · **fácil** · **limpio** || **fino** · **hábil** · **buen(o)** · **genial** · **espectacular** · **excelente** || **doble** · **largo** · **corto** || **de tacón** || **dialéctico** · **retórico**
● CON SUSTS. **gama (de)** · **repertorio (de)** || **capacidad (de)**
● CON VBOS. **hacer** · **tener** · **dar** || **intentar** · **buscar**
● CON PREPS. **con** *un jugador con regate y velocidad*

regatear v.

▮ [discutir el precio]
● CON SUSTS. **precio** *En este mercadillo es costumbre regatear el precio de los productos* · **cantidad** · **cifra**

▮ [ahorrar, escatimar] *col.*
● CON SUSTS. **medios** · **recursos** · **subvención** · **aval** · **financiación** · **retribución** || **esfuerzo** · **dedicación** · **sacrificio** · **invención** · **calidad** · **desvelo** *Nuestra organización no regateará desvelos hasta lograr que todos los ciudadanos...* || **mérito** · **elogio** · **aplauso** *El público no regateó los aplausos al elenco de artistas* · **reconocimiento** · **éxito** · **prestigio** · **gloria** || **función** · **papel** · **puesto**
□ USO Se usa a menudo en contextos negativos: *El Gobierno promete no regatear recursos para la lucha contra la corrupción.*

▮ [adelantar con un regate]
● CON SUSTS. **defensa** *Regateó al defensa central y se plantó frente al portero* · **jugador,-a** · **portero,ra** · ***otros individuos***

● CON ADVS. **hábilmente** · **genialmente** · **astutamente** · **rápidamente** · **limpiamente**

regazo s.m.
● CON ADJS. **maternal** · **protector** *Decidió alejarse del regazo protector de la familia* · **acogedor** · **tierno**
● CON VBOS. **tener (en)** · **llevar (en)** · **coger (en)** · **acoger (en)** || **dormir (en)** *El niño dormía en el regazo de su madre* · **descansar (en)** · **sentar(se) (en/sobre)** || **vivir (en)** · **cobijar (en)** || **alejar (de)** · **volver (a)** || **llorar (en)**

regenerar v.
● CON SUSTS. **célula** · **neurona** · **tejido** *La terapia puede ayudar a regenerar ciertos tejidos* · **órgano** · **sangre** · **piel** · **médula** || **fauna** · **vegetación** · **naturaleza** || **terreno** *La empresa petrolera deberá ocuparse de regenerar el terreno afectado por las perforaciones* · **zona** · **playa** || **sistema** · **estructura** || **institución** · **sociedad** · **país** · **partido** || **espíritu** · **confianza** · **caldo de cultivo**

regente

1 **regente** adj.
● CON SUSTS. **rey** · **reina** *Presidía el salón un cuadro de la reina regente y de su hijo* · **príncipe** · **princesa** · **emperador** · **emperatriz** || **casa** · **familia** || **astro** · **planeta** *el planeta regente de un signo zodiacal* · **estrella** · **signo**

2 **regente** s.com.
● CON SUSTS. **junta (de)** · **título (de)** || **papel (de)** · **cargo (de)** · **puesto (de)**
● CON VBOS. **designar** · **nombrar** || **sustituir** || **ejercer (de/como)** · **gobernar (como)** · **reinar (como)** || **actuar (como)** *La madre actuó como regente hasta la mayoría de edad del faraón* || **quedar (de/como)** · **reemplazar (como)** · **convertir(se) (en)**

régimen s.m.

▮ [normativa, sistema]
● CON ADJS. **severo** *En el centro tienen un régimen disciplinario extraordinariamente severo* · **estricto** · **férreo** · **hermético** · **inflexible** · **asfixiante** · **espartano** *Seguía un régimen de vida espartano* · **abusivo** || **laxo** · **flexible** · **igualitario** · **paritario** || **legítimo** · **ilegítimo** || **imperante** · **vigente** || **interno** *Seguiremos las normas del régimen interno de la institución* · **exclusivo** || **político** · **absolutista** · **absoluto** · **dictatorial** · **democrático** · **militar** || **carcelario** · **penitenciario** || **de salidas** · **de visitas** *¿Cuál es el régimen de visitas en este hospital?* · **de comidas** || **disciplinario** || **laboral** · **de trabajo**
● CON SUSTS. **cambio (de)** · **fin (de)** · **crisis (de)**
● CON VBOS. **derrumbar(se)** · **desmoronar(se)** *Al cabo de muchos años comenzó a desmoronarse el régimen* · **desarticular(se)** || **establecer** · **fijar** *fijar el régimen de salidas del colegio* · **acordar** · **instaurar** · **implantar** · **aplicar** || **apoyar** · **legitimar** · **cimentar** · **reinstaurar** *Se intentará reinstaurar el régimen democrático en este país* || **alterar** || **abolir** · **deponer** · **derrocar** · **derrotar** · **socavar** || **someter(se) (a)** · **ajustar(se) (a)** · **acostumbrar(se) (a)** *Me acostumbraré pronto al régimen laboral de esta empresa* || **ir (contra)** · **disentir (de)** || **huir (de)** · **librar(se) (de)** || **cambiar (de)**

▮ [plan alimenticio]
● CON ADJS. **riguroso** · **rígido** · **drástico** || **relajado** · **flexible** || **alimenticio** *Fue al médico para que le pusiera un régimen alimenticio adecuado* · **dietético** || **adelgazante** || **saludable** · **equilibrado** || **eficaz** · **efectivo** · **ineficaz**
● CON SUSTS. **comida (de)** · **menú (de)**
● CON VBOS. **constar (de algo)** || **prescribir (a alguien)** || **hacer** · **seguir** · **llevar** · **empezar** · **mantener** || **recetar** · **aconsejar** || **saltarse** *Cada dos por tres te saltas el régimen* · **dejar** · **abandonar**

● CON PREPS. **de** *También tienen un menú de régimen*
□ EXPRESIONES **a régimen** [siguiendo una dieta] *Dice que mañana sin falta se pone a régimen*

regional adj.

● CON SUSTS. **casa · traje · baile · plato** *Si lo desean, podrán degustar los platos regionales* · **cocina · escena · tradición · fiesta || gobierno · presidente,ta · presidencia · autoridades** *Al acto estaban invitadas todas las autoridades regionales* · **parlamento · ejecutiva · política · administración · competencia · responsabilidad || elecciones · comicios || dirección · secretaría · comité || director,-a** *Pasé de ser director regional a ser director nacional* · **gerente · delegado,da · líder || centro · organismo · sección · hospital · redacción · congreso || escala · nivel · ámbito || integración · desarrollo · conflicto · comercio || alcance**

regir v.

▮ [dirigir]
● CON ADVS. **con firmeza · con dureza · con mano de hierro** *Rigió sus negocios con mano de hierro durante muchos años* · **con mano férrea · con mano dura · con mano firme · autoritariamente · con autoridad** *Regía con autoridad pero con justicia* **|| con tolerancia · con ecuanimidad · con prudencia || democráticamente**

▮ [estar vigente]
● CON SUSTS. **ley · norma · normativa** *En el establecimiento aún rige la misma normativa de hace veinte años* · **orden · reglamento** · ***otras disposiciones***
● CON ADVS. **actualmente · antiguamente**

registrado, da adj.

● CON SUSTS. **marca · patente · modelo · propiedad · producto || asociación · sociedad · entidad · usuario · miembro**
● CON ADVS. **oficialmente** *La asociación escolar está oficialmente registrada desde el año...* · **legalmente · debidamente || internacionalmente || previamente**

registrar v.

▮ [buscar minuciosamente]
● CON ADVS. **detenidamente · a conciencia** *Registramos a conciencia toda la casa, pero no lo encontramos* · **a fondo · exhaustivamente · escrupulosamente · minuciosamente · detalladamente · de arriba abajo · de pies a cabeza · palmo a palmo · debidamente || con autorización** *Registraron el edificio con una autorización judicial* · **sin autorización || a tientas** *Registré a tientas la habitación en busca de una linterna*

▮ [inscribir, contabilizar]
● CON ADVS. **documentalmente · notarialmente**

registro s.m.

▮ [búsqueda]
● CON ADJS. **completo · detallado · exhaustivo** *tras un exhaustivo registro del local* · **minucioso** *Hizo un registro minucioso en busca de nuevos datos* · **pormenorizado · intensivo || civil · oficial · policial · rutinario · domiciliario · ilegal**
● CON SUSTS. **orden (de)** *una orden de registro domiciliario*
● CON VBOS. **hacer · practicar**

▮ [archivo]
● CON ADJS. **actualizado || civil**
● CON SUSTS. **libro (de) · hoja (de) · cambio (de) · certificado (de)**
● CON VBOS. **llevar · poner al día · actualizar || inscribir (en)** *inscribir en el registro civil a un recién nacido* **|| figurar (en)**

▮ [marca]
● CON ADJS. **deportivo || histórico** *Bajar de los diez segundos en los cien metros lisos fue un registro histórico*
● CON VBOS. **pulverizar** *El deportista pulverizó todos los registros anteriores* · **rebasar**

[regla] → en regla; regla

regla s.f.

● CON ADJS. **severa** *El centro se regía por unas reglas muy severas* · **estricta · rígida · férrea · implacable · permanente · categórica · tajante · taxativa · fija · forzosa · firme · inalterable · inmutable · inviolable · sagrada · sin excepciones || laxa · elástica · variable · con excepciones · relativa || justa · injusta || tácita · implícita || en vigor · vigente || desfasada · obsoleta || monacal · monástica · ortográfica · gramatical · interna || de oro**
● CON VBOS. **regir · imperar** *En muchas órdenes monásticas impera la regla del silencio* **|| disponer (algo) · regular (algo) · presidir (algo) · obligar (a algo) || estipular (algo)** *Estas reglas estipulan las condiciones de uso que afectarán al cliente* · **marcar (algo) · sentar (algo) · dictar (algo) || constituir · representar || fijar · establecer · implantar · arbitrar · poner en práctica · asentar · imponer · aplicar || aceptar · obedecer · cumplir** *Me esforcé por cumplir las reglas que habíamos convenido* · **observar · seguir · acatar · confirmar || rechazar · desobedecer · incumplir · infringir · transgredir · conculcar · violar · vulnerar · quebrantar · romper · contravenir · saltarse** *Procuro no saltarme las reglas ortográficas* · **desafiar · burlar · sortear · bordear · subvertir · tergiversar · obviar || abolir · derogar || modificar · alterar || profesar || atenerse (a) · atender (a) · adherirse (a) · ajustar(se) (a) · ceñir(se) (a) · amoldar(se) (a) || faltar (a) || convertir(se) (en)** *Lo que al principio era una costumbre se acabó convirtiendo en una regla*
● CON PREPS. **en** *tener los papeles en regla* **|| según · de acuerdo (con)**

reglamentación s.f.

● CON ADJS. **severa · estricta · rigurosa · tajante || laxa · permisiva || en vigor · vigente || anticuada · desfasada** *Esta reglamentación está algo desfasada* · **obsoleta**
● CON VBOS. **aplicar · actualizar · poner al día · revisar || seguir · cumplir** *Cumplimos a rajatabla la reglamentación del centro* · **obedecer || saltarse · incumplir · desobedecer · infringir · vulnerar || abolir || ajustar(se) (a)** *El árbitro del encuentro afirma que se ajustó fielmente a la reglamentación oficial* · **ceñir(se) (a)**

reglamentario, ria adj.

● CON SUSTS. **equipo · arma** *El policía llevaba su arma reglamentaria y su placa* · **casco · uniforme · prenda · calzado || tiempo · horario · edad · plazo · aviso · descanso · campo || actuación · medida · disposición · decreto** *Se derogó el decreto reglamentario de patentes* · **trámite · procedimiento · normativa · obligación || cambio · reforma · modificación || velocidad** *la velocidad reglamentaria para circular por una zona urbana* · **altura · distancia · talla || visita · acción · conducta || vía · conducto · cauce**
● CON ADVS. **estrictamente · escrupulosamente**

reglamento s.m.

● CON ADJS. **severo · riguroso** *La academia se regía por un reglamento riguroso, pero justo* · **estricto · férreo · taxativo · categórico · tajante · restrictivo || laxo ·**

elástico · **permisivo** || **controvertido** *Se debatía en aquellos días un reglamento muy controvertido* || **en vigor** · **vigente** · **provisional** || **a medida** *Hicieron un reglamento a su medida* || **deportivo** || **interno**

● CON VBOS. **regir** *Aún rige el mismo reglamento* || **disponer (algo)** || **amparar (a alguien)** *Lo siento, señor diputado, pero el reglamento no le ampara* || **prescribir** *El reglamento prescribió el año pasado* || **fijar** · **establecer** · **elaborar** · **implantar** · **alumbrar** · **aplicar** *Nadie duda de que el árbitro aplicó bien el reglamento* || **firmar** · **homologar** || **acatar** · **cumplir** || **desobedecer** · **incumplir** · **saltarse** *Tratemos de no saltarnos el reglamento* · **burlar** · **infringir** · **transgredir** · **violar** · **vulnerar** · **conculcar** · **quebrantar** · **contravenir** || **abolir** · **derogar** · **impugnar** || **ceñir(se) (a)**

regodearse (en) v. *col.*

● CON SUSTS. **crítica** · **ataque** · **humillación** || **elogio** · **alabanza** || **violencia** · **crueldad** · **horror** · **guerra** || **desgracia** · **tragedia** · **desdicha** · **infortunio** *...como si se regodearan en el infortunio de las víctimas* · **debilidad** · **sordidez** · **flaqueza** || **victoria** · **triunfo** || **pasado** || **narración** · **descripción** · **vista** · **contemplación** · **espectáculo**

● CON ADVS. **complacientemente** · **insensiblemente** · **con saña** · **sin escrúpulos** || **públicamente** · **íntimamente** · **en privado** · **en público**

regresión

1 **regresión** s.f.

● CON ADJS. **auténtica** · **verdadera** · **franca** || **fuerte** · **clara** · **plena** · **pronunciada** · **aguda** · **severa** · **grave** · **espectacular** *El entrenador ha sido destituido por la espectacular regresión del equipo* · **histórica** · **implacable** || **continua** · **constante** · **vertiginosa** · **sistemática** · **prolongada** || **alarmante** *Sufrió una regresión alarmante en su enfermedad* · **inquietante** · **peligrosa** || **lamentable** || **gradual** · **paulatina** · **moderada** || **política** · **democrática** · **social** *El analista explica por qué ve en el país claros síntomas de regresión social* · **ambiental** · **cultural** *Se vivía una verdadera regresión cultural* · **artística** · **económica** · **educativa** · **escolar** · **clínica** · **mental** · **psicológica** · **infantil** · **autoritaria**

● CON SUSTS. **causa (de)** || **fase (de)** · **etapa (de)** *El país atravesó una etapa de franca regresión económica* · **proceso (de)** || **síntoma (de)** · **señal (de)** || **peligro (de)**

● CON VBOS. **producir(se)** || **acelerar(se)** *La regresión se aceleró con el cambio de clima* · **interrumpir(se)** · **detener(se)** || **sufrir** · **experimentar** · **padecer** · **registrar** · **acusar** · **apreciar** || **constituir** · **suponer** || **favorecer** · **evitar** · **frenar**

● CON PREPS. **en** *Por aquellos años la empresa estaba en clara regresión de beneficios*

2 **regresión (a)** s.f.

● CON SUSTS. **infancia** · **pasado** · **fase** · **período** · **tiempo** · **estudio** · **época** *La hipnosis permite llevar a cabo una regresión a épocas pasadas* · **postura** || **autoritarismo** · **tradicionalismo** · **populismo** · **fascismo** · ***otras tendencias, movimientos o ideologías***

regreso s.m.

● CON ADJS. **esperado** · **anunciado** || **inesperado** · **intempestivo** · **sorpresivo** || **accidentado** · **difícil** · **vertiginoso** || **feliz** · **triunfal** · **apoteósico** *El cantante tuvo un regreso apoteósico a los escenarios* · **exitoso** || **irremediable** *el irremediable regreso al trabajo tras el descanso veraniego* || **masivo**

● CON SUSTS. **viaje (de)** · **camino (de)** · **ruta (de)** · **vuelo (de)** · **trayecto (de)** · **billete (de)** || **fecha (de)**

● CON VBOS. **producir(se)** · **tener lugar** || **frustrar(se)** || **preparar** · **efectuar** · **emprender** || **esperar** · **anhelar** · **desear** || **anunciar** · **marcar** || **exigir** · **prohibir** · **permitir**

● CON PREPS. **de** *Tuvo el accidente de regreso a su casa* · **sin** *un viaje sin posible regreso*

regulación s.f.

● CON ADJS. **tajante** · **exhaustiva** · **restrictiva** · **pormenorizada** || **imprecisa** · **somera** · **superficial** · **laxa** · **relativa** · **simplista** || **internacional** · **comunitaria** || **sujeto,ta (a)**

● CON SUSTS. **expediente (de)** · **plan (de)** || **propuesta (de)** · **medida (de)** · **proceso (de)** · **sistema (de)** · **ley (de)** || **falta (de)** · **ausencia (de)** · **exceso (de)**

● CON VBOS. **promover** · **proponer** · **impulsar** · **establecer** · **realizar** || **aprobar** · **defender** · **rechazar** || **consistir (en)** · **amparar(se) (en)**

regular

1 **regular** adj.

▌[corriente o estable]

● CON SUSTS. **línea** · **vuelo** *Llegará a primera hora de la tarde en vuelo regular procedente de...* || **ejército** || **temporada** · **fase** || **funcionamiento** *La nueva medida garantiza el funcionamiento regular del sistema* · **ritmo** · **consumo** · **forma**

● CON VBOS. **volver(se)** · **hacer(se)** · **mantener(se)**

▌[no muy bueno, mediocre]

● CON VBOS. **estar** · **parecer (a alguien)** *La película me parece solo regular*

2 **regular** v.

▌[ajustar o normalizar]

● CON SUSTS. **empleo** *medidas para regular el empleo estatal* || **uso** · **funcionamiento** · **servicio** || **mercado** · **crecimiento** · **financiación** · **publicidad** || **acceso** *La directiva regulará el acceso de los visitantes al centro* · **visita** · **afluencia** · **presencia** || **tráfico** · **situación** || **comportamiento** || **derecho** · **ejercicio**

● CON ADVS. **firmemente** *Es urgente regular firmemente el tráfico en esta zona* || **temporalmente** · **provisionalmente**

□ EXPRESIONES **por lo regular** [comúnmente]

regularizar v.

● CON SUSTS. **inmigrante** *La nueva ley permitirá regularizar a los inmigrantes que...* · **trabajador,-a** || **actividad** · **actuación** · **funcionamiento** · **sector** · **mercado** · **economía** || **situación** · **sistema** || **pago** · **cobro** · **deuda** || **acceso**

● CON ADVS. **totalmente** · **definitivamente** *El municipio nos a dado un nuevo plazo para que regularicemos definitivamente nuestra deuda* · **plenamente** · **parcialmente** || **voluntariamente**

regurgitar v.

● CON SUSTS. **alimento** · **comida** · **leche** || **recuerdo** · **texto** · **imagen** · **discurso**

rehabilitación s.f.

● CON ADJS. **completa** · **parcial** *obras para la rehabilitación parcial del edificio* · **total** || **lenta** *El médico te advirtió de que la rehabilitación sería muy lenta* · **rápida** · **urgente** · **preferente** || **física** · **moral** || **política** · **académica** · **profesional** · **deportiva** || **necesaria** · **justa**

● CON SUSTS. **ejercicio (de)** · **gimnasia (de)** · **programa (de)** · **centro (de)** *Acude a diario a un centro de rehabilitación para recuperarse de sus lesiones* || **proyecto (de)** · **plan (de)** || **área (de/en)** · **obra (de)** || **proceso (de)** · **expediente (de)**

● CON VBOS. **realizar** · **efectuar** || **merecer** || **iniciar** · **terminar** · **emprender** · **comenzar** || **impulsar** · **incen-**

tivar · apoyar · financiar *Aún se desconoce quién va a financiar la rehabilitación de la fachada* || asistir (a) · ir (a)
● CON PREPS. en

rehabilitar v.

● CON SUSTS. edificio *Rehabilitarán el viejo edificio de correos* · vivienda · casa || fachada || zona · barrio · casco urbano · parque || drogadicto,ta · alcohólico,ca · delincuente · violador,-a · preso,sa · jugador,-a · profesor,-a · ***otros individuos y grupos humanos*** || imagen *un homenaje para rehabilitar la imagen de los vencidos en la guerra* · memoria · recuerdo
● CON ADVS. íntegramente · parcialmente · totalmente *rehabilitar totalmente una zona* · completamente || suficientemente · adecuadamente

rehacer v.

● CON SUSTS. vida *¿Cómo rehace uno su vida después de un accidente así?* · carrera · imagen · historia · camino || trabajo · estudio · texto || partido · empresa · plantilla · equipo · grupo || zona · centro · ciudad || amistad · lazo · vínculo
● CON ADVS. completamente *Me vi obligada a rehacer el trabajo completamente por un fallo informático* · del todo · enteramente · de arriba abajo || de nuevo || fácilmente

rehén s.com.

● CON ADJS. herido,da · sano y salvo · ileso,sa · libre · en peligro · en cautividad || político,ca *Son ustedes rehenes políticos de sus socios en el Gobierno* · espiritual
● CON VBOS. peligrar · morir || huir · escapar || tomar *La banda tomó rehenes y pidió un rescate millonario* · coger · capturar · intercambiar || custodiar · vigilar || ejecutar · asesinar · matar || liberar *Tras una semana de encierro, liberan a los rehenes de...* · soltar || retener · mantener || convertir(se) (en)

rehogar v.

● CON SUSTS. verdura *rehogar a fuego lento las verduras con dos cucharadas de aceite* · hortaliza · carne · pescado · marisco · arroz · ***otros alimentos o ingredientes***
● CON ADVS. a fuego lento · lentamente || previamente || ligeramente || conjuntamente · aparte

rehuir v.

● CON SUSTS. debate *La prensa acusaba al candidato de rehuir el debate* · lucha · polémica · confrontación || tema · problema · asunto · pregunta || contacto · presencia · mirada || responsabilidad · obligación · esfuerzo · trabajo || ***persona*** *El cantante rehuyó una vez más a los periodistas*
● CON ADVS. enteramente · completamente · del todo || descaradamente · abiertamente *Rehuía abiertamente todo tipo de confrontación* || disimuladamente · hábilmente · sutilmente || diplomáticamente *Había decidido rehuir diplomáticamente tan enorme responsabilidad* · educadamente

rehusar v.

● CON SUSTS. asistencia · colaboración · ayuda || ofrecimiento · propuesta · oferta · invitación *Rehusó cortésmente su invitación de ir al cine* · oportunidad *No deberías rehusar una oportunidad tan buena como esa* || cantidad · dinero · sueldo || regalo · donación · donativo || idea
● CON ADVS. abiertamente · firmemente · con firmeza · con decisión · enérgicamente · terminantemente · categóricamente || con diplomacia · cortésmente || temporalmente || verbalmente · por escrito *Deberá rehusar por escrito la oferta de trabajo*

[reina] → como (a) una reina; rey, reina

reinante adj.

▌[que ejerce el poder]

● CON SUSTS. partido · clase política · democracia · dictadura · monarquía · casa · familia · dinastía

▌[prevaleciente]

● CON SUSTS. tiempo · calor · frío · viento · temporal · vendaval · niebla · nubosidad · sequía || ideología · liberalismo *La propuesta económica era una alternativa al liberalismo reinante* · capitalismo · idealismo · realismo · ***otras tendencias o ideologías*** || alegría *Aprovechando la alegría y la euforia reinantes, les comunicó la noticia de que...* · euforia · felicidad · tensión · odio · ***otros sentimientos o emociones*** || hipocresía · exquisitez · desconocimiento · ***otras cualidades o defectos*** || caos *Intentó poner fin al caos reinante* · confusión · desconcierto · desorden · barullo · ajetreo · agitación · alboroto || delincuencia · miseria · corrupción || calma · tranquilidad *No conseguirán alterar la tranquilidad reinante en nuestras calles* · estabilidad · silencio · armonía · paz · normalidad · ortodoxia · orden · uniformidad · igualdad || situación · sensación · ambiente · clima

reinar v.

● CON SUSTS. rey *la época en la que reinaban los Reyes Católicos* · reina · soberano,na · monarca · ***otros individuos*** || calma · tranquilidad · paz · quietud · silencio *En el lugar reinaba un absoluto silencio* · orden · comprensión · entendimiento · armonía · equilibrio · estabilidad · normalidad · acuerdo · ortodoxia · uniformidad · igualdad || euforia *Reinaba la euforia en el partido tras conocerse los primeros resultados de los comicios* · optimismo · alegría · buen humor · satisfacción · sentido del humor || desconcierto · incertidumbre · confusión · caos · jolgorio · ajetreo · desorden || inquietud · horror · miedo · pánico *En la zona del terremoto reinaban el pánico y la confusión* · nerviosismo || malestar · pesimismo · consternación · descontento · desilusión · decepción *Reinaba la decepción entre los aficionados tras la rápida eliminación del equipo* · desconsuelo · desolación || clima · ambiente || corrupción
● CON ADVS. a {mis/tus/sus...} anchas · soberanamente || de manera indiscutible || por siempre · eternamente *Era imposible que el caos y la confusión reinaran eternamente* || despóticamente · justamente · ecuánimemente

reincidencia s.f.

● CON ADJS. escandalosa · notoria || eventual *Según el grado de la falta y su eventual reincidencia, las sanciones podrán ser...* · pasajera
● CON SUSTS. índice (de) · porcentaje (de) *¿Cómo bajar el alto porcentaje de reincidencia de algunos reclusos?* · nivel (de) || peligro (de) · riesgo (de) || robo (con) · agravante (de)
● CON VBOS. castigar · penalizar || detectar · evitar · impedir · prevenir *Este medicamento previene la reincidencia de los infartos* || contemplar || caer (en)

reincidente

1 reincidente adj.

● CON SUSTS. delincuente · infractor,-a *La ley contempla sanciones más duras para el infractor reincidente* · violador,-a · colectivo · banda · ***otros individuos y grupos humanos*** || motivo · falta · delito || conducta · carácter || disfunción
● CON VBOS. estimar · declarar · considerar || hacerse

2 **reincidente** s.com.

• CON ADJS. **potencial · contumaz · obstinado,da**
• CON VBOS. **detener · procesar · encarcelar · condenar · castigar · sancionar · multar || acusar || indultar**

reincorporar(se) (a) v.

• CON SUSTS. **trabajo** *Me reincorporé al trabajo después de un mes de baja* · **actividad · tarea · puesto · despacho · carrera · función · vida · servicio · labor || entrenamiento · lucha · juego || equipo · plantilla** *Los trabajadores se reincorporaron progresivamente a la plantilla después de las revueltas* · **filas · grupo · sociedad**
• CON ADVS. **enteramente · del todo** *La directora ya se ha reincorporado del todo a sus funciones* · **completamente · parcialmente || temporalmente · provisionalmente · definitivamente || inmediatamente · prematuramente || progresivamente · paulatinamente · gradualmente || recientemente || obligatoriamente** *Tuve que reincorporarme obligatoriamente a mi puesto* · **forzosamente || voluntariamente · libremente**

reiniciar v.

• CON SUSTS. **camino · marcha · viaje** *Después de descansar unas horas, reiniciaron su viaje* · **carrera · vida || trabajo · labor · actividad · clase · curso · estudio || obra · producción** *La empresa reiniciará la producción si el país logra salir de la crisis* **|| declaración · proceso · investigación · sesión || negociación · diálogo · contacto · campaña || máquina · ordenador** *Cuando termines de instalar el programa, debes reiniciar el ordenador* · **computadora · sistema · programa || conflicto · ofensiva · batalla · guerra**
• CON ADVS. **con dificultad · fatigosamente || inmediatamente || lentamente · gradualmente**

reino s.m.

I [monarquía]

• CON ADJS. **extenso · pequeño · enorme || independiente || legendario · mítico · antiguo · ancestral || imaginario · mágico · encantado || celestial · espiritual**
• CON SUSTS. **capital (de)** *ciudad que fue la capital del reino durante varios siglos* · **trono (de)**
• CON VBOS. **florecer · prosperar || gobernar · dirigir || establecer · crear · formar · dividir · unir || conquistar · recuperar · devastar || heredar · reclamar || pertenecer (a) · representar (a) || acabar (con) || expulsar (de)**

I [clase, grupo]

• CON ADJS. **animal · vegetal** *la clasificación del reino vegetal* · **mineral**
• CON SUSTS. **miembro (de) || evolución (de)**
• CON VBOS. **pertenecer (a)**

reinserción s.f.

• CON ADJS. **completa · progresiva · paulatina || efectiva · incondicional || laboral · profesional || social** *la educación como medio de reinserción social* · **política · pública · individualizada**
• CON SUSTS. **política (de) · programa (de)** *El municipio llevará a cabo un programa de reinserción de personas sin hogar* · **plan (de) · medida (de) || proceso (de) || centro (de)**
• CON VBOS. **conseguir · lograr · ofrecer · alcanzar || facilitar · promover · garantizar · asegurar · impulsar** *cursos de formación para impulsar la reinserción laboral de los parados de larga duración* · **favorecer · permitir · dificultar · impedir || producir || culminar || beneficiarse (de) · acogerse (a)**

reinstaurar v.

• CON SUSTS. **forma de gobierno · sistema político · democracia** *Después de cinco años de dictadura militar, se reinstauró la democracia en el país* · **monarquía · dictadura · régimen · gobierno · parlamento · consejo || programa · modelo · proyecto · plan || bandera · himno || control · prohibición · pena de muerte · pena capital · censura · embargo · extradición · castigo || costumbre · práctica · hábito || orden · calma · paz · alto el fuego** *La corresponsal en la zona informó de que habían reinstaurado el alto el fuego* · **tregua · libertad || terror · miedo · recelo · violencia || ética · honor · valor || socialismo · humanismo · comunismo · corriente ·** ***otras tendencias***

reintegrar(se) (a) v.

• CON SUSTS. **trabajo · misión** *Los agentes se reintegrarán a su misión dentro de una semana* · **actividad · puesto · lugar de trabajo · servicio · carrera · función · vida || equipo · grupo · sociedad · plantilla · empresa · club · familia || entrenamiento** *El jugador, recuperado de su lesión, se ha reintegrado perfectamente al entrenamiento* · **lucha**
• CON ADVS. **fácilmente · perfectamente || con dificultad || progresivamente** *El médico me recomendó que me reintegrara a la actividad laboral progresivamente* · **paulatinamente · gradualmente || plenamente · totalmente || de inmediato · anticipadamente || recientemente**

reintegro

1 **reintegro** s.m.

• CON ADJS. **económico · impositivo · patrimonial || total · parcial || pronto · inmediato || obligatorio**
• CON SUSTS. **derecho (a) · garantía (de) · plazo (de)**
• CON VBOS. **tocar(le) (a alguien)** *Me ha tocado el reintegro de la lotería primitiva* **|| realizar · efectuar · fijar || adelantar · actualizar · aplazar || solicitar · pedir · reclamar · exigir** *una carta al banco en la que se exige el total reintegro de los ingresos* · **ordenar || cobrar · recibir · obtener · canjear || premiar (con)**

2 **reintegro (de)** s.m.

• CON SUSTS. **dinero · fondo · cantidad · anticipo**

reír v.

• CON SUSTS. **broma · chiste** *Reímos sus chistes por puro compromiso* · **gracia · ocurrencia || salida (de tono)**
• CON ADVS. **abiertamente · como un loco** *Comenzó a reírse como un loco sin saber por qué* · **con ganas · a conciencia · a gusto · de lo lindo · sin parar · alborozadamente · con alborozo · a mandíbula batiente · a carcajadas · animadamente** *Estuvieron un rato charlando y riendo animadamente* **|| estrepitosamente · estruendosamente || a coro · al unísono || en {mi/tu/su...} cara · descaradamente · para {mis/tus/sus...} adentros || beatíficamente**
• CON VBOS. **echar(se) (a)** *Cuando aparecí con aquel disfraz, todos se echaron a reír* · **romper (a)**

reiteradamente adv.

• CON VBOS. **decir** *Me ha dicho reiteradamente que quiere renunciar a su cargo* · **mencionar · afirmar · manifestar · señalar · cuestionar · aludir · plantear || denunciar · amenazar** *Denuncia haber sido amenazado de muerte reiteradamente y de forma anónima* · **advertir · criticar · descalificar || solicitar** *Los ciudadanos han solicitado reiteradamente un semáforo en este peligroso cruce* · **pedir · reclamar · llamar · insistir · instar · requerir || presentar · mostrar · esgrimir ||** ***otros verbos de lengua*** **|| invadir · violar · agredir · disparar · castigar · cometer · robar || negar(se) · desobedecer · incumplir · rechazar · faltar**

reiterado, da adj.

● CON SUSTS. **denuncia** *Ante las reiteradas denuncias de los usuarios, la empresa ha decidido...* · **declaración** · **negativa** · **advertencia** · **manifestación** · **aparición** · **crítica** · **alusión** || **promesa** · **anuncio** · **noticia** · **mensaje** || **petición** · **solicitud** || **empleo** · **uso** || **intento** · **oportunidad** · **afán** || **delito** · **fracaso** · **fallo** · **error** · **incumplimiento** *El incumplimiento reiterado de las obligaciones fiscales será objeto de sanción* || **protesta** · **apoyo**

reiterar v.

● CON SUSTS. **compromiso** *Quisiera reiterar el compromiso de mi club con su afición* · **promesa** · **deseo** · **voluntad** · **intención** · **objetivo** || **petición** · **exigencia** · **necesidad** || **apoyo** · **confianza** · **disposición** · **apuesta** || **crítica** *No dudó en reiterar sus críticas a la política económica del Gobierno* · **rechazo** · **negativa** · **oposición** · **condena** · **denuncia** || **opinión** · **posición** · **propuesta**

● CON ADVS. **insistentemente** *Hemos reiterado insistentemente nuestro deseo de contribuir a...* · **incansablemente** · **una y otra vez** · **machaconamente** · **por activa y por pasiva** · **enérgicamente** || **al unísono** || **elocuentemente**

reivindicación s.f.

● CON ADJS. **firme** · **enérgica** · **vehemente** · **contundente** || **larga** · **continua** · **reiterada** · **insistente** · **persistente** || **justa** *Los trabajadores de la planta consideran justas sus reivindicaciones salariales* · **fundada** · **legítima** || **injusta** · **infundada** || **radical** · **desmedida** || **tradicional** · **histórica** || **unánime** *La reivindicación fue unánime en todo el grupo* || **salarial** · **política** · **económica** · **laboral** · **sindical** · **social** · **profesional** || **nacionalista** · **autonómica** · **territorial**

● CON SUSTS. **derecho (a)** || **acto (de)** · **campaña (de)** · **comunicado (de)** · **movimiento (de)** · **objeto (de)** · **motor (de)** || **lista (de)** || **éxito (de)** · **fracaso (de)**

● CON VBOS. **sustentar(se) (en algo)** · **basar(se) (en algo)** *Sus reivindicaciones se basaban en hechos justos* · **consistir (en algo)** || **hacer(se) realidad** || **presentar** · **hacer pública** · **plantear** · **formular** · **exponer** || **conseguir** || **aceptar** · **reconocer** · **asumir** *El Gobierno asumió las reivindicaciones de los sindicatos* · **apoyar** · **defender** · **avalar** · **canalizar** · **encauzar** · **satisfacer** · **enarbolar** || **abandonar** || **acallar** · **encarar** · **despreciar** || **negociar** *La patronal negoció las reivindicaciones laborales de los trabajadores hasta llegar a un acuerdo* || **reiterar** || **luchar (por)** || **cejar (en)** || **adherirse (a)** · **hacerse eco (de)** || **hacer oídos sordos (a)** || **beneficiarse (de)**

● CON PREPS. **a favor (de)**

rejonear v.

● CON SUSTS. **toro** · **astado** · **ejemplar** · **res** || **corrida** · **encierro**

● CON ADVS. **magníficamente** · **extraordinariamente** · **por colleras**

relación s.f.

I [trato, unión]

● CON ADJS. **abierta** · **manifiesta** · **evidente** · **patente** · **ostensible** · **obvia** · **clara** *Hay una clara relación entre ambos conceptos* · **directa** · **vaga** || **profunda** · **intensa** · **larga** · **duradera** · **prolongada** · **estable** · **íntima** · **estrecha** *Entabló una relación muy estrecha con su compañero de trabajo* · **cercana** · **cuerpo a cuerpo** || **superficial** · **leve** · **ligera** · **tenue** · **indirecta** · **escasa** · **laxa** || **menor** *No existe la menor relación entre una cosa y la otra* || **fecunda** · **fructífera** *una relación profesional muy fructífera* || **lógica** · **proporcional** || **corta** · **breve** · **fugaz** · **imperceptible** · **efímera** · **pasajera** · **arbitraria** || **delicada** · **precaria** · **quebradiza** || **casual** · **tangencial** || **vinculante** || **frecuente** · **asidua** · **constante** || **esporádica** · **remota** · **ocasional** · **variable** || **cordial** · **armoniosa** · **llevadera** · **pacífica** · **entrañable** · **desinteresada** || **difícil** *A veces las relaciones de convivencia pueden llegar a ser muy difíciles* · **ardua** · **compleja** · **turbulenta** · **tormentosa** *La pareja tuvo una tormentosa relación durante algunos años* · **tortuosa** · **intrincada** · **confusa** · **inextricable** || **tirante** · **distante** · **en punto muerto** || **ardiente** · **amistosa** · **amorosa** · **sentimental** · **afectiva** · **pasional** · **carnal** · **matrimonial** · **platónica** || **formal** · **oficial** · **profesional** · **laboral** · **contractual** · **comercial** · **epistolar** *Mantuvimos una divertida relación epistolar* || **igualitaria** · **de igual a igual** · **equitativa** · **desigual**

● CON VBOS. **existir (entre algo y algo)** · **consistir (en algo)** || **salir a la luz** || **afianzar(se)** · **fortalecer(se)** *una relación que se fortaleció con el tiempo* · **robustecer(se)** · **fraguar(se)** · **prosperar** || **enfriar(se)** · **agriar(se)** · **enturbiar(se)** · **empañar(se)** · **enrarecer(se)** · **derrumbar(se)** · **truncar(se)** · **quebrar(se)** · **irse a pique** || **deparar** || **venir de lejos** || **tener** *En la actualidad, tenemos una buena relación* · **entablar** || **establecer** · **iniciar** · **cultivar** · **entrenar** · **tejer** · **cimentar** · **fijar** · **forjar** · **estrechar** · **consumar** · **prodigar** || **hacer público** · **confesar** · **destapar** · **airear** || **negar** · **desmentir** || **oficializar** · **formalizar** *Hemos decidido formalizar nuestra relación* · **legitimar** || **detectar** · **percibir** · **desentrañar** · **averiguar** *Aún no han averiguado la relación que existe entre el asesino y la víctima* · **dilucidar** || **clarificar** · **esclarecer** · **apreciar** · **enderezar** · **relanzar** · **intensificar** · **desbloquear** || **conservar** · **mantener** · **guardar** || **erosionar** · **socavar** · **quebrantar** · **dañar** · **obstaculizar** || **acabar** · **cortar** · **romper** *Los últimos acontecimientos han roto las relaciones entre ambos países* · **deshacer** · **desbaratar** · **disolver** · **congelar** || **alterar** · **aderezar** || **involucrar(se) (en)** · **profundizar (en)**

I [listado]

● CON ADJS. **completa** *Todavía no se ha publicado la relación completa de los ganadores* · **exhaustiva** · **nutrida** · **larga** · **prolija** · **kilométrica** · **interminable** || **incompleta** · **parcial** · **somera** · **sesgada**

● CON VBOS. **encabezar** *Vi que tu nombre encabezaba la relación de admitidos* · **cerrar** || **hacer** · **engrosar** || **publicar** · **memorizar** || **figurar (en)**

relacionar(se) v.

● CON ADVS. **vagamente** · **laxamente** · **tangencialmente** · **esporádicamente** || **íntimamente** · **de cerca** · **estrechamente** *Se relacionaron estrechamente durante unos años, pero luego se distanciaron* · **inseparablemente** || **abiertamente** || **lógicamente** · **armoniosamente** · **coherentemente** *relacionar coherentemente unos argumentos con otros* · **afectivamente** || **públicamente** || **epistolarmente** *Se habían relacionado epistolarmente durante un tiempo* || **ni por asomo**

relajación s.f.

● CON ADJS. **general** · **completa** || **mental** · **muscular** *El masaje produce relajación muscular y descanso mental* · **física** · **moral** · **de costumbres** || **monetaria** || **momentánea** · **progresiva** · **profunda**

● CON SUSTS. **ejercicio (de)** *ejercicios de relajación para prevenir el estrés* · **técnica (de)** · **método (de)** · **terapia (de)** || **fase (de)** · **momento (de)** · **sesión (de)** || **clase (de)** || **exceso (de)** · **falta (de)**

● CON VBOS. **producir** · **causar** · **provocar** || **conseguir** · **alcanzar** *técnicas para alcanzar un profunda relajación* · **lograr** || **experimentar** || **llegar (a)** || **ayudar (a)**

relamerse v.

● CON SUSTS. **bigote** · **labios** · **hocico** · **dedos** || **herida**

● CON ADVS. **de gusto** *Se relamía de gusto imaginando la victoria* · **golosamente**

relámpago

1 **relámpago** s.m.

■ [rayo, destello]

• CON ADJS. **resplandeciente · refulgente · destelleante · centelleante · deslumbrante · cegador · radiante · espectacular || fantasmal · aterrador || súbito · instantáneo · fugaz** *Un fugaz relámpago iluminó unos instantes el cielo* **|| fulminante · paralizante || poético · verbal**
• CON SUSTS. **luz (de) || destello (de) · resplandor (de)** *Me cegó el resplandor del relámpago* **|| tormenta (de)** *Anoche hubo una espectacular tormenta de relámpagos*
• CON VBOS. **resplandecer · centellear || iluminar (algo) · proyectarse · reflejar(se) || caer || sacudir (algo) || deslumbrar (a alguien)** *El relámpago nos deslumbró durante unos instantes* **|| lanzar**
• CON PREPS. **bajo · entre || como** *Es rápida como un relámpago*

■ [rápido, repentino]

• CON SUSTS. **aparición · viaje · visita** *Solo me dio tiempo a hacer una visita relámpago a mis amigos* **· gira** *El artista hizo una gira relámpago por algunos países* **|| operación || jugada · torneo · carrera || ataque · ofensiva · atraco · guerra · crisis || romance**

2 **relámpago (de)** s.m.

• CON SUSTS. **inspiración** *Se le ocurrió casualmente, en un relámpago de inspiración* **· ingenio · talento || optimismo · humor || generosidad · humanidad**

relampaguear v.

• CON SUSTS. **cielo · astro · estrella || cuerpo · metal || ojos** *Sus ojos relampagueaban con un brillo especial* **· mirada || luz · fogonazo · destello || imagen || idea · intuición**

relanzar v.

• CON SUSTS. **obra · libro · edición · revista · disco** *El grupo ha relanzado su disco de grandes éxitos* **·** ***otras obras de creación*** **|| producto || ópera · boxeo · escultura · teatro ·** ***otras disciplinas*** **|| proceso · proyecto** *Se relanza el proyecto de creación de una zona de libre comercio entre...* **· plan · campaña · idea · programa · estrategia || negociación · relación · pacto · cooperación · lazo || economía · mercado · inversión** *El Gobierno presenta un plan para relanzar la inversión pública en infraestructuras* **· producción · exportación · venta || debate · polémica || ofensiva · ataque**

relatar v.

• CON SUSTS. **hecho · suceso · acontecimiento || historia · anécdota** *Les relató con todo lujo de detalles las anécdotas del viaje* **· cuento · leyenda · noticia || viaje · recorrido · estancia · experiencia || crimen · ataque · atraco || pormenores · detalles · circunstancias · peripecias · avatares**
• CON ADVS. **con precisión · minuciosamente · pormenorizadamente** *La Policía pidió a la testigo que relatara pormenorizadamente los sucesos* **· punto por punto · con pelos y señales · con (todo) lujo de detalles · detalladamente · en todos sus pormenores · extensamente · prolijamente || rápidamente · resumidamente · esquemáticamente || crudamente · en toda su crudeza || de corrido** *El juglar relataba de corrido las leyendas que formaban su repertorio*

relativizar v.

• CON SUSTS. **efecto · consecuencia · resultado · impacto · peligro · alcance · éxito · derrota || importancia** *El ministro está relativizando la importancia de la crisis* **· trascendencia · valor · relevancia || hecho · cuestión · dato · información · premisa · afirmación || problema** *No se trata de relativizar el problema* **· error · daño · diferencia || crítica · acusación**
• CON ADVS. **totalmente · en parte**

relativo, va adj.

■ [referente a algo]

• CON SUSTS. **decisión · propuesta || aspecto** *Los aspectos relativos a este tema no los trato yo* **· discusión · tema · asunto · cuestión · materia · término || comentario · observación · documento · información · informe · teoría · explicación · reflexión || dato · cifra · resultado || legislación · norma · derecho**

□ USO Se construye con complementos encabezados por la preposición *a*: *una serie de normas relativas al uso de las instalaciones.*

■ [considerado en relación con otras cosas]

• CON SUSTS. **precio · importancia** *El problema tenía una importancia relativa* **· interés || desarrollo · calma · facilidad · estabilidad · éxito || aumento · disminución || fuerza · posición || mayoría || frecuencia** *Viene a verme con relativa frecuencia* **|| valor · humedad** *la humedad relativa del aire* **· altura · edad · peso · extensión ·** ***otras magnitudes***

relato s.m.

• CON ADJS. **completo · detallado · pormenorizado** *Hizo un relato pormenorizado de los hechos* **· cumplido · exhaustivo · prolijo || somero · breve · corto · superficial || fidedigno · veraz · verídico · creíble || inverosímil · fantasioso · increíble || aburrido || apasionante** *Anoche leí un relato apasionante de ciencia ficción* **· espeluznante · conmovedor || lineal || fantástico · de ciencia ficción · de terror · policial · de intriga · histórico · onírico || testimonial** *Su relato fue solo testimonial* **· autobiográfico || oral · popular**
• CON SUSTS. **libro (de) · colección (de) · conjunto (de) · serie (de) · antología (de) · recopilación (de) || concurso (de) · premio (de) || título (de) · estructura (de) · acción (de) · núcleo (de) · eje (de) · tema (de) · argumento (de) · técnica (de) · ritmo (de) · tono (de) · unidad (de) || autor,-a (de)**
• CON VBOS. **discurrir · fluir · entrecortar(se) || versar (sobre algo) · girar (sobre algo) · tratar (sobre algo/de algo)** *¿Sobre qué trata el relato que estás leyendo?* **|| hacer · efectuar · realizar** *Realizó un relato apasionante de su viaje* **|| componer** *En el segundo libro compone un apasionante relato de sus peripecias en...* **· construir · trazar · urdir · hilvanar · bosquejar || referir · escribir** *El alumno ganador escribió un relato muy divertido* **· resumir || alargar · seguir · interrumpir · concluir || publicar**
• CON PREPS. **al hilo (de) · al final (de) · a través (de) · a lo largo (de)**

relax s.m.

• CON ADJS. **absoluto · total** *El masaje le producirá a usted un relax total* **|| excesivo || auténtico · verdadero · aparente || físico · psíquico · mental · veraniego**
• CON SUSTS. **momento (de)** *Tengo tanto trabajo que no me queda ni un momento de relax* **· día (de) · jornada (de) · tiempo (de) · hora (de) || ambiente (de) · clima (de) · sensación (de) || sección (de) || casa (de)**
• CON VBOS. **producir · generar · ofrecer || propiciar || buscar · necesitar** *Lo que ahora necesitamos todos es un poco de relax*

relegar v.

• CON SUSTS. ***persona*** *Relegaba un poco a su socio en la gestión de la empresa* **|| tema · asunto · cuestión · proyecto · problema || uso · actuación · decisión || protagonismo**

● CON ADVS. **totalmente · completamente · absolutamente || permanentemente** *un proyecto permanentemente relegado a un segundo plano* · **definitivamente · constantemente · sistemáticamente || necesariamente || premeditadamente · arteramente || informativamente · políticamente**

☐ USO Se construye con complementos encabezados por la preposición *a*: *relegar una imagen al olvido.*

relevancia s.f.

● CON ADJS. **gran(de) · clara · suma · enorme · acusada · destacada · notable · palpable · preponderante · significativa · decisiva · crucial · capital** *La elección que ha de hacer el Parlamento es de capital relevancia* **|| especial** *El caso tenía especial relevancia para la opinión pública* · **fundamental || indiscutible · indudable || escasa · menor · relativa · mínima**

● CON VBOS. **estribar (en algo) || incrementar(se) || tener · poseer · adquirir** *Su figura está adquiriendo relevancia dentro del partido* · **alcanzar · revestir · cobrar || dar · conceder · otorgar || perder · quitar || acrecentar · magnificar || negar · desestimar · enjuiciar**

● CON PREPS. **de** *un asunto de relevancia pública*

relevante adj.

● CON SUSTS. **cuestión** *¿Hay alguna cuestión relevante que debamos tratar hoy?* · **asunto · tema || aspecto · elemento · factor · característica || pregunta · dato · noticia · ejemplo · texto || figura · personaje || suceso · acontecimiento · hecho · circunstancia · cambio || puesto · lugar** *La noticia ocupó un lugar relevante en las primeras páginas de todos los periódicos* · **cargo · función · papel || momento · etapa || logro · mérito**

● CON ADVS. **especialmente · verdaderamente · realmente || absolutamente** *Su pregunta es absolutamente relevante en estas circunstancias* · **completamente · totalmente || cualitativamente · cuantitativamente**

● CON VBOS. **considerar || resultar · volver(se)**

relevo s.m.

● CON ADJS. **probable · supuesto || definitivo · corto · último · inminente || acertado · excelente · buen(o) || generacional** *A ustedes les corresponderá tomar el relevo generacional* · **presidencial · natural**

● CON SUSTS. **carrera (de) · prueba (de) · equipo (de) || testigo (de) || contrato (de) || proceso (de) · operación (de) || hora (de)**

● CON VBOS. **llegar · retrasar(se) || dar · nombrar · preparar · propiciar · facilitar || impedir || pedir · esperar || coger · tomar** *El corredor tomó mal el relevo perdió el testigo* · **realizar · efectuar || rechazar || proponer (como)** *La propusieron como relevo para cubrir ese puesto* **|| proceder (a)**

relieve s.m.

▌[importancia]

● CON ADJS. **gran(de) · enorme** *Es un químico de enorme relieve en su campo de especialización* · **destacado · notorio · internacional || indiscutible · indudable || escaso · menor || social · político · intelectual**

● CON VBOS. **adquirir · tomar · alcanzar · cobrar** *El tema ha vuelto a cobrar relieve recientemente* **|| perder || conceder · dar · otorgar · quitar || dotar (de)**

● CON PREPS. **de** *un escritor de relieve*

▌[prominencia]

● CON ADJS. **terrestre · topográfico · geográfico · orográfico** *El paisaje se caracteriza por un suave relieve orográfico* · **natural || abrupto · escarpado · accidentado · suave || elevado · hundido || policromado · pictórico · escultórico**

● CON VBOS. **tener · poseer || presentar** *La zona presenta un accidentado relieve* · **mostrar || resaltar**

☐ EXPRESIONES **poner de relieve** [resaltar]

religión s.f.

● CON ADJS. **ortodoxa** *una religión poco ortodoxa* · **heterodoxa · oficial · civil · laica || monoteísta · politeísta · animista · pagana · judeocristiana · humanista · oriental · occidental · afrocubana || verdadera · tradicional · ancestral · primitiva · natural · popular · moderna · actual || católica · cristiana · musulmana · islámica** *profesar la religión islámica* · **mahometana · judía · hebrea · hindú · hinduista · sij · protestante · evangélica · anglicana · baptista · metodista · calvinista · luterana · budista · evangelista || mayoritaria · minoritaria · predominante · de masas · imperante · tolerante · intolerante || optativa · obligatoria** *un debate sobre si la religión debe ser obligatoria en los colegios* **|| fiel (a) · seguidor,-a (de) · practicante (de)** *un fiel practicante de su religión*

● CON VBOS. **arraigar (en alguien) || difundir(se)** *La nueva religión se difundió rápidamente* · **extender(se) · propagar(se) · expandir(se) || prohibir (algo)** *una religión que prohíbe el uso de...* · **proclamar (algo) || seguir · profesar · practicar · abrazar** *Abrazó una religión oriental* · **aceptar || predicar** *Predica su religión con convicción* **|| profanar || convertir(se) (a) · adscribir(se) (a) · apegarse (a) || creer (en) || cumplir (con)** *Cumple fielmente con su religión* **|| abjurar (de) · apostatar (de) · renegar (de) || educar (en)** *Educó a sus hijos en su religión*

RELIGIÓN

Información útil para el uso de:

budismo; catolicismo; confucianismo; cristianismo; hinduismo; islam; islamismo; judaísmo; mormonismo; protestantismo; sintoísmo; taoísmo

● CON ADJS. **heterodoxo,xa** *...lo definió como un cristianismo heterodoxo* · **ortodoxo,xa · tradicional · popular · militante || revolucionario,ria · fundamentalista · integrista · radical · renovado,da · conservador,-a || profundo,da || minoritario,ria · mayoritario,ria · arraigado,da (en alguien)**

● CON SUSTS. **año (de) · siglo (de) · milenio (de) · tiempo (de) || corriente (de) · rama (de)** *una rama del protestantismo* · **secta (de) · forma (de) · mezcla (de) · combinación (de) || testimonio (de) · texto (de) · manifestación (de) · símbolo (de) · fundamento (de) || filosofía (de) · valores (de)** *los valores del islamismo* · **ideal (de) · esencia (de) · espíritu (de) || enseñanza (de) · influencia (de) · expansión (de) · práctica (de) · lección (de) · dogma (de) · precepto (de) · principio (de) · rito (de) · historia (de) || conversión (a)** *su temprana conversión al cristianismo* · **iniciación (en) || seguidor,-a (de) · practicante (de) · adepto,ta (de/a) · autoridad (de) · estudioso,sa (de) · versado,da (en) · enemigo (de) || cuna (de) · santuario (de) || crisis (de) · agonía (de)**

● CON VBOS. **adoptar · aceptar · abrazar** *abrazar el judaísmo* · **practicar · profesar || propagar(se) · difundir(se) · enseñar · predicar || respetar · estudiar · rechazar · abandonar · combatir || convertir(se) (a)** *convertirse al budismo* · **iniciar(se) (en) · acogerse (a) · adherirse (a) · refugiarse (en) · pasarse (a) · oponerse (a) · impregnar (de) || apostatar (de) · renegar (de)**

religiosamente adv.

▌[de manera religiosa]

● CON VBOS. **educar · instruir · formar || comportarse · actuar · vivir (algo)** *vivir religiosamente la Semana Santa*

|| **celebrar (una ceremonia)** *Han decidido celebrar su boda religiosamente* · **casar(se)**

▮ [puntualmente, regularmente]

• CON VBOS. **pagar** *Nos pagan religiosamente el sueldo el día cinco de cada mes* · **abonar** · **sufragar** · **facturar** · **ingresar** · **cotizar** || **asistir** *Son pocos los que asisten religiosamente al curso de formación* · **acudir** || **cumplir** · **acatar** · **observar**

religiosidad s.f.

• CON ADJS. **profunda** *una persona de profunda religiosidad* · **honda** · **fuerte** · **alta** · **elemental** · **extremada** · **desbordada** · **fervorosa** || **falsa** · **externa** · **verdadera** · **sincera** · **auténtica** · **acendrada** || **popular** *las distintas manifestaciones de la religiosidad popular* · **tradicional** || **tolerante** · **abierta** · **sectaria** || **individual** · **personal** · **social**
• CON SUSTS. **signo (de)** · **símbolo (de)** || **sentimiento (de)**
• CON VBOS. **expresar** · **manifestar** || **vivir** · **experimentar** || **basar (en algo)** || **renovar** · **respetar** || **rechazar**

religioso, sa adj.

• CON SUSTS. ***persona*** *Su madre era muy religiosa* || **música** *un concierto de música religiosa del Barroco* · **himno** · **cántico** · **iconografía** · **imaginería** · **pintura** · **cuadro** · **poesía** · **obra** · **arte** || **orden** · **colegio** · **centro** · **santuario** · **templo** || **secta** · **grupo** || **ceremonia** *A la ceremonia religiosa no asistió más que la familia* · **matrimonio** · **funeral** · **acto** · **ritual** · **rito** || **ayuno** || **vida** · **experiencia** · **formación** · **enseñanza** || **creencia** *Nunca habla de sus creencias religiosas* · **convicción** · **sentimiento** · **vocación** · **fe** · **dogma** · **moral** · **sentido** · **inspiración** · **culto** · **credo** || **fervor** · **éxtasis** || **fanatismo** · **fundamentalismo** *En su discurso condena todo tipo de fundamentalismo religioso* · **radicalismo** · **puritanismo** || **guerra** || **libertad** · **tolerancia** || **tema** · **carácter** · **componente** · **cariz** · **temática** · **materia** · **cuestión** · **precepto** · **postulado** || **tabú**
• CON ADVS. **profundamente** *Lleva una vida profundamente religiosa* · **enormemente**
• CON VBOS. **volverse** · **hacerse**

relinchar v.

• CON SUSTS. **caballo** · **yegua**

[reloj] → como un reloj; contra reloj; reloj

reloj s.m.

• CON ADJS. **exacto** · **puntual** · **preciso** || **implacable** *El reloj marcaba las horas implacable* · **inexorable** || **analógico** · **digital** · **mecánico** · **electrónico** · **de cuco** · **de sol** || **biológico** · **atómico** · **molecular** || **de pulsera** · **de pared** · **de bolsillo**
• CON SUSTS. **agujas (de)** *en la dirección de las agujas del reloj* · **manecilla (de)** · **esfera (de)** · **cadena (de)** · **péndulo (de)** · **mecanismo (de)** · **cuerda (de)** || **compás (de)** · **tictac (de)** || **alarma (de)**
• CON VBOS. **dar (la hora)** · **marcar (la hora)** · **señalar (la hora)** || **funcionar** || **adelantar(se)** · **retrasar(se)** · **atrasar(se)** *Cada mes el reloj se me atrasa un minuto* · **detener(se)** · **parar(se)** · **estropear(se)** · **averiar(se)** · **fallar** *Me falló el reloj y llegué tarde* || **sonar** || **poner en hora** · **sincronizar** *Sincronicemos nuestros relojes* || **dar cuerda (a)**

□ EXPRESIONES **como un reloj*** [puntualmente, perfectamente] *col.* || **contra reloj*** [en un tiempo fijado]

[relojería] → de relojería; relojería

relojería s.f.

• CON SUSTS. **artículo (de)** · **pieza (de)** || **trabajo (de)** || **sector (de)** · **establecimiento (de)** || **mecanismo (de)** *Los tiempos asignados a cada uno deben encajar como un mecanismo de relojería*
➤ Véase también **ESTABLECIMIENTO**

□ EXPRESIONES **de relojería*** [que consta de un mecanismo con un reloj] *bomba de relojería*

reluciente adj.

• CON SUSTS. **sol** · **estrella** || **día** · **mañana** · **tarde** · **amanecer** || **color** || **medalla** · **joya** · **cristal** · **metal** || **cabello** *El cabello negro y reluciente le llegaba hasta los hombros* · **pelo** · **piel** · **dentadura** · **dientes** || **zapatos** · **cuero** · **botas** · **traje** · **ropa** · **vestimenta** · **uniforme** · ***otras prendas de vestir*** || **coche** · **casa** *Siempre tiene la casa limpia y reluciente* · **habitación** · **piso** || **acabado** · **superficie** · **suelo** || **currículum** · **expediente**
• CON VBOS. **dejar** · **quedar** *Con este producto el suelo queda reluciente* || **aparecer** · **estar**

[relucir] → relucir; sacar a relucir; salir a relucir

[relumbrón] → de relumbrón

remangar v.

• CON SUSTS. **camisa** · **pantalón** *Remángate un poco el pantalón para no mancharte de barro* · **chaqueta** · ***otras prendas de vestir***

remansarse v.

• CON SUSTS. **río** *Más adelante, el río se remansa y sus aguas se transforman en un espejo* · **arroyo** · **agua** · **corriente** · **curso** || **tiempo** · **naturaleza** · **situación** · **acción** || **ánimo** · **espíritu** · **dolor** || **narración** · **novela** · **relato**
• CON ADVS. **suavemente** · **plácidamente**

remanso

1 **remanso** s.m.

• CON ADJS. **íntimo** · **escondido** · **aislado** · **perdido** || **pequeño** || **espiritual** *Su visita fue un remanso espiritual para todos nosotros*
• CON VBOS. **buscar** · **encontrar** · **hallar**

2 **remanso (de)** s.m.

• CON SUSTS. **paz** · **quietud** · **tranquilidad** *Esta hostería es un remanso de tranquilidad* · **sosiego** · **calma** || **amor** || **cordura** · **razón**

remar v.

• CON ADVS. **a contracorriente** · **contra viento y marea** · **{a favor/en contra} del viento** || **acompasadamente** · **con fuerza** · **con todas {mis/tus/sus...} fuerzas**

remarcar v.

• CON SUSTS. **diferencia** · **defecto** || **acento** · **estilo** · **aspecto** · **característica** · **silueta** *El vestido rojo remarca su silueta* || **necesidad** · **importancia** · **conveniencia** · **oportunidad** || **intención** · **objetivo** · **deseo** || **carácter** · **hecho** · **situación**
• CON ADVS. **especialmente** *El director remarcó especialmente la importancia de la música en sus películas* || **claramente** · **con firmeza** || **intencionadamente** · **machaconamente**

rematadamente adv.

• CON ADJS. **loco,ca** *Está rematadamente loca* · **malo,la** · **imbécil** · **cursi** · **falso,sa** · **estúpido,da** · **idiota** · **inepto,ta** · **burdo,da** · **torpe** *Había olvidado lo rematadamente torpe que era en la cocina* · **cutre** · **desagradable** · **desastroso,sa** · **hortera** · **perverso,sa**
• CON ADVS. **bien** · **mal** *Nos has hecho quedar rematadamente mal* · **peor**

rematar v.

▮ [dar fin]

● CON SUSTS. **actividad · trabajo** *Queda poco para rematar el trabajo* · **faena · labor || texto** *Remató el texto con un bello final* · **obra · película · artículo || proyecto || existencias** *Esa tienda rematará sus existencias a fin de mes*
● CON ADVS. **con éxito** *Remataron con éxito el trabajo* · **con acierto · felizmente || inútilmente || a bote pronto · a marchas forzadas**

▮ [terminar de coser]

● CON SUSTS. **costura · hilván**

▮ [lanzar]

● CON SUSTS. **gol · balón**
● CON ADVS. **con tino · certeramente || con fuerza · de cabeza** *rematar un balón de cabeza* || **a bocajarro · escoradamente || desde cerca · desde lejos · de cerca · de lejos**

[remate] → de remate; remate

remate s.m.

● CON ADJS. **frontal · lateral · escorado · sesgado · raso** *Un remate raso del delantero centro se estrelló contra el poste* · **a bocajarro · de cabeza || directo · indirecto || fulminante · a bote pronto || apoteósico** *una novela con un remate apoteósico e inesperado*
● CON VBOS. **escorar(se) || hacer · dar || lanzar · fallar || desviar** *...que desvió varios remates de cabeza a lo largo del partido*

□ EXPRESIONES **de remate*** [expresión que intensifica alguna cualidad negativa] *estar loco de remate*

rembolsar v. Véase **reembolsar**

rembolso s.m. Véase **reembolso**

remediar v.

● CON SUSTS. **acción · acontecimiento · suceso || mal · problema** *Intentaremos remediar el problema con serenidad y buen ánimo* · **obstáculo · daño · perjuicio · inconveniente · desgracia · estropicio · desaguisado || malestar · dolor · enfermedad || pobreza · miseria · injusticia || error** *¿Hay alguna forma de remediar mi error?* · **fallo · descuido · desatención · defecto**
● CON ADVS. **en parte** *Este medicamento remediará en parte sus dolores* · **parcialmente · en alguna medida · ligeramente || eventualmente · transitoriamente · temporalmente · de un día para otro** *Este tipo de desgracia no se remedia de un día para otro*

[remedio] → poner remedio (a); remedio

remedio s.m.

● CON ADJS. **efectivo · eficaz · útil** *un remedio muy útil contra el estrés* · **adecuado · expeditivo · contundente · infalible · fiable · universal || ineficaz · inútil · contraindicado || fácil · difícil || mágico · milagroso · prodigioso || drástico · rápido || terapéutico · curativo || casero** *¿Conoces algún remedio casero para el dolor de garganta?* · **natural**
● CON VBOS. **surtir efecto** *El remedio surtió efecto antes de tiempo* · **fallar || tener · caber || dar (a algo) · poner (a algo) · aplicar · administrar || buscar || hallar · encontrar** *Por fin he encontrado un remedio contra el aburrimiento* · **vislumbrar · atisbar || indicar · proponer · prescribir · recetar** *El médico me recetó un remedio contra la tos* · **recomendar || confiar (en)**
● CON PREPS. **sin** *Es un charlatán sin remedio*

□ EXPRESIONES **no {haber/quedar} más remedio** [ser necesario] *col.*

remendar v.

● CON SUSTS. **jirón · roto · descosido** *Me remendó el descosido en un abrir y cerrar de ojos* · **carrera · siete · agujero || cuello · puños · codos || media · calcetín · tela · traje** · ***otras prendas de vestir*** **|| parche**
● CON ADVS. **por encima || cuidadosamente** *Mi abuela remendó cuidadosamente el vestido* · **concienzudamente · perfectamente**

remeter v.

● CON SUSTS. **manta · sábana** *remeter las sábanas al hacer la cama* · **colcha || camiseta · camisa** *Remétete la camisa por el pantalón antes de entrar al colegio* · **blusa** · ***otras prendas de vestir***

remilgado, da adj.

● CON SUSTS. ***persona*** *Mi hija es un poco remilgada para las comidas* || **paladar · gusto · tono || carácter · maneras · aspecto**
● CON VBOS. **volverse**

remilgo s.m.

● CON ADJS. **absurdo · incomprensible · inexplicable || natural · lógico** *Es un remilgo lógico, teniendo en cuenta su situación* · **explicable || escaso** *Esta vez hizo escasos remilgos a la comida que le ofrecían*
● CON SUSTS. **ausencia (de) · falta (de)**
● CON VBOS. **hacer (a algo) · tener || andarse (con) · dejarse (de) || carecer (de)**
● CON PREPS. **con · sin** *Habla sin remilgos, es mejor saber la verdad*

[remisión] → remisión; sin remisión

remisión

1 **remisión** s.f.

▮ [envío]

● CON ADJS. **urgente · inmediata || masiva**
● CON SUSTS. **carta (de) · escrito (de) || diligencia (de)** *datos que no constan en la diligencia de remisión del informe médico*
● CON VBOS. **realizar** *las indicaciones para realizar la remisión de la documentación* · **hacer || agilizar · retrasar || reclamar · exigir** *El Estado podrá exigir la remisión de los documentos referidos en la normativa vigente*

▮ [reducción, disminución]

● CON ADJS. **total** *Una vez que se produce la remisión total del dolor, se puede dejar la medicación paulatinamente* · **completa · parcial || temporal · momentánea || condicional**
● CON SUSTS. **petición (de)**
● CON VBOS. **aprobar · confirmar · firmar · disponer · conceder || solicitar** *Los abogados solicitarán una remisión parcial de la pena* · **pedir · proponer · obtener || posponer · aplazar · estudiar**
● CON PREPS. **sin** *El equipo se hunde sin remisión*

2 **remisión (de)** s.f.

● CON SUSTS. **pena** *remisión de penas por buen comportamiento* · **condena || causa** *La acusación particular ha pedido la remisión de la causa al Alto Tribunal* || **informe · información · documento · carta**

remite s.m.

● CON ADJS. **conocido** · **desconocido** *un mensaje electrónico de remite desconocido* · **falso** · **inexistente**
● CON VBOS. **poner** · **escribir** · **completar** || **leer** || **incluir (en)** · **indicar (en)** || **figurar (como)**
● CON PREPS. **sin** *una carta sin remite* · **con**

remitente s.com.

● CON ADJS. **desconocido,da** · **conocido,da** · **anónimo,ma** *Me han enviado un ramo de rosas con un remitente anónimo* · **misterioso,sa**
● CON SUSTS. **datos (de)** · **dirección (de)** · **señas (de)** · **domicilio (de)**
● CON VBOS. **tener** · **llevar** · **indicar** || **identificar** · **mirar** · **comprobar** || **devolver (a)** *La carta fue devuelta al remitente porque el destinatario se había mudado* || **figurar (como)** · **poner (como)**
● CON PREPS. **sin** *Ha llegado para ti un sobre cerrado sin remitente* · **con**

remitir v.

▮ [enviar]

● CON SUSTS. **caso** *Han remitido el caso al Tribunal Superior de Justicia de...* · **causa** · **asunto** · **sumario** · **denuncia** · **diligencias** · **actuaciones** || **escrito** · **informe** *Van a remitir el informe sobre las obras a la comisión de investigación* · **documentación** · **información** · **carta** · **documento** · **expediente** || **copia** · **duplicado**

▮ [disminuir]

● CON SUSTS. **temporal** · **lluvia** *Los meteorólogos anuncian que la lluvia comenzará a remitir esta tarde* · **borrasca** · **nieve** · **nevada** · **niebla** · **viento** · ***otros fenómenos meteorológicos adversos*** || **frío** · **calor** || **gripe** *La gripe remitió en seguida con la medicación* · **alergia** · **artritis** · **leucemia** · ***otras enfermedades*** || **fiebre** · **dolor** · **síntoma** · **lesión** · **epidemia** || **temor** · **miedo** · **pesimismo** · **pena** *una pena íntima y profunda que no parecía remitir con el paso del tiempo* · **ira** · **odio** · **resentimiento** · **alegría** · **euforia** · **amor** · **cariño** · ***otros sentimientos o emociones*** || **tensión** · **peligro** · **alarma** · **inestabilidad** · **presión** · **psicosis** || **crisis** · **conflicto** · **disturbio** · **debate** · **confusión** · **huelga** · **manifestación** · **problema** · **protesta** · **paro** · **invasión** · **miseria** *La lacerante miseria no remite a pesar de los esfuerzos internacionales* · **pobreza** || **crecida** · **bajada** *Parece que la drástica bajada de las temperaturas comienza a remitir* · **brote** · **recesión**
● CON ADVS. **ligeramente** · **considerablemente** · **vagamente** || **rápidamente** · **paulatinamente** · **progresivamente** · **lentamente** *El temporal remite lentamente tras ocasionar numerosos problemas en las carreteras* · **gradualmente** || **espontáneamente** || **inevitablemente**

remodelación s.f.

● CON ADJS. **absoluta** · **total** · **profunda** · **a fondo** · **integral** · **drástica** || **parcial** · **ligera** · **leve** || **urgente** *El arquitecto sugirió una remodelación urgente* · **necesaria**
● CON SUSTS. **alcance (de)**
● CON VBOS. **llevar a cabo** · **realizar** · **acometer** *Los vecinos acometieron la remodelación del edificio* · **emprender** || **plantear** || **experimentar** || **culminar**

[remojo] → en remojo

remolacha s.f.

● CON ADJS. **de secano** · **de regadío** || **fresca** || **azucarera** *La sequía ha afectado al mercado de la remolacha azucarera* || **transgénica**
● CON SUSTS. **campo (de)** · **azúcar (de)** · **planta (de)** || **productor,-a (de)**
● CON VBOS. **cultivar** · **producir** · **cosechar** · **plantar** · **sembrar** || **recoger**

remolcar v.

● CON SUSTS. **barco** · **buque** · **nave** · **submarino** · **yate** · **pesquero** · ***otras embarcaciones*** || **coche** *La grúa remolcó el coche hasta el taller* · **automóvil** · **autobús** · ***otros vehículos*** || **avión** · **avioneta** · **tren** · ***otros medios de transporte***

remolque s.m.

● CON ADJS. **sencillo** · **complicado** · **complejo**
● CON VBOS. **cargar** || **arrastrar** · **llevar** · **soltar** · **desenganchar** || **matricular** || **enganchar (a)** · **transportar (en)** || **bajar (de)** *Tras el viaje, bajaron los caballos del remolque* · **subir (a)** || **tirar (de)**
☐ EXPRESIONES **a remolque** [empujando o siendo empujado]

[remontar] → remontar; remontarse (a)

remontar v.

● CON SUSTS. **corriente** · **río** · **aguas** · **arroyo** · **curso** *remontar el curso de un río* · **trayectoria** || **crisis** *Intentarán remontar la crisis después de las elecciones* · **desventaja** · **problema** · **dificultad** · **obstáculo** · **bache** · **mala racha** · **enfermedad** || **desgracia** · **adversidad** · **desastre** · **accidente** · **derrota** · **fracaso** · **dolor** · **pena** || **diferencia** · **irregularidad** · **atraso** · **retraso** *Hemos remontado el retraso acumulado gracias al esfuerzo de todos* || **resultado** · **marcador** · **punto** · **gol** · **partido** · **eliminatoria** · **set** *Remontó dos sets en contra y se hizo con el partido* · **tanteo** || **sondeo** · **encuesta** *¿Podrá el candidato remontar las encuestas desfavorables en tan poco tiempo?* · **audiencia** || **caída** · **pérdida** · **declive** · **recesión** · **deterioro** · **déficit** · **erosión** · **bajón** · **bajonazo** || **estancamiento** · **abatimiento** · **aburrimiento** *El partido no consiguió remontar el aburrimiento de la afición* · **hora baja** · **desconcierto** || **mal augurio** · **{mala/pésima} perspectiva** · **{mala/pésima} expectativa** · **tendencia negativa** || **impopularidad** · **{mala/pésima} imagen** · **desprestigio** · **descrédito** || **crítica** · **desencuentro** · **divergencia** || **carrera**
● CON ADVS. **con firmeza** · **de forma imparable** · **con fuerza** · **espectacularmente** *En diez minutos, el equipo remontó espectacularmente el marcador* · **arrolladoramente** || **ligeramente** || **laboriosamente** · **a trancas y barrancas** · **con ahínco** · **trabajosamente** · **esforzadamente** || **fácilmente** · **sin dificultad** || **rápidamente** · **lentamente** · **de a poco** || **anímicamente**

remontarse (a) v.

● CON SUSTS. **tiempo** · **etapa** · **período** · **momento** · **época** · **año** · **siglo** · **edad** *No hace falta remontarse a la Edad Media para darse cuenta de que...* || **primavera** · **otoño** || **pasado** · **origen**

remonte s.m.

● CON ADJS. **mecánico** *Se accede a la pista de esquí a través de un remonte mecánico* || **en funcionamiento**
● CON SUSTS. **cesta (de)** · **cable (de)** || **cola (de)**
● CON VBOS. **funcionar** · **romper(se)** · **fallar** · **averiar(se)** || **coger** · **utilizar** || **abrir** · **cerrar** || **construir** · **instalar** || **subir (a/en)**

rémora s.f.

● CON ADJS. **pesada** *Ha de cargar con la pesada rémora de los años de mala gestión* · **enorme** · **verdadera** · **auténtica** || **principal** · **única** || **del pasado** · **histórica** || **insalvable**
● CON VBOS. **representar** · **suponer** · **constituir** *La difícil situación económica constituye una enorme rémora para el crecimiento del negocio* || **sufrir** · **cargar** · **arrastrar** || **librar(se) (de)** || **convertir(se) (en)**

remorder (a alguien) v.

● CON SUSTS. **conciencia** *Cada vez que recuerdo la bronca que le eché, me remuerde un poco la conciencia*

remordimiento s.m.

● CON ADJS. **de conciencia** *Tiene muchos remordimientos de conciencia por lo que ha hecho*
● CON SUSTS. **falta (de)** · **muestra (de)** · **señal (de)** · **gesto (de)** · **expresión (de)**
● CON VBOS. **entrar (a alguien)** *A juzgar por su actitud, no parece que le entren remordimientos* · **venir (a alguien)** || **corroer (a alguien)** · **carcomer (a alguien)** || **dar (a alguien)** || **confesar** · **mostrar** · **expresar** || **tener** · **sentir**
● CON PREPS. **con** · **sin**

remotamente adv.

● CON VBOS. **imaginar** · **ocurrirse (a alguien)** *Ni remotamente se me podría haber ocurrido que...* · **pensar** · **pasar por la cabeza (a alguien)** · **soñar** · **dar la impresión** || **creer** · **suponer** · **sospechar** · **esperar** · **pronosticar** · **prever** || **parecer(se)** *Las dos situaciones se parecen solo remotamente* · **equivaler** · **comparar** · **asemejarse** · **relacionar** · **equipararse** · **tener que ver** · **sonar** · **recordar** *Recuerdo remotamente mis primeros días en la escuela* || **significar** · **representar** · **constituir** || **alcanzar** · **llegar** · **acercarse** · **estar cerca**
● CON ADJS. **posible** *Su explicación parece descabellada, pero es remotamente posible* · **probable** · **verosímil** || **similar** · **parecido,da** · **comparable**
□ USO Admite la variante *ni remotamente* en contextos negativos: *No sospechábamos ni remotamente que fueras a venir.*

remoto, ta adj.

● CON SUSTS. **lugar** · **región** · **aldea** · **pueblo** · **zona** · **rincón** || **distancia** || **origen** *una tradición de origen remoto* · **causa** · **fundamento** || **descendiente** · **ascendiente** · **ascendencia** · **pariente** · **antepasado,da** || **posibilidad** · **probabilidad** · **alternativa** || **tiempo** · **época** · **futuro** · **pasado** || **control** *El artefacto fue activado por control remoto*

remover v.

● CON SUSTS. **tierra** · **cimientos** *El acontecimiento removió los cimientos de la sociedad de la época* || **aire** · **agua** · **líquido** · **solución** · **mezcla** · **café** || **escombros** · **basura** || **pasado** · **recuerdos** · **memoria** · **sentimientos** · **heridas** || **asunto** *Es mejor que no removamos el asunto* || **entrañas** · **tripas** · **conciencia** || **personal**
● CON ADVS. **continuamente** · **sin parar** · **frecuentemente** || **suavemente** · **lentamente** || **libremente**
□ USO Se construye generalmente con complementos en plural: *remover las viejas heridas.*

remozar v.

● CON SUSTS. **edificio** · **fachada** · **sala** · **habitación** · **plaza** · **estadio** · **calle** || **área** · **zona** · **barrio** || **equipo** · **plantilla** *El club remozará su plantilla al inicio de temporada* · **vestuario** || **maquinaria** · **infraestructura** || **estética** · **presencia** · **aspecto**
● CON ADVS. **por completo** · **íntegramente** · **de arriba abajo** || **ligeramente**

remuneración s.f.

● CON ADJS. **salarial** *Su remuneración salarial ascenderá a...* · **económica** · **laboral** · **de capital** · **en especie** || **bruta** · **neta** || **anual** · **mensual** || **modesta** · **ajustada** · **irrisoria** || **holgada** · **pingüe** · **suculenta** · **jugosa** · **sustanciosa** · **soberbia** || **razonable** *Los trabajadores piden una remuneración razonable* · **equitativa** || **mínima** · **máxima** · **media** · **complementaria** · **extra**
● CON SUSTS. **sistema (de)** · **plan (de)** · **tabla (de)**
● CON VBOS. **ascender (a algo)** || **percibir** · **recibir** · **embolsarse** · **cobrar** || **recortar** · **rebajar** · **reducir** || **subir** · **aumentar** · **mejorar** || **pagar** · **satisfacer** · **mantener** · **fijar** · **regular** · **ofrecer** · **negociar**
● CON PREPS. **a modo (de)** · **en concepto (de)** *percibir una cantidad en concepto de remuneración económica*

renacentista adj.

● CON SUSTS. **hombre** · **mujer** · **artista** · **pintor,-a** · **escritor,-a** · **músico,ca** · **compositor,-a** · **sociedad** · ***otros individuos y grupos humanos*** || **estilo** *un palacio de estilo renacentista* · **inspiración** · **tradición** · **cultura** · **estética** || **época** · **período** || **arte** · **pintura** · **escultura** · **arquitectura** *En el centro de la ciudad hay varios edificios representativos de la arquitectura renacentista* · **música** || **concierto** · **repertorio** || **obra** · **edificio** · **palacio** · **fachada** || **mentalidad** · **pensamiento** · **humanismo**
● CON ADVS. **plenamente** · **totalmente** · **completamente** · **absolutamente** || **típicamente** *una obra típicamente renacentista*

renacer v.

● CON SUSTS. **esperanza** · **ilusión** · **vida** · **amor** · **interés** · **pasión** || **conciencia** · **idea** || **temor** · **fantasma** · **enfrentamiento** · **tensión** · **odio** · **intolerancia** || **polémica** *Después del último estudio, renace la polémica sobre el uso de conservantes y colorantes* · **violencia** · **consenso** || **tendencia** · **moda** · **mito** · **género** · **figura** || **rumor** · **sospecha** || **institución** · **organización** || **actividad** *Con el fin de la guerra, renació la actividad de institución* · **labor**
● CON ADVS. **vigorosamente** · **gloriosamente** · **con fuerza** || **plenamente** · **completamente** || **artísticamente** · **culturalmente** · **políticamente** · **económicamente** || **nuevamente** · **de sus cenizas**

renacimiento s.m.

● CON ADJS. **tardío** · **temprano** · **pleno** || **nuevo** · **clásico** || **religioso** · **espiritual** · **moral** || **cultural** *Fue el artífice del brillante renacimiento cultural de la época* · **artístico** · **literario** · **musical** · **democrático** || **vigoroso** · **formidable**
● CON VBOS. **surgir** · **producir(se)** || **provocar** · **promover** · **propiciar** · **originar** · **lograr** || **vivir** *A partir de ese año, el país vivió un renacimiento democrático* · **experimentar** || **representar**

rencilla s.f.

● CON ADJS. **pequeña** · **profunda** || **antigua** · **vieja** · **secular** *Entre los dos pueblos existía una rencilla secular* · **eterna** · **permanente** || **oculta** · **soterrada** || **irreconciliable** || **personal** *Había alguna rencilla personal entre ellos* · **interna** · **política** · **histórica** · **territorial** · **familiar** · **vecinal**
● CON VBOS. **volver** · **aflorar** *Las rencillas afloraban cada vez que salía el asunto de la venta de los terrenos* || **tener**

· **sufrir** || **despertar** · **suscitar** · **provocar** · **avivar** · **revivir** · **resucitar** · **desenterrar** || **resolver** · **dirimir** · **solventar** *Es posible solventar las viejas rencillas a través del diálogo y la buena voluntad* · **apaciguar** || **olvidar** · **superar** · **abandonar** · **aparcar** || **acabar (con)** · **dejarse (de)**
● CON PREPS. **sin**

rencontrar(se) (con) v. Véase **reencontrar(se) (con)**

rencor s.m.

● CON ADJS. **hondo** · **profundo** *Desde entonces se guardan un profundo rencor* · **acusado** · **intenso** · **exacerbado** · **vivo** || **largo** · **viejo** · **antiguo** · **atávico** · **eterno** · **de años** · **de siglos** || **contenido** · **declarado** · **irreprimible** || **oculto** · **soterrado** || **mutuo** || **ciego,ga (de)** · **lleno,na (de)** || **exento,ta (de)** · **libre (de)**
● CON SUSTS. **ápice (de)** · **brizna (de)** · **semilla (de)** || **gesto (de)** · **mirada (de)** · **expresión (de)** · **palabra (de)**
● CON VBOS. **aflorar** · **crecer** · **apagar(se)** · **diluir(se)** *El rencor se diluyó con el tiempo* || **anidar (en alguien)** · **carcomer (a alguien)** · **atenazar (a alguien)** || **tener (a alguien)** · **sentir** · **guardar (a alguien)** *No le guardo ningún rencor por lo que pasó* · **albergar** · **abrigar** · **destilar** || **manifestar** · **dejar salir** || **generar** · **provocar** · **causar** · **suscitar** · **sembrar** · **engendrar** · **exacerbar** || **apaciguar** · **atemperar** · **reprimir** · **desterrar** · **olvidar** *olvidar los viejos rencores* || **avivar** · **reavivar** · **atizar** || **dejarse llevar (por)** || **liberar(se) (de)** *...si consiguen liberarse de su mutuo rencor* · **huir (de)**
● CON PREPS. **sin** · **con**

rencuentro s.m. Véase **reencuentro**

rendición s.f.

● CON ADJS. **absoluta** · **completa** || **incondicional** · **sin condiciones** || **honorable** · **honrosa** || **humillante**
● CON SUSTS. **acto (de)** || **condiciones (de)** *Las condiciones de la rendición fueron aceptadas por todos*
● CON VBOS. **producir(se)** || **consumar(se)** || **exigir** · **pedir** · **reclamar** · **imponer** || **negociar** *...hasta negociar una rendición honorable*
● CON PREPS. **en señal (de)** *levantar una bandera blanca en señal de rendición*

rendidamente adv.

● CON VBOS. **caer** *Cayó rendidamente a sus pies* || **admirar** · **enamorar(se)**

rendido, da adj.

● CON SUSTS. **admirador,-a** · **seguidor,-a** *Era una rendida seguidora suya* · **amigo,ga** · **público** · **afición** · ***otros individuos y grupos humanos*** || **homenaje** · **admiración** · **tributo** || **mirada**
● CON ADVS. **totalmente** · **completamente** · **absolutamente** · **enteramente**
● CON VBOS. **caer** · **acabar**

[rendimiento] → a pleno rendimiento; rendimiento

rendimiento s.m.

● CON ADJS. **buen(o)** · **adecuado** · **óptimo** · **excelente** *El coche tiene un rendimiento excelente en carretera y en ciudad* · **insuperable** · **competitivo** · **alto** · **pleno** || **holgado** · **discreto** · **moderado** · **suficiente** || **cuantioso** · **sustancioso** || **escaso** *El rendimiento del negocio fue escaso* · **exiguo** · **raquítico** · **ínfimo** · **bajo** · **deficiente** · **deficitario** · **inadecuado** || **superior** · **máximo** · **inferior** · **mínimo** · **medio** || **individual** · **personal** · **colectivo** || **a {corto/medio/largo...} plazo** *No deberíamos conformarnos con obtener buenos rendimientos a corto plazo; deberíamos, más bien...* || **real** · **potencial** || **general** · **global** || **académico** · **escolar** *un alumno con un buen rendimiento escolar* · **político** · **económico** · **monetario** · **nominal** · **social** · **deportivo** · **artístico** · **literario** · **físico** *El entrenador se queja del rendimiento físico de los jugadores*
● CON SUSTS. **falta (de)** · **problema (de)** || **nivel (de)** · **curva (de)** · **capacidad (de)**
● CON VBOS. **aumentar** · **elevar** · **incrementar(se)** || **bajar** · **decrecer** · **disminuir** · **recortar(se)** || **tener** · **reportar** · **arrojar** || **sacar (a algo)** *Sacó un excelente rendimiento a sus inversiones en bolsa* · **lograr** · **alcanzar** · **obtener** || **mantener** · **garantizar** || **mejorar** || **calcular** · **evaluar** · **prever** || **capitalizar** || **afectar (a)** *El problema afectó a su rendimiento en el trabajo*

[rendir] → rendir; rendirse (a/ante)

rendir v.

▌[producir, rentar]

● CON SUSTS. **fruto** *Afortunadamente, su constancia rindió los frutos esperados* · **beneficio** · **rédito** || **cuenta** *Cada año hay que rendir cuentas a Hacienda*
● CON ADVS. **al máximo** · **a tope** · **al cien por cien** · **a la perfección** · **a (bajo/alto) nivel** · **a (buen/mal) nivel** · **a plena satisfacción** · **satisfactoriamente** · **con normalidad**

▌[ofrecer, tributar]

● CON SUSTS. **culto** · **admiración** · **pleitesía** *El caballero rendía pleitesía a su dama* · **tributo** · **homenaje** · **honor** · **justicia**

▌[ceder, derrotar]

● CON SUSTS. **ciudad** · **plaza** · **fortificación** · **baluarte**

rendirse (a/ante) v.

● CON SUSTS. **enemigo,ga** *...pero no pensaban rendirse ante el enemigo* · **rival** · **oponente** · ***otros individuos*** || **ejército** · **policía** · **autoridad** *Levanten las manos y ríndanse a la autoridad* · **justicia** · **tribunales** · ***otras instituciones*** || **inteligencia** · **belleza** *Todos se rindieron ante la belleza y elegancia de la princesa* · **sensibilidad** · **capacidad** · ***otras cualidades*** || **evidencia** · **verdad** · **prueba** · **realidad** · **ciencia** · **demostración** || **atractivo** · **fascinación** · **encanto** · **mirada** · **influjo** · **influencia** · **magnetismo** · **ojos** *Nada más conocerlo me rendí ante sus ojos verdes y profundos* || **dificultad** · **presión** · **exigencia** · **amenaza** || **superioridad** · **poder** · **potencia** · **poderío** · **hegemonía** || **eficacia** · **efectividad** · **experiencia** · **consistencia** · **habilidad** *Desde luego, me rindo ante la habilidad que has demostrado para tratar un asunto tan delicado*
● CON ADVS. **incondicionalmente** · **sin condiciones** · **sin reservas** · **con condiciones** · **sin resistencia** *Se rindió sin resistencia ante la evidencia de los hechos* · **voluntariamente** || **definitivamente** · **completamente** · **a {mis/tus/sus...} pies** || **a la primera** · **con facilidad** · **fácilmente** · **automáticamente** || **de antemano** · **cobardemente** · **gallardamente**

renegar (de) v.

● CON SUSTS. **origen** *No es de fiar alguien que reniega de sus orígenes* · **pasado** · **raíz** · **tradición** || **conciencia** · **convicción** · **credo** · **principio** · **fe** · **idea** · **ideología** || **responsabilidad** *Esperemos que los padres no renieguen de* *la responsabilidad que tienen con estos niños* · **acuerdo** · **compromiso** · **vínculo** · **amistad** || **condición** · **naturaleza** · **rango** · **estatus** · **posición**

[renglón] → a renglón seguido

renombre s.m.

• CON ADJS. **sólido** · **indiscutible** · **incuestionable** · **indudable** || **notorio** · **reconocido** *Es una arquitecta de reconocido renombre* · **acreditado** · **significado** || **universal** · **internacional** *Nuestro artista goza de renombre internacional* || **rápido** · **inmediato** || **distinguido** · **ilustre** || **merecido**

• CON VBOS. **labrar(se)** · **forjar(se)** || **empañar(se)** || **tener** · **cobrar** *La empresa ha ido cobrando renombre con los años* · **adquirir** · **lograr** · **alcanzar** · **conseguir** · **conquistar** || **buscar** || **consolidar** *Su buen trabajo y constancia le permitieron consolidar un sólido renombre* · **cimentar** || **perder** · **socavar** || **gozar (de)** · **disfrutar (de)**

• CON PREPS. **de** *un profesional de renombre*

renovación s.f.

• CON ADJS. **completa** *...empresa que se encargó de la renovación completa del escenario* · **profunda** · **de arriba abajo** · **íntegra** · **integral** · **rotunda** · **drástica** · **radical** || **parcial** *Al comienzo del curso nos encontramos con una renovación parcial de las aulas* · **a medias** · **leve** · **ligera** || **inmediata** · **urgente** · **apremiante** || **lenta** · **rápida** · **paulatina** · **progresiva** *Se hizo una renovación progresiva de las salas del museo* · **gradual** || **necesaria** · **imprescindible** || **estructural** · **interna** · **democrática** || **partidario (de)** · **contrario (a)**

• CON VBOS. **operar(se)** · **darse** || **frustrar(se)** · **fracasar** · **venirse abajo** || **urgir** *Urge una renovación de la plantilla* || **hacer** · **llevar a cabo** · **acometer** · **emprender** || **experimentar** || **promover** · **impulsar** *Desde el Gobierno se impulsó una renovación económica* · **activar** · **fomentar** · **abanderar** · **propulsar** · **permitir** || **prohibir** · **impedir** · **dificultar** · **entorpecer** || **lanzar** · **gestionar** || **interrumpir** || **proceder (a)**

• CON PREPS. **con posibilidad (de)** *un contrato con posibilidad de renovación*

renovado, da adj.

• CON SUSTS. **fuerza** · **empuje** · **ímpetu** *Emprenderemos el trabajo con ímpetu renovado* · **brío** · **impulso** · **esfuerzo** || **deseo** · **pasión** · **ilusión** *Habían retomado la relación con ilusión renovada* · **entusiasmo** · **espíritu** · **confianza** · **interés** · **expectativa** · **esperanza** · **optimismo** || **promesa** · **compromiso** || **éxito** · **eficacia** || **inquietud** · **temor** · **atención** || **presencia** · **protagonismo** || **intento** || **imagen** *El cantante reaparece con una imagen renovada*

• CON ADVS. **enteramente** · **por completo** · **completamente** *Es un piso completamente renovado* · **totalmente** || **sustancialmente** · **significativamente** · **esencialmente**

renovador, -a adj.

• CON SUSTS. ***persona*** || **sector** *el sector renovador de un partido político* · **partido** · **bando** · **grupo** · **bloque** || **voluntad** · **impulso** · **esfuerzo** · **intención** · **afán** || **aire** · **espíritu** · **talante** · **actitud** || **línea** · **corriente** · **movimiento** · **tendencia** || **idea** · **propuesta** · **opción** || **discurso** · **mensaje** || **estilo** · **arte** || **proceso**

• CON ADVS. **enormemente** · **increíblemente** · **extraordinariamente** · **absolutamente** · **verdaderamente** || **escasamente** · **moderadamente** · **relativamente**

• CON VBOS. **hacerse** · **volverse**

renovar v.

• CON SUSTS. **lugar** · **edificio** · **casa** · **habitación** · **establecimiento** · **local** · **tienda** *Ya hace falta renovar un poco la tienda* || **mesa** · **ordenador** · **adorno** · ***otros objetos*** || **ilusión** · **dedicación** · **esfuerzo** · **gana** *Estos encuentros me renuevan las ganas de seguir luchando* · **entusiasmo** · **interés** · **deseo** || **fe** · **esperanza** || **acuerdo** · **compromiso** · **pacto** · **contrato** *renovar un contrato por dos años más* · **tratado** · **votos** || **costumbre** · **tradición** || **estructura** || **discurso** · **lenguaje** || **carné** *Tengo que renovar el carné de conducir* · **permiso** · **título** · **acreditación** || **crédito** · **hipoteca** · **cuenta** || **imagen** · **aspecto** · **vestimenta** · **decoración** · **diseño** || **dirección** · **datos**

• CON ADVS. **completamente** · **por completo** · **profundamente** · **íntegramente** · **de arriba abajo** *La modelo renovó su imagen de arriba abajo* · **de pies a cabeza** · **de cabo a rabo** · **notablemente** · **ostensiblemente** || **progresivamente** · **paulatinamente** *Iremos renovando paulatinamente el diseño del interior del restaurante* · **gradualmente** || **constantemente** || **por dentro** · **físicamente** · **espiritualmente**

renquear v.

• CON SUSTS. ***persona*** *El jugador salió renqueando del campo* || **motor** · **coche** || **país** · **economía** · **gobierno** · **industria** · **empresa** · **negocio**

• CON ADVS. **visiblemente** · **notablemente** · **ostensiblemente**

renta s.f.

• CON ADJS. **alta** · **elevada** · **cuantiosa** · **sustanciosa** · **jugosa** · **desorbitada** || **fija** · **variable** *invertir en fondos de renta variable* || **per cápita** · **media** || **suficiente** · **moderada** *Paga una renta moderada por el alquiler de su casa* · **decorosa** || **baja** · **escasa** · **exigua** · **insuficiente** || **íntegra** || **imponible**

• CON SUSTS. **declaración (de)** *¿Cuándo finaliza el plazo para presentar la declaración de la renta?* · **campaña (de)** || **fondos (de)** · **nivel (de)** · **activos (de)** · **valor (de)** · **balanza (de)**

• CON VBOS. **incrementar(se)** · **aumentar** · **crecer** || **decrecer** · **disminuir** || **cotizar** || **producir** · **reportar (a alguien)** *Sus inversiones en la bolsa le reportaron unas rentas cuantiosas* · **percibir** || **sobrepasar** || **pagar** · **congelar** · **administrar** || **disfrutar (de)** · **gozar (de)** *Goza de una renta para toda la vida*

□ EXPRESIONES **vivir de las rentas** [aprovecharse en demasía de lo conseguido en el pasado]

rentabilidad s.f.

• CON ADJS. **gran(de)** · **alta** *La alta rentabilidad de aquel negocio lo hacía enormemente atractivo* · **elevada** · **jugosa** · **sustanciosa** · **pingüe** · **desorbitada** || **suficiente** · **adecuada** · **satisfactoria** · **razonable** · **aceptable** · **atractiva** · **inmejorable** || **modesta** · **moderada** · **módica** · **discreta** || **pequeña** · **baja** · **escasa** *La medida tuvo una escasa rentabilidad electoral para el partido* · **exigua** · **ínfima** · **raquítica** · **irrisoria** · **nula** · **insuficiente** · **inadecuada** || **discutible** · **relativa** · **esperada** || **media** · **neta** · **bruta** · **fluctuante** || **política** *La rentabilidad política del acuerdo no estaba clara* · **privada** · **electoral** · **social** · **empresarial** · **científica** · **material** || **a {corto/largo/medio} plazo**

• CON SUSTS. **nivel (de)** · **tasa (de)** · **margen (de)** *El comprador no quiso negociar los márgenes de rentabilidad* || **expectativa (de)** · **falta (de)** || **indicador (de)** · **criterio (de)**

• CON VBOS. **incrementar(se)** · **crecer** · **peligrar** *La rentabilidad de la inversión comenzaba a peligrar por efecto de*

la crisis · **caer** || **ofrecer** · **proporcionar** · **reportar** · **comportar** || **garantizar** *El banco le garantiza la rentabilidad de su dinero* · **asegurar** || **obtener** · **ganar** · **sacar (a algo)** || **buscar** · **exigir** || **aumentar** · **mejorar** · **disminuir** · **perder** · **acumular** || **evaluar** · **calibrar**
• CON PREPS. **con** *un cuenta corriente con rentabilidad y ventajas fiscales* · **sin**

rentable adj.

• CON SUSTS. **empresa** · **negocio** · **mercado** *Este país es un mercado rentable para las empresas de informática* || **inversión** || **operación** *Ha sido una operación comercial muy rentable para las empresas del sector* · **actividad** · **trabajo** || **esfuerzo** || **participación** || **resultado** || **relación** · **matrimonio** || **producto** || **fichaje** · **jugador,-a**
• CON ADVS. **dudosamente** · **escasamente** *proyectos empresariales escasamente rentables* || **absolutamente** · **altamente** || **a la larga** · **en breve plazo** · **a {largo/medio/corto} plazo** || **económicamente** · **comercialmente** · **electoralmente** *una propuesta poco realista, pero rentable electoralmente* · **ideológicamente**
• CON VBOS. **hacer(se)** · **mantener(se)** || **resultar** · **salir**

renuncia s.f.

• CON ADJS. **total** · **inequívoca** · **irrevocable** || **a medias** *La suya fue una renuncia a medias porque no estaba absolutamente convencido* || **desinteresada** · **desprendida** · **abnegada** || **resignada**
• CON VBOS. **hacer pública** *Los medios de comunicación hicieron pública la renuncia del ministro* · **presentar** · **retirar** || **motivar** · **causar** || **negociar**

renunciar v.

• CON ADVS. **abiertamente** · **expresamente** *Había renunciado expresamente a una posible reelección* || **absolutamente** · **completamente** · **por completo** · **totalmente** · **definitivamente** · **irrevocablemente** || **de antemano** · **previamente** || **legítimamente** · **injustamente** || **inesperadamente** *Varios de los directivos renunciaron inesperadamente a seguir en la empresa* · **sorpresivamente** · **repentinamente**
□ USO Se construye con complementos encabezados por la preposición *a*: *No pienso renunciar a mi felicidad.*

reo s.com.

• CON ADJS. **común** · **menor** · **político,ca** || **peligroso,sa** · **rebelde** · **contumaz** · **prófugo,ga** || **convicto,ta** · **confeso,sa** || **bajo custodia** · **en libertad**
• CON SUSTS. **condena (de)** · **encarcelación (de)** · **reinserción (de)** || **situación (de)** || **culpabilidad (de)** *El juez ha declarado que las pruebas presentadas para demostrar la culpabilidad del reo son insuficientes* · **inocencia (de)** || **conducta (de)** || **condición (de)** *mantener la condición de reo*
• CON VBOS. **declarar (algo)** · **confesar (algo)** || **fugar(se)** · **entregar(se)** · **escapar(se)** || **entrar (en prisión)** · **salir (de prisión)** || **condenar** · **procesar** · **sentenciar** *La juez sentenció al reo a cinco años de prisión* · **juzgar** || **defender** || **custodiar** · **vigilar** || **trasladar** · **extraditar** · **deportar** || **liberar** · **indultar** *Indultan a un reo que cumplía condena por...* · **absolver** || **esposar** · **encadenar** || **ejecutar**

[reojo] → de reojo

reparador, -a adj.

• CON SUSTS. **efecto** || **descanso** · **sueño** *disfrutar de un sueño reparador* || **tratamiento** · **terapia** · **bálsamo** || **ducha** · **baño** · **siesta** · **tarea** || **éxito** · **triunfo** || **comida**

[reparar] → reparar; reparar (en)

reparar v.

• CON SUSTS. **consecuencia** · **efecto** || **mal** · **daño** · **fractura** · **destrozo** · **avería** *Llamé para que me repararan la avería de la luz* · **desperfecto** · **estropicio** · **bache** || **perjuicio** · **agravio** · **entuerto** · **desbarajuste** *Supo reparar con sentido del humor el desbarajuste que había causado* || **fallo** · **error** *Trata de reparar sus errores pidiendo perdón humildemente* || **sistema** · **instalación** · **servicio** · **equipo** · **artefacto** · **instrumento** · **máquina** · **maquinaria** · **vehículo** · **vivienda** || **línea** || **imagen** · **descrédito** *La exitosa gala del cantante sirvió para reparar el descrédito que arrastraba desde hacía tiempo* || **ilegalidad** · **injusticia**
• CON ADVS. **completamente** · **totalmente** · **a fondo** || **adecuadamente** · **perfectamente** || **efectivamente** || **en parte** · **parcialmente**
• CON VBOS. **proceder (a)** || **destinar (a)**

reparar (en) v.

• CON SUSTS. **presencia** *Al entrar, reparó en la presencia de su madre* · **ausencia** || **coste** · **costo** · **precio** · **gastos** || **tamaño** · **altura** *Solo reparé en la altura del edificio en cuanto miré hacia arriba* · **calidad** · **delgadez** · **belleza** · **simplicidad** · **brevedad** · ***otras cualidades*** || **medio** · **forma** · **manera** · **matiz** || **consecuencia** || **esfuerzo**
• CON ADVS. **inmediatamente** · **en seguida** || **súbitamente** · **bruscamente** || **con frecuencia** · **frecuentemente** || **inteligentemente**
□ USO Se usa frecuentemente en contextos negativos: *no reparar en gastos.*

reparo s.m.

• CON ADJS. **escaso** *Puso escasos reparos cuando pretendieron sobornarla* · **leve** · **ligero** · **menor** · **mínimo** || **grave** · **serio** || **insalvable** · **insuperable** || **socorrido**
• CON VBOS. **tener** *No tuvo reparos en pedírmelo* · **dar** · **sentir** || **poner (a algo/a alguien)** · **levantar** · **oponer** || **manifestar** · **mostrar** · **hacer** · **formular** · **expresar** · **plantear** || **salvar** · **despejar** · **vencer**
• CON PREPS. **sin** *hablar sin reparos* · **con**

repartir v.

• CON ADVS. **equitativamente** · **igualitariamente** · **a partes iguales** *Repartió la herencia a partes iguales* · **a escote** · **salomónicamente** · **justamente** || **desigualmente** · **asimétricamente** · **imparcialmente** · **a dedo** · **injustamente** || **ordenadamente** · **proporcionalmente** · **armoniosamente** || **generosamente** *Repartió generosamente sus bienes entre su familia* · **a manos llenas** · **a diestro y siniestro** · **a espuertas** · **a granel** · **como rosquillas** || **a domicilio** *Preferíamos que repartieran el periódico a domicilio*

repasar v.

• CON SUSTS. **historia** *He repasado la historia una y otra vez y todavía no soy capaz de...* · **situación** · **trayectoria** · **vida** || **lección** · **tema** · **examen** · **cuestionario** · **pregunta** || **dato** · **fecha** · **número** · **cuenta** · **detalle** || **lista** · **relación** || **párrafo** · **artículo** *Antes de publicar el artículo repásalo bien* · **carta** · **informe** · ***otros textos*** || **error** · **fallo**
• CON ADVS. **detenidamente** · **atentamente** · **detalladamente** · **al detalle** · **con detalle** *Tendrás que repasar con más detalle las cuentas* · **exhaustivamente** · **minuciosamente** · **punto por punto** · **ce por be** · **de extremo a extremo** · **en todos sus extremos** · **de cabo a rabo** · **de punta a cabo** · **desde el principio** || **tranquilamente** ·

febrilmente · nerviosamente || de carrerilla · de corrido || cronológicamente

repaso s.m.

I [revisión]

• CON ADJS. **absoluto · completo · amplio · extenso · exhaustivo · intenso · meticuloso** *En su conferencia hizo un repaso meticuloso de los hechos que desembocaron en...* · **minucioso · pormenorizado · detallado · de arriba abajo · de cabo a rabo · de punta a cabo · detenido · atento · cuidadoso · concienzudo · riguroso · buen(o) || ligero · superficial · esquemático · rápido** *La profesora realizó un rápido repaso de los puntos más importantes* · **somero · breve · puntual || crítico · demoledor || cronológico · histórico · teórico · mental**

• CON SUSTS. **ejercicio (de) · cuaderno (de) · clase (de)**

• CON VBOS. **dar (a algo)** *Di un último repaso a la lección antes del examen* || **hacer · efectuar · llevar a cabo · realizar · practicar || necesitar** *Esa camisa necesita urgentemente un repaso; está descosida por varios sitios*

I [llamada de atención]

• CON ADJS. **soberano · severo** *un artículo en el que el periodista da un severo repaso a la clase política* || **inesperado · sorprendente || escandaloso**

• CON VBOS. **dar (a alguien)** *El comandante lo llamó y le dio un buen repaso* · **pegar (a alguien) · infligir || recibir** *Desde que encajó cinco goles en campo propio no había recibido un repaso tan demoledor* · **sufrir · llevarse || merecer**

repatear (a alguien) v. *col.*

• CON SUSTS. **hígado** *Me repatea el hígado escuchar tantas mentiras* · **estómago · barriga · tripas · entrañas || alma · conciencia**

repatriar v.

• CON SUSTS. **cadáver · restos · fallecido,da · cuerpo** *Repatriarán el cuerpo cuando dispongan del permiso pertinente* · **féretro || ciudadano,na** *El Gobierno procederá a repatriar a los ciudadanos que...* · **extranjero,ra · refugiado,da · exiliado,da · polizón · inmigrante · emigrante · balsero,ra · indocumentado,da || militar · soldado · efectivos · fuerzas ||** ***otros individuos y grupos humanos*** **|| capital · fondos · dinero · inversión** *La compañía está repatriando sus inversiones ante los avisos de un conflicto inminente*

• CON ADVS. **inmediatamente · rápidamente · de inmediato · urgentemente · en el acto || próximamente || sin contemplaciones || inevitablemente · ineludiblemente · forzosamente · obligatoriamente**

repelente

1 repelente adj.

• CON SUSTS. ***persona*** *Es un niño repelente y sabiondo* || **serpiente · insecto · bicho** *Me subía por la pierna un bicho repelente* · **araña ·** ***otros animales*** **|| cara · voz · imagen || loción** *En la excursión nos pusimos loción repelente* · **aerosol**

• CON VBOS. **resultar** *Su tono de voz me resulta repelente* · **hallar || hacer(se) · volver(se)**

2 repelente s.m.

• CON ADJS. **de insectos · antimosquitos**

• CON VBOS. **alejar (algo)** *Este repelente debería alejar a los insectos* · **ahuyentar (algo) || aplicar · usar · untar · echar || rociar (con)**

repeler v.

• CON SUSTS. **agresión · ataque** *No contaban con suficientes fuerzas para repeler el ataque* · **acción · asalto · invasión · incursión · embestida || disparo · lanzamiento · golpe || enemigo,ga · manifestante || crítica · idea || agua** *un tejido especial que repele el agua* · **humedad || mosquitos** *Compramos un producto especial para repeler mosquitos* · **polillas · gusanos ·** ***otros animales***

• CON ADVS. **a tiros · violentamente || contundentemente** *Estaban dispuestos a repeler contundentemente cualquier agresión* || **secretamente**

repelús s.m. *col.*

• CON ADJS. **gran(de) · enorme** *Las cucarachas me producen un enorme repelús* · **fuerte · tremendo**

• CON VBOS. **entrar (a alguien)** *Me entra repelús nada más verlo* || **sentir || dar (a alguien)** *Solo de imaginármelo me da repelús* · **causar · producir (a alguien) · provocar (a alguien)**

repentino, na adj.

• CON SUSTS. **cambio · transformación · variación · oscilación · alteración · aumento** *Hemos experimentado en los últimos meses un aumento repentino del precio del barril* · **crecimiento · disminución · derrumbe · crisis || movimiento · descenso · abandono · subida · bajada · parada || viaje** *Con motivo de un viaje repentino e inaplazable* · **llegada · entrada · salida · regreso || aparición · irrupción · desaparición || amor · flechazo · felicidad · dicha · malestar · mal humor · odio · vergüenza || temor · miedo || dolor** *Sintió un dolor repentino en el costado* · **fiebre · enfermedad || muerte · fallecimiento · empeoramiento · recuperación || decisión · anuncio || apoyo · interés || apertura · cierre** *Hubo un cierre repentino de fronteras* || **fama · éxito** *Ha conseguido un éxito fulgurante, repentino* || **atasco · corte · quiebra · interrupción · frenazo · parón || desenlace** *No me gusta el desenlace tan repentino de la novela* · **final**

repercusión s.f.

• CON ADJS. **segura · indudable · ineludible · inevitable || fuerte · honda · notable** *Sus palabras tuvieron una notable repercusión en los medios de comunicación* · **considerable · tremenda · rotunda · decisiva · acusada · intensa · profunda · incalculable · seria · severa · grave · traumática · funesta · catastrófica || escasa · leve · ligera · nula || previsible** *Eran previsibles las repercusiones de un suceso de tanta trascendencia* · **imprevisible · insospechada || inmediata · a {corto/medio/largo} plazo**

• CON VBOS. **afectar (a algo/a alguien) || llegar · sobrevenir || agravar(se) || tener · traer (consigo)** *Algunas acciones traen consigo repercusiones funestas* · **conllevar · producir · ocasionar · acarrear · provocar · generar || experimentar · acusar || esperar · calcular · deducir · prever · sopesar** *...cuando se actúa a la ligera y no se sopesan adecuadamente las posibles repercusiones de lo que se hace* · **analizar · calibrar · juzgar · considerar · prejuzgar || solventar · contrarrestar · paliar · amortiguar · aminorar · minimizar · neutralizar || negar || advertir (de)**

• CON PREPS. **con** *un asunto con repercusión internacional* · **sin · de · en vista (de)**

repercutir v.

• CON ADVS. **fuertemente · enormemente · profundamente · considerablemente · notablemente · decisivamente** *Sus palabras repercutieron decisivamente en nuestra elección* · **seriamente · gravemente || ligeramente · par-**

cialmente · levemente || favorablemente · desfavorablemente · negativamente *...sin que tal decisión haya de repercutir negativamente en la futuras actuaciones* **|| a {corto/medio/largo} plazo · inmediatamente · a la larga || previsiblemente · inevitablemente · indefectiblemente · indudablemente**

☐USO Se construye con complementos encabezados por la preposición *en*: *unos buenos resultados que repercuten favorablemente en la buena marcha del negocio.*

repertorio s.m.

● CON ADJS. **largo · extenso · vasto · amplio · abundante · abultado · interminable || variado · selecto** *una carta con un selecto repertorio de vinos* · **escogido || escaso · corto · pequeño || clásico · habitual · tradicional || socorrido** *Hay un repertorio muy socorrido de expresiones para situaciones como esa* · **trillado · conocido || sinfónico · operístico · pianístico · musical · léxico**

● CON SUSTS. **actor (de) · actriz (de) || obra (de) · programa (de) · ópera (de)**

● CON VBOS. **tener** *Tiene un largo repertorio de excusas* · **prodigar || componer || ejecutar · cantar · interpretar · tocar || elegir · seleccionar || escuchar || renovar · ampliar · enriquecer · limitar || usar · utilizar · emplear · poner en juego · abordar || acudir (a) · recurrir (a) · echar mano (de) || salir(se) (de) || disponer (de)** *El artista dispone de un amplio repertorio de canciones para sus galas de verano*

● CON PREPS. **en · fuera (de) || sin**

[repetición] → de repetición

repetidamente adv.

● CON VBOS. **afirmar · anunciar · decir · hablar** *No insistas, ya hemos hablado repetidamente del tema* · **declarar || plantear · defender · proclamar · exponer · propugnar || insistir** *El profesor insistió repetidamente en la necesidad de estudiar el temario con anticipación* · **destacar · incidir · reiterar · reforzar || aludir · citar · señalar · llamar · glosar || invitar · ofrecer · advertir** *Las autoridades habían advertido repetidamente del riesgo de...* · **aconsejar || acusar · rechazar · negar · amenazar · criticar · insultar · elogiar · alabar || pedir · solicitar · reclamar**

repetir v.

● CON ADVS. **por completo · punto por punto** *Repitió punto por punto lo que le dijeron* · **de cabo a rabo · de pe a pa · literalmente · al pie de la letra · religiosamente · miméticamente || insistentemente · incansablemente · una y otra vez · machaconamente · por activa y por pasiva · de nuevo · eternamente · inexorablemente · a machamartillo || gustosamente || de carrerilla · de corrido · de memoria** *Si eres capaz de repetir de memoria lo que te digo, tendrás un premio* · **al dedillo || como un loro · sin ton ni son || a coro · de boca en boca** *El rumor se repetía de boca en boca*

repetitivo, va adj.

● CON SUSTS. **fórmula · pauta · esquema · cadencia · elemento · estructura || movimiento · ritmo · estilo · música || trabajo · tarea · labor || discurso · mensaje · frase · historia** *El libro cuenta una historia repetitiva y poco original* · **argumento · crítica**

● CON VBOS. **volver(se) · mostrarse || resultar** *¿No te resulta un poco repetitiva esa música?* · **sonar**

repicar v.

● CON SUSTS. **campana** *Las campanas repicaban alegremente*

repiquetear v.

● CON SUSTS. **campana || lluvia** *El sonido de la lluvia repiqueteando contra los cristales* **|| sonido · ruido**

● CON ADVS. **incesantemente · sin parar · enloquecidamente**

replanteamiento s.m.

● CON ADJS. **total · absoluto · a fondo · hondo · radical · profundo · serio · severo || necesario** *Es absolutamente necesario un replanteamiento de nuestro contrato*

● CON VBOS. **imponer(se) || llevar a cabo** *La empresa llevó a cabo un replanteamiento de las condiciones laborales de sus trabajadores* **|| exigir || sugerir · proponer · promover · impulsar · provocar**

replantear v.

● CON SUSTS. **estrategia** *Nos replantearemos la estrategia de ventas de este año* · **política · relación · proyecto · plan · sistema || situación · asunto · cuestión · tema || actitud · posición · papel || acuerdo · pacto || decisión** *Le pedimos que se replanteara la decisión de vender la casa* · **dimisión || presencia · participación · continuidad || uso · utilización || futuro || alternativa**

● CON ADVS. **de nuevo || totalmente · por completo · de arriba abajo · enteramente · de cero · de raíz || seriamente** *Me estoy replanteando muy seriamente mi presencia en el acto* **|| urgentemente || tranquilamente || inevitablemente · ineludiblemente · inexorablemente**

replegar(se) v.

▮ [retirar]

● CON SUSTS. ***persona*** *Cada vez que surge un problema se repliega en sí mismo* **|| efectivos · ejército · tropa** *El Gobierno ordenó a los mandos militares que replegaran las tropas* · **línea · fuerzas || equipo || arma · armamento || cotización · valor || dólar · euro ·** ***otras monedas***

● CON ADVS. **cobardemente · temerosamente · tímidamente || temporalmente || rápidamente · inmediatamente · con prontitud · con celeridad || completamente · totalmente · parcialmente || ordenadamente** *Para entonces, los manifestantes ya habían comenzado a replegarse ordenadamente* · **en retirada || en {mí/ti/sí...} mismo · sobre {mí/ti/sí...} mismo**

▮ [doblar]

● CON SUSTS. **ala · vela** *Los marineros replegaron las velas del barco*

● CON ADVS. **ligeramente**

réplica s.f.

● CON ADJS. **pronta · inmediata || ágil · vivaz · ingeniosa · ocurrente || viva · dura · enérgica · firme · fulminante · contundente · demoledora** *Su réplica resultó demoledora* **|| acalorada · exacerbada · desaforada || moderada · comedida || atinada · lograda · argumentada** *El portavoz de la Oposición hizo una réplica argumentada que fue muy aplaudida por su partido* · **convincente · idéntica || extemporánea · insolente · fuera de tono || cumplida || presto,ta (a)**

● CON SUSTS. **derecho (a/de)** *Acogiéndome al derecho de réplica, solicito...* · **posibilidad (de) || capacidad (de) || turno (de) || discurso (de)**

● CON VBOS. **hacer · construir · componer · dar · lanzar || admitir · permitir || encontrar || provocar · desen-**

cadenar *Su discurso desencadenó en el auditorio una réplica inmediata* || **ejercer** || **merecer** || **dar lugar (a)**

[reponer]
→ reponer; reponerse (de)

reponer v.

I [volver a exhibir, proyectar]

● CON SUSTS. **obra** · **pieza** · **producción** · **programa** · **película** *Este mes repondrán las principales películas del director fallecido* · **exposición** · **serie** · **capítulo** · **ópera** · ***otras creaciones cinematográficas o escénicas***

I [devolver, restituir]

● CON SUSTS. **mobiliario** · **zapatos** · **vestuario** || **presidente,ta** · **ministro,tra** · **magistrado,da** · **director,-a** *Destituyeron al director del museo, pero ya lo han repuesto* · **gobierno** · ***otros individuos y grupos humanos*** || **dinero** · **plata** · **préstamo** · **depósito** · **materia prima** || **fuerza** *Detuvimos unos minutos la caminata para reponer fuerzas* · **energía** || **armonía** · **calma** · **concordia** · **compatibilidad** || **prestigio** · **honorabilidad** · **imagen** || **daño** *Los culpables deberán reponer el daño que le han ocasionado a la dueña del establecimiento* · **pérdida**

reponerse (de) v.

● CON SUSTS. **gripe** *¿Te has repuesto ya de la gripe?* · **bronquitis** · **otitis** · ***otras enfermedades*** || **operación** · **intervención** · **régimen** · **rehabilitación** · **afección** · **lesión** · **desmayo** || **guerra** · **catástrofe** · **tragedia** *Le llevará mucho tiempo a la familia reponerse de una tragedia semejante* · **problema** · **escándalo** · **divorcio** · **ruptura** || **susto** · **sobresalto** · **impresión** · **sorpresa** · **emoción** · **trauma** || **disgusto** · **decepción** · **tristeza** · **sufrimiento** · **dolor** · **depresión** || **golpe** · **revés** · **agravio** · **agresión** · **tunda** || **derrota** *El equipo no ha logrado reponerse del todo de la última derrota frente a su eterno rival* · **caída** · **batacazo** · **fracaso** · **error** · **fallo** · **traspié**

● CON ADVS. **milagrosamente** · **fácilmente** || **por completo** · **completamente** · **totalmente** *Ya está totalmente repuesto de su lesión de rodilla* || **difícilmente** · **con dificultad** · **a duras penas** || **felizmente** · **satisfactoriamente**

reportar v.

● CON SUSTS. **beneficio** · **ganancia** · **dinero** · **utilidad** · **provecho** · **ingresos** *El nuevo trabajo le reportó unos ingresos suplementarios* · **premios** || **gasto** · **pérdida** || **éxito** · **fama** · **ventaja** || **consecuencia** · **resultado** || **preocupación** · **problema** · **daño** *Afortunadamente, el vendaval no reportó ningún daño irreparable* · **crítica**

□ USO Se construye frecuentemente con complementos en plural: *Este negocio les reportará grandes beneficios.*

reportero, ra s.

● CON ADJS. **profesional** · **aficionado,da** · **en prácticas** || **gráfico,ca** · **de televisión** · **de radio** · **de prensa escrita** || **acreditado,da** · **experimentado,da** || **joven** · **novel** · **novato,ta** · **veterano,na** *Dirigirá el nuevo programa un veterano reportero de televisión* || **famoso,sa** · **popular** || **sagaz** · **eficaz** · **intrépido,da** · **arriesgado,da**

● CON VBOS. **informar (de algo)** · **comunicar (algo)** · **declarar (algo)** · **relatar (algo)** · **entrevistar (a alguien)** *La reportera entrevistó a la cantante en el aeropuerto* · **preguntar (algo)** || **investigar (algo)** · **descubrir (algo)** || **trabajar (como/de)** · **entrar (como/de)** · **empezar (como)** · **llegar (a)** · **convertir(se) (en)**

reposar v.

● CON SUSTS. **comida** *Prefiero no irme corriendo, sino reposar la comida tranquilamente* || **información** · **noticia** · **dato** · **cifras** || **cadáver** · **restos (mortales)** *Los restos mortales del escritor reposan en su pueblo natal* || **cuerpo** · **mente** || **cabeza** *Deja reposar tu cabeza sobre mi regazo* · **brazo** · **pierna** · ***otras partes del cuerpo***

● CON ADVS. **cómodamente** · **plácidamente** *Reposaba plácidamente en el sofá* · **tranquilamente** · **relajadamente** · **sosegadamente** · **finalmente**

reposo s.m.

● CON ADJS. **absoluto** *El médico le ha aconsejado reposo absoluto* · **total** · **estricto** || **merecido** || **imprescindible** · **necesario** || **cómodo** · **confortable** · **gratificante** · **reconfortante** *Después del reconfortante reposo de unos días en el campo...* || **biológico** · **físico** · **mental** · **eterno**

● CON SUSTS. **período (de)** · **jornada (de)** · **tiempo (de)** || **lugar (de)** · **casa (de)** || **cura (de)** · **dieta (de)** || **posición (de)** · **estado (de)**

● CON VBOS. **faltar(le) (a alguien)** || **dar (a algo/a alguien)** || **guardar** *El único consejo que puedo darle es que guarde reposo* || **necesitar** *Necesito unos minutos de reposo* || **pedir** || **prescribir** · **aconsejar** · **recomendar** · **recetar** || **merecer** · **ganarse** || **buscar** · **encontrar** || **invitar (a)** *El lugar era apacible e invitaba al reposo*

● CON PREPS. **en** *De momento, continúa en reposo*

repostar v.

● CON SUSTS. **combustible** · **carburante** · **gasolina** *Pararemos en la próxima área de servicio para repostar gasolina* · **gasóleo** || **fuerzas** · **energías**

reprender v.

● CON SUSTS. **niño,ña** · **alumno,na** *El profesor reprendió a sus alumnos por su mal comportamiento* · **equipo** · ***otros individuos y grupos humanos***

● CON ADVS. **severamente** · **con dureza** · **con firmeza** · **duramente** · **cruelmente** · **seriamente** *Mis padres me reprendieron seriamente por mi descuido* || **suavemente** · **cariñosamente** · **amablemente** · **ligeramente** · **delicadamente** || **públicamente** · **oficialmente**

□ USO Se construye a menudo con complementos causales encabezados por la preposición *por*: *reprender a alguien por sus errores.*

represalia s.f.

● CON ADJS. **dura** *El Gobierno anuncia duras represalias contra los países que...* · **fuerte** · **severa** · **importante** || **violenta** || **pequeña** · **insignificante** || **política** · **militar** · **comercial** · **económica** · **diplomática**

● CON SUSTS. **medida (de)** · **acción (de)** · **amenaza (de)** · **operación (de)** · **acto (de)** · **campaña (de)** || **objeto (de)** · **víctima (de)** || **riesgo (de)** · **peligro (de)** · **posibilidad (de)**

● CON VBOS. **tener** · **sufrir** || **tomar** *Decidieron no tomar represalias a pesar de los agravios* · **adoptar** · **ejercer** · **llevar a cabo** · **anunciar** || **esperar** · **temer** || **acarrear** · **propiciar** · **provocar** || **evitar** || **amenazar (con)** || **tener miedo (a)** || **responder (a)**

● CON PREPS. **so pena (de)** · **sin** · **con**

representante s.com.

● CON ADJS. **último,ma** · **máximo,ma** · **principal** *uno de los principales representantes del cubismo* · **oficial** · **exclusivo,va** || **buen(o),na** · **renombrado,da** · **sobresaliente** · **magnífico,ca** · **destacado,da** · **conocido,da** · **notable** · **significativo,va** · **digno,na** *Sin duda, es un digno repre-*

sentante de la causa que promociona · **genial** || **discutido,da** · **controvertido,da** || **político,ca** · **judicial** · **legal** · **sindical** · **fiscal** · **gubernamental** · **deportivo,va** · **musical** · **comercial**
• CON SUSTS. **reunión (de)** · **elección (de)** · **asamblea (de)** · **cámara (de)** · **delegación (de)** · **grupo (de)**
• CON VBOS. **participar (como)** · **actuar (como)** · **intervenir (como)** *Intervino como representante de la comunidad de vecinos* · **asistir (como)** || **elegir (como)** · **considerar (como)** || **convertir(se) (en)** || **contar (con)** · **contactar (con)** || **trabajar (como)** *Trabaja como representante de joyas*

representativo, va adj.

• CON SUSTS. **figura** *La figura más representativa del modernismo francés* · **autor,-a** · **escritor,-a** || **equipo** · **entidad** · **organización** · **institución** · **comisión** || ***otros individuos y grupos humanos*** || **gobierno** · **sistema** · **poder** · **régimen** || **pieza** · **parte** *A la conmemoración asistió una parte representativa de cada familia* · **fragmento** · **sector** || **característica** · **rasgo** · **elemento** · **componente** || **acción** || **muestra** · **ejemplo** || **libro** · **película** · **cuadro** · **novela** · **monumento** · ***otras obras***
• CON ADVS. **enormemente** · **tremendamente** · **extraordinariamente** || **únicamente** · **meramente** · **simplemente** || **escasamente** || **realmente** *Los rasgos realmente representativos de este estilo arquitectónico son...* · **auténticamente**

represión s.f.

• CON ADJS. **dura** *La dura represión policial de aquellos años* · **férrea** · **severa** · **implacable** · **a ultranza** || **larga** || **política** · **policial** · **militar** · **sexual**
• CON VBOS. **decrecer** · **disminuir** || **mantener(se)** · **persistir** || **incrementar(se)** · **recrudecer(se)** · **aumentar** · **crecer** || **aliviar** · **aminorar** || **combatir** *Ha combatido durante toda su vida la represión, dondequiera que se encuentre* || **ejercer** || **sufrir**

represivo, va adj.

• CON SUSTS. **aparato** · **instrumento** *utilizar la violencia como instrumento represivo* · **elemento** · **método** · **cuerpo** · **maquinaria** || **medida** · **fuerza** *Intervinieron las fuerzas represivas para someter a la población* · **acción** · **estrategia** · **actitud** · **actuación** · **actividad** · **reacción** · **línea** · **campaña** · **práctica** · **respuesta** · **función** · **situación** || **ley** · **legislación** · **código** · **cláusula** · **edicto** || **gobierno** · **sistema** · **política** *La política represiva del Gobierno de entonces* · **dictadura** · **estado** · **régimen** || **etapa** · **episodio** · **era** · **época** || **ambiente** · **clima** · **atmósfera** · **aspecto** || **naturaleza** · **moral**
• CON ADVS. **extremadamente** · **excesivamente** · **enormemente** || **particularmente** · **especialmente** || **declaradamente** *Es un régimen declaradamente represivo* · **manifiestamente**

reprimenda s.f.

• CON ADJS. **buena** · **justa** · **merecida** || **seria** · **dura** · **fuerte** *Su imprudencia le valió una fuerte reprimenda* · **severa** · **enérgica** || **pequeña** · **leve** · **suave** · **cariñosa** || **injusta** || **privada** · **pública** · **oficial**
• CON SUSTS. **tono (de)** · **carácter (de)** || **carta (de)** · **nota (de)**
• CON VBOS. **echar** *Sus padres le echaron una buena reprimenda* · **soltar** · **lanzar** || **valer(le) (a alguien)** · **costar(le) (a alguien)** · **ganar(se)** || **llevarse** *Se llevó una buena reprimenda sin haber hecho nada* · **recibir** · **encajar** · **soportar** · **escuchar** · **sufrir** · **aceptar** || **merecer** || **acallar** · **evitar** || **exponerse (a)** || **sonar (a)** *Sus palabras me sonaban a reprimenda* || **librar(se) (de)** · **huir (de)** · **salvar(se) (de)**

reprimir v.

• CON SUSTS. **gesto** · **mueca** *Intentó reprimir una mueca de dolor* · **sonrisa** · **carcajada** · **risa** *No pudo reprimir la risa y estalló en carcajadas* · **sollozo** · **lágrimas** · **grito** · **comentario** || **dolor** · **rabia** · **tristeza** · **pena** · **alegría** · **satisfacción** · **euforia** · **deseo** · ***otras sensaciones o emociones*** || **sexualidad** || **agresividad** · **violencia** · **ataque** || **protesta** · **rebelión** *El dictador reprimió con mano dura la rebelión* · **manifestación** · **revuelta** · **movimiento** · **actividad** || **población** · **pueblo** · **ciudadanía** || **golpe** || **idea** · **fantasía** · **imaginación** || **libertad**
• CON ADVS. **duramente** · **con dureza** · **con mano dura** · **violentamente** · **brutalmente** · **con firmeza** · **con mano de hierro** · **severamente** · **sin contemplaciones** || **a duras penas** *Reprimieron a duras penas un sollozo de amargura*

reprobación s.f.

• CON ADJS. **social** · **política** · **judicial** · **parlamentaria** · **privada** · **oficial** · **pública** || **internacional** *El suceso ha obtenido la reprobación internacional* || **severa** · **absoluta** *Este diario expresa su más absoluta reprobación a...* · **contundente** · **enérgica** · **total** · **dura** · **expresa** · **tajante** *con la reprobación tajante de sus padres* · **clara** · **firme** · **formal** · **inmediata** || **unánime** · **general** || **moral** · **ética**
• CON SUSTS. **moción (de)** *presentar una moción de reprobación* · **resolución (de)** · **propuesta (de)** || **gesto (de)** · **muestra (de)** · **mirada (de)** · **grito (de)** || **frase (de)** · **carta (de)** · **escrito (de)**
• CON VBOS. **pedir** · **solicitar** · **exigir** · **plantear** || **rechazar** · **bloquear** · **impedir** · **evitar** || **votar** *Se ha votado la reprobación de la propuesta* · **aceptar** · **apoyar** || **debatir** || **reclamar** · **reiterar** || **expresar** · **mostrar** · **manifestar** · **afrontar** || **merecer** *Tales actos merecen nuestra más enérgica reprobación* || **amenazar (con)** *Amenazan con la reprobación de la nueva ley* || **oponerse (a)**
• CON PREPS. **en señal (de)** *mover la cabeza en señal de reprobación*

reprobar v.

▮ [censurar, desaprobar]

• CON SUSTS. **ministro,tra** *Todos los analistas han reprobado al ministro de economía por sus previsiones* · **juez** · **presidente,ta** · **gobierno** · **clase política** · ***otros individuos y grupos humanos*** || **evento** · **suceso** · **hecho** · **caso** || **ataque** *Las organizaciones sociales reprobaron el violento ataque.* · **agresión** · **bombardeo** · **atentado** · **matanza** · **muerte** · **violencia** || **actitud** · **política** · **actuación** · **conducta** · **comportamiento** · **gestión** · **postura** || **iniciativa** *La mayoría de los parlamentarios reprueban la iniciativa* · **propuesta** || **declaración** · **manifestación** · **afirmación** · **respuesta** || **modelo** · **sistema** · **método** || **ley** · **medida** · **decisión**
• CON ADVS. **abiertamente** || **completamente** · **absolutamente** *una asociación que reprueba absolutamente todas las formas de violencia* · **totalmente** || **con dureza** · **con firmeza** · **enérgicamente** || **verbalmente** · **formalmente** · **públicamente** *El presidente reprobó públicamente la actuación del diputado* || **éticamente** · **moralmente** · **políticamente** · **legalmente** · **socialmente**

▮ [suspender]

• CON SUSTS. **prueba** · **examen** *Durante la carrera nunca reprobé un examen* · **evaluación** || **estudiante** · **alumno,na** · ***otros individuos***

reprochar v.

• CON SUSTS. **acción** · **actitud** *Le reprochaba su actitud distante en todos los asuntos familiares* · **postura** · **comportamiento** · **actuación** || **defecto** · **error** · **fallo** · **falta** · **exceso** · **abuso** || **decisión** · **elección** || **marcha** · **compra** · **salida** · ***otros eventos*** || **participación** · **intervención** || **ausencia** || **comentario** · **declaración**
• CON ADVS. **duramente** · **severamente** · **firmemente** · **enérgicamente** || **acremente** · **desagradablemente** · **descaradamente** || **justamente** · **injustamente** || **públicamente**

reproche s.m.

• CON ADJS. **serio** · **duro** *Su padre le hizo un reproche duro pero justo* · **fuerte** · **contundente** · **directo** · **explícito** || **tácito** · **implícito** · **silencioso** || **ácido** *acostumbrado a encajar los ácidos reproches de la crítica* · **amargo** · **áspero** · **hiriente** || **suave** · **leve** · **ligero** · **moderado** || **amable** · **cariñoso** || **justo** · **merecido** || **injusto** · **inmerecido** || **certero** || **peregrino** || **oficial** · **público** · **generalizado** · **unánime** · **personal** || **político** · **penal** · **social** · **disciplinario** · **administrativo** · **judicial** · **moral**
• CON SUSTS. **tono (de)** · **palabras (de)** · **mirada (de)** || **intercambio (de)** · **guerra (de)** · **cruce (de)** || **avalancha (de)** · **lluvia (de)** · **lista (de)** · **cadena (de)** · **chaparrón (de)** · **retahíla (de)** || **asomo (de)**
• CON VBOS. **recrudecer(se)** · **arreciar** *Tras la crisis, arreciaron los reproches al líder* || **tener** *No tengo ningún reproche que hacerte* · **hacer** · **formular** · **soltar** · **lanzar** · **verter** · **dejar caer** · **hacer llegar (a alguien)** · **exteriorizar** · **expresar** · **intercambiar** || **encajar** · **recibir** · **aceptar** · **admitir** · **evitar** || **merecer** || **deshacerse (en)** || **responder (a)** *Respondió a sus reproches con una promesa de cambio* · **salir al paso (de)**
• CON PREPS. **con** · **sin**

reproducción s.f.

• CON ADJS. **literal** *En una reproducción literal de sus palabras nos dijo que...* · **fiel** · **textual** · **fidedigna** · **minuciosa** · **exacta** · **cuidada** · **perfecta** · **lograda** || **aproximada** || **falsa** · **ilegal** || **en serie** || **del original**
• CON VBOS. **hacer** *Hace unos años se hizo una reproducción exacta de esa pieza antigua para exponerla en el museo* · **llevar a cabo** · **realizar** || **reconocer** || **vender** · **subastar**

reproducir v.

• CON SUSTS. **imagen** · **cuadro** · **lámina** || **sonido** · **voz** · **canción** · **tono** || **versión** · **original** · **palabras** *El periodista se limitó a reproducir las palabras de la juez* · **texto** · **frase** · **obra** || **esquema** · **modelo** · **estilo** || **ambiente** · **clima** · **vida** · **paisaje** · **época** · **pasado** · **sociedad** || **error** · **vicio** || **éxito**
• CON ADVS. **exactamente** · **minuciosamente** · **detalladamente** · **con detalle** *El cuadro reproduce con detalle la batalla de Lepanto* · **al detalle** · **punto por punto** · **al pie de la letra** · **fielmente** *Intentaré reproducir fielmente sus palabras* · **miméticamente** · **literalmente** · **estrictamente** · **completamente** || **aproximadamente** · **parcialmente** · **fragmentariamente** || **de memoria** || **fotográficamente** *La campaña publicitaria reproducía fotográficamente su imagen con vivos colores* || **en cadena** · **en serie** || **a todo volumen**

reproductor, -a

1 reproductor, -a adj.

• CON SUSTS. **aparato** *Es especialista en enfermedades relacionadas con el aparato reproductor* · **sistema** · **órgano** · **célula** · **organismo** || **capacidad** · **actividad** · **función** · **proceso** · **técnica** *técnicas reproductoras asistidas* · **mecanismo** · **fin** · **medio** || **ciclo** · **etapa** · **período** · **edad** || **pareja** · **hembra** · **macho** · **animal** · **especie** · **ganado** || **medicina** · **biología** || **vídeo** *un vídeo reproductor de primera calidad* · **unidad**

2 reproductor s.m.

• CON ADJS. **digital** · **portátil** *Llevó a la fiesta su reproductor portátil* · **analógico** · **multimedia** · **musical** || **profesional**
• CON VBOS. **funcionar** || **averiar(se)** · **estropear(se)** *El reproductor se ha estropeado y ahora no podremos ver la película* · **romper(se)** || **arreglar** · **reparar** || **manejar** · **programar** || **importar**

3 reproductor (de) s.m.

• CON SUSTS. **televisión** · **discos** · **cintas** · **vídeo** · **casetes** *Aún conservo mi viejo reproductor de casetes* · **compactos** · **sonido** · **audio** · **música** · **imagen** · **DVD** · **CD** · **MP3** || **información** · **datos** · **fotos**

reptar v.

• CON SUSTS. **serpiente** · **víbora** *La víbora reptaba sigilosamente entre las rocas* · **culebra** · **alimaña** || ***persona*** *Los soldados se arrastraban reptando bajo la alambrada*
• CON ADVS. **sigilosamente** · **silenciosamente** || **lentamente**

república s.f.

• CON ADJS. **partidario,ria (de)** · **defensor,-a (de)**
• CON SUSTS. **régimen (de)** · **presidente,ta (de)** · **gobierno (de)**
• CON VBOS. **votar** || **instaurar** · **reinstaurar** *El libro describe el proceso que llevó a reinstaurar la república* · **establecer** · **restablecer** · **proclamar** || **derrocar**

repudiar v.

• CON SUSTS. **esposo,sa** · **persona** · ***otros individuos*** || **violencia** · **asesinato** · **terrorismo** · **abuso** · **acción** || **actitud** · **comportamiento** || **crítica** · **planteamiento** · **idea**
• CON ADVS. **enérgicamente** *La directiva repudia enérgicamente el comportamiento de algunos trabajadores durante la huelga* · **decididamente** · **vehementemente** · **intensamente** || **inmediatamente** · **de inmediato** || **definitivamente** || **públicamente** · **absolutamente** *Repudiamos absolutamente los atentados terroristas* · **oficialmente**

[repuesto] →de repuesto; repuesto

repugnancia s.f.

• CON ADJS. **fuerte** · **profunda** · **extrema** · **infinita** · **absoluta** · **auténtica** || **franca** · **declarada** || **social** *Es uno de esos temas que despiertan mayor repugnancia social* · **intelectual** || **moral** · **ética** || **íntima**
• CON SUSTS. **sensación (de)** *La visión de esas estampas no puede sino despertar en nosotros una horrible sensación de repugnancia* · **expresión (de)** · **gesto (de)** || **grito (de)** · **reacción (de)**
• CON VBOS. **sentir** · **tener** || **provocar** · **inspirar** · **generar** · **producir** || **expresar** · **mostrar** || **dar** · **causar**
• CON PREPS. **con** *mirar algo con repugnancia*

repulsa s.f.

• CON ADJS. **absoluta** · **total** · **frontal** *con la frontal repulsa de sus compañeros* · **radical** · **profunda** · **intensa** · **firme** · **decidida** · **enérgica** *Los ciudadanos expresaron su más enérgica repulsa ante la injusticia cometida* · **rotunda** · **severa** · **terminante** · **contundente** || **unánime** || **enardecida** · **virulenta** · **visceral**

• CON SUSTS. **manifestación (de) · demostración (de)** *El silencio de miles de personas constituyó una unánime demostración de repulsa ante los atentados* · **señal (de) · muestra (de) · gesto (de) || sentimiento (de) · reacción (de) · actitud (de) · tono (de) || manifiesto (de) · comunicado (de) · grito (de) · palabra (de) · nota (de) · escrito (de) · carta (de) || acto (de) · marcha (de) · concentración (de)**
• CON VBOS. **sentir** *Sentimos una profunda repulsa ante hechos como este* · **experimentar || inspirar (a alguien) · producir (a alguien) · provocar (a alguien) || mostrar · exteriorizar · manifestar**
• CON PREPS. **en señal (de)** *Los vecinos se manifestaron en señal de repulsa*

repuntar v.

• CON SUSTS. **economía · bolsa · inflación** *La inflación ha repuntado unas décimas con relación al mes pasado* || **consumo** *El consumo familiar ha repuntado ligeramente* · **gasto · demanda || ingreso || precio**
• CON ADVS. **ligeramente || significativamente · notablemente · ostensiblemente**

reputación s.f.

• CON ADJS. **mala · buena · pésima || seria · larga || justa · merecida · bien ganada || inmerecida · dudosa || acreditada · probada · indudable · incuestionable · innegable · intachable** *Su reputación es intachable*
• CON SUSTS. **pérdida (de) · falta (de)**
• CON VBOS. **fraguar(se) · labrar(se)** *Trabajando duro se labró la buena reputación que tiene entre sus compañeros* · **ganar(se) · granjear(se) || aumentar · acrecentar(se) · afianzar(se) · consolidar(se)** *Su reputación de buen orador se consolidó con su último discurso parlamentario* || **decrecer · derrumbar(se) · empañar(se) · devaluar(se) || basar(se) (en algo) · cimentar(se) (en algo) || tener** *Tiene reputación de donjuán* · **ostentar || forjar · adquirir · alcanzar || recuperar · lavar || perder || perjudicar · dañar · ensuciar · manchar · enturbiar · erosionar · mermar · minar · socavar || gozar (de)** *Goza de muy buena reputación*
• CON PREPS. **a la altura (de) · de** *una profesional de reputación internacional*

reputado, da adj.

• CON SUSTS. **figura · intelectual** *un intelectual muy reputado dentro de su especialidad* · **especialista || médico,ca · abogado,da · actor · actriz · pintor,-a** · ***otros profesionales*** || **publicación · revista** *Es una reputada revista científica*

requerir v.

▮ [necesitar]

• CON SUSTS. **ayuda** *Ante las constantes amenazas volvió a requerir la ayuda de la Policía* · **apoyo · protección · tratamiento · medicamento · dinero || intervención · presencia · participación · asistencia · colaboración || aprobación** *Para continuar con el proyecto requerimos la aprobación del consejo* · **permiso · autorización || esfuerzo · tiempo · atención · cuidado || información · dato · documento**
• CON ADVS. **urgentemente · apremiantemente · insistentemente** *Los niños requieren insistentemente tiempo y atención* · **continuamente**

▮ [demandar]

• CON SUSTS. ***persona*** *requerir judicialmente a los dirigentes de una empresa*
• CON ADVS. **oficialmente · notarialmente · judicialmente**

réquiem s.m.

• CON ADJS. **emocionado · sentido** *Honraron al difunto con un sentido réquiem* || **célebre · solemne · magnífico · admirable || merecido**
• CON SUSTS. **misa (de) || sinfonía (de)**
• CON VBOS. **sonar || escribir · componer** *Compuso un réquiem en su honor* || **escuchar · oír || interpretar · cantar · entonar · ofrecer**

requisito s.m.

• CON ADJS. **básico** *El requisito básico para acceder a esas oposiciones es ser licenciado* · **elemental · esencial · fundamental · previo · primer(o) || expreso || necesario · obligatorio · taxativo · terminante · estricto · severo · inevitable · ineludible · inexcusable · insoslayable · indispensable · imprescindible** *La mayoría de edad es requisito imprescindible* · **sine qua non · irrenunciable || sometido,da (a) · sujeto,ta (a)**
• CON SUSTS. **serie (de) · conjunto (de) · lista (de) · cadena (de) || cumplimiento (de) · exigencia (de) · falta (de) · establecimiento (de)**
• CON VBOS. **concurrir || constituir || fijar · establecer · determinar || imponer · exigir · requerir · precisar || cumplir · satisfacer** *Satisfacía todos los requisitos necesarios para cubrir el puesto* · **reunir || incumplir · sortear || rebasar || plegarse (a) · supeditar(se) (a)**
• CON PREPS. **en función (de)**

res s.f.

• CON ADJS. **brava · mansa** *Suelen sacar reses mansas para meter el toro en el toril*
• CON SUSTS. **carne (de) || suelta (de) · encierro (de) · ganadería (de) · crianza (de) · tienta (de) || ganadero,ra (de)**
• CON VBOS. **embestir (algo/a alguien) || pastar || arrear · reunir** *Reunieron las reses con ayuda de los perros pastores* || **faenar · lidiar · torear || engordar · cebar · criar || sacrificar · matar**

resabiado, da adj.

• CON SUSTS. **toro** *lidiar un toro resabiado* · **novillo,lla · res · morlaco || público · lector,-a · niño,ña** *Entre los mayores se ha vuelto una niña resabiada* · **veterano,na · anciano,na · estudiante** · ***otros individuos y grupos humanos*** || **tono · mirada · gesto**

resaca s.f.

• CON ADJS. **fuerte · horrible** *Al día siguiente me levanté con una resaca horrible* · **espantosa · imponente · tremenda · enorme · de campeonato || ligera · leve · llevadera || informativa · electoral · futbolística · política**
• CON SUSTS. **día (de) · jornada (de) || sensación (de) · síntoma (de) · cara (de) · cuerpo (de)**
• CON VBOS. **tener** *No me hables tan alto, que tengo resaca* · **sufrir · arrastrar || producir · provocar · dar || curar · aliviar || levantarse (con) · despertar(se) (con) || estar (con)**
• CON PREPS. **con · sin**

resarcir(se) (de) v.

• CON SUSTS. **problema · crisis · golpe · tropiezo · disgusto · dificultad · contratiempo || daño · perjuicio · humillación · destrozo · olvido || derrota** *El equipo procura resarcirse de sus últimas derrotas* · **fracaso · goleada || penuria · pérdida || efecto · consecuencia || esfuerzo**

· trabajo · cansancio || dolor *un intento inútil de resarcirse del profundo dolor que...* · pena
● CON ADVS. adecuadamente · cumplidamente || justamente · en justicia · con arreglo a la ley || con creces · sobradamente · ampliamente || laboralmente · económicamente · deportivamente · políticamente

resbaladizo, za adj.

● CON SUSTS. superficie · cuerpo · cuesta *La cuesta nevada estaba muy resbaladiza y era peligroso avanzar* · césped · carretera · acera · pista || zapato · calzado · material · suela || terreno *Creo que estamos llevando la discusión a un terreno demasiado resbaladizo* · frontera · territorio · campo · senda · vertiente · arena · lodo · curva · línea || tema · asunto · ámbito · temática · género · concepto *Resulta difícil definir con claridad conceptos tan resbaladizos* · término · materia · tópico · cuestión · idea · concepción || mundo · sociedad · situación · realidad || discurso · comedia · carta || empresa · futuro · proyecto · propuesta
● CON ADVS. extremadamente · extraordinariamente · especialmente · totalmente · peligrosamente
● CON VBOS. ser · volver(se) *Cuando llueve, la carretera se vuelve resbaladiza* · quedar(se) || estar · poner(se) · hacer(se) *En este punto las distinciones conceptuales se hacen resbaladizas*

rescate s.m.

■ [dinero que se paga por la liberación de alguien]
● CON ADJS. alto · elevado · cuantioso *Pagaron un cuantioso rescate por la liberación de los rehenes* · abultado · jugoso · sustancioso || pequeño · mínimo · insignificante
● CON VBOS. pedir *Los secuestradores pedían un elevado rescate* · exigir || negociar || ofrecer · pagar · entregar · dar
● CON PREPS. a cambio (de) *Liberado un rehén a cambio de un cuantioso rescate*

■ [recuperación]
● CON ADJS. difícil · complicado · arriesgado
● CON SUSTS. equipo (de) *Los equipos de rescate reanudarás hoy la búsqueda de supervivientes* · grupo (de) · operativo (de) · patrulla (de) · cuerpo (de) · brigada (de) || helicóptero (de) || tareas (de) *Las tareas de rescate han sido muy complicadas debido a la intensa niebla* · labores (de) · trabajos (de) · servicios (de) || operación (de) · plan (de) · misión (de)

rescindir v.

● CON SUSTS. contrato *rescindir el contrato de alquiler* · convenio · acuerdo · pacto · contrata · póliza · empleo · tratado · documento · licencia || concesión · adjudicación || libertad · derecho
● CON ADVS. unilateralmente · de mutuo acuerdo · libremente || anticipadamente *Debido a desavenencias con los directivos del club, el jugador rescindió anticipadamente su contrato* · abruptamente · inesperadamente || definitivamente · temporalmente || totalmente · completamente · parcialmente || injustificadamente *La empresa rescindió injustificadamente los contratos de cinco trabajadores* · legalmente || oficialmente

rescisión s.f.

● CON ADJS. laboral || amistosa · pactada *Ha sido una rescisión pactada; nadie ha salido perdiendo* · libre || anticipada · posterior || contractual · unilateral · improcedente · injustificada || justa · justificada || drástica · inmediata · fulminante || definitiva · temporal || cautelar
● CON SUSTS. indemnización (por) *Ha recibido una indemnización por la rescisión improcedente de su contrato* || acuerdo (de) · propuesta (de) || cláusula (de) *Han añadido una nueva cláusula de rescisión* || expediente (de)
● CON VBOS. cerrar · firmar *Firmaron la rescisión tras largas horas de negociaciones* · lograr || contemplar · prever || solicitar · pedir · exigir || aceptar *No tuvo más remedio que aceptar la rescisión* · reclamar || acordar · negociar · tratar || anunciar

rescoldo

1 **rescoldo** s.m.
● CON ADJS. último *los últimos rescoldos del incendio* || leve · tenue
● CON VBOS. quedar *Aún quedan rescoldos en la chimenea* · perdurar *Perduró un tiempo el rescoldo de su antiguo amor* || apagar || mantener · conservar || avivar · remover · reavivar
● CON PREPS. a *asar el pescado al rescoldo*

2 **rescoldo (de)** s.m.
● CON SUSTS. esperanza *Cuando ya no te queda ningún rescoldo de esperanza porque...* · gloria || bondad · tolerancia · tristeza || pasión · cariño || rencor · maldad · resentimiento · odio · insatisfacción || ***otros sentimientos o emociones*** || vida · luz · calor

resecar(se) v.

● CON SUSTS. piel · boca *Cuando se está nervioso se le reseca a uno la boca* · ojos · garganta · tejido || vegetación · hierba · tierra
● CON ADVS. totalmente · completamente || rápidamente

resentido, da adj.

● CON ADVS. enormemente · seriamente · profundamente *Su ego quedó profundamente resentido* · terriblemente
● CON VBOS. estar · quedar(se) || salir · ir(se)

resentimiento s.m.

● CON ADJS. vivo · fuerte · hondo · profundo · marcado · arraigado · enconado · airado || patente · verdadero || soterrado · oculto || largo · secular *el secular resentimiento que aún pervive entre las dos familias* · duradero || ligero || personal · social · popular · público · general
● CON SUSTS. ápice (de) *A pesar de todo, no siente un ápice de resentimiento* || exceso (de) · ausencia (de) || gesto (de) · mirada (de) · palabra (de) || clima (de) · ambiente (de)
● CON VBOS. desatar(se) · corroer (a alguien) || disipar(se) · irse || tener · albergar *En aquellos días albergaba aún un profundo resentimiento* · guardar · acumular || exteriorizar · liberar · perder || avivar · reavivar · atizar · alimentar · generar · provocar || contener · reprimir · ocultar · deponer · mitigar · atemperar || dejarse llevar (por) · actuar (por)
● CON PREPS. con *actuar con resentimiento y venganza* · sin

resentirse v.

● CON ADVS. considerablemente · notablemente · significativamente || gravemente · seriamente || ligeramente *Aún se resiente ligeramente del dolor en la pierna* · levemente
☐ USO Se construye generalmente con complementos encabezados por la preposición *de*: *resentirse de una lesión.*

[reserva] →con reservas; reserva; sin reservas

reserva s.f.

▌[reparo]

- CON ADJS. **absoluta** · **profunda** · **considerable** · **fuerte** || **seria** *La juez mostró serias reservas al poner en libertad a...* · **grave** || **infundada** · **fundada**
- CON VBOS. **tener** *Tengo muchas reservas acerca de lo que dices* · **albergar** · **abrigar** · **guardar** || **mostrar** · **manifestar** *Todos manifestaron alguna reserva ante el proyecto* · **plantear** · **expresar** · **exponer** · **oponer** || **dejarse (de)**
- CON PREPS. **con** *aceptar una propuesta con ciertas reservas* · **sin** *contar algo sin la menor reserva*

▌[recurso]

- CON ADJS. **abundante** *Nos quedan aún abundantes reservas de alimentos* · **numerosas** · **inmensa** · **sobrada** || **inagotable** *Las reservas petrolíferas del planeta no son inagotables* · **interminable** || **escasa** · **limitada** || **natural** · **energética** · **petrolífera**
- CON VBOS. **agotar(se)** *Se agotó la reserva de gasolina en mitad de la carretera* || **tener** || **usar** · **apurar** · **dosificar** · **mantener**

[reservado] →de pronóstico reservado; reservado, da

reservado, da adj.

▌[secreto]

- CON SUSTS. **información** *Es información reservada, no podemos difundirla* · **identidad** · **materia** · **asunto** || **informe** · **documento** || **pronóstico** *heridas de pronóstico reservado* || **reunión** · **sesión** · **encuentro** || **fondos** *Utilizan dinero de fondos reservados* · **gasto**
- CON ADVS. **estrictamente** · **absolutamente** · **celosamente** · **cuidadosamente** · **temporalmente**

▌[prudente, tímido]

- CON SUSTS. **carácter** · **actitud** · **personalidad** || ***persona*** *Mi hermano es muy reservado*
- CON ADVS. **profundamente** · **sumamente** · **excesivamente** · **ligeramente**

[reservar] →reservar; reservarse

reservar v.

- CON SUSTS. **billete** · **entrada** || **alojamiento** *Ya he reservado el alojamiento en la playa para estas vacaciones* · **habitación** · **mesa** · **piso** · **hotel** || **plaza** · **asiento**
- CON ADVS. **de antemano** *Reservé los billetes de antemano* · **con precaución** · **con tiempo** || **en exclusiva**

reservarse v.

- CON SUSTS. **opinión** *Me reservo mi opinión para más adelante* · **idea** · **creencia** · **comentario** · **punto de vista** · **pronóstico** || **derecho** · **posibilidad**
- CON ADVS. **prudentemente** · **sensatamente** · **sabiamente**

resfriado s.m.

- CON ADJS. **común** || **fuerte** · **simple** · **ligero** || **tonto**
- CON SUSTS. **síntoma (de)** *Esa tos es síntoma de resfriado* || **remedio (para)** · **vacuna (contra)** · **medicación (contra)**
- CON VBOS. **coger** · **agarrar** · **atrapar** *Atrapó un resfriado impresionante* · **pillar** || **tener** · **pasar(se)** || **pegar** · **contagiar** *No te doy un beso para no contagiarte el resfriado* || **superar** · **vencer** || **curar(se) (de)** · **reponerse (de)** · **recuperarse (de)** · **salir (de)**

[resguardo] →al resguardo (de); a resguardo (de); resguardo

resguardo s.m.

▌[documento que acredita una gestión]

- CON ADJS. **oficial** · **provisional** · **original**
- CON SUSTS. **copia (de)** · **fotocopia (de)** · **papel (de)**
- CON VBOS. **obrar en poder (de alguien)** || **conservar** *Conserva todos los resguardos de los pagos* · **perder** · **guardar** · **tener** || **presentar** · **enviar** · **entregar** · **dar** || **hacer** · **pedir**

▌[protección, seguridad]

- CON ADJS. **policial** · **fiscal** · **militar** · **institucional** || **intenso** · **fuerte**
- CON SUSTS. **medida (de)** *medidas de resguardo institucional* · **servicio (de)**
- CON VBOS. **dar** · **proporcionar** · **reforzar** || **necesitar** · **pedir** · **solicitar** · **buscar**
- CON PREPS. **bajo** *bajo resguardo policial* · **en** *en resguardo de la vida* · **a** *a resguardo del viento*

residencia s.f.

- CON ADJS. **habitual** · **definitiva** · **permanente** · **temporal** · **provisional** · **eventual** · **actual** || **legal** · **fiscal** *Quienes ya cuenten con el certificado de residencia fiscal deberán...* · **oficial** · **privada** || **familiar**
- CON SUSTS. **lugar (de)** · **país (de)** *¿Cuál es su país de residencia?* · **ciudad (de)** · **localidad (de)** · **zona (de)** · **dirección (de)** || **cambio (de)** || **permiso (de)** · **tarjeta (de)** · **papeles (de)** · **visado (de)** · **certificado (de)**
- CON VBOS. **pedir** · **solicitar** || **tramitar** *En la actualidad estoy tramitando la residencia para establecernos en esta ciudad* · **acreditar** || **conceder** · **denegar** || **fijar** || **cambiar (de)**
- CON PREPS. **con** *con residencia en Barcelona*

residencial adj.

- CON SUSTS. **zona** · **complejo** *Se accede al complejo residencial por una carretera rodeada de chopos* · **sector** · **área** · **espacio** · **polígono** · **conjunto** · **núcleo** || **distrito** · **barrio** *Vive en un selecto barrio residencial* · **ciudad** · **calle** || **suelo** · **terreno** || **piso** · **casa** · **bloque** || **crecimiento** · **desarrollo** · **crisis** || **proyecto** · **plan** || **densidad** || **uso**

residente

1 residente adj.

- CON SUSTS. **médico,ca** · **profesor,-a** · **comisionado,da** · **coordinador,-a** · **representante** · **corresponsal** · **director,-a** · **familia** · **persona** *Las personas residentes en el extranjero deberán presentar, además...* · ***otros individuos y grupos humanos*** || **empresa** · **compañía**

2 residente s.com.

- CON ADJS. **temporal** · **permanente** *Solo pueden hacer uso de la piscina los residentes permanentes* · **fijo,ja** · **veraniego,ga** · **invernal** · **local** · **antiguo,gua** || **legal** · **ilegal**
- CON SUSTS. **estatus (de)** · **condición (de)** || **tarjeta (de)** · **visado (de)** || **plaza (de)** · **aparcamiento (de/para)** || **grupo (de)** · **asociación (de)** · **censo (de)**

residir (en algo) v.

▌ [consistir, estribar]

● CON SUSTS. **interés · importancia · valor · trascendencia · peso · influencia || clave · secreto** *¿En qué reside el secreto de su éxito?* **· solución · misterio · quid || naturaleza · esencia · fundamento · significado · meollo || problema · dificultad** *La mayor dificultad reside en la gran cantidad de alumnos por clase* **· incógnita · complejidad · dilema · intríngulis · problemática || diferencia · novedad · originalidad · peculiaridad · especificidad || éxito** *Su enorme éxito entre los jóvenes reside en el ritmo y en la fuerza de sus canciones* **· mérito · logro · victoria · prestigio · hallazgo || fuerza · grandeza · soberanía · firmeza · fortaleza · poder || talento · capacidad · inteligencia · genio || encanto · atractivo · gracia · belleza** *la belleza que reside en su mirada* **· felicidad · bondad || peligro · riesgo · amenaza || causa · razón · motivo · origen || debilidad · flaqueza · fragilidad**

● CON ADVS. **principalmente · fundamentalmente · esencialmente || únicamente || paradójicamente || precisamente**

residual adj.

● CON SUSTS. **producto · elemento · fenómeno · material · sustancia || agua** *una depuradora de aguas residuales* **· petróleo · aceite || vertido · lodo · contaminación · efecto || valor** *calcular el valor residual de un automóvil* **· inflación || papel · carácter || conocimiento · desconfianza || terrorismo** *Únicamente persiste un terrorismo residual* **|| vía · desagüe · conducto || sistema · programa · tratamiento || riesgo**

residuo s.m.

● CON ADJS. **tóxico · nuclear · peligroso · contaminante || clorado · químico** *sanear residuos químicos para su uso agrícola* **· biológico · orgánico · industrial · plástico · líquido · sólido · gaseoso · reciclable || urbano · agrícola · sanitario · municipal · doméstico || ancestral · histórico · anacrónico · autoritario · antidemocrático · cultural · testimonial**

● CON SUSTS. **tratamiento (de)** *Es especialista en el tratamiento de residuos industriales* **· plan (de) · gestión (de) || planta (de) · vertido (de)** *Está prohibido el vertido de residuos en toda la zona* **· reciclaje (de) · reciclado (de) · eliminación (de) · zona (de) · contenedor (de) || recogida (de) · transferencia (de) · cálculo (de) · efecto (de)**

● CON VBOS. **generar · verter || contener · almacenar · acumular || evitar · eliminar · limpiar · incinerar · quemar || recoger · transportar** *Un camión especial transporta residuos nucleares* **|| reciclar · tratar · reducir · separar · seleccionar**

resignación s.f.

● CON ADJS. **profunda · honda · infinita · máxima · sobrehumana || necesaria · obligada · inevitable || prematura · final || admirable · encomiable · loable · voluntariosa · abnegada · humilde · cristiana · estoica** *...encarando siempre las dificultades con estoica resignación* **|| escéptica || dolorida · absurda || constructiva · positiva || colectiva || cívica · general**

● CON SUSTS. **acto (de) · signo (de) · gesto (de) · cara (de)** *Cuando supo la noticia puso cara de resignación* **· tono (de) || ambiente (de) · clima (de) || capacidad (de) · sentimiento (de) || falta (de)**

● CON VBOS. **imponer(se) || pedir (a alguien) · recomendar (a alguien) || demostrar · reflejar · mostrar || superar · poner a prueba || armar(se) (de)** *Me aconsejaron que me armara de resignación* **· llenar(se) (de)**

● CON PREPS. **con** *aceptar algo con resignación* **· sin || ante**

resignarse v.

● CON ADVS. **pacientemente · con paciencia || humildemente · estoicamente · cristianamente || de buen grado · fácilmente || amargamente · de mala gana**

● CON VBOS. **tocar · quedar** *Ya solo queda resignarse*

☐ USO Se construye con complementos encabezados por la preposición *a*: *No me resigno a perderla.*

resistencia s.f.

● CON ADJS. **firme** *Me admira su firme resistencia ante las adversidades* **· férrea · frontal · decidida · fuerte · dura · enconada · denodada · encarnizada · feroz · tenaz** *Opuso una tenaz resistencia a trasladarse de domicilio* **· pertinaz · contumaz · numantina || suma · poderosa || débil · endeble · discreta · moderada · escasa · ligera · leve · testimonial || heroica** *poema que exalta la heroica resistencia de la ciudad* **· valiente || ancestral · arraigada · antigua || visceral · irracional**

● CON SUSTS. **capacidad (de) · actitud (de) · voluntad (de) · espíritu (de) || movimiento (de) · grupo (de) · foco (de) || prueba (de) · carrera (de)**

● CON VBOS. **aumentar · crecer || disminuir · quebrar(se) · ablandar(se) · ceder · desaparecer || adquirir** *Se adquiere mayor resistencia física con la práctica regular del deporte* **|| despertar || poner · presentar · ofrecer · oponer · ejercer || romper · vencer · salvar** *ante la dificultad de salvar la resistencia de las autoridades deportivas* **|| sofocar · desarbolar · desactivar · aniquilar · anular · desmantelar · minar · socavar || encabezar · liderar || tropezar (con) || acabar (con) || formar parte (de) · unir(se) (a)**

● CON PREPS. **sin** *Sucumbieron sin resistencia* **· con**

resistir(se) (a) v.

● CON SUSTS. **influencia** *Pocos se resisten hoy en día a la influencia de la televisión* **· influjo || efecto · consecuencia || *persona* || gana** *Cada vez que voy no resisto las ganas de comprar algo* **· deseo · tentación || cambio · alteración || encanto · hechizo || oferta · ofrecimiento · demanda · petición** *Me resistí a la petición porque no me pareció conveniente* **· insinuación || presión · poder · capacidad || ejército · policía · guardia || viento · huracán · fuego · *otras fuerzas naturales***

● CON ADVS. **firmemente** *Me extrañó que se resistiera tan firmemente a firmar el contrato* **· fuertemente · denodadamente · tenazmente · férreamente · con firmeza · a pie firme · estoicamente · numantinamente || como gato panza arriba · a toda costa · a todo trance** *Se resisten a todo trance a dejar su hogar* **· contra viento y marea || por la fuerza · violentamente || a duras penas** *Me resistí a duras penas a su ofrecimiento* **|| heroicamente · valientemente || temporalmente || inútilmente**

resollar v.

● CON SUSTS. ***persona*** *Hay que sustituir al medio volante porque resuella cada vez que corre cincuenta metros* **|| caballo · mulo,la · caballería · toro · buey** *Los bueyes resollaban intentando tirar del carro atascado*

● CON ADVS. **fuertemente · sin fuerza · débilmente || ruidosamente**

resolución s.f.

• CON ADJS. **firme** *Habíamos tomado la firme resolución de no decírselo para evitar más problemas* · **en firme** · **tajante** · **concluyente** · **drástica** · **salomónica** || **apremiante** || **decisiva** · **definitiva** · **provisional** || **fundamentada** · **justificada** · **justa** || **injusta** · **discriminatoria** · **arbitraria** || **a favor** · **en contra** || **unánime** || **discrecional** || **absolutoria** *Se esperaba una resolución absolutoria por parte del juez, pero...* · **condenatoria** · **cautelar** || **a puerta cerrada** || **oficial** · **judicial**

• CON VBOS. **prosperar** || **emanar (de alguien)** || **atañer (a alguien)** || **buscar** *...ante la necesidad de buscar una resolución rápida y de aplicación inmediata* || **tomar** *No hay más remedio que tomar una rápida resolución* · **formular** · **emitir** · **hacer pública** · **difundir** · **dictar** · **publicar** · **poner en conocimiento (de alguien)** || **tramitar** · **agilizar** · **aplicar** · **poner en práctica** · **cumplir** || **votar** · **firmar** · **aceptar** · **obedecer** · **acatar** · **asumir** · **sustentar** || **rectificar** || **prejuzgar** · **criticar** · **perseguir** · **boicotear** || **rechazar** · **desobedecer** · **desoír** · **incumplir** *Si incumplen esta resolución, incurrirán en un delito de desobediencia a...* · **contravenir** · **saltarse** · **violar** || **derogar** · **impugnar** · **revocar** · **invalidar** || **llegar (a)** *Tras mucho pensarlo, llegó a una resolución justa* · **atenerse (a)** || **disentir (de)**

• CON PREPS. **a la vista (de)** · **con base (en)**

resolutivo, va adj.

• CON SUSTS. **trabajador,-a** · **persona** · **gente** · **estudiante** · **jugador,-a** · **atacante** · **defensor,-a** || **equipo** · **consejo** · **comisión** · **órgano** *El expediente pasará a manos del órgano resolutivo* · **organismo** || ***otros individuos y grupos humanos*** || **carácter** · **actitud** · **mentalidad** · **habilidad** · **capacidad** · **poder** || **jugada** · **contragolpe** · **ataque** · **defensa**

• CON ADVS. **suficientemente** · **enormemente** || **tajantemente** · **totalmente** · **parcialmente**

• CON VBOS. **mostrar(se)** *En contra de todas las predicciones, se mostró muy resolutivo*

resolver v.

• CON SUSTS. **caos** · **conflicto** · **contratiempo** · **desastre** · **embrollo** *Resolvió el embrollo con astucia* · **lío** · **papeleta** · **problema** || **dilema** · **dicotomía** || **ecuación** *No supo resolver la ecuación matemática* · **operación** || **asunto** · **caso** · **cuestión** || **trama** · **incógnita** · **misterio** || **delito** · **crimen** *...una novela en la que el crimen queda sin resolver* · **fraude** || **diferencia** · **disputa** · **lucha**

• CON ADVS. **convincentemente** || **con decisión** *resolver un problema con decisión* · **con determinación** · **con arrojo** · **con soltura** || **salomónicamente** · **con justicia** · **arbitrariamente** || **a cara o cruz** || **a duras penas** || **de un día para otro** · **definitivamente** · **de una vez por todas** *resolver un asunto de una vez por todas* · **de raíz** · **provisionalmente** || **satisfactoriamente** · **a plena satisfacción** · **con éxito** || **ejemplarmente** · **dignamente** · **civilizadamente** *Los vecinos resolvieron civilizadamente sus diferencias* · **pacíficamente** · **ordenadamente** · **armoniosamente** · **diplomáticamente** || **favorablemente** · **a favor** || **desfavorablemente** · **en contra** || **a puerta cerrada** || **cautelarmente** || **virtualmente**

resonante adj.

• CON SUSTS. **hecho** · **caso** · **suceso** · **noticia** · **gesta** || **aparición** || **sorpresa** || **resultado** · **éxito** · **triunfo** · **victoria** *Consiguió una victoria resonante* · **derrota** || **voz** · **tono** · **eco** · **acústica** · **sonido** || **trueno** · **relámpago** || **tambor** || **palabras** · **declaración** · **respuesta** · **texto** · **artículo** · **nombre** · **título** *La novela tiene un título rotundo y resonante* || **premio** || **golpe** · **bofetón** || **superficie**

resonar v.

• CON SUSTS. **eco** *Todavía resuena en nuestra memoria el eco de su voz* · **clamor** · **murmullo** · **voz** · **ruido** || **palabras** · **frase** · **verso** || **himno** · **canto** · **cántico** || **grito** · **llanto** · **lamento**

• CON ADVS. **estrepitosamente** · **atronadoramente** · **estruendosamente** || **a lo lejos** · **en la distancia** || **en {mis/tus/sus...} oídos** *Sus palabras resuenan aún en mis oídos*

respaldar v.

• CON SUSTS. **postura** · **posición** · **punto de vista** · **actitud** || **decisión** *Confío en ti, y respaldaré tu decisión* · **opinión** · **propuesta** *Me gustaría que mis compañeros respaldaran mi propuesta* · **proyecto**

• CON ADVS. **abiertamente** · **sin ambages** || **fuertemente** · **firmemente** *Respaldó firmemente mi opinión* · **con firmeza** · **con decisión** · **con determinación** · **decididamente** · **activamente** || **plenamente** · **de pleno** · **incondicionalmente** · **sin fisuras** · **sin reservas** *Respaldaré sin reservas tu decisión* · **punto por punto** || **con reservas** · **con cautela** || **decisivamente** || **al unísono** · **en masa** · **en su mayoría** · **mayoritariamente** *En aquella cuestión, la opinión pública respaldó mayoritariamente la postura del partido en la oposición* · **abrumadoramente** || **documentalmente** · **electoralmente** · **democráticamente**

respaldo s.m.

▮ [apoyo, protección]

• CON ADJS. **total** · **absoluto** || **popular** · **general** · **nutrido** · **abrumador** · **mayoritario** · **multitudinario** · **unánime** || **aplastante** · **decisivo** *El respaldo de sus compañeros fue decisivo para su triunfo* · **inequívoco** · **inestimable** || **efectivo** || **tibio** *A pesar de la campaña publicitaria, solo consiguió un tibio respaldo de los votantes* · **escaso** · **minoritario** || **incondicional** · **sin condiciones** · **sin reservas** || **electoral** · **político** · **deportivo** · **democrático**

• CON SUSTS. **manifestación (de)** · **demostración (de)** · **muestra (de)** · **prueba (de)**

• CON VBOS. **tener** · **obtener** · **recibir** · **granjear(se)** · **encontrar** · **cosechar** || **dar (a alguien)** · **conceder (a alguien)** · **otorgar** · **brindar (a alguien)** *una persona que brinda su respaldo a quien lo necesita* · **prestar (a alguien)** · **concitar** || **retirar** || **gozar (de)**

▮ [parte de un asiento]

• CON ADJS. **rígido** · **ergonómico** · **duro** · **cómodo** · **incómodo** || **vertical**

• CON VBOS. **inclinar(se)** *Si inclinas un poco el respaldo, estarás más cómodo* · **enderezar** || **apoyar(se) (en)**

[respecto] → al respecto

respetable adj.

▮ [digno de respeto]

• CON SUSTS. **señor,-a** · **hombre** *Su padre es un hombre muy respetable* · **mujer** · **persona** · **escritor,-a** · **público** · ***otros individuos y grupos humanos*** || **opinión** · **idea** · **posición** · **postura** · **actitud** || **decisión** *No comparto su decisión, pero me parece absolutamente respetable* · **solución** · **salida** || **trabajo** · **negocio** || **marca** · **sello** · **firma** · **empresa** || **aspecto** · **porte** · **imagen** · **nombre** || **fama** · **reputación**

• CON ADVS. **perfectamente · absolutamente || dudosamente**
• CON VBOS. **volverse · hacerse**

▌[de bastante tamaño o importancia]

• CON SUSTS. **cantidad · tamaño · altura · volumen || suma** *Ha vendido la finca por una suma respetable* · **cuantía · cifra · número · fortuna · riqueza · patrimonio || grupo** *Llegó a contar con un grupo respetable de colaboradores* · **colección · serie || fuerza · importancia · peso · influencia**

respetar v.

• CON SUSTS. **derecho · ley · norma · regla** *Si quieres seguir jugando, tendrás que respetar las reglas* · **reglamento · acuerdo · convenio || decisión · voluntad · principio · idea · opinión || fecha · orden · horario · calendario · ritmo || dignidad · estilo · intimidad · gusto** *Aunque expreso mi opinión, por supuesto respeto los gustos de los demás* **|| historia · pasado · vida · cultura**
• CON ADVS. **escrupulosamente** *...para que todos respeten escrupulosamente las normas de conducción* · **estrictamente · en su totalidad · íntegramente · al pie de la letra** *Respeté al pie de la letra tu decisión* · **a pie juntillas · a rajatabla · punto por punto · profundamente || en líneas generales** *En líneas generales respeto lo que dices, aunque tengo algunas objeciones* **|| lealmente · sinceramente · de igual a igual || universalmente · unánimemente**

respeto s.m.

• CON ADJS. **enorme · absoluto · profundo** *Siento un profundo respeto hacia lo que la institución representa* · **sumo · tremendo · desmedido || escaso · relativo || fervoroso · ferviente · reverencial · incondicional · estricto || unánime** *Merece nuestro respeto unánime y nuestro sincero homenaje*
• CON SUSTS. **ápice (de) · demostración (de) · espíritu (de) · expresión (de) · muestra (de) · señal (de) · prueba (de) · gesto (de) || actitud (de) || falta (de)**
• CON VBOS. **consistir (en algo) · primar · reinar · imponer(se) || tener · sentir · guardar · profesar || manifestar · confesar || tributar · dispensar || ganar · granjear(se)** *Con el paso de los años, se granjeó el respeto de sus alumnos* · **labrar(se) · conquistar · adquirir · concitar || infundir · inspirar** *Su actitud bondadosa inspira respeto* · **sembrar · inculcar · predicar · cultivar || revalidar || perder (a algo/a alguien) || presentar** *Los embajadores presentaron sus respetos al rey* **|| faltar (a)** *Consideró que le habían faltado al respeto con esas palabras* **|| gozar (de) · disfrutar (de) || hacerse (con) · contar (con) || velar (por)**
• CON PREPS. **en señal (de)** *Se quitó el sombrero en señal de respeto* · **con** *hablar con respeto* · **sin**

respetuosamente adv.

• CON VBOS. **dirigirse (a alguien) · saludar (a alguien) · presentar (algo) (a alguien) · contestar** *En la rueda de prensa, contestó respetuosamente a todas las preguntas de los periodistas* · **manifestar · hablar · decir ·** ***otros verbos de lengua*** **|| escuchar · intervenir · actuar || solicitar · rogar · pedir · plantear || aceptar** *aceptar respetuosamente una decisión* · **acatar || discrepar · discutir || comportarse · retirarse · mostrarse · tratar (a alguien)**

respingo s.m.

• CON VBOS. **dar · pegar** *Al oír el portazo, pegó un respingo* **|| provocar || contener** *Cuando la vio aparecer, no pudo contener un respingo*

respingón, -a adj. *col.*

• CON SUSTS. **barbilla · nariz** *Tiene una nariz respingona muy graciosa* · **culo · trasero**

respiración s.f.

• CON ADJS. **dificultosa · entrecortada · ahogada · apagada · fatigosa · jadeante** *El corredor llegó con respiración jadeante* · **renqueante || artificial · asistida** *La paciente precisa respiración asistida* **|| aeróbica · anaeróbica || pausada · fluida · normal || boca a boca**
• CON SUSTS. **problema (de)** *con problemas de respiración provocados por el asma* · **falta (de) || capacidad (de) || sistema (de) · tubo (de) · aparato (de) || ejercicio (de) · movimiento (de) || velocidad (de) · ritmo (de)**
• CON VBOS. **apagar(se) · entrecortar(se) || cortar || regular · controlar || aguantar · contener** *Contenga la respiración y tome aire cuando se lo diga* **|| favorecer**
• CON PREPS. **sin** *Al verla tan guapa, me quedé sin respiración*

respirar v.

• CON SUSTS. **aire · oxígeno · aroma · frescura · humo · polvo || ambiente || felicidad** *En esta casa se respira felicidad* · **libertad · paz · tranquilidad || tensión**
• CON PREPS. **sin** *Recitó la lección de corrido, sin respirar*
• CON ADVS. **con fuerza · profundamente** *Respiró profundamente y se tranquilizó* · **a {pleno/todo} pulmón || con dificultad · ahogadamente · entrecortadamente · fatigosamente** *Después de la carrera respiraba fatigosamente* · **pausadamente**

respiratorio, ria adj.

• CON SUSTS. **dificultad** *La ingresaron por dificultades respiratorias* · **problema · insuficiencia · complicación · trastorno · molestia · fallo** *En su estado, otro fallo respiratorio podría ser fatal* **|| enfermedad · afección · dolencia · patología || parada || sistema · aparato · vías · músculo || ritmo** *Controlan continuamente el ritmo respiratorio* · **frecuencia · capacidad || función · proceso · ejercicio || terapia · ayuda · asistencia · máscara**

respiro s.m.

• CON ADJS. **ligero · breve · pequeño || último || buen · notable || nuevo**
• CON SUSTS. **tiempo (de) · momento (de) · jornada (de) · minuto (de) · hora (de) · día (de) · pausa (de) ·** ***otros momentos o períodos***
• CON VBOS. **tomarse** *Necesito tomarme un buen respiro* · **dar · conceder** *Apenas se concede un respiro en el trabajo* **|| necesitar || suponer**
• CON PREPS. **sin** *Buscaremos sin respiro a los responsables*

[resplandecer] → resplandecer; resplandecer (de)

resplandecer v.

• CON SUSTS. **luz · fulgor · relámpago || belleza · verdad** *Por fin resplandeció la verdad* · **bondad · virtud · justicia · esperanza || cara · rostro · gesto · mirada · ojos** *Sus ojos resplandecieron de alegría al verla llegar* **|| arte · maestría · lucidez || palabra**
• CON ADVS. **intensamente · enérgicamente**

resplandecer (de) v.

• CON SUSTS. **luz · brillo · color || felicidad · alegría · amor · placer · gozo · orgullo · tristeza · indignación · ira ·** ***otros sentimientos o emociones*** **|| hermosura** *Su rostro resplandecía de hermosura* · **belleza || salud · vida**

resplandeciente adj.

● CON SUSTS. **rostro** · **cara** *Tenía la cara resplandeciente de felicidad* · **sonrisa** · **ojos** · **mirada** || **luz** · **sol** · **luna** · **estrella** || **día** · **noche** || **color** · **blancura** || **reflejo** · **imagen** || **futuro** *Un futuro resplandeciente se abría ante ella*

● CON VBOS. **ser** · **estar** *La novia estaba resplandeciente el día de su boda* · **poner(se)** · **volverse** || **lucir** · **brillar**

responder (a) v.

▮ [contestar]

● CON SUSTS. **pregunta** · **cuestión** · **consulta** || **petición** · **invitación** *Respondimos afirmativamente a la invitación* · **llamada** · **llamado** · **señal** || **demanda** · **solicitud** || **objeción** *Respondió a las objeciones con argumentos muy meditados* · **acusación** · **crítica** · **insulto** || **provocación** *Respondieron serenamente a la provocación* · **ataque** · **golpe** · **violencia** || **desafío** · **reto**

● CON ADJS. **encantado,da** · **gustoso,sa** *Respondió gustosa a su propuesta*

● CON ADVS. **afirmativamente** *Respondió afirmativamente con la cabeza* · **favorablemente** || **negativamente** · **desfavorablemente** *Respondió desfavorablemente a mi propuesta* · **a la contra** || **decididamente** · **activamente** · **con firmeza** · **con rotundidad** · **rotundamente** · **categóricamente** *Respondió categóricamente con una negativa* · **tajantemente** || **de buen grado** · **amablemente** *Me respondieron la carta amablemente* · **cordialmente** · **gentilmente** · **calurosamente** · **diplomáticamente** · **con desgana** · **dando largas** || **acaloradamente** · **airadamente** *Respondió airadamente a sus reproches* · **con dureza** · **secamente** *Me molestó que me respondiera tan secamente* · **acremente** · **visceralmente** · **con cajas destempladas** || **en frío** || **extensamente** · **punto por punto** · **con creces** *Está respondiendo con creces a todo lo que le preguntan* || **inmediatamente** · **rápidamente** *Respondió rápidamente el cuestionario* · **a bote pronto** · **lentamente** || **correctamente** *Respondió correctamente las preguntas del examen* · **atinadamente** · **a derechas** · **incorrectamente** || **satisfactoriamente** · **a plena satisfacción** || **elocuentemente** · **airosamente** · **coherentemente** · **convincentemente** || **lacónicamente** · **atónitamente** || **ahogadamente** · **angustiadamente** · **angustiosamente** || **con cautela** · **a la defensiva** || **al unísono** · **a coro** || **de carrerilla** · **de corrido** *Se lo sabía tan bien que respondió de corrido a todas las preguntas* · **sin pestañear** · **sin titubear** || **abiertamente** · **sin tapujos** · **enigmáticamente** || **bajo juramento** *Respondió bajo juramento las consultas de la fiscal* || **a puerta cerrada** || **ojo por ojo**

▮ [deberse o ajustarse]

● CON SUSTS. **motivo** · **circunstancia** *Su comportamiento responde a unas circunstancias muy especiales* · **necesidad** · **exigencia** · **presión** · **tendencia** || **cambio** *responder bien a un cambio de medicación* · **crecimiento** || **idea** · **lógica** · **estrategia** · **función** || **deseo** · **interés** *una contestación rápida que responde al interés que suscita este proyecto* · **confianza** · **expectativa** · **inquietud** || **impulso** · **esfuerzo** · **voluntad** || **realidad** · **verdad** *Lo que dije responde a la verdad de los hechos*

responsabilidad s.f.

● CON ADJS. **plena** · **total** · **enorme** *un cargo de enorme responsabilidad* · **tremenda** · **abrumadora** · **grave** · **gravosa** · **incómoda** · **penosa** · **fastidiosa** · **engorrosa** · **agobiante** || **delicada** || **exclusiva** || **determinante** || **ineludible** · **inexcusable** · **insoslayable** · **indeclinable** · **obligada** || **honrosa** || **exento,ta (de)** · **libre (de)** *Vivió feliz mientras se vio libre de responsabilidades* · **limpio,pia (de)** || **agobiado,da (por)** · **lleno,na (de)**

● CON SUSTS. **cúmulo (de)** || **ápice (de)** || **demostración (de)** · **ejercicio (de)** || **alcance (de)** *Ignoro cuál es el alcance de su responsabilidad* || **falta (de)** · **ausencia (de)**

● CON VBOS. **agravar(se)** || **diluir(se)** · **extinguir(se)** || **derivar(se) (de algo)** || **corresponder (a alguien)** · **incumbir (a alguien)** · **atañer (a alguien)** · **recaer (sobre alguien/en alguien)** *Recayó sobre él toda la responsabilidad* · **gravitar (sobre alguien)** · **acuciar (a alguien)** · **absorber (a alguien)** *Le absorben las responsabilidades del trabajo* || **entrañar** · **suponer** · **representar** · **conllevar** || **tener** *Tiene demasiadas responsabilidades* · **llevar sobre {los hombros/las espaldas/la conciencia}** · **ostentar** · **adquirir** · **contraer** · **tomar** · **arrogarse** || **esclarecer** || **echar sobre {los hombros/las espaldas/la conciencia} (de alguien)** · **endosar** *Me endosó la responsabilidad de llevar el negocio sola* · **endilgar** · **hacer extensiva** · **desviar** · **traspasar** · **delegar** · **descargar** · **depositar** || **redoblar** || **asignar** *Le asignaron muchas responsabilidades y no pudo con todo* · **exigir** || **compartir** || **ejercer** · **cumplir** · **atender** · **encarar** · **afrontar** · **asumir** || **incumplir** · **obviar** · **desatender** · **descuidar** · **sacudirse** · **soslayar** · **eludir** · **declinar** · **blanquear** || **achacar** · **imputar** || **negar** *La acusada negó su responsabilidad en el asunto* || **confesar** || **prejuzgar** || **demostrar** · **deducir** · **dirimir** · **depurar** *Se nombró una comisión para depurar responsabilidades* · **tipificar** · **purgar** || **hacer frente (a)** · **cargar (con)** *Le cargaron con la responsabilidad del suceso* · **apechugar (con)** || **carecer (de)** || **eximir (de)** · **exonerar (de)** · **absolver (de)** · **liberar (de)** · **librar (de)** || **desentenderse (de)** · **inhibir(se) (de)** *Se inhibe de cualquier tipo de responsabilidad* · **rehuir (de)** · **renegar (de)** · **abdicar (de)**

● CON PREPS. **a la altura (de)** *Se mantuvo a la altura de sus responsabilidades* · **en función (de)** || **sin perjuicio (de)** · **bajo el peso (de)** || **con** · **sin** || **de** *un puesto de responsabilidad*

responsabilizar v.

● CON ADVS. **directamente** · **indirectamente** · **veladamente** · **tácitamente** || **públicamente** *Han responsabilizado públicamente a la directora de la oficina* · **abiertamente** · **en privado** · **oficialmente** || **verbalmente** · **por escrito** || **conjuntamente** · **mutuamente** · **personalmente** || **penalmente** · **políticamente** || **exclusivamente** *El ingeniero se ha responsabilizado exclusivamente de una parte del proyecto* · **únicamente** || **en gran medida** · **en parte**

responsable

1 responsable adj.

● CON SUSTS. **profesional** *La empresa busca profesionales responsables para...* · **trabajador,-a** · **personal** · **estudiante** || **persona** · **sociedad** || **autoridad** *Los afectados pidieron la destitución de las autoridades responsables* · **gobierno** || ***otros individuos y grupos humanos*** || **factor** · **elemento** · **gen** || **papel**

● CON ADVS. **tremendamente** · **enormemente** · **excesivamente**

● CON VBOS. **volverse** · **hacerse**

2 responsable s.com.

● CON ADJS. **máximo,ma** *El máximo responsable de la operación permanece oculto* · **principal** · **único,ca** · **último,ma** || **presunto,ta** · **verdadero,ra** || **directo,ta** *Es el responsable directo de todo lo que sucede* · **indirecto,ta** · **inmediato,ta** || **político,ca** · **moral**

● CON VBOS. **buscar · encontrar · hallar || necesitar** *Necesitamos un responsable para nuestro nuevo proyecto* || **nombrar || castigar · expulsar · destituir · culpar**

respuesta s.f.

● CON ADJS. **afirmativa** *Me pareció bien su proyecto y le di una respuesta afirmativa* · **favorable · positiva · a favor || negativa · desfavorable · en contra || firme · rotunda** *..así que recibimos una respuesta rotunda y tajante* · **vehemente · sin titubear · enérgica · radical · tajante · taxativa** *Su respuesta era taxativa y no admitía discusión* · **terminante · categórica · contundente · concluyente · inapelable · efectiva · fulminante · fulgurante · abrumadora || airada · acalorada · instintiva · visceral · desaforada · desmesurada || clara · cristalina · meridiana · inequívoca || confusa · ambigua · dubitativa · titubeante || exacta · detallada · explícita · profusa || inexacta · evasiva · escueta · concisa** *En el examen me pedían respuestas claras y concisas* · **lacónica · aproximada || argumentada · fundamentada · convincente || obvia · consabida || decisiva || cumplida · adecuada · satisfactoria || correcta · atinada · idónea · certera · lúcida · pertinente || incorrecta · equivocada · desencaminada · desafortunada** *Se dio cuenta de que su respuesta había sido desafortunada y se disculpó* · **fuera de lugar · fuera de tono · disparatada · descabellada || calculada · meditada || repentina · precipitada · inesperada · perentoria || cálida · tranquilizadora · calurosa · franca · disuasoria || fría · tibia || diplomática** *Es muy hábil en dar respuestas diplomáticas, que no la comprometen* || **incisiva · irónica · mordaz · despectiva · displicente · desconsiderada · beligerante || masiva · multitudinaria** *Los sindicatos obtuvieron una respuesta multitudinaria a su convocatoria de manifestación* · **mayoritaria · unánime**

● CON VBOS. **fraguar(se) · surgir (de algo) || flotar (en el aire/en el ambiente) || dejar (a alguien) {satisfecho/insatisfecho} || dar · ofrecer · brindar · aventurar** *No lo sé, pero aventuraré una respuesta* || **pedir · solicitar** *La juez solicitó una respuesta precisa por parte del testigo* · **requerir · demandar · exigir || tener · obtener || acertar · clavar || errar · fallar · equivocar || desviar · eludir** *Eludió hábilmente las respuestas que no le apetecía dar* · **rehuir · amortiguar || interpretar · deducir** *De su mirada deduje la respuesta* · **descodificar · intuir || prejuzgar || madurar** *No quiso contestar inmediatamente para poder madurar la respuesta* || **agilizar || abanderar || dar (con)**

resquebrajarse v.

● CON SUSTS. **cimiento · pilar** *Los pilares se resquebrajaron con las fuertes vibraciones del terreno* · **fundamentos · sustento · base || muro · techo · techumbre · pared · tabique · estructura · edificio · vivienda || superficie · suelo · pavimento · firme || tierra · roca · cristal** *El cristal se ha resquebrajado por el impacto de una piedra* · **cal · pintura · barniz || confianza · moral · reputación** *Con el escándalo se ha resquebrajado considerablemente su reputación* · **respeto · credibilidad · imagen || unidad · integridad · cohesión · orden · equilibrio · solidez · fortaleza · certeza || alianza · consenso · acuerdo · pacto || sociedad · país · familia · mundo · sistema · organización · equipo · empresa · institución || autoridad · poder || sueño · ideal · ilusión · fe · voluntad || salud · voz** *Tenía la voz resquebrajada, por no decir completamente rota*

● CON ADVS. **momentáneamente || paulatinamente · lentamente · poco a poco · progresivamente** *El edificio ha ido resquebrajándose progresivamente a causa de la defectuosa cimentación* || **ligeramente · levemente · totalmente · por completo || gravemente || de golpe · rápidamente**

resquicio

1 **resquicio** s.m.

● CON ADJS. **pequeño · mínimo · leve || suficiente || legal** *Intentaron averiguar si había algún resquicio legal para evitar la condena* · **administrativo || último · único**

● CON VBOS. **abrir(se) || quedar || dejar** *Su respuesta no dejaba resquicio alguno de duda* · **conservar || aprovechar · encontrar · buscar || desechar · anular · eliminar · cerrar · evitar || colarse (por)** *El aire se cuela por el resquicio de la puerta* · **penetrar (por)**

2 **resquicio (de)** s.m.

● CON SUSTS. **luz || duda · esperanza · optimismo || libertad · intimidad || dignidad · seriedad || legalidad · impunidad || sospecha** *No cabe el más mínimo resquicio de sospecha*

resta s.f.

● CON ADJS. **aritmética** *hacer la resta aritmética de dos cantidades* || **exacta · aproximada**

● CON VBOS. **hacer · realizar · efectuar · computar · calcular || comprobar · verificar · revisar · corregir**

restablecerse (de) v.

● CON SUSTS. **problema · crisis · daño · golpe · paliza || enfermedad · herida · lesión · operación** *Se restableció en muy poco tiempo de la operación* · **dolor · molestia || ruptura**

● CON ADVS. **completamente · por completo · plenamente · totalmente || rápidamente || paulatinamente · poco a poco** *La economía de ese país va restableciéndose poco a poco* · **gradualmente · progresivamente**

restañar v.

● CON SUSTS. **herida** *El tiempo restaña las heridas más profundas* · **cicatriz · daño · sufrimiento · sangre · arañazo · rasguño · navajazo · destrozo || olvido · división · fisura · grieta · fractura || imagen** *No será fácil restañar la imagen de nuestra organización* · **fama · credibilidad · confianza**

● CON ADVS. **definitivamente · provisionalmente**

restar v.

▌[quedar, faltar]

● CON SUSTS. **hora · día** *Restan tres días para la inauguración* · **semana** · ***otros períodos***

● CON ADVS. **exactamente · aproximadamente || solamente · únicamente**

▌[quitar, sustraer]

● CON SUSTS. **intensidad · dramatismo** *La última escena le resta dramatismo al guión* · **fuerza || valor · mérito · importancia || credibilidad** *Ese pequeño detalle no le resta credibilidad a su historia* · **legitimidad || protagonismo || apoyo || punto · tanto || tiempo · dinero · cantidad · beneficio**

restaurador, -a

1 **restaurador, -a** adj.

● CON SUSTS. **empresa · empresario,ria · firma || plan** *plan restaurador del casco viejo* · **proyecto · idea · estrategia · esfuerzo · impulso || técnica · método · labor** *Es* *una dura labor restauradora, pero sin duda merecerá la pena* || **comisión**

2 **restaurador, -a** s.

● CON ADJS. **conocido,da** · **prestigioso,sa** *Es un prestigioso restaurador de muebles* · **renombrado,da** · **experto,ta** · **modesto,ta** || **innovador,-a** · **creativo,va** · **imaginativo,va** || **arqueológico,ca**

● CON SUSTS. **grupo (de)** · **gremio (de)** · **equipo (de)** · **taller (de)**

● CON VBOS. **buscar** · **necesitar** · **contratar** || **trabajar (de/como)**

restaurante s.m.

● CON ADJS. **casero** · **histórico** · **antiguo** · **nuevo** || **formal** · **informal** || **de {dos/tres/cuatro...} tenedores** · **de lujo** *Me invitó a comer en un restaurante de lujo* · **de postín** · **de moda** · **lujoso** · **recomendado** · **célebre** · **famoso** · **prestigioso** || **de poca monta** · **discreto**

● CON SUSTS. **carta (de)** · **menú (de)** · **especialidad (de)** · **sugerencia (de)** || **horario (de)**

● CON VBOS. **dirigir** || **recomendar** || **comer (en)** · **cenar (en)** · **almorzar (en)** · **quedar (en)** · **reservar mesa (en)**

➤ Véase también **ESTABLECIMIENTO**

restaurar v.

● CON SUSTS. **edificio** · **fachada** · **catedral** *No se puede visitar la catedral porque la están restaurando* · **muralla** · **inmueble** || **obra** · **cuadro** · **escultura** · **pintura** · **fotografía** || **patrimonio** || **zona** · **área** || **imagen** *aparición con la que intentó restaurar su maltrecha imagen* · **honor** · **fama** · **prestigio** · **credibilidad** · **confianza** || **orden** · **equilibrio** · **unidad** *El acuerdo permitió restaurar la unidad en el territorio* · **paz** || **democracia** · **monarquía** || **ley** · **valor** · **tradición** · **costumbre** || **relación**

● CON ADVS. **completamente** · **totalmente** · **parcialmente** || **rápidamente** · **poco a poco**

restituir v.

● CON SUSTS. **propiedad** · **dinero** *Restituyeron íntegro el dinero robado* · **fondos** · **salario** · **documento** || **puesto** · **papel** · **lugar** · **función** || **honor** · **imagen** · **nombre** · **memoria** || **legalidad** *Después de las revueltas era urgente restituir la legalidad vigente* · **confianza**

resto s.m.

● CON ADJS. **arqueológico** · **arquitectónico** · **fósil** *La exposición exhibía restos fósiles de grandes vertebrados* · **óseo** · **humanos** · **orgánico** · **materiales** · **vegetales** · **contaminantes**

● CON VBOS. **salir a la luz** || **quedar** *¿No quedó ningún resto de la cena de anoche?* · **aparecer** || **reposar** *el cementerio en el que reposan sus restos* || **hallar** · **encontrar** · **descubrir** · **detectar** || **conservar** · **venerar** || **embalsamar** · **incinerar** · **enterrar** · **inhumar** · **sepultar** || **desenterrar** · **profanar** || **repatriar** || **analizar** · **estudiar**

☐ EXPRESIONES **echar el resto** [esforzarse al máximo] *col.* || **restos mortales** [cadáver de alguien o parte de él]

restricción s.f.

● CON ADJS. **fuerte** *Fue un período de fuerte restricción del gasto público* · **drástica** · **seria** · **severa** · **grave** · **dura** · **férrea** · **total** · **absoluta** || **leve** · **ligera** · **laxa** || **justificada** · **injustificada** · **arbitraria** || **fiscal** · **presupuestaria** · **monetaria** · **bancaria** · **ética** · **legal** · **civil** · **militar** · **salarial** · **alimentaria** · **comercial** · **lingüística** || **oficial** · **personal** · **privada** || **horaria** · **nocturna** · **temporal** || **voluntaria**

● CON SUSTS. **serie (de)** · **medida (de)** · **plan (de)** · **política (de)**

● CON VBOS. **imponer** *Las autoridades impusieron severas restricciones de agua* · **implantar** · **ordenar** · **aplicar** · **establecer** · **anunciar** · **poner** · **fijar** || **provocar** || **levantar** · **anular** · **abolir** · **eliminar** · **evitar** · **aligerar** · **flexibilizar** · **relajar** · **atenuar** · **ampliar** || **burlar** · **sortear** · **violar** || **sufrir** · **padecer** || **someter (a)** || **acabar (con)**

● CON PREPS. **con** · **sin** *Nos apoyan sin restricciones*

☐ USO Se construye frecuentemente con complementos encabezados por las preposiciones *de* (*restricciones de agua*) y *a* (*restricciones al tráfico*).

restrictivo, va adj.

● CON SUSTS. **código** · **ley** · **reglamento** · **norma** · **regulación** · **baremo** · **legislación** · **cláusula** *Eliminaron del contrato la cláusula restrictiva relativa a...* · **reforma** · **medida** · **derecho** · **disciplina** · **orden** · **presupuesto** || **práctica** · **política** || **actitud** · **conducta** · **posición** · **interpretación** · **aplicación** *una aplicación demasiado restrictiva de las normas* · **criterio** · **sentido** · **lectura** · **aspecto** · **punto** || **ambiente** · **entorno**

● CON ADVS. **especialmente** *Sus padres son especialmente restrictivos* · **particularmente** · **sumamente** · **altamente** · **excesivamente** · **radicalmente** · **fuertemente** || **mínimamente** · **insuficientemente** || **claramente** · **necesariamente**

● CON VBOS. **volverse** · **hacerse** · **ponerse**

restringir v.

● CON SUSTS. **acceso** *La señal restringe el acceso a los vehículos pesados* · **tráfico** · **ingreso** · **circulación** · **paso** · **entrada** · **cupo** · **tránsito** || **venta** · **consumo** · **suministro** · **importación** · **exportación** || **uso** · **aplicación** · **gasto** · **cantidad** · **número** || **derecho** · **libertad** · **competencia** · **autonomía** || **llamada** · **información** || **criterio** || **espacio** · **estacionamiento** || **horario**

● CON ADVS. **severamente** *Se restringió severamente el consumo de estupefacientes* · **drásticamente** · **fuertemente** · **al máximo** · **brutalmente** || **notablemente** · **significativamente** · **ostensiblemente** · **considerablemente** || **arbitrariamente** || **legalmente** || **gradualmente** · **progresivamente** · **paulatinamente** || **al mínimo** · **escasamente** · **mínimamente**

resucitar v.

● CON SUSTS. **muerto,ta** || ***persona*** || **figura** · **fantasma** · **antigualla** · **pasado** || **éxito** · **gloria** || **odio** · **rencilla** · **sentimiento** · **rencor** || **guerra** · **pugna** || **espíritu** · **estilo** · **moda** *Esta colección resucita la moda de hace cincuenta años* · **tradición** · **época** · **historia** · **sistema** || **corriente** · **pensamiento** · **teoría** · **filosofía** || **plan** · **proyecto**

● CON ADVS. **enteramente** · **completamente** · **del todo** || **parcialmente** || **oportunamente** · **acertadamente** || **inoportunamente** || **de nuevo** *No tiene sentido resucitar de nuevo un asunto tan doloroso* || **triunfalmente**

resuello s.m.

● CON VBOS. **faltar(le) (a alguien)** || **recobrar** · **recuperar** *Déjale unos minutos para que recupere el resuello* || **perder** · **cortar** || **tomar** · **coger** || **guardar** *Guarde resuello para cuando empiece la cuesta arriba* || **dejar (sin)** · **quedar (sin)** || **llegar (sin)**

resueltamente adv.

●CON VBOS. **optar (por algo)** · **lanzarse (a algo)** || **apoyar** *apoyar resueltamente una propuesta* · **aceptar** · **impulsar** || **avanzar** · **caminar** · **dirigirse** · **encaminarse** || **rechazar** · **condenar** · **oponerse** || **contestar** · **decidir(se)** · **elegir** · **proponer** · **comprometerse (a algo)** || **actuar** · **participar**

resultado s.m.

●CON ADJS. **buen(o)** *Este frigorífico ha dado muy buen resultado* · **favorable** · **satisfactorio** · **positivo** *Los resultados del análisis fueron positivos* · **afirmativo** · **magnífico** · **excelente** · **espléndido** · **halagüeño** · **apoteósico** · **abrumador** · **arrollador** · **boyante** · **descollante** · **redondo** · **bárbaro** || **honroso** · **airoso** · **esperanzador** · **convincente** || **mal(o)** · **desfavorable** · **insatisfactorio** · **negativo** · **adverso** · **aciago** · **nefasto** · **funesto** · **fatal** · **estrepitoso** *Obtuvo un resultado estrepitoso en los exámenes de oposición* · **catastrófico** · **desolador** · **descorazonador** · **demoledor** · **pírrico** · **letal** · **amargo** · **infructuoso** · **engañoso** || **significativo** · **considerable** · **apreciable** · **abultado** · **desahogado** || **llamativo** · **aplastante** · **rotundo** · **tajante** · **terminante** · **fulminante** · **irrefutable** · **inequívoco** · **inapelable** · **fehaciente** · **palpable** · **efectivo** *La reprimenda dio resultados muy efectivos* · **inmejorable** · **insuperable** || **ajustado** · **apretado** · **reñido** *El resultado de la competición estuvo muy reñido* · **igualado** · **discreto** · **estrecho** · **modesto** · **exiguo** · **precario** · **nimio** · **nulo** || **correcto** · **incorrecto** *El resultado de esa multiplicación es incorrecto, repásalo* || **revelador** *El informe arroja un resultado revelador* || **previsible** · **esperado** · **previsto** · **deseado** · **apetecido** || **imprevisible** · **impredecible** · **insospechado** · **inesperado** · **imprevisto** · **indeseado** · **inalcanzable** || **claro** · **concluyente** · **decisivo** || **incierto** · **inseguro** || **parco,ca (en)** || **acorde (con)**

●CON SUSTS. **cuenta (de)** || **falta (de)** · **crisis (de)** · **racha (de)** || **presentación (de)** · **análisis (de)** · **valoración (de)** · **publicación (de)** · **anuncio (de)** · **balance (de)**

●CON VBOS. **salir a la luz** · **aflorar** · **desencadenar(se)** *A causa de una serie de problemas comenzaron a desencadenarse resultados negativos* · **derivar(se)** || **malograr(se)** · **empañar(se)** || **resumir(se) (en algo)** · **concretar(se)** || **sonreír (a alguien)** || **probar (algo)** · **demostrar (algo)** || **superar (algo)** · **representar (algo)** || **tener** · **alcanzar** · **obtener** · **lograr** · **conseguir** · **cosechar** · **barajar** || **ofrecer** · **dar** · **producir** *Este medicamento produce resultados magníficos* · **arrojar** · **reportar** · **deparar** || **esperar** || **oponer** || **provocar** · **causar** · **ocasionar** || **sufrir** || **encajar** *Encajó el resultado con deportividad* · **aceptar** · **digerir** · **acatar** · **avalar** · **validar** · **sellar** || **refutar** · **impugnar** || **emitir** · **difundir** *Los resultados de la investigación policial se difundieron rápidamente* · **desvelar** · **aventurar** · **predecir** · **deducir** · **adivinar** · **dilucidar** · **enjuiciar** · **prejuzgar** || **alterar** *Alteraron los resultados de las encuestas* · **amañar** · **distorsionar** · **tergiversar** · **desfigurar** · **maquillar** · **extrapolar** · **inflar** · **limar** || **amarrar** · **amortiguar** · **enderezar** · **remontar** · **nivelar** · **arañar** · **pulverizar** || **saborear** || **atenerse (a)** · **apechugar (con)** || **contar (con)** || **llevar (a)** · **conducir (a)** · **llegar (a)** *Gracias a su constancia, llegó a un inmejorable resultado*

●CON PREPS. **a la luz (de)** · **a la vista (de)** *A la vista de tan excelentes resultados...* · **a tenor (de)** · **al calor (de)** || **en función (de)** · **según** · **a la espera (de)** || **sin** *una negociación sin resultado*

resultante adj.

●CON SUSTS. **cantidad** *Se decidió que la cantidad resultante se repartiría equitativamente entre los dos grupos* · **cifra** · **número** · **porcentaje** · **monto** · **importe** · **precio** · **coste** · **cuota** · **tasa** · **saldo** · **excedente** · **fondo** || **acuerdo** · **pacto** || **imagen** *La imagen resultante es muy positiva para sus intereses* · **modelo** · **esquema** || **trabajo** · **empresa** · **esfuerzo** · **producto** || **texto** · **informe**

resultar v.

●CON ADVS. **a las mil maravillas** *Todo resultó a las mil maravillas* · **a pedir de boca** || **ni a la de tres** *¡Vaya plan, no resulta ni a la de tres!*

☐USO Se construye también con adjetivos que funcionan como complementos predicativos: *Tu explicación no resulta convincente.*

resumen s.m.

●CON ADJS. **breve** · **conciso** · **escueto** · **sucinto** · **lacónico** · **sintético** · **esquemático** *Presentó al profesor un resumen muy esquemático del tema* · **apretado** · **somero** · **corto** · **mínimo** · **pequeño** || **extenso** · **amplio** · **largo** · **pormenorizado** || **cumplido** *...ofreciéndonos un cumplido resumen de la obra recomendada* || **ilustrativo** || **detallado** || **preliminar** · **conclusivo** · **final**

●CON SUSTS. **documento (de)** · **palabras (de)** · **trabajo (de)**

●CON VBOS. **hacer** · **realizar** · **esbozar** · **trazar** · **escribir** · **elaborar** · **redactar** || **pedir** · **presentar** · **entregar** · **ofrecer** || **extraer** || **servir (de/como)**

●CON PREPS. **a modo (de)**

☐EXPRESIONES **en resumen** [se usa para recapitular lo que se ha dicho]

resumir v.

●CON SUSTS. **contenido** · **argumento** · **tema** · **materia** || **texto** · **obra** *El folleto resume a grandes trazos la prolífica obra del artista* · **artículo** · **novela** · **editorial** · **película** || **producción** · **bibliografía** · **filmografía** · **discografía** || **pensamiento** *Es difícil resumir en dos palabras el pensamiento de Kant* · **aportación** · **contribución** · **participación** || **historia** · **asunto** · **vida** · **experiencia** · **trayectoria** || **partido** · **encuentro** · **campeonato** || **idea** · **propuesta** · **principio** · **concepto** || **situación**

●CON ADVS. **brevemente** · **en {pocas/dos} palabras** *Resúmelo en pocas palabras, por favor* · **en unas líneas** · **en pocas páginas** · **escuetamente** · **sucintamente** · **esquemáticamente** || **a grandes rasgos** · **a grandes trazos** · **en grandes líneas** · **en líneas generales** || **gráficamente** · **elocuentemente** · **ajustadamente** || **apretadamente** || **ampliamente** · **punto por punto**

resurgir v.

●CON ADVS. **con fuerza** *Ha vuelto a resurgir con fuerza esa moda* · **con intensidad** · **con ímpetu** · **con vigor** · **vivamente** || **inesperadamente** · **como por encanto** · **por arte de magia** || **de {las/sus} cenizas** · **de cero** || **de nuevo**

resurrección s.f.

●CON ADJS. **gloriosa** · **triunfal** · **espectacular** *la espectacular resurrección económica de la región* || **anunciada** · **esperada** · **inesperada** || **anhelada** · **deseada** || **popular** · **pública** || **literaria** · **política** || **lenta** · **rápida** · **progresiva** *Si se rehace el tejido industrial se logrará una progresiva resurrección de la comarca* || **corporal** · **espiritual** · **sobrenatural** || **final**

• CON SUSTS. **día (de) · domingo (de) · sábado (de) · pascua (de) || esperanza (de) · dogma (de) || milagro (de) · símbolo (de) || misa (de)**
• CON VBOS. **esperar · aguardar || anunciar · confirmar · negar || propiciar · favorecer || prometer · asegurar || creer (en) || asistir (a) || contribuir (a)** *Su entrada en el terreno de juego contribuyó decisivamente a la resurrección del equipo*

retaguardia s.f.

• CON ADJS. **débil · sólida · firme · segura · poderosa · inexpugnable · férrea || enemiga · rival**
• CON SUSTS. **militar (de) · patrulla (de) || línea (de) · base (de) · zona (de)** *Permanezcan en la zona de retaguardia hasta nuevo aviso* **· posición (de) || labor (de)**
• CON VBOS. **cubrir · cuidar** *Una parte del ejército se quedó cuidando la retaguardia* **· asegurar · vigilar · proteger · mantener || formar · constituir || atravesar · sorprender || avanzar (por/en) · atacar (por)** *atacar las líneas enemigas por la retaguardia* **· combatir (en) || estar (en) · dejar (en) · retirarse (a) || servir (de/como) · mantener(se) (en) · permanecer (en)**
• CON PREPS. **en** *llevar a cabo una misión en retaguardia*

retahíla

1 **retahíla** s.f.

• CON ADJS. **interminable · larga · eterna · inagotable · extensa · innumerable · inacabable · infinita || típica · acostumbrada** *su acostumbrada retahíla de anécdotas* **· habitual · consabida || abrumadora · agotadora · insoportable · inaguantable**
• CON VBOS. **lanzar · exponer · soltar · desplegar · recitar · citar · desglosar · desgranar** *...desgranando otra vez la retahíla de promesas que nunca se cumplirán* **· dedicar · hacer || escuchar · aguantar || finalizar · terminar || seguir (con)** *Por mucho que se le diga, él sigue con su retahíla de siempre*

2 **retahíla (de)** s.f.

• CON SUSTS. **escándalos** *una época marcada por una retahíla de escándalos financieros* **· casos · sucesos · pruebas || nombres · conceptos · argumentos || reproches · descalificaciones** *una retahíla de descalificaciones contra sus adversarios políticos* **· insultos · reticencias · improperios · calificativos || preguntas · palabras · alabanzas · promesas || chistes · bromas || datos**

retar v.

• CON SUSTS. **poder · autoridad · ley · gobierno || rival** *Trató de retar a su rival, pero no le hizo caso* **· adversario,ria · enemigo,ga · oponente** *Ha retado a su oponente a un debate televisado* **· candidato,ta · campeón,-a · equipo ·** ***otros individuos y grupos humanos*** **|| destino · muerte** *Un número temerario en el que el trapecista parece retar a la muerte*
• CON ADVS. **valientemente · valerosamente || públicamente** *Los manifestantes retaban públicamente a las autoridades con gritos, cánticos y amenazas* **|| a duelo · a combate singular**

retazo

1 **retazo** s.m.

• CON ADJS. **pequeño · diminuto · ligero · leve · mínimo || íntimo · personal || lleno,na (de)**
• CON VBOS. **recopilar · recoger · evocar || engarzar · enlazar · hilar** *Hilando unos retazos con otros conseguía construir historias fantásticas* **· intercalar · unir · hilvanar || ofrecer · facilitar || desvelar · revelar** *Apenas si había revelado algún que otro retazo de su intensa y fecunda vida* **|| constituir · componer || componer (con) · hacer (con)**
• CON PREPS. **a base (de)**

2 **retazo (de)** s.m.

• CON SUSTS. **tela · cuero · madera · papel · bandera · camisa || historia · memoria · vida · pasado · realidad · época · infancia · intimidad || conversación · texto** *un espectáculo hecho con retazos de diversos textos teatrales* **· crónica · reportaje · libro · película**

retención s.f.

• CON ADJS. **ilegal · indebida · legal || administrativa · fiscal** *Me han aplicado una retención fiscal demasiado alta* **· de trabajo || de tráfico · circulatoria || kilométrica · larga · interminable** *las interminables retenciones de tráfico de cada fin de semana* **|| impositiva · preventiva || a cuenta · salarial || judicial · domiciliaria** *Se encuentra bajo retención domiciliaria* **|| sujeto,ta (a) · exento,ta (de)**
• CON SUSTS. **cálculo (de) · tabla (de) · porcentaje (de) || orden (de) · plazo (de) || capacidad (de) || sistema (de)**
• CON VBOS. **producir(se) · registrar(se) || ajustar · rebajar** *Van a rebajar las retenciones a los trabajadores que...* **· ascender · elevar · aumentar · reducir · deducir · calcular || practicar · imponer · aplicar · efectuar || soportar · sufrir** *El paciente sufre retención de líquidos* **· tener || justificar || evitar · eludir · provocar** *El accidente provocó retenciones en varios kilómetros* **· originar · causar**
• CON PREPS. **con · sin** *productos bancarios sin retención fiscal*

retener v.

• CON ADVS. **a la fuerza · contra {mi/tu/su...} voluntad** *Nada me va a retener en este lugar contra mi voluntad* **· violentamente || a toda costa || preventivamente || temporalmente · momentáneamente · provisionalmente**

reticencia s.f.

• CON ADJS. **fuerte · dura · viva · profunda · grave · seria || cierta · especial**
• CON VBOS. **sentir** *Siente cierta reticencia a introducir más cambios* **· tener · presentar || levantar** *La información levantó vivas reticencias entre los inversores* **· producir · provocar · suscitar · despertar (en alguien) || manifestar · mostrar · plantear · exponer · expresar · justificar · confesar || disipar · limar · eliminar · superar · vencer · mantener || tropezar (con) · contar (con)**
• CON PREPS. **con** *una propuesta acogida con reticencias y escepticismo* **· sin**

reticente (a) adj.

• CON SUSTS. **actividad || idea · propuesta · oferta · promesa · posibilidad · proyecto · solución || acuerdo** *un amplio sector de la población reticente al acuerdo entre los partidos* **· pacto || colaboración · ayuda || cambio**
• CON ADVS. **extraordinariamente · inmensamente · enormemente · ligeramente || claramente** *Se mostró claramente reticente a la idea de cambiar el reglamento* **· manifiestamente · sumamente · especialmente**
• CON VBOS. **ser · estar · poner(se) · volver(se) · mostrarse**

retintín s.m. *col.*

• CON ADJS. **irónico · insolente · burlón · socarrón**

• CON VBOS. **notar · percibir || hablar (con) · decir (con)** *¿No te diste cuenta de que lo dijo con retintín?* · **comentar (con) · afirmar (con)** · ***otros verbos de lengua***
• CON PREPS. **con**

retirada s.f.

• CON ADJS. **masiva** *Hubo una retirada masiva de fondos en los bancos cuando se supo que...* · **en masa · generalizada · general || completa · definitiva · total · absoluta || incondicional · condicionada || momentánea · temporal · provisional || cautelar · táctica · estratégica · preventiva · coyuntural · parcial || a tiempo · honrosa · airosa || meditada · pensada || ordenada · progresiva · paulatina · lenta || desordenada** *Una decisión de este tipo implicaría una retirada militar desordenada* · **caótica · frenética · precipitada · en desbandada || abrupta · repentina · de un día para otro · inesperada || inevitable**
• CON VBOS. **producir(se) · consumar(se) || iniciar · emprender · efectuar · llevar a cabo** *La retirada de la película de los cines se llevó a cabo por...* **|| dirigir · organizar · planear || ordenar** *El general ordenó la retirada de sus tropas* · **aconsejar · negociar · provocar · forzar · exigir · pedir || favorecer · apoyar · promover · defender || cortar · bloquear · impedir · frenar || tocar (a)**
□ EXPRESIONES **batirse en retirada** [abandonar un combate]

retirar(se) (de) v.

• CON SUSTS. **lugar** *Si nos retiramos en silencio de este lugar no notarán nuestra ausencia* · **zona · área · habitación · sala · despacho || campaña · proyecto** *Se retiró del proyecto sin avisarnos* · **trabajo || elección · concurso · competición || cargo · medicina** *Se retiró muy pronto de la medicina* · **abogacía · presidencia** · ***otros puestos o profesiones*** **|| afición · juego · bebida**
• CON ADVS. **totalmente · completamente** *Se ha retirado completamente de la bebida* · **por completo · definitivamente · incondicionalmente || parcialmente · a medias · temporalmente · provisionalmente || abruptamente · repentinamente · de un día para otro** *El ejército se retiró de las zonas ocupadas de un día para otro* **|| paulatinamente · gradualmente · lentamente · a plazo fijo || ordenadamente · en desbandada || en lo mejor de {mi/tu/su...} carrera** *Pocos entendieron que se retirara en lo mejor de su carrera* · **a tiempo · voluntariamente || por la puerta grande** *...un campeón que se retirará del tenis por la puerta grande* · **dignamente · con honor · honrosamente || cobardemente · humildemente · con las orejas {gachas/caídas} · a regañadientes · de puntillas**

retiro s.m.

• CON ADJS. **cómodo · tranquilo** *Hallaron un retiro tranquilo en plena montaña* · **solitario || monacal · espiritual || temporal · provisional · definitivo · prolongado · absoluto · final || voluntario · forzoso · obligatorio || lejano || dorado**
• CON SUSTS. **situación (de) · edad (de) · año (de) · fondos (de) · plan (de)**
• CON VBOS. **merecer(se) || anunciar · preparar || garantizar · denegar · permitir · propiciar || conseguir · disfrutar || anticipar · demorar · retrasar || abandonar || ir(se) (a) · permanecer (en) · pasar (a) || salir (de)**
• CON PREPS. **en** *un general en retiro* **|| durante || de** *unos años de absoluto retiro*

reto s.m.

• CON ADJS. **serio · arduo · difícil** *Este nuevo proyecto constituye un difícil reto para todos nosotros* · **inalcanzable · insuperable || asequible · asumible · abordable || fascinante · ilusionante · atractivo · apasionante || acuciante · apremiante · desafiante || próximo** *Su próximo reto será un ochomil en el Nepal* · **inminente · venidero · futuro || comprometido**
• CON SUSTS. **tono (de) · gesto (de) · aire (de) · actitud (de)**
• CON VBOS. **hacer(se) realidad || avecinarse · presentarse (a alguien)** *cada vez que se le presenta un nuevo reto* · **esperar (a alguien) || constituir · representar · comportar · suponer · plantear · entrañar · encerrar || acometer · abordar · afrontar** *Afrontó el reto con profesionalidad* · **encarar || lanzar** *El presidente lanzó el reto en la junta de accionistas* **|| aceptar · asumir · rehuir || cumplir · superar · vencer || comprometer(se) (con) || enfrentar(se) (a) · responder (a)**
• CON PREPS. **a la altura (de) || a modo (de) · sin ánimo (de)**

retocar v.

• CON SUSTS. **película · grabación · fotografía** *Han retocado la fotografía para que parezca verdad* · **maqueta || texto · documento · obra · guión · artículo · proyecto · versión** · ***otras creaciones*** **|| aspecto · imagen · modelo · diseño · línea · detalle · estructura || equipo · sistema || maquillaje** *Antes de entrar en la sala, fue a retocarse el maquillaje* · **pintura · peinado || tipos · interés · cuenta · oferta || contrato · acuerdo || reforma · ley || horario**
• CON ADVS. **a la baja · al alza || ligeramente · superficialmente || ampliamente · profundamente || digitalmente** *En cualquier ordenador se pueden retocar las imágenes digitalmente*

retomar v.

• CON SUSTS. **asunto · tema · idea · narración · historia || hilo · argumento · motivo · línea || actividad** *Después de varios meses de baja, retomó la actividad profesional* · **estudio || discurso · conferencia · negociación · conversación · palabra · representación · diálogo || marcha · camino · vía · dirección · senda · proceso · posición || tradición · rutina · costumbre || labor · obra · plan · proyecto · trabajo || control · riendas** *...hasta que pueda retomar de nuevo las riendas de su vida* · **poder · iniciativa · ritmo · pulso · energía · fuerza || armas**
• CON ADVS. **nuevamente · de nuevo || paulatinamente · gradualmente**

retoñar v.

• CON SUSTS. **árbol · rama · planta · arbusto · hierba || mundo · naturaleza || odio · cariño** · ***otros sentimientos o emociones***
• CON ADVS. **de nuevo · frecuentemente · cíclicamente · periódicamente · habitualmente · regularmente**

[retorcer] →retorcer; retorcerse (de)

retorcer v.

• CON SUSTS. **pescuezo** *Dan ganas de retorcerle el pescuezo* · **cuello · dedo · mano** · ***otras partes del cuerpo*** **|| figura || argumento** *También se podría retorcer el argumento y volverlo en su contra* · **palabra · discurso || cifra · dato || realidad · hecho**

retorcerse (de) v.

● CON SUSTS. **dolor** *El herido se retorcía de dolor* · **sufrimiento** || **ira** · **rabia** · **envidia** || **risa** *El público se retorcía de risa en sus butacas*

retorcido, da adj.

● CON SUSTS. **historia** · **narración** · **episodio** · **novela** · **relato** || **lenguaje** *Utiliza un lenguaje retorcido y laberíntico que dificulta la lectura* · **estilo** · **prosa** · **palabra** || ***persona*** *un cineasta retorcido* || **mente** · **mentalidad** · **personalidad** · **ego** · **cabeza** *Solo una cabeza retorcida puede hacer interpretaciones tan malévolas* · **psicologismo** · **psicología** · **cerebro** · **corazón** || **lógica** · **pensamiento** · **idea** · **invención** · **hipótesis** · **tesis** · **elucubración** · **interpretación** || **propósito** · **intención** · **impulso** || **humor** · **ironía** · **malicia** · **maldad** || **sonrisa** · **mirada** || **trama** · **intriga** · **vericueto** · **recoveco** || **vida** · **existencia** · **destino** · **mundo** · **realidad**

● CON VBOS. **volverse** · **quedar(se)**

retórica s.f.

▌[rama del saber] Véase **DISCIPLINA**

▌[artificio]

● CON ADJS. **mera** · **pura** *Sus palabras no son más que pura retórica* · **fácil** || **hueca** · **vacía** · **huera** · **superficial** · **trillada** · **vacua** · **vana** · **gastada** || **barroca** · **altisonante** · **engolada** · **pintoresca** || **engañosa** · **falsa** || **antigua** · **vieja** || **brillante** · **elegante** || **oficial** · **ideológica** · **musical** · **electoral** · **poética** · **literaria** · **clásica** · **política** · **populista** || **lleno,na (de)** · **cargado,da (de)** *Su discurso estaba cargado de retórica* · **exento,ta (de)**

● CON SUSTS. **falta (de)** · **ausencia (de)** || **exceso (de)**

● CON VBOS. **poseer** *Posee una retórica fácil y muy convincente* · **hacer** || **utilizar** · **emplear** · **cultivar** || **abandonar** · **dejar** · **eliminar** || **repetir** || **caer (en)** · **dejarse llevar (por)** · **apartar(se) (de)** || **quedarse (en)** || **cargar (de)** · **despojar (de)** || **recurrir (a)**

retornable adj.

● CON SUSTS. **envase** *una campaña para promover el uso de envases retornables* || **vidrio** · **botella** · **lata**

[retorno] → sin retorno

retortijón s.m. *col.*

● CON ADJS. **molesto** || **continuos**

● CON VBOS. **dar (a alguien)** *Estuve todo el día con cólico y me daban continuos retortijones* · **entrar (a alguien)** || **producir (a alguien)** · **causar (a alguien)** · **provocar (a alguien)** || **sentir** · **tener** · **notar**

retozar v.

● CON SUSTS. **niño,ña** · **chiquillo,lla** *Los chiquillos retozaron todo lo que quisieron en la playa* · **joven** · **novio,via** · **amante** · ***otros individuos*** || **delfín** · **perro,rra** · **cachorro,rra** · **cría** · ***otros animales***

● CON ADVS. **alegremente** · **despreocupadamente** · **a gusto** · **a {mis/tus/sus} anchas** || **libremente** · **tranquilamente** · **plácidamente**

retractarse (de) v.

● CON SUSTS. **declaración** · **palabras** *Tuvo que retractarse públicamente de sus palabras* || **acusación** · **ataque** · **insulto** || **decisión** · **dimisión** *No piensa retractarse de su dimisión* || **acuerdo** · **operación**

● CON ADVS. **de inmediato** · **inmediatamente** || **públicamente** · **oficialmente**

retransmisión s.f.

● CON ADJS. **en directo** · **en vivo** · **en diferido** || **en abierto** || **televisiva** · **radiofónica** · **deportiva** · **musical**

● CON VBOS. **hacer** · **emitir** · **ofrecer** || **cortar** · **interrumpir** *Se interrumpió durante unos minutos la retransmisión por problemas técnicos*

● CON PREPS. **durante** · **a lo largo (de)**

retransmitir v.

● CON SUSTS. **onda** · **señal** || **dato** *Todas las cadenas iban retransmitiendo los últimos datos del recuento electoral* · **noticia** · **información** · **mensaje** · **programa** || **discurso** · **boda** · **partido** · **campeonato** · ***otros eventos***

● CON ADVS. **en exclusiva** || **en vivo** · **en directo** · **en diferido** || **en abierto** || **por radio** · **por televisión** · **por cable**

retrasado, da

1 **retrasado, da** adj.

● CON SUSTS. **alumno,na** · **estudiante** || **corredor,-a** · **jugador,-a** · **ciclista** || **grupo** · **clase** *La clase de segundo es la más retrasada* || **posición** *los equipos que ocupan las posiciones más retrasadas en la clasificación* || **país** · **región** · **zona** · ***otros lugares habitados***

● CON ADVS. **claramente** · **manifiestamente** · **ostensiblemente** · **considerablemente** · **excesivamente** · **ampliamente** || **ligeramente** *Llevaba el reloj ligeramente retrasado*

2 **retrasado, da** s.

● CON ADJS. **mental** · **psíquico**

retratar v.

● CON ADVS. **detalladamente** · **minuciosamente** *En su libro retrata minuciosamente las costumbres de los aborígenes* · **con precisión** · **con (todo) lujo de detalles** · **fielmente** · **literalmente** || **a grandes rasgos** · **por encima** || **vivamente** · **con viveza** · **gráficamente** · **expresivamente** · **con expresividad** · **con gracia** || **magistralmente** *una fotógrafa que ha retratado magistralmente la vida en los suburbios* · **atinadamente** · **con maestría** · **extraordinariamente** · **acertadamente** || **literariamente** · **visualmente** · **musicalmente**

retrato s.m.

● CON ADJS. **magistral** · **brillante** || **detallado** · **minucioso** · **cuidadoso** · **ajustado** *Con pocas palabras consiguió hacer un retrato muy ajustado de lo sucedido* · **preciso** · **exacto** || **somero** · **superficial** · **vago** · **aproximado** · **a grandes líneas** · **a grandes trazos** || **vivo** *Es el vivo retrato de su padre* || **fiel** · **fidedigno** || **vívido** · **elocuente** · **expresivo** · **gráfico** · **penetrante** · **convincente** · **ilustrativo** · **pintoresco** || **demoledor** · **implacable** · **descarnado** · **desolador** · **mordaz** · **cáustico** || **entrañable** · **personal**

● CON SUSTS. **robot** *La Policía hizo un retrato robot del delincuente a partir de los datos de los testigos*

● CON VBOS. **ajustarse (a algo)** *El retrato se ajusta perfectamente al original* · **parecerse (a algo)** || **pintar** · **dibujar** · **hacer** *un pintor que se dedica a hacer retratos en la calle* · **efectuar** · **realizar** · **componer** · **trazar** · **pergeñar** || **bosquejar** · **esbozar** || **plasmar (en)**

retribución s.f.

● CON ADJS. **media** · **final** || **salarial** · **económica** · **en especie** || **moderada** · **módica** || **suculenta** *Recibió una suculenta retribución por los servicios prestados* · **especial**

|| **jugosa** · **considerable** · **cuantiosa** || **exigua** · **ridícula** · **insignificante**
● CON VBOS. **esperar** · **merecer** · **recibir** · **devengar** || **pagar** · **satisfacer** · **incrementar**

retribuir v.

● CON SUSTS. **personal** · **trabajador** · **accionista** · **empresa** · ***otros individuos y grupos humanos*** || **trabajo** · **servicio** *retribuir a un trabajador los servicios prestados* · **rendimiento** || **esfuerzo** · **confianza** · **apoyo** · **favor** · **ayuda**
● CON ADVS. **adecuadamente** · **debidamente** · **suficientemente** || **escasamente** · **insuficientemente** · **pobremente** · **modestamente** || **justamente** *La empresa considera que sus servicios fueron retribuidos justamente* · **injustamente**

retroactivo, va adj.

● CON SUSTS. **efecto** · **carácter** *La ley se aplicará con carácter retroactivo* · **alcance** · **valor** || **pago** · **cobro** · **deuda** · **descuento** || **cálculo** · **aumento** *un aumento salarial retroactivo* · **incremento** || **aplicación** · **extradición** · **invalidación** · **penalización** || **medida** · **ley** · **norma**

[retroceder] → retroceder; retroceder (a/en)

retroceder v.

● CON SUSTS. **posición** · **puesto** *El piloto ha retrocedido un puesto en la clasificación general* · **plaza** · **punto** || **tiempo** · **año** · **día** · ***otros periodos*** || **paso**
● CON ADVS. **extraordinariamente** · **enormemente** · **considerablemente** · **ostensiblemente** · **manifiestamente** · **significativamente** · **sensiblemente** || **alarmantemente** *retrocediendo alarmantemente en sus posiciones* · **preocupantemente** || **levemente** · **ligeramente** || **súbitamente** · **de repente** · **rápidamente**

□ USO Se usa también como verbo intransitivo con sustantivos como *ejército, tropas, enfermedad* o *fiebre*, entre otros: *La enfermedad está retrocediendo gracias al tratamiento de quimioterapia.*

retroceder (a/en) v.

● CON SUSTS. **pasado** · **época** · **infancia** · **juventud** · **verano** · **tiempo** *si pudiera retroceder en el tiempo* || **nivel** *Las exportaciones han retrocedido al nivel de hace dos años* · **estado** · **situación** · **límite** || **camino** · **lucha** · **búsqueda** || **prioridad** · **exigencia** · **demanda**

retrógrado, da adj. *desp.*

● CON SUSTS. **jefe,fa** · **padre** · **madre** · **persona** · **sector** · **facción** · **partido** · **institución** · **empresa** · ***otros individuos y grupos humanos*** || **postura** · **actitud** · **estilo** · **talante** · **carácter** · **idea** · **mentalidad** · **visión** · **imagen** || **política** *La oposición acusa al Gobierno de hacer una política retrógrada* · **ley** || **discurso** · **mensaje** · **lenguaje** · **vocabulario**
● CON VBOS. **considerar** · **calificar (de)** *No se puede calificar de retrógrado el discurso, pero...* · **tachar (de)** || **volverse**

retumbar v.

● CON SUSTS. **sonido** · **ruido** · **música** || **tambor** || **voz** · **grito** · **palabra** · **lamento** · **lloro** || **trueno** · **cañonazo** · **explosión** · **estruendo** || **pared** · **casa** · **puerta**
● CON ADVS. **en {mis/tus/sus...} oídos** *El petardo retumbó justo en mis oídos* || **a lo lejos** || **con fuerza**

reunificar v.

● CON SUSTS. **territorio** · **país** · **estado** · **ciudad** || **partido** · **facción** || **fuerza** *...con la idea de reunificar las fuerzas y vencer finalmente al enemigo* · **esfuerzo** || **familia**

reunión s.f.

● CON ADJS. **oficial** · **formal** · **de trabajo** *Ayer tuvimos una reunión de trabajo* · **informal** || **secreta** · **confidencial** · **a puerta cerrada** · **íntima** · **clandestina** || **larga** · **interminable** · **eterna** · **maratoniana** · **intensa** · **agotadora** · **ajetreada** · **tensa** · **tormentosa** · **breve** *Afortunadamente, la reunión fue más breve de lo que esperábamos* || **crucial** · **decisiva** *Aunque se trataba de una reunión decisiva, acudió muy poca gente* · **fundamental** || **rutinaria** · **de trámite** || **provechosa** · **útil** · **fructífera** · **exitosa** || **inútil** · **infructuosa** · **fallida**
● CON SUSTS. **objeto (de)** *¿Cuál es el objeto de la reunión?*
● CON VBOS. **producir(se)** || **transcurrir** · **discurrir** *La reunión discurrió sosegadamente* · **desarrollarse** || **frustrar(se)** · **tener éxito** || **girar (sobre algo/en torno a algo)** || **celebrar** · **convocar** · **acordar** · **concertar** *Concertaron la reunión para el próximo viernes* · **tener** || **levantar** · **clausurar** · **conducir** || **presenciar** · **saltarse** || **boicotear** *Algunos socios descontentos intentaron boicotear la reunión* · **interrumpir** · **suspender** · **aplazar** · **cancelar** || **acudir (a)** · **asistir (a)** · **irrumpir (en)** || **salir (de)** · **ausentarse (de)** *Me ausenté unos momentos de la reunión* · **faltar (a)**
● CON PREPS. **a lo largo (de)** · **durante** · **en medio (de)**

reunir(se) v.

● CON ADVS. **oficialmente** *Los directivos de la empresa se reunieron oficialmente la semana pasada* · **formalmente** · **informalmente** || **pacíficamente** || **frente a frente** · **cara a cara** || **a puerta cerrada** *Los miembros del grupo parlamentario se reunieron ayer a puerta cerrada para examinar el acuerdo* || **contra reloj**

revalorizar(se) v.

● CON SUSTS. **bolsa** · **acción** · **activo** || **moneda** · **divisa** || **patrimonio** · **posesión** *Sus posesiones se revalorizaron después de su muerte* · **propiedad** · **casa** · **piso** · **local** · **producto** || **terreno** · **lugar** · **zona** · **barrio** · **ciudad** || **pensión** · **sueldo** || **figura** · **papel** · **concepto** · **triunfo**
● CON ADVS. **fuertemente** · **notablemente** *Su figura se ha revalorizado notablemente* · **considerablemente** · **ligeramente** || **anualmente** · **periódicamente** || **rápidamente** · **con el tiempo** || **automáticamente** *Cuando se produzca la fusión, las acciones se revalorizarán automáticamente* || **justamente** · **injustamente**

revancha s.f.

● CON ADJS. **ansiada** · **esperada** *La esperada revancha le llegó de la forma más inesperada* || **merecida** · **justa** || **apretada** || **moral** · **personal** · **política** · **deportiva**
● CON SUSTS. **ánimo (de)** · **espíritu (de)** · **gana (de)** · **sed (de)** · **afán (de)** · **deseo (de)** || **aroma (a)** · **sabor (a)** || **acto (de)** · **pelea (de)** · **combate (de)** || **ávido,da (de)** · **deseoso,sa (de)**
● CON VBOS. **llegar (a alguien)** || **pedir** · **exigir** · **buscar** || **dar** *¿Me das la revancha en la próxima partida?* · **conceder** · **ofrecer** · **permitir** || **tomar(se)** *La nadadora se tomó la revancha de sus derrotas anteriores y batió el récord europeo en mariposa* · **cobrar** · **tener** · **jugar** · **lograr** · **obtener** || **ganar** · **saborear** · **vencer** · **perder** || **encabezar** · **dirigir** · **liderar** · **organizar** || **esperar** · **aguardar**

revelación s.f.

• CON ADJS. **nueva · de última hora · final || inesperada · esperada · ansiada || sorprendente · inusitada · decisiva · crucial · alarmante** *El grupo ecologista hizo unas revelaciones alarmantes sobre la contaminación atmosférica* **· temida || verosímil · verídica · creíble · fidedigna · veraz · inverosímil || íntima || bíblica · divina · celestial**
• CON SUSTS. **avalancha (de)** *Ante la avalancha de revelaciones de última hora...* **|| grupo · artista · cantante · actor** *¿Quién ha recibido el premio al mejor actor revelación?* **· actriz · escritor,-a**
• CON VBOS. **producirse || salir a la luz || tener · hacer · realizar || hacer pública · publicar · filtrar · destapar**

revelado s.m.

• CON ADJS. **fotográfico · de fotos · de copias || analógico · tradicional · convencional · digital || rápido · instantáneo || en color · en blanco y negro || en brillo · en mate**
• CON SUSTS. **tienda (de)** *Busco una tienda de revelado rápido* **· empresa (de) · laboratorio (de) · servicio (de) || proceso (de) · equipo (de)**

revelador, -a adj.

• CON SUSTS. **comentario · respuesta · conversación · afirmación · palabras · frase ·** ***otras manifestaciones verbales*** **|| documento · informe · libro · noticia · artículo** *El periódico publica hoy un revelador artículo sobre...* **· pasaje · párrafo · página ·** ***otros textos*** **|| ensayo · espectáculo · película · filme · foto · cuadro ·** ***otras creaciones*** **|| dato · cifra · ejemplo · caso · número** *La estadística aportaba números reveladores* **· elemento · asunto · muestra · información || gesto · rasgo · detalle · aspecto · sonrisa · mirada || síntoma · indicio · señal · huella · signo || nerviosismo · sosiego · animosidad · tensión · alegría ·** ***otras sensaciones*** **|| fuerza · eficacia · ironía · potencia · debilidad · mezquindad ·** ***otras cualidades o defectos*** **|| episodio** *un episodio aparentemente intrascendente, pero muy revelador en el fondo* **· anécdota · hecho · experiencia · acontecimiento · incidente · suceso · accidente · encuentro || carácter · conducta · postura · opinión · perfil · personalidad || análisis** *El sociólogo hace en su libro un análisis muy revelador de la juventud actual* **· estadística · encuesta · test · cálculo · estudio · enfoque · visión · valoración || resultado · sentencia · final · conclusión · solución || situación · circunstancia · panorama · escena · estampa**

[revelar] → revelar; revelar (algo)

revelar v.

▮ [desvelar, mostrar]

• CON SUSTS. **misterio · secreto** *Asegura no haber revelado el secreto a nadie* **· enigma · entresijo · trama · plan · duda || verdad · solución · clave · fórmula · truco · receta || anomalía · irregularidad · fraude · engaño || dato · contenido · resultado || aspecto · faceta · detalle || altura · profundidad · valor · peso · precio ·** ***otras magnitudes*** **|| nombre · fecha · edad · identidad** *La Policía no ha revelado la identidad de las víctimas* **· domicilio || intención · motivo || noticia**
• CON ADVS. **abiertamente · a las claras · manifiestamente · a los cuatro vientos · sin tapujos · elocuentemente || de antemano || crudamente || imprudentemente · antes de tiempo**

▮ [hacer visible una imagen]

• CON SUSTS. **carrete · foto · negativo · diapositiva · película · rollo**

revelar (algo) v.

• CON SUSTS. **conducta · comportamiento · actitud || gesto · tono · palabra** *contundentes palabras que revelaban una energía inusitada en él* **· voz · expresión · aspecto · estilo · cara · rostro || encuesta · estadística · cifra || atuendo · vestimenta · traje · ropa || autopsia**
• CON ADVS. **claramente** *Su atuendo revelaba claramente que se trataba de un hombre adinerado* **· evidentemente · notoriamente · manifiestamente · ostensiblemente · visiblemente**

revenirse v.

• CON SUSTS. **pan** *Solo tengo pan de ayer un poco revenido* **· comida · alimento**

[reventar] → a reventar; reventar; reventar (de)

reventar v.

▮ [estallar]

• CON SUSTS. **neumático** *El accidente se produjo porque un neumático del coche reventó* **· rueda · balón || pústula · grano · ampolla || capullo · ola · yema · puerta || burbuja || cristal · termómetro || batería · motor · bomba ||** ***persona*** *Si no lo digo, reviento*

▮ [extenuarse]

• CON SUSTS. **burro,rra · caballo** *Los jinetes hicieron un descanso para que no reventaran los caballos* **· yegua · asno,na**

▮ [rebasar] *col.*

• CON SUSTS. **marca** *Reventó la marca nacional de los tres mil metros* **· récord · precio · taquilla · mercado**

▮ [hacer fracasar] *col.*

• CON SUSTS. **acto · elecciones · manifestación · huelga · mitin · subasta · fiesta · espectáculo** *Algunas personas asisten al estadio solo para reventar el espectáculo* **· carrera · representación · procesión ·** ***otros eventos*** **|| discurso · intervención · conferencia · congreso · rueda de prensa || proceso de paz · acuerdo · negociación · paz · consenso** *Las actuaciones violentas de un solo día reventaron el consenso alcanzado tras meses de negociaciones* **· armonía || sistema · estructura · esquema · marco**

reventar (de) v. *col.*

• CON SUSTS. **comida · pasteles · cerveza ·** ***otros alimentos o bebidas*** **|| dinero · oro · diamantes · joyas || gana · hambre · sed · deseo · cansancio || risa · felicidad · vida · alegría** *Estaba que reventaba de alegría* **· vitalidad || dolor · rabia || orgullo · arrogancia**

reverdecer v.

• CON SUSTS. **flor · hiedra · geranio · césped** *Ha reverdecido el césped tras las lluvias* **·** ***otras plantas*** **|| campo · jardín || amor · fervor · sufrimiento || éxito · laureles · esplendor · liderazgo · prestigio || conflicto · discusión · rencilla** *un acontecimiento que hizo reverdecer viejas rencillas familiares* **· crisis · hostilidad · lucha · polémica · pugna · lío || memoria · raíz · historia · vida · experiencia || deseo · sueño · utopía || fulgor · sonido || juventud · años jóvenes · infancia · viejos tiempos**

reversible adj.

• CON SUSTS. **cazadora · gabardina · chaqueta ·** ***otras prendas de vestir*** **|| tejido · material || carril** *Habilitaron el carril reversible para facilitar la fluidez del tráfico* **|| medida · decisión || proceso · situación · operación**
• CON ADVS. **absolutamente · perfectamente** *La decisión es perfectamente reversible* **· parcialmente || difícilmente**

reverso

1 **reverso** s.m.
• CON ADJS. **desconocido · oscuro · atroz · diabólico · tenebroso · escondido · oculto || limpio · claro**
• CON VBOS. **analizar · conocer** *Ahora has conocido el reverso de la situación* **|| mostrar · ver · leer**
• CON PREPS. **a · en**

2 **reverso (de)** s.m.
• CON SUSTS. **moneda · medalla** *En el reverso de la medalla llevaba grabado su nombre* **· billete · mano · carta · sobre · tarjeta postal · papeleta · hoja · imagen · fotografía || sociedad · entorno · verdad · situación**

[revertido] → a cobro revertido

revertir (en) v.

• CON SUSTS. **beneficio · ventaja · premio · ahorro · favor || mejora · incremento · producción** *El ahorro de los costes revierte en una producción más económica* **· aumento · creación || perjuicio · pérdida · descenso || barrio** *Las reformas revertirán en el barrio* **· casa · ciudad ·** ***otros lugares*** **||** ***persona*** **|| familia · equipo · organización**
□ USO También se construye con la preposición *a*: *Todo lo que ganes revertirá a tu familia.*

revés s.m.

• CON ADJS. **serio** *La decisión del comité supuso un serio revés para sus intereses profesionales* **· grave · profundo · severo · fuerte · duro · brutal · trágico || inesperado · imprevisto || nuevo · primer · último || electoral · político · diplomático · financiero · económico · familiar · de salud · profesional**
• CON VBOS. **tener · sufrir || infligir · propinar (a alguien) · causar (a alguien) || representar · suponer · constituir · implicar · comportar || encajar** *Ha encajado admirablemente los últimos reveses electorales* **|| cargar (con)**
□ EXPRESIONES **al revés · del revés** [al contrario]

revestimiento s.m.

• CON ADJS. **interno · interior || externo · exterior · superficial || aislante · especial** *La pared lleva un revestimiento especial de material insonorizador* **|| cerámico · metálico · plástico || térmico · acústico || ecológico · natural · artificial**
• CON SUSTS. **material (de) · elemento (de) · papel (de) || trabajo (de) · operación (de) · labores (de) || capa (de) · muro (de) · panel (de)**
• CON VBOS. **desprender(se)** *El revestimiento se desprendió y hubo que sustituir la pieza entera* **|| dañar(se) · deteriorar(se) || reforzar · reparar · cambiar || poner · emplear || fabricar || mantener · conservar || cubrir (con) · proteger (con)**

revestir v.

• CON SUSTS. **importancia** *una lesión que no revestía ninguna importancia* **· relevancia · trascendencia || gravedad · peligro · seriedad · solemnidad || dificultad** *El trabajo no reviste dificultad alguna* **· complejidad · problema || interés || consecuencia**

revisar v.

• CON SUSTS. **trabajo · obra · examen || documentación · expediente · prueba · documento** *Revisó todos los documentos, pero no encontró lo que buscaba* **· información · dato || instalación · mecanismo · estructura || estado** *Los técnicos revisaron minuciosamente el estado de la maquinaria* **· funcionamiento || contrato · pacto · acuerdo · convenio || cláusula · condición · término**
• CON ADVS. **por completo · completamente · en profundidad · profundamente · de arriba abajo** *Revisé de arriba abajo la habitación antes de salir* **· de cabo a rabo · palmo a palmo · punto por punto · a fondo · a conciencia · concienzudamente · minuciosamente · detenidamente · detalladamente · con detalle · al detalle · extensamente · exhaustivamente · atentamente · escrupulosamente || de cerca || parcialmente · por encima · a ojo · a la ligera || al alza** *Los contratos fueron revisados al alza* **· a la baja || incansablemente** *Es un autor que revisa incansablemente su obra* **· periódicamente · ocasionalmente · religiosamente**

revisión s.f.

• CON ADJS. **completa · profunda · a fondo · en profundidad · detenida** *El profesor hizo una revisión detenida del examen* **· exhaustiva · detallada · minuciosa · concienzuda · severa || parcial · somera · superficial || ocasional · periódica** *Tengo que hacerme una revisión médica periódica* **· esporádica || al alza · a la baja || sujeto,ta (a)** *Ese asunto queda sujeto a revisión*
• CON SUSTS. **objeto (de)**
• CON VBOS. **urgir || necesitar** *Mi coche necesita una revisión* **|| pasar · superar || agilizar || someter(se) (a)** *Se sometió a una revisión en el hospital*

[revista] → pasar revista (a); revista

revista s.f.

▮ [publicación]
• CON ADJS. **especializada · monográfica || aburrida · amena · didáctica · fascinante · interesante · útil || periódica · semanal · mensual · anual || prestigiosa · marginal || musical · médica · literaria · científica · cultural · histórica**
• CON SUSTS. **portada (de)** *Salió en la portada de todas las revistas* **· página (de) · ejemplar (de) · número (de) · formato (de) || director,-a (de) · editor,-a (de) || quiosco (de)**
• CON VBOS. **fundar · editar · publicar · dirigir · organizar || leer · hojear** *Me encanta hojear las revistas de decoración* **|| recibir || colaborar (en) · aparecer (en) || suscribirse (a)** *Me suscribí a la revista y la recibo mensualmente en casa* **|| borrar(se) (de)**

▮ [inspección]
• CON ADJS. **exhaustiva** *después de una exhaustiva revista a las compañías de fusileros*
• CON VBOS. **pasar**

▮ [espectáculo musical]
• CON ADJS. **musical || vistosa · espectacular**
• CON SUSTS. **actor (de) · actriz (de) · compañía (de)** *Debutó en una compañía de revista cuando tenía diecisiete años*
• CON VBOS. **ir (a) · acudir (a)**

revitalizar v.

● CON SUSTS. **jardín · plantas || pelo · cabello || zona · sector** *medidas para revitalizar el sector de transportes* **|| mercado · actividad · género** *Resulta difícil revitalizar el teatro y el género dramático ante la pujanza de la industria cinematográfica* **|| ciudad · barrio || proceso · sistema || industria · economía · turismo** *La celebración del festival ha revitalizado el turismo en la región* **· comercio || democracia · política · sociedad || partido || imagen || relación · amor · familia · amistad**

● CON ADVS. **enormemente · profundamente || económicamente · culturalmente · políticamente**

revivir v.

● CON SUSTS. **llegada · encuentro · celebración · concierto · partido ·** ***otros eventos*** **|| escena · imagen · episodio · momento · situación || hecho · suceso · acontecimiento || recuerdo** *revivir los recuerdos de la infancia* **· memoria · año · día · pasado · infancia · juventud** *Aquel encuentro nos hizo revivir nuestra juventud* **|| mito · historia · leyenda · mitología || temor · pesadilla · fantasma · horror · miedo · terror · angustia · espectro || tragedia · drama · fatalidad || felicidad · alegría · diversión || tensión · hostilidad · enemistad** *enemistad que ya es agua pasada y no tiene sentido revivirla* **· enfrentamiento · conflicto · guerra · batalla · pugna || experiencia · sentimiento · sensación · vivencia · emoción · impresión || aventura · andanza · periplo · viaje · travesía · hazaña** *una buena ocasión para revivir viejas hazañas* **· anécdota · avatar · epopeya || diálogo · debate · tertulia · conversación · discurso · palabra || discusión · rencilla · controversia · polémica**

revocar v.

▮ [recubrir con un material]

● CON SUSTS. **pared · fachada** *Van a revocar la fachada este verano* **· superficie · muro**

▮ [anular, dejar sin efecto]

● CON SUSTS. **sentencia · fallo · auto · resolución** *El mismo juzgado revocó la resolución unos días después* **· libertad · dictamen · absolución · providencia || licencia · permiso · concesión · visa || medida** *La oposición pide que se revoque la medida sobre el impuesto a los beneficios* **· decisión · disposición · determinación || ley · decreto · mandato · orden · norma || condena · sanción** *El organismo internacional revocó las sanciones impuestas* **· veto · pena · castigo · prohibición || procesamiento · procedimiento · proceso · suplicatorio · recurso · apelación · sobreseimiento · suspensión · aplazamiento || nacionalidad · ciudadanía || acuerdo · compromiso** *Revocó sus compromisos cuando alcanzó el poder* **· convenio || beneficio · ventaja · privilegio · exención · beca || poder · potestad**

revolcón s.m.

● CON ADJS. **repentino · brusco || auténtico · buen · verdadero || aparatoso** *El torero salió ileso del aparatoso revolcón* **· teatral || tremendo · importante · serio || sorprendente || electoral · político · histórico · institucional**

● CON VBOS. **sufrir · pegar · llevarse · dar (a algo)**

revoltijo

1 **revoltijo** s.m.

● CON ADJS. **absurdo · irracional || confuso · indescifrable · entreverado**

● CON VBOS. **convertir(se) (en) · transformar(se) (en)**

2 **revoltijo (de)** s.m.

● CON SUSTS. **hierros** *Después del accidente solo quedó un revoltijo de hierros* **· cables || sentimientos · ideas · pensamientos · sensaciones** *Bulle en su cabeza un revoltijo de sensaciones encontradas*

revolución s.f.

● CON ADJS. **profunda · absoluta** *La noticia causó una absoluta revolución en los medios financieros* **· auténtica · verdadera · total · radical · completa || pequeña** *una pequeña revolución en el mundo de la informática* **|| nueva · permanente || popular · proletaria · comunista · cultural · capitalista · electrónica · cibernética · tecnológica · liberal · social · económica · industrial · financiera · literaria · política · mental**

● CON SUSTS. **ambiente (de)** *Se notaba un ambiente de revolución en el país* **· aire(s) (de) || tiempo (de) || eco (de) || intento (de) · tentativa (de) · brote (de) || efecto (de) · consecuencia (de) · causa (de)**

● CON VBOS. **armar(se) · gestar(se) · desatar(se) · desencadenar(se) · producir(se) · tener lugar · estallar** *los disturbios producidos tras estallar la revolución* **|| tener éxito · triunfar || fracasar · frustrar(se) · ahogar(se) · sucumbir || suponer · representar || emprender · preparar · organizar** *Se ha organizado una revolución en el departamento* **|| dirigir · encabezar · capitanear · abanderar · liderar · cabalgar · controlar || alentar · apoyar** *¿Qué sectores de la sociedad apoyaron la revolución militar?* **· propulsar · promover || impedir · sofocar || celebrar · conmemorar || causar · provocar || llevar (a)** *Fueron muchas las causas que llevaron a la revolución en ese país* **|| participar (en) || creer (en)**

● CON PREPS. **al calor (de)**

revolucionario, ria adj.

● CON SUSTS. **acontecimiento · movimiento · proceso · medida · cambio || política · ideal · fervor · principios · proyecto · idea · método · objetivo || partido · grupo · personaje || actitud · carácter · fibra · temperamento · valor || estilo · aire · aspecto · tono || pensamiento · lenguaje || tema · texto · discurso** *Pronunció un discurso que muchos consideraron verdaderamente revolucionario* **· arte** *un arte revolucionario para su época* **· propaganda || sistema · modelo · invento || triunfo || guerra || fuerza · causa · consecuencia || impuesto**

[revolver] → revolver; revolver(se)

revolver v.

● CON SUSTS. **cajón · armario** *No me revuelvas el armario cuando cojas tu ropa* **· estante · escritorio · mesa || papeles · documentos · archivos · apuntes · notas || bolso · maleta · mochila · cartera || casa · habitación** *Estos chicos revuelven la habitación dos o tres veces al día* **· piso || cama · sábanas**

● CON ADVS. **desordenadamente**

revolver(se) v.

● CON SUSTS. ***animal*** *El tigre se revolvió contra el domador* **|| cuerpo · estómago** *Se me ha revuelto un poco el estómago con las curvas* **· tripas · hígado || comida || tiempo · mar**

● CON ADVS. **instintivamente · velozmente || ferozmente · furiosamente · con rabia || como gato panza arriba || en {mi/tu/su...} tumba · en {mi/tu/su...} asiento**

☐ USO Se construye a veces con complementos encabezados por la preposición *contra*: *Se revolvía contra todo lo que consideraba injusto.*

revuelo s.m.

● CON ADJS. **gran(de)** · **enorme** · **considerable** *Fueron días de considerable revuelo* · **notable**

● CON VBOS. **armar** *Se armó un gran revuelo cuando dieron la noticia* · **producir(se)** || **causar** · **ocasionar** *Su despido ocasionó un enorme revuelo entre los compañeros* · **provocar** · **generar** · **desencadenar** · **motivar**

□ USO Se construye a menudo con complementos preposicionales como *entre la población* o *entre la gente*: *Pronto se formó un gran revuelo entre la gente.*

[revuelta] s.f. → revuelto, ta

revuelto, ta

1 **revuelto, ta** adj.

● CON SUSTS. **huevo** *De primero pedimos huevos revueltos* || **río** · **mar** · **aguas** · **aire** · **tiempo** *Hoy está el tiempo un poco revuelto* · **día** || **pelo** · **melena** · **cabellera** || **ánimo** *para pacificar los ánimos de sus propios seguidores, un tanto revueltos tras su última intervención* · **sentimiento**

● CON VBOS. **poner(se)** · **quedar(se)** · **seguir**

2 **revuelta** s.f.

● CON ADJS. **general** · **masiva** · **popular** · **estudiantil** · **universitaria** · **juvenil** · **obrera** · **proletaria** · **parlamentaria** · **democrática** · **antigubernamental** · **agraria** · **militar** · **civil** · **callejera** *tras las revueltas callejeras en el centro de la ciudad* · **urbana** · **nacional** · **local** || **espontánea** · **pacífica** || **violenta** · **sangrienta** · **incendiaria**

● CON SUSTS. **aire (de)** · **clima (de)** · **episodio (de)** || **amago (de)** · **conato (de)** · **intento (de)** || **causante (de)** · **responsable (de)** · **líder (de)** · **cabecilla (de)**

● CON VBOS. **estallar** || **tramar** · **preparar** · **organizar** || **auspiciar** · **favorecer** · **apoyar** || **provocar** · **originar** · **ocasionar** · **producir** · **fomentar** · **desatar** || **capitanear** · **encabezar** · **dirigir** || **desactivar** · **aplastar** · **desbaratar** · **aplacar** *La revuelta fue aplacada sin necesidad de recurrir a la violencia* · **neutralizar** · **sofocar** · **reprimir** · **evitar** · **impedir** · **controlar** · **acallar** · **atemperar** · **calmar** · **ahogar** || **incitar (a)** · **colaborar (con)** · **participar (en)**

revulsivo, va

1 **revulsivo, va** adj.

● CON SUSTS. **efecto** · **poder** || **elemento** || **cine** · **imagen** || **jugador,-a** · **fichaje** · **hombre** · ***otros individuos***

● CON VBOS. **resultar**

2 **revulsivo** s.m.

● CON ADJS. **auténtico** · **verdadero** || **fuerte** · **profundo** · **eficaz** || **importante** · **principal** || **social** · **electoral** · **económico** *La introducción de las nuevas empresas ha supuesto un considerable revulsivo económico en la zona* · **cultural** · **emocional**

● CON VBOS. **buscar** · **encontrar** || **necesitar** *El equipo necesita un revulsivo para recuperar el entusiasmo* || **constituir** || **servir (de)** · **actuar (de/como)** · **ejercer (de)** · **convertir(se) (en)**

[rey] → a cuerpo de rey; como (a) un rey; rey, reina

rey, reina s.

▮ [monarca]

● CON ADJS. **absoluto,ta** · **constitucional** · **demócrata** || **dictatorial** · **tiránico,ca** · **totalitario,ria** || **magnánimo,ma** *Fue una reina magnánima que se ganó el amor de su pueblo* || **regente** || **provecto,ta**

● CON SUSTS. **candidato,ta (a)** || **corona (de)** · **título (de)** || **guardia (de)** || **abeja** *un documental sobre el comportamiento de la abeja reina* || **etapa** *la etapa reina de la vuelta ciclista* · **prueba** · **carrera** · **deporte** *En algunos países, el fútbol es el deporte rey* · **competición** · **atracción**

● CON VBOS. **reinar** · **gobernar** · **heredar (algo)** || **abdicar** || **presidir (algo)** · **inaugurar (algo)** *La reina inauguró ayer el nuevo museo de ciencias naturales* || **proclamar** *Lo proclamaron rey en una ceremonia solemne* · **coronar** · **entronizar** · **elegir** · **nombrar** || **deponer** · **destronar** · **destituir** || **convertir(se) (en)** || **tratar (como)** · **vivir (como)** *No te quejes, que vives como una reina*

● CON PREPS. **a título (de)**

▮ [pieza de ajedrez]

● CON VBOS. **hacer** *Todavía tengo la posibilidad de hacer reina* · **enrocar** *No puedes enrocar el rey porque ya lo has movido* || **mover** · **sacar** || **comer** *Siempre que juego al ajedrez contigo, me comes en seguida la reina* · **ganar** · **perder** || **proteger** · **salvar** || **amenazar** · **acorralar** · **encerrar**

rezagado, da adj.

● CON ADVS. **ligeramente** · **claramente**

● CON VBOS. **estar** *Está un poco rezagado en la clase de matemáticas* · **quedar(se)** *Aunque se quedó rezagada, consiguió acabar la carrera* · **permanecer** · **seguir** · **acabar** · **ir** · **encontrarse**

rezar v.

▮ [orar]

● CON SUSTS. **oración** · **padrenuestro** · **rosario** · **plegaria** *Durante el acto los fieles rezaron varias plegarias a...*

● CON ADVS. **de rodillas** || **de (todo) corazón** · **devotamente** · **fervientemente** || **mecánicamente** || **diariamente** · **ocasionalmente**

▮ [decir, expresar]

● CON SUSTS. **cartel** *El cartel colocado encima de la entrada rezaba textualmente así:...* · **letrero** · **pancarta** · **título** || **carta** · **artículo** · **escrito** · **comunicado** · **informe** · **bando** · **canción** · **texto**

● CON ADVS. **textualmente** · **literalmente**

rezo s.m.

● CON ADJS. **devoto** || **matinal** · **matutino** · **vespertino** || **cotidiano** · **semanal** || **obligatorio** · **ocasional** || **individual** · **colectivo** *el rezo colectivo del rosario* · **personal** || **popular** · **tradicional** || **fúnebre** || **pausado** · **solemne** || **unánime** · **universal**

● CON SUSTS. **día (de)** · **hora (de)** · **lugar (de)** || **libro (de)** || **actitud (de)** · **posición (de)** || **murmullo (de)** · **susurro (de)** || **llamada (a)**

● CON VBOS. **elevar** · **entonar** *Entonaron un rezo en memoria de las víctimas* || **comenzar** · **terminar** || **presidir** · **dirigir** || **favorecer** · **imponer** || **participar (en)** · **asistir (a)** · **acudir (a)** · **unirse (en)**

rezumar v.

● CON SUSTS. **agua** · **humedad** · **olor** || **odio** · **mal gusto** · **vulgaridad** *un comentario que rezuma vulgaridad e ignorancia* · **intolerancia** · **cursilería** · **frustración** · **pesimismo** · **ignorancia** || **ternura** · **optimismo** · **vitalidad** ·

alegría *El grupo rezuma alegría y ganas de vivir* · **apasionamiento** · **entusiasmo** · **amor** · **espontaneidad** · **humanidad** · **simpatía** · **naturalidad** · **frescura** || **barroquismo** · **romanticismo** · **lirismo** || **radicalismo** · **totalitarismo** || **hedonismo** · **egoísmo** · **orgullo** · **dinamismo** || **conservadurismo** *La frase rezuma el conservadurismo más arraigado* · **racismo** · **feminismo** · ***otras tendencias o ideologías*** || **literatura** · **poesía** · **música** · **lógica** · **retórica** || **arte** · **maestría** · **profesionalidad** *Sus películas rezuman profesionalidad y talento* · **torería** · **sabiduría** · **rigor** · **calidad** · **estilo** · **finura** · **talento** · **saber** · **ortodoxia** || **exotismo** · **musicalidad** *un artista que rezuma musicalidad en cada una de sus composiciones* · **inspiración** · **amenidad** || **ironía** · **broma** · **crítica** · **humor** · **sarcasmo** · **sátira** || **antigüedad** · **experiencia** · **pasado** · **historia** *Todo en el castillo rezuma historia y tradición* · **solera** · **tradición**

riada s.f.

● CON ADJS. **gran(de)** · **enorme** · **fuerte** · **crecida** || **violenta** · **tremenda** · **grave** || **humana** *Del estadio salía una riada humana*

● CON SUSTS. **víctima (de)** || **riesgo (de)** · **peligro (de)** || **época (de)** || **paso (de)** · **efecto (de)** · **consecuencia (de)**

● CON VBOS. **afectar (a algo/a alguien)** · **arrasar (algo)** *Aquel año una enorme riada arrasó el pueblo* · **devastar (algo)** · **destrozar (algo)** · **asolar (algo)** · **sepultar (algo)** · **anegar (algo)** || **arrastrar (algo)** · **llevar(se) (algo) (por delante)** || **llegar** · **pasar** · **avanzar** · **aumentar** || **provocar** *Las constantes lluvias provocaron la riada* · **desencadenar** · **evitar**

ribetes (de) s.m.pl.

● CON SUSTS. **tragedia** *una historia cómica con ribetes de tragedia* · **farsa** · **parodia** || **ironía** · **humor** · **comedia** || **escándalo** *Ante los ribetes de escándalo que estaba adquiriendo el caso, la juez...* || **venganza**

ricamente adv.

▌[con riqueza, con opulencia]

● CON VBOS. **vestir** · **bordar** · **adornar** *hermosos techos de alabastro ricamente adornados de colgaduras* · **ornamentar** · **ataviar** · **engalanar** || **ilustrar** · **grabar** · **colorear** · **policromar**

▌[con comodidad, con placidez]

● CON VBOS. **pasear** · **bañarse** · **jugar** · **dormir** · **viajar** · **comer** · **sentarse** · **tenderse** · **disfrutar** *Aquí estamos, disfrutando ricamente de la playa*

□ EXPRESIONES **tan ricamente** [a gusto]

ricino s.m.

● CON SUSTS. **aceite (de)** || **grano (de)** · **semilla (de)** · **planta (de)** || **trago (de)** · **dosis (de)** · **purga (de)**

● CON VBOS. **sembrar**

rico, ca

1 **rico, ca** adj.

▌[de sabor agradable]

● CON SUSTS. **fruta** · **verdura** · **filete** · **paella** · ***otros alimentos o comidas*** || **café** *¡Qué rico está este café!* · **refresco** · ***otras bebidas***

● CON VBOS. **estar** · **quedar** *El pollo ha quedado muy rico* · **salir** *Me suelen salir muy ricos los macarrones* · **saber**

▌[que posee riquezas]

● CON SUSTS. ***persona*** *Es uno de los empresarios más ricos del país* || **familia** || **terreno** · **yacimiento** · **región** · **zona** · **área** · **país** *los países más ricos del planeta* · **tierra** · **ambiente**

● CON VBOS. **ser** · **hacer(se)** · **volver(se)**

▌[variado, abundante]

● CON SUSTS. **contenido** · **léxico** · **vocabulario** || **gastronomía** · **alimentación** || **biodiversidad** || **material**

2 **rico, ca (en)** adj.

● CON SUSTS. **minerales** · **calorías** · **proteínas** · **vitaminas** *una dieta rica en vitaminas* · **sal** || **matices** · **ideas** · **experiencias** · **contenidos**

ridículo s.m.

● CON ADJS. **absoluto** *Hicimos el ridículo más absoluto* · **completo** · **descomunal** · **espantoso** *Sentía un espantoso ridículo vestida de aquella forma* · **estrepitoso** · **monumental**

● CON SUSTS. **sentido (de)** · **sensación (de)** · **sentimiento (de)** || **colmo (de)** · **límite (de)**

● CON VBOS. **hacer** · **bordear** · **rozar** || **caer (en)** · **rayar (en)** || **cubrir(se) (de)**

● CON PREPS. **en** *poner a alguien en ridículo* · **al borde (de)**

riego s.m.

● CON ADJS. **por goteo** · **por aspersión** · **por sondeo** · **automático** · **manual** · **con manguera** · **con regadera** · **natural** · **artificial** · **interno** || **público** · **urbano** · **municipal** · **privado** || **agrícola** · **tradicional** || **sanguíneo** · **cerebral** · **coronario**

● CON SUSTS. **falta (de)** *Los jardines se han secado por falta de riego* · **problema (de)** || **boca (de)** *Está prohibido aparcar delante de la boca de riego* · **camión (de)** · **sistema (de)** · **bomba (de)** · **manga (de)** · **manguera (de)** · **red (de)** · **canal (de)** · **pozo (de)** · **técnica (de)** · **acequia (de)** || **agua (de/para)** · **cultivo (de)**

● CON VBOS. **garantizar** · **procurar** · **autorizar** || **prohibir** *La intensa sequía ha obligado a las autoridades a prohibir el riego de jardines y calles* · **paralizar** · **racionar** · **regular** || **encender** · **poner en funcionamiento** · **instalar** || **dejar (sin)**

rielar v. *poét.*

● CON SUSTS. **luz** *La luz riela sobre la superficie del lago* · **luna** · **sol**

[rienda] → dar rienda suelta (a); riendas

riendas

1 **riendas** s.f.pl.

● CON ADJS. **familiares** || **económicas** · **presupuestarias** · **fiscales** · **monetarias**

● CON VBOS. **coger** · **tomar** · **asumir** *Asumió las riendas de la empresa* · **empuñar** · **llevar** · **tener** · **mantener** || **dirigir** · **manejar** · **conducir** || **ceder** · **entregar** · **soltar** · **perder** || **arrebatar** || **hacerse (con)** || **tirar (de)**

2 **riendas (de)** s.f.pl.

● CON SUSTS. **caballo** || **estado** · **situación** *Se hizo inmediatamente con las riendas de la situación* || **empresa** · **institución** · **poder** || **país**

□ EXPRESIONES **a rienda suelta** [con toda libertad] || **dar rienda suelta** (a algo)* [permitir su manifestación]

[riesgo]

→ a todo riesgo; con riesgo (de); de riesgo; poner en riesgo; riesgo

riesgo

1 **riesgo** s.m.

● CON ADJS. **fuerte** · **grave** *Corría un grave riesgo con la operación, pero todo salió bien* · **gran(de)** · **serio** · **severo** · **mayor** · **considerable** · **incalculable** || **leve** · **pequeño** · **menor** || **acuciante** · **inminente** · **cercano** || **lejano** || **inevitable** · **previsible** · **seguro** · **calculado** · **previsto** || **evidente** · **inequívoco** || **imprevisible** · **latente** || **laboral** · **crediticio** · **fiscal** · **social** · **inflacionista** · **físico** || **expuesto,ta (a)**

● CON SUSTS. **factor (de)** *El prospecto advierte de los factores de riesgo para ese tipo de enfermedades* · **causa (de)** · **consecuencia (de)** · **nivel (de)** || **grupo (de)** · **material (de)** · **zona (de)** || **situación (de)** · **actividad (de)** || **seguro (de)** · **prima (de)**

● CON VBOS. **cernerse** · **gravitar** · **acechar** || **persistir** *Persisten los riesgos de tormenta* || **agravar(se)** · **agudizar(se)** · **aumentar** || **decrecer** · **reducir(se)** · **aminorar** · **amainar** · **difuminar(se)** · **desvanecerse** || **derivar(se)** || **entrañar** · **suponer** · **encerrar** · **comportar** · **ocasionar** · **engendrar** · **acarrear** || **aceptar** · **asumir** *Era consciente de los riesgos y los asumió con entereza* · **afrontar** · **arrostrar** · **encarar** · **correr** · **tomar** || **prevenir** · **evitar** · **eludir** · **esquivar** · **minimizar** · **soslayar** · **sortear** *Supo sortear los riesgos admirablemente* · **vadear** · **orillar** · **ahuyentar** · **conjurar** · **compensar** · **neutralizar** · **superar** || **prever** · **detectar** · **vislumbrar** · **planear** || **evaluar** · **sopesar** · **calibrar** · **calcular** · **medir** · **valorar** || **exponerse (a)** *Debería tener más precaución; se expone a bastantes riesgos* || **desentenderse (de)** · **huir (de)** · **enfrentarse (a)** || **redundar (en)** || **advertir (de)** *Los expertos advirtieron de los riesgos que se corrían si tomaba esa decisión* · **percatarse (de)**

● CON PREPS. **a la vista (de)** *A la vista de los riesgos, respondió negativamente a la oferta* || **a resguardo (de)** || **con** *un paciente con riesgo de infarto* · **sin**

2 **riesgo (de)** s.m.

● CON SUSTS. **accidente** · **incendio** · **caída** *Pondremos una barandilla para reducir el riesgo de caída* · **pérdida** · **robo** · **infarto** · **muerte**

rigidez s.f.

● CON ADJS. **gran(de)** · **excesiva** · **enorme** · **extrema** · **estricta** || **laboral** · **horaria** *La rigidez horaria nos obliga a fichar puntualmente* || **presupuestaria** · **monetaria** · **fiscal** || **estructural** · **burocrática** · **administrativa** · **legal** || **física** · **muscular** || **moral** · **espiritual** · **mental** · **ideológica** · **dogmática**

● CON SUSTS. **grado (de)** · **exceso (de)** · **falta (de)** · **sensación (de)** · **elemento (de)**

● CON VBOS. **aumentar** · **incrementar** · **reducir** · **atenuar** · **aliviar** · **suavizar** || **provocar** · **eliminar** · **evitar** || **perder** · **ganar** || **romper** *romper la rigidez de las normas sociales* || **luchar (contra)**

● CON PREPS. **con** *Nunca trata de imponer con rigidez sus ideas* · **sin**

rígido, da adj.

● CON SUSTS. **palo** · **árbol** · **barra** · **pierna** || **padre** · **madre** · **árbitro,tra** *Nos ha tocado un árbitro rígido que no perdona una* · **jefe,fa** · **juez** · **jurado** · **profesorado** · ***otros individuos y grupos humanos*** || **actitud** · **comportamiento** · **proceder** · **conducta** · **observancia** || **postura** · **posición** · **criterio** *criterios rígidos a la hora de contratar nuevo personal* · **concepto** · **idea** · **ideario** · **pensamiento** · **teoría** · **planteamiento** · **mentalidad** || **dogmatismo** · **convencionalismo** · **formalismo** || **corsé** · **disciplina** · **censura** · **control** · **medida** · **contrato** · **cláusula** · **protocolo** · **directriz** || **norma** · **ley** · **ordenanza** · **mandato** · ***otras disposiciones*** || **plazo** · **horario** *sometido a un rígido horario laboral* || **esquema** · **pauta** · **modelo** · **fórmula** || **sistema** · **régimen** *Era un régimen político muy rígido* · **estructura** · **mecanismo** · **método** · **proceso** · **jerarquía** · **política** · **diplomacia** || **frontera** || **juego** · **mercado** || **educación** *Afortunadamente, tuvo una educación poco rígida*

● CON VBOS. **ser** · **volverse** · **mostrarse** · **estar** · **ponerse** · **quedarse**

rigor s.m.

● CON ADJS. **necesario** *Se hizo necesario el rigor en la aplicación de las normas* · **imprescindible** || **innecesario** · **gratuito** || **absoluto** · **sumo** *Trabaja con sumo rigor* · **máximo** · **extremo** · **escrupuloso** · **exquisito** · **implacable** · **incontestable** · **minucioso** || **escaso** · **mínimo** · **relativo** || **profesional** · **formal** · **analítico** · **cartesiano** · **académico** · **matemático** · **técnico** · **presupuestario** · **fiscal** · **económico** · **jurídico** · **histórico** · **científico** · **intelectual** · **crítico** · **informativo** · **metodológico** · **expresivo** || **desacostumbrado** · **inusitado** || **espartano** · **monacal** || **falto,ta (de)** · **carente (de)**

● CON SUSTS. **falta (de)** · **exceso (de)**

● CON VBOS. **exigir** · **pedir** · **poner (en algo)** || **guardar** · **mostrar** · **extremar** || **aplacar** · **moderar** · **atemperar** || **cuestionar** || **faltar (a)** · **carecer (de)**

● CON PREPS. **con** *El funcionario examinó la documentación con rigor y eficacia* · **sin menoscabo (de/con)**

□ EXPRESIONES **de rigor** [obligado o impuesto por la costumbre] *saludo de rigor; palabras de rigor*

rigurosamente adv.

● CON VBOS. **ceñirse** · **ajustarse** *ajustarse rigurosamente a la ley* · **cumplir** · **respetar** · **aplicar** · **seguir (algo/a alguien)** || **prohibir** · **vetar** · **limitar** || **vigilar** · **controlar** · **examinar** · **inspeccionar** · **observar** · **tratar** · **estudiar** · **analizar** || **documentarse**

● CON ADJS. **falso,sa** *afirmaciones rigurosamente falsas* · **cierto,ta** · **exacto,ta** || **imposible** · **prohibido** || **personal** · **confidencial**

riguroso, sa adj.

▌[severo, duro]

● CON SUSTS. **clima** *un clima riguroso y árido* · **verano** · **calor** · **invierno** || **profesor,-a** · **profesorado** · **padre** · **madre** · **jefe,fa** · **árbitro,tra** · **jurado** · ***otros individuos y grupos humanos*** || **reglamento** · **normativa** · **medida** · **criterio** · **cláusula** · **regla** *La compañía se rige por reglas estrictas y rigurosas* · ***otras disposiciones*** || **cumplimiento** · **acatamiento** · **puntualidad**

● CON VBOS. **volverse** · **hacerse**

▌[exacto, preciso]

● CON SUSTS. **análisis** · **estudio** · **examen** · **investigación** · **observación** · **medición** · **cálculo** · **exploración** · **indagación** || **control** · **inspección** · **seguimiento** *pacientes que requieren un riguroso seguimiento médico* · **revisión** · **vigilancia** || **planteamiento** · **interpretación** · **evaluación** · **postura** · **enfoque** · **tesis** · **visión** · **teoría** · **opinión** || **orden** · **selección** · **elección** · **clasificación** *Se está llevando a cabo una rigurosa clasificación de las especies botánicas de la isla* · **organización** · **distribución** || **conocimiento** · **pensamiento** · **introspección** · **reflexión** ||

trabajo · **labor** · **esfuerzo** · **tarea** || **disciplina** · **método** · **sistema** · **técnica** · **metodología** || **plan** · **proyecto** · **programa** · **estrategia** || **biografía** · **informe** *El delegado presentó un riguroso informe sobre...* · **artículo** · **libro** · **película** · ***otras manifestaciones textuales o artísticas***

rimar v.

• CON SUSTS. **verso** · **estrofa** · **estribillo** || **palabra**

☐ USO Se construye a menudo con complementos encabezados por la preposición *con*: *Este verso no rima con los anteriores.*

rimbombante adj.

• CON SUSTS. **nombre** · **título** *Solo recuerdo que la película tenía un título rimbombante* · **denominación** · **lema** · **eslogan** · **apellido** · **etiqueta** · **nombramiento** || **frase** · **declaración** · **discurso** *Pronunció uno de sus rimbombantes discursos* · **expresión** · **palabra** · **vocablo** · **palabrería** · ***otras manifestaciones verbales*** || **actitud** · **gesto** · **aspecto** · **aire** · **apariencia** || **poema** · **retórica** · **idea** || **institución** · **comité** · **ministerio** · **político,ca** · **personaje** · **cargo** || **ópera** *una forma de ópera rimbombante y pomposa que tiene, no obstante, su público* · **ballet** · **retrato** · **escenario** · **escenografía**

rincón

1 **rincón** s.m.

• CON ADJS. **aislado** · **alejado** · **remoto** · **apartado** · **retirado** · **íntimo** · **interior** · **recóndito** *en un recóndito rincón de su conciencia* · **perdido** · **olvidado** · **ignorado** · **oscuro** · **solitario** · **inaccesible** || **callado** || **hermoso** · **bello** · **encantador** *Llegamos hasta un rincón encantador en el interior de la isla* · **delicioso** · **paradisíaco** · **acogedor** · **pintoresco** · **preferido** || **característico** || **último**

• CON VBOS. **descubrir** · **explorar** · **registrar** *Registraron todos los rincones de la casa* || **recorrer** · **visitar** || **invadir** || **desplazar(se) (a)** · **situar(se) (en)** · **poner(se) (en)** · **recoger(se) (en)** · **recluir(se) (en)** · **perder(se) (en)** · **esconder(se) (en)** || **mandar (a)** || **salir (de)** || **buscar (en/por)**

• CON PREPS. **en** · **desde** *Desde aquel rincón se podían hacer las mejores fotografías* || **hasta** *hasta el último rincón del planeta*

2 **rincón (de)** s.m.

• CON SUSTS. **universo** · **mundo** · **país** *Han acudido personas de todos los rincones del país* · **habitación** · **ciudad** · **casa** · **sala** · **provincia** · **plaza** · **costa** · **playa** · **selva** · **región** · ***otros lugares*** || **alma** · **corazón** · **mente** · **memoria** · **conciencia** || **noche**

ring s.m.

• CON ADJS. **de boxeo** · **de lucha (libre)**

• CON VBOS. **rodear** || **abandonar** || **subir (a)** · **entrar (en)** · **saltar (a)** *Los boxeadores estaban preparados para saltar al ring* || **bajar (de)** · **salir (de)** || **volver (a)** *Tras una breve ausencia, ha decidido volver al ring* · **regresar (a)** || **batirse (en)** · **verse (en)** · **defenderse (en)**

• CON PREPS. **en el centro (de)** · **en medio (de)** · **dentro (de)** · **fuera (de)** · **al borde (de)**

riñón s.m.

• CON SUSTS. **problema (de)** · **infección (de)** *Estuvo ingresada varios días por una infección de riñón* · **cáncer (de)** · **cólico (de)** || **cálculo (de/en)** · **piedra (de/en)** || **dolor (de)** *Sufre constantemente de dolor de riñones* || **trasplante (de)** · **donante (de)** || **enfermo,ma (de)**

• CON VBOS. **operar** · **extirpar** · **trasplantar** || **donar** · **recibir** *Por fin ha recibido el riñón que tanto tiempo llevaba esperando* · **perder** || **afectar (a)**

☐ EXPRESIONES **un riñón** [mucho dinero] *col.*

riñonada s.f. col.

• CON VBOS. **costar** *Este bolso me costó una riñonada* · **gastar**

río s.m.

• CON ADJS. **caudaloso** · **profundo** · **navegable** · **crecido** *El río venía muy crecido después de las lluvias torrenciales* || **seco** || **agitado** · **revuelto** · **turbulento** · **impetuoso** || **calmado** || **serpenteante** · **zigzagueante** || **limpio** · **cristalino** || **contaminado**

• CON SUSTS. **agua (de)** · **piedra (de)** · **paso (de)** || **corriente (de)** · **cauce (de)** · **curso (de)** · **cuenca (de)** || **nacimiento (de)** · **desembocadura (de)** || **orilla (de)** · **margen (de)** *Paseamos entre los álamos y los chopos de las márgenes del río* · **meandro (de)** || **afluente (de)**

• CON VBOS. **nacer (en un lugar)** · **crecer** · **bajar** · **fluir** · **correr** · **discurrir** · **confluir** · **desembocar (en un lugar)** || **llevar agua** · **ir crecido** || **pasar (por un lugar)** · **recorrer (algo)** · **bañar (algo)** · **bordear (algo)** · **serpentear** · **zigzaguear** · **caracolear** || **afluir** · **desbordar(se)** *Varios ríos de la zona se han desbordado* · **remansarse** · **arrasar (algo)** || **remontar** · **vadear** · **cruzar** · **atravesar** || **encauzar** · **desviar** · **canalizar** || **bañar(se) (en)** · **sumergir(se) (en)** · **zambullir(se) (en)** · **pescar (en)**

• CON PREPS. **a orillas (de)** *una mansión situada a orillas del río*

riqueza s.f.

• CON ADJS. **inmensa** · **incalculable** · **cuantiosa** · **desmesurada** · **enorme** · **inconmensurable** · **exuberante** || **preciada** · **valiosa** || **injusta** · **insultante** · **desproporcionada** || **cinematográfica** · **literaria** · **lírica** · **poética** · **musical** · **arquitectónica** *La ciudad cuenta con innumerables riquezas arquitectónicas* · **artística** · **expresiva** · **léxica** · **espiritual** · **moral** || **abundante** · **incontables** · **innumerables**

• CON SUSTS. **creación (de)** · **fuente (de)** · **generación (de)** · **nivel (de)** · **acumulación (de)** · **ostentación (de)** · **reparto (de)** · **distribución (de)** || **afán (de)**

• CON VBOS. **crecer** · **aumentar** · **acrecentar(se)** · **incrementar(se)** *La riqueza de la familia se incrementó considerablemente durante el último año* · **multiplicar(se)** · **disminuir** || **radicar (en algo)** || **tener** · **producir** || **amasar** · **acumular** · **conseguir** · **atesorar** · **acaparar** · **conservar** *...conservando intacta la riqueza del folclore autóctono* · **guardar** · **encerrar** || **esquilmar** · **desperdiciar** · **derrochar** || **recuperar** · **perder** || **ostentar** || **compartir** · **repartir** · **distribuir** || **llenar (de)** · **colmar (de)** || **contar (con)**

risa s.f.

• CON ADJS. **fácil** · **desbordante** *Su risa era desbordante y contagiosa* · **incontenible** · **irreprimible** · **explosiva** · **contagiosa** · **inconfundible** || **franca** · **sincera** · **natural** || **ahogada** · **apagada** · **contenida** || **estentórea** · **estridente** · **estruendosa** · **cantarina** || **nerviosa** · **conejil** · **sardónica** || **falsa** · **aparente** · **forzada** || **despectiva** · **maliciosa**

• CON SUSTS. **ataque (de)** *Le dio un ataque de risa en mitad de la reunión* · **golpe (de)**

• CON VBOS. **entrar(le) (a alguien)** *Le entró la risa y no pudo parar* · **brotar** · **venir(le) (a alguien)** · **desatar(se)** || **ahogar(se)** · **entrecortar(se)** || **dar** *Da risa, por no decir* *pena, comprobar que...* · **producir** · **causar** · **provocar** || **contener** · **aguantar(se)** · **moderar** · **reprimir** · **tragar(se)** || **estallar (en)** · **prorrumpir (en)** · **romper (en)** || **reventar (de)** · **troncharse (de)** · **morirse (de)** · **partirse (de)** *Es tan gracioso que todo el mundo se parte de risa con él* · **retorcerse (de)** · **mearse (de)** · **caerse (de)** · **desternillarse (de)** · **mondarse (de)** || **incitar (a)**

☐ EXPRESIONES **de risa** [ridículo] *He hecho un examen de risa* || **muerto de risa** [sin utilización, inactivo] *col.*

risotada s.f.

● CON ADJS. **grande** · **sonora** · **fuerte** · **tremenda** · **estruendosa** || **larga** · **prolongada** || **general** · **colectiva** || **grosera** · **insolente**

● CON VBOS. **escapárse(le) (a alguien)** || **emitir** · **soltar** *De pronto, una alumna soltó una risotada en medio de la clase* || **dar** · **provocar** · **arrancar** || **motivar** || **oír** || **estallar (en)** *El cómico consiguió que el público estallara en una risotada general*

● CON PREPS. **entre** *Intentaba hacerse oír entre las sonoras risotadas del público*

ristra (de) s.f.

● CON SUSTS. **ajos** · **cebollas** · **chorizos** || **protestas** *...con una ristra de protestas internas que harán difícil cualquier solución consensuada* · **agradecimientos** · **escándalos** || **personajes** *Enumeró una larga ristra de personajes* · **títulos** || **adjetivos** · **insultos** || **datos**

[ristre] → en ristre

ritmo s.m.

● CON ADJS. **fijo** · **regular** *Procure seguir un ritmo regular en el estudio* · **cíclico** · **uniforme** · **sostenido** · **constante** · **continuo** · **incesante** · **ininterrumpido** || **irregular** · **intermitente** · **inconstante** · **interrumpido** || **vivo** *Ese tipo de música es de ritmo muy vivo* · **vivaz** · **dinámico** · **brioso** · **garboso** · **ágil** · **agitado** · **acelerado** · **atropellado** · **electrizante** · **vibrante** · **fogoso** · **frenético** *Necesito un descanso después de estos meses de ritmo frenético* · **desenfrenado** · **ajetreado** · **galopante** · **trepidante** · **alarmante** · **vertiginoso** · **de vértigo** · **de locos** · **enloquecido** · **enloquecedor** *El ritmo de esta ciudad es enloquecedor* · **febril** · **furibundo** · **endiablado** · **endemoniado** · **infernal** · **tremendo** · **tremebundo** · **insostenible** || **ascendente** · **progresivo** || **acompasado** · **melodioso** · **cadencioso** || **desacompasado** · **desangelado** || **pausado** · **reposado** · **sosegado** · **tranquilo** · **cansado** · **cansino** · **parsimonioso** · **monótono** · **repetitivo** || **irresistible** · **pegadizo** *una canción de ritmo pegadizo* · **contagioso** || **suave** · **fuerte** || **respiratorio** · **narrativo** · **musical** || **lleno,na (de)** · **repleto,ta (de)**

● CON SUSTS. **cambio (de)** · **falta (de)** · **ausencia (de)** · **pérdida (de)** · **explosión (de)** · **mezcla (de)**

● CON VBOS. **aminorar** · **decrecer** · **disminuir** · **decaer** · **entrecortar(se)** || **aumentar** · **crecer** · **fluir** || **tener** || **llevar** *¿No sabes llevar el ritmo?* · **marcar** *Me gusta bailar con él porque marca muy bien el ritmo* · **imponer** · **imprimir** · **dictar** · **dar (a algo)** · **aguantar** · **acompasar** · **armonizar** || **seguir** *Me cuesta seguirle el ritmo* · **sostener** · **mantener** || **alterar** · **modificar** · **cambiar** · **variar** || **recobrar** · **retomar** · **acelerar** · **agilizar** · **avivar** · **incrementar** · **intensificar** || **perder** · **parar** · **cortar** · **detener** · **frenar** · **bajar** · **moderar** · **aflojar** · **ralentizar** · **aletargar** || **dejarse llevar (por)** *Cierra los ojos y déjate llevar por el ritmo*

● CON PREPS. **con** · **sin** *un partido sin ritmo* · **a** *andar a buen ritmo* || **al son (de)** · **al compás (de)**

rito s.m.

● CON ADJS. **ancestral** · **antiguo** *Siguiendo un antiguo rito familiar...* · **atávico** · **milenario** · **viejo** · **tradicional** · **primitivo** || **ceremonial** · **solemne** · **litúrgico** || **pagano** · **secular** · **sagrado** · **sacro** || **iniciático** · **propiciatorio** || **funerario** · **religioso** || **simbólico** · **cultural** · **social** · **familiar** || **matrimonial** · **bautismal** · **nupcial** || **anual** · **diario** *Cumplían fielmente con su rito diario de desayunar todos juntos* · **periódico** · **cotidiano** || **macabro** · **dionisíaco** · **orgiástico** · **obsceno**

● CON SUSTS. **conjunto (de)** · **serie (de)** · **sucesión (de)** || **celebración (de)**

● CON VBOS. **abolir** || **celebrar** *Celebraron el rito nupcial en la ermita* · **consumar** · **cumplir** · **practicar** · **realizar** || **recuperar** · **retomar** · **conservar** · **seguir** · **transmitir** · **mantener** || **cumplir (con)** || **convertir (en)** *Habían convertido en un pequeño rito sus paseos por el parque* · **romper (con)**

● CON PREPS. **a través (de)**

rival

1 rival adj.

● CON SUSTS. **equipo** · **delantero,ra** · **político,ca** · **jugador,-a** · **colega** · **compañero,ra** || **área** *No llegó ni una sola vez al área rival* · **arco** · **marco** · **campo** · **portería** · **red**

2 rival s.com.

● CON ADJS. **fuerte** · **poderoso,sa** · **serio,ria** || **de peso** *El equipo tendrá que enfrentarse a un rival de peso en el próximo encuentro* · **difícil** · **temido,da** · **invencible** · **temible** || **débil** · **endeble** · **fácil** · **asequible** · **blando,da** · **flojo,ja** || **acérrimo,ma** · **enconado,da** · **encarnizado,da** || **irreconciliable** || **correoso,sa** || **eterno,na** · **de siempre** || **amoroso,sa** · **sentimental**

● CON VBOS. **tocar(le) (a alguien)** · **corresponder(le) (a alguien)** || **aventajar** *El corredor aventajó a su rival en unos cuantos metros* · **ganar** · **vencer** · **batir** · **derrotar** || **retar** || **doblegar** · **noquear** · **sojuzgar** · **vapulear** · **destruir** · **humillar** · **acorralar** · **avasallar** · **destrozar** · **aplastar** · **apuntillar** · **acogotar** · **amilanar** · **amedrentar** || **infravalorar** || **sufrir (ante)** || **luchar (contra)** *En la última partida de ajedrez luchó contra un rival muy difícil* · **enfrentar(se) (a)** · **poder (con)** || **perder (ante/con)** · **arredrarse (ante)** · **caer (ante)** || **apiadarse (de)**

● CON PREPS. **sin** *una nadadora sin rival*

3 rival (en) s.com.

● CON SUSTS. **lucha** *El equipo aventaja en cinco puntos a su gran rival en la lucha por el título* · **guerra** · **batalla** || **liga** · **campeonato** · **carrera** · **partido** · **juego** || **terreno** · **pista** · **campo** || **urnas** · **campaña** · **elecciones** || **mercado** || **amor**

rivalidad s.f.

● CON ADJS. **fuerte** · **profunda** · **intensa** · **enorme** · **suma** · **máxima** · **acusada** · **tremenda** · **declarada** || **escasa** || **feroz** · **acerada** · **sin tregua** · **exacerbada** · **encendida** · **latente** · **enconada** · **soterrada** || **cainita** · **fraticida** || **larga** · **arraigada** · **ancestral** · **tradicional** *la tradicional rivalidad entre los dos equipos de fútbol de la ciudad* · **eterna** · **de siempre** · **clásica**

● CON SUSTS. **grado (de)** · **clima (de)** · **sentimiento (de)** · **situación (de)** · **cuestión (de)** · **aire (de)**

● CON VBOS. **desatar(se)** · **surgir** · **fraguar(se)** *Se fraguó una cierta rivalidad entre las dos familias que con los años se hizo insoportable* || **sentir** · **mantener** || **provocar** · **generar** · **propiciar** · **azuzar** · **atizar** || **deponer** · **apa-**

ciguar · dirimir · zanjar · superar · dejar de lado · olvidar · aparcar · enterrar · romper · saldar · resolver || acabar (con)
• CON PREPS. **de** *un partido de enorme rivalidad*

rizado, da adj.

• CON SUSTS. **pelo** *Tiene el pelo rizado y los ojos azules* · **cabello** · **cabellera** · **melena** · **vello** · **flequillo** · **pelambrera** · **peluca** || **espuma** · **ola** · **mar** || **lechuga** · **col** · **perejil** || **vellón** || **tejido** · **tela**

rizo s.m.

• CON ADJS. **rubio** · **claro** · **dorado** *Los rizos dorados le caían por los hombros* || **moreno** · **castaño** · **oscuro** || **largo** · **corto** || **apretado** · **flojo** · **abierto** · **elástico** || **rebelde**
• CON VBOS. **caer** · **crecer** || **alisar** · **peinar** · **moldear** || **cortar**
• CON PREPS. **de** *un peluca de rizos rubios*
□ EXPRESIONES **rizar el rizo** [complicar artificialmente] *col.*

robar v.

• CON SUSTS. **cartera** · **coche** · **chaqueta** · ***otros objetos*** || **dinero** · **oro** · ***otras materias*** || **corazón** *Con su risa me ha robado el corazón* || **alegría** · **libertad** · **esperanza** · **futuro** · **sueños** || **idea** *Alguna que otra idea les robó a sus compañeros de trabajo* || **tiempo**
• CON ADVS. **a punta de {navaja/pistola}** *Me contabas que te habían robado a punta de navaja* · **a mano armada** · **a cara descubierta** · **limpiamente** · **con nocturnidad** · **descaradamente** · **impunemente** || **en plena calle** *Me robaron en plena calle todo lo que llevaba* || **a destajo** · **a espuertas** · **reiteradamente**

[roble] → como un roble; roble

roble s.m.

• CON ADJS. **albar** · **carrasqueño** || **fuerte** · **recio**
• CON SUSTS. **tocón (de)** · **bosque (de)** || **barrica (de)** *un vino fermentado en barrica de roble* · **mesa (de)** · **silla (de)** · **puerta (de)** · ***otros muebles***
➤ Véase también **ÁRBOL**
□ EXPRESIONES **estar hecho un roble** [estar fuerte] *col.*

robo s.m.

• CON ADJS. **a cara descubierta** · **a mano armada** · **a punta de {navaja/pistola}** *Sufrí un robo a punta de pistola* || **de guante blanco** || **pequeño** · **de poca monta** || **de grandes proporciones** · **a destajo** || **descarado** · **impune** · **monumental** · **espectacular** || **cómplice (de)** · **culpable (de)** *El juez dictaminó que no el acusado no era culpable del robo*
• CON SUSTS. **ola (de)** *Ha habido últimamente una ola de robos en la zona*
• CON VBOS. **producir(se)** · **tener lugar** || **frustrar(se)** || **tramar** · **maquinar** · **planear** || **cometer** · **perpetrar** *La banda perpetró varios robos durante el último mes* · **consumar** || **descubrir** · **detectar** · **desentrañar** || **denunciar** · **imputar (a alguien)** || **evitar** · **impedir** || **encubrir** · **blanquear** || **castigar** || **acusar (a alguien) (de)** · **inculpar (a alguien) (de)** || **exculpar (a alguien) (de)**

robot s.m.

• CON ADJS. **autónomo** · **interactivo** · **experimental** || **doméstico** · **industrial** || **submarino** · **terrestre** · **lunar** *El robot lunar recogió muestras de rocas* · **explorador** || **humano** || **digital** · **multimedia** · **virtual** || **electrónico** · **mecánico** · **teledirigido** || **descontrolado** · **controlado**
• CON SUSTS. **ejército (de)** · **equipo (de)** · **legión (de)** || **prototipo (de)** || **guerra (de)** · **lucha (de)**
• CON VBOS. **funcionar** · **seguir instrucciones** || **averiar(se)** || **idear** · **diseñar** *Todavía no hemos conseguido diseñar un robot capaz de...* · **crear** || **construir** · **fabricar** · **transformar** || **activar** · **desactivar** || **programar** · **controlar** · **dirigir** · **manipular** · **manejar** · **utilizar** || **dar vida (a)** || **actuar (como)**

robustecer(se) v.

• CON SUSTS. **músculo** · **fibra** · **tejido** · **tallo** · **planta** || **raíz** · **estructura** || **político,ca** · **grupo** · **gobierno** || **actividad** · **proceso** · **desarrollo** · **crecimiento** · **formación** · **integración** || **unidad** · **relación** · **vínculo** *con el objetivo de robustecer el vínculo entre ambas instituciones* · **respaldo** · **amistad** · **compañerismo** · **hermandad** · **acuerdo** · **confianza** || **poder** *Con esta nueva medida, se robustece el poder del presidente de la compañía* · **autoridad** · **popularidad** · **prestigio** · **liderazgo** || **sistema** · **jerarquía** · **base** · **canon** || **equilibrio** · **estabilidad** · **solidez** || **personalidad** · **rasgo** · **carácter** · **identidad** · **talante** · **perfil** · **talla** || **moral** *No bastan las arengas patrióticas para robustecer la moral de las tropas* · **voluntad** · **espíritu** · **ánimo** *para robustecer el ánimo de los atletas en los momentos críticos* || **economía** · **rentabilidad** · **comercio** · **mercado** · **banca** · **consumo** · **finanzas** || **idea** · **corriente** · **patriotismo** · **centralismo** · **aislacionismo** · **nacionalismo**

[roca] → como una roca

rocambolesco, ca adj.

• CON SUSTS. **historia** · **episodio** · **aventura** · **trama** · **peripecia** · **asunto** · **anécdota** · **situación** · **hecho** || **negociación** · **operación** || **viaje** · **fuga** *Tras la serie de peripecias que jalonaron la rocambolesca fuga...* · **huida** || **detención** · **captura** || **jugada** · **lance**

roce s.m.

• CON ADJS. **pequeño** *Por aquella época tuvimos algún pequeño roce* · **leve** · **ligero** · **suave** · **simple** || **áspero** · **incómodo** || **frecuente** · **continuo** *el continuo roce del chasis con la rueda* || **metálico** · **personal** · **institucional** · **internacional** · **político** · **comercial** · **diplomático**
• CON SUSTS. **situación (de)** · **elemento (de)** · **punto (de)** · **factor (de)** · **motivo (de)**
• CON VBOS. **desgastar (algo)** *El roce constante desgasta el cuero* || **tener** · **sentir** || **provocar** · **producir** *Las diferencias en la manera de trabajar produjeron roces entre los compañeros del proyecto* · **originar** · **generar** · **motivar** · **causar** · **levantar** || **evitar** · **suavizar** · **limar** || **dar lugar (a)**

rocío s.m.

• CON ADJS. **fresco** · **matinal** *El suelo estaba húmedo por el rocío matinal* || **cubierto,ta (de)** · **bañado,da (de)** || **cuajado,da (de)**
• CON SUSTS. **gota (de)** · **lluvia (de)** || **frescor (de)** · **humedad (de)** || **brillo (de)** · **luz (de)** · **resplandor (de)**
• CON VBOS. **caer** || **humedecer (algo)** · **mojar (algo)** || **secar(se)** · **evaporar(se)** · **perder(se)** · **condensar(se)** · **formar(se)**

rock

1 **rock** adj.

• CON SUSTS. **música** *Soy aficionada a la música rock* · **era** || **estilo**

2 **rock** s.m.

●CON ADJS. **duro** · **electrónico** · **latino** · **urbano** · **sinfónico** · **metálico** ‖ **alternativo** *En este local actúan muchos grupos de rock alternativo* · **independiente** · **clásico** · **comercial**

●CON SUSTS. **estrella (de)** · **leyenda (de)** · **ídolo (de)** · **mito (de)** ‖ **cantante (de)** · **banda (de)** · **grupo (de)** ‖ **disco (de)** · **tema (de)** ‖ **concierto (de)** · **festival (de)** *El tradicional festival de rock contará este año con la presencia de...* ‖ **revista (de)** · **crítico,ca (de)** ‖ **mundo (de)** · **historia (de)**

●CON VBOS. **sonar** ‖ **hacer** · **cantar** · **tocar** ‖ **oír** · **escuchar**

□EXPRESIONES **rock and roll** [género musical de ritmo fuerte]

rococó

1 **rococó** adj.

●CON SUSTS. **decoración** · **ornamentación** *Destaca la ornamentación rococó del edificio* · **estilo** · **estética** · **motivo** ‖ **sala** · **lámpara** · **salón** · **mueble** ‖ **arte** · **pintura** · **escultura** · **arquitectura** · **música** ‖ **influencia** · **fuente** · **reminiscencia** ‖ **fachada** · **edificio**

2 **rococó** s.m.

●CON ADJS. **pleno** · **tardío** *La fachada pertenece al rococó tardío*

rodaje s.m.

▌[filmación o grabación]

●CON ADJS. **accidentado** · **duro** · **difícil** ‖ **rápido** · **tranquilo** · **agradable** ‖ **caro** · **costoso** · **barato** ‖ **cinematográfico**

●CON SUSTS. **equipo (de)** · **plató (de)** · **lugar (de)** · **período (de)** ‖ **tiempo (de)** · **diario (de)** ‖ **trabajo (de)** ‖ **problema (de/en)**

●CON VBOS. **durar** ‖ **comenzar** · **iniciar** · **empezar** · **reanudar** · **recomenzar** · **retomar** ‖ **terminar** · **acabar** · **finalizar** · **concluir** ‖ **prolongar** *Los problemas técnicos han prolongado el rodaje de la película* · **retrasar** · **aplazar** · **suspender** · **abandonar** ‖ **organizar** · **preparar** · **planificar** ‖ **presenciar** ‖ **estar (de)** · **participar (en)** *Participaron cientos de extras en el rodaje del videoclip* · **asistir (a)**

●CON PREPS. **durante**

▌[período de adaptación]

●CON SUSTS. **falta (de)** ‖ **fase (de)** · **período (de)** · **etapa (de)**

●CON VBOS. **hacer** *hacerle el rodaje a un coche*

●CON PREPS. **en** *El equipo todavía está en rodaje*

rodar v.

▌[moverse]

●CON ADVS. **a tope** *El coche rodó a tope por el circuito* ‖ **a su aire** ‖ **por esos mundos** ‖ **por los suelos** *Tropezó y rodó por los suelos*

▌[filmar]

●CON SUSTS. **película** *El director rodó su última película en Canadá* · **escena** · **anuncio** · **documental** · **serie** · **programa**

●CON ADVS. **a cámara lenta**

[rodear] →rodear; rodear (algo)

rodear v.

●CON SUSTS. **ciudad** · **barrio** · **plaza** *Rodee la plaza y luego tome la calle de la derecha* · **parque** · ***otros lugares*** ‖ **ejército** · **tropa** · **guerrilla** · **asaltantes** · **gente** · ***otros individuos y grupos humanos*** ‖ **casa** · **edificio** *Los agentes rodearon el edificio*

●CON ADVS. **completamente** · **totalmente** · **por los cuatro costados**

rodear (algo) v.

●CON SUSTS. **muralla** · **valla** · **cerca** · **tapia** ‖ **foso** · **cerco** · **anillo** · **halo** *Un halo de misterio rodea todo este asunto* ‖ **corro** *Un corro de gente rodeó al ganador de la carrera* ‖ **gente** · **policía** · **ejército** *El ejército rodeó la ciudad* · ***otros individuos y grupos humanos*** ‖ **circunstancia** *Las circunstancias que rodean al crimen aún no se han esclarecido* · **acontecimiento** · **hecho** ‖ **realidad** · **ambiente** · **entorno** ‖ **misterio** · **incertidumbre**

●CON ADVS. **completamente** · **totalmente**

[rodeo] →rodeo; sin rodeo(s)

rodeo s.m.

▌[recorrido más largo que el recto]

●CON ADJS. **largo** · **gran(de)** · **enorme** · **inacabable** · **interminable** · **infinito** ‖ **tonto** · **absurdo** · **inútil**

●CON VBOS. **dar** *He tenido que dar un enorme rodeo para llegar a tu casa* ‖ **evitar** ‖ **andarse (con)** · **dejarse (de)** *Déjate de rodeos y dímelo claramente* ‖ **perderse (en)**

●CON PREPS. **sin** *Admitió sin rodeos que se había equivocado*

▌[espectáculo]

●CON SUSTS. **aficionado,da (a)** · **campeón,-a (de)** · **jinete (de)** · **especialista (en)** ‖ **espectáculo (de)**

●CON VBOS. **participar (en)**

[rodilla] →de rodillas; rodilla

rodilla s.f.

●CON ADJS. **sana** · **bella** ‖ **dolorida** · **amoratada** *Me di un golpe y tengo la rodilla un poco amoratada* · **maltrecha** · **lesionada** · **hinchada**

●CON SUSTS. **articulación (de)** ‖ **lesión (de)** · **esguince (de)** · **operación (de)** · **problema (de)** · **prótesis (de)** ‖ **dolor (de)**

●CON VBOS. **doler (a alguien)** · **inflamar(se)** *Fui al médico porque la rodilla se me había inflamado* · **hinchar(se)** · **entumecer(se)** ‖ **curar(se)** · **sanar** · **fortalecer(se)** ‖ **lesionar(se)** · **romper(se)** *Se rompió la rodilla esquiando* · **fracturar(se)** ‖ **doblar** · **flexionar** ‖ **apoyar** · **hincar** ‖ **operar** ‖ **recuperar(se) (de)** *¿Te has recuperado ya de la rodilla?*

rodillazo s.m. Véase GOLPE

roer v.

●CON SUSTS. **hueso** · **fruto** · **queso** *El ratón roía el queso* · **pan** ‖ **palo** · **madera** · **ropa** · **cable** ‖ **entrañas** · **corazón** · **núcleo** · **centro**

□EXPRESIONES **duro de roer** [difícil]

rogar v.

●CON ADVS. **insistentemente** · **encarecidamente** *Me rogó encarecidamente que la ayudara* · **con todas {mis/tus/sus...} fuerzas** · **de (todo) corazón** ‖ **atentamente** *Les ruego atentamente que me envíen toda la información* *posible acerca de...* · **respetuosamente** · **humildemente** · **por favor** || **expresamente** || **inútilmente** · **en balde**

rojizo, za adj.

● CON SUSTS. **color** · **marrón** *un abrigo marrón rojizo* · **tono** · **tinte** · **tonalidad** · **mancha** *manchas rojizas en la piel* || **tierra** · **piedra** · **arcilla** · **polvo** · **arena** || **suelo** · **superficie** || **pelo** · **cabello** · **barba** · **piel** || **cielo** · **sol** · **luz** · **resplandor** · **reflejo** · **crepúsculo** · **ocaso** · **atardecer** · **amanecer**

● CON ADVS. **sumamente** · **extraordinariamente** || **totalmente** *El sol acababa de ponerse y el cielo estaba totalmente rojizo* · **enteramente** || **ligeramente** · **parcialmente**

● CON VBOS. **ser** · **estar** · **ponerse** · **volverse** · **quedarse**

[rojo] →al rojo vivo; rojo, ja

rojo, ja

1 **rojo, ja** adj.

● CON SUSTS. **bandera** · **libro** || **carne** · **pimiento** · **té** || **glóbulo**

● CON ADVS. **como un tomate** *Es muy vergonzoso y se puso rojo como un tomate* · **como la grana** · **como un cangrejo**

● CON VBOS. **ser** · **estar** · **poner(se)** · **volver(se)**

2 **rojo** s.m.

● CON ADJS. **profundo** · **carmesí** || **incandescente**

● CON SUSTS. **fuego** *una melena rojo fuego* · **sangre** · **carmín** · **bermellón** · **caoba**

➤ Véase también **COLOR**

☐ EXPRESIONES **al rojo vivo*** [muy caliente] *un hierro al rojo vivo*

rol s.m.

● CON ADJS. **esencial** · **fundamental** · **principal** · **secundario** || **destacado** · **protagonista** · **protagónico** · **estelar** || **dinámico** · **activo** || **delicado** || **familiar** · **político** · **social**

● CON SUSTS. **juego (de)** *jóvenes aficionados a los juegos de rol* · **partida (de)** || **héroe (de)** · **heroína (de)** · **protagonista (de)**

● CON VBOS. **desempeñar** · **jugar** · **cumplir** · **tener** · **interpretar** || **asignar** · **arrogarse** *Se arrogó en el trabajo un rol que no le correspondía* · **adoptar** · **asumir** · **ocupar** || **ceñir(se) (a)** · **adaptar(se) (a)** || **cambiar (de)**

romance s.m.

▌[composición poética]

● CON ADJS. **tradicional** · **popular** · **ancestral** · **medieval** · **moderno** · **antiguo** || **histórico** *la pervivencia de romances históricos en la tradición oral* · **de ciego** · **de pliego** · **novelesco** · **noticioso** · **juglaresco** · **amoroso** · **de guerra** · **fronterizo** · **morisco** || **autógrafo** || **largo** · **corto** · **breve**

● CON VBOS. **rimar** || **componer** · **crear** · **memorizar** · **cantar** · **repetir** · **transmitir** || **escuchar** · **leer** · **oír** || **conocer**

▌[relación amorosa]

● CON ADJS. **apasionado** *Durante el rodaje de la película, los dos actores vivieron un romance apasionado* · **ardiente** · **intenso** · **pasional** || **platónico** · **idílico** · **eterno** · **duradero** || **tormentoso** · **turbulento** || **fulgurante** || **efímero** · **fugaz** · **pasajero** || **clandestino** || **falso**

● CON SUSTS. **historia (de)** || **lugar (de)**

● CON VBOS. **durar** || **tener** · **vivir** || **acabar** · **romper** || **desmentir** *La familia desmintió el romance de la joven modelo con...* || **reconocer** · **anunciar** · **descubrir** · **admitir**

románico, ca

1 **románico, ca** adj.

● CON SUSTS. **arte** · **escultura** · **arquitectura** · **pintura** || **estilo** *El claustro es de estilo románico* · **período** · **época** || **lengua** · **cultura** || **obra** · **conjunto** *Visitamos el conjunto románico de la ciudad* · **templo** · **edificio** · **palacio** · **iglesia** · **claustro** · **monasterio** · **ermita** || **capitel** · **ábside** · **puente** · **pórtico** || **ruina** · **resto** · **patrimonio** || **mural** · **retablo** · **imagen** · **icono** · **fresco** || **influencia** · **fuente** · **origen** · **huella**

2 **románico** s.m.

● CON ADJS. **temprano** · **primitivo** · **pleno** · **tardío** || **sobrio** · **austero** *El pórtico era de un austero románico primitivo* · **sólido**

● CON SUSTS. **joya (de)** · **cultura (de)** || **representante (de)** · **muestra (de)** · **manifestación (de)** · **obra (de)**

romántico, ca adj.

● CON SUSTS. ***persona*** *Antes eras más romántico* || **comedia** *Las comedias románticas son mis preferidas* · **cine** · **película** · **melodrama** · **canción** · **balada** · **literatura** · **novela** · **poesía** · **música** · **ópera** · **pintura** || **época** · **período** · **final** || **historia** · **leyenda** · **aventura** · **amor** · **héroe** · **ídolo** || **velada** · **cena** || **jardín** · **lugar** · **escena** || **ambiente** · **atmósfera** || **visión** *tener una visión romántica de la vida* · **evocación** · **versión** · **carácter** · **idea** · **actitud** · **pasión** · **espíritu** · **respuesta** || **estética** · **estilo** · **autor,-a** · **artista**

● CON VBOS. **ponerse** · **volverse** · **resultar**

romería s.f.

● CON ADJS. **popular** · **tradicional** *La ciudad celebró su tradicional romería en honor de la patrona* · **rociera** · **campestre** · **rural** · **urbana** · **local** || **multitudinaria** || **penitencial**

● CON SUSTS. **aire (de)** || **lugar (de)**

● CON VBOS. **comenzar** · **discurrir** || **llegar** · **terminar** · **finalizar** || **organizar** · **celebrar** || **ir (de/en)** · **acudir (a/en)** *Miles de personas acudieron en romería a la ermita* · **asistir (a)** || **participar (en)** · **peregrinar (en)** · **salir (en)** · **estar (de)** || **sacar (algo) (en)** *A esa hora sacan a la Virgen en romería*

romo, ma adj.

● CON SUSTS. **punta** *tijeras de punta roma* · **tijeras** · **cuchillo** · ***otros objetos punzantes*** || **cornamenta** · **toro** · **asta** · **cuerno** || **nariz** · **facción** || **colina** · **superficie** || **líder** · **personaje** · **político,ca** · ***otros individuos*** || **equipo** *En el partido de ayer vimos a un equipo romo y sin iniciativa* · **combinado** · **conjunto** · **sociedad** · ***otros grupos humanos*** || **discurso** · **mensaje** · **texto** · **versión** || **oposición** · **ataque** · **confrontación** · **campaña**

[romper] →romper (a); romper (con); romper (en); romper(se)

romper (a) v.

● CON VBOS. **llover** · **nevar** || **llorar** *El niño rompió a llorar* · **sudar** || **hablar** · **gritar** · **reír** · **aplaudir** · **tocar** · **cantar** || **hervir**

romper (con) v.

● CON SUSTS. **familia · pareja** *Rompió con su pareja después de varios años* · **persona · empresa ·** ***otros individuos y grupos humanos*** || **relación · amistad · trato · acuerdo · pacto · compromiso** || **limitación · restricción · imposición** || **idea · imagen · esquema** || **sistema · norma · ley · regla · tendencia · tradición · costumbre · tópico · cliché** || **base · cultura** || **historia · pasado** *Necesita romper con su pasado e iniciar una nueva vida* || **dinámica · rutina · monotonía** || **entorno · profesión**

romper (en) v.

● CON SUSTS. **aplauso** *Al finalizar el espectáculo, el público rompió en un largo y sonoro aplauso* · **ovación** || **risas · carcajadas** || **llanto · sollozos · lágrimas** || **estruendo**

romper(se) v.

● CON SUSTS. **palabra · promesa** *Nunca rompe sus promesas* · **pacto · compromiso · negociación · acuerdo** || **lazo · vínculo · conexión · relación**

● CON ADVS. **abruptamente** *Se rompieron abruptamente las negociaciones* · **bruscamente · en seco · gravemente · drásticamente · radicalmente · por completo · de raíz** || **a golpes · a patadas** || **a pedazos · a trozos · en (mil) pedazos · en añicos** *El vaso cayó y se rompió en añicos* || **unilateralmente** || **definitivamente · para siempre**

ron s.m.

● CON ADJS. **añejo · negro · blanco** || **de caña · de quemar**

● CON SUSTS. **gota (de) · cuba libre (de) · cubata (de) · ración (de) · cóctel (de) · mojito (de)** *Cuando salimos le gusta tomarse un mojito de ron* || **fábrica (de) · destilería (de) · productor,-a (de)**

● CON VBOS. **bañar (con) · hervir (con)**

● CON PREPS. **con**

➤ Véase también **BEBIDA**

roncha s.f.

● CON ADJS. **enorme** *La picadura le dejó una enorme roncha en el brazo* · **gran(de) · pequeña** || **roja** || **lleno,na (de)**

● CON VBOS. **salir** *Me han salido ronchas por la cara* · **desaparecer** || **escocer · doler · picar** || **producir · causar · provocar · levantar** || **rascar** || **aliviar · curar**

ronda

1 **ronda** s.f.

▮ [vuelta o ciclo]

● CON ADJS. **calificativa · eliminatoria** *La victoria del último partido nos da el pase a la siguiente ronda eliminatoria* || **primera · próxima · siguiente · anterior · previa · preliminar · última · definitiva · final** || **breve** || **diplomática · negociadora**

● CON VBOS. **iniciar · comenzar** *Ya ha comenzado la ronda de declaraciones* || **preparar · realizar** || **seguir · continuar** || **terminar · finalizar · completar** || **pasar (a) · eliminar (de) · llegar (a) · caer (en)** || **participar (en)**

▮ [conjunto de consumiciones] *col.*

● CON VBOS. **pagar** *Este ronda la pago yo* || **pedir · poner** || **invitar (a)**

2 **ronda (de)** s.f.

● CON SUSTS. **cerveza · vino** || **circunvalación** || **penaltis · calentamiento** || **preguntas** *Se inició una nueva ronda de preguntas y respuestas* · **entrevistas · consultas** || **reuniones · negociaciones** *Mañana comenzará la ronda de negociaciones entre los dos países* · **conversaciones · diálogos · contactos · comparecencias** || **declaraciones · intervenciones** || **votaciones** || **vigilancia · inspección**

☐ EXPRESIONES **hacer la ronda** [hacer un turno de vigilancia recorriendo varios lugares]

[rondar] →rondar; rondar (a alguien)

rondar v.

▮ [dar vueltas alrededor]

● CON SUSTS. **cabeza** *Esta idea me está rondando la cabeza desde hace semanas* · **mente** || **calle · plaza · pueblo · barrio · ciudad ·** ***otros lugares***

▮ [aproximarse a un número o una cantidad]

● CON SUSTS. **cantidad · precio** *El precio de la casa ronda los 50 millones* · **cifra · número** || **inversión · presupuesto · coste · gasto** || **alquiler · venta · compra** || **participación** *La participación en el congreso rondó la media habitual* · **asistencia** || **temperatura** || **edad** || **decena · veintena · cincuentena**

● CON ADVS. **aproximadamente** *Su edad ronda aproximadamente los 60 años*

rondar (a alguien) v.

● CON SUSTS. **muerte · peligro** || **idea · plan · ocurrencia** || **duda · pregunta** *Todavía me rondan algunas preguntas sobre ese asunto* · **sospecha · inquietud · temor**

● CON ADVS. **continuamente · constantemente · permanentemente · ocasionalmente**

[rondón] →de rondón

ronquera s.f.

● CON ADJS. **fuerte** *Me he levantado esta mañana con una fuerte ronquera* · **severa** || **leve · ligera · pequeña** || **crónica · permanente · persistente**

● CON VBOS. **entrar (a alguien)** || **tener · causar · coger** || **curar**

ronronear v.

● CON SUSTS. **gato,ta** || **motor** *En alguna parte ronroneaba el motor de un barco* || **coche · autobús · vehículo**

roña s.f.

● CON ADJS. **lleno,na (de) · cubierto,ta (de)**

● CON SUSTS. **capa (de) · costra (de)**

● CON VBOS. **formar(se)** || **tener · limpiar · lavar · sacar · quitar · eliminar**

roñoso, sa adj.

▮ [avaro]

● CON SUSTS. ***persona*** *un hombre roñoso y egoísta* || **carácter**

● CON VBOS. **ser · volver(se)**

▮ [sucio]

● CON SUSTS. **tubería · clavo ·** ***otros objetos*** || **aspecto · rostro · piel**

● CON VBOS. **estar · poner(se) · quedar(se)** *El picaporte se ha quedado muy roñoso de tanto usarlo*

ropa s.f.

● CON ADJS. **de vestir** *Casi no tengo ropa de vestir y no sé qué ponerme para la fiesta* · **de calle · de batalla · de época · de fantasía · de moda** || **de casa · de cama**

Necesito comprar ropa de cama: algunas sábanas, un edredón... || **veraniega** · **de verano** · **de invierno** || **elegante** · **deportiva** · **alegre** || **apretada** · **ceñida** *Suele llevar ropa muy ceñida* · **holgada** || **ligero,ra (de)** *Tendrás frío, vas muy ligera de ropa*

● CON SUSTS. **talla (de)** *¿Qué talla de ropa usas?*

● CON VBOS. **quedar(le) (a alguien) {bien/mal/grande/pequeño...}** *Adelgacé tanto que me queda grande la ropa* || **apretar(le) (a alguien)** · **ceñir(se)** || **poner(se)** *Siempre te pones ropa muy alegre* · **usar** · **llevar** · **lucir** · **exhibir** · **probar(se)** || **quitar(se)** || **guardar** *Guardaré la ropa de invierno en el maletero* || **airear** || **cambiar(se) (de)** *Para salir a cenar necesito cambiarme de ropa* · **mudar(se) (de)** · **ir (con)**

☐ EXPRESIONES **ropa blanca** [la que tiene un uso doméstico] *El apartamento que alquilé estaba provisto de ropa blanca, como sábanas, toallas, manteles, etc.* || **ropa interior** [la que se pone debajo de la ropa visible]

ROPA

Información útil para el uso de:

abrigo; albornoz; babi; bañador; bata; batín; biquini; blusa; braga; buzo; calcetín; calzón; calzoncillo; camisa; camiseta; camisón; cazadora; chándal; chaqué; chaqueta; delantal; dormilona; esmoquin; falda; gabardina; gorra; gorro; guayabera; impermeable; jersey; maillot; media; mono; pantalón; pareo; peto; quimono; sostén; sudadera; suéter; sujetador; tejanos; torera; traje; uniforme; vaqueros; vestido

● CON ADJS. **pequeño,ña** · **apretado,da** · **ceñido,da** · **estrecho,cha** · **ajustado,da** || **grande** · **holgado,da** · **amplio,plia** · **ancho,cha** || **nuevo,va** · **viejo,ja** · **antiguo,gua** || **sencillo,lla** *una sencilla bata de andar por casa* · **sobrio,bria** · **austero,ra** · **elegante** · **llamativo,va** · **original** · **vistoso,sa** · **espectacular** || **de marca** *un jersey de marca* · **de firma** · **de diseño** || **moderno,na** · **anticuado,da** · **pasado,da de moda** *una blusa pasada de moda* || **cómodo,da** · **confortable** · **incómodo,da** || **limpio,pia** · **impecable** · **apropiado,da** · **adecuado,da** · **perfecto,ta** || **sucio,cia** · **arrugado,da** · **harapiento,ta** · **roído,da** · **gastado,da** · **desgastado,da** · **deshilachado,da**

● CON SUSTS. **talla (de)** · **color (de)**

● CON VBOS. **quedar (a alguien) {ancho/estrecho...}** · **apretar(le) (a alguien)** · **sentar(le) (a alguien) {bien/mal...}** *Ese traje te sienta muy bien* || **rasgar(se)** · **desgarrar(se)** || **poner(se)** · **probar(se)** · **enfundar(se)** *Se enfundó los pantalones y salió* · **quitar(se)** || **llevar (puesto,ta)** *Lleva puesta una camiseta negra* · **usar** · **vestir** · **lucir** · **exhibir** · **estrenar** || **lavar** · **planchar** · **colgar** · **tender** || **manchar(se)** · **estropear(se)** || **vestir(se) (con)** · **cambiar(se) (de)** · **despojar(se) (de)**

● CON PREPS. **en** *Cuando estoy en casa, estoy en bata. Hago deporte en chándal*

[rosa]

→ como una rosa; rosa

rosa

1 **rosa** adj.

● CON SUSTS. **novela** || **prensa** · **revista** · **crónica** *En la crónica rosa de hoy han ofrecido un resumen de la boda* · **actualidad** · **noticia** || **salsa** *langostinos con salsa rosa*

2 **rosa** s.m.

● CON SUSTS. **palo** *unos guantes rosa palo* · **salmón**

➤ Véase también **COLOR**

3 **rosa** s.f.

● CON ADJS. **natural** · **fragante**

● CON SUSTS. **ramo (de)** · **manojo (de)** || **camino (de)** *Hasta ahora, su vida ha sido un camino de rosas* · **lecho (de)** || **perfume (de)** · **olor (de/a)** · **aroma (de)** · **fragancia (de)** || **pétalo (de)** || **agua (de)**

● CON VBOS. **regalar** *Me gusta mucho que me regalen rosas*

☐ EXPRESIONES **como una rosa*** [perfectamente] *col.* || **irse de rositas** [escabullirse] *col. No pienses que te vas a ir de rositas después de lo que has hecho* || **rosa de los vientos** [estrella que indica los rumbos del horizonte]

rosáceo, a adj.

● CON SUSTS. **color** · **tono** · **tonalidad** · **matiz** · **reflejo** || **nube** *Al atardecer, el cielo se cubría de nubes rosáceas* · **cielo** · **luz** · **amanecer** || **piel** *la piel rosácea del bebé* · **mancha** · **pigmentación** · **mejillas** · **labios** || **piedra** · **pared** · **pintura**

● CON VBOS. **ser** · **estar** · **ponerse** · **quedarse** · **volverse**

rosado, da adj.

● CON SUSTS. **color** · **tono** · **tonalidad** · **aspecto** · **matiz** || **piel** *la rosada piel de sus manos* · **cara** · **tez** || **luz** · **nube** · **cielo** · **amanecer** · **atardecer** || **vino** *Con el pescado nos sirvieron un vino rosado* || **mármol** · **granito** · **piedra**

● CON VBOS. **ponerse** · **quedarse** · **volverse**

[rosario]

→ como el rosario de la aurora; rosario

rosario

1 **rosario** s.m.

▮ [práctica religiosa]

● CON SUSTS. **misterio (de)** · **cuenta (de)** *pasar las cuentas del rosario* || **rezo (de)**

● CON VBOS. **rezar**

▮ [objeto religioso]

● CON ADJS. **de plata** · **de nácar** · **de madera** · **de oro** · **de plástico**

● CON SUSTS. **cuentas (de)** *ir pasando las cuentas del rosario*

▮ [sarta, serie]

● CON ADJS. **interminable** · **inacabable**

2 **rosario (de)** s.m.

● CON SUSTS. **incidentes** · **problemas** · **desgracias** || **escándalos** · **huelgas** *En los últimos meses hubo un rosario de huelgas por todo el país* · **atentados** · **muertes** || **críticas** · **acusaciones** · **denuncias** · **quejas** · **descalificaciones** || **anécdotas** || **errores** || **promesas**

☐ EXPRESIONES **como el rosario de la aurora*** [de mala manera]

rosca s.f.

● CON ADJS. **de pan**

● CON SUSTS. **tapón (de)** · **vuelta (de)** · **clavo (de)**

● CON PREPS. **de** *...tras el magistral pase de rosca ejecutado por el lateral*

☐EXPRESIONES **hacer la rosca** (a alguien) [halagarlo para conseguir algo] *col.* || **pasarse de rosca** [ir más allá de lo debido] *col.*

roscón s.m.

●CON ADJS. **de Reyes** *Aquí preparan el mejor roscón de Reyes de toda la ciudad* || **artesanal · tradicional · clásico · típico · casero**
●CON SUSTS. **trozo (de)** *¿Quieres un trozo de roscón?* · **pedazo (de) · ración (de)** || **sorpresa (de)** || **masa (de)**
●CON VBOS. **elaborar · preparar · hacer · decorar** || **comer · tomar** *Como postre, tomamos roscón y café* · **consumir · degustar · probar** || **partir · ofrecer · repartir · servir** || **invitar (a)**

[rosquilla] → como rosquillas; rosquilla

rosquilla s.f.

●CON ADJS. **casera · artesana · tradicional**
●CON VBOS. **comer · probar · desayunar · merendar** || **ofrecer** *Me ofrecieron unas rosquillas caseras imposibles de rechazar* · **pedir · poner** || **atiborrar(se) (de)**

rostro s.m.

▌[cara de una persona]

●CON ADJS. **amable** *Tiene un rostro amable y sereno* · **sereno · radiante · inmaculado · angelical · dulce · bonachón · humano** || **serio · severo** *La miró con rostro de desaprobación* · **adusto · avinagrado · agrio · altivo · displicente · huraño · sombrío · amenazador · pétreo · duro · impenetrable** || **risueño · sonriente · alegre** || **triste · taciturno · compungido · lloroso** || **agraciado · bello · hermoso · fotogénico** || **expresivo · pensativo · ensoñador** || **inexpresivo · hermético · circunspecto · impasible · impertérrito · frío · glacial · apagado** || **sonrosado · lívido · blanquecino · pálido · aceitunado · moreno** || **infantil · joven** || **demacrado · ajado** || **afilado · anguloso · aguileño · narigudo · puntiagudo · acartonado · curtido** *un rostro curtido por el aire del campo* · **enjuto · chupado · flaco · carnoso · alargado · ovalado · redondo** || **conocido · popular · famoso · anónimo** || **auténtico · verdadero** || **masculino · femenino**
●CON SUSTS. **expresión (de) · imagen (de) · sonrisa (de) · rasgo (de) · expresividad (de) · belleza (de) · arruga (de)** || **desfile (de)** *un desfile de rostros conocidos* · **colección (de) · reparto (de) · galería (de) · elenco (de)**
●CON VBOS. **desfigurar(se) · desencajar(se) · descomponer(se) · crispar(se) · demudar(se)** *Se le demudó el rostro al enterarse de la noticia* · **ajar(se) · cuartear(se) · transfigurar(se) · cambiar(se)** || **ensombrecer(se) · nublar(se) · oscurecer(se) · iluminar(se)** || **congestionar(se) · enrojecer(se) · sonrojar(se) · envejecer(se) · arrugar(se) · estropear(se) · deformar(se)** || **reflejar (algo)** *Su rostro reflejaba la intensa emoción que sentía* · **desvelar · delatar · denotar · inspirar** || **borrar(se) · desdibujar(se)** || **contemplar · mirar · ver · observar** || **esconder · cubrir · ocultar · tapar** || **descubrir · desenmascarar · revelar · mostrar · expresar** || **poner(le) (a alguien) · recordar · olvidar** || **esculpir · dibujar · pintar · caricaturizar** || **acicalar(se)** *Se acicaló el rostro con esmero* · **enjugar · perfilar · maquillar · embellecer · adornar** || **dulcificar · endurecer** *El pelo oscuro le endurece el rostro* · **torcer** || **acariciar · refregar** || **llevar (algo) (en)**

▌[cara dura] *col.*

●CON VBOS. **tener** *No te cueles, no tengas rostro* · **echarle (a algo)**

rotación s.f.

●CON ADJS. **terrestre** || **laboral** || **de cultivos** || **constante · continua · permanente · habitual · regular · cíclica** || **ligera · fuerte · pronunciada** || **rápida · acelerada · lenta** || **inevitable** *la inevitable rotación de jugadores* · **intencionada**
●CON SUSTS. **sistema (de) · mecanismo (de) · programa (de)** || **eje (de)** *el eje de rotación de la Tierra* || **velocidad (de) · movimiento (de)** || **principio (de) · teoría (de) · política (de)** || **período (de) · ciclo (de)**
●CON VBOS. **producir(se) · empezar · iniciar** || **hacer · practicar** || **conseguir**

[roto] → caer en saco roto; echar en saco roto; en saco roto

rótulo s.m.

●CON ADJS. **luminoso** *La calle estaba llena de rótulos luminosos brillantes* · **de colores** || **llamativo · original · vistoso** || **genérico** || **informativo · publicitario · callejero** || **anunciador · avisador**
●CON VBOS. **encender(se) · apagar(se)** || **rezar (algo) · anunciar (algo) · avisar (de algo) · advertir (de algo)** || **escribir · leer** || **poner · colocar · colgar** || **figurar (en)**

rotundamente adv.

●CON VBOS. **afirmar · asegurar** *Aseguró rotundamente que asistiría a la reunión, pero ya ves* · **confirmar · reconocer · admitir** || **negar(se) · desmentir · rechazar · declinar · condenar · oponerse · descartar** *El portavoz descartó rotundamente la posibilidad de otro aumento de tarifas* · **desechar · criticar · discrepar · contradecir · desestimar** || **decir · responder · contestar** *Contestó rotundamente que sí* · **declarar · enunciar · exponer · expresar · opinar · formular** || **fracasar · equivocarse · perder** || **triunfar · vencer · ganar** *El partido del Gobierno ganó rotundamente la votación* · **superar · imponerse · dominar · destacarse · distanciarse** || **apoyar · apostar · reforzar · defender · justificar**

☐USO Se usa también como intensificador de diversos adjetivos: *Es rotundamente falso que...*

rotundo, da adj.

●CON SUSTS. **resultado · éxito · victoria · triunfo · derrota · fracaso** *La película ha sido un rotundo fracaso de público* · **suspenso · sentencia · conclusión · decisión · final · elección · consenso** || **no** *Nos contestó con un no rotundo* · **oposición · rechazo · negativa · condena · repulsa · protesta · queja · reproche · repudio · desacuerdo · disconformidad · reivindicación · huelga** || **frase · expresión · palabra · párrafo · calificación · término · definición · lenguaje** *Se expresaba en un lenguaje rotundo y directo* · **nombre · vocablo** || **actitud · postura · carácter · posición · posicionamiento · pensamiento** || **argumento · análisis · diagnóstico** *Lamentablemente, no hubo un diagnóstico claro y rotundo en el momento oportuno* · **explicación · propuesta · tesis · exposición · formulación · discurso · afirmación · respuesta · intervención** || **mensaje · documento · carta · obra · libro · biografía · literatura** || **muestra · ejemplo · prueba · demostración · manifestación** || **expresividad · fuerza · sinceridad · tono · claridad · modernidad · sonoridad · idiotez · carnalidad** || **malestar · seguridad · escepticismo · indignación** *Las imágenes que proporcionó la televisión causaron una rotunda indignación social* · **fobia · sorpresa · ridículo** || **apoyo · defensa · respaldo · compromiso**
●CON VBOS. **hacerse · volverse · mantenerse**

rotura s.f.

• CON ADJS. **inesperada || pequeña || casual · accidental || parcial · completa || fibrilar · muscular || irreparable || propenso,sa (a)** *Es muy propenso a las roturas de tobillo*
• CON VBOS. **producir(se) || sufrir** *La tenista sufre rotura del ligamento cruzado posterior de la rodilla* · **padecer || arreglar · enmendar · coser · remendar · tapar || provocar** *El huracán provocó la rotura de la presa* · **causar || recuperarse (de)**

roturar v.

• CON SUSTS. **tierra · terreno** *roturar el terreno para sembrar* · **monte · parcela · camino · campo**

rozar v.

• CON SUSTS. **éxito · gloria · victoria · felicidad · perfección · milagro · prestigio · récord · medalla** *El equipo rozó la medalla de oro, pero la selección contraria se impuso en los últimos momentos* · **cielo · estrellas || escándalo · corrupción · ilegalidad · delito || derrota · fracaso · descenso · eliminación · miseria · muerte || esperpento · ridículo · caricatura || límite**
• CON ADVS. **brevemente · levemente · ligeramente · de refilón · de soslayo · tangencialmente · de pasada || peligrosamente** *Pasó por la vida rozando peligrosamente los límites establecidos* · **arriesgadamente**

rubeola s.f.

• CON ADJS. **afectado,da (de) · aquejado,da (de)**
• CON SUSTS. **virus (de) · brote (de)** *El brote de rubeola ya se ha controlado* · **epidemia (de) || vacuna (contra) · tratamiento (de) || síntomas (de)** *¿Cuáles son los síntomas de la rubeola?* · **manchas (de) · efecto (de)**
• CON VBOS. **agudizar(se) · acentuar(se) || remitir || erradicar · combatir · atajar || contagiar · transmitir || detectar · diagnosticar || sufrir · pasar · tener || vacunar(se) (contra)** *Vacunaron a los niños contra la rubeola en el centro de salud* **|| curar(se) (de)**

rubí s.m.

• CON SUSTS. **cristal (de) · piedra (de) || anillo (de) · diadema (de)** *El conjunto se completaba con una diadema de rubíes* · **collar (de) · pulsera (de) · pendiente (de) · sortija (de) || color (de) || labios (de)**
• CON VBOS. **brillar || tallar · pulir · engarzar** *engarzar el rubí en el anillo*

rubio, bia adj.

• CON SUSTS. **melena · pelo · cabello · vello · peluca · mechón · barba ||** ***persona*** *Un chico rubio se acercó y nos preguntó la hora* **|| tabaco · cigarrillo || azúcar || madera**
• CON VBOS. **ser · estar · volver(se) · poner(se) · mantener(se) || teñir(se) (de)** *He decidido teñirme el pelo de rubio para cambiar de imagen*
□ EXPRESIONES **rubio platino** [rubio muy claro]

rublo s.m. Véase **MONEDA**

rubor s.m.

• CON ADJS. **leve · suave**
• CON SUSTS. **asomo (de) · falta (de) · pizca (de) · atisbo (de) · sombra (de) · oleada (de) · ápice (de) · ataque (de)**
• CON VBOS. **asomar** *el rubor que asomaba en sus mejillas* · **aparecer || producir** *palabras que producen rubor y vergüenza ajena* · **causar · dar · provocar || tener · mostrar · sentir || esconder · ocultar**
• CON PREPS. **con · sin** *Y me dijo sin rubor que había sido ella*

ruborizarse v.

• CON ADVS. **fácilmente · con facilidad** *Es una persona que se ruboriza con facilidad* · **frecuentemente · difícilmente || inmediatamente · al momento · instantáneamente**

rúbrica s.f.

• CON ADJS. **manuscrita · original · auténtica · falsa || ilegible · ininteligible || final || espectacular** *El gol le puso la rúbrica espectacular a un vibrante partido*
• CON VBOS. **poner · estampar** *Estampó su rúbrica en el documento oficial* · **añadir · dejar || falsear · falsificar || llevar** *El documento lleva la rúbrica de la ministra de...* · **faltar || comprobar · reconocer || recoger || firmar (con)**

rudeza s.f.

• CON ADJS. **extrema · suma || verbal** *Su rudeza verbal le ha causado muchos problemas*
• CON VBOS. **soportar · superar · desafiar · sufrir || mostrar**
• CON PREPS. **con** *comportarse con rudeza* · **sin**

rudimentario, ria adj.

• CON SUSTS. **método · sistema || fabricación · técnica · medios · máquina · mecanismo · dispositivo · motor || herramienta · instrumento · arma || mobiliario || apariencia · aspecto || conocimiento** *conocimientos rudimentarios de la lengua alemana* · **saber · idea · pensamiento**

rudo, da adj.

• CON SUSTS. **combatiente · soldado · dirigente · dictador,-a · persona · hombre · mujer ·** ***otros individuos*** **|| tono · modales · manera** *la manera ruda y zafia en que se dirigió a ella* · **gesto · estilo · aspecto · apariencia · carácter || lenguaje · expresión || trato · método || golpe · ataque || traspiés || deporte · fútbol · juego || ambiente** *un ambiente rudo y sórdido*

[rueda] → rueda; rueda de prensa; sobre ruedas

rueda s.f.

• CON ADJS. **de repuesto · de recambio · de auxilio || delantera · trasera || dentada || lenticular · hidráulica**
• CON SUSTS. **tracción (a/de)** *un vehículo con tracción a las cuatro ruedas* · **neumático (de) · llanta (de) · dibujo (de) · presión (de) · aire (de) || eje (de) · radio (de)**
• CON VBOS. **dar vueltas · girar** *La rueda giraba a toda velocidad* **|| deshinchar(se) · pinchar(se)** *Se me ha pinchado una rueda de la bici* · **estallar · reventar · desgastar(se) || cesar || chirriar || inflar · hinchar || parar · detener · bloquear || cambiar · parchear** *Me parchearon la rueda delantera para poder continuar mi viaje* · **recauchutar · arreglar · reponer · calzar || rajar || meter(se) (en)** *metidos en la rueda del trabajo y la rutina diaria* · **entrar (en)** *Tienes que entrar en la rueda para jugar* · **salir (de)**
□ EXPRESIONES **chupar rueda** [aprovecharse del trabajo que ha hecho otro] *col.* **|| comulgar** (alguien) **como ruedas de molino** [creerse algo inverosímil] *col.* **|| rueda de prensa*** [reunión de periodistas en torno a una persona] **|| sobre ruedas*** [con éxito, conforme a lo previsto] *col.*

rueda de prensa loc.sust.

• CON VBOS. **transcurrir** *La rueda de prensa transcurrió con toda normalidad* || **dar** · **ofrecer** · **conceder** *El actor concedió una rueda de prensa a raíz de los últimos acontecimientos* || **protagonizar** || **presenciar** || **retransmitir** *Hubo varias cadenas televisivas que retransmitieron la rueda de prensa* || **cancelar** · **interrumpir** || **asistir (a)** · **acudir (a)** *Casi todos los medios de comunicación acudieron a la última rueda de prensa del ministro*

ruedo s.m.

• CON ADJS. **taurino** · **político** *Está deseando saltar al ruedo político internacional* · **electoral** || **nacional** · **internacional** || **literario** · **musical** · **escénico** · **deportivo** · **cinematográfico** || **público**
• CON SUSTS. **arena (de)**
• CON VBOS. **pisar** · **cruzar** · **recorrer** · **abandonar** *El torero fue despedido con aplausos al abandonar el ruedo* || **acondicionar** || **salir (a)** · **saltar (a)** · **lanzar(se) (a)** · **tirar(se) (a)** · **echar(se) (a)** · **bajar (a)** || **alejar(se) (de)** · **apartar(se) (de)** · **retirar(se) (de)** || **irrumpir (en)** · **aparecer (en)** || **volver (a)** *El polémico entrenador volverá al ruedo el año que viene* · **regresar (a)** · **mantener(se) (en)** · **permanecer (en)**
• CON PREPS. **en el centro (de)** · **dentro (de)** · **fuera (de)**

ruego s.m.

• CON ADJS. **encarecido** · **apremiante** · **urgente** · **final** || **angustioso** · **desesperado** · **inútil** || **persistente** · **insistente** · **tenaz** || **modesto** · **humilde** · **pequeño**
• CON SUSTS. **turno (de)** || **tono (de)**
• CON VBOS. **hacer** · **presentar** *Le indicaron que debía presentar su ruego por escrito* · **plantear** · **formular** · **dirigir** || **reiterar** · **repetir** || **escuchar** *Solo le pedimos que escuche el ruego de los vecinos* · **oír** || **atender** · **conceder** · **aceptar** || **denegar** · **desatender** *Nunca desatiende los ruegos de los empleados* · **desoír** || **ceder (a)** · **acceder (a)** · **hacer caso (a/de)**

rugir v.

• CON SUSTS. **león,-a** · **tigre** · **oso,sa** · **bestia** · **animal** · **fiera** || **público** · **aficionado,da** · **grada** *La grada rugía contra la decisión del árbitro* || **mar** · **volcán** · **huracán** · **viento** *El viento rugía y la lluvia caía con fuerza* || **tripas** · **entrañas** || **cañón** · **arma** || **motor**
• CON ADVS. **fuertemente** · **desaforadamente**

rugoso, sa adj.

• CON SUSTS. **superficie** · **tronco** · **corteza** *la corteza rugosa de las acacias* · **pared** · **firme** · **suelo** || **piel** · **mano** · **tacto** || **aspecto** · **acabado** · **textura**
• CON VBOS. **ser** · **volver(se)** · **estar** *Su piel estaba áspera, rugosa y fría* · **poner(se)** · **quedar(se)**

ruido s.m.

• CON ADJS. **claro** · **fuerte** · **descomunal** · **atronador** *Un ruido atronador subía desde la calle* · **ensordecedor** · **estrepitoso** · **estruendoso** · **tremendo** || **atroz** · **infernal** *Tuvimos que soportar durante semanas el ruido infernal de las obras* || **molesto** · **inaguantable** · **insoportable** · **insufrible** || **llevadero** · **soportable** · **tolerable** || **seco** · **sordo** · **gutural** · **chirriante** · **estridente** · **fantasmal** || **leve** · **ligero** · **suave** · **tenue** · **débil** · **apagado** · **imperceptible** · **de fondo** · **lejano** · **ahogado** || **agudo** · **grave** || **acompasado** || **mundanal** *huir del mundanal ruido* || **reiterado** · **repetitivo** · **monótono** · **constante** · **interminable** || **inmerso,sa (en)** · **lleno,na (de)**
• CON SUSTS. **nivel (de)** · **exceso (de)** · **problema (de)** · **reducción (de)** · **ausencia (de)** · **medición (de)** · **fuente (de)** · **emisión (de)**
• CON VBOS. **crecer** · **aumentar** · **disminuir** · **reducir(se)** || **proceder (de algo)** · **salir (de algo)** · **llegar (de algo)** *El ruido de la fiesta llegaba hasta aquí* · **surgir (de algo)** · **venir (de algo)** *¿De dónde vendrá ese ruido?* || **armar(se)** *Se armó un ruido tremendo* · **montar(se)** · **estallar** || **retumbar** || **ahogar(se)** · **perder(se)** *Poco a poco se fue perdiendo el ruido* || **producir** · **provocar** · **hacer** · **meter** || **escuchar** · **oír** · **percibir** · **notar** || **soportar** · **sufrir** · **aguantar** · **tolerar** || **amortiguar** · **apagar** · **acallar** || **amplificar** || **acostumbrar(se) (a)**
• CON PREPS. **entre** · **en medio (de)**
□ EXPRESIONES **mucho ruido y pocas nueces** [indica decepción] *col.*

ruidoso, sa adj.

• CON SUSTS. **ambiente** · **ciudad** · **calle** *Vivo en una calle bastante ruidosa* · **avenida** · **barrio** · **zona** · **bar** · ***otros lugares*** || **fiesta** · **celebración** · **protesta** · **manifestación** || **moto** · **vehículo** · **coche** · **tráfico** · **avión** || **motor** · **máquina** · **aparato** || ***persona*** *Sus vecinos de abajo son muy ruidosos*
• CON ADVS. **excesivamente** · **especialmente** || **escasamente**
• CON VBOS. **resultar** · **volverse**

ruina

1 **ruina** s.f.

• CON ADJS. **absoluta** *en la más absoluta ruina* · **total** *Se declaró en ruina total* · **auténtica** · **completa** · **permanente** || **irreparable** · **irrecuperable** || **inminente** || **económica** · **moral** · **física** · **financiera**
• CON SUSTS. **estado (de)** || **amenaza (de)** · **declaración (de)** || **causante (de)**
• CON VBOS. **amenazar** *El negocio amenazaba ruina* || **acarrear** || **causar** · **producir** · **provocar** || **abocar(se) (a)** · **llevar (a)** · **conducir (a)** *Unas malas inversiones lo condujeron a la ruina* · **arrastrar (a)** || **sumir(se) (en)** · **quedar(se) (en)** · **acabar (en)** · **llegar (a)** · **caer (en)** || **declarar(se) (en)** · **estar (en)** || **dejar (en)** || **sacar (de)** · **salvar (de)** · **rescatar (de)** || **salir (de)**
• CON PREPS. **al borde (de)** *Estaba al borde de la ruina* || **en**

2 **ruinas** s.f.pl.

• CON ADJS. **arquitectónicas** · **arqueológicas** || **milenarias** · **antiguas** · **abandonadas** || **atrapado,da (entre)**
• CON SUSTS. **montón (de)** *La antigua ciudad ya no es más que un montón de ruinas* · **montaña (de)**
• CON VBOS. **contemplar** · **visitar** *Tuvimos ocasión de visitar las ruinas arqueológicas de...* · **recorrer** || **excavar** · **descubrir** · **encontrar** || **reconstruir** · **conservar** · **salvar** || **reducir (a)** || **atrapar (entre)** · **sepultar (bajo)** || **construir (sobre)** · **levantar (sobre)**
• CON PREPS. **en** *una casa en ruinas*

[ruinas] s.f.pl. → ruina

ruinoso, sa adj.

• CON SUSTS. **situación** · **aspecto** *La casa presentaba un aspecto verdaderamente ruinoso* · **estado** || **obra** · **edificio** · **casa** || **actuación** · **operación** · **contrato** · **acuerdo** · **trato** · **gestión** || **empresa** · **negocio** *Su error consistió en* *continuar con un negocio ruinoso* || **inversión** *Se metió en una inversión ruinosa* · **préstamo** · **gasto** · **precio** || **salida**

ruleta s.f.

● CON ADJS. **rusa**
● CON SUSTS. **jugador,-a (de)** · **número (de)** · **ficha (de)** · **mesa (de)** · **bola (de)**
● CON VBOS. **girar** · **mover(se)** || **jugar (a)** · **apostar (en/a)** *Ha perdido una fortuna apostando a la ruleta*

rulo s.m.

● CON ADJS. **grueso** · **fino** || **lleno,na (de)** *Salió con la cabeza llena de rulos*
● CON VBOS. **poner(se)** · **quitar(se)** *Me quito los rulos y salgo para tu casa* · **llevar** || **salir (con)**

rumano s.m. Véase **IDIOMA**

[rumbo] → rumbo; sin rumbo

rumbo s.m.

● CON ADJS. **nuevo** *Dio un nuevo rumbo a su vida* || **fijo** · **seguro** · **firme** · **cierto** || **propicio** · **boyante** · **acertado** || **errático** *La política económica del Gobierno sigue un rumbo errático* · **cambiante** · **errante** · **inseguro** · **incierto** || **desconocido** · **peligroso** || **económico** · **comercial** · **financiero**
● CON VBOS. **torcer(se)** *Súbitamente se torció el rumbo de los acontecimientos* · **desviar(se)** || **dar (a algo)** · **imprimir** *Tus palabras imprimieron un rumbo nuevo a la situación* · **marcar** · **trazar** · **definir** · **imponer** || **tomar** · **apuntar** · **enfilar** · **enderezar** · **encarar** · **emprender** · **dirigir** || **seguir** · **llevar** · **mantener** *El capitán mantuvo constante el rumbo* · **proseguir** || **cambiar** · **virar** · **alterar** · **modificar** · **corregir** · **rectificar** · **comprobar** || **errar** · **perder** · **buscar** · **encontrar** || **orientar(se) (en)** || **carecer (de)** *Durante aquella época, tenía la impresión de carecer de rumbo fijo*
● CON PREPS. **sin**

□ EXPRESIONES **(con) rumbo a** [en dirección a] *Zarpó en un carguero rumbo a Argentina* || **poner rumbo** (a algo) [dirigirse a él]

□ USO Se construye frecuentemente con complementos encabezados por la preposición *a*: *Al amanecer partieron rumbo a Barcelona.*

rumiar v.

● CON SUSTS. **vaca** · **toro** · **oveja** · **cabra** · **camello,lla** · ***otros animales*** || **idea** · **proyecto** || **venganza** || **disgusto** · **fracaso**
● CON ADVS. **largamente** · **pacientemente** · **lentamente** · **plácidamente** || **intensamente** || **en silencio**

rumor

1 rumor s.m.

● CON ADJS. **extendido** · **difundido** · **en boca (de alguien)** || **fuerte** · **insistente** · **persistente** · **creciente** · **continuo** · **incesante** || **suave** · **de fondo** · **apagado** · **sordo** || **alarmante** · **preocupante** || **fundado** || **infundado** · **sin confirmar** · **sin fundamento** *No presto atención a rumores sin fundamento* · **falso** || **injurioso**
● CON SUSTS. **ola (de)** · **cúmulo (de)** · **sinfín (de)**
● CON VBOS. **surgir** *Nadie sabe cómo surgió el rumor* · **filtrar(se)** · **desatar(se)** · **desencadenar(se)** · **estallar** || **correr** · **circular** · **flotar (en el aire)** · **cundir** *Los rumores sobre su difícil situación económica cundieron rápidamente* · **difundir(se)** · **extender(se)** · **propagar(se)** · **expandir(se)** · **cobrar fuerza** · **llegar** || **salpicar (a alguien)** || **esclarecer(se)** *Afortunadamente, el falso rumor pudo esclarecerse pronto* || **disipar(se)** · **disolver(se)** · **quedar en nada** || **esparcir** · **alimentar** · **generar** · **publicar** · **dejar caer** *Dejó caer el rumor como quien no quiere la cosa* · **sembrar** · **lanzar** · **propalar** · **atizar** · **avivar** · **reavivar** || **escuchar** || **confirmar** || **callar** · **acallar** · **cortar** · **deshacer** · **desmentir** · **refutar** · **zanjar** || **hacerse eco (de)** *La prensa del corazón se hizo eco inmediatamente de los rumores* || **salir al paso (de)**
● CON PREPS. **al abrigo (de)**

2 rumor (de) s.m.

● CON SUSTS. **ola** *De noche nos llegaba el rumor de las olas* · **brisa** · **viento** · **fuente** · **voz** · **pasos** · **letanía** || **dimisión** · **renuncia** · **destitución** · **crisis** *La famosa modelo salió a la palestra para acallar los rumores de su posible crisis matrimonial* · **devaluación** || **fusión** · **separación** · **ruptura** || **golpe de Estado** · **atentado** · **levantamiento** · **guerra** · **muerte** · **desastre** · **sublevación**

rupia s.f. Véase **MONEDA**

ruptura s.f.

● CON ADJS. **completa** · **total** · **radical** · **definitiva** || **abrupta** · **brusca** *La ruptura entre los dos amigos fue brusca e inesperada* · **drástica** · **inmediata** · **traumática** || **formal** · **espontánea** || **inevitable** · **irreversible** · **anunciada** || **momentánea** || **unilateral** || **sentimental** · **de relaciones** · **matrimonial** · **diplomática**
● CON SUSTS. **riesgo (de)** · **peligro (de)** · **proceso (de)** · **amenaza (de)** · **causa (de)** · **motivo (de)** · **voluntad (de)** · **situación (de)**
● CON VBOS. **producir(se)** · **consumar(se)** || **verse venir** · **avecinarse** || **bordear** || **sentir** · **sufrir** || **afrontar** · **asumir** || **llevar a cabo** · **provocar** *Un malentendido provocó la ruptura de relaciones diplomáticas* · **causar** · **originar** · **pactar** || **evitar** || **anunciar** · **justificar** || **suponer** · **representar** · **significar**
● CON PREPS. **al borde (de)** · **en caso (de)** · **a raíz (de)** · **a pesar (de)** · **como consecuencia (de)**

rural adj.

● CON SUSTS. **zona** · **área** · **núcleo** *En algunos núcleos rurales se conservan tradiciones casi perdidas* · **localidad** · **espacio** · **terreno** · **camino** · **vía** · **sendero** || **mundo** · **medio** · **ambiente** · **ámbito** · **vida** · **sector** || **comunidad** · **sociedad** · **población** *Según el informe, la población rural de la región ha descendido* || **maestro,tra** · **médico,ca** || **turismo** · **casa** *Me voy de vacaciones a una casa rural* · **finca** · **hotel** || **desarrollo** · **agente** · **empleo** || **origen** · **nobleza** · **burguesía** · **aristocracia** || **explotación** · **comercio** · **agricultura** · **ganadería** || **éxodo**
● CON ADVS. **básicamente** · **eminentemente** · **principalmente** || **profundamente** · **escasamente** || **tradicionalmente**

ruso s.m. Véase **IDIOMA**

rústico, ca adj.

● CON SUSTS. **suelo** · **finca** · **terreno** *Algunos de los terrenos rústicos del pueblo serán pronto urbanizables* · **parcela** · **villa** || **técnica** · **mecanismo** · **procedimiento** · **sistema** · **diseño** || **maquinaria** · **instrumento** · **herramienta** *Entre los hallazgos del yacimiento hay algunas herramientas agrícolas todavía muy rústicas* · **aparato** · **arma** || **mueble** · **mobiliario** · **decoración** · **pintura** || **estilo** *una casa de estilo rústico* · **aspecto** · **apariencia** · **am-**

biente · **acento** || **edición** *La obra de esta escritora se popularizó desde la edición rústica de sus obras completas*

□ EXPRESIONES **en rústica** [con una encuadernación ligera y flexible] *un libro encuadernado en rústica*

ruta s.f.

● CON ADJS. **abrupta** · **escarpada** · **impracticable** *unas rutas de montaña impracticables en invierno* · **inaccesible** · **intrincada** · **tortuosa** · **peligrosa** || **serpenteante** · **zigzagueante** || **rectilínea** · **uniforme** · **accesible** · **directa** *Busca rutas directas para importar sus productos* · **corta** · **rápida** || **indirecta** · **larga** · **interminable** || **nacional** · **provincial** · **interna** · **periférica** || **turística** · **comercial**

● CON SUSTS. **libro (de)** · **hoja (de)** · **mapa (de)** · **cuaderno (de)** · **diario (de)** · **manual (de)** || **ciclismo (de)** || **autobús (de)** || **compañero,ra (de)** || **atajo (en)**

● CON VBOS. **congestionar(se)** · **discurrir** || **seguir** *Son investigaciones interesantes, pero siguen una ruta diferente* · **buscar** · **proseguir** · **encontrar** · **descubrir** · **perder** || **elegir** · **señalar** · **cambiar** *El conductor decidió cambiar la ruta habitual en cuanto vio el atasco* || **hacer** · **tomar** || **unir** *...puesto que la ruta que une las dos localidades se encuentra cortada* · **abrir** *abrir nuevas rutas a la exportación* · **cortar** · **cerrar** · **bloquear** || **cubrir** || **corregir** · **desviar** · **alargar** · **modificar** || **dibujar** · **trazar** · **jalonar** · **marcar** || **equivocar(se) (de)**

● CON PREPS. **a lo largo (de)** · **en** *ciclismo en ruta*

rutilante adj.

● CON SUSTS. **estrella** · **astro** || **joya** · **sortija** · **collar** · **pendiente** || **figura** · **celebridad** · **soprano** · **artista** *una gala en la que intervendrán rutilantes artistas* · ***otros individuos*** || **metrópoli** · **restaurante** · **escenario** · ***otros lugares*** || **éxito** · **triunfo** *El equipo estaba eufórico tras el rutilante triunfo del domingo* · **victoria** || **carrera** · **ascenso** · **trayectoria** || **espectáculo** · **acto** · **partido** *un partido intenso, vivo, rutilante, absolutamente espectacular* · **cena** · **ceremonia** · **fiesta** · **homenaje** · ***otros eventos*** || **final** · **etapa** · **época** · **momento** · **noche** · **futuro** *Le han augurado un futuro rutilante en el atletismo mundial* · ***otros momentos o periodos*** || **cuadro** · **dibujo** · **fotografía** · **película** · **retrato** || **atracción** · **brillo** · **belleza** · **fulgor** · **luminosidad**

rutilar v. *poét.*

● CON SUSTS. **estrella** *Las estrellas rutilaban temblorosas en medio de la noche* · **luminaria** · **cielo** · **agua**

● CON ADVS. **intensamente**

rutina s.f.

● CON ADJS. **habitual** · **cotidiana** · **acostumbrada** · **diaria** · **de siempre** · **de cada día** · **inalterable** · **perpetua** · **continua** || **aburrida** · **monótona** · **insoportable** *La rutina del trabajo se hacía insoportable* · **insufrible** · **exasperante** || **pura** · **mera** || **preso,sa (de)** · **atrapado,da (en)** *Me siento atrapada en la rutina diaria* · **encerrado,da (en)** · **aburrido,da (por)** · **harto,ta (de)**

● CON SUSTS. **trámite (de)** || **investigación (de)** · **inspección (de)** || **asunto (de)** · **cuestión (de)** *No se preocupe por el interrogatorio; es una cuestión de simple rutina*

● CON VBOS. **atrapar (a alguien)** || **cansar (a alguien)** · **aburrir (a alguien)** || **seguir** · **continuar** || **afrontar** · **superar** · **vencer** · **acabar** · **abandonar** · **evitar** · **dejar** || **cambiar** · **alterar** || **tener** || **caer (en)** · **perderse (en)** · **ahogarse (en)** || **convertir (en)** || **cansar(se) (de)** *A veces me canso de tanta rutina* || **acostumbrar(se) (a)** · **aferrarse (a)** · **sucumbir (a/ante)** · **entregarse (a)** · **formar parte (de)** || **escapar (de)** *Me gustaría escapar de esta rutina* · **luchar (contra)** · **huir (de)** · **romper (con)** · **salir (de)** || **sacar (de)** || **volver (a)** *Vuelvo a la rutina del trabajo después de unas cortas vacaciones*

● CON PREPS. **a fuerza (de)** · **de** · **por**

rutinario, ria adj.

● CON SUSTS. **costumbre** · **hábito** · **vida** *Lleva una vida muy rutinaria* · **jornada** || **tranquilidad** || **actividad** · **actuación** · **trajín** · **tarea** · **labor** · **ejercicio** · **trabajo** · **misión** · **oficio** · **servicio** · **práctica** · **trámite** *Es solo un trámite rutinario* · **operación** · **procedimiento** · **proceso** · **técnica** || **cambio** || **revisión** *Se sometió a una revisión médica rutinaria* · **examen** · **reconocimiento** · **inspección** · **control** · **mantenimiento** · **chequeo** · **investigación** · **consulta** · **análisis** · **prueba** || **informe** *El gestor hizo un informe rutinario sobre el asunto* · **registro** · **firma** || **paseo** · **recorrido** *Mi recorrido rutinario de todas las mañanas pasa por esta plaza* · **visita** · **encuentro** || **tema** || **excusa** *Dio una excusa rutinaria para justificar su tardanza* || **lectura** · **rezo**

● CON VBOS. **volverse** · **hacerse**

S s

sábado s.m. Véase **DÍA**

sabana s.f.

● CON ADJS. **extensa · enorme · inmensa || africana || deshabitada · seca**
● CON SUSTS. **habitante (de) · poblador,-a (de) · población (de) || fauna (de) · animal (de) · vegetación (de) · paisaje (de) · clima (de) || límites (de)**
● CON VBOS. **extender(se) · abarcar (algo) || recorrer · atravesar** *Los elefantes tardan semanas en atravesar la sabana* **|| habitar || vivir (en)**
● CON PREPS. **en medio (de)** *un hábitat ideal en medio de la sabana*

sábana s.f.

● CON ADJS. **encimera · bajera · ajustable || de algodón · de hilo · sintética**
● CON SUSTS. **juego (de)**
● CON VBOS. **cambiar · lavar · planchar || quitar · poner || estirar · desplegar · desdoblar || doblar** *Dobló las sábanas y las guardó en el armario* · **plegar || airear · tender · ventilar || meter(se) (entre) · envolver(se) (en) · cubrir(se) (con)**
● CON ADVS. **bajo** *Permanecía inmóvil bajo las sábanas*

☐ EXPRESIONES **pegársele** (a alguien) **las sábanas** [quedarse durmiendo] *col.*

sabático, ca adj.

● CON SUSTS. **día · mes · año · curso** *Hemos disfrutado de un curso sabático inolvidable* · ***otros períodos*** **|| descanso**

saber

1 **saber** s.m.

▮ [conocimiento]

● CON ADJS. **ancestral** *El curandero transmitía a su aprendiz su saber ancestral* · **antiguo · tradicional || hondo · profundo · vasto · prodigioso · desbordante · inagotable || farragoso · abrumador · inaccesible || impagable**
● CON VBOS. **brotar (de algo) || cultivar · prodigar || invertir** *...años de trabajo en un pequeño laboratorio, en los que invirtió toda su experiencia y su saber* **|| hacer gala (de)**

2 **saber** v.

▮ [conocer]

● CON ADVS. **en profundidad · a fondo · minuciosamente · detalladamente · con detalle · al detalle** *Sabía todas las características del producto al detalle* · **en detalle · punto por punto · al milímetro · de cabo a rabo · con pelos y señales · al dedillo · de pe a pa · ce por be || perfectamente · de sobra · sobradamente || a ciencia cierta** *Sabemos a ciencia cierta quién lo hizo* · **con certeza · con seguridad · fehacientemente || de memoria · de carrerilla · de corrido · al pie de la letra** *Se sabe la lección al pie de la letra* **|| de primera mano · de buena tinta || de oídas** *Sé lo que pasó solo de oídas* · **de oído || en líneas generales** *Yo sé el argumento en líneas generales* · **por encima · a grandes rasgos · a medias · a duras penas · vagamente · con alfileres** *El tema cuatro me lo sé con alfileres* **|| de antemano**

☐ USO También se combina con locuciones pronominales del tipo *ni (una) palabra, ni jota*: *Cuando llegó, no sabía ni jota de nuestro idioma.*

▮ [tener sabor]

● CON ADVS. **fatal** *Esta comida sabe fatal* · **terriblemente · a demonios · a rayos**

☐ EXPRESIONES **saber a poco** [ser insuficiente] *col.* **|| saber lo que es bueno** [recibir un castigo] *col.*

sabiduría s.f.

● CON ADJS. **profunda · vasta · inmensa · desbordante || ancestral · proverbial · tradicional · popular** *El refranero es un ejemplo de sabiduría popular* **|| divina || lleno,na (de) · rebosante (de)**
● CON SUSTS. **muestra (de) · pozo (de)** *Su abuela es un pozo de sabiduría* · **fuente (de) · compendio (de) · lección (de) · ejemplo (de) · prueba (de) · señal (de) || don (de) · virtud (de)**
● CON VBOS. **adquirir · atesorar** *Fue atesorando experiencia y sabiduría a lo largo de los años* · **acumular · encerrar** *Son máximas breves que encierran no poca sabiduría* **|| manifestar · demostrar || desplegar · derrochar · rezumar · destilar** *Sus palabras destilan sabiduría y sentido común* · **derramar · impartir || acreditar || dar · compartir || tener**
● CON PREPS. **con** *Dirigió el juego de su equipo con sabiduría y acierto*

[sabiendas] → a sabiendas

sabio, bia

1 **sabio, bia** adj.

● CON SUSTS. **maestro,tra · investigador,-a ·** ***otros individuos*** **|| lenguaje · palabra** *Sus memorias contienen hondas reflexiones y palabras muy sabias* · **respuesta · contestación ·** ***otras manifestaciones verbales*** **|| proverbio · refrán · sentencia · axioma || pensamiento** *un libro lleno de sabios pensamientos* · **reflexión · juicio · idea · planteamiento · mirada · escepticismo || capacidad · instinto || equilibrio · sencillez · flexibilidad || decisión** *Creo que has tomado una sabia decisión* · **disposición · dicta-**

men · elección · solución · propuesta || camino · sendero · senda || advertencia · recomendación · consejo · lección · enseñanza || uso · utilización *una sabia utilización de los recursos disponibles* · empleo · tratamiento || ordenación · combinación · conjunción · mezcla · dosificación || contenido · ingrediente || tradición · experiencia · veteranía || fama (de)

2 **sabio, bia** s.

● CON ADJS. **gran · excepcional · indiscutible · preeminente · ilustre · insigne** *Hemos escuchado a un sabio insigne* · **eminente · ínclito,ta · venerable || célebre · destacado,da · afamado,da · prestigioso,sa · reputado,da · laureado,da · respetado,da || auténtico,ca · verdadero,ra** *Este profesor es un verdadero sabio* || **de pacotilla || ilustrado,da · docto,ta · humanista || antiguo,gua · viejo,ja**

● CON SUSTS. **equipo (de) · comité (de) · grupo (de) · consejo (de) · comisión (de) || palabra (de)**

● CON VBOS. **hacer(se) · llegar a ser || convertir(se) (en)**

sabiondo, da adj. *col.*

● CON SUSTS. **autor,-a · crítico,ca · niño,ña** · ***otros individuos***

● CON VBOS. **creer(se) || pecar (de)** *Cada vez que interviene peca de sabiondo* · **tachar (de) · presumir (de)**

sablazo s.m. *col.*

I [petición de dinero]

● CON VBOS. **dar · pegar** *Ayer nos pegaron un buen sablazo en el restaurante donde cenamos* · **propinar || sufrir || recuperarse (de)**

sable s.m.

● CON SUSTS. **torneo (de) · prueba (de) || hoja (de) · filo (de) · punta (de) || empuñadura (de)**

● CON VBOS. **blandir** *Los guerreros blandían sus sables* · **esgrimir · lucir · manejar || enfundar · envainar · desenvainar || ceñir(se)**

sabor s.m.

● CON ADJS. **buen(o) · agradable · delicioso** *El pastel tenía un sabor delicioso* · **exquisito · delicado · rico · suave || mal(o) · desagradable · pésimo · repulsivo · putrefacto · asqueroso · vomitivo || ácido · amargo · agrio · agridulce · rancio · dulce · salado · empalagoso || insulso · inapreciable || intenso · fuerte · perceptible || antiguo · medieval · clásico · tradicional** *los sabores tradicionales de nuestra cocina* · **casero · familiar || exótico · extravagante · nuevo · original || raro · extraño · peculiar || propio · particular || de boca** *La comida me dejó muy buen sabor de boca*

● CON SUSTS. **combinación (de) · mezcla (de)** *mezcla de sabores dulces y salados* · **contraste (de) · variedad (de) · sinfonía (de)**

● CON VBOS. **impregnar (algo) || diluir(se) · perdurar || dejar (a alguien)** *Deja un intenso sabor a fresa* · **quedar (a alguien) || percibir · notar · captar · detectar · apreciar · paladear · disfrutar || conservar · guardar · mantener || perder || recordar · rememorar · revivir || mezclar · combinar**

● CON PREPS. **con** *un empate con sabor a triunfo* · **sin**

☐ USO Se usa a menudo con la preposición *a*: *sabor a naranja.*

saborear v.

● CON SUSTS. **carne** *En la cena saboreamos una carne estupenda* · **caramelo · pescado · vino** · ***otros alimentos o bebidas*** || **cigarrillo · puro || libro · disco · artículo · concierto · película** *Es una película que hay que saborear tranquilamente* · ***otras creaciones*** || **palabra · verso · escena · pasaje · prosa || literatura · música · cine · arte || miel · dulzura** *Empezaba a saborear la dulzura del éxito* · **fruto || gusto · sabor · amargura || éxito · triunfo · victoria · gloria · título · resultado · fama · positivo · clasificación · gol || derrota · fracaso || venganza · revancha || vida · instante** *Intento saborear cada instante de la vida* · **tiempo · rato · año · tarde** · ***otros momentos o períodos*** || **placer · disfrute · delicia · alegría · felicidad · emoción || libertad** *...hasta que pudo finalmente saborear su bien ganada libertad* · **paz · tranquilidad · normalidad · calma · descanso || belleza · encanto · exquisitez · suntuosidad**

● CON ADVS. **detenidamente · tranquilamente** *saborear tranquilamente un café* · **largamente || con delectación · con deleite · con gusto · con fruición · con parsimonia || al máximo · perfectamente || anticipadamente**

sabotear v.

● CON SUSTS. **proceso** *Los milicianos trataron de sabotear el proceso de paz* · **acuerdo · negociación · tratado · diálogo || elección · comicios · referéndum · jornada electoral · campaña electoral || convocatoria · sesión · reunión · ceremonia · celebración** · ***otros eventos*** || **visita** *La oposición ha saboteado la visita oficial de...* · **viaje || institución · economía · política || esfuerzo · acción · plan · misión** *Un infiltrado trató de sabotear la misión* · **prueba · proyecto || servicio · instalación** *Los ladrones sabotearon la instalación eléctrica del edificio, que quedó a oscuras* || **investigación · operación**

● CON ADVS. **sistemáticamente · por todos los medios · a toda costa || con malas artes · solapadamente || descaradamente**

sabroso, sa adj.

● CON SUSTS. **comida · plato** *El plato típico de esta región es picante y muy sabroso* · **alimento · manjar · fruto · carne · dulce · condimento || anécdota** *Cuéntanos alguna anécdota sabrosa de tus viajes* · **diálogo · comentario · apostilla · texto · conclusión || idea || trabajo || vocabulario**

● CON VBOS. **ser · estar · quedar**

[sacar] →sacar; sacar (a); sacar a flote; sacar a la luz; sacar a relucir; sacar (de)

sacar v.

● CON SUSTS. **billete · entrada || tema · conversación || diente · muela · espina · ojo || beneficio · provecho** *Trata de sacar provecho de todo lo que hace* · **ventaja** *Me has sacado ventaja en el juego* · **dinero · partido || conclusión · resultado · consecuencia · moraleja · moralidad · parecido** *Por más que miro sus caras, no logro sacar el parecido* || **tiempo** *Tengo que sacar tiempo de donde sea para acabar el trabajo* || **nota · puntuación · punto**

● CON ADJS. **sano y salvo · ileso · intacto · indemne**

● CON ADVS. **contra viento y marea · a trancas y barrancas** *Sacó el curso a trancas y barrancas* · **a derechas || adelante** *sacar adelante un proyecto* || **a empujones · a golpes · a patadas · contra {mi/tu/su...} voluntad || a hombros** *Sacaron al torero a hombros por la puerta grande* · **en volandas · en triunfo || de cuajo · de raíz · de golpe || de {mis/tus/sus...} casillas · de quicio**

sacar (a) v.

• CON SUSTS. **calle** || **luz** · **opinión pública** || **mercado** · **subasta** *Sacaron a subasta algunos objetos personales del pintor* · **venta** · **bolsa** · **cotización** · **concurso** || **escena** *La compañía sacará a escena una obra cómica* · **antena**

sacar a flote loc.vbal.

• CON SUSTS. **barco** · **embarcación** || **país** · **empresa** *En la reunión se pidió el esfuerzo de todos para sacar a flote la empresa* · **equipo** · **grupo** · **economía** · **mercado** || **historia** · **verdad** · **secreto** · **asunto** || **proceso** · **proyecto** · **negocio** · **negociación** · **situación** || **creatividad** · **experiencia** · **valor** · **autoestima** · **instinto** *Cuando el joven delantero sacó a flote su instinto goleador* · **orgullo** || **sentimiento** · **deseo** · **temor** · **sensación**

sacar a la luz loc.vbal.

• CON SUSTS. **libro** · **obra** *Los organizadores de la exposición han sacado a la luz obras inéditas de la escultora* · **texto** · **volumen** · **título** · **edición** · **película** · **entrega** · **guía** || **dato** · **información** · **resultado** · **hallazgo** *El equipo arqueológico ha sacado a la luz nuevos hallazgos* · **yacimiento** · **verdad** · **historia** · **realidad** || **corrupción** · **fraude** · **trapos sucios** · **descontento** · **peligro** || **asunto** · **caso** || **informe** *El nuevo tesorero sacó a la luz un informe sobre las cuentas de la asociación de los últimos veinte años* · **documento** || **aspecto** · **faceta** || **sentimiento** · **opinión** · **pensamiento**

sacar a relucir loc.vbal.

• CON SUSTS. **genio** · **clase** · **oficio** · **casta** *El equipo sacó a relucir finalmente su casta* · **carácter** · **personalidad** · **coraje** · **garra** · **técnica** · **talante** · **talento** · **orgullo** · **cualidad** · **energía** · **valía** · **valor** || **trapos sucios** · **secreto** · **escándalo** · **fantasma** · **corrupción** || **caso** · **cuestión** · **asunto** *En la junta de vecinos sacaron a relucir el asunto de la fachada* · **tema** · **dato** || **deficiencia** · **error** · **defecto** · **miedo**

sacar (de) v.

• CON SUSTS. **cajón** · **agujero** · **fondo** || **memoria** · **alma** · **corazón** · **mente** · **cabeza** || **crisis** · **apuro** *un ingreso extra para sacarnos de algún apuro* · **problema** · **atolladero** · **aprieto** || **miseria** · **postración** · **marginación** || **duda** *Las fotos del detective lo sacaron de dudas* · **incertidumbre** · **indecisión** · **desconcierto**

sacerdotal adj.

• CON SUSTS. **ordenación** · **celibato** · **jubileo** || **vocación** · **estudios** · **condición** · **llamada** · **formación** || **vida** · **ministerio** *Inició su ministerio sacerdotal en la parroquia del barrio* · **función** · **ejercicio** · **tarea** · **entrega** · **misión** || **casta** · **orden** · **grupo** || **alma** · **corazón** · **espíritu** || **seminario** · **residencia** · **casa** · **vivienda**

sacerdote, sacerdotisa

1 **sacerdote, sacerdotisa** s.

▮ [persona que celebra ritos en honor de una deidad]

• CON ADJS. **gran** · **sumo,ma** *la suma sacerdotisa del templo*

2 **sacerdote** s.m.

▮ [persona que consagra su vida a Dios]

• CON ADJS. **joven** · **nuevo** · **anciano** · **experimentado** || **católico** · **ortodoxo** · **diocesano** · **misionero** · **secular** || **religioso** · **salesiano** · **franciscano** · **marianista** · **jesuita**
• CON SUSTS. **vocación (de)**
• CON VBOS. **rezar** · **{decir/celebrar} misa** *Celebró la misa un sacerdote amigo de la familia* · **bautizar (a alguien)** · **casar (a alguien)** · **dar la comunión (a alguien)** · **dar la extremaunción (a alguien)** || **bendecir (a alguien)** · **confesar (a alguien)** · **absolver (a alguien)** || **ordenar** *No volví a verlo hasta que lo ordenaron sacerdote* · **hacerse** || **beatificar** · **canonizar**

saciar v.

• CON SUSTS. **hambre** · **sed** *Bebió hasta saciar su sed* · **apetito** · **necesidad** || **voluntad** · **aspiración** · **deseo** · **pretensión** · **apetencia** · **ansia** · **ambición** · **gana** || **curiosidad** *Nada parecía saciar su curiosidad* · **inquietud** · **interés** || **vanidad** · **orgullo** · **egoísmo** || **exigencia** · **demanda**

[saciedad] → hasta la saciedad

[saco] → caer en saco roto; echar en saco roto; en saco roto; saco

saco s.m.

• CON ADJS. **lleno** · **cargado** · **repleto** *un saco repleto de patatas* || **vacío** · **sin fondo** *el dinero público cae en un saco sin fondo* || **de boxeo** · **de dormir** · **de noche** · **terrero** || **de arpillera**
• CON SUSTS. **fondo (de)** || **tela (de)** *un disfraz hecho con tela de saco* · **tejido (de)** || **carrera (de)** *participar en una carrera de sacos*
• CON VBOS. **contener (algo)** *¿Qué contienen estos sacos?* · **llevar (algo)** || **pesar** *Este saco pesa una tonelada* || **abrir** · **cerrar** · **atar** || **llenar** · **vaciar** || **portar** · **cargar** · **transportar** *El mozo transportaba un saco tras otro* · **acarrear** · **amontonar** · **arrastrar** || **almacenar** · **exportar** · **importar** || **introducir (en)** · **meter (en)** · **sacar (de)**
• CON PREPS. **dentro (de)** · **en el interior (de)** · **en el fondo (de)**

☐ EXPRESIONES **{echar/caer} en saco roto** (algo)* [olvidarlo] *col.* || **{entrar/ir} a saco** [actuar sin contemplaciones] *col.* || **meter en el mismo saco** [considerar de la misma naturaleza] *col.*

sacrificar v.

• CON SUSTS. **res** · **vaca** · **toro** · **caballo** *El veterinario tuvo que sacrificar al caballo* · **yegua** · **perro,rra** · ***otros animales*** || **seguridad** · **bienestar** · **vacaciones** *Sacrifiqué mis vacaciones para sacar el trabajo* || **carrera** · **vida** || **oportunidad**

sacrificio s.m.

• CON ADJS. **gran(de)** · **enorme** *un puesto que alcanzó con enorme sacrificio* · **tremendo** · **colosal** · **gigantesco** · **considerable** · **monumental** · **descomunal** · **sobrehumano** · **titánico** || **duro** · **penoso** · **abnegado** · **esforzado** · **voluntario** · **costoso** || **heroico** · **ejemplar** || **pequeño** · **insignificante** || **inútil** *No piense que fue un sacrificio inútil* · **estéril** · **infructuoso** · **vano** · **necesario** || **injusto** · **cruel** || **personal** · **colectivo** · **social** || **humano** *Ofrecían sacrificios humanos a un ídolo*
• CON SUSTS. **espíritu (de)** *Tiene un envidiable espíritu de sacrificio* · **capacidad (de)**
• CON VBOS. **hacer** *Sus padres han hecho muchos sacrificios por él* · **realizar** · **consumar** · **ofrecer** · **soportar** · **afrontar** || **suponer** · **comportar** · **implicar** · **conllevar** · **requerir** *Llegar a ser un gimnasta de élite requiere mucho sacrificio* · **pedir** · **exigir** || **ahorrar** · **regatear** · **eludir** · **compensar** || **vivir (con)**
• CON PREPS. **a fuerza (de)** · **con** · **a base (de)**

sacro, cra

1 **sacro, cra** adj.

▮ [de la divinidad]

● CON SUSTS. **arte** · **obra** · **creación** · **tema** · **pieza** · **cantata** *El organista tocó una famosa cantata sacra* · **composición** · **drama** · **relato** · **texto** · **verso** · **romancero** · **romance** · **oratoria** || **concierto** · **espectáculo** · **canto** · **canción** · **música** · **escena** · **polifonía** || **lugar** · **recinto** · **templo** · **ciudad** · **monumento** || **cuadro** · **retablo** · **mural** *Lo más característico de la catedral es su mural sacro* || **elemento** · **materia** · **símbolo** · **lengua** · **cultura** · **tradición** || **procesión** · **misa** · **vestimenta** || **personaje** · **historia**

2 **sacro** s.m.

▮ [hueso]

● CON SUSTS. **fisura (de)** · **lesión (en)** · **rotura (de)**

● CON VBOS. **fracturar(se)** *Se fracturó el sacro en una caída tonta*

sacudida s.f.

● CON ADJS. **fuerte** · **intensa** · **violenta** · **virulenta** || **brusca** *Hubo una brusca sacudida de tierra* · **repentina** || **ligera** · **pequeña** · **imperceptible** || **interior** · **espiritual** · **moral** || **sísmica** · **eléctrica** · **de corriente**

● CON SUSTS. **epicentro (de)** || **efecto (de)** · **consecuencia (de)** · **causa (de)**

● CON VBOS. **venir** || **dar** || **sentir** · **notar** · **recibir** · **sufrir** || **provocar** · **causar** · **originar** || **salvar(se) (de)**

[sacudir] → sacudir; sacudir(se)

sacudir v.

● CON SUSTS. **bofetada** · **puntapié** *Se le acercó y le sacudió un puntapié* · **patada** · ***otros golpes*** || ***persona***

● CON ADVS. **con ganas** · **brutalmente** · **con fuerza** · **con violencia** · **violentamente** || **de lo lindo**

sacudir(se) v.

● CON SUSTS. **polvo** *Antes de entrar en casa, se sacudió el polvo del camino y se quitó el sombrero* · **suciedad** · **barro** · **pelo** || **problema** · **muerto** · **lastre** · **losa** || **mala suerte** · **mala estrella** · **mala racha** || **modorra** · **pereza** *Después de comer me cuesta mucho sacudirme la pereza* · **aburrimiento** · **apatía** · **abulia** · **muermo** · **inercia** · **agarrotamiento** · **tedio** · **sopor** || **pesimismo** · **pena** · **melancolía** · **tristeza** · **depresión** || **ansiedad** · **nerviosismo** · **escalofrío** · **estupor** · **tensión** · **temor** · **miedo** · **irritabilidad** || **trauma** · **complejo** *...un equipo que no logra sacudirse el complejo de inferioridad* · **culpa** · **vergüenza** || **presión** · **yugo** · **dominio** · **asedio** · **influencia** || **duda** · **enrevesamiento** · **prejuicio** *¿Podrá tu familia sacudirse estos prejuicios tan arraigados?* · **recelo** · **tergiversación** · **mentira** · **sombra** || **fantasma** · **huella** · **secuela** · **recuerdo** || **obligación** · **responsabilidad** || **etiqueta** · **sambenito** · **imagen** *No le resultaba fácil sacudirse la imagen de actor cómico y poco comprometido*

● CON ADVS. **profundamente** · **de arriba abajo**

sádico, ca adj.

● CON SUSTS. ***persona*** *Era un criminal sádico* || **personalidad** · **carácter** · **comportamiento** *Fue acusado de mantener un comportamiento sádico con los animales* · **instinto** · **tendencia** || **crimen** · **venganza** · **violencia** · **ataque** · **acto** || **personaje** · **escena** *un cómic plagado de escenas sádicas* · **espectáculo** · **película** || **mirada** · **relación** · **placer** || **fantasía** · **intención** · **idea** · **pensamiento** · **plan**

● CON VBOS. **volverse**

saeta s.f.

▮ [flecha]

● CON ADJS. **afilada** · **roma** || **venenosa** *Nada podía acabar con el héroe, excepto una saeta venenosa* · **ponzoñosa**

● CON VBOS. **traspasar (algo)** *La saeta le traspasó la mano* || **lanzar** · **disparar** · **arrojar** || **clavar** *Apuntó a la diana y clavó la saeta certeramente en el centro*

▮ [cante flamenco]

● CON ADJS. **andaluza** || **desgarradora** · **triste** · **honda** · **limpia** · **profunda** || **conocida** · **nueva**

● CON VBOS. **cantar** · **componer** · **escuchar** *El paso se detuvo un momento para escuchar la saeta* || **improvisar** · **ensayar**

sagacidad s.f.

● CON ADJS. **enorme** · **tremenda** *La inspectora hizo alarde de una tremenda sagacidad* · **gran(de)** · **extraordinaria** · **proverbial** || **política** · **policial** · **narrativa** · **periodística** *Gracias a su sagacidad periodística se ha descubierto toda la verdad* · **psicológica** · **detectivesca**

● CON VBOS. **demostrar** *Con su observación ha demostrado una sagacidad sorprendente* · **mostrar** · **aplicar**

● CON PREPS. **con**

sagrado, da adj.

● CON SUSTS. **templo** · **montaña** · **río** · **recinto** · **territorio** · **ciudad** *la ciudad sagrada de los incas* · ***otros lugares*** || **texto** · **libro** · **escritura** · **historia** · **letras** || **ritual** · **comunión** · **misa** · **ley** · **mandamiento** · **sacramento** || **vida** · **vocación** · **tiempo** || **fuego** *Una orden sacerdotal cuidaba del fuego sagrado de los romanos* || **imagen** · **tema** || **vaca**

sajar v.

● CON SUSTS. **grano** · **quiste** *Le sajaron un quiste sebáceo que tenía en la muñeca* · **absceso** · **herida** · **piel**

sal

1 **sal** s.f.

● CON ADJS. **fina** · **gorda** · **gruesa** · **de mesa** · **de cocina** || **marina** · **yodada** || **falto,ta (de)** · **escaso,sa (de)**

● CON SUSTS. **pizca (de)** *echar una pizca de sal a la comida* · **pellizco (de)** · **grano (de)** || **punto (de)** · **exceso (de)** || **mina (de)** · **estatua (de)** · **montaña (de)**

● CON VBOS. **faltar(le) (a algo)** *A estas lentejas les falta un poco de sal* || **conservar (algo)** · **preservar (algo)** || **poner** · **echar** · **añadir** · **necesitar** || **verter** · **derramar** · **esparcir** || **aportar** || **tomar** · **evitar** || **aderezar (con)** · **rectificar (de)** · **cocinar (sin)** || **abusar (de)**

● CON PREPS. **con** *pipas con sal* · **sin** *dieta sin sal*

2 **sales** s.f.pl.

● CON ADJS. **de baño** · **marinas** · **minerales**

● CON SUSTS. **baño (de)** *sumergirse en un baño de sales marinas*

● CON VBOS. **respirar** · **aspirar**

sala s.f.

● CON ADJS. **llena** · **abarrotada** *La sala de espera estaba abarrotada* · **concurrida** · **abigarrada** · **vacía** || **luminosa** · **oscura** || **amplia** · **espaciosa** · **pequeña** · **estrecha** || **adecuada** · **equipada** · **adaptada** || **de espera** · **de reu-**

niones · **de juntas** *La reunión tendrá lugar en la sala de juntas de la facultad* · **de operaciones** · **de fumadores** · **de visitas** · **de recepciones** || **de cine** · **de fiestas** · **X** || **multiusos**
● CON SUSTS. **acústica (de)** · **capacidad (de)** · **aforo (de)**
● CON VBOS. **llenar** *Los asistentes al acto llenaron la sala en menos de media hora* · **ocupar** · **vaciar** · **abandonar** || **abrir** · **cerrar** || **solicitar** · **reservar** || **acudir (a)** · **entrar (a)** · **salir (de)** · **ir(se) (de)**

salado, da adj.

▮ [con sal]
● CON SUSTS. **mar** · **agua** *Me aconsejaron baños de agua salada* · **espuma** · **orilla** || **sabor** · **gusto** || **alimento** · **comida** · **plato** · **producto**
● CON ADVS. **ligeramente** *La comida estaba ligeramente salada* || **generosamente**
● CON VBOS. **estar** · **saber** *Está todo buenísimo, aunque el pescado sabe un poquito salado* · **quedar**

▮ [gracioso]
● CON SUSTS. ***persona*** *Ya verás como te cae bien, es una chica muy salada*
● CON VBOS. **ser** · **volver(se)**

salar v.

● CON SUSTS. **carne** *A continuación, salamos la carne al gusto y la metemos en el horno* · **pescado** · **ensalada** · **guiso** · ***otros alimentos o comidas***
● CON ADVS. **al gusto** · **ligeramente** · **generosamente**

salarial adj.

● CON SUSTS. **subida** · **aumento** *Los trabajadores reclaman un aumento salarial* · **alza** · **incremento** · **crecimiento** · **suplemento** · **ganancia** · **mejora** *El cambio de trabajo le ha supuesto una mejora salarial* · **retribución** · **complemento** · **plus** || **moderación** · **congelación** · **atraso** · **retraso** · **reducción** · **pérdida** · **recorte** · **disminución** · **rebaja** || **reivindicación** · **reclamación** · **revisión** · **oferta** *No estaba de acuerdo con la oferta salarial* · **propuesta** · **demanda** || **equiparación** · **homologación** · **igualdad** · **discriminación** · **diferencia** || **sistema** · **régimen** · **estructura** · **modelo** *En la entrevista se trató el tema del actual modelo salarial* · **tabla** || **banda** · **flujo** · **presión** *A causa del déficit ha aumentado la presión salarial* · **contención** · **brecha** || **masa** · **materia** || **situación** · **condición** · **política** || **límite** · **tope** · **media** · **nivel** · **techo** · **escala** · **fondo** || **pacto** · **negociación** · **acuerdo** *Los sindicatos y la patronal no han alcanzado todavía un acuerdo salarial* · **convenio**

salario s.m.

● CON ADJS. **alto** · **elevado** · **abultado** · **jugoso** · **sustancioso** · **exorbitante** · **desorbitado** · **astronómico** || **adecuado** · **real** · **justo** · **digno** *Los trabajadores solo demandaban un salario digno* · **equitativo** · **proporcionado** · **equilibrado** || **injusto** · **desproporcionado** · **bajo** || **modesto** · **ajustado** · **módico** · **decoroso** · **escaso** · **exiguo** *Antes del ascenso su salario era más bien exiguo* · **irrisorio** · **mínimo** || **social** || **íntegro** · **atrasado** · **pendiente** || **medio** · **mensual** · **semanal** · **diario** · **por obra**
● CON VBOS. **aumentar** · **bajar** · **disminuir** · **mantener(se)** || **pagar** · **ofrecer** *Le ofrecían un excelente salario por ese trabajo* · **satisfacer** · **deber** || **cobrar** · **recibir** · **demandar** · **exigir** || **establecer** · **fijar** · **asignar** · **decretar** · **negociar** · **acordar** || **rebajar** · **reducir** · **congelar** *El Gobierno ha vuelto a congelar los salarios de los empleados públicos* · **achicar** || **sufragar** · **amortizar**
● CON PREPS. **en concepto (de)**

salazón s.f.

● CON SUSTS. **sector (de)** · **fábrica (de)** · **factoría (de)** · **industria (de)** || **punto (de)** *conseguir el adecuado punto de salazón del pescado*
● CON VBOS. **producir** · **elaborar** || **conservar (en)** · **curar (en)** *Los jamones se curan en salazón*
● CON PREPS. **en** *anchoas en salazón*

salchichón s.m.

● CON ADJS. **curado** · **ibérico** || **suave** · **picante** || **artesano** · **típico** · **tradicional**
● CON SUSTS. **bocadillo (de)** · **sándwich (de)** || **rodaja (de)** · **trozo (de)** · **loncha (de)** · **ristra (de)** · **longaniza (de)** || **ración (de)** *Le pedimos al camarero una ración de salchichón ibérico*
● CON VBOS. **cortar** *cortar el salchichón en rodajas muy finas*

saldar v.

● CON SUSTS. **deuda** *Debo saldar la deuda con el banco antes de fin de mes* · **compromiso** · **impuesto** · **obligación** || **cuenta** · **crédito** · **cuota** · **déficit** · **interés** · **préstamo** · **adeudo** · **pago** · **cifra** · **suma** · **precio** || **diferencia** *una reunión para saldar diferencias...* · **conflicto** · **polémica** · **debate** · **escisión** || **problema** · **cuestión** · **dificultad** || **ofensa** · **agravio** *Los jugadores habían decidido saldar en el campo los agravios recibidos de la prensa*
● CON ADVS. **con éxito** · **felizmente** || **definitivamente** · **parcialmente** *Este dinero servirá para saldar parcialmente el pago de los servicios concertados* · **completamente** · **por completo** || **con creces** || **a sangre y fuego**

saldo

1 saldo s.m.

▮ [resultado]
● CON ADJS. **positivo** · **a favor** · **suficiente** || **negativo** *El enfrentamiento terminó con un saldo negativo para nuestra formación* · **desfavorable** · **terrible** · **desolador** · **espantoso** · **mínimo** || **aproximado** · **medio**
● CON VBOS. **ofrecer** · **arrojar** · **reportar** || **obtener** · **cosechar** · **tener** *No pude pagar con tarjeta porque no tenía saldo* || **desglosar** · **calcular**

▮ [rebaja]
● CON SUSTS. **temporada (de)** *Ha empezado ya la temporada de saldos*
● CON VBOS. **comenzar** · **empezar** || **terminar** · **acabar** || **buscar** · **encontrar** · **conseguir**
● CON PREPS. **a precio (de)**

2 saldo (de) s.m.

● CON SUSTS. **personas** · **muertos,tas** · **víctimas** · **heridos,das** *El accidente arrojó un saldo de heridos bastante elevado* || **clientes** · **morosos,sas** || **cuenta**

salero s.m.

▮ [recipiente para la sal]
● CON VBOS. **volcar** · **tirar** · **pasar** *¿Me pasas el salero, por favor?* || **rellenar**

▮ [gracia] *col.*
● CON VBOS. **tener** · **echar(le) (a algo)** *Siempre decía que había que echarle salero a la vida*

● CON PREPS. **con** *Cuando baila lo hace con mucho salero* · **sin**

[sales] s.f.pl. → sal

salida s.f.

▮ **[fin, solución]**

● CON ADJS. **digna** · **decorosa** *Por fin encontró una salida decorosa para su problema* · **honrosa** · **honorable** · **ingeniosa** · **airosa** · **diplomática** ‖ **posible** · **viable** · **prudente** ‖ **imprudente** · **contraproducente** · **inviable** *No pueden ser inviables todas las salidas* · **imposible** · **catastrófica** ‖ **a la desesperada**

● CON VBOS. **tener** *¿De verdad que este problema no tiene salida?* ‖ **ver** · **atisbar** · **entrever** · **augurar** ‖ **dar (a algo/a alguien)** · **proponer** · **elaborar** · **buscar** · **intentar** · **pensar** · **madurar** · **pergeñar** ‖ **facilitar** · **agilizar** · **negociar** · **aceptar** · **rechazar**

▮ **[lugar del que se parte, movimiento hacia el exterior]**

● CON ADJS. **estrecha** · **amplia** ‖ **fulgurante** · **apoteósica** · **arrolladora** ‖ **con cajas destempladas** · **intempestiva** *La salida intempestiva del jugador dejó al equipo en una situación difícil* · **en falso** · **de incógnito** ‖ **de emergencia** ‖ **puntual** ‖ **en tromba** *La salida en tromba del agua acumulada* · **en masa** ‖ **pública** · **a escena**

● CON VBOS. **buscar** · **encontrar** · **hallar** · **ver** · **localizar** ‖ **cerrar** *Cerraron todas las salidas del edificio para que el sospechoso no huyera* · **bloquear** · **sellar** · **rodear** · **obstaculizar** · **obturar** · **obstruir** ‖ **interrumpir** · **restringir** · **impedir** · **desbloquear** ‖ **permitir** · **agilizar** · **efectuar** · **adelantar** ‖ **retrasar(se)** ‖ **anunciar** *Se anuncia la salida del tren con destino a...*

□ EXPRESIONES **salida de tono** [dicho inconveniente] *col.*

[salir] → salir; salir (a); salir a flote; salir a la luz; salir al paso (de); salir a relucir; salir (de); salirse (de)

salir v.

● CON ADJS. **vivo,va** · **sano y salvo** · **ileso,sa** *Salimos ilesos del accidente* · **indemne** · **intacto,ta** · **incólume** · **impune** ‖ **favorecido,da** *Has salido muy favorecida en la foto* · **reforzado,da** · **airoso,sa** *...y tiene recursos sobrados para salir airosos de la actual situación* · **victorioso,sa** ‖ **perjudicado,da** · **chamuscado,da** · **escaldado,da** · **tocado,da** · **afectado,da** ‖ **despavorido,da** ‖ **disparado,da** *Tenía mucha prisa y salió disparada* ‖ **caro,ra** · **barato,ta** *El alquiler me sale bastante barato*

● CON ADVS. **abruptamente** · **atropelladamente** *Tenía tanto que decir que las palabras me salían atropelladamente* · **como una exhalación** · **como una bala** · **a toda máquina** *Salí a toda máquina para intentar llegar a tiempo al otro sitio* · **a toda mecha** · **a toda pastilla** · **a todo trapo** · **a escape** · **por pies** · **a la desesperada** ‖ **en masa** *Los aficionados salieron en masa del estadio* · **en tromba** · **en tropel** · **en oleadas** · **en desbandada** · **como hongos** ‖ **a borbotones** · **a chorros** ‖ **ordenadamente** *Los estudiantes salieron ordenadamente de clase* · **escalonadamente** ‖ **adelante** *Salió adelante en los estudios* · **a flote** · **dignamente** · **airosamente** · **con éxito** · **a las mil maravillas** *Todo me ha salido a las mil maravillas* · **a pedir de boca** · **con fluidez** · **a tiempo** ‖ **estupendamente** · **bien** · **mal** · **regular** *Los espaguetis me salieron regular* ‖ **a trancas y barrancas** ‖ **a pie** · **por {mi/tu/su...} propio pie** *Salí del hospital por mi propio pie* · **a caballo** ‖ **a empujones** · **a patadas** · **por los aires** ‖ **con cajas destempladas** ‖ **de incógnito** · **de extranjis** · **a hurtadillas** · **por la puerta falsa** · **en falso** ‖ **de puntillas** *No quería hacer ruido y salió de puntillas de la habitación* · **a tientas** · **a cámara lenta** ‖ **a cuerpo** · **a cara descubierta** · **a pecho descubierto** · **a pelo** ‖ **a hombros** · **por la puerta grande** · **en triunfo** · **en volandas** ‖ **a la defensiva** · **a la contra** · **en ayuda** ‖ **gratis** *Las entradas para el teatro nos saldrán gratis* ‖ **bajo fianza**

salir (a) v.

● CON SUSTS. **escena** *Cuando el actor salió a escena, el público prorrumpió en aplausos* · **antena** ‖ **mercado** *El nuevo producto saldrá al mercado en unos meses* · **subasta** · **bolsa** · **cotización** · **concurso**

salir a flote loc.vbal.

● CON SUSTS. **empresa** *A pesar de los problemas económicos, la empresa salió a flote* · **equipo** ‖ **corrupción** · **dinero negro** ‖ **economía** · **negocio** ‖ **proceso** · **proyecto** ‖ **verdad** *Haré todo lo posible para que salga a flote la verdad* · **tema** · **asunto** · **caso** · **montaje** · **romance** · **relación** ‖ **valor** · **instinto** · **tendencia** · **talento** *Durante el rodaje salió a flote el talento de esta joven actriz* · **faceta** · **conciencia** · **ideología** ‖ **envidia** · **preocupación** · **sentimiento** · **inquietud** · **desesperación** · **inseguridad** · **sensación** ‖ **problema** · **fantasma** · **diferencia** *Hondas diferencias que acaban saliendo a flote* · **divergencia** · **dificultad** · **división** · **rencilla** · **crítica**

salir a la luz loc.vbal.

● CON SUSTS. **escritor,-a** *Un escritor que sale a la luz tras largos años de ostracismo* · **artista** · **político,ca** · **asociación** · ***otros individuos y grupos humanos*** ‖ **identidad** · **nombre** · **título** ‖ **deuda** · **pasado** · **aventura** ‖ **revelación** · **noticia** · **prueba** · **testimonio** · **dato** · **información** ‖ **película** · **libro** *El libro saldrá a la luz la semana que viene* · **antología** · **ópera** · **disco** · ***otras creaciones*** ‖ **tensión** · **fuerza** · **esfuerzo** · **empeño** · **energía** ‖ **vergüenza** · **frustración** · **odio** · **resentimiento** *No dejaba que saliera a la luz el profundo resentimiento que sentía* ‖ **basura** · **trapos sucios** · **falsedad** · **secreto** · **misterio** · **porquería** *Periodistas que solo parecen ocuparse de que salga a la luz toda la porquería* · **interioridad** · **manteca** ‖ **entramado** · **entresijo** · **trama** · **truco** · **enredo** ‖ **problema** · **conflicto** · **crisis** · **grieta** · **enfrentamiento** · **oposición** · **diferencia** · **disputa** · **discrepancia** · **invectiva** ‖ **escándalo** · **delito** · **fechoría** · **pecado** · **chantaje** · **engaño** · **estafa** *...una estafa que saldrá a la luz cuando las víctimas hablen* · **corrupción** · **fraude** · **cohecho** · **extorsión** · **maltrato** ‖ **pacto** · **participación** *...y salió a la luz la supuesta participación de esa organización en el asunto* · **implicación** · **concierto** · **connivencia** ‖ **indicio** · **aspecto** · **característica** · **síntoma** · **detalle** · **fragmento** · **resto** · **episodio** · **parte** · **retazo** ‖ **falta** · **tara** · **herida** · **anomalía** · **punto negro** · **distorsión** ‖ **resultado** · **fallo** · **sentencia** · **decisión** *...cosa que ocurrirá en cuanto la decisión del tribunal salga a la luz* ‖ **móvil** · **razón** · **causa** · **motivo** ‖ **interés** · **preferencia** · **veleidad** · **tendencia** ‖ **idea** · **teoría** · **tesis** · **plan** · **proyecto** · **modelo** · **propuesta**

salir al paso (de) loc.vbal.

● CON SUSTS. **declaración** *...y tuvo que salir al paso de las duras declaraciones de la diputada* · **manifestación** · **comentario** · **afirmación** · **palabra** · **opinión** · **pregunta** · **propuesta** · **información** · **noticia** ‖ **crítica** · **denuncia** · **acusación** · **reproche** · **queja** · **protesta** · **ataque** · **imputación** ‖ **rumor** · **hipótesis** · **especulación** · **consideración** · **habladuría** · **chisme** ‖ **duda** · **temor** · **sospecha**

El directivo del club salió al paso de las sospechas sobre la contratación de... · **amenaza** · **peligro** · **miedo** || **interpretación** · **versión** · **juicio** || **polémica** *En lugar de salir al paso de la polémica generada, la ministra optó por no hacer declaraciones* · **problema** · **escándalo** · **dificultad** · **conflicto** · **crisis**

salir a relucir loc.vbal.

• CON SUSTS. **nombre** *...con la condición de que su nombre no saliera a relucir* · **dato** · **informe** · **detalle** · **circunstancia** · **verdad** || **caso** *El caso de los vertidos ha salido a relucir a partir de la denuncia de...* · **cuestión** · **asunto** · **tema** · **negocio** || **causa** · **razón** · **posibilidad** · **tesis** || **diferencia** · **discrepancia** || **odio** · **resentimiento** || **peligro** · **dificultad** *Poco a poco van saliendo a relucir más dificultades para llevar a cabo la operación* || **orgullo** · **talento** · **fuerza** · **costumbre**

salir (de) v.

• CON SUSTS. **problema** · **apuro** · **atolladero** *El concejal salió airosamente del atolladero político provocado por sus declaraciones* · **crisis** || **duda** *Se lo preguntaré y así saldré de dudas* · **desconcierto** · **incertidumbre** · **indecisión** · **asombro** || **marginación** · **miseria** · **pobreza** || **alma** *Lo que te he dicho me ha salido del alma* · **corazón**

salirse (de) v.

• CON SUSTS. **norma** *una directora de cine que se sale de la norma* · **canon** · **regla** · **legalidad** · ***otras disposiciones*** || **límite** *Esa fantástica historia se sale de los límites de lo racional* · **borde** · **frontera** || **tema** · **cuestión** · **asunto** || **competencia** · **incumbencia** · **terreno**

☐ USO Se usa muy frecuentemente con expresiones, como *lo común, lo corriente* o *lo habitual*: *...una imaginación desbordante que se sale de lo común.*

saliva s.f.

• CON ADJS. **abundante** · **escasa**
• CON SUSTS. **muestra (de)** · **análisis (de)** || **gota (de)** · **hilo (de)**
• CON VBOS. **gastar** *¡Para qué gasto saliva contigo, si no me haces caso!* · **derrochar** · **malgastar** · **verter** || **tragar** · **escupir** · **expulsar**

salmo s.m.

• CON ADJS. **bíblico** *La homilía comenzó con un salmo bíblico* · **religioso** · **místico** || **responsorial** · **penitencial** || **tradicional**
• CON VBOS. **cantar** · **entonar** · **leer** · **interpretar** · **recitar** · **rezar** || **componer** · **escribir** || **oír** · **escuchar** *Los fieles escuchaban atentos el salmo* || **citar** · **repetir**

salmón s.m.

▮ [pez]

• CON ADJS. **fresco** · **congelado** · **ahumado** · **marinado** · **enlatado** · **envasado** || **cocido** · **a la plancha** · **al horno**
• CON SUSTS. **ejemplar (de)** *Han pagado mucho por el primer ejemplar de salmón de la temporada* · **pieza (de)** · **banco (de)** || **filete (de)** · **huevas (de)** · **rodaja (de)** · **loncha (de)** · **taco (de)** · **raja (de)** || **canapé (de)** · **plato (de)** || **pesca (de)** · **captura (de)** · **suelta (de)** *Esta mañana llevaron a cabo la suelta de salmones en el río* · **cría (de)** · **criadero (de)**
• CON VBOS. **nadar** · **saltar** · **remontar** || **pescar** · **sacar** *Si tienes un buen día puedes sacar un par de salmones* · **capturar** || **comer** · **tomar** · **consumir** || **cocinar** · **preparar** *El cocinero prepara el salmón con unas gotas de limón* · **escamar** || **criar**

▮ [color]

• CON SUSTS. **rosa** *tonalidades rosa salmón*
➤ Véase también **COLOR**

salmuera s.f.

• CON VBOS. **preparar** || **conservar (en)** · **poner (en)** *He puesto el bacalao en salmuera*
• CON PREPS. **en** *pescado en salmuera*

salomónicamente adv.

• CON VBOS. **repartir** · **dividir** *Finalmente, optaron por dividir salomónicamente la gratificación económica* · **compartir** · **distribuir** · **compensar** || **decidir** · **resolver** · **fallar** · **solucionar** · **acordar** · **responder**

salomónico, ca adj.

• CON SUSTS. **decisión** *Tras un largo debate, llegaron a una decisión salomónica* · **solución** · **resolución** · **idea** · **juicio** · **sentencia** · **elección** · **acuerdo** · **salida** · **fallo** · **final** · **justicia** · **pacto** · **medida** || **juez** · **fiscal** · **magistrado,da** · ***otros individuos*** || **propuesta** · **consejo** · **respuesta** || **división** · **reparto** *El salomónico reparto no satisfizo a todos* · **partición** · **distribución** || **fórmula** · **recurso** · **actitud** · **criterio** · **vía** · **postura** · **posición** · **plan** · **equilibrio**

[salón] → de salón

salpicar (algo/a alguien) v.

• CON SUSTS. **lluvia** *La lluvia salpicaba los cristales* · **sangre** · **agua** · **aceite** · **barro** · ***otros líquidos o sustancias*** || **escándalo** *un escándalo que ha salpicado a toda la clase dirigente* · **corrupción** · **caso** · **crimen** · **affaire** · **asesinato** · **desfalco** · **irregularidad** *Las irregularidades contables salpicaron a todo el equipo directivo* · **trapacería** || **polémica** · **guerra** · **discusión** · **controversia** · **trifulca** || **crisis** · **problema** · **deterioro** || **incidente** · **suceso** · **accidente** || **investigación** · **indagación** · **revelación** · **filtración** || **rumor** · **crítica** *las duras críticas que han salpicado a la administración* · **informe** · **noticia** · **dato** · **secreto** · **tabú** || **denuncia** · **detención** · **querella** · **acusación** · **sumario** || **secuela** · **resultado** · **consecuencia** *Las consecuencias de su irregular comportamiento terminaron salpicando a toda su familia* · **impacto**
• CON ADVS. **de lleno** · **directamente** · **indirectamente** || **gravemente** *denuncias que salpican gravemente el entorno presidencial* · **delicadamente** || **inevitablemente** · **indefectiblemente**

salpimentar v.

• CON SUSTS. **comida** · **plato** · **carne** · **pescado** · **guiso** · **cocido** · **sofrito** · **ensalada**
• CON ADVS. **al gusto** · **generosamente** *Antes de cocer, salpimentar generosamente* · **abundantemente**

salsa s.f.

▮ [jugo]

• CON ADJS. **de tomate** · **rosa** · **agridulce** || **casera** · **de bote** · **de sobre** || **caliente** · **fría** *Para este plato se sirve la salsa fría* || **fina** · **espesa** · **suave** · **cremosa** || **acompañado,da (de)**
• CON SUSTS. **cucharada (de)** · **cazo (de)** || **receta (de)** · **elaboración (de)** || **sabor (de)** · **espesor (de)** || **bote (de)** *un bote de salsa mayonesa*

• CON VBOS. **preparar · hacer · calentar || añadir** *Cuando los macarrones estén al dente, añada la salsa de tomate y el queso rallado* · **incorporar · agregar || servir · echar · verter || mezclar · colar · tamizar || acompañar (con) · aderezar (con) · cubrir (con) || mojar (en)** *mojar el pan en la salsa*
• CON PREPS. **con · en** *filetes en salsa*

▌ [música]

• CON SUSTS. **cantante (de) · grupo (de) · orquesta (de)** *La velada fue amenizada por una orquesta de salsa* · **estrella (de) || concierto (de) || ritmo (de)** *Pasamos la noche a ritmo de salsa*
• CON VBOS. **bailar || oír · escuchar || tocar**

[saltar]

→ saltar; saltar (a); saltar (de); saltarse; saltarse a la torera; saltárse(le) (a alguien)

saltar v.

• CON SUSTS. **alarma** *La alarma salta a veces sin ton ni son y nos da unos sustos tremendos* · **despertador · luz · plomos**
• CON ADVS. **precipitadamente** *Salté precipitadamente de la cama cuando vi que iba a llegar tarde* · **como un loco · alocadamente · sin ton ni son || acrobáticamente · a la pata coja · a la comba · a la cuerda · a pie juntillas || por los aires · en (mil) pedazos || al abordaje || a ojos vistas · a la vista** *Salta a la vista que es muy inteligente* · **de boca en boca**

saltar (a) v.

• CON SUSTS. **fama · celebridad** *Después de años de trabajo saltó inesperadamente a la celebridad* · **estrellato || palestra** *Volvió a saltar a la palestra nacional con ocasión de la aprobación de...* · **escenarios**

saltar (de) v.

• CON SUSTS. **alegría** *Todos saltaban de alegría al saber la feliz noticia* · **felicidad · gozo · regocijo**

saltarse v.

• CON SUSTS. **señal de tráfico · semáforo** *Le pusieron una multa por saltarse dos semáforos en rojo* · **stop · doble línea · disco || página** *leer un libro sin saltarse ninguna página* · **párrafo · consejo · advertencia · recomendación || reunión · clase** *Este trimestre no me he saltado ninguna clase de...* · **almuerzo de trabajo · fiesta ·** ***otros eventos*** **|| barrera · impedimento · límite · obstáculo · freno · protección · cerrojo · escrúpulo || paso · turno · trámite** *Ya me gustaría saltarme estos engorrosos trámites, pero...* · **etapa · tiempo · plazo || guión · programa · horario · lista de espera · cola · dieta · agenda · escalafón || obligación · compromiso · requisito · condición · promesa || ley · norma · legalidad · principio · normativa · reglamento · regla · legislación · regulación · derecho · precepto ·** ***otras disposiciones*** **|| orden · prohibición** *Ha sido sancionado por saltarse la prohibición de...* · **mandato · resolución · sentencia · decisión · embargo · decreto · interdicto || acuerdo · referéndum · voluntad popular · pacto || protocolo** *Le divierte saltarse el protocolo cuando todas las cámaras lo enfocan* · **disciplina · procedimiento · formalidad · ceremonia · marco · convención · rito · costumbre · tradición · práctica**
• CON ADVS. **olímpicamente || a la ligera · alegremente || alevosamente · ligeramente || fácilmente · sin dificultad**

saltarse a la torera loc.vbal. *col.*

• CON SUSTS. **ley · legalidad · norma** *Le han llamado la atención porque se salta a la torera las normas del centro* · **normativa · derecho · reglamento · estatuto ·** ***otras disposiciones*** **|| acuerdo · pacto · compromiso · condición || orden · mandato · sentencia · resolución || trámite** *Si te saltas a la torera los trámites administrativos, tu solicitud no va a ser considerada* · **convención · procedimiento · protocolo · guión · directriz · principio || señalización · prohibición · aviso**

saltárse(le) (a alguien) v.

• CON SUSTS. **lágrima** *No pude evitar que se me saltaran las lágrimas de emoción*

saltear v.

▌ [freír]

• CON SUSTS. **verdura · cebolla** *saltear la cebolla en la sartén con un poco de aceite* · **pescado · carne · pasta ·** ***otros alimentos sólidos***
• CON ADVS. **a fuego {lento/vivo} || en aceite || ligeramente**

▌ [asaltar]

• CON SUSTS. **caminante · viajero,ra** *Los bandoleros salteaban a los viajeros en los recodos de los caminos* · ***otros individuos***
• CON ADVS. **repentinamente · violentamente · inesperadamente · por sorpresa**

[salto]

→ a salto de mata; dar saltos (de); salto

salto s.m.

• CON ADJS. **gran(de) · enorme** *Trasladarse a esa ciudad supuso un enorme salto en su vida* · **considerable · abismal · cualitativo · cuantitativo || mortal · arriesgado · peligroso · temerario · atrevido || ligero** *Con un ligero salto se montó a la grupa del caballo* · **pequeño || brusco · repentino · inesperado || generacional · cronológico || acrobático · triple** *El atleta dio un sorprendente triple salto* · **de altura · de longitud · de trampolín · de obstáculos · de la rana · del ángel**
• CON SUSTS. **récord (de) · prueba (de) · final (de) · concurso (de) · competición (de) || capacidad (de) · potencia (de)**
• CON VBOS. **frustrar(se) || dar · pegar || frenar || suponer · implicar · comportar**
• CON PREPS. **de** *Se levantó de un salto*
□ EXPRESIONES **a salto de mata*** [huyendo y escondiéndose] **|| salto de cama** [bata ligera de mujer] **|| salto en el vacío** [paso o movimiento muy arriesgado]

saltón, -a adj.

• CON SUSTS. **ojos** *¿Recuerdas a aquella chica de ojos saltones?* · **mirada · risa**

salubre adj.

• CON SUSTS. **ambiente · zona · propiedad · edificio ·** ***otros lugares*** **|| condiciones** *evitar los lugares con condiciones poco salubres* · **servicio**

salud s.f.

• CON ADJS. **buena · fuerte · robusta · de hierro** *El abuelo tenía una salud de hierro* · **férrea · envidiable · inmejorable · desbordante · a prueba de bomba · integral || mala · enfermiza · frágil** *De pequeña era de salud frágil y enfermiza* · **débil · endeble · delicada · precaria · que-**

bradiza · **mermada** · **renqueante** || **física** · **espiritual** · **mental** || **lleno,na (de)** *un niño lleno de salud* · **pletórico,ca (de)** || **malo,la (para)** · **perjudicial (para)** *El exceso de grasa puede resultar perjudicial para la salud* · **atentatorio,ria (contra)** · **peligroso,sa (para)** || **bueno,na (para)**
● CON SUSTS. **centro (de)** · **servicio (de)** · **sistema (de)** · **seguro (de)** · **programa (de)** · **plan (de)** || **estado (de)** · **problema (de)** · **pérdida (de)**
● CON VBOS. **deteriorar(se)** · **empeorar** · **declinar** · **quebrar(se)** || **mejorar** *Su salud ha mejorado notablemente en las últimas semanas* · **estabilizar(se)** || **cuidar** *Debes cuidar más tu salud* · **chequear** · **vigilar** · **desatender** || **dañar** · **amenazar** · **quebrantar** · **minar** · **socavar** · **alterar** · **malgastar** || **rebosar** · **recobrar** || **gozar (de)** *Goza de una salud inmejorable* · **disfrutar (de)** || **preocuparse (de/por)** · **velar (por)** || **atentar (contra)**
□ EXPRESIONES **curarse** (alguien) **en salud** [prevenirse de un mal]

saludable adj.

● CON SUSTS. **vida** · **dieta** · **alimento** · **actividad** *Caminar es una actividad muy saludable* · **ejercicio** || **lugar** · **ciudad** · **entorno** · **medio** · **ambiente** || **aspecto** *Tenía un aspecto saludable* · **forma** · **medida** · **comportamiento** · **conducta** · **actitud** · **aptitud** · **condición** · **postura** · **política** · **manera** · **criterio** || **ilusión** · **esperanza** *Siguen trabajando con la saludable esperanza de conseguir la paz* · **aspiración** · **ambición** · **expectativa** · **intención** || **momento** · **hecho** · **panorama** · **futuro** · **situación** || **hábito** *un hábito muy poco saludable* · **práctica** · **costumbre** || **alegría** · **entusiasmo** · **humor** · **optimismo** || **efecto** · **síntoma** · **revelación** · **manifestación** || **plan** · **descanso** · **ocio**
● CON VBOS. **hacerse** · **ponerse** · **mantenerse**

saludar v.

● CON ADVS. **atentamente** · **cordialmente** · **amablemente** · **con interés** · **amistosamente** *Los mandatarios se saludaron amistosamente* · **amigablemente** · **afablemente** · **afectuosamente** · **con cariño** · **calurosamente** · **efusivamente** · **con alborozo** · **clamorosamente** || **formalmente** · **informalmente** || **diplomáticamente** · **fríamente** · **secamente** · **protocolariamente** || **a diestro y siniestro** || **personalmente** *No llegué a saludarla personalmente*

saludo s.m.

● CON ADJS. **cortés** · **cordial** · **afectuoso** *Me recibió con un saludo muy afectuoso* · **amistoso** · **amable** · **cálido** · **caluroso** · **cariñoso** · **efusivo** · **emotivo** · **sincero** · **ceremonioso** · **respetuoso** · **elegante** · **delicado** || **frío** · **seco** · **distante** · **glacial** · **sobrio** · **de compromiso** *Los dirigentes cruzaron un cortés saludo de compromiso* · **protocolario** · **diplomático** || **personal**
● CON SUSTS. **mensaje (de)** · **discurso (de)** · **palabras (de)** · **gesto (de)** · **grito (de)** · **beso (de)** || **sesión (de)** · **turno (de)**
● CON VBOS. **dar** *Me dio saludos para ti* · **enviar** · **mandar** · **transmitir** · **hacer extensivo** · **brindar** · **dedicar** · **dirigir** · **hacer** || **recibir** || **responder (a)** · **contestar (a)**
● CON PREPS. **en señal (de)** *Agitó la mano en señal de saludo*

salutífero, ra adj.

● CON SUSTS. **costumbre** · **lectura** || **chapuzón** · **baño** || **manantial** *Podrán ustedes visitar los manantiales salutíferos de la zona* · **caudal** · **hontanar** || **universo** · **dios** || **efecto** · **propiedad** · **beneficio** · **calidad** || **acontecimiento** · **propósito** · **actitud** || **rigor** · **fuerza** · **energía** · **poder** || **gracia**

salvador, -a

1 **salvador, -a** adj.

● CON SUSTS. **mano** *En el momento crucial me llegó una mano salvadora* · **figura** || **fórmula** · **terapia** || **misión** · **acción** · **oferta**

2 **salvador, -a** s.

● CON SUSTS. **llegada (de)** · **nacimiento (de)**
● CON VBOS. **esperar** *El pueblo oprimido esperaba un salvador* · **buscar** || **aparecer (como)** · **convertir(se) (en)** · **presentar(se) (como)** || **confiar (en)** · **creer (en)** · **suplicar (a)** · **rogar (a)** · **pedir (a)** · **rezar (a)** · **acudir (a)**

salvaguarda s.f. Véase **salvaguardia**

salvaguardar v.

● CON SUSTS. **orden** · **sistema** · **régimen** · **situación** · **estado** || **paz** · **seguridad** · **independencia** · **identidad** *una asociación que lucha por salvaguardar la identidad de los pueblos indígenas del Amazonas* · **imagen** · **unidad** · **estabilidad** · **equilibrio** · **dignidad** || **prestigio** · **buen nombre** · **honor** || **principio** · **derecho** · **interés** · **garantía** · **valor** || **patrimonio** · **bienes** · **propiedad** || **medio ambiente** · **vida** · **pueblo** · **población** || **pacto** *El objetivo de estas negociaciones es encontrar la forma de salvaguardar los pactos de gobierno* · **acuerdo**
● CON ADVS. **obstinadamente** · **tenazmente** || **a toda costa** · **por todos los medios**

salvaguardia s.f.

● CON SUSTS. **cláusula (de)** || **medida (de)** · **mecanismo (de)**
● CON VBOS. **vigilar** · **garantizar** || **contribuir (a)** · **velar (por)** · **luchar (por)** *Lucha por la salvaguardia de los derechos humanos* · **atentar (contra)**
● CON PREPS. **en** · **para** *para salvaguardia del interés general*

salvajada s.f.

● CON ADJS. **indescriptible** · **enorme** · **bestial** · **monumental** · **auténtica** *Calificaron el atentado de auténtica salvajada* · **verdadera**
● CON SUSTS. **serie (de)** · **cúmulo (de)** · **sarta (de)** || **autor,-a (de)** · **víctima (de)**
● CON VBOS. **hacer** · **cometer** *Antes de cometer una salvajada* · **protagonizar** || **denunciar** || **participar (en)** · **caer (en)**

salvaje adj.

● CON SUSTS. **bestia** · **perro,rra** · **caballo** *una manada de caballos salvajes* · **yegua** · ***otros animales*** || ***persona*** || **especie** · **fauna** · **planta** · **flor** · **fruto** · **hierba** · **flora** || **terreno** · **región** *El cerro está ubicado en una región salvaje* · **naturaleza** · **mundo** · ***otros lugares*** || **atentado** · **represión** · **agresión** · **guerra** · **afrenta** · **ataque** · **ofensiva** · **asalto** · **asesinato** *salvaje asesinato de dos ancianos indefensos* · **cacería** · **pelea** · **discusión** || **vida** || **instinto** · **espíritu** · **comportamiento** · **reacción** · **actitud** · **gesto** || **acto** · **hecho** · **acción** || **competencia** · **mercado** || **capitalismo** · **liberalismo** || **fiesta** · **diversión**

salvamento s.m.

● CON ADJS. **de emergencia** · **desesperado** || **marítimo** · **aéreo** *El viento imposibilitó el salvamento aéreo de los náufragos*
● CON SUSTS. **equipo (de)** *Desplazaron tres equipos de salvamento a la zona del naufragio* · **brigada (de)** · **comando**

(de) · dispositivo (de) || helicóptero (de) · bote (de) *Fue rescatada por un bote de salvamento* · buque (de) · lancha (de) · balsa (de) || operación (de) · plan (de) · tarea (de) · servicio (de) · labor (de) · actuación (de) || simulacro (de) · acción (de) || centro (de) · material (de)
● CON VBOS. **poner en marcha · organizar || llevar a término · llevar a cabo** *Los bomberos llevaron a cabo el salvamento con éxito* · **completar || autorizar · permitir || protagonizar · realizar** *A últimas horas de la tarde los socorristas realizaban el salvamento de un bañista* · **dirigir || participar (en) · colaborar (en)**

[salvar]
→ salvar; salvarse (de)

salvar v.

● CON SUSTS. **problema · dificultad · obstáculo** *Consiguió salvar hábilmente todos los obstáculos que se le iban presentando* · **escollo · papeleta || diferencia · distancia** *Nos ha ocurrido lo mismo que hace diez años, salvando todas las distancias* · **particularidad || examen · prueba** *Salvó la prueba con muy buenos resultados* · **expediente · eliminatoria · oposición || piel · pellejo · vida · cabeza || patrimonio** *Su única preocupación era salvar a toda costa su patrimonio* · **bienes · propiedades || imagen · identidad · honor · unidad**
● CON ADVS. **incondicionalmente || a toda costa · a cualquier precio || de milagro** *Salvó la vida de milagro* · **a duras penas || por los pelos · por milímetros · por segundos**

salvarse (de) v.

● CON SUSTS. **peligro · percance · accidente · naufragio · diluvio · desastre · devastación · fuego · llamas || quema · muerte || olvido || descenso** *El año pasado el equipo local se salvó del descenso por los pelos* · **derrota || ruina · quiebra · bancarrota · crisis**
● CON ADVS. **de milagro** *Nos salvamos de milagro de aquel terrible accidente* · **por los pelos · de casualidad**

salvedad s.f.

● CON ADJS. **única · excepcional · extraordinaria || importante** *El profesor explicó todas las posibilidades e hizo una importante salvedad* · **principal · fundamental || lógica · coherente**
● CON VBOS. **hacer · efectuar · introducir**
● CON PREPS. **con** *con una única salvedad*

[salvo, va]
→ sano y salvo

sambenito s.m.

● CON VBOS. **caer(le) (a alguien) || llevar · arrastrar || colgar (a alguien) · poner (a alguien) || quitar(se) || cargar (con)** *La cargaron con ese sambenito y no hay manera de quitárselo de encima*

sanatorio s.m.

● CON ADJS. **privado** *La actriz ha sido ingresada en un sanatorio privado* **|| mental · psiquiátrico || internado,da (en) · recluido,da (en) · ingresado,da (en)**
● CON SUSTS. **paciente (de) · enfermo,ma (de) || médico,ca (de) || estancia (en) · permanencia (en) || cama (de) · habitación (de)**
● CON VBOS. **abandonar** *Ayer abandonó el sanatorio* **|| llevar (a alguien) (a) · trasladar (a alguien) (a) · conducir (a alguien) (a) || encontrar(se) (en) · permanecer (en) || ingresar (en) · internar (a alguien) (en)**

sanción s.f.

● CON ADJS. **fuerte · dura · severa · drástica · estricta · rigurosa · grave · seria || desmedida** *una sanción desmedida ante la que el delantero se mostró disconforme* · **desproporcionada · desorbitada · abusiva || suave · benigna · insignificante · leve · ligera || disuasoria · cautelar · preventiva · inapelable || justa · merecida · ejemplar · proporcional || injusta · inmerecida · arbitraria || económica · administrativa || sin efecto || exento,ta (de)** *Al mostrar el permiso, quedé exenta de toda sanción* · **libre (de)**
● CON SUSTS. **objeto (de) · motivo (de) · causa (de) || notificación (de) || riesgo (de) · peligro (de)**
● CON VBOS. **ascender (a algo) || caer(le) (a alguien) · recaer (sobre alguien)** *Parece que en este trabajo las sanciones siempre recaen sobre la misma persona* **|| derivar(se) || ablandar(se) || agravar(se) · recrudecer(se) || acarrear** *Cada error acarrea una sanción diferente* **|| poner · establecer · imponer · decretar · aplicar || padecer · sufrir · soportar · afrontar || acatar · cumplir · aceptar || impugnar || abolir · revocar · condonar · conmutar · levantar · aligerar · rebajar · suavizar || merecer · ganarse || cargar (con) · apechugar (con)** *No nos quedó más remedio que apechugar con la sanción* **|| librar(se) (de) · eximir (de) || protestar (por) || arriesgarse (a)**
● CON PREPS. **con posibilidad (de) · sin perjuicio (de) · so pena (de)**

sancionar v.

I [castigar, penalizar]

● CON SUSTS. **conductor,-a** *Sancionaron al conductor por exceso de velocidad* · **peatón,-a · jugador,-a · equipo ·** ***otros individuos y grupos humanos*** **|| conducta · comportamiento · gestión · actitud**
● CON ADVS. **debidamente · justamente · ejemplarmente · merecidamente || injustamente || drásticamente · severamente · duramente || económicamente · comercialmente · penalmente**

I [aprobar, validar]

● CON SUSTS. **ley · uso · costumbre || norma · disposición || acto · proyecto**

sandalia s.f.

● CON ADJS. **de goma · de cuero · de plástico · de paja || de tiras · romana · griega || de playa · veraniega**
➤ Véase también **CALZADO**

sandez s.f.

● CON ADJS. **absoluta · enorme · descomunal** *Fue una sandez descomunal confiarle el secreto* · **supina · como la copa de un pino**
● CON SUSTS. **sarta (de) · serie (de)**
● CON VBOS. **hacer · cometer || decir** *No paró de decir sandeces en toda la tarde* · **contestar · repetir · soltar ·** ***otros verbos de lengua*** **|| rayar (en) || dejarse (de) || caer (en)**

sanear v.

● CON SUSTS. **barrio · almacén** *Hay mucha humedad en el almacén y hemos emprendido obras para sanearlo* · **local · casa · habitación ·** ***otros lugares*** **|| pelo** *una mascarilla especial para desenredar y sanear el pelo* · **cabello · puntas || economía** *El Gobierno trata de sanear la economía del país* · **cuentas · finanzas · presupuesto · déficit · deuda · arcas** *Ahora que las arcas municipales parecen estar saneadas...* · **balance · bolsillo || organización · empresa · compañía · institución || situación**

● CON ADVS. **urgentemente · a toda costa · rápidamente || completamente · íntegramente · de arriba abajo**

sangrante adj.

▌[que sangra]

● CON SUSTS. **úlcera** *La operaron de una úlcera sangrante* · **herida · corte · rozadura · rasguño || corazón · estómago**

▌[que causa indignación]

● CON SUSTS. **caso · ejemplo** *No es más que un ejemplo sangrante de lo que os pretendo explicar* · **dato · problema · cuestión · tema || situación · episodio · anécdota || realidad · imagen || contraste**
● CON ADVS. **especialmente · particularmente** *El problema de la vivienda es un asunto particularmente sangrante*
● CON VBOS. **resultar || volverse || calificar (de)**

sangrar v.

● CON SUSTS. **herida · llaga || nariz** *Me está sangrando la nariz* · **oído** · ***otras partes del cuerpo***
● CON ADVS. **abundantemente** *La herida sangraba abundantemente* · **a borbotones · a chorros · profusamente · sin parar**

[sangre]

→ a sangre fría; a sangre y fuego; sangre

sangre s.f.

● CON ADJS. **abundante · copiosa || densa · espesa · viscosa · fluida || pura** *Este caballo es un pura sangre* **|| fría · caliente || azul** *No podía casarse con el príncipe porque no tenía sangre azul* · **real · noble || limpio,pia (de) · sediento,ta (de)** *La leyenda cuenta que los vampiros salen por la noche sedientos de sangre* · **lleno,na (de)**
● CON SUSTS. **gota (de)** *Limpió las gotas de sangre que habían caído en el lavabo* · **coágulo (de) · charco (de) · reguero (de) · río (de) · rastro (de) · mancha (de) · huella (de) · resto (de) || baño (de) · derramamiento (de) · delito (de) || limpieza (de) · transfusión (de) · extracción (de) || análisis (de) · muestra (de) || banco (de) || lazo (de) · vínculo (de) · pacto (de)**
● CON VBOS. **salir(le) (a alguien)** *Me sale sangre de la nariz* · **brotar · correr · circular · fluir · manar · recorrer (algo) · salpicar || licuar(se) · coagular(se) · helar(se) (a alguien)** *Se me heló la sangre en el cuerpo cuando me dieron la noticia* · **hervir || perder · derramar · expulsar · verter · parar** *Le hicimos un torniquete para parar la sangre* **|| quitar · limpiar · lavar || donar · dar · necesitar || llenar (de) · cubrir (de) · teñir (de) || manchar(se) las manos (de)**

☐ EXPRESIONES **a sangre fría*** [con pleno conocimiento y control] *Cometió el crimen a sangre fría* **|| chupar la sangre** [abusar grandemente] *col.* **|| envenenar la sangre** [crear inquina] *col.* **|| hacerse** (alguien) **mala sangre** [sentir rabia por algo que es inevitable que suceda] **|| llevar** (algo) **en la sangre** [tenerlo como innato o hereditario] **|| no llegar la sangre al río** [no tener consecuencias graves] *col.* **|| no tener sangre en las venas** [ser excesivamente tranquilo] **|| sangre fría** [aplomo] *En un asunto tan delicado como este conviene tener mucha sangre fría* **|| tener sangre de horchata** [ser muy pusilánime] *col.*

sangría s.f.

▌[bebida]

● CON SUSTS. **jarra (de)** *pedir una jarra de sangría*
➤ Véase también **BEBIDA**

▌[gasto, especialmente de dinero]

● CON ADJS. **económica · de dinero · financiera · de divisas · de recursos · presupuestaria** *tratar en una reunión sobre la sangría presupuestaria* · **fiscal || auténtica · constante** *El alquiler suponía una constante sangría* · **imparable · dolorosa || de votos**
● CON VBOS. **detener · frenar** *Con un plan de ahorro frenó la sangría económica* · **parar · cortar · evitar || generar · provocar** *Una inversión equivocada puede provocar una sangría financiera en la empresa* · **producir || combatir · sufrir || poner fin (a) · acabar (con)**

sanguíneo, a adj.

● CON SUSTS. **grupo** *¿Cuál es tu grupo sanguíneo?* · **riesgo · sistema · nivel · factor || circulación** *fármacos para mejorar la circulación sanguínea* · **flujo · torrente · corriente || tensión · presión || vaso · coágulo · coagulación || irrigación · transfusión || muestra · prueba** *Me han citado a primera hora para una prueba sanguínea* · **análisis · control · test || célula · plasma**

sanitario, ria adj.

● CON SUSTS. **asistencia** *la tarjeta de asistencia sanitaria* · **atención · cobertura · servicio || centro · instalación · área || gestión · administración · financiación · gasto · presupuesto · inversión || sistema · red** *El centro pertenece a la red sanitaria de la comunidad* · **política · modelo || personal · profesional · equipo · autoridad || material · cartilla · tarjeta** *Me he dejado en casa la tarjeta sanitaria* **|| emergencia · problema · necesidad · riesgo || condición · control || reforma · educación · normativa** *un caso que no se ajusta a la normativa sanitaria* · **ley · disposición**

[sano, na]

→ sano, na; sano y salvo

sano, na

1 sano, na adj.

● CON SUSTS. ***persona* || *animal* || órgano · corazón** *consejos para tener un corazón sano* · **ojo · riñón** · ***otras partes del cuerpo*** **|| alimentación · comida · bebida || hábito · costumbre** *la sana costumbre de caminar una hora cada día* · **vida** *llevar una vida sana* · **ejercicio · dieta || economía · sociedad || crecimiento || distancia · convivencia || curiosidad** *No preguntaba con malicia, sino con sana curiosidad* · **intención · envidia · juicio · competencia**
● CON ADVS. **mentalmente || perfectamente · completamente || aparentemente**
● CON VBOS. **ser · estar · ponerse · mantener(se) · crecer**

2 sano adv.

● CON VBOS. **comer** *Me gusta comer sano* · **vivir**

☐ EXPRESIONES **cortar por lo sano** [remediar algo por una vía drástica] *col.*

sano y salvo loc.adj.

● CON VBOS. **recuperar · rescatar** *Tras el derrumbre, rescataron a varios niños sanos y salvos* · **liberar · recoger · repatriar · sacar || llegar · aparecer · regresar · retornar · volver · nacer · aterrizar** *Hubo muchas turbulencias durante el vuelo, pero aterrizamos sanos y salvos* · **bajar · caer · reaparecer · arribar · emerger || localizar · hallar || salir · escapar · abandonar · marchar · evacuar || permanecer · seguir · quedar · encontrar(se) || devolver** *Los secuestradores devolvieron sano y salvo al rehén* · **traer · dejar · entregar · llevar · trasladar · reintegrar**

☐ USO Se usan también las variantes *sana y salva*, *sanos y salvos* y *sanas y salvas*.

santidad s.f.

•CON SUSTS. **camino (de/a)** · **vida (de)** *Fue canonizado tras una vida de santidad* · **vocación (de)** · **llamada (a)** || **aura (de)** · **aureola (de)** · **fama (de)** || **modelo (de)** · **ejemplo (de)**

•CON VBOS. **lograr** · **alcanzar** || **aspirar (a)** · **llamar (a)**

[santo] → guerra santa; santo

santo s.m.

•CON SUSTS. **día (de)** *El día de mi santo os invito a cenar*

•CON VBOS. **celebrar** · **felicitar**

□EXPRESIONES **a santo de qué** [con qué motivo] || **llegar y besar el santo** [lograr a la primera lo que se pretende] *col.* || **írse(le)** (a alguien) **el santo al cielo** [olvidarse totalmente de algo] *col.*

saque s.m.

•CON ADJS. **directo** · **preciso** · **potente** · **efectivo** · **poderoso** || **de esquina** · **de honor** *El saque de honor lo realizó el alcalde* · **de puerta** · **de portería** · **de banda** · **de córner** · **de falta**

•CON SUSTS. **juego (de)** · **jugada (de)** · **golpe (de)** || **punto (de)** · **tanto (de)** || **error (de)**

•CON VBOS. **desviar** · **cabecear** · **efectuar** · **perder** · **romper** · **rematar** *Los jugadores toman posiciones para rematar el saque* · **hacer** · **repetir**

□EXPRESIONES **tener buen saque** [tener capacidad para comer en abundancia] *col.*

saquear v.

•CON SUSTS. **lugar** · **ciudad** *El ejército invasor saqueó la ciudad* · **casa** · **finca** · **propiedad** || **habitantes** · **población** || **banco** · **biblioteca** · **establecimiento** · **tienda** · **comercio** || **cuenta** · **bienes** · **armario** · **despensa** · **bolsillo** *impuestos desorbitados que parecen destinados a saquear los bolsillos de los consumidores*

•CON ADVS. **impunemente** || **violentamente** · **salvajemente** · **sin contemplaciones** *...así que saquearon nuestra cuenta bancaria sin contemplaciones* · **a sangre y fuego**

sarampión s.m.

•CON SUSTS. **virus (de)** · **epidemia (de)** · **brote (de)** || **caso (de)** · **síntoma (de)** || **vacuna (contra)**

•CON VBOS. **propagar(se)** · **extender(se)** || **tener** · **coger** · **pillar** · **contraer** || **contagiar** · **pegar** *Al niño le han pegado el sarampión en el colegio* || **pasar** *¿Pasó de pequeña el sarampión?* · **curar(se)** · **superar** || **erradicar** · **inmunizar(se)** || **incubar** || **vacunar(se) (de/contra)** || **estar (con)**

sarao s.m.

•CON ADJS. **público** · **privado** || **cultural** · **benéfico** || **nocturno** *Tras la entrega de premios hubo un sarao nocturno*

•CON VBOS. **montar** · **organizar** *El magnate organizó un sarao en su yate* · **ofrecer** || **asistir (a)** · **acudir (a)** || **participar (en)**

sarcasmo s.m.

•CON ADJS. **terrible** · **enorme** || **agudo** · **afilado** · **acerado** *Es célebre por su sarcasmo acerado y punzante* · **punzante** · **ácido** · **mordaz** · **descarado** · **fuerte** · **vivo** || **hiriente** · **despectivo** · **displicente** · **burlesco** || **violento** · **descarnado** · **cruel** · **demoledor** · **duro** || **dialéctico** || **lleno,na (de)** · **cargado,da (de)**

•CON SUSTS. **dosis (de)** *con una pequeña dosis de sarcasmo* · **deje (de)** · **toque (de)** · **demostración (de)** · **tono (de)** · **vena (de)** || **gesto (de)** · **mueca (de)**

•CON VBOS. **haber (en algo)** *No deja de haber algo de sarcasmo en el hecho de que...* || **contener** || **utilizar** · **aplicar** · **derrochar** *Derrocha un sarcasmo hiriente y provocador*

•CON PREPS. **con** *responder con sarcasmo*

sarcástico, ca adj.

•CON SUSTS. ***persona*** || **carácter** · **tono** · **postura** · **vena** *En su última película saca su vena más sarcástica* || **broma** · **comentario** · **descripción** · **crítica** || **(sentido del) humor** · **sonrisa** · **risa** · **mueca** || **visión** · **mirada**

•CON ADVS. **ferozmente** · **descarnadamente** || **altamente** · **excesivamente** *Habló con un tono excesivamente sarcástico* · **exageradamente**

•CON VBOS. **volverse** · **ponerse**

sarna s.f.

•CON SUSTS. **brote (de)** *Han atajado en la perrera un brote de sarna* · **foco (de)** · **caso (de)** · **epidemia (de)** || **marcas (de)** · **manchas (de)** || **efecto (de)** · **causa (de)**

•CON VBOS. **afectar (a alguien)** · **infectar (a alguien)** || **propagar(se)** · **expandir(se)** || **sufrir** · **padecer** · **coger** · **contagiar** *No sabemos cómo se contagió la sarna* || **erradicar** · **combatir** · **controlar** · **curar** · **tratar**

sarnoso, sa adj.

•CON SUSTS. ***animal*** *perro sarnoso* || **aspecto**

sarpullido s.m.

•CON VBOS. **salir (a alguien)** *Me ha salido un sarpullido en la espalda* · **aparecer** · **brotar** · **extender(se)** || **tener** · **sufrir** · **sentir** || **producir** · **provocar** *Hablar del tema me provoca sarpullidos* · **levantar** · **originar**

sarta (de) s.f.

•CON SUSTS. **mentiras** *¿Por qué semejante sarta de mentiras merece comentarios tan...?* · **embustes** · **falsedades** · **falsificaciones** · **patrañas** · **pretextos** · **excusas** || **disparates** · **despropósitos** · **incongruencias** · **tonterías** · **sandeces** · **barbaridades** *No dábamos crédito a la sarta de barbaridades que circulaba sobre nosotros* · **brutalidades** · **majaderías** · **bobadas** · **estupideces** · **trivialidades** · **tópicos** · **chismes** · **habladurías** · **dislates** || **descalificaciones** · **improperios** · **insultos** *...y contestó, fuera de sí, con una sarta de insultos y descalificaciones* · **acusaciones** · **pullas** · **calumnias** · **difamaciones** · **provocaciones** · **injurias** · **infundios** · **infamias** · **vituperios** || **preguntas** · **chistes** · **opiniones** · **ocurrencias** · **consejos** · **palabras** · **tacos** · **greguerías** · **letanías** · **protestas** · **ofrecimientos** || **incorrecciones** · **irregularidades** · **injusticias** · **defectos** · **escándalos** · **ligerezas** · **chapuzas** · **arbitrariedades** · **desmanes** · **desaguisados** · **entuertos** · **vaguedades** *...en una cumbre ya calificada por la prensa como una sarta de vaguedades* · **venalidades** · **miserias** || **carcajadas** · **risotadas** · **ruidos** · **detonaciones**

sartén s.f.

•CON ADJS. **pequeña** · **grande** *Pásame la sartén grande para las patatas* · **honda** || **caliente** · **humeante** || **antiadherente**

•CON SUSTS. **mango (de)** || **fondo (de)**

•CON VBOS. **pegarse** *Esta sartén se pega y cuesta mucho fregarla* || **usar** · **utilizar** || **llenar** · **calentar** *Pon a calentar* *la sartén en el fuego* · **tapar** · **retirar** || **fregar** · **limpiar** || **freír (en)** · **saltear (en)** · **rehogar (en)** · **hacer (en)**

☐ EXPRESIONES **tener** (alguien) **la sartén por el mango** [ser dueño de la situación] *col.*

satánico, ca adj.

● CON SUSTS. **rito** · **ritual** · **culto** · **práctica** · **ceremonia** || **secta** *La Policía investiga los movimientos de varias sectas satánicas* · **grupo** || **acción** · **fuerza** · **signo** || **comedia** · **personaje** || **idea** · **pensamiento** · **intención** · **tentación**

satélite s.m.

▮ [cuerpo celeste o aparato en órbita]

● CON ADJS. **artificial** · **natural** || **de telecomunicaciones** · **de televisión** · **militar** · **científico** · **espacial** *El satélite espacial ha perdido la conexión* · **comercial** || **en órbita** || **privado** · **oficial**

● CON SUSTS. **lanzamiento (de)** || **imagen (de)** · **fotografía (de)** · **señal (de)** || **trayectoria (de)** · **órbita (de)** *Los científicos calculan la órbita del satélite* · **seguimiento (de)** || **impacto (de)** · **caída (de)** || **misión (de)**

● CON VBOS. **construir** || **lanzar** · **poner en órbita** *Se pondrá pronto en órbita un nuevo satélite de comunicaciones* || **controlar**

● CON PREPS. **vía** *la televisión vía satélite para teléfonos móviles* · **a través (de)** · **a bordo (de)** · **por**

▮ [población vinculada a otra]

● CON SUSTS. **ciudad** · **país** · **estado** || **grupo** · **organización** *una organización satélite de la central* · **partido**

satinado, da adj.

● CON SUSTS. **papel** *Para la impresión necesitamos papel satinado* · **página** · **folio** · **hoja** · **folleto** || **tela** · **tejido** · **camisa** · **traje** || **aspecto** · **piel** || **plástico** · **cristal** · **cartón** || **fotografía**

satírico, ca adj.

● CON SUSTS. **prensa** · **publicación** · **periodismo** · **semanario** · **revista** · **crónica** *Escribía brillantes crónicas satíricas de la sociedad en que vivía* || **artista** · **escritor,-a** · **autor,-a** *Tiene fama de ser una autora satírica* || **obra** · **poema** · **poesía** · **verso** · **texto** · **novela** · **comedia** · **drama** · **crítica** · **dibujo** · **canción** || **literatura** · **tradición** · **género** || **carácter** · **tono** *el tono marcadamente satírico de su intervención* · **humor** · **visión** · **mirada** · **vena** · **pincelada** || **carga** · **clave** *una obra escrita en clave satírica*

satisfacción s.f.

● CON ADJS. **gran(de)** *Tuve una gran satisfacción al enterarme de...* · **verdadera** · **absoluta** · **plena** · **total** · **completa** · **suma** · **enorme** · **inmensa** *Cuando me lo dijo, sentí una inmensa satisfacción* · **intensa** · **indescriptible** · **grata** · **impagable** · **viva** · **profunda** · **desbordante** || **ostensible** · **evidente** · **manifiesta** · **visible** || **pequeña** · **mínima** · **escasa** · **falsa** || **con reservas** || **lleno,na (de)** · **rebosante (de)** *Estaba feliz y rebosante de satisfacción* · **borracho,cha (de)** · **pletórico,ca (de)**

● CON SUSTS. **cara (de)** · **sonrisa (de)** · **gesto (de)** · **sensación (de)** || **motivo (de)** || **grado (de)** · **nivel (de)** || **clima (de)** || **falta (de)**

● CON VBOS. **ser (para alguien)** · **suponer (para alguien)** · **constituir (para alguien)** || **dar (a alguien)** · **procurar (a alguien)** · **deparar (a alguien)** · **proporcionar (a alguien)** · **producir (a alguien)** *Nos produce una gran satisfacción comprobar que...* || **experimentar** · **sentir** || **manifestar** · **mostrar** · **revelar** · **reflejar** · **ocultar** *No oculto mi satisfacción por el hecho de...* · **disimular** || **colmar (de)** · **llenar (de)** *Nos llena de satisfacción que pienses de esa manera*

● CON PREPS. **con**

satisfacer v.

● CON SUSTS. **sed** · **hambre** *un nuevo libro para satisfacer el hambre de misterio de los seguidores del autor* · **sueño** · **necesidad** || **deseo** *Es difícil llegar a un acuerdo para satisfacer los deseos de todos* · **gusto** · **aspiración** · **expectativa** · **objetivo** · **ambición** · **pretensión** · **petición** · **demanda** · **exigencia** · **requisito** || **interés** · **duda** · **curiosidad** *un texto claro y bien escrito que satisfará cumplidamente la curiosidad del lector* · **inquietud** || **deuda**

● CON ADVS. **enteramente** · **plenamente** · **completamente** · **por completo** · **ampliamente** · **cumplidamente** *Satisfizo cumplidamente su ambición de ser conocido* · **holgadamente** · **enormemente** · **sobradamente** *una amplísima y documentada respuesta que satisface sobradamente todas nuestras dudas* · **de sobra** · **con creces** || **a medias** · **parcialmente** · **en parte** || **ni de lejos** · **en absoluto** · **ni por asomo**

satisfactoriamente adv.

● CON VBOS. **concluir** · **terminar** · **finalizar** *Ha finalizado satisfactoriamente la cumbre* · **acabar** || **empezar** · **iniciar** · **comenzar** || **llevar a término** · **llevar a cabo** · **poner fin** · **culminar** · **liquidar** · **cumplir** · **llenar** || **resolver** *El profesor resolvió satisfactoriamente las dudas que le plantearon* · **solucionar** · **descifrar** · **despejar** · **arreglar** · **saldar** · **solventar** || **superar** · **pasar** · **recuperarse** · **salir** || **desarrollar(se)** · **discurrir** · **evolucionar** *La paciente evoluciona satisfactoriamente* · **desenvolverse** · **mejorar** · **marchar** · **encarrilar(se)** · **funcionar** · **trabajar** · **operar** || **abordar** · **desempeñar** · **enfrentarse** · **encarar** || **explicar** · **describir** · **aclarar** *La reunión ha servido para aclarar satisfactoriamente algunos malentendidos* · **hablar** · **refutar** · **responder** · **justificar** · **probar** || **ver** · **valorar** · **evaluar**

satisfactorio, ria adj.

● CON SUSTS. **respuesta** *El paciente está teniendo una respuesta satisfactoria al tratamiento* · **solución** · **salida** || **explicación** · **información** || **prueba** · **justificación** · **examen** · **demostración** || **resultado** · **balance** · **conclusión** · **valoración** || **acuerdo** · **propuesta** · **negociación** · **trato** · **pacto** || **actuación** · **comportamiento** · **funcionamiento** || **fin** · **final** · **término** || **fórmula** · **alternativa** || **vida** · **relación** *una relación satisfactoria con los vecinos* || **salario** · **suma** · **cantidad** || **nivel** · **calidad** || **temporada**

● CON ADVS. **plenamente** · **totalmente** · **absolutamente** · **enteramente** *un acuerdo enteramente satisfactorio* · **completamente** || **altamente** · **sumamente** · **ampliamente** || **especialmente** || **relativamente** · **suficientemente**

● CON VBOS. **resultar** · **considerar**

satisfecho, cha adj.

● CON ADVS. **plenamente** · **totalmente** · **enormemente** *Parece una persona enormemente satisfecha consigo misma y con su vida* · **profundamente** · **inmensamente** · **sumamente** || **parcialmente** · **ligeramente** || **visiblemente** · **ostensiblemente** · **claramente** || **gratamente** *El profesor estaba gratamente satisfecho del rendimiento de sus alumnos*

● CON VBOS. **estar** · **quedar(se)**

sauce s.m.

● CON ADJS. **llorón** · **colorado**

➤ Véase también **ÁRBOL**

saxofón s.m.

● CON ADJS. **solista** · **tenor** · **contralto** · **barítono** || **prodigioso**
● CON SUSTS. **genio (de)** · **alumno,na (de)**
➤ Véase también **INSTRUMENTO MUSICAL**

sazonar v.

● CON SUSTS. **filete** · **pescado** · **guiso** *Comprueba que esté bien sazonado el guiso* · ***otros alimentos o comidas*** || **conjunto** · **mezcla**
● CON ADVS. **al gusto** · **ligeramente** · **generosamente**

sebáceo, a adj.

● CON SUSTS. **glándula** · **quiste** *Me extrajeron un quiste sebáceo* · **secreción**

secamente adv.

● CON VBOS. **responder** *El dependiente me respondió secamente* · **comentar** · **contar** · **expresar** · **informar** · **explicar** · ***otros verbos de lengua*** || **saludar** · **recibir**

secano s.m.

● CON SUSTS. **tierra (de)** · **campo (de)** · **zona (de)** *una especie apropiada para las zonas de secano* · **terreno (de)** · **superficie (de)** || **agricultura (de)** · **cosecha (de)** · **cultivo (de)** *La sequía afecta a los cultivos de secano* · **plantación (de)** · **cereal (de)** · **producto (de)**

secar(se) v.

▮ [dejar de estar húmedo]
● CON SUSTS. ***persona*** *turistas secándose al sol* || **planta** · **maceta** *Se me han secado las macetas* · **árbol** · **flor** || **terreno** · **campo** · **tierra** || **río** · **lago** · **pozo** · **cuenca** || **ropa** *En verano se seca la ropa en seguida* · **pelo** · **pared** · ***otras cosas materiales***
● CON ADVS. **completamente** · **totalmente** · **perfectamente** · **parcialmente** || **al aire** · **al sol** || **rápidamente**

▮ [agostarse]
● CON SUSTS. **cerebro** · **ideas** · **mente** · **corazón**

[seco] → en seco; seco, ca

seco, ca adj.

▮ [no húmedo]
● CON SUSTS. **lugar** · **zona** · **región** · **tierra** · **campo** || **época** · **estación** · **tiempo** · **clima** *una región caracterizada por su clima seco* · **frío** · **calor** · **aire** · **ambiente** || **río** · **cauce** · **dique** · **arroyo** · **embalse** · **pantano** · **estanque** || **planta** · **hoja** *las hojas secas del otoño* · **fruto** || **boca** *Tengo la boca seca*
● CON VBOS. **ser** · **estar** · **poner(se)** · **quedar(se)** *Se me he quedado seca la garganta* || **dejar**

▮ [desabrido]
● CON SUSTS. ***persona*** || **carácter** · **estilo** · **tono** || **comentario** *Estaba enfadado y me hizo un comentario algo seco* · **respuesta** · **discurso** · **explicación**

▮ [no dulce]
● CON SUSTS. **vino** · **champán** · **cava** · **anís** · ***otras bebidas alcohólicas***

▮ [sin grasa]
● CON SUSTS. **piel** · **cabello** *un champú especial para cabellos secos* · **pelo** · **mano** · **cara**

▮ [ronco, áspero]
● CON SUSTS. **sonido** · **golpe** · **chasquido** · **disparo** · **tiro**
□ EXPRESIONES **a secas** [sin añadir otra cosa] || **en seco*** [bruscamente]

secretario, ria s.

● CON ADJS. **eficaz** · **eficiente** || **ineficiente** · **ineficaz** || **particular** · **personal** || **honorífico,ca** *La nombraron secretaria honorífica de la sociedad* · **vitalicio,cia** || **general** · **de Estado** *Ambos secretarios de Estado se reunieron para tratar...* · **regional** · **ministerial** · **judicial**
● CON SUSTS. **cargo (de)** · **puesto (de)**
● CON VBOS. **contratar** · **tener** · **elegir** · **nombrar** || **buscar** *Estoy buscando un secretario para el despacho* · **necesitar** || **trabajar (como/de)**

[secreto] → en secreto; secreto, ta

secreto, ta

1 **secreto, ta** adj.
● CON SUSTS. **sitio** · **escondite** · **pasadizo** · **puerta** *Detrás del aparador había una pequeña puerta secreta* · **ventana** · **cajón** · **casa** · ***otros lugares*** || **noticia** · **dato** *Esos datos son secretos y no deben ser desvelados* · **palabra** · **confesión** · ***otras informaciones*** || **decisión** · **plan** · **proyecto** · **investigación** || **policía** *Durante la reunión de los jefes de Estado las calles estaban ocupadas por la Policía Secreta*

2 **secreto** s.m.
● CON ADJS. **absoluto** · **total** · **riguroso** *Quería mantener sus planes en riguroso secreto hasta que...* · **estricto** · **férreo** · **hermético** · **celoso** || **impenetrable** · **inviolable** · **invulnerable** · **inaccesible** · **insondable** · **oculto** · **recóndito** · **inconfesable** || **íntimo** *Le conté secretos muy íntimos porque confiaba en él* || **velado** · **misterioso** · **intrincado** || **al descubierto** || **de estado** · **de confesión** · **sumarial** · **de sumario**
● CON VBOS. **salir a la luz** · **filtrar(se)** · **aflorar** || **residir (en algo)** || **confiar (a alguien)** · **confesar** · **contar (a alguien)** *Nos aseguró que no había contado el secreto a nadie* · **revelar** · **desvelar** · **compartir** · **airear** *La prensa del corazón se dedica a airear los secretos de los famosos* · **pregonar** · **publicar** · **destapar** · **decir** || **sacar a la luz** · **descubrir** · **descifrar** · **desentrañar** · **dilucidar** · **arrancar (a alguien)** · **sonsacar (a alguien)** · **conocer** || **guardar** *Sé que me guardarás el secreto* · **mantener** · **conservar** · **proteger** || **ocultar** · **esconder** · **encerrar** · **atesorar** || **romper** · **quebrantar** · **violar** · **vulnerar** · **infringir** · **conculcar** || **decretar** *El juez decretó el secreto de las investigaciones* · **ordenar** · **exigir** · **imponer** · **levantar** || **adentrarse (en)** · **escarbar (en)** · **bucear (en)** *Después de mucho bucear en sus secretos más íntimos, los biógrafos...* · **hurgar (en)**
□ EXPRESIONES **en secreto*** [secretamente] || **secreto a voces** [misterio que se hace de lo ya conocido por todos] *col. Me hacía confidencias que eran secretos a voces*

secta s.f.

● CON ADJS. **religiosa** || **satánica** || **secreta** *Los reporteros se introdujeron en una secta secreta* · **prohibida** · **misteriosa** · **minoritaria** || **peligrosa** · **destructiva** · **suicida**
● CON SUSTS. **miembro (de)** · **integrante (de)** · **componente (de)** · **seguidor,-a (de)** · **adepto,ta (de)** || **líder (de)** *El líder de la secta congregó a una decena de adeptos* · **dirigente (de)** · **gurú (de)** · **jefe,fa (de)** || **sede (de)** · **local (de)**

• CON VBOS. **fundar** · **disolver** || **abandonar** *La intención era evitar que algún miembro abandonara la secta* || **convertirse (a)** · **pertenecer (a)** · **integrarse (en)** · **formar parte (de)**

secuela

1 **secuela** s.f.

• CON ADJS. **irreversible** *El accidente le dejó secuelas irreversibles* · **irreparable** · **imborrable** || **temporal** · **transitoria** · **ligera** · **leve** || **palpable** · **perceptible** || **profunda** · **honda** · **arraigada**

• CON SUSTS. **serie (de)** · **rosario (de)** · **lista (de)** || **riesgo (de)**

• CON VBOS. **dejarse ver** · **aparecer** || **afectar (a algo)** || **agravar(se)** · **complicar(se)** || **quedar** · **permanecer** · **continuar** || **traer consigo** · **acarrear** · **traer aparejado** · **dejar** · **conllevar** · **provocar** || **sufrir** *Sufrió en sus carnes las secuelas de la guerra* · **padecer** · **arrastrar** || **percibir** · **sentir** || **recobrarse (de)** *Le llevará años al país recobrarse de las secuelas de la dictadura* · **recuperarse (de)**

2 **secuela (de)** s.f.

• CON SUSTS. **enfermedad** *¿Cuáles son las secuelas más graves de la enfermedad?* · **lesión** · **quemadura** · **herida** || **borrachera** · **comilona** || **accidente** · **incendio** · **golpe** · **caída** · **incidente** · **bomba** || **guerra** · **violencia** · **destrucción** · **contienda** · **matanza** · **masacre** · **dictadura** · **posguerra** · **violación** *una población que aún sufre las secuelas de las reiteradas violaciones de los derechos humanos* · **asalto** || **agitación** · **polémica** · **discusión** · **elección** || **crisis** · **recesión** · **inestabilidad** · **quiebra** · **devaluación** *Las secuelas de la devaluación casi no se han sentido en el sector* · **decadencia** || **tormenta** · **aguacero** · ***otros fenómenos meteorológicos adversos*** || **inundación** · **catástrofe** · **terremoto** · **sequía**

secuestrar v.

• CON SUSTS. ***persona*** || **avión** · **tren** · **metro** · **autobús** || **edición** · **revista** · **libro**

• CON ADVS. **a mano armada** · **a punta de {navaja/pistola}** *Unos encapuchados secuestraron a punta de pistola a...* · **violentamente** || **impunemente**

secular adj.

▮ [muy antiguo]

• CON SUSTS. **tradición** · **costumbre** · **práctica** || **odio** · **pugna** · **enfrentamiento** *el enfrentamiento secular entre los dos países* · **conflicto** · **guerra** || **problema** *el problema secular de la pobreza* · **abandono** · **marginación** · **reivindicación** || **enemigo,ga** || **atraso** · **retraso** || **trabajo** · **lucha** · **experiencia** · **política** || **fiesta** · **celebración** || **idea** · **pensamiento** · **símbolo** · **imagen**

▮ [no religioso]

• CON SUSTS. **estado** · **tribunal** · **república** · **sociedad** *el papel de la religión en una sociedad secular* · **mundo** || **cultura** · **doctrina** || **condición** · **carácter** || **ética** · **moral** || **arte** · **obra** · **literatura**

secundar v.

• CON SUSTS. **iniciativa** · **propuesta** · **proyecto** · **plan** || **huelga** *Según los organizadores, todas las empresas del sector secundaron la huelga* · **paro** · **manifestación** · **movilización** || **acuerdo** · **pacto** · **convenio** || **llamada** · **llamamiento** · **petición**

• CON ADVS. **con gusto** · **de buen grado** · **gustosamente** · **a regañadientes** || **a coro** · **mayoritariamente** · **minoritariamente** || **totalmente** · **plenamente**

secundario, ria adj.

• CON SUSTS. **cuestión** · **hecho** · **problema** || **papel** · **personaje** · **actor** *Recibió el premio al mejor actor secundario* · **actriz** · **historia** · **trama** · **argumento** || **carretera** · **calle** · **ruta** · **red** *la red secundaria de carreteras* · **acceso** || **efectos** *un tratamiento sin efectos secundarios*

sed

1 **sed** s.f.

• CON ADJS. **espantosa** · **horrible** · **terrible** *Anoche me desperté con una sed terrible* · **tremenda** · **acuciante** · **apremiante** · **abrumadora** · **desmesurada** *Sentía una sed desmesurada de aventuras* · **desaforada** · **incontenible** · **irreprimible** · **inagotable** · **insaciable** · **asfixiante** · **imperiosa** || **muerto,ta (de)** *Venía muerta de sed* · **seco,ca (de)**

• CON VBOS. **entrar (a alguien)** · **asaltar (a alguien)** · **acuciar (a alguien)** || **írse(le) (a alguien)** · **pasárse(le) (a alguien)** · **quitárse(le) (a alguien)** || **tener** *Prefiero agua, gracias; tengo mucha sed* · **sentir** · **experimentar** · **pasar** · **soportar** · **aguantar** || **dar** *Las comidas saladas me dan sed* · **despertar** || **calmar** · **aplacar** · **apagar** · **mitigar** · **paliar** · **apaciguar** · **sofocar** · **saciar** || **morir(se) (de)** *¡Me muero de sed, necesito beber algo!* · **reventar (de)**

2 **sed (de)** s.f.

• CON SUSTS. **venganza** *Actuó movido por su sed de venganza* · **mal** · **sangre** || **justicia** · **libertad** · **paz** · **amor** || **triunfo** · **victoria** · **protagonismo** · **poder** · **riqueza** · **dinero** · **fama** · **gloria** · **éxito** || **conocimiento** · **noticias** · **información**

[seda] → como la seda

sede s.f.

• CON ADJS. **olímpica** · **parlamentaria** · **diplomática** · **política** || **central** · **social** · **federal** · **municipal** · **oficial** *Durante nuestro viaje visitamos la sede oficial* || **improvisada** · **equipada** || **nueva** · **antigua**

• CON SUSTS. **cambio (de)** · **traslado (de)**

• CON VBOS. **tener** · **inaugurar** *El cabeza de partido inauguró la nueva sede rodeado de sus principales colaboradores* · **construir** || **visitar** || **abandonar** || **congregar(se) (en)** · **reunir(se) (en)** · **acudir (a)** · **comparecer (en)** *La dirigente compareció en la sede de su organización* · **permanecer (en)** || **servir (de)**

• CON PREPS. **con** *una empresa con sede en Caracas*

sedentario, ria adj.

• CON SUSTS. **vida** *llevar una vida sedentaria* · **existencia** || **costumbre** · **hábito** || **trabajo** · **labor** · **actividad** || ***persona*** || **sociedad** · **cultura** || **personalidad** · **temperamento** · **forma de ser**

• CON VBOS. **hacerse** · **volverse** *Desde que trabajo en una oficina me he vuelto más sedentario*

sedimento s.m.

• CON ADJS. **marino** · **oceánico** · **fluvial** · **terrestre** · **geológico** || **orgánico** *Los últimos análisis muestran sedimentos orgánicos* · **bacteriano** · **vegetal** · **mineral** || **contaminado** *Los expertos indican que aún se pueden encontrar sedimentos contaminados en el cauce del río* · **industrial**

• CON SUSTS. **capa (de)** · **erosión (de)** · **nivel (de)**

• CON VBOS. **acumular(se)** · **depositar(se)** *Los sedimentos se fueron depositando en el fondo del lago* · **quedar(se)** || **extraer** · **analizar**

seducción s.f.

• CON SUSTS. **poder (de)** *Tiene un gran poder de seducción* · **capacidad (de)** || **juego (de)** · **estrategia (de)** · **arma (de)** || **historia (de)**
• CON VBOS. **utilizar** · **usar** · **emplear** || **ejercer** *El mundo del espectáculo ejerció siempre una seducción especial sobre el pintor* || **sentir** · **percibir** · **sufrir** || **sucumbir (ante)** · **caer (ante)**

seductor, -a

1 **seductor, -a** adj.
• CON SUSTS. ***persona*** *un hombre atractivo y seductor* || **mirada** *No pude resistirme a su seductora mirada* · **ojos** · **sonrisa** · **voz** · **aspecto** · **presencia** · **rostro** || **libro** · **relato** *un relato seductor que te atrapa de principio a fin* · **personaje** · **música** · **publicidad** || **capacidad** · **actitud** · **gesto** || **fama (de)** *Siempre ha tenido fama de seductora*
• CON ADVS. **enormemente** · **absolutamente** · **altamente** · **especialmente** || **arrebatadoramente** || **peligrosamente**

2 **seductor, -a** s.
• CON ADJS. **irresistible** · **nato,ta** · **gran** · **atractivo,va**

segar v.

• CON SUSTS. **hierba** · **mies** · **cereal** || **vida** *Un accidente de tráfico segó inesperadamente su vida* · **futuro** · **esperanza** · **ilusión** · **aspiración** || **marcha** · **avance** · **evolución** · **proceso** · **progreso** || **relación** || **cabeza** · **brazo** · **pierna** · **extremidad**
• CON ADVS. **definitivamente** · **por completo** · **de raíz** || **de un tajo** · **bruscamente** || **inesperadamente**

seglar adj.

• CON SUSTS. **profesor,-a** · **misionero,ra** *El artículo refleja el testimonio de un misionero seglar* · **apostolado** || **vida** *Colgó los hábitos para iniciar una vida seglar* || **movimiento** · **agrupación**

segmento s.m.

• CON ADJS. **amplio** *Un amplio segmento de la empresa ha decidido secundar la huelga* · **vasto** · **mayoritario** · **importante** || **pequeño** · **minúsculo** · **insignificante** || **prioritario** · **significativo** || **poblacional** · **social** · **electoral**
• CON VBOS. **representar** · **ocupar** · **constituir**
• CON PREPS. **en** · **dentro (de)**

segregar v.

▌[desprender, despedir]
• CON SUSTS. **jugo** · **hormona** · **cera** · **líquido** · **saliva** · **bilis** · **sustancia** *Este animal segrega una sustancia repelente para defenderse* || **peste** · **olor** · **aroma** || **sensación** · **malestar** · **euforia** || **conocimiento** · **idea** · **opinión** || **problema** · **violencia** *un relato que segrega violencia e inconformismo* · **crítica**

▌[separar, apartar]
• CON SUSTS. **mujer** *El club fue acusado de segregar a las mujeres* · **hombre** · **extranjero,ra** · **población** · ***otros individuos y grupos humanos*** || **municipio** · **región** · **provincia** · **administración**

[seguido] → a renglón seguido

seguidor, -a s.

• CON ADJS. **fiel** · **asiduo,dua** · **devoto,ta** · **incondicional** · **acérrimo,ma** · **gran** *Era un gran seguidor del equipo de su ciudad* · **entusiasta** · **convencido,da** · **apasionado,da** *una apasionada seguidora de la música rock* · **ardoroso,sa** · **fervoroso,sa** · **ferviente** · **enardecido,da** · **fogoso,sa** · **empedernido,da** · **impenitente** || **habitual** · **ocasional** || **exaltado,da** · **fanático,ca** || **inconstante**
• CON SUSTS. **grupo (de)** · **peña (de)** · **club (de)**
• CON VBOS. **apoyar (a alguien)** *Los seguidores del equipo lo apoyaban incondicionalmente* || **aplaudir (a alguien)** · **vitorear (a alguien)** · **enardecer(se)** || **atraer** · **captar** *Con su enardecido discurso captó algunos seguidores* · **concitar** · **aglutinar** · **congregar** · **convocar** || **decepcionar** · **desilusionar** · **fallar** || **declararse**

seguir v.

• CON SUSTS. **maestro,tra** *Sigue a su maestro en todo* · **líder** · **amigo,ga** · **gente** · ***otros individuos y grupos humanos*** || **marxismo** · **socialismo** · **feminismo** · **liberalismo** · **realismo** · **surrealismo** · ***otras tendencias*** || **calle** *Debes seguir esta calle para llegar a la farmacia* · **carretera** · **sendero** · **camino** · **conducto** · **dirección** · **derrotero** · ***otras vías*** || **coche** · **estrella** · ***otras cosas en movimiento*** || **vida** · **explicación** · **conferencia** · **película** · **discurso** · **debate** · **dieta** · **partido** · **música** · **ritmo** *No soy capaz de seguir el ritmo de la música* · **compás** || **regla** · **precepto** · **mandato** · **norma** · **consigna** · **dictado** · **ley** · **directiva** · ***otras disposiciones*** || **criterio** · **modelo** · **programa** · **método** *Deberíamos seguir un método más riguroso en la investigación* · **procedimiento** · **plan** · **estilo** · **metodología** · **estrategia** · **pauta** · **canon** · **fórmula** · **esquema** · **sistema** · **proyecto** || **línea** · **curso** · **ruta** · **itinerario** *Seguiremos el itinerario que nos marcaba el folleto* · **recorrido** · **trayectoria** · **corriente** || **proceso** · **evolución** · **marcha** · **avance** · **desarrollo** · **carrera** · **desenvolvimiento** || **indicación** *Si sigues las indicaciones que te doy, no te perderás* · **señal** · **directriz** · **rumbo** · **impulso** || **consejo** *Tiene la mala costumbre de no seguir los consejos de su médico* · **ejemplo** · **moda** · **recomendación** · **instrucción** · **enseñanza** · **llamamiento** · **lección** · **idea** · **concepto** · **pensamiento** || **paso** *Parecía que me seguía los pasos porque nos encontrábamos siempre en los mismos sitios* · **pista** · **huella** · **rastro** · **estela** || **deseo** *siguiendo los deseos de su llorado maestro* · **interés** || **objetivo** · **meta** · **destino**
• CON ADVS. **a toda costa** · **contra viento y marea** · **a ultranza** · **a trancas y barrancas** || **ciegamente** · **incondicionalmente** || **al dedillo** · **al detalle** · **al pie de la letra** · **a pie juntillas** · **a rajatabla** · **con detalle** · **punto por punto** · **miméticamente** || **en líneas generales** || **ávidamente** · **con atención** *Los niños siguieron con atención la película* · **con cautela** · **atentamente** · **con interés** · **con preocupación** · **escrupulosamente** || **al pie del cañón** · **en primera línea** · **a la cabeza** || **de cerca** *Su obligación era seguir de cerca el desarrollo del proyecto* · **de lejos** || **a fondo** || **al corriente (de algo)** || **cronológicamente**

[segundo] → con segundas; segundo

segundo s.m.

• CON ADJS. **eterno** · **interminable** *Los segundos de espera se me hicieron interminables* · **breve** · **imperceptible**
• CON SUSTS. **décima (de)** · **centésima (de)** · **milésima (de)** · **fracción (de)**
• CON VBOS. **pasar** · **transcurrir** *Transcurrieron unos segundos antes de que comenzara a hablar* || **durar** · **tardar** || **esperar** *No puedo esperar ni un segundo más* · **contar**

|| **ganar** · **perder** · **arañar** · **sacar de** {**ventaja/diferencia**} · **llevar (a alguien)** || **tener** || **disponer (de)** *Solo dispongo de unos segundos*
●CON PREPS. **al cabo (de)** · **en cuestión (de)** *Con este sistema se obtiene la información deseada en cuestión de segundos* · **en** *En un segundo estoy contigo*

[seguridad]
→ de seguridad; medida de seguridad; seguridad

seguridad s.f.

●CON ADJS. **absoluta** · **plena** · **completa** *Tengo la completa seguridad de que sucederá así* · **entera** · **integral** · **rotunda** · **meridiana** · **aplastante** · **estricta** || **escasa** || **admirable** *la admirable seguridad con la que hace todas las cosas* · **envidiable** || **permanente** · **privada** · **pública** · **ciudadana** · **vial** · **escolar** || **atentatorio,ria (contra)** · **peligroso,sa (para)**
●CON SUSTS. **muestra (de)** · **manifestación (de)** · **garantía (de)** · **falta (de)** || **peligro (para)** · **riesgo (para)** · **amenaza (para)** || **norma (de)** · **medida (de)** *Se han extremado las medidas de seguridad* · **sistema (de)** · **cinturón (de)** · **valla (de)** · **distancia (de)** · **caja (de)** · **cámara (de)** · **guardia (de)** · **servicio (de)** · **escolta (de)** · **personal (de)**
●CON VBOS. **faltar (a alguien)** *Le falta seguridad cuando habla* · **fallar** · **funcionar** || **tener** · **irradiar** · **transmitir** · **infundir** · **inspirar** · **derrochar** · **dar** · **brindar** · **garantizar** *La seguridad de nuestros visitantes está garantizada* || **adquirir** *Progresivamente fue adquiriendo seguridad en el trabajo* · **ganar** · **mantener** · **perder** || **aumentar** *un tipo de cerraduras con las que se aumenta la seguridad de las viviendas* · **extremar** · **redoblar** · **vigilar** · **confirmar** || **amenazar** · **comprometer** · **romper** · **quebrantar** · **socavar** · **violar** · **burlar** · **saltarse** *Un grupo de piratas informáticos logró saltarse la seguridad de la empresa* || **velar (por)** · **atentar (contra)** || **gozar (de)** · **carecer (de)**
●CON PREPS. **en aras (de)** *medidas tomadas en aras de la seguridad pública* · **por** *Por seguridad, mantengan las puertas cerradas* · **por motivos (de)** · **por razones (de)**
□EXPRESIONES **seguridad social** [organismo público encargado de atender las necesidades sociales de los ciudadanos]

seguro, ra

1 seguro, ra adj.

▌[libre de peligro]

●CON SUSTS. ***persona*** *La víctima no se encontraba segura ni en su propia casa* || **vida** · **existencia** || **zona** *No te preocupes, he dejado a los niños en una zona segura* · **territorio** · **país** · **ciudad** · **casa** · **habitación** · ***otros lugares*** || **opción** · **póliza** · **inversión** || **aterrizaje** *Con un solo motor, el aterrizaje nunca es seguro* · **ascensión** · **voladura** · ***otras acciones que conllevan peligro***

▌[firme, estable]

●CON SUSTS. ***persona*** *Es una mujer muy segura de sí misma* || **gesto** · **actitud** · **comportamiento** · **tono** · **voz** *Habló con voz firme y segura* || **pensamiento** · **idea** · **decisión** || **trabajo** · **sueldo** · **paga** · **dinero**

▌[sin incertidumbre]

●CON SUSTS. **información** *La información que leí me pareció muy segura* · **noticia** || **hecho** · **dato** · **resultado** || **visita** · **firma** · **publicación** · **reunión** · **cancelación** · ***otros sucesos***
●CON ADVS. **absolutamente** · **completamente** *Estoy completamente segura de que vendrá* · **totalmente** · **cien por cien** · **suficientemente**
□USO Los adverbios son comunes a los dos sentidos.

2 seguro s.m.

▌[contrato]

●CON ADJS. **total** · **parcial** · **buen(o)** · **excelente** || **obligatorio** · **voluntario** · **optativo** || **médico** · **de vida** · **de coches** · **de responsabilidad civil** · **privado** || **a todo riesgo** · **a terceros** *Cambié el seguro de mi coche a terceros*
●CON SUSTS. **compañía (de)** · **empresa (de)** · **póliza (de)** *No sé qué cubre exactamente la póliza de mi seguro* · **cláusula (de)** · **tarifa (de)** · **prima (de)** · **cobertura (de)** · **beneficiario,ria (de)** · **corredor (de)**
●CON VBOS. **cubrir (algo/a alguien)** *¿Cubre el seguro médico a tus hijos?* · **vencer** · **finalizar** · **caducar** || **hacer** · **contratar** *Contraté un seguro médico excelente* · **suscribir** · **vender** · **renovar** || **pagar** · **cobrar** || **beneficiarse (de)** || **cambiar (de)**

▌[dispositivo de seguridad]

●CON VBOS. **funcionar** · **fallar** *Apretó el gatillo pero falló el seguro de la pistola* || **tener** · **echar** *Echar el seguro a la puerta* · **cerrar** · **poner** · **colocar** || **abrir** · **quitar**
□EXPRESIONES **sobre seguro** [sin correr riesgos] *actuar sobre seguro*

seísmo s.m.

●CON ADJS. **fuerte** · **violento** · **devastador** · **brutal** || **principal** · **gran(de)** *Un gran seísmo ha provocado el hundimiento de numerosas viviendas* || **pequeño** · **leve** || **inesperado** · **previsto** · **anunciado** · **temido**
●CON SUSTS. **epicentro (de)** *detectar el epicentro del seísmo* · **zona (de)** || **intensidad (de)** · **duración (de)** · **magnitud (de)** || **efecto (de)** · **consecuencia (de)** · **daños (de)** · **víctima (de)** || **onda expansiva (de)** · **impacto (de)**
●CON VBOS. **sacudir (algo)** · **afectar (a algo)** · **destruir (algo)** · **golpear (algo)** · **destrozar (algo)** · **dañar (algo)** · **azotar (algo)** · **arrasar (algo)** *El seísmo arrasó la zona meridional de la ciudad* · **asolar (algo)** || **registrar** · **notar** · **localizar** || **prever** · **prevenir**

selección s.f.

●CON ADJS. **amplia** · **rica** · **variada** · **nutrida** · **representativa** · **crucial** · **adecuada** · **antológica** *una selección antológica de sus poemas* || **atenta** · **rigurosa** · **cuidadosa** · **cuidada** · **meditada** · **escrupulosa** · **meticulosa** · **minuciosa** *La selección de las piezas de la exposición fue muy minuciosa* · **estricta** · **selecta** · **escogida** · **depurada** · **ponderada** · **restrictiva** || **pequeña** · **pobre** · **somera** || **arbitraria** · **aleatoria** || **deportiva** · **nacional** || **natural** *la teoría de la selección natural de las especies*
●CON SUSTS. **proceso (de)** *Los diferentes candidatos serán sometidos a un riguroso proceso de selección* · **pruebas (de)** · **criterio (de)** · **comité (de)** · **sistema (de)** · **procedimiento (de)** · **método (de)** · **comisión (de)**
●CON VBOS. **hacer** · **realizar** · **llevar a cabo** · **efectuar** · **extraer** || **integrar** · **formar** · **componer** || **presentar** *El artista presentó una magnífica selección de sus obras* · **ofrecer** · **exponer** · **exhibir** · **mostrar** || **pasar** · **superar** || **proceder (a)** || **entrar (en)** · **formar parte (de)**

selecto, ta adj.

●CON SUSTS. **barrio** · **zona** *Vive en la zona más selecta de la ciudad* · **restaurante** · **casa** · ***otros lugares*** || **ambiente** · **aspecto** · **aire** · **decoración** || **comida** · **queso** · **paté** · **vino** · ***otros alimentos o bebidas*** || **colección** · **an-**

tología · muestra · representación · repertorio · discografía || concurrencia · audiencia · público *Al acto acudió un público muy selecto* · **invitado,da · clientela** *en atención a nuestra selecta clientela* · **auditorio · equipo · minoría · amistades || estilo · gusto || producto**

sellar v.

❚ [franquear]

● CON SUSTS. **documento** *El documento está listo, solo falta sellarlo* · **carta · testamento · pasaporte · factura · boleto · visado**

❚ [cerrar, concluir]

● CON SUSTS. **caja · sobre · botella · frasco ·** ***otros recipientes*** **|| habitación · local** *La Policía ha sellado este local* · **tienda · cueva · vitrina ·** ***otros espacios cerrados*** **|| boca · labios** *Dijo que sellaría sus labios para siempre* · **puerta · ventana · chimenea · rendija · entrada · salida || vida · carrera · gesta · discurso · obra || partido** *Selló el partido con un espectacular gol de cabeza* · **torneo · campeonato · jugada || tanteo · marcador · empate · victoria · triunfo · derrota · resultado || acuerdo** *Aún no hemos sellado el acuerdo de colaboración* · **pacto · trato · alianza · compromiso · arreglo · protocolo · reunión · cita · encuentro || amistad · vínculo** *El pacto sella un vínculo de amistad y colaboración que se espera resulte duradero* · **unión · relación · colaboración · entendimiento · unidad · coalición · reconciliación · paz || fin · final · ruptura · destino · suerte**

● CON ADVS. **a cal y canto · herméticamente || definitivamente · por siempre · para siempre · transitoriamente || con broche de oro** *Selló su carrera profesional con broche de oro* · **favorablemente || simbólicamente · públicamente**

sello s.m.

❚ [identificación gráfica]

● CON ADJS. **de correos · postal · oficial || identificativo · de registro · de entrada · de urgencia · de calidad** *Este artículo lleva un sello de calidad* · **de garantía · de aprobación || conmemorativo** *Sacaron sellos conmemorativos con ocasión del centenario del escritor* **|| falso · auténtico**

● CON VBOS. **pegar · poner · estampar** *El funcionario estampó el sello oficial en el impreso* · **llevar || acuñar · falsificar || firmar (con)**

❚ [rasgo, señal]

● CON ADJS. **especial · peculiar · característico · distintivo · definitorio || personal · exclusivo · propio · particular · original · genuino · indiscutible · inequívoco · inconfundible** *el sello inconfundible de su arte* **|| de {mi/tu/su...} personalidad · de identidad** *El servicio a los clientes constituye el sello de identidad de la empresa* · **de la casa || indeleble** *Su amistad nos dejó un sello indeleble*

● CON VBOS. **tener · poseer · ostentar · llevar** *una película que lleva el sello de la directora* · **adquirir || dar (a algo) · poner (a algo/en algo) · dejar · imponer · imprimir** *La elegancia de sus vestidos imprimía un sello de distinción a quien los llevaba* · **conferir (a algo/a alguien) · infundir (a algo/a alguien) || marcar (con) · distinguir(se) (con)**

❚ [empresa]

● CON ADJS. **independiente · conocido || editorial · discográfico · musical · comercial** *Nos apoya un importante sello comercial*

● CON VBOS. **editar (algo)** *Un sello discográfico independiente editará sus canciones* · **publicar (algo) · comercializar (algo) · promocionar (algo) || crear || grabar (con/para)**

selva s.f.

● CON ADJS. **tropical · amazónica || verde · lluviosa · virgen · inexplorada || plena** *Estaban en plena selva* **|| tupida · frondosa · exuberante · espesa · densa · enmarañada · intrincada · laberíntica || vasta · profunda · remota · oscura · cerrada || salvaje · indómita · inexpugnable · impenetrable** *La expedición no pudo seguir su camino porque la selva se había vuelto impenetrable* · **inhóspita · agresiva · inhumana · devoradora || humana · ciudadana · urbana · burocrática** *Convirtieron un trámite sencillo en una auténtica selva burocrática* · **política || auténtica · verdadera**

● CON SUSTS. **ley (de) · rey (de) · llamada (de) || espesura (de) · maraña (de) · claro (de) · reducto (de)**

● CON VBOS. **crecer · extenderse · cubrir (algo) || cruzar · atravesar · sobrevolar** *Sobrevolaron la selva en una avioneta* · **explorar || proteger · defender || talar || penetrar (en) · adentrarse (en) · internar(se) (en) · aventurarse (en) || perderse (en) · salir (de)**

● CON PREPS. **a través (de) · en · en medio (de)** *un poblado en medio de la selva* · **en el corazón (de)**

semáforo s.m.

● CON ADJS. **en rojo · en verde · en ámbar** *El semáforo estaba en ámbar* **|| intermitente || peatonal**

● CON VBOS. **cruzar || respetar · pasar(se) · saltarse** *Le han multado por saltarse un semáforo en rojo* **|| parar(se) (en) · detener(se) (en)**

semana s.f.

● CON ADJS. **pasada · anterior · última · presente · próxima** *¿Quedamos para la próxima semana?* · **siguiente || santa**

● CON SUSTS. **fin (de)** *¿Tienes planes para el fin de semana?* **|| día (de) · horario (de) || paga (de) · gastos (de) · compra (de)** *Todavía no he hecho la compra de la semana*

● CON VBOS. **empezar** *La semana empezó con lluvias* · **iniciar(se) · arrancar || transcurrir · acabar · finalizar || comenzar · terminar**

● CON PREPS. **a primeros (de) · a principio(s) (de) · a comienzo(s) (de) · a mediados (de) · a final(es) (de) || a lo largo (de) · durante**

☐ EXPRESIONES **entre semana** [cualquier día de ella, excepto sábado y domingo]

semblante s.m.

● CON ADJS. **amable · afable** *un hombre de semblante afable y sonriente* · **alegre · tranquilo · sereno · plácido · sonriente || serio** *Ayer tenía un semblante muy serio* · **severo · grave · circunspecto · adusto · hosco · taciturno · altivo · seco · distante || triste · preocupado · pálido · descompuesto · afligido · atónito || expresivo · comunicativo**

● CON VBOS. **mostrar (algo)** *Su semblante mostraba alegría* · **denotar (algo) · expresar (algo) · comunicar (algo) · transmitir (algo) || cambiar · alterar(se) · demudar(se) · descomponer(se) · desencajarse · avinagrar(se)** *De mirada hosca, facciones rudas y semblante avinagrado* · **palidecer || cubrir(se) · tapar(se) || perfilar || asomar (a) · ver(se) (en)**

sembrar v.

• CON SUSTS. **árbol** · **flor** · **trigo** · **tomate** · **girasol** · ***otras plantas*** || **semilla** || **terror** · **pánico** · **miedo** · **horror** · **pavor** · **fobia** || **duda** · **misterio** · **incertidumbre** · **sospecha** *palabras que sembraron la sospecha en toda la comunidad* · **rumor** · **incógnita** · **interrogante** · **intriga** · **pregunta** || **confusión** · **caos** · **desorden** · **desconcierto** · **desbarajuste** · **descalabro** || **polémica** · **controversia** · **discordia** *Fueron unas declaraciones inoportunas que sembraron la discordia* · **discusión** · **conflicto** · **desavenencia** · **enemistad** · **discrepancia** · **división** · **protesta** · **disensión** · **hostilidad** || **odio** · **rencor** · **ira** · **resentimiento** · **animadversión** · **guerra** *sembrando por doquier la guerra y la destrucción* || **dolor** · **sufrimiento** · **desolación** · **desasosiego** · **desesperación** · **pesimismo** · **angustia** · **ansiedad** · **congoja** · **desánimo** · **desmoralización** · **consternación** · **agobio** || **tensión** · **crispación** · **inquietud** · **inestabilidad** · **inseguridad** · **preocupación** · **alarma** *frecuentes robos en la zona que han sembrado la alarma* · **malestar** · **intranquilidad** || **intolerancia** · **insolidaridad** · **inmoralidad** || **amor** · **optimismo** · **paz** · **respeto** · **confianza** · **justicia** · **libertad** · **serenidad** · **ilusión** · **simpatía** · **concordia** || **mal** · **catástrofe** · **desgracia** *Esta terrible plaga sembró la desgracia y la desesperación entre los agricultores de la comarca* · **tragedia** · **crimen** · **destrucción** · **muerte** · **ruina** · **violencia** · **dificultad** · **hambre** · **error** || **esperanza** · **expectativa** · **futuro** || **asombro** · **perplejidad** · **sorpresa** || **idea** · **ideal** · **principio** · **valor** · **dogma** · **virtud** · **creencia** · **fe**

□ USO Se construye frecuentemente con complementos encabezados por la preposición *de*: *Sembró de trigo el bancal.*

semejanza s.f.

• CON ADJS. **estrecha** · **marcada** · **considerable** · **notable** || **clara** *Existe una clara semejanza entre los dos casos* · **evidente** · **innegable** · **obvia** · **ostensible** · **patente** · **manifiesta** || **ligera** · **leve** *Solo había entre ellos una leve semejanza* · **tenue** · **vaga** · **relativa** · **remota** · **imperceptible** · **inapreciable** · **cierta** · **mínima** || **mutua** · **recíproca** || **peculiar** · **curiosa** · **extraña**
• CON SUSTS. **relación (de)** · **punto (de)** · **rasgo (de)**
• CON VBOS. **tener** · **guardar** · **mantener** · **ofrecer** || **mostrar** · **subrayar** *El texto subraya la semejanza que existe entre las dos biografías* · **magnificar** · **resaltar** || **establecer** · **determinar** || **percibir** · **apreciar** · **detectar** · **reconocer** · **descubrir** || **negar** · **ocultar** · **disimular** || **conservar** · **perder**
• CON PREPS. **por**

semifinal s.f.

• CON ADJS. **masculina** · **femenina** || **dura** · **difícil** · **reñida** · **disputada** · **emocionante**
• CON SUSTS. **partido (de)** *La selección juega hoy el partido de semifinales* · **vuelta (de)** · **ida (de)** · **encuentro (de)** || **pase (a)** · **acceso (a)** · **plaza (en)**
• CON VBOS. **disputar** · **jugar** || **ganar** · **perder** · **empatar** · **desempatar** || **superar** · **alcanzar** || **clasificar(se) (para)** · **situar(se) (en)** · **meter(se) (en)** · **llegar (a)** || **enfrentar(se) (en)** *Ambos tenistas se enfrentarán de nuevo en semifinales* || **eliminar (en)** · **caer (en)**

semilla

1 **semilla** s.f.

▮ [parte del fruto]

• CON VBOS. **germinar** · **nacer** · **salir** || **plantar** · **sembrar** *He sembrado varias semillas en las macetas de la terraza* · **cultivar** || **echar** · **lanzar** · **desperdigar** · **esparcir** · **poner** || **conservar** · **preservar**

▮ [causa, origen]

• CON VBOS. **prender** *La semilla de la concordia prendió gracias a los esfuerzos de todas las partes en conflicto* · **extender(se)** · **propagar(se)** · **fermentar** · **arraigar** || **originar (algo)** || **difundir** · **sembrar** || **dejar**

2 **semilla (de)** s.f.

• CON SUSTS. **locura** · **mal** · **maldad** · **odio** · **rencor** · **intolerancia** · **violencia** · **destrucción** · **guerra** · **desilusión** · **discordancia** · **rebelión** *Los abusos fueron la semilla de la rebelión* || **duda** *Tantas contradicciones e inconsecuencias habían sembrado en ella la semilla de la duda* · **arrepentimiento** || **futuro** · **paz** · **libertad** · **ilusión** · **concordia** · **amistad** · **colaboración** · **cooperación** · **unidad** · **ayuda** · **acuerdo**

semita adj.

• CON SUSTS. **pueblo** · **comunidad** || **raíz** · **ascendencia** · **origen** || **lengua** · **cultura**

semítico, ca adj.

• CON SUSTS. **pueblo** · **origen** *un texto de origen semítico* || **lengua** · **rama** · **cultura** · **poesía**

sempiterno, na adj.

• CON SUSTS. **asunto** · **tema** · **idea** · **pregunta** · **cuestión** || **rival** *Esta noche se enfrentan los sempiternos rivales* · **enemigo,ga** || **problema** · **crisis** · **polémica**

senda s.f.

• CON ADJS. **dura** · **difícil** · **azarosa** · **intrincada** · **enmarañada** · **retorcida** · **tortuosa** || **impracticable** *A partir de ese punto la senda se vuelve impracticable* · **intransitable** · **insondable** · **vedada** || **abrupta** · **angosta** · **estrecha** *La senda era demasiado estrecha para que pasaran los dos vehículos* || **serpenteante** · **sinuosa** · **zigzagueante** || **escondida** · **perdida** · **apartada** || **fácil** · **cómoda** · **trillada** · **transitada** *Es una senda muy transitada a esas horas del día* · **rectilínea** || **alternativa**
• CON VBOS. **discurrir** · **bifurcarse** · **serpentear** · **conducir (a un lugar)** · **llevar (a un lugar)** || **tomar** · **coger** · **proseguir** · **recorrer** · **enfilar** · **seguir** *Debes seguir la senda por el hayedo* || **trazar** · **marcar** *Mis padres trataron de marcarme la mejor senda posible en la vida, pero...* · **allanar** · **desbrozar** || **desandar** · **abandonar** || **perder** · **buscar** · **encontrar** || **ir (por)** · **caminar (por)** · **pasear (por)** · **andar (por)** · **transitar (por)** · **perseverar (en)** || **desviar(se) (de)** · **salir(se) (de)** · **apartar(se) (de)**
• CON PREPS. **por** · **a lo largo (de)**

senderismo s.m.

• CON ADJS. **técnico** · **aficionado**
• CON SUSTS. **asociación (de)** · **agencia (de)** · **grupo (de)** || **actividad (de)** · **práctica (de)** *Está cada vez más extendida la práctica del senderismo* || **ruta (de)** *En verano hicimos una ruta de senderismo* · **programa (de)** · **viaje (de)** || **botas (de)** || **aficionado,da (a)** · **guía (de)**
• CON VBOS. **hacer** · **practicar** *Practicaba senderismo desde pequeño* · **realizar** || **promover** || **iniciar(se) (a/en)**

senil adj.

• CON SUSTS. **viejo,ja** · **anciano,na** · **abuelo,la** · **enfermo,ma** · **paciente** · ***otros individuos*** || **enfermedad** · **de-**

mencia *Padece demencia senil desde hace varios años* · **locura** · **mente** || **comportamiento** · **actitud** · **aspecto**
● CON VBOS. **estar** · **poner(se)**

sénior adj.

● CON SUSTS. **categoría** · **equipo** · **prueba** · **circuito** · **competición** *Esta atleta ha ganado varias competiciones sénior en los últimos años* · **selección** · **modalidad** · **campeonato** || **jugador,-a** · **investigador,-a** · **analista** · **economista** · **consultor,-a** · **periodista** *un conocido periodista sénior especializado en crónicas de guerra* · ***otros profesionales***

sensación s.f.

● CON ADJS. **fuerte** · **profunda** *una profunda sensación de dicha* · **intensa** · **viva** · **palpitante** · **acusada** · **aguda** · **inequívoca** · **clara** · **dominante** · **predominante** || **incontenible** · **inevitable** · **fundada** || **leve** · **ligera** *Con el pinchazo solo notarás una ligera sensación de dolor* · **pasajera** || **agradable** · **deliciosa** · **embriagadora** · **indescriptible** · **única** · **irrepetible** || **desagradable** · **molesta** · **incómoda** · **insoportable** · **insufrible** · **amarga** · **angustiosa** · **asfixiante** · **dolorosa** · **agridulce** · **inquietante** · **engañosa** · **agobiante** || **extraña** *Tuve una sensación muy extraña al llegar a casa* · **nueva** · **repentina** · **conocida** · **latente** · **reiterada** · **repetida** || **estética** · **física** · **térmica** · **acústica** · **visual** · **táctil**
● CON SUSTS. **cúmulo (de)** · **gama (de)** · **mundo (de)** *descubrir un nuevo mundo de sensaciones* · **universo (de)** · **conjunto (de)** · **mezcla (de)** · **fuente (de)** · **variedad (de)**
● CON VBOS. **entrar (a alguien)** · **apoderarse (de alguien)** · **invadir (a alguien)** *Al enterarse de la noticia la invadió una sensación de impotencia* · **asaltar (a alguien)** · **anidar (en alguien)** · **arrastrar (a alguien)** || **despertar(se)** · **aflorar** · **traslucir(se)** · **flotar** *Una sensación de tensión flotaba en el ambiente* · **quedar(le) (a alguien)** · **permanecer** || **agudizar(se)** · **cundir** · **cobrar fuerza** || **dar (a alguien)** *Me da la sensación de que te equivocas* · **transmitir** · **producir** · **aumentar** *La humedad del ambiente aumenta la sensación de calor* || **tener** · **albergar** · **abrigar** · **sentir** · **experimentar** · **vivir** · **revivir** || **reprimir** · **disimular** · **ocultar** · **esconder** · **combatir** · **contener** · **anclar** || **percibir** · **captar** · **recibir** || **dejarse llevar (por)** · **sustraer(se) (de/a)** · **librar(se) (de)**

sensacionalista adj.

● CON SUSTS. **prensa** *La noticia apareció en la prensa sensacionalista de todo el país* · **periódico** · **periodismo** · **tabloide** · **diario** · **revista** · **semanario** · **publicación** || **imagen** · **fotografía** || **programa** · **historia** || **noticia** · **titular** · **portada** · **artículo** · **crónica** · **reportaje** || **estilo** · **lenguaje** · **enfoque** *No me gusta el enfoque sensacionalista del programa* · **tono** · **aire** · **aspecto**

sensatez s.f.

● CON ADJS. **habitual** · **proverbial** || **gran(de)** *Hizo gala de una gran sensatez* · **enorme** · **absoluta** · **tremenda** · **asombrosa** · **increíble** || **rara** · **inusitada** · **extraña** · **inhabitual**
● CON SUSTS. **señal (de)** · **prueba (de)** · **ejemplo (de)** · **lección (de)** · **modelo (de)** · **rasgo (de)** · **muestra (de)** || **cuestión (de)** · **falta (de)** || **llamada (a/de)** · **llamamiento (a)**
● CON VBOS. **reinar** · **imperar** · **abundar** *Estos tiempos en los que no abunda la sensatez* · **prevalecer** · **primar** || **escasear** · **faltar** || **tener** · **derrochar** · **demostrar** *Demostró una sensatez inhabitual para su edad* · **acreditar** || **conservar** · **perder** || **predicar** · **aconsejar** · **requerir** · **pedir** || **llamar (a)** · **apelar (a)** || **hacer gala (de)**
● CON PREPS. **con** *responder con sensatez*

sensibilidad s.f.

● CON ADJS. **gran(de)** *Ya desde la infancia mostraba una gran sensibilidad musical* · **enorme** · **profunda** · **suma** · **intensa** · **extrema** · **extremada** · **exagerada** · **desbordante** · **exacerbada** · **a flor de piel** || **escasa** || **afilada** · **acerada** · **ácida** || **delicada** · **cristalina** · **exquisita** · **enfermiza** *La protagonista de la novela era de una sensibilidad enfermiza* || **lleno,na (de)** · **rebosante (de)**
● CON SUSTS. **muestra (de)** *Su actitud compasiva fue una muestra de extraordinaria sensibilidad* · **toque (de)** · **ataque (de)** || **punto (de)** · **resquicio (de)** · **ápice (de)** || **falta (de)**
● CON VBOS. **aflorar** · **despertar(se)** · **desbordar (a alguien)** · **faltar (a alguien)** || **mostrar** · **demostrar** · **exteriorizar** · **tener** || **ofender** *imágenes que pueden ofender la sensibilidad de los telespectadores* · **dañar** · **herir** · **minar** · **embotar** || **afinar** · **desarrollar** · **perder** *Después del accidente, perdió la sensibilidad en las piernas* · **recuperar** || **aglutinar** · **reunir** || **dejarse llevar (por)** · **carecer (de)** · **quedarse (sin)**

☐ USO Se construye a menudo con complementos encabezados por la preposición *para*: *Tiene una gran sensibilidad para la música.*

sensible adj.

● CON SUSTS. **zona** · **lugar** · **área** · **punto** · **parte** || **tejido** · **piel** *una crema para pieles sensibles* · **encías** || **espectador,-a** · **público** · **artista** · **pintor,-a** · ***otros individuos y grupos humanos*** || **experiencia** · **realidad** · **mundo** || **apariencia** · **aspecto** · **aire** || **reducción** · **aumento** · **crecimiento** · **deterioro** · **diferencia** · **mejoría** || **falta** · **pérdida** *Su marcha fue una sensible pérdida para la empresa* || **fibra** *Me has tocado la fibra sensible*
● CON ADVS. **extremadamente** · **altamente** · **extraordinariamente** · **sumamente** || **especialmente** · **particularmente** || **absolutamente** · **totalmente**
● CON VBOS. **ser** · **estar** · **poner(se)** · **volverse**

sensiblemente adv.

● CON VBOS. **mejorar** · **aumentar** *medidas ideadas para aumentar sensiblemente el ritmo de producción* · **incrementar(se)** · **apagar(se)** · **subir** · **crecer** · **encarecer** || **reducir** · **disminuir** · **bajar** · **retroceder** || **cambiar** *El tiempo ha cambiado sensiblemente de un día para otro* || **afectar**
● CON ADJS. **superior** · **mayor** · **alto,ta** · **elevado,da** · **caro,ra** · **mejor** || **inferior** *Su oponente era sensiblemente inferior* · **menor** · **bajo,ja** · **barato,ta** · **peor** · **reducido,da** · **mermado,da** · **menguado,da** · **disminuido,da** · **empequeñecido,da** || **moderado,da** · **diferente** · **distinto,ta**

sensiblero, ra adj. *desp.*

● CON SUSTS. **drama** · **historia** · **película** *Me ha parecido una película sensiblera y llena de tópicos* · **serie** · **canción** · **reportaje** · **melodrama** · **escena**
● CON VBOS. **volverse** · **ponerse**

sensitivo, va adj.

● CON SUSTS. **masaje** · **tratamiento** || **capacidad** · **memoria** || **comunicación** · **tema** · **música** || **trastorno** *El accidente le ha provocado algunos trastornos sensitivos* ·

problema || **sistema** · **nervio** · **neurona** || **zona** · **área** · **aspecto** || **impulso**
● CON ADVS. **puramente** · **altamente**

sensual adj.

● CON SUSTS. ***persona*** *un actor atractivo y sensual* || **labios** · **cuerpo** · **belleza** || **voz** *La cantante conquistó al público con su voz sensual* · **estilo** · **expresividad** · **mirada** · **gesto** · **sonrisa** || **placer** · **impulso** · **amor** || **ropa** · **lencería** · **vestido** · **falda** || **acercamiento** · **aproximación** · **sugerencia** · **propuesta** || **danza** · **baile** · **movimiento** *los movimientos sensuales de las bailarinas* · **desnudo** || **contenido** · **carga** · **riqueza** · **componente** || **fascinación** · **encantamiento** || **efecto** · **impresión** · **estímulo** || **melodía** · **música** · **ritmo**
● CON ADVS. **profundamente** · **tremendamente** || **deliciosamente** · **dulcemente** || **puramente** · **meramente**
● CON VBOS. **ponerse**

sensualidad s.f.

● CON ADJS. **fuerte** · **intensa** *El fotógrafo supo dotar a las imágenes de una intensa sensualidad y un marcado erotismo* · **exuberante** · **desbordante** · **desbocada** · **explícita** · **abierta** || **fresca** · **inocente** · **incipiente** || **pícara** || **exquisita** · **refinada** *la refinada sensualidad de sus modales y sus gestos* · **femenina** || **contenida** *un poema de sensualidad contenida* · **disimulada** · **implícita** · **calculada** · **medida** · **oculta** · **velada** || **pictórica** · **visual** || **vital** || **lleno,na (de)** · **rebosante (de)** · **cargado,da (de)** · **impregnado,da (de)**
● CON SUSTS. **lección (de)** · **carga (de)** · **dosis (de)** · **toque (de)**
● CON VBOS. **rezumar** || **carecer (de)**
● CON PREPS. **con**

[sentar] → sentar; sentar (a alguien)

sentar v.

● CON SUSTS. **base** *Las negociaciones sentaron las bases de la paz* · **cimiento** · **fundamento** || **norma** *El claustro de profesores sentó las normas de comportamiento en el centro* · **principio** · **criterio** || **doctrina** · **teoría** · **pensamiento**
● CON ADVS. **definitivamente** · **provisionalmente** || **unilateralmente**

sentar (a alguien) v.

● CON SUSTS. **sol** · **playa** · **verano** *El verano nos sentará estupendamente a todos* · **mar** · **vacaciones** · **descanso** · **cambio de aires** || **chaqueta** *¡Qué bien te sienta esa chaqueta!* · **camisa** · **pantalón** · ***otras prendas de vestir*** || **azul** *Este azul no me sienta nada bien a la cara* · **rojo** · ***otros colores*** || **cena** · **comida** · **desayuno** · **merienda** *¿Cómo te ha sentado la merienda?* || **vino** *No me ha sentado bien el vino* · **carne** · **pescado** · **guiso** · ***otros alimentos o bebidas*** || **decisión** · **marcha** · ***otros eventos***
● CON ADVS. **bien** · **estupendamente** · **maravillosamente** · **a las mil maravillas** · **de fábula** · **como un guante** · **como anillo al dedo** · **impecablemente** || **mal** · **fatal** · **horrorosamente** || **como una patada** · **como un tiro**

sentencia s.f.

▌**[resolución]**

● CON ADJS. **absolutoria** · **a favor** · **exculpatoria** || **condenatoria** · **en contra** || **firme** *...mientras la autoridad judicial no dicte sentencia firme* · **en firme** · **rotunda** · **severa** · **rigurosa** · **tajante** · **categórica** · **taxativa** · **inapelable** · **irrevocable** || **justa** · **argumentada** · **salomónica** || **injusta** · **arbitraria** || **sin efecto** *La sentencia judicial quedó sin efecto* · **valedera** || **leve** · **suave** · **benigna** · **condescendiente** || **judicial**
● CON VBOS. **salir a la luz** || **caer(le) (a alguien)** · **recaer (sobre alguien)** || **caer como una bomba** || **prescribir** || **dar** · **decir** · **emitir** · **proferir** · **dictar** *El juez dictó una sentencia absolutoria* · **firmar** · **esgrimir** || **ejecutar** · **cumplir** · **obedecer** · **tomar en consideración** · **acatar** · **justificar** || **analizar** · **estudiar** · **examinar** · **valorar** · **enjuiciar** · **cuestionar** · **prejuzgar** · **digerir** || **incumplir** · **desobedecer** · **desoír** · **obviar** · **contravenir** || **apelar** · **recurrir** *Aún me quedaba la posibilidad de recurrir la sentencia* · **impugnar** · **rebatir** || **rectificar** · **enmendar** · **derogar** · **revocar** || **disentir (de)**
● CON PREPS. **a la vista (de)**

▌**[dicho, aforismo]**

● CON ADJS. **lapidaria** *una novela llena de sentencias lapidarias y frases hechas* · **concluyente** || **ilustrativa** · **reveladora** · **contundente** · **sabia** || **antigua** · **tradicional** · **vieja**
● CON VBOS. **rezar (de cierta forma)** *Recuerdo una antigua sentencia que reza así...* || **decir** · **proferir** · **pronunciar** · **repetir** || **recordar** || **aplicar (a algo)**

[sentenciar] → sentenciar; sentenciar (a alguien)(a)

sentenciar v.

● CON SUSTS. **reo** · **acusado,da** *La opinión pública sentenció de antemano al acusado* · **oponente** · **adversario,ria** · **equipo** · **contrincante** · **colectivo** · ***otros individuos y grupos humanos*** || **caso** · **pelea** · **crimen** · **fallo** · **error** || **resultado** *El tercer gol sentenció el resultado del partido* · **éxito** · **triunfo** || **partido** · **encuentro** · **eliminatoria** · **competición** · **campeonato**
● CON ADVS. **a favor (de alguien)** · **favorablemente** · **en contra** || **en firme** || **virtualmente** · **definitivamente**

sentenciar (a alguien) (a) v.

● CON SUSTS. **muerte** · **prisión** · **horca** *Fue sentenciado a la horca* · **guillotina** · **pena (de algo)** *Se dice que lo pueden sentenciar a la pena de diez años de cárcel* · **trabajos forzados** · **cadena perpetua** || **meses** · **años** · ***otros periodos***
● CON VBOS. **morir** · **arder** · **cumplir (algo)** *un reo sentenciado a cumplir pena de cárcel* · **trabajar (en algo)** · **pagar (algo)** · ***otros verbos de acción***
● CON ADVS. **en firme** · **virtualmente** · **sin posible apelación**

[sentido] → sentido; sentido común; sentido del humor

sentido s.m.

▌**[capacidad para percibir]**

● CON ADJS. **fino** *Tiene un sentido del olfato muy fino* · **agudo** · **acendrado** · **obtuso** || **a flor de piel** || **común** *Si no actúas con un poco de sentido común no conseguirás buenos resultados* · **sexto** *Tiene un sexto sentido para intuir lo que va a pasar*
● CON VBOS. **nublar(se)** · **obnubilar(se)** · **embotar(se)** · **ofuscar(se)** || **jugar una mala pasada (a alguien)** · **traicionar (a alguien)** || **afinar** · **aguzar** · **ofender** *ofender el sentido del pudor de alguien*

▌**[significado]**

● CON ADJS. **literal** *No siempre es conveniente ajustarse al sentido literal de una palabra* · **estricto** · **estrecho** · **pro-**

fundo · **verdadero** · **inequívoco** · **claro** · **diáfano** · **meridiano** || **pleno** · **amplio** · **figurado** · **peculiar** · **lato** · **laxo** || **doble** *una frase con doble sentido puede interpretarse de dos maneras* · **equívoco** · **ambiguo** || **opuesto** || **lleno,na (de)** *Sus palabras estaban llenas de sentido* · **carente (de)**

● CON SUSTS. **búsqueda (de)** · **falta (de)** · **ápice (de)**

● CON VBOS. **tener** *Lo que dices no tiene mucho sentido* · **poseer** · **adquirir** · **cobrar** *Solo entonces cobraron aquellas palabras pleno sentido* · **conservar** · **mantener** · **perder** || **dar (a algo)** *...para poder encontrar algo que diera sentido a su vida* · **otorgar (a algo)** || **buscar** · **encontrar** · **averiguar** · **descubrir** || **percibir** · **entender** · **comprender** · **captar** · **descifrar** · **desentrañar** · **desvelar** · **explicar** · **dilucidar** · **interpretar** || **cambiar** · **alterar** · **desfigurar** · **desvirtuar** · **distorsionar** · **tergiversar** *El malentendido se debió a que se tergiversó el sentido de mis palabras* || **afectar (a)** || **carecer (de)**

▮ [dirección]

● CON ADJS. **opuesto** · **contrario** *Pon la marcha atrás, que vas en sentido contrario* · **prohibido** || **horizontal** · **vertical** || **doble** *una carretera de doble sentido* · **único**

● CON SUSTS. **cambio (de)** *Tenemos que dar la vuelta en el próximo cambio de sentido*

● CON VBOS. **seguir** · **tomar** || **invadir** || **cambiar (de)** · **girar (en)** *girar en el sentido de las agujas del reloj* · **circular (en)**

sentido común loc.sust.

● CON ADJS. **innegable** || **imprescindible** · **necesario** || **nulo** · **escaso** *El escaso sentido común de muchos de nuestros dirigentes*

● CON SUSTS. **ápice (de)** *no tener un ápice de sentido común* · **falta (de)** || **muestra (de)** · **rasgo (de)**

● CON VBOS. **prevalecer** *Prevaleció el sentido común y el grupo decidió lo más acertado* · **primar** || **escasear** || **tener** · **utilizar** · **usar** · **derrochar** · **demostrar** || **poner (en algo)** *Tienes que poner más sentido común en lo que haces* · **aplicar** · **imponer** || **conservar** · **perder** || **llamar (a)** · **apelar (a)** *Apeló al sentido común de los ciudadanos para que no se dejaran llevar por...* || **gozar (de)** · **carecer (de)** · **ir (contra)**

● CON PREPS. **con** · **mediante**

sentido del humor loc.sust.

● CON ADJS. **admirable** · **envidiable** · **extraordinario** || **agudo** · **ácido** · **amargo** · **mordaz** · **sarcástico** *Durante la entrevista hizo gala de un sarcástico sentido del humor* · **burlón** · **retorcido** · **cruel** · **desgarrado** || **contagioso** || **sutil** · **especial** · **peculiar** · **escaso** · **nulo** · **soterrado** || **necesario**

● CON VBOS. **tener** · **mostrar** || **contagiar** · **avivar** || **comprender** *No comprendo su peculiar sentido del humor* || **hace gala (de)** · **carecer (de)**

● CON PREPS. **con** *La novela estaba escrita con mucho sentido del humor*

sentimentalismo s.m.

● CON ADJS. **barato** *una película que cae en el sentimentalismo barato* · **ñoño** · **tonto** · **fácil** || **cargado,da (de)** · **lleno,na (de)**

● CON SUSTS. **exceso (de)**

● CON VBOS. **exhibir** · **mostrar** || **rozar** || **dejarse llevar (por)** *En varias escenas, el director se deja llevar por el sentimentalismo* · **caer (en)** · **rayar (en)** · **andarse (con)**

sentimiento

1 sentimiento s.m.

● CON ADJS. **profundo** · **acusado** · **poderoso** · **intenso** · **hondo** · **vivo** · **vívido** · **a flor de piel** || **abrasador** · **ardiente** · **encendido** · **efusivo** · **exacerbado** · **desaforado** · **irreprimible** · **irrefrenable** · **inquietante** || **puro** · **cándido** · **platónico** · **acendrado** · **delicado** · **tierno** || **arraigado** · **atávico** · **primario** || **pasajero** *Fue solo un pasajero sentimiento de angustia* · **latente** || **general** · **generalizado** · **dominante** · **imperante** · **reinante** || **personal** · **íntimo** || **fundado** · **legítimo** || **trágico** · **épico** · **catártico** || **rebosante (de)**

● CON SUSTS. **toque (de)** · **rapto (de)** · **expresión (de)** · **cúmulo (de)** *Se agolpaba en su corazón un cúmulo de sentimientos contradictorios*

● CON VBOS. **salir a la luz** · **brotar** · **surgir** · **salir a relucir** · **aflorar** · **desencadenar(se)** · **despertar(se)** · **avivar(se)** · **agudizar(se)** · **acentuar(se)** · **exaltar(se)** · **caldear(se)** · **enardecer(se)** · **desbordar(se)** · **traslucir(se)** · **fluir** · **flotar** · **palpitar** || **embargar (a alguien)** · **asaltar (a alguien)** · **anidar (en alguien)** · **arraigar (en alguien)** · **reconcomer (a alguien)** *Le seguía reconcomiendo un profundo sentimiento de culpabilidad* · **atenazar (a alguien)** || **enfriar(se)** · **ablandar(se)** · **apagar(se)** *El sentimiento de amor hacia él se apagó súbitamente* · **desvanecer(se)** · **ahogar(se)** || **tener** *tener buenos sentimientos hacia los demás* · **experimentar** · **albergar** *Bajo un apariencia fría, alberga sentimientos muy tiernos* · **abrigar** · **encerrar** · **cobijar** · **contener** || **demostrar** · **exteriorizar** · **expresar** · **liberar** · **revivir** || **esconder** · **ocultar** · **disimular** · **guardar** · **reprimir** · **controlar** · **frenar** · **disfrazar** · **mitigar** · **canalizar** || **producir (a alguien)** · **provocar (a alguien)** · **fortalecer** · **atizar** || **herir** *No pretendo herir sus sentimientos, pero...* · **ofender** · **soliviantar** || **captar** · **detectar** · **descubrir** · **condensar** || **dejarse llevar (por)** · **dar rienda suelta (a)** · **imbuirse (de)** · **actuar (con)** || **librar(se) (de)** || **escarbar (en)** || **carecer (de)**

2 sentimiento (de) s.m.

● CON SUSTS. **emoción** || **culpa** · **culpabilidad** || **pérdida** · **dolor** · **pena** · **amargura** · **tristeza** *Demostraron un profundo sentimiento de tristeza por los últimos acontecimientos* · **disgusto** || **temor** · **alarma** · **inquietud** · **preocupación** · **desconfianza** || **decepción** · **desencanto** || **alegría** · **orgullo** · **libertad** · **liberación** || **repulsión** · **rechazo** · **rebeldía** · **rabia** · **rencor** || **lástima** · **compasión** · **solidaridad** *tener un sentimiento de solidaridad hacia alguien* · **piedad** · **adhesión** · **afecto** · **respeto** · **cariño** · **amistad** · **amor** · **ternura** · **gratitud** · **lealtad** || **nostalgia** · **añoranza** *Experimenté un íntimo sentimiento de añoranza al verla de nuevo* || **bienestar** · **plenitud** || **vergüenza** || **superioridad** · **suficiencia** · **inferioridad**

☐ EXPRESIONES **acompañar en el sentimiento** (a alguien) [manifestarle condolencia por la muerte de algún allegado]

sentir

1 sentir s.m.

● CON ADJS. **hondo** · **íntimo** · **profundo** || **popular** · **ciudadano** || **unánime** *...de espaldas, de nuevo, al sentir unánime de la población* · **mayoritario** · **abrumador**

2 sentir v.

● CON SUSTS. **emoción** · **sensación** · **amor** · **cariño** · **simpatía** · **aprecio** · **afecto** *Siente un gran afecto por tu familia* · **admiración** · **predilección** · **debilidad** · **consideración** · **respeto** · **estima** · **orgullo** || **locura** · **pasión** · **delirio** *Lo que mi tío sentía por todos sus sobrinos era*

verdadero delirio · **devoción** · **fascinación** · **adoración** · **veneración** || **interés** · **curiosidad** · **atracción** · **afición** · **seducción** || **odio** · **aversión** · **rechazo** · **desprecio** · **fobia** · **distanciamiento** || **pena** · **tristeza** · **lástima** · **compasión** · **conmiseración** || **inquietud** · **preocupación** · **miedo** · **temor** · **terror** · **reparo** · **zozobra** *Siento cierta zozobra ante el futuro que nos espera* || **culpa** · **culpabilidad**
• CON ADVS. **sinceramente** · **verdaderamente** || **en el alma** · **enormemente** · **profundamente** · **de (todo) corazón** *Sentimos de todo corazón que tengas que pasar por un momento tan difícil* · **hondamente** · **intensamente** · **vivamente** || **a flor de piel** · **en carne propia** *¿Alguna vez has sentido en carne propia una pena así?* · **íntimamente** · **de cerca** || **por un momento** · **vagamente** · **ligeramente**

seña

1 **seña** s.f.

▌[gesto, señal]

• CON SUSTS. **lenguaje (de)** · **intercambio (de)**
• CON VBOS. **hacer** *Me hizo una seña con la mano para que me acercara*
• CON PREPS. **a través (de)** · **por** *Se comunicaban por señas*

▌[rasgo, detalle]

• CON ADJS. **de identidad** || **diferenciadora** · **distintiva** · **característica** · **personal** · **significativa** · **indeleble** *...constituye la seña indeleble de la calidad de nuestros productos* · **inconfundible** · **principal** · **auténtica** · **genuina**
• CON VBOS. **buscar** · **encontrar** || **tener** · **mantener** *Debemos mantener nuestras señas de identidad* · **conservar** · **recuperar** || **perder** · **olvidar**

2 **señas** s.f.pl.

▌[dirección postal]

• CON VBOS. **dar** *Tardé un poco porque no me había dado bien las señas* · **dejar** · **pedir** · **preguntar** || **poner** · **escribir** · **anotar** · **apuntar** · **tomar** · **coger** · **falsificar** || **conocer** · **desconocer** · **tener**

[señal] → con pelos y señales; en señal (de); señal

señal

1 **señal** s.f.

▌[indicación, signo]

• CON ADJS. **afirmativa** *Hizo una señal afirmativa con la cabeza* · **negativa** || **clara** · **evidente** · **visible** · **manifiesta** · **ostensible** · **patente** · **indudable** · **inequívoca** · **inconfundible** || **concluyente** · **reveladora** *Los médicos opinan que su estado de ánimo es una señal reveladora de su mejoría* · **sintomática** · **fehaciente** || **preventiva** · **tranquilizadora** || **imperceptible** · **leve** · **ligera** || **distintiva** · **identificativa** *Le pidieron alguna señal identificativa para entrar en el edificio* · **particular** · **propia** · **característica** || **continua** · **permanente** · **indeleble** || **intermitente** · **discontinua** || **electromagnética** · **luminosa**
• CON SUSTS. **transmisión (de)** · **distribución (de)** · **recepción (de)** · **intercambio (de)** || **falta (de)** · **ausencia (de)**
• CON VBOS. **llegar** · **interrumpir(se)** *La señal que emitía el radar se interrumpió bruscamente* || **traslucir(se)** || **indicar (algo)** · **advertir (algo)** · **delatar (algo)** · **denotar (algo)** · **prohibir (algo)** *Esa señal prohíbe el paso a toda persona ajena a la obra* || **quedar** || **lanzar** *lanzar una señal de socorro* · **arrojar** · **emitir** · **prodigar** || **captar** · **recibir** · **detectar** · **percibir** · **vislumbrar** || **codificar** · **decodificar** · **interpretar** *No conseguí interpretar las señales que me hacía con la mano* · **desviar** || **seguir** · **respetar** · **cumplir** || **ignorar** · **desoír** · **desobedecer** · **saltarse** *saltarse una señal de ceda el paso* || **llevar sobre {los hombros/las espaldas/la conciencia}**
• CON PREPS. **por medio (de)** · **a través (de)**

▌[cantidad de dinero]

• CON VBOS. **dar** *Para reservar la habitación del hotel tuve que dar una señal* · **dejar**
• CON PREPS. **de** *Piden mil euros de señal*

2 **señal (de)** s.f.

• CON SUSTS. **tráfico** || **peligro** · **advertencia** · **alarma** *Se dispararon todas las señales de alarma* · **alerta** || **socorro** || **stop** · **prohibición** · **tránsito** · **precaución** · **obras** || **humo** *Hacían señales de humo para comunicarse*

☐ EXPRESIONES **dar señales de vida** [aparecer, comunicar la propia presencia] *col.* *No sé dónde se habrá metido; hace meses que no da señales de vida* || **hacer la señal de la cruz** [persignarse]

señalado, da adj.

• CON SUSTS. **ocasión** · **evento** · **efeméride** *los actos conmemorativos con ocasión de tan señalada efeméride* · **celebración** · **fiesta** · **ceremonia** · **acontecimiento** · **encuentro** · **acto** || **fecha** · **día** *No puedo faltar de casa en un día tan señalado* · **período** || **lugar**

[señas] s.f.pl. → seña

[señor] → como (a) un señor

señorial adj.

• CON SUSTS. **casa** · **edificio** · **mansión** · **palacio** · **residencia** || **porte** · **aspecto** · **aire** *Cohibía un poco su aire altivo y señorial*

señuelo s.m.

• CON ADJS. **irresistible** · **falso** · **clásico** || **electoral** · **publicitario**
• CON VBOS. **poner** || **caer (en)** || **utilizar (como/de)** · **usar (como/de)** · **actuar (de)** · **servir (de)**

separación s.f.

• CON ADJS. **profunda** *lo que provocó una profunda separación entre las dos facciones* · **absoluta** · **abismal** · **radical** · **drástica** · **rela** · **efectiva** · **tajante** · **taxativa** || **clara** · **evidente** · **neta** · **nítida** *La separación entre los dos conceptos no es lo suficientemente nítida* · **precisa** · **inequívoca** || **total** · **parcial** · **discontinua** · **progresiva** · **repentina** || **anunciada** · **imprevista** · **previsible** · **esperable** || **temporal** · **provisional** · **definitiva** || **traumática** · **dura** · **difícil** · **dolorosa** · **amarga** · **triste** || **inevitable** *La separación de los dos amigos se hizo inevitable* · **irreversible** · **irremediable** || **amistosa** · **negociada** || **imprecisa** · **dudosa** · **difusa** || **matrimonial** · **judicial** · **de bienes** *Al casarse decidieron hacer separación de bienes*
• CON SUSTS. **línea (de)** · **frontera (de)** · **zona (de)** · **franja (de)** || **trámites (de)** *Están con los trámites de separación* · **proceso (de)** · **demanda (de)** · **caso (de)** · **régimen (de)** · **acuerdo (de)** · **sentencia (de)** · **supuesto (de)** · **resolución (de)** || **causa (de)** · **motivo (de)** || **rumores (de)**
• CON VBOS. **producir(se)** · **consumar(se)** || **abrir(se)** || **hacer** · **establecer** · **trazar** · **delimitar** · **demarcar** || **dejar** *Deja una separación de varios centímetros entre la televisión*

y la pared || **tramitar** || **frenar** · **impedir** · **evitar** · **compensar** · **mitigar** · **paliar** || **provocar** · **causar**
● CON PREPS. **de** *dos metros de separación* || **en vías (de)**

sepelio s.m.

● CON ADJS. **multitudinario** · **colectivo** || **solemne** · **sencillo**
● CON SUSTS. **lugar (de)** · **día (de)** · **hora (de)** || **gasto (de)**
● CON VBOS. **tener lugar** || **celebrar** · **efectuar** · **organizar** || **acudir (a)** · **asistir (a)** *Un gran número de personas asistieron al sepelio*

sepia

1 **sepia** s.m.
● CON SUSTS. **fotografía** *Colecciono antiguas fotografías sepia* · **retrato** · **aguada** · **litografía** · **imagen** · **página** · **lámina** · **pátina** || **nostalgia** · **recuerdo**
➤ Véase también **COLOR**

2 **sepia** s.f.
● CON ADJS. **fresca** · **congelada** || **frita** · **a la plancha** *De primero tomaré sepia a la plancha*
● CON SUSTS. **tinta (de)** · **concha (de)** || **captura (de)**
● CON VBOS. **pescar** || **limpiar** · **trocear** · **saltear** · **hervir**

septiembre s.m. Véase **MES**

sepulcral adj.

● CON SUSTS. **losa** · **inscripción** || **silencio** *Se hizo un silencio sepulcral* · **mutismo** · **indiferencia** || **voz** · **sonido** || **tono** · **aspecto** · **aire** · **ambiente**

sepultura s.f.

● CON ADJS. **perpetua** · **definitiva** *Fue trasladado a la que será su sepultura definitiva* · **provisional** · **improvisada** || **digna** · **adecuada** · **honrosa** · **piadosa** · **solemne** · **ceremoniosa** || **individual** · **colectiva** · **familiar** · **anónima** || **modesta** · **humilde** || **lujosa** · **ostentosa** · **suntuosa** *El monarca descansa en una suntuosa sepultura* || **fría** · **lúgubre** || **cristiana** · **sagrada**
● CON SUSTS. **lápida (de)** · **losa (de)**
● CON VBOS. **dar** · **recibir** || **abrir** · **erigir** · **levantar** · **cavar** · **excavar** || **violar** · **profanar** || **llevar (a)** *Hijo mío, me vas a llevar a la sepultura* || **descansar (en)** · **enterrar (en)** · **inhumar (en)** || **servir (de)**
● CON PREPS. **al pie (de)** *Sus familiares depositaron flores al pie de la sepultura* · **sobre** · **camino (de)** *Con una vida así va camino de la sepultura*

sequía s.f.

● CON ADJS. **fuerte** · **intensa** · **acusada** · **implacable** · **infernal** || **devastadora** · **asoladora** · **desoladora** · **catastrófica** || **prolongada** · **pertinaz** *La pertinaz sequía está devastando los campos de la región* · **persistente**
● CON SUSTS. **período (de)** · **año (de)** · **mes (de)** || **efecto (de)** · **secuela (de)** · **consecuencia (de)** · **impacto (de)** · **estragos (de)** || **causa (de)** · **motivo (de)**
● CON VBOS. **sobrevenir** · **azotar (algo)** *Una prolongada sequía azotó la comarca* · **amenazar (a alguien)** · **devastar (algo)** || **persistir** || **sufrir** · **tener** || **afrontar** · **combatir** · **mitigar** · **paliar**

séquito

1 **séquito** s.m.
● CON ADJS. **oficial** · **real** *En la embajada esperaban la llegada del séquito real* · **presidencial** · **popular** || **numeroso** · **nutrido** *Un nutrido séquito de periodistas aguardaba a las puertas del Congreso* · **enorme** · **pequeño** · **reducido** || **selecto** · **exquisito**
● CON SUSTS. **miembro (de)** · **componente (de)**
● CON VBOS. **seguir (a alguien)** · **rodear (a alguien)** *permanentemente rodeado de un séquito de periodistas* · **acompañar (a alguien)** || **componer** · **conformar** · **constituir** || **formar parte (de)**

2 **séquito (de)** s.m.
● CON SUSTS. **personas** · **periodistas** · **familiares** *Llegó a los juzgados acompañada por un séquito de familiares y amigos* · **autoridades** · **aficionados,das** · **guardaespaldas** · **representantes** · **amigos,gas** · ***otros individuos y grupos humanos***

serbio s.m. Véase **IDIOMA**

ser (de) v.

● CON VBOS. **esperar** *Como era de esperar, su reacción fue muy buena* · **suponer** · **extrañar** · **prever** · **temer** · **desear** || **agradecer** *Es de agradecer que te hayas acordado* || **fiar** *Parece simpático, pero no es de fiar*

serenata s.f.

● CON ADJS. **nocturna** · **alegre** · **romántica** · **hermosa** || **larga** · **eterna** || **improvisada** || **nostálgica** · **triste**
● CON VBOS. **dar** *Daba serenatas a la luz de la luna* · **dedicar** · **ofrecer** · **organizar** · **interpretar** · **cantar** · **entonar**

serenidad s.f.

● CON ADJS. **absoluta** · **completa** · **total** · **plena** · **suma** · **monacal** || **impasible** · **imperturbable** · **equilibrada** *Transmite una equilibrada y envidiable serenidad* · **admirable** · **ejemplar** || **deseable** · **necesaria** · **envidiable** || **de espíritu** · **de ánimo**
● CON SUSTS. **apelación (a)** · **llamada (a)** *El Gobierno hizo una llamada a la serenidad* || **ejemplo (de)** · **muestra (de)** · **sensación (de)** · **clima (de)** · **ambiente (de)** · **actitud (de)** · **imagen (de)** · **momento (de)** · **atmósfera (de)** · **sentimiento (de)** || **falta (de)**
● CON VBOS. **imponer(se)** · **imperar** · **reinar** *en un ambiente en el que reinaba la serenidad* · **presidir (algo)** · **prevalecer** || **dar** · **infundir** · **inspirar** · **transmitir** · **contagiar** · **aportar** || **tener** · **mostrar** · **demostrar** · **revelar** · **reflejar** || **buscar** · **lograr** · **conseguir** · **encontrar** · **alcanzar** || **mantener** *No nos pongamos nerviosos; mantengamos la serenidad* · **conservar** · **guardar** · **perder** *Perdió la serenidad y rompió a llorar* || **perturbar** · **alterar** || **apelar (a)** · **llamar (a)** · **invitar (a)** || **gozar (de)** *Desde que practica la meditación goza de una serenidad envidiable* · **hacer gala (de)** · **carecer (de)** · **llegar (a)** || **irrumpir (en)**
● CON PREPS. **con** *actuar con serenidad*

sereno, na adj.

● CON SUSTS. **mar** *La mar estaba serena* · **río** · **lago** · **aguas** || ***persona*** || **mirada** · **rostro** · **expresión** · **semblante** *Su semblante sereno la tranquilizó un poco* · **gesto** · **sonrisa** || **estilo** · **aire** · **aspecto** · **impresión** || **actitud** · **talante** · **carácter** · **temperamento** · **ánimo** · **alma** · **mente** || **belleza** · **madurez** || **emoción** · **sentimiento** || **reflexión** *La decisión final ha sido fruto de una reflexión serena que...* · **debate** · **análisis** · **diálogo** · **planteamiento** · **discusión** || **noche** · **tarde** · **día** · **mañana** · **cielo** || **contemplación** · **observación** || **voz** · **tono** *el tono sereno* *de su voz* · **música** · **acorde** · **musicalidad** · **silencio** || **resultado** · **efecto**

● CON VBOS. **ser** · **estar** || **mantener(se)** *Intentaré mantenerme sereno y no ponerme nervioso*

seriamente adv.

▮ [responsablemente, con seriedad]

● CON VBOS. **abordar** · **considerar** *Deberíamos considerar seriamente esta opción* · **contemplar** · **encarar** || **creer** · **pensar** || **trabajar** · **negociar** · **estudiar** · **escribir** · **entrenar** · **practicar**

▮ [gravemente, mucho]

● CON VBOS. **preocupar(se)** · **sufrir** · **inquietar(se)** · **alarmar(se)** · **incomodar(se)** · **molestar(se)** · **irritar(se)** · **deprimir(se)** · **perturbar(se)** || **afectar** · **herir** · **dañar** *El tejado del edificio estaba seriamente dañado* · **perjudicar** · **lesionar** · **castigar** · **deteriorar** · **incapacitar** · **manchar** || **limitar** · **dificultar** · **impedir** · **hipotecar** · **frustrar(se)** · **obstaculizar** · **truncar(se)** · **atentar** · **coartar** · **complicar(se)** · **mermar** *Sus posibilidades de llegar a presidente mermaron seriamente después de las últimas averiguaciones* · **debilitar(se)** · **degradar(se)** · **empeorar** *El estado de salud de la niña había empeorado seriamente en las últimas semanas* · **agravar(se)** · **estropear(se)** · **devaluar(se)** · **disminuir** · **enrarecer(se)** · **minar** · **menguar** || **cambiar** · **alterar** · **modificar** · **trastocar** || **criticar** · **desacreditar** · **denunciar** || **advertir** · **amenazar** · **desafiar** · **retar** · **provocar** || **peligrar**

● CON ADJS. **herido,da** · **enfermo,ma** *Lleva dos meses sin trabajar porque está seriamente enferma* · **alarmante** · **peligroso,sa**

[serie] → en serie; serie

serie s.f.

● CON ADJS. **extensa** · **larga** *una larga serie de razones* · **kilométrica** · **infinita** · **interminable** · **nutrida** · **inabarcable** · **eterna** · **prolongada** || **continua** · **ininterrumpida** || **corta** · **breve**

● CON PREPS. **en** *fabricar coches en serie*

☐ EXPRESIONES **fuera de serie** [muy bueno]

seriedad s.f.

▮ [rigor]

● CON ADJS. **absoluta** *Trabajan con absoluta seriedad* · **total** · **completa** · **estricta** · **indudable** · **aparente** || **característica** *El trabajo está elaborado con su seriedad característica* · **habitual** · **propia** · **proverbial** || **debida** · **necesaria** · **imprescindible** · **esperable** || **escasa** · **relativa** || **profesional**

● CON SUSTS. **falta (de)** *La impuntualidad me parece una falta de seriedad* || **ápice (de)** · **aire (de)** · **muestra (de)** · **demostración (de)** · **imagen (de)** · **garantía (de)**

● CON VBOS. **imperar** · **presidir (algo)** || **demostrar** *Ha demostrado absoluta seriedad profesional en todo momento* · **acreditar** · **avalar** · **corroborar** || **poner en duda** · **cuestionar** · **restar (a algo)** || **apelar (a)** · **revestir(se) (de)**

● CON PREPS. **con** *hablar con seriedad* · **sin**

▮ [falta de alegría, circunspección]

● CON ADJS. **imperturbable** *la imperturbable seriedad de su rostro* || **extrema** *alguna nota de humor que rebaje un tanto la extrema seriedad de la conferencia* · **extremada** · **exagerada** · **desmedida** || **característica** · **proverbial**

● CON SUSTS. **visos (de)** · **apariencia (de)** · **nota (de)** · **toque (de)** · **tono (de)** · **espíritu (de)** · **aspecto (de)**

▮ [importancia, gravedad]

● CON ADJS. **enorme** · **tremenda** · **extrema** · **indiscutible** *ante la indiscutible seriedad de las heridas* || **escasa** · **menor** · **relativa** · **considerable** *la considerable seriedad de la situación política en el país después del golpe de Estado* || **preocupante**

● CON VBOS. **radicar (en algo)** · **estribar (en algo)** · **consistir (en algo)** || **provocar (algo)** · **desencadenar (algo)** || **revestir** *El asunto reviste una gran seriedad*

serio, ria adj.

▮ [responsable, circunspecto, riguroso]

● CON SUSTS. **persona** *un trabajador serio, eficiente y responsable* || **rostro** · **ademán** · **carácter** · **tono** || **respuesta** · **pregunta** · **discurso** || **estudio** · **investigación** · **revisión** · **búsqueda** · **análisis** *Los datos no nos dicen nada sin un análisis serio y objetivo* · **proyecto** · **plan** · **trabajo** · **labor** · **tarea** || **música** · **pintura** || **libro** · **entrevista** · **programa** · **documental**

▮ [grave, notable]

● CON SUSTS. **problema** · **inconveniente** · **dificultad** *Tiene serias dificultades para concentrarse* · **aprieto** · **revés** · **tropiezo** · **complicación** || **peligro** · **riesgo** · **amenaza** · **advertencia** || **deficiencia** · **irregularidad** *La investigación destapó serias irregularidades en el sistema administrativo* · **error** · **defecto** · **fallo** · **distorsión** · **laguna** · **falta** · **falla** · **pecado** || **daño** · **estrago** · **trastorno** · **molestia** · **perjuicio** · **lesión** · **deterioro** · **enfermedad** · **dolencia** || **consecuencia** · **repercusión** · **efecto** || **golpe** · **impacto** || **duda** *Tengo serias dudas sobre la autenticidad de estos documentos* · **reserva** · **sospecha** || **conflicto** · **confrontación** · **enfrentamiento** · **roce** || **preocupación** · **inquietud** · **temor** *Existe un serio temor a que se produzcan más ataques* || **restricción** · **limitación** · **obstáculo** · **límite** || **objeción** · **reproche** · **reparo** · **crítica** · **amonestación** || **esfuerzo** · **intento** · **aspiración** || **discrepancia** · **diferencia** · **desigualdad** || **accidente** · **incidente** *Durante la manifestación se produjeron serios incidentes* || **opción** · **oportunidad** · **posibilidad** || **motivo** · **razón** · **indicio** · **pista**

☐ EXPRESIONES **en serio** [sin burla]

serpentear v.

● CON SUSTS. **vía** · **carretera** · **camino** *El camino iba serpenteando entre los árboles* · **senda** · **sendero** · **río** · **arroyo**

serpiente s.f.

● CON ADJS. **venenosa** *una zona en la que abundan las serpientes venenosas* · **peligrosa** · **inofensiva** || **de agua** · **de cascabel** · **marina** · **de coral**

● CON SUSTS. **huevo (de)** · **nido (de)** · **piel (de)** · **mordedura (de)** || **encantador,-a (de)** *...a quien tildó de encantador de serpientes y de mentiroso compulsivo* · **domador,-a (de)** || **año (de)** · **signo (de)** || **cobra** · **pitón** *La serpiente pitón es de gran tamaño*

● CON VBOS. **silbar** · **picar (a alguien)** · **morder (a alguien)** · **atacar (a alguien)** || **enroscarse** · **arrastrarse** · **reptar** · **deslizarse** · **serpentear** · **serpear** · **esconderse**

☐ EXPRESIONES **serpiente de verano** [información de poca relevancia que se destaca en los medios de comunicación cuando escasean las noticias de mayor interés]

serrano, na adj.

▮ [de serranía]

● CON SUSTS. **localidad** · **población** *Varias poblaciones serranas permanecen incomunicadas por la nieve* · **municipio**

· **pueblo** · **ruta** || **clima** · **viento** · **frío** || **monte** || **jamón** *unas lonchas de jamón serrano*

▮ [hermoso, garboso] *col.*

● CON SUSTS. **cuerpo** *¡Olé tu cuerpo serrano!*

serrar v.

● CON SUSTS. **madera** · **metal** · ***otras materias rígidas*** || **árbol** · **tronco** · **mástil** · **tabla** · **listón** || **barrote** · **cepo** · **cerradura** || **clavícula** · **hueso** · **cuerno** · **diente** · **pata**

● CON ADVS. **indiscriminadamente** *La multinacional ha sido acusada de serrar indiscriminadamente miles de árboles en las selvas amazónicas* · **decididamente** · **progresivamente** · **lentamente** · **paulatinamente** || **necesariamente** · **esencialmente** · **básicamente**

[servicio] → hoja de servicios; servicio; servicio militar

servicio s.m.

▮ [utilidad, beneficio o favor]

● CON ADJS. **gran(de)** *Me prestaste un gran servicio con tu ayuda* · **valioso** · **inestimable** · **impagable** · **inapreciable** · **flaco** *Unas críticas tan negativas hacen un flaco servicio al desarrollo de...* · **nulo** || **cuidadoso** · **esmerado** · **concienzudo** · **profesional** || **leal** · **abnegado** · **sacrificado** · **desinteresado** || **ejemplar** · **modélico** · **impecable** · **inmejorable** · **de calidad** *Sin un servicio profesional de calidad no prosperará el negocio* || **igualitario** · **permanente** *un servicio permanente las 24 horas del día* · **gratuito** || **a domicilio** *un establecimiento con servicio a domicilio* · **puerta a puerta** · **a medida** · **individualizado** || **activo** · **discrecional** · **público** · **de primera necesidad** · **de inteligencia** *Los servicios de inteligencia de varios países intervinieron en la operación contra el narcotráfico* · **doméstico** · **militar** · **civil** · **social** · **especial** · **sustitutorio** · **mínimos** *Han asegurado que, durante la huelga, funcionarán los servicios mínimos* || **libre (de)** · **exento,ta (de)**

● CON SUSTS. **espíritu (de)**

● CON VBOS. **hacer** *Te ha hecho un flaco servicio con ese encargo* · **dar** · **ofrecer** · **proporcionar** · **brindar** · **prestar** · **dispensar** · **necesitar** || **interrumpir** · **cortar** · **cancelar** *Han cancelado temporalmente el servicio de autobuses nocturnos* || **agilizar** · **promover** || **abonarse (a)** · **suscribirse (a)** · **acceder (a)** *acceder a un servicio público* || **darse de {alta/baja} (en)**

● CON PREPS. **a** *Lleva dos años a su servicio* · **durante**

▮ [cuarto de baño]

● CON SUSTS. **puerta (de)** · **entrada (de)** · **acceso (a)**

● CON VBOS. **tener** || **limpiar** · **fregar** · **ventilar** · **airear** || **ir (a)** *Perdona, voy un momentito al servicio* · **encerrar(se) (en)** || **preguntar (por)**

servicio militar loc.sust.

● CON ADJS. **obligatorio** · **voluntario**

● CON VBOS. **cumplir** · **hacer** || **instaurar** · **abolir** · **suprimir** || **desertar (de)** · **librar(se) (de)** *Se libró del servicio militar por ser el sustento económico de la familia*

servidor, -a

1 servidor, -a s.

● CON ADJS. **fiel** *Siempre tuvo en él un servidor fiel y leal* · **leal** · **humilde** · **modesto,ta** · **seguro,ra** || **esforzado,da** · **respetuoso,sa**

2 servidor s.m.

● CON ADJS. **informático** · **de internet** · **de información** || **central** *La red de la oficina depende del servidor central* · **principal** || **potente** · **pequeño**

● CON SUSTS. **conexión (a)** · **fallo (en)** *El mensaje indicaba un fallo en el servidor*

● CON VBOS. **caer(se)** · **bloquear(se)** · **fallar** || **instalar** || **conectar(se) (a)** · **acceder (a)** || **colgar (en)** *El grupo ha colgado en un servidor las fotos de su gira*

servir v.

▮ [ser útil]

● CON ADVS. **de sobra** *Para el uso que hago de ella, esta cámara fotográfica me sirve de sobra* · **apropiadamente** · **para algo**

▮ [atender, prestar servicio]

● CON ADVS. **a domicilio** || **amablemente** · **gentilmente** · **desinteresadamente** · **cordialmente** · **cortésmente** · **con fruición** || **abnegadamente** · **lealmente** *El escudero servía lealmente a su caballero* || **adecuadamente** · **apropiadamente** · **meritoriamente**

▮ [ofrecer, poner a disposición de alguien]

● CON ADVS. **en abundancia** · **abundantemente** · **escasamente** · **a granel** *una cooperativa que sirve aceite a granel* || **en bandeja** || **en frío**

sesgado, da adj.

● CON SUSTS. **luz** · **haz** · **rayo** · **línea** || **corte** · **golpe** · **remate** || **tendencia** · **dirección** · **movimiento** || **palabras** · **expresión** · **frase** · **lenguaje** · **declaración** · **afirmación** · **respuesta** *una respuesta sesgada que favorece un único punto de vista* · **pregunta** · **testimonio** · ***otras manifestaciones verbales*** || **texto** · **informe** · **estudio** · **artículo** · **noticia** · **información** *La prensa da una información sesgada sobre el alcance de la medida* · **titular** · **reportaje** · **publicación** || **interpretación** · **lectura** · **opinión** · **versión** · **valoración** · **posición** · **reflexión** · **juicio** || **visión** *Tiene una visión demasiado sesgada del problema* · **mirada** · **perspectiva** · **punto de vista** · **óptica** · **enfoque** || **dato** · **resultado** · **cálculo** || **uso** *Denuncian un uso sesgado de las encuestas por parte del Gobierno* · **utilización** · **tratamiento** · **trato** · **empleo** || **actuación** · **política** · **actitud** · **gestión** · **comportamiento** || **debate** · **discusión** · **polémica** · **controversia** || **idea**

sesgo s.m.

● CON ADJS. **inesperado** · **imprevisto** || **nuevo** · **actual** · **clásico** · **definitivo** · **decisivo** || **claro** *La presencia de ciertos intelectuales comprometidos públicamente con el proyecto dio un claro sesgo partidista al acto* · **fuerte** · **especial** · **diferente** · **propio** · **particular** · **definido** · **marcado** || **conservador** · **bajista** · **alcista** · **reivindicativo** · **violento** · **polémico** · **radical** · **neutral** · **partidista** || **ideológico** · **político** · **académico** · **narrativo** · **teórico**

● CON VBOS. **tomar** *La conversación tomó un sesgo inesperado* · **tener** · **adquirir** · **dar (a algo)** || **introducir** · **cambiar** · **decantar**

sesión s.f.

● CON ADJS. **concurrida** · **abarrotada** || **intensa** · **agotadora** · **maratoniana** · **inacabable** · **interminable** · **pesada** · **plomiza** || **acalorada** · **agitada** · **reñida** · **debatida** *La sesión de investidura fue muy debatida* · **ajetreada** · **accidentada** · **tumultuosa** · **turbulenta** · **violenta** · **sin incidentes** || **trascendental** · **rutinaria** · **de trámite** || **provechosa** *una sesión de trabajo que resultó muy prove-*

chosa · **fructífera** · **improductiva** · **infructuosa** || **confidencial** · **a puerta cerrada** · **solemne** · **oficial** || **plenaria** · **permanente** · **ordinaria** · **especial** · **monográfica** || **continua** · **golfa** *Anoche fuimos a la sesión golfa en los cines que hay en el barrio* · **matutina** · **matinal** · **vespertina** · **nocturna** · **de noche** · **de tarde** || **de trabajo** · **de investidura** · **informativa** · **parlamentaria** · **académica** · **cinematográfica**

• CON VBOS. **tener lugar** · **desarrollar(se)** · **discurrir** · **transcurrir** *La sesión de debate transcurrió sin incidentes* · **fluir** || **abrir(se)** · **continuar** · **prolongar(se)** · **eternizar(se)** · **caldear(se)** || **celebrar** · **convocar** *El nuevo director convocó una sesión informativa para los socios* || **interrumpir** · **boicotear** · **suspender** *Tuvieron que suspender temporalmente la sesión de inauguración* · **anular** · **reanudar** || **clausurar** · **cerrar** · **levantar** *Se levanta la sesión* · **terminar** · **dar por {concluida/finalizada...}** || **presenciar** · **amenizar** · **narrar** || **acudir (a)** *Todos los representantes acudieron a la sesión de clausura* · **asistir (a)** · **faltar (a)**

seso s.m.

• CON SUSTS. **tapa (de)** *la tapa de los sesos*

• CON VBOS. **derretir(se)** *Se te van a derretir los sesos de tanto estudiar* || **devanar(se)** *Los científicos se devanan los sesos para lograr un tratamiento que funcione* · **exprimir(se)** · **estrujar(se)** · **avivar** || **sorber** *Esa mujer le tiene sorbido el seso* · **robar** || **perder** || **volar** · **romper**

set s.m.

• CON ADJS. **final** · **decisivo** · **definitivo** *Llegaron empatados al set definitivo* || **equilibrado** · **igualado** · **apretado** · **disputado** · **reñido** || **dramático** · **intenso** · **duro**

• CON SUSTS. **comienzo (de)** · **final (de)** · **desarrollo (de)** *El nuevo entrenador siguió atento el desarrollo del set* || **desempate (de)** · **ventaja (de)** · **resultado (de)** || **punto (de)** · **pelota (de)** *Dispone de dos pelotas de set*

• CON VBOS. **ganar** · **obtener** · **anotarse** · **sumar** · **conseguir** · **derrotar** · **vencer** · **dominar** || **ceder** · **perder** · **entregar** || **jugar** · **remontar** *Mucho tendrá que esforzarse para remontar este set* · **necesitar** · **agotar** || **empatar** · **igualar**

• CON PREPS. **a** *jugar un partido a tres sets*

severamente adv.

• CON VBOS. **castigar** · **sancionar** *Se espera que sancionen severamente a las empresas responsables del accidente* · **penalizar** · **penar** · **multar** · **escarmentar** || **condenar** · **criticar** · **censurar** · **denunciar** · **descalificar** · **recriminar** · **amenazar** · **rechazar** || **amonestar** · **reprender** · **reprobar** · **reprochar** · **regañar** · **reñir** || **dañar** *La cosecha resultó severamente dañada por el temporal* · **perjudicar** · **deteriorar** · **debilitar** · **quebrantar** · **lesionar** · **herir** · **mutilar** || **limitar** · **restringir** · **controlar** · **reprimir** · **prohibir** · **impedir** || **afectar** · **repercutir** *medidas que repercutieron severamente en la programación* || **cuestionar** · **juzgar** · **enjuiciar** || **mirar** || **atacar** · **golpear** · **apalear** · **agredir** · **torturar** · **fustigar** || **combatir** *El candidato prometió que combatiría severamente la evasión fiscal* || **reducir** · **recortar** · **rebajar** · **aligerar** || **expresarse** · **vestir** · **actuar** · **comportarse**

severo, ra adj.

• CON SUSTS. **juez** · **tribunal** · **jurado** · **padre** · **madre** · **profesor,-a** *Los alumnos se quejan de que es una profesora demasiado severa* · ***otros individuos y grupos humanos*** || **institución** · **régimen** · **dictadura** || **asma** *La paciente sufre asma severa* · **infección** · **hipotermia** · **artritis** · ***otras enfermedades y dolencias*** || **palabras** · **respuesta** · **artículo** · **carta** · **discurso** · ***otras manifestaciones verbales o textuales*** || **plan** · **programa** · **campaña** || **ley** · **regla** · **norma** *Mantienen unas severas normas de conducta* · **regulación** · **legislación** · **sentencia** · **normativa** · **edicto** · **código** · **reglamentación** · ***otras disposiciones*** || **castigo** · **pena** · **sanción** · **condena** · **derrota** · **reprimenda** · **multa** · **represión** · **presión** · **represalia** || **golpe** · **paliza** · **golpiza** · **impacto** · **choque** *Fue un choque severo, aunque no hubo que lamentar víctimas* || **crítica** · **autocrítica** · **acusación** · **amonestación** · **llamada de atención** · **apercibimiento** · **cuestionamiento** · **denuncia** *Las severas denuncias presentadas en su contra no han modificado en nada su actitud* · **rechazo** · **advertencia** · **protesta** || **restricción** · **reducción** · **recorte** · **limitación** · **límite** · **carga** · **ajuste** · **déficit** · **recesión** · **austeridad** · **desajuste** · **desequilibrio** || **condición** · **requisito** · **exigencia** · **control** *bajo un severo control policial* · **vigilancia** · **custodia** · **cerco** · **seguimiento** · **persecución** || **daño** *Esta enfermedad puede producir severos daños en el sistema motriz* · **efecto** · **repercusión** · **perjuicio** · **trastorno** · **pérdida** · **consecuencia** · **causa** || **quebranto** · **deterioro** · **lesión** || **revés** · **crisis** · **problema** · **dificultad** · **complicación** · **pobreza** · **escasez** · **sequía** || **riesgo** · **peligro** · **desafío** · **reto** · **amenaza** || **actitud** · **postura** · **gesto** · **aire** · **tono** · **porte** · **rostro** *cohibida ante su rostro severo* · **imagen** · **silueta** · **aspecto** · **ojos** · **mirada** · **expresión** || **examen** · **replanteamiento** *Los pésimos resultados nos obligaron a hacer un severo replanteamiento del negocio* · **análisis** · **revisión** · **escrutinio** || **clima** · **canícula** · **ambiente** · **paisaje** · **entorno**

• CON VBOS. **ponerse** · **volverse**

sexo s.m.

• CON ADJS. **masculino** · **femenino** || **débil** · **fuerte** || **explícito** · **duro** || **seguro** || **opuesto**

• CON SUSTS. **cambio (de)** · **elección (de)** || **escena (de)** · **tema (de)** · **imágenes (de)** || **delito (de)** || **discriminación (de)**

• CON VBOS. **practicar** || **incitar (a)** · **gozar (de)** || **cambiar(se) (de)**

• CON PREPS. **en función (de)** · **por razón (de)** · **sin distinción (de)** *un derecho aplicable a todas las personas sin distinción de sexo*

sexual adj.

• CON SUSTS. **relación** · **acto** · **actividad** · **práctica** · **contacto** · **experiencia** · **ejercicio** || **abstinencia** || **acoso** · **abuso** · **agresión** *El detenido fue condenado por agresión sexual* · **delito** · **violencia** · **escándalo** · **crimen** · **perversión** · **provocación** · **obsesión** || **libertad** · **derechos** · **liberación** · **revolución** · **represión** · **esclavitud** · **promiscuidad** || **orientación** · **tendencia** · **identidad** · **inclinación** · **ambigüedad** · **preferencia** *No me interesan sus preferencias sexuales* || **enfermedad** · **disfunción** · **impotencia** · **problema** · **transmisión** *enfermedades de transmisión sexual* || **comportamiento** · **conducta** || **hábito** · **costumbre** · **moral** || **educación** *Los alumnos recibirán un curso de educación sexual* · **política** · **información** || **deseo** · **apetito** · **necesidad** · **pasión** · **atracción** *Sentían una atracción sexual mutua* · **placer** · **impulso** · **fantasía** · **excitación** · **potencia** || **discriminación** || **vida** *consejos para una vida sexual satisfactoria* · **intimidad** || **órgano** · **hormona** || **símbolo** · **objeto** || **favor** · **servicio** · **turismo** · **comercio** · **uso** · **explotación** || **contenido** *una página electrónica de contenido sexual* · **lectura** · **interpretación** || **escena**

sí s.m.

● CON ADJS. **claro · rotundo** *El novio dejó caer un sí rotundo que resonó en la iglesia* · **contundente · inequívoco · incondicional · tajante · taxativo · definitivo · escueto || a medias · condicional** *No consiguieron más que un sí condicional de las autoridades municipales* · **entrecortado · inaudible · provisional**

● CON VBOS. **dar · decir · pronunciar · emitir || conseguir · lograr · obtener · recibir**

□ EXPRESIONES **porque sí** [sin causa justificada] *col.*

sibilino, na adj.

● CON SUSTS. ***persona*** *una mujer sibilina que oculta sus verdaderas intenciones* **|| modo · forma · método || comportamiento · actitud · modales · maneras · actuación · inteligencia || discurso · frase · respuesta · comentario · consejo · recomendación · oferta · propuesta · crítica · argumento · explicación ·** ***otras manifestaciones verbales o textuales*** **|| procedimiento · táctica · truco · estrategia · maniobra** *Utilizó sibilinas maniobras para lograr el cargo* · **política · trampa || acuerdo · apoyo · intervención || venganza · causa**

siciliano s.m. Véase **IDIOMA**

sicología s.f. Véase **psicología**

sicológicamente adv. Véase **psicológicamente**

sicológico, ca adj. Véase **psicológico, ca**

sicosis s.f. Véase **psicosis**

sida s.m.

● CON ADJS. **afectado,da (de) · aquejado,da (de)**

● CON SUSTS. **virus (de) · anticuerpo (de) || efecto (de) · síntoma (de) || vacuna (contra)** *Los científicos buscan una vacuna eficaz contra el sida* **|| portador,-a (de) · enfermo,ma (de) || prueba (de) · test (de)**

● CON VBOS. **azotar (a alguien) · matar (a alguien) || contraer · pillar · coger || padecer · tener · desarrollar · sufrir || transmitir · contagiar · pegar || diagnosticar || prevenir** *una campaña informativa para prevenir el sida* · **evitar · combatir · erradicar · vencer · curar(se) || morir (de)**

sideral adj.

● CON SUSTS. **espacio** *explorar el espacio sideral* · **estrella || armonía || viaje · sueño || distancia · diferencia** *La diferencia entre la calidad de ambos equipos es sideral* · **abismo || cantidad · suma** *una suma sideral de dinero* · **sueldo**

sidra s.f.

● CON ADJS. **achampanada · embotellada · natural · de calidad || fría || genuina · auténtica**

● CON SUSTS. **vinagre (de) · mosto (de) || lagar (de) · barril (de) · balde (de) · corcho (de) || producción (de)** *Este año ha aumentado la producción de sidra* · **elaboración (de) || festival (de) · temporada (de) || expendedor,-a (de) · productor,-a (de) · escanciador,-a (de) || manzana (de)**

● CON VBOS. **escanciar · descorchar || empapar (con/en) · rebosar (de) · brindar (con) · macerar (en)**

● CON PREPS. **a** *una ración de chorizo a la sidra*

➤ Véase también **BEBIDA**

sierra s.f.

▌[herramienta]

● CON ADJS. **eléctrica**

● CON VBOS. **usar · emplear · manejar** *Maneja la sierra con gran habilidad* **|| cortar (con)**

▌[cordillera montañosa]

● CON ADJS. **nevada · rocosa · escarpada · abrupta || alta · baja**

● CON SUSTS. **ladera (de) · zona (de) · punto (de) · montaña (de) · cumbre (de) · cima (de) || paraje (de) · paisaje (de) || pueblo (de) · localidad (de) || hostal (de)** *Pasamos un fin de semana en un hostal de la sierra* · **casa (de) · albergue (de) · refugio (de) || ruta (de) · sendero (de)**

● CON VBOS. **recorrer · visitar || perder(se) (en) || vivir (en) || pasear (por)** *Les encanta pasear por la sierra en otoño*

siesta s.f.

● CON ADJS. **reparadora · merecida · sagrada || larga · breve**

● CON SUSTS. **hora (de)** *Es la hora de la siesta; estarán durmiendo* · **tiempo (de) · rato (de) || sopor (de)**

● CON VBOS. **dormir** *No se puede poner, está durmiendo la siesta* · **echarse || interrumpir || despertar(se) (de)** *Todavía no se ha despertado de la siesta* · **levantar(se) (de) · renunciar (a)**

● CON PREPS. **durante · en medio (de)**

sigilo s.m.

● CON ADJS. **absoluto · máximo · total · extremado**

● CON SUSTS. **falta (de)**

● CON VBOS. **guardar || mover(se) (con)** *Se movía con sigilo por la habitación* · **desplazar(se) (con) · acercar(se) (con) || mirar (con) · hablar (con)**

sigilosamente adv.

● CON VBOS. **acercar(se)** *Se acercó tan sigilosamente que nadie la oyó* · **salir · entrar · desplazar(se) ·** ***otros verbos de movimiento*** **|| actuar · perseguir · hablar · mirar**

siglo s.m.

● CON ADJS. **pasado · presente** *un libro fundamental para entender el presente siglo* · **anterior · próximo · lejano · venidero · actual || esplendoroso · dorado · glorioso || aciago · funesto || interminable · crucial**

● CON SUSTS. **historia (de)** *la historia de nuestro siglo* **|| cambio (de) || principios (de)** *El mobiliario es de principios de siglo* · **mediados (de) · finales (de)**

● CON VBOS. **acabar(se) · empezar** *Ahora que empieza el nuevo siglo...* · **terminar || discurrir · pasar · transcurrir || cerrar · revivir || datar (de)** *La catedral data del siglo XIII* · **remontarse (a) || ir (con)**

● CON PREPS. **a comienzos (de) · a finales (de) · a mediados (de) · a lo largo (de) · durante · a principios (de)**

significación s.f.

● CON ADJS. **especial** *Con el tiempo, aquellas palabras adquirieron una significación especial* · **particular · profunda · personal || precisa · estricta · inequívoca · verdadera · auténtica · literal || ambigua · confusa · imprecisa · borrosa · figurada · indefinida · improbable || decisiva || probable || política · legal · artística · filosófica || cargado,da (de) · repleto,ta (de) · lleno,na (de)**

● CON SUSTS. **pérdida (de) · unidad (de) · grado (de) · nivel (de) · carga (de)** *un texto con una gran carga de significación*
● CON VBOS. **tener · encerrar** *Se trata de un mito que encierra una profunda significación* · **adquirir · cobrar || dar · buscar || encontrar · captar · deducir · comprender || interpretar · imaginar || expresar · explicar · desvelar · transmitir || negar || dotar (de) · carecer (de)** *Sus palabras carecían de significación para ella* **|| enterarse (de) · llegar (a)**

significado s.m.

● CON ADJS. **completo · último** *el significado último de la vida* · **verdadero · auténtico · básico · esencial · fundamental · original · primitivo || enorme · alto · profundo · hondo · trascendente · relevante · máximo || oscuro · confuso · equívoco · ambiguo** *El texto permitía muchas interpretaciones porque tenía un significado ambiguo* · **doble · borroso · impreciso · incomprensible · ininteligible · críptico · absurdo · equivocado · erróneo || claro · transparente · inequívoco · indudable · exacto · concreto · preciso · inteligible · acertado · correcto || decisivo · determinante · crucial || propio · específico · particular · nuevo || literal** *el significado literal de las palabras* · **recto || figurado · metafórico · simbólico · sentimental · alusivo · amplio · global · abstracto || habitual · práctico · anecdótico · testimonial · peyorativo || lleno,na (de)** *una pintura llena de significado religioso* · **cargado,da (de) · pleno,na (de) · carente (de) · vacío,a (de)**
● CON SUSTS. **ausencia (de) · pérdida (de) · unidad (de) · carga (de) · riqueza (de) · pluralidad (de) · alcance (de) · amplitud (de) · cambio (de) || búsqueda (de) · análisis (de)**
● CON VBOS. **esclarecer(se) || tener · adquirir** *El término ha adquirido un nuevo significado* · **cobrar || dar (a algo) · atribuir (a algo) · asignar (a algo) · fijar · determinar · establecer · codificar || buscar · analizar · estudiar || captar · distinguir · percibir · entender · comprender · interpretar · encontrar · averiguar · descifrar · desentrañar · desvelar · aclarar · dilucidar · traducir · decodificar · expresar · explicar · transmitir || saber · conocer · ignorar · desconocer** *Desconozco el significado de esa imagen* **|| extraer · sacar · obtener || alterar · cambiar · tergiversar · desvirtuar · desfigurar · distorsionar · difuminar · negar || ampliar · condensar · perder · agotar || subrayar** *Queremos subrayar el significado de esta investigación para el avance de la disciplina* · **recalcar · magnificar || dotar (de) · carecer (de) || llegar (a) · penetrar (en) · adentrarse (en) · ahondar (en) · indagar (en)**

significar v.

● CON ADVS. **claramente · exactamente** *No sé qué significa exactamente esta expresión* · **literalmente · estrictamente · aproximadamente · figuradamente || etimológicamente || inexorablemente**

significativamente adv.

● CON VBOS. **afectar · condicionar || contribuir** *Tales propuestas contribuyeron significativamente al éxito de la reunión* · **participar · ayudar || subir · crecer · aumentar · elevar · agrandar · incrementar(se)** *Los precios se incrementaron significativamente* · **ampliar · avanzar · mejorar · fortalecer · reforzar · acelerar · encarecer || bajar** *Las calificaciones de su hijo han bajado significativamente en el último trimestre* · **descender · disminuir · recortar · reducir · atenuar · debilitar · deteriorar(se) · empeorar** *Según el informe, la economía ha empeorado significativamente* · **agravar(se) · retardar · abaratar || cambiar · oscilar · variar || diferir · diferenciar(se) || llamar(se) · titular(se)**
● CON ADJS. **alto,ta · grande · mayor · mejor** *Su conocimiento del inglés es significativamente mejor al de la media de la clase* · **superior · positivo,va || bajo,ja · pequeño,ña · menor · peor · inferior · negativo,va || diferente · distinto,ta**

significativo, va adj.

● CON SUSTS. **dato** *La declaración del detenido no aportó ningún dato significativo a la investigación* · **rasgo · elemento · detalle || artista · escritor,-a · sector ·** ***otros individuos y grupos humanos*** **|| disminución · avance · aumento · incremento · descenso · expansión · reducción || parte · muestra · porcentaje** *Un porcentaje significativo de alumnos suspendió el examen* · **ejemplo || número · valor · cantidad · diferencia || ayuda · colaboración · trabajo || cambio** *un cambio significativo en el curso de los trabajos* · **modificación · transformación · novedad || acontecimiento · hecho || presencia · participación · representación · importancia · trascendencia · repercusión || pieza · obra · imagen · texto · palabra · símbolo || idea · concepto · plan**
● CON ADVS. **especialmente · particularmente** *¿Ha habido alguna persona particularmente significativa en su vida?* · **verdaderamente · sumamente · altamente · profundamente · realmente**

signo s.m.

● CON ADJS. **afirmativo · positivo || negativo** *Hizo un signo negativo con la cabeza para indicarme que no me acercara* · **desfavorable || confuso · oscuro · ambiguo · equívoco || de interrogación · de exclamación || distinto · contrario · opuesto || claro · evidente · ostensible · visible · luminoso · perceptible · indudable · inequívoco · indiscutible · patente · manifiesto || externo** *El cuerpo no presentaba signos externos de violencia* · **aparente || característico · representativo · distintivo · indeleble · convencional · nuevo || sintomático** *La fiebre puede ser un signo sintomático de infección* · **revelador · anunciador || alarmante · preocupante · inquietante · amenazante || favorable · esperanzador · alentador || astrológico · zodiacal** *los doce signos zodiacales* · **lingüístico || de identidad · de los tiempos**
● CON SUSTS. **lenguaje (de) · sistema (de) · código (de) · alfabeto (de) · lengua (de)**
● CON VBOS. **surgir · aparecer · asomar || traslucir(se) || indicar (algo) · denotar (algo) · delatar (algo) · apuntar (a algo)** *Según los analistas, todos los signos apuntan a una inmediata recuperación del mercado* **|| dar** *El ciclista empezó a dar signos visibles de fatiga* · **conferir (a algo) · arrojar || mostrar · exhibir · presentar · ofrecer · transmitir || interpretar · analizar · descifrar || hallar · encontrar · percibir · apreciar · notar · detectar · advertir · atisbar · vislumbrar || conservar · mantener · perder**
● CON PREPS. **bajo** *los nacidos bajo el signo de Libra* · **con · a través (de)**

sij adj./s.com. Véase **CREYENTE**

silenciar v.

● CON SUSTS. **sonido · voz · grito · ovación · cántico · boca · garganta · música || crítica** *con el fin de silenciar las críticas y las demandas de los clientes insatisfechos* · **denuncia · oposición · protesta · disidencia · condena**

· **diferencia** · **inconformismo** || **verdad** · **realidad** · **evidencia** || **mensaje** · **dato** · **noticia** · **información** · **prensa** || **crimen** · **fraude** *Aunque intentaron por todos los medios silenciar el fraude, acabó saliendo a la luz* · **asesinato** · **injusticia** · **violencia** · **agresión** · **abuso** · **barbarie** || **conflicto** · **ataque** · **ofensiva** · **lucha** · **guerra** · **arma** · **fusil** · **cañón** || **problema** *Silenciar los problemas no ayuda a solucionarlos* · **hundimiento** · **tragedia** · **desastre** · **drama** · **tumor** || **causa** · **circunstancia** · **motivo** · **origen** · **razón** · **efecto** · **consecuencia** · **resultado** || **crítico,ca** · **enemigo,ga** *grupos parapoliciales que se encargaban de silenciar a los enemigos del régimen* · **detractor,-a** · **denunciante** · **periodista** · **víctima** · **coalición** · **pueblo** · **sociedad** · ***otros individuos y grupos humanos*** || **comportamiento** · **proceder** · **actuación** · **reacción** · **disposición** · **actitud** || **hecho** · **suceso** · **acontecimiento** · **fenómeno**

silencio s.m.

● CON ADJS. **absoluto** *El profesor pedía silencio absoluto durante el examen* · **profundo** · **hondo** · **estricto** · **férreo** · **hermético** · **impenetrable** · **implacable** · **imperturbable** · **monacal** · **sepulcral** *Reinaba en la sala un silencio sepulcral* || **largo** · **prolongado** · **eterno** || **breve** · **corto** || **elocuente** · **clamoroso** || **tenso** · **espeso** · **expectante** · **cómplice** · **despectivo** || **inquietante** · **fantasmal** · **desolador** · **sobrecogedor** || **prudente** · **discreto** · **respetuoso** *Escuchaban con atención puestos en pie y con un respetuoso silencio* · **piadoso** || **obligado** · **impuesto** · **forzoso** · **voluntario** || **administrativo**

● CON SUSTS. **minuto (de)** *Se guardó un minuto de silencio en recuerdo del fallecido* · **período (de)** · **rato (de)** · **momento (de)** || **muro (de)** · **pozo (de)** || **ley (de)** · **pacto (de)** · **voto (de)**

● CON VBOS. **reinar** · **presidir (algo)** · **hacerse** *En cuanto se apagaron las luces se hizo el silencio* · **prolongar(se)** · **durar** || **delatar (algo)** || **mantener** · **guardar** *Por favor, guarden silencio* · **jurar** || **pedir** · **reclamar** · **imponer** · **exigir** || **alterar** · **perturbar** · **interrumpir** · **romper** · **matar** || **oír** *¡Cómo no oír el clamoroso silencio de la multitud!* || **justificar** · **interpretar** || **abocar(se) (a)** · **reducir (a)** · **sumir(se) (en)** · **ahogar(se) (en)** || **terminar (con)**

● CON PREPS. **en** *Se miraban en silencio*

sílex s.m.

● CON SUSTS. **piedra (de)** · **punta (de)** *Han encontrado puntas de sílex en la zona* · **lasca (de)** · **hacha (de)** · **talla (de)** · **esquirla (de)** || **adorno (de)** · **utensilio (de)** · **objeto (de)** · **herramienta (de)** · **pieza (de)** · **mueble (de)** || **yacimiento (de)**

● CON VBOS. **tallar** · **pulir**

silueta s.f.

● CON VBOS. **delinear(se)** · **dibujar(se)** *En el horizonte se dibuja la silueta de la ciudad* · **recortar(se)** · **perfilar(se)** || **aparecer** · **distinguir(se)** || **cuidar** *Tengo que cuidar un poco mi silueta* · **descuidar** · **mantener** || **alterar** · **estilizar**

silvestre adj.

● CON SUSTS. **fauna** · **flora** || **gato,ta** · **ave** · ***otros animales*** || **fruta** *frutas silvestres del bosque* · **fresa** · ***otros frutos*** || **hierba** *hierbas silvestres que crecen en lugares húmedos* · **rosa** · ***otras plantas*** || **especie** · **ejemplar** || **vida** · **hábitat** · **naturaleza** || **zona** · **campo** · **tierra** · **espacio**

simbiosis s.f.

● CON ADJS. **total** · **absoluta** · **perfecta** · **completa** || **enriquecedora** · **fructífera** · **armónica** · **íntima** || **extraña** · **curiosa** · **clara** · **difícil** *Las dos poblaciones convivían en una difícil pero efectiva simbiosis* || **admirable** · **conseguida** · **atractiva** || **cultural** *años de simbiosis cultural* · **política** · **musical** · **narrativa**

● CON SUSTS. **relación (de)**

● CON VBOS. **lograr** · **conseguir** · **formar** · **crear** · **producir** · **realizar** || **buscar** · **provocar** · **procurar** || **vivir (en)** · **convivir (en)** · **actuar (en)** *Actuar en simbiosis es un mecanismo de supervivencia* · **llegar (a)**

● CON PREPS. **en**

simbólico, ca adj.

● CON SUSTS. **valor** · **precio** *Los clientes pueden adquirir el nuevo catálogo a un precio simbólico* · **cantidad** · **carga** · **cifra** || **importancia** · **relevancia** · **riqueza** || **carácter** · **plano** · **orden** · **naturaleza** || **acto** · **representación** · **gesto** *un gesto simbólico de adhesión solidaria* · **función** || **lenguaje** · **poesía** *Cultiva desde hace años una poesía simbólica e intimista* · **música** · **arte** · **pintura** · **imagen** || **elemento** · **aspecto** || **sentido** · **contenido** *El acto tuvo gran contenido simbólico* · **connotación** · **interpretación** · **lectura** || **espacio** · **lugar** · **mundo** · **universo** · **tiempo** || **núcleo** · **sistema** || **lógica**

● CON ADVS. **meramente** *El valor de este manuscrito es meramente simbólico*

símbolo s.m.

● CON ADJS. **claro** · **indiscutible** · **incuestionable** · **fehaciente** · **visible** · **vivo** *Se ha convertido en un símbolo vivo de la música contemporánea* · **material** · **palpable** || **genuino** · **auténtico** || **tradicional** · **representativo** · **emblemático** || **colectivo** · **universal** · **nacional** · **patrio** · **regional** · **local** || **personal** · **propio** || **sagrado** · **religioso** · **poético** · **literario** · **artístico** || **matemático** · **químico**

● CON SUSTS. **conjunto (de)** · **repertorio (de)** || **sistema (de)** · **tabla (de)**

● CON VBOS. **significar (algo)** · **representar (algo)** || **desvanecerse** · **derrumbarse** || **crear** *un escritor que creó símbolos poéticos de gran belleza* || **constituir** || **entender** · **interpretar** · **descifrar** · **comprender** || **enarbolar** · **ostentar** *Ostentaba con orgullo los símbolos patrios* · **exhibir** · **mostrar** || **apoyar** · **conservar** · **guardar** · **preservar** · **cuidar** · **respetar** || **combatir** · **pisotear** · **despreciar** || **dibujar** · **describir** || **compartir** · **unir** || **convertir(se) (en)** · **erigir(se) (en)** *El líder se erigió en símbolo de la lucha por los derechos humanos* || **considerar (como)**

● CON PREPS. **a través (de)**

simetría s.f.

● CON ADJS. **plena** · **profunda** · **perfecta** *El arquitecto persigue la simetría perfecta entre la casa y la naturaleza* || **clara** · **notoria** · **evidente** · **manifiesta** · **ostensible** || **sugerente** · **impecable** · **exacta** · **equilibrada** || **imperfecta** · **vaga** · **leve** · **ligera** · **superficial** · **aparente** || **simple** · **lógica** · **ordenada** · **racional** · **geométrica** || **existente** · **subyacente** || **curiosa** · **sorprendente** · **original** || **axial** · **compositiva**

● CON SUSTS. **búsqueda (de)** || **falta (de)** · **ruptura (de)** · **ausencia (de)** · **carencia (de)** || **centro (de)** · **eje (de)**

● CON VBOS. **predominar** · **destacar** · **imponer(se)** || **presentar** · **guardar** · **mantener** · **establecer** · **romper** *edificios muy altos que rompen la simetría de la ciudad* || **percibir** · **apreciar** · **notar** · **descubrir** || **admirar** · **buscar** · **procurar** || **evitar** || **huir (de)** || **caracterizarse (por)**

● CON PREPS. **en**

simétrico, ca adj.

• CON SUSTS. **parte** · **mitad** *Cortó la tela en dos mitades simétricas* · **fragmento** · **trozo** || **plano** · **eje** · **estructura** *un edificio de estructura simétrica* · **dibujo** · **círculo** || **ordenación** · **colocación** · **equilibrio** · **situación** · **distribución** · **disposición** *La disposición simétrica de los muebles daba una gran sensación de orden* · **posición** · **relación** || **aspecto**
• CON ADVS. **perfectamente** · **absolutamente** · **rigurosamente** · **relativamente** · **prácticamente** || **inversamente** · **opuestamente**
• CON VBOS. **ponerse** · **mantenerse**

simiente s.f.

• CON ADJS. **buena** · **mala** || **enriquecida** · **resistente** *una simiente resistente a la sequía*
• CON VBOS. **germinar** · **dar fruto** · **fructificar** || **sembrar** · **esparcir** · **plantar** *artistas que plantaron la simiente de un movimiento cultural revolucionario* · **enterrar**

similitud s.f.

• CON ADJS. **clara** · **evidente** *hechos que guardan una evidente similitud con los de...* · **apreciable** · **patente** · **perceptible** || **asombrosa** · **curiosa** · **extraña** || **estricta** · **estrecha** || **cierta** · **relativa** · **remota** || **escasa** · **imperceptible** · **lejana**
• CON SUSTS. **punto (de)** · **elemento (de)**
• CON VBOS. **mostrar** · **presentar** *Los discursos de ambos políticos presentaban una clara similitud* · **manifestar** · **expresar** || **guardar** · **mantener** · **conservar** || **determinar** · **establecer** · **conocer** · **reconocer** || **percibir**

[simpatía] → con simpatía; simpatía

simpatía s.f.

• CON ADJS. **gran(de)** · **enorme** · **profunda** · **intensa** · **desbordante** · **a raudales** *Derrocha simpatía a raudales* · **arrebatadora** · **arrolladora** || **escasa** || **personal** · **característica** *Nos recibió con su simpatía característica* · **proverbial** · **habitual** · **acostumbrada** · **innata**
• CON SUSTS. **corriente (de)** · **muestra (de)** · **falta (de)**
• CON VBOS. **tener (a algo/a alguien)** *Le tengo una enorme simpatía por lo bien que se ha portado siempre conmigo* · **sentir** · **profesar (a alguien)** || **manifestar** · **demostrar** · **desplegar** · **transmitir** · **irradiar** · **rezumar** · **emanar** · **derrochar** · **expresar** · **confesar** · **ejercer** · **practicar** || **ganar(se)** *una persona que sabe ganarse las simpatías de todos* · **granjearse** · **conquistar** · **despertar** · **infundir (a alguien)** · **inspirar** *Es muy serio y no me inspira demasiada simpatía* · **cosechar** · **concitar** · **perder** || **depositar (en algo/en alguien)** || **gozar (de)** *Los cien mil discos vendidos muestran sobradamente hasta qué punto goza de la simpatía del público*
• CON PREPS. **con** *contar con la simpatía de alguien; mirar con simpatía a alguien*

☐ USO Se construye a menudo con complementos encabezados por las preposiciones *por* (*sentir simpatía por una persona*) y *hacia* (*la simpatía de alguien hacia los niños*).

simpático, ca adj.

• CON SUSTS. ***persona*** *Es un chico muy simpático* || **gesto** · **sonrisa** · **guiño** · **rostro** || **muñeco** · **caricatura** || **comedia** *Fuimos al cine a ver una simpática comedia inglesa* · **libro** · **novela** · **película** · **espectáculo** || **entrevista** · **nota** · **anécdota** || **imagen** · **papel**
• CON ADVS. **realmente** · **verdaderamente** || **especialmente** · **particularmente** · **enormemente**
• CON VBOS. **caer(le) (a alguien)** *un personaje que no cae simpático al lector* · **resultar(le) (a alguien)** · **parecer(le) (a alguien)** || **ser** · **estar** · **mostrarse**

simpatizante

1 **simpatizante** adj.

• CON SUSTS. **sector** · **organización** · **elector,-a** ***otros individuos y grupos humanos***

2 **simpatizante** s.com.

• CON ADJS. **reconocido,da** · **público,ca** || **incondicional** · **enfervorizado,da** *El líder fue aclamado por simpatizantes enfervorizados* · **acérrimo,ma**
• CON SUSTS. **grupo (de)** || **voto (de)** · **apoyo (de)** · **ayuda (de)**
• CON VBOS. **apoyar (algo/a alguien)** *Los simpatizantes apoyaron la causa incluso en los momentos más críticos* · **votar (algo/a alguien)** · **ovacionar (a alguien)** · **aclamar (a alguien)** · **aplaudir (a alguien)** · **rodear (a alguien)** · **acompañar (a alguien)** || **reunir** · **congregar** *El candidato consiguió congregar a numerosos simpatizantes* · **convocar** · **convencer** || **contar (con)**

simpatizar (con) v.

• CON SUSTS. **idea** · **creencia** · **ideal** · **ideología** · **pensamiento** · **movimiento** · **corriente** · **tendencia** · **partido** · **política** · **fe** · **credo** · **teoría** || **organismo** *Por aquella época simpatizaba con los organismos e instituciones gubernamentales* · **institución** · **empresa** · **grupo** || ***persona***

[simple] → a simple vista; simple

simplicidad s.f.

• CON ADJS. **extrema** · **gran(de)** · **extremada** · **enorme** · **extraordinaria** *Sus argumentos se caracterizan por una extraordinaria simplicidad* · **suprema** · **suma** || **escasa** · **relativa** || **asombrosa** · **admirable** · **pasmosa** · **aplastante** · **excesiva** · **apabullante** || **elegante** · **refinada** · **primorosa** || **deliberada** · **pretendida** · **buscada** || **lograda** · **conseguida** || **falsa** *juegos que desafían al ingenio por su falsa simplicidad* · **llana**
• CON VBOS. **consistir (en algo)** || **buscar** · **encontrar** · **anhelar** · **desear** || **socavar** · **reivindicar** || **presentar** · **mostrar** · **exhibir** · **revelar** || **evitar** || **pecar (de)** || **basar(se) (en)** · **caracterizar(se) (por)** || **huir (de)**
• CON PREPS. **con** *Escribe con simplicidad y ritmo ágil*

simplificación s.f.

• CON ADJS. **gran(de)** · **enorme** · **extrema** · **excesiva** *En asuntos como este conviene no caer en simplificaciones excesivas* · **considerable** · **exagerada** || **seria** · **exhaustiva** || **general** · **parcial** · **total** || **mera** · **pura** || **progresiva** · **radical** · **abrupta** · **drástica** || **necesaria** · **acertada** || **innecesaria** · **equivocada** · **grave** · **engañosa** || **burda** · **grosera** · **cruda** · **tosca** · **maniquea** · **banal** · **trivial** || **formal** · **administrativa** *El ministerio ha propuesto nuevas medidas de simplificación administrativa* · **burocrática** || **lleno,na (de)**
• CON SUSTS. **ejercicio (de)** *Su discurso fue un burdo ejercicio de simplificación* · **ejemplo (de)** · **exceso (de)** || **tendencia (a)**
• CON VBOS. **representar** || **suponer** · **constituir** || **buscar** *En sus cuadros, el pintor busca la simplificación de las figuras* · **defender** · **proponer** · **reclamar** || **criticar** · **denunciar** || **evitar** || **caer (en)** · **tender (a)** · **obligar (a)** || **alejar(se) (de)** · **resistir(se) (a)** || **abogar (por)** *Los jueces abogaron por la simplificación del proceso judicial*
• CON PREPS. **frente (a)** · **mediante**

simplificar v.

● CON SUSTS. **tema · asunto · cuestión · problema** *Tiende a simplificar excesivamente los problemas* **|| contenido · mensaje · texto · redacción || explicación · razonamiento** *Se trata de simplificar el procedimiento de búsqueda* **· argumento || forma · expresión · lenguaje || modo · manera · proceso · procedimiento · actuación || trabajo** *Con la nueva computadora simplificaremos el trabajo* **· labor · tarea || vida · situación || necesidad · exigencia · requisito · condición**

● CON ADVS. **al máximo** *Es imprescindible simplificar al máximo las necesidades de la empresa* **· en lo posible · notablemente · considerablemente || convenientemente · adecuadamente · oportunamente · acertadamente || maniqueamente · toscamente · burdamente · exageradamente · excesivamente**

simulación s.f.

● CON ADJS. **pura · perfecta || por ordenador · por computadora · informática · virtual** *Hacían las pruebas mediante simulación virtual*

● CON SUSTS. **técnica (de) · sistema (de) · arte (de) · capacidad (de) || profesional (de) || prueba (de) · ejercicio (de) · juego (de)** *juegos de simulación de aviones* **|| cabina (de) || programa (de) · centro (de)**

● CON VBOS. **hacer · realizar · efectuar · llevar a cabo**

simular v.

● CON SUSTS. **voz** *El humorista simula la voz del ministro a la perfección* **· sonido · firma || secuestro · agresión · atentado · bombardeo · atraco · combate · robo · operación · tiroteo || ataque · pelea · enfrentamiento · enfado · altercado || avería · accidente · incendio || caída** *Expulsaron al delantero por simular una caída* **· penalti || suicidio · muerte || orgasmo || embarazo || huida · fuga || lesión · dolor · mareo · malestar · enfermedad || conmoción · llanto · sensación || emoción · ilusión · alegría ·** ***otros sentimientos***

● CON ADVS. **correctamente · perfectamente · a la perfección · de maravilla || burdamente · torpemente · toscamente**

simultanear v.

● CON SUSTS. **trabajo · tarea · labor · actividad · estudio · encargo || cargo · función** *Consiguió simultanear las diferentes funciones que le asignaron en la empresa* **· responsabilidad · puesto · ocupación**

□ USO Se construye con sustantivos en plural (*simultanear varios trabajos*), coordinados por la conjunción *y* (*simultanear trabajo y estudios*) o unidos con la preposición *con* (*simultanear el trabajo con los estudios*).

simultáneo, a adj.

● CON SUSTS. **traductor,-a** *Trabaja de traductora simultánea en el Parlamento Europeo* **· traducción || acontecimiento · acción · proceso · evolución · movimiento · cambio || ataque · incendio** *Tres incendios simultáneos arrasaron la ladera de la montaña* **|| aparición · existencia · presencia || exposición · proyección · emisión || celebración · elección ||** ***otros eventos***

sin ambages loc.adv./loc.adj.

● CON VBOS. **hablar · decir · declarar · expresar · manifestar · exponer · plantear · explicar** *Explicó su planteamiento sin ambages y con claridad* **· comentar · publicar · comunicar · informar · notificar · anunciar || afirmar · asegurar · sostener · reafirmar || confesar** *Confesó sin ambages toda la verdad* **· admitir · reconocer · aceptar · asumir || respaldar · defender · apoyar · promover · alabar · elogiar** *El jurado elogió sin ambages a la ganadora del concurso* **· sumarse · apostar · unirse || criticar · condenar · acusar · denunciar · culpar · rechazar** *Una propuesta que la dirección del colegio rechazó sin ambages* **· repudiar · retar · amenazar · arremeter · espetar · desmentir || calificar · definir · tildar || pronunciarse · opinar · posicionarse · situarse || pedir · reclamar · reivindicar || reflexionar · pensar · dilucidar**

● CON SUSTS. **defensa · apuesta · apoyo || oposición · crítica || declaración** *Fue una declaración dura y sin ambages que dejó atónito al periodista* **· expresión · respuesta · definición**

sin ánimo (de) loc.prep.

● CON SUSTS. **lucro** *una organización sin ánimo de lucro* **|| discusión · polémica · revancha** *Lo dije sin ánimo de revancha* **· venganza · batalla || comparación**

● CON VBOS. **ofender** *sin ánimo de ofender a nadie* **· polemizar · molestar · comparar · menospreciar · juzgar · alarmar**

sin barrera(s) adj.

● CON SUSTS. **paso a nivel** *El accidente se produjo en un paso a nivel sin barreras* **|| amor · pasión · libertad || humor · cine · comercio · mercado**

sinceramente adv.

● CON VBOS. **decir · hablar** *Habla sinceramente y se gana la confianza de la gente* **· contestar · explicar · argumentar ·** ***otros verbos de lengua*** **|| creer** *Te lo digo porque lo creo sinceramente* **· pensar · convencer(se) || amar · querer · desear || lamentar** *Lamentamos sinceramente no poder asistir al acto* **· sentir · doler(se) · llorar · conmover(se) || alegrar(se) · felicitar · celebrar · congratular(se) · entusiasmar(se) · reír(se) · disfrutar || cooperar · colaborar · implicar(se)** *Desde el principio se implicó sinceramente en el proyecto* **· preocupar(se) · interesar(se) · comprometer(se) · apostar · apoyar || admirar · estimar · respetar · venerar · elogiar || dudar** *Dudo sinceramente de la veracidad de sus palabras* **· sospechar || disculpar · pedir disculpas · pedir perdón · ofrecer disculpas || reconocer · reflejar · mostrar · aceptar**

sinceridad s.f.

● CON ADJS. **absoluta** *Para sorpresa del juez, reconoció la culpa con absoluta sinceridad* **· completa · total · rotunda · abrumadora · desbordante · apabullante · sin tapujos || verdadera · innegable · insobornable || fingida** *Llegué a pensar que su sinceridad era fingida* **· supuesta · aparente || admirable · insólita · desusada · ejemplar · inusitada · conmovedora · cautivadora || proverbial · habitual · acostumbrada || lleno,na (de)**

● CON SUSTS. **arranque (de)** *Nos contó la historia en un arranque de sinceridad* **· arrebato (de) · rapto (de) || muestra (de) · signo (de) · señal (de)**

● CON VBOS. **mostrar · demostrar · revelar · avalar · desbordar · derrochar · transmitir || poner en duda** *Me duele que pusieras en duda la sinceridad de mis palabras* **· cuestionar**

● CON PREPS. **con** *Nos habló con inusitada sinceridad*

sincero, ra adj.

● CON SUSTS. **palabra · respuesta** *Quiero una respuesta sincera* **· expresión ·** ***otras manifestaciones verbales*** **|| narración · descripción · exposición || alegría · felicidad ·**

afecto · preocupación · amor · cariño · ***otros sentimientos o emociones*** **|| arrepentimiento** *Sé que su arrepentimiento es sincero* **· aceptación · disculpa || agradecimiento · reconocimiento · homenaje** *Le tributaron un sincero homenaje* **· bienvenida · pésame · testimonio || actitud · gesto · tono || intención · propósito · voluntad · esfuerzo · compromiso · adhesión · interés** *Muestra un sincero interés por las cosas* **|| convicción · vocación** *una sincera vocación religiosa* **· fe · creencia · devoción || propuesta · invitación · ofrecimiento || piropo · alabanza · cumplido**
● CON VBOS. **ser · volver(se) · estar**

sin condiciones loc.adv./loc.adj.

● CON VBOS. **asumir · aceptar · acceder · acatar || rendirse · entregar(se)** *Los delincuentes se entregaron rápidamente y sin condiciones a la Policía* **· retirar(se) || apoyar · defender · unir(se) · alinear(se) || debatir · discutir · enfrentarse**
● CON SUSTS. **paz** *La paz sin condiciones es casi un imposible* **· independencia || rendición · entrega · tregua · capitulación · claudicación || apoyo · respaldo · confianza · ayuda || diálogo** *El sindicato está dispuesto a aceptar un diálogo sin condiciones con la empresa* **· negociación · conversación || pacto · acuerdo · compromiso · aceptación || libertad · liberación** *...familiares que reclaman la liberación sin condiciones de los rehenes* **· excarcelación**
☐ USO Admite algunas variantes sintácticas, como *sin ninguna condición, sin condición alguna* o *sin la más mínima condición.*

sin consuelo loc.adv. Véase **desconsoladamente**

sin contemplaciones loc.adv.

● CON VBOS. **actuar · aplicar · obrar · proceder · ejercer || expulsar** *Los dos jugadores fueron expulsados sin contemplaciones* **· despedir · destituir · echar · apear || terminar (con algo) · acabar (con algo)** *...y acabar de una vez por todas y sin contemplaciones con esta política de paños calientes* **|| asesinar · ejecutar · matar · disparar · abatir · eliminar · erradicar · deshacerse · cargarse · descartar · cortar · extirpar · cercenar · zanjar · barrer · borrar** *Tras el escándalo, los borraron sin contemplaciones de la lista de candidatos* **|| agredir · fustigar · golpear · moler · vapulear · destruir · destrozar · arrasar · aplastar · arremeter · atacar || criticar · rechazar · repudiar · descalificar · acusar · satirizar || castigar · sancionar**
☐ USO Admite algunas variantes sintácticas, como *sin la menor contemplación, sin ninguna contemplación* o *sin la más mínima contemplación.*

síncope s.m.

● CON ADJS. **cardíaco** *Perdió la conciencia como consecuencia de un síncope cardíaco* **· repentino**
● CON SUSTS. **amago (de)**
● CON VBOS. **dar (a alguien)** *Por poco le da un síncope al enterarse de la noticia* **|| sufrir || ocasionar · provocar || diagnosticar || morir (de)**
● CON PREPS. **al borde (de)** *Tanto disgusto la puso al borde de un síncope*

sincronizar v.

● CON SUSTS. **movimiento · salto · ejercicio · acrobacia · pirueta · actuación || reloj · semáforo** *Si los semáforos están bien sincronizados se agiliza el tráfico* **· sonido · voz · música || acción · proceso · criterio · desarrollo**
● CON ADVS. **adecuadamente** *La pareja de bailarines fue eliminada por no sincronizar adecuadamente los movimientos* **· perfectamente · minuciosamente · totalmente · aparentemente**
☐ USO Se construye con sustantivos en plural (*sincronizar varias imágenes*), coordinados por la conjunción *y* (*sincronizar imagen y sonido*) o unidos con la preposición *con* (*sincronizar la cámara con la computadora*).

sindical adj.

● CON SUSTS. **dirigente · representante** *nombrar a un representante sindical* **· líder · delegado,da · dirigencia · grupo · miembro · afiliado,da · portavoz · enlace || organización · central · confederación · asociación || movimiento** *Lideró durante mucho tiempo el movimiento sindical de su país* **· corriente || movilización · apoyo · oposición || poder · fuerza · presión || propuesta · proyecto · estrategia · modelo || actividad** *En la empresa estaba prohibida la actividad sindical* **· acción · lucha · participación · cargo · puesto || libertad · autonomía · derecho || unión · unidad || elecciones || cuota · gasto || acuerdo · logro || liberación · dedicación**

sindicalista

1 sindicalista adj.

● CON SUSTS. **dirigente · líder || fila · sector** *La idea fue rechazada por los sectores sindicalistas más radicales*

2 sindicalista s.com.

● CON ADJS. **histórico,ca · veterano,na · antiguo,gua · viejo,ja · joven || enfervorizado,da · comprometido,da**
● CON SUSTS. **grupo (de)** *Un grupo de sindicalistas se concentró a las puertas de la fábrica* **· asociación (de)**
● CON VBOS. **manifestarse · concentrar(se) · reunir(se) || pedir (algo) · demandar (algo) · negociar (algo)** *Los sindicalistas querían negociar una jornada laboral más reducida* **· denunciar (algo) · advertir (algo) · exigir (algo) · reclamar (algo) · solicitar (algo)**

sindicato s.m.

● CON ADJS. **nacional · internacional · municipal · local || mayoritario · minoritario || estudiantil · profesional · obrero · democrático || independiente**
● CON SUSTS. **presidente,ta (de) · secretario,ria (de) · dirigente (de) · portavoz (de)** *El portavoz del sindicato expuso las irregularidades ante el comité* **· responsable (de) · representante (de) · miembro (de) || reunión (con) · diálogo (con)** *El diálogo con el sindicato dio resultados muy positivos para los trabajadores* **· acuerdo (con) || conflicto (con)**
● CON VBOS. **reunir(se) || negociar (algo) · exigir (algo) · demandar (algo) || denunciar (algo)** *El sindicato denunció la falta de cobertura médica* **|| afiliar(se) (a) · pertenecer (a) · militar (en) || negociar (con)**

sin dilación loc.adv.

● CON VBOS. **actuar** *Debemos actuar sin más dilación* **· abordar · acometer · afrontar · emprender · avanzar || combatir · atacar · luchar || poner en marcha · aprobar · elegir · decidir || recibir · enviar · responder · contestar || informar · comunicar** *comunicar sin dilación una noticia*

sin distinción (de) loc.prep.

● CON SUSTS. **ideología · tendencia · credo · creencia** *garantizar los derechos de todos los ciudadanos sin distin-*

ción de sexos, creencias, religión... · **religión** · **cultura** · **clase** · **género** · **sexo** · **edad** · **color** · **raza**

síndrome s.m.

● CON ADJS. **severo** · **agudo** · **grave** || **extraño** · **misterioso** · **desconocido** · **nuevo**

● CON SUSTS. **víctima (de)** · **enfermo,ma (de)** · **virus (de)** · **síntoma (de)** · **señal (de)** · **signo (de)**

● CON VBOS. **afectar (a alguien)** *Este síndrome afecta fundamentalmente a las personas que...* · **atacar (a alguien)** · **propagar(se)** || **tener** · **poseer** · **mostrar** · **sufrir** · **padecer** · **experimentar** || **heredar** *Heredó un síndrome congénito que provoca trastornos locomotrices* · **desarrollar** || **descubrir** · **describir** || **combatir** · **superar**

● CON PREPS. **bajo** *El detenido asegura que actuó bajo el síndrome de abstinencia*

sin efecto loc.adv./loc.adj.

● CON VBOS. **dejar** *dejar sin efecto una ley* · **quedar**

● CON SUSTS. **ley** · **reglamento** · **artículo** · **norma** · **normativa** *Se trata de una normativa sin efecto que ha sido sustituida por...* · ***otras disposiciones*** || **acuerdo** *Con el nuevo acuerdo, quedó sin efecto el anterior* · **contrato** · **pacto** · **sanción** · **sentencia** || **medicina** · **tratamiento**

sine qua non loc.adj.

● CON SUSTS. **condición** *El título de bachiller es una condición sine qua non para matricularse en el curso* · **requisito** · **exigencia** · **obligación** || **característica** · **ingrediente** · **elemento** · **principio**

sin éxito loc.adv./loc.adj.

● CON VBOS. **intentar** · **tratar** · **esforzarse** || **buscar** · **perseguir** · **investigar** · **rastrear** *La Policía rastreó sin éxito toda la zona en busca de pruebas* · **registrar**

● CON SUSTS. **intento** · **búsqueda** · **rastro** · **persecución** · **investigación** · **pesquisa** · **registro**

sin fianza loc.adv./loc.adj.

● CON VBOS. **encarcelar** || **liberar** · **poner en libertad** *Ante la falta de pruebas, la detenida ha sido puesta en libertad sin fianza* · **salir** · **dejar libre**

● CON SUSTS. **libertad** · **excarcelación** || **prisión** *El juez ha decretado prisión incondicional sin fianza* · **cárcel** · **ingreso** · **encarcelamiento**

sinfín (de) s.m.

● CON SUSTS. **problemas** *Después de un sinfín de problemas, conseguimos llegar a...* · **desgracias** · **conflictos** · **dificultades** || **cosas** *...y prometió un sinfín de cosas que luego, desgraciadamente, no pudo cumplir* · **iniciativas** · **proyectos** · **actividades** · **posibilidades** · **llamadas** *Tuve que hacer un sinfín de llamadas para conseguir información sobre...* || **anécdotas** · **historias** · **detalles** · **preguntas** · **rumores** || **veces** · **ocasiones** || **razones** *Desestimé la idea por un sinfín de razones* || **personas** · **personajes** · **nombres** *Se me ocurre un sinfín de nombres para el bebé*

sin fondo loc.adj.

● CON SUSTS. **abismo** · **agujero** · **pozo** *¿Te crees que mi libreta de ahorros es un pozo sin fondo?* || **saco**

sin fondos loc.adj.

● CON SUSTS. **cheque** · **pagaré** · **talón** · **tarjeta** *No le aceptaron la tarjeta porque estaba sin fondos*

sin fundamento loc.adv./loc.adj.

Véase **sin (ningún) fundamento**

siniestrado, da adj.

● CON SUSTS. **coche** · **turismo** · **tren** · **buque** · **avión** · ***otros vehículos*** || **casa** · **fachada** · **edificio** · **fábrica** *Los restos de pólvora fueron encontrados junto a la fábrica siniestrada* · **almacén** · **inmueble** · **vivienda** || **lugar** · **área** · **zona** *Erigieron un monumento por las víctimas en la zona siniestrada* · **campo** · **bosque**

[siniestro]

→ a diestro y siniestro

sin miramientos loc.adv.

● CON VBOS. **acusar** · **criticar** · **golpear** *...golpeando sin miramientos a quien se les ponga por delante* · **desdeñar** · **masacrar** · **expulsar** · **detener** · **zarandear** || **actuar** · **responder** · **replicar** · **tratar** || **aplicar**

sin (ningún) fundamento loc.adv./loc.adj.

● CON VBOS. **afirmar** · **hablar** · **decir** · **considerar** · **interpretar** · **criticar** · **acusar**

● CON SUSTS. **acusación** *una acusación sin fundamento que el ministro no se detuvo en contestar* · **denuncia** · **imputación** · **querella** · **demanda** · **cargo** || **noticia** · **rumor** · **información** · **cotilleo** || **especulación** · **elucubración** *Toda su teoría se basa en elucubraciones trasnochadas y sin fundamento* · **teoría** · **conjetura** · **tesis** · **expectativa** · **pronóstico** · **presunción** || **crítica** · **invectiva** · **ataque** · **descalificación** · **calumnia** · **insidia** || **afirmación** · **declaración** · **opinión** · **aseveración** · **expresión** · **juicio** || **alarma** · **alerta** *La alerta, aunque sin fundamento, se había extendido por todos los rincones de la ciudad* · **temor** · **sospecha** · **inquietud** || **decisión** · **resolución** · **medida** · **estratagema** || **tópico** · **mito** · **leyenda** · **cliché** · **generalización**

sinóptico, ca adj.

● CON SUSTS. **cuadro** *un cuadro sinóptico con la información fundamental* · **esquema** · **resumen** · **tabla** · **croquis** || **mente** · **estilo** · **capacidad**

sin paliativos loc.adv./loc.adj.

● CON VBOS. **condenar** *un criminal atentado que condenamos sin paliativos* · **descalificar** · **criticar** · **rechazar** · **denunciar** *La organización denunció sin paliativos la situación de los niños refugiados* · **desaprobar** · **censurar** · **reprobar** · **desautorizar** · **desestimar** || **apoyar** · **abogar (por algo)** · **aceptar** · **aprobar** · **respaldar** *Incluso la oposición va a respaldar sin paliativos el acuerdo comercial* · **suscribir** · **bendecir** || **responder** · **comentar** · **hablar** · **afirmar** · **asegurar** · ***otros verbos de lengua*** || **triunfar** · **doblegar** · **ganar** · **imponerse** · **adjudicarse** || **fracasar** *El espectáculo fracasó sin paliativos en los escenarios europeos* · **desplomarse** · **caer** · **perder** · **naufragar** · **rendirse** || **confirmar** · **certificar** · **constatar** · **reafirmar** · **admitir** · **reconocer**

● CON ADJS. **nefasto,ta** *una decisión nefasta sin paliativos* · **horroroso,sa** · **espantoso,sa**

● CON SUSTS. **barbaridad** · **vulgaridad** || **condena** · **censura** · **crítica** *El proyecto recibió críticas sin paliativos por parte de...* · **descalificación** · **lucha** · **rechazo** · **discrepancia** · **sanción** || **ataque** · **agravio** · **choque** · **robo** · **golpe** · **terrorismo** · **genocidio** *No podemos desentendernos de un genocidio sin paliativos como el que está sucediendo en...* || **éxito** · **victoria** · **triunfo** · **acierto** · **goleada** · **alarde** || **desastre** · **fracaso** · **suspenso** · **catástrofe** · **error** · **hundimiento** · **retroceso** · **indefensión** · **margi-**

nación · **sufrimiento** || **compromiso** · **apoyo** · **obligación** *una obligación sin paliativos de todos los ciudadanos* · **responsabilidad**

☐USO Admite algunas variantes sintácticas, como *sin ningún paliativo, sin paliativo ninguno, sin paliativo alguno* o *sin el menor paliativo.*

sin pena ni gloria loc.adv.

●CON VBOS. **pasar** *La semana pasó sin pena ni gloria* || **concluir** · **acabar** · **terminar** || **seguir** · **fallecer** · **consumir(se)** · **despedir** || **aprobar** · **aceptar** · **estrenar** · **inaugurar** · **recibir** || **vivir** · **sobrevivir** · **llevar**

sin perjuicio (de) loc.prep.

●CON SUSTS. **acción legal** · **actuación** · **intervención** || **derecho** *Sin perjuicio de los derechos establecidos por la ley, el trabajador deberá...* · **facultad** · **función** · **competencia** || **pena** · **sanción** || **decisión** · **disposición** *sin perjuicio de las disposiciones contempladas en los convenios de trabajo* · **medida** · **normativa** || **responsabilidad** · **obligación** · **deber** || **acuerdo** · **compromiso** · **pacto** · **convenio** || **ayuda** · **indemnización** · **apoyo** || **investigación** · **seguimiento** · **revisión** · **examen** || **conclusión** · **valoración** · **opinión** *Sin perjuicio de las opiniones vertidas hasta aquí, nos parece importante destacar que...* || **interés** · **deseo** || **respeto** · **reconocimiento**

sin pestañear loc.adv.

●CON VBOS. **aguantar** · **soportar** · **tragar** · **encajar** || **presenciar** · **asistir** || **obedecer** *El niño obedeció a su abuelo sin pestañear* · **cumplir** · **satisfacer** || **aceptar** · **admitir** · **acoger** · **aprobar** · **asumir** || **afirmar** · **decir** · **asegurar** · **responder** · **contestar** · **declarar** · **sostener** · **concluir** · **repetir** || **matar** · **asesinar** || **disparar** · **marcar un gol** *Marcó un gol desde cuarenta metros sin pestañear* || **escuchar** · **oír**

sin piedad loc.adv.

●CON VBOS. **atacar** *Las tropas atacan sin piedad la ciudad enemiga* · **castigar** · **golpear** · **atizar** · **apalear** · **arañar** · **morder** || **asesinar** · **matar** · **disparar** · **ametrallar** · **fusilar** · **despedazar** || **destrozar** · **atropellar** · **asolar** · **demoler** · **arrasar** · **contaminar** || **criticar** *La prensa criticó sin piedad su debut como actriz* · **ridiculizar** · **burlarse** · **injuriar** · **descalificar** · **satirizar** || **eliminar**

sinrazón s.f.

●CON SUSTS. **prueba (de)** · **ejemplo (de)** · **muestra (de)** || **sueño (de)** · **víctima (de)** *Los ciudadanos fueron víctimas de la sinrazón de sus gobernantes*

●CON VBOS. **comprender** · **justificar** · **explicar** || **combatir** || **enfrentar(se) (a)** · **acabar (con)**

●CON PREPS. **ante** *ante tanta sinrazón* · **frente (a)**

sin remisión loc.adv./loc.adj.

●CON VBOS. **perder(se)** · **apagar(se)** *Su fama iba apagándose sin remisión* · **caer** · **sucumbir** · **fracasar** · **extinguir(se)** · **hundir(se)** || **abandonar** · **rendir(se)** · **distanciar(se)** || **castigar** *El equipo visitante castigó sin remisión al equipo local* · **condenar** · **batir** || **conducir** · **extender(se)**

●CON SUSTS. **fracaso** *unas disputas internas que llevaron al partido político a un fracaso sin remisión* · **derrota** · **ruptura** || **condena** · **castigo** || **dolor** · **enfermedad** · **muerte**

sin reservas loc.adv./loc.adj.

●CON VBOS. **apoyar** *Apoyaremos sin reservas tu propuesta* · **aplaudir** · **admirar** · **reconocer** · **respaldar** · **elogiar** · **apostar** · **defender** · **acatar** || **aceptar** · **asumir** · **aprobar** · **admitir** · **acoger** · **abrazar** · **ceder** · **obedecer** *Obedeció sin reservas las órdenes de su superior* · **rendirse** · **sucumbir** || **condenar** · **abjurar** · **criticar** · **tachar** || **hablar** *Conmigo puedes hablar sin reservas de tus problemas* · **decir** · **expresar** · **manifestar** · **declarar** · **contestar** · **afirmar** · **confesar** · **proclamar** · ***otros verbos de lengua*** || **entregarse** · **colaborar** · **sumarse** · **cooperar** · **unirse** · **volcarse** · **compartir** || **entregar** · **ofrecer** *Le ofreció sin reservas su colaboración* · **aportar** · **otorgar** · **fomentar** · **dedicar** · **brindar** · **servir**

●CON SUSTS. **apoyo** · **elogio** · **lealtad** · **admiración** *Siente por el escritor una admiración sin reservas* · **apuesta** · **confianza** · **respaldo** · **reconocimiento** || **aceptación** · **acuerdo** · **compromiso** · **acatamiento** · **asunción** · **bienvenida** || **diálogo** *Ya es hora de que tengamos un diálogo honesto y sin reservas* · **afirmación** · **verbalización** || **entrega** · **colaboración** · **participación** · **dedicación**

☐USO Admite algunas variantes sintácticas, como *sin la menor reserva, sin ninguna reserva, sin la más mínima reserva, sin reserva alguna* o *sin reserva ninguna.*

sin retorno loc.adj.

●CON SUSTS. **camino** *Cuando tomó la decisión era muy consciente de que estaba iniciando un camino sin retorno* · **trayecto** · **viaje** || **punto** · **situación** || **decisión** || **relación**

sin rodeo(s) loc.adv.

●CON VBOS. **preguntar** *Lo mejor es que se lo preguntes a él sin rodeos* · **contestar** · **anunciar** · **contar** · **describir** · **explicar** · **manifestar** · **expresar** · ***otros verbos de lengua***

sin rumbo loc.adv.

●CON VBOS. **deambular** · **vagar** · **ir** · **andar** · **caminar** *Caminó sin rumbo durante toda la noche* · **navegar** · **viajar** · **pasear** · **vagabundear**

sinsabor s.m.

●CON ADJS. **pequeño** || **cotidiano** *sin más alteraciones que los pequeños sinsabores cotidianos* · **doméstico** · **de la vida** · **habitual** || **económico** · **político** · **profesional** || **amargo** · **gran(de)**

●CON VBOS. **pasar** · **padecer** · **sufrir** · **tener** || **dar (a alguien)** · **causar** · **provocar** · **producir** · **dejar** || **olvidar** · **superar** · **afrontar** · **compensar** *Los buenos momentos junto a la familia compensan otros sinsabores* · **evitar** || **enfrentar(se) (a)**

sin tapujos loc.adv./loc.adj.

●CON VBOS. **hablar** · **decir** · **afirmar** · **confesar** *Confesó su implicación en el caso sin tapujos* · **expresar** · **exponer** · **declarar** · **plantear** · **manifestar(se)** · **llamar** · **asegurar** · **preguntar** · **piropear** · **interrogar** · **transmitir** · **citar** · **opinar** · **proclamar** · **postular** · **responder** · **soltar** *Soltó sin tapujos lo que pensaba* || **discutir** · **dialogar** · **charlar** · **conversar** || **contar** · **explicar** · **escribir** · **narrar** · **relatar** · **describir** || **mostrar** · **revelar** · **exhibir** *una revista en la que los famosos exhiben sin tapujos su intimidad* · **desvelar** · **aflorar** · **airear** · **ofrecer** · **pronunciarse** · **presentar** · **sacar a relucir** · **dar la cara** · **poner sobre la mesa** || **criticar** · **acusar** · **denunciar** · **arremeter** · **reprochar** · **rechazar** · **acosar** · **reclamar** · **deplorar** · **atacar** · **espetar** · **odiar** || **reconocer** *La sospechosa reconoció*

sin tapujos que había mentido · **admitir** · **asumir** · **aceptar** · **ceder** · **acatar** || **abordar** · **encarar(se)** · **enfrentarse** · **solucionar** · **afrontar** || **apoyar** · **defender** · **aplaudir** · **celebrar** · **regenerar** · **enarbolar** · **abanderar**
● CON SUSTS. **discusión** · **verdad** *La verdad sin tapujos solo tiene un camino* · **conversación** · **comunicación** · **literatura** · **diálogo** · **palabra** || **erotismo** · **sexualidad** || **aceptación** · **reconocimiento**
□ USO Admite algunas variantes sintácticas, como *sin el menor tapujo*, *sin ningún tapujo* o *sin tapujo ninguno*.

sintéticamente adv.
● CON VBOS. **resumir** · **abreviar** || **responder** · **definir** · **exponer** *Expuso sintéticamente las ideas fundamentales* · **expresar** · **abordar** · **describir** · **presentar**

sintetizador s.m.
● CON ADJS. **electrónico** · **digital** · **analógico** · **de voz**
➤ Véase también **INSTRUMENTO MUSICAL**

sintetizar v.
● CON SUSTS. **argumento** · **contenido** · **tema** · **materia** || **idea** *Tratamos de que los alumnos aprendan a sintetizar bien las ideas* · **pensamiento** · **doctrina** || **contribución** · **participación** · **aportación** || **libro** · **novela** · **película** · **obra** · **historia** · **partido**
● CON ADVS. **brevemente** · **escuetamente** · **en pocas palabras** *Supo sintetizar en pocas palabras su pensamiento* · **en pocas líneas** · **esquemáticamente** || **a grandes rasgos** · **en líneas generales** || **punto por punto**

sintoísmo s.m. Véase **RELIGIÓN**

sintoísta adj.
● CON SUSTS. **monje** · **sacerdote**
➤ Véase también **CREYENTE**

síntoma s.m.
● CON ADJS. **claro** · **evidente** · **visible** · **patente** · **ostensible** · **manifiesto** · **palpable** · **indudable** · **inconfundible** · **innegable** · **inequívoco** *un síntoma inequívoco de que la recuperación económica había comenzado* · **concluyente** · **revelador** || **sospechoso** · **probable** · **seguro** || **aquejado,da (de)** · **libre (de)**
● CON SUSTS. **serie (de)** · **conjunto (de)** || **aparición (de)** · **ausencia (de)** · **presencia (de)** · **control (de)**
● CON VBOS. **salir a la luz** · **manifestar(se)** · **dar** *La pierna empieza a dar síntomas de recuperación* · **aparecer** · **remitir** || **aumentar** · **disminuir** · **evolucionar** · **cambiar** · **mantener(se)** || **denotar (algo)** · **delatar (algo)** || **tener** *Ya por entonces tenía algunos síntomas de depresión* · **mostrar** · **presentar** · **sentir** · **sufrir** · **padecer** · **arrojar** · **constituir** || **percibir** · **notar** · **apreciar** *Los analistas no aprecian síntomas evidentes de recuperación bursátil* · **encontrar** · **descubrir** · **atisbar** · **detectar** · **describir** || **combatir** · **erradicar** · **frenar** || **aliviar** · **reducir** · **atacar**

sintomático, ca adj.
● CON SUSTS. **tratamiento** *el tratamiento sintomático de la gripe* · **mantenimiento** || **dato** · **hecho** · **ejemplo** · **cambio** · **caso** · **episodio** || **efecto** · **alivio** || **señal** · **signo**
● CON ADVS. **enormemente** · **absolutamente** · **especialmente**
● CON VBOS. **parecer** *Parece sintomático que el Gobierno todavía no lo haya hecho público* · **resultar** · **considerar**

sintonía s.f.
● CON ADJS. **buena** · **mala** · **gran(de)** · **perfecta** · **excelente** · **plena** *Los miembros del equipo trabajan en plena sintonía* · **total** · **absoluta** · **clara** || **escasa** · **aparente** || **personal** · **política**
● CON SUSTS. **falta (de)** *No nos entendemos bien; hay falta de sintonía* · **grado (de)** · **nivel (de)** · **clima (de)**
● CON VBOS. **mantener** · **demostrar** · **lograr** · **encontrar** · **romper** · **recuperar**
● CON PREPS. **en** *cuestiones en sintonía con los intereses de los participantes*

[sintonizar] → sintonizar; sintonizar (con)

sintonizar v.
● CON SUSTS. **radio** *sintonizar la radio del coche* · **televisión** · **vídeo** || **emisora** · **canal** · **cadena** · **dial** · **frecuencia** · **programa**
● CON ADVS. **manualmente** · **automáticamente** *Los aparatos de radio modernos sintonizan los canales automáticamente*

sintonizar (con) v.
● CON SUSTS. **espectador,-a** *una actriz que sintoniza muy bien con los espectadores* · **audiencia** · **público** · ***otros individuos y grupos humanos***
● CON ADVS. **bien** · **perfectamente** · **plenamente** · **absolutamente**

sin tregua loc.adv./loc.adj.
● CON VBOS. **luchar** *Luchó sin tregua por la libertad* · **pelear** · **combatir** · **enfrentarse** · **disputar** · **guerrear** || **atacar** · **golpear** · **bombardear** || **perseguir** · **buscar** · **indagar** · **acechar** · **presionar** || **renovarse** · **empeorar** · **crecer** || **avanzar** · **trabajar**
● CON SUSTS. **lucha** · **guerra** · **rivalidad** · **combate** · **disputa** · **oposición** *Los acusan de ejercer una oposición despiadada y sin tregua en el Parlamento* · **batalla** · **belicosidad** || **acoso** · **conspiración** · **asalto** · **humillación** · **denuncia** || **vacaciones** · **verano** · **día** · ***otros períodos*** || **acción** · **trabajo** · **baile**

sin un rasguño loc.adv.
● CON VBOS. **resultar** · **salir** *Salió de la pelea sin un rasguño* · **escapar** || **aparecer** · **llegar** || **regresar** · **volver** || **devolver** · **liberar**

sinuoso, sa adj.
● CON SUSTS. **carretera** · **camino** *Los dos pueblecitos estaban comunicados por un camino estrecho y sinuoso* · **curva** · **trazado** · **trayectoria** · **línea** · **itinerario** · **espiral** · **terreno** · **recorrido** · **tramo** *el tramo más sinuoso del recorrido* · **pista** · **sendero** · **senda** || **asunto** · **proceso** · **historia** · **negociación** || **razonamiento** · **argumentación**
● CON VBOS. **volverse** · **hacerse**

sinvergüenza s.com.
● CON ADJS. **completo,ta** · **perfecto,ta** · **redomado,da** *Su amigo resultó ser un redomado sinvergüenza*

siquiatra s.com. Véase **psiquiatra**

[sirena] → cantos de sirena; sirena

sirena s.f.
● CON ADJS. **de alarma** *Se oye a lo lejos la sirena de una alarma* · **de bomberos** · **de policía** · **de ambulancia**

● CON SUSTS. **luz (de) · sonido (de) · estruendo (de) · ruido (de) · señal (de)**
● CON VBOS. **sonar · saltar · disparar(se)** *Las tres sirenas se dispararon a la vez* · **ulular || oír** *Me asusté al oír tantas sirenas a esas horas de la noche* · **escuchar**

sísmico, ca adj.

● CON SUSTS. **movimiento · temblor · onda · actividad · energía · intensidad · sacudida** *Una leve sacudida sísmica despertó a los habitantes del pueblo* · **réplica || amenaza · riesgo · alerta** *La ciudad está en permanente alerta sísmica* · **control · sensor · seguridad · vigilancia · exploración · prevención · protección || zona · área · falla · mapa · red**

sistema s.m.

● CON ADJS. **imperante · único · actual · vigente · tradicional || novedoso** *Se ha implantado un novedoso sistema de recogida de basuras* · **avanzado · revolucionario · moderno · sofisticado || antiguo · arraigado · obsoleto · rudimentario || perfecto · seguro · simple · sencillo · efectivo · eficaz · fiable** *Las tarjetas de crédito incorporan un sistema de seguridad muy fiable* · **fecundo · milagroso · potente · a prueba (de algo) || compacto · integrado || imperfecto · inseguro · inoperante · catastrófico · frágil · intrincado · farragoso · enrevesado || riguroso · estricto · expeditivo · férreo** *Los dictadores aplican un sistema férreo de control de poder* · **inexpugnable · asfixiante · inhumano || flexible · asequible · a medida · individualizado · personalizado || igualitario** *Los manifestantes reclamaban un sistema educativo más igualitario* · **paritario · ecuánime · equitativo · totalitario · discriminatorio || delictivo · preventivo · ofensivo · defensivo || deductivo · lineal · experto || cegesimal · métrico · periódico · operativo · solar · educativo · político · circulatorio · democrático · capitalista · bancario · asistencial · mental**
● CON SUSTS. **fallo (de) · defecto (de) · quiebra (de) || eficacia (de) · ventaja (de) · estabilidad (de) · lógica (de) · funcionamiento (de) || ingeniero (de) · analista (de) || parte (de)** *Dice que no quiere ser parte del sistema* · **elemento (de) · componente (de)**
● CON VBOS. **constar (de algo) · consistir (en algo) || madurar · robustecer(se) · afianzar(se) · funcionar** *El sistema de control del gasto funcionaba a la perfección* **|| caer(se) · venirse abajo · derrumbarse · desmoronarse · desarticular(se) · fallar · fracasar || arbitrar · controlar · centralizar · operar · conjugar || agilizar · aligerar · dulcificar || constituir · formar** *Todas las piezas forman un sistema* **|| poner en práctica** *...poniendo así en práctica un sistema de producción más eficaz* · **practicar · experimentar · aplicar · implantar · implementar · integrar · encajar · impartir · proteger || crear · diseñar · desarrollar · concebir · idear · alumbrar · configurar · forjar · tejer · trabar · cimentar · calcar · codificar || desmontar · desmantelar · desbaratar · desactivar · desconectar · abolir · desterrar · reventar · reprobar || dañar · alterar · distorsionar · desequilibrar · desestabilizar** *La fuerte tormenta de rayos desestabilizó el sistema eléctrico del hospital* · **socavar · vulnerar · subvertir · burlar** *Los ladrones burlaron todos los sistemas de seguridad del recinto* **|| homologar · reformar · regenerar || ajustar(se) (a) · amoldar(se) (a)** *Los nuevos estudiantes se amoldan muy rápidamente a nuestro sistema educativo* **|| confiar (en) · desconfiar (de) || salir (de) · persistir (en)**
● CON PREPS. **mediante · con || dentro (de) · fuera (de)**
□ EXPRESIONES **por sistema** [por costumbre]

sistematizar v.

● CON SUSTS. **registro · archivo · información** *Las bases de datos sirven para sistematizar grandes cantidades de información* · **dato · documentación · repertorio || ideas · conocimiento · contenido · pensamiento · historia · teoría || estudio · análisis · procedimiento · técnica · ejercicio · uso · función || trabajo · labor · aprendizaje** *Debe sistematizar el aprendizaje para mejorar el rendimiento*
● CON ADVS. **adecuadamente · convincentemente || ordenadamente · coherentemente || jerárquicamente** *Han de ayudar ustedes a sistematizar jerárquicamente los contenidos de su investigación* · **alfabéticamente · cronológicamente · temáticamente**

sitiar v.

● CON SUSTS. **fortaleza** *El ejército impidió que los rebeldes sitiaran la fortaleza* · **ciudad · plaza · población ·** ***otros lugares***

sitio s.m.

▮ [lugar, espacio]

● CON ADJS. **propio · común · compartido || exacto · preciso · aproximado || de siempre** *Hemos quedado en el sitio de siempre* · **de costumbre · habitual · acostumbrado · de paso || céntrico · popular · concurrido || único · privilegiado · exclusivo**
● CON SUSTS. **falta (de)**
● CON VBOS. **haber · quedar || tener · ocupar** *El edificio ocupa un sitio privilegiado* · **asignar · hacer** *Hacedme sitio, por favor* **|| reservar · guardar (a alguien)** *Me pidió que le guardara el sitio hasta que regresara* · **perder || ceder (a alguien) · dejar (a alguien) || buscar · encontrar · señalar · indicar · descubrir || visitar · frecuentar** *Solíamos frecuentar los mismos sitios* **|| encontrar(se) (en) · situar(se) (en) · seguir (en) · permanecer (en) || ir (a) · desplazarse (a) · acudir (a) · viajar (a) || mover(se) (de)** *¡No te muevas de tu sitio o lo perderás!* · **cambiar (de) · apear(se) (de) · salir (de) · quitar (de) · retirar (de)**

▮ [ocupación, asedio]

● CON ADJS. **largo · duro**
● CON SUSTS. **estado (de)** *El estado de sitio duró varios meses*
● CON VBOS. **durar · terminar(se) || levantar** *El ejército levantaría el sitio cuando los insurgentes se rindieran* · **romper || someter (a) · liberar (de)**

sito, ta adj.

● CON SUSTS. **edificio · inmueble · domicilio · piso · local · sede** *Se reunieron en la sede del partido, sita en pleno centro de la ciudad* · **finca · establecimiento · oficina · comercio · garaje || solar · terreno || ciudad · paraje**
□ USO Se construye con complementos encabezados por la preposición *en*: *un edificio sito en la calle Mayor.*

situación s.f.

● CON ADJS. **cómoda · acomodada · tranquilizadora · desahogada** *Vivían en una situación desahogada* · **boyante · saludable · envidiable · favorable · ventajosa · propicia · halagüeña · deseable · ilusionante · inmejorable** *Su situación en la empresa era inmejorable* · **estable || desfavorable · adversa · apretada · preocupante · difícil · complicada · apurada · precaria · apremiante · asfixiante · alarmante** *El paso del ciclón creó una situación alarmante* · **crítica · inestable · insostenible · desespe-**

rada · inhumana · dramática · catastrófica · dantesca || compleja · confusa · enrevesada · polémica · controvertida || curiosa · paradójica · inesperada || insoluble · irresoluble · en punto muerto · irreversible || tensa · incómoda *...con la pretensión de evitar la incómoda situación provocada por...* · embarazosa · peliaguda · resbaladiza · delicada · comprometida || decisiva · crucial · candente || aislada · anecdótica · desacostumbrada · especial · irrepetible · única || coyuntural · pasajera · transitoria · novedosa · nueva · permanente · hipotética *Ante una hipotética situación de peligro, conviene actuar con serenidad* · presente · actual · antigua || reveladora || física · geográfica || personal · anímica

• CON SUSTS. **plano (de)**

• CON VBOS. **producir(se)** · **darse** *...hasta el punto de que se da la paradójica situación de...* · **concurrir** · **precipitar(se)** || **afianzar(se)** · **consolidar(se)** *La excelente situación del equipo se consolidó con aquella victoria* · **venir de lejos** || **estabilizar(se)** · **calmar(se)** · **serenar(se)** · **sosegar(se)** · **esclarecer(se)** · **despejar(se)** · **enfriar(se)** || **enrarecer(se)** · **agravar(se)** · **escapárse(le) a uno de las manos** *La situación era compleja y se me escapaba de las manos continuamente* || **crear** · **provocar** · **causar** · **generar** · **entrañar** · **configurar** || **plantear** · **explicar** · **exponer** · **clarificar** · **desbrozar** · **acotar** · **airear** · **descubrir** · **diagnosticar** · **achacar (a algo/a alguien)** || **atravesar** · **afrontar** · **encarar** · **resolver** · **solucionar** *Consiguió solucionar airosamente la embarazosa situación* · **enderezar** · **encarrilar** · **encauzar** · **capear** · **subsanar** · **paliar** || **aceptar** · **asumir** · **encajar** · **absorber (a algo/ a alguien)** || **alterar** · **tergiversar** · **bloquear** · **desequilibrar** · **tensar** *Sus inoportunos comentarios sarcásticos volvieron a tensar la situación* || **mantener** · **desbloquear** · **destensar** || **capitalizar** · **controlar** · **aderezar** || **desembocar (en)** · **abocar(se) (a)** || **acostumbrar(se) (a)** *Aunque te acostumbres fácilmente a las nuevas situaciones debes ser consciente de...* · **hacerse (a)** · **aclimatar(se) (a)** · **amoldar(se) (a)** · **acomodar(se) (a)** · **sobreponerse (a)** · **adueñarse (de)** · **dejarse llevar (por)** || **huir (de)** · **escapar (de)** · **cerrar los ojos (ante)** · **cortar (con)** *Cortó en seguida con una situación a todas luces injusta* · **salir (de)** || **dar salida (a)** · **arrojar luz (sobre)** *un informe que arroja algo de luz sobre la confusa situación* · **quitar hierro (a)** || **asistir (a)**

• CON PREPS. **al hilo (de)** · **a la altura (de)** · **a la luz (de)** · **a la vista (de)** · **a tenor (de)** · **según**

situar(se) v.

• CON ADVS. **ordenadamente** · **cronológicamente** || **adecuadamente** · **correctamente** · **debidamente** · **inadecuadamente** || **de lleno** *Los hechos relatados en esta historia se sitúan de lleno en la segunda mitad del siglo XIX* · **plenamente** · **inexorablemente** · **fugazmente** || **frente a frente** · **codo con codo** · **ventajosamente** || **a la cabeza** *El equipo se ha situado a la cabeza de la clasificación* · **en cabeza** · **a la cola** || **a buen recaudo** · **en tierra de nadie**

soberanamente adv.

▌[con autoridad suprema]

• CON VBOS. **decidir** · **elegir** *el derecho a elegir soberanamente a nuestros gobernantes* · **aceptar** || **designar** · **determinar** · **gestionar** · **reinar** · **decretar** · **legislar**

▌[extremadamente, mucho]

• CON VBOS. **aburrir(se)** · **desagradar** *Me desagrada soberanamente su actitud* · **fastidiar** || **pasar** · **saltarse** || **ignorar** · **despreciar** · **ningunear**

soberanía s.f.

• CON ADJS. **plena** · **total** || **popular** *medidas que atentan contra la soberanía popular* · **nacional** · **territorial** · **propia** || **irrenunciable** || **atentatorio,ria (contra)**

• CON SUSTS. **amenaza (a)** · **peligro (para)** · **riesgo (para)** || **intromisión (en)** · **atentado (a)** · **violación (de)** · **agresión (contra)** · **atropello (contra)** || **defensa (de)** · **lucha (por)** · **respeto (a)** · **reconocimiento (de)** || **principio (de)** · **acto (de)** || **institución (de)**

• CON VBOS. **residir (en algo)** *La soberanía nacional reside en el pueblo* · **recaer (en algo)** || **afianzar(se)** || **alcanzar** · **conseguir** · **sustentar** || **pedir** · **reclamar** · **perseguir** · **reivindicar** || **reconocer** · **conceder** · **ceder** · **negociar** || **ejercer** · **compartir** *La dificultad de compartir la soberanía de los territorios conquistados* || **mantener** · **garantizar** · **respetar** · **defender** || **amenazar** · **atropellar** · **violar** · **vulnerar** · **socavar** · **lesionar** · **coartar** · **invadir** || **recuperar** · **devolver** || **quitar** · **arrogarse** || **aspirar (a)** · **luchar (por)** || **atentar (contra)**

• CON PREPS. **bajo** · **contra** · **en uso (de)** *En uso de la soberanía alcanzada...* · **sin menoscabo (de)**

[soberbia] s.f. → soberbio, bia

soberbio, bia

1 **soberbio, bia** adj.

▌[arrogante]

• CON SUSTS. ***persona*** *Siempre fue una mujer muy soberbia*

▌[magnífico]

• CON SUSTS. **trabajo** · **actuación** *La crítica destacó su soberbia actuación* · **realización** · **producción** · **ambientación** · **descripción** || **gol** · **remate** *un remate soberbio desde fuera del área* · **jugada** · **disparo** || **libro** · **conferencia** · **novela** · **tesis doctoral** || **película** · **obra** · **escultura** || ***otras creaciones*** || **muestra** · **imagen** · **exhibición** · **exposición** · **demostración** · **espectáculo** || **colección** · **antología**

2 **soberbia** s.f.

• CON ADJS. **excesiva** *Su excesiva soberbia le jugó una mala pasada* · **desmedida** · **desmesurada** · **brutal** · **insoportable** · **megalómana** · **ridícula** · **presuntuosa** · **absurda** || **lleno,na (de)** · **ciego,ga (de)** · **preso,sa (de)**

• CON SUSTS. **actitud (de)** · **aire (de)** · **acto (de)** · **gesto (de)** · **muestra (de)** · **reacción (de)** || **arranque (de)** · **ataque (de)** || **exceso (de)** · **colmo (de)** · **dosis (de)** · **pizca (de)** *No tiene ni una pizca de soberbia* · **ápice (de)** || **pecado (de)** · **defecto (de)** · **vicio (de)**

• CON VBOS. **cegar (a alguien)** *La soberbia la cegaba* || **bordear** · **rozar** || **reprochar (a alguien)** · **castigar** || **caer (en)** · **rayar (en)** · **llenar(se) (de)**

• CON PREPS. **con** · **por** · **sin**

[sobra] → de sobra

sobradamente adv.

• CON VBOS. **conocer** · **saber** · **informarse** || **preparar** · **capacitar** · **entrenar** || **compensar** · **recuperar** *No solo han recuperado sobradamente la inversión, sino que han obtenido cuantiosas ganancias* · **amortizar** · **restaurar** || **cumplir** · **cubrir** · **superar** · **ganar** · **lograr** · **conseguir** || **demostrar** *Creo que ha demostrado sobradamente su profesionalidad* · **justificar** · **probar** · **constatar** || **poder**

☐ USO Se construye muy frecuentemente con participios: *una candidata sobradamente capacitada.*

sobrado, da (de) adj.

● CON SUSTS. **tiempo** *No es necesario que te des prisa porque vamos sobrados de tiempo* || **fuerza · energía · músculos** || **recursos · dinero · medios** || **facultades** *un candidato sobrado de facultades* · **talento · ingenio · imaginación · genialidad** || **razón · argumentos · motivos** || **técnica · oficio · experiencia** || **gana · ambición · ilusión · confianza · valor · entusiasmo · optimismo · afición · fe · agallas · simpatía** || **calidad · clase · casta · seguridad · valores · virtudes** || **votos · apoyo** || **títulos** *Este año el tenista no va sobrado de títulos* · **carisma · popularidad · fama · prestigio · premios** || **años · kilos · peso**

☐ USO Se construye generalmente con sustantivos no contables en singular (*sobrado de dinero*) o con contables en plural (*sobrado de argumentos*).

[sobre] →sobre el tapete; sobre ruedas

sobrecarga

1 **sobrecarga** s.f.

● CON ADJS. **excesiva · fuerte · intensa** || **eléctrica · muscular** *Sufre una sobrecarga muscular en la pierna derecha* · **de trabajo · de equipaje · de peso** || **emocional · afectiva · emotiva**

● CON SUSTS. **problema (de)** *Este año ha habido numerosos problemas de sobrecarga en la red eléctrica*

● CON VBOS. **pesar** || **aumentar** || **mantener(se) · persistir** || **tener · sufrir · padecer · llevar · arrastrar · acumular** || **detectar · percibir** || **echar · tirar · aligerar · eliminar · reducir · aliviar** || **provocar · causar** || **librar(se) (de) · deshacer(se) (de)** *Hay que deshacerse de la sobrecarga de equipaje* · **desprender(se) (de)**

2 **sobrecarga (de)** s.f.

● CON SUSTS. **trabajo** *La sobrecarga de trabajo hizo mella en su salud* · **actividades · obligaciones · responsabilidades · compromisos** || **energía · esfuerzo · emoción · tensión · peso** || **información · datos · tráfico** *una página electrónica con sobrecarga de tráfico*

sobrecargar(se) v.

● CON SUSTS. **línea (telefónica) · red** *Ante la posibilidad de que la red eléctrica se sobrecargue...* || **carretera · ruta** || **economía · mercado · precio** || ***persona***

● CON ADVS. **inesperadamente · inoportunamente · ligeramente**

sobrecogedor, -a adj.

● CON SUSTS. **testimonio · relato** *Permanecían ensimismados mientras escuchaban tan sobrecogedor relato* · **historia · suceso · noticia** || **escena · película · imagen** || **sensación · efecto · resultado** || **voz · silencio** *Un silencio sobrecogedor invadió la sala* || **ruido · estruendo · grito** || **paisaje · panorama · escenario** || **belleza · grandeza**

● CON ADVS. **realmente** *Aquella imagen me pareció realmente sobrecogedora* · **verdaderamente · especialmente · particularmente · absolutamente**

● CON VBOS. **volverse · hacerse**

sobrecoger(se) v.

● CON SUSTS. **opinión pública** *noticia que sobrecogió a la opinión pública* · **población · público · país · espectador,-a** *Los espectadores estaban sobrecogidos* · ***otros individuos y grupos humanos*** || **corazón · ánimo · alma**

sobredosis

1 **sobredosis** s.f.

● CON ADJS. **mortal · letal**

● CON SUSTS. **tratamiento (por)**

● CON VBOS. **tomar · ingerir · consumir** || **dar (a alguien) · administrar (a alguien)** || **recibir · tener** || **contrarrestar** || **morir (por/de)** *Parece que murió por una sobredosis de cocaína*

2 **sobredosis (de)** s.f.

● CON SUSTS. **medicamentos · medicinas · pastillas · píldoras · sedantes · tranquilizantes · somníferos** *Ingirió una sobredosis de somníferos* · **barbitúricos · analgésicos · anestesia** || **droga · estupefacientes · anfetaminas · alcohol** || **deporte · televisión · música** || **violencia** || **protagonismo · ambición · vanidad**

sobre el tapete loc.adv.

● CON VBOS. **poner** *En la reunión se pusieron sobre el tapete todos los temas pendientes* · **colocar · dejar · arrojar · echar · lanzar · sacar** || **estar** *El debate está ya sobre el tapete* · **mantener**

sobreestimar v. Véase **sobrestimar**

sobrehumano, na adj.

● CON SUSTS. **esfuerzo** *Le costó un esfuerzo sobrehumano terminar el trabajo* · **lucha · labor · tarea · trabajo** || **fuerza · capacidad · energía · talento · habilidad**

sobrellevar v.

● CON SUSTS. **peso · carga** || **asunto · circunstancia · situación** || **trabajo · labor · tarea · misión · encargo** || **dificultad · problema** *Sobrellevó los problemas con infinita paciencia* · **crisis · enfermedad · huelga · estrés · desgracia · tragedia** || **destierro · exilio · abandono · separación** *Parece que no sobrelleva bien la reciente separación de su mujer*

● CON ADVS. **admirablemente · con normalidad · con naturalidad · elegantemente · con paciencia · con éxito** || **contra viento y marea** *Me admira su capacidad de sobrellevar las dificultades contra viento y marea* · **resignadamente · a trancas y barrancas**

sobremanera adv.

● CON VBOS. **preocupar · interesar** *Le interesa sobremanera su opinión* · **gustar · agradar** || **influir · afectar · contribuir · complicar** || **irritar · molestar** || **extrañar · impresionar** || **destacar**

sobrenatural adj.

● CON SUSTS. **poder · don · fuerza · energía · capacidad · habilidad** || **suceso · fenómeno** *Los científicos no creían que se tratase de un fenómeno sobrenatural* · **hecho** || **ser · elemento** || **aparición · intervención** || **mundo · vida · gracia · ayuda** || **virtud · visión · sentido**

sobrentenderse v.

● CON SUSTS. **sentido** *Se sobrentiende el sentido de sus palabras* · **significado · contenido** || **discurso · reproche · crítica · alusión · frase** · ***otras manifestaciones verbales o textuales***

● CON ADVS. **correctamente · acertadamente · claramente** || **erróneamente · equivocadamente**

sobrepasar v.

● CON SUSTS. **cantidad · número · cuota · cota · porcentaje · déficit · índice · cupo** *El colegio sobrepasa el cupo de alumnos establecido por la ley* || **altura · extensión · peso · temperatura · edad · valor · precio · plazo · profundidad · anchura · longitud ·** ***otras magnitudes*** || **presupuesto · crédito · renta · ingreso** || **obstáculo · dificultad · barrera · problema** || **límite · linde · frontera · marca · récord · umbral · nivel · meta · margen · marco · tope · listón · demarcación** *Sobrepasaron la demarcación que indicaba el acceso a una zona privada* || **promedio · media · estándar · norma · normalidad · criterio · baremo** || **expectativa · previsión · aspiración · objetivo · estimación · planteamiento · cálculo** *La afluencia de público sobrepasó todos los cálculos* || **miedo · sospecha · temeridad** || **belleza · arrogancia · bondad · dulzura · maldad ·** ***otras cualidades o defectos*** || **árbol** *Nada más sobrepasar el cuarto árbol gire a la derecha* · **semáforo · calle · banderín · casilla**

● CON ADVS. **ampliamente · holgadamente · con creces · en mucho · cómodamente** || **por poco · ajustadamente · escasamente · ligeramente · a trancas y barrancas · con dificultad** || **fácilmente** *El equipo sobrepasó fácilmente el récord del año anterior* · **sin dificultad** || **a duras penas**

sobreponerse (a) v.

● CON SUSTS. **superficie · estrato · capa** || **dolor · fiebre · resaca · trauma** || **dificultad · adversidad · problema · crisis** *¿Cómo sobreponerse en poco tiempo a una crisis de pareja?* · **desgracia · tragedia · infortunio** || **gripe** *hacer reposo para sobreponerse a la gripe* · **pulmonía · depresión ·** ***otras enfermedades*** || **influjo · efecto · influencia · poder** || **deseo · interés · curiosidad · tentación** || **cansancio · desánimo · desgana · abatimiento** || **miedo · incertidumbre · temor** || **golpe · choque · sorpresa**

● CON ADVS. **maravillosamente · perfectamente** *Ha logrado sobreponerse perfectamente al abatimiento* · **fácilmente · sin dificultad** || **a trancas y barrancas · difícilmente · con dificultad** || **psicológicamente · moralmente · económicamente** || **definitivamente**

sobre ruedas loc.adv./loc.adj.

● CON VBOS. **ir** *El proyecto iba sobre ruedas hasta que empezó a salir todo mal* · **marchar · avanzar**

● CON SUSTS. **plan · proyecto** || **asunto · negocio** || **previsión**

sobresalto s.m.

● CON ADJS. **continuo** || **tremendo · enorme · monumental · descomunal** || **lleno,na (de)** *una vida llena de sobresaltos* · **plagado,da (de) · cargado,da (de) · libre (de)**

● CON VBOS. **dar (a alguien)** || **causar · producir · provocar (a alguien)** || **llevarse · recibir** || **recobrar(se) (de) · reponerse (de) · salir (de)** *No sale de un sobresalto cuando recibe otro*

● CON PREPS. **sin** *La jornada festiva pasó sin sobresaltos*

sobreseer v.

● CON SUSTS. **caso · causa · diligencia · expediente** *La sentencia sobreseyó el expediente* · **procedimiento · proceso · sumario** || **acusación · imputación · querella** || **delito · sanción · multa** *El juez sobreseyó la multa al considerarla improcedente*

sobrestimar v.

● CON SUSTS. **número · cantidad · tamaño** || **fuerza · empuje · poder** || **capacidad · habilidad · talento · inteligencia** || **apoyo · posición · alcance** || **dificultad · riesgo · gravedad · importancia · efecto** || **rival** *En el deporte nunca se debe sobrestimar al rival* · **contrario · enemigo,ga · adversario,ria** || **presencia · existencia**

● CON ADVS. **extraordinariamente · sorprendentemente · notablemente**

sobrevenir v.

● CON SUSTS. **infarto** *De repente, le sobrevino un infarto cardíaco* · **embolia · parálisis ·** ***otras enfermedades y dolencias*** || **ataque · dolor** || **crisis · complicación · muerte** || **percance · accidente** || **fama** *Le sobrevino la fama después de su primera película* · **éxito** || **duda · sospecha · reserva · miedo · pánico · temor · alegría · emoción ·** ***otros sentimientos*** || **inspiración · idea · recuerdo · imagen**

sobrevivir (a) v.

● CON SUSTS. **guerra · enfrentamiento · crisis · dificultad** || **accidente · percance** || **hambre · miseria · pobreza** *un pueblo tan acostumbrado a soportar la violencia como a sobrevivir a la pobreza y a la enfermedad* · **enfermedad** || **odio · racismo · envidia** || **intriga · conspiración · maquinación** || **tiempo**

● CON ADVS. **con dificultad · a duras penas** *Con tan poco dinero consigue sobrevivir a duras penas* · **a trancas y barrancas · con apuros · apuradamente · con esfuerzo · a medias · de milagro** *Sobrevivió de milagro al accidente* || **a toda costa · contra viento y marea · por encima de todo**

sobriedad s.f.

● CON ADJS. **gran(de) · absoluta · extrema · espartana** *El local estaba amueblado con sobriedad espartana* · **clásica · renacentista · oriental · minimalista** || **elegante · exquisita** *Los adornos del traje eran de una sobriedad exquisita* · **ejemplar** || **escénica · de estilo · decorativa · expresiva · musical · literaria · poética**

● CON SUSTS. **tono (de) · dosis (de) · lección (de) · modelo (de) · ejercicio (de) · exhibición (de)**

● CON VBOS. **caracterizar (algo) · contrastar (con algo)** || **buscar** *un claro ejemplo de que el arquitecto busca la sobriedad*

● CON PREPS. **con** *escribir con sobriedad*

sobrino, na s.

● CON ADJS. **político,ca · carnal · segundo,da · lejano,na** || **favorito,ta**

● CON VBOS. **cuidar** || **visitar · ver** || **tener** || **quedar(se) (con)** *Este fin de semana me quedo con mis tres sobrinos*

sobrio, bria adj.

● CON SUSTS. **estilo** *Rechazó los adornos y prefirió un estilo sobrio* · **elegancia · costumbre** *una persona de costumbres sobrias* · **vida** || **prosa · expresión · lenguaje · discurso** || **gesto · sonrisa · postura** || **homenaje · acto · ceremonia · entierro** || **decoración · línea** *un diseño de líneas sobrias* · **color · aspecto · corte** || **edificio · pintura**

● CON VBOS. **hacer(se) · volver(se)**

socarrón, -a adj.

● CON SUSTS. **actitud · aire · aspecto** || **comentario · pregunta ·** ***otras manifestaciones verbales*** || **mirada · ex-**

presión · **tono** *Me molestó su tono socarrón* · **sonrisa** · **risa** || **sentido del humor** · **carácter**
● CON VBOS. **ponerse** · **volverse**

socavar v.

● CON SUSTS. **cimiento** · **pilar** · **base** · **raíz** || **fundamento** · **principio** · **sustrato** || **autoridad** · **poder** · **gobierno** · **institución** · **democracia** *hechos graves que pueden socavar la frágil democracia de ese país* · **régimen** · **liderazgo** · **control** · **hegemonía** · **estado** · **dominio** · **imperio** || **prestigio** · **imagen** *Es una forma sutil de socavar la imagen de los gobernantes* · **credibilidad** · **figura** · **legitimidad** · **respeto** · **dignidad** · **influencia** · **fama** || **estabilidad** · **orden** · **estructura** · **sistema** · **seguridad** · **disciplina** · **paz** · **equilibrio** · **normalidad** || **medida** · **norma** · **sentencia** · **ley** · **precepto** · **pauta** || **soberanía** · **libertad** · **autonomía** · **independencia** || **confianza** · **ánimo** *Tres derrotas consecutivas socavan sin duda el ánimo del equipo* · **fe** · **esperanza** · **ilusión** · **autoestima** || **integridad** · **moral** · **rectitud** · **honradez** || **interés** · **esfuerzo** · **intento** · **voluntad** · **posición** · **postura** · **intención** · **determinación** · **vocación** · **ambición** || **capacidad** · **energía** · **resistencia** · **salud** *un trabajo tan duro que socava poco a poco la salud* · **potencial** · **fortaleza** || **relación** · **alianza** · **unidad** · **cohesión** · **convivencia** · **cooperación** · **solidaridad** · **consenso** · **acuerdo** · **tratado** · **coalición** || **valor** · **creencia** · **mito** · **dogma** · **arquetipo** || **concepto** · **idea** · **ideal** · **razón** · **juicio** · **pensamiento** · **ideario** · **teoría** || **política** *nuevos intentos de socavar la política del Gobierno* · **táctica** · **iniciativa** · **proyecto** · **programa** || **proceso** · **recurso** · **labor** · **acción** · **crecimiento** · **desarrollo** || **economía** · **cultura** · **sociedad** · **partido**

social adj.

● CON SUSTS. **vida** · **realidad** · **situación** *un nuevo informe sobre la situación social de los inmigrantes* · **entorno** · **contexto** · **marco** · **panorama** || **organización** · **grupo** · **estructura** · **esquema** || **clase** · **estrato** · **nivel** *personas de todos los niveles sociales* · **condición** · **posición** || **política** · **medida** || **prestigio** · **reconocimiento** · **éxito** · **ascenso** || **costo** · **impacto** · **efecto** · **influencia** || **problema** · **preocupación** *El cierre de las fábricas está provocando una creciente preocupación social* · **tema** || **orden** · **cambio** || **compromiso** *Siempre tiene compromisos sociales* · **responsabilidad** · **función** · **intención** *medida adoptada con intención social* || **intolerancia** · **ética** · **moral** · **valor** || **comportamiento** · **conducta** · **relaciones** || **consenso** · **aceptación** *El ministro no cuenta con gran aceptación social* · **apoyo** || **justicia** · **injusticia** || **cohesión** · **pacto** · **acuerdo** || **demanda** · **reclamo** || **dinamismo** · **movimiento** · **avance** || **realismo** *La escritora se inscribe en el realismo social de posguerra* · **poesía** · **crítica** · **discurso** || **ciencias** · **comunicación**

socialista adj.

● CON SUSTS. **portavoz** · **diputado,da** · **líder** *El líder socialista declaró...* · **candidato,ta** · **ministro,tra** · **alcalde,-sa** · **senador,-a** · **representante** · **interlocutor,-a** · **parlamentario,ria** · **concejal,-a** · **dirigente** · **edil** · **militante** · **secretario,ria** · **simpatizante** || **partido** *los municipios en los que el partido socialista ganó las elecciones...* · **ejecutiva** · **gobierno** · **equipo** · **grupo** · **oposición** · **federación** · **dirección** · **congreso** · **delegación** || **propuesta** · **proyecto** · **iniciativa** · **programa** || **sede** · **local** · **centro** || **etapa** · **período** · **mandato** *un edificio construido durante el primer mandato socialista* || **doctrina** · **pensamiento** · **idea** · **ideario** · **tesis** || **izquierda**

sociedad s.f.

● CON ADJS. **abierta** · **libre** · **plural** · **respetuosa** · **igualitaria** · **democrática** · **equitativa** · **sana** · **solidaria** · **civilizada** · **madura** · **informada** || **laica** || **clasista** *En las sociedades clasistas hay numerosos grupos sociales con múltiples privilegios* · **jerarquizada** || **rígida** · **estricta** || **permisiva** · **desigual** · **egoista** · **enferma** · **ignorante** · **atrasada** || **culta** · **desarrollada** · **avanzada** · **competitiva** · **moderna** || **de consumo** · **consumista** || **ancestral** *algunas tradiciones de una sociedad ancestral* · **tradicional** · **anquilosada** || **urbana** · **rural** · **tribal** || **actual** · **futura** || **comercial** · **financiera** · **estatal** · **pública** · **privada** · **civil** || **alta** *personajes de la alta sociedad* || **patriarcal** · **matriarcal** || **anónima** *Abrieron un negocio y decidieron constituirse en sociedad anónima* · **(de responsabilidad) limitada** · **cooperativa** · **instrumental** || **beneficioso,sa (para)**
● CON SUSTS. **conjunto (de)** *Los beneficios alcanzarán al conjunto de la sociedad* || **ámbito (de)** · **sector (de)** · **miembro (de)** *Es un miembro destacado de la alta sociedad* · **estamento (de)** || **participación (en)** · **vida (de)** || **bienestar (de)** · **peligro (para)** · **futuro (de)** || **reflejo (de)** *Estos adolescentes son un reflejo de la sociedad en la que vivimos* || **noticia (de)** · **sección (de)** · **páginas (de)** · **crónica (de)** || **modelo (de)** · **proyecto (de)**
● CON VBOS. **articular(se)** · **conformar(se)** · **aglutinar (a alguien)** || **constar (de algo)** · **componer(se) (de algo)** || **fusionar(se)** · **fortalecer(se)** · **desmembrar(se)** · **desintegrar(se)** · **deshacer(se)** || **conmocionar(se)** *Toda la sociedad se ha conmocionado con el suceso* · **manifestar(se)** || **peligrar** · **tambalearse** || **construir** · **organizar** · **configurar** *Queremos configurar una sociedad libre, democrática y solidaria* · **formar** · **constituir** || **movilizar** · **sensibilizar** · **dividir** · **aquejar** || **transformar** · **modernizar** *Las sucesivas reformas políticas y el crecimiento económico modernizaron en poco tiempo nuestra sociedad* || **amenazar** · **perjudicar** · **escandalizar** · **aterrorizar** · **impresionar** || **incorporar(se) (a)** · **insertar(se) (en)** · **integrar(se) (en)** · **pertenecer (a)** · **reinsertar(se) (en)** · **amoldar(se) (a)** · **vivir (en)** · **marginar(se) (de)** || **presentar (en)** *Hicieron una fiesta para presentarse en sociedad* || **repercutir (en)**
● CON PREPS. **al margen (de)** *vivir al margen de la sociedad*

sociología s.f. Véase **DISCIPLINA**

socorrer v.

● CONS SUSTS. **herido,da** *El equipo de salvamento socorrió a los heridos inmediatamente* · **víctima** · **damnificado,da** · **refugiado,da** · **población** · ***otros individuos y grupos humanos***
● CON ADVS. **mutuamente** · **personalmente** || **económicamente** · **financieramente** || **incondicionalmente** · **gustosamente** · **voluntariamente**

socorrido, da adj.

● CON SUSTS. **tema** *El tiempo que hace es un tema de conversación muy socorrido* · **argumento** · **ejemplo** · **tópico** || **frase** · **palabra** · **expresión** || **excusa** · **pretexto** || **solución** · **recurso** · **método** || **género** · **prenda** · **color** · **tejido** · **atuendo** || **actividad**

socorrista s.com.

● CON ADJS. **oficial** · **municipal** · **voluntario,ria** · **titulado,da**
● CON SUSTS. **carné (de)** · **título (de)** *Me saqué el título de socorrista para trabajar en verano* · **cursillo (de)** · **curso (de)** || **equipo (de)** · **grupo (de)**

• CON VBOS. **rescatar (a alguien)** · **salvar (a alguien)** · **reanimar (a alguien)** · **sacar del agua (a alguien)** *La socorrista lo sacó del agua e intentó reanimarlo* || **vigilar (algo/a alguien)** · **cuidar (algo/a alguien)** · **observar (algo/a alguien)** || **llamar** · **avisar** || **buscar** · **necesitar** · **contratar** *Según las normas, hay que contratar a un socorrista para la piscina* || **trabajar (como/de)**

socorro s.m.

• CON SUSTS. **llamada (de)** *El capitán del barco hizo una llamada de socorro* · **llamado (de)** · **petición (de)** · **grito (de)** · **mensaje (de)** || **casa (de)** · **puesto (de)** · **equipo (de)** · **cuerpo (de)** · **servicio (de)** · **organismo (de)** || **deber (de)** · **omisión (de)** · **tarea (de)**

• CON VBOS. **pedir** *Me vi en un apuro muy grande y pedí socorro a mis amigos* · **demandar** || **brindar** · **prestar** · **negar** || **acudir (en)** *El pesquero acudió en socorro de los náufragos*

soda s.f.

• CON SUSTS. **lata (de)** · **fuente (de)**

• CON PREPS. **con** · **sin**

➤ Véase también **BEBIDA**

soez adj.

• CON SUSTS. **lenguaje** · **vocabulario** · **palabra** · **término** · **insulto** · **comentario** · **chiste** *Contó un chiste soez totalmente fuera de lugar* · **expresión** · **frase** || **humorista** · **espectáculo** · **programa** · **escena** || **estilo** · **gusto** · **tono**

• CON VBOS. **ponerse** · **volverse**

sofisticado, da adj.

• CON SUSTS. **material** · **aparato** · **equipo** · **medios** · **armamento** · **arma** || **técnica** *El análisis se va a llevar a cabo con una técnica bastante sofisticada* · **tecnología** · **método** · **sistema** · **plan** || **toque** *El cuadro le da un toque sofisticado al salón* · **aire** · **imagen**

• CON ADVS. **altamente** · **enormemente** · **extremadamente**

sofocante adj.

• CON SUSTS. **calor** *El calor sofocante provocó varios desmayos entre los asistentes* · **bochorno** · **temperatura** · **ambiente** · **atmósfera** · **aire** · **clima** · **humedad** · **contaminación** || **día** · **tarde** *una sofocante tarde de agosto* · **mes** · **verano** · **agosto** · ***otros periodos*** || **agobio** · **angustia** · **asfixia** · **claustrofobia** · **apretura** || **presión** · **acoso** · **abrazo** || **bullicio** · **marea** · **ruido**

• CON VBOS. **hacerse** · **volverse** · **resultar**

sofocar v.

• CON SUSTS. **fuego** · **incendio** *Aún no han logrado sofocar el incendio* · **llama** · **brasa** · **calor** || **rebelión** · **motín** · **revuelta** · **protesta** · **sublevación** · **alzamiento** · **levantamiento** · **rebeldía** · **disturbio** *La Policía había recibido órdenes de sofocar los disturbios* · **subversión** · **huelga** · **golpe de Estado** || **discrepancia** · **polémica** · **disidencia** · **disensión** || **guerra** · **ataque** · **ofensiva** · **siniestro** · **crisis** *medidas para sofocar la crisis social y económica* · **incidente** · **peligro** · **violencia** || **voz** · **grito** · **lamento** · **gemido** || **pánico** · **temor** · **duda** || **brote** · **balbuceo** · **impulso** · **estímulo** · **iniciativa** · **intento** || **pasión** · **gozo** · **sentimiento** · **latido** || **conflicto** · **problema** · **desprestigio**

sofoco s.m.

• CON ADJS. **agobiante** · **angustioso**

• CON SUSTS. **sensación (de)** · **amago (de)**

• CON VBOS. **dar (a alguien)** *Le dio un sofoco al enterarse del suspenso* || **llevarse** · **tener** || **causar** · **provocar** || **aliviar** || **evitar**

sofrito

1 **sofrito** s.m.

• CON VBOS. **hacer** · **preparar** · **elaborar** || **incorporar** · **añadir** *Después de cocer el pescado, se añade el sofrito* · **agregar**

2 **sofrito (de)** s.m.

• CON SUSTS. **tomate** · **ajo** · **cebolla** · **pimiento** · ***otros alimentos o ingredientes*** || **ideas** · **conceptos** · **imágenes** || **nombres** · **citas**

sojuzgar v.

• CON SUSTS. **débil** · **rival** · **ciudadano,na** *leyes injustas que sojuzgaban a los ciudadanos indefensos* · **sociedad** · **súbdito,ta** || **comunidad** · **pueblo** · **mundo** · **nación** · **población** · **región** · **mayoría** · **minoría** *Se creían con derecho a sojuzgar y tiranizar a la minoría perdedora* || ***otros individuos y grupos humanos*** || **patria** · **soberanía** · **tierra** || **democracia** · **libertad de expresión** · **identidad** · **independencia** · **ánimo** || **mente** · **conciencia**

[sol] → de sol a sol; sol

sol s.m.

• CON ADJS. **ardiente** · **abrasador** · **implacable** · **justiciero** · **de justicia** || **luminoso** · **radiante** *Esta mañana lucía un sol radiante* · **reluciente** · **refulgente** · **deslumbrante** · **cegador** · **brillante** · **intenso** || **tenue** · **pálido** · **neblinoso** · **flojo** || **espléndido** *Amaneció un sol espléndido* || **naciente** · **poniente**

• CON SUSTS. **gafas (de)** || **luz (de)** · **rayo (de)** · **calor (de)** || **baño (de)** || **puesta (de)** *una hermosa puesta de sol* || **reloj (de)**

• CON VBOS. **salir** *El sol sale por el Este y se pone por el Oeste* · **despuntar** · **asomar** *Un tímido sol asomó entre las nubes* || **irse** · **ponerse** · **ocultar(se)** · **declinar** · **eclipsar(se)** · **nublarse** · **caer** || **dar luz** · **alumbrar** · **bañar (algo)** · **dar (a algo/a alguien)** *Estoy mucho en casa y apenas me da el sol últimamente* · **filtrar(se)** · **resplandecer** · **refulgir** · **brillar** · **deslumbrar (a alguien)** · **cegar (a alguien)** · **calentar** · **abrasar (algo/a alguien)** · **quemar** || **hacer** *Si hace sol, podremos darnos un baño* || **tomar** *Estuvimos un rato en la playa tomando el sol* || **proteger(se) (de)** *Buscó una sombra para protegerse del sol* · **guarecer(se) (de)** || **gozar (de)** · **disfrutar (de)**

• CON PREPS. **a la luz (de)** · **bajo**

☐ EXPRESIONES **de sol a sol*** [desde la salida del sol hasta que se pone] || **no dejar** (a alguien) **(ni) a sol ni a sombra** [estar siempre con una persona] *col.* || **sol y sombra** [bebida de anís y coñac combinados]

solazar v.

• CON ADVS. **tranquilamente** *un magnífico lugar donde solazarse tranquilamente con la plácida visión del mar* · **cómodamente** · **plácidamente** · **agradablemente** || **intensamente** · **plenamente** · **profundamente**

soldado s.com.

• CON ADJS. **valiente** · **temerario,ria** · **aguerrido,da** · **bravo,va** · **leal** || **cobarde** · **temeroso,sa** · **insubordina-**

do,da · **insurrecto,ta** || **experimentado,da** *Para aquella misión enviaron a los soldados más experimentados* · **curtido,da** · **bisoño,ña** · **veterano,na** · **profesional** · **raso,sa** || **mercenario,ria** · **rebelde** || **de refresco** · **de reemplazo**
● CON SUSTS. **grupo (de)** · **contingente (de)** · **pelotón (de)** · **patrulla (de)** || **presencia (de)** · **envío (de)** · **despliegue (de)** || **uniforme (de)** · **botas (de)** · **casco (de)**
● CON VBOS. **enrolar(se)** · **alistar(se)** · **movilizar(se)** || **amotinarse** · **insubordinarse** · **sublevar(se)** · **desertar** || **pertrechar(se)** · **armar(se)** || **conquistar (algo)** · **atrincherar(se)** · **marchar** · **avanzar** · **atacar (algo/a alguien)** · **disparar (a alguien)** · **combatir** · **defender (algo/a alguien)** *El coronel afirmó que sus soldados defenderían valientemente la plaza* || **retirar(se)** · **retroceder** · **caer** · **morir** || **reclutar** *Reclutaron soldados entre la población* || **arengar** || **condecorar**

soleado, da adj.

● CON SUSTS. **costa** · **calle** · **parque** · **plaza** · **casa** · **habitación** · ***otros lugares*** || **tiempo** *Hará tiempo soleado durante toda la semana* · **clima** · **día** · **jornada** · **mañana** *Hacía una mañana muy soleada* · **tarde**
● CON VBOS. **estar** · **ponerse** · **mantener(se)** · **ser**

soledad s.f.

● CON ADJS. **absoluta** *Vivía en la más absoluta soledad* · **plena** · **completa** · **total** · **profunda** · **enorme** *Cuando ella se fue, sintió una enorme soledad* · **inmensa** · **infinita** · **insondable** || **amarga** · **angustiosa** · **espantosa** · **desoladora** · **desesperada** · **descarnada** || **buscada** · **deliberada** · **elegida** · **voluntaria** · **anhelada** · **soñada** || **involuntaria** · **forzosa** · **impuesta** || **plácida** · **apacible** · **fecunda** · **gozosa** · **callada** · **serena** · **agradable** || **temida**
● CON SUSTS. **sensación (de)** *Lo embargó una sensación de infinita soledad* · **sentimiento (de)** || **abismo (de)** · **pozo (de)** · **peso (de)**
● CON VBOS. **llegar** · **reinar** || **aceptar** · **asumir** · **afrontar** *Afrontó la soledad con resignación* · **encarar** || **buscar** · **elegir** || **acrecentar** · **aumentar** || **aliviar** · **mitigar** · **ahuyentar** · **vencer** · **superar** *Los amigos la ayudaron a superar la soledad* · **combatir** · **paliar** · **contrarrestar** · **abandonar** || **sentir** || **sumir(se) (en)** · **sumergir(se) (en)** · **abandonar(se) (a)** *Se abandonó complacidamente a la soledad de aquellos parajes* · **sucumbir (a)** · **abocar(se) (a)** · **retirarse (a)** || **disfrutar (de)** || **huir (de)** · **librar(se) (de)** · **salir (de)**
● CON PREPS. **en** *Eligió vivir en soledad* · **en medio (de)** · **contra**

solemne adj.

● CON SUSTS. **acto** *el solemne acto de apertura del curso académico* · **ceremonia** · **desfile** · **sesión** · **celebración** || **apertura** · **inauguración** || **juramento** · **investidura** || **misa** · **eucaristía** · **oración** · **funeral** || **firma** · **compromiso** · **acuerdo** *Todas las partes coinciden en que han firmado un solemne acuerdo* || **tono** · **voz** · **actitud** || **declaración** · **palabras** · **discurso** || **momento** · **ocasión** · **escenario** || **promesa** *hacer una promesa solemne* · **llamamiento**
● CON VBOS. **ponerse**
□ USO Se usa algunas veces para enfatizar despectivamente el significado de un sustantivo: *una solemne estupidez.*

[solemnidad] → de solemnidad

[solera] → de solera; solera

solera s.f.

● CON ADJS. **flamenca** *una familia de artistas de solera flamenca* · **democrática** *un país de gran solera democrática* · **musical** · **literaria** || **vieja** · **histórica** || **lleno,na (de)** · **cargado,da (de)**
● CON VBOS. **tener** · **ganar** *La institución ganó solera con los años* · **coger** || **gozar (de)** · **contar (con)**
● CON PREPS. **con** *una universidad con mucha solera* · **de**

solícito, ta adj.

● CON SUSTS. **secretario,ria** · **dependiente,ta** · **empleado,da** · **personal** · **funcionario,ria** *Un solícito funcionario me explicó las bases de la convocatoria* · ***otros individuos y grupos humanos*** || **atención**
● CON VBOS. **acudir** *La madre acude solícita cuando los hijos la llaman* · **atender** · **ayudar** || **correr** || **mostrarse**

solicitud s.f.

I [documento]

● CON ADJS. **urgente** · **perentoria** || **reiterada** · **persistente** · **infructuosa** || **en regla** *Para que la solicitud sea admitida debe estar en regla*
● CON SUSTS. **alud (de)** *La convocatoria de ayudas provocó un alud de solicitudes* · **avalancha (de)** · **cúmulo (de)** || **respuesta (a)**
● CON VBOS. **prosperar** · **llegar a término** || **caer en el vacío** || **hacer** · **echar** · **presentar** *Presentó reiteradas solicitudes que se desestimaron* · **enviar** · **depositar** · **elevar** · **emitir** · **formular** · **plantear** · **recibir** || **rellenar** · **cumplimentar** · **firmar** · **sellar** || **tramitar** · **cursar** · **resolver** *El director no ha resuelto aún la solicitud* · **contestar** · **considerar** · **tomar en consideración** · **aceptar** · **atender** · **aprobar** *El consejo de Ministros aprobó la solicitud de indulto* · **encarar** || **desatender** · **desestimar** · **desoír** · **denegar** · **bloquear** || **respaldar** · **avalar** || **responder (a)**
● CON PREPS. **en apoyo (de)** · **en relación (con)**

sólidamente adv.

● CON VBOS. **asentar(se)** *una empresa que se ha asentado sólidamente en este competido sector* · **establecer(se)** · **fundamentar(se)** *La argumentación no se fundamenta sólidamente* · **apoyar(se)** · **fundar(se)** · **enraizar(se)** · **cimentar(se)** · **adaptar(se)** · **documentar** · **respaldar** || **implantar** · **realizar** · **construir** || **constituir** · **estructurar(se)** · **formar(se)**
□ USO Se construye muy frecuentemente con participios: *una demanda sólidamente documentada.*

solidaridad s.f.

● CON ADJS. **generosa** · **enorme** · **incondicional** · **espontánea** || **necesaria** · **imprescindible** || **mutua** · **internacional** · **humanitaria** *recurriendo, al igual que en otras ocasiones, a la solidaridad humanitaria del pueblo para...*
● CON SUSTS. **acción (de)** · **acto (de)** · **gesto (de)** · **intento (de)** · **demostración (de)** · **muestra (de)** · **testimonio (de)** · **ejemplo (de)** · **expresión (de)** · **manifestación (de)** · **prueba (de)** · **arranque (de)** · **ola (de)** *El terremoto levantó una enorme ola de solidaridad* || **actitud (de)** · **espíritu (de)** · **sentido (de)** || **llamada (a)** · **llamado (a)** · **llamamiento (a)** || **falta (de)** · **ápice (de)**
● CON VBOS. **urgir** · **paliar (algo)** *La solidaridad internacional palió los efectos del huracán* || **llegar** · **aflorar** || **solicitar** · **pedir** · **recabar** || **conseguir** · **despertar** · **granjear(se)** · **concitar** || **brindar** · **ofrecer** · **prestar** || **mostrar** · **demostrar** · **manifestar** · **expresar** *Expresamos nuestra solidaridad a todos los afectados* · **testimoniar** || **canalizar** · **encauzar** · **afianzar** || **agradecer** || **llamar (a)**

· apelar (a) · invitar (a) · mover (a) || contar (con) · recurrir (a)
● CON PREPS. **en señal (de)** *cinco minutos de silencio en señal de solidaridad con las familias de las víctimas*

solidario, ria adj.

● CON SUSTS. ***persona*** || **sociedad** · **mundo** *Trabajemos por construir un mundo más solidario* · **país** || **actitud** · **espíritu** *Ha demostrado tener un enorme espíritu solidario* · **responsabilidad** · **comportamiento** · **sentimiento** · **compromiso** · **mentalidad** || **apoyo** · **reparto** || **mensaje** · **gesto** · **acto** · **acción** · **reacción** · **iniciativa** · **respuesta** || **trabajo** · **labor** *la labor solidaria de los voluntarios* · **esfuerzo** · **ayuda** · **campaña** · **política**
● CON ADVS. **profundamente** · **totalmente** · **absolutamente** || **claramente**
● CON VBOS. **sentirse** · **mostrarse** · **declararse**

solidarizarse (con) v.

● CON SUSTS. **trabajador,-a** *La sociedad se ha solidarizado con los trabajadores del sector* · **víctima** · **enfermo,ma** · **candidato,ta** · **plantilla** · **empresa** · **sindicato** · **gente** · **estamento** · **minoría** *Se solidarizaron con la minoría oprimida* · ***otros individuos y grupos humanos*** || **país** *Nos solidarizamos con el país afectado* || **problema** · **esfuerzo** · **protesta** · **repulsa** || **reivindicación** · **inquietud** · **deseo** · **aspiración** || **movimiento** · **lucha**
● CON ADVS. **directamente** · **inmediatamente** || **públicamente**

solidez s.f.

● CON ADJS. **rotunda** · **férrea** · **innegable** · **indudable** || **económica** · **financiera** *La solidez financiera de la empresa es su mejor presentación* || **institucional** · **personal**
● CON SUSTS. **falta (de)** *La falta de solidez de la construcción provocó el derrumbe del edificio* || **prueba (de)** · **señal (de)**
● CON VBOS. **tener** · **mostrar** || **dar (a algo/a alguien)** *El hecho de que se presentaran importantes escritores dio solidez al certamen* · **conferir (a algo/a alguien)** · **reforzar** *...lo que sin duda reforzará la solidez de la amistad entre nuestros dos países* · **apuntalar** · **incrementar** · **avalar** · **garantizar** · **favorecer** · **mejorar** || **perder** · **mermar** · **minar** · **socavar** || **aumentar** · **mantener** · **disminuir**
● CON PREPS. **con** *abordar una cuestión con solidez y coherencia*

sólido, da

1 sólido, da adj.

● CON SUSTS. **cuerpo** · **material** · **alimento** *Durante dos días no pude comer alimentos sólidos* || **residuo** · **desecho** || **base** *ideas asentadas sobre una base sólida* · **cimiento** · **estructura** · **apoyo** · **refuerzo** · **fundamento** · **plataforma** || **edificio** · **construcción** · **bloque** · **pilar** || **rival** *El equipo se enfrentará a un sólido rival* · **profesional** · **equipo** · ***otros individuos y grupos humanos*** || **formación** · **prestigio** · **reputación** · **trayectoria** || **estudio** · **análisis** · **argumento** · **investigación** · **principio** *Tiene unos principios morales muy sólidos* || **libro** · **publicación** · **texto** · **artículo** · **discurso** || **juego** · **defensa** || **actuación** · **trabajo** || **relación** · **vínculo** · **amistad** || **crecimiento** · **recuperación** · **economía** || **estado** · **situación**
● CON ADVS. **suficientemente** *La recuperación económica todavía no es suficientemente sólida* · **tremendamente** || **aparentemente**
● CON VBOS. **ponerse** · **mantenerse** · **quedar**

2 sólido s.m.

● CON ADJS. **estable** · **inestable** || **gran(de)** · **enorme** · **pequeño** · **diminuto**
● CON VBOS. **mezclar** · **triturar** · **partir** · **laminar** · **desmenuzar** · **machacar** · **diluir** || **obtener** || **flotar** · **hundir(se)** · **mantener(se)** || **sumergir** *Cuando sumergimos un sólido en un líquido, este experimenta...*

solista s.com.

● CON ADJS. **vocal** || **femenina** · **masculino** || **profesional** · **consagrado,da** *La consagrada solista se vio obligada a abandonar el grupo en mitad de la gira* · **gran** · **excelente** || **internacional** · **nacional** || **principal** *Actuó como solista principal en el concierto de Navidad* · **invitado,da**
● CON SUSTS. **voz (de)** || **cuarteto (de)** · **grupo (de)** || **actuación (de)** · **interpretación (de)** · **concierto (de)** || **carrera (de/como)** *Y a partir de entonces inició su carrera como solista*
● CON VBOS. **interpretar (algo)** · **cantar** · **actuar** · **entonar**

solitario, ria

1 solitario, ria adj.

● CON SUSTS. ***persona*** *De pequeño era un chico solitario y tímido* || **camino** · **paraje** · **calle** *Paseaba por una calle solitaria cuando...* · **mar** · **llanura** · **plaza** · **paisaje** · **campo** · ***otros lugares*** || **carácter** · **vida** · **acto** · **gesto**
● CON VBOS. **quedarse** · **volverse**
● CON PREPS. **en** *La cantante presenta su primer disco en solitario*

2 solitario s.m.

▌[juego de cartas]

● CON VBOS. **echar** · **jugar** · **hacer** *Me gustaba hacer un solitario después de comer*

▌[brillante, anillo]

● CON ADJS. **gran(de)** · **pequeño** · **enorme** · **diminuto** · **gigantesco** || **caro** · **barato** || **bonito** · **precioso** *Llevaba un solitario precioso el día de su boda* · **espectacular**
● CON VBOS. **brillar** || **llevar** · **lucir** *Lució un enorme solitario en la fiesta* · **tener** || **comprar** · **regalar** || **engastar**

soliviantar(se) v.

● CON SUSTS. **país** *El abuso de los gobernantes soliviantó al país* · **ciudadano,na** · **ciudadanía** · **población** · **pueblo** · **sociedad** · **cliente** · ***otros individuos y grupos humanos*** || **ánimo** *Su gesto provocativo soliviantó aún más los ánimos* · **sentimiento**

sollozar v.

● CON ADVS. **entrecortadamente** · **sin parar** · **continuamente** · **incansablemente** · **inconteniblemente** || **dulcemente** · **tristemente** · **amargamente** · **sin consuelo** || **en público** *El actor sollozó en público al recordar a su madre* · **públicamente** · **abiertamente** || **tímidamente** || **profundamente** · **hondamente** || **ahogadamente** · **calladamente** · **silenciosamente** · **contenidamente** || **ruidosamente** · **desgarradamente**

sollozo s.m.

● CON ADJS. **hondo** · **amargo** · **emocionado** · **conmovedor** · **desgarrador** · **sincero** · **profundo** || **incontenible** · **irreprimible** · **incontrolable** *Rompió en un incontrolable sollozo de alegría al enterarse de que había aprobado* · **persistente** || **ahogado** · **apagado** · **callado** · **contenido** · **reprimido** · **entrecortado**

● CON VBOS. **brotar · crecer || ahogar(se) · entrecortar(se) · apagar(se) · detener(se) || arrancar · contener** *Contuvo los sollozos para que nadie viera cómo lloraba* || **estallar (en) · romper (en) · irrumpir (en) · prorrumpir (en) · deshacerse (en)**
● CON PREPS. **entre** *Me explicó entre sollozos lo que había ocurrido* · **en medio (de)**

soltar v.

▮ [desatar, deshacer]

● CON SUSTS. **atadura** *...consiguieron soltarse las ataduras que los mantenían inmóviles* · **nudo · lazo || cuerda · soga || pelo · cabello || corbata**

▮ [decir] *col.*

● CON SUSTS. **sermón** *No me sueltes más sermones, papá* · **comentario · insulto · indirecta · fresca · secreto · pulla · obscenidad ·** ***otras manifestaciones verbales***
● CON ADVS. **a bocajarro · de sopetón · bruscamente · de repente · sin venir a cuento** *Sin venir a cuento soltó una retahíla de quejas y reproches contra...* · **de buenas a primeras · de golpe y porrazo || a la ligera · sin ton ni son · al vuelo || de memoria**

▮ [lanzar, dar] *col.*

● CON SUSTS. **bofetón · patada** *Sin mediar palabra, me soltó una patada en la espinilla* · **puntapié ·** ***otros golpes*** **|| beso** *El ganador estaba tan contento que me abrazó y me soltó dos besos*
● CON ADVS. **violentamente · furiosamente · sin querer · de repente**

[soltura] → con soltura; soltura

soltura s.f.

● CON ADJS. **increíble · asombrosa · envidiable || absoluta · suficiente · cierta**
● CON SUSTS. **falta (de)**
● CON VBOS. **faltar (a alguien) || tener · exhibir · mostrar · revelar** *Ya en su primer día reveló una gran soltura en el trato con los clientes* · **derrochar || ganar** *Ha ido ganando soltura con el tiempo* · **adquirir · coger · dar · conferir || conservar · mantener || perder**
● CON PREPS. **con** *desenvolverse con soltura* · **sin**

soluble adj.

● CON SUSTS. **café · cacao · chocolate || fibra · proteína || fármaco** *Es un fármaco soluble en agua*

solución s.f.

▮ [resultado satisfactorio]

● CON ADJS. **correcta · acertada · verdadera · adecuada · atinada · idónea · perfecta || concreta** *El profesor nos pide soluciones concretas, nada de vaguedades* · **práctica · alternativa · a medida || eficaz · efectiva · prodigiosa · mágica · integral · milagrosa** *No confíe usted en las soluciones milagrosas* · **viable · asequible · posible · imaginable || socorrida · novedosa · imaginativa || inadmisible · inaplicable · inviable · impracticable · disparatada · descabellada** *Se le ocurrió una solución que parecía descabellada pero que acabó funcionando* · **contraproducente · catastrófica || difícil · ardua · laboriosa || inmediata · inminente · urgente · perentoria || temporal · eventual · provisional** *La solución consensuada para la crisis parlamentaria no puede ser sino provisional* · **tímida || final · definitiva · irreversible || radical · drástica · extrema · contundente · terminante · tajante · taxativa · a medias || conciliadora** *La patronal y los sindicatos consiguieron encontrar una solución conciliadora al conflicto* · **salomónica · pacífica · conjunta · ecuánime · equitativa · constructiva || airosa · honrosa || técnica**
● CON VBOS. **ocurrírse(le) (a alguien)** *Por más vueltas que le doy no se me ocurre ninguna solución* · **presentar(se) · perfilar(se) · entrever(se) · caber || urgir || funcionar · fallar · fracasar || residir (en algo) · emanar (de algo) · surgir (de algo) || hallar** *Hallé la solución ideal para las manchas en la ropa* · **encontrar · alcanzar · tener || buscar · necesitar · requerir · exigir · esperar || dar (a algo/a alguien)** *una dificultad inesperada a la que no será fácil darle solución* · **establecer · plantear · proponer · proporcionar · desvelar · aportar · brindar · arrojar · clavar** *La ecuación era difícil pero ella ha clavado la solución* · **oponer || llevar a la práctica** *soluciones imaginativas de despacho que luego nunca se llevan a la práctica* · **aplicar · poner en práctica · adoptar · abordar · imponer · impulsar · encauzar · propiciar || dificultar · obstruir · impedir || consensuar · negociar · arbitrar || pensar · concebir · idear · contemplar** *Se exige un acuerdo que contemple soluciones de futuro para el desarrollo de...* · **inventar · imaginar · calcular · madurar · meditar · atisbar · prever · vislumbrar · augurar · prejuzgar || averiguar · descubrir** *Descubrió ella sola la solución al acertijo* || **dar (con)** *Me costó dar con la solución del problema* · **llegar (a) || acercar(se) (a) · aproximar(se) (a) || contribuir (a)**
● CON PREPS. **en vías (de)** *El problema está en vías de solución* · **con · sin**

▮ [efecto de disolver algo]

● CON ADJS. **salina** *Para la limpieza de mis lentillas suelo utilizar una solución salina* · **alcohólica || antiséptica · desinfectante · curativa · nutritiva || diluida · rebajada**
● CON SUSTS. **dosis (de)** *Se aplica diariamente una dosis de una solución desinfectante*
● CON VBOS. **medir · mezclar · agitar · rebajar || suministrar · aplicar · recibir**

□ EXPRESIONES **solución de continuidad** [corte, interrupción]

solucionar(se) v.

● CON SUSTS. **problema** *Solucionar un problema con retraso agrava sus consecuencias* · **dificultad · crisis · conflicto · contratiempo || caos · confusión · lío** *Va a costar mucho solucionar el lío que han provocado estas declaraciones* · **controversia · diferencia || error · defecto · retraso · avería** *En cuanto se solucione la avería, avisaremos a todos* || **caso · papeleo || incógnita · ecuación · enigma · misterio**
● CON ADVS. **adecuadamente · satisfactoriamente · a plena satisfacción · a gusto (de alguien) · con éxito** *Esta nueva técnica soluciona con éxito los problemas de pigmentación* || **ejemplarmente · armoniosamente · civilizadamente** *una pareja que solucionó civilizadamente los problemas de su separación* · **pacíficamente || de raíz · a medias · definitivamente · temporalmente · provisionalmente || de un día para otro || favorablemente**

solventar v.

● CON SUSTS. **falta · escasez · limitación · carencia · defecto · deficiencia || error** *Se ofreció gustoso a solventar cualquier error en la organización del evento* · **equivocación · fallo · avería || daño · perjuicio · molestia · crisis · problema || atraso · retraso · desajuste · desfase · atasco || contratiempo** *Consiguieron solventar oportunamente los contratiempos* · **obstáculo · papeleta · escollo · dificultad · contrariedad || objeción · discrepan-**

cia · **contradicción** · **rivalidad** · **diferencia** *Para trabajar juntos, primero deberíamos solventar nuestras diferencias* · **incoherencia** || **misterio** · **enigma** · **incógnita** · **rompecabezas** || **ignorancia** · **inexperiencia**

solvente adj.

▮ [con recursos económicos]

● CON SUSTS. **familia** *Como su familia era solvente, pudieron pagar la elevada fianza* · **empresario,ria** · ***otros individuos y grupos humanos*** || **banco** · **empresa** · **financiera** · **entidad** · **negocio** · **inversión** || **país** · **nación**

● CON VBOS. **declarar(se)** *La empresa se ha declarado solvente*

▮ [que merece crédito]

● CON SUSTS. **fuente** *Según fuentes solventes, los resultados son muy distintos* || **investigación** · **estudio** *Un estudio solvente ha mostrado que...* · **informe** · **encuesta** || **opinión** · **crítica** || **dato** · **información**

somanta

1 **somanta** s.f. *col.*

● CON ADJS. **buena** · **gran(de)** · **enorme** · **tremenda** || **merecida**

● CON VBOS. **dar** · **arrear** · **propinar** · **zumbar** · **recibir** *Recibió una somanta de golpes cuando trató de defender a su amigo* · **cobrar** · **merecer** · **ganarse**

2 **somanta (de)** s.f. *col.*

● CON SUSTS. **palos** · **golpes**

[sombra]

→ a la sombra; a la sombra (de algo/de alguien); sombra

sombra

1 **sombra** s.f.

● CON ADJS. **negra** · **gris** · **oscura** || **densa** · **espesa** *la espesa sombra de la noche* · **alargada** · **difusa** · **etérea** || **misteriosa** *Una misteriosa sombra la hizo estremecerse* · **fantasmal** · **tenebrosa** · **siniestra** · **funesta** · **acechante** || **protectora** || **chinesca** *un espectáculo de sombras chinescas* || **lleno,na (de)** · **plagado,da (de)** || **oculto,ta (bajo/en)**

● CON SUSTS. **zona (de)** · **pozo (de)** · **reflejo (de)** · **línea (de)** || **tendido (de)** *el tendido de sombra de una plaza de toros* || **plátano (de)** *Mientras paseábamos bajo los hermosos plátanos de sombra del parque* · **árbol (de)** || **teatro (de)** · **juego (de)** · **espectáculo (de)** · **mundo (de)** · **universo (de)**

● CON VBOS. **surgir** · **habitar** || **acechar** · **rondar** *Una sombra huidiza rondaba por el jardín* · **planear** · **cernerse (sobre algo)** · **envolver (algo)** · **cubrir (algo)** · **oscurecer (algo)** · **extender(se)** · **abatir(se) (sobre algo)** · **proyectar(se)** · **agazapar(se)** || **persistir** *Persisten algunas sombras en relación con su absoluta inocencia* || **dar** *Estos árboles dan una sombra estupenda* · **echar (sobre algo)** · **arrojar** · **proporcionar** · **levantar** || **buscar** · **encontrar** || **ahuyentar** · **esquivar** || **definir** · **perfilar** · **deformar** · **dibujar** · **colorear** || **cubrir (de)** *Las nubes cubrieron de sombras el paisaje* · **teñir (de)** · **dejar (en)** || **surgir (de)** · **emerger (de)** || **esconder(se) (en)** · **ocultar(se) (en)** · **cobijar(se) (bajo)** · **escudarse (bajo)** · **sumir(se) (en)** · **perderse (en)** || **permanecer (en)** *Aunque siempre ayuda a los demás en todo, le gusta permanecer en la sombra* · **vivir (bajo)** || **maniobrar (en)**

● CON PREPS. **al abrigo (de)** · **bajo** · **en medio (de)**

2 **sombra (de)** s.f.

● CON SUSTS. **duda** *para que no hubiera la más mínima sombra de duda sobre la legalidad del proceso electoral* · **incertidumbre** · **sospecha** · **inquietud** · **confusión** || **rubor** · **pecado** · **temor** || **impunidad**

☐ EXPRESIONES **a la sombra** [en prisión] *col. Se pasó cinco años a la sombra* || **hacer sombra** (a alguien) [hacerle la competencia] || **mala sombra** [mala intención o mala suerte] *col.* || **sombra de ojos** [cosmético para maquillar los párpados]

sombrear v.

● CON SUSTS. **calle** · **plaza** *Los álamos sombreaban la plaza* · **acera** · **zona** · **paseo** || **dibujo** · **pintura** || **ojos** · **mejillas**

sombrío, a adj.

● CON SUSTS. **luz** · **color** · **día** *Era un día sombrío de invierno que invitaba a quedarse en casa* · **atardecer** · **tiempo** || **zona** · **lugar** · **rincón** · **lado** · **camino** · **túnel** || **vida** · **historia** · **época** · **hecho** · **acontecimiento** · **suceso** · **faceta** || **pasado** *La prensa investigó el sombrío pasado del magnate* · **origen** · **futuro** · **horizonte** · **perspectiva** · **panorama** · **previsión** || **gesto** · **mirada** *Su mirada sombría contagiaba tristeza* · **rostro** || **pensamiento** · **análisis** · **estudio** · **reflexión** · **meditación** · **recuerdo** · **temor** · **preocupación** || **predicción** · **premonición** · **presagio** · **augurio** · **pronóstico** || **visión** · **imagen** · **paisaje** · **cuadro** · **retrato** · **página** · **texto** · **discurso** || **dato** · **cifra** *Los análisis financieros arrojan sombrías cifras para el próximo año* · **balance** || **ambiente** · **aire** · **aspecto** · **tono** || **sueño**

● CON VBOS. **ponerse** · **volverse** || **parecer** · **resultar**

someramente adv.

● CON VBOS. **contar** *Me contó someramente lo sucedido* · **explicar** · **describir** · **responder** · **exponer** · ***otros verbos de lengua*** || **recordar** *un estilo que recuerda someramente al de...* · **conocer** || **investigar** · **evaluar** · **revisar** · **calcular**

somero, ra adj.

● CON SUSTS. **agua** · **capa** || **análisis** · **descripción** *una somera descripción del proyecto* · **biografía** · **investigación** · **estudio** · **examen** · **exploración** · **pesquisa** || **explicación** · **exposición** · **presentación** · **introducción** · **aproximación** · **acercamiento** · **panorámica** · **panorama** · **inspección** · **tratamiento** *Es un tema demasiado importante para darle un tratamiento tan somero* · **caracterización** · **punto de vista** || **atención** · **cálculo** · **cuenta** · **consulta** · **prospectiva** · **radiografía** || **cronología** · **semblanza** · **historia** || **repaso** · **revisión** · **reconsideración** · **reconocimiento** · **comprobación** · **reflexión** · **puntualización** · **interpretación** · **juicio** || **mirada** · **vistazo** · **lectura** *Basta una lectura somera del manuscrito para reconocer su valor* · **ojeada** · **visión** || **balance** · **recuento** · **relación** · **inventario** · **resumen** · **clasificación** · **enumeración** · **síntesis** · **lista** · **citación** · **catálogo** · **resolución** · **selección** · **conclusión** || **esquema** *El profesor hizo en la pizarra un somero esquema del curso* · **trazo** · **croquis** · **retrato** · **cuadro** · **dibujo** · **esbozo** · **apunte** · **pintura** || **referencia** · **mención** · **indicación** · **ejemplo** · **recordatorio** · **evocación** · **alusión** · **noción** · **noticia** || **relato** · **guía** · **nota** · **material** · **reseña** · **argumento** · **autocrítica** · **felicitación** · **estado de situación** · **parodia** · **calendario** · **respuesta** *las someras respuestas del Gobierno a las acusaciones de la oposición* · **libro** || **recorrido** · **visita** · **paseo** · **vaivén** · **seguimiento** || **información** *El* *folleto ofrece información somera pero útil sobre el museo* · **conocimiento** · **idea** · **comunicación** · **formación** || **título** · **índice** · **prólogo** || **trabajo** · **informe** · **escrito** || **slip** · **toalla** · **corpiño** || **equipaje** · **embarcación** · **decorado** · **aparato**

someter(se) (a) v.

● CON SUSTS. **prueba** · **intervención** · **cirugía** · **operación** · **exploración** · **esterilización** || **tratamiento** *Decidió someterse a un tratamiento contra la calvicie* · **terapia** · **dieta** || **ejército** · **país** *No se someterán a ningún país extranjero* · **nación** · **invasor,-a** || **fuerza** · **poder** || **estudio** · **evaluación** · **análisis** · **examen** · **revisión** · **discusión** · **debate** · **consideración** · **crítica** · **inspección** || **votación** *...tal y como quedó demostrado después de someter las enmiendas a votación* · **referéndum** · **plebiscito** · **consulta** · **juicio** · **dictamen** · **licitación** · **aprobación** · **auditoría** · **decisión** · **elección** · **sorteo** · **concurso** || **cambio** · **fluctuación** · **modificación** · **alteración** · **vaivén** *La educación no debería estar sometida a los vaivenes de la política* || **control** · **vigilancia** · **acoso** · **interrogatorio** · **restricción** · **tensión** · **presión** · **estrés** || **justicia** · **norma** · **ley** · **reglamento** *Estamos sometidos a un reglamento demasiado estricto* · **normativa** · ***otras disposiciones*** || **voluntad** · **deseo** · **orden** · **designio** · **demanda** · **exigencia** || **ataque** · **agresión** · **saqueo** · **hostigamiento** · **destrucción** || **castigo** · **tortura** · **vejación** · **humillación** · **esclavitud** · **malos tratos** *acusados por haber sometido a malos tratos a los detenidos*

● CON ADJS. **gustoso,sa** · **encantado,da** *Confío en ti, así que me someto encantado a tus órdenes* · **nervioso,sa** · **atemorizado,da** || **contrariado,da** · **molesto,ta** · **enfadado,da**

● CON ADVS. **voluntariamente** · **obligatoriamente** || **con gusto** · **de buen grado** *Nos sometimos de buen grado a la terapia de pareja* || **cobardemente** · **a regañadientes** · **de mala gana** || **fácilmente** · **dócilmente** || **por entero** · **completamente** · **plenamente** · **de lleno** · **totalmente** || **férreamente** · **sin compasión** · **sin piedad** · **violentamente** · **por la fuerza** || **poco a poco** · **lentamente**

somnífero s.m.

● CON ADJS. **potente** · **fuerte** · **poderoso** || **suave** · **inocuo** || **convencional** || **efectivo** · **indicado** || **ineficaz** · **contraindicado** · **contraproducente** || **{con/sin} efectos secundarios**

● CON SUSTS. **efecto (de)** · **dosis (de)** · **sobredosis (de)** · **adicción (a)** · **consumo (de)** || **frasco (de)** · **bote (de)** · **caja (de)**

● CON VBOS. **hacer efecto** *El somnífero te hará efecto a la media hora* || **tomar** · **ingerir** · **tragar** · **utilizar** || **recetar** *Le recetaron un somnífero muy suave* · **prescribir** · **recomendar** || **inyectar** · **dar (a alguien)** · **administrar (a alguien)** || **recurrir (a)** *Recurrió a los somníferos para poder dormir* · **dormir (con/sin)** || **acostumbrar(se) (a)** · **depender (de)**

● CON PREPS. **con ayuda (de)**

somnolencia s.f.

● CON ADJS. **ligera** · **tremenda** · **excesiva** · **profunda** || **diurna**

● CON SUSTS. **estado (de)**

● CON VBOS. **provocar** *Este medicamento provoca somnolencia* · **producir** · **causar** · **dar** || **evitar** · **combatir** *El café ayuda a combatir la somnolencia* || **padecer**

[son] → al son (de); en son de guerra; en son de paz

sonado, da adj.

● CON SUSTS. **caso** *Fue un caso muy sonado hace algunos años* · **asunto** · **fiesta** || **actuación** · **operación** · **fichaje** · **cambio** || **éxito** *El cantante tuvo un éxito sonado* · **triunfo** · **victoria** || **fracaso** · **derrota** · **error** · **fallo** · **equivocación** · **pérdida** || **polémica** · **protesta** · **escándalo** || **ausencia** *la sonada ausencia del presidente* · **ruptura** · **renuncia**

● CON ADVS. **especialmente** · **particularmente** *un fracaso particularmente sonado*

● CON VBOS. **volverse** · **hacerse**

[sonante] → contante y sonante

sondear v.

● CON SUSTS. **terreno** · **ambiente** · **zona** · **lugar** || **profundidad** · **longitud** · **hondura** || **opinión** · **mercado** *La empresa sondeó el mercado para ver la posible venta del producto* || **intención** *sondear la intención de voto* · **posibilidad** · **opción** || ***persona*** *Primero sondean a los posibles compradores y luego...*

sondeo s.m.

● CON ADJS. **amplio** · **en profundidad** · **ligero** · **superficial** || **esperanzador** *Según esperanzadores sondeos, el grado de aceptación aumenta considerablemente* || **fiable** · **oficial** · **disponible** · **público** · **discutible** || **petrolífero** · **térmico** || **estimativo** · **provisional** || **demoscópico** · **de opinión** *Aunque el resultado del sondeo de opinión no sea fiable, podemos augurar una buena campaña* · **electoral** · **preelectoral** · **telefónico**

● CON SUSTS. **resultado (de)** *El resultado de esos sondeos no es fiable*

● CON VBOS. **augurar (algo)** · **anticipar (algo)** · **vaticinar (algo)** *El sondeo electoral vaticinaba la victoria de la oposición* · **pronosticar (algo)** · **predecir (algo)** || **apuntar (algo)** · **indicar (algo)** · **revelar (algo)** · **mostrar (algo)** · **poner de manifiesto (algo)** · **confirmar (algo)** · **reflejar (algo)** · **registrar (algo)** · **demostrar (algo)** || **arrojar un resultado** · **coincidir** · **divergir** || **efectuar** · **hacer** · **llevar a cabo** *Se llevó a cabo un amplio sondeo entre los potenciales usuarios de este servicio* · **realizar** · **encomendar (a alguien)** · **encargar (a alguien)** || **difundir** · **publicar** || **analizar** · **comentar** · **estudiar** · **valorar** || **encabezar** *Nuestra formación encabeza todos los sondeos* || **ganar (en)** · **llevar ventaja (en)** || **responder (a)** || **opinar (sobre)**

● CON PREPS. **a tenor (de)** · **de acuerdo (con)** *De acuerdo con los últimos sondeos, podemos asegurar...* · **en función (de)** · **según**

sonido s.m.

● CON ADJS. **fuerte** · **potente** · **profundo** · **penetrante** · **envolvente** · **vibrante** · **rotundo** · **atronador** *El sonido de los tambores era atronador* · **estrepitoso** · **martilleante** · **estridente** · **chirriante** · **inarmónico** · **electrizante** || **áspero** · **bronco** · **ronco** · **oscuro** · **seco** · **cavernoso** · **gutural** · **metálico** *el sonido metálico de las guitarras eléctricas* || **discordante** · **estentóreo** · **horroroso** · **hiriente** || **claro** · **puro** · **transparente** · **limpio** · **luminoso** · **brillante** · **cristalino** · **impecable** || **bello** · **cálido** · **armonioso** · **armónico** · **melodioso** *Se oía el sonido melodioso del agua de la fuente* · **rico** · **acompasado** · **cadencioso** · **suave** || **pegadizo** · **rítmico** · **marchoso** · **bailable** || **continuo** · **discontinuo** || **cercano** · **lejano** || **débil** · **tenue** · **inaudible** · **imperceptible** || **ahogado** · **apagado** · **entrecortado** · **lastimero** || **inconfundible** *el inconfundi-*

ble sonido de su risa · **único** || **musical** · **instrumental** · **orquestal** · **estereofónico** · **electrónico** · **digital**
● CON SUSTS. **equipo (de)** · **tarjeta (de)** · **toma (de)** · **sistema (de)** · **mesa (de)** · **prueba (de)** *las pruebas de sonido previas a la grabación* || **técnico,ca (de)** · **ingeniero,ra (de)** || **calidad (de)** · **efecto (de)** · **problema (de)** || **mezcla (de)** · **gama (de)** · **variedad (de)** · **combinación (de)** || **fuerza (de)** · **intensidad (de)** · **tono (de)** · **volumen (de)** · **altura (de)** · **timbre (de)**
● CON VBOS. **producir(se)** · **surgir (de un lugar)** · **emanar** · **salir** || **llegar (a alguien)** *De la calle llegaban los sonidos de la verbena* · **inundar (algo)** · **retumbar** · **reverberar** · **vibrar** · **zumbar** || **durar** · **persistir** · **crecer** · **aumentar** || **apagar(se)** · **perderse** · **ahogar(se)** · **quebrar(se)** · **filtrar(se)** || **oír** · **percibir** · **escuchar** · **sentir** || **emitir** · **pronunciar** · **articular** *Estaba tan emocionado que no pudo articular sonido* · **soltar** · **lanzar** · **clavar** · **transmitir** || **arrancar (a algo)** · **acallar** · **amortiguar** || **registrar** · **grabar** · **reproducir** · **captar** · **tratar** · **mezclar** · **distorsionar** · **amplificar** · **empastar** || **imitar** *Imita a las mil maravillas los sonidos de muchos animales* · **copiar** || **reconocer** · **distinguir** · **interpretar**
● CON PREPS. **entre**

sonoridad s.f.

● CON ADJS. **buena** · **excelente** *una sala de conciertos con una sonoridad excelente* · **especial** · **inmejorable** · **brillante** · **bella** · **hermosa** · **fina** || **rica** · **rotunda** *versos de rotunda sonoridad* · **redonda** || **deficiente** · **mejorable** · **escasa** || **sinfónica** · **poética** || **contemporánea** · **original** · **nueva**
● CON SUSTS. **falta (de)**
● CON VBOS. **tener** · **poseer** || **conseguir** · **obtener** *...para obtener la mejor sonoridad posible* · **lograr** || **ampliar** · **mejorar** · **exagerar** || **reconstruir** · **reproducir**
● CON PREPS. **con** *un texto poético con una brillante sonoridad*

sonoro, ra adj.

● CON SUSTS. **onda** || **lenguaje** · **palabra** · **poema** · **verso** · **arte** || **aplauso** · **ovación** *Lo recibieron con una sonora ovación* · **pitada** || **estornudo** · **ronquido** · **grito** · **voz** || **cine** · **película** · **versión** || **disco** · **cinta** · **grabación** || **banda** *la banda sonora de una película* || **prueba** · **muestra** · **demostración** || **universo** · **mundo** · **atmósfera** · **espacio** · **ambiente** || **nivel** · **impacto** · **contaminación** *la contaminación sonora de las grandes ciudades* · **polución** || **efecto** · **calidad** · **belleza** || **fondo** · **material** · **imagen** · **archivo** *La cadena de radio expuso sus archivos sonoros de principios de siglo* · **documento** · **testimonio** · **manifestación** · **expresión**

[sonreír] → sonreír; sonreír (a alguien)

sonreír v.

● CON ADVS. **amablemente** *Sonrió amablemente a los periodistas* · **afablemente** · **beatíficamente** || **abiertamente** · **ostensiblemente** · **con franqueza** · **complacidamente** · **sinceramente** · **cautivadoramente** || **descaradamente** · **enigmáticamente** · **estudiadamente** · **falsamente** · **hipócritamente** · **diplomáticamente** · **displicentemente** · **sardónicamente** || **maliciosamente** *El profesor sonrió maliciosamente al ver nuestras caras de desorientación* · **conejilmente** · **malvadamente** || **por lo bajo** || **plácidamente**

sonreír (a alguien) v.

● CON SUSTS. **suerte** · **fortuna** · **circunstancia** · **azar** *Parecía que el azar por fin me sonreía* · **carambola** · **ruleta** || **cielo** · **vida** · **futuro** · **destino** || **amor** · **jubilación** || **éxito** · **victoria** · **triunfo** · **gloria** · **fama** · **ventaja** || **resultado** · **número** · **encuesta** · **índice de audiencia** · **marcador** · **tanteador**

sonrisa s.f.

● CON ADJS. **abierta** *Su sonrisa abierta y alegre inspira confianza* · **amplia** · **resplandeciente** · **diáfana** · **vivaz** · **natural** || **enorme** · **plena** · **ostensible** · **de oreja a oreja** *Nos dio la noticia con una sonrisa de oreja a oreja* · **desbordante** · **desbocada** || **permanente** · **eterna** · **indeleble** · **imperturbable** || **franca** · **sincera** · **fácil** · **espontánea** · **forzada** || **amable** *Me dirigió una amable sonrisa* · **cordial** · **educada** || **cálida** · **alegre** · **calurosa** · **amistosa** · **complaciente** · **benevolente** · **esperanzadora** · **tranquilizadora** · **tierna** · **cariñosa** || **ingenua** · **cándida** · **soñadora** || **plácida** · **beatífica** · **complacida** · **relajada** || **hermosa** · **cautivadora** · **encantadora** · **contagiosa** · **bonita** · **bella** || **cómplice** · **cuca** · **pícara** *Esbozó una sonrisa pícara de complicidad* · **conejil** · **maliciosa** || **misteriosa** · **enigmática** || **leve** · **tenue** · **media** *Se dibujó en su cara una media sonrisa* · **apagada** · **tímida** · **ladeada** · **quebrada** · **diplomática** · **de compromiso** · **agridulce** || **amarga** · **displicente** · **falsa** · **despectiva** · **burlona** *Exhibe a veces una sonrisa burlona que incomoda a los que no lo conocen* · **irónica** · **sardónica** · **malvada** · **malévola** · **hipócrita** · **de cumplido**
● CON SUSTS. **amago (de)** *un amago de sonrisa en medio de su tristeza* · **esbozo (de)** · **atisbo (de)**
● CON VBOS. **asomar** *...esperando que asomara a sus labios una sonrisa* · **brotar** || **iluminar (el rostro)** · **prender** || **apagar(se)** · **borrar(se)** · **desvanecer(se)** · **agriar(se)** · **helarse (a alguien)** *Se le heló la sonrisa en los labios* || **denotar (algo)** · **delatar (a alguien)** || **amagar** · **esbozar** · **insinuar** · **dibujar** · **forzar** || **lucir** · **exhibir** · **prodigar** · **clavar** · **repartir** · **derramar** · **desparramar** · **cultivar** || **lanzar (a alguien)** · **dedicar(le) (a alguien)** *Le dedicó la mejor de sus sonrisas* · **regalar (a alguien)** · **obsequiar (a alguien)** || **provocar** · **arrancar (a alguien)** *La noticia de la boda le arrancó una sonrisa* || **mantener** · **perder** · **recobrar** · **recuperar** || **deshacerse (en)**
● CON PREPS. **entre**

sonrojo s.m.

● CON VBOS. **producir** *un comportamiento que produce sonrojo* · **provocar** · **causar** || **sentir** || **invitar (a)** · **mover (a)** *prácticas municipales que mueven al sonrojo* · **conducir (a)** || **llenar(se) (de)**
● CON PREPS. **sin** *Desmintieron la noticia sin ningún sonrojo* · **con**

sonsacar v.

● CON SUSTS. **dato** · **información** *Le encanta sonsacar información a los demás* · **noticia** · **opinión** · **verdad**

soñar v.

● CON ADJS. **despierto,ta** *Siempre anda despistado; parece que le gusta soñar despierto* || **impaciente**
● CON ADVS. **ávidamente** · **plácidamente** *A los pocos minutos de acostarse ya está soñando plácidamente* · **a lo grande** || **remotamente** · **ni de lejos** *No sueñes ni de lejos que te voy a prestar el coche* || **inútilmente**
□ EXPRESIONES **ni soñarlo** · **ni lo sueñes** [Se usa para expresar que algo es imposible]

soñolencia s.f. Véase **somnolencia**

sopa s.f.

● CON ADJS. **fría · caliente** *Lo que más me apetece ahora es una sopa caliente* · **espesa · caldosa || deliciosa · rica · exquisita · suculenta · sabrosa · apetecible || tradicional · casera · de sobre** *Preparamos una sopa de sobre porque no teníamos tiempo de cocinar* **|| nutritiva · sustanciosa || con tropezones · con picatostes**

● CON SUSTS. **plato (de) || ingrediente (de) || cucharada (de)**

● CON VBOS. **hervir · cocer || hacer · preparar · calentar || remover · condimentar || probar · tomar · comer · saborear || servir · repartir || acompañar** *Hicimos picatostes para acompañar la sopa* **|| atiborrarse (de)**

☐ EXPRESIONES **{estar/quedarse} sopa** [quedarse dormido] *col.* **|| hasta en la sopa** [en todas partes] *col. Me lo encuentro hasta en la sopa* **|| {hecho/como} una sopa** [muy mojado] *col.* **|| sopa boba** [vida holgazana y a expensas de otro] *col.* **|| sopa de letras** [pasatiempo]

sopapo s.m. Véase **GOLPE**

sopero, ra adj.

● CON SUSTS. **cucharada** *añadir tres cucharadas soperas de harina* · **plato · cuchara ||** ***persona*** *Es un niño muy sopero, los platos de cuchara le encantan*

sopesar v.

● CON SUSTS. **información · dato · noticia · palabra · discurso · texto · diálogo · expresión || ventaja** *Deberías sopesar las ventajas y los inconvenientes antes de tomar una decisión* · **beneficio · utilidad · conveniencia · pros y contras || inconveniente · riesgo · peligro · dificultad · desventaja · problema · amenaza || opción · posibilidad** *El Gobierno está sopesando la posibilidad de adelantar las elecciones* · **alternativa · probabilidad · oportunidad || consecuencia · efecto · repercusión · trascendencia · importancia · alcance · incidencia · resultado || oferta** *El jugador sopesó las ofertas y se decidió por el club italiano* · **ofrecimiento · propuesta || argumento · razón · móvil || valor · capacidad · cualidad · condición || punto de vista** *El tribunal sopesará los distintos puntos de vista planteados y decidirá si...* · **opinión · idea · impresión || aportación · apoyo · contribución**

● CON ADVS. **rigurosamente · seriamente · adecuadamente · minuciosamente || con cuidado** *Todos los riesgos serán sopesados con cuidado* · **cuidadosamente · a conciencia || objetivamente · fríamente · científicamente || al máximo · a fondo · exhaustivamente**

[sopetón] → de sopetón

soplo (de) s.m.

● CON SUSTS. **aire** *Este relato es un soplo de aire fresco para la novela actual* · **viento · aliento · oxígeno · luz || voz** *...muy cansada, nos dijo con un soplo de voz que esperáramos* · **música || vida · esperanza** *...importante descubrimiento que trajo un soplo de esperanza para enfermos y familiares* · **libertad · optimismo · ilusión · consuelo · felicidad || imaginación · inspiración · musa**

soponcio s.m.

● CON VBOS. **dar (a alguien)** *Cuando lo oí creí que me daba un soponcio* · **entrar · llevar(se)**

● CON PREPS. **al borde (de)**

sopor s.m.

● CON ADJS. **profundo · largo · total · letal || tenue · dulce || estival || sumido,da (en)** *Quedó sumida en un tenue sopor* · **envuelto,ta (en) · lleno,na (de)**

● CON VBOS. **invadir (a alguien) · entrar (a alguien)** *Me entró tal sopor que no me enteré de nada* · **adueñarse (de alguien) · apoderarse (de alguien) || sentir · superar || producir** *El vino me produce sopor* · **provocar || aliviar || evitar || salir (de) · sacar (de) · recuperarse (de) · despertar(se) (de)**

soporífero, ra adj.

● CON SUSTS. **partido** *El equipo solo logró empatar en un partido soporífero* · **encuentro · sesión · lección · acto || exposición · campaña || música · obra · película · libro ·** ***otras creaciones*** **|| discurso · conferencia · diálogo · charla · narración · clase · tema · presentación · informe · texto · capítulo || mañana · tarde** *corrida rutinaria en una tarde soporífera* · **noche · domingo · jornada · día · final ·** ***otros momentos o períodos***

● CON ADVS. **completamente · absolutamente · totalmente**

● CON VBOS. **resultar** *Esta música me resulta soporífera* · **volverse · hacerse**

soportable adj.

● CON ADVS. **difícilmente · escasamente · relativamente** *El frío era relativamente soportable* **|| perfectamente · ampliamente || económicamente · humanamente** *un trabajo que supera los límites de lo humanamente soportable*

● CON VBOS. **hacerse**

soportar v.

● CON SUSTS. **carga · peso || problema · inconveniente · dificultad · obstáculo · adversidad · desgracia · crisis · tragedia || dolor · incomodidad · daño · mal · enfermedad || olor · peste · gusto · sabor ||** ***persona*** *Me confesó que no soportaba a su nuevo compañero*

● CON ADVS. **pacientemente · resignadamente · estoicamente · de buen grado || heroicamente · con firmeza · a pie firme · sin pestañear** *Soportó la regañina sin pestañear* · **dignamente · admirablemente || a duras penas** *A duras penas puedo soportar el frío del invierno en estas tierras* **|| en carne propia**

soporte s.m.

● CON ADJS. **fundamental** *Los diálogos son el soporte fundamental de su última película* · **básico · esencial · principal · único · verdadero · adecuado · necesario || tradicional · habitual · nuevo · moderno || mecánico · informático** *Los trabajos para el certamen se entregarán en soporte informático* · **audiovisual · técnico · de papel · gráfico · pictórico · artístico · visual || argumental · teórico · ideológico · económico · jurídico · científico**

● CON SUSTS. **nivel (de) · zona (de) || falta (de)** *ante la falta de soporte familiar y social*

● CON VBOS. **dar · brindar || actuar (de)** *Las vigas actúan de soporte del techo* · **servir (de/como) · utilizar (como) || contar (con)** *No contamos con el soporte técnico necesario para iniciar la obra* · **carecer (de)**

[sorbo] → a sorbos; de un sorbo

sordera s.f.

● CON ADJS. **absoluta · completa · profunda · total · supina || leve · ligera** *Padece una ligera sordera* · **parcial || habitual · secular || temporal · permanente · persistente · incorregible · crónica · de por vida || de naci-**

miento · hereditaria || fingida · falsa · conveniente || oficial · gubernamental
• CON SUSTS. ataque (de) || grado (de) · nivel (de) || síntoma (de) · muestra (de)
• CON VBOS. venir (a alguien) · sobrevenir (a alguien) *A causa de aquella otitis le sobrevino una sordera* · atacar (a alguien) || curar(se) || tener · padecer · sufrir || corregir *Con este tratamiento se pretende corregir la sordera que padece* || sufrir (de)

sórdido, da adj.

• CON SUSTS. ambiente · atmósfera *Eligió una atmósfera sórdida para ambientar la película* · lugar · mundo · realidad *la sórdida realidad de aquellas gentes* · vida || historia · episodio · relato || lado · aspecto · detalle *Omitiré los detalles sórdidos* · tono || espectáculo

[sordo] → de sordos; sordo, da

sordo, da

1 **sordo, da** adj.

▌[que no oye]

• CON SUSTS. *persona* *El abuelo no te oye; está completamente sordo*
• CON ADVS. como una tapia || por completo · totalmente || ligeramente · parcialmente *El paciente está parcialmente sordo por rotura de tímpano* || temporalmente · permanentemente · para siempre · para toda la vida
• CON VBOS. ser · estar · quedar(se) *Me estoy quedando sorda* · volver(se) · dejar

▌[apagado, amortiguado]

• CON ADVS. sonido *Los sobresaltó el sonido sordo de la explosión* · rumor · ruido · zumbido || explosión · estampido || grito · gemido · rugido || golpe · chasquido · chirrido · crujido || color · dolor *El fármaco puede provocar un dolor sordo y agudo alrededor de la zona lumbar* || lucha · pugna · batalla · guerra · enfrentamiento · polémica · rivalidad || consonante *Se produce la sonorización de las consonantes sordas en posición intervocálica*

2 **sordo, da (a)** adj.

• CON SUSTS. clamor · llamada · llamado · llamamiento · reclamo || petición *Se mostró totalmente sordo a mis peticiones* · queja · demanda || inquietud

sorna s.f.

• CON ADJS. habitual · característica · peculiar || irónica · fina · sutil || despiadada *Lo criticó en público con una sorna despiadada* || cargado,da (de)
• CON SUSTS. tono (de) · aire (de) || dosis (de) *incisivos artículos de opinión con una buena dosis de sorna* · toque (de) · pizca (de) || motivo (de) · causa (de)
• CON VBOS. producir · provocar
• CON PREPS. con

sorprender v.

▌[descubrir]

• CON ADVS. con las manos en la masa · in fraganti *La Policía sorprendió al ladrón in fraganti* || en falso

▌[impresionar]

• CON ADVS. agradablemente · gratamente · favorablemente · desfavorablemente || enormemente · poderosamente · tremendamente · vivamente

[sorpresa] → con sorpresa; por sorpresa; sorpresa

sorpresa s.f.

• CON ADJS. menuda *¡Menuda sorpresa me llevé!* · gran(de) · enorme *Se llevó una enorme sorpresa cuando se enteró* · profunda · auténtica · verdadera · mayúscula || grata · agradable *¡Qué agradable sorpresa, verte otra vez por aquí!* · linda · gozosa || ligera · pequeña || súbita || desagradable · terrible
• CON SUSTS. fuente (de) · pozo (de) · caja (de) *Es una caja de sorpresas: nunca se sabe por dónde va a salir* || cadena (de) || cara (de) · gesto (de) · sensación (de) · expresión (de) · reacción (de) · mirada (de) · mueca (de)
• CON VBOS. producir(se) · esperar(le) (a alguien) · surgir · caber · saltar · cundir || paralizar (a alguien) || haber · tener *Tengo una sorpresa para ti* · experimentar · llevarse · recibir · asimilar · imaginar(se) *Imagínate mi sorpresa al verlos juntos* || dar · provocar · ocasionar · causar · traer · despertar · acarrear · deparar (a alguien) · aguar (a alguien) · dosificar || suponer · constituir · resultar || mostrar · expresar || levantar · ocultar · evitar *Conviene leer la letra pequeña de los contratos para evitar sorpresas desagradables* || esperar *No esperaba esa sorpresa* || transformar(se) (en) || recuperarse (de) · reponerse (de) · sobreponerse (a)
• CON PREPS. ante · con *Comprobé con sorpresa que todo estaba bien* · sin · salvo *salvo sorpresas de última hora* · de · por

sortear v.

▌[evitar o eludir]

• CON SUSTS. barrera · muro · barricada · valla || obstáculo *Tuvo que sortear muchos obstáculos antes de llegar a la presidencia* · dificultad · escollo · inconveniente · traba · tropezón · obstrucción · contrariedades || burocracia · legalidad · ley · sistema · norma || justicia · policía · gobierno || peligro · trampa · coacción · campo de minas · bache || crisis · problema *un problema legal difícil de sortear* · contratiempo · caos · enfrentamiento · guerra · hambre · carencia · conflicto · adversidad · intriga · escándalo · polémica || control · vigilancia *Los asaltantes lograron sortear la vigilancia del edificio* · acoso · cerco · chantaje · exigencia · pregunta · censura · boicot · bloqueo · presión · ataque || acusación · amenaza · crítica · discusión · injuria · queja || flechas · balas · bombas || argumentos · invectivas || sombra · disyuntiva · contradicción · incertidumbre · temor
• CON ADVS. con habilidad · con destreza · con holgura · fácilmente · con éxito || a duras penas · trabajosamente

▌[someter a sorteo]

• CON SUSTS. jamón · coche · *otros productos* || viaje *Sortean un viaje de diez días para cuatro personas a...* · billete || premio
• CON ADVS. públicamente · ante notario || diariamente · semanalmente *Sorteamos un coche deportivo semanalmente* · mensualmente

[sorteo] → por sorteo; sorteo

sorteo s.m.

• CON ADJS. extraordinario *El sorteo extraordinario de la Lotería de Navidad* || público *un sorteo público que se celebrará ante notario* || reñido · millonario · codiciado || transparente · limpio · sin trampa ni cartón || amañado
• CON SUSTS. resultado (de) · ganador,-a (de) · premio (de) || papeleta (de) · décimo (de) · participación (para) · billete (para)

• CON VBOS. **producir(se) · tener lugar · desarrollar(se) || favorecer (a alguien) · decidir (algo) · deparar (algo) || hacer · celebrar · efectuar || presenciar** *para presenciar el sorteo de la fase final de...* · **verificar || radiar · retransmitir · televisar || amañar · impugnar || proceder (a) || participar (en) || decidir (por)**
• CON PREPS. **conforme (a) · mediante** *El ganador del viaje se decidió mediante un sorteo entre los asistentes* · **por · según**

sosegado, da adj.

• CON SUSTS. **vida** *Ojalá pudiera llevar una vida más sosegada* · **ambiente · clima || actitud · espíritu · carácter · temperamento || aspecto · aire · apariencia || tono** *El tono sosegado del médico la tranquilizó* · **ritmo || debate · diálogo · conversación** *Mantuvimos una conversación sosegada* · **reunión || análisis · lectura · reflexión || discurso · intervención**
• CON VBOS. **volverse · mantener(se)**

sosegar(se) v.

• CON SUSTS. ***persona*** *Sosiéguese, por favor* || **ánimo · espíritu · voluntad · imaginación · mente || nervios · crispación · delirio || debate · diálogo · discusión · polémica** *Lejos de sosegar la polémica, las declaraciones del ministro la han caldeado* · **declaración || ambiente · clima · atmósfera · entorno · situación · panorama || mercado** *La medida puede contribuir a sosegar el mercado petrolero* · **bono · demanda || pasión · ímpetu · fuerza**

soslayar v.

• CON SUSTS. **asunto · tema · hecho · realidad** *La pobreza de una parte significativa de la población es una realidad que no puede soslayarse* · **cuestión || elemento · punto · aspecto · detalle || problema · dificultad · crisis · obstáculo · barrera · escollo || peligro · riesgo || responsabilidad · obligación · deber || error · fallo · negligencia · tropiezo || debate · discusión || queja · denuncia** *Acusan a la institución de soslayar graves denuncias sobre su financiación* · **discrepancia · demanda · acusación · repudio || legislación · regla · normativa · ley ·** ***otras disposiciones***

[soslayo] → de soslayo

soso, sa adj.

• CON SUSTS. ***persona*** *Es un buen muchacho, pero un poco soso* || ***animal*** *Los diestros tenían voluntad, pero los toros eran sosos* || **sopa · filete · tortilla ·** ***otros alimentos o comidas*** || **juego · partido** *Han disputado un partido soso y aburrido* · **encuentro || comedia · película · historia · novela · cuento ·** ***otras creaciones*** || **toro**
• CON VBOS. **ser · estar · quedar · resultar · salir** *La paella me ha salido sosa*

[sospecha] → bajo sospecha; sospecha

sospecha s.f.

• CON ADJS. **seria · certera · fundada** *Las fundadas sospechas de corrupción obligaron a dimitir al concejal* · **fundamentada · justificada · vehemente || leve · ligera · menor · remota · vaga || falsa · infundada · injustificada · latente || inquietante || libre (de)** *...puesto que nadie está libre de sospecha* · **limpio,pia (de)**
• CON SUSTS. **sentimiento (de) · manto (de) · asomo (de)** *Ningún asomo de sospecha puede empañar su limpia trayectoria* · **clima (de) · mundo (de) · ambiente (de) · mar (de)**
• CON VBOS. **existir · caber · concurrir · traslucir(se) || surgir · nacer · hacer(se) realidad · aflorar || latir · subyacer || flotar · circular || entrar (a alguien) · invadir (a alguien)** *De repente la invadió la sospecha de que la estaba mintiendo* · **asaltar (a alguien) · sobrevenir || dirigir(se) (hacia alguien) · caer (sobre alguien) · pesar (sobre alguien)** *Pesa sobre él la seria sospecha de...* · **recaer (en/sobre alguien) · cernerse (sobre alguien) · anidar (en alguien) || aumentar · crecer · cundir · acrecentar(se) · difundir(se) · extender(se)** *La sospecha se extendió rápidamente* · **sobrepasar · agravar(se) || desvanecer(se) · disolver(se) · disipar(se) · esfumar(se) · aplacar(se) · despejar(se) · cesar · decrecer || derivar(se) (de algo) · fundar(se) (en algo) · basar(se) (en algo) · apuntar (algo) || tener · abrigar · albergar** *En su corazón albergaba la inquietante sospecha de que todo era una trama para...* || **levantar · despertar** *Tan extraño comportamiento despertó las sospechas de la Policía* · **provocar · crear · generar · tejer · suscitar · infundir · engendrar · sembrar · concitar || transmitir || fortalecer · incrementar · alimentar · reforzar · cimentar · abonar · avivar · reavivar || eliminar · acallar · ahuyentar · desactivar · desechar · desmentir** *Desmintió con voz firme las sospechas que habían arrojado sobre él* · **aventar · airear · desterrar · zanjar || dejar caer · arrojar · verter · destapar || comprobar · confirmar** *Las investigaciones confirmaron las sospechas de los vecinos* · **constatar · corroborar · avalar · reiterar || librar(se) (de) · salir al paso (de) · escapar (a) · estar fuera (de) || prestarse (a) || teñir (de)**
• CON PREPS. **bajo · entre**

sospechar v.

• CON ADVS. **acertadamente** *El detective sospechó acertadamente que aquella mujer le ocultaba la verdad* · **atinadamente · certeramente · equivocadamente || justificadamente · con fundamento · {con/sin} razón || injustificadamente · injustamente · sin fundamento · infundadamente || sinceramente**
• CON VBOS. **inclinarse (a) || llevar (a)** *Su actuación lleva a sospechar que es culpable* || **invitar (a)**

sospechoso, sa

1 sospechoso, sa adj.

• CON SUSTS. ***persona*** *La Policía analiza las huellas digitales de dos mujeres sospechosas* || **aspecto · presencia || actitud · conducta · comportamiento · actuación || movimiento · gesto · cambio · giro || paquete** *Si el paquete te resulta sospechoso, no lo abras* · **elemento · sustancia · vehículo || negocio · actividad || quietud · silencio · calma || relación · amistad || incremento · ascenso · mejoría · descenso · disminución ·** ***otros cambios*** || **pregunta**
• CON ADVS. **penalmente · moralmente || ligeramente · sumamente · particularmente**
• CON VBOS. **parecer · resultar · considerar · volverse**

2 sospechoso, sa s.

• CON ADJS. **principal** *el principal sospechoso del crimen* · **primer(o),ra || supuesto,ta**
• CON SUSTS. **lista (de)**
• CON VBOS. **merodear || confesar (algo)** *El sospechoso confesó dónde había escondido el arma* || **detener · condenar || convertir(se) (en)**

sostén s.m.

▮ [prenda interior]

• CON ADJS. **de aros · con relleno · deportivo || bonito · atractivo · sensual · pudoroso || de encaje · de fantasía · bordado · liso**

• CON SUSTS. **tirante (de)** *Con esa camiseta se me ve el tirante del sostén*
• CON VBOS. **abrochar(se)** · **desabrochar(se)**
➤ Véase también **ROPA**

▌ [lo que sostiene algo]
• CON ADJS. **principal** · **fundamental** · **básico** *La exportación de trigo es el sostén básico de su economía* · **único** || **parlamentario** · **político** · **económico** · **financiero** · **ideológico** || **firme** · **sólido** · **verdadero** · **auténtico**
• CON VBOS. **constituir** · **representar** || **convertir(se) (en)** *Se ha convertido en el principal sostén del equipo* · **servir (de)**

sostener(se) v.

• CON SUSTS. **peso** || **estructura** · **edificio** · **casa** · **edificación** · **monumento** · **armazón** · **puente** *El puente se sostiene sobre cuatro pilares* · **columna** · **pilar** · **base** || **idea** · **punto de vista** · **opinión** *Sostiene sus opiniones con argumentos convincentes* · **planteamiento** · **teoría** · **tesis** · **hipótesis** *una hipótesis que no se sostiene de ninguna manera* · **sistema** || **plan** · **proyecto** || **producción** · **venta** · **crecimiento** · **desarrollo** · **inversión** · **gasto** · **ritmo** *Es imposible que siga sosteniendo este ritmo* || **conflicto** · **problema** || **mirada** *Le sostuvo la mirada con aire de desafío* · **interés** · **atención**
• CON ADVS. **con firmeza** *A pesar de todas las presiones, sostuvo con firmeza sus ideas* · **firmemente** · **enérgicamente** · **con rotundidad** · **rotundamente** · **contra viento y marea** · **categóricamente** · **dogmáticamente** · **con convicción** · **convincentemente** || **con dificultad** · **a duras penas** *Estaba tan débil que a duras penas se sostenía en pie* || **adecuadamente** || **de pie** · **en pie**

sostenido, da adj.

• CON SUSTS. **aumento** *un aumento sostenido de los precios* · **incremento** · **crecimiento** · **desarrollo** || **ritmo** · **tendencia** · **recuperación** · **esfuerzo**

soterrado, da adj.

• CON SUSTS. **guerra** · **batalla** · **lucha** · **enfrentamiento** · **pugna** · **ataque** · **confrontación** · **disputa** · **duelo** · **violencia** · **pelea** || **rivalidad** · **tensión** · **discrepancia** · **desencuentro** · **presión** · **polémica** · **reticencia** · **beligerancia** · **imposición** || **odio** *Mantenían las formas, pero se tenían el uno al otro un odio soterrado* · **rencor** · **ira** · **irritación** · **rabia** || **crítica** · **acusación** · **reproche** · **denuncia** · **amenaza** · **bronca** · **maldición** · **censura** · **incomprensión** || **crisis** · **problema** *problemas soterrados que provocaron una profunda crisis matrimonial* · **conflicto** || **diálogo** · **mensaje** *Su discurso incluía un mensaje soterrado* · **discurso** · **reflexión** · **justificación** · **idea** || **miedo** · **temor** · **melancolía** · **nostalgia** · **angustia** · **insatisfacción** · **frustración** · **inquietud** · **malestar** || **acuerdo** · **colaboración** · **complicidad** · **compromiso** · **pacto** · **sintonía** · **acercamiento** · **conexión** · **ayuda** *La fundación recibe ayudas soterradas de varias empresas* · **coalición** || **humor** · **ironía** · **sentido del humor** · **humorismo** · **gracia** · **jocosidad** || **operación** · **campaña** · **maniobra** *Una soterrada maniobra de la oposición aceleró su salida del Gobierno* · **gestión** · **estrategia** · **negocio** · **preparativo** · **fórmula** · **trabajo** || **fuerza** · **energía** · **poder** · **potencial** · **impulso** || **machismo** *Su comportamiento parece amable, pero revela un machismo soterrado* · **xenofobia** · **racismo** · **nazismo** · **fascismo** · **franquismo** · ***otras actitudes e ideologías***
• CON VBOS. **mantenerse** · **estar**

[sport] → de sport

squash s.m.

• CON SUSTS. **pista (de)** · **sala (de)** || **monitor,-a (de)** · **profesor,-a (de)**
➤ Véase también **DEPORTE**

stop s.m.

▌ [señal de tráfico]
• CON SUSTS. **señal (de)**
• CON VBOS. **saltarse** *Me multaron por saltarme el stop* · **pasarse** · **respetar** || **señalizar (con)** || **parar(se) (en)** · **detener(se) (en)** · **frenar (en)**

▌ [tecla de un aparato eléctrico]
• CON VBOS. **pulsar** · **presionar** · **dar** *Para quitar la música dale al stop* · **apretar**

suavidad s.f.

• CON ADJS. **gran(de)** *fabricado con un material de gran suavidad* · **enorme** || **extrema** · **excesiva** · **melosa** || **tierna** · **angelical** · **melódica** · **dulce** || **refinada** · **exquisita** · **delicada** · **elegante** || **agradable**
• CON SUSTS. **sensación (de)** · **prodigio (de)** || **exceso (de)** · **falta (de)**
• CON VBOS. **producir** · **prodigar** · **causar** · **brindar** || **extremar** · **aumentar** *Esta crema protectora aumentará la suavidad de tu piel* || **conservar** · **perder**
• CON PREPS. **con** *Trata a sus pequeños alumnos con enorme suavidad*

suavizar v.

• CON SUSTS. **temperatura** · **calor** · **presión** · **fuerza** || **luminosidad** · **tonalidad** || **pendiente** *Pasado ese recodo se suaviza la pendiente* · **orografía** || **situación** · **ambiente** || **tragedia** · **noticia** · **escándalo** *De poco sirve suavizar ahora el escándalo ante los medios de comunicación* || **hecho** · **dato** · **acto** || **enfrentamiento** · **diferencia** · **discrepancia** · **agresión** · **oposición** · **crispación** · **malestar** || **efecto** · **repercusión** · **crisis** · **pérdida** · **coste** · **dependencia** · **ajuste** || **condiciones** · **requisitos** || **declaración** *Al día siguiente suavizó sus declaraciones y pidió disculpas* · **frase** · **palabra** · **discurso** · **protesta** · **testimonio** || **orden** · **ley** · **sanción** · **embargo** · **cláusula** · **recargo** · **requerimiento** · **carga** · **multa** · **impuesto** · **bloqueo** · **restricción**
• CON ADVS. **considerablemente** · **ligeramente** *El político suavizó ligeramente su discurso* || **momentáneamente** · **temporalmente** · **progresivamente** || **fuertemente**

subasta s.f.

• CON ADJS. **reñida** · **competitiva** || **inaugural** · **extraordinaria** || **pública** · **abierta** · **benéfica** *Como todos los años, celebraremos la tradicional subasta benéfica el próximo viernes a las...*
• CON SUSTS. **estrella (de)** · **techo (de)**
• CON VBOS. **celebrar** || **conducir** · **anunciar** · **iniciar** · **concluir** || **centrar** *El arte precolombino centrará la próxima subasta* || **sacar (a)** · **salir (a)** *Los útiles del famoso pintor salieron a subasta* || **pujar (en)** · **participar (en)** || **comprar (en)** · **vender (en)**
• CON PREPS. **bajo** *una venta bajo subasta pública* || **en**

subastar v.

• CON SUSTS. **obra** *Subastaron una valiosa obra del artista holandés* · **cuadro** · **piedra** · **escultura** · **fotografía** · **decorado** · **alhaja** · **anillo** · **libro** · ***otros objetos*** || **inmueble** · **terreno** · **edificio** · **casa** · **piso** || **colección** · **lote** ||

recuerdo · **propiedad** · **bienes** || **empresa** *Se ha subastado públicamente una empresa estatal* · **negocio**
● CON ADVS. **públicamente** · **privadamente** · **ocultamente** || **en internet** · **en la red**

subconsciente s.m.

● CON ADJS. **colectivo** · **popular** || **freudiano** || **oculto,ta (en)** · **latente (en)** · **impreso,sa (en)**
● CON SUSTS. **traición (de)** || **lenguaje (de)** · **fruto (de)**
● CON VBOS. **aflorar** || **traicionar (a alguien)** *El subconsciente la traicionó y pronunció el nombre de otra persona* · **fallar** || **estudiar** · **conocer** || **remover** · **alterar** · **bombardear** || **ahondar (en)** · **bucear (en)** · **penetrar (en)** || **anidar (en)** *Según su teoría, todos nuestros traumas anidan en el subconsciente*

subdesarrollado, da adj.

● CON SUSTS. **país** *programa de ayudas para países subdesarrollados* · **mundo** · **nación** · **pueblo** · **zona** · **área** · **sector** || **economía** · **sociedad**

subdesarrollo s.m.

● CON ADJS. **grave** · **profundo** · **ligero** · **leve** || **cultural** *El subdesarrollo cultural impidió que el país avanzase* · **económico** || **pleno** · **endémico** · **global** · **parcial** || **físico** · **psíquico** · **emocional** || **condenado,da (a)**
● CON SUSTS. **umbral (de)** || **problema (de)** · **condición (de)** · **situación (de)** || **raíz (de)** · **fruto (de)** *Todos estos problemas son fruto del subdesarrollo*
● CON VBOS. **superar** · **vencer** · **erradicar** || **paliar** *Se han aprobado medidas para paliar el subdesarrollo de las zonas más desfavorecidas* · **frenar** · **combatir** || **salir (de)** · **huir (de)** || **sacar (de)** · **acabar (con)** · **luchar (contra)**
● CON PREPS. **en** *vivir en el subdesarrollo*

subestimar v.

● CON SUSTS. **capacidad** · **fuerza** · **posibilidad** · **papel** · **número** · **cantidad** · **tamaño** · **empuje** · **inteligencia** · **poder** || **dificultad** *Creo que has subestimado las dificultades del proyecto* · **riesgo** · **gravedad** · **importancia** · **efecto** || **apoyo** · **posición** · **alcance** || **enemigo,ga** · **adversario,ria** · **rival** *Perdieron el partido por subestimar a sus rivales* · **público**

[subida] s.f. → subido, da

subido, da

1 subido, da (de) adj.

● CON SUSTS. **color** || **tono** *unos comentarios subidos de tono*

2 subida s.f.

● CON ADJS. **brusca** · **abrupta** · **repentina** · **fulgurante** · **vertiginosa** · **frenética** · **imparable** *una imparable subida en la cotización de las acciones* || **acusada** · **notoria** · **ostensible** · **astronómica** · **espectacular** · **drástica** · **radical** || **abusiva** *una subida abusiva de los precios* · **desmedida** · **desmesurada** · **desorbitada** || **gradual** · **paulatina** · **progresiva** · **lineal** · **sostenida** · **uniforme** · **moderada** || **salarial** · **de pensión** *Se ha confirmado la subida de la pensión mínima* · **de sueldo** || **de precio** *La subida del precio del pollo ha provocado...* · **de tarifa** · **de impuesto** · **de tasa** || **de temperatura** · **de fiebre** · **de tensión (arterial)** || **de nivel** *La subida del nivel del agua preocupa a los expertos*
● CON VBOS. **registrar(se)** · **producir(se)** || **acentuar(se)** · **remitir** *La subida de las temperaturas remitirá próximamente* · **desinflar(se)** || **sufrir** · **experimentar** *Experimentó una subida repentina de la presión arterial* · **acusar** · **arrojar** · **anotar(se)** || **acelerar** · **provocar** · **causar** || **frenar** · **controlar** *Se tomarán medidas para controlar la subida de la gasolina* · **combatir** || **digerir**

[subir] → subir; subírse(le) a la cabeza (a alguien)

subir v.

● CON SUSTS. **cantidad** · **nivel** · **grado** *El grado de participación ha subido considerablemente respecto al último festival* · **cifra** · **número** · **índice** || **precio** · **valor** · **cotización** · **coste** · **gasto** · **expectativas** · **temperatura** · **sonido** · **peso** · ***otras magnitudes*** || **puesto** · **posición** · **fama**
● CON ADVS. **alto** · **como la espuma** · **considerablemente** · **ostensiblemente** *El nivel de vida del país ha subido ostensiblemente en los últimos años* · **drásticamente** · **desmesuradamente** · **increíblemente** || **ligeramente** · **escasamente** · **imperceptiblemente** || **rápidamente** · **de golpe** · **a marchas forzadas** · **a pasos agigantados** · **abruptamente** · **a golpes** || **a pulso** *Esa mujer ha subido a pulso hasta la dirección general* || **lentamente** · **gradualmente** · **poco a poco** · **paso a paso** · **paulatinamente** · **progresivamente** · **escalonadamente** || **inexorablemente** · **irremediablemente** · **imparablemente** || **alarmantemente** *El índice de contaminación ha subido alarmantemente en algunas ciudades* · **escandalosamente**

subírse(le) a la cabeza (a alguien) loc.vbal.

● CON SUSTS. **vino** *No bebas mucho, porque el vino se sube a la cabeza* · **alcohol** · **cóctel** · **licor** || **cargo** *Desde que la han ascendido, el cargo se le ha subido a la cabeza* · **empleo** · **nombramiento** · **título** · **posición** · **puesto** · **atributo** || **éxito** *Parece que el éxito no se le ha subido a la cabeza y tiene los amigos de siempre* · **triunfo** · **victoria** · **fama** · **gloria** · **celebridad** · **prestigio** · **dinero** · **riqueza**

súbito, ta adj.

● CON SUSTS. **golpe** *Murió de un golpe súbito en la cabeza* · **impacto** · **ataque** || **aumento** · **incremento** · **enriquecimiento** *Todos sospecharon de su súbito enriquecimiento* || **pérdida** · **caída** · **bajón** || **hallazgo** · **descubrimiento** || **interés** · **amor** · **entusiasmo** || **cambio** · **mejoría** · **empeoramiento** || **fallecimiento** · **muerte** || **llegada** · **aparición** · **salida** || **abandono** · **desaparición**

subjetivo, va adj.

● CON SUSTS. **juicio** · **estimación** · **apreciación** *Deje las apreciaciones subjetivas y limítese a describir los hechos* · **valoración** · **opinión** · **visión** *una visión demasiado subjetiva de la situación* · **criterio** || **carga** · **tono** || **hecho** · **acontecimiento** · **realidad** · **factor** · **elemento** · **asunto** · **materia** · **tema** || **comentario** · **expresión** · **palabras** · **intervención** || **argumento** · **idea** · **pensamiento** · **concepto** || **sentimiento** · **sensación** · **percepción** *No podemos evitar la percepción subjetiva de las cosas*

sublevación s.f.

● CON ADJS. **civil** · **popular** *Algunos países respaldaron veladamente la sublevación popular contra...* · **militar** · **nacional** · **en masa** || **nueva** · **reciente** · **última** || **espontánea** · **orquestada**
● CON SUSTS. **intento (de)** · **conato (de)**
● CON VBOS. **fraguar(se)** *La sublevación se fraguó en reuniones secretas en un palacio abandonado* || **producir(se)** · **estallar** || **triunfar** · **fracasar** || **maquinar** · **tramar** · **planear** · **organizar** || **protagonizar** · **encabezar** · **dirigir**

· capitanear || apoyar · respaldar · provocar || sofocar *Solo la llegada de refuerzos consiguió sofocar la sublevación* · controlar · neutralizar · reprimir · vencer || denunciar · condenar · justificar || participar (en) · animar (a) · llamar (a)

sublimar v.

● CON SUSTS. amor · pasión *...de una intensa pasión sublimada durante muchos años* · deseo · instinto · sentimiento || realidad · circunstancia · existencia || vivencia · recuerdo · imagen || concepto · tema · historia || pensamiento · espiritualidad · sensibilidad · fascinación · ideal
● CON ADVS. eficazmente || maravillosamente

subordinar v.

● CON ADVS. enteramente · plenamente *...gracias a una política que subordina plenamente la economía al desarrollo social* · absolutamente · por completo || directamente · exclusivamente || enérgicamente · férreamente || fácilmente · dócilmente || metódicamente · sistemáticamente || jerárquicamente · disciplinadamente · oficialmente || inevitablemente

subrayar v.

● CON SUSTS. libro · texto · párrafo · término · palabra *Analice las palabras subrayadas* || idea · concepto · contenido · tema · aspecto · cuestión · punto · asunto || peso · valor · precio · cantidad || relevancia *Nunca se subrayará suficientemente la relevancia de su aportación intelectual* · importancia · trascendencia · repercusión || inteligencia · sabiduría · ***otras cualidades*** || necesidad · conveniencia · oportunidad
● CON ADVS. reiteradamente · insistentemente · con insistencia · machaconamente · una y otra vez

subrogar v.

● CON SUSTS. bien || derecho || contrato · alquiler *La ley concede el derecho a subrogar el alquiler en determinadas condiciones* · hipoteca · crédito

subsanar v.

● CON SUSTS. error *Trabajaron durante horas para subsanar los errores cometidos* · deficiencia · defecto · fallo · irregularidad · avería · anomalía · errata · desacierto · incorrección · desajuste · desequilibrio · fracaso · equivocación || problema *La empresa está dispuesta a subsanar el problema inmediatamente* · situación · dificultad · inconveniente · incidente · obstáculo · impedimento · barrera · imponderable · peligro || carencia · ausencia · omisión · olvido *¿Qué puedo hacer para subsanar mi olvido?* · falta · escasez · necesidad · laguna · vacío · debilidad · ausentismo || déficit · deuda · gasto · quebranto || demora · interrupción · parón · corte · retroceso · recesión · rezago || daño *La compañía aérea tenía la obligación de subsanar los daños causados por el retraso* · desperfecto · destrozo · deterioro · perjuicio || fraude · infracción · violación · manejo || molestia · disgusto · queja · lamento || duda · incertidumbre · misterio || retraso · incumplimiento

subsidio s.m.

● CON ADJS. escaso · exiguo · insuficiente *Su subsidio era insuficiente para seguir manteniendo aquel nivel de vida* · ruinoso · raquítico · irrisorio · insignificante · simbólico || suficiente · sustancioso · cuantioso · abundante · jugoso || laboral · de desempleo · agrario
● CON SUSTS. cobro (de) · percepción (de) · pago (de) · prestación (de) || perceptor,-a (de) · beneficiario,ria (de)
● CON VBOS. solicitar · pedir · obtener · recibir · merecer || conceder · otorgar · denegar *Le denegaron el subsidio al comprobar sus ingresos* || recortar · suprimir
● CON PREPS. en concepto (de)

subsistencia s.f.

● CON ADJS. propia · mera *...para asegurarse la mera subsistencia* · pura · digna || cotidiana · económica
● CON SUSTS. medio (de) · vía (de) · forma (de) · modo (de) || economía (de) *Es una zona con una economía de subsistencia* · agricultura (de) · condición (de) || problema (de) · lucha (por) · necesidad (de) · posibilidad (de) || nivel (de) · renta (de)
● CON VBOS. garantizar · asegurar · poner en peligro *La crisis del sector puso en peligro la subsistencia de la empresa* || permitir

substituir v. Véase **sustituir**

subsuelo s.m.

● CON ADJS. rico *Es una tierra muy fértil gracias a su rico subsuelo* · pobre || arqueológico · histórico
● CON SUSTS. estudio (de) *Tras un estudio del subsuelo, decidieron no plantar nada* · muestra (de) || riqueza (de) · capa (de) · estado (de) · contaminación (de) · agua (de)
● CON VBOS. abrir · horadar · agujerear · excavar · atravesar || extraer (de) · brotar (de) · encontrar (en) *Estos minerales se encuentran en el subsuelo* || bajar (a) · filtrar(se) (a)

subterfugio s.m.

● CON ADJS. legal *Recurrió a un subterfugio legal para retrasar el juicio* · jurídico · procesal || ingenioso · agudo · ocurrente · creativo || típico · oportuno || falso
● CON VBOS. usar · utilizar · emplear || buscar · encontrar *Siempre encuentra algún subterfugio para salirse con la suya* · hallar || recurrir (a) · acudir (a) · amparar(se) (en) || servir (de)
● CON PREPS. con · sin · mediante *conseguir algo mediante subterfugios*

subterráneo, a

1 subterráneo, a adj.

▮ [bajo tierra]

● CON SUSTS. paso · túnel *Un túnel subterráneo comunica las dos avenidas* · corredor · pasaje · piso · pasadizo · acceso · entrada · salida · autopista · galería · red · laberinto · planta || aparcamiento · estacionamiento · garaje · estación || depósito · escondite · refugio || ferrocarril · tren · transporte || mundo · ciudad · tienda · centro comercial || movimiento · ruido || agua *residuos que provocan la contaminación de las aguas subterráneas* · corriente · acuífero · arroyo *Un arroyo subterráneo cruza el pueblo* · mar · río · curso · flujo || construcción · ampliación · trazado || cámara || tramo · porción · parte || zona · capa · estrato || terreno · tierra

2 subterráneo s.m.

▮ [medio de transporte]

● CON SUSTS. conductor,-a (de) · empleado,da (de) · usuario,ria (de) || estación (de) · línea (de) · red (de)
● CON VBOS. llegar · retrasarse || utilizar · tomar *Tomo el subterráneo para ir al trabajo* · alcanzar · perder || viajar

(en) · **ir (en)** · **trasladar(se) (en)** || **apear(se) (de)** · **subir(se) (a)** · **bajar(se) (de)**

subtítulo s.m.

●CON ADJS. **original** · **para sordos** *Este programa incluye subtítulos para sordos* || **expresivo** · **explicativo** || **acompañado,da (de)**
●CON VBOS. **definir (algo)** · **resumir (algo)** *El subtítulo del artículo resume la idea principal* || **señalar (algo)** · **indicar (algo)** || **llevar** · **traer** · **incluir** · **tener** · **haber** || **traducir** || **llevar (como/por)** · **tener (como)**
●CON PREPS. **con** · **sin** *Vi la película en versión original sin subtítulos*

suburbano, na

1 suburbano, na adj.

●CON SUSTS. **transporte** *La ciudad cuenta con una moderna línea de transporte suburbano* · **ferrocarril** · **tren** · **autobús** · **tranvía** · **metro** · **ruta** · **red** || **zona** · **mundo** · **ambiente** *En su película retrata los ambientes suburbanos*

2 suburbano s.m.

●CON SUSTS. **transbordo (de)** · **acceso (a)** *Están arreglando el acceso al suburbano* · **obra (de)** || **trabajador,-a (de)** · **maquinista (de)** · **vagón (de)** || **estación (de)** · **andén (de)** · **pasillo (de)** · **línea (de)** || **usuario,ria (de)** · **horario (de)** *El horario del suburbano sufrirá algunas modificaciones en los meses de verano*
●CON VBOS. **usar** · **coger** · **tomar** · **perder** || **subir(se) (a)** · **bajar(se) (de)** · **ir (en)**

suburbio s.m.

●CON ADJS. **urbano** || **pobre** · **marginal** · **sucio** || **industrial** || **residencial** · **acomodado** || **apacible** · **tranquilo**
●CON SUSTS. **barrio (de)**
●CON VBOS. **vivir (en)** *La mayoría de los afectados vive en suburbios del extrarradio* · **residir (en)** · **habitar (en)** || **nacer (en)** · **crecer (en)** · **criar(se) (en)**

subvención s.f.

●CON ADJS. **cuantiosa** · **suficiente** · **generosa** *un proyecto que recibió una generosa subvención con dinero público* || **escasa** · **exigua** · **insuficiente** || **a fondo perdido** *Nuestro Ayuntamiento concede subvenciones a fondo perdido para la rehabilitación de viviendas*
●CON VBOS. **pedir** · **solicitar** · **implorar** · **reclamar** || **conseguir** · **recibir** · **obtener** · **recabar** || **dar** · **conceder** · **otorgar** · **encauzar** · **canalizar** · **distribuir** *Distribuyeron la subvención entre todas las entidades culturales de la ciudad* · **sufragar** || **rechazar** · **denegar** · **regatear** · **recortar**

subvencionar v.

●CON SUSTS. **idea** · **iniciativa** *Se han de subvencionar iniciativas que busquen el bien común* · **plan** · **propuesta** · **proyecto**
●CON ADVS. **a fondo perdido** *La fundación subvenciona a fondo perdido varios proyectos para la integración de inmigrantes* · **generosamente**

subversivo, va adj.

●CON SUSTS. **propaganda** · **campaña** *Los detuvieron por organizar una campaña subversiva contra el régimen* || **mensaje** · **discurso** · **respuesta** · **palabras** || **actividad** · **acción** · **acto** · **elemento** || **ataque** · **enfrentamiento** || **organización** · **asociación** || **actitud** · **espíritu** *espíritu subversivo, fundador de una nueva corriente de pensamiento* · **intención** || **arte** *El director del museo tiene predilección por el arte subversivo* · **literatura** · **pensamiento** || **plan** · **proyecto** · **iniciativa**
●CON VBOS. **hacerse** · **volverse**

subyugar v.

●CON SUSTS. **espectador,-a** · **público** · **lector,-a** *La magia del relato subyuga al lector desde el comienzo* · **neófito,ta** · **trabajador,-a** · ***otros individuos y grupos humanos***
●CON ADVS. **sin necesidad** · **innecesariamente** || **fuertemente** *subyugado fuertemente por las tropas* · **poderosamente**

succionar v.

●CON SUSTS. **biberón** *El bebé succionaba el biberón ávidamente* · **chupete** || **teta** · **pecho** · **mama** · **pezón** · **ubre** || **capital** · **dinero** || **fuel** · **crudo** · **carburante** · **combustible** · **petróleo**
●CON ADVS. **ansiosamente** · **furiosamente** · **ávidamente**

sucesión s.f.

▮ [serie]

●CON ADJS. **continua** · **constante** · **incesante** · **ininterrumpida** · **imparable** · **permanente** || **rápida** *la rápida sucesión de incendios forestales en la zona* · **vertiginosa** · **progresiva** · **sostenida** || **caótica** · **desordenada** · **natural**
●CON VBOS. **romper**

▮ [sustitución]

●CON ADJS. **reñida** · **violenta** · **disputada** · **debatida** || **esperada** · **previsible** || **presidencial** *La sucesión presidencial está muy reñida* · **constitucional** · **interna** · **familiar**
●CON SUSTS. **línea (de)** *El recién nacido ocupa el cuarto lugar en la línea de sucesión al trono* || **problema (de)** · **momento (de)**
●CON VBOS. **preparar** || **disputar** · **facilitar** || **renunciar (a)** *El aspirante legítimo renunció a su sucesión* · **aspirar (a)**

sucesivo, va adj.

●CON SUSTS. **día** · **semana** · **año** · **temporada** · **etapa** · **fase** · ***otros períodos*** || **edición** · **entrega** · **capítulo** · **publicación** || **generación** · **gobierno** || **paso** *El manual te irá guiando en los sucesivos pasos para la instalación* || **escándalo** · **crisis** || **reforma** · **ampliación** || **derrota** *Después de las sucesivas derrotas en la liga, el entrenador ha presentado su dimisión* · **victoria** || **proyecto** · **propuesta** · **invento** || **encuentro** · **reunión** · **convocatoria** · **elección** || **impacto** · **golpe** || **operación** · **intervención** *Las sucesivas intervenciones quirúrgicas le salvaron la vida* · **participación** · **aparición** || **respuesta** · **evasiva** || **actuación** · **festival** · **congreso** · **rueda de prensa** · **comunicado**

☐USO Se construye generalmente con sustantivos en plural: *en días sucesivos.*

suceso s.m.

●CON ADJS. **feliz** · **afortunado** || **infeliz** · **desafortunado** · **desgraciado** · **infausto** · **aciago** *un aciago suceso que tuvo terribles consecuencias para toda la familia* · **amargo** · **traumático** · **penoso** · **vergonzoso** · **doloroso** · **grave** · **terrible** · **deplorable** · **lamentable** · **luctuoso** · **trágico** · **horrendo** · **pavoroso** · **sangriento** *Los periódicos se hicieron eco del sangriento suceso* · **criminal** · **aberrante** · **alarmante** || **decisivo** · **crucial** · **determinante** · **trascendental** · **detonante** || **aislado** · **esporádico** · **reciente** · **inaudito** · **inesperado** · **extraño** · **curioso** · **misterioso**

· impredecible · pintoresco || memorable · histórico *uno de los sucesos históricos más estudiado* || aleccionador · verídico

● CON SUSTS. **testigo (de)** *Fue testigo presencial del suceso* · **protagonista (de)** || **crónica (de)** · **página (de)** · **sección (de)** · **programa (de)** · **noticia (de)**

● CON VBOS. **producir(se)** · **tener lugar** · **registrar(se)** *Se han registrado sucesos violentos a lo largo de las últimas horas* · **ocurrir** · **acaecer** · **acontecer** · **desencadenar(se)** · **encadenar(se)** || **esclarecer(se)** || **malograr(se)** || **amargar (a alguien)** · **afectar (a alguien)** · **preocupar (a alguien)** · **alarmar (a alguien)** || **narrar** *Algunos romances narran sucesos insólitos* · **referir** · **anunciar** · **denunciar** · **contar** || **protagonizar** · **presenciar** || **fechar** · **datar** · **estudiar** · **investigar** · **localizar** · **aclarar** · **zanjar** || **celebrar** *Varias ciudades celebraban el memorable suceso* · **conmemorar** · **festejar** || **asistir (a)**

● CON PREPS. **a la luz (de)** *A la luz de los sucesos acaecidos considero que es mejor modificar las normas* || **como consecuencia (de)**

suciedad s.f.

● CON ADJS. **acumulada** · **incrustada** · **superficial** || **visible** · **oculta** || **ambiental** || **rodeado,da (de)** · **lleno,na (de)**

● CON SUSTS. **grado (de)** · **sensación (de)** · **problema (de)** · **estado (de)** · **imagen (de)** · **foco (de)** · **capa (de)**

● CON VBOS. **acumular(se)** *No dejes que se acumule la suciedad* · **extender(se)** · **rodear (a alguien)** || **barrer** · **limpiar** · **quitar** · **lavar** || **eliminar** *un potente desinfectante para eliminar la suciedad de toda la casa* · **erradicar** · **sacudir(se)** · **sacar** · **extraer** || **desparramar** · **dispersar** · **esparcir** || **producir** · **generar** || **librar(se) (de)**

● CON PREPS. **en medio (de)** · **entre**

sucinto, ta adj.

● CON SUSTS. **documento** · **nota** · **informe** · **libro** · **biografía** · **prólogo** *En el sucinto prólogo, el escritor introduce el tema* · ***otros textos*** || **ojeada** · **aproximación** · **vistazo** · **análisis** · **examen** || **descripción** · **explicación** · **declaración** · **comentario** · **exposición** · **comunicado** · **presentación** *Haré una sucinta presentación de la ilustre invitada que hoy nos acompaña* || **alusión** · **mención** · **referencia** || **resumen** · **recuento** · **enumeración** · **repaso** || **minifalda** · **slip** · **biquini** · **tanga** · ***otras prendas de vestir***

[sucio]

→ en sucio; sucio, cia; trapos sucios

sucio, cia

1 **sucio, cia** adj.

● CON SUSTS. **agua** · **ropa** · ***otros objetos o materias*** || **mano** · **cara** · **uñas** · **dientes** · ***otras partes del cuerpo*** || **aspecto** *El local tenía un aspecto muy sucio y descuidado* || **ciudad** · **calle** · ***otros lugares*** || **mirada** · **expresión** || **negocio** · **dinero** · **asunto** · **campaña** · **trapos** *Este no es el lugar más adecuado para sacar los trapos sucios de la familia* · **trabajo** || **guerra** · **lucha** · **juego** || **mente**

● CON VBOS. **ser** · **estar** · **poner(se)**

2 **sucio** adv.

● CON VBOS. **jugar** *Si sigues jugando sucio, nadie va a confiar en ti*

suculento, ta adj.

● CON SUSTS. **manjar** · **comida** · **menú** *Nos sirvieron un suculento menú de tres platos y postre* · **plato** · **bocado** · **aperitivo** · **pastel** · **fruto** · **ingrediente** || **sabor** · **aspecto** · **olor** || **premio** · **botín** · **negocio** · **contrato** · **ingreso** · **beneficio** *El negocio dio suculentos beneficios* || **discurso**

● CON VBOS. **quedar** · **resultar**

sucumbir (a) v.

● CON SUSTS. **tentación** · **deseo** · **atracción** · **fascinación** · **encantamiento** · **embrujo** || **belleza** *No pudo evitar sucumbir a su belleza* · **ternura** · **encanto** || **presión** · **empuje** · **fuerza** || **influjo** · **llamada** · **tiranía** || **vicio** · **droga** · **peligro** || **odio** · **tedio** · **pánico** · **vanidad** · **temor** *Intentaba no sucumbir a sus viejos temores* · **miedo** || **fuego** · **llamas** || **enfermedad** · **dolor** || **promesa** · **chantaje** || **ataque** · **balas**

● CON ADVS. **definitivamente** · **inexorablemente** || **inmediatamente** *Sucumbió inmediatamente a sus encantos* · **finalmente** · **lentamente** · **rápidamente** || **voluntariamente** · **humillantemente** || **reiteradamente** · **constantemente** || **fácilmente** · **difícilmente** || **estrepitosamente**

sucursal s.f.

● CON ADJS. **nueva** || **bancaria** || **pequeña** · **grande**

● CON SUSTS. **director,-a (de)** *El director de la sucursal me explicó las condiciones del préstamo* · **gerente (de)** · **empleado,da (de)** · **cliente (de)** || **red (de)**

● CON VBOS. **abrir** · **inaugurar** *Acaban de inaugurar una nueva sucursal* · **crear** · **cerrar** || **contar (con)** *Este banco cuenta con sucursales en todo el país*

sudadera s.f.

● CON ADJS. **informal** · **de batalla** · **clásica** · **deportiva** || **con capucha**

● CON VBOS. **remangarse** *Se remangó la sudadera y empezó a fregar los platos sucios*

➤ Véase también **ROPA**

sudar v.

● CON SUSTS. **camiseta** *Los jugadores en el partido de hoy sudaron la camiseta* || **la gota gorda** · **sangre** *Sudé sangre hasta que conseguí aprenderme todos los nombres para el examen* · **tinta**

● CON ADVS. **a chorros** · **a mares** *Sudaba a mares preparando la comida en los fogones* · **de lo lindo** · **copiosamente** · **abundantemente** · **profusamente** · **a borbotones** · **sin parar** · **como un condenado** · **como un cerdo**

sudario s.m.

● CON VBOS. **poner** || **envolver (en/con)** · **cubrir (con)** *Le cubrieron el rostro con un sudario blanco* · **vestir (con)** · **enterrar (con)**

sudor s.m.

● CON ADJS. **frío** · **húmedo** || **empapado,da (en/de)**

● CON SUSTS. **gota (de)** · **hilo (de)** || **mancha (de)** · **rastro (de)** · **cerco (de)** · **resto (de)** · **huella (de)**

● CON VBOS. **entrar (a alguien)** || **caer (a chorros)** · **brotar** · **correr** · **fluir** · **manar** · **deslizarse** *El sudor se deslizaba a goterones por su frente* · **impregnar (algo)** || **expulsar** · **derramar** · **segregar** · **transpirar** · **secar(se)** *Puede secarse el sudor con esta toalla* · **quitar** · **eliminar** · **controlar** · **impedir** || **empaparse (en/de)** · **bañarse (en)** || **oler (a)**

sueco s.m.

Véase **IDIOMA**

sueldo s.m.

● CON ADJS. **elevado** · **alto** · **cuantioso** · **jugoso** · **sustancioso** · **astronómico** || **decoroso** · **discreto** · **modesto**

Con su modesto sueldo necesita recortar gastos continuamente · **exiguo** · **precario** · **irrisorio** · **ridículo**
● CON SUSTS. **liquidación (de)** || **aumento (de)** · **subida (de)** · **bajada (de)**
● CON VBOS. **subir** · **aumentar** *Los sueldos aumentaron el año pasado en un porcentaje significativo* || **bajar** · **descender** || **írse(le) (a alguien)** *Se le va el sueldo en la comida y el alquiler* || **cobrar** *Cobra un buen sueldo* · **recibir** · **embolsar(se)** · **percibir** · **tener** || **gastar** · **estirar** · **emplear** · **destinar (a algo)** · **dedicar (a algo)** · **rebañar** || **acordar** · **ajustar** · **negociar** *Patronal y sindicatos están negociando el sueldo de los trabajadores* || **recortar** · **rebajar** · **reducir** · **congelar** · **mantener** · **blindar** · **nivelar** · **sufragar** || **amoldar(se) (a)**
● CON PREPS. **en concepto (de)**

suelo s.m.

● CON ADJS. **fértil** · **árido** · **estéril** · **yermo** || **rústico** · **urbano** · **urbanizable** · **industrial** || **vegetal** · **arcilloso** || **patrio** *Siempre sintió nostalgia del suelo patrio* || **mexicano** · **español** · **europeo** · ***otros gentilicios***
● CON SUSTS. **capa (de)** || **uso (de)** *El uso del suelo está regulado por las leyes del país* || **ley (de)** · **liberalización (de)** · **recalificación (de)** · **precio (de)** · **valor (de)** || **erosión (de)** · **fertilidad (de)** || **aprovechamiento (de)**
● CON VBOS. **sembrar (de algo)** · **cavar** · **horadar** · **alisar** · **allanar** · **roturar** || **habitar** · **pisar** · **hollar** · **tocar** · **traspasar** || **contaminar** *nuevos vertidos tóxicos que están contaminando el suelo* · **erosionar** || **explotar** · **agotar** || **barrer** *¿Puedes barrer el suelo del salón?* · **fregar** · **encerar** · **barnizar** · **pulir** · **abrillantar** || **embaldosar** · **enlosar** · **alicatar** · **acuchillar** || **tender(se) (en)** · **tirar(se) (a)** · **estrellar(se) (contra)** *La avioneta dio dos vueltas de campana y se estrelló contra el suelo* · **aterrizar (en)** · **echar (por)** · **caer(se) (a)** *Se me cayó al suelo y se rompió en mil pedazos* || **especular (con)** || **retornar (a)**
● CON PREPS. **a ras (de)** *La avioneta volaba a ras del suelo* · **al nivel (de)**

[suelto, ta]

→ a pierna suelta; dar rienda suelta (a); suelto, ta

suelto, ta adj.

● CON SUSTS. **perro,rra** · **fiera** · **león,-a** · ***otros animales*** || **fleco** · **hilo** · **cable** || **balón** || **melena** · **pelo** *Siempre lleva el pelo suelto* || **dinero** *¿Llevas algo de dinero suelto?* || **frase** · **poema** · **palabra** || **idea** · **pensamiento** · **comentario** || **papel** · **hoja** · **nota** || **asignatura** · **curso** || **lengua** *Este niño tiene la lengua muy suelta*
● CON VBOS. **estar** || **quedar(se)** · **salir** · **dejar** || **andar** · **correr**

sueño s.m.

▌[estado de reposo mientras se duerme]

● CON ADJS. **feliz** *Le deseó felices sueños* · **plácido** · **apacible** · **reconfortante** · **reparador** · **profundo** || **ligero** · **superficial** · **pesado** || **eterno** · **de los justos**
● CON SUSTS. **fase (de)** || **trastorno (de)** · **apnea (de)** · **enfermedad (de)** · **alteración (de)** · **problema (de)** · **falta (de)**
● CON VBOS. **llegar (a alguien)** *Por más que intento dormir no me llega el sueño* || **conciliar** *Estaba tan cansado que no podía conciliar el sueño* · **descabezar** || **perder** *Nada le hace perder el sueño* · **perturbar** · **trastornar** || **velar** · **vigilar** || **entregarse (a)** · **abandonarse (a)** · **sumirse (en)** · **despertar (de)** || **hablar (en)**
● CON PREPS. **en** *Según decía, se le aparecía su abuela en sueños*

▌[conjunto de imágenes que hay en la mente mientras se duerme]

● CON ADJS. **recurrente** · **breve** || **agradable** · **horrible** · **divertido** · **extraño** · **raro** · **curioso**
● CON VBOS. **repetirse** || **tener** *Anoche tuve un sueño muy extraño* || **olvidar** · **recordar** · **contar**

▌[deseo de dormir]

● CON ADJS. **enorme** · **tremendo**
● CON SUSTS. **cara (de)** *¡Qué cara de sueño tienes!* · **ojos (de)**
● CON VBOS. **entrar (a alguien)** *Me está entrando un sueño enorme* · **coger (a alguien)** · **apoderarse (de alguien)** · **poder (a alguien)** · **vencer (a alguien)** || **tener** *Tengo mucho sueño; me voy a acostar* || **quitar(le) (a alguien)** *Sus apuros económicos le quitan el sueño* || **dominar** · **combatir** || **caerse (de)** *Lleva al niño a la cama, que se cae de sueño* · **morirse (de)** · **resistirse (a)**

▌[cabezada]

● CON VBOS. **echar**

▌[aspiración, ilusión]

● CON ADJS. **máximo** *Su máximo sueño es llegar al pódium olímpico* · **mayor** · **dorado** · **de oro** || **antiguo** · **largo** · **irrenunciable** · **de siempre** || **imposible** *cansada de perseguir un sueño imposible* · **ideal** · **utópico** · **inalcanzable** · **irrealizable** || **ilusionado** · **contagioso** || **fugaz** · **efímero** · **pasajero** || **vago** · **borroso** || **loco** · **descabellado** *Tenía el sueño descabellado de dar la vuelta al mundo* · **febril** · **ambicioso** · **de grandeza**
● CON VBOS. **realizar(se)** · **hacer(se) realidad** *Por fin se hará realidad mi sueño de vivir en el campo* · **converger** || **desvanecerse** · **difuminar(se)** · **disipar(se)** · **derrumbar(se)** · **desmoronarse** · **frustrar(se)** · **truncar(se)** · **venirse abajo** · **desaparecer** || **tener** · **abrigar** · **alimentar** · **acariciar** · **mantener (vivo)** *Mantiene vivos sus sueños de juventud* · **conservar (vivo)** · **impulsar** · **forjar** · **acometer** || **concebir** · **albergar** || **encarnar** · **culminar** · **colmar** · **cumplir** · **alcanzar** || **pisar** · **pisotear** · **destruir** · **desbaratar** · **derribar** · **defraudar** · **desmontar** || **persistir (en)** *A pesar de que parecen irrealizables, persiste en sus viejos sueños de grandeza* · **alimentar(se) (de)** · **poner fin (a)**

suero s.m.

● CON ADJS. **fisiológico** *gasas empapadas en suero fisiológico* · **salino** · **nutritivo** || **oral** · **intravenoso** || **sanguíneo** · **lácteo**
● CON SUSTS. **botella (de)** · **bolsa (de)** · **tubo (de)** · **frasco (de)** || **gota (de)** · **goteo (de)** || **vía (de)**
● CON VBOS. **poner** · **dar** · **suministrar** · **inyectar** · **administrar** · **tomar** · **recibir** || **retirar** · **quitar** || **alimentar (con)** *Después de la operación la alimentaron solo con suero durante dos días* · **tratar (con)** · **lavar (con)** · **limpiar (con)**

[suerte]

→ caer en suerte; suerte

suerte s.f.

● CON ADJS. **buena** *¡Buena suerte en el examen!* · **propicia** · **de cara** || **mala** · **pésima** · **adversa** · **de espaldas** · **triste** || **inmerecida** · **merecida** || **loca** *Ha tenido una suerte loca*
● CON SUSTS. **golpe (de)** · **racha (de)** · **pizca (de)** · **dosis (de)** · **falta (de)** || **día (de)** *Hoy es mi día de la suerte* || **número (de)** || **cuestión (de)** *Todo es cuestión de suerte*
● CON VBOS. **estar de {mi/tu/su...} lado** · **acompañar (a alguien)** · **sonreír (a alguien)** *Últimamente la suerte me está sonriendo* · **favorecer (a alguien)** · **llegar** || **aban-**

donar (a alguien) · **declinar** · **decaer** · **truncar(se)** · **torcer(se)** · **cambiar** || **haber** *Esta vez no ha habido suerte* · **tener** *Que tengas mucha suerte* · **correr** || **tener de** {**mi/tu/su...**} **lado** · **merecer** · **ligar** · **enderezar** || **dar (a alguien)** · **repartir** *...y que Dios reparta suerte* · **traer (a alguien)** *Dice que el color amarillo no le trae suerte* · **deparar (a alguien)** · **proporcionar (a alguien)** · **atraer** *Me han regalado esta piedra mágica que atrae la suerte* · **decidir** · **desear (a alguien)** || **tentar** *Mejor no tentemos a la suerte* · **probar** || **adivinar** · **predecir** · **augurar** || **gozar (de)** · **disfrutar (de)** · **tropezar(se) (con)** || **abandonar(se) (a)** *El capitán abandonó a los polizones a su suerte* · **desentenderse (de)** · **conformarse (con)** · **contentarse (con)** || **desafiar (a)** *Desafió de nuevo a la suerte intentando un tiple salto mortal* · **jugar (con)**

● CON PREPS. **con** *una persona con suerte* · **en brazos (de)** · **por** · **sin**

suéter s.m.

● CON ADJS. **grueso** · **fino** · **ligero** || **liso** · **de rombos** || **de cuello** {**alto/vuelto/cisne**} · **de pico** || **de lana** · **de punto** · **de cachemir** · **de algodón** || **informal** · **de batalla** · **de vestir** · **clásico**

● CON VBOS. **remangar(se)**

➤ Véase también **ROPA**

sufragar v.

● CON SUSTS. **compra** · **publicación** · **ampliación** · **renovación** · **reforma** · **obra** || **gasto** *¿A quién le corresponde sufragar estos gastos?* · **coste** · **costo** · **costas** · **importe** || **beca** · **ayuda** · **premio** · **subvención** · **sueldo** · **salario** · **deuda** · **ingreso** · **fianza** · **compensación** · **paga** · **pensión** · **multa** · **emolumentos** · **prestación** || **presupuesto** · **capital** · **precio** · **cuota** · **endeudamiento** · **déficit** · **cantidad** · **dinero** · **números rojos** || **crisis** · **necesidad** · **enfermedad** · **pérdida**

● CON ADVS. **a partes iguales** *un premio sufragado a partes iguales por la editorial y el Gobierno provincial* · **equitativamente** || **en su totalidad** · **totalmente** · **parcialmente** || **de** {**mi/tu/su...**} **bolsillo** · **generosamente**

sufragio s.m.

● CON ADJS. **popular** · **universal** *el sufragio universal como principio básico del sistema democrático* · **directo** · **proporcional** || **válido** · **inválido** || **femenino**

● CON SUSTS. **derecho (a)** || **recuento (de)** || **porcentaje (de)**

● CON VBOS. **emitir** · **ejercer** || **captar** · **promover** *una intensa campaña gubernamental para promover el sufragio entre los jóvenes* || **contar** · **computar** · **contabilizar** · **recontar** || **cosechar** · **obtener** · **recibir** || **elegir (por)** *La nueva ley contempla que el presidente será elegido por sufragio directo* · **basar(se) (en)** · **contar (con)**

● CON PREPS. **mediante** · **por**

sufrido, da adj.

● CON SUSTS. ***persona*** *Es una chica muy sufrida que apenas se queja* || **color** *Para tapizar el sillón te aconsejo que elijas un color sufrido* || **pantalones** · **jersey** · ***otras prendas de vestir*** || **algodón** · **lana** · ***otros materiales***

sufrimiento s.m.

● CON ADJS. **enorme** · **hondo** · **intenso** *Sus rostros reflejaban un intenso sufrimiento* · **profundo** · **verdadero** || **largo** · **continuo** · **permanente** · **eterno** · **infinito** || **terrible** · **penoso** · **amargo** · **angustioso** · **insoportable** · **inhumano** || **callado** · **silencioso** · **abnegado** || **vano** || **llevadero** · **soportable** *La compañía de sus amigos hizo más soportable el sufrimiento* · **pasajero** · **ligero** || **impasible (a)** · **insensible (a)** · **conmovido,da (por)** *conmovidos por el sufrimiento de las víctimas* · **afectado,da (por)**

● CON SUSTS. **expresión (de)** · **gesto (de)** · **cara (de)** || **alcance (de)** · **secuela (de)** || **causa (de)** · **capacidad (de)** · **motivo (de)** || **señal (de)** · **muestra (de)**

● CON VBOS. **invadir (a alguien)** · **atenazar (a alguien)** || **acentuar(se)** · **incrementar(se)** · **agravar(se)** · **aumentar** || **disminuir** || **experimentar** · **padecer** · **soportar** · **compartir** *Queremos hacerles saber que compartimos el sufrimiento de todos ustedes* || **causar** · **ocasionar** · **provocar** · **infligir** · **acarrear** · **sembrar** || **combatir** · **vencer** · **expulsar** · **acallar** · **aliviar** · **atenuar** · **abreviar** · **aminorar** · **amortiguar** · **mitigar** *un sedante para mitigar el sufrimiento del paciente* · **paliar** · **aplacar** · **calmar** · **compensar** · **restañar** · **ahorrar** · **evitar** || **expresar** · **revelar** · **manifestar** · **demostrar** · **indicar** · **reflejar** · **ocultar** · **disimular** *Intentaba disimular su sufrimiento para que no nos preocupáramos* || **teñir (de)** || **sobrevivir (a)** · **cargar (con)** · **cerrar los ojos (ante)**

● CON PREPS. **de espaldas (a)** *nobles que vivían de espaldas al sufrimiento del pueblo* · **en medio (de)**

sufrir v.

● CON SUSTS. **parálisis** · **amnesia** *Sufre amnesia como consecuencia de un accidente* · **infarto** · **alergia** · **deshidratación** · ***otras enfermedades*** || **dolencia** · **discapacidad** · **disfunción** · **afección** || **dolor** · **lesión** *A lo largo de su carrera deportiva ha sufrido varias lesiones* · **daño** · **impacto** · **golpe** *El novillero sufrió un fuerte golpe en el muslo izquierdo* · **colisión** · **accidente** · **cogida** · **quemadura** || **preocupación** · **decepción** · **altibajo** · **agobio** · **angustia** || **crisis** *Sufrió una crisis nerviosa al enterarse del accidente* · **tragedia** · **calvario** · **catástrofe** · **percance** · **hacinamiento** · **humedad** · **hambre** || **consecuencia** · **resultado** · **efecto** · **eco** || **cambio** · **giro** · **vuelco** · **metamorfosis** · **modificación** · **alteración** · **fluctuación** · **variación** · **transmutación** · **adecuación** · **mutación** · **revolución** || **aumento** *El precio del combustible sufrirá un nuevo aumento* · **incremento** · **escalada** · **subida** · **disminución** · **descenso** || **retraso** · **retardo** · **demora** · **dilación** · **retroceso** || **tropiezo** · **caída** · **fallo** · **avería** · **paralización** || **pena** · **castigo** · **sanción** · **condena** || **obstrucción** · **rotura** · **ruptura** · **fractura** · **corte** · **quebranto** · **interrupción** || **veto** · **limitación** · **recorte** *Este organismo ha sufrido un fuerte recorte presupuestario* · **reducción** · **rebaja** · **ajuste** · **merma** · **recesión** || **falta** · **déficit** · **deficiencia** · **escasez** · **insuficiencia** · **carencia** · **desabastecimiento** · **desnutrición** · **pérdida** || **contratiempo** · **revés** · **problema** · **contrariedad** · **dificultad** · **inconveniente** · **complicación** · **trastorno** · **molestia** · **derrota** · **debacle** || **ataque** · **asedio** · **acecho** · **embate** · **asalto** · **agresión** · **persecución** · **amenaza** · **acoso** · **coacción** || **discriminación** *Ha sufrido durante años la discriminación de sus compañeros* · **desaire** · **marginación** · **rechazo** · **aislamiento** · **eliminación**

● CON ADVS. **enormemente** · **de lo lindo** · **intensamente** · **profundamente** || **de cerca** · **en carne propia** || **absurdamente** · **injustamente** *Los vecinos están sufriendo injustamente las consecuencias de una mala gestión* · **inútilmente** || **amargamente** · **cruelmente** · **duramente** || **pacientemente** · **en silencio** || **temporalmente**

sugerencia s.f.

● CON ADJS. **acertada** · **atinada** · **feliz** · **sabia** · **sensata** · **cabal** · **certera** · **oportuna** · **eficaz** · **útil** · **provechosa** · **fructífera** · **aprovechable** · **valiosa** *una valiosa sugeren-*

cia que me sirvió para retomar el trabajo · **inestimable** · **instructiva** · **edificante** · **constructiva** · **providencial** || **desafortunada** · **desatinada** · **descabellada** *¿Cómo podía alguien prestarle atención a una sugerencia tan descabellada?* · **disparatada** · **peregrina** · **inoportuna** · **gratuita** · **fuera de lugar** || **atractiva** · **atrayente** · **tentadora** *una tentadora sugerencia para sus vacaciones* || **franca** · **sincera** || **sutil** · **velada** · **capciosa** || **simple** · **mera** · **puntual** · **modesta** · **humilde** || **expresa** · **verbal** · **por escrito** · **tácita** || **lleno,na (de)** *La carta está llena de sugerencias muy útiles* · **cargado,da (de)**
• CON SUSTS. **puñado (de)** · **cascada (de)** · **cúmulo (de)** · **sinfín (de)** · **abanico (de)** · **lista (de)** || **fuente (de)** · **buzón (de)** *un buzón de sugerencias a disposición de los clientes*
• CON VBOS. **ocurrírse(le) (a alguien)** *¿Se te ocurre alguna otra sugerencia?* || **surtir efecto** · **caer en saco roto** *Una sugerencia tan buena no podía caer en saco roto* · **caer en el vacío** · **satisfacer (a alguien)** || **obedecer (a algo)** || **dar (a alguien)** · **hacer** *Te hago esta sugerencia por tu bien* · **realizar** · **lanzar** · **dejar caer** · **ofrecer** · **aportar** · **proporcionar** · **transmitir** · **comunicar** · **hacer extensiva** · **emitir** · **expresar** · **formular** · **presentar** · **plantear** · **apuntar** · **insinuar** · **avanzar** · **reiterar** · **enviar** · **mandar** · **verter** || **tener** || **escuchar** *Escucharé con atención sus sugerencias* · **recibir** · **recoger** || **aceptar** · **admitir** *Se admiten sugerencias de los socios* · **atender** · **tomar en consideración** · **aprobar** · **seguir** · **aprovechar** · **recobrar** · **canalizar** || **apoyar** · **avalar** · **estimular** || **desoír** · **desatender** · **desestimar** · **ignorar** · **rechazar** *Rechazaron su sugerencia porque les pareció ineficaz* · **rebatir** || **contrastar** || **adherirse (a)**

sugerente adj.

• CON SUSTS. **aspecto** · **idea** *El trabajo está lleno de ideas sugerentes* · **concepto** · **teoría** · **hipótesis** || **duda** || **frase** · **palabra** · **lenguaje** · **discurso** · **texto** · **obra** · **libro** · **título** · **nombre** · **personaje** || **voz** · **imagen** · **color** || **ambiente** · **atmósfera** *Situó el relato en una atmósfera muy sugerente* · **mundo** || **espacio** · **lugar** · **rincón**
• CON ADVS. **sumamente** *Hay varios aspectos sumamente sugerentes en su artículo* · **especialmente** · **enormemente** · **absolutamente** · **altamente**

sugerir v.

• CON SUSTS. **idea** *Nos sugirió la idea de pasar las fiestas juntos, pero...* · **tema** · **plan** · **proyecto** · **solución** · **medida** · **propuesta** · **fórmula** · **posibilidad** · **vía** · **opción**
• CON ADVS. **entre líneas** *La carta sugería entre líneas la conveniencia de no emprender el viaje* · **veladamente** || **humildemente** · **modestamente**

sugestión s.f.

• CON ADJS. **poderosa** · **irresistible** *imágenes de una irresistible sugestión* || **romántica** · **sensual** · **expresiva** || **visual** · **poética** · **erótica**
• CON SUSTS. **capacidad (de)** · **poder (de)** *Su madre tiene un enorme poder de sugestión* · **fuerza (de)** || **forma (de)** · **elemento (de)**
• CON PREPS. **por** *...y por pura sugestión se acaba poniendo enfermo*

sugestivo, va adj.

• CON SUSTS. **figura** · **nombre** || **idea** · **teoría** · **planteamiento** · **hipótesis** || **título** · **libro** · **historia** · **versión** || **belleza** · **color** · **imagen** · **música** *La película tenía una música muy sugestiva* || **mundo** · **panorama** || **proyecto** *un proyecto de investigación muy sugestivo* · **plan** || **actuación** · **exposición** · **ensayo** || **recorrido** · **viaje**
• CON ADVS. **enormemente** · **sumamente** · **especialmente** · **extraordinariamente** *La nueva versión me resultó extraordinariamente sugestiva* · **altamente** · **extremadamente**

suicida adj.

• CON SUSTS. **atentado** · **ataque** · **matanza** · **acto** || **terrorista** · **comando** || **misión** · **operación** · **acción** || **conductor,-a** · **piloto** || **maniobra** · **estrategia** · **velocidad** *El conductor iba a una velocidad suicida* || **política** || **idea** · **pensamiento** · **intención** *un enfermo mental con intenciones suicidas* · **deseo** · **tendencia** · **actitud**

suicidio s.m.

• CON ADJS. **colectivo** · **masivo** || **trágico** || **asistido** · **fallido** · **consumado**
• CON SUSTS. **intento (de)** · **caso (de)** · **ola (de)** || **hipótesis (de)** *La Policía baraja la hipótesis del suicidio* · **índice (de)** || **derecho (a)** || **muerte (por)** || **tendencia (a)**
• CON VBOS. **cometer** · **intentar** *Estaba tan desesperado que incluso intentó el suicidio* · **consumar** || **inducir (a)** · **empujar (a)** · **llevar (a)** || **pensar (en)**
• CON PREPS. **al borde (de)**

suite s.f.

• CON ADJS. **nupcial** *Nos tenían reservada la suite nupcial* · **real** · **presidencial** · **familiar** || **doble** · **especial** || **lujosa** · **cara** · **espléndida**
• CON VBOS. **reservar** · **ocupar** || **alojar(se) (en)** *El grupo musical se aloja en una suite* · **instalar(se) (en)** · **vivir (en)** || **dormir (en)** · **pasar la noche (en)**

sujeción s.f.

• CON ADJS. **lateral** · **adicional** · **especial** · **exterior** · **mecánica** || **adecuada** · **necesaria** || **estricta** · **estrecha** · **firme** || **total** · **completa** · **absoluta** *La sujeción a las consignas del gurú era absoluta*
• CON SUSTS. **sistema (de)** · **dispositivo (de)** || **viga (de)** *Derribaron todo menos las vigas de sujeción* · **cable (de)** · **barra (de)** || **grado (de)** · **punto (de)** *los puntos de sujeción de un puente* || **falta (de)**
• CON PREPS. **con** *asientos con sujeción lateral* · **sin**

sujetador s.m.

• CON ADJS. **deportivo** · **de aros** · **con relleno** || **bonito** · **atractivo** · **sensual** · **provocativo**
• CON SUSTS. **tirante (de)** · **cierre (de)** · **broche (de)** · **copa (de)**
• CON VBOS. **abrochar(se)** · **desabrochar(se)**
➤ Véase también **ROPA**

sujeto, ta (a) adj.

• CON SUSTS. **soporte** · **barandilla** · **correa** · **clavo** · **pared** · **verja** · **puerta** · **ventana** || **norma** *La conducta de los empleados está sujeta a las normas de la empresa* · **obligación** · **mandato** · **reglamento** · **acuerdo** · **ley** · ***otras disposiciones*** || **condición** · **voluntad** · **presión** *Últimamente estoy sujeta a mucha presión en el trabajo* · **tensión** · **demanda** || **decisión** · **elección** · **promesa** · **idea** || **retención** || **debate** · **discusión** · **opinión** · **censura** *Todas las películas estaban sujetas a la censura* · **referéndum** || **revisión** · **cambio** *Los precios están sujetos a cambios sin previa advertencia* · **control** || **programa** · **horario** · **organización** || **riesgo** · **embargo** || **restricciones** · **presupuesto** || **reflexión**

● CON VBOS. **estar** · **mantener(se)** *Se mantuvieron sujetos a la cuerda* · **quedar(se)**

suma s.f.

● CON ADJS. **aritmética** || **exacta** *La suma exacta de lo que hemos comprado* · **minuciosa** · **meticulosa** · **neta** · **total** || **gran(de)** · **bonita** *Se llevó por sus servicios la bonita suma de tres mil euros* · **elevada** · **abultada** · **sustanciosa** · **jugosa** · **considerable** · **importante** · **voluminosa** · **cuantiosa** · **copiosa** · **ingente** · **desorbitada** *La suma que paga por el alquiler del piso es desorbitada* · **exorbitante** · **descomunal** · **astronómica** || **pequeña** · **escasa** *Le pareció escasa la suma que le ofrecían por el trabajo* · **exigua** · **insignificante** · **irrisoria** · **ridícula** || **aproximada** · **redondeada** || **de cabeza** · **con calculadora** · **mental**

● CON VBOS. **ascender (a una cantidad)** || **totalizar** || **efectuar** · **hacer** · **computar** · **calcular** || **ofrecer** · **aceptar** · **rechazar** · **negociar** || **comprobar** *Comprueba la suma, creo que conté algo mal* · **verificar** · **revisar** || **amasar** *Amasó una gran suma de dinero* · **acumular** · **conseguir** · **ahorrar** · **lograr** · **alcanzar** || **llegar (a)**

□ EXPRESIONES **en suma** [en resumen]

[sumar] → sumar; sumarse (a)

sumar v.

● CON SUSTS. **cantidad** *Si sumas esas dos cantidades, obtendrás el precio final* · **gasto** · **cifra** · **número** · **monto** · **total** || **sueldo** · **saldo** · **ahorro** · **ingreso** · **préstamo** · **deudo** *Si empiezo a sumar las deudas que tengo...* || **fuerza** · **esfuerzo** · **recurso** · **apoyo** || **firmas** · **votos** · **nombres** · **datos**

● CON ADVS. **aproximadamente** · **exactamente** || **ni de lejos** *Los dos presupuestos no suman ni de lejos la cifra que nos han dado*

sumarial adj.

● CON SUSTS. **causa** · **juicio** || **dato** · **documento** · **informe** · **secreto** *Los nombres de los implicados se mantuvieron bajo secreto sumarial* || **orden** · **actuación** · **instrucción** · **diligencia** *El juez abrió una diligencia sumarial* · **ejecución** · **investigación** · **seguimiento** · **declaración**

sumariamente adv.

▌[resumidamente]

● CON VBOS. **decir** · **referirse** · **exponer** *Expuso los hechos muy sumariamente* · **presentar** · **explicar** · **contar** · **describir** || **conocer** · **saber**

▌[sin trámites judiciales]

● CON VBOS. **juzgar** · **condenar** || **ejecutar** · **fusilar**

sumario, ria

1 **sumario, ria** adj.

▌[breve, resumido]

● CON SUSTS. **información** *El periódico publicó una información sumaria de la situación* · **idea** · **presentación** · **exposición** · **descripción** · **análisis** · **repaso** || **compilación** · **crónica** · **bibliografía**

▌[sin trámites judiciales]

● CON SUSTS. **procedimiento** · **investigación** · **averiguación** · **instrucción** · **juicio** *Se realizó un juicio sumario por la gravedad del delito* · **justicia** · **declaración** || **castigo** · **expulsión** · **extradición** · **fusilamiento** · **ejecución** || **vía**

2 **sumario** s.m.

● CON ADJS. **abultado** · **amplio** · **voluminoso** *Nuevas pruebas pasan a engrosar el voluminoso sumario* || **interno** || **administrativo** · **judicial** || **de noticias**

● CON SUSTS. **apertura (de)** · **instrucción (de)** · **instructor,-a (de)** · **contenido (de)** · **secreto (de)** *Se decretó secreto de sumario* || **índice (de)**

● CON VBOS. **avanzar** · **desaparecer** || **aportar (algo)** || **abrir** · **instruir** *El juez que instruye el sumario del caso...* · **tramitar** · **reabrir** || **remitir** · **trasladar** || **cerrar** · **finalizar** · **paralizar** · **sobreseer** || **engrosar** || **constar (en)** *Los periódicos publicaron los testimonios según constaban en el sumario* · **desprenderse (de)** || **incorporar (a)**

● CON PREPS. **bajo** *Están bajo sumario judicial*

sumarse (a) v.

● CON SUSTS. **iniciativa** · **plan** · **propuesta** · **idea** · **deseo** · **intención** · **convocatoria** || **protesta** *Algunos socios se sumaron a nuestra protesta* · **manifestación** · **reclamación** · **queja** · **petición** || **homenaje** *Me sumo muy gustosamente al merecido homenaje que...* · **celebración** · **conmemoración** · **acto** || **juego** · **fiesta** · **ataque** · **campaña** || **movimiento** · **tendencia** · **corriente** || **grupo** *Si están interesados en sumarse a nuestro grupo de reflexión, pueden...* · **conjunto** · **plataforma**

● CON ADJS. **gustoso,sa** · **encantado,da** · **ilusionado,da** · **entusiasmado,da** || **emocionado,da** · **conmovido,da**

● CON ADVS. **activamente** · **sin reservas** *Nos sumamos sin reservas a la iniciativa para luchar contra...* · **descaradamente** · **decididamente** · **con decisión** || **de (todo) corazón** · **con (todo) gusto** · **con (verdadero) placer** · **voluntariamente** · **con ganas** · **con entusiasmo** || **con reservas** · **con reticencia** · **con matices** · **de boquilla** || **unánimemente** · **masivamente** · **en masa** *Según los sindicatos, los trabajadores se sumaron en masa a la convocatoria de paro* || **pacíficamente** · **verbalmente** · **de palabra**

sumergir(se) (en) v.

● CON SUSTS. **agua** · **río** · **lago** · **mar** · **piscina** · **lodo** || **profundidad** · **abismo** · **pozo** || **trabajo** · **aventura** · **campaña** · **lucha** || **búsqueda** *La muchacha se sumergió en la búsqueda de sus orígenes* · **recuerdo** · **historia** · **pasado** · **realidad** · **sueño** || **debate** · **diálogo** · **discusión** || **libro** · **novela** · **película** || **espesura** · **maraña** · **entramado** || **noche** · **universo**

● CON ADVS. **totalmente** · **de lleno** *Decidió sumergirse de lleno en el trabajo* · **plenamente** || **hasta el cuello**

suministrar v.

● CON ADVS. **a granel** *Nuestra cooperativa suministra vino a granel* · **a destajo** · **con cuentagotas** || **en exclusiva** || **puntualmente**

suministro s.m.

● CON ADJS. **regular** · **puntual** · **irregular** · **precario** || **gradual** · **rápido** || **semanal** · **mensual** · **diario** · **periódico**

● CON SUSTS. **contrato (de)** *Van a formalizar un contrato de suministros con una nueva empresa* || **sistema (de)** · **garantía (de)** · **acuerdo (de)** || **fuente (de)** · **servicio (de)** · **cadena (de)** · **red (de)** · **empresa (de)** || **corte (de)** · **crisis (de)** · **falta (de)** · **carencia (de)** · **retraso (en)**

● CON VBOS. **fallar** *La empresa no pudo cumplir sus compromisos porque falló el suministro de materias primas* || **dar** · **procurar** · **garantizar** · **asegurar** · **mantener** · **renovar** || **cortar** *La compañía de gas cortó el suministro por falta de pago* · **interrumpir** · **suspender** · **paralizar** · **perjudicar** · **aumentar** · **reducir** || **monopolizar** · **liberalizar**

· **controlar** || **contratar** · **exigir** · **pedir** · **solicitar** · **reclamar** || **afectar (a)** *La huelga afecta al suministro de carburante* || **encargar(se) (de)**

sumir(se) (en) v.

● CON SUSTS. **mar** · **lago** · **océano** · **lodo** · **barro** · **aguas** || **abismo** · **foso** · **sima** · **bache** · **profundidad** · **precipicio** || **oscuridad** · **silencio** *Durante semanas quedó sumido en el más absoluto silencio* · **olvido** · **sombra** · **tinieblas** · **bruma** · **vacío** || **caos** · **confusión** *un país sumido en el caos y la confusión* · **vorágine** · **desconcierto** · **marasmo** || **abandono** · **aislamiento** · **incomunicación** · **recogimiento** · **ostracismo** || **incertidumbre** · **duda** · **inseguridad** · **inestabilidad** · **problema** · **preocupación** || **crisis** *sumidos en una crisis económica de la que no parecen haber salido* · **depresión** · **desesperación** · **angustia** · **dolor** · **pesimismo** · **calamidad** · **amargura** · **miseria** *dos tercios de la población sumidos en la miseria* · **pobreza** · **injusticia** · **subdesarrollo** || **sueño** · **aburrimiento** · **tedio** · **sopor** · **letargo** · **apatía** · **pereza** · **pasividad** · **pesadez** || **mediocridad** · **desprestigio** · **vulgaridad** || **guerra** · **conflicto** · **contienda** · **pelea** *Llevan años sumidos en peleas sin sentido* · **lucha** || **perplejidad** · **estupor** · **estupefacción** || **desastre** · **cataclismo** · **escándalo** || **meditación** · **cavilación**

sumiso, sa adj.

● CON SUSTS. **persona** || **animal** · **perro,rra** || **actitud** · **comportamiento** || **silencio** · **voz**

● CON VBOS. **mostrarse** *En aquel momento quiso mostrarse sumisa para no irritar a sus superiores* · **permanecer** · **volver(se)**

suntuario, ria adj.

● CON SUSTS. **joya** · **arcón** · **cubertería** · **artículo** · ***otros objetos*** || **gasto** *disminuir los gastos suntuarios* · **consumo** · **impuesto** || **arte** · **cerámica** *La cerámica suntuaria hallada en las excavaciones presenta...* || **capricho** · **veleidad**

suntuosamente adv.

● CON VBOS. **vestir** · **presentar(se)** · **cubrir(se)** · **acicalar(se)** · **ataviar(se)** || **encuadernar** · **decorar** *decorar suntuosamente una mansión* · **ilustrar** || **vivir**

☐ USO Se construye muy frecuentemente con participios: *personas suntuosamente ataviadas para la ocasión.*

suntuoso, sa adj.

● CON SUSTS. **mansión** *una suntuosa mansión a orillas del mar* · **palacio** · **chalé** · **residencia** · ***otras edificaciones*** || **despacho** · **sede** · **salón** || **decorado** · **catálogo** || **ropaje** · **estilo** || **viaje** · **vida**

supeditar v.

● CON SUSTS. **trabajo** · **tarea** · **misión** || **posición** · **puesto** · **carrera** || **proyecto** · **plan** · **idea** || **autorización** · **decisión** · **elección** || **resultado** · **consecución** · **logro** · **victoria** · **éxito** || **acuerdo** · **compromiso** || **creación** · **evolución** · **estrategia** *La estrategia estará supeditada a los resultados del informe* · **desarrollo** · **rendimiento** || **apoyo** · **ayuda** · **subvención** || **vida** · **bienestar** · **futuro** || **realización** · **ejecución**

● CON ADVS. **indirectamente** · **parcialmente** || **enteramente** *Está supeditado enteramente a su decisión* || **inevitablemente** · **inexorablemente** · **inexcusablemente**

☐ USO Se construye con complementos encabezados por la preposición *a*: *No podemos supeditar el trabajo a intereses personales.*

superación s.f.

● CON ADJS. **personal** *Estos enfermos son un ejemplo de superación personal* · **profesional** · **espiritual** || **constante** · **continua** · **permanente** || **humana** · **histórica** || **difícil**

● CON SUSTS. **afán (de)** · **deseo (de)** · **voluntad (de)** *Su voluntad de superación es verdaderamente encomiable* · **espíritu (de)** || **propósito (de)** · **intento (de)** · **esfuerzo (de)** || **capacidad (de)** *Admiro enormemente su capacidad de superación* · **posibilidad (de)** || **camino (de)** · **ejemplo (de)**

● CON VBOS. **lograr** · **alcanzar** · **conseguir** · **encontrar** || **buscar** · **perseguir** · **intentar** || **garantizar** || **desear**

superar v.

● CON SUSTS. **obstáculo** *Ha sabido cumplir sus deseos superando todos los obstáculos* · **dificultad** · **problema** · **valla** · **choque** · **bache** · **percance** · **adversidad** · **oposición** *Tuvo que superar la oposición de su familia para...* · **crítica** || **crisis** · **depresión** *La ayudaron a superar la depresión con cariño y comprensión* · **malestar** · **dolencia** · **caída** · **pesadilla** · **enfermedad** · **muerte** *No ha superado aún la muerte de su marido* · **desgracia** · **desastre** · **fracaso** · **derrota** · **daño** · **carencia** · **pérdida** || **reto** · **meta** · **récord** · **resultado** || **eliminatoria** *El equipo de mi hija ha superado ya una segunda eliminatoria*

● CON ADVS. **por completo** · **rotundamente** · **ampliamente** *Se acaba el campeonato y el equipo ha superado ampliamente las metas que se había propuesto* · **notablemente** · **nítidamente** · **largamente** · **holgadamente** · **con holgura** · **con soltura** · **en toda línea** · **sobradamente** · **de sobra** · **con creces** · **de plano** · **generosamente** · **en mucho** · **infinitamente** · **abrumadoramente** · **arrolladoramente** · **espectacularmente** || **limpiamente** *El caballo superó limpiamente los cinco primeros obstáculos* · **dignamente** || **a duras penas** · **a trancas y barrancas** || **por los pelos** *No estudió mucho y superó el examen por los pelos* · **por poco** · **ajustadamente** · **apretadamente** · **a medias** · **ligeramente** · **escasamente** || **favorablemente** · **felizmente** · **a plena satisfacción** · **con éxito** || **a toda costa** · **inexorablemente** || **numéricamente** *Aunque los atacantes superaban numéricamente a los defensores no pudieron conquistar el castillo* || **electoralmente** · **mentalmente** · **deportivamente**

superdotado, da adj.

● CON SUSTS. **niño,ña** · **alumno,na** *Tengo una alumna superdotada en clase* · **estudiante** · **artista** · **gimnasta** · **atleta** · ***otros individuos*** || **memoria** · **inteligencia**

superficial adj.

● CON SUSTS. **agua** · **temperatura** || **herida** · **corte** *Afortunadamente, solo hubo algunos heridos leves con cortes superficiales* · **quemadura** · **lesión** || **nivel** · **capa** · **estructura** · **plano** · **estrato** || **escritor,-a** · **periodista** · **jugador,-a** · **persona** · **gente** · ***otros individuos y grupos humanos*** || **análisis** *Se queda en un análisis superficial y un tanto inconexo* · **lectura** · **interpretación** · **examen** · **enfoque** · **visión** · **conocimiento** · **vistazo** · **ojeada** || **mirada** · **aspecto** · **imagen** · **sonrisa** · **apariencia** · **expresión** || **resultado** · **efecto** · **consecuencia** || **película** · **reportaje** · **libro** · **programa** || **conversación** · **comentario** · **palabras** · **texto** · **artículo**

● CON ADVS. **absolutamente** *Es una persona absolutamente superficial, solo se preocupa de las apariencias* · **excesivamente** · **profundamente** || **aparentemente** · **relativamente** · **meramente**

● CON VBOS. **volverse** · **hacer(se)** · **parecer** · **resultar**

superficie s.f.

• CON ADJS. **amplia · gran(de) · vasta · ingente · extensa || reducida · exigua · pequeña · escasa · insuficiente || aproximada || cultivable** *En los desiertos la superficie cultivable es mínima* · **útil · agraria · rentable || lunar** *explorar la superficie lunar* · **terrestre || industrial · de venta · cubierta || celular · dérmica || brillante · suave · áspera · rugosa · lisa · resbaladiza · colorida || seca · húmeda · grasa · rozada || protectora**
• CON SUSTS. **transporte (de) · aparcamiento (de) · obras (de) · tráfico (de) · flota (de) · buque (de)**
• CON VBOS. **exceder (en algo) · sobrepasar (algo) · abarcar (algo)** *La superficie de la finca abarca varias hectáreas* · **extender(se) || destinar (a algo) · sembrar || ocupar** *La nueva sede del museo ocupa una gran superficie* **|| ampliar · aumentar || disminuir · reducir · recortar || explanar · nivelar · horadar · pavimentar · cubrir · descubrir || alcanzar · rozar · tocar || salir (a) · emerger (a)** *El buceador emergió a la superficie después de largo rato* · **aflorar (a) · flotar (en) · hundirse (bajo) · aparecer (en)**
• CON PREPS. **bajo** *bajo la superficie de la tierra* · **sobre**
□ EXPRESIONES **gran superficie** [establecimiento o centro comercial de grandes dimensiones]

superfluo, flua adj.

• CON SUSTS. **detalle** *fijarse en los detalles superfluos* · **complemento · adorno · ornamentación || pieza · elemento || idea · concepto || *persona* || gasto** *Podríamos intentar ahorrar eliminando algunos gastos superfluos* **|| asunto · tema · contenido · información · texto · comentario · estudio || discusión · debate**
• CON ADVS. **completamente · totalmente · absolutamente || aparentemente · claramente**

superior adj.

• CON ADVS. **claramente** *Las prestaciones de su coche son claramente superiores* · **visiblemente · ostensiblemente · sustancialmente · notablemente · indiscutiblemente · sensiblemente · abismalmente || levemente · ligeramente · escasamente || numéricamente · cuantitativamente · cualitativamente || inmediatamente** *Ocupa el cargo inmediatamente superior al mío*

superioridad s.f.

• CON ADJS. **clara · patente** *La superioridad del rival era patente* · **ostensible · nítida · indiscutible · incuestionable · innegable · manifiesta || aplastante · abrumadora · abismal || numérica** *¿Están asustados por la superioridad numérica de sus adversarios?* **|| leve · ligera**
• CON SUSTS. **demostración (de) · sensación (de) · complejo (de) · actitud (de) · abuso (de) · aire (de)** *El protagonista se caracteriza por cierto aire de superioridad* · **tono (de) || posición (de) · situación (de) · relación (de)**
• CON VBOS. **ejercer · imponer** *El equipo impuso rápidamente su superioridad en el terreno de juego* **|| demostrar · acreditar · avalar · ostentar · mostrar || aceptar · reconocer · constatar || rendirse (a/ante)**

superponer(se) v.

• CON SUSTS. **imagen · capa** *varias capas de barniz superpuestas* · **versión · color || lámina · figura · elemento · plano || voluntad · interés || melodía** *En el tema se superponían dos melodías*
• CON ADVS. **ocasionalmente · paulatinamente · casualmente**

superproducción s.f.

• CON ADJS. **internacional · gran(de) || colosal · espectacular || costosa · millonaria** *una superproducción millonaria protagonizada por actores muy conocidos* · **lujosa || comercial · televisiva · cinematográfica || interesante · típica · auténtica**
• CON SUSTS. **presupuesto (de) || episodio (de) · capítulo (de) || emisión (de) · exhibición (de) || guión (de) || director,-a (de) · productor,-a (de)**
• CON VBOS. **dirigir · realizar || protagonizar** *Un artista español protagonizará la nueva superproducción* · **interpretar || producir · costear · financiar || rodar · ambientar || estrenar · promocionar** *Los protagonistas viajan por Europa para promocionar la última superproducción de...* **|| invertir (en)**

supersónico, ca adj.

• CON SUSTS. **velocidad** *El cohete cruzó la atmósfera a una velocidad supersónica* **|| avión · vuelo · jet · aparato · cohete**

supersticioso, sa adj.

• CON SUSTS. ***persona*** *una costumbre extendida entre artistas supersticiosos* **|| creencia · pensamiento · actitud · conducta · práctica**
• CON VBOS. **volverse**

supervisar v.

• CON SUSTS. **actividad · tarea · trabajo · obra · informe · gestión** *Supervisan periódicamente la gestión de los responsables de cada sucursal* **|| cuenta · número · cifra || cumplimiento · aplicación || entrega · desarme || elección || proceso · proyecto · desarrollo · funcionamiento · marcha || preparativo** *El anfitrión supervisó de cerca los preparativos de la cena* **|| actuación · acción · ejecución**
• CON ADVS. **atentamente · de cerca · cuidadosamente · a conciencia · concienzudamente · escrupulosamente · meticulosamente · rigurosamente · detalladamente · minuciosamente || personalmente** *Prefiero supervisar personalmente las cuentas*

supervisión s.f.

• CON ADJS. **cuidadosa · atenta · concienzuda · celosa · escrupulosa** *la escrupulosa supervisión de las elecciones por los delegados internacionales* · **meticulosa · rigurosa · minuciosa · pormenorizada · exhaustiva || personal · directa || preventiva || técnica · médica · oficial · científica**
• CON SUSTS. **mecanismo (de) · sistema (de) · función (de) · labor (de) · tarea (de) || órgano (de) · organismo (de) · equipo (de) · comité (de) · comisión (de)**
• CON VBOS. **realizar · llevar a cabo || extremar · intensificar || estar a cargo (de)** *Un equipo de técnicos está a cargo de la supervisión del sistema informático* · **ocuparse (de)**
• CON PREPS. **bajo** *Se encuentra bajo supervisión médica*

supervivencia s.f.

• CON SUSTS. **instinto (de) · afán (de) · lucha (por) · necesidad (de) || índice (de)** *El índice de supervivencia de estos enfermos es bastante alto* · **clave (de) || garantía (de) · esperanza (de) · oportunidad (de) · posibilidad (de) · capacidad (de) || cuestión (de) · problema (de) || ejercicio (de) · estrategia (de) · juego (de) · forma (de)**
• CON VBOS. **garantizar · asegurar · permitir · prolongar || poner en peligro** *Los gases de la fábrica pusieron en*

peligro la supervivencia de cientos de aves · **amenazar** || **luchar (por)**

supino, na adj.

● CON SUSTS. **ignorancia** *Sus comentarios demuestran una ignorancia supina* · **desconocimiento** · **estupidez** · **incompetencia** · **error** · **inutilidad** · **necedad** · **invalidez** · **ridiculez** · **sandez** · **imbecilidad** · **tontería** · **mediocridad** · **torpeza** · **despiste** · **ingenuidad** · **paletería** · **inocencia** · **vulgaridad** · **grosería** · **desenfoque** || **cabreo** · **enfado** · **indignación** · **hartazgo** · **disgusto** *Se llevó un disgusto supino al enterarse* || **hipocresía** · **irresponsabilidad** · **arrogancia** · **cinismo** · **egoísmo** · **pedantería** *una intervención de una pedantería supina* || **exquisitez** · **sapiencia** · **eficacia** · **inteligencia** · **alegría**

suplantar v.

● CON SUSTS. **socio,cia** *Trató de suplantar a su socio, pero lo descubrieron* · **compañero,ra** · ***otros individuos*** || **figura** · **identidad** · **personalidad** || **función** · **papel** · **rol** || **estrategia** · **estructura** *El objetivo era suplantar la estructura del poder colonial* · **ordenamiento** || **voluntad** · **decisión** · **poder** || **realidad** · **verdad**

supletorio, ria adj.

● CON SUSTS. **mueble** · **cama** · **aparato** · **teléfono** *Puse un teléfono supletorio en la mesilla de noche* || **cláusula**

súplica s.f.

● CON ADJS. **viva** · **encendida** *Ni las súplicas más encendidas le hicieron mella* · **encarecida** · **ferviente** · **desesperada** · **patética** · **sincera** || **humilde** || **justificada** || **inútil** · **efectiva** || **sensible (a)** · **receptivo,va (a)** · **insensible (a)** · **sordo,da (a)**

● CON SUSTS. **grito (de)** · **recurso (de)** *presentar un recurso de súplica contra una decisión judicial*

● CON VBOS. **tener éxito** · **surtir efecto** || **expresar (algo)** || **conmover (a alguien)** · **afectar (a alguien)** · **llegar (a alguien)** || **elevar** · **formular** · **hacer llegar (a alguien)** · **presentar** · **alzar** · **dirigir (a alguien)** || **atender** · **oír** · **escuchar** || **desatender** · **desoír** || **hacer caso (a)** · **acceder (a)** · **ceder (a)** *No cedió fácilmente a su súplica* · **responder (a)**

suplicante adj.

● CON SUSTS. **ojos** · **mirada** · **tono** · **voz** *Me pidió perdón con voz suplicante* · **expresión** · **gesto** || **actitud**

suplicar v.

● CON SUSTS. **perdón** · **ayuda** · **clemencia** · **piedad** · **misericordia** || **comida** · **limosna** || **favor** · **apoyo** *El orador suplicó el apoyo de todos los asistentes* · **voto** || **libertad** · **indulto** · **liberación** || **tregua** · **descanso** || **atención** || **beso** · **gesto**

● CON ADVS. **de rodillas** · **con los ojos** · **a gritos** || **insistentemente** · **desesperadamente** *El detenido suplicó desesperadamente el indulto ante las autoridades* || **patéticamente** · **atentamente** · **tímidamente**

suplicio s.m.

● CON ADJS. **atroz** · **tremendo** · **horrendo** · **insufrible** · **salvaje** · **chino** · **cruel** · **inhumano** || **lento** · **interminable** || **auténtico** · **verdadero**

● CON SUSTS. **hora (de)** · **año (de)** · ***otros periodos***

● CON VBOS. **padecer** · **sufrir** · **soportar** · **vivir** *años en los que vivimos un verdadero suplicio* || **infligir** || **prolongar** || **someter (a)** · **liberar (de)**

suplir v.

● CON SUSTS. **actor** · **actriz** *Tuvieron que suplir a la actriz principal en el último momento* · **jugador,-a** · ***otros individuos*** || **vacío** · **falta** · **ausencia** *¿Cómo vamos a suplir su ausencia?* · **hueco** · **laguna** · **déficit** · **escasez** · **carestía** || **insuficiencia** · **defecto** · **deficiencia** · **limitación** · **carencia** · **error** · **fallo** · **incompetencia** · **mal funcionamiento** || **necesidad** · **dificultad** · **desventaja** · **inconveniente** · **pérdida** || **trabajo** *una potente herramienta informática que permite al redactor suplir gran número de tareas* · **tarea** · **labor** · **servicio** · **papel** · **función** · **prestación** · **puesto**

suponer v.

● CON ADVS. **por un momento** *Por un momento supuso que era ella quien llamaba* · **por un instante** · **de antemano** || **inevitablemente** · **inexorablemente** · **indefectiblemente** || **remotamente** || **equivocadamente** · **erróneamente** || **acertadamente** · **certeramente**

suposición s.f.

● CON ADJS. **mera** *No se puede basar una acusación en meras suposiciones* · **simple** || **fundada** · **fundamentada** · **encaminada** · **atinada** · **acertada** || **infundada** · **endeble** · **sin fundamento** · **gratuita** || **arriesgada** · **aventurada** · **disparatada** *Pensábamos que podríamos contar con su ayuda, lo que fue una suposición disparatada* · **desencaminada** · **sin pies ni cabeza** || **falsa** · **irreal** · **inverosímil** · **insólita**

● CON SUSTS. **fruto (de)**

● CON VBOS. **afianzar(se)** || **constituir** · **representar** · **suponer** || **hacer** · **lanzar** · **tejer** · **aventurar** · **barajar** || **alimentar** *una declaración que alimentó absurdas suposiciones* || **probar** · **demostrar** · **confirmar** · **reforzar** · **consolidar** || **rechazar** · **desmentir** || **basar(se) (en)** *una explicación basada en suposiciones sin fundamento*

supremacía s.f.

● CON ADJS. **absoluta** · **total** · **indiscutible** · **abismal** || **anhelada** · **soñada**

● CON SUSTS. **principio (de)** · **posición (de)** · **condición (de)** || **situación (de)** · **estado (de)**

● CON VBOS. **tener** · **ostentar** · **ejercer** · **alcanzar** *El pequeño país alcanzó la supremacía gracias a su progreso económico* || **reconocer** · **constatar** · **afirmar** || **ganar** · **conquistar** · **lograr** · **conseguir** || **reforzar** · **consolidar** · **garantizar** · **afianzar** · **mantener** || **amenazar** · **combatir** · **comprometer** · **disputar (a alguien)** · **compensar** || **hacerse (con)**

supremo, ma adj.

● CON SUSTS. **jefe,fa** *el jefe supremo del ejército* · **comandante** · **juez** · **vocal** · **dirigente** · **mando** · **figura** || **valor** · **principio** · **verdad** · **dignidad** · **realidad** || **calidad** *productos de calidad suprema* · **armonía** · **perfección** · **belleza** · **elegancia** · **categoría** || **destreza** · **habilidad** || **sabiduría** · **sapiencia** · **lucidez** || **suerte** · **felicidad** · **ilusión** · **interés** || **injusticia** · **justicia**

suprimir v.

● CON ADVS. **de un plumazo** · **de golpe y porrazo** · **drásticamente** · **de un día para otro** *No pueden suprimir de un día para otro una tradición tan arraigada* || **por completo** · **radicalmente** · **de plano** · **de raíz** *El entrenador está dispuesto a suprimir de raíz ese tipo de actitudes* || **gradualmente** · **progresivamente** · **paulatinamente** ·

lentamente || temporalmente · provisionalmente · indefinidamente · definitivamente · cautelarmente

supurar v.

● CON SUSTS. **sangre · pus || odio · amargura · rabia · maldad · sarcasmo**

● CON ADVS. **constantemente** *Volvió al hospital porque la herida supuraba constantemente* · **continuamente**

□ USO Se usa frecuentemente con *herida* como sujeto: *La herida supura pus.*

sur s.m.

● CON SUSTS. **país (de) · ciudad (de)** *Mi familia vive en una ciudad del sur* · **pueblo (de) · tierras (de) · zona (de) · región (de) · comarca (de) || hemisferio · polo · latitud** *Está ubicado a diez grados de latitud sur* **|| lado · zona · cara** *la cara sur de una montaña* · **parte · frontera · fachada · extremo · cono || dirección · sentido** *coger la autovía en sentido sur*

● CON VBOS. **recorrer || viajar (a) · trasladar(se) (a) · emigrar (a) · dirigir(se) (a)** *Se dirigió al sur y se instaló allí* · **huir (a) || llegar (a) · proceder (de) · vivir (a/en) · nacer (en) || orientar(se) {a/hacia} · apuntar (a) · dar (a)**

● CON PREPS. **a** *un pueblo situado al sur* · **en · desde · hacia**

surcar v.

● CON SUSTS. **agua · mar · océano** *Lleva veinte años surcando los océanos* · **ola || cielo** *Cada vez que un avión surca el cielo...* · **aire · espacio · universo || superficie · terreno · camino · arena || rostro** *Una lágrima surcó su rostro*

surgir v.

● CON ADVS. **a borbotones** *El agua surgía a borbotones del manantial* · **a chorros · a raudales || repentinamente · de improviso · como por encanto** *...y un corzo surgió como por encanto de entre los árboles* **|| vigorosamente · con fuerza || inevitablemente · irremediablemente || como hongos · por todas partes · por generación espontánea || al unísono** *Un clamor surgió al unísono entre el público cuando el delantero fue derribado en el área* **|| al vuelo**

surrealista adj.

● CON SUSTS. **pintor,-a** *una exposición de pintores surrealistas* · **artista · poeta || obra · cuadro · película · imagen || experiencia · situación** *Era una situación un tanto surrealista en la que nada era lo que parecía* · **atmósfera · mundo || visión · movimiento · técnica || humor · ingenio · tono · estilo · aire**

surtido, da

1 surtido, da adj.

● CON SUSTS. **menú** *En este restaurante tienen un menú de carnes muy surtido* · **carta · repertorio · colección · oferta || galletas · bombones · bollería · pasta ·** ***otros alimentos***

2 surtido s.m.

● CON ADJS. **variado** *Pedimos un surtido variado de pasteles* · **amplio** *Esa marca tiene un amplio surtido de colores* · **gran(de) · extenso || generoso · rico · vasto · abundante || original · único**

● CON VBOS. **tener · ofrecer**

surtir efecto loc.vbal.

● CON SUSTS. **carta** *Escribió un carta breve, pero que surtió efecto* · **misiva · mensaje · escrito ·** ***otros textos*** **|| maniobra · truco · medida** *Las medidas que se tomaron no surtieron el efecto deseado* · **argucia · artimaña · estrategia · fórmula · táctica · plan || remedio · medicina · solución · antídoto · sustancia || advertencia** *La advertencia no surtió efecto alguno: todos hicieron exactamente lo contrario* · **amenaza · aviso · consejo || iniciativa · propuesta · sugerencia · decisión || ley · norma · legislación · orden · reglamento ·** ***otras disposiciones*** **|| llamamiento · llamada · petición · convocatoria · llamado || protesta · recurso · denuncia · crítica · presión || campaña · labor · lucha · tarea · esfuerzo || conversación · diálogo || cambio** *Los cambios en la empresa comenzaron a surtir efecto a partir del segundo mes de su puesta en práctica* · **modificación**

● CON ADVS. **a medias · parcialmente · completamente || inmediatamente** *La medicina surtió efecto inmediatamente* · **rápidamente · lentamente · velozmente · a {corto/largo} plazo**

susceptibilidad s.f.

● CON ADJS. **clara · seria** *Su pasado político levantaba serias susceptibilidades en la asamblea* · **a flor de piel || infundada · innecesaria · desmedida · exagerada**

● CON VBOS. **despertar · levantar · generar · provocar** *Unos gastos sin justificar provocaron las susceptibilidades de los socios* · **herir || aumentar · disipar · evitar · salvar**

susceptible

1 susceptible adj.

● CON SUSTS. ***persona*** **|| carácter** *Todo le molesta porque tiene un carácter muy susceptible*

● CON ADVS. **especialmente** *Se mostró especialmente susceptible en lo referente a la herencia*

● CON VBOS. **ser · estar || mostrar(se)**

2 susceptible (de) adj.

● CON SUSTS. **cambio · mejora** *un contrato susceptible de mejora* · **revocación · reforma · empeoramiento · revisión || error · crítica · reproche · sanción · impugnación || negociación · debate** *El asunto es, desde luego, susceptible de debate* · **amparo || engaño · fraude**

□ USO Se construye a menudo con infinitivos: *Ya sabes que cualquier situación es susceptible de empeorar.*

suscitar v.

● CON SUSTS. **polémica · debate** *Sin lugar a dudas esta decisión suscitará un largo debate* · **diálogo || comentario · respuesta · reacción · reflexión · análisis || interés · curiosidad · gana** *Hacía todo lo posible para suscitar en ellos las ganas de leer* · **ilusión · expectativa · deseo · pasión · entusiasmo · apoyo · atención · aplauso · sonrisa · admiración || preocupación** *La falta de noticias de la expedición suscitó gran preocupación entre familiares y amigos* · **inquietud · confusión · sentimiento || desdén · sospecha · recelo · temor · interrogante · duda · celos**

● CON ADVS. **inevitablemente · irremediablemente || rápidamente · inmediatamente**

suscribir v.

● CON SUSTS. **idea · opinión · punto de vista · postura · tesis · decisión · crítica · comentario · sentencia || palabra · declaración** *Todos los asistentes suscribieron la declaración final contra el hambre* · **manifiesto · afirmación · texto · contenido || acción · iniciativa · plan ·**

proyecto · **propuesta** || **acuerdo** · **pacto** *Dos países más han suscrito el pacto para prohibir las armas químicas* · **alianza** || **candidatura** *Un grupo de intelectuales suscribe esa candidatura* || **póliza**
● CON ADVS. **absolutamente** · **totalmente** · **plenamente** · **completamente** · **enteramente** · **punto por punto** *Suscribo punto por punto la carta escrita por mis compañeros* · **de cabo a rabo** · **al piel de la letra** · **a pies juntillas** · **ce por be** || **parcialmente** *Los trabajadores suscribieron parcialmente el documento presentado por el sindicato* · **con reservas** || **verbalmente**

suspender v.

■ [cancelar]

● CON SUSTS. **negociación** · **fiesta** · **congreso** · **reunión** · **encuentro** · **cita** *Habíamos quedado hoy, pero tuvimos que suspender la cita* · **clase** · **programa** · **emisión** · ***otros eventos*** || **actividad** · **servicio** · **obra** · **labor** · **trabajo** || **plan** · **proyecto** · **programa** || **compromiso** *El tenor se vio obligado a suspender todos sus compromisos por motivos de salud* · **acuerdo** · **pacto** · **convenio**
● CON ADVS. **temporalmente** *Se ha suspendido temporalmente el servicio de trenes entre las estaciones de...* · **indefinidamente** · **provisionalmente** · **cautelarmente** · **preventivamente** · **virtualmente** · **eventualmente** || **irrevocablemente** · **definitivamente** · **categóricamente** · **irremediablemente** || **unilateralmente** · **a divinis** || **arbitrariamente** · **injustificadamente** || **forzosamente** · **obligatoriamente** · **voluntariamente** || **completamente** · **enteramente** · **parcialmente**

■ [no aprobar]

● CON SUSTS. **examen** · **prueba** · **test** · **control** · **asignatura** · **curso** · **trabajo** *El profesor me suspendió el trabajo porque no tenía la calidad suficiente* || **alumno,na** *El nivel era tan bajo que el maestro se vio obligado a suspender a casi todos los alumnos* · **estudiante**
● CON ADVS. **estrepitosamente** || **injustificadamente** || **en masa**

suspense s.m.

● CON ADJS. **emocionante** || **lleno,na (de)**
● CON SUSTS. **dosis (de)** · **toque (de)** · **elemento (de)** · **carga (de)** · **ingrediente (de)** || **clima (de)** · **atmósfera (de)** || **literatura (de)** · **película (de)** · **novela (de)** · **relato (de)** · **historia (de)** || **final (de)**
● CON VBOS. **crear** · **producir** · **provocar** · **buscar** · **conseguir** || **mantener** *un maestro en el arte de mantener el suspense* · **dosificar** · **alargar** || **dejar (en)** *Continúa la historia, por favor, no me dejes en suspense*

suspensión s.f.

● CON ADJS. **cautelar** · **eventual** · **transitoria** · **temporal** · **provisional** · **condicional** · **breve** || **prolongada** · **indefinida** · **definitiva** || **inmediata** *En su discurso pidió la suspensión inmediata de los ataques* · **rápida** · **inminente** · **instantánea** || **completa** · **total** · **parcial** || **unilateral** · **bilateral** || **obligatoria** · **forzosa** · **injustificada** · **voluntaria** || **judicial** || **de pagos**
● CON SUSTS. **amenaza (de)** · **peligro (de)** · **expediente (de)** · **solicitud (de)** · **sistema (de)** · **situación (de)** · **petición (de)**
● CON VBOS. **decidir** · **ordenar** *El Gobierno ordenó la suspensión de las negociaciones* · **disponer** · **decretar** || **solicitar** · **reclamar** · **tramitar** · **mantener** || **recurrir** · **impugnar** || **levantar** · **revocar** · **denegar**
● CON PREPS. **en** *partículas en suspensión* · **de** *Lo han sancionado con dos partidos de suspensión*

□ USO Se construye frecuentemente con complementos encabezados por la preposición *de*: *La quiebra de la empresa llevó a la suspensión de pagos.*

[suspenso] → en suspenso; suspenso

suspenso s.m.

● CON ADJS. **general** *La clase recibió un suspenso general por su mal comportamiento* || **alto** · **bajo** || **rotundo** · **redondo** · **claro** || **merecido** · **inmerecido**
● CON SUSTS. **número (de)** · **porcentaje (de)** · **índice (de)** *El índice de suspensos en esta asignatura es muy elevado* || **certificación (de)**
● CON VBOS. **sacar** *Este año no ha sacado ningún suspenso* · **obtener** · **recibir** || **cosechar** · **merecer** · **ganar(se)** || **poner** · **dar** || **calificar (con)**

suspicacia s.f.

● CON ADJS. **leve** · **ligera** · **inicial** *Superadas las suspicacias iniciales, todo marchó perfectamente entre ellos* || **exagerada** || **legítima** · **lógica** · **comprensible** || **infundada** || **interna**
● CON SUSTS. **clima (de)** · **dosis (de)** · **muestra (de)** · **estado (de)** · **exceso (de)** · **motivo (de)**
● CON VBOS. **surgir** *Surgieron suspicacias que enrarecieron el ambiente de trabajo* · **producir(se)** · **desatar(se)** · **extender(se)** || **disipar(se)** · **deshacer(se)** || **levantar** · **suscitar** · **provocar** *Su actitud misteriosa provocó la suspicacia de todos* · **alentar** · **alimentar** · **despertar** · **reabrir** · **crear** · **generar** || **evitar** · **vencer** · **superar** || **ocultar** · **disimular** || **dar lugar (a)** || **prestarse (a)**
● CON PREPS. **con** *ver algo con suspicacia*

suspirar v.

● CON ADVS. **profundamente** *Suspiró profundamente y dejó caer una lágrima* · **a {pleno/todo} pulmón** || **resignadamente**

suspiro s.m.

● CON ADJS. **gran(de)** · **hondo** · **profundo** *un profundo suspiro que me llegó al alma* · **largo** · **prolongado** || **sonoro** · **perceptible** || **pequeño** · **leve** *De vez en cuando se le escapaba un leve suspiro de resignación* · **tenue** · **contenido** · **discreto** · **imperceptible** || **entrecortado** *Reconoció su responsabilidad entre sollozos y suspiros entrecortados* · **jadeante** · **trémulo** || **emocionado** · **nostálgico** · **melancólico** · **romántico** · **lastimero** || **aliviado** · **resignado** || **final** · **último**
● CON VBOS. **brotar** · **escapárse(le) (a alguien)** · **emanar** || **resonar** *Sus suspiros resonaban por toda la sala* · **apagar(se)** || **dar** · **emitir** · **lanzar** · **exhalar** · **soltar** · **dejar escapar** || **ahogar** · **contener** *A duras penas pudo contener un suspiro de emoción* || **provocar** · **arrancar (a alguien)** || **oír** · **escuchar** · **percibir**
● CON PREPS. **entre** *Relató lo ocurrido entre suspiros y sollozos*

□ EXPRESIONES **en un suspiro** [muy rápidamente] *col.*

sustancia s.f.

● CON ADJS. **viscosa** · **pastosa** · **pegajosa** · **elástica** · **grasosa** || **maloliente** · **asquerosa** || **olorosa** || **desconocida** · **extraña** · **rara** || **vital** *una sustancia vital para el desarrollo* · **imprescindible** · **fundamental** || **química** · **médica** · **humana** · **vegetal** · **alimenticia** · **vitamínica** || **tóxica** · **estupefaciente** · **dopante** · **contaminante** · **prohibida** · **peligrosa** · **nociva** · **explosiva** || **gaseosa** · **líquida** · **sólida** · **volátil**

• CON SUSTS. **consumo (de)** · **uso (de)** *controlar el uso de sustancias tóxicas* · **abuso (de)** · **tráfico (de)** · **emisión (de)** · **control (de)**
• CON VBOS. **descomponer(se)** *Algunas sustancias se descomponen por efecto del calor* · **evaporar(se)** || **arrojar** · **dosificar** · **pulverizar** || **descubrir** · **detectar** · **crear** · **inventar** || **producir** · **sintetizar** · **elaborar** · **destilar** · **adulterar** || **mezclar** *Mezcló diversas sustancias hasta dar con la combinación adecuada* · **manipular** · **añadir** || **patentar** · **comercializar** || **solidificar** · **cuajar** · **licuar** · **hervir** · **calentar**
• CON PREPS. **con** *alimentos con sustancia* · **sin** · **a base (de)** *a base de sustancias vegetales*

sustancial adj.

• CON SUSTS. **cambio** *No se han producido cambios sustanciales en la organización de la empresa* · **mejora** · **modificación** · **diferencia** || **incremento** · **aumento** · **reducción** *una reducción sustancial de tarifas* || **pérdida** · **error** · **fallo** || **avance** · **progreso** · **apoyo** || **parte** · **aspecto** || **ventaja**

sustancialmente adv.

• CON VBOS. **reducir** · **rebajar** · **recortar** *Anuncian que se recortarán sustancialmente las ayudas* · **acortar** · **disminuir** · **mermar** · **atenuar** · **abaratar** · **bajar** · **caer** · **achicar** · **adelgazar** · **agravar** · **empeorar** · **dañar** · **deteriorar** · **desvirtuar** · **debilitar** · **perjudicar** · **perder** || **aumentar** · **mejorar** · **incrementar** · **crecer** · **progresar** · **acelerar** · **agilizar** *La tramitación de las becas se ha agilizado sustancialmente con la nueva normativa* · **elevar** · **engrosar** · **avanzar** · **apreciarse** · **ampliar** · **rebasar** · **superar** · **ganar** || **cambiar** · **alterar** · **modificar** · **transformar** · **variar** · **trastocar** · **rectificar** || **diferenciar(se)** · **coincidir** *Aunque coincido sustancialmente con su postura, no comparto algunos puntos* · **diferir** · **estar de acuerdo** || **afectar** · **incidir** · **influir** · **repercutir** · **recaer** · **condicionar** || **girar** · **versar** · **tratar** · **referirse** || **contribuir** *Sus aportes contribuyeron sustancialmente al desarrollo de la disciplina* · **apoyar** · **participar** · **colaborar** · **compartir** · **comprometerse** · **favorecer**
• CON ADJS. **distinto,ta** · **diferente** · **inferior** · **superior** · **opuesto,ta** *Se trata de concepciones políticas sustancialmente opuestas* · **idéntico,ca** · **similar** · **igual** · **coincidente** · **mejor** · **mayor** · **menor** · **análogo,ga** || **nuevo,va** · **falso,sa** · **liberal** · **cómplice** · **original** || **mejorable**

sustancioso, sa adj.

• CON SUSTS. **comida** · **alimento** · **caldo** · **guiso** || **cantidad** · **ingreso** *Su anterior empleo le reportaba ingresos más sustanciosos* · **propina** · **donativo** · **ganancia** · **beneficio** || **contrato** · **negocio** · **trato** || **ventaja** · **margen**

sustantivo, va

1 **sustantivo, va** adj.

I [importante]

• CON SUSTS. **cambio** · **reforma** *Nuestro grupo propone reformas sustantivas a la ley* · **mejora** · **modificación** · **diferencia** · **avance** || **parte** · **elemento** · **aspecto** · **aportación** · **valor** || **cuestión** *Me centraré en las cuestiones sustantivas y dejaré al margen los detalles* · **tema** · **contenido**

2 **sustantivo** s.m.

• CON ADJS. **común** · **abstracto** · **concreto** · **colectivo** · **individual** · **contable** · **no contable** || **plural** · **singular** || **masculino** · **femenino** || **deverbal** · **denominal**
• CON SUSTS. **número (de)** · **género (de)** || **función (de)**
• CON VBOS. **significar (algo)** · **concordar (con algo)** || **emplear** *El autor emplea este sustantivo para referirse a...* · **usar** || **analizar** || **señalar** · **reconocer** · **buscar** · **encontrar**

sustentar v.

• CON SUSTS. **afirmación** · **declaración** *Su declaración está llena de contradicciones y no se sustentaría ante ningún juez* · **discurso** · **comentario** · ***otras manifestaciones verbales o comunicativas*** || **opinión** · **posición** · **punto de vista** · **concepción** · **interpretación** · **visión** · **apreciación** || **principio** · **creencia** · **convicción** · **fundamento** · **ideología** · **valor** · **criterio** · **ideario** · **ideal** || **tesis** *Sobran argumentos para sustentar la tesis de que...* · **teoría** · **hipótesis** *Es una hipótesis interesante, pero difícil de sustentar sin datos empíricos* · **proyecto** · **investigación** · **propuesta** · **plan** · **análisis** · **argumentación** · **programa** · **estrategia** · **reivindicación** · **reflexión** || **idea** · **argumento** *Suele sustentar sus argumentos con solidez* · **premisa** · **pensamiento** · **razón** || **decisión** · **resolución** · **fallo** · **política** · **pacto** · **acuerdo** || **oposición** · **rechazo** *Tenemos razones de fondo para sustentar nuestro rechazo a la actual política económica* · **crítica** · **denuncia** · **acusación** · **imputación**
• CON ADVS. **públicamente** · **parlamentariamente** · **académicamente** · **constitucionalmente** || **fundadamente** · **coherentemente** · **adecuadamente**

sustento s.m.

• CON ADJS. **diario** || **necesario** · **imprescindible** · **principal** · **único** || **económico**
• CON SUSTS. **fuente (de)** *una de las principales fuentes de sustento de la zona* · **medio (de)** || **falta (de)**
• CON VBOS. **ganar(se)** · **pedir** · **buscar** || **dar** · **proporcionar**
• CON PREPS. **en busca (de)** *Vagaba por las calles en busca de sustento*

sustituir v.

• CON ADVS. **de golpe** · **repentinamente** · **abruptamente** · **de improviso** *La tuvieron que sustituir de improviso en el trabajo* || **progresivamente** · **gradualmente** · **paulatinamente** · **poco a poco** || **temporalmente** *La máquina será sustituida temporalmente mientras la arreglan* · **indefinidamente** · **provisionalmente** · **cautelarmente** · **preventivamente** || **oficialmente** · **a dedo**

sustituto, ta s.

• CON ADJS. **posible** · **probable** · **futuro,ra** || **adecuado,da**
• CON VBOS. **elegir** · **decidir** · **designar** · **nombrar** || **buscar** · **encontrar** *Costó mucho encontrar sustituto para este puesto* · **tener** || **perfilar(se) (como)** || **estar (de)**

susto s.m.

• CON ADJS. **buen(o)** *Se llevó un buen susto con la noticia* · **considerable** · **tremendo** · **mayúsculo** · **monumental** · **morrocotudo** · **descomunal** · **de campeonato** *Se pegó un susto de campeonato cuando vio la puerta cerrada* || **sobrecogedor** · **traumático** || **pequeño** · **ligero**
• CON SUSTS. **cara (de)** · **expresión (de)** · **grito (de)** · **gesto (de)** · **mirada (de)**
• CON VBOS. **pasárse(le) (a alguien)** *¿Se te ha pasado ya el susto?* · **írse(le) (a alguien)** || **llevarse** · **sufrir** · **recibir** || **dar** · **pegar** *Para quitarle el hipo le pegué un susto* · **meter** || **superar** · **evitar** || **quedar(se) (en)** *Afortunada-*

mente todo se quedó en un susto || **recuperarse (de)** · **recobrarse (de)** · **reponerse (de)** || **morir(se) (de)**
● CON PREPS. **a prueba (de)**

[sustraer] → sustraer; sustraer(se) (de/a)

sustraer v.

● CON SUSTS. **cartera** · **monedero** · **bolso** · **dinero** · **fondos** · **cheque** · **recaudación** · **reloj** · **joya** · **material** *Ha sido detenida por sustraer material informático* · **arma** · **ordenador** · ***otros objetos*** || **documento** · **información** · **vídeo** · **cinta** || **coche** · **bicicleta** · **motocicleta** · ***otros vehículos***
● CON ADVS. **disimuladamente** *Consiguió sustraer disimuladamente varios objetos de la sala* · **con sigilo** || **limpiamente** · **astutamente** · **hábilmente** || **temporalmente** · **momentáneamente**

sustraer(se) (de/a) v.

● CON SUSTS. **acción de la justicia** · **jurisprudencia** · **ley** *Ningún ciudadano puede sustraerse a la ley* · **norma** · **institución** · **disposición** || **vigilancia** · **control** · **análisis** · **crítica** · **mirada** *La verdad se sustrae a veces a la mirada escrutadora del historiador* · **examen** || **circunstancias** · **realidad** · **presente** · **experiencia** · **actualidad** || **influjo** · **influencia** *No es fácil sustraerse de la influencia de los medios de comunicación* · **injerencia** · **hechizo** · **tentación** · **hipnosis** · **fascinación** · **atracción** || **imagen** · **personalidad** || **obligación** · **compromiso** · **imperativo** · **condicionamiento** · **disciplina** · **esclavitud** || **exigencia** · **petición** *Costaba mucho sustraerse a una petición tan amable* · **solicitación** || **debate** · **discusión** · **diálogo** · **lucha** · **polémica** *una excusa para sustraerse de la polémica* || **sensación** · **impresión** · **recuerdo** · **sospecha** · **intuición** · **presagio** · **visión** · **interpretación**
● CON ADVS. **totalmente** · **completamente** || **diplomáticamente**

sutil adj.

● CON SUSTS. ***persona*** *una mujer sutil y astuta* || **mirada** · **sonrisa** · **gesto** || **matiz** · **detalle** || **mente** · **pensamiento** · **inteligencia** · **capacidad** || **ironía** · **humor** · **ingenio** · **juego** || **sugerencia** · **expresión** · **apreciación** · **frase** · **mensaje** · **análisis** || **diferencia** *Entre estas dos palabras existe solo una sutil diferencia semántica* · **modificación** · **cambio** · **adaptación** || **sonido** · **voz** · **toque** || **color** · **línea** || **equilibrio** *un sutil equilibrio entre clasicismo y vanguardia* · **movimiento**
● CON VBOS. **volverse**

sutileza s.f.

● CON ADJS. **gran(de)** · **enorme** · **extrema** · **extremada** · **notable** · **fina** · **elegante** · **exquisita** *endecasílabos de exquisita sutileza* || **cromática** · **visual** · **plástica** · **artística** || **necesaria** · **exigible** · **precisa** || **intelectual** · **literaria** · **poética** · **narrativa**
● CON SUSTS. **falta (de)** *La llamativa falta de sutileza de algunos de nuestros políticos* || **grado (de)** · **ejercicio (de)**
● CON VBOS. **mostrar** · **poseer** · **demostrar** *Demostró una notable sutileza al plantear el asunto* · **derrochar** || **adquirir** · **encontrar** · **lograr** || **requerir** · **necesitar** · **precisar** || **tener** *Tiene intuición y sutileza para los negocios* || **carecer (de)**
● CON PREPS. **con** · **sin**

suturar v.

● CON SUSTS. **herida** *En el hospital le suturaron la herida con tres puntos* · **vena** · **arteria** · **orificio** · **grieta** · **ventrículo**

T t

tabaco s.m.

●CON ADJS. **rubio · negro || de pipa || mortal · cancerígeno · peligroso · perjudicial**
●CON SUSTS. **cultivo (de) || plantación (de) || hoja (de) · planta (de) || fábrica (de) · industria (de) || marca (de) || paquete (de)** *Te has dejado el paquete de tabaco en la mesa* · **cajetilla (de) · picadura (de) || humo (de) || lucha (contra) · campaña (contra)**
●CON VBOS. **fumar** *Fuma tabaco negro* **|| expender · vender || liar || dejar** *Le costó mucho dejar el tabaco* **|| cultivar · sembrar · producir · cosechar · plantar || recoger · recolectar || abusar (de) · dar(le) (a)**

taberna s.f.

●CON ADJS. **de barrio || modesta**
●CON VBOS. **comer (en) · tomar (algo) (en)** *Vamos a tomar un vino en una taberna que está muy bien*
➤ Véase también **ESTABLECIMIENTO**

tabicar v.

●CON SUSTS. **puerta** *Tabicamos la puerta para poner un armario delante* · **arco · bóveda || tubería · desagüe** *Tanta porquería terminó por tabicar el desagüe*

tabique s.m.

●CON ADJS. **nasal || interior · de separación || móvil · falso** *Pusieron un falso tabique para separar los despachos* **|| adicional · colindante**
●CON VBOS. **derrumbar(se)** *El tabique se derrumbó al intentar perforarlo* · **caer(se) || separar (algo) · desviar (algo) || perforar · operar** *Le han operado el tabique nasal* · **limar || poner · levantar · construir || tirar · derribar · abatir || romper · destrozar · golpear · dañar** *La explosión dañó los tabiques del edificio* **|| servir (de)**

tabla

1 **tabla** s.f.

▮ [pieza plana]

●CON ADJS. **fina · gruesa || de madera || de planchar · de surf**
●CON SUSTS. **óleo (sobre) · pintura (sobre)**
●CON VBOS. **combar(se)** *La tabla se ha combado con la humedad* **|| cortar · serrar || apilar · amontonar || construir (con)**

▮ [cuadro, lista, relación]

●CON ADJS. **adjunta** *Para consultar los nuevos precios, véase la tabla adjunta* · **anexa || extensa · larga · apretada || clasificatoria** *La tabla clasificatoria queda como sigue...* · **final || reivindicativa || numérica · porcentual || periódica** *la tabla periódica de los elementos químicos* · **de multiplicar · de ley · de valores · de gimnasia || salarial**
●CON SUSTS. **cabeza (de) · final (de) · fondo (de) · pie (de) || posición (en)** *Ocupa una buena posición en la tabla*
●CON VBOS. **encabezar · liderar** *Nuestro equipo lidera la tabla* · **cerrar || actualizar · ampliar · elaborar || bajar (en) · subir (en) · afianzar(se) (en) · salir (de)**
●CON PREPS. **a la cabeza (de) · en cabeza (de) · a la cola (de)**

2 **tablas** s.f.pl.

▮ [empate]

●CON VBOS. **hacer · lograr || acordar · pactar || quedar (en)** *La partida quedó en tablas* · **finalizar (en) · terminar (en)**

▮ [soltura, experiencia]

●CON VBOS. **tener** *Tiene muchas tablas y no se pondrá nervioso*

□EXPRESIONES **a rajatabla*** [rigurosamente] **|| hacer tabla rasa** (de algo) [prescindir de ello y comenzar desde el principio] **|| tabla de salvación** [último recurso en una situación comprometida]

[tablas] s.f.pl. → tabla

tableado, da adj.

●CON SUSTS. **falda · vestido · pichi**

tablero s.m.

●CON ADJS. **de ajedrez · de parchís · de oca ·** ***otros juegos*** **|| electrónico · central · luminoso** *Los nombres de los ganadores aparecieron en un tablero luminoso*

tableta s.f.

●CON ADJS. **de chocolate · de turrón || masticable**
●CON VBOS. **tomar(se)** *Se tomó una tableta de chocolate entera* · **comer(se) · tragar(se) · ingerir · diluir**
●CON PREPS. **en** *un medicamento en tabletas masticables*

tablón s.m.

●CON ADJS. **de anuncios** *Vi el cartel de alquiler en el tablón de anuncios* · **de avisos · de cambios · de edictos || electrónico**
●CON VBOS. **aparecer (en) || poner (en) · colgar (en)** *Colgué el aviso en el tablón* **|| anunciar (en) · exponer (en) · publicar (en)** *Publicaron la convocatoria en el tablón del departamento* **|| ver (en) · leer (en)**

tabú s.m.

●CON ADJS. **sexual · social · religioso || poderoso · fuerte · arraigado || viejo · tradicional || innombrable || injustificado || lleno,na (de)**

• CON SUSTS. **asunto** · **cuestión** · **tema** *No podemos hablar de eso, es un tema tabú en la familia* || **palabra**
• CON VBOS. **pesar (sobre algo/sobre alguien)** · **influir (sobre algo/sobre alguien)** || **infringir** · **quebrantar** · **romper** · **superar** · **transgredir** · **vencer** || **respetar** || **existir** · **haber** || **caer (en)** · **convertir(se) (en)** *Tras su muerte, su nombre se convirtió en un tabú* · **enfrentarse (a)**

tachar v.

• CON SUSTS. **palabra** · **nombre** *Tachó su nombre de la lista* · **frase** · **párrafo** · **número**

tácito, ta adj.

• CON SUSTS. **acuerdo** · **pacto** · **alianza** *Entre ambos países existe una alianza tácita* · **tregua** · **consenso** · **compromiso** · **contrato** || **aceptación** *la aceptación tácita de las condiciones* · **reconocimiento** · **aprobación** · **consentimiento** *con el consentimiento tácito de los padres* || **entendimiento** · **conocimiento** · **complicidad** || **apoyo** · **respaldo** || **alusión** *Hizo varias alusiones tácitas a los actuales asuntos políticos* · **mensaje** || **sujeto** · **pronombre** · **verbo** · **expresión**

taciturno, na adj.

• CON SUSTS. ***persona*** || **semblante** · **rostro** || **aspecto** · **expresión** · **mirada** *una mirada taciturna que transmitía tristeza y melancolía* || **carácter** · **actitud**
• CON VBOS. **ser** · **volverse** · **estar** · **quedarse**

taco

1 **taco** s.m.

▌[pieza que se encaja en un hueco]

• CON VBOS. **poner** · **meter** *Necesito un martillo para meter el taco en la pared* · **clavar** · **colocar**

▌[palabrota] *col.*

• CON ADJS. **soez** · **grosero** · **malsonante** || **inocente** · **ingenuo** || **lleno,na (de)** · **plagado,da (de)**
• CON VBOS. **decir** · **soltar** *Soltó un taco detrás de otro al enterarse de lo sucedido* · **escapárse(le) (a alguien)** · **proferir** · **lanzar** · **repetir**

▌[lío o barullo] *col.*

• CON VBOS. **armar(se)** *Volvió a armar el taco con sus polémicas palabras* · **hacer(se)** · **montar(se)** · **organizar(se)**

2 **taco (de)** s.m.

• CON SUSTS. **jamón** *Pusieron como aperitivo unos tacos de jamón serrano* · **queso** · **carne** · **bacalao** · ***otros alimentos*** || **folios** · **billetes** · **facturas** · **hojas** || **madera** *La escultura descansaba sobre gruesos tacos de madera* · **aluminio** · **cuero** · ***otras materias*** || **billar** || **bota** *Los tacos de sus botas de fútbol estaban ya muy gastados* · **zapatilla** || **dinamita** · **explosivos**

tacón s.m.

• CON ADJS. **cuadrado** · **de aguja** *unos zapatos de tacón de aguja* · **fino** · **gordo** · **ancho** || **alto** · **bajo** · **medio** *unos botines de medio tacón*
• CON VBOS. **gastar(se)** · **torcer(se)** · **romper(se)** || **llevar** · **poner(se)** *No me gusta ponerme tacones tan altos*
• CON PREPS. **de** · **con** · **sin**

táctica s.f.

• CON ADJS. **ofensiva** · **defensiva** · **disuasoria** || **socorrida** · **manida** · **sucia** *Recurrió a todo tipo de tácticas sucias para ganar* || **conocida** · **habitual** || **eficaz** · **ineficaz** || **enemiga** || **militar** · **periodística** · **propagandística** · **deportiva** · **legal** · **comercial** · **económica**
• CON VBOS. **surtir efecto** *Las tácticas para acallar las protestas surtieron efecto* · **fracasar** || **usar** · **adoptar** · **emplear** · **aplicar** · **poner en práctica** *Habría que poner en práctica tácticas de juego más ofensivas* · **mantener** · **oponer** || **descubrir** · **desentrañar** · **desbaratar** || **planear** || **recurrir (a)** · **carecer (de)** || **cambiar (de)** · **variar (de)** || **equivocar(se) (de)**

táctil adj.

• CON SUSTS. **capacidad** · **sensación** · **percepción** · **estímulo** *una obra llena de estímulos visuales y táctiles* · **impresión** · **experiencia** || **carácter** · **cualidad** · **dimensión** · **valor** || **textura** · **materia** || **pantalla** · **monitor** *Pusieron la información en un monitor táctil*

[tacto] →con tacto; tacto

tacto s.m.

▌[sentido corporal o su percepción]

• CON ADJS. **manual** || **suave** · **resbaloso** · **escurridizo** · **esponjoso** · **viscoso** || **áspero** · **duro** · **rugoso** || **inconfundible** · **agradable**
• CON SUSTS. **sentido (de)**
• CON VBOS. **tener** *Un cabello brillante y que tiene un tacto suave es muestra de buena salud* · **presentar** · **ofrecer** · **lograr** || **perder** · **recuperar** || **notar** · **sentir** *...y sus manos sintieron el tacto inconfundible de su tersa piel* · **percibir**

▌[delicadeza]

• CON ADJS. **sumo** · **admirable** · **asombroso** · **exquisito** *Me hizo ver con un tacto exquisito que estaba equivocada* · **sutil** · **florentino** · **diplomático** · **preciso** || **escaso** · **insuficiente** || **necesario** · **imprescindible** · **obligado** || **comercial** · **psicológico** · **político** · **profesional**
• CON SUSTS. **falta (de)** · **uso (de)**
• CON VBOS. **faltar (a alguien)** || **tener** *Tiene un enorme tacto para los negocios* · **demostrar** · **mostrar** · **prodigar** · **necesitar** || **usar** · **emplear** · **aplicar** · **esgrimir** || **exigir** *Este trabajo exige mucho tacto con los clientes* · **requerir** || **carecer (de)** || **tratar (con)**
• CON PREPS. **con** *actuar con muy poco tacto* · **sin**

tahúr s.m.

• CON ADJS. **consumado** *Le encantaban las cartas, era un tahúr consumado* · **hábil** · **buen**
• CON VBOS. **hacer trampas** || **jugar** · **apostar** || **engañar (a alguien)** · **timar (a alguien)**

taimado, da adj.

• CON SUSTS. ***persona*** *un picapleitos taimado y sin escrúpulos* || **carácter** · **naturaleza** · **espíritu** || **voz** · **lenguaje** · **frase** · **palabra**
• CON VBOS. **volverse**

tajada s.f.

▌[trozo, rodaja]

• CON ADJS. **fina** · **gruesa**
• CON VBOS. **partir** · **cortar** · **poner** · **repartir**

▌[ventaja, provecho] *col.*

• CON ADJS. **buena** · **cuantiosa** · **suculenta** *El intermediario se llevó una suculenta tajada de la venta del piso* · **importante** · **enorme** · **notable** || **económica** · **electoral**

Los acusaron de sacar tajada electoral de la tragedia · **informativa** · **financiera**

● CON VBOS. **sacar** · **llevarse** · **obtener** · **lograr** · **pillar** *Toda la banda pilló tajada* · **coger**

tajante adj.

● CON SUSTS. **respuesta** *Su respuesta no pudo ser más tajante* · **resolución** · **conclusión** · **veredicto** · **sentencia** · **decisión** · **reacción** · **resultado** || **declaración** · **explicación** · **definición** · **juicio** || **afirmación** · **mensaje** · **informe** · **término** · **palabra** · **frase** · **comentario** || **orden** *Tenían la orden tajante de no hacer declaraciones* · **prohibición** · **instrucción** || **negativa** · **no** · **rechazo** · **condena** · **crítica** · **censura** · **oposición** · **acusación** || **separación** · **corte** · **división** · **divorcio** || **opinión** · **posición** · **postura** *Debemos mantener una postura tajante en este asunto* · **actitud** || **tono** · **estilo** · **ritmo**

● CON VBOS. **hacerse** · **volverse**

tajantemente adv.

● CON VBOS. **negar** *negar tajantemente una acusación* · **rechazar** *Los socios rechazaron tajantemente la propuesta* · **desmentir** · **oponer(se)** · **condenar** · **descartar** · **prohibir** || **afirmar** · **asegurar** *La abogada defensora aseguró tajantemente la inocencia de su cliente* · **expresar** · **decir** · **declarar**

tajo s.m.

▮ [corte]

● CON ADJS. **profundo** *Recibió un profundo tajo en el cuello* · **brutal** · **rotundo** · **duro** · **hondo**

● CON VBOS. **pegar** · **meter** · **asestar** · **infligir**

▮ [trabajo] *col.*

● CON SUSTS. **compañero,ra (de)**

● CON VBOS. **ir (a)** · **volver (a)** *Después de las vacaciones volvió al tajo* · **seguir (en)**

tala s.f.

● CON ADJS. **de árboles** *las consecuencias de la tala masiva de árboles* · **de bosques** · **de madera** || **masiva** · **inmoderada** · **incontrolada** · **indiscriminada** · **salvaje** · **excesiva** · **abusiva** · **brutal** · **irresponsable** · **irracional** || **sistemática** · **permanente** || **ilegal** · **clandestina** · **ilícita** · **irregular** || **legal** · **reglamentada** · **ordenada** · **necesaria** · **conveniente**

● CON VBOS. **cesar** || **realizar** · **comenzar** · **solicitar** || **autorizar** *autorizar la tala de los árboles de los jardines* · **permitir** · **facilitar** · **ordenar** || **evitar** · **prohibir** · **paralizar** · **suspender** || **detectar** · **denunciar** *Han denunciado la tala de árboles en espacios protegidos* || **proceder (a)**

taladrar v.

● CON SUSTS. **muro** · **muralla** · **pared** · **suelo** · **superficie** || **cerebro** *Ese ruido me está taladrando el cerebro* · **cabeza** · **memoria** · **mente** · **oído** · **oreja** || **piel** · **hueso** · **cráneo**

● CON ADVS. **con la mirada** *Cuando se lo dijo, ella lo taladró con la mirada* || **continuamente** || **sin piedad**

talante s.m.

● CON ADJS. **autoritario** *Se percibía en él un acusado talante autoritario* · **imperioso** · **imperativo** || **apacible** · **pacífico** · **tranquilo** · **acogedor** · **amable** · **ecuánime** || **artístico** · **constructivo** · **creador** || **buen(o)** · **mal(o)** || **combativo** · **crítico** · **polemista** · **rebelde** · **reivindicativo** || **conservador** · **democrático** · **liberal** *medidas económicas de talante liberal* || **decidido** · **obstinado** · **emprendedor** || **conciliador** · **negociador** || **discreto** · **reservado** || **humano** *Sus compañeros destacaron su gran profesionalidad y su talante humano* · **personal** || **positivo** · **negativo**

● CON SUSTS. **cambio (de)** *No sabemos a qué se debe su cambio de talante* · **diferencia (de)** || **fiel (a)** || **falta (de)** || **persona (de)**

● CON VBOS. **moderar** · **robustecer(se)** · **templar** · **tener** || **cambiar (de)** · **caracterizarse (por)** *Se caracteriza por un talante sosegado y amable*

talar v.

● CON SUSTS. **árbol** *El jardinero está talando los árboles* · **bosque** · **madera** · **poste**

talco s.m.

● CON SUSTS. **polvo (de)** *echarse polvos de talco*

talento s.m.

● CON ADJS. **artístico** *Goza de un gran talento artístico* · **creador** · **comercial** · **creativo** · **deportivo** · **diplomático** · **interpretativo** · **literario** *Es incuestionable su talento literario* · **musical** · **organizativo** || **a raudales** *La chica tiene talento a raudales* · **de sobra** · **inmenso** · **enorme** · **descomunal** · **insuperable** · **notable** · **sumo** || **asombroso** · **especial** · **excepcional** · **extraordinario** · **formidable** · **pasmoso** · **soberbio** || **envidiable** · **endiablado** || **escaso** · **limitado** || **fecundo** · **poderoso** || **indudable** · **innegable** || **innato** *Posee un talento innato para las matemáticas* · **natural** · **heredado** · **hereditario** || **legendario** · **nuevo** · **proverbial** || **penetrante** || **rebosante (de)** · **sobrado,da (de)**

● CON SUSTS. **demostración (de)** *Realizó ante su público una demostración de talento interpretativo* · **despliegue (de)** · **muestra (de)** · **señal (de)** · **prueba (de)** || **ápice (de)** · **brizna (de)** · **golpe (de)** · **dosis (de)** || **derroche (de)** · **falta (de)** || **persona (de)** *Se trata de una persona de gran talento* || **faceta (de)**

● CON VBOS. **difuminar(se)** · **malograr(se)** · **paralizar(se)** || **atesorar** · **poseer** · **tener** · **perder** || **aprovechar** *Sabe aprovechar su talento al máximo* · **canalizar** · **dedicar (a algo)** · **desarrollar** · **ejercitar** · **emplear** · **usar** · **poner al servicio (de algo)** || **aflorar** · **brillar** · **brotar** · **despuntar** || **confirmar** · **corroborar** · **valorar** || **descubrir** || **aunar** || **demostrar** · **mostrar** · **revelar** || **derramar** · **desparramar** · **desperdigar** · **destilar** || **derrochar** · **desperdiciar** *En ese puesto está desperdiciando su talento* · **despilfarrar** · **dilapidar** · **malgastar** || **dosificar** · **medir** || **rebosar** *El actor rebosa talento por los cuatro costados* · **rezumar** || **heredar** || **gozar (de)** · **servirse (de)** *Para triunfar, se ha servido únicamente de su talento* · **hacer gala (de)**

● CON PREPS. **a fuerza (de)** · **a la altura (de)** · **a la medida (de)** *Le han propuesto un proyecto a la medida de su talento* · **sin menoscabo (de)** · **en posesión (de)**

talismán s.m.

● CON ADJS. **sagrado** · **humano** || **nacional** *La afición lo consideraba un talismán nacional*

● CON VBOS. **llevar** · **constituir** · **considerar** || **actuar (como)** *Hay quien dice que esas piedras actúan como talismán* · **servir (de)**

talla s.f.

▮ [medida]

● CON ADJS. **única** *Seguro que te valen estos calcetines: son de talla única* || **inmensa** · **desproporcionada** · **impresionante** · **extraordinaria** · **colosal** · **enorme** · **grande**

· **extra** || **media** · **mediana** || **pequeña** *Creo que deberíamos comprarle una talla más pequeña* · **reducida** · **exigua** · **escasa** · **infantil**
● CON VBOS. **valer (a alguien)** *Esta talla no me vale* || **crecer** · **menguar** || **usar** *Quiero regalarle una camisa pero no sé que talla usa* · **gastar** · **probar** || **cambiar (de)**

▮ [escultura]

● CON ADJS. **de (gran) valor** · **artística** || **medieval** · **románica**
● CON VBOS. **hacer** · **esculpir** · **reconstruir**

▮ [importancia o valor]

● CON ADJS. **política** *Todos han destacado la enorme talla política del candidato* · **intelectual** · **moral** · **artística** · **literaria** · **profesional** · **humana** · **personal** || **nacional** · **internacional** · **mundial** *un cantante de talla mundial*
● CON SUSTS. **artista (de)** · **actor (de)** · **actriz (de)** · **político,ca (de)** *Resulta sorprendente que un político de su talla incurra en esa clase de errores* · **jugador,-a (de)** · **maestro,tra (de)** · **escritor,-a (de)** · **intelectual (de)** || **obra (de)**
● CON VBOS. **faltar (a alguien)** || **tener** · **ganar** · **alcanzar** · **demostrar** || **carecer (de)** *Carece de la talla profesional necesaria para acometer semejante empresa*
□ EXPRESIONES **dar la talla** [ser apto para algo]

tallar v.

● CON SUSTS. **madera** · **piedra** *Mostraban una habilidad especial al tallar la piedra* · **roca** · **gema** · **diamante** · **cuarzo** · **sílex** || **figura** · **estatua** · **busto**

talle s.m.

● CON ADJS. **bajo** *unos pantalones de talle bajo* · **alto** · **corto** · **justo** || **femenino** · **masculino** || **esbelto** · **garboso** · **juvenil** · **fino**
● CON VBOS. **marcar** *Ese corpiño marca mucho el talle* · **lucir** || **girar** · **inclinar**

taller s.m.

● CON ADJS. **mecánico** · **de reparación** · **de chapa** || **cultural** · **narrativo** · **literario** · **de teatro** *Nos conocimos en el taller de teatro de la universidad* · **de periodismo** || **artístico** · **de arte** · **de restauración** · **creativo** || **gráfico** · **de dibujo** || **infantil** · **educativo** || **profesional** · **especializado** || **doméstico** · **familiar** · **artesanal** *Los hacen a mano en un taller artesanal*
● CON VBOS. **abrir** · **inaugurar** · **clausurar** · **concluir** || **programar** · **organizar** *Un grupo de escritores ha organizado un taller literario en el instituto* · **dirigir** · **impartir** · **dictar** || **realizar** · **tener** · **desarrollar** · **seguir** || **trabajar (en)** || **inscribir(se) (en)** · **participar (en)** · **ir (a)**

tallo s.m.

● CON ADJS. **recto** · **pendular** · **corto** · **largo** || **leñoso** · **duro** || **hueco** · **carnoso** || **comestible** || **cerebral** *investigar las funciones del tallo cerebral*
● CON VBOS. **reverdecer** · **crecer** || **cortar** *Cortó el tallo de la flor para no arrancarla* · **podar** · **separar** · **eliminar**

talón s.m.

▮ [resguardo, cheque]

● CON ADJS. **en blanco** || **nominativo** || **sin fondos**
● CON VBOS. **firmar** · **extender** || **cobrar** *Para cobrar este talón tienes que acreditar tu identidad* · **hacer efectivo** · **ingresar** · **conformar** · **respaldar** || **devolver** || **falsificar**

▮ [parte del pie o del calzado]

● CON SUSTS. **dolor (de)** · **rozadura (de)**
● CON PREPS. **con** · **sin** *zapatillas sin talón*
□ EXPRESIONES **talón de Aquiles** [punto débil o vulnerable]

talonario

1 **talonario** s.m.

● CON VBOS. **menguar** || **utilizar** · **emplear** || **adquirir** · **sustraer** || **recurrir (a)** *Recurro al talonario cuando estoy de viaje* · **tirar (de)** · **disponer (de)**

2 **talonario (de)** s.m.

● CON SUSTS. **cheques** *Me han robado mi talonario de cheques* · **recetas** · **recibos** · **facturas** · **billetes** · **entradas** · **multas** *Vi al guardia sacar su talonario de multas* · **denuncias**

talud s.m.

● CON ADJS. **de terreno** · **natural** || **de tierra** · **de arena** · **de piedra** *Perdió el control del coche y chocó contra un talud de piedra* · **de cemento** · **vegetal** || **de contención**
● CON VBOS. **separar (algo)** || **crear** · **construir** || **levantar** · **rebajar** || **reforzar** · **consolidar** *Tras las inundaciones, tuvieron que consolidar el talud de la presa* || **chocar (contra)** · **empotrar(se) (contra)**

tamaño s.m.

● CON ADJS. **gran(de)** · **apreciable** · **considerable** · **desmedido** · **descomunal** · **desmesurado** · **desproporcionado** · **colosal** *estatuas egipcias de tamaño colosal* · **ciclópeo** · **imponente** || **adecuado** · **suficiente** · **justo** · **exacto** · **aproximado** · **proporcionado** · **ajustado** || **medio** · **mediano** || **pequeño** *vehículos de pequeño tamaño* · **menudo** · **reducido** · **inapreciable** · **escaso** · **insuficiente** · **ridículo** · **mínimo** || **natural** *una escultura de tamaño natural* || **acorde (con)**
● CON SUSTS. **diferencia (de)** · **problema (de)** || **cálculo (de)**
● CON VBOS. **medir** *Esta mesa mide el tamaño justo para el comedor* · **alcanzar** || **exceder** · **rebasar** · **superar** · **reducir** · **aumentar** || **calcular** · **calibrar** || **equiparar** · **comparar** || **aumentar (de)** · **disminuir (de)** || **depender (de)**
● CON PREPS. **a la medida (de)** · **en función (de)** · **según** *colocar los libros según su tamaño*

tambalearse v.

● CON SUSTS. **persona** *Con lo que ha bebido tu amigo, es natural que se tambalee* || **cimiento** · **pilar** · **plataforma** · **soporte** || **base** · **fundamento** · **esencia** · **principio** || **institución** · **régimen** *El régimen ya se tambaleaba cuando estallaron las primeras revueltas sociales* · **gobierno** · **imperio** || **sistema** · **economía** || **confianza** · **convicción** · **fe** *Empezaba a tambalearse su fe en la viabilidad del proyecto* || **acuerdo** · **proceso** || **vida** · **mundo**
● CON ADVS. **peligrosamente** *La incipiente recesión y la fuerte inflación hicieron que la economía se tambaleara peligrosamente* · **gravemente** · **vertiginosamente** || **constantemente** · **momentáneamente**

tambor s.m.

● CON ADJS. **de guerra** · **de retirada** || **lejano** · **atronador** · **siniestro** · **triunfal** · **batiente** || **tradicional** · **típico** || **rociero**
● CON SUSTS. **redoble (de)** *De pronto sonó un redoble de tambores* · **repique (de)** · **ritmo (de)** || **golpe (de)** · **ruido (de)**

●CON VBOS. **resonar · repicar || retumbar** *Retumbaban a lo lejos los tambores de guerra* · **atronar (algo) || anunciar (algo) || redoblar || aporrear** *Estuvo aporreando el tambor toda la tarde* · **golpear · zumbar**

➤ Véase también **INSTRUMENTO MUSICAL**

tamborilear v.

●CON SUSTS. **lluvia · agua || dedos || sonido · repiqueteo**
●CON ADVS. **continuamente · constantemente · reiteradamente · repetidamente || levemente · fuertemente**

tamiz s.m.

●CON ADJS. **fino · selectivo · depurador || crítico · reflexivo · riguroso** *Toda la información pasa por el riguroso tamiz del director del proyecto* **|| informático · ideológico**
●CON VBOS. **pasar (por) · someter (a)**

tamizar v.

●CON SUSTS. **harina · azúcar || luz** *Unas cortinas claras tamizaban la luz* · **iluminación · sonido || información · realidad · verdad || efecto · consecuencia || filtro (para)**
●CON ADVS. **artificialmente || suavemente · finamente**

tanda

1 **tanda** s.f.

●CON ADJS. **negociadora || larga** *Los embajadores protagonizaron una larga tanda de conversaciones* · **formidable · espléndida · emocionante || inicial · final · definitiva**
●CON SUSTS. **cierre (de) · resultado (de)**
●CON VBOS. **abrir · afrontar || completar · concluir || resolver (en) · eliminar (en)** *Nos eliminaron en la tanda de penaltis*

2 **tanda (de)** s.f.

●CON SUSTS. **penaltis · entrenamientos || conversaciones · reuniones || comparecientes** *La tanda de comparecientes se inició con el primer testigo* · **citaciones · nombramientos || recitales**

tándem s.m.

●CON ADJS. **compenetrado · conjuntado · {bien/mal} engrasado || eficaz · ejemplar · perfecto · irrepetible · logrado · idóneo || poderoso · imbatible** *Ambos tenistas forman un tándem imbatible* **|| demoledor · letal · explosivo · temible || político · empresarial**
●CON VBOS. **funcionar** *El tándem empresarial funcionó perfectamente durante años* **|| hacer · formar · constituir · crear || componer · integrar || dirigir · consolidar**
●CON PREPS. **en** *trabajar en tándem*

tangencial adj.

●CON SUSTS. **relación · nexo · vinculación** *El juez ha considerado que su vinculación con la banda criminal es meramente tangencial* · **trato || tema · asunto · cuestión · historia · fenómeno · situación · material · suceso || papel · función · importancia · peso || aspecto** *Son aspectos tangenciales del problema* · **estilo · ámbito · lado || comentario** *No dio ninguna explicación, tan solo hizo un par de comentarios tangenciales* · **referencia · afirmación · respuesta · mención · alusión · salida · disquisición || proyecto · producción · trabajo · actuación · creación · estudio · experimento || participación · contribución · aportación || problema · polémica · contratiempo || interés** *Las instituciones solo han mostrado un interés tangencial por el descubrimiento* · **apoyo · influencia || repercusión · consecuencia · efecto || causa · motivo · razón**

tangencialmente adv.

●CON VBOS. **abordar** *Es un tema importante que no se puede abordar tangencialmente* · **tratar · intervenir · estudiar · abarcar · contemplar || tocar · referirse · aludir · mencionar · comentar · informar · rozar · evocar || coincidir · relacionar** *La actriz, solo tangencialmente relacionada con el escándalo, declaró...* · **comparar · acercar · enlazar · vincular || aparecer · abrir · partir · surgir || cruzar · invadir · pisar || conocer · reparar**

tangente adj.

●CON SUSTS. **círculo · línea · recta || cuestión** *Hay varias cuestiones tangentes en las que no puedo entrar hoy* · **asunto · tema · polémica**

□EXPRESIONES **{ir(se)/salir(se)} por la tangente** [evitar con algo accesorio el aspecto esencial de una explicación o de una argumentación] *col. Siempre que le pregunto sobre el tema se sale por la tangente*

tangible adj.

●CON SUSTS. **realidad · verdad || materia · cuerpo · bien** *Tenía mucho dinero en bienes tangibles* · **elemento || prueba** *La prueba tangible de que no se lo esperaba es...* · **hecho · contenido · recuerdo · valor || objetivo · resultado · efecto · beneficio · fruto** *Los frutos tangibles de la inversión se verán dentro de un par de años* **|| medida · acción · ayuda || mejora · progreso · solución || acuerdo · relación**

tango s.m.

●CON ADJS. **célebre · memorable · famoso || desgarrador** *La solista entonó un tango desgarrador* · **cautivador · feroz · romántico || tradicional · original**
●CON SUSTS. **música (de) · ritmo (de)** *La orquesta se despidió a ritmo de tango*
●CON VBOS. **sonar** *...y mientras tanto, un tango sonaba a lo lejos* **|| cantar · entonar · tararear · silbar || interpretar · tocar · bailar || componer · dedicar · grabar || escuchar · oír**

tantear v.

●CON SUSTS. **terreno** *Antes de tomar una decisión deberíamos tantear el terreno* · **zona · camino · suelo · pared · *otros espacios* || *persona*** *una reunión para tantear a los inversores* **|| reacción || mercado · opinión pública** *No son más que globos sonda para tantear la opinión pública*
●CON ADVS. **discretamente · tímidamente || inútilmente · infructuosamente || mutuamente || en la oscuridad · a oscuras** *Iba por la casa tanteando a oscuras las paredes* **|| a pulso**

tanteo s.m.

▮ [resultado de una competición deportiva]

●CON ADJS. **inicial · final · global || espectacular** *El equipo local venció por el espectacular tanteo de cinco goles a favor* · **escandaloso · abultado · contundente · escueto || idéntico · adverso** *La tenista supo remontar el inicial tanteo adverso*
●CON VBOS. **realizar · inaugurar || alterar · recortar · remontar · igualar · elevar || tener** *El partido tuvo un tanteo muy igualado*

▮ [intento disimulado de obtener algo]

●CON SUSTS. **sesión (de) · fase (de)** *Los negociadores se hallan todavía en la fase de tanteo* · **período (de) || pase (de)** *Dio al morlaco unos cuantos pases de tanteo sin arrimarse demasiado* **|| derecho (de) · opción (de)**

tanto s.m.
- CON ADJS. **decisivo** *el tanto decisivo del partido* · **vital** · **crucial** · **concluyente** · **determinante** || **sorprendente** · **increíble** · **espléndido** || **forzado**
- CON SUSTS. **autor,-a (de)**
- CON VBOS. **marcar** *Con esa observación se ha marcado un buen tanto* · **meter** · **conseguir** · **obtener** · **apuntar(se)** · **anotar** || **sumar** · **acumular** || **disputar** || **hacerse (con)** *El futbolista se hizo con el tanto de la victoria*

☐ EXPRESIONES {**en/entre**} **tanto** [durante un tiempo indeterminado] || **por (lo) tanto** [indica consecuencia]

tañer v.
- CON SUSTS. **campana** || **guitarra** · **violín** · **arpa** · **órgano** · **instrumento**
- CON ADVS. **tristemente** · **desgarradamente**

taoísmo s.m. Véase **RELIGIÓN**

taoísta adj.
- CON SUSTS. **monje** · **sacerdote**

➤ Véase también **CREYENTE**

tapa s.f.
- CON ADJS. **hermética** *un recipiente con tapa hermética* · **corredera** · **ajustable** || **dura** · **metálica** · **blanda** · **flexible** || **frágil** · **pesada** · **ligera** · **sólida**
- CON VBOS. **poner (a algo)** *Ponle la tapa para que no se derrame* · **cerrar** · **golpear** || **abrir** *Abrimos la tapa para ver qué había* · **levantar** · **quitar**

tapadera s.f.

▮ [encubrimiento, cobertura]
- CON ADJS. **comercial** · **empresarial** · **financiera** · **fiscal** || **legal** · **oficial** || **perfecta** *una tapadera perfecta para encubrir sus negocios ilegales*
- CON VBOS. **servir (de)** · **utilizar (como)** *Utilizaba la lavandería como tapadera del contrabando* · **usar (de)**

[tapadillo] → de tapadillo

tapar v.
- CON SUSTS. **hueco** *un dinero extra que me servirá para tapar algunos huecos* · **abertura** · **agujero** · **grieta** · **fosa** || **asunto** · **caso** · **problema** · **prueba** || **déficit** · **deuda** · **pérdida** · **miseria** || **corrupción** · **escándalo** *Recurrieron a infames artimañas para tratar de tapar el escándalo* · **irregularidad** · **crimen**
- CON ADVS. **totalmente** · **por completo** · **de pies a cabeza** *Hacía tanto frío que me tapé de pies a cabeza* · **hasta el cuello** · **hasta las cejas** · **parcialmente** || **recatadamente** · **púdicamente**

[tapete] → sobre el tapete

[tapia] → como una tapia; tapia

tapia s.f.
- CON ADJS. **alta** · **firme** || **inexpugnable** · **infranqueable** · **insalvable**
- CON VBOS. **derrumbarse** · **desplomarse** *La tapia se desplomó por la vibración de la explosión* · **caer(se)** || **saltar** · **escalar** *El ladrón escaló la tapia y entró en la casa* · **superar** · **salvar** || **construir** · **alzar** · **levantar** || **destruir** · **derribar** · **derruir** || **atravesar** · **perforar** · **horadar** || **esconderse (tras)**

☐ EXPRESIONES **como una tapia*** [muy sordo] *col.*

tapiz s.m.
- CON ADJS. **variopinto** · **multicolor** · **complejo** · **rico** · **denso** || **gran(de)** · **inmenso** · **extenso** · **enorme** || **decorativo** || **de época** · **oriental** *Las paredes de la sala estaban decoradas con tapices orientales* · **flamenco** · **histórico** || **natural** · **vegetal** · **floral**
- CON SUSTS. **fábrica (de)** · **colección (de)** *una colección de tapices del siglo pasado*
- CON VBOS. **tejer** · **confeccionar** *Confeccionaban los tapices con hilo de oro* · **elaborar** || **hacer** · **realizar** · **fabricar** || **colgar** · **exponer**

tapizar v.
- CON SUSTS. **sofá** *Ya va siendo hora de tapizar los sofás* · **silla** · **sillón** || **superficie** · **pared** · **suelo** · **camino** · **campo**

tapón s.m.

▮ [obstrucción]
- CON ADJS. **auditivo** *Un tapón auditivo era la causa de los dolores* · **circulatorio** · **arterial** || **reglamentario** *El tapón era reglamentario, pero el árbitro pitó falta personal* · **burocrático** · **administrativo** || **espectacular** *Impidió la canasta con un espectacular tapón*
- CON VBOS. **formar(se)** *Se formó un tapón a la salida del centro comercial* · **producir(se)** · **crear(se)** || **servir (de)** *Este corcho te puede servir de tapón*

▮ [instrumento]
- CON ADJS. **de rosca**
- CON VBOS. **poner** · **enroscar** · **colocar** · **girar** || **desenroscar** · **quitar**

taponar v.
- CON SUSTS. **agujero** · **fisura** *Los obreros taponaron las fisuras inmediatamente* · **gotera** · **hueco** · **brecha** · **orificio** · **filtración** · **rendija** · **fuga** · **escape** · **resquicio** || **hemorragia** · **derrame** · **herida** *Taponó la herida con unas gasas* || **entrada** · **paso** · **acceso** || **vía** · **ruta** · **conducto** · **puerta** · **calle** · **autopista** · **arteria** || **lanzamiento** || **desembocadura** · **salida** || **incursión** *Las tropas han taponado la incursión enemiga* || **tráfico**
- CON ADVS. **inmediatamente** || **brevemente** · **levemente**

[tapujo] → sin tapujos; tapujo

tapujo s.m.
- CON VBOS. **andarse (con)** *No te andes con tapujos* || **expresar(se) (con)** · **hablar (con/sin)**
- CON PREPS. **sin**

taquilla s.f.
- CON SUSTS. **ingreso (de)** · **recaudación (de)** · **venta (de/en)** · **control (de)** || **valor (en)** || **éxito (de)** *Su última producción fue todo un éxito de taquilla* · **impacto (de)** · **récord (de)** · **fracaso (de)** · **resultado (de)**
- CON VBOS. **abrir(se)** · **cerrar(se)** || **inflar** · **reventar** || **pasar (por)** *Tuvimos que pasar antes por taquilla para recoger las entradas* || **sacar (una entrada/una localidad...) (en)**

taquillero, ra adj.
- CON SUSTS. **película** *la película más taquillera de los últimos años* · **obra** · **título** · **cinta** || **actor** · **actriz** · **estrella** || **éxito** · **fracaso** · **récord** || **tirón** · **atracción** · **espectáculo**

tara s.f.

● CON ADJS. **física · psíquica · mental · cerebral · psicológica · social · infantil · industrial || antigua · vieja · del pasado || genética · congénita · de nacimiento · crónica · adquirida || grave · irreparable · degenerativa || leve · inadvertida || corregible · subsanable · curable || manifiesta** *Las prendas con tara manifiesta están almacenadas en la parte trasera del local* · **patente**
● CON VBOS. **revelar(se)** *La tara se reveló muy pronto y, afortunadamente, se pudo subsanar* · **evidenciar(se) || sufrir · padecer · arrastrar · heredar · mantener || advertir || corregir · subsanar || disimular · ocultar || nacer (con) || resentirse (de) · adolecer (de)**

tarado, da adj. *desp.*

● CON VBOS. **quedar(se) · dejar · volverse**

tararear v.

● CON SUSTS. **canción** *Se pasa el día tarareando la misma canción* · **melodía · tonada · tema · estribillo**

tardanza s.f.

● CON ADJS. **injustificada · injustificable · inexplicable · preocupante || justificada · lógica || gubernamental · ministerial · oficial**
● CON VBOS. **criticar · recriminar · reprochar · denunciar || justificar · explicar · atribuir (a algo)** *Atribuyeron la tardanza a problemas informáticos* **|| disculpar · lamentar** *Lamentamos la tardanza con que se han publicado los resultados* · **perdonar || quejarse (de/por) · protestar (por)**
● CON PREPS. **sin · con || ante**

tardar v.

● CON SUSTS. **tiempo · siglo** *Cuando hay tráfico, tardo siglos en llegar a la oficina* · **década · año · mes · día · hora · minuto · eternidad** *Iban a ser dos minutos y ha tardado una eternidad*

tarde

1 **tarde** s.f.

● CON ADJS. **despejada · templada · soleada** *Ayer hizo una tarde muy soleada* · **luminosa || plácida · tranquila · apacible || alegre · magnífica · esplendorosa · inolvidable || sombría · lluviosa · fría · desapacible** *¡Qué tarde tan desapacible!* · **triste || agitada · movida · ajetreada · de locos · de perros || de fiesta · libre** *Hoy tengo la tarde libre* · **feriada · de toros**
● CON VBOS. **pasar · avanzar · transcurrir · discurrir || declinar · caer || nublarse · despejarse || dedicar (a algo) · destinar (a algo) || aprovechar** *Aprovecharon la tarde del sábado para hacer algunas compras* · **disfrutar · perder || ocupar · emplear · librar** *Ahora solo libro una tarde*
● CON PREPS. **a lo largo (de) · durante · al {final/principio} (de)**

2 **tarde** adv.

● CON VBOS. **hacerse** *Se les hizo tarde y se quedaron a dormir en mi casa* **|| ser · ir(se) · llegar** *Date prisa o llegaremos tarde*

□ EXPRESIONES **buenas tardes** [se usa como saludo por la tarde] **|| de tarde en tarde** [de vez en cuando]

tardío, a adj.

● CON SUSTS. **nacimiento · incorporación** *A pesar de su incorporación tardía, se ha aclimatado muy bien* · **llegada · ingreso · entrada · aparición · comparecencia || vocación · maternidad || propuesta · solución · reacción · respuesta · decisión || descubrimiento · revelación || obra · fruto · efecto · compensación · recompensa || barroco · gótico** *Esta basílica es una de las obras más importantes del gótico tardío* · **renacimiento** · ***otros movimientos culturales o artísticos*** **|| publicación · edición · versión** *Se trata de una versión tardía de su obra en prosa*

tarea s.f.

● CON ADJS. **ingente · monumental** *La elaboración de cualquier diccionario es una tarea monumental* · **ímproba · desbordante · inabordable · inacabable · inabarcable · abrumadora · absorbente · agotadora · frenética** *Inmersos en la frenética tarea de dar curso a cien enmiendas a la propuesta de ley...* · **extenuante · inhumana || asequible · llevadera · rutinaria · cotidiana || urgente** *Entre las tareas más urgentes está la de hacer estos pedidos* · **apremiante · imperiosa · inaplazable · inexcusable · insoslayable || agradable · gratificante** *Preparar una buena cena para mis amigos me resulta una tarea muy gratificante* · **ilusionante · noble · responsable · descollante · encomiable · impagable || ardua · peliaguda · delicada · desagradable || productiva · provechosa · fecunda · rentable || improductiva · infructuosa || paciente · minuciosa · abnegada · tenaz · callada · esforzada · denodada · laboriosa || a medias · pendiente · a medio hacer · inacabada · inconclusa || preventiva || doméstica** *No soporta hacerse cargo ella sola de todas las tareas domésticas*
● CON SUSTS. **alcance (de) || cúmulo (de)** *El anterior trabajador dejó un cúmulo de tareas pendientes* · **serie (de) || encargado,da (de)**
● CON VBOS. **desbordar(se) || caer en suerte (a alguien) · recaer (en alguien) · deparar (a alguien) || absorber (a alguien) || hacer · realizar · ejercer · desempeñar · ejecutar · llevar adelante · llevar a cabo · llevar a término · cumplir · culminar · rematar** *Pide más tiempo para rematar las tareas a medias* · **ultimar · despachar || emprender · encarar · afrontar** *Tras el abandono de su socio, afrontó la tarea de acabar el proyecto él solo* · **tomarse a pecho || incumplir · desatender · descuidar || imponer (a alguien) · asignar (a alguien) · distribuir · acotar · centralizar || ordenar · priorizar · jerarquizar || aliviar · aligerar** *La ayuda de los vecinos aligeró en parte la ardua tarea de la mudanza* · **redoblar · amenizar || delegar · endosar (a alguien) · endilgar (a alguien) · suplir · simultanear** *dos tareas que, si se quieren hacer bien, no se pueden simultanear* **|| avalar || darse (a) · entregarse (a) · dedicar(se) (a)** *Nunca se dedicó demasiado a las tareas que tenía asignadas* · **enfrascarse (en) · abocar(se) (a) · involucrar(se) (en) · meter(se) (en) || ceñir(se) (a) · amoldar(se) (a) || dispensar (de) · desentenderse (de)**
● CON PREPS. **a la altura (de)** *A pesar de no ser un especialista, estuvo a la altura de la tarea que tuvo que realizar* · **en función (de) · según · con · sin**

tarifa s.f.

● CON ADJS. **alta · abusiva · desmesurada · exagerada · disuasoria · injusta || baja · blanda · asequible · económica** *Escogí la tarifa más económica de todas* · **competitiva || justa · aproximada · proporcional · al alza · a la baja || horaria · semanal · mensual · anual || vigente || apex** *Compramos un billete de ida y vuelta con tarifa apex para viajar a...* · **plana**
● CON SUSTS. **subida (de) · reducción (de) · rebaja (de) · aumento (de) · incremento (de) · congelación (de) || sistema (de) · política (de) · marco (de) · reglamento (de)**

• CON VBOS. **aumentar** · **subir** · **bajar** · **disminuir** || **fijar** *La directiva es la encargada de fijar las tarifas para emplear las instalaciones* · **establecer** · **implantar** · **poner** · **concertar** || **rebajar** · **abolir**

tarima s.f.

• CON ADJS. **flotante** · **desmontable** || **central** · **presidencial** *Los conferenciantes ocuparon la tarima presidencial* || **alfombrada**
• CON SUSTS. **suelo (de)**
• CON VBOS. **instalar** *Instalaron una tarima desmontable para el acto* · **montar** · **colocar** · **preparar** · **levantar** || **ocupar** || **subir (a)** *La homenajeada subió a la tarima para leer su discurso* · **encaramarse (a)**

tarjeta s.f.

• CON ADJS. **de crédito** *Me han robado la cartera con todas las tarjetas de crédito* · **de débito** || **de identidad** · **identificativa** · **de residente** · **sanitaria** || **amarilla** *El árbitro le sacó la tarjeta amarilla* · **roja** || **de prepago** · **telefónica** · **postal** || **de visita** · **de presentación** · **de embarque** || **gráfica** *la tarjeta gráfica del ordenador* · **magnética** · **electrónica** || **personal** · **personalizada**
• CON SUSTS. **número (de)** *el número de la tarjeta de crédito* || **titular (de)** · **usuario (de)** || **acumulación (de)** *No pudo jugar la final por acumulación de tarjetas* || **monedero** *recargar la tarjeta monedero*
• CON VBOS. **presentar** · **mostrar** *Mostré mi tarjeta identificativa antes de entrar* · **enseñar** · **entregar** || **expedir** · **emitir** · **enviar** · **firmar** || **recibir** · **adquirir** · **conseguir** · **obtener** || **solicitar** · **ofrecer** *Me han ofrecido la tarjeta de socio* · **conceder** · **repartir** · **denegar** || **meter** *meter la tarjeta en el cajero automático* · **introducir** · **sacar** || **usar** · **utilizar** || **falsificar** · **confeccionar** || **tener** · **acumular** || **robar** · **sustraer** · **retirar** || **disponer (de)** · **carecer (de)** || **tirar (de)**
• CON PREPS. **con** *pagar con tarjeta*

tarot s.m.

• CON SUSTS. **cartas (de)** · **lectura (de)**
• CON VBOS. **leer** · **consultar** · **echar**

tarro s.m.

• CON VBOS. **cerrar** · **tapar** || **abrir** · **destapar** || **envasar (en)** · **conservar (en)**
☐ EXPRESIONES **comer el tarro** (a alguien) [lavarle el cerebro] *col.* || **comerse** (alguien) **el tarro** [darle muchas vueltas a algo] *col.*

tarta s.f.

• CON ADJS. **de cumpleaños** *soplar las velas de la tarta de cumpleaños* · **nupcial** · **ceremonial** · **conmemorativa** || **enorme** · **gran(de)** · **inmensa** · **descomunal** · **monumental** || **seca** · **insípida** · **correosa** || **sabrosa** · **deliciosa** · **suculenta** · **apetitosa** · **esponjosa** || **helada** || **casera** · **artesana** · **industrial** || **de {tres/cuatro...} pisos**
• CON SUSTS. **porción (de)** · **pedazo (de)** · **ración (de)** *El menú incluye una ración de tarta* · **trozo (de)** || **reparto (de)**
• CON VBOS. **partir** · **cortar** || **repartir** · **distribuir** || **encargar** || **hacer** · **preparar** · **adornar** || **comer** · **tomar** || **estrellar** *Le estrelló la tarta en la cara*

tasa s.f.

• CON ADJS. **alta** · **elevada** · **desmesurada** *Los alumnos universitarios consideran que las nuevas tasas de matrícula son desmesuradas* · **exorbitante** · **disuasoria** · **abusiva** || **baja** · **moderada** · **razonable** · **reducida** || **imponible** || **vigente** · **pública** · **oficial** || **aduanera** · **aeroportuaria**
• CON VBOS. **aumentar** · **disminuir** *En el último año disminuyó considerablemente la tasa de natalidad* · **decrecer** || **imponer** · **exigir** · **implantar** · **concertar** · **fijar** || **subir** · **incrementar** || **bajar** · **rebajar** || **pagar** · **cobrar**

tasar v.

• CON SUSTS. **terreno** · **parcela** · **finca** · **edificio** · **casa** *Mañana vienen a tasar la casa* · **piso** · **inmueble** || **bienes** · **activos** || **obra** · **cuadro** *El precio en el que han tasado este cuadro es muy elevado* · **mueble** · **libro** · **reloj** · ***otros objetos de valor***

tatuaje s.m.

• CON ADJS. **llamativo** · **aparatoso** · **curioso** · **exótico** · **complejo** · **insólito** || **lleno,na (de)**
• CON VBOS. **llamar la atención** || **tener** · **llevar** · **mostrar** · **presentar** || **hacer(se)** *Me gustaría hacerme un tatuaje en el tobillo* · **grabar** · **trazar** || **quitar** || **cubrir(se) (de)**

tatuar v.

• CON SUSTS. **nombre** *Se tatuó el nombre de su novio en el brazo* · **letra** · **dibujo** · **imagen** · **símbolo** || **cuerpo** · **piel** · **brazo** · ***otras partes del cuerpo***

taurino, na adj.

• CON SUSTS. **fiesta** · **festejo** · **feria** · **festival** *un festival taurino en honor del mítico torero* || **acto** · **espectáculo** · **encierro** · **faena** || **club** · **peña** *Desde hace años es socio de una peña taurina* · **escuela** || **recinto** · **coso** || **jerga** · **vocabulario** · **lenguaje** · **término** || **crónica** *un periodista famoso por sus crónicas taurinas* · **conferencia** · **prensa** || **temporada** · **calendario** · **ciclo** · **jornada** || **mundo** · **cultura** · **reglamento** · **historia** || **profesional** · **crítico,ca** · **cronista** · **aficionado,da** || **arte** · **sabiduría** || **práctica** · **ciencia** · **gastronomía** || **programa** · **tema** · **asunto** · **materia** || **ambiente** · **tradición** *Proviene de una familia de tradición taurina* · **pasión** || **pasodoble** · **símbolo**

tauromaquia s.f.

• CON SUSTS. **escuela (de)** · **lección (de)** · **maestro,tra (en)** || **historia (de)** · **mundo (de)** *Tiene mucho prestigio en el mundo de la tauromaquia*

taxativo, va adj.

• CON SUSTS. **orden** · **prohibición** · **mandato** · **reglamento** · **norma** · **normativa** *una normativa de seguridad taxativa* · **dictamen** · ***otras disposiciones*** || **declaración** · **respuesta** *Dio a los periodistas una respuesta taxativa y rotunda* · ***otras manifestaciones verbales*** || **negativa** · **rechazo** · **exclusión** · **descalificación** || **opinión** · **posición** · **punto de vista** || **jefe,fa** · **profesor,-a** · **juez** · ***otros individuos***

taxi s.m.

• CON ADJS. **libre** · **ocupado**
• CON SUSTS. **parada (de)** · **estación (de)** || **conductor,-a (de)** · **usuario,ria (de)** || **servicio (de)**
• CON VBOS. **bajar la bandera** || **llamar** · **parar** · **pedir** *pedir un taxi por teléfono* · **buscar** · **esperar** · **encargar** || **pillar** · **coger** · **tomar** *Tomamos un taxi hasta el aeropuerto* · **compartir** || **alquilar** || **ir (en)** · **viajar (en)**

taxista s.com.

• CON SUSTS. **sindicato (de)** · **unión (de)**
• CON VBOS. **conducir** · **llevar (a alguien)** · **recoger (a alguien)** *El taxista la recogerá a las cinco en punto* || **llamar** · **avisar** || **trabajar (como/de)** · **preguntar (a)**

taxonomía s.f. Véase **DISCIPLINA**

taxonómico, ca adj.

●CON SUSTS. **clasificación · ordenación || base · criterio || tratado** *un tratado taxonómico de la biodiversidad de nuestros parques naturales* **· estudio · crítica || posición · categoría · parentesco · relación**

té s.m.

●CON ADJS. **negro · verde** *las propiedades del té verde* **· rojo · blanco · moruno || solo · con leche · con limón || concentrado · fuerte · ligero · suave || helado · frío · caliente**

●CON SUSTS. **juego (de) · taza (de)** *tomar una taza de té para merendar* **· bolsa (de) || plantación (de)**

➤ Véase también **BEBIDA**

teatral adj.

●CON SUSTS. **acción · escena · obra** *la última obra teatral de este dramaturgo* **· pieza · texto · representación · producción · adaptación · estreno || proyecto · labor || autor,-a · actor · actriz · director,-a · realizador,-a · empresario,ria · crítico,ca || escritura · creación · dirección · crítica || generación · grupo · compañía || mundo · medio · panorama · ambiente** *Le encantaba relacionarse con el ambiente teatral* **|| espacio · escenografía · ambientación · vestuario · decoración || temporada · programación || lenguaje · danza · música || escuela** *Para el año que viene se ha matriculado en una escuela teatral* **|| ciclo · encuentro || talento · carrera** *una brillante carrera teatral* **· formación · experiencia || formato · estructura · planteamiento · visión · enfoque || entrada · caída || gesto · aspaviento · mueca**

teatro s.m.

▌[género literario]

●CON ADJS. **musical · lírico · de ópera || experimental · independiente** *Escribió varias obras de teatro independiente* **· vanguardista · alternativo · comprometido · del absurdo || medieval · clásico · humanista · tradicional · barroco || popular · social · menor · comercial || infantil** *El colegio ha contratado a un grupo de teatro infantil* **· ecuestre**

●CON SUSTS. **obra (de) · pieza (de)** *Representamos una pieza de teatro clásico* **|| hombre (de) · mujer (de) · actor (de) · actriz (de) · director,-a (de) · compañía (de) || festival (de) · escuela (de)**

●CON VBOS. **dirigir · escribir · hacer** *No es la primera vez que esta famosa actriz hace teatro* **|| llevar (a)** *Llevaron la novela al teatro* **· adaptar (a)**

▌[local]

●CON ADJS. **amplio · pequeño || público · municipal**

●CON VBOS. **llenar · abarrotar || ir (a) · acudir (a) || actuar (en) · representar (en) · debutar (en)**

☐EXPRESIONES **hacer teatro** [fingir]

tebeo s.m.

●CON ADJS. **infantil · clásico**

●CON SUSTS. **personaje (de) · héroe (de) · heroína (de) || amante (de) || dibujante (de) · lenguaje (de) || viñeta (de)**

●CON VBOS. **leer** *De pequeño me encantaba leer tebeos* **|| dibujar · publicar || protagonizar**

[techo] → bajo techo; techo

techo s.m.

▌[parte superior]

●CON ADJS. **alto · bajo · abuhardillado || doble · falso · solar** *un coche con techo solar*

●CON VBOS. **caerse · venirse abajo** *Los techos se habían venido abajo y las paredes estaban a punto de desplomarse* **|| desconcharse || llegar (hasta)** *una estantería que llega hasta el techo* **|| colgar (de) · pender (de)**

▌[límite, marca]

●CON ADJS. **inaccesible · infranqueable** *el techo infranqueable de los dos mil euros* **· intraspasable · inexpugnable · inalcanzable · insuperable**

●CON VBOS. **alcanzar · franquear** *El atleta consiguió franquear el techo de la última marca olímpica* **· rebasar · sobrepasar · superar · pulverizar || llegar (a)**

☐EXPRESIONES **tocar techo** [llegar a lo más alto]

tecla s.f.

●CON VBOS. **funcionar · atascar(se) · bloquear(se) || tocar · apretar · oprimir · presionar · pulsar** *Y después pulse la tecla almohadilla* **|| dar (a)**

teclado s.m.

▌[conjunto de teclas de un aparato]

●CON ADJS. **alfanumérico · alfabético · numérico || conectable · inalámbrico · electrónico || ergonómico · plano · independiente · exterior · incorporado**

●CON VBOS. **funcionar · atascar(se) · bloquear(se) || tocar · presionar · oprimir || manejar · usar · aporrear** *Aporreaba de tal manera el teclado, que pensé que me rompía el ordenador* **|| desbloquear || escribir (con/en)**

▌[instrumento musical]

●CON ADJS. **horizontal · de piano · eléctrico**

●CON VBOS. **sonar** *Cada teclado suena distinto* **|| sentarse (a)**

➤ Véase también **INSTRUMENTO MUSICAL**

teclear v.

●CON SUSTS. **clave** *Para tener acceso hay que teclear la clave* **· número secreto · contraseña · código · palabra · nombre · dirección · cifra · dato · información || documento · libro · carta ·** ***otros textos***

●CON ADVS. **velozmente · rápidamente · a toda velocidad · a toda prisa · con urgencia · febrilmente || trabajosamente · con dificultad || lentamente · parsimoniosamente · automáticamente || erróneamente · correctamente**

[técnica] s.f. → técnico, ca

técnicamente adv.

●CON VBOS. **dotar · equipar · preparar || definir · hablar · llamar · denominar || mejorar · superar** *Este modelo supera técnicamente al anterior* **· desarrollar || conocer · criticar · evaluar · considerar || noquear**

●CON ADJS. **posible · factible · viable · realizable || imposible · impensable** *Viajar al espacio era técnicamente impensable hace unos siglos* **· inviable || correcto,ta · perfecto,ta · impecable** *Su hipótesis es técnicamente impecable, al menos sobre el papel* **· irreprochable · adecuado,da || bueno,na · superior · inferior || preparado,da · limitado,da || desarrollado,da · actualizado,da || sencillo,lla · difícil · complejo,ja**

tecnicismo s.m.

•CON ADJS. **especializado · terminológico · científico** *un discurso plagado de tecnicismos científicos* **|| legal · judicial · penal || electrónico · informático || náutico · filosófico · musical · cinematográfico · académico || complejo · alambicado · innecesario || necesario · inevitable**
•CON VBOS. **definir · explicar · traducir || evitar · incorporar** *un diccionario especializado que incorpora los últimos tecnicismos* **· añadir · suprimir || entrar (en) · caer (en) · recurrir (a) · despojar (de) || abusar (de) · aburrir (con) · deleitar (con)**

técnico, ca

1 **técnico, ca** adj.

•CON SUSTS. **virtuosismo · perfección · calidad** *La calidad técnica del nuevo defensa ha sido decisiva* **· dominio · maestría · pericia · destreza · alarde · conocimiento · sabiduría · riqueza · perfeccionamiento** *un curso de perfeccionamiento técnico* **· mejora · exactitud · rigor · madurez || desarrollo · progreso · avance · logro · adelanto · innovación** *Las innovaciones técnicas permitieron que se aumentara notablemente la producción* **|| medio · recurso · instrumento · soporte || medida · solución || dificultad · problema** *El apagón se debió a un problema técnico* **· ventaja || equipo · director,-a · actor · actriz · jugador,-a || posibilidades · facultades · característica · detalle || informe · ficha || lenguaje · término · expresión · concepto || educación · proyecto · carrera** *estudiar una carrera técnica*

2 **técnica** s.f.

•CON ADJS. **nueva · novedosa · puntera · innovadora · moderna · revolucionaria** *una técnica revolucionaria de rayos láser para el tratamiento de esa enfermedad* **· avanzada · sofisticada || depurada** *La bailarina tiene una técnica muy depurada* **· impecable || especial · particular || obsoleta · anquilosada · desfasada · rudimentaria || apropiada · eficaz || asequible · cara · barata || compleja · difícil · endiablada || curativa · terapéutica || experimental · comercial · docente · de ventas · de mercado · didáctica · jurídica · deportiva || poseedor,-a (de) · sobrado,da (de)**
•CON SUSTS. **avance (de) · revolución (de) || aplicación (de) · dominio (de)**
•CON VBOS. **difundir(se) || implantar · imponer · introducir · poner en práctica || usar · utilizar · aplicar** *El pintor aplicó técnicas muy novedosas para su época en el tratamiento de los colores* **· practicar · emplear · conocer · dominar** *Domina a la perfección las últimas técnicas en enseñanza de lenguas* **· atesorar · poseer || aprender · desarrollar · mejorar · perfeccionar · afinar · lograr · alcanzar · conseguir · adoptar || enseñar · impartir**

tecnología s.f.

•CON ADJS. **alta · avanzada · última** *Han comprado unos ordenadores de última tecnología* **· moderna · novedosa · puntera · nueva || asequible || obsoleta · anticuada · desfasada · rudimentaria**
•CON VBOS. **aplicar · poner en práctica · desplegar · emplear · utilizar || desarrollar · introducir · mejorar · perfeccionar || estudiar** *Estudió tecnología industrial* **· enseñar · conocer || disponer (de) · carecer (de) || invertir (en)** *Ese país invierte mucho en tecnología* **· investigar (en)**

tecnológico, ca adj.

•CON SUSTS. **desarrollo · avance · adelanto · progreso · evolución || cambio · revolución** *La máquina de vapor supuso una auténtica revolución tecnológica* **· innovación · transformación · acción || sector** *la crisis del sector tecnológico* **· nivel || investigación · conocimiento · impulso || proyecto · reto · desafío || instituto · centro || medio · recurso** *Cerraron la fábrica por falta de recursos tecnológicos* **· fuente · elemento · soporte · capacidad || sistema · infraestructura** *mejoras en la infraestructura tecnológica de la empresa* **· arquitectura || materia · contenido · problema || sociedad · cultura**

[tectónica] s.f. → tectónico, ca

tectónico, ca

1 **tectónico, ca** adj.

•CON SUSTS. **placa · falla** *La ciudad estaba situada en plena falla tectónica* **· fosa || actividad · desplazamiento · expansión · movimiento || deformación · presión** *La presión tectónica provocó el corrimiento de tierras* **· fuerza || fenómeno · proceso · principio**

2 **tectónica** s.f. Véase **DISCIPLINA**

tedio s.m.

•CON ADJS. **general · insoportable · absoluto · profundo || cotidiano · crónico**
•CON VBOS. **venir(le) (a alguien) · embargar (a alguien) · entrar(le) (a alguien) · poder(le) (a alguien) || disipar(se) || combatir** *...zapeando de canal en canal para intentar combatir el tedio de las tardes de domingo* **· amenizar || dejarse {llevar/arrastrar} (por) || acabar (con) · salir (de) · escapar (de) · librar(se) (de) · huir (de) · sacar (de)** *La llegada del desconocido las sacó del tedio de aquella tarde*

tejano, na

1 **tejano, na** adj.

•CON SUSTS. **pantalón** *Vestía pantalón tejano y camisa blanca* **· falda · camisa · cazadora · chaleco · peto · ropa · sombrero || rancho || estilo · aire · aspecto**

2 **tejanos** s.m.pl.

•CON ADJS. **remendados · lavados a la piedra · desgastados**
•CON SUSTS. **par (de)** *Me he comprado un par de tejanos en las rebajas*
➤ Véase también **ROPA**

[tejanos] s.m.pl. → tejano, na

tejemaneje s.m. *col.*

•CON ADJS. **político** *Estaba al tanto de todo el tejemaneje político* **· presupuestario · económico · empresarial · laboral · educativo**
•CON VBOS. **urdir** *En los pasillos se urdían los tejemanejes de mayor calado* **· organizar · preparar · proyectar**

tejer v.

•CON SUSTS. **hilo · punto · algodón · lana · seda · tela || cesta · estera · canasto || jersey** *Mi abuela me ha tejido un jersey* **· chaqueta · bufanda || texto · discurso · conversación · novela** *A partir de un hecho cotidiano, la autora teje toda una novela policial* **· relato · obra || intriga · trama · historia · argumento · guión || red · entramado · telaraña · sistema · enredo · urdimbre · maraña || estrategia · plan** *Habían tejido un plan perfecto* **· pro-**

yecto || relación · unión · vínculo · unidad · alianza · consenso · coalición · pacto · asociación · confianza · paz || esperanza · ilusión · deseo · sueño || sospecha · **hipótesis** *hechos desconocidos sobre los que solo podemos tejer hipótesis un tanto aventuradas* · suposición · especulación · conjetura · interrogante · rumor || crisis · escándalo · tragedia

tejido s.m.

● CON ADJS. **suave** *La seda es un tejido muy suave* · delicado · terso · sedoso · suntuoso · lujoso · apreciado || tosco · áspero · rugoso · basto · burdo || **fuerte** *Te haré la bata de trabajo con un tejido fuerte para que sea más resistente* · duro · resistente · denso · grueso · espeso · tupido · compacto || fino · blando · endeble · ligero · vaporoso · elástico · esponjoso · transparente · evanescente || acartonado · acolchado · apergaminado · aterciopelado · metalizado || estampado · **multicolor** *Eligió para su vestido un tejido multicolor* · colorido · crudo · a juego · reversible || dañado · deshilachado || natural · artificial · sintético · ecológico · decorativo · **especial** *Las prendas ignífugas se confeccionan con un tejido especial* · protector · original || orgánico · humano · animal · vegetal · celular · embrionario · epitelial · linfático · nervioso · vascular · pulmonar · **óseo** *Hay que cuidar la alimentación para prevenir la descalcificación del tejido óseo* · cerebral · muscular · corporal · graso · fibroso · **adiposo** *Por su tejido adiposo, estos animales pueden soportar temperaturas muy bajas* || sano · enfermo || social · civil · cultural · económico · productivo · laboral · empresarial · financiero · **industrial** *Es necesario ampliar el tejido industrial para lograr el progreso económico de esta zona* · institucional · técnico · tecnológico · sociológico · urbano · moral

● CON VBOS. desarrollar(se) · **regenerar(se)** *Los tejidos epiteliales se regeneran con mucha facilidad* · cicatrizar || dañar(se) · deteriorar(se) · rasgar(se) · desgarrar(se) · arrugar(se) · deshilachar(se) · doblar(se) · destruir(se) || envolver (algo) || encoger · dar de sí || elaborar · confeccionar · diseñar · **generar** *Hay que generar el tejido productivo necesario para que nuestra industria...* || **usar** *En verano uso siempre tejidos finos* · manipular · tratar || urdir · coser · descoser · zurcir · remendar · trenzar || planchar · plisar || **extirpar** *El cirujano extirpó el tejido enfermo tras una larga operación* · trasplantar

tejo s.m.

● CON SUSTS. extracto (de) · zumo (de) · derivado (de)

➤ Véase también **ÁRBOL**

☐ EXPRESIONES **tirar los tejos** (a alguien) [insinuársele] *col.*

tela s.f.

● CON ADJS. suave · delicada · sedosa · ligera · vaporosa · elástica · transparente || elegante · llamativa · vistosa · lujosa || rugosa · **basta** *El disfraz estaba hecho con una tela muy basta* · tosca · dura · resistente · fuerte || lisa · (a/de) cuadros · (a/de) listas · (a/de) rayas · **estampada** *una tela estampada para las cortinas* · de fantasía · cruda · pálida · multicolor · colorida || **deshilachada** *La tela estaba deshilachada por los bordes* · descosida · desgastada || decorativa · alegre || sencilla · historiada

● CON SUSTS. rollo (de) · retal (de) · patrón (de) || fleco (de)

● CON VBOS. estropear(se) · ajar(se) · rasgar(se) · desgarrar(se) · desgastar(se) · **arrugar(se)** *un tipo de tela que se arruga con mucha facilidad* || ondear || **coser** *Cuesta mucho coser a mano esta tela* · tejer · zurcir · remendar · embastar || alisar · plisar || planchar · lavar · limpiar || estampar || dar pespuntes (a)

telaraña

1 **telaraña** s.f.

● CON ADJS. vasta · compleja · inmensa · gran(de) · tupida · enmarañada · sutil || global · mundial || judicial · defensiva · vial || lleno,na (de) · **cubierto,ta (de)** *viejos muebles cubiertos de telarañas y de polvo*

● CON VBOS. extender(se) || **tejer** *Contemplé fascinada cómo la araña tejía una gigantesca telaraña* · entretejer || deshacer · desenredar || romper · quitar || liar(se) (en) · enredar(se) (en) · enganchar(se) (en) || limpiar (de)

2 **telaraña (de)** s.f.

● CON SUSTS. redes · conexiones || acuerdos · investigaciones · **argucias** *Se vio envuelto en una telaraña de argucias y falsedades* · recelos · mentiras · clientelas · intereses · corrupción · influencias · relaciones

☐ EXPRESIONES **mirar las telarañas** [estar muy despistado o muy distraído] *col.*

tele s.f. Véase **televisión**

teledirigido, da adj.

● CON SUSTS. coche · avión · **cohete** *Enviaron un cohete teledirigido para examinar la zona* || misil · bomba || robot · juguete

telefonear v.

● CON ADVS. a larga distancia || **a cobro revertido** *No disponía de dinero en ese momento y telefoneé a mis padres a cobro revertido*

telefonía s.f.

● CON ADJS. móvil · portátil · celular · **fija** *Este año han bajado las tarifas de la telefonía fija* || (por/sin) hilos · alámbrica · inalámbrica || digital · analógica || local · de larga distancia || básica · convencional || vocal · **multimedia** *Están haciendo pruebas de telefonía multimedia* || pública · doméstica · rural

● CON SUSTS. servicio (de) · **red (de)** *Acaban de ampliar la red de telefonía móvil de la región* || empresa (de) · compañía (de) · filial (de) · sociedad (de) || licencia (de) · usuario,ria (de) || equipo (de) · aparato (de) · antena (de) || sector (de) · industria (de) || negocio (de) · mercado (de) · monopolio (de) · **liberalización (de)** *Los precios bajaron gracias a la liberalización de la telefonía* || oferta (de) · contrato (de)

● CON VBOS. liberalizar · permitir || potenciar · extender · desarrollar · ampliar · explotar || incluir · utilizar || **liderar** *la empresa que lidera la telefonía móvil del país* || operar (en) · dedicarse (a) · participar (en) || acceder (a)

telefónicamente adv.

● CON VBOS. contactar · entrevistar(se) · **conversar** *Conversé telefónicamente con la directora un buen rato* · hablar · llamar || comprar · adquirir || pedir · comunicar · confirmar · reconocer · precisar · manifestar · asegurar · informar · advertir · **avisar** *Un vecino avisó telefónicamente a la policía* · consultar · felicitar || espiar

telefónico, ca adj.

● CON SUSTS. número · directorio · tarjeta · contestador · información || tarifa · recibo · cuenta || instalación · **línea** *una avería en las líneas telefónicas de la zona* · servicio || poste · tendido · hilo || cabina · equipo · sistema

|| **conversación** *Mantuvimos una distendida conversación telefónica* · **diálogo** · **charla** || **espionaje** *Los acusaron de espionaje telefónico* · **escucha** · **amenaza** || **llamada** · **mensaje** || **contacto** · **comunicación** · **conexión** || **empresa** · **central** · **monopolio**

telefonista s.com.

● CON VBOS. **ponerse (al teléfono)** · **atender (a alguien)** *Me atendió un telefonista muy amable* || **contratar** || **trabajar (de/como)** *Trabaja de telefonista en una editorial* · **estar (de)**

[teléfono] → por teléfono; teléfono

teléfono s.m.

● CON ADJS. **fijo** · **móvil** · **celular** || **gratuito** · **público** || **inalámbrico** · **supletorio** || **pendiente (de)** · **colgado,da (de)**

● CON SUSTS. **línea (de)** · **red (de)** || **auricular (de)** · **aparato (de)** · **cabina (de)** · **timbre (de)** · **contestador (de)** || **número (de)** || **llamada (de)** · **recibo (de)** · **factura (de)** · **compañía (de)**

● CON VBOS. **comunicar** *El teléfono comunica, volveré a intentarlo más tarde* || **usar** || **conectar** · **desconectar** · **cortar** · **pinchar** || **colgar** · **descolgar** · **coger** *¿Alguien puede coger el teléfono?* · **atender** · **tomar** · **agarrar** · **contestar** || **gastar** || **contestar (a)** *Contesta tú al teléfono, por favor* · **hablar (por)** · **llamar (por)** || **colgarse (de/a)** *Se pasa el día colgado al teléfono* · **abusar (de)** || **informar(se) (por)**

● CON PREPS. **a través (de)** · **por**

telegrafiar v.

● CON SUSTS. **mensaje** · **nota** · **comunicación** · **respuesta** · **noticia**

● CON ADVS. **rápidamente** · **al instante** · **inmediatamente**

telegráfico, ca adj.

● CON SUSTS. **cable** · **hilo** · **poste** *El huracán destrozó los postes telegráficos* · **sistema** || **mensaje** · **orden** · **respuesta** || **resumen** · **síntesis** *hacer una síntesis telegráfica de la situación* · **comentario** · **explicación** || **lenguaje** · **estilo** || **gabinete** · **servicio**

telegrama s.m.

● CON ADJS. **urgente** || **de condolencia** *En cuanto supe la noticia le envié un telegrama de condolencia* · **de pésame** · **de felicitación** · **de solidaridad** · **de protesta** · **de agradecimiento** || **judicial** *La citación le fue notificada mediante un telegrama judicial* || **confidencial**

● CON SUSTS. **texto (de)** · **contenido (de)** *El contenido del telegrama era secreto*

● CON VBOS. **llegar** *El telegrama llegó al día siguiente de la boda* || **enviar** · **mandar** || **poner** *Puse un telegrama para felicitarlos* · **cursar** · **remitir** · **emitir** · **dirigir** || **leer** || **entregar** · **recibir** · **retirar** · **devolver** || **redactar** · **dictar** · **firmar** || **comunicar(se) (por)**

telele s.m. *col.*

● CON VBOS. **dar (a alguien)** *Casi le da un telele al vernos allí*

telenovela s.f.

● CON ADJS. **larga** · **interminable** · **pesada** || **interesante** || **por entregas** · **por capítulos** || **diaria**

● CON SUSTS. **protagonista (de)** *Los protagonistas de la telenovela de sobremesa acaparan las portadas de la revista* · **actor (de)** · **actriz (de)** || **argumento (de)** · **trama (de)** || **episodio (de)** · **capítulo (de)**

● CON VBOS. **titular(se)** || **ver** · **seguir** || **hacer** · **crear** · **adaptar** *adaptar una telenovela para la radio* || **grabar** · **filmar** · **rodar** || **emitir** · **reponer** *Están reponiendo una telenovela de cuando yo era pequeña* · **ofrecer** · **programar** || **protagonizar** *Se hizo famoso por protagonizar varias telenovelas* · **producir** · **dirigir** || **participar (en)** || **engancharse (a)**

telepatía s.f.

● CON VBOS. **tener** · **usar** · **utilizar** || **comunicar(se) (por)** · **hablar (por)**

telescopio s.m.

● CON ADJS. **espacial** · **terrestre** · **submarino** || **estelar** · **orbital** · **solar** *En el observatorio cuentan con un telescopio solar muy potente* || **de rayos x** · **infrarrojo** · **ultravioleta** || **potente** · **poderoso** · **sofisticado** || **astrofísico** · **óptico** · **automático** || **gigante** · **gran(de)**

● CON VBOS. **captar (algo)** *El telescopio captó el rastro del cometa* · **rastrear (algo)** || **averiar(se)** || **dirigir** · **orientar** · **situar** · **instalar** · **poner en órbita** || **inventar** · **diseñar** · **construir** || **reparar** · **arreglar** || **emplear** · **utilizar** · **estrenar** *Estrenó el telescopio la primera noche de verano* || **mantener** · **sujetar** || **mirar (por)** · **observar (con)** || **contar (con)** · **disponer (de)** || **fotografiar (con)**

● CON PREPS. **por** · **a través (de)** · **con**

telesilla s.m.

● CON VBOS. **funcionar** || **coger** || **instalar** *Instalaron un telesilla para facilitar la subida* · **colocar** || **construir** · **desmontar** || **subir (a/en)** *Había muchos esquiadores esperando para subir al telesilla* · **ascender (en)** || **disponer (de)**

telespectador, -a s.

● CON ADJS. **fiel (a algo)** · **asiduo,dua (a algo)** · **aficionado,da (a algo)** *Son muchos los telespectadores aficionados a los programas de sociedad* || **atento,ta** || **exigente** · **sufrido** · **conformista** || **medio** || **infantil** · **joven**

● CON SUSTS. **número (de)** · **porcentaje (de)** · **franja (de)** || **asociación (de)** || **interés (en)** *con la intención de ganarse el interés de los telespectadores*

● CON VBOS. **aumentar** · **disminuir** || **ver (algo)** · **seguir (algo)** *Muchos telespectadores siguen la serie todas las semanas* · **contemplar (algo)** || **tragar(se) (algo)** · **soportar (algo)** || **disfrutar (de algo)** · **enganchar(se) (a algo)** *Miles de telespectadores se han enganchado a esa serie* || **optar (por algo)** *Últimamente los telespectadores optan por series nacionales* || **distraer** *un concurso nuevo que pretende distraer a los telespectadores más jóvenes* · **entretener** · **educar** · **manipular** || **aburrir** · **cansar** || **atraer** · **captar** · **atrapar** · **conquistar** · **cautivar** || **engañar** · **confundir** *anuncios publicitarios que pueden confundir al telespectador* || **sorprender** · **asombrar** || **dirigir(se) (a)** · **ganarse (a)** *Se ganaba a los telespectadores con su sonrisa y su simpatía*

televisar v.

● CON SUSTS. **partido** · **final** · **encuentro** · **competición** || **fútbol** *¿Televisan esta noche el fútbol?* · **tenis** · **baloncesto** · ***otros deportes*** || **comparecencia** · **entrevista** · **intervención** · **boda** · **llegada** · **entierro** · ***otros eventos*** || **discurso** · **mensaje** || **debate** · **programa** · **película** · **anuncio** · **publicidad** · **espectáculo** · **imagen**

● CON ADVS. **en directo** *televisar en directo un acontecimiento* · **en vivo** · **en abierto** || **en exclusiva** || **por cable**

televisión s.f.

●CON ADJS. **en abierto · de pago · pública · privada · por cable || digital · analógica || en color · en blanco y negro || interesante · aburrida · entretenida · educativa || a todo volumen** *Lleva toda la tarde con la televisión a todo volumen* **|| adicto,ta (a)**

●CON SUSTS. **cadena (de) · canal (de) || programa (de) · cámara (de) · presentador,-a (de) · imagen (de) || basura** *Soportamos demasiados programas de televisión basura*

●CON VBOS. **funcionar · estropear(se) || transmitir || ver · escuchar || poner · encender · enchufar · conectar || apagar** *Me cansé de la película que ponían y apagué la televisión* **· desconectar · desenchufar || aparecer (en) · salir (en)** *un político que sale muy poco en televisión* **|| emitir (en) · echar (en)** *¿Qué echan esta noche en la televisión?*

televisivo, va adj.

●CON SUSTS. **programa · espacio · concurso · serie · culebrón · comedia || noticiero · informativo || estreno · espectáculo** *el espectáculo televisivo de los sábados por la noche* **|| entrevista · debate · reportaje || anuncio · publicidad · mensaje || cadena** *una cadena televisiva privada* **· canal · antena · imperio || reportero,ra · locutor,-a · cámara · cronista || periodismo · lenguaje · imagen || programación · producción · oferta** *Han prometido mejorar la oferta televisiva de los canales públicos* **· contenido · materia || franja · temporada · campaña || audiencia · consumo || liderazgo · éxito || transmisión · emisión · retransmisión** *los derechos de retransmisión televisiva de los partidos de liga* **· cobertura || versión · formato · adaptación** *Es una adaptación televisiva de la famosa obra de teatro* **|| contrato · derecho || intervención · estrategia || actividad · ritmo**

televisor s.m.

●CON ADJS. **moderno · viejo · de plasma · portátil · analógico · digital || a toda pastilla · a todo volumen** *Con el televisor a todo volumen molestarás a los vecinos* **|| en color · en blanco y negro**

●CON SUSTS. **pantalla (de) · antena (de)**

●CON VBOS. **funcionar · estropear(se) || poner** *Pon el televisor un momento, que quiero escuchar las noticias* **· prender · encender · apagar || enchufar · desenchufar · sintonizar**

telón s.m.

●CON VBOS. **levantar(se)** *Se levantó el telón y apareció una niña disfrazada de bruja* **· alzar(se) · caer || subir · abrir · descorrer || bajar · cerrar · echar** *Echaron el telón y sonaron los aplausos* **· correr**

●CON PREPS. **detrás (de)**

□EXPRESIONES **telón de fondo** [asunto que subyace a otro más concreto]

telonero, ra

1 telonero, ra adj.

●CON SUSTS. **grupo · banda**

2 telonero, ra s.

●CON ADJS. **de lujo · meritorio,ria**

●CON VBOS. **tocar (algo)** *Los teloneros tocaron algunas de sus nuevas canciones* **|| actuar (de/como) · ejercer (de) · hacer (de) · oficiar (de) || llevar (de)** *Este cantante siempre lleva de telonero algún grupo de música pop* **· tener (como)**

●CON PREPS. **en calidad (de) · como**

telúrico, ca adj.

●CON SUSTS. **movimiento** *terremotos o movimientos telúricos* **· fuerza · sacudida · actividad · agitación · energía · poder · temblor · fenómeno || ámbito · carácter · dimensión · naturaleza · orden || canto · música · sonido || planeta · mundo || misterio** *el misterio telúrico de la luna* **· magnetismo**

tema s.m.

▌[asunto, materia]

●CON ADJS. **delicado · espinoso** *Era un tema muy espinoso y no encontraba las palabras adecuadas para abordarlo* **· afilado · escabroso · pantanoso · resbaladizo · controvertido · polémico · conflictivo || acuciante · absorbente · candente · álgido || crucial · decisivo · fundamental · esencial · básico · conductor** *el tema conductor del ensayo* **· central || colindante · tangencial · marginal || trillado · manido || confidencial**

●CON SUSTS. **importancia (de)** *Depende de la importancia del tema* **· complejidad (de) · gravedad (de) || estudioso,sa (de) · conocedor,-a (de)**

●CON VBOS. **surgir · agotar(se)** *Pronto se agotó el tema de conversación y ya no sabían qué decirse* **· dar de sí || atañer (a alguien) · circunscribir(se) (a algo) || esclarecer(se) || sacar** *Casi siempre es ella quien saca el tema del dinero* **· abordar · mencionar** *Mencionó el tema el otro día, aunque muy por encima* **· airear · plantear · tratar · considerar · desarrollar || retomar · replantear || discutir · debatir · despachar · zanjar · resolver || acotar · centrar · delimitar · fijar · encarrilar · tergiversar · manipular || analizar · explorar · estudiar · clarificar || elegir || soslayar · evitar · desbloquear || ceñir(se) (a) || cambiar (de)** *No cambies de tema* **· desentenderse (de) · hablar (de)** *No era el más indicado para hablar del tema* **· volver (a)** *Volviendo al tema de la semana pasada...* **· olvidar(se) (de) || depender (de)**

▌[melodía]

●CON ADJS. **musical** *un tema musical muy pegadizo* **· melodioso · melódico · pegadizo · conocido · exitoso || inédito · clásico**

●CON VBOS. **tararear · cantar · entonar · corear · bailar || escuchar · oír || dedicar (a algo/a alguien)** *uno de los temas que dedicó a su mujer* **|| memorizar · recordar**

temario s.m.

●CON ADJS. **amplio · ostentoso · inabordable || breve · escueto · corto · concreto || oficial** *el temario oficial de las oposiciones*

●CON VBOS. **preparar** *preparar a fondo el temario de la asignatura* **· saber(se) · conocer · consultar · enseñar · impartir · abordar || terminar · empezar || acordar · proponer · adaptar · fijar · elaborar · ampliar || aprobar · publicar || estudiar · leer**

[temática] s.f. → temático, ca

temático, ca

1 temático, ca adj.

●CON SUSTS. **índice** *El libro contiene un índice temático muy útil* **· unidad · bloque · serie || criterio · coherencia · organización · clasificación || variedad · riqueza · amplitud || contenido · núcleo** *el núcleo temático de una obra* **· línea · ámbito · variante || preferencia · afinidad · interés || discusión · análisis · tratamiento || parque** *Acaban de inaugurar un parque temático en las afueras* **· fiesta · zona · área · canal**

2 **temática** s.f.

● CON ADJS. **variada · diversa · rica || interesante · atractiva || novedosa · actual · actualizada || central · predominante || religiosa** *Destacan especialmente sus cuadros de temática religiosa* · **histórica · social**

● CON VBOS. **establecer · fijar · concretar · delimitar || abordar** *La novela aborda una temática muy compleja* · **exponer · presentar || analizar || actualizar · renovar || tratar (de)**

[temblar] → temblar; temblar (de)

temblar v.

● CON SUSTS. **pulso** *Estaba tan nerviosa que le temblaba el pulso* · **voz · mano · pierna · labio || cimiento · edificio · casa · muro · pared · cristal · torre || tierra** *La tierra tembló durante unos segundos* · **suelo**

● CON ADVS. **ligeramente · imperceptiblemente · levemente · suavemente · débilmente || visiblemente · ostensiblemente · alarmantemente · con fuerza · intensamente || inesperadamente · súbitamente || inevitablemente · incontrolablemente · irrefrenablemente**

● CON VBOS. **echarse (a)** *Cuando pienso en todo lo que tenemos que hacer me echo a temblar* · **empezar (a) · ponerse (a)**

temblar (de) v.

● CON SUSTS. **frío || miedo** *La encontraron temblando de miedo* · **pavor · terror · pánico · angustia · susto || emoción · felicidad · gusto · placer || cólera · rabia · ira || inseguridad · debilidad**

temblor s.m.

● CON ADJS. **pequeño · leve · suave · ligero** *un ligero temblor de manos* · **débil · superficial · imperceptible || súbito · inesperado · extraño || fuerte** *Ayer se produjo un fuerte temblor de tierra* · **terrible · intenso · ostensible · poderoso · alarmante · convulso · frenético || instintivo · inevitable · irrefrenable · incontrolable || de tierra · marino · telúrico · sísmico || íntimo · de voz** *Lo dijo con un leve temblor de voz* · **de labios · de manos · de piernas · parkinsoniano · febril || sintomático · revelador**

● CON SUSTS. **réplica (de) · serie (de)**

● CON VBOS. **producir(se)** *Se han producido varios temblores sísmicos en zonas próximas* · **desencadenar(se) · desatar(se) · pasar · remitir || dar(le) (a alguien) · entrar(le) (a alguien) · venir(le) (a alguien) || delatar (a alguien) · afectar (a algo) || sacudir (algo/a alguien) · mover (algo/a alguien) || sentir · sufrir · experimentar · notar · percibir · detectar · presentar · registrar || controlar · disimular** *Trató de disimular lo mejor que pudo el intenso temblor que le sacudía internamente* || **resguardar(se) (de)**

tembloroso, sa adj.

● CON SUSTS. **mano · piernas · dedos** *Abrió el sobre con dedos temblorosos* · **pulso || voz** *Respondió con voz temblorosa* || **luz** *la luz temblorosa de las velas*

● CON VBOS. **quedarse**

temerario, ria adj.

▮ [arriesgado]

● CON SUSTS. **imprudencia** *Lo acusaron de imprudencia temeraria al volante* · **valor || actuación · gestión** *Su gestión temeraria e irresponsable arruinó a los accionistas* · **acto · conducción · manejo · conductor,-a || conducta · comportamiento · actitud || entrada · golpe · ataque**

● CON VBOS. **volverse**

▮ [sin fundamento]

● CON SUSTS. **decisión · afirmación · juicio** *Alguien de su responsabilidad no debería emitir juicios temerarios* · **idea**

temeridad s.f.

● CON ADJS. **manifiesta · notoria || suicida · insensata || verdadera · auténtica** *Me parece una auténtica temeridad que se enfrente a ellos* || **proverbial · característica (de alguien) · propia (de alguien)**

● CON VBOS. **cometer · exhibir · tener || apreciar** *El juez apreció temeridad en sus actos* · **considerar · parecer (a alguien) || constituir · resultar || incurrir (en)**

temible adj.

● CON SUSTS. **jefe,fa · profesor,-a · delantero,ra · jugador,-a · enemigo,ga · rival · adversario,ria · competidor,-a · aliado,da** · ***otros individuos y grupos humanos*** || **equipo · tropa || ataque · lucha · combate || golpe · pegada · arma · armamento || epidemia · enfermedad** *El cólera es todavía en algunos países una temible enfermedad* || **aspecto · rostro**

● CON VBOS. **volverse**

temor s.m.

● CON ADJS. **serio** *...lo que hizo abrigar serios temores sobre la suerte de los excursionistas* · **intenso · fuerte · exagerado · exacerbado · acusado || leve · vago · ligero || arraigado · atávico · súbito · soterrado || irresistible · incontrolable · irracional · irrefrenable · inquietante || lógico · natural · justificado · fundado || infundado** *Las arañas suelen provocar un temor infundado* · **injustificado · sin fundamento || escénico · de Dios || preso,sa (de)**

● CON SUSTS. **clima (de) · atmósfera (de) · ambiente (de) || sentimiento (de) · sensación (de) || motivo (de)**

● CON VBOS. **surgir · desatar(se) · aflorar · traslucir(se)** *El temor ante una negativa se traslucía en su rostro* · **hacer(se) realidad · planear (sobre alguien) · acechar (a alguien) · anidar (en alguien) || extender(se) · propagar(se) · cobrar fuerza · acentuar(se) · agudizar(se) · confirmar(se) || apoderar(se) (de alguien) · venir (a alguien) · entrar(le) (a alguien) · asaltar (a alguien) · sobrevenir (a alguien) · acometer (a alguien)** *Le acometió el súbito temor de haberla perdido para siempre* · **embargar (a alguien) · atenazar (a alguien) · paralizar (a alguien) · imbuir (a alguien) || aplacar(se) · disipar(se)** *Todos sus temores se disiparon en cuanto lo vio aparecer sano y salvo* · **desvanecerse · pasárse(le) (a alguien) · alejar(se) · remitir · despejar(se) || tener · sentir · abrigar · albergar** *Albergábamos serios temores sobre la fiabilidad de aquel proveedor* · **experimentar · vislumbrar || dar · causar · provocar · despertar · sembrar · engendrar · infundir · inspirar || aliviar · amortiguar · apaciguar · mitigar · sofocar · conjurar · combatir · vencer · ahuyentar · desterrar · superar** *Con la terapia logró superar el temor a la oscuridad* · **perder || avivar · reavivar · revivir || disfrazar · ocultar · disimular · confesar || vivir (en/con)** *El pueblo vivía con el temor constante a un desbordamiento del río* · **dejarse llevar (por) · salir al paso (de)**

temperamental adj.

● CON SUSTS. ***persona*** *Tu novio es demasiado temperamental* || **pueblo · país || carácter** *Es complicado trabajar con* *él porque tiene un carácter muy temperamental* · **talante** · **rasgo** · **actitud** || **discurso** · **respuesta**

temperamento s.m.

• CON ADJS. **fuerte** · **autoritario** · **inflexible** · **intransigente** || **propio** · **peculiar** · **particular** || **vivo** · **vehemente** · **agitado** · **nervioso** · **fogoso** *Tenía un temperamento fogoso y apasionado* · **explosivo** · **visceral** || **colérico** · **irascible** · **agresivo** · **combativo** · **indomable** · **incontrolable** · **rebelde** || **frío** · **huidizo** · **melancólico** · **taciturno** · **introvertido** · **excéntrico** || **alegre** · **expansivo** · **jovial** · **locuaz** · **extrovertido** || **tranquilo** · **apacible** *una mujer sencilla, de temperamento apacible* · **sosegado** · **dócil** · **diplomático** || **creador**
• CON SUSTS. **cambio (de)** || **falta (de)** · **exceso (de)**
• CON VBOS. **aflorar** *En situaciones tensas aflora su temperamento irascible* · **traslucir(se)** · **forjar(se)** || **chocar** || **tener** · **demostrar** · **derrochar** *Cuando se arranca por bulerías derrocha fuerza y temperamento* · **revelar** · **reflejar** || **controlar** · **domar** · **dominar** · **moldear** || **cambiar (de)**

temperatura s.f.

• CON ADJS. **reinante** · **ambiental** || **cálida** · **alta** · **elevada** *temperaturas muy elevadas para esta época del año* · **calurosa** · **sofocante** · **tórrida** || **templada** · **suave** · **apacible** || **media** || **baja** · **desapacible** · **fría** · **invernal** · **glacial** · **polar** *Yo no estaba preparada para las temperaturas polares de aquella ciudad* · **siberiana** || **benigna** · **agradable** *Hace una temperatura muy agradable para pasear* · **primaveral** · **veraniega** · **otoñal** · **magnífica** · **extraordinaria** || **llevadera** · **adecuada** · **estimulante** · **perfecta** || **anormal** · **normal** · **extrema** || **cambiante** · **inestable** || {**bajo/sobre**} **cero**
• CON SUSTS. **ambiente** *Se deja reposar un par de horas a temperatura ambiente* || **grado (de)** || **descenso (de)** *Han anunciado un fuerte descenso de temperatura para los próximos días* · **subida (de)** · **caída (de)** · **diferencia (de)** || **problema (de)**
• CON VBOS. **dar(se)** *A pesar de ser un valle, se dan temperaturas muy bajas* || **ascender** · **aumentar** · **subir** · **alcanzar (algo)** · **descender** · **bajar** · **disminuir** · **fluctuar** · **cambiar** · **oscilar** · **mantener(se)** *Las temperaturas se mantienen constantes y no se esperan cambios para el fin de semana* · **estabilizar(se)** || **hacer** *Hace una temperatura muy agradable* || **tomar** *Me tomé la temperatura y tenía fiebre* · **medir** · **registrar** || **prever** · **anticipar** · **pronosticar** || **aguantar** · **soportar** || **hacerse (a)** · **aclimatar(se) (a)** · **depender (de)** || **gozar (de)** *unas islas que gozan de una temperatura extraordinaria durante todo el año* · **disfrutar (de)** || **cambiar (de)** · **variar (de)**

tempestad s.f.

• CON ADJS. **fuerte** *una fuerte tempestad de nieve y viento* · **enorme** · **tremenda** · **terrible** · **espantosa** || **ciclónica**
• CON SUSTS. **aviso (de)** · **amenaza (de)**
• CON VBOS. **amenazar (algo)** · **acechar (algo)** · **avecinarse** · **aproximarse** · **acercarse** || **estallar** · **levantar(se)** · **desatar(se)** · **desencadenar(se)** · **abatirse (sobre algo)** · **azotar (algo)** || **arreciar** *La tempestad volvió a arreciar por la noche* · **recrudecer(se)** || **calmar(se)** · **serenar(se)** · **pasar** · **amainar** · **alejarse** · **remitir** *Salimos del refugio cuando remitió la tempestad* || **causar** · **ocasionar** || **capear** · **desafiar** || **guarecerse (de)** · **resguardarse (de)** · **proteger(se) (contra)** · **luchar (contra)**
• CON PREPS. **en medio (de)**

tempestuoso, sa adj.

• CON SUSTS. **mar** · **atmósfera** · **clima** *una zona de clima tempestuoso* · **paisaje** || **tarde** · **día** · **semana** · **temporada** · ***otros periodos*** || **amor** *Tuvo varios amores tempestuosos en su juventud* · **relación** · **matrimonio** || **debate** · **encuentro** · **reunión** || **juventud** · **trayectoria** · **vida** || **historia** · **sueño** || **carácter**
• CON VBOS. **ser** · **estar** || **poner(se)** · **volver(se)**

templado, da adj.

• CON SUSTS. **clima** · **temperatura** · **ambiente** · **aire** · **zona** || **agua** *lavar una prenda delicada con agua templada* · **baño**
• CON VBOS. **estar** · **mantener(se)** · **poner(se)**

templanza s.f.

• CON ADJS. **política** *En el debate hizo gala de su templanza política* · **deportiva** · **económica** · **literaria** || **proverbial** · **exquisita** · **admirable**
• CON SUSTS. **ejemplo (de)** *Mi padre es un ejemplo de templanza* · **dosis (de)** || **virtud (de)** · **valor (de)** || **falta (de)**
• CON VBOS. **mostrar** · **demostrar** *Demostró una admirable templanza en todo momento*
• CON PREPS. **con** *comer con templanza y hacer más deporte* · **sin**

templar(se) v.

• CON SUSTS. **ánimo** *Vamos a esperar a que se templen los ánimos* · **espíritu** || **temor** · **inquietud** · **nervios** · **ira** · **cólera** || **voz** · **garganta**

temple s.m.

• CON SUSTS. **falta (de)**
• CON VBOS. **demostrar** *Supo demostrar mucho temple en los malos momentos* · **probar** · **sacar a la luz** || **tener** · **mantener** · **poseer** || **carecer** · **faltar (a alguien)** *Le faltó temple para enfrentarse a la situación* · **perder** || **imprimir (a algo)** · **poner (en algo)**
• CON PREPS. **con** · **sin**

templo

1 templo s.m.

• CON ADJS. **sagrado** · **funerario** || **cultural**
• CON VBOS. **desmoronarse** || **construir** · **erigir** · **levantar** *Levantaron un templo cristiano en la antigua mezquita* · **edificar** || **consagrar** || **profanar** · **saquear** · **violar** · **quemar** · **incendiar** · **derruir** || **dedicar (a alguien)** *Dedicaron el templo al patrón de la ciudad* || **servir (en/a)**

2 templo (de) s.m.

• CON SUSTS. **saber** · **cultura** *La nueva biblioteca de la ciudad se ha convertido en un verdadero templo de la cultura* · **arte** || **ópera** · **moda** *La pasarela está considerada por muchos como el gran templo de la moda actual* · **música** · **fútbol** || **democracia** · **libertad** · **corrupción** || **finanzas** · **dinero** || **información** *un periódico que sigue siendo el templo de la información del país*

[temporada] → de temporada; temporada

temporada s.f.

• CON ADJS. **breve** · **larga** *Pasé una larga temporada en el campo* || **tranquila** · **apacible** · **sin sobresaltos** · **agitada** · **movida** || **nueva** · **próxima** · **pasada** · **anterior** || **alta** · **baja** *viajar en temporada baja*
• CON SUSTS. **fin (de)** · **cierre (de)** · **inicio (de)** · **apertura (de)** || **pase (de)** || **fruta (de)** *una macedonia con fruta de temporada* · **verdura (de)** · **producto (de)** · **receta (de)**

● CON VBOS. **abrir** *Una obra temprana de Mozart abrió la temporada de ópera* · **inaugurar** · **comenzar** || **terminar** · **finalizar** · **clausurar** || **pasar** *En aquella época pasaba largas temporadas en el campo*
● CON PREPS. **a final(es) (de)** · **a comienzos (de)** · **dentro (de)** · **en** · **de** *ropa de temporada* · **fuera (de)**

temporal s.m.

● CON ADJS. **fuerte** *Un fuerte temporal amenaza las islas* · **terrible** · **violento** || **de viento** · **de frío** · **de lluvia** · **de nieve**
● CON SUSTS. **efectos (de)** · **consecuencia (de)** · **daños (de)** || **magnitud (de)**
● CON VBOS. **acercarse** · **aproximarse** · **amenazar (algo)** · **avecinarse** *Se avecina un temporal de nieve* · **acechar (algo/a alguien)** · **levantar(se)** · **desencadenar(se)** · **estallar** · **acaecer** · **azotar (algo)** *Un terrible temporal de lluvia azotó la comarca* · **descargar** · **cernerse (sobre algo)** · **abatirse (sobre algo)** || **arreciar** · **alejarse** · **pasar** · **remitir** *Comienza a remitir el temporal* · **amainar** · **escampar** || **ocasionar (algo)** *El temporal de los últimos días ocasionó cuantiosas pérdidas en la agricultura* · **producir daños** *El temporal produjo daños de diversa consideración* || **guarecerse (de)** · **resguardar(se) (de)**
● CON PREPS. **en caso (de)** · **a causa (de)** || **a resguardo (de)** · **a salvo (de)**
□ EXPRESIONES **capear el temporal** [esquivar una responsabilidad desagradable] *col.*

temporalmente adv.

● CON VBOS. **interrumpir** · **suspender** · **aplazar** · **bloquear** · **frenar** · **paralizar** · **cortar** · **detener** || **eliminar** *eliminar temporalmente el servicio nocturno* · **cesar** · **cerrar** · **clausurar** · **anular** · **zanjar** · **prohibir** · **inhabilitar** · **acallar** || **alejar(se)** *Ha decidido alejarse temporalmente de la vida pública* · **apartar(se)** · **separar(se)** · **aislar(se)** · **retirar(se)** · **replegar(se)** · **abandonar** || **continuar** · **ocupar** *Nuestras oficinas ocupan temporalmente la segunda planta* || **conservar** · **guardar** · **archivar** · **recluir** · **almacenar** || **soportar** · **resistir** · **aguantar** · **sufrir** || **solucionar** · **resolver** · **arreglar** · **aliviar** · **remediar** · **apaciguar** *Los ánimos se han apaciguado, pero solo temporalmente* || **ceder** · **dejar** · **prestar** || **estudiar** · **ejercer** · **trabajar** · **funcionar** · **ocuparse (de algo)** · **atender** || **alquilar** · **residir** · **vivir** || **permanecer** · **prolongar(se)** · **mantener(se)**

temprano, na adj.

● CON SUSTS. **hora** · **edad** · **juventud** *Desde su más temprana juventud demostró un gran interés por la literatura* · **adolescencia** · **infancia** · **mocedad** · **madurez** · **fase** · **época** || **vocación** · **afición** *una temprana afición por la política* · **inquietud** · **interés** · **estimulación** || **muerte** · **fallecimiento** · **lesión** · **desaparición** || **éxito** · **gol** *un gol temprano que obligó al entrenador a hacer algunos cambios* · **ventaja** · **fracaso** || **cosecha** · **fruto** · **resultado** · **acuerdo** · **aportación** || **diagnóstico** · **detección** *La detección temprana de la enfermedad permitirá tratamientos más efectivos* || **eliminación** · **expulsión** · **intervención** · **desarrollo** · **aparición** · **maduración**
● CON ADVS. **extremadamente** · **sorprendentemente** · **excepcionalmente**

tenacidad s.f.

● CON ADJS. **gran(de)** *Posee una gran tenacidad para resolver las dificultades* · **enorme** · **inmensa** · **tremenda** · **increíble** · **sorprendente**
● CON SUSTS. **fruto (de)** · **ejemplo (de)** || **falta (de)**
● CON VBOS. **demostrar** · **mostrar** || **poseer** · **poner (en algo)** || **actuar (con)** *Actúa con mucha tenacidad y consigue lo que se propone* || **conseguir (con)**
● CON PREPS. **a fuerza (de)** *Saca unas notas excelentes a fuerza de tenacidad* · **con**

tenaz adj.

● CON SUSTS. **adversario,ria** · **defensor,-a** · **investigador,-a** · ***otros individuos y grupos humanos*** || **resistencia** · **oposición** *Mantienen una oposición tenaz al nuevo proyecto* · **rechazo** · **desacuerdo** · **protesta** || **empeño** · **esfuerzo** · **persistencia** · **voluntad** · **insistencia** · **perseverancia** · **laboriosidad** · **afán** || **lucha** · **combate** · **persecución** *La asociación denuncia una persecución tenaz por parte de algunos medios* · **batalla** · **bombardeo** · **enfrentamiento** · **pugna** · **competitividad** · **acoso** · **hostigamiento** || **trabajo** · **labor** · **búsqueda** · **investigación** · **tarea** · **ejercicio** · **repaso** · **estudio** · **gestión** · **campaña** || **defensa** *De poco le sirvió la tenaz defensa del proyecto que hizo ante la comisión evaluadora* · **apoyo** · **alegato** || **deseo** · **objetivo** · **propósito** · **intento** || **posición** · **actitud** · **postura** || **lluvia** · **sol** · **viento** || **pobreza** · **catástrofe** · **sequía** *medidas urgentes para paliar las catastróficas consecuencias de la tenaz sequía* · **insomnio** · **silencio**

tenazmente adv.

● CON VBOS. **defender** · **aferrarse** · **resistir(se)** · **agarrarse** || **mantener** · **sostener** · **seguir** · **persistir** · **insistir** || **luchar** · **pelear** · **pugnar** · **competir** · **lidiar** · **oponerse** *El comité se opuso tenazmente a la reforma* · **enfrentarse** · **atacar** · **combatir** || **empeñarse** · **porfiar** · **intentar** · **proponerse** · **impulsar** · **avivar** · **postular** · **enarbolar** · **propugnar** · **comprometerse** · **dedicarse** · **preocuparse** · **contribuir** || **ejercer presión** · **perseguir** *Cuando descubre una presa, la persigue tenazmente hasta atraparla* · **vigilar** · **reclamar** || **buscar** · **investigar** · **escarbar** · **ahondar** || **trabajar** · **bregar** · **nadar** || **platicar** · **preguntar** · **discutir**
● CON ADJS. **agresivo,va** · **marginal** || **leal** · **fiel**

tendencia s.f.

● CON ADJS. **clara** · **firme** · **inequívoca** · **perceptible** · **acusada** · **destacada** · **marcada** || **general** · **generalizada** *...porque llevar hábitos de vida saludables es una tendencia cada vez más generalizada entre...* · **extendida** · **dominante** · **imperante** · **reinante** · **preponderante** || **nueva** · **novedosa** · **incipiente** *Se perfila una incipiente tendencia a reducir los gastos sociales* · **persistente** · **arraigada** · **vacilante** · **pasajera** || **irresistible** · **irrefrenable** · **imparable** · **desenfrenada** || **a favor** · **en contra** · **opuesta** · **enfrentada** · **irreconciliable** || **alcista** *Los créditos hipotecarios continúan su tendencia alcista* · **al alza** · **ascendente** · **descendente** · **a la baja** · **oscilante** || **centrífuga** · **centrípeta** · **confluyente**
● CON VBOS. **existir** · **darse** || **surgir** · **salir a la luz** · **perfilar(se)** · **dibujar(se)** · **apreciar(se)** · **percibir(se)** · **notar(se)** || **difundir(se)** · **extender(se)** · **imponer(se)** *Las nuevas tendencias en la moda se han impuesto con rapidez* · **acentuar(se)** · **afianzar(se)** · **triunfar** || **mantener(se)** · **seguir** · **torcer(se)** · **quebrar(se)** · **truncar(se)** · **desviar(se)** · **invertir(se)** || **confluir** · **converger** · **llevar** · **apuntar (a algo/hacia algo)** || **marcar (algo)** · **dictar (algo)** · **avalar** · **confirmar** || **aglutinar** *Una nueva formación política que aglutina varias tendencias* · **conciliar** · **incluir** · **agrupar** · **comprender** || **corregir** · **rectificar** · **enderezar** · **erradicar** · **abandonar** || **obedecer (a)** || **adherirse (a)** · **imbuir(se) (de)** · **cortar (con)**
● CON PREPS. **de acuerdo (con)** · **en función (de)**

tendencioso, sa adj.

• CON SUSTS. **interpretación** *Me parece una interpretación de los hechos demasiado tendenciosa* · **visión** · **lectura** · **análisis** || **manipulación** · **tratamiento** · **comparación** || **información** · **mensaje** · **campaña** · **informe** || **comentario** · **pregunta** · **acusación** || **actitud** · **tono** || **argumento** · **propuesta** · **decisión** *Acusaron al jurado de haber tomado una decisión tendenciosa*

• CON ADVS. **claramente** · **sumamente** *una campaña publicitaria sumamente tendenciosa*

• CON VBOS. **acusar (de)** · **calificar (de)** · **tachar (de)** || **volverse** · **resultar**

tender v.

• CON SUSTS. **colada** · **ropa** *tender la ropa al sol* || **mano** *Siempre que le pedí ayuda me tendió la mano* || **puente** *Los exploradores tendieron un puente móvil para atravesar el río* · **vía** · **red** · **lazo** · **cuerda** || **engaño** · **trampa** · **emboscada**

• CON ADVS. **inevitablemente** *La economía tiende inevitablemente a la baja* · **inexorablemente** || **a la baja** · **al alza**

tenderete s.m.

• CON VBOS. **instalar** *Instalaron varios tenderetes en la zona principal del mercado* · **colocar** || **desmontar** · **quitar** · **desalojar**

➤ Véase también **ESTABLECIMIENTO**

[tendido] →a moco tendido; largo y tendido

tendón s.m.

• CON ADJS. **muscular** · **rotuliano** · **extensor** · **flexor** · **supraespinoso** · **de Aquiles** || **inflamado** · **dolorido**

• CON SUSTS. **rotura (de)** *No pudo seguir jugando por una rotura de tendones* · **inflamación (de)** · **lesión (de)** · **desgarro (de)** || **problema (en)** · **molestia (en)** · **dolencia (en)**

• CON VBOS. **desgarrar(se)** · **romper(se)** · **astillar(se)** || **dañar(se)** · **lastimar(se)** || **cortar** · **seccionar** · **recomponer** *La van a operar para recomponerle los tendones del brazo izquierdo*

tenebroso, sa adj.

• CON SUSTS. **mundo** · **ciudad** · **zona** · **paisaje** · **escenario** · **mansión** · **refugio** · **túnel** · **cueva** · ***otros lugares*** || **camino** *un camino tenebroso que llevaba a la casa abandonada* · **senda** || ***persona*** *El protagonista es un personaje tenebroso y sombrío* || **espíritu** · **sombra** || **asunto** · **idea** · **pensamiento** || **época** · **etapa** · **pasado** *Nadie sabía nada de su pasado tenebroso* || **noticia** · **historia** · **intriga** · **leyenda** · **pasaje** || **risa**

• CON VBOS. **ser** · **estar** || **volver(se)** · **hacer(se)** · **resultar** · **parecer**

tenencia

1 **tenencia** s.f.

• CON ADJS. **ilegal** · **ilícita**

2 **tenencia (de)** s.f.

• CON SUSTS. **armas** *Lo detuvieron por tenencia ilegal de armas* · **armamento** · **explosivos** || **droga** || **información**

tenis s.m.

• CON ADJS. **olímpico** || **de mesa**

• CON SUSTS. **monitor,-a (de)** · **profesor,-a (de)** · **instructor,-a (de)** · **amante (de)** · **fanático,ca (de)** || **pista (de)** *Los jugadores se preparaban en la pista de tenis* · **campo (de)** || **golpe (de)** · **paralelo (de)** · **revés (de)** · **volea (de)** · **globo (de)** || **pelota (de)** · **raqueta (de)** || **abierto (de)** *Se ha iniciado el abierto de tenis de este año* · **dobles (de)** || **clase (de)** · **lección (de)**

➤ Véase también **DEPORTE**

tensar v.

• CON SUSTS. **arco** *Tensó el arco, colocó la flecha y apuntó hacia la diana* · **ballesta** || **cuerda** · **alambre** · **nudo** || **músculo** || **relación** · **vínculo** || **debate** · **discusión** · **discurso** · **negociación** || **enfrentamiento** *La medida no hará más que tensar el enfrentamiento ya existente* · **lucha** · **discrepancia** · **competencia** · **pulso** · **carrera** · **confrontación** · **polémica** || **nervios** · **ánimos** || **ambiente** *Su presencia en la sala contribuyó a tensar el ambiente* · **situación** · **clima**

tensión s.f.

• CON ADJS. **palpable** *Crecía por momentos una palpable tensión en el ambiente* · **inequívoca** · **reinante** · **dominante** · **imperante** || **circundante** · **ambiental** || **enorme** · **elevada** · **grave** · **considerable** · **fuerte** · **seria** · **frenética** · **desbordante** · **asfixiante** · **insoportable** · **irresistible** · **a flor de piel** || **oculta** · **soterrada** · **latente** · **contenida** · **larvada** · **interna** || **política** *El clima de tensión política se ha recrudecido en las últimas semanas* · **social** · **militar** · **diplomática** · **laboral** || **dramática** · **poética** · **estilística** · **creativa** · **conceptual** · **dialéctica** · **intelectual** · **narrativa** || **arterial** *Tiene que tomarse la tensión arterial todos los días* · **ocular** · **muscular** · **nerviosa** || **alta** *unos cables de alta tensión* · **baja** || **libre (de)** · **exento,ta (de)** *Nuestra relación, aunque es buena, no está exenta de tensiones*

• CON SUSTS. **ataque (de)** · **motivo (de)**

• CON VBOS. **manifestar(se)** · **notar(se)** · **percibir(se)** · **palpar(se)** · **salir a la luz** · **traslucir(se)** · **gravitar** · **aflorar** *Toda la tensión acumulada afloró de repente* · **desatar(se)** · **dominar** · **salpicar** || **acentuar(se)** · **agudizar(se)** · **agravar(se)** · **recrudecer(se)** · **encrespar(se)** · **crecer** *Creció considerablemente la tensión en la sala* · **arreciar** · **mantener(se)** || **aplacar(se)** · **contener(se)** · **disminuir** · **calmar(se)** · **diluir(se)** · **amainar** · **aflojar** · **remitir** · **bajar** · **decaer** · **decrecer** · **disipar(se)** · **desinflar(se)** · **ablandar(se)** || **subir(le) (a alguien)** · **bajar(le) (a alguien)** *Le bajó la tensión de repente y sufrió un desmayo* || **crear** · **producir** · **causar** · **provocar** · **generar** · **transmitir** · **sembrar** || **sentir** · **experimentar** · **revivir** || **aumentar** · **reavivar** · **atizar** · **exacerbar** || **soltar** · **liberar** *Suelo liberar la tensión del día haciendo ejercicio físico* · **eliminar** · **aligerar** · **aliviar** *Su actitud serena consiguió aliviar la tensión entre ambos* · **aminorar** · **apaciguar** · **atenuar** · **atemperar** · **mitigar** · **rebajar** · **desactivar** · **reprimir** || **tomar**

tenso, sa adj.

• CON SUSTS. **momento** · **situación** · **jornada** · **período** · **vida** || **ambiente** *Se respiraba un ambiente muy tenso en la reunión* · **atmósfera** · **clima** || **relación** || **enfrentamiento** · **encuentro** · **careo** || **diálogo** · **negociación** *una tensa negociación por la subida de salarios* · **reunión** || **entrevista** · **debate** · **polémica** || **espera** *Después de dos horas de tensa espera* · **expectación** || **emoción** || **silencio** · **calma**

• CON ADVS. **extremadamente** · **particularmente** · **sumamente**

• CON VBOS. **estar** *¿Por qué estás tan tenso?* · **encontrar(se)** · **poner(se)** · **quedar(se)** · **mantener(se)**

tentación s.f.

● CON ADJS. **fuerte** *Le entró una fuerte tentación de fumar* · **intensa** · **irresistible** · **incontenible** · **descarada** · **irrefrenable** · **incontrolable** · **inevitable** || **carnal** · **pecaminosa**
● CON VBOS. **venir (a alguien)** · **asaltar (a alguien)** *Le asaltó la tentación de ir a verla* · **entrar (a alguien)** · **rondar (a alguien)** · **acechar (a alguien)** · **devorar (a alguien)** || **tener** · **sentir** || **combatir** · **reprimir** · **vencer** || **resistirse (a)** · **sustraer(se) (de/a)** · **cortar (con)** || **caer (en)** *No puede pasar por delante de una pastelería sin caer en la tentación* · **ceder (a)** · **sucumbir (a)** · **rendirse (a/ante)** · **abandonar(se) (a)** · **dejarse llevar (por)** · **huir (de)** || **tropezar(se) (con)**

tentador, -a adj.

● CON SUSTS. **oferta** *una oferta de trabajo verdaderamente tentadora* · **propuesta** · **ofrecimiento** · **invitación** || **cuerpo** · **figura** · **belleza** || **mirada** · **palabra** · **mensaje** || **opción** · **programa** || **dulce** · **aroma** *La tarta de café despide un aroma muy tentador* || **peligro** · **deseo**
● CON VBOS. **resultar** · **hacerse**

[tentar] → tentar; tentar (a alguien)

tentar v.

● CON SUSTS. **destino** · **fortuna** · **suerte** *Ha tentado la suerte demasiadas veces y al final le ha salido mal* || **futuro**
● CON ADVS. **peligrosamente**

tentar (a alguien) v.

● CON SUSTS. **idea** *Me tienta poderosamente la idea de haceros creer que...* · **plan** · **propuesta** · **posibilidad**
● CON ADVS. **poderosamente** · **tremendamente**

tentativa

1 tentativa s.f.

● CON ADJS. **fallida** · **frustrada** · **inútil** · **baldía** · **infructuosa** *Las tentativas de diálogo se revelaron infructuosas* || **presunta** || **ambiciosa** || **disparatada** · **descabellada** || **conjunta**
● CON VBOS. **frustrar(se)** · **fracasar** *Una vez más han fracasado sus tentativas de hacerse con el poder* || **tener éxito** || **descubrir** || **detener** || **acusar (de)**
● CON PREPS. **en grado (de)** *un delito de homicidio en grado de tentativa*

2 tentativa (de) s.f.

● CON SUSTS. **suicidio** · **fuga** *Se trata de la segunda tentativa de fuga de este preso* · **hurto** · **robo** · **sabotaje** · **evasión** · **agresión** · **asesinato** · **violación** · **extorsión** *Se frustraron sus tentativas de extorsión a la empresa* · **atentado** · **homicidio** · **fraude** · ***otros delitos*** || **diálogo** · **negociación** · **acuerdo** || **paz** · **unificación** · **rebelión** · **secesión** · **separación**

tentempié s.m. *col.*

● CON ADJS. **ligero** *Nos ofrecieron un ligero tentempié en el descanso* · **pequeño** || **sabroso** · **apetitoso** || **improvisado** · **sencillo** · **rápido**
● CON VBOS. **tomar** *tomar un tentempié a media mañana* || **servir** · **ofrecer** · **poner** || **necesitar** || **aguantar (con)** · **pasar (con)**

tenue adj.

● CON SUSTS. **sol** · **brisa** · **viento** · **nube** · **lluvia** || **llama** · **fuego** · **calor** || **luz** *Una luz tenue iluminaba la habitación* · **claridad** · **iluminación** · **fulgor** · **resplandor** · **sombra** || **color** · **reflejo** · **matiz** · **transparencia** || **línea** · **trazo** · **pincelada** · **imagen** · **fondo** · **atmósfera** || **olor** · **aroma** || **sonido** *El sonido llegaba muy tenue y apenas podíamos percibirlo* · **eco** · **zumbido** · **voz** · **gemido** · **latido** || **hilo** || **esperanza** · **sensación** || **apoyo** · **aplauso** *Solo recibió un tenue aplauso del público* · **caricia** · **sonrisa** · **ironía** · **señal** || **reacción** · **resistencia** || **velo** · **capa** || **diferencia** · **distinción** · **frontera**
● CON VBOS. **volverse** · **hacerse**

teñir (de) v.

● CON SUSTS. **sangre** · **tinta** || **azul** · **rojo** · **negro** · ***otros colores*** || **nubarrón** · **sombra** · **peligro** · **amenaza** || **ingenio** · **sentido del humor** · **ironía** || **alegría** *Su sola presencia teñía de alegría el ambiente* · **gozo** · **euforia** · **optimismo** || **luto** · **dolor** · **pesar** · **amargura** · **dramatismo** · **tristeza** *una jornada teñida de profunda tristeza* · **nostalgia** · **melancolía** · **pesimismo** || **superstición** · **misterio** · **leyenda** || **duda** *...declaraciones poco oportunas que tiñeron de dudas el futuro del proyecto* · **confusión** · **ambigüedad** · **polémica** · **hipocresía** · **sospecha**

teologal adj.

● CON SUSTS. **virtud** *la virtud teologal de la esperanza* · **fe** · **caridad** · **esperanza** · **verdad** · **emblema** || **integridad** · **exigencia** || **encuentro**

teología s.f. Véase **DISCIPLINA**

teológico, ca adj.

● CON SUSTS. **autoridad** · **verdad** · **razón** · **valor** || **ciencia** · **pensamiento** · **estudio** · **reflexión** · **investigación** *Sometieron el asunto a una profunda investigación teológica* || **enseñanza** · **formación** || **debate** · **disputa** · **polémica** · **discusión** || **doctrina** · **tesis** · **idea** · **propuesta** || **cuestión** · **tema** · **problema** · **solución** || **contenido** · **argumento** || **escuela** · **movimiento** · **corriente** || **criterio** · **visión** · **interpretación** *las distintas interpretaciones teológicas de las escrituras* || **espíritu** · **intensidad** · **fuerza** || **obra** · **lenguaje** · **contexto** · **manipulación** || **comisión** · **congreso** || **interés** · **curiosidad**

teorema s.f.

● CON ADJS. **simple** · **complejo** || **fundamental** · **principal** · **básico** || **válido** · **falso**
● CON VBOS. **demostrar** · **probar** · **resolver** || **enunciar** · **plantear** *El autor planteó el teorema, pero no lo resolvió* · **proponer** · **presentar** || **aplicar** · **verificar** || **deducir**

teoría s.f.

● CON ADJS. **vigente** *La evolución del mercado en esta región pone en entredicho las teorías vigentes sobre el crecimiento económico* · **actual** · **dominante** || **conocida** · **extendida** · **vieja** · **antigua** · **obsoleta** · **desfasada** · **clásica** · **nueva** · **novedosa** · **avanzada** *Los investigadores actuales reconocen que la teoría no se impuso porque era muy avanzada para su tiempo* · **moderna** · **revolucionaria** || **sólida** · **firme** · **brillante** · **atractiva** · **interesante** · **convincente** · **fundamentada** || **abstrusa** · **desaforada** · **descabellada** · **peregrina** · **sin fundamento** · **sin pies ni cabeza** *Aquella era una teoría sin pies ni cabeza, no sé cómo podía alguien darle crédito* · **débil** · **endeble** · **vaga** · **elemental** · **cogida con alfileres** || **falsable** · **refutable** || **infalsable** · **irrefutable** · **inexpugnable** || **controvertida** *El autor defendió contra viento y marea su controvertida teoría* · **capciosa** · **paradójica** · **discrepante**
● CON VBOS. **asentar(se) (sobre algo)** · **basar(se) (en algo)** || **funcionar** · **prosperar** · **consolidar(se)** · **imponer(se)** · **cobrar fuerza** · **hacer(se) realidad** · **fraguar(se)**

· **germinar** || **circular** · **difundir(se)** *Las nuevas teorías sociológicas se difundieron rápidamente entre los especialistas* || **tambalearse** · **venirse abajo** · **caerse** · **derrumbarse** · **desvanecerse** · **disipar(se)** · **hacer agua(s)** || **postular (algo)** *La revolucionaria teoría postulaba que...* · **defender** · **mantener** · **sostener** · **preconizar** || **fijar** · **establecer** · **forjar** · **idear** · **urdir** · **bosquejar** · **esbozar** · **pergeñar** · **articular** · **hilvanar** · **improvisar** *Para responder a la pregunta, el conferenciante improvisó hábilmente una teoría que parecía convincente* · **deducir** · **desbrozar** || **formular** · **plantear** · **aventurar** · **lanzar** · **proponer** · **emitir** · **predicar** · **exponer** · **explicar** · **airear** · **publicar** · **esgrimir** || **aceptar** · **seguir** · **llevar a la práctica** · **apoyar** · **sustentar** · **alimentar** · **refrendar** *La comunidad científica ha refrendado una novedosa teoría acerca de...* · **validar** · **avalar** || **poner a prueba** · **verificar** · **comprobar** · **falsar** · **corroborar** · **confirmar** · **probar** · **demostrar** · **fundamentar** · **cimentar** || **criticar** · **rebatir** · **refutar** · **rechazar** · **desmentir** · **desmontar** · **desbaratar** · **desmantelar** || **adherirse (a)** *Cuando era estudiante se adhirió con fervor a las nuevas teorías políticas* · **comulgar (con)** · **reafirmar(se) (en)** · **abogar (por)** · **ajustar(se) (a)** · **atenerse (a)** || **discrepar (de)** · **disentir (de)** · **desdecirse (de)**

● CON PREPS. **a favor (de)** · **a la luz (de)** · **a tenor (de)** · **con arreglo (a)** · **en contra (de)** · **en función (de)**

☐ EXPRESIONES **en teoría** [teóricamente, supuestamente] *En teoría, ahora debe funcionar correctamente*

teóricamente adv.

❚ [mediante alguna teoría]

● CON VBOS. **fundamentar** *fundamentar teóricamente una hipótesis* · **plantear** · **demostrar** · **avalar** || **hablar** · **exponer** · **explicar** · **razonar** · **enunciar** · **resolver**

teórico, ca adj.

● CON SUSTS. **aspecto** · **cuestión** || **supuesto** · **argumento** || **concepto** · **principio** · **postulado** · **consideración** || **punto de vista** · **perspectiva** · **enfoque** || **formación** *una adecuada formación teórica* · **conocimiento** · **reflexión** || **discusión** · **discurso** · **exposición** || **construcción** · **planteamiento** *Estoy completamente de acuerdo con sus planteamientos teóricos* · **formulación** || **marco** · **fundamento** · **base** · **soporte** || **asignatura** · **lección** · **clase** · **curso** || **obra** · **libro** · **escrito** · **ensayo** · **estudio** · **investigación** || **examen** · **prueba** || **corriente** · **línea** *¿Dentro de qué línea teórica se sitúa el autor?* · **paradigma** · **modelo** · **programa** || **influencia** · **aportación** · **novedad** || **error** || **interés**

● CON ADVS. **puramente** *clases puramente teóricas* · **meramente**

tequila s.m.

● CON SUSTS. **chupito (de)** *El camarero nos invitó a un chupito de tequila*

➤ Véase también **BEBIDA**

terapéutico, ca adj.

● CON SUSTS. **uso** · **utilización** · **aplicación** || **utilidad** *la utilidad terapéutica de los parches hormonales* · **fin** · **finalidad** || **masaje** · **vacuna** · **intervención** · **aborto** · **donación** · **extirpación** || **remedio** · **solución** · **recurso** · **medida** · **avance** || **alternativa** · **opción** · **posibilidad** || **valor** · **propiedad** *En poco tiempo notará las propiedades terapéuticas del agua de mar* · **virtud** · **cualidad** || **efecto** *los efectos terapéuticos de una vida relajada* · **beneficio** · **eficacia** · **consecuencia** || **práctica** · **tratamiento** · **método** · **técnica** || **proceso** · **actividad** · **experiencia** || **criterio** · **estrategia** · **enfoque** · **decisión** · **pronóstico** || **capacidad** · **potencial** *el potencial terapéutico del ejercicio físico* || **cumplimiento** || **atención** · **cuidados** || **centro** · **comunidad** · **grupo**

terapia s.f.

● CON ADJS. **curativa** · **reparadora** · **preventiva** *El especialista, ante el riesgo de infección, me orientó hacia una terapia preventiva* || **suave** · **leve** · **ligera** · **llevadera** || **fuerte** · **estricta** · **radical** · **drástica** · **de choque** · **expeditiva** · **de urgencia** · **intensa** · **integral** · **intensiva** || **eficaz** · **infalible** · **milagrosa** · **ineficaz** · **inútil** · **contraproducente** || **indicada** *una terapia especialmente indicada para el dolor de las vértebras* · **contraindicada** || **ocupacional** · **de grupo** · **mental** || **familiar** · **de pareja**

● CON VBOS. **fracasar** · **funcionar** · **tener éxito** || **aconsejar** *La psicóloga nos aconsejó una terapia de grupo* · **prescribir** · **recetar** || **administrar** · **aplicar (a alguien)** · **seguir** || **someter(se) (a)** || **perseverar (en)**

terciar (en) v.

● CON SUSTS. **polémica** · **debate** · **discusión** *...viéndose obligado a terciar en la discusión para evitar la pelea* · **conversación** · **disputa** · **controversia** || **elección** · **duelo** · **conflicto** · **comicios** · **lid** · **batalla** · **querella** · **reyerta** || **antagonismo** · **desacuerdo** · **rivalidad** · **desavenencia**

● CON ADVS. **diplomáticamente** · **públicamente** || **a favor** *No debía terciar ni a favor ni en contra en el conflicto familiar* · **en contra**

terciario, ria adj.

● CON SUSTS. **era** *En la era terciaria los continentes ya se habían separado* || **sector** *Preocupa la crisis del sector terciario* · **rama** · **centro** || **nivel** · **estructura** || **enseñanza** · **educación** || **función** · **papel** · **uso** · **carácter** || **servicio** · **actividad**

tergiversar v.

● CON SUSTS. **hecho** · **historia** *Ustedes tergiversan la historia y acomodan los hechos sucedidos a su particular conveniencia* · **realidad** · **verdad** · **tema** · **asunto** · **acontecimiento** · **situación** · **pasado** || **idea** · **pensamiento** · **noción** · **concepto** · **fundamento** · **valor** · **principio** || **política** · **democracia** || **declaración** · **palabra** *No se pueden tergiversar impunemente las palabras de los testigos* · **argumento** · **frase** · **mensaje** · **noticia** · **testimonio** · **entrevista** · **informe** · **documento** · **texto** || **sentido** · **contenido** · **significado** · **imagen** · **naturaleza** · **interpretación** · **espíritu** · **esencia** · **moraleja** || **prueba** · **información** · **dato** · **resultado** · **cifra** *Ha tergiversado las cifras para apoyar su disparatada teoría* || **conclusión** · **acuerdo** · **resolución** || **plan** · **estrategia** · **objetivo** · **fin** || **intención** · **voluntad** · **postura** *El Gobierno acusa a la oposición de tergiversar la postura del presidente* · **opinión** || **ley** · **regla** · **justicia** · **legislación** · **derecho** · **voto**

● CON ADVS. **descaradamente** · **impunemente** || **a conciencia** · **deliberadamente** · **involuntariamente** || **intencionadamente** · **maliciosamente** · **interesadamente** || **gravemente** · **groseramente** · **burdamente** || **radicalmente** · **totalmente**

termal adj.

● CON SUSTS. **agua** *los beneficios de las aguas termales* · **lodo** || **manantial** · **fuente** · **piscina** · **baño** · **mar** || **centro** · **instalación** · **balneario** || **estación** · **ciudad** · **complejo** || **cura** · **tratamiento** *Se curó siguiendo un tratamiento termal* || **turismo** · **actividad**

térmico, ca adj.

• CON SUSTS. **sensación** *La sensación térmica es menor por el fuerte viento* · **nivel** || **descenso** · **subida** · **cambio** · **amplitud** · **inversión** · **contraste** · **choque** || **central** · **planta** · **cámara** · **área** || **energía** *El conferenciante destacó las propiedades de la energía térmica* · **generación** · **capacidad** · **rendimiento** || **regulación** · **estabilidad** · **contaminación** || **sistema** · **luneta** *la luneta térmica del coche* · **motor** · **lanza** · **puente** || **aislamiento** · **aislante** · **escudo** · **protección** || **guantes** *Llevo unos guantes térmicos para escalar* · **calcetines** · **pantalones** · ***otras prendas de vestir*** || **factor** · **propiedad** · **condición**

terminación s.f.

• CON ADJS. **inminente** · **urgente** · **próxima** · **inmediata** || **excelente** · **pésima** · **buena** · **mala** · **deficiente** *Han trabajado rápido, pero la terminación del edificio es muy deficiente*

• CON SUSTS. **fecha (de)** · **momento (de)** · **plazo (de)** *Fijamos el plazo de terminación a finales de mes* · **fase (de)** || **calidad (de)** · **detalles (de)**

• CON VBOS. **demorar(se)** *La terminación de la obra se va a demorar hasta el mes que viene* · **retrasar(se)** · **aplazar(se)** || **adelantar(se)** · **anticipar(se)** · **acelerar(se)** · **precipitar(se)** || **producir(se)** · **suponer** || **acometer** · **facilitar** || **permitir** · **garantizar** · **financiar** · **impedir** || **ordenar** · **exigir** · **reivindicar** · **esperar**

terminal

1 **terminal** adj.

• CON SUSTS. **fase** · **etapa** || **enfermo,ma** · **paciente** || **enfermedad** · **cáncer** *En la revisión le descubrieron un cáncer terminal* · **crisis** || **estado** · **situación** · **punto** · **fecha** · **carácter** || **estación** · **edificio** || **frase** · **estrofa**

2 **terminal** s.amb.

▮ [en informática]

• CON ADJS. **digital** · **electrónico,ca** · **telefónico,ca** · **inteligente** · **multifuncional** || **móvil** *Están retransmitiendo lo sucedido desde una terminal móvil* · **portátil** · **remoto,ta**

• CON VBOS. **conectar** *conectar una terminal a internet* · **instalar**

3 **terminal** s.f.

▮ [de una línea de transporte]

• CON ADJS. **internacional** · **nacional** · **principal** || **aérea** · **ferroviaria** · **terrestre** · **marítima** · **portuaria** *Descargaron la mercancía en la terminal portuaria* · **petrolera** · **logística** || **nueva** · **antigua** · **vieja** || **gran(de)** · **espaciosa** · **pequeña** || **en funcionamiento**

• CON VBOS. **funcionar** *La terminal aérea no funciona debido a la niebla* || **dar servicio (a alguien)** || **construir** · **edificar** · **diseñar** || **remodelar** · **habilitar** · **añadir** · **abrir** · **inaugurar** || **ocupar** · **llenar** · **abarrotar** · **asaltar** || **utilizar** *Casi nadie utiliza ya esta terminal* || **alcanzar** · **abandonar** || **tener** · **mantener** || **vigilar** · **recorrer** || **partir (de)** · **salir (de)** *Todos los pasajeros saldrán de la terminal internacional* || **llegar (a)** · **llevar (a)** || **cambiar (de)**

4 **terminal (de)** s.f.

• CON SUSTS. **autobuses** *Nos despedimos en la terminal de autobuses* · **metro** · **tren** || **pasajeros** · **carga**

terminante adj.

• CON SUSTS. **orden** *Recibimos la orden terminante de no salir del edificio* · **prohibición** · **expulsión** · **mandato** · **privación** · **desautorización** · **sanción** || **negativa** · **oposición** · **rechazo** · **censura** · **denuncia** · **disconformidad** || **respuesta** · **conclusión** · **decisión** · **dictamen** · **solución** · **resultado** · **reacción** || **ley** · **código** · **reglamento** · **reglamentación** · **normativa** · **artículo** || **medida** · **recurso** · **efecto** || **opinión** · **postura** · **punto de vista** || **prueba** *Ha negado ser el culpable, pero existe en su contra una prueba terminante* · **indicio** · **argumento**

terminantemente adv.

• CON VBOS. **prohibir** *Está terminantemente prohibido fumar en el centro* · **obligar** · **ordenar** · **establecer** · **disponer** || **oponerse** · **rechazar** · **rehusar** · **descartar** · **desaconsejar** · **excluir** || **negar** · **desmentir** *El futbolista desmintió terminantemente los rumores de su posible marcha* · **contradecir** || **manifestar** · **declarar** · **decir** · **afirmar** · **confirmar** · **explicar** · **expresar** · **sostener** · **mantener** · **advertir** · **pronunciarse** || **finalizar** · **romper**

• CON ADJS. **falso,sa** *Sostiene que las acusaciones son terminantemente falsas* · **ilegal** · **prohibido,da**

terminar v.

• CON ADVS. **bruscamente** · **abruptamente** · **de un día para otro** *Nadie se esperaba que terminaran su relación así, de un día para otro* || **definitivamente** · **para siempre** · **de plano** · **virtualmente** || **felizmente** · **con éxito** · **a plena satisfacción** · **brillantemente** *Terminó brillantemente su carrera* · **apoteósicamente** · **a lo grande** · **a todo tren** || **tristemente** · **amargamente** · **trágicamente** · **en fracaso** · **como el rosario de la aurora** || **a duras penas** · **a marchas forzadas** · **a trancas y barrancas** · **a medias** || **dignamente** · **civilizadamente** || **inevitablemente** *Aquellas partidas terminaban todas inevitablemente en una fiesta* · **inexcusablemente** · **inexorablemente** · **irremediablemente** || **a las tantas**

[término] → llevar a (buen) término; término

término

1 **término** s.m.

▮ [palabra, expresión]

• CON ADJS. **general** · **específico** · **especializado** · **profesional** · **propio** · **particular** · **especial** || **claro** · **transparente** *...en términos más transparentes para los profanos en la materia* · **comprensible** · **accesible** · **inequívoco** || **oscuro** · **difícil** · **confuso** · **abstruso** · **incomprensible** · **ininteligible** || **resbaladizo** · **escurridizo** · **ambiguo** · **de doble sentido** || **apropiado** · **atinado** · **adecuado** · **idóneo** · **correcto** · **exacto** · **preciso** || **despectivo** *Utilizó términos muy despectivos para referirse a él* · **injurioso** · **discriminativo** · **ofensivo** || **conocido** · **consagrado** · **consolidado** · **nuevo** · **novedoso** · **feliz** · **manido** || **desusado** · **anticuado** · **desfasado** · **obsoleto**

• CON SUSTS. **acepción (de)** · **sentido (de)** · **significado (de)** · **definición (de)** || **glosario (de)** *un glosario de términos médicos*

• CON VBOS. **significar (algo)** · **denotar (algo)** || **provenir (de algo)** · **proceder (de algo)** || **crear** · **acuñar** *Han acuñado un término para la nueva enfermedad* · **encontrar** || **usar** · **utilizar** · **emplear** · **aplicar** · **elegir** || **entender** · **comprender** · **interpretar** || **traducir** · **verter** · **revisar** || **dar sentido (a)** || **abusar (de)**

▮ [fin, remate, conclusión]

• CON VBOS. **vencer** || **dar (a algo)** *dar término a una situación* · **poner (a algo)** || **llevar (a)** *Lleva a término cuanto se propone* || **llegar (a)**

2 **términos** s.m.pl.

▮ [condiciones, modos]

● CON ADJS. **abusivos** *Los términos del contrato eran abusivos* · **injustos** · **inadecuados** *No puede usted dirigirse a una autoridad en términos tan inadecuados* || **razonables** · **aceptables** · **moderados**

● CON VBOS. **estipular** || **fijar** · **establecer** · **negociar** *Habrá que negociar los términos en los que puede basarse el diálogo* || **alterar** · **tergiversar** · **manipular** · **cambiar** · **modificar** · **revisar** || **aceptar** · **cumplir** · **incumplir** · **conocer** · **desconocer**

● CON PREPS. **de acuerdo (con)** · **según** *según los términos del contrato*

☐ EXPRESIONES **en último término** [como último recurso o solución] || **término medio** [cantidad igual o aproximada a la media aritmética] || **término municipal** [territorio gobernado por un ayuntamiento]

terminología s.f.

● CON ADJS. **clara** *A pesar de ser un manual para especialistas, utiliza una terminología muy clara* · **transparente** · **accesible** || **oscura** · **abstrusa** || **nueva** · **novedosa** · **establecida** · **conocida** || **desfasada** · **desusada** · **anticuada** · **obsoleta** || **especializada** · **específica** · **profesional**

● CON VBOS. **crear** · **acuñar** || **utilizar** · **emplear** || **interpretar** · **traducir**

[términos] s.m.pl. → término

ternura s.f.

● CON ADJS. **gran(de)** · **suma** · **enorme** *El autor consigue crear unos personajes de una enorme ternura* · **arrolladora** || **cándida** · **angelical** · **maternal** · **exquisita** · **cautivadora** || **rebosante (de)** · **lleno,na (de)**

● CON SUSTS. **demostración (de)** · **gesto (de)** *La acarició en un gesto de ternura* · **pozo (de)** · **atisbo (de)** · **ápice (de)** || **ataque (de)** · **acceso (de)** || **necesidad (de)** || **falta (de)**

● CON VBOS. **dar (a alguien)** · **transmitir** · **producir (a alguien)** · **inspirar (a alguien)** *escenas familiares que inspiran ternura* · **infundir (a alguien)** · **despertar (a alguien)** || **sentir** · **experimentar** · **desprender** · **derramar** · **prodigar** · **rezumar** || **colmar (de)** · **llenar (de)** · **henchir(se) (de)**

● CON PREPS. **con** *Siempre lo trataron con ternura*

terráqueo, a adj.

● CON SUSTS. **globo** · **esfera** || **atmósfera** · **temperatura** · **rotación** || **paisaje**

terremoto s.m.

● CON ADJS. **fuerte** · **tremendo** · **verdadero** *La noticia ocasionó un verdadero terremoto financiero* · **virulento** · **terrible** · **espantoso** · **pavoroso** · **sobrecogedor** · **demoledor** · **arrasador** · **desolador** · **devastador** *Un devastador terremoto sacudió la zona* · **trágico** · **fatídico** || **débil** · **imperceptible** · **pequeño** || **súbito** || **marino** · **volcánico** || **público** · **social** · **cultural** · **político** · **financiero** · **mediático** · **deportivo**

● CON SUSTS. **sacudida (de)** · **impacto (de)** · **epicentro (de)** || **alcance (de)** · **magnitud (de)** · **consecuencia (de)** · **efecto (de)** *Los efectos del terremoto fueron devastadores* · **víctima (de)** || **serie (de)**

● CON VBOS. **tener lugar** · **ocurrir** · **producir(se)** · **registrar(se)** · **desatarse** · **desencadenar(se)** · **avecinar(se)** || **acentuar(se)** || **afectar (algo)** · **sacudir (algo)** *El terremoto sacudió violentamente la región* · **azotar (algo)** · **asolar (algo)** · **dañar (algo)** · **destruir (algo)** · **devastar (algo)** · **arrasar (algo)** || **repetir(se)** || **vivir** *La ciudad vivió uno de los más terribles terremotos de su historia* · **sufrir** || **pronosticar** || **provocar** · **causar** · **originar** *Las polémicas acusaciones de un alto cargo han originado un terremoto político sin precedentes* || **escapar (de)**

● CON PREPS. **a prueba (de)** · **como** · **durante** · **tras**

terrenal adj.

● CON SUSTS. **existencia** · **vida** · **espacio** · **gloria** · **realidad** · **etapa** · **sociedad** · **origen** || **paraíso** *Aquella isla era un auténtico paraíso terrenal* · **paisaje** · **naturaleza** || **posesión** · **bien** *No le importan demasiado los bienes terrenales* · **asunto** || **amor** · **felicidad** · **placer** · **miseria** · **deseo** || **poder** · **justicia**

terreno, na

1 **terreno, na** adj.

● CON SUSTS. **vida** · **existencia** · **experiencia** · **eternidad** · **morada** · **felicidad** · **realidad** · **fuerza** · **dimensión** · **cuestión** · **pasión** · **atadura** *Lleva una vida muy espiritual sin muchas ataduras terrenas* · **asunto**

2 **terreno** s.m.

● CON ADJS. **firme** · **seguro** · **conocido** · **trillado** || **virgen** · **inexplorado** · **desconocido** || **inestable** · **inseguro** · **movedizo** *Analizar el blindaje económico de los altos cargos sería entrar en un terreno movedizo* · **resbaladizo** · **escabroso** · **delicado** · **proceloso** || **anegado** · **pantanoso** · **polvoriento** || **abrupto** *En un terreno tan abrupto como este será difícil construir nada* · **accidentado** · **irregular** · **escarpado** · **intrincado** · **farragoso** · **vasto** || **árido** · **baldío** *un terreno baldío a las afueras de la ciudad* · **yermo** · **estéril** · **fértil** · **en barbecho** · **cultivable** · **abonado** || **pedregoso** · **arcilloso** · **fangoso** || **intransitable** · **impracticable** · **inaccesible** · **transitable** || **colindante** · **fronterizo** · **comunal** || **de juego** *Los jugadores abandonaron el terreno de juego*

● CON VBOS. **ocupar (algo)** · **extenderse** || **erosionar(se)** || **pisar** · **hollar** · **explorar** · **rastrear** · **tantear** || **bordear** · **vadear** · **circundar** · **acotar** · **cercar** *Los propietarios habían cercado los terrenos con unas vallas de madera* · **delimitar** · **marcar** · **vedar** || **allanar** · **explanar** · **nivelar** · **desbrozar** || **labrar** · **abonar** · **cavar** · **excavar** · **minar** || **explotar** · **esquilmar** · **recalificar** || **conquistar** · **ganar** *Los holandeses han ganado mucho terreno al mar* || **conocer** · **dominar** || **aventurar(se) (en)** · **asentarse (en/sobre)** *Los colonos se asentaron en unos terrenos fértiles* · **aclimatar(se) (a)** || **ahondar (en)** · **escarbar (en)**

☐ EXPRESIONES {**allanar/preparar**} **el terreno** (a alguien) [prepararle una situación favorable] *col.* || {**ganar/perder/ceder**} **terreno** [conseguir o perder ventaja en algo] || **saber** (alguien) **el terreno que pisa** [conocer perfectamente el asunto de que se trata]

térreo, a adj.

● CON SUSTS. **materia** *cubierto de alguna materia térrea o rocosa* · **sustancia** · **masa** · **partícula** · **sal** || **cualidad** · **estructura**

terrestre adj.

● CON SUSTS. **globo** *Se pueden encontrar en cualquier parte del globo terrestre* · **esfera** || **superficie** · **corteza** · **núcleo** · **atmósfera** · **plataforma** · **órbita** · **frontera** || **clima** · **vida** · **paisaje** · **recurso** || **comunicación** · **televisión** · **emisión** · **onda** || **observatorio** · **telescopio** · **faro** || **operación** · **combate** · **ataque** · **ofensiva** · **invasión** · **intervención** || **arma** · **mina** || **vehículo** · **tráfico** · **transporte** *Siempre viaja en transporte terrestre porque le da pánico el* *avión* · **medio** · **vía** · **ruta** || **sistema** · **ecosistema** · **especie** · **animal** · **mamífero** · **organismo**

terrícola adj.

● CON SUSTS. **vida** · **historia** · **odisea** *El libro trata de la odisea terrícola de un marciano* · **ingeniería** || **amigo,ga** · **embajador,-a** · **visita** || **bacteria**

territorial adj.

● CON SUSTS. **integridad** · **unidad** · **cohesión** · **integración** || **política** · **organización** · **ordenación** · **estructura** · **división** *una división territorial muy compleja* · **partición** · **demarcación** · **límite** · **reparto** · **distribución** · **centro** || **lucha** · **guerra** · **disputa** · **conflicto** · **enfrentamiento** *un enfrentamiento territorial que duró décadas* · **reivindicación** · **defensa** · **conquista** · **dominio** · **expansión** · **concesión** || **administración** *elegir a los dirigentes de la administración territorial* · **federación** · **jurisdicción** || **equilibrio** · **desequilibrio** || **representación** · **dirigente** · **delegado,da** *Lo acaban de nombrar delegado territorial*

territorio s.m.

● CON ADJS. **amplio** · **ancho** · **vasto** · **inmenso** · **reducido** || **virgen** *Los exploradores quedaron fascinados ante el inmenso territorio virgen abierto ante ellos* · **nuevo** · **desconocido** || **trillado** · **conocido** || **abrupto** · **intrincado** · **baldío** · **hostil** *internarse en un territorio hostil* · **indómito** · **resbaladizo** || **habitado** · **poblado** · **deshabitado** · **despoblado** || **íntimo** || **nacional** · **fronterizo** · **enemigo** || **originario,ria (de)** *Es originario de un pequeño territorio en la puna peruana* · **oriundo,da (de)**
● CON VBOS. **extender(se)** · **abrir(se)** || **desmembrar(se)** *El territorio se desmembró en varias regiones independientes* || **hollar** · **atravesar** · **cruzar** · **franquear** · **bordear** || **descubrir** · **explorar** · **conquistar** · **dominar** · **controlar** · **colonizar** *Los vastos territorios colonizados por los emigrantes* · **invadir** · **ocupar** · **anexionar(se)** · **expandir** · **ampliar** · **abandonar** || **esquilmar** · **asolar** || **definir** · **delimitar** · **marcar** · **acotar** · **demarcar** · **cercar** · **vallar** || **habitar (en)** · **asentar(se) (en)** *El poblado se asienta en un territorio muy fértil* · **afincarse (en)** || **pasar (por)** · **penetrar (en)** · **adentrarse (en)** · **aventurar(se) (en)**
● CON PREPS. **dentro (de)** · **en medio (de)** · **sobre**

terror s.m.

● CON ADJS. **enorme** · **profundo** · **insuperable** *Siente un terror insuperable a hablar en público* · **paralizante** · **incontrolable** · **incontrolado** || **súbito** || **atávico** *terror atávico a la extinción de la especie* · **cerval** || **injustificado**
● CON SUSTS. **película (de)** · **cine (de)** *un ciclo de cine de terror* · **literatura (de)** · **género (de)** || **historia (de)** || **momento (de)** · **situación (de)** · **escena (de)** · **clima (de)** || **ola (de)** || **reino (de)**
● CON VBOS. **desatar(se)** · **desencadenar(se)** · **cundir** *Al saberse la magnitud de la catástrofe, cundió el terror entre la población* || **entrar (a alguien)** · **invadir (a alguien)** · **paralizar (a alguien)** · **atenazar (a alguien)** · **anidar** || **sentir** · **tener (a algo)** · **experimentar** || **dar** · **inspirar** *una imagen que inspira terror* · **infundir** || **generar** · **sembrar** · **propagar** · **extender** · **instaurar** · **preconizar** · **imponer** || **amortiguar** · **combatir** · **desterrar** · **vencer** || **superar** || **sobreponer(se) (a)** || **palidecer (de)** · **estremecerse (de)** · **temblar (de)**

terrorismo s.m.

● CON ADJS. **asesino** · **homicida** · **criminal** · **atroz** · **ciego** || **rampante** || **impune**
● CON SUSTS. **acto (de)** · **delito (de)** · **acción (de)** || **víctima (de)** *ayudas para las víctimas del terrorismo* || **ola (de)** *Se desató una nueva ola de terrorismo* || **lucha (contra)** · **problema (de)** || **apología (de)** *hacer apología del terrorismo*
● CON VBOS. **agravar(se)** || **combatir** · **frenar** · **vencer** · **condenar** *Los partidos políticos condenaron unánimemente el terrorismo en un acto público* · **rechazar** || **favorecer** · **sostener** · **apoyar** · **disculpar** || **rayar (en)**

terrorista

1 **terrorista** adj.

● CON SUSTS. **atentado** · **acto** · **acción** · **ataque** · **violencia** *un acto de violencia terrorista* · **escalada** · **actividad** · **plan** · **amenaza** · **entrenamiento** · **campaña** · **ofensiva** · **desafío** · **incursión** · **guerra** · **trama** · **crimen** · **barbarie** · **atrocidad** · **lucha** || **táctica** · **estrategia** · **método** *Emplean métodos terroristas para conseguir sus fines* || **banda** · **organización** · **comando** *desarticular un comando terrorista* · **célula** · **mafia** · **movimiento** · **agrupación** · **asociación** · **gobierno** · **ejército** · ***otros grupos humanos*** || **delincuente** · **jefe,fa** · **líder** · **preso,sa** · ***otros individuos***

2 **terrorista** s.com.

● CON ADJS. **presunto,ta** *La presunta terrorista aún no ha ingresado en prisión* · **convicto,ta** || **fanático,ca** · **profesional** || **suicida** || **asesino,na** · **criminal**
● CON VBOS. **secuestrar (a alguien)** · **liberar (a alguien)** · **asaltar (algo/a alguien)** · **perpetrar (algo)** · **extorsionar (a alguien)** *El terrorista había extorsionado a numerosos empresarios* · **asesinar (a alguien)** · **actuar** · **dinamitar (algo)** · **atentar (contra alguien)** · **matar (a alguien)** · **abatir (a alguien)** · **disparar (a alguien)** || **cumplir condena** || **detener** · **apresar** *Los terroristas fueron apresados pocas horas después* · **juzgar** · **encarcelar** · **imputar (algo)** || **formar** · **preparar** · **adiestrar** · **reclutar** || **excarcelar** · **extraditar** || **negociar (con)**

terroso, sa adj.

● CON SUSTS. **color** *una decoración en colores terrosos y cálidos* · **tono** · **tonalidad** · **gama** · **pintura** || **suelo** · **camino** · **superficie** · **paisaje** · **relieve** · **ciudad** · **zona** || **material** · **polvo** · **residuo** · **textura** · **sustancia** || **agua** *las aguas turbias y terrosas del río*
● CON VBOS. **ponerse** · **volverse**

terso, sa adj.

● CON SUSTS. **imagen** · **piel** *un tratamiento para mantener la piel suave y tersa* · **cutis** · **cabello** · **cuerpo** · **carne** || **voz** · **mirada** || **belleza** || **superficie** *la superficie tersa del lago*
● CON VBOS. **mantener(se)**

tertulia s.f.

● CON ADJS. **literaria** · **poética** · **política** *No me pierdo nunca las tertulias políticas de los jueves por la tarde* · **futbolística** · **taurina** · **cinematográfica** · **teatral** · **cultural** || **nocturna** · **vespertina** · **matinal** · **habitual** || **radiofónica** · **televisiva** · **periodística** || **intelectual** · **informal** *Lo más agradable son las tertulias informales de la sobremesa* || **amistosa** · **amable** · **crispadora**
● CON SUSTS. **ciclo (de)** · **espacio (de)** · **programa (de)** || **tema (de)** || **compañero,ra (de)**
● CON VBOS. **presentar** · **moderar** *Una veterana periodista moderará la tertulia radiofónica* · **conducir** · **coordinar** || **organizar** · **ofrecer** · **montar** · **comenzar** · **crear** || **mantener** · **hacer** · **escuchar** · **animar** · **abandonar** · **compartir** || **acudir (a)** *He recibido una invitación para acudir*

a la tertulia del centro cultural · **asistir (a)** · **participar (en)** · **apuntarse (a)** · **departir (en)**

[tesis]

→ de tesis; tesis

tesis s.f.

▮ [idea, conclusión]

● CON ADJS. **firme** · **sólida** ‖ **irrefutable** · **incuestionable** ‖ **acertada** · **razonable** · **juiciosa** · **defendible** ‖ **abstrusa** · **disparatada** *Defendía unas tesis disparatadas en relación con los tipos de interés* · **descabellada** · **desacertada** · **peregrina** · **indefendible** · **endeble** ‖ **conocida** · **manida** · **vieja** · **novedosa**

● CON VBOS. **afianzar(se)** · **cobrar fuerza** · **prosperar** ‖ **desmoronarse** · **derrumbarse** · **caerse** · **venirse abajo** *No se pueden sostener tesis que se vienen abajo ante la más leve crítica* ‖ **sostener** · **defender** ‖ **establecer** · **elaborar** · **aventurar** ‖ **exponer** · **formular** · **plantear** · **propugnar** · **esgrimir** · **airear** ‖ **imponer** · **llevar adelante** *Llevó su tesis adelante a pesar de todas las objeciones* · **apoyar** · **suscribir** · **sustentar** · **abanderar** ‖ **tomar en consideración** · **analizar** · **confirmar** · **corroborar** · **contrastar** · **argumentar** · **avalar** · **cimentar** · **fundamentar** · **apuntalar** · **reforzar** · **remachar** · **validar** ‖ **negar** · **poner en duda** · **atacar** · **descalificar** · **rebatir** · **rechazar** · **refutar** · **desmentir** · **echar por tierra** · **desmontar** · **desmantelar** · **desbaratar** · **invalidar** ‖ **adherirse (a)** · **atenerse (a)** · **persistir (en)** ‖ **desdecirse (de)**

▮ [trabajo de investigación]

● CON ADJS. **doctoral** *leer la tesis doctoral*

● CON SUSTS. **tribunal (de)** · **defensa (de)** · **calificación (de)** · **lectura (de)** ‖ **director,-a (de)**

● CON VBOS. **tratar (sobre algo)** · **versar (sobre algo)** ‖ **escribir** · **redactar** · **hacer** *Está haciendo la tesis* ‖ **corregir** · **evaluar** ‖ **defender**

tesitura s.f.

▮ [situación]

● CON ADJS. **difícil** · **compleja** · **complicada** · **incómoda** *Sus palabras la pusieron en una tesitura muy incómoda* ‖ **seria** · **grave** · **dramática** ‖ **inquietante** · **azarosa**

● CON VBOS. **afrontar** ‖ **colocar(se) (en)** · **hallarse (en)** · **poner(se) (en)** · **encontrar(se) (en)** *Me encuentro en una tesitura extremadamente complicada en el trabajo* · **estar (en)**

▮ [altura musical]

● CON ADJS. **de agudos** · **de graves** · **de barítono** *Tiene una tesitura de barítono*

tesón s.m.

● CON ADJS. **extraordinario** · **enorme** ‖ **denodado** · **apasionado** · **infatigable** ‖ **admirable** · **ejemplar** · **encomiable**

● CON VBOS. **demostrar** *Demostró un encomiable tesón para sacar a flote la empresa* · **echar** · **poner (en algo)** ‖ **elogiar** · **admirar**

● CON PREPS. **a fuerza (de)** *Aprobó las oposiciones a fuerza de tesón y sacrificio* · **con**

tesorería s.f.

● CON ADJS. **saneada** ‖ **exigua** · **estrangulada** · **mermada** · **diezmada** · **apurada** · **apretada** · **maltrecha**

● CON VBOS. **estrangular** · **asfixiar(se)** · **mermar** ‖ **reflotar** *Poco a poco han podido reflotar la maltrecha tesorería de la empresa* · **encauzar** · **sanear**

tesorero, ra s.

● CON SUSTS. **cargo (de)** · **puesto (de)** ‖ **informe (de)** · **balance (de)**

● CON VBOS. **gestionar (algo)** · **llevar {la contabilidad/la gestión}** ‖ **informar (algo)** · **declarar (algo)** · **agregar (algo)** · **apuntar (algo)** · **advertir (de algo)** ‖ **dimitir** *Ha dimitido el tesorero de la asociación de padres* · **renunciar** ‖ **elegir** · **confirmar** · **nombrar** · **ratificar** *En la asamblea se ha ratificado en su cargo al tesorero* · **sustituir** ‖ **ejercer (de)**

tesoro s.m.

● CON ADJS. **verdadero** · **inmenso** · **vasto** · **fabuloso** · **soberbio** · **inagotable** · **incalculable** · **valioso** ‖ **ansiado** · **preciado** *El tiempo es el más preciado tesoro* ‖ **ignorado** · **oculto** ‖ **nacional** · **natural** *un territorio que se caracterizaba por sus inmensos tesoros naturales* · **público** · **artístico** · **espiritual** · **arqueológico** · **bibliográfico**

● CON SUSTS. **búsqueda (de)** · **buscador,-a (de)** · **mapa (de)** · **arca (de)**

● CON VBOS. **buscar** · **codiciar** · **perseguir** ‖ **encontrar** · **descubrir** · **rescatar** · **desenterrar** *Los piratas desenterraron un fabuloso tesoro oculto en un cofre de marfil* ‖ **acumular** · **proteger** · **guardar** · **esconder** · **encerrar** · **enterrar** ‖ **calcular** · **valorar** ‖ **saquear** · **expoliar** ‖ **adueñarse (de)** · **apoderarse (de)** *Los ladrones consiguieron apoderarse de los tesoros arqueológicos más preciados del museo* · **hacerse (con)**

testamento s.m.

● CON ADJS. **definitivo** · **último** · **único** ‖ **provisional** ‖ **oficial** · **legal** ‖ **autógrafo** · **vital** ‖ **político** · **ideológico** · **artístico** · **literario** · **musical** · **espiritual**

● CON VBOS. **hacer** *Aún no he hecho testamento* · **formular** · **redactar** · **firmar** ‖ **hacer público** · **abrir** · **leer** · **conocer** ‖ **validar** · **autentificar** ‖ **cumplir** · **aceptar** ‖ **impugnar** · **anular** · **invalidar** · **cambiar** · **modificar** *Ante las presiones familiares, modificó el testamento en varias ocasiones* ‖ **dejar (en/como)** · **legar (en)**

testificar v.

● CON ADVS. **verbalmente** · **por escrito** ‖ **a cara descubierta** · **a puerta cerrada** *Los testigos testificarán a puerta cerrada por cuestiones de seguridad* ‖ **bajo juramento** · **fehacientemente** · **falsamente** ‖ **a favor** · **en contra**

testigo s.com.

● CON ADJS. **ocular** · **presencial** *Varios testigos presenciales del accidente confirmaron la versión de la víctima* · **de cargo** ‖ **fuerte** · **de peso** · **fiable** · **fidedigno,na** · **veraz** · **irrefutable** ‖ **falso,sa** · **capcioso,sa** · **débil**

● CON SUSTS. **testimonio (de)** · **declaración (de)** ‖ **contradicción (de)** ‖ **citación (de)** · **recusación (de)** ‖ **comparecencia (de)**

● CON VBOS. **presenciar (algo)** ‖ **hablar** · **declarar (algo)** · **prestar declaración** *El testigo prestó declaración bajo juramento* · **prestar testimonio** · **comparecer** ‖ **jurar (algo)** *El testigo juró decir toda la verdad* ‖ **contradecir(se)** ‖ **refutar** ‖ **recusar** *El testigo no ofrecía garantías, así que fue recusado por la defensa* ‖ **llamar** · **citar** · **convocar** ‖ **actuar (de)** *Me ha pedido que actúe como testigo en su caso* · **ejercer (de)** ‖ **presentarse (como)** ‖ **reconocer (a)**

testimonial adj.

● CON SUSTS. **declaración** · **mensaje** · **confesión** · **respuesta** · ***otras manifestaciones verbales o textuales*** ‖ **informe** · **noticia** · **historia** · **acta** · **descripción** · **imagen**

|| **literatura · poesía · película** *una película testimonial de su vida* **· pintura · fotografía ·** ***otras manifestaciones artísticas*** **|| resultado · cifra · cantidad · número · tasa · renta || prueba · ejemplo · documento || actitud** *...a diferencia del narrador, que adopta una actitud puramente testimonial* **· postura · carácter · gesto · posición · visión · voluntad · vocación || voto · apoyo · participación aprecio · cooperación · interés · defensa || valor · papel · función · actuación · misión** *Aunque acompañó a la expedición científica, su misión fue meramente testimonial* **· labor || oposición · protesta · queja · reclamación · rechazo · resistencia · disidencia · contienda || presencia · candidatura · comparecencia · firma || cambio · aumento · incremento · subida · crescendo · rebaja || programa · propuesta · propósito**

● CON ADVS. **puramente · meramente**

testimoniar v.

● CON SUSTS. **apoyo · solidaridad · pésame · adhesión** *El cierre de los comercios testimonia la adhesión del sector a las protestas por...* **· condolencia || afecto · admiración · simpatía · estima · confianza · cariño || reconocimiento · congratulación · agradecimiento · homenaje || verdad · hecho · pasado · evidencia || voluntad · propósito · afán · inquietud** *Sus gestos testimoniaban la inquietud que sentía* **· esfuerzo || pesar · dolor · desencanto || calidad · valor · interés · excelencia · esplendor || repulsa · oposición · discrepancia**

● CON ADVS. **fehacientemente · inequívocamente · claramente || públicamente** *Asistieron al acto para testimoniar públicamente su agradecimiento a...* **· en público · ante las cámaras || en {mi/tu/su...} contra · a favor || vivamente · brillantemente || de primera mano**

testimonio s.m.

● CON ADJS. **a favor · en contra || firme · abrumador · aplastante · contundente · concluyente · irrebatible · irrefutable · decisivo** *Su testimonio fue decisivo para la resolución del caso* **|| determinante · crucial · vital · significativo** *Los periodistas buscaban testimonios significativos del sentir general* **· excepcional || detallado · profuso · razonado || sincero · fiel · veraz · verídico · fidedigno · fehaciente · convincente · bajo juramento || falso · contradictorio · impreciso · vago || conmovedor** *El texto ofrecía un conmovedor testimonio de la situación en su país* **· desolador · desgarrador · descarnado · impresionante · sentido · expresivo · vívido · fervoroso · agradecido || íntimo · biográfico · epistolar · documental || viviente · vivo** *la experiencia de una escritora que es el testimonio vivo de su época*

● CON VBOS. **salir a la luz || dar · aportar · prestar · presentar · rendir · aducir · declarar · expresar · hacer llegar (a alguien) · ofrecer · dejar · publicar || exigir · requerir || oír · obtener · recoger · recabar || ratificar · refrendar · corroborar · verificar || contradecir · rebatir · refutar || falsear** *Falseó el testimonio para proteger a su hermano* **· tergiversar || apoyar(se) (en) || servir (de)**

tétanos s.m.

● CON SUSTS. **bacteria (de) || caso (de) || enfermo,ma (de) || secuela (de) · síntoma (de) || vacuna (contra)**

● CON VBOS. **agravar(se) · acentuar(se) || remitir || diagnosticar · detectar || contraer · coger || prevenir** *Los médicos los vacunan para prevenir el tétanos* **|| padecer || vacunar (contra) · luchar (contra) || reponer(se) (de)**

tétrico, ca adj.

● CON SUSTS. **panorama · aspecto · visión · imagen** *tétricas imágenes del barco hundido* **· asunto · humor · sombra · espectáculo · figura · pensamiento || monumento · edificio** *Nadie querría vivir en un edificio tan tétrico* **· ciudad · barrio · casa · mansión ·** ***otros lugares*** **|| morgue · cementerio**

texto s.m.

● CON ADJS. **corrido || íntegro · completo · incompleto || claro · sencillo · ligero · diáfano · riguroso · impecable · vivaz || difícil · complejo · enrevesado · caótico · farragoso** *No continué la lectura porque era un texto demasiado farragoso* **· abstruso · hermético · impenetrable · inexpugnable · ininterpretable · endiablado || anodino · pesado · pedante || breve** *un breve texto a modo de conclusión* **· corto · escueto · sucinto || largo · extenso · exhaustivo · copioso · apretado · prolijo || beligerante · demoledor · concluyente · decisivo · determinante · crucial · antológico || definitivo · provisional · en pruebas || fidedigno · veraz · sesgado · maniqueo || aburrido · interesante · original**

● CON SUSTS. **autor,-a (de) · autoría (de) || borrador (de)** *Me gustaría que leyeras el primer borrador del texto* **· versión (de) · edición (de) · composición (de) · impresión (de) || claridad (de) · calidad (de) || tono (de) · estilo (de) · altura (de) || comentario (de) || libro (de)** *El profesor basaba sus clases en la programación del libro de texto*

● CON VBOS. **contener (algo) · constar (de algo) || salir de la pluma (de alguien) · cocinar(se) · emanar (de algo) · surgir (de algo) || obrar en poder (de alguien) || decir (algo) · informar (de algo) · girar (sobre algo) · versar (sobre algo)** *El texto versaba sobre el sistema planetario* **· tratar (de algo) || prescribir (algo) || crear · componer · construir · escribir · redactar** *Podía redactar con soltura textos en inglés* **· adaptar · tejer · articular · hilvanar · perfilar · firmar || copiar · emborronar · anotar · pasar a limpio · indexar · paginar || editar · imprimir · publicar · hacer público · difundir · filtrar || exhumar · desenterrar · recuperar || recitar · pronunciar · dictar** *El profesor dictó el texto a sus alumnos* **|| leer · hojear · recorrer** *Sus ojos recorrían el texto a toda velocidad* **|| estudiar · analizar** *analizar un texto desde el punto de vista lingüístico* **· interpretar · clarificar · descifrar · entender · codificar · decodificar · explicar · parafrasear · desglosar || verter · traducir** *traducir un texto al francés* **|| alterar · modificar · tergiversar · rectificar · refutar || repasar · revisar · censurar · corregir · adornar || interpolar · refundir · compilar · ordenar · ajustar · acotar · disponer || acortar** *un texto demasiado largo que hay que acortar* **· aligerar · abreviar · sintetizar · resumir · simplificar · compendiar · alargar · ampliar · estirar || suavizar · dulcificar || abrir · encabezar** *El texto estaba encabezado por una dedicatoria* **· aderezar · jalonar || negociar · consensuar || llegar (a)** *Parece que al final llegarán a un texto común* **|| adentrarse (en) · penetrar (en) · enfrentarse (a/con) || plasmar (en) || dar sentido (a)**

● CON PREPS. **a la luz (de)**

textual adj.

❚ [exacto, preciso]

● CON SUSTS. **cita** *un artículo plagado de citas textuales* **· frase · palabras · contestación · respuesta**

❚ [del texto]

● CON SUSTS. **crítica · retórica || interpretación · análisis || coherencia** *la coherencia textual de un relato* **· laberinto · ordenación · secuencia || fidelidad · rigor · riqueza || contenido · soporte**

textualmente adv.

● CON VBOS. **citar** · **responder** · **reproducir** *Intentaré reproducir textualmente la cita* · **asegurar** · **decir** · **explicar** · **mencionar** · ***otros verbos de lengua*** || **copiar** · **extraer** · **suscribir**

textura s.f.

● CON ADJS. **viscosa** · **gelatinosa** *Su textura gelatinosa lo hace desagradable al tacto* · **granulosa** · **cremosa** · **correosa** · **harinosa** · **sedosa** · **esponjosa** || **gruesa** *La mezcla ha de quedar con una textura gruesa* · **áspera** · **rugosa** · **terrosa** || **grasa** · **seca** || **normal** · **anormal** || **delicada** · **fina** · **suave** · **frágil** · **refinada** · **sutil** || **verbal** · **visual** · **musical** · **sonora** · **acústica** · **humana** · **orquestal** · **natural** · **narrativa** · **fílmica** || **original** · **antigua** · **primitiva**
● CON VBOS. **dar (a algo)** · **proporcionar (a algo)** || **conseguir** · **adquirir** *A continuación, hay que batir la masa hasta que adquiera la textura apropiada* · **tener** · **obtener** · **recuperar** · **mejorar** · **cambiar** || **apreciar** · **saborear** · **captar** · **descubrir**

tez s.f.

● CON ADJS. **morena** · **oscura** · **pálida** · **blanca** · **clara** · **cetrina** · **mate** · **aceituna** · **tostada** · **quemada** *con la tez quemada por el sol* · **cobriza** · **moruna** · **parduzca**

[tibia] s.f. → tibio, bia

tibio, bia

1 **tibio, bia** adj.

▌[templado]

● CON SUSTS. **agua** · **leche** · **café** *Este café está tibio* · **comida** || **sol** · **aire** · **viento** || **día** *El día estaba tibio* · **invierno** · **época** · ***otros periodos***

▌[indiferente, poco afectuoso]

● CON SUSTS. **declaración** · **palabras** · **comentario** · **afirmación** · **respuesta** *una respuesta tibia y diplomática* · ***otras manifestaciones verbales*** || **posición** · **postura** · **actitud** · **comportamiento** · **actuación** || **reacción** *La tibia reacción del público lo desconcertó* · **resultado** || **apoyo** · **aplauso** · **respaldo** · **adhesión** || **saludo** · **gesto** · **acogida** · **bienvenida** · **recibimiento** · **beso** · **abrazo** || **crítica** · **oposición** · **protesta** · **rechazo** · **queja** || **condena** · **sanción** · **represalia** *una represalia verbal quizá dura en el fondo, pero tibia en la forma* · **reconvención** · **censura**

2 **tibia** s.f.

▌[hueso]

● CON SUSTS. **fractura (de)** · **rotura (de)** · **fisura (en)**
● CON VBOS. **fracturar(se)** · **partir(se)** · **astillar(se)** · **destrozar(se)** · **romper(se)** || **operar**

□ EXPRESIONES **ponerse tibio** (de algo) [hartarse de ello] *col.* || **poner tibio** (a alguien) [hablar muy mal de él] *col.*

tic s.m.

● CON ADJS. **involuntario** · **nervioso** · **habitual** · **instintivo** || **autoritario** *Los tics autoritarios del nuevo presidente no gustaron a los consejeros* · **dictatorial** · **inquisitorial** || **lingüístico** || **despectivo** · **racista** || **generacional** · **cultural** · **gestual** · **visual**
● CON VBOS. **heredar** · **tener** *Tiene un tic nervioso en el ojo* · **mostrar** · **sufrir** · **contagiar** · **imitar** · **repetir** || **superar** · **perder** · **frenar** · **eliminar** · **curar**

ticket s.m. Véase **tique**

[tiempo] → a tiempo {completo/parcial}; buen tiempo; con el tiempo; mal tiempo; tiempo

tiempo s.m.

▌[cronológico]

● CON ADJS. **bueno** · **malo** *Corren malos tiempos para el teatro* || **largo** · **suficiente** · **de sobra** *Tengo tiempo de sobra para acabar el trabajo* || **insuficiente** · **breve** · **escaso** || **actual** · **presente** || **pasado** · **pretérito** · **lejano** · **remoto** · **inmemorial** · **imborrable** || **futuro** · **venidero** || **exacto** · **aproximado** || **vertiginoso** · **apremiante** · **agotador** || **azaroso** · **accidentado** · **catastrófico** || **valioso** · **precioso** *Hemos perdido un tiempo precioso en discusiones inútiles* || **implacable** · **inexorable** *El tiempo pasa veloz e inexorable* · **fugaz** || **prudencial** *Dejó pasar un tiempo prudencial antes de entrar* · **muerto** · **real** *Escuché por internet la videoconferencia en tiempo real* || **sobrado,da (de)**
● CON SUSTS. **paso (de)** · **transcurso (de)** · **discurrir (de)** · **curso (de)** · **correr (de)** || **espacio (de)** *Aunque contábamos con un corto espacio de tiempo...* · **lapso (de)** · **período (de)** || **falta (de)** · **problema (de)** || **pérdida (de)** · **ahorro (de)** || **empleo (de)** · **uso (de)** || **máquina (de)**
● CON VBOS. **fluir** · **discurrir** · **transcurrir** · **seguir** · **pasar** · **correr** · **volar** · **escapar(se)** · **huir** · **ir(se)** *Se nos va el tiempo sin darnos cuenta* || **faltar(le) (a alguien)** *Me falta tiempo para todo lo que quiero hacer* · **apremiar** · **acuciar** · **agotar(se)** · **acabar(se)** || **sobrar** · **dar(le) (a alguien)** *No creo que me dé tiempo a coger ese tren* · **dilatar(se)** · **extender(se)** || **tener** *¿Tienes tiempo para ayudarme un momento?* || **obtener** · **conseguir** · **ganar** || **necesitar** · **precisar** · **requerir** *Estas cosas requieren su tiempo* || **estirar** · **alargar** · **apurar** || **conceder (a alguien)** || **durar** · **tardar** *Has tardado demasiado tiempo* || **emplear** · **dedicar (a algo)** · **destinar (a algo)** · **invertir (en algo)** · **ocupar (en algo)** || **vivir** · **aprovechar** · **saborear** · **amortizar** || **desperdiciar** · **malgastar** *Tenía la impresión que había malgastado el tiempo con aquel proyecto* · **dilapidar** · **perder** · **gastar** || **ahorrar** · **escatimar** || **acotar** · **dosificar** · **acortar** || **detener** · **parar** · **congelar** · **suspender** || **subvertir** || **medir** · **contar** · **llevar** *¿Cuánto tiempo llevas aquí?* · **calcular** · **cronometrar** || **recordar** · **rememorar** || **disfrutar (de)** · **abusar (de)** *Me voy porque no quiero abusar más de tu tiempo* || **remontarse (en)** · **retroceder (en)** · **viajar (en)** || **alargar(se) (en)** · **prolongar(se) (en)** || **amoldar(se) (a)** || **datar (de)** *El casco histórico de esta ciudad data de tiempos medievales*
● CON PREPS. **a través (de)** · **a la altura (de)** · **a lo largo (de)** · **durante** · **en** · **a** *llegar a tiempo* · **con** *hacer algo con tiempo* · **fuera (de)**

▌[atmosférico]

● CON ADJS. **reinante** || **buen(o)** · **espléndido** · **agradable** · **soleado** *Durante todas las vacaciones nos hizo un tiempo muy soleado* · **cálido** · **caluroso** · **primaveral** · **veraniego** · **bonancible** || **mal(o)** · **frío** · **desapacible** *Fuera hacía un tiempo desapacible* · **invernal** · **otoñal** · **infernal** · **de perros** · **amenazador** · **adverso** · **borrascoso** · **tormentoso** · **turbulento** · **inclemente** · **desagradable** || **estable** || **variable** · **imprevisible** · **cambiante** · **inestable** || **exterior**
● CON SUSTS. **inclemencia (de)** *debido a las inclemencias del tiempo* || **cambio (de/en)** || **hombre (de)** || **previsión (de)** · **pronóstico (de)**
● CON VBOS. **cambiar** *El tiempo cambió súbitamente* || **despejar(se)** · **mejorar** · **empeorar** · **estropear(se)** · **refrescar** || **llegar** *Cuando llegue el buen tiempo* · **ir(se)** · **acabar(se)** || **hacer** *¡Qué buen tiempo nos está haciendo!* · **tener** || **anunciar** · **prever** · **predecir** · **anticipar** · **pronosticar**

■ [gramatical]

- CON ADJS. **verbal · gramatical || simple · compuesto || absoluto · relativo || perfecto · imperfecto**
- CON SUSTS. **concordancia (de) || desinencia (de) · morfema (de)** *Analiza los morfemas de tiempo de los siguientes verbos* || **formación (de)** *la formación de tiempos compuestos*
- CON VBOS. **usar · utilizar || elegir · escoger || modificar** *modificar el tiempo verbal de una oración* || **conjugar (en)** *El ejercicio consiste en conjugar los verbos en el tiempo gramatical que se indica*

☐ EXPRESIONES **al mismo tiempo · a un tiempo** [simultáneamente; a la vez] || **a tiempo completo*** [que cubre el horario máximo] || **a tiempo parcial*** [que no cubre el horario máximo] || **dar tiempo al tiempo** [no precipitar los acontecimientos] *col.* || **del tiempo** [a la temperatura ambiente] *Por favor, una botella de agua del tiempo* || **faltar tiempo** (a alguien) **para** (algo) [hacerlo con prontitud o inmediatez] || **hacer tiempo** (alguien) [entretenerse hasta que suceda lo que se espera] || **y si no, al tiempo** [indica que el futuro demostrará la verdad de lo que ahora se anuncia] *col.*

tienda s.f.

■ [comercio]

- CON ADJS. **elegante · lujosa · de lujo · cara · barata || del centro · de barrio** *Prefiero comprar en las tiendas de barrio porque la atención es más personalizada* · **especializada · tradicional · familiar · virtual · electrónica || de ultramarinos · de comestibles · de recuerdos · de suvenirs || vacía · llena · abarrotada || franca**
- CON VBOS. **abrir** *Han abierto una nueva tienda de ropa en mi calle* · **inaugurar · poner || cerrar · traspasar || llevar · regentar** *La familia regentaba una tienda de comestibles*

■ [refugio portátil de tela]

- CON ADJS. **militar · de campaña** *Siempre instalamos la tienda de campaña en zonas de acampada* · **transpirable**
- CON VBOS. **montar · instalar · desmontar · quitar**

[tienta] → a tientas

tiento s.m.

- CON VBOS. **tener || ir (con) · actuar (con) · andarse (con)** *Que se ande con tiento con sus compañeros* · **mover(se) (con)**

☐ EXPRESIONES **dar un tiento** (a algo) [beber o comer de ello] *col.*

tierno, na adj.

■ [blando]

- CON SUSTS. **pan · bollo · carne · filete ·** ***otros alimentos***
- CON VBOS. **estar** *Estos filetes están muy tiernos* · **quedar(se)**

■ [dulce, delicado]

- CON SUSTS. ***persona*** *un chico tierno y cariñoso* || **corazón · cara · mirada · sonrisa || historia · relato · novela || amor · beso · abrazo** *Al despedirse se dieron un tierno abrazo* · **gesto || edad · infancia** *desde su más tierna infancia* · **adolescencia · juventud**
- CON VBOS. **ser · volver(se)**

[tierra] → bajo tierra; tierra

tierra s.f.

■ [terreno]

- CON ADJS. **estéril · baldía · yerma || fértil · productiva || movediza · arcillosa · calcárea · empapada · anegada · mojada · inundada · seca || comunal · de regadío · de secano · en barbecho · cultivable || extranjera · extraña · prometida · de promisión · de nadie** *Entre las dos propiedades quedaba una franja que era tierra de nadie* || **ligado,da (a) · apegado,da (a)**
- CON SUSTS. **producto (de) · fruto (de) || añoranza (de) · amor (a)**
- CON VBOS. **extender(se) · inundar(se) || tener · poseer · acumular || comprar · vender || avistar · divisar · pisar || cultivar · arar · sembrar · preparar · abonar · roturar · airear · regar || erosionar · esquilmar || apegarse (a)**
- CON PREPS. **a ras (de) · en · de** *un producto de la tierra*

■ [planeta]

- CON SUSTS. **faz (de)** *Y reinó la paz sobre la faz de la Tierra* · **centro (de) · rincón (de)**
- CON VBOS. **conservar · cuidar || invadir · contaminar || habitar**
- CON PREPS. **alrededor (de)**

■ [arena]

- CON ADJS. **batida** *una pista de tierra batida* || **cocida** *baldosas de tierra cocida* || **fría · caliente || húmeda · mojada · seca || lleno,na (de) · cubierto,ta (de)**
- CON SUSTS. **camino (de) · pista (de) · paisaje (de) || saco (de)**
- CON VBOS. **escarbar (en)**

☐ EXPRESIONES **dar** (alguien) **en tierra** [caerse] || **echar tierra {a/sobre}** (un asunto) [ocultarlo] || **poner** (alguien) **tierra {en/(de) por} medio** [irse de un lugar] || **quedarse** (alguien) **en tierra** [no subirse a un medio de transporte o no hacer un viaje] *col.* || **tierra adentro** [en un lugar alejado de la costa] || **tierra firme** [continente] || **tierra quemada** [táctica de guerra] || **tomar tierra** [aterrizar]

tieso, sa adj.

- CON ADVS. **como una escoba · como un muerto**
- CON VBOS. **ir · andar · caminar** *Camina tieso como una escoba* || **estar · poner(se)**

☐ EXPRESIONES **{dejar/quedar} tieso** [causar o recibir una fuerte impresión]

tilde s.f.

- CON VBOS. **faltar · sobrar** *A esa palabra le sobra la tilde* || **llevar · tener · poner · quitar || corregir · revisar**
- CON PREPS. **con · sin** *Siempre escribe su nombre sin tilde*

timar v.

- CON SUSTS. **gente · público · persona · cliente · turista · comprador,-a ·** ***otros individuos y grupos humanos***
- CON ADVS. **impunemente · sin escrúpulos · descaradamente** *Timaron descaradamente a los trabajadores* || **fácilmente**

timba s.f. *col.*

- CON ADJS. **ilegal · clandestina · secreta · privada · callejera || de cartas · de póquer**
- CON SUSTS. **compañero,ra (de) · noche (de)**
- CON VBOS. **organizar · montar** *Montaron una timba de póquer en la trastienda* || **jugar || desmantelar · cerrar**

timbrado, da adj.

• CON SUSTS. **voz** *una cantante con la voz bien timbrada* · **efecto**
• CON ADVS. **bien**

timbre s.m.

▮ [dispositivo eléctrico]

• CON VBOS. **sonar** · **funcionar** || **oír** · **escuchar** || **instalar** · **poner** · **conectar** · **desconectar** || **tocar** *Toca el timbre para ver si hay alguien* · **pulsar** · **apretar** || **llamar (a)** *Creo que han llamado al timbre*

▮ [cualidad del sonido]

• CON ADJS. **brillante** · **vibrante** · **penetrante** · **angelical** · **sensual** · **dulce** · **lírico** · **puro** · **noble** · **cálido** *Su voz posee un timbre cálido* · **opaco** · **claro** · **rotundo** · **oscuro** · **sombrío** · **mate** · **femenino** · **varonil** · **aterciopelado** · **aflautado** · **cromático** · **cristalino** || **grave** · **agudo** || **vocal** · **de voz** · **musical** · **instrumental** · **tonal** || **agradable** · **armonioso** *el armonioso timbre de su voz* · **hermoso** · **grato** · **bonito** · **bello** || **inconfundible** · **peculiar** · **inequívoco** · **original** · **personal** · **sin igual** || **metálico** · **apagado**
• CON VBOS. **brillar** || **tener** · **proporcionar** · **adquirir** *La voz adquiere un timbre grave gracias a...* · **conservar** · **mantener** · **recuperar** · **perpetuar** · **perder** || **acompasar**

tímidamente adv.

• CON VBOS. **saludar** · **sonreír** *El muchacho nos sonrió tímidamente* · **aplaudir** || **contestar** · **preguntar** · **comentar** · **señalar** || **acercar(se)** · **aproximarse** · **hacer** · **avanzar** || **repuntar** · **apuntar** · **abrir** · **asomar(se)** *Asomó tímidamente la cara por un lado de la cortina* · **aflorar** · **iniciar** · **empezar** · **anunciar(se)** *Parece que la primavera empieza a anunciarse tímidamente* · **comenzar** || **enseñar** · **mostrar**

timidez s.f.

• CON ADJS. **manifiesta** · **acusada** · **enorme** *Es un niño de una enorme timidez* · **extremada** · **excesiva** || **habitual** · **proverbial** · **característica**
• CON SUSTS. **punto (de)** · **aire (de)** · **exceso (de)** · **complejo (de)** || **falta (de)** || **gesto (de)** *Bajó la mirada en un gesto de timidez* · **sonrisa (de)**
• CON VBOS. **sentir** · **acusar** || **confesar** · **esconder** · **ocultar** *Trataba en vano de ocultar su timidez* · **disimular** || **superar** · **vencer** · **perder** || **liberar(se) (de)** || **carecer (de)**

tímido, da adj.

▮ [retraído, introvertido]

• CON SUSTS. **persona** *una muchacha muy tímida* || **apariencia** · **carácter** · **temperamento** · **expresión** · **sonrisa** *Dejó escapar una tímida sonrisa*
• CON ADVS. **excesivamente** · **extremadamente** · **inmensamente** · **tremendamente** · **extraordinariamente** · **sumamente**

▮ [ligero, tenue]

• CON SUSTS. **inflexión** · **tendencia** · **proceso** · **reforma** · **subida** *una tímida subida de los precios* · **crecimiento** · **aumento** · **avance** · **mejora** · **repunte** *el tímido repunte de las cotizaciones* · **recuperación** · **apertura** · **acercamiento** · **aproximación** · **recorte** || **intento** · **intervención** · **medida** · **apoyo** · **ataque** || **aplauso** *El público solo le obsequió con tímidos aplausos*

timo s.m.

• CON ADJS. **gran(de)** · **nuevo** · **viejo** *el viejo timo de la estampita* · **auténtico** · **escandaloso** · **descomunal** || **político** · **publicitario** · **lingüístico** · **inmobiliario** *La empresa estaba acusada de timo inmobiliario* · **telefónico** || **popular** · **famoso** || **presunto** · **impune** || **a gran escala** · **callejero**
• CON SUSTS. **víctima (de)** · **profesional (de)** *El detenido era un profesional del timo* · **maestro,tra (de)** · **rey (de)** · **reina (de)** · **artista (de)** · **acusado,da (de)** || **clásico (de)** · **procedimiento (de)**
• CON VBOS. **montar** · **preparar** *Prepararon el timo con esmero durante meses* · **pensar** · **realizar** · **proyectar** · **idear** || **detectar** · **descubrir** || **dar** || **caer (en)**

timón

1 **timón** s.m.

• CON SUSTS. **cambio (de)** · **giro (de)** · **golpe (de)** *La situación política dio un golpe de timón*
• CON VBOS. **coger** · **llevar** · **controlar** || **manejar** · **guiar** || **enderezar** · **girar** || **hacerse cargo (de)** *Las circunstancias la obligaron a hacerse cargo del timón de la empresa familiar*
• CON PREPS. **al frente (de)** · **al mando (de)**

2 **timón (de)** s.m.

• CON SUSTS. **barco** · **nave** · **fragata** || **país** · **negocio** · **empresa** *Dirigía firmemente el timón de la empresa* || **vida**

tímpano s.m.

• CON VBOS. **vibrar** || **estallar** · **explotar** || **perforar** *La explosión le ha perforado los tímpanos* · **romper** · **machacar**

tinglado s.m.

• CON ADJS. **enorme** · **inmenso** · **formidable** · **monumental** · **descomunal** || **complejo** || **urbanístico** · **comercial** · **económico** · **político** · **familiar**
• CON VBOS. **salir {a la luz/al descubierto}** · **venirse abajo** || **armar** · **montar** *¡Menudo tinglado tenían montado!* · **poner en {marcha/funcionamiento}** || **desmontar** · **desarmar** · **desmantelar** || **destapar** · **descubrir** || **meter(se) (en)** *No quise meterme en semejante tinglado* · **participar (en)**

tinieblas s.f.pl.

• CON ADJS. **profundas** · **densas** · **insondables** || **lóbregas** · **oscuras** · **opacas** · **sombrías** · **ciegas** || **exteriores**
• CON VBOS. **cernerse** *Las densas tinieblas se cernían sobre la ciudad* · **envolver** · **esclarecer(se)** || **adentrarse (en)** · **sumergir(se) (en)** · **precipitarse (a)** · **sumir(se) (en)** · **hundir(se) (en)** · **sepultar(se) (en)** · **introducir(se) (en)** · **bajar (a)** || **arrojar (a)** · **arrastrar (a)** · **lanzar (a)** || **emerger (de)** · **surgir (de)** · **resurgir (de)** · **rescatar (de)** || **estar (en)** · **quedar (en)** *Se fue la luz y nos quedamos en tinieblas* · **acostumbrar(se) (a)** || **vivir (en/entre)**
• CON PREPS. **entre**

tino s.m.

• CON ADJS. **buen** *Escogiste el restaurante con muy buen tino* · **acertado** · **instintivo** · **certero** || **mal** · **escaso** || **artístico** · **político** · **crítico**
• CON SUSTS. **falta (de)**
• CON VBOS. **tener** · **mantener** · **perder** · **recobrar** || **disparar (con/sin)** · **apuntar (con/sin)** || **carecer (de)**
• CON PREPS. **con** *elegir con tino* · **sin**

[tinta] s.f. → de buena tinta; medias tintas; tinto, ta

tinte s.m.

▮ [tintura, colorante]

●CON ADJS. **natural** · **vegetal** *emplear tintes vegetales para el pelo* · **químico** · **artificial** || **permanente** · **claro** · **oscuro**
●CON SUSTS. **color (de)** · **tono (de)** · **variedad (de)** · **tipo (de)**
●CON VBOS. **aplicar** *aplicar el tinte de las raíces a las puntas* · **aclarar** · **dejar reposar** || **pintar (con)** · **teñir (con)**

▮ [apariencia]

●CON ADJS. **dramático** · **amargo** · **trágico** *No le gustaba el tinte trágico que estaba tomando el asunto* · **autobiográfico** · **erótico** · **clásico** · **grotesco** · **romántico** · **melancólico** · **burlesco** || **político** · **ideológico** · **religioso** · **moralista** · **electoralista** *un discurso con claros tintes electoralistas* · **nacionalista** · **conservador** · **progresista** · **partidista** · **fascista** · **populista** · **elitista** · **racista** · **comercial** || **sangrante** · **macabro** *Hizo un relato de los sucesos con tintes macabros* · **violento** · **tétrico**
●CON VBOS. **tener** · **cobrar** · **adquirir** *La discusión adquiría tintes violentos* · **tomar** · **alcanzar** · **dar** · **poseer** · **presentar**

tintero s.m.

●CON VBOS. **llenar** · **vaciar** || **mojar (la pluma) (en)**
□EXPRESIONES **dejar(se)** (algo) **en el tintero** [omitir algo, no expresar lo que debería comunicarse] *col.*

tintinear v.

●CON SUSTS. **cristal** · **copa** · **botella** || **reloj** · **medalla** · **pulsera** || **cascabeles** · **cencerro** · **campana** || **lluvia** *Escuchaba cómo tintineaba la lluvia en el tejado*

tinto, ta

1 **tinto, ta** adj.

●CON SUSTS. **vino** *una botella de vino tinto* · **uva**

2 **tinto** s.m.

●CON ADJS. **de reserva** · **de la casa** *Sírvanos el tinto de la casa* · **de crianza** · **peleón** · **joven** · **del año**
●CON SUSTS. **garrafa (de)** · **chato (de)** || **cata (de)** · **degustación (de)**
●CON VBOS. **envejecer** *un tinto que envejece en barricas de roble* || **catar** || **embotellar** *Esta bodega embotella un tinto joven excelente* · **producir**
➤ Véase también **BEBIDA**

3 **tinta** s.f.

●CON ADJS. **imborrable** · **indeleble** · **invisible** || **china** · **de calamar**
●CON SUSTS. **borrón (de)** · **mancha (de)** *una mancha de tinta en la blusa* || **trazo (de)** || **inyección (de)** · **chorro (de)** || **cartucho (de)** · **recambio (de)** || **color (de)**
●CON VBOS. **derramar** · **verter** || **manchar (de)** · **teñir (de)** · **emborronar (de)**
□EXPRESIONES {**cargar/recargar**} **las tintas** [exagerar] *col.* || **correr ríos de tinta** (sobre algo) [hablarse o escribirse mucho de ello] || **de buena tinta*** [de fuente fiable] *col.* || **sudar tinta** [hacer una gran esfuerzo] *col.*

tío, a s.

●CON ADJS. **paterno,na** · **materno,na** · **político,ca** · **segundo,da** · **lejano,na** || **favorito,ta**
●CON SUSTS. **relación (con)** · **contacto (con)**
●CON VBOS. **visitar** *Visitamos a mis tíos del pueblo en verano* || **tener** *Tiene unos tíos muy jóvenes* || **convertir(se) (en)**

típico, ca adj.

●CON SUSTS. **diseño** · **ropa** · **atuendo** *Desfilarán con el atuendo típico de su país* · **vestimenta** · **indumentaria** · **uniforme** · **traje** · **pañuelo** · **sombrero** || **música** · **danza** · **baile** · **fiesta** || **alimento** · **producto** *una tienda de productos típicos del lugar* · **comida** · **bebida** · **plato** · **ingrediente** · **restaurante** || **lugar** · **barrio** *Visitamos los barrios típicos de la ciudad* · **vivienda** · **cabaña** || **síntoma** · **caso** · **ejemplo** · **ejemplar** · **exponente** · **representante** || **familia** · **personaje** *un personaje típico de los libros medievales* · ***otros individuos y grupos humanos*** || **acción** · **comportamiento** · **actitud** || **lenguaje** · **pregunta** || **problema** || **estilo** · **imagen**

tipificar v.

●CON SUSTS. **agresión** · **falta** · **fraude** · **infracción** · **omisión** · **delito** *el artículo en el que se tipifican los delitos informáticos* · **vejación** · ***otras acciones ilícitas o ilegítimas*** || **hecho** · **actuación** · **conducta** || **responsabilidad**

tipo s.m.

▮ [modelo, ejemplar]

●CON ADJS. **básico** · **característico** *un tipo de relato característico del siglo pasado* · **determinado** · **cierto** *un cierto tipo de alergia* · **habitual** · **representativo** · **especial** · **normal** || **clásico** · **anticuado** · **moderno** · **vanguardista**
●CON VBOS. **representar** · **constituir** *Ese edificio constituye un tipo clásico de arquitectura románica*

▮ [persona]

●CON ADJS. **simpático** · **duro** · **antipático** || **audaz** · **inteligente** · **interesante** *Tu amigo parece un tipo muy interesante* || **raro** · **peculiar** · **extravagante** · **ridículo** || **normal** · **corriente** · **mediocre**

▮ [figura]

●CON ADJS. **buen(o)** · **bonito** *Tienes un tipo muy bonito* · **de impresión** · **perfecto** || **feo** · **horrible** · **horroroso**
●CON VBOS. **tener** || **cuidar** · **descuidar**

▮ [valor monetario]

●CON ADJS. **a la baja** · **al alza** || **impositivo** · **de interés**
●CON VBOS. **subir** *En el caso del impuesto sobre transmisiones patrimoniales el tipo impositivo ha subido en varios puntos* · **bajar** · **mantener(se)** || **oscilar** · **fluctuar** || **fijar** *fijar los tipos de interés* · **negociar** || **incrementar** · **aumentar** *El municipio aumentó el tipo de la contribución territorial urbana* · **rebajar** · **aflojar** || **variar** · **cambiar** · **revisar** || **abolir**
□EXPRESIONES {**aguantar/mantener**} **el tipo** [conservar la calma] *col.* || **jugarse el tipo** [arriesgar la integridad física o la vida] *col.* || **ser** {**mi/tu/su...**} **tipo** [ajustarse al modelo de belleza o perfección de alguien] *col.* *Es guapo, pero no es mi tipo*

tique s.m.

●CON ADJS. **de ida** · **de vuelta** · **de ida y vuelta** *Un tique de ida y vuelta, por favor* · **sencillo** || **de compra** · **de aparcamiento**
●CON VBOS. **sacar** · **reservar** · **retirar** · **cambiar** || **dispensar** || **guardar** *Guarde su tique de compra para posibles devoluciones* · **conservar** · **tirar** || **enseñar** · **entregar**

[tirada] s.f. → tirado, da

tirado, da

1 **tirado, da** adj. *col.*

●CON ADVS. **de precio** *Este bolso está tirado de precio*
●CON VBOS. **estar** · **dejar** · **quedar(se)** *Nos quedamos tirados en la carretera por no llevar rueda de repuesto*

2 **tirada** s.f.

▮ [número de ejemplares de una edición]

● CON ADJS. **inicial** · **media** · **baja** · **limitada** *De este libro han hecho una tirada limitada* · **corta** · **reducida** · **nacional** *una revista de tirada nacional* · **diaria**

□ EXPRESIONES {**de/en**} **una tirada** [de una vez] *leer un libro de una tirada*

tiranía s.f.

● CON ADJS. **totalitaria** *la amenaza de una tiranía totalitaria* · **absoluta** · **sanguinaria** · **corrupta** · **insufrible** · **violenta** · **cruel** · **terrible** · **implacable** · **perversa** · **atroz** · **despiadada** || **política** · **intelectual** · **social** · **deportiva** · **institucional** · **colonial**

● CON VBOS. **imperar** || **imponer** *El general impuso la tiranía como forma de gobierno* · **ejercer** · **generar** · **instituir** · **practicar** || **combatir** · **rechazar** · **denunciar** || **derrocar** · **derrotar** || **justificar** · **apoyar** · **favorecer** || **sufrir** · **soportar** · **aguantar** || **acabar (con)** · **luchar (contra)** · **rebelarse (contra)** · **escapar (de)** · **terminar (con)** · **sucumbir (a)**

tiránico, ca adj.

● CON SUSTS. **madre** · **padre** *Su personalidad quedó marcada por un padre tiránico* · **dictador,-a** · **jefe,fa** · **gobernador,-a** · **terrateniente** · **entrenador,-a** · ***otros individuos*** || **régimen** · **gobierno** · **poder** || **actitud** · **comportamiento**

tiranizar v.

● CON SUSTS. **pueblo** · **país** · **nación** *Con sus ideas dictatoriales llegará a tiranizar la nación* · **población** || **vida**

● CON ADVS. **violentamente** · **fuertemente** · **férreamente** · **enérgicamente** || **completamente** · **totalmente** · **absolutamente**

tirano, na s.

● CON ADJS. **despiadado,da** · **fanático,ca** *Al llegar al poder se convirtió en un tirano fanático* · **loco,ca** · **fiero,ra** · **sanguinario,ria** · **execrable** · **cruel** · **represor,-a** · **feroz**

● CON VBOS. **gobernar** · **mandar** · **regir (algo)** · **controlar (algo/a alguien)** || **expulsar** · **derrocar** · **castigar** · **enjuiciar** · **derribar** || **convertir(se) (en)** · **enfrentarse (a)**

tirante

1 **tirante** adj.

● CON SUSTS. **cuerda** · **soga** · **goma** · **tela** || **relación** · **conversación** *Mantuvieron una tirante conversación sobre el reparto de bienes* · **situación** · **actitud**

2 **tirante** s.m.

▮ [cinta para sujetar una prenda de vestir]

● CON ADJS. **longitudinal** · **cruzado** *un vestido con los tirantes cruzados en la espalda* · **transversal** · **elástico**

● CON SUSTS. **camiseta (de)** *En verano me gusta llevar camisetas de tirantes* · **vestido (de)**

● CON VBOS. **aflojar(se)** · **caer(se)** || **llevar** · **usar** · **poner**

[tirar] → tirar; tirar por la borda; tirarse

tirar v.

▮ [lanzar]

● CON SUSTS. **beso** *Cuando el tren se puso en marcha, me tiró un beso desde el andén* || **tiro** · **pelota** · **balón** · **piedra** *tirar piedras al estanque* || **dado** *Te toca a ti tirar el dado*

● CON ADVS. **reiteradamente** · **a bocajarro** · **con todas** {**mis/tus/sus...**} **fuerzas** · **a matar** || **con precisión** · **con puntería** · **al blanco** · **a dar** *Agáchate, que tiran a dar* · **a bulto** || **lejos**

▮ [malgastar, desperdiciar]

● CON SUSTS. **dinero** · **fortuna** · **bienes** || **tiempo** · **esfuerzo** · **energía**

● CON ADVS. **tontamente** · **inútilmente**

▮ [funcionar] *col.*

● CON SUSTS. **coche** *Este coche tira mucho para ser un modelo tan viejo* · **vehículo** · **moto** · **motor** · **máquina** || **chimenea** *Limpiaremos la chimenea, porque no tira muy bien*

▮ [calcular]

● CON ADVS. **por lo alto** · **por lo bajo** *Tirando por lo bajo, lo que nos puede costar es...*

□ EXPRESIONES **tira y afloja** [negociación en la que se exige y se concede]

tirar por la borda loc.vbal.

● CON SUSTS. **trabajo** · **labor** · **esfuerzo** || **oportunidad** *¿Vas a tirar por la borda una oportunidad como esta?* · **ocasión** || **tradición** · **legado** · **bagaje** · **experiencia** · **años (de algo)** || **ilusión** · **sueño** · **aspiración** *En un momento tiró por la borda sus aspiraciones profesionales* · **expectativa** · **futuro** · **esperanza** · **proyecto** || **logro** · **ganancia** · **recurso** || **vida** *No estoy dispuesto a tirar mi vida por la borda*

tirarse v.

▮ [arrojarse]

● CON ADVS. **a la desesperada** · **de improviso** || **de cabeza** *tirarse de cabeza a la piscina*

▮ [permanecer]

● CON SUSTS. **tiempo** · **mes** · **semana** · **día** · **tarde** *Se tiró toda la tarde para cambiar una rueda del coche* · **hora** · ***otros períodos***

tiritar (de) v.

● CON SUSTS. **frío** *Los niños tiritaban de frío al salir de la piscina* || **miedo** · **angustia** · **pavor** · **sorpresa**

[tiro] → a tiros; a (un) tiro de piedra; como un tiro; de tiros largos; tiro

tiro s.m.

● CON ADJS. **directo** · **frontal** · **a bocajarro** *Recibió un tiro a bocajarro* · **indirecto** · **ladeado** · **desviado** · **en parábola** · **parabólico** || **fulgurante** · **certero** · **preciso** · **magnífico** · **extraordinario** · **rápido** · **mediocre** · **excelente** · **buen(o)** · **mal(o)** || **mortal** · **de gracia** *dar el tiro de gracia* || **al blanco** · **al plato** *practicar el tiro al plato* · **de pichón** · **libre** *El pívot aún dispone de dos tiros libres*

● CON VBOS. **rozar (a alguien)** · **entrar** *El tiro le entró por el hombro* || **dar** *El tiro dio en el poste* · **lanzar** · **pegar** *...y sin mediar palabra le pegó dos tiros* · **disparar** · **descerrajar** · **pasar** || **acertar** || **errar** · **fallar** || **recibir** *Recibió un tiro en la pierna* || **corregir** · **rectificar** · **desviar** || **proteger(se) (de)** · **guarecerse (de)**

□ EXPRESIONES **a tiro** [al alcance] || **a tiro hecho** [con un propósito bien definido] || **como un tiro*** [mal] *Sus palabras me sentaron como un tiro* || **de tiros largos*** [de gala o con mucho lujo] *col.* || **ni a tiros** [de ninguna manera] *col.* || **por ahí** {**van/iban**} **los tiros** [expresión que indica que una conjetura es acertada] *col.* || **salir** (a alguien) **el tiro por la culata** [darse el resultado contrario al deseado]

[tirón] → de un tirón; tirón

tirón s.m.

▮ [movimiento brusco]

● CON ADJS. **gran(de)** · **fuerte** · **brusco** || **ligero** || **de orejas**

● CON VBOS. **pegar** · **dar** *El coche da tirones porque está frío* · **recibir** || **aguantar**

▮ [contracción muscular]

● CON VBOS. **dar (a alguien)** *Me ha dado un tirón en el gemelo derecho* || **tener** · **sufrir** · **notar** *Dejé de jugar porque noté un tirón muscular* · **padecer** || **provocar** · **producir** || **evitar**

▮ [atracción, encanto]

● CON ADJS. **popular** · **electoral** · **comercial** · **de taquilla** · **de ventas** · **turístico**

● CON VBOS. **aprovechar** || **tener** · **perder** || **gozar (de)** *una presentadora que goza de un gran tirón popular* · **contar (con)** · **beneficiarse (de)** || **servir (de)**

□ EXPRESIONES **de un tirón*** [de una vez]

tirria s.f.

● CON ADJS. **enorme** · **intensa** · **insuperable**

● CON VBOS. **dar (a alguien)** || **coger (a alguien)** *Decía que la profesora le había cogido tirria* · **tener (a alguien)** · **tomar**

tisana s.f.

● CON SUSTS. **infusión (de)**

● CON VBOS. **relajar** · **calmar**

➤ Véase también **BEBIDA**

títere s.m.

● CON SUSTS. **teatro (de)** · **espectáculo (de)** · **compañía (de)** *Una compañía de títeres actuará en la fiesta del colegio* · **grupo (de)** · **montaje (de)** · **obra (de)** · **taller (de)**

● CON VBOS. **hacer** · **confeccionar** || **manejar** · **manipular** || **convertir(se) (en)**

□ EXPRESIONES **no dejar títere con cabeza** [destrozar, deshacer o descalificar indiscriminadamente] *col.* || **no quedar títere con cabeza** [no quedar nada entero; no quedar nadie libre de críticas o invectivas] *col.*

titilar v.

● CON SUSTS. **estrella** *Las estrellas titilaban en el cielo* · **luz** · **lucero** || **bombilla** · **cristal**

titubear v.

● CON PREPS. **sin** *Se lanzó a ello sin titubear*

● CON ADVS. **prolongadamente** · **constantemente** || **públicamente**

titubeo s.m.

● CON ADJS. **inicial** · **final** · **inoportuno** · **leve** *Tras un leve titubeo inicial, realizó una brillante defensa* · **breve** · **ligero**

● CON PREPS. **sin** *obedecer sin titubeos*

titulación s.f.

● CON ADJS. **específica** · **adecuada** *obtener una titulación adecuada* · **necesaria** · **pertinente** · **mínima** · **nueva** · **obligatoria** || **académica** · **universitaria** · **superior** *Para el puesto se precisa una persona con titulación superior* · **media** · **básica** || **profesional** · **médica** · **técnica** || **oficial** · **facultativa** · **acreditativa**

● CON VBOS. **obtener** · **recibir** · **poseer** · **conseguir** *Tras años de estudio consiguió una titulación universitaria* · **tener** · **aprobar** · **completar** · **acreditar** · **convalidar** || **elegir** · **solicitar** || **impartir** · **cursar** || **exigir** · **demandar** · **requerir** · **reclamar** || **acceder (a)** · **aspirar (a)** || **carecer (de)**

titulado, da s.

● CON ADJS. **universitario,ria** · **superior**

titular

1 titular s.m.

● CON ADJS. **a {dos/tres/cuatro...} columnas** · **a toda plana** *El titular iba a toda plana* || **llamativo** · **original** · **buen(o)** · **certero** · **atinado** || **escandaloso** · **sensacionalista**

● CON VBOS. **publicar** · **dar** · **escoger** || **copar** || **abrir (con)** *El periódico abre hoy con un titular a cuatro columnas*

2 titular v.

● CON SUSTS. **libro** *No recuerdo cómo se titula el libro que estoy leyendo* · **poema** · **disco** · **cuadro** · **escultura** · **sinfonía** · ***otras creaciones***

● CON ADVS. **certeramente** · **atinadamente** · **correctamente** || **pomposamente** · **de forma sensacionalista** · **escandalosamente**

titularidad s.f.

● CON ADJS. **legítima** · **fehaciente** || **estatal** *terrenos de titularidad estatal* · **municipal** · **pública** · **privada**

● CON SUSTS. **cambio (de)**

● CON VBOS. **tener** · **poseer** · **compartir** || **asumir** · **ejercer** || **obtener** *Esta profesora ha obtenido recientemente la titularidad en la universidad* · **traspasar** · **ceder** · **conservar** · **mantener** · **perder** · **recuperar** *El jugador recupera la titularidad después de dos meses de baja* || **pedir** · **solicitar** · **conceder** · **revocar** · **quitar** || **impugnar** · **cuestionar** · **poner en duda** · **disputar** || **acreditar** *un documento que acredite la titularidad de su cuenta bancaria* · **demostrar** · **confirmar** || **dudar (de)**

título s.m.

▮ [nombre de una obra]

● CON ADJS. **atinado** · **acertado** *una novela de intriga, como indica su acertado título* · **apropiado** · **certero** · **significativo** · **sugerente** · **ilustrativo** · **expresivo** · **revelador** · **esclarecedor** || **arbitrario** · **inapropiado** · **inadecuado** · **{bien/mal} puesto** || **llamativo** *una serie de conferencias con títulos llamativos y sugerentes* · **altisonante** · **campanudo** · **enrevesado** · **rimbombante** · **de relumbrón**

● CON VBOS. **cuadrar (a algo)** · **sonar** *El título escogido suena muy bien, es muy comercial* || **rezar (de cierta forma)** *El título reza así: ...* || **dar (a algo)** · **poner (a algo)** · **tomar** *un poema que toma su título de un verso de...* · **copiar** || **dirimir** · **decidir** · **escoger** · **elegir** || **saber** · **conocer** · **recordar** || **leer** · **cambiar** · **interpretar** · **traducir** || **llevar (por/como)** · **tener (por/como)**

▮ [distinción, acreditación, premio]

● CON ADJS. **acreditado** · **honroso** · **merecido** || **nobiliario** *Tiene algún título nobiliario, pero no le gusta decirlo* · **de oro** · **universitario** · **académico** · **deportivo** || **de crédito** · **de campeón**

• CON VBOS. **poner(se) en juego · estar en juego · decidir(se)** *El título de campeón de liga se decide en este encuentro* || **tener · ostentar · atesorar · lucir || dar · adjudicar · conceder · otorgar · cosechar · recibir · {poner/servir} en bandeja || ganar · obtener · conseguir** *Ha conseguido un doble título de licenciatura* · **lograr · alcanzar · anotar · arrogarse · acariciar · saborear || arrebatar (a alguien) · usurpar (a alguien) || defender · renovar · revalidar · validar · homologar · convalidar || conservar · perder || celebrar** *Los jugadores celebraron con su afición el título recién conquistado* || **falsificar · amañar || desposeer (de)**
• CON PREPS. **en poder (de) · en posesión (de)** *Está en posesión de varios títulos universitarios*

▮ [acción bursátil]

• CON VBOS. **subir · bajar · cotizar(se)** *¿Cómo cotizan hoy los títulos de las eléctricas* · **afianzar(se) · devaluar(se) || adquirir** *Me recomendaron adquirir títulos de esta empresa porque estaban a un precio muy bajo* · **contratar · comprar · negociar**

□ EXPRESIONES **a título de** (algo) [actuando en calidad de algo]

> **TÍTULO NOBILIARIO**
>
> Información útil para el uso de:
>
> **barón, -esa; caballero; conde, -sa; duque, -sa; hidalgo, ga; marqués, -a; vizconde, -sa**
>
> • CON SUSTS. **título (de)** *tener el título de conde* · **escudo (de) · árbol genealógico (de) || estirpe (de) · progenitura (de) · linaje (de)** *proceder de un linaje de marqueses* · **ascendencia (de) · descendencia (de) || antepasado,da (de) · sucesor,-a (de)** *ser sucesor de la duquesa de...* · **descendiente (de) · ascendiente (de)**
> • CON VBOS. **nombrar** *nombrar caballero a alguien* || **suceder (a)**

tiznar v.

• CON SUSTS. **cara · mano · rostro · cabello · bigote · ropa · nariz || suelo · techo** *El humo de la chimenea ha tiznado el techo del salón* · **pared**

tobillo s.m.

• CON SUSTS. **lesión (de) · esguince (de) · torcedura (de)**
• CON VBOS. **lesionar(se) · torcer(se)** *Me torcí el tobillo jugando al baloncesto* · **romper(se) || escayolar · inmovilizar**

tocar v.

▮ [afectar, tratar]

• CON SUSTS. **asunto · tema**
• CON ADVS. **de lleno** *La crisis económica nos tocó de lleno* · **de cerca || ligeramente · superficialmente · por encima · de refilón · de pasada** *Apenas si tocó de pasada ese tema en su conferencia* · **de soslayo · tangencialmente || a tientas**

▮ [hacer sonar]

• CON SUSTS. **violín · guitarra · piano** *¿Sabes tocar el piano?* · **bajo** · ***otros instrumentos musicales*** || **canción · melodía · composición · música · pieza**
• CON ADVS. **armoniosamente · afinadamente || desafinadamente || de oído** *El guitarrista tocó de oído la melodía*

▮ [corresponder]

• CON SUSTS. **misión · encargo || premio · lotería · viaje || papeleta** *¡Vaya papeleta me ha tocado!*

□ EXPRESIONES **tocar fondo** [llegar a una situación límite]

[tocateja]

→ a tocateja

[todo, da]

→ a toda costa; a toda máquina; a toda pastilla; a toda plana; a todas luces; a toda vela; a toda velocidad; a todo color; a todo pulmón; a todo riesgo; a todo trapo; a todo tren; con toda {mi/tu/su...} alma; con todas {mis/tus/sus...} fuerzas; con todo lujo de detalles; de (todo) corazón; de todo punto; de una vez por todas; por todo lo alto

toga s.f.

• CON ADJS. **de abogado · de juez · de fiscal · judicial · universitaria** *Todos los asistentes al acto lucían la pertinente toga universitaria* || **protocolaria · solemne · tradicional || amplia · holgada || arrugada · impecable**
• CON VBOS. **vestir(se) · poner(se) · llevar · lucir || abandonar · colgar** *Colgó la toga de abogado y se dedicó a los negocios inmobiliarios* · **quitar(se) || renunciar (a) · despojarse (de)**

tolerable adj.

• CON SUSTS. **límite · nivel · máximo** *el máximo tolerable de alcohol en la sangre* · **plazo · vida · crecimiento · cantidad · coste · margen · precio** *un precio tolerable para el consumidor medio* || **altura · edad · velocidad** · ***otras magnitudes*** || **actitud · comportamiento · acto · hecho · acción**
• CON ADVS. **difícilmente · socialmente · perfectamente**
• CON VBOS. **hacer(se) · resultar**

tolerancia s.f.

• CON ADJS. **infinita · exquisita · máxima · excesiva** *En mi opinión, sus padres muestran una excesiva tolerancia hacia su hija* || **escasa · insuficiente · necesaria || aparente · falsa · verdadera**
• CON SUSTS. **actitud (de) · espíritu (de) · muestra (de)** *Sus palabras fueron una muestra de tolerancia exquisita* · **prueba (de) · ejemplo (de) · modelo (de) || grado (de) · nivel (de) || problema (de) · falta (de) · exceso (de) || cero** *tolerancia cero al fraude fiscal*
• CON VBOS. **ejercer · cultivar · practicar · mantener || pedir || predicar · propugnar · promover · fomentar**
• CON PREPS. **con || en aras (de)** *en aras de una mayor tolerancia en la convivencia intracultural* · **en favor (de)**

tolerante adj.

• CON SUSTS. **persona · sociedad · sector** *Entre los sectores más tolerantes comienza a cundir el descontento* · ***otros individuos y grupos humanos*** || **ciudad · país · espíritu · religión || actitud · gesto · carácter · talante · postura · política · ánimo · imagen**
• CON ADVS. **excesivamente** *una sociedad excesivamente tolerante* · **terriblemente · profundamente · absolutamente · suficientemente**

tolerar v.

• CON SUSTS. **leche** *No tolera la leche de vaca* · **carne** · ***otros alimentos*** || **medicamento · medicina || actitud · comportamiento** *No toleraremos comportamientos discriminatorios en esta empresa* || **manifestación · crítica · protesta · queja · exceso || pensamiento · palabra · creencia · razonamiento || imposición · injerencia** *Afirma*

que no está dispuesto a tolerar ningún tipo de injerencia en su vida privada · **ataque** || **injusticia** · **violencia**
• CON ADVS. **de buen grado** · **pacientemente** · **resignadamente** · **mansamente** || **democráticamente** || **gradualmente** *Empezará usted a tolerar gradualmente los alimentos sólidos*

toma s.f.

• CON ADJS. **fotográfica** · **cinematográfica** · **frontal** · **aérea** *rodar una toma aérea* · **nocturna** || **de tierra** *enchufes con toma de tierra*
• CON VBOS. **realizar** · **hacer** || **saltarse** *No te saltes ninguna toma del antibiótico*

[tomar]

→ tomar; tomar en consideración; tomar medida(s); tomar nota; tomar partido; tomarse a pecho; tomar una decisión

tomar v.

[ingerir, incorporar al organismo]
• CON SUSTS. **pastilla** · **píldora** · **jarabe** *¿Te has tomado ya el jarabe?* · **medicamento** || **aliento** *Se paró un momento para tomar aliento* || **agua** *Durante las comidas, solo tomo agua* · **zumo** · **cerveza** · ***otras bebidas*** || **tortilla** · **callos** · **verdura** · ***otros alimentos o comidas***
• CON ADVS. **a sorbos** · **a tragos** · **de un golpe**
• CON VBOS. **dar (a)** *dar a tomar la medicina*

[recibir los efectos de algo]
• CON SUSTS. **sol** *Deberías tomar el sol con moderación* · **aire** · **fresco**
• CON ADVS. **en exceso** · **excesivamente** || **plácidamente** · **tranquilamente**

[asir, agarrar, aprehender]
• CON SUSTS. **mano** · **lápiz** *Tomó un lápiz y escribió...* · ***otros objetos*** || **bebé** *tomar un bebé en brazos* · **rehén** · **empleado,da** *tomar un nuevo empleado*
• CON ADVS. **firmemente** · **suavemente** · **con precisión** || **a punta de {navaja/pistola}** · **al abordaje**

[utilizar]
• CON SUSTS. **vuelo** · **avión** · **autobús** · **taxi** *Tomaré un taxi para ir al aeropuerto* · ***otros medios de transporte*** || **asiento** · **tierra**

[adquirir, conseguir]
• CON SUSTS. **fuerza** · **impulso** · **auge** · **intensidad** · **temperatura** · **volumen** · **altura** · **ritmo** · **protagonismo** · **notoriedad** · **trascendencia** || **color** · **aspecto** · **cariz** · **cuerpo** · **consistencia** · **dimensión** · **proporción** · **carácter** · **característica** || **control** · **mando** · **riendas** *tomar las riendas en un asunto* · **poder** · **trono** · **conducción** · **palabra** · **relevo** · **alternativa** *...un torero que tomará la alternativa mañana* || **rumbo** · **dirección** · **camino** · **derrotero** · **senda** · **carril** · **vía** · **tendencia** · **giro** · **sesgo** || **nota** · **muestra** · **declaración** · **juramento** · **providencia** · **apunte** *¿Vas a tomar apuntes en clase?* || **ventaja** · **distancia** · **delantera** · **diferencia** || **conciencia** · **conocimiento** || **actitud** · **postura** · **posición** · **punto de vista** · **ejemplo** || **cariño** · **confianza** · **afecto** · **tirria** · **odio** · **aversión** · **inquina** || **nombre** · **denominación** · **título** · **seudónimo** || **libertad** · **molestia** *Ni siquiera se tomó la molestia de acompañarme a la salida* · **atribuciones**

[llevar a cabo, realizar]
• CON SUSTS. **decisión** *Llegó el momento de tomar una decisión* · **resolución** · **determinación** · **elección** · **acuerdo** · **opción** · **iniciativa** || **medida** · **acción** · **precaución** · **previsión** · **represalia** · **responsabilidad** || **fotografía** *¿Nos podría tomar una fotografía?* · **imagen** · **instantánea** · **radiografía** · **película** · **perspectiva**

[entender, considerar]
• CON ADVS. **a broma** · **a mal** · **en serio** · **en cuenta** · **en consideración** · **a pecho** || **al pie de la letra** *No te tomes al pie de la letra todo lo que digo* · **a pie juntillas** · **a rajatabla** || **con calma** · **con serenidad** · **con filosofía** · **con tranquilidad** · **con resignación** · **con frialdad** || **con precaución** · **con respeto** · **con reparo** · **con reservas** · **con cautela** || **con seriedad** · **con responsabilidad** · **con profesionalidad** || **a la ligera** · **al vuelo** || **en custodia**

[medir]
• CON SUSTS. **pulso** · **tensión** · **temperatura**

□ EXPRESIONES **tomarla con** (alguien) [tener manía] || **tomar {por/como}** (algo) [considerar o enjuiciar] *tomar a alguien por tonto*

tomar en consideración loc.vbal.

• CON SUSTS. **argumento** *Deberías tomar en consideración sus argumentos* · **criterio** · **factor** · **expediente** · **dato** · **opinión** · **proposición** · **propuesta** · **razón** · **sugerencia** · **oferta** · **petición** · **posibilidad** · **medida** · **tesis** · **solicitud**

tomar medida(s) loc.vbal.

• CON ADVS. **sin dilación** *El problema era serio y tomaron medidas sin dilación* · **urgentemente** · **inmediatamente** || **cautelarmente** · **preventivamente** · **provisionalmente** · **temporalmente** || **a la desesperada**

tomar nota loc.vbal.

• CON ADVS. **atentamente** · **con precisión** · **minuciosamente** · **con todo lujo de detalles** *Tomó nota de cuanto le dije con todo lujo de detalles* · **aplicadamente** · **meticulosamente** · **rigurosamente** || **puntualmente** · **inmediatamente**

tomar partido loc.vbal.

• CON ADVS. **claramente** *algunos políticos que han tomado claramente partido por el bando de la oposición* · **abiertamente** · **declaradamente** || **a favor** · **en contra**

tomarse a pecho loc.vbal.

• CON SUSTS. **trabajo** *Te tomas demasiado a pecho el trabajo* · **tarea** · **misión** · **labor** || **deber** · **obligación** · **responsabilidad** || **asunto** || **problema** · **fallo** · **error** || **observación** · **declaración** · **advertencia** · **admonición** · **crítica** · **recriminación** · **acusación**

tomar una decisión

• CON ADVS. **colegiadamente** *La decisión la tomaron colegiadamente en el claustro de profesores* · **democráticamente** · **consensuadamente** · **por mayoría** · **unilateralmente** · **en solitario** · **en minoría** || **desinteresadamente** || **en caliente** *Cuando las decisiones se toman en caliente suelen ser precipitadas* · **en frío** · **fríamente** · **arbitrariamente** · **discrecionalmente**

[tomate]

→ como un tomate

tonalidad s.f.

• CON ADJS. **fuerte** · **intensa** · **lumínica** || **suave** *ropa de tonalidades suaves* · **pálida** · **cálida** · **envolvente** || **oscura** · **sombría** · **fría** · **austera** || **dominante** *La tonalidad dominante de sus cuadros es el gris*

● CON SUSTS. **gama (de) · mezcla (de) · amalgama (de) · cambio (de) · combinación (de)**
● CON VBOS. **poseer · adquirir · coger · tomar || elegir · utilizar || mezclar · fundir · combinar || suavizar** *Este pintor ha ido suavizando las tonalidades oscuras de sus composiciones* **|| cambiar (de)** *El cielo cambiaba de tonalidad a medida que el sol se ponía*

tonelada s.f.

● CON ADJS. **métrica || de peso · de carga**
● CON SUSTS. **símbolo (de)**
● CON VBOS. **equivaler (a algo) || pesar || calcular · convertir · pasar || cargar · descargar** *El mercante descargó en el puerto varias toneladas de soja* **· llevar · transportar · embarcar || almacenar · retirar || soportar** *pilares que soportan varias toneladas de peso* **|| producir · obtener · rendir · recoger**
● CON PREPS. **por** *Este producto se sirve por toneladas*

tongo s.m.

● CON ADJS. **electoral** *Acusaron al alcalde de tongo electoral* **· pugilístico**
● CON SUSTS. **grito (de)**
● CON VBOS. **oler (a)** *El concurso olía a tongo* **· saber (a) || calificar (de) · tachar (de)**

tónica s.f.

▮ [bebida]

● CON ADJS. **refrescante · burbujeante · de naranja · de limón · de lima**
● CON SUSTS. **agua** *Tomaré un agua tónica*
➤ Véase también **BEBIDA**

▮ [característica]

● CON ADJS. **dominante** *La normalidad está siendo la tónica dominante en la operación salida* **· predominante · general || característica · habitual · de siempre · actual · del momento || política || acorde (con)**
● CON VBOS. **predominar || dar · marcar · dictar || seguir · mantener** *La reunión mantuvo la misma tónica durante las dos horas* **· romper || salir (de)**
● CON PREPS. **según**

tónico s.m.

● CON ADJS. **facial · capilar || reconstituyente** *una cucharada de tónico reconstituyente antes de las comidas* **· astringente · refrescante**
● CON VBOS. **recetar · recomendar || aplicar**

tonificar v.

● CON SUSTS. **cuerpo · musculatura** *ejercicios para tonificar la musculatura* **· músculo · contextura || alma · espíritu · mente**

tono s.m.

▮ [verbal o sonoro]

● CON ADJS. **afable · afectuoso · amable || acogedor · cálido · cordial · cortés** *Se dirigió a él en tono cortés* **· conciliador || apacible · calmado · suave || firme · de firmeza · con firmeza · enérgico · rotundo · tajante · contundente · duro · serio · severo** *pronunciar unas palabras en tono severo* **· dramático || adecuado · apropiado || ácido · dulce · agridulce · agrio · amargo · áspero || agresivo · airado · amenazador** *El secuestrador les habló en tono amenazador* **· amenazante · beligerante · crispado · de amenaza · desagradable · despectivo · insultante · peyorativo · polémico · provocativo || altanero · displicente || autoritario** *Nos ordenó marcharnos en tono autoritario* **· categórico · dominante · imperativo || armonioso · discordante · melodioso · monocorde · estridente || aleccionador · didáctico || alarmista · apocalíptico** *Sus declaraciones destilaban un tono apocalíptico* **· caótico || apagado · cansino · distante · mortecino · febril || académico · político || barriobajero · chulesco || agudo** *Tenía un tono agudo muy desagradable* **· grave || coloquial · informal · familiar · menor** *Su obra lírica tiene un tono menor* **· festivo · general || constructivo || circunspecto · comedido || confidencial · de confidencia** *Se lo susurró al oído en tono de confidencia* **· de disculpa · de elogio · de moderación · de queja || bromista · burlón · cáustico · de broma · de burla · de chanza · de comedia · de humor · humorístico · irónico** *No soporto su tono irónico* **· jocoso · socarrón || dolido · emotivo · lastimero || imperceptible · inaudible || inconfundible || inquietante · misterioso** *Los interrogó en tono misterioso* **· surrealista**
● CON SUSTS. **salida (de) · subida (de) || cambio (de)**
● CON VBOS. **apagar(se) · entrecortar(se) || manifestar · revelar · indicar || hallar · adquirir** *La pintura con el tiempo adquiere un tono más apagado* **· adoptar || emitir · esgrimir · imprimir || subir** *Subiré la canción dos tonos a ver si va mejor* **· elevar || bajar · rebajar** *La portavoz ha rebajado el tono de sus declaraciones* **· aligerar · suavizar · dulcificar · atemperar || afinar · ajustar · modificar · alterar || recuperar** *ejercicios para recuperar el tono muscular* **|| cambiar (de) · subir (de)** *La polémica está subiendo de tono*

▮ [cromático]

● CON ADJS. **pastel** *Ha pintado la pared en un tono pastel* **· luminoso · claro · oscuro**
● CON SUSTS. **abanico (de) · gama (de)**
● CON VBOS. **aclarar · rebajar · subir · matizar · definir**

□ EXPRESIONES **darse tono** [darse importancia] *col.* **|| de {buen/mal} tono** [propio de gente elegante o sin elegancia] **|| fuera de tono** [inoportuno o inapropiado] **|| subido de tono** [procaz y grosero]

tontamente adv.

● CON VBOS. **perder** *perder el balón tontamente* **· derrochar · arriesgar(se) · caerse · chocar(se) · equivocarse · exponer(se) · desaprovechar** *Estás desaprovechando tontamente una buena oportunidad* **· malgastar · estropear || liarse · enredarse || reír(se) · sonreír**

tontear (con) v. *col.*

● CON SUSTS. ***persona*** *Aprovecha cualquier oportunidad para tontear con su compañero* **|| droga · debilidad**
● CON ADVS. **frecuentemente · habitualmente · continuamente · cotidianamente · diariamente**

tontería s.f.

● CON ADJS. **absoluta** *Sé que es una absoluta tontería, pero no puedo evitarlo* **· auténtica · solemne · supina · monumental · colosal · descomunal · soberana**
● CON SUSTS. **sarta (de)**
● CON VBOS. **tener** *Esta niña tiene mucha tontería* **|| decir · soltar · escribir · hablar · cometer || andarse (con)** *¡No te andes con tonterías!* **· dejarse (de)** *Dejémonos de tonterías y...*

tonto, ta

1 **tonto, ta** adj.

● CON ADVS. **a rabiar · rematadamente**
● CON VBOS. **ser · volver(se) · estar · poner(se) · quedar(se)** *Te vas a quedar tonto de ver tanta televisión*

2 **tonto, ta** s.

●CON ADJS. **perdido,da** · **de remate** *¡Mira lo que ha hecho esta tonta de remate!* · **redomado,da** · **de capirote** · **del bote**

□EXPRESIONES **a tontas y a locas** [sin orden ni concierto] || **hacer el tonto** [actuar irracionalmente] *col.* || **hacerse el tonto** [fingir no darse cuenta de lo que no interesa] *col.*

topar (con) v.

●CON SUSTS. **edificio** · **muro** · **muralla** *Los invasores se toparon con la muralla de la ciudad* || **problema** · **dificultad** · **obstáculo** · **escollo** *Se topó con escollos aparentemente insalvables* · **inconveniente** · **impedimento** · **barrera** · **rechazo** · **oposición** || **policía** · **asesino,na** · **ladrón,-a** · **bandido,da** · **rival** · ***otros individuos y grupos humanos*** || **realidad** *...hasta que un día se topa uno con la cruda realidad* · **verdad** · **muerte**

●CON ADVS. **de frente** · **de bruces** *Cuando salía de mi casa, me topé de bruces con ella* || **de sopetón** · **inesperadamente** · **de inmediato** || **literalmente**

[tope] →a tope; tope

tope s.m.

●CON ADJS. **máximo** *La economía ha alcanzado un tope máximo de beneficios* · **mínimo** || **legal** · **salarial**

●CON SUSTS. **fecha** *como fecha tope* · **hora** · **precio**

●CON VBOS. **fijar** · **establecer** · **imponer** · **poner** || **alcanzar** · **exceder** · **rebasar** · **sobrepasar** · **pasar**

□EXPRESIONES **a tope*** [hasta el máximo] *col.*

tópico, ca

1 **tópico, ca** adj.

▮ [vulgar, trivial]

●CON SUSTS. **idea** *un amasijo de ideas tópicas y manidas* · **teoría** · **crítica** · **pregunta** · **visión** || **asunto** · **tema** · **argumento** · **guión** || **historia** · **película** · **comedia** · **chiste** || **imagen** · **figura** · **personaje** *En el libro aparecen todos los personajes tópicos de la comedia costumbrista* · **carácter** · **símbolo** · **elemento**

▮ [referido a la piel]

●CON SUSTS. **uso** · **aplicación** *un medicamento de aplicación tópica* · **empleo** · **vía** || **anestesia** · **medicina**

2 **tópico** s.m.

●CON ADJS. **conocido** · **recurrente** *un tópico muy recurrente en sus escritos* · **habitual** · **usual** || **viejo** · **arraigado** · **tradicional** || **manido** · **trillado** · **sobado** · **traído y llevado** · **socorrido** || **lleno,na (de)** · **plagado,da (de)**

●CON SUSTS. **sarta (de)** *El guión recurre a una sarta de tópicos faltos de interés* · **arsenal (de)**

●CON VBOS. **surgir** · **derrumbar(se)** || **utilizar** · **emplear** · **hilvanar** || **acuñar** · **anclar** || **alimentar** *Con su actitud contribuía a alimentar el tópico del escritor bohemio* || **deshacer** · **desbaratar** · **desmontar** · **pulverizar** || **acudir (a)** · **recurrir (a)** · **caer (en)** · **abusar (de)** · **volver (a)** || **romper (con)** *Era una artista decidida a romper con todos lo tópicos* · **acabar (con)** · **alejar(se) (de)** · **huir (de)** · **apartar(se) (de)**

[toque] →a toque de corneta; toque; toque de queda

toque

1 **toque** s.m.

●CON VBOS. **faltar (a algo/a alguien)** || **dar** *Practica un cine denso y elaborado al que habría que dar un toque de dinamismo* · **proporcionar** · **añadir** · **introducir** · **poner** || **tener** *Todos sus diseños tienen un toque de sofisticación* · **recibir**

2 **toque (de)** s.m.

●CON SUSTS. **sirena** · **corneta** · **campana** || **batuta** · **varita mágica** · **pincel** || **balón** || **oración** · **queda** *Los toques de queda marcaron durante años la rutina diaria de la ciudad* · **silencio** · **diana** · **retreta** || **suerte** · **fortuna** · **gracia** || **alarma** · **alerta** · **atención** *necesitar un toque de atención* · **advertencia** · **aviso** · **prevención** || **distinción** *La ropa que llevas hoy te da un toque de distinción* · **clase** · **estilo** · **lujo** · **sofisticación** · **esnobismo** || **modernidad** *una decoración sobria, simple, pero con un toque de modernidad* · **moda** · **europeísmo** · **cosmopolitismo** || **humor** · **ironía** · **ingenio** · **frescura** · **malicia** · **caricatura** · **diversión** · **comedia** || **emoción** · **sensibilidad** · **ternura** · **calidez** · **nostalgia** || **imaginación** *Su prosa es correcta y elegante, pero le falta un toque de imaginación* · **fantasía** · **magia** · **misterio** · **enigma** || **originalidad** · **pintoresquismo** *...comparaciones ocurrentes que añaden a su prosa un toque de pintoresquismo* · **excentricidad** · **excepcionalidad** · **personalidad** || **inteligencia** · **genialidad** · **genio** · **prestigio** || **autenticidad** · **verdad** · **credibilidad** *Al discurso presidencial le faltó un toque de credibilidad* · **veteranía** · **profesionalidad** || **normalidad** · **clasicismo** · **mesura** · **sencillez** · **simpleza**

toque de queda loc.sust.

●CON ADJS. **estricto** · **riguroso** || **en vigor** *El toque de queda, en vigor desde entonces, se atrasará...*

●CON VBOS. **regir** || **decretar** · **imponer** · **levantar** *El Gobierno levantó definitivamente el toque de queda* || **respetar** · **desobedecer** · **desafiar** · **burlar**

torácico, ca adj.

●CON SUSTS. **traumatismo** · **cirugía** · **dolor** · **contusión** · **deformación** · **depresión** · **opresión** · **espasmo** || **caja** · **cavidad** · **región** *un violento golpe en la región torácica* · **capacidad** · **pared** · **perímetro**

torbellino

1 **torbellino** s.m.

●CON ADJS. **devastador** *La zona fue azotada por un torbellino devastador* · **frenético** · **vertiginoso** · **arrebatador** · **catastrófico** · **incontrolable** · **imparable** · **brutal** · **trágico** || **periodístico** · **judicial** · **audiovisual** · **político** *El actual torbellino político provocará sin duda algunos ceses* · **monetario** || **escénico** · **artístico**

●CON VBOS. **formar(se)** · **desatar(se)** || **arrastrar (algo)** · **golpear (algo)** · **azotar (algo)** · **arrasar (algo)** · **destruir (algo)** || **provocar** · **desencadenar** *La polémica actuación municipal ha desencadenado un torbellino de críticas vecinales* · **crear** · **originar** || **controlar** || **sumergir(se) (en)** · **transformar(se) (en)** · **convertir(se) (en)**

2 **torbellino (de)** s.m.

●CON SUSTS. **violencia** · **pasión** · **fuerza** || **ideas** · **imágenes** || **gritos** · **declaraciones** *un torbellino de declaraciones bastante confusas* || **fuego** · **luz** · **humo**

□USO Se construye generalmente con sustantivos no contables en singular (*un torbellino de pasión*) o con contables en plural (*un torbellino de imágenes*).

torcer(se) v.

●CON SUSTS. **pie** · **tobillo** · **muñeca** · **boca** · **cara** · **bigote** · ***otras partes del cuerpo*** || **gesto** || **rama** · **palo** · **árbol** || **camino** *En ese punto el camino tuerce a la derecha*

· **senda** · **ruta** · **calle** · **vía** || **intención** · **voluntad** *No había nada que torciera su voluntad ni su perseverancia* · **plan** · **proyecto** · **previsión** · **programa** || **historia** · **vida** · **carrera** · **viaje** · **trayectoria** *Se empezó a torcer su hasta entonces brillante trayectoria cuando decidió...* · **destino** || **suerte** · **racha** · **tendencia** · **futuro** · **rumbo**
● CON ADVS. **repentinamente** · **gradualmente** || **favorablemente** · **desfavorablemente**

torcidamente adv.
● CON VBOS. **actuar** *No creo que actuara torcidamente* · **comportarse** || **entender** · **interpretar** || **usar** · **aplicar**

torcido, da adj.
● CON SUSTS. **discurso** · **argumento** *un discurso demagógico y populista repleto de argumentos torcidos y de interpretaciones malintencionadas* · **entendimiento** · **uso** · **carácter** · **forma de ser** · **humor**
● CON VBOS. **estar** · **poner(se)** · **quedar(se)**

tordo, da adj.
● CON SUSTS. **caballo** *Apareció montado en un hermoso caballo tordo* · **yegua** · **jaca**

torear v.
● CON SUSTS. **toro** *Le toca torear al último toro de la tarde* · **res** · **vaquilla** · **corrida** || **problema** · **asunto** *La presidenta ha tenido que torear asuntos tan graves como...* || **persona** *Me di cuenta de que estaban toreando a tu hermano y tuve que defenderlo*
● CON ADVS. **mano a mano** · **al alimón** || **al natural** || **por alto** · **por bajo** || **estupendamente** · **admirablemente** || **miserablemente** *Otra vez me estás toreando miserablemente* · **indecentemente** · **impunemente**

[torera] s.f. → saltarse a la torera; torero, ra

toreramente adv.
● CON VBOS. **salir** · **andar** · **girar** · **doblarse** *El diestro se dobló toreramente con la muleta y dio algunos pasos de mérito* · **adornarse** · **mover(se)**

torero, ra

1 torero, ra adj. *col.*
● CON SUSTS. **traje** · **gesto** · **costumbre** · **garbo** *demostrar garbo torero*

2 torero, ra s.
● CON ADJS. **clásico,ca** · **moderno,na** · **de casta** · **de raza** || **exquisito,ta** · **brillante** · **artístico,ca** · **sobrio,bria** · **elegante** · **alocado,da** · **desmadejado** · **estrafalario** || **famoso,sa** · **conocido,da** · **popular** · **renombrado,da** *una corrida de renombrados toreros* · **reputado,da** · **respetado,da** · **decadente** || **discreto,ta** · **mediocre** · **fracasado,da** || **valiente** *El público aplaudió la actuación del valiente torero* · **de aguante** · **amanoletado,da**
● CON SUSTS. **apoderado,da (de)** · **figura (de)** || **faena (de)** · **traje (de)**
● CON VBOS. **lucirse** · **brillar** · **fallar** · **fracasar** · **naufragar** || **tomar la muleta** · **tomar la alternativa** · **dar la vuelta al ruedo** · **salir por la puerta grande** *El torero salió triunfante por la puerta grande* || **vestir(se) (de)**

3 torera s.f. Véase **ROPA**
☐ EXPRESIONES **saltarse** (algo) **a la torera*** [evitarlo de forma audaz o sin escrúpulos] *col.*

tormenta

1 tormenta s.f.
● CON ADJS. **fuerte** · **intensa** *Ayer cayó una intensa tormenta* · **torrencial** · **pertinaz** · **descomunal** · **aterradora** · **pavorosa** || **fugaz** · **aislada** · **dispersa** · **irregular** · **local** || **borrascosa** · **eléctrica** · **tropical** · **veraniega** *Es la típica tormenta veraniega, escampará pronto* · **estival** · **matutina** · **vespertina** · **huracanada** · **racheada** || **política** · **revolucionaria** · **electoral** · **financiera** · **monetaria** · **deportiva**
● CON SUSTS. **riesgo (de)** *Hay riesgo de tormentas en el interior del país* · **amenaza (de)** · **posibilidad (de)** || **día (de)** · **noche (de)** || **zona (de)** || **eco (de)** · **secuela (de)** · **efecto (de)** || **ojo (de)** · **boca (de)** · **centro (de)** || **nube (de)**
● CON VBOS. **amenazar (algo)** · **cernerse (sobre algo)** · **aproximarse** · **avecinarse** || **estallar** · **desencadenar(se)** · **levantar(se)** *De repente se levantó una fuerte tormenta de viento y rayos* · **desatar(se)** · **abatirse (sobre algo/sobre alguien)** · **azotar (algo)** · **soplar** · **caer** · **producir(se)** *Se prevé que mañana se produzcan tormentas dispersas por el litoral* · **registrar(se)** · **acaecer** || **persistir** · **arreciar** · **intensificar(se)** || **pasar** · **ir(se)** · **calmar(se)** · **aplacar(se)** · **apaciguar** · **escampar** *No saldremos hasta que la tormenta no escampe* · **amainar** · **remitir** · **descargar** · **despejar(se)** · **alejar(se)** · **desplazar(se)** || **dañar (algo)** *Las tormentas han dañado los cultivos de la zona* · **alcanzar (a alguien)** || **causar** · **ocasionar** · **provocar** || **incubar** · **acallar** · **capear** || **anunciar** || **resguardar(se) (de)** · **guarecerse (de)** *Se guarecieron de la tormenta bajo la galería porticada*
● CON PREPS. **a resguardo (de)** || **en medio (de)** · **en mitad (de)** || **en caso (de)**

2 tormenta (de) s.f.
● CON SUSTS. **agua** · **arena** *En el desierto se forman grandes tormentas de arena* · **viento** · **nieve** · **granizo** · **rayos** || **verano** || **papeles** || **acusaciones** · **críticas** · **insultos** · **rumores** · **protestas** *Las palabras del ministro provocaron una tormenta de protestas* || **declaraciones** · **especulaciones** · **ideas** || **aplausos**
☐ USO Se construye a menudo con sustantivos no contables en singular (*una tormenta de arena*) o con contables en plural (*una tormenta de rayos*).

tormento s.m.
● CON ADJS. **duro** · **amargo** · **angustioso** || **auténtico** *Su familia ha pasado por un auténtico tormento* · **verdadero** || **constante** · **cotidiano** · **eterno** · **interminable** · **permanente** || **corporal** · **físico** · **psicológico** *Durante el cautiverio la sometieron a un fuerte tormento psicológico* || **cruel** · **doloroso** · **lacerante** · **mortificante** || **desproporcionado** · **bestial** · **inhumano** · **horroroso** · **inimaginable** || **inaguantable** · **insoportable** *El trabajo le resultaba un tormento insoportable* · **insufrible** || **chino** · **bárbaro** · **infernal** · **refinado** || **público** · **vergonzante** || **severo** · **terrible** · **tremendo** || **llevadero** · **soportable** || **mediático** · **televisivo**
● CON SUSTS. **potro (de)**
● CON VBOS. **acabar** || **acortar** · **alargar** *No hay razón para alargar este tormento inhumano* · **intensificar** || **sufrir** · **aguantar** · **padecer** · **resistir** · **soportar** · **vivir** || **aliviar** · **mitigar** *Las cartas mitigaban en parte el tormento de la ausencia* || **aplicar (a alguien)** · **infligir (a alguien)** · **producir (a alguien)** || **constituir** *Su presencia constituye un tormento para mí* || **narrar** · **revivir** || **hacer frente (a)** · **llevar (a)** · **someter (a)** || **librar(se) (de)** · **salir (de)** || **pasar (por)** || **terminar (con)**

tormentoso, sa adj.

▮ [con tormenta]

• CON SUSTS. **tiempo** *un tiempo muy tormentoso con amenaza de fuertes lluvias* · **cielo** · **nube** · **aguas** · **mar** · **lluvia** · **chubasco** · **precipitación** · **fenómeno**

▮ [conflictivo, problemático]

• CON SUSTS. **período** · **época** *la época más agitada y tormentosa de su vida* || **historia** · **pasado** · **origen** · **biografía** · **infancia** *Su personalidad está fuertemente condicionada por una infancia tormentosa* · **trayectoria** · **destino** · **final** · **andadura** · **existencia** · **vida** · **experiencia** || **relación** · **amor** · **romance** · **idilio** · **noviazgo** · **matrimonio** || **proceso** · **suceso** · **actividad** || **encuentro** · **reunión** · **debate**

tornado s.m.

• CON ADJS. **fuerte** · **devastador** · **violento** *Un violento tornado devastó el pueblo en pocos minutos*
• CON SUSTS. **ola (de)** · **cola (de)** || **fuerza (de)**
• CON VBOS. **formar(se)** · **desatar(se)** || **arrasar (algo)** · **afectar (a algo)** *El fuerte tornado afectó a una zona no muy extensa* · **destrozar (algo)** · **arrancar (algo)** · **devastar (algo)** · **derribar (algo)** · **destruir (algo)**

tornarse v.

• CON ADJS. **tenebroso,sa** · **turbio,bia** *El asunto empezó a tornarse turbio* · **ambiguo,gua** · **confuso,sa** · **dudoso,sa** || **preocupante** · **grave** · **difícil** · **adverso,sa** || **incomprensible** · **ininteligible** *Con los años, su prosa, antes diáfana, se tornó ininteligible* || **visible** · **invisible** || **irrelevante** · **relevante** · **inútil** || **inevitable** || **insostenible** · **insoportable** · **irresistible**

tornillo s.m.

• CON ADJS. **antirrobo** · **de sujeción** || **fuerte** · **apretado** · **fijo** || **suelto** · **flojo** *Si los tornillos están flojos, la pieza se soltará* · **holgado**
• CON SUSTS. **cabeza (de)** || **paso (de)** · **vuelta (de)** || **beso (de)**
• CON VBOS. **caber** · **entrar** · **salir** · **bailar** *El tornillo baila un poco; habrá que fijarlo mejor* || **oxidar(se)** · **enrobinar(se)** || **romper(se)** *La reparación fue complicada porque se había roto un tornillo* · **caer(se)** || **apretar** · **ajustar** · **meter** · **aflojar** · **soltar** · **desenroscar** · **sacar** · **enroscar** · **atornillar** || **poner** · **colocar** · **introducir** · **insertar** || **fijar (con)** *fijar las baldas con unos tornillos*

☐ EXPRESIONES **apretarle** (a alguien) **los tornillos** [presionarlo para que haga algo] *col.* || **faltarle** (a alguien) **un tornillo** [tener poco sentido común] *col.*

torniquete s.m.

▮ [medio para detener una hemorragia]

• CON ADJS. **eficaz** · **elástico** · **doloroso** · **ineficaz**
• CON VBOS. **hacer** · **apretar** · **aplicar** *Si no consigue detener la hemorragia, aplique un torniquete* · **practicar** · **poner**

▮ [mecanismo]

• CON SUSTS. **máquina (de)** · **acceso (de)** *los accesos de torniquete a la entrada del ministerio*
• CON VBOS. **girar** || **pasar (por)** *Rogamos pasen ordenadamente por el torniquete* · **entrar (por)**

[toro] → a toro pasado; como un toro; toro

toro s.m.

• CON ADJS. **bravo** *En estos campos se crían toros bravos para la lidia* · **bravío** · **de lidia** · **de puntas** · **brioso** · **fogoso** · **noble** · **jubillo** || **manso** · **romo** || **mecánico** || **de campanilla**
• CON SUSTS. **corrida (de)** *la retransmisión de las corridas de toros* · **plaza (de)** · **fiesta (de)** · **mundo (de)** · **tarde (de)** || **matador,-a (de)** *Su padre y su abuelo fueron matadores de toros* || **envergadura (de)** · **peso (de)** || **asta (de)** · **rabo (de)** · **cuerno (de)** || **carne (de)**
• CON VBOS. **acometer (algo/a alguien)** · **embestir (algo/a alguien)** || **correr** · **renquear** · **humillar** · **doblar** *El toro dobló al segundo descabello* || **coger (a alguien)** · **cornear (a alguien)** *El toro corneó al banderillero en un descuido* || **bramar** · **bufar** · **mugir** || **criar** · **cuidar** || **torear** · **capear** · **lidiar** || **encarar** · **recibir** || **despuntar** · **picar** · **matar** · **banderillear** · **descabellar** || **brindar** *El torero brindó el toro a toda la afición* || **entrar (a)** · **dar un pase (a)** || **ir (a)** · **asistir (a)**

☐ EXPRESIONES **coger el toro por los cuernos** [enfrentarse con arrojo a una dificultad] *col.* || **como un toro*** [con una salud excelente] *col.* || **{mirar/ver} los toros desde la barrera** [no participar directamente en algo para evitar riesgos] *col.* || **pillar el toro** [echarse el tiempo encima] *col.*

torpe adj.

• CON ADVS. **realmente** · **verdaderamente** *Soy verdaderamente torpe para orientarme* · **ostensiblemente** · **notablemente** · **rematadamente** · **escandalosamente**
• CON VBOS. **ser** · **estar** *Estuve muy torpe con la contestación* · **volverse**

torpedear v.

• CON SUSTS. **buque** · **navío** · **acorazado** || **acuerdo** · **paz** · **pacto** · **alianza** · **negociación** · **proceso** · **diálogo** · **reunión** · **cumbre** · **asamblea** || **propuesta** · **iniciativa** · **proyecto** *La falta de voluntad y de iniciativa fue realmente lo que torpedeó el proyecto* · **plan** || **trabajo** · **investigación** || **acto** · **celebración** · **actuación** *Los fallos de los técnicos de sonido torpedearon la actuación del grupo* || **gestión** · **política** · **campaña** · **sistema** · **institución** || **funcionamiento** · **reforma**
• CON ADVS. **continuamente** *Están torpedeando continuamente nuestras propuestas* · **constantemente** · **sistemáticamente** · **diariamente** || **abusivamente** || **inesperadamente**

torpeza s.f.

• CON ADJS. **gran(de)** · **profunda** · **monumental** · **descomunal** · **supina** · **absoluta** · **mayúscula** · **garrafal** · **indisimulable** || **habitual** *con su torpeza habitual y su característica falta de tacto* · **proverbial** · **conocida** || **verbal** · **de movimientos** · **organizativa** · **política** · **diplomática** · **escénica**
• CON SUSTS. **muestra (de)** · **señal (de)**
• CON VBOS. **demostrar** · **mostrar** · **ocultar** · **disimular** || **cometer** *Después de cometer una torpeza tras otra* || **caer (en)** · **incurrir (en)** || **hacer gala (de)** || **calificar (de)**
• CON PREPS. **con**

torrencial adj.

• CON SUSTS. **lluvia** *Apenas salimos, empezó a caer una lluvia torrencial* · **agua** · **tormenta** · **precipitación** || **diálogo** · **conversación** · **discurso** · **dialéctica** · **confesión** · **revelación** || **expresividad** · **estilo** · **elocuencia** · **oratoria** · **facilidad de palabra** · **verborrea** · **lenguaje** · **prosa** || **melodrama** · **novela** · **película**

torrencialmente adv.

● CON VBOS. **descargar (una tormenta)** *La tormenta descargó torrencialmente sobre los campos* · **llover** · **caer (el agua)**

torrente

1 **torrente** s.m.

● CON ADJS. **auténtico** *un auténtico torrente de voz* · **verdadero** || **incontenible** · **desbordante** · **desbordado**

2 **torrente (de)** s.m.

● CON SUSTS. **agua** *Los excursionistas se asomaron al torrente de agua* · **luz** · **color** · **sol** || **sonido** · **voz** || **energía** · **fuerza** · **pasión** · **actividad** · **vitalidad** · **vida** || **imaginación** · **creatividad** · **sabiduría** *Mi abuelo es un torrente de sabiduría* · **retórica** || **palabras** · **preguntas** · **dudas** · **respuestas** · **datos** · **declaraciones** *un torrente de declaraciones procedentes de diversos medios* · **comunicados** · **noticias** · **informaciones** · **imágenes** || **críticas** · **acusaciones** · **insultos** || **admiración** · **sensaciones** || **ideas** · **recuerdos** || **ofertas** · **propuestas**

□ USO Se construye a menudo con sustantivos no contables en singular (*un torrente de pasión*) o con contables en plural (*un torrente de palabras*).

tórrido, da adj.

● CON SUSTS. **calor** · **sol** *un sol implacable y tórrido* || **día** · **jornada** · **verano** *...para mitigar en lo posible los rigores del tórrido verano* · ***otros períodos*** || **zona** · **área** · **región** · **terreno** || **escena** || **amor** · **relación** *La prensa del corazón aireó la tórrida relación de la pareja* · **romance**

[torta] → ni torta; torta

torta s.f.

▌ [alimento]

● CON ADJS. **casera** · **imperial** · **real** · **enrollada** · **de cumpleaños** · **de bodas**

▌ [golpe] *col.*

● CON VBOS. **estampar** · **plantar**

➤ Véase también **GOLPE**

□ EXPRESIONES **ni torta*** [nada] *col. no ver ni torta* || **no tener ni media torta** [no tener fuerza física] *col.*

tortazo s.m. *col.*

● CON ADJS. **soberano** · **sonoro** *Se fue la luz y se oyó un sonoro tortazo* || **merecido**

● CON VBOS. **estampar** · **plantar**

➤ Véase también **GOLPE**

□ EXPRESIONES {**darse/pegarse**} **un tortazo** [tener un accidente]

tortícolis s.f.

● CON ADJS. **fuerte** *Amanecí con una fuerte tortícolis* · **terrible**

● CON VBOS. **dar(le) (a alguien)** · **venir(le) (a alguien)** || **remitir** · **acentuar(se)** || **diagnosticar** · **tratar** · **aliviar** || **tener**

tortilla s.f.

● CON ADJS. **de patatas** · **española** · **francesa** · **paisana** · **rellena** || **precocinada** · **congelada** · **casera** || **jugosa** · **deliciosa** · **sabrosa** || **rancia** · **seca** · **dura**

● CON SUSTS. **pincho (de)** *tomar un pincho de tortilla para desayunar* · **bocadillo (de)**

● CON VBOS. **hacer** · **preparar** · **calentar** · **cuajar** || **probar** · **tomar** · **comer** · **saborear** || **servir** · **repartir** || **acompañar** *acompañar la tortilla con una salsa* || **dar(le) la vuelta (a)**

□ EXPRESIONES **volverse la tortilla** [cambiar la suerte] *col.*

tortuoso, sa adj.

● CON SUSTS. **camino** *un camino estrecho y tortuoso serpentea hasta la cima del cerro* · **carretera** · **laberinto** · **pasadizo** || **recorrido** · **trayecto** · **itinerario** || **pasado** *Tiene un tortuoso pasado a sus espaldas* · **episodio** · **vida** · **existencia** || **recuerdo** · **memoria** || **proceso** · **trayectoria** · **evolución** || **relación** *Una relación afectiva tan tortuosa no podía durar demasiado* · **amor** · **unión** || **negociación** · **diálogo** || **idea** · **pensamiento** · **reflexión** || **trámite** · **operación** · **trabajo**

● CON VBOS. **volverse** · **hacerse** · **resultar**

tortura s.f.

● CON ADJS. **dura** · **penosa** · **severa** · **cruel** · **salvaje** · **terrible** · **horrible** · **horrorosa** · **insufrible** · **insoportable** · **sádica** · **vil** || **auténtica** *Estudiar esta materia es una auténtica tortura* · **verdadera** || **continua** · **permanente** · **cotidiana** · **sistemática** || **leve** · **llevadera** · **soportable** || **física** · **psicológica** · **mental**

● CON SUSTS. **delito (de)** *Fueron condenados por los delitos de secuestro, tortura y asesinato* · **prácticas (de)** · **métodos (de)** · **potro (de)** · **cámara (de)** || **campo (de)** · **sala (de)**

● CON VBOS. **sufrir** · **padecer** || **resistir** · **soportar** || **aplicar** · **cometer** · **infligir** · **practicar** || **bordear** || **someter(se) (a)** || **rayar (en)** *El trato recibido en esas cárceles rayaba en la tortura*

● CON PREPS. **so pena (de)** · **en contra (de)**

torturar v.

● CON SUSTS. **prisionero,ra** · **detenido,da** · **pueblo** · **gente** · **humanidad** · **víctima** · **preso,sa** · ***otros individuos y grupos humanos*** || **animal**

● CON ADVS. **salvajemente** · **violentamente** · **terriblemente** · **bárbaramente** · **cruelmente** · **ferozmente** · **horriblemente** · **sádicamente** · **vilmente** · **fríamente** || **impunemente** · **incesantemente** · **sistemáticamente** || **físicamente** · **psicológicamente** *torturar psicológicamente a un prisionero* · **sexualmente**

torvo, va adj.

● CON SUSTS. **mirada** *Era un viejo de aspecto desastrado, gesto desabrido y mirada torva* · **gesto** · **expresión** || **intención** · **ambición** || **amenaza** · **resentimiento**

tos s.f.

● CON ADJS. **fuerte** · **aguda** · **intensa** · **profunda** · **compulsiva** · **convulsa** || **continua** · **persistente** *una tos persistente que no cede* · **irrefrenable** · **crónica** || **bronca** · **cavernosa** · **seca** · **perruna** · **asmática** · **bronquial** · **de pecho** · **productiva** · **improductiva** || **molesta** · **incómoda** || **ligera** · **leve** · **blanda**

● CON SUSTS. **acceso (de)** · **ataque (de)** *En plena conferencia le dio un ataque de tos* · **golpe (de)** · **episodio (de)** || **síntoma (de)** · **remedio (para)**

● CON VBOS. **entrar(le) (a alguien)** · **venir(le) (a alguien)** · **dar(le) (a alguien)** || **írse(le) (a alguien)** · **pasárse(le) (a alguien)** · **cesar** || **persistir** · **continuar** · **empeorar** || **aliviar(se)** · **mejorar** · **calmar(se)** *caramelos que calman la tos* · **curar(se)** · **ceder** || **tener** *Tiene mucha tos, debería ir al médico* · **arrastrar** *Vengo arrastrando esta tosecilla* *desde hace un par de semanas* || **aplacar · eliminar · superar · vencer · parar · detener**

☐ EXPRESIONES **tos ferina** [enfermedad infecciosa de las vías respiratorias]

tosco, ca adj.

● CON SUSTS. ***persona*** || **imagen · estilo · expresión · prosa · sintaxis · humor · acento · lenguaje** || **aire · tono · aspecto** || **carácter** *Cuando está de mal humor, tiene un carácter verdaderamente tosco* · **modales · gesto** || **realidad · atmósfera · ambiente** || **juego · fútbol** || **mueble · madera · superficie**

● CON ADVS. **excesivamente · especialmente** || **ligeramente** || **aparentemente**

tostar(se) v.

● CON SUSTS. ***persona*** *A mi amiga y a mí nos gusta tostarnos en la playa* || **piel** *tostarse la piel en la playa* · **cuerpo · cara** || **pan · maíz · ajo ·** ***otros alimentos o ingredientes***

● CON ADVS. **al sol · a fuego lento** *tostar la carne a fuego lento*

total adj.

● CON SUSTS. **número** *Aún no sé el número total de personas que asistirán* · **suma · presupuesto · facturación** || **error · locura · disparate** || **superficie · volumen · anchura · valor · altura · edad · tamaño ·** ***otras magnitudes*** || **guerra · destrucción** *La guerra supuso la destrucción total del país* · **aniquilación · extinción · ruptura · anulación · venta · liquidación** || **éxito · fracaso** || **ausencia · falta · indiferencia** *Me sorprendió su total indiferencia hacia el proyecto* · **desinterés** || **conocimiento · sabiduría** || **arte · obra · poesía · espectáculo** *circo, música, baile: un espectáculo total* || **amor · entrega · dedicación · apoyo** *Siempre ha tenido el apoyo total de su familia* · **comprensión · responsabilidad · armonía** *vivir en total armonía* || **cambio · renovación · parálisis · movilización** || **control · seguimiento · análisis** || **libertad** *Tiene libertad total para elegir lo que quiera* · **disponibilidad · seguridad** || **extrañeza** || **lleno** || **secreto · oscuridad** || **eclipse** *un eclipse total de luna*

☐ EXPRESIONES **en total** [sumando todos] *Vienen cuarenta alumnos en total*

totalitario, ria adj.

● CON SUSTS. **régimen · sistema · gobierno** *el gobierno totalitario de un país* · **dictadura · democracia · política · tiranía · poder** || **estado · país · sociedad · cultura · movimiento · proyecto** || **ideología · pensamiento · idea · mentalidad** || **carácter · actitud** *Su actitud totalitaria no beneficia nuestros intereses* · **voluntad · vocación · concepción · talante · estilo · intención** || **práctica · procedimiento · violencia · terror · amenaza · experiencia · imposición · mensaje · lenguaje**

totalitarismo s.m.

● CON ADJS. **ideológico · fascista · socialista · comunista · independentista · político · decadente · militarista · conservador · religioso · estatal · mediático · radical**

● CON SUSTS. **origen (de) · germen (de)** || **víctima (de) · caída (de) · desplome (de)** || **efecto (de)**

● CON VBOS. **combatir** *organizaciones dedicadas a combatir el totalitarismo* · **destruir · superar** || **implantar · justificar · defender** || **llevar (a)** *actitudes que llevan al totalitarismo ideológico* · **conducir (a)** || **luchar (contra) · oponerse (a)**

tótem s.m.

● CON ADJS. **familiar · nacional · tribal · popular · cultural** || **enigmático · genuino · sagrado · protector · intocable**

● CON VBOS. **venerar · adorar** || **tallar** *Los artesanos tallan pequeños tótems que venden como recuerdos* · **levantar** || **erigir(se) (en) · convertir(se) (en)**

tóxico, ca adj.

● CON SUSTS. **sustancia · droga · gas** *una fuga de gas tóxico* · **producto · líquido · material · materia · metal · partícula · compuesto · agente** || **residuo · desecho · emisión** *la reducción de las emisiones tóxicas* · **vertido · fuga · polución** || **nube · lluvia · humo · ceniza · veneno · planta** || **síndrome · hábito** || **efecto**

toxicómano, na s.

● CON ADJS. **habitual · adicto,ta** *una toxicómana adicta a la heroína* || **incurable · irrecuperable · desesperado,da** || **rehabilitado,da · recuperado,da · en vías de curación** || **desarraigado,da · marginal** || **seropositivo,va**

● CON SUSTS. **centro (de)** *La Comunidad ha habilitado un centro de toxicómanos* || **desintoxicación (de) · rehabilitación (de) · atención (a/de)** *Se ha hecho especial hincapié en la atención a los toxicómanos* · **reinserción (de) · seguimiento (de)** || **internamiento (de) · mantenimiento (de)**

● CON VBOS. **pincharse · drogarse** || **desenganchar(se) · rehabilitar(se) · recuperar(se) · curar(se)** || **convertir(se) (en)**

toxina s.f.

● CON ADJS. **ambiental · bacteriana · química · natural** *Investigan una toxina natural descubierta recientemente* || **letal · venenosa · mortal · peligrosa · potente**

● CON VBOS. **encontrar · detectar · hallar** || **liberar · producir · generar · expeler · desprender** *La piel de ese animal desprende una toxina letal* · **fabricar · contener · obtener** || **eliminar** *eliminar toxinas del organismo* · **inactivar · depurar · quemar** || **inyectar · introducir**

tozudo, da adj.

● CON SUSTS. ***persona*** *No creo que sea una chica tan tozuda como dices* || **animal** || **realidad · hecho** || **insistencia · empeño · inclinación** || **resistencia · rechazo · cerrazón · negativa** *su tozuda negativa a acompañarnos* || **lucha**

● CON VBOS. **volverse · ponerse**

traba s.f.

● CON ADJS. **insalvable** *trabas insalvables que casi impiden culminar el proyecto con éxito* · **irresoluble · insuperable** || **dilatoria · disuasoria** || **administrativa · burocrática · económica · comercial · aduanera · arancelaria** || **judicial · legal · jurídica** || **innumerables** *Tuvo que salvar innumerables trabas hasta conseguir el crédito financiero* · **continuas** || **libre (de)** *No respiraré a gusto hasta que me vea libre de tantas trabas* · **liberado,da (de) · exento,ta (de)** || **presionado,da (por) · agobiado,da (por)**

● CON SUSTS. **sinfín (de)** *un sinfín de trabas burocráticas* || **ausencia (de) · supresión (de)**

● CON VBOS. **surgir · desaparecer** || **poner** *No sé por qué me ponen tantas trabas para matricularme en el curso* · **interponer · colocar · oponer · imponer** || **levantar · reducir · quitar · eliminar · suprimir** || **vencer · superar · salvar · sortear** || **denunciar** || **bloquear (con)**

trabajador, -a

1 **trabajador, -a** adj.

• CON SUSTS. **persona** *Es un alumno muy trabajador que acabará aprobando todo*

• CON VBOS. **volverse** *Veo que te has vuelto muy trabajador* · **ser** · **estar**

2 **trabajador, -a** s.

• CON ADJS. **nato,ta** || **eficiente** *...para llevar a cabo medidas que mimen a los trabajadores más eficientes* · **competente** · **dúctil** · **apto,ta** · **diestro,tra** · **puntual** · **serio,ria** · **honrado,da** · **brillante** · **ejemplar** · **curtido,da** || **tenaz** · **voluntarioso,sa** · **afanoso,sa** · **aplicado,da** · **esmerado,da** · **concienzudo,da** · **escrupuloso,sa** · **cuidadoso,sa** || **capacitado,da** · **cualificado,da** *Se necesitan trabajadores cualificados para ese puesto* · **profesional** || **inepto,ta** · **descuidado,da** · **ocioso,sa** · **improductivo,va** · **vago,ga** || **insumiso,sa** · **rebelde** · **desobediente** · **díscolo,la** || **fijo,ja** · **a tiempo {completo/parcial}** · **temporal** *Contrataron a varios trabajadores temporales para cubrir el exceso de trabajo* · **interino** · **provisional** · **por libre** · **autónomo,ma** · **por cuenta {ajena/propia}** · **en activo** · **inactivo** || **a sueldo (de alguien)** || **{bien/mal} pagado** || **excedente**

• CON SUSTS. **modelo** || **asociación (de)** · **sindicato (de)** || **deber (de)** · **derecho (de)** || **huelga (de)** || **salario (de)**

• CON VBOS. **rendir** *unos procedimientos encaminados a que los trabajadores rindan más y mejor* || **jubilar(se)** *¿A qué edad se jubilan aquí los trabajadores?* || **emplear** · **contratar** · **reclutar** · **despedir** || **pagar** · **incentivar** || **explotar** || **buscar** *Buscamos trabajadores con gran capacidad organizativa* · **necesitar** · **demandar** || **aglutinar**

trabajar v.

• CON ADVS. **a brazo partido** · **a conciencia** · **a destajo** *Lleva años trabajando a destajo* · **de sol a sol** · **a escape** · **a fondo** · **al máximo** · **a marchas forzadas** · **a medio gas** · **a pleno rendimiento** *Las máquinas trabajaban a pleno rendimiento* · **a saco** · **a toda máquina** · **a todo tren** · **a tope** · **con todas {mis/tus/sus...} fuerzas** · **contra reloj** · **contra viento y marea** · **de lo lindo** *En el campo se trabaja de lo lindo* · **en firme** · **sin tregua** || **activamente** · **afanosamente** · **aplicadamente** · **arduamente** · **celosamente** *Trabaja siempre celosamente en sus proyectos* · **concienzudamente** · **cuidadosamente** · **decididamente** · **febrilmente** · **incansablemente** *Una nueva ópera en la que trabaja incansablemente* · **intensamente** · **duramente** · **seriamente** || **a disgusto** · **a gusto** · **a plena satisfacción** · **de buen grado** || **a domicilio** · **en exclusiva** *Alguna vez ha trabajado en exclusiva para nosotros* || **a favor (de algo/de alguien)** · **gratis et amore** · **por amor al arte** *A veces uno trabaja por amor al arte, sin cobrar un céntimo* || **a la ligera** · **descuidadamente** · **en balde** || **al pie del cañón** || **a puerta cerrada** *El equipo ha trabajado a puerta cerrada* || **codo con codo** · **de cerca** · **en equipo** || **como un loco** · **como un condenado** · **como un animal** *Trabajé como un animal y por muy poco dinero* · **como un burro** · **como una mula** · **como un enano** || **en cadena** *En la producción industrial de hoy en día se trabaja siempre en cadena* · **en serie** · **por cuenta {ajena/propia}** · **por libre** || **a tiempo {completo/parcial}** · **temporalmente** *Trabajó temporalmente en un centro cultural* || **dignamente** · **en condiciones** *Es importante trabajar en condiciones adecuadas* · **honradamente** · **ordenadamente**

trabajo s.m.

• CON ADJS. **a destajo** · **apremiante** · **contra reloj** · **febril** *El proyecto finalizó ayer tras trece meses de trabajo febril* · **frenético** · **sin tregua** || **ingente** *un ingente trabajo de archivo y documentación* · **copioso** · **desbordante** · **monumental** · **inhumano** · **hasta el cuello** · **constante** · **dilatado** · **intensivo** *Han hecho un trabajo intensivo para recuperar los fondos de...* · **intenso** · **rutinario** || **concienzudo** *Ha sido fruto de un trabajo concienzudo e impecable* · **cuidado** · **delicado** · **impecable** *realizar un impecable trabajo de revisión y catalogación* · **esmerado** · **escrupuloso** · **exhaustivo** · **férreo** · **meticuloso** · **minucioso** · **pulcro** · **riguroso** · **tenaz** || **abnegado** · **abrumador** · **absorbente** *harta de un trabajo absorbente que no le dejaba tiempo para nada* · **denodado** · **sacrificado** · **ímprobo** · **infructuoso** || **admirable** · **apreciable** · **encomiable** · **honroso** · **intachable** · **modélico** · **humanitario** || **a domicilio** · **a favor (de algo/de alguien)** || **agotador** · **arduo** · **cansado** · **extenuador** · **extenuante** · **fatigoso** · **tedioso** · **tortuoso** || **asequible** · **a medida** · **descansado** · **gratificante** · **ilusionante** · **llevadero** || **por cuenta {ajena/propia}** · **en equipo** · **en cadena** *En muchas industrias todo el trabajo se hace en cadena* || **de campo** · **de laboratorio** · **constructivo** || **a medias** · **ejemplar** · **descollante** · **desahogado** · **efectivo** · **fecundo** · **inapreciable** || **esclavista** · **esclavizante** · **forzoso** · **indigno** · **explotador** || **fijo** · **temporal** · **remunerado** · **perentorio** · **condicional** · **precario** *Abundan los trabajos precarios en el sector* || **callado** · **serio** || **preventivo** · **defensivo** || **redondo** *Nos ha salido un trabajo redondo, ¿verdad?* · **resultante** || **adicto,ta (a)** · **inmerso,sa (en)** · **desbordado,da (de)** *Se encontraba desbordada de trabajo* || **fiel (a)**

• CON SUSTS. **alcance (de)** · **intrusión (en)** · **posibilidad (de)** · **puesto (de)** || **cantidad (de)** *Tenía una gran cantidad de trabajo* · **cúmulo (de)**

• CON VBOS. **absorber (a alguien)** · **compensar (algo)** *un trabajo que compensa el tiempo que se le dedica* · **desbordar(se)** · **devaluar(se)** · **difundir(se)** · **diluir(se)** · **empañar(se)** · **responsabilizar(se)** || **acumular(se)** · **aumentar** · **disminuir** · **multiplicar(se)** || **honrar** || **agilizar** · **aligerar** · **aliviar** · **amenizar** || **atender** · **consagrar** · **dedicar** · **desempeñar** · **ejercer** · **poner (en algo)** · **realizar** · **bregar** · **tomarse a pecho** || **dosificar** · **intensificar** · **prorrogar** · **redoblar** || **aunar** · **centralizar** || **avalar** · **incentivar** · **invertir** · **mantener** || **llevar a cabo** · **llevar adelante** · **llevar al día** *Deberías intentar llevar al día tu trabajo* || **boicotear** · **desatender** · **desbaratar** · **descuidar** *No ha descuidado su trabajo un solo día* · **endilgar** · **suplir** · **venirse abajo** || **bordar** · **culminar** · **despachar** · **ejecutar** || **obstaculizar** · **obstruir** || **delinear** || **tener** *Tiene un buen trabajo en la banca* · **perder** || **abocar(se) (a)** · **aplicarse (a/en)** · **entregar(se) (en)** · **involucrar(se) (en)** · **meter(se) (en)** *Se mete en su trabajo con tal intensidad que...* · **perseverar (en)** · **volcar(se) (en)** · **zambullirse (en)** || **dar salida (a)** · **cargar (de)** || **desentenderse (de)** · **faltar (a)**

• CON PREPS. **a fuerza (de)** · **por** *Me he mudado por trabajo* · **con** · **sin**

trabajoso, sa adj.

• CON SUSTS. **obra** · **tarea** · **labor** · **actividad** · **construcción** *El mecanismo es sencillo, aunque de trabajosa construcción* · **elaboración** · **versión** · **maniobra** || **asunto** · **cuestión** · **punto** || **proceso** · **camino** · **andadura** · **avance** · **negociación** *Ha sido una negociación muy trabajosa* · **creación** || **resultado** · **victoria** · **acuerdo**

• CON VBOS. **hacerse**

[trabar] → trabar; trabarse

trabar v.

▌[enlazar, unir]

• CON SUSTS. **discurso · obra · relato** *un relato sencillo, unitario y bien trabado* **· guión · ensayo · biografía · libro · editorial · artículo ·** ***otros textos*** **|| red** *Trabaron una red de oscuras complicidades* **· sistema · entramado · esquema · arquitectura || pacto · coalición · alianza · consenso** *Buscan conseguir un consenso mejor trabado*
• CON ADVS. **íntimamente · estrechamente || internamente · sólidamente || argumentalmente · estructuralmente · arquitectónicamente · textualmente**

▌[emprender, desarrollar]

• CON SUSTS. **amistad** *En poco tiempo ha trabado una gran amistad con sus nuevos vecinos* **· lazo · confianza · relación · contacto || diálogo · conversación · negociación**

▌[impedir, dificultar]

• CON SUSTS. **aprendizaje · inversión · operación** *Las últimas medidas han trabado varias operaciones comerciales* **· proceso**

trabarse v.

• CON SUSTS. **alumno · profesor · conferenciante · ponente · presentador,-a ·** ***otros individuos*** **|| lengua** *Cuando habla en público se le traba la lengua* **· palabras**

trabazón s.f.

• CON ADJS. **interna · perfecta · excelente** *un relato con una excelente trabazón interna* **· íntima · firme · sólida · plena || narrativa · estructural · argumental · lingüística · textual || arquitectónica · musical**
• CON VBOS. **romper** *Ese pequeño detalle rompe la sólida trabazón del razonamiento* **|| reflejar · indicar**

tracción s.f.

• CON ADJS. **mecánica** *vehículos de tracción mecánica* **· animal · eléctrica · humana · térmica || a las cuatro ruedas** *un coche con tracción a las cuatro ruedas* **· delantera · trasera · total · integral · doble · posterior · permanente**
• CON SUSTS. **control (de) · sistema (de) · motor (de) · modelo (de) · versión (de) · capacidad (de)**
• CON VBOS. **ofrecer · incluir** *El equipamiento del vehículo incluye tracción doble* **· poseer · llevar || accionar · cambiar · probar || disponer (de) · dotar (de) · equipar (con)**

tradición s.f.

• CON ADJS. **vieja · antigua** *La fiesta tiene su origen en una antigua tradición popular* **· ancestral · inmemorial · inveterada · centenaria · milenaria · secular · dilatada · larga || arraigada · enraizada · extendida · viva · perdurable || oral** *fórmulas de la tradición oral* **· literaria · musical || honrosa · honorable · acendrada · fecunda · fundada || popular · autóctona · clásica || acorde (con)**
• CON SUSTS. **falta (de) · peso (de)** *El peso de la tradición es muy fuerte* **· valor (de) · fuerza (de) · fruto (de) || heredero,ra (de)**
• CON VBOS. **aflorar · surgir · nacer || afianzar(se) · anclar(se) (en algo) · enraizar(se) (en algo) · perdurar · persistir || extinguir(se)** *tradiciones populares que están a punto de extinguirse* **· perderse · truncar(se) || seguir · practicar · cimentar · alimentar · instaurar || mantener** *La familia mantuvo la tradición de ponerle el nombre del padre al primogénito* **· conservar · retomar · recuperar · renovar · transmitir || infringir · saltarse · transgredir · subvertir · profanar · quebrantar || abolir · desterrar || adherirse (a) · atenerse (a) · aferrarse (a)** *...como si aferrarse a las tradiciones pudiera impedir el paso del tiempo* **· apegarse (a) · alimentar(se) (de) · amoldar(se) (a) · entroncar (con) · cumplir (con) || romper (con)** *Rompió con la tradición de tratar a sus abuelos de usted* **· cortar (con) · apartar(se) (de) · desviar(se) (de)**
• CON PREPS. **con arreglo (a) · según || con** *una fiesta con mucha tradición*

tradicional adj.

• CON SUSTS. **uso · práctica · costumbre || valor · perspectiva · sentido · concepto · símbolo · concepción · pensamiento · tema · enfoque · creencia || imagen · línea · estilo** *un estilo de vestir muy tradicional* **|| técnica · sistema · método** *Haremos este trabajo por el método tradicional* **· estructura · procedimiento · tratamiento · oficio || arte · música · canción · pintura · iconografía · poesía · lírica · métrica · retórica · narrativa · leyenda || cuento** *una colección de cuentos tradicionales* **· romance · género || escuela · educación · enseñanza · formación · cultura || aspecto · aire · corte** *versos de corte tradicional* **|| cocina · medicina · arquitectura ·** ***otras disciplinas*** **|| mundo · sociedad** *La sociedad tradicional de aquella época...* **· ciudad**

tradicionalista adj.

• CON SUSTS. **sector · fuerza · guerrilla · régimen · partido** *Los partidos tradicionalistas han recibido más votos en estas elecciones* **· corriente · ciudad · monarquía · movimiento · comunidad · grupo || concepción** *una concepción tradicionalista de la familia* **· carácter · espíritu · modelo**
• CON VBOS. **volverse · hacerse**

tradicionalmente adv.

• CON VBOS. **llamar · denominar · conocer || creer** *Tradicionalmente se creía que esta enfermedad era causada por...* **· considerar · pensar · entender · atribuir · tratar**

traducción s.f.

• CON ADJS. **fiel · literal** *Trató de hacer una traducción lo más literal posible del texto* **· textual · exacta || automática · directa · de {primera/segunda} mano || fiable · fidedigna || libre** *Optó por hacer una traducción libre del texto ante la imposibilidad de verterlo literalmente al español* **· aproximada · laxa || simultánea || brillante · excelente · correcta · pulcra · cuidada · esmerada || deficiente · discreta · mediocre**
• CON SUSTS. **autor,-a (de) · responsable (de) · especialista (en) · experto,ta (en) · técnico,ca (en) || programa (de) · centro (de) || proceso (de) · sistema (de) · labor (de) · trabajo (de) || problema (de) · error (de) || servicio (de) || derechos (de)**
• CON VBOS. **hacer · realizar · llevar a cabo || adaptar · corregir · completar · mejorar · revisar || publicar**

traducir v.

• CON ADVS. **al pie de la letra** *No se puede traducir un poema al pie de la letra porque pierde su sentido* **· textualmente · punto por punto · literalmente · exactamente || fielmente · de manera fidedigna || libremente · laxamente || correctamente** *Traducir correctamente esta expresión del francés es muy difícil* **· adecuadamente · pulcramente · certeramente · acertadamente · incorrectamente || con soltura · con precisión · con exactitud**

traductor, -a

1 **traductor, -a** adj.

• CON SUSTS. **programa** *He comprado un programa traductor para adelantar trabajo* · **máquina**

2 **traductor, -a** s.

• CON ADJS. **excelente** *un escritor y excelente traductor del inglés* · **pulcro,cra** · **puntilloso,sa** · **meticuloso,sa** · **buen(o),na** · **perfecto,ta** · **hábil** || **insigne** · **famoso,sa** · **conocido,sa** || **mal(o),la** · **mediocre** · **discreto,ta**
• CON SUSTS. **nota (de)** *Según explica la nota del traductor...*
• CON VBOS. **trabajar (como)** · **ejercer (de)**

traer v.

• CON SUSTS. **problema** *Ese chico nos traerá problemas, ya lo verás* · **polémica** · **sorpresa** · **consecuencias** || **suerte** *Me dejó este amuleto porque me dijo que me iba a traer suerte* · **beneficio**
• CON ADVS. **a la memoria** || **a colación** *Trajo entonces a colación el viejo asunto de la venta de...* · **a mención** || **de cabeza**

traficante s.com.

• CON ADJS. **internacional** · **ilegal** · **presunto,ta** *El presunto traficante se ha negado a contestar las preguntas del juez* · **supuesto,ta** || **pequeño,ña** · **importante**
• CON SUSTS. **grupo (de)** · **banda (de)** · **mafia (de)** · **red (de)** *una red de traficantes de armas*
• CON VBOS. **transportar (algo)** · **operar** *traficantes que operan impunemente en todo el país* · **actuar** · **campar** || **perseguir** || **descubrir** · **identificar** || **detener** · **acusar** · **condenar**

traficar (con) v.

• CON SUSTS. **droga** · **armas** · **bienes** *Está en prisión acusado de traficar con bienes robados* · **vehículos** · **tabaco** · ***otras mercancías*** || **influencias** || **órganos** || **inmigrantes** · **niños** · ***otros individuos***

tráfico s.m.

▌[circulación de vehículos]

• CON ADJS. **lento** · **abrumador** · **exasperante** · **infernal** *Llegamos tarde porque hay un tráfico infernal* || **fluido** || **alborotado** · **tumultuoso** || **de automoción** · **de vehículos**
• CON SUSTS. **problema (de)** · **accidente (de)** *un aparatoso accidente de tráfico ha colapsado la carretera* · **densidad (de)** · **congestión (de)** · **caos (de)** · **corte (de)** || **señal (de)** || **dirección (de)** || **multa (de)**
• CON VBOS. **atascar(se)** · **colapsar(se)** · **congestionar(se)** · **descongestionar(se)** || **fluir** · **discurrir** *A esta hora el tráfico discurre ya con normalidad por las vías principales de la ciudad* || **controlar** · **vigilar** · **regular** || **aliviar** *Han abierto un carril adicional para aliviar el tráfico* · **agilizar** · **aligerar** || **entorpecer** *Las obras en la calzada entorpecían enormemente el tráfico* · **obstaculizar** · **obstruir** · **desviar** · **prohibir**

▌[comercio, negociación]

• CON ADJS. **de drogas** · **de mercancías** *Lo apresaron por tráfico de mercancías ilegales* · **de armas** || **de influencias** || **clandestino** · **ilegal**
• CON VBOS. **perseguir** · **controlar** · **vigilar** · **prohibir** || **luchar (contra)**

☐ EXPRESIONES **tráfico de influencias** [uso indebido del poder o de cierta información privilegiada]

tragaldabas s.com. *col.*

• CON SUSTS. **fama (de)** · **pinta (de)** · **aspecto (de)** *un hombre con aspecto de tragaldabas*
• CON VBOS. **comer (algo)** · **engullir (algo)**

tragaluz s.m.

• CON ADJS. **pequeño** · **gran(de)** *El chalé tenía un gran tragaluz central* · **alto** · **central**
• CON VBOS. **abrir** · **cerrar** || **asomar(se) (a/por)** · **mirar (por)** · **ver (por)** *Vieron las llamas por el tragaluz* || **salir (por)** · **entrar (por)** || **caer(se) (por)** · **tirar(se) (por)** · **saltar (por)**

tragaperras

1 **tragaperras** adj.

• CON SUSTS. **máquina** *Se pasa la mañana en el bar jugando a las máquinas tragaperras*

2 **tragaperras** s.f.

• CON ADJS. **aficionado,da (a)** *una persona aficionada a las tragaperras* · **adicto,ta (a)**
• CON SUSTS. **licencia (de)**
• CON VBOS. **instalar** · **tener** · **poseer** · **trucar** || **jugar (a)** · **tocar (dinero) (en)**

tragar v.

• CON SUSTS. **píldora** · **pastilla** || **saliva** · **lágrima** || **palabras** · **excusa** · **mentira** *Se pensó que me iba a tragar sus mentiras* · **infamia** || **dinero** · **sueldo** *El alquiler de este apartamento se traga casi todo su sueldo* || **concierto** · **película** · **programa** · **rollo** *No sé cómo puedes tragarte esos rollos* || **anzuelo** || **orgullo**

☐ EXPRESIONES **no tragar** (a alguien) [sentir antipatía por él] *col.*

tragedia s.f.

• CON ADJS. **de grandes proporciones** · **enorme** · **inmensa** · **terrible** *Acaba de producirse una terrible tragedia* · **tremenda** · **honda** · **irreparable** || **dura** · **amarga** · **angustiosa** · **dantesca** · **desoladora** · **sobrecogedora** · **pavorosa** || **humanitaria** · **familiar** · **personal** · **colectiva** *Este pueblo está viviendo una tragedia colectiva* · **humana**
• CON SUSTS. **alcance (de)** · **magnitud (de)** · **dimensión (de)** · **gravedad (de)** || **restos (de)** · **ribetes (de)** · **secuela (de)** *Todavía quedan secuelas de la tragedia* · **efecto (de)** || **motivo (de)** · **origen (de)** · **causa (de)** *Por el momento se desconocen las causas de la tragedia* || **víctima (de)** · **superviviente (de)** || **lugar (de)** *Un periodista se trasladará al lugar de la tragedia* · **escenario (de)**
• CON VBOS. **acechar** · **avecinarse** · **afligir (a alguien)** · **afectar (a alguien)** · **alcanzar (a alguien)** *La tragedia ha alcanzado a todos los miembros de esta familia* · **cebarse (con alguien)** · **cernerse (sobre algo/sobre alguien)** · **abatir(se)** · **sobrevenir (a alguien)** · **fraguar(se)** || **consumar(se)** · **desatar(se)** · **ocurrir** · **producir(se)** || **ocasionar** *Su error pudo haber ocasionado una tragedia de grandes proporciones* · **provocar** · **causar** · **originar** · **deparar** · **sembrar** || **soportar** · **sufrir** · **vivir** || **tejer** · **incubar** || **digerir** · **superar** · **aceptar** · **sobrellevar** || **avivar** · **mitigar** || **conmemorar** · **revivir** *Cada vez que paso por aquí, revivo la tragedia* || **hundir(se) (en)** · **abocar(se) (a)** || **librar(se) (de)** || **cerrar los ojos (ante)** || **recuperarse (de)** · **reponerse (de)** · **sobreponerse (a)** || **condolerse (por)**
• CON PREPS. **en medio (de)**

trágicamente adv.

• CON VBOS. **morir** *Su padre murió trágicamente en un accidente de trabajo* · **fallecer** · **perecer** · **perder la vida** · **caer** || **terminar** · **acabar** · **finalizar** · **desaparecer** · **llegar a su fin** · **concluir** · **culminar** · **agotar** || **cortar** · **truncar** · **zanjar** · **romper** · **arrebatar** · **privar** · **perder** · **partir** || **marcar** *un período oscuro que ha marcado trágicamente la historia de nuestro país* · **señalar** · **determinar** || **demostrar** · **confirmar** · **comprobar** || **unir(se)** *destinos trágicamente unidos en el infortunio común* · **ligar(se)**
• CON ADJS. **doloroso,sa** · **injusto,ta** · **desigual** · **absurdo,da** · **contradictorio,ria**

trágico, ca adj.

• CON SUSTS. **suceso** *después de los trágicos sucesos de los últimos días* · **acontecimiento** · **incidente** · **accidente** · **choque** · **explosión** · **incendio** · **bombardeo** · **asalto** · **pelea** · **matanza** · **asesinato** · **suicidio** · **desaparición** · **enfermedad** || **destino** · **desenlace** · **final** *Nadie se esperaba un final tan trágico* · **consecuencia** · **balance** · **muerte** · **fallecimiento** || **obra** · **película** · **comedia** · **leyenda** *una trágica leyenda de amor* · **historia** || **instante** · **semana** · **día** · **noche** · ***otros períodos*** || **pasado** · **vida** · **mundo** || **error** · **equivocación** || **noticia** *Todos los medios se hacen eco de la trágica noticia* || **amor** · **sentimiento** || **situación** · **episodio** · **experiencia**
• CON VBOS. **volverse** · **ponerse** · **resultar**

[trago] → a tragos; de un trago; trago

trago s.m.

▌[bebida]

• CON ADJS. **buen(o)** *un buen trago de vino* · **largo** · **pequeño**
• CON VBOS. **beber** · **tomar** *Vamos a tomar un trago* · **echar** || **ofrecer (a alguien)** || **invitar (a)**

▌[situación apurada]

• CON ADJS. **mal(o)** *Pasé un mal trago cuando el jefe me llamó a su despacho* · **duro** · **amargo**
• CON VBOS. **pasar** || **superar** · **digerir** · **compensar** · **endulzar** · **afrontar** · **encarar** || **evitar** · **ahorrar(se)** || **olvidar** || **desquitarse (de)**

[traición] → a traición; traición

traición s.f.

• CON ADJS. **alta** *acusado de un delito de alta traición* · **lesa** || **verdadera** · **grave** · **imperdonable** · **vil** · **vergonzosa** · **infame** · **ominosa** · **alevosa** · **aviesa** || **abierta** · **flagrante** · **oculta** · **subrepticia** · **presunta** *No encontraron pruebas de su presunta traición* || **capaz (de)**
• CON SUSTS. **acto (de)** · **delito (de)** · **prueba (de)** · **cómplice (de)** || **conspiración (para)**
• CON VBOS. **constituir** || **hacer** · **cometer** · **infligir** · **consumar** || **sufrir** *Después de haber sufrido una traición por parte de sus socios...* · **conjurar** || **urdir** *Se urdía una traición contra el Gobierno legal* · **tramar** · **maquinar** || **impedir** · **evitar** · **prevenir** || **descubrir** · **encubrir** || **pagar** || **acusar (de)** || **calificar (de)**

□ EXPRESIONES **a traición*** [con engaño]

□ USO Se construye frecuentemente con complementos encabezados por la preposición *a*: *delito de traición a la patria.*

traicionar v.

• CON SUSTS. ***persona*** *Traicionó a sus compañeros* || **juramento** · **promesa** · **palabra** || **confianza** *No quisiera traicionar la confianza que tienes puesta en mí* · **fe** · **creencia** · **convicción** || **causa** · **partido** || **ideas** · **pensamiento**
• CON ADVS. **abiertamente** || **vilmente** · **sin escrúpulos** *Traicionaría sin escrúpulos a su mejor amigo si con ello pudiera sacar algún beneficio* · **con alevosía**

traicionero, ra adj.

• CON SUSTS. **aguas** *adentrarse en las aguas traicioneras del océano* · **tiempo** · **lluvia** · **chaparrón** · **tormenta** || **mar** · **río** · **lago** || **maniobra** · **estrategia** || **accidente** · **lesión** · **enfermedad** || **palabras** · **respuesta** · **lenguaje** || **ojos** · **mirada** || **memoria**

traidor, -a

1 traidor, -a adj.

• CON SUSTS. **agente** *Un agente traidor hizo fracasar la operación* · **tránsfuga** · ***otros individuos***

2 traidor, -a s.

• CON ADJS. **corrupto,ta** · **presunto,ta** · **infame** · **verdadero,ra**
• CON VBOS. **vender(se)** || **castigar** · **denunciar** || **considerar** *Se le considera un traidor por haber abandonado a sus compañeros* || **vengarse (de)** || **calificar (de)** · **tildar (de)** · **acusar (de)** || **convertirse (en)** · **actuar (como)**

3 traidor, -a (a) s.

• CON SUSTS. **patria** · **causa** · **partido** · **intereses** *un traidor a los intereses de su país* · **nación** · **pueblo** || **ideas** · **pensamiento** · **fe** · **ideales** · **principios**

traje s.m.

• CON ADJS. **corto** · **largo** · **cruzado** · **a medida** · **de chaqueta** *Iba muy elegante con su traje de chaqueta* · **sastre** || **fino** · **flamante** · **fastuoso** · **de confección** · **de moda** · **de época** || **sofisticado** · **precioso** · **deslumbrante** || **extravagante** *Llegó con un traje extravagante que no pasó desapercibido* · **estrafalario** || **anodino** || **de etiqueta** · **de ceremonia** · **ceremonial** · **de gala** · **oficial** · **reglamentario** · **de noche** *Me puse un traje de noche para la fiesta* · **militar** · **de batalla** · **de paisano** · **de faena** *Tendremos que ponernos el traje de faena para ayudarte con la mudanza* || **deportivo** · **de baño** || **especial** · **protector** || **típico** · **tradicional** · **regional** · **folclórico** · **de luces** *El torero vestía un espectacular traje de luces*
• CON VBOS. **arrugar(se)** *Qué faena, se me ha arrugado todo el traje* || **abrochar(se)** · **desabrochar(se)** || **coser** · **confeccionar** · **diseñar**
• CON PREPS. **con** · **de** *Normalmente, al trabajo voy de traje*
➤ Véase también **ROPA**

□ EXPRESIONES **de riguroso traje** [de estricta etiqueta] *Iba de riguroso traje*

trajeado, da adj.

• CON ADVS. **impecablemente** · **perfectamente** · **elegantemente** *un ejecutivo elegantemente trajeado* · **pulcramente** · **inmaculadamente** · **convenientemente** · **protocolariamente** · **cuidadosamente** · **intachablemente** · **espléndidamente**
• CON VBOS. **ir** · **presentarse** *Se presentó muy bien trajeado* · **estar**

trajín s.m.

• CON ADJS. **gran(de)** · **enorme** || **continuo** · **constante** · **incesante** · **intenso** · **tremendo** · **pleno** *Me pillas en pleno trajín* || **diario** · **cotidiano** || **metido,da (en)** · **inmerso,sa (en)**

• CON VBOS. **tener** · **sufrir** · **resistir** · **soportar** || **salir (de)** · **recuperar(se) (de)**
• CON PREPS. **en medio (de)** · **con** *Aquí seguimos con el trajín de siempre*

trallazo s.m. Véase **GOLPE**

trama s.f.

▌ [argumento]

• CON ADJS. **enrevesada** *La trama de esa película es demasiado enrevesada e inverosímil* · **intrincada** · **laberíntica** || **lineal** · **sencilla** || **apretada** || **artificiosa** · **inverosímil** || **policíaca**
• CON VBOS. **versar (sobre algo)** · **tratar (sobre algo)** || **ambientar(se) (en un lugar)** · **desarrollar(se) (en un lugar)** *Es en Francia donde se desarrolla la trama de la novela* · **discurrir (en un lugar)** || **proseguir** · **interrumpir(se)** · **dar saltos** || **crear** · **idear** · **escribir** || **seguir** *¿Qué tal se sigue la trama de esta novela?* || **contar** · **destripar**

▌ [confabulación, red]

• CON ADJS. **oculta** · **oscura** · **misteriosa** · **compleja** · **intrincada** · **enmarañada** · **inextricable** · **sibilina** || **al descubierto** *La reciente trama de espionaje ha quedado al descubierto* || **retorcida** · **siniestra** · **astuta** · **ingeniosa** · **maquiavélica** *una maquiavélica trama para adueñarse del poder* · **procelosa** || **delictiva** · **de espionaje** · **inmobiliaria** *Detrás de aquella operación se escondía una inextricable trama inmobiliaria* · **financiera** · **urbanística** · **de negocios** || **internacional** || **envuelto,ta (en)** · **inmerso,sa (en)** · **oculto,ta (en/por)** · **enredado,da (en)**
• CON VBOS. **consistir (en algo)** || **fraguar(se)** · **subyacer (a algo)** · **salir a la luz** · **esclarecer(se)** || **venirse abajo** *La trama golpista se vino abajo por...* || **idear** · **urdir** · **tejer** · **maquinar** · **orquestar** || **sacar a la luz** · **descubrir** · **destapar** *Los periódicos destaparon la trama financiera* · **desvelar** · **deshacer** · **desenredar** · **desarticular** · **airear** · **denunciar** || **ocultar** · **esconder** || **desentrañar** · **desbrozar** · **desmontar** · **desactivar** · **desmantelar** · **abortar** || **involucrar(se) (en)** · **enredar(se) (en)**

tramar v.

• CON SUSTS. **atentado** *Se la acusa de haber tramado el atentado a la embajada* · **asesinato** · **secuestro** · **venganza** · **golpe de Estado** || **conspiración** · **complot** · **conjura** · **estafa** · **ardid** · **argucia** || **plan** *tramar un plan de venganza* · **estrategia** · **operación** · **táctica** · **proyecto** · **alternativa** || **levantamiento** · **revuelta** · **insurrección** · **acción** · **campaña**

tramitación s.f.

• CON ADJS. **larga** · **lenta** · **rápida** *Se espera una rápida tramitación del expediente* · **urgente** || **judicial** · **legal** || **pendiente (de)**
• CON SUSTS. **proceso (de)** · **fase (de)** · **plazo (de)** · **tiempo (de)** · **gasto (de)** · **tasa (de)**
• CON VBOS. **iniciar** · **emprender** · **llevar a cabo** · **realizar** · **ultimar** · **culminar** || **pedir** · **exigir** · **solicitar** || **agilizar** *La presentación de este documento agilizará la tramitación de la solicitud* · **aligerar** · **facilitar** · **desbloquear** || **bloquear** · **dificultar** · **entorpecer** · **detener** · **paralizar** · **suspender** || **encargar(se) (de)** · **ocupar(se) (de)**

tramitar v.

• CON SUSTS. **expediente** · **informe** · **sumario** · **caso** · **certificado** · **matrícula** || **permiso** · **carné** · **pasaporte** · **autorización** · **visado** || **solicitud** · **petición** · **propuesta** · **suplicatorio** · **recurso** · **denuncia** · **demanda** · **reclamación** *una oficina para tramitar las quejas y reclamaciones de los consumidores* · **queja** · **oferta** · **querella** · **acusación** · **apelación** · **recusación** || **presupuesto** · **pago** · **indemnización** · **préstamo** *Estamos tramitando un préstamo para comprar una casa* · **cobro** · **crédito** · **beca** || **anulación** · **dimisión** · **nulidad matrimonial** · **separación** · **divorcio** · **suspensión** · **invalidez** · **indulto** · **disolución** || **orden** · **medida** · **legislación** · **normativa** · **reglamento** · **decreto** · **código penal** || **extradición** · **traslado** *tramitar el traslado de expediente* · **expulsión** · **devolución** · **repatriación** || **diligencia** · **formalidad** · **paso** · **gestión** · **requisito** · **administración** · **comisión** || **juicio** · **pleito** · **litigio** · **conflicto** || **proyecto** · **plan** *Anuncian el calendario para tramitar el plan de retirada de las tropas* · **proposición** · **iniciativa** · **idea** · **opinión** || **resolución** · **acuerdo** · **convenio** · **contrato** || **modificación** · **cambio** · **reforma** · **renovación**
• CON ADVS. **con agilidad** *Nos prometieron tramitar con agilidad el pago de la ayuda* · **con celeridad** · **urgentemente** · **rápidamente** || **lentamente** · **con morosidad** · **con parsimonia** || **debidamente** · **adecuadamente** · **correctamente** · **incorrectamente** || **oficialmente** · **parlamentariamente** || **legalmente** *Están tramitando legalmente la separación* · **ilegalmente**

trámite s.m.

• CON ADJS. **necesario** *La entrevista personal es un trámite necesario para conseguir este puesto* · **inexcusable** · **insalvable** || **en regla** || **dilatorio** · **expeditivo** || **mero** · **puro** *No te preocupes, no es más que un puro trámite* · **simple** · **inapreciable** || **complejo** · **engorroso** · **largo** · **lento** · **farragoso** · **proceloso** · **enrevesado** · **llevadero** || **administrativo** · **burocrático** · **judicial** · **legal** · **reglamentario** · **interno** || **pendiente (de)** · **sujeto,ta (a)**
• CON VBOS. **alargar(se)** *Se alargan los trámites para conseguir el visado* · **atascar(se)** · **complicar(se)** · **eternizar(se)** · **frenar(se)** || **agotar(se)** || **demorar (algo)** · **retrasar (algo)** || **cumplir** *Tiene que cumplir algunos trámites antes de obtener el permiso* · **llevar adelante** · **realizar** · **iniciar** · **resolver** · **despachar** · **cubrir** · **culminar** · **saldar** · **solicitar** || **obviar** · **saltarse** || **abreviar** · **acortar** || **acelerar** *La intervención de un alto mandatario permitió acelerar los trámites* · **agilizar** · **aligerar** || **congelar** · **paralizar** · **detener** || **pasar (por)** · **someter (a)** || **prescindir (de)**

tramo

1 **tramo** s.m.

• CON ADJS. **final** · **último** · **nuevo** · **previsto** || **peligroso** · **difícil** *El corredor se retiró en el tramo más difícil de la prueba* · **corto** · **largo** || **autonómico** *el tramo autonómico de un impuesto* · **institucional** · **estatal** · **internacional** · **regional** || **cronometrado**
• CON VBOS. **recorrer** *Recorrimos juntos el último tramo del camino* · **afrontar** · **encarar** · **cruzar** || **abrir** · **cerrar** · **inaugurar** *inaugurar un nuevo tramo del metro* · **construir**

2 **tramo (de)** s.m.

• CON SUSTS. **carretera** · **calle** · **autovía** · **carril** · **autopista** *Hay obras en este tramo de la autopista* · ***otras vías*** || **metro** · **enlace** · **ramal** · **túnel** || **viaje** *Después de recorrer un tramo del viaje...* · **recorrido** · **camino** · **trazado** · **cauce** || **calendario** · **campeonato** · **liga** *el último tramo de la liga de baloncesto* · **competición** · **encuentro** · **partido** · **prueba** · **jornada** || **impuesto** · **préstamo** · **tarifa** || **edad** · **vida**

trampa s.f.

▮ [encerrona, treta]

● CON ADJS. **sibilina · engañosa · calculada || disimulada · subrepticia · velada · solapada · encubierta || mortal** *La montaña se convirtió en una trampa mortal para los excursionistas* · **peligrosa || de caza · legal · administrativa**

● CON VBOS. **montar · planear · tejer · urdir · preparar || poner · tender** *La Policía decidió tenderle una trampa* **|| encerrar · esconder** *La proposición escondía una trampa* · **tener || conjurar · esquivar · sortear || desbaratar · descubrir · desenmascarar · desmontar · desvelar || caer (en) · tropezar(se) (con) || convertir(se) (en)**

▮ [incumplimiento de reglas]

● CON ADJS. **sucia · astuta**

● CON VBOS. **hacer** *Siempre hace trampas en el juego*

● CON PREPS. **con** *Ganó, pero con trampas* · **sin**

☐ EXPRESIONES **sin trampa ni cartón** [sin engaño o truco] *col.*

[tranca] → a trancas y barrancas

trancazo s.m.

▮ [resfriado] *col.*

● CON ADJS. **fuerte · enorme · buen(o) · de campeonato** *Vas a coger un trancazo de campeonato* · **terrible · molesto**

● CON SUSTS. **síntoma (de) || remedio (contra/para) · medicación (contra/para)**

● CON VBOS. **coger · agarrar · pillar · contagiar · pegar · tener · sufrir · incubar** *Me temo que estoy incubando un buen trancazo* **|| combatir · frenar · aliviar || curar(se) (de) · reponerse (de) · recuperarse (de) · librarse (de)**

▮ [golpe fuerte] Véase **GOLPE**

trance s.m.

▮ [momento difícil]

● CON ADJS. **duro · apretado · difícil** *el difícil trance de la toma de decisiones* · **amargo · penoso · arriesgado || inesperado || irreversible**

● CON VBOS. **resolver · superar** *Superó el duro trance de la enfermedad gracias al apoyo de su familia* **|| pasar (por) · enfrentar(se) (a) || salir (de)**

▮ [estado en el que se manifiestan fenómenos paranormales]

● CON VBOS. **estar (en)** *Decía que estando en trance podía hablar con los espíritus* · **entrar (en) || sacar (de) · salir (de)**

tranquilidad s.f.

● CON ADJS. **absoluta** *en estado de tranquilidad absoluta* · **completa · general · suma · total || apacible · plácida · reposada || imperturbable || imperante · reinante**

● CON SUSTS. **estado (de) · clima (de) · sensación (de) · ambiente (de) · momento (de) · época (de) || mensaje (de)** *Quiero enviar un mensaje de tranquilidad a todos los ciudadanos*

● CON VBOS. **quebrar(se) · romper(se) || reinar · imperar || dar (a alguien)** *Sus palabras me dieron tranquilidad* · **transmitir (a alguien) · infundir (a alguien) · inspirar (a alguien) || irradiar · destilar · rebosar · emanar || alterar · perturbar · enturbiar · quebrantar || manifestar · mostrar · revelar · indicar || perder · recobrar || pedir · necesitar · buscar · encontrar** *un rincón remoto donde encontrar tranquilidad* **|| invitar (a) · inducir (a) || gozar (de) · disfrutar (de) || velar (por)**

● CON PREPS. **con · en busca (de)**

tranquilizador, -a adj.

● CON SUSTS. **tono** *Habló a los niños con tono tranquilizador* · **voz · gesto · mirada · semblante || efecto** *El calmante tuvo un efecto tranquilizador* · **consecuencia · resultado · influencia || presencia · panorama · situación · ambiente || declaración · conversación · intervención · respuesta · discurso · comentario** · ***otras manifestaciones verbales*** **|| dato · informe · señal · cifra** *Las cifras publicadas por el Gobierno no son precisamente tranquilizadoras* · **carta · elemento || pronóstico · expectativa · promesa || ventaja · margen · diferencia**

● CON VBOS. **volverse · hacerse · ponerse**

tranquilizar(se) v.

● CON ADVS. **enormemente · sumamente || por completo** *Cuando me vio llegar, se tranquilizó por completo* · **totalmente**

tranquilo, la adj.

● CON SUSTS. ***persona*** *Es gente amable y tranquila* **|| vida · convivencia || conciencia** *Una vez aclarado todo, me quedaré con la conciencia tranquila* **|| zona · ciudad · ambiente · casa** · ***otros lugares*** **|| ritmo · paso || mirada · contemplación || sueño** *Anoche por fin conseguí tener un sueño tranquilo* **|| época · día · noche** · ***otros momentos o períodos*** **|| aguas · río · mar || mansedumbre**

● CON VBOS. **ser · estar · mostrar(se) · quedar(se)** *No se quedó tranquila hasta que no la llamaron* · **sentirse || respirar · dormir || esperar || trabajar · vivir · morir**

transbordar v.

● CON SUSTS. **pasajero,ra · soldado · tropa** · ***otros individuos y grupos humanos*** **|| crudo · combustible** *Los operarios han transbordado el combustible al avión* **|| droga · paquete · estupefacientes** · ***otras mercancías***

transbordo s.m.

● CON ADJS. **de tren · de metro** *hacer un transbordo de metro* · **ferroviario || largo · cómodo · incómodo · engorroso · obligado || fronterizo**

● CON SUSTS. **puerto (de) · centro (de) · estación (de)** *En el pueblo hay una importante estación de transbordo ferroviario* · **sistema (de) · servicio (de)**

● CON VBOS. **hacer · realizar · efectuar** *A lo largo de la ruta, los viajeros han de efectuar varios transbordos* · **ahorrar(se) || permitir · evitar · facilitar**

transcendencia s.f. Véase **trascendencia**

transcendental adj. Véase **trascendental**

transcender v. Véase **trascender**

transcribir v.

● CON SUSTS. **conversación** *transcribir una conversación literalmente* · **texto · palabra · conferencia · declaración · discurso** · ***otras manifestaciones verbales o comunicativas***

● CON ADVS. **al dedillo · al pie de la letra** *La periodista transcribió sus palabras al pie de la letra* · **exactamente · literalmente · punto por punto · textualmente · con precisión · fielmente · de manera fidedigna || libremente · laxamente**

transcripción s.f.

• CON ADJS. **exacta** *Han publicado la transcripción exacta de la conversación* · **fidedigna** · **fiel** · **literal** · **textual** · **detallada** || **aproximada** || **libre**
• CON SUSTS. **error (de)** *Se trata de un error de transcripción, mis palabras fueron otras* || **criterio (de)** || **labor (de)**
• CON VBOS. **hacer** · **encargar** · **ordenar** || **editar** · **publicar** · **divulgar** || **leer** · **conocer**

transcurrir v.

• CON ADVS. **rápidamente** *El curso transcurrió rápidamente* · **a toda mecha** || **gradualmente** · **lentamente** · **a cámara lenta** *transcurrir un acontecimiento a cámara lenta* || **con fluidez** || **felizmente** *La velada transcurrió felizmente a pesar de...* · **plácidamente** || **ordenadamente** || **en balde** *Aquello no transcurrió en balde ya que...*

transeúnte

1 **transeúnte** adj.

• CON SUSTS. **población** · **clientela** *Esta farmacia tiene mucha clientela transeúnte* · **visitante** · **votante** · ***otros individuos y grupos humanos***

2 **transeúnte** s.com.

▌[peatón]

• CON VBOS. **pasar** *Miles de transeúntes pasan por esta calle* · **pasear** · **caminar** · **recorrer (un lugar)** || **llenar (un lugar)** || **socorrer** · **acoger** · **hospedar** || **preguntar (a)**

▌[residente transitorio]

• CON SUSTS. **visado (de)** *pedir un visado de transeúnte*
• CON VBOS. **registrar(se) (como)**

transferencia s.f.

• CON ADJS. **rápida** *Necesitábamos una transferencia rápida de fondos* · **directa** || **efectiva** · **eficaz** || **autonómica**
• CON SUSTS. **proceso (de)** · **operación (de)** *La operación de transferencia de poderes se interrumpió sin previo aviso* · **mecanismo (de)** || **gasto (de/por)** · **comisión (de)**
• CON VBOS. **hacer** *Hice una transferencia para pagar el curso* · **llevar a cabo** · **realizar** · **autorizar** · **tramitar** || **recibir** · **llegar** · **cobrar** || **agilizar** · **incentivar** || **paralizar** · **congelar** || **culminar** || **ceder**

transferir v.

• CON SUSTS. **dinero** · **fondos** *transferir fondos a un banco extranjero* · **recursos** · **bienes** · **acciones** · **patrimonio** · **inmueble** || **gasto** · **nómina** || **control** · **gestión** · **poder** *No se encontraba bien de salud, por lo que transfirió el poder a su sucesor en el mando* · **soberanía** · **gobierno** · **responsabilidad** · **competencias** · **atribuciones** || **problema** · **carga** || **llamada** || **agua** || **genes** || **jugador,-a** *Acaban de tomar la decisión de transferir al jugador a otro equipo* || **archivo** · **información** || **paquete** || **material** · **tecnología**
• CON ADVS. **legalmente** · **ilegalmente** || **inmediatamente** || **temporalmente** · **definitivamente** || **mensualmente** · **semanalmente** || **libremente** · **gratuitamente** *Si usted quiere, podemos transferir gratuitamente su nómina a otro banco* · **sin costes**

transformación s.f.

• CON ADJS. **a fondo** · **de arriba abajo** · **total** *sufrir una total transformación* · **completa** · **integral** · **de raíz** *Es necesaria una transformación de raíz para adecuarse a los nuevos tiempos* · **profunda** · **radical** · **drástica** · **considerable** || **inequívoca** · **clara** · **visible** || **cualitativa** || **apremiante** · **necesaria** || **abrupta** · **brusca** · **repentina** · **rápida** || **gradual** · **paulatina** · **progresiva** · **lenta** || **irreversible** *La transformación era ya irreversible* || **parcial**
• CON VBOS. **producir(se)** *Desde el suceso se produjo una brusca transformación en su carácter* · **hacer(se) realidad** · **operar(se)** · **acaecer** · **avecinarse** · **desencadenar(se)** · **fraguar(se)** *La transformación del sistema de elección se fraguó de espaldas a los socios* || **frustrar(se)** || **causar** · **originar** · **provocar** · **motivar** · **conllevar** · **implicar** || **emprender** · **encarar** · **afrontar** · **llevar a cabo** · **llevar adelante** · **aplicar** || **impulsar** *Impulsaremos la transformación cualitativa de los servicios públicos* · **promover** · **propiciar** · **apoyar** · **defender** · **propulsar** · **capitanear** || **experimentar** · **sufrir** · **encajar** || **impedir** · **paralizar** · **frenar** || **asistir (a)** *Estamos asistiendo a una importante transformación en los modos de comunicarnos* || **verse afectado,da (por)** · **oponer(se) (a)**

transformar(se) v.

• CON ADVS. **de arriba abajo** *Nuestro modo de vida se transformará de arriba abajo cuando nos mudemos* · **a fondo** · **por completo** · **totalmente** · **de pies a cabeza** · **profundamente** · **radicalmente** · **sustancialmente** · **de raíz** · **considerablemente** || **a la vista (de alguien)** · **a ojos vistas** || **gradualmente** · **paulatinamente** *La institución se está transformando paulatinamente* || **como por encanto** || **democráticamente**

tránsfuga s.com.

• CON SUSTS. **político,ca** · **diputado,da** · **concejal,-a** *El partido perdió la votación por el voto en contra del concejal tránsfuga* · **edil,-a** · **alcalde,-sa** · ***otros individuos***

transfusión s.f.

• CON ADJS. **de sangre** · **sanguínea** · **de plasma** || **urgente**
• CON SUSTS. **centro (de)** *Los voluntarios acudieron al centro de transfusiones*
• CON VBOS. **recibir** · **requerir** · **admitir** · **autorizar** *El juez había autorizado la transfusión sanguínea siguiendo criterios médicos* · **impedir** · **negar** · **necesitar** · **rechazar** || **practicar** *Fue necesario practicarle varias transfusiones* · **realizar** · **hacer** · **efectuar** || **someter(se) (a)** · **oponer(se) (a)**

transgredir v.

• CON SUSTS. **ley** · **regla** *transgredir las reglas del juego* · **disposición** · **principio** · **constitución** · **derecho** · **orden** · **justicia** || **frontera** · **límite** · **línea** · **nivel** · **muralla** · **distancia** · **marcación** || **mundo** · **realidad** · **ámbito** · **marco** · **espacio** || **convención** *convenciones transgredidas reiteradamente* · **tabú** · **tradición** · **forma** · **hábito** · **cliché** || **pacto** · **acuerdo** · **compromiso** · **juramento** · **secreto** · **confidencialidad** · **confianza** · **fe** || **moral** · **valor** · **espíritu** · **obligación** · **moralidad** · **religión** · **cortesía** · **corrección** · **ética** || **estabilidad** · **paz** *Lo acusan de transgredir la paz que tanto había costado conseguir* · **tregua** · **tranquilidad** · **lógica** · **flema** · **sentido común** · **cautela**
• CON ADVS. **abiertamente** *La novela transgrede abiertamente las reglas del género* · **públicamente** || **escandalosamente** · **osadamente** *transgredir osadamente las convenciones sociales* || **absolutamente** · **totalmente** · **completamente** || **impunemente** · **flagrantemente**

transición s.f.

• CON ADJS. **brusca** · **abrupta** · **rápida** || **lenta** · **suave** · **pausada** · **sin sobresaltos** *...con el objetivo de lograr una transición política sin sobresaltos* || **gradual** · **escalonada**

· paulatina · progresiva · moderada || decisiva || democrática · política · económica · social · cromática · artística
● CON SUSTS. **estado (de) · proceso (de) · camino (de) · vía (de) · período (de) · etapa (de) · fase (de)**
● CON VBOS. **operarse · producir(se) || transcurrir || llevar a cabo** *Es urgente llevar a cabo una transición hacia modos de producción más económicos* **|| pilotar · dirigir · liderar**

transitorio, ria adj.

● CON SUSTS. **trastorno** *padecer trastornos transitorios de personalidad* **· enajenación · incapacidad · locura · demencia || disposición · medida · cláusula** *las cláusulas transitorias de un contrato* **· norma · acuerdo · solución · salida || período · etapa · fase · plazo || régimen · situación · proceso · fenómeno || ventaja · recuperación** *Su recuperación resultó ser solo transitoria*

translúcido, da adj. Véase **traslúcido, da**

translucir(se) v. Véase **traslucir(se)**

transmigrar v.

● CON SUSTS. **alma**

transmisión s.f.

● CON ADJS. **continua · indiscriminada · rápida || oral · impresa · artística || en directo · en diferido || vírica** *El equipo médico ha tomado medidas para evitar la transmisión vírica* **|| eléctrica · vertical || genética · hereditaria · sexual · de poderes || radiofónica**
● CON SUSTS. **mecanismo (de)** *El mecanismo de transmisión de noticias funcionó a las mil maravillas* **· sistema (de) · correa (de)**
● CON VBOS. **preparar · realizar || cortar · interrumpir || iniciar · finalizar**

transmitir v.

● CON SUSTS. **luz · sonido · calor · vibración · movimiento · onda · electricidad · energía || información · noticia** *transmitir una noticia por todos los medios de comunicación* **· resultado · entrevista · palabras · declaraciones || película · partido · concierto · inauguración · ceremonia || concepto · idea · creencia** *...se han transmitido estas creencias de generación en generación* **· principio · valor · ideología || opinión · postura · punto de vista · posición · parecer || gen · germen · parásito · virus · sida · gripe · paludismo || derecho de uso · derecho de propiedad · obligación · atribución · herencia || hábito · costumbre · tradición · historia || conocimiento · experiencia · saber** *un profesor capaz de transmitir su saber a los alumnos* **|| sentimiento · emoción · pasión || confianza · tranquilidad · seguridad || fuerza · entusiasmo · ilusión · ánimo · impulso · optimismo || alegría · felicidad || inquietud · preocupación** *Unos días antes me había transmitido su preocupación por el tema* **· nerviosismo · alarma || interrogante · duda · sospecha || malestar · disconformidad · desacuerdo · dolor · tristeza · pesadumbre · pésame || interés · deseo · ambición**
● CON ADVS. **en directo · en diferido || verbalmente · oralmente · de viva voz · de boca en boca · con gestos · por escrito || por radio · por televisión · por satélite || en exclusiva || públicamente · oficialmente || hereditariamente · de padres a hijos** *una enfermedad que se transmite de padres a hijos* **|| de (todo) corazón · sinceramente || con fidelidad · fielmente · tergiversadamente || claramente · con todo lujo de detalles · perfectamente · eficazmente · convincentemente**

transparencia s.f.

● CON ADJS. **absoluta · completa · total · plena · cristalina || escasa · nula || electoral · política · democrática || contable · económica || informativa**
● CON SUSTS. **falta (de)** *Los socios denunciaron la falta de transparencia de las cuentas* **· muestra (de) · ejemplo (de) · afán (de) · compromiso (de)**
● CON VBOS. **dar** *La directiva quería darle total transparencia a su gestión* **· pedir || vigilar || velar (por)**
● CON PREPS. **con** *explicar el programa con rigor y transparencia* **· en aras (de)**

transparentarse v.

● CON SUSTS. **camisa** *Me pondré algo debajo porque la camisa se transparenta* **· bañador · camiseta ·** ***otras prendas de vestir*** **|| realidad · situación** *En sus ojos se transparenta la delicada situación en que se encuentra* **|| intención · deseo · propósito · idea**
● CON ADVS. **al máximo · con nitidez**

transparente adj.

● CON SUSTS. **agua · vidrio · cristal · lente || blusa · falda ·** ***otras prendas de vestir*** **|| día || texto · escrito · prosa** *Escribe con prosa transparente y lúcida sobre los temas más complejos* **· verso · libro · diálogo · discurso || información · crítica || biografía · trayectoria || político,ca** *Tiene fama de ser un político transparente* **· periodista ·** ***otros individuos*** **|| mirada · ojos · sonido** *En su nuevo disco nos brinda un sonido más claro y transparente que en sus obras anteriores* **|| actitud · conducta · intención · deseo || método · sistema · mecanismo · regla || política · régimen** *la legitimidad democrática de un régimen político transparente* **|| actividad · trabajo · práctica · operación · gestión · investigación || acuerdo · pacto || concurso · nombramiento · elección · juicio** *Resultó absuelto en un juicio transparente* **· proceso || proyecto · ayuda || organismo · empresa || manejo · uso**
● CON VBOS. **volver(se) · hacerse · mantener(se) · resultar**

transpiración s.f.

● CON ADJS. **biológica · animal || profunda · correcta · excesiva**
● CON VBOS. **ayudar · requerir || crecer · aumentar || dificultar** *un tejido que dificulta la transpiración* **· frenar · interrumpir · evitar || permitir · provocar**

transpirar v.

▌[pasar un fluido del interior al exterior de un cuerpo]

● CON SUSTS. **plástico · tejido · material** *ropa deportiva hecha con un material que transpira* **|| zapatillas · camiseta ·** ***otras prendas de vestir***

▌[manifestar claramente]

● CON SUSTS. **entusiasmo** *El líder transpiraba entusiasmo y confianza en sí mismo después de las elecciones* **· satisfacción · alegría · nostalgia · melancolía · desencanto ·** ***otros sentimientos*** **|| armonía · equilibrio · seguridad · solidez · normalidad · bienestar || sencillez** *una película que transpira sencillez y humanidad* **|| autenticidad · realidad · verdad || inestabilidad · desequilibrio · amargura**

transportador, -a adj.

● CON SUSTS. **cinta** *recoger las maletas de la cinta transportadora* **· correa · banda · cadena · rampa || camión** *una empresa de camiones transportadores* **· buque ·** ***otros***

vehículos || **empresa** · **actividad** || **sistema** · **aparato** · **máquina** || **capacidad** · **función**

transporte s.m.

● CON ADJS. **público** *una ciudad dotada de un sofisticado sistema de transporte público* · **estatal** · **colectivo** · **familiar** || **gratuito** · **barato** · **caro** || **urbano** · **municipal** · **local** || **terrestre** · **subterráneo** · **ferroviario** · **aéreo** *La huelga de transporte aéreo ha colapsado los aeropuertos* · **marítimo** · **fluvial** · **acuático** || **interno** · **foráneo** · **internacional** · **interestelar** || **escolar** *Me he sacado el permiso especial de transporte escolar* · **turístico** || **especial** · **aduanero** · **urgente** *una empresa de transporte urgente* · **ligero** || **postal** · **sanitario** · **humanitario** || **eléctrico** || **alternativo**

● CON SUSTS. **medio (de)** *Según las estadísticas, el avión es el medio de transporte más seguro* · **vehículo (de)** · **forma (de)** || **servicio (de)** · **red (de)** · **sector (de)** · **sistema (de)** || **empresa (de)** · **compañía (de)** · **equipo (de)** || **tarifa (de)** · **subida (de)** · **coste (de)** || **problema (de)** · **falta (de)** || **ley (de)** · **proyecto (de)** || **tarjeta (de)** · **bono (de)**

● CON VBOS. **funcionar** · **fallar** || **fomentar** *El nuevo alcalde quiere fomentar el transporte subterráneo* · **potenciar** · **incentivar** · **aumentar** || **mejorar** · **optimizar** · **revalorizar** || **organizar** · **gestionar** *Una empresa privada gestiona el transporte urbano* · **instaurar** · **asegurar** · **vigilar** || **financiar** · **costear** · **privatizar** || **facilitar** · **solventar** || **usar** · **utilizar** · **conseguir** || **impedir** · **limitar** · **frenar** · **paralizar** · **permitir** || **viajar (en)** *una nueva campaña para fomentar que se viaje en transporte público* · **desplazar(se) (en)** || **disponer (de)**

transportista

1 **transportista** adj.

● CON SUSTS. **empresa** *La responsabilidad recaerá sobre la empresa transportista* · **patronal** · **sector** · **línea** · **compañía** || **empresario,ria** · **dirigente** · **vendedor,-a**

2 **transportista** s.com.

● CON ADJS. **agrícola** · **oficial** · **nacional** · **aéreo,a** · **de carretera** || **eventual** · **autónomo,ma** || **principal**

● CON SUSTS. **función (de)** · **puesto (de)** *Ha conseguido el puesto de transportista* · **profesión (de)**

● CON VBOS. **trabajar (como)**

transpuesto, ta adj. Véase **traspuesto, ta**

transvasar v.

● CON SUSTS. **agua** · **gas** · **combustible** || **dinero** *Lo amonestaron por transvasar dinero de una cuenta a otra sin autorización* · **acciones** · **deuda** · **gasto** || **recursos** · **renta** · **patrimonio** || **cargamento** · **mercancía** || **trabajador,-a** · **empleado,da** *Cuando quebró la empresa, transvasaron a los empleados a una filial* || **responsabilidad** · **carga** || **información**

● CON ADVS. **temporalmente** · **provisionalmente** || **electrónicamente** || **perfectamente** · **íntegramente**

transvase s.m.

● CON ADJS. **marítimo** · **fluvial** · **hidrológico** || **natural** · **voluntario** · **directo** · **transversal** || **lingüístico** · **humano** · **cultural** *Las pinturas atestiguan el transvase cultural entre los habitantes de estas zonas colindantes* · **poético** · **literario** · **ideológico** || **generacional** · **vocacional** · **tecnológico** || **patrimonial** *pagar impuestos por un transvase patrimonial* · **monetario** · **económico** · **comercial** || **progresivo** · **paulatino** · **sistemático** · **masivo** || **perenne** · **extraordinario** · **eventual** || **legal** · **ilegal** || **efectivo** · **final**

● CON SUSTS. **solicitud (de)** · **plan (de)** · **proyecto (de)** || **operación (de)** · **sistema (de)**

● CON VBOS. **autorizar** · **aprobar** *El Ayuntamiento aprobó el transvase de agua* · **permitir** · **prohibir** || **apoyar** · **facilitar** · **promover** || **frenar** · **evitar** · **paralizar** · **interrumpir** || **plantear** · **idear** · **prever** · **descartar** || **llevar a cabo** · **diseñar** · **efectuar** · **realizar** · **hacer** || **precisar** · **regular** || **reclamar** *Reclamamos un transvase para poder regar* · **aprovechar** || **producir(se)** · **suponer** · **causar**

transversal adj.

● CON SUSTS. **calle** · **pista** · **muro** · **espacio** · **área** · **brazo** || **eje** · **corte** · **sección** *la sección transversal del edificio* · **trazado** · **línea** · **barra** || **movimiento** · **fractura** · **torsión** · **posición** || **enseñanza** · **materia** *Han incluido en el currículo nuevas materias transversales* · **asignatura** · **educación** · **estudio** · **contenido** · **tema** · **lectura** · **objetivo**

trapicheo s.m. *col.*

● CON ADJS. **constante** · **continuo** || **mezquino** *un trapicheo mezquino de intereses económicos* · **especulativo** || **de droga** · **de notas** · **de faldas** || **implicado,da (en)** · **metido,da (en)**

● CON VBOS. **hacer** · **dejar** · **tener (con alguien)** || **permitir** · **justificar** · **amparar** · **tolerar** · **ocultar** || **investigar** || **dedicarse (a)** · **andar(se) (con)**

[trapo] → a todo trapo; trapo; trapos sucios

trapo s.m.

▌[trozo de tela]

● CON ADJS. **de cocina** || **viejo**

● CON SUSTS. **muñeco,ca (de)** · **pelota (de)**

● CON VBOS. **manchar** · **mojar** || **pasar** || **secar (con)**

▌[ropa] *col.*

● CON VBOS. **lucir** || **hablar (de)** *Siempre acaban hablando de trapitos*

□ EXPRESIONES **a todo trapo*** [muy deprisa] *col.* || **como un trapo** [humillado, avergonzado] *col.* || **entrar al trapo** [responder a lo que se considera una provocación] || **lavar los trapos sucios** [aclarar las desavenencias, los problemas o los errores] *Esta reunión no es el lugar adecuado para lavar los trapos sucios* || **sacar los trapos sucios** [echar en cara las faltas]

trapos sucios loc.sust.

● CON VBOS. **salir {a relucir/a la luz}** || **sacar {a relucir/a la luz}** *¿Por qué tuviste que sacar a relucir los trapos sucios de la familia?* · **destapar** · **airear** || **descubrir** · **encontrar** · **desvelar** || **lavar** *No discutas en público, por favor, que los trapos sucios se lavan en casa*

traquetear v.

● CON SUSTS. **automóvil** · **coche** · **camión** · **tren** · **locomotora** · ***otros vehículos***

trasbordar v. Véase **transbordar**

trasbordo s.m. Véase **transbordo**

trascendencia s.f.

● CON ADJS. **enorme** · **extraordinaria** · **gran(de)** *un descubrimiento de una gran trascendencia* · **especial** · **máxima** · **indudable** · **suma** · **tremenda** · **significativa** || **capital** · **crucial** || **objetiva** · **efectiva** · **real** · **auténtica** · **ver-**

dadera || escasa · relativa · mínima || debida *A la noticia no se le dio la trascendencia debida* · necesaria · suficiente || dudosa · efímera || pública · mundial · social · histórica · vital · colectiva · crítica || ajeno,na (a) · consciente (de) *consciente de la trascendencia de la información* · preocupado,da (por)
• CON VBOS. radicar (en algo) *La trascendencia del hecho radica en...* · afectar (a algo) || adquirir · alcanzar · cobrar · tener *un acontecimiento que tuvo para mí una trascendencia vital* · revestir || conceder (a algo) · dar (a algo) · otorgar (a algo) || encerrar · presentar || valorar · sopesar · calibrar · juzgar || subrayar · destacar · magnificar · maximizar · entender · reconocer || subestimar · minimizar · negar · quitar (a algo) *En unas declaraciones públicas, quitó trascendencia al asunto* · restar (a algo) · recortar · reducir · relativizar || carecer (de) || insistir (en) || dejarse llevar (por)

trascendental adj.

• CON SUSTS. hecho · acontecimiento *Vivimos unos acontecimientos trascendentales para el país* · suceso · evento · experiencia · descubrimiento || época · etapa *una etapa trascendental en el crecimiento de la empresa* · jornada · fecha · ***otros momentos o períodos*** || personaje · figura · persona || decisión · acuerdo · resolución · elección · iniciativa · paso || triunfo · victoria · derrota || documento · dato · información *El testigo proporcionó información trascendental* · mensaje · conocimiento · doctrina · testimonio || asunto · cuestión · tema *Es hora de abordar uno de los temas más trascendentales de la reunión* · punto · capítulo || reunión · cumbre · debate · encuentro · sesión · cita || tarea · misión *La embajadora cumplía una misión trascendental* · obra · papel || proceso · cambio · giro · investigación || reflexión · pregunta || valor · importancia
• CON VBOS. volverse · hacerse

trascender v.

I [empezar a ser conocido o sabido]
• CON SUSTS. noticia *La noticia trascendió en seguida* · información · historia · dato · detalle · contenido · palabra · nombre · identidad || realidad · hecho *No querían que el hecho trascendiera a la prensa* · asunto · tema || problema · huelga · escándalo *El escándalo trascendió inmediatamente a los medios de comunicación* · discusión · polémica || reunión · operación · iniciativa · plan · planteamiento || resultado · imagen
• CON ADVS. anticipadamente · inmediatamente · rápidamente || públicamente · oficialmente · privadamente || más allá · ampliamente

I [sobrepasar, superar]
• CON SUSTS. frontera · límite *La historia trasciende los límites de la realidad* · barrera || ámbito · marco || detalle · anécdota · caso particular || realidad · historia

trascribir v. Véase **transcribir**

trascripción s.f. Véase **transcripción**

trascurrir v. Véase **transcurrir**

trasero, ra adj.

• CON SUSTS. parte · lado || asiento · rueda *Las ruedas traseras del coche están un poco gastadas* · suspensión · tracción · eje · plaza · neumático · luneta · alerón · cinturón · luz || patio *Los niños están jugando en el patio trasero de la casa* · jardín · puerta · portón || pata || estocada

trasferencia s.f. Véase **transferencia**

trasferir v. Véase **transferir**

trasfondo s.m.

• CON ADJS. simbólico · metafórico · alegórico · ideal · realista || amargo · trágico · inquietante · depresivo · irónico · sarcástico · crítico || familiar · humano · personal · vital *El trasfondo vital del autor asoma en cada una de sus obras* · social · común || temático · argumental · teórico · histórico · cultural || literario · poético · musical · didáctico *el trasfondo didáctico del relato* · académico || ideológico · religioso · psicológico · moral · filosófico || político · económico · jurídico · consumista
• CON VBOS. esconderse (en algo) · hallar(se) (en algo) || {salir/sacar} a la luz || tener · constituir · formar · ofrecer || encerrar · ocultar || conocer · entender · explicar *En un artículo reciente explica con claridad el trasfondo alegórico del cuadro* · aclarar || buscar · descubrir · revelar · reconstruir
• CON PREPS. en · con · como *La novela tiene como trasfondo el ambiente de posguerra*

trasformación s.f. Véase **transformación**

trasformar(se) v. Véase **transformar(se)**

trásfuga s.com. Véase **tránsfuga**

trasfusión s.f. Véase **transfusión**

trasgredir v. Véase **transgredir**

trasiego s.m.

• CON ADJS. incesante · continuo *Está en un continuo trasiego* · permanente || febril · frenético · alocado · ajetreado || inmerso,sa (en)
• CON VBOS. vivir (en) · meter(se) (en) *Está metida siempre en un permanente trasiego* · dejarse llevar (por)
• CON PREPS. en medio (de)

traslado s.m.

• CON ADJS. obligatorio · forzoso *La junta directiva ordenó su traslado forzoso a una pequeña ciudad de provincias* · voluntario || accidentado · sin problemas || urgente · necesario || viable · costoso
• CON SUSTS. coste (de) · gasto (de) · motivo (de)
• CON VBOS. efectuar · llevar a cabo · realizar *Para realizar el traslado de los cuadros es preciso...* || pedir · solicitar · ordenar || conceder *Me han concedido el traslado a otra ciudad* · aprobar · autorizar || obtener || tramitar || oponerse (a)
• CON PREPS. a favor (de) · en contra (de)

traslúcido, da adj.

• CON SUSTS. papel *Puedes calcar el mapa con papel traslúcido* · plástico · material || cristal · vidrio · espejo || superficie · pared · panel *Un panel traslúcido separaba ambos despachos* · cubierta · escudo || cortina · tapiz · pantalla · lámina || objeto · cubo · concavidad || color · tono || sombra · polvo *maquillarse con polvos traslúcidos*

traslucir(se) v.

• CON SUSTS. brillo · destello || intención *Había dejado traslucir su intención de renunciar al puesto en pocos meses* · voluntad · propósito · motivo · ganas · deseo · interés · preferencia · ambición · necesidad || opinión · postura · manera de pensar · punto de vista · idea · pensamiento · visión del mundo · ideología || origen · raíz *El cuadro trasluce sin duda las raíces impresionistas del pintor* · filiación · huella · resto · sustrato || impresión · sentimiento · sensación · emoción · confianza · sentir || duda · inquietud · sospecha · reticencia · desconfianza · preocupación · temor *El rostro del testigo traslucía un indudable temor* · escepticismo · inseguridad · fragilidad · angustia || malestar · frustración · decepción · desánimo · desgana *Su actitud traslucía cansancio y desgana* · amargura · cansancio · debilidad · agotamiento · inapetencia · aburrimiento || queja · reproche · irritación *En su gesto se traslucía bien a las claras la irritación producida por los últimos acontecimientos* · indignación · rabia · enfado · horror || intensidad · pasión · fuerza · firmeza · obsesión · vibración · tensión · poder || dolor · desprecio · agresividad · alegría · satisfacción · optimismo · sensibilidad · felicidad || discrepancia · diferencia · divergencia · disparidad · enfrentamiento · polémica *La polémica parece menor, pero trasluce un problema de fondo* · controversia || indicio · atisbo · señal · signo

● CON ADVS. claramente · fácilmente · públicamente · nítidamente · evidentemente

[trasluz] → al trasluz

[trasmano] → a trasmano

trasmigrar v. Véase **transmigrar**

trasmisión s.f. Véase **transmisión**

trasmitir v. Véase **transmitir**

trasnochado, da adj.

● CON SUSTS. idea · concepto · pensamiento · doctrina · ideología || teoría · planteamiento *No se puede abordar esa cuestión con planteamientos trasnochados* · práctica · tesis · filosofía · bibliografía || criterio · opinión · lectura · posición · mirada || mentalidad · puritanismo · casticismo · autoritarismo *El jefe era eficiente, pero practicaba un autoritarismo trasnochado* · costumbrismo · realismo || costumbre · comportamiento · imagen || lenguaje · retórica · discurso · campaña || texto · argumento · historia || traje · modelo · vestido · ***otras prendas de vestir*** || espectáculo · programa · humor *...como esos programas de televisión de humor zafio y trasnochado que no se sabe bien a quién hacen gracia* || público · clientela

● CON VBOS. volverse · quedarse

trasparencia s.f. Véase **transparencia**

trasparentarse v. Véase **transparentarse**

trasparente adj. Véase **transparente**

traspasar v.

▮ [sobrepasar, cruzar]

● CON SUSTS. papel · pared · membrana · capa · película · ***otras superficies*** || barrera · frontera · línea *El balón había traspasado la línea de gol* · umbral · límite || ley · norma *No era mi intención traspasar las normas* · orden · ***otras disposiciones*** || corazón · alma

▮ [ceder, transferir]

● CON SUSTS. fábrica · empresa · negocio · farmacia *Han traspasado la farmacia y se han ido del pueblo* · panadería · ***otros establecimientos*** || jugador,-a · futbolista · empleado,da || ordenador · ropa · ***otros objetos*** || responsabilidad *El ex director traspasó responsabilidades al nuevo gestor* · competencia · función · obligación · cargo || poder · control · potestad · mando || problema · dificultad · crisis || conocimiento · aprendizaje

traspaso s.m.

● CON ADJS. forzoso · obligatorio || urgente · inminente || escalonado *El traspaso de poderes fue escalonado* · por etapas || total · parcial || temporal · definitivo

● CON SUSTS. coste (de) · precio (de) || condición (de) *fijar las condiciones de traspaso del portero*

● CON VBOS. culminar || costar *Se ignora cuánto ha costado el traspaso del jugador* || llevar a cabo · realizar · organizar · preparar || pedir · reclamar · solicitar || autorizar · aprobar · acordar || negociar || congelar · impedir || anunciar

traspiración s.f. Véase **transpiración**

traspirar v. Véase **transpirar**

trasplantar v.

● CON SUSTS. árbol · planta *Como no trasplantes esa planta a una maceta más grande se te va a secar* || órgano · célula · genes · tejido · riñón *Cuando era pequeño, tuvieron que trasplantarle un riñón* · corazón · médula · ***otras partes del cuerpo***

trasplante s.m.

● CON ADJS. hepático · renal · cardíaco · medular *El trasplante medular le salvó la vida* · óseo · de corazón · de riñón · de médula · de órgano || múltiple · convencional || quirúrgico · mecánico || vital · urgente · problemático

● CON VBOS. realizar · efectuar · practicar · hacer || esperar · necesitar · recibir · sufrir · tolerar || permitir · favorecer · suspender *Hubo que suspender el trasplante por una repentina reacción adversa* || someter(se) (a) *Tuve que seguir una dieta muy estricta antes de someterme al trasplante* · proceder (a)

trasportador, -a adj. Véase **transportador, -a**

trasporte s.m. Véase **transporte**

traspuesto, ta adj.

● CON VBOS. estar · quedarse *Después de comer me quedé un rato traspuesto en el sofá*

● CON ADVS. ligeramente

trasquilar v.

● CON SUSTS. oveja · cordero · ganado

trastada s.f. *col.*

● CON ADJS. pequeña *No ha sido más que una pequeña trastada* · simple · inocente || infantil · juvenil || divertida · audaz

● CON VBOS. hacer · cometer *cometer la típica trastada infantil*

trastazo s.m.

● CON ADJS. aparatoso · de órdago

➤ Véase también **GOLPE**

[traste] → al traste

trasto s.m.

• CON ADJS. **viejo** · **inútil** *Tiré un montón de trastos inútiles que tenía en el armario* · **inservible** || **polvoriento** · **cochambroso** || **de cocina**

• CON VBOS. **acumular** *No hay más que acumular trastos en casa* · **amontonar** · **guardar** · **almacenar** · **arrinconar** || **arrojar** · **quemar** · **tirar** || **recoger** *Recogí los trastos y fregué todo* · **quitar** · **coger** · **tomar** · **sacar** || **salvar** · **reciclar** || **deshacerse (de)** || **cargar (con)**

☐ EXPRESIONES {**tirar/echarse**} **los trastos a la cabeza** [discutir violentamente] *col.*

trastocar v.

• CON SUSTS. **orden** · **estructura** · **coherencia** · **rutina** *Su llegada había trastocado por completo la rutina de la familia* · **normalidad** · **esquema** · **objetividad** || **plan** *Un contratiempo trastocó nuestros planes de viaje* · **objetivo** · **vida** · **idea** · **planteamiento** · **panorama** · **proyecto** · **programa** · **programación** · **agenda** · **calendario** || **relación** · **papel** · **función** || **valor** · **principio** · **personalidad** *El accidente trastocó su personalidad* · **espíritu** || **mercado** · **inversión** || **prueba** · **modelo** · **diseño** || **clima** · **estado** · **situación** || **historia** · **futuro**

• CON ADVS. **completamente** *Su negativa ha trastocado completamente el proyecto* · **absolutamente** · **directamente** · **seriamente** · **ostensiblemente** · **radicalmente** · **totalmente** || **fulminantemente** · **dramáticamente** · **profundamente** · **sustancialmente** || **rápidamente** · **repentinamente** *un premio que trastocó repentinamente su vida* || **levemente** · **sutilmente** · **ligeramente** || **irreversiblemente** · **inexorablemente**

trastornar v.

• CON SUSTS. ***persona*** *Esa chica ha trastornado a tu hermano* || **mente** · **sentido** *en un ambiente paradisíaco que trastornaba los sentidos* || **orden (existente)** · **rutina** · **vida** · **esquema** || **plan** · **proyecto** · **previsión**

• CON ADVS. **por completo** *La falta de financiación trastornó los planes por completo* · **profundamente** · **totalmente**

trastorno s.m.

• CON ADJS. **grave** · **profundo** · **serio** *una paciente con serios trastornos psicológicos* · **severo** || **leve** · **ligero** *Es solo un ligero trastorno gástrico* · **pasajero** · **transitorio** · **sin importancia** || **constante** · **continuo** || **progresivo** || **congénito** || **de salud** · **alimentario** · **mental** · **depresivo** · **afectivo** · **psicológico** · **patológico** · **de personalidad** || **económico** · **laboral**

• CON VBOS. **acentuar(se)** · **pasar** · **mitigar(se)** || **causar** · **ocasionar** *Su trabajo le ocasionó graves trastornos del sueño* · **producir** · **provocar** || **padecer** · **sufrir** · **arrastrar** · **acusar** · **sobrellevar** || **subsanar** · **corregir** · **detectar** · **diagnosticar** || **constituir**

trasvasar v. Véase **transvasar**

trasvase s.m. Véase **transvase**

trasversal adj. Véase **transversal**

tratable adj.

• CON SUSTS. ***persona*** *¿Tú dirías que el nuevo viceconsejero es tratable?* || **enfermedad** · **patología** · **problema** · **crisis**

• CON ADVS. **fácilmente** · **difícilmente** *A estas alturas la enfermedad es difícilmente tratable* || **potencialmente** · **perfectamente** || **terapéuticamente** · **médicamente**

tratado s.m.

• CON ADJS. **vigente** · **en vigor** *El tratado sigue en vigor y hay que cumplirlo* || **bilateral** · **preferencial** · **fundacional** || **comercial** · **de libre comercio** · **internacional** · **de extradición** · **de paz** · **de seguridad**

• CON SUSTS. **cláusula (de)** · **artículo (de)** || **revisión (de)** · **ampliación (de)** · **borrador (de)** *Ayer se presentó el borrador de un nuevo tratado de paz para...* || **cumplimiento (de)** · **incumplimiento (de)** || **vigencia (de)**

• CON VBOS. **regir (algo)** · **obligar (a algo)** || **alumbrar** · **firmar** · **ratificar** *No todas las partes están dispuestas a ratificar el tratado* · **suscribir** · **rubricar** || **aceptar** · **rechazar** · **prorrogar** || **consensuar** · **acordar** · **negociar** · **revisar** *Están revisando el actual tratado de libre comercio* || **desarrollar** || **cumplir** · **obedecer** || **incumplir** · **infringir** · **desobedecer** · **violar** · **vulnerar** || {**dejar/quedar**} **en suspenso** *El tratado quedó en suspenso hasta una nueva reunión* · **suspender** · **rescindir** · **disolver** · **romper** · **anular** · **abolir** || **ajustar(se) (a)**

• CON PREPS. **al amparo (de)** · **en virtud (de)** *En virtud de los tratados de extradición vigentes no hay razón para dejar marchar al detenido* · **según**

tratamiento s.m.

▮ [trato]

• CON ADJS. **justo** · **adecuado** · **imparcial** · **objetivo** || **exhautivo** · **completo** || **abusivo** · **inhumano** || **equitativo** · **igualitario** · **discriminatorio** || **sesgado** *El asunto recibió un tratamiento sesgado por parte de la prensa* · **parcial**

• CON SUSTS. **igualdad (de)** || **pauta (de)**

• CON VBOS. **merecer** · **recibir** || **dar (a algo)** · **otorgar (a algo)**

▮ [medicación]

• CON ADJS. **efectivo** · **eficaz** || **integral** · **prolijo** · **intensivo** · **exhaustivo** · **profundo** · **superficial** || **asequible** || **indicado** · **alternativo** || **contraindicado** · **ineficaz** · **inútil** || **de choque** · **de urgencia** · **delicado** || **preventivo** *Según los últimos estudios, es un tratamiento preventivo muy eficaz para la piel* · **curativo** · **reparador** · **paliativo** || **médico** · **hospitalario** · **psiquiátrico** · **farmacológico** · **quirúrgico**

• CON SUSTS. **efecto (de)** *para combatir los efectos secundarios del tratamiento* · **tiempo (de)** || **coste (de)**

• CON VBOS. **administrar** · **aplicar** · **dar** · **dispensar** · **poner** || **prescribir** · **recetar** || **saltarse** *Cada dos partes te saltas el tratamiento* · **abandonar** · **seguir** *Seguí el tratamiento a rajatabla* || **necesitar** · **requerir** || **someter(se) (a)**

tratar v.

▮ [abordar, analizar]

• CON SUSTS. **tema** · **cuestión** *La conferenciante trató esa cuestión solo de pasada...* · **asunto** · **idea** · **proyecto**

• CON ADVS. **decentemente** · **con prudencia** · **con cautela** · **con moderación** || **a grandes rasgos** · **por encima** · **de pasada** *tratar un tema de pasada* · **de refilón** · **tangencialmente** · **brevemente** · **someramente** || **a fondo** *un libro en el que se tratan a fondo los problemas de...* · **de raíz** · **en profundidad** · **de cerca** || **profusamente** · **extensamente** · **ampliamente** · **in extenso** || **sesgadamente** · **parcialmente** · **a la ligera** || **objetivamente** · **imparcialmente** · **equitativamente** · **por el mismo rasero** || **verbalmente** · **por escrito** *Decidimos tratar el asunto por escrito para que quedara constancia*

▮ [comportarse, actuar en relación con alguien]

• CON SUSTS. ***persona*** *tratar con cortesía a los huéspedes*

• CON ADVS. **a cuerpo de rey** *Los invitados han sido tratados a cuerpo de rey* · **como un rey** || **afectuosamente** · **amistosamente** · **cariñosamente** · **cordialmente** · **fraternalmente** · **campechanamente** · **con amabilidad** · **con cariño** · **con corrección** · **condescendientemente** · **con magnanimidad** || **con respeto** · **con veneración** · **con consideración** · **con cortesía** · **con mano izquierda** *saber tratar a la gente con mano izquierda* || **a patadas** · **como (a) un perro** *Nunca me habían tratado como a un perro, fue una horrible experiencia* · **como una zapatilla** · **como un trapo** · **desdeñosamente** · **despectivamente** · **con desprecio** || **abusivamente** · **duramente** · **con mano dura** · **con hostilidad** · **bruscamente** || **de igual a igual** *A pesar de su cargo, me trata de igual a igual* · **frente a frente** · **de tú** · **de usted** · **informalmente** || **psicológicamente**

▮ [intentar]

• CON ADVS. **con todas {mis/tus/sus...} fuerzas** *Trataron con todas sus fuerzas de retenerlo, pero fue imposible* · **a toda costa** · **denodadamente** · **desesperadamente** · **a la desesperada** || **por todos los medios** · **por encima de todo** || **en vano** · **inútilmente** · **sin éxito** *Traté de localizarte sin éxito* · **vanamente**

[trato]

→ malos tratos; trato

trato s.m.

▮ [acuerdo]

• CON ADJS. **justo** · **injusto** || **ventajoso (para alguien)** · **beneficioso (para alguien)** || **comercial**

• CON VBOS. **consistir (en algo)** · **ofrecer** · **proponer** · **negociar** || **alcanzar** · **cerrar** · **tener** *Recuerda que tenemos un trato* || **firmar** · **sellar** · **hacer** || **cumplir** *Desconfía de él, nunca cumple sus tratos* · **incumplir** · **violar** || **llegar (a)** *Finalmente, llegamos a un trato sobre el número de invitados*

▮ [tratamiento]

• CON ADJS. **buen(o)** · **afectuoso** *Recibimos un trato muy afectuoso por su parte* · **amable** · **cálido** · **cariñoso** · **acogedor** · **cordial** · **considerado** · **respetuoso** || **correcto** · **cortés** · **digno** || **personalizado** *En este banco te garantizan un trato personalizado* · **humanitario** || **preferencial** · **especial** · **privilegiado** · **de favor** *Solo pedimos lo justo. No queremos ningún trato de favor* || **delicado** · **exquisito** || **despreciativo** · **displicente** · **frío** · **seco** · **descortés** · **distante** · **impersonal** · **despectivo** || **humillante** *No estoy dispuesta a aguantar un trato tan humillante* · **degradante** · **denigrante** · **abusivo** · **inhumano** · **injurioso** · **irrespetuoso** · **ofensivo** · **vejatorio** · **adusto** · **rudo** · **indiscriminado** || **mal(o)** · **sesgado** · **discriminatorio** · **incorrecto** || **desigual** || **ecuánime** · **equitativo** · **igual** · **igualitario** || **personal** · **directo** *Nunca he tenido trato personal ni directo con él* · **familiar** · **íntimo** · **de igual a igual** || **carnal**

• CON VBOS. **brindar (a alguien)** · **dar (a alguien)** · **dispensar (a alguien)** || **pedir** · **reclamar** || **recibir** · **merecer(se)** *No nos merecemos este trato inhumano* || **negar**

trauma s.m.

• CON ADJS. **gran(de)** · **grave** · **profundo** · **serio** · **terrible** · **espantoso** · **considerable** || **amargo** · **angustioso** || **leve** · **pequeño** || **infantil** · **juvenil**

• CON SUSTS. **origen (de)** · **causa (de)**

• CON VBOS. **causar** · **ocasionar** · **producir** · **provocar** || **vivir** *Hace unos años vivió un trauma terrible* · **experimentar** · **sufrir** · **padecer** · **arrastrar** · **tener** || **mitigar** · **evitar** || **suponer** *Su desaparición supuso un pequeño trauma para muchos de ellos* · **constituir** || **currar** · **superar** || **reponerse (de)** · **recuperarse (de)**

traumático, ca adj.

• CON SUSTS. **experiencia** · **episodio** · **vivencia** *una traumática vivencia que dejó en él una profunda huella* · **hecho** || **recuerdo** · **historia** · **situación** || **final** · **infancia** *Su vida y su obra estuvieron marcadas por una infancia traumática* · **vida** · ***otros momentos o períodos*** || **accidente** · **choque** || **crisis** · **problema** || **enfermedad** · **amputación** || **decisión** · **medida** · **solución** *Rechazó, con gran sentido de la responsabilidad, una solución traumática que habría tenido graves consecuencias* || **relación** · **ruptura** · **separación** · **despido** || **proceso** · **método** · **tratamiento** || **origen** · **consecuencia** · **efecto** || **cambio** · **ajuste**

traumatismo s.m.

• CON ADJS. **craneoencefálico** *El herido presenta un cuadro de traumatismo craneoencefálico grave* · **craneal** · **facial** · **nasal** · **ocular** · **torácico** · **abdominal** · **costal** · **lumbar** · **cervical** · **medular** · **interno** · **intestinal** || **frontal** · **dorsal** || **fuerte** · **ligero** · **grave** · **leve** · **severo** || **general** · **múltiple** || **postoperatorio**

• CON VBOS. **sufrir** · **padecer** · **presentar** || **causar** · **provocar** · **producir** *El fuerte balonazo le produjo un traumatismo ocular* · **originar** · **generar** || **evitar** · **superar** || **diagnosticar** || **curar(se) (de)**

traumatizar v.

• CON ADVS. **gravemente** · **abruptamente** · **profundamente** *Su engaño me traumatizó profundamente* || **sexualmente** || **emotivamente** · **emocionalmente** · **psíquicamente** · **psicológicamente**

travesía s.f.

• CON ADJS. **arriesgada** · **infernal** · **peligrosa** · **abrupta** || **dura** · **ardua** · **penosa** || **accidentada** *Fue una accidentada travesía por zonas agrestes e inhóspitas* || **llevadera** || **larga** · **breve** · **corta** || **segura** || **marítima** · **fluvial** · **nocturna** || **a nado** · **en barco** *La travesía en barco te puede llevar dos días*

• CON VBOS. **empezar** · **terminar** · **transcurrir** || **hacer** · **realizar** *Realizamos la travesía en pocas horas* || **emprender** · **iniciar** || **jalonar** || **lanzarse (a)** *La expedición se lanzó a una arriesgada travesía por el desierto*

• CON PREPS. **a lo largo (de)** · **durante** · **en mitad (de)**

travesura s.f.

• CON ADJS. **pequeña** · **simple** || **divertida** · **audaz** || **inocente** *No ha sido más que una inocente travesura* || **infantil** · **juvenil**

• CON VBOS. **cometer** · **hacer** *De pequeños nos pasábamos el día haciendo travesuras* · **realizar** || **planear** || **castigar** · **descubrir**

trayecto s.m.

• CON ADJS. **accidentado** · **impracticable** *El trayecto hasta el pueblo era impracticable durante el invierno* · **tortuoso** · **intrincado** || **congestionado** || **sin retorno** || **largo** · **eterno** · **interminable** · **corto** || **de ida** · **de vuelta** · **de ida y vuelta** || **político** · **artístico** · **literario** · **vital** || **urbano**

• CON VBOS. **discurrir** || **desviar(se)** || **hacer** · **recorrer** *Recorrimos el trayecto de vuelta a pie* · **proseguir** || **indicar** *Les indiqué a los turistas el trayecto más corto para...* · **marcar** · **describir** · **trazar** || **acortar** · **alargar** · **modificar** · **rectificar** || **amenizar**

trayectoria s.f.

● CON ADJS. **brillante** *tener una brillante trayectoria profesional* · **rutilante** · **vertiginosa** · **fulgurante** · **fulminante** || **destacada** · **notable** · **fecunda** · **experimentada** · **dilatada** *una dilatada trayectoria deportiva* · **vasta** · **honrosa** · **diáfana** || **impecable** · **intachable** *tener una trayectoria intachable en una empresa* · **ejemplar** · **modélica** || **torcida** · **vacilante** · **irregular** · **errática** · **imprevisible** || **accidentada** · **azarosa** · **turbulenta** · **tortuosa** · **intrincada** · **ajetreada** · **desoladora** || **curva** *El proyectil describió una trayectoria curva* · **recta** · **lineal** · **regular** || **ascendente** · **descendente** · **oscilante** || **delictiva** · **deportiva** · **profesional** || **acorde (con)**

● CON VBOS. **malograr(se)** · **empañar(se)** · **truncar(se)** · **quebrar(se)** · **declinar** || **fraguar(se)** || **trazar** *El proyectil trazó una amplia trayectoria hasta...* · **describir** · **presentar** || **atesorar** · **llevar** · **llevar a cuestas** · **llevar a {mis/tus/sus...} espaldas** · **tener** || **seguir** · **culminar** || **marcar** · **moldear** · **jalonar** *Jalonan su trayectoria artística obras como...* || **avalar** · **cimentar** || **rectificar** · **corregir** *Fue necesario corregir la trayectoria del cohete* · **alterar** · **desviar** || **ensuciar** · **hipotecar** · **enderezar**

trazado s.m.

● CON ADJS. **abrupto** · **intrincado** · **curvo** · **curvilíneo** · **oscilante** · **irregular** *La carretera tenía un trazado muy irregular* · **serpenteante** || **recto** · **lineal**

● CON VBOS. **discurrir (por un lugar)** || **marcar** · **diseñar** *Un equipo de profesionales diseñará el nuevo trazado de la vías del tren* · **elaborar** · **calcular** || **presentar** · **tener** || **seguir** *La autopista sigue el trazado de la antigua carretera* || **rectificar** · **corregir** *Fue necesario corregir el trazado original de la autovía* · **alterar** · **desviar** · **modificar** · **cambiar** · **mejorar**

trazar v.

● CON SUSTS. **dibujo** · **plano** · **letra** · **línea** *Apenas si están trazadas las líneas maestras del proyecto...* · **raya** · **círculo** · **contorno** · **mapa** · **croquis** · **signo** · **esbozo** || **semblanza** · **perfil** · **biografía** · **retrato** · **crónica** || **plan** *El Ayuntamiento traza un nuevo plan de urbanización para la zona oeste* · **estrategia** · **proyecto** · **propósito** · **objetivo** · **meta** · **programa** · **idea** || **camino** · **recorrido** · **rumbo** · **itinerario** · **ruta** · **derrotero** · **trayectoria** · **etapa** · **tendencia** · **origen** · **destino** || **perspectiva** · **alternativa** · **futuro** · **horizonte** · **hipótesis** || **coordenada** · **directriz** · **pauta** · **criterio** · **regla** · **rasgo** · **patrón** · **modelo** · **eje** · **guión** · **política** *...arduas negociaciones en las que habrán de trazar la nueva política laboral de la empresa* || **análisis** · **balance** · **resumen** · **síntesis** · **diagnóstico** · **panorama** || **paralelo** · **analogía** · **paralelismo** *Cabría trazar un paralelismo entre las dos generaciones* · **comparación** || **límite** · **barrera** · **marco** · **plazo**

● CON ADVS. **a grandes líneas** · **a grandes rasgos** · **a grandes trazos** · **en líneas generales** · **por encima** · **aproximadamente** || **con precisión** · **con mano firme** · **ajustadamente** || **al detalle** · **detalladamente** · **nítidamente** · **claramente** · **meticulosamente** · **minuciosamente**

trazo s.m.

● CON ADJS. **delgado** · **fino** · **somero** || **grueso** || **continuo** · **discontinuo** · **largo** · **corto** || **irregular** || **firme** *Los dibujos se caracterizan por los trazos firmes y cortos* · **regular** · **limpio** || **sencillo** · **amplio** · **esbelto** · **elegante**

● CON VBOS. **bosquejar** · **esbozar** · **definir** · **perfilar** *...en bocetos de trazos simples pero bien perfilados* · **marcar** · **delinear** || **alargar**

trecho s.m.

● CON ADJS. **largo** · **gran(de)** · **considerable** *Hay un trecho considerable hasta la parada del autobús* · **buen(o)** · **amplio** || **corto** · **pequeño** || **final** · **último** || **difícil** · **accesible** · **fácil**

● CON VBOS. **quedar** *No te pares, que aún nos queda un buen trecho* · **faltar** || **separar (algo)** · **mediar** || **andar** · **caminar** · **avanzar** · **recorrer** *Como ustedes saben, la empresa ha recorrido un largo trecho desde sus remotos inicios*

[tregua] → sin tregua; tregua

tregua s.f.

● CON ADJS. **larga** · **prolongada** · **indefinida** *Las partes enfrentadas firmaron una tregua indefinida* || **breve** · **pequeña** || **condicional** · **sin condiciones** || **unilateral** || **política** · **navideña** · **veraniega**

● CON SUSTS. **período (de)** *El acuerdo se fijó durante el período de tregua*

● CON VBOS. **comenzar** · **terminar** · **expirar** || **durar** · **transcurrir** · **prolongarse** || **dar** · **declarar** · **decretar** *Los contendientes decidieron decretar una tregua* · **establecer** · **firmar** · **acordar** · **aplazar** || **negociar** · **proponer** · **implorar** || **cumplir** · **observar** || **incumplir** · **infringir** · **quebrantar** · **romper** *Una de las partes rompió unilateralmente la tregua* · **violar** · **burlar** || **prorrogar** || **anunciar**

trémulo, la adj.

● CON SUSTS. **mirada** · **ojos** *Me miró con ojos trémulos* · **mano** · **piernas** || **acento** · **tono** · **voz** · **habla** || **movimiento** · **pálpito** · **pulso** || **emoción** || **luz**

[tren] → a todo tren; tren

tren s.m.

● CON ADJS. **abarrotado** *A estas horas, el tren siempre está abarrotado* · **lleno** · **vacío** || **moderno** · **antiguo** || **confortable** · **cómodo** · **incómodo** || **puntual** · **impuntual** || **de ida y vuelta** || **procedente (de un lugar)** || **de pasajeros** · **de mercancías** · **turístico** · **militar** || **de juguete** · **eléctrico** || **de largo recorrido** · **de cercanías** *Voy al trabajo en el tren de cercanías* · **rápido** · **de alta velocidad** · **lento** || **expreso** · **discrecional** · **especial**

● CON SUSTS. **recorrido (de)** · **itinerario (de)** || **estación (de)** · **parada (de)** || **billete (de)** · **bono (de)** || **horario (de)** || **revisor,-a (de)** · **conductor,-a (de)** || **cabecera (de)** · **vagón (de)** · **cola (de)** · **vía (de)** · **línea (de)**

● CON VBOS. **llegar** · **salir** *El tren sale dentro de cinco minutos* · **partir** || **arrancar** · **detener(se)** · **parar** || **circular** · **recorrer (algo)** · **retrasar(se)** || **descarrilar** · **encarrilar** || **tomar** · **coger** || **perder** || **subir (a)** · **apear(se) (de)** · **bajar(se) (de)** || **ir (en)** · **viajar (en)**

□ EXPRESIONES **a todo tren*** [con mucho lujo y ostentación] || **estar como un tren** [ser una persona muy atractiva] *col.* || **para parar un tren** [en gran abundancia] *col.* || **tren de vida** [modo de vivir una persona con lujos y comodidades]

trenzar v.

● CON SUSTS. **cabello** · **pelo** · **cuerda** · **hilo** · **red** || **argumento** · **historia** *La guionista ha sabido trenzar muy bien una historia compleja en la que intervienen muchos personajes* · **trama** · **narración** · **relato** · **composición** · **discurso** · **reflexión** · **texto** · **drama** · **ficción** || **sonido** || **relación** · **amistad** || **acuerdo** · **pacto** || **juego** · **jugada** *Ya no son capaces de trenzar una jugada de contraataque*

trepador, -a adj.

• CON SUSTS. **planta · animal · pájaro || habilidad** *la habilidad trepadora de algunos profesionales de la política* **· capacidad · dotes**

trepidante adj.

• CON SUSTS. **narración · relato · novela · película || acción · aventura** *Aquel verano vivieron una aventura trepidante* **· persecución || momento · secuencia · sucesión · ritmo** *el ritmo trepidante de la película* **|| vida · existencia || ruido**
• CON VBOS. **ponerse · volverse**

[tres] → ni a la de tres; ni tres en un burro

treta s.f.

• CON ADJS. **vieja · antigua · conocida || dialéctica · jurídica · psicológica · formal · electoral** *una mera treta electoral para conseguir votos* **· política · gubernamental · periodística · policial || fraudulenta · picaresca · lícita**
• CON VBOS. **funcionar** *Esas tretas no funcionan conmigo* **· tener éxito || fallar · fracasar || utilizar || recurrir (a)** *Recurrió a todo tipo de tretas psicológicas para convencernos*

triangular adj.

• CON SUSTS. **forma** *una plaza con forma triangular* **· figura · superficie · planta · techo · edificio · plaza || trama · historia** *La novelista plantea una historia de amor triangular* **· drama · comedia** *una comedia triangular de enredo amoroso* **· relación · amor || operación · juego · torneo** *En verano son habituales los torneos triangulares de fútbol* **· combate**

triángulo s.m.

❙ [figura geométrica]
• CON ADJS. **equilátero · escaleno · isósceles || acutángulo · obtusángulo || amoroso · mágico · geográfico**
• CON SUSTS. **vértice (de) · ángulo (de) · área (de) · base (de) · altura (de)**

❙ [instrumento] Véase **INSTRUMENTO MUSICAL**

tribunal s.m.

• CON ADJS. **ecuánime · imparcial** *Me han garantizado que se trata de un tribunal imparcial* **· justo · independiente || arbitrario · parcial · injusto · sesgado**
• CON SUSTS. **miembro (de) · vocal (de) · presidente,ta (de) · composición (de) || sentencia (de) · decisión (de) · fallo (de) · resolución (de)**
• CON VBOS. **reunir(se) || dictar (sentencia) · sentenciar (a alguien) · fallar** *El tribunal no siempre falla a favor del mejor candidato* **· juzgar || constituir · formar · presidir · elegir** *Aún no han elegido al tribunal* **|| impugnar · recusar || amañar · comprar · sobornar || eludir || comparecer (ante) · declarar (ante) · testificar (ante) || apelar (a) || formar parte (de)**
• CON PREPS. **a disposición (de)**

tributación s.f.

• CON ADJS. **directa · indirecta || individual · conjunta || anual · semestral || exento,ta (de) · sujeto,ta (a)** *una transmisión patrimonial sujeta a tributación*
• CON SUSTS. **objeto (de) || sistema (de) · método (de)**
• CON VBOS. **cotizar · pagar || eliminar · reducir** *reducir la tributación de un concepto* **· evitar || eximir (de)**

tributar v.

❙ [pagar un impuesto]
• CON SUSTS. **tasa · impuesto · pago · cuota · intereses**
• CON VBOS. **eximir (de)**

❙ [rendir, dedicar]
• CON SUSTS. **homenaje · recuerdo · honor · recibimiento** *Los aficionados tributaron un cálido recibimiento a los campeones olímpicos* **· reconocimiento · fiesta · acogida · despedida || obediencia · respeto · pleitesía · fidelidad · honra · admiración · culto · veneración · agradecimiento · fervor || ovación** *un público entregado que tributó una larga ovación a los actores* **· elogio · aplauso || oración · ofrenda · romería**

tributario, ria adj.

• CON SUSTS. **reforma · ley** *Acaban de publicar la nueva ley tributaria* **· medida · orden · código || política · legislación · legalidad · justicia || sistema · administración · régimen · estructura · organismo · agencia || fraude** *Lo condenaron por fraude tributario* **· incumplimiento · infracción · sanción || carga · obligación · gravamen || presión** *ciudadanos sometidos a una elevada presión tributaria* **· recaudación · información || exención · reducción · evasión · amnistía || ingreso · beneficio · crédito · deuda · costo || estabilidad · unidad · base || materia** *Los está asesorando una experta en materia tributaria* **· tema · aspecto**

tributo s.m.

❙ [impuesto]
• CON ADJS. **elevado || mensual · anual**
• CON VBOS. **abonar · pagar** *Aquí pagamos tributos muy elevados* **|| recaudar · cobrar · exigir**

❙ [homenaje]
• CON ADJS. **cálido · emocionante · sentido || merecido · debido || último · póstumo** *Depositaron unas flores en la tumba a modo de tributo póstumo*
• CON VBOS. **rendir · brindar · ofrecer · dar**

tricotar v.

• CON SUSTS. **lana · jersey · alfombra**
• CON ADVS. **a mano · manualmente** *En este taller se tricota manualmente la lana* **· a máquina**

trienio s.m.

• CON ADJS. **próximo · pasado · último** *El último trienio terminó con un balance positivo en materia de educación* **· presente · actual · siguiente · anterior · en curso || triunfal · glorioso** *un trienio glorioso para el deporte* **· de oro || constitucional · liberal · municipal || negro · catastrófico || de servicio · de experiencia**
• CON VBOS. **empezar · comenzar · arrancar · iniciar(se) || transcurrir · suceder(se) || acumular · sumar || terminar · acabar · finalizar || cobrar (por)** *En la nómina se refleja lo que cobramos por trienio* **· pagar (por)**
• CON PREPS. **a lo largo (de) · a mediados (de) · a comienzos (de) · a principios (de) · a finales (de) · durante**

trifulca s.f.

• CON ADJS. **seria · enorme · tremenda · descomunal · monumental || pequeña || absurda · estéril || agria || familiar · doméstica · vecinal · electoral · política · radiofónica · deportiva || metido,da (en)**
• CON VBOS. **armar(se) · liar(se)** *Se lió una tremenda trifulca entre los contertulios* **· montar(se) · organizar(se) · formar(se) || resolver(se) · saldar(se) (con algo) || pro-**

vocar · originar · causar || protagonizar · liderar · presenciar || meter(se) (en) *Sin querer me vi metido en una trifulca vecinal* · involucrar(se) (en) · verse envuelto (en) · asistir (a) || librar(se) (de)

trigo s.m.

● CON ADJS. **duro · blando || forrajero**
● CON SUSTS. **cultivo (de) · cosecha (de) · campo (de) · plantación (de) || semilla (de) · grano (de) || espiga (de) || salvado (de) · germen (de)** *un zumo de naranja con dos cucharaditas de germen de trigo* · **pasta (de) · sémola (de) || harina (de)** *rebozar el pescado con harina de trigo* || **pan (de)**
● CON VBOS. **cultivar · sembrar · producir · cosechar · plantar || moler · machacar || alimentar (de)**
☐ EXPRESIONES **no ser trigo limpio** [no ser de fiar] *col.*

trigueño, ña adj.

● CON SUSTS. **color · tono · aspecto || piel · tez · cutis · pelo** *una chica de ojos claros y pelo trigueño*

trillado, da adj. *col.*

● CON SUSTS. **camino** *Su obra discurre por los caminos más trillados de la música descriptiva tradicional* · **terreno · sendero · senda · ruta · itinerario · atajo · lugar · campo · territorio · bosque · escenario || tema · fórmula** *Es una fórmula trillada, pero eficaz* · **tópico · asunto · argumento · cuestión · esquema · idea · recurso · problema · material || repertorio** *Aburrió soberanamente al público con su más que trillado repertorio de chistes* · **programa · proyecto · obra · guión · título · intriga || género** *...para dar un toque de originalidad al trillado género fantástico* || **chiste · debate · consigna · eslogan || palabra · frase · lenguaje · estilo · expresión · discurso · adjetivo**

trillar v.

● CON SUSTS. **cereal** *Pronto llegará la época de trillar los cereales* · **cebada · trigo**

trinar v.

● CON SUSTS. **canario · jilguero** *...disfrutando del pequeño placer de despertarse oyendo trinar a los jilgueros* · **ruiseñor** · ***otros pájaros***
● CON ADVS. **alegremente**
☐ EXPRESIONES **estar** (alguien) **que trina** [estar muy enfadado] *col.*

trincar v. *col.*

● CON SUSTS. **ladrón,-a** *Trincaron al ladrón en la puerta del banco* · **delincuente · culpable · banda** · ***otros individuos y grupos humanos*** || **pasta · dinero · comisión · tela**

trinchar v.

● CON SUSTS. **carne** *un cuchillo para trinchar la carne* · **pollo · pavo · jamón · cebolla** · ***otros alimentos sólidos***

trinchera s.f.

● CON ADJS. **honda · profunda · larga || defensiva · opuesta · contraria · enemiga · adversa || ideológica · política** *consignas que lanza cada uno desde su particular trinchera política* · **informativa**
● CON SUSTS. **guerra (de)**
● CON VBOS. **excavar · cavar || construir · crear · levantar · reforzar || atacar · derribar · superar || abandonar · compartir || luchar (en)** *El ejército rebelde estaba acostumbrado a luchar en trincheras* || **meter(se) (en) · agazaparse (en) || regresar (a) · retornar (a) || salir (de) · cambiar(se) (de)**

tripazo s.m. *col.*

▌[golpe]
● CON ADJS. **espectacular · monumental · tremendo · descomunal**
● CON VBOS. **darse · pegarse · meterse · llevarse** *¡Menudo tripazo se llevó cuando se tiró a la piscina!*

tripulación s.f.

● CON ADJS. **competente · preparada || diligente · eficiente · servicial · disciplinada · atenta || insubordinada || de servicio** *La tripulación de servicio nos atendió muy amablemente* · **de cabina || civil · militar · de refresco || perteneciente (a)**
● CON SUSTS. **miembro (de) · parte (de)**
● CON VBOS. **embarcar** *La tripulación embarcó antes que los pasajeros* · **desembarcar || viajar || sublevar(se) · amotinarse · insubordinar(se) || atender (a alguien) || componer · formar** *Diez personas forman nuestra tripulación a bordo* || **desplegar(se) · reunir · llevar || evacuar** *Fue necesario evacuar a toda la tripulación*

tripular v.

● CON SUSTS. **nave · barco · velero · avión** *El avión era tripulado por un piloto experimentado* · **helicóptero** · ***otros vehículos o embarcaciones***

triste adj.

● CON SUSTS. **cara · gesto · expresión · sonrisa || mirada · ojos || noticia** *Recibió la triste noticia sin inmutarse* · **acontecimiento · suceso · hecho || canción · poema · historia · novela · película · libro || día** *Fue un día triste para todos nosotros* · **luz · ambiente · atmósfera || ciudad · casa · habitación** · ***otros lugares*** || ***persona***
● CON ADVS. **sumamente · tremendamente** *Es una historia tremendamente triste* || **ligeramente || visiblemente**
● CON VBOS. **ser · estar · poner(se)** *Se puso muy triste cuando te fuiste* · **quedar(se)**

tristemente adv.

● CON ADJS. **célebre · famoso,sa · conocido,da · recordado,da · popular · notorio,ria · legendario,ria || fallecido,da · desaparecido,da** *un magnífico profesional tristemente desaparecido hace unos años* · **olvidado,da · perdido,da || frecuente** *La piratería es una práctica tristemente frecuente en nuestros días* · **habitual · común · acostumbrado,da || verdadero,ra · obvio,via · lógico,ca · evidente · realista || tardío,a · incompleto,ta · lluvioso,sa**

tristeza s.f.

● CON ADJS. **profunda** *Le embargaba una profunda tristeza* · **honda · insondable · imborrable || infinita · eterna · tremenda || amarga · angustiosa · abrumadora · desconsoladora || contagiosa || congénita || cargado,da (de)** *Sus palabras estaban cargadas de tristeza* · **lleno,na (de) · sumido,da (en)**
● CON SUSTS. **arrebato (de) · pozo (de) · toque (de) || gesto (de) · mirada (de) · mueca (de) || sentimiento (de) · sensación (de) · expresión (de)**
● CON VBOS. **apoderarse (de alguien) · entrar (a alguien)** *Le entró una profunda tristeza cuando ella se fue* · **invadir (a alguien) · embargar (a alguien) · inundar (algo/a alguien) · asaltar (a alguien) · venir (a alguien) · brotar || disipar(se) · ir(se) || dar (a alguien)** *Me da tristeza verte así* || **sentir · experimentar · tener · trans-**

mitir || manifestar · mostrar · derramar || combatir · ahuyentar · vencer || aliviar · amortiguar · atenuar · mitigar || sumir(se) (en) · hundir(se) (en) · consumirse (en) || dejarse llevar (por) · sucumbir (a) || llenar (de) · teñir (de)
• CON PREPS. **con**

triunfador, -a

1 **triunfador, -a** adj.
• CON SUSTS. **candidato,ta** *Antes de medianoche se conocerá el nombre del candidato triunfador* · **candidatura || equipo · coalición || película · obra · imagen · autor,-a || opción** *elegir la opción triunfadora* **|| caballo**
• CON VBOS. **salir · resultar · saber(se) · sentir(se)**

2 **triunfador, -a** s.
• CON ADJS. **gran · máximo,ma** *el máximo triunfador de los premios* · **contundente · absoluto,ta · insuperable · destacado,da · único,ca · principal || auténtico,ca · verdadero,ra · legítimo,ma · indiscutible · claro,ra · seguro,ra · probable || reciente · vigente · provisional · final || inesperado,da · sorprendente || moral** *el triunfador moral de la convocatoria* · **virtual**
• CON VBOS. **ganar (algo) · obtener (algo) || premiar · felicitar · aclamar · condecorar || elegir · proclamar** *La proclamaron triunfadora del torneo* · **presentar || perfilar(se) (como) · medirse (con) · enfrentar(se) (a)**

3 **triunfador, -a (de)** s.
• CON SUSTS. **feria · corrida** *El triunfador de la corrida salió por la puerta grande* · **elecciones || temporada · año · noche · tarde · jornada**

triunfal adj.

• CON SUSTS. **marcha** *la marcha triunfal del ejército vencedor* · **desfile · paseo · recorrido · camino · viaje · entrada · llegada · salida · regreso** *Miles de seguidores asistieron al regreso triunfal de su equipo* · **retorno · vuelta · acogida || tarde · noche** *Nunca olvidaré aquella noche triunfal* · **año · racha · etapa · temporada · jornada · ciclo ·** ***otros periodos*** **|| corrida · actuación** *la actuación triunfal de la cantante* · **carrera · campaña · estreno · festejo · gira || arco || balance || imagen · mirada · gesto · sonrisa**

triunfalismo s.m.

• CON ADJS. **oficial · gubernamental || económico · electoral || exultante · desmedido** *...criticando justamente el triunfalismo económico al que nos tienen acostumbrados* · **colosal · apabullante · desenfrenado · exagerado || gratuito · infundado · excesivo · injustificado · absurdo · artificial || imperial · imperante**
• CON SUSTS. **excusa (de) · muestra (de) · signo (de)**
• CON VBOS. **reinar** *Horas antes del recuento electoral ya reinaba el triunfalismo entre afiliados y simpatizantes* **|| exhibir · rezumar || propiciar · evitar · criticar || huir (de) || caer (en) · incurrir (en)** *No queremos incurrir en un triunfalismo injustificado pero...* **|| llevar (a) · incitar (a)**

triunfalista adj.

• CON SUSTS. **actitud · tono · espíritu · aire · afán || declaración** *Hizo unas declaraciones demasiado triunfalistas* · **discurso · comunicado · mensaje · comentario || balance** *A nadie sorprendió que presenten un balance triunfalista de su gestión* · **análisis · informe || ambiente · atmósfera · panorama · clima || planteamiento · opinión · visión || entusiasmo · euforia || conclusión · afirmación · promesa · campaña || imagen · expresión || público**
• CON ADVS. **excesivamente · moderadamente** *En la sede del partido se respiraba un ambiente moderadamente triunfalista* **|| claramente · marcadamente**

triunfante adj.

• CON SUSTS. **candidato,ta** *El candidato triunfante saludó repetidas veces desde el balcón* · **partido || doctrina · ideología || jugador,-a · equipo || carrera · trayectoria || final · resultado**
• CON VBOS. **salir** *salir triunfante en unas elecciones* · **resultar · quedar · regresar · volver · pasear**

triunfar v.

• CON ADVS. **aplastantemente · sin lugar a dudas** *Triunfará sin lugar a dudas el candidato mejor preparado* · **sin paliativos · abrumadoramente · con claridad · concluyentemente · con rotundidad · inapelablemente · indiscutiblemente · indudablemente · nítidamente · rotundamente || de pleno · plenamente · por completo || a lo grande · por todo lo alto** *Quería triunfar por todo lo alto y lo consiguió* · **apoteósicamente || con holgura · sin apuros · holgadamente || en buena lid · meritoriamente || a toda costa || comercialmente · deportivamente · electoralmente**

triunfo s.m.

• CON ADJS. **abrumador** *obtener un triunfo abrumador* · **aplastante · arrasador · arrollador · demoledor · fulgurante · rotundo · redondo · pleno · total || clamoroso** *un clamoroso triunfo personal de la investigadora* · **claro · nítido · sin lugar a dudas · indiscutible · indudable · inapelable · inobjetable · sin paliativos || descollante · apoteósico · épico · rutilante · flamante · sonado** *celebrar el triunfo más sonado de la temporada* · **resonante || desbordante · desmesurado · multitudinario || ansiado · codiciado · inalcanzable || decisivo** *Fue un triunfo decisivo para su carrera* · **concluyente || ilusionante || justo · merecido** *un triunfo absolutamente merecido* · **meritorio || injusto · inmerecido · por los pelos || agridulce · amargo · reparador || valedero || desahogado · holgado · en bandeja || a pecho descubierto || apretado · ajustado · pírrico · reñido · precario · discutible · dudoso · exiguo || imprevisible || a domicilio**
• CON SUSTS. **deseo (de)**
• CON VBOS. **consumar(se) · fraguar(se) || anotar(se) || desvanecerse · devaluar(se) · diluir(se) · disipar(se) · aguar(se) · empañar(se) · nublar(se) || subirse a la cabeza (a alguien) || conquistar · conseguir · alcanzar · lograr · cosechar** *La empresa este año ha cosechado varios triunfos* · **obtener · forjar · perseguir || acariciar · arañar · rozar || remachar · sellar · revalidar || arrogarse · capitalizar** *No pretendas capitalizar tú solo el triunfo de todo el equipo* · **firmar || dar · brindar || aclamar · celebrar · festejar** *Los actores festejaron el triunfo de la película* · **conmemorar || refrendar · avalar · cimentar · apuntalar || merecer || digerir** *Tardará en digerir el triunfo* · **paladear · saborear || dilucidar · poner en duda || amañar · aderezar || augurar (a alguien) · auspiciar (a alguien) || acercarse (a) · gozar (de)**
• CON PREPS. **con posibilidad (de) · en señal (de)**

trivialidad s.f.

• CON ADJS. **absoluta · monumental || aparente** *comentarios de aparente trivialidad* · **engañosa || informativa** *la trivialidad informativa de ciertos medios* · **propagandística · televisiva**
• CON VBOS. **mostrar · rozar || superar · evitar || caer (en)** *El programa cayó en la trivialidad más absoluta*

[triza] →hacer(se) trizas

trocear v.

● CON SUSTS. **carne · fruta · tomate · lechuga · tortilla · *otros alimentos sólidos* || texto · libro · mamotreto** *un mamotreto infumable que habrá que trocear en cuatro o cinco partes* **· película**
● CON ADVS. **finamente · convenientemente || hábilmente**

trofeo s.m.

● CON ADJS. **codiciado · prestigioso** *ganar un prestigioso trofeo* **· importante || internacional · provincial || deportivo · de caza || particular · personal**
● CON SUSTS. **vencedor,-a (de) · ganador,-a (de) || final (de)** *Hoy se disputa la final del trofeo de baloncesto* **· disputa (de) || edición (de)**
● CON VBOS. **conquistar · conseguir** *una tenista que ha conseguido importantes trofeos internacionales* **· lograr · ganar · cosechar · recibir || acariciar · ansiar || conceder · dar · entregar · otorgar · recoger** *La vencedora recogió el trofeo visiblemente emocionada* **|| disputar · jugar || enarbolar · mostrar · exhibir || participar (en) · aspirar (a) · debutar (en)**

[tromba] →en tromba; tromba

tromba

1 tromba s.f.

● CON ADJS. **fuerte** *La fuerte tromba de agua y lodo provocó numerosos apagones* **· gran(de) · espectacular · enorme · intensa · auténtica · torrencial · incontenible**
● CON SUSTS. **riesgo (de) || intensidad (de) · fuerza (de)**
● CON VBOS. **caer · abatirse (sobre algo) · descargar · afectar (a algo) || desbordar (algo)** *Una tromba de granizo había desbordado el río* **· inundar (algo) · arrasar (algo) · arrastrar (algo) || recuperarse (de)** *La ciudad empieza a recuperarse de la gran tromba de pedrisco caída ayer*
● CON PREPS. **en medio (de)**

2 tromba (de) s.f.

● CON SUSTS. **agua** *Nos cayó una tremenda tromba de agua* **· barro · lodo · granizo · pedrisco · aire · viento || declaraciones · ideas · insultos**

☐ EXPRESIONES **en tromba*** [de golpe y con fuerza]

trombón s.m.

● CON ADJS. **de varas · tenor · contralto**
➤ Véase también **INSTRUMENTO MUSICAL**

trompa s.f.

● CON ADJS. **de pistones · de válvulas · de caracol · de mano**
➤ Véase también **INSTRUMENTO MUSICAL**

trompazo s.m. Véase **GOLPE**

trompeta s.f. Véase **INSTRUMENTO MUSICAL**

[trompicón] →a trompicones

trompo s.m.

▮ [giro]

● CON ADJS. **espectacular** *Hizo un trompo espectacular en una curva* **· impresionante || arriesgado**
● CON VBOS. **hacer · realizar · efectuar · dar** *Dio un trompo y se salió de la calzada* **|| intentar · evitar**

tronar v.

● CON SUSTS. **voz || arma · cañón · fusil || público** *El público, irritadísimo, tronaba desde las gradas* **· ciudadanía · pabellón**

tronchar v.

● CON SUSTS. **rama · árbol** *El temporal tronchó varios árboles del parque* **· tallo**

[tronco] →como un tronco; tronco

tronco s.m.

● CON ADJS. **seco · leñoso · grueso · fino · rugoso || esbelto · encorvado · enhiesto || común** *Formábamos parte de un tronco común* **· familiar · genealógico · central**
● CON VBOS. **arder || cortar · talar · tronchar || quemar || doblar · encorvar · girar** *Gire un poco el tronco hacia la derecha*

☐ EXPRESIONES **como un tronco*** [profundamente dormido] *col.*

trono s.m.

● CON ADJS. **real** *ser pretendiente al trono real*
● CON SUSTS. **heredero,ra (de) · sucesor,-a (de) · candidato,ta (a) · pretendiente (a) · titular (de) · sucesión (de) || silla (de) · salón (de)** *Visitamos el salón del trono del palacio* **|| derecho (a)**
● CON VBOS. **alcanzar || detentar · ocupar** *El monarca ocupó el trono durante varias décadas* **|| conservar · mantener · perder · recuperar || ceder · ofrecer · arrebatar** *Arrebataron el trono a su legítimo dueño* **· usurpar · heredar || sostener || llegar (a) · acceder (a) · subir (a) · sentar(se) (en) || aposentar(se) (en) · asentar(se) (en) || renunciar (a)** *La leyenda cuenta que renunció al trono por amor* **|| aspirar (a) · suceder (a alguien) (en)**
● CON PREPS. **en**

[tropel] →en tropel; tropel

tropel

1 tropel s.m.

● CON PREPS. **en** *Se me echaron encima todos los niños en tropel*

2 tropel (de) s.m.

● CON SUSTS. **gente · admiradores,ras** *A la salida, asaltaron al artista un tropel de admiradoras* **· *otros individuos y grupos humanos* || acontecimientos · imágenes · palabras · errores**

tropezar (con) v.

● CON SUSTS. **piedra · silla · *otros obstáculos materiales* || problema · dificultad** *En su vida profesional tropezó con muchas dificultades* **· inconveniente · zancadilla · trampa · limitación || barrera · escollo · obstáculo || sorpresa · suerte · fortuna · contratiempo · imprevisto || resistencia · recelo · reticencia · oposición** *El proyecto tropezó con la fuerte oposición de los vecinos* **· rechazo · competencia || falta · carencia · ausencia || intención · tentación · decisión · interés · disposición**

☐ USO Admite en algunos contextos la variante *tropezar(se) (en)*: *Tropezó en una piedra y se cayó.*

tropezón s.m.

● CON ADJS. **fatal · inesperado · imprevisto · aparatoso · lamentable**

• CON VBOS. **dar** · **sufrir** *Ha sufrido muchos tropezones en su vida amorosa* · **pegar(se)** || **evitar** · **sortear** || **enmendar** · **superar** || **propiciar** · **aprovechar** || **reponer(se) (de)**

tropical adj.

• CON SUSTS. **país** *Quería irse de vacaciones a un país tropical* · **zona** · **origen** || **vegetación** · **bosque** · **planta** · **flora** · **fruta** · **jardín** · **fauna** · **jungla** || **clima** · **temperatura** || **calor** · **ciclón** · **tormenta** *Se avecinaba una tormenta tropical* || **enfermedad** || **moda** · **música** · **sabor** || **paraíso** *El hotel estaba enclavado en un paraíso tropical* · **paisaje** · **ambiente** || **belleza** · **exuberancia**

tropiezo s.m.

• CON ADJS. **descomunal** · **garrafal** · **monumental** · **grave** · **serio** · **imperdonable** · **sonado** || **leve** · **ligero** · **pequeño** || **fortuito** · **inesperado** *Un inesperado tropiezo retrasó nuestros planes* · **involuntario** · **desafortunado**

• CON VBOS. **sufrir** *Sufrió graves tropiezos a lo largo de su carrera* · **tener** · **cometer** · **repetir** || **evitar** *evitar el más ligero tropiezo* || **subsanar** · **superar** || **advertir** · **notar** || **lamentar** · **justificar** || **constituir** · **representar** || **recuperarse (de)**

trotar v.

• CON SUSTS. **caballo** · **yegua** · **potro** · ***otros animales***

• CON ADVS. **plácidamente** · **alegremente** *El caballo trotaba alegremente por la pradera* · **a sus anchas** || **continuamente**

trote s.m.

• CON ADJS. **ligero** · **rápido** · **corto** · **cochinero** || **constante** · **continuo** · **regular** || **manso** · **cansino** · **indolente** *La tristeza del caballo se notaba en su trote indolente y cansino* · **tambaleante** || **rítmico** · **liviano**

☐ EXPRESIONES **no estar para {muchos/estos/esos...} trotes** [no estar preparado para realizar una actividad que requiere acción o movimiento] *col.*

truco s.m.

• CON ADJS. **buen(o)** · **ingenioso** · **sutil** · **inteligente** || **original** · **sorprendente** · **novedoso** || **fácil** · **difícil** || **burdo** · **fallido** || **conocido** · **consabido** · **manido** · **viejo** · **repetido** || **avieso** || **al descubierto** · **en evidencia** || **de magia** *¿Quieres que te haga un truco de magia?* · **de cartas**

• CON VBOS. **salir (a alguien)** *El truco le salió perfecto* · **surtir efecto** · **funcionar** || **fallar** · **fracasar** || **salir a la luz** || **hacer** · **realizar** · **poner en práctica** || **usar** · **emplear** · **aplicar** || **conocer** · **saber(se)** · **aprender** || **descubrir** *Afortunadamente, descubrimos el truco a tiempo* · **desenmascarar** · **destapar** · **desvelar** || **explicar** · **enseñar** *Fue él quien me enseñó todos los trucos de la profesión* || **coger** · **captar** · **pillar** || **tener** *El viaje parece demasiado bonito, seguro que tiene truco* · **haber (en algo)** || **caer (en)**

truculento, ta adj.

• CON SUSTS. **crimen** · **muerte** · **accidente** || **ambiente** *un director que siempre elige ambientes truculentos para sus películas* · **mansión** || **imagen** · **escena** · **película** || **humor** · **historia** *Le contó historias truculentas sobre su pasado* · **final** · **narración** · **cuento** || **disección** · **operación** · **acción**

• CON VBOS. **ponerse** · **volverse**

trueno s.m.

• CON ADJS. **ensordecedor** · **estruendoso** · **violento** · **resonante** || **espectacular** · **apocalíptico** · **eléctrico** || **enorme** · **gordo**

• CON SUSTS. **tormenta (de)** || **voz (de)** · **eco (de)** · **sonido (de)**

• CON VBOS. **sonar** *De repente sonó un trueno que nos asustó a todos* · **retumbar** || **oír** · **escuchar** || **anunciar** *Anuncian truenos para esta madrugada* || **lanzar**

trueque s.m.

• CON ADJS. **cultural** *el trueque cultural entre civilizaciones* · **político** · **parlamentario** || **moral** · **ilegal** || **forzoso** · **oficial**

• CON SUSTS. **moneda (de)** · **objeto (de)** || **operación (de)** · **sistema (de)** *La economía de algunos pueblos aún se basa en un sistema de trueque*

• CON VBOS. **hacer** · **realizar** · **practicar** || **proponer** · **intentar** · **facilitar** *...para facilitar la cooperación y el trueque de informaciones de especial interés* || **conseguir** · **alcanzar** · **aceptar** || **recurrir (a)** || **servir (de)**

truncar(se) v.

• CON SUSTS. **rama** · **árbol** || **cabeza** · **cuerpo** || **esperanza** *Sus esperanzas se truncaron después del accidente* · **expectativa** · **objetivo** · **aspiración** · **vocación** · **deseo** · **sueño** *un sueño truncado por el destino* · **ilusión** · **ambición** · **anhelo** · **augurio** · **futuro** · **horizonte** || **carrera** *una lesión que truncó su carrera deportiva* · **trayectoria** · **camino** · **periplo** · **viaje** || **vida** · **existencia** · **historia** · **experiencia** · **infancia** · **biografía** || **evolución** · **desarrollo** · **progresión** · **proceso** · **ascenso** · **recuperación** *escándalos que truncaron la incipiente recuperación de la economía* · **difusión** · **ramificación** · **impulso** · **remontada** · **revolución** || **racha** · **suerte** · **tendencia** · **oportunidad** · **posibilidad** || **acuerdo** · **negociación** · **negocio** · **contrato** · **comercio** || **alegría** · **felicidad** · **bienestar** · **calma** · **estabilidad** · **silencio** · **gozo** || **costumbre** · **tradición** · **hábito** || **relación** · **unión** · **cohesión** · **colaboración** · **confianza** *Su confianza en la empresa se truncó cuando supo del engaño que tramaban*

[tú]

→ de tú; de tú a tú

tuberculosis s.f.

• CON ADJS. **pulmonar** || **incipiente** · **galopante** · **fulminante** || **afectado,da (de)** · **aquejado,da (de)**

• CON SUSTS. **paciente (con)** · **enfermo,ma (de)** || **control (de)** *El control de la tuberculosis puede evitar nuevos contagios* · **vacuna (contra)** · **síntoma (de)** || **caso (de)** || **bacteria (de)** · **microbio (de)** · **bacilo (de)** || **causa (de)** || **tratamiento (contra)**

• CON VBOS. **castigar (a alguien)** *La tuberculosis castigó a gran parte de la población* || **agravar(se)** *En estas últimas horas, la tuberculosis se ha agravado* · **remitir** · **curar(se)** || **superar** · **atajar** · **prevenir** · **erradicar** || **contagiar** · **transmitir** || **detectar** · **diagnosticar** || **tratar** · **medicar** || **padecer** || **fallecer (de)** || **curar(se) (de)** · **mejorar(se) (de)**

tubería s.f.

• CON ADJS. **nueva** · **vieja** *cambiar las tuberías viejas* · **rota** · **dañada** · **atascada** || **principal** · **general** || **de agua** · **de gas**

• CON VBOS. **oxidar(se)** · **enrobinar(se)** || **taponar(se)** · **obstruir(se)** · **congestionar(se)** · **obstaculizar(se)** · **atascar(se)** · **atorar(se)** || **descongestionar(se)** · **desatascar(se)** || **romper(se)** · **reventar** *Las tuberías reventaron* *por el hielo* · **helar(se)** · **congelar(se)** || **desembocar (en un lugar)** · **ir (a un lugar)** · **discurrir (por un lugar)** · **pasar (por un lugar)** || **comunicar (algo)** · **conectar (algo)** || **arreglar** *arreglar una tubería rota* · **reparar** · **limpiar** · **vaciar** || **instalar** · **montar** · **construir** || **perforar** *En las excavaciones para el nuevo metro perforaron una tubería de gas* || **circular (por)** · **correr (por)** *el agua que corre por las tuberías*

tubo s.m.

● CON ADJS. **flexible** *Podemos unir las piezas con un pequeño tubo flexible* · **rígido** || **transparente** || **digestivo** · **neural** · **estomacal** · **intestinal** · **respiratorio** || **de escape** *el tubo de escape del coche* · **de ensayo** || **fluorescente** · **de neón** · **electrónico**

● CON VBOS. **meter** · **introducir** || **conectar** · **instalar** || **taponar** · **atascar** · **romper** || **revisar** || **circular (por)** · **pasar (por)** · **correr (por)**

tuerca s.f.

● CON ADJS. **suelta** · **floja** · **apretada**

● CON SUSTS. **vuelta (de)**

● CON VBOS. **pasar(se)** *La tuerca del reloj se ha pasado* · **oxidar(se)** · **romper(se)** · **caer(se)** || **apretar** · **ajustar** · **enroscar** · **girar** || **aflojar** · **soltar** · **desenroscar** *No puedo desenroscar la tuerca del pendiente* || **poner** · **colocar** · **introducir** · **meter** · **insertar** || **fijar (con)** || **dar vueltas (a)**

□ EXPRESIONES **apretar las tuercas** (a alguien) [apremiarlo, presionarlo] *col.*

[tuétano]

→ hasta el tuétano

tufo s.m.

● CON ADJS. **maloliente** · **insoportable** *De la alcantarilla abierta venía un tufo insoportable* · **infernal** || **penetrante** · **profundo** || **electoralista** · **político** || **racista**

● CON VBOS. **diluir(se)** · **evaporar(se)** || **penetrar** · **impregnar** · **invadir** || **soltar** · **desprender** · **despedir** *palabras que despedían un tufo electoralista imposible de disimular* · **exudar** · **exhalar** · **emanar** · **rezumar** || **tener** · **dejar** || **sentir**

tugurio s.m.

● CON ADJS. **miserable** · **mugriento** · **sórdido** || **de mala muerte** || **nocturno**

● CON VBOS. **regentar** *El detenido regentaba un tugurio nocturno en la afueras de la ciudad* || **frecuentar** · **recorrer** || **vivir (en)** · **trabajar (en)**

[tumba]

→ a tumba abierta; como una tumba; tumba

tumba s.f.

● CON ADJS. **sencilla** · **modesta** · **recargada** · **suntuosa** · **rica** || **familiar** *Sus restos reposan en la tumba familiar* · **individual** || **propia** · **anónima** || **real** · **regia** · **noble** || **secreta** · **legendaria** · **mítica** || **verdadera** · **auténtica** || **política** · **simbólica**

● CON VBOS. **excavar** · **cavar** || **visitar** *Miles de turistas visitan la legendaria tumba* · **honrar** · **adornar** · **preservar** || **profanar** · **saquear** · **destruir** || **buscar** · **abrir** · **descubrir** || **enterrar (en)** || **llevar (a)** || **orar (ante)** || **convertir(se) (en)** *El importante escándalo económico se convirtió en su tumba política*

□ EXPRESIONES **a tumba abierta*** [con decisión y determinación] || **ser** (alguien) **una tumba** [guardar muy bien un secreto] *col.*

tumbarse v.

● CON ADVS. **a la bartola** *Me tumbé a la bartola para reposar la comida* · **cómodamente** · **plácidamente**

tumbo s.m.

● CON VBOS. **dar** *Iba dando tumbos de un lado para otro* · **pegar**

tumor s.f.

● CON ADJS. **benigno** · **maligno** · **canceroso** · **grave** || **irreversible** · **incurable** || **pequeño** *Los médicos le descubrieron un pequeño tumor* · **diminuto** || **localizado** || **cerebral** · **social**

● CON SUSTS. **tamaño (de)** · **extensión (de)** || **diagnóstico (de)** · **gravedad (de)** || **metástasis (de)**

● CON VBOS. **crecer** · **extenderse** · **progresar** · **avanzar** · **desarrollarse** · **formarse** · **reproducirse** · **proliferar** || **disminuir** · **estancarse** *Las radiografías confirmaron que el tumor se había estancado* · **detener(se)** || **padecer** · **tener** || **detectar** · **descubrir** · **encontrar** · **diagnosticar** · **localizar** *El objetivo de esta prueba es localizar el tumor* || **extirpar** · **quitar** · **radiar** · **tratar** || **analizar** · **examinar** || **operar(se) (de)** *Le habían asegurado que lo mejor era operarse del tumor* · **curar(se) (de)** || **sobrevivir (a)**

tumulto s.m.

● CON ADJS. **gran(de)** · **considerable** · **enorme** · **espectacular** || **confuso** · **horrible** · **violento** || **pequeño** *Se creó un pequeño tumulto con la noticia* · **ligero**

● CON VBOS. **crear(se)** · **producir(se)** · **formar(se)** || **amainar** · **disolver(se)** *El tumulto se disolvió en cuanto apareció la Policía* · **deshacer(se)** · **finalizar** · **terminar** || **causar** · **ocasionar** · **provocar** || **detener** · **frenar** · **controlar** || **ver** · **divisar** · **advertir** *A lo lejos se advertía el gran tumulto formado por la manifestación* || **salir (de)** · **escapar (de)** · **sacar (de)** || **sumergir(se) (en)** · **adentrar(se) (en)** · **perder(se) (en)** · **acercar(se) (a)** *Me acerqué al tumulto para averiguar qué sucedía* || **alejar(se) (de)** · **apartar(se) (de)**

● CON PREPS. **entre** · **en medio (de)**

tumultuoso, sa adj.

● CON SUSTS. **vida** *Su tumultuosa vida se refleja a lo largo de toda su obra* || **junta** · **asamblea** · **reunión** · **pleno** · **congreso** · **sesión** · **conferencia** · **convención** || **homenaje** · **aclamación** · **manifestación** || **actuación** · **concierto** · **recital** · **espectáculo**

tuna s.f.

● CON ADJS. **universitaria**

● CON SUSTS. **miembro (de)** *Fue miembro de la tuna de su facultad durante muchos años* · **componente (de)** || **canción (de)**

● CON VBOS. **rondar** · **cantar** · **actuar** || **ingresar (en)** · **participar (en)**

tunda s.f. *col.*

● CON ADJS. **buena** *El equipo recibió una buena tunda* · **severa** · **soberana** || **de palos** · **de golpes** · **de mamporros**

● CON VBOS. **dar (a alguien)** · **propinar (a alguien)** · **pegar (a alguien)** · **meter (a alguien)** || **recibir** · **sufrir** · **aguantar** *aguantar una tunda de palos*

túnel s.m.

● CON ADJS. **largo** · **kilométrico** *Han construido un túnel kilométrico para atravesar la cordillera* · **espectacular** || **corto** · **pequeño** || **oscuro** · **iluminado** || **nuevo** · **viejo** *Los trabajadores descubrieron un viejo túnel abandonado* ·

antiguo · abandonado · secreto || submarino · subterráneo || de peaje · gratuito || de lavado · de metro · ferroviario · del tiempo || internacional
• CON SUSTS. boca (de) · entrada (de) || salida (de) · final (de) *No se veía el final del túnel* · interior (de)
• CON VBOS. unir (algo) (con algo) *Un túnel secreto unía las dos partes de la fortaleza* · enlazar (algo) (con algo) || colapsar(se) · congestionar(se) · obstruir(se) · taponar(se) || desembocar (en un lugar) · atravesar (algo) || abrir *El Ayuntamiento pretende abrir un túnel de tres kilómetros para conectar ambas zonas* · excavar · perforar · construir · poner en marcha || cerrar || cruzar · recorrer || descubrir · hallar · encontrar || adentrarse (en) · entrar (en) || salir (de) || pasar (por)

[tuntún] → al tuntún

tupido, da adj.

• CON SUSTS. bosque · selva *La expedición se internó en la tupida selva* · vegetación · follaje || velo · tela || red · maraña *una tupida maraña de ocultos intereses* · entramado · alfombra · malla · telaraña || melena · bigote · barba · cejas

turbación s.f.

• CON ADJS. mental · emocional || pasajera
• CON VBOS. causar · producir · suscitar · provocar || sentir · experimentar · notar || disimular *Esbozó una forzada sonrisa con la que no logró disimular su turbación* · manifestar · expresar

turbador, -a adj.

• CON SUSTS. presencia · mirada · belleza *una mujer de belleza turbadora* || recuerdo · imagen · fotografía · retrato || idea · pensamiento || película · historia · libro || resonancia · experiencia · sueño · duda || agente · espíritu

turbar v.

• CON SUSTS. *persona* *una muchacha tan tímida que se turba cuando la miran* || paz *Aquellos hechos turbaron profundamente la paz de la región* · tranquilidad · silencio · sueño · descanso · armonía · calma · equilibrio || ánimo · espíritu || vida · convivencia · amistad || pensamiento
• CON ADVS. levemente · ligeramente · seriamente || pecaminosamente

turbina s.f.

• CON VBOS. funcionar || romper(se) · averiar(se) · estropear(se) · parar(se) · fallar *Tuve que llevar el coche a arreglar porque fallaba una turbina* || estallar · explotar || reparar · arreglar · cambiar || fabricar · acoplar || accionar · cerrar · apagar · detener

turbio, bia adj.

▌[borroso]
• CON SUSTS. imagen · fondo · cristal · ojos · vista || recuerdo · percepción

▌[deshonesto]
• CON SUSTS. asunto · trama · negocio *Está metido en negocios turbios* · juego · tinglado · manejo · papel *el turbio papel que desempeñó en el asunto de la inmobiliaria* · escándalo · plan · historial || episodio · hecho · incidente · crimen || trayectoria · biografía · pasado || personaje || interés · razón || conexión · vínculo · logro
• CON VBOS. poner(se) *Este asunto se está poniendo demasiado turbio* · volver(se) · quedar(se)

turbo

1 **turbo** adj.
• CON SUSTS. motor · propulsor || versión *La versión turbo es bastante más cara* · modelo

2 **turbo** s.m.
• CON ADJS. doble · potente
• CON VBOS. entrar || meter *Metió el turbo en la recta final y se alzó con la victoria* · poner · conectar || llevar · incorporar || romper || dotar (con)

turbulencia s.f.

• CON ADJS. meteorológica · atmosférica *El avión no pudo despegar por turbulencias atmosféricas* · climática · marina || política · electoral || revolucionaria · social *una época de grandes turbulencias sociales* || monetaria · financiera || emocional · sentimental · familiar · matrimonial || fuerte · gran(de) · grave || interna *Dicen que hay graves turbulencias internas en el partido*
• CON SUSTS. zona (de) · clima (de) || tiempo (de) · época (de) · etapa (de) · período (de) · fase (de)
• CON VBOS. originar(se) · avecinar(se) · registrar(se) || provocar · causar *El malentendido causó auténticas turbulencias entre los empleados* · ocasionar · desencadenar || evitar · afrontar · combatir || resolver · superar || haber · atravesar · tener || anunciar

turbulento, ta adj.

• CON SUSTS. aguas · río · mar · corriente || juventud · década *la década más turbulenta de nuestra historia reciente* · año · día · ***otros períodos*** || país · ciudad · región · comarca || partido · congreso · reunión · fiesta · ***otros acontecimientos*** || negociación · rodaje · preparación || pasado · historia || vida · trayectoria *una turbulenta trayectoria política* · carrera · existencia || relación · amor · romance · matrimonio · noviazgo
• CON VBOS. ser · estar · ponerse · volverse

turco s.m. Véase IDIOMA

turismo s.m.

• CON ADJS. floreciente · desarrollado · próspero · en expansión || nacional *campañas para promover el turismo nacional* · interno · local · regional || internacional · extranjero · mundial · espacial || de masas || rural *El turismo rural está revitalizando muchas zonas olvidadas* · ecológico · de aventura · virtual · invernal · náutico · veraniego · de montaña || cultural · artístico · sexual · social
• CON SUSTS. oficina (de) · guía (de) · agencia (de) · sector (de) · temporada (de) · negocio (de)
• CON VBOS. aumentar · consolidar(se) · disminuir *Este año ha disminuido el turismo extranjero* · reducir(se) · desarrollar(se) · florecer || hacer *Últimamente no hago mucho turismo* || generar · atraer || estimular · incentivar · revitalizar · potenciar · promocionar · promover · fomentar · reactivar || perjudicar · dañar *La subida de los precios ha dañado el turismo* · afectar || atender · cuidar || organizar · orientar

turista s.com.

• CON ADJS. nacional · local · extranjero,ra || despistado,da || habitual · ocasional || vacacional · estacional · de temporada || procedente (de un lugar) || lleno,na (de) · abarrotado,da (de)
• CON SUSTS. grupo (de) || visado (de) || afluencia (de) · avalancha (de) *una inesperada avalancha de turistas* · flujo (de) · ola (de) · oleada (de) · llegada (de)

● CON VBOS. **acudir · llegar || atraer** *El festival de cine atrae a numerosos turistas* · **congregar · captar · convocar || acoger · tratar || timar · estafar · asediar · molestar || ahuyentar · espantar · asustar || acompañar**

turístico, ca adj.

● CON SUSTS. **destino · ciudad · pueblo · calle** · ***otros lugares*** **|| hotel · parador · complejo · instalación || atracción · afluencia · flujo · aluvión · explosión · éxodo || viaje · ruta** *una ruta turística por los pueblos de la sierra* **|| paquete · oferta** *La oferta turística es cada vez más variada* · **producto || sector · mercado · industria · servicio || interés · atractivo · potencial || temporada || agencia · empresa · negocio || guía || demanda · promoción · propaganda · folleto · cartel · imagen || circuito · programa · plan · proyecto · objetivo || actividad · explotación** *La organización denunció la explotación turística de la zona*

turno s.m.

● CON ADJS. **fijo · regular · riguroso || alterno · variable || de día · de noche** *Este mes me toca turno de noche* · **de mañana · de tarde · nocturno · diurno · dominical || de oficio** *un abogado del turno de oficio*

● CON SUSTS. **presidente,ta (de) · compañero,ra (de) || médico,ca (de) · abogado,da (de) · guardia (de) · vigilante (de) || cambio (de)**

● CON VBOS. **tocar (a alguien)** *Cuando me tocó el turno de actuar no me salían las palabras* · **llegar (a alguien) || establecer · fijar · asignar || esperar** *Tienes que esperar tu turno para jugar* **|| pedir · ceder || guardar · respetar · seguir · cambiar || saltarse**

● CON PREPS. **por** *Hacemos el trabajo por turnos*

turquesa

1 **turquesa** adj.

● CON SUSTS. **agua** *una playa de aguas turquesas* · **mar**

2 **turquesa** s.m.

▌[color]

● CON SUSTS. **azul** *tonalidades azul turquesa* · **verde**

➤ Véase también **COLOR**

▌[piedra]

● CON ADJS. **salpicado (de) · incrustado (de)**

● CON SUSTS. **mina (de) || colgante (de) · collar (de) · broche (de) · brazalete (de) · máscara (de)**

turrón s.m.

● CON ADJS. **artesanal || duro · blando || navideño**

● CON SUSTS. **industria (de) · productor,-a (de) || helado (de)** *He traído una tarrina de helado de turrón*

● CON VBOS. **tomar · comer · probar · degustar || ofrecer · poner** *Nos pusieron turrón de yema para que lo degustáramos* **|| hacer · elaborar || cortar · trocear**

turulato, ta adj. *col.*

● CON VBOS. **estar · dejar (a alguien)** *El accidente lo dejó turulato* · **quedar(se) · ser · volver(se)**

tute s.m.

▌[juego de cartas]

● CON SUSTS. **partida (de)** *La partida de tute duró hasta la medianoche* · **jugador,-a (de)**

● CON VBOS. **echar || jugar (a)**

▌[paliza, esfuerzo] *col.*

● CON VBOS. **dar(se) · pegar(se)** *Nos pegamos un buen tute limpiando los azulejos de la cocina*

tutear v.

▌[tratar de tú]

● CON SUSTS. ***persona*** *No es de buena educación tutear a los desconocidos si son adultos*

▌[tratar como igual]

● CON SUSTS. **líder** *Salieron al campo dispuestos a tutear al líder* · **campeón,-a** *Ya ves, un equipo de segunda división tuteando al campeón de liga* · **rival · equipo · conjunto** · ***otros individuos y grupos humanos***

tutelar

1 **tutelar** adj.

● CON SUSTS. **derecho · política || tribunal · administración** *El asunto llegó a la administración tutelar* · **estado · gobierno · organismo || actividad · proceso || fuerza · poder**

2 **tutelar** v.

● CON SUSTS. **menor · hijo,ja · niño,ña** · ***otros individuos*** **|| vida · derecho** *un organismo que se preocupa de tutelar los derechos de los ciudadanos*

[tutiplén] → a tutiplén

tutoría s.f.

● CON ADJS. **personalizada · individual · grupal || virtual · presencial**

● CON SUSTS. **actividad (de) · servicio (de) · dinámica (de) · reunión (de) · encargado,da (de) || programa (de) · horario (de)**

● CON VBOS. **aceptar · admitir · solicitar · pedir || ejercer · asumir** *Asumió la tutoría de sus sobrinos* **|| depender (de) · someter (a)**

● CON PREPS. **bajo** *estar bajo la tutoría de un adulto*

U u

ubicación s.f.

● CON ADJS. **buena · cómoda · privilegiada || provisional · definitiva · nueva** *A partir del año que viene, el centro social tendrá una nueva ubicación* · **actual · futura · posible · alternativa || exacta · adecuada · correcta · estratégica || pública · oficial · secreta || peligrosa · problemática · difícil || geográfica · física**

● CON SUSTS. **cambio (de) · estudio (de) · problema (de) || lugar (de) · zona (de)**

● CON VBOS. **indicar · determinar · definir || escoger** *Una vez escogida la ubicación de las sedes...* · **decidir · elegir || conseguir · buscar || conocer · ignorar · desconocer || ocultar · dificultar · facilitar || cambiar** *El Ayuntamiento tiene previsto cambiar la ubicación de la biblioteca* **|| informar (sobre)**

ucraniano s.m. Véase **IDIOMA**

ufano, na adj.

● CON VBOS. **decir · comentar** *El actor comentó ufano el éxito de la serie* · **asegurar · esgrimir · afirmar · declarar · anunciar · proclamar · contar || contestar · responder · replicar || levantarse · acercarse · pasear · ir || sentirse** *Nos sentíamos muy ufanos por los resultados de la encuesta* · **encontrarse · mostrar(se) · quedarse || presentar**

ugandés s.m. Véase **IDIOMA**

úlcera s.f.

● CON ADJS. **crónica · sangrante** *El primer mandatario ha sido internado por una úlcera sangrante* · **maligna · aguda · infecciosa**

● CON SUSTS. **tratamiento (de) · operación (de) || causa (de) · aparición (de) || enfermo,ma (de)**

● CON VBOS. **abrirse · reventarse · sangrar || salir · formarse · desarrollarse || cicatrizar · desaparecer || tener · padecer · sufrir · arrastrar** *Desde hace cinco años arrastro una úlcera gástrica* **|| diagnosticar || prevenir · tratar · curar || recuperarse (de)** *La paciente se recupera satisfactoriamente de una úlcera de estómago sangrante* **|| operar (de)**

ultimar v.

● CON SUSTS. **detalle** *Solo queda ultimar algunos detalles para que esté todo listo* · **preparativos || trabajo · libro** *La escritora está ultimando un libro de poemas* · **película · guión · borrador || acuerdo · pacto · trato · contrato || operación · negocio · negociación · traspaso · compra · venta || declaración · programa · propuesta**

● CON ADVS. **a marchas forzadas** *Ultimaron el contrato a marchas forzadas* · **sobre la marcha · a toda {prisa/velocidad} · contrarreloj || con éxito · a plena satisfacción · a duras penas · dignamente || a medias**

ultimátum s.m.

● CON ADJS. **categórico** *El ultimátum de su padre fue categórico: o aprobaba el curso o se ponía a trabajar* · **rotundo · enérgico · firme · inapelable · terminante · inequívoco**

● CON VBOS. **vencer** *El ultimátum vence mañana* · **expirar || dar · lanzar · plantear · presentar || acatar · aceptar** *Los rebeldes aceptaron el ultimátum del Gobierno* **|| rechazar · ignorar · desoír || burlarse (de)**

ultrajar v.

● CON SUSTS. ***persona*** **|| memoria · honor** *La deportista sintió ultrajado su honor tras la acusación de dopaje* · **dignidad · honra · orgullo · intimidad · bandera · himno · buen nombre || cadáver · cuerpo**

● CON ADVS. **verbalmente · sexualmente · físicamente || espiritualmente · moralmente** *El trabajador afirma que su jefe lo ultrajó moralmente* · **públicamente || cruelmente**

ultraje s.m.

● CON ADJS. **humillante** *Ante el humillante ultraje sufrido, el partido rápidamente pidió responsabilidades* · **vejatorio · vergonzoso · moral || colectivo** *Después de los atentados la gente se quedó con una amarga sensación de ultraje colectivo* · **público || flagrante · evidente · verdadero || institucional**

● CON SUSTS. **delito (de) · acto (de) || sensación (de)**

● CON VBOS. **infligir · cometer** *...donde se cometen a diario ultrajes vergonzosos* **|| recibir · sufrir · soportar || vengar · denunciar || someter (a) || caer (en) · llegar (a) || condenar (por) · juzgar (por) · detener (por) || acusar (de)** *Lo acusan de ultraje y resistencia a las fuerzas públicas* · **tachar (de)**

ultramar s.m.

● CON SUSTS. **colonia (de)** *A partir de ese momento se fueron perdiendo las colonias de ultramar* · **territorio (de) · tierra (de) · país (de) · imperio (de) · posesión (de) || mercado (de) · comercio (de)**

● CON VBOS. **viajar (a)** *El protagonista es un aventurero rico que viaja a ultramar* · **ir (a) · partir (hacia) || llegar (de) · venir (de) || importar (a/de) · exportar (a/de)**

ultramarinos s.m.pl.

● CON SUSTS. **tienda (de)** *Trabajo en una tienda de ultramarinos* · **establecimiento (de)**

➤ Véase también **ESTABLECIMIENTO**

[ultranza] → a ultranza

ultrasónico, ca adj.

● CON SUSTS. **onda** *un tratamiento con ondas ultrasónicas* · **energía** · **ruido** || **transporte** · **avión** || **sensor** · **motor** *La nueva cámara incorpora un motor ultrasónico* || **equipo** · **alarma**

ultrasonido s.m.

● CON SUSTS. **aparato (de)** · **sistema (de)** · **sensor (de)** || **uso (de)** · **empleo (de)** · **exploración (con)** || **prueba (de)** *Algunos especialistas recomiendan las pruebas de ultrasonido como vía de detección*

● CON VBOS. **usar** · **utilizar** · **emplear** || **exponer (a)** · **examinar (con)** *Después de examinar con ultrasonidos al paciente, descubrieron que...* · **explorar (con)**

[ultratumba] → de ultratumba

ultravioleta adj.

● CON SUSTS. **rayo** *los rayos ultravioletas del sol* · **luz** · **radiación** · **espectro** · **onda** || **sensor** · **filtro** || **telescopio**

ulular v.

● CON SUSTS. **búho** · **lechuza** || **sirena** · **alarma** · **ambulancia** || **viento** *El viento ululaba entre los cristales de la ventana rota*

umbilical adj.

● CON SUSTS. **cordón** · **hernia** · **región** · **zona**

umbral

1 **umbral** s.f.

● CON VBOS. **cruzar** *Tras cruzar el umbral del nuevo milenio...* · **pasar** · **franquear** · **traspasar** · **rebasar** · **sobrepasar** · **superar** · **alcanzar** || **elevar** · **aumentar** · **rebajar** || **quedarse (en)**

● CON PREPS. **bajo** · **por debajo (de)** *¿Cuántas personas viven por debajo del umbral de la pobreza en nuestro país?* · **por encima (de)**

2 **umbral (de)** s.f.

● CON SUSTS. **puerta** *Nada más pasar el umbral de la puerta...* · **casa** || **pobreza** · **miseria** · **contaminación** · **muerte** || **esperanza** · **fama** · **tolerancia** || **aviso** *Superaba el umbral de aviso* · **alerta** || **rentabilidad** · **cuota**

umbrío, a adj.

● CON SUSTS. **espacio** · **zona** · **área** · **parte** · **lugar** || **bosque** · **jardín** *En la parte trasera de la casa había un jardín fresco y umbrío* · **terreno** || **rincón** · **recodo** || ***otros lugares***

unánime adj.

● CON SUSTS. **público** · **políticos,cas** · **expertos,tas** · ***otros individuos y grupos humanos*** || **acuerdo** · **aprobación** · **aceptación** · **asentimiento** · **convencimiento** · **consenso** *una decisión aprobada por consenso unánime* · **consentimiento** · **beneplácito** · **coincidencia** || **apoyo** · **respaldo** · **adhesión** · **solidaridad** · **ayuda** || **aplauso** *El recital se cerró con un aplauso unánime* · **ovación** · **reconocimiento** · **elogio** · **admiración** · **respeto** · **cariño** || **rechazo** · **condena** · **protesta** · **abucheo** · **oposición** · **repudio** *El ataque suscitó el repudio unánime de la comunidad internacional* · **repulsa** · **objeción** · **veto** || **grito** · **clamor** · **fragor** || **reivindicación** · **petición** · **reclamo** · **manifestación** · **huelga** · **boicot** · **paro** *La intransigencia de la empresa provocó el paro unánime de los trabajadores* · **pedido** · **solicitud** || **respuesta** · **decisión** · **fallo** · **reacción** · **voto** · **veredicto** · **diagnóstico** · **resolución** · **dictamen** · **conclusión** · **calificación** · **elección** || **sentir** · **opinión** *No existe una opinión unánime de los científicos en relación con este tema* · **sentimiento** · **postura** · **parecer** · **posición** · **interpretación** · **punto de vista** · **actitud** · **mirada** || **voluntad** · **interés** · **propósito** · **deseo** · **anhelo** · **intención** · **objetivo** · **finalidad** *La finalidad unánime del Consejo es hacer efectiva la participación de todos* || **comentario** · **crítica** · **declaración** · **acusación** · **pronunciamiento** · **frase** · **palabra** || **éxito** · **triunfo** · **satisfacción** · **regocijo** · **entusiasmo** · **alegría** · **júbilo** || **malestar** *Sus palabras provocaron el malestar unánime de los alumnos* · **descontento** · **dolor** · **odio** · **rabia** · **llanto**

● CON VBOS. **hacerse** · **volverse**

unánimemente adv.

● CON VBOS. **acordar** · **decidir** · **elegir** · **fallar** · **votar** || **aceptar** · **aprobar** *La cámara aprobó unánimemente la ley* · **apoyar** · **ayudar** · **respaldar** || **elogiar** · **admirar** · **aplaudir** *Los vecinos aplaudieron unánimemente las nuevas medidas* · **aclamar** · **ovacionar** · **respetar** || **rechazar** · **condenar** · **odiar** · **oponerse** · **protestar** || **pedir** · **reclamar** · **reivindicar** || **considerar** *La crítica lo considera unánimemente el mejor cantante de jazz del panorama actual* · **juzgar** · **declarar** · **reconocer** · **concluir** · **comentar** || **sentir** · **desear** || **exclamar** · **asentir** · **gritar**

[unanimidad] → por unanimidad; unanimidad

unanimidad s.f.

● CON ADJS. **absoluta** · **completa** · **total** · **plenaria** || **escasa** · **insuficiente**

● CON SUSTS. **manifestación (de)** || **falta (de)** · **ausencia (de)** · **grado (de)**

● CON VBOS. **existir** *No existe unanimidad entre los científicos acerca de estas cuestiones* · **haber** · **darse** || **concitar** *una propuesta que concitó la unanimidad de todos los partidos* · **suscitar** || **buscar** · **pedir** · **obtener** · **tener** · **conseguir** · **lograr** · **exigir** || **gozar (de)**

● CON PREPS. **por** *La eligieron presidenta por unanimidad*

unción s.f.

▮ [extremaunción]

● CON VBOS. **dar** · **administrar** || **recibir** *El enfermo recibió la unción y poco después falleció* · **pedir**

▮ [devoción]

● CON ADJS. **religiosa** · **litúrgica** · **sacramental**

● CON PREPS. **con** *Antes de entrar en el edificio, sus partidarios lo aclamaron con unción*

ungir (con) v.

● CON SUSTS. **aceite** · **óleo** || **perfume** · **fragancia**

ungüento s.m.

● CON ADJS. **milagroso** · **divino** · **mágico** · **casero** || **curativo** · **exótico** || **medicinal**

● CON VBOS. **poner** · **aplicar** *Aplíquese el ungüento en la zona afectada por la erupción* || **embadurnar (con)**

unidad s.f.

▮ [conjunción homogénea o integrada]

● CON ADJS. **homogénea** *formar una unidad homogénea* · **compacta** || **frágil** · **firme** · **férrea** · **precaria** || **indisoluble** · **indivisible** · **inquebrantable** || **de acción** *mantener una unidad de acción* · **de objetivos** · **de criterio** || **idio-**

mática · territorial · democrática || familiar · fraternal || estructural · básica || didáctica
● CON SUSTS. **espíritu (de)** *fortalecer el espíritu de unidad* || **muestra (de) · clima (de) || manifestación (de)**
● CON VBOS. **fraguar(se) · fortalecer(se) · robustecer(se) || romper(se) · quebrar(se) · deshacer(se) · descomponer(se) · desmoronar(se) · fraccionar(se) · desmembrar(se)** *Se desmembró la unidad del equipo* · **aflojar || perseguir · acariciar · alcanzar · forjar · tejer · cimentar · conservar · mantener · salvaguardar · restaurar || dañar · minar · socavar · fragmentar · desmantelar · poner en riesgo || gozar (de)** *La novela goza de una gran unidad estructural*
● CON PREPS. **en aras (de)**

▌[cada parte de una organización]
● CON ADJS. **móvil · motorizada || médica · militar · naval**

▌[cantidad acotada para medir algo]
● CON ADJS. **temporal · espacial**

□ EXPRESIONES **unidad de {cuidados intensivos/vigilancia intensiva}** [sección hospitalaria dedicada al cuidado de enfermos graves]

unifamiliar adj.

● CON SUSTS. **vivienda** *una vivienda unifamiliar de tres plantas* · **casa · chalé · residencia · edificio · piso || edificación** *Según el plan de urbanismo, esta zona es de edificación unifamiliar* · **construcción**

unificación s.f.

● CON ADJS. **definitiva · completa · final || parcial · progresiva · gradual · lenta || inmediata · rápida || pacífica** *El diálogo ha abierto el camino a una unificación pacífica* || **territorial · comunitaria · geográfica || teórica · conceptual · terminológica || política · monetaria** *Es difícil evaluar a largo plazo los beneficios de la unificación monetaria* · **económica · sindical · nacional · lingüística · cultural · normativa · jurídica**
● CON SUSTS. **proceso (de)** *Tras los últimos enfrentamientos, el proceso de unificación se está ralentizando* · **proyecto (de) · intento (de) || tratado (de) · acuerdo (de) || propuesta (de) · fórmula (de) || paso (hacia)**
● CON VBOS. **producir(se)** *La unificación territorial se produjo hace veinte años* · **fraguar(se) · completar(se) · fortalecer(se) || conseguir · lograr · forjar · consolidar || acelerar · retrasar · impedir || legalizar || avanzar (hacia)**

unificar v.

● CON SUSTS. **criterios · esfuerzos · posiciones · posturas || doctrina · discurso · estrategia · política || información · texto · programa · imagen || terminología || métodos · sistemas · procedimientos · proyectos**
● CON ADVS. **definitivamente** *Con el objetivo de unificar definitivamente las dos tendencias...* · **permanentemente · finalmente || profundamente · fuertemente || decididamente || completamente · totalmente** *unificar totalmente los criterios de corrección de exámenes*

□ USO Se construye frecuentemente con complementos en plural: *Los dos partidos se han reunido para unificar posturas.*

uniformar v.

● CON ADVS. **necesariamente · obligatoriamente || definitivamente · transitoriamente · parcialmente**

uniforme

1 uniforme adj.

● CON SUSTS. **modelo · criterio** *Tenemos que seguir un criterio uniforme a la hora de buscar soluciones* · **solución || fondo · superficie · pasta · textura || línea** *Dirige usted un Gobierno errático que no ha sabido encontrar una línea política uniforme* · **ritmo · curso · recorrido · trayecto · trayectoria · biografía**
● CON VBOS. **mantener(se) · permanecer**

2 uniforme s.m.

● CON ADJS. **reglamentario · oficial** *¿Los miembros de este cuerpo tienen un uniforme oficial?* · **obligatorio · potestativo · facultativo || habitual · característico · tradicional || policial · militar · de guerra · de combate · de camuflaje · de gala** *El uniforme de gala solo se lleva en ocasiones especiales* · **de entrenamiento · de trabajo · escolar || veraniego || ridículo**
● CON VBOS. **exigir · imponer**
➤ Véase también **ROPA**

uniformidad s.f.

● CON ADJS. **absoluta** *uniformidad absoluta de opiniones* · **perfecta · total · completa || considerable · notable · marcada · acusada || clara · evidente · obvia · reinante || aparente** *La disposición de los muebles producía un efecto de aparente uniformidad* · **relativa || ligera · leve · inapreciable || armoniosa · natural || artificial · impuesta**
● CON SUSTS. **falta (de) || tendencia (a)**
● CON VBOS. **existir · haber || dar · tener || requerir || buscar · lograr · romper || respetar || tender (a)** *En su última colección el modista tiende a la uniformidad en el color*
● CON PREPS. **con · sin**

unilateral adj.

● CON SUSTS. **decisión** *La ruptura de las negociaciones ha sido una decisión unilateral* · **acuerdo · tratado · apoyo · acto || tregua · moratoria · prórroga · alto el fuego · desarme · ataque || suspensión · abandono · ruptura · retirada** *Los altos mandos están barajando la posibilidad de una retirada unilateral* || **sanción · embargo · rescisión · imposición || medida · declaración** *La declaración unilateral de independencia tuvo consecuencias muy importantes* · **proclamación · acción · actuación · propuesta · postura · iniciativa**

unilateralmente adv.

● CON VBOS. **declarar · proclamar · anunciar** *tras anunciar unilateralmente que las negociaciones no proseguirían...* || **imponer · fijar · implantar · establecer · introducir · decretar · legislar || romper** *El Gobierno rompió unilateralmente el convenio firmado* · **suspender · rescindir · anular · cancelar · interrumpir || decidir · acordar · resolver · determinar || actuar** *La nueva medida permitirá al ministerio actuar unilateralmente* · **intervenir · proceder · afrontar · negociar · gestionar || modificar · alterar · cambiar · aumentar · ampliar**

unión s.f.

● CON ADJS. **fuerte · sólida** *El objetivo es conseguir una sólida unión empresarial* · **indisoluble · indestructible · indivisible · inseparable · firme · perdurable || débil · frágil · tenue || íntima · estrecha · compacta · profunda · sin reservas · perfecta || circunstancial · coyuntural · temporal · provisional || profesional · laboral · empre-**

sarial · familiar · matrimonial *celebrar una unión matrimonial* · carnal || tortuosa · armoniosa · feliz
• CON VBOS. fraguar(se) · afianzar(se) · fortalecer(se) · perdurar || deshacer(se) · disolver(se) · romper(se) *Se ha roto la unión entre los miembros del equipo* · quebrar(se) · truncar(se) || deparar (algo) || forjar · crear · tejer || consumar · sellar · oficializar · estrechar || adherirse (a)

unir(se) v.

• CON ADVS. íntimamente · estrechamente · profundamente || férreamente · fuertemente · inseparablemente *Desde hace algunos años, la vida de este autor se ha unido inseparablemente a su obra* · indisolublemente || decididamente · con los ojos cerrados · inexorablemente · sin reservas || armoniosamente · ordenadamente · felizmente

unisex adj.

• CON SUSTS. peluquería || moda *El diseñador canario ha apostado por una moda unisex muy natural* · prenda · ropa · colonia · reloj · juguete · *otros objetos*

unitario, ria adj.

• CON SUSTS. estado · nación · gobierno *La mayoría de los votantes apuestan por un Gobierno unitario* · partido · sindicato · organismo · órgano || precio *En el nuevo formulario se debe declarar el precio unitario y el país de origen del producto* · coste · tarifa || discurso · texto · documento · manifiesto · información || modelo · proyecto · política · programa || carácter *una norma de carácter unitario y uniforme en todo el territorio del Estado* · espíritu · esfuerzo || sentido · valor · visión · criterio || frente · movimiento · estrategia · postura · punto de vista · posición · propuesta || concepción · concepto · idea *Aspiran a una idea unitaria en materia de seguridad* · teoría · doctrina · perspectiva · línea · estructura || decisión · respuesta · acuerdo *En la última reunión conseguimos llegar a un acuerdo unitario* || acto · solución · fórmula

universal adj.

• CON SUSTS. literatura *un manual de literatura universal* · historia · mito · cultura · letras · arte · pintura · colección · exposición · obra · enciclopedia || fama · prestigio *Al final de su carrera llegó a alcanzar prestigio universal* · éxito · triunfo · reconocimiento · aceptación · proyección · difusión · alcance · validez || ley · principio *uno de los principios universales de la física* · ética · valores · moral · pensamiento · criterio || civilización · comunidad · organismo || sufragio || comunicación · lenguaje · icono · símbolo || realidad · fenómeno *un estudio acerca de un fenómeno universal* || concepto
• CON VBOS. hacer(se)

universalmente adv.

• CON VBOS. aceptar *Es una teoría universalmente aceptada* · admitir · reconocer · asegurar · asumir · acatar · ratificar · sostener || respetar · admirar · apreciar || aplaudir · aclamar · exaltar · ensalzar || conocer *hasta convertirse en lo que hoy se conoce universalmente como...* · comprender · entender · interpretar || difundir(se) · distribuir · retransmitir · mencionar · anticipar || detestar · repudiar *una práctica repudiada universalmente* · vituperar · impugnar · cuestionar || celebrar · conmemorar

□ USO Se construye muy frecuentemente con participios: *un monumento literario admirado universalmente.*

universidad s.f.

• CON ADJS. pública · estatal · privada || prestigiosa · conocida *Hizo la carrera en una conocida universidad de su país* · nombrada · reputada · ilustre · célebre · destacada · distinguida · insigne || presencial · a distancia · virtual || de mayores · de verano
• CON SUSTS. acceso (a) || rector,-a (de) *La rectora de la universidad abrirá el nuevo curso con una conferencia en el paraninfo* · decano (de) · catedrático,ca (de) · doctor,-a (por) · profesor,-a (de) · titular (de) · docente (de) · alumno,na (de) · estudiante (de) · investigador,-a (de) · licenciado,da (por) · experto,ta (de) · colaborador,-a (de) || departamento (de) · clase (de) · curso (de) || campus (de) · biblioteca (de) · coro (de) *Me he apuntado al coro de la universidad* · sede (de) · programa (de) · aula (de) · paraninfo (de) || cátedra (de) · estatutos (de)
• CON VBOS. masificar(se) || organizar (algo) || elegir *Todavía no ha elegido universidad* || empezar · acabar · terminar || abandonar · dejar *Tuvo que dejar la universidad para ponerse a trabajar* || ir (a) · estudiar (en) · vincular(se) (a) · salir (de) · entrar (a) · pasar (por) || enseñar (en) · dar clases (en) *Mi hermano da clases en la universidad* · trabajar (en) || admitir (en) · matricular(se) (en) · acceder (a) || graduarse (en) || expulsar (de)

universitario, ria adj.

• CON SUSTS. comunidad *La comunidad universitaria mostró su rechazo a la política educativa del Gobierno* · profesorado · departamento · equipo · consejo · club · coro || profesor,-a · docente · estudiante · joven || campus *El Congreso tendrá lugar en el campus universitario* · ciudad · complejo · centro · instituto · colegio · escuela · facultad · aula · biblioteca || vida · mundo · ámbito · clima || título · carrera · graduado · estudios *Para poder acceder a ese puesto de trabajo hay que tener estudios universitarios* · formación · educación · preparación · instrucción || reforma · política · sistema *La ministra pretende llevar a cabo una reforma del sistema universitario* · programa · ciclo · etapa · nivel · curso || docencia *Su ilusión de siempre fue dedicarse a la docencia universitaria* · investigación · tesis · trabajo · actividad · tarea || presupuesto · beca || carné *Tienes que enseñar el carné universitario para poder entrar*

universo s.m.

• CON ADJS. amplio · vasto · extenso · dilatado · inmenso · ilimitado · infinito *No es más que un pequeño punto en el universo infinito* · interminable · inabarcable · inconmensurable · entero || cerrado · abierto || primitivo || complejo *Los personajes de la novela constituyen un universo complejo de relaciones y vivencias* · variopinto · cambiante || conocido · cotidiano || desconocido · enigmático · misterioso · distante || personal · propio · particular · íntimo || mágico · fantástico · imaginario · onírico *un universo onírico donde lo real se confunde con lo imaginario* · encantado · simbólico || fascinante · envolvente || artístico · creativo · sensorial · musical · pictórico · literario · poético · narrativo *una interesante conferencia sobre el universo narrativo de los escritores de posguerra* · teatral · cultural · tecnológico · social · político
• CON SUSTS. centro (de) *¿Dónde se hallará el centro del universo?* || creación (de) · creador,-a (de) · origen (de) · edad (de) · evolución (de) · expansión (de) · fin (de) · futuro (de) · ley (de) · teoría (de) · misterio (de) · secreto (de) || límite (de) · confín (de) || lugar (de) ·

rincón (de) *en el más remoto rincón del universo* · **parte (de)** · **punto (de)**
● CON VBOS. **originar(se)** *Siempre le había gustado pensar en cómo se habrá originado el universo* · **extinguir(se)** || **expandirse** · **extenderse** || **crear** · **imaginar** *...imaginando sorprendentes universos de ficción* · **construir** · **inventar** · **descubrir** || **delimitar** · **acotar** · **abarcar** || **surcar** · **atravesar** || **asomar(se) (a)** · **acceder (a)** · **entrar (en)** || **viajar (por)** · **perder(se) (en)**
● CON PREPS. **en medio (de)**

unívoco, ca adj.

● CON SUSTS. **relación** · **correspondencia** || **posición** · **sentido** · **dirección** || **mensaje** · **lectura** · **discurso** *Pronunció un discurso unívoco, sin ambigüedades* · **interpretación** · **lenguaje** · **significado** || **visión** · **tratamiento**

un ojo de la cara loc.sust. *col.*

● CON VBOS. **costar** || **salir (por)** *Entre unas cosas y otras, el viaje nos salió por un ojo de la cara*

un potosí loc.sust.

● CON VBOS. **costar** · **valer** *No dejes escapar a ese chico, porque vale un potosí*

[uña] →a uña de caballo; con uñas y dientes; uña

uña s.f.

● CON ADJS. **corta** · **larga** || **afilada** · **felina** || **dura** · **quebradiza** || **postiza** *ponerse uñas postizas* || **sucia** · **limpia**
● CON SUSTS. **esmalte (de)**
● CON VBOS. **crecer** || **romper(se)** || **cortar** · **limar** || **pintar** *Me pinté las uñas para la fiesta* · **esmaltar** || **hacer** · **arreglar** · **cuidar** || **morderse** · **comerse** || **clavar** · **hincar** · **arrancar**
□ EXPRESIONES **con uñas y dientes*** [con toda la energía posible] *col.* || **de uñas** [enfadado] *col.* || {**enseñar/mostrar/sacar**} **las uñas** (a alguien) [mostrarse amenazador] *col.* || **ser uña y carne** [estar muy unidos] *col.*

uperizar v.

● CON SUSTS. **leche**

uranio s.m.

● CON ADJS. **empobrecido** · **enriquecido** · **radiactivo** · **natural**
● CON SUSTS. **mina (de)** · **planta (de)** · **explotación (de)** · **producción (de)** || **sales (de)** · **mineral (de)** || **nivel (de)** · **residuo (de)** · **presencia (de)** · **concentración (de)** · **fuga (de)** *una terrible fuga de uranio que afectó la salud de muchas personas* · **óxido (de)** || **bomba (de)** *Fabricaban bombas de uranio empobrecido* · **munición (de)** · **proyectil (de)** || **radiación (por)** · **exposición (a)** || **fisión (de)**
● CON VBOS. **emplear** · **utilizar** · **procesar** || **enriquecer** · **manipular** · **producir** · **generar** · **fabricar** || **irradiar** || **elaborar (con)**

urbanidad s.f.

● CON ADJS. **ejemplar** · **impecable** · **exquisita** || **política** · **cívica** · **ciudadana** || **mínima** · **indispensable** · **necesaria** · **exigible**
● CON SUSTS. **normas (de)** · **reglas (de)** · **leyes (de)** *distintas culturas que conviven respetando las mínimas leyes de la urbanidad* || **manual (de)** · **lecciones (de)** || **ejemplo (de)** · **demostración (de)** || **gesto (de)** *Lo entendí como un gesto de urbanidad* || **pérdida (de)** · **falta (de)**
● CON VBOS. **favorecer** · **estimular** || **perder** · **conservar** || **aprender** · **enseñar**

urbanización s.f.

● CON ADJS. **lujosa** · **pequeña** · **gran(de)** || **situado,da (en)**
● CON SUSTS. **chalé (de)** · **terreno (de)** · **parcela (de)** · **piscina (de)** · **jardín (de)** || **proceso (de)** || **vecino,na (de)**
● CON VBOS. **construir** · **edificar** · **planificar** · **proyectar** *Han proyectado una urbanización nueva en la costa* || **vigilar** || **ocupar** · **desalojar** || **vivir (en)** · **residir (en)** || **acceder (a)** · **salir (de)** || **abastecer (de algo) (a)**

urbanizar v.

● CON SUSTS. **suelo** · **zona** *Se ha aprobado el presupuesto para urbanizar la zona* · **terreno** · **extensión** · **solar** · **sector** · **descampado** · **espacio** · **parcela** · **área** · ***otros lugares***
● CON ADVS. **completamente** · **totalmente** || **sin escrúpulos** · **irresponsablemente** · **monstruosamente** *Han urbanizado monstruosamente la costa con grandes rascacielos* · **espantosamente**

urbano, na adj.

● CON SUSTS. **geografía** · **paisaje** *un reportaje fotográfico del paisaje urbano* · **zona** · **área** · **sector** · **espacio** · **territorio** · **centro** · **conjunto** · **casco** · **núcleo** · **entorno** · **rincón** · **escenario** *La película se desarrolla en un escenario urbano* · **gueto** · **barrio** · **arrabal** || **civilización** · **sociedad** · **población** · **público** · **tribu** · **guerrilla** || **servicio** · **transporte** *el transporte urbano más utilizado en el último año* · **autobús** · **tren** || **cinturón** · **circuito** || **historia** · **leyenda** · **novela** · **relato** · **comedia** || **arquitectura** · **construcción** · **obra** · **mobiliario** *dos personas acusadas de destrozar el mobiliario urbano* || **línea** · **recorrido** · **trazado** · **diseño** || **seguridad** *La ministra propuso nuevas medidas para mejorar la seguridad urbana* · **inseguridad** · **violencia** || **aglomeración** · **expansión** || **vida** · **mundo** · **cultura** · **costumbre** || **desarrollo** *En los últimos años se ha registrado un desarrollo urbano espectacular* · **política**

urbe s.f.

● CON ADJS. **gran(de)** *A pesar de ser una gran urbe, tiene serias deficiencias sanitarias* · **gigantesca** · **inmensa** · **pequeña** || **deshumanizada** · **fría** · **inhóspita** || **antigua** · **histórica** · **moderna** · **industrial** · **capitalina**
● CON SUSTS. **centro (de)** · **corazón (de)** · **calle (de)** || **afueras (de)** · **periferia (de)** · **alrededores (de)** · **aledaños (de)** || **crecimiento (de)** *En los últimos años se ha estancado el crecimiento de la urbe* · **desarrollo (de)** || **habitante (de)** · **vida (de)**
● CON VBOS. **crecer** · **masificar(se)** · **congestionarse** || **abandonar** *Abandonó la urbe y se fue a vivir a su pequeño pueblo de la sierra* · **dejar** || **reconstruir** · **construir** · **ampliar** · **transformar** · **modernizar** || **surgir**

urdir v.

● CON SUSTS. **plan** *Urdieron un plan para hacerse con el control del sindicato* · **coartada** · **trama** · **intriga** · **conspiración** · **complot** · **operación** · **estrategia** · **trampa** · **encerrona** · **emboscada** · **maniobra** · **artimaña** · **estratagema** · **conjura** · **jugada** · **celada** · **chantaje** · **enredo** · **truco** || **venganza** · **crimen** · **agresión** · **ataque** · **acusación** · **atentado** · **golpe de Estado** · **secuestro** · **amenaza** || **mentira** *burdas mentiras urdidas y publicadas con la más absoluta desfachatez* · **embuste** · **infamia** · **estafa** · **chanchullo** · **falsificación** · **ficción** · **apaño** · **patraña** · **equívoco** · **artificio** || **historia** *una historia inverosímil*

probablemente urdida desde el poder · **relato** · **narración** · **argumento** · **libro** · **crónica** · **carta** · **anécdota** || **acuerdo** · **pacto** · **arreglo** || **teoría** · **hipótesis** · **interpretación** · **razonamiento** · **explicación** *Había urdido una explicación tan absurda que nadie creyó ni una palabra* · **comentario**
● CON ADVS. **con astucia** · **detalladamente** · **estratégicamente** · **minuciosamente** · **con todo detalle** || **secretamente**

[urgencia] → de urgencia; urgencia

urgencia

1 **urgencia** s.f.

● CON ADJS. **suma** · **máxima** · **mayor** || **perentoria** · **apremiante** *necesitar algo con urgencia apremiante* · **inmediata** · **imperiosa** · **acuciante** · **ineludible** · **insoslayable** · **inexcusable** || **médica** · **hospitalaria**
● CON SUSTS. **caso (de)** · **situación (de)** || **medida (de)** *tomar medidas de urgencia*
● CON VBOS. **presentarse** *Guardaba unos ahorrillos por si se presentaba alguna urgencia* · **declararse**
● CON PREPS. **de**

2 **urgencias** s.f.pl.

● CON SUSTS. **salida (de)** · **puerta (de)** · **servicio (de)**
● CON VBOS. **ir (a)** · **llevar (a)** *Si la fiebre no remite, le llevaré a urgencias* · **entrar (por)** · **atender (en)** · **estar (en)**

[urgencias] s.f.pl. → urgencia

urgente adj.

● CON SUSTS. **acción** *Gracias a la acción urgente de los bomberos, se pudieron salvar muchas vidas* · **intervención** · **actuación** · **atención** · **tratamiento** · **ayuda** || **necesidad** · **demanda** · **problema** · **comunicado** · **llamamiento** · **convocatoria** · **reunión** *Nos han convocado a una reunión urgente* · **comparecencia** · **interpelación** || **resolución** · **respuesta** *Necesitamos una respuesta urgente para poder seguir adelante con el proyecto* · **decisión** · **disposición** · **explicación** || **plan** · **proyecto** · **proceso** · **trámite** · **asunto** · **tarea** || **reparación** · **solución** · **cambio** · **renovación** · **reforma** · **medida** || **carta** · **llamada** *recibir una llamada urgente* · **correo** · **informe** || **transporte** || **salida** · **evacuación**
● CON ADVS. **extremadamente** · **absolutamente** · **sumamente**

urgir v.

▮ [ser o resultar urgente]

● CON SUSTS. **reforma** · **cambio** · **revisión** · **mejora** *Urge una mejora en las instalaciones del colegio* · **reconstrucción** · **transformación** · **reestructuración** · **renovación** · **creación** · **compra** || **solución** · **firma** · **acuerdo** · **pacto** · **compromiso** || **estrategia** · **medida** · **alternativa** · **programa** *Urge un programa de educación vial para escolares* · **ley** || **aplicación** · **puesta en marcha** · **aprobación** · **adecuación** || **ayuda** · **solidaridad** · **cooperación** · **recurso** · **medicamento** *Según los expertos, urgen medicamentos y alimentos en toda la región damnificada* · **alimento** · **dotación**
● CON ADVS. **acuciantemente** · **desesperadamente**

▮ [instar]

● CON ADVS. **con vehemencia** || **públicamente** *Urgimos públicamente a las autoridades para que tomen a la mayor brevedad las medidas necesarias para...*

urinario, ria

1 **urinario, ria** adj.

● CON SUSTS. **incontinencia** *nuevas técnicas para evitar la incontinencia urinaria* · **infección** · **retención** · **enfermedad** · **problema** · **flujo** · **frecuencia** || **excreción** || **análisis** || **tracto** · **aparato** · **vías** · **vejiga** · **sistema** · **conducto** || **sonda**

2 **urinario** s.m.

● CON ADJS. **público** || **sucio** · **limpio** || **gratuito** · **de pago**
● CON SUSTS. **higiene (de)** · **limpieza (de)** || **uso (de)**
● CON VBOS. **limpiar** · **desinfectar** *Los urinarios se desinfectan diariamente* || **instalar** · **construir** || **usar** · **utilizar** || **ir (a)** · **entrar (en)** || **encerrarse (en)**

urna s.f.

▮ [elecciones]

● CON SUSTS. **cita (con)** *Hoy todos tenemos una cita con las urnas* · **asistencia (a)** · **legitimidad (de)** || **apertura (de)** · **cierre (de)** || **resultado (de)** · **veredicto (de)** || **participación (en)** · **afluencia (a)** || **victoria (en)** *Se confirmó la victoria en las urnas del partido centrista* · **triunfo (en)** · **derrota (en)**
● CON VBOS. **confirmar (algo)** *Las urnas confirmaron ayer las predicciones electorales* · **reflejar (algo)** · **dictar (algo)** · **desvelar (algo)** · **demostrar (algo)** · **deparar (algo)** || **llenar** *Es fundamental que se llenen las urnas de votos* || **acudir (a)** · **concurrir (a)** · **ir (a)** · **pasar (por)** || **llamar (a)** · **convocar (a)** || **ganar (en)** · **vencer (en)** · **imponer(se) (en)** · **fracasar (en)** · **perder (en)** || **legitimar (en)** *El partido ha sido repetidamente legitimado en las urnas* · **decidir (en)** · **ratificar (en)** · **corroborar (en)** · **expresar (en)** · **resolver (en)** · **castigar (en)** || **someter(se) (a)** · **exponer(se) (a)** || **depositar (el voto) (en)** · **meter (el voto) (en)** · **introducir (el voto) (en)** || **surgir (de)** · **proceder (de)**
● CON PREPS. **a pie (de)** *Un corresponsal a pie de urna nos irá informando de todos los incidentes* · **a boca (de)** · **a través (de)**

□ USO Se usa más frecuentemente en plural.

urticaria s.f.

● CON ADJS. **solar** || **crónica**
● CON SUSTS. **grano (de)** · **roncha (de)** · **mancha (de)** || **brote (de)**
● CON VBOS. **salir** *Tiene intensos picores producidos por la urticaria que le ha salido en las piernas* || **remitir** · **acentuar(se)** || **padecer** · **tener** || **provocar** · **producir**

usado, da adj.

● CON SUSTS. **ropa** *una tienda de ropa usada* || **coche** · **vehículo** *la feria del vehículo usado* || **rueda** · **aceite** || **libro** · **papel** || **pañuelo** · **kleenex** · **servilleta** || **jeringuilla** *infectarse con una jeringuilla usada* · **aguja**

usar v.

● CON ADVS. **apropiadamente** *usar los servicios públicos apropiadamente* · **correctamente** · **ordenadamente** · **prudentemente** || **incorrectamente** · **indebidamente** · **torcidamente** || **profusamente** · **intensivamente** · **a mansalva** || **discrecionalmente** · **arbitrariamente** || **con cautela** *Estos datos se deben usar con cautela* · **con mesura** || **abusivamente** · **sin medida** · **sin límite** · **sin mesura** · **a la ligera** || **habitualmente** · **continuamente** || **escasamente** · **esporádicamente** · **de uvas a peras** || **descaradamente** · **abiertamente** || **en exclusiva**

uso s.m.

● CON ADJS. **correcto** *el uso correcto del medicamento* · **efectivo** · **adecuado** · **apropiado** · **legal** · **legítimo** · **prudente** · **cuidadoso** · **equilibrado** || **incorrecto** · **inadecuado** · **inapropiado** · **perjudicial** · **sesgado** · **caprichoso** · **indebido** · **ilegal** · **fraudulento** · **inconsciente** || **común** · **habitual** · **corriente** · **frecuente** · **continuo** *lentes de contacto de uso continuo* · **general** · **generalizado** · **difundido** · **real** · **arraigado** · **enraizado** · **cotidiano** · **diario** · **ocasional** || **escaso** · **insuficiente** · **inhabitual** · **esporádico** || **excesivo** · **indiscriminado** · **reiterado** · **masivo** · **desmedido** · **abusivo** · **intensivo** · **extensivo** || **restringido** *zonas de uso restringido* · **limitado** || **discrecional** · **arbitrario** · **obligatorio** || **privado** · **interno** · **exclusivo** · **preferente** · **particular** · **personal** · **individual** · **doméstico** *energía de uso doméstico* · **familiar** || **público** · **comunal** *bienes para uso comunal* · **social** · **comunitario** || **industrial** · **militar** · **agrícola** · **deportivo** · **comercial** · **médico**

● CON SUSTS. **instrucciones (de)** · **manual (de)** || **derecho (de)** · **valor (de)** · **bien (de)** · **moneda (de)** || **diccionario (de)** · **ejemplo (de)** *Es preferible elegir ejemplos de uso real para que los estudiantes...* || **nivel (de)**

● CON VBOS. **difundir(se)** · **extender(se)** *Se ha extendido el uso del correo electrónico* · **generalizar(se)** · **consagrar(se)** · **normalizar(se)** || **desgastar (algo)** *El uso desgasta las cosas* || **hacer** · **dar** · **hacer extensivo** *hacer extensivo el uso del móvil* · **instaurar** · **introducir** · **autorizar** · **potenciar** · **promover** || **desterrar** · **sancionar** · **erradicar** · **racionalizar** || **tener** || **atenerse (a)** · **abusar (de)** · **inducir (a)**

☐ EXPRESIONES **al uso** [según costumbre] || **en {buen/mal} uso** [en {buen/mal} estado] || **hacer uso de la palabra** [intervenir hablando] || **uso de razón** [juicio]

[usted] → de usted

usuario, ria s.

● CON ADJS. **satisfecho** · **contento** || **insatisfecho** · **descontento** || **habitual** *Soy un usuario habitual del transporte público* · **asiduo,dua** · **fijo,ja** · **principal** || **temporal** · **ocasional** · **esporádico** || **potencial** *La empresa estaba interesada en conocer la opinión de los usuarios potenciales* · **posible** · **futuro,ra** · **actual** · **nuevo,va** || **individual** · **particular** · **colectivo** · **oficial** || **informático**

● CON SUSTS. **derecho (de)** · **necesidad (de)** · **interés (de)** · **inquietud (de)** || **seguridad (de)** · **intimidad (de)** · **privacidad (de)** || **comodidad (de)** · **satisfacción (de)** || **malestar (de)** · **indignación (de)** || **defensa (de)** · **protección (de)** || **comportamiento (de)** · **perfil (de)** || **representante (de)** · **asociación (de)** · **agrupación (de)** · **comunidad (de)**

● CON VBOS. **quejarse (de algo)** · **reclamar (algo)** · **demandar (algo)** · **exigir (algo)** · **denunciar (algo)** · **reivindicar (algo)** · **protestar** || **pagar** || **registrar(se)** · **participar (en algo)** || **proteger** · **defender** *Nuestra organización ha trabajado siempre defendiendo a los usuarios y a los consumidores* · **beneficiar** || **estafar** · **engañar** · **timar** · **perjudicar** · **castigar** || **poner (algo) a disposición (de)**

● CON PREPS. **en beneficio (de)** · **a favor (de)** · **en defensa (de)**

usura s.f.

● CON SUSTS. **delito (de)**

● CON VBOS. **prohibir** · **combatir** *El Ayuntamiento intenta combatir la especulación y la usura* · **censurar** · **castigar** · **denunciar** || **practicar** · **imperar** || **legalizar** · **respaldar**

usurpar v.

● CON SUSTS. **terreno** · **espacio** · **lugar** · **propiedad** · **posesión** || **poder** *Los militares usurparon el poder durante casi una década* · **trono** · **cargo** · **puesto** · **dirección** · **autoridad** · **gobierno** · **posición** · **alcaldía** || **función** · **papel** · **competencia** · **atribución** · **protagonismo** · **representación** · **condición** · **tarea** · **liderazgo** · **primacía** · **responsabilidad** · **representatividad** || **identidad** · **personalidad** · **nombre** · **título** · **sigla** · **marca** · **apariencia** · **aspecto** · **imagen** · **atributo** · **firma** *Lo acusan de haber usurpado la firma de la presidenta* · **patente** · **credencial** · **licencia** || **derecho** · **facultad** · **soberanía** · **autonomía** · **libertad** · **democracia** · **voluntad** · **honor** · **prerrogativa** · **capacidad** || **principio** · **valor** · **idea** · **ideología** · **sueño** · **iniciativa** · **expectativa** || **vocabulario** · **término** · **palabra** · **mensaje**

utensilio s.m.

● CON ADJS. **doméstico** · **tradicional** · **cotidiano** || **de cocina** · **de trabajo** · **de labranza** · **de caza** · **de pesca** · **de navegación** · **quirúrgico** · **sanitario**

● CON VBOS. **usar** · **emplear** · **manejar** || **tener** · **conseguir** · **encontrar** · **descubrir** *Descubrieron utensilios de gran valor arqueológico en el yacimiento* || **portar** · **llevar** || **fabricar** *una empresa dedicada a la fabricación de utensilios quirúrgicos* · **hacer**

útil

1 **útil** adj.

▌[provechoso, práctico]

● CON SUSTS. **objeto** · **instrumento** · **herramienta** · **máquina** · **dispositivo** || **vida** · **trabajo** · **labor** · **obra** || **aportación** · **contribución** *su útil contribución a la comunidad científica* · **inversión** || **acción** · **actuación** · **intervención** || **encuentro** · **cambio** · **desaparición** · ***otros sucesos*** || **recurso** · **medida** · **complemento** || **consejo** *Suele seguir los útiles consejos de su hermana mayor* · **sugerencia** · **recomendación** · **lección** · **diálogo** · **conversación** · **información** · **dato** · **documento** · **libro** || **voto**

● CON ADVS. **especialmente** · **particularmente** *Su ayuda nos resultó particularmente útil* · **doblemente** · **sumamente** · **tremendamente** · **notablemente** · **extraordinariamente** · **verdaderamente** · **realmente** || **escasamente** || **socialmente** *La colaboración con aquella organización le hacía sentirse socialmente útil* · **políticamente** · **espiritualmente** · **psicológicamente**

● CON VBOS. **resultar** · **volverse**

2 **útil** s.m.

▌[utensilio]

● CON ADJS. **escolar** · **deportivo** · **de escritorio** · **de pesca** · **de oficina** · **de pintar**

● CON VBOS. **usar** · **emplear** · **manejar** || **buscar** *Busco útiles de pesca en buen estado* · **encontrar** · **pedir**

utilidad s.f.

● CON ADJS. **gran(de)** · **enorme** *la enorme utilidad de un electrodoméstico* · **suma** · **inestimable** || **probada** · **reconocida** || **escasa** · **dudosa** · **cuestionable**

● CON VBOS. **analizar** · **valorar** · **calibrar** · **sopesar** || **encontrar** *No le encuentro utilidad a este aparato* · **hallar** · **ver** · **sacar** · **dar** *Ya que no nos sirve para el salón, le daremos otra utilidad* || **poner en duda** *poner en duda la utilidad de un programa informático* || **tener** · **reportar** || **perder** || **dudar (de)**

utilitario, ria

1 **utilitario, ria** adj.

• CON SUSTS. **coche** *un nuevo modelo de coche utilitario* · **vehículo** || **uso** · **criterio** · **carácter** · **concepción** · **actitud** || **valor** · **sentido** *un movimiento que trata de conferir al arte cierto sentido utilitario* · **fin** · **afán** || **arte**

2 **utilitario** s.m.

▌ [automóvil]

• CON ADJS. **nuevo** · **moderno** *La actriz llegó en su moderno utilitario* || **pequeño** · **minúsculo** || **popular** · **modesto** · **original** · **cómodo** · **práctico**

• CON VBOS. **calar(se)** || **chocar** · **colisionar** · **volcar** *El utilitario volcó y se salió de la calzada* || **tener** · **poseer** · **comprar** || **conducir** · **pilotar** · **manejar** · **llevar** || **arrancar** · **acelerar** · **frenar** · **parar** || **aparcar** · **estacionar**

utilización s.f.

• CON ADJS. **buena** · **apropiada** · **sabia** · **inteligente** · **adecuada** · **correcta** · **debida** || **mala** · **inapropiada** · **inadecuada** · **incorrecta** · **ilegal** · **ilegítima** · **fraudulenta** · **torticera** · **indebida** || **sesgada** *la utilización sesgada de unas imágenes* · **partidista** · **interesada** · **torcida** · **regular** · **irregular** · **normal** || **conjunta** · **privada** || **prudente** *La prudente utilización de los sistemas de seguridad* · **mesurada** · **racional** · **abusiva** · **indiscriminada** || **intensiva** · **continua** · **frecuente** · **ocasional** || **efectiva** · **ventajosa** · **eficiente**

• CON VBOS. **generalizar(se)** || **hacer extensiva** · **facilitar** · **favorecer** || **recomendar** · **indicar** · **aconsejar** · **autorizar** · **admitir** · **permitir** · **justificar** || **suprimir** · **impedir** · **prohibir** · **desaconsejar** || **abusar (de)** *abusar de la utilización de somníferos* · **recurrir (a)** || **limitarse (a)**

utilizar v.

• CON ADVS. **apropiadamente** *utilizar apropiadamente un electrodoméstico* · **correctamente** · **incorrectamente** || **honestamente** · **maliciosamente** *utilizar maliciosamente una información confidencial* · **sesgadamente** · **torcidamente** || **ampliamente** · **profusamente** · **abundantemente** · **a mansalva** · **con soltura** *utilizar vocabulario técnico con soltura* · **en {pequeñas/grandes} dosis** || **a discreción** · **discrecionalmente** · **arbitrariamente** || **insistentemente** · **continuadamente** · **ocasionalmente** || **abiertamente** · **descaradamente** || **eficazmente** · **ventajosamente** || **mesuradamente** · **prudentemente** · **con cautela** *utilizar con cautela una documentación privada* · **ordenadamente** || **abusivamente** · **a la ligera** || **en exclusiva**

utillaje s.m.

• CON ADJS. **necesario** · **adecuado** · **habitual** || **aparatoso** || **de empresa** · **de cocina** · **de pesca** · **marino** · **agrícola** · **tecnológico** · **conceptual** · **mental**

• CON SUSTS. **parte (de)** *Parte del utillaje de la empresa está en la antigua sede* · **restos (de)**

• CON VBOS. **adquirir** *Hemos adquirido el utillaje de producción más sofisticado del mercado* · **incluir** · **proporcionar** || **instalar** · **acondicionar** || **renovar** · **cambiar** || **llevar** · **trasladar** || **disponer (de)**

utopía s.f.

• CON ADJS. **inalcanzable** · **irrealizable** · **imposible** || **nueva** · **alcanzable** · **viable** · **realizable** · **razonable** || **social** · **política** · **revolucionaria** · **comunista** · **anárquica** · **ideológica** · **paradisíaca**

• CON VBOS. **hacer(se) realidad** *Lo que entonces parecía una utopía inalcanzable hoy se ha hecho realidad* · **fracasar** · **alejarse** || **perseguir** · **pretender** · **buscar** || **construir** · **realizar** · **alcanzar** · **conquistar** || **imaginar** · **plantear** · **defender** · **proponer** · **olvidar** || **bordear** · **rozar** · **rayar (en)** *Son muchos los que piensan que este proyecto raya en la utopía* || **soñar (con)** · **vivir (en)** || **acabar (con)**

utópico, ca adj.

• CON SUSTS. **sueño** · **idea** · **ideal** · **pensamiento** · **visión** · **deseo** || **lugar** · **ciudad** *La autora describe en su libro una ciudad utópica e ideal* · **mundo** · **sociedad** · **comunidad** · **paraíso** || **proyecto** · **planteamiento** · **programa** · **medida** · **concepto** · **postulado** · **objetivo** · **pretensión** · **componente** · **solución** *una solución utópica absolutamente imposible de llevar a cabo* || **alternativa** · **propuesta** · **perspectiva** · **horizonte** · **posibilidad** · **esperanza** · **aspiración** · **igualdad** || **carácter** · **espíritu** · **actitud** || **lucha**

uva s.f.

• CON ADJS. **negra** · **blanca** · **moscatel** *¿Cuándo empieza la campaña de la uva moscatel?* || **de parra** · **de mesa** · **de vino** || **seca** · **pasa** *Agrega las uvas pasas antes de hornear la masa* · **fresca** || **madura** · **pasada** · **podrida** || **dulce** · **ácida** · **sabrosa** · **apetitosa** · **jugosa**

• CON SUSTS. **cosecha (de)** · **recogida (de)** · **recolección (de)** · **vendimia (de)** || **producción (de)** · **mercado (de)** · **campaña (de)** · **precio (de)** || **racimo (de)** · **variedad (de)** || **zumo (de)** · **mosto (de)** · **jugo (de)** · **caldo (de)** || **piel (de)** · **hollejo (de)** · **pellejo (de)** *El pellejo de la uva se usa para dar color al vino* · **grano (de)**

• CON VBOS. **madurar** · **pudrir(se)** · **estropear(se)** · **fermentar** || **cultivar** · **recolectar** · **vendimiar** · **recoger** · **coger** || **producir** · **comercializar** || **tomar** *En Nochevieja es tradición tomar doce uvas* · **comer** || **saborear** · **paladear** || **exprimir** · **pisar** · **prensar**

☐ EXPRESIONES **mala uva** [mal carácter] *col.*

V v

[vaca] →como una vaca; vaca

vaca s.f.

●CON ADJS. **lechera || brava · salvaje || sagrada || loca** *la enfermedad de las vacas locas*
●CON SUSTS. **leche (de)** *Soy alérgica a la leche de vaca* · **carne (de) · filete (de) · queso (de) || manada (de) · granja (de)**
●CON VBOS. **mugir · cornear (a alguien) || pastar** *En el prado había algunas vacas pastando* **|| ordeñar || sacrificar**

□EXPRESIONES **vacas flacas** [época de escasez] *col.* **|| vacas gordas** [época de prosperidad económica] *col.*

[vacación] →de vacaciones; vacaciones

vacaciones s.f.

●CON ADJS. **buenas · de campeonato · magníficas · extraordinarias · de ensueño** *Este año hemos disfrutado de unas vacaciones de ensueño* · **de película · inolvidables || tranquilas · accidentadas || largas || cortas · pequeñas · breves || a medida || merecidas || próximas** *Ya estamos organizando nuestras próximas vacaciones* · **pasadas · últimas || veraniegas · estivales · invernales · navideñas || escolares · parlamentarias**
●CON SUSTS. **período (de) · temporada (de)** *Los precios del alquiler suben en la temporada de vacaciones* · **mes (de) · semana (de) · día (de) || ciudad (de) · lugar (de)**
●CON VBOS. **llegar · aproximarse · empezar · terminar || transcurrir · durar || corresponder (a alguien) || pedir · tomarse** *Me tomé unas breves vacaciones para visitar a mi familia* · **tener · necesitar · merecer || interrumpir || programar · preparar · planificar · organizar || acortar** *El mal tiempo nos obligó a acortar las vacaciones* · **alargar · prolongar || anticipar · adelantar · retrasar · cambiar || disfrutar · pasar** *Este año pasaré mis vacaciones en la playa* **|| contar || disfrutar (de) · gozar (de) || irse (de)** *Dentro de una semana me voy de vacaciones* · **volver (de) · mandar (de)**

vacante

1 **vacante** adj.

●CON SUSTS. **plaza** *¿Ha quedado alguna plaza vacante?* · **puesto · empleo · cargo · cartera || escaño · trono · sillón || suelo · terreno || diócesis · sede**
●CON VBOS. **dejar · quedar · estar || encontrarse**

2 **vacante** s.f.

●CON ADJS. **actual · temporal** *Hemos encontrado tremendas dificultades para cubrir las vacantes temporales* · **veraniega || laboral · institucional**
●CON VBOS. **producir(se) || cubrir · ocupar** *Aún no se sabe quién ocupará la vacante*

vacilación s.f.

●CON ADJS. **peligrosa || larga · seria · grave · preocupante || clara · profunda || ligera · inicial** *Tras una inicial vacilación, su gesto de asombro se convirtió en una sonrisa* · **momentánea · pequeña** *ante la más pequeña vacilación* **|| incontrolable**
●CON SUSTS. **momento (de) · sombra (de) · asomo (de) · atisbo (de)**
●CON VBOS. **mostrar · percibir · provocar**
●CON PREPS. **con · sin** *Respondió sin vacilación a todas las preguntas de los periodistas*

vacilante adj.

●CON SUSTS. **actitud** *La actitud vacilante del Gobierno ha dificultado el acuerdo* · **comportamiento · actuación || opinión · criterio · postura || comienzo · inicio || paso** *Se dirigió con paso vacilante a la cocina* · **pulso**
●CON VBOS. **caminar · andar || hablar · responder** *Respondió vacilante a las preguntas del abogado* · **explicar || volverse · quedarse**

vacilar v.

●CON SUSTS. ***persona*** *Mi hermana siempre vacila a la hora de tomar una decisión importante*
●CON PREPS. **sin** *El alumno contestó a la pregunta sin vacilar*
●CON ADVS. **un momento** *Cuando le pregunté por ella, vaciló un momento antes de contestar* **|| continuamente**

[vacío] →al vacío; de vacío; vacío, a

vacío, a

1 **vacío, a** adj.

●CON SUSTS. **espacio · ciudad** *En verano, la ciudad se queda vacía* · **pueblo · casa · apartamento · habitación ·** ***otros lugares*** **|| puesto · plaza || mesa · silla · asiento** *Ven aquí, hay un asiento vacío* · **banco || bolsa · bolsillo · agujero || cajón · caja · vaso · jarrón ·** ***otros recipientes*** **|| estómago** *Voy a comer algo, tengo el estómago vacío* **|| cabeza · cerebro || vida · existencia**
●CON ADVS. **completamente · totalmente · absolutamente · prácticamente** *El cine estaba prácticamente vacío*
●CON VBOS. **estar · quedarse · mantener(se) · sentirse**

2 **vacío** s.m.

▮ [abismo]

●CON VBOS. **abrir(se) || lanzar(se) (a) · tirar(se) (a)** *Se puso el paracaídas y se tiró al vacío* · **saltar (a) || precipitarse (a) · caer (a)**

▮ [falta, ausencia]

●CON ADJS. **profundo** *Su marcha nos dejó un profundo vacío* · **hondo · enorme · terrible · inmenso · gran(de) · insalvable · insondable · infinito · abismal || clamoroso**

|| **desolador** || **existencial** · **interior** · **vital** || **legal** *Existe un vacío legal sobre estas cuestiones: la jurisprudencia no se pronuncia sobre ellos* · **legislativo** · **político**
● CON SUSTS. **sensación (de)** · **síntoma (de)** · **sentimiento (de)** || **situación (de)** *Ha quedado en una situación de vacío legal*
● CON VBOS. **existir** · **crear(se)** || **dejar** · **dar** · **provocar** · **causar** · **engendrar** || **llenar** *Será difícil llenar el vacío que deja entre nosotros* · **colmar** · **cubrir** · **suplir** || **sentir** · **contemplar** || **sumir(se) (en)** *Cuando se enteró, se sumió en el vacío* · **hundir(se) (en)** || **ir(se) (de)** *El equipo no se irá de vacío esta semana* · **marchar(se) (de)** · **volver(se) (de)** · **regresar (de)**
□ EXPRESIONES **hacer el vacío** (a alguien) [aislarlo, ignorarlo, despreciarlo]

[vacuna] s.f. → vacuno, na

vacuno, na

1 **vacuno, na** adj.
● CON SUSTS. **ganado** *un peligroso virus que ataca al ganado vacuno* · **res** · **animal** · **cabeza** || **sector** || **enfermedad**

2 **vacuno** s.m.
● CON SUSTS. **carne (de)** || **mercado (de)** · **venta (de)** · **exportación (de)** · **importación (de)** || **sector (de)** · **precio (de)** *una ligera subida del precio del vacuno* · **consumo (de)** · **sacrificio (de)**

3 **vacuna** s.f.
● CON ADJS. **eficaz** · **efectiva** · **expeditiva** · **segura** · **milagrosa** || **ineficaz** · **inefectiva** || **nueva** *Los especialistas aconsejan la administración de la nueva vacuna a la población de riesgo* · **revolucionaria** · **experimental** || **contraindicada** · **obligatoria** || **preventiva** || **{con/sin} efectos secundarios**
● CON VBOS. **{surtir/hacer} efecto** · **funcionar** · **tener éxito** || **fallar** · **fracasar** || **administrar** · **poner** *Antes de viajar tuve que ponerme varias vacunas* · **aplicar** · **inyectar** · **inocular** || **prescribir** · **dispensar** · **recetar** || **recibir** · **tolerar** *No todo el mundo tolera algunas vacunas* || **investigar** · **descubrir** *Han descubierto una nueva vacuna* · **obtener** · **conseguir** · **desarrollar** || **experimentar** · **probar** · **ensayar**

vadear v.

● CON SUSTS. **río** *Los excursionistas vadearon varios ríos hasta llegar al campamento base* · **corriente** · **pantano** · **arroyo** || **foso** · **asfalto** · **duna** · **puente** · **campo** · **paraje** || **circunstancia** · **trance** · **dificultad** *En lugar de vadear las dificultades, nuestra empresa debería enfrentarse a ellas de una vez por todas* · **riesgo** · **inconveniente** · **crisis** || **obstáculo** · **escollo** · **problema**

vado s.m.

▌[en un río]
● CON VBOS. **cruzar (por)** *Los jinetes cruzaron el río por el vado* · **pasar (por)** · **atravesar (por)**

▌[en una acera]
● CON ADJS. **permanente** *Dejé el coche en un vado permanente y se lo llevó la grúa*
● CON SUSTS. **tasa (de)** · **licencia (de)**

vagamente adv.

● CON VBOS. **notar** *Los efectos del proceso solo se notan vagamente* · **percibir** · **sentir** · **oír** · **atisbar** · **contemplar** || **referirse** · **remitir** · **aludir** · **mencionar** || **recordar** *Recuerdo solo vagamente las explicaciones que me dio* · **parecerse** · **sonar** *Su nombre me suena vagamente* || **inspirar(se)** · **interesar(se)** · **llamar la atención** · **influir** || **conocer** · **saber** · **entender** · **creer** || **informar** · **explicar** · **expresar** · **comunicar** · ***otros verbos de lengua*** || **defender** · **apoyar** · **criticar**
● CON ADJS. **misterioso,sa** || **familiar** *Su cara me resulta vagamente familiar* · **conocido,da**

vagar v.

● CON ADVS. **a la deriva** · **sin destino** *Vagué sin destino durante varias horas* · **sin rumbo**

vago, ga

1 **vago, ga** adj.

▌[perezoso]
● CON SUSTS. ***persona*** *uno de los chicos más vagos de la clase*
● CON VBOS. **ser** · **volver(se)** · **estar** *Últimamente estoy muy vaga* · **hacer(se)**

▌[difuso]
● CON SUSTS. **imagen** · **recuerdo** || **contorno** · **límite** · **frontera** || **idea** · **noción** · **concepto** || **referencia** · **mención** · **alusión** *El presidente solo hizo una vaga alusión a...* · **declaración** · **respuesta** · **promesa** · **compromiso** || **sensación** · **esperanza**

2 **vago, ga** s.
● CON ADJS. **absoluto,ta** · **completo,ta** · **redomado,da** *Aunque es un vago redomado ha encontrado un buen trabajo* · **total** · **sin remisión**

vagón s.m.

● CON ADJS. **de tren** · **de ferrocarril** · **de metro** || **de primera clase** · **de turista** · **de clase preferente** || **de carga** · **de mercancías** · **de pasajeros** · **de ganado** || **de cola** *Nuestro país no puede resignarse a viajar en el vagón de cola de la educación* · **de cabeza** || **lleno** · **atestado** · **ocupado** · **abarrotado** · **vacío** · **semivacío** || **reservado**
● CON SUSTS. **cisterna** · **restaurante** *Voy a cenar al vagón restaurante* · **cama**
● CON VBOS. **descarrilar** *Un vagón descarriló a causa de la lluvia y la nieve* · **chocar** || **parar(se)** · **detener(se)** || **ocupar** || **viajar (en)** · **ir (en)** || **salir (de)** · **entrar (en)**

vahído s.m.

● CON VBOS. **sufrir** *Sufrió un vahído cuando bajaba del avión* · **dar** · **provocar** · **padecer** · **tener**

vaho s.m.

● CON ADJS. **ligero** || **caliente** · **frío** · **húmedo** || **oloroso**
● CON SUSTS. **nube (de)** · **velo (de)**
● CON VBOS. **cubrir** *El vaho cubre las ventanillas* · **empañar** || **formar(se)** || **echar** · **exhalar** · **emanar** · **despedir** · **expeler** · **soltar** || **quitar** · **limpiar** *Espera que me limpie el vaho de las gafas*

vaivén s.m.

● CON ADJS. **acompasado** *el vaivén acompasado del tren* · **cadencioso** · **monótono** · **oscilante** · **pausado** || **agitado** · **trepidante** · **ajetreado** · **caprichoso** · **alternativo** · **repetitivo** || **constante** · **continuo** · **incesante** · **permanente** · **perpetuo** || **político** · **electoral** · **económico** · **bursátil** || **propenso,sa (a)** · **sujeto,ta (a)** *Estamos sujetos al constante vaivén del mercado*
● CON VBOS. **acelerar** · **ralentizar** || **parar(se)** · **detener(se)** || **llevar** · **mantener** || **imprimir (a algo)** || **moverse (con)** || **someter (a)** *el vaivén político al que vivimos sometidos*
● CON PREPS. **al compás (de)**

valenciano s.m. Véase **IDIOMA**

valentía s.f.

• CON ADJS. **extraordinaria · enorme · tremenda · gran(de)** *Tuvo la gran valentía de hacerlo público* · **extrema || admirable** *Demostró una valentía admirable en la defensa de los derechos humanos* · **asombrosa · insospechada || ejemplar || acreditada · probada · reconocida || temeraria || política · periodística · profesional · taurina · deportiva · artística · personal || escasa · necesaria || falto,ta (de)**
• CON SUSTS. **acto (de)** *un acto de valentía que honra al voluntario* **|| arranque (de) · demostración (de) · muestra (de) · signo (de) || alarde (de) · gesto (de) · lección (de) || falta (de)**
• CON VBOS. **desplegar · echar · derrochar || demostrar · manifestar · revelar · tener || requerir · exigir** *una medida arriesgada que exige valentía y sinceridad* · **necesitar · pedir || agradecer · reconocer · elogiar · admirar || cuestionar · poner en tela de juicio || armar(se) (de) · hacer gala (de)**
• CON PREPS. **con** *actuar con valentía* · **sin**

valeroso, sa adj.

• CON SUSTS. **guerrero,ra · soldado** *un valeroso soldado condecorado como héroe de guerra* · **príncipe · princesa · héroe · heroína ·** ***otros individuos*** **|| pelea · combate · lucha · enfrentamiento || defensa · resistencia || hazaña · empresa · gesta || actitud · comportamiento · gesto · carácter || acto · propuesta · decisión · aportación** *Recibió un premio por su valerosa aportación a la paz mundial* · **intervención · posición · iniciativa · reacción**
• CON ADVS. **sumamente · tremendamente · enormemente** *Tu decisión ha sido enormemente valerosa*

[valía] → de valía; valía

valía s.f.

• CON ADJS. **extraordinaria** *Destaca sobre todo su extraordinaria valía profesional* · **gran(de) · incomparable · auténtica · notable || acreditada · contrastada · probada · reconocida · reputada · innegable || respetable || escasa** *un trabajo de escasa valía* **|| profesional · académica · científica** *La valía científica de sus investigaciones es innegable* · **intelectual · artística · política · personal**
• CON VBOS. **aumentar · disminuir · mermar** *un decisión más que discutible que merma la valía política de un candidato* **|| probar · acreditar · avalar · constatar · demostrar · mostrar · revelar · reflejar || aceptar · reconocer** *El jurado reconoció la valía artística de su obra* **|| cuestionar(se) · despreciar || reivindicar || carecer (de)**

validar v.

• CON SUSTS. **documento · pasaporte · título** *Estoy esperando que me validen el título para empezar a trabajar* · **boleto · billete · apuesta · documentación · aval · certificado · identificación || póliza · contrato · firma || gol** *El árbitro, tras consultar al juez de línea, validó el gol* · **penalti · punto · tapón || informe · estudio · dato · test · cuestionario || programa · hipótesis · teoría · proyecto** *Previamente la directora debe validar el proyecto* · **tesis · criterio · presunción || votación · comicios · elección · voto · papeleta · resultado · victoria || trámite · gestión · operación** *El gerente había validado la operación* · **proceso || ley · orden · reglamento**

validez s.f.

• CON ADJS. **absoluta · plena** *una medida que no tendrá plena validez hasta dentro de un mes* · **escasa · real · reconocida || igual || incuestionable · indiscutible · innegable || cuestionable · discutible · dudosa** *la dudosa validez de un documento* **|| universal · general · inalterable || limitada · ilimitada · indefinida** *La oferta tiene validez indefinida* · **temporal · anual · mensual || formal · artística · académica · científica · constitucional · jurídica · legal · comercial · mercantil · literaria · moral · probatoria**
• CON SUSTS. **criterio (de) || prueba (de) · certificado (de) || período (de) · plazo (de)**
• CON VBOS. **caducar · terminar · expirar || dar · otorgar || conservar · mantener · prolongar** *La validez de la autorización se prolongará algunas semanas* · **perdurar || adquirir · alcanzar · cobrar · tener || afirmar · confirmar · reafirmar · reconocer · demostrar · refrendar · avalar · admitir || cuestionar · poner en duda** *Nadie pone en duda la validez de su obra* · **relativizar · restar (a algo) · negar · condicionar || comprobar · verificar · determinar || gozar (de) · carecer (de)** *Sus palabras carecen de validez* · **dotar (de) || dudar (de)**

válido, da adj.

• CON SUSTS. **interlocutor,-a** *El delegado es el único interlocutor válido para estas negociaciones* · **intermediario,ria || actuación · propuesta · alternativa · conjetura · opción · oferta || respuesta · afirmación · excusa · solución || argumento** *No existe ningún argumento válido que justifique el embargo* · **concepto · análisis · criterio · principio · proyecto · estrategia · experimento · modelo || conclusión · consecuencia || documento · elemento · esquema || medio · instrumento** *Las ONG constituyen un instrumento válido para la pacificación de esta conflictiva zona* **|| voto · papeleta || idea · ideología**
• CON ADVS. **perfectamente** *Aunque el árbitro lo anuló, fue un tanto perfectamente válido* · **plenamente**
• CON VBOS. **considerar · juzgar · creer** *opciones que todos creíamos válidas* **|| tomar (como) · dar (por)** *Se ha dado por válida la alianza entre los dos grupos políticos* · **aceptar (como) · admitir (como) · reconocer (como) · ver (como)**

valiente adj.

• CON SUSTS. ***persona*** *un soldado muy valiente* **|| acción · postura · actitud** *mantener una actitud valiente ante la adversidad* · **gesto · decisión · iniciativa || declaración · testimonio · denuncia**
• CON VBOS. **volverse || calificar (de)**

☐ USO Se usa a veces con sentido irónico o intensificador: *¡Valiente lío has organizado!*

valientemente adv.

• CON VBOS. **hablar · decir · escribir · preguntar · declarar** *Declaró valientemente en contra de su jefe* · **manifestar ·** ***otros verbos de lengua*** **|| afrontar · enfrentarse · desafiar · dar la cara** *Tras el escándalo, dio valientemente la cara en televisión* · **retar · medirse · encarar · abordar || emprender · meterse · lanzarse || luchar · pelear** *un homenaje a todos los que pelearon valientemente en el frente* · **combatir || defender · resistir · aguantar · soportar || asumir · responsabilizarse || dirigir · mandar · encabezar** *Encabezó valientemente el grupo de voluntarios*

valija s.f.

• CON ADJS. **llena · abarrotada || diplomática** *El Ministerio envió los documentos por valija diplomática* · **interna**
• CON VBOS. **hacer** *Me tomó toda la mañana hacer la valija* · **preparar || perder · recuperar · encontrar || registrar || sustraer · robar**
• CON PREPS. **por**

valioso, sa adj.

● CON SUSTS. **pieza** · **tesoro** *El mapa indicaba el lugar donde los piratas habían enterrado un valioso tesoro* · **patrimonio** · **obra** · **material** · **libro** · **cuadro** · **objeto** · **bien** || **documentación** · **información** · **dato** · **documento** || **trabajo** · **estudio** || **persona** *El club no puede desperdiciar a un jugador tan valioso* || **exponente** · **ejemplo** · **muestra** · **opinión** · **testimonio** || **oportunidad** · **ocasión** *una valiosa ocasión para intercambiar puntos de vista* || **resultado** · **empate** · **punto** · **triunfo** · **victoria** · **premio** || **herramienta** · **instrumento** *La televisión puede ser un valioso instrumento de formación* || **colaboración** · **contribución** *Muchas gracias por su valiosa contribución en este proyecto* · **aporte** · **apoyo** · **experiencia**
● CON ADVS. **sumamente** · **extraordinariamente** · **extremadamente** · **enormemente** || **verdaderamente** · **realmente** || **particularmente** *un enfoque particularmente valioso para la empresa* · **especialmente**

[valor] → de valor; valor

valor s.m.

● CON ADJS. **extraordinario** *Demostró un extraordinario valor al enfrentarte a una situación tan difícil* · **enorme** · **gran(de)** · **infinito** · **incalculable** *El valor de este cuadro es incalculable* · **alto** · **astronómico** · **cuantioso** · **monumental** · **indudable** · **indiscutible** · **innegable** · **desmedido** · **ilimitado** · **irrefutable** || **considerable** · **apreciable** · **notable** || **en alza** · **en aumento** || **determinante** · **crucial** · **esencial** · **principal** || **acreditado** · **contrastado** · **reconocido** || **irrenunciable** · **seguro** || **dudoso** || **bajo** · **escaso** *Encontraron algunos restos de escaso valor arqueológico* · **inapreciable** · **insignificante** · **exiguo** · **limitado** || **a la baja** · **en declive** · **en descenso** · **de capa caída** || **aproximado** || **temerario** · **heroico** || **igualitario** · **supremo** || **documental** · **económico** *Un experto calculará el valor económico de los daños* · **bursátil** · **personal** · **sentimental** · **testimonial** *Su presencia tenía únicamente valor testimonial* · **moral** · **público** · **probatorio** || **sobrado,da (de)**
● CON SUSTS. **prueba (de)** · **signo (de)** || **arranque (de)** || **ápice (de)** · **acopio (de)**
● CON VBOS. **aflorar** · **difundir(se)** · **fortalecer(se)** *Algunos valores bursátiles se fortalecieron con...* || **devaluar(se)** · **degradar(se)** · **apagar(se)** · **declinar** · **peligrar** || **faltar (a alguien)** || **estribar (en algo)** *El principal valor de esta teoría estriba en sus aportaciones a...* · **residir (en algo)** || **adquirir** *Su última obra adquirió con el tiempo mucho valor* · **cobrar** · **ganar** · **perder** · **conservar** || **tener** · **echar** · **demostrar** · **mostrar** · **derrochar** || **asignar (a algo)** · **conceder (a algo)** *No concedí ningún valor a sus palabras* · **dar (a algo)** · **otorgar (a algo)** · **conferir (a algo)** · **calcular** · **determinar** · **fijar** || **transmitir** · **inculcar** *Solo mediante la educación es posible inculcar los valores humanos* · **infundir** · **incardinar** || **probar** · **revelar** · **reflejar** · **corroborar** · **acreditar** || **calibrar** · **sopesar** · **aquilatar** || **cuestionar** · **poner en duda** · **negar** · **magnificar** · **predicar** || **conculcar** · **socavar** · **subvertir** · **transgredir** || **defender** · **sustentar** · **primar** · **apoyar** · **enarbolar** || **sobrepasar** · **traspasar** || **llenar(se) (de)** *Aquellas palabras me llenaron de valor* · **armarse (de)** · **imbuir(se) (de)** · **alimentar(se) (de)** || **atenerse (a)** · **atentar (contra)**
● CON PREPS. **sin menoscabo (de)**
☐ EXPRESIONES **de valor*** [valioso]

valoración s.f.

● CON ADJS. **positiva** · **negativa** || **atinada** · **certera** *El informe ofrecía una valoración certera de la situación política en la zona* || **exhaustiva** · **completa** || **aproximada** · **superficial** · **injusta** · **parcial** · **sesgada** · **prematura** · **a grandes rasgos** · **en grandes líneas** · **general** || **ecuánime** · **equitativa** · **equilibrada** || **imparcial** · **objetiva** *Le pedimos una valoración objetiva de nuestro trabajo* · **justa** · **prudente** || **desacertada** || **subjetiva** · **partidaria** || **personal** · **oficial** · **técnica** || **externa** || **pendiente (de)**
● CON SUSTS. **criterio (de)** · **regla (de)** · **sistema (de)** · **método (de)** · **modelo (de)** · **escala (de)** · **tabla (de)** · **proceso (de)** · **informe (de)** || **equipo (de)** · **comisión (de)** · **junta (de)**
● CON VBOS. **hacer** · **realizar** · **efectuar** · **emitir** · **dar** · **ofrecer** || **avanzar** *Los expertos avanzaron una valoración del estado del edificio* · **aventurar** · **proponer** || **pedir** · **solicitar** · **requerir** · **exigir** · **necesitar** || **enjuiciar** || **disentir (de)**
● CON PREPS. **a tenor (de)** · **sin perjuicio (de)** *Emití mi opinión personal sin perjuicio de la valoración que emita el órgano responsable*

valorar v.

● CON SUSTS. **trabajo** *Desearía que valoraran más mi trabajo* · **labor** || **obra** *El jurado valoró positivamente todas las obras presentadas* · **disco** · **canción** · **libro** · **película** · ***otras creaciones*** || **mérito** · **cualidad** · **calidad** · **dotes** || **situación** · **estado** || **ventaja** · **inconveniente** · **dificultad** || **aportación** · **ayuda** *Valoramos enormemente su ayuda* · **contribución** || **sugerencia** · **propuesta** · **iniciativa** · **proyecto** · **idea** · **tesis** · **hipótesis** · **pros** · **contras**
● CON ADVS. **en su justa medida** · **en lo que vale(n)** · **en sus justos términos** · **ajustadamente** · **debidamente** · **en justicia** · **justamente** · **equitativamente** · **por el mismo rasero** || **atentamente** *Valoraremos atentamente las ventajas de su propuesta* · **con cautela** · **detenidamente** · **concienzudamente** || **en mucho** · **enormemente** · **favorablemente** · **positivamente** || **plenamente** · **profundamente** || **injustamente** · **arbitrariamente** || **negativamente** · **en poco** · **escasamente**

válvula s.f.

▮ [en una máquina]

● CON ADJS. **de presión** · **de cierre** · **de seguridad** · **de inyección** · **de alimentación** · **de regulación** || **de cilindro** · **de motor**
● CON VBOS. **{dejar/dar} paso (a algo)** || **romper(se)** *Se rompió la válvula de seguridad de la bombona* · **averiar(se)** || **regular** · **abrir** *Para que pase el gas, debes abrir la válvula* · **cerrar** · **cambiar**

▮ [en anatomía]

● CON ADJS. **cardíaca** · **aórtica** · **artificial** · **mitral**
● CON VBOS. **implantar**
☐ EXPRESIONES **válvula de escape** [Actividad a la que se recurre como desahogo] *El deporte es para mí una válvula de escape* ·

vanamente adv.

● CON VBOS. **intentar** *Los prisioneros intentaron vanamente escapar* · **luchar** · **empeñarse (en algo)** · **esforzarse (en algo)** || **creer** || **esperar**

vandálico, ca adj.

● CON SUSTS. **acto** · **acción** · **hecho** · **suceso** · **episodio** *Anoche tuvo lugar un terrible episodio vandálico* · **incidente** || **asalto** · **ataque** · **agresión** || **comportamiento** · **actitud** · **conducta** || **grupo**

vandalismo s.m.

● CON ADJS. **callejero** *un aumento del vandalismo callejero* · **urbano** · **juvenil** || **salvaje** · **intolerable** · **incalificable** · **atroz** · **desenfrenado** || **creciente**
● CON SUSTS. **acto (de)** · **acción (de)** || **aumento (de)** · **ola (de)** · **brote (de)** || **problema (de)** · **víctima (de)** *Los*

jardines han sido víctimas del vandalismo... · **actuación (contra)**
● CON VBOS. **evitar** · **condenar** · **perseguir** *perseguir el vandalismo con estrictas medidas* · **denunciar** · **erradicar** · **atajar** || **incitar (a)** · **luchar (contra)** · **incurrir (en)**

vándalo, la s.

● CON ADJS. **auténtico,ca** *Estos chicos son unos auténticos vándalos* · **salvaje** · **urbano,na** || **joven** · **juvenil** · **infantil**
● CON SUSTS. **grupo (de)** · **horda (de)** · **tribu (de)**
● CON VBOS. **arrasar (algo)** · **destrozar (algo)** *¿Quiénes habrán sido los vándalos que destrozaron la plaza?* · **romper (algo)** · **destruir (algo)** || **detener** · **castigar** · **encarcelar** · **multar** || **frenar**

vanguardia s.f.

● CON ADJS. **artística** · **musical** *El disco reúne a los más destacados representantes de la vanguardia musical* · **literaria** · **política** · **militante** || **internacional** · **mundial**
● CON SUSTS. **arte (de)** · **tecnología (de)** · **espectáculo (de)** *Este teatro siempre ofrece un verdadero espectáculo de vanguardia* · **lenguaje (de)** · **estética (de)** · **poesía (de)** || **movimiento (de)** · **corriente (de)** · **grupo (de)** · **espíritu (de)** || **escritor,-a (de)** *La crítica lo ha calificado como escritor de vanguardia* · **poeta (de)** · **poetisa (de)** · **artista (de)** · **músico,ca (de)** || **línea (de)**

vanguardista adj.

● CON SUSTS. **arte** *un museo en el que se exponen algunas obras de arte vanguardista de...* · **pintura** · **música** · **literatura** · **arquitectura** · **diseño** || **obra** · **poesía** · **texto** · **cuadro** · **película** · ***otras creaciones*** || **manifestación** · **muestra** · **expresión** || **movimiento** · **corriente** · **tendencia** · **línea** || **artista** · **grupo** *En esos años, el escritor formaba parte de un importante grupo vanguardista* · **escritor,-a** · **pintor,-a** || **estilo** · **carácter** · **espíritu** · **lenguaje** · **vocación** · **concepción** || **manifiesto** · **publicación** · **revista** || **proyecto** · **propuesta** *una propuesta demasiado vanguardista para el gran público* || **experimentación** · **aventura** || **modelo** · **teoría** · **sistema** · **técnica** *En el hospital han comenzado a aplicar una técnica vanguardista para las operaciones de corazón* || **investigación** · **enseñanza** · **conocimiento** || **invento** · **avance**

vanidad s.f.

● CON ADJS. **enorme** · **tremenda** · **exagerada** · **exacerbada** *Mi intención no era halagar aún más su ya exacerbada vanidad* · **irrefrenable** · **suma** · **excesiva** · **desmedida** · **ostensible** || **estúpida** || **escasa** || **injustificada** · **justificada** · **legítima** || **personal** || **libre (de)** · **exento (de)** · **desprovisto (de)**
● CON SUSTS. **ápice (de)** · **atisbo (de)** *En sus palabras no se adivinaba el menor atisbo de vanidad* || **muestra (de)** · **gesto (de)** · **signo (de)** · **ejercicio (de)** · **sonrisa (de)** || **alarde (de)** · **exceso (de)**
● CON VBOS. **crecer** · **ir en aumento** || **halagar** · **adular** · **exaltar** || **herir** · **tocar** || **acrecentar** · **satisfacer** · **alimentar** · **saciar** · **colmar** || **perder** || **rehuir** || **henchir(se) (de)** · **carecer (de)** *A pesar de su importante cargo, carecía de toda vanidad* || **pecar (de)** || **afectar (a)**

[vano] → en vano; vano, na

vano, na adj.

● CON SUSTS. **pretensión** *...con la vana pretensión de satisfacer a todos* · **propósito** · **empeño** · **esfuerzo** · **intento** · **aspiración** · **afán** · **objetivo** · **proyecto** · **tarea** · **ambición** · **deseo** · **lucha** || **promesa** · **compromiso** *Como otras veces, resultó vano el compromiso electoral de los gobernantes* || **crítica** · **palabra** · **reproche** · **conversación** · **debate** · **declaración** · **discusión** *Es mejor no entrar en discusiones vanas* · **explicación** · **sugerencia** · **conferencia** · ***otras manifestaciones verbales o comunicativas*** || **esperanza** *Trabajaba con la vana esperanza de regresar a su pueblo* · **ilusión** · **expectativa** · **sueño** · **utopía** || **preocupación** · **sufrimiento** · **nostalgia** || **excusa** · **pretexto** *Alegó pretextos vanos y excusas manidas para no asistir a la reunión* · **engaño** · **mascarada** || **dramatismo** · **patetismo** || **emoción** · **pasión** · **alegría** || **gesto** · **reflejo** · **sonrisa** || **disquisición** · **elucubración** · **erudición** · **palabrería** · **verborrea**
□ EXPRESIONES **en vano*** [inútilmente]

[vapor] → al vapor; vapor

vapor s.m.

● CON SUSTS. **máquina (de)** *¿En qué año se inventó la máquina de vapor?* · **motor (de)** · **caldera (de)** · **sistema (de)** · **generador (de)** || **locomotora (de)** · **barco (de)** · **tren (de)** · **vehículo (de)** || **plancha (de)** || **baño (de)**
● CON VBOS. **emanar** *El vapor que emana el agua caliente abre los poros de la piel* || **liberar** · **emitir** · **descargar** · **echar** · **soltar** || **inhalar**

vaporizar(se) v.

● CON SUSTS. **combustible** · **gas** · **hielo** · **agua** · **perfume** · **colonia** *La colonia se ha vaporizado* · ***otros líquidos*** || **ahorros** · **reservas**
● CON ADVS. **instantáneamente** || **abundantemente** · **generosamente**

vaporoso, sa adj.

● CON SUSTS. **tejido** · **tela** *un vestido de novia de tela muy vaporosa* · **tisú** · **encaje** · **cortina** · **vestido** · **modelo** || **niebla** · **atmósfera** · **halo**

vapulear v.

● CON SUSTS. ***persona*** *El equipo vapuleó al rival en su propio campo*
● CON ADVS. **duramente** · **sin piedad**

vapuleo s.m.

● CON ADJS. **general** || **cruento** · **inmisericorde** · **ruin** · **duro** *el duro vapuleo que las olas infligían a la minúscula embarcación* || **electoral** *El partido no soportaría otro vapuleo electoral* · **dialéctico** · **verbal**
● CON VBOS. **dar** · **recibir** · **meter** · **infligir** || **sufrir** · **soportar** · **aguantar** *aguantar el vapuleo de ocho horas de viaje en tren* · **temer**

vaquero, ra

1 **vaquero, ra** adj.
● CON SUSTS. **pantalón** *vestir con pantalón vaquero* · **falda** · **camisa** · **cazadora** · **chaleco** · **peto** · **ropa** · **sombrero** || **atuendo** · **moda** · **estilo**

2 **vaquero, ra** s.
● CON SUSTS. **disfraz (de)** || **película (de)** *Esta noche ponen una película de vaqueros* · **cine (de)**

3 **vaqueros** s.m.pl.
● CON ADJS. **desteñidos** · **remendados**
● CON SUSTS. **par (de)** *Necesito un par de vaqueros* · **marca (de)**
➤ Véase también **ROPA**

[vaqueros] s.m.pl. → vaquero, ra

vara s.f.

● CON ADJS. **larga** · **corta** · **fina** || **flexible** · **rígida** || **de medir** *No se puede aplicar a los dos asuntos la misma vara de medir* · **de mando**
● CON VBOS. **dar (con)** · **pegar (con)**
● CON PREPS. **con**
□ EXPRESIONES **dar la vara** [molestar] *col.*

varapalo s.m.

● CON ADJS. **monumental · tremendo · verdadero · auténtico · notable · considerable · evidente · de cuidado || fuerte** *La política del Gobierno recibió un fuerte varapalo* **· severo · serio · duro || nuevo · sonado · anunciado || electoral · económico · judicial · comercial · deportivo**
● CON SUSTS. **huella (de) · efecto (de) || causa (de) || dureza (de)**
● CON VBOS. **dar · propinar** *Los socios le propinaron un serio varapalo* **|| llevarse · recibir · sufrir || aguantar · encajar · soportar || merecer || suponer** *La retirada de la subvención supone un auténtico varapalo para nuestro proyecto* **· constituir · representar || recuperarse (de)**
● CON PREPS. **tras**

variación s.f.

● CON ADJS. **al alza · alcista || a la baja || importante** *El médico no apreció ninguna variación importante entre las dos pruebas* **· sustancial · cualitativa · elevada · enorme · gran(de) · fuerte · profunda · considerable || notable · apreciable · ostensible || brusca** *Este fin de semana se producirá una brusca variación de las temperaturas* **|| pequeña · ligera · leve · escasa · imperceptible · inapreciable · insignificante || atmosférica · económica || sujeto,ta (a) · susceptible (de)** *El precio es susceptible de variación en función del mercado*
● CON SUSTS. **tasa (de) · índice (de) · nivel (de)**
● CON VBOS. **producir(se) || experimentar** *Su presión sanguínea experimenta fuertes variaciones* **· registrar · arrojar || percibir · detectar · apreciar · notar · sentir || corregir**

variado, da adj.

● CON SUSTS. **opción · posibilidad · alternativa · oferta** *Ofrecen una variada oferta de productos* **· gama · abanico · surtido || repertorio · programación · programa · material || colección · recopilación · antología || aspecto · forma · tipo · índole || género · temática** *un catálogo musical de temática variada* **|| sociedad · conjunto · grupo · amalgama · público · gente · lista · equipo || gastronomía · comida · menú** *un restaurante con un menú variado* **|| obra · producto || gusto · color || registro** *Se caracteriza por un exquisito timbre de voz y un variado registro vocal* **|| naturaleza · fauna · flora**

variar v.

● CON SUSTS. **temperatura · altura · humedad · peso · distancia · edad · *otras magnitudes* || tiempo** *En esta zona el tiempo puede variar enormemente a lo largo del día* **|| paisaje · lugar · aspecto · forma || temperamento · humor · ánimo || intención || precio · resultado · coste · gasto || circunstancias** *Nuestros precios son fijos, salvo que las circunstancias varíen*
● CON ADVS. **enormemente · considerablemente** *El paisaje ha variado considerablemente desde que salimos* **· seriamente · significativamente · en mucho · radicalmente · notablemente · ostensiblemente || a la baja · al alza || decisivamente || escasamente · imperceptiblemente · ligeramente · levemente || abruptamente · de un día para otro** *Su humor varía de un día para otro* **· progresivamente**

varicela s.f.

● CON ADJS. **afectado,da (de) · aquejado,da (de)**
● CON SUSTS. **virus (de) · brote (de) · epidemia (de) || síntoma (de) || tratamiento (de) · vacuna (de) || caso (de)**
● CON VBOS. **diagnosticar || contagiar (a alguien) · transmitir (a alguien) · pegar (a alguien) || tener · padecer · pasar** *¿Has pasado ya la varicela?* **|| restablecer(se) (de) · mejorar(se) (de)**

variedad s.f.

● CON ADJS. **enorme · gran(de) · inmensa · suma · extraordinaria · vasta · dilatada · amplia** *El folleto contenía una amplia variedad de ofertas turísticas* **· extensa · ingente · notable || abundante · rica · exhaustiva || ilimitada · inabarcable · inagotable · infinita · interminable || desconocida · nueva · deslumbrante · selecta || social · temática · alimenticia · climática · gastronómica · artística · estética · cromática · formal || compuesto,ta (de) || numerosas** *numerosas variedades de arroz* **· múltiples · innumerables**
● CON VBOS. **existir || componer · poseer · ofrecer** *El paisaje ofrece una infinita variedad de tonos verdes* **|| cubrir · garantizar** *Nuestro restaurante garantiza una selecta variedad de vinos* **· permitir || aprovechar · explotar || barajar · degustar || disponer (de) · contar (con)**

varonil adj.

● CON SUSTS. **rama · categoría** *En la categoría varonil, el primer lugar lo obtuvo el colombiano...* **|| deporte · tenis · fútbol · judo · gimnasia || torneo · campeonato · circuito || grupo · equipo** *En baloncesto, el equipo varonil llegó invicto a la final* **· selección || actividad · trabajo · labor || aspecto · imagen · voz** *un cantante caracterizado por su voz varonil y armoniosa* **· tono · estilo || atributo · inteligencia || perfume · fragancia · indumentaria · atuendo · ropa** *un famoso diseñador de ropa varonil*

vasallaje s.m.

● CON SUSTS. **acto (de) · tributo (de) || lazos (de) · relación (de)** *mantener una relación de vasallaje* **|| sistema (de)**
● CON VBOS. **recibir || mantener · rendir** *...almuerzos de trabajo en los que sus consejeros le rinden vasallaje* **|| someter(se) (a)**

vasallo, lla s.

● CON ADJS. **noble** *Cuenta la leyenda que un noble vasallo de los primeros condes de Barcelona...* **· fiel · leal · antiguo**
● CON SUSTS. **condición (de) · estado (de)**
● CON VBOS. **hacer(se)** *...quien se hizo vasallo del rey y le pagó tributo*

vasco s.m. Véase **IDIOMA**

vascuence s.m. Véase **IDIOMA**

vascular adj.

● CON SUSTS. **accidente · problema · enfermedad · demencia · patología · lesión** *Le han detectado una grave lesión vascular* **· afección · dolencia || conducto · sistema · tejido || medicina · cirugía · terapia · pared · paquete || prevención · riesgo** *¿Cuáles son los factores de riesgo vascular en pacientes con hipertensión?* **|| cirujano,na**

vaso s.m.

▌[recipiente]

● CON ADJS. **lleno · vacío** *llenar los vasos vacíos* **|| alto · bajo || de cristal · de plástico || ornamental**
● CON VBOS. **desbordar(se) · rebosar || llenar · colmar · servir** *¿Te sirvo un vaso de zumo?* **|| vaciar · verter · derramar || apurar · beber · tomar**

▌[conducto]

● CON SUSTS. **sanguíneo · capilar · conductor · comunicante** *el sistema de vasos comunicantes del organismo*
● CON VBOS. **crecer · extender(se) · formar(se) · funcionar || comunicar || abrir · cerrar** *El tabaco puede cerrar los vasos sanguíneos y provocar...* **· obstruir · dañar · romper || dilatar · relajar · contraer · comprimir · constreñir**

|| **proteger** *...contienen sustancias que ayudan a proteger los vasos capilares* · **reforzar** || **generar** · **crear**

vasto, ta adj.

● CON SUSTS. **mar** · **región** · **territorio** · **sector** · **zona** *En una vasta zona del país se cultiva maíz y girasol* · **área** || **arsenal** · **conjunto** · **agrupación** · **mayoría** · **coalición** · **multitud** · **organización** || **obra** · **producción** *Su vasta producción literaria abarca todos los géneros* · **discografía** · **bibliografía** · **información** || **escritor,-a** · **pintor,-a** · **artista** · ***otros individuos*** || **experiencia** · **conocimiento** · **cultura** · **fama** · **prestigio** *Gozaba de un vasto prestigio en el sector* || **empresa** · **operación** · **operativo** · **labor** · **plan** · **proyecto** · **campaña** · **confabulación** || **movimiento** · **trayectoria** · **recorrido** || **recurso** *El Gobierno pretende dotar de vastos recursos a las delegaciones territoriales* · **medio** || **alcance** · **problema**

vaticinar v.

● CON SUSTS. **futuro** *Los éxitos de los primeros meses vaticinaban un futuro prometedor* · **destino** · **porvenir** || **derrota** · **fracaso** · **éxito** · **victoria** || **catástrofe** · **tragedia** · **desgracia** · **crisis** || **muerte** · **fin** · **desenlace** || **evolución** · **desarrollo** || **duración** · **tiempo** *Las previsiones vaticinan un tiempo adverso* || **rumbo** · **sendero** · **camino** · **vía**

● CON ADVS. **realmente** · **verdaderamente** · **auténticamente** || **falsamente** · **aleatoriamente** || **fácilmente**

vecinal adj.

● CON SUSTS. **asociación** · **agrupación** · **grupo** · **organización** *medidas que favorecen la organización vecinal en la provincia* · **comunidad** · **entidad** · **movimiento** · **colectivo** · **federación** · **plataforma** || **representante** *La representante vecinal denunció problemas con el agua potable* · **portavoz** · **dirigente** · **líder** · **junta** · **referéndum** || **rivalidad** · **tensión** · **malestar** · **conflicto** · **lucha** · **disputa** || **protesta** · **manifestación** · **movilización** · **queja** *El Defensor del Pueblo admite una queja vecinal por la contaminación acústica* · **oposición** · **demanda** · **exigencia** · **denuncia** · **rechazo** || **iniciativa** · **petición** · **propuesta** · **reivindicación** || **participación** · **colaboración** · **presión** *Gracias a la presión vecinal, la zona contará con un nuevo hospital* || **relación** · **convivencia**

veda s.f.

● CON ADJS. **media** · **completa** · **total** *El Gobierno de la provincia decidió una veda total de pesca por cincuenta días* · **temporal** || **de caza** · **de pesca** · **electoral** · **biológica**

● CON SUSTS. **período (de)** · **temporada (de)** · **tiempo (de)** || **reglamento (de)**

● CON VBOS. **abrir(se)** · **cerrar(se)** · **levantar** || **infringir** · **violar** *Se negó a formular declaraciones para no violar la veda electoral* · **respetar**

vedar v.

● CON SUSTS. **paso** · **acceso** *La dirección ha decidido vedar el acceso* · **entrada** || **importación** · **exportación** || **candidatura** · **derecho** || **película** || **caza** · **pesca** · **captura**

vegetación s.f.

● CON ADJS. **exuberante** · **frondosa** · **vigorosa** || **densa** *una densa vegetación que no dejaba pasar la luz* · **espesa** · **tupida** || **enmarañada** || **abundante** · **extensa** || **escasa** *La escasa vegetación estaba reseca después del verano* · **rala** · **reseca** || **selvática** · **tropical** · **natural** · **autóctona** || **originaria (de un lugar)** · **propia (de un lugar)** || **lleno,na (de)** · **rodeado,da (de)** · **libre (de)**

● CON VBOS. **surgir** · **brotar** · **nacer** · **crecer** *La vegetación crecía frondosa* · **florear** · **proliferar** · **reverdecer** || **ocupar (algo)** · **rodear (algo)** || **extinguirse** · **desaparecer** · **agostarse** · **secarse** · **perderse** || **invadir (algo)** · **cubrir (algo)** || **recuperar** *recuperar la vegetación autóctona* · **proteger** · **cuidar**

vegetal adj.

● CON SUSTS. **especie** *una zona que alberga una gran variedad de especies vegetales* · **población** · **reino** · **mundo** · **naturaleza** · **vida** || **producto** · **sustancia** · **material** · **tejido** *prendas fabricadas con tejidos vegetales* · **fibra** · **tinte** · **papel** · **líquido** · **aceite** · **grasa** · **carbón** || **producción** · **restos** · **residuo** · **desecho** || **origen** · **variedad** || **alimento** · **comida** · **conserva** · **proteína** || **genética** *la investigación en el campo de la genética vegetal* · **célula** || **capa** · **cobertura** · **cubierta** || **riqueza** · **belleza**

vehemente adj.

● CON SUSTS. ***persona*** *La directora tiene carácter: es vehemente, pero también comprometida* || **discurso** · **declaración** · **palabra** · **argumentación** · **explicación** · **alocución** · **proclamación** · ***otras manifestaciones verbales o comunicativas*** || **deseo** *...movidos por un deseo vehemente de comprar y consumir* · **afán** · **anhelo** · **ansia** || **apoyo** · **defensa** · **inclinación** · **curiosidad** · **atracción** · **vocación** · **entusiasmo** · **adhesión** · **aplauso** || **protesta** · **ataque** · **crítica** · **rechazo** *nuestro rechazo vehemente al aumento de impuestos* · **oposición** · **censura** · **condena** · **aversión** · **desprecio** · **objeción** · **discrepancia** · **denuncia** || **polémica** *Se cruzaron en una polémica vehemente e implacable* · **debate** · **discusión** · **lucha** · **enfrentamiento** · **controversia** || **llamado** · **llamamiento** · **petición** · **incitación** · **exhortación** · **orden** · **imperativo** || **indicio** · **sospecha** || **temperamento** *una mujer de temperamento vehemente y personalidad arrolladora* · **carácter** · **personalidad** || **pasión** · **impulso** · **necesidad** · **sentimiento** · **tentación** · **ilusión** || **dedicación** *Nos preocupaba su vehemente y obsesiva dedicación al trabajo* · **ejercicio** · **entrega** · **búsqueda** || **proyecto** · **campaña** · **grito**

vehementemente adv.

● CON VBOS. **desear** *Deseaba vehementemente que la aceptaran* · **buscar** · **anhelar** · **ansiar** || **atraer** || **apoyar** · **defender** · **impulsar** · **aplaudir** || **exigir** *Exigió vehementemente que se le permitiera salir de la sala* · **ordenar** · **pedir** || **atacar** · **condenar** · **criticar** · **oponer(se)** · **rechazar** · **denunciar** · **arremeter** || **negar** · **resistir(se)** || **debatir** *Los dos candidatos debatieron vehementemente sobre la cuestión social* · **discutir** · **protestar** · **gritar** || **manifestar** · **proclamar** || **dedicar(se)**

vehículo s.m.

● CON ADJS. **industrial** · **policial** · **militar** · **municipal** · **agrícola** · **de carga** || **blindado** · **todoterreno** *Los vehículos todoterreno son los únicos que pueden acceder a esta zona de la montaña* · **especial** · **pesado** · **anfibio** · **camuflado** · **aéreo** || **privado** · **oficial** · **particular** || **lento** · **rápido** · **veloz** · **de lujo** · **lujoso** · **de época** || **sospechoso** · **ilegal** · **siniestrado** || **transmisor** *...se convierte en vehículo transmisor de enfermedades infecciosas*

● CON SUSTS. **conductor,-a (de)** *Esta mañana ha prestado declaración el conductor del vehículo* · **dueño,ña (de)** · **ocupante (de)** · **flota (de)** || **tráfico (de)** · **paso (de)** · **circulación (de)** · **acceso (de)** || **interior (de)** || **matrícula (de)**

● CON VBOS. **circular** *A pesar de las curvas, los vehículos circulan a gran velocidad* · **transitar** || **frenar** · **acelerar** · **arrancar** || **averiar(se)** · **calar(se)** · **chocar(se)** · **empotrar(se)** || **conducir** · **llevar** || **aparcar** *una zona reservada para aparcar los vehículos de los empleados* · **estacionar** · **retirar** · **esquivar** || **robar** · **sustraer** · **hurtar** · **abandonar** · **localizar** || **matricular** || **reparar** || **viajar (en)** · **ba-**

jar(se) (de) *La conocida actriz bajó del vehículo y saludó amablemente a los periodistas* · **subir(se) (a)**
● CON PREPS. **a bordo (de)** · **en el interior (de)**

vejación s.f.

● CON ADJS. **terrible** · **injusta** · **humillante** · **grave** · **brutal** · **vergonzante** || **sexual** *El detenido había cometido varios actos de vejación sexual* · **psíquica** · **moral** · **física** || **pública**
● CON SUSTS. **clase (de)** || **víctima (de)** · **objeto (de)** || **autor,-a (de)**
● CON VBOS. **aguantar** · **sufrir** · **soportar** || **cometer** || **castigar** · **penar** · **denunciar** *Los padres de los alumnos denunciaron vejaciones y maltrato moral* || **infligir** || **someter (a)** · **exponer (a)** || **incurrir (en)**

vejatorio, ria adj.

● CON SUSTS. **trato** *Había sido acusado de trato vejatorio a sus empleados* · **actitud** · **actuación** · **comportamiento** · **conducta** · **práctica** · **postura** · **tratamiento** · **consenso** · **servicio** || **expresión** *Suele usar expresiones vejatorias para dirigirse a...* · **término** · **frase** · **palabra** · **declaración** · **manifestación** · **mote** · **pancarta** · **publicación** · **opinión** · **réplica** · **invectiva** || **anuncio** *un anuncio vejatorio para la mujer* · **campaña** · **imagen** · **programa** · **publicidad** · **spot** || **degradación** · **insulto** *Y lanzó contra ella toda clase de insultos vejatorios e intolerables amenazas* · **ocupación** · **cautiverio** · **opresión** · **prendimiento** · **redada** · **ultraje** · **violencia**

vejez s.f.

● CON ADJS. **achacosa** || **bien llevada** *una vejez bien llevada y llena de plenitud* · **llevadera** · **feliz** · **tranquila** · **envidiable** *Mi abuelo está teniendo una vejez envidiable* || **prematura** || **a cuestas** *Con la vejez a cuestas, pero animoso y todavía emprendedor*
● CON VBOS. **venir (a alguien)** · **llegar (a alguien)** || **acusar** *un rostro que ya empieza a acusar la vejez* || **sobrellevar** · **llevar** · **soportar** · **aguantar** || **asegurar(se)** *asegurarse una vejez tranquila* || **frenar** · **retrasar** || **entrar (en)** · **llegar (a)** · **cargar (con)**

[vela] → a toda vela; vela

vela s.f.

▮ [de cera]

● CON SUSTS. **llama (de)** · **humo (de)** · **luz (de)** *la forma en que se refleja la luz mortecina de las velas* || **tarta (con)**
● CON VBOS. **iluminar (algo/a alguien)** || **encender** · **prender** · **apagar(se)** *La vela se apagó por la falta de oxígeno* || **soplar** *Le hicimos una foto soplando las velas*
● CON PREPS. **a la luz (de)**

▮ [de lona]

● CON SUSTS. **barco (de)**
● CON VBOS. **ondear** · **hinchar(se)** *Las velas se hinchaban con el viento* || **izar** · **arriar** · **plegar** · **largar** · **alzar**

▮ [deporte]

● CON SUSTS. **regata (de)** · **trofeo (de)** || **monitor,-a (de)** *Los monitores de vela explicaban a los niños...* · **instructor,-a (de)** || **competición (de)** · **prueba (de)** *Asistimos a la final de la prueba de vela* · **carrera (de)** · **certamen (de)** || **clase (de)** · **escuela (de)** · **curso (de)**
● CON VBOS. **practicar** || **aficionar(se) (a)**

☐ EXPRESIONES **a dos velas** [sin dinero] *col.* || **a toda vela*** [a toda velocidad] || **en vela** [sin dormir] || **recoger velas** [desdecirse; retirar parte de lo que se ha dicho]

velada s.f.

● CON ADJS. **agradable** · **apacible** · **tranquila** || **mágica** · **maravillosa** · **inolvidable** · **memorable** · **encantadora** · **entrañable** || **diferente** · **excitante** · **sorprendente** || **de fiesta** · **literaria** *Me gustaría asistir a una velada literaria* · **musical** · **flamenca**
● CON VBOS. **tener lugar** || **frustrar(se)** || **amenizar** *Un grupo de música cubana amenizó la velada* · **animar** || **organizar** · **preparar** || **aguar** · **estropear** · **interrumpir** · **deslucir** *El mal tiempo deslució la velada* || **disfrutar (de)** *Disfrutamos de una velada tranquila en el jardín* · **gozar (de)** || **asistir (a)** · **invitar (a alguien) (a)** · **convocar (a alguien) (a)**

veladamente adv.

● CON VBOS. **criticar** *En este artículo se critica veladamente al Gobierno municipal* · **amenazar** · **acusar** || **defender** · **justificar** · **reconocer** || **deslizar (algo)** · **aludir (a algo)** · **insinuar (algo)** · **referirse (a algo)** · **tratar (algo)** · **mencionar (algo)**

velar (por) v.

● CON SUSTS. **ciudadano,na** *con el único objetivo de velar por los ciudadanos* · **hijo,ja** · **familia** · **usuario,ria** · ***otros individuos*** || **salud** · **paz** · **justicia** · **felicidad** · **bienestar** · **interés común** · **medio ambiente** · **independencia** · **futuro** || **bien** · **legado** · **patrimonio** || **ley** · **norma** · **principio** · **derecho** || **cumplimiento** *¿Aquí nadie vela por el cumplimiento de las leyes?* · **aplicación** · **ejecución** · **realización** · **adopción** · **establecimiento** || **cuidado** · **protección** · **salvaguardia** · **mantenimiento** · **conservación** · **contención** *Es el Ministerio de Sanidad quien tiene que velar por la contención de la epidemia* · **defensa** · **sostenimiento** · **observancia** · **respeto** || **uso** · **desarrollo** · **ejercicio** · **promoción** · **crecimiento** || **orden** · **control** · **seguridad** · **ortodoxia** · **normalidad** · **estabilidad** · **tranquilidad** · **sosiego** · **pureza** · **limpieza** · **integridad** || **homogeneidad** · **igualdad** *velar por la igualdad de derechos* · **equidad** · **imparcialidad** · **equilibrio** · **neutralidad** || **fiabilidad** · **fluidez** · **eficacia** · **funcionalidad** · **vigencia** · **dignidad**

velatorio s.m.

▮ [lugar]

● CON ADJS. **público** · **civil** · **municipal**
● CON SUSTS. **sala** *La sala velatorio estará instalada en el tanatorio de...*
● CON VBOS. **instalar** || **ir (a)** · **acudir (a)** || **faltar (a)** || **salir (de)**

▮ [acto]

● CON VBOS. **tener lugar** · **comenzar**

vello s.m.

● CON ADJS. **púbico** · **facial** *una crema para eliminar el vello facial* · **corporal** || **erizado** · **de punta** || **femenino** || **fuerte** · **fino** || **cubierto,ta (de)**
● CON SUSTS. **raíz (de)** · **punta (de)** || **aparición (de)** · **depilación (de)** · **crecimiento (de)**
● CON VBOS. **salir** · **caerse** || **eliminar** · **depilar** · **afeitar**

velo s.m.

● CON ADJS. **espeso** · **de gasa** · **ligero** · **sedoso** · **tenue** · **transparente** *Llevaba un velo transparente que le cubría totalmente la cabeza* || **islámico** · **sagrado** || **femenino** · **de novia** || **protector**
● CON VBOS. **transparentarse** · **dejar ver (algo/a alguien)** || **tapar (algo/a alguien)** · **ocultar (algo/a alguien)** · **cubrir (algo/a alguien)** *Un velo de organdí cubría su cabeza* || **llevar** · **usar** || **levantar** *El novio le levantó el velo a la*

novia y la besó · **descorrer** · **quitar(se)** · **poner(se)** || **rasgar** || **imponer**

☐ EXPRESIONES **correr un (tupido) velo** (sobre algo) [callarlo o dejarlo para que se olvide] *col.*

[velocidad] → a toda velocidad; velocidad

velocidad s.f.

● CON ADJS. **vertiginosa** · **endiablada** *un coche que iba a una velocidad endiablada* · **frenética** · **infernal** · **galopante** · **enloquecida** · **excesiva** · **desenfrenada** · **fuerte** · **alta** || **baja** · **moderada** · **escasa** || **asombrosa** · **irresistible** || **máxima** *El tren circulaba a la máxima velocidad permitida* · **punta** · **media** · **mínima** || **aproximada** || **constante** · **de crucero** · **regular** · **sostenida** · **uniforme** · **progresiva** || **irregular** || **adicto,ta (a)** · **loco,ca (de/por)**

● CON SUSTS. **control (de)** · **exceso (de)** *una multa por exceso de velocidad* · **límite (de)** · **limitación (de)** · **programador (de)** · **detector (de)** || **prueba (de)** || **circuito (de)** · **carrera (de)** || **récord (de)** || **cara (de)** *poner cara de velocidad* || **amante (de)**

● CON VBOS. **rebasar (algo)** · **superar (algo)** || **decrecer** || **llevar** · **coger** || **alcanzar** · **mantener** *Mantuvimos la misma velocidad durante todo el trayecto* || **aumentar** || **reducir** *Tuve que reducir la velocidad para tomar la curva* · **aminorar** · **disminuir** · **bajar** · **perder** · **frenar** || **dictar** · **imprimir** || **controlar** · **programar** · **permitir** *Ha sobrepasado usted la velocidad permitida* || **calcular** || **carecer (de)** · **dotar (de)** || **depender (de)**

● CON PREPS. **en función (de)** · **a** *la velocidad a la que vivimos*

veloz adj.

● CON SUSTS. **jugador,-a** · **delantero,ra** · **equipo** · ***otros individuos y grupos humanos*** || **caballo** · **yegua** · ***otros animales*** || **tren** · **coche** · ***otros vehículos*** || **ritmo** *tocaron la obertura a un ritmo veloz* · **juego** · **carrera** · **paso** · **huida** · **ataque** · **contraataque** || **recorrido** *Hicieron un veloz recorrido por toda la ciudad* · **viaje** · **visita** || **avance** · **crecimiento** · **desarrollo** · **enriquecimiento** || **negocio** · **negociación**

● CON ADVS. **sumamente** · **tremendamente** *el crecimiento tremendamente veloz de los precios de la vivienda*

[vena] → en vena; vena

vena s.f.

▮ [vaso sanguíneo]

● CON ADJS. **abultada** · **marcada** *tiene las venas muy marcadas* || **roja** · **azul**

● CON VBOS. **palpitar** || **hinchar(se)** *Cuando se enfada, se le hinchan las venas del cuello* · **inflamar(se)** · **obstruir(se)** · **obturar(se)** · **romper(se)** || **recorrer** · **conectar** || **abrir(se)** · **cortar(se)** *Se había cortado las venas en la bañera, pero afortunadamente se recuperó en el hospital* · **seccionar** || **circular (por)** · **correr (por)** *El baloncesto corre por sus venas desde que era niño* · **fluir (por)** || **chutar(se) (en)** · **pinchar(se) (en)**

▮ [facilidad, inspiración]

● CON ADJS. **insospechada** · **desconocida** *Tu vena sarcástica era totalmente desconocida para mí* · **evidente** || **inagotable** · **fértil** · **fácil** || **artística** · **creativa** *La vena creativa me viene de mi abuela* || **irónica** · **cómica** · **humorística** · **satírica** · **sarcástica** · **realista** · **romántica** · **lírica** || **reivindicativa** · **contestataria** || **popular** · **religiosa**

● CON VBOS. **venir(le) (a alguien)** *col. Esperemos que no le venga hoy la vena reivindicativa* · **entrar(le) (a alguien)** || **poseer** · **tener** · **sacar** || **explotar** *Podría explotar más su vena humorística* · **usar** · **recuperar** || **revelar** · **evidenciar** · **mostrar** *unos escritos que muestran una hasta ahora oculta vena romántica* · **poner de manifiesto** *unos escritos que ponen de manifiesto una hasta ahora oculta vena romántica* · **confirmar** || **confesar** · **reconocer** · **admitir** || **abusar (de)** || **acudir (a)** · **recurrir (a)**

☐ EXPRESIONES **darle la vena** (a alguien) [actuar impulsivamente] || **estar en vena** [estar inspirado] *col.*

vencedor, -a s.

● CON ADJS. **absoluto,ta** · **auténtico,ca** || **claro,ra** · **indiscutible** *Fue el vencedor indiscutible de la competición* · **indudable** · **reconocido,da** · **seguro,ra** || **brillante** · **flamante** · **destacado,da** || **insuperable** · **invicto,ta** · **imbatible** || **virtual** · **probable** · **futuro** *Las encuestas lo señalan como el futuro vencedor de las elecciones* || **individual** || **moral** *Perdió todos los partidos, pero por su pundonor es el vencedor moral del torneo*

● CON VBOS. **clarificar(se)** · **decidir(se)** *El vencedor del torneo se decidirá en el último partido* || **protagonizar (algo)** || **coronar(se)** · **declarar(se)** · **resultar** · **salir** || **proclamar** · **considerar** || **aclamar** *Los espectadores aclamaron al vencedor durante varios minutos* · **vitorear** · **ovacionar** · **abuchear** · **recibir** || **galardonar** · **honrar** · **premiar** · **distinguir** || **retar** || **enfrentar(se) (a)** *Esta tarde se enfrenta al vencedor del anterior campeonato* || **dar (por)** · **reconocer (como)**

● CON PREPS. **como**

vencer v.

▮ [derrotar, ganar]

● CON SUSTS. **enemigo,ga** · **contrincante** *vencer al contrincante en un torneo* · **adversario,ria** · **rival** || **equipo contrario** · **ejército** · **administración** · **partido político** || ***otros individuos y grupos humanos*** || **presión** · **empuje** · **avalancha** · **huracán** || **dificultad** *vencer todas las dificultades* · **problema** · **obstáculo** · **adversidad** · **crisis** · **emergencia** · **peligro** · **riesgo** · **limitación** · **impedimento** · **inclemencia** · **vicisitud** || **muerte** || **droga** · **adicción** || **cáncer** *investigaciones para vencer al cáncer* · **hepatitis** · **depresión** · ***otras enfermedades*** || **dolor** · **sufrimiento** · **malestar** · **tristeza** *vencer la tristeza tras la muerte de...* · **amargura** || **reto** · **prueba** · **desafío** · **examen** || **resistencia** · **oposición** · **defensa** · **protección** · **blindaje** || **voluntad** *No lograrás vencer mi voluntad* · **temperamento** · **corazón** · **rebeldía** || **tentación** · **pasión** · **impulso** · **tendencia** · **deseo** · **ansia** · **gana** *Si lo intentas, podrás vencer las ganas de fumar* || **prejuicio** · **inercia** · **tabú** · **hábito** *hábitos fuertemente arraigados en nuestra sociedad, que resultan muy difíciles de vencer* · **tradición** · **moral** · **costumbre** || **cansancio** · **fatiga** · **agotamiento** · **debilidad** || **desconfianza** *La tarea más difícil será vencer la desconfianza del electorado* · **reticencia** · **duda** · **celos** · **recelo** · **reparo** · **reserva** · **escrúpulo** · **incredulidad** · **escepticismo** · **abstencionismo** || **temor** · **miedo** *Vence tus miedos y libérate* · **fantasma** · **fobia** · **horror** · **pánico** || **timidez** · **vergüenza** · **pudor**

● CON ADVS. **abrumadoramente** · **a lo grande** · **arrolladoramente** · **en toda la línea** · **espectacularmente** || **a duras penas** · **ajustadamente** · **por {amplio/escaso} margen** *Venció por escaso margen al candidato opositor* · **por poco** || **sobradamente** · **por un margen {considerable/ajustado}** · **por un margen considerable** · **holgadamente** · **cómodamente** · **ampliamente** || **a toda costa** · **claramente** · **sin lugar a dudas** · **nítidamente** · **convincentemente** · **con rotundidad** *El equipo local venció con rotundidad a su eterno rival* · **rotundamente** || **democráticamente** · **electoralmente** · **militarmente** · **por la fuerza** || **a domicilio** *La selección colombiana venció a domicilio a Japón en...* || **inobjetablemente** · **limpiamente**

■ [expirar, caducar]

• CON SUSTS. **plazo** *Ayer venció el plazo para pagar los impuestos atrasados* · **período** · **término** · **ultimátum** · **vigencia** || **fecha** · **día** · **año** · **lapso** · **etapa** · **tiempo** || **concesión** · **permiso** · **licencia** · **cédula** · **documento** · **régimen** || **contrato** *Los contratos de trabajo que vencen el próximo mes serán renovados si...* · **acuerdo** · **convenio** · **matrícula** · **inscripción** · **vínculo** · **pase** || **deuda** · **crédito** · **préstamo** · **pagaré** · **pago** · **interés** · **obligación** · **emisión** · **acreencia** || **cuota** · **cartera** · **bono** · **póliza** *¿Cuándo vence la póliza del seguro de la casa?* · **letra** · **título** · **capital** · **boleta** · **tarifa** · **cupón** || **mandato** · **ley** · **facultad** · **monopolio** || **yogur** *No compres ese yogur, porque ya ha vencido* · **insecticida** · **medicina** · ***otros productos***

• CON ADVS. **definitivamente** · **provisionalmente**

vencimiento s.m.

• CON ADJS. **corriente** · **trimestral** || **previsto** · **anticipado** · **futuro** · **próximo**

• CON SUSTS. **fecha (de)** *la fecha de vencimiento de una factura* · **plazo (de)** · **período (de)**

• CON VBOS. **acercar(se)** || **tener** · **negociar** · **concretar** || **ampliar** · **acortar**

• CON PREPS. **con** *letras con vencimiento a seis meses*

vendaje s.m.

• CON ADJS. **fuerte** · **compresivo** · **inmovilizador** *Me trataron la fractura del tobillo con un vendaje inmovilizador* · **elástico** || **aparatoso** · **espectacular** · **sencillo** || **casero** · **improvisado**

• CON VBOS. **colocar** · **practicar** · **poner** · **realizar** || **llevar** *Según los testigos, uno de los delincuentes llevaba un vendaje* || **retirar** · **cortar** · **arrancar** · **cambiar**

vendaval s.m.

• CON ADJS. **fuerte** *Un fuerte vendaval asoló la zona de la costa* · **intenso** · **tremendo** · **incontenible** · **imparable** · **violento** · **intempestivo**

• CON SUSTS. **consecuencia (de)** · **huella (de)** · **efecto (de)**

• CON VBOS. **amenazar** · **cernerse (sobre algo/sobre alguien)** || **levantarse** *Se levantó de improviso un tremendo vendaval* · **desatar(se)** · **desencadenar(se)** · **arreciar** · **asolar (algo)** · **arrasar (algo)** || **calmar(se)** · **amainar** · **parar** · **cesar** || **anunciar** · **prever** || **aguantar** *Bastante tuvieron con aguantar el vendaval* · **contener** · **soportar** · **capear**

vendedor, -a s.

• CON ADJS. **a domicilio** · **ambulante**

vender v.

• CON ADJS. **solo,la** *Las camisetas se venden solas; nos las quitan de las manos*

• CON ADVS. **barato** *En esta tienda venden muy barato* · **caro** · **abusivamente** · **a la baja** · **al alza** · **a peso de oro** · **a su justo precio** · **en su justo precio** · **ventajosamente** · **a buen precio** || **como churros** *un producto de éxito que se vendió como churros* · **como rosquillas** · **de lo lindo** · **a mansalva** || **fácilmente** · **sin problemas** || **a toda costa** *Quería vender su casa a toda costa* · **ávidamente** · **a destajo** || **a granel** · **al detalle** · **al peso** · **al por mayor** · **a ojo** || **de {primera/segunda} mano** · **en oferta** · **en exclusiva** || **a domicilio** · **por catálogo** *...en una empresa que solo vende por catálogo* · **por correo** · **por internet** || **a crédito** · **al contado** · **a plazos**

vendimiador, -a s.

• CON ADJS. **temporero,ra** *Ante la afluencia de vendimiadores temporeros...* · **eventual** · **estacional** || **emigrante** · **ilegal**

• CON SUSTS. **colectivo (de)** · **gremio (de)**

• CON VBOS. **buscar** · **necesitar** · **contratar** || **trabajar (como/de)**

vendimiar v.

• CON SUSTS. **uva** · **vid** · **cepa**

• CON ADVS. **a mano** || **intensamente** · **rápidamente** || **incansablemente** · **agotadoramente** · **de sol a sol**

veneno s.m.

• CON ADJS. **mortal** *El veneno de esta serpiente es mortal* · **mortífero** · **letal** · **fatal** · **destructivo** · **tóxico** · **puro** || **aletargante** · **paralizante** || **poderoso** *El asesino administraba a sus víctimas un poderoso veneno* · **fulminante** · **expeditivo** · **infalible** · **contundente** · **potente** || **fatídico** · **funesto** || **inofensivo** · **inocuo** || **dulce** · **placentero** || **potencial** || **cargado,da (de)** *La punta de la flecha estaba cargada de veneno* · **lleno,na (de)**

• CON SUSTS. **dosis (de)** · **gota (de)** || **efecto (de)** || **antídoto (de/contra/para)**

• CON VBOS. **propagar(se)** || **administrar** · **inyectar** · **meter (a alguien)** · **inocular** · **dosificar** · **proporcionar** *Ignoramos quién le proporcionó el veneno* || **beber** · **ingerir** · **tomar** · **tragar** · **consumir** · **probar** || **absorber** || **contrarrestar** · **neutralizar** *un medicamento para neutralizar inmediatamente el veneno* || **contener** · **soltar** · **destilar** *Sus palabras destilaban veneno* · **verter** || **consistir** · **representar** · **suponer** || **analizar** || **impregnar (de)** · **untar (de)**

venenoso, sa adj.

■ [que contiene veneno]

• CON SUSTS. **gas** *...del que emanaba un gas venenoso* · **sustancia** · **poción** · **droga** · **compuesto** || **seta** · **animal** · **serpiente** · **especie** · **araña** · **planta** || **aguijón** · **dardo** · **disparo**

• CON ADVS. **altamente** · **sumamente**

■ [que tiene mala intención] *col.*

• CON SUSTS. **lengua** *¡Qué lengua tan venenosa tienes!* || **comentario** · **pregunta** · **palabra** · **texto** · **discurso** · **apostilla** · ***otras manifestaciones verbales o textuales*** || **chisme** · **habladuría** · **rumor** · **broma** || **crítica** *Las venenosas críticas de la prensa no parecían preocupar lo más mínimo al Gobierno* · **acusación** · **invectiva** · **increpación** || **mentira** · **calumnia** || **intención** || **denigración** · **invitación** || **espíritu** · **mente**

venerable adj.

• CON SUSTS. **anciano,na** · **señor,-a** · **profesor,-a** · **juez** · **magistrado,da** · **tribunal** · **artista** · **actor** · **actriz** *un homenaje dedicado a una actriz venerable* · ***otros individuos y grupos humanos*** || **personalidad** · **figura** || **edad** *un anciano de venerable edad* || **institución** · **casa** · **teatro** || **oficio** · **tradición** || **imagen**

veneración s.f.

• CON ADJS. **auténtica** *Siente auténtica veneración por su padre* · **verdadera** · **absoluta** · **gran(de)** · **enorme** · **profunda** · **desmedida** · **excesiva** || **clara** · **evidente** · **manifiesta** · **expresa** || **especial** *mostrar una especial veneración por un lugar* · **particular** || **escasa** · **mínima** || **popular** · **colectiva** || **supersticiosa** · **fanática** · **ciega** · **sumisa** || **religiosa** · **cristiana**

• CON SUSTS. **objeto (de)** · **acto (de)** || **lugar (de)**

• CON VBOS. **surgir** · **nacer** · **resurgir** || **aumentar** · **crecer** *...una absoluta veneración por su maestro que iba cre-*

ciendo con los años || **decrecer** · **disminuir** · **apagar(se)** || **dispensar** · **profesar** · **rendir** · **dar** · **tributar** || **manifestar** · **sentir** · **mostrar** · **evidenciar** || **despertar** · **suscitar** · **promover** · **provocar** · **causar** || **ganarse** · **granjearse** *granjearse la veneración de los alumnos* || **gozar (de)**
● CON PREPS. **con** *Habla de este escritor con auténtica veneración*

venerar v.

● CON SUSTS. **anciano,na** · **maestro,tra** · **líder** · **público** · **afición** · ***otros individuos y grupos humanos*** || **imagen** · **memoria** · **recuerdo** · **nombre** || **santo** · **virgen** · **reliquia** *venerar las reliquias de los santos* · **restos** || **vida** · **verdad**
● CON ADVS. **indefinidamente** · **eternamente** || **con vehemencia** *Sus discípulos veneran con vehemencia el nombre de su maestro* · **incondicionalmente** · **ciegamente** · **sinceramente** · **absolutamente**

venéreo, a adj.

● CON SUSTS. **enfermedad** · **infección** · **mal** || **vía** · **origen** *una enfermedad de origen venéreo* · **trato** · **contacto** || **deleite** · **placer** · **excitación** · **pulsión** · **apetito** · **obsesión** · **regodeo**

venganza s.f.

● CON ADJS. **terrible** · **temible** · **atroz** · **cruel** · **descarnada** · **despiadada** · **implacable** · **diabólica** · **insaciable** || **en frío** · **calculada** || **eterna** || **deseoso,sa (de)** · **sediento,ta (de)** · **ansioso,sa (de)**
● CON SUSTS. **ánimo (de)** · **deseo (de)** · **espíritu (de)** · **sed (de)** *con el objetivo de saciar su sed de venganza* || **acto (de)**
● CON VBOS. **fraguar(se)** *La atroz venganza se fraguó con la aquiescencia de todo el pueblo* || **planear** · **tramar** · **madurar** · **maquinar** · **urdir** · **anunciar** || **saborear** *La protagonista pudo finalmente saborear su pequeña venganza* · **paladear** || **jurar** · **pedir** · **alentar** || **realizar** · **llevar a cabo** · **tomar(se)** || **dar rienda suelta (a)**
● CON PREPS. **en**

vengar v.

● CON SUSTS. **ofensa** · **agravio** *vengar los agravios recibidos* · **injuria** · **insulto** · **humillación** · **ultraje** · **deshonor** · **deshonra** || **muerte** · **asesinato** · **crimen** · **agresión** · **masacre** || **daño** · **derrota** · **perjuicio** · **traición** · **castigo**
□ USO Alterna los complementos directos (*vengar una humillación*) con los complementos encabezados por la preposición *de*, usado como pronominal (*vengarse de una humillación*).

vengativo, va adj.

● CON SUSTS. **actitud** · **carácter** · **temperamento** || ***persona*** *Ten cuidado con él, es una persona muy vengativa*

venial adj.

● CON SUSTS. **pecado** · **mentira** · **ligereza** · **maldad** · **debilidad** · **insulto** · **atrevimiento** · **licencia** · **superchería** || **error** *Pasó por alto algunos errores veniales, sin consecuencias importantes* · **lapsus** · **traspiés**

venidero, ra adj.

● CON SUSTS. **año** *Estamos preparados para los años venideros* · **siglo** · **mes** · **días** · **semana** · **temporada** · **período** · **tiempo** · **jornada** || **suceso** · **acontecimiento** *estar al tanto de los acontecimientos venideros* · **evento** · **campaña** · **situación** || **cita** · **encuentro** · **reunión** || **compromiso** · **obligaciones** || **generación** · **sociedad** · **civilización** · **mundo** || **elección** *con miras a evitar el fraude en las elecciones venideras* · **gobierno** · **legislatura** || **lucha** · **conflicto** · **problema**

[venir] →venir; venir (a alguien); venir (con); venir de lejos; venir (en); venirse abajo

venir v.

● CON ADJS. **acompañado,da** · **cargado,da** *Vienes tan cargado de paquetes que no se te ve* || **ordenado,da** · **alfabetizado,da** · **dispuesto,ta** · **distribuido,da** || **presentado,da** · **envuelto,ta** · **preparado,da** || **completo,ta** · **repleto,ta** *El autobús no paró porque venía repleto* · **lleno,na** · **vacío,a** · **incompleto,ta** || **crudo,da** · **cocinado,da** · **limpio,pia** *El pescado ya viene limpio* · **servido,da** · **troceado,da** · **condimentado,da** || **exigido,da** · **pedido,da** · **impuesto,ta**
● CON ADVS. **a cara descubierta** · **a hurtadillas** · **de incógnito** · **expresamente** || **de camino** || **en ayuda (de alguien)** || **a toda máquina** · **a todo tren** || **en son de guerra** · **en son de paz** *No te enfades, que vengo en son de paz* || **en oleadas** · **en tropel** · **a mansalva** || **de tiros largos** || **de herencia**

venir (a alguien) v.

● CON ADJS. **grande** *un proyecto demasiado ambicioso que le viene muy grande* · **largo,ga** · **ancho,cha** · **enorme** · **holgado,da** || **corto,ta** · **estrecho,cha** *Parece que el vestido te viene algo estrecho* · **pequeño,ña** · **ajustado,da** · **justo,ta** *La falda me viene un poco justa* || **perfecto,ta** · **pintiparado,da**
● CON ADVS. **de perlas** *Me viene de perlas tener hoy la tarde libre* · **estupendamente** · **extraordinariamente** · **magníficamente** · **fenomenal** · **perfectamente** · **bárbaro** · **bien** · **al pelo** *Ese vestido te viene al pelo* · **a medida** · **de miedo** || **mal** *Me viene mal quedar esta tarde* · **de pena** · **regular** · **a contrapelo**

venir (con) v.

● CON SUSTS. **cuento** *¿Me vienes otra vez con el cuento del despertador estropeado?* · **embuste** · **excusa** · **historia** · **mentira** || **estupidez** · **tontería** || **protesta** · **queja** *Los del primer piso me vienen todos los días con alguna queja* · **lloros** · **remilgo** · **malos modos** || **sermón** · **monserga** || **rodeos** *No me vengas con rodeos y dime qué pasa*

venir de lejos loc.vbal.

● CON SUSTS. **problema** *...porque ese problema viene de lejos y ahora es difícil de resolver* · **crisis** · **escándalo** · **tragedia** · **mal** || **enfrentamiento** · **polémica** · **discrepancia** · **discusión** · **desencuentro** · **controversia** || **deseo** · **proyecto** · **propósito** · **estrategia** || **relación** *Nuestra relación profesional viene de muy lejos* · **amistad** · **amor** || **asunto** · **tema** · **cuestión** · **historia** · **situación**

venir (en) v.

● CON VBOS. **llamar** *...perteneció a lo que se ha venido en llamar generación del 98* · **denominar** · **bautizar** · **nombrar** || **disponer** · **otorgar** · **conceder** *El Gobierno vino en concederle generosamente el indulto* · **indultar** || **coincidir** · **estar de acuerdo** · **hacer la misma política** || **pensar** · **sospechar** · **decir**

venirse abajo loc.vbal.

● CON SUSTS. **edificio** *El edificio se vino abajo cuando lo estaban restaurando* · **castillo** · **plaza** · **pabellón** · **tabique** · **casa** · ***otras edificaciones*** || **equipo** *Como no metan un gol, en el segundo tiempo el equipo se vendrá abajo* · **jugador,-a** · **padre** · **madre** · ***otros individuos y grupos humanos*** || **organización** · **democracia** · **fábrica** · **negocio** · ***otras empresas e instituciones*** || **ilusión** · **sueño** *Nuestro sueño se vino abajo en solo un segundo* · **esperanza** · **confianza** · **expectativa** · **pretensión** · **propósito** · **previsión** || **plan** · **proyecto** · **idea** || **trama** · **entramado** · **montaje** · **tinglado** || **esquema** · **sistema** · **táctica** · **teoría** · **coar-**

tada · hipótesis || trabajo *Sin el esfuerzo individual, el trabajo de todos se vendrá abajo* · **esfuerzo · fuerza || apoyo · cooperación || modelo · imagen || tregua · paz**
• CON ADVS. **estrepitosamente · espectacularmente · dramáticamente || repentinamente · súbitamente · abruptamente · inesperadamente · bruscamente · en cosa de {días/horas/semanas...} || anímicamente · psicológicamente · físicamente** *Mi padre se ha venido abajo físicamente desde que...* **|| completamente · por completo · totalmente || definitivamente · sin remedio · irremisiblemente || fácilmente · con facilidad · como un castillo de naipes**

venoso, sa adj.

• CON SUSTS. **sangre || cavidad · conducto** *Pasa por el conducto venoso al interior del corazón* · **sistema · red · vía || trombo · tejido || trombosis · embolia**

venta s.f.

• CON ADJS. **a granel · al peso · al por mayor** *En este establecimiento la venta es solo al por mayor* · **al mayoreo · en serie · al por menor · al menudeo || a domicilio · puerta a puerta · por correo · por correspondencia · por internet · por catálogo** *La venta por catálogo está muy extendida en este país* · **directo · en exclusiva · ambulante · callejera || a crédito · a plazos · al contado || masiva · cuantiosa · provechosa · redonda** *Acabo de hacer una venta redonda* · **aproximada · infructuosa || fraudulenta · ilegal · legal || presunta · supuesta || a destajo || controlada · anticipada** *La venta anticipada de entradas empieza mañana* **|| navideña · veraniega**
• CON SUSTS. **objeto (de) || oportunidad (de) || agente (de) · operación (de)** *La operación de venta ya está en marcha* · **negocio (de) || puesto (de) · punto (de)** *...en quioscos y otros puntos de venta autorizados* · **precio (de)**
• CON VBOS. **aumentar** *Las ventas aumentaron respecto al trimestre pasado* **|| decrecer · frustrar(se) || sostener(se) · mantener(se) || realizar · efectuar · hacer** *La casa de subastas hizo una buena venta del cuadro* · **consumar · acometer || lanzar · relanzar || facilitar · promover** *...con el fin de promover la venta de medicamentos genéricos* · **agilizar · fomentar · propulsar · canalizar || concertar · apalabrar · cerrar · rematar · negociar || anular · cancelar · cortar · interrumpir · recortar · suspender · posponer · postergar · prohibir || permitir** *Aquí no se permite la venta ambulante* · **autorizar · legalizar || sacar (a) · salir (a) · poner (en)** *Los vecinos pusieron la casa en venta hace un mes* **|| retirar (de) || dedicarse (a)**
• CON PREPS. **en** *una parcela en venta*

ventaja s.f.

• CON ADJS. **significativa · considerable · sustancial · abismal** *para reducir la abismal ventaja de treinta puntos* · **abrumadora · abultada · acusada · aplastante · enorme · gran(de) · importante · máxima || inalcanzable · inigualable · insalvable** *una ventaja que, a la postre, resultó insalvable* **|| cómoda · desahogada · amplia · holgada · tranquilizadora || clara · indudable · innegable · evidente · nítida · ostensible · patente || ilusionante || inicial** *Gracias a esa ventaja inicial, el piloto mejoró su propia marca* **|| ajustada · apretada · mínima · justa · escasa · estrecha · exigua · pequeña · pírrica || principal** *La principal ventaja de esta opción radica en...* · **esencial · determinante · fundamental · mayor · decisiva || fiscal · económica · comercial**
• CON SUSTS. **punto (de) · gol (de) · minuto (de) · segundo (de) · metro (de)**
• CON VBOS. **producir(se) || difuminar(se) · desvanecerse · esfumarse** *Pero la ventaja obtenida se esfumó en el último kilómetro* **|| derivar(se) (de algo) · radicar (en algo) · estribar (en algo) || suponer · comportar · acarrear · implicar · conllevar · arrojar || tener · sacar** *La corredora sacó una ventaja de varios minutos* · **llevar · aprovechar || dar · ofrecer · brindar || ganar · arrancar (a alguien) · obtener · adquirir · conseguir · arañar · tomar || acortar · recortar · reducir · estrechar · aminorar · enjugar · anular · revocar || calibrar · estudiar · sopesar || augurar || dilapidar · echar a perder · malgastar · perder || estirar · dosificar · mantener || esgrimir || disfrutar (de) · gozar (de) || revertir (en)**
• CON PREPS. **con** *jugar con ventaja* · **sin** *sin ventaja alguna sobre el resto de los competidores*

ventajosamente adv.

• CON VBOS. **comparar · equiparar** *...resultados que se equiparan ventajosamente a los obtenidos en otras convocatorias* **|| cambiar · reemplazar · sustituir || competir · jugar · rivalizar · defender · resistir || utilizar · aprovechar || adquirir · conseguir · vender** *Ha vendido ventajosamente varias propiedades* · **negociar · producir · explotar || llevar · pasar · conducir · llegar · adelantar || situar · ubicar · localizar**

ventajoso, sa adj.

• CON SUSTS. **situación · condición · posición** *Estás en una posición muy ventajosa para obtener el puesto* · **estatus · circunstancia || opción · alternativa · posibilidad · oportunidad · ocasión || precio · oferta** *Recibió una ventajosa oferta y firmó el contrato con ellos* · **crédito · financiación · inversión · interés · fiscalidad · deducción · sueldo · jubilación || relación · colaboración · pacto · alianza · fusión · compromiso · acuerdo** *Se trata de un acuerdo ventajoso, pero solo para algunos países* · **convenio · trato · contrato · negocio · intercambio · matrimonio || medida** *La medida no resultó tan ventajosa como esperábamos* · **política · plan · norma · estatuto · régimen · sistema || cambio · reforma · reconversión · desarrollo · novedad · actualización**
• CON VBOS. **volverse · mantenerse · resultar**

ventana s.f.

• CON ADJS. **grande · enorme** *Su casa tenía unas enormes ventanas de madera* · **gruesa · pesada · pequeña || de madera · de aluminio || cuadrada · redonda · rectangular || corredera || trasera · delantera · lateral · principal || enrejada · doble || al exterior · al mundo** *Algunos libros son ventanas al mundo* · **al futuro**
• CON SUSTS. **cristal (de) · vidrio (de) || hueco (de) · quicio (de) · poyete (de) · alféizar (de) || barrote (de) · reja (de) · cierre (de) · postigo (de)**
• CON VBOS. **dar (a algún sitio)** *Las ventanas traseras daban al patio* · **orientar(se) (a algún sitio) || romper(se) || golpear || abrir || cerrar** *Cierre las ventanas para que no entre frío* · **entornar || atrancar · sellar · condenar · enrejar || arreglar · pintar · cambiar || asomarse (a/por) · mirar (por)** *Miró por la ventana, pero no vio a nadie* · **ver (por) || caer(se) (por) · tirar(se) (por) · saltar (por) || salir (por)** *El gato salió por la ventana* · **entrar (por) · colarse (por)**
• CON PREPS. **a través (de) · por**

ventanilla s.f.

▌[de un vehículo]

• CON ADJS. **delantera · trasera · lateral**
• CON SUSTS. **cristal (de)**
• CON VBOS. **abrir · bajar · subir** *Sube las ventanillas, que voy a encender el aire acondicionado* · **cerrar || romper · destrozar || asomar(se) (por)**

▌[de atención al público]

• CON ADJS. **única**
• CON SUSTS. **empleado,da (de) · funcionario,ria (de)**

● CON VBOS. **abrir** *La ventanilla de información abre a las nueve de la mañana* · **cerrar** || **pagar (en)** · **cobrar (en)** || **pasar (por)** || **vender (en)** · **suministrar (en)**

ventilación s.f.

● CON ADJS. **escasa** · **suficiente** · **buena** *Esta casa tiene buena ventilación* · **adecuada** · **necesaria** || **insuficiente** · **deficiente** || **asistida** · **mecánica** · **artificial**
● CON SUSTS. **falta (de)** · **exceso (de)** · **problema (de)** || **sistema (de)** *Instalaron un potente sistema de ventilación en la estación de metro* · **equipo (de)** || **rejilla (de)** · **hueco (de)** · **conducto (de)** · **chimenea (de)** · **orificio (de)** · **turbina (de)** || **condiciones (de)**
● CON VBOS. **faltar(le) (a algo)** || **necesitar** *El paciente necesitaba ventilación asistida* · **precisar**
● CON PREPS. **con** · **sin**

ventilar v.

▌[airear]

● CON SUSTS. **casa** · **habitación** *Hay que ventilar esta habitación* · **local** · **sala** · **despacho** · **oficina** · **recinto** · ***otros espacios cerrados*** || **coche** · **autobús** || **ambiente** || **ideas**
● CON ADVS. **frecuentemente** · **diariamente** · **constantemente** || **brevemente** · **momentáneamente**

▌[despachar]

● CON SUSTS. **asunto** · **caso** *La comisión ventiló el caso en cinco minutos* · **cuestión** · **situación** · **tema** · **problema** · **faena** || **bienes** || **disputa** · **oposición** · **diferencia** · **conflicto** · **trapos sucios** · **desavenencias** || **demanda**
● CON ADVS. **internamente** · **públicamente** *No les gusta ventilar sus diferencias públicamente* || **rápidamente** · **alegremente** · **en un santiamén**

ventisca s.f.

● CON ADJS. **fuerte** *Estábamos en medio de una fuerte ventisca* · **plena** || **gélida** · **helada** · **fría**
● CON SUSTS. **fuerza (de)**
● CON VBOS. **levantar(se)** · **desatar(se)** · **azotar** || **calmar(se)** · **amainar** · **pasar**
● CON PREPS. **en** · **en medio (de)**

ventolera s.f.

▌[golpe de viento fuerte]

● CON VBOS. **azotar** · **arreciar** · **levantar(se)** *Al amanecer, se levantó una fuerte ventolera* || **apaciguar(se)** · **amainar** · **calmar(se)** || **aguantar** · **soportar**

▌[decisión inesperada] *col.*

● CON ADJS. **caprichosa** · **extraña**
● CON VBOS. **dar(le) (a alguien)** *El otro día le dio una ventolera y tiró toda la ropa vieja*

ventosa s.f.

● CON SUSTS. **efecto** *...para tratar de reducir el efecto ventosa en los coches de carreras* || **sistema (de)**
● CON VBOS. **pegar** · **despegar** || **sujetar(se) (con)** *El micrófono se sujeta con una ventosa a la pantalla del ordenador* · **agarrar(se) (con)**

ventura s.f.

● CON ADJS. **mala** · **buena** · **feliz** · **próspera**
● CON SUSTS. **tiempo (de)** · **años (de)** *Al despedirse, le deseó muchos años de ventura*
● CON VBOS. **tener** || **actuar (con)** · **pasar (con)**

☐ EXPRESIONES **a la (buena) ventura** [a lo que la suerte depare] || **por ventura** [quizá]

venturoso, sa adj.

● CON SUSTS. **futuro** *Les auguro a ustedes un futuro venturoso* · **porvenir** · **presente** · **camino** · **vida** || **día** *Se conocieron un venturoso día de primavera* · **instante** · **tiempo** · **año** · ***otros momentos o períodos*** || **advenimiento** · **nacimiento** · **encuentro** || **salida** *encontrar una salida venturosa* || **casualidad** · **azar** || **unión** · **pareja**

ver v.

● CON SUSTS. **televisión** · **película** *Ayer vi una película muy interesante* · **obra** · **exposición** · **partido** · **actuación** · **espectáculo** · ***otros eventos*** || **intenciones** · **maniobra** · **jugada** || **plan** · **propuesta** · **idea** || **situación** *Veo la situación bastante negra* · **asunto** · **cuestión** || **panorama** · **expectativa** · **futuro**
● CON ADJS. **apropiado,da** · **prudente** *No veo prudente llamarla a estas horas* · **conveniente** · **imprescindible** · **necesario,ria** || **claro,ra** · **borroso,sa** *Las letras de la segunda fila las veo borrosas* || **fácil** · **posible** · **probable** · **sencillo,lla** · **accesible** || **negro,gra** · **oscuro,ra** · **complicado,da** · **difícil** *Veo difícil que lleguemos a un acuerdo* · **imposible**
● CON ADVS. **claramente** · **con claridad** · **a las claras** *A las claras se ve que no quiere marcharse* · **a simple vista** · **nítidamente** || **perfecto** · **bárbaro** · **regular** *De cerca, me defiendo, pero de lejos veo solo regular* · **bien** · **mal** *Yo no veo mal que le escribamos y le digamos que...* · **estupendamente** || **borrosamente** · **confusamente** || **a la legua** *Puedo ver sus intenciones a la legua* · **a lo lejos** || **al detalle** · **con detalle** · **con todo lujo de detalles** · **detalladamente** || **atentamente** || **a grandes rasgos** · **en grandes líneas** || **de primera mano** · **con {mis/tus/sus...} propios ojos** *Lo vi con mis propios ojos, no podía ser otra persona* · **en vivo y en directo** · **en carne y hueso** · **en directo** · **en persona** || **de refilón** · **de reojo** · **de pasada** *Vimos la exposición de pasada* · **por encima** · **fugazmente** · **de soslayo** || **a puerta cerrada** · **a hurtadillas** || **de lejos** *De lejos no veo bien* · **de cerca** · **a derechas** || **cara a cara** · **frente a frente** || **con buenos ojos** *Sus padres ven con buenos ojos que se marche* · **con cautela** · **con reservas** · **negativamente** || **ni en pantalla** · **ni por asomo**

☐ USO También se combina con locuciones pronominales del tipo *ni torta, ni tres en un burro*: *Aquí no se ve ni tres en un burro.*

veracidad s.f.

● CON ADJS. **total** · **absoluta** || **dudosa** · **escasa** || **informativa** *No olvide que aquí prima la veracidad informativa* · **periodística** · **política**
● CON SUSTS. **ápice (de)** · **asomo (de)** · **indicio (de)** *En esta historia no existe el menor indicio de veracidad* · **señal (de)** · **prueba (de)** · **muestra (de)** · **ejemplo (de)**
● CON VBOS. **salir a la luz** · **primar** || **afirmar** · **asegurar** · **garantizar** *El confidente les había garantizado la veracidad de sus informaciones* · **acreditar** || **confirmar** · **corroborar** · **demostrar** · **probar** || **atribuir** · **conceder** || **determinar** · **establecer** · **averiguar** || **juzgar** · **evaluar** · **sopesar** · **examinar** · **contrastar** *Debemos contrastar la veracidad de los datos* · **verificar** || **rebatir** · **contradecir** · **negar** · **desmentir** || **cuestionar** · **poner en cuestión** · **poner en duda** · **poner en tela de juicio** || **percibir** · **apreciar** || **exigir** · **pedir** · **dar** · **adquirir** *La descabellada hipótesis iba adquiriendo veracidad según hallábamos pruebas* || **carecer (de)**

veraniego, ga adj.

● CON SUSTS. **época** · **período** · **mes** · **temporada** *El índice de ocupación aumenta en la temporada veraniega* · **noche** · **día** · **estación** || **vacaciones** · **descanso** · **receso** *Durante el receso veraniego remodelarán las oficinas* · **retiro**

· **éxodo** · **viaje** · **pausa** · **parada** || **residencia** · **refugio** · **estancia** || **torneo** · **festival** · **curso** *un curso veraniego de inglés* · **campeonato** · **gira** || **vestimenta** · **indumentaria** · **atuendo** · **ropa** || **ambiente** · **clima** · **temperatura** · **luz** · **sol** · **calor** · **tormenta** *Es solo una tormenta veraniega* · **sequía** || **ocio** · **turismo** · **música** || **campaña** · **programación** · **calendario** || **éxito** · **trofeo**
● CON ADVS. **prematuramente** · **marcadamente** · **moderadamente**

verano s.m.

● CON ADJS. **caluroso** *El pasado año tuvimos un verano muy caluroso* · **tórrido** · **ardiente** · **asfixiante** · **sofocante** · **abrasador** · **achicharrante** || **adormecedor** · **lánguido** || **tenue** · **tibio** · **suave** || **tormentoso** || **corto** · **largo** *un largo verano por delante para descansar* || **pasado** · **próximo** · **último** || **polar** · **ártico** · **antártico** · **austral** || **musical** · **cultural** *El verano cultural se presenta muy variado* · **deportivo**
● CON SUSTS. **calor (de)** · **sopor (de)** || **vacaciones (de)** *Las vacaciones de verano empiezan mañana* · **horario (de)** · **siesta (de)** · **residencia (de)** · **vuelta (de)** || **campaña (de)** · **festival (de)** · **curso (de)** *Mi universidad ofrece varios cursos de verano* · **colonia (de)** · **campamento (de)** || **época (de)** · **temporada (de)** · **meses (de)** · **día (de)** *Hoy hace un día de verano*
● CON VBOS. **llegar** *Aquí llega el verano de un día para otro* · **venir** · **irrumpir** · **empezar** · **aproximarse** · **asomar** · **despuntar** · **avanzar** || **adelantar(se)** · **anticipar(se)** · **retrasar(se)** · **irse** · **terminar** · **agonizar** || **pasar** *Como siempre, el verano pasó volando* · **transcurrir** || **recibir** · **despedir** · **esperar** || **organizar** *Ya estamos organizando el verano próximo* · **planificar** || **amargar (a alguien)** *La noticia nos amargó el verano* · **estropear (a alguien)** || **disfrutar (de)**
● CON PREPS. **a final(es) (de)** · **a lo largo (de)** · **a mediados (de)** *Se fue a mediados del verano* · **durante**

veraz adj.

● CON SUSTS. **información** *Tienen derecho a recibir información veraz* · **noticia** · **mensaje** · **dato** · **crónica** · **retrato** · **documento** · **historia** · **versión** || **testigo** · **testimonio** · **afirmación** || **comunicación** · **interpretación** · **representación** || **periodismo** · **medio** *A mi juicio, es el único medio veraz con el que contamos* · **publicidad** || **método** · **sistema**
● CON ADVS. **completamente** · **absolutamente** · **plenamente** || **supuestamente** · **dudosamente**

verbal adj.

● CON SUSTS. **lenguaje** · **manifestación** · **expresión** *alumnos que presentan problemas de expresión verbal* · **comunicación** · **mensaje** · **información** · **discurso** || **conjugación** || **coherencia** · **cohesión** || **violencia** · **guerra** · **duelo** *motivo por el que tuvieron un tenso duelo verbal* · **batalla** · **agresión** · **enfrentamiento** · **rifirrafe** · **ataque** · **amenaza** · **protesta** || **acuerdo** · **compromiso** || **torrente** · **flujo** · **fluidez** || **agudeza** *Lo que más me gusta de este autor es su agudeza verbal* · **capacidad** · **espontaneidad** || **incontinencia** · **exceso** || **contención** · **economía** || **recurso** · **juego** · **ejercicio**

verbalmente adv.

● CON VBOS. **comunicar** · **informar** *Nos informó verbalmente de su decisión* · **transmitir** · **expresar** · **manifestar** · **declarar** · **anunciar** · **notificar** · ***otros verbos de lengua*** || **formular** · **plantear** *No es lo mismo plantear el asunto verbalmente que elaborar un informe detallado por escrito* · **presentar** · **tratar** || **comprometer(se)** *Se comprometió verbalmente a devolver el dinero en un mes* · **acordar** · **pactar** · **contratar** · **prometer** · **concertar** · **convenir** · **apalabrar** || **pedir** · **solicitar** · **ordenar** · **requerir** · **encargar** || **amenazar** · **amonestar** · **avisar** · **advertir** · **intimidar** · **atemorizar** · **disuadir** · **desafiar** · **retar** · **provocar** || **agredir** *Denunció que había sido agredido verbalmente por...* · **atacar** · **enfrentarse** · **enzarzarse** · **arremeter** · **atropellar** · **insultar** · **maltratar** · **pelear** · **abusar** · **humillar** · **presionar** *Afirma que lo presionaron verbalmente* · **lapidar** || **quejarse** · **protestar** || **rechazar** · **condenar** · **denunciar** · **impugnar** · **oponerse** · **contradecir** · **desmentir** · **desacreditar** · **reprobar** · **execrar** · **renunciar** *¿Vas a renunciar verbalmente o piensas enviar una carta?* · **dimitir** · **despedir** · **relegar** || **apoyar** · **autorizar** · **confirmar** · **defender** · **aprobar** · **aceptar** · **reconocer** · **suscribir** *Ambas partes han suscrito verbalmente el acuerdo; solo resta la firma oficial* · **sumarse** · **vincularse** · **permitir** || **intervenir** · **ofrecer** · **resolver** · **ejecutar** · **dictar** · **expedir** · **adjudicar**
● CON ADJS. **agresivo,va** *El presidente fue verbalmente más agresivo que su rival* · **contundente** · **radical**

verbena s.f.

● CON ADJS. **popular** *La primera noche fuimos a una verbena popular* · **tradicional** · **nacional** · **callejera** · **infantil** · **universitaria** || **teatral** · **musical** || **nocturna** · **noctámbula** || **multitudinaria** · **concurrida** · **animada** || **gran(de)** · **pequeña**
● CON SUSTS. **apertura (de)** · **cierre (de)** · **noche (de)** || **portero,ra (de)** · **charlatán,-a (de)** · **orquesta (de)** · **banda (de)** || **música (de)** · **carrusel (de)**
● CON VBOS. **empezar** · **acabar** · **concluir** *Con los fuegos artificiales concluía la verbena* || **organizar** · **montar** · **inaugurar** · **abrir** || **amenizar** *La orquesta municipal amenizará la verbena* · **animar** || **bailar (en)** · **ir(se) (de)**
● CON PREPS. **de** *Nos vamos de verbena* · **en** · **en medio (de)** · **durante**

verbo s.m.

▌[parte de la oración]

● CON ADJS. **regular** · **irregular** *El diccionario incluye un cuadro con los principales verbos irregulares* · **auxiliar** · **deponente** · **transitivo** · **intransitivo** · **copulativo** · **pronominal** || **español** · **latino** · **alemán** · ***otros gentilicios***
● CON SUSTS. **modo (de)** *El modo imperativo del verbo se emplea para dar órdenes* · **tiempo (de)** · **aspecto (de)** · **número (de)** · **persona (de)** · **voz (de)** · **conjugación (de)** · **morfema (de)** || **sujeto (de)** · **complemento (de)** *¿Cuáles son los complementos del verbo?* · **régimen (de)** || **lista (de)** *Preparé una lista de verbos irregulares para mis alumnos extranjeros* || **función (de)** · **forma (de)**
● CON VBOS. **significar (algo)** *¿Qué significa este verbo?* · **expresar (algo)** · **denotar (algo)** || **inventar** · **conocer** · **explicar** || **usar** · **emplear** || **conjugar** · **complementar** · **modificar** *El adverbio modifica al verbo* || **analizar** · **traducir**

▌[palabra, discurso]

● CON ADJS. **fácil** · **suelto** · **fluido** · **incontinente** || **comedido** · **pausado** || **encendido** *Con los años había moderado su verbo encendido* · **inflamado** · **incendiario** · **desbordante** · **agitador** || **acerado** · **corrosivo** · **agudo** · **mordaz** · **descarnado** · **atrevido** || **convincente**
● CON VBOS. **tener** || **manejar** · **usar** *En sus discursos políticos usaba un verbo comedido pero convincente* · **emplear** || **suavizar** · **atemperar** · **moderar** || **hacer gala (de)**

verdad s.f.

● CON ADJS. **aplastante** · **como una casa** *Lo que dice tu padre es una verdad como una casa, hay que reconocerlo* · **como un templo** · **como puños** · **clamorosa** · **inapelable** · **incontrovertida** · **constatable** · **evidente** || **conocida** ·

sabida || absoluta · plena · rotunda · pura *Aunque no te lo creas, es la pura verdad* || desnuda *Por fin resplandecía la verdad desnuda* · al descubierto · descarnada · sin tapujos · diáfana || incontrovertible · irrebatible · irrefutable · incuestionable · inequívoca · insoslayable || inaccesible || amarga || del barquero · de Perogrullo || a medias *...un discurso que solo contenía verdades a medias* · aparente · medias *Le parecía que todos los políticos decían medias verdades* || ajeno,na (a)
● CON SUSTS. ápice (de) *No encontré un ápice de verdad en su testimonio* · asomo (de) · atisbo (de) · brizna (de) · pizca (de) || interés (por)
● CON VBOS. salir a la luz *La verdad salió a la luz gracias a las investigaciones de un periodista* · aflorar · difundir(se) · traslucir(se) || esclarecer(se) · resplandecer || derrumbar(se) || saber · conocer · comprender · desconocer · ignorar || confesar · declarar · decir · cantar · lanzar · soltar · manifestar · sonsacar (a alguien) *Nadie logró sonsacarle la verdad sobre sus intenciones* || demostrar · probar · evidenciar · confirmar · corroborar · ratificar · testimoniar || constatar · comprobar *Será el fiscal quien se encargará de comprobar la verdad de sus palabras* · verificar || buscar · descubrir · destapar · desvelar · sacar a la luz · desentrañar · alcanzar · averiguar · dilucidar || cuestionar · negar · poner en tela de juicio || adornar · manipular · desfigurar *una historia manipulada que desfigura la verdad de los acontecimientos* · tergiversar · disfrazar · distorsionar · falsear · encubrir · ocultar · silenciar · enmascarar · tapar · retorcer || inculcar || arrogarse || atenerse (a) *En sus declaraciones debe usted atenerse estrictamente a la verdad* · ceñir(se) (a) · apegarse (a) || llegar (a) || cerrar los ojos (ante) · faltar (a) *Su señoría está faltando a la verdad* || rendirse (a/ante)
● CON PREPS. con arreglo (a) · en posesión (de)
☐ EXPRESIONES **a decir verdad** [para ser exacto(s)] || **de verdad** [verdaderamente]
☐ USO Se usa a menudo como expresión atributiva en contextos interrogativos: *¿Verdad que es un sitio precioso?*

[verde] → dar luz verde (a); luz verde; verde

verde

1 **verde** adj.
● CON SUSTS. zona *una ciudad con numerosas zonas verdes* · pulmón *Los bosques son el pulmón verde del planeta* || madera · fruta · fruto || té · pimiento · pimienta · manzana · judías · aceitunas || viejo,ja · chiste *contar un chiste verde* || partido *un militante de un partido verde* · grupo · alternativa || energía || bandera · libro || salsa
● CON VBOS. ser · estar · poner(se) · volver(se)

2 **verde** s.m.
● CON SUSTS. mar *ojos verde mar* · oliva · musgo · limón · esmeralda · turquesa · lechuga · pistacho · menta · botella · militar || luz *Por fin dieron luz verde a su proyecto*
➤ Véase también **COLOR**
☐ EXPRESIONES **poner verde** (a alguien) [criticarlo] *col.*

verdoso, sa adj.

● CON SUSTS. color *flores pequeñas y de color verdoso* · coloración · tonalidad · tono · matiz || amarillo · azul · gris · *otros colores* || agua *No nos quisimos bañar en la laguna porque el agua estaba muy verdosa* · musgo || ojos || luz

verdulería s.f. Véase ESTABLECIMIENTO

verdulero, ra s. *col. desp.*

● CON SUSTS. grito (de) · voz (de) || pelea (de) *El debate se convirtió en una pelea de verduleras* · trifulca (de) · discusión (de) || debate (de)

verdura s.f.

● CON ADJS. fresca · tierna · cruda || del tiempo · congelada || a la plancha · al vapor || nutritiva · alimenticia
● CON SUSTS. menestra (de) || sopa (de) · caldo (de) *Hemos preparado un caldo de verduras para la cena* · puré (de) · lasaña (de) · plato (de) || puesto (de) · tienda (de) · almacén (de) || cosecha (de)
● CON VBOS. venir *Las verduras vienen ya rehogadas* || pudrir(se) · estropear(se) · acompañar (algo) || plantar · cultivar · sembrar · cosechar || comer · tomar · consumir || limpiar · lavar *Lave bien las verduras antes de trocearlas* || pelar · trocear · picar · cortar || cocinar · preparar · asar · cocer · saltear · rehogar · rebozar · freír || servir · pedir || añadir || acompañar (con)

vereda s.f.

● CON ADJS. estrecha *Llegamos al pueblo recorriendo una estrecha vereda de piedra* · angosta · ancha || serpenteante · empinada · inclinada · llana || solitaria · concurrida
● CON VBOS. ir (de un lugar a otro) · atravesar (algo) || seguir · recorrer · hacer || ir (por) · caminar (por) · andar (por) · pasar (por)
● CON PREPS. por · a lo largo (de)
☐ EXPRESIONES **meter en vereda** (a alguien) [obligarle a cumplir con sus deberes] *col.*

veredicto s.m.

● CON ADJS. claro · concluyente · contundente · rotundo *El juicio concluyó con un veredicto rotundo* · inequívoco · tajante · taxativo · riguroso || acertado · desacertado || inapelable || sesgado · parcial · injusto || objetivo · imparcial · justo · ecuánime || unánime || favorable · desfavorable || absolutorio · condenatorio || oficial · judicial
● CON VBOS. dar · emitir · dictar · pronunciar || acordar || aceptar · acatar || recibir || apelar · recurrir *Tengo intención de recurrir el veredicto* || anular || llegar (a) *El jurado llegó a un veredicto unánime*

vergel s.m.

● CON ADJS. bello · florido *En septiembre todo el país era un vergel florido* · primoroso || auténtico · verdadero || pequeño · gran
● CON VBOS. crear · producir || convertir (en) *Han convertido un campo desértico en un auténtico vergel*

vergonzante adj.

● CON SUSTS. voto · pacto *un pacto vergonzante para llegar al poder* · confianza · coalición · silencio · apoyo · sumisión · pasividad || actitud · hábito · acto · situación || lacra · mancha · derrota || delito · pasado · secreto *Oculta desde hace años un secreto vergonzante* || pobre · pobreza

vergonzoso, sa adj.

I [que causa vergüenza]
● CON SUSTS. comportamiento *Tu comportamiento ha sido realmente vergonzoso* · actitud · actuación || suceso · episodio · experiencia · espectáculo · escena · capítulo · realidad || chapuza · ridículo || traición · huida · silencio || política · acuerdo *...quien ha firmado un vergonzoso acuerdo con el organismo de crédito* || derrota · pérdida

● CON ADVS. **realmente** · **completamente** · **absolutamente** · **totalmente** · **sumamente** || **tristemente**
● CON VBOS. **calificar (de)** · **considerar** · **tachar (de)**

▮ [que siente vergüenza]

● CON SUSTS. **persona** *Es una niña vergonzosa y muy callada* || **carácter**
● CON VBOS. **volverse** *Con los años me he vuelto más vergonzoso*

vergüenza s.f.

● CON ADJS. **enorme** · **gran(de)** · **tremenda** *Le da una vergüenza tremenda hablar en público* · **terrible** · **verdadera** · **auténtica** · **absoluta** || **absurda** · **inexplicable** · **injustificada** || **justificada** · **razonable** || **ajena** *Siento vergüenza ajena al ver lo que hacen* · **nacional** · **colectiva** || **torera**
● CON SUSTS. **asomo (de)** · **pizca (de)** *No tiene ni pizca de vergüenza* · **ápice (de)** || **ataque (de)** || **falta (de)**
● CON VBOS. **entrar (a alguien)** · **dar (a alguien)** || **experimentar** · **sentir** · **pasar** *Pasó mucha vergüenza cuando le llamaron la atención* · **tener** || **perder** || **cubrir(se) (de)** · **llenar(se) (de)** || **cargar (con)**

vericueto s.m.

● CON ADJS. **complejo** · **complicado** *complicados vericuetos legales* · **enredado** · **intrincado** · **inextricable** || **laberíntico** · **sinuoso** || **peligroso** || **incierto** · **infinito** || **administrativo** · **burocrático** · **jurídico** · **legal** || **discursivo** · **político** · **creativo**
● CON VBOS. **explorar** *...decidido a explorar los intrincados vericuetos legales del sistema* || **sortear** || **adentrar(se) (en)** · **meter(se) (en)** · **internar(se) (en)** || **perder(se) (en)**

verídico, ca adj.

● CON SUSTS. **hecho** *Lo que te cuento es un hecho verídico* · **acontecimiento** · **caso** · **suceso** · **episodio** · **experiencia** · **situación** || **historia** · **argumento** · **hipótesis** · **anécdota** · **testimonio** · **documento** · **texto** · **imagen** || **información** *Aseguran que se trata de una información verídica* · **noticia** · **informe** · **dato** · **prueba** · **resultado** · **demostración** || **trama** · **novela** · **personaje** || **firma**
● CON ADVS. **absolutamente** *un caso absolutamente verídico y comprobable* · **totalmente**

verificación s.f.

● CON ADJS. **previa** · **precoz** · **tardía** || **fiable** · **total** · **exhaustiva** · **completa** · **real** · **con garantías** || **automática** *El sistema permite la verificación automática de la identidad del usuario* · **manual** · **técnica** || **atenta** · **inflexible** · **rigurosa** · **meticulosa** · **metódica** || **polémica** · **dudosa** · **difícil** · **insegura** · **imposible** *una acusación de imposible verificación*
● CON SUSTS. **programa (de)** · **método (de)** · **mecanismo (de)** · **sistema (de)** || **prueba (de)** · **proceso (de)** · **etapa (de)** · **fase (de)** · **misión (de)** · **trabajo (de)** || **centro (de)** · **casilla (de)** || **problema (de)** || **comisión (de)**
● CON VBOS. **practicar** · **hacer** · **realizar** · **garantizar** · **impedir** || **aceptar** · **rechazar** || **necesitar** · **exigir** || **someter (a)** || **proceder (a)** *El equipo policial procedió a la verificación de los datos* · **cumplir (con)**

verificar v.

● CON SUSTS. **información** · **dato** *Debemos verificar sus datos antes de permitirle el acceso* · **identidad** · **firma** · **cifra** · **fecha** · **documento** · **resultado** · **prueba** || **hipótesis** · **supuesto** · **teoría** || **altura** · **edad** · **peso** · **extensión** · **volumen** · ***otras magnitudes*** || **denuncia** · **afirmación** · **declaración** || **situación** · **estado** · **existencia** · **realidad** · **hecho** · **suceso** · **acontecimiento** || **proceso** · **acuerdo** · **conexión** *La investigación verificará la conexión entre las diferentes mafias* · **vínculo** || **condiciones** · **requisitos** || **cumplimiento** · **aplicación** · **irregularidad** || **autenticidad** · **legalidad** · **veracidad** || **eficacia** *Aún no hemos verificado la eficacia de la medida* · **viabilidad** · **calidad** || **fuente** · **autoría**
● CON ADVS. **debidamente** *La denuncia fue verificada debidamente* || **fehacientemente** · **sin ningún género de dudas** · **rutinariamente** || **de cerca** *verificar de cerca el cumplimiento de la nueva normativa* · **personalmente** || **documentalmente** · **experimentalmente** || **a plena satisfacción (de alguien)**

vermú s.m.

● CON ADJS. **de grifo** *Hemos pedido un vermú de grifo*
● CON SUSTS. **aperitivo (con)** · **hora (de)** *Siempre quedamos a la hora del vermú* · **garrafa (de)**
➤ Véase también **BEBIDA**

vernáculo, la adj.

● CON SUSTS. **lengua** *No existían en esa época traducciones bíblicas en lengua vernácula* · **idioma** · **nombre** · **jerga** · **voz** · **palabra** · **vocabulario** || **cultura** *un digno representante de la cultura vernácula* · **tradición** · **arte** · **folclore** · **música** · **danza** · **ritmo** || **costumbre** · **rito** · **celebración** || **literatura** · **periodismo** · **política** || **especie**

verosímil adj.

● CON SUSTS. **historia** · **relato** · **versión** *una versión de los hechos poco verosímil* · **explicación** · **personaje** || **hipótesis** · **teoría** · **argumento** || **idea** · **pensamiento** · **opinión** · **acusación** || **recreación** *La obra ofrece una recreación verosímil de la época* · **construcción** || **realidad** · **existencia** · **realismo** || **posibilidad** · **alternativa** || **oferta**
● CON ADVS. **escasamente** · **difícilmente** · **completamente** *Dio una explicación completamente verosímil* · **absolutamente** || **perfectamente** || **tremendamente**
● CON VBOS. **hacer** · **convertir (en)** || **considerar**

verosimilitud s.f.

● CON ADJS. **escasa** · **dudosa** || **extraordinaria** *hechos de una extraordinaria verosimilitud* · **inusual** || **convincente** · **innegable** · **evidente** · **obvia** || **posible** · **probable**
● CON SUSTS. **ápice (de)** · **indicios (de)** · **visos (de)** · **apariencia (de)** · **falta (de)**
● CON VBOS. **adquirir** · **cobrar** *La historia fue cobrando verosimilitud con el tiempo* · **ganar** || **dar** · **conceder** *No concedieron ninguna verosimilitud a sus palabras* · **conferir** · **añadir** · **realzar** *unos detalles que realzan la verosimilitud de la escena* · **buscar** || **tener** · **conseguir** || **cuestionar** · **poner en duda** · **negar** · **restar** || **resaltar** · **subrayar** · **acentuar** || **comprobar** · **verificar** · **contrastar** · **determinar** || **dictaminar (sobre)** || **dotar (de)** || **carecer (de)** *El argumento carece de verosimilitud* || **dudar (de)**

versado, da (en) adj.

● CON SUSTS. **tema** · **materia** · **asunto** || **leyes** *un político muy versado en leyes* · **historia** · **lenguas** · **filosofía** · ***otras disciplinas o materias***

versar v.

● CON SUSTS. **libro** *El libro versa sobre la inmigración* · **texto** · **escrito** · **documento** || **artículo** · **columna** · **reportaje** || **obra** · **película** · **serie** · **poema** || **conferencia** · **ponencia** · **intervención** · **pregunta** · **discusión** · **encuentro** · **seminario** · **exposición** · **panel** || **argumento** · **contenido** · **investigación** *La investigación versa sobre la crisis del petróleo* · **tesis** · **estudio** · **temática** || **ley** · **informe**

☐ USO Se construye con complementos encabezados por la preposición *sobre*: *versar sobre un tema.*

versátil adj.

• CON SUSTS. **uso · utilización · aplicación || carácter · personalidad · inteligencia || *persona*** *un músico versátil y creativo* **|| modelo · figura || moda · ropa · prenda || herramienta** *Se trata de una herramienta muy versátil con gran variedad de aplicaciones* **· instrumento · programa || carrera · comportamiento · experiencia**

versatilidad s.f.

• CON ADJS. **enorme** *un futbolista de enorme versatilidad* **· gran(de) · suficiente · rica || extraordinaria · magnífica · extrema · increíble · portentosa · prodigiosa || escasa · moderada || creativa · artística · periodística · comercial · lingüística · literaria · ideológica || de uso**
• CON SUSTS. **dosis (de) · grado (de) · nivel (de) || prueba (de)** *Esta película fue una prueba de su versatilidad como actriz* **· muestra (de) · ejemplo (de)**
• CON VBOS. **tener · ofrecer · mostrar · manifestar || demostrar** *Creo que ha demostrado suficiente versatilidad en su trabajo* **· acreditar · atestiguar || aumentar · perder · acentuar || caracterizar(se) (por) · dotar (de)**

versión s.f.

▌[adaptación]

• CON ADJS. **original** *una película en versión original* **|| pirata || íntegra · completa · extendida || reducida · resumida · abreviada · adaptada || traducida · doblada || fidedigna · fiel · literal || libre || nueva** *La nueva versión me gusta más que la antigua* **· actual · actualizada · moderna || antigua · vieja · clásica**
• CON VBOS. **inspirar(se) (en algo) · basar(se) (en algo) || escuchar · leer · ver**

▌[interpretación] oficial · conocida · creíble · fiable · verosímil || oficiosa · dudosa *Su versión de los hechos es más que dudosa* **· manipulada · sesgada · parcial || particular** *Nos dio su particular versión de lo sucedido* **· personal · propia || impecable · ejemplar · extraordinaria · magnífica · excelente || de los hechos**
• CON VBOS. **circular · difundir(se) · cobrar fuerza** *La versión oficiosa está cobrando fuerza sobre la oficial* **|| dar · ofrecer · presentar · realizar · hacer || confirmar** *Estos documentos confirman su versión* **· corroborar · apoyar || rebatir · refutar · desmentir · negar || aceptar · dar por buena || rechazar · poner en duda · cuestionar · criticar || contrastar** *Queríamos contrastar las diferentes versiones* **· comparar · comprobar · verificar || atenerse (a) || salir al paso (de)**

versionar v.

• CON SUSTS. **tema · canción** *Numerosos grupos de rock han versionado esta canción de amor* **· película · poema · texto · obra · éxito · clásico · espectáculo**

verso s.m.

• CON ADJS. **de arte {mayor/menor} || octosílabo · endecasílabo · *otros metros* || libre · rimado · encabalgado || alegre · cálido · expresivo · florido · sonoro · musical · luminoso || sobrio · desnudo · sencillo · pausado || doliente · melancólico · triste · sentido · emocionado · emotivo · delicado || inspirado · sublime** *El poema contenía algunos versos sublimes* **· exquisito · refinado || perfecto · impecable · genuino · equilibrado || inmortal · inolvidable · memorable · antológico || célebre** *Empezó su discurso con un célebre verso de la poesía cancioneril* **· clásico · conocido || inédito || afectado · alambicado · ripioso · forzado · ampuloso · rimbombante || pobre · primerizo · mediocre || de amor · romántico · épico · dramático · satírico || anónimo**
• CON SUSTS. **antología (de) · libro (de) · puñado (de) · selección (de) || ritmo (de) · musicalidad (de) · sonoridad (de) · calidad (de) || sílaba (de)** *En el análisis métrico se cuentan las sílabas de los versos* **· métrica (de) · pie (de) || autor,-a (de)**
• CON VBOS. **inspirar(se) (en algo) || salir** *la facilidad con la que salen inspirados versos de su fértil pluma* **· surgir || expresar (algo) · plasmar (algo)** *Estos versos plasman a la perfección el sentimiento amoroso* **· recrear (algo) · reflejar (algo) · condensar (algo) · revelar (algo) || rimar** *En esta composición riman entre sí los versos pares* **|| escribir · componer · hacer · alumbrar · trenzar · crear · encabalgar || conocer · saber · recordar || leer · susurrar · citar · memorizar · improvisar || decir** *su inigualable forma de decir el verso* **· recitar · declamar · pronunciar || publicar** *un joven poeta que solo ha conseguido publicar algunos versos* **|| plagiar · copiar || medir · analizar || traducir**

vertebral adj.

• CON SUSTS. **columna · eje · disco · línea · zona || fractura · lesión** *Se está recuperando de una lesión vertebral* **· pinzamiento || idea || fuerza** *Estos valores se convirtieron en la fuerza vertebral del partido* **|| artículo** *un artículo vertebral de la constitución* **· ley**

vertedero s.m.

• CON ADJS. **nuclear · industrial · de residuos · de basura · de escombros · de inertes || municipal · regional** *Planean reabrir el vertedero regional de residuos industriales* **· local || ilegal · irregular · tóxico || controlado · incontrolado**
• CON SUSTS. **ubicación (de) · instalación (de) · límite (de) || inmediaciones (de) · cercanías (de)** *El Ayuntamiento trasladará a las personas que viven en las cercanías del vertedero* **|| reducción (de) · sellado (de)**
• CON VBOS. **recibir (algo)** *Este vertedero recibe un gran volumen de residuos* **|| abrir · cerrar · clausurar || convertir (en)**

verter v.

• CON SUSTS. **lágrimas** *verter lágrimas de emoción* **· agua · leche · aceite · café · sudor · petróleo · *otros líquidos* || jarra** *Vertí accidentalmente la jarra de agua sobre la mesa* **· vasija · vaso · *otros recipientes* || tierra · sal · lodo · barro · energía · cianuro · gas · dióxido de carbono · cloro · fluido · salsa · alquitrán · *otras materias o sustancias* || basura · escombros** *La multa por verter escombros asciende a...* **· desperdicios · desechos · residuos || luz** *verter luz sobre un problema* **· savia · tinta** *Son muchos los estudiosos que han vertido ríos de tinta para explicar el sentido de...* **· sangre** *dispuesto a verter su sangre para defender sus ideas* **|| crítica · acusación · reproche · imputación · ofensa · amenaza · descalificación · calificativo · queja · lamento · insulto · ataque || comentario · afirmación** *Son indignantes las afirmaciones que el periódico ha vertido sobre el caso* **· información · opinión · juicio · apreciación · interpretación · alusión · insinuación · sugerencia · consideración · confidencia · manifestación || duda · sospecha · despropósito · maldad · barbaridad · falsedad · infundio · mentira** *Ha vertido todo tipo de mentiras* **· inexactitud || aportación · suma · dividendo || recuerdo · reflexión · mirada · visión · obsesión · idea** *Las ideas vertidas en las páginas de la revista son responsabilidad de sus autores* **· pensamiento || halago · elogio · optimismo · alegría · entusiasmo · fantasía · pasión · desencanto · ilusión || libro** *Sería muy difícil verter un libro así al castellano* **· novela · artículo · poema · *otros textos* || autor,-a** *Son varios los especialistas que han vertido a nuestro autor al italiano* **· escritor,-a · novelista**

vertical adj.

● CON SUSTS. **línea · eje · plano · dimensión || estructura · sindicato · organización** *una empresa con una fuerte organización vertical* · **modelo · gremio · mercado || jerarquía · liderazgo · orden · clasificación · parámetro || transmisión** *un estudio sobre las infecciones de transmisión vertical en mujeres embarazadas* · **distribución || programación · integración || posición** *mantener el envase en posición vertical* · **postura · estrategia · disposición · sentido || pared · muro · banda · bloque · franja || señal · señalización || formato** *fotos en formato vertical u horizontal* · **dibujo || desplazamiento · despegue · caída || crecimiento · desarrollo || fútbol · juego**
● CON VBOS. **mantener(se) · quedar(se) · poner(se)**

verticalmente adv.

● CON VBOS. **colocar · integrar** *integrar verticalmente la producción de una empresa* · **estructurar || cortar · seccionar · dividir || colgar · ordenar · alinear · poner · extender || atravesar · recorrer || ascender · avanzar · despegar · caer** *La luz del sol caía verticalmente sobre el páramo* · **descender**

vertido s.m.

● CON ADJS. **industrial · nuclear · residual · de residuos · de aguas · de líquidos · de escombros · de basura · de petróleo || tóxico · contaminante** *Sancionan a una empresa por realizar vertidos contaminantes en el río* · **radiactivo || ilegal · prohibido || incontrolado**
● CON SUSTS. **toxicidad (de) || influencia (de) · existencia (de) || origen (de) · causa (de) · efecto (de) · responsabilidad (de) · impacto (de)**
● CON VBOS. **producir(se)** *Se produjo un vertido de petróleo que afectó a toda la bahía* · **aumentar || limpiar · depurar** *medidas para recoger y depurar los vertidos contaminantes* · **reducir · eliminar || detectar · controlar || denunciar**

vertiginoso, sa adj.

● CON SUSTS. **cima · barranco · abismo · altura || movimiento · vuelta || tiempo · época · temporada ·** ***otros periodos*** **|| ritmo** *Los problemas crecen a un ritmo vertiginoso* · **velocidad · son · cadencia · tempo · celeridad · rapidez || ascenso · crecimiento · desarrollo · expansión · avance · ascensión · aumento** *Preocupa al Gobierno el aumento vertiginoso del desempleo* · **escalada · éxito · evolución · mejora · incremento · proliferación · progresión · despegue || descenso · caída** *la vertiginosa caída de la bolsa* · **retroceso · baja · derrumbamiento · hundimiento || descomposición · empobrecimiento · envilecimiento · declive · decadencia · fracaso · depreciación || cambio · revolución · giro** *He decidido dar un giro vertiginoso a mi vida profesional* · **proceso · viraje · metamorfosis · transformación · industrialización · adaptación || sucesión · acontecer · curso · vida · trayectoria** *A lo largo de su extensa y vertiginosa trayectoria política* · **carrera · biografía || caos · mezcla · ajetreo · acumulación · alboroto · derroche**

[vértigo] → de vértigo; vértigo

vértigo s.m.

● CON ADJS. **espantoso** *Sentí un vértigo espantoso al asomarme desde el último piso* · **horrible · tremendo · verdadero · auténtico · incontrolable · insuperable**
● CON SUSTS. **sensación (de) · crisis (de) · ataque (de)**
● CON VBOS. **entrar (a alguien) · invadir (a alguien) · apoderarse (de alguien) · dar (a alguien)** *Me da vértigo pensar en las consecuencias que puede tener* **|| causar · producir || experimentar · sentir · tener · padecer || superar · vencer · dominar**

vespertino, na adj.

● CON SUSTS. **sesión** *La sesión vespertina del congreso comienza a las cuatro* · **jornada · reunión · encuentro · actividad · trabajo || entrenamiento · práctica · clase || horario · turno · franja || diario · periódico · edición** *La noticia se publicó en la edición vespertina del diario local* · **programa · programación · informativo · prensa · telediario || concierto · función · visita · espectáculo · paseo || lucero · estrella** *Se la conoce popularmente como la estrella vespertina porque...* · **crepúsculo · sol**

vestido s.m.

● CON ADJS. **a medida** *hacerse un vestido a medida* **|| escotado · largo · corto · suelto · entallado || de fantasía** *...y llegó con un vestido de fantasía muy alegre* · **encopetado · lujoso · suntuoso · extravagante** *Fue a la ceremonia con un vestido un tanto extravagante* · **emperifollado || clásico · a la moda · estiloso || de cóctel · de etiqueta · de gala · de noche · de fiesta · de domingo · de tirantes · de volantes · de cola**
● CON VBOS. **encoger · dar de sí** *Si lavas este vestido, va a dar de sí* · **deshilachar(se) || coser · remendar · zurcir || hacer · diseñar || hacer juego (con)**
➤ Véase también **ROPA**

vestidura s.f.

● CON ADJS. **jurídica · sacerdotal · sagrada || nupcial · antigua**
● CON VBOS. **quitar(se) · poner(se)** *El sacerdote se puso las vestiduras en la sacristía* **|| despojar(se) (de)**
□ EXPRESIONES **rasgarse las vestiduras** [escandalizarse por algo injustificadamente] *col.*

vestigio s.m.

● CON ADJS. **último · único** *el único vestigio que ha quedado de la época colonial* **|| importante · significativo · excepcional || vivo · viejo · antiguo · arcaico || arqueológico** *Descubren en las excavaciones importantes vestigios arqueológicos de época prerromana* · **cultural · histórico || colonial · prehistórico · tradicional · del pasado · de vida · de época || testimonial · olvidado · anecdótico**
● CON VBOS. **conservar(se) · quedar · existir · desaparecer || dejar** *Fueron desapareciendo sin dejar vestigios de su existencia* · **eliminar || encontrar · localizar · buscar · hallar · rescatar · recoger || analizar · identificar || presentar · exponer || guardar · restaurar**

[vestir] → de vestir; vestir

vestir v.

● CON ADVS. **impecablemente · correctamente · con corrección · conjuntadadmente · con elegancia** *En la fiesta, no todos vestían con elegancia* · **lujosamente · ricamente · de punta en blanco · de tiros largos || decentemente · decorosamente · con decoro · púdicamente · pulcramente · severamente || escandalosamente** *Se viste escandalosamente para llamar la atención* · **chillonamente · a lo loco · zarrapastrosamente · andrajosamente · desastradamente || formalmente · informalmente || para la ocasión · a la moda** *Le gustaba vestir a la moda* **|| de arriba abajo · de pies a cabeza || de corto · de largo · de etiqueta** *Nos vestimos de etiqueta para la fiesta* · **de fiesta · de gala · de noche · de domingo || de paisano · de calle · de uniforme || deportivamente || a medida · a juego || {con/sin} gusto**

vetar v.

● CON SUSTS. **acuerdo** *La comisión optó por vetar el acuerdo* · **decisión · resolución · propuesta · iniciativa · ley · medida || información**

• CON ADVS. **de raíz · totalmente · completamente || parcialmente || oficialmente**

veterano, na

1 **veterano, na** adj.

• CON SUSTS. **dirigente · político,ca · abogado,da · actor · actriz · director,-a · cineasta** *Han otorgado un galardón a la veterana cineasta* · **cantante · piloto · policía · médico,ca · maestro,tra · militar ·** ***otros profesionales*** **|| institución · grupo · empresa ·** ***otras entidades o instituciones***

2 **veterano, na** s.

• CON ADJS. **de guerra** *una asociación de veteranos de guerra*

• CON SUSTS. **club (de) · asociación (de) · círculo (de) · grupo (de) · consejo (de) · comité (de) · equipo (de) · torneo (de) · liga (de)**

[veterinaria] s.f. → veterinario, ria

veterinario, ria

1 **veterinario, ria** adj.

• CON SUSTS. **clínica** *Han puesto una clínica veterinaria en mi urbanización* · **laboratorio · centro · consulta · servicio · atención || análisis · examen · diagnóstico · revisión · reconocimiento**

2 **veterinario, ria** s.

• CON SUSTS. **colegio (de) · sindicato (de) · consulta (de)**

• CON VBOS. **curar (a un animal) · examinar (a un animal) · operar (a un animal) || llamar · avisar · buscar · necesitar · contratar || ir (a) · llevar (a)** *Tengo que llevar al perro al veterinario para su revisión anual* · **acudir (a) || ejercer (como/de)**

3 **veterinaria** s.f. Véase **DISCIPLINA**

veto s.m.

• CON ADJS. **presidencial · oficial · gubernamental · parlamentario · presupuestario || legal || sistemático · ocasional**

• CON SUSTS. **derecho (de) · poder (de)** *Solo tiene poder de veto el presidente*

• CON VBOS. **imponer · plantear · anunciar · usar · apoyar** *La oposición se ha comprometido a aceptar el veto presidencial* **|| poner · ejercer || levantar · revocar · anular || sufrir · rechazar · evitar || mantener · retirar** *El comité retiró su veto al proyecto* **|| burlar · ignorar · saltar || aceptar || recurrir (a) || oponerse (a)**

[vez] → de una vez por todas; vez

vez s.f.

▮ [ocasión]

• CON ADJS. **rara · única · primera · segunda · tercera · última** *Ese día fue la última vez que lo vi* **|| enésima · milésima || contadas · escasas || múltiples · innumerables · incontables · repetidas** *He ido a reclamar repetidas veces*

▮ [turno]

• CON VBOS. **pedir · coger · dar** *¿Quién da la vez?* · **guardar || quitar**

□ EXPRESIONES **a la vez** [simultáneamente] **|| a veces** [ocasionalmente] **|| de una vez (por todas)*** [de manera definitiva] **|| de vez en cuando** [algunas veces o de tiempo en tiempo] **|| en vez de** [en lugar de] **|| hacer las veces de** [ejercer la función de] **|| tal vez** [posiblemente]

vía

1 **vía** s.f.

▮ [camino, paso, curso]

• CON ADJS. **de ida y vuelta · de doble sentido || de acceso** *Todas las vías de acceso están cortadas* · **de entrada · de salida · de circunvalación · de servicio · de escape || libre · expedita || impracticable · difícil · tortuosa || directa · segura · indirecta || acertada · apropiada · errónea · equivocada || nueva · única** *Existe una única vía de salida* · **exclusiva · doble · segunda · alternativa || diplomática** *Lo arreglamos por la vía diplomática* · **judicial · pacífica · militar || aérea · marítima · terrestre · postal · telefónica · intravenosa || materna · venérea · oral**

• CON VBOS. **agotar(se)** *Las vías pacíficas se empezaban a agotar* **|| abrir** *Es preciso abrir nuevas vías de negociación* · **cerrar · desviar · obstaculizar · obstruir · cegar · rechazar || tomar · seguir || señalizar · reparar || buscar · descubrir · encontrar** *Debemos encontrar una nueva vía de negociación* **|| defender · apoyar · liderar · promover || diseñar · allanar · facilitar · dar || circular (por)**

2 **vía (de)** s.f.

• CON SUSTS. **recuperación · desarrollo** *la alfabetización como vía de desarrollo* · **financiación || escape** *Su única vía de escape es el teatro* · **salvación || acuerdo · negociación** *Tras abrir una nueva vía de negociación...* · **diálogo · comunicación || investigación · formación || urgencia** *recurrir a la vía de urgencia* **|| contagio · conexión**

□ EXPRESIONES **tercera vía** [corriente o tendencia política que surge como alternativa a otras dos]

viable adj.

• CON SUSTS. **alternativa** *El sol puede ser una alternativa viable de energía* · **solución · opción · salida · camino · plan || proyecto · acuerdo || actividad · acción · gestión || perspectiva · postura || empresa · explotación · negocio** *¿Cómo saber si un negocio es viable?* · **oferta · respuesta || sistema · método · fórmula || concesión · financiación || reforma || objetivo** *Tenemos que fijar prioridades y definir objetivos viables* · **futuro**

• CON ADVS. **perfectamente · fácilmente || económicamente · socialmente · comercialmente || a corto plazo · a largo plazo** *La solución no era viable a largo plazo*

• CON VBOS. **considerar · resultar · declarar || hacer || convertir (en)**

viajar v.

• CON ADVS. **en {tren/avión/coche...}** *Cuando viajo en tren disfruto mucho del paisaje* **|| en {primera/segunda...} clase || gratis · a buen precio || cómodamente · placenteramente · incómodamente || de un tirón || incansablemente || expresamente** *Viajó hasta aquí expresamente para conocerte* **|| de incógnito · a dedo**

viaje s.m.

• CON ADJS. **buen(o)** *¡Adiós, buen viaje!* · **maravilloso · extraordinario || accidentado** *Tuvimos un viaje de regreso muy accidentado* · **azaroso · agotador · arduo · intrincado · infernal · desgraciado || agitado · ajetreado · frenético · trepidante · vertiginoso · proceloso || aciago · infructuoso || útil · interesante · fructífero · (bien) aprovechado || imprevisto** *Acaba de surgirme un viaje de trabajo imprevisto* **|| fugaz · largo · corto · breve || cómodo · placentero · llevadero** *Fue un viaje muy llevadero a pesar de su duración* · **tranquilo · idílico || a medida || de ida · de vuelta · de ida y vuelta · de regreso** *¿Hubo problemas en el viaje de regreso?* · **sin retorno || de incógnito || de negocios · de placer** *Estoy aquí en viaje de placer* · **de trabajo · de novios · de exploración || es-**

pacial · imaginario · astral · iniciático · aéreo · en el tiempo || último · definitivo || en compañía || en {tren/avión/barco...} || cansado (de)

• CON SUSTS. **motivo (de) || fin (de)** *Hemos llegado: fin del viaje* **|| agencia (de) || bolsa (de) · ropa (de) · cheque (de) || plan (de) · guía (de) · ruta (de) || compañero,ra (de)**

• CON VBOS. **durar · transcurrir · prolongarse || terminar · culminar · llegar a su fin || frustrar(se) · estropear(se)** *Nuestro viaje de novios se estropeó por el mal tiempo* · **aguar(se) || acometer · afrontar · encarar || emprender** *La expedición emprendió viaje rumbo al sur* · **empezar · iniciar || hacer · realizar · efectuar || tener** *Esperamos que tengan un buen viaje* · **desear (a alguien)** *Le deseo un buen viaje* **|| anticipar · aplazar · posponer · retrasar || prolongar · acortar · suspender · cancelar || interrumpir · proseguir** *Proseguimos viaje después de unos días de descanso* · **reanudar || planear · preparar · organizar · planificar · imaginar || facilitar || amenizar || jalonar || embarcar(se) (en) · enrolar(se) (en) · lanzarse (a) || renunciar (a) || volver (de) · regresar (de)** *Sus padres regresan del viaje mañana*

• CON PREPS. **a lo largo (de)**

☐ EXPRESIONES **de viaje** [en el proceso de viajar] *¿Regresó ya el doctor o sigue de viaje?*

viajero, ra s.

• CON ADJS. **habitual · asiduo,dua || ocasional || empedernido,da · incansable** *un viajero incansable que ha recorrido medio mundo* · **profesional · aficionado || sufrido,da**

• CON SUSTS. **grupo (de) · afluencia (de)** *El servicio se ha visto afectado por la masiva afluencia de viajeros* · **avalancha (de) · tráfico (de) || libro (de) · guía (de)**

vial adj.

• CON SUSTS. **seguridad** *Promulgan la nueva ley de seguridad vial* · **vigilancia · control · policía || red · sistema · infraestructura · obra · complejo · circuito || educación** *nuevas medidas de educación vial* · **señalización || accidente · siniestralidad || arteria · túnel || caos · atasco · congestión · problema · circulación** *Los problemas de circulación vial son cada vez mayores* **|| conexión · acceso || proyecto · programa**

viario, ria adj.

• CON SUSTS. **red** *La red viaria de la región se encuentra en muy mal estado* · **infraestructura · estructura · trazado · tramo || eje · nudo · anillo || seguridad · disciplina · limpieza || circulación** *El día de ayer se caracterizó por una gran tranquilidad en la circulación viaria* · **tráfico || comunicación · conexión || obra · mejora · necesidad || mortalidad · siniestralidad** *lograr un descenso de la siniestralidad viaria* · **accidente || norma · ley · nomenclatura || gestión · organización || señalización · información**

vibración

1 **vibración** s.f.

• CON ADJS. **ligera · sutil** *una sutil vibración, casi imperceptible para el hombre* · **suave · leve || potente · fuerte · intensa**

• CON SUSTS. **nivel (de) · frecuencia (de)**

• CON VBOS. **producir · causar · provocar · originar || notar · percibir · sentir || registrar · medir || emitir || reducir · eliminar · disminuir · aumentar**

2 **vibraciones** s.f.pl. *col.*

• CON ADJS. **buenas · malas · extrañas · positivas · negativas**

• CON VBOS. **transmitir** *La nueva jefa no me transmite buenas vibraciones* · **despertar · atraer · dar (a alguien)** *un asunto que no me daba muy buenas vibraciones* · **tener**

[vibraciones] s.f.pl. → vibración

vibrar v.

▮ [moverse ligeramente]

• CON SUSTS. **suelo · ventana** *Al paso del tren las ventanas vibraban ligeramente* · **pared · cristal · papel || cimiento · estructura · soporte · sistema · edificio || cuerdas vocales**

• CON ADVS. **peligrosamente** *El suelo comenzó a vibrar peligrosamente cuando...* **|| ligeramente · suavemente · fuertemente · intensamente · con intensidad**

▮ [sonar temblorosamente]

• CON SUSTS. **sonido · voz** *Su voz vibraba armoniosamente* · **música**

• CON ADVS. **armónicamente · armoniosamente**

▮ [conmoverse]

• CON SUSTS. **público** *El público vibró entusiasmado con aquella prodigiosa interpretación* · **afición · espectador,-a · asistente · opinión pública ·** ***otros individuos y grupos humanos***

• CON ADVS. **al unísono** *Los asistentes vibraron al unísono con las encendidas palabras del candidato* **|| intensamente · a tope · íntimamente || de emoción · de placer**

vibratorio, ria adj.

• CON SUSTS. **fenómeno · movimiento** *el movimiento vibratorio de un péndulo* · **estado || superficie · dispositivo · fuente || efecto · estímulo** *el estímulo vibratorio de un músculo*

viciado, da adj.

• CON SUSTS. **aire · ambiente · clima || mundo || procedimiento** *El procedimiento estaba viciado desde el principio* · **proceso · negociación · sistema || razonamiento · argumento · hipótesis · tesis · concepto · definición || asunto**

• CON ADVS. **absolutamente · completamente · totalmente · profundamente || de origen** *Es fácil rebatir un argumento viciado de origen* · **de raíz · desde el {principio/inicio} · intrínsecamente || irremediablemente**

viciar(se) v.

• CON SUSTS. **sistema · proceso** *irregularidades que viciaron el proceso de selección* · **dinámica · instrucción · procedimiento || actividad || resultado · imagen || aire** *El aire se está viciando por falta de ventilación* · **clima · ambiente || relación**

vicio s.m.

• CON ADJS. **arraigado · atávico · extendido** *un vicio muy extendido entre los profesionales del sector* **|| execrable · imperdonable · inconfesable · nefando · nocivo · pernicioso · desenfrenado · incorregible · contagioso || menor · leve · perdonable · disculpable · corregible · excusable · confesable || general · social || poseído,da (por)**

• CON VBOS. **extender(se) || corroer (a alguien) || arraigar (en alguien) || adquirir** *Para no adquirir malos vicios al conducir, lo mejor es...* · **contraer · tener || contagiar || dejar · corregir** *Era difícil corregir un vicio tan arraigado* · **abandonar · erradicar · desterrar · extirpar · superar · vencer || atribuir · achacar || confesar || destapar · descubrir · denunciar || ocultar** *Por mucho que intente ocultar sus vicios...* · **disimular || arrastrar (a) · llevar (a) · caer (en) || dar(le) (a) || cortar (con)**

· **librar(se) (de)** · **luchar (contra)** · **desenganchar(se) (de)** || **convertir(se) (en)**

□ EXPRESIONES **de vicio** [muy bien o muy bueno] || **quejarse de vicio** [quejarse sin motivo]

vicisitud s.f.

● CON ADJS. **posible** · **futura** || **adversa** · **desfavorable** || **favorable** · **propicia** || **nueva** || **constantes** · **sucesivas** || **fugaz** · **pasajera** · **ocasional** || **políticas** · **económicas** · **financieras** · **históricas** · **familiares** · **matrimoniales** · **personales** · **internas** || **múltiples** · **numerosas** *Confesó haber pasado numerosas vicisitudes económicas* · **incontables** · **abundantes**
● CON SUSTS. **serie (de)** · **tipo (de)** · **clase (de)** · **número (de)**
● CON VBOS. **atravesar** · **pasar** · **sufrir** || **afrontar** *Afrontaría las sucesivas vicisitudes con decisión* · **encarar** · **capear** · **sortear** || **narrar** · **contar** · **describir** · **relatar**

□ USO Se usa más en plural.

víctima

1 **víctima** s.f.

● CON ADJS. **inocente** *El atentado se cobró varias víctimas inocentes* · **indefensa** · **desasistida** · **desafortunada** || **mortal** *Afortunadamente no hubo víctimas mortales en el accidente* · **fatal** · **inevitable** || **presunta** · **posible** · **futura** || **propiciatoria** || **civil** *El bombardeo dejó numerosas víctimas civiles* · **militar** || **escasas** · **pocas** || **numerosas** · **abundantes** · **innumerables**
● CON SUSTS. **familiar (de)** · **pariente (de)** *Los parientes de las víctimas serán indemnizados* || **número (de)** · **cifra (de)** || **recuento (de)** · **respeto (a)**
● CON VBOS. **producir(se)** · **haber** || **perecer** || **causar** · **ocasionar** · **cobrarse** || **ayudar** · **socorrer** *Lo más urgente es socorrer a sus víctimas* · **asistir** · **atender** · **auxiliar** · **proteger** · **apoyar** · **indemnizar** || **rescatar** || **registrar** · **contabilizar** · **identificar** || **recordar** · **homenajear** || **elegir** · **seleccionar** · **escoger** *Según la Policía el asesino escogía cuidadosamente a sus víctimas* || **solidarizarse (con)** *solidarizarse con las víctimas del huracán* || **convertir(se) (en)**

2 **víctima (de)** s.f.

● CON SUSTS. **cáncer** *resultados esperanzadores para las víctimas del cáncer de mama* · **infarto** · ***otras enfermedades*** || **droga** || **guerra** · **accidente** · **atentado** · **ataque** · **agresión** *Y al final acaba siendo víctima de una agresión sexual* · **crimen** · **disparo** · **violencia** · **linchamiento** · **atraco** · **asalto** · **secuestro** || **persecución** · **campaña** · **conspiración** · **complot** · **proceso** · **engaño** · **emboscada** · **trampa** || **envidia** · **codicia** · **injusticia** · **fama** || **circunstancia**

□ EXPRESIONES **hacerse** (alguien) **la víctima** [quejarse y mostrarse perjudicado para ganarse la compasión de los demás]

victoria s.f.

● CON ADJS. **apoteósica** · **apabullante** · **aplastante** · **rotunda** · **arrasadora** · **arrolladora** · **abrumadora** · **fulgurante** · **fulminante** · **sin paliativos** · **abultada** · **resonante** · **épica** || **holgada** *En el partido de ayer conseguimos una holgada victoria* · **cómoda** · **fácil** · **en bandeja** || **inapelable** · **incontestable** *La victoria del candidato de la oposición fue incontestable* · **indudable** · **inequívoca** · **inobjetable** || **concluyente** · **convincente** || **apreciable** || **honrosa** · **merecida** *una cómoda y merecida victoria frente al equipo visitante* || **a pecho descubierto** || **agridulce** · **amarga** || **reñida** · **difícil** · **ajustada** · **estrecha** · **apretada** · **por los pelos** · **pírrica** · **precaria** · **exigua** || **efímera** || **a domicilio** || **ansiada** · **codiciada** || **determinante** · **crucial** · **decisiva** *una victoria decisiva para la clasificación* || **ilusionante** || **borracho,cha (de)**
● CON SUSTS. **ánimo (de)** · **deseos (de)** · **afán (de)**
● CON VBOS. **fraguar(se)** *Durante aquel año comenzó a fraguarse la victoria* || **aguar(se)** · **desvanecerse** · **devaluar(se)** · **frustrar(se)** · **malograr(se)** · **nublar(se)** · **empañar(se)** · **desaparecer** || **escapárse(le) (a alguien)** *La victoria se nos escapó en el último minuto* · **írse(le) (a alguien)** || **subirse a la cabeza (a alguien)** *Intenta que no se te suba la victoria a la cabeza* || **sonreír (a alguien)** || **alcanzar** *Se les ve preparados y con muchas ganas de alcanzar la victoria* · **conquistar** · **conseguir** · **obtener** · **cosechar** · **lograr** · **anotar(se)** · **sumar** · **forjar** · **disputar** || **acariciar** *Ya acariciaba la victoria cuando una inoportuna lesión...* · **rozar** · **arañar** · **revalidar** || **arrojar** · **dar** · **brindar** · **arrebatar (a alguien)** || **digerir** · **asumir** · **saborear** · **paladear** || **augurar** · **vislumbrar** || **amasar** · **atesorar** || **representar** · **constituir** || **remachar** · **apuntillar** · **sellar** || **apuntalar** · **cimentar** || **disipar** · **ensombrecer** *El acontecimiento ensombreció la victoria de los jugadores* || **amañar** · **aderezar** || **dilapidar** · **echar a perder** · **malgastar** || **festejar** · **celebrar** · **conmemorar** *Hoy se conmemora la victoria de las fuerzas rebeldes sobre las tropas invasoras* || **airear** · **jalear** · **magnificar** || **saldarse (con)** || **abocar(se) (a)**
● CON PREPS. **al calor (de)** · **con posibilidad (de)** · **en señal (de)** *Ondeó la bandera en señal de victoria*

victoriosamente adv.

● CON VBOS. **enfrentarse** *Los habitantes de la ciudad se enfrentaron victoriosamente a los invasores* · **defender** · **resistir** · **acometer** · **afrontar** · **competir** || **atravesar** · **avanzar** || **lograr** · **culminar** · **terminar** · **concluir** · **finalizar**

victorioso, sa adj.

● CON SUSTS. **fuerza** · **potencia** || ***persona*** *El general victorioso felicitó a sus tropas* || **ejército** · **equipo** · **coalición** || **guerra** · **batalla** · **defensa** · **enfrentamiento** · **asalto** || **resultado** · **final** · **partido** · **carrera** || **racha** · **sucesión** · **serie** || **tiempo** · **época** || **paso** · **entrada** || **gesto** · **porte** · **ademán** · **sonrisa** · **mirada**
● CON VBOS. **salir** *Fue una situación desafiante, de la que afortunadamente salieron victoriosos* · **resultar** · **acabar** · **concluir** · **desfilar** || **llegar** · **volver** · **regresar** || **anunciar(se)** · **mantenerse**

[vida]

→ a vida o muerte; buena vida; dar vida (a); de por vida; mala vida; vida

vida

1 **vida** s.f.

● CON ADJS. **larga** · **dilatada** *En su dilatada vida conoció a muchos escritores de fama* · **longeva** || **efímera** · **breve** · **corta** · **fulgurante** · **escasa** || **complicada** · **accidentada** *Ha tenido una vida muy accidentada* · **tormentosa** · **tortuosa** · **azarosa** || **agitada** · **trepidante** · **ajetreada** · **frenética** · **turbulenta** · **vertiginosa** · **agotadora** || **dura** · **de perros** *Llevo una vida de perros* · **difícil** · **desgraciada** · **aciaga** · **amarga** · **arrastrada** · **triste** · **incómoda** · **mala** || **austera** · **precaria** || **anodina** · **sedentaria** || **lujosa** · **ostentosa** || **interesante** · **apasionante** *La historia cuenta la apasionante vida de...* · **fascinante** || **acomodada** · **fácil** · **buena** · **cómoda** · **apacible** · **tranquila** *En el pueblo la vida era tranquila* · **dichosa** · **saludable** || **intachable** || **fecunda** · **fértil** · **fructífera** || **vana** · **inútil** || **retirada** · **monacal** · **contemplativa** || **itinerante** || **en común** *En nuestros años de vida en común nunca nombró a esa persona* · **privada** · **cotidiana** · **personal** · **pública** || **completa** · **entera** || **lleno,na (de)** · **rebosante (de)** *A pesar de su edad, está rebosante de vida* · **pletórico,ca (de)**

•CON SUSTS. **hálito (de) · soplo (de) · signo (de)** *Los bomberos buscaban signos de vida entre los escombros* · **indicio (de) · señales (de) · resto (de) · huellas (de) · vestigios (de) || final (de) · principio (de) · origen (de) || ritmo (de)** *No puedo seguir su ritmo de vida* **|| intrusión (en) || ideal (de) · sentido (de) · proyecto (de) · filosofía (de) · visión (de) || calidad (de) · nivel (de) · estilo (de) || costo (de) || esperanza (de) · expectativa (de) · promedio (de) || seguro (de) || meses (de) · horas (de)** *En sus últimas horas de vida...* · **años (de)**
•CON VBOS. **brotar · surgir · nacer · fluir · fraguar(se) || terminar(se) · írse(le) (a alguien) · extinguir(se) · apagar(se) · ahogar(se) · quebrar(se) || malograr(se)** *No permitió que su vida se malograra por aquel fracaso* · **truncar(se) || transcurrir · discurrir · seguir** *No te atormentes, que la vida sigue* · **proseguir || extender(se) · derramar(se) || serenar(se) || cruzar(se)** *Nuestras vidas nunca llegaron a cruzarse* **|| deparar (a alguien) · sonreír (a alguien) || dar · infundir · insuflar · colmar · devolver (a alguien) || cobrar · adquirir || afrontar · encarar || emplear (en algo)** *Empleó su vida en viajar* · **consagrar (a algo) · dedicar (a algo) · aprovechar · pasar || desaprovechar · desperdiciar** *Se dio cuenta tarde de que había desperdiciado su vida* · **malgastar · dilapidar · hipotecar · costar** *una imprudencia que le costó la vida* **|| saborear || llevar · vivir** *Mi abuelo vivió una vida feliz aunque con privaciones* · **tener || cambiar** *Su llegada cambió sustancialmente mi vida* · **alterar || arreglar · encarrilar · enderezar || acortar · alargar · exterminar · quitar (a algo/a alguien) · segar || amargar (a alguien) · arruinar (a alguien) · hacer(le) imposible (a alguien)** *Le está haciendo la vida imposible* · **perdonar (a alguien)** *Cuando te mira, parece que te está perdonando la vida* **|| jalonar (de/con algo) || descubrir · encontrar · buscar || aferrarse (a) · apegarse (a) || cambiar (de) || volver (a) · regresar (a) || disfrutar (de)** *Este chico sabe disfrutar de la vida* · **gozar (de) || rebosar (de) · reventar (de) || aclimatar(se) (a) || poner orden (en)** *Decidí por fin poner orden en mi desastrosa vida* **|| escarbar (en) · ahondar (en) || hacer (con)** *No sé qué voy a hacer con mi vida*
•CON PREPS. **a lo largo (de) · durante || con · sin**

2 **vida (de)** s.f.

•CON SUSTS. **trabajo · esfuerzo · lucha · penalidades · sacrificio · abnegación · oración || amistad · amor || acción · actividad · ocio || crápula** *El cantante afirma en la entrevista que ha abandonado su vida de crápula* · **héroe · exiliado,da · prófugo,ga · poeta · artista · estudiante · civil · esclavo,va · santo,ta || pareja · casado,da** *¿Qué tal la vida de casado?* · **matrimonio · familia · relación || hogar**

☐EXPRESIONES **a vida o muerte*** [con grave riesgo de morir] **|| buscarse la vida** [ingeniárselas para salir uno mismo adelante] *col.* **|| de por vida*** [para siempre] **|| de toda la vida** [de siempre] *col. amistades de toda la vida* **|| ganarse la vida** [conseguir el sustento] *col.* **|| pasar a mejor vida** [morir] *col.* **|| perder la vida** [morir de forma violenta o accidental] **|| vida y milagros** [conjunto de sucesos y anécdotas de carácter personal] *col.*

video s.m. Véase **vídeo**

vídeo s.m.

▮ [cinta, medio de reproducción]

•CON ADJS. **casero** *Habían rodado un vídeo casero para el concurso* · **doméstico · profesional · amateur || interactivo · digital || electoral · musical · promocional · publicitario · divulgativo · propagandístico · informativo · pornográfico || inédito · original**
•CON SUSTS. **cinta (de) · cámara (de)** *No te olvides de llevar la cámara de vídeo* · **película (de) · aparato (de) · sistema (de) · equipo (de) || sesión (de) · proyección (de) · fragmento (de) · grabación (de) || señal (de) · formato (de) · archivo (de) · imagen (de) · unidad (de) · tarjeta (de) || pantalla (de) · reproductor (de) || edición (de) || manejo (de) · uso (de)**
•CON VBOS. **circular || emitir · difundirse** *El vídeo se difundió sin mi autorización* **|| poner · ver || rodar · filmar · quinescopar · telecinar · editar · montar || grabar (en)** *Un turista grabó en vídeo el insólito acontecimiento* **|| guardar (en)**

▮ [aparato]

•CON ADJS. **viejo · moderno**
•CON SUSTS. **programación (de) · manejo (de) · uso (de) || cámara (de) · pantalla (de) · monitor (de)**
•CON VBOS. **funcionar · estropear(se) · romper(se) || enchufar · poner · encender · conectar · programar** *Todavía no he aprendido a programar el vídeo* **|| apagar · desconectar · desenchufar**

videoclub s.m. Véase **ESTABLECIMIENTO**

vidrio s.m.

•CON ADJS. **transparente · translúcido · opaco · coloreado || molido · templado · reforzado · esmerilado · tallado · pintado · decorado · decorativo**
•CON SUSTS. **botella (de) · envase (de)** *Estos alimentos se conservan mejor en un envase de vidrio* · **recipiente (de) · vaso (de) · frasco (de) || pieza (de) · objeto (de) · escultura (de) || vitrina (de)** *Las joyas estaban expuestas en una vitrina de vidrio* · **luna (de) · placa (de) · superficie (de) || trozo (de) · fragmento (de) || fibra (de) · resina (de) || ojo (de) || contenedor (de)** *En la esquina han colocado un nuevo contenedor de vidrio* · **recogida (de) · reciclaje (de) || fabricación (de) || fábrica (de) || arte (de)**
•CON VBOS. **romper(se) · quebrar(se) · partir(se) · estallar** *Los vidrios de las ventanas estallaron por la explosión* **|| fabricar · reciclar || soplar** *el arte de soplar vidrio*
•CON PREPS. **sobre · en · de**

vidrioso, sa adj.

▮ [lloroso]

•CON SUSTS. **mirada · ojos** *Tenía los ojos vidriosos de tanto llorar*

▮ [complicado, sucio]

•CON SUSTS. **asunto** *Es hora de acabar con este vidrioso asunto* · **cuestión · episodio · negocio · problema || tema · terreno || humor · comicidad**
•CON VBOS. **ponerse · volverse**

viejo, ja

1 **viejo, ja** adj.

•CON SUSTS. **mundo · continente** *visitar el viejo continente* · **ciudad · país · territorio ·** ***otros lugares*** **|| edificio · palacio · casa · monumento || amigo,ga** *Te presento a un viejo amigo* · **compañero,ra · conocido,da · maestro,tra · sabio,bia · persona · gente ·** ***otros individuos y grupos humanos*** **|| perro · caballo · tortuga ·** ***otros animales*** **|| roble · olmo · castaño ·** ***otros árboles*** **|| cuadro · foto · libro · mesa · mueble ·** ***otros objetos físicos*** **|| mito · leyenda · historia · canción || proyecto · idea · sueño** *Por fin pude hacer realidad un viejo sueño* · **aspiración · deseo · pretensión || recuerdo · sensación || conflicto · polémica · demanda · deuda || tradición · costumbre** *mantener las viejas costumbres* · **escuela · tiempos** *Es una buena oportunidad para recordar los viejos tiempos*
•CON ADVS. **relativamente · terriblemente**

• CON VBOS. **sentirse · ver(se) · encontrar(se) · parecer** *Parece más vieja de lo que es* || **ser · estar · hacerse · poner(se)** || **llegar (a)** || **morir (de)**
• CON PREPS. **de · por**

2 **viejo, ja** s.
• CON ADJS. **encantador,-a · amable · cascarrabias · gruñón,-a · carcamal · verde · entrañable · admirable · caritativo,va · benevolente · solitario,ria** · ***otros adjetivos valorativos***

[viento]

→ a los cuatro vientos; contra viento y marea; viento; viento en popa

viento s.m.

• CON ADJS. **cálido · suave · tibio · bonancible** || **frío · gélido · glacial · fresco** || **fuerte · arrasador · huracanado** || **moderado · flojo** || **persistente · racheado** *Para esta tarde se esperan vientos racheados* || **favorable · propicio** || **dominante · reinante** || **abierto · cardinal · de proa · en popa · solar · terral** || **del {Norte/Sur/Este/Oeste...} · de Levante · de Poniente · alisio**
• CON SUSTS. **brizna (de) · golpe (de)** *un golpe de viento se llevó todas las hojas* · **brisa (de)** *Llegaba la suave brisa del viento* · **racha (de) · ráfaga (de) · soplo (de) · bocanada (de)** || **deporte (de)** || **instrumento (de)**
• CON VBOS. **desatarse · levantarse** *De repente se levantó un viento huracanado que nos obligó a resguardarnos en casa* · **venir · abatirse (sobre algo)** || **arremeter (contra algo) · azotar · pegar** || **arreciar · cobrar fuerza** || **amainar** *El fuerte viento amainó a última hora de la tarde* · **calmarse · serenarse · remitir** || **correr** *Corre un viento muy agradable* · **soplar** *Malos vientos soplan para los inversores* · **rugir · silbar** *El viento silbaba con fuerza entre los árboles* · **ulular · aullar** || **guarecerse (de) · resguardar(se) (de) · proteger(se) (de)**
• CON PREPS. **a resguardo (de) · a favor (de) · en contra (de) · contra** *No se puede navegar contra el viento*
□ EXPRESIONES **a los cuatro vientos*** [en todas direcciones] || **beber los vientos por** (algo/alguien) [desearlo intensamente] || **contra viento y marea*** [enfrentándose con decisión y arrojo a todas las dificultades]

viento en popa loc.adv.

• CON VBOS. **ir** *El negocio va viento en popa* · **avanzar · marchar** || **navegar · surcar**

viernes s.m. Véase DÍA

vigencia s.f.

• CON ADJS. **absoluta · plena** *un movimiento artístico que aún tiene plena vigencia* || **amplia · arraigada** || **actual · nueva · renovada** || **real · indudable** || **indefinida · prolongada** || **efímera · escasa · aparente · relativa** || **jurídica · legal · artística · estética · social · científica · canónica** || **internacional · global · mundial · nacional · local** || **mensual · anual · bianual**
• CON SUSTS. **entrada (en)** *a partir de la entrada en vigencia de la nueva normativa* · **puesta (en) · fin (de) · período (de) · margen (de)** || **año** *Durante el primer año de vigencia del contrato, la bonificación será de...* · **mes · semana** · ***otros períodos de tiempo*** || **grado (de)**
• CON VBOS. **expirar** *La vigencia de la garantía expira mañana* · **finalizar** || **dar (a algo) · adquirir · cobrar** || **tener · ostentar** || **ampliar** *Las distintas partes quieren ampliar la vigencia del contrato* · **prolongar · recortar · reducir** || **conservar · mantener** || **recobrar · renovar · recuperar · perder** || **reconocer · defender** || **acreditar · demostrar · mostrar · ratificar · reafirmar** || **entrar (en) · poner (en) · dejar (sin)** || **carecer (de) · gozar (de) · continuar (en)**
• CON PREPS. **con · durante · en** *la ley en vigencia* · **sin**

vigente adj.

• CON SUSTS. **campeón,-a** *Mañana se enfrentará al vigente campeón del mundo* · **gobernador,-a · embajador,-a · director,-a · canciller** · ***otros títulos, cargos o puestos*** || **plazo · período** || **ley** *Según la ley vigente, no se trataría de un delito* · **legislación · legalidad · normativa · norma · constitución · código · ordenamiento · reglamentación · reglamento · decreto · regla · estatuto · artículo** · ***otras disposiciones*** || **acuerdo · convenio · contrato · pacto · tratado · compromiso · concierto** || **idea** *una actitud que chocaba frontalmente con las ideas vigentes de la época* · **teoría · ideología · pensamiento · lenguaje** || **modelo · esquema · fórmula · orden · sistema · estructura · sociedad** || **necesidad** *en respuesta a una necesidad aún vigente en nuestra sociedad* · **exigencia · requisito · condición** || **problema · amenaza** || **tarifa** *El ministro aseguró que las tarifas vigentes en el transporte público se mantendrían hasta el próximo año* · **tasa · precio · impuesto · presupuesto · cuota · valor** || **récord · marca**
• CON ADVS. **permanentemente · plenamente · actualmente · nuevamente**
• CON VBOS. **estar · volver(se) · hacer(se) · mantener(se)** *una tradición que se mantiene vigente hasta nuestros días*

vigilancia s.f.

• CON ADJS. **estrecha · atenta** *Vivía bajo la atenta vigilancia de sus padres* · **celosa · escrupulosa · estricta · concienzuda · intensa · rigurosa · severa · extrema · férrea** *sometidos a una férrea vigilancia por parte de las autoridades* · **implacable · intensiva · exhaustiva · especial · indiscreta · discreta** || **laxa · superficial · rutinaria · relativa** || **disuasoria · preventiva** || **policial · militar · fronteriza · domiciliaria · privada · aduanera · penitenciaria · ambiental** || **médica · sanitaria** || **continua · permanente · diaria** || **ocasional · esporádica**
• CON SUSTS. **dispositivo (de)** *Instalarán dispositivos de vigilancia en los accesos principales* · **medida (de) · objeto (de) · patrulla (de) · turno (de) · cámara (de)** || **plan (de) · labor (de)**
• CON VBOS. **establecer · montar** *Montaron vigilancia delante de su puerta* · **desplegar · ejercer** || **atender** || **relajar · descuidar · aflojar · desatender · distender** || **estrechar · extremar · fortalecer · intensificar** *La vigilancia policial se intensificó ante los rumores de un nuevo ataque* · **redoblar · acentuar** || **burlar** *lograron burlar la vigilancia de los centinelas* · **sortear · evitar** || **someter(se) (a)** || **librar(se) (de) · zafarse (de)**
• CON PREPS. **bajo · con · sin**

vigilante

1 **vigilante** adj.
• CON SUSTS. **actitud** *permanecer en actitud vigilante* · **acción** || **mirada · ojo**
• CON VBOS. **mantener(se) · permanecer · seguir · estar**

2 **vigilante** s.com.
• CON ADJS. **de seguridad · de guardia · jurado,da · privado,da** || **de uniforme · uniformado,da** || **armado,da · desarmado,da** || **nocturno,na** *trabajar como vigilante nocturno en una fábrica* · **diurno,na**
• CON SUSTS. **puesto (de) · trabajo (de)**
• CON VBOS. **controlar (algo) · cuidar (algo) · revisar (algo)** || **hacer la ronda · pasear** || **trabajar (de/como)**

vigilar v.

• CON ADVS. **atentamente** *La Policía vigila atentamente al presunto autor del robo* · **de cerca** *Los analistas vigilan de* *cerca la evolución de la crisis* · **estrechamente** · **férreamente** · **intensamente** · **rigurosamente** · **celosamente** · **escrupulosamente** || **de reojo** · **de soslayo** || **permanentemente** *Este acceso está vigilado permanentemente* || **cautelarmente** · **preventivamente**

vigilia s.f.

▮ [estado del que permanece despierto]

● CON ADJS. **permanente** *Pasamos la noche día en permanente vigilia en la sala de espera del hospital* · **perpetua** || **nocturna** || **forzosa** · **obligada** · **involuntaria**
● CON SUSTS. **noche (de)** · **tiempo (de)** · **horas (de)** || **estado (de)**
● CON VBOS. **guardar** · **aguantar** · **mantener** || **convocar** || **permanecer (en)**

▮ [víspera de un evento]

● CON ADJS. **pascual** · **de plegaria** · **de oración** · **de Navidad** || **de festivo** · **electoral** *La candidata pasó en familia la vigilia electoral*
● CON SUSTS. **comida (de)** || **misa (de)**

▮ [comida con abstinencia de carne]

● CON SUSTS. **garbanzos (de)** · **potaje (de)** · **ayuno (de)** || **día (de)** · **viernes (de)**

[vigor] →en vigor; vigor

vigor s.m.

▮ [fuerza, vitalidad]

● CON ADJS. **nuevo** · **renovado** *...y volver al trabajo con renovado vigor* || **arrollador** · **avasallador** · **impulsivo** · **irrefrenable** || **inagotable** · **incombustible** || **extraordinario** · **inusitado** · **inusual** || **admirable** · **envidiable** *Tiene un vigor físico envidiable para su edad* || **físico** · **juvenil** · **espiritual** · **intelectual** || **lírico** · **dramático** · **épico** · **narrativo** *La historia carecía de vigor narrativo* || **expresivo** · **cinematográfico** || **económico** · **político**
● CON SUSTS. **ápice (de)** || **demostración (de)** · **signo (de)** · **prueba (de)** · **señal (de)**
● CON VBOS. **adquirir** · **cobrar** || **dar** · **insuflar** *Su participación insufló vigor a un proyecto que estaba de capa caída* || **tener** · **perder** · **recobrar** · **mantener** || **derrochar** · **demostrar** || **redoblar**
● CON PREPS. **con** *condenar algo con vigor* · **sin**

▮ [vigencia]

● CON VBOS. **entrar (en)** · **mantener (en)** · **poner (en)**
● CON PREPS. **en** *La ley en vigor no contempla la solución a este tipo de problemas* · **fuera (de)**

vigorizar(se) v.

● CON SUSTS. **sistema** · **institución** *la imperiosa necesidad de vigorizar determinadas instituciones públicas* · **mandato** || **cultura** · **música** · **literatura** · **lengua** · **idioma** || **acción** · **operación** · **relación** || **ánimo** · **entusiasmo** · **espíritu** · **imagen** || **esperanza** · **expectativa** || **turismo** *nuevas medidas encaminadas a vigorizar el turismo en nuestro país* · **industria** · **economía** · **comercio** · **mercado** · **actividad**
● CON ADVS. **notablemente** · **significativamente** · **sustancialmente** · **enormemente** · **tremendamente**

vigorosamente adv.

● CON VBOS. **condenar** · **oponerse** *El partido se opuso vigorosamente a la reforma constitucional* · **reaccionar** · **rechazar** · **combatir** · **denunciar** · **discutir** · **competir** · **acometer** · **refutar** || **defender** *Durante toda su carrera profesional defendió vigorosamente la libertad de prensa* · **apoyar** · **apostar** · **sumarse** · **abogar** || **surgir** · **aflorar** · **crecer** *Si se podan los rosales en invierno, las rosas crecen vigorosamente en primavera* · **expandir(se)** · **emerger** · **incrementar(se)** · **acrecentar** · **desarrollar(se)** || **clamar** · **pedir** · **reivindicar**

vigoroso, sa adj.

● CON SUSTS. **crecimiento** · **incremento** · **recuperación** *una vigorosa recuperación de la economía* · **impulso** · **expansión** · **aumento** || **potencia** · **fuerza** · **corriente** || **economía** · **sector** · **producción** · **competencia** || **cuerpo** · **personalidad** · **imaginación** · **vitalidad** · **perfil** || ***persona*** *un vigoroso hombre de ochenta años* || **tono** · **gesto** · **actitud** || **lenguaje** · **expresión** · **relato** · **estilo** · **sintaxis** · **prosa** || **defensa** · **oposición** · **acción** · **movilización** || **decisión** · **resolución** || **relación**
● CON VBOS. **mostrar(se)** || **mantener(se)** · **continuar**

vil adj.

● CON SUSTS. **agresión** · **asesinato** *acusado de cometer un vil asesinato* · **atentado** · **crimen** · **robo** · **secuestro** || **chantaje** *No cedió al vil chantaje* · **soborno** · **seducción** || **traición** · **atropello** · **golpe** || **explotación** · **especulación** · **comercio** · **negocio** · **juego** · **oficio** || **dinero** · **metal** *Ninguno de ellos hace ascos al vil metal* || **cobardía** · **sometimiento** · **insolencia** || **comportamiento** · **interés** · **acción** · **campaña** || ***persona*** || **parodia** · **patraña** || **tentativa** · **intento**

vilipendiar v.

● CON ADVS. **públicamente** *Vilipendiaron públicamente al procesado* · **claramente** · **directamente** || **injustamente** · **impunemente** · **cruelmente** · **ferozmente** || **colectivamente**

villancico s.m.

● CON ADJS. **navideño** *El coro entonaba un villancico navideño* · **popular** · **tradicional** · **rústico** · **folclórico** · **flamenco** || **célebre** · **famoso** · **conocido** || **desafinado** · **alegre** *Los niños cantaban un alegre villancico* · **dulce** · **melodioso**
● CON SUSTS. **cantante (de)** · **coro (de)** || **verso (de)** · **estrofa (de)** · **estribillo (de)** · **música (de)**
● CON VBOS. **sonar** · **resonar** || **cantar** · **entonar** · **interpretar** · **grabar** · **componer** || **escuchar** · **oír**

vilmente adv.

● CON VBOS. **asesinar** · **matar** · **fusilar** · **torturar** · **atacar** · **degollar** · **acribillar** · **agredir** · **mutilar** · **arrollar** || **engañar** *Ha engañado vilmente a todos sus compañeros* · **explotar** · **aprovecharse** · **traicionar** · **deshonrar** · **desprestigiar** · **difamar** · **injuriar** · **insultar** · **vejar** · **repudiar** || **enriquecerse** *Durante la dictadura militar se enriqueció vilmente* · **manipular** · **provocar** · **politizar** · **camuflar** · **mercadear**

[vilo] →en vilo

vinagre s.m.

● CON ADJS. **de vino** · **de manzana** · **aromático** || **casero**
● CON SUSTS. **chorro (de)** · **gota (de)** || **litro (de)** · **botella (de)**
● CON VBOS. **echar** · **agregar** · **añadir** || **aliñar (con)** *Aliño las ensaladas con vinagre, aceite y sal* · **aderezar (con)** · **macerar (con)** || **limpiar (con)**
● CON PREPS. **en** *boquerones en vinagre*

vinculación s.f.

● CON ADJS. **estrecha** · **profunda** *la profunda vinculación existente entre todos los acusados* · **fuerte** · **íntima** · **estricta** || **clara** · **patente** · **indudable** · **evidente** || **ligera** · **mínima** · **escasa** · **remota** || **sospechosa** || **posible** || **profesional** · **personal** · **familiar** · **laboral**
● CON SUSTS. **grado (de)** · **nivel (de)** || **falta (de)**

• CON VBOS. **darse** · **existir** *Existe una estrecha vinculación entre ambos autores* || **establecer** · **romper** || **confesar** · **negar** *El sospechoso negó cualquier vinculación con la banda armada* || **descubrir** · **detectar** · **percibir** || **demostrar** · **probar** · **revelar**

vincular(se) (a/con) v.

• CON SUSTS. **partido** *Cuando estudiaba en la universidad se vinculó muy estrechamente a su actual partido* · **asociación** · **organización** · **equipo** · **empresa** · **sindicato** · **organismo** · **institución** || **campaña** · **proceso** || **tema** *Su trayectoria profesional se vincula con temas políticos* · **asunto** · **cuestión** · **problema** || **país** · **persona**
• CON ADVS. **estrechamente** *vinculando estrechamente la mejora del juego con el proceso de cambio en...* · **fuertemente** · **íntimamente** · **profundamente** · **indisolublemente** · **inseparablemente** || **activamente** || **directamente** · **indirectamente** || **inexorablemente** · **irremediablemente** · **forzosamente** || **libremente** || **verbalmente** · **formalmente** *Tras su aceptación queda formalmente vinculado a la asociación* · **oficialmente** · **por escrito** || **políticamente** · **afectivamente** · **emocionalmente** · **profesionalmente**

vínculo s.m.

• CON ADJS. **fuerte** *unido a su ciudad natal por fuertes vínculos* · **férreo** · **profundo** · **firme** · **sólido** · **incondicional** · **indisoluble** · **inquebrantable** · **indivisible** || **cercano** · **estrecho** || **duradero** · **estable** · **perdurable** · **permanente** · **perpetuo** || **inequívoco** · **evidente** · **claro** || **débil** · **remoto** · **lejano** · **tenue** || **tradicional** || **afectivo** · **amistoso** · **consanguíneo** · **matrimonial** · **familiar** · **laboral** · **profesional** *Aún conserva vínculos profesionales con antiguos compañeros de facultad* · **social** || **natural** · **legal**
• CON VBOS. **estrechar(se)** · **afianzar(se)** *Los vínculos afectivos se afianzaron según se iban conociendo* · **fortalecer(se)** · **robustecer(se)** || **disolver(se)** || **contraer** · **establecer** · **entablar** · **forjar** · **trabar** · **tejer** · **tensar** · **cimentar** || **sellar** · **formalizar** || **cortar** · **romper** · **perder** || **negar** · **confesar** || **detectar** · **descubrir** *La Policía descubrió un vínculo económico entre las dos empresas*

vino s.m.

• CON ADJS. **buen(o)** · **mal(o)** · **peleón** *Nos sirvieron un vino peleón de la zona* · **afrutado** || **a granel** || **blanco** · **tinto** · **rosado** · **clarete** · **de aguja** · **fino** · **mosto** · **moscatel** · **dulce** || **de mesa** · **de cocinar** · **de solera** · **cosechero** · **de crianza** · **de reserva** · **de la casa** || **borracho,cha (de)** · **ciego,ga (de)**
• CON SUSTS. **garrafa (de)** · **chato (de)** || **cata (de)** *En esta bodega ofrecen una cata de vinos*
• CON VBOS. **subirse a la cabeza (a alguien)** || **aguar(se)** · **estropear(se)** *Es un vino muy bueno pero se ha estropeado* · **agriar(se)** · **picar(se)** · **fermentar(se)** || **{ir/quedar} bien (con algo)** *Con este pescado va bien un vino blanco* || **envejecer** || **catar** *¿Quieres catar el vino de la casa?* || **airear** || **emborracharse (de)**
➤ Véase también **BEBIDA**

viñador, -a s.

• CON ADJS. **temporero,ra** · **eventual** || **profesional** *Con la experiencia se convirtió en un viñador profesional* · **cualificado,da**
• CON VBOS. **plantar** · **cultivar** · **regar** · **podar**

viñeta s.f.

• CON ADJS. **de cómic** · **cómica** · **humorística** *Publica diariamente una viñeta humorística en un periódico de tirada nacional* || **ácida** · **crítica** · **graciosa** · **divertida** · **original**
• CON SUSTS. **serie (de)** · **colección (de)** || **texto (de)** · **libro (de)** || **dibujante (de)** · **creador,-a (de)**
• CON VBOS. **dibujar** · **publicar** || **ver** · **leer** || **ilustrar (con)**

violáceo, a adj.

• CON SUSTS. **color** *Después del golpe le salió una mancha de color violáceo en la piel* · **blanco** · **gris** · **azul** · **coloración** · **aspecto** · **tono** · **tonalidad** || **cielo** · **nube** · **atardecer** || **luz** · **mancha** · **sombra**
• CON VBOS. **ponerse** · **volverse** · **quedarse**

violación s.f.

• CON ADJS. **grave** *Su actuación constituye una grave violación de los derechos humanos* · **horrible** · **insufrible** · **intolerable** · **clara** · **flagrante** · **crasa** · **patente** · **franca** || **reiterada** · **repetida** *Nuestra organización denunció la repetida violación de las garantías procesales* || **justificada** · **injustificada** || **impune** || **presunta**
• CON SUSTS. **acto (de)** · **caso (de)** · **intento (de)** *Se han detectado algunos intentos de violación de nuestro espacio aéreo* || **delito (de)**
• CON VBOS. **cometer** · **realizar** · **consumar** *Consumó la violación a plena luz del día* || **denunciar** · **justificar** · **lamentar** *Las partes lamentaron la flagrante violación del acuerdo* || **investigar** · **descubrir** || **castigar** *Las autoridades afirman que la violación de la ley será duramente castigada* || **imputar** || **constituir** · **suponer** · **entrañar** || **cerrar los ojos (ante)** || **someter (a)**
☐ USO Se construye frecuentemente con complementos encabezados por la preposición *de*: *la violación de una ley*.

violar v.

▌[forzar sexualmente]
• CON SUSTS. ***persona***
• CON ADVS. **salvajemente** · **brutalmente**

▌[incumplir, transgredir]
• CON SUSTS. **norma** · **regla** *violar las reglas del juego* · **reglamento** · **precepto** · **principio** · **condición** · **convención** · **cláusula** · **mandato** · **ley** *La dueña del negocio ha sido multada por violar la ley* · **constitución** · **derecho** · **artículo** · **código** · ***otras disposiciones*** || **acuerdo** *El desplazamiento de soldados a la frontera violó el acuerdo multilateral* · **tratado** · **compromiso** · **convenio** · **pacto** · **trato** || **intimidad** *Se acusa a la prensa del corazón de violar la intimidad de los famosos* · **libertad** · **privacidad** || **límite** · **frontera** || **espíritu** · **fundamento** · **esencia** || **prohibición** · **veto** · **limitación** · **restricción** || **secreto** *Las declaraciones del abogado violaron el secreto de sumario* · **palabra** · **promesa** || **seguridad** · **garantía** || **voluntad** · **deseo** || **orden** · **equilibrio** · **tregua** · **alto el fuego** · **paz**
• CON ADVS. **abiertamente** · **frontalmente** || **impunemente** · **flagrantemente** || **repetidamente** *Acusan a la empresa de violar repetidamente las normas de la libre competencia* · **sistemáticamente** · **reiteradamente** · **frecuentemente**

▌[profanar]
• CON SUSTS. **templo** · **sagrario** · **santuario**

violencia s.f.

• CON ADJS. **asesina** · **bárbara** · **brutal** *Toda violencia es ciega, bárbara y brutal* · **ciega** · **radical** · **salvaje** · **vandálica** · **implacable** · **infernal** · **alevosa** · **irracional** · **descarnada** || **tremenda** · **suma** · **extrema** || **desmedida** *para denunciar la violencia desmedida ejercida sobre...* · **desmesurada** · **desenfrenada** · **abusiva** · **a destajo** · **desaforada** || **arbitraria** · **gratuita** || **execrable** || **contenida** || **de palabra y obra** · **verbal** *un debate con mucha tensión* *y mucha violencia verbal* || **imperante · reinante** || **impune** || **urbana · callejera**

• CON SUSTS. **arranque (de) · arrebato (de)** || **brote (de) · foco (de)** *controlar el foco de violencia* || **acto (de) · manifestación (de) · ola (de)** || **secuela (de)**

• CON VBOS. **desatar(se) · desencadenar(se) · estallar · apoderarse · azotar** *La violencia azota todavía muchas zonas del país* · **anidar (en algo/en alguien)** || **intensificar(se) · recrudecer(se) · acentuar(se) · agravar(se) · arreciar** || **aplacar(se) · decrecer · remitir · amainar · cesar** || **traslucir(se)** || **engendrar · generar** *La escasez de alimentos generó mucha violencia entre la población* || **ejercer · infligir · instaurar** || **incubar** || **apoyar · defender · predicar · preconizar** || **alimentar** *Sus palabras alimentaban aún más la violencia latente* · **exacerbar · incentivar · atizar** || **contener · cortar · detener · reprimir · acallar · dominar · mitigar · vencer** || **condenar** *Nuestra asociación condena tajantemente la brutal violencia de los ataques* · **atacar · denunciar · combatir** || **liberar · desfogar** || **destilar · segregar · revelar · reflejar** || **notar · percibir** || **incitar (a) · inducir (a) · instigar (a)** || **acabar (con) · luchar (contra)** || **renegar (de) · abjurar (de) · cerrar los ojos (ante)** *Cerrar los ojos ante la violencia no es la forma de resolver el problema*

violento, ta adj.

• CON SUSTS. **sociedad · grupo · gente** || ***persona*** || **carácter** *una persona de carácter violento* · **comportamiento · arrebato · respuesta · reacción · salida** || **muerte · crimen · homicidio** || **acción · ataque · lucha · revolución · disturbios · combate · enfrentamiento · confrontación · conflicto · altercado** *Fuimos testigos de un violento altercado entre ellos* · **disputa · discusión · protesta · ruptura · desalojo** || **hecho · incidente · episodio · accidente** *un violento accidente que no arrojó ninguna víctima mortal* · **interrupción** || **acometida · asalto · choque · golpe · explosión** || **situación · acto · zona** || **método · lenguaje · tono** || **programa · película** || **huracán · temporal** *Un violento temporal asola estos días nuestro país* || **juego** || **antecedente · origen**

• CON ADVS. **terriblemente · extremadamente · especialmente**

• CON VBOS. **volverse · ponerse**

violeta

1 **violeta** adj./s.m. Véase **COLOR**

2 **violeta** s.f.

• CON ADJS. **imperial · africana** || **vistosa** *Las violetas del jardín están muy vistosas* || **mustia · seca**

• CON SUSTS. **ramo (de)** *Traje un ramo de violetas para adornar el recibidor* || **campo (de)** || **aroma (de)** || **flor (de)** *La flor de la violeta tiene un color morado muy llamativo*

• CON VBOS. **brotar · nacer · despuntar · crecer** || **abrir(se) · retoñar** *Las violetas han retoñado de nuevo* · **florecer** || **secar(se) · morir(se) · agostar(se) · ajar(se)** || **sembrar · plantar** || **cortar** *Corta unas cuantas violetas y ponlas en el jarrón* · **coger** || **abonar · regar · trasplantar**

violín s.m.

• CON SUSTS. **solista** *Están buscando un violín solista para la orquesta* || **voz (de) · arco (de)** || **funda (de)**

➤ Véase también **INSTRUMENTO MUSICAL**

violonchelo s.m.

• CON VBOS. **sentarse (a)**

➤ Véase también **INSTRUMENTO MUSICAL**

viperino, na adj.

• CON SUSTS. **lengua** *Es una persona ingeniosa, de lengua viperina y gran sentido del humor* · **censura · crítica · ataque** || **lenguaje · pluma · acento · mensaje · decálogo · columna · alusión** || **periodista · escritor,-a · comentarista · crítico,ca** · ***otros individuos***

viraje s.m.

• CON ADJS. **radical** *hechos que provocaron un viraje radical en el funcionamiento de la empresa* · **completo · profundo · copernicano · en redondo · de 180 grados · sustancial** || **histórico** || **brusco · repentino · violento · sorprendente · inesperado · nuevo** || **decisivo · fundamental · definitivo** || **político** *¿Y cuáles cree usted que son las causas de este viraje político?* · **ideológico · económico · electoral · argumental**

• CON VBOS. **provocar · causar · originar** || **dar** *Después de su tercera película, su carrera dio un inesperado viraje* · **realizar · hacer · efectuar** || **comportar · implicar** || **asombrar · sorprender**

virar v.

• CON ADVS. **en redondo** *La barca viró en redondo y tomó la dirección del viento* · **completamente · enteramente** || **sustancialmente** || **bruscamente · súbitamente · lentamente · gradualmente** || **ideológicamente** *El partido viró ideológicamente hacia posturas más radicales* · **políticamente · económicamente**

virgen

1 **virgen** adj.

• CON SUSTS. ***persona*** || **selva · terreno · tierra · isla** *El pescador los llevó hasta una maravillosa isla virgen* · **territorio** || **parte · zona · aspecto** || **miel · aceite** *una botella de aceite virgen de oliva* · **lana** || **cinta**

• CON VBOS. **seguir · mantener(se)**

2 **virgen** s.f.

• CON ADJS. **santa**

• CON SUSTS. **imagen (de) · aparición (de)** || **procesión (de) · romería (de)** || **devoción (por/a) · culto (a)** || **favor (de) · milagro (de)**

• CON VBOS. **ayudar (a alguien) · amparar (a alguien) · proteger (a alguien)** || **rezar (a) · implorar (a) · pedir (a) · rogar (a) · recurrir (a)** || **creer (en)**

☐ USO Se usa mucho como nombre propio.

virginal adj.

• CON SUSTS. **pureza · espíritu · belleza** *un entorno de extraordinaria belleza virginal* · **inocencia · integridad · candidez** || **cuerpo** || **color · blanco · blancura**

virginidad s.f.

• CON SUSTS. **prueba (de) · voto (de)**

• CON VBOS. **perder · mantener · preservar · conservar**

virguería s.f. *col.*

• CON ADJS. **auténtica** *un nuevo modelo de coche que incluye auténticas virguerías técnicas* · **verdadera** || **técnica · estética · médica**

• CON VBOS. **hacer** *un músico que hace virguerías con la guitarra*

vírico, ca adj.

• CON SUSTS. **enfermedad · infección · proceso · brote · epidemia** || **causa · origen** *una meningitis de origen vírico* || **contagio · transmisión · replicación** || **carga** *La carga vírica ha disminuido notablemente con el tratamiento* || **investigación**

viril adj.

• CON SUSTS. **cuerpo · torso || miembro · órgano || voz · paso || atributo · característica · actitud || rasgo** *los rasgos viriles de su rostro* · **facciones · aspecto · cualidad · facultad || fuerza · potencia · impotencia || orgullo || hombre · chico**

• CON VBOS. **volverse**

virilidad s.f.

• CON SUSTS. **gesto (de) · muestra (de) · ejemplo (de) || exceso (de) · alarde (de) || símbolo (de) · modelo (de)** *una moda que supone una clara ruptura con los modelos de virilidad tradicionales* · **concepto (de) || culto (a)**

• CON VBOS. **aumentar · potenciar || exaltar · ensalzar · reafirmar || perder · recuperar || cuestionar || dudar (de)**

virtual adj.

• CON SUSTS. **realidad · mundo · espacio · campus · entorno · ambiente · imagen || visita** *En la página electrónica del museo puede realizar una visita virtual* · **paseo · recorrido · turismo || comunidad || publicidad · prensa · mensaje || encuentro** *Los lectores podrán mantener un encuentro virtual con el autor* · **reunión · comunicación || relación || juego · efecto || atracción · emoción · experiencia || tienda · museo · biblioteca · librería · clínica || escenario · personaje · decorado || tecnología**

virtualmente adv.

▮ [de manera virtual, con medios virtuales]

• CON VBOS. **crear · diseñar · visitar** *Con este programa se puede visitar virtualmente el museo* · **navegar · tocar · sentir · comunicarse**

▮ [prácticamente]

• CON VBOS. **ganar · perder** *El equipo ha perdido virtualmente la liga* · **empatar · clasificarse || sentenciar · resolver · decidir · definir || paralizar · suspender · congelar || acabar · terminar** *La campaña electoral terminó virtualmente anoche* · **desaparecer · concluir · cesar · abandonar || eliminar · liquidar · descartar · separar · exterminar · sustituir · dividir · destruir · demoler · defenestrar || impedir · prohibir · truncar · maniatar || controlar · poseer · conquistar · obtener** *un grupo empresarial que ya ha obtenido virtualmente toda la cuota de mercado* · **monopolizar**

• CON ADJS. **imposible** *Hacer esa operación con la tecnología de que disponemos es virtualmente imposible* · **inviable || incapaz · nulo,la · inoperante || desconocido,da · inexistente · anónimo,ma**

[virtud] → en virtud (de); virtud

virtud s.f.

• CON ADJS. **acendrada · genuina · arraigada · manifiesta || asombrosa** *Sus palabras tenían la asombrosa virtud de tranquilizarme* · **desacostumbrada · rara** *Tiene la rara virtud de caer bien a todo el mundo* · **sorprendente || notable · innegable || ejemplar · modélica || loable · meritoria · estimable · apreciada || fundamental · destacada · mayor · principal · sobresaliente · distintiva || personal · humana · innata · natural || sobrenatural**

• CON SUSTS. **cúmulo (de) · dechado (de) || ideal (de)** *El personaje de la novela representa el ideal de virtud de aquella época* · **modelo (de)**

• CON VBOS. **adornar (algo/a alguien) · distinguir (a alguien) || faltar (a algo/a alguien) || adquirir · arrogarse || atribuir · reconocer (a algo/a alguien) || poseer · tener** *Tiene muchos defectos pero también innegables virtudes* · **aunar · atesorar · reunir || practicar · ejercitar · derrochar || alabar · ensalzar · magnificar · ponderar · enaltecer**

virtuosismo s.m.

• CON ADJS. **increíble · asombroso** *La película recrea con asombroso virtuosismo la novela homónima de...* · **deslumbrante · espectacular · portentoso · extraordinario || puro · auténtico · alto || técnico** *El concierto fue puro virtuosismo técnico* · **vocal · orquestal · expresivo · artístico · musical || original · arrebatado**

• CON SUSTS. **exhibición (de) · muestra (de) · alarde (de) · obra (de) · ejercicio (de) · lección (de) || cuota (de)** *...quien aportó la siempre oportuna cuota de virtuosismo* · **grado (de) · nivel (de) · dosis (de) || prodigio (de)**

• CON VBOS. **demostrar · exhibir · mostrar · manifestar || rozar · alcanzar || admirar || hacer gala (de) || manejar (con)**

• CON PREPS. **con** *manejar el balón con virtuosismo*

virtuoso, sa adj.

▮ [que tiene virtudes]

• CON SUSTS. ***persona*** *una dama virtuosa* **|| acción · trabajo · labor** *Gracias a su virtuosa labor miles de familias han podido salir adelante* · **interpretación · exhibición || habilidad · capacidad**

• CON ADVS. **aparentemente · extremadamente**

▮ [que domina una técnica]

• CON SUSTS. **cantante · intérprete · instrumentista · orquesta · trabajador,-a ·** ***otros individuos y grupos humanos***

virulento, ta adj.

• CON SUSTS. **enfermedad** *una vacuna con la que controlar las enfermedades más virulentas* · **brote · cepa · germen · plaga || crítica · protesta · manifestación · reacción · reproche · acusación || polémica · debate · campaña || guerra · enfrentamiento · lucha · ataque** *El ejército lanzó un virulento ataque contra la muralla* **|| campaña · escalada · proceso || tormenta · aguacero · temporal · incendio**

• CON ADVS. **especialmente** *La tormenta ha sido especialmente virulenta en la zona noroeste* · **inusualmente · sumamente**

• CON VBOS. **tornar(se) · volver(se) · convertir(se) (en) · ponerse · resultar**

virus s.m.

• CON ADJS. **contagioso || peligroso** *investigar el origen de un peligroso virus* · **dañino · destructivo · letal · mortal · mortífero · pernicioso || inocuo · inofensivo || imparable · rebelde || nuevo · desconocido || humano · animal || informático**

• CON SUSTS. **transmisión (de) · replicación (de) · reproducción (de) · propagación (de) · contagio (de) || origen (de) · progresión (de) || presencia (de) || cepa (de) · variante (de) · muestra (de) || portador,-a (de) · víctima (de)**

• CON VBOS. **propagar(se) · extender(se) · reproducir(se) · contagiar(se)** *El virus se contagia por el aire* **|| anidar (en algo) · entrar** *Al conectarme a internet me ha entrado un virus* **|| infectar (algo) · atacar (algo)** *Un virus informático atacó mi ordenador* · **destruir (algo) · eliminar (algo) || matar (algo) · afectar (a algo) · dañar (algo) || contraer** *Todavía no sé dónde contraje este extraño virus* · **incubar || meter || inocular || transmitir || detectar · descubrir · analizar · investigar || combatir · neutralizar** *una vacuna para neutralizar el virus* · **aniquilar · erradicar || crear · inventar || vacunar (contra) · luchar (contra)**

viruta (de) s.f.

●CON SUSTS. **madera** *un material fabricado con viruta de madera prensada* · **metal** · **aluminio** · ***otras materias*** || **queso** · **jamón** · **almendra** · **chocolate** · ***otros alimentos sólidos*** || **lápiz**

visado s.m.

●CON ADJS. **definitivo** · **temporal** · **especial** || **obligatorio** · **necesario** || **previo** || **falso** · **oficial** || **de ingreso** · **de entrada** · **de salida** || **de estudiante** · **de turista** *Sin el visado de turista no puedes entrar en el país* · **de trabajo** · **de residencia** || **en vigor**
●CON VBOS. **caducar** *Mi visado está a punto de caducar* · **expirar** · **vencer** || **pedir** · **solicitar** · **obtener** || **dar** · **conceder** · **denegar** · **retirar** · **quitar** · **cancelar** · **revocar** · **prorrogar** · **expedir** || **tramitar** · **sellar** || **exigir** *La organización se opone a exigir visados de entrada* · **requerir**

visceral adj.

●CON SUSTS. **enemigo,ga** · **opositor,-a** · **rival** · **hincha** *Pero los hinchas más viscerales no lo perdonarán nunca* · **defensor,-a** · **seguidor,-a** · ***otros individuos*** || **película** · **novela** · **drama** · **música** · ***otras creaciones*** || **odio** · **rechazo** · **aversión** · **antipatía** · **enemistad** · **repudio** · **repulsión** *Su actuación provocó la repulsión visceral de buena parte del público* · **desprecio** · **animadversión** || **emoción** · **sentimiento** · **pasión** || **oposición** · **protesta** · **crítica** · **queja** || **enfrentamiento** · **ataque** · **confrontación** · **choque** · **disputa** · **insulto** *insultos viscerales provocados por prejuicios irracionales* · **exabrupto** · **pelea** || **anticomunismo** · **antiamericanismo** · **anticlericalismo** · **antisemitismo** · **nacionalismo** · **patriotismo** · **madridismo** · ***otras tendencias y movimientos*** || **miedo** *Sentía un miedo visceral a todo lo novedoso* · **pánico** · **temor** || **reacción** · **respuesta** · **impulso** · **arranque** · **pulsión** · **decisión** · **resorte** || **temperamento** · **personalidad** · **carácter** · **naturaleza** · **comportamiento** · **estilo** · **actitud** *...para controlar las actitudes viscerales e irracionales que en ocasiones adoptamos* · **instinto**

visceralmente adv.

●CON VBOS. **oponerse** · **odiar** · **detestar** · **enfrentarse** *Se enfrentó visceralmente, sin demasiados resultados, al autoritarismo del ministro* · **criticar** · **acusar** · **rechazar** · **negar** || **sentir** · **presentir** · **conmocionarse** || **reaccionar** · **responder** · **actuar** · **comportarse** || **ligar** · **atar** · **apegar** · **arraigar** · **enquistar** · **conectar**
●CON ADJS. **anticomunista** · **antifranquista** · **antinacionalista** · **antidemocrático,ca** · **antisocialista** · **nacionalista** · **demócrata** · **democrático,ca** *un líder visceralmente democrático* · **nihilista** || **violento,ta** · **irreconciliable**

viscoso, sa adj.

●CON SUSTS. **líquido** *...conducto por el que fluía un líquido viscoso y transparente* · **masa** · **fluido** · **sangre** · **agua** || **amalgama** · **materia** · **sustancia** || **textura** · **carácter** · **aspecto** · **apariencia** · **tacto** · **consistencia**
●CON VBOS. **ponerse** · **quedar(se)**

visibilidad s.f.

●CON ADJS. **buena** *...con buena visibilidad para conducir* · **inmejorable** · **nítido** · **perfecta** · **excelente** · **óptima** || **necesaria** · **imprescindible** · **suficiente** || **baja** · **mala** · **nula** · **deficiente** · **escasa** *un accidente producido por la escasa visibilidad* · **reducida** · **restringida** · **justa** · **limitada** · **precaria** · **exigua** · **mediocre** · **disminuida** · **mermada** · **insuficiente** || **frontal** · **lateral** · **trasera** · **panorámica**
●CON SUSTS. **falta (de)** · **problema (de)** · **dificultades (de)** || **condiciones (de)** *Las condiciones de visibilidad eran óptimas* · **nivel (de)**
●CON VBOS. **aumentar** · **mejorar** || **disminuir** · **deteriorar(se)** · **empeorar** · **acortar(se)** · **declinar** · **enturbiar(se)** · **menguar** || **reducir** · **restar** · **tapar** · **impedir** · **dificultar** · **mermar** || **tener** *Desde este ángulo tengo una excelente visibilidad* · **obtener** · **ofrecer** · **permitir** || **necesitar** · **requerir** · **buscar** || **perder** · **adquirir** · **ganar** || **carecer (de)** · **disponer (de)**
●CON PREPS. **sin** *curvas sin visibilidad* · **con**

visible adj.

●CON SUSTS. **lugar** · **parte** · **superficie** · **franja** || **realidad** · **fenómeno** · **eclipse** || **resultado** *un tratamiento con resultados visibles en menos de un mes* · **efecto** · **cambio** · **huella** · **defecto** || **luz**
●CON ADVS. **bien** · **claramente** · **perfectamente** || **especialmente** · **suficientemente** || **difícilmente** · **escasamente**
●CON VBOS. **ser** · **volver(se)** · **hacer(se)** · **mantener(se)** || **estar** · **poner(se)** · **quedar**

visiblemente adv.

●CON VBOS. **crecer** · **incrementar** · **aumentar** · **mejorar** · **recuperar(se)** || **reducir(se)** · **estrechar(se)** · **enfriar(se)** · **torcer(se)** · **disminuir** · **deteriorar(se)** || **cojear** *Desde la operación, cojea visiblemente con la pierna derecha* · **bostezar** · **temblar**
●CON ADJS. **molesto,ta** · **nervioso,sa** *El actor se mostró visiblemente nervioso en la entrega de premios* · **incómodo,da** · **disgustado,da** · **enfadado,da** · **contrariado,da** · **encrespado,da** · **crispado,da** · **indignado,da** || **afectado,da** · **triste** · **consternado,da** *Visiblemente consternada por la noticia, no supo qué decir* · **abrumado,da** · **sacudido,da** · **perturbado,da** · **apesadumbrado,da** · **atemorizado,da** · **emocionado,da** || **satisfecho,cha** *He aquí un cliente visiblemente satisfecho* · **contento,ta** · **eufórico,ca** · **motivado,da** · **halagado,da** || **ojeroso,sa** · **cansado,da** · **ebrio,bria**

visión s.f.

▮ [vista, imagen]

●CON ADJS. **luminosa** · **fidedigna** || **dantesca** · **sobrecogedora** · **desoladora** *una visión desoladora de la ciudad* · **estremecedora** · **demoledora** · **descarnada** || **fugaz** · **engañosa** · **fantasmal** || **lateral** *Estos animales tienen muy desarrollada la visión lateral* · **lineal** · **angular** · **frontal** · **panorámica** || **pictórica** · **profética** · **beatífica** · **apocalíptica**
●CON SUSTS. **ángulo (de)** · **espacio (de)** · **campo (de)** || **falta (de)** · **pérdida (de)** · **problema (de)** · **capacidad (de)** · **calidad (de)** || **sistema (de)**
●CON VBOS. **asaltar (a alguien)** · **apoderarse (de alguien)** · **surgir** · **proyectar(se)** || **nublar(se)** *La visión se le nubló, perdió el equilibrio y se desmayó* · **enturbiar(se)** · **ofuscarse** || **ofrecer** *El telediario ofreció una visión dantesca de la zona afectada* || **sustraer(se) (de/a)** || **disfrutar (de)** · **gozar (de)** · **recrearse (en)**

▮ [capacidad de ver]

●CON ADJS. **perfecta** · **completa** · **clara** · **nítida** · **diáfana** || **borrosa** · **distorsionada**
●CON VBOS. **dañar** · **perjudicar** · **distorsionar** || **perder**

▮ [opinión, punto de vista]

●CON ADJS. **acertada** *Su visión de la situación me pareció completamente acertada* · **certera** · **atinada** || **aguda** · **penetrante** || **amplia** · **completa** · **integral** · **estrecha** · **incompleta** || **optimista** *Le agradecí su visión optimista* · **positiva** · **halagüeña** · **constructiva** || **imparcial** · **objetiva** · **ecuánime** || **moderna** · **novedosa** · **avanzada** · **progresista** · **revolucionaria** || **esquemática** · **somera** || **sombría** · **pesimista** · **negativa** · **fatalista** *Sus palabras tras-*

lucían una visión muy fatalista · **agridulce** · **anticuada** · **catastrófica** · **destructiva** || **subjetiva** · **parcial** · **sesgada** · **arbitraria** · **distorsionada** || **conservadora** · **tradicional** · **arraigada** · **anclada** || **propia** · **personal** · **particular** · **especial** || **irreconciliable** *Tienen visiones irreconciliables* · **enfrentada** · **contraria** || **analítica** · **concentrada** · **retrospectiva** · **testimonial**

● CON VBOS. **diferir** · **confluir** · **coincidir** || **aflorar** || **imponer** *Siempre quiere imponernos su visión de las cosas* · **oponer** || **dar** · **exponer** *Les expuse mi visión particular del fenómeno* · **ofrecer** · **explicar** || **tener** · **poseer** · **desarrollar** || **condensar** || **apoyar** *No todos apoyaban una visión tan progresista* · **defender** || **ahondar (en)**

□ EXPRESIONES **ver visiones** [ver lo que no existe]

visita s.f.

▮ [acción o efecto de visitar]

● CON ADJS. **amable** *Les agradezco su amable visita* · **atenta** · **oportuna** || **interesante** · **apasionante** · **ilustrativa** || **amplia** · **larga** · **concienzuda** · **detallada** || **a domicilio** *visita médica a domicilio* · **domiciliaria** || **inexcusable** · **obligada** *Este pueblo es de obligada visita* || **asidua** · **frecuente** · **espaciada** || **ocasional** · **esporádica** · **dispersa** || **fugaz** · **breve** *Nos hizo una breve visita entre un viaje y otro* · **de médico** · **rápida** · **de pasada** · **por encima** · **pequeña** · **somera** || **agotadora** · **cansada** · **aburrida** · **pesada** || **improvisada** · **sobre la marcha** || **imprevista** · **repentina** · **inesperada** · **intempestiva** · **inoportuna** || **de incógnito** || **profesional** · **de cortesía** *una visita de cortesía, breve y cordial* · **didáctica** · **médica** · **turística** · **de circunstancias**

● CON SUSTS. **objeto (de)** *¿Cuál es el objeto de su visita?* · **tarjeta (de)** *Se presentó y me dio su tarjeta de visita*

● CON VBOS. **estropear(se)** || **organizar** · **preparar** · **planificar** · **planear** || **concertar** · **fijar** || **hacer (a alguien)** · **celebrar** · **realizar** *realizar una visita de cortesía* · **devolver** || **cumplimentar** || **boicotear** || **espaciar** *Con el tiempo, fue espaciando sus visitas* || **anunciar** · **notificar** || **ir (de)**

● CON PREPS. **a lo largo (de)** · **durante**

▮ [persona que visita a alguien]

● CON VBOS. **llegar** · **irse** *¿Se ha ido ya la visita?* || **importunar (a alguien)** || **esperar** · **atender** *No seas maleducado y atiende a la visita* · **tener** · **recibir**

□ EXPRESIONES **visita de médico** [visita muy breve]

visitante

1 **visitante** adj.

● CON SUSTS. **equipo** · **cuadro** · **conjunto** · **entrenador** · **portero,ra** · **técnico** · **defensa** · **vestuario** || **banquillo** · **área** · **meta** || **victoria** · **ventaja** · **triunfo** · **gol** · **ataque** · **dominio** || **profesor,-a**

2 **visitante** s.com.

● CON ADJS. **asiduo,dua** · **fiel** · **habitual** || **esporádico,ca** · **ocasional** || **extranjero,ra** · **nacional** || **distinguido,da** · **importante** · **señalado,da** · **famoso,sa** · **ilustre** || **numerosos,sas** · **escasos,sas**

● CON SUSTS. **afluencia (de)** *Fue preciso tomar medidas ante la gran afluencia de visitantes* · **avalancha (de)** · **alud (de)** · **oleada (de)** · **grupo (de)**

● CON VBOS. **llegar** · **irse** || **llenar (algo)** · **ocupar (algo)** || **apelotonar(se)** · **congregar(se)** *Los visitantes se congregaban impacientes en la puerta* || **esperar** · **recibir** *La nueva página electrónica está recibiendo numerosos visitantes* · **acoger** || **atender** · **informar** *El guía informaba a los visitantes del recorrido de la visita* · **guiar** · **ayudar** · **asesorar** || **restringir** · **controlar** · **atraer** || **reunir** || **ocupar(se) (de)**

visitar v.

● CON ADVS. **de pasada** · **por encima** *Visité la exposición muy por encima, sin apenas detenerme* · **superficialmente** · **virtualmente** || **palmo a palmo** · **detalladamente** · **detenidamente** || **brevemente** *Me visitó brevemente en el hospital* · **fugazmente** || **habitualmente** · **frecuentemente** || **ocasionalmente** · **esporádicamente** · **de vez en cuando** · **de uvas a peras** *Nuestro tío nos visitaba de uvas a peras* || **de improviso** · **intempestivamente** || **de incógnito** *Visitó de incógnito la ciudad para evitar a los periodistas* || **a domicilio**

vislumbrar v.

● CON SUSTS. **futuro** *Se vislumbra un futuro de éxitos en su carrera* · **horizonte** · **porvenir** · **destino** · **meta** || **perspectiva** · **esperanza** · **plan** · **previsión** · **propósito** · **proyecto** || **solución** *Parece vislumbrarse una pronta solución al conflicto* · **salida** · **desenlace** · **final** · **acuerdo** · **paz** · **pacto** · **remedio** · **resolución** · **resultado** · **victoria** · **decisión** || **inicio** · **comienzo** · **principio** · **estreno** · **debut** · **aparición** · **novedad** || **consecuencia** · **efecto** · **repercusión** *Tras la crisis energética, se vislumbran algunas repercusiones negativas para el sector industrial* · **alcance** · **reacción** · **calado** || **señal** · **signo** · **indicio** · **atisbo** · **síntoma** || **posibilidad** · **oportunidad** · **alternativa** · **opción** || **tendencia** · **orientación** · **rumbo** · **derrotero** · **camino** · **vía** || **peligro** · **riesgo** · **crisis** · **problema** · **mal** · **dificultad** · **miseria** · **necesidad** · **desastre** · **debacle** · **derrota** *Cuando comenzaba a vislumbrarse la derrota electoral* · **barbarie** · **genocidio** || **polémica** · **oposición** · **debate** · **lucha** · **duelo** · **confrontación** · **discrepancia** || **desarrollo** · **evolución** · **avance** · **cambio** · **proceso** · **incremento** · **mejora** · **subida** · **recuperación** · **renovación** · **giro** · **remonte** || **recorte** · **reducción** · **bajada** · **disminución** · **empeoramiento** *El incidente fronterizo hizo vislumbrar un empeoramiento en las relaciones entre los dos países vecinos* · **degradación** · **caída** || **duda** · **temor** · **sospecha** · **desconcierto** · **misterio** || **era** · **período** · **época** · **temporada** || **felicidad** · **alegría** · **pesimismo** · **interés** *Se vislumbraba cierto interés por parte de los inversores* · **enojo** · **rechazo** · **repulsa** · **apego** · **cariño** · ***otros sentimientos o sensaciones***

● CON ADVS. **claramente** · **vagamente** · **difusamente** · **nítidamente** || **anticipadamente** || **a los lejos** · **en el horizonte** *Vislumbraron algunas casas en el horizonte*

visos (de) s.m.pl.

● CON SUSTS. **autenticidad** *...un documento sin visos de autenticidad* · **realidad** · **sinceridad** · **verosimilitud** · **credibilidad** · **seriedad** || **surrealismo** || **cambio** *La situación, lamentablemente, no tenía visos de cambio* · **recuperación** · **continuidad** || **solución** · **éxito** || **acuerdo** || **legalidad** · **legitimidad** · **constitucionalidad** · **ilegalidad** || **arrepentimiento** *...asesinos confesos sin visos de arrepentimiento en sus palabras*

víspera

1 **víspera** s.f.

● CON ADJS. **electoral** · **vacacional**

2 **víspera(s) (de)** s.f.

● CON SUSTS. **fiesta** *La oferta se anula en vísperas de fiesta* · **feriado** · **Navidad** · **vacaciones** || **reunión** · **celebración** · **ceremonia** · **encuentro** · **cumpleaños** · ***otros eventos*** || **asamblea** · **cumbre** · **congreso** || **elección** · **votación** · **comicios** · **campaña** || **inicio** · **llegada** · **viaje** · **visita** || **pacto** · **comparecencia**

[vista] s.f.

→ a ojos vistas; a simple vista; de vista; punto de vista; vista

vista s.f.

▌[capacidad para ver]

●CON ADJS. **de lince · penetrante · portentosa** *Tenía una vista portentosa* **· aguda || borrosa · cansada || corto,ta (de)**
●CON VBOS. **abarcar (algo) || nublar(se)** *Fui al médico porque la vista se me nublaba con frecuencia* **· empañar(se) || agudizar · aguzar · afinar || clavar** *Clavó su vista en mí y me puse nervioso* **· fijar · desviar · extraviar || ofender · dañar · molestar · agredir || refrescar || corregir · graduar(se) · perder || recorrer (con)** *Recorrí con la vista la fila de visitantes, pero no encontré a nadie conocido* **· divisar (con)**

▌[panorama, espacio visible]

●CON ADJS. **espléndida · única** *Desde la azotea había unas vistas únicas de la ciudad* **· privilegiada · extraordinaria · espectacular · maravillosa · preciosa · envidiable || panorámica · completa || sesgada · parcial**
●CON VBOS. **tener · ofrecer || impedir · quitar** *El nuevo edificio nos quitó las vistas al mar* **|| disfrutar (de) · gozar (de)** *El piso goza de una espectacular vista sobre la bahía* **|| privar (de) · quitar (de)** *Quita eso inmediatamente de mi vista*
●CON PREPS. **ante**

▌[acto judicial]

●CON ADJS. **pública · a puerta cerrada || oral** *La vista oral será mañana*
●CON VBOS. **comenzar · empezar · terminar · finalizar || fijar || celebrar** *No hay fotos, porque la vista se celebró a puerta cerrada* **|| aplazar · posponer · suspender · cancelar || citar (a alguien) (para)**
●CON PREPS. **durante**

□EXPRESIONES **a la vista** [visible] **|| a primera vista · a simple vista*** [en una primera impresión] **|| comerse** (algo) **con la vista** [mirarlo con deseo intenso] *col.* **|| conocer de vista** (a alguien) [conocerlo por haberlo visto, pero sin haber hablado] **|| estar {bien/mal} visto** [ser bien o mal considerado] **|| hacer la vista gorda** [fingir que no se ha visto algo] *col.* **|| hasta la vista** [se usa como despedida] **|| perder de vista** (algo/a alguien) [dejar de verlo] **|| visto para sentencia** (un juicio) [concluido oficialmente] **|| visto y no visto** [con mucha rapidez] *col.* **|| volver la vista atrás** [recordar sucesos pasados]

vistazo s.m.

●CON ADJS. **rápido · breve · de pasada · por encima · general · simple · somero · sucinto · superficial || primer(o) · último** *Antes de entregarlo, le echaré un último vistazo*
●CON VBOS. **bastar** *Me bastó un breve vistazo* **|| dar · echar**

visto bueno loc.sust.

●CON VBOS. **pedir** *...donde se dice que se pedirá el visto bueno de la comisión* **· solicitar || conceder · dar · otorgar · poner · expedir || denegar · regatear || obtener || requerir · necesitar** *Esta autorización necesita el visto bueno de un superior* **|| supeditar (a) || gozar (de) · contar (con)** *...una ley que tampoco contó con el visto bueno de los diputados de la oposición*
●CON PREPS. **con · sin**

vistoso, sa adj.

●CON SUSTS. **aspecto · color** *una bandera con colores vistosos* **|| ropa · prenda · adorno · sombrero · tela · decoración · flor || figura · perfil · faceta || escaparate · lugar · paisaje || fiesta · ceremonia · celebración · acontecimiento · espectáculo || película · montaje || deporte · fútbol · juego · jugada · partido · equipo || ejemplar · ave · animal**
●CON ADVS. **escasamente · sumamente**

visual adj.

●CON SUSTS. **campo** *una infección que afectaba al campo visual del ojo* **· panorama · estructura · corteza || capacidad · inteligencia · agudeza · deficiencia || impacto · efecto || cultura · realidad || arte · poesía · poema · metáfora · lenguaje || estilo · fuerza** *un anuncio publicitario con una gran fuerza visual y connotativa* **· expresión · potencia || belleza · armonía · esplendor · riqueza || sensación · experiencia · impresión || espectáculo** *un espectáculo visual de luz y color* **· juego · chiste · gag · humor · truco || concepción · propuesta || comunicación · representación · contacto · información || memoria** *Una memoria visual pobre puede ser sintomática* **|| tratamiento · examen · ejercicio · resultado**

vital adj.

●CON SUSTS. **ciclo · trayectoria · itinerario · experiencia · proyecto || constantes** *Las constantes vitales del enfermo se mantienen estables* **· órgano || fuerza · impulso · energía · razón || espacio || papel · función || necesidad** *El cambio de estrategia se ha convertido en una necesidad vital para el equipo* **· importancia || cuestión || testamento || líquido**

vitalicio, cia adj.

●CON SUSTS. **presidente,ta · senador,-a** *No podrán ser nombrados senadores vitalicios los ciudadanos que...* **· director,-a · socio,cia · rector,-a ·** ***otros cargos*** **|| puesto** *Una vez conseguido se convierte en un puesto vitalicio* **· escaño · empleo · nombramiento || sueldo · seguro · contrato · pensión || grupo · equipo || carácter** *El sueldo tiene carácter vitalicio* **· estado**

vitalidad s.f.

●CON ADJS. **arrolladora · desbordante** *Admiro tu desbordante vitalidad* **· enorme · gran(de) · portentosa · proverbial · extraordinaria · inagotable · suma · imparable · creciente || sorprendente** *A pesar de su edad, tiene una vitalidad sorprendente* **· inusual · inusitada · asombrosa · envidiable || contagiosa · animante || física · económica · democrática · política · cultural · artística · literaria · creadora || lleno,na (de) · rebosante (de)** *Después del viaje, apareció rebosante de vitalidad* **· pletórico,ca (de) · pleno,na (de) || falto,ta (de) · carente (de)**
●CON SUSTS. **ápice (de) · demostración (de) · prueba (de) · indicio (de) · signo (de) || inyección (de)**
●CON VBOS. **flaquear · decaer · disminuir · faltar** *Me falta vitalidad para afrontar la situación* **|| dar · imprimir · inyectar · insuflar || transmitir · irradiar · derrochar · contagiar · rezumar || tener · poseer || demostrar · revelar** *una gran exposición que revela la vitalidad de nuestros artistas* **· reflejar || acrecentar · aumentar · mantener · conservar · perder · recuperar || gozar (de) · carecer (de)**
●CON PREPS. **con · sin**

vitaminado, da adj.

●CON SUSTS. **complejo · alimento · leche** *una taza de leche vitaminada con galletas* **· sustancia · producto**

vitamínico, ca adj.

●CON SUSTS. **complejo** *un complejo vitamínico para afrontar estados carenciales* **· compuesto · concentrado · preparado || inyección · pastilla · píldora || suplemento · complemento || carencia · déficit · aporte** *alimentos con un aporte vitamínico superior* **|| tratamiento**

vítores s.m.pl.

• CON ADJS. **exaltados · encendidos** *recibir a los héroes con vítores encendidos* · **apasionados · calurosos || estridentes · estruendosos || numerosos · abundantes · reiterados**
• CON VBOS. **lanzar · dar · gritar || arrancar** *El cantante logró arrancar numerosos vítores al público* · **conseguir · recibir · merecer || estallar (en) · prorrumpir (en)**
• CON PREPS. **en medio (de) · entre**

vituallas s.f.pl.

• CON SUSTS. **aprovisionamiento (de) · proveedor,-a (de) || abundancia (de) · escasez (de) · problema (de) || almacén (de)**
• CON VBOS. **enviar · transportar** *Un grupo de soldados se encargaba de transportar las vituallas y las municiones* · **recoger || aprovisionarse (de) · proveer (de)**

vituperar v.

• CON ADVS. **duramente · en público** *Acostumbra a vituperar en público a los empleados*

viudedad s.f.

• CON SUSTS. **pensión (de)** *En caso de que solo exista un beneficiario con derecho a la pensión de viudedad...* · **paga (por/de) || estado (de)**

vivacidad s.f.

• CON ADJS. **gran(de) · extraordinaria** *Desde pequeño muestra una extraordinaria vivacidad* · **considerable || intensa · espontánea · alegre || increíble · insólita · innegable || idiomática · lingüística**
• CON VBOS. **demostrar · tener · reflejar** *un texto que refleja la vivacidad y la riqueza expresiva de la lengua coloquial* · **mostrar · perder || requerir · aportar || proporcionar · brindar · dar · otorgar** *Su intervención otorgó más vivacidad y ritmo al concierto* **|| gozar (de) || dotar (de)**
• CON PREPS. **con** *moverse con vivacidad*

vivamente adv.

• CON VBOS. **recomendar · aconsejar** *La profesora nos aconsejó vivamente la lectura de su artículo* · **incentivar · animar || interesar(se) · desear · esperar · necesitar · confiar || criticar · protestar · deplorar · desaprobar · reprochar || recordar · evocar · percibir** *La influencia árabe se percibe vivamente en muchos lugares de la región* · **captar || retratar · expresar · relatar · mostrar · testimoniar || aplaudir · elogiar** *Todos los invitados elogiaron vivamente la comida y la organización* · **agradecer · apoyar || impresionar · sorprender · preocupar(se) · amar · irritar || contrastar · arder** *Los troncos ardían vivamente en la chimenea*

vivas s.m.pl.

• CON ADJS. **encendidos · entusiastas || espontáneos** *Se oyeron algunos vivas espontáneos entre el público*
• CON VBOS. **llegar || dar · lanzar · gritar || acallar || oír**

vivencia s.f.

• CON ADJS. **rica · única · indescriptible · irrepetible · inolvidable || enriquecedora · gratificante || amarga · dura** *La separación fue una vivencia muy dura* · **difícil || anecdótica · trascendental · crucial · decisiva · determinante || cercana · lejana || a cuestas || personal** *Es una vivencia personal muy difícil de explicar* · **subjetiva · propia · ajena · colectiva || amorosa · cotidiana · religiosa · íntima · interior · infantil** *Aquellas fotos me trajeron a la memoria mis vivencias infantiles*
• CON SUSTS. **cúmulo (de)** *un cúmulo de vivencias inolvidable*
• CON VBOS. **venir (a la memoria) · aflorar || anidar || traer (a la memoria) · recordar · rememorar || experimentar || captar · recoger** *Esta historia recoge a la perfección nuestras vivencias de aquella época* · **mostrar · reflejar || compartir · contar · relatar · describir · narrar · desgranar || falsear · fingir · magnificar || alimentar(se) (de) · profundizar (en)**

víveres s.m.pl.

• CON SUSTS. **suministro (de) · distribución (de)** *ocupados en la distribución de víveres y la evacuación de personas* · **entrega (de) · abastecimiento (de) || lanzamiento (de) · transporte (de) || tienda (de) · almacén (de) · comercio (de) || falta (de)** *La falta de víveres provocó grandes hambrunas durante la guerra* · **escasez (de) || cargamento (de) || adquisición (de) · compra (de)**
• CON VBOS. **agotar(se) || perecer · estropear(se) || comprar · adquirir · almacenar || administrar · distribuir · entregar · repartir || llevar · suministrar · transportar || abastecer (de) · cargar (de) || disponer (de)** *Disponemos de víveres para una semana*

viveza s.f.

• CON ADJS. **gran(de) · extraordinaria** *Sus ojos poseían una extraordinaria viveza* · **admirable · sorprendente || dotado,da (de) · lleno,na (de)**
• CON VBOS. **adquirir · cobrar · ganar** *Los diálogos de sus películas fueron ganando viveza* **|| dar || tener · irradiar · transmitir || revelar · reflejar · demostrar || conservar** *Conserva toda la viveza de su juventud* · **mantener · perder || realzar · subrayar**
• CON PREPS. **con** *expresarse con viveza*

vividor, -a

1 vividor, -a adj.

• CON SUSTS. **fama (de)** *Tiene fama de gran vividor*

2 vividor, -a s.

• CON ADJS. **gran**
• CON SUSTS. **alma (de) · espíritu (de)**

vivienda s.f.

• CON ADJS. **lujosa** *una vivienda muy lujosa, con todas las comodidades* · **luminosa · gran(de) · cómoda · confortable || precaria · humilde · modesta · ruidosa · oscura · húmeda || primera** *importantes ventajas fiscales para la adquisición de la primera vivienda* · **segunda · familiar · ilegal || céntrica** *buscar una vivienda céntrica* · **a las afueras || tradicional · moderna · rural || comunal · colectiva · adosada · unifamiliar || oficial · protegida** *una nueva promoción de viviendas protegidas*
• CON SUSTS. **plan (de) · programa (de) · ley (de) · mercado (de) · oferta (de)** *La oferta de viviendas en esta zona es muy elevada* · **demanda (de) || problema (de) || gasto (de) || acceso (a)**
• CON VBOS. **derrumbar(se)** *Numerosas viviendas se derrumbaron con el terremoto* · **quemar(se) || ocupar · tener · poseer** *Posee varias viviendas en propiedad* **|| adquirir · comprar · vender · subastar · alquilar · realquilar · hipotecar || derruir(se) · construir · edificar · diseñar · decorar · amueblar || reparar · arreglar · modernizar · rehabilitar** *Están rehabilitando las viviendas más antiguas* · **reformar · remozar || habitar (en) · vivir (en)** *Vive en una moderna vivienda de las afueras* · **residir (en) || acceder (a)**

viviente adj.

• CON SUSTS. **mito** *Este actor fue un mito viviente en su época* · **leyenda · historia || símbolo · imagen · ejemplo**

· **expresión** · **prueba** || **bicho** · **ser** · **organismo** · **muerto,ta** · **fósil** || **belén** *En este pueblo montan todos los años un belén viviente* · **pesebre** · **estatua** · **ajedrez**

vivir v.

● CON SUSTS. **vida** · **aventura** *En nuestro viaje vivimos una apasionante aventura* · **experiencia** · **acontecimiento** || **emoción** · **amor** || **música** · **cine** · **afición** · **deporte** *vivir el deporte intensamente* · **fútbol** · **baloncesto** || **día** · **mes** · **semana** · ***otros períodos***

● CON ADVS. **a un tiro de piedra** *Mi hermano vive a un tiro de piedra de aquí* · **cerca** · **lejos** || **día a día** · **constantemente** · **diariamente** · **cotidianamente** || **exclusivamente** *Vives exclusivamente para tu trabajo, deberías salir más* · **únicamente** || **a lo grande** · **a cuerpo de rey** · **a todo tren** *...entre artistas y empresarios que viven a todo tren* · **como un rey** · **como una reina** · **como un {marajá/rajá}** || **holgadamente** · **acomodadamente** · **desahogadamente** · **sin estrecheces** || **a duras penas** · **con apuros** · **con dificultad** · **con lo justo** · **precariamente** · **modestamente** *...un personaje que siempre prefirió deber dinero a vivir modestamente* || **arrastradamente** · **austeramente** || **de milagro** || **plácidamente** · **felizmente** · **cómodamente** · **esperanzadamente** || **sanamente** · **sano** || **honradamente** · **decentemente** · **decorosamente** · **dignamente** · **civilizadamente** || **coherentemente** || **a {mi/tu/su...} aire** · **a tope** · **ávidamente** · **intensamente** · **peligrosamente** · **vertiginosamente** · **desenfrenadamente** · **a trancas y barrancas** · **a salto de mata** || **en carne propia** · **en carne y hueso** *Es una experiencia que tienes que vivir en carne y hueso para poder entenderla* · **de cerca** || **para siempre** · **eternamente** · **indefinidamente** · **largamente**

[vivo, va]

→ a lágrima viva; al rojo vivo; de viva voz; en vivo; vivo, va

vivo, va adj.

▌[que tiene vida]

● CON SUSTS. **ser** *Los seres vivos nacen, se reproducen y mueren* · **especie** · **organismo** · **célula** · **materia** · **roca** || **escritor,-a** · **protagonista** · **testigo** · ***otros individuos***

● CON VBOS. **estar** · **seguir** · **dejar** · **sentir(se)** · **mantener(se)**

▌[dinámico, con energía]

● CON SUSTS. **profesor,-a** · **chico,ca** *Es una chica entusiasta, viva y animosa* · **jugador,-a** · ***otros individuos*** || **ciudad** · **barrio** · **zona** · **país** || **tendencia** · **corriente** · **movimiento** || **partido** · **juego** || **época** · **año** · **semana** *una semana muy viva desde el punto de vista cultural* · ***otros períodos*** || **literatura** · **cine** · **arquitectura** · **poesía** · **pintura** · **arte** · ***otras disciplinas artísticas*** || **novela** · **relato** *Sus relatos se caracterizan por ser muy vivos* · **película** · ***otras creaciones*** || **lenguaje** · **palabra** · **mensaje** · **letra** || **idea** · **concepto** · **pensamiento** || **descripción** · **representación** · **narración** · **exposición** || **fuego** · **calor** · **llama** · **temperatura** || **conciencia** · **espíritu** · **esencia** || **debate** · **polémica** · **rechazo** · **oposición** · **enfrentamiento** · **controversia** · **discusión** · **diálogo** · **intercambio** · **conflicto** · **crítica** || **ritmo** · **compás** · **música** *una música viva y alegre* · **danza**

▌[intenso]

● CON SUSTS. **rojo** *Llevaba un pantalón de un rojo vivo* · **amarillo** · ***otros colores*** || **sensación** · **emoción** · **sentimiento** · **amor** · **amistad** · **alegría** · **satisfacción** · **orgullo** · **odio** · **preocupación** || **deseo** · **interés** · **curiosidad** · **atención** · **esperanza** · **expectativa** · **sueño**

▌[vigente, actual]

● CON SUSTS. **ejemplo** *Era un ejemplo vivo de libertad y dignidad* · **testimonio** · **referente** · **prueba** · **muestra** · **símbolo** || **tradición** · **costumbre** *Lucha por mantener vivas las costumbres de sus antepasados* · **historia** · **leyenda** · **mito** · **raíz** · **folclore** || **posibilidad** · **opción** · **necesidad** *una necesidad viva entre mucha gente* · **urgencia**

▌[vivaz, expresivo]

● CON SUSTS. **ojos** *Tiene unos ojos muy vivos* · **mirada** · **gesto** · **expresión**

□ EXPRESIONES **en vivo*** [en persona]

vizconde, -sa s.m.

Véase **TÍTULO NOBILIARIO**

vocabulario s.m.

● CON ADJS. **amplio** · **rico** · **expresivo** · **preciso** || **accesible** · **fácil** · **sencillo** *un cuento infantil con vocabulario claro y sencillo* · **básico** · **esencial** || **propio** · **personal** || **escaso** · **limitado** · **pobre** · **reducido** · **mínimo** || **especializado** · **técnico** · **científico**

● CON SUSTS. **problema (de)** · **escasez (de)** · **falta (de)** · **pobreza (de)** || **riqueza (de)** || **utilización (de)** · **ejercicio (de)**

● CON VBOS. **adquirir** · **aprender** *Con este método aprenderás fácilmente el vocabulario básico* || **tener** · **poseer** · **conocer** · **dominar** || **usar** · **emplear** · **manejar** *Manejas un vocabulario muy amplio para llevar tan poco tiempo estudiando español* || **mejorar** · **ampliar** · **aumentar** · **enriquecer** || **olvidar** · **perder**

vocación s.f.

● CON ADJS. **acusada** · **desmedida** || **decidida** · **segura** · **sólida** · **firme** · **irrenunciable** || **clara** *Siento una clara vocación por la investigación* · **patente** · **inequívoca** · **manifiesta** · **nítida** || **ardiente** · **ferviente** || **prematura** · **tardía** *una vocación política tardía* · **temprana** · **innata** || **oculta** || **artística** · **literaria** · **científica** · **religiosa** · **poética** · **política** · **deportiva** · **social**

● CON SUSTS. **falta (de)** · **crisis (de)** · **escasez (de)** · **caída (de)**

● CON VBOS. **frustrar(se)** · **malograr(se)** · **truncar(se)** || **surgir** || **tener** · **sentir** || **cimentar** · **echar a perder** || **errar** *Me di cuenta demasiado tarde de que había errado mi vocación*

● CON PREPS. **de** *una periodista de vocación* · **con** *un proyecto con vocación de continuidad* · **sin**

vocacional adj.

● CON SUSTS. **orientación** *proporcionar orientación vocacional a los estudiantes* · **crisis** || **escuela** · **carrera** · **centro** · **colegio** · **taller** || **político,ca** · **cantante** *En su autobiografía se presenta como una cantante vocacional* · **músico,ca** · **artista** · **periodista** · **escritor,-a** · **médico,ca** · **profesor,-a** · **militar** · ***otros profesionales*** || **oficio** · **profesión** · **trabajo**

● CON ADVS. **totalmente** *Su dedicación a la enseñanza es totalmente vocacional* · **completamente**

vocalizar v.

● CON ADVS. **correctamente** *Los actores tienen que aprender a vocalizar correctamente* · **adecuadamente** · **perfectamente** · **claramente**

vocear v.

● CON SUSTS. **mercancía** · **producto** · **artículo** || **orden** || **intención** · **plan** · **proyecto** · **resolución**

● CON ADVS. **a los cuatro vientos** *Los vendedores voceaban sus mercancías a los cuatro vientos* · **públicamente**

vodka s.m.

• CON ADJS. **frío · casero · local · de contrabando**
• CON SUSTS. **dosis (de) · combinado (de) · petaca (de) · bidón (de) · barril (de) || bebedor,-a (de) || marca (de) · destilería (de) · importación (de)**
➤ Véase también **BEBIDA**

[volandas] → en volandas

volantazo s.m.

• CON ADJS. **brusco · repentino || amplio · importante · soberbio**
• CON VBOS. **dar** *Tuve que dar un volantazo para esquivar el coche que venía de frente* · **pegar || evitar**

volar v.

▮ [moverse por el aire]
• CON SUSTS. **pájaro · cigüeña · águila** *Las águilas volaban cerca de la cima de la montaña* · ***otras aves*** **|| mosca · abeja · mariposa ·** ***otros insectos*** **|| avión · helicóptero · avioneta · cometa · globo || papel**
• CON ADVS. **alto · a ras de {suelo/tierra}** *El ave volaba a ras de tierra en busca de alguna presa* · **bajo || de flor en flor**
• CON VBOS. **echar(se) (a) · lanzarse (a)**

▮ [desaparecer, pasar]
• CON SUSTS. **hora · mañana · día** *Los días vuelan y cada vez falta menos para volver* · **tiempo · vacaciones · año ·** ***otros periodos*** **|| dinero · éxito**

▮ [propagarse, correr]
• CON SUSTS. **noticia** *Las noticias vuelan; una hora después lo sabía todo el mundo* · **rumor · palabra**

▮ [estar o quedar libre]
• CON SUSTS. **fantasía · imaginación** *Cierren los ojos y dejen volar su imaginación*

▮ [explotar]
• CON SUSTS. **coche · edificio · instalación**
• CON ADVS. **en (mil) pedazos** *Con el accidente la fábrica de pólvora voló en mil pedazos* · **hecho {añicos/pedazos/trizas} · por los aires**

volátil adj.

▮ [que pasa al estado de vapor con facilidad]
• CON SUSTS. **líquido · combustible · producto · componente · compuesto · sustancia** *Contiene gas y otras sustancias volátiles* **|| composición**
• CON VBOS. **hacer(se)**

▮ [inconstante, mudable]
• CON SUSTS. **carácter · temperamento** *Es una persona inmadura y de temperamento volátil* · **comportamiento · actitud || idea · pensamiento || ambiente · contexto · clima || dinero · valor · mercado · precio · capital || forma · elemento**

volatilizarse v.

▮ [transformarse en vapor]
• CON SUSTS. **líquido · sustancia · combustible · alcohol** *...se pone en el fuego para que se volatilice el alcohol* · **materia · producto**

▮ [desaparecer rápidamente] *col.*
• CON SUSTS. **dinero** *No sé en qué lo gasto, pero el dinero se volatiliza en mis manos* · **deuda · sueldo · salario · paga · asignación || recursos · capital**

volcán s.m.

• CON ADJS. **en erupción · activo · dormido · apagado || marino · submarino || nevado**
• CON SUSTS. **boca (de) · cráter (de) · cima (de) · cumbre (de) · ladera (de) || erupción (de)** *La última erupción del volcán se produjo en el año...* · **explosión (de) || cercanías (de) · aledaños (de) · falda (de)**
• CON VBOS. **entrar en erupción** *Varias personas resultaron heridas al entrar en erupción un volcán de forma inesperada* · **hacer erupción · erupcionar · explotar || dormir · desperezarse · rugir · activarse || despedir (lava) · expulsar (lava)**
• CON PREPS. **al pie (de)**

volcánico, ca adj.

• CON SUSTS. **roca · piedra · ceniza** *La ceniza volcánica puede afectar al aparato respiratorio* · **lava · magma · tierra || erupción · actividad · explosión || geografía · paisaje || zona · isla · área || base · formación · origen** *un archipiélago de origen volcánico* **|| amenaza · fenómeno || falla**

volcarse v.

• CON ADVS. **de lleno** *Se volcó de lleno en ayudar a la población afectada* · **de pleno · en cuerpo y alma · íntegramente · por completo · en exclusiva || intensamente · decididamente || abnegadamente · generosamente || en masa** *Los vecinos se volcaron en masa para ayudar a las víctimas del accidente*

volea s.f.

• CON ADJS. **ganadora · espectacular** *Los aficionados aplaudieron la espectacular volea* · **extraordinaria · potente · certera · tremenda · soberbia · espléndida · genial · acertada · envenenada · con efecto · mortífera · matadora · imparable · violenta || desastrosa · fallida || cruzada · colocada · escorada · baja · de revés · de zurda · acrobática**
• CON SUSTS. **remate (de) · gol (de)** *El delantero marcó un gran gol de volea* · **centro (de) · tiro (de)**
• CON VBOS. **lanzar · colocar · enviar · conectar · enganchar || fallar || parar · detener || rematar (de) · empalmar (de) · marcar (de)** *En el último minuto, la jugadora marcó de volea* · **anotar (de) || responder (a)**

voleibol s.m.

• CON ADJS. **de playa · de sala**
• CON SUSTS. **malla (de) · pelota (de)**
➤ Véase también **DEPORTE**

[voleo] → a voleo

volframio s.m. Véase **wolframio**

voltaje s.m.

• CON ADJS. **alto** *líneas de alto voltaje* · **pequeño · bajo · estable || eléctrico || erótico · emocional || político**
• CON SUSTS. **subida (de) · bajada (de) · variación (de) · sobrecarga (de)** *La sobrecarga de voltaje ha dañado los equipos informáticos*
• CON VBOS. **subir · bajar · estabilizar**

voluble adj.

• CON SUSTS. **público · audiencia · sociedad · persona ·** ***otros individuos y grupos humanos*** **|| carácter** *un chico con un carácter muy voluble* · **comportamiento · actitud · voluntad || meteorología**

volumen s.m.

▌ [tamaño]

• CON ADJS. **enorme** *El paquete tenía un volumen enorme* · **gran(de)** · **abultado** · **desmedido** · **colosal** · **acusado** · **ingente** || **escaso** · **insignificante** · **pequeño** || **suficiente** · **insuficiente** || **proporcional** · **desproporcionado** || **aproximado** *Desconozco el volumen aproximado de la caja*

• CON VBOS. **aumentar** · **crecer** · **incrementar(se)** *El volumen de ventas de nuestra empresa se incrementó respecto al año pasado* · **acrecentar(se)** || **disminuir** · **decrecer** || **dar (a algo)** *¿Tu viejo champú no da volumen a tu pelo?* || **adquirir** · **cobrar** *Su figura literaria va cobrando volumen poco a poco* · **tomar** || **calibrar** · **calcular** · **medir** · **comprobar** || **perder** · **mantener** · **conservar**

▌ [intensidad de un sonido]

• CON ADJS. **alto** · **a tope** · **bajo**

• CON VBOS. **subir** · **bajar** *bajar el volumen de la radio* · **regular**

[voluntad] → a voluntad; voluntad

voluntad s.f.

• CON ADJS. **de hierro** *Siempre admiraré su voluntad de hierro* · **firme** · **sólida** · **inalterable** · **férrea** · **inquebrantable** · **decidida** · **determinante** · **tenaz** · **persistente** · **potente** · **titánica** || **expresa** · **manifiesta** · **inequívoca** · **clara** · **indudable** · **diáfana** || **acaparadora** · **ciega** || **débil** *El problema es que es de voluntad débil* · **escasa** · **frágil** · **inconstante** · **imprevisible** · **quebradiza** || **mala** · **perversa** || **buena** · **loable** · **propicia** · **legítima** || **personal** · **santa** *Siempre tiene que hacer su santa voluntad* · **discrecional** || **plena** · **unánime** || **última** || **acorde (con)**

• CON SUSTS. **fuerza (de)** *Necesita mucha fuerza de voluntad para seguir adelante* · **acto (de)** · **demostración (de)** · **manifestación (de)** · **ejercicio (de)** · **esfuerzo (de)** || **falta (de)** · **ausencia (de)** · **problema (de)** || **cuestión (de)**

• CON VBOS. **constar** *el documento en el que consta su última voluntad* || **hacer(se) realidad** || **fallar (a alguien)** · **flaquear** *En el último momento, le empezó a flaquear la voluntad* · **torcer(se)** · **quebrantar(se)** · **quebrar(se)** · **ablandar(se)** || **robustecer(se)** · **afianzar(se)** · **fortalecer(se)** || **primar** · **anidar** · **converger** || **traslucir(se)** *Sus palabras traslucían una voluntad inquebrantable* || **ejercer** · **imponer** *En el viaje intentó imponernos su voluntad* · **hacer** · **ejercitar** || **expresar** · **dejar claro** *Dejó muy clara su última voluntad* · **dejar escrito** · **testimoniar** · **hacer pública** · **manifestar** || **ocultar** || **cumplir** · **obedecer** · **acatar** · **atender** · **satisfacer** · **saciar** || **desoír** · **desatender** · **desobedecer** · **incumplir** · **contravenir** || **acallar** · **distorsionar** · **socavar** · **minar** · **obstaculizar** · **pisotear** · **tergiversar** · **violar** || **despertar** *una medida que ha despertado la voluntad de cambio* · **concitar** || **poner a prueba** || **coaccionar** · **atenazar** · **doblegar** || **aglutinar** · **aunar** *con el propósito de aunar todas las voluntades para alcanzar nuestro objetivo* · **conciliar** · **conjuntar** || **rebasar** · **vencer** || **deducir** · **averiguar** · **adivinar** || **tener** || **demostrar** · **revelar** · **reflejar** || **hacer caso (a)** · **someter(se) (a)** *No me someteré nunca a su voluntad* · **plegar(se) (a)** || **armarse (de)**

• CON PREPS. **con** *Acude al encuentro con voluntad de diálogo* · **sin**

voluntario, ria adj.

• CON SUSTS. **personal** || **decisión** · **elección** · **opción** || **exilio** · **retiro** · **excedencia** · **baja** *Si pides la baja voluntaria, no tendrás derecho a...* · **jubilación** · **dimisión** · **renuncia** || **acto** · **presencia** · **comparecencia** · **compromiso** · **presentación** || **aportación** · **donación** *un proyecto que se sustenta gracias a donaciones voluntarias* · **colaboración** · **cuota** · **donativo** · **pago** · **entrega** · **devolución** || **interrupción** · **retraso** *Llegado el momento, el trabajador podrá optar por el retraso voluntario de la jubilación* · **prolongación** || **trabajo** · **servicio militar** || **declaración** || **ayuno** *Los trabajadores llevan dos días encierro y ayuno voluntario como gesto de protesta por el cierre de la fábrica*

voluntarioso, sa adj.

• CON SUSTS. ***persona*** *Mi madre es una mujer decidida y voluntariosa* || **carácter** · **actitud** || **intento** · **insistencia** · **entrega** · **dedicación** · **intención** · **empeño** · **entusiasmo** || **trabajo** · **labor** *gracias a la voluntariosa labor de los empleados* · **esfuerzo** · **faena** · **obra**

• CON VBOS. **volverse**

vómito s.m.

• CON SUSTS. **síntoma (de)** · **conato (de)**

• CON VBOS. **producir** · **provocar** *Esta medicación puede provocar mareos y vómitos* || **tener** · **sufrir** · **padecer** || **evitar** · **calmar** || **reprimir** · **retener** · **aguantar**

voracidad s.f.

• CON ADJS. **feroz** · **descomunal** · **desmedida** · **pantagruélica** · **gran(de)** · **enorme** · **increíble** || **incontenible** · **insaciable** · **implacable** || **peligrosa** · **morbosa** · **enfermiza** || **consumista** *En su discurso criticaba muy duramente la voracidad consumista* · **urbanizadora** · **especuladora** · **inmobiliaria** · **financiera** · **recaudatoria** · **centralizadora** · **goleadora** · **sexual**

• CON VBOS. **frenar** · **atemperar** · **reducir** · **controlar** · **combatir** || **estimular** · **alimentar** *una medida que alimenta aún más la insaciable voracidad especuladora* · **alentar** || **saciar** · **satisfacer** || **denunciar** · **criticar** || **resistir (a)**

• CON PREPS. **con** *Abrió inmediatamente la carta y la leyó con voracidad*

vorágine s.f.

• CON ADJS. **enorme** · **tremenda** || **enfebrecida** · **febril** · **frenética** · **incesante** || **plena** *metidos de nuevo en plena vorágine electoral* || **cotidiana** · **habitual** || **informativa** · **mediática** · **normativa** · **electoral** · **urbanizadora** · **urbanística** *intentos inútiles de frenar la vorágine urbanística* · **automovilística** || **envuelto,ta (en)** · **inmerso,sa (en)** · **metido,da (en)**

• CON VBOS. **estallar** · **desatar(se)** || **absorber (algo)** · **engullir (algo)** *La vorágine de la gran ciudad engulle y anula al individuo* · **arrastrar (algo)** · **arrollar (algo)** || **frenar** · **combatir** · **controlar** || **lanzar(se) (a)** · **meter(se) (en)** · **caer (en)** · **perder(se) (en)** · **sumir(se) (en)** || **escapar (a/de)** · **salir (de)** · **huir (de)** *Intenté huir de la frenética vorágine que me rodeaba* · **resistir(se) (a)** || **dejarse llevar (por)** · **enfrentarse (a)**

• CON PREPS. **en medio (de)**

voraz adj.

• CON SUSTS. ***persona*** *Un niño voraz y glotón* || **consumidor,-a** · **lector,-a** *un lector voraz de novelas policíacas* || **fuego** · **incendio** *Un incendio voraz acabó con la vegetación* || **apetito** · **hambre** || **mercado** · **consumo** || **lectura** || **curiosidad** || **mirada** · **ojos** *Miraba el escaparate de la pastelería con ojos voraces*

• CON VBOS. **hacerse** · **volverse**

vorazmente adv.

• CON VBOS. **comer** *Los niños comieron vorazmente la merienda* · **consumir** · **leer** · **devorar** · **ingerir** · **chupetear** || **lanzarse (sobre algo)**

votación s.f.

● CON ADJS. **apretada** · **reñida** *La votación fue muy reñida porque los candidatos estaban muy igualados* || **masiva** · **unánime** || **decisiva** · **crucial** · **determinante** || **a favor** · **favorable** · **en contra** · **desfavorable** || **a mano alzada** · **a puerta cerrada** *una votación a puerta cerrada para evitar intromisiones* · **por correo** · **público** · **secreta** || **proporcional** || **válida** · **inválida** || **vinculante** · **consultiva**

● CON SUSTS. **sistema (de)** · **centro (de)** · **mesa (de)** · **acta (de)** || **resultado (de)** *Todavía no se conoce el resultado de la votación*

● CON VBOS. **producir(se)** · **tener lugar** || **realizar** · **efectuar** · **llevar a cabo** *Llevamos a cabo una votación para decidir qué hacíamos* · **celebrar** || **boicotear** · **condicionar** · **impedir** · **obstaculizar** || **anular** *anular una votación por defecto de forma* · **suspender** · **retrasar** || **impugnar** · **denunciar** · **cuestionar** || **amañar** || **vigilar** · **controlar** || **ganar** *ganar una votación por mayoría absoluta* · **perder** · **empatar** || **lograr** · **conseguir** || **resolver** · **dirimir** || **someter(se) (a)** *Someteremos el acuerdo a votación*

votante s.com.

● CON ADJS. **actual** · **antiguo,gua** · **nuevo,va** · **joven** · **potencial** || **de izquierdas** · **de derechas** · **liberal** · **conservador,-a** || **indeciso,sa** *...promesas de última hora para ganarse a los votantes indecisos*

● CON SUSTS. **número (de)** · **mayoría (de)** *La mayoría de los votantes prefiere mantener su voto en secreto* · **cantidad (de)** · **porcentaje (de)** · **grupo (de)** || **inscripción (de)** · **lista (de)** *No encontré mi nombre en la lista de votantes* · **censo (de)** · **fila (de)** || **apoyo (de)** · **confianza (de)** · **voluntad (de)** || **preferencia (de)** · **elección (de)** · **dilema (de)**

● CON VBOS. **elegir (algo/a alguien)** · **decidir (el voto)** · **dudar** || **atraer** *Han ampliado la campaña para intentar atraer a más votantes* · **captar** · **convencer** · **seducir** · **entusiasmar** || **conseguir** · **ganar** · **mantener** · **perder** || **pedir (a)** *pedir a los votantes su participación*

votar v.

● CON SUSTS. **idea** · **iniciativa** · **plan** *Hay que votar el plan antes de aprobarlo* · **propuesta** · **proyecto** · **reforma** || **acuerdo** · **convenio** · **pacto** || **resolución** *Votaremos la resolución si lo pide la mayoría* · **decisión** || **ley** · **norma** · **medida** || **candidatura** *Pedía a todo el mundo que votaran su candidatura* · **elección** · **investidura** || **acusación** · **moción**

● CON ADVS. **abrumadoramente** · **en masa** *Los socios votaron en masa la elección del nuevo presidente* · **masivamente** || **por mayoría** · **por unanimidad** || **a mano alzada** *Votaremos a mano alzada para acabar antes* · **a puerta cerrada** · **en secreto** · **por correo** || **democráticamente** · **libremente** · **{con/sin} coacción** || **a favor** *Yo voté a favor del acuerdo* · **afirmativamente** · **en contra** · **a la contra** · **negativamente** · **en blanco**

● CON VBOS. **abstenerse (de)**

voto

1 **voto** s.m.

● CON ADJS. **decisivo** · **determinante** · **testimonial** · **particular** *Los miembros del jurado pueden emitir un voto particular* || **nulo** · **válido** || **a favor** · **afirmativo** · **favorable** · **contrario** · **en contra** · **a la contra** · **negativo** · **en blanco** *En la votación no hubo ningún voto en blanco* || **masivo** · **mayoritario** · **unánime** || **sobrado,da (de)** · **suficiente** · **insuficiente** || **a mano alzada** · **secreto** · **por correo** || **libre** · **cautivo** · **ferviente** || **indeciso** · **sin decidir** || **escasos** · **numerosos** || **agrario** · **urbano** · **local** || **en bandeja**

● CON SUSTS. **derecho (a)** · **recuento (de)** *El recuento de votos concluirá en breve* · **escrutinio (de)** · **conteo (de)** · **búsqueda (de)**

● CON VBOS. **aumentar** · **crecer** *Los votos a favor de la nueva formación política crecieron espectacularmente en las siguientes elecciones* · **afianzar(se)** || **disminuir** || **emitir** · **hacer** || **cosechar** · **conseguir** *Su propuesta no consiguió los votos suficientes para pasar a la fase siguiente* · **lograr** · **obtener** · **recibir** · **ganar** || **perder** · **arañar** · **rebañar** || **aglutinar** · **concentrar** *Este partido concentra la mayoría de los votos de la zona* · **reunir** · **poseer** · **tener** · **aunar** || **pedir** · **recabar** · **solicitar** · **necesitar** || **pensar** · **meditar** || **coaccionar** · **condicionar** *Negué que aquellas declaraciones hubieran condicionado mi voto* · **orientar** · **determinar** · **decidir** || **impedir** · **restringir** · **limitar** || **ejercer** · **ejercitar** · **delegar** || **amañar** · **comprar** || **anular** · **impugnar** || **calcular** · **contar** *Ahora mismo están contando los votos en contra* || **influir (en)**

2 **voto (de)** s.m.

● CON SUSTS. **confianza** *Pedí a la directiva un voto de confianza para mi gestión y me lo concedió* · **adhesión** · **apoyo** · **aprobación** || **castigo** · **censura** · **protesta** · **rechazo** · **silencio** || **calidad** *El voto de calidad de la presidenta permite resolver un empate en la votación* || **castidad** · **pobreza** · **obediencia** · **humildad**

[voz]

→ a media voz; a voces; a voz en grito; de viva voz; voz

voz s.f.

● CON ADJS. **portentosa** · **prodigiosa** *Los críticos alabaron su prodigiosa voz* · **de oro** · **celestial** || **cálida** *Contestó una voz cálida y aterciopelada* · **delicada** · **apacible** · **dulce** · **reposada** · **meliflua** || **clara** · **cristalina** · **diáfana** · **transparente** || **musical** · **cadenciosa** · **cantarina** · **siseante** · **sonora** · **plena** || **aguda** · **alta** · **penetrante** · **chillona** · **estridente** · **atiplada** · **aflautada** · **de pito** · **baja** || **firme** *El acusado contestó con voz firme* · **fuerte** · **grave** · **rotunda** · **honda** · **profunda** · **redonda** · **segura** || **atronadora** · **estentórea** · **cavernosa** · **gutural** · **bronca** · **imperativa** || **imperceptible** · **inaudible** · **ahogada** · **débil** · **apagada** · **quebradiza** || **áspera** · **seca** · **acerada** · **cortante** || **ronca** · **tomada** *Tengo la voz tomada de tanto hablar* · **quebrada** · **destemplada** · **desafinada** · **rota** · **cacofónica** || **sepulcral** · **espectral** · **fantasmal** · **de ultratumba** · **lúgubre** · **lastimera** · **quejumbrosa** || **temblorosa** *Su voz temblorosa me hizo pensar que ocurría algo* · **vibrante** · **trémula** · **entrecortada** · **insegura** · **indecisa** || **afectada** · **altisonante** · **campanuda** · **hueca** || **discordante** *la única voz discordante en toda la reunión* · **disonante** · **unánime** · **alarmante** || **de mando** || **pletórico,ca (de)**

● CON SUSTS. **chorro (de)** · **torrente (de)** · **golpe (de)** · **hilo (de)** · **soplo (de)** || **timbre (de)** · **tono (de)** · **eco (de)** || **juego (de)**

● CON VBOS. **alzar(se)** *Una voz se alzó entre la muchedumbre* · **brotar** · **salir** · **surgir** || **ahogar(se)** · **apagar(se)** · **quebrárse(le) (a alguien)** · **entrecortar(se)** · **caer en el vacío** · **perder(se)** || **madurar** · **resonar** · **retumbar** · **salir(le) (a alguien)** || **llegar (a alguien)** || **delatar (a alguien)** || **dar** *Tuve que darles una voz para que me escucharan* · **lanzar** · **pegar** || **elevar** · **subir** · **levantar** · **bajar** || **oír** · **escuchar** · **percibir** · **reconocer** · **identificar** || **aglutinar** · **aunar** *una asociación que ha sido capaz de aunar las voces de los distintos dirigentes a favor de...* · **concertar** · **conjuntar** || **silenciar** · **callar** · **acallar** · **amordazar** · **sofocar** || **desoír** || **amortiguar** *Las paredes amortiguaban las voces de la calle* · **tapar** · **amplificar** || **tener** || **afinar** · **templar** · **modular** · **impostar**

□ EXPRESIONES **a {dos/tres/cuatro...} voces** [conjuntadas armónicamente] *una cantata a cuatro voces* || **a voz en grito*** [muy alto o gritando] || **correr la voz** [divulgar una noticia] || **de viva voz*** [de palabra] || **llevar la voz cantante** [imponerse a otros]

vudú s.m.

• CON SUSTS. **magia (de)** · **sacerdote (de)** · **sacerdotisa (de)** · **muneco (de)** · **hechizo (de)** · **invocación (de)** · **danza (de)** · **dios,-a (de)** || **corriente (de)** · **rama (de)** || **símbolo (de)** · **rito (de)** · **ritual (de)** · **filosofía (de)** · **espíritu (de)** · **estética (de)** || **influencia (de)** · **práctica (de)** · **historia (de)** || **cuna (de)** · **santuario (de)**
• CON VBOS. **propagar** · **difundir** · **combatir** · **hacer (a alguien)** *Todo me sale mal y parece que me están haciendo vudú*

[vuelco] → dar un vuelco; vuelco

vuelco s.m.

• CON ADJS. **absoluto** · **completo** · **radical** · **total** · **irreversible** || **repentino** · **súbito** · **brusco** || **significativo** · **enorme** · **importante** *El vuelco electoral fue importante, pero no irreversible* · **sustancial** · **espectacular** · **extraordinario** || **inesperado** · **sorprendente** · **asombroso** · **inexplicable** || **decisivo** · **fundamental** · **definitivo** || **electoral** · **político**
• CON VBOS. **producir(se)** || **dar** *La negociación dio un vuelco cuando la parte contraria decidió aceptar sus condiciones* · **pegar** || **experimentar** · **sufrir** || **provocar** · **causar**

□ EXPRESIONES **dar** (a alguien) **un vuelco el corazón** [sentir un sobresalto interior]

[vuelo] → al vuelo; vuelo

vuelo s.m.

• CON ADJS. **feliz** *La tripulación les desea un feliz vuelo* · **agradable** · **cómodo** · **placentero** · **llevadero** || **accidentado** · **azaroso** · **fatídico** || **rasante** · **raso** · **en picado** *el vuelo en picado de una avioneta* || **fulgurante** · **breve** · **rápido** || **de ida y vuelta** || **sin motor** || **económico** · **barato** · **caro** · **a buen precio**
• CON SUSTS. **simulador (de)** || **autonomía (de)** · **control (de)** · **plan (de)** || **hora (de)** *Después de ocho horas de vuelo...* · **tiempo (de)** || **pasajero,ra (de)** · **instructor,-a (de)** · **comandante (de)** · **auxiliar (de)**
• CON VBOS. **alzar** · **emprender** · **levantar** *Los pájaros levantaron el vuelo en cuanto nos acercamos* · **remontar** || **tomar** · **esperar** || **efectuar** · **realizar** || **ensayar** · **practicar** || **iniciar** · **terminar** || **reservar**
• CON PREPS. **a bordo (de)**

□ EXPRESIONES **al vuelo*** [con rapidez o en el aire] *col.* || **de altos vuelos** [muy importante] *col.*

[vuelta] → dar vueltas (a); de ida y vuelta; de vuelta; vuelta

vuelta s.f.

I [movimiento alrededor de algo]

• CON ADJS. **vertiginosa** · **rápida** || **completa** · **de campana** · **en el aire** || **en círculo** *El helicóptero daba vueltas en círculo* || **repetidas** · **constantes** · **interminables**
• CON VBOS. **dar** · **ejecutar** · **realizar** *La patinadora realizó una vuelta sobre sí misma a gran velocidad* · **llevar a cabo**

I [regreso]

• CON ADJS. **inesperada** · **súbita** · **repentina** *Su vuelta repentina me cogió por sorpresa* || **deseada** · **ansiada** · **esperada** || **oportuna** · **inoportuna** || **apoteósica**
• CON SUSTS. **viaje (de)** *El viaje de vuelta se me ha hecho muy corto* · **camino (de)** · **trayecto (de)** · **vuelo (de)** || **partido (de)** · **encuentro (de)** *El encuentro de vuelta se jugará en este estadio* || **billete (de)**
• CON VBOS. **emprender** *Tenemos que emprender la vuelta si queremos llegar a tiempo* · **iniciar** || **dar** · **pegar** || **aclamar** · **aplaudir** *Los críticos aplaudieron la vuelta de la famosa actriz a los escenarios* · **criticar** || **esperar** · **anunciar** · **comunicar** || **ir (de)** · **venir (de)** · **estar (de)**

I [dinero sobrante]

• CON VBOS. **quedarse** *Quédese con las vueltas, gracias* · **dar** · **entregar** || **comprobar** || **engañar (en)**

□ EXPRESIONES **a la vuelta de la esquina** [muy cerca] || **dar {cien/mil} vueltas** (a algo/a alguien) [ser superior a ello] *col.* || **dar una vuelta** [pasear] || **dar vueltas** (a algo)* [pensar repetidamente sobre ello] || **estar de vuelta** (de algo) [haberlo experimentado y superado] || **poner** (a alguien) **de vuelta y media** [hablar mal de él] *col.*

vulgaridad s.f.

• CON ADJS. **absoluta** · **extrema** · **tremenda** · **evidente** · **deliberada** · **espantosa** · **ostensible** · **insoportable** · **intolerable** || **vergonzosa** · **exasperante** *un espectáculo de una vulgaridad exasperante* · **ínfima**
• CON VBOS. **constituir** · **suponer** · **representar** || **mostrar** · **magnificar** · **resaltar** || **soportar** · **aguantar** · **tolerar** · **sufrir** || **bordear** || **rayar (en)** *Su falta de tacto raya en la vulgaridad* · **caer (en)**
• CON PREPS. **con** *comportarse con vulgaridad*

vulgarmente adv.

• CON VBOS. **vestir** · **hablar** · **expresar(se)** · **comportarse** || **decir** · **conocer** *una enfermedad que vulgarmente se conoce como...* · **llamar**

vulnerable adj.

• CON SUSTS. **punto** *los puntos vulnerables de una ley* · **aspecto** · **área** · **flanco** · **lado** · **espacio** || **grupo** · **sector** · **clase** · **miembro** · **segmento** || **naturaleza** · **carácter** || **situación** || **población** · **especie** · **colectivo** || ***persona*** || **sistema** *un sistema informático sumamente vulnerable* · **defensa** · **resistencia** || **fortificación** · **castillo** · **ciudad** · **plaza**
• CON ADVS. **especialmente** · **particularmente** *Soy particularmente vulnerable a las críticas cuando provienen de conocidos* · **extremadamente** · **altamente** || **físicamente** · **económicamente** || **emocionalmente** · **psicológicamente**
• CON VBOS. **hacer(se)** · **convertir(se) (en)** · **volver(se)** · **mantener(se)**

vulnerar v.

• CON SUSTS. **ley** · **principio** · **constitución** · **artículo** · **norma** · **regla** · **decreto** · **legislación** · **normativa** *Acusan a la empresa de vulnerar la normativa vigente sobre protección de datos* · **reglamento** · **mandato** · **ordenamiento** · **precepto** · ***otras disposiciones*** || **deseo** · **interés** · **voluntad** || **derecho** *Algunos vecinos creen que se han vulnerado sus derechos* · **libertad** · **autonomía** · **independencia** · **soberanía** || **vida privada** · **privacidad** · **intimidad** *La actriz demandará al fotógrafo por haber vulnerado su intimidad* · **dignidad** · **intimismo** || **acuerdo** · **compromiso** · **tratado** · **consenso** · **contrato** || **competencia** · **función** *Según la oposición, esta medida vulnera la función social de la educación* · **facultad** || **sistema** · **procedimiento** · **esquema** || **secreto** · **confidencialidad** || **límite** · **frontera** · **nivel** || **ciudad** *Los últimos actos vandálicos que han vulnerado la ciudad...* · **plaza** · **pueblo** · ***otros lugares*** || **portería** · **defensa** · **arco**
• CON ADVS. **abiertamente** · **a conciencia** · **frontalmente** || **impunemente** *derechos que no se pueden vulnerar impunemente* · **flagrantemente** || **repetidamente** · **reiteradamente** · **sistemáticamente**

W w

waterpolo s.m. Véase **DEPORTE**

whisky s.m.

• CON ADJS. **suave** · **fuerte** · **de reserva** · **añejo** · **de lujo** · **de garrafón** || **nacional** · **importado** · **de importación**
• CON SUSTS. **chorro (de)** · **chupito (de)** *Después de la cena nos tomamos un chupito de whisky* || **crema (de)** *Probamos una deliciosa crema de whisky* || **destilería (de)**
➤ Véase también **BEBIDA**

wolframio s.m.

• CON SUSTS. **mina (de)** · **yacimiento (de)** · **reserva (de)** · **fuente (de)** || **bombilla (de)** *Esta lámpara tiene una bombilla de wolframio*
• CON VBOS. **detectar** · **obtener** · **extraer** · **hallar** || **manipular** · **emplear**

xenofobia s.f.

● CON ADJS. **exacerbada** *Sus palabras revelan una xenofobia exacerbada* || **manifiesta** · **ostensible** · **patente** || **encubierta** · **oculta** · **soterrada** || **larvada** · **latente** || **emergente** *frenar la xenofobia emergente* · **creciente** || **reinante** · **imperante** · **generalizada**
● CON SUSTS. **brote (de)** · **ola (de)** · **auge (de)** *fórmulas para frenar el auge de la xenofobia en ambientes escolares* · **ascenso (de)** || **problema (de)**
● CON VBOS. **desatar(se)** · **aflorar** · **brotar** · **cundir** · **extender(se)** · **crecer** || **latir (en algo/en alguien)** · **incubar(se)** · **azotar (algo)** || **despertar** · **engendrar** *Se temía que aquellas declaraciones engendraran cierta xenofobia* · **provocar** || **alimentar** · **fomentar** · **atizar** · **avivar** || **pregonar** · **predicar** · **defender** · **apoyar** || **denunciar** · **condenar** *Nuestra organización condena firmemente la xenofobia* · **rechazar** · **combatir** · **perseguir** || **rezumar** || **luchar (contra)** · **incitar (a)** *un texto que incita a la xenofobia*

xenófobo, ba adj.

● CON SUSTS. **actitud** *una serie de medidas para acabar con las actitudes xenófobas en el mundo del deporte* · **sentimiento** · **comportamiento** · **conducta** || **acto** · **agresión** · **atentado** · **brote** || **manifestación** · **expresión** · **declaración** · **reacción** || **contenido** · **componente** · **ingrediente** · **trasfondo** *La Policía está investigando el trasfondo xenófobo de la agresión* · **tendencia** · **elemento** || **discurso** · **comentario** · **mensaje** · **campaña** || **pensamiento** · **doctrina** · **ideología** || **violencia** · **amenaza** · **intolerancia** || **razón** · **motivo**

xerófilo, la adj.

● CON SUSTS. **matorral** · **arbusto** · **bosque** · **monte** · **vegetación** · **flora** || **especie**

xilófago, ga adj.

● CON SUSTS. **hongo** *una madera dañada por un hongo xilófago* · **insecto** · **coleóptero** · **termita** · **larva** || **especie**

xilófono s.m. Véase **INSTRUMENTO MUSICAL**

Y y

yacaré s.m.

- CON SUSTS. **piel (de) || macho · hembra**
- CON VBOS. **nadar · morder (algo/a alguien) · devorar (algo/a alguien) · atacar (algo/a alguien) || cazar · capturar**

yacer v.

- CON SUSTS. **restos · cuerpo · animal ||** *persona*
- CON ADJS. **muerto,ta · inerte** *Cuando llegó la Policía, el cuerpo de la víctima yacía inerte en el suelo* · **enterrado,da || (mal)herido,da · moribundo,da · dormido,da · enfermo,ma**
- CON ADVS. **boca arriba · boca abajo**

yacimiento s.m.

- CON ADJS. **arqueológico** *Al hacer el túnel subterráneo, descubrieron un yacimiento arqueológico* · **paleontológico · de fósiles || mineral · minero · petrolífero · de petróleo · de gas || importante · valioso · rico || prehistórico** *una zona rica en yacimientos prehistóricos*
- CON SUSTS. **riqueza (de) · búsqueda (de) · explotación (de)**
- CON VBOS. **hallar · encontrar · descubrir · buscar || explotar · conservar · proteger || visitar** *visitar un yacimiento paleontológico*

yak s.m.

- CON SUSTS. **pelo (de) · cuerno (de) || leche (de) · carne (de) || manada (de)** *Cerca pastaba una manada de yaks* **|| macho · hembra**
- CON VBOS. **rumiar · pastar || criar**

yarda s.f.

- CON ADJS. **terrestre || de longitud · de distancia · de largo**
- CON SUSTS. **símbolo (de) · abreviación (de)**
- CON VBOS. **medir · calcular || recorrer · andar · caminar · correr** *Corrió unas cuantas yardas antes de tropezar y caer* **|| equivaler (a)**
- CON PREPS. **a**

yegua s.f.

- CON ADJS. **salvaje || pura · purasangre · mestiza || torda**
- CON VBOS. **relinchar || galopar** *La yegua galopaba huyendo del fuego* · **trotar · correr · desbocarse || cubrir** *Estamos buscando un semental que cubra a nuestra yegua* · **montar · cruzar || adiestrar · domar · herrar · ensillar || montar (en) · subir(se) (a) · apear(se) (de) · bajar(se) (de)**
- CON PREPS. **a lomos (de)**

yema s.f.

▮ [de huevo]

- CON VBOS. **romper(se) || batir** *batir primero las yemas* · **cuajar · reventar · separar**

▮ [de los dedos]

- CON ADJS. **arrugada** *Después de tanto tiempo en el agua, tenía todas las yemas de los dedos arrugadas* · **rugosa**
- CON VBOS. **quemar(se) || tocar (con)**

▮ [de los árboles]

- CON VBOS. **brotar · salir** *A los árboles les han salido ya algunas yemas* · **florecer**

yen s.m. Véase **MONEDA**

yermo, ma adj.

- CON SUSTS. **campo · solar · suelo · terreno · tierra || meseta · paisaje** *Aquel paisaje yermo contrastaba con la exuberancia del país* · **geografía · paraje · páramo · territorio || debate || panorama · período || silencio**

yerro s.m.

- CON ADJS. **enorme · importante · fatal** *Cometió el yerro fatal de...*
- CON VBOS. **cometer · enmendar · arreglar · corregir · subsanar · rectificar || pasar · admitir · reconocer** *El soberbio nunca reconoce sus yerros* **|| considerar || incurrir (en)**

yesca s.f.

- CON VBOS. **encender · prender || arder (como)**

yeso s.m.

- CON SUSTS. **escultura (de) · figura (de) · estatua (de) · busto (de) · molde (de) · vaciado (en) || copia (en) · imitación (en) || capa (de) · placa (de)**
- CON VBOS. **realizar (en)** *Nuestro escultor realizó sus primeras obras en yeso* **|| vaciar (en)**

yodado, da adj.

- CON SUSTS. **sal · alcohol** *Me han recomendado alcohol yodado para la herida* · **agua · producto**

yoga s.m.

- CON SUSTS. **curso (de) · clase (de) · práctica (de) · afición (a) · profesor,-a (de) · ejercicio (de) · sesión (de)** *No me quiero perder mi sesión semanal de yoga*
- CON VBOS. **hacer · practicar || aficionar(se) (a)**

yogur s.m.

- CON ADJS. **natural** *Esta receta se hace con yogur natural* · **de sabores · desnatado · descremado · de frutas · líquido || sano · nutritivo || cremoso || enriquecido**

• CON SUSTS. **envase (de)** · **paquete (de)** || **marca (de)** · **anuncio (de)** || **mousse (de)** · **helado (de)** || **caducidad (de)**
• CON VBOS. **caducar** *Tenemos que tomar este yogur antes de que caduque* · **pasarse** · **agriar(se)** · **vencer** || **tomar**

yuca s.f.

• CON SUSTS. **cultivo (de)** *La economía de esta región se basa en el cultivo de la yuca y la patata* · **cosecha (de)** || **almidón (de)** || **esqueje (de)** || **harina (de)** || **trozo (de)** · **pedazo (de)**
• CON VBOS. **cultivar** · **sembrar** · **producir** · **cosechar** · **plantar** || **pelar** · **trocear** || **freír** · **cocinar** · **hervir** · **cocer** · **aliñar** *Se puede aliñar la yuca con esta salsa*

yudo s.m.

• CON SUSTS. **llave (de)** *He aprendido varias llaves de yudo en clase de defensa personal* || **clase (de)** · **profesor,-a (de)**
• CON VBOS. **practicar** · **hacer**

yugo s.m.

• CON ADJS. **duro** · **pesado** *un país que no termina de liberarse del pesado yugo de la violencia* · **agobiante** · **opresor** · **esclavizante** || **libre (de)** · **sujeto,ta (a)** · **preso,sa (de)**
• CON VBOS. **oprimir (a alguien)** · **sujetar (a alguien)** · **aprisionar (a alguien)** || **soportar** · **sufrir** || **sacudir(se)** || **vivir (bajo)** · **cargar (con)** || **atar (a)** · **uncir (a)** · **caer (bajo)** · **sujetar(se) (a)** · **someter(se) (a)** || **escapar(se) (de)** *...y otras trabas similares que impiden escapar del yugo del sistema* · **liberar(se) (de)** · **librar(se) (de)** · **salir (de)** · **redimir(se) (de)**

yugular

1 **yugular** adj.
• CON SUSTS. **vena**

2 **yugular** s.f.
• CON VBOS. **seccionar** · **cortar** · **rajar** || **tirarse (a)** · **saltar (a)** *No saques de nuevo ese asunto tan polémico porque te saltarán a la yugular* · **lanzarse (a)** · **ir (a)**

yute s.m.

• CON SUSTS. **fibra (de)** || **corteza (de)** || **tela (de)** *unos sacos hechos con tela de yute* || **cultivo (de)**
• CON VBOS. **cultivar** · **sembrar** · **cosechar** · **plantar** || **manipular** · **trenzar**

yuxtaponer v.

• CON SUSTS. **elemento** · **fragmento** *El realizador fue yuxtaponiendo pequeños fragmentos de las distintas películas* · **pieza** · **componente** || **imagen** · **objeto** · **hecho**

□ USO Se construye generalmente con sustantivos contables en plural (*yuxtaponer imágenes*), coordinados por la conjunción *y* (*yuxtaponer una imagen y otra*) o unidos con la preposición *con* (*yuxtaponer una imagen con otra*).

Z z

zafarrancho s.m.

● CON ADJS. **de combate** *Salió huyendo en pleno zafarrancho de combate* · **electoral** · **general** · **judicial**
● CON VBOS. **sonar** || **oír** · **tocar** || **iniciar** · **ordenar** || **meter(se) (en)**

zafarse (de) v.

● CON SUSTS. ***persona*** *Se zafó del policía y echó a correr* || **control** · **vigilancia** *El ladrón se zafó de la vigilancia a la entrada del museo* · **defensa** · **protección** || **regulación** · **ley** · **norma** · **autoridad** || **obligación** · **compromiso** · **reunión** || **acoso** *La actriz logró zafarse del acoso de los periodistas* · **pregunta** · **interrogatorio**
● CON ADVS. **hábilmente** · **finamente** · **educadamente** *El entrevistado se zafó muy educadamente de las preguntas comprometidas*

zafiamente adv.

● CON VBOS. **actuar** · **comportarse** || **hablar** · **escribir** · **expresar(se)** || **dirigir** · **llevar (un asunto)** · **tratar** *En su artículo trata zafiamente al insigne escritor*

zafio, fia adj.

● CON SUSTS. **humor** · **gracia** · **chiste** *una actuación basada en chistes zafios* · **broma** · **parodia** || **campaña** · **programa** · **anuncio** · **comedia** · **historia** || **maneras** · **modales** · **carácter** · **estilo** · **tono** · **aire** · **lenguaje** || **persona** · **humorista** · **político,ca** · ***otros individuos*** || **comportamiento** · **actuación** || **vulgaridad** || **agresión** || **ejemplo** · **muestra**
● CON VBOS. **resultar** · **volverse** · **ponerse**

[zaga] → a la zaga

zaherir v.

● CON SUSTS. ***persona*** *Fue expulsado de la sala por zaherir al juez* || **sensibilidad** *unas crudas imágenes que zaherían nuestra sensibilidad*
● CON ADVS. **impunemente** · **gratuitamente** || **sucesivamente** || **sin piedad** · **violentamente** · **bruscamente**

zalamería s.f.

● CON VBOS. **hacer (a alguien)** || **dejar(se) (de)** *Déjate de zalamerías, que no me vas a convencer*

zalamero, ra adj.

● CON SUSTS. ***persona*** *una joven zalamera y engatusadora* || **palabra** · **carácter** · **actitud** · **tono** || **caricia** · **carantoña**
● CON VBOS. **volverse** · **ponerse**

zambombazo s.m.

● CON ADJS. **enorme** · **tremendo** || **sonoro** *Después del pregón, se inauguró la fiesta con un sonoro zambombazo* · **sonado**
➤ Véase también **GOLPE**

zambullida s.f.

● CON ADJS. **rápida** · **libre** || **refrescante**
● CON VBOS. **dar(se)** *Aunque el día no estaba muy soleado, aprovechamos para darnos alguna zambullida* · **pegar(se)**

zambullir(se) (en) v.

● CON SUSTS. **agua** · **mar** · **piscina** · **río** · **laguna** *Los patos se zambullían en la laguna* || **ciudad** · **biblioteca** · **discoteca** · **bar** · ***otros lugares*** || **hueco** · **escondrijo** · **agujero** · **refugio** · **cueva** || **barro** · **césped** · **espuma** · **hierba** *...hierba fresca, alta, y tierna que invitaba a zambullirse en ella* · ***otras materias o sustancias*** || **baño** *Está deseando zambullirse en un baño de multitudes* || **lectura** *un rincón tranquilo que invita a los viajeros a zambullirse en la lectura* · **escritura** · **trabajo** · **estudio** · **análisis** · **pensamiento** · **educación** · **diseño** · **documentación** · **juego** || **novela** · **página** · **música** · **pintura** · **historia** · **película** · **libro** *Zambullirme en un libro era su mayor felicidad* · **leyenda** · **diario** · **argumento** · **canción** · **discurso** || **corriente** · **línea** || **romanticismo** · **bohemia** · **consumismo** *...zambullidos como cada año en el consumismo navideño* || **pelea** · **refriega** · **maremágnum** · **ajetreo** · **frenesí** · **fregado** · **problema** || **atasco** · **embotellamiento** · **tráfico** *Se levanta, se lava, se afeita, se viste, sale y se zambulle en el tráfico cotidiano* || **época** · **tiempo** · **futuro** · **vacaciones** · **fin de semana** · **prehistoria** · **aniversario** · ***otros momentos o períodos*** || **desasosiego** · **autocrítica** · **desgana** · **crisis** · **pesimismo** · **complejo**

zampar v. *col.*

● CON SUSTS. **bocadillo** *Se ha zampado dos bocadillos para merendar* · **helado** · **paella** · ***otros alimentos o comidas***
● CON ADVS. **vorazmente** · **ávidamente** · **compulsivamente**

zanahoria s.f.

● CON SUSTS. **zumo (de)** · **jugo (de)** || **crema (de)** · **puré (de)** || **tarta (de)** || **manojo (de)**
● CON VBOS. **cultivar** · **sembrar** · **cosechar** · **plantar** || **recolectar** || **encurtir** || **cortar** · **pelar** *un utensilio muy práctico para pelar zanahorias* · **trocear** · **rallar** · **trinchar** · **licuar** || **cocer**

zancada s.f.

● CON ADJS. **gran(de)** · **larga** *Avanzaba a largas zancadas hacia la puerta de salida* · **corta** · **pequeña** || **elegante**

● CON SUSTS. **amplitud (de) · frecuencia (de) · ritmo (de)**
● CON VBOS. **dar · pegar**

zancadilla s.f.

● CON ADJS. **certera · acertada · oportuna || inoportuna · malintencionada · alevosa · dolorosa · traicionera || evidente · clara || política · parlamentaria · laboral · comercial**
● CON VBOS. **poner (a alguien)** *Le puso una zancadilla y le pitaron falta* · **meter (a alguien) || esquivar · evitar || zafar(se) (de)**

zancadillear v.

● CON SUSTS. **rival · prójimo,ma · delincuente · compañero,ra · contrario,ria · jugador,-a · defensa** *Zancadilleó al defensa delante del árbitro* · ***otros individuos*** **|| proyecto · carrera · ascenso**
● CON ADVS. **intencionadamente · claramente · impunemente · a la vista (de alguien)**

zancudo, da adj.

● CON SUSTS. **ave** *un lago lleno de aves zancudas* · **insecto**

zángano, na s. *col.*

● CON ADJS. **ocioso,sa · desocupado,da · inútil**
● CON SUSTS. **panda (de) · grupo (de)**
● CON VBOS. **vaguear · perder el tiempo · no hacer nada · tumbarse (a la bartola)**

zanja s.f.

● CON ADJS. **abierta** *Las calles están llenas de zanjas abiertas* · **profunda · insalvable · grande · amplia || transversal**
● CON SUSTS. **longitud (de) · profundidad (de) || interior (de) · fondo (de)**
● CON VBOS. **abrir · hacer · cavar · horadar · profundizar · excavar || cerrar · tapar || saltar · salvar · sortear || caer(se) (en) || llenar (de)** *Han llenado la ciudad de zanjas*

zanjar v.

● CON SUSTS. **cuestión · asunto** *zanjar definitivamente este asunto* · **tema · caso · capítulo · episodio · punto · situación · historia · hecho || diferencia · discusión · disputa · polémica · conflicto** *La empresa y el sindicato negocian para zanjar el conflicto* · **discrepancia · contencioso · litigio · desavenencia · controversia · lucha · batalla · pelea · enfrentamiento · divergencia · división || duda · incertidumbre · incógnita · dilema · interrogante · disyuntiva · cuita · vacilación · indefinición · lío || problema · crisis · incidente · escándalo** *Sus declaraciones, en lugar de zanjar el escándalo, lo reavivaron* · **escollo · alarma · deterioro · desastre || debate · acuerdo · pregunta · conversación · comentario · crítica · declaración · opinión · queja · rumor · promesa · propuesta · protesta · confesión · lisonja || deuda** *Con este pago zanjaré mis deudas* · **cuenta · fichaje · compra · venta · traspaso · pago · cobro · privatización · especulación · reparto || suceso · partido · reunión · campeonato · comicios · congreso · encuentro · final · gira · fiesta · campaña || etapa · período · pasado** *¿Existe verdadera voluntad política de zanjar el pasado?* · **racha · jornada · día · fecha**
● CON ADVS. **abruptamente · bruscamente · drásticamente · en seco** *El presidente zanjó en seco el debate negándose a hacer más declaraciones* · **rápidamente || definitivamente · para siempre · temporalmente · de raíz || de una vez · de una vez por todas || categóricamente · dogmáticamente**

zapata s.f.

● CON VBOS. **gastar(se) || cambiar** *Tengo que cambiarle las zapatas a la bici porque casi no frena*

zapatazo s.m.

● CON ADJS. **tremendo · sonoro · preciso** *El delantero remató a portería con un preciso zapatazo* · **violento**
➤ Véase también **GOLPE**

zapatear v.

● CON ADVS. **furiosamente · vigorosamente · enérgicamente** *Los bailaores zapateaban enérgicamente en el escenario* · **fuertemente · estrepitosamente || constantemente || alegremente || con arte · con ritmo · airosamente**

zapatería s.f. Véase **ESTABLECIMIENTO**

zapatero, ra

1 **zapatero, ra** adj.

● CON SUSTS. **patronal · industria** *La mayoría de los habitantes de este pueblo viven de la industria zapatera* · **producción · empresa || tradición · población**

2 **zapatero, ra** s.

● CON ADJS. **remendón**
● CON SUSTS. **aprendiz,-a (de)** *Antes de tener su propio negocio, estuvo dos años de aprendiz de zapatero en un taller* **|| gremio (de)**
● CON VBOS. **arreglar (el calzado) · {cambiar/poner} suelas || ejercer (como) · trabajar (de/como)**

zapatiesta s.f.

● CON VBOS. **montar · organizar** *Los alumnos organizaron una tremenda zapatiesta* · **armar · liar**

[zapatilla] → como una zapatilla; zapatilla

zapatilla s.f.

● CON ADJS. **deportiva** *En mi cumpleaños me regalaron unas zapatillas deportivas* · **de andar por casa**
➤ Véase también **CALZADO**

zapato s.m.

● CON ADJS. **de fiesta · de baile · deportivo**
➤ Véase también **CALZADO**

zapeo s.m.

● CON ADJS. **rápido · continuo · frenético · compulsivo || mecánico · aburrido**
● CON SUSTS. **afición (a)** *Con tu afición al zapeo no hay quien pueda seguir un programa* · **aficionado (a) · amante (de) · víctima (de)**
● CON VBOS. **hacer · practicar || parar · detener · evitar**

zar, zarina s.

● CON ADJS. **poderoso,sa**
● CON SUSTS. **época (de)** *una serie de televisión que retrata la época de los zares* · **régimen (de) · imperio (de) · dinastía (de) || corte (de) || coronación (de)**
● CON VBOS. **gobernar · abdicar || derrotar · deponer**

zarandaja s.f.

● CON ADJS. **pequeña · absurda · estúpida || comercial · presupuestaria · económica · ideológica · folclórica · nacionalista**
● CON VBOS. **andarse (con) · venir (con)** *No me vengas con zarandajas y cuéntame qué ha pasado* · **dejarse (de)**

zarandear v.

● CON ADVS. **violentamente · con fuerza · con dureza · sin contemplaciones || repetidamente** *Según los testigos, el delincuente zarandeó repetidamente a la víctima* · **una y otra vez || levemente · ligeramente**

zarcillo s.m.

● CON ADJS. **de bisutería · de {oro/plata} · de tuerca || largo · precioso · llamativo**
● CON VBOS. **poner(se) · quitar(se)** *Se ha quitado los zarcillos de las orejas* **|| llevar · usar || perder**

zarpar v.

● CON SUSTS. **barco** *El barco zarpará de un momento a otro* · **buque · navío · flota || contingente · expedición · tripulación**

zarpazo s.m.

● CON ADJS. **mortal** *El tigre asestó un zarpazo mortal al domador* · **sangriento**
➤ Véase también **GOLPE**

zarrapastrosamente adv. *col.*

● CON VBOS. **vestir** *Se me acercó un muchacho que vestía zarrapastrosamente*

zarrapastroso, sa adj. *col.*

● CON SUSTS. **aspecto** *un escritor bohemio de aspecto zarrapastroso* · **fisonomía · estilo · apariencia || atuendo · prenda**

zarzamora s.f.

● CON ADJS. **madura · pasada · podrida · dura · blanda || dulce · ácida || sabrosa · apetitosa || silvestre**
● CON SUSTS. **campo (de)** *Había un campo de zarzamoras cerca de donde vivíamos* **|| recolección (de) || pastel (de) || batido (de) · jugo (de)**
● CON VBOS. **brotar · nacer · despuntar · crecer · secar(se) || madurar · pudrir(se) · estropear(se) || sembrar · plantar || recolectar · coger** *Nos detuvimos para coger zarzamoras* · **recoger || saborear · paladear || confitar**

zarzaparrilla s.f.

● CON SUSTS. **refresco (de)**
➤ Véase también **BEBIDA**

zenit s.m. Véase **cénit**

[zigzag] → en zigzag

zigzaguear v.

● CON SUSTS. **cauce** *El cauce del río zigzaguea en el tramo final* · **camino · senda · ruta · carretera || arroyo · río || trayectoria · trayecto · recorrido**

zoco s.m.

● CON ADJS. **inmenso · grande · bullicioso || oriental · tradicional** *Visitamos el zoco tradicional de la ciudad*
● CON SUSTS. **tienda (de)** *Me metí en todas las tiendas del zoco* · **comercio (de) || calle (de) · barrio (de)**
● CON VBOS. **comprar (en) · vender (en) · perder(se) (en)**

zodiaco s.m.

● CON SUSTS. **signo (de)** *¿Qué signo del zodiaco eres?* · **representación (de) || predicción (de)**
● CON VBOS. **predecir (algo) · augurar (algo) || consultar · leer || creer(se) || confiar (en)**

zombi

1 **zombi** adj. *col.*

● CON VBOS. **estar** *Se levanta siempre con sueño y está zombi un par de horas* **|| ir · caminar · deambular**

2 **zombi** s.m.

● CON SUSTS. **aspecto (de) · cara (de)** *Llegó al examen con cara de zombi* **|| película (de)**

zona s.f.

● CON ADJS. **extensa** *La urbanización ocupa una extensa zona* · **vasta · amplia || pequeña · reducida || intransitable · inaccesible · inexplorada** *Llegamos a una zona inexplorada* · **virgen · desconocida || conocida · frecuentada · concurrida || despoblada · poblada · habitada || circundante · contigua** *En la zona contigua a su casa no había nada construido* · **limítrofe · colindante || especial · restringida · protegida · reservada · prohibida · vedada || privada · pública · azul || catastrófica** *La región ha sido declarada zona catastrófica* · **monumental** *visitar la zona monumental de la ciudad* · **defensiva · de influencia · franca · humanitaria**
● CON SUSTS. **vecino,na (de) · habitante (de) || empresa (de) · desarrollo (de) · producto (de)**
● CON VBOS. **congestionar(se) || acotar · delimitar** *el tratado que delimitó las zonas de influencia después de la contienda* · **fijar · establecer · marcar · circundar · demarcar || extender · ampliar · reducir || visitar** *visitar una zona de gran valor arqueológico* · **frecuentar · explorar || atravesar · cruzar · recorrer || proteger · cuidar · defender · atacar · invadir || dominar || circular (por) · transitar (por) || habitar (en) · vivir (en)** *Vivíamos en una buena zona* **|| salir(se) (de) · entrar (en) · mantener(se) (en) · estar (en) · retirar(se) (de) · huir (de) · alejar(se) (de) · marchar(se) (de)**

zoo s.m. Véase **zoológico, ca**

zoología s.f. Véase **DISCIPLINA**

zoológico, ca

1 **zoológico, ca** adj.

● CON SUSTS. **parque** *una visita guiada por el parque zoológico* · **jardín · centro · museo || universo || especie · estudio · clasificación · hallazgo**

2 **zoológico** s.m.

● CON ADJS. **nacional · municipal · privado || salvaje · campestre · marino · marítimo || particular · pintoresco · infantil**
● CON VBOS. **visitar || ir (a)** *Si el domingo hace buen tiempo, iremos al zoológico*

zoquete adj. *col.*

● CON ADJS. **verdadero · auténtico · completo · perfecto**
● CON VBOS. **llamar (a alguien)** *Me llamó zoquete porque no lo entendí a la primera*

[zorro] →como un zorro; zorro, rra

zorro, rra

1 **zorro, rra** s.

• CON ADJS. **polar** · **ártico** · **común** || **astuto,ta** · **taimado,da** || **depredador,-a**

• CON SUSTS. **caza (de)** · **cacería (de)** || **cola (de)** · **rabo (de)** · **piel (de)**

• CON VBOS. **devorar (algo)** · **atacar (algo)** · **atrapar (algo)** || **perseguir** · **acosar** · **cazar** · **capturar** || **ahuyentar** *Intentaban ahuyentar al zorro que había asaltado sus gallineros*

2 **zorro** s.m.

• CON SUSTS. **chaquetón (de)** · **cuello (de)** · **estola (de)**

☐ EXPRESIONES **hecho unos zorros** [en muy malas condiciones] *col.*

zozobra s.f.

• CON ADJS. **continua** · **permanente** *vivir en permanente zozobra* · **constante** || **enorme** · **grave** · **intensa** · **larga** || **económica** *Su mala gestión causó la gran zozobra económica que aún perdura* · **electoral** · **afectiva** || **general** · **colectiva** · **personal**

• CON SUSTS. **momento (de)** *Aprovecharon el momento de zozobra para sentenciar el partido* · **tiempo (de)** || **clima (de)** · **entorno (de)** · **estado (de)** || **causa (de)** · **motivo (de)**

• CON VBOS. **entrar(le) (a alguien)** · **venir(le) (a alguien)** · **llegar** || **crear** · **causar** · **sembrar** *La desconfianza sembró la zozobra entre la ciudadanía* · **generar** · **motivar** || **mantener** · **alimentar** || **tener** || **aliviar** · **aumentar** · **sacudir(se)** || **demostrar** · **revelar** || **vivir (en)**

• CON PREPS. **en** · **en medio (de)**

zozobrar v.

• CON SUSTS. **barco** *El barco zozobró durante la tormenta* · **nave** · **crucero** · ***otras embarcaciones*** || **presidente,ta** · **ministro,tra** · **político,ca** · **partido** · **gobierno** *una crisis que ha hecho zozobrar al Gobierno* · **asociación** · **empresa** · ***otros individuos y grupos humanos*** || **serie** · **función** · **historia** · **narración** || **camino** · **carrera** · **expedición** · **negociación** · **consenso** *A pesar del esfuerzo de los negociadores, parece que el consenso ha zozobrado* || **proyecto** · **plan**

zueco s.m.

• CON ADJS. **de madera** *Son típicos los zuecos de madera de las zonas rurales del norte* · **de cuero**

➤ Véase también **CALZADO**

zumbado, da adj. *col.*

• CON VBOS. **estar** · **volverse** · **quedar(se)** || **acabar** *Dicen que acabó medio zumbado de tanto estudiar* · **ir**

zumbar v.

▌[producir cierto sonido]

• CON SUSTS. **insecto** · **abeja** · **mosca** · **aire** || **oído** *Desde que me he subido al avión me zumban los oídos* || **avión** · **reactor** · **motor** · **hélice**

▌[pegar] *col.*

• CON SUSTS. **bofetada** · **torta** *Le zumbó una torta sin venir a cuento* · **manotazo** · ***otros golpes***

☐ EXPRESIONES **zumbando** [muy deprisa] *col.*

zumbido s.m.

• CON ADJS. **continuo** · **tenue** · **leve** · **interrumpido** || **fuerte** · **intenso** || **molesto** · **insoportable** *El motor de ese ventilador produce un zumbido insoportable* · **inaguantable**

• CON VBOS. **oír** · **percibir** || **producir**

zumo s.m.

• CON ADJS. **denso** · **viscoso** · **consistente** || **líquido** · **fluido** · **acuoso** · **aguado** · **diluido** · **inconsistente** || **natural** *Para desayunar tomamos zumo natural y tostadas* · **de bote** · **concentrado** · **artificial** · **envasado** || **de frutas** · **de naranja** || **{con/sin} pulpa**

• CON SUSTS. **vaso (de)** · **botella (de)** · **litro (de)** · **concentrado (de)** || **naranja (de)**

• CON VBOS. **exprimir** *exprimir el zumo de un limón* · **extraer** · **sacar** · **licuar** · **destilar** · **escurrir** · **colar** || **hacer** || **tomar** · **beber**

zurcido s.m.

• CON VBOS. **hacer** *Hice un zurcido para disimular el agujero del calcetín* · **poner** · **echar**

zurcir v.

• CON SUSTS. **descosido** *Se ofreció amablemente a zurcirme el descosido de la falda* · **roto** || **falda** · **pantalón** · ***otras prendas de vestir*** || **tela**

zurear v.

• CON SUSTS. **paloma** *¿Oyes zurear a las palomas?*

zurra s.f. *col.*

• CON VBOS. **dar** · **pegar** · **propinar** *Los matones le propinaron una buena zurra a la salida del bar*

zurriagazo s.m. Véase **GOLPE**

zurriago s.m.

• CON VBOS. **dar (con)** · **pegar (con)**

zurrón s.m.

• CON VBOS. **llenar** || **meter (en)** · **sacar (de)** *El pastor sacó del zurrón todo lo que tenía*